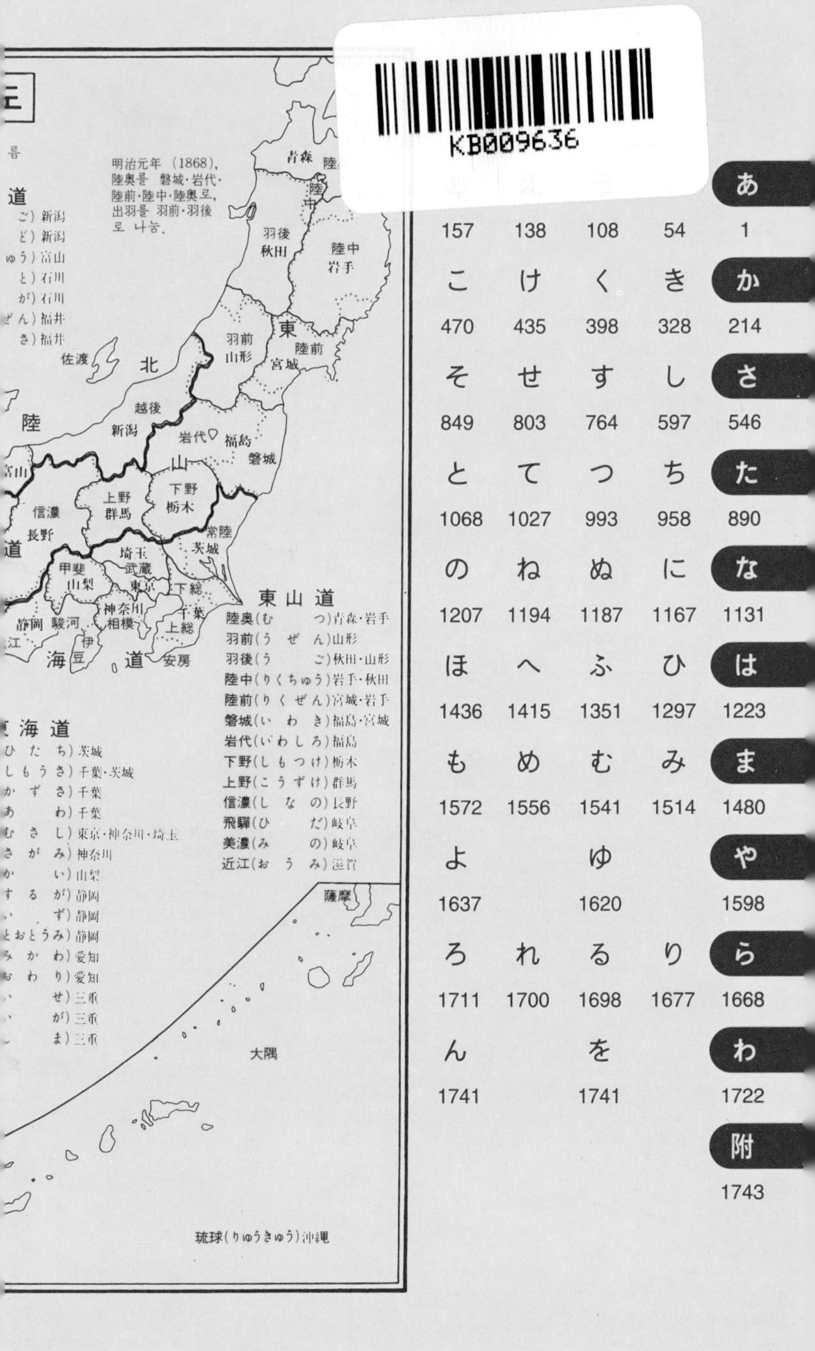
KB009636
明治元年（1868），
陸奥를 磐城·岩代·
陸前·陸中·陸奥로,
出羽를 羽前·羽後
로 나눔.
青森
陸中
羽後
秋田
陸中
岩手
東
羽前
山形
陸前
宮城
佐渡
北
越後
新潟
陸
岩代
福島
磐城
山
上野
群馬
下野
栃木
信濃
長野
常陸
茨城
埼玉
武蔵
甲斐
山梨
東京
下総
千葉
上総
神奈川
相模
静岡
駿河
伊豆
安房
海
道
東 山 道
陸奥(む　つ)青森·岩手
羽前(う　ぜ　ん)山形
羽後(う　ご)秋田·山形
陸中(りくちゅう)岩手·秋田
陸前(りくぜん)宮城·岩手
磐城(い　わ　き)福島·宮城
岩代(いわしろ)福島
下野(しもつけ)栃木
上野(こうずけ)群馬
信濃(し　な　の)長野
飛騨(ひ　だ)岐阜
美濃(み　の)岐阜
近江(お　う　み)滋賀
薩摩
大隅
琉球(りゅうきゅう)沖縄
あ
157 138 108 54 1
こ け く き か
470 435 398 328 214
そ せ す し さ
849 803 764 597 546
と て つ ち た
1068 1027 993 958 890
の ね ぬ に な
1207 1194 1187 1167 1131
ほ へ ふ ひ は
1436 1415 1351 1297 1223
も め む み ま
1572 1556 1541 1514 1480
よ ゆ や
1637 1620 1598
ろ れ る り ら
1711 1700 1698 1677 1668
ん を わ
1741 1741 1722
附
1743

일본어의 로마자 표기《헵번식(式)》

a (ア)	i (イ)	u (ウ)	e (エ)	o (オ)
ka (カ)	ki (キ)	ku (ク)	ke (ケ)	ko (コ)
sa (サ)	shi (シ)	su (ス)	se (セ)	so (ソ)
ta (タ) tsa (ツァ)	chi (チ) ti (ティ)	tsu (ツ) tu (トゥ)	te (テ) tse (ツェ)	to (ト) tso (ツォ)
na (ナ)	ni (ニ)	nu (ヌ)	ne (ネ)	no (ノ)
ha (ハ) fa (ファ)	hi (ヒ) fi (フィ)	fu (フ)	he (ヘ) fe (フェ)	ho (ホ) fo (フォ)
ma (マ)	mi (ミ)	mu (ム)	me (メ)	mo (モ)
ya (ヤ)		yu (ユ)		yo (ヨ)
ra (ラ)	ri (リ)	ru (ル)	re (レ)	ro (ロ)
wa (ワ)	wi (ウィ)		we (ウェ)	wo (ウォ)
ga (ガ)	gi (ギ)	gu (グ)	ge (ゲ)	go (ゴ)
za (ザ)	ji (ジ)	zu (ズ)	ze (ゼ)	zo (ゾ)
da (ダ)	ji (ヂ) di (ディ)	zu (ヅ) du (ドゥ) dyu (デュ)	de (デ)	do (ド)
ba (バ)	bi (ビ)	bu (ブ)	be (ベ)	bo (ボ)
pa (パ)	pi (ピ)	pu (プ)	pe (ペ)	po (ポ)
kya (キャ)		kyu (キュ)		kyo (キョ)
sha (シャ)		shu (シュ)	she (シェ)	sho (ショ)
cha (チャ)		chu (チュ)	che (チェ)	cho (チョ)
nya (ニャ)		nyu (ニュ)		nyo (ニョ)
hya (ヒャ)		hyu (ヒュ) fyu (フュ)		hyo (ヒョ)
mya (ミャ)		myu (ミュ)		myo (ミョ)
rya (リャ)		ryu (リュ)		ryo (リョ)
gya (ギャ)		gyu (ギュ)		gyo (ギョ)
ja (ジャ)		ju (ジュ)	je (ジェ)	jo (ジョ)
bya (ビャ)		byu (ビュ)		byo (ビョ)
pya (ピャ)		pyu (ピュ)		pyo (ピョ)

〔주의〕 1. 장음은 모음 위에 장음 부호(-)를 붙임.
ā(アー) ē(エー) ī(イー) ō(オー) ū(ウー)

2. 'ん' 은 'n' 으로 표시하되, b, m, p 앞에 올 때는 'n' 대신 'm' 을 씀.
shimbun(新聞), shimmai(新米), rampu(ランプ)
또, 모음이나 ヤ行(ぎょう) 음 앞에 온 경우에는 'n' 다음에 (')를 질러 다음 음절과의 구별을 밝혀 줌.
gen'in(原因), kon'ya(今夜)

3. 촉음(促音)은 자음을 겹치되, チ(chi)음 앞에서는 't' 를 삽입함.
appaku(圧迫), kokkai(国会), tosshin(突進), mitchaku(密着)

4. 'あっ' 'やっ' 의 'っ' 를 나타내기 위하여 (ˇ) 기호를 씀.
ǎ(あっ) yǎ(やっ)

엣센스 實用 日韓辭典

慶熙大學校 教授 李 淑 子
慶熙大學校 教授 箕輪吉次(みのわ よしつぐ) 編著

辭典專門
民衆書林

머 리 말

오랫동안 각계로부터 절대적인 호평을 받고 있는 "엣센스 日韓사전"이 처음 간행된 것이 1973년, 그 후 급변하는 시대의 흐름에 맞추어 두 차례나 전면 증보를 하다 보니, 어느덧 방대한 부피로 늘어나게 되었다. 이에 대사전은 여러모로 버겁고, 소사전으로는 어딘지 미흡한 분들을 위하여 휴대하기 간편하면서도 내용 면에서는 중사전에 못잖게 알차고 실용적인 이 사전을 펴내게 되었다.

기본틀은 정평 있는 위의 사전을 바탕으로 하였으나, 사용 빈도가 낮은 어구나 실생활에 불요불급한 항목 등은 과감히 정리, 고교·대학생은 물론, 일반 사회인의 일어 학습 및 이용에 "꼭 필요하고도 충분한 내용"을 밀도 있게 담고자 세심한 주의를 기울였다.

이번에 특히 역점을 둔 몇 가지를 요약하면 다음과 같다.

1. **정선된 표제어** — 일상 쓰는 현대어 위주로 엄선하였으며, 특히 21세기 국제화·지식 정보화 시대에 걸맞게 '内閣府(ないかくふ)' 'ブリッジバンク' '社外取締役(しゃがいとりしまりやく)' 'セットバック' 와 같은 시사어·전문어, 'アンマリッチ族(ぞく)' '介助犬(かいじょけん)' '個食(こしょく)' '特番(とくばん)' '漫画(まんが)きっさ' 'パラサイトシングル' '紅葉(もみじ)マーク' '着(ちゃく)メロ' 'ドメイン名(めい)' 같은 외래어·유행어·IT(정보 기술) 분야 등의 신어도 상당수 추가, **총 표제 어휘 63,000여어**를 수록하였다.
2. **실용적인 용례 및 관용구** — 어의(語義)의 정확한 이해와 그 응용을 돕기 위해 일상생활에 직결된 용례 위주로 다양하게 제시하였다.
3. **送(お)りがな의 간명화** — 종전에 ( )로 싼, 곧 생략이 허용되는 부분은 밖으로 내보여 알기 쉽게 간명화하였다《※P. 3 ㅊ항 참고》.
4. **유용한 박스 기사** — 요소요소에 [박스記事]를 마련하여, 그 표제어에 관련된 여러 사항 등을 한데 묶어, 그 방면의 지식·정보 등을 폭넓게 활용할 수 있도록 하였다.
5. **보다 찾기 쉬운 漢字 부록** — 모르는 한자는 획수나 部首순으로, 음을 알면 "가나다音順"으로 좀더 쉽게 찾아볼 수 있도록 배열하였다《수록 한자: 총 4,100 여字》.

이상 열거한 바와 같이 이모저모 나름대로 정성을 다하였으나, 이용자 여러분의 기대에 얼마나 부응할 수 있을지 염려스럽다. 아울러, 혹 범했을지도 모르는 오류나 미진한 부분에 대해서는 독자 제현의 아낌없는 질정(叱正)에 힘입어, 앞으로 더욱더 충실한 사전으로 가꾸어 나갈 것을 다짐하는 바이다.

2002년 8월

편자 씀

일 러 두 기

I 어휘 수록 범위

(1) 수록한 어휘는 현대어를 중심으로 하되, 그 밖에도 현대의 일상생활에 필요하다고 생각되는 속어·문어(文語)·아어(雅語)·방언·전문어 등을 두루 포함시켰다.
(2) 동사의 連用形에서 파생된 명사는 경우에 따라 생략하였다. 또, 형용사 어간(語幹)에 'み''さ'가 붙어 명사가 된 경우도 특별한 것 외에는 따로 싣지 않았다.
(3) 낱말을 구성하는 단위로서의 접두어·접미어 따위의 조어(造語) 성분은 가능한 한 수록하였다. 한자모(漢字母)를 수록한 것도 하나하나의 한자를 조어 성분으로 본 까닭이다.
(4) 낱말과 낱말이 서로 결합하여 이룬 복합어 외에 낱말과 낱말이 관용적으로 묶여 쓰이는 말도 '連語'라는 이름으로 다루었다.

II 표 제 어

(1) 표제어

ㄱ. 표제자는 원칙적으로 ひらがな로 썼으며, '현대 かな표기법'(1986년 7월 1일 고시)에 따랐다.

ㄴ. 외래어는 カタカナ로 표기하되, 장음(長音)에는 ー를 썼다.

보기 アーチ [arch]

낱말 하나하나의 표기는 일본의 국어 심의회 보고서 '외래어 표기'를 참고하였다.

보기 バイオリン [violin]　　サンドイッチ [sandwich]

ㄷ. 외래어와 순 일본어·한자말과의 결합으로 된 말은 カタカナ와 ひらがな의 조합으로 보였다.

보기 ビーだま【ビー玉】
ラッセルしゃ【ラッセル車】

ㄹ. 활용어는 원칙적으로 終止形으로 실었다. 어간과 어미와의 구별이 되는 것은 그 사이에 -를 질러 끊어 표시하였다. 또, 形容動詞는 어간을 실었다.

보기 き-る【切る】5他
すずし-い【涼しい】形
あきらか【明らか】ダナ

ㅁ. 접두어·접미어를 하나의 독립된 항목으로서 표제어로 내세운 경우에는 다음과 같이 처리하였다.

보기 こ=【小】……접두어
=さ ……접미어

ㅂ. 표제어 가운데 특히 기본이 되는 낱말 약 2,000어에는 ⁑표, 중요 낱말 약 4,000어에는 *표로 표시하였다.

보기 ⁑かる-い【軽い】
*たから【宝】

(2) 표제어의 정서법(正書法)

ㄱ. 【 】속에 그 낱말의 정서법을 표시하였다. 여기서 '정서법'이라 함은 한자 또는 한자와 かな의 혼용(混用) 표기를 할 때, 현대의 가장 표준적인 표기법을 말한다.

보기 あらもの【荒物】
よ-ぶ【呼ぶ】

ㄴ. 표제어의 かな 표기가 그대로 기준이 되는 경우, 〖 〗속에 기준 이외의 표기를 보였다.

보기 つきうす〖搗き臼〗　つか-れる〖憑かれる〗
しば〖柴〗　ずうずうし-い〖図図しい〗

ㄷ. 상용한자(常用漢字)의 범위에서 쓰는 기준 표기를 보일 수 없을 경우에는, 그 본디의 표기를 [ ] 속에 나타내었다.

보기 がんぐ[玩具]
しれつ[熾烈]

ㄹ. 기준적인 정서법 표기 이외의 관용적인 다른 표기는 《 》로 둘러 첨기(添記)하였다.

보기 へんしゅう【編集】《編輯》
あさひ【朝日】《旭》

ㅁ. 표준적인 표기가 2가지 이상 인정될 때에는 【 】속에 병기하였다.

보기 げきつう【劇痛·激痛】
とりひき【取り引き·取引】

ㅂ. 보통, かな 이외의 표기가 쓰이지 않을 경우에는, 표제어의 かな로 그대로 표준적인 표기법을 나타내었다.

보기 けち　さもし-い

ㅅ. 외래어는 표제의 カタカナ로 그대로 표준적인 표기법을 보였다. 또, 이른바 일제(日製) 영어도 이에 준했다.

보기 アルト [이 alto]　ナイター [일 nighter]
ハングル [한 한글]　エンスト [일 engine+stop]

ㅇ. 의미·용법에 따라 표기가 달라질 때에는 다음과 같이 다루었다.

보기 たいがい【大概】㊀名 …….
㊁【たいがい】副 …….

ㅈ. 위의 표제어의 정서법에 관해서는 일본 '상용(常用)한자표' (1981년 10월 1일 고시)에 따랐다. ※부록: '한자의 음과 훈의 길잡이' 참조.

ㅊ. '送(おく)りがな'는 '개정 おくりがな 표기법'(1981년 10월 1일 개정)을 참고로 하였으나, 붙여도 좋고 안 붙여도 좋을 경우, 곧 생략이 허용되는 부분은 밖으로 내보여 보다 알기 쉽게 간명화하였다. 다만, 붙이지 않는 것이 예로부터의 관습으로 되어 있는 경우에는 종전대로 생략하였다.

보기 あみもの【編(み)物】⟶【編み物】
うまれかわ-る【生(ま)れ変(わ)る】⟶【生まれ変わる】
せとやき【瀬戸焼】

(3) 발음(發音) 표시

표제어의 발음에서, 실제 표기와 달리 발음될 경우, 혹은 발음상 유의해야 할 때는 헵번식 또는 표준식이라 불리는 로마자 표기법에 따라 다음과 같이 표시하였다. ※앞면지 뒷장 '일본어의 로마자 표기' 참조.

보기 あるい-は『或いは』aruiwa
とはいうものの【とは言うものの】towayūmonono

(4) 품사(品詞)와 활용(活用)

ㄱ. 그 낱말의 품사 및 기타 문법상의 성질은 ▭ 안에 표시하였다.
ㄴ. 다음의 경우에는 그 표시를 생략하였다.
① 단독 항목으로서 표제어로 내세운 접두어·접미어.
か=【過】과…; 과도한; …….
=ば-る《体言에 붙어서……》
② 한자모(漢字母)
ㄷ. 동사(動詞)는 활용의 종류와 자동사(自動詞)·타동사(他動詞)의 구별을 명시하였다.

보기 ゆ-く【行く】5自　　い-きる【生きる】上1自
よ-む【読む】5他　　かか-げる【掲げる】下1他

ㄹ. 形容動詞적으로 쓰이는 것은 다음과 같이 표시하였다.

보기 しずか【静か】ダナ
せいしん【清新】ダナ
ようよう【洋洋】トタル

ㅁ. 한자(漢字)말 및 외래어로 이루어진 명사로서 'する'를 붙여 동사로도 쓸 수 있는 말, 또는 形容動詞적으로도 쓸 수 있는 말은 다음과 같은 형태로 그것을 분명히 밝혔다.

보기 うんどう【運動】名ス自
けんこう【健康】名ダナ
いんせい【陰性】一名ナ
アピール [appeal] 어필. 一名ス自 ……. 二名ス他

ㅂ. 'と'를 수반하여 부사(副詞)로도 쓰이고 동사로도 쓰이는 말은 다음과 같이 나타내었다.

보기 いきいき【いきいき·生き生き】トス自

ㅅ. 낱말과 낱말이 결합하여 관용적으로 쓰이는 것은 이 난(欄)에 連語로 표기하였다.

보기 いわずかたらず【言わず語らず】連語
うかぬかお【浮かぬ顔】連語

III 표제어의 배열

(1) 표제어의 배열은 五十音(ごじゅうおん)순에 따랐다.
(2) 五十音순으로 순서를 정할 수 없을 경우에는 다음과 같은 원칙에 따라 배열하였다.

ㄱ. 'ん'은 'を'의 다음에 놓는다.
ㄴ. 청음(清音)·탁음(濁音)·반탁음(半濁音)의 차례로 배열한다.

보기 こうとう【高等】　　ほんぶ【本部】
こうどう【行動】　　ほんぷ【本譜】
ごうとう【強盗】　　ぼんぷ【凡夫】
ごうどう【合同】　　ポンプ [네 pomp, 영 pump]

ㄷ. 촉음(促音)을 나타내는 'っ', 拗音(ようおん)을 나타내는 'ゃ' 'ゅ' 'ょ'는 각각 'つ' 'や' 'ゆ' 'よ'의 뒤에 놓는다.

보기 ねつき【寝付き】　　しよう【私用】
ねっき【熱気】　　しょう【省】

ㄹ. 외래어를 표기할 때의 작은 글자 'ァ' 'ィ' 'ゥ' 'ェ' 'ォ'는 보통의 かな 뒤에 놓는다.

보기 **ふあん【不安】**
ファン [fan]

ㅁ. 장음 부호 ー는 그 앞 글자의 발음이 ア·イ·ウ·エ·オ의 어느 발음에 해당되는가에 따라서, 각 음을 나타내는 かな와 같은 것으로 친다. 곧, **ガーター** [garter]는 ガアタア의 위치에 놓고,
コーヒー [coffee]는 コオヒイ의 위치에 놓인다.

그리고, 보통의 かな 뒤에 배열한다.

보기 **きい【奇異】**
キー [key]

(3) 표제어의 かな가 전혀 같을 경우에는 다음과 같이 배열하였다.

ㄱ. 문법적 성질로 보아
활용하는 말……動詞(五段·上一·下一·変格의 순)·動詞型接尾語·形容詞·形容詞型接尾語·助動詞
활용하지 않는 말……名詞·代名詞·形容動詞語幹·副詞·接頭語·활용하지 않는 接尾語·連体詞·接続詞·感動詞·助詞

ㄴ. 순 일본말·옛말·한자어(漢字語)·외래어·한자모(漢字母)의 차례.

ㄷ. 한자모 사이에서는 총획수의 순서.

(4) 부표제어(副標題語)

표제어에 딸린 복합어(複合語)도 역시 五十音순으로 배열하였다. 이 경우 복합어의 표제어에 상당하는 부분은 ―로 생략하였다.

보기 **あんぜん【安全】** 名 ダナ …….
―かみそり〖―剃刀〗 名 …….
―き【―器】 名 …….

Ⅳ 주석의 방식

(1) 주석은 설명 방식에 의한 풀이를 지양하고 되도록 우리말에 맞는 대응어(對應語)를 찾아 옮겼으며, 간결 명료를 위주로 하였다.

(2) ⁑ * 표를 한 기본 어휘 및 중요 낱말에 대해서는 다양한 용례를 들어 그 기본적인 뜻을 명백히 이해하도록 하였다.

(3) 한 어휘에 여러 뜻이 있을 경우에는, 가능한 한 현대말로서 보편적으로 많이 쓰이는 뜻부터 주석하였다.

(4) 한 어휘로서 품사를 달리할 때, 또 같은 품사라도 그 활용을 달리할 때는 ㊀ ㊁ ㊂…으로 나누어 해설하였다. 뜻이 여러 갈래로 나뉠 때는 **1**, **2**, **3**……으로, 또 그것을 세분할 필요가 있을 때는 ㉠㉡㉢……으로 나타내었다.

(5) 그 말이 특수한 범위에서만 쓰이는 경우로서 이해를 돕는 데 필요하다고 인정될 때에는 〈 〉 속에 그 말의 쓰임을 보였다.

〈雅〉 아어(雅語) : 일상 회화·문장에는 잘 쓰이지 않으나 和歌(わか)·俳句(はいく) 등 시적 표현이나 문어체의 글에 쓰이는 어휘.
〈文〉 문어(文語).
〈俗〉 속어(俗語) : 집안 식구끼리 또는 친한 사이에서 쓰이는 비속한 말씨. 점잖은 자리에서는 피해야 할 말.
〈方〉 방언(方言) : 지방에 따라서 〈関西方〉 〈東北方〉 등으로 구분하여 표시하였다.

〈女〉 여성어(女性語)：여자들이 주로 쓰는 말. 특히, 궁중의 궁녀들이 쓰던 말은 〈宮中女〉로 구분하였다.
〈口〉 구어(口語)：구어체의 어휘로서 문장에는 잘 쓰이지 않는 말.
〈學〉 학생어(學生語).
〈兒〉 아동어(兒童語). 유아어(幼兒語)
〈婉曲〉 완곡어(婉曲語).

(6) 풀이에 대한 이해를 돕기 위해 ( ) 속에 위상(位相) 표시, 《 》 안에 보충 설명을 곁들였다.

(7) 주석 속에 있는 일본말의 이해를 돕기 위한 우리말 설명은 (=) 로 구분하고, 주석 중의 우리말에 대한 추가 설명은 〖 〗로 묶었다.

(8) 그 말의 용법상의 차이에 대해서는 주석 뒤의 《 》 안에 다음과 같은 분류를 베풀었다.
《한문투의 말씨》《새로운 말씨》《막된 말씨》《압축된 말씨》《예스러운 말씨》《공손한 말씨》《풀어쓴 말씨》《격식 차린 말씨》 따위.

(9) 말의 문법적인 설명은 《 》 안에 묶어서 주석 앞에 놓았다.
보기 **さ=** 〖早〗《名詞에 씌워서》 **1** 이른. ¶ ~苗(なえ) 이른 모 / …….

(10) 그 표제자가 항상 일정한 성구(成句) 속에서만 볼 수 있는 것은 그 성구의 꼴을 『 』로 묶어 표시하였다.
보기 **あお-ぐ** 【仰ぐ】 5他 **1** ……. **4** 『毒(どく)を~』 독약을 …….

(11) 뜻의 이해를 돕기 위해 필요한 경우에는 반대말을 보였으며, 반대말은 본문 표제어에 없는 것도 실었다. 뜻의 일부분에 해당되는 반대말은 그 항 주석 끝에 ↔로, 또한 뜻이 여러 갈래 있을 때 그 항목 전체에 해당되는 반대말은 ⇔로 표시하였다.
보기 **げんいん** 【原因】 名 ス自 ……. ↔結果(けっか).
こぶん 【子分】 名 **1** ……. **2** ……. ⇔親分(おやぶん).

(12) 다른 표제어 항목이나 또는 그 표제어와 관련된 박스記事 등을 참고시키고자 할 경우에는 ⇨표로 그 항목을 나타내었다.
보기 **さいけつ** 【裁決】 名 ス他 재결. ¶ ……. ⇨採決(さいけつ).
よこづな 【横綱】 名 **1** ……. ⇨すもうとり 박스記事 **2** …….

(13) 설명의 중복을 피하기 위해 보다 표준적인 표제어의 동의어에서 주석을 단 경우에는 ☞표를 붙여 그 항목을 지시하였다.
보기 **このもし-い** 【好もしい】 形 ☞このましい.

(14) 용례 중 표제어나 복합어 또는 관용구 전체에 해당되는 부분은 ~로 생략하여 나타내었다. 단, 활용어에서는 어간 부분을 ~로 나타내고, '·'를 붙여 어미 활용꼴을 보였다. 다만, 어형(語形) 전체가 바뀐 경우에는 생략하지 않고 이것을 전부 고딕체로 표시하였다.
보기 **そうけん** 【送検】 名 ス他 ……. ¶書類(しょるい)~ 서류 송청.
う-ける 【受ける】 一 下1他 **1** ……. **2** ……. **3** 받아들이다. …….
¶お~·けします 받아들이겠습니다; …….
た 助動 ……. **1** ……. ¶勝負(しょうぶ)あっ~ 승부가 났다 / …….
3 …… / この辺(へん)は昔(むかし)は寂(さび)し**かったろう** 이 근처는…….

(15) 동사의 가능태(可能態)의 꼴은 주석 끝에 可能 표 다음에 보였다. 다만, (기본 동사 외의) 복합 동사《とびまわる 따위》인 경우, 지면 관계상 원칙적으로 이를 생략하였다.
보기 **まわ-る** 【回る】 5自 ……. 可能まわ-れる 下1自

(16) 외래어의 어원
ㄱ. 외래어의 스펠링은 원칙적으로 표제어 바로 다음에 보였으며,

이때 영어 이외는 원(原)국어명을 약기(略記)하여 밝혔다. 다만, 그 외래어가 본디 외국말과는 다른 꼴로 변형된 경우에는 그 원어(原語) 앞에 '←' 표시를 하여 구별하였다.

보기 **ネチズン** [netizen] 名 네티즌; …….
コンビナート [러 kombinat] 名 콤비나트; …….
デマ [←도 Demagogie] 名 데마; …….
ローヒール [←low-heeled shoes] 名 로힐; …….

ㄴ. 和製英語(わせいえいご)(=일제 영어)에는 '일'자를 앞에 두어 표시하였으며, 필요에 따라 *뒤에 그 원어를 밝히기도 하였다.

보기 **テレクラ** [일 telephone+club] 名 …….
アドバルーン [일 ad+balloon] 名 애드벌룬; ……. *영어로는 advertising balloon.

(17) 주석 끝에 注意 參考 난을 두어, 표기상·발음상의 주의 사항, 유래나 어원·용법상의 참고 사항 등을 해설하였다. 또한, 요소요소에 유용한 박스記事를 마련, 해당 표제어에 관련된 여러 가지 지식·정보 등을 폭넓게 활용할 수 있도록 하였다.

(18) **관용구(慣用句)와 속담(俗談)·격언 등**

그 표제어를 첫머리로 하는 관용구나 속담·격언 등을 한데 몰아, 주석 끝에 표제어에 준하여 고딕체로 실었다. 이 때, 관용구 등에 대한 용례(用例)를 보일 경우, 용례 중의 '~'는 그 관용구 전체를 대용(代用)하는 것으로 하였다.

보기 **きよみずのぶたい【清水の舞台】** 名 …….
—から飛(と)び降(お)りる ……. ¶~ような思(おも)いで …….

V 한자모(漢字母) 항목

한자어의 조어(造語) 성분으로서의 한자를 그 자(字)의 자음(字音)에 따라 본문 안에 배열하였다.

(1) **표제(標題)**

ㄱ. 이 난에 표제로 실린 한자는 상용한자표(常用漢字表)와, 인명용(人名用) 한자표에 올라 있는 것 가운데 중요 한자 및 그 밖에 일상생활에서 비교적 자주 쓰이는 약간의 일반 통용(通用) 한자 등 약 2,170여자이다.

ㄴ. 자음(字音)이 두 가지 이상 있는 경우에는 그 중 대표적이라 생각되는 것을 표제로 내세워 해설하고, 별도로 다른 자음에서도 찾아볼 수 있도록 하였다.

보기 **こう〖行〗** 教2 コウ ギョウ アン いく ゆく おこなう | 행 가다 행하다 |
ぎょう〖行〗 ☞こう〖行〗.

(2) **자체(字體)**

ㄱ. 〖 〗 속에 표시한 한자는 상용한자 및 인명용 한자표에 올라 있는 것으로서, 각각 常用 人名의 표시를 하여 구분하였다. 또, 【 】 속의 한자는 상용한자·인명용 한자가 아닌 일반 한자이다.

보기 たん〖淡〗常用　こう〖弘〗人名　せん【腺】

ㄴ. 상용한자 가운데 平成(へいせい) 원년(＝1989년) 3월에 고시된 '학년별 한자 배당표(配當表)'에 실린 글자, 이른바 교육한자 1,006자는 教1 教2 …… 등으로 학년별을 밝혀 표시하였다.

보기 しょ〖書〗教2

ㄷ. ⟪　⟫ 속에 표시한 한자는 상용한자 및 인명용 한자가 실시됨으로써 바뀐 글자체의 구자체(舊字體)이다.

보기 ぶつ〖仏〗⟪佛⟫教5　き〖亀〗⟪龜⟫人名

(3) 음(音)과 훈(訓)

ㄱ. 일반적으로 쓰이는 음은 *カタカナ*, 훈은 *ひらがな*로 나타내었다.
ㄴ. 음·훈(音·訓) 가운데 고딕체로 나타낸 것은 상용(常用)한자표에서 채택된 것이다.

보기 こう〖好〗教4 コウ このむ すく よい よしみ | 호 좋다 |

(4) 설명

ㄱ. 일반 항목의 경우와는 달리, 되도록 처음에 자원적(字源的)인 뜻을 들었다.
ㄴ. 뜻풀이 다음에는 그에 대한 용례를 ¶ 다음에 열거하였다.

보기 めん〖綿〗教5 メン わた | 면 솜 | **1** 풀솜; …….¶綿糸(めんし) 면사/…….
2 길게 계속되다.¶連綿(れんめん) 연면.

Ⅵ 삽화·부록 및 면지

(1) 삽화는, 주석만으로는 충분히 설명할 수 없는 일본의 특유한 풍속·생활에 관한 것 위주로 약 60여 점을 골라 실었다.
(2) "한자의 음과 훈의 길잡이"는 이 사전 본문에 표제어로 올라 있지 않은 한자까지 포함하여 약 4,100 여 자에 달하는 한자를 수록하였다.
(3) 앞면지(面紙)에는 일본의 옛 지방 이름과 현재의 행정 구역을 한눈에 알아볼 수 있도록 지도로 표시하였으며, 뒷면지에는 '*ひらがな*'와 '*かたかな*'가 성립된 유래를 표로 만들어 실었다.

약어 및 기호표

1. 약어표

◇품사 약어◇

感……感動詞

形……形容詞

助……助詞

係助……係助詞

格助……格助詞

間助……間投助詞

終助……終助詞

接助……接続助詞

副助……副助詞

助動……助動詞

接……接続詞

代……代名詞

副……副詞

名……名詞

連体……連体詞

自……自動詞

他……他動詞

自他…自動詞·他動詞

接頭……接頭語

接尾……接尾語

連語……連語

◇활용 약어◇

5……口語五段活用

4……文語四段活用

上1……上一段活用

下1……下一段活用

カ変…カ行変格活用

サ変…サ行変格活用

ス……'する'와 결합하여 サ変動詞를 만듦

上2…文語上二段活用

下2…文語下二段活用

ナ変文語ナ行変格活用

ラ変文語ラ行変格活用

ク……文語ク活用

シク…文語シク活用

ダナ……口語의 形容動詞活用

ダナノ….口語의 形容動詞 중 連体形에 '～の'의 꼴이 있는 것

トタル…文語タリ活用의 口語形

ナリ…文語ナリ活用

名ナ…口語의 '高貴こうき' 따위

副ナ…'ふかふか' 따위

トス自‥'生いき生き' 등

◇외 래 어◇

그……그리스어

네……네덜란드어

도……독일어

라……라틴어

러……러시아어

미……미국어

범……범어

스……스페인어

영……영어

이……이탈리아어

일……일제 영어

중……중국어

티……티베트어

포……포르투갈어

프……프랑스어

핀……핀란드어

한……한국어

히……히브리어

힌……힌두어

◇학술 전문 용어◇

〔建〕……건축

〔經〕……경제

〔工〕……공업

〔空〕……항공

〔鑛〕……광산·광물

〔軍〕……군사

〔劇〕……연극

〔基〕……기독교

〔氣〕……기상

〔機〕……기계

〔論〕……논리

〔農〕……농업

〔動〕……동물

〔理〕……물리

〔美〕……미술

〔法〕……법률

〔佛〕……불교

〔史〕……역사

〔社〕……사회학

〔寫〕……사진

〔商〕……상업

〔生〕……생물·생리

〔數〕……수학

〔植〕……식물

〔心〕……심리

〔樂〕……음악

〔野〕……야구

〔魚〕……어류

〔言〕……언어학

〔映〕……영화

〔料〕……요리

〔醫〕……의학

〔印〕……인쇄

〔栽〕……양재

〔電〕……전기

〔政〕……정치

〔鳥〕……조류

〔宗〕……종교

〔地〕……지질·지리

〔天〕……천문

〔蟲〕……곤충

〔컴〕……컴퓨터

〔貝〕……패류

〔漢醫〕……한의학

〔海〕……해사·항해

〔化〕……화학

◇용법 약어◇

〈古〉……古語

〈口〉……口語

〈老〉……老人語

〈文〉……文語

〈方〉……方言

〈卑〉……卑語

〈俗〉……俗語

〈雅〉……雅語

〈隱〉……隱語

2. 기호표

【 】……표준적인 정서법(正書法) 표기형(表記形)

〖 〗……かな로 쓰는 것이 적당하다, 한자모의 참조 항목의 표기

[ ]……기타 기준이 정해져 있지 않은 표기형

《 》……예로부터 써 왔으나 적당치 않은 표기형, 주석의 보충 설명

〚 〛……한자모(漢字母)의 상용한자·인명용 한자 표기형

【 】……상용·인명용 한자가 아닌 한자모의 표기형

⟪ ⟫……한자모의 구(舊)자체·정자(正字)의 표기

〔 〕……앞부분의 대체

〘 〙……학술 전문 용어 및 주석 속의 우리말의 보충 설명

〈 〉……사용 범위 및 용법(用法)의 지시

《 》……주석 내(註釋內)의 문법적인 설명

( )……위상(位相) 표시, 주석의 생략 가능 부분

(=)……주석 속의 일본어에 대한 우리말 보충 설명

[可能]……可能態 動詞形

[注意]……표기가 다른 한자어(漢字語)·발음 등에 대한 설명

[參考]……표제어에 대한 어원(語源) 및 참고 사항

[常用]……한자모(漢字母)에서 상용한자표에 나오는 한자

[人名]……한자모에서 인명용 한자표에 나오는 한자

[教4]……한자모에서 교육한자《숫자는 배당 학년 표시》

▷ ……외래어에 대한 어원 표시

☞ ……뜻이 같으니 그 항목에서 주석을 보라

⇨ ……그 항목을 참고하라

← ……변형된 외래어에 대한 원어(原語) 표시

* ……일제 조어에서, 그 표제어에 해당하는 원어 표시

↔⇔……반의어(反意語)

= ……동의어(同義語)

= ……접두어·접미어

— ……복합어나 관용구·속담에서 표제자의 대용

~ ……용례에서 표제어나 복합어, 또는 관용구 전체에 대한 대용(代用)

¶ ……용례의 시작

/ ……용례의 구분

[一][二][三]……품사가 2개 이상 있어서 뜻이 다를 경우 및 동사(動詞)의 자동사·타동사 분류

1, 2, 3……말뜻의 큰 분류

㉠㉡㉢……말뜻의 작은 분류

* ⁑ ……중요 단어 표시

あ ア

1 五十音図(ごじゅうおんず) 'あ行(ぎょう)'의 첫째 음. [a]
2〔字源〕'安'의 초서체《かたかな 'ア'는 '阿'의 왼쪽》.

ア 图 1 'アジア'의 준말. ¶中央(ちゅうおう)～ 중앙 아시아. 2 'アフリカ'의 준말. ¶南(なん)～ 남아; 남아프리카.

あ=【亜】아. 1 '버금가는, 차위의'의 뜻. ¶～寒帯(かんたい) 아한대. 2〔化〕(무기산에서) 산화의 정도가 낮음. ¶～硫酸(りゅうさん) 아황산.

あ 感 아. 1 사람을 부를 때 쓰는 말. ¶～, 君(きみ), ちょっと 아, 자네, 잠깐. 2 대답의 말. =はい·あい. 3 갑자기 놀라거나 생각 등이 났을 때 내는 소리: 아; 앗. ¶～, 分(わ)かった 아, 알았다 / ～, 痛(いた)い 앗, 아파. 4 가볍게 긍정을 나타내는 말. ¶～, そうだよ 응, 그렇단다.

あ 〖亜〗《亞》 常用 ア つぐ | 아 버금 | 1 버금; 제2단. ¶亜流(ありゅう) 아류. 2 '亜細亜(アジア)'의 준말. ¶欧亜(おうあ) 구아.

あ 〖阿〗 人名 アくま おもねる | 아 언덕 | 1 기대다; 아부하다. ¶阿附(あふ) 아부. 2 범어의 제1자모(字母)의 음역; 그 밖의 언어의 음역에도 씀. ¶阿弥陀(あみだ) 아미타 / 阿片(あへん) 아편.

**ああ 副 〈口〉 저렇게; 저처럼. ¶～いうこと 저런 일 / ～なってはだめだ 저렇게 되어서는 안되겠다 / いつも～だから困(こま)ってしまう 언제나 저러니까 곤란해진다 / ～しろこうしろとうるさい 이래라 저래라 해서 귀찮다.

―言(い)えばこう言う 이리저리 변명만 하「다.
―でもないこうでもない 이도 아니고 저도 아니어서 마음을 정할 수 없다.

ああ 感 1 긍정할 때 내는 소리: 아. ¶～, いいよ 아, 좋다[됐어] / ～, そうですか 아 그렇습니까. 2 말을 건넬 때 내는 소리. ¶～, もしもし 아, 여보세요.

ああ 〖嗚呼〗 感 감탄·놀람·기쁨·슬픔 등을 나타내는 소리: 오호라; 아; 오. ¶～, 情(なさ)けない 아, 한심하다 / ～, よかった 아, 잘됐다[다행이다].

ああいう 連体 저런; 저와[그와] 같은. ¶～ことをするのはやめよう 저러한 짓은 그만두자 / ～人(ひと)とは思(おも)わなかった 저런[그런] 사람인 줄은 몰랐다.

アークとう【アーク灯】图 아크등. =アークライト. ▷arc.

アーケード [arcade] 图 아케이드. 1 둥근 지붕이 있는 복도. 2 길 위에 지붕을 씌운 상점가.

ああした 連体 저런; 저와 같은. ¶～やり方(かた)ではやがて嫌(きら)われるだろう 저런 방식으로는 곧 미움을 살 것이다.

アース [earth] 图 ス他 어스; 접지(接地)(선). ¶～線(せん) 어스선.

アーチ [arch] 图 1 아치. ㉠반원형 구조물. =せりもち. ¶～橋(きょう) 아치교. ㉡(환영·축하 등을 위한) 장식문. =緑門(りょくもん). ¶歓迎(かんげい)の～ 환영 아치. 2 〈俗〉〔野〕 홈런. ¶初(はつ)～ 첫 홈런 / 先制(せんせい)～ 선제 홈런 / ～をかける 홈런을 치다.

アーチェリー [archery] 图 아처리; 양궁(경기). =洋弓(ようきゅう).

アーティスト [artist] 图 아티스트; 예술가. =アーチスト.

アート [art] 图 아트; 예술; 미술. ¶～デザイナー 아트 디자이너.

―し【―紙】图 아트지. =アートペー「パー.
―ディレクター [art director] 图 아트 디렉터. 1 (영화·연극의) 미술 감독. 2 광고 제작에서, 디자인 등의 책임자.
―メイキング [일 art+making] 图 문신(文身)과 같은 방법으로 아이라인을 넣거나 점 따위를 감추거나 하는 미용술.

アーバン [urban] ダナ 어번; 도시; 도회풍. ¶～ライフ 어번 라이프; 도시 생활.

アーミー [army] 图 아미. 1 군대; 육군. 2 골프에서, 전반(前半) 9홀의 성적으로 핸디캡을 정하는 일.

アーム [arm] 图 암. 1 팔. ¶～バッグ (팔에 거는) 핸드백 / ～チェア 암체어; 안락의자. 2 수화기(受話器).

アーメン [히 amen] 感〔基〕 아멘; 기도한 뒤에 부르는 말.

アーモンド [almond] 图〔植〕 아몬드. 1 편도(扁桃). 2 양과자에 쓰는 편도씨. ¶～チョコレート 아몬드 초콜릿 / ～ケーキ 아몬드 케이크.

ああら 感 〈女〉 'あら'의 강조어: 어머나; 어머머. ¶～, 不思議(ふしぎ) 어머나, 이상하기도 해라.

アール [프 are] 图 아르《기호 a; 1아르는 100평방 미터, 30평 남짓》.

ああん 感 1 입을 크게 벌릴 때 나오는 소리: 아. ¶～してごらん 아 해봐요. 2 아이의 우는 소리: 앙앙. ¶～と泣(な)き出(だ)す 앙앙 울어대다.

あい【合い】一图 '合(あ)い服(ふく)'의 준말; 간복(間服). ¶夏(なつ)も冬(ふゆ)も～で通(とお)す 여름이고 겨울이고 춘추복으로 지내다.
二接尾 1 …전체의 모양(에서 받은 종합적인 인상). ¶空(そら)～ 날씨 / 色(いろ)～ 색조. 2 정도를 나타냄. ¶程(ほど)～ (적당한) 정도 / 頃(ころ)～ 알맞은 때.

あい【相】接頭 1 함께. ¶～乗(の)り 합승 / ～宿(やど) 동숙(同宿). 2 서로; 더불어. ¶～互(たが)いに (서로)서로 / ～共(とも)に (서로) 함께 / ～携(たずさ)えて出発(しゅっぱつ)する 함께 출발하다. 3《動詞 앞에 붙어》 어조를 고르고 강조하는 말《편지나 인사말에 씀》. ¶療養(りょうよう)～かなわず 요양의 보람없이 / ～すみません (정말) 미안합니다 / お世話(せわ)

に～なりました 폐를 많이 끼쳤습니다 / いかが～成りましょうか 어떻게 되겠습니까.

あい 〖藍〗 图 **1**〔植〕 쪽. **2** 남빛. ＝インジゴ. ¶～色 남빛.

あ

**あい【愛】图 사랑; 애정. ¶～の結晶 사랑의 결정(인 둘 사이에서 난 아이) / 子に注ぐ～ 자식에게 쏟는 애정 / 神の～ 신의 사랑 / 母への～ 어머니에 대한 사랑 / ～の告白 사랑의 고백 / ～の手をさしのべる 사랑의 손길을 뻗치다 / ～をささやく 사랑을 속삭이다.

—の巣 사랑의 보금자리. ¶～を営む 사랑의 보금자리를 만들다.

—の鞭 사랑의 매; 특히, 체벌.

アイ [eye] 图 아이; 눈. ¶～シャドー 아이 섀도 / カメラ～ 카메라 아이 / バッティング～ (타자의) 선구안(眼).

—バンク [eye bank] 图 아이 뱅크; 안구〔각막〕 은행.

—ライン [일 eye+line] 图 아이라인.

あい 〖哀〗 常用 アイ あわれ あわれむ かなしい かなしむ | 애 서럽다 | **1** 슬퍼하다; 슬프다. ¶哀愁 애수 / 悲哀 비애. **2** 슬픈 빛을 나타내다. ¶哀願 애원.

あい 〖愛〗 教4 アイ いとしむ めでる かなし まな おしむ | 애 사랑 | **1** 사랑스럽게 여기다. ¶愛憎 애증 / 愛娘 사랑하는 딸. **2** 남녀가 서로 사랑하다. ¶恋愛 연애. **3** 소중히 여기다. ¶愛国 애국 / 友愛 우애.

あいあいがさ【相合い傘】 图 한 우산을 남녀가 같이 받는 일. ＝あいがさ.

アイアン [iron] 图 아이언. **1** 쇠; 철. ¶～ロー 아이언 로; 철칙. **2**〔골프〕 헤드(head)가 쇠로 된 클럽. ¶五番～ 5번 아이언. ↔ウッド.

あいいれない【相いれない】《相容れない》 連語 서로 용납지 않다; 양립하지 않다. ¶氷炭～ 빙탄불상용 / ～二つの主張 양립할 수 없는 두 주장 / 利害が～ 이해가 상충되다 / あのふたりは～仲だ 저 두 사람은 서로 상극이다.

あいいろ【あい色】《藍色》 图 남빛.

あいいん【合印】 图 **1** (서류 따위의) 대조인. ＝あいはん·あいじるし. ¶～を押す 대조인을 찍다. **2** 계인(契印).

あいいん【愛飲】 图 ス他 애음; 알코올 음료 등을 즐겨 마심. ¶ビールを～する 맥주를 즐겨 마시다.

あいうち【相打ち】 图 **1** (검도 등에서) 쌍방이 동시에 상대방을 침. **2** 전하여, 무승부. ＝あいこ. ¶～になる 무승부가 되다.

あいう-つ【相打つ·相撃つ】 5自 서로가 마주 싸우다. ¶いよいよ両雄～時がまいりました 드디어 양웅이 용호상박할 때가 왔습니다.

アイエムエフ [IMF] 图〔經〕 아이엠에프; 국제 통화(通貨) 기금. ▷ International Monetary Fund. 「가.

あいえん【愛煙】 图 애연. ¶～家 애연

あいえんきえん【合縁奇縁·相縁機縁】 图 (남녀·부부·친구 등의) 인연이란 이상한 법. ¶人に～, 血をわけた親子でも仲の悪いがあるもの 사람에게는 이상한 인연이 있어 피를 나눈 부모와 자식간에도 의가 나쁜 일이 있는 법.

あいおい【相生い】 图 같은 뿌리에서 돋아나옴. ¶～の松 같은 뿌리에서 돋아나온 소나무. ⇨相老い.

あいおい【相老い】 图 부부가 해로함.

アイオーシー [IOC] 图 아이오시; 국제 올림픽 위원회. ▷ International Olympic Committee.

あいかぎ【合いかぎ】《合い鍵》 图 결쇠; 여벌 열쇠. ¶～をこしらえる 여벌 열쇠를 만들다.

あいかた【相方】 图 **1** 상대자. ¶～をつとめる 상대가 되어 주다. **2**《敵娼》 어떤 손님의 상대로 정해진 창녀.

*__あいかわらず【相変わらず】__ 連語 변함없이; 여전히. ¶～だね 여전하군 / ～お元気ですか 별고없이 건강하십니까.
参考 강조하는 말은 '相も変わらず'로, 이 말은 조롱·경멸의 뜻이 있음.

あいかん【哀感】 图 애감; 비애감. ¶～が漂う 비애감이 감돌다 / ～をそそる 비애감을 자아내다.

あいかん【哀歓】 图 애환; 희비. ¶人生〔青春〕の～ 인생〔청춘〕의 애환 / ～を共にする 애환을 같이하다.

あいがん【哀願】 图 ス自他 애원. ＝哀訴. ¶～を退ける 애원을 물리치다 / 助命を～する 구명을 애원하다.

あいがん [愛玩] 图 ス他 애완. ¶～品 애완품. 「ペット.

—どうぶつ【—動物】 图 애완 동물. ＝

あいき【愛機】 图 애기《애용하는 비행기나 사진기 따위》. 注意 악기 등 기구인 경우는 '愛器'로 씀.

あいぎ【合い着】《間着》 图 **1** 간복(間服); 춘추복. ＝あいふく. **2** 겉옷과 내복 사이에 입는 옷. 「術.

あいきどう【合気道】 图 합기도. ＝合気

あいきゃく【相客】 图 **1** 한방에 합숙하는 낯선 손님. ¶～になる 동숙하게 되다. **2** 동석한 낯선 손님.

アイキュー [IQ] 图 아이큐; 지능 지수. ¶～が120ある 아이큐가 120이다. ▷ intelligence quotient.

*__あいきょう__ 〖愛嬌·愛敬〗 图 애교. **1** 귀여움. ¶～のある娘 애교 있는 아가씨. **2** 익살기가 있음. ¶今のは～だ 지금 것은 애교로 봐 주시오《실수했을 때의 익살》. **3** 남의 환심을 사려고 붙임성 있게 대함; 아양. ¶～を振りまく 애교부리다; 아양떨다. **4** 덤. ¶ご～にガムを差しあげます 덤으로 껌을 드립니다. **5** 좌흥; 여흥. ¶ご～に舞をひとさし 여흥으로 춤을 한 차례 (추겠습니다).

—もの【—者】 图 익살꾼; 재롱둥이. ¶森の～ 원숭이 / 猿は～だ 원숭이는 재롱둥이다.

—わらい【—笑い】图 간살부리는 웃음. ＝愛想笑い.　「향심.
あいきょう【愛郷】图 애향. ¶～心 애
あいくち〖合口·匕首〗图 비수. ¶ふところに～を呑んでいる 품안에 비수를 품고 있다.
あいくち【合い口】图 서로 이야기가〔뜻이〕 통하는 일; 또, 그 사람. ＝相性. ¶～がいい 뜻〔죽〕이 잘 맞는다.
あいくるし-い【愛くるしい】形 귀염성스럽다; 매우 귀엽다. ¶～子供 귀여운 아이.　「가.
あいけん【愛犬】图 애견. ¶～家 애견
あいこ〖相子〗图 비김; 무승부. ＝引き分け. ¶一勝一敗で～だ 일승 일패로 무승부다.
あいこ【愛顧】图[ス他] 애고. ¶よろしくご～のほどを 아무쪼록 잘 부탁합니다/日ごろのご～にこたえる 평소의 애고에 보답하다.
あいご【相碁】图 맞바둑; 호선(互先).
あいご【愛護】图[ス他] 애호. ¶動物～週間 동물 애호 주간.
あいこう【愛好】图[ス他] 애호. ¶切手～家 우표 애호가/平和を～する 평화를 애호하다. ↔嫌悪.　「심.
あいこう【愛校】图 애교. ¶～心 애교
あいこく【愛国】图 애국. ¶～者 애국자/～心 애국심.
あいことば【合い言葉】图 **1** 암호; 군호; 변말. ¶～は山と川だ 암호는 산과 강이다. **2** 표어. ＝スローガン·モットー. ¶サービス第一を～とする 서비스 제일을 표어로 삼다.
アイコン [icon] 图 〖컴〗 아이콘(명령을 문자나 기호로 화면상에 나타낸 것).
あいさい【愛妻】图 애처. ¶～家 애처가/～弁当 아내가 싸준 도시락.
***あいさつ**〖挨拶〗图[ス自] **1** 인사. ㉠의례적인 인사말. ¶初対面の～ 초면 인사/朝の～ 아침 인사/～を交わす 인사를 나누다/何の～もなしに入り込む 아무런 말도 없이 (무단히) 들어오다. ㉡(회합 따위의) 인사말. ¶開会の～ 개회사 / 一場の～を述べる 일장의 인사말을 하다. **2** 응대; 대답. ¶そう言われて～に困った 그렇게 말하는 바람에 대답에 궁했다. **3** 〈俗〉 (깡패 사회에서) 보복. ¶覚えてろ. 必ず～に行くからな 두고 봐라, 반드시 보복하러 갈테니까. ⇨下段 [박스記事]
あいし【哀史】图 애사; 가엾은〔슬픈〕 이야기. ¶女工～ 여공 애사.
あいじ【愛児】图 애아; 귀여운〔사랑하는〕 자식. ＝いとしご. ¶～を失う 귀여운 자식을 잃다.
アイシー [IC] 图 아이시. **1** 집적 회로. ＝集積回路. ▷ integrated circuit. **2** 인터체인지. ▷ interchange.
あいしつ【相室·合室】图 같은 방에 함께 있음. ＝同室. ¶～の患者 같은 방〔병실〕의 환자.　「사 정신.
あいしゃ【愛社】图 애사. ¶～精神 애
あいしゃ【愛車】图 애차. ¶～振り 차

あいさつのことば(인사말)

인사말은 대개의 경우 그 쓰임새와 형식이 정해져 있는데, 아침나절에 하는 인사말은 'おはよう(안녕)' 'おはようございます(안녕하십니까)', 낮동안에는 'こんにちは(안녕하십니까)' 어두워지면 'こんばんは(안녕하십니까)' 로, 일본인이 가장 잘 쓰는 말이다.

집을 나설 때는, 이전에는 '行って参ります(다녀오겠습니다)' 였지만, 다소 지나치게 공손한 느낌이 들기 때문에, 지금은 '行って来ます' 가 보통이다. 외출하고 돌아왔을 때는, 'ただいま(다녀왔습니다)' 라고 하는데, 이전의 'ただいま帰り〔もどり〕ました(지금 돌아왔습니다)' 를 줄인 것이다. 이때 맞이하는 사람은 'お帰りなさい(어서 오세요)' 라고 인사한다. 사람을 배웅할 때의 말은 '行ってらっしゃい(다녀오세요)', 좀더 공손한 말은 '行ってらっしゃいませ(다녀오십시오)' 이다. 또한, 사람을 맞이할 때의 말은 'いらっしゃいませ(어서 오십시오)', 좀더 정중한 표현은 'よくいらっしゃいました(잘 오셨습니다)', 'ようこそいらっしゃいました' 등이 있다.

헤어질 때는 'さようなら(안녕히 가십시오〔계십시오〕' 가 일반적이고, 영어를 본떠서 'バアイ(바이)' 'バイバイ(바이바이)' 'グッバイ(굿바이)' 라고 하기도 한다. 'じゃあね(그럼 (또))' 는, 젊은 층에서 많이 쓰이지만, 올바른 인사말은 아니다.

때와 경우에 따른 인사말

인사말은 때와 경우에 따라서 그 형식이 바뀌는데, 다음과 같은 표현들이 있다. 'ありがとう(고마워(요))' '(どうも)ありがとうございます((대단히) 감사합니다)', 'はじめまして(처음 뵙겠습니다)' 'お久しぶりです(오래간만입니다)', 'またお目にかかります(또 뵙겠습니다)' 'どうもお世話さまでした(참 수고 많았습니다)', 'どういたしまして(천만에 말씀(입니다))', 'おめでとう(축하해요)' 'おめでとうございます(축하합니다)', 'どうもすみません(정말 미안합니다)' '申しわけありません(죄송합니다)' 등이 있으며, 남을 방문할 때는 'お邪魔します(실례합니다)', 방문하고 돌아갈 때는 'お邪魔いたしました(실례했습니다)' 라고 한다.

이밖에 식사 전에 하는 'いただきます(잘 먹겠습니다)', 식후나 남에게 대접 받았을 때 하는 'ごちそうさま(でした)(잘 먹었습니다)' 외에, 잘 때 하는 'お休みなさい(안녕히 주무십시오)' 등이 있다.

를 아끼는 꼴〔품〕/ ～を駆って出かける 애차를 몰고 나가다.

あいしゅう【哀愁】图 애수. ¶一抹の～ 한 가닥(의) 애수 / ～を帯びたメロディー 애수를 띤 멜로디.

あ

あいしょ【愛書】图 애서. **1** 책을 좋아함. ¶～家 애서가. **2** 애독서.

あいしょう【相性】《合性》图 **1** 궁합이 맞음. ¶～の人を選ぶ 궁합이 맞는 사람을 고르다. **2** 성격이 잘 맞음. ¶～が悪い 성격이 안 맞는다.

あいしょう【愛称】图 애칭; 별명. ＝ニックネーム·ペットネーム. ¶～で呼ぶ 애칭으로 부르다.

あいしょう【愛唱】图ス他 애창. ¶～歌 애창가 / 昔の童謡を～する 옛날 동요를 애창하다.

あいしょう［愛誦］图ス他 애송. ¶～する古典 애송하는 고전.

あいじょう【愛情】图 애정; 사랑. ¶母の～ 어머니의 애정 / 芸術にそそぐ～ 예술에 쏟는 애정 / ～を打ち明ける 사랑을 고백하다.

あいじょう【愛嬢】图 영애; 사랑하는 따님. ＝まなむすめ. ↔愛息.

あいじん【愛人】图 애인; 연인. ＝こいびと. ¶～と結婚する 애인과 결혼하다. 注意 2차 대전 후, 정부(情夫·情婦)의 완곡한 말씨로도 씀. ¶恋人でなく～だ 연인이 아니고 정부다.

アイス [ice] 图 **1** 아이스; 얼음. ¶～コーヒー 아이스 커피; 냉커피 / ～ショー 아이스쇼 / ～ボックス 아이스 박스. **2** 'アイスクリーム', 'アイスキャンデー'의 준말.

―キャンデー [일 ice+candy] 图 아이스캔디.

―クリーム [icecream] 图 아이스크림.

―ダンス [ice dance] 图 아이스 댄스; 아이스 댄싱.

―ホッケー [ice hockey] 图 아이스하키.

―リンク [ice rink] 图 아이스 링크; 실내 스케이트장. ＝スケートリンク.

****あいず【合図】**图ス自他 신호《눈짓·몸짓·소리·봉화 등 모든 방법의 총칭》. ¶～の鐘 신호종 / 目で～する 눈짓하다 / 先生が～をする 선생님이 귀띔하다.

****あい-する【愛する】**サ変自 **1** 사랑하다. ¶～人のために 사랑하는 사람을 위해서 / 子を～親の気持ち 자식을 사랑하는 부모의 마음 / 二人は～·し合っている 두 사람은 서로 사랑하고 있다. **2** 몹시 좋아하다; 즐기다. ¶酒を～ 술을 좋아하다 / こよなく旅を～ 몹시 여행을 좋아하다. 注意 未然形은 보통 '愛さない(=사랑하지 않는다)'의 꼴로 씀.

あいせき【哀惜】图ス他 애석; 애도. ¶～の念に堪えない 애석한 마음을 금치 못하다.

あいせき【相席·合席】图ス自 합석. ＝同席·相客. ¶～でお願いします 합석을 부탁합니다.

あいせき【愛惜】图ス他 애석; 소중히 여겨 아낌. ¶故人の～していた骨董品 고인이 아끼던 골동품 / ～おくあたわざる逸品 아껴 마지않는 일품.

あいせつ【哀切】名ナ 애절함. ¶～な琴のしらべ 애절한 거문고의 가락.

あいせん【相先】图 맞바둑; 호선(互先). ＝たがいせん.

アイゼン [도 Eisen] 图 아이젠《등산화 바닥에 대는 뾰족한 쇠》.

あいそ【哀訴】图ス自他 애소; 애원. ＝哀願. ¶～を聞き入れる 애소를 들어주다.

***あいそ【愛想】**图 **1** 붙임성. ¶～のよい人 붙임성이 있는 사람 / ～のない返事 무뚝뚝한 대답. **2** 정나미. ¶お～ 간살 / ～がつきる 정나미 떨어지다 / 都会生活に～をつかす 도회지 생활에 정나미 떨어지다. **3** 대접. ¶何のお～もございませんで… 아무런 대접도 못해 드려서…. **4** ☞おあいそ1.

―もこそも尽き果てる 아주 정나미 떨어지다.

―づかし【―尽かし】图 정나미 떨어지는 짓〔말·태도〕. ¶～を言う 정나미 떨어지는 말을 하다.

あいそう【愛想】图 ☞あいそ(愛想).

あいぞう【愛憎】图 애증; 사랑과 미움. ¶～の念がはなはだしい 애증의 마음이 대단하다 / ～相半ばする 애증이 상반하다〔반반이다〕.

あいぞう【愛蔵】图ス他 애장. ＝秘蔵. ¶～版 애장판 / ～の書 애장하는 서적.

アイソトープ [isotope] 图〖理〗아이소토프; 동위 원소. ＝イソトープ.

アイソトニックいんりょう【アイソトニック飲料】图 아이소토닉 음료《땀으로 잃은 미네랄을 쉽게 보충함》. ＝スポーツドリンク. ▷ isotonic drink.

****あいだ【間】**图 **1** 사이; 틈; 관계; 간. ¶陸地と島との～の海面 육지와 섬 사이의 해면 / 木立の～から山が見える 나무 사이로 산이 보인다 / ～を置いて痛む 참참이 아프다 / 遠慮の無い～ 무간한 사이 / 彼との～がしっくりしない 그와의 사이가 탐탁지 않다. **2** 동안; 간; …하는 한. ¶三日の～高熱が続く 3일간 고열이 계속되다.

あいたい【相対】图 (일을) 당사자끼리만 함. ¶～で話をつける 당사자끼리 이야기를 매듭짓다.

―ずく 图 (남을 개입시키지 않고) 둘이서 의논해 결정함. ¶～で離別した 본인들끼리의 합의에 따라 이별했다.

あいたい-する【相対する】サ変自 (양자가) 서로〔마주〕 대하다; 맞서다. ¶～山々 서로 마주보고 있는 산들 / 四角形の～二辺 사각형의 맞선 두 변 / ～·して座る 마주 앉다.

あいだがら【間柄】图 (사람 사이의) 관계; 사이; 간. ¶嫁姑の～ 고부(姑婦)간 / 師弟の～ 사제지간 / 君ぼく

の～ 너 나 하는 사이 / 親子の～で水くさい 부자간에 서름서름하다.

あいだぐい【間食い】图 ☞かんしょく. ¶～をする 간식을 먹다.

あいち【愛知】图〖地〗중부 지방 서남부에 있는 현《현청 소재지는 名古屋》.

あいちゃく【愛着】图ス他 애착. ¶使いなれた品に～を持つ 늘 써서 손에 익은 물건에 애착을 가지다.

あいちょう【哀調】图 애조. ¶～を帯びた笛の音が流れる 애조를 띤 피리 소리가 들려오다.

あいちょう【愛鳥】图 애조; 새를 사랑함. ¶～週間 애조 주간《5월10일부터 1주일》.

あいちょう【愛聴】图ス他 애청. ¶～盤 애청하는 음반.

あいつ〖彼奴〗代〈俗〉그놈. **1** 저놈; 그녀석. ¶～はいい男だ 그 녀석은 좋은 사나이다. **2** 그것; 저것. ¶～を持って来てくれ 그것을 갖다 다오.

あいつ-ぐ【相次ぐ】5自 연달다; 잇따르다. ¶～悲報 잇딴 비보 / ～いで世を去る 잇따라 세상을 떠나다.

あいづち【あいづち·相づち】《相槌·合槌》图 (대장간의) 맞메질.

—を打つ (남의 말에) 맞장구를 치다.

あいて【相手】图 상대. **1** 무엇을 함께 하는 사람. ¶話の～ 말상대 / 相談～ 의논 상대 / ～国 상대국. **2** (서로 겨루는) 적수. ¶～のチーム 상대 팀 / けんかを売られても～にしない 싸움을 걸어와도 상대를 않는다 / ～に取って不足はない 상대로서 부족함이 없다. **3** 어떤 행위의 대상이 되는 사람. ¶結婚の～ 결혼 상대 / 学生～の商売 학생 상대의 장사.

—かた【—方】图 상대방; 상대편.

—しだい【—次第】图 상대(편) 나름.

—ど-る【—取る】5他 상대하여 다투다; 상대로 하다. ¶政府を～って訴訟を起こす 정부를 상대로 소송을 제기하다.

—やく【—役】图 (주역의) 상대역.

*__アイデア__ [idea] 图 아이디어. **1** 이상. **2** 생각; 착상. ¶～マン 아이디어 맨 / いい～だ 좋은 아이디어다 / よい～が浮かぶ 좋은 아이디어가 떠오르다. 参考 'アイディア'라고도 함.

アイディーカード [ID card] 图 아이디카드; 신분 증명서. ▷ identification card.

あいでし【相弟子】图 같은 선생의 제자; 동문.

アイテム [item] 图 아이템. **1** 세목(細目); 품목. **2** (신문 기사의) 항목. **3**〖컴〗항목《자료의 집합 요소; 한 단위로 취급되는 일련의 자료》.

アイデンティティ [identity] 图 아이덴티티. **1** 동일성. **2** 자기의 존재 증명; 자기 확인. **3** 독자성; 주체성.

あいとう【哀悼】图ス他 애도. ¶つつしんで～の意を表する 삼가 애도의 뜻을 표하다.

あいどく【愛読】图ス他 애독. ¶～者 애독자 / ～書 애독하는 책.

アイドル [idol] 图 아이들. **1** 숭배·동경의 대상; 우상(偶像). ¶子供の～ 어린이의 우상. **2** 애인; 연인.

あいなかば-する【相半ばする】サ変自 상반하다; 반반이다. ¶功罪～ 공과(功過)가 상반하다〔반반이다〕/ 賛否が～ 찬반이 반반이다.

**あいにく〖生憎〗副ダナ 형편이 나쁘게 된 모양: 공교롭게(도); (때)마침; 계제 사납게. ＝折あしく. ¶お～さま 미안합니다; 안됐군요 / ～な事に皆るすだった 공교롭게도 모두 출타 중이었다 / ～(と)病気で行かれない 공교롭게도 병으로 못 간다 / ～金の持ち合わせがない 마침 가진 돈이 없다.

アイヌ [Ainu] 图 아이누《北海道·사할린·쿠릴 열도에 사는 털이 많은 민족》. ¶～語 아이누어. 参考 아이누어로 '사람'이란 뜻.

あいのこ【合いの子】《間の子》图 **1**〈卑〉트기; 잡종; 혼혈아. 参考 지금은 '混血児(＝혼혈아)'라고 함. **2** 어중된 것; 얼치기. ¶～弁当 쌀밥에 양식 요리의 부식물을 곁들인 도시락 / ～船 일본식과 서양식을 절충한 배.

あいのて【合いの手】《間の手》图 **1** (일본 전통 음악에서) 노래와 노래 사이에 들어가는, 三味線만으로 연주되는 부분. **2** 노래나 춤 따위의 가락에 맞추어 치는 손장단이나 추임새. ¶～を入れる 가락에 맞추어 손장단을 치거나 추임새를 넣다.

あいのり【相乗り】图 **1** (차 따위에) 같이 탐; 합승함; 또, 그 차. ¶タクシーの～ 택시 합승 / 自転車の～は禁じられている 자전거를 같이 타는 것은 금지되어 있다. **2**〈俗〉공동으로 기획을 이용함. ¶～番組 (두 회사 이상 스폰서의) 공동 제공 프로.

あいはん【合判】图 **1** ☞あいいん. **2** 연대하여 찍는 도장; 연판(連判).

あいはん-する【相反する】サ変自 상반되다. ¶～考え 상반되는 생각.

アイビーム [I-beam] 图 아이 빔〔형강〕.

アイビールック [일 ivy+look] 图 아이비 룩. ＝アイビースタイル.

あいびき〖逢い引き〗图ス自 (사랑하는 남녀의) 밀회; 랑데부. ＝密会·ランデブー. ¶公園で～(を)する 공원에서 밀회하다.

あいふ【合符】图 (수화물의) 짐표; 물표. ¶～を受ける 물표를 받다.

あいぶ〖愛撫〗图ス他 애무. ¶赤ちゃんを～する 갓난아기를 애무하다 / 優しく～する 다정하게 애무하다.

あいふく【合い服】《間服》图 ☞あいぎ1.

あいふだ【合い札】图 **1** 짐표; 물표. ¶～をつける 짐표를 달다. **2** ☞わりふ.

あいべや【相部屋】图 (여관 등에서) 다

른 사람과 같은 방에 묵음; 한방을 씀. ＝相宿. ¶～に泊まる 한방에 묵다.

あいぼ【愛慕】 图 ス他 애모; 사랑하고 그리워함. ¶～の情 애모의 정.

あいぼう【相棒】 图 일·행동을 같이 하는 상대〔동료, 짝〕《본디, 가마 등을 맞메는 짝》. ¶あの二人はいい～だ 저 두 사람은 잘 맞는 짝이다.

あいぼし【相星】 图 동점; 동률 (성적). ¶五勝三敗の～ 5승 3패의 동률 성적. 参考 본디, 씨름의 승부 횟수를 세는 데서 유래. 「(색).

アイボリー [ivory] 图 아이보리; 상아

あいま【合間】 图 틈; 짬; 참참. ¶仕事の～に新聞を読む 일하는 짬짬이 신문을 보다/一服する～もない 한 대 피울 짬도 없다.

あいまい 〚曖昧〛 ダナ 애매; 모호. ¶～模糊 애매모호/～な返事 애매한 대답/態度が～だ 태도가 애매하다. ↔明確·明瞭.

あいまって【相まって】《相俟って》 連語 서로 어우러져서; (…와) 더불어; 함께. ¶好天気と～この日曜は人出が多かった 날씨도 좋고 해서 이번 일요일에는 인파가 많았다/天分と努力とが両々～ 천품과 노력이 서로 어우러져.

あいみたがい【相身互い】《相見互い》 图 같은 처지를 서로 동정하고 도움; 동병상련; 피차일반. ¶武士は～ 무사는 서로의 처지를 이해함/苦しい時は～です 어려울 때는 서로 도와야지요.

あいむこ【相婿】 图 동서《자매의 남편끼리의 호칭》. ↔相嫁.

あいもち【相持ち】 图 같이 듦; 맞듦; 특히, 똑같이 부담함. ¶タクシー代を～にする 택시비를 똑같이 부담하다.

あいやど【相宿】 图 동숙(同宿); 같은 여관에 묵음. ¶～の人 동숙인.

あいよう【愛用】 图 ス他 애용. ＝つかいつけ. ¶～品 애용품/～者 애용자/～のパイプ 애용하는 파이프.

あいよく【愛欲】《愛慾》 图 애욕. ¶～におぼれる 애욕에 빠지다/～のとりことなる 애욕의 노예가 되다.

あいよめ【相嫁】 图 동서《형제의 아내끼리의 호칭》. ↔あいむこ.

あいらし-い【愛らしい】 形 귀엽다; 사랑스럽다. ＝かわいらしい. ¶～花 사랑스러운 꽃/～口もと 귀여운 입매.

あいろ [隘路] 图 애로. **1** 협로. ¶谷間の～ 골짜기의 좁은 길. **2** 어려움; 장애. ＝難関·ネック. ¶政策上の～ 정책상의 애로 / ～を切り開く 애로를 뚫고 나아가다. 「こすり·皮肉.

アイロニー [irony] 图 아이러니. ＝あて

アイロン [iron] 图 아이론. **1** 다리미. ＝ひのし. ¶～台 다리미판/電気～ 전기 다리미/～をかける 다리미질을 하다. **2** 머리카락을 지지는 데 쓰는 기구.

あいわ【哀話】 图 애화; 슬프고 가엾은 이야기. ＝悲話. ¶～がまつわっている寺 애화가 얽혀 있는 절.

あ-う【合う】 5自 **1** 맞다. ㉠어울리다. ¶服がからだにぴったり～ 옷이 몸에 꼭 맞는다/今度のくつはよく足に～ 이번 구두는 발에 잘 맞는다. ㉡일치하다. ¶意見が～ 의견이 일치하다/答えが～ 답이 맞다/時計が～·っていない 시계가 맞지 않는다. **2**《다른 動詞의 連用形를 받아서》 서로 …하다. ¶話し～ 서로 이야기하다/なぐり～ 서로 때리다; 맞때리다.

あ-う【会う】 5自 만나다. **1** 대면하다. ¶いつもの場所で～ 여느 때와 같은 곳에서 만나다. **2** 우연히 만나다; 조우하다. ＝出会う. ¶意外な所で～ 뜻밖의 곳에서 만나다. **3** 우연히 겪다; 맞다. ¶どろぼうに～ 도둑을 만나다/にわか雨に～ 소나기를 만나다/えらいめに～ 호된 꼴을 당하다; 혼줄나다. 注意 2,3은 '遇う·逢う·遭う'로도 썼음. 可能 あ-える 下1自

——は別れの始め 만남은 헤어짐의 시작; 회자정리. ＝会者定離.

アウェー [away] 图 어웨이; (프로 축구 등에서) 적지(敵地); 또, 그곳에서의 경기.

アウト [out] 图 아웃. **1** 밖; 바깥. ¶～コーナー 아웃코너. **2** (테니스·탁구에서) 공이 규정된 선 밖으로 나감. ↔セーフ. **3**〖野〗 실격함; 죽음《타자·러너가 공격 자격을 잃음》. ↔セーフ. **4**〖골프〗 코스의 전반. 参考 흔히 アウツ라고도 하며, 넓은 뜻으로는 실격·실패 등의 뜻으로도 씀. ¶入社試験は～だった 입사시험은 실패로 끝났다. ↔イン.

——オブデート [out-of-date] 图 아웃오브데이트; 시대에 뒤(떨어)진 모양. ↔アップツーデート.

——コース [일 out+course] 图 아웃코스. **1**〖野〗 타자에게서 먼 쪽으로 지나가는 공의 길. **2** (육상 경기에서) 트랙의 바깥쪽 주로(走路). ⇔インコース.

——サイダー [outsider] 图 아웃사이더; 국외자(局外者). ↔インサイダー.

——シュート [outshoot] 图〖野〗 아웃슈트; 투수가 던진 공이 타자의 바깥쪽으로 빠짐; 또, 그 공. ↔インシュート.

——ソーシング [outsourcing] 图 아웃소싱; 업무의 일부를 전문 업자에게 위탁하는 일. 「(外食).

——ダイニング [일 out+dining] 图 외식

——ドア [outdoor] 图 아웃도어; 야외; 옥외. ¶～スポーツ 아웃도어 스포츠.

——プット [output] 图 ス他 아웃풋. **1** (전기의) 출력. **2** 컴퓨터가 처리한 결과. ⇔インプット.

——プレースメント [outplacement] 图 아웃플레이스먼트; (해고 대상자를 위한) 전직 알선; 재취업 지원. 「곽; 개요.

——ライン [outline] 图 아우트라인; 윤

あうんのこきゅう [阿吽の呼吸] 連語 (여럿이 함께 일을 할 때) 호흡이 잘 맞음;

마음이 통함. ¶皆よく～が合う 모두 호흡이 잘 맞는다.

あえ-ぐ〖喘ぐ〗5自 **1** 헐떡이다; 숨차하다. ¶～·ぎ～·ぎ, 山に登る 헐떡거리면서 산에 오르다. **2** 괴로워하다; 허덕이다. ¶窮乏に～ 가난에 허덕이다.

*あえて〖敢えて〗副 **1** 감히; 굳이; 억지로. ¶～強攻策を取る 굳이 강공책을 취하다/～一読を勧める 감히 일독을 권한다. **2**《뒤에 否定語를 수반하여》구태여; 그다지; 별로. ¶～驚くにはあたらない 그다지 놀랄 것은 없다/～行きたくもない 별로 가고 싶지도 않다.

あえな-い〖敢え無い〗形 덧없다; 어이없다. ¶～最期をとげる 덧없는 최후를 마치다/～·くも敗れた 어이없이 패했다. 参考 述語로는 쓰이지 않음.

あえもの【あえ物】《和え物》名 무침《야채·생선·조개 등을 된장·초·깨·두부 따위와 섞어 버무린 요리》.

あ-える〖和える〗下1他 무치다; 버무리다. ¶うどを酢みそで～ 땅두릅을 초된장으로 버무리다.

あえん【亜鉛】名 **1** 아연《기호 : Zn》. ＝ジンク. ¶～鉄板 아연 철판. **2**〈俗〉함석. ¶～ぶきの屋根 함석지붕.

あお【青】一名 **1 파란색; 파랑. ¶～田 푸른 논. **2** '青信号(＝청신호)'의 준말《교통 표지》. ¶～で渡ろう 파란 불이 켜지면 건너가자. ↔赤. 二接頭 **1** 젊은; 미숙한. ¶～二才 풋내기/～坊主 까까머리. **2** 푸른; 푸르스름한. ¶～白い顔 창백한 얼굴.

―は藍より出でて藍より青し 청출어람(青出於藍)《제자가 스승보다 나음을 일컫는 말》. ＝出藍の誉れ.

あおあお【青青】トス自 청청; 파란 모양; 또, 온통 푸른 모양. ¶～とした草原 푸르디푸른 초원/～と茂る 온통 푸르게 우거지다.

あお-い【青い】《蒼い》形 **1 파랗다. ㉠(빛이) 푸르다. ¶～空 푸른 하늘/～目の見た日本 (파란 눈의) 서양인이 본 일본. ㉡(안색이) 창백하다. ¶～顔色 창백한 얼굴빛/～·くなる 파랗게 질리다. **2** (열매 따위가) 덜 익다; 퍼렇다. ¶まだ梅の実は～ 아직 매실은 파랗다. **3** 미숙하다. ¶～ことを言う 덜된〔유치한〕 소리를 하다/まだ考えが～ 아직 생각이 미숙하다.

―とり【―鳥】名 (행복의 상징이라는) 파랑새.

あおい〖葵〗名 **1**〔植〕아욱과에 속하는 당아욱·접시꽃·동규(冬葵) 등의 총칭. **2** 무늬의 이름. ¶～の御紋 접시꽃 무늬《徳川 집안의 가문(家紋)》.

[葵2 왼쪽부터 葵巴·立葵·唐草葵]

あおいきといき【青息吐息】名 몹시 난감한 상태; 또, 그 때의 탄식. ¶不景気で～だ 불경기로 한숨만 나온다/資金繰りに〔資金不足で〕～だ 자금 마련에〔자금 부족으로〕 죽을 지경이다.

あおいろ【青色】名 청색; 푸른색. ¶～の服地 푸른빛 옷감.

―しんこく【―申告】名 청색 신고《우리나라의 녹색신고에 해당》.

あおうなばら【青海原】名〈雅〉넓고 푸른 바다; 창해. ¶～に船を乗り出す 창해에 배를 띄워 나가다.

あおうめ【青梅】名 청매; 덜 익은 푸른 매실.

あおがえる【青がえる】《青蛙》名〔動〕청개구리

あおかび【青かび】《青黴》名〔植〕푸른 곰팡이.

あおき【青木】名 **1** 푸른 나무; 생나무. ＝なま木. ↔枯れ木. **2** 상록수. ＝ときわぎ.

あおぎた-てる【あおぎ立てる】《扇ぎ立てる·煽ぎ立てる》下1他 **1** 마구 부채질하다. **2** 부추기다; 선동하다. ¶好奇心を～ 호기심을 부추기다.

あおぎ-みる【仰ぎ見る】下1他 **1** 올려다보다. ¶高山を～ 높은 산을 올려다보다. **2** 우러러보다. ¶師と～ 스승으로 우러러보다.

あおぎり〖梧桐·青桐〗名〔植〕청동; 벽오동.

*あお-ぐ【仰ぐ】5他 **1** 우러러보다. ㉠(얼굴을) 치켜들다. ↔うつむく. ㉡위를 보다. ¶天を～ 하늘을 우러러보다. ↔ふす. ㉢존경〔추앙〕하다; 우러르다. ＝うやまう. ¶師として～ 스승으로서 우러러보다/武人の鑑と～·がれる 무인의 귀감으로 추앙받다/聖人の徳を～ 성인의 덕을 앙모하다. **2** 받들다; 모시다. ¶総裁に～ 총재로 모시다. **3** 바라다; 앙청하다. ¶裁可を～ 재가를 앙청하다/教えを～ 가르침을 청하다. **4**『毒を～』독약을 (단숨에) 들이켜다. 可能 あお-げる 下1自

―·いで天に愧じず 하늘을 우러러보아 양심에 부끄럼이 없다.

*あお-ぐ〖扇ぐ·煽ぐ〗5他 부치다; 부채질하다. ¶七輪の火を～ 풍롯불을 부치다.

あおくさ-い【青くさい·青臭い】形 풋내나다. **1** 풀냄새가 나다. **2** 미숙하다; 유치하다. ¶～人 풋내기/～意見 유치한 의견.

あおさ〖石蓴〗名〔植〕석순; 파래. ＝ちさのり.

アオザイ [베트남 ao dai] 名 아오자이《베트남 여성의 전통 의상》.

あおざかな【青魚】名 등 푸른 생선《정어리·고등어·꽁치 따위》. ＝青物.

あおざ-める【青ざめる】下1自 새파래지다; (특히, 안색이) 창백해지다. ¶恐ろしさのあまり顔が～ 두려운 나머지 얼굴이 새파랗게 질리다.

あおじ【青地】名 푸른 바탕; 푸른 바탕인 물건〔피륙〕. ¶～に白の模様 푸른 바탕에 흰 무늬.

あおじゃしん【青写真】名 청사진. **1** 청색 사진. ＝青焼(あおや)き·ブループリント. **2** 미래의 구상. ¶まだ～の段階(だんかい)だ 아직 청사진의 단계다/将来(しょうらい)の～を描(えが)く 미래의 청사진을 그리다.

あおじろ-い【青白い】《蒼白い》形 파르께하다; (특히, 얼굴빛이) 창백하다. ¶～月(つき)の光(ひかり) 푸르스름한 달빛/～顔(かお)のインテリ 창백한 얼굴의 인텔리.

あおしんごう【青信号】名 청신호. ¶～を見(み)て渡(わた)る 청신호를 보고 건너다. ↔赤信号(あかしんごう).

あおすじ【青筋】名 푸른 줄기; 특히, 살갗 위로 비쳐 보이는 핏대.

—を立(た)てる 핏대 올리다. ¶青筋を立てておこる 핏대를 올리며 성을 내다.

あおそこひ【青そこひ】《青底翳》名 '緑内障(りょくないしょう)(＝녹내장)'의 풀어쓴 말씨.

*あおぞら【青空】名 **1** 푸른 하늘; 창공. **2** 《名詞 앞에서》 노천; 야외. ¶～教室(きょうしつ) 야외 학습(장); 노천 수업/～市場(いちば) 노천 시장/～駐車(ちゅうしゃ) 옥외 주차.

あおた【青田】名 청전; 벼가 푸릇푸릇한 논; 아직 벼가 익지 않은 논. ↔黒田(くろた).

—がい【—買い】名 **1** 입도선매(立稲先買). **2** 〈俗〉 졸업 전의 학생과 입사 계약을 맺는 일. ＝青田刈(が)り.

あおだいしょう【青大将】名〔動〕구렁이.

あおだたみ【青畳】名 거죽이 파르께한 새 畳(たたみ). ¶～を敷(し)いたような海(うみ) 새 다다미를 깔아 놓은 듯한 파란 바다.

あおでんしゃ【青電車】名 다음 차가 '赤(あか)電車(＝마지막 전차)'임을 예고하기 위해 행선지 표지에 푸른 전등을 켠 전차. ＝青電(あおでん).

あおてんじょう【青天井】名 **1** 푸른 하늘; 창공《하늘을 천상에 비유》. ＝野天(のてん). ¶～で一夜(いちや)を明(あ)かす 한데서 하룻밤을 새우다. **2** 〈俗〉 (시세 등이) 가파르게 계속 오르는 상태; 다락같음. ¶株価(かぶか)は～だ 주가는 천정부지다.

あおどうしん【青道心】名 풋내기 중; 사미승(沙彌僧). ＝今道心(いまどうしん).

あおな【青菜】名 푸성귀; 푸른 채소.

—に塩(しお) (푸성귀에 소금을 뿌린 듯이) 풀 죽은 모양. ¶成績(せいせき)がわるくて～だ 성적이 나빠서 의기소침하다.

あおにさい【青二才】名 풋내기. ¶あの～に何(なに)ができるか 저 풋내기가 무엇을 할 수 있겠는가/～が何(なに)をぬかす 풋내기가 뭐라고 지껄이는 거야.

あおのり〖青海苔〗名〔植〕파래·싱경이 무리의 바다 녹조류의 총칭.

あおば【青葉】名 **1** (새로 돋은) 푸른 잎; 싱싱한 새잎; 신록. ¶～のころ 신록지절. **2** 초록색의 나뭇잎.

あおばえ〖青蝿·蒼蝿〗名 **1** 금파리; 쉬파리. ＝くろばえ. **2** 귀찮게 달라붙는 사람을 욕하는 말: 똥파리; 진드기.

あおば-む【青ばむ】5自 푸르스름해지다; 푸른 기를 띠다; 파래지다. ¶木(こ)の葉(は)が～ 나뭇잎이 파래지다.

あおびかり【青光り】名 ス自 청(백)색으로 빛남; 또, 그 빛. ¶～する石(いし) 푸른빛이 도는 돌.

あおびょうたん【青びょうたん】《青瓢簞》名 **1** 덜 익은 푸른 호리병박. ＝青(あお)ふくべ. **2** 야위고 안색이 해쓱한 사람을 비웃는 말. ¶あんな～に負(ま)けるものか 저 따위 말라깽이한테 질까 보냐.

あおぶくれ【青膨れ】名 푸르퉁퉁한 모양; 또, 그런 사람. ¶～した顔(かお) 푸르퉁퉁한 얼굴.

あおまめ【青豆】名〔植〕**1** 푸르대콩. **2** 〈俗〉 ☞グリンピース.

あおみ【青み】名 **1** 푸른 기; 청색. ¶～をおびる 푸른 기를 띠다/～がかったガラス 푸르께한 유리. **2** 푸른 정도. ¶海(うみ)が～をます 바다가 더 파래지다.

—じょうご【—上戸】名 마실수록 얼굴이 창백해지는 술꾼.

あおみ【青味】名 국·생선회·생선구이 따위에 곁들이는 푸른 채소. ¶～をあしらう 푸른 채소를 곁들이다.

あおむき〖仰向き〗名 위를 향함. ¶～に寝(ね)る 바로 눕다; 반듯이 눕다/～に倒(たお)れる 벌렁 자빠지다/顔(かお)を～加減(かげん)にする 고개를 약간 위로 향하게 하다. ↔うつむき.

*あおむ-く〖仰向く〗5自 (고개를 젖히거나 몸을 뉘어서) 위를 향하다〔보다〕. ¶～いて空(そら)を見(み)る 고개를 젖혀 하늘을 보다. ↔うつむく.

あおむけ〖仰向け〗名 뒤로 잦혀 위를 봄〔향함〕. ¶～にひっくりかえる 벌렁 나자빠지다〔뒤집히다〕. ↔うつぶせ.

あおむ-ける〖仰向ける〗下1他 위를 향하게 하다; 얼굴을 잦혀 위로 향하게〔위를 보게〕 하다. ＝あおのける. ¶首(くび)を～ 고개를 잦히다. ↔うつむける.

あおむし【青虫】名〔蟲〕푸른 빛을 띤 나비·나방의 애벌레.

*あおもの【青物】名 **1** 야채류의 총칭; 푸성귀. ¶～市場(いちば) 야채 시장. **2** ☞あおざかな.

—や【—屋】名 야채가게; 야채장수. ＝八百屋(やおや).

あおもり【青森】名〔地〕東北(とうほく) 지방 북단에 있는 현; 또, 그 현청 소재지.

あおやか【青やか】ダナ 싱싱하게 푸른 모양; 푸릇푸릇한 모양.

あおゆで【青ゆで】《青茹で》名 (푸성귀를) 빛깔이 변하지 않도록 살짝 데침. ＝青煮(あおに).

あおり〖煽り〗名 **1** (부채 따위로) 부침; 특히, 센 바람으로 말미암은 동요·충격. ¶強風(きょうふう)の～で木(き)が倒(たお)れた 강풍이 불어닥쳐 나무가 쓰러졌다. **2** 여세에 의한 강한 충격. ¶パニックの～で破産(はさん)した 공황의 여파로 파산했다. **3** 선동. ¶～行為(こうい) 선동 행위.

—を食(く)う (어떤 일에 뜻하지 않게) 피해〔여파〕를 입다; 후림불에 휘말리다. ¶

爆風の～ 폭풍의 강타를 받다.

あおりた-てる【あおり立てる】《煽り立てる》 下1他 마구 부추기다〔선동하다〕. ¶射幸心〔不信感〕を～ 사행심〔불신감〕을 마구 부추기다.

***あお-る** 〖呷る〗 5他 (술 등을) 고개를 젖히고 단숨에 들이켜다. ¶酒をぐいぐいと～ 술을 꿀꺽꿀꺽 단숨에 들이켜다.

***あお-る** 〖煽る〗 5他 **1** 부채질하다. ㉠(부채로) 부치다. ＝煽ぐ. ¶炭火を～ 숯불을 부치다. ㉡(부)추기다; 선동하다. ＝おだてる. ¶民衆を～ 민중을 선동하다. **2** 펄럭이게 하다. ¶風がカーテンを～ 바람이 커튼을 펄럭이게 하다. **3** 덜커덕거리게 하다. ¶風が戸を～ 바람이 문을 덜커덕거리게 하다. **4** 급히 몰(아치)다. ¶馬を～ 말을 급히 몰다 / 彼が仕事を～ので忙しい 그가 일을 몰아치는 바람에 (더욱) 바쁘다. **5** (증권 거래에서) (큰손이) 시세를 올리기 위해서 대량으로 사들이다. ¶相場を～ 시세 폭등을 부추기다.

****あか**【赤】名 **1** 빨강. ㉠적색·갈색 등 붉은색 계통의 총칭. ¶～ぐつ 갈색 구두《빨간 구두는 '赤いくつ'》. ㉡짐승의 적갈색 털; 또, 그런 짐승. ¶隣の～犬 옆집의 누렁이. **2** 붉은 빛과 관계가 깊은 것. ㉠적색 분자; 빨갱이. ¶彼は～だ 그는 빨갱이다. ㉡정지·위험 신호. ↔青. ㉢적자; 결손. ¶今月も～だ 이 달도 적자다. ↔黒.

—**の他人** 생판 남; 생면부지.

****あか** 〖垢〗 名 **1** 때; 더러움; 더러운 것. ¶耳の～ 귀지 / 心の～ 마음의 때; 더러워진 마음 / ～が付く 때가 끼다〔묻다〕/ つめの～ほども分けてやらない 손톱의 때꼽재기만큼도 나눠 주지 않는다 / 浮き世の～を落とす 속세의 때를 씻어 버리다. **2** 물때. ＝みずあか.

あかあかと【赤赤と】副 (새)빨간 모양. ¶～した頰 빨간 볼 / 夕日が～さす 석양이 새빨갛게 비치다 / ～燃えさかる火 새빨갛게 타오르는 불.

あかあかと 〖明明と〗 副 매우 밝은 모양. ¶～見える 환하게 보이다 / ～火をともす 환하게 불을 켜다.

****あか-い**【赤い】形 **1** 붉다; 빨갛다. ¶顔を～くする 얼굴을 붉히다. **2** (빛깔이 붉고) 아름답다. ¶～べべ 빨간 때때옷. **3** (사상이) 붉다; 공산주의적이다. ¶～国 공산국가 / ～思想に染まる 공산주의 사상에 물들다.

—**気炎** 여성의 왕성한 의기·기세. ¶～を上げる (여자가) 기염을 토하다.

—**広場** (러시아의) 붉은 광장.

あかいはね【赤い羽根】連語 공동 모금에 기부한 표시로 달아 주는 붉은 색의 작은 깃털; 또, 그 모금 운동.

あかいろ【赤色】名 적색; 빨간 빛깔; 빨강.

あかえい 〖赤鱏〗 名〔魚〕 노랑가오리.

あかがい 〖赤貝〗 名 **1**〔貝〕 피안다미조개; 새고막. **2**〈俗〉 여성의 음부.

あかがね 〖銅·赤金〗 名〈雅〉 동; 구리. ＝どう·あか.

—**いろ**【—色】名 적동색; 구릿빛. ¶～の肌 구릿빛 살갗.

あかがみ【赤紙】名 **1** 빨간 종이. **2**〈俗〉 빨간 딱지《군대의 소집 영장; 또, 압류할 때 붙이는 종이》.

あかがり【赤狩り】名 빨갱이 일제 검거. ⇨レッドパージ.

あがき 〖足掻き〗 名 발버둥질. ¶最後の～ 최후의 몸부림 / 悪～ 발을 동동 구름; 절망적인 몸부림.

—**が取れない** 꼼짝할 수가 없다; (몸부림쳐도) 어찌할 도리가 없다. ¶借金でどうにも～ 빚 때문에 도무지 꼼짝할 수가 없다.

あかぎれ 〖皸〗 名 (추위로) 손발의 살갗이 틈. ¶手に～が切れる 손이 트다.

あが-く 〖足掻く〗 5自 **1** (말 따위가) 앞발을 내젓다〔땅을 긁다〕. **2** 발버둥질치다; 몸부림치다; 버르적거리다. ＝もがく. ¶捕縛から逃れようと～ 포박을 풀고 도망치려고 발버둥질치다 / いくら～いても無駄だ 아무리 몸부림쳐도 소용없다.

あかぐろ-い【赤黒い】形 검붉다. ¶～顔 검붉은 얼굴.

あかげ【赤毛】名 붉은 (머리)털.

あかゲット【赤ゲット】《赤毛布》 名 **1** 붉은 담요. **2** 도시 구경 온 시골뜨기; 촌놈. ＝おのぼりさん. ¶とんだ～ぶりを発揮する 어처구니없는 촌놈티를 보여 망신하다. **3**〈俗〉 촌스러운 해외 여행자. 参考 'ゲット'는 blanket에서.

あかご【赤子】《赤児》名 갓난아기; 젖먹이. ＝赤ん坊. ¶～に乳をやる 갓난아기에게 젖을 주다.

—**の手をねじる** **1** 약한 자를 괴롭히다. **2** 아주 쉬운 일의 비유.

あかごはん【赤御飯】名 ☞せきはん.

あかさび【赤さび】《赤錆》 名 붉은 녹.

あかし 〖証〗 名 증거; 증명; 특히, 결백의 증거. ¶身の～を立てる 자신의 결백함을 증명하다 / 福音の～をする 복음을 증거하다.

***あかじ**【赤字】名 **1** 적자; 결손. ¶～財政〔経営〕 적자 재정〔경영〕/ ～がふくらむ 적자가 늘어나다 / ～に悩む 적자에 시달리다 / 今月は～だ 이 달은 적자다. ↔黒字. **2** (교정에서) 빨간 빛깔로 바로잡은 글자.

—**せん**【—線】名 (버스 등의) 적자 노선.

アカシア [acacia] 名〔植〕 아카시아.

あかしお【赤潮】名 적조《미생물이 번식해서 바닷물이 붉게 보이는 현상》.

あかしくら-す 【明かし暮らす】 5自 (나)날을 보내다; 세월을 보내다. ¶なみだのうちに～ 눈물로 세월을 보내다.

あかじ-みる 〖垢染みる〗 下1自 때가 끼어 더러워지다; 찌들다. ¶シャツが～ 셔츠가 찌들다.

***あかしんごう**【赤信号】名 적신호; 빨간

신호(정지·위험 등을 알리는 신호). ¶健康の～ 건강의 적신호/～にかわる 빨간 신호로 바뀌다. ↔青信号.

あかしんぶん【赤新聞】名 사회 이면이나 폭로 기사 등을 흥미 본위로 다루는 저속한 신문. 参考 본디, 불그스름한 종이에 인쇄한 데서.

***あか-す**【明かす】5他 밝히다. **1** (비밀 등을) 털어놓다; 명백히 하다. ¶身の上を～ 신상을 밝히다/手品の種を～ 요술의 속임수를 밝히다. **2**《証す》(결백 등을) 증명〔입증〕하다. ¶身の潔白を～ 자신의 결백함을 밝히다. **3** (밤을) 새우다. ¶試験勉強で夜を～ 시험 공부로 밤을 지새우다/泣き～ 울면서 밤을 지새우다. 可能あか-せる下1自

あか-す【飽かす】5他 **1** 물리게〔싫증나게〕 하다; 실컷 …하다. ¶ごちそう攻めで客を～ 진수성찬으로 손님을 실컷〔진탕〕 먹이다/彼の話は人を～·さない 그의 얘기는 사람을 싫증나게 하지 않는다. **2**《…に～·して의 꼴로》듬뿍 쓰다. ¶金に～·して買いあさる 돈을 물 쓰듯 하며 사 모으다/暇に～·して旅をする 시간을 충분히 들여 여행하다.

あかず【飽かず】連語〈雅〉싫증 내지 않고; 끈기 있게. ¶～(に)見入る 끈기 있게 들여다보다.

あかすり【あか擦り】《垢擦り》名 (목욕할 때) 때 미는 헝겊〔수건〕.

あかちゃ-ける【赤茶ける】下1自 불그스름한 갈색으로 퇴색하다. ＝あかっちゃける. ¶～·けたカーテン 불그스름하게 갈색으로 퇴색한 커튼/畳が～ 다다미가 불그스름한 갈색으로 바래다.

***あかちゃん**【赤ちゃん】名 **1** ㉠아기(‘あかんぼう’의 애칭). ㉡(동물의) 새끼. ¶犬の～ 강아지. **2** 세상 물정을 모르는 사람; 철부지. ¶まるで～だ 정말 철부지 같다.

あかちょうちん【赤ちょうちん】《赤提灯》名 붉은 초롱을 내단 대폿집. ＝一杯飲み屋. 注意 ‘あかぢょうちん’이라고도 함.

あかチン【赤チン】名〈俗〉머큐로크롬의 수용액. 注意 붉은 ‘옥도정기’의 뜻.

あかつき【暁】名〈雅〉**1** 새벽; 새벽녘. ＝夜明け. ¶～の鶏鳴 새벽녘의 닭 우는 소리. **2** (장차 어떤 일이 실현되는) (그)날〔때〕. ¶成功の～には… 성공하는 날에는….

あがったり【上がったり】名 (장사나 사업 따위가) 말이 아님; 형편없음. ＝お手上げ. ¶商売が～だ 장사가 말이 아니다.

あかつち【赤土】名 **1** 적토. ＝はに. **2** 적흑색의 그림물감.

あかテロ【赤テロ】名 적색 테러; 좌익의 폭력주의. ▷ terror.

あかでんわ【赤電話】名 붉은 칠을 한 공중 전화(가게나 정거장의 매점 등에 있어, 시외전화·전보 취급도 위탁 받음). 参考 정식 이름은 ‘委託公衆電話’.

あかとんぼ【赤とんぼ】《赤蜻蛉》名 **1**〔蟲〕고추잠자리. **2**〈俗〉구식의 소형 비행기; 특히, 복엽(複葉) 소형기.

あがない〖贖い〗名 속죄; 대속(代贖); 죄갚음. ＝罪滅ぼし. ¶罪の～ 속죄.

あがな-う〖購う〗5他〈雅〉**1** 구입하다; 사들이다. ¶宅地を～ 택지를 구입하다/さっそく一書〔一本〕を～·った 곧 그 책 한 권을 샀다. **2** 어떤 것 대신에 다른 것을 얻다. ¶汗と涙で～·われた成功 땀과 눈물로 얻은 성공. 可能あがな-える下1自

あがな-う〖贖う〗5他 속죄하다. ¶死をもって罪を～ 죽음으로써 속죄하다. 可能あがな-える下1自

あかぬけ【あか抜け】《垢抜け》名ス自 **1** 때가 빠져 깨끗해짐. **2** 땟물을 벗음; 세련됨. ¶～した作品 세련된 작품/～したやりかた 세련된 수법/～した女 때벗은〔세련된〕 여자.

あかぬ-ける【あか抜ける】《垢抜ける》下1自 때가 벗다; 촌티가 없이 세련되다. ¶あの人は近頃～·けて来た 저 사람은 요새 때를 벗어 미끈해졌다.

あかね〖茜〗名 **1**〔植〕꼭두서니. **2** ‘あかねいろ’의 준말.

—いろ【—色】名 꼭두서니 빛; 검붉은 빛.

あかはじ【赤恥】名 큰 창피. ¶～をかく 개망신당하다.

あかはた【赤旗】名 적기. **1** 붉은 깃발. ↔白旗. **2** 옛날의 平家의 기. ↔白旗. **3** 공산당·적색 분자·노동자의 기. **4** 위험 정지 신호기. ↔青旗.

あかはだ【赤肌】《赤膚》名 **1** 겉가죽이 벗겨진 빨간 살. **2** 벌거숭이. ㉠알몸(뚱이). ＝あかはだか. ㉡산에 나무가 없는 모양. ¶～の山 민둥산.

あかはだか【赤裸】名 알몸뚱이. ＝全裸. ¶～の男が大の字で寝ている 벌거벗은 알몸의 사나이가 큰대(大)자로 누워 있다.

あかばな【赤鼻】名 빨간 코; 주부코; 딸기코. ＝ざくろばな·あかっぱな. 注意 ‘あかはな’라고도 함.

あかびかり【あか光り】《垢光り》名 (옷 따위가) 때에 결어 번들거림. ¶～の服 때에 결어 번들거리는 옷.

あかふだ【赤札】名 붉은 패; 특히, 싸구려나 매약필(賣約畢)의 물건임을 나타내는 빨간 딱지. ¶商品に～をつける 상품에 빨간 딱지를 붙이다.

あかぶどうしゅ【赤ぶどう酒】《赤葡萄酒》名 적포도주.

あかぼう【赤帽】名 **1** 빨간 모자. **2** 포터(정거장에서 수화물을 나르는 짐꾼).

あかまつ〖赤松〗名〔植〕적송; 육송(陸松); 소나무. ＝めまつ.

あかみ【赤み】《赤味》名 **1** 붉은 기. ¶～がさす 붉은 기가 돌다/～を帯びる 붉

은빛을 띠다. **2** 붉은 정도. ¶~を増す 붉은빛을 더하다.

あかみ【赤身】 图 **1** (비계 없는) 살코기. ↔あぶらみ. **2** 다랑어 같은 붉은 생선의 살. ↔白身. **3** 재목의 중심에 있는 붉은 부분; 심재(心材). ↔白太.

あかみそ【赤みそ】《赤味噌》 图 (보리 메주를 섞어 만든) 적갈색의 된장. ↔白みそ.

あかむけ【赤むけ】《赤剝け》 图 살갗이 벌겋게 벗겨짐; 또, 그 살갗. ¶ころんで肘が~になる 넘어져서 팔꿈치가 빨갛게 벗겨지다.

あかめ【赤目】 图 **1** 붉은 눈. ㉠벌겋게 충혈된 눈. ㉡홍채(紅彩)가 붉은 눈《토끼 눈 따위》. **2** 아래 눈까풀을 까뒤집어 경멸 등의 뜻을 보이는 짓. =あかんべ.

あか-める【赤める】 下1他 붉히다. ¶顔を~ 얼굴을 붉히다.

あが-める〖崇める〗 下1他 우러러 받들다; 숭상하다. ¶師と~ 스승으로 우러러 받들다.

あかもん【赤門】 图 **1** 붉게 칠한 문. **2** 東京 대학의 속칭. ¶~出〔派〕 東京 대학 출신〔파〕.

あかゆうたい【赤郵袋】 图 등기 우편물 등 귀중한 우편물을 넣은 빨간 우편낭《구칭은 赤行嚢》.

あからがお【赤ら顔】《赭ら顔》 图 불그레한 얼굴. ¶~の男 얼굴이 불그레한 사나이.

あからさま〖明白〗 ダナ 명백함; 분명함; 노골적. ¶~な買収行為 명백한 매수 행위/内情を~に言えば 내부 사정을 사실대로 말하면/人の前で~にいう 남 앞에서 노골적으로 말하다/~にわけを話す 까놓고 이유를 말하다.

あから-む【明らむ】 5自 (동이 터서) 훤해지다. ¶東の空が~·んできた 동녘 하늘이 훤해졌다.

あから-む【赤らむ】 5自 불그스름해지다; 붉어지다. ¶顔が~ 얼굴이 붉어지다/~·んだ頰 불그레한 뺨.

あから-める【赤らめる】 下1他 붉히다. ¶顔を~ 얼굴을 붉히다.

あかり〖灯〗 图 등불. =ともしび. ¶~をつける〔ともす〕 불을 켜다/~がつく〔ともる〕 불이 켜지다.

あかり【明かり】 图 환한 빛; 밝은 빛. ¶星~ 별빛/夜明けの~が窓に差す 새벽녘의 빛이 창에 비치다/~が足りず, よく読めない 밝지가 못해서 잘 읽을 수 없다.

*__あがり【上がり】__ ㊀图 **1** 오름; 오른것. ㉠(위치·정도·가격 등이) 올라감. ¶値~ 비싸짐; 오름세/株価の~下がり 주가의 오르내림/階段の~降り 계단 오르내리기. ↔下がり. ㉡매출; 수익; 이익. ¶店の~が少ない 가게의 매출이 적다/~の多い仕事 수입이 많은 일. **2** 끝남. ㉠(근무·일 등을) 마침; 종료. ¶きょうは五時~だ 오늘은 5시면 끝난다. ㉡다 됨; 완성; 또, 그 품. ¶この染めは色の~がよい 이 염색은 물이 곱게 들었다/仕事の~がきれいだ 일이 깨끗하게 잘되었다.
㊁接尾 **1** (계속하던 현상·동작이) 멎음; 그침. ¶雨~ 비가 그침〔갬〕. **2** 이전의 직업·신분·상태를 나타내는 말. ¶芸者~ 기생 출신/軍人~ 군인 출신/病気~ 앓고 난 사람. ↔くずれ.

あがりかまち【上がりかまち】《上がり框》 图 현관에서 안으로 올라서는 곳의 귀틀. 注意 'あがりがまち'라고도 함.

あがりぐち【上がり口】 图 층층대 또는 높은 곳으로 올라가는 입구; 봉당에서 마루 또는 방으로 올라가는 곳.

あがりこ-む【上がり込む】 5自 (남의 집에) 마구 들어가다〔들어가 앉다〕. ¶人の家に~ 남의 집에 마구 들어가다.

あがりさがり【上がり下がり】 图ス自 **1** 오름과 내림. ¶~をかぞえる 오르고 내리는 것을 세다. **2** (값이나 수치의) 오르내림. ¶株価の~が急だ 주가의 기복이 심하다/気温の~が激しい 기온의 변화가 심하다.

あかりとり【明かり取り】 图 ☞あかりまど.

あがりばな【上がりばな】《上がり端》 图 **1** 봉당에서 방 따위로 들어서는 곳; 초입; 입구. **2** 오르기 시작할 때. ¶~を買う 오르기 시작할 때 사다. 注意 'あがりはな'라고도 함.

あかりまど【明かり窓】 图 들창; 채광창. =あかりとり. ¶部屋に~を設ける 방에 들창을 내다.

あがりめ【上がり目】 图 **1** 눈초리가 치켜 올라간 눈. =つりめ. **2** 물가·기세 따위가 오르려는 때. ¶紡績株は~にある 방적주는 상승세를 타고 있다. ↔下がり目.

あがりゆ【上がり湯】 图 목욕이 끝난 후 탕에서 나올 때 몸에 끼얹는 깨끗한 더운물. =おか湯·かかり湯. ¶~が熱過ぎる 몸 씻을 물이 너무 뜨겁다.

あが-る【上がる】 ㊀5自 **1** 오르다; 올라가다. ¶屋上に~ 옥상에 올라가다/二階へ~ 2층으로 올라가다/のろしが~ 봉화가〔횃불이〕 오르다/(タクシーの)メーターが~ (택시) 미터가 올라가다. **2** 상륙하다; 양륙되다. ¶陸に~ 뭍에 오르다/荷が桟橋に~ 짐이 부두에 양륙되다. **3** (땅에서 방·마루로) 들어가다. ¶足をふいて部屋に~ 발을 닦고 방으로 들어가다/さあお~·りください 자 (어서) 방으로 들어오시지요. **4** 오르다. ㉠승진〔승급〕하다; 높아지다. ¶地位が~ 지위가 오르다/月給が~ 월급이 오르다. ㉡나아지다; 향상되다. ¶二学期には成績がだいぶ~·った 2학기에는 성적이 꽤 올랐다/能率が~らない 능률이 오르지 않는다/人気が~ 인기가 올라가다. ㉢(가격이) 등귀하다. ¶物価〔株価〕が~

물가〔주가〕가 오르다. **5** (수익·성과 등이) 나다; 얻어지다; 나타나다. ¶利益が～ 이익이 나다/予想通りの結果が～ 예상대로의 결과가 나다. **6** 나오다. ¶ふろ〔プール〕から～ 목욕탕〔풀장〕에서 나오다. **7** 입학〔진학〕하다. ¶中学に～ 중학교에 진학하다. **8** 끝단계에 이르다; (일 따위가) 끝나다. ¶仕事が～ 일이 끝나다/入門編が～ 입문편을 떼다《다 배우다》/五時まで～だろう 5시면 끝날 테지. **9** 그치다; 멈추다. ¶梅雨が～ 장마가 그치다/雨が～·った後虹が出た 비가 그친 뒤 무지개가 섰다. **10** 흥분하(여 침착을 잃)다; 얼다. ¶試験場で～ 시험장에서 흥분하다/舞台で～·ってしまう 무대에서 얼다. **11** 나아지다; 늘다. ¶腕が～ 솜씨가〔기량이〕 늘다/手が～ (a) 三味線 등의 솜씨가 늘다; (b)술이 세어지다〔늘다〕. **12** (얼마의 비용으로) 되다; 족하다; 먹히다. ¶費用はいくらで～だろうか 비용은 얼마면 될까/思ったより安く～·った 예상보다 싸게 먹혔다. **13** 다 되다. ¶バッテリーが～ 전지가 다 되다/乳が～ 젖이 마르다/月経が～ 폐경이 되다/目が～ (늙어서) 눈이 나빠지다. **14** '行く(＝가다)' 'たずねる(＝방문하다)'의 겸손한 말: 가다; 찾다. ¶ご相談に～·ってもよろしいでしょうか 상담하러 찾아뵈도 괜찮겠습니까. **15** 《接尾語적으로》 어떤 동작이 극에 달했음을 나타냄. ¶ふるえ～ (겁에 질려) 와들와들 떨다/のぼせ～ 몹시 흥분하다; 울컥하다.

㊁ 5他 '食う(＝먹다)' '飲む(＝마시다)' '吸う(＝피우다)'의 높임말. ¶めし～ 잡수시다/たばこを～ 담배를 피우시다/なにを～·りますか 무엇을 드시겠어요.

あが-る【挙がる】 5自 **1 (이름이) 나다. ¶文名が～ 문명이 나다. **2** 올라가다. ¶手が～ 손이 올라가다. **3** (이익이) 오르다. ¶収入が～ 수입이 오르다. **4** 검거되다. ¶犯人が～ 범인이 잡히다. 注意 '上がる'로도 씀.

*あが-る【揚がる】 5自 **1** 오르다. ㉠공중 높이 올라가다; 높이 걸리다. ¶国旗が～ 국기가 게양되다/額が～ 편액이 걸리다. ㉡(소리가) 높아지다. ¶歓声が～ 환성이 오르다. **2** (기름에) 튀겨지다. ¶てんぷらが～ 튀김이 튀겨지다. 注意 1은 '挙がる·上がる'로도 씀.

あかる-い【明るい】 形 밝다. **1 환하다. ¶～色〔部屋〕 밝은 색〔방〕/～·く照らす 환하게 비추다. **2** 명랑하다. ¶～顔 밝은〔명랑한〕 얼굴/～·く生きる 명랑하게 살다. **3** 전망이 좋다. ¶～見通し 밝은 전망. **4** 공명하다. ¶～政治 밝은 정치. **5** 정통하다. ¶この辺の地理に～ 이 근처 지리에 밝다. ⇔暗い.

*あかるみ【明るみ】 名 **1** 밝은 곳. **2** 공개된 곳; 드러난 곳; 세상. ¶話を～に出す 이야기를 공개하다/事件が～に出た 사건이 밝혀졌다; 사건이 표면화되었다.

あかる-む【明るむ】 5自 밝아지다. ¶東の空が～ 동녘 하늘이 밝아지다/心が～ 마음이 밝아지다〔가벼워지다〕.

あかんたい【亜寒帯】 名 〘地〙 아한대. ＝冷帯. ¶～気候 아한대 기후.

あかんべ 名 아랫눈까풀을 뒤집어 보이어 경멸·거부 등의 기분을 나타내는 짓. ＝あかんべえ·あかめ.

**あかんぼう【赤ん坊】 名 〈口〉 (갓난)아기. ＝赤子. ¶かわいい～ 귀여운 아기/～をもっている 임신 중이다/まだ～も同然だ 아직 어린애와 같다. 注意 'あかんぼ' 라고도 함.

**あき【秋】 名 가을. ¶～立つ 가을이 되다/～が深まる 가을이 깊어지다.

―の日はつるべ落とし 가을 해는 우물에 두레박 떨어지듯이 빨리 진다는 비유.

*あき〖明き·空き〗 名 **1** 속이 빔. ¶～部屋 빈방/がら～の電車 텅빈 전차. **2** 빈곳; 틈새; 여백. ¶地所の～ 대지의 빈터/箱の～にパッキングを入れる 상자 틈새에 패킹을 끼워 넣다/行と行との間の～を広くする 행간을 넓히다. **3** 빈자리; 결원. ¶席の～がない 빈자리가〔결원이〕 없다. **4** 틈; 짬. ¶忙しくて～が無い 바빠서 틈이 없다.

あき【飽き】《厭き》 名 물림; 싫증.

―が来る 싫증이 나다.

あきあき-する【飽き飽きする】《厭き厭きする》 サ変自 아주 싫증이 나다; 물리다; 신물이 나다. ＝あきはてる. ¶長い話にはもう～ 긴 이야기에는 이제 진절머리난다.

あきおさめ【秋収め】 名ス自 가을걷이.

あきかぜ【秋風】 名 추풍; 가을 바람.

―が立つ 남녀 간의 애정이 식기 시작하다《'秋'를 飽き(＝싫증)'에 빗대어 쓰는 말》. ＝秋風が吹く. ¶二人の間に～ 두 사람 사이에 애정이 식다; 두 사람 사이가 쓰렁쓰렁해지다.

あきがら【空き殻】《明き殻》 名 빈 껍데기. ¶さざえの～ 소라의 빈 껍데기.

あきかん【空き缶】 名 빈 통〔깡통〕. ¶～公害 빈 깡통 공해.

あきくさ【秋草】 名 가을(에 꽃피는) 풀.

あきぐち【秋口】 名 초가을; 첫가을. ¶～のすずしさ 초가을의 선선함. ↔あきずえ.

あきぐるま【空き車】 名 빈 차; 빈 자동차. ＝から車·空車.

あきご【秋ご】《秋蚕》 名 추잠; 가을 누에. ＝しゅうさん. ↔春ご.

あきさく【秋作】 名 가을(에 재배〔성숙〕하는) 작물. ↔春作.

あきさめ【秋雨】 名 추우; 가을비.

―ぜんせん【―前線】 名 〘氣〙 9월 중순에서 10월 중순에 걸쳐 일본 남해안에 정체하는 장마 전선.

あきしょう【飽き性】《厭き性》图 이내 싫증을 느끼는 성질; 곧 물리는 성질. ¶~の人(ひと) 이내 싫증을 잘 내는 사람.

あきす【空き巣】图 1 (새가 없는) 빈 둥지. 2 빈 집. 3 'あきすねらい(=빈집털이)'의 준말. ¶~を働(はたら)く 빈집을 털다.

あきた【秋田】图 1〘地〙東北(とうほく) 지방 서부의 동해에 면한 현; 또, 그 현청 소재지. 2 'あきたいぬ'의 준말.

—いぬ【—犬】图〘動〙秋田県(けん) 특산의 대형의 개《용맹스럽고 인내심이 강함》. 注意 'あきたけん'이라고도 함.

あきたりない【飽き足りない】連語 성에 차지 않다; 불만족스럽다; 시원치 않다. ¶憎(にく)んでも~ 미워 죽겠다/この結果(けっか)には~ 이 결과는 못마땅하다/いくら金(かね)を儲(もう)けても~ 아무리 돈을 벌어도 성에 차지 않는다.

*あきち【空き地·明き地】图 공지; 빈터; 공터; 빈땅. ¶~で野球(やきゅう)をする 빈터에서 야구를 하다.

あきっぽ-い【飽きっぽい】《厭きっぽい》形〈俗〉싫증을 잘 내다; 이내 물리다. ¶~性格(せいかく) 금방 싫증을 내는 성격.

あきない【商い】㊀图ス自他 장사; 상업. =商売(しょうばい). ¶~を始(はじ)める 장사를 시작하다. ㊁图 매상고. ¶今日(きょう)は~が少(すく)ない 오늘은 매상이 적다.

あきな-う【商う】5他 장사하다; 매매하다. ¶洋品(ようひん)を~ 양품 장사를 하다.

あきなす【秋なす】《秋茄子》图 가을 가지; 늦가을에 익는 가지《씨가 적고 맛이 있음》. =あきなすび.

—は嫁(よめ)に食(く)わすな 가을 가지는 며느리에게 먹이지 마라《며느리가 미워서, 또는 씨가 적어 자손을 못 볼까 해서》.

あきのおうぎ【秋の扇】連語 가을 부채《버림받은 여자의 비유》. =秋扇(しゅうせん).

あきのそら【秋の空】連語 가을 하늘; 가을 날씨《흔히 변하기 쉬운 이성(異性)의 마음에 비유됨》. =秋空(あきぞら). ¶男心(おとこごころ)と~ 남자의 마음과 가을 날씨《변하기 쉬운 남자의 마음을 비유》.

あきのななくさ【秋の七草】图 가을에 꽃이 피는 대표적인 일곱 가지 풀; 곧, 싸리·억새·칡·패랭이꽃·마타리·등골나무·도라지. ↔春(はる)の七草(ななくさ).

あきばれ【秋晴れ】图 가을의 쾌청한 날씨.

あきびより【秋日和】图 가을다운 좋은 날씨.

あきびん【空き瓶】图 빈 병. ¶~を捨(す)てる 빈 병을 버리다.

あきべや【空き部屋】图 빈방. =あきま.

あきま【明き間·空き間】图 1 (빈)틈. ¶~がない 틈이 없다. 2 빈방. =あきべや. ¶~を貸(か)す 빈방을 세 주다.

あきまき【秋まき】《秋蒔き》图 가을 파종. ↔春(はる)まき.

あきまつり【秋祭り】图 (신사(神社)의) 가을 제사〔축제〕.

あきめ-く【秋めく】5自 가을다워지다. ¶日(ひ)ごとに~·いてまいりました 하루 하루 가을 기운이 완연해지고 있습니다.

あきめくら【明きめくら】《明き盲》图〈卑〉1 문맹자. =文盲(もんもう). ¶昔(むかし)は~が多(おお)かった 예전에는 문맹자가 많았다. 2 사리를 분별 못하는 사람.

あきや【明き家·空き家】图 빈집; 공가. ¶~を借(か)りる 빈집을 빌리다.

**あきらか【明らか】ダナ 1 분명함; 뚜렷함. ¶~な事実(じじつ) 분명한 사실/態度(たいど)を~にする 태도를 분명히 하다/~に君(きみ)の責任(せきにん)だ 분명히 자네(의) 책임이다/勝負(しょうぶ)は~だ 승부는 뻔하다. 2 (환하게) 밝음. ¶~な満月(まんげつ) 환히 밝은 만월/月(つき)の~な夜(よる) 달 밝은 밤.

あきらめ【諦め】图 체념하는 일; 단념. ¶~がいい 깨끗이 단념하다〔단념할 줄 알다〕/~がつく 체념할 수 있다/~の悪(わる)いやつだ 째째한 놈이다.

**あきら-める【諦める】下1他 체념하다; 단념하다. ¶進学(しんがく)を~ 진학을 단념하다/仕方(しかた)がないと~ 어쩔 수 없다고 체념하다.

> **諦める의 여러 가지 표현**
>
> 표현例 きっぱりと(미련 없이)·あっさりと(깨끗이)·潔(いさぎよ)く(깨끗이)·渋々(しぶしぶ)(마지 못하여)·止(や)む無(な)く(부득이)·泣(な)く泣く(할 수 없이).

**あ-きる【飽きる】《厭きる》上1自 싫증나다; 물리다. ¶~ほどたべる 물리도록〔실컷〕 먹다/その話(はなし)は聞(き)き~·きた 그 이야기는 싫증이 나도록 들었다.

あきれかえ-る【あきれ返る】《呆れ返る》下1自 아주 어이없다; 질리다; 기가 막히다. =あきれはてる. ¶彼(かれ)の話(はなし)のわからないのには全(まった)く~·った 그가 말귀를 알아듣지 못하는 데는 아주 질렸다/~·って二(に)の句(く)が継(つ)げない 하도 어이가 없어서 다음 말이 안 나온다.

アキレスけん【アキレス腱】图〘生〙아킬레스건《발뒤꿈치 위에 있는 힘줄; 강자의 치명적인 약점에 비유되기도 함》. ¶練習中(れんしゅうちゅう)に~が切(き)れる 연습 중에 아킬레스건이 끊어지다. ▷Achilles.

あきれは-てる【あきれ果てる】《呆れ果てる》下1自 기가 막히다〔질리다〕; 어이없다; 아연실색하다. =あきれかえる. ¶あいつにはほとほと~·てた 저녀석한테는 아주 질렸다.

*あき-れる【呆れる·惘れる】下1自 놀라다; 어이〔어처구니〕없다; 기가 막히다; 질리다. ¶~·れて物(もの)も言(い)えない 어처구니없어 말도 안 나오다/~ほどうまい 놀랄 정도로 능숙하다.

あきんど【商人】图 상인; 장사치. =商人(しょうにん)·あきゅうど. ¶旅(たび)~ 도부장수; 행상인. 参考 'あきびと'의 음편(音便).

**あ-く【開く·明く】5自 1 열리다. ㉠ 닫힌 것·막힌 것 등이 열리다. ¶とびらが~ 문이 열리다/幕(まく)が~ 막이 열리다. ㉡ 가게문이 열리다; 시작〔영업〕하다. ¶店

みせが～ (a)개점하다; (b)영업을 (시작)하다 / その店は午前八時に～・きます 그 가게는 오전 8시에 문이 열립니다. ↔しまる. **2** 면해 있다; 나 있다. ¶窓が南に～・いている 창문이 남쪽으로 나 있다. **3** (구멍 따위가) 뚫리다; 나다. ¶穴が～ 구멍이 뚫리다. ↔ふさがる. **4** 기한이 다 되다〔차다〕. ¶年季が～ 고용살이 기한이 다 되다 / 喪が～ 탈상하다.

—·いた口が塞がらぬ 벌어진 입이 닫히지 않다; 기가 막혀 말이 안 나오다.

***あ・く【空く】** 5自 비다; 나다. **1** 차지하지 않고 있다. ¶～・いた席がない 빈자리가 없다 / ～・いているへや 비어 있는 방. **2** 결원이 나다. ¶課長のポストが一つ～ 과장 자리가 하나 비다. **3** 쓰이지 않는 상태가 되다. ¶手が～ 손이 비다; 틈이 나다 / 時間が～ 시간이 비다〔나다〕. **4** 사이가 벌다. ¶行間が～・いている 행간이 비어 있다.

あ・く【飽く】《厭く》 5自 〈文〉 싫증나다; 물리다. ＝飽きる.

あく〖灰汁〗 图 **1** 잿물. ¶～で洗い物をする 잿물로 빨래하다. **2** (식품에 함유된) 떫은 액체; 떫은 맛. ¶ワラビの～を抜く 고사리의 떫은 맛을 없애다. **3** (세련되지 않은) 강한 개성. ¶～の強い文章 세련되지 않은 개성이 강한 문장 / ～の抜けた人 (a)속기(俗氣)가 없는 사람; (b)멋진 사람.

—が抜ける (사람의 성격이나 몸가짐이) 세련되다. ＝あく抜けする.

***あく【悪】** 图 악. ¶～の道に走る 악의 길로 기울다. ↔善.

あく〖悪〗《惡》 教3 アク オ あし わるい にくむ | 악 모질다 나쁘다 | 악. **1** 나쁘다; 악하다. ↔善. ¶悪徳 악덕 / 悪意 악의. **2** 못하다; 서투르다. ¶悪筆 악필.

あく〖握〗 常用 アク にぎる つかむ | 악 쥐다 | 쥐다; 움키다. ¶握手 악수 / 掌握 장악.

あくあらい【あく洗い】《灰汁洗い》 图 ス自 (낡은 집의 기둥·마루 등을) 잿물〔세제〕로 닦아내는 일.

アクアラング [Aqua-Lung] 图 〘商標名〙 애퀄렁《잠수용 수중(水中) 호흡기》. ＝スキューバ.

アクアリウム [aquarium] 图 아콰리움. **1** 수족관(水族館). **2** 수생 동물의 사육조(飼育槽); 양어장.

***あくい【悪意】** 图 악의. ¶～に解釈する〔取る〕 악의로 해석하다. ↔好意·善意.

あくうん【悪運】 图 악운. **1** 불행한 운명. ＝不運. ¶一生が～つづきだ 한평생 불운의 연속이다. ↔幸運·好運. **2** 못된 짓을 해도 나쁜 응보가 없이 의외로 결과가 좋은 운. ¶～が強い 악운이 세다.

あくえいきょう【悪影響】 图 악영향. ¶～を与える 나쁜 영향을 주다.

あくえん【悪縁】 图 악연. **1** 고약한 인연. ↔良縁. **2** 떼려고 해도 뗄 수 없는 못된 인연《대개 남녀 관계에서 씀》. ＝くされえん. ¶～でつながる 뗄 수 없는 못된 인연으로 얽히다.

あくかんじょう【悪感情】 图 악감정. ＝あっかんじょう. ¶友だちに～をいだく 친구에게 악감을 품다 / ～をぬぐい切れない 나쁜 감정을 지울 수 없다.

あくぎゃく【悪逆】 图 악역. **1** 도리에 어긋나는 무도한 소행. **2** 군주·아버지 등을 시해(弑害)하려는 죄.

—むどう【—無道】 图 악역무도. 注意 'あくぎゃくぶどう'라고도 함.

あくぎょう【悪行】 图 악행; 못된 짓. ＝悪事. ¶～の限りを尽くす 갖은 악행을 다하다. ↔善行. 注意 'あっこう'라고도 함.

あくさい【悪妻】 图 악처. ↔良妻.

—は百年〔六十年〕の不作 악처는 평생의 불행.

あくじ【悪事】 图 **1** 악행; 못된 짓. ¶～を働く 못된 짓을 하다. **2** 재난; 재앙. ¶～が重なる 불행이 겹치다.

—千里を走る 악사천리《못된 짓이나 나쁜 소문은 곧 세상에 널리 알려진다》. ↔好事門を出でず.

あくじき【悪食】 图 ス自 악식. **1** 사람이 보통 먹을 수 없는 것을 먹는 일. ＝いかものぐい. ¶～家 악식가; 괴상한 것을 예사로 먹는 사람. **2** 나쁜〔형편없는〕 음식. ＝粗食. ¶悪衣～ 악의악식.

***あくしつ【悪質】** 名ナ **1** 악질. ¶～な犯罪 악질적인 범죄. **2** 품질이 나쁨. ¶～な紙 질이 나쁜 종이. ↔良質.

***あくしゅ【握手】** 图 ス自 악수. ¶～を交わす 서로 악수를 나누다. 参考 넓게는, '화해·협력하다'의 뜻으로도 쓰임.

あくしゅ【悪手】 图 (바둑·장기에서) 악수; 졸렬〔불리〕한 수. ＝あくて.

あくしゅう【悪臭】 图 악취. ¶～を放つ 악취를 풍기다. ↔芳香.

あくしゅう【悪習】 图 악습; 못된 버릇. ＝悪弊. ¶～に染まる 악습에 물들다〔젖다〕.

あくしゅみ【悪趣味】 名ナ 악취미. **1** 저속한 취미. **2** 짓궂게 남이 싫어하는 짓을 하고 좋아하는 일. ¶人を困らせてよろこぶなんて～だね 남을 난처하게 만들고 좋아하다니 악취미군〔짓궂군〕.

***あくじゅんかん【悪循環】** 图 ス自 악순환. ¶～に陥る 악순환에 빠지다 / ～を繰り返す 악순환을 거듭하다.

あくしょ【悪所】 图 **1** (험한 산 길 따위) 위험한 곳. **2** 〈婉曲〉 못된 곳; 유곽. ＝遊里. ¶～通い 유곽 출입.

あくしょ【悪書】 图 악서; 나쁜 책. ¶～追放 악서 추방. ↔良書.

あくじょ【悪女】 图 악녀. **1** 성품이 나쁜 여자; 독부(毒婦). **2** 못생긴 여자; 추

녀. ¶ ~は鏡(かがみ)を疎(うと)む 추녀는 거울을 싫어한다. ↔美女(びじょ).

—の深情(ふかなさけ) 추녀는 미녀보다 오히려 애정이 깊다《달갑지 않은 호의·친절의 뜻으로도 쓰임》.

アクション [action] 图 액션; 동작; 활동; 특히, 배우의 연기. ¶ ~ドラマ 액션 드라마; 활극 / ~が大(おお)きい 과장된 몸짓을 하다; 과잉 연기를 하다.

あくしん【悪心】图 악심; 악의; 못된(일을 꾀하는) 마음. ¶ ~をいだく 악심을 품다. ↔善心(ぜんしん). ⇨おしん.

あくせい【悪性】图 악성; 악질. ¶ ~腫瘍(しゅよう) 악성 종양 / ~の感冒(かんぼう) 악성 감기; 독감 / ~インフレ 악성 인플레.
参考 'あくしょう'는 딴말. ↔良性(りょうせい).

あくせい【悪政】图 악정; 나쁜 정치. ¶ ~に虐(しいた)げられる 악정에 시달리다. ↔善政(ぜんせい)·仁政(じんせい).

あくせい【悪声】图 1 악평; 욕. =悪評(あくひょう). ¶ ~が立(た)つ 나쁜 평판이 나다 / ~を放(はな)つ 욕을 하다. ↔名声(めいせい). 2 악성; 나쁜〔듣기 싫은〕 목소리. ↔美声(びせい).

あくせく〖齷齪·偓促〗トス自 악착. 1 안달함; 애달아함; 허덕지덕. ¶ ~するのは体(からだ)にもわるい 안달하는 것은 몸에도 좋지 않다. 2 아득바득 열심히 일함. ¶ ~と働(はたら)く 악착같이 일하다.

***アクセサリー** [accessory] 图 액세서리. 1 복장의 장식품; 장신구. 2 기계 등의 부속품. ¶ カメラの~ 카메라의 부속품.

アクセス [access] 图 액세스. 1 접근; 근접. 2 (정보 등의) 입수·이용 방법. 3 〖컴〗 정보의 입력이나 출력. ¶ ~タイム 액세스 타임; 호출 시간.

—けん【—権】图 1 공공기관에 정보 공개를 요구하는 권리. 2 매체 이용권. *영어로는 access of right라고 함.

アクセル [←accelerator] 图 액셀; (자동차·비행기 등의 발로 밟는) 가속 장치〔페달〕. ¶ ~を踏(ふ)む 액셀을 밟다.

あくせん【悪銭】图 악전. 1 부정하게 얻은 돈. 2 질이 낮은 돈.

—身(み)に付(つ)かず 부정하게 얻은 재물은 오래 가지 못한다.

あくせんくとう【悪戦苦闘】图ス自 악전고투.

***アクセント** [accent] 图 악센트. 1 낱말 발음에서 높낮이와 강세의 배치. ¶ 母(はは)という言葉(ことば)は始(はじ)めの'ハ'に~がある 'はは'라는 말은 처음의 'ハ'에 악센트가 있다. 2 (디자인의) 강조점. ¶ ひだを取(と)って腰回(こしまわ)りに~をつける 주름을 잡아서 허리둘레에 악센트를 주다.

あくたい【悪態】图 욕지거리; 악담. =悪態ぐち·悪(あく)たれぐち. ¶ ~をつく 악담하다 / ~の限(かぎ)りを尽(つ)くす 온갖 욕지거리를 다하다.

あくだま【悪玉】图 1 악인. 2 (연극에서) 악역. ↔善玉(ぜんだま).

あくたれ【悪たれ】图 1 심한 장난. ¶ ~っ子(こ) 장난이 심한 아이 / ~小僧(こぞう) 선머슴. 2 '悪(あく)たれ口(ぐち)'의 준말.

—ぐち【—口】图 욕지거리; 악담; 욕설. =あくたれ·にくまれ口(ぐち). ¶ ~をたたく 욕설을 퍼붓다.

あくた-れる【悪たれる】下1自 1 (주로 아이가 떼를 쓰며) 못되게 굴다. ¶ ~のもいいかげんにしろ 못되게 구는 것도 분수가 있어야지. 2 욕지거리하다.

あくたろう【悪太郎】图 악동(悪童); 선머슴; 장난꾸러기《'いたずらっ子(こ)'의 의인명적(擬人名的)인 말씨》.

アクティブ [active] 액티브. 一图〖文法〗 능동태. 二ダナ 활동적; 적극적. ¶ ~な人物(じんぶつ) 활동적인 인물. ↔パッシブ.

あくてん【悪天】图 악천후. =悪天候(あくてんこう). ¶ ~をついて出発(しゅっぱつ)する 악천후를 무릅쓰고 출발하다. ↔好天(こうてん).

あくど-い〖悪どい〗形 1 (색이) 칙칙하다; 야하다; (맛이) 짙다. ¶ ~化粧(けしょう) 야한 화장. 2 악랄하다; 악착같다. ¶ ~商売(しょうばい)〔やり方(かた)〕 악랄한 상술〔수법〕 / ~宣伝(せんでん) 악착같은 선전.

あくとう【悪党】图 악당. ¶ ~の一味(いちみ) 악당의 한패 / この~め 이 악당놈아.

あくどう【悪童】图 악동; 장난꾸러기. =いたずらっ子(こ)·悪太郎(あくたろう).

あくとく【悪徳】图 악덕; 부도덕. ¶ ~弁護士(べんごし) 악덕 변호사 / ~商人(しょうにん)〔業者(ぎょうしゃ)〕 악덕 상인〔업자〕. ↔美徳(びとく).

—しんぶん【—新聞】图 악덕 신문. =赤(あか)新聞.

あくなき【飽く無き】連語《連体詞적으로》 만족할〔물릴〕 줄 모르는. ¶ ~欲望(よくぼう) 만족할 줄 모르는 욕망.

あくにち【悪日】图 운이 나쁜 날; 수 사나운 날; 불길한 날. =凶日(きょうじつ). 注意 'あくび'라고도 함. ↔吉日(きちにち·きちじつ).

あくにん【悪人】图 악인; 못된 사람; 악한. =わるもの. ¶ ~に騙(だま)される 악인에게 속다. ↔善人(ぜんにん).

あくぬき【あく抜き】《灰汁抜き》图ス他 (야채 따위의) 떫고 쓴맛을 우려냄. ¶ ゼンマイの~ 고비의 떫은맛 빼기.

あぐ-ねる〖倦ねる〗下1自 ☞あぐむ. ¶ 捜(さが)し~ 찾다찾다 지치다 / 考(かんが)え~ 생각다 못하다 / 待(ま)ち~ 기다리다 지치다. 注意 흔히, 動詞連用形 뒤에 씀.

あくねん【悪念】图 악념; 악심; 나쁜 짓을 꾀하는 못된 생각.

あくば〖悪罵〗图ス他 악매; 더러운 욕설. ¶ ~をあびせる 심한 욕을 퍼붓다 / 相手(あいて)を~する 상대를 몹시 욕하다.

***あくび**〖欠·欠伸〗图 하품. ¶ 生(なま)~ 선하품 / ~が出(で)る 하품이 나다.

—をかみ殺(ころ)す 하품을 억지로 참다.

あくひつ【悪筆】图 악필. ¶ ~の書(しょ) 악필의 글 / 生(う)まれつきの~ 생래(生來)의 악필. ↔達筆(たっぴつ)·能筆(のうひつ).

あくひょう【悪評】图ス他 악평. ¶ ~を受(う)ける 악평을 받다. ↔好評(こうひょう).

あくびょうどう【悪平等】图 악평등; 무조건적인 잘못된 평등 ¶ 醵金(きょきん)させるのはいいが頭割(あたまわ)りでは~だ 돈을

갹출케 하는 것은 좋으나 똑같은 할당은 악평등이다.

あくふう【悪風】图 악풍; 나쁜 풍습. ¶~に染まる 악풍에 물들다. ↔美風.

あくぶん【悪文】图 악문. **1** 서투르고 난해한 문장. **2** 자기 글의 겸칭. =拙文.

あくへい【悪弊】图 악폐; 나쁜 폐단. ¶~を生む 나쁜 폐단을 낳다/まだ~が残っている 아직도 악폐가 남아 있다.

あくへき【悪癖】图 악벽; 못된 버릇; 악습. ¶~の持ち主 나쁜 버릇을 가진 사람.

あくほう【悪法】图 악법; 나쁜 법률.
―もまた法なり 악법도 역시 법이다 《악법도 법인 이상 지켜야 한다》.

***あくま**【悪魔】图 악마. ¶~が人を迷わす 악마가 사람을 미혹하다.
―ばらい【―払い】图 구마(驅魔); 기도 등으로 마귀를 내쫓음.

あくまで〖飽く迄〗副 어디까지나; 철저하게; 끝까지. =とことんまで. ¶~正直な人 어디까지나 정직한 사람/~(も)澄み切った空 아주 맑게 갠 하늘/~(も)戦う 끝까지 싸우다.

あくむ【悪夢】图 악몽; 불길한 꿈. ¶~を見る 악몽을 꾸다/~にうなされる 가위눌리다; 악몽에 시달리다.
―から覚める 악몽에서 깨어나다.

あぐ-む〖倦む〗5自《接尾語적으로》…하다 못하다〔지치다〕. ¶考え~ 생각다 못하다/待ち~ 기다림에 지치다/手紙を書き~ 편지를 (끝내) 못쓰고 말다.

アクメ[프 acmé]图 아크메; 절정; 클라이맥스. =オルガスムス.

あくめい【悪名】图 악명 =あくみょう. ¶~が高い 악명이 높다.

あくやく【悪役】图〘劇〙악역. =あくがた. ¶~を勤める 악역 노릇을 하다. 参考 어떤 일에서, 미움을 살 입장에 놓인 사람도 이름.

あくゆう【悪友】图 악우; 나쁜 친구; 또, 반어적으로 친한 친구를 가리키는 경우도 있음. ¶高校以来の~ 고교 때부터의 허물없는 친구/~に誘われる 악우에게 꾐을 당하다. ↔良友.

あくよう【悪用】图ス他 악용. ¶地位を~する 지위를 악용하다. ↔善用.

あぐら〖趺坐·胡座〗图 책상다리. ¶~を組む 책상다리하다; 편히 앉다.
―をかく **1** 책상다리를 하고 앉다. **2** 현상에 안주하여 노력을 하지 않다. ¶現在の地位にあぐらをかいている 현재의 지위에 안주하고 있다.

あくらつ〖悪辣〗ダナ 악랄. ¶~な手段〔手口〕 악랄한 수단〔수법〕.

あぐらばな【あぐら鼻】《趺坐鼻·胡座鼻》图 넓적코; 납작코; 개발코.

あくりょう【悪霊】图 악령; 원령. =怨霊·もののけ. ¶~の祟り 악령〔원귀〕의 앙얼. 注意 'あくれい'라고도 함.

あくりょく【握力】图 악력. ¶~計 악력계/~を測る 악력을 재다.

アクリル[acryl]图〘化〙아크릴《'アクリル樹脂(=아크릴 수지)' 'アクリル繊維(=아크릴 섬유)'의 준말》.

あくる【明くる】連体 다음의; 이듬…; 이튿…; 익(翌). =翌. ¶~朝 이튿날 아침/~年 이듬해/~十五日 다음날(인) 15일.

あくれい【悪例】图 악례; 나쁜 예. ¶~を残す 악례를 남기다.

アグレッシブ[aggressive] ダナ 어그레시브; 적극적; 공격적. ¶~な姿勢で批判する 공격적인 자세로 비판하다.

アグレマン[프 agrément]图〘政〙아그레망. ¶~を求める 아그레망을 구하다/~を得る 아그레망을 얻다.

アクロバット[acrobat]图 아크로바트; 곡예(사). ¶~飛行 곡예 비행.

あけ【明け】图 **1** 날이 샘; 새벽녘. =よあけ. ¶~の明星 샛별. **2** 기간이 끝남; 또, 끝난 직후. ¶忌み~ 탈상/休暇~の試験 휴가 직후의 시험.

あげ【上げ】图 **1** 올림. ¶賃~ 임금 인상/値~ 가격 인상/~花火 쏘아 올리는 꽃불〔폭죽〕. ↔下げ. **2** 옷을 몸에 맞게 줄이려고 허리·어깨를 징거 놓는 겹침. =ぬいあげ. ¶~をする 징그다/~をおろす 줄인 데를 도로 펴다.

あげ【揚げ】图 기름에 튀긴 것; 튀김. =てんぷら. ¶精進~ 야채튀김. **2** 유부(油腐). =あぶらあげ.

あげあし【揚げ足·挙げ足】图 **1** 다리를 듦; 또, 그 다리. **2** 말꼬리. 参考 본디는 씨름·유도 등에서 상대방에게 들려서 공중에 뜬 다리. 「늘어지다.
―を取る 남의 말꼬리나 실언을 잡고

あげあぶら【揚げ油】图 튀김용 기름.

あげいし【上げ石】图 (바둑에서) 따낸 돌. =あげはま·はま.

あげおろし【上げ下ろし】《揚げ卸し》图 올림과 내림. **1** 올렸다 내렸다 함. ¶箸の~ 젓가락질. **2** 짐을 싣고 부림. =上げ下げ·積みおろし. ¶荷物の~ 짐을 싣고 부림.

***あけがた**【明けがた·明け方】图 새벽녘; 동틀녘. =夜明けがた. ↔暮れ方.

あげく〖揚げ句·挙げ句〗图 끝; …한 끝《본디 連歌 등의 결구(結句)의 뜻》. ¶長くわずらった~ 오랜 병에 시달린 끝에/さんざん言い合った~けんかする 심한 말다툼 끝에 싸움을 하다.
―の果て 'あげく'의 힘줌말.

***あけくれ**【明け暮れ】一图ス自 **1** 아침과 저녁; 나날. ¶ひとり暮らしの~ 홀로 지내는 나날. **2** 어떤 일에 전념함. ¶勉強に~する 공부에 전념하다.
二副 날이 새나 해가 지나; 자나깨나; 항상. ¶~子どものことを心配している 자나깨나 자식 걱정을 하고 있다.

あけく-れる【明け暮れる】下1自 **1** 날이 새고 해가 지다; 세월이 흐르다. ¶涙に~ 눈물로 세월을 보내다. **2** 몰두하

다; 열중하다. ¶読書どくしょに～ 독서에 몰두하다.

*あげさげ【上げ下げ】图ス自他 1 올림과 내림. ㉠올렸다 내렸다 함. ㉡칭찬과 비난. ＝あげおろし. ¶人ひとを～する 사람을 추어올렸다 깎아내렸다 하다; 쓸까스르다. 2(물가의) 오르내림.

あげしお【上げ潮】图 1 밀물. ＝みちしお·さし潮しお. ↔引ひき潮·落おち潮·下さげ潮. 2 비유적으로, 오르막; 상승세. ¶～ムード 상승 무드 / ～に乗のる 상승세를 타다.

あげず【上げず】連語 사이를 두지 않고. ¶三日みっかに～やってくる 사흘이 멀다 하고 찾아오다.

あけすけ〖明け透け〗ダナ 숨기거나 거리끼지 않음. ¶～に物ものを言いう 숨김〔기탄〕없이 말하다; 까놓고 말하다.

あげぜん【上げぜん】《上げ膳》图 식사가 끝나고 상을 물림. ¶～据すえ膳ぜんの生活せいかつ(자신은 손을 안 대고) 남이 모두 시중 드는 대로 편하게 지내는 생활.

あげぞこ【上げ底】图 과자 따위 선물 상자의 바닥이 높게 됨《보기보다 내용물이 적게 듦》.

あけたて【開けたて】《開け閉て》图ス他 (문을) 열고 닫음; 개폐. ¶戸との～(は静しずかに) 문의 여닫이(는 조용히) / 乱暴らんぼうに～する 문을 난폭하게 여닫다.

あげだま【揚げ玉】图 1 튀김질할 때의 찌끼. 2 투구 꼭대기의 장식용 쇠붙이.

あけっぱなし【開けっ放し】《明けっ放し》名ナ 1 (문·뚜껑 따위를) 열어 놓은 채로 둠; 개방. ¶窓まどが～だ 문이 열린 채이다. 2 탁 터놓음; 개방적. ＝あけすけ. ¶～の性格せいかく 개방적인 성격.

あけっぴろげ【開けっ広げ】《明けっ広げ》名ナ ☞あけっぱなし.

あげつら-う〖論う〗5他 〈雅〉 왈가왈부하다; (시비·가부를) 논하다. ¶男女だんじょ共学きょうがくについて～ 남녀 공학에 대해서 왈가왈부하다.

あけて【明けて】連語 새해가 되어. ¶～二十五歳にじゅうごさいになる 새해 들어 25세가 된다 / ～八年はちねんめ 올해로 8년째.

あげて【挙げて】連語 모두; 전부; 온…; 모조리. ＝すべて·こぞって. ¶組織そしきを～取とり組くむ 조직을 총동원하여 달라붙다 / 国くにを～喜よろこぶ 거국적으로 기뻐하다 / 責任せきにんは～君きみにある 책임은 전적으로 네게 있다.

あげなべ【揚げなべ】《揚げ鍋》图 튀김 냄비. ＝てんぷらなべ.

あけのこ-る【明け残る】5自 (달이나 별이) 날이 밝았는데 아직도 남아 있다. ↔暮くれ残のこる.

あけのみょうじょう【明けの明星】图 샛별. ＝金星きんせい·あかぼし. ↔宵よいの明星みょうじょう. 「총칭.

あげはちょう〖揚げ羽蝶〗图 호랑나비의

*あけはな-す【開け放す】《明け放す》5他 (문·창·뚜껑 등을) 활짝 열어 놓다. ¶窓まどを～ 창을 활짝 열어 놓다.

あけはな-れる【明け離れる·明け放れる】下1自 날이 훤히 새다; 날이 밝다. ＝明あけ渡わたる.

あけはら-う【開け払う·明け払う】5他 1 (문 따위를) 활짝 열어 젖뜨리다; 떼어서 치우다. 2 (집·방을) 비워주다; 명도하다. ¶家いえを～ 집을 비워주다.

あけばん【明け番】图 1 철야 근무를 마치고 나옴〔나오는 사람〕; 또, 그 다음날의 휴무. 2 (반야(半夜) 교대 근무에서) 후반(後半) 새벽번(의 사람).

あけび〖木通·通草〗图〘植〙 으름덩굴.

あけひろ-げる【明け広げる·開け広げる】下1他 (문·창 따위를) 활짝 열어 젖히다. ¶仕切しきりの障子しょうじを～ 칸막이 미닫이문을 활짝 열어젖히다.

あけぼの〖曙〗图 〈雅〉 새벽; 밝을녘; 여명. ＝あかつき·明あけがた. ¶文化ぶんかの～ 문화의 여명(기).

あげまく【揚げ幕】图〘劇〙 무대로 통하는 출입구에 드리운 막. ＝切きり幕. ↔引ひき幕.

あげもの【揚げ物】图 기름에 튀긴 식품; 튀김; 특히, 어육(魚肉) 튀김.

あけやらぬ【明けやらぬ】連体 밤이 아직 덜 샌; 날이 덜 밝은. ¶いまだ～空そら 아직 날이 덜 밝은 하늘.

**あ-ける【明ける】下1自 1 (날이) 새다; 밝다. ¶夜よが～ 날〔밤〕이 새다. ↔暮くれる. 2 새해가 되다. ¶年としが～ 새해가 되다 / ～·けて二十五歳にじゅうごさい 새해 들어 25세. ↔暮くれる. 3 기간이 끝나다. ¶休暇きゅうかが～ 휴가가 끝나다 / 年季ねんきが～ 고용 계약 기간이 끝나다.

—·けても暮れても 밤낮; 자나깨나; 항상. ＝明あけ暮くれ. ¶～仕事しごとの話はなしばかりの人ひと 밤낮 일 얘기만 하는 사람.

—·けましておめでとうございます 새해 복 많이 받으십시오.

**あ-ける【空ける】下1他 1 비우다. ¶杯さかずきを～ 잔을 비우다 / 家いえを～ 집을 비우다. 2 (구멍을) 뚫다; 내다. ¶穴あなを～ 구멍을 뚫다. ↔ふさぐ. 3 틈·시간을 내다. ¶からだ〔手て〕を～틈을 내다 / 日曜日にちようびは～·けて置おきましょう 일요일은 (당신을 위해) 시간을 내겠습니다.

**あ-ける【開ける】下1他 (문·덮개·칸막이 따위를) 열다. ¶窓まどを～ 창을 열다 / ふたを～ 뚜껑을 열다《전하여, 무엇을 시작하는 뜻으로도 씀》/ 玄関げんかんの戸とを～ 현관문을 열다 / 目めを～ 눈을 뜨다 / 道みちを～ 길을 내다 / 店みせを～ 가게를 열다; 영업을 시작하다. ↔締しめる·閉たてる·閉とじる.

**あ-げる【上げる】下1他 1 올리다; 얹다; (쳐)들다. ¶幕まく〔帆ほ〕を～ 막〔돛〕을 올리다 / 棟むねを～ 마룻대를 올리다 / 本ほんをたなに～ 책을 선반 위에 얹다 / 顔かおを～ 얼굴을 들다 / 祝杯しゅくはいを～축배를 들다. 2 (소리 따위를) 내다; 지르다. ¶声こえを～ 소리를 지르다 / 歓声かんせいを～ 환성

を 올리다/読(よ)み～ 소리 내어 읽다. **3** (힘 따위를) 더하다; 내다. ¶気勢(きせい)〔ピッチ〕を～ 기세〔피치〕를 올리다 / あまりスピードを～と危険(きけん)だ 너무 스피드를 내면 위험하다. **4** (지위·정도·값 따위를) 높이다. ¶地位(ちい)を～ 지위를 올리다 / 値段(ねだん)を～ 값을 올리다 / 腕(うで)を～ 솜씨를 향상시키다 / 男(おとこ)を～ 남자의 체면을 세우다. **5** (성과 등을) 거두다. ¶能率(のうりつ)〔戦果(せんか)〕を～ 능률을〔전과를〕 올리다 / 効果(こうか)を～ 효과를 거두다. **6** 학교에 보내다; 입학시키다. ¶娘(むすめ)を大学(だいがく)に～ 딸을 대학에 보내다. **7** 게우다; 토하다. ¶船(ふな)に酔(よ)って～ 뱃멀미로 토악질하다. **8** 추어올리다; 치켜세우다. ¶(人(ひと)を)～·げたり下(さ)げたりする (사람을) 추어올렸다 깎아내렸다 하다. **9** '与(あた)える(=주다)' 'やる(=주다)'의 겸손한 말씨. ¶お礼(れい)を～ 감사〔사례〕를 드리다 / 差(さ)し～ 드리다 / 君(きみ)に～·げよう 자네에게 주지. ↔いただく. **10**《動詞連用形+'て' 에 붙어》 '…てやる(=…해주다)'의 겸손한 말씨. ¶本(ほん)を貸(か)して～ 책을 빌려 주다 / 父(ちち)の肩(かた)をもんで～ 아버지의 어깨를 주물러 드리다 / おばあさんの手(て)を取(と)って～ 할머니의 손을 붙들어 드리다.

> **上(あ)げる와 やる의 차이**
>
> 다 같이 상대방에게 무엇을 '준다'는 뜻의 말인데, **上げる**(드리다)는 윗사람에게 쓰는 공대말이고, **やる**(주다)는 보통 쓰는 예사말이다. 그런데, 경어는 예사말에 비해 겸손하고 친절한 맛이 있어서, 오늘날 上げる는 공손한 말씨, やる는 막된 말씨로 인식하게 되었다. 그래서 예컨대 '家(え)の子(こ)どもにお菓子(かし)を上げる(집 아이에게 과자를 주다)' '飼(か)い犬(いぬ)に餌(えさ)を上げる(기르는 개에게 먹이를 주다)' 등에서 보는 것처럼, '家の子ども'나 '飼い犬'를 공대하는 꼴이 되어, 본래의 뜻으로 보면 이상하지만, 上げる가 공손한 말씨로 되어감에 따라 현대어에서는 이런 표현이 많이 쓰이게 되었다. 그러나 본래의 뜻을 의식하면서 사용하는 것도 중요하다고 해야 할 것이다.

あ-げる【揚げる】 下1他 **1** 높이 올리다. ¶国旗(こっき)を～ 국기를 게양하다 / 風船(ふうせん)〔たこ〕を～ 풍선〔연〕을 띄우다. **2** 양륙하다. ¶積(つ)み荷(に)を陸(りく)に～ 뱃짐을 양륙하다. ↔下(お)ろす. **3** 큰소리를 내다. ¶歓声(かんせい)を～ 환성을 지르다. **4** 기름에 튀기다. ¶てんぷらを～ 튀김질을 하다.

あ-げる【挙げる】 下1他 **1** 팔을 쳐들다. ¶軍配(ぐんばい)を～ 승자쪽에 손을 들다 / こぶしを～ 주먹을 쳐들다. **2** 거행하다. ¶式(しき)を～ 식을 올리다. **3** (예로서) 들다. ¶証拠(しょうこ)を～ 증거를 들다. **4** 얻다; 거두다. ¶収穫(しゅうかく)を～ 수확을 올리다 / 一男一女(いちなんいちじょ)を～ 일남 일녀를 두다. **5** 검거하다. ¶犯人(はんにん)を～ 범인을 검거하다. **6** 다하다. ¶全力(ぜんりょく)を～ 전력을 다하다 / 国(くに)を～·げて祝(いわ)う 거국적으로 축하하다.

あけわたし【明け渡し】 名 명도; 비워줌. ¶江戸城(えどじょう)～ 江戸 성의 명도.

あけわた-す【明け渡す】 5他 (건물·토지·성 등을) 내주다; 비워주다; 명도하다. ¶家(いえ)を～ 집을 명도하다.

あけわた-る【明け渡る】 5自 날이 훤히 새다; 날이 완전히 밝다. ¶夜(よ)が～ 날이 훤히 새다.

***あご** 〖顎·腭·頤〗 名 **1** 턱. ¶上(うわ)～ 위턱. **2** 아래턱. =下(した)あご·おとがい. ¶～ひげ 턱수염 / 二重(にじゅう)～ 이중턱 / ～のとがった人(ひと) 턱이 빤 사람.

—が落(お)ちる 몹시 맛이 있다.

—がはずれる 턱이 빠지다; 크게 웃다.

—が干(ひ)あがる 목구멍에 거미줄 치다.

—で使(つか)う (사람을) 턱으로 부리다; 거만한 태도로 사람을 부리다.

—を出(だ)す 몹시 지치다; 기진맥진하다.

—を撫(な)でる 젠체하며 득의양양하다.

—を外(はず)す (우스워서) 크게 웃다.

アコーデオン [accordion] 名 〖楽〗 아코디언; 손풍금. =手風琴(てふうきん).

あこがれ 〖憧れ·憬れ〗 名 동경. ¶～の的(まと)〔まなざし〕 동경의 대상〔눈길〕.

***あこが-れる** 〖憧れる·憬れる〗 下1自 동경하다; 그리(워 하)다. ¶歌手(かしゅ)に～ 가수를 동경하다 / 都会(とかい)の生活(せいかつ)に～ 도회지 생활을 동경하다 / 幼(おさな)なじみに～ 어릴 때 친하게 지내던 친구를 그리워 하다.

あこぎ 〖阿漕〗 ダナ 몹시 탐욕하고 뻔뻔스러움. ¶～なまねをする 지독한 짓을 하다.

あこやがい 〖阿古屋貝〗 名 〖貝〗 진주조개.

あさ【朝】 名 **1** 아침. ¶～から晩(ばん)まで 아침부터 밤까지 / ～がつらい 아침이 싫다((a)아침이 되는 것이 괴롭다; (b)아침에 일찍 일어나는 것이 괴롭다) / ～が早(はや)い 아침에 일찍 일어나다 / ～を抜(ぬ)く 아침 식사를 거르다. ↔夕(ゆう)·宵(よい). **2** 오전 (중). ¶～のうちに仕事(しごと)をかたづける 오전 중에 일을 해치우다.

あさ【麻】 名 **1** 삼·모시·마닐라삼 등의 총칭. **2** 〖植〗 삼. **3** 삼실; 삼베.

あさ=【浅】 정도가 낮거나 빛깔이 엷음을 나타냄. ¶～黒(ぐろ)い 거무스름하다 / ～手(で) 가벼운 상처 / ～知恵(ぢえ) 얕은 꾀.

あざ【字】 名 町(ちょう)·村(そん) 가운데의 한 구획의 이름((우리나라의 동·이(里) 정도에 해당)). 参考 大字(おおあざ)·小字(こあざ)가 있음.

あざ 〖痣〗 名 **1** 피부의 반점; 모반(母斑). **2** (살갗의) 멍.

あさあけ【朝明け】 名 〈雅〉 동이 틈; 날이 밝음; 또, 그때; 새벽녘. =夜明(よあ)け·明(あ)け方(がた). ¶～のすがすがしい空気(くうき) 새벽녘의 시원한 공기.

あさ-い【浅い】 形 얕다. **1** 깊지 않다. ¶～海(うみ) 얕은 바다 / 底(そこ)の～バケツ 속이

깊지 않은〔운두가 낮은〕 양동이. **2** ㉠(정도가) 덜하다. ¶傷は~ぞ 상처는 별것 아니야. ㉡천박하다. ¶~考え 얕은 생각. ㉢엷다; 옅다. ¶~眠り 옅은 잠; 풋잠 / 色が~ 색이 엷다 / ~緑色 엷은 녹색. **3** (시일이) 오래되지 않다. ¶日が~ 일천(日淺)하다 / 歴史が~ 역사가 오래되지 않다. ⇔深い.

あさいち【朝一】名 그날 아침 처음 행하는 일. ¶~で電話する 아침에 제일 먼저 전화를 걸다.

あさいち【朝市】名 (야채·생선 따위의) 아침 장. ¶~が立つ 아침 장이 서다.

あさおき【朝起き】名 아침에 일찍 일어남. =早起き. ¶老人は~だ 노인은 아침 일찍 일어난다〔새벽잠이 없다〕. ↔朝寝.
―は三文の徳 어떻든 부지런하면 이득이 있다; 거지도 부지런하면 더운 밥을 얻어먹는다. 参考 '早起きは三文の徳' 라고도 함.

あさがえり【朝帰り】名ス自 외박하고 이튿날 새벽에 집에 돌아옴《좁은 뜻으로는, 유곽에서 놀고 아침에 돌아옴을 말함》. ¶仕事が多忙で今日も~だ 일이 몹시 바빠서 오늘도 내일 아침에 귀가한다.

あさがお【朝顔】名 **1**【あさがお】〔植〕 나팔꽃. **2** 깔때기 모양의 것; 특히, 남성 화장실의 소변기.

あさがけ【朝駆け】名ス自 **1** 아침 일찍 말을 달림. **2** 아침 일찍 길을 떠남; (특히, 신문 기자가 취재차) 아침 일찍 남의 집을 찾아감. **3** 이른 새벽에 적진을 침. ↔夜討ち·夜駆け.
―の駄賃 (아침에는 말도 기운이 있어 짐을 웬만큼 실어도 잘 달리는 데서) 일이 수월하게 되거나, 또는 아침에는 일의 능률이 오름의 비유.

あさがた【朝方】名 해뜰 무렵; 아침결. ↔夕方·晩方.

あさぎ〖浅葱·浅黄〗名 엷은 남빛; 연두색; 옥색. =あさぎ色.

あさぎり【朝霧】名 아침 안개. ↔夕霧.

あさくさのり〖浅草海苔〗名 **1** 일본 내해(内海)에서 나는 홍조류(紅藻類)의 바닷말《말려서 식용으로 함》. =あまのり. **2** 1로 만든 말린 김.

あさぐもり【朝曇り】名 아침에 한때 흐림.

あさぐろ-い【浅黒い】形 (살갗이) 거무스름하다. ¶~顔 거무스름한 얼굴.

あさげ【朝げ】《朝餉》名〈雅〉 조반; 아침밥. =あさめし. ↔昼げ·夕げ.

あざけり〖嘲り〗名 비웃음; 조소. ¶人の~を受ける 남의 비웃음을 받다.

あざけ-る〖嘲る〗五他 조소하다; 비웃다. ¶失敗を~ (남의) 실패를 비웃다.

あさごはん【朝御飯】名 조반《朝飯의 공손한 말씨》. ↔夕御飯.

あさシャン【朝シャン】名ス自 아침에 샴푸로 머리를 감음. 注意 シャン은 シャンプ(=샴푸)의 준말.

あさせ【浅瀬】名 얕은 여울. ¶~を渡る 얕은 여울을 건너다.
―に仇波 얕은 여울에 놀치는 물결《소견이 좁을수록 더 떠들어댐의 비유》.

あさだち【朝立ち】名 **1** 아침 일찍 길을 떠남. ¶~の旅 아침 일찍 떠나는 여행. ↔夜立ち. **2** 이른 아침의 소낙비. ↔夕立ち.

あさぢえ【浅知恵】《浅智慧》名 얕은꾀; 잔꾀. ¶女の~ 여자의 얕은꾀.

あさづけ【浅漬け】名 얼절이 야채《통째로 말린 무·가지·오이 등을 소금과 누룩이나 겨에 절인 것》. =早づけ.

あさって〖明後日〗名 모레. =みょうごにち. ¶し~ 글피 / やの~ 그글피.

あさっぱら【朝っぱら】名〈俗〉 아침 일찍; 이른 아침; 식전. 参考 '朝腹(=식전의 빈속)'의 전와(轉訛)로, 나무라는 뜻으로 쓰임. ¶~からけんかするな 식전부터 싸우지 마라.

あさつゆ【朝露】名 아침 이슬. ↔夜露.

あさで【浅手】《浅傷》名 가벼운 상처〔부상〕; 경상. =うすで. ¶腕に~を負う 팔에 경상을 입다. ↔深手.

あざと-い 形〈俗〉 **1** 약빠르다. ¶~商法 약아빠진 상술. **2** 비열하다; 뻔뻔하다. ¶~考え 야비한 생각.

あざな〖字〗名 **1** 자《무사의 관례 후 본명 외에 붙이는 별명》. =通称. **2** (문인 등의) 아호. **3** 별명. **4** ☞あざ(字).

あさなあさな【朝な朝な】副〈雅〉 아침마다. =毎朝. ¶~小鳥の声で目覚める 아침마다 새소리로 잠을 깨다. ↔夜な夜な.

あざな-う〖糾う〗五他 (새끼를) 꼬다; 뒤섞어 얽다. =なう. ¶禍福は~える縄のごとし 화와 복은 마치 꼬아 놓은 새끼와 같(이 번갈아 온)다.

あさなぎ【朝なぎ】《朝凪》名 아침뜸; (해안 가까이에서) 아침에 한때 바다가 잔잔해지는 일. ↔夕なぎ.

あさなゆうな【朝な夕な】副〈雅〉 아침 저녁으로; 밤낮; 늘. =朝夕. ¶~に思い出す人 늘 생각나는 사람.

あさね【朝寝】名ス自 아침잠; 늦잠. ↔朝起き.
―ぼう【―坊】名ナス自 늦잠꾸러기; 늦잠을 잠. ¶宵っぱりの~ 밤늦게까지 안 자는 자가 으레 늦잠을 잔다.

***あさはか**【浅はか】《浅墓》一ダナ 소견이 얕은 모양; 천박함; 어리석음. ¶~な考え 천박한 소견 / ~な行い 어리석고 경솔한 행위.

***あさはん**【朝飯】名 조반; 아침밥. =あさめし·あさげ. 参考 공손한 말로는 'あさごはん'. ↔夕飯.

***あさばん**【朝晩】一名 아침저녁; 조석. =あさゆう. ¶~の冷えこみ 아침저녁의 쌀쌀함. 二副 자나깨나; 늘. =あけくれ·いつも. ¶~ご無事をのみ祈る 자나깨나 무사하기만을 빈다.

***あさひ**【朝日】《旭》名 아침 해. ¶~がさ

す 아침 해가 비치다. ↔夕日.

あさぶろ【朝ぶろ】《朝風呂》名 아침 목욕(물). =朝湯. ¶～を焚く 아침 목욕물을 데우다/～を楽しむ 아침 목욕을 즐기다.

あ

***あさまし-い**【浅ましい】形 **1** 비열하다. ¶～行為 야비한 행위/～考えを起こす 비열한 생각을 하다. **2** 한심하다; 비참하다. ¶がつがつ食いたがって～ 게걸스럽게 먹으려만 드니 한심하다/落ちぶれて～姿となる 영락하여 비참한 모습이 되다.

あさまだき【朝まだき】名〈雅〉날이 새기 전; 아직 다 밝기 전; 아침 일찍.

あざみ〖薊〗名〔植〕엉겅퀴.

あさみどり【浅緑】名 연한 녹색; 연둣「빛.

あざむ-く【欺く】5他 **1** (거짓으로) 속이다. ¶～·かざる告白 거짓 없는 고백. **2** 무색하게 하다; 착각시키다. ¶昼を～明るさ 대낮도 무색할 만큼의 환함〔밝음〕/花を～美人 꽃을 무색게 할 정도의 미인.

あさめし【朝飯】名 조반; 아침밥(《'あさはん'의 약간 막된 말씨》). ¶～抜きで出かける 조반을 안 먹고 나가다. ↔昼飯·晩飯.

——まえ【——前】一名 조반 전. 二ダナ 아주 쉬움; 누워서 떡 먹기임. ¶そんな事は～だ 그런 것은 식은죽 먹기다/彼をだますなどは～だ 그를 속이는 것쯤은 식은죽 먹기다.

あさもや【朝もや】《朝靄》名 아침 안개. ¶～にけむる 아침 안개가 끼어 부옇게 보이다. ↔夕もや.

***あざやか**【鮮やか】ダナ **1** 또렷함; 선명함. ¶～な赤 선명한 빨강/～に覚えている 또렷이 기억하고 있다. **2** 멋지게 잘함; 훌륭함. =すばらしい. ¶～な腕前〔手ぎわ〕멋진 솜씨/～に答弁する 멋지게 답변하다.

あさやけ【朝焼け】名 아침놀. ¶～は雨, 夕焼けは晴れ 아침놀은 비가 올 징조이고, 저녁놀은 갤 징조(이다). ↔夕焼け.

あさゆ【朝湯】名〈老〉아침 목욕(물). =あさぶろ.

***あさゆう**【朝夕】名副 조석; 아침 저녁; 늘; 항상. =朝晩. ¶～努力のかいもなく 아침 저녁으로 노력한 보람도 없이/～考えていたこと 늘〔밤낮〕생각하고 있던 것.

あざらし〖海豹〗名〔動〕해표; 바다표「범.

あさり〖浅蜊〗名〔貝〕모시조개.

あさりある-く【漁り歩く】5他 **1** (새·짐승이) 먹이를 찾아 돌아다니다. ¶のら猫がごみ箱を～ 들고양이가 쓰레기통을 뒤지고 돌아다니다. **2** 어떤 것을 찾아 돌아다니다. ¶資料を～ 자료를 찾아 돌아다니다.

あさ-る〖漁る〗5他 흡착이다; 찾아 다니다〔헤매다〕; (식량·자료 따위를) 여기저기 구하러 다니다. ¶餌を～ 먹이를 찾아 다니다/古本を～ 고본을 찾아 헤매다/特だねを～記者 특종을 캐러 다니는 기자. 参考 본디는, 조개·해초 따위를 채취한다는 뜻.

あされん【朝練】名 학교·회사 등의 그룹 활동에서, 과업 시작 전의 아침에 행하는 연습; 아침 연습.

あざわら-う【あざ笑う】《嘲笑う》5他 조소하다; 비웃다. =せせらわらう. ¶人の失敗を～ 남의 실패를 비웃다.

****あし**【足】名 **1** 발. ㉠(사람·동물의) 발. ¶～の裏 발바닥/～の甲 발등/～に慣れた靴 신어서 길들여진 신/～を踏みはずす 발을 헛디디다/～を痛める 발을 다치다. ㉡(발)걸음; 발길. ¶～がおそい 걸음이 느리다/～を早める〔ゆるめる〕발을 재촉하다〔늦추다〕/客の～がとだえる 손님의 발길이 끊어지다. **2**【脚】㉠(사람의) 다리. ¶～が長い 다리가 길다/～を屈める 다리를 굽히다/～がきかない 다리를 못 쓰다. ㉡(물건의 버팀)다리. ¶机の～ 책상다리/猫～ 고양이 발 같은 상(床)다리. **3**【脚】움직임; 지나감. ¶雲～ 구름의 움직임/船～がにぶる 배의 속도가 떨어지다/秋の午後は日の～がめっぽう速い 가을의 오후는 해거름이 무척 빠르다. **4** 교통 (기관); 탈것. ¶～代 교통비/～の便が悪い 교통편이 나쁘다. **5**『お～』돈. =おかね. 注意 보통, かな로 쓰며 'お銭'로도 썼음.

——が地につかない **1** 흥분·감동 따위로 마음이 들뜨다. **2** (생각·주장 등이) 착실하지 못하다〔비현실적이다〕. ¶～計画 비현실적인 계획.

——がつく 범인의 종적을 알게 되다; 단서〔꼬리〕가 잡히다.

——が出る **1** (지출이) 예산을 넘다; 손해보다. **2** 탄로나다; 마각이 드러나다. =足を出す.

——に任せる 정처없이 발길 닿는대로 「걷다.

——を洗う 나쁜 일에서 손을 떼다. ¶やくざから～ 깡패 노릇을 청산하다.

——を奪われる (사고·파업 등으로) 교통이 두절되다; 발이 묶이다. ¶ストで足を奪われた 파업으로 발이 묶였다.

——を出す ☞あしがでる.

——を取られる **1** 취해서 발이 허청거리다. **2** 길이 나빠지다. ¶ぬかるみに～ 진창에 빠지다. **3** ☞あしをうばわれる.

——を伸ばす (어떤 곳까지) 발길을 뻗치다. ¶北海道まで～ 내친김에 北海道까지 발길을 뻗치다. 「보다.

——を運ぶ 실지로 그곳에 가다; 찾아가

——を引っぱる 발목을 잡다. **1** 원활한 진행을 방해하다. ¶景気の～ 경기 진작을 무디게 하다. **2** 남이 잘되는 것을 방해하다. ¶与野党の足の引っぱり合い 여야당이 서로 물고늘어지기.

——を棒にする 너무 돌아다녀 뻗정다리가 되다.

あし〖蘆·芦·葦·葭〗名〔植〕갈대. =よ

し. ¶考える～ 생각하는 갈대.

あじ【味】 名 **1** 맛. ㉠(음식의) 맛. ＝味わい. ¶～加減 맛; 간(의 정도)/あまい～ 단맛/～を見る 맛〔간〕을 보다. ㉡(체험에서 얻은) 맛; 느낌. ¶苦労の～ 고생맛. ㉢멋; 재미; 정취; 운치. ¶読書の～ 독서의 맛〔재미〕/～のある話 멋〔운치〕 있는 이야기/詩の～ 시의 맛〔운치〕. **2**『～な』 제법 신통한. ¶～な事をする 제법 신통한 짓을 하다.
—もそっけもない 아무 멋대가리도 없다. ¶～文章 아무 재미도 운치도 없는 문장.
—を占める 맛을 들이다; 재미(를) 붙이다. ¶一度味を占めたらやめられない 한번 맛을 들이면 그만두지 못한다.
—をやる 눈치〔솜씨〕 있게 하다.

> **味에 대한 여러 가지 표현**
>
> 표현例 よい(좋은)·悪い(좋지 않은; 역겨운)·濃い(짙은; 진한)·薄い(싱거운)·淡い(담담한)·軽い(담백한)·しつこい(짙은)·おいしい(맛좋은)·美味な(맛있는)·まずい(맛없는)·甘い(단)·辛い(매운)·酸っぱい(신)·渋い(떫은)·塩辛い(짠)·しょっぱい(짠; 짭짤한)·苦い(쓴)·ぴりぴりする(얼얼한)·ぴりりと辛い(톡 쏘게 매운)·あっさりした(산뜻한)·さっぱりした(담백한)·さらりとした(개운한)·さわやかな(산뜻한; 시원한)·まろやかな(순한)·芳醇な(방순한; 향기가 좋은)·枯淡な(고담한; 은근한).

あじ〖鰺〗 名〔魚〕 전갱이.

アジ 名 'アジテーション'의 준말; (좌익 운동자의) 선동. ¶～演説〔びら〕 선동 연설〔삐라〕/～プロ 선동적 선전.

アジア [Asia] 名〔地〕 아시아. ¶～人種 아시아 인종. 注意 '亜細亜'로 씀은 취음.

あしあと【足跡】 名 발자취. **1** 발자국; 행방; 종적. ¶～をくらます 종적을 감추다. **2** 업적. ¶彼は偉大な～を残している 그는 위대한 업적을 남겼다.

あしいれこん【足入れ婚】 名 지방 풍습으로, 정식 결혼 전의 시험적인 결혼.

あしうら【足裏】《蹠》 名 발바닥.

あしおと【足音】《跫音》 名 발소리. ¶春の～ 봄이 다가오는 소리/～を忍ばせる〔たてて歩く〕 발소리를 죽이다〔내며 걷다〕/新時代の～がする 새 시대가 다가오는 발소리가 들려온다.

あしか〖海驢〗 名〔動〕 강치《포유동물로, 물개 비슷하되 더 큼》.

あしかがじだい【足利時代】 名 ☞むろまちじだい.

あしがかり【足掛かり】 名 발판. **1** 발 붙일 데; 거짐. ¶電柱に打ち付けた～釘 전주에 박은 디딤못. **2** 실마리. ＝いとぐち. ¶このたびの成果を解決への～として 이번 성과를 해결의 발판으로 삼아/出世の～をつかむ 출세할 연줄을 잡다.

あしかけ【足掛け】 名 햇수로; 달수로; 일수로. ¶今年で～三年だ 금년이면 햇수로 3년이다. ↔丸·満.

あじかげん【味かげん】《味加減》 名 맛이 좋고 나쁨; 간(의 정도). ¶～を見る 맛〔간〕을 보다.

あしかせ【足かせ】《足枷》 名 족가; 차꼬; 전하여, 자유를 속박하는 것. ¶～を掛ける 차꼬를 채우다/家族が～となる 가족이 거치적거린다.

あしがた【足形·足型】 名 발 모양. **1** 발자국. ＝あしあと. ¶雪の上にくっきりと～が残る 눈 위에 뚜렷하게 발자국이 남다. **2**【足型】 신골. ¶～をとる 발 모양을 뜨다.

あしがため【足固め】《足堅め》 名 자自 **1** 발·다리를 튼튼히 하기 위해 걸음 연습을 함. ＝足ならし. **2** (사물의) 기초를 단단히 함; 발판을 다짐. ¶十分～をしてから事業に取りかかる 준비를 단단히 한 다음에 사업에 착수하다.

あしからず〖悪しからず〗 連語 (부디) 나쁘게〔언짢게〕 생각 말아 주시오. ¶出席できませんから～(ご了承下さい) 출석 못 하오니 양해해 주십시오.

あしがらみ【足がらみ】《足搦み》 名 (유도 등에서) 다리걸기; 다리죄기. ＝あしがら. ¶～をかける 다리걸기를 걸다.

あしがる【足軽】 名 무가(武家)에서, 평시에는 잡역에 종사하다가 전시에는 병졸이 되는 최하급의 무사.

***あじきなーい【味気ない】** 形 재미없다; 따분〔시시〕하다. ＝あじけない. ¶～世の中 따분한〔재미없는〕 세상.

あしきり【足切り】 名 〈俗〉 국·공립 대학 입시의 1차 예비 고사에서 일정 기준에 못 미치는 사람을 탈락시키는 일.

あしくせ【足癖】 名 걸음걸이나 앉음새의 버릇. ¶～のわるい馬 마구 뒷발질하는 버릇이 있는 말.

あしくび【足首】 名 발목. ¶～をつかむ 발목을 잡다 /～をくじく〔捻挫する〕 발목을 삐다. ↔手首.

あしげ【足げ】《足蹴》 名 걷어참; 전하여, 남에게 몹쓸 처사를 하는 일. ¶恩人〔使用人〕を～にする 은인〔고용인〕에게 몹쓸 짓을 하다.

あじけなーい【味気ない】 形 ☞あじきない.

あしこし【足腰】 名 다리와 허리. ¶～の立たない病人 기동 못하는 환자/～が立つ内には働く 사지가 멀쩡한 동안은 일한다/～を強くする〔鍛える〕 (몸의) 아랫도리를 단련하다.

あしごしらえ【足ごしらえ】《足拵え》 名 신발·각반 등의 차림새를 걷기 편하게 단단히 함. ¶～も厳重に出発した 짚신 감발을 단단히 하고 출발했다.

あじさい〖紫陽花〗 名〔植〕 자양화; 수국(水菊). ＝七変化.

あしざま〖悪し様〗名ナ (악의로) 사실보다 나쁘게 말하는 모양. ¶人を～に言う 남을 나쁘게 말하다.

あししげく【足しげく】《足繁く》副 자주; 뻔질나게. ¶～通う 자주 다니다.

アシスタント [assistant] 名 어시스턴트; 조수; 보조역.

あしずり【足ずり】《足摺り》名ス自 발버둥질; 발을 동동 구름. ¶～して悔しがる 발버둥치며 분해하다.

**あした〖明日〗名 〈口〉 내일. ＝あす. ¶～は晴れるだろう 내일은 갤 것이다.

あした [朝] 名 〈雅〉 **1** 아침. ＝あさ. ¶雪降る～ 눈 오는 아침. ↔ゆうべ. **2** 다음날 아침.

―に道を聞かば夕べに死すとも可なり 아침에 진리를 들어 깨치면 저녁에 죽어도 한이 없다; 조문석사(朝聞夕死)《논어에 나오는 공자의 말》.

あしだ【足駄】名 (비가 와서 길이 질척거릴 때 신는) 굽 높은 왜나막신. ＝たかげた. ↔こまげた.

あしだい【足代】名 〈俗〉 교통비; 차비. ¶～がかかる 교통비가 들다 / ～は自分持ち 교통비는 자기 부담.

あしだまり【足だまり】《足溜まり》名 **1** (행동 도중에) 잠시 머무르는 곳; 전하여, (어떤 행동을 위한) 근거지; 기지. ¶名古屋を～として強盗を働く 名古屋를 근거지로 강도 행각을 하다. **2** 발판; 발 디딜 곳. ＝足がかり.

あしつき【足つき】名 **1** 걸음새; 걸음걸이. ¶妙な～で歩く 이상한 걸음걸이로 걷다. **2** 그릇 따위에 발이 달려 있음; 또, 그런 그릇.

あしつぎ【足継ぎ】名ス自他 **1** 높이를 돋우기 위하여 밑에 댐; 또, 그것. **2** 발판. ＝踏み台.

あじつけ【味付け】名ス他 (양념하여) 맛을 냄; 맛을 낸 것. ¶～海苔 맛김 / ～が上手だ 맛내는 솜씨가 훌륭하다 / ～を見る 간을 보다 / ～がへただ 간을 잘 못 맞춘다.

アジテーション [agitation] 名 애지테이션; 선동. ＝アジ.

あしてまとい【足手まとい】《足手纏い》名ナ 거치적거림; 주체스러움; 또, 그것. ¶家族が～になって自由に仕事ができない 가족이 거치적거려 마음대로 일을 할 수 없다. 注意 'あしでまとい' 라고도 함.

アジト [←agitating point] 名 아지트; (좌익 운동 등의) 지령〔선동〕 본부; 비밀 본부; (비합법 활동가의) 은신처.

あしどめ【足止め】《足留め》名ス他 **1** 금족(禁足). ¶～を食らう 금족을 당하다. **2** 못 가게 말림; 붙잡음. ¶～策として給料を増す 사람을 붙들어두기 위한 방책으로 급료를 올리다.

あしどり【足どり・足取り】名 **1** (발)걸음; 보조. ¶元気な〔軽い〕～で歩く 기운찬〔가벼운〕 발걸음으로 걷다. **2** (범인 등이 도망친) 경로; 발자취. ¶～を追う 추적하다 / ～をたどる〔つかむ〕 도주 경로를 더듬다〔파악하다〕.

あじな【味な】連体 ☞あじ(味)2.

あしなみ【足並み】名 보조; 발. ¶ゼネストの～ 총파업의 공동 보조 / ～をそろえる 발을〔보조를〕 맞추다《'통일적인 행동을 취하다' 의 뜻으로도 쓰임》.

あしならし【足慣らし】《足馴らし》名ス自 **1** (병후·경기 시작 전 등의) 걷는 연습. ＝あしがため. ¶～に歩いて見る 연습삼아 걸어 보다. **2** 시험삼아 해 봄; 사전 준비. ¶～運転 시운전.

*__あしば__【足場】名 **1** 발판. ㉠발붙일 데. ¶～が無くて上がれない 발붙일 곳이 없어 올라갈 수 없다. ㉡기반; 토대. ¶～をかためる 발판〔기반〕을 굳히다 / ～が崩れる 기반이 무너지다 / ～を失う 기반을 잃어버리다. ㉢(공사장 등의) 비계. ¶～をかける 비계를 세우다. **2** 발밑 (형편); 발 내딛기. ¶ぬかるみで～が悪い 질척거려 발 내딛기가 나쁘다. **3** 교통편. ¶駅が近くて～がよい 역이 가까워 교통편이 좋다.

あしばや【足早・足速】ダナ 잰걸음; 걸음이 빠름. ¶～な人 걸음이 빠른 사람.

あしはら [葦原] 名 갈밭; 갈대밭.

あしびょうし【足拍子】名 발장단. ¶～をとる 발장단을 치다. ↔手拍子.

あしぶみ【足踏み】名ス自 **1** 제자리걸음; 전하여, (일의) 답보 상태. ¶交渉は～状態だ 교섭은 답보 상태다 / 生産が～する 생산이 제자리걸음하다. **2** 발을 들여놓음; 출입. ¶そんな所へ～するな 그런 데 발을 들여놓지 마라.

あしまかせ【足任せ】名 발길 가는 대로 걸음. ¶～に歩く 발길 내키는 대로 걷다 / ～に逃げ出す 오금아 날 살려라 하고 달아나다 / 旅は気任せ～ 여행은 마음 내키는 대로 발 가는 대로.

あしまめ【足まめ】《足忠実》名ダナ 부지런히 잘 돌아다님; 또, 그 사람. ¶～に活動する〔出歩く〕 바지런히 활동하다〔나다니다〕. ↔出不精.

あしまわり【足回り】名 **1** 발 언저리. ＝足下. **2** (자동차 등에서) 바퀴와 이것이 장착되는 부분; 또, 그 기능.

あじみ【味見】名ス他 맛〔간〕을 봄.

*__あしもと__【足下・足元】《足許》名 **1** 발밑; 또, 그 언저리. ¶～に気をつけて歩く 발밑을 잘 살피면서 걷다. **2** 신변; 주변; 눈앞. ¶～を捜させ 가까운 데를 수사하라 / 社長の～から犯人が出た 범인은 사장 측근이었다. **3** 지반; 기반. ¶～を固める 기반을 굳히다〔다지다〕. **4** (발)걸음. ¶～がふらつく 발걸음이 비틀〔휘청〕거리다.

―から鳥が立つ **1** 자기 주변에서 뜻밖의 일이 일어나다. **2** 느닷없이 일을 시작하다.

―につけこむ 상대의 약점을 이용하다.

―に火がつく 발등에 불이 떨어지다.

—にも及ばない 족탈불급(足脫不及)이다; 어림도 없다.

—の明るいうち **1** 날이 저물기 전에. **2** 자기의 비밀〔비행〕이 드러나기 전에; 때늦기 전에. ¶犯人は～に高飛びしようと考えた 범인은 경찰이 냄새를 맡기 전에 튀고자 생각했다.

—へも寄りつけぬ ☞あしもとにもおよばない.

—を見る ☞あしもとにつけこむ. ¶足元を見られる 약점이 잡히다.

あしゆび【足指】名 발가락.

あしゅら[阿修羅] 名〔佛〕아수라((전투를 좋아하는 신(神))). =修羅. ¶～の如き形相 아수라와 같은 험한 상.

あしよわ【足弱】名ナ 다리가 약해서 잘 걷지 못함; 또, 그런 사람((노인·아이)). ¶～を引きつれる 노약자를 거느리다.

***あしら-う** 5他 **1** 응대하다; 대접〔접대〕하다; (적당히) 다루다. ¶客を～ 손님을 접대하다/鼻(の先)で～ 깔보아 냉담하게 대하다. **2** (요리·장식 따위를) 배합하다; 곁들이다. ¶まつにゆりを～ 소나무에 백합을 곁들이다.

アジ-る 5他 선동하다; (부)추기다. ⇨アジ. 可能アジ-れる 下1自

あじろ[網代] 名 **1** (겨울철에 물고기를 잡기 위해 물 가운데 치는) 어살. **2** 대 따위의 오리를 엇결어 삿자리처럼 만든 것.

—がき[—垣] 名 댓개비로 엇결어 만든 울타리.

***あじわい**【味わい】名 맛. **1** 맛의 깊이; 풍미. ¶～の深い料理 깊은 맛이 나는 요리/～がある 깊은 맛이 있다. **2** 차차 알게 되는 재미〔묘미〕; 은근한 정취〔운치〕; 아취. =趣. ¶しみじみとした～ 은근한 정취.

***あじわ-う**【味わう】5他 **1** 맛보다. ㉠(음식을) 맛보다. ¶塩加減はどうかと～ 간이 어떤가 맛을 보다. ㉡체험하다. ¶人生の悲哀を～ 인생의 비애를 맛보다/人生の苦しみを～·った人 인생의 괴로움을 맛본〔겪은〕 사람. **2** 감상하다; 음미하다. ¶酒を～ 술을 음미하다/名文を～ 명문을 감상하다. 可能あじわ-える 下1自

あしわざ【足技】((足業)) 名 (유도·씨름에서) 발기술; 다리 재간.

***あす**【明日】名 명일; 내일. =あした·みょうにち. ¶～に備える 내일〔장래〕에 대비하다.

—知らぬ身 내일을 기약할 수 없는 몸.

—には明日の風が吹く 내일은 내일의 바람이 불 것인 즉, 구차히 내일 일을 생각지 말라는 뜻.

—の事を言えば鬼が笑う 내일 일을 얘기하면 귀신이 웃는다((장래 일이란 예측할 수 없는 일이다)).

あすかじだい[飛鳥時代] 名〔史〕일본의 推古天皇부터 天武天皇까지의 시대((593-686)).

あずかり【預かり】名 **1** 맡아 둠; 보관. ¶～人 보관인/～所 보관소/～物 보관물. **2** 보관증. =預かり証·預かり証文. ¶品物を～とひきかえにする 물건을 보관증과 상환하다. **3** (씨름 등에서) 경기가 오래 끌거나 할 때 승부 판정을 보류해 둠. ¶この勝負は～にする 이 경기는 판정을 보류한다.

—きん【—金】名 맡은 돈; 또, 꾼 돈.

あずかりし-る【あずかり知る】((与り知る)) 5自 ((대개 뒤에 否定형이 따름)) 관련이 있다; 관여〔관지(關知)〕하다. ¶この計画は私の～ところでない 이 계획은 내가 아는 바 없다.

***あずか-る**【預かる】5他 **1** 맡다. ㉠(남의 것을) 보관하다. ¶荷物を～ 짐을 맡다/当銀行は千円以上お～·り致します 본 은행은 천 엔 이상 예금을 받습니다. ㉡책임을 맡다. ¶帳場を～ 회계 일을 맡다/台所を～ 부엌 살림을 맡다/甥を～ 조카를 맡다/三年生を～·っている 3학년생을 담임하고 있다. **2** (공개·결정을) 보류해 두다. ¶名前はしばらく～·っておくが 이름은 잠시 공개를 보류하겠으나/勝負を～ 승부의 판정을 보류하다. 可能あずか-れる 下1自

あずか-る『与る』5自 **1** 관여〔참여〕하다; 관계하다. ¶相談に～ 의논에 참여하다/…に～·って力がある …함에 있어 힘이 되다〔이바지하다〕/…の力が大いに～ …의 힘이 큰 보탬이 되다. **2** (호의·친절을) 받다. ¶おほめに～ 칭찬을 받다/招待に～ 초대를 받다/ごちそうに～ 진수성찬을 대접받다.

あずき【小豆】名〔植〕팥. ¶～色 팥빛; 검붉은 빛깔/～飯 팥밥.

あずきがゆ【小豆がゆ】((小豆粥)) 名 팥죽. 参考 그해의 잡귀를 쫓는다 하여 1월 15일에 먹는 풍습이 있음.

あずけい-れる【預け入れる】下1他 (은행 등에) 예금하다; 예입하다.

***あず-ける**【預ける】下1他 맡기다. ¶荷物〔子〕を～ 짐을〔어린애를〕 맡기다/けんかを～ 싸움의 중재를 맡기다.

あずさ『梓』名 **1**〔植〕가래나무. **2** 판목.

—に上す 상재하다((출판하다)).

アステリスク[asterisk] 名 아스테리스크; 별표((*)). =アステリ.

アストリンゼント[astringent] 名 아스트린젠트((수렴성(收斂性)이 있는 화장수)). =アストリンゼン. ¶～ローション 아스트린젠트 로션.

あすなろ『翌檜』名〔植〕편백과에 속하는 일본 특산의 상록 교목; 나한백(羅漢柏). 注意 'あすなろう'라고도 함.

アスパラガス[asparagus] 名〔植〕아스파라거스.

アスピリン [도 Aspirin] 名〔商標名〕〔薬〕아스피린. ¶～を二錠飲む 아스피린을 두 알 먹다.

アスファルト[네 asphalt] 名 아스팔트. ¶～をしく 아스팔트를 깔다.

アスベスト [도 Asbest] 图 〔鑛〕 아스베스트; 석면. ＝いしわた.

あずま [東·吾妻·吾嬬] 图 일본 동부 지방의 옛 이름.

あずまおとこ [東男] 图 関東(かんとう) 지방 사나이.
―に京女(きょうおんな) 남자는 우람한 関東 사나이, 여자는 우아한 京都(きょうと) 여인.

あずまげた [東下駄·吾妻下駄] 图 여성용의 왜나막신《모가 없이 둥글고 굽이 낮으며, 윗바닥에 삿자리를 대었음》.

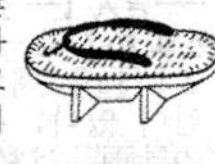
[東下駄]

あずまコート [東コート·吾妻コート] 图 明治(めいじ) 시대부터 유행한 일본옷용의 여자 외투. ▷coat.

あずまや【あずま屋】《東屋·四阿》图 정자. ＝亭(ちん).

アスレチッククラブ [athletic club] 图 애슬레틱 클럽; 체육 클럽; 건강 증진이나 미용을 목적으로 한 회원제 클럽.

あせ【汗】图 **1 땀. ¶～じみ (옷에 밴) 땀얼룩 / ～の結晶(けっしょう) 땀의 결정《노고의 성과》/ ～をかく 땀을 흘리다 / ～にまみれる 땀투성이가 되다 / ～がひく 땀이 식다 / 手(て)に～を握(にぎ)る 손에 땀을 쥐다. **2** (표면에 서린) 물방울. ¶ビールびんが～をかく 맥주병에 물방울이 서리다.
―になる 땀을 많이 흘리다; 땀으로 옷이 젖다. ¶服(ふく)が～ 옷이 땀에 젖다.
―を入(い)れる 땀을 들이다; 잠시 쉬며 땀을 닦다.

あぜ 〖畔·畦·畝〗 图 **1** 두렁. ㉠논두렁. ㉡밭두렁. ¶～道(みち) 두렁길. **2** (상인방과 문지방의) 개탕과 개탕 사이의 턱.

アセアン [ASEAN] 图 아세안; 동남 아시아 국가 연합. ▷Association of South East Asian Nations.

あせかき【汗かき】《汗掻き》图 땀을 많이 흘리는 체질〔사람〕. ＝汗っかき.

あせくさ-い【汗臭い】形 땀내가 나다. ¶体(からだ)が～ 몸에 땀내가 나다.

あぜくら [校倉] 图 각재(角材)나 삼각재를 우물井자 모양으로 짜 올려서 지은 창고《습기가 많은 계절에는 재목이 불어 안이 습해짐을 막고 건조기엔 재목 사이로 공기가 잘 통함》.

[校倉]

―づくり [―造り] 图 〔建〕 校倉식으로 지은 고대 일본의 건축 양식《奈良(なら)의 正倉院(しょうそういん)이 유명함》.

あせしずく【汗滴】《汗雫》图 땀방울. ¶～が落(お)ちる 땀방울이 떨어지다.

あせじ-みる【汗染みる】下1自 땀이 배(어서 얼룩지)다. ¶～·みたシャツ 땀이 밴 셔츠.

あせしらず【汗知らず】图 〔商標名〕 땀띠약. ¶～をつける 땀띠약을 바르다.

アセスメント [assessment] 图 어세스먼트; (종합) 평가; 사정(査定). ¶環境(かんきょう)〔交通(こうつう)〕～ 환경〔교통〕 영향 평가.

あせ-する【汗する】サ変自 땀을 내다〔흘리다〕. ¶ひたいに～·して働(はたら)く 이마에 땀 흘리며 일하다.

*__あせだく__【汗だく】图 〈俗〉 땀투성이. ＝汗(あせ)みずく. ¶～になって働(はたら)く 땀투성이가 되어 일하다.

アセチレン [acetylene] 图 아세틸렌. ＝アセチリン. ¶～灯(とう) 아세틸렌등.

アセテート [acetate] 图 아세테이트.

あせとり【汗取り】图 **1** 땀받이; 땀등거리. **2** 땀을 닦아 내는 종이〔가제〕.

アセトン [acetone] 图 아세톤.

あせば-む【汗ばむ】5自 땀이 흠뻑 배다. ¶～·んだはだ 흠뻑 땀이 밴 피부.

あせまみれ【汗まみれ】《汗塗れ》图 땀에 흠뻑 젖음; 땀투성이. ¶～のシャツ 땀에 흠뻑 젖은 셔츠.

あせみず【汗水】图 (일을 해) 물처럼 흐르는 땀. ¶～たらして働(はたら)く 땀을 (뻘뻘) 흘리며 일하다.
―を流(なが)す 땀 흘리며 열심히 일하다.

あせみずく【汗みずく】图 땀투성이가 된〔땀에 흠뻑 젖은〕 모양. ＝汗みどろ. ¶～になって 땀투성이가 되어서.

あぜみち【あぜ道】《畔道·畦道》图 논두렁길.

あせみどろ【汗みどろ】图 ☞あせみずく.

あせも〖汗疹·汗疣〗图 땀띠. ＝あせぼ. ¶赤(あか)ん坊(ぼう)に～ができる 갓난아기에게 땀띠가 나다.

あせり【焦り】图 초조해함. ¶～の色(いろ)が見(み)える 초조해하는 기색이 보인다.

**あせ-る【焦る】5自 안달하다; 초조하게 굴다. ＝いらだつ·じりじりする. ¶勝(か)ちを～·って自滅(じめつ)した 이기려고 초조하게 굴다가 자멸했다.

*__あ-せる__〖褪せる〗下1自 **1** (빛깔이) 바래다; 퇴색하다. ＝さめる. ¶色(いろ)が～ 빛깔이 바래다. **2** 쇠(약)해지다. ¶気力(きりょく)が～ 기력이 쇠하다 / 色香(いろか)が～ 미색(美色)이 시들다.

あぜん [啞然] トタル 아연. ¶意外(いがい)な出来事(できごと)に～とする 의외의 일에 아연해하다.

アセンブリー [assembly] 图 어셈블리. **1** 집회; 모임. **2** (기계) 조립; 조립 부품. ¶～ライン〔工業(こうぎょう)〕 조립 라인〔공업〕.

あそこ〖彼処·彼所〗代 저기; 거기; 저쪽; 그쪽. ＝あすこ. ¶～に家(いえ)を建(た)てよう 저곳에 집을 짓자 / 事件(じけん)が～まで進(すす)んでは手(て)の施(ほどこ)しようもない 사건이 거기까지 이르러서는 어떻게 손을 쓸 방도도 없다.

あそば-す【遊ばす】5他 **1** 놀게 하다; 놀리다. ¶子(こ)どもをすな場(ば)で～ 아이들을 모래밭에서 놀게 하다 / 地所(じしょ)を～ 대지를 놀리다 / 車(くるま)を～·しておく 차를 안 쓰고 놀려 두다. **2** ㉠'する(＝하다)'의 높임말; 하시다. ¶何(なに)を～·します 무엇을 하시죠. ㉡《動詞連用形·名詞 아래에 붙어》 경의를 나타냄《이때 動詞·名詞에는 'お나 ご'를 붙임》. ¶お読(よ)み～ 읽으시다 / 御覧(ごらん)～·せ 보십시오.

⇨'あそばせことば'.

あそばせことば〖遊ばせ言葉〗 名 'ごめんあそばせ(＝용서하십시오)' 'おいであそばせ(＝오십시오)' 등과 같이 'あそばせ'라는 경어를 붙여 공손하게 말하는 여자의 말씨. ⇨あそばす 2.

***あそび**【遊び】名 **1** 노는 일; 놂. ㉠놀이; 유흥. ¶~場ば 노는 곳; 놀이터 / ~相手あいて 놀이 상대 / ~友達ともだち〔仲間なかま〕 놀이 친구 / ~道具どうぐ 놀이 도구; 장난감 / 芸者げいしゃ~ 기생 놀이 / カルタ~ 카드 놀이 / ~を覚おぼえる 유흥에〔주색에〕 눈뜨다; 방탕해지다 / また~に来きたまえ 또 놀러오게나. ㉡장난. ¶~半分はんぶんに 장난삼아 / ~に夢中むちゅうになる 장난에 팔리다. **2** 여유. ㉠기계의 결합부 등의 여유. ¶ハンドルの~ 핸들의 여유. ㉡작품·기예 등에서의 여유. ¶名人めいじんの芸げいには~がある 명인의 기예에는 여유가 있다.

あそびくら-す【遊び暮らす】 5他 놀고 지내다. ¶毎日まいにち~ 매일 놀고 지내다.

あそびにん【遊び人】 名 **1** 일정한 직업이 없이 빈들거리는 건달; 특히, 노름꾼. **2** 난봉꾼; 방탕아.

あそびほう-ける【遊びほうける】《遊び惚ける》 下1自 노는 데 정신이 팔리다.

****あそ-ぶ**【遊ぶ】 5自 **1** 놀다. ¶~·んで暮くらす 놀고 지내다 / 一日いちにち~ 하루 놀다《쉬다》/ 今いま~·んでいます 지금 놀고 있습니다《실직 중이다》/ もうお前まえとは~·ばない 이제 너와는 안 놀겠다《사귀지 않겠다》/ ボルトが~·んでいる 나사못이 논다〔헐렁거린다〕/ 機械きかいを~·ばせておく 기계를 놀려 두다. **2**《'…に~'의 꼴로》 ㉠유람하다. ¶日光にっこう〔フランス〕に~ 日光〔프랑스〕를 유람하다. ㉡타향에서 배우다; 유학하다. ¶A先生エーせんせいの門もんに~ A선생의 문하에서 공부하다 / オハイオ大学だいがくに~ 오하이오 대학에 유학하다. **3**〖野〗(카운트가 유리한 투수가 타자의 김을 빼기 위해) 스트라이크를 피하고 일부러 볼을 던지다. ¶一球いっきゅう~ 공 하나를 빼다. 注意 2는 文語적인 말씨. 可能 あそ-べる 下1自

> **遊あそぶ의 여러 가지 표현**
>
> 표현例 のんびりと(한가롭게)·のびのびと(누긋하게)·ゆったりと(느긋하게)·ゆうゆうと(유유히)·ぶらぶらと(빈들빈들; 빈둥빈둥)·こそこそと(숨어서 몰래).
>
> 관용 표현 嬉々ききとして(희희낙락하며)·心置こころおきなく(마음 놓고)·夢中むちゅうになって(몰두하여)·童心どうしんに返かえって(동심으로 돌아가서).

あだ〖仇〗 名 **1** 원수. ¶親おやの~を討うつ 부모의 원수를 갚다 / 我われに~なす国くに 우리에게 원수인 나라 / 恩おんを~で返かえす 은혜를 원수로 갚다 / …が身みの~となる …이 일신의 원수가 되다《파멸을 가져오다》. **2** 원한. ¶~に思おもう 원한을 품다 / ~を晴はらす 원한을 풀다.

一を恩おんで報むくいる 원수를 은혜로 갚다; 미워할 사람을 오히려 동정하다.

あだ〖徒〗 ダナ 헛됨. **1** 쓸데없음; 부질없음. ¶~花ばな 수꽃 / 好意こういが~になる (모처럼의) 호의가 헛되이 되다. **2** 덧없음; 허무함. ¶~なさけ (a) 덧없는 사랑; (b) 한때의 부질없는 친절 / ~夢ゆめ 헛된 꿈 / ~なちぎり 헛된 약속.

あだ〖婀娜〗 ダナ (여자가) 요염한 모양. ¶~な姿すがた 요염한 자태.

あたい【価】 名 값; 가격. ＝ねだん. ¶~が高たかい 값이 비싸다.

あたい【値】 名 **1** 값어치; 가치. ¶この本ほんは一読いちどくの~がある 이 책은 일독할 가치가 있다. **2**〖數〗 값; 수치. ¶Xエックスの~を求もとめよ X의 값을 구하라.

あたい-する【値する】 サ変自《흔히 '…に~'의 꼴로》 값하다; …ㄹ 만하다; 가치가 있다. ¶賞賛しょうさんに~ 칭찬할 만하다 / 一見いっけんに~ 한번 볼 만하다 / 一円いちえんにも~·しない 1엔의 값어치도 없다.

あたいせんきん【値千金】 名 천금의 값어치. ¶春宵一刻しゅんしょういっこく~ 춘소 일각(은) 치천금.

あた-う〖能う〗 5自 할 수 있다; 가능하다《한문 훈독(訓讀)적인 말씨》. ¶~かぎりの援助えんじょ 가능한 한의 원조 / 感嘆かんたんおく~·わず 감탄하여 마지않다. 参考 흔히 '~·わず'처럼 부정의 꼴로 쓰임. 注意 終止形·連体形에서는 발음이 atō로 되는 수가 많으며, 그 때에는 현대 かなづかい는 'あとう'가 됨.

あだうち【あだ討ち】《仇討ち》 名 ス自 원수 갚음; 복수; 앙갚음. ＝かたきうち. ¶主君しゅくんの~ 주군의 복수 / ~物語ものがたり 원수 갚는 이야기; 복수담 / 今度こんどの試合しあいで~をするぞ 이번 시합에서 설욕을 할 테다.

****あた-える**【与える】 下1他 주다. **1** (윗사람이 아랫사람에게) 주다; 수여하다. ＝やる. ¶便宜べんぎを~ 편의를 봐주다 / 言質げんちを~ 언질을 주다 / 博士号はくしごうを~·えられる 박사 학위가 수여되다. **2** 내주다; 할당하다; 과하다. ¶~·えられた時間じかん 주어진 시간 / 課題かだいを~ 과제를 내주다. **3** 입히다; 가하다. ¶損害そんがいを~ 손해를 입히다.

あだおろそか〖徒疎か〗 ダナ《흔히 否定의 말이 따름》 경시하는 모양; 대수롭지 않게 여기는 모양. ＝あだやおろそか. ¶弱敵じゃくてきといえども~にしてはいけない 약한 적일지라도 깔보아서는 안 된다.

あたかも〖恰も·宛も〗 副 **1** 마치; 흡사. ¶日ひざしが暖あたたかで~春はるのようだ 햇살이 따스하여 마치 봄 같다 / 人生じんせいは, ~夢ゆめの如ごとし 인생은 마치 꿈과 같다. **2** 마침. ¶時ときに~スキーのシーズン 때는 마침 스키 시즌.

あたし〖私〗 代 〈俗·女〉 나; 저. 注意 스스럼없는 말씨이며, 격식을 차릴 때는 'わたし'가 좋음.

アダジオ [이 adagio] 图 〖樂〗 아다지오; 느리게《안단테보다 느린 속도》.

あたじけなーい 形 〈俗〉 인색하다; 치사스럽다; 야비하다; 쩨쩨하다; 다랍다. ¶出す物も出ししぶる～やつ 낼 것도 안 내려 드는 쩨쩨한 놈.

あたたか【暖か·温か】 ダナ **1** 따뜻함. ㉠(온도가) 따스함. ¶～になる 따뜻해지다 / ～な天気 따뜻한 날씨. ㉡다정함. ¶～な言葉 따뜻한 말 / あの人は～味がある 저 사람은 따뜻한 맛이〔인정미가〕 있다. **2**『懐が～だ』 주머니〔경제〕 사정이 좋다. **3**『～な色』 따뜻한 느낌을 주는 색; 난색(暖色). 注意 俗語形은 'あったか'.

あたたかーい【暖かい·温かい】 形 **1** 따뜻하다. ㉠온도가 차지 않다. ¶～ご飯 따끈한 밥 / ～天気 따뜻한 날씨. ㉡애정이 있다. ¶～家庭 따뜻한 가정 / ～·く迎え入れる 따뜻이 맞아들이다 / ～目で見守る 따뜻한 눈으로 지켜보다. **2**『懐が～』 호주머니〔경제〕 사정이 좋다. **3**『～色』 난색《빨강·노랑 계통의 빛》. ¶～色合いの絵 따스한 색조의 그림. 注意 俗語形은 'あったかい'. ↔寒い.

あたたまーる【暖まる·温まる】 5自 따뜻해지다; 훈훈해지다. ¶心～思い 마음이 훈훈해지는 듯한 심정 / ふところが～ 주머니 사정이 좋아지다; 셈평 펴이다 / 席の～いとまがない 자리에 붙어 있을 새가 없다; 몹시 바쁘다.

あたたーめる【暖める·温める】 下1他 **1** 따뜻하게 하다; 데우다. ¶部屋を～ 방을 따뜻하게 하다 / 酒を～ 술을 데우다 / 手を～ 손을 녹이다. **2** 내놓지 않고 오랫동안 지니고 있다. ¶原稿を～ 손질을 더하기 위해 원고를 끼고 있다 / 考えを～·め続ける 계속 생각을 다듬어 나가다. **3** 끊어졌던 관계 등을 새로이 하다; 되살리다. ¶旧交を～ (옛 친구를 만나) 옛정을 새로이 하다. 注意 俗語形은 'あっためる'.

アタック [attack] 图ス他 어택; 공격; 도전. ¶～ライン (럭비의) 어택 라인 / 冬の穂高を～する 겨울의 穂高 산에 도전하다.

アタッシェケース [attaché case] 图 아타셰 케이스; 007 가방.

あだっぽーい 〖婀娜っぽい〗 形 (여자가) 요염하게 아리땁다; 성적 매력이 있다. ＝いろっぽい. ¶～女 요염한 여자.

あだな【あだ名】《綽名·渾名》图 별명. ＝ニックネーム. ¶～をつける 별명을 붙이다 / 先生を～で呼ぶ 선생님을 별명으로 부르다.

あだな【あだ名】《徒名》图 (남녀 관계의) 헛소문; 염문. ＝浮き名. ¶～を流す 헛소문을 퍼뜨리다 / ～が立つ 염문이 떠돌다.

あだなさけ【あだ情け】《徒情け》图 **1** 일시적인 친절. **2** 뜬 정; 풋사랑. ¶主と一夜の～ 임과 하룻밤의 풋사랑.

あだばな【あだ花】《徒花》图 **1** 수꽃; 결실하지 않는 꽃. ＝むだばな. ¶イチゴには～がない 딸기에 열매를 맺지 않는 꽃은 없다. **2** 겉은 화려하나 실질이 따르지 않는 것〔일〕. ¶彼女は～だ 그녀는 겉만 그럴듯할 뿐이다.

あたふた 副 당황하는 모양: 허둥지둥; 황망히. ¶～(と)家にかけこむ 허둥지둥 집으로 뛰어들다 / ～しながら出かけて行った 허둥거리며 나갔다.

アダプター [adapter] 图 어댑터; (카메라나 녹음기 따위에) 부속품을 붙이기 위한 도구.

あたま【頭】 图 **1** 머리. ㉠두부(頭部). ＝かしら. ¶～をかく 머리를 긁적이다 / ～を上げる〔なでる〕 머리를 들다〔쓰다듬다〕 / ～が重い 머리가 무겁다〔띵하다〕. ㉡두발. ¶～を洗う〔刈る〕 머리를 감다〔깎다〕 / ～を分ける 가르마를 타다. ㉢두뇌. ¶～仕事 머리를 쓰는 일 / ～がいい〔かたい〕 머리가 좋다〔완고하다〕 / ～をつかう 머리를 쓰다 / ～が切れる 머리가 예민하다; 영민하다. ㉣마음; 머릿속; 염두. ¶～を悩ます 머리〔골치〕를 썩이다 / ～に閃く 머릿속에 번개처럼 스치다 / ～に浮かぶ 머리에 떠오르다. ㉤정신 (상태). ¶～が少し変だ 머리가 좀 이상하다〔돌았다〕. **2** 머릿수; 인원수. ¶～をそろえる 머릿수를 채우다〔맞추다〕. **3** 우두머리; 두목. ＝頭株. ¶大勢の～にいる 여러 사람의 우두머리이다. **4** 꼭대기 (부분). ¶くぎの～ 못대가리 / 鼻の～ 코끝. **5** 처음; 시초. ¶～からまちがっている 처음부터 틀렸다 / ～から三番め 처음부터 세 번째.

—が上がらない **1** 대등하게 맞설 수 없다. ¶先生には～ 선생님에게는 머리를 못 들겠다. **2** (자리에서) 일어날 수가 없다. ¶かぜで三日も～ 감기로 사흘이나 자리에서 일어날 수 없다.

—が痛い 골치 아프다. ¶めんどうな仕事で～ 성가신 일이 생겨 골머리가 아프다.

—隠して尻隠さず 꿩은 머리만 풀에 감춘다《어리석음의 비유》.

—が下がる 머리가 수그러지다.

—から湯気を立てる 몹시 화가 난 모양의 비유.

—の上のはえも追えない 머리 위의 파리도 못 쫓다《제 한 몸도 못 거두다》.

—をかかえる 난처해하다; 고민하다.

—を下げる **1** 인사하다; 절하다. **2** 굴복하다. ¶頭を下げて頼む 머리를 숙여 부탁하다. **3** 감탄〔감복〕하다.

—をはねる (미리) 웃돈을 떼다; 남의 이익의 일부를 가로채다.

—を冷やす 냉정하게 생각하다. ¶頭を冷やしてもう一度考え直せ 냉정하게 다시 한번 생각해라.

あたまうち【頭打ち】 图 한계점(에 이른

상태). ¶ 生産が～の状態だ 생산이 한계점에 달한 상태이다.

あたまかず【頭数】图 인원수; 머릿수. ¶ ～が足りない〔そろう〕 머릿수가 모자라다〔맞다〕/ ～をそろえる 머릿수를 채우다〔맞추다〕.

あたまから【頭から】副 처음부터; 전적으로; 전혀. ¶ ～否定する 전적으로 부정하다; 펄쩍 뛰다 / ～しかりとばす 다짜고짜 야단치다 / ～相手にしない 아예〔전혀〕 상대를 하지 않다.

あたまきん【頭金】图 1 (선불) 계약금. 2 담보물의 시가와 대부금의 차액.

あたまごし【頭ごし】图 머리 너머; 또, 당사자를 제쳐놓고 직접 상대〔교섭〕하는 일. ¶ ～の外交 중간 단계의 교섭을 빼 버린 직접 외교.

あたまごなし【頭ごなし】图 무조건; 다짜고짜(로); 불문곡직. ¶ ～に叱る 정신 못 차리게 무조건 야단치다.

あたまだし【頭出し】图ス他 녹음·녹화 테이프 등에서 재생하고자 하는 부분의 첫머리를 찾는 일.

あたまでっかち【頭でっかち】名ナ 1 ㉠ 머리만 유난히 큼; 또, 그런 사람; 대갈장군. ¶ ～の尻つぼみ 첫머리는 크고 끝은 작음; 용두사미. ㉡(조직 등에서) 위쪽이 불균형하게 큰 모양. ¶ ～な会社 (평사원에 비해) 지나치게 간부가 많은 회사. 2 지식만 풍부하고〔말만 많고〕 행동이 따르지 않는 모양〔사람〕. ¶ ～な大学生 말이 앞서는 대학생.

あたまわり【頭割り】图 머릿수〔인원수〕대로 나눔. ¶ 費用を～で割り当てる 비용을 인원수대로 할당하다.

アダム [Adam] 图 아담. ¶ ～とイブ 아담과 이브.

**あたらし-い【新しい】形 새롭다. 1 오래지 않다; 새로 …하다. ¶ ～く入社した人 새로 입사한 사람 / ～洋服 새 양복 / ～年を迎える 새해를 맞이하다. 2 싱싱하다. ¶ ～さかな〔くだもの〕 싱싱한 생선〔과일〕. ⇔古い.

—酒を古い皮袋に入れる〔盛る〕 새 술을 헌 가죽 부대에 담다《새 내용을 낡은 형식으로 표현하다; 내용도 형식도 다 살리지 못함을 뜻함》.

あたらずさわらず【当たらず障らず】連語 (말썽이 없도록 두루뭉술한 태도를 취하는 모양. ¶ ～の返事をする 두루뭉술한 대답을 하다.

*あたり【当たり】图 1 촉감; 감촉《느낌·맛》. ¶ ～のやわらかい肌着 촉감이 부드러운 속옷 / この酒は～が柔らかだ 이 술은 맛이 순하다. 2 짐작; 떠봄; 가늠해 봄. ¶ 犯人の～がつく 범인의 짐작이 가다 / ～をつける 가늠을 해보다. 3 맞음. ㉠명중; 적중. ¶ 矢の～ 화살의 명중. ㉡제비에 뽑힘. ¶ ～くじ 당첨. ㉢〘野〙 타격. ¶ ～がよい 잘 맞는다; 타격이 좋다 / 鋭い～ 날카로운 타격 / ～が悪い 잘 안 맞다; 타격이 나쁘다. 4 (음식·더위 따위로 인한) 탈. ¶ 食～ 식상; 식중독 / 暑気～ 더위 먹음. 5 (바둑에서) 단수(單手). ¶ 両～ 양단수 / ～をかける 단수를 치다. 6《接尾語적으로》…에 대해서; …당. ¶ 一日～千円 하루 천 엔 / 反～収量 단보당 수확량.

*あたり【辺り】图 1 근처; 부근; 주변; 언저리. ¶ ～近所 (그) 근처 / ～一面 부근 일대 / ～の人々 주변 사람들 / ～構わず 거리낌없이 / ～を見回す 주변을 둘러보다. 2《接尾語적으로》 대체적인 때·장소·범위; 정도; 따위; 어디(쯤). ¶ ここら～ 여기 어디(쯤) / 東京～に 東京 어디에 / 明日～届くでしょう 내일쯤 가 닿을 겁니다.

—を払う (범접을 못할 정도로) 위풍당당하다. ¶ 威厳～ 위엄이 주위를 압도하다.

あたりさわり【当たり障り】图 지장. ＝さしさわり. ¶ ～がない 지장이 없다; 어련무던하다 / ～のない事を言う 어련무던한 말을 하다.

あたりちら-す【当たり散らす】5自 (애먼 주위 사람에게) 마구 화풀이하다. ¶ 妻や子に～ 처자식에게 화풀이하다.

あたりどころ【当たり所】《当たり処》图 맞은 곳〔데〕. ＝あたりどこ. ¶ ～が悪くてしばらく動けなかった 잘못〔급소 등을〕 맞아서 잠시 움직이지 못했다.

あたりどし【当たり年】图 이익이나 수확이 많은 해; 풍년; 전하여, 일이 뜻대로 되는 해. ¶ かきの～ 감이 잘 된 해.

*あたりまえ【当たり前】ダナ 1 당연함. ¶ ～な事をしたまでだ 당연한 일을 했을 뿐이다. 2 보통; 예사; 여느. ¶ ～の料理 보통 요리 / ごく～の店 아주 흔히 있는 가게 / ～の人なら 여느 사람이라면 / ～ならもう着くころだ 여느 때 같으면 벌써 도착할 시간이다.

あたりや【当たり屋】图 1 잘 맞는 사람. ㉠(도박 등에서) 재수가 좋은 사람. ㉡〘野〙 안타를 잘 치는 사람. 2〈俗〉(달리는 자동차에 일부러 부딪쳐서 치료비를 뜯어내는) 자해(自害) 공갈범.

あた-る【当たる】5自 1 맞다. ㉠(총탄·화살·타격 등이) 명중하다; 적중하다. ¶ ボールが頭〔急所〕に～ 공이 머리〔급소〕에 맞다 / 的に～·らない 과녁에 맞지 않다 / 今日はよく～·っている (야구에서) 오늘은 잘 맞는다. ㉡(예상·꿈 따위가) 들어맞다. ¶ 予想〔勘〕が～ 예상〔직감〕이 (들어)맞다 / 夢は時として～ 꿈은 때로는 맞는다. ㉢부딪다; 들이치다. ¶ 雨が窓に～ 비가 창문에 들이치다 / 波が岩に～·ってくだける 물결이 바위에 부딪쳐 부서지다. ㉣(비바람·이슬 따위를) 받다; 쐬다; 또, 노출되다. ¶ 夜露に～ 밤이슬을 맞다 / 冷気に～·って床についた 찬바람을 쐬어 병이 났다〔몸져 누웠다〕. 2 당하다. ㉠대적〔대전〕하다; 맞서다; (상)대하다. ¶強敵に~ 강적과 맞서다/~べからざる勢い 당할〔당해낼〕 수 없는 기세/弟につらく~ 동생에게 냉혹하게 대하다. ㉡(벌 따위를) 받다; 입다. ¶ばちが~ 벌을 받다; 버력 입다. ㉢(어떤 경우·때를) 만나다. ¶その時に~·って 그때를 당하여. **3 성공하다; 히트하다. ¶芝居が~ 연극이 성공을 거두다. **4** 쬐다. ㉠(볕이) 들다. ¶日が~庭 햇볕이 드는 마당. ㉡볕을 받다. ¶日に~·って変色した洋服 햇볕에 쬐어 바랜 양복. ㉢불을 쬐다. ¶火に~ 불을 쬐다. **5** 해당하다. ㉠대응하다; …와 맞먹다; …꼴이(되)다. ¶一つ十円に~ 하나에 10 엔 꼴이다/英語の dogに~日本語 영어의 dog에 해당하는 일본어. ㉡적용되다. ¶その語はここには~·らない 그 말은 여기에는 해당되지 않는다. ㉢(방향이) …쪽이(되)다. ¶駅の南に~ 정거장 남쪽에 해당하다. **6** …이 되다. ㉠…한 결과가 되다. ¶失礼に~ 실례가 되다. ㉡…관계가〔뻘이〕 되다. ¶甥に~人だ 조카뻘이 되는 사람이다. **7** ㉠접하다. ¶文明の風に~ 문명의 바람에 접하다. ㉡손에 닿다. ¶~を幸いになぎ倒す 손에 닿는 건 닥치는 대로 쓰러뜨리다. **8** 꼭 끼다; 마치다. ¶このくつは足の指に~ 이 구두는 작아서 발가락이 마친다. **9** 대조하다; 맞쐬다. ¶原本に~ 원본과 대조하다. **10** 떠보다; 알아보다. ¶一つ~·って見よう 한번 알아보자/意向を~·って見る 의향을 떠보다. **11** 즈음하다. ¶出発に~·って 출발에 즈음하여. **12** 상하다. ¶~·ったリンゴ 상한 사과. **13** 《中る》 중독되다. ¶きのこに~ 버섯에 중독되다/暑気に~ 더위 먹다/たべた物が~·った 먹은 것이 체했다. 可能 あた-れる 下1自

—·って砕ける (승산은 없으나) 좌우간 부딪쳐 보다〔해보다〕.

—·らずといえども遠からず (들어) 맞지는 않았으나 비슷하기는 하다.

—も八卦あたらぬも八卦 점이란 맞을 수도 안 맞을 수도 있다.

アダルト [adult] 名 어덜트; 성인(용). ¶~ファッション 성인 패션/~ビデオ 성인용〔포르노〕 비디오 영화.

アチーブメント テスト [achievement test] 名 어치브멘트 테스트. **1** 학력 검사. **2** 진학 적성 검사. =アチーブ.

あちこち 〖彼方此方〗 代副 **1** 여기저기; 이곳저곳. ¶その例は~にある 그 예는 여기저기 있다. **2** 《'~になる'의 꼴로》 엇갈리는 모양. ¶事が~になる 일이 틀어지다/右と左が~になる 오른쪽과 왼쪽이 반대가〔거꾸로〕 되다.

あちら 〖彼方〗 一代 **1** ㉠저쪽; 저기. ¶~こちら 여기저기/~を向いてごらん 저쪽을 향해 보렴. ㉡저것. ¶~をお求めになりますか 저쪽 것을 사시렵니까. **2** 저 사람; 저 분; 저 이. ¶~はどなたですか 저 분은 누구십니까. ⇔そちら·こちら. 二名 외국 (특히, 구미(歐美) 여러 나라); 그 곳. ¶~の生活様式 그 곳의 생활양식.

—がえり【—帰り】 名 〈俗〉 서양에 여행·유학을 하고 돌아옴; 또, 그 사람.

あつ【圧】 名 압력; 누름. ¶~をかける 압력을 가하다; 꽉 누르다/~がかかる 압력이 가해지다.

あつ 〖圧〗《壓》 教5 アツ おす おさえる | 압 누르다

1 누르다; 눌러 으깨다. ¶圧迫 압박/弾圧 탄압. **2** 압력. ¶気圧 기압.

あっ 感 위험한 때, 감동했을 때, 놀랐을 때 등에 내는 소리: 앗. ¶~, しまった 아차, 야단났군.

—と言う間 눈 깜짝할 사이. ¶~の出来事 순식간에 일어난 일〔사건〕.

—と言わせる 깜짝 놀라게 하다. ¶世間を~傑作 세상을 깜짝 놀라게 할 걸작.

あつあげ【厚揚げ】 名 두부를 두껍게 썰어서 기름에 튀긴 것. =なまあげ.

あつあつ 〖熱熱〗 ダナ **1** 매우 뜨거움; 또, 그러한 것. ¶~のみそしる 뜨거운 된장국. **2** 남녀가 열렬히 사랑하고 있는 모양. ¶~の仲 열렬히 사랑하는 사이.

あつ-い【熱い】 形 뜨겁다. **1** 열도가 높다. ¶~お茶 뜨거운 차/からだが~ 몸이 뜨겁다. **2** 열렬하다; 열중하다. ¶~涙 뜨거운 눈물/憂国の~思い 우국의 뜨거운 충정/お~仲 뜨거운 사이/ふたりは~·くなっている 두 사람은 (연정에) 몸달아 있다. ⇔冷たい.

あつ-い【暑い】 形 덥다. ¶~夏 더운 여름/この部屋では~·くて仕事ができない 이 방에서는 더워서 일을 할 수가 없다. ↔寒い·涼しい.

あつ-い【厚い】 形 **1** 두껍다. ¶~板 두꺼운 판자/面の皮が~ 낯짝이 두껍다. **2** 《篤い》 두텁다. ¶情が~ 정이 두텁다/~·くもてなす 후히 대접하다/~·くお礼申しあげます 충심으로 감사 드립니다. ⇔薄い.

あつ-い 〖篤い〗 形 **1** 위독하다. ¶師の病~·く再起の望みなし 스승의 병환이 위독하여 재기할 희망이 없다. **2** 독실하다; 깊다. ¶~友情 깊은 우정.

***あっか【悪化】** 名スル自 악화. ¶病状が~する 병상이 악화하다. ↔好転.

あっか【悪貨】 名 악화. ↔良貨.

—は良貨を駆逐する 악화는 양화를 구축한다.

***あつかい【扱い】** 名 **1** 취급; 다룸. ¶子供~ 아이 취급/まるで罪人~だ 마치 죄인 취급이다. **2** 대우; 접대. ¶客の~がうまい 손님 접대를 잘한다. **3** 취급법; 다루기. ¶機械の~が悪い 기계 취급법이 나쁘다/電気の~に気をつけろ 전기를 조심해서 다루어라. **4** 《接尾語적으로》 (직책명에 붙어) …대

우. ¶課長~ 과장 대우.

**あつか-う【扱う】5他 1 다루다. ㉠취급〔처리〕하다. ¶大切に~ 소중하게 다루다/問題を軽く~ 문제를 가볍게 다루다/出席として~ 출석한 것으로 처리하다/その品は当店では~·っておりません 그 물건은 저희 가게에서는 취급하지 않습니다. ㉡담당하다. ¶販売を~ 판매를 담당하다/事件を~ 사건을 다루다. 2 대우하다; 접대하다. =もてなす. ¶客を大切に~ 손님을 소중히 접대하다/部長として~ 부장으로서 대우하다. 可能あつかえる 下1自

*あつかまし-い【あつかましい·厚かましい】形 뻔뻔스럽다; 철면피하다. =ずうずうしい. ¶~·くもまた金を借りにくる 뻔뻔스럽게 또 돈을 꾸러 온다/~お願いですが… 염치없는 부탁입니다만….

あつがみ【厚紙】名 두꺼운 종이; 특히, 판지.

あつがり【暑がり】名ダナ 몹시 더위를 탐; 또, 그런 사람. ¶大変な~屋 몹시 더위 타는 사람. ↔寒がり.

あつかん【熱かん】《熱燗》名 술을 뜨겁게 데움; 또, 그런 술. ¶~にして下さい 술을 따끈하게 데워 주십시오.

あっかん【圧巻】名 압권; 가장 뛰어난 것〔부분〕. ¶…は本書の~だ …은 이 책의 압권이다.

あっかん【悪漢】名 악한; 못된 놈. ¶~に襲われる 악한에게 습격당하다.

あつぎ【厚着】名ス自 옷을 많이 껴입음. =重ね着. ¶~して外出する 옷을 껴입고 외출하다. ↔薄着.

あつくるし-い【暑苦しい·熱苦しい】形 숨막힐 듯이 덥다. ¶湿気が多くて~ 습기가 많아서 숨막힐 듯이 덥다.

あっけ〖呆気·飽気〗名 기가 막힘.

—に取られる 어안이 벙벙하다; 어이없다. ¶意外ななりゆきに~ 뜻밖의 결과에 어안이 벙벙해지다.

—な-い 形 싱겁다; 맥〔어이〕없다. ¶~死に方だ 어이없는 죽음이다/ゲームは~·くすんだ 게임은 싱겁게 끝났다.

あつげしょう【厚化粧】名ス自 짙은 화장. =濃化粧. ¶~の女 짙게 화장한 여자. ↔薄化粧.

あっけらかんと 副〈俗〉1 어안이 벙벙하여; 어이없이. ¶~見とれる 어안이 벙벙하여 보고만 있다. 2 막연한 모양. ¶~した人 종잡을 수 없는 사람.

あっこう【悪口】名 흠구덕; 욕(설). =わるくち. ¶~雑言のかぎりをつくす 온갖 욕설을 퍼붓다.

あつさ【厚さ】名 두께. ¶~をはかる 두께를 재다.

*あつさ【暑さ】名 1 더위. ¶蒸されるような~ 찌는 듯한 더위. 2 여름철. ¶~に向かう 여름철로 접어들다. ⇔寒さ.

あつさ【熱さ】名 뜨거움; 뜨거운 정도.

あっさく【圧搾】名ス他 압착. ¶~空気 압착 공기; 압축 공기.

あつさしのぎ【暑さしのぎ】《暑さ凌ぎ》名 더위를 견뎌내기. ¶~の読書 더위를 쫓기 위한 독서.

あっさつ【圧殺】名ス他 압살; 눌러 죽임. ¶言論の自由を~する 언론의 자유를 압살하다.

**あっさり 副 1 담박하게; 산뜻하게; 시원스럽게. ¶~(と)した味 산뜻한 맛; 얕은 맛/~した性格 시원시원한 성격. 2 간단하게; 깨끗이. ¶難問を~(と)解く 어려운 문제를 간단히 풀다/~(と)断られた 깨끗이 거절당했다.

あっし【圧死】名ス自 압사; 깔려 죽음. ¶倒れた柱の下敷きになって~する 넘어진 기둥에 깔려 압사하다.

あつじ【厚地】名 두꺼운 천. ¶~の冬服 두꺼운 감의 겨울 옷. ↔薄地.

*あっしゅく【圧縮】名ス他 압축. ¶~空気 압축 공기/原稿を半分に~する 원고를 반으로 압축하다.

あっしょう【圧勝】名ス自 압승. ¶地方選挙で~する 지방 선거에서 압승하다. ↔辛勝.

あっ-する【圧する】サ変自 1 (세게) 내리누르다. 2 (힘이나 권력으로) 억누르다; 압도〔위압〕하다. ¶聴衆を~演説 청중을 압도하는 연설/文名、一世を~ 문명이 당대에 떨치다/敵を~ 적을 압도하다.

あっせい【圧制】名 압제. ¶軍閥の~ 군벌의 압제.

あっせい【圧政】名 압정; 강압 정치. ¶~に苦しむ 압정에 시달리다.

*あっせん[斡旋]名ス他 1 알선; 주선. =世話·とりもち. ¶就職を~する 취직을 알선하다. 2 (노동쟁의에서, 노동위원회가 지명한 제3자에 의한) 중재. ¶職権~に乗り出す 직권으로 중재에 나서다/~が出される 중재안이 제출되다.

あつぞこぐつ【厚底靴】名 통굽 구두《여성용》.

あったか〖暖か·温か〗ダナ〈口〉따뜻함. =あたたか.

あったか-い〖暖かい·温かい〗形〈口〉따뜻하다. =あたたかい.

あったま-る〖暖まる·温まる〗5自〈口〉따뜻해지다. =あたたまる. ¶~·ってから出なさい 몸을 녹인 다음 나가거라.

あった-める〖暖める·温める〗下1他〈口〉따뜻하게 하다; 데우다. =あたためる.

あっち〖彼方〗代 저기; 저쪽; 저리. =あちら. ¶~へ行け 저쪽으로 가라. ↔こっち.

あづちももやまじだい[安土桃山時代]名〔史〕일본 미술사의 한 시대《織田信長와 豊臣秀吉가 정권을 잡고 있던 시대; 1568-1600》. =織豊時代. 参考 信長의 安土城, 秀吉의 桃山城에 연유한 명칭.

あつで【厚手】图 (종이·도자기·천 따위의) 바탕이 두꺼운 것. ¶~の織物 두껍게 짠 직물. ↔薄手.

***あっとう**【圧倒】图スル他 압도. ¶精神的に~する 정신적으로 압도하다.

—てき【—的】ダナ 압도적. ¶~な人気〔強さ〕 압도적인 인기〔강세〕.

アットホーム [at home] ダナ 애트 홈; 가정적이고, 편안한 모양. ¶~な雰囲気 가정적인 분위기/~な気分 편안한 기분/~な話し方 스스럼없는 이야기투.

アッパーカット [uppercut] 图 권투에서, 어퍼컷.

***あっぱく**【圧迫】图スル他 압박. ¶~包帯 압박 붕대/~を感ずる 압박을 느끼다/学費が家計を~する 학비가 가계를 압박하다.

—かん【—感】图 압박감. ¶そばにいるだけで~をうける 곁에 있기만 해도 압박감을 받는다.

あっぱっぱ 图 〈俗〉 (여성용의) 간단한 여름 원피스. =簡単服.

あっぱれ〚天晴·適〛 一名ダナ 매우 훌륭함; 눈부심. ¶~な振る舞い 훌륭한〔장한〕 행동/敵ながら~だ 적이지만 훌륭하다. 二感 칭찬할 때 쓰는 말: 훌륭하다; 장하다; 잘했어; 통쾌하다. =でかした. ¶~, でかした 장하다, 잘했어.

アップ [up] 图スル自他 업. **1** 상승; 인상. ¶人件費の~ 인건비의 상승. ↔ダウン. **2** 'クランクアップ(=촬영 완료)'의 준말. ¶一か月で~する 한 달 만에 크랭크업하다. **3** 'クローズアップ(=대사(大寫))'의 준말; 클로즈업; 근접 촬영. ¶~で撮る 근접 촬영하다. **4** 뒷머리를 위로 모아 올린 여자의 머리형. ¶~スタイル 업스타일.

あっぷあっぷ 副 **1** 물에 빠져 허우적거리는 모양: 허우적허우적. **2** 대단히 곤란한 입장의 비유로도 씀. ¶経営が~の状態だ (허덕허덕할 정도로) 경영 상태가 몹시 어렵다.

アップツーデート [up-to-date] ダナ 업투데이트; 최신식임; 현대적. ¶~ファッション 업투데이트 패션; 최신 유행. ↔アウトオブデート.

アップリケ [프 appliqué] 图スル自 아플리케《자수(刺繡)의 하나》. =アプリケ.

アップル [apple] 图 애플; 사과. =りんご. ¶~ジュース 사과 주스.

あつぼった-い【厚ぼったい】形 두툼하다. ¶~洋服地〔洋服の生地〕 두툼한 양복감/~本 두툼한 책.

***あつまり**【集まり】图 모임; 회합. ¶町内の~ 동네의 모임/客の~が悪い 손님이 적게 모이다.

****あつま-る**【集まる】5自 모이다; 집중하다. ¶人の~所 사람이 모이는 곳/同情が~ 동정이 집중되다/一堂に~ 일당(一堂)에 모이다/~·れ 집합《구령》. 可能あつま-れる 下1自

あつみ【厚み】图 두께. ¶~が有る 두툼하다/~を増す 점점 두꺼워지다.

***あつ-める**【集める】下1他 모으다; 집중시키다. ¶切手を~ 우표를 모으다/同情を~ 동정을 모으다〔받다〕/視線を~ 시선을 모으다/注目〔耳目〕を~ 주목〔이목〕을 집중시키다.

あつもの〚羹〛图 〈雅〉 (고기·야채를 넣은 뜨거운) 국. =吸い物·スープ.

—に懲りてなますを吹く 뜨거운 국에 데어서 냉채를 후후 불다; 자라 보고 놀란 가슴 소댕 보고 놀란다.

あつゆ【熱湯】图 열탕; 뜨거운 목욕물. ¶~好き 뜨거운 목욕물을 좋아하는 사람. ↔ぬる湯.

あつらえ〚誂え〛图 주문함; 주문품; 맞춤. ¶~服 맞춤복/別~ 특별 주문. ↔出来合い.

—もの【—物】图 맞춤; 맞춘 물건. =オーダーメイド.

***あつらえむき**【あつらえ向き】《誂え向き》ダナ 안성맞춤인 모양; 십상. ¶ちょうど, お~だ 아주 안성맞춤이다. 參考 흔히 'お~'의 꼴로 씀.

***あつら-える**〚誂える〛下1他 주문하다; 맞추다. ¶洋服を~ 양복을 맞추다/すしを二人前~ 초밥 2인분을 (배달해 달라고) 주문하다.

***あつりょく**【圧力】图 압력. ¶~団体 압력 단체/政界の~ 정계의 압력/~釜〔鍋〕 압력솥〔냄비〕/~を加える 압력을 가하다/反対派に~をかける 반대파에게 압력을 넣다.

あつれき〚軋轢〛图 알력. ¶両国間に~が生ずる 양국 간에 알력이 생기다/~を来たす 알력을 가져오다.

あて【当て】图 **1** 댐; 또, 댄 것. ¶ズボンの膝~ 바지의 무릎 바대/腹~ 배두렁이. **2** 목표; 기대; 전망. ¶~がはずれる 기대가 어긋나다/~にならない 믿을 수 없다/就職の~がある 취직 가망이 있다/君を~にするよ 자네를 믿네/どこへ行くという~もなく家を出た 어디로 간다는 정처도 없이 집을 나섰다.

=あて〚宛·充て〛 **1** …에 대해서; …당; …앞. ¶ひとり~三枚 1인당 석 장. **2** …앞《수신인·수신 장소 따위》. =名あて. ¶A会社~に発送する A회사 앞으로 발송하다.

あてうま【当て馬】图 (선거 등에서, 유력한 후보자를 견제할 목적으로 명목상 내세우는) 들러리 후보. ¶~候補 들러리 후보/~にする 들러리로 삼다.

あてがい〚宛てがい·宛行〛图 할당함; 할당한 것; 특히, 급여; 수당. ¶~が少ない 수당이 적다.

あてが-う〚宛てがう·宛行う〛5他 **1** 적당히 생각해서 주다; 할당하다. ¶仕事を~ 일을 할당하다/嫁を~ 적당한 며느리를 택해 장가 보내다. **2** (바짝) 대다. ¶継ぎを~ 바대를 대다/受話器を耳に~ 수화기를 귀에 꼭 대다/ものさ

しを～·ってはかる 자를 대어서 재다. [可能]あてが-える[下1自]

あてこすり【あてこすり·当てこすり】《当て擦り》[名] 빗대어서 넌지시 빈정댐. ¶～を言う 빗대어 빈정거리다.

あてこす-る【あてこする·当てこする】《当て擦る》[5自] 빗대어 욕하거나 빈정대다. ¶人の失敗を～ 남의 실패를 빗대어〔뒷전에서〕 빈정거리다.

あてこと【当て事】[名] 기대하고 있는 일. ¶～がはずれる 기대하고 있던 일이 어긋나다. [注意]あてごと라고도 함.

あてこ-む【当て込む】[5他] (좋은 결과가 되리라고) 기대하다; 꼭 믿다. ¶親の遺産を～·んで借金する 부모의 유산을 믿고 빚을 내다.

あてさき【あて先】《宛先》[名] 수신인의 주소 (성명); 수신인. ¶～不明 수신인의 주소 불명.

あてじ【あて字·当て字】《宛て字》[名] 〈口〉 취음자(取音字); 차자(借字)《'アジア'를 '亜細亜', 'やたら'를 '矢鱈'로 쓰는 따위》; 군두목. ↔正字.

あてずいりょう【当て推量】[名] 억측; 어림짐작. ＝あてずっぽう. ¶～の答え 어림짐작으로 하는 대답.

あですがた【あで姿】《艶姿》[名] (여성의) 요염한 복장과 자태.

あてずっぽう [名ナ] 〈俗〉 ☞あてずいりょう. ¶～に答える 어림짐작으로 대답하다.

あてつけ 〖当て付け〗[名] 빈정거림; 빗댐. ＝あてこすり.

—がましい [形] 빗대는 듯하다. ¶～物言い 넌지시 빗대어 비난하는〔욕하는〕 듯한 말투.

あてつ-ける 〖当て付ける〗[下1他] **1** 상대방에게 들으란 듯이 넌지시 빗대어 말하다〔비난하다〕. ¶子供を叱って夫に～ 아이를 꾸짖음으로써 에둘러 남편을 비난하다. **2** 다정함을 짐짓 보여 주다.

あてっこ【当てっこ】[名][ス他] 〈俗〉 (저희들끼리 어떤 일을 예상해보는) 알아맞히기. ¶友達と～をする 친구와 알아맞히기를 하다.

あてど 〖当て所〗[名] 목표; 목적지. ¶～(も)なくさまよう〔うろつく〕 정처 없이 방황하다〔돌아다니다〕.

*__あてな__【あて名】《宛名》[名] (편지나 서류 등에 적는) 수신인명〔주소 성명〕.

あてにげ【当て逃げ】[名][ス自] (자동차·배 따위가) 딴 자동차〔배〕를 들이받고 뺑소니치기. ¶～事件 뺑소니 사건 / ～した車を追う 뺑소니친 차를 뒤쫓다.

あてはずれ【当て外れ】[名ナ] 기대가 어그러짐; 짐작이 빗나감. ¶～のボーナス 기대에 어긋난 보너스 / 記録は～だった 기록은 예상 밖이었다.

*__あてはま-る__【あてはまる·当てはまる】《当て嵌まる》[5自] 꼭 들어맞다; 적합하다. ¶規則に～ 규칙에 들어맞다.

**__あては-める__【あてはめる·当てはめる】《当て嵌める》[下1他] 꼭 들어맞추다; 적용시키다. ¶条項を無理に～ 조항을 무리하게 적용시키다.

あてみ【当て身】[名] (유도에서) 급소지르기. ¶～をくらわす 급소를 질러 기절시키다.

あでやか 〖艶やか〗[ダナ] 화려하고 아름다움; (특히 여자가) 요염함. ¶～な婦人 요염한 여자 / ～に装う 아름답게 단장하다.

__あ-てる__【当てる】[一][下1他] **1 맞히다. ㉠ 명중시키다. ¶矢を的に～ 화살을 과녁에 맞히다. ㉡알아맞히다. ¶クイズの答えを～ 퀴즈의 답을 맞히다. ㉢(제비·현상 등에서) 당첨하다; 상을 타다. ¶くじを～ 당첨하다 / 一等を～ 1등(상)을 타다. ㉣(비·바람 등을) 맞게 하다. ¶雨に～ 비를 맞히다 / 風に～·てて乾かしなさい 바람을 쐬어 말려라. **2** 대다; 얹다. ¶手を胸に～ 손을 가슴에 얹다 / つぎを～ 헝겊을 대어 깁다. **3** (불·볕을) 쬐다. ¶たき火に～·ててかわかす 모닥불에 쬐어 말리다 / 植木ばちを日に～ 화분을 햇볕에 내놓다. **4** (자로) 재다. ¶物差しを～ 자를 대고 재다. **5** (방석 등을) 깔고 앉다; 대다. ¶ざぶとんをお～·てください 방석을 까십시오. **6**《宛てる》…앞으로 보내다. ¶手紙を兄に～·てて出す 편지를 형에게 내다. **7**《受動形で》 해를 주다; 중독시키다. ¶毒気に～·てられる 독기에 중독되다. **8** 지명하다. ¶生徒を～·てて答えさせる 학생을 지명하여 대답하게 하다. **9** 한몫 보다; 성공하다. ¶株で～ 주식으로 한밑천 잡다 / 山を～ 노다지를 만나다.

**__あ-てる__【充てる·当てる】[下1他] 할당하다; 충당〔전용〕하다; 돌리다. ¶日曜を読書に～ 일요일을 독서에 활용하다 / 建築費に～ 건축비로 돌리다.

__あと__【後】[一][名] 뒤. **1 뒤쪽; 후방. ¶～に残る 뒤에 남다 / ～からついて来る 뒤에서 따라오다 / 故郷を～にする 고향을 뒤로 하다《떠나다》. **2** 나중; 다음; 이후. ¶そうじは～でするよ 청소는 나중에 하겠어 / ～はどうともなれ 나중에는 될 대로 되어라 / ～の列車 다음 열차 / ～から行きます 뒤에 가겠습니다. **3** 뒷일〔것〕. ¶～は私が引き受ける 뒷일은 내가 맡는다 / ～を頼む 뒷일을 부탁하다. **4** 뒤의 사람; 후임자; 후처. ¶～をつぐ 뒤를 잇다 / ～にすわる 후임으로 들어앉다. **5** 사후(死後). ¶～に残された妻子 뒤에 남은 처자. **6** 후사; 후손; 자손. ¶～が絶える 뒤가〔손이〕 끊기다 / 財を～にのこす 재산을 후손에 남기다. **7** 그 외의 일; 나머지. ¶～は君の想像に任す 나머지 일은 자네의 상상에 맡긴다.

[二][副] 앞으로. ¶ゴールまで～10メートル 골까지 앞으로 10미터 / ～三日で正月だ 앞으로 사흘이면 설이다.

—にも先にも 이전에도 이후에도.

—は野となれ山となれ 나중 일은 내 알 게 뭐냐.

—へ引く **1** 뒤로 물러나다. **2** 패하다.

—を濁す 말끝을 얼버무리다.

—を引く **1** 끝나고도 영향〔여운〕이 남다. ¶正月気分が～ 설 기분이 계속 남다. **2** 먹고도 또 먹고 싶다; 미련이 남다《주로 음식에 대하여 이름》. ¶一杯やると後を引いて困る 한잔하면 더 하고 싶어 곤란하다.

***あと【跡】** 图 **1** 유적. ¶古いお寺の～ 옛 절터/古戦場の～ 옛 전쟁터(의 유적). **2** 자취; 흔적. ¶傷の～ 상처 자국/～を残さない 흔적을 남기지 않다. **3** (발)자국. ¶車の通った～ 차 지나간 자국/足～ 발자국. **4** 뒤. ¶～をたどる 뒤를 더듬다. **5** 호주권(權); 대(代). ¶～を取る 대를 잇다.

—をくらます 종적을〔행방을〕 감추다.

—を絶つ 아주 없어지다. ¶犯罪が跡を絶たない 범죄가 끊이지 않는다.

アド [미 ad] 图 애드; 광고. ¶～マン 애드맨; 광고업 종사자.

あとあし【後足】《後肢》 图 (동물의) 뒷다리; 뒷발. ↔前足.

—で砂をかける 뒷발로 모래를 끼얹다《떠날 무렵에 폐를 끼치고 가다》.

あとあじ【後味】 图 뒷맛. **1** 식후의 맛. ＝あとくち. ¶しつこい～ 끈적끈적한 뒷맛. **2** 일이 지난 다음의 느낌. ¶生き物を殺すと～が悪い (살아 있는) 생물을 죽이고 나면 뒷맛이 개운찮다.

あとあと【後後】 图 아주 뒤; 먼 뒷날; 훨씬 훗날《'あと'의 힘줌말》. ＝のちのち. ¶～までよろしく頼む 길이길이 잘 부탁한다/～のことが心配だ 먼 훗날의 일이 걱정이다.

あとおし【後押し】 图ス他 뒷밀이; (수레 등을) 뒤에서 밂〔미는 사람〕; 전하여, 뒷바라지하는 사람; 후원자. ¶車を～する 수레를 뒤에서 밀다/財界が～する企画 재계가 후원하는 기획.

あとがき【後書き】 图 **1** (책의) 뒷말; 발(跋); 후기. ↔はし書き·前書き. **2** (편지의) 추신. ＝追って書き.

あとかた【跡形】 图 흔적; 자취. ¶昔の～ 옛 자취/～もない 흔적도 없다.

あとかたづけ【後片づけ·跡片づけ】《後片付け·跡片付け》 图 ☞あとしまつ. ¶食事の～をする 식사한 자리를 치우다; 설거지를 하다.

あとがま [後釜] 图 후임(자); 후처. ¶～にすわる〔すえる〕 후임으로 앉다〔앉히다〕/妻に死なれて～をもらう 아내를 여의고 후처를 얻다.

アドキャラクター [ad character] 图 애드 캐릭터; 기업 이미지를 높이기 위하여 광고에 쓰이는 캐릭터《흔히 동물이 많이 쓰임》.

あとくされ【後腐れ】 图 일이 끝난 뒤의 말썽; 뒤탈. ＝あとぐされ. ¶～がない 뒤탈이 없다; 뒤가 깨끗하다/～がないように手を打っておく 뒷말이 없도록 손을 써 두다.

あとくち【後口】 图 **1** ☞あとあじ. ¶ビールで～を清める 맥주로 입가심하다. **2** (신청 등에서) 뒤에 온 것〔사람〕. ¶～の申しこみ 뒤에 낸 신청/～がひかえている 뒷사람이 기다리고 있다/～に回す 뒤차례로 돌리다. ↔先口.

あどけな-い 形 (어린이가) 순진하고 귀엽다; 천진난만하다. ¶～顔をしている 천진난만한 얼굴을 하고 있다.

***あとさき【後先】** 图 **1** 선후; 앞뒤; 전후. ¶～を見回す 앞뒤를 둘러보다/～から文の意味を考える 앞뒤로 (미루어) 문장의 뜻을 생각하다. **2** 순서가 바뀜. ¶～にする 순서를 뒤바꾸다/話が～になる 이야기의 전후가 뒤바뀌다.

あとざん【後産】 图 후산; 출산 후 태반이 나옴. ＝のちざん. ¶～が順調でなかった 후산이 순조롭지 못했다.

あとじさり【後じさり】《後退り》 图ス自 뒷걸음질치기. ＝あとしざり·あとずさり. ¶おそれて～をする 두려워서 뒷걸음질치다.

***あとしまつ【後始末·跡始末】** 图ス自他 뒤처리; 마무리. ¶運動会の～をする 운동회의 뒤처리를 하다/～をつける 뒤처리를 끝내다.

あとずさり【後ずさり】《後退り》 图ス自 ☞あとじさり.

あとち【跡地】 图〔農〕**1** (윤작에서) 한 작물을 수확한 다음의 농토. **2** (건물 등의) 철거 부지. ¶工場の～ 공장이 섰던 자리/～の利用 철거지의 이용.

***あとつぎ【跡継ぎ·後継ぎ】** 图 **1** 집안의 대를 이음; 또, 그 사람. ＝あととり·世つぎ. ¶～がいない 후사(後嗣)가 없다. **2** 후임자; 후계자. ¶～を養成する 후계자를 양성하다.

あとづけ【後付け】 图 권말에 붙이는 후기(後記)·찾아보기 따위. ↔前付け.

あとづ-ける【跡付ける】 下1他 자취를 더듬(어 확인하)다. ¶歴史を～ 역사를 더듬(어 확인하)다/先人の業績を～ 선인의 업적을 더듬다.

あととり【跡取り】 图 ☞あとつぎ 1. ¶～息子 사자(嗣子); 호주 상속을 할 아들.

あとのまつり【後の祭り】 連語 때를 놓쳐 보람이 없음; 행차 후의 나팔. ¶今頃悔やんでも～だ 지금 후회해도 사후 약방문이다.

アドバイス [advice] 图ス他 어드바이스; 조언; 충고; 권고. ¶～を受ける 조언을 듣다/友人として～する 친구로서 충고하다.

あとばら【後腹】 图 **1** 훗배앓이. **2** 뒷고생; 뒤탈. ¶～が病める 뒤탈로〔사후에, 돈이 많이 들어〕 고생하게 되다. **3** 후처 소생. ↔さきばら.

あとばらい【後払い】 图ス他 후불. ＝ご

ばらい. ¶ ~金 후불금 / 料金~ 요금 후불. ↔前払い·先払い.

アドバルーン [일 ad+balloon] 图 애드벌룬; 광고 기구. *영어로는 advertising balloon.

──を揚げる 상대의 반응을 살피기 위해, 내용의 일부를 내비치다.

アドバンテージ [advantage] 图 어드밴티지. **1** 유리(한 지위). **2** (테니스·탁구에서) 듀스 다음에 1점을 얻음.

アドベンチャー [adventure] 图 어드벤처; 모험. =アドベンチュア.

あとぼう【後棒】图 (가마 등의) 뒤채를 메는 사람; 뒷교군. ¶ ~をかつぐ 뒤채를 메다; 한 다리 끼다. ↔先棒.

あとまわし【後回し】《後廻し》图 뒤로 미룸; 뒷전. ¶ 仕事は~にする 일은 뒷전으로 미루다 / めんどうなことは~だ 성가신 일은 뒤로 미룬다.

アトム [atom] 图 아톰; 원자.

あとめ【跡目】图 **1** 집의 대를 이음; 또, 상속인. ¶ ~相続 호주 상속 / ~争い 상속 싸움 / ~を継ぐ 집의 대를 잇다. **2** 스승 등의 일을 이어받음; 또, 그 후계자. **3** 후임자. =あとがま.

あともどり【後戻り】图[ス自] **1** 되돌아옴. **2** 퇴보; 후퇴. ¶ 景気が~する 경기가 후퇴하다 / 技術が~した 기술이 퇴보했다.

あとやく【後厄】图 액년(厄年)의 다음해(에 오는 재난). ↔前厄.

アドライター [ad writer] 图 애드 라이터; 광고 문안가. =コピーライター.

アトラクション [attraction] 图 어트랙션; 손님을 끌기 위해 주(主)상연물 외에 곁들이는 여흥.

アトリエ [프 atelier] 图 아틀리에. **1** 미술가의 작업장《화실·조각실 따위》. **2** 사진 촬영장.

アドリブ [ad lib] 图 애드 리브; 대본에 없는 즉흥적인 대사나 연주·연기. ¶ ~を入れる 애드 리브를 넣다.

アドレス [address] 图 어드레스. **1** 수신인의 주소·성명. **2**〘컴〙번지; 기억 장치 안의 데이터가 수록된 곳의 한 단위에 붙여진 숫자.

あな【穴】《孔》图 **1** 구멍; 구덩이. ¶ ボタンの~ 단춧구멍 / ~があく 구멍이 나다 / ~を掘る 구덩이를 파다. **2** 구멍 비슷한 것. ㉠빈 곳; 빈 자리. ¶ 三番打者の~を埋める 삼번 타자의 빈 자리를 메우다. ㉡결손; 손실. ¶ ~をうめる 손실〔결손〕을 메우다 / 商売がへたで~があいた 장사가 서툴러서 결손이 났다. ㉢결점; 약점. ¶ ~さがし 흠잡기 / 敵の~をつく 적의 허를 찌르다. **3** 굴; 짐승 소굴. ¶ たぬきの~ 너구리 굴.

──にでも入りたい 쥐구멍에라도 들어가고 싶다. =穴があったら入りたい.

──のあくほど見る 뚫어지게 보다.

──をあける 결손을〔적자를〕 내다.

アナ 图 **1** 'アナウンサー'의 준말. **2** 'アナーキスト' 'アナーキズム(=무정부주의)'의 준말.

アナーキスト [anarchist] 图 아나키스트; 무정부주의자. =アナキスト.

あなうま【穴馬】图 (경마에서) 다크호스. ¶ ~を当てる〔ねらう〕 예상 밖의 우승마를 맞히다〔노리다〕.

あなうめ【穴埋め】图[ス自他] **1** 구멍을 메움. ¶ ~問題 빈칸 메우기 문제 / 防空壕の~作業をやる 방공호의 메우기 작업을 하다. **2** 전하여, 결손을 보충함; 인원의 보충. ¶ 損失の~をする 손실의 보충을 하다. 「=アナ.

アナウンサー [announcer] 图 아나운서.

アナウンス [announce] 图[ス他] 아나운스; 방송함. ¶ 校内~ 교내 방송.

あながち〖強ち〗〓副 《뒤에 否定의 말을 수반하여》 반드시. =まんざら. ¶ ~そうとは限らない 반드시 그렇다고만은 할 수 없다 / 酒も~悪いとばかりはいえない 술도 반드시 나쁘다고 할 수만은 없다 / ~うそだともいえない 그렇다고 거짓말이라고 할 수도 없다.

あなぐま〖穴熊〗图〘動〙오소리. 参考 지방에 따라 'むじな'라고도 함.

あなぐら【穴蔵】《窖》图 움; 움막. ¶ ~に住む 움막에서 살다.

アナクロ 图 'アナクロニズム'의 준말. ¶ そんな発言は~だ 그런 발언은 시대착오다.

アナクロニズム [anachronism] 图 아나크로니즘; 시대착오. =アナクロ.

あなご〖穴子〗图〘魚〙붕장어.

あなじゃくし【穴じゃくし】《穴杓子》图 작은 구멍이 많은 조리용 채《국물이 많은 것에서 건더기를 건져 내는 데 씀》.

あなた〖彼方〗代 〈雅〉 **1** 저쪽; 저기. ¶ 山の~の空遠く 산 너머 저쪽 하늘 멀리. ↔こなた. **2** 이전; 옛날. ¶ 百年~の話 백년 전 이야기.

あなた〖貴方·貴下〗代 **1** 당신; 귀하. ¶ ~はどうなさいますか 당신은 어떻게 하시겠습니까. **2** 여보《주로 아내가 남편을 부르는 말로 쓰임》. ¶ ~, 電話ですよ 여보, 전화예요. 注意 상대가 여자일 때는 흔히 '貴女'라고 씀.

あなた의 쓰임새

'あなた'는 현대어에서 상대방을 존칭하는 가장 표준적인 말인데, 오늘날에는 존경의 뜻이 많이 약화되어,

1) 보통, 손윗사람에게는 쓰지 않으며, 대등하거나 또는 아랫사람에게 씀《당신; 댁; 그대》. ¶ ~の名前は? 당신 이름은?
2) 아내가 남편을 부를 때 잘 씀《여보; 당신》. ¶ ~, ご飯ですよ 여보, 식사하세요.
3) 광고 등에서, 불특정한 사람에 대하여 씀《당신; 그대》.
4) 여성이 친근한 상대방에게 씀《얘;

> 이봐》. ¶～, 時間ですよ 얘, 시간(이) 됐어.
> 5)공용문 등에서는 '貴殿(귀하)·貴下' 대신 씀《귀하》.
>
> 이 밖에 윗사람에게는 성씨에 様(님)·さん(씨)·先生(선생님) 등을 붙이거나 직함을 부르는 것이 일반적임. 또, 'あなた様'는 상급자에 대해서는 쓸 수 있는데, 여성어적임.

あなたがた【あなた方】《貴方方》代 당신네들; 여러분(들)《'あなた'의 복수》. ¶～はどちらの学校ですか 당신네들은 어느 학교에 다닙니까.

あなたまかせ【あなた任せ】《貴方任せ》名 **1** 남에게 의지하여 그에게 맡겨 둠. **2** 일이 되어 가는 대로 맡겨 둠.

あなづり【穴釣り】名 **1** 얼음낚시《호수면의 얼음을 뚫고 함》. ¶ワカサギの～ 빙어의 얼음낚시. **2** 수초 낚시.

***あなど-る**【侮る】5他 깔보다. ＝見くびる. ¶相手が弱いと見て～ 상대방이 약하다고 보고(서) 깔보다 / ～·りがたい勢力 얕볼 수 없는 세력. 可能 あなど-れる 下1自

アナドル [일 announcer＋idol] 名 (배우 못지 않은) 우상적인 존재의 여성 아나운서.

あなば【穴場】名 **1** 남이 아직 모르는 좋은 낚시터《넓은 뜻으로는, 그런 좋은 곳, 싸고 맛좋은 음식점, 희귀본이 많은 고서점 등도 가리킴》. ¶秋の行楽の～ (남에게 잘 알려지지 않은) 가을철의 좋은 행락지 / 釣りの～ 아직 잘 알려지지 않은 좋은 낚시터. **2** 〈俗〉 (경마·경륜 등에서) 마권·차권(車券) 매표소.

あなぼこ【穴ぼこ】名 〈俗〉 구멍; 구덩이. ¶くつ下に～があいた 양말에 구멍이 났다.

アナリスト [analyst] 名 애널리스트; 분석가; 특히, 증권〔정신〕 분석가.

アナログ [analog] 名 **1** 아날로그. **2** ☞アナログコンピューター.

—コンピューター [analog computer] 名 아날로그 컴퓨터.

—どけい【—時計】名 아날로그 시계. ↔ディジタル時計.

⁑**あに**【兄】名 형; 오빠《시아주버니, 손위 처남, 매형 따위도 가리킴》. ↔弟.

あに〖豈〗副 〈文〉 어찌 …랴. ¶～われのみならんや 어찌 나뿐이랴.

—図らんや 어찌 생각이나 했으랴. ¶～, 生きて再び会おうとは 살아서 다시 만날 줄을, 어찌 생각이나 했으랴.

あにき【兄貴】名 〈俗〉 **1** 형의 경칭〔애칭〕. **2** (젊은이 또는 깡패들 사이에서) 선배; 형님. ¶～にはかなわねえ 형님한텐 당할 수 없군.

あにでし【兄弟子】名 동문(同門) 선배. ↔弟弟子.

アニマル [animal] 名 애니멀; 동물. ¶エコノミック～ 경제적 동물.

—コンパニオン [animal companion] 名 애니멀 컴패니언. ☞コンパニオンアニマル.

アニメ 名 'アニメーション'의 준말.

アニメーション [animation] 名 애니메이션; 동화(動畫). ＝アニメ.

アニメチックドラマ [일 animetic＋drama] 名 애니메틱 드라마; 만화 잡지의 인기 작품을 드라마화한 것. 參考 'アニメチック'는 'アニメーション(＝동화)'에서 나온 조어.

あによめ【兄嫁】《嫂》名 형수.

⁑**あね**【姉】名 **1** 언니; 손위 누이. **2** 배우자의 손위 여자 형제《손위 시누이·처형·형수 등》. ⇔妹.

あねうえ【姉上】名 누님.

あねご【姉御】《姐御》名 **1** 언니·누나의 경칭. **2** 도박꾼이나 건달 등의 두목의 아내. **3** 여(자) 두목.

あねさんかぶり【姉さんかぶり】《姉さん被り》名 청소 따위를 할 때 여자가 머리에 수건을 쓰는 방식《좌우에 뿔이 나게 씀》. ＝ねえさんかぶり.

あねさんにょうぼう【姉さん女房】名 남편보다 연상의 아내. ＝姉女房.

あねったい【亜熱帯】名 아열대. ¶～植物 아열대 식물.

あねむこ【姉婿】名 매형. ↔妹婿.

アネモネ [anemone] 名〔植〕 아네모네.

あの〖彼の〗連体 저; 그. ¶～山越えて 저 산 넘어 / ～人 저〔그〕 사람 / ～日 그 날 / ～後 그 후 / ～ころは 그 시절은 / ～箱をとってほしい 저 상자를 집어 다오 / ～事はどうなったか 그 일은 어찌 되었는가.

あの 感 생각이나 말이 막혔을 때 내는 소리; 저. ¶～, 実は 저, 사실은 / ～, 腹が痛かったのですから 저, 배가 아팠기 때문에. 注意 'あのう'라고 길게 빼기도 함.

あのてこのて【あの手この手】連語 이런 수 저런 수. ¶～で迫まる 갖은 수단으로 다그치다 / ～の売りこみ 온갖 판매술.

あのよ【あの世】《彼の世》名 저승; 내세; 저 세상. ¶～でまたあおう 저승에서 또 만나자. ↔この世.

アノラック [anorak] 名 아노락; 후드가 달린 방한용의 짧은 외투《등산·스키용》.

***アパート** [←미 apartment house] 名 아파트(먼트 하우스); 공동 주택.

アバウト [about] ダナ 대략적임; 대범함. ¶～な性格 대범한 성격. 參考 일제(日製) 영어적인 용법.

あばきた-てる【暴き立てる】《発き立てる》下1他 마구 들추어 내다; 폭로하다.

あば-く【暴く】《発く》5他 **1** 파헤치다. ¶墓を～ 무덤을 파헤치다. **2** (비밀을) 폭로하다. ¶政界の裏面を～ 정계의 이면을 폭로하다 / 過去を～ 과거를 들춰 내다.

あばずれ〖阿婆擦れ〗名 닳고 닳은 여자;

또, 그런 태도. =すれっからし·莫連. ¶~女 닳고 닳은 여자. 注意 '阿婆'는 취음(取音).
あばた【痘痕】名 마맛자국. ¶~面 얽은 얼굴; 곰보딱지.
―もえくぼ (사랑하면) 마맛자국도 보조개(로 보인다)(제 눈에 안경).
あばよ 感〈俗〉'さようなら'의 속어적인 표현: 안녕. ¶では, ~ 그럼 안녕.
あばらぼね【あばら骨】(肋骨) 名 늑골; 갈빗대. =肋骨.
あばらや【あばら屋·あばら家】(荒屋·荒家) 名 황폐한 집; 쓰러져 가는 집(자기 집의 겸사말로도 씀). ¶~によくおいで下さった 이 누추한 집에 잘 와 주셨군요.
あばれうま【暴れ馬】名 마구 날뛰는 말.
あばれか【暴れ蚊】名 늦여름에 나온 모기. =あばれっ蚊·あぶれ蚊. 「우다.
あばれだ-す【暴れ出す】五自 소란을 피
あばれまわ-る【暴れ回る】五自 몹시 난폭하게 굴다; 그 부근 일대에서 날뛰다. ¶昔一緒に~·った仲間 옛날에 함께 설치고 다녔던 한패.
あばれもの【暴れ者】名 난폭한 사람. =あばれんぼう.
あば-れる【暴れる】下1自 난폭하게 굴다; 날뛰다; 전하여, 용감하고 대담한 행동을 하다; 설치다. ¶酒に酔って~ 술에 취해서 난폭하게 굴다/馬が~ 말이 날뛰다/財界で大いに~ 재계에서 크게 활약하다.
アパレル [apparel] 名 어패럴; 의류; 특히, 기성복. ¶~産業 기성복 제조업.
あばれんぼう【暴れん坊】名 **1** 난폭자. **2** 그 세계[방면]의 맹렬 행동파. ¶政界の~ 정계의 맹렬 행동파.
アバンギャルド [프 avantgarde] 名 아방가르드; 전위파; 전위예술파.
アバンゲール [프 avantguerre] 名 아방게르; 전전파(戰前派). ↔アプレゲール.
アピール [appeal] 어필. 一名スル自 감명[매력]을 줌. ¶セックス~ 섹스 어필; 성적 매력/女性に~する 여성에게 어필하다. 二名スル他 여론에 호소함. ¶原水爆禁止を~する 원수폭 금지를 호소하다.
あびきょうかん [阿鼻叫喚] 名 아비규환. ¶~の巷と化す 아비규환의 난장판으로 변하다.
あびせか-ける【浴びせ掛ける】下1他 **1** 들씌우다; 끼얹다. ¶ホースで水を~ 호스로 물을 들씌우다. **2** (욕 따위를) 마구 해대다; 퍼붓다. ¶こら, と一声~ 이놈 하고 한 마디 퍼붓다.
***あび-せる**【浴びせる】下1他 **1** ㉠액체를 퍼붓다; 끼얹다. ¶冷水を~ 찬물을 끼얹다. ㉡집중적으로 해대다[타격을 주다]. ¶砲火を~ 포화를 퍼붓다/非難を~ 비난을 퍼붓다. **2** (위에서) 내리쳐서 베다. ¶一太刀~ 한칼로 베다.
アピタイザー [appetizer] 名 애피타이저; (식사 전에) 식욕을 돋우기 위한 술이나 전채. =アペタイザー.
あひる [家鴨] 名〔鳥〕 집오리.
***あ-びる**【浴びる】上1自 **1** 뒤집어쓰다. ㉠(물을) 들쓰다. ¶冷水をひと浴び~ 한바탕 찬물을 뒤집어쓰다. ㉡(먼지를) 흠뻑 쓰다. ¶ほこりを~ 먼지를 뒤집어쓰다. **2** (햇볕을 흠뻑) 쬐다. ¶日光を~ 햇볕을 (흠뻑) 쬐다. **3** (많이, 세게) 받다. ¶非難を~ 거센 비난을 받다/太刀を~ 내리치는 칼을 맞다/砲火を~ 포화 세례를 받다.
あぶ [虻] 名〔蟲〕 등에.
あぶあぶ 副 **1** 위태롭게 여겨 떠는 모양: 조마조마. ¶事件がばれたかと~している 사건이 탄로났는가 하여 조마조마해 하고 있다. **2** 물에 빠져 허우적거리는 모양: 어푸어푸. ¶川に落ちて~している 강에 빠져 허우적거리고 있다.
アフォリズム [aphorism] 名 아포리즘; 경구(警句); 금언; 격언; 잠언.
あぶく [泡] 名〈俗〉 거품. =あわ. ¶せっけんの~ 비누 거품.
あぶくぜに【あぶく銭】(泡銭) 名〈俗〉 일하지 않고 또는 부정하게 번 돈.
アフターケア [aftercare] 名 애프터케어; 회복한 환자의 건강을 돌보는 일[시설].
アフターサービス [일 after+service] 名 애프터서비스; 판매 후 서비스.
アフターファイブ [after five] 名 **1** (회사가 파하는) 오후 5시 이후의 자유 시간. ¶~に一杯やる 퇴근 후에 한잔하다. **2** 야회용 예복.
アフタヌーン [afternoon] 名 애프터눈. **1** 오후; 하오. **2** 여성이 오후 파티나 외출할 때 입는 원피스식 양복('アフタヌーンドレス'의 준말).
****あぶな-い**【危ない】形 **1** 위험하다; 위태롭다. ¶~おもちゃ 위험한 장난감/命が~ 생명이 위태롭다/~目に会う 위태로운 경우를 만나다; 위험한 지경에 이르다/今日明日にも~ 위험이 조석에 있다(죽음·파멸 따위가 가깝다). **2** 불안하다; 미덥지 않다. ¶~空模様だ 불안한 날씨다/一万円では~ 1 만엔 가지고는 불안하다/彼の言うことは~ 그가 말하는 것은 미덥지 않다. **3**《連用形로》하마터면; 아슬아슬하게; 전하여, 간신히. ¶~·く死ぬところだった 하마터면 죽을 뻔했다/~·く難をのがれた 간신히 난(難)을 모면했다.
―橋を渡る 위험한 다리를 건너다(위법 행위나 모험을 하다).
あぶなく【危なく】副 ☞あぶない 3.
あぶなげ【危なげ】名ダナ 불안한 모양. ¶~な足どり 위태위태한 발걸음.
あぶなげな-い【危なげない】形 위태롭다는 기분이 안 들다; 무난하다. ¶~·く勝つ 무난하게 이기다/彼のやり方は~ 그가 하는 식은 확실[안전]하다.
あぶなっかし-い【危なっかしい】形〈俗〉

위태롭다; 매우 염려되다. ＝あぶない. ¶～手つき 위태로운 손놀림 / 優勝は～ 우승은 매우 염려된다.

アブノーマル [abnormal] ダナ 애브노멀; 비정상; 이상(異常); 변태적; 병적. ↔ ノーマル.

あぶはちとらず【あぶはち取らず】《虻蜂取らず》 連語 이것저것 탐내다가 하나도 얻지 못함《게도 구럭도 놓친다》. ¶あまり欲張ると～になる 너무 욕심부리면 아무것도 못 얻게 된다. ⇨二兎を追う者は一兎をも得ず.

あぶみ〖鐙〗名 (마구의) 등자(鐙子).

あぶら【油】名 **1 기름. ¶ごま～ 참기름. **2** 머릿기름. ¶髪に～をつける 머리에 머릿기름을 바르다. **3** (비유적으로) 활력소; 활동의 원동력.

—が切れる **1** 기름이 떨어지다. **2** 활동력이 없어지다. ¶油が切れて元気が出ない 활력소가 떨어져 힘이 나지 않는다.

—を売る (잡담하며) 농땡이부리다.

—を差す **1** (기계에) 기름을 치다. **2** 기운을 돋우다.

—を絞る **1** 호되게 야단쳐 진땀 빼게 하다. **2** 기름을 짜다.

—を注ぐ **1** 기름을 붓다. **2** 기세를 돋우다; 부추기다. ¶紛争に～ 불난 데 부채질하다.

*__あぶら【脂】__《膏》名 **1** 기름; 굳기름. ¶豚の～ 돼지 기름〔비계〕. **2** (몸의) 기름기. ¶鼻の～ 코의 개기름 / 顔に～が浮く 얼굴에 개기름이 흐르다.

—が乗る **1** (물고기 따위가) 기름(살)이 오르다. **2** 일에 흥미를 느끼거나 일이 순조롭게 진척되다.

あぶらあげ【油揚げ】名 ☞ あぶらげ.

あぶらあせ【脂汗】名 비지땀; 진땀. ¶～を流す 비지땀〔진땀〕을 흘리다.

あぶらえ【油絵】名 유화; 양화(洋畫).

あぶらえのぐ【油絵の具】名 유화구.

あぶらかす【油かす】《油粕》名 깻묵.

あぶらがみ【油紙】名 유지; 기름종이《방수용》. ＝ゆし・とうゆし.

あぶらぎ-る【脂ぎる】 5自 기름기가 돌다; 기름지다; 특히, 비계가 많다. ¶～った顔 이드르르한 얼굴 / からだが～ 몸에 기름살이 오르다.

あぶらけ【油気・脂気】名 기름기. ＝あぶらっけ. ¶～のない髪 기름기가 없는 머리 / ～が抜ける 기름기가 빠지다 / ～があるから火に注意しろ 기름기가 있으니 불을 조심해라.

あぶらげ〔油揚〕名 유부(油腐)《얇게 저며 기름에 튀긴 두부》. ＝あぶらあげ. ¶とんびに～をさらわれる 손 안의 소중한 것을 남에게 느닷없이 가로채이다.

あぶらじ-みる【油染みる】 上1自 기름에 찌들다; 또, 기름때가 배다. ¶着物が～ 옷이 기름에 찌들다.

あぶらしょう【脂性】名 지방 체질; 살갗이 기름진 체질. ¶～の人 지방 체질인 사람. ↔荒れ性.

あぶらぜみ〖油蟬〗名〔蟲〕유지매미; 기름매미. ＝秋ぜみ.

あぶらっこ-い【脂っこい・油っこい】形 기름기가 많고 느끼하다. ¶～肉料理 기름기가 많은〔느끼한〕 고기 요리 / ～ものは好きでない 느끼한 것은 좋아하지 않는다.

あぶらで【油手】名 기름 묻은 손; 기름으로 더러워진 손. ＝油っ手.

あぶらでり【油照り】名 날씨가 흐리면서도 바람이 없어 푹푹 찌는 여름의 무더위. ¶ひどい～で座っていても汗が出る 지독한 무더위라 앉아 있어도 땀이 난다.

あぶらな〖油菜〗名〔植〕유채; 평지. ＝「なのはな.

あぶらびかり【油光り・脂光り】名 기름이나 땀·때가 묻어 번들거림.

あぶらぶとり【脂太り】《脂肥り》名 몸에 비계가 너무 많음; 또, 그런 사람.

あぶらみ【脂身】《脂肉》名 비계; 고기의 비계가 많은 부분.

あぶらむし【油虫】名〔蟲〕**1** 진디. ＝ありまき. **2** 바퀴. ＝ゴキブリ.

あぶらや【油屋】名 기름집; 기름 장수.

アフリカ [Africa] 名〔地〕아프리카. ¶～象 아프리카코끼리.

アプリケ 名 ス自 ☞ アップリケ.

アプリケーション [application] 名 애플리케이션. **1** 적용; 응용. **2** 신청.

—ソフトウェア [application software] 名〔컴〕애플리케이션 소프트웨어; 응용 소프트 웨어《특정 용도에 따라 만들어진 소프트웨어》.

あぶりだし【あぶり出し】《炙り出し・焙り出し》名 은현지(隱顯紙)《약품을 발라 불에 쬐면 그림이나 글자가 나타나게 된 종이》. ¶～インキ 은현 잉크.

*__あぶ-る__〖炙る・焙る〗 5他 (불에) 쬐어 굽다; 말리다; 덥게 하다. ¶肉〔干物〕を～ 고기를〔건어물을〕 굽다 / 炭火で魚〔のり〕を～ 숯불에 생선〔김〕을 굽다 / 火鉢に手を～ 화로에 손을 쬐다. 可能 あぶ-れる 下1自

アプレ [프 après] 名ナ 아프레; 'アプレゲール'의 준말. ¶～娘 아프레 소녀.

—ゲール [프 après-guerre] 名 아프레게르; 전후파. ↔アバンゲール.

アフレコ [일 after+recording] 名 아프레코《화면을 촬영한 다음, 대사나 음악을 녹음하는 일》. ＝音入れ. ↔プレレコ.

*__あふ-れる__〖溢れる〗 下1自 (가득 차서) 넘치다. ¶滋味～文章 썩 재미있는 문장 / 若さに～ 젊음에 넘치다 / ～涙をぬぐう 마구 흘러나오는 눈물을 닦다 / 聴衆が会場に～ 청중이 회장에 차고 넘치다.

あぶ-れる〖溢れる〗 下1自 〈俗〉 **1** 남아돌아 밀려나다; 일자리를 얻지 못하다. ¶バイトに～ 아르바이트를 얻지 못하다 / 雨で労務者が～ 비 때문에 노무자가 일자리를 얻지 못하다. **2** (낚시 등에서) 허탕치다. ¶釣りに行ったがしけですっかり～·れた 낚시하러 갔으나 바다가 거칠어서 완전히 허탕쳤다.

アプローチ [approach] 图ス自 어프로치. **1**(연구·학습 대상에의) 접근; 또, 그 방법. ¶社会学的な～ 사회학적인 어프로치. **2**(스키나 육상 경기 등에서) 도움닫기 구간. **3**(골프에서) 홀을 향하여 공을 침.

あべこべ 图ダナ 〈俗〉 거꾸로; 반대; 뒤바뀜. ¶形勢が～になる 형세가 뒤바뀌다/向きが～だ 방향이 반대다/百から一まで～に数える 100에서 1까지 거꾸로 세다.

アベック [프 avec] 图 아베크. ¶～パトロール 아베크 패트롤《둘씩 짝지어 하는 순찰》.

アベマリア [라 Ave Maria] 图〖가톨릭〗 아베 마리아; 성모(찬)송.

アペリティフ [프 apéritif] 图 아페리티프《식사 전에 식욕을 돋우기 위해 마시는 술》. ＝アペリチフ.

アベレージ [average] 图 애버리지. **1**〖野〗 타율. **2**평균. **3**(볼링에서) 평균 스코어.

あへん 〖阿片·鴉片〗 图 아편. ¶～窟 아편굴/～中毒 아편 중독.

アベンド [abend] 图〖컴〗 아벤드《(작업의) 비정상(非正常) 종료; 컴퓨터가 에러 따위로 정지하는 일》. ▷**abnormal end**.

アポ 图 ☞アポイントメント. ¶～をとる 약속하다.

アポイント 图 ☞アポイントメント. ¶～をとっておく 약속을 해두다.

アポイントメント [appointment] 图 어포인트먼트; 약속; 예약. ＝アポ·アポイント.

あほう 〖阿呆·阿房〗 图ナ 바보; 천치. ¶脳をおかされて～になる 뇌를 다쳐서 바보가 되다. 注意 関西 방언으로는 'あほ'라 함.

—どり 〖—鳥·信天翁〗 图 신천옹《대형의 바닷새》. 参考 쉽게 잡히는 데서.

あほらし-い 〖阿呆らしい〗 形 〈俗〉 바보 같다; 어리석다; 시시하다; 어이없다. ＝あほくさい. ¶～目にあう 어이없는 일을 당하다.

アポロ [라 Apollo] 图 아폴로《그리스 신화의 주신(主神)》. ＝アポロン.

あま【尼】图 **1**〖佛〗 여승; 비구니. **2**〖가톨릭〗 수녀. **3**《阿魔》〈俗〉 여자를 욕하는 말. ＝あまっちょ. ¶この～出て行け 이년 나가라.

あま【海女】图 해녀; 비바리.

あま 〖亜麻〗 图〖植〗 아마《삼의 한 가지》.

アマ 图 ☞アマチュア. ↔プロ.

あま=【雨】 '비'의 뜻. ¶～音 빗소리/～宿り 비 긋기.

あまあし【雨足】《雨脚》 图 빗발. ＝雨脚. ¶～が激しい 빗발이 세다/～が白く見える 빗발이 보얗게 보이다.

あま-い【甘い】形 **1(맛이) 달다. ¶味が～·くない 맛이 달지 않다/よく熟した～柿 잘 익은 단감. ↔からい. **2**(맛·간이) 싱겁다. ¶～みそ 싱거운 된장/まだ, だしが～ 아직 (덜 끓어) 국(물)이 싱겁다. ↔からい. **3**달콤하다. ¶ばらの～香り 장미꽃의 달콤한 향기/～愛のささやき 달콤한 사랑의 속삭임. **4**무르다. ㉠엄하지 않다. ¶子に～親 자식에게 무른 부모. ㉡후하다. ¶点数が～ 점수가 후하다. ㉢(애정 따위에) 빠지기 쉽다. ¶女に～男 여자에게 무른 사나이. ㉣야무지지 못하다. ¶あの男は人間が～ 저 남자는 사람이 무르다. **5**여리다. ㉠(사람이) 좀 모자라다. ¶～男 좀 모자라는 사나이. ㉡(문제 등이) 다루기 쉽다; 쉽게 보다. ¶～考え方 낙관적인〔쉽게 보는〕 사고방식/～·くない問題 쉽지 않은 문제. **6**(날이) 무디다. ¶～のこぎり〔ほうちょう〕 날이 무딘 톱〔식칼〕/切れ味が～ 날이 무디어 잘 안 베어지다. **7**헐겁다. ¶ねじが～ 나사가 헐겁다/栓が～·くてすぐ抜ける 마개가 헐거워서 잘 빠진다.

—汁を吸う 단물을 빨다《놀면서도 남의 이익을 자기 것으로 하다》.

—·く見る **1**(남을) 얕보다; 깔보다. **2**(일을) 낙관하다; 쉽게 생각하다.

あまえ【甘え】图 어리광; 응석.

あまえっこ【甘えっ子】图 응석받이; 응석꾸러기.

*__あま-える__【甘える】下1自 **1**응석부리다; 어리광 부리다. ¶子供が母親に～ 아이가 어머니에게 응석부리다. **2**호의나 친절 따위를 스스럼없이 받아들이다. ¶お言葉に～·えましてそうさせていただきます 말씀을 받들어 그렇게 하겠습니다.

あまえんぼう【甘えん坊】图 〈俗〉 (누구에게나) 어리광 부리는 아이; 응석꾸러기. ＝あまったれ.

あまおおい【雨覆い】图 비를 막는 덮개. ＝あまよけ.

あまがえる 〖雨蛙〗 图〖動〗 청개구리.

あまがき【甘がき】《甘柿》 图 단감; 감시(甘柿). ↔渋がき.

あまがさ【雨傘】图 우산. ¶～をさす 우산을 받다. ↔日がさ.

あまガッパ【雨ガッパ】《雨合羽》 图 비옷; 우장(雨裝). ▷포 capa.

あまから【甘辛】图 **1**단맛과 쓴〔매운〕 맛. **2**단 것과 술. ¶～両刀使い 단 것과 술을 다 좋아함; 또, 그런 사람.

あまから-い【甘辛い】形 맛이 달면서도 짭짤하다〔맵다〕.

あまぎ【雨着】图 비옷; 우의(雨衣).

*__あまぐ__【雨具】图 우비(雨備)《우산·비옷·나막신 등》. ¶～を持って行く 우비를 갖고 가다.

あまくだり【天下り】《天降り》 图ス自 **1**강림(降臨). **2**관청·상관 등으로부터의 일방적 명령·강요; 또, 이에 따라 퇴직한 고급 관리가 관련 단체나 회사에 취업하는 일. ¶～人事 낙하산 인사/～の決定〔案〕 상부에서 내린 결정〔안〕.

あまくち【甘口】名 1 (술·간장 등의) 단맛이 돎; 또, 그런 것. ¶～の酒 단맛이 도는 술. 2 단맛을 좋아함; 또, 그런 사람. ＝甘党. ↔辛口. 3 감언. ¶人の～に乗る 남의 감언에 넘어가다.

あまぐつ【雨靴】名 우화(雨靴); 비신. ＝レーンシューズ.

あまぐも【雨雲】名 비구름; 매지구름.

あまぐり【甘ぐり】《甘栗》名 감률. 1 단맛이 나게 뜨거운 왕모래에 볶은 밤. 2 ☞かちぐり.

あまごい【雨ごい】《雨乞い》名 기우(祈雨). ¶～の祭り 기우제.

あまざけ【甘酒】《醴》名 감주; 단술.

あまざらし【雨ざらし】《雨曝し》名 비를 맞게 내버려 둠. ¶～日ざらし 비에 맞고 볕에 바램/洗濯物を～にする 세탁물을 비에 맞게 내버려 두다.

あまじお【甘塩】名 1 (간이) 심심함. ＝薄塩. 2 생선을 싱겁게 절임; 얼간.

***あま-す**【余す】5他 남기다; 남아 있다. ¶小づかい〔弁当〕を～ 용돈〔도시락〕을 남기다/節約して～ 절약해서 남기다/～ところ幾日もない 며칠 남지 않았다.

—所なく 남김없이; 모조리. ¶～説明し尽くされている 남김없이 다 설명이 되어 있다.

あまずっぱ-い【甘酸っぱい】形 달콤새콤하다. ¶～味 달콤새콤한 맛/～初恋の味 달콤새콤한 첫사랑의 맛.

あまぞら【雨空】名 비가 올 때의 하늘; 또, 비가 올 듯한 하늘. ¶～模様 비가 올 듯한 하늘〔날씨〕.

あまた『数多·許多』一名副 많음; 허다함. 二〈雅〉 무수히; 허다하게. ＝たくさん. ¶～の先例がある 허다한 전례가 있다.

あまたる-い【甘たるい】形 ☞あまったるい.

あまだれ【雨垂れ】名 낙숫물.

—石を穿つ 낙숫물이 댓돌을 뚫는다.

アマチュア[amateur]名 아마추어; 호사가. ＝アマ. ¶～スポーツ 아마추어 스포츠. ↔プロフェッショナル·プロ.

あまちょろ-い【甘ちょろい】形 1 (생각이) 무척 낙천적이다. ¶～考え〔言い分〕 안이한 생각〔말〕. 2 호인이다. 注意 'あまっちょろい'라고도 함.

あまっこ【尼っ子】名〈俗〉 여자를 욕하는 말: 계집년; 년. ＝あまっちょ·あま.

あまつさえ『剰え』副 게다가; 더군다나; 그뿐만 아니라; 그 위에. ＝おまけに. ¶失業し, ～病気になる 실직한데다가 병까지 나다.

あまったる-い【甘ったるい】形 달콤하다. 1 (맛이) 달디달다. ¶～味 달콤한 맛. 2 (남녀간의 애정이) 아기자기하다. ¶～ふたりの仲 달콤한 두 사람 사이/～声 달콤한〔어리광부리는〕 목소리.

あまったれ【甘ったれ】名 응석꾸러기. ¶世間知らずの～ 세상을 모르는 응석받이/～の末っ子 응석받이 막내.

***あまった-れる**【甘ったれる】下1自〈俗〉 어리광〔응석〕 부리다. ¶子供が親に～ 자식이 부모에게 어리광부리다.

あまっちょろ-い【甘っちょろい】形〈口〉 ☞あまちょろい.

あまつぶ【雨粒】名 빗방울.

あまでら【尼寺】名 1 여승방; 신중절《여승만 사는 절》. ＝比丘尼寺. ¶～にはいる 여승이 되다. 2〖가톨릭〗 수녀원.

あまてらすおおみかみ[天照大神·天照大御神]名 (일본 신화의) 해의 여신《일본 황실의 조상이라 함》.

***あまど**【雨戸】名 (풍우를 막기 위한) 빈지문; 덧문. ¶～を閉める 덧문을 닫다/～を繰る 빈지문을 하나씩 밀어 열다〔닫다〕.

あまどい【雨どい】《雨樋》名 (낙숫물을 받아 내리는) 홈통; 물받이. ¶～が詰まる 홈통이 막히다.

あまとう【甘党】名 (술보다는) 단 것을 좋아하는 사람. ¶僕は～です 나는 단 것을 좋아하는 축입니다. ↔辛党.

あまねく『普く·遍く』副 널리; 보편적으로; 골고루. ¶～日光が照らす 널리 골고루 햇빛이 비치다/～天下に知らせる 널리 천하에 알리다.

あまのがわ【天の川·天の河】《天漢》名〖天〗 은하; 은하수.

あまのじゃく『天の邪鬼』名 심술꾸러기; 심통사나운 사람. ＝あまんじゃく·つむじ曲がり.

あまびえ【雨冷え】名 비가 내려 써늘해짐.

あまみ【甘み】《甘味》名 단맛; 단 정도. ¶～が足りない 단맛이 덜하다/～をきかせる 단맛을 살리다. ↔辛み.

あまみ【甘味】名 감미; 단맛; 또, 단맛이 나는 것; 특히, 과자. ¶食後に～がほしい 식후에는 단것이 먹고 싶다/～をつける 단맛이 나게 하다. ↔辛味.

あまみず【雨水】名 우수; 빗물. ＝天水. ¶～が落ちる 빗물이 떨어지다.

あまもよう【雨もよう·雨模様】名 비가 올 듯한 날씨. ＝あめもよう. ¶～の空 비가 올 듯한 하늘; 잔뜩 찌푸린 날씨.

***あまもり**【雨漏り】名 (지붕·천장에서) 비가 샘; 또, 그 빗물. ＝あまもれ. ¶ひどく～がする 심하게 비가 새다/～を直す 비 새는 데를 고치다.

あまやか【甘やか】ダナ 맛이 단 듯함.

***あまやか-す**【甘やかす】5他 어하다; 응석 부리게 하다; (엄하게 기르지 않고) 제멋대로 하게 내버려 두다. ¶子供を～ 아이를 응석받이로 기르다.

***あまやどり**【雨宿り】名ス自 비를 그음. ＝あまよけ. ¶軒下で～(を)する 처마 밑에서 비를 긋다.

あまよけ【雨よけ】《雨避け》一名 ☞あまおおい. 二名ス自 ☞あまやどり.

***あまり**【余り】一名 1 남은 것; 나머지;

여분; 우수리. ¶～が出る 나머지〔우수리〕가 생기다/～の毛糸で手袋を編む 나머지 털실로 장갑을 뜨다〔짜다〕. **2**《接尾語적으로》…남짓. ¶三十～の女 삼십 남짓한 여자/五日～ 닷새 남짓. **3** …한 나머지. ¶悲しさの～ 슬픈 나머지.

㊁【あまり】副 **1** 너무; 지나치게. ¶～ひどい 너무 심하다/～と言えば～の仕打ち 해도 너무한 처사/～勉強し過ぎる 지나치게 공부를 하다. **2**《否定이 따라서》그다지. ¶～違わない 그다지 틀리지 않다/～うまくはない 그다지 잘하지는 못한다.

あまりある【余りある】連語 …하고도 남음이 있다; …하는 데 충분하다. ¶惜しんでも～人 아까워도 그렇게 아까울 수 없는 사람/補って～ 보충하고도 남음이 있다/想像に～苦しみ 상상하고도 남음이 있는 고통.

あまりに【あまりに·余りに】副 너무나; 지나치게; 몹시. ¶～気の毒だ 너무나도 가엾다/～も有名だ 너무나도 유명하다.

あまりもの【余り物】名 여분; 나머지.

―に福あり〔福がある〕 남은 것 중엔 뜻밖의 이익〔값진 것〕이 있는 법이다. ＝残り物に福あり.

あま-る【余る】5自 **1 남다. ¶人手が～ 일손이 남다/旅費が千円～ 여비가 천 엔 남다/五を二で割ると, 一～ 5를 2로 나누면 1이 남는다. **2** 어떤 수량을 넘다; 이상이 되다. ¶三年に～年月 삼 년이 넘는 세월/六尺に～大男 6척이 넘는 거한. **3** 지나치다; 넘치다; 겹다; 벅차다. ¶身に～光栄 분에 넘치는 영광/手に～仕事 버거운〔벅찬〕 일/力に～ 힘에 겹다.

アマルガム [amalgam] 名〘化〙 아말감. **1** 수은과 다른 금속과의 합금. **2** (치과용의) 은·주석·수은의 합금.

あまん-じる【甘んじる】上1自 **1** (주어진 것에) 만족하다. ¶薄給に～ 박봉에 만족하다. **2** 감수하다. ¶～·じて罰せられる 벌을 감수하다.

あみ【網】名 **1 그물. ¶金～ 철망/～にかかった魚 그물에 걸린 물고기/～を引く 그물을 당기다/川で～を打つ 강에서 투망하다〔그물을 치다〕. **2** 망(網). ㉠그물처럼 떠서 만든 것. ¶～シャツ 망사 셔츠/～を張った窓 망을 친 창. ㉡범인 등을 잡기 위해 둘러친 것. ¶法の～をくぐる 법망을 뚫다/全国に～をめぐらす 전국에 수배하다.

―を張る **1** (새·고기를 잡으려고) 그물을 치다. **2** 수사망을 펴다.

あみ〘醬蝦·糠蝦〙名〘動〙 보리새우; 강하.

あみあげ【編み上げ】名 목구두; 편상화. ＝あみあげぐつ.

あみあ-げる【編み上げる】下1他 **1** 짜〔엮어〕 올라가다. **2** 다 짜〔엮, 뜨〕다.

あみいと【編み糸】名 뜨개실.

アミーバ 名 ☞アメーバ.

あみうち【網打ち】名ス自 투망; 또, 투망질로 고기를 잡는 사람.

あみがさ【編みがさ】《編み笠》名 (골풀·띠·볏짚 따위로 엮은) 삿갓.

〔編み笠〕

あみだ [阿弥陀] 名 **1** 〘佛〙 아미타(불); 아미타여래. ＝弥陀·阿弥陀仏. **2** ☞あみだくじ. **3** ☞あみだかぶり.

―かぶり〘―被り〙名 모자 따위를 뒤로 젖혀 씀. ＝あみだ.

―くじ〘―籤〙名 공짚기《사람 수 만큼 줄을 긋고 줄 끝에 적힌 금액대로 추렴을 내어 음식을 나눠 먹거나 물품을 나눠 가짐》. ¶～を引く 공짚기를 하다.

あみだ-す【編み出す】5他 **1** 짜기 시작하다. **2** 짜내다; 고안해 내다. ¶新しい戦術を～ 새 전술을 짜내다/新手を～·した 새로운 수를 생각해 냈다. 可能あみだ-せる下1自

*__あみだな__【網棚】名 (기차·전차·배 등의) 망으로 된 선반; 그물 선반.

*__あみど__【網戸】名 (방충용) 망창(網窓); 철망 따위를 친 (창)문.

*__あみど__【編み戸】名 대·나무오리 등으로 엮은 (사립)문.

アミノさん【アミノ酸】名〘化〙 아미노산. ¶～醬油 아미노산 간장; 화학 간장. ▷ 라 amino.

あみのめ【網の目】名 그물코. ＝あみめ. ¶道路が～(のよう)に走っている 도로가 사방으로 촘촘히 뻗어 있다.

―を潜る 수사망이나 법망을 피하다.

あみめ【網目】名 그물코. ¶～があらい 그물코가 성기다.

あみめ【編み目】名 **1** (뜨개질의) 코. ¶～があらい 코가 성기다. **2** 엮은 것의 틈새기. ¶竹垣の～ 대나무 울타리의 틈새기.

あみもと【網元】名 어선이나 그물을 갖고 많은 어부를 거느리는 사람; 선주(船主). ＝網主. ↔網子.

あみもの【編み物】名 편물; 뜨개질(한 것). ¶～教室 편물 강습회/～をする 뜨개질하다; 편물을 하다.

あ-む【編む】5他 **1 엮다; 겯다; 뜨다. ¶セーターを～ 스웨터를 뜨다/竹籠を～ 대바구니를 겯다. **2** 편찬하다. ¶文集を～ 문집을 엮다. **3** (계획을) 짜다. ¶旅行日程を～ 여행 일정을 짜다. 可能あ-める下1自

あめ【雨】名 **1 비; 우천. ¶～が上がる 비가 개다/きょうは～だ 오늘은 우천이다/～に洗われる 비에 씻기다. **2** 빗발치듯 쏟아지는모양. ¶涙の～ 쏟아지는 눈물/～と降り来る弾丸 빗발치듯 날아오는 탄환.

―が降ろうと〔が〕槍が降ろうと〔が〕 비가 쏟아지든 창이 쏟아지든; 어떤 어

려움이 있더라도; 기필코. ¶ ~おれは行く 무슨 일이 있어도 나는 간다.
—車軸の如し 장대비가 쏟아지다《빗줄기를 수레바퀴의 굴대에 비유》.
—降って地固まる 비 온 뒤에 땅이 굳는다.

> **雨에 대한 여러 가지 표현**
>
> **표현例** ぱらぱら(후두두)·ぽつぽつ(빗방울이 뚝뚝)·ぽつりぽつり(간간이 한두 방울씩)·ざあざあ(좍좍)·ざあっと(줄기차게)·しとしと(부슬부슬)·じめじめ(구질구질; 축축이) — 降る.
>
> **관용 표현** 篠突く(줄기차게 내리는; 장대 같은)·土砂降りの(억수 같이 퍼붓는)·横殴りの(옆으로 들이치는)·滝のような(폭포수 같이 쏟아지는)·バケツの水をぶちまけたような(양동이 물을 퍼붓는 듯한)·たたき付けるような(세차게 퍼붓는)·糸のような(가늘게 조용히 내리는 (가랑비))·糠のような(보슬보슬 내리는 (보슬비))·車軸を流すような(장대 같이 굵은)·馬の背を分ける((소나기 등이) 국지적으로 내리는)·沛然と(패연히; 억수로)·蕭々と(소소히; 쓸쓸하게).

***あめ** 〖飴〗 名 엿; 조청. ¶ ~ん棒 엿가래 / ~をしゃぶる 엿을 빨아먹다.
—とむち 엿[당근]과 채찍《강온 양면책》.
—をなめさせる[しゃぶらせる] 엿먹이다《(a) 감언이설로 속이다; (b) 상대방을 기쁘게 하려고[방심시키려고] 일부러 져 주다》.

あめあがり【雨上がり】 名 비가 갠 뒤. ＝あまあがり. ¶ ~は気持ちがいい 비가 갠 뒤는 기분이 좋다.

あめあられ【雨あられ】《雨霰》 名 **1** 비와 싸라기눈. **2** 총알·화살 등이 빗발치듯 함. ¶ ~と降る弾丸 빗발치듯 날아오는 탄알.

あめいろ【あめ色】《飴色》 名 조청 빛; 반투명한 황색[적갈색].

アメーバ [amoeba] 名 〔動〕 아메바. ＝アミーバ. ¶ ~運動 아메바 운동 / ~赤痢 아메바 이질.

アメカジ [일 American＋casual] 名 T셔츠·청바지 등의 캐주얼[간편]한 복장.

あめがした【天が下】 名 하늘 아래; 천하《온 일본을 뜻하기도 함》. ¶ ~に隠れも無い 온 세상에 잘 알려져 있는.

あめかぜ【雨風】 名 비바람. ¶ ~をしのぐ 비바람을 막아내다《사회의 모진 풍파를 이겨냄의 비유》/ 戸をたてて~を防ぐ 문을 닫아 비바람을 막다.

あめがち【雨勝ち】 名ナ 비가 잦음. ¶ ~の日が続く 궂은 날씨가 계속되다.

アメシスト [amethyst] 名 애머시스트; 자수정(紫水晶). ＝アメジスト.

アメしょん 名 〈俗〉 미국 가서 오줌이나 누고 돌아올 뿐인 무의미한 여행. 注意 'アメ'는 'アメリカ', 'しょん'은 小便의 俗語 'しょんべん'의 준말.

アメダス [AMeDAS] 名 아메다스; (일본 기상청의) 지역 기상 관측 시스템. ▷Automated Meteorological Data Acquisition System.

あめだま【あめ玉】《飴玉》 名 눈깔사탕. ¶ ~をしゃぶらせる 좋아하는 것을 주어 비위를 맞추다; 엿먹이다.

あめつち [天地] 名 **1** 천지; 전세계. ＝てんち. **2** 천신(天神)과 지신(地神).

あめつゆ【雨露】 名 우로; 비와 이슬.

アメフト 名 'アメリカンフットボール'의 준말. ＝アメラグ.

あめふり【雨降り】 名 **1** 비가 옴; 강우. ¶ ~の日 비 오는 날. **2** 〔映〕 필름이 오래되어 화면이 (비가 오는 것처럼) 흐림.

あめもよう【雨もよう·雨模様】 名 ☞あまもよう.

アメラグ 名 'アメリカンフットボール'의 속칭. ＝アメフト.

アメリカ [America] 名 아메리카; 미국. ＝米国. 注意 '亜米利加'로 씀은 취음. ¶ ~英語 미국(식) 영어.
—がっしゅうこく【—合衆国】 名 미합중국; 미국《USA》.
—まつ【—松】 名 〔植〕 미송(美松). ＝米松.

アメリカナイズ [Americanize] 名ス自他 아메리카나이즈; 미국화. ¶ ~された生活様式 미국화된 생활양식.

アメリカン [American] 名 아메리칸. **1** 미국 사람. **2** '미국의'의 뜻. ¶ ~スタイル 미국식; 미국 스타일.
—フットボール [American football] 名 아메리칸 풋볼; 미식축구. ＝アメフ(ッ)ト·アメラグ.

あめんぼ 〖水馬·水黽〗 名 〔蟲〕 소금쟁이.

あめんぼう【あめん棒】《飴ん棒》 名 **1** 엿가래. **2** 〈俗〉 (청·홍·백색의) 이발소 간판. ＝アルヘイ棒.

あや 〖文·綾〗 名 **1** 무늬. ¶ 雨が水面に~をえがく [빗방울이] 수면에 무늬를 그리다. **2** 표면에 드러나지 않는 복잡한 내용[줄거리]. ¶ 事件の~がよくわからない 사건의 줄거리를 잘 모른다. **3** (말이나 문장의) 멋진 표현. ¶ 文章の~ 문장의 멋진 수식 / ことばの~ 말의 뉘앙스. **4**《'目も~に'의 꼴로》 눈부시고 아름답게. ¶ 目も~にひるがえる万国旗 눈이 부시도록 화려하게 펄럭이는 만국기.

あや 〖綾〗 名 **1** 사선(斜線)으로 교차된 줄무늬. ¶ ~織り 능직(물). **2** 가지가지 무늬를 바탕에 짜 넣은 비단의 하나; 능(綾). ＝あやぎぬ.

あやう-い【危うい】 形 위태롭다; 위험하다. ＝あぶない. ¶ 命が~ 생명이 위태롭다 / ~ところで助かる 위태로운 고비에서 간신히 살아나다[모면하다].

あやうく【あやうく·危うく】 副 **1** 가까스로; 겨우. ¶ ~一命をとりとめた 간

신히 목숨을 건졌다 / 一瞬~セーフ 그 순간 아슬아슬하게 세이프. **2** 잘못하면; 하마터면. ¶~追突する〔轢かれる〕ところだった 하마터면 추돌할〔차에 치일〕 뻔했다.

あやおり【あや織り】《綾織り》图 능직무늬(로 짠 비단); 능직물. =綾.

あやかりもの【あやかり者】《肖り者》图 선망의 대상이 되는 행운아.

*__あやか-る__〖肖る〗5自 행복한 사람을 닮아 또는 그의 영향으로 덕을 입다; 닮다. ¶あなたに~·りたい 당신처럼 행복했으면; 네 복이 부럽구나 / あの人に~·って字がうまくなりたい 저 사람을 닮아 글씨를 잘 썼으면 싶다.

__あやし-い【怪しい】__形 **1 수상하다. ¶~うめき声 수상한 신음 소리 / どうも~やつだ 아무래도 수상한 놈이다 / あの二人は~ 저 두 사람은 수상하다《남녀간의 관계 등이》. **2** 의심스럽다; 믿을 수 없다. ¶あすの天気は~ 내일 날씨는 시원치 않다 / 九時に来ると言ったが~ものだ 9시에 온댔지만 믿을 수 없다. **3** 어설프다. ¶~手つき 어설픈 손놀림 / ~英語で 어설픈 영어로.

あやしげ【怪しげ】ダナ **1** 수상한〔미덥잖은〕 모양. **2** 불안한 모양. ¶~なフランス語 어설픈 프랑스어.

*__あやし-む【怪しむ】__5他 이상히〔수상히〕 여기다. =いぶかる. ¶変な男だと~ 이상한 사나이라고 수상히 여기다 / ~に足りない 이상히 여길 것 없다《매우 자연스럽다》/ 人から~·まれるような事はするな 남이 수상히 여길 만한 짓은 하지 마라 / 人を信じて~·まない 사람을 믿어 의심치 않다.

あや-す 5他 어린아이를 어르다; 달래다. ¶泣いている子を~ 울고 있는 아이를 달래다. 可能あや-せる下1自

あやつり【操り】图 **1** 조종. **2** '操り人形'의 준말.
—にんぎょう【—人形】图 인형극에 쓰는 인형.

*__あやつ-る【操る】__5他 **1** 조종하다; 다루다. ¶櫓〔舟〕を~ 노〔배〕를 젓다. **2** (뒤에서 인형을) 놀리다; 전하여, 뒤에서 조종하다. ¶人形を~ 인형을〔꼭두각시를〕 놀리다 / 人をうまく~ 사람을 잘 조종하다 / 世論を~ 여론을 조종하다. **3** 말을 잘 구사하다. ¶英語を上手に~ 영어를 잘 구사하다.
可能あやつ-れる下1自

あやとり【あや取り】《綾取り》图 실뜨기《여자아이의 놀이》. =糸取り.

あやな-す〖綾なす·彩なす〗5他 아름다운 무늬를 이루다. ¶機知と風刺の~小品 기지와 풍자가 아로새겨진 소품 / まちを~ネオン 아름답게 거리를 비추는 네온.

あやぶ-む【危ぶむ】5他 위험스럽게 여기다; 위태로워하다; (실현을) 의심하다. ¶成功を~ 성공을 의심하다 / 天気を~ 날씨를 걱정하다.

*__あやふや__ ダナ 불확실한〔모호한〕 모양; 전하여, 기대할 수 없는〔믿을 수 없는〕 모양. =あいまい. ¶~な態度〔返事〕 애매한 태도〔대답〕/ ~に答弁する 모호하게 답변하다.

あやまち【過ち】图〈雅〉잘못. =まちがい. **1** 실수. ¶大きな~ 큰 실수〔잘못〕/ ~を認める〔悔いる〕 잘못을 인정하다〔뉘우치다〕. **2** 과오; 오류. ¶若気の~ 젊은 혈기가 저지른 잘못. 注意 文語적인 말이며, 보통 '誤り'라고 함.
—の功名 ☞けがのこうみょう.

あやま-つ【過つ】5他 잘못하다. **1** 실수하다. ¶~·たず命中した 실수 없이 명중했다 / 道を~ 길을 잘못 들다. **2** 과오를 범하다. ¶選んで~·たぬ目 고르기에 정확한 눈 / 未経験だから~こともないとはいえぬ 경험이 없으니까 잘못하는 일이 없다고는 못한다.

あやまって【誤って】連語 잘못하여; 실수로. =まちがって. ¶~花瓶を割ってしまった 잘못하여 꽃병을 깨버렸다.

あやまり【誤り】《謬り》图 잘못; 틀림; 실수. =あやまち. ¶選択の~ 선택의 잘못 / わたしの記憶に~なければ 내 기억에 틀림이 없다면 / 大きな~を犯す 큰 실수를 저지르다.

あやまり【謝り】图 사과; 사죄. ¶~証文 사과문 / ~の手紙 사과(의) 편지 / ~を入れる 사과하다.

*__あやま-る【誤る】__《謬る》⊟5自他 **1** 실패하다; 실수하다; 틀리다. =まちがう. ¶答を~ 답을 틀리다 / 人選を~ 인선을 잘못하다 / 道を~ 길을 잘못 가다. **2** (남을) 그르치다. ¶人を~言動 남을 그릇되게 하는 언동 / 後世を~説だ 후세를 그르칠 설이다.

__あやま-る【謝る】__5他 **1 사죄하다; 사과하다; 잘못을 빌다. ¶~·って済む問題ではない 사과로 끝날 문제가 아니다. **2** 손들다; 사절하다. ¶そんなめんどうなことは~よ 그런 귀찮은 일은 사절하겠네. 可能あやま-れる下1自

あやめ〖文目〗图〈雅〉**1** 무늬; 빛깔. **2** 사물의 조리와 구별.
—も分かぬ 뭐가 뭔지 분간할 수 없을 지경이다. ¶~やみ夜 뭐가 뭔지 분간할 수 없는 캄캄한 밤.

あやめ〖菖蒲〗图〔植〕**1** 붓꽃. **2** 'しょうぶ(=창포)'의 옛이름.
—の節句 5월 5일의 단오절. =端午の節句.

あや-める〖危める·殺める〗下1他 위해를 가하다; 특히, 죽이다. ¶心ならずも人を~ 본의 아니게 사람을 죽이다.

あゆ〖鮎·香魚·年魚〗图 은어. ¶~の塩焼き 은어 소금구이.

あゆみ【歩み】图 **1** 걸음; 보조. ¶~をそろえる 보조를 맞추다 / 牛の~ (느린) 소걸음 / 羊の~ (도수장에 끌려 가는) 양의 (힘없는) 걸음. **2** (사물의) 진행; 흐름. ¶歴史の~ 역사의 변천 / 月日

の～ 세월의 흐름 / 研究の～ 연구의 진행. **3** 〖經〗 시세〔주가〕의 변동.

あゆみあい【歩み合い】图 서로 양보해 접근함; 이견의 접근. ＝歩みより·折れ合い. ¶両方の～が見える 합의를 위한 쌍방의 양보가 보인다.

あゆみより【歩み寄り】图 ☞あゆみあい.

あゆみよ-る【歩み寄る】5自 서로 다가서다; 서로 양보해 주장을 접근시키다. ＝折れ合う. ¶解決すべく～ 해결하려고 서로 양보하다 / 労使が～ 노사가 서로 양보하여 의견을 접근시키다.

あゆ-む【歩む】5自 **1** 〈雅〉 걷다. ＝歩く. ¶小道を～ 좁은 길을 걸어가다 / 苦難の道を～ 고난의 길을 걷다. **2** (한발짝씩) 전진하다. ¶解決に向かって一歩～ 해결을 향해 한걸음 나아가다. 可能 あゆ-める 下1自

あら【粗】图 **1** 서덜; (생선을 요리한 뒤의) 살이 붙은 뼈. ¶～煮 서덜을 끓인 국물. **2** (사람의) 결점; 흠. ¶～をさがし出す 흠을 찾아 내다; 흠잡다.

あら=【粗】**1** 세밀하지가 못한; 조잡한; 손이 덜간. ¶～造り 조제(粗製) / ～ごなし (a) 애벌 빻음; (b) 대충 해봄 / ～塗り 대충 칠함. **2** 인공을 가하지 않은. ¶～玉 갈지 않은 구슬 / ～木 원목. 注意 흔히, '荒'로도 씀.

あら=【新】《名詞 앞에》 신; 새(로운); 아직 사용하지 않은. ¶～墓 새 무덤 / ～湯 새 물; 새 목욕물.

あら 感 〈女〉 놀랐을 때 내는 소리: 어머(나). ¶～, しばらく 어머나, 오랫만이야 / ～, 大変 어머, 큰일이네. 參考 'あらあら'라고 겹쳐서도 씀.

アラーム [alarm] 图 알람. **1** 경보; 경보기. **2** 자명종. ＝アラームクロック.

***あらあらし-い**【荒荒しい】形 몹시 거칠다; 매우 난폭하다. ¶～行い〔振る舞い〕 난폭한〔거친〕 행동〔짓〕.

****あら-い**【荒い】形 거칠다. **1** 난폭하다. ¶波〔息づかい〕が～ 파도〔숨소리〕가 거칠다 / 気性が～ 성품이 우락부락하다. **2** 난폭하고 절도가 없다. ¶金づかいが～ 씀씀이가 헤프다 / 人使いが～ 사람을 거칠게〔함부로〕 다루다.

****あら-い**【粗い】形 거칠다. **1** 꺼칠꺼칠하다. ¶～手ざわり 꺼칠꺼칠한 손의 감촉 / はだが～ 살결이 거칠다. **2** 성기다; 조잡하다; 굵다. ¶目の～ざる 눈이 성긴 대바구니 / ～計画 대충 잡은 계획 / 粒が～ 알이 굵다. ↔細かい.

あらい【洗い】图 씻음; 세탁. ¶水～ 물세탁 / 下～ 애벌빨래 / ～がきく 잘 빨아지다 / ～に出す 세탁소에 보내다.

あらいあ-げる【洗い上げる】下1他 **1** 씻어 내다; 다 빨다. ¶洗濯物を～ 세탁물을 다 빨다. **2** 충분히 씻다〔빨다〕; 전하여, 철저히 조사해 내다. ¶何回もすすいで～ 여러번 헹구어 깨끗이 빨다 / 身元を～ 신원을 밝혀 내다.

あらいおと-す【洗い落とす】5他 **1** 씻어 내다. ¶しみを～ 얼룩을 씻어 내다. **2** 표면을 물로 씻다. ¶～·された歩道 물로 닦아 낸 인도.

あらいざらい【洗いざらい】《洗い浚い》副 깡그리; 전부; 모두. ¶自分の罪を～打ち明ける 자기의 죄를 몽땅 털어 놓다 / 着物を～質に入れる 옷을 모조리 전당잡히다.

あらいざらし【洗いざらし】《洗い晒し》图 여러 번 빨아 색이 바램; 또, 그렇게 된 것. ¶～の着物 여러 번 빨아서 빛깔이 바랜 옷.

あらいだ-す【洗い出す】5他 철저히〔모조리〕 밝혀 내다. ¶問題点を～ 문제점을 밝혀 내다.

あらいたて【洗いたて】《洗い立て》图 갓 빪; 이제 막 빪; 또, 그러한 것. ¶～のシャツ 갓 빤 셔츠.

あらいた-てる【洗い立てる】下1他 (남의 허물 등을) 들추어 내다. ¶他人の身元を～ 남의 신원을 철저히 밝혀 내다 / 過去を～ 과거를 들추어내다.

あらいなお-す【洗い直す】5他 **1** 다시 빨다〔씻다〕. **2** 다시 검토하다. ¶法案を～ 법안을 재검토하다.

あらいなが-す【洗い流す】5他 **1** 씻어 없애다. ¶よごれを～ 더러움을 깨끗이 씻어 없애다. **2** 악감정 따위를 지워버리다. ¶いやな記憶を～ 나쁜 기억을 지워버리다.

あらいば【洗い場】图 **1** (음식점·요릿집의) 설거지칸; 주방. ↔板場. **2** 목욕탕에서 몸을 씻는 곳.

あらいもの【洗い物】图 **1** 씻을〔씻은〕 물건《옷·식기 따위》; 빨랫감. ¶～がたくさんたまる 빨랫감이 많이 밀리다. **2** 씻음; 빨래. ¶～をする (a) 설거지를 하다; (b) 빨래를 하다.

****あら-う**【洗う】5他 **1** 씻다; 빨다. ¶足を～ (a) 발을 씻다; (b) 못된 구렁에서 발을 빼다 / イモ(の子)を～ような混雑 복대기치는 혼잡 / これは～と縮む 이것은 빨면 줄어든다. **2** (물결이) 밀려왔다 나갔다 하다. ¶大波に甲板が～·われる 큰 파도가 갑판 위에 밀려들어 왔다 나갔다 하다. **3** 자세히 들춰 조사하다. ¶身元を～ 신원을 자세히 조사하다. **4** 『～·われる』 정결해지다. ¶心が～·われる思い 마음이 정결해지는 느낌. 可能 あら-える 下1自

あらうみ【荒海】图 거친 바다.

あらが-う〖抗う〗5他 항거하다; 거역하다. ¶権力に～ 권력에 항거하다 / ～·い難い運命 거역하기 어려운 운명. 可能 あらが-える 下1他

あらかじめ〖予め〗副 미리; 사전에. ＝前もって. ¶～相談〔用意〕する 미리 의논〔준비〕하다 / 変更の際は～通知いたします 변경이 있을 시는 사전에 통지해 드리겠습니다.

あらかせぎ【荒稼ぎ】图ス自 **1** 막일; 막벌이. ¶～人夫 막벌이꾼. **2** 우악스럽

게 돈벌이를 함. ㉠수단을 가리지 않고 벎; 또, 강도질. ¶列車内で～(を)する 열차 안에서 강도질을 하다. ㉡투기 따위로 일확천금함. ¶株で～する 주식으로 큰돈을 벌다.

あらかた〖粗方〗名副 대강; 대체; 거의 전부; 거지반. ¶～理解した 대강 이해했다/仕事の～は終わった 대충 일이 끝났다.

あらかべ【粗壁·荒壁】名 초벽질만 한 벽.

アラカルト[프 à la carte]名 아 라 카르트; 차림표에서 골라 주문하는 요리; 일품(一品) 요리. ↔ターブルドート.

あらぎも【荒肝】名 담력; 두둑한 배짱.

—を抜く〔ひしぐ〕 간담을 서늘케 하다. ＝どぎもを抜く.

あらぎょう【荒行】名 고행; 엄한 수행(修行). ¶修験者が～をする 수행자가 고행을 하다.

あらくれた【荒くれた】連体 우락부락하고 난폭한; 거칠고 사나운. ¶～男 막되고 난폭한 사나이/～言葉づかい 우락부락한 말씨.

あらくれもの【荒くれ者】名 (우락부락하고) 난폭한 사나이.

あらく-れる【荒くれる】下1自 난폭하게 굴다.

あらけずり【荒削り·粗削り】㊀名ス他 대충 깎음; 건목침. ¶～の材木 건목친 재목. ㊁名ナ 조잡함; 거침; 세련되지 못함. ¶～な作品〔文章〕 조잡한 작품〔문장〕/まだ～なチーム 아직 덜 훈련된 팀/～の魅力 (다듬어지지 않은) 야성적인 매력/人間が～だ 사람이 거칠다.

あらごなし【荒ごなし·粗ごなし】名ス他 일을 본격적으로 시작하기 전에 대충 손을 보아 둠《본디는, 애벌 빻음》.

あらさがし【あら捜し·粗探し·粗捜し】名ス自 (남의) 흠을 들추어 냄; 또, 흠을 들추어 내어〔탈을 잡아〕 욕함. ¶人の～をする 남의 흠을 들춰 내다.

あらし〖嵐〗名 광풍; 폭풍(우); (비유적으로) 파동. ¶～を乗りきる 폭풍우를 이겨 내다/峰の～か松風か 한바탕 소동이 있을 것인가 아니면 잠잠할 것인가/インフレの～に押し流される 인플레의 폭풍에 밀려나다.

—の跡 폭풍이 지나간 자취; (한바탕) 소란이 끝난 뒤.

—の前の静けさ 폭풍 전야의 (불안한) 고요.

＝**あらし**【荒らし】 황폐케 함; 휩쓺; 망쳐 놓음; …을 터는 일〔사람〕. ¶銀行～ 은행털이/賭場〔酒場〕～ 노름판〔술집〕 털기/道場～ 남의 도장에 가서 시합을 강요, 이기면 간판을 떼거나 금품을 뜯어 가는 일; 또, 그 사람.

あらしごと【荒仕事】名 **1** 막일; 힘드는 일; 중노동. **2**〈俗〉 강도나 살인. ¶～を働く 강도질〔살인〕을 하다.

あら-しめる【有らしめる·在らしめる】連語 …이 있게 하다; 존재케 하다. ¶私を今日～·めた恩人 오늘의 나를 있게 한 은인.

あらじょたい【新所帯】《新世帯》名 새살림; 신접살이; 신혼 가정. ＝しんじょたい. ¶～を持つ 새살림을 차리다.

***あら-す**【荒らす】5他 **1** 황폐케 하다. ㉠휩쓸다. ¶嵐が庭を～ 광풍이 뜰을 휩쓸다. ㉡파손하다; 망치다. ¶トラックが道を～ 트럭이 길을 엉망으로 만들다/獣が作物を～ 짐승이 농작물을 망치다/酔っぱらいが店を～ 술취한 사람이 가게를 분탕질하다. **2** 도둑질을 하다. ¶古墳を～ 고분을 도굴하다/留守宅を～ 빈집을 털다. 可能あら-せる下1自

あらず【非ず·有らず】連語 (그렇지) 아니하다; 아니다. ¶さに～ 그렇지 않다.

***あらすじ**【粗筋·荒筋】名 대충의 줄거리; 개략; 개요. ¶計画の～ 계획의 개요/連続小説の前回までの～ 연속 소설의 지난 회까지의 개략.

あらずもがな〖有らずもがな〗連語 없느니만 못하다; 없어도 괜찮다. ¶～のおしゃべり 안 했으면 싶은 수다/～のお世辞〔手出し〕 안 하느니만 못한〔안 해도 좋은〕 치렛말〔참견〕.

***あらそい**【争い】名 다툼; 싸움; 분쟁; 승강이. ¶水～ 물싸움/主導権～ 주도권 다툼/～が絶えない 싸움이 그칠 날이 없다.

***あらそ-う**【争う】5他 다투다. **1** ㉠싸우다. ¶労使が相～ 노사가 서로 싸우다/言い～ 언쟁하다. ㉡겨루다. ¶首席〔先〕を～ 수석〔앞〕을 다투다/一刻を～ 일각을 다투다; 급히 서둘다/われがちに～·って入り口に押しかける 앞다투어 입구로 몰려가다. ㉢시비를 가리다. ¶黒白を～ 흑백을 가리기 위해 다투다/法廷で～ 법정에서 다투다. **2**『～·われない』『～·えない』 숨길래야 숨길 수 없다; 어쩔 수 없다. ¶血筋〔年〕は～·われない 핏줄은〔나이는〕 어쩔 수 없다/親譲りの才能は～·われない 부모로부터 물려받은 재능은 어쩔 수 없다. **3**『～·われぬ』 부정할 수 없는. ¶～·われぬ証拠 부정할 수 없는 증거. 可能あらそ-える下1自

***あらた**【新た】ダナ 새로움; 또, 새로 시작함; 생생함. ¶人生の～な出発 인생의 새 출발/～な感動をよぶ 새로운 감동을 불러 일으키다/思い出も～な 추억도 새로운/～に出来た道 새로 생긴 길/記憶を～にする 기억을 새로이 하다.

あらたか〖灼か〗ダナ (신불의 영검이나 약효가) 현저함. ¶～な薬効 뚜렷한 약효/霊験～な神 영검스러운 신령.

あらだ-つ【荒立つ】㊀5自 **1** 거칠어지다. ¶波〔言葉〕が～ 파도가〔말이〕 거칠어지다. **2** 일이 꼬이고 성가시게 되다. ¶彼が出ると事が～ 그가 나서면 일이 꼬이고 귀찮게 된다. ⇒あらだてる.

あらだ-てる【荒立てる】[下1他] 1 거칠게 하다. ¶季節風(きせつふう)が波(なみ)を～ 계절풍이 파도를 거칠게 하다/声(こえ)を～ 언성을 높이다. 2 착잡하게〔시끄럽게〕 만들다; 악화시키다. ¶事件(じけん)を～ 사건을 복잡하게〔시끄럽게〕 만들다.

*あらたま-る【改まる】[5自] 1 변경되다; 바뀌다; 개선되다. ¶規則(きそく)が～ 규칙이 변경되다/年(とし)が～ 해가 바뀌다/風俗(ふうぞく)が～ 풍속이 개선되다. 2 정색하다; 격식을 차리다. ¶～·った場所(ばしょ) 격식을 차리는 자리 /～·った表現(ひょうげん) 격식을 차린 좀 딱딱한 표현/～·った顔(かお) 정색한 얼굴/～·ったあいさつ 격식을 차린 인사/～·って物(もの)を言(い)う 정색을 하고 말을 하다.

*あらたま-る〘革まる〙[5自] 병세 따위가 갑자기 악화되다; 위독해지다. ¶病勢(びょうせい)が～ 병세가 악화하다〔위독해지다〕.

*あらためて〘改めて〙[副] 1 새롭게 다시 하는 모양; 딴 기회에. ¶～お知(し)らせします 다음 기회에 다시 알려 드리겠습니다/～うかがいます 다시 찾아 뵙겠습니다. 2 새삼스럽게. ¶～持(も)ち出(だ)す 새삼스럽게 또 끄집어 내다/～言(い)うまでもない 새삼스럽게 말할 것도 없다.

**あらた-める【改める】[下1他] 1《革める》 고치다; 변경하다; 개선하다. ¶規則(きそく)を～ 규칙을 고치다/教科書(きょうかしょ)の内容(ないよう)を～ 교과서 내용을 고치다/心(こころ)を～ 마음을 고쳐 먹다. 2《検める》조사하다; 검사하다. ¶切符(きっぷ)を～ 표를 조사하다; 검표하다/罪人(ざいにん)を～ 죄인을 심문〔문초〕하다.

あらっぽ-い【荒っぽい】[形] 난폭하다; 사납다. ¶～気性(きしょう) 난폭한 성품.

あらっぽ-い【粗っぽい】[形] 조잡하다; 거칠다; 엉성하다. ¶～翻訳(ほんやく) 조잡한 번역/～計画(けいかく) 엉성한 계획/仕事(しごと)が～ 일이 거칠다.

あらて【新手】[名] 1 아직 싸우지 않은 싱싱한 병사·선수. ¶～が押(お)し寄(よ)せる 새로운 병력〔원군(援軍)〕이 몰려오다/～をくりだす 새 병력을 투입하다. ↔古手(ふるて). 2 새 수단〔수법〕. ¶～の詐欺(さぎ) 새로운 수법의 사기.

あらと [粗砥·荒砥] [名] 거칭숫돌; 거센 숫돌. ↔真砥(まと)·仕上(しあ)げ砥(と).

あらなみ【荒波】[名] 거센 파도. ¶～が押(お)し寄(よ)せる 거센 파도가 밀려오다/世(よ)の～にもまれる 거친 세파에 시달리다.

あらぬ [連体] 엉뚱한. 1 딴; 다른. ¶～方(ほう)を向(む)く (엉뚱하게) 다른 쪽을 향하다/～思(おも)いにふける 딴 생각에 잠기다. 2 터무니없는; 뜻밖의. ¶～うわさをたてられる 터무니없는 소문이 나다/～疑(うたが)いを受(う)ける 엉뚱한 의심을 받다.

あらばこそ〘有らばこそ〙[連語]《'ない' 보다 강한 否定을 나타냄》(있기는커녕) 전혀 없다. ¶遠慮会釈(えんりょえしゃく)も～ 인사 체면도 없다/たずねる人(ひと)も～ 찾아오는 사람이라고는 없다.

アラビア [Arabia] [名]〔地〕아라비아. ¶～語(ご)〔人(じん)〕 아라비아 어〔인〕.

—うま【—馬】[名] 아라비아말.

—ゴム [Arabic gum] [名] 아라비아 고무.

—すうじ【—数字】[名] 아라비아 숫자. ↔ローマ数字·漢数字(かんすうじ).

—もじ【—文字】[名] 아라비아 문자.

あらびき【粗びき】《粗碾き》[名] (곡물·커피 등을) 대충 굵게 갊; 또, 그렇게 간 것.

あらひとがみ [現人神] [名] 사람의 모습으로 이승에 나타난 신. =あきつかみ. [参考] 본디, 天皇(てんのう)의 높임말.

あら-びる【荒びる】 [上1自] 1 거칠어지다. ¶心(こころ)が～ 마음이 거칠어지다. 2 황폐하다. ¶～·びた土地(とち) 황무지. 3 거칠게 굴다; 난폭한 짓을 하다.

アラブ [Arab] [名] 아랍. 1 아라비아 사람. 2〔動〕 아라비아말.

アラベスク [arabesque] [名] 아라베스크; 아라비아식 무늬나 음악.

あらほうし【荒法師】[名] 1 우악스런 승려; 무예에 뛰어난 승려. 2 승병(僧兵).

あらぼり【粗彫り·荒彫り】[名][ス他] 대충 조각함; 또, 그런 조각물.

あらまき【新巻き·荒巻き】[名] 얼간 연어《연말·연시 선물용》.

あらまし [一][副] 대강; 대충. ¶品物(しなもの)は～売(う)れた 물건은 대강 팔렸다/～こんな具合(ぐあい)だ 대충 이런 형편이다/仕事(しごと)は～終(お)わった〔かたが付(つ)いた〕 일은 대충 끝났다〔매듭지어졌다〕.
[二][名] 대강; 줄거리; 개략; (사건 등의) 경과. ¶事件(じけん)の～を話(はな)す 사건의 줄거리를 이야기하다 / 規則(きそく)の～を述(の)べる 규칙의 개략을 말하다.

あらむしゃ【荒武者】[名] 1 예의와 멋을 모르는 우악한 무사. 2 난폭한 사람. ¶角界(かっかい)の～ 씨름계의 난폭자.

あらめ【荒目·粗目】[名] 거칠게 짜기〔엮기〕; 또, 그렇게 짠〔엮은〕 것.

アラモード [프 à la mode] [名] 아라모드; 최신 유행(형). ¶秋(あき)の～ 가을의 뉴모드/パリの～ 파리의 최신 유행형.

あらもの【荒物】[名] 조리·비·쓰레받기 따위의 (부엌용) 잡화(류); 초물(草物). ¶～屋(や) 초물전(廛). ↔小間物(こまもの).

あらゆる〘有らゆる〙[連体] 모든; 온갖. ¶～人(ひと) 모든 사람/～手段(しゅだん)を講(こう)じる 온갖 수단을 강구하다.

あららか【荒らか】[ダナ] 거친 모양; 사나움. ¶足音(あしおと)も～に廊下(ろうか)を歩(ある)く 발소리도 거칠게 복도를 걷다.

あらら-げる【荒らげる】[下1他] 거칠게 하다. ¶声(こえ)を～ 거칠게 말하다. ↔和(やわ)らげる.

あらりょうじ【荒療治】[名][ス他] 1 우악스럽게 치료함《특히 외과의》. 2 (비유적으로) 과감한 개혁; 단호한 처리. ¶～をしなければ会社(かいしゃ)の破産(はさん)は免(まぬか)れない 과감한 개혁을 하지 않으면 회사의 파산은 면치 못한다.

あられ〘霰〙[名] 1 싸라기눈. 2〔料〕 주사

위 모양으로 썲; 또, 그것. ¶～に切(き)る 주사위 모양으로 썰다. **3** 주사위 모양으로 썬 떡을 볶아서 맛을 낸 과자. ＝あられもち.

あられもな-い 形 보통으로는 있을 수 없다; (특히, 여자로서) 어울리지 않는다; 여자답지 않다. ¶～うわさ 당찮은 소문/～ふるまい 여자답지 않은 거동/～姿(すがた)をして 망측한 모습을 하고.

あらわ 〖露わ〗 ダナ **1** 숨겨지지 않고 드러남; 노출함. ¶～な肌(はだ) 노출된 살갗. **2** 공공연; 노골적. ¶～に反対(はんたい)する 공공연히 반대하다/～に言(い)う 노골적으로 말하다/不快(ふかい)な表情(ひょうじょう)を～にする 불쾌한 표정을 노골적으로 드러내다.

あらわざ【荒技】 名 (유도·씨름·무술 등에서) 힘으로 하는 사나운〔거친〕 수.

⁑**あらわ-す【表わす】** 5他 나타내다; 표현하다. ¶言葉(ことば)で～ 말로 나타내다/文章(ぶんしょう)〔顔(かお)〕に～ 문장으로〔얼굴에〕 나타내다/敬意(けいい)を～ 경의를 표하다/悲(かな)しみを～·した音楽(おんがく) 슬픔을 나타낸 음악/この事(こと)は彼(かれ)の賢明(けんめい)さを～ 이것은 그의 현명함을 증명한다. 可能 あらわ-せる 下1自

⁑**あらわ-す【現わす】** 5他 드러내다; 나타내다. ¶姿(すがた)を～ 모습을 나타내다/頭角(とうかく)を～ 두각을 나타내다/地金(じがね)〔本性(ほんしょう)〕を～ 본성을 드러내다. 可能 あらわ-せる 下1自

⁑**あらわ-す【著わす】** 5他 저술하다. ¶本(ほん)を～ 책을 저술하다/推理(すいり)小説(しょうせつ)を～ 추리 소설을 써내다.

あらわれ【現れ·表れ】 名 **1** 표현; 발로. ¶目(め)は心(こころ)の～ 눈은 마음의 거울/端的(たんてき)な～ 단적인 표현/軽薄(けいはく)な流行(りゅうこう)の～ 경박한 유행의 현상. **2** 결과. ¶努力(どりょく)の～ 노력의 결과.

＊**あらわ-れる【現れる·表れる】**《顕れる》 下1自 나타나다; 드러나다. ¶姿(すがた)〔きざし〕が～ 모습이〔조짐이〕 나타나다/英雄(えいゆう)が～ 영웅이 나타나다/態度(たいど)に～ 태도에 나타나다/真価(しんか)が～ 진가가 나타나다/世(よ)に～ (a)세상에 나타나다; 태어나다; (b)세상에 드날리다; 출세하다/悪事(あくじ)が～ 나쁜 일이 탄로나다. ↔隠(かく)れる.

あらんかぎり 〖有らん限り〗 連語 ☞あるかぎり. ¶～の力(ちから)をだす 있는 힘을 다 내다/命(いのち)の～は 목숨이 있는 한은.

あり 〖蟻〗 名〔蟲〕 개미.

—の穴(あな)から堤(つつみ)もくずれる 개미 구멍으로 공든 탑이 무너진다《사소한 실수가 큰일을 망친다》.

—のはい出(で)るすきもない 개미 한 마리 기어 나갈 틈도 없다《물 샐 틈 없다》.

アリア [이 aria] 名〔樂〕 아리아. **1** 영창. ＝詠唱(えいしょう). ↔レシタティーブ. **2** 일반적으로 서정적인 소가곡.

ありあま-る【有り余る】 5自 남아돌아가다; 쌔고쌨다. ¶～財宝(ざいほう)〔力(ちから)〕 남아도는 재물〔힘〕/金(かね)が～ほどある 돈이 남아돌 만큼 있다.

ありあり 副 똑똑히; 역력히. ＝はっきり. ¶欠点(けってん)が～(と)わかる 결점이 역력히 보이다/～と目(め)に浮(う)かぶ 생생히 눈에 떠오르다/～(と)夢(ゆめ)に見(み)る 똑똑히 꿈에 보다.

ありあわせ【有り合わせ】 名 마침 그 자리에 있음; 또, 그 물건. ＝ありあい. ¶～の品(しな) 마침 (집에) 있는 물건/～の料理(りょうり) 있는 재료로 만든 속성 요리/～ですます 있는 것으로 때우다/ほんの～で何(なに)もありません 그저 집에 있는 것뿐이어서 아무것도 (대접할 것이) 없습니다.

ありうべき【有り得べき】 連語 있음직한; 있을 수 있는; 있을 법한. ¶それは～ことだ 그건 있을 수 있는 일이다. 参考 否定형은 '有り得(う)べからざる(＝있을 수 없는)'임.

ありう-る【有り得る】 下2自 있을 수 있다. ¶失敗(しっぱい)も～ 실패도 있을 수 있다.

ありえない【有り得えない】 連語 있을 수 없다. ¶そんなことは～ 그런 일은 있을 수 없다.

ありか 〖在り処〗 名 있는 곳. ¶金(かね)の～を尋(たず)ねる 돈 있는 곳을 묻다/～を知(し)らない 있는 곳을 모른다.

ありかた【在り方】 名 바람직한 모습〔상태〕. ¶学者(がくしゃ)としての～ 학자로서의 본연의 자세/教育(きょういく)の～ 교육의 바람직한 모습.

⁑**ありがた-い【有り難い】** 形 감사하다; 고맙다. ＝かたじけない. ¶～おことば〔お説教(せっきょう)〕 고마운 말씀〔설교〕/～·くいただきます 고맙게 받겠습니다〔먹겠습니다〕/～·くないお客様(きゃくさま)だ 달갑지 않은 손님이다/～, 助(たす)かった 고마워라, 살았다.

ありがたが-る【有り難がる】 5他 고마워 하다. ¶となりの親切(しんせつ)を～ 이웃의 친절을 고맙게 여기다.

ありがたなみだ【有り難涙】 名 너무 고마워서 흘리는 눈물. ¶～を流(なが)す 너무 고마워서 눈물을 흘리다.

ありがたみ【有り難み】《有り難味》 名 고마움. ¶親(おや)の～を知(し)る 부모의 고마움을 알다.

ありがためいわく【有り難迷惑】 名ナ 남의 친절·호의가 도리어 귀찮음; 달갑지 않은 친절. ¶～な贈(おく)り物(もの) 달갑지 않은〔짐스러운〕 선물/～な話(はなし)だ 고맙긴 하지만 도리어 곤란한 얘기다.

ありがち 〖有り勝ち〗 名ナ 세상에 흔히 있음; 있기 쉬움. ¶そういう失敗(しっぱい)は～なことだ 그런 실패는 흔히 있는 일이다/老人(ろうじん)に～な偏見(へんけん) 노인에게 있기 쉬운 편견.

＊**ありがとう【有り難う】** 感 고맙다; 고마워; 고맙소. ¶教(おし)えてくれて～ 가르쳐 주어서 고맙다/おみやげ～ 선물 고마워. 参考1 'ありがたい'의 連用形 'ありがたく'의 ウ音便(おんびん). 参考2 존대말로는

'~ございます' '~存じます' 로 씀.

ありがね【有り金】名 〈俗〉 시쳇돈; (현재) 수중에 있는 돈; 가진 돈. ¶~をはたいて買う 가진 돈을 털어서 사다.

ありきたり【在り来たり】名ナ 본래부터 흔히 있음; 세상에 얼마든지 있음. ¶~の話 흔히 있는 이야기 / ~のデザイン 평범한〔보통〕 디자인.

ありげ【有りげ】《有り気》名ナ《体言을 받아서》…이 있는 듯한 모양. ¶自信~な態度 자신이 있는 듯한 태도 / いかにも由緒~な寺 어딘지 유서가 깊어 보이는 절 / 意味~に笑う 의미 있는 듯이 웃다.

*__ありさま__【有り様】名 모양; 상태. ¶みじめな~ 비참한 상태 / 今の~ではおぼつかない 지금의 상태로는 매우 불안하다 / なんという~だ! 이게 무슨 꼴이냐 / 戦争の~を物語っている 전쟁이 어떤 것인가를 말해 주고 있다.

ありじごく〖蟻地獄〗名 **1**〔蟲〕개미귀신《명주잠자리의 유충》. **2** 개미지옥《개미귀신이 파놓은 구덩이》.

ありしひ【在りし日】名 **1** 지난날. ¶~の思い出に耽る 지난날의 추억에 잠기다. **2** (고인의) 생전. ¶~のおもかげをしのぶ 살아 생전의 모습을 그리다.

ありだか【有り高·在り高】名 재고(량); 현재의 수량. =現在高. ¶手許~ 시재(時在) 재고 / ~を調べる 재고를 조사하다.

ありづか【あり塚】《蟻塚》名 의총; 개밋둑; 의봉(蟻封). =ありの塔.

ありつ-く〖有り付く〗5自 〈俗〉 (우연히) 얻어 걸리다; (겨우) …을 얻게 되다. ¶職に~ 일자리를 (다행히도) 얻게 되다; 일자리가 나서다 / こづかい銭に~ 어쩌다 용돈이 생기다.

ありったけ〖有りっ丈〗名副 있는 대로 모두; 있는 한; 전부. =ありっきり. ¶~の力を出す 있는 힘을 다 내다. ⇨だけ1.

ありてい〖有り体〗名ナ 〈老〉 있는 그대로임; 사실 그대로임. =ありのまま. ¶~に言えば 사실대로 말하면.

ありとあらゆる 連体 'あらゆる'의 힘줌말: 온갖; 모든. ¶~知恵を絞る 온갖 지혜를 짜내다 / ~品を整える 온갖 물건을 다 갖추다. 「とあらゆる.

ありとある 連体 온갖. =あらゆる·あり

ありなし【有り無し】名 유무. ¶ひまの~にかかわらず 틈이 있고 없고 간에〔관계없이〕/ 借金の~はわからない 빚의 유무는 모르겠다.

*__ありのまま__〖有りの儘〗名ナ副 있는 그대로(임); 사실대로. =ありてい. ¶~を告白する 사실대로 고백하다 / ~(に)打ち明ける 있는 그대로 털어놓다 / ~を言うと次の通りだ 사실대로 말하면 다음과 같다.

アリバイ [alibi] 名 알리바이; 현장 부재증명. ¶~がくずれる〔成立する〕 알리바이가 깨지다〔성립하다〕.

*__ありふ-れる__〖有り触れる〗下1自 어디에나 있다; 흔하다; 지천으로 있다; 신기하지 않다. ¶ごく~·れた花〔話〕 매우 흔한 꽃〔이야기〕. 參考 흔히 'ありふれた'의 꼴로 씀.

あります 連語 **1** 'ある(=있다)'의 공손한 말씨: 있습니다. ¶本が~ 책이 있습니다. **2** '(…で)ある(=(…)이다)'의 공손한 말씨: …입니다; …습니다. ¶これは本で~ 이것은 책입니다 / そうで~ 그렇습니다.

ありません 連語 **1** 'ない(=없다)'의 공손한 말씨: 없습니다. ¶お金が~ 돈이 없습니다. **2**《'…では〔じゃ〕~'의 꼴로》'です(=입니다)'의 否定형. ¶あそこは静かでは~ 그곳은 조용하지는 않습니다 / そうじゃ~ 그렇지 않습니다.

ありもしない〖有りもしない〗連語 'ある'의 강한 否定형: 있지도 않다. ¶~話をする 있지도 않은 이야기를 하다.

ありゅう【亜流】名 아류. =エピゴーネン. ¶ピカソの~にすぎない 피카소의 아류에 지나지 않는다.

ありゅうさん【亜硫酸】名〔化〕아황산. **——ガス** [gas] 名〔化〕아황산가스.

⁑__あ-る__【ある·在る】5自 있다. **1** 존재하다. ¶賛成する人が~ 찬성하는 사람이 있다 / 神は~のか 신은 있는 것인가. **2** 위치하다. ¶東京の西南に~ 東京의 서남쪽에 있다 / 目と鼻の先に~ 엎드러지면 코 닿을 데에 있다. **3**《'…にある'의 꼴로》㉠돌아가다; 귀속하다. ¶責任は彼に~ 책임은 그에게 있다. ㉡달려 있다; 귀착하다. ¶問題は向こうの出方に~ 문제는 저쪽이 어떻게 나오느냐에 달려 있다. **4** 그 위치·처지에 처하다. ¶逆境に~ 역경에 처해 있다.

⁑__あ-る__【ある·有る】5自 **1** 있다. ¶おもしろい話が~ 재미나는 이야기가 있다 / 妻が~ 아내가 있다 / ~事無い事言い触らす 있는 일 없는 일을 마구 퍼뜨리다 / 会社から電話が~·った 회사에서 전화가 왔었다 / …だという噂が~ …라는 소문이 있다. 參考 口語에서는 주로 무생물·식물·사물에 대하여 이르며, 사람이나 동물에 대해서는 보통은 'いる'를 씀. **2** (무게·넓이·높이·거리 따위가) 얼마큼 되다. ¶長さが1キロ~橋 길이가 1킬로 되는 다리 / 重さはどれだけ~か 무게는 얼마나 되는가. ⇔無い.

⁑__あ-る__ 5自 **1**《인용의 'と'를 받아》㉠…라고 하다. ¶折から日曜日と~·って… 때마침 일요일이라… / どうしてもだめだと~·れば 아무래도 가망이 없다면 / 出血サービスと~·って安い 출혈 서비스라서 (역시) 싸다. ㉡…라고 씌어 있다. ¶遺書には…と~·った 유서에는 …라고 써 있었다. **2** 시간이 지나다. ¶やや~·ってこう言った 좀 있다

가 이렇게 말했다. **3**《他動詞 連用形+'て'를 받아》…한 상태가 되어 있다. ¶木が植えて~ 나무가 심어져 있다/もう読んで~ 이미 읽었다. [參考]1 이 형태는 '…が…て~'처럼 주격(主格)을 받음. '木を植えてある'와 같은 말씨는 일반적이 아님. [參考]2 自動詞라면 '…ている'를 사용함. ¶掛かっている 걸려 있다. **4**《'…で~'의 꼴로》 단정·진술을 나타내는 말: …이다. ¶これは花で~ 이것은 꽃이다/ここは日本で~ 여기는 일본이다.

ある〖或る〗[連体] 어떤; 어느. ¶~人 어떤 사람/~日 어느 날/~程度の自由 어느 정도의 자유.

***あるいは**〖或いは〗**aruiwa** [一][接] 혹은; 또는. =または·もしくは. ¶牛~馬 소 또는 말/明日~明後日お伺いします 내일 또는[아니면] 모레 찾아 뵙겠습니다. [二][副] 어쩌면; 혹. =もしかすると. ¶~そうかもしれない 혹 그럴는지도 모른다/~中止になるかも知れない 어쩌면 중지될지도 모른다.

あるかぎり〖有る限り〗[連語] 있는 한; 있는 것 모두; 모조리. =あらんかぎり·ありったけ. ¶~の力を尽くす 있는 힘을 다하다.

あるかなきか【有るか無きか】[連語] 있는 둥 마는 둥; 미미(함). ¶~のひげ 있는 둥 마는 둥한 수염/~の存在 있으나 마나 한 존재.

あるかなし【有るか無し】[連語] ☞あるかなきか.

あるがまま〖在るが儘〗[連語] 있는 그대로. ¶~の姿 있는 그대로의 모습/~を見せる 있는 그대로를 보이다.

アルカリ [네 alkali] [名] 알칼리. ↔酸.

—せいしょくひん【—性食品】[名] 알칼리성 식품. ↔酸性食品.

あるきまわ-る【歩き回る】[5自] 여기저기 (걸어) 돌아다니다.

****ある-く**【歩く】[5自] **1** 걷다; 산책하다. ¶急いで~ 급히 걷다/駅まで~·いて行く 역까지 걸어가다/~·かせる 걸리다; 〖野〗사구(四球)로 걸리다. **2** 여기저기 돌아다니며 …하다《딴 動詞의 連用形을 받음》. ¶売って~ 돌아다니며 팔다/食べ~のが趣味 맛있는 음식을 찾아다니는 것이 취미/酒場を飲み~ 여러 술집을 돌아다니며 마시다.
[可能]ある-ける[下1自]

> **歩く의 여러 가지 표현**
>
> [표현例] すたすた(총총걸음으로)·てくてく(터벅터벅)·すたこら(부리나케)·せかせか(성급하게)·とっとと(빨리; 급히)·とことこ(종종걸음으로)·ちょこまか(촐랑촐랑)·ちょこちょこ(종종걸음으로)·よちよち(아장아장)·のしのし(육중하게)·ひょこひょこ(강동강동)·えっちらおっちら(기신기신)·とぼとぼ(터벅터벅)·のそのそ(어슬렁어슬렁)·ぶらぶら(어슬렁어슬렁)·よろよろ(비틀비틀)·よたよた(비틀비틀; 비칠비칠)·ふらふら(비슬비슬)·しゃなりしゃなり(하느작하느작).

アルコール [네 alcohol] [名]〖化〗**1** 알코올; 주정(酒精). ¶~分 알코올(성)분. **2**〈俗〉술. ¶彼は~に強い 그는 술이 세다/~が入ると人が変わる 술이 들어가면 사람이 달라진다.

—いそんしょう【—依存症】[名] 알코올 의존증《'알코올 중독'을 고친 용어》.

—ちゅうどく【—中毒】[名] 알코올 중독. =アル中.

—ハラスメント [일 alcohol+harassment] [名] 알코올[음주] 강요 행위. =アルハラ. [參考] セクシュアルハラスメント를 본뜬 말.

—メーター [일 alcoholometer] [名] 알코올미터; 알코올 함유량 측정 계기.

アルコロジー [名] 걷기 운동; 보행 장려. [參考]'歩こう(=걷자)'+-logy.

アルサロ [名] 아르바이트 살롱《아르바이트 여성을 호스티스로 두고 있는 간이 카바레》. ▷일 (도) Arbeit+(프) salon.

あるじ〖主·主人〗[名] 주인. **1** 일가(一家) 또는 가게의 주인. ¶この家の~ 이 집 주인/本屋の~ 책방 주인. **2** 임자; 소유자. ¶車の~ 차 임자/この品物の~ 이 물건 주인.

あるしゅの〖ある種の〗《或る種の》[連語] 일종의; 모종의. =一種の. ¶~感慨をもよおす 어떤 감개를 자아내다.

あるだけ〖有る丈〗[名副] 전부. =あるかぎり. ¶~の力を出す 있는 힘을 다하다/~話して聞かせる 이야기를 다 들려주다. [注意]'あるたけ'라고도 함.

アルちゅう【アル中】[名] ☞アルコールちゅうどく.

アルツハイマーびょう【アルツハイマー病】[名]〖醫〗알츠하이머 병《뇌의 위축성 변성(變性) 질환인 치매의 하나》. ▷Alzheimer's disease.

アルト [이 alto] [名]〖樂〗알토. **1** 여성(女聲)의 가장 낮은 소리; 또, 그런 소리를 내는 가수; 중음(中音). **2** 중음에 상당하는 악기. ¶~サックス 알토 색스폰.

あるときばらい【有る時払い】[名] (돈이 있을 때 치르는) 수시 지불.

—の催促無し 돈이 있을 때 지불하기로 하고 재촉을 않는 금전 대차. ¶~にしてあげよう 돈이 있을 때 지불하기로 하고 재촉은 하지 않기로 해 주마.

あるなし【有る無し】[名] **1** 유무. =ありなし. ¶知恵の~をためす 지혜의 유무를 시험하다. **2** 그만큼 될까 말까함; 대충 그 정도임. ¶万円~の財布 만 엔 (들어) 있을까 말까 한 지갑.

アルバイター [도 Arbeiter] [名]〈學〉아르바이터; 아르바이트를 하는 사람.

***アルバイト** [도 Arbeit] [名][ス自]〈學〉아르바이트; (학생의) 부업; 또, 부업을

하는 학생. =バイト. ¶~しながら学校を卒業する 아르바이트를 하면서 학교를 졸업하다.

—サロン [일 Arbeit+salon] 图 아르바이트 살롱. =アルサロ.

アルバトロス [albatross] 图 앨버트로스. **1**〖鳥〗신천옹(信天翁). =阿房鳥. **2**〖골프〗파(par)보다 3타 적게 홀아웃하는 일. =ダブルイーグル.

アルバム [album] 图 앨범. **1** 사진첩; 기념첩. **2** (특정 테마에 따라) 몇 곡을 수록한 레코드(집).

アルハラ 图 アルコールハラスメント의 준말.

アルピニスト [도 Alpinist] 图 알피니스트; (알프스) 등산가.

アルファ [alpha, A, α] 图 알파《그리스 자모의 첫째》. **1** 최초. ¶~からオメガまで 알파에서 오메가까지《처음부터 끝까지》. ↔オメガ. **2** 그 이상의 얼마; 어떤 미지의 값. ¶基本給プラス~をつける 기본급 플러스 알파를 붙이다. **3**〖野〗9회말 공격이 끝나기 전에 후공팀의 승리가 결정되었을 때 그 득점에 붙이는 A 부호. ¶5A対3 5알파 대 3《지금은 '5X対3'으로 씀》.

—にしてオメガ 알파이자 오메가; 처음이자 마지막; 모두; 전부.

アルファベット [alphabet] 图 **1** 알파벳. **2** 초보; 첫걸음. ¶野球の~ 야구의 초보.

アルプス [Alps] 图〖地〗알프스《넓은 뜻으로는, 日本アルプス도 가리킴》.

あるべき【有るべき】連体 마땅히 있어야 할; 또, 당연히 그래야 할. ¶学生として~態度 학생으로서(의) 의당한 태도/~物がない 당연히 있어야 할 것이 없다. ↔あるまじき.

アルペン [도 Alpen] 图 알펜. **1** 알프스 산맥. **2** 'アルペン種目'의 준말.

—シュトック [도 Alpenstock] 图 알펜슈토크《갈고리가 달린 등산용 지팡이》.

—しゅもく【—種目】图 알펜 종목《스키에서 활강·회전·대회전의 3종목》. ⇨ノルディックしゅもく.

アルマイト [일 Alumite] 图〖商標名〗알루마이트; 양은. ¶~なべ 알루마이트 냄비.

あるまじき〖有るまじき〗連体 있을 수 없는; 그래서는 안 될. ¶役人に~振る舞い 관리로서 있을 수 없는 행동.

アルミ 图 ☞アルミニウム. ¶~サッシ 알루미늄 새시/~箔 알루미늄 박.

—ホイル [←aluminium foil] 图 가정용 알루미늄박(箔).

***アルミニウム** [aluminium] 图 알루미늄《기호: Al》. =アルミ.

あれ【荒れ】图 거침. **1** (날씨·바다 따위가) 사나워짐; 폭풍우; 풍파. ¶大~の天候 풍우가 심한 날씨/~もようだ 날씨가 거칠어질 모양이다/海はひどい~だ 바다는 몹시 거칠다/試合は大~だ (a)경기가 엎치락뒤치락하다; (b)싸움이 일어나 경기가 중단되거나 하다. **2** 살갗이 거칠함. ¶手の~にきく薬 손이 튼 데 듣는 약.

あれ〖彼〗代 **1** 먼 것을 가리키는 말. ㉠저것. ¶~は何だろうね 저것은 무엇일까/~でも学生か? 저것도 학생이냐. ㉡저기; 거기. ¶~が駅へ行く道です 저기가 역으로 가는 길입니다. **2** 그 일; 그것《상대도 알고 있는 것〔일〕을 가리키는 말》. ¶~から三年 그로부터 3년/~を言われると面目もない 그 말을 들으면 면목이 없다/~以来酒はやめた 그 뒤로 술은 끊었다. **3** 저 사람; 그 사람《약간 손아래의》. ¶~はうそつきだ 저 놈은 거짓말쟁이다. **4** 좀 무엇함《쑥스러움》. ¶今ごろ申しあげるなんて~ですけれども 지금에 와서 말씀드리기는 좀 무엇합니다만.

あれ 感 놀라거나 의외로 여길 때 내는 소리: 어; 어럽쇼; 어머(나). =あら·あれえ. ¶~変だぞ 어 이상한데.

あれい【亜鈴】《啞鈴》图 (체조용의) 아령. =ダンベル. ¶~体操 아령 체조.

あれきり 副 **1** 그 때를 마지막으로; 그 후. ¶~音さたがない 그 뒤로 통 소식이 없다. **2** 그뿐. ¶持ってる金は~だった 가진 돈은 그것뿐이었다.

あれくる-う【荒れ狂う】5自 (물결이나 바람이) 거칠어〔사나워〕지다; 사납게 놀치다. ¶~海 사납게 놀치는 바다.

アレグレット [이 allegretto] 图〖樂〗알레그레토; 조금 빨리.

アレゴリー [allegory] 图 알레고리; 비유.

***あれこれ**〖彼此·彼是〗图 **1** 이것저것. ¶~の例を上げる 이것저것 예를 들다. **2**《副詞적으로》여러 가지로. ¶~(と)準備する 이것저것 준비하다/~世話になりました 여러 가지로 신세졌습니다/いまさら~言ってもむだだ 이제 와서 이러쿵저러쿵 말한들 무엇하겠나.

あれしき〖彼れ式〗图〈俗〉겨우 그까짓〔그쯤〕《흔히 否定적 표현에 쓰임》. =あれぐらい. ¶~の事で悲しむのか 그까짓 일로 슬퍼하느냐.

あれしょう【荒れ性】图 (기름기가 적어서) 살갗이 거친 체질. ¶~の肌 살성이 거친 피부. ↔脂性.

あれち【荒れ地】图 황무지; 거친〔묵은〕땅. ¶~を耕す 황무지를 일구다.

あれっきり 副 **1** 그 이후로. ¶~会っていない 그 이후로 만나지 않았다. **2** 그것뿐. ¶~しかお金を持っていない 돈이 그것밖에 없다.

あれっぽち 代副〈俗〉그것뿐; 그것만; 그까지 것. =あれだけ·あれっぽっち. ¶~じゃどうにもならない 그것만으로는 어찌할 수 없다.

あれの【荒れ野】图 황야; 거친 들; 황막한 벌판. =あらの. ¶~を開墾する 황야를 개간하다.

あれはだ【荒れ肌】《荒れ膚》图 건성 피부; 꺼칠꺼칠한 살갗.

あれは-てる【荒れ果てる】[下1自] 몹시 황폐해지다; 몹시 거칠어지다. ¶畑はたが～ 밭이 몹시 황폐해지다 / ～·てた人ひとの心こころ 몹시 거칠어진〔황폐해진〕 인심.

あれほど【あれ程】[副] 저렇게; 저처럼; 그토록. =あんなに. ¶～嫌きらっているのに〔注意ちゅういしたのに〕 그토록 싫어하고 있는데〔주의했는데도〕 / ～の器量きりょうよしも珍めずらしい 저만한 미모도 드물다.

あれもよう【荒れもよう·荒れ模様】[名] **1** (날씨가) 사나워질 낌새. ¶山やまは～だ 산은 날씨가 나빠질 모양이다. **2** 기분이 나쁜 상태; 또, 그리 될 모양. ¶社長しゃちょうは～だ 사장은 (지금) 저기압이다. **3** 일이 시끄러운 모양. ¶～の会議かいぎ 분위기가 험악한 회의.

あれよあれよ [連語] 일의 뜻밖의 진전에 대처하지 못하는 모양: 갈팡질팡; 저런 저런. ¶～というちに視界しかいの外そとに去さった 갈팡질팡하는 사이에 시야 밖으로 사라졌다.

⁂**あ-れる**【荒れる】[下1自] 거칠어지다. **1** 난폭하게 굴다; 날뛰다; 설치다. ¶馬うまが～·れ狂くるう 말이 미쳐 날뛰다 / ゆうべは大分だいぶ～·れたな 어제 저녁엔 꽤 설치더군. **2** (날씨·바다·분위기 따위가) 사나워지다; 거세어지다; 험악해지다. ¶海うみが～ (폭풍으로) 바다가 거칠어지다 / 天気てんきが～ 날씨가 사나워지다 / 会議かいぎが～ 회의(의 분위기)가 험악해지다. **3** 황폐해지다. ¶～·れた家いえ 황폐해진 집 / 畑はたが～ 밭이 황폐해지다. **4** (피부가) 꺼칠꺼칠해지다; 트다. ¶手て〔肌はだ〕が～ 손이〔피부가〕 거칠어지다.

アレルギー [도 Allergie] [名] 알레르기; 앨러지; 거부 반응. ¶～性せい体質たいしつ 알레르기성 체질 / 核かく～ 핵 알레르기.

アレンジ [arrange] [名][ス他] 어레인지. **1** 배열; 배치; 정리. **2**〔樂〕편곡. ¶クラシックをポップス風ふうに～する 클래식을 팝스풍으로 편곡하다. **3** 각색.

アロマセラピー [aromatherapy] [名] 아로마세러피; 꽃·향초 등 식물의 방향(芳香)을 이용한 스트레스 해소법; 방향 요법.

⁂**あわ**【泡】《沫》[名] 거품. =あぶく. ¶ビールの～ 맥주 거품 / ～が立たつ 거품이 일다 / ～と消きえる 거품같이 사라지다.
—を食くう 몹시 놀라 당황하다; 허둥거리다. ¶泡を食って逃にげる 당황하여 허겁지겁 도망치다.
—を吹ふかせる 남을 몹시 놀라게 하다; 혼쭐내다.

あわ〖粟〗[名] **1**〔植〕조; 좁쌀. ¶濡ぬれ手てで～ 젖은 손으로 좁쌀을 움켜잡기《손쉽게 이득을 봄》. **2** 소름. ¶肌はだに～を生しょうずる 살갗에 소름이 돋다.

あわ-い【淡い】[形] **1** (맛·빛깔이) 진하지 않다. ¶～味あじ 담박한 맛 / ～ブルーの服ふく 연한 청색 옷. ↔濃こい. **2** (형태나 빛이) 희미하다; 어슴푸레하다. ¶～光ひかり 희미한 빛 / ～雲くも 엷게 낀 구름.

あわさ-る【合わさる】[5自] 〈俗〉 **1** 합쳐지다. ¶ぴったりと～ 꼭 합쳐지다 / 手てが～ (두) 손이 모아지다 / ふたが～·らない 뚜껑이 (꼭) 맞지 않는다. **2** 어울리다. ¶二ふたつの旋律せんりつが～·って 두 선율이 어울려서.

あわせ〖袷〗[名] 겹옷. ↔ひとえ.

あわせ【合わせ】[名] 맞춤; 맞대게 함. ¶～目め 이음매; 접착부 / ～ガラス 복층(複層) 유리 / 背中せなか～ 등을 맞댐.
—物ものは離はなれ物もの 붙은 것은 떨어진다《흔히 남녀의 이합(離合) 등을 이름》.
—かがみ【—鏡】[名] 뒷모습을 보려고 앞뒤로 거울을 비추는 일; 맞거울질.

あわせて【合わせて】[連語] 《副詞적으로》 **1** 합해서; 모두. ¶～一万円いちまんえん 모두 만 엔. **2**【併せて】《接続詞적으로도》 겸해서; 아울러; 동시에. ¶これも～願ねがう 이것도 아울러 부탁한다 / 壮途そうとを祝しゅくし, ～健康けんこうを祈いのる 장도를 축하하며, 아울러 건강을 빈다.

⁂**あわ-せる**【合わせる】[下1他] **1** 맞추다. ㉠맞게 하다. ¶話はなし〔歩調ほちょう〕を～ 말을〔보조를〕 맞추다 / 伴奏ばんそうに～·せて歌うたう 반주에 맞춰 노래하다. ㉡맞추어 보다. ¶答こたえを～ 답을 맞춰 보다 / 原簿げんぼに～ 원부와 맞추어 보다. ㉢마주 대하다. ¶目めと目を～ 눈과 눈을 마주치다 / 顔かおを～ 얼굴을 맞대다. **2** 합치다; 모으다. ¶心こころを～·せて働はたらく 마음을 합쳐 일하다 / 三さんと五ごを～ 3과 5를 합치다 / 手てを～·せて拝おがむ 두 손을 모아 절하다 / 知恵ちえを～ 지혜를 모으다.

⁂**あわ-せる**【併せる·合わせる】[下1他] 어우르다; 합치다. ¶両村りょうそんを～ 두 면을 합치다 / 隣国りんごくを～ 이웃 나라를 병합하다 / 清濁せいだく～·せのむ 청탁을 아울러 받아들이다〔포용하다〕.

⁂**あわ-せる**【会わせる】[下1他] 만나게 하다; 대면시키다. ¶二人ふたりを～·せてやる 두 사람을 만나게 해 주다.
—顔かおがない 대할 낯이 없다; 면목이 없다.

⁂**あわ-せる**【遭わせる】[下1他] (좋지 않은 일 따위를) 당하게 하다. ¶ひどい目めに～ 혼을 내주다 / 痛いたい目めに～ 따끔한 맛을 보여 주다.

***あわただし-い**【慌ただしい】《遽しい》[形] 어수선하다; 총망하다; 분주하다. =せわしい. ¶～気分きぶん〔政局せいきょく〕 어수선한 기분〔정국〕 / 出発しゅっぱつの用意ようで～ 출발 준비로 분주하다 / その年としも～·く暮くれた 그 해도 총총히 저물었다.

あわだ-つ【泡立つ】[5自] 거품이 일다. ¶～滝壺たきつぼ 거품이 이는 용소(龍沼) / 海うみが～ 바다가 하얗게 거품이 일다 / このせっけんはよく～ 이 비누는 거품이 잘 인다.

あわだ-つ【あわ立つ】《粟立つ》[5自] 소름이 끼치다. ¶寒さむさで皮膚ひふが～ 추위로 살갗에 소름이 끼치다.

あわだてき【泡立て器】[名] 거품기(器).

あわてふため-く【慌てふためく】[5自] 매우 당황하다; 쩔쩔매다. ¶隣となりの家いえの火事かじで～ 이웃집 화재로 허둥지둥하

다/～·いて逃げる 허둥지둥 도망치다.

**あわ-てる【慌てる】下1自 1 (놀라서) 당황하다. ＝うろたえる. ¶少しも～·てずに 조금도 당황하지 않고/近所の火事で～ 근처의 화재로 당황하다. 2 황급히 굴다; 허둥대다. ¶～·ててかけつける 황급히 달려가다.

あわない【合わない】連語 수지가 안 맞다; 신통찮다. ¶報酬が少なくて～仕事 보수가 적어서 신통찮은 일.

あわび〖鮑·鰒〗名〘貝〙전복.

―の片思い 짝사랑의 비유《전복 껍데기는 조개의 외쪽같이 보이므로》.

あわもり【泡盛り】名 沖縄 특산인 좁쌀 또는 쌀로 담근, 독한 소주의 일종.

あわや 副 까딱하면 (…ㄹ 뻔); 이제라도; 당장; 이젠 …이로구나. ＝すわや. ¶～不時着陸と思った瞬間… 이젠 불시착이로구나 생각하는 순간…/～というところで助かった (까딱하면) 죽을 뻔했는데 살아남았다.

あわゆき【淡雪】名 엷게 깔린 눈; 담설(淡雪). ¶春の～が日ざしに解ける 봄의 담설이 햇볕에 녹다.

あわよくば 副 잘 되면; 잘하면; 기회만 있으면. ＝うまく行けば. ¶～ひともうけする 운이 좋으면 한밑천 잡는다/～勝てるかもしれない 어쩌면 이길지도 모른다/～一位になりたい 잘 되어서 일등을 하고 싶다.

*あわれ【あわれ·哀れ】《憐れ》名ダナ 1 불쌍함; 가련함. ¶～な孤児 불쌍한 고아/人の～を誘う 남의 동정을 끌다/そぞろに～を催す 어쩐지 불쌍한 마음이 들다. 2 가련한〔처량한〕 모양. ¶～な身なり 초라한 옷차림. 3 (마음에 깊이 스미는) 정취; 비애. ¶旅の～ 여수(旅愁)/物の～を解する人 사물의 정취를 아는 사람.

あわれっぽ-い【哀れっぽい】《憐れっぽい》形〈俗〉처량해 보이다. ¶～声で訴える 처량한 목소리로 하소연하다.

あわれみ【哀れみ】《憐れみ》名 불쌍히 여김; 동정; 연민. ¶～を請う 동정을 바라다/～を感じさせる 동정심을 불러일으키다; 가여움을 느끼게 하다.

あわれ-む【哀れむ】《憐れむ》五他 불쌍히 여기다. ¶～べき小市民根性 가련한〔경멸할〕 소시민 근성/孤児を～ 고아를 가엾이 여기다.

あん〖餡〗名 1 팥소; 고물. ＝あんこ. ¶～をつくる 팥소를 만들다. 2 갈분을 물에 풀고 술·간장 등으로 조미해서 끓인 음식. ＝くずあん.

*あん【案】名 안. ¶～を立てる 안을 세우다/～を練る〔出す〕 안을 짜내다〔내다〕/～として書いたにすぎない 초안으로서 쓴 것에 불과하다.

あん〖安〗教3 アン やすい いずくんぞ | 안 편안하다 | 1 편안하다. ¶安易 안이. 2 값이 싸다. ¶安価 염가; 싼 값.

あん〖案〗教4 アン | 안 안석 | 1 받침; 책상. ¶玉案 옥안. 2 생각해 내다. ¶考案 고안. 3 예상. ¶案外 예상 밖으로. 4 초안; 원고; 계획. ¶起案 기안.

あん〖暗〗教4 アン くらい やみ | 암 어둡다 | 1 어둡다. ¶暗夜 암야/明暗 명암. 2 사람 모르게 하다. ¶暗暗裏 암암리/暗号 암호. 3 외다. ¶暗記 암기.

あんあん【暗暗】名 1 어두움. 2 비밀. ¶～のうちに 암암리에.

―り【―裏】《―裡》名 암암리; 남이 모르는 사이. ¶～に調査する 암암리에 조사하다.

*あんい【安易】名ダナ 안이. ¶～な道を選ぶ 안이한 길을 택하다/問題を～に考える 문제를 안이하게 생각하다.

あんいつ【安逸】《安佚》名ダナ 안일. ¶～な生活 안일한 생활/～をむさぼる 안일을 탐하다.

あんうつ［暗鬱］ダナ 암울; 우울. ¶～な色調 어두운 색조/～な気分 암울한 기분.

あんうん【暗雲】名 암운; 먹구름. ＝黒雲. ¶～が垂れこめる 암운이 낮게 깔리다/～低迷 먹구름이 감돎/～の立ちこめる中近東 먹구름이 감도는 중근동.

あんえい【暗影】名 암영; 어두운 그림자. ＝かげ. ¶～が漂う 어두운 그림자가 감돌다/…の前途に～を投げる …의 전도에 어두운 그림자를 던지다.

あんか〖行火〗名 구멍이 있는 그릇에 숯을 피워 담고 담요 등을 덮은 일종의 화로. ¶電気～ 전기 각로(脚爐).

あんか【安価】名ダ 안가; 값쌈. 1 싼 값; 염가. ¶～にて提供 염가로 제공(합니다). ↔高価. 2 값싸고 피상적임. ＝安っぽい. ¶～な同情は受けたくない 값싼 동정은 받고 싶지 않다.

アンカー［anchor］名 앵커. 1 닻. 2 (릴레이에서) 마지막 주자(走者).

―マン［anchorman］名 앵커맨.

*あんがい【案外】副ダナ 뜻밖에도; 예상외. ¶～簡単だ 뜻밖에 간단하다/～な成績をとる 예상외의 성적을 얻다/～寒い 생각보다 춥다/～に思う 뜻밖의 일로〔놀랍게〕 여기다.

あんかけ〖餡掛け〗名 'くずあん(＝갈분으로 만든 양념장)'을 얹은 요리. ¶～豆腐 くずあん을 얹은 두부/～うどん くずあん을 얹은 가락국수.

あんかん【安閑】トタル 안한; 안이; 편안하고 한가함. ¶一生を～と(して)暮らす 일생을 편안하고 한가로이 지내다/こんなときに～としてはいられない 이러한 때에 (아무 일도 않고) 한가로이 있을 수는 없다.

あんき【安危】名 안위. ¶一国の～にかかわる 일국의 안위에 관계되다/～を気づかう 안위를 걱정하다.

***あんき**【暗記】《諳記》图区他 암기; 욈. ¶ ～物もの 암기해야 할 것; 암기물 / 文章ぶんしょうを～する 문장을 암기하다.

あんきょ【暗きょ】《暗渠》图 암거; 땅속에 낸 도랑. ¶～排水はいすい 암거 배수.

アングラ 图 언더그라운드. **1** 실험적·전위적인 영화·연극 등의 예술. ¶～劇場げきじょう 전위 소극장. **2** 비합법적임; 공적(公的)이 아님. ¶～バー 무허가 바 / ～経済けいざい 지하 경제. ▷ underground.

アングラー [angler] 图 앵글러; 낚시꾼.

あんぐり 副 멍청하니 입을 딱 벌린 모양: 딱. ¶口くちを～とあけて見みとれる 입을 딱 벌린 채 넋을 잃고 바라보다.

アングル [angle] 图 앵글; (사진기로) 물체를 찍는 각도; 전하여, 관점. ¶カメラ～ 카메라 앵글 / 社会的しゃかいてきな～で問題もんだいをとらえる 사회적인 관점에서 문제를 파악하다.

アンクルブーツ [ankle boots] 图 앵클부츠; 발목까지 닿는 부츠.

***アンケート** [프 enquête] 图 앙케트; 질문 조사. ¶～に答こたえる 앙케트에 답하다 / ～を集あつめる 앙케트를 모으다 / ～をとる 앙케트를 실시하다.

あんけん【案件】图 **1** 안건. ¶～を可決かけつする 안건을 가결하다. **2** 소송 사건.

あんこ 〖餡こ·餡子〗 图 〈俗〉 **1** 팥소. ＝あん. ¶～もち 팥소떡 / ～をなめる 팥소를 핥아먹다. **2** 속을 채우는 물건. ¶ふとんの～ 이불 속 / 枕まくらの～ 베갯속.

あんこう 〖鮟鱇〗 图 〔魚〕 안강; 아귀.

***あんごう**【暗号】图 암호. ¶～をきめる 암호를 정하다 / ～電報でんぽう 암호 전보 / ～を解読かいどくする 암호를 해독하다.

アンコール [프 encore] 图区自 앙코르. **1** 재청(再請). ¶～を受うける 재청을 받다 / ～に応こたえる 재청에 응하다. **2** 재상연; 재방송. ¶ラジオの～アワー 라디오의 재방송 시간.

あんこく【暗黒】图ダナ 암흑. ＝くらやみ. ¶～街がい 암흑가 / ～時代じだい 암흑 시대 / ～の夜よる 캄캄한 밤.

—たいりく【—大陸】图 암흑 대륙.

—めん【—面】图 암흑면. ¶社会しゃかいの～ 사회의 암흑면.

アンゴラうさぎ 〖アンゴラ兎〗 图 〔動〕 앙고라토끼. ▷ Angora.

あんころ 〖餡ころ〗 图 **1** 둥글게 빚은 팥소. **2** 'あんころもち'의 준말.

—もち 〖—餅〗 图 팥고물을 묻힌 찰떡. ＝あんころ·あんもち·あんころばし.

あんさつ【暗殺】图区他 암살. ¶～者しゃ 암살자 / 大統領だいとうりょうが～された 대통령이 암살당했다.

あんざん【安産】图区自他 안산; 순산. ¶～を祈いのる 안산을 빌다. ↔難産なんざん.

***あんざん**【暗算】《諳算》图区他 암산. ¶～で答こたえる 암산으로 답하다. ↔筆算ひっさん·珠算しゅざん.

アンサンブル [프 ensemble] 图 앙상블. **1** 조화; 통일. **2** 드레스와 코트, 스커트와 케이프 등을 같은 천으로 지어 조화되도록 한 여성복. **3** 음악·연극의 통일적인 효과; 조화. ¶～が良よい 앙상블이 좋다; 통일적인 조화가 잘 되었다.

あんじ【案じ】图 걱정. ＝心配しんぱい.

—がお【—顔】图 걱정스러운 얼굴.

***あんじ**【暗示】图区他 암시. ¶自己じこ～ 자기 암시 / ～を与あたえる 암시를 주다 / 答こたえを～する 답을 암시하다 / ～にかかりやすい 암시에 걸리기 쉽다. ↔明示めいじ.

あんしつ【暗室】图 암실. ¶現像用げんぞうよう～をつくる 현상용 암실을 만들다.

アンシャンレジーム [프 ancien régime] 图〔史〕 앙시앵 레짐; (프랑스 혁명 이전의) 구제도; 구체제.

あんしゅ [按手] 图〔基〕 안수 (기도).

あんじゅう【安住】图区自 안주. ¶～の地ちをみつける 안주할 곳을 찾아내다 / 現在げんざいの地位ちいに～する 현재의 지위에 안주하다.

あんしゅつ【案出】图区他 안출; 고안해 냄. ¶彼かれの～にかかる便利べんりな装置そうち 그가 안출한 편리한 장치 / よい方法ほうほうを～する 좋은 방법을 생각해 내다.

あんしょう【暗証】图 (현금 인출 카드를 쓸 때 본인임을 증명하기 위해 미리 신고해 놓은) 비밀 문자나 숫자; 또, 그 비밀 기호로 본인임을 증명하는 일.

—ばんごう【—番号】图 비밀 번호.

あんしょう【暗唱】《諳誦》图区他 암송. ¶詩しを～する 시를 암송하다.

あんしょう【暗礁】图 암초.

—に乗のり上あげる **1** 암초에 얹히다. **2** 뜻밖의 곤란으로 움직이지 못하게 되다. ¶交渉こうしょうは暗礁に乗り上げた 교섭은 암초에 걸려 잘 진행되지 않았다.

あんしょく【暗色】图 암색; 어두운 (느낌을 주는) 빛깔. ↔明色めいしょく.

あん-じる【案じる】上1他 **1** 걱정하다; 염려하다. ¶身みの上うえを～ 신상을 걱정하다 / 事ことの成なり行ゆきを～ 일의 결과를 걱정하다. **2** 안출하다; 생각해 내다. ¶一策いっさくを～ 일책을 생각해 내다.

***あんしん**【安心】名ダ区自 안심. ¶～感かん 안심감 / ～できない人ひと 안심할 수 없는 사람 / もう～だ 이제는 안심이다 / 両親りょうしんを～させる 부모를 안심시키다.

あんず 〖杏·杏子〗 图 〔植〕 살구(나무).

あん-ずる【案ずる】サ変自 〈老〉 ☞あん(案)じる.

—より産うむ〔生うむ〕が易やすし 일이란 막상 해 보면 생각보다 쉬운 법이다.

あんずるに【案ずるに】《按ずるに》連語 생각건대; 생각한 바. ¶つらつら～ 곰곰 생각건대 / 足音あしおとから～ 발소리로 짐작건대.

あんせい【安静】图ダナ 안정. ¶絶対ぜったい～ 절대 안정 / ～が必要ひつような病状びょうじょう 안정이 필요한 병세.

***あんぜん**【安全】图ダナ 안전. ¶～地帯ちたい〔装置そうち〕 안전 지대〔장치〕 / ～帽ぼう 안전모. ↔危険きけん.

—かみそり〖—剃刀〗图 안전면도.

—き【—器】图 안전기; 두꺼비집.

—けん【—圏】图 안전권. ¶～に入(はい)る 안전권에 들다.

—せい【—性】图 안전성. ¶～をチェックする 안전성을 점검하다.

—ベルト [belt] 图 안전 벨트. ＝シートベルト.

—べん【—弁】图 안전판; 안전 밸브.

—ほしょうじょうやく【—保障条約】图 안전 보장 조약. ＝安保(あんぽ)条約.

あんそく【安息】图ス自 안식. ¶心身(しんしん)の～を求(もと)める 심신의 안식을 구하다.

—じょ【—所】图 안식처(處).

—び【—日】图 안식일《유대교와 안식교에서는 토요일, 기독교에선 일요일》. ＝あんそくじつ·あんそくにち.

あんだ【安打】图ス自〔野〕안타. ＝ヒット. ¶3(さん)～無失点(むしってん) 3안타 무실점 / 四(よん)打数(だすう)で二(に)～ 4타수에 2안타 / 全員(ぜんいん)～を打(う)つ 전원 안타를 치다.

アンダー [under] 图 언더. 1 아래. 2 ☞ アンダーシャツ.

—ウエア [underwear] 图 언더웨어; 속옷.

—シャツ [undershirt] 图 언더셔츠; (남자의) 속내의.

—スロー [←underhand throw] 图〔野〕언더스로《투수가 팔을 어깨 아래서 위로 치켜 공을 던짐》. ＝下手投(したてな)げ. ↔オーバースロー.

—パー [under par] 图 언더 파; (골프에서) 타수가 기준되는 타수보다 적음.

—ライン [underline] 图 언더라인; 밑줄. ＝下線(かせん). ¶～を引(ひ)く 밑줄을 긋다.

あんたい【安泰】图ナ 안태; 평안하고 무사함. ¶国(くに)の～をはかる 나라의 안태를 도모하다 / 地位(ちい)は～だ 지위는 튼튼하다.

あんたん [暗澹] トタル 암담. 1 어둠침침한 모양. ＝どんより. ¶～たる空模様(そらもよう) 어둠침침한 하늘. 2 절망적임. ¶～たる[とした]気持(きも)ち 암담한 기분.

アンダンテ [이 andante] 图〔樂〕안단테. 1 천천히《알레그레토와 아다지오의 중간 속도》. 2 교향곡·소나타·실내악곡 등의 느린 악장(樂章).

あんち【安置】图ス他 안치. ¶遺体(いたい)を～する 유해를 안치하다.

アンチ= [anti-] 안티; 반(反). ¶～コミュニズム 반공주의 / ～ミリタリズム 반군국주의 / ～アメリカニズム 반미주의.

—ノック [antiknock] 图〔化〕앤티녹《가솔린 기관의 노킹을 방지하려고 가솔린에 섞는 물질》.

アンチック [프 antique] 图〔印〕앙티크; 활자 자체(字體)의 일종《동글동글한 느낌을 주는 고딕 모양의 활자》.

アンチモン [도 Antimon] 图〔化〕안티몬《기호: Sb》. ＝アンチモニー.

あんちゃく【安着】图ス自 안착. ¶列車(れっしゃ)が～する 열차가 안착하다.

あんちゃん〖兄ちゃん〗图〈俗〉1 형님《친형이나 젊은 남자를 친근하게 부르는 말》. 2 (젊은) 불량배. ¶町(まち)の～ 거리의 불량배 / ～風(ふう)の男(おとこ) 건달처럼 보이는 사나이.

あんちゅう【暗中】图 암중; 어둠 속.

—もさく【—模索】图ス自 암중모색. ¶新(あたら)しい研究分野(けんきゅうぶんや)で～する 새로운 연구 분야에서 암중모색하다.

あんちょく【安直】ダナ 1 싸고 간편함; 간단함. ¶～な手続(てつづ)き 간편한 절차 / 物事(ものごと)を～に片(かた)づける 만사를 안이하게 처리하다 / ～な娯楽(ごらく) 돈이 별로 안 드는 오락. 2〈俗〉싹싹함; 소탈함. ¶～な医者(いしゃ) 싹싹한 의사.

あんちょこ 图〈俗〉(교과서의) 자습서. ＝とらの巻(まき). 参考 '安直(あんちょく)'의 전와.

アンチョビー [anchovy] 图 안초비; 기름에 절인 멸치《술안주용》.

アンツーカー [프 en-tout-cas] 图 앙투카; 붉은 벽돌 가루 같은 흙; 또, 그 흙을 깐 경기장《우천시에도 사용 가능》.

**あんてい【安定】图ス自 안정. ¶生活(せいかつ)の～ 생활(의) 안정 / ～感(かん) 안정감 / ～した実力(じつりょく)[座(すわ)り] 안정된 실력[놓임새] / ～のよい家具(かぐ) 안정되게 놓인 가구 / ～を保(たも)つ 안정을 유지하다 / 気分(きぶん)が～する 기분이 안정되다. 注意 '～な'의 꼴도 쓰임.

*アンテナ [antenna] 图 안테나; 공중선. ¶～を張(は)る (a) 안테나를 설치하다; (b) 정보를 수탐(搜探)하다 / ～を張(は)りめぐらす (빈틈없이) 정보망을 치다.

あんてん【暗転】图ス自〔劇〕암전. ＝ダークチェンジ. ¶舞台(ぶたい)が～する 무대가 암전하다. 参考 사태가 나쁜 쪽으로 변화하는 뜻으로도 쓰임. ¶事態(じたい)が～する 사태가 악화되다.

あんど [安堵] 图ス自 안도. ¶～の胸(むね)を撫(な)でおろす 안도의 한숨을 쉬다 / 顔(かお)に～の色(いろ)が浮(う)かぶ 얼굴에 안도의 빛이 떠오르다.

あんとう【暗闘】图ス自 암투. ¶反対派(はんたいは)と～する 반대파와 암투하다 / 派閥間(はばつかん)の～が絶(た)えない 파벌 간의 암투가 끊이지 않는다.

アントニム [antonym] 图 안토님; 반대어; 반의어. ↔シノニム.

あんどん〖行灯〗图 사방등(燈)《원형 또는 네모진 나무나 대틀에 종이를 바르고 안에 기름 접시를 놓아 불을 켬》.

あんな 連体〈口〉저런. ＝あのような. ¶～正直(しょうじき)な人(ひと) 저렇게 정직한 사람 / ～では困(こま)る 저래서는 곤란하다 / ～にほしいと言(い)ったのに 그렇게 갖고 싶다고 했는데 / 政治家(せいじか)って, なぜ～なんでしょう 정치가라는 사람들, 왜 저럴까요. ↔こんな·そんな·どんな. 参考 '～なので(＝그러므로)' '～なのに(＝저런데도)'의 꼴로도 씀.

**あんない【案内】图ス他 1 안내. ¶水先(みずさき)～ 배의 수로 안내; 도선(導船) / 道(みち)～を頼(たの)む 길안내를 부탁하다. 2 통지. ¶結婚式(けっこんしき)の～状(じょう) 결혼 청첩장 /

ご～を頂(いただ)きましたが 초대를 받았습니다만. **3** (중간에서) 말을 전달함. ¶社長(しゃちょう)に～を乞(こ)う 사장에게 전갈해 주길 바라다. **4** (사정을) 익히 앎. ¶ご～の通(とお)り 잘 아시는 바와 같이.

—き【—記】图 안내기; 그 고장 명소·유적·교통 수단 등을 기록한 책.

—しょ【—書】图 안내서; 해설서.

あんに【暗に】副 암암리에; 넌지시; 은근히; 몰래. ＝それとなく. ¶～反対(はんたい)する 은근히 반대하다/～匂(にお)わす 넌지시 비추다〔암시하다〕.

アンネ [Anne] 图〖商標名〗안네; 여성 생리용품; 전하여, 생리일. 参考 '안네의 일기'의 여주인공 이름에서.

あんねい【安寧】图 안녕. ＝安泰(あんたい)·平穏(へいおん). ¶～秩序(ちつじょ)を乱(みだ)す 안녕 질서를 어지럽히다 / 社会(しゃかい)の～を保(たも)つ 사회의 안녕을 유지하다.

あんのじょう【案の定】图 생각한 대로; 예측대로; 아니나다를까《주로 副詞적으로 쓰임》. ¶危(あぶ)ないと思(おも)ったら～だ 위험하다고 생각했더니 예측대로이다/～失敗(しっぱい)した 아니나다를까 실패했다/～やって来(き)た 생각한 대로 왔다.

あんのん【安穏】图ダナ 안온(함). ＝無事(ぶじ)·平穏(へいおん). ¶無事(ぶじ)～に暮(く)らす 무사 안온하게 지내다. 注意 'あんおん'의 連声(れんじょう).

あんば【あん馬】《鞍馬》图 **1** 안마《남자 체조 경기의 하나; 또, 그 기구》. **2** 안장을 얹은 승마말. ＝くらうま·あんま.

***あんばい**〖塩梅〗图 **1** (조미료로서) 소금과 매실초(醋). **2** (음식의) 간; 맛. ¶汁(しる)の～ 국의 간/～を見(み)る 간을 보다. **3** (사물의) 형편; 방식; 상태; 특히, 건강 상태. ¶いい～に 재수 좋게; 꼭 알맞게/エンジンの～がよい 엔진 상태가 좋다/いい～に席(せき)があく 마침 자리가 비다/いい～に晴(は)れて来(き)た 안성맞춤으로 개기 시작했다/こんな～にやれ 이런 식으로 해라/からだの～が悪(わる)くて寝(ね)ている 건강 상태가 안 좋아서 누워 있다.

***あんばい**【案配】《按排·按配》图スル他 안배; 알맞게 배열하거나 정리하거나 처리함. ¶人員配置(じんいんはいち)の～をみる 인원 배치의 안배를 보다/時間(じかん)を～する 시간을 안배하다.

アンパイア [umpire] 图 엄파이어; (경기) 심판. 参考 주로 야구 심판을 이름.

あんばこ【暗箱】图〖寫〗어둠상자.

アンバランス [unbalance] 图ダナ 언밸런스; 균형이 맞지 않음; 불균형. ¶～な構成(こうせい) 언밸런스한 구성/収支(しゅうし)が～だ 수지가 맞지 않다. ↔バランス.

あんパン〖餡パン〗图 팥(소를 넣은) 빵.

***あんぴ**【安否】图 안부. ¶家族(かぞく)の～を気(き)づかう 가족의 안부를 걱정하다/～が気づかわれる 안부가 염려되다/～を問(と)う〔尋(たず)ねる〕안부를 묻다.

あんぷ【暗譜】《諳譜》图スル他 암보; 악보를 욈. ¶～でピアノを弾(ひ)く 악보를 보지 않고 피아노를 치다.

アンプ [←amplifier] 图 앰프; 증폭기. ＝アンプリファイア(ー).

アンプル [프 ampoule] 图 앰풀《주사액을 담아 밀봉한 유리병》.

アンペア [ampere] 图〖電〗암페어《전류 강도의 실용 단위; 기호: A》.

あんぽ【安保】图〖政〗'安全保障(あんぜんほしょう)条約(じょうやく)(＝안전 보장 조약)'의 준말; 특히, 미일 안전 보장 조약.

あんま〖按摩〗图スル他 안마(사). ¶～を取(と)る 안마를 시키다; 안마사를 부르다.

あんまく【暗幕】图 암막; 차양막. ¶窓(まど)に～を張(は)る 창문에 차양막을 치다.

***あんまり**〖余り〗一副 **1** 너무; 지나치게. ¶～大(おお)きい 너무 크다/～ふざける〔威張(いば)る〕な 너무 까불지〔재지〕마라. **2** 과히; 그다지; 별로《뒤에 否定을 수반함》. ＝たいして. ¶～甘(あま)くない 과히 달지 않다/～気(き)がすすまない 별로 마음이 내키지 않는다/お前(まえ)は～人(ひと)が好(よ)すぎるんだ 넌 사람이 너무 좋아 탈이다. 二ダナ 〈俗〉 너무함; 지나침. ¶そりゃ～だ 그건 너무하다/～な仕打(しう)ちにむっとする 지나친 처사에 불끈하다. 参考 'あまり'의 전와.

アンマリッチぞく【アンマリッチ族】图 결혼도 하지 않고, 해외 여행 등 여가를 위해 돈을 마구 쓰고 다니는 직장 미혼녀들. ▷unmarried＋rich＋people.

あんみつ〖餡蜜〗图 삶은 완두콩에 팥죽을 친 단 식품.

***あんみん**【安眠】图スル自 안면. ¶～妨害(ぼうがい) 안면 방해/熱(ねつ)のために～ができなかった 열 때문에 편안히 자지 못했다.

あんもく【暗黙】图 암묵. ¶～のうちに認(みと)める 암묵리에 인정하다/～の了解(りょうかい)を示(しめ)す〔得(え)る〕암묵의 양해를 표시하다〔얻다〕.

アンモニア [ammonia] 图 암모니아. ¶～水(すい) 암모니아수. 参考 농가에서는 유안(硫安)을 일컬음.

あんや【暗夜】〖闇夜〗图 암야; 어두운 밤. ¶～に灯火(ともしび) 어둠에 등불《의지가 됨의 비유》/～のつぶて 어두운 밤의 돌팔매《불의의 습격》/～にまぎれて脱出(だっしゅつ)する 어둠을 틈타서 탈출하다.

あんやく【暗躍】图スル他 암약. ¶政界(せいかい)の裏面(りめん)で～する 정계의 이면에서 암약하다.

あんよ 图スル自〈兒〉**1** (어린애의) 걸음마. ¶～ができる 걸음마할 줄 안다/～はお上手(じょうず) 걸음마찍찍. **2** (어린애의) 발. ¶かわいい～ 귀여운 발/～が痛(いた)い 발이 아프다.

あんらく【安楽】图ダナ 안락. ¶～死(し) 안락사/～な生活(せいかつ) 안락한 생활/～に暮(く)らす 안락하게 살다.

—いす〖—椅子〗图 안락의자. ¶～にかける 안락의자에 걸터앉다.

アンラッキー [unlucky] ダナ 언러키; 운이 나쁨; 불운. ↔ラッキー.

い イ

1 五十音図 ‘あ行’ ‘や行’의 둘째 음. [i] 2〖字源〗‘以’의 초서체《かたかな ‘イ’는 ‘伊’의 변(邊)》.

イ 名 1〖樂〗가; 장음계 다조(調)의 라의 음; A음. ¶ ~長調 가 장조.

い [五] 名 다섯. =五つ·五. ¶ ~百 오백 / ~十 오십 / ひふみよ~むなや 하나 둘 셋 넷 다섯 여섯 일곱 여덟.

い [亥] 名 해; 지지(地支)의 열두째; 돼지. =いのしし.

い [伊] 名〖地〗‘伊太利(=이탈리아)’의 준말. ¶ 駐~大使 주이 대사.

い [夷] 名 오랑캐.

―を以て―を制す 이이제이(以夷制夷).

い【威】名 위세; 위엄. ¶ ~を示す 위엄을 나타내다.

―を振るう 위력을 발휘하다; 위세를 떨치다.

い【意】名 1 마음; 생각. ¶ 遺憾の~を表わす 유감의 뜻을 나타내다 / ~をうかがう 의향을 묻다. 2 내용; 뜻. ¶ 読書百遍~自ずから通ず 책을 백번 읽으면 뜻은 저절로 통한다.

―に介しない 개의하지 않다.

―のまま 마음대로. ¶ どちらを選ぶとも~ 어느쪽을 고르든 마음대로.

―を決する 결심하다. ¶ 意を決したような面持ち 결심을 한 듯한 표정.

―を尽くす 생각한 바를 모두 나타내다[말하다].

い【異】一名 다름; 특별. ¶ ~とするに足りない 조금도 다를 것이 없다.

二ダナ 괴이함; 진기함; 별남. ¶ 縁は~なもの 인연이란 기이한 것.

―を立てる 이의를 제기하다.

―を唱える 반대 의견을 내세우다.

**い【胃】名 위. =いぶくろ. ¶ ~の検査 위 검사 / ~に悪い 위에 나쁘다 / ~を害する 위를 해치다 / ~がもたれる 위가[속이] 거북하다 / ~をこわす 배탈이 나다.

い [胆] 名 담낭; 쓸개. ¶ 熊の~ 곰의 쓸개; 웅담.

い【医】名 의(술); 의사. ¶ ~を業とする 의(사)를 업으로 하다.

―は仁術 의는 인술.

=い 명사 등에 붙여서 형용사로 만드는 접미어. ¶ 四角~ 네모진 / 茶色~ 누런; 밤색[갈색]의 / 非道~ 지독한.

い 一終助《긍정·의문·명령 등의 문말(文末)에 붙여서》문세(文勢)를 강조하는 데 쓰는 말. ¶ 何だ~ 뭐냐 / そうか~な 그러냐 / 早くしろ~ 빨리 해 / 元気か~ 건강하냐 / 大変だ~ 큰일이다. 参考 ‘ね’보다는 막된 말씨로, 주로 남성이 같은 또래나 손아랫사람에게 씀.

い〚以〛教4 イ もって もちいる | 이 써 | 1 범위·방향 등의 기점을 나타내는 말. ¶ 以上 이상 / 以東 이동. 2 ‘…을’ ‘…으로써’의 뜻. ¶ 以心伝心 이심전심.

い〚衣〛教4 イ エ ころも きぬ | 의 옷 | 1 옷; 의복. ¶ 衣食 의식 / 白衣 백의. 2 특히, 불교도의 의복. ¶ 衣鉢 의발.

い〚位〛教4 イ くらい | 위 자리 | 위. 1 장소; 위치. ¶ 位置 위치. 2 신분; 지위. ¶ 爵位 작위. 3 등급·정도를 나타내는 말. ¶ 第一位 제일위 / 学位 학위.

い〚囲〛(圍) 教4 イ かこむ かこう めぐる | 위 두르다 | 1 두르다; 에우다; 둘러싸다. ¶ 囲碁 위기 / 包囲 포위. 2 둘레; 주위. ¶ 胸囲 흉위.

い〚医〛(醫) 教3 イ | 의 의원 | 1 병을 치료하다. ¶ 医院 의원 / 医療 의료. 2 의사. ¶ 軍医 군의 / 名医 명의.

い〚依〛常用 イ エ よる | 의 의지하다 | 1 의지하다; 의뢰하다. ¶ 依頼 의뢰 / 依託 의탁. 2 근거로 하다. ¶ 依拠 의거.

い〚委〛教3 イ ゆだねる まかせる くわしい | 위 맡기다 | 맡기다; 위임하다. ¶ 委任 위임 / 委嘱 위촉.

い〚易〛教5 イ エキ やすい やさしい かえる | 역 바꾸다 이 쉽다 | 1 ㉠ 편안함; 쉬움. ¶ 容易 용이 / 難易 난이. ↔難. 2 바꾸다. ¶ 貿易 무역. 3 점(치다). ¶ 易者 점쟁이.

い〚威〛常用 イ | 위 위엄 | 1 위력; 위세; 위엄. ¶ 権威 권위 / 示威 시위. 2 위협하다; 으르다. ¶ 威圧 위압 / 威嚇 위하.

い〚胃〛教4 イ | 위 밥통 | 위. ¶ 胃腸 위장 / 胃痛 위통 / 健胃 건위.

い〚為〛(爲) 常用 イ ため なす | 위 하다 | 1 하다; 행하다. ¶ 行為 행위 / 営為 영위 / 為政 위정. 2 만들다. ¶ 人為 인위 / 作為 작위.

い〚尉〛常用 イ じょう | 위 벼슬이름 | 옛 육해군 및 자위대(自衛隊) ‘佐官(=영관)’급 장교의 아래 계급. ¶ 尉官 위관 / 大尉 대위.

い〚異〛教6 イ こと | 이 다르다 | 1 다르다; 틀리다. ¶ 異性 이성 / 変異 변이. ↔同. 2 정당치 않은; 정통이 아닌. ¶ 異心 이심 / 異端 이단.

い〘移〙教5 イ うつる うつす | 이 옮기다 | 옮기다; 변하다; 옮다. ¶移植 이식 / 移民 이민.

い〘偉〙《偉》常用 イ えらい | 위 뛰어나다 | 1 위대하다; 뛰어나다. ¶偉業 위업 / 偉人 위인 / 偉功 위공.

い〘意〙教3 イ こころ おもう | 의 뜻 | 1 마음; 생각. ¶意中 의중 / 善意 선의. 2 내용; 뜻. ¶意味 의미 / 文意 문의.

い〘違〙《違》常用 イ ちがう ちがえる たがえる | 위 어기다 | 1 틀리다; 엇갈리다. ¶相違 상위 / 違和 위화. 2 어기다. ¶違法 위법.

い〘維〙常用 イ つなぐ | 유 바 | 1 잇다; 유지하다. ¶維持 유지. 2 바; 실오리. ¶纖維 섬유.

い〘慰〙常用 イ なぐさむ なぐさめる | 위 위로하다 | 위로하다. ¶慰安 위안 / 慰労 위로.

い〘遺〙《遺》教6 イ ユイ わすれる のこす | 유 남다 | 1 잃다; 유실하다; 버리다. ¶遺棄 유기 / 遺失 유실. 2 (사후에) 남기다; 남다. ¶遺産 유산.

い〘緯〙《緯》常用 イ | 위 씨 | 1 씨실; 횡선. ¶経緯 경위. 2 동서 또는 좌우의 방향; '緯度(=위도)'의 준말. ¶緯線 위선 / 北緯 북위. ↔経.

いあい【居合い】图 앉은 채로 재빨리 칼을 뽑아 적을 베는 검술. 「키는 연기.
――ぬき【――抜き】图 '居合い'를 구경시

いあい【遺愛】图 유애; 고인이 생전에 아끼고 사랑하며 쓰던 물건. ¶父の~の品 부친이 생전에 아끼던 물건.

いあか-す【居明かす】5他 일어나 있는 채로 밤을 새우다.

*いあつ【威圧】图ス他 위압. ¶辺りを~する 주위를 위압하다 / 貫禄に~される 관록에 위압되다 / 強大な軍備で~する 강대한 군비로 위압하다.

いあ-てる【射当てる】下1他 1 (활·총 따위로) 쏴 맞히다. ¶的の真ん中に~ 표적의 한가운데를 맞히다. 2 노린 것을 제손에 넣다.

いあわ-せる【居合わせる】下1自 마침 그 자리에 있다. ¶たまたま事件の現場に~·せた 공교롭게도 마침 사건 현장에 있었다.

いあん【慰安】图ス他 위안. =なぐさめ·なぐさみ. ¶~婦 위안부.

**いい〘良い·善い·好い〙形 1〈口〉좋다. =よい. ¶~家柄 훌륭한 집안 / ~値 좋은 값; 상당히 비싼 값 / ~天気だ 좋은 날씨다 / ~ようにふるまう 멋대로 행동하다 / ~ようにしてくれ 좋도록 해 주게 / もう~ 이제 됐다 / あんまり~図じゃない 형편〔꼴〕이 말이 아니다 / ~線を行ってる 어지간한 선까지 가다; 합격선에 이르다 / ぜいたくも~とこだ 사치도 분수가 있다 / ~目が出る 일이 잘되다《자기에게 유리한 사태가 되다》/ ~星〔月日〕の下に生まれる 좋은 환경에 태어나다. 参考1 終止·連体形의 용법뿐임. 参考2 反語로 '悪い(=나쁘다)'의 뜻으로도 씀. ¶~ざまだ 꼴 좋다 / ~恥さらしだ 톡톡히 한번 망신 당하는군〔당하게 됐군〕/ ~迷惑だ 달갑잖은 친절이다; 참견일랑 말아 주게. 2《動詞連用形에 붙어》…하기 좋다; 쉽다. =やすい. ¶飲み~薬 먹기 쉬운 약.
――鴨 봉; 잘 이용당하는 사람.
――として …은 별도로 치고; …은 좋다 치고. ¶それは~, 宿題はできたの 그건 그렇다 치고, 숙제는 다 했니.

いい〘五〙图 다섯. 注意 'ひい·ふう(=하나·둘)'로 셀 때에만 씀.

いいあい【言い合い】图ス自他 1 서로 말하는 일. 2 말다툼; 말시비; 언쟁. =言い争い. ¶激しく~している 심하게 말다툼하고 있다.

いいあ-う【言い合う】5他 1 서로 말하다. ¶口々に~ 여러 사람이 (너도 나도) 같은 말을 하다. 2 말다툼하다; 언쟁하다. ¶悪口を~ 서로 욕하다 / 遺産の分配で兄弟が~ 유산 분배로 형제가 말다툼하다.

いいあか-す【言い明かす】5自 이야기로 밤을 지새우다; 밤도와 이야기하다.

いいあ-てる【言い当てる】《言い中てる》下1他 알아맞히다. ¶クイズの答えを~ 퀴즈의 정답을 알아맞히다.

いいあやまり【言い誤り】图 실수하여 말을 잘못함; 또, 잘못한 말; 실언.

いいあやま-る【言い誤る】5他 그릇 말하다; 잘못 말하다. ¶人の名を~ 남의 이름을 잘못 말하다.

いいあらそい【言い争い】图 말다툼; 언쟁. =口論.

いいあらそ-う【言い争う】5他 말다툼하다; 언쟁하다. ¶兄と些細なことで~ 형과 사소한 일로 말다툼하다.

*いいあらわ-す【言い表わす】5他 생각을 말로 나타내다; 표현하다. ¶わかりやすく~ 알기 쉽게 표현하다 / 言葉では~·せない苦労 말로는 표현할 수 없는 고생.

いいあわ-せる【言い合わせる】下1自 미리 합의해 두다; 미리 짜다. =申し合わせる. ¶~·せたように 약속이나 한 듯이 / あらかじめ~·せて反対する 미리 짜고 반대하다.

いいあんばい〘いい塩梅〙名ナ 형편이 좋음; 마침 좋음〔잘 됨〕. ¶外にも~に, 人のけはひはございませぬ 마침 좋게 밖에도 인기척은 없습니다.

いいえ 感 아니(오). =いや; いえ. ¶~行きませんでした 아니오, 안 갔(었)습니다 / お好きですか. ~, きらいです 좋아하십니까. 아아뇨, 싫어합니다 / つ

まらなくは無かった? ～そんなことは有りません 시시하지는 않았니. 아아뇨, 그렇지 않았어요. ↔はい.

いいお-く【言い置く】[5他] 말해 두다; 말을 남기다. ¶不在だったので用件を～·いた 부재 중이라 용건을 말해 놓았다.

いいおく-る【言い送る】[5他] **1** (편지 따위로) 말을 전하다. ¶すぐに帰郷せよと～ 곧 귀향하라고 전언(傳言)하다. **2** 차례로 말을 전하다. ¶次の人に～ 다음 사람에게 말을 전하다.

いいおく-れる【言い遅れる·言い後れる】[下1自] (더 일찍 말해야 할 것을) 뒤늦게 말하다.

いいおと-す【言い落とす】[5他] 할 말을 빠뜨리다. ＝言い漏らす. ¶大事なことを～ 중요한 말을 빠뜨리다.

いいおよ-ぶ【言い及ぶ】[5自] 언급하다. ¶その会社の内情にまで～ 그 회사의 내부 사정까지 언급되다.

いいかえ【言い替え】《言い換え》[名] 다른 말로 바꿔 말함; 환언.

***いいかえ-す**【言い返す】[5自他] **1** 되풀이하여 말하다. ¶自分の名をなんども～ 자신의 이름을 누차 되풀이하다. **2** 말대답하다; 말대꾸하다; 말을 되받다. ¶こうも考えられると～ 이렇게도 생각할 수 있다고 응수하다/負けずに～ 지지 않고 응수〔대꾸〕하다.

いいか-える【言い替える】《言い換える》[下1他] 바꿔 말하다. ¶～·えれば 바꿔 말하면; 다시 말하면.

いいかお【いい顔】《好い顔》[名] **1** 꽤 알려진 얼굴. ¶彼はこのあたりの～だ 그는 이 일대에서 얼굴이 알려진 사람이다. **2** 좋은 얼굴《호의적인 태도; 유쾌한 표정》. ¶いつも～ばかりしても居られない 늘 좋은 얼굴만 하고 있을 순 없다.

いいがかり【言い掛かり】[名] **1** 트집. ¶むりな～ 억지 트집. **2** 일단 말을 꺼냈기 때문에 생기는 상호 관계상 그만둘 수 없음. ¶～上あとにひけない 말을 내놓은 이상 물러설 순 없다.

—を付ける 트집을 잡다.

***いいかげん**【いい加減】《好い加減》[一][連語] 적당함; 알맞음. ¶～の湯 적당히 데운 목욕물 / ちょうど～の温度 딱 알맞은 온도. [二][副] **1** 꽤; 상당히. ¶～年をとっている 나이가 어지간하다. **2** 적당히; 어지간히. ¶～耕しておけばいい 적당히 갈아 두면 된다. [三][ダナ] **1** 무책임한 모양; 엉터리. ¶～な男〔ことを言う〕 무책임한 사내〔말을 하다〕/～なフランス語 엉터리 불어. **2** 미적지근함; 불철저함. ¶～な措置 뜨뜻미지근한 조처/～なことではすまない 미적지근하게 해서는 해결이 안 난다.

—にしろ (상대를 꾸짖어) 이제 그만(해)둬. ¶いたずらも～ 장난도 좀 작작 해라.

いいかた【言い方】[名] **1** 말씨; 말투. ¶物の～が丁寧だ 말씨가 공손하다. **2** 표현(하기); 표현법. ¶もっといい～があるかしら 더 나은 표현이 있을까.

いいがた-い【言い難い】[形] 말하기 어렵다〔거북하다〕. ¶～事情がある 말할 수 없는 사정이 있다.

いいか-ねる【言い兼ねる】[下1他] 말하기 거북하다〔어렵다〕; 말하고 싶지만 말할 수 없다. ¶無いとも～·ねて 없다고도 할 수 없어/彼女とのことはちょっと～ 그 여자와의 일은 좀 말하기가 뭣하다.

いいかわ-す【言い交わす】[5他] **1** 말을 주고받다. ¶朝のあいさつを～ 아침 인사를 주고받다. **2** 언약하다; 특히, 결혼을 약속하다. ¶～·した仲 결혼을 언약한 사이.

いいき【いい気】《好い気》[ダナ] 혼자 좋아하는 마음; 우쭐대는 마음; 태평. ¶～なものだ 태평이군; 혼자 우쭐하네.

—になる 우쭐하다. ¶ほめられるとつい～ 칭찬 받으면 그만 우쭐해진다.

いいきか-せる【言い聞かせる】[下1他] 타이르다; 훈계하다. ¶あきらめるように～ 단념하도록 타이르다.

いいきみ【いい気味】《好い気味》[名][ダナ] 통쾌함; 고소함. ¶あいつが試合に負けて～だ 그놈이 경기에 져서 고소하다/それは～だ 고거 참 잘 됐다. [參考] 밉살스러운 사람의 실패나 불행 등을 비웃을 때 씀.

イーキャッシュ [e-cash] [名] 이 캐시; 인터넷 등에서 현금 대신 이용할 수 있는 전자 화폐.

いいき-る【言い切る】[5他] **1** 단언〔단정〕하다; 잘라 말하다. ¶絶対に間違いはないと～ 절대로 틀림없다고 단언하다. **2** 말을 마치다. ¶説明を～·らぬうちに時間になった 설명을 마치기도 전에 시간이 되었다.

いいぐさ【言いぐさ】《言い草·言い種》[名] **1** 한 말; 말투. ¶古い～だが 낡은 말투지만/～が気に食わない 말투가 못마땅하다. **2** 하는〔할〕 말; 주장. ¶彼の～を聞いてやろう 그의 말〔주장〕을 들어보자/いまさら～も無いもんだ 새삼스레 할 말도 없다. **3** 변명; 핑계; 구실. ¶病気を～になまける 병을 핑계로 게으름 부리다/～がいいじゃないか 핑계가 그럴 듯하지 않은가《얄밉다》.

いいくる-める【言いくるめる】《言い包める》[下1他] 구슬리다; 말로 구워삶다. ¶うまく～·めて金を出させる 잘 구슬려서 돈을 내게 하다.

いいこ【いい子】《好い子》[名] 착한 아이.

—になる 자기만 남에게 잘 보이려고 하다.

いいこと【いい事】《好い事》[一][名] **1** 좋은 일. ¶あまり～ではないよ 별로 좋은 일이 아니다. **2** 다행스러움; 행운. ¶～に, 彼も都合がいいという 다행스럽게, 그도 형편이 좋다고 한다.

□二感 〈女〉 주로, 손아랫사람에게 다짐하거나 대답을 촉구하는 말: (잘) 알겠지; 알았니. ¶五時きっかりに電話して. ~ 다섯 시 정각에 전화해. 알았지.

いいこ-める【言い込める】下1他 윽박질러 찍소리 못하게 하다; 설복하다. = 言い詰める. ¶父親をすっかり~ 아버지를 완전히 설복하다.

いいさ-す【言いさす】5他 말을 하다가 말다; 말을 중간에서 끊다. ¶~·して席を立つ 말을 하다 말고 자리를 뜨다.

いいざま【言い様】□一图 말투; 말하는 모양. ¶その~はなんだ 무슨 말투가 그래. □二副《'…と~'의 꼴로》 말하자마자. ¶'悔しい'と~泣き伏した '분하다'고 말하자마자 엎드려 울었다.

イージー [easy] ダナ 이지. **1** 용이; 간이; 간편. **2** 안이(安易). ¶~なやり方 안이한 방식.

—オーダー [일 easy+order] 图 이지오더; 반(半)기성복.

いいしぶ-る【言い渋る】5他 (말 못할 사정으로) 말을 머뭇거리다; 말을 망설이다. ¶返事を~ 대답을 망설이다/診察結果を~ 진찰 결과를 제대로 말하지 않고 머뭇거리다.

いいしれぬ【言い知れぬ】連語 말할 수 없는; 말못할; 이루 표현할 수 없는. ¶~喜び 말할 수 없는 기쁨. 注意 副詞적으로 쓸 때는 '言い知れず'.

いいすぎ【言い過ぎ】图 **1** 지나친 말. ¶…と言っても~ではない …라고 해도 과언은 아니다/それは~だ 그건 말이 지나치다. **2** 필요 이상 말함.

いいす-ぎる【言い過ぎる】下1他 말이 지나치다; 지나친 말을 하다. ¶つい~·ぎて機嫌を損ねた 그만 말이 지나쳐서 기분을 상하게 했다.

イースター [Easter] 图 이스터; 부활절.

いいす-てる【言い捨てる】下1他 말을 내뱉다; 제 할말만 해버리다. ¶悪口を~·てて出て行った 욕설을 내뱉고 나가 버렸다.

イースト [yeast] 图 이스트; 효모(균).

イーゼル [easel] 图 이젤; 화가(畫架).

いいそ-える【言い添える】下1他 말을 첨가하다; 덧붙여 말하다. ¶お礼の言葉を~ 감사의 말을 덧붙이다.

いいそこな-う【言い損なう】5他 **1** 잘못 말하다; 틀리게 말하다. ¶せりふを~ 대사를 잘못 말하다. **2** 말을 못하고 말다; 말할 것을 깜빡 잊다. ¶恥ずかしくて~ 부끄러워서 말을 못하고 말다. **3** 실언하다.

いいそび-れる【言いそびれる】下1他 할 말을 못하고 말다; 말을 꺼낼 기회를 놓치다. ¶用件を~ 용건을 말 못하고 말다.

いいだこ〖飯蛸〗图〔動〕꼴뚜기.

いいだしっぺ【言い出しっぺ】《言い出しっ屁》图 〈俗〉 **1** 구리다고 처음 말한 자가, 실은 방귀를 뀐 장본인이라는 말. **2** 말을 꺼낸 사람이 먼저 시작함. ¶君が~だから君から始めろ 네가 말을 꺼냈으니까 너부터 시작해라. 注意 'いいだしべ'라고도 함.

いいた-す【言い足す】5他 보충해서 말하다; 보태어 말하다. ¶あとから~ 후에 보충해서 말하다.

いいだ-す【言い出す】5他 말을 꺼내다; 말을 시작하다; 처음으로 말하다. ¶何を~のかと思った 무슨 말을 꺼내는가 했다/それを~·したのは彼だ 그 말을 꺼낸 것은 그 사람이다.

いいたて【言い立て】图 구실; 핑계; 이유. ¶彼は気分の悪いを~にして 그는 기분이 나쁜 것을 구실로 하여.

いいた-てる【言い立てる】下1他 **1** 주장하다. ¶盛んに~ 열심히 주장하다/あくまで反対だと~ 끝까지 반대한다고 주장하다. **2** 열거하여〔초들어〕 말하다. ¶一つ一つ~ 하나하나 들어서 말하다/人のあら〔欠点〕を~ 남의 흠〔결점〕을 들어 말하다.

いいちが-える【言い違える】下1他 잘못 말하다. ¶番号を~ 번호를 잘못 말하다.

いいちら-す【言い散らす】5他 말을 함부로 하다; 무책임하게 말을 퍼뜨리다. ¶人のうわさを~ 남의 소문을 함부로 퍼뜨리다.

いいつか-る【言いつかる】《言い付かる》5他 분부를〔명령을〕 받다. ¶留守番を~ 집을 보라는 분부를 받다/~·った仕事 분부받은 일.

いいつ-ぐ【言い継ぐ】5他 **1** 말을 계속하다. **2** 전언하다; 말을 전하다. ¶人の話を~·いでやる 남의 말을 전해 주다. **3** 구전하다; 이야기로 전하다.

いいつく-す【言い尽くす】5他 죄다 말하다. ¶一言では到底~ことができない 한 마디로는 도저히 다 말할 수가 없다. ↔言い残す.

いいつくろ-う【言い繕う】5他 그럴듯하게 꾸며 대다; 둘러대다; 말로 겉발라 넘기다. ¶その場をうまく~ 임기응변으로 그럴듯하게 잘 둘러대다.

いいつけ【言いつけ】《言い付け》图 **1** 분부; 명령; 지시. ¶親の~をよく守る 부모의 명령을 잘 지키다/~にしたがう 지시에 따르다.

***いいつ-ける**【言いつける】《言い付ける》下1他 **1** 분부하다; 명령하다; (말로) 시키다. =もうしつける. ¶子供に買い物を~ 아이에게 물건을 사오라고 시키다. **2** 고자질하다. ¶先生に~ 선생님에게 일러바치다. **3** 늘 말하다. ¶小言を~·けている 늘 잔소리만 하고 있다/~·けないお追従をいう 평소에 안 하던 아첨을 떨다.

いいつたえ【言い伝え】图 **1** 전설; 구전. ¶~の話 전해 내려오는 이야기. **2** 전언(傳言); 전갈. ¶父からの~ 아버지로부터의 전언.

いいつた-える【言い伝える】下1他 **1** 구전(口傳)하다. **2** 전언하다; 말을 인편에 전하다.

いいつづ-ける【言い続ける】下1他 **1** 되풀이해서 말하다. **2** 계속 말하다.

いいつの-る【言い募る】5他 점차 열을 올려 말하다; 말이 점점 더 격해지다. ¶悪口(わるくち)を～ 열을 올려 욕을 해대다/互(たが)いに～·ったあげく, 喧嘩(けんか)になる 서로 말이 격해진 끝에 싸움이 되다.

いいづら-い【言いづらい】《言い辛い》連語 말하기 어렵다〔거북하다, 뭐하다〕. ¶こんなことは～話(はなし)だが… 이런 것은 말하기 거북한 얘기지만….

いいつらのかわ【いい面の皮】《好い面の皮》連語 꼴 좋음; 꼴이 말이 아님. ¶やつの尻(しり)ぬぐいばかりさせられて～だよ 녀석의 뒤치다꺼리만 하게 되니 꼴이 말이 아니야.

いいとし【いい年】《好い歳》名 지긋한 나이; 세상 물정에 익숙하고 분별이 있게 될 나이. ¶～をしてみっともない 나잇살이나 먹은 주제에 꼴불견이다/～をして, どうしてそんな事(こと)をしたの 알 만한 나이에 어찌 그런 일을 했나.

いいなか【いい仲】《好い仲》連語 〈俗〉 (남녀의) 그렇고 그런 사이; 사랑하는 사이. 参考 연애 관계·동서(同棲) 관계의 완곡한 말씨.

いいなお-す【言い直す】5他 고쳐 말하다; 다시〔바꾸어〕 말하다. ＝言(い)い改(あらた)める. ¶前言(ぜんげん)を取(と)り消(け)し, ～·します 앞서 한 말을 취소하고 다시 말하겠습니다.

いいなずけ〖許嫁·許婚〗名 약혼자. ＝フィアンセ. ¶彼女(かのじょ)は私(わたし)の～です 그 여자는 저의 약혼녀입니다.

いいならわし【言い習わし】名 예로부터 구전되어 온 습관이나 말.

いいならわ-す【言い習わす】5他 **1** 습관적으로 말하다. **2** 늘 말하다; 입버릇처럼 말하다.

いいなり【言いなり】《言い成り》名 말하는 대로; 하라는 대로. ＝言(い)うなり. ¶人(ひと)〔親(おや)〕の～になる 남이〔부모가〕 하라는 대로 하다.

いいにく-い【言いにくい】《言い難い》形 **1** 말하기〔발음하기〕 어렵다. ¶～名前(なまえ) 발음하기 어려운 이름. **2** 말 꺼내기 곤란하다. ¶人前(ひとまえ)では～話(はなし) 남 앞에서는 하기 거북한 이야기.

いいぬけ【言い抜け】名 발뺌(하는 말); 책임 등의 회피. ＝言(い)い逃(のが)れ. ¶巧(たく)みに～をする 교묘히 발뺌하다.

いいぬ-ける【言い抜ける】下1他 발뺌하다; 둘러대어 회피하다. ¶知(し)らぬ存(ぞん)ぜぬで～ 끝까지 모른다고 발뺌하다.

いいね【言い値】名 (팔 사람이) 부르는 값. ¶～で買(か)う 부르는 값에 사다. ↔付(つ)け値(ね).

いいのがれ【言い逃れ】名 변명을 통한 발뺌; 또, 그 말. ＝言(い)いぬけ. ¶～は許(ゆる)さない 변명은 용납하지 않는다.

いいのが-れる【言い逃れる】下1自 변명하여 발뺌하다. ¶証拠(しょうこ)があがっているから～ことはできない 증거가 드러났으니까 발뺌할 수는 없다.

いいのこ-す【言い残す】5他 **1** 할 말을 다하지 않고 남겨 두다. ¶すべてを言(い)わないで～ 모두 다 말하지 않고 남겨두다. ↔言(い)い尽(つ)くす. **2** (헤어질 때 뒷일에 관한) 당부의 말을 남기다. ¶何(なに)か～ことはないか 뭐 남길 말은 없나.

いいはな-つ【言い放つ】5他 **1** (서슴지 않고) 단언〔공언〕하다. ¶やましいことは一(ひと)つもないと～ 양심에 거리낄 일은 하나도 없다고 단언하다. **2** 방언(放言)하다; 함부로 말하다. ¶無責任(むせきにん)なことを～ 무책임한 말을 내뱉다.

いいはや-す【言いはやす】《言い囃す》5他 **1** 몹시 칭찬하여 말하다; 치켜세우다. **2** 말을 퍼뜨리다; 떠들어 대다.

いいは-る【言い張る】5他 (자기의 주장을) 끝까지 버티다; 우겨 대다. ¶正(ただ)しいと～ 옳다고 우겨 대다/無実(むじつ)であると～ 무고하다고 끝까지 주장하다.

いいひと【いい人】《好い人》連語 **1** 좋은 사람; 호인. **2** 좋아하는 사람; 애인. ¶彼(かれ)には～がある 그에게는 애인이 있다/～ができた 애인이 생겼다.

いいひらき【言い開き】名ス自 변명; 해명. ＝いいわけ. ¶～が立(た)たない 변명이 되지 않는다/～する余地(よち)もない 변명할 여지도 없다.

いいひろ-める【言い広める】下1他 말을 퍼뜨리다; 선전하다. ¶よい店(みせ)だという評判(ひょうばん)が～·められた 좋은 가게라는 평판이 퍼졌다.

いいふく-める【言い含める】下1他 알아듣게 말하다; 말하여 깨닫게 하다. ¶わけを～ 이유를 잘 말하여 알아듣게 하다/女(おんな)の子(こ)にあきらめるように～ 여자에게 단념하도록 타이르다.

いいふら-す【言いふらす】《言い触らす》5他 선전하다; 말을 퍼뜨리다. ¶人(ひと)の悪口(わるくち)を～ 남의 험담을 퍼뜨리다. 参考 보통, 좋지 않은 경우에 씀.

いいふる-す【言い古す】5他 익히 들어서 새로운 맛이 없게 하다. ¶～·された話(はなし) 진부한 이야기.

いいぶん【言い分】名 (자기로서) 할 말. **1** 주장하고 싶은 말. ¶相手(あいて)の～を尊重(そんちょう)する 상대방의 주장을 존중하다. **2** 불평; 이의. ＝文句(もんく). ¶～があれば遠慮(えんりょ)なくいいなさい 할 말이 있으면 거리낌없이 말하시오 / ～のあるらしい顔(かお) 불만스러운 얼굴.

いいまか-す【言い負かす】5他 설복하다; 설파하다; 말로써 상대방을 꺾다. ¶妹(いもうと)にはいつも～·される 누이동생에게는 언제나 설복당한다.

いいまぎら-す【言い紛らす】5他 말머리를 슬쩍 돌리어 얼버무리다. ¶冗談(じょうだん)に～ 농담으로 얼버무리다/別(べつ)の話(はなし)

をもち出して～ 딴 얘기를 꺼내어 슬쩍 얼버무리다.

いいまく-る【言いまくる】《言い捲る》〔5他〕 혼자만 마구 떠벌려대다; 기세 좋게 떠들다. ¶自説を～ 자기 의견을 기세 좋게 떠벌리다.

いいまちがい【言い間違い】〔名〕 잘못 말함. ＝言い違い·言いそこない.

いいまちが-える【言い間違える】〔下1他〕 잘못〔틀리게〕 말하다. ¶番号を～ 번호를 잘못 말하다.

いいまわし【言い回し】〔名〕 표현; 말(주변). ¶～がうまい 말주변이 좋다.

イーメール [E-mail] 〔名〕〘컴〙 이메일; 전자 우편. ▷electronic mail.

いいもら-す【言い漏らす】《言い洩らす》〔5他〕 **1** 할 말을 빠뜨리다〔깜빡 잊다〕. ¶肝心なことを～ 가장 중요한 것을 빠뜨리고 말하다. **2** (비밀이) 새게 하다; 누설하다.

いいや 〔感〕 아니《'いや'를 길게 늘인 꼴; 'いいえ'보다 스스럼없는 말씨》. ¶～, 僕はしらんよ 아니, 난 몰라.

いいよう【言いよう】《言い様》〔名〕 말하는 법식; 표현(법); 말씨. ¶妙な～ 묘한 말씨/何とも～がない 뭐라고 말할 수 없다/ものも～で角が立つ 같은 말도 하기 나름으로 모가 난다.

いいよど-む【言いよどむ】《言い淀む》〔5他〕 말이 막히다; 말을 머뭇거리다. ¶問い詰められて～ 힐문하는 바람에 말이 막히다.

いいよ-る【言い寄る】〔5他〕 구애하다. ＝くどく. ¶娘に～ 처녀에게 구애하다/しつこく～ 끈질기게 구애하다. 〔参考〕 이야기를 걸어 접근한다는 뜻에서.

⁑**いいわけ**【言い訳】〔名〕〔ス自〕 **1** 변명; 핑계. ¶お客を～に 손님을 핑계로/～が立たない 핑계가 닿지 않는다; 변명이 되지 않는다/～をするな 변명하지 마라/～は聞きたくない 변명은 듣고 싶지 않다. **2** 사죄; 사과.

いいわたし【言い渡し】〔名〕 알림; 명령; (형의) 선고. ¶判決の～ 판결의 선고.

いいわた-す【言い渡す】〔5他〕 **1** 결정 사항·명령 따위를 시달하다. ¶立ち退きを～ 퇴거를 명하다. **2** 선고하다. ¶懲役一年の刑を～ 징역 1년형을 선고하다.

⁑**いいん**【委員】〔名〕 위원. ¶～会 위원회/執行〔専門〕～ 집행〔전문〕 위원.

＊**いいん**【医院】〔名〕 의원. ¶個人の～ 개인 의원. 〔参考〕 '病院'보다 규모가 작은 것.

⁑**い-う**【言う·いう】《云う·謂う》〔一〕〔5他〕 **1** 말하다; (이야기)하다. ¶～に足らぬ 족히 말할 것도 못된다/君の～ことは分かるが実行しがたい 자네 말〔주장〕은 알겠네만 실행하기 어렵다/…と～·えなくもない …라고 말할 수도 있다/泣き言を～ 우는 소리를 하다/頭痛がすると～ 골치가 아프다고 하다/何かと～ 이러니저러니하다/お礼を～ 사례하다/私が～·ってあげよう 내가 말해 주지/何とも～·えない 뭐라고 (말)할 수 없다/何を～か 무엇이 어째/これが男と～ものさ 이것이 남자라는 것이야. **2**《'…を…と～' 따위의 꼴로》…을 …(이)라고 (말)하다〔부르다〕. ＝名づける. ¶山田と～人 山田라(고 하)는 사람/特にこれと～長所も無い 특히 이렇다 할 장점도 없다. 〔参考〕 존경어로는 'おっしゃる', 겸손한 말씨로는 '申す·申し上げる'를 쓰며, '言うこと'의 존경어로는 '仰せ'가 있음.

〔二〕【いう】〔5自〕 소리가 나다; 소리가 들리다. ¶戸ががたがた～ 문이 덜거덕거린다/薬缶がちんちん～ 주전자가 지글지글 끓다. **2**《상태를 나타내는 말에 'といったらない'로 계속시켜》…이상 …한 것은 없다; 정말이지 …하다. ¶寒いと～·ったらない 정말이지 춥다/変なやつと～·ったらない 정말이지 괴짜군. 〔注意〕 'といったらない'는 'ったらない'라고도 함.

言う의 여러 가지 표현

〔표현例〕 はきはき(시원시원하게)·がみがみ(앙알앙알; 꽥꽥)·きんきん(새된; 째지는 (소리))·くどくど(장황하게)·くだくだ(장황하게)·たらたら(장황하게)·ずばずば(척척; 기탄없이)·ずけずけ(거침없이)·すらすら(술술)·ぺらぺら(술술)·ぽんぽん(툭툭; 빵빵)·つけつけ(거침없이)·ぬけぬけと(뻔뻔스럽게; 태연히)·ぴしゃっと(딱 잘라)·ぶつぶつ(중얼중얼; 투덜투덜)·ぶつくさ(투덜투덜)·つべこべ(이러쿵저러쿵)·べちゃくちゃ(재잘재잘)·ぺちゃくちゃ(재잘재잘)·こそこそ(소곤소곤)·ぼそぼそ(소곤소곤)·ぼそっと(나직이)·ふがふが(홍얼홍얼)·ぽつりぽつり(띄엄띄엄)·むにゃむにゃ(중얼중얼)·もぐもぐ(우물우물; 어물어물)·れろれろ(웅얼웅얼; 해롱해롱)·ひそひそ(소곤소곤)·しんみり(차분히; 조용히).

〔관용 표현〕 四の五の(이러쿵저러쿵)·どうのこうの(이러쿵저러쿵)·なんのかんの(이러니저러니)·なんだかんだ(이러니저러니)·しどろもどろに(횡설수설하며)·おっかぶせるように(단호히)·投げ掛けるように(내던지듯이; 쌀쌀하게)·吐き出すように(내뱉듯이)·吐き捨てるように(내뱉듯이)·嚙んで含めるように(잘 알아듣도록)·嚙みつくように(대들듯이)·言葉を浴びせるように(퍼붓듯이)·口がすっぱくなるほど(신물이 나도록)·立て板に水を流したように(청산유수로).

—に言われない 이루 말할 수 없다. ¶ ～面白み 이루 말할 수 없는 재미.
—に及ばず ☞いうまでもない.
—までもない 말할 필요도 없다; 물론이다. ＝言うに及ばず.
—·わぬは—に優る 말하지 않고 잠자코 있어도 뜻이 강하면 자연히 상대방에 통하게 된다.

**いえ【家】图 1 집. ㉠주택. ¶～を建てる 집을 짓다/住む～がない 살 집이 없다/～を空ける 집을 비우다; 출타하다. ㉡자택. ＝うち. ¶～を出かける 집을 나서다 / ～にまで仕事を持ち込む 일을 집에까지 가져오다. 2 가정. ¶結婚して～を持つ 결혼해서 가정을 갖다. 3 집안; 가문. ¶～の財産 집안의 재산/～をつぐ 집안을 잇다/古い～ 오래된 집안; 유서 깊은 가문. 參考 가족·가정은 흔히 'うち'라고 하며, 'いえ'는 건물 자체나 가계(家系)를 가리키는 경우가 많음.
—を出る 1 이혼하고 집을 떠나다. 2 가출하다.
—を外にする 집에 붙어 있지 않다; 자주 외출하다.

いえ〖否〗感 아뇨. 參考 'いいえ'를 짧게 발음한 것; 'いや'보다는 좀 공손하고 격식 차린 말씨.

いえい【遺影】图 유영; 초상이나 사진.

*いえがら【家がら·家柄】图 1 집안; 가문; 문벌. ¶～がよい 가문이 좋다. 2 명문. ¶～の出 명문 출신.

いえき【胃液】图 위액.

いえじ【家路】图 (집으로의) 귀로. ¶～に就く 귀로에 오르다/～を急ぐ 집으로의 발길을 재촉하다.
—をたどる 집으로 돌아가다; 귀로에 오르다.

イエス [yes] 感 예스; 예; 그래; 응. ¶～ノーをはっきりしろ 예스와 노를 분명히 해라. ↔ノー.

イエス キリスト [Jesus Christ] 图 예수 그리스도; 구세주 예수.

いえすじ【家筋】图 일가의 혈통; 가계. ＝家系. ¶大名の～ 大名의 가계.

いえつぎ【家継ぎ】图 호주 상속(인).

いえつづき【家続き】图 1 집이 줄지어 있음. ¶彼方に並ぶ向こう岸の～ 저쪽에 늘어선 맞은편 강기슭의 집들. 2 집이 이웃해 있음. ＝隣近所.

いえづくり【家作り·家造り】图 1 집을 짓는 일. 2 집의 구조; 집을 짓는 법. ＝家構え.

*いえで【家出】图ス自 가출; 집을 나감. ¶～人 가출인/～娘 가출한 처녀〔딸〕/～して都会にでる 가출하여 도시로 나가다.

いえども〖雖も〗連語 〈雅〉《'…と～'의 꼴로》…라 하더라도; (비록) …라 할지라도. ¶こどもの意見と～かろんじてはならない 아이의 의견이라 하더라도 경시해서는 안된다.

いえなみ【家並み】图 1 집이 즐비함; 또, 그 모양새. ¶通りに面した静かな～ 대로에 면한 즐비하게 늘어선 조용한 집들/～がそろっている 집들이 가지런히 늘어서 있다. 2《흔히 '～に'나 '～の'의 꼴로》집집마다; 매호. ¶～に国旗をかかげる 집집마다 국기를 달다.

いえのこ【家の子】图 1 양갓집 자제. 2 (무가의) 가신(家臣). 3 (정치가·세력가 등의) 부하.
—ろうどう【—郎等·—郎党】图 1 (무가 사회에서) 가신의 총칭. 2 유력자의 부하; 졸개. ＝子分. 注意 'いえのころうとう'라고도 함.

いえもち【家持ち】图 1 집을 소유하고 있음; 또, 그 사람. 2 가장(家長); 세대주. 3 살림(살이). ¶～がよい主婦 살림을 잘하는 주부.

いえもと【家元】图 한 유파의 정통을 잇는 집; 종가; 또, 그 집의 당주(當主). ＝宗家. ¶踊りの～ 춤의 종가.

いえやしき【家屋敷】图 집과 그 대지.

い-える〖癒える〗下1自 〈雅〉(병이) 낫다; 치유되다; (상처가) 아물다. ¶病が～ 병이 낫다/心の傷が～ 마음의 상처가 치유되다.

い-える【言える】下1自 말할 수가 있다. ¶そうも～ 그렇게도 말할 수 있다. ¶坊やが片言を～ようになった 아기가 떠듬떠듬 말할 수 있게 되었다.

イエロー [yellow] 图 옐로; 노란빛; 황색. ＝黄色.
—カード [yellow card] 图 옐로카드.
—ゾーン [일 yellow+zone] 图 전면(全面) 주차 금지 구역《차도 쪽 보도 가장자리를 노랗게 칠했음》.

いえん【以遠】图 이원; 어떤 지점으로부터 저쪽《철도·항공로 등에 관해 일컬음》. ¶ソウル～は列車不通 서울부터 저쪽은 열차 불통.
—けん【—権】图〔法〕이원권.

いえん【胃炎】图〔醫〕위염《'胃カタル'를 고친 이름》. ¶慢性～ 만성 위염.

*いおう【硫黄】图〔化〕유황《기호:S》.

いおと-す【射落とす】5他 1 쏘아 떨어뜨리다. ¶飛んでいる雉を～ 날고 있는 꿩을 쏘아 떨어뜨리다. 2 원하는 것을 차지하다. ¶社長の椅子を～ 사장 자리를 차지하다.

いおり〖庵〗图 암자; 또, 초막. ＝いお. ¶草の～を結ぶ 초막을 짓다.

イオン [ion] 图 이온; 양전기 또는 음전기를 지닌 원자 또는 원자군(群). ¶～飲料 이온 음료/陽～ 양이온/陰～ 음이온.

いおんびん【イ音便】图〔文法〕주로 활용어(活用語) 'き''ぎ''し''り'가 'い'로 변하는 음변화《'咲きて'가 '咲いて'로 변하는 따위》.

いか〖烏賊〗图〔動〕오징어. ¶～釣り 오징어 낚시. ⇨するめ.

*いか【以下】图 이하. ¶～省略 이하 생략/社長～十名 사장 이하 10명/あいつの力はおれ～だ 저 녀석의

힘은 나만 못하다. 「학.
いか【医科】名 의과. ¶～大学だいがく 의과 대
いが〖毬〗名 (가시 돋친) 겉껍데기. ¶栗くりの～ 밤송이.
いがい【以外】名 이외; 그 밖. ¶読書どくしょ～に楽たのしみがない 독서 이외에 즐거움이 없다/関係者かんけいしゃ～入室禁止にゅうしつきんし 관계자 이외 입실 금지.
*いがい【意外】名ダナ 의외. ¶～な出来事できごと 뜻밖의 사건/～に振ふるわない 의외로 부진하다/事ことの～に驚おどろく 의외의 사실에 놀라다.
―と 副 의외로; 예상외로. ¶～被害ひがいが大おおきい 의외로 피해가 크다.
いがい［遺骸］名 유해; 유체. ＝なきがら·遺体いたい·死骸しがい. ¶～を手厚てあつく葬ほうむる 유해를 정중히 장사 지내다.
いがいが 名 물건 겉에 있는 여러 개의 잔 가시 모양의 돌기; 또, 따끔따끔한 느낌. ¶喉のどに～ができる 목구멍에 잔 돌기가 돋다. 「위궤양.
いかいよう【胃かいよう】《胃潰瘍》名
*いかが〖如何〗副ダナ 〈雅〉 **1** 어떻게. ¶～いたしましょうか 어떻게 할까요/～お過すごしですか 어떻게 지내십니까. **2** 어떻습니까. ¶ごきげん～(ですか) 안녕하신지요/お一ひとつ～ 하나 더 어떻습니까/おやりになったら～ 하시는 게 어떻습니까/もう一杯いっぱい～ですか 한잔 더 하시지 않겠습니까. **3** (의아해 하는 마음을 나타내어) 어떨까. ¶それは～かとおもわれます 그것은 어떨까 생각됩니다. 参考 1, 2, 3은 흔히 뒤에 疑問의 말이 옴.
いかがわし-い〖如何わしい〗形 **1** 어떨까 생각되다; 믿음직하지 않다; 의심스럽다; 어정쩡하다. ¶～人物じんぶつ 수상쩍은 인물. **2** (도덕상) 좋지 않다. ¶～場所ばしょ (풍기상) 좋지 않은 곳/～写真しゃしんを売うる 추잡한 사진을 팔다. **3** 천하다; 저속하다. ¶～しばい 저속한 연극.
いかく【威嚇】名ス他 위하; 위협. ＝おどかし. ¶～射撃しゃげき 위협 사격/ピストルで～する 권총으로 위협하다.
―てき【―的】ダナ 위협적. ¶大国たいこくの～態度たいどにおびえる小国しょうこく 대국의 위협적 태도에 겁내는 소국.
*いがく【医学】名 의학. ¶～博士はくし 의학박사/臨床りんしょう～ 임상 의학.
いがぐり〖毬栗〗名 **1** 송이밤. **2** 'いがぐりあたま'의 준말. 「뭉구리.
―あたま【―頭】名 짧게 깎은 머리;
いかけ【鋳掛け】名 땜질.
―や【―屋】名 땜장이. ＝鋳掛け師し.
いかさま〖如何様〗名 (그럴 듯한) 가짜; 모조품; 부정(不正); 협잡; 사기. ¶～賭博とばく 사기 도박/この勝負しょうぶは～だ 이 게임은 사기다.
―し【―師】名 야바위꾼; 사기꾼. ¶～にひっかかる 사기꾼한테 걸리다.
―もの【―物】名 (그럴 듯한) 가짜; 위조품. ＝にせもの·まがいもの. ¶～にだまされる 위조품에 속다.
いか-す〖行かす〗5自 〈俗〉 멋지다; 근사하다; 상당히 좋다. ¶～姿すがた 멋진 모습/あの人ひとの帽子ぼうし, ちょっと～ね 저 사람 모자, 제법 멋진데.
いか-す【生かす】《活かす》5他 살리다. **1 소생시키다. ¶死しにかけた犬いぬを～すべはない 죽어가는 개를 살릴 방도는 없다. **2** 살려 두다. ¶～·しておけない 살려 둘 수 없다/～も殺ころすも君きみ次第しだいだ 살리거나 죽이거나 너에게 달려 있다. **3** 특성을 충분히 발휘하다; 활용하다. ¶才能さいのう〔経験けいけん〕を～ 재능〔경험〕을 살리다/廃物はいぶつを～ 폐물을 활용하다/もち味あじを～ 본맛을 살리다/苦心くしんを～ 애쓴 보람이 있게 하다. 可能 いか-せる 下1自 ⇔殺ころす.
いかすい【胃下垂】名〔醫〕 위하수.
いかずち〖雷〗名 〈雅〉 천둥; 우레. ＝かみなり·なるかみ.
いかぞく【遺家族】名 유가족; 특히, 전몰자의 유가족. ＝遺族いぞく. ¶～を慰なぐさめる 유가족을 위로하다.
いかだ〖筏〗名 떼; 뗏목. ¶～師し 뗏목꾼〔사공〕/～流ながし (목재를) 뗏목으로 흘려 내려 보냄; 또, 뗏목 사공/～を組くむ 뗏목을 만들다.
いがた【鋳型】名 주형; 거푸집. ¶～に流ながしこむ 거푸집에 부어 넣다.
―にはめたよう 틀에 박은 듯이.
―にはめる 틀에 박다. ¶いがたにはめた教育きょういく (형식적인 규칙 등에 의한) 인간 획일화 교육.
いカタル【胃カタル】名〔醫〕 위카타르《胃炎いえん의 구칭》. ▷도 Katarrh.
いかつ-い〖厳い〗形 〈老〉 딱딱하다; 우락부락하다. ＝ごつい. ¶～顔かお 우락부락하게 생긴 얼굴/～手 투박한 손.
いかなる〖如何なる〗連体 〈雅〉 어떠한. ＝どんな. ¶～方法ほうほうを講こうずるべきか 어떠한 방법을 강구할 것인가/～弁解べんかいも許ゆるされぬ 여하한 변명도 허용되지 않는다.
*いかに〖如何に〗副 **1** 어떻게; 어떤 방법으로. ¶～すればよいか 어찌하면 좋은가/人生じんせい～生いくべきか 인생을 어떻게 살 것인가. **2**《仮定을 수반하여》 아무리. ¶～強つよくても 아무리 강해도/～急いそいでも 아무리 서둘러도. **3** 어찌 될 것인가; 어찌 된 일인가. ¶運命うんめいや果はたして～ 운명은 과연 어떻게 될 것인가.
いかにも〖如何にも〗副 **1** 자못; 정말이지; 매우. ¶～悲かなしげな〔困こまった〕顔かお 자못 슬픈 듯한〔난처한〕 얼굴/～弱々よわよわしい体からだつき 매우 가냘픈 몸매. **2** 과연; 확실히. ¶～学者がくしゃらしい態度たいど 과연 학자다운 태도/～そうだ 과연 그렇다. 参考 感動詞적으로도 씀. ¶～, そのとおり 과연, 그대로요.
いかばかり〖如何許り〗副 〈老〉 얼마나; 아무리. ＝どれほど. ¶～心こころを砕くだいたことか 얼마나 마음을 태웠는지/～

努力してもかなわない 아무리 노력해도 안 된다.

いかほど【いか程】《如何程》圖 1 얼마만큼; 얼마나; 얼마쯤. ¶～差しあげましょうか 얼마나 드릴까요 / お代は～ですか 값은 얼마나 됩니까. 2 아무리. ¶～努力しても 아무리 노력하여도 / ～勧めても 아무리 권해도.

いがみあ-う【いがみ合う】《啀み合う》5自 서로 으르렁거리다; 서로 으드등거리다. ¶親子が～ 어버이와 자식이 으드등거리다.

*__いかめし-い__〖厳しい〗形 1 위엄이 있다; 위압감을 주다; 엄숙하다. ¶～顔つき 위엄 있는 얼굴 / ～門構え 당당한 대문 구조〔의 꾸밈새〕. 2 엄중하다; 삼엄하다. ¶～警備 삼엄한 경비.

いカメラ【胃カメラ】图〔醫〕위카메라. ＝ガストロカメラ. ▷camera.

いかもの〖如何物〗图 1 가짜; 위조품. ¶～をつかまされる 가짜를 속아 사다. 2 꺼림한 물건; 좀 이상한 것. ¶～を食う 꺼림한 것을 먹다 / ～あさり 색다른 것을 찾는 별난 취미.

—ぐい【—食い】图 1 별난 것을 즐겨 먹음; 또, 그런 사람. 2 색다른 취미를 가짐; 또, 그런 사람.

いから-す【怒らす】5他 1 성나게 하다. ¶からかって妹を～·してしまった 놀려서 누이동생을 성나게 해 버렸다. 2 상대를 위압하는 듯한 태도를 하다; (어깨 등을) 으쓱 치키다. ¶肩を～·して歩く 어깨를 으쓱거리며 걷다 / 目を～ 눈을 부라리다.

いから-せる【怒らせる】下1他 ☞いからす.

いがらっぽ-い 形 ☞えがらっぽい.

いかり【怒り】图 분노; 노여움. ＝はらだち·いきどおり. ¶～をおさえる 분노를 억누르다 / ～を買う〔にふれる〕 노여움을 사다.

—心頭に発する 노발대발하다. ¶裏切りの証拠をみて～ 배신한 증거를 보고 노발대발하다.

—がた【—肩】图 딱 바라지고 올라간 어깨. ↔なで肩.

いかり〖錨·碇〗图 닻; 전하여, 정박. ¶～をおろす 닻을 내리다; 정박하다.

—づな【—綱】图 닻줄. ＝いかり縄.

いかりくる-う【怒り狂う】5自 미친 듯이 (격)노하다. ¶波が～ 파도가 사납게 몰아치다.

いか-る【怒る】5自 1 〈雅〉 성내다; 화내다; 노하다. ＝おこる·いきどおる. ¶烈火の如く～ 열화같이 노하다. 2 모나다; 모지다. ¶肩が～ 어깨가 딱 바라지고 치켜 올라가다.

いか-れる〖行かれる〗下1自 〈俗〉 1 (상대에게) 당하다; 앞질리다; 지다. ¶残念ながら, あいつに～·れた 분하게도 저놈에게 당하였다. 2 (마음이) 빠지다; 열중하다. ¶ジャズに～·れている若者 재즈에 미쳐 있는 젊은이 / 恋人に～ 애인에게 쏙 빠지다. 3 (정신이) 돌다; 불량스러워지다. ¶～·れたやつ 얼빠진〔돈〕 녀석 / ～·れたかっこう 불량스러운 모습. 4 낡아서 못쓰게 되다; 다되다. ¶～·れたテレビ 다 된 TV 수상기 / すっかり～·れた自動車 아주 고물이 되어 버린 자동차. 參考 주로 'いかれている' 'いかれた'의 꼴로 쓰임.

いかん〖如何·奈何〗㊀图 여하. ¶理由の～によって 이유 여하에 따라서 / 事の～を問わず 일의 여하를 불문하고. ㊁副 〈雅〉 어떤가; 어떠한지. ¶大学の将来～ 대학의 장래는 어떻게 될 것인가.

*__いかん__【遺憾】名ナ 유감. ¶～千万 유감천만 / ～に存じます 유감스럽게 생각합니다 / ～ながらお断りする 안 되었지만 사양한다 / ～にたえない 유감스럽기 짝이 없다.

—なく 유감없이; 완전히; 충분히. ¶実力を～発揮する 실력을 유감없이 발휘하다.

—の意を表する 유감의 뜻을 표하다.

いかん【尉官】图 위관; 구 일본군의 대위·중위·소위의 총칭; 또, 지금의 自衛隊의 一尉·二尉·三尉의 총칭.

いかん【移管】图ス他 이관. ¶事務を県から市に～する 사무를 현에서 시로 이관하다.

いかん【衣冠】图 의관; 의복과 관.

—そくたい【—束帯】图 의관 속대.

いがん【依願】图 의원. ¶～退職〔免職〕 의원 퇴직〔면직〕.

*__いがん__【胃がん】《胃癌》图〔醫〕위암. ¶～で死ぬ 위암으로 죽다.

**__いき__【息】图 1 숨. ㉠호흡; 숨(소리). ¶～もつかせぬ 숨 막히는; 숨 돌릴 새도 없는 / ～をする 숨을 쉬다 / ～がかよっている 아직 숨이 있다《살아 있다》. ㉡호흡하는 공기. ¶～を吐く 숨을 내쉬다. 2 김; 수증기. 3 목숨. ¶～のあるうち 목숨이 붙어 있는 동안. 4 (유행·활약 등이) 왕성한 기간. ¶～の長いファッション 오랫동안 유행하는 패션.

—が合う (서로의) 호흡이 맞다.

—が掛かる 입김이 닿다; (유력자의) 후원을〔지배를〕 받다. ¶社長の息がかかった人 사장 백이 있는 사람.

—が切れる 1 숨이 차다. 2 숨이 끊어지다; 죽다. 3 벅차다; 힘에 겨워 감당 못하다. ¶難事業で～ 사업이 힘들어서 감당을 못하다.

—が絶える 숨이 끊어지다《죽다》.

—が詰まる 숨이 막히다. ¶窮屈で息が詰まりそうだ 갑갑하여 숨이 막힐 지경이다.

—を入れる 한숨 돌리다; 잠깐 쉬다.

—を凝らす (긴장·공포로) 숨을 죽이다.

—を殺す 숨소리를 죽이다.

—を吐く 1 크게 숨쉬다. 2 숨을 돌리다. ¶試験がすんで～ 시험이 끝나서 한시름 놓다.

—を吐く暇もない 숨돌릴 사이도 없다.
—を詰める 숨을 죽이다.
—を抜く (긴장을 풀고) 잠시 쉬다; 휴식을 취하다.
—をのむ 놀라서 숨을 멈추다. ¶美しさに～ 아름다움에 감탄하여 잠시 숨을 멈추다.
—を引き取る 숨을 거두다; 죽다.
—を吹き返す 숨을 돌리다; 소생하다.

*いき〖粋〗图ダナ 때 벗음; 세련되고 운치와 매력이 있음. ¶～な人 멋진 사람/～な姿 세련된 모습. 参考 江戸 후기에 町人(=상인·장색 계급)이 이상(理想)으로 삼은 생활과 미(美)의 이념으로, 江戸 전기의 'すい(粋)'와 통하나, 'すい'는 씩씩하고 호화스러운데 반하여 'いき'는 소극적이고 섬세함. ↔やぼ.

いき【生き】《活き》图 1생; 삶. ¶～死にの境目 생사의 갈림길/～証人 산 증인. 2생기; 싱싱함; 신선함; 활기. ¶～のいい〔悪い〕魚 싱싱한〔물이 안 좋은〕 생선/～のいい記者 팔팔한 기자. 3(바둑에서) 집을 내어 삶. ¶この石は～だ 이 돌은 살았다.

いき【行き】图 ☞ゆき(行).

いき【域】图 단계; 정도; 경지. ¶さとりの～に達する 득도의 경지에 이르다/ものまねの～を脱する 흉내 내는 단계를 벗어나다/草稿の～を出ない 초고의 단계를 벗어나지 않다.

いき【遺棄】图ス他 유기; 내버려 둠. ¶死体～罪 시체 유기죄.

*いき【意気】图 의기; 기개; 기상(氣象); (하고자 하는) 적극적인 마음가짐. ¶必勝の～ 필승의 의기/～があがる 기세가 오르다/人生～に感ず 사람은 (상대방의) 의기에 감동하는 법이다.
—天を突く 의기충천하다.
—けんこう〔—軒昂〕图トタル 의기헌앙; 기세가 왕성한 모양.
—しょうちん【—消沈】图ス自 의기소침. ¶思いもよらぬ大敗に～する 뜻하지 않은 대패에 의기소침하다. ↔意気軒昂.
—しょうてん【—衝天】图 의기충천. ¶～の勢い 의기충천의 기세.
—そそう【—阻喪】《—沮喪》图ス自 의기저상. =意気消沈.
—とうごう【—投合】图ス自 의기투합.
—ようよう【—揚揚】トタル 의기양양. ¶～と引き揚げる 의기양양하게 돌아오다.

いき〖域〗教6 イキ 역 지경 1 토지의 경계. 2 지역; 범위. ¶域内 역내/区域 구역.

いぎ【威儀】图 위의. ¶～を正す 위의를 바로 갖추다.

*いぎ【意義】图 의의; 뜻. ¶単語の～ 단어의 뜻/人生の～ 인생의 의의/～のある事業 의의 있는 사업.

いぎ【異義】图 이의. ¶同音～ 동음이의. ↔同義.

いぎ【異議】图 이의. ¶～あり〔なし〕 이의 있음〔없음〕/～を申し立てる〔唱える〕 이의를 제기하다.

いきあ-う【行き会う】5自 ☞ゆきあう.

いきあたり【行き当たり】图 ☞ゆきあたり.
—ばったり 图ダナ ☞ゆきあたりばったり.

いきあた-る【行き当たる】5自 ☞ゆきあたる.

*いきいき【いきいき·生き生き】トス自 생생한 모양; 싱싱한〔싱그러운〕 모양; 생기가 넘치는 모양. ¶～した魚 싱싱한 생선/～した表現 생생한〔생동감이 넘치는〕 표현/～とした顔つき 생기가 도는 표정/目が～する 눈에 생기가 넘치다.

いきうつし【生き写し】图 빼쏨; 꼭 닮음. ¶母親に～の子 어머니를 빼쏜 아이/おかあさんの若いころに～だ 어머니의 젊었을 때 모습을 쏙 빼 닮았다.

いきうま【生き馬】图 살아 있는 말.
—の目を抜く 날쌔게 행동하다. ¶～商業都市 눈 감으면 코 베어 먹을 상업 도시.

いきうめ【生き埋め】图 생매장. ¶～にする 생매장하다/山くずれで〔土が崩れて〕～になる 산사태로〔흙이 무너져서〕 생매장되다.

⁑いきおい【勢い】图 1기세; 힘. ¶すごい～で走る 무서운 기세로 달리다/～鋭く攻めたてる 날카로운 기세로 공격하다/えらい～でまくし立てる 대단한 기세로 기염을 토하다. 2세력; 위세. ¶～を振るう 세력을 떨치다. 3기운; 바람; 서슬. ¶酒の～で平素の不満をいう 술기운에 평소의 불만을 토하다/スピードが出た～で空中にとび上がる 스피드가 난 여세로 공중에 날아오르다. 4정세; 추세. ¶～のおもむく所 돼가는 추세/自然の～ 자연의 추세.

いきおい〖勢い〗副 당연한 결과로; 자연히; 필연적으로. ¶～そういうことになる 자연히〔당연한 결과로〕 그렇게 된다/こつをのみこむと, ～仕事が楽しくなる 요령을 터득하면, 자연히 일이 즐거워진다.

いきおいこ-む【勢い込む】5自 (기세를 올려) 분발하다; 단단히 벼르다. =意気ごむ. ¶皆負かしてやろうと～ 모두 이겨 낼 양으로 벼르다.

*いきがい【生きがい】《生き甲斐》图 사는〔산〕 보람. ¶～のある生活 보람있는 생활/～がある 사는 보람이 있다/～を感ずる 사는〔산〕 보람을 느끼다.

いきか-う【行き交う】5自 ☞ゆきかう.

いきかえり【行き帰り】图ス自 ☞ゆきかえり.

いきかえ-る【生き返る】5自 되살아나다; 소생하다; 피어나다. ¶死人が～ 죽은 사람이 되살아나다/ひさしぶりの

雨に庭の木々が～·った 오래간만에 내린 비로 뜰의 나무들이 싱싱하게 되살아났다.

いきがかり【行きがかり】《行き掛かり》图 ☞ゆきがかり.

いきがけ【行きがけ】《行き掛け》图 ☞ゆきがけ.

いきかた【生き方】图 **1** 삶(의 태도); 생활(태도). ¶イージーな～ 안이한 생활 태도. **2** 생활〔행동〕 방식. ¶それも一つの～だ 그것도 하나의 생활 방식이다.

いきかた【行き方】图 ☞ゆきかた.

いきが-る〖粋がる〗5自 스스로 세련된 양하다; (제멋에 겨워) 허세를 부리다. ¶～·った態度 스스로 세련된 체 제멋에 겨워하는 태도/薄着で～ (추운데) 얇은 옷을 입고 폼을 잡다. 「き.

いきき【行き来】《往き来》图ス自 ☞ゆき

いきぎも【生き肝】《生き胆》图 생간.

—を抜く 생간을 끄집어내다; 전하여, 깜짝 놀라게 하다. =どぎもをぬく.

いきぎれ【息切れ】图ス自 **1** 숨이 참; 벅참; 헐떡임. ¶～がする 숨이 차다/～が激しい 숨을 몹시 헐떡이다. **2** (도중에) 기력이 다해 계속하지 못함. ¶事業の途中で～する 사업 중도에 더 버티지 못하고 주저앉다.

いきごみ【意気込み】图 (어떤 일을 하려고) 분발함; 기세; 패기. ¶始めから～がちがう 처음부터 해보겠다는 마음가짐이 다르다/大変な～で取り組む 대단한 기세로 맞붙다.

いきご-む【意気込む】5自 **1** 분발하다; 벼르다; 단단히 마음먹다. ¶ぜひ勝とうと～ 꼭 이기려고 분발하다. **2** 힘찬 동작을 하다. ¶～·んで答える 힘차게 대답하다.

いきさき【行き先】图 ☞ゆきさき.

***いきさつ**〖経緯〗图 경위; 일의 경과; 복잡한 사정. =けいい. ¶事件の～を説明する 사건의 경위를 설명하다.

いきざま【生きざま】《生き様》图 살아가는 태도〔방법〕; 삶. ¶みごとな～ 훌륭한 생활 태도.

いきじ【意気地】图 고집; 오기. =いくじ·意地. ¶男の～を通す 남자의 오기를 관철하다.

いきじごく【生き地獄】图 생〔산〕지옥. ¶事故の現場は～だ 사고 현장은 생지옥이다.

いきじびき【生き字引】图 **1** 산 사전; 만물박사. ¶会社の～ 회사의 만물박사. **2** 알기만 하고 응용을 못하는 사람.

いきすぎ【行き過ぎ】图 ☞ゆきすぎ.

いきす-ぎる【行き過ぎる】下1自 ☞ゆきすぎる.

いきすじ【いき筋】《粋筋》图 **1** 화류계 방면. ¶～の女 화류계에 종사하는 여자/～の事情にくわしい 화류계 사정에 밝다. **2** 남녀의 정사에 관한 방면.

いきせきき-る【息せき切る】《息急き切る》5自 숨을 헐레벌떡이다; 헐떡거리다. =息せく. ¶～·ってかけつける 숨을 헐레벌떡거리며 달려가다. 「れ.

いきだおれ【行き倒れ】图 ☞ゆきだお

いぎたな-い〖寝穢い〗形 **1** 좀처럼 잠에서 깨지 않다; 잠꾸러기다. =ねぎたない. ↔めざとい. **2** 잠버릇이 나쁘다; 자는 모습이 꼴사납다. ¶～·く寝そべっている 꼴사납게 엎드려 누워 있다.

いきち【生き血】图 생혈; 생(生)피. =生血·鮮血.

—を吸う; —をしぼる 생피를 빨다《고혈을 짜다》. ¶生き血をしぼる重税 고혈을 짜는 중세. 「い.

いきちがい【行き違い】图 ☞ゆきちが

いきづかい【息遣い】图 숨쉬는 모양; 숨결; 호흡. ¶～が荒い〔はげしい〕 숨결이 거칠다/苦しそうな～ 가쁜 듯한 숨결/作者の～が感じられる文章 저자의 숨결이 느껴지는 문장.

いきつぎ【息継ぎ】图ス自 **1** (노래나 수영 따위를 하는 도중에) 한숨 쉼〔돌림〕. ¶一小節ごとに～をする 한 소절마다 숨을 쉬다. **2** (일하는 도중의) 일시 휴식. =いきぬき. ¶仕事の～に一服する 쉬는 참에 한 대 피우다.

いきつ-く【行き着く】5自 ☞ゆきつく.

いきづ-く【息づく】《息衝く》5自 **1** 숨쉬다; 호흡하다; 살아 있다. ¶開拓時代の精神が～·いている 개척 시대의 정신이 살아 있다. **2** 헐떡이다.

いきづくり【生き作り】《活き作り》图 ☞いけづくり.

いきつけ【行き付け】图 ☞ゆきつけ.

いきづま-る【息詰まる】5自 (긴장하여) 숨이 막히다. ¶～(ような)熱戦 숨 막히는 열전.

いきつもどりつ【行きつ戻りつ】連語 ☞ゆきつもどりつ.

いきどおり【憤り】图 분개; 분노; 성; 노여움. ¶～を買う 노여움을 사다/～を発する 분노를 터뜨리다/強い～を覚える 강한 분노를 느끼다.

いきどお-る【憤る】5自 〈雅〉 분개하다; 성내다; 노하다. =怒る. ¶世の不正を～ 세상의 부정을 분개하다.

いきとしいけるもの【生きとし生けるもの】連語 살아 있는 온갖 것. 参考 'し'는 강의(強意)의 助詞.

いきとど-く【行き届く】5自 ☞ゆきとどく. 「まり.

いきどまり【行き止まり】图 ☞ゆきど

いきながら-える【生き長らえる·生き永らえる】下1自 생존하다; 오래 살다; 살아남다. ¶妻より五年～·えた 아내보다 5년 더 살았다/～·えて老醜をさらす 오래 살아 늙고 추한 몰골을 보이다/あやういところを～·えた 위태로웠는데 용케 죽음을 모면했다.

***いきなり**〖行き成り〗副 갑자기; 돌연; 느닷없이. ¶～引っ立てられる 느닷없이 끌려가다〔연행되다〕/～なぐりつける 느닷없이 후려갈기다/～聞かれ

ても答えられない 느닷없이 물으면 대답할 수 없다.

いきぬき【息抜き】图ㅈ自 **1** (긴장을 풀고) 잠시 쉼; 숨을 돌림; 휴식. ¶ちょっと～する 잠시 숨을 돌리다 / ～にお茶にしよう 한숨 돌리기 위해 차를 마시자. **2** 환기창〔통〕; 바람구멍.

いきぬ-く【生き抜く】5自 (어려움을) 참고 살아가다; 꿋꿋하게 살다. ¶乱世を～ 난세를 꿋꿋이 살아가다.

いきのこ-る【生き残る】5自 살아남다. ¶企業間の競争に～ 기업간의 경쟁에서 살아남다 / 彼一人～・った 그 혼자만 살아남았다.

いきのね【息の根】图 숨통; 생명; 목숨.

―を止める **1** 숨통을 끊다; 죽이다. **2** 철저하게 격파〔박멸〕하다. ¶コレラの～ 콜레라를 철저히 박멸하다.

いきの-びる【生き延びる】上1自 **1** 오래 살다; 장수하다. **2** 살아 남다; 목숨을 부지하다. ¶～・びて, 今日の幸いに会えた 살아남아서 오늘의 행운을 만날 수 있었다.

いきば【行き場】图 ☞ゆきば.

いきはじ【生き恥】图 살아서 받는 수치. ¶～をさらす 오래 살다가 수모를 당하다. ↔死に恥.

いぎぶか-い【意義深い】形 의의 깊다; 중요하다. ¶国際平和にとって～出来事 국제 평화를 위해 큰 의미가 있는 사건.

いきぼとけ【生き仏】图 생불; 산 부처 《고승(高僧) 등》. ＝いきにょらい. ¶あの人は本当に～です 저 사람은 정말로 산 부처입니다.

いきま-く〖息巻く〗5自 **1** 기세가〔서슬이〕 대단하다; 으르대다; 땅땅거리다. ¶ただでは置かぬと～ 그냥 안 둔다고 으르대다 / 相手になどならないと～ 상대가 안 된다는 등 땅땅거리다. **2** 노해서 씩씩거리다.

いきみ【生き身】图 살아 있는 몸. ＝なまみ. ¶～の人間 살아 있는 사람. ↔死に身.

―は死に身 생자필멸(生者必滅).

いき-む【息む】5自 (호흡을 멈추고) 배에 힘을 주다. ＝息ばる. ¶～・んではいけない 배에 힘을 주어서는 안 된다.

*__いきもの__【生き物】图 **1** 살아 있는 것; 생물. ¶～をいじめるな 생물을 학대하지 마라. **2** 생명체 같이 살아 움직이는 것; 유기체. ¶言葉は～である 말은 생명체와도 같은 것이다.

いきやすめ【息休め】图ㅈ自 잠깐 쉼; 숨을 돌림. ＝いきつぎ. ¶～に一服 잠시 쉬며 담배 한 대 (피우다).

いきょ【依拠】图ㅈ自 의거. ¶法令に～する 법령에 의거하다.

*__いきょう__【異境】图 이경; 이국땅; 타국. ＝他国. ¶～の空 이국의 하늘 / ～の鬼となる 이국땅의 고혼이 되다.

*__いきょう__【異郷】图 이향; 타향; 또, 타국. ＝他郷. ¶～に病む 타향에서 병들다 / ～にさすらう 타향에서 방랑하다. ↔故郷.

―の鬼 고향을 멀리 떠난 타향이나 외국에서 죽은 사람. ¶遂に～となる 마침내 타관에서 죽어버리다. 「도.

いきょう【異教】图 이교. ¶～徒 이교

いぎょう【偉業】图 위업. ¶～を成し遂げる 위업을 이룩〔달성〕하다.

いぎょう【遺業】图 유업. ¶父の～を継ぐ 부친의 유업을 잇다.

いきょく【委曲】图 위곡; 상세한 사정·일. ＝委細. ¶～を尽くして説明する 매우 자세히 설명하다.

イギリス [포 Inglés] 图 〖地〗 영국. ＝英国. 「連邦.

―れんぽう【―連邦】图 영연방. ＝英

いきりた-つ【いきり立つ】5自 격분하다; 격앙하다. ＝いきまく. ¶侮辱を受けて～ 모욕을 당하고 격분하다 / ～・った群衆が押し寄せる 흥분한 군중이 몰려오다.

いーきる【生きる】《活きる》上1自 살다. **1** 생존하다. ¶百まで～ 백 살까지 살다 / 神経が～・きている 신경이 살아 있다 / その精神は今日なお～・きている 그 정신은 오늘날까지도 살아 있다. ↔死ぬ. **2** 《'…に～'의 꼴로》 (…가운데에) 생활하다. ¶苦難に～・きた十年 고난 속에 산 10년 / 学問に～ 학문에 살다 / 思い出に～ 추억(속)에 살다. **3** 효과가 있다; 보람 있다. ¶～・きた金を使う 보람 있게 돈을 쓰다 / せっかくの苦心がこれで～ 모처럼 애쓰고 고생한 것이 이것으로 보람이 나타난다 / 塩加減で味が～ 간을 알맞게 함으로써 맛이 살다. **4** 《'～・きている'의 꼴로》 생동하다; 생생하다. ¶～・きている大地 생동하는 대지 / 文章が～・きている 문장이 살아 있다. **5** (승부 따위에서) 죽지 않다. ¶(碁で)石が～ (바둑에서) 말이 살다 / あやうく一塁に～ (야구에서) 간신히 일루에서 살다. ↔死ぬ.

いきれ〖熱れ・熅れ〗图 찌는 듯한 열기; 훈김; 후끈함; 훗훗함. ＝ほてり. ¶人～でむんむんとする 사람의 훈김으로 몹시 후덥지근하다.

いきわかれ【生き別れ】图ㅈ自 생이별. ¶親と～になる 어버이와 생이별하다. ↔死に別れ.

いきわか-れる【生き別れる】下1自 생이별하다. ¶母と～ 어머니와 생이별하다. ↔死に別れる.

いきわた-る【行き渡る】5自 ☞ゆきわたる. 「ゆく.

*__い-く__【行く・いく】《往く》5自 〈口〉 ☞

い-く〖逝く〗5自 저승으로 가다; 죽다. ＝死ぬ・ゆく.

いく=【幾】《주로 名詞에 붙어》 몇…. **1** 얼마의. ¶～人 몇 사람 / ～度 몇 번; 몇 차례 / ～日 며칠 / ～夜 몇 밤.

2《양의 많음을 나타내는 말에 붙음》 수…; 여러. ¶～千万 몇 천만/～百年となく 수백년이나.

いく〖育〗教3 イク そだつ そだてる はぐくむ | 육 기르다

1 기르다; 키우다. ¶育成 육성. 2 자라다; 크다. ¶発育 발육.

いぐい【居食い】図ス自 좌식(坐食); 놀고 먹음; 도식(徒食). ¶～の生活を送る 무위도식하는 생활을 보내다.

いくえ【幾重】図 1 겹겹; 여러 겹. 2 첩첩. ¶花びらは～になっていますか 꽃잎은 몇 겹이 되어 있습니까.

―にも 副 겹겹이; 첩첩이; 몇 번이고; 거듭거듭. ¶～かさなった山々 첩첩이 겹쳐 있는 산들/～おわび申し上げます 거듭거듭 사과드립니다.

いくえい【育英】図 육영. ¶～会 육영회/～事業 육영 사업.

いくさ【戦】《軍》図〈雅〉전쟁; 싸움. =たたかい. ¶～の庭 싸움터; 전장/～を起こす 전쟁을 일으키다.

いくさき【行く先】図 ☞ゆくさき.

*__いくじ__【育児】図ス自 육아. ¶～法 육아법/～にいそしむ 육아에 힘쓰다.

―きゅうぎょう【―休業】図 (여성 근로자의) 육아 휴직. =育児休暇.

いくじ【意気地】図 고집; 기개. ¶～のなさそうな事を言う 쓸개 빠진 듯한 소리를 하다.

―がない 기개가 없다; 무기력하다.

―なし【―無し】図 패기 없음; 또, 그 사람. =弱虫. ¶～の男 패기 없는 〔무기력한〕 사나이.

*__いくせい__【育成】図ス他 육성. ¶苗の～ 모종의 육성/すぐれた人材を～する 우수한 인재를 육성하다.

いくた【幾多】副 수다히; 수많이. =あまた. ¶～(の)先人の努力 수많은 선인들의 노력/～の辛苦を重ねる 수많은 고생을 거듭하다.

**__いくつ__【いくつ·幾つ】図 1 몇; 몇 개. =なん個. ¶百円で～ですか 백 엔에 몇 개입니까/万円で～買えるの 만 엔으로 몇 개 살 수 있지. 2 몇살. =何歳. ¶お～ですか 몇 살입니까/坊や～ 아가, 몇 살이지. 3《'～も'의 꼴로》 꽤 많이. ¶同じ物が～もある 같은 것이 꽤 많이 있다.

―もない 몇 안 되다; 그다지 많지 않다.

いくて【行く手】図 ☞ゆくて.

いくど【幾度】図 몇번. =いくたび·何度. ¶～もくり返す 몇 번이고 되풀이하다.

いくどうおん【異口同音】図 이구동성. ¶～に賛成をとなえる 이구동성으로 찬성을 외치다.

いくとせ【幾とせ】《幾年》図〈雅〉1 몇 년; 몇 해. =いくねん·なんねん. ¶故郷を出てはや～ 고향을 떠나 벌써 몇 해. 2 여러 해; 긴 세월. ¶～も過ぎて 몇 년이나〔여러 해가〕 지나서/～を夢のように過ごす 많은 세월을 꿈같이 보내다.

いくにち【幾日】図 며칠; 몇날. ¶四月の～ですか 4월 며칠입니까/この仕事には～もかかった 이 일에는 며칠이나〔여러 날〕 걸렸다.

いくばく〖幾何·幾許〗副〈雅〉얼마; 어느 정도. =どれほど. ¶～(か)の金を寄付する 얼마간의 돈을 기부하다.

―もなく【―も無く】連語 (그런 지) 얼마 되지 않아; 얼마 안 가서. =まもなく. ¶その後～して世を去った 그 후 얼마 안 가서 세상을 떠났다.

いくひさしく【幾久しく】連語《副詞적으로》 오래오래; 언제까지나. ¶～御愛顧のほどを 언제까지나 애고해 주시옵기를…/～お幸せでありますように 오래오래 행복하시도록…. 参考 인사말·결혼 축사·서한문 등에 씀.

*__いくぶん__【幾分】㊀図 일부분. ¶～の一 몇 분의 1/蔵書の～かを寄贈する 장서의 일부를 기증하다. ㊁【いくぶん】副 어느 정도; 얼마(쯤); 조금; 약간. =やや. ¶収入の～かを分ける 수입의 얼마를 가르다/～そういう傾向がある 다소 그런 경향이 있다.

いくもう【育毛】図 육모. ¶～剤 발모제.

*__いくら__ ㊀【いくら·幾ら】図 1 얼마; 어느 정도. ¶目方は～ 무게는 얼마/この本は～ですか 이 책은 얼마입니까. 2《'～も(…)ない'의 꼴로》 그리 (…않다). ¶～も残っていない 그리〔얼마〕 남아 있지 않다/違反者は～もない 위반자는 그렇게 많지 않다.

㊁〖幾ら〗副 1 얼마나; 얼만큼. ¶その方が～いいかしれない 그 편이 얼마나 좋은지 모르겠다. 2《뒤에 'て' 'でも' 등이 붙어》 아무리. ¶～走っても大丈夫だ 아무리 달려도 문제 없다.

イクラ [러 ikra] 図 이크라; 연어알젓.

いくらか〖幾らか〗図副 조금; 다소; 얼마간. ¶～の金を渡す 얼마간의 돈을 건네 주다/～英会話ができる 약간 영어 회화를 할 수 있다/～でもお役に立ちたい 조금이라도 도움이 되었으면 한다.

いくらなんでも〖幾ら何でも〗連語 아무리 사정이 있더라도. ¶～ひど過ぎる 아무리 (사정이) 그렇더라도 너무 가혹하다/～手の打ちようはありそうなものだ 아무리 그렇더라도 (무언가) 손쓸 방도는 있을 법한데.

いくん【遺訓】図 유훈. ¶父の～を守る 아버지의 유훈을 지키다.

*__いけ__【池】図 1 못. ¶用水～ 용수지/～を掘る 못을 파다. 2 연지(硯池).

いけ= 대개, 불쾌한 기분을 나타내는 말 앞에 붙어서, 그것을 더욱 강조하는 말: 참으로; 정말; 지독히. ¶～ずうずうしい (얄미울 정도로) 정말 뻔뻔스럽다.

いけい〔畏敬〕図ス自他 외경; 경외. ¶私の～する人物 내가 경외하는 인물.

いけいれん【胃けいれん】《胃痙攣》 图 〔醫〕 위경련. ＝さしこみ·癪. ¶～がおこる 위경련이 일어나다.

いけがき【生け垣】《生籬》 图 산울타리. ¶～を結いめぐらした家 산울타리를 둘러친 집.

いけしゃあしゃあ 副 〈俗〉 정말 유들유들한 모양. ¶～とうそを言う 유들유들하게 거짓말을 한다.

いけす【生けす】《生け簀》 图 활어조(活魚槽). ¶魚を～に入れる 물고기를 활어조에 넣다.

いけずうずうしーい『いけ図図しい』 形 얄미울 정도로 뻔뻔스럽다. ¶物言いが～やつだ 말투가 몹시 뻔뻔스러운 녀석이다.

いけすかなーい【いけ好かない】 形 몹시 〔어쩐지〕 싫다; 지겹다. ＝虫がすかない. ¶～じいさん 어쩐지 싫은 할아범.

いけづくり【生け作り】《活け作り》 图 ス他 〔料〕 싱싱한 붕어·도미 따위로 회를 쳐서 다시 본 모양새로 꾸민 요리. ＝いきづくり.

いけどり【生け捕り】 图 생포; 사로잡음. ¶敵〔熊〕を～にする 적〔곰〕을 생포하다.

いけどーる【生け捕る】 5他 생포하다; 사로잡다. ¶熊を～ 곰을 생포하다 / 殺すな. ～·れ 죽이지 말고 사로잡아라.

⁑いけない 連語 **1** 좋지 않다; 나쁘다. ㉠바람직하지 않다. ¶～子 나쁜〔못된〕 아이 / ～事だらけだ 좋지 않은 일 투성이다 / あいつが～んだ 저 놈이 나쁜 것이다 / ～, もう十時だ 안 되겠다, 벌써 10시다. ㉡성과가 좋지 않다. ¶それで～場合にはやめだ 그래도 안될〔좋지 않을〕 경우에는 그만두는 것이다. ㉢《'…ては～' 등의 꼴로》 금지·불가의 뜻을 나타냄. ¶入っては～ 들어가면 안된다 / ～ったら～ 안된다면 안돼 / いたずらをしては～ 장난을 쳐서는 못쓴다. ㉣《'…なければ～'의 꼴로》 가망없다. ¶病人はもう～ 환자는 이젠 틀렸다. ㉤못쓰게 되다. ¶あの傘はもう～ 저 우산은 이젠 못 쓴다. ㉥《'…なければ～'의 꼴로》 …해야 하다. ¶早く起きなければ～ 일찍 일어나야 한다. ㉦어쩔 수 없다; 못쓰다. ¶あの男はずるくって～ 저 사람은 교활해서 못쓴다. **2** 술을 못하다. ¶私はちっとも～んです 저는 술을 통 못합니다. ↔いける.

いけにえ『生け贄·犠牲』 图 **1** 희생물; 산 제물. ¶～をささげる 산 희생을 바치다. **2** 희생이 되는 일. ¶政略結婚の～になる 정략결혼의 제물이 되다.

いけばな【生け花】《活け花》 图 꽃꽂이; 또, 꽃꽂이한 꽃. ＝華道. ¶～を習う 꽃꽂이를 배우다.

いーける【生ける】《活ける》 下1他 **1** 〈老〉 살리다; 살게 하다. ＝いかす. ¶～·けておけぬ奴 살려 둘 수 없는 놈. **2** (꽃이나 가지를 꽃병 따위에) 꽂다; 특히, 꽃꽂이하다; 흙에 심다. ¶鉢に～ 화분에 심다 / 花を～ 꽃꽂이하다.

いーける『埋ける』 下1他 (파)묻다. **1** (숯불을) 잿속에 묻다. ¶火鉢の火を～ 화로의 불을 재에 묻다. **2** (야채 따위를 보존하려고) 땅속에 묻다. ¶大根を～·けておく 무를 땅속에 묻어 두다.

いーける【行ける】 下1自 〈俗〉 **1** 상당히 잘하다; 상당하다. ¶スポーツも～ 운동도 상당히 잘한다 / ドイツ語もちょっと～ 독일어도 좀 할 줄 안다 / こいつは～ 이것 괜찮다《(a)먹을 만하다; (b)제법 쓸 만하다》. **2** 술을 마실 줄 알다. ¶僕はあまり～口じゃない 나는 그다지 술을 잘하는 편이 아니다.

いける【生ける】 連体 〈文〉 살아 있는. ¶～がごとき面持ち 살아 있는 것 같은 얼굴 / 生きとし～もの 무릇 살아 있는 것 모두.
――**しかばね** 산송장; 폐인.

⁑いけん【意見】 一图 의견. ¶人と～がちがう 남과 의견이 다르다.
二图 ス自 훈계함; 타이름. ¶親が子に～する 부모가 자식을 타이르다.

いけん【違憲】 图 위헌. ¶～訴訟 위헌 소송 / ～判決 위헌 판결 / ～性が強い 위헌성이 짙다. ↔合憲.

***いげん**【威厳】 图 위엄. ¶～のある人〔顔〕 위엄이 있는 사람〔얼굴〕.

⁑いご【以後】 图 이후. **1** 금후; 차후. ＝今後. ¶～気をつけなさい 이후 주의해라 / ～慎みます 이후 조심하겠습니다. **2** (기준이 되는 때를 포함하여) 그 후. ＝以降. ¶八時～外出禁止 8시 이후 외출 금지 / 明治～の日本 明治 (시대) 이후의 일본. ↔以前.

いご【囲碁】 图 위기; 바둑; 또, 바둑을 둠. ＝碁.

いこい【憩い】《息い》 图 푹 쉼; 휴식. ¶～の場 휴식처 / ～のひととき 휴식의 한때.

いこーう【憩う】《息う》 5自 푹 쉬다; 휴식하다. ¶～間もない 쉴 새도 없다.

いこう【以降】 图 이강; 이후. ＝以後. ¶今日～ 금일 이후.

いこう【威光】 图 위광; 위세; 위력. ¶親の～を笠に着る 부모의 위광을 믿고 자세(藉勢)하다 / 金の～で出世する 돈의 위력으로 출세하다.

***いこう**【意向】 图 의향. ¶～を確かめる 의향을 확인하다 / 相手の～をくみとる 상대방 의향을 헤아리다.

いこう【移行】 图 ス自 이행; 바뀜. ＝うつりゆき. ¶学制が新制度に～する 학제가 신제도로 바뀌다.

いこう【遺稿】 图 유고. ¶故人の～を整理する 고인의 유고를 정리하다.

イコール [equal] 이퀄. 一图 〔數〕 등호(等號)《'＝'》. ¶A～B A 이퀄 B.
二ダナ 같음; 동등함. ¶～な関係 동등한 관계 / 倹約～けちではない 검약이 인색과 같은 것은 아니다.

いこく【異国】 图 이국; 외국. ¶～人 이

국인 / ～的 이국적 / ～趣味 이국 취미 / ～情緒 이국 정서.

いごこち【居心地】 图 어떤 자리·집에서 느끼는 기분. ¶～がわるい (있기에) 거북하다 / ～がよいホテル 묵고 있는 동안 마음이 편안한 호텔.

いこじ〖依怙地·意固地〗 图ダナ 옹고집; 외고집. ＝かたいじ·えこじ. ¶～な人 옹고집쟁이.

いこつ【遺骨】 图 유골. ＝お骨. ¶～が帰る (전사자 등의) 유골이 돌아오다 / ～を埋葬する 유골을 매장하다.

いこん【遺恨】 图 유한; 원한. ¶積年の～ 해묵은 원한 / ～を抱く 유한을 품다 / ～を晴らす 원한을 풀다.

いごん【遺言】 图 'ゆいごん(＝유언)'의 법률 용어. ¶～を残す 유언을 남기다.

いざ 感 남을 권유할 때, 또는, 막상 일을 시작하려고 분발할 때에 쓰는 말: 자. ＝さあ·どれ. ¶～行こう 자 가자 / ～さらば 자 그럼 안녕.

──鎌倉 중대 사건이 터졌을 경우; 일조 유사시. 參考 '鎌倉幕府에 중대 사건이 터져 달려가야 한다'는 뜻.

──知らず 《'…は～'의 꼴로》…은 어떨지 모르지만; …은 어찌 되었건. ¶先のことは～, 今はこうだ 앞일은 어떻게 될지 몰라도 지금 형편은 이렇다.

──という時 일단 유사시; 만일의 경우. ¶～は危険を分担する 만일의 경우에는 위험을 분담한다.

***いさい【委細】** 图 **1** 자세한 사정〔내용〕. ＝委曲·詳細. ¶～面談 자세한 내용은 면담할 때 이야기합시다. **2** (자세한 일까지) 모두. ¶～承知した 모두 잘 알았다.

いさい【異彩】 图 이채. ¶～を放つ 이채를 띠다; 뛰어나게 훌륭하다.

いざいそく【居催促】 图スル他 눌러 앉아 있으면서 재촉함. ¶借金を返せと～(を)する 빚을 갚으라고 버티고 앉아 재촉하다.

いさお〖功·勲〗 图〈雅〉공(훈); 공로. ＝いさおし·てがら. ¶～を立てる 공(훈)을 세우다.

いさかい〖諍い〗 图スル自〈老〉말다툼; 언쟁. ＝口げんか·いざこざ. ¶～が絶えない 언쟁이 끊이지 않다 / 弟と～(を)する 아우와 말다툼하다.

いざかや【居酒屋】 图 선술집; 목로 술집; 대폿집. ¶場末の～ 변두리의 대폿집 / ～で一杯ひっかける 선술집에서 한잔 들이켜다.

いさぎよ-い【潔い】 形 미련없이 깨끗하다. ¶～態度 떳떳한 태도 / ～最期を遂げる 깨끗한 최후를 마치다 / ～·く謝る 깨끗이 사과하다.

いさぎよしとしない【潔しとしない】 連語 떳떳하게 여기지 않다; 치사하게 여기다.

いさく【遺作】 图 유작. ¶故人の～を展示する 고인의 유작을 전시하다.

いざこざ 图 옥신각신; 분쟁; 다툼. ＝もめ事·ごたごた. ¶～が絶えない 분쟁이 끊이지 않는다.

いささか〖些か·聊か〗 副〈雅〉조금; 약간; 적이. ＝わずか. ¶～の疑いもない 조금도 혐의가 없다; 조금도 의심하지 않다 / ～驚いた 적이 놀랐다.

いざな-う〖誘う〗 5他〈雅〉꾀다; 권하다; 꾀어내다; 꾀어들이다. ＝さそう. ¶自宅に～ 자택으로 청하다 / 悪の道へ～ 악의 길로 유인하다.

***いさまし-い【勇ましい】** 形 **1** 용감하다; 용맹스럽다. ¶～兵士の行動 용감한 병사의 행동 / ～·く戦う 용감히 싸우다. **2** 시원시원하다; 활발하다. ¶～女性 활발한 여성.

いさみあし【勇み足】 图 **1** 씨름에서, 상대를 떠밀다가 자기가 밖으로 발을 내디뎌 지게 되는 일. **2** 전하여, 지나치게 덤비다 아차 실수함. ¶真相は彼の～とわかった 진상은 그의 지나친 의욕으로 인한 실수로 밝혀졌다.

いさみた-つ【勇み立つ】 5自 (불끈) 기운이〔용기가〕 나다; 투지가 샘솟다; 분발하다. ¶決勝戦に～ 결승전에 임하여 더욱 분발하다.

いさみはだ【勇み肌】 图 의협심이 많은 기질; 또, 그 사람. ＝きおいはだ. ¶～の男 호협한 사나이.

いさ-む【勇む】 5自 기운이 솟다; 용기가 용솟음치다. ＝はりきる. ¶～·んで出発する 용약 출발하다. ↔ひるむ.

いさめ〖諫め〗 图 간하는 말; 간언. ¶部下の～には耳をかさない 부하의 간언에는 귀를 기울이지 않는다.

いさ-める〖諫める〗 下1他 간하다; 충고하다. ¶酒を節するように父を～ 술을 절제하도록 부친을 간하다.

いざよい〖十六夜〗 图 음력 16일 밤(의 달). ¶～の月 16일 밤의 달.

いざり〖躄〗 图〈卑〉양다리가 불편해 서지 못하는 사람; 앉은뱅이. 參考 지금은 '両足の不自由な人'라고 함.

いさりび【いさり火】《漁り火》 图〈雅〉어화. ＝ぎょか. ¶沖に～が見える 먼 바다에 어화가 보인다.

いざ-る〖躄る〗 5自 무릎걸음을 치다. ¶～·って近寄る 무릎걸음을 해서 다가가다. 可能 いざ-れる 下1自

いさん【胃散】 图〔薬〕위산. ¶～を飲む 위산을 먹다.

いさん【胃酸】 图 위산. ¶～過多症 위산 과다증.

***いさん【遺産】** 图 유산. ¶～相続 유산 상속 / ～争い 유산 다툼 / ～を継ぐ 유산을 상속하다 / 父の～を食いつぶす〔当てにする〕 아버지의 유산을 탕진〔기대〕하다.

****いし【石】** 图 **1** 돌. ¶～で作った家 돌로 지은 집 / ～のように固い 돌처럼 단단하다. **2** 가공한 돌; 보석. ¶時計の～ 시계의 보석 / ライターの～ 라이터돌. **3** 바둑돌. ¶～を打つ 바둑을 두다.

4 바위; 암석; 석재. 5〖醫〗결석(結石). 6(가위바위보의) 바위. ↔はさみ·かみ.

──が流れて木の葉が沈む 돌이 흐르고 나뭇잎이 갈아앉다《사물이 거꾸로 됨의 비유》.

──にかじりついても 무슨 일이 있어도; 어떤 고생을 하더라도. ¶~生きて行かなくてはならない 어떤 고생을 하더라도 살아가지 않으면 안된다.

──にまくらする 돌을 베개 삼다《산야(山野)에서 자다》.

──の上にも三年 오래 참고 견디면 「복이 온다.

**いし【意志】图 의지; 뜻. 1 생각; 의사. =意思. ¶自由~ 자유 의사/神の~ 신의 뜻/~に反して 의사에 반하여. 2(…을 해 내겠다는) 굳은 마음. ¶~薄弱 의지 박약/~の強い人 의지가 강한 사람.

──てき【─的】ダナ 의지적. ¶~な口もと 야무진 입매.

*いし【意思】图 의사. ¶~決定〔表示〕 의사 결정〔표시〕/承諾の~がある 승낙할 의사가 있다/住民の~を尊重する 주민의 뜻을 존중하다. 注意 법률 용어에서는 '意思'를 쓰며, '意志'는 일반적으로 쓰임.

いし【遺志】图 유지; 고인의 생전의 뜻. ¶父の~を継ぐ 아버지의 유지를 이어받다.

いし【医師】图 의사. =医者. ¶~の診断をうける 의사의 진단을 받다. 參考 '医者'보다 공적(公的)인 말씨.

*いじ【意地】图 1 고집. ¶~を張る 고집을 부리다/~になって 고집불통이 되어서; 오기가 나서. 2 물욕; 식욕. ¶食い~ 먹을 욕심.

──が悪い 심술궂다.

──にも 오기로라도. ¶~やりとげたい 오기로라도 해내고 싶다.

──を通す 고집을 관철하다. ¶あくまで意地を通そうとする 끝까지 고집을 관철하려 들다.

──きたな-い【─汚い】形 게걸〔탐욕〕스럽다; 걸신들리다; 주접스럽다.

──ずく 图 억지 (세움). ¶~で 생억지로; 억지를 써서/こうなれば~だ 이렇게 되면 오기로 버티겠다.

──っぱり【─っ張り】名ナ 고집(을) 부림; 악지; 억지; 또, 고집통이.

──ば-る【─張る】5自 고집 부리다. ¶~·った声で言い張る 고집스런 목소리로 우겨대다.

──わる【─悪】名ナ 심술궂음; 짓궂음; 또, 심술쟁이. ¶~じいさん 심술쟁이 영감/~な人 심술궂은 사람/~をする 짓궂은 짓을 하다.

*いじ【維持】图ス他 유지. ¶現状を~する 현상을 유지하다/平和が~される 평화가 유지되다.

いじ【遺児】图 유아. =遺子. ¶交通~ 교통사고로 부모를 여읜 고아/恩人の~を引き取って育てる 은인의 유아를 맡아서 기르다.

いしあたま【石頭】图 돌대가리. =金づち頭. ¶あいつの~で話が進まない 저 녀석의 돌대가리 때문에 이야기가 진척되지 않는다.

いじいじ トス自 주눅이 들어 뜻대로 행동을 하지 못하는 모양; 주뼛주뼛; 어릿어릿. ¶~した態度 주눅이 든 듯한 태도/~と答える 어릿어릿하게 대답하다.

いしうす【石うす】《石臼》图 석구; 돌절구; 돌확; 또, 맷돌.

いしがき【石垣】图 돌담; 축벽(築壁). ¶城の~ 성의 축벽.

いしがっせん【石合戦】图 (투)석전; 돌싸움; 서로 돌을 던지는 놀이.

いしかわ【石川】图〖地〗일본 중부의 동해에 면한 현《현청 소재지는 金沢》.

**いしき【意識】图ス他 의식. ¶~不明 의식 불명/罪の~ 죄의식/~を失う 의식을 잃다/~をとりもどす 의식을 되찾다.

──てき【─的】ダナ 의식적. ¶~に避ける 의식적으로 피하다.

いしきり【石切り】图 1 채석; 돌을 떠냄. ¶~場 채석장. 2 돌을 다듬음; 석수(일). ¶~夫 석수; 석공.

いしく【石工】图 석공; 석수. =石屋.

いじく-る〖弄くる〗5他〈俗〉만지작거리다; 주무르다; 또, (일이나 취미로서) 만지다; 다루다. =いじる. ¶玩具を~ 장난감을 만지작거리다/~·りまわす 마구 주물러 대다/機械を~ 기계를 만지다/庭の草や木を~ 정원의 풀이나 나무를 만지다/数字を~ 숫자를 다루다.

いじ-ける 下1自 1 지지러지다. ¶~·けた筆跡 힘없는 필적/寒さに~·けて火鉢の側を離れない 추위에 지지러져서 화로 곁을 떠나지 못하다. 2 주눅이 들다; 위축되다. ¶子供が~ 아이가 주눅들다.

いしけん［石拳］图 가위바위보. =じゃんけん·石紙. ¶~できめる 가위바위보로 정하다.

いしころ【石ころ】《石塊》图〈口〉돌멩이; 자갈; 잔돌. =いしくれ. ¶往来の~を蹴飛ばしながら歩く 길바닥의 돌멩이를 걷어차면서 걷다.

いしざか【石坂】图 1 돌이 많은 비탈길〔고개〕. 2 돌층계; 또, 납작한 돌을 깐 비탈길.

いしずえ【礎】图 주춧돌; 초석. =柱石·礎石. ¶国の~ 나라의 초석/民主政治の~がつくられる 민주정치의 기초가 마련되다.

いしずり【石刷り】《石摺り》图 1 탑본(搨本). 2〔印〕석판 인쇄.

いしだたみ【石畳】《甃》图 납작한 돌을 깐 곳. ¶~の道 납작한 돌을 깐 길.

いしだん【石段】图 석단; 돌층계.

いしつ【異質】名ナ 이질; 질이 다름. ¶

～の文化ぶんか 이질적인 문화. ↔同質どうしつ.

いしつ【遺失】名ス他 유실. ¶～品ひん 유실품. ↔拾得しゅうとく.

―ぶつ【―物】名 유실물. ＝落おとし物もの·忘わすれ物もの. ¶～横領罪おうりょうざい 유실물 횡령죄.

いしづくり【石造り】名 석조. ¶あの家いえは～だ 저 집은 석조다.

いしつぶて【石つぶて】《石礫·礫》名 돌팔매질; 또, 팔맷돌. ＝つぶて.

いしどうろう【石どうろう】《石灯籠》名 석등롱; 석등; 장명등.

いしばい【石灰】名 석회《풀어쓴 말씨》. ＝石灰せっかい.

いしばし【石橋】名 석교; 돌다리.

―を叩たたいて渡わたる 돌다리도 두드려 보고 건넌다.

いしぶみ【石ぶみ】《石文·碑》名 〈雅〉 비; 석비; 비문. ＝石碑せきひ.

いしべい【石塀】名 돌담.

いしべきんきち[石部金吉] 名 목석 (같은 사나이); 너무나 고지식한 사람. ＝いしへん. ¶～かなかぶと 극단적으로 올곧음의 비유. 参考 '石いし(＝돌)' 와 '金きん(＝쇠)' 처럼 단단하다는 뜻으로 인명화(人名化)한 말.

いしぼとけ【石仏】名 **1** 석불; 돌부처. ＝せきぶつ. **2** 말이 없고 무감동한 사람. ⇨きぶつ(木仏).

いじまし-い 形 〈俗〉 **1** 인색하다; 좀스럽다; 다랍다. ¶～·くもうけようとする 좀스럽게 벌려고 하다. **2** 도량이 좁다. ¶～料簡りょうけん 좁은 소견. 「いわや.

いしむろ【石室】名 석실; 돌방. ＝岩屋

いじめ『苛め』名 (특히, 학교에서의) 괴롭힘. ¶弱よわい者もの～ 약한 자 괴롭히기 / 学校がっこうでの～が問題もんだいになっている 학교에서의 (집단) 괴롭힘이 문제가 되고 있다.

いじめっこ【いじめっ子】《苛めっ子》名 (약한 아이를 괴롭히는) 짓궂은 아이; 개구쟁이.

⁑**いじ-める**『苛める』下1他 괴롭히다; 들볶다; 구박〔학대〕하다; 못살게 굴다. ＝さいなむ. ¶嫁よめを～ 며느리를 구박하다 / 動物どうぶつを～な 동물을 학대하지 마라 / 級友きゅうゆうに～·められる 급우에게 시달리다〔들볶이다〕.

いしもち『石持·石首魚』名〔魚〕석수어; 조기. ＝くち·ぐち.

いしゃ【慰謝】《慰藉》名ス他 위자. 注意 '慰謝' 로 씀은 대용(代用) 한자.

―りょう【―料】名 위자료. ¶離婚りこんした妻つまに～を払はらう 이혼한 아내에게 위자료를 지불하다.

⁑**いしゃ**【医者】名 의사. ＝医師いし. ¶～を呼よぶ〔迎むかえる〕 의사를 부르다〔모셔 오다〕 / ～に見みてもらう 의사에게 진찰을 받다 / 目めが悪わるくて～にかかった 눈이 나빠서 의사에게 보였다.

―の不養生ふようじょう 남의 건강을 돌볼 의사가 오히려 섭생에 유의하지 않음《언행이 일치하지 않음의 비유》. ⇨紺屋こうやのしろばかま. 「구운 고구마.

いしやきいも【石焼き芋】名 달군 돌에

いしゅ【異種】名 이종. ¶～交配こうはい 이종교배. ↔同種どうしゅ.

いしゅう【異臭】名 이취; 이상한〔고약한〕 냄새. ¶～のただよう現場げんば 이상한 냄새가 감도는 현장 / ～を放はなつ 고약한 냄새를 풍기다.

いじゅう【移住】名ス自 이주. ¶ブラジルに～する 브라질에 이주하다.

―みん【―民】名 이주민《'移民いみん' 의 고친 이름》.

イシューこうこく【イシュー広告】名 이슈 광고〔애드〕; 의견 광고《단체 등이 사회적·공공적인 문제에 대해 자기의 주장을 호소하는 형식의 광고》. ＝イシューアド. ▷issue advertising.

いしゅく【委縮】《萎縮》名ス自 위축. ¶～病びょう 위축병; 오갈병 / 寒さむいのでからだも心こころも～した 추워서 몸도 마음도 위축되었다. 注意 '委縮' 는 대용 한자.

いしゅつ【移出】名ス他 이출; 반출. ¶～品ひん 이출품. ↔移入いにゅう.

いじゅつ【医術】名 의술. ¶～を習得しゅうとくする 의술을 습득하다.

いしゆみ【石弓】《弩》名 **1** 돌을 날리는 무기; 투석구(投石具); 돌쇠뇌. **2** (고무줄) 새총. ＝ぱちんこ.

いしょ【遺書】名 유서. ＝書かき置おき·遺言状ゆいごんじょう. ¶～が発見はっけんされる 유서가 발견되다 / ～をしたためる 유서를 쓰다.

いしょう【意匠】名 의장. **1** 생각; 고안. ¶～を凝こらす 백방으로 궁리하다. **2** 디자인. ¶～権けん〔登録とうろく〕 의장권〔등록〕.

いしょう【異称】名 이칭; 딴이름; 별명. ＝異名いみょう·別称べっしょう.

*__いしょう__【衣装】《衣裳》名 의상. ¶花嫁はなよめ～ 신부 의상. 「담당자.

―かた【―方】名 연극 등에서, 의상

⁑**いじょう**【以上】名 **1** 이상. ¶五歳ごさい～ 다섯 살 이상 / 百円ひゃくえん～ 백 엔 이상 / ～の通とおり 이상과 같이〔같음〕 / ～が本件ほんけんの提案ていあん理由りゆうです 이상이 본건 제안의 이유입니다 / ～申もうし上あげましたこと 이상 말씀 드린 것 / ～で終おわります 이상으로 마칩니다《그냥 '以上いじょう(＝이상)' 라고도 함》. ↔以下いか. **2** …한 이상. ¶かくなる～ 이렇게 된 이상 / 卒業そつぎょうした～親おやのやっかいにもなっておれない 졸업한 이상 부모의 신세만 질 수도 없다.

いじょう【委譲】《移譲》名ス他 위양; 이양. ¶権限けんげんを～する 권한을 이양하다.

⁑**いじょう**【異常】名ダナ 이상. ¶～乾燥かんそう 이상 건조 / ～気象きしょう〔食欲しょくよく〕 이상 기상〔식욕〕 / ～な性格せいかく 이상한 성격; 비정상적인 성격 / ～な熱意ねつい 대단한 열의 / 状態じょうたいが～にみえる 상태가 이상한 것 같다. ↔正常せいじょう.

いじょう【異状】名 이상. ¶営内えいないに～なし 영내에 이상 없음.

*いしょく【委嘱】《依嘱》图 ス他 위촉. ¶政府の～を受けて立案する 정부의 위촉을 받아서 입안하다.

いしょく【異色】图 이색. ¶～の力作 이색적인 역작 / 彼のやり方には～がある 그의 방식은 이색적이다.

──ある存在 이색적인 존재.

いしょく【移植】图 ス他 이식. ¶～ごて 모종삽 / 角膜～ 각막 이식 / ～の時期を選ぶ 이식 시기를 가리다.

いしょく【衣食】图 의식. ¶～住 의식주 / ～の道 생활 방도.

──足りて礼節を知る 의식이 족해야 예절을 차릴 줄 안다.

いじょく【居職】图 (재봉사 등과 같이) 자기 집에 앉아서 일하는 직업; 좌업(坐業); 앉은일. ↔出職.

*いじらし-い 形 애처롭다; 귀엽고 기특하다; 갸륵하다. ¶少年の～努力 소년의 애처로운 노력 / おとめ心が～ 소녀의 마음씨가 갸륵하다.

*いじ-る 〖弄る〗 5他 1 주무르다; 만지작거리다; 만지다. ¶大切な物を～な 귀중한 물건을 만지지 마라. 2 (취미로서) 만지다; 손질하다. ¶庭〔盆栽〕を～ 정원을〔분재를〕 손질하다. 3 (제도·기구 등을) 쓸데없이 조금 고치다; 공연히 손을 대다. ¶会則を～ 회칙을 주무르다〔쓸데없이 고치다〕. 可能 いじれる 下1自

いしわた【石綿】图 석면; 돌솜. ＝せきめん·アスベスト.

いしん【威信】图 위신. ¶～にかかわる 위신에 관계되다 / ～を失う〔高める〕 위신을 잃다〔높이다〕 / ～が失墜する 위신이 실추하다 / りっぱに～をたもつ 훌륭히 위신을 유지하다.

いしん【維新】图 유신; 정치상의 혁신. 参考 보통, '明治維新' 을 가리킴.

いじん【偉人】图 위인. ¶～伝 위인전.

いじん【異人】图 이인. 1 기이한 사람. 2 다른 사람. ¶同名～ 동명이인.

いしんでんしん【以心伝心】图 이심전심. ¶口に出さなくても～で分かる 입 밖에 내지 않아도 이심전심으로 알게 된다.

*いす 〖椅子〗 图 1 의자. ＝こしかけ. ¶長～ 긴 의자 / 安楽～ 안락 의자. 2 관직 등의 직위; 자리. ＝ポスト. ¶大臣の～を失う 대신〔장관〕 자리를 잃다.

いすう【異数】图 ダナ 이례적. ＝異例. ¶～の昇進 이례적인 승진.

いすか 〖鶍·交喙〗 图 〔鳥〕 잣새.

──のはし 잣새의 부리《일이 어긋나서 뜻대로 아니 됨의 비유》.

いすくま-る【居すくまる】《居竦まる》 5自 앉은 채 꼼짝 못하게 되다; 그곳에 못박이다. ＝いずくまる·いすくむ. ¶おやじのどなり声に～ 아버지의 호통 소리에 앉은 채 꼼짝 못하다.

いすく-める【射すくめる】《射竦める》 下1他 활을 쏘아서 적을 꼼짝 못하게 하다; 또, 날카롭게 주시하여 상대를 위압하다. ¶鋭い視線に～められる 매서운 시선에 움츠러지다.

いずくんぞ 〖何んぞ·焉んぞ〗 副 어찌《예스러운 말씨》. ＝どうして. ¶～知らん 어찌 알랴.

いずこ 〖何処〗 代 〈雅〉 어디. ＝どこ. ¶～も同じ 어디나 같다 / ～ともなく立ち去った 어디라 정처도 없이 떠나 버렸다 / ～の寺の鐘ならむ 어느 절의 종소리일까.

いずまい【居ずまい·居住まい】图 앉은 자세. ¶～を正す 앉음새를 고치다.

*いずみ【泉】图 1 샘; 샘물. ¶～の水 샘물. 2 원천. ¶話の～ 이야깃거리 / 知識の～ 지식의 샘〔원천〕.

イスラムきょう【──教】图 〔宗〕 이슬람교; 회교. ＝回教·マホメット教.

いずれ 〖何れ·孰れ〗 代 〈雅〉 1 부정칭(不定稱)의 지시 대명사: 어느 것; 어느 쪽. ¶～の場合においても 어떠한 경우에 있어서나 / ～の日にか 언젠가 / ～を選ぶか 어느 것을 택할까 / ～も劣らぬ 어느 것도 못하지 않다. 2《副詞적으로》 ㉠아무래도; 어쨌든; 결국. ＝どのみち·どうせ. ¶いくら隠したって～分かることだ 아무리 숨겨도 결국 알려질 일이다. ㉡근간; 일간; 얼마 안 있어. ¶～また参ります 일간 또 찾아 뵙겠습니다 / ～雨もあがろう 곧 비도 개겠지.

──ともなく 어디론지. ¶その巡礼は～立ち去った 그 순례자는 어디론지 떠나갔다.

──にしても 어느쪽이든; 어쨌든.

──にせよ ☞いずれにしても.

いずれも 〖何れも·孰れも〗 副 1 어느것이나. 2 아무거나; 모두.

いすわ-る【居座る】《居坐る·居据わる》 5自 눌러앉다. 1 버티고 앉다. ¶～り戦術 (요구 조건의 관철을 위한) 연좌 작전 / 玄関に～ 현관에 버티고 앉다. 2 머물러 앉다; 또, 같은 자리〔위치〕에 머무르다. ¶会長は～ことになった 회장은 눌러앉게 되었다 / 低気圧が～ 저기압이 머물고 있다.

いせい【威勢】图 1 위세. ¶～におされる 위세에 눌리다. 2 기운; 힘. ¶～がいい 힘차다; 기운이 좋다; 씩씩하다 / ～のよい若い衆 기운찬 젊은이들.

いせい【為政】图 위정. ＝執政.

──しゃ【──者】图 위정자.

いせい【異性】图 이성. ¶～間の交際 이성간의 교제 /～を知る 이성을 알다. ↔同性.

いせえび 〖伊勢海老〗 图 〔動〕 대하(大蝦); 왕새우. ＝しまえび·かまくらえび.

いせき【移籍】图 ス自他 이적. ¶～選手 이적 선수 / 居住地〔他球団〕に～する 거주지로〔다른 구단으로〕 이적하다.

*いせき【遺跡】《遺蹟》图 유적. 1 유지(遺址). ＝旧跡. 2 고고학적 유물이 남

아 있는 곳. ¶～の発掘 유적의 발굴.

いせじんぐう [伊勢神宮] 图 三重県 伊勢 시에 있는 신사(神社)《일본 황실의 종묘》.

いせつ【異説】图 이설. ¶～を出す 이설을〔다른 견해를〕내놓다 / ～をたてる 이설을 내세우다 / ～をとなえる 이설을 주장하다. ↔通説·定説.

いせん【緯線】图〔地〕위선; 위도선. ↔経線.

***いぜん**【以前】图 이전. **1**《接尾語적으로》(기준이 되는 때를 포함해서) 그 전. ¶五十歳～の著作 오십 세 이전의 저작. ↔以後. **2** 아주 전; 옛날; 과거. ¶～に行った事がある 이전에 간 일이 있다.

いぜん【依然】副 トタル 의연; 여전. ¶旧態～たる生活 구태의연한 생활.

——として 여전히. ¶雨は～やまない 비는 여전히 그치지 않는다.

いぜんけい [已然形] 图〔文法〕문어의 활용형의 하나로, 구어의 가정형에 해당함《조사 'ば' 'ど' 'でも' 등을 붙여, 동작이 이미 그렇게 되어 있음을 나타냄; '落つれば'의 '落つれ' 등》.

いそ〖磯〗图 (바다·호수의) 바위너설이 있는 물가; 둔치; 해변.

いそいそ 副 ス自 기쁜 일이 있어 동작이 들뜬 모양: 어깻바람이 나서; 부리나케; 부랴부랴. ¶～(と)帰りじたくをする 부랴부랴 돌아갈 채비를 하다 / 朝から～して支度に取りかかった 아침부터 신명이 나서 준비를 시작했다.

いそう【移送】图 ス他 이송. ¶事件の～ 사건의 이송 / 郵便物を～する 우편물을 이송하다.

いそう【位相】图 위상. **1**〔理〕(주기 운동 중에서의) 상태·위치. **2**〔言〕남녀·직업·계급 등의 차이에 따른 말씨의 차이. ¶～語 위상어.

いぞう【遺贈】图 ス他〔法〕유증. ¶財産を母校に～する 재산을 모교에 유증하다.

いそうお【いそ魚】《磯魚》图 해안이나 해초 사이에 사는 물고기. ↔沖魚.

いそうろう【居候】图 ス自 (남의 집에서) 기식(寄食)함; 또, 그런 사람; 식객. ¶叔父の家に～している 숙부 집에 얹혀 살고 있다.

——三杯目にはそっと出し 식객이 세 그릇째에는 밥공기를 슬며시 내민다《뻔뻔한 사람이라도 염치는 있는 법》.

***いそがし-い**【忙しい】形 **1** 바쁘다; 겨를이 없다. ¶決算期で～ 결산기로 바쁘다. **2** 닥치어 들뜨다; 분주살스럽다. ¶年の瀬は何となく～ 세밑이 되면 어쩐지 들뜬다 / 局面が急に～·くなって来た 국면이 갑자기 부산해졌다.

いそが-す【急がす】5他 재촉하다; 죄어치다. ¶完成を～ 완성을 재촉하다.

***いそが-せる**【急がせる】下1他 ☞いそがす. ¶車を～ 차를 빨리 몰게 하다.

いそがわし-い【忙わしい】形 바쁘다; 분주스럽다. ＝いそがしい.

いそぎ【急ぎ】⊟图 급함; 화급. ¶～の用 급한 볼일〔용무〕. ⊟副 급히; 서둘러. ¶～家に帰れ 급히 집으로 돌아오너라〔가거라〕.

いそぎあし【急ぎ足】图 급한 걸음; 빠른 걸음. ¶～で二十分かかる 빠른 걸음으로 20분 걸린다.

いそぎんちゃく〖磯巾着〗图〔動〕말미잘. ＝いしぼたん.

***いそ-ぐ**【急ぐ】5自他 서두르다. ¶～·いで書く 급히 쓰다 / 完成を～ 완성을 서두르다 / 道を～ 길을 재촉하다 / 勝ちを～·いで失敗する 승리를 조급히 서두르다가 실패하다.

***いぞく**【遺族】图 유족; 유가족. ¶～補償 유족 보상.

いそくさ-い【いそ臭い】《磯臭い》形 바닷내가 나다. ¶～浜辺 비린내가 풍기는 바닷가.

いそじ [五十路·五十] 图 〈雅〉 **1** 오십. ＝いそ. **2** 오십세; 쉰 살. ¶～の坂を越す 오십 고개를 넘다.

いそし-む〖勤しむ〗5自 부지런히 힘쓰다. ＝はげむ. ¶勉学に～ 면학에 힘쓰다. ↔怠る.

いそづたい【いそ伝い】《磯伝い》图 바위너설이 있는 바닷가를 따라감.

いそづり【いそ釣り】《磯釣り》图 ス自他 갯바위 낚시. ↔おか釣り·沖釣り.

いそびらき【いそ開き】《磯開き》图 그 지방의 해조(海藻)나 조개류의 채취를 해금하는 일. ＝磯明け.

いそめ〖磯め·磯蚯蚓〗图〔動〕갯지렁이.

いそやけ【いそ焼け】《磯焼け》图 해안 근처의 바닷물이 많은 강우로 온도와 염분이 낮아지면서 조류(藻類)가 시들어 생물이 피해를 받는 현상.

いそん【依存】图 ス自 의존. ¶～心が強い 의존심이 강하다 / 親に～する生活 부모에게 의존하는 생활. 注意 'いぞん'이라고도 함.

いぞん【異存】图 〈老〉 반대 의사; 이의. ＝不服. ¶～はない 이의는 없다.

***いた**【板】图 판자; 널(빤지); 또, 판자 모양의 물건. ¶鉄の～ 철판.

——につく 1 배우의 연기가 무대에 잘 조화되다. **2** 전하여, (그 직업·임무 따위에) 아주 제격이다; (복장 등이) 잘 어울리다. ¶板についた司会ぶり 잘 어울리는 사회 솜씨.

——にのせる 상연하다. ＝板に掛ける.

***いた-い**【痛い】形 **1** 아프다. ¶頭が～ 머리가 아프다. **2** (마음이) 쓰리다; 뼈아프다. ¶～損失 쓰라린〔뼈아픈〕 손실 / チャンスをのがしたのは～·かった 찬스를 놓친 것은 가슴 아팠다. **3** (약점을 찔려서) 뜨끔하다. ¶これは～ 이건 낭패다 / ～目に会わせる 뜨끔한 맛을 보여 주다; 혼내 주다.

—ところを突かれる 아픈 데를 찔리다; 약점을 찔리다.
—ところを突く 약점을〔아픈 데를〕 찌르다.
—·くもかゆくもない 아무렇지도 않다. ¶なんと言われようと～ 무슨 말을 하든 아무렇지도 않다.
—·くもない腹をさぐられる 엉뚱하게 혐의를 받다.

いたい【遺体】[名] 유체; 유해; 시체. ＝遺骸·なきがら. ¶～安置所 유해 안치소 / ～の引き取り手がない 유해를 인수할 사람이 없다 / ～にすがって泣く 유해에 매달려 울다.

> **遺体와 死体의 차이**
>
> '死体(사체; 시체)'·'死骸(사해; 사체)'는 일반적인 말로 사람이나 동물에 다같이 쓰나, '遺体'는 '遭難者の遺骸(조난자의 유해)'나 '父のなきがら(아버지의 유해)'처럼 경의(敬意)가 담긴 말로서, 사람에게만 씀. 곧, '遺体'가 인격에 비중을 둔 공손한 말씨라면, '死体'는 육체에 비중을 둔 보통 말씨임.

いだい【医大】[名] 의대(('医科大学(＝의과 대학)'의 준말)).
*__いだい__【偉大】[名ナ] 위대. ¶～な人物〔業績〕 위대한 인물〔업적〕.
いたいいたいびょう【イタイイタイ病】[名] 카드뮴 중독에 의한 공해병(公害病)의 하나. ＝イ病.
いたいけ〖幼気〗[ダナ] **1** 어리고 귀여운 모양. ¶～な子供 티없는 어린이. **2** 애처로운 모양. ¶遺児の～な姿 유아의 애처로운 모습. [注意] 'いたいけない'라고도 함. ¶～ない寝顔 티없이 귀여운 잠든 얼굴.
いたいたし-い【痛痛しい·傷傷しい】[形] 애처롭다; 딱하다. ¶ひどい怪我で見るも～状態だった 심한 상처로 보기에도 딱한 상태였다.
いたがね【板金】[名] **1** 판금; 금속판. **2** 판형(板形)의 금화·은화. ＝ばんきん.
いたがみ【板紙】[名] 판지. ＝ボール紙.
いたがゆ-い【痛がゆい】((痛痒い)) [形] 아픈 듯 가렵다. ¶霜焼けの指が～ 동상에 걸린 손가락이 아픈 듯 가렵다.
いたガラス【板ガラス】[名] 판(板)유리. ▷네 glas.
いたが-る【痛がる】[5自] 아파하다; 아픔을 느끼다; 아픔을 호소하다.
いたく【依託】[名][ス他] 의탁. ¶～射撃 의탁 사격; 어떤 물체에 기대어 사격함.
*__いたく__【委託】[名][ス他] 위탁.
—かこう【—加工】[名] 위탁 가공. ¶～貿易 위탁 가공 무역.
いたく〖痛く·甚く〗[副] 〈雅〉 대단히; 몹시. ＝大変. ¶～感心した 매우 감탄하였다 / ～悲しむ 몹시 슬퍼하다.
いだ-く【抱く】[5他] 〈雅〉 (껴)안다; 보듬다. ＝だく. ¶おさな子を胸に～ 아기를 가슴에 안다 / 自然の懐に～·かれる 자연의 품에 안기다.
いだ-く【懐く】[5他] (마음에) 품다. ¶大志を～ 큰 뜻을 품다 / 悪意〔恨み〕を～ 악의를〔원한을〕 품다.
いたけだか【居丈高】[ダナ] 위압적〔고압적〕인 태도. ¶～になって食って掛かる 딱딱거리며 대들다. [参考] 'いたけ'는 앉은키.
いたご【板子】[名] 배 밑에 까는 두껑널.
——枚下は地獄 배 밑 널 한 장 아래는 지옥((배 타는 일이 위험함의 비유)).
いたさ【痛さ】[名] 아픔; 고통.
いたしかた【致し方】[名] 'しかた·しよう(＝하는 수)'의 겸사말. ¶～なく 하는 수 없이 / ～がない 하는 수 없다.
いたしかゆし【痛しかゆし】((痛し痒し)) [下1自] (가려워 긁으면 아프고 안 긁으면 가려운 것과 같이) 어떻게 해야 좋을지 진퇴양난임; 미묘함. ¶こうした状況は政府にとって～の問題のようだ 이러한 상황은 정부로서는 난처한 문제인 것 같다.
いたじき【板敷】[名] 마루; 마루방. ＝板の間.
*__いた-す__【致す】[5他] **1** 가져오다; 일으키다. ¶不徳の～ところ 부덕의 소치 / 繁栄を～ 번영을 가져오다 / 人を死に～ 사람을 죽게 하다. **2**【いたす】'する(＝하다)'의 겸사말. ¶私が～·します 제가 하겠습니다 / 変な音が～·します 이상한 소리가 납니다 / 日曜も営業～·します 일요일에도 영업합니다. **3**【いたす】((補助動詞로서 'お〔ご〕…いたす'의 꼴로)) 겸양이나 정중함의 뜻을 나타냄. ¶課長がご説明～予定です 과장이 설명해 드릴 예정입니다 / お伴～つもりです 모시고 갈 생각입니다 / お願い～·します 부탁 드리겠습니다 / お持ち～·しましょうか 들어 드릴까요.
__いたずら__〖悪戯〗[名ナ] **1 (짓궂은) 장난; 못된 장난. ¶～っ子〔小僧·坊主〕 장난꾸러기 / ～半分に 반 장난으로 / なんて～なんだろう 정말 장난이 심하기도 하군; 왜 이리 장난이 심하지 / また～してるな 또 장난이냐. **2** 자기가 한 짓의 겸사말. ¶ちょっと～にかいた絵 그저 장난으로 그린 그림.
**__いたずら__〖徒〗[ダナ] 〈雅〉 쓸데없음; 헛됨; 무익함. ¶～に時間を費やす 쓸데없이 시간을 낭비하다 / ～に騒ぎ立てる 공연히 떠들어대다.
いただき【頂】[名] (산 따위의) 꼭대기; 정상. ＝頂上·てっぺん. ¶山〔塔〕の～ 산〔탑〕 꼭대기.
いただき【頂き】((戴き)) [名] 〈俗〉 (승부에서) 이기는 일. ¶この試合は私の～だ 이 시합은 내가 이겼다.
いただきもの【頂き物】((戴き物)) [名] 얻은 것; 선물. ¶～をする 물건을 얻다.
__いただ-く__【頂く】((戴く)) [5他] **1 (머리에) 이다; 얹다. ¶雪を～山々 꼭대기에

눈이 덮인 산들/頭(かしら)に霜(しも)を～ 머리가 허예지다; 백발이 되다. **2** 받들다; 모시다. ¶会長(かいちょう)に～ 회장으로 받들다. **3** ‘もらう(=받다)’의 공손한 말씨. ¶おみやげを～ 선물을 받다/おことばを～ 말씀을 듣다. **4** ‘たべる(=먹다)’ ‘のむ(=마시다)’의 공손한 말씨. ¶～·きます 잘 먹겠습니다/もう十分(じゅうぶん)～·きました 이제 잔뜩 먹었습니다. **5**【いただく】《補助動詞로서, 動詞連用形+‘て’에 붙어》㉠‘…してもらう’의 공손한 말씨: …(해) 주시다. ¶会(あ)って～ 만나 주시다/紹介状(しょうかいじょう)を書(か)いて～ 소개장을 써 주시다. ㉡《‘…せ〔させ〕て～’의 꼴로》상대방에게 자기가 하려는 동작에 대해 허락을 받는 뜻의 겸양 표현: …하도록 허락 받다; …하겠습니다. ¶私(わたし)が進行役(しんこうやく)をつとめさせて～·きます 제가 진행 일을 맡아 보겠습니다/そうさせて～·きます 그렇게 하도록 하겠습니다〔허락해 주십시오〕. 参考1 3의 뜻으로 ‘母(はは)から(=어머니에게서)～·いた’ 따위로 말함은 잘못. 4의 뜻으로는 ‘熱(あつ)いうちに～·きましょう (더운 동안에〔식기 전에〕 듭시다)’처럼 공손한 말로 쓰는 방법도 있음. 参考2 ‘手紙(てがみ)を書(か)いてやって～·けませんか 편지를 써 주시지 않겠습니까’라는 표현도 쓰임.

いただけない【頂けない】《戴けない》 下1自 **1** 받을 수 없다. **2** 마땅찮다; 불만이다. ¶～やつ 몹쓸 녀석/あの態度(たいど)は～ 저 태도는 마땅찮다.

いただ-ける【頂ける】《戴ける》 下1自 **1** 받을 수 있다; 얻을 수 있다. **2** 받아 들일 만하다; 꽤 좋다; 괜찮다; …ㄹ 만하다. ¶その考(かんが)えは～ 그 생각은 괜찮다/この酒(さけ)は～ 이 술은 꽤 좋다.

いたたまらない〖居た堪らない〗 連語 더 이상 배겨 낼 수 없다. ¶～気持(きも)ち 더 이상 배겨 있을 수 없는 기분.

いたたまれない〖居た堪れない〗 連語 ☞いたたまらない.

いたち〖鼬〗 名〔動〕 족제비.

――の最後(さいご)っぺ 궁한 나머지 취하는 최후의 비상수단.

――の道(みち) 남과의 왕래나 교제가 끊어짐《족제비는 한 번 지난 길은 두 번 다시 통과하는 일이 없다는 뜻에서》. ¶～を決(き)め込(こ)む 짐짓 왕래·교제를 끊다.

いたちごっこ〖鼬ごっこ〗 名 다람쥐 쳇바퀴 돌듯하기. ¶物価(ぶっか)と賃銀(ちんぎん)の～ 물가와 임금의 악순환.

いたって【至って】 副 (지)극히; 매우; 대단히. =きわめて; はなはだ. ¶～陽気(ようき)な性格(せいかく) 아주 쾌활한 성격/～元気(げんき)です 매우 건강합니다.

いたっては【至っては】 itattewa 連語《‘…に～’의 꼴로》…에 이르러서는. ¶近(ちか)ごろに～ 근래에 이르러서는.

いたで【痛手·傷手】 名 **1** 깊은 상처; 중상. =重傷(じゅうしょう)·深手(ふかで). ¶～を負(お)う 심한 부상을 입다. **2** 심한 타격〔손해〕. ¶心(こころ)の～ 심적인 타격; 마음의 상처/～をこうむる 심한 타격을 받다/不況(ふきょう)で～を受(う)けた 불경기로 큰 타격을 받았다.

いだてんばしり【韋駄天走り】 名 몹시 빨리 달림. ¶～に駆(か)け出(だ)す 부리나케 달려 나가다.

いたど【板戸】 名 널문《빈지문·덧문 등》.

いたのま【板の間】 名 마루방.

いたば【板場】 名 **1** 요릿집에서, 주방. ↔洗(あら)い場(ば). **2** 조리사; 숙수. =いたまえ. ¶～の修業(しゅぎょう) 조리사의 수업. 注意 주로 関西(かんさい)에서 쓰는 말.

いたばさみ【板挟み】 名 둘 사이에 끼여 꼼짝 못함; 딜레마. ¶上司(じょうし)と部下(ぶか)との～になる 상사와 부하 사이에 끼여 난처하게 되다.

いたばり【板張り】 名ス他 **1** 판자를 댐〔붙임〕; 판자가 쳐져 있음. ¶～の床(ゆか) 판자를 깐 마루. **2** 재양(載陽); 재양침. =洗(あら)い張(ば)り.

いたぶき【板ぶき】《板葺》 名 판자로 지붕을 이는 일; 또, 그 지붕. ¶～の家(いえ) 판자 지붕 집.

いたぶ-る〖甚振る〗 5他 〈俗〉 공갈쳐서 빼앗다; 등치다; 강요하다. =ゆする. ¶弱(よわ)い女(おんな)を～·って飯(めし)のたねにする 약한 여자를 등쳐 밥줄로 삼다.

いたまえ【板前】 名 (일본 요리의) 요리사; 숙수; 또, 주방. ¶～で働(はたら)く 숙수로 일하다. 参考 본디, 요리 솜씨.

いたまし-い【痛ましい·傷ましい】 形 애처롭다; 가엾다; 참혹하다. ¶～交通事故(こうつうじこ) 참혹한 교통사고/～負傷者(ふしょうしゃ) 애처로운 부상자.

⁑**いたみ**【痛み·傷み】 名 **1** 아픔. ¶傷(きず)の～がひどい 상처가 몹시 아프다. **2** 슬픔; 쓰라림; 고민. ¶心(こころ)の～ 마음의 고통. **3** (과일 등이) 상함. ¶りんごに～がくる 사과가 상하다/～のはやい食品(しょくひん) 상하기 쉬운 식품.

いたみい-る【痛み入る·傷み入る】 5自 황송해 하다. ¶ご親切(しんせつ)で～·ります 친절히 해주셔서 송구스럽습니다.

いたみどめ【痛み止め】 名 지통약(止痛藥); 진통제. ¶～をうって試合(しあい)に出(で)る 진통제를 맞고 경기에 나가다.

***いた-む**【痛む·傷む】 5自 **1** ㉠아프다. ¶傷(きず)が～ 상처가 아프다. ㉡고통·타격을 받다; 괴롭다. ¶ふところが～ 돈을 손해보다/心(こころ)が～ 마음이 괴롭다. **2** 상하다; 파손되다. ¶～·んだごはん 쉰밥/いちごが～ 딸기가 상하다/荷(に)が～ 짐이 파손되다. ⇨次面 박스記事

***いた-む**【悼む】 5他 애도하다; 슬퍼하다. ¶彼(かれ)の死(し)を～·んで大勢(おおぜい)の人(ひと)が集(あつ)まった 그의 죽음을 애도하여 많은 사람이 모였다/友(とも)を～歌(うた) 벗을 애도하는 노래.

いため〖炒め〗 名 볶음; 지짐. ¶～ごはん 볶음밥/～物(もの) 볶은 음식.

> **痛むの 여러 가지 표현**
>
> 표현例 がんがん(지끈지끈)·ずきずき(욱신욱신)·ずきんずきん(욱신욱신)·しくしく(쌀쌀; 콕콕)·ちりちり(화끈화끈)·ひりひり(따끔따끔)·ぴりぴり(뜨끔뜨끔).
>
> 관용 표현 頭が割れるように(머리가 빠개질 듯이)·針で刺されるように(바늘에 찔린 듯이)·強く叩かれたように(세게 얻어맞은 듯이)·鞭で打たれるように(채찍으로 맞은 듯이)·痺れるように(저린 듯이)·胸がしめつけられるように(가슴이 죄어드는 듯이)·胸がはりさけるように(가슴이 터질 듯이)·身が切り刻まれるように(살을 에는 듯이).

いためつ-ける【痛めつける】下1他 혼내 주다; 홀닦다. ¶弱点を突いて相手を～ 약점을 들추어 상대방을 호되게 닦아세우다.

***いた-める**【痛める·傷める】下1他 **1** 아프게 하다. ㉠(육체적으로) 고통을 주다; 다치다; 상하다. ¶足を～ 발을 다치다 / 腹を～·めた子供 자기가 낳은 자식; 친자식. ㉡(정신적인) 고통·타격을 주다. ¶心を～ 마음 아파하다 / ふところを～ 자기 돈을 쓰다; (뜻밖의 지출에) 마음이 쓰리다. **2** 흠내다; (손)상하다; 파손하다; (음식을) 상하게 하다; 썩히다. ¶果物を～ 과일을 썩히다 / 机を～ 책상을 손상하다 / 信用を～ 신용을 손상하다.

***いた-める**〖炒める·煠める〗下1他 기름에 볶다; 지지다. ¶キャベツを～ 양배추를 볶다.

いたや【板屋】名 판자로 인 지붕; 판잣집.

いたらぬ【至らぬ】連体 미흡한; 미치지 못하는; 모자라는. =いたらない. ¶～所 미흡한 데〔점〕/ 私の～ためです 제가 부족한 탓입니다 / ～者ですが, よろしく 미흡한 사람입니다만, 잘 부탁드립니다.

いたり【至り】名 **1** 극히 …함; 지극; 극도; 극치. ¶感激の～ 더없이 감격함 / 笑止の～ 가소롭기 그지없음 / 光栄の～です 더없는 영광입니다. **2** 소치(所致); 탓. ¶若気の～ 젊은 혈기의 소치.

イタリック [Italic] 名〖印〗이탤릭; 사체(斜體). ¶～体 이탤릭체.

***いた-る**【至る】《到る》5自 **1** 이르다; 도달하다. ¶今に～まで 지금에 이르기까지; 지금껏 / 五時に～·っても 다섯 시가 되어도 / 死に～ 죽음에 이르다 / やっと完成に～ 겨우 완성에 이르다 / 事ここに～ 일이 여기에 이르다. **2** 도래하다; 찾아오다. ¶悲喜こもごも～ 희비가 번갈아 찾아오다 / 好機～ 좋은 기회가 오다; 호기 도래하다. **3**(특히, 주의 따위가) 미치다. ¶～·らない点はお許しください 미흡한 점은 용서해 주십시오. ⇨いたらぬ.

いたるところ〖至る所·到る処〗連語 도처에; 가는 곳마다. ¶～水浸しになる 곳곳이 물에 잠기다 / ～大変な人出だ 가는 곳마다 대단한 인파다.

いたれりつくせり 【至れり尽くせり】連語 극진함; 더할 나위 없음; 빈틈없음. ¶～の設備 더할 나위 없는 설비 / ～のサービス 극진한 서비스 / 彼のもてなしは全く～だ 그의 대접은 정말 극진하다.

いたわし-い〖労しい〗形 가엾다; 딱하다; 애처롭다. ¶本当にお～ことです 정말 가엾은 일이군요.

いたわり〖労り〗名 위로함; 또, 그 마음. ¶～の言葉をかける 위로의 말을 건네다.

***いたわ-る**〖労る〗5他 **1** (노약자를 동정하여) 친절하게 돌보다. ¶年寄りを～ 노인을 친절히 돌보다. **2** (노고를) 위로하다. ¶救助隊員を～ 구조 대원을 위로하다.

いたん【異端】名 이단. ¶～視 이단시 / ～者 이단자 / ～の説 이단의 설.

⁂いち【一】名 일. **1** 하나; 첫째. ¶～の位 첫째 자리 / 万が～ 만일 / 東洋～ 동양 최고 / ～に看病, 二に薬 첫째 병구완, 둘째가 약 / ～と言って二と下がらない大金持ち 둘째 가라면 서러워할 큰 부자. **2**《接頭語적으로》하나의; 어떤. ¶～市民 한 시민 / 夏の～日 여름의 어느 날.

―から十まで 하나에서 열까지; 일일이.

―も二もなく **1** 두말없이; 즉각. ¶おじさんに頼んだら～引き受けてくれた 아저씨께 부탁 드렸더니 즉각 맡아 주셨다. **2** 말할 필요도 없이.

―を聞いて十を知る 하나를 듣고 열을 알다; 문일지십(聞一知十).

―を知って二を知らず 하나만 알고 둘은 모르다; 어설프게 알다.

いち【市】名 **1** 저자; 시장; 장. ¶朝～ 아침장. **2** 거리; 시가(市街).

―が立つ 장이 서다.

―を成す 성황을 이루다. ¶門前～ 문전성시를 이루다.

⁂いち【位置】名 ス自 위치. ¶花瓶の～ 꽃병의 위치 / 社長の～ 사장의 위치〔지위〕/ 重要な～を占める 중요한 위치를 차지하다.

―づけ【―付け】名 자리매김.

―づける【―付ける】下1他 자리매김하다; 평가하다. ¶作品を文学史の上に～ 작품이 문학사의 한 페이지를 차지하다.

いち=〖逸〗첫째; 가장; 매우. ¶～早く 재빨리.

いち 〖一〗 教1 イチ イツ / ひとつ ひとひ | 일 하나 | 일. **1** 자연수의 최초의 수; 또, 첫째. ¶一日 일일; 초하루 / 一番 일번; 첫째. **2** 하나; 한. ¶一個 한 개. 參考 수를 나타

낼 때 '壱'를 쓰기도 함. ㊁최상; 최고. ¶一二を争う 1, 2등을 다투다.

いち〖壱〗《壹》常用 イチ イツ ひとつ | 일 하나 |
일; 셈할 때의 '一'의 대용자(代用字). 参考 증서류에서, 연월일·수량 등을 표시하며, 이 경우는 '大字'라고 함.

いちい【一位】名 일위. **1** 수위. ¶~を占める 1위를 차지하다. **2** 첫째 위계(位階). ¶正~ 정일품. **3** 한 자리의 수.

いちいたいすい【一衣帯水】名 일의대수; 한 줄기 강; 또, 강이나 바다가 가로놓여 있어도 멀지 않다는 뜻. ¶~の地 일의대수의 땅 / ~を隔てて二つの集落が延びている 일의대수를 사이에 두고 두 취락이 뻗어 있다.

*__いちいち__〖一一〗副 일일이; 하나하나; 빠짐없이. ¶~返事を書く 일일이 답장을 쓰다 / ~見ておられない 일일이 다 보고 있을 수는 없다 / ~もっともだ 하나하나 다 옳은 말이다.

いちいん【一員】名 일원. ¶家族の~となる 가족의 일원이 되다.

いちいん【一因】名 일인; 한 원인. ¶勝利〔失敗〕の~となる 승리〔실패〕의 한 원인이 되다.

いちいんせい【一院制】名 일원제; 단원(單院)제. ¶~の議会 단원제 의회.

いちえん【一円】名 **1** 일원; 어떤 장소 일대. ¶関東~に亙って 関東 일원에 걸쳐. **2** 1엔《일본 화폐의 단위》.

*__いちおう__【いちおう·一応·一往】副 우선; 어떻든; 일단; 한차례. ¶~家のものと相談する 우선 가족과 의논하다 / ~そう結論できる 일단 그렇게 결론 지을 수 있다 / ~(の)あいさつ有って然るべきだ 일단〔한차례〕 인사는 있어야 마땅하다.

いちおし【一押し·一推し】名 첫째로 권할 수 있는 것. ¶当店~の商品 당점에서 첫째로 꼽는 상품.

いちがいに【一概に】副 일률적으로; 몰아; 통틀어서; 한 마디로《흔히, 뒤에 否定어가 옴》. ¶~は言えぬが 일률적으로는 말할 수 없으나 / ~けなす 싸잡아 헐뜯다 / ~悪いとは言えない 일률적으로 다 나쁘다고는 할 수 없다.

*__いちがつ__【一月】名 일월; 정월. =正月·むつき.

いちかばちか【一か八か】連語 되든 안 되든; 건곤일척의; 홍하든 망하든. ¶~やってみよう 홍하든 망하든 해 보자.

いちがん【一丸】名 한 덩어리《한문투의 말씨》. =ひとかたまり. ¶~となって 한 덩어리가 되어서 / 打って~となす 완전히 한 덩어리로 뭉치게 하다.

いちがん【一眼】名 **1** 한쪽 눈. **2** 외눈; 척안(隻眼). **3** (리플렉스 카메라에서) 렌즈가 하나임.
—**レフ** 名 일안 리프; 일안 리플렉스 카메라.

いちく【移築】名ス他 이축. ¶校舎を~する 교사를 이축하다.

いちぐう【一隅】名 일우; 한구석; 한 모퉁이. =片隅. ¶都会の~ 도시의 한 구석.

いちぐん【一軍】名 일군. **1** 한 떼의 군사. **2** 전군. =全軍. **3**〔野〕 정규 선수로 조직된 팀. ¶二軍から~に上がる 2군에서 1군으로 오르다.

いちぐん【一群】名 일군; 한 무리; 한 떼. =ひとむれ. ¶~の象 한 무리의 코끼리떼 / 草原を行く牛の~ 초원을 가는 한 떼의 소.

いちげい【一芸】名 한 가지 재주나 기술. ¶~に秀でる 한 가지 재주에 뛰어나다.

いちげき【一撃】名 일격. =ひとうち. ¶~を加える 일격을 가하다.

いちげん【一元】名 일원. **1**〔數〕 (방정식에서) 미지수가 하나임. ¶~二次方程式 일원 이차 방정식. **2** 한 세대의 연호. ¶一世~ 일세 일원. **3** 근본이 하나임. ¶~的 일원적 / 窓口の~化をはかる 창구의 일원화를 꾀하다.

いちげん【一言】名 일언; 한마디 말. =ひとこと. ¶~をもってこれをおおう 일언이폐지(一言以蔽之)하다.
—**こじ**【—居士】名 일언거사; 무슨 일에나 말참견 않고는 못 배기는 사람《경멸의 뜻이 담김》. =いちごんこじ.

いちげん〔一見〕名 (요릿집 등에서) 단골이 아니고 처음임. ¶~の客 처음으로 온 손님. ↔おなじみ.

いちけんしき【一見識】名 일견식; 일가견. ¶~を持つ 일가견을 갖다 / 政治に~ある人物 정치에 일가견이 있는 인물.

いちご〖苺·莓〗名〔植〕 딸기.

いちごいちえ【一期一会】名 일생에 한 번뿐인 기회.

いちごう【一合】名 **1** 한 홉. **2** 일합《칼이나 창으로 싸울 때, 한 번 마주침》.
—**め**【—目】名 산꼭대기까지의 등산길을 열 구간으로 나눈 그 첫 한 구간.

いちころ【一ころ】名 〈俗〉 단번에 맥없이 짐; 또, 매우 쉬움. ¶~でやられる 아주 쉽게 지다.

いちごん【一言】名ス自 〈老〉 일언; 한마디. =ひとこと·いちげん.
—**のもとに** 일언지하에. ¶~拒絶する 한마디로 거절하다.
—**もない** 한마디 말도 없다; 변명의 여지가 없다.
—**はんく**【—半句】名 일언반구. ¶~もゆるがせにしない 일언반구도 소홀히 하지 않다.

いちざ【一座】㊀名 **1** 일좌; 좌중. =満座. ¶冗談で~を笑わせる 농담으로 좌중을 웃기다. **2** 일기(一基). ¶~の仏像 일기의 불상. **3** 한자리; 일장(一場). ¶~の説法 일장의 설법.
㊁名ス自 **1** 동석. =同座. ¶偶然…と~する 우연히 …와 동석하다. **2** 연예인 등의 일단.

いちじ【一事】名 일사; 한 가지 일. ¶~不再議 (의회에서) 일사부재의 / ~

不再理 일사부재리.
—が万事 한가지를 보면 딴 것도 미루어 알 수가 있다.

*いちじ【一時】图 일시. **1** 한때; 한동안; 잠시; 순간. ¶～の出来心 순간적인 나쁜 마음/晴れ, ～曇り 맑은 후, 한때 흐림/～見合わせる 잠시 보류하다/～の衝動に駆られる 일시적인 충동에 사로잡히다/～お預かりします 잠시 맡아 두겠습니다. **2** 같은 때; 동시; 일회. ¶～に 일시에; 동시에/～に殺到する 일시에 쇄도하다.
—きん【—金】图 일시금.
—しのぎ『—凌ぎ』图 임시방편.
—てき【—的】ダナ 일시적; 그때뿐인. ¶～な現象 일시적인 현상.
—のがれ【—逃れ】图 일시(적) 모면. ¶～の言い訳 임시변통의 변명.

いちじ【一次】图 일차. ¶～関数 일차함수/～産業〔産品〕 일차 산업〔산품〕/～試験 일차 시험.

いちじいっく【一字一句】图 일자일구. ¶～たりともおろそかにしない 일자일구도 소홀히 하지 않는다.

いちじく『無花果』图〘植〙무화과나무.

いちじつ【一日】图 **1** 초하루. ＝ついたち. **2** (그날) 하루. ＝いちにち. ¶十年～の如く 십년을 하루같이.
—の長 일일지장; 남보다 조금 나음.
—さんしゅう【—三秋】連語 일일여삼추. ＝いちにちせんしゅう.
—せんしゅう【—千秋】連語 일일천추; 일일여삼추. ¶～の思いで待つ 하루를 천추같이 기다리다.

いちじゅうさんさい【一汁三菜】图 국 한 가지와 반찬 세 가지로 된 상차림《일본 식사의 기본적 식단》.

いちじゅん【一巡·一順】图ス自 일순; 한 바퀴 돎. ＝ひとまわり. ¶打者～ 타자 일순/杯が～する (술)잔이 한 바퀴 돌다.

いちじょ【一助】图 일조; 얼마간의 도움. ¶家計の～とする 가계〔살림〕에 도움이 되게 하다.

いちじょう【一場】图 일장. ¶～の訓示 일장 훈시.
—の春夢〔夢〕 일장춘몽.

*いちじるし-い【著しい】形 현저하다; 두드러지다. ¶進歩のあとが～ 진보의 자취가 현저하다/～·く不足する 두드러지게 부족하다.

いちじん【一陣】图 일진. **1** 바람이 한바탕 붊. **2** 선진(先陣); 선봉. ＝さきがけ.
—の風 한바탕 부는 바람. ¶初夏をつげる～ 초여름을 알리는 일진의 바람.

いちじんぶつ【一人物】图 한 인물. **1** 한 사람. **2** (식견 있는) 뛰어난 인물. ¶～と目される 한 인물로 지목되다.

いちず『一途』ダナ 외곬; 순진하고 한결같은 모양. ＝ひたむき·ひとすじ. ¶～な性質 한결같은 성질/～に思い込む 외곬으로만 생각하다.

いちぞく【一族】图 일족; 같은 혈족〔겨레붙이〕. ¶～郎党を引き連れる 일족의 무리를 거느리다.

いちぞん【一存】图 자기 혼자만의 생각. ¶私の～ではきめかねる 내 생각만으로는 결정하기 어렵다.

*いちだい【一代】图 일대. **1** 한평생. ¶～の名誉 한평생의 명예/～の失策であった 일생의 큰 실책이었다. **2** 당대. ㉠군주·업주 등으로 있는 동안. ¶～で築いた財産 당대에 쌓아 올린 재산. ㉡그 시대. ¶～の英雄 당대의 영웅.
—き【—記】图 일대기; 전기(傳記).

いちだい=【一大】 일대…. ¶～事件 일대 사건/～発見 일대 발견.

いちだいじ【一大事】图 일대사; 큰일; 중대사. ¶国家の～ 국가의 중대사/平和な村にある日～が起こる 평화로운 마을에 어느 날 큰 사건이 일어나다/あの人が死んだら～だ 저 사람이 죽으면 큰일이다.

いちだん【一団】图 일단; 한 떼. ¶～の雲 한 떼의 구름/～の外国人 일단의 외국인/～となって歩く 일단이 되어서〔한 떼를 지어〕 걷다.

いちだん【一段】副 한층; 더욱. ＝ひとしお·いっそう. ¶～(と)よい眺めだ 한층 더 좋은 전망이다.

いちだんらく【一段落】图ス自 일단락. ＝ひときり. ¶仕事が～つく 일이 일단락되다/～したらひと休みだ 일단락 지으면 잠시 쉰다.

*いちど【一度】图 한 번; 일회; 한 차례. ＝ひとたび·一回. ¶～行った 한번 갔었다/～やってみたらいい 한번 해 보는 게 좋다.
—ならず 한 번만이 아니고; 여러 번. ¶～見ている 여러 번 보았다.
—に 副 일시에; 동시에; 단번에; 한꺼번에. ＝一時に. ¶～疲れが出る 한꺼번에 피로가 몰려오다/～ビール一ダースを飲み干した 한꺼번에 맥주 한 타를 다 마셨다.

いちどう【一同】图 일동. ＝みんな. ¶職員～ 직원 일동.

いちどう【一堂】图 일당; 같은 건물〔장소〕. ¶会員が～に会する 회원이 한자리에 모이다.

いちどきに『一時に』副 동시〔일시〕에; 한꺼번에. ＝いちどに. ¶客が～殺到する 손님이 한꺼번에 들이닥치다.

いちどく【一読】图ス他 일독; 한 번 읽음; 대강 읽음. ¶～に値する 한 번 읽을 만하다; 일독할 가치가 있다.
—さんたん【—三嘆】图ス自 일독삼탄; 한 번 읽고 몹시 감탄함.

いちとんざ〔一頓挫〕图ス自 (순조롭던 일이) 중도에 일시 좌절됨. ¶事故で計画は～した 사고로 계획은 일시 중단되었다.

いちなん【一難】图 일난; 한 재난.
—去って又— 갈수록 태산.

いちに【一二】图 일이. **1** 하나 둘; 한둘;

한두; 약간. ¶～の例をのぞいて 한두 예를 제외하고/気づいたことが～ある 깨달은[생각나는] 것이 한두 가지 있다. **2** 첫째 둘째; 제일 제이; 1등 2등. ¶成績は～を下らず 성적은 1, 2위를 밑돌지 않는다.

―を争う 1, 2등을 다투다. ¶彼はこの町で～金持ちだ 그는 이 읍내에서 1, 2위를 다투는 부자다.

⁑いちにち【一日】 名 일일. **1** 하루. ¶～は二十四時間である 하루는 24시간이다. **2** 아침부터 저녁까지; 하루종일. ¶～君を待っていた 하루종일 자네를 기다리고 있었다/きょうは～立ち通しだった 오늘은 하루 종일 서 있었다. **3** 초하루. ＝ついたち.

―おき【―置き】 名 하루 건너; 격일.

―せんしゅう【―千秋】 名 일일여천추.＝いちじつ千秋. ¶～の思い 하루만 못 만나도 오랫동안 못 만난 느낌.

―ましに【―増しに】 連語 나날이; 날이 갈수록[감에 따라]. ＝日増しに. ¶～春らしくなる 나날이 봄다워지다.

いちにん【一任】 名 ス他 일임. ¶幹事に～する 간사에게 일임하다.

いちにん【一人】 名 일인; 한 사람. ＝ひとり.

―まえ【―前】 名 **1** 일인분; 한 사람몫. ＝一人分. ¶刺身～ 생선회 일인분. **2** 어른; 또, 어른과 같은 자격·능력을 인정받음. ¶～になる (한 사람의) 어른이 되다; 제몫을 할 나이가 되다/～の料金を取られる 어른과 같은 요금을 물다. **3** (능력·기술 등이) 제구실을 할 수 있게 됨. ¶やっと～になる 겨우 제몫을 하게 되다/～の大工となる 제대로 된 목수가 되다/口だけは～だ 입으로는 제법 사리 있는 말을 한다. 参考 2, 3에서, '～なことを言う(＝제법 의젓한 말을 하다)'로도 씀. ↔半人前.

いちにんしょう【一人称】 名 일인칭. ＝第一人称. 注意 일본 문법에서는 '自称(＝자칭)'라고 함. ⇨人称.

***いちねん【一年】** 名 일년. **1** 한 해. ¶～は三百六十五日だ 일년은 365일이다/～の計は元旦にあり 일년지계는 정초에 세워야 한다. **2** 한 해 동안. ¶きょうでちょうど～だ 오늘로 꼭 일년이다. **3** 1학년; 일년생.

―せい【―生】 名 일년생. **1** 1학년생. ¶A学校の～ A학교의 1학년생. **2** (식물의) 한해살이.

―そう【―草】 名 일년초.

いちねん【一念】 名 일념; 한결같이 굳게 먹은 마음. ¶子を思う母の～ 자식을 생각하는 어머니의 일념.

―岩をも通す 굳게 먹은 마음은 바위라도 뚫는다.

―ほっき【―発起】 名 ス自 〔佛〕 일념발기; 결심하고 불교 신앙의 길에 들어감; 전하여, 어떤 일을 성취하려고 결심함. ¶～して家業に励む 일념발기[결심]하여 가업에 힘쓰다.

***いちば【市場】** 名 시장; 저자; 장. ＝マーケット. ¶魚～ 생선 시장/青物～ 야채[청과물] 시장/公設～ 공설 시장/～へ行く 시장에 가다/～へ出す 시장에 내다. 参考 'いちば'는 구체적인 물건을 거래하는 시설. 'しじょう'는 '流通市場(＝유통시장)' '市場調査(＝시장 조사)' 등과 같이 주로 추상적인 유통 장소를 일컬음.

―まち【―町】 名 장(터)거리; 저잣거리; 시장을 중심으로 발달한 도시.

いちばい【一倍】 名 ス他 곱. **1** 일배(수). ¶～半 일배 반. **2** 《副詞적으로》 두 배; 갑절; 한층 더. ＝倍·二倍. ¶人～働く 남보다 갑절이나 일하다/～の努力を要する 더 많은 노력이 필요하다. 「백계.

いちばつひゃっかい【一罰百戒】 名 일벌

いちはやく【逸早く·逸速く】 副 재빨리; 잽싸게. ＝すばやく. ¶事故の発生と同時に～駆けつけた 사고 발생과 동시에 재빨리 달려갔다.

⁑いちばん【一番】 ⊟ 名 **1** 일번; 첫째; 일등. ¶～打者 일번 타자/いの～ 첫째; 제일 먼저; 제일 나음/～列車 시발 열차; 첫차/～で合格する 일등으로 합격하다. **2** 상책; 최상의 방법. ¶黙っているのが～だ 잠자코 있는 것이 상책[제일]이다. **3** (바둑·장기·씨름 등의) 한 판; 한 번; 단판. ¶五目並べを～やる 오목을 한 판 두다.

⊟【いちばん】 副 **1** 가장; 제일. ¶～始め 제일 먼저/～左の列 가장 왼쪽의 줄/ことしになって～暑い 올들어 가장 덥다. **2** 시험삼아; 우선; 한번. ¶むずかしいが～やってみるか 어렵지만 시험 삼아[한번] 해 볼까. 「부.

―しょうぶ【―勝負】 名 단판[한판] 승

―どり【―鶏】 名 첫닭 (우는 소리). ¶～がなく 첫닭이 울다.

―のり【―乗り】 名 (적진 따위에) 맨 먼저 들어감; 또, 그 사람.

―ぶろ【―風呂】 名 새 목욕물에 맨 먼저 들어감; 또, 그 물. ＝新湯.

―ぼし【―星】 名 저녁때 뜨는 첫 별.

いちひめにたろう【一姫二太郎】 名 처음에는 딸, 그 다음에 아들을 낳는 것이 이상적이라는 말. 参考 흔히, 딸 하나 아들 둘 갖기를 의미하기도 함.

いちびょうそくさい【一病息災】 名 병이 한 가지쯤 있는 사람이 자기 몸을 잘 돌보기 때문에 건강한 사람보다 오히려 장수한다는 비유의 말.

いちぶ【一分】 名 **1** 1분《전체의 10분의 1》. **2** 1분《1 할의 10분의 1》. **3** 1푼《한 치의 10분의 1》. **4** 조금. ¶～のすきもない 한 치의 빈틈도 없다.

―いちりん【―一厘】 名 일푼 일리; 아주 조금. ¶～の狂いもない 조금도 틀리지 않다.

*いちぶ【一部】图 일부. **1** 일부분. ¶～を修正する 일부를 수정하다. ↔全部. **2**(서적 등의) 한 부; 한 질.
──しじゅう【─始終】图 자초지종. ¶事の～を打ち明ける 사건의 자초지종을 털어놓다.

*いちぶぶん【一部分】图 일부분. ¶～しか見ていない 일부분 밖에 보지 못했다. ↔大部分.

いちぶん【一分】图 면목; 체면. ¶男の～が立たない 남자로서의 체면이 서지 않는다.

いちべつ〔一瞥〕图ス他 일별; 한번 언뜻 봄. ¶～をくれる 슬쩍 보다 / ～して偽物であることが分かった 한번 흘낏 보고 가짜라는 것을 알았다.

いちぼう【一望】图ス他 일망. ¶～のもとに眺められる 한눈에 바라보이다.
──せんり【─千里】图 일망천리. ¶～の平野 일망천리의 평야.

*いちまい【一枚】图 **1**(종이·판자·화폐 따위의) 일매; 한 장; 한 닢; 한 개. **2** 한 사람《어엿한 역할을 할 수 있는 사람》. ¶彼を～加えよう 그를 한 사람 넣자 / その計画には彼も～嚙んでいる 그 계획에는 그도 한몫하고 있다.
──いわ【─岩】图 **1** 통반석; 너럭바위. **2** 조직·단결의 굳건함. ¶～の団結を誇る 굳건한 단결을 자랑하다.
──うえ【─上】图 (역량·재능 등이) 한 수 위(임). ¶役者が～だ 능력에서 한결〔한 수〕 위다; 단수가 한층 위다.
──かんばん【─看板】图 **1** 유일무이한 표방〔사물〕. ¶民主主義を～とする 오직 민주주의를 표방하다. **2** 일단(一團)의 중심 인물. =大立て者.
参考 본디, 극장에 내거는 간판을 일컬음; 전하여, 그 간판에 이름이 오를 만한 지위에 있는 배우.

いちまつ【一抹】图 일말; 아주 약간; 한 줄기. ¶～の雲 한 조각의 구름 / ～の煙 한 줄기의 연기 / ～の不安を感ずる 일말의 불안을 느끼다.

いちまつもよう【市松模様】图 네모진 흑백 무늬를 번갈아 늘어놓은 바둑판 무늬; 체크 무늬. =元禄模様.

〔市松模様〕

*いちみ【一味】图 한 동아리; 한패; 일당. ¶強盗の～を検挙する 강도 일당을 검거하다.

いちみゃく【一脈】图 일맥; 한 줄기. ¶～の煙 한 줄기 연기.
──(相)通ずる 일맥상통하다. ¶～のがある 일맥상통하는 바가 있다.

いちめい【一名】图 일명. **1** 한 사람. =ひとり. ¶一枚～限り 한 장 한 사람에 한함. **2** 별칭; 별명. =いちみょう. ¶～を小五郎とよぶ 일명 小五郎라고 부른다〔한다〕.

いちめい【一命】图 일명; 한목숨; 생명. ¶～をなげうつ 한목숨을 던지다 / ～をとりとめる 한목숨을 건지다.

*いちめん【一面】图 **1** 일면. ㉠한쪽 면. ¶物の～しかみない性格 사물의 한쪽 면 밖에 보지 못하는 성격. ↔多面·全面. ㉡(신문의) 제1면. ¶～の記事 1면 기사. **2**《副詞적으로》㉠전체; 온통; 일대. ¶辺り～火の海となる 그 근처 일대가 온통 불바다가 되다. ㉡어느 면에서는; 반면에; 한편. ¶彼の行為は非難すべきだが～また同情すべきところもある 그의 행위는 비난해야 마땅하지만 반면에 동정할 만한 구석도 있다 / 美しい～, はげしさもある 아름다운 반면에 격렬함도 있다.
──てき【─的】ダナ 일면적; 일방적. ¶～な見方 일방적인 생각〔관점〕.
──に 副 전면(全面)에; 일대에; 온통. ¶～草がしげる 온통 풀이 우거지다.

いちめんしき【一面識】图 일면식. ¶彼とは～もない 그와는 일면식도 없다.

いちもうさく【一毛作】图 일모작. ↔二毛作·三毛作.

いちもうだじん【一網打尽】图 일망타진. ¶密輸団を～にする 밀수단을 일망타진하다.

いちもく【一目】图ス他 일목; 한 번 봄; 일견. ¶～十行 한 눈에 열 줄《독서력이 우수함》/ ～して偽物と分かる 한 번 보고 가짜임을 알아보다.
──置く **1**(바둑에서, 두기 전에 하수가) 한 점 놓다. **2** 자기보다 실력이 나은 사람으로 인정해 경의를 표하다. ¶主将はわたしには一目置いてくれ, チームの運営について相談した 주장은 내 실력을 알아주고, 팀의 운영에 대해 의논했다.
──りょうぜん〔─瞭然〕图ダナ 일목요연. ¶グラフですれば～だ 그래프로 그려 보면 일목요연하다.

いちもくさん〖一目散〗图《흔히, 'に'를 붙여》옆도 돌아보지 않고 곧장 달리는 모양; 쏜살같이. =いっさん. ¶～に走る 쏜살같이 냅다 달리다.

いちもつ【一物】图 못된 흉계·속셈; 꿍꿍이속. ¶胸に～ある 마음속에 한 가지 흉계를 품다; 꿍꿍이속이 있다.

いちもん【一文】图 **1** 근소한 돈; 한 푼. ¶～もない 한푼도 없다 / ～のねうちもない 한 푼의 값어치도 없다. **2**〈文〉글자 한 자. ¶～不知〔不通〕 일자무식.
──なし【─無し】图 전연 돈이 없음; 또, 그런 사람; 빈털터리. =文無し·すってんてん·おけら. ¶商売に失敗して～になる 장사에 실패하여 빈털터리가 되다.

いちもん【一門】图 **1** 일문; 일족; 한집안. =一族. **2** 같은 스승 밑에서 배우는 사람들; 동문. =同門. ¶～の弟子 일문〔동문〕의 제자.

いちもんじ【一文字】图 **1** 하나의 글자. **2** 한일자; 일자형(一字形). ¶口を～に結ぶ 입을 한일자로 다물다. **2** 곧바로

돌진함. ¶野原(のはら)を～に横切(よこぎ)る 들판을 곧바로 횡단하다.

いちや【一夜】图 **1** 일야; 하룻밤. ¶～明(あ)くれば 하룻밤이 지나면/桜(さくら)は～にして散(ち)ってしまった 벚꽃은 하룻밤 사이에 지고 말았다. **2** 어느 날 밤. ＝ある夜(よ)·ある晩(ばん).

—づくり【—作り·—造り】图 **1** 하룻밤 새에 만드는 일; 또, 그렇게 만든 것. ¶～の甘酒(あまざけ) 하룻밤 사이에 만든 감주. **2** 〈俗〉 임시변통으로 급히 만드는 일; 또, 그렇게 만든 것. ¶～の論文(ろんぶん) 하룻밤 사이에 조잡하게 쓴 논문.

—づけ【—漬け】图 **1** 담근 지 하룻밤 만에 먹는 겉절이. ＝はやづけ. **2** (하룻밤 사이에) 벼락치기로 준비한 연극·문장·공부 등. ¶～の勉強(べんきょう) 벼락(치기) 공부.

いちゃいちゃ 副スル自 남녀가 농탕치는 〔새롱거리는〕 모양; 는실난실. ¶若(わか)いカップルが～している 젊은 커플이 농탕치고 있다.

***いちやく**【一躍】图スル自 일약. ¶～(して)有名(ゆうめい)になる 일약 유명해지다/～(して)大(だい)スターになる 일약 대스타가 되다.

いちゃつ-く 5自 〈俗〉 (남녀가) 농탕치다; 새롱거리다; 는실난실하다. ¶平気(へいき)で車内(しゃない)で～二人(ふたり) 태연히 차내에서 농탕치고 있는 두 사람.

いちゃもん 图 〈俗〉 구실; 트집. ＝言(い)いがかり. ¶～をつける 트집을 잡다.

いちゅう【意中】图 의중; 마음속. ¶～を察(さっ)する 의중〔마음속〕을 헤아리다/～を探(さぐ)る 의중을 살피다.

—の人(ひと) 의중에 있는 사람; 특히, 애인. ¶独身(どくしん)だが, すでに～がいるらしい 독신이지만 이미 마음에 둔 사람이 있는 것 같다.

いちょ【遺著】图 유저. ¶先生(せんせい)の～ 선생님의 유저.

いちよう【一様】ダナ **1** 그냥 보통임. ¶尋常(じんじょう)～の人物(じんぶつ)ではない 그냥 보통의 인물이 아니다. **2** 한결같음; 똑같음. ¶皆(みな)～にうつむく 모두 다 한결같이 고개를 숙이다/～に分配(ぶんぱい)する 똑같이 분배하다.

いちょう〖銀杏·公孫樹〗图〘植〙은행나무. ¶～の並木(なみき) 은행나무 가로수. 参考 열매는 'ぎんなん'.

—がえし【—返し】图 여자의 속발(束髮)의 하나《뒤꼭지에서 묶은 머리채를 좌우로 갈라, 반달 모양으로 둥글려서 은행잎 모양으로 틀어 붙임》.

[いちょう返し]

***いちょう**【胃腸】图 위장. ¶～病(びょう) 위장병/～が弱(よわ)い 위장이 약하다.

いちよく【一翼】图 일익. **1** 하나의 날개. **2** 한쪽의 도움; 한팔. **3** 하나의 역할. ¶～をになう 일익을 담당하다.

いちらん【一覧】일람. 一图スル他 한번 쭉 훑어봄. ¶～表(ひょう) 일람표/～に供(きょう)する 일람하게 하다/御(ご)～下(くだ)さい 일람하여 주십시오. 二图 일람표; 편람.

いちり【一里】图 일리; 약 3.93km《우리나라의 10리》.

—づか【—塚】图 (흙무덤 모양의) 이정표《江戸(えど) 시대, 전국 가도(街道)에 십 리마다 흙을 쌓아 올리고 팽나무·소나무 따위를 심어서 이정(里程)의 안표로 삼은 것》.

いちり【一理】图 일리. ¶彼(かれ)の主張(しゅちょう)にも～ある 그의 주장에도 일리 있다.

いちり【一利】图 일리. ¶百害(ひゃくがい)あって～なし 백해무익.

—いちがい【—一害】图 일리일해. ＝一得一失(いっとくいっしつ).

いちりつ【一律】图ダナ 일률. ¶千編(せんぺん)～ 천편일률/～に一割(いちわり)値上(ねあ)げする 값을 일률적으로 1할 올리다.

いちりつ【市立】图 시립. ¶～大学(だいがく) 시립 대학. 注意 'しりつ'라고 음으로 읽을 때 '私立(しりつ)'와 구별하기 위한 속칭.

***いちりゅう**【一流】图 **1** 일류; 제1급. ¶～料理店(りょうりてん) 일류 요릿집. **2** 독특한 격식·방법. ¶彼(かれ)～の皮肉(ひにく) 그의 독특한 야유.

いちりょうじつ【一両日】图 일양일; 금명일; 하루 이틀. ¶～中(じゅう)に完成(かんせい)する 금명간에 완성된다.

いちりん【一輪】图 일륜. **1** 꽃 한 송이. ¶梅(うめ)～ 매화 한 송이. **2** 바퀴 하나. ¶～車(しゃ) 일륜차; 외바퀴 차.

—ざし【—挿し】图 한두 송이 꽃을 꽂는 작은 꽃병.

いちる〔一縷〕图 일루; 한 가닥.

—の望(のぞ)み 일루의 희망. ¶～をいだく 일루의 희망을 품다.

いちるい【一塁】图 **1**〘野〙일루; 또, 일루수. ＝ファースト(ベース). **2** '一塁手(しゅ)'의 준말.

—しゅ【—手】图 일루수. ＝一塁·ファースト.

いちれい【一礼】图スル自 한 번 (가볍게) 인사를 함. ¶～して去(さ)る 가볍게 인사하고 떠나다/～して前(まえ)を通(とお)る 가볍게 인사하고 앞을 지나다.

いちれい【一例】图 일례. ¶多(おお)くのうちの～をあげれば 많은 것 중에서 일례를 들면/これはほんの～に過(す)ぎない 이것은 단지 한 가지 예에 지나지 않는다.

いちれつ【一列】图 일렬. ¶～にならぶ 일렬로 나란히 서다.

いちれん【一連】〘一聯〙图 일련; 관계 있는 일의 한 연결. ¶～番号(ばんごう) 일련 번호/～の事件(じけん) 일련의 사건.

いちれんたくしょう〔一蓮托生〕图 일련탁생《잘잘못에 불구하고 행동·운명을 같이함》. ¶～の身(み) 일련탁생의 몸/死(し)ぬも生(い)きるも全員(ぜんいん)～だ 죽으나 사나 전원 일련탁생(의 운명)이다.

いちろ【一路】图 일로. **1** 한 줄기 길. ¶真実(しんじつ)～ 진실 일로. **2**《副詞적으로》곧장; 딴 데 들르지 않고. ¶～帰国(きこく)の途(と)

につく 일로 귀국길에 오르다 / ~邁進する 일로매진하다.

いちろくぎんこう【一六銀行】图 〈俗〉 전당포. =ななつや. 參考 1과 6의 합인 '七'가 '質屋(=전당포)'의 '質'와 음이 같은 데서.

いつ〖何時〗图副 언제; 어느 때. ¶~きましたか 언제 왔습니까 / ~なんどきでも 언제 어느 때라도 / ~とはなく秋になった 어느덧 가을이 되었다.

いつ〖逸〗《逸》 常用 イツ イチ はやる それる | 일 잃다 | 달아나다; 놓치다. ¶逸走 일주 / 好機を逸する 호기를 놓치다.

いついつまで〖何時何時まで〗副 **1** 대체 언제까지(《'いつまで'의 힘줌말》). **2** 어느 달 어느 날까지. ¶~に出来るか分かりませんが 어느 달 어느 날까지 될는지 모르겠습니다만.

いつう【胃痛】图 위통. ¶~が起こる 위통이 일어나다.

いつか【五日】图 오일. **1** 닷새. ¶かぜで~ねた 감기로 닷새 동안 몸져 누웠다. **2** 초닷새; 초닷새날.

***いつか**〖何時か〗副 **1** 언젠가; 전하여, 이전에. ¶~の夜 어느날 밤 / ~見たことがある 언젠가 본 일이 있다. **2** 조만간에; 언젠가는. ¶~それを後悔する時があるだろう 언젠가는 그것을 후회할 때가 있을 것이다. **3** 어느 사이에. =いつのまにか. ¶~秋になっていた 어느 사이에 가을이 되어 있었다.

***いっか**【一家】图 일가. **1** 한 세대; 한 가족; 가족 전체. ¶~の主 한 집안의 주인 / 休日には~そろってピクニックに出かける 휴일에는 온 가족이 다 함께 피크닉에 나선다. **2** 한 집. ¶~を構える 가정을 꾸미다; 살림을 차리다.

—を成す〔立てる〕 일가를 이루다(《독자적인 학풍·유파를 이루다; 또는, 자식이 독립하다》). ¶画家として~ 화가로서 일가를 이루다.

—げん【—言】图 일가언; 일가견. ¶~を吐く 일가견을 토로하다 / 彼はバラについては~をもっている 그는 장미에 대해서는 일가견을 갖고 있다.

—だんらん〔—団欒〕图 일가 단란.

いっか【一過】图ス自 일과; 한 번 지나감. ¶~性 일과성 / 台風~ 태풍 일과.

いっかい【一介】图 일개; 하나; (보잘것없는) 한 사람. ¶~の書生に過ぎない 일개 서생에 불과하다. 參考 'いっかいの'의 꼴로 씀.

いっかく【一角】图 일각; 한 모서리; 한 모퉁이; 한 구석. ¶文壇の~ 문단의 일각 / 街の~ 거리의 한 모퉁이 / 氷山の~ 빙산의 일각 / 駅前の~に店を出す 역전(의) 한 모퉁이에 가게를 내다.

いっかく【一画】图 **1** 일획; 글자의 한 획. ¶~一点 한 획 한 점. **2**《一劃로도》 토지의 한 구획.

いっかく【一郭】《一廓》图 일곽; 한 둘레 안의 지역. ¶林の中の~ 숲 속의 일곽.

いっかくせんきん【一獲千金】《一攫千金》图 일확천금. ¶~を夢見る 일확천금을 꿈꾸다.

いつかしら〖何時かしら〗㊀副 **1** 어느 결에. ¶~夜もふけた 어느덧 밤도 깊었다. **2** 언젠가는; 조만간에. ¶~思い出すことがありましょう 언젠가는 생각날 때가 있겠죠. 參考 'いつか'의 구어적인 말씨. ㊁連語 언제일까. ¶話したのは~ 얘기한 것은 언제더라.

いっかつ【一喝】图ス他 일갈. ¶~して退ける 일갈하여 물리치다.

いっかつ【一括】图ス他 일괄. ¶~上程 일괄 상정 / ~して審議する 일괄하여 심의하다.

いっかん【一巻】图 **1** 한 권. =一冊·一帖. 參考 본디는, 두루마리로 된 책. **2** 맨 첫 권; 제1권.

—の終わり 〈俗〉 ('한 권의 이야기가 끝나다'의 뜻에서) 모든 것이 끝남; 끝장; 특히, 죽음. =おしまい. ¶ここから落ちれば~だ 여기서 떨어지면 끝장이다 / これであいつも~だ 이것으로 그놈도 끝장났다. 參考 옛날 무성 영화의 변사가, 영화가 끝났을 때에 한 말에서 유래함.

いっかん【一環】图 일환. ¶平和運動の~として募金する 평화 운동의 일환으로서 모금하다.

いっかん【一貫】 일관. ㊀图 **1** 무게의 단위; 한 관(《3.75kg》). **2** 돈 일천 文 또는 960文. ㊁图ス自他 시종 한결같이 함. ¶~作業 일관 작업 / ~した政策 일관된 정책 / 終始~ 시종일관.

—せい【—性】图 일관성. ¶~に欠ける 일관성이 없다.

いっき〔一揆〕图 (영주 등의 횡포에 대한) 무장 봉기. ¶百姓~ 농민 봉기.

いっき【一期】图 일기. ¶本校の~生 본교 1기생 / ~後れて入学した 한 기 늦게 입학하였다.

いっき【一騎】图 일기; 말 탄 한 병사.

—うち【—打ち·—討ち】图ス自 일대일로 승부를 겨룸. ¶~で勝負しよう 일대일로 싸우자.

—とうせん【—当千】图 일기당천. ¶~の強者 일기당천의 용사.

いっきいちゆう【一喜一憂】图ス自 일희일비. ¶遭難者の家族は刻々の情報に~する 조난자의 가족은 시시각각의 정보에 일희일비한다.

いっきく〔一掬〕图 일국; 한 움큼; 한 줌; 약간. ¶~の同情にも値しない 한줌의 동정도 할 가치가 없다.

いっきに【一気に】副 단숨에; 일거에. ¶~仕事をかたづける 단숨에 일을 해치우다 / 手紙を~書きあげる 편지를 단숨에 써 버리다.

***いっきゅう**【一級】图 일급. **1** 한 계급. ¶

~上だ 한 급수 위다. **2** 1등급. ¶~品 일급품/~整備士 일급 정비사/彼は柔道〔碁〕が~だ 그는 유도가〔바둑이〕1급이다.

いっきょ【一挙】图 일거; 단번의 행동.
──いちどう【──一動】图 일거일동. ¶~を見守る 일거일동을 지켜보다.
──に 副 일거에. ¶~劣勢を挽回した 단번에 열세를 만회하였다.
──りょうとく【──両得】图 일거양득. ¶~をもくろむ 일거양득을 꾀하다.

いっきょしゅいっとうそく【一挙手一投足】图 일거수일투족; 일거일동. ¶~の労を惜しむ 일거수일투족의〔사소한〕노고를 아끼다/選手の~に注目する 선수의 일거수일투족에 주목하다.

いつ-く【居着く】《居付く》5自 **1** 자리잡고 살다; 정착하다; 계속 살다. ¶野良猫が家に~ 도둑고양이가 집에 자리잡고 살다/この町に~·いてからはや五年になる 이 거리에 자리잡은 지 벌써 5년이 된다. **2** (집에) 차분히 붙어 있다. ¶家に~·かない子 집에 차분히 붙어 있지 않는 아이.

いつくしみ【慈しみ】图〈雅〉자애; 귀여워함. ¶親のような~をもって見守る 부모와 같은 자애로 지켜보다.

いつくし-む【慈しむ】5他〈雅〉**1** 자비를 베풀다; 불쌍히 여기다. =あわれむ. **2** 애지중지하다; 사랑하다; 귀여워하다. =かわいがる. ¶我が子のように~·んでくださった先生 자기 자식처럼 귀여워해 주신 선생님/上は下を~·み, 下は上を敬う 윗사람은 아랫사람을 사랑하고 아랫사람은 윗사람을 공경한다.

いっけい【一計】图 일계; 한 계책. ¶~を案ずる 한 계책을 생각해 내다.

いっけん【一件】图 일건. **1** 하나의 일; 하나의 사건. ¶~落着 한 건 낙착/~の事故もない 한 건의 사고도 없다. **2** 그 건; 예(例)의 건. ¶~は片づいたかね 그 건은 다 처리되었나.

いっけん【一見】㊀图ス他 일견; 한번 (잠깐) 봄. ¶~してわかる 일견해서 알(수 있)다/百聞は~にしかず 백문이 불여일견. ㊁副 일견한 바; 언뜻 보기에. ¶~役者のようだ 언뜻 보기에 배우 같다/~賢そうに見える 언뜻 보기에 영리해 보인다.

*__いっけん__【一軒】图 **1** 집 한 채; 집 하나. **2** 한 집; 한 가호.
──や【──家·──屋】图 **1** 외딴집. ¶村はずれの~ 동구밖의 외딴집. **2** 독채집. =独立家屋.

いっこ【一戸】图 일호; 한 집; 한 가구(家口). ¶~建ての家 독채집/~を構える 한 가구주〔세대주〕가 되다.
──だてじゅうたく【──建て住宅】图 단독 주택. =独立住宅.

*__いっこ__【一個】《一箇》图 **1** 한 개. ¶みかん~ 귤 한 개/~につき百円 한 개당 백 엔. **2** 일개; 한 사람. ¶単に~の民間人にすぎない 그저 일개 민간인에 지나지 않는다.

いっこ【一顧】图ス他 일고. ¶~の価値もない 일고의 가치도 없다/~だにしなかった 한번 슬쩍 보기조차 안 했다.

いっこう【一行】图 일행; 함께 행동하는 사람(들). ¶~のリーダー格 일행 중의 리더격/首相の~ 수상 일행.

いっこう【一考】图ス他 일고. ¶~を要する 일고를 요하다/~の余地がある 일고의 여지가 있다/ご~願います 한번 생각해 봐 주시기 바랍니다.

*__いっこう__【いっこう·一向】副《뒤에 否定을 수반하여》조금도; 전혀. =まるっきり·ちっとも. ¶~(に)勉強しない 도무지 공부하지 않는다/薬を飲んでも~利き目がない 약을 먹어도 전혀 효험이 없다/~に気がつかない 전혀 알아채지 못하다.

いっこく【一刻】图 일각; 짧은 시간. ¶~も早く 일각이라도 빨리.
──を争う 일각을 다투다.
──せんきん【──千金】图 일각천금.
──せんしゅう【──千秋】图 일각천추; 일각여삼추.

いっこく【一国】图 일국; 한 나라; 온 나라. ¶~の首相たる者 한 나라의 수상인 자/~をあげて歓迎する 거국적으로 환영하다.

いっこく〖一刻·一国〗ダナ 고집이 세어 남의 의견을 잘 듣지 않음. ¶~な老人 완고한 노인.
──もの【──者】图 고집통이; 옹고집쟁이.

いっこん【一献】图 **1** 한잔의 술. ¶~お受けください 한 잔 받으십시오. **2** (간단한) 술 대접〔주연(酒宴)〕. ¶~差し上げたい 술 한잔 대접하고 싶다.

*__いっさい__【一切】㊀图 일체; 모두; 전부. =全部. ¶仕事の~を任せる 일의 일체를 맡기다/~の責任を負う 일체의 책임을 지다. ㊁【いっさい】副《뒤에 否定語가 따라서》일절; 전혀; 전연. =全く·全然. ¶酒は~飲まない 술은 일절 마시지 않는다.
──がっさい〖──合切·──合財〗图 남김없이 전부; 죄다《'一切㊀'의 힘줌말》. ¶~ひっくるめて 모두 일괄해서/財産の~を失う 재산 전부를 잃다.

いつざい【逸材】图 일재; 뛰어난 재능〔인재〕; 또, 그 사람. ¶…門下の~ …문하의 일재/隠れた~ 숨은 일재.

いっさく【一策】图 일책. ¶窮余の~ 궁여지책/~を案じ出す 하나의 계책을 생각해 내다.

いっさく【一昨】接頭《'日·年' 따위의 앞에 붙어서》'昨(=작)'보다도 하나 앞임을 나타냄《격식 차린 말씨》. ¶~日 그저께《=おととい》/~年 재작년《=おととし》/~夜 그저께 밤/~晩 그저께 저녁때.

いっさくさく=【一昨昨】'一昨' 보다 도 하나 앞임을 나타냄《격식 차린 말씨》. ¶～年 그끄러께《＝さきおととし》/～日 그끄저께《＝さきおととい》.

いっさん〖一散·逸散〗图《흔히, 'に' 가 따라서》한눈 팔지 않고 쏜살같이 달려감. ＝一目散.
—に 副 **1** 한눈 팔 겨를도 없이 곧장; 쏜살같이. ＝いちもくさんに. ¶～逃げ出す 쏜살같이 달아나다. **2** 뿔뿔이. ＝ちりぢりに.

いっさんかたんそ【一酸化炭素】图〖化〗일산화탄소. ¶～中毒 일산화탄소 중독.

いっし【一指】图 일지; 한 손가락.
—も触れさせない 손끝 하나도 대지〔조금도 만지지〕못하게 하다.
—を染める (어떤 일에) 약간 관계하다〔손을 대다〕.

いっし【一矢】图 일시; 화살 한 개.
—を報いる 화살을 되쏘다《적의 공격이나 남의 비난 등에 대해 반격하다》.

いっし【一糸】图 일사; 한 가닥의 실.
—乱れず 일사불란〔질서정연〕한 모양. ¶～行動する 일사불란하게 행동하다/～行進する 질서정연하게 행진하다.
—もまとわない 실오라기 하나도 걸치지 않다.

いつしか〖何時しか〗副〈雅〉어느덧; 어느 사이에. ＝いつか·いつのまにか. ¶多忙のうちに～年も暮れた 다망중에 어느덧 (한) 해도 저물었다/～春が来た 어느 사이에 봄이 왔다.

***いっしき**【一式】图 일습. ＝ひとそろい. ¶家具～ 가구 일습/釣り道具～ 낚시 도구 한 벌/嫁入り道具～ (신부의) 혼수 일습/～を揃える 한 벌을 갖추다.

いっしつ【一室】图 일실. **1** 한 방; 방 하나. **2** 같은 방. **3** 어떤 방. ¶～に監禁された 일실에 감금되었다.

いっしゃせんり［一瀉千里］图 일사천리. ¶～にまくしたてる 일사천리로 지껄여대다 / 仕事を～に片づける 일을 일사천리로 해치우다.

***いっしゅ**【一種】㊀图 일종. ¶洋酒の～ 양주의 일종/見本～お送りします 견본을 한 가지 보내 드립니다.
㊁副 조금; 뭔가. ＝ちょっと·なにか. ¶～独特のかおり〔味わい〕 뭔가 독특한 향기〔맛〕/～変わったところがある 약간 다른 데가 있다.

いっしゅ【一首】图 일수; (시가) 한 수. ¶和歌を～詠む 和歌를 한 수 읊다.

***いっしゅう**【一周】图ス自他 일주. ＝ひとまわり·ひとめぐり. ¶～忌 일주기; 소상/世界～ 세계 일주/運動場を～する 운동장을 일주하다.
—ねん【—年】图 일주년; 한 돌. ¶開店～記念日 개점 일주년 기념일.

いっしゅう【一週】图 일주; 7일간.
—かん【—間】图 일주간.

いっしゅう［一蹴］图ス他 일축. ¶抗議を～する 항의를 일축하다/敵を～する 적을 일축하다.

いっしゅく【一宿】图ス自 일숙; 일박.
—いっぱん【—一飯】图 일숙일반《나그네가 하룻밤 숙식을 신세짐》. ¶～の恩義 일숙일반의 은혜.

***いっしゅん**【一瞬】图 일순; 그 순간; 일순간《副詞적으로도 씀》. ¶～ためらったが 한 순간 주저했으나/～の出来事 눈 깜짝할 사이에 일어난 일/衝突の～ 충돌하는 그 순간.
—かん【—間】图 일순간. ＝一瞬.

****いっしょ**〖一緒〗图 **1** 두 사람 이상이 행동을 같이 함. ㉠함께 함; 같이 함. ¶～にする 함께 하다/兄弟～の生活 형제끼리 함께 사는 생활/荷物を～にする 짐을 한데 싸다〔합하다〕/彼も～になって笑った 그도 함께 웃었다/彼とは中学が～でした 그와는 중학교를 같이 다녔습니다. ㉡동반함. ¶よかったらご～しましょう 괜찮으시다면 동행하겠습니다. **2** 동시; 한꺼번. ¶～に着く 동시에 도착하다/そう～に言われては困るよ 그렇게 한꺼번〔동시〕에 말하면〔물어보면〕 곤란하다/三か月分の手当てを～に受け取る 3개월분의 수당을 한꺼번에 받다. **3** 별개의 것을 한데 합침. ¶手紙と～に送る 편지와 함께 부치다. **4** 같음. ¶君の意見もぼくと～だ 자네 의견도 나와 같다. 注意 본디는 '一所'.
—になる **1** 하나가 되다; 하나로 합쳐지다. **2** 부부가 되다; 결혼하다.
—くた 图〈俗〉이것저것 뒤섞어 하나로 함; 동일시함. ¶がらくたが～になる 잡동사니가 뒤범벅이 되다/味噌も糞も～にする 좋은 것 나쁜 것 할 것 없이 그냥 한데 섞어 버리다.

***いっしょう**【一生】图 일생; 평생. ¶～の不覚 일생의 실수〔불찰〕/～にただ一度 일생에 단 한번/～のお願いです 제발 소원입니다/～独身で通す 일생 독신으로 지내다/～を棒に振る 일생을 망치다/教育に～をささげる 교육에 일생을 바치다.
—を貫く 그 일로 평생을 일관하다.
—けんめい【—懸命】图ダナ 목숨 걸고 일을 함; 매우 열심히 함. ＝いっしょけんめい. ¶～(に)努力〔勉強〕する 열심히 노력〔공부〕하다/～がんばります 열심히 분발하겠습니다. 注意 '一所懸命' 에서 나온 말.

いっしょう【一笑】图ス自他 일소. ¶破顔～ 파안일소.
—に付する 일소에 부치다《웃고 문제삼지 않다》.
—を買う 웃음거리가 되다.

いっしょうがい【一生涯】图 일생; 한평생. ＝一生. ¶この感動は～忘れない 이 감동은 평생토록 잊지 않겠다.

いっしょく【一食】图 일식; 한 번의 식사; 한 끼. ¶一日～はパンにする 하

루 한 끼는 빵으로 때우다.
いっしょく【一色】图 일색. 1 한가지 색. ¶～刷ずり 단색 인쇄/緑みどり～の野原のはら 초록빛 일색의 들판. 2 한가지 경향. ¶歓迎かんげいムード～で埋うまる 환영 무드 일색으로 가득 차다.
いっしょくそくはつ【一触即発】图 일촉즉발. ¶～の危機きき 일촉즉발의 위기.
いっしょけんめい【一所懸命】图ダナ 일을 열심히 함. ＝一生懸命いっしょうけんめい. ¶～に勉強べんきょうする 열심히 공부하다. 参考 봉건시대에, 주군으로부터 하사받은 단 한 곳의 영지(領地)를 (무사가) 목숨 걸고 지키면서 생활의 터전으로 삼았던 데서 나온 말.
いっしん【一審】图〔法〕일심. ¶～判決はんけつ 일심 판결/～で無罪むざい 일심에서 무죄. 参考 '第一審だいいっしん'의 준말.
*いっしん【一心】图 1 일심. 2《'に'를 붙여서, 副詞적으로》한 가지 일에 마음을 집중함; 전념함. ¶～同体どうたい 일심동체/～に本ほんを読よむ 열심히 책을 읽다/～に傾聴けいちょうする 열심히 경청하다.
—ふらん【—不乱】图ダナ 일심불란; 한 가지 일에만 몰두함. ¶～に勉強べんきょうする 일심불란으로 공부하다.
いっしん【一新】图ス自他 일신. ¶面目めんぼくを～する 면목을 일신하다.
いっしん【一身】图 일신. ¶～の利益りえきを計はかる 일신의 이익을 꾀하다/～をささげる 한 몸을 바치다.
—じょう【—上】图 일신상. ¶～の問題もんだい 일신상의 문제/～のつごうにより… 일신상의 사정으로….
いっしんいったい【一進一退】图ス自 일진일퇴. ¶病状びょうじょうが～する 병세가 일진일퇴하다/祭まつりの人波ひとなみが～する 축제에 나온 인파가 몰려왔다 몰려가곤 한다.
いっしんきょう【一神教】图 일신교. ↔「多神教たしんきょう」.
いっしんとう【一親等】图 일촌《본인과 부모〔자식〕간의 촌수》. ＝一等親いっとうしん.
いっすい【一睡】图ス自 한잠. ＝ひとねむり. ¶～もせずに 한잠도 자지 않고/～もしないで看病かんびょうした 한잠도 안 자고 간병하였다/～のひまもない 눈 붙일 겨를도 없다.
いっする【逸する】㊀サ変他 놓치다; 잃다; 빠뜨리다. ¶好機こうきを～ 호기를 놓치다/要点ようてんを～ 요점을 빠뜨리다. ㊁サ変自 벗어나다; 빗나가다. ¶常軌じょうきを～ 상궤를 벗어나다.
いっすん【一寸】图 1 한 치. 2 짧은 거리. ¶～刻きざみに進すすむ 조심조심 좁은 걸음으로 나아가다. 3 짧은 시간; 잠깐.
—先さきはやみ 한 치 앞은 암흑《전도를 조금도 예지(豫知)할 수 없음》. ＝おさきまっくら. 「불가경.
—の光陰こういん軽かろんずべからず 일촌광음
—の虫むしにも五分ごぶの魂たましい 한 치의 벌레에도 닷푼의 혼(이 있다)《지렁이도 밟으면 꿈틀한다》.

—のがれ【—逃れ】图 일시 모면. ＝その場ばのがれ・一時いっとき・いちじのがれ.
—ぼうし【—法師】图 난쟁이. ＝こびと・侏儒しゅじゅ.
いっせ【一世】图〔佛〕1 일세; 과거·현재·미래의 삼세(三世)의 하나. ¶親子おやこは～の縁えん 부모와 자식은 일세의 인연. 2 일생.
—いちだい【—一代】图 1 일세일대; 한평생. 2 전하여, 일생일대. ¶～の名演技めいえんぎ 일생일대의 명연기.
いっせい【一世】图 일세. 1 당대. ¶～の豪傑ごうけつ 당대의 호걸/～の師表しひょうとして仰あおがれる 당대의 사표로서 존경을 받다. 2 초대; 제1대. ¶ナポレオン～ 나폴레옹 일세. 3 (이민이나 개척민의) 첫 대의 사람. ¶日系米人にっけいべいじん～ 일본계 미국인 일세.
—を風靡ふうびする 한 시대를 풍미하다.
*いっせい【一斉】图 일제. ¶～射撃しゃげき 일제 사격/～取とり締しまり 일제 단속.
—に 副 일제히. ¶～立たち上あがる 일제히 일어서다/全国ぜんこく～行おこなわれる 전국에서 일제히 행하여지다.
いっせき【一席】图 1 (연설·만담 등의) 1회; 일장(一場). ¶～ぶつ 한바탕 연설하다/～弁べんずる 일장 연설을 하다. 2 첫째; 수석; 1위. ¶第だい～ 제1위/～に入選にゅうせんした 1등으로 입선했다.
—設もうける 한 자리를 마련하다《연회를 마련하다》. ¶恩師おんしのために～ 은사를 위해 연회를 베풀다.
いっせきにちょう【一石二鳥】图 일석이조. ＝一挙両得いっきょりょうとく. ¶～の名案めいあんが浮うかぶ 일석이조의 좋은 생각이 떠오르다.
いっせつ【一節】图 일절; 문장·음악 등의 한 구절〔악절〕. ¶詩しの～を口くちずさむ 시의 한 구절을 읊조리다.
いっせつ【一説】图 일설. ¶～によると 일설에 의하면.
いっせん【一戦】图ス自 일전. ¶～を交まじえる 일전을 벌이다; 한차례 교전하다/～を辞じさない 일전을 불사하다.
いっせん【一線】图 일선. 1 한 가닥의 선. ¶～にならぶ 한 줄로 늘어서다. 2 '第一線だいいっせん(＝제일선)'의 준말. ¶～の記者きしゃ 일선 기자/～を〔から〕退しりぞく 일선에서 물러나다.
*いっそ 副 도리어; 차라리. ＝むしろ・かえって. ¶～(のこと)死しんでしまいたい 차라리 죽어 버리고 싶다/～のこと思おもい切きれ 차라리 단념해라/～いないほうがいい 차라리 없는 것이 낫다.
**いっそう『一層』副 한층 더; 더욱더. ＝さらに・ますます. ¶～努力どりょくする 한층 더 노력하다/末すえっ子こだけに～かわいい 막내 자식이기에 더욱더 귀엽다/～暑あつくなる 더욱 더워지다.
いっそう【一双】图 두 짝으로 한 벌을 이루는 것. ¶～の屏風びょうぶ 두 쪽 병풍.
いっそう【一掃】图ス他 일소. ¶残敵ざんてき

を～する 잔적을 일소하다 / 不安を～する 불안을 일소하다 / 夏物の～セール 여름옷〔여름용품〕 재고 정리 세일.

いっそく【一足】名 (신·양말·げた·足袋 따위의) 한 켤레. ¶くつを～買う 구두를 한 켤레 사다.

—とび【—飛び】名ス自 **1** 일약. ¶～に課長になる 일약 과장이 되다 / ～に出世する 일약 출세하다. **2** 모두뜀. **3** 대단히 급하게 뜀; 또, (탈것 등을 이용하여) 빨리 도착함. ¶～に走って帰る 한달음에 달려 돌아오다.

いつぞや〖何時ぞや〗副 **1** 언젠가; 언제였던가. ¶～会った人 언젠가 만났던 사람. **2** 요전에; 전날에. ¶～(は)失礼いたしました 일전에는 실례가 많았습니다.

***いったい**【一帯】名 일대; 일원. ¶その付近～ 그 부근 일대 / 九州～は晴れている 九州 일대는 (날씨가) 맑다.

****いったい**【一体】名 일체. **1** 동체(同體). ¶表裏～ 표리일체 / 夫婦～となって働く 부부 일체가 되어 일하다 / 官民～, 難民救助に立ち上がる 관민 일체가 되어 난민 구조에 나서다. **2** 불상·조상(彫像) 등의 하나.

****いったい**〖一体〗副 **1** 전반적으로; 대체로; 원래. ¶今年は～に寒い 금년은 대체로 춥다 / ～が〔に〕丈夫な人ではなかった 원래 튼튼한 사람은 아니었다. **2** 도대체; 도시(都是). ¶～どうしたのだ 도대체 어떻게 된 셈이냐 / ～ここをどこと心得ているんだ 도대체 여기를 어디로 알고 있는 거야.

—ぜんたい〖—全体〗副 대관절; 도대체(《'いったい'의 힘줌말》). ¶～このざまは何だ 대관절 이 꼴이 뭐냐 / ～どうなっているんだ 도대체 어떻게 된 거야.

いつだつ【逸脱】名ス自他 일탈; 빗나감; 벗어남. ¶本来の目的から～する 본래의 목적에서 일탈하다 / 主題を～する 주제에서 벗어나다.

いったん【一端】名 일단. **1** 한쪽 끝. ＝片端. ¶さおの～ 장대의 한쪽 끝. **2** 일부분. ¶感想の～を述べる 감상의 일단을 말하다.

***いったん**〖一旦〗副 일단. **1** 한번; 만약. ¶～事ある時には 일단 유사시는 / ～決めたからにはやり抜く 일단 결정한 이상은 관철한다. **2** 일시적으로. ¶～家に帰ってから出なおす 일단 집으로 돌아갔다가 다시 나오다.

****いっち**【一致】名ス自 일치. ¶言行～ 언행일치 / 満場～ 만장일치 / ～団結 일치단결 / 犯人の指紋と～する 범인의 지문과 일치한다.

いっちはんかい【一知半解】名ナ 일지반해; 수박 겉 핥기의 지식. ＝半可通·なまかじり. ¶～の徒 반거들충이 / ～なことを言う 어설픈 말을 하다.

いっちゃく【一着】名 **1** 일착; 일등. ＝一等. ¶マラソンで～になる 마라톤에서 일등을 하다. **2** (옷 따위) 한 벌. ¶背広～ 신사복 한 벌. **3** 옷을 입음; 착용. **4** (바둑 등에서) 한 수. ＝一手. ¶痛恨の～ 통한의 한 수.

いっちゅうや【一昼夜】名 일주야; 만 하루. ¶事件から～たった 사건이 일어난 지 만 하루 지났다 / ～走りつづけた 하루 밤낮을 계속 달렸다.

いっちょう【一丁】一名 **1** (두부의) 한 모. **2** (음식점에서) 주문한 것의 하나〔일인분〕. ¶ラーメン～あがり 라면 한 그릇 됐어요. 二副 무언가 할 때에 던지는 소리: 그러면; 자; 좀. ¶～やるか 그럼 해 볼까.

いっちょう【一丁】《一挺》名 일정; (먹·총·창 따위의) 한 자루.

いっちょう【一朝】일조. 一副 만약의 경우. ＝いったん. ¶～事あれば 일조 유사시에는. 二名 하루〔어느〕 아침. ¶～にして 하루 아침에.

—いっせき【— 一夕】名 일조일석; 짧은 시일. ¶～にはできない 일조일석에는 되지 않는다.

いっちょういったん【一長一短】名 일장일단. ¶人それぞれに～がある 사람은 각기 일장일단이 있다 / いずれも～あって, 甲乙つけ難い 어느 것〔쪽〕이나 다 일장일단이 있어서 우열을 가리기가 힘들다.

いっちょうまえ【一丁前】名 〈俗〉☞いちにんまえ. ¶～の口をきくな 건방진 소리 하지 마라.

いっちょうら【一張羅】名 단벌옷; 단 한 벌의 나들이옷. ¶～を着て出かける 단벌 나들이옷을 입고 외출하다.

いっちょくせん【一直線】名 일직선; 똑바름. ¶～に落下する〔並ぶ〕 일직선으로 낙하하다〔늘어서다〕.

****いつつ**【五つ】名 **1** 다섯; 또, 다섯 살〔개, 째〕. **2** 옛 시각의 이름; 지금의 오전·오후 8시경. ＝五つ時.

いっつい【一対】名 한 쌍; 한 벌. ¶～のめおと茶わん 한 쌍의 크고 작은 공기.

いって【一手】名 **1** 독차지해서 행함. ¶～販売 일수〔독점〕 판매 / ～に引き受ける 혼자 도맡다. **2** 장기·바둑에서 한 수. ＝ひとて. ¶～おくれる 한 수 뒤지다. **3** 한 가지 수〔방법〕. ¶押しの～で勝つ (씨름에서) 밀고 나가는 한 가지 수로 이기다.

***いってい**【一定】名ス自他 일정. ¶～の様式 일정한 양식 / 大きさが～した三角形 크기가 일정한 삼각형 / 価格が～している 가격이 일정하다 / 服装を～にする 복장을 일정하게 하다.

いっていじ【一丁字】名 한 개의 글자. ¶目に～もない 낫 놓고 기역자도 모른다; 까막눈이다.

いってき【一滴】名 일적; 한 방울. ＝ひとしずく. ¶～の水 한 방울의 물 / 酒は～も飲めない 술은 한 방울도 못 마신다.

いってつ【一徹】名ナ 완고하고 융통성이 없음; 외고집; 옹고집. =意地張り. ¶~者 고집쟁이 / ~な老人 고집 센 노인 / 老いの~ 노인의 외고집.

いってん【一天】名 창공; 온 하늘. ¶~にわかにかき曇る 온 하늘이 갑자기 흐려지다.

いってん【一転】名ス自他 일전. 1 일 회전. ¶空中で~する 공중에서 한 바퀴 돌다. 2 완전히 바뀜. ¶心機~ 심기일전 / 舞台は~して 무대는 일전하여 / 情勢が~する 정세가 일변하다.

*いってん【一点】名 일점. 1 한 점; 단 하나. ¶紅~ 홍일점 / ~の差で負ける〔勝つ〕 1점 차로 지다〔이기다〕. 2 극히 적음. ¶~の非の打ちどころもない 조금도 흠잡을 데가 없다. 3 (물품의) 하나. ¶美術品~ 미술품 한 점.

—ばり【—張り】名 외곬; 그것(한 가지)만으로 관철하는 일. ¶知らないの~ 끝까지 모른다고 우김 / 日本語~で押し通す 일본어로만 시종일관하다 / 彼は誠実~で成功した 그는 오직 성실 하나로 성공했다. 参考 도박에서, 한 곳에만 거는 데서.

いっと【一途】名 일로(一路); 단지〔오로지〕 그것만. ¶退却~あるのみ 오직 퇴각이 있을 뿐 / 増加の~をたどる 증가 일로를 걷다.

いっとう【一刀】名 일도; 한칼. ¶~のもとに斬りふせる 한칼에 쓰러뜨리다.

—りょうだん【—両断】名ス他 일도양단. ¶~の処置 일도양단의 조치 / ~たちまちに解決した 일도양단으로 단숨에 해결했다.

*いっとう【一等】名 1 일등. ¶~賞 일등상 / ~星 일등성 / ~で行く (기차·기선 따위의) 일등으로 가다 / 死~を減ずる 사형에서 한 등급 감형하다. 2《副詞적으로》 가장. =最も. ¶これが~いい 이것이 가장 좋다.

いっとう【一統】名ス他 총체; 일동. =一同. ¶御~様 여러분.

いっとう【一党】名 일당; 한 패. ¶~独裁 일당 독재 / ~一派に偏しない 일당 일파에 치우치지 않다.

いっとき【一時】名 일시. 1 잠시. =いちじ·しばらく. ¶~も油断はならぬ 잠시도 방심해서는 안 된다 / ~にかたづける 단숨에 해치우다. 2 (어느) 한 시기; 한때. ¶~のような隆盛は見られない 한때와 같은 융성은 볼 수 없다.

—のがれ【—逃れ】名 일시 회피〔모면, 발뺌〕. =一寸逃れ·一時しのぎ. ¶~のいいわけ 일시 모면의 변명.

いっとく【一得】名 일득; 일리(一利); 한 이득; 한 번의 이득. ¶それも~だ 그것도 한 이득이다.

—いっしつ【— 一失】名 일득일실.

いつとはなく〖何時とは無く〗 itsutowanaku 名 어느 사이〔결〕에; 언제인지도 모르게. =いつとは無しに. ¶~秋も過ぎ行く 어느 결에 가을도 지나가다.

いつに【一に】副 1 전적으로; 오로지. =ひとえに·もっぱら. ¶今の成功は~あなたのおかげです 오늘의 성공은 오로지 당신 덕택입니다 / ~研究心のたまものです 오직 연구심의 덕택입니다. 2 다른 말로는; 또는; 혹은. ¶文法のことを~語法ともよぶ 문법을 다른 말로 어법이라고도 한다.

いつにない〖何時に無い〗連語 평소〔여느 때〕와 다른; 이례적인. ¶~おもいきりのよさ 이례적으로 깨끗이 체념하는 훌륭한 점.

いつのま【いつの間】《何時の間》名 어느덧; 어느새. ¶雨は~にか止んでいた 비는 어느새 그쳐 있었다.

いっぱ【一派】名 일파. ¶一党~にかたよる 일당 일파에 치우치다 / ~をたてる 한 파를 세우다 / 彼ら~のしわざ 그들 일파의 짓.

**いっぱい【一杯】名 1 일배; 한 잔; 한 그릇. ¶~の美酒 한 잔의 좋은 술 / ~やろう (술) 한잔 하세 / ~やる (술) 한잔 하다《조금 마시다》/ ~入っている (술) 한잔 했다. 2 배나, 게·오징어 따위를 세는 단위. ¶舟~ 배 한 척.

—食う 감쪽같이 속다; 한방 먹다. ¶まんまと一杯食った 감쪽같이 속았다.

—食わす 감쪽같이 속이다; 한방 먹이다. =一杯はめる. ¶しまった! またあいつに一杯食わされたよ 아차, 또 그 녀석한테 감쪽같이 당했어.

—きげん【—機嫌】名 술 한잔 마시고 얼근하게 취한 기분.

**いっぱい〖一杯〗副 1 그릇·장소 따위에 가득 차 있는 모양; 가득. ¶袋~に 자루 가득히 / 場内~の人 장내에 가득 찬 사람 / 若さ~のふたり 젊음에 가득 찬 두 사람 / もう~です 이젠 충분합니다. 2 있는 한도를 다하는 모양. ㉠…껏. ¶時間~待つ 시간껏〔약속 시간 끝까지〕 기다리다 / 精~やってみよう 힘껏 해보자. ㉡온…《온종일·온 한 달 따위》. ¶あす~(は)忙しい 내일은 온종일 바쁘다 / 来月~かかるだろう 다음달 한 달 (에누리 없이) 다 걸릴 것이다. ㉢빠듯하다; 빽빽하다. ¶予算は~だ 예산은 빠듯하다.

いっぱく【一泊】名ス自 일박. ¶~旅行 일박 (이일의) 여행 / 箱根で~する 箱根에서 일박하다 / ~二日の予定で 1박 2일 예정으로.

いっぱつ【一発】名 1 일발. ㉠(총포를) 한 방 쏨. ¶~お見舞いする 한 방 쏘아 주다. ㉡포탄이나 총알의 한 개. ¶~で撃ち止める 한 발로 쏘아 죽이다. ㉢〔野〕 홈런 한 방. ¶~かっとばせ 홈런 하나 날려 보내라. 2 〈俗〉 한 번. ¶~勝負 한판 승부 / ~やってみよう 한 번 해 보자.

—かいとう【—回答】名 (단체 교섭 등에서) 처음이자 마지막인 한 번의 회답.

⁑**いっぱん【一般】** 名 일반. ¶～論(ろん) 일반론/～の会社(かいしゃ) 일반 회사/～に受(う)ける映画(えいが) 일반에게 인기를 끄는 영화/～に熱帯(ねったい)の住民(じゅうみん)は早熟(そうじゅく)だ 일반적으로 열대 주민은 조숙하다.
—か【—化】 名 ス自他 일반화.
—せい【—性】 名 일반성. ↔特殊(とくしゅ)性.
—てき【—的】 ダナ 일반적. ¶社会(しゃかい)の～な風潮(ふうちょう) 사회의 일반적인 풍조.
—に 副 대체로; 일반적으로. ¶今年(ことし)は～不景気(ふけいき)だ 금년은 대체로 불경기다.

いっぴきおおかみ〖一匹狼〗 名 〈俗〉 혼자[독자적으로] 행동하는 사람; 독불장군. ¶政界(せいかい)の～ 정당·파벌의 배경 없이 혼자 힘으로 싸우는 정치인. 参考 미국의 **'lone wolf'**의 역어.

いっぴつ【一筆】 名 일필. **1** 일필휘지; 단숨에 씀. ＝ひとふで. ¶～で書(か)く 일필휘지하다. **2** 짧고 간단한 문장; 또, 간단히 씀. ¶～したためる 몇 자 적다. **3** 한 통의 편지. ¶～差(さ)し上(あ)げます 몇 자 올립니다/～御礼(おれい)申(もう)し上(あ)げます 몇 자 적어 감사의 말씀 드립니다.
—けいじょう【—啓上】 名 '간단히 말씀 드립니다'의 뜻으로 남자가 편지 허두에 쓰는 말.

いっぴん【一品】 名 일품. **1** 한 물건. ¶もう～注文(ちゅうもん)する 한 가지 더 주문하다. **2** 절품. ¶天下(てんか)～ 천하일품.
—りょうり【—料理】 名 일품 요리; 손님 기호에 따라 한 가지씩 선택하게 하여 제공하는 요리. ＝アラカルト. ↔定食(ていしょく)料理.

いっぴん【逸品】 名 (미술품·골동품 따위의) 일품; 절품. ¶～ぞろいのコレクション 일품[걸작품]만 모은 컬렉션.

いっぷう【一風】 名 **1** 남과는 다른 어떤 격식이나 풍격. ¶かれの句(く)は～をなしている 그의 俳句(はいく)에는 남다른 풍격이 있다. **2**《副詞적으로》(성질·태도·방법 등이) 약간 다른 느낌. ¶～変(か)わった人(ひと) 어딘가 별난 데가 있는 사람.

いっぷく【一服】 ㊀名 **1** 차를 한번 마심. ¶～どうぞ (차를) 한잔 드십시오. **2** 한 번 먹을 양의 가루약; (약) 한 봉지. ㊁名 ス自他 담배를 한 대 피움; 잠깐 쉼. ¶ここで～しよう 여기서 잠깐 쉬자.
—の清涼剤(せいりょうざい) 한 모금의 청량제《상쾌한 기분이 됨의 비유》. ¶私(わたし)の提案(ていあん)が～ともなれば幸(さいわ)いです 저의 제안이 한 모금의 청량제라도 된다면 다행이겠습니다.
—盛(も)る 독약을 먹이다; 독살하다.

いっぷく【一幅】 名 일폭; 한 폭. ¶～の絵(え) 한 폭의 그림.

いっぺん【一片】 名 일편. **1** 한 장; 한 조각. ¶～の肉(にく) 고기 한 점/～の花(はな)びら 꽃잎 하나/～の月(つき) 조각달/～の雲(くも)もない空(そら) 구름 한 점 없는 하늘. **2** 약간; 조금. ¶～の誠意(せいい)も認(みと)められない 약간의 성의도 보이지 않는다/～のあいさつも無(な)く引(ひ)っ越(こ)す 한마디 인사도 없이 이사를 가다.

いっぺん【一変】 名 ス自他 일변. ¶事態(じたい)が～する 사태가 일변하다/戦(たたか)いの形勢(けいせい)が～して味方(みかた)に有利(ゆうり)となった 싸움의 형세가 일변하여 아군에게 유리하게 되었다.

*__いっぺん【一ぺん·一遍】__ 名 **1** 일회; 한 번. ¶～こっきり 꼭[딱] 한 번만/～で合格(ごうかく)した 단번에 합격했다. **2**《副助詞적으로》㉠한결같은 모양; …하기만 한 모양. ¶正直(しょうじき)～の男(おとこ) 오로지 정직하기만 한 사나이. ㉡평범한 모양; 흔한 모양. ¶通(とお)り～のあいさつ 형식적인 인사.
—に 副 한번에; 한꺼번에; 일시[동시]에. ¶たまった仕事(しごと)を～かたづける 밀린 일을 한꺼번에 해치우다.

いっぺんとう【一辺倒】 名 일변도. ¶親米(しんべい)～の政策(せいさく) 친미 일변도의 정책/強硬(きょうこう)～である 강경 일변도이다.

いっぽ【一歩】 名 일보; 한걸음; 한 단계. ＝ひとあし·一段(いちだん). ¶～前進(ぜんしん) 일보 전진/十年前(じゅうねんまえ)より～も出(で)ていない 십년 전보다 한 걸음도 진보되지 않고 있다 / 崩壊(ほうかい)の～手前(てまえ)にある 붕괴 일보 직전에 있다.
—を進(すす)める (생각 등을) 한 단계 전진시키다; 한걸음 나아가다.
—を踏(ふ)み出(だ)す 새 출발을 하다; 한걸음 내디디다. ¶実社会(じっしゃかい)に～ 실사회에 한걸음 내디디다.
—を譲(ゆず)る **1** (역량·품위·질 따위가) 한 단계 떨어지다. ¶～所(ところ)がある 좀 뒤지는 데가 있다. **2** 한걸음 양보하다. ¶一歩を譲って…としても 한걸음 양보하여 …라고 하더라도.

いっぽう【一法】 名 한 방법; 한 수단. ¶話(はな)し合(あ)うのも～だ 이야기해 보는 것도 한 방법이다.

いっぽう【一報】 名 ス他 일보; (간단히) 알림. ¶ご～下(くだ)されば (편지 따위로) 간단히 알려 주시면.

⁑**いっぽう【一方】** 名 일방. **1** 한쪽; 한편. ＝かたほう. ¶どちらか～ 어느 한쪽/もう～ 또 한편; 반면에/～の目(め)が乱視(らんし)だ 한쪽 눈이 난시다/～の言(い)い分(ぶん)だけではよく分(わ)からない 한쪽 말만 듣고서는 잘 모른다. ↔両方(りょうほう). **2** 오로지 그 경향뿐임; …만 함. ¶飲(の)む～だ 마시기만 한다/人口(じんこう)はふえる～だ 인구는 증가 일로이다/金(かね)もうけ～の学者(がくしゃ) 돈벌이만 하는 학자. **3**《接続助詞적으로 써서》…하는 한편. ¶仕事(しごと)に励(はげ)む～, 遊(あそ)びにも精(せい)を出(だ)す 일을 열심히 하는 한편, 놀기도 잘한다.
—つうこう【—通行】 名 일방통행. ＝一方交通(こうつう).
—てき【—的】 ダナ 일방적. ¶～に決(き)める 일방적으로 정하다.

*__いっぽん【一本】__ 名 **1** ㉠(부채·창 등의) 한 자루. ¶鉛筆(えんぴつ)～ 연필 한 자루/～くれ (술) 한 병 주게. ㉡나무 한 그루. **2**

(유도·검도 등에서) 한 대 침; (승부의) 한 판. ¶~取とる〔取られる〕 한 판 이기다〔지다〕/~やられた 한 대 맞았다. **3** 《副助詞적으로》 오직 그것만으로 일관하는 일. ¶正直しょうじき~で世よを渡わたる 오직 정직 하나만으로 살아가다.

―参まいる **1** 검도에서, 상대편을 한 대 치다. ¶~ぞ 한 대 받아라. **2** 상대편에게 당하다. ¶これは一本参った 이거 한 대 맞았다.

―か【―化】 名 ス他 일원화. ¶法案ほうあんの~ 법안의 단일화/交渉こうしょうの窓口まどぐちを~する 교섭 창구를 일원화하다.

―ぎ【―気】 名 ダナ (성질이 순진하고) 외곬임. ¶~な男おとこ 외곬인 남자.

―しょうぶ【―勝負】 名 단판 승부.

―だち【―立ち】 名 ス自 독력으로 해나감; 독립. =独ひとり立だち. ¶~の生活せいかつ 독립 생활.

―ちょうし【―調子】 名 단순하고 변화가 없음; 단조로움. ¶朗読ろうどくが~でつまらない 낭독하는 것이 너무 단조로워 흥미가 없다. 参考 본디, 음악 용어.

―づり【―釣り】 名 (한 마리씩 낚아 올리는) 외줄낚시. 「まるきばし.

―ばし【―橋】 名 외〔통〕나무다리. =

―やり【―槍】 名 오로지 하나만으로 밀고 나감. =一点張いってんばり. ¶背負せおい投なげ~で相手あいてを倒たおす 업어치기 한 수만으로 상대방을 이기다. ⇨にだんがまえ.

いつまで【何時迄】 副 언제까지. ¶~待まっても彼女かのじょは来こなかった 언제까지 기다려도 그녀는 오지 않았다.

―も 副 언제까지나; 영원히. ¶~お幸しあわせに 언제까지나 행복하시기를.

⁑いつも【何時も】 一副 언제나; 늘. ¶~同おなじ背広せびろで来くる 항상 같은 신사복을 입고 온다/~遅おくれる 언제나 늦는다. 二名 여느 때; 보통 때. =ふだん. ¶~のとおり 언제나처럼/~と違ちがう 여느 때와 다르다/~の年としより寒さむい 여느 해보다 춥다.

いづらい【居づらい】《居辛い》 連語 거기에 있는 것이 괴롭다〔거북하다〕. ¶その場ばに~雰囲気ふんいきになる 그 자리에 있기에 거북한 분위기가 되다.

いつらく【逸楽】 名 일락; 건전치 못한 쾌락. ¶~にふける〔身みをゆだねる〕 일락에 빠지다.

いつわ【逸話】 名 일화. =エピソード. ¶故人こじんの~ 고인의 일화/彼かれの一面いちめんを知しることのできる~ 그의 일면을 알 수 있는 일화.

いつわり【偽り】《詐り》 名 거짓(말); 허위. =うそ·虚言きょげん. ¶~の証言しょうげん 거짓 증언/~を言いう 거짓말을 하다/~はない 거짓은 없다; 틀림없다.

***いつわ-る【偽る】**《詐る》 5他 거짓말하다; 속이다. ¶人ひと〔身分みぶん〕を~ 남〔신분〕을 속이다/~·らぬ事実じじつ 거짓없는 사실/世よの中なかを~ 세상을 속이다/人ひとを~·って金かねを出ださせる 남을 속여 돈을 내놓게 하다. 可能 いつわ-れる 下1自 「구; 숙어.

イディオム [idiom] 名 이디엄; 관용어

イデオロギー [도 Ideologie] 名 이데올로기. ¶~の相違そうい 이데올로기의 차이.

いでたち【出で立ち】 名 몸차림; 복장. ¶旅たびの~をととのえる 여장을 갖추다/たいそうな〔ものものしい〕~だ 대단한〔어마어마한〕 차림이다.

いてつ-く【凍て付く】 5自 얼어붙다. =凍こおりつく. ¶~·いた道みち 얼어붙은 길/~ような寒さむさ 얼어붙을 것 같은 추위.

いでゆ【出湯·温泉】 名 〈雅〉 온천. ¶~めぐり 온천장 순례/~の町まち 온천 마을; 온천장.

***いてん【移転】** 名 ス自他 이전. **1** 이사. ¶~通知つうち 이전 통지/本社ほんしゃが~する 본사가 이전하다. **2** 권리의 양도. ¶~登記とうき 이전 등기.

***いでん【遺伝】** 名 ス自 유전. ¶~病びょう 유전병/~性せい 유전성/~的てき 유전적/隔世かくせい~ 격세 유전.

―し【―子】 名 유전자; 유전인자. =遺伝因子いんし. ¶~工学こうがく〔操作そうさ〕 유전자 공학〔조작〕/~座ざ 〖生〗 유전자 자리/~型がた 〖生〗 유전자형/~組くみ替かえ食品しょくひん 유전자 변형 식품.

⁑いと【糸】 名 **1** 실. ¶絹きぬ~ 견사/毛け~ 털실; 모사. **2** 실 모양의 것. ¶くもの~ 거미줄/青あおやぎの~ 버들가지. **3** ☞つりいと. ¶~を垂たれる 낚싯줄을 드리우다《낚시질하다》.

―を引ひく **1** 계속되어 끊이지 않다. ¶よだれが~ 군침이 흐르다. **2** 뒤에서 조종하다. ¶陰かげで~ 뒤에서 조종하다.

***いと【意図】** 名 ス他 의도. ¶敵てきの~をくじく〔見抜みぬく〕 적의 의도를 꺾다〔간파하다〕/殺害さつがいの~をもって誘さそい出だす 살해할 의도를 가지고 꾀어내다/相手あいての~をさぐる 상대방의 의도를 떠보다/よからぬ~をいだく 좋지 못한 의도를 품다.

***いど【井戸】** 名 우물. ¶~水みず 우물물/空から~ 빈〔마른〕 우물/深ふか~ 깊은 우물/~に身みを投なげて死しぬ 우물에 투신해서 죽다. 「井戸ざらえ.

―がえ【―替え】 名 ス自 우물 치기. =

―ばた【―端】 名 우물가.

―ばたかいぎ【―端会議】 名 (우물가에서의) 아낙네들의 쑥덕공론.

―べい【―塀】 名 정치 특히, 선거 등에 재산을 다 탕진하고 우물과 담만 남게 되는 일. ¶~議員ぎいん 빈털터리가 된 의원.

いど【緯度】 名 〖地〗 위도. ¶~観測かんそく 위도 관측. ↔経度けいど.

いと-う【厭う】 5他 **1** 싫어하다. ¶遠路えんろを~·わず 먼 길을 마다 않고/世よを~ 세상을 비관하다/苦労くろうを~·わない 고생을 마다 않다. **2** 아끼다; 소중히 하다. ¶経費けいひは少すこしも~·わずに 경비는 조금도 아끼지 않고/せっかくか

らだをお～·い下ください 아무쪼록 몸조심하십시오.

いどう【異同】图 이동(異同); 다름. ＝ちがい. ¶両者りょうしゃに～はない 양자간에 다른 점은 없다. ⇨相違そうい.

いどう【異動】图[ス自他] (직위·근무처 따위의) 이동. ¶人事じんじ～ 인사 이동/定期ていき大だい～ 정기 대(인사)이동.

*いどう【移動】图[ス自他] 이동. ¶～診療所しんりょうじょ 이동 진료소/民族みんぞくの大だい～ 민족의 대이동.

―たいつうしん【―体通信】图 이동 통신《휴대 전화·카폰 등》.

―としょかん【―図書館】图 이동 도서관.

―ロボット [robot] 图 이동 로봇; (사람에 의한 원격 조종이 아닌) 스스로 외계를 검지(檢知)하여 자동 주행하는 로봇《특수 환경하의 작업이나 무인 수송 장치에 이용함》.

いとおし-い 形〈雅〉☞いとしい.

いとおし-む [5他] 1 가엾게 여기다; 애처로워하다; 불쌍히 여기다. ¶母ははに死しなれた子供こどもを～ 어머니를 여읜 아이를 애처로워하다. 2 귀여워하다; 사랑하다. ¶一人子ひとりごを～ 외아들을 귀여워하다. 3 아끼다; 소중히 하다; 아쉬워하다. ¶青春せいしゅんを～ 청춘을 소중히 하다/わが身みを～ 제 몸을 소중히 하다/(去さり)行ゆく春はるを～ 가는 봄을 아쉬워하다.

いときりば【糸切り歯】图 송곳니; 견치. ＝犬歯けんし.

いとく【遺徳】图 유덕. ¶故人こじんの～をしのぶ 고인의 유덕을 기리다.

いとくず【糸くず】《糸屑》图 실보무라지.

いとぐち【いとぐち·糸口】《緒》图 실마리; 단서. ¶争あらそいの～ 싸움의 발단/解決かいけつの～が見みえる 해결의 실마리가 보이다.

いとけな-い 『幼い·稚い』 形〈雅〉 어리다; 순진하다. ＝幼おさない·がんぜない. ¶～子供こども〔おさなご〕 순진한 어린아이.

⁂いとこ 『従兄弟·従姉妹』 图 사촌 (형제·자매); 종형제; 종자매. [注意] 일반적으로는 '従兄弟·従姉妹'로 쓰고, 각기 관계에 따라 '従兄(＝사촌형)' '従弟(＝사촌 동생)' '従姉(＝사촌 누나)' '従妹(사촌 누이동생)' 등으로 씀. ⇨又またいとこ.

―どうし【―同士】图 사촌간.

*いどころ【居どころ·居所】图 1 있는 곳; 거처. ¶～を知しらせる 거처를 알리다/虫むしの～が悪わるいのかやたらにどなり散ちらす 기분이 언짢은 것인지 마구 호통을 쳐대다.

いとし-い 『愛しい』 形〈雅〉 1 몹시 귀엽다; 사랑스럽다. ＝かわいい. ¶～わが子こ 귀여운 내 자식/～お方かた 사랑하는 이. 2 가엾다; 불쌍하다; 애처롭다.

いとしご【いとし子】《愛し子》图 귀여운〔소중한〕 자식. ¶～を失うしなう〔亡なくす〕 소중한 자식을 잃다.

いとぞこ【糸底】图 (찻잔 따위의) 실굽. ＝いとじり·いときり. ¶茶ちゃわんの～ 찻종의 실굽.

いとなみ【営み】图 1 (하는) 일; 노동; 근무; 생업. ¶日々ひびの～ 매일매일 하는 일. 2 행위; 특히, 성행위. ¶愛あい〔夜よる〕の～ 사랑〔밤〕의 행위.

⁂いとな-む【営む】[5他] 1 (일)하다; 경영〔영위〕하다. ¶生活せいかつを～ 생활을 하다/事業じぎょう〔理髪店りはつてん〕を～ 사업을〔이발소를〕 (경영)하다/法事ほうじを～ 재(齋)를 올리다. 2 (집을) 짓고 살다. ¶大邸宅だいていたくを～ 큰 저택을 짓고 살다.

いとのこ【糸のこ】《糸鋸》图 실톱《'糸いとのこぎり'의 준말》.

いとま 『暇』 图〈雅〉 1 틈; 짬. ＝ひま. ¶～もない 짬도 없다. 2 쉼; 휴가; 말미. ¶～を願ねがう 휴가를 청하다/～を取とる 말미를 얻다/三日間みっかかんの～をもらう 3일간의 휴가를 받다. 3 작별함; 물러감. ¶もうお～いたします 이제 가야겠습니다/～を告つげる 작별을 고하다; 작별 인사를 하다.

いとまき【糸巻き】图 실패; 실감개.

いとまごい 『暇乞い·暇請い』 图 1 작별 인사를 함; 작별을 고함. ¶～に行いく 작별 인사하러 가다/～をする 작별 인사를 하다. 2 휴가를 청함; 청가.

いど-む【挑む】㊀[5自] 도전하다; 정복하려고 덤벼들다. ¶強敵きょうてきに～ 강적에게 도전하다/山やまに～ 산에 도전하다/記録きろくに～ 기록에 도전하다.
㊁[5他] (싸움을) 걸다〔돋우다〕. ¶決戦けっせんを～ 결전을 청하다/戦たたかいを～ 싸움을 걸다. [可能]いど-める[下1自]

いとめ【糸目】图 1 가는 실; 선(線). 2 (연의) 벌이줄. ¶たこの～を直なおす 연의 벌이줄을 고쳐 매다. 3 그릇에 새긴 실금. ¶～模様もよう 그릇에 새긴 실금 무늬. 4 (사물의) 맥락. ¶話はなしの～をつなぐ 이야기의 맥락을 잇다.

いと-める【射止める】[下1他] 1 쏘아서 잡다; 쏘아 죽이다. ¶熊くまを～ 곰을 쏴 잡다〔죽이다〕. 2 (노리던 것을) 맞히어서 자기 것으로 만들다. ¶賞品しょうひんを～ 상품을 따다/金的きんてきを～ 얻기 어려운 것을 손에 넣다/相手あいての心こころを～ 상대의 환심〔마음〕을 사다〔사로잡다〕.

いとも 『最も』 副〈雅〉 매우; 아주. ＝大変たいへん·はなはだ. ¶～おごそかに 매우 엄숙하게/～たやすい 아주 쉽다/～かるがると持もち上あげた 아주 가뿐하게 들어올렸다.

いとわし-い 『厭わしい』 形 싫다; 꺼림칙하다; 번거롭다; 귀찮다. ¶実じつに～ 정말로 싫다/顔かおを見みるのも～ 얼굴도 보기 싫다.

いな【否】㊀图 아님; 불찬성. ¶賛成さんせいか～か 찬성이냐 아니냐/事実じじつか～か 사실인지 아닌지/～とは言いわせない 아니라고는 말 못하게 하다/～も応おうもない 가(可)고 불가고 없다/頼たのむに, よもや～はあるまい 부탁하는데, 설마 싫다고는 하지 않겠지. ㊁感 아니; 아뇨. ¶～, 彼があやまちにはあらず 아냐, 그의 잘못은 아니다.

いな【異な】連体 묘한; 이상[야릇]한. ¶～こと 이상한 일 / これは～ことを仰せられる 이거 이상한 말씀하십니다.

いない【以内】名 이내. ¶三日～ 사흘 이내 / 三十分～に行ける 30분 이내에 갈 수 있다. ↔以外.

いなおりごうとう【居直り強盗】名 좀도둑이 들키자 갑자기 강도로 돌변함; 또, 그 강도; 사후 강도. =居直り.

いなお-る【居直る】5自 **1** 앉은 자세를 바로잡다; 바로앉다. ¶～·ってまじめに話を聞く 자세를 바로 하고 진지하게 이야기를 듣다. **2** 갑자기 태도를 바꾸어 협박조로 나오다. ¶押し売りが～ 강매꾼이 협박조로 나오다.

いなか【田舎】名 시골. **1 지방. ¶～育ち 시골에서 자람 / ～道 시골 길 / とても～だ 아주 시골이다. **2** 향리; 고향(《시골에만 한함》). ¶～へ帰る 고향에 돌아가다 / 私の～は浜松です 제 고향은 浜松입니다.

―くさ-い〖―臭い〗形 촌스럽다. =やぼったい.

―しばい【―芝居】名 시골에서 하는 연극; 어설프고 촌스러운 연극.

―じ-みる【―染みる】上1自 촌스러워지다; 촌티가 나다.

―じるこ【―汁粉】名 으깬 팥으로 만든 단팥죽. 參考 関西 지방의 'ぜんざい'와 같음.

―っぺい 名〈俗〉시골뜨기(《멸시하여 일컫는 말》). =いなかっぺ.

―びる 上1自 시골티가 나다. =いなかめく.

―もの【―者】名 시골 사람; 촌사람. (비유적으로) 촌놈.

いながらに〖居乍らに〗副 **1** (집에) 있는 채로; 아무데도 가지 않고. ¶～して天下の形勢を知る 가만히 앉아서 천하의 형세를 알다. **2** 앉은 채로; 자기 몸을 움직이지 않고. ¶～(して)人を使う 앉은 채로[꼼짝 않고] 남을 부리다.

いなが-れる【居流れる】下1自 많은 사람이 차례로 죽 늘어앉다; 열좌(列坐)하다. =居並ぶ.

いなさく【稲作】名 벼농사; 벼 작황. ¶～地帯 미작 지대 / 今年の～はよい 금년 벼농사는 괜찮다. ⇨はたさく.

いな-す〖往なす〗5他 **1** 돌려보내다; 다른 데로 보내다. ¶妻を実家に～ 아내를 친정으로 돌려보내다. **2** (씨름에서) 재빨리 몸을 돌려 상대방을 비틀거리게 하다; 상대방의 공세를 가볍게 받아넘기다. ¶飛び込んで来るところを軽く～ 뛰어 덤벼드는 것을 살짝 받아넘기다 / 質問を軽く～ 질문을 가볍게 받아넘기다. 可能いな-せる下1自

いなずま〖稲妻·電〗名〈雅〉번개. =いなびかり. ¶～が走る[光る] 번개가 치다[번쩍이다] / ～のようだ 번개 같다(《동작이 날쌔다》).

―がた【―形】名 번개 무늬; 뇌문(雷紋).

いなせ〖鯔背〗名ダナ (젊은이가) 멋있고 호협하며 결기 있는 모양. =いさみはだ. ¶～な兄い[若い衆] 멋있고 결기 있는 젊은이.

いなな-く〖嘶く〗5自 (말이 힘차게) 울다. ¶馬が～ 말이 소리 높이 울다.

いなびかり【稲光】名 ☞いなずま.

いなほ【稲穂】名〈雅〉벼이삭.

いな-む【否む】(《辞む》) 5他 **1** 거절하다; 사절하다. ¶君の仰せ～·み難く 주군의 말씀을 거절하기 어려워. **2** 부정하다. ¶～ことはできない 부정할 수는 없다. 可能いな-める下1自

いなむら【稲むら】(《稲叢》) 名 볏가리.

いなめない【否めない】連語 **1** 부정할 수 없다. ¶～事実[敗北] 부정할 수 없는 사실[패배]. **2** 사절[거절]할 수 없다. ¶彼らの申し出は～ 그들의 요청은 거절할 수 없다.

いなや【否や】連語 **1** 가부. ¶～の返事を聞く[問う] 가부의 답을 묻다. **2** 불승낙; 이의. ¶彼に～はないはず 그에게 이의는 없을 터 / ～は言わせない 싫다고는 못하게 하다.

いなや〖否や〗副 《'…や否や' '…と否や'의 꼴로》 곧; …하자마자. ¶着くや～ 닿자마자 / 聞くや～飛び出した 듣자마자 뛰어나갔다.

いなら-ぶ【居並ぶ】5自 (여럿이) 죽 늘어앉다. =列座する. ¶～面々 죽 늘어앉은 사람들 / 高官らが～ 고관들이 죽 늘어앉다.

いなり〖稲荷〗名 **1** 곡물 신; 또, 그 신을 모신 신사. ¶お～さん (a)稲荷 신사(《稲荷 신을 모신 사당》); (b)유부 초밥. **2** 여우의 딴 이름. **3** 유부. =油あげ.

いなりずし〖稲荷寿司·稲荷鮨〗名 유부초밥. =おいなりさん·きつねずし.

いなん【以南】名 이남. ↔以北.

イニシアチブ [initiative] 名 이니셔티브; 솔선함; 주도권; 발언권.

―を取る 주도권을 잡다.

イニシアル [initial] 名 이니셜. =イニシャル; 머리글자; 특히, (성명의) 첫 글자. ¶～の縫いとりがあるハンカチ 이니셜을 수놓은 손수건.

いにしえ〖古〗名〈雅〉옛날; 지난 날; 왕시(往時). =むかし. ¶～の栄華の跡 옛날의 영화의 자취 / ～をしのぶ 지난날을 그리워하다[회상하다].

いにゅう【移入】名ス他 이입. **1** 옮기어 들임. ¶感情の～ 감정 이입. **2** (국내에서의) 반입. ⇔移出.

*いにん【委任】名ス他 위임. ¶全権を～する 전권을 위임하다.

―じょう【―状】名 위임장. ¶白紙～ 백지 위임장.

イニング [inning] 名 (야구 등의) 이닝; 회(回). ¶ラスト～ 마지막 회.

いぬ [戌] 名 술; 개; 지지(地支)의 열한째(《방위로는 서북서, 시각으로는 술시(戌時)》). ¶～の年 개해. ⇨十二支.

*いぬ【犬】《狗》名 1 개. ¶～小屋 개집 / ～狩り 들개 사냥. 2 주구(走狗); 앞잡이; 첩자. ¶警察の～ 경찰의 앞잡이 / 権力の～ 권력의 노예 / 煩悩の～となる 번뇌의 노예가 되다.
—と猿 견원지간. ⇨犬猿.
—の糞で敵を討つ 비열한 수단으로 보복을 하다.
—の遠ぼえ 겁쟁이가 안보는 데서 허세를 부림.
—も歩けば棒に当たる 개도 쏘다니면 몽둥이에 맞는다《(a)주제넘게 굴면 봉변을 당한다; (b)돌아다니다 보면 뜻하지 않은 행운을 만난다》.
—も食わぬ 개도 안 먹을 만큼 하찮다; 아무도 거들떠보지 않는다. ¶夫婦げんかは～ 부부 싸움은 아무도 상관하지 않는다.

いぬかき【犬かき】《犬掻き》名 개헤엄. ＝犬泳ぎ.

いぬぐい【犬食い】名 밥상의 식기에 얼굴을 가까이 대고 음식을 먹음《예의에 벗어나는 짓으로 여김》. ＝いぬくい.

いぬざむらい【犬侍】名 비겁한 무사를 욕하는 말. ＝腰抜け武士.

いぬじに【犬死に】名ス自 개죽음. ＝むだじに. ¶そんな事で死んでは～になる 그런 일로 죽으면 개죽음이 된다.

いぬぞり【犬ぞり】《犬橇》名 개썰매.

いぬちくしょう【犬畜生】名 짐승보다도 못한〔개 같은〕놈; 개새끼. ¶あいつは～にも劣るやつだ 그놈은 개만도 못한 놈이다.

*いね【稲】名 벼. ¶～一株 벼 한 포기 / ～を刈る 벼를 베다. ⇨おかぼ.

*いねかり【稲刈り】名ス自 벼베기.

いねこき【稲こき】《稲扱き》名 벼훑이; 벼를 훑는 일; 또, 그 기계.

*いねむり【居眠り】《居睡り》名ス自 앉아 졺; 말뚝잠. ＝いねぶり. ¶～運転 졸음운전 / 電車のなかで～する 전차 안에서 졸다.

いねむ-る【居眠る】5自 앉은 채 졸다; 말뚝잠을 자다. ¶木かげで～ 나무 그늘에 앉아서 졸다.

いのいちばん【いの一番】名 맨 처음; 맨 먼저. ＝まっさき. ¶私が～だ 내가 맨 처음이다〔먼저다〕/ ～にかけつける 맨 먼저 달려가다.

いのこり【居残り】名ス自 1 잔류. 2 잔업. ＝居残り仕事. ¶～手当 잔업수당 / 会社で～をする 회사에서 잔업을 하다.

いのこ-る【居残る】5自 잔류하다. 1 남이 돌아간 뒤에 남다. ¶ひとり～ 혼자 뒤에 남다 / 放課後も教室に～って勉強した 방과 후에도 교실에 남아서 공부하였다. 2 잔업하다.

いのしし『猪』名〔動〕멧돼지.
—むしゃ【—武者】名 (무턱대고 돌진만 하는) 무모한 무사〔사람〕.

**いのち【命】名 생명. 1 목숨. ¶～がおしい 목숨이 아깝다 / 人の～を助ける 남의 목숨을 살리다 / ～を捧げる 목숨을 바치다 / ～を拾う〔奪う〕목숨을 건지다〔빼앗다〕/ ～を棒に振る 개죽음을 하다. 2 수명; 명. ＝寿命. ¶短い～ 짧은 (수)명 / ～を縮める 수명을 단축시키다. 3 가장 귀중한 것. ¶～と頼む 생명같이 의지하다 / 技術が～だ 기술이 생명이다.
—あっての物種 우선 살고 볼 일; 목숨이 제일이다. ＝命が物種.
—から二番目 목숨 다음 가는 중요한 것.
—長ければ恥多し 명이 길면 욕되는 일도 많다.
—に懸けても 죽는 한이 있어도.
—の親 목숨을 건져 준 사람.
—の洗濯 기분 전환을 하여 그 동안의 노고를 풂.
—の綱 목숨을 이어 갈 수단; 단 하나의 의지할 곳. ¶～とたのむ人を失った 생명줄같이 믿고 의지하던 사람을 잃었다.
—を削る 수명을 단축시킬 정도로 고생하다〔일하다〕.

いのちがけ【命懸け】名ナ 목숨을 겂; 죽을 각오를 함; 결사; 필사. ¶～で働く 결사적으로 일하다 / ～の冒険をする 결사적인 모험을 하다.

いのちからがら【命からがら】《命辛辛》連語《副詞적으로》겨우 목숨은 잃지 않고; 간신히. ＝かろうじて. ¶～の目にあう (죽지 않을 만큼) 혼쭐이 나다 / ～(に)逃げ出す 간신히 도망치다.

いのちごい【命ごい】《命乞い》名ス自 1 살려 달라고 빎. ¶～をする 살려 달라고 애원하다. 2 신불에 장수를 빎.

いのちしらず【命知らず】名ナ 죽음을 두려워하지 않고 일을 함; 또, 그런 사람. ¶～の乱暴者 죽음을 두려워하지 않는 난폭자.

いのちづな【命綱】名 구명삭(索)〔줄〕; 생명선. ¶戦線の～である補給路 전선의 생명선인 보급로.

いのちとり【命取り】名 1 생명에 관계됨; 또, 그런 일〔것〕. ¶～の病気 생명에 관계되는 병 / 酒が～になった 술이 목숨을 재촉한 결과가 되었다. 2 (돌이킬 수 없는) 큰 실패·실각의 원인. ¶それが～となって倒産した 그것이 빌미가 되어 도산하였다.

いのちびろい【命拾い】名ス自 다행히 목숨을 건짐; 구사일생으로 살아남. ¶おかげで～いたしました 덕분에 목숨을 건졌습니다.

いのなかのかわず【井の中のかわず】《井の中の蛙》連語 우물 안 개구리《'井の中のかわず大海を知らず(＝우물 안 개구리 대해의 넓은 줄을 모른다)'의 준말》; 정저와(井底蛙).

いのふ【胃のふ】《胃の腑》名〈老〉위. ＝胃袋.

イノベーション [innovation] 名 이노베이션; 혁신; 특히, 기술 혁신.

イノベンチャー [innoventure] 名 이노벤

처; 혁신적인 벤처 기업. 参考 innovation과 venture의 합성어.

いのり【祈り】《禱り》图 기도; 기원. ¶~を捧げる 기도를 올리다.

*いの-る【祈る】《禱る》5他 빌다. **1** 신불에 기도하다; 기원하다. ¶幸福を神に~ 행복을 신에게 빌다/~ような気持ちで見守る 기도하는 마음으로 지켜보다. **2** 진심으로 바라다; 희망하다. ¶ご成功を~·ります 성공하시길 빕니다/健康を~ 건강을 기원하다.

> **祈るの 여러 가지 표현**
>
> 관용 표현 心から(진심으로)·切に(간절히)·心を致して(정성을 다하여)·茶断ちをして(차도 끊고 정성들여)·額ずいて(공손히 조아려)·精進潔斎して(육식을 금하고 몸을 깨끗이 하여)·斎戒沐浴して(목욕재계하고).

いはい[位牌] 图 위패. ¶先祖の~を祭る 조상의 위패를 모시다. 注意 神道에서는 '霊位'라 함.

——を汚す 조상의 명예를 더럽히다.

いはい【違背】图スル自 위배; 위반. ¶校則に~する 교칙에 위배되다.

いばしょ【居場所】图 있는 곳; 앉을 곳; 거처. =いどころ. ¶~がない 있을 곳이 없다/~がわかる 거처를 알다.

いはつ【衣鉢】图 의발《가사와 바리때; 전하여, 스승에게서 받는 불도의 오의(奥義)》. =えはつ. ¶(師の)~を継ぐ (스승의) 의발〔가르침〕을 이어받다.

いばら〖茨·荊·棘〗图 **1**〖植〗가시나무. =うばら. ¶~垣 가시나무 울타리. **2** 〈方〉(식물의) 가시. =とげ. 「冠.

——の冠 (예수의) 가시 면류관. =荊

——の道 가시밭길; 고난의 길. ¶~を歩む 가시밭길을 걷다.

いばらき[茨城]图〖地〗関東 지방 동북부의 현《현청 소재지는 水戸시》.

⁑いば-る【威張る】5自 뽐내다; 거만하게 굴다; 으스대다. =えばる. ¶~·りちらす 마구 뽐내다/~·って歩く 뽐내며 걷다/権力を笠に着て~ 권력을 등에 업고 으스대다/あまり~な 너무 뻐기지 마라/~·りたい者は~·らしておけばいい 뽐내고 싶은 자는 뽐내도록 내버려 둬라/あれくらい勉強すれば~·って合格出来るさ 저만큼 공부하면 훌륭한 성적으로 합격할 수 있다. 可能いば-れる下1自

⁑いはん【違反】图スル自 위반. ¶駐車~ 주차 위반/約束~だ 약속 위반이다/法規に~する 법규를 위반하다.

いびき〖鼾〗图 코고는 소리. ¶~をかく 코를 골다/~を立てる 코고는 소리를 내다《코를 골다》. ⇨ねいき.

いびつ〖歪〗名ナ 비뚤어진〔찌그러진〕 모양; 특히, 원형이 찌그러진 것. ¶~な箱 찌그러진 상자/~な性格 비뚤어진 성격/殴られて顔が~になった 매를 맞고 얼굴이 일그러졌다.

いひょう【意表】图 의표; 뜻〔생각〕 밖.

——に出る 예상 밖의 행동을 하다. ¶相手の~ 상대방의 예상 밖의 행동으로 나오다; 의도를 좌절시키다.

——を突く 의표를 찌르다. ¶相手の~ 상대방의 의표를 찌르다.

いびりだ-す【いびり出す】5他 괴롭혀〔학대하여〕 내쫓다. ¶嫁を~ 며느리를 구박해서 내쫓다/よそ者を~ 타관 사람을 괴롭혀 내쫓다.

いび-る 5他 들볶다; 괴롭히다; 구박하다. =いじめる. ¶嫁を~ 며느리를 구박하다〔들볶다〕.

いひん【遺品】图 **1** 유품. =かたみ. ¶戦死者の~ 전사자의 유품. **2** 분실물; 유실물. =遺失品.

いふ[畏怖]图スル他 외포; 두려워함. ¶~の念を抱く 두려워하는 마음을 품다.

イブ[eve]图 이브. **1** 전야제(前夜祭). **2** 'クリスマスイブ'의 준말; 성야(聖夜). 注意 'イーブ'라고도 함.

イブ[Eve]图 이브《아담의 아내》.

いふう【威風】图 위풍. ¶~辺りを払う 위풍을 사방에 떨치다; 위압하다.

——どうどう【——堂堂】トタル 위풍당당. ¶選手たちが~と行進する 선수들이 위풍당당하게 행진하다.

いぶかし-い〖訝しい〗形 의심〔의아〕스럽다; 수상쩍다. =疑わしい. ¶彼の言動に~節がある 그의 언동에 수상한 데가 있다.

いぶかしが-る〖訝しがる〗5他 의심스러워하다; 의심하다.

いぶかしげ〖訝しげ〗ダナ 의아스러움; 수상쩍어 함. ¶~な態度 의아스러운 듯한 태도.

いぶか-る〖訝る〗5他 수상하게 여기다; 의심하다; 의아해하다. =怪しむ·疑う. ¶ほんとうかどうか~ 정말인지 아닌지 의아해하다.

いぶき【息吹】图 **1** 〈雅〉숨; 숨결; 호흡. =息. ¶春の~ (a)봄의 징조; (b)봄소식; (c)봄기운. **2** 기분; 기풍; 생기. ¶清新な~ 청신한 기풍.

いふく【衣服】图 의복; 옷. =着物. ¶~をまとう 옷을 걸치다/~を改める 의복을 고쳐 입다.

いぶ-く【息吹く】5自 〈雅〉**1** 숨쉬다; 호흡하다. **2** 생동하다. ¶(春が近づいて)大地が~·きはじめる (봄이 다가와) 대지가 생동하기 시작하다.

いぶくろ【胃袋】图 밥통; 위(胃). ¶~を満たす 배를 채우다.

いぶし〖燻し〗图 **1** (유황을 태워 금속을) 그슬림. ¶銀に~をかける 은을 그슬리다. **2** 모깃불. =蚊やり火.

いぶしぎん【いぶし銀】《燻し銀》图 **1** 유황 연기로 표면을 그을린 은; 또, 그런 빛. **2** (비유적으로) 드러나 보이지는 않으나 실력·실속을 갖춤; 또, 그런 사람.

¶～の魅力 은은한 매력.

いぶ-す〖燻す〗5他 **1** 물건을 태워서 연기를 내다; 연기를 많이 나게 태우다. ＝くすべる. ¶穴のきつねを～·し出す 굴 속의 여우를 연기로 몰아내다. **2** 모깃불을 피우다. ¶蚊やりを～ 모기향을 피우다. **3** 연기로 그을리다.

いぶつ【異物】名 이물. ¶～が混入する 이물이 섞여 들어가다 / 飲み込んだ～を吐き出す 삼켜 버린 이물을 토해내다.

いぶつ【遺物】名 **1** 유물. ¶古代の～ 고대 유물. **2** 유품. ＝遺品.

イブニング [evening] 名 이브닝; 저녁. ¶～ドレス 이브닝드레스.

イフプラン [일 if+plan] 名 비상〔긴급〕 사태나 사고 등을 상정하여 만든 대책. *영어로는 **contingency plan**.

いぶ-る〖燻る〗5自 (잘 타지 않고) 연기가 나다; 그을다. ＝くすぶる. ¶蚊やりが～ 모깃불이 타서 연기가 나다 / 焚き火が～ 모닥불이 (잘 타지 않고) 연기가 나다.

いぶんし【異分子】名 이분자; 이단자. ¶党内の～を除名する 당내의 이분자를 제명하다.

いへん【異変】名 이변. ¶一大～ 일대 이변 / ～の起こる前兆 이변이 일어날 전조.

イベント [event] 名 이벤트. ＝エベント. **1** 사건; 행사. ¶この夏のビッグ～ 올 여름의 빅 이벤트. **2** 경기 종목; 시합. ¶メーン～ 메인 이벤트; 주요 경기.

—ホール [일 event+hall] 名 이벤트홀; 행사장; 공연장.

いぼ〖疣〗名 **1** 사마귀. **2** 물건 표면에 있는 조그마한 돌기물. ¶たこの足の～ 낙지발의 빨판 / 呼び鈴の～を押す 초인종의 단추를 누르다.

いぼ【異母】名 이모. ＝異腹·腹違い. ¶～兄 이모형 / ～兄弟 이모〔배다른〕 형제. ↔異父·同母.

いほう【異邦】名 이방; 타국; 외국. ¶～人 이방인.

いほう【違法】名 위법. ¶～行為〔処分〕 위법 행위〔처분〕. ↔適法.

いほく【以北】名 이북. ¶38度線～ 삼팔선 이북. ↔以南.

いぼく【遺墨】名 유묵; 고인의 필적. ¶～を展示する 유묵을 전시하다.

いぼじ〖疣痔〗名 수치질; 치핵《통속적인 말씨》. ＝痔核.

いま【今】一名 **1 지금; 이제; 현재; 오늘날; 현대. ¶～の政府 지금의〔현〕 정부 / ～も変わらない友情 지금도 변함없는 우정 / ～に至るまで 지금에 이르기까지 / ～と言う～ 바로 지금; 지금 곧 / ～のところ 지금 현재; 현재로는 / ～の学生 오늘날의 학생 / ～まさに正午だ 지금이 바로 정오다 / ～でなければ間に合わない (바로) 지금이 아니면 늦는다. **2**《接続詞적으로》 이야기를 하고 있는 상태: 여기서. ¶～この点をPと表わそう 지금〔여기서〕 이 점을 P라고 (표시)하자. **3**《接頭語적으로》 현재의; 당대의; 현대의. ¶～弁慶 현대판 弁慶.

二副 **1** 지금; 이제. ¶～書いているところだ 지금 쓰고 있는 중이다. **2** 방금; 막. ¶列車が～出るところだ 열차가 막 떠나려 한다 / ～来たばかりだ 방금〔막〕 왔다. **3**【いま】㉠곧; 바로. ¶～行くよ 곧〔바로〕 가겠다 / ～すぐここへ来い 지금 곧 이리 오너라 / ～払ってくれ 곧 지불해 줘. ㉡조금 더; 한번 더. ¶～すこし左の方 조금 더 왼쪽 / ～一度やってみたらどうだ 한번 더 해 보면 어때. ⇨いまに·いまにも.

—か—かと (마음 졸이며) 이제나저제나 하고. ¶～待ちわびる 이제나저제나 하고 애타게 기다리다.

—少し 조금만 더. ＝もう少し. ¶～のしんぼうが必要だ 조금만 더 참을 필요가 있다.

—に始まった事ではない 지금에 비롯된 게〔일이〕 아니다; 새삼스러운 일이 아니다.

—の—まで **1** (소홀하게도) 여태껏. ¶～気がつかなかった 여태껏 알아차리지 못했다. **2** 지금까지 그토록.

—はこれまで 이제는 끝장이다《패배나 죽음을 각오하고 (더는 피할 수 없을 때) 하는 말》. ¶～と覚悟を決める (사는 것도) 이제는 마지막이라 생각하고 각오를 단단히 하다.

—は昔 이제 생각하면 옛날의 일; 옛날옛적에. 参考 설화(說話) 같은 옛이야기의 첫머리에 쓰는 말.

—や遅しと ☞いまかいまかと.

いま【居間】名 거실; 거처방. ＝リビングルーム. ¶洋風の～ 양식 거실. ↔客間.

いまいち【今一】副 조금 모자라는 모양: 조금(만) 더. ＝今一つ. ¶～迫力がない 박력이 조금 부족하다.

いまいまし-い〖忌ま忌ましい〗形 분하다; 화가 치밀다; 지긋지긋하다. ¶やさしい問題をまちがえて我ながら～ 쉬운 문제를 틀려서 정말이지 분하다.

***いまごろ**〖今頃〗一名 **1** 지금쯤. ¶～は家にいるだろう 지금쯤은 집에 있겠지. **2** 이맘때. ¶きのうの～ 어제 이맘때 / 来年の～ 내년 이맘때. **3** 근자; 요즘. ¶～の青年は明るい 요즘 청년은 명랑하다. 二副 이제 (와서). ¶～来てもしかたがない 이제 와야 별 수 없다 / ～どこへ行くんだ 이제 (늦었는데) 어딜 간다는 거냐.

***いまさら【今更】**名 **1**《副詞적으로》 이제 와서. ¶～どうしようもない 이제 와서는 어떻게 할 수 없다 / ～何を言うか 이제 와서 무슨 소리냐. **2** 새삼스러움. ¶彼のいたずらは～のことではない 그의 장난은 새삼스러운 것이 아니다 / ～

言うまでもない 새삼스럽게 말할 필요도 없다. 「같지만.
—ながら〖—乍ら〗副 새삼스러운 말
—らし-い 形 새삼스럽다. ¶～顔つきをする 이제 와서 처음 알았다는 듯한 표정을 짓다.

いましがた【今し方】名 방금; 이제 막. ＝いまさき·たったいま. ¶～地震があった 방금 지진이 있었다/～帰って行った 방금 돌아갔다. 参考 'し'는 강조의 助詞.

イマジネーション [imagination] 名 이매지네이션; 상상; 상상력; 구상. ¶～を働かせる 상상력을 동원하다.

いまじぶん【今時分】名〈老〉1 지금쯤; 이맘때. ＝今ごろ. ¶去年の～ 작년 이맘 때. 2 요즘; 이제. ＝いまどき. ¶～そんなことは, はやらない 요즘 그런 것은 유행하지 않는다.

いましめ【戒め】《誡め·警め》名 1 훈계; 교훈. ¶再三の～にもかかわらず 재삼 훈계했는데도 불구하고/親の～をよく守る 부모의 교훈을 잘 지키다/みんなの良い～になる 모든 사람에게 좋은 교훈이 된다. 2 응징; 징계. ＝こらしめ. ¶～として罰をあたえる 징계로 벌을 주다/～のために立たせておく 징계하기 위해 벌세우다.

いましめ〖縛め〗名 포박; 포승. ¶～のなわ 포승/～を解く 포승을 풀다.

*いまし-める【戒める】《誡める·警める》下1他 1 훈계하다; 잡도리하다; 타이르다. ¶自らを～ 스스로 경계하고 삼가다. 2 징계하다; 꾸짖다. ¶子供のいたずらを～ 아이들의 장난치는 것을 꾸짖다. 3 경계·수비를 강화하다. ¶戸を厳重に～ 문단속을 단단히 하다.

いましも【今しも】副 바로 지금; 지금 막; 바야흐로. ¶～出発しようとする 지금 막 출발하려고 한다.

いまだ〖未だ〗副 아직; 이때까지. ＝まだ. ¶～志を得ず 아직껏 뜻을 이루지 못하다/事情は～明らかでない 사정은 아직 분명하지 않다.
—かつて〖—嘗て·—曾て〗副 일찍이; 전에《대개 뒤에 否定이 옴》. ¶～無かった大事業 일찍이〔전에〕 없었던 대사업.

いまだに〖未だに〗副 아직껏; 아직〔지금〕까지도. ＝今もって. ¶～病気がよくならない 아직까지도 병이 좋아지지 않는다/～独身だ 아직껏 독신이다. ↔すでに.

いまどき【今どき】《今時》名〈老〉1 요즘; 요새 세상; 오늘날. ＝このごろ. ¶～そんな考えは古い 요즘 세상에 그런 생각은 진부하다. 2《副詞적으로 씀》이맘때; 지금쯤; 이제 (와서). ¶～あわてても手遅れだ 이제 와서 허둥댄들 이미 늦었다/～来ても, もう遅い 지금 왔댔자 이미 늦다.

*いまに〖今に〗副 1 곧; 조만간; 이제. ¶～燃え出すぞ 이제 타기 시작할 것이다. 2 머지않아; 언젠가. ＝いつか. ¶～成功して見せる 언젠가 성공해 보이겠다. 3 아직까지도; 현재까지도. ＝いまだに. ¶～名作の誉れが高い正宗の刀 아직까지도 명작이라고 이름이 높은 正宗의 칼.

いまにして【今にして】連語 지금 와서; 이제 와서. ¶～思えばうかつだった 지금에 와서 생각하니 경솔했다.

いまにも〖今にも〗副 이제 곧; 막; 조금 있으면. ¶～雨が降り出しそうだ 당장에라도 비가 올 것 같다/あの会社は～破産しそうだ 저 회사는 당장이라도 파산할 것 같다.

いまのところ【今の所】連語 현단계(에서는); 지금으로서는. ¶～不自由はない 지금으로서는 불편(한 점)이 없다.

いまひとつ〖今一つ〗副 조금만 더《중요한 게 부족한 모양》. ¶～努力がたりない (조금만 더하면 될 터인데) 노력이 좀 부족하다.

いまふう【今風】名 현대풍; 현대식; 또, 요즘(의) 유행. ¶～の髪形 요즘 유행하는 머리 스타일.

いままで【今まで】《今迄》副 지금까지; 여태껏; 종래. ¶～ずっと 지금까지 쭉(계속해서)/～の例 지금까지의 예.

いまもって【今もって】《今以て》副〈老〉☞いまだに. ¶生死が～わからない 아직도 생사를 모른다.

いまや【今や】副 1 지금이야말로; 당장; 바야흐로. ＝今こそ. ¶～奮起の秋 바야흐로 분발할 때/～宇宙時代だ 바야흐로 우주 시대다. 2 이제는; 이미. ＝今では. ¶～天下の横綱だ 이제는 천하제일의 横綱다/この服は～時代おくれだ 이 옷은 이제는 구식이다. 3 이제 곧. ＝今にも. ¶～成功と思った瞬間 이제 곧 성공이라고 생각한 순간/～崩壊寸前 이제 곧 붕괴 직전.

いまよう【今様】名 현대; 시체; 현대풍. ＝いまふう. ¶これが～のやりかただ 이것이 현대적 방식이다.

いまわし-い【忌まわしい】形 1 꺼림칙하다; 염기(厭忌)하다. ＝いとわしい. ¶～病気 꺼림칙한 병/～汚名 혐오할 오명. 2 불길하다; 사위스럽다; 흉하다. ¶～夢 불길한 꿈.

いみ【忌み】《斎》名 1 꺼림. 2 ☞ものいみ. 3 상중(喪中); 복중(服中). ¶～が明ける 탈상하다; 복(服)을 벗다.

**いみ【意味】名 ス他 의미; 뜻. 1 말의 뜻. ¶辞書を引けば～が分かる 사전을 찾아보면 뜻을 알게 된다/この事件が～するものは何か 이 사건이 뜻하는 것은 무엇인가. 2 (표현이나 행동의) 의도; 까닭. ＝わけ. ¶どういう～だか分からない 무슨 까닭인지 모르겠다/そんな事をしても～がない 그런 일을 해 봤자 의미가 없다.

——あい【——合い】㊔ (그것이 가지는, 특별한) 의미; 까닭; 이유; 사정. ¶特別とくべつな～をもつ 특별한 뜻이 있다 / 多少たしょう～が違ちがう 다소 의미가 다르다.
——ありげ ダナ 까닭이 있는 듯함. ¶～な顔かおつき 까닭이 있는 듯한 표정.
——しんちょう【——深長】ダナ 의미심장. ¶～な目めくばせ 의미심장한 눈짓.
——づける〖——付ける〗下1他 가치〔뜻〕 있게 하다. ¶ヒューマニズムが彼かれの仕事しごとを～ 휴머니즘이 그의 일을 의의 있게 한다.
いみきら-う【忌み嫌う】5他 몹시 싫어하다. ¶へびのように～ 뱀을 보듯 몹시 싫어하다.
いみことば【忌みことば】《忌み言葉》㊔ 금기어; 꺼리는 말《葦あし(＝갈대; '悪あし'와 음이 같음)를 よし('좋다'는 의미의 '良よし'와 음이 같음)로 쓰는 따위》.
いみじくも 副 썩 좋게; 적절히; 교묘하게; 용하게. ¶～言いい表あらわしている 매우 적절한 말로 표현하고 있다 / ～勝利しょうりを得えた 용하게 승리했다.
イミテーション [imitation] ㊔ 이미테이션. **1** 모방; 흉내. **2** 모조품. ＝偽物にせもの. ¶～のダイヤ 모조 다이아.
いみょう【異名】㊔ 이명. **1** 딴 이름. **2** 별명. ＝あだな. 注意 'いめい' 라고도 함.
——を取とる 별명이 붙다. ¶大酒飲おおざけみで, うわばみの～ 대주가로서, 이무기〖술고래〗라는 별명이 붙다.
いみん【移民】㊔ス自 이민《移住民いじゅうみん의 구칭》. ¶集団しゅうだん～ 집단 이민 / ～を勧すすめる 이민을 권유하다. 参考 지금은 대개 '移住いじゅう' 라는 말을 씀.
い-む【忌む】《斎む》5他 **1** 꺼리다; 기(忌)하다. ¶～べき風習ふうしゅう 꺼리는〔기해야 할〕 풍습 / 肉食にくしょくを～ 육식을 삼가다. **2** 미워하고 싫어하다; 꺼리고 피하다. ¶小人しょうじん君子くんしを～ 소인은 군자를 꺼리고 싫어한다.
いむ【医務】㊔ 의무. ¶～課か 의무과.
——しつ【——室】㊔ 의무실; 양호실. ＝衛生室えいせいしつ.
いめい【遺命】㊔ス自他 유명; 임종 때 명령함; 또, 그 명령. ¶父ちちの～に従したがう 부친의 유명에 따르다.
いめい【異名】㊔ ☞いみょう.
イメージ [image] ㊔ 이미지; 인상; 심상(心像). ＝イマージュ. ¶～が浮うかぶ 이미지가 떠오르다 / ～をふくらませる 상상을 부풀리다 / ～をがらりと変かえる 이미지를 싹 바꾸다.
——アップ [일 image＋up] ㊔ス自 평가가 높아짐. ↔イメージダウン.
——ガール [일 image＋girl] ㊔ 이미지걸; 특정한 상품이나 기업, 단체의 이미지에 잘 어울리고 광고나 선전에 늘 등장하는 젊은 여성.
——ダウン [일 image＋down] ㊔ス自 평가가 떨어짐; 환멸을 느끼게 함. ↔イメージアップ.
——チェンジ [일 image＋change] ㊔ス自他 인상을 새롭게 함; 인상이 전혀 달라짐. ＝イメチェン. ¶～をはかる 이미지 변화를 꾀하다.
イメージング テクノロジー [imaging technology] ㊔ 이미징 테크놀로지; 영상 공학《홀로그래피나 레이저 광선을 써서, 공간이나 스크린 등에 3차원적인 입체감을 만들어 내는 새 영상 기술》.
***いも**【芋】《藷·薯》㊔ **1** 감자·고구마·토란 등의 총칭. ¶～をふかす 고구마를 찌다. **2** 〈俗〉 정도가 낮아 논할 가치도 없음을 비유한 말. ¶～侍ざむらい〔ねえちゃん〕 촌뜨기 무사〔아가씨〕 / ～辞書じしょ (조악한) 엉터리 사전.
——の煮にえたもご存ぞんじない 고구마가 익는 것도 모르고 계시다《세상 물정에 어두운 사람을 조롱하는 말》.
——を洗あらうよう 감자를 씻듯《콩나물 시루 같이 빽빽한 모양의 비유》. ¶海水かいすい浴場よくじょうは～だ 해수욕장은 너무나 많은 사람으로 복작거린다.
⁑いもうと【妹】㊔ **1** 누이동생. **2** (넓은 뜻으로는) 처제; 손아래 시누이. 参考 자기보다 나이 아래인 여자를 가리킬 때도 있음. ⇔姉あね.
いもうとむこ【妹婿】㊔ 매제《손아래 누이의 남편》. ↔姉婿あねむこ.
いもちびょう【いもち病】《稲熱病》㊔ 도열병《벼의 병해》. ＝いもち.
いもづる【芋づる】《芋蔓》㊔ 토란 또는 고구마 덩굴.
——しき【——式】㊔ (고구마 덩굴을 잡아당기면 많은 고구마가 연달아 딸려 나오듯) 줄줄이 나타남. ¶共犯者きょうはんしゃが～に検挙けんきょされる 공범자가 줄줄이 검거되다 / ～に縁故えんこを求もとめる 연줄연줄로 연고를 찾다.
いもの【鋳物】㊔ 주물. ¶～師し 주물사〔공〕 / ～工場こうじょう 주물 공장 / ～の釜かま 주물 가마솥. ↔打うち物もの.
いもばん【芋版】㊔ 고구마판(版)《고구마나 감자를 토막쳐서, 그 면(面)에 도안이나 글자를 새긴 판. 여기에 그림물감이나 먹물을 칠해서 종이·천에 박음》.
いもむし【芋虫】㊔ **1** 나비·나방 따위의 유충으로, 몸에 털이 없는 것의 총칭; 특히, 박가시나방의 유충. ＝あおむし. **2** (비유적으로) 몹시 남의 빈축을 사는 사람《욕으로 하는 말》. ¶あの～め 저 꼴 보기 싫은 녀석.
いもり〖井守〗㊔〖動〗 영원《도롱뇽의 일종》. ＝あかはら.
いもん【慰問】㊔ス他 위문. ＝見舞みまい. ¶～品ひん 위문품 / ～袋ぶくろ 위문대.
イヤ [ear] ㊔ 이어; 귀.
——ホーン [earphone] ㊔ 이어폰.
——リング [earring] ㊔ 이어링; 귀고리. ＝耳輪みみわ. ¶～をつける 귀고리를 달다.
⁑いや【嫌】《厭》ダナ **1** 싫음; 하고 싶지 않음. ＝きらい. ¶～なやつ 지겨운〔싫은〕 놈 / ～な感かんじ 싫은 느낌. ↔好すき. **2**

《'~に'의 꼴로》 대단히; 몹시; 되게; 유난히; 이상하게. ¶~に暑い日だ 지독하게 더운 날이다/~に早起きだね 되게 빨리도 일어났군/~にきげんがいいな 아주 기분이 좋으시군

—というほど 실컷; 몹시; 지겹도록. ¶~なぐられた 실컷 얻어맞았다/苦労の味は~知っている 고생의 맛은 지겨울 정도로 알고 있다.

**いや『否』㊀感 1 싫어. ¶~でも応でも 싫든 좋든. 2 아냐; 아니오. ¶~, そうではないよ 아냐, 그렇지는 않아/~どう致しまして 아니오, 천만에요; 아니오, 괜찮습니다. ㊁接 아니 (좀 더 정확히 말하면). ¶日本, ~世界の名作だ 일본, 아니 세계적인 명작이다.

いや 感 야. 1 놀람·탄식을 나타내는 소리. ¶~大変だ 야 큰일 났다/~参った 이건 정말 졌다/~すごい 야, 대단하다. 2 성원(聲援) 등을 할 때 내는 소리. ¶~がんばれ 야, 기운을 내라.
参考 길게 'いやあ'라고도 함.

*__いやいや__【嫌嫌】《厭厭》副 싫으나 할 수 없이; 마지못해. =いやいやながら·しぶしぶ. ¶~勉強する 마지못해 억지로 공부하다/原稿を~引き受ける 원고를 마지못해 떠맡다.

—ながら 副 ☞いやいや.

*__いやいや__『否否』感 아니아니; 아니오 결코(('いや'의 힘줌말)). =いえいえ. ¶~それは違う 아니아니, 그게 아니야/~そんなわけではない 아니오 결코 그런 뜻은 아니오/~それにはおよばない 아니아니, 그럴 것까지는 없다.

いやおう『否応』名 가부(간의 대답). ¶~もない 이의가 없다/~を言わせない 군말[좋고 싫단 말]을 못하게 하다.

—なしに 1 좋아하든 말든; 다짜고짜로; 억지로. ¶~連れ去る 다짜고짜 데리고 가다/~承知させる 억지로 승낙게 하다. 2 마지못해; 하는 수 없이. ¶~仕事を始めた 마지못해 일을 시작했다.

いやがうえに【いやが上に】連語 더구나; 점점; 더욱더. =ますます. ¶~(も)意気が上がる 점점 더 기세가 오르다/人気は~も高まった 인기는 더욱더 올라갔다.

いやがおうでも『否が応でも』連語 가부간에; 여하튼. =いやでもおうでも. ¶~これだけはやりぬくぞ 무슨 일이 있어도 이것만은 해내고 말 테다.

いやがらせ【嫌がらせ】《厭がらせ》名 일부러 남이 싫어하는 짓을 굳이 함; 또, 그런 언행; 짓궂은 말[짓]. ¶~電話 짓궂은 전화/~を言う 남이 싫어하는 말을 굳이 하다/~をする 짓궂은 짓을 하다.

いやが-る【嫌がる】《厭がる》5他 싫어하다. ¶勉強を~ 공부를 싫어하다/ひとの~仕事を率先してやる 남이 싫어하는 일을 솔선해서 하다.

いやき【嫌気】《厭気》名 ☞いやけ.

いやく【意訳】名ス他 의역. ↔直訳.

いやく【違約】名ス自 위약. ¶~金 위약금/~を許す 위약을 용서하다.

いやく【医薬】名 의약. ¶~品 의약품/~分業 의약 분업.

いやけ【嫌気】名 싫은 마음; 싫증. =いやき. ¶~を起こす 싫증을 내다.

—が差す 싫증이 나다; 지겹다. =いやきが差す. ¶長話に~ 장황한 이야기에 싫증이 나다.

*__いやし-い__【卑しい】《賤しい》形 1 천하다; 미천하다; 비열하다. ¶~職業 천한 직업/~生まれ 미천한 태생/~心 천한 마음/~笑い 비열한 웃음/人品~·からぬ紳士 인품이 점잖은 신사. ↔尊い. 2 지나치게 욕심 부리다; 천하게 굴다; 치사하다; 쩨쩨하다. ¶~目つき 심통 사나운 눈초리/食べ物に~ 먹는 것에 츱츱하다/彼は金のことになると~ 그는 금전문제에 대해서는 치사하다. 3 초라하다; 너절하다. ¶~身なり 초라한 옷차림[행색].

いやしくも『苟も』副 1 적어도. =かり(そめ)にも. ¶~学生とあろうものが 적어도 학생인 자로서/~戦うからには最後まで戦え 적어도 싸울 바에는 끝까지 싸워라. 2 만약; 만일; 행여나. =もしも·万一. ¶~そんな事をすれば, ただでは置かないぞ 만약에 그런 짓을 하면 그냥 두지 않겠다.

—しない 소홀히 하지 않다. ¶一点一画[一言一句]~ 일점 일획을[일언일구도] 소홀히 하지 않다.

いやし-める【卑しめる】《賤しめる》下1他 경멸하다; 멸시하다. ¶貧しい家だと~な 가난한 집이라고 멸시하지 마라.

いやしんぼう【卑しん坊】名 걸귀; 음식을 탐내는 사람. =くいしんぼう.

いや-す『癒す·医す』5他 〈雅〉(병 따위를) 고치다; (고민 등을) 풀다. ¶温泉で傷を~ 온천욕으로 상처를 치유하다/渇を~ 갈증을 풀다((소망하던 것을 만족시키다)).

いやでも『否でも』副 어떻게 하든; 꼭; 억지로. =どうしても. ¶~行かせる 억지로 가게 하다.

—おうでも『—応でも』副 싫든 좋든(간에); 어떻든; 아무래도. =いやがおうでも. ¶~行かねばならない 싫든 좋든 가야 한다/~連れて行く 억지로 데려가다.

*__いやに__ 副 ☞いや(嫌)2.

いやはや 感 어처구니가 없어서, 또는 놀라서 내는 말: 어허 참; 거 참. ¶~全く驚き入った 어허 참, 정말 놀랐는걸/~, あきれた人だ 거참 엉뚱한 사람이다.

*__いやみ__【嫌み·嫌味】《厭味》名ナ 일부러 남에게 불쾌감을 주는 말이나 행동을 함. =いやがらせ. ¶~たっぷりな言葉

아주 빈정대는 투의 말 / ～なことをする 불쾌감을 주는 짓을 하다 / ～のない話し方 불쾌감을 주지 않는 말투 / ～をいう 일부러 싫어할〔듣기 거북한〕 말을 하다 / ～を並べる 남이 싫어하는 소리를 늘어놓다 / ～な男 아니꼬운 사내. 注意 '味'는 취음.

*いやらし-い【嫌らしい】《厭らしい》形 **1** (어울리지 않아) 불쾌한 느낌이 들다; 징그럽다; 망측하다; 꼴불견이다. ¶年寄りのくせに厚化粧して～ 늙은 주제에 짙은 화장을 하니 망측하다. **2** 의젓하지 못하다; 비루하다. ¶上役に色目を使う～やつ 상관에게 알랑거리는 비루한 녀석. **3** 외설되다; 추잡하다. ¶女に向かって～事を言う 여자에게 추잡한 말을 하다.

いよいよ【愈·愈愈·弥弥】副 **1 점점; 더욱더. ＝ますます. ¶風が～はげしくなる 바람이 점점 거세어지다. **2** 드디어; 결국. ＝とうとう·ついに. ¶～本番だ 드디어 정식으로 할 차례다 / ～本降りだ 드디어 비가 본격적으로 온다 / ～ぼくの番だ 드디어 내 차례다.

いよう【威容】名 위용. ¶～を保つ 위용을 지니다〔갖추다〕/ 軍隊の～を示す 군대의 위용을 보이다.

いよう【偉容】名 위용. ¶～を誇る 위용을 자랑하다.

*いよう【異様】ダナ 색다른 모양; 이상한 모양. ¶～な音 이상한 소리 / ～な服装 색다른 복장 / 彼の目が～に輝いた 그의 눈이 이상하게 빛났다.

いよう 感 칭찬하거나 놀리거나 매우 반가울 때 내는 소리: 야아. ¶～これは珍しい 야아, 이거 웬일〔얼마만〕인가.

*いよく【意欲】《意慾》名 의욕. ¶仕事への～ 일에 대한 의욕 / ～がわく 의욕이 솟다 / ～をもやす 의욕을 불태우다 / ～が足りない 의욕이 모자라다.

—てき【—的】ダナ 의욕적. ¶～に取り組む 의욕적으로 달려들다.

*いらい【以来】名 이래; 이후. ¶入学〔明治〕～ 입학〔明治〕 이래 / ～ますます 그 후 더욱더 / 先月～雨が降らない 전달부터 비가 오지 않는다.

**いらい【依頼】名ス他自 의뢰; 부탁. ¶～者 의뢰인 / 就職を～する 취직을 부탁하다 / 原稿の～に行く 원고 청탁하러 가다 / 一つご～したい事があります 하나 부탁 드릴 것이 있습니다.

—しん【—心】名 의뢰심. ¶～が強い 의뢰심이 강하다.

*いらいら【苛苛】一副ス自 **1** 안달복달하는〔초조한〕 모양. ¶待ち人が来なくて～する 기다리는 사람이 오지 않아 신경질이 나다 / 町の騒音に～する 거리의 소음으로 짜증이 나다. **2** 가시가 닿을 때의 느낌: 까칫까칫; 따끔따끔. ＝ちくちく. ¶のどが～する 목이 따끔거리다. 二名 조바심; 안달. ¶～が直る 조바심이 가시다 / ～が高じる〔つのる〕 초조감이 더해지다.

いらか【甍】名 기와 지붕; 지붕을 인 기와. ¶～の波 즐비한 기와집.

—を争う 집들이 빽빽이 들어서다.

—を並べる 기와집이 즐비하다.

イラスト 名 'イラストレーション'의 준말. ¶～を載せる 삽화를 싣다〔넣다〕.

イラストレーション [illustration] 名 일러스트레이션; (광고나 책 따위의) 삽화; 설명도. ＝イラスト·さし絵.

イラストレーター [illustrator] 名 일러스트레이터; 삽화가.

いらだたし-い【苛立たしい】形 초조하다. ¶～気持ち 초조한 마음.

いらだ-つ【苛立つ】5自 초조해하다; 애가 타다. ¶神経を～·たせる発言 신경을 곤두서게 하는 발언 / 事業がはかばかしくなくて～ 사업이 부진하여 애가 타다.

いらだ-てる【苛立てる】下1他 초조하게 하다; 애태우다. ¶病人の気を～な 환자의 신경을 건드리지 마라.

いらつ-く【苛つく】5自 초조해지다. ¶気分が～ 마음이 초조해지다 / 神経が～ 신경이 곤두서다.

*いらっしゃい 一《動詞 'いらっしゃる' 의 命令形》오십시오. ¶こちらへ～ 이리로 오십시오 / 遊びに～ 놀러 오십시오. 二感《'いらっしゃいませ'의 준말》어서 오십시오; 잘 오셨습니다; 반갑습니다《환영하는 인사말》. ¶やあ, ～, お待ちしていました 어이구, 어서 오십시오. 기다리고 있었습니다.

*いらっしゃ-る 5自 **1** '来る(＝오다)' '行く(＝가다)' '居る(＝있다)'의 공대말. ¶父上は～·いますか 아버님은 계십니까. **2** 'ている(＝…하고 있다)'의 공대말: …하고 계시다. ¶読んで～ 읽고 계시다 / いつもお若くて～ 늘 젊으시다 / お休みになって～ 쉬고〔주무시고〕 계시다. **3** 'である(＝…이다)'의 공대말: …이시다. ¶お金持ちで～ 부자이시다 / お元気で～ 안녕〔건강〕하시다.

いらぬ【要らぬ】連体 필요 없는; 쓸데없는. ＝いらない·よけいな. ¶～心配をするな 군걱정 하지 마라 / ～お世話だ 쓸데없는 참견이다.

*いり【入り】名 **1** 들어감; 들기; 듦. ¶仲間～ 동아리에 듦; 한패가 됨 / 都～ 입경. **2** 수입. ¶～が多い 수입이 많다. ↔出. **3** 손님〔입장객〕의 수. ¶客の～が悪い 손님이 많지 않다. **4** 용적; 들이. ¶一合～ 한 홉들이 / 一升～のとくり 한 되들이 술병. **5** (해나 달이) 짐. ¶日の～ 일몰. ↔出. **6** 어떤 절기의 첫날. ¶寒の～ 소한날. ↔あけ. **7**《接尾語적으로》㉠그 땅·장소에 들어감. ¶東京～ 東京에 들어감 / 政界～ 정계에 들어감. ㉡물건이 들어 있음. ¶模様～ 무늬가 있는 것 / ミルク～のコーヒー 우유를 탄 커피.

*いり【要り】《入用·入費》图 씀씀이; 비용. ¶～がかさむ 비용이 늘다/金の～が多い 돈 드는 데가 많다.

いりあい【入会】图 일정 지역의 주민이 일정한 산림·임야·어장 등에 들어가서 목재·땔나무·어패류 따위를 채취할 수 있는 이권을 공동으로 행사하는 일.

いりうみ【入り海】图 육지 깊숙이 들어간 바다《만(灣)·내해 따위》.

いりえ【入り江】图 후미. ¶海岸が～になっている 해안이 후미져 있다.

いりかわり【入り替わり·入り換わり】《入り代わり》图 ☞いれかわり.

—たちかわり【—立ち替わり】連語 ☞いれかわりたちかわり.

**いりぐち【入り口】图 1 입구. =はいりぐち. ¶～を付ける 입구를 내다/～でばったり出合う 입구에서 딱 마주치다. ↔出口. 2 시초; 첫머리; 단서. ¶研究の～ 연구의 시초/～でつまずく 초장에 차질이 생기다/春の～ 봄의 문턱《이른 봄》/芸の～ 기예의 초보. 注意 'いりくち'라고도 함.

*いりく-む【入り組む】5自 얽혀서 복잡해지다; 뒤얽히다. ¶話が～·んでいる 이야기가 뒤얽혀 있다/～·んだ訳がある 복잡한 사유가 있다.

いりこ【いり粉】《炒り粉》图 1 미숫가루《과자의 재료》. 2 ☞むぎこがし.

いりこ-む【入り込む】5自 1 (억지로) 들어가다; 밀어젖히고 들어가다. ¶満員の車中に～ 만원인 차 안으로 밀고 들어가다. 2 숨어 들어가다; 잠입하다. ¶スパイが〔敵陣に〕～ 간첩이〔적진에〕 잠입하다. 3 ☞いりくむ. ¶事情が～ 사정이 복잡하게 얽히다.

いりしお【入り潮】《入り汐》图 1 썰물; 간조. =引き潮. ↔出潮. 2 밀물; 만조. =満ち潮.

いりたまご【いり卵】《煎り卵·煎り玉子》图 지진 달걀《달걀을 풀어서 간장·설탕 등을 넣고 지진 음식》.

いりなべ〖炒り鍋〗图 콩·쌀·고기·야채 등을 볶는 데 쓰는 밑이 얕은 냄비.

いりひ【入り日】《入り陽》图 지는 해; 석양. =夕日. ¶～を返す勢い 지는 해를 되돌리는 기세.

いりびたり【入り浸り】图 1 물에 계속 잠기어 있음. 2 남의 집이나 특정한 장소에 죽치고 들어앉음. ¶酒場に～だ 술집에 틀어박혀 있다.

いりびた-る【入り浸る】5自 1 물속에 죽 잠겨 있다. 2 남의 집〔다른 곳〕에 묵으면서 귀가하지 않다〔틀어박혀 있다〕. ¶妾の家に～ 첩의 집에 틀어박혀 있다/酒場に～ 술집에 죽치고 있다.

いりふね【入り船】图 항구에 들어오는 배; 입항선. ↔出船.

いりまじ-る【入り交じる】《入り雑じる》5自 섞이다; 뒤섞이다. ¶いろいろの問題が～ 여러 가지 문제가 뒤섞이다/愛情·憎悪·憤りなどの～·った気持ち 애정·증오·분노 등이 뒤섞인 감정.

いりまめ【いり豆】《炒り豆·煎り豆》图 볶은 콩. —に花が咲く 볶은 콩에서 꽃이 피다《있을 수 없는 일이 일어남의 비유》.

*いりみだ-れる【入り乱れる】下1自 혼잡하다; 뒤섞이다; 뒤범벅이 되다. ¶敵、味方～·れて戦う 적과 아군이 뒤섞여 혼전을 벌이다.

いりむこ【入り婿】图ス自 데릴사위(가 됨). =婿養子.

いりもや【入りもや】《入母屋》图〔建〕팔작집 지붕《위쪽은 맞배지붕으로 하고 아래를 사방으로 경사지게 한 지붕》.

[入りもや]

—づくり【—造り】图 팔작지붕(의) 건축 양식.

いりゅう【遺留】图ス他 유류. ¶～品あずかり所 유류품〔유실물〕 보관소.

いりよう【入り用】图 1 필요함; 소용됨. =にゅうよう. ¶～な品をそろえる 필요한 물건을 갖추다. 2 필요한 비용; 드는 비용. =入費. ¶～が不足だ 필요한 비용이 모자란다.

いりょう【衣料】图 의료; 의복; 의복의 재료.

—ひん【—品】图 의료품.

いりょう【医療】图 의료. ¶～費〔奉仕〕 의료비〔봉사〕/～器械〔施設〕 의료 기계〔시설〕.

—ほけん【—保険】图 의료 보험.

*いりょく【威力】图 위력. ¶金の～を示す 돈의 위력을 보이다/～を発揮する 위력을 발휘하다.

*い-る【入る】5自〈雅〉1 들다; (안으로) 들어가다; 들어서다. =はいる. ¶部屋に～ 방에 들(어가)다/政界に～ 정계에 들어가다/今日からつゆに～ 오늘부터 장마철에 접어든다/仏門に～ 불문에 들다《승려가 되다》/門に～ 입문하다《제자가 되다》/家庭に～ 가정에 들어앉다. 2 (해·달이) 지다. ¶月が～ 달이 지다. 3《動詞 連用形을 받아서》㉠몹시〔매우〕…하다. ¶わび～ 충심으로 사과하다/恐れ～ 몹시 두려워〔황공해〕하다. ㉡아주 …해버리다. ¶泣き～ 울어 버리다/寝～ (깊이) 잠들어 버리다/絶え～ 숨이 끊어지다.

*いる【射る】上1他 1 (활을) 쏘다. ¶矢を～ 화살을 쏘다. 2 (쏘아서) 맞히다. ¶的を～ 과녁을 맞히다; 핵심을 찌르다/敵の大将を～ 적장을 쏘아 맞히다. 3 쏘아보다. ¶眼光炯炯として人を～ 날카로운 안광으로 사람을 쏘아보다. 4 (강렬히) 비추다. ¶灼熱する太陽が目を～ 작열하는 태양 빛이 눈부시게 비치다. 参考 '的を射た質問(=정곡을 찌른 질문)'과 같이 五段活用처럼 쓰이는 경우도 있음.

**いる【居る】上1自 1 있다《(a)살고 있다; (b)머무르고 있다》. ¶ずっと東京に～ 쭉 東京에 있다/蚊が～ 모기가 있

다 / 私(わたし)には妻子(つまこ)が～ 나에게는 처자식이 있다 / 父(ちち)はいません 아버지는 안 계십니다《(a)외출 중이다; (b)돌아가셨다》. **2**【いる】《動詞連用形+'て'를 받아서》 ㉠동작에 대한 결과의 현존을 나타냄《自動詞의 경우에 한함》: …되어 있다. ¶窓(まど)があいて～ 창문이 열려 있다. ㉡동작·상태의 계속·진행을 나타냄: …을 하고 있다. ¶見(み)て～うちに 보고 있는 동안에 / 鳥(とり)が飛(と)んで～ 새가 날고 있다 / まだ薬(くすり)がきいて～ 아직 약발이 남아 있다. 參考 '…ている' '…でいる'는 구어(口語)로는 '…てる' '…でる'라고도 함.

いても立(た)ってもいられない 안절부절못하다.

***いーる**〖煎る·炒る〗 5他 **1** 볶다. =焙(ほう)じる. ¶ごまを～ 깨를 볶다 / 豆(まめ)を～ような機関銃(きかんじゅう)の音(おと) 콩 볶듯한 기관총 소리. **2**(달걀·두부 등을) 지지다; 부치다. ¶卵(たまご)を～ 계란을 지지다.

***いーる**【要る】《入る》 5自 필요하다; 소용되다; 들다. ¶お金(かね)が～ 돈이 필요하다〔들다〕/ ～だけ持(も)って行(い)け 필요한 만큼 갖고 가라 / ～·らぬお世話(せわ)だ 쓸데없는 참견이다 / 返事(へんじ)は～·らない 회답은 필요없다.

いる【鋳る】 上1他 주조하다; 지어붓다. ¶かまを～ 솥을 주조하다.

***いるい**【衣類】 图 의류. ¶～を質(しち)に入(い)れる 옷가지를 전당잡히다.

いるか〖海豚〗 图〔動〕 해돈; 돌고래.

いるす【居留守】 图 집에 있으면서 일부러 없는 체함. ¶～を使(つか)う 집에 있으면서 없다고 따돌리다. ⇨るすい.

イルミネーション [illumination] 图 일류미네이션; 전광 장식. =電飾(でんしょく).

いれ【入れ】 图 넣는 것. ¶名刺(めいし)～ 명함집 / ～歯(ば) 의치 / おかず～ 반찬 그릇.

いれあーげる【入れ揚げる】 下1他 (좋아하는 일·사람에) 돈을 처들이다〔탕진하다〕. =入(い)りあげる. ¶飲(の)み屋(や)の女(おんな)に～ 술집 여자에게 돈을 탕진하다 / 競馬(けいば)に～ 경마에 많은 돈을 쏟아붓다.

いれい【慰霊】 图 위령. ¶～碑(ひ) 위령비.

――さい【――祭】 图 위령제. ¶～を執(と)り行(おこな)う 위령제를 거행하다.

いれい【異例】 名ナ 이례(적임). ¶～の昇進(しょうしん)〔措置(そち)〕 이례적인 승진〔조치〕/ ～の出来事(できごと) 이례적인 사건〔일〕.

***いれかえ**【入れ替え·入れ換え】 图スル他 **1** 교체(함); 갈아 넣음. ¶中味(なかみ)の～をする 속〔내용물〕을 갈아 넣다. **2**(철도의) 입환. ¶～作業(さぎょう) 입환 작업 / ～線(せん) 입환선. **3** 서로 엇갈림; 교차. ¶～模様(もよう) 교차 무늬.

いれかーえる【入れ替える·入れ換える】 下1他 **1** 갈아〔바꿔〕 넣다; 교체하다. ¶箱(はこ)の中味(なかみ)を～ 상자 속의 것을 바꿔 넣다 / 古(ふる)い水(みず)を新(あたら)しい水と～ 묵은 물을 새 물로 갈아 넣다 / 担当者(たんとうしゃ)を～ 담당자를 교체하다. **2** 넣는 장소를 바꾸다. ¶大(おお)きいバッグに～ 큰 가방에 옮겨 넣다 / 小皿(こざら)に～ 작은 접시에 옮겨 담다.

いれがみ【入れ髪】 图 ☞いれげ.

いれかわり【入れ替わり·入れ換わり】《入れ代わり》 图 교대; 교체; 대체. =入(い)りかわり.

――たちかわり【――立ち替わり】 連語 많은 사람이 연달아서 나고 듦. =いりかわりたちかわり. ¶～客(きゃく)が尋(たず)ねて来(く)る 연달아 손님들이 찾아오다.

***いれかわーる**【入れ替わる·入れ換わる】《入れ代わる》 5自 교대〔교체〕하다. =いりかわる. ¶前任者(ぜんにんしゃ)と～ 전임자와 교대하다 / 役柄(やくがら)を～ 직책을 교체하다 / 席(せき)を～ 자리를 바꾸다 / 役員(やくいん)が～ 임원이 바뀌다.

イレギュラー [irregular] ダナ 이레귤러; 불규칙; 변칙; 파격. ↔レギュラー.

――バウンド [일 irregular+bound] 图スル自〔野〕 이레귤러〔불규칙〕 바운드.

いれげ【入れ毛】 图 다리(꼭지); 딴 머리. =いれがみ. ¶～をする 다리를 드리다. ⇨かもじ.

いれずみ【入れ墨】《文身·刺青》 图 **1** 입묵; 먹실 넣기; 문신. =彫(ほ)り物(もの). ¶腕(うで)に～を入(い)れる 팔에 문신을 넣다〔새기다〕. **2** 자자(刺字)의 형(刑).

いれぢえ【入れ知恵】《入れ智慧》 图スル自 남에게 꾀를 일러 줌; 또, 남에게서 배운 지혜〔꾀〕; 훈수. =つけぢえ. ¶親(おや)の～ 부모가 일러 준 꾀 / ～をつける 꾀를 일러 주다. 參考 대개 그 내용이 좋지 않을 경우에 씀.

いれちがい【入れ違い】 图 (서로) 들어가며 나오며 함; 엇갈림. =いれちがえ. ¶～に来(く)る 엇갈려서 오다.

いれちがーう【入れ違う】 5自 **1** 잘못(해서 다른 곳에) 넣다. **2** 엇갈리다. =かけちがう. ¶～·って会(あ)えなかった 엇갈려서 만나지 못했다.

いれば【入れ歯】 图 의치. =義歯(ぎし). ¶金(きん)の～をする 금니를 해 넣다.

いれめ【入れ目】 图 해 박은 눈; 의안. =義眼(ぎがん).

***いれもの**【入れ物】《容れ物》 图 용기; 그릇. =容器(ようき).

***いーれる**【入れる】 下1他 **1** 넣다. ㉠들어가게 하다. ¶子(こ)を学校(がっこう)に～ 자식을 학교에 넣다 / 病院(びょういん)に～ 병원에 넣다《입원시키다》. ㉡속에 집어넣다. ¶箱(はこ)に～ 상자에 넣다 / 車(くるま)をガレージに～ 차를 차고에 넣다 / 考(かんが)えに～ 고려에 넣다; 고려하다 / 頭(あたま)に～ 머리에 집어넣다《이해하다; 기억해 두다》/ 手(て)に～ 손에 넣다《입수하다》. ㉢(동아리에) 끼워 주다. ¶仲間(なかま)に～ 한패에 넣다. ㉣투표하다. ¶一票(いっぴょう)を～ 한 표 넣다〔던지다〕/ 若(わか)い候補者(こうほしゃ)に～ 젊은 후보자에게 투표하다. ㉤작동시키다. ¶スイッチを～ 스위치를 넣다 / 灯(ともしび)を～ 등불을 켜다. ㉥(사이에) 끼우다. ¶本(ほん)の間(あいだ)にしおりを～ 책갈피에 서표(書票)

를 끼우다 / 綿を～ 솜을 두다 / 間に人を～·れて交渉する 중간에 사람을 넣어 교섭하다. **2** 들이다. ㉠쏟아 넣다. ¶力を～ 힘을 들이다 / 念を～ 실수가 없도록 주의를 기울이다. ㉡들여보내다. ¶客間に～ 객실에 들이다. ㉢채용하다. ¶新しく人を～ 새로 사람을 채용하다. **3** 손을 대다; 손질하다. ¶筆を～ 문장을 고치다 / 文章に手を～ 문장에 손을 대다; 가필하다 / 庭木にはさみを～ 정원수를 가위로 손질하다 / メスを～ 메스를 대다 《(a)수술하다; (b)원인을 파헤치다》. **4** (전화를) 걸다. ¶九州に電話を～ 九州에 전화를 걸다. **5**『口(ばし)を～』 말참견을 하다. **6**『身を～』…에 정력을 쏟다; 몰두〔헌신〕하다. **7**『肩を～』 (남의 일을) 자기 일처럼 돌보다. **8**『茶を～』 차를 끓이다; 차를 내다.

いれる 〖容れる〗 下1他 1 받아들이다; 용납하다; 포용하다. ¶人を～度量 남을 포용하는 도량 / 忠告を～ 충고를 받아들이다. ↔退ける. **2** 수용하다. ¶二千人(を)～講堂 2천명을 수용하는 강당.

いろ【色】 名 1 색; 빛. ㉠빛깔; 색채. ¶～鉛筆 색연필 / ～のないガラス 무색유리 / ～見本 색 견본 / ～を塗る 색칠하다 / ～があせる 색이 바래다 / ～がはげる 색이 벗겨지다. ㉡안색; 낯빛; 살빛. ¶驚きの～ 놀란 빛 / ～が白い人 피부가 하얀 사람 / ～も変えない 안색도 바꾸지 않다. ㉢모습; 모양; 기색; 표정. ¶負け～ 질 것 같은 기색; 패색 / 疲労の～が濃い 피로한 기색이 짙다 / 夕ぐれの～があたりにただよう 황혼 빛이 주위에 감돌다. **2** 색; 정사; 연애; 색정. ¶～ごと 색사(色事); 정사 / ～を好む 호색하다; 색을 즐기다 / ～におぼれる 색정에 빠지다.

—の白いは七難隠す 얼굴이 희면 인물이 좀 빠져도 미인으로 보인다.

—のよい返事 (우선) 듣기에 좋은 대답.

—を失う 실색하다; (놀라서) 안색이 「변하다.

—を付ける 1 화장하다. **2** (매매 등에서) 대접상 상대에게 약간의 이익을 주다《덤을 주거나 값을 좀 깎아 주다》.

いろあい【色合い】《色相》 名 1 색조. ¶はなやかな～ 화려한 색조 / 着物の～がなんともいえずよい 옷의 색조가 뭐라 말할 수 없이 좋다. **2** (사물의) 성격·경향; 느낌. ¶～の違う作品 경향〔성격〕이 다른 작품.

いろあげ【色揚げ】 名 1 마지막 염색 상태. **2** 바랜 것을 다시 염색함.

いろあ-せる 【色あせる】《色褪せる》 下1自 빛이 바래다; 퇴색하다. ¶～·せた写真 빛바랜 사진 / もはや～·せた流行語 이미 한물간 유행어.

いろいろ 〖色色·種種〗 名副ダナ 여러 가지 종류; 가지각색. ¶花の～ 꽃의 여러 종류 / ～な種類 여러 가지 종류 / 人は～だ 사람은 가지각색이다 / 考え方は人によって～だ 생각은 사람에 따라 가지각색이다 / ～世話になる 여러 가지로 신세를 지다.

いろう【慰労】 名ス他 위로. ¶～金 위로금 / 従業員の～のため本日休業する 종업원의 위로를 위해 금일 휴업한다.

いろおとこ【色男】 名 1 여자에게 인기가 있는 미남자. **2** 〈俗〉 정부(情夫). ＝いろ. ¶～をつくる 정부를 두다.

いろおんな【色女】 名 1 색정적인 여자. **2** 〈俗〉 정부(情婦). ＝いろ. **3** 미인; 미녀.

いろか【色香】 名 색향. **1** 빛깔과 향기. ¶花の～ 꽃의 빛과 향기 / ～も高い 빛곱고 향기 높다《재색을 겸비하다》. **2** 여자의 아리따운 모습. ¶女の～に迷う 여자의 미색에 혹하다 / 彼女の顔には未だに昔の～が残っている 그녀의 얼굴에는 아직도 옛날의 아리따운 모습이 남아 있다.

いろがみ【色紙】 名 색종이; 색지. ¶～でつるを折る 색종이를 접어 학을 만들다.

いろがわり【色変わり】 名ス自 1 변색; 퇴색. ¶～した写真 변색〔퇴색〕한 사진. **2** 천 따위의 무늬·형태가 같고 색만 다름. ＝色違い. ¶～の品 도안·형태는 같고 색깔만 다른 물건. **3** 색다름. ＝風変わり. ¶彼はこの仲間では～だ 그는 이 동아리 중에선 색다르다.

いろぐろ【色黒】 名ナ 피부색이 검음; 또, 그런 모양. ¶～な女 살갗이 검은 여인. ↔色白.

いろけ【色気】 名 1 색깔의 배합; 색조. ＝いろあい. ¶この着物は～がよい 이 옷은 색깔(배합)이 좋다. **2** 멋; 풍치; 재미. ＝ふぜい. ¶～のない返事 멋대가리 없는〔무뚝뚝한〕 대답 / なんとも～のない話だ 정말 아무 재미도 없는 이야기다 / ～を添える 풍치를 더하다. **3** 성적 매력; 색태(色態). ¶こぼれるような～ 철철 넘치는 성적 매력 / ～のある女 성적 매력이 있는 여자. **4** 이성을 앎. ¶～がつく 처녀티가 나다; 성에 눈뜨기 시작하다.

—より食い気 색욕보다 식욕《겉치레보다 실리를 취함의 비유》.

いろけし【色消し】 名 모처럼의 재미·흥미·정취를 없앰. ＝ぶすい·やぼ·つやけし. ¶～な話題 흥미없는 화제 / 金銭の事を言うようになっては～だ 돈 이야기를 하게 되면 얘기가 딱딱하고 흥취가 깨진다.

いろこ-い【色濃い】 形 기색이 짙다; 어떤 경향이 심하다. ¶…の様相が～ …의 양상이 현저하다 / 不安が～ 불안한 빛이 짙다.

いろこい【色恋】 名 색정이나 연애. ¶～にうき身をやつす 색정에 빠지다.

いろごと【色事】 名 1 정사. ¶～にふける

정사〔연애〕에 빠지다. **2** (연극에서) 남녀 정사의 연기. ＝ぬれごと. 「색골.
いろごのみ【色好み】图 호색; 호색한;
いろざと【色里】图 ☞いろまち.
いろじかけ【色仕掛け】图 (목적을 위해) 여색이나 색정(色情)을 이용함; 미인계. ¶～でだます 미인계로 속이다/～で金をまき上げる 미인계로 돈을 우려내다.
いろじろ【色白】名ナ 살갗이 흼. ¶～の女 살갗이 흰 여자/～な美人 살갗이 흰 미인.
いろずり【色刷り】图ス他 다색 인쇄; 색도 인쇄. ＝カラー印刷. ¶挿絵を～にする 삽화를 색도 인쇄로 하다.
いろづかい【色使い】图 색의 사용법; 배색. ¶～が新しい 배색이 새롭다.
いろづ-く【色づく·色付く】5自 물이 들다; (열매 따위가 익어서) 색을 띠게 되다. ¶もみじが～ 단풍이 물들다/木の葉が～·きはじめる 나뭇잎이 물들기 시작하다/かきが～ 감이 빨갛게 익기 시작하다/ミカンの実が～ 귤이 노랗게 익기 시작하다.
いろづ-ける【色づける·色付ける】下1他 착색하다; 채색하다.
いろっぽ-い【色っぽい】形 요염하다; 성적 매력이 있다. ＝なまめかしい. ¶～目つき 요염한 눈매.
いろつや【色つや】《色艶》图 **1** (얼굴빛이나 살갗의) 윤기. ¶(顔の)～がよい (얼굴에) 윤기가 돈다. **2** 재미; 정감. ¶あの人の話には～がある 저 사람 이야기에는 정감이 흐른다/～をつけて話す 정감 있게〔재미있게〕 이야기하다.
***いろどり**【彩り·色取り】图ス自他 **1** 채색. ¶ポスターの～がよい 포스터의 채색이 좋다. **2** 색의 배합; 배색. ¶～もあざやかな着物 배색이 산뜻하고 아름다운 着物. **3** 홍취; 변화. ¶会に～をそえる 모임에 홍취를 더하다/～ゆたかな食卓 변화 있게 차린 풍성한 식탁.
いろとりどり【色とりどり】《色取り取り》名ナ 형형색색. **1** 여러 가지 색. ¶～の花 형형색색의 꽃. **2** 가지각색; 각가지. ¶～の服 가지각색의 옷.
いろど-る【彩る·色取る】5他 **1** 색칠하다; 채색하다. ¶壁を薄い黄に～ 벽을 연노랑으로 칠하다. **2** (색을 배합하여) 장식하다; 꾸미다. ¶花で食卓を～ 꽃으로 식탁을 장식하다.
いろなおし【色直し】图ス自 **1** 무색옷으로 갈아입음; (특히 결혼식이 끝난 뒤) 신부가 다른 옷으로 갈아입음. **2** 다시 염색함. ＝そめなおし.
いろは〖伊呂波〗图 **1** 'いろは歌'의 준말. **2** 초보; 입문; ABC. ¶彼は英語の～も知らない 그는 영어의 ABC도 모른다.
—うた【—歌】图 いろは 노래; 平仮名 47 자를 한 자도 중복하지 않고 의미 있게 배열한 7·5 조(調)의 노래《불교의 가르침을 기술한 것으로, 平安 중기〔11세기경〕 때의 작품으로 여겨짐》. ⇨ いろはガルタ 박스記事

> **いろは歌**
>
> いろはにほへとちりぬるをわかよたれそつねならむうゐのおくやまけふこえてあさきゆめみしゑひもせす
>
> 色は匂へど散りぬるを, 我が世誰ぞ常ならむ. 有為の奥山今日越えて, 浅き夢見じ. 酔ひもせず(아름답게 피는 꽃도 머지않아 지는 것을, 우리 인생도 이처럼 덧없는 것이라네. 이 무상한 인생의 험한 산길 오늘도 헤쳐 나가려니, 허망한 꿈을 꾸거나, 취한 듯 멍해 있으면, 이 세상의 참모습은 알 수 없으리).

—ガルタ 图 いろは 47 자와 '京' 자를 머리글자로 하는 속담·단가(短歌) 등을 쓴 48 장의 읽는 패와, 이를 도해(圖解)한 48 장의 그림패로 된 놀이딱지. 注意 ガルタ를 '歌留多·加留多'로 씀은 취음. ▷포 carta.
いろまち【色町·色街】图 유곽; 홍등가; 화류항(花柳巷). ＝いろざと. ¶～に遊ぶ 화류항에서 놀다/～に出入りする 유곽에 드나들다.
いろむら【色むら】《色斑》图 (천이나 색종이 등의) 색깔에 진 얼룩. ¶～が出る 색 얼룩이 지다/～のないカラーテレビ 색이 번지지 않는 컬러 텔레비전.
いろめ【色目】图 **1** (의복 따위의) 색조. ＝色合い. ¶着物の～がよい 옷 빛깔이 좋다. **2** 윙크; 추파. ＝流し目·秋波. ¶男に～を使う 남자에게 추파를 던지다.
いろめがね【色眼鏡】图 색안경. ¶～をかける 색안경을 쓰다/～で見る 색안경을 쓰고 보다《편견을 가지고 보다》.
いろめきた-つ【色めき立つ】5自 긴장한 빛이 나타나다; 활기를 띠다. ¶人事異動のうわさで～ 인사이동에 관한 소문으로 술렁이다.
いろめ-く【色めく】5自 **1** (제철이 되어) 아름다운 빛을 띠다; 화려해지다. ¶秋になって山々が～ 가을이 되어 산들이 아름답게 물들다/私にも～·いた時代があった 내게도 화려했던 시절이 있었다. **2** 활기 띠다; 동요하다; 술렁거리다. ¶同僚の死を聞いて～ 동료의 사망 소식을 듣고 술렁거리다. **3** 요염해지다. ＝あだめく.
いろやけ【色焼け】图ス自 **1** 색이 바램; 퇴색. ¶着物が～した 옷이 바랬다. **2** 살갗이 볕에 탐.
いろよい【色よい】《色好い》連体 이쪽이 바라던 대로의; 바람직한; 호의적인. ＝好ましい. ¶～返事 호의적인 대답; 듣기 좋은 대답.
いろり〖居炉裏·囲炉裏〗图 농가 등에서 마룻바닥을 사각형으로 도려 파고 난방용·취사(炊事)용으로 불을 피우는 장치. ¶～ばた 노변(爐邊) / ～にまきをくべる いろり에 장작을 지피다.

いろわけ【色分け】图 ス他 **1** 채색을 달리하여 구분함. ¶地図を国別に～する 지도를 나라별로 달리 색칠하여 구별하다. **2** 분류. ¶種類別に～する 종류별로 분류하다.

いろん【異論】图 이론; 이의. ¶～はない 이의는 없다 / 政府案に～をとなえる 정부안에 이의를 제기하다.

いろんな〖色んな〗連体 〈口〉 여러 가지; 가지각색의; 갖가지. ＝いろいろな. ¶～できごと 갖가지 사건 / ～物を買う 여러 가지 물건을 사다.

⁑**いわ**【岩】《巌·磐》图 바위. ¶～角 바위 모서리 / 一念～をも通す 굳게 먹은 마음은 바위도 뚫는다.

⁑**いわい**【祝い】图 축하; 축하 행사; 축하 선물; 축하의 말. ¶誕生～ 생일 축하 / 前～ 미리 축하함 / お～を述べる 축하의 말을 하다 / 結婚のお～を贈る 결혼 축하 선물을 보내다.

いわいざけ【祝い酒】图 축하주; 축하술. ¶～に酔う 축하 술에 취하다.

いわいもの【祝い物】图 축하 선물.

⁑**いわ-う**【祝う】5他 **1** 축하하다. ¶正月〔誕生〕を～ 설〔생일〕을 축하하다 / 受賞を～って乾杯する 수상을 축하해 건배하다. **2** 축하의 선물을 하다. ¶知人の栄転にたいを～ 친지의 영전에 도미를 보내어 축하하다. **3** 축

いろはガルタ

- い 犬も歩けば棒に当たる a)주제넘게 굴면 봉변을 당한다. b)나다니다 보면 뜻밖의 행운도 만날 수 있다.
- ろ 論より証拠 말보다 증거.
- は 花より団子 금강산도 식후경.
- に 憎まれっ子世にはばかる 남에게 미움 받던 사람이 사회에 나가서는 오히려 행세하게 된다.
- ほ 骨折り損のくたびれもうけ 「아미타불. 도로
- へ 屁をひって, 尻つぼめ 잘못을 저질러 놓고 아무리 숨기려 해도 소용없다.
- と 年寄りの冷や水 무모하게 노익장을 과시하려고 함.
- ち 塵も積もれば山となる 「태산. 티끌 모아
- り 律儀者の子だくさん 성실한 사람 자식이 많다.
- ぬ 盗人の昼寝 「준비함. 나쁜 짓을 하기 위해
- る 瑠璃も玻璃も照らせば光る 뛰어난 소질이나 재능을 가진 사람은 어디에 있더라도 눈에 띈다.
- を(お) 老いては子に従え 늙어서는 자식을 따르라.
- わ 割れ鍋にとじぶた 「있다. 짚신도 제 짝이
- か 癩の瘡うらみ 저보다 조금이라도 나은 것을 부러워한다.
- よ 葦の髄から天井のぞく 우물 안 개구리.
- た 旅は道づれ, 世は情け 여행에는 길동무, 세상살이엔 인정이 중요하다.
- れ 良薬は口に苦し 양약은 입에 쓰다.
- そ 総領の甚六 「《비웃는 말》. 맏이는 어수룩하다
- つ 月夜に釜をぬく 너무 방심하면 실패함.
- ね 念には念を入れ 「울여라. 주의에 주의를 기
- な 泣き面に蜂 설상가상; 엎친 데 덮치기.
- ら 楽あれば苦あり 「옴도 있다. 낙이 있으면 괴로
- む 無理が通れば道理が引っこむ 힘이 활개 치면 정의가 물러선다.
- う 嘘から出た誠 거짓말이었던 것이 우연히 정말이 됨.
- ゐ(い) 芋の煮えたもご存じなし 세상 물정에 어둡다《조롱하는 말》.
- の 喉元過ぎれば熱さ忘るる 괴로움도 그때가 지나면 쉬이 잊어버린다.
- お 鬼に金棒 범에 날개.
- く 臭い物には蓋 남이 알면 곤란한 일은 우선 숨기고 본다.
- や 安物買いの銭失い 「지떡. 싼 게 비
- ま 負けるが勝ち 지는 게 이기는 것.
- け 芸は身を助ける 취미로 익혀 둔 재주가 궁할 때 생활에 도움을 준다.
- ふ 文はやりたし書く手は持たず 읽고 쓰기를 못해 안타까워함.
- こ 子は三界の首っ枷 자식은 평생의 멍에; 자식은 애물.
- え 得手に帆をあぐ (순풍에 돛 단 듯) 신바람이 나다.
- て 亭主の好きな赤えぼし 아무리 별난 것이라도 가장이 좋아하면 가족도 그 취미를 따르게 마련.
- あ 頭隠して尻隠さず 「옹. 눈 가리고 아
- さ 三遍回ってたばこにしょ 빈틈없이 확인한 다음에 쉬자.
- き 聞いて極楽, 見て地獄 들어서 다르고 보아서 다르다.
- ゆ 油断大敵 방심은 금물.
- め 目の上のたんこぶ 눈엣가시.
- み 身から出た錆び 자업자득.
- し 知らぬが仏 모르는 것이 약.
- ゑ(え) 縁は異なもの味なもの 남녀간의 인연이란, 묘하고 재미있는 것.
- ひ 貧乏暇なし 가난한 사람은 늘 먹고 살기에 바쁘다.
- も 門前の小僧習わぬ経を読む 서당 개 삼 년에 풍월한다.
- せ 背に腹は変えられぬ 당면한 큰일을 위해서는 딴 일은 돌볼 겨를이 없다.
- す 粋は身を食う 풍류에 빠지면 패가망신한다.
- 京 京の夢, 大阪の夢 남에게 꿈 이야기를 하기 전에 외는 말.

※ 위의 カルタ는 江戸에서 쓰던 것임. 이 밖에 京都·大阪 지방에서 쓰던 별종의 カルタ도 있음.

복하다; 행운을 기원하다. ¶二人の門出を～ 두 사람의 새 출발을 축복하다/前途を～ 전도를 축복하다.

いわお [巌] 名 큰 바위; 반석.

いわかん【違和感】名 위화감. ¶～を感じる〔覚える〕 위화감을 느끼다.

いわく『曰く』名 **1**《副詞적으로 사용하여》 가라사대; 가로되; 왈. ¶孔子～ 공자 왈〔가라사대〕. **2**(말 못할) 복잡한 이유·까닭·사정. ¶それには～がある 거기에는 사연이 있다/～がいいじゃないか 이유가 그럴 듯한데. 注意 주로 좋지 못한 일에 대해서 씀.

―言い難し 복잡한 사정이 있어 한 마디로 말하기 힘들다. ¶事情は複雑で～だ 사정은 복잡해서 뭐라고 말하기 힘들다.

いわくつき【いわく付き】《曰く付き》名 **1** 까닭이 있음; 또, 그런 것; 복잡한 사정. ¶～の品物 까닭이 있는 물건. **2** (범죄 등 좋지 못한) 과거가 있음; 전과자. ¶～の女 과거가 있는 여자.

いわし『鰯·鰮』名〔魚〕정어리. ¶～網 정어리 그물/～油 정어리 기름.

―の頭も信心から 정어리 대가리도 믿기 나름《하찮은 것이라도 믿으면 존귀하게 느껴진다는 뜻》.

いわしぐも【いわし雲】《鰯雲》名〈俗〉권적운(巻積雲); 조개구름. ＝うろこ雲·さば雲.

いわしみず【岩清水】《石清水》名 석간수; 석천(石泉). ¶～を飲む 석간수를 마시다.

いわず【言わず·いわず】連語 말하지 않다. ¶～して明らかである 말하지 않아도 명백하다/Aと～Bと～ A, B 할 것 없이 모두.

いわずかたらず【言わず語らず】連語 암묵리에; 무언중에. ¶～のうちに了解し合う 무언중에 서로 양해하다.

いわずもがな【言わずもがな】連語〈文〉**1** 말하지 않는 것이 좋다; 말할 필요가 없다. ¶～の弁明 말 할 필요가 없는 변명/～のことを言っては後悔する 안 해도 좋을 말을 하고는 후회하다. **2** 물론이고; 말할 나위도 없고. ¶子供は～, 大人まで 아이들은 말할 것도 없고 어른까지. ⇨いわでも.

いわて【岩手】名〔地〕東北 지방 동부의 현《현청 소재지는 盛岡 시》.

いわでも【言わでも】連語 말하지 않아도 됨. ¶～のことを言う 말하지 않아도 되는 일을 말하다.　「くち.

いわな『岩魚』名〔魚〕곤들매기. ＝きり

いわぬがはな【言わぬが花】連語 분명히 말하지 않는 데에 그윽함이나 정취가 있다. ¶その先は～ 그 다음은 말하지 않는 게 낫다.

いわのぼり【岩登り】名 암벽 등반; 록 클라이밍(rock-climbing).　「곳.

いわば【岩場】名 바위 밭; 바위가 많은

*__いわば__『言わば·謂わば』副 말하자면; 이를테면; 비유해서 말한다면. ¶あの人は単純で～子供だ 저 사람은 단순하여 말하자면 어린아이이다/彼女は～かごの鳥のようなものさ 그녀는 이를테면 새장 속의 새와도 같은 거지.

いわはだ【岩肌】《岩膚》名 바위의 표면.

いわぶろ【岩ぶろ】《岩風呂》名 바위틈을 이용해 만든 목욕탕. ＝岩湯.

いわや【岩屋】《窟》名〈雅〉**1** 암굴(岩窟). ＝いわむろ. **2** 바위굴 집.

いわゆる『所謂』連体 소위; 이른바. ¶これが～デモクラシーだ 이것이 이른바 민주주의다.

いわれ『謂れ』名 까닭; 내력; 이유; 유서(由緒). ¶寺の～ 절의 내력/～の無い非難を受ける 당찮은 비난을 받다/隠退を決心した～を話す 은퇴를 결심한 까닭을 말하다.

いわんとすること【言わんとする事】連語 말하고자 하는 것. ¶～がわからない 말하고자 하는 것을 알 수 없다.

いわんばかり【言わんばかり】《言わん許り》連語 마치 …라고 말하려는 듯이; …하다는 듯이. ¶お手上げだと～に肩をすくめる 어쩔 도리가 없다는 듯이 어깨를 움츠리다.

いわんや『況や』副 말할 것도 없이; 물론; 하물며; 더군다나. ¶大人でさえむずかしい, ～子供においてをや 어른도 어렵거늘 하물며 어린이에게 있어서랴.

*__いん__【印】名 인; 도장. ＝判·判こ. ¶～をつく〔据える〕 도장을 찍다/～を押す 날인하다/～がはっきりしない 도장이 분명하지 않다.

いん【因】名 일의 발단; 원인. ¶～となり果となってめぐる 원인과 결과가 돌고 돈다/資材不足が敗戦の～をなした 자재 부족이 패전의 원인이 되었다. ↔果.

いん【韻】名 운; 운자(韻字). ¶～が通う 음운이 통하다.

―を踏む 운을 밟다; 압운하다.

いん【陰】名 **1** 그늘; 남이 모르는 가운데. **2** 소극적·내성적인 경향. ⇔陽.

―に陽に 음으로 양으로. ¶～見守る 음으로 양으로 지켜보다.

=いん【員】…원. ¶調査～ 조사원/事務～ 사무원/会社～ 회사원.

=いん【院】…원. ¶大学～ 대학원/人事～ 인사원/養老～ 양로원.

いん 〚引〛 教2 イン ひく ひける | 인 당기다 | (이) 끌다; 당기다. ¶引力 인력/牽引 견인/引率 인솔/誘引 유인.

いん 〚印〛 教4 イン しるし しるす | 인 도장 | **1** 도장; 인. ¶印鑑 인감. **2** 판(版)으로 박음. ¶印刷 인쇄.

いん 〚因〛 教5 イン よる ちなむ | 인 인하다 | **1** 연유하다; 좇다. ¶因襲 인습. **2** 일이 일어나는

근본. ¶原因(げんいん) 원인. ↔果(か).

いん〖姻〗常用 イン | 인 혼인 | 시집감; 결혼함. ¶婚姻(こんいん) 혼인 / 姻戚(いんせき) 인척.

いん〖員〗教3 イン | 원 관원 | **1** 수; 개수; 인원수. ¶員外(いんがい) 원외 / 満員(まんいん) 만원. **2** 역(役)을 맡은 사람. ¶委員(いいん) 위원.

いん〖院〗教3 イン | 원 집 | **1** 울타리; 담장. **2** 담을 쌓아 두른 건물; 관청·절·학교 그 밖의 기관. ¶議院(ぎいん) 의원 / 病院(びょういん) 병원.

いん〖寅〗人名 イン とら | 인 셋째지지 | 지지(地支)의 셋째; 범. ¶甲寅(こういん) 갑인.

いん〖陰〗常用 イン オン かげ かげる | 음 그늘 | **1** 그늘; 흐리다. ¶陰雨(いんう) 음우. **2** 숨은〔으슥한〕 곳. ¶陰謀(いんぼう) 음모. **3** 적극적이 아닌 것. ¶陰性(いんせい) 음성. ⇔陽(よう).

いん〖飲〗(〖飮〗) 教3 イン オン のむ | 음 마시다 | **1** 마시다; 음료. ¶飲食(いんしょく) 음식. **2** 마실 것; 술. ¶一瓢(いっぴょう)の飲(いん) 일표음; 한 바가지의 술〔물〕.

いん〖隠〗(〖隱〗) 常用 イン オン かくす かくれる | 은 숨다 | **1** 숨다; 보이지 않다. ¶隠謀(いんぼう) 음모. ↔顕(けん). **2** 감추다; 숨기다. ¶隠蔽(いんぺい) 은폐 / 隠匿(いんとく) 은닉.

いん〖韻〗常用 イン | 운 운 | **1** 울림; 음색. ¶余韻(よいん) 여운 / 音韻(おんいん) 음운. **2** 운; 운자(韻字). ¶韻脚(いんきゃく) 운각. ↔音(おん).

いんい〔陰萎〕名 음위; (남자의) 성교 불능증. =インポテンツ.

いんうつ【陰うつ】(〖陰鬱〗) ダナ 음울; 울적함. ¶~な天気(てんき) 음울한 날씨 / ~な気分(きぶん) 울적한 기분.

いんえい【印影】名 인영; 인발. ¶~の真偽(しんぎ)を照合(しょうごう)する 인영의 진위를 대조해 보다.

いんえい【陰影】名 **1** 음영; 그늘; 그림자. =かげ. ¶~を落(お)とす 그늘을 드리우다 / (絵(え)に)~をつける (그림에) 음영을 넣다. **2** 함축성. =ニュアンス. ¶~に富(と)む文章(ぶんしょう) 함축성 있는 문장.

*いんか【引火】名ス自 인화. ¶~点(てん) 인화점 / マッチの火(ひ)がガソリンに~した 성냥불이 가솔린에 인화했다.

いんが【印画】名 (사진에서) 인화.

—し【—紙】名 인화지.

*いんが【因果】一名 인과. **1** 원인과 결과. ¶~は巡(めぐ)る 인과는 돌고 돈다. **2**〖佛〗 인과응보; 업보; 운명. ¶~応報(おうほう) 인과응보 / これも~とあきらめる 이것도 운명이라 생각하고 체념하다.

二名ナ 불행; 불운; 숙명적. ¶~な生(う)まれつき 불행한 출생 / ~な身(み)の上(うえ) 불운한 신세 / 何(なん)の~でこんな目(め)にあうのか 무슨 업보로 이런 일을 겪는가.

—の胤(たね)を宿(やど)す 불륜의 아기를 배다.

—を含(ふく)める 피할 수 없는 운명으로 알고 체념토록 설득하다.

—かんけい【—関係】名 인과 관계. ¶~を究明(きゅうめい)する 인과 관계를 구명〔규명〕하다.

いんが【陰画】名 음화; 네거티브. =ネガ·ネガティブ. ¶~を修正(しゅうせい)する 음화를 수정하다. ↔陽画(ようが).

いんがい【員外】名 원외; 정원외. ¶~教授(きょうじゅ) 원외 교수.

いんがい【院外】名 원외《특히 중의원(衆議院)·참의원의 외부》. ↔院内(いんない).

—だん【—団】名 원외단《국회의원이 아닌 정당원 집단》.

いんかく【陰核】名 음핵; 공알. =さね·ひなさき·クリトリス.

*いんかん【印鑑】名 인감. **1** 인감도장. ¶~証明(しょうめい) 인감 증명 / ~登録(とうろく) 인감 등록. **2** 도장; 인장. =印(いん)·はんこ.

*いんき【陰気】ダナ 음기. **1** 음침한 기운. ¶~くさい 어둡고 음침하다 / ~なへや 음침한 방 / ~な性格(せいかく) 음침한 성격. **2** 음(陰)의 기(氣). ↔陽気(ようき).

*インキ [ink] 名 잉크. =インク. ¶~スタンド 잉크 스탠드 / マジック~ 매직잉크.

インキュベーター [incubator] 名 인큐베이터. **1** 보육기; 부화기. **2** 벤처 기업을 궤도로 올리기까지 시설·자금·경영 컨설팅 등을 제공하여 기업의 발족을 돕는 시설이나 기관.

*いんきょ【隠居】名ス自 은거; 은퇴하여 한가하게 삶; 또, 그 사람《좁은 뜻으로는, 정년퇴직 후의 노인》. ¶楽(らく)~ 편안히 은거하는 사람 / ご~さん (이미 일선에서 물러난) 노인장; 영감님.

いんぎん〖慇懃·殷勤〗名ダナ 은근; 태도가 겸손하고 정중함; 예의가 바름. ¶~な物腰(ものごし) 정중하고 겸손한 태도.

—ぶれい【—無礼】名ナ 은근 무례; 은근하게 건방짐.

インク [ink] 名 ☞インキ.

いんけい【陰茎】名 음경; 남근. =男根(だんこん)·ペニス.

いんけつ【引決】名ス自 '引責自決(いんせきじけつ) (=인책 자결)'의 준말; 모든 책임을 지고 자결함.

いんけん【引見】名ス他 인견; 접견. =引接(いんせつ). ¶国王(こくおう)が外国使臣(がいこくししん)を~する 국왕이 외국 사신을 접견하다.

いんけん【陰険】ダナ 음험. ¶~な人物(じんぶつ) 음험한 인물 / やり方(かた)が~だ 하는 방식이 음험하다.

いんげん〖隠元〗名 'いんげん豆(まめ)'의 준말.

—まめ〖—豆〗名〖植〗 강낭콩.

いんこ〖鸚哥〗名〖鳥〗 잉꼬《앵무새 가운데 약간 작고 깃이 고운 것》.

いんご【隠語】名 은어. ¶~を使(つか)う 은어를 쓰다; 은어로 말하다. 参考 건달·노름꾼들이 쓰는 'たたむ(=죽이다)·どや(=여관)·ぱくり(=날치기)', 절에서 쓰는 '般若湯(はんにゃとう)(=술)', 암거래꾼이 쓰는 'だふ(＝표; 입장권)' 등이 있음.

いんこう【引航】 图자他 인항; 예항. 參考 '曳航(えいこう)'의 고친 말.

いんこう［咽喉］图 인후; 목; 전하여, 중요한 통로.

いんごう【因業】 ダナ 완고하고 무정함; 혹독함《본디, 업보의 원인이 되는 악행》. ¶～なやりかた 혹독한 짓 / ～おやじ 완고하고 매정한 아비〔늙은이〕.

インコース［일 in-course］图 인코스. **1**〔野〕타자 가까이 지나가는 공의 길. **2**(육상 경기·경마 등에서) 안쪽의 주로(走路). ⇔アウトコース.

インコーナー［일 in-corner］图〔野〕인코너; 내각(内角). ↔アウトコーナー.

インサート［insert］图자他 인서트. **1** 끼워 넣음; 삽입. **2**〔映〕일련의 화면 사이에 편지·신문 등의 컷을 클로즈업으로 삽입하기; 삽입 화면.

インサイド［inside］图 인사이드. **1** 안쪽; 내부. **2**(테니스 등에서) 선의 안쪽(에 공이 떨어짐). ⇔アウトサイド.

‡**いんさつ【印刷】** 图자他 인쇄. ¶～機械(きかい) 인쇄 기계 / ～工(こう)〔物(ぶつ)〕인쇄공〔물〕/ 広告(こうこく)を～する 광고를 인쇄하다.

——メディア［media］图 인쇄 매체《신문이나 잡지 따위》.

いんさん【陰惨】 名ナ 어둡고 비참〔끔찍〕함. ¶～な事故現場(じこげんば) 처참한 사고 현장 / 焼(や)けあとの～な光景(こうけい) 불탄 자리의 처참한 광경 / ～をきわめる 처참하기 짝이 없다.

***いんし【印紙】** 图 인지. ¶収入(しゅうにゅう)～ 수입 인지.

いんし【因子】 图 인자. ＝ファクター. ¶遺伝(いでん)～ 유전 인자.

いんじ【印字】 图자他 인자; (타이프라이터·전신기 따위로) 문자·부호를 찍음; 또, 그 문자·부호.

——き【——機】 图 인자기.

インジゴ［indigo］图 인디고; 남색(물감).

いんしつ【陰湿】 名ナ 음습; 웅달지고 습기참. ¶～な土地(とち) 음습한 땅 / 性格(せいかく)が～だ 성격이 음침하다.

いんしゅ【飲酒】 图자自 음주. ¶～家(か) 음주가 / ～運転(うんてん) 음주 운전.

いんじゅ［印綬］图 인수; 인(印)끈.

——を帯(お)びる 관직에 오르다; 취임하다. ¶首相(しゅしょう)の～ 수상이 되다.

いんしゅう【因習·因襲】 图 인습. ¶～に従(したが)う 인습에 따르다 / ～にとらわれている 인습에 사로잡혀 있다.

インシュート［in-shoot］图자自〔野〕인슈트《타자 가까이 와서 공이 타자 안쪽으로 굽는 투구》. ↔アウトシュート.

インシュリン［insulin］图 인슐린; 췌장에서 분비되는 호르몬《당뇨병 치료약》.

いんじゅん【因循】 名ナ 인순. **1** 구습(舊習)에 따를 뿐 고치려 하지 아니함; 진보적이 아님. ¶～姑息(こそく) 인순고식 / ～なやり方(かた)〔行(ゆ)き方(かた)〕인습적인 방식. **2** 꾸물거림; 머뭇거림. ¶～な男(おとこ) 꾸물거리고 결단력이 없는 사나이.

いんしょ［淫書］图 음서; 음란 서적. ＝エロ本(ほん)·春本(しゅんぼん).

いんしょう【印章】 图 인장; 도장《약간 격식차린 말씨》. ＝印(いん)·はん·判(はん)こ. ¶～偽造罪(ぎぞうざい) 인장 위조죄 / ～を捺(お)す 인장을 찍다.

‡**いんしょう【印象】** 图 인상. ¶第一(だいいち)～がよい 첫인상이 좋다 / ～が薄(うす)い 인상이 희미하다 / ～に残(のこ)る 인상에 남다 / 暗(くら)い～を与(あた)える 어두운 인상을 주다 / 割(わ)り切(き)れない～をうける 석연치 않은 인상을 받다.

——づける〖——付ける〗下1他 강한 인상을 주다; 인상지우다.

——てき【——的】 ダナ 인상적. ¶～な顔(かお)つき 인상적인 용모.

いんしょく【飲食】 图자自他 음식; 마시고 먹음. ＝飲(の)み食(く)い. ¶～店(てん) 음식점; 식당 / ～物(ぶつ)〔費(ひ)〕음식물〔비〕/ 無銭(むせん)～ 무전취식 / ～に気(き)をつける 음식에 조심하다 / 過度(かど)に～する 지나치게 먹고 마시다.

インショップ［일 in+shop］图 인숍; 백화점·슈퍼 등의 점내에 있는 전문점.

いんしん【陰唇】 图〔生〕음순. ¶大(だい)〔小(しょう)〕～ 대〔소〕음순.

いんすう【因数】 图〔數〕인수. ¶～分解(ぶんかい) 인수 분해.

いんずう【員数】 图 원수; 정수(定數). ＝いんず. ¶～外(がい) 정원〔정수〕외 / ～が足(た)りない 인원수〔개수〕가 모자라다 / ～をそろえる (질은 어쨌든) 일정한 수를 채우다〔맞추다〕.

インスタント［instant］图 인스턴트; 즉석. ¶～ラーメン 즉석 라면 / ～カメラ〔コーヒー〕인스턴트 카메라〔커피〕/ ～にできる 즉석에서 되다.

——しょくひん【——食品】 图 인스턴트 식품. ⇨レトルト食品.

インスピレーション［inspiration］图 인스피레이션; 영감. ＝霊感(れいかん). ¶～がわく 영감이 떠오르다 / ～を受(う)ける 영감을 받다.

いん-する【印する】 サ変他 자국을 남기다. ¶全国(ぜんこく)に足跡(そくせき)を～ 전국에 발자취를 남기다 / 米国(べいこく)に第一歩(だいいっぽ)を～ 미국에 제일보를 디디다. 參考 본디 '도장 찍다·새기다'의 뜻.

いんせい【院政】 图 옛날 상황(上皇)이나 法皇(ほうおう)가 天皇(てんのう)를 대신하여 그 거처인 院(いん)에서 행한 정치.

いんせい【院生】 图 원생; 대학원 학생.

いんせい【陰性】 음성. 一 名ナ 음침하고 소극적인 성질. ¶～な男(おとこ) 음침한 (성격의) 남자. 二 图 검사 반응이 없음. ¶ツベルクリン反応(はんのう)が～だ 투베르쿨린 반응이 음성이다. ⇔陽性(ようせい).

——はんのう【——反応】 图〔醫〕음성 반응. ↔陽性(ようせい)反応.

いんぜい【印税】 图 인세. ¶著者(ちょしゃ)に～を払(はら)う 저자에게 인세를 지불하다.

いんせき【引責】 图자自 인책. ¶～辞職

(じしょく)〔辞任(じにん)〕する 인책 사직〔사임〕하다.

いんせき [姻戚] 名 인척. =姻族(いんぞく). ¶ ~関係(かんけい) 인척 관계.

いんせき [隕石] 名 운석; 별똥돌. ¶ ~孔(こう) 운석공 / ~が落(お)ちる 운석이 떨어지다.

いんせつ【引接】名スル他 **1** 불러들여 만나 봄. =引見(いんけん). **2** 어떤 사람을 다른 사람에게 대면〔소개〕시킴.

いんぜん【隠然】トタル 은연(함). ¶政界(せいかい)の元老(げんろう)として~たる勢力(せいりょく)を持(も)っている 정계의 원로로서 은연한 세력을 갖고 있다.

インセンティブ [incentive] 名 인센티브; 유인(誘因); (목표 달성을 위한) 자극. ¶ ~ペイ 포상〔장려〕금 / ~ツアー 인센티브 투어; (종업원이나 고객에 대한) 포상 여행.

いんそつ【引率】名スル他 인솔. ¶…の~のもとに …의 인솔하에 / 生徒(せいと)を動物園(どうぶつえん)に~する (중·고) 학생을 동물원으로 인솔하다.

インター [inter] 名 인터. **1** 'インターチェンジ' 의 준말. **2**《名詞 앞에 붙여서》'…사이〔간(間)〕의' 의 뜻.

—チェンジ [interchange] 名 인터체인지. =インター.

—ネット [internet] 名〖컴〗인터넷《컴퓨터 네트워크를 연결하는 세계적 규모의 컴퓨터 통신망》.

—ネットカフェ [일 internet + café] 名 인터넷 카페; (PC를 갖추어) 인터넷을 이용할 수 있는 찻집.

—ハイ [일 inter+highschool] 名 전국 고교 대항 경기 대회.

—フェロン [interferon] 名 인터페론; 바이러스 증식 억제 인자. 「화.

—ホン [interphone] 名 인터폰; 구내 전

インタープリター [interpreter] 名 인터프리터. **1** 통역(자). **2**〖컴〗해석기; 번역 인자기(印字機); 통역 루틴.

インターン [intern] 名 인턴. **1** 미용사·이용사·공인 회계사 등이 국가시험을 받기 위해 현장에서 실습하는 제도; 또, 그 실습생. **2** 본디, 의사의 의무적 실습 제도; 또, 그 의학생《1968년에 임상 연수 제도로 바뀜》.

いんたい【引退】名 スル自 은퇴; 일선에서 물러남. ¶ ~声明(せいめい) 은퇴 성명 / 現役(げんえき)を~する 현역을 물러나다 / 社長(しゃちょう)が~して第一線(だいいっせん)を退(しりぞ)く 사장이 은퇴하여 제일선에서 물러나다.

いんたい【隠退】名スル自 은퇴; 사회적 활동에서 물러남. =退隠(たいいん). ¶故郷(こきょう)に~する 고향에 은퇴하다 / ~して田園(でんえん)に暮(く)らす 은퇴하여 전원에서 살다.

インダストリアル [industrial] ダナ 인더스트리얼; '산업의·공업의' 의 뜻. ¶ ~デザイン 산업 디자인 / ~デザイナー 공업 디자이너.

インタビュー [interview] 名スル自 인터뷰; 면접; 특히, 기자의 취재를 위한 면회. =インタービュー. ¶ ~を申(もう)しこむ 인터뷰를 요청하다 / 首相(しゅしょう)に~する 수상과 인터뷰하다.

いんち【韻致】名 운치; 아치. =雅致(がち)·雅趣(がしゅ). ¶ ~に富(と)む詩文(しぶん) 운치가 풍부한 시문.

インチ [inch] 名 인치《기호 in.; 2.54 cm》. 注意 '吋' 로도 씀.

いんちき 名ナ スル自 〈俗〉 **1** 협잡; 부정; 속임. =ごまかし·いかさま. ¶ ~な商品(しょうひん) 부정 상품 / ~をする 속임수를 쓰다 / ~なやり方(かた)に引(ひ)っかかる 사기 수법에 걸리다. **2** 가짜 (물건). =にせ物(もの). ¶ ~時計(とけい) 가짜 시계. 参考 본디는 도박의 속임수만을 가리켰음.

いんちきくさ-い 形 협잡질 같다; 속임수 같(아 보이)다; 부정(不正)스러워 보이다. 「장.

いんちょう【院長】名 원장; 특히, 병원

インディアペーパー [India paper] 名 인디아 페이퍼; 인도지(紙)《사전 따위에 씀》. =インディアンペーパー.

インディアン [Indian] 名 인디언.

インディペンデント [independent] 形 인디펜던트. **1** '독립한·무소속의' 의 뜻. **2** (업계를 지배하고 있는 대자본에 대하여) 독립한 소자본의 회사.

インデックス [index] 名 인덱스. **1** 색인; 찾아보기. **2** 지수; 지표. ¶顔(かお)は心(こころ)の~ 얼굴은 마음의 거울.

—ファンド [index fund] 名〖經〗인덱스 펀드; (日經(にっけい) 평균 주가 등) 여러 가지 주가 지수에 연동시켜 수익을 꾀하는 증권 투자 신탁.

インテリ 名 인텔리《'インテリゲンチア' 의 준말》. ¶ ~くさい 인텔리 냄새가 나다 / 青白(あおじろ)き~ 창백한 인텔리.

インテリア [interior] 名 인테리어; 실내 장식. ¶ ~デザイン 실내 설계〔장식〕.

—コーディネーター [interior coordinator] 名 인테리어 코디네이터; 실내 장식·건물·개조 등에 대하여 종합적인 입장에서 조언하는 전문가.

—シミュレーション [interior simulation] 名〖컴〗인테리어 시뮬레이션; 실내 가구나 사무 기기 등의 배치·배색 따위를 컴퓨터 그래픽 화상을 이용하여 검토하는 방법.

インテリゲンチア [러 intelligentsiya] 名 인텔리겐치아; 지식인; 지식 계급. =インテリ.

インテリジェンス [intelligence] 名 인텔리전스; 지성; 지식; 이지(理智).

インテリジェント [intelligent] ダナ 인텔리전트; 지성적; 지능이 높은; 정보 처리 기능을 가진.

—ビル [일 intelligent+building] 名 인텔리전트 빌딩; 고도 정보화 오피스 빌딩. *영어로는 smart building.

いんでんき【陰電気】名〖理〗음전기. ↔ 陽電気(ようでんき).

インド〘印度〙名〖地〗인도. ¶ ~洋(よう) 인

도양 / ～象ぞう 인도코끼리. ▷India.
――あい〖―藍〗名 ☞インジゴ.
インドア [indoor] 名 인도어; 실내; 옥내. ↔アウトドア. ¶～ゲーム 인도어 게임; 실내 경기 / ～スポーツ 인도어 스포츠; 실내 운동.
いんとう [咽頭] 名〖生〗인두. ¶～結核けっかく 인두 결핵 / ～音おん 인두음.
いんとう [淫蕩] 名ナ 음탕. ¶～な生活せいかつにふける 음탕한 생활에 빠지다.
いんとく【隠匿】名ス他 은닉. ¶～罪ざい 은닉죄 / ～行為こうい 은닉 행위 / 財産ざいさんを～する 재산을 은닉하다.
イントネーション [intonation] 名 인토네이션; 억양. ＝抑揚よくよう.
いんとん [隠遁] 名ス自 은둔. ¶～者しゃ 은둔자 / ～生活せいかつ 은둔 생활.
いんない【院内】名 원내. **1** 衆議院しゅうぎいん 또는 参議院さんぎいん의 내부. ¶～活動かつどう 원내 활동. **2** 병원의 내부. ⇔院外いんがい.
――かんせん【―感染】名ス自〖醫〗원내 감염; 병원 내 감염.
――こうしょうだんたい【―交渉団体】名 원내 교섭 단체. 「しゅ·肉にく.
いんにく【印肉】名 인주(印朱). ＝朱肉
いんにん【隠忍】名ス自 은인; 참고 견딤. ¶～に～を重かさねる (꾹) 참고 또 참다 / ～してチャンスをうかがう 참고 견디며 기회를 엿보다.
――じちょう【―自重】名ス自他 은인자중. ¶大事だいじを前まえに～する 큰일을 앞두고 은인자중하다.
いんねん【因縁】名 **1** 인연. ㉠운명. ¶前世ぜんせからの～とあきらめる 전생으로부터의 운명이라고 (여겨) 체념하다 / これも何なにかの～だ 이것도 무슨 인연이다. ㉡관계. ¶彼かれとの～は浅あさくない 그와의 인연은 얕지 않다〔깊다〕. **2** 이유; 유래; 내력. ¶いわれ～を尋たずねる 그 유래를 더듬어 찾다. **3** 시비; 트집. ＝言いいがかり. 参考 'いんえん'의 連声れんじょう.
――をつける 생트집을 잡다.
――ずく 名 인연으로 생긴 일; 인연 탓.
いんのう [陰嚢] 名 음낭. ＝ふぐり.
インバーター [inverter] 名 인버터(《논리 회로에 있어서, 입력과 반대 부호의 출력을 생성하는 연산(演算) 요소》).
いんばい [淫売] 名ス自 매음; 또, 매춘부. ¶～窟くつ 매음굴 / ～屋や 갈봇집 / ～婦ふ 매춘부; 창녀; 갈보 / ～をする 매음〔매춘〕을 하다.
インパクト [impact] 名 임팩트; 충돌; 충격. ¶強つよい～ 강한 충돌.
インバネス [inverness] 名 인버네스; 남자 외투의 하나. ＝とんび.
いんぶ【陰部】名 음부. ＝かくしどころ. ¶～をかくす 음부를 가리다.
インファイト [infight] 名〖복싱〗인파이트; 접근전. ↔アウトボクシング.
いんぷう [淫風] 名 음풍; 성도덕이 문란한 풍조. ¶末世的まっせてきな～ 말세적인 음풍.

インフォーマル [informal] ダナ 인포멀. **1** 비공식적임; 약식임. ¶～な集あつまり〔席せき〕 비공식적인 모임〔자리〕. **2** 격식차리지 않는 모양; 형식에 구애받지 않는 모양. ⇔フォーマル.
インフォメーション [information] 名 인포메이션. **1** 통지; 정보; 보도. **2** 접수처; 안내소.
インプット [input] 名 인풋. **1**〖電〗입력. **2**〖經〗자본의 투입. **3** 컴퓨터의 기억장치에 정보를 입력함; 또, 그 양(量). ⇔アウトプット. 「의 준말.
インフラ 名 'インフラストラクチュア'
インフラストラクチュア [infrastructure] 名 인프라스트럭처(《'하부 구조'의 뜻으로, 산업 기반이 되는 시설; 도로·항만·통신 설비 등》). 参考 흔히 줄여서 'インフラ'라고 함.
インフルエンザ [influenza] 名 인플루엔자; 유행성 감기. ＝流感りゅうかん.
インフレ 名 'インフレーション'의 준말. ↔デフレ.
――ふきょう【―不況】名 인플레이션 불황(《인플레이션으로 인한 불경기》).
――ヘッジ [←inflationary hedge] 名 인플레이션 헤지; 인플레이션 때문에 화폐 가치가 하락될 것을 예상하고 현금을 물건이나 주식 따위로 바꿈.
*インフレーション [inflation] 名 인플레이션; 통화 팽창. ＝インフレ. ¶～景気けいき〔抑制よくせい〕 인플레이션 경기〔억제〕. ↔デフレーション.
いんぶん【韻文】名 운문. ↔散文さんぶん.
いんぺい [隠蔽] 名ス他 은폐; 덮어 가림. ¶～物もの 은폐물 / 陣地じんち〔悪事あくじ〕を～する 진지를〔악행을〕 은폐하다.
インベーダーゲーム [일 invader＋game] 名 'スペース インベーダー(＝우주의 침략자)'를 주제로 한 비디오 게임의 하나.
インベントリー [inventory] 名〖經〗인벤토리; 재고; 재고 목록.
インポ 名 'インポテンツ'의 준말.
インボイス [invoice] 名〖商〗인보이스; (상품의) 송장(送狀). ＝送おくり状じょう.
*いんぼう【陰謀·隠謀】名 음모. ¶～をたくらむ〔めぐらす〕 음모를 꾸미다 / ～を暴あばく〔見破みやぶる, 企くわだてる〕 음모를 폭로하다〔간파하다, 꾀하다〕 / ～をかぎつける 음모를 탐지하다〔눈치채다〕 / ～が露顕ろけんする 음모가 드러나다.
インポート [import] 名 임포트; 수입; 수입품. ¶～ブランド 임포트 브랜드; 수입 품종. ↔エクスポート.
インポテンツ [도 Impotenz] 名〖醫〗임포텐츠; 음위(陰萎); 성교 불능증. ＝インポ·インポテ.
いんぽん [淫奔] 名ナ 음분; (여자의) 음란한 행동. ＝いんらん. ¶～な女おんな 음분〔음란〕한 여자.
いんめつ【隠滅】(《湮滅》) 名ス自他 인멸. ¶証拠しょうこ～のおそれがある 증거 인멸의 우려가 있다.

いんもう【陰毛】图 음모; 거웃. ＝恥毛(ちもう)·しものけ.

インモーラル [immoral] ダナ 이모럴; 음란〔부도덕〕한 모양.

いんもん【陰門】图 음문; 보지. ＝玉門(ぎょくもん).

いんゆ [隠喩] 图 은유《수사법의 한 가지》. ＝暗喩(あんゆ)·メタファー. ¶～法(ほう) 은유법 / '人生(じんせい)は夢(ゆめ)だ'というのは～である '인생은 꿈이다'라고 하는 것은 은유이다. ↔直喩(ちょくゆ).

*いんよう【引用】图자他 인용. ¶～文(ぶん)〔符(ふ)〕 인용문〔부호〕/ 聖書(せいしょ)の言葉(ことば)を～する 성경 말씀을 인용하다.

いんよう【陰陽】图 음양. ¶～五行説(ごぎょうせつ) 음양 오행설.

いんよう【飲用】图자他 음용; 음료. ¶～水(すい) 음료수 / この水(みず)は～に適(てき)さない 이 물은 마시기에 부적하다.

いんらん [淫乱] 名ナ 음란. ＝いんぽん. ¶～な女(おんな) 음란한 여자.

いんりつ【韻律】图 운율. ＝リズム. ¶～に富(と)む詩(し) 운율이 풍부한 시.

いんりょう【飲料】图 음료. ＝のみもの. ¶清涼(せいりょう)～ 청량 음료 / ～に使(つか)う水(みず) 음료로 쓰는 물.

いんりょく【引力】图 인력. ¶万有(ばんゆう)～ 만유인력. ↔斥力(せきりょく).

いんれい【引例】图자他 인례; 예를 인용함; 인용례. ¶古書(こしょ)から～する 고서에서 예를 인용하다.

いんれき【陰暦】图 음력. ＝旧暦(きゅうれき). ↔陽暦(ようれき).

いんろう [印籠] 图 인롱; 옛날에, 약 따위를 넣어 허리에 차고 다니던 타원형의 작은 합. ＝薬籠(やくろう). 参考 본디, 도장과 인주(印朱)를 넣었던 용기. 장식품이 되기도 했음.

いんわい [淫猥] 名ナ 음외; 외설. ＝卑猥(ひわい). ¶～な書物(しょもつ) 외설 서적 / ～な話(はなし) 음탕한 이야기 / ～な表現(ひょうげん) 외설적인 표현.

う ウ

1 五十音図(ごじゅうおんず) 'あ行(ぎょう)'의 셋째 음; 또, 'わ行'의 셋째 음. [u] 2〖字源〗'宇'의 초서체《かたかな'ウ'는 '宇'의 윗 부분》.

う 助動 1 말하는 사람의 의사·권유의 뜻을 나타내는 말: …겠다; …하자. ¶さあ行(い)こ～ 자, 가자 / さっさとどいてもらお～ 빨리빨리 비켜 주게. 注意 이 경우의 主語는 1인칭임. 2 말하는 사람의 추측을 나타내는 말: …겠지; …ㄹ 것이다. ¶花(はな)も咲(さ)こ～ 꽃도 피겠지 / 明日(あす)は雪(ゆき)になろ～ 내일은 눈이 오겠지. 参考 추측을 나타내는 경우에, 구어에서는 'う'보다도 'だろう''でしょう'를 쓰는 경우가 많음. ¶花も咲こう→咲くだろう / 明日は雪になろう→雪になるだろう. 3 완곡(婉曲)한 말씨를 나타내는 말: …겠지. ¶こう結論(けつろん)してよかろ～ 이렇게 결론지어도 좋겠지 / よかろ～はずが無(な)い 좋을 리가 없다. 参考 2, 3은, 좀 예스러운 말투. 흔히 'だろう'를 씀. 4 당연히 그렇다는 뜻을 나타내는 말: …ㄹ 법하다. ¶あろ～事(こと)かあるまい事か 있을 법한 일인가, 있을 수 없는 일인가.

う [卯] 图 묘; 토끼《지지(地支)의 넷째; 방위로는 동(東), 시각으로는 오전 6시, 또는 오전 5시~7시 사이》. ¶～の年(とし) 토끼해. ⇨じゅうにし.

う [鵜] 图〖鳥〗 가마우지.

——のまねをするからす水(みず)におぼれる 가마우지 흉내 내는 까마귀 물에 빠진다《뱁새가 황새 따라가다가는 가랑이가 찢어진다》.

——の目(め)たかの目 가마우지의 눈, 매의 눈《무엇을 찾아내려고 눈을 번득이는 모양》. ¶～でさがす 눈을 까뒤집고 찾다 / みんなは, ～でねらっている 모두들 눈에 불을 켜고 노리고 있다.

う〖宇〗教6 ウ | 우 집 | 1 처마; 차양; 지붕. ¶屋宇(おくう) 옥우; 집채들. 2 집. ¶殿宇(でんう) 전우; 전당. 3 천지 사방. ¶宇宙(うちゅう) 우주.

う〖羽〗(〖羽〗) 教2 ウ は はね | 우 깃 | 깃; 날개; 날개 있는 것. ¶羽毛(うもう) 우모.

う〖芋〗常用 ウ いも | 우 토란 | 토란; 또, 고구마·감자·토란 따위의 총칭. ¶芋蔓(いもづる) 고구마·토란 등의 덩굴. 参考 주로 훈독함.

う〖雨〗教1 ウ あめ あま | 우 비 | 비; 강우(降雨). ¶晴雨(せいう) 청우 / 雨量(うりょう) 우량.

う-い【憂い】形〈雅〉 괴롭다; 고통스럽다; 안타깝다. ¶～思(おも)いに沈(しず)む 시름에 잠기다 / ～目(め)知(し)らず 고통스러운 맛을 모르다.

うい【羽衣】图 우의. 1 신선의 옷. ＝はごろも. 2 새의 깃털.

ウイーク [week] 图 위크; 주(週); 일주간. ¶バード～ 애조 주간.

——エンド [weekend] 图 위크엔드; 주말.

——エンド ファーザー [weekend father] 图 위크엔드 파더; 이혼한 후, 엄마가 데리고 간 아이들과 주말에만 함께 지내는 아버지.

——デー [weekday] 图 위크데이; 일요일 이외의 날; 평일; 주일. 参考 토요일을 제외하는 경우도 있음.

ウイークポイント [weak point] 图 위크포인트; 약점; 급소. ¶～をつく 약점을 찌르다.

ウイークリー [weekly] 图 위클리; 주간 잡지·신문.

ういういし-い【初初しい】形 때묻지 않

아 싱싱하고 순진하다; 어리고 숫되다. ¶～花嫁姿(はなよめすがた) 싱싱하고 순진한 새색시 모습. 「＝はつご.

ういご【初子】图 첫 아이; 초산의 아이.

ういざん【初産】图 초산. ＝はつざん. ¶～の子(こ) 첫아기. 參考 의학 용어로는 'しょざん'.

ういじん【初陣】图 첫 출진〔출전〕. ¶完投(かんとう)して～を飾(かざ)る 완투하여 첫 출전을 장식하다 / ～に功名(こうみょう)を立(た)てる 첫 출진에 공명을 세우다.

*ウイスキー 图 위스키. 參考 whisky는 스코틀랜드산(産), whiskey는 아일랜드산의 구별이 있음.

ういた【浮いた】連体 1 남녀 관계에 관한; 정사(情事) 따위의. ¶～うわさ (특히 남녀 관계에 대한) 뜬소문; 염문. 2 경박한; 들뜬. ¶～考(かんが)え 경박한 생각.

ウイット [wit] 图 위트; 기지; (임기응변의) 재치. ＝機知(きち)·とんち. ¶～のある人(ひと) 위트가 있는 사람 / ～に富(と)む 재치가 넘치다 / ～をとばす 재치 있는 말을 하다.

ういてんぺん【有為転変】图〔佛〕유위전변《만물은 항상 변하여 머물지 않음; 또, 그렇게 덧없음》.

ウィドーハンター [widow hunter] 图 위도 헌터; 과부만을 노리는 남자.

ウイニング [winning] 图 위닝; 승리.

―ショット [일 winning＋shot] 图 위닝 샷. 1 (테니스에서) 결정타. ＝決(き)めだま. 2〔野〕결정〔승부〕구.

ウイリーウイリー [willy-willy] 图〔氣〕윌리윌리. 1 오스트레일리아 부근 해상에서 발생하는 열대성 저기압에 의한 폭풍우. 2 사막의 회오리바람.

ウイルス [라 virus] 图〔生〕비루스; 바이러스; 여과성 병원체. ＝ビールス.

ウインカー [winker] 图 윙커; 자동차의 방향 지시등; 깜박이. ＝フラッシャー.

ウインク [wink] 图ス自 윙크. ＝いろめ.

ウイング [wing] 图 윙. 1 날개. 2 축구의 포워드나, 럭비의 쿼터진 양끝의 위치; 또, 그 위치의 선수.

ウインタースポーツ [winter sports] 图 윈터 스포츠; 동계 운동《스키 따위》.

ウインターリゾート [winter resort] 图 윈터 리조트; 피한지(避寒地); 겨울철의 보양(保養)·행락지.

ウインドー [window] 图 윈도. 1 창문. 2 진열창《'ショーウインドー'의 준말》. ¶～ショッピング 윈도 쇼핑.

―ディスプレー [window display] 图 윈도 디스플레이《진열창에 상품을 효과적으로 전시하는 일》.

―ファン [일 window＋fan] 图 창에 다는 환기 장치.

ウーステッド [worsted] 图 우스팃; 긴 양모로 짠 두꺼운 양복감.

ウーマン [woman] 图 우먼; 여자. ¶～パワー 우먼 파워; 여성의 힘〔능력〕.

―リブ [←Women's Lib] 图 우먼 리브; 여성 해방 운동. ＊Woman's Liberation의 준말.

ウール [wool] 图 울. 1 양모. 2 털실. 3 모직물. ¶～のコート 울〔모직〕 코트.

―マーク [Woolmark] 图 울마크.

ウーロンちゃ【ウーロン茶】图 오룡차; 홍차의 한 가지《대만·복건성에서 남》. 注意 'ウーロン'은 '烏竜'의 중국음.

ううん 感 1 감동하거나 놀랐을 때에 내는 소리: 으음. ¶～, さすがだ 으음, 과연 대단하다. 2 부정의 뜻을 나타내는 말: 아니. ¶～, そうではない 아니, 그렇진 않아. 3 대답을 망설일 때의 말: 으응. ¶～, そうだなあ 으응, 글쎄.

**うえ【上】一图 1 위. ¶雲(くも)の～ 구름 위 / 三(み)つ～の兄(あに) 세살 위의 형 / 湖(みずうみ)の～を照(て)らす月(つき) 호수 위를 비추는 달 / 紙(かみ)の～に現(あら)われない意味(いみ) 지면에 나타나지 않는 언외(言外)의 뜻 / 腕前(うでまえ)がずっと～だ 솜씨가 훨씬 위다. ↔下(した). 2 사람 또는 일에 관한 일. ¶身(み)の～の話(はなし) 신상에 관한 이야기 / 酒(さけ)の～の失敗(しっぱい) 술김에 저지른 실수. 3 어떤 일과 다른 일과를 관련시켜서 하는 말. ㉠…에 더하여. ¶やすい～に品(しな)もよい 싼데다가 물건도 좋다 / しかられた～に罰金(ばっきん)までとられた 욕 먹은 데다 벌금까지 물게 되었다. ㉡…한 후; …한 뒤; …한 결과. ¶見(み)た～で決(き)める 본 다음에 결정하다. ㉢《'～は'의 꼴로》…한 이상에는; …한 바에는. ¶見(み)られた～はしかたがない 들킨 이상에는 할 수 없다. 參考 3은 보통 かな를 씀.

二接尾 손윗사람을 이를 때 쓰는 말. ¶父(ちち)～ 아버님 / 姉(あね)～ 누님. 「있다.

―には―がある 기는 놈 위에 나는 놈

―を下(した)へ 혼란에 빠져 벌컥 뒤집힌 모양; 몹시 허둥대는 모양. ¶～の大騒(おおさわ)ぎ 법석을 부림; 야단법석.

上(うえ)=·上(うわ)=·=上(うえ)의 구분

현대어에서, 복합어의 어두(語頭)에 올 때는 소수의 예를 제외하고는 うわ=가 되며, 어말(語末)에서는 예외 없이 =うえ가 됨.

◆うえ= 上様(うえさま)(상감; 어르신; 귀하)·上下(うえした)(위아래) 따위.

◆うわ= 上顎(うわあご)(위턱)·上着(うわぎ)(겉옷; 윗도리)·上靴(うわぐつ)(실내화)·上(うわ)っ面(つら)(겉; 표면)·上値(うわね)(비싼 시세)·上辺(うわべ)(겉; 외관)·上役(うわやく)(상사)·上回(うわまわ)る(웃돌다) 등.

◆=うえ 父上(ちちうえ)(아버님)·母上(ははうえ)(어머님)·年上(としうえ)(연상; 연장자)·目上(めうえ)(윗사람) 따위.

うえ【飢え】《餓え》图 굶주림; 허기. ＝ひもじさ. ¶～と寒(さむ)さに苦(くる)しむ 굶주림과 추위로 고생하다 / 木(こ)の実(み)で～をしのぐ 나무 열매로 굶주림을 견디어 내다. 參考 일시적 공복에는 안 씀.

ウエア [wear] 图 웨어; (…)옷; 의복. ＝

ウェア. ¶アンダー～ 속옷 / スポーツ～ 운동복 / ホーム～ 홈웨어.

ウエアラブルコンピューター [wearable computer] 图 웨어러블 컴퓨터; 손목시계식 등, 몸에 찰 수 있는 컴퓨터.

ウエーター [waiter] 图 웨이터; 급사; 사환. ＝ボーイ. ↔ウエートレス.

ウエーティングサークル [일 waiting＋circle] 图〔野〕웨이팅 서클; 타자가 대기하는 곳《타석 뒤, 약 1m 지름의 원》. *영어로는 'next batter's circle〔box〕'.

ウエート [weight] 图 웨이트; 무게. **1** 중량; 체중. ＝目方. ¶～が減る 무게가 줄다. **2** 중요도; 중점. ¶…に～を置く …에 중점을 두다 / こちらの立場に～をかけて分析する 이쪽 입장에 무게를 두고 분석하다.

—トレーニング [weight training] 图 웨이트 트레이닝《역기나 아령 따위로 단련하는 근육 강화 연습법》.

ウエートレス [waitress] 图 웨이트리스; 여급. ↔ウエーター.

ウエーブ [wave] 웨이브. ㊀图ス自他 머리털을 곱슬곱슬하게 함; 또, 곱슬곱슬한 모양. ¶髪を～にする 머리털을 곱슬곱슬하게 하다 / ～がかかる 곱슬곱슬하게 되다. ㊁图 **1** 파도. **2** 전파; 음파. ¶マイクロ～ 초단파 / オール～のラジオ 올웨이브의 라디오.

*__うえき__【植木】图 **1** 정원수. ＝庭木. ¶庭に～を植える 뜰에 정원수를 심다. **2** 분재. ＝盆栽. ¶夜店で～を買う 야시장에서 분재를 사다.

—ばち【—鉢】图 화분.

うえこみ【植え込み·植込】图 **1** 뜰에서, 나무를 많이 심은 곳. ¶～の陰に隠れる 정원수 숲 속에 숨다. **2** (어떤 물건을 다른 것 속에) 깊이 끼워 넣음. ¶～ボルト 양쪽에 홈이 있는 수나사.

うえこ-む【植え込む】5他 **1** 초목을 뜰에 심다. ¶庭に梅を～ 정원에 매화나무를 심다. **2** 물건을 끼워 넣다. ＝はめこむ. ¶柱にコンセントを～ 기둥에 콘센트를 끼워 넣다.

うえさま【上様】图 **1** 고귀한 사람의 존칭; 특히, 天皇·将軍의 일컬음. **2** 영수증 등에 상인이 상대방의 이름 대신으로 쓰는 말: 귀하. 参考 'じょうさま'의 속칭.

うえした【上下】图 **1** 상하; 위아래. ¶洋服の～をつくる 양복의 아래윗벌을 짓다. **2** 위아래가 거꾸로임; 반대. ¶(荷物が)～になる (짐이) 거꾸로 되다〔뒤집히다〕/ ～にする 거꾸로 하다.

うえじに【飢え死に】《餓え死に》图ス自 굶어 죽음. ＝餓死. ¶飢饉で～する者が出た 기근으로 굶어 죽는 자가 생겼다.

ウエスタン [Western] 图 웨스턴. **1** 미국의 서부(음악). **2** 서부극. ¶マカロニー～ 마카로니 웨스턴.

ウエスト [waist] 图〔裁〕웨이스트. **1** 옷의 허리 부분; 또, 그 둘레. ¶～ライン 허리통의 곡선 / ～が25インチある 웨이스트가 25인치이다. 参考 좁은 뜻으로는, 여성복의 몸통을 가리킴. **2** (여성·소아용의) 조끼.

ウエスト ボール [일 waste＋ball] 图〔野〕웨이스트 볼; 버리는 공. ＝捨て球. *영어로는 waste pitch.

うえつけ【植え付け】图ス他 **1** 심음; 식부(植付). **2** 옮겨 심음; 이식. **3** 모내기; 모심기. ¶～から刈り入れまで 모내기부터 추수하기까지 / 田の～がすむ 논의 모내기가 끝나다.

うえつ-ける【植え付ける】下1他 심다. **1** 이식〔이앙〕하다; 모내기하다. ¶水田に稲を～ 논에 벼를 이식하다. **2** 부어〔불어〕넣다. ¶悪感情を～ 나쁜 감정을 품게 하다 / 社会主義思想を青年の心に～ 사회주의 사상을 청년의 마음속에 불어넣다.

ウエットウエア [일 wet＋wear] 图 웨트 웨어《잠수부·서퍼용(surfer用)의 잠수복》. ＝ウエットスーツ.

ウエディング [wedding] 图 웨딩; 결혼(식). ¶～ケーキ 웨딩 케이크 / ～ドレス 웨딩 드레스 / ～マーチ 웨딩 마치.

—リング [wedding ring] 图 웨딩 링; 결혼 반지. ＝マリッジリング.

うえなわ【植え縄】图〔農〕못줄.

ウエハース [wafers] 图 웨이퍼《달고 바삭바삭하게 구운 양과자》.

ウェブ [web] 图 웹. **1** TV·라디오의 방송망. **2**〔컴〕인터넷 정보를 동(動)영상이나 문자·그래픽·음성 등의 멀티미디어 환경으로 찾아볼 수 있게 해 주는 인터넷 정보 검색 서비스를 이르는 말.

—サイト [web site] 图〔컴〕웹 사이트《웹 문서가 있는 서버(server)》.

__う-える__【植える】下1他 **1 심다. ㉠(초목·씨 등을) 키우려고 땅속에 묻다. ¶庭に木を～ 뜰에 나무를 심다. ㉡(사상 따위를) 불어넣다. ¶道徳観念を～ 도덕 관념을 불어넣다. **2** (작은 것을) 끼워 넣다. ＝いれこむ·はめ込む. ¶活字を～ 식자(植字)하다 / 歯ブラシの毛を～ 칫솔의 (빽빽한) 털을 끼워 넣다. **3** 배양하다; 접종하다; 이식하다. ¶細菌を培養基に～ 세균을 배양기로 배양하다 / 種痘を～ 우두를 접종하다〔놓다〕/ 傷跡に皮膚を～ 흉터에 피부를 이식하다.

*__う-える__【飢える】《餓える》下1自 굶주리다. ¶農民が～ 농민이 굶주리다 / 愛情に～ 사랑에 굶주리다.

ウエルターきゅう【ウエルター級】图 웰터급. ▷welter weight.

うお【魚】图 물고기. ＝さかな. ¶～を釣る 물고기를 낚다. 参考 'うお'는 생물 또는 물건을 가리키고, 'さかな'는 음식물의 뜻으로 쓰는 일이 많음.

—と水 썩 가까운 사이; 수어지교.

—の水を得たよう 물고기가 물을 만

난 격; 때를 만나 생기가 넘치는 모양.
うおいちば【魚市場】名 어시장; 수산 시장. ＝魚市(うおいち)·魚河岸(うおがし).
うおうさおう【右往左往】名スル自 우왕좌왕. ＝うおうざおう. ¶出口(でぐち)が分(わ)からず～する 출구를 몰라 우왕좌왕하다.
ウオーゲーム [war game] 名 워 게임. 1 군대의 도상(圖上) 연습. 2 비디오 등의 전쟁을 다룬 게임.
ウオーター [water] 名 워터; 물. ¶アイス～ 아이스워터; 얼음물.
—フロント [waterfront] 名 워터프론트; 바다·강·호수에 접한 지역; 특히, 도시의 물가 지역. ¶～の再開発(さいかいはつ) 워터프론트의 재개발.
ウオーミング アップ [warming-up] 名スル自 워밍업; (경기 전에 몸을 푸는) 준비 운동. ＝ウオームアップ.
うおがし【魚河岸】名 (강변의) 어시장; 특히, 東京(とうきょう) 築地(つきじ)에 있는 중앙 어물 도매 시장을 가리킬 때가 있음. 注意 'かし'라고도 함. 参考 본디, 어물 시장은 강변에 있었던 데서.
ウオツカ [러 vodka] 名 보드카; 화주(火酒). ＝ウオトカ·ウォッカ.
ウオッチング [watching] 名 워칭; 관찰. ¶バード～ 새의 (생태) 관찰.
うおつり【魚釣り】名 낚시질. ＝さかなつり·つり.
うおのめ【魚の目】名 티눈. ＝鶏眼(けいがん). ¶足(あし)のうらに～ができた 발바닥에 티눈이 생겼다.
ウォン [한 원] 名 원《한국의 통화 단위》.
—やす【—安】名〔經〕원저(低); 원화 가격 하락.
うおんびん【ウ音便】名〔文法〕주로 'く' 'ぐ' 'ひ' 'び' 'み'의 음이 'う'로 변하는 음편《'お暑(あつ)くございます'가 'お暑(あつ)うございます'로 되고, 'かぐはし'가 'かうばし'로 되는 따위》.
うか【羽化】名スル自 우화; 번데기가 성충이 됨. ¶せみは早朝(そうちょう)に～する 매미는 새벽에 우화한다.
—とうせん【—登仙】名スル自 우화등선; 사람이 신선이 되어 하늘로 올라감《알맞게 취해 기분이 황홀함의 비유》.
うかい【う飼い】《鵜飼い》名 가마우지를 길들여서, 은어 따위 물고기를 잡게 하는 일; 또, 그것을 업으로 하는 사람. ＝鵜匠(うしょう).
*うかい [迂回] 名スル自 우회. ＝まわりみち. ¶～道路(どうろ) 우회(도)로 / 山(やま)を～して行(い)く 산을 우회하여 가다. ↔直行(ちょっこう).
*うがい 〖嗽·含嗽〗名スル自 양치질. ¶外(そと)から帰(かえ)ったら必(かなら)ず～(を)する 밖에서 돌아오면 반드시 양치질한다.
*うかうか 副スル自 1 아무 생각 없이 행동하는〔지내는〕 모양; 헛되이. ¶仕事(しごと)をせずに～と暮(く)らす 하는 일 없이 헛되이 지내다. 2 얼떨결에; 무심코. ¶つい～と手(て)を出(だ)した 얼떨결에〔무심코〕 손을 내밀었다 / ～と秘密(ひみつ)を漏(も)らす 무심코 비밀을 누설하다. 3 멍청하니 있는 모양. ¶～すると人(ひと)にだまされる 멍청하게 굴면 남에게 속는다.
うかがい【伺い】名 1 상급 관청이나 상사의 지시·설명을 바람; 품의(稟議). ¶～書(しょ) 품의서 / 進退(しんたい)～ 진퇴(를) 품의(함). 参考 '進退伺'등 신고서에서는 보통 送(おく)りがな를 생략함. 2《'お～'의 꼴로》 방문의 겸사말. ¶あすお～いたします 내일 방문하겠습니다.
*うかが-う【伺う】一 5他 '問(と)う(＝묻다)'·'聞(き)く(＝듣다)'의 겸사말; 품의(稟議)하다; (윗사람 등의 의견·지시를 받으려고) 물어보다. ¶お話(はなし)を～ 말씀을 듣다 / ちょっと～·いますが… 잠깐〔좀〕 물어보겠습니다만….
二 5自 '訪問(ほうもん)する(＝방문하다)'의 겸사말. ¶お宅(たく)に～·いましょう 댁으로 찾아 뵙겠습니다. 参考 'お伺いする'는 이중 겸양어이지만 흔히 쓰임. 可能 うかが-える 下1自
⁑うかが-う 〖窺う〗 5他 엿보다; 살피다; (기회를) 노리다. ¶すき間(ま)から中(なか)を～ 틈새로 안을 엿보다 / 顔色(かおいろ)を～ 안색을 살피다 / 好機(こうき)を～ 호기를 노리다〔엿보다〕.
うかさ-れる【浮かされる】下1自 1 마음이 들뜨다. ¶人気(にんき)に～ 인기가 올라가 마음이 들뜨다. 2 (고열 등으로) 의식이 흐릿해지다. ¶熱(ねつ)に～·れてうわ言(ごと)を言(い)う 고열로 의식이 흐릿해져서 헛소리를 하다.
*うか-す【浮かす】5他 1 뜨게 하다; 띄우다; 겉에 나타내다. ¶水上(すいじょう)に船(ふね)を～ 물 위에 배를 띄우다 / 額(ひたい)に汗(あせ)を～ 이마에 땀방울이 맺히다. ↔沈(しず)める. 2 (시간·경비를) 남도록 짜내다; 여분을 남기다. ¶時間(じかん)を～ 시간을 짜내다 / 出張(しゅっちょう)旅費(りょひ)を三万円(さんまんえん)～ 출장 여비를 3만 엔 남도록 하다.
うか-せる【浮かせる】下1他 ☞うかす.
うかつ 〖迂闊〗 名ダナ 우활. 1 물정에 어두움. ¶世間(せけん)の事(こと)に～な男(おとこ) 세상 물정에 어두운 사내. 2 주의가 부족하고 멍청한 모양. ¶～な事(こと)をする 멍청〔부주의〕한 짓을 하다.
うが-つ 〖穿つ〗 一 5他 〈雅〉 (구멍을) 뚫다; 꿰뚫다; (도리를) 파고들다. ¶点滴(てんてき)石(いし)を～ 낙숫물이 돌을 뚫는다.
二 5自 핵심을 찌르다; 진상을 정확하게 지적하다. ¶～·った批評(ひひょう) 정확한 비평 / なかなか～·ったことを言(い)う 맞는〔핵심을 찌르는〕 소리를 하다. 可能 うが-てる 下1自
うかぬかお【浮かぬ顔】連語 우울한 얼굴; 근심스러운 얼굴. ¶～をしている 우울한 얼굴을 하고 있다.
うかば-れる【浮かばれる】下1自 1 죽은 사람의 혼이 성불(成佛)하다. ¶これで仏(ほとけ)も～ことだろう 이것으로 고인도 성불하시겠지. 2 체면〔면목〕이 서다. ¶汚名(おめい)をそそがなければ～·れない 오

명을 씻지 않으면 체면이 안 선다.

*うかびあが-る【浮かび上がる】5自 **1** 떠오르다. ㉠(가라앉았던 것이) 물 위에 드러나다. ¶沈没(ちんぼつ)した船(ふね)が～ 침몰했던 배가 떠오르다. ㉡표면에 부상하다. ¶捜査線上(そうさせんじょう)に～ 수사 선상에 떠오르다/輪郭(りんかく)が～ 윤곽이 떠오르다. **2** 불우한 처지에서 출세하다. ¶最下位(さいかい)から～ 최하위에서 출세하다.

うか-ぶ【浮かぶ】5自 **1 뜨다. ¶雲(くも)が～ 구름이 뜨다/海(うみ)に～ 바다에 뜨다. ↔沈(しず)む. **2** 떠오르다. ㉠(표면에) 나타나다. ¶涙(なみだ)が目(め)に～ 눈물이 어리다/容疑者(ようぎしゃ)が～ 용의자가 떠오르다. ㉡생각나다; (머리에) 떠오르다. ¶名案(めいあん)が～ 명안이 떠오르다.

*うか-べる【浮かべる】下1他 **1** 뜨게 하다; 띄우다. ¶湖上(こじょう)に舟(ふね)を～ 호수 위에 배를 띄우다. ↔沈(しず)める. **2** (생각을) 떠올리다; 생각해 내다. =思(おも)いだす. ¶母(はは)の面影(おもかげ)を～ 어머니의 모습을 떠올리다. **3** (표면에) 나타내다. ¶笑(え)みを～ 미소 짓다/涙(なみだ)を～ 눈물을 보이다.

*うか-る【受かる】5自 〈口〉 합격되다. =パスする. ¶入学試験(にゅうがくしけん)に～ 입학 시험에 합격되다.

うか-れる【浮かれる】下1自 들뜨다. **1** 신이 나다. ¶喜(よろこ)びに～ 기뻐서 신바람이 나다/酒(さけ)がまわると皆(みな)～ 술이 오르면 모두 마음이 들떠 신이 난다. **2** 마음이 들뜨다. ¶～·れて出歩(である)く 마음이 들떠서 나돌아다니다.

うがん【右岸】名 우안; (하류를 향하여) 오른쪽 강변. ↔左岸(さがん).

うき【浮き】名 **1** 《본디 '浮子'로도》 낚시찌; 부표. ¶～をつける 낚시찌를 달다/～が沈(しず)む 낚시찌가 가라앉다. **2** ☞うきぶくろ1.

うき【雨季·雨期】名 우계; 우기. ¶～に入(はい)る 우기에 접어들다/～になった 우기가 되었다. ↔乾季(かんき).

*うきあが-る【浮き上がる】5自 **1** 떠오르다. ㉠(수면에) 나타나다. ¶潜水艦(せんすいかん)が水上(すいじょう)に～ 잠수함이 물 위로 떠오르다. ㉡공중에 뜨다. **2** (사이가) 들뜨다. ¶土台(どだい)が～ 토대가 들뜨다. **3** (숨어 있던 사물이) 표면에 드러나다; 뚜렷해지다. ¶霧(きり)の中(なか)から人影(ひとかげ)が～ 안개 속에서 사람 모습이 드러나다. **4** 고립되다; 유리(遊離)하다. ¶急進的(きゅうしんてき)で大衆(たいしゅう)から～ 급진적이라 대중으로부터 외면당하다.

うきあし【浮き足】名 (발끝으로 서서) 지면을 꽉 밟지 않는 발. **1** 움직이려고 뒤축이 들린 발. ¶～で歩(ある)く 뜬 발로 걷다. **2** 막 도망치려는 태도. =逃(に)げ腰(ごし). ¶～になる 막 도망치려 하다.

―だ-つ【―立つ】5自 도망치려 하다; 침착을 잃다; 들떠 있다. ¶～·った守備(しゅび) 안정을 잃은 불안한 수비.

うきうき【浮き浮き】副 《흔히 'と'가 따라서》 신바람이 나서 마음이 들뜨는 모양. ¶気(き)も～と海(うみ)に行(い)く 신(바람)이 나서 바다에 가다/心(こころ)～と遊(あそ)びに出(で)る 들뜬 기분으로 놀러 나가다.

うきえ【浮き絵】名 원근법을 응용하여 그린 풍속화의 일종《요지경 속의 그림 따위》.

うきぎ【浮き木】名 부목(浮木); 강이나 바다에 떠 있는 나무. =ふぼく.

うきくさ【浮き草】名 부평초(浮萍草). **1** 수면에 떠 있는 풀의 총칭. **2** 〖萍〗〔植〕 개구리밥. **3** 불안정한 상태의 비유. ¶～の日々(ひび) 부평초처럼 불안정한 나날.

―かぎょう【―稼業】名 한군데 정착하지 못하는 불안정한 직업; 또, 그 사람 《떠돌아 다니는 연예인·도붓장수 따위》.

うきぐも【浮き雲】名 부운. **1** 뜬구름. **2** 불안정한 것의 비유. ¶～の生活(せいかつ) 불안정한 생활/～の身(み)の上(うえ) 뜬구름 같은 신세.

うきごし【浮き腰】名 **1** 여차하면 도망치려고 엉거주춤함. **2** 방침이 서지 않아 갈피를 잡지 못함. ¶～になる 이러지도 저러지도 못하다; 도망치려고 하다.

うきさんばし【浮き桟橋】名 방주·뗏목 따위를 띄워서 만든 부두.

うきしずみ【浮き沈み】名 ス自 부침. **1** 떴다 가라앉았다 함. ¶木(こ)の葉(は)が～しながら流(なが)れて行(い)く 나뭇잎이 물 위에 떴다 물속에 잠겼다 하면서 떠내려 가다. **2** 흥망성쇠; 영고성쇠. ¶～のはげしい事業(じぎょう) 부침이 심한 사업/～があるのは世(よ)の常(つね)だ 흥망성쇠는 세상의 상사이다.

うきだ-す【浮き出す】5自 **1** 떠오르다. ¶油(あぶら)が水面(すいめん)に～ 기름이 물 위에 떠오르다. **2** (무늬 따위가) 도드라지다. ¶彫刻(ちょうこく)が～·して見(み)える 조각이 도드라져 보이다.

うきた-つ【浮き立つ】5自 **1** 들뜨다; 흥분하다. =うきうきする. ¶春(はる)になると心(こころ)が～ 봄이 되면 마음이 들뜬다. **2** 돋보이다; 눈에 띄다. ¶派手(はで)なかっこうで一人(ひとり)だけ～ 화려한 차림새 때문에 유난히 혼자만 눈에 띈다.

うきな【浮き名】名 남녀 관계에 관한 소문; 염문; 사실무근의 뜬소문. ¶～が立(た)つ 염문이 나다/～を流(なが)す 염문을 퍼뜨리다; 뜬소문이 나게 하다. 参考 본디 '憂(う)き名(な)(=나쁜 소문)'의 뜻.

うきはし【浮き橋】名 부교; 주교(舟橋); 배다리. =船橋(ふなばし)·浮舟橋(ふしゅうきょう).

うきぶくろ【浮き袋】《浮き嚢》名 **1** 부낭(浮嚢); 부대(浮袋); 튜브. =うき. ¶水泳用(すいえいよう)～ 수영 튜브/救命用(きゅうめいよう)～ 구명 튜브. **2** 《'鰾'로도》 (물고기의) 부레. =ふえ.

うきぼり【浮き彫り】名 ス他 **1** 부조; 돋을새김; 또, 그 작품. =レリーフ·リリーフ. ¶～細工(ざいく) 돋을새김 세공/～にする 돋을새김으로 하다; 도드라지게 하다. ↔丸彫(まるぼ)り. **2** (비유적으로) 부각

시킴. ¶現代の不安を～にした作品 현대의 불안을 부각시킨 작품.

うきみ【憂き身】图 괴로운 신세; 고생〔쓰라림〕이 많은 신세.

—をやつす 근심 걱정으로 여위다; 전하여, 여윌 정도로 무엇인가에 열중〔몰두〕하다. ¶恋に～ 사랑에 열중하다; 애타게 사랑하다.

うきめ【憂き目】图 쓰라림; 괴로운 체험. ¶落選の～を見る 낙선의 쓰라림을 겪다.

うきよ【憂き世】图 쓰라린 세상.

うきよ【浮き世】图 **1** 덧없는 세상; 뜻대로 안되는 괴롭고 쓰라린 세상. 参考 불교에서 나온 말. **2** 이 세상; 속세. ¶～の煩わしさ 속세의 번거로움 / ～の辛酸をなめる 세상의 온갖 고초를 겪다. 参考 '浮き'는 '憂き(=괴로움)'와 엇걸린 말.

—の塵 이 세상의 번거로운 속사(俗事).

—え【—絵】图 **1** 江戸시대에 성행한, 유녀나 연극에서 제재(題材)를 따서 만든 풍속화. **2** 춘화(春畫).

—ぞうし【—草子·—草紙】图 江戸 시대 화류계를 중심으로 한 세태·인정 따위를 묘사한 소설.

****うーく**【浮く】⊟5自 **1** 뜨다. =うかぶ. ¶空に～·いた雲 하늘에 뜬 구름 / 舟が～ 배가 뜨다. ↔沈む. **2** 들뜨다. ㉠마음이 유쾌하다. ¶～·かぬ顔 우울한 얼굴; 심각한 표정. ↔沈む. ㉡(기초가) 흔들흔들하다; 흔들리다. ¶土台が～ 토대〔기초〕가 흔들거리다 / 前歯が～ 앞니가 흔들리다 / くぎが～ 못이 흔들리다. **3** (표면에) 나타나다. ¶脂が顔に～ 얼굴에 개기름이 끼다. **4** (마음이 들떠서) 경박하다. ¶～·いたうわさ (남녀 관계에 대한) 뜬소문. **5** (절약 등을 하여) 여분이 생기다; 남다. ¶費用が千円～ 비용이 천 엔 남다. **6** 근거가 없다; 걷잡을 수 없다. ¶宙に～·いた理論 근거 없는 이론.

うぐい〖鯎·石斑魚〗图〔魚〕황어. =はや·いだ·あかはら.

うぐいす〖鶯〗图 **1**〔鳥〕휘파람새. ¶梅に～ 매화에 휘파람새《서로 잘 어울리는 것의 비유》. 参考 딴 이름이 많으며, 이른 봄에 운다 하여 '春告げ鳥(=봄을 알리는 새)'라고도 함. **2** 〈俗〉 목소리가 고운 여자. ¶～嬢 (꾀꼬리같은) 장내 여성 아나운서.

—鳴かせた事もある **1** 한때는 전성시대도 있었다. **2** (지금은 나이 들었지만) 처녀 때에는 아주 예뻤다.

—ばり【—張り】图〔建〕마루청 까는 한 방법《밟으면 휘파람새 울음소리 같은 소리가 남》; 또, 그런 마루.

ウクレレ [ukulele] 图 우쿨렐레; 기타 비슷한 네 줄의 현악기《하와이의 원주민이 애용하는 악기》.

うけ【受け】图 **1** 받음; 또, 받는 것. ¶郵便～ (대문의) 편지통; 우편함 / 新聞～ 신문 투입구 / 一月十日～の書類 1월 10일 접수한 서류. ↔渡し. **2** 평판; 인기. ¶～がいい 평판이 좋다. **3** 떠맡음; 승낙함. ¶～の証文 승락서 / お～する 승낙하다.

うけ【請け】图 신원 등을 보증함; 또, 그 사람; 보증인. =請け人 ¶人の～に立つ 남의 보증을 서다.

うけ [有卦] 图 유괘; 행운; 운이 돌아와 좋은 일이 계속됨《본디, 陰陽道에서 사람이 타고 난 띠》. ↔無卦.

—に入る 행운을 만나다; 운수가 트이다. ¶企画が大あたりで, うけに入ったよ 기획이 크게 히트해서, 행운을 만났지요.

うけあい【請け合い】图 보증; 전하여, 절대 틀림없음. ¶失敗することは～だ 실패할 것은 뻔하다.

うけあーう【請け合う】5他 책임지고 맡다; 보증하다. ¶彼の金は～·って返済させます 그의 돈은 책임지고 갚게 하겠습니다 / 品質は～·います 품질은 보증합니다.

うけい【右傾】图ス自 우경; 우익화. ¶～した政策 우경화 정책. ↔左傾.

うけいれ【受け入れ】图 받아들임. **1** ㉠받아들여 돌보아 줌. ¶難民の～準備 난민을 받아들일 준비. ㉡수납함; 또, (회계 장부에서) 수입. ↔払い出し. **2** 들어줌; 승낙.

***うけいーれる**【受け入れる】《受け容れる》下1他 받아들이다. **1** 떠맡아 맞아들이다. ¶失業者を～用意 실업자를 받아들일 준비 / 難民を～ 난민을 받아들이다. **2** (남의 말을) 수락하다. =聞き入れる. ¶提案〔忠告〕を～ 제안을〔충고를〕받아들이다.

うけうり【受け売り】《請け売り》图 남의 말을 자기 생각인 것처럼 받아 옮김. ¶人の説を～する 남의 설을 그대로 받아 옮기다. 参考 본디는, 공장이나 도매상에서 받아 판다는 뜻.

***うけおい**【請負】图 청부; 도급. ¶～仕事 청부일; 도급일 / ～業 청부업 / ～に出す 도급을 주다.

—し【—師】图 청부〔도급〕업자.

うけおーう【請け負う】5他 청부 맡다. ¶家の建築を～·っている 가옥의 건축을 청부 맡고 있다. 注意 '受け負う'는 잘못.

うけぐち【受け口】图 **1** (우편물 등의) 투입구. ¶郵便受けの～ 우편함의 투입구. **2** 아랫입술이 윗입술보다 나온 입 모양. =うけくち.

うけこたえ【受け答え】图ス自 응답; 응수. ¶～がうまい 응답을 잘하다; 말을 잘 받아 넘기다.

うけざら【受け皿】图 **1** 받침접시. ¶コーヒーカップの～ 커피잔의 받침접시. **2** (비유적으로) 받아들이는 곳; 인수〔수용〕태세. ¶～会社 (채무 등의) 인수 회사 / 難民を迎える～がない 난민을 맞아들일 태세가 되어 있지 않다.

うけだ-す【請け出す】[5他] (전당 잡힌 것을) 돈을 치르고 되찾다. ¶質物を～ 전당 잡힌 것을 찾다.

*うけたまわ-る【承る】[5他] 1 '聞く'의 겸사말; 삼가 듣다; 배청하다. ¶ご意見を～·りたい 삼가 고견을 듣고자 합니다 / お元気だと～·っております 건강하시다고 듣고 있습니다. 2 '引き受ける'의 겸사말; 삼가 받다. ¶ご用命を～ 하명을 받다 / 先陣を～ 선봉을 떠맡다. 3 '伝え聞く(=전해 듣다)'의 겸사말; 듣자옵다. ¶～·りますればこのたびご栄転の由 듣자옵건대, 이번에 영전하셨다는 소식.

うけつ-ぐ【受け継ぐ】[5他] 계승하다; 이어받다. ¶遺志〔家業〕を～ 유지를〔가업을〕 계승하다 / 伝統を～ 전통을 이어받다〔계승하다〕.

**うけつけ【受付】[名] 1 접수. =受理. ¶～開始 접수 개시 / ～番号 접수 번호 / 願書の～期間 원서 접수 기간. 2 접수처〔인, 계〕. ¶病院の～ 병원의 접수처〔인〕 / ～で案内を請う 접수처에서 안내를 청하다.

**うけつ-ける【受け付ける】[下1他] 받아들이다. 1 접수하다. ¶入学願書を～ 입학 원서를 접수하다 / 電話でも～·けます 전화로도 접수합니다. 2 (약·음식 따위를) 잘 받다. ¶薬も～·けない 약도 잘 받지 않는다. 3 (남의 부탁이나 의견 등을) 받아들이다; 들어 주다. ¶返品を～ 반품을 받아들이다 / 抗議を全く～·けない 항의를 전혀 받아들이지 않다. [参考] 2,3은 흔히 否定의 꼴로 씀.

うけて【受け手】[名] 1 받는 이; 수취인. 2 (방송·통신 등의) 청취자. ↔送り手.

うけと-める【受け止める】[下1他] 1 받아내다; 전하여, (공격을) 막아내다. ¶野党の攻撃を～ 야당의 공격을 막아내다. 2 받아들이다. ¶前向きに～ 전향적으로 받아들이다 / 事態を深刻に～ 사태를 심각하게 받아들이다.

**うけとり【受け取り】[名] 1 수취함; 받음. ¶代理人を～にやる 대리인을 보내어 받아오게 하다 / ～に行く 받으러 가다. 2【受取】영수증. ↔支払い.

―しょう【―証】[名] 영수증. =領収証·受領証. 「어음.

―てがた【―手形】[名]〔經〕수취〔받을〕

―にん【受取人】[名] 받는 사람; 수취인. ↔差出人.

**うけと-る【受け取る】[5他] 1 수취하다; 받다. ¶ボールを～ 공을 받다 / 代金を～ 대금을 받다. 2 해석하다; (그대로) 이해하다; 받아들이다. ¶何でも悪意に～ 무엇이건 악의로 해석하다 / お世辞をまともに～ 겉치레 말을 곧이듣다. 3 책임지고 떠맡다. =引き受ける. [注意] 흔히 '請け取る'로 씀.

うけなが-す【受け流す】[5他] 받아넘기다. 1 공격해 오는 칼을 받아서 피하다. ¶鋭い切っ先を軽く～ 예봉을 가볍게〔살짝〕 피하다. 2 건성으로 적당히 다루다〔받아넘기다〕. ¶不平を適当に～ 불평을 적당히 받아넘기다 / 柳に風と～ 버드나무에 바람 불 듯이 슬쩍〔유연하게〕 받아넘기다.

うけはらい【受け払い】[名] 수불(受拂); 수납과 지불.

うけみ【受け身】[名] 1 소극적으로 남의 공격을 막는 입장; 수세; 수동. ¶～の姿勢 수동적인 자세. 2〔文法〕수동태. ¶～の形にする 수동태로 만들다〔바꾸다〕. 3 (유도에서) 낙법.

うけもち【受け持ち·受持ち】[名] 담당함; 담당한 일; 담임; 담당자. ¶～の先生 담임 선생 / 会計は彼の～だ 회계는 그의 담당이다.

*うけも-つ【受け持つ】[5他] 맡다; 담당〔담임〕하다. ¶英語の授業を～ 영어 수업을 맡다 / 三年一組を～ 3학년 1반을 담임하다.

**う-ける【受ける】㊀[下1他] 1 받다. ㉠주는〔오는〕 것을 받다. ¶ボール〔お金〕を～ 공〔돈〕을 받다 / 母の血を～·けて詩才がある 어머니의 핏줄을 받아 시재가 있다. ㉡응하다. ¶敬礼を～ 경례를 받다 / 注文を～ 주문을 받다. ㉢작용을 입다. ¶命令を～ 명령을 받다. 2 이어받다. ¶親の後を～ 어버이의 뒤를 이어받다. [注意] 본디 '承ける'로 썼음. 3 받아들이다. ㉠시인하다. ¶お～·けします 받아들이겠습니다; 시인합니다. ㉡해석하다. ¶真に～ 곧이듣다. 4 당하다. ¶あなどりを～ 모욕을 당하다 / おしかりを～ 꾸지람을 듣다. 5 치르다. ¶試験を～ 시험을 치르다. 6 누리다; 향유하다. ¶生を人の世に～ 인간 세상에 생을 누리다. [注意] 본디, '享ける'로 썼음.

㊁[下1自] (연극 등에서) 호평을 받다; 인기를 모으다. ¶大衆に～ 대중의 호평을 받다 / 大いに～·けた 크게 호평을 받았다 / この歌は子供に～ 이 노래는 아이들에게 인기가 있다.

―·けて立つ 도발에 응하다. ¶挑戦を～ 도전을 받아 이에 응하다.

う-ける【請ける】[下1他] 1 (돈을 치르고) 찾(아 내)다. ¶質種を～·け出す 전당 잡힌 것을 찾아 내다. 2 (도급)맡다; 인수하다. ¶得意先の仕事を～ 단골 거래처의 일을 맡다 / 急ぎの工事を～ 급한 공사를 도급 맡다.

うけわたし【受け渡し】[名][ス他] 수도; 수수(授受); 주고받음. ¶商品の～ 상품을 주고받음 / せりふの～がスムーズにいく 대사(臺詞)의 주고받음이 원활하게 이루어지다.

うげん【右舷】[名] 우현; 오른쪽 뱃전. ¶～に島が見える 우현 쪽에 섬이 보인다. ↔左舷.

うご【雨後】[名] 우후; 비온 뒤.

―の筍 우후죽순. ¶コンピューターは~のように普及した 컴퓨터는 우후죽순처럼 보급되었다.

うごうのしゅう [烏合の衆] [連語] 오합지졸. ¶~にすぎない軍隊 오합지졸에 불과한 군대.

**うごか-す【動かす】[5他] 움직이(게 하)다. ¶電車を~ 전차를 움직이다〔운전하다〕/~ことの出来ない事実 움직일 수 없는 사실/大金を~ (사업상) 큰돈을 움직이다〔굴리다〕/心を~ 마음을 움직이다〔감동시키다〕. [可能]うごか-せる[下1自]

*うごき【動き】[名] 움직임. ¶政局の~ 정국의 동향/体の~が鈍い 몸의 움직임이 둔하다/すばやい~を見せる 재빠른 움직임을 보이다.

―が取れない 움직일 수 없다; 진퇴유곡이다.

**うご-く【動く】[5自] 움직이다. 1 (위치·지위 등이) 옮아가다. ¶そこ~な 움직이지〔꼼짝〕 마라/停留所が~ 정류장이 딴 데로 옮겨지다. 2 (기계 따위가) 작동하다; 돌다. ¶機械が~ 기계가 움직이다. 3 (마음·물체가) 흔들리다. ¶金に心が~ 돈에 마음이 흔들리다/~·かない結論 움직일 수 없는 (확고한) 결론. 4 행동〔활동〕하다. ¶かげで黒幕が~ 뒤에서 막후 인물이 암약하다. [可能]うご-ける[下1自]

うこさべん [右顧左眄] [名][ス自] 우고좌면; 좌우고면. =さこうべん. ¶いたずらに~する 쓸데없이 우고좌면하다.

うごめか-す『蠢かす』[5他] 꿈틀거리게 하다; 벌름거리(게 하)다. ¶鼻を~ 코를 벌름거리다《뽐내는 뜻으로도 씀》.

うごめ-く『蠢く』[5自] 꿈실거리다; 꿈틀거리다; 준동하다. ¶芋虫が~ 잎벌레가 꿈실거리다/社会のどんぞこで~人々 사회의 밑바닥에서 우글거리는 사람들.

うさ【憂さ】[名] 괴로움; 근심. ¶酒で~を晴らす 술로 시름을 풀다/人生の~ 인생의 괴로움.

*うさぎ『兎·兔』[名] 토끼. ¶~跳び 토끼뜀/~狩り 산토끼 사냥/野~ 산토끼. [参考] 전에는, '一羽, 二羽, …'로 세었으나, 지금은 '一匹, 二匹, …'로 세는 것이 보통임.

うさばらし【憂さ晴らし】[名][ス自] (괴로움·근심 등을 잊기 위한) 기분 전환; 소창(消暢); 또, 그 수단. =気散じ·気晴らし. ¶~に酒を飲む 시름을 잊기〔달래기〕 위하여 술을 마시다.

うさん『胡散』[名ナ] 수상함; 미심쩍음. ¶~なやつ 수상한 놈. =胡乱.

―くさ-い『―臭い』[形] 어쩐지 수상쩍다. ¶うさんくさそうに見る 수상쩍어하는 눈으로 보다.

*うし【牛】[名] 소. ¶子~ 송아지/~をつなぐ 소를 매 놓다/~の乳をしぼる 소젖을 짜다.

―にひかれて善光寺参り 소에 이끌려 善光寺에 참배 가다《우연히 좋은 일을 함》; 동무 따라 강남 간다. [参考] 善光寺(=長野시에 있는 옛 절) 부근에 살던 욕심 많은 노파가 소에 이끌려 이 절 안에 들어가서 우연히 부처를 믿게 되었다는 고사에서 유래됨.

―の歩み 소걸음《일의 진행이 더딤을 뜻함》.

うし [丑] [名] 축; 소; 지지(地支)의 둘째《방위로는 북북동, 시각으로는 오전 2시》. ¶~の年 소해/~の日 축일. ⇨じゅうにし.

うじ【氏】[名] 1 (가계(家系)를 나타내는) 성씨. =名字. 2 가문; 문벌. 3 ☞しぞく(氏族).

―より育ち 가문보다 가정교육〔환경〕이 중요함.

うじ『蛆』[名]〔蟲〕 구더기. =うじむし. ¶男所帯に~がわく 홀아비 살림에 구더기가 끓는다〔이가 서 말〕.

うじうじ [副][ス自] 꾸물꾸물; 우물쭈물. =ぐずぐず. ¶~した態度 뜨뜻미지근한 태도/男のくせに~する 사내답지 못하게 우물쭈물한다/~(と)考えていてもしかたがない 우물쭈물 생각해 봤자 별 수 없다.

うしおい【牛追い】[名] (짐바리) 소몰이. =牛方·牛飼い.

うしがえる『牛蛙』[名]〔動〕 황소개구리. =食用がえる. [参考] 우는 소리가 소와 약간 비슷함.

うじがみ【氏神】[名] 그 고장의 수호신. =産土神. [参考] 본디는 씨족신.

うしごや【牛小屋】[名] (소의) 외양간.

うじすじょう【氏素性·氏素姓】[名] 가문; 문벌; 집안과 내력. ¶~も知れぬやつ 가문도 내력도 알 수 없는 놈.

*うしな-う【失う】[5他] 잃다. 1 잃어버리다. ¶金を~ 돈을 잃다/心を~ 정신 나가다; 평정을 잃다/気〔道〕を~ 의식〔길〕을 잃다/生きるすべを~ 생계를 잃다. 2 사별하다; 여의다. ¶母を~ 어머니를 여의다/愛児を~ 사랑하는 자식을 잃다. 3 놓치다. ¶機会を~ 기회를 놓치다/大事な試合を~·った 중요한 시합을 놓쳤다.

うしみつ [丑三つ] [名] 축시를 넷으로 나눈 셋째 시각《오전 2시부터 2시 반》; 야밤중. ¶草木も眠る~どき 초목도 잠자는〔고요한 깊은〕 야밤중.

うじむし【うじ虫】《蛆虫》[名] 1 ☞うじ(蛆). 2 쓸모없는 놈《욕으로 하는 말》. ¶~どもめ 이 구더기같은 놈들아.

うしや【牛屋】[名] 1 외양간. =牛小屋. 2 소장수; 소장사.

うじゃうじゃ [副] 1 (벌레 따위가) 꿈실대는 모양: 우글우글. =うざうざ·うようよ. ¶みみずが~している 지렁이가 우글거리고 있다/人が~する 사람이 시글시글하다. 2 같은 말을 되풀이하는 모양: 중언부언; 주절주절. ¶~と, ぐちをならべる 중언부언 푸념을 늘어놓다.

**うしろ【後ろ】[名] 1 뒤. ¶~の列 뒷줄/一歩~に下がる 한 걸음 뒤로 물러

서다. **2** 뒤쪽; (물건의) 그늘. ＝かげ. ¶木の～にかくれる 나무 뒤에 숨다 / 机の～に落ちている 책상 뒤(쪽)에 떨어져 있다. **3** 등; 뒷모습. ¶～を見送る 뒷모습을 지켜보다. ⇔前.
—を見せる **1** 등을 보이다《도망치기 시작하다》. **2** 약점을 보이다.

うしろあし【後ろ足】图 뒷발; 뒷다리. ↔前足.
—を踏む 주저하며 나아가지 않다.

うしろかげ【後ろ影】图 뒷모습. ¶～を見送る 뒷모습을 바라보다.

うしろがみ【後ろ髪】图 뒷머리(털).
—を引かれる 뒷머리를 끌리는 것 같다; 미련이 남(아서 떨쳐버릴 수 없)다. ¶～思いで出発する 떨쳐버리기 어려운 미련을 남긴 채 떠나다.

うしろきず【後ろ傷】《後ろ疵》图 도망칠 때 등뒤로 입은 칼의 상처. ↔向こう傷. 參考 무사에게는 치욕이 되었음.

うしろぎたなーい【後ろぎたない】《後ろ穢い》形 하는 짓이 더럽다〔비열하다〕.

うしろぐらーい【後ろ暗い】形 떳떳하지 못하다; 뒤가 구리다. ¶～ところはない 떳떳지 못한 점은 없다 / ～ところがあると見えて落ち着かない 떳떳하지 못한 데가 있는지 침착하지 못하다.

うしろすがた【後ろ姿】图 뒷모습. ¶～は父にそっくりだ 뒷모습은 아버지를 빼닮았다 / ～に見覚えがある 뒷모습을 본 기억이 있다.

うしろだて【後ろ盾】《後ろ楯》图 뒷배; 후원(자); 백. ¶～になる 후원자가 되다 / 有力な～がある 유력한 백이 있다. 參考 본디는, 뒤쪽을 막는 뒷방패.

うしろで【後ろ手】图 **1** 뒷짐. ¶～にしばる〔組む〕 뒷짐결박을 하다〔뒷짐을 지우다〕. **2** 뒤(쪽); 배면(背面). ¶～に投げる 뒤쪽으로 던지다 / 相手の～にまわる 상대의 뒤쪽으로 돌다.

うしろはちまき【後ろ鉢巻き】图 뒤통수에서 맨 머리띠. ↔向こう鉢巻き.

うしろまえ【後ろ前】图 앞뒤가 바뀜. ¶帽子を～にかぶる 모자를 뒤가 앞으로 오게 쓰다.

うしろむき【後ろ向き】图 **1** 등을 돌림. ¶背中を流なせと～になる 등을 밀라고 등을 돌리다. **2** (발전·진보 등에) 역행함; 소극적임. ¶～の考え方 소극적인 의견〔생각〕 / ～の政策だ 퇴행적인 정책이다. ⇔前向き.

うしろめたーい【後ろめたい】形 버젓〔떳떳〕하지 못하다; 뒤가 켕기다. ¶～·くて言い出せなかった 양심에 찔려 말이 안나왔다 / 悪口を言った人に御馳走になるのは～ 욕을 한 사람에게 대접을 받는 일은 꺼림칙하다.

うしろゆび【後ろ指】图 뒷손가락질.
—を指される 뒷손가락질을 받다. ¶私は決して人に～ようなことは致しません 나는 결코 남의 뒷손가락질을 받을 만한 일은 하지 않습니다.

うす〖臼〗图 **1** 절구. ¶庭に～を据えてもちをつく 뜰에 절구를 놓고 떡을 치다. ↔きね. **2** 맷돌.

うす=【薄】**1** 얇은. ¶～紙 얇은 종이. **2**《名詞·形容詞에 붙어서》 정도가 적은. ㉠엷은; 연한. ¶～紅 연분홍 / ～味 엷은 맛. ㉡적은; 약간. ¶～明かり 희미한 빛 / ～ばか 얼간이. ㉢어쩐지. ¶～汚い 지저분하다; 추레하다.

=うす【薄】 정도가 적음; 그다지 …이 없음. ¶見込み～ 희망이 적음 / 気乗り～ (a)흥미가 별로 없음; (b)상거래가 부진함 / 効果～ 효과가 그다지 없음. 注意 名詞에 따라갈 때는 '～な' '～の'의 꼴을 취함.

***うず**【渦】图 **1** 소용돌이; (비유적으로) 와중. ＝うずまき. ¶争いの～に巻き込まれる 분쟁의 와중에 휩쓸려 들다. **2** 소용돌이 모양의 무늬.

うすあかり【薄明かり】图 박명. **1** 희미한 빛; 희미하게 밝음. **2** (해돋이 전이나 해가 진 후의) 어스름. ＝薄明. ¶夜明けの～ 새벽녘의 어스름.

うすあじ【薄味】图 담박한 맛. ¶主人は～が好きなんです 남편은 담박한 맛을 좋아한답니다.

****うすーい**【薄い】形 **1** 얇다. ¶～紙〔ふとん〕 얇은 종이〔이부자리〕. ↔厚い. **2** 정도·밀도가 적다. ㉠(색·맛이) 담박하다; 연하다. ¶～しょうゆ 싱거운 간장 / ～色 엷은 색깔 / 影が～ (a)기운이 없다; (b)(존재가) 두드러지지 않다. ↔濃い. ㉡적다; 박하다. ¶利〔人情〕が～ 이문이〔인정이〕 박하다 / ちえの～子 좀 아둔한 아이. ㉢성기다. ¶～ひげ 성긴 수염. ↔濃い. ㉣관계가 약하다. ¶縁が～ 인연이 멀다.

うすい【雨水】图 우수. **1** 빗물. ＝あまみず. **2** 24절기의 하나.

うすうす〖薄薄〗副 희미하게; 어렴풋이; 어슴푸레하게. ¶～感づく 어렴풋이 감지하다 / ～知っていた 어렴풋이 알고 있었다.

うずうず トス自 (…을 하고 싶어) 좀이 쑤시는 모양; 근질근질. ＝むずむず. ¶遊びに出たくて～(と)する 놀러 나가고 싶어서 좀이 쑤시다.

うすぎ【薄着】图ス自 (추울 때에도) 옷을 얇게 입음. ¶だての～ (추운 데도) 멋내려고 얇게 입은 옷 / ～して風邪を引く 옷을 얇게 입어 감기에 걸리다. ↔厚着.

うすぎたなーい【薄汚い】形 지저분하다; 추레하다. ¶～部屋 누추한 방 / いつも～格好をしている 언제나 꾀죄죄한 꼴을 하고 있다.

うすぎぬ【薄ぎぬ】《薄衣》图 얇은 옷. ＝「うすごろも.

うすきみわるーい【薄気味悪い】形 어쩐지 기분이 나쁘다; 섬뜩하다. ¶～笑い 어쩐지 기분 나쁜 웃음 / ～ほら穴 어쩐지 무시무시한〔으스스한〕 동굴 / 何だか～·くなってきた 어쩐지 기분이 으스스해지기 시작했다.

うず-く 〖疼く〗 5自 쑤시다; 동통(疼痛)을 느끼다. ¶古傷がが～ 옛 상처가 쑤시다 / 失恋して心が～ 실연해서 마음이 아프다.

うすくち【薄口】 名 1 (국·찌개 등의 맛이) 담박한 것. 2 (간장 등의) 빛깔과 맛이 묽은 것. ¶～のしょうゆ 묽은 간장. ↔濃い口.

*うずくま-る 〖蹲る·踞る〗 5自 웅크리다; 쭈그리고 앉다; (짐승이) 앞발을 구부리고 배를 바닥에 깔다. ¶縁の下に犬が～·っている 툇마루 밑에 개가 웅크리고 있다.

うすぐも【薄雲】 名 엷게 낀 구름.

うすぐもり【薄曇り】 名 약간 흐림; 또, 그런 날씨. ¶空が～になる 하늘이 약간 흐려지다 / 今日は～だ 오늘은 약간 흐리다.

*うすぐら-い【薄暗い】 形 좀 어둡다; 어스레하다; 어둑어둑하다; 침침하다. ＝ほの暗い. ¶～部屋 어둑어둑한 방 / まだ～うちに出かける 아직 어둑어둑한 사이에 출발하다.

うすげしょう【薄化粧】 名 ス自 엷은 화장. ¶～して客を迎える 엷은 화장을 하고 손님을 맞다. ↔厚化粧.

うすごおり【薄氷】 名 박빙; 살얼음. ¶今朝池に～が張った 오늘 아침 연못에 살얼음이 얼었다.

うすじ【薄地】 名 (천 따위의 두께가) 얇음; 또, 얇은 것〔천〕. ¶～のウール 얇은 모직물. ↔厚地.

うすじお【薄塩】 名 1 맛이 싱거움. ＝甘塩. ¶～の料理 싱거운 요리. 2 육류나 야채에 소금을 엷게 뿌려 둠; 얼간. ¶～で一晩おく 얼간을 해서 하룻밤 두다.

うずたか-い 〖堆い〗 形 쌓여서 높다; 산더미 같다. ¶～本の山 산더미 같은 책더미 / 書類が～·く積んである 서류가 수북이 쌓여 있다.

うすっぺら【薄っぺら】 ダナ 1 얄팍함. ¶～な布団 얄팍한 이부자리. 2 (인품 등이) 경박함. ¶～な人 경박한 사람 / ～な知識 얄팍한 지식.

うすで【薄手】 ㊀ 名ナ 1 (목재·종이·도자기 등이) 얇음; 얄팍함; 또, 그러한 물건. ¶～の生地 얇은 옷감 / ～の茶碗 얄팍한 공기. ↔厚手. 2 조잡함; 천박함. ¶～な思想 천박한 사상.
㊁ 名 가벼운 상처; 경상. ¶～を負う 경상을 입다. ↔深手.

うすにび【薄にび】〖薄鈍〗 名 연한 쥐색. ¶～の喪服 연한 쥐색 상복.

うすのろ【薄のろ】〖薄鈍〗 名ナ 지능이 좀 낮고 둔함; 또, 그러한 사람; 얼간이; 멍텅구리. ＝薄ばか. 「のろ.

うすばか【薄ばか】〖薄馬鹿〗 名 ☞うす

うすび【薄日】〖薄陽〗 名 엷은〔약한〕 햇살. ¶～がさす 엷은 햇살이 비치다 / 雲間から～がもれる 구름 사이에서 엷은 햇살이 새어 나오다.

うすべった-い【薄べったい】 形 '薄い'의 힘줌말: 얄팍하다. ¶～給料袋 얄팍한 월급 봉투.

うすぼ-ける【薄ぼける】 下1自 희미해지다; 흐릿하게 바래다. ¶～けた写真 희미하게 바랜 사진 / 記憶が～ 기억이 희미해지다.

うすぼんやり【薄ぼんやり】 副 희미한 모양; 으스름한 모양. ¶～した月 으스름달 / 記憶が～としている 기억이 희미하다.

*うずまき【渦巻き】 名 1 ☞うず. 2 소용돌이치는 형상. ¶～の模様 소용돌이 무늬 / ～デモ 파상 데모.

うずま-く 【渦巻く】 5自 1 소용돌이치다. ¶濁流〔火炎〕が～ 탁류가〔불길이〕 소용돌이치다. 2 혼란스럽고 수습이 잘 안 되다. ¶雑事に追われ頭の中が～·いている 잡일에 쫓겨 머릿속이 혼란스럽다.

うすま-る【薄まる】 5自 (농도가) 엷어지다. ¶色〔味〕が～ 빛깔〔맛〕이 엷어지다.

**うずま-る 〖埋まる〗 5自 1 (파)묻히다. ＝うずもれる. ¶花束に～ 꽃다발에 (파)묻히다 / がけ崩れで家が～ 벼랑이 무너지는 사태로 집이 묻히다. 2 (장소가) 꽉 차다. ¶会堂が人で～ 회당이 사람으로 꽉 차다.

うすめ【薄め】 名ナ 1 (빛깔·맛 등이) 비교적 엷음〔묽음〕. ¶～のコーヒー 좀 묽은 커피 / 色を～に塗る 색을 좀 연하게 칠하다. ↔濃いめ. 2 두께가 비교적 얇음. ¶肉を～に切る 고기를 좀 얇게 썰다. ↔厚め. 参考 'め'는 접미어.

うすめ【薄目】 名 조금 뜬 눈; 실눈. ¶～を明ける 실눈을 뜨다 / ～で見る 실눈을 뜨고 보다.

*うす-める【薄める】 下1他 (물 따위를 타서 빛깔·맛을) 엷게 하다. ¶水で〔水を割って〕～ 물을 타서 묽게 하다.

**うず-める 〖埋める〗 下1他 1 묻다; 매장하다. ¶宝物を～ 보물을 묻다 / 骨を～ (a)뼈를 (그 고장에) 묻다; 죽다; (b)정년이 될 때까지 그 직장에서 근무하다 / ふとんの中にすっぽりからだを～ 이불 속에 폭 몸을 파묻다《머리까지 이불을 덮다》. 参考 넓은 뜻으로는 'うめる'와 같은 뜻으로 쓰임. 2 메우다; 채우다; 보충하다; 가득하게 하다; 뒤덮다. ¶花で～ 꽃으로 뒤덮다 / 赤字を～ 적자를 메우다 / 広場を～·めた大群衆 광장을 메운 대군중.

うずも-れる 〖埋もれる〗 下1自 (파)묻히다. ¶家が雪に～ 집이 눈에 파묻히다 / 人波に～ 인파에 파묻히다 / ～·れた人材 묻혀 있는 인재; 빛을 못 보고 있는 인재.

うすよご-れる【薄汚れる】 下1自 좀 더러워지다; 꾀죄죄한 느낌이 있다. ¶～·れた着物を着ている 꾀죄죄한 옷을 입고 있다.

うすら=【薄ら】 **1** 엷은; 얇은. ¶～衣ごろも 얇은 옷. **2** 희미한. ¶～明あかり 희미한 빛; 박명(薄明). **3** 어쩐지; 좀. ¶～寒さむい 좀 춥다; 으스스하다.

うずら 〖鶉〗 名 〖鳥〗 메추라기.

うすら-ぐ【薄らぐ】 5自 조금씩 엷어지다; 덜해지다; 줄어들다; 희박해지다. ＝薄うすれる. ¶痛いたみが～ 아픔이 덜해지다 / 寒さむさが～ 추위가 누그러지다 / 霧きりが～ 안개가 걷혀 가다 / 危険きけんが～ 위험이 줄어들다 / 道徳観念どうとくかんねんが～ 도덕관념이 희박해지다.

うすらさむ-い【薄ら寒い】 形 으스스 춥다; 으스스하다. ¶～朝あさだ 으스스 추운 아침이다 / 日ひがかげって～·くなった 그늘이 져 으스스 추워졌다.

うす-れる【薄れる】 下1自 (농도가) 엷어〔묽어〕지다; (정도가) 희미해지다; 약해지다; 점차로 줄다. ¶霧きりが～ 안개가 점차 걷히다 / 視力しりょくが～ 시력이 약해지다 / 苦くるしみが～ 고통이 줄어들다 / 記憶きおく〔公私こうしのけじめ〕が～ 기억〔공사의 구별〕이 희미해지다.

うすわらい【薄笑い】 名 남을 비웃는 듯한 웃음; 엷은 웃음. ¶問といには答こたえず～を浮うかべている 물음에는 대답하지 않고 엷은 웃음을 띠고 있다.

うせつ【右折】 名 ス自 우회전. ¶～禁止きんし 우회전 금지《게시》 / 車くるまが～する 차가 우회전하다. ↔左折させつ.

う-せる 〖失せる〗 下1自 **1** 없어지다; 안 보이다; 사라지다. ＝なくなる. ¶机つくえの上うえの本ほんが～ 책상 위의 책이 없어지다 / 血ちの気けが～ 핏기가 사라지다. **2** 〈俗〉 가다; 떠나다. ¶出でて～·せろ 나가 없어져라 / とっとと～·せやがれ 냉큼 꺼져 버려라; 썩 물러나지 못할까.

⁑うそ 〖嘘〗 名 **1** 거짓말. ＝そらごと·虚言きょげん. ¶～をつく 거짓말하다 / 大雨おおあめが～のように晴はれ上あがった 큰비가 거짓말처럼 싹 개었다. **2** 틀림; 잘못. ¶この答こたえは～だ 이 답은 틀린다 / ～字じ 틀린 글자. **3** 《'…のは〔ては〕～だ' 등의 꼴로》 적당하지 않음; 알맞지 않음. ¶株かぶを今いま売うるのは～だ 주식을 지금 파는 것은 적당하지 않다〔손해다〕. 参考 현대의 젊은 여성의 회화에서는, 'ウッソー'라 하여 가벼운 놀람을 나타내는 感動詞적 용법도 있음.

──から出でた実まこと 거짓말한 것이 뜻밖에 사실이 되는 일.

──も方便ほうべん 거짓말도 하나의 방편.

──をつけ 거짓말 작작해. ＝うそを言いえ. 参考 '嘘をつく'의 명령형으로서, 상대방이 거짓말하는 것을 나무라는 말; 여성어는 'うそ(を)おっしゃい'.

うそいつわり【うそ偽り】《嘘偽り》 名 'うそ1'의 힘줌말. ¶～は申もうしません 거짓말은 하지 않습니다.

うそうそ 副 안정되지 않은 모양; 불안해 하는 모양; 두리번두리번. ＝そわそわ. ¶～(と)あたりを見みまわす 두리번두리번 주위를 둘러보다.

うぞうむぞう【有象無象】 名 유상무상; 어중이떠중이. ¶～の集あつまり 어중이 떠중이들의 집합 / みんな～ばかりだ 모두 어중이떠중이뿐이다.

うそく【右側】 名 우측. ＝みぎがわ. ¶～通行つうこう 우측 통행《게시》. ↔左側さそく.

うそさむ【うそ寒】 名 **1** 으스스한 추위. **2** 가을 들어 처음 겪는 추위.

うそさむ-い【うそ寒い】 形 으스스하다; 좀 춥다. ＝うすら寒さむい·うす寒い. ¶どんより曇くもって～日ひ 잔뜩 흐리고 으스스 추운 날.

***うそつき** 〖嘘吐き〗 名 거짓말쟁이; 거짓말을 함. ¶あの男おとこは～だから信用しんようできない 저 남자는 거짓말쟁이니까 믿을 수 없다 / ～は泥棒どろぼうのはじまり 거짓말하는 것은 도둑질의 시초.

うそっぱち 〖嘘っぱち〗 名 〈俗〉 'うそ(＝거짓말)'의 힘줌말: 새빨간 거짓말. ¶とんだ～だ 말도 안 되는 거짓말이다. 注意 '嘘っ八'라고도 씀.

うそのかわ【うその皮】《嘘の皮》 名 〈俗〉 새빨간 거짓말. ＝うそっぱち. ¶～がはがされる 거짓말임이 완전히 드러나다 / ～をひんむく 거짓말을 폭로하다.

うそはっけんき【うそ発見器】《嘘発見器》 名 거짓말 탐지기.

うそはっぴゃく【うそ八百】《嘘八百》 名 거짓말투성이; 새빨간 거짓말. ¶～を並ならべる 온갖 거짓말을 늘어놓다. 参考 '八百'는 '수가 많다'는 뜻.

うそぶ-く 〖嘯く〗 5自 **1** 모르는 체하다. ¶何なに食くわぬ顔かおで～ 시치미떼고 모르는 체하다. 参考 'そらうそぶく'의 준말. **2** 큰소리치다; 호언장담하다. ¶天下てんかはおれの物ものだと～ 천하는 내 것이라고 큰소리치다.

⁑うた【歌】 名 **1** 노래. ¶～がうまい 노래를 잘하다 / ～を歌うたう 노래를 부르다. **2** 단가(短歌); (5 7 5 7 7의 31 음의) 和歌わか; 넓은 뜻으로는, 시(詩). ¶～を詠よむ 시를 읊다.

──にばかり歌うたう 구호〔말〕뿐이고 실행하지 않다.

うたいあ-げる【歌い上げる】 下1他 **1** 소리높이 (끝까지) 노래하다. **2** 시·노래로 나타내다. ¶情感じょうかんを～ 정감을 노래하다. **3** (특징·효능 등을) 요란하게 떠들어대다〔선전하다〕. ¶新製品しんせいひんの性能せいのうの良よさを～ 신제품의 성능의 우수성을 요란하게 선전하다.

うたいて【歌い手】 名 가수; 노래 잘하는 사람. ¶なかなかの～ 대단한 가수 / オペラの～になる 오페라 가수가 되다.

うたいもんく【うたい文句】《謳い文句》 名 (사람의 주의를 끌기 위한) 글귀; 캐치프레이즈. ＝キャッチフレーズ. ¶広告こうこくの～ 광고의 선전 문구.

⁑うた-う【うたう·歌う】 一 5他 **1** 《唄う·唱う》 가락을 붙여 노래 부르다. ¶歌うたを～ 노래를 부르다. **2** 《詠う》 시가(詩歌)

를 짓다; 읊다. ¶海を～·った詩 바다를 읊은 시. [二] 5自 새가 지저귀다. ¶ひばりが～ 종달새가 지저귀다. 可能 うた-える 下1自

うた-う 〖謳う〗 5他 **1 구가(謳歌)하다; 칭송하다. ¶天子の徳を～ 천자의 덕을 칭송하다/才女と～·われる 재원이라고 칭찬이 자자하다. **2** 강조해서 말하다; 주장하다. ¶効能書きに～·ってある 효능서에 명시되어 있다/平和主義を～ 평화주의를 주장하다.

うだうだ 副 〈方〉 잔소리가〔말이〕 많은 모양: 이러니저러니; 주절주절. ¶つまらんことを～言うな 쓸데없는 소리를 주절거리지 마라. 参考 주로, 서부 지방의 말.

*うたがい【疑い】 名 **1** 의심. ¶～のまなざし 의심의 눈길/～がとける 의심이 풀리다/～を差しはさむ〔いだく〕 의심을 품다. **2** 혐의; 의심쩍은 점; 의문점. ¶盲腸炎の～がある 맹장염이 아닌가 싶다/～が晴れる 혐의가 풀리다/～がかけられる 혐의를 받다.

うたがいなく【疑い無く】 副 의심할 여지없이; 틀림없이. ¶～成功するだろう 틀림없이 성공할 것이다.

うたがいぶか-い【疑い深い】 形 의심이 많다. ＝うたぐり深い. ¶～人〔性格〕 의심 많은 사람〔성격〕/～目を向ける 의심에 찬 눈으로 보다.

うたが-う【疑う】 5他 **1 의심하다. ¶人〔目〕を～ 사람〔눈〕을 의심하다/事の成否を～ 일의 성부를 의심〔걱정〕하다. **2** (나쁜 쪽으로) 혐의를 두다. ¶彼を犯人かと～ 그를 범인이 아닌가 하고 의심하다. 可能 うたが-える 下1自

うたがき【歌垣】 名 옛날, (봄·가을에) 많은 남녀가 모여, 풍년을 미리 축하하고, 노래를 주고받으며 춤추고 놀던 행사. 参考 일종의 구혼(求婚) 행사이기도 했으며, 関東에선 嬥歌라고 했음.

*うたがわし-い【疑わしい】 形 의심스럽다; 믿어지지 않는다. ¶この新聞報道は～ 이 신문 보도는 의심스럽다/成功するかどうか～ 성공 여부가 의심스럽다.

うたくず【歌くず】《歌屑》 名 서투른 和歌.

うたぐりぶか-い【うたぐり深い】《疑り深い》 形 〈俗〉 ☞うたがいぶかい.

うたぐ-る 〖疑る〗 5他 〈俗〉 의심하다. ＝うたがう. ¶～·られて迷惑した 의심을 받아 곤혹스러웠다.

うたげ 〖宴〗 名 〈雅〉 연회; 잔치. ＝酒もり·酒宴·宴会. ¶婚礼の～ 혼례 잔치/～の後 성대한 잔치 뒤의 어딘가 서운한 느낌.

うたごえ【歌声】 名 노랫소리. ¶教室から～が聞こえてきた 교실에서 노랫소리가 들려 왔다.

うたごころ【歌心】 名 시정(詩情); 시심. ¶～のある人 시정이 있는 사람.

うたたね【うたた寝】 名 ス自 (잠자리가 아닌 데서 자는) 선잠; 얕은 잠. ＝かりね. ¶～をする 선잠 자다.

うだつ 〖梲〗 名〔建〕 동자기둥; 쪼구미.

―が上がらない 늘 눌려 있어 기를 못 펴다〔출세를 못하다〕. 参考 'うだつがあがる(＝상량(上梁)하다)'에서 나온 말.

うたびと【歌人】 名 **1** 和歌를 잘 짓는〔읊는〕 사람. **2** 시인(詩人).

うだ-る 〖茹る〗 5自 **1** ☞ゆだる. **2** 심한 더위로 나른해지다. ¶～ような暑さ 삭신이 늘어지는 듯한 더위/暑さに～ 더위에 축 늘어지다.

うたわ-れる 〖謳われる〗 下1他 **1** 구가(謳歌)되다; (좋은) 평을 받다. ¶令名〔名声〕を～ 영명〔명성〕을 떨치다/内外に～ (국)내외에 크게 알려지다. **2** 명문화되어 있다. ¶思想の自由は憲法に～·れている 사상의 자유는 헌법에 명문화되어 있다.

うち【内】 名 **1《中》 안(쪽); 내부; 속. ㉠ 옥내. ¶寒いから～で遊ぶ 추우니까 (집)안에서 놀다. ㉡ 마음속. ¶～の怒りを表わさない 마음속의 노여움을 나타내지 않다. ↔外. ㉢ 범위내. ¶この三人の～から選ぶ 이 3명 중에서 뽑는다/これも仕事の～だ 이것도 일 가운데 하나다. ㉣ 이내. ¶三日の～に終わる 사흘 안에 끝난다. ㉤ 이전(에). ¶暗くならない～に帰る 어둡기 전에 돌아가다. **2**《中》 사이; 동안. ¶朝の～に 아침 결에/若い～に勉強せよ 젊을 때에 공부하라. **3**《家》 집; 집안. ㉠【うち】 자기 집; 자기 가정. ¶～にはいる 집에 들어가다/～中で大騒ぎをする 온 집안에서 큰 소동을 벌리다/～を持つ 가정을 갖다. ㉡ 자기 남편·아내·가족. ¶～の人 우리집 양반《자기 남편》. ↔よそ. ㉢ 주택; 가옥. ＝家. ¶～を建てる 집을 짓다. **4**【うち】 (자기의) 동료·조직 등; 우리. ¶～の学校 우리 학교/その計画は～で立てよう 그 계획은 우리가〔우리끼리〕 세우자.

―を外にする 늘 바깥 출입만 하다《방탕자 따위》.

うち=【うち·打ち】《動詞 앞에서》 **1** 동작이 가벼움을 나타냄: 좀〔잠깐〕 …하다. ¶～見る 흘끗 보다. **2** 뜻을 세게 함: 잘; 완전히. ¶～しおれる 기가 푹 죽다/～笑う (한바탕) 웃어 버리다/～続く災難 잇따른 재난. 参考 현대어에서는 '～あける(＝고백하다)' '～切る(＝중단하다)' 등 여러 가지 새로운 뜻을 나타내는 경우가 많음.

うちあい【打ち合い·撃ち合い】 名 ス他 **1** (스포츠 등에서) 서로 침〔공격함〕. **2**【撃ち合い】 서로 사격함.

うちあ-う【打ち合う】 [一] 5自他 서로 상대를 때리다〔치다〕. ¶竹刀で～ 죽도로 서로 치다. [二]【撃ち合う·射ち合う】 5他 총포 따위를 쏘다. ¶ピストルを～ 서로 권총을 쏘다.

うちあげ【打ち上げ】 名 **1** 쏘아 올림; 발

사. ¶～台(로켓) 발사대 / ロケットの～は失敗した 로켓 발사는 실패했다. **2** 흥행의 끝; 끝막음((넓은 뜻으로는 일의 마감을 축하하는 연회나 바둑의 승부를 끝내는 일도 일컬음)). **3** ☞うちあげはなび.

――はなび【――花火】名 하늘 높이 쏘아 올리는 불꽃(놀이). ＝打ち上げ. ↔仕掛け花火.

うちあけばなし【打ち明け話】名 숨김없이 털어놓는 이야기. ¶夜遅くまで～をする 밤 늦게까지 속 얘기를 하다.

***うちあ-ける**【打ち明ける】下1他 (비밀·고민 등을) 숨김없이 이야기하다; 털어놓고 이야기하다. ¶身の上を～ 일신에 관한 일을 털어 놓고 이야기하다 / 本心を～ 본심을 털어놓다.

***うちあ-げる**【打ち上げる】㊀下1他 **1** 쳐올리다; 쏘아 올리다. ¶花火〔ロケット〕を～ 꽃불〔로켓〕을 쏘아 올리다. **2** (씨름·연극 등) 흥행·일 등을 끝마치다. ¶これで～げましょう 이것으로 끝내 버립시다. **3** (바둑에서) ㉠상대의 죽은 돌을 따내다. ㉡승부를 끝내다. **4** 파도가 물건을 해안으로 밀어 올리다. ¶暗礁に～げられた船 암초에 걸려 있는 배. ㊁下1自 (파도가 육지로) 밀어닥치다; (파도가 해안을) 때리다. ¶岸に～波 해안에 밀어닥치는 파도.

うちあわせ【打ち合わせ】名ス他 타합(打合); 협의; 미리 상의함. ¶～会 협의회 / 会議の議題を～する 회의의 의제를 미리 의논하다.

***うちあわ-せる**【打ち合わせる】下1他 **1** 타합하다; 미리 의논하다; 협의하다. ¶作戦を～ 작전을 협의하다. **2** 맞부딪치다. ¶杯を～ 잔을 맞부딪치다 / 石に鉄を～ 돌과 쇠를 맞부딪치다.

うちいり【討ち入り】名 쳐들어감. ¶赤穂義士の～ 赤穂 의사의 습격.

うちい-る【討ち入る】5自 쳐들어가다.

うちいわい【内祝い】名 **1** 집안끼리의 축하 행사. ¶入学の～をする 입학을 축하해 가족 잔치를 하다. **2** 자기·집안 사람의 (결혼·출생·병의 완쾌 따위) 경사를 기념하기 위하여 선사하는 일; 또, 그 선물.

うちうち【うちうち·内内】名 내밀히 함; 밖으로 드러나지 않게 함. ＝ないない·内輪. ¶～に相談する 내밀히 상의하다 / ～で父の還暦を祝う 집안끼리 부친의 환갑잔치를 하다.

うちうみ【内海】名 **1** 내해. ＝入り海·ないかい. ↔外海. **2**〈古〉호수.

うちおと-す【打ち落とす】5他 **1** 쳐서 떨어뜨리다. ¶首を～ 목을 베어 떨어뜨리다. **2** 두들겨 떨어뜨리다. ¶栗を～ 밤을 두들겨 떨어뜨리다. **3**【撃ち落とす·射ち落とす】쏘아 떨어뜨리다. ¶敵機を～ 적기를 격추하다.

うちかえ-す【打ち返す】5他 **1** 반격하다; 되받아치다〔넘기다〕. ¶ボールを～ 공을 되받아 넘기다. **2** (논밭을) 갈아 뒤집다. **3** (헌 솜을) 타다. ＝打ちなおす. ¶古綿を～ 헌 솜을 타다.

うちがけ【内掛け】名 (씨름에서) 안걸이. ↔外掛け.

うちかさな-る【打ち重なる】5自 '重なる'의 힘줌말; (몇 겹으로) 겹치다. ¶～不運 겹치는 불운.

うちか-つ【打ち勝つ】5自 이겨내다. **1** (강한 상대를) 이기다(('勝つ'의 힘줌말)). ¶強敵に～ 강적을 이겨내다. **2** (어려움 따위를) 극복하다. ＝克服する. ¶困難に～ 곤란을 극복해 내다 / 貧苦に～ 빈고를 이겨내다. 參考 2는 '打ち克つ'로도 씀. **3**〔野〕타력을 살려서 이기다. ↔打ち負ける.

***うちがわ**【内側】名 안쪽; 내면. ¶門の～ 대문 안쪽 / ～からかぎをかける 안쪽에서 자물쇠를 걸다. ↔外側.

うちき【内気】名ナ 내향성 기질〔성격〕; 암띰. ¶～な人 내성적인 사람.

うちきず【打ち傷】名 타박상. ＝打撲傷·打ち身.

うちきり【打ち切り】名 **1** 자름; 벰. **2** 그만둠; 중지; 중단. ¶仕事を中途で～にする 일을 중도에서 그만두다.

***うちき-る**【打ち切る】5他 **1** 중지하다; 중단하다. ¶交渉〔援助〕を～ 교섭을〔원조를〕 중단하다. **2** '切る'의 힘줌말: 자르다. ¶枝を～ 가지를 치다. **3** 바둑 따위를 끝까지 두다.

うちきん【内金】名 내입금(内入金); (대금의 일부인) 선불금. ＝手つけ. ¶～として五万円払う 선불금으로 5만 엔 지불하다. ↔後金.

うちくだ-く【打ち砕く】5他 **1** '砕く'의 힘줌말: 때려 부수다; 쳐부수다. ¶野望を～ 야망을 분쇄하다. **2** 깨부수다. ¶石をハンマーで～ 돌을 망치로 깨부수다. **3** 평이하게 하다; 쉽게 하다. ¶相手にわかりやすいように～·いて話す 상대방이 잘 알아들을 수 있도록 쉽게 이야기 하다.

うちくび【打ち首】名 참수(斬首). ¶～にする 참형에 처하다.

うちげいこ【内げいこ】((内稽古)) 名 (스승이) 자기 집이나 자기 도장에서 받게 하는 연습. ↔出げいこ.

うちけし【打ち消し】名 **1** 부정(否定)하는 일. **2**〔文法〕부정. 參考 口語로는 助動詞 'ない, ぬ, まい'로, 文語로는 'ず, じ, まじ' 등으로 표현함.

***うちけ-す**【打ち消す】5他 **1** 부정(否定)하다. ¶離婚のうわさをまっこうから～ 이혼한다는 소문을 정면으로 부인하다. **2** '消す'의 힘줌말: 없애다; 지우다. ¶騒音が話し声を～ 소음이 말소리가 안 들리게 하다.

うちゲバ【内ゲバ】名 **1** 학생 운동에서, 의견이 다른 각파간의 폭력 싸움. ¶～による犠牲者 학생 운동 파벌간의 폭력 사건에 의한 희생자. ↔外ゲバ. **2** 같은 집단 안의 내분. 参考 'ゲバ'는 'ゲバルト(Gewalt; 폭력)'의 뜻.

***うちこ-む**【打ち込む】㊀5他 **1** 박아 넣다; 쳐서 박다. ¶くぎ〔くい〕を~ 못〔말뚝〕을 박다. **2** (콘크리트를) 부어 넣다. ¶コンクリートを型(かた)に~ 콘크리트를 틀 안에 부어 넣다. **3** 목표에 맞도록 총포를 발사하다. ¶弾丸(だんがん)を~ 총알을 쏘아 명중시키다. **4** (검술에서, 상대의 틈을 노려) 쳐들어가다; 치다. ¶切(き)っ先(さき)鋭(するど)く~ (검을 가지고) 날카롭게 쳐들어가다〔치다〕. **5** 집중시키다. ¶精神(せいしん)を~ 정신을 집중시키다. **6** (탁구·테니스 등에서) 상대 코트에 힘차게 공을 쳐 넣다. ¶スマッシュを~ 스매시를 쳐 넣다. 注意 3,4는 '撃ち込む' '射ち込む'로도 씀. ㊁5自 열중하다; 몰두하다. ¶芸事(げいごと)に~ 예능에 몰두하다 / 疲(つか)れていて仕事(しごと)に~·めない 피곤해서 일에 열중할 수 없다.

うちころ-す【打ち殺す】5他 **1** 때려 죽이다; 타살하다. =なぐり殺(ころ)す. ¶棒(ぼう)で犬(いぬ)を~ 몽둥이로 개를 때려죽이다. **2**【撃ち殺す·射ち殺す】쏘아 죽이다. ¶ピストルで~ 권총으로 쏘아 죽이다.

うちこわ-す【打ち壊す】《打ち毀す》5他 **1** 때려 부수다. ¶家(いえ)を~ 집을 때려 부수다. =ぶちこわす. **2** 파기하다. ¶契約(けいやく)を~ 계약을 파기하다.

うちしき【打ち敷】名 **1** 그릇 밑에 까는 헝겊이나 종이류; 특히, 불단(佛壇)·불구(佛具) 따위의 깔개. **2** 과자 그릇에 받쳐 까는 백지.

うちしず-む【うち沈む·打ち沈む】5自 풀이 죽다; 맥이 빠지다; 축 늘어지다. ¶悲報(ひほう)に~ 비보에 접하여 탁 풀이 죽다 / ~·んだ顔(かお)をしていた 풀죽은 얼굴을 하고 있었다.

うちじに【討ち死に·討死】名ス自 (무사가) 적과 싸우다가 죽음; 전사. ¶壮烈(そうれつ)な~を遂(と)げる 장렬한 전사를 하다 / 味方(みかた)は全員(ぜんいん)~した 아군은 전원 전사했다.

うちじゅう【うち中】《家中》名 온 집안; 온 가족. ¶~で花見(はなみ)に出(で)かけた 온 가족이 꽃구경을 하러 나섰다.

うちす-てる【打ち捨てる】下1他 방치하다; 내버려 두다; 내팽개치다. ¶路上(ろじょう)に~·てられた自転車(じてんしゃ) 노상에 방치되어 있는 자전거 / 仕事(しごと)を~·てて遊(あそ)ぶ 일을 내팽개치고 놀다.

うちそろ-う【打ちそろう】《打ち揃う》5自 전원이 모두 모이다. ¶一族(いちぞく)~·って祖父(そふ)の米寿(べいじゅ)を祝(いわ)う 온 집안이 다 모여 할아버지의 미수를 축하하다.

うちたお-す【打ち倒す】5他 **1** 때려눕히다. **2** 강한 자를 꺾다; 타도하다. ¶敵(てき)を~ 적을 타도하다.

うちだ-す【打ち出す】5他 **1** 쳐서〔두드려서〕 나오게 하다. ¶火花(ひばな)を~大砲(たいほう) 불꽃을 뿜어내는 대포. **2** (종이나 얇은 금속판을 안에서 두드려서) 무늬가 겉으로 도드라지게 하다. ¶銅板(どうばん)に型(かた)を~ 동판에 형(型)을 겉으로 도드라지게 찍어 내다. **3** 주의·주장을 명확하게 내세우다. ¶新(あたら)しい方針(ほうしん)を~ 새로운 방침을 명확히 내세우다.

うちた-てる【打ち立てる】《打ち樹てる》下1他 **1** 수립하다; 세우다; 새로이 훌륭하게〔튼튼하게〕 만들어 내다. ¶新国家(しんこっか)を~ 새 국가를 수립하다 / 基礎(きそ)を~ 기초를 확립하다. **2** 박아 세우다. ¶杭(くい)を~ 말뚝을 박아 세우다.

うちつ-ける【打ち付ける】下1他 **1** 부딪치다. =ぶっつける. ¶頭(あたま)を壁(かべ)に~ 머리를 벽에 부딪치다. **2** (못 따위를) 세게 박다; 박아 붙이다〔고정시키다〕. ¶表札(ひょうさつ)を門柱(もんちゅう)に~ 문패를 문기둥에 때려 박다.

うちつづ-く【打ち続く】5自 (죽) 계속되다. ¶~長雨(ながあめ) 계속되는 장마 / 数年間(すうねんかん)戦乱(せんらん)が~ 수년간 전란이 계속되다.

うちづら【内面】名 집안 사람을 대하는 태도. ¶~のきつい人(ひと) 집안에서는 엄한 사람 / 外面(そとづら)はいいが~が悪(わる)い 나가서는 좋은 사람인데 집안에서는 좋지 않다. ↔外面(そとづら).

うちつ-れる【打ち連れる】下1自 동반하다; 함께 가다; 같이 가다. ¶一同(いちどう)~·れて散歩(さんぽ)に出(で)る 일동이 함께 산책하러 나가다.

うちでし【内弟子】名 스승 집에서 침식하고 일을 도우면서 그 기예를 배우는 제자; 데리고 있는 제자. ¶師匠(ししょう)が~を置(お)く 스승이 침식을 같이 하는 제자를 두다.

うちでのこづち【打ち出の小づち】《打ち出の小槌》名 요술방망이《무어든지 원하는 물건의 이름을 부르면서 치면 그것이 나온다는 전설상의 작은 방망이》.

***うちと-ける**【打ち解ける】下1自 마음을 터놓다; 격의〔허물〕없이 사귀다. ¶~·けた間柄(あいだがら) 막역한 사이 / だれとでも~·けて話(はな)す 누구하고나 허물없이 이야기하다.

うちどころ【打ち所】名 **1** (몸 따위의) 부딪친 곳. ¶~が悪(わる)くて失神(しっしん)する 부딪친 데가 나빠서 실신하다. **2** (문제 삼아서) 시비할 곳〔데〕. ¶非(ひ)の~がない 나무랄 데가 없다.

うちどめ【打ち止め·打ち留め】名 최후; 끝; 마지막; 특히, 흥행·상연의 끝. =千秋楽(せんしゅうらく)·打(う)ち出(だ)し. ¶本日(ほんじつ)で~ 금일로써 (흥행을) 끝마감 함.

うちと-める【討ち止める】下1他 칼로 쳐 죽이다. ¶一刀(いっとう)のもとに~ 한칼에 베어 죽이다.

うちと-める【撃ち止める】下1他 쏘아 죽이다. =いとめる. ¶山鳥(やまどり)を~ 산새를 쏘아 죽이다 / 一発(いっぱつ)で~ 한 발로 명중시켜 죽이다.

うちと-る【討ち取る】《撃ち取る》5他 **1** 공격해 빼앗다. **2** (무기로) 죽이다; (칼

로) 쳐 죽이다; 타살하다. ¶敵の大将を～ 적의 장수를 죽이다. **3** (경기에서) 강적을 물리치다. ¶バッターを3球3振に～ 타자를 3구 3진으로 잡다/決勝戦で強敵を～ 결승전에서 강적을 무찌르다. 注意 **3**은 '打ち取る'로 많이 씀.

うちにわ【内庭】图 〈雅〉 안뜰; 안마당. ＝中庭.

うちぬ-く【打ち抜く】《打ち貫く》 5他 **1** 찌르거나 쳐서 구멍을 내다. ¶壁を～ 벽을 쳐서 구멍을 내다. **2** 어떤 본을 대고 그 윤곽대로 파내다. ¶模様を～ 무늬를 파내다〔도려내다〕. **3** 끝까지 계속하다. ¶ストを～ 파업을 끝까지 강행하다.

うちぬ-く【撃ち抜く】5他 총을 쏘아 구멍을 내다; 꿰뚫다. ¶弾丸が壁を～ 총알이 벽을 뚫다/ねらいたがわず的を～ 어김없이 과녁을 꿰뚫다.

うちのひと【内の人】图 **1** 집안 사람; 식구; 가족. ¶～たちと相談する 집안 사람들과 의논하다. **2** 자기 남편을 남에게 일컫는 말: 우리집 양반. ¶～に聞いてみます 우리집 양반한테 물어 보겠습니다.

うちのめ-す【打ちのめす】5他 때려눕히다; 박살내다; 전하여, 재기 불능케 하다. ¶相手を～ 상대방을 때려눕히다〔재기 불능케 하다〕/相つぐ災害に～·される 잇따른 재해로 망하다.

うちのもの【内の者】图 **1** 집안 사람; 가족. **2** 집사람; 아내. **3** 집의 고용인.

うちのり【内のり】《内法》图 용기(容器)의 안치수; 안목. ¶ ～を測る 안치수를 재다. ↔外のり.

うちはた-す【討ち果たす】5他 (원수 등을 칼 따위로) 쳐 죽이다. ＝切り殺す. ¶首尾よくかたきを～ (성공적으로) 원수를 베다〔갚다〕. 参考 '果たす'는 목숨을 마치게 한다는 뜻.

うちばらい【内払い】图ス他 대금〔빚〕의 일부를 미리 지불하는 일. ＝内渡し. ¶～金として五千円を渡す 내입금으로 5 천 엔을 지불하다/半金を～する 반액을 전불(前拂)하다.

うちはら-う【打ち払う】5他 **1** 털다; 떨다. ¶けがれを～ 더러움을 떨다/かさの雪を～ 우산의 눈을 털다. **2** 쫓아 버리다〔흩어지게 하다〕. ¶山賊を～ 산적을 쫓아 버리다/雑念を～ 잡념을 쫓아〔떨쳐〕버리다. **3** (총포 따위를) 쏘아 쫓아 버리다. ¶敵船を～ 적선을 쏘아 쫓아 버리다〔격퇴하다〕. 注意 **2**는 '討ち払う', **3**은 '撃ち払う'로도 씀.

うちひし-ぐ【打ちひしぐ】《打ち拉ぐ》5他 **1** 심한 타격·충격 등으로 기력이나 의욕을 잃게 하다. ¶たびかさなる不幸に～·がれる 거듭되는 불행으로 의욕〔기력〕을 잃다. 参考 受動形으로 많이 쓰임. **2** 짓눌러 버리다; 때려부수다.

うちびらき【内開き】图 문 따위가 안쪽으로 열리는 일. ¶～のドア 안쪽으로 여는 문. ↔外開き.

うちぶところ【内懐】图 **1** 품; 안주머니. ¶～に財布を入れる 안주머니에 지갑을 넣다. ↔外懐. **2** 내심; 내부 사정; 내막. ＝うちかぶと. ¶敵の～深く入りこむ 적진 깊숙이 잠입하다.
——を見透かされる 내막〔내심〕이 드러나다; 약점이 드러나다.

うちべんけい【内弁慶】名ﾅ 집안에서는 큰소리치지만 밖에선 패기가 없는 일; 또, 그런 사람; 횃대 밑 사내; 집안 호랑이. ＝かげべんけい. ¶～の子 제집에서만 활개치는 아이.

うちぼり【内堀】《内濠》图 성 안에 있는 해자. ↔外堀.

うちほろぼ-す【討ち滅ぼす】5他 공격하여 멸망시키다; 토멸하다. ＝攻めほろぼす.

うちまか-す【打ち負かす】5他 **1** 쳐서 지게 하다《쳐서 이기다》. **2** 완전히 지게 하다《완전히 이기다》. ¶完膚なきまでに～ 완패케 하다; 완승하다.

うちまく【内幕】图 내막. ＝ないまく·内情. ¶政界の～ 정계의 내막/～をあばく 내막을 폭로하다. 参考 본디, 바깥쪽 막의 안쪽에 친 막으로, 바깥에서 보이지 않은 데서 이름.

うちまく-る【打ちまくる】《打ち捲る》5他 **1** 계속해서 마구 쳐대다. **2**〔野〕(히트를) 계속 치다. ¶ヒットを～ 계속 안타를 치다.

うちまく-る【撃ちまくる】《撃ち捲る》5他 (총을) 마구 쏘아대다. ¶一斉射撃でさんざん～ 일제 사격으로 총을 마구 쏘아대다.

うちま-ける【打ち負ける】下1自〔野〕타력에서 상대에 지다. ↔打ち勝つ.

うちまご【内孫】图 친손자. ＝ないそん. 参考 그 조부모가 하는 말. ↔外孫.

うちまた【内また】《内股》图 **1** 허벅다리; 넓적다리의 안쪽 부분; 살. ＝うちもも. **2** 안짱다리 걸음. ¶～に歩く 안짱다리 걸음을 하다. ↔外また. **3** 유도·당수의 수의 하나; 샅걸이.
——ごうやく〖——膏薬〗名ﾅ (허벅지에 붙인 고약처럼) 이쪽저쪽에 붙음; 간에 붙었다가 쓸개에 붙었다가 함; 또, 그런 사람. ＝二股膏薬. ¶～をやる 이랬다저랬다 하다.

うちまわり【内回り】《内廻り》图 **1** (동심원(同心圓)의) 안쪽을 도는 일. **2** 집안; 가정내. ¶～の仕事 집안의 일. **3** (순환선 등에서) 복선의 안쪽을 도는 선《시곗바늘과는 반대쪽으로 돎》. ¶山手線の～電車 山手線의 안쪽을 도는 전차. ↔外回り.

うちみ【打ち身】图 타박상. ＝打撲傷·打ちきず. ¶～がずきずき痛む 타박상이 욱신욱신 아프다.

うちみず【打ち水】图ス自 (먼지가 일지 않도록, 또는 더위를 막기 위해서) 길이나 뜰에 물을 뿌림; 또, 그 물. ¶庭(にわ)に～をする 뜰에 물을 뿌리다.

うちもの【打ち物】名 1 (칼·창 따위) 벼려서 만든 무기. ¶～師(し) 대장장이 / ～取(と)っては第一(だいいち)の名人(めいじん) 창〔칼〕을 잡으면 제일 가는 명수. 2 두드려 만든 금속 기구. ↔鋳物(いもの).

うちもも【内もも】《内股·内腿》名 안쪽 허벅지; 샅. ＝うちまた.

うちやぶ-る【打ち破る】《討ち破る·撃ち破る》5他 1 완전히 깨다〔부수다〕; 타파하다. ¶旧習(きゅうしゅう)を～ 구습을 타파하다. 2 (적을) 쳐부수다; 격파하다. ¶強敵(きょうてき)を～ 강적을 격파하다. 参考 'やぶる'의 힘줌말.

**うちゅう【宇宙】名 우주; 천지. ¶～服(ふく)〔船(せん)〕 우주복〔선〕/ ～旅行(りょこう)〔遊泳(ゆうえい)〕 우주 여행〔유영〕/ ～兵器(へいき) 우주 무기 / ～時代(じだい) 우주 시대 / ～開発(かいはつ)〔飛行士(ひこうし)〕 우주 개발〔비행사〕.

—さんぎょう【—産業】名 우주 산업.

—じん『—塵』名 우주진; 우주 먼지.

—ステーション 名 우주 정거장. ＝宇宙基地(きち). ▷space station.

うちゅう【雨中】名 우중; 빗속. ＝雨降(あめふ)り. ¶～にもかかわらず 우중임에도 불구하고.

うちょうてん【有頂天】名ナ 하도 기뻐서 어찌 할 바를 모름. ¶合格(ごうかく)して～になる 합격하여 기뻐서 어찌 할 바를 모르다.

うちよ-せる【打ち寄せる】一 下1自 '寄(よ)せる'의 힘줌말: 밀어닥치다; 밀려오다. ¶～荒波(あらなみ) 밀려오는 거친 파도 / 波(なみ)が～ 파도가 밀어닥치다. 二 下1他 (파도가 …을) 날라오다; 밀어붙이다. ¶浜(はま)に～·せられた海藻(かいそう) 해변에 밀려온 해조 / 波(なみ)が海草(かいそう)や木片(もくへん)を海岸(かいがん)に～ 파도가 해초나 나뭇조각을 해안에 밀어붙이다.

*うちわ【うちわ·内輪】名 1 가정 내; 집안. ＝内内(うちうち). ¶～だけの集(あつ)まり 집안끼리의 모임. 2 (실제보다) 낮추 잡음; 줄잡음. ¶～に見積(みつ)もる 낮잡아 어림하다. 3 안짱다리 걸음. ↔外輪(そとわ).

—ばなし【—話】名 1 가족·친척 또는 동료 간에 하는 이야기. 2 비밀 이야기.

—もめ『—揉め』名 집안 싸움; 내분. ＝うちわげんか. ¶～を起(お)こす 내분을 일으키다.

—われ【—割れ】名ス自 가족·친족·친구끼리 싸우고 갈라지는 일.

*うちわ『団扇』名 1 부채. ¶～をつかう 부채질하다. 2 씨름의 '軍配(ぐんばい)うちわ'의 준말; 심판이 쓰는 부채. ¶～を揚(あ)げる 이긴 것으로 판정하다.

うちわく【内枠】名 1 안쪽 테두리; 경주로의 안쪽 코스. ¶～から出走(しゅっそう)する (경마·경륜 따위에서) 안쪽 코스에서 출주〔출발〕하다. ↔外枠(そとわく). 2 할당된 수량의 범위내.

うちわけ【内訳】名 내역; 명세. ¶～書(しょ) 명세서 / 支出(ししゅつ)の～を示(しめ)す 지출 내역을 명시하다.

**う-つ【打つ】一 5他 1 치다. ㉠때리다; 두드리다. ¶鞭(むち)で～ 채찍으로 치다 / ヒット〔ホームラン〕を～ 히트를〔홈런을〕 치다 / 十時(じゅうじ)を～ 10시를 치다〔알리다〕/ 雨(あめ)が窓(まど)を～ 비가 창을 때리다 / 雷(かみなり)に～·たれる 벼락을 맞다. ㉡베다. ¶首(くび)を～ 목을 치다. ㉢펴서 벌여 놓다. ¶幕(まく)を～ 장막〔휘장〕을 치다 / 網(あみ)〔投網(とあみ)〕を～ 그물을〔쟁이를〕 치다. ㉣손뼉을 치다. ¶手(て)を～·って人(ひと)を呼(よ)ぶ 손뼉을 쳐서 사람을 부르다 / 手(て)を～·って喜(よろこ)ぶ 손뼉 치며 기뻐하다 / その条件(じょうけん)で手(て)を～·とう 그런 조건으로 타협하자. ㉤키 따위를 두들기다; (전보를) 발신하다. ¶電報(でんぽう)を～ 전보를 치다 / タイプを～ 타이프를 치다. 2 부딪(치)다. ¶倒(たお)れて頭(あたま)を～ 넘어져서 머리를 부딪치다. 3 박아 넣다. ¶銘(めい)を～ 명(銘)을 박아 넣다. 4 (박아서) 내걸다; 게시하다. ¶高札(こうさつ)を～ 방(榜)을 내걸다. 5『水(みず)を～』㉠물을 뿌리다. ¶庭(にわ)に水(みず)を～ 뜰에 물을 뿌리다. ㉡주위가 조용해지는 형용. ¶水(みず)を～·ったような静(しず)けさ 물을 끼얹은 듯한 고요. 6 (바둑 따위를) 두다. ¶碁(ご)を～ 바둑을 두다. 7 (어떤 행위를) 하다. ¶逃(に)げを～ 도망치다 / ストを～ 파업을 (단행)하다 / ばくちを～ 도박을 하다. 8『心(こころ)〔胸(むね)〕を～』마음〔가슴〕을 찌르다; 큰 감동을 주다. ¶胸を～ような言葉(ことば) 심금을 울리는 말. 9 (솜 따위를 두드려서) 틀다; 타다. ¶古綿(ふるわた)を～ 헌 솜을 타다. 10『非(ひ)を～』㉠나쁜 곳을 점검하다. ㉡비난하다; 트집 잡다. ¶非(ひ)の～·ちどころが無(な)い 흠잡을〔나무랄〕 데가 없다. 11 감각 기관을 세게 자극하다. ¶耳(みみ)を～かん高(だか)い声(こえ) 귀청을 찌르는 새된 목소리 / 鼻(はな)を～異臭(いしゅう) 코를 찌르는 이상한 냄새. 12 (붓 따위로) 표시하다; 써넣다. ¶点(てん)を～ 점을 찍다 / 番号(ばんごう)を～ 번호를 매기다.
二 5自 《搏つ로도》(맥박 따위가) 뛰다; 치다. ¶脈(みゃく)が～ 맥박이 뛰다. 可能 う-てる 下1自

—·てば響(ひび)く 곧 반응을 보이다. ¶～ような返答(へんとう) 물으면 즉시 되받아 하는 대답.

う-つ【討つ】《伐つ》5他 1 베어 죽이다. ¶親(おや)の敵(かたき)を～ 부모의 원수를 갚다. 2 토벌하다; 공멸하다. ¶賊軍(ぞくぐん)を～ 적군을 토벌하다. 可能 う-てる 下1自

う-つ【撃つ】5他 1 공격하다. ¶敵(てき)を～ 적을 공격하다. 2 총포를 쏘다. ¶ピストルを～ 권총을 쏘다. 3 목표에 탄알을 맞히다. ¶えものを～ 사냥감을 쏘아 맞히다. 可能 う-てる 下1自

うつうつ 副 자는 둥 마는 둥한 모양; 깜빡깜빡 조는 모양. ＝うとうと. ¶～と眠(ねむ)る 깜빡깜빡 졸다.

*うっかり 副ス自 무심코; 멍청히; 깜박.

¶～者 멍청이 / ～して乗り越す (차 따위를 타고) 무심코 지나쳐 가다 / ～して財布を忘れる 깜박 지갑을 잊고 (안 가지고) 오다 / ～約束を忘れた 깜박 약속을 잊었다.

うづき [卯月] 名 〈雅〉 음력 4월.

⁑うつくし-い【美しい】形 아름답다. 1 곱다; 예쁘다. ¶～花 아름다운 꽃 / 声が～ 소리가 아름답다 / 心が～ 마음씨가 곱다. ↔みにくい. 2 (칭찬할 만큼) 훌륭하다. ¶～友情 아름다운 우정 / ～行為 훌륭한 행위.

うっくつ [鬱屈] 名ス自 울결(鬱結); 가슴이 답답함; 울적함. ¶～した日々を過ごす 울적한 나날을 보내다.

うっけつ [鬱血] 名ス自〔醫〕울혈; 병난 곳의 정맥이 확대되어 충혈을 이루는 증세. ¶打った所が～する 부딪친 데에 울혈이 생기다.

*うつし【写し】名 1 (사진을) 찍음; 박음. ¶大～ 대사; 클로즈업 / ～場 사진관. 2 (그림·문서 등을) 베낌; (조각 등을) 모뜸; 복제; 모조. 3 사본. =コピー. ¶契約書の～を取る 계약서의 사본을 뜨다.

うつしえ【移し絵】名 판박이 그림.

うつしだ-す【映し出す】5他 1 빛으로 물건의 형상을 비추다. ¶幻灯で名画を～ 환등으로 명화를 비추다. 2 사물을 강조해 보이다. ¶憲法問題が大きく～·される 헌법 문제가 크게 부각되다.

⁑うつ-す【移す】5他 1 옮기다. ㉠자리를 바꾸다. ¶席を～ 자리를 옮기다 / 都を～ 서울을 옮기다; 천도(遷都)하다. ㉡시작하다. ¶実行に～ 실행으로 옮기다. ㉢(병을) 전염시키다. ¶病気を～ 병을 옮기다. ㉣지위를 바꾸다. ¶本店から支店に～·される 본점에서 지점으로 전보되다. 2 (관심 따위를) 딴 데로 돌리다. ¶他の女性に心を～ 딴 여자에게 마음을 돌리다《변심하다》. 3《'時を～'의 꼴로》시간을 보내다; 때를 놓치다. ¶時を～·さず 때를 놓치지 않고; 곧. 可能 うつ-せる 下1自

⁑うつ-す【映す】5他 (거울 따위에 모습 등을) 비치게 하다; 투영하다. ¶姿を鏡に～ 모습을 거울에 비추다 / 映画をスクリーンに～ 영화를 스크린에 비추다 / 湖に影を～ 호수에 그림자를 비추다. 可能 うつ-せる 下1自

⁑うつ-す【写す】5他 1 ㉠(문서·그림 따위를) 베끼다; 모사〔전사(轉寫)〕하다. ¶ノートを～ 노트를 베끼다 / 似顔を～ 얼굴을 비슷하게 모사하다《초상화를 그리다》. ㉡그리다; 묘사하다. ¶山水を～·した絵 산수를 그린 그림. 2 (사진을) 박다〔찍다〕; 촬영하다. ¶写真を～·してもらう 사진을 찍어 달래다 / アップで～ 클로즈업으로 찍다. 可能 うつ-せる 下1自

うっすら〖薄ら〗副 현상·동작 등이 가볍게 일어나는 모양; 어렴풋이; 희미하게; 아주 엷게. =うっすり. ¶～耳にしている 어렴풋이 듣고 있다 / 初雪が～積もる 첫눈이 엷게 쌓이다 / ～(と)化粧する 엷게 화장하다 / ～と目を開く 살짝 눈을 뜨다.

うっせき [鬱積] 名ス自 울적; 불평불만이 쌓임. ¶日ごろの忿懣が胸に～する 평상시의 울분이 가슴에 쌓이다 / ～した欲求不満でヒステリックになる 울적한 욕구불만으로 히스테릭해지다.

うっそう [鬱蒼] トタル 울창. =鬱然. ¶～たる森林 울창한 삼림 / ～と茂っている 울창하게 자라고 있다.

うったえ【訴え】名 호소; 소송. ¶損害賠償の～ 손해 배상 소송 / ～を取り下げる 소송을 취하〔철회〕하다.

⁑うった-える【訴える】下1自他 1 소송하다; 고소하다. ¶会社を相手取って～ 회사를 상대로 해서 소송하다. 2 호소하다; 작용하다. ¶苦痛を～ 괴로움을 호소하다 / 世論〔腕力〕に～ 여론〔완력〕에 호소하다.

うっちゃらか-す〖打っ遣らかす〗5他 〈俗〉 내팽개치다; 내동댕이치다《'うっちゃる2'의 힘줌말》. =ほったらかす. ¶仕事を～·して遊ぶ 일을 내팽개치고 놀다.

*うっちゃ-る〖打っ遣る〗5他 〈俗·口〉 1 던져 버리다; 내던지다. ¶紙くずを窓から～ 휴지를 창문 밖으로 내던지다. 2 (해야 할 일을) 방임하다; 내동댕이치다. ¶仕事を～ 일을 내팽개치다 / そのまま～·っておく 그대로 내버려두다 / ～·っといて下さい (나를) 내버려 두세요. 3 (막판에 가서) 형세를 역전시키다. ¶危ない所で～ 위기에서 역전승하다. 可能 うっちゃ-れる 下1自

うつつ〖現〗名 1 현실; 생시. ¶夢か～か 꿈이냐 생시냐. ↔夢. 2 제정신. =正気. ¶～に返る 제정신이 들다. 3 꿈과 현실과의 중간 상태; 비몽사몽간. =夢心地. 参考 3은 '夢～'에서 잘못 생긴 말.

――を抜かす (너무 열중해서) 제정신을 잃다. ¶芝居見物に～ 연극 구경에 정신이 팔리다.

うつて【打つ手】名 정세에 대응하여 취해야 할 수단〔방법〕. ¶もはや～がない 이제는 손을 쓸 방법이 없다.

うってかわ-る【打って変わる】連語 갑자기 변하다; 돌변하다. ¶昨日までと～·った厳しい態度 어제까지와는 싹 달라진 엄한 태도. 参考 대개 '～·った' '～·って'의 꼴로 씀.

うってつけ〖打って付け〗名ナ 꼭 알맞음; 안성맞춤; 최적. =もってこい. ¶君に～の仕事がある 네게 꼭 알맞은 일이 있다.

うってで-る【打って出る】下1自 1 (입후보 따위를 하여) 자진해서 나가다; 진출하다. ¶選挙に～ 선거에 출마하다. **2** (존재를 인정받아) 화려하게 나서다; 활동하다. ¶文壇に～ 문단에 (화려하게) 등장하다. **3** 공격으로 나가다. ¶城から～ 성에서 치고 나가다.

***うっとうし-い** 〖鬱陶しい〗 形 **1** 음울하다; 찌무룩하여 마음이 개운치 않다. ¶～天気 찌무룩한 날씨/気分が～ 기분이 찌무룩하여 개운치 않다. **2** 성가시다; 귀찮다. ¶～仕事 귀찮은 일/髪の毛が下がってきて～ 머리카락이 내려와서 귀찮다.

***うっとり** 副 ス自 황홀한 모양; 도취해 멍한 모양. ＝恍惚. ¶～(と)見とれる 넋을 잃고 바라보다/～した気分になる 황홀한 기분이 되다. 「う.

うつびょう [鬱病] 名 ☞よくうつしょ

うつぶ-す 〖うつ伏す·俯す〗 5自 엎드리다. ＝うつぶせる. ¶大地に～ 땅에 엎드리다.

うつぶせ 〖俯せ〗 名 **1** 엎드림; 엎드려 누움. ¶寝台に～になる 침대에 엎드려 눕다. **2** (물건을) 엎어 놓음.

***うつぶ-せる** 〖俯せる〗 下1他 **1** 엎드리다. ＝うつぶす. ¶地面に～ 땅에 엎드리다. **2** 엎어 놓다. ¶食器を～ 식기를 엎어 놓다. ↔あおむける.

うっぷん [鬱憤] 名 울분. ¶酒を飲んで～を晴らす 술을 마시고 울분을 풀다/～やるかたなく歯をくいしばる 울분을 풀길 없어 이를 악물다.

うつぼ 〖鱓〗 名 〔魚〕 곰치.

うつむき 〖俯き〗 名 머리를 숙임; 엎드림. ¶～になる 고개를 숙이다/～がち〔加減〕に歩く (구부정하니) 좀 고개를 숙인 채 걷다. ↔あおむき.

***うつむ-く** 〖俯く〗 5自 머리를 숙이다; 고개를 숙이다. ＝うなだれる. ¶恥ずかしそうに～ 부끄러운 듯이 머리를 숙이다/花が～ 꽃이 (시들어서) 고개를 숙이다. ↔あおむく.

うつむ-ける 〖俯ける〗 下1他 **1** 머리〔고개〕를 숙이게 하다. ¶苦しそうに顔を～ 괴로운 듯이 고개를 숙이다. ↔あおむける. **2** 엎어 놓다. ¶器を～ 그릇을 엎어 놓다.

うつらうつら 副 ス自 졸려서 깜빡깜빡 조는 모양: 꾸벅꾸벅. ¶寝不足で～する 잠이 부족해서 꾸벅꾸벅 졸다.

うつり【移り】 名 **1** 옮김; 이동. ¶都～ 천도/京都へお～と聞きましたが 京都로 옮기셨다고 들었습니다만. **2** 변화; 변천.

うつり【写り】 名 사진의 찍힘새. ¶写真の～が悪い 사진이 잘 안 찍힌다〔찍혔다〕.

うつり【映り】 名 **1** 배색; 배합. ¶～のいいネクタイ 색의 배합이 좋은〔잘 어울리는〕 넥타이/この着物は～がいい 이 옷은 배색이 좋다. **2** 영상이 비침; 또, 그 본새. ¶テレビの～がいい 텔레비전의 영상이 좋다.

うつりかわり【移り変わり】《遷り変わり》 名 추이; 변천; 바뀜. ¶四季の～ 사계(절)의 변화/世の中の～ 세태의 변화.

うつりかわ-る【移り変わる】《遷り変わる》 5自 세월따라 변해가다; 변천하다. ¶時代とともに風俗が～ 시대와 더불어 풍속이 변해가다.

うつりぎ【移り気】 名ナ 변덕; 들뜬 마음. ＝浮気. ¶～の女 변덕스러운〔바람기가 있는〕 여자.

⁂**うつ-る**【移る】 5自 **1** 옮기다; 이동하다. ¶会社を～ 회사를 옮기다/さっそく実行に～ 당장 실행에 옮기다/政権が他の政党に～ 정권이 다른 정당으로 옮겨지다〔넘어가다〕. **2** (마음 따위가) 변하다. ¶心が～ 마음이 변하다; 관심 따위가 딴 데로 옮아가다/情が～ 정이 들다. **3**『時が～』(a)시간이 경과하다; (b)시대가 변하다. **4** 지위가 바뀌다. ¶庶務課から人事課に～ 서무과에서 인사과로 옮기다. **5** 옮다. ㉠전염하다; 감염하다. ¶かぜが～ 감기가 옮다/師匠の癖が～ 스승의 버릇이 옮다. ㉡냄새·빛깔이 묻다. ¶色が～ (a)(딴 물건에) 색이 옮다; (b) 얼굴〔자색〕이 한물 가다/薬のにおいが～ 약 냄새가 옮다.

⁂**うつ-る**【写る】 5自 **1** 비쳐 보이다. ¶障子に～人影 장지문에 비치는 사람 모습. **2** 찍히다. ¶よく～カメラ 잘 찍히는 카메라/右端に～っている人 오른쪽 끝에 찍힌 사람.

***うつ-る**【映る】 5自 **1** 반영하다; 비치다. ¶水に～わが影 물에 비치는 내 모습/顔が鏡に～ 얼굴이 거울에 비치다/目に～ 눈에 비치다. **2** 배합〔배색〕이 잘 되다; 잘 어울리다. ＝調和する·似合う. ¶帽子の色が服によく～ 모자 색이 옷에 잘 어울리다.

うつろ 〖空ろ·虚ろ〗 ㊀ 名ナ 속이 텅 빔; 또, 그런 곳. ＝うろ·ほら·がらんどう. ¶～な古木 속이 빈 고목/内部が腐って～になる 내부가 썩어 텅 비다. ㊁ ダナ 얼빠진〔멍한〕 모양. ¶～な目 얼빠진 눈/～な心 텅 빈 마음.

うつわ【器】 名 그릇. **1** 용기(容器). ¶～に盛る 그릇에 담다/水は方円の～に従う 물은 방원의 그릇에 따른다《물은 그릇 모양에 따라 그 형태가 정해진다》. **2** 도구; 기구. **3** (… 에 앉을 만한) 재목; …감. ＝器量. ¶大臣の～ 대신〔장관〕감.

⁂**うで**【腕】 名 **1** 팔. **2** 완력. ¶～ずく 완력으로 해결함. **3** 솜씨; 재능; 기량. ＝うでまえ. ¶いい～だ 좋은 솜씨다. **4** (물건을 지탱하는) 가로대. ＝腕木·横木. ¶いすの～ 의자의 팔걸이.

—が立つ 솜씨가 뛰어나다.

—が鳴る (자기 솜씨를 보이고 싶어서) 좀이 쑤시다. 「있다.

—に覚えがある 솜씨〔능력〕에 자신이

—によりをかける 크게 분발하다; 열심히 노력하다.
—をこまぬく〔こまねく〕 수수방관하다.
—を振(ふる)う 솜씨를 발휘하다.
—を磨(みが)く 솜씨를〔기술을〕 연마하다.
うでぎ【腕木】[名] 완목; (기둥 따위에 옆으로 댄〔내민〕) 가로대. ¶電柱(でんちゅう)の~ 전주의 완목.
うで);きき【腕利き】[名] 솜씨·능력이 뛰어남; 또, 그 사람. ＝腕(うで)っこき. ¶~の職人(しょくにん) 솜씨가 뛰어난 장색 / 評判(ひょうばん)の~ 소문난 실력〔민완〕가.
うでくび【腕首】[名] 팔목; 손목. ＝てくび. ¶~を取(と)る 손목을 잡다.
うでぐみ【腕組み】[名][ス自] 팔짱(을 낌). ¶~をして考(かんが)えこむ 팔짱을 끼고 생각에 잠기다.
うでくらべ【腕比べ】《腕競べ》[名][ス自] 솜씨나 완력을 서로 겨룸. ¶よし, それでは~をしよう 좋아, 그럼 솜씨를〔완력을〕 겨루어 보자.
うでじまん【腕自慢】[名][ス他] 솜씨 자랑; 힘자랑.
うでずく【腕ずく】《腕尽く》[名] 완력을 행사함; 완력다짐으로 함. ¶~で奪(うば)う 완력으로 빼앗다 / ~で連(つ)れて行(い)く 완력을 써서 강제로 데리고 가다 / ~なら負(ま)けないぞ 완력이라면 지지 않는다. [注意] 'うでづく'도 허용됨.
うでずもう【腕相撲】[名][ス自] 팔씨름. ＝腕押(うでお)し·腕倒(うでだお)し.
うでぞろい【腕ぞろい】《腕揃い》[名] 솜씨가 뛰어난 사람만이 (모여) 있음.
うでたてふせ【腕立て伏せ】[名] (체조에서) 엎드려 팔 굽혀 펴기. ¶~を20回(かい)やる 엎드려 팔 굽혀 펴기를 20번 하다.
うでだめし【腕試し】[名][ス自] (완력·솜씨 등을) 시험해 봄. ＝力試(ちからだめ)し. ¶~に模擬試験(もぎしけん)を受(う)ける 시험삼아 모의시험을 치다.
うでっこき【腕っこき】《腕っ扱き》[名] 솜씨가 뛰어남; 또, 민완가. ＝腕利(うでき)き. [注意] 'うでこき'라고도 함.
うでっぷし【腕っぷし·腕っ節】[名] **1** 완력; 팔 힘. ¶~が強(つよ)い 완력이 세다. **2** 팔의 관절. [注意] 'うでぶし'라고도 함.
うでどけい【腕時計】[名] 손목시계.
*うでまえ【うでまえ·腕前】[名] 솜씨; 역량; 기량. ＝技量(ぎりょう)·手(て)なみ. ¶すぐれた~を見(み)せる 뛰어난 솜씨를 보이다.
うでまくら【腕まくら】《腕枕》[名] 팔베개. ＝ひじまくら. ¶~をする 팔베개를 베다.
うでまくり【腕まくり】《腕捲り》[名][ス自] 소매를 걷어붙임《무엇을 하려고 단단히 벼르는 모양에도 비유함》. ¶~してがんばる 팔을 걷어붙이고 열심히 하다.
う-でる〖茹でる〗[下1他] ☞ゆでる.
うでわ【腕輪】《腕環》[名] 팔찌. ＝ブレスレット. ¶~をはめる 팔찌를 끼다.
*うてん【雨天】[名] 우천; 비오는 날(씨). ＝雨空(あまぞら)·雨(あめ)ふり. ¶~順延(じゅんえん) 우천 순연 / ~でも決行(けっこう)する 우천에도 결행한다. ↔晴天(せいてん)·曇天(どんてん).
うど〖独活〗[名]〔植〕 땅두릅.
—の大木(たいぼく) 덩치만 크고 쓸모 없는 것이나 사람의 비유. ¶あいつは~さ 저 녀석은 덩치만 컸지 아무것도 아니야.
*うと-い【疎い】[形] **1** 친하지 않다; 소원하다; 서먹하다. ¶関係(かんけい)が~·くなる 관계〔사이〕가 소원해지다. ↔したしい. **2** 잘 모르다; (사정에) 어둡다. ¶世事(せじ)に~ 세상일에 어둡다.
うとう【右党】[名] 우당. **1** 우익 정당; 보수당. **2** 〈俗〉술은 못 마시고 단것을 좋아하는 사람. ＝下戸(げこ)·甘党(あまとう). ⇔左党(さとう).
*うとうと [副][ス自] 깜빡깜빡 조는 모양; 꾸벅꾸벅. ＝とろとろ·うつらうつら. ¶~(と)している間(ま)に 꾸벅꾸벅 졸고 있는 사이에.
うとうとし-い【疎疎しい】[形] 친하지 않다; 서먹서먹하다; 냉담하다. ＝よそよそしい. ¶~態度(たいど) 냉담한 태도.
うとまし-い【疎ましい】[形] (매우) 싫다; 지겹다. ＝厭(いと)わしい. ¶見(み)るのも~ 꼴도 보기 싫다 / 自分(じぶん)の性格(せいかく)が~ 자기 성격이 마음에 안들다. ↔好(この)ましい.
うと-む【疎む】[5他] 싫어하다; 친하게 생각지 않다; (꺼려) 멀리하다《대개 受動形으로 쓰임》. ＝うとんずる·きらう. ¶母(はは)から~·まれる 어머니에게 미움을 받다 / 意見(いけん)の違(ちが)う者(もの)を~ 의견이 다른 사람을 멀리하다. ↔したしむ.
*うどん〖饂飩〗[名] (일본식) 가락국수; 우동. ¶~屋(や) 우동집; 가락국수집.
—こ【—粉】[名] 밀가루.
うとん-ずる【疎んずる】[サ変他] ☞うとむ.
*うなが-す【促す】[5他] 재촉〔촉구〕하다; 독촉하다. ¶借金(しゃっきん)の返済(へんさい)を~ 빚 갚으라고 재촉하다 / 植物(しょくぶつ)の生長(せいちょう)を~ 식물의 생장을 촉진하다 / 決断(けつだん)を~ 결단을 촉구하다.
うなぎ〖鰻〗[名]〔魚〕 뱀장어.
—どんぶり〖—丼〗[名] 장어덮밥. ＝うなどん.
うなぎのぼり【うなぎ登り】《鰻登り》[名] (물가·지위 등이) 자꾸 올라감. ¶~の出世(しゅっせ) 순조로운〔빠른〕 출세 / 物価(ぶっか)が~に上(あ)がる 물가가 자꾸자꾸 뛰어오르다. [参考] 뱀장어가 물속에서 꿈틀거리면서 곧추 올라가는 데서.
うなさ-れる〖魘される〗[下1自] 가위눌리다. ¶悪夢(あくむ)に~ 악몽에 시달리다.
うなじ〖項〗[名] 〈雅〉 목덜미. ＝首筋(くびすじ)·えりくび. ¶白(しろ)い~ 하얀 목덜미 / ~を垂(た)れる 고개를 숙이다.
*うなず-く〖頷く〗[5自] 수긍하다; (고개를) 끄덕이다. ¶軽(かる)く~ (수긍하는 뜻으로) 가볍게 고개를 끄덕이다 / うんうんと~ 응응하며 고개를 끄덕이다. [可能] うなず-ける[下1自]
うなず-ける〖頷ける〗[下1自] 납득이 가다; 수긍이 되다. ¶彼(かれ)の説明(せつめい)には~·けないところがある 그의 설명에는 납득이 가지 않는 점이 있다.
うなだ-れる〖項垂れる〗[下1自] 고개〔머

리]를 숙이다. ¶検事の論告に～ 검사의 논고에 고개를 숙이다.

うなどん 〖鰻丼〗 名 〔料〕 장어덮밥(('うなぎどんぶり'의 준말)).

うなばら 【海原】 名 〈雅〉 넓고 넓은 바다; 창해. ¶大～ 넓고 넓은 대해 / 青～ 넓고 넓은 창해.

うなり 〖唸り〗 名 **1** 으르렁거리는 소리; 신음 소리; 윙윙[붕붕]거리는 소리. ¶～を発する 신음 소리를 내다 / かぜが～を立てる 바람이 윙윙 소리를 내다 / トラックが～を立てて街道を走る 트럭이 붕붕 소리를 내며 도로를 질주한다. **2** 연에 달아, 바람을 받아 윙윙 소리가 나게 하는 물건.

──ごえ 【──声】 名 (괴롭거나 감탄했을 때 등에 내는) 신음 비슷한 낮은 목소리. ¶～をあげる (낮은) 탄성을 지르다.

うな-る 〖唸る〗 5自 **1 윙윙 소리를 내다; 또, 그런 소리가 나다. ¶モーターが～ 모터가 윙윙거리다. **2** 신음하다; (동물이) 으르렁거리다. ＝うめく. ¶犬が～ 개가 으르렁거리다. **3** 감탄한 나머지 소리를 내다. ¶見物人を～·らせる 구경꾼으로 하여금 탄성을 지르게 하다. **4** (힘쓸 곳을 찾아) 몸을 들먹거리다. ¶腕が～ (역량·솜씨를 보이고 싶어) 팔이 들먹이다; 좀이 쑤시다.

──程金がある 엄청나게 돈이 많다.

うに 〖海胆〗 名 〔動〕 성게.

うに 〖雲丹〗 名 성게 알젓.

うぬぼれ 〖自惚れ〗 名 자만; 자부(심). ¶～が強い 자부심이 강하다.

*うぬぼ-れる 〖自惚れる〗 下1自 (실력 이상으로) 자부하다; 자만하다. ¶自分の才能に～ 자기 재능을 자만하다 / 少し学問をして～ 학문 좀 했다고 우쭐해하다.

うね 【畝】((畦)) 名 밭두둑; 또, 그와 비슷한 모양의 것. ¶波の～ 물결; 놀 / 畑に～をつくる 밭에 두둑을 만들다.

うねうね 副 《흔히 'と'를 수반하여》 높고 낮게, 또는 구불구불 길게 이어지는 모양. ¶～(と)続く山脈 구불구불 이어지는 산맥 / 道が～と遠くまで続く 길이 꾸불꾸불 멀리까지 이어지다.

うねり 名 **1** 물결 침; 넘실거림. ¶波の～が大きくなる 파도가 점점 크게 넘실거리다. **2** 높게 이는 파도; 놀. ¶～が出る 놀이 일다 / ～が巻き起こる 크게 놀치다. **3** (사물의) 기복; 굴곡. ¶歴史の～ 역사의 굴곡.

うね-る 5自 **1** 꾸불꾸불하다. ¶道が～ 길이 꾸불꾸불하다. **2** 파도가 물결치다; 넘실거리다. ¶波が～ 물결이 넘실거리다; 놀이 치다.

うのはな 【うの花】 ((卯の花)) 名 **1** 〔植〕 병꽃나무(의 꽃). **2** 'おから(＝비지)'의 딴 이름.

うのみ 〖鵜呑み〗 名 (가마우지가 물고기를 삼키듯) 통째로 삼킴; 전하여, 잘 이해하지 못하고 그냥 받아들임. ＝まるのみ. ¶飴玉を～にする 눈깔사탕을 통째로 삼키다 / 参考書の説明を～にする 참고서의 설명을 (이해하지도 않고) 그대로 외다 / 人の話を～にする 남의 말을 그대로 믿다.

うのめたかのめ 【うの目たかの目】 ((鵜の目鷹の目)) 連語 열심히 무엇을 찾는 모양. ⇨う(鵜).

うは 【右派】 名 우파. ¶～の政党 우파 정당. ↔左派.

うば 【うば·乳母】 名 유모. ¶～に育てられる 유모 손에 크다.

うばいあ-う 【奪い合う】 5他 서로 빼앗다; 쟁탈하다. ¶席を～ 자리를 두고 서로 다투다.

うばいかえ-す 【奪い返す】 5他 (빼앗긴 것을) 다시 빼앗다; 탈환하다. ¶陣地を～ 진지를 탈환하다.

うばいと-る 【奪い取る】 5他 강제로 빼앗다; 탈취[강탈]하다. ¶ハンドバッグを～ 핸드백을 탈취하다.

うば-う 【奪う】 5他 빼앗다. **1 빼앗아가다. ¶財布[権利]を～ 지갑을[권리를] 빼앗다 / 雪で足を～·われる 눈 때문에 발이 묶이다. **2** (주의·마음을) 사로잡다; 끌다. ¶目を～美しさ 눈을 사로잡는 아름다움 / 美しい景色に目を～·われる 아름다운 경치에 넋을 잃다. 可能うば-える 下1自

うばぐるま 【うば車·乳母車】 名 유모차; 동차(童車). ¶～を押して行く 유모차를 밀고 가다.

うばざくら 【うば桜】 ((姥桜)) 名 **1** 잎보다 꽃이 먼저 피는 벚나무. ＝ヒガンザクラ. **2** 아직 아름다움을 간직하고 있는 중년의 여성.

うばすてやま [姥捨山] 名 **1** 〔地〕 長野県에 있는 산 이름((고려장과 비슷한 전설이 있음)). **2** 전하여, (관공서나 회사에서, 고령자를 배치하는) 책임이 없고, 편안한 일자리에 비유됨.

うひょう 【雨氷】 名 우빙.

うぶ 〖初·初心〗 名ナ **1** 순진함; 세정에 때묻지 않음. ¶～な学生 순진한 학생 / まだ～だ 아직 순진하다. **2** 남녀 관계에 경험이 없음; 또, 숫총각; 숫처녀. ¶～な娘 숫[순진한]처녀. 「ぎぬ.

うぶぎ 【産着】 ((産衣)) 名 배내옷. ＝うぶ

うぶげ 【産毛】 名 **1** 배냇머리. **2** (얼굴 따위의) 솜털. ¶ほおの～ 볼의 솜털.

うぶごえ 【産声】 名 갓난아이의 첫 울음소리; 고고(呱呱). ＝呱々の声. ¶～をあげる 고고의 소리를 울리다; 새로 태어나다.

うぶゆ 【産湯】 名 갓난아이를 목욕시킴; 또, 그 더운 물. ＝初湯. ¶～を使わせる 갓난아이를 목욕시키다.

うま [午] 名 오; 지지(地支)의 일곱째; 말((방위로는 남(南); 시각으로는 오시(午時))). ⇨じゅうにし.

*うま 【馬】 名 **1** 〔動〕 말. ¶～を駆る 말을 몰다 / ～にまたがる 말에 올라 타다. **2**

아래쪽이 벌어진 네 발 달린 발판《미장이 등이 씀》. ＝脚立. **3** 체조에 쓰는 안마(鞍馬). **4** 목마(木馬).

―が合う 서로 마음이 맞다. ¶彼とはなんとなく～ 그와는 왠지 모르게 죽이 맞는다.

―には乗って見よ人には添うて見よ 말은 타보고, 사람은 사귀어 보아라《무엇이든 실제로 경험하고 확인하라는 비유》.

―の耳に念仏 우이독경(牛耳讀經).

―を牛に乗り換える 좋은 것을 버리고 나쁜 것을 취함의 비유.

****うま-い**〖旨い·甘い〗形 **1** 맛있다. ＝おいしい. ¶～料理〔肉〕 맛있는 요리〔고기〕/ビールの一杯めはやっぱり～ 맥주의 첫 잔은 역시 맛있다. 參考 '美味い' 로도 씀. **2** 마음에 들다; 흐뭇하다. ＝好ましい. ¶～話 구미가 당기는 이야기/自分だけ～事をする 혼자서만 재미를 보다/～事行けば一年遊べる 일이 잘되면 1년 놀고 먹을 수 있다. ⇔まずい.

―汁を吸う 노력하지 않고 이익을 얻다; 애쓰지 않고 혼자 재미를 보다.

****うま-い**〖上手い·巧い〗形 솜씨가 뛰어나다; 좋다; 잘하다; 훌륭하다. ¶字が～ 글씨를 잘 쓰다/英語が～ 영어를 잘하다/なかなかスキーが～ 스키 솜씨가 뛰어나다/～考えが浮かぶ 좋은 생각이 떠오르다/～事を言う (a)겉치레로〔아부해서〕 말하다; (b)일리 있는〔좋은〕 말을 하다/～ぞ, その調子! 잘 했어, 그런 식이야.

―こと 《副詞적으로 써서》 교묘하게; 감쪽같이. ＝まんまと. ¶～言い逃れる 교묘하게 발뺌하다.

うまいち【馬市】名 말시장.

うまうまと〖甘甘と〗副 교묘하게; 보기 좋게. ＝まんまと. ¶～だます 감쪽같이 속이다/～話にのせる 교묘하게 이야기에 끌려들게 하다/～一杯食わされた 보기 좋게 한 방 먹었다.

うまおいむし〖馬追い虫〗名〔蟲〕 베짱이. ＝うまおい·すいっちょ.

うまがお【馬顔】名 말상(相). ＝馬面.

うまかた【馬方】名 마부; 마바리꾼. ＝馬子·馬引き.

****うまく**〖旨く〗副 목적한 대로; 멋들어지게; 솜씨 좋게; 요행스럽게; 잘. ¶～だます 교묘하게〔감쪽같이〕 속이다/後任が～見つかる 후임자가 다행히도 나타나다/何をしても～行く 무엇을 하든지 잘 되다/～してやられた 보기 좋게 당했다/～ない (a)맛이 없다; (b)솜씨가 좋지 않다/へたに泣き出されると～ないな 잘못해서 울리기라도 하면 난처한데.

うまごや【馬小屋】名 마구간.

うまずたゆまず〖倦まず弛まず〗連語 《副詞的으로 씀》 조금도 게을리 하지 않고; 지칠 줄 모르게; 꾸준히. ¶～勉強を重ねる 꾸준히 공부하다.

うまずめ【産まず女】《石女》名 석녀; 돌계집. ＝石おんな.

うまづら【馬面】名 말상; 긴 얼굴. ＝馬顔. ¶～の男 말상의 사나이.

うまとび【馬飛び·馬跳び】名 아이들 놀이의 하나; 말타기 놀이. ＝かえるとび.

うまに【うま煮】《甘煮·旨煮》名 고기나 야채를 달게 조린 요리. ＝照り煮.

うまのほね【馬の骨】名 내력을 잘 모르는 시시한 자; 개뼈다귀. ¶どこの～だかわからない 어디서 굴러먹던 개뼈다귄지 모르겠다.

うまのり【馬乗り】名 **1** 승마; 말 타기; 또, 말 타는 사람. **2** 말 탄 것같이 양다리로 깔고 앉음. ¶倒れた相手の上に～になる 쓰러진 상대를 깔고 앉다.

うまぶね【馬ぶね】《馬槽》名 **1** 말구유; 여물통. ＝かいばおけ. **2** 큰 통.

うまみ【うまみ·うま味】《旨味·甘味》名 맛이 좋다는 느낌. ¶この酒はからいだけで～がない 이 술은 씁쌀할 뿐 맛은 없다. 注意 바르게는 '旨み'.

うまみ【うまみ·うま味】《上手味·巧味》名 **1** 솜씨가 좋다는 느낌. ¶～のある表現 (솜씨가 느껴지는) 멋있는 표현. **2** 흥미; 재미; 전하여, 상업상의 이익. ¶～のある商売 재미보는 장사.

うまや【馬屋】《廐》名 마구간. ＝馬小屋. ¶～に入れる 마구간에 넣다.

***うま-る**【埋まる】五自 **1** ☞うずもれる. **2** 메워지다. ㉠가득 차다; 막히다. ¶溝が～ 수채가 막히다/広場が人で～ 광장이 사람들로 가득 차다/穴がごみで～ 구멍이 쓰레기로 막히다. ㉡벌충되다. ¶欠員〔赤字〕が～ 결원이〔적자가〕 메워지다.

***うまれ**【生まれ】名 **1** 탄생; 출생. ¶三月～ 3월생/～年 태어난 해. **2** 가문; 출신. ＝素姓. ¶名門〔農家〕の～ 명문〔농가〕 출신/～がよくない 출생 신분이 좋지 않다. **3** 출생지; 출생한 고장. ¶お～はどちらですか 출생지는 어디입니까 /～は九州です 출생지는 九州입니다. 參考 이력서 등에서는, '…年 …月 …日生' 와 같이, 흔히 送りがな를 생략하여 씀.

―もつかぬ 선천적이 아닌. ¶～かたわになる 불의의 사고로 불구가 되다.

うまれお-ちる【生まれ落ちる】上1自 태어나다. ＝生まれでる. ¶～·ちてこのかた患ったためしがない 태어난 이래 앓아 본 적이 없다.

うまれかわ-る【生まれ変わる】五自 (다른 모습으로) 다시 태어나다. **1** 환생(還生)하다. ¶～·れば女になりたい 환생하면 여자가 되고 싶다. **2** (성격·내용 등이) 싹 달라지다; 일변하다. ¶～·って真人間になる (사람됨이) 일변해서 참사람이 되다/新会社に～ 새 회사로 다시 태어나다.

うまれこきょう【生まれ故郷】名 출생

지; (태어난) 고향. ＝故郷·古里.

うまれつき【生まれつき·生まれ付き】 ㊀名 타고난〔선천적인〕 것《용모나 성질 따위》; 천성. ¶～の性質 타고난 성질 / 声の悪いのは～だ 목소리가 나쁜 것은 천성이다. ㊁副 선천적으로; 천성으로. ＝生まれながら·生来. ¶～口が悪い 천성으로 입이 험하다〔걸다〕/ ～涙もろい 선천적으로 눈물을 잘 흘린다〔정에 여리다〕.

うまれつ-く【生まれつく·生まれ付く】 5自 (성질·재능 따위를) 타고나다; 갖추고 태어나다. ¶利口に～ 영리하게 태어나다 / 悪い星の下に～ 불운을 타고 태어나다.

うまれながら【生まれながら】《生まれ乍ら》副 태어날때부터; 태어났을 때 이미. ＝うまれつき·生来. ¶～の大将〔風来坊〕 타고난 장수(감)〔떠돌이〕/ ～に苦労を背負っていた 태어나면서부터 이미 고생할 팔자였다.

＊＊うま-れる【生まれる】 下1自 **1**《産まれる로도》 태어나다; 출생하다. ¶～·れてこのかた 태어나서 이제까지 / 赤ちゃんが～ 어린애가 태어나다 / 金持ちに～ 부자로 태어나다. ↔死ぬ. **2** 없던 것이 새로 생기다. ¶新しい会社が～ 새 회사가 생기다 / 傑作〔アイデア〕が～ 걸작이〔아이디어가〕 나오다.

＊＊うみ【海】名 **1** 바다. ¶～の水 바닷물 / ～が荒れる 바다가 거칠어지다. 参考 달 표면의 평평한 부분도 일컬음. ¶静かの～ 고요의 바다. ↔陸. **2** '널리 퍼져 있는 것'의 비유. ¶涙の～ 눈물 바다 / 一面火の～ 온통 불바다. **3** (벼루의) 물 붓는 곳; 연지(硯池). ↔陸.

—の幸山の幸 바다나 산에서 잡은 것; 특히, 산해의 진미.

—の物とも山の物ともつかない (앞으로) 어떻게 될지 알 수가 없다. ¶まだ～会社 아직 어떻게 될지 전혀 알 수 없는 회사.

＊うみ〖膿〗名 고름; 전하여, (조직·단체의) 악폐. ¶市政の～ 시정의 악폐 / ～を出す (a)고름을 짜내다; (b)악폐를 제거하다.

うみ【生み·産み】名 낳음; 낳기. ¶～の母 낳은 어머니; 생모. ⇨うみのおや.

うみおと-す【生み落とす·産み落とす】 5他 (아이·새끼·알 따위를) 낳다. ＝うむ. ¶鶏が卵を～ 닭이 알을 낳다 / 玉のような(男の)子を～ 옥동자를 분만하다.

うみせんやません【海千山千】名 산전수전을 다 겪어 노회(老獪)함; 또, 그 사람《바다에 천 년, 산에 천 년 산 뱀은 용이 된다는 전설에서》. ¶～のやり手 산전수전 다 겪은 능구렁이; 백전노장.

うみぞい【海沿い】名 해안; 연안. ¶～の町 바닷가의 도시.

うみだ-す【生み出す·産み出す】 5他 **1** 낳다. ¶活力〔利息〕を～ 활력을〔이자를〕 낳다. **2** 새로 만들어 내다; 산출〔안출〕하다. ¶よい方法を～ 좋은 방법을 생각해 내다.

うみづき【産み月】名 산월; 해산달《풀어 쓴 말씨》. ＝臨月. ¶～が近づいた 산달이 가까워졌다.

うみつばめ〖海燕〗名〔鳥〕 바다제비.

うみなり【海鳴り】名 해명《태풍이나 해일 등의 전조(前兆)임》. ＝海鳴. ¶～がする 해명이 나다 / ～が聞こえますか 해명 소리가 들립니까.

うみねこ〖海猫〗名〔鳥〕 괭이갈매기.

うみのおや【生みの親·産みの親】名 **1** 친부모. ＝実の親. **2** 창시자. ¶郵便制度の～ 우편 제도의 창시자.

—より育ての親 낳은 정보다 기른 정. ＝生みの恩より育ての恩.

うみのさち【海の幸】名 바다에서 나는 것; 해산물. ＝海幸. ↔山の幸.

うみびらき【海開き】名 ス自 해수욕장의 개장(開場). ＝浜開き. ↔山開き.

うみべ【海辺】名〈雅〉 해변; 바닷가; 해안. ＝海岸·かいへん. ¶～を散歩する 바닷가를 산책하다. ↔山辺.

う-む〖熟む〗 5自 (과일이) 익다. ＝熟れる. ¶柿が～時期 감이 익을 시기 / 渋柿が～·んで甘くなる 떫은 감이 익어 달게 되다.

う-む〖膿む〗 5他 곪다. ＝化膿する. ¶傷口が～ 상처가 곪다 / おできが～·んでずきずき痛い 종기가 곪아 따끔따끔 아프다.

＊＊う-む【生む·産む】 5他 **1** (아이·새끼·알을) 낳다. ¶子を～ 아이를 낳다 / 年に五, 六回子を～ねずみ 연 5, 6 회 새끼를 낳는 쥐. **2** (없던 것을) 만들어 내다. ¶傑作を～ 걸작을 낳다 / 利益〔新記録〕を～ 이익〔신기록〕을 내다 / 疑惑を～ 의혹을 낳다. 可能 う-める 下1自

う-む〖倦む〗 5自 싫증나다; 지치다. ¶～·まずたゆまず努力する 싫증내거나 게으름 피우지 않고 꾸준히 노력하다 / 生活に～ 생활에 지치다 / ～ことを知らぬ 지칠 줄 모르다.

うむ【有無】名 유무. ＝あるなし. ¶回答の～にかかわらず 회답이 있든 없든간에 / 在庫の～をしらべる 재고 유무를 조사하다.

—を言わせず (싫든 좋든) 우격으로; 불문곡직하고. ＝いやおうなしに. ¶～引っ張ってくる 다짜고짜 끌고 오다.

＊うめ【梅】名 **1** 매화나무. **2** 매화나무의 열매; 매실.

うめあわせ【埋め合わせ】名 ス他 벌충; 보충. ¶～がつく 벌충이 되다 / むだにした時間の～をする 허비한 시간을 벌충하다 / 赤字の～が容易でない 적자 보전이 쉽지 않다.

＊うめあわ-せる【埋め合わせる】 下1他 벌충하다; 보충하다. ＝うめあわす. ¶欠員を～ 결원을 보충하다 / 収入

の減少を内職で～ 수입의 감소를 부업으로 벌충하다.

うめきごえ〖呻き声〗图 신음 소리. ¶～をあげる 신음 소리를 내다.

うめ-く〖呻く〗[5自] 신음하다. ¶苦痛に～ 고통으로 신음하다/病床に～ 병상에서 신음하다/重傷を負って～ 중상을 입고 신음하다.

うめくさ【埋め草】《埋め種》图 (잡지 등에서) 여백을 메우기 위한 짧은 기사. ¶～原稿 여백을 메울 짧은 기사의 원고. [参考] 본디, 성을 공격할 때 해자를 메우는 데 쓰인 풀.

うめしゅ【梅酒】图 매실주. ＝うめざけ.

うめたて【埋め立て·埋立】图[ス他] 매립; 매축; 메움. ¶～工事 매립 공사/～地 매립지; 매축지.

*__うめた-てる__【埋め立てる】[下1他] 메우다; 매립〔매축〕하다. ¶池を～ 연못을 메우다/ごみ捨て場に土をかぶせて～ 쓰레기터에 흙을 덮어 매립하다.

うめぼし【梅干し】图 매실장아찌. ¶～を漬ける 매실 장아찌를 담그다/梅の実を塩につけた～ 매실을 소금에 절인 매실장아찌.

―ばばあ〖―婆〗图 쭈그렁 할멈. ＝梅干しばば.

__う-める__【埋める】[下1他] **1 묻다; 파묻다. ＝うずめる. ¶骨を～ 뼈를 묻다; 그 고장에서 죽다. **2** 메우다. ㉠벌충하다; 보충하다. ¶余白を～ 여백을 메우다/赤字を～ 적자를 메우다. ㉡가득차게 하다. ¶会場を～·めた群衆 회장을 가득 메운 군중. **3** 물을 타서 미지근하게 하다. ＝ぬるめる. ¶風呂を～ 뜨거운 목욕물에 찬물을 타다.

うもう【羽毛】图 우모; 깃털; 새털. ¶～布団 오리털 이불/～は一年に一二回抜けかわる 우모는 일년에 한두 번 간다.

うもれぎ【埋もれ木】图 **1** 매목; 흙 속에 묻혀 탄화한 나무의 화석. ¶～細工 매목 세공. **2** 세상에서 버림을 당한 처지의 비유. ¶田舎で～の生活を送る 시골에 묻혀서 살다.

―に花が咲く 불우했던 사람에게 뜻밖에 행운이 찾아오다.

うも-れる【埋もれる】[下1自] ☞うずもれる.

うやうやし-い【恭しい】形 공손하다; 정중하다. ¶～·くおじぎをする 공손히 인사하다.

*__うやま-う__【敬う】[5他] 존경〔공경〕하다; 숭상하다. ＝あがめる. ¶～心 존경하는 마음/先生を～ 선생님을 존경하다/神仏を～ 신불을 숭상하다. [可能] うやま-える[下1自]

うやむや〖有耶無耶〗[ダナ] 유야무야; 흐지부지함; 애매함. ¶～な返事 애매한 대답/責任を～にする 책임을 흐지부지 해버리다/その調査は～に終わった 그 조사는 흐지부지 끝났다.

うようよ 副 작은 벌레 같은 것이 많이 모여 움직이는 모양: 우글우글; 득시글득시글. ＝うじゃうじゃ. ¶うじが～している 구더기가 우글거리고 있다.

うよきょくせつ［紆余曲折］图[ス自] **1** 꾸불꾸불함. ¶～した道 꾸불꾸불한 길. **2** 우여곡절. ¶～を経てやっと解決した 우여곡절을 겪고 겨우 해결했다.

うよく【右翼】图 우익. **1** 오른쪽 날개. **2** 국수적인 사상 경향. ¶～の政党 우익 정당. **3**〖野〗오른쪽 외야. ＝ライト. ¶～を守る 우익을 지키다. **4** 군대·함대의 오른쪽 대열. ¶～が崩れる 우익이 무너지다. ⇔左翼.

うら【浦】图 후미. ＝いりえ.

__うら__【裏】图 **1 뒤; 뒷면; 뒤쪽. ¶ページの～ 페이지 뒷면/～に回る 뒤로 돌다/～で策略をめぐらす 뒤에서 책략을 꾸미다. **2** (옷의) 안(감). ＝裏地. ¶着物の～をつける 옷의 안을 대다. **3** 겉과 반대되는 일. ¶～を言う 본심을 감추고 반대되는 말을 하다. **4** 이면; 내막. ＝内情. ¶財界の～ 재계의 이면/人には言えない～がある 남에겐 말 못할 내막이 있다. **5**〖野〗말(末). ¶一回の～ 일회 말. **6** 일반적으로, 공공연하지 못한 것. ＝裏口. ¶～から頼みこむ 뒷문으로 청탁하다. ⇔表.

―には―がある 이면에는 이면이 있다《내부 사정이 복잡하다》.

―へ回る 뒤에서 몰래 행동하다. ¶うらへ回って悪口を言う 뒷구멍에서 욕을 하다.

―をかく (상대방의) 의표〔허〕를 찌르다. ¶敵の～ 적의 의표를 찌르다.

うらうち【裏打ち】图[ス他] **1** 배접; 종이나 가죽 뒷면에 다른 종이나 천을 덧붙여 튼튼하게 함. ¶紙で～する 종이로 배접하다. **2** 다른 측면으로부터의 증거 보강; 뒷받침. ＝うらづけ. ¶予測を事実が～する 예측을 사실이 뒷받침하다.

うらうら 副《흔히 'と'를 수반하여》 햇빛이 밝고 화창한 모양. ＝うららか. ¶～とあたたかい春の日ざし 화창하고 따뜻한 봄의 햇살.

*__うらおもて__【裏表】图 **1** 안팎. ㉠안과 겉. ¶紙の～ 종이의 앞팎. ㉡겉과 내부의 실정. ¶物の～に通じた人 사물의 안팎 사정에 정통한 사람. **2** 표리. ＝かげひなた. ¶～があるやつだ 표리가 있는 놈이다/～のない人間 표리 없는 사람. **3** 뒤집음. ＝裏返し. ¶シャツを～に着る 셔츠를 뒤집어 입다.

うらかいどう【裏街道】图 뒷길《비유적으로도 씀》. ＝うらみち. ¶人生の～を行く 인생의 뒤안길을 가다《떳떳하지 못하게 살아가다》.

うらがえし【裏返し】图 뒤집음; 또, 뒤집혀 있음. ¶答案用紙を～にしておく 답안 용지를 뒤집어 놓다/ここで問題は～になる 여기서 문제는 뒤집혀진다.

*うらがえ-す【裏返す】5他 뒤집다. ¶ ～·して言えば 뒤집어 말하면 / 畳の表を～ 다다미의 겉을 뒤집다.

*うらがき【裏書き】图ス自他 1 (수표·증권 등의) 배서(背書); 이서. 2 (사실에 대한) 뒷받침; 뒷증명. ¶犯行を～する証拠 범행을 뒷받침하는 증거.

うらかた【裏方】图 1 (일반적으로) 남의 아내에 대한 높임말: 마님; 영부인. 2 무대 뒤에서 일하는 사람《장치·소품·의상 담당 따위》. ↔表方. 3 표면에 나서지 않고 뒤에서 준비나 운영을 돕는 사람. ¶通訳として国際会議の～をつとめる 통역으로서 국제회의의 이면에서 중요한 활동을 하다.

うらがなし-い【うら悲しい】形 어쩐지 슬프다; 서글프다; 속절없이 슬프다. ¶ ～秋の夕暮れ 쓸쓸한 가을의 황혼 / ～冬枯れの景色 서글픈 낙엽진 겨울 경치.

うらがね【裏金】图 1 구두창에 박는 징. 2 (거래가 잘 되도록) 몰래 쥐어 주는 돈; 떡값. ¶入札に～が動く 입찰에 뒷돈이 나돌다.

うらが-れる【うら枯れる】《末枯れる》 下1自 (겨울이 가까워져서) 초목의 끝이 마르다. ¶ ～晩秋の野 초목 끝이 마르는 늦가을의 들. 参考 'うら'는 '末(=끝)'의 뜻.

うらぎり【裏切り】图 배반; 배신; 내통. =内応. ¶彼の～はゆるせない 그의 배반은 용서할 수 없다.

**うらぎ-る【裏切る】5他 1 배반하다; 적과 내통하다. ¶友〔味方〕を～ 친구를〔자기편을〕 배반하다. 2 (예상과) 어긋나다; 반대 결과가 되다. =反する. ¶期待を～成績 기대에 어긋나는 성적 / 人々の期待を～·らない力作 사람들의 기대에 어긋나지 않는 역작. 可能 うらぎ-れる 下1自

*うらぐち【裏口】图 1 뒷문. =勝手口. ¶ ～から逃げる 뒷문으로 도망치다 / ～へまわる 뒷문으로 돌아가다. ↔表口. 2 뒷구멍; 부정한 수단. ¶ ～入学 뒷구멍〔부정〕 입학 / ～営業 비밀〔몰래 하는〕 영업.

うらげい【裏芸】图 연예인들의 숨은 재주〔장기〕. =隠し芸. ↔表芸.

うらごえ【裏声】图 가성(假聲)《남자가 기교적으로 내는 고음 소리; 요들 등》. =ファルセット. ¶ ～で歌う 가성으로 노래하다. ↔地声.

うらさく【裏作】图〔農〕 이작; 뒷갈이. =後作. ¶稲の～に麦をつくる 벼의 뒷갈이로 보리를 갈다. ↔表作.

うらさびし-い【うら寂しい】《うら淋しい》形 어쩐지 쓸쓸하다. =ものさびしい. ¶ ～晩秋の風景 늦가을의 쓸쓸한 풍경 / ～場末の町並み 쓸쓸한 변두리의 거리 / ～気持ちになる 어쩐지 쓸쓸한 기분이 되다.

うらじ【裏地】图 (의복의) 안감; 내공(内供). =裏ぎれ. ↔表地.

うらしまたろう【浦島太郎】图 거북을 살려 준 덕으로 용궁에 가서 호화롭게 지내다가 돌아와 보니, 많은 세월이 지나 아는 사람은 모두 죽고, 모르는 사람뿐이었다는 전설의 주인공. ⇨たまてばこ.

うらじろ【裏白】图 1 (종이나 헝겊으로 만든 것의) 안(쪽)이나 바닥이 흼. 2【うらじろ】〔植〕 풀고사리《설날 장식으로 쓰임》.

*うらづけ【裏付け】图ス他 튼튼하게 하기 위해 안을 대는 일; 또, 그 물건; 전하여, (어떤 일을) 증명해 주는 확실한 증거; 뒷받침. ¶犯行の～ 범행의 뒷받침 / ～を欠いた報道 확증이 없는 보도 / 理論の～がない 이론적인 뒷받침이 없다.

うらづ-ける【裏付ける】下1他 1 안을 대다; 배접하다. 2 뒷보증〔증명〕하다; 뒷받침하다. ¶犯行を～ 범행을 뒷받침하다 / 事実が彼の言葉を～ 사실이 그의 말을 증명〔뒷받침〕한다.

うらて【裏手】图 뒤편; 뒤쪽; 배후. ¶家の～の山 집의 뒤쪽 산 / 敵の～に回る 적의 뒤〔배후〕로 돌다.

うらど【裏戸】图 집 뒤쪽의 문; 뒷문.

うらどおり【裏通り】图 큰길 뒤쪽에 있는 좁은 길; 뒷골목. =うらみち. ↔表通り.

うらどし【裏年】图 어떤 나무에 열매가 잘 열리지 않는 해. ↔なり年.

うらない【占い】《卜》图 점; 점쟁이. ¶ ～師 점쟁이 / ～があたる 점이 맞다.

*うらな-う【占う】5他 점치다. ¶ ～·ってもらう 점을 보다 / 人の運勢を～ 사람의 운수를 점치다 / 優勝のゆくえを～ 우승의 향방을 점치다. 可能 うらな-える 下1自

うらながや【裏長屋】图 뒷골목에 지은 허름한 長屋.

うらなり【末成り·末生り】图 1 철 늦게 덩굴 끝에 호박·참외·오이 따위가 열리는 일; 또, 그 열매; 끝물. ¶ ～のかぼちゃ 늦게 열린 호박. ↔本成り. 2 안색이 나쁘고 허약한 사람《조롱하는 말》.

ウラニウム [uranium] 图 ☞ウラン.

うらにほん【裏日本】图 本州 중에서, 우리나라의 동해 쪽에 면한 지방의 일컬음. ↔表日本. 参考 지금은 일반적으로 '日本海側'라고 함.

うらばなし【裏話】图 비화(祕話); 잘 알려져 있지 않은 내막적인 이야기. ¶日米会談の～ 미일 회담 비화.

うらはら【裏腹】名ナ 1 거꾸로 됨; 정반대; 모순됨. =あべこべ. ¶言う事とする事が～だ 말과 하는 짓이 정반대다 / ～なことを言う 모순된 말을 하다. 2 서로 이웃함; 등을 맞댐. ¶生と死が～の危険な作業 생과 사가 함께 이웃해 있는 위험한 작업. 参考 본디, 등과 배, 겉과 안의 뜻.

うらばんぐみ【裏番組】图 (TV 등에서)

어떤 인기 프로에 대항하여 같은 시간대에 내보내는 다른 방송국의 프로.

うらびょうし【裏表紙】图 (책의) 속표지; 안겉장.

うらぶ-れる 下1自 영락하여 초라해지다. ¶～·れたみなりをしている 초라한 행색을 하고 있다.

うらぼん【うら盆】《盂蘭盆》图〔佛〕우란분재《음력 7월 보름을 중심으로 수일간에 걸쳐 조상의 영혼을 제사 지내는 불교 행사》; 백중맞이. ＝ぼん·うらぼん会·精霊会·たま祭り.

うらまち【裏町】图 뒷골목의 (초라한) 거리. ¶さびれた～ 쓸쓸한 뒷골목.

***うらみ**【恨み】《怨み》图 원한; 앙심. ¶～を買う〔いだく〕 원한을 사다〔품다〕/ ～を晴らす 원한을 풀다 / ～を飲む 원한을 꾹 참다.

──骨髄に徹する 원한이 뼈에 사무치다.

うらみ〖憾み〗图 유감; 흠; 아쉬움; 불만인 점. ＝欠点. ¶未熟の～がある 미숙하다는 흠이 있다 / 急ぎ過ぎた～がある 너무 서두른 감이 있다.

うらみがましい-い【恨みがましい】《怨みがましい》形 원망하는 듯하다. ¶～手紙 원망투의 편지.

うらみごと【恨み言】《怨み言》图 원망하는 말. ＝怨言. ¶くどくどと～を言う 이러쿵저러쿵 원망을 늘어놓다.

うらみち【裏道】图 **1** 뒷(골목)길. **2** 샛길. ＝ぬけ道·間道. ¶～伝いに行く 샛길을 따라 가다. **3**〈俗〉부정한 방법〔수단〕. ¶～から禁制品を仕入れる 부정한 방법으로 금제품을 구입하다. **4** 그늘진 생활. ¶人生の～を歩く 인생의 뒤안길을 걷다《그늘진 인생을 살다》.

うらみっこ【恨みっこ】《怨みっこ》图《보통 '～なし'의 꼴로 씀》서로가 원망함. ¶～なしにしよう 서로 원망하지 말기로 하자.

うらみつらみ【恨みつらみ】《怨みつらみ》图 (여러 가지) 원통한 일. ¶～の数々を並べたてる 여러 가지 원통한 일을 늘어놓다 / ～が爆発する 쌓이고 쌓인 원한이 폭발하다. 参考 'うらみ'에 어조를 맞추려고 'つらい'를 'つらみ'로 덧붙인 말.

****うら-む**【恨む】《怨む》5他 원망하다; 분하게 여기다. ¶人に～·まれることはしていない 남에게 원망을 받을 일은 하지 않았다 / 冷淡な態度を～ 냉담한 태도를 원망하다.

うらめ【裏目】图 주사위의 반대쪽.

──に出る 예상이 틀어지다. ¶することなすこと～ 하는 일이 모두 기대에 어긋나다 / 投手の交代が裏目に出た 투수를 교체한 것이 오히려 기대에 어긋나는 결과를 낳았다.

***うらめし-い**【恨めしい】《怨めしい》形 **1** 원망스럽다. ¶私をだました人が～ 나를 속인 사람이 원망스럽다 / 冷たいしうちが～ 냉정한 처사가 원망스럽다. **2** 유감스럽다; 한스럽다. ＝残念だ. ¶まにあわなかったのが～ 제 때에 대지 못한 것이 한스럽다.

うらもん【裏門】图 뒷문. ¶～から出る 뒷문으로 나오다. ↔表門.

うらやま【裏山】图 **1** (집·시가지의) 뒷산. **2** 산의 응달 쪽.

****うらやまし-い**〖羨ましい〗形 부럽다; 샘이 나다. ¶ぜいたくな生活が～ 사치스러운 생활이 부럽다 / 君の幸運が～ 자네의 행운이 부럽네.

***うらや-む**〖羨む〗5他 부러워〔선망〕하다; 샘하다. ¶人の成績を～ 남의 성적을 부러워하다 / 人も～仲 남들도 샘하는 사이《금실 좋은 부부 사이》.

うららか〖麗らか〗ダナ **1** 화창한 모양. ＝うらら·うらうら. ¶～な春の日ざし 화창한 봄볕. **2** 명랑한 모양. ¶～な顔つき 명랑한 얼굴〔표정〕/ ～な鳥の声 명랑한 새소리.

うらわか-い【うら若い】形 젊디젊다; 애젊다. ¶～女性 아직〔매우〕젊은 여성. 参考 주로 여자에게 씀.

ウラン [도 Uran] 图 우라늄《방사성 원소의 하나; 기호: U》. ＝ウラニウム.

うり【売り】图 **1** (물건을) 팖. ¶家を～に出す 집을 팔려고 내놓다. **2** (주식에서) 시세 하락을 예상하고 팔기. ¶～に回る 매도세로 돌아서다. ⇔買い.

うり〖瓜〗图〔植〕참외·오이 등 박과 식물의 열매의 총칭; 특히, 참외.

──の蔓になすびはならぬ 오이 덩굴에 가지 날까《그 아비에 그 아들; 피는 못 속인다》. ↔鳶が鷹を生む.

──二つ (세로로 쪼갠 오이처럼) 빼쏜 듯이 닮음; 아주 비슷함. ¶兄と～の弟 형을 쏙 빼닮은 동생 / 顔が父親と～だ 얼굴이 아버지를 쏙 빼 닮았다.

うりあげ【売り上げ·売上】图 매상; 매출. ¶一日の～ 하루의 매출액 / ～総利益 매출 총이익.

──きん【売上金】图 판매액.

──だか【売上高】图 매출액; 판매액.

うりあげる【売り上げる】5他 **1** (일정한 양의 상품을) 모두 팔다. ¶一日二千個を～ 하루에 2천 개를 다 팔다. **2** (판매액이) 얼마가 되다. ¶一日五億円を～ 하루 판매액이 5억 엔에 이르다.

うりおしみ【売り惜しみ】图ス他 매석; 팔기를 꺼림.

うりおし-む【売り惜しむ】5他 매석(賣惜)하다; 팔기를 꺼리다. ¶値上がりを予想して～ 가격 인상을 예상하고 팔기를 꺼리다. ↔うりいそぐ.

うりかい【売り買い】图ス他 매매. ＝あきない·しょうばい. ¶株の～で生活する 주식 매매로 생활하다.

うりかけ【売り掛け】图 외상으로 팔기; 또, 그 대금. ¶～を集めてまわる 외상값을 거두러 다니다. ↔買い掛け.

—きん【売掛金】图 외상 매출금.

うりかた【売り方】图 **1** 파는 방법. **2** 파는 쪽(의 사람); 매주(賣主). =売(う)り手(て). ⇔ 買(か)い方(かた).

うりきれ【売り切れ】图 절품(切品); 매진. ¶たちまち～になる 금방〔순식간에〕 다 팔리다.

*__うりき-れる__【売り切れる】下1自 다 팔리다; 매진되다. ¶肉(にく)が～ 고기가 다 팔리다 / 一日(いちにち)で～·れた 하루 만에 다 팔렸다.

うりぐい【売り食い】图ス自 수입이 없어 가재 도구를 팔아 살아감. ¶～で生活(せいかつ)する 들고나는 생활을 하다.

うりくち【売り口】图 (상품을) 팔 상대; 〔곳〕; 판로. =売り先(さき). ¶～を見(み)つける 작자〔판로〕를 찾아내다.

うりこ【売り子】图 **1** (역이나 기차 안에서) 물건을 팔고 다니는 사람; 차내 판매원. ¶新聞(しんぶん)～ 신문팔이. **2** (상점의) 판매원; 특히, 백화점의 여자 점원. ¶デパートの～ 백화점의 여점원.

うりごえ【売り声】图 (행상인 등이) 팔려고 외치는 소리. ¶八百屋(やおや)の～ 야채 장수가 외치는 소리.

うりことば【売り言葉】图 싸움을〔시비를〕 거는 거친 말. ↔買(か)いことば.

—に買(か)いことば 오는 말에 가는 말《폭언에 폭언으로 응함》.

うりこみ【売り込み】图 **1** 판매함; 판로 확장. ¶～合戦(がっせん) 판매 경쟁. **2** 시세가 떨어져도 계속 팔아치움.

*__うりこ-む__【売り込む】5他 **1** (강권하다시피 해서) 팔다. ¶新製品(しんせいひん)を～ 신제품을 팔다. **2** (선전하거나 신용을 얻어) 잘 뵈다. ¶テレビで顔(かお)を～ TV를 통해 얼굴을 팔다 / 社長(しゃちょう)に～·んで昇給(しょうきゅう)する 사장에게 잘 보여 승급하다 / 名前(なまえ)を～ 유명해지도록 힘쓰다.

うりさき【売り先】图 ☞うりくち.

うりざねがお【うりざね顔】《瓜実顔》图 오똑한 코에 희고 갸름한 얼굴《미인형이라 했음》. ¶～の美人(びじん) 얼굴이 갸름한 미인. 参考 'うりざね'는 외씨.

うりさば-く【売りさばく】《売り捌く》5他 (재고가 나지 않도록) 판매하다; (솜씨 있게) 팔다. =売(う)りこなす. ¶滞貨(たいか)を～ 체화를 팔아치우다.

うりだし【売り出し】图 **1** 팔기 시작함; 발매. ¶～の商品(しょうひん) 팔기 시작한 상품 / 新薬(しんやく)の～は延期(えんき)された 신약의 발매는 연기되었다. **2** 매출; 방매. ¶歳末(さいまつ)大(おお)～ 연말 대매출. 注意 '大(おお)売出(=대매출)' 등의 경우에는 送(おく)りがな를 생략해도 됨. **3** 갑자기 인기가 높아짐. ¶今(いま)～のスター 지금 한창 팔리고 있는 스타.

*__うりだ-す__【売り出す】5他 **1** 팔기 시작하다. ¶新薬(しんやく)を～ 신약을 팔기 시작하다. **2** (선전·할인 혹은 경품을 붙여) 대대적으로 팔다. **3** 유명해지다. ¶スターとして～ 스타로서 유명해지다.

うりたた-く【売りたたく】《売り叩く》5他 **1** 돈이 아쉬워 마구 싸게 팔다. ¶金策(きんさく)のため在庫品(ざいこひん)を～ 돈마련을 위해 재고품을 싸게 팔다. **2** (상품·주식 등의 시세를 떨어뜨리기 위해서) 마구 팔다. ¶手持(ても)ち株(かぶ)を～ 갖고 있는 주식을 마구 팔아치우다.

うりつ-ける【売りつける·売り付ける】下1他 억지로 팔다; 강매하다. ¶安物(やすもの)を～ 싸구려 물건을 억지로 팔다.

うりて【売り手】图 매주(賣主); 파는 쪽(사람). ¶～が多(おお)い 팔 사람이 많다. ↔買(か)い手(て).

—しじょう【—市場】图 매주 시장; 수요가 많아 파는 쪽이 유리한 (증권) 시장의 상황. ↔買い手市場.

うりどき【売り時】图 팔아야 할 때; 매도 시기. ¶今(いま)が～だ 지금이 팔기에 좋은 기회다. ↔買(か)い時(どき).

うりとば-す【売り飛ばす】5他 **1** 아낌〔미련〕없이 팔아 치우다. ¶二束(にそく)三文(さんもん)で～ 헐값으로 팔아 치우다. **2** (무자비하게) 팔아 먹다. ¶娘(むすめ)を～ 딸을 팔아 먹다.

うりぬし【売り主】图 매주; 파는 사람. =うりて. ¶～に値段(ねだん)をかけあう 물건 주인과 값을 흥정하다. ↔買(か)い主(ぬし).

うりね【売り値】图 파는 값; 매가. =売価(ばいか). ¶～を協定(きょうてい)する 파는 값을 협정하다. ↔買(か)い値(ね)·元値(もとね).

うりば【売り場】图 **1** 매장; 파는 곳; 판매장. ¶文房具(ぶんぼうぐ)～ 문방구 판매장 / ～主任(しゅにん) 매장 주임 / 切符(きっぷ)～ 매표소. **2** 팔 시기. =売(う)り時(どき). ¶今(いま)が～だ 지금이 팔 시기다.

うりはら-う【売り払う】5他 전부 팔아 버리다; 매도하다; 팔아넘기다. ¶蔵書(ぞうしょ)を～ 장서를 다 팔아 버리다 / 家財道具(かざいどうぐ)を～ 세간을 전부 팔아 버리다.

うりもの【売り物】图 **1** 팔 것; 팔 물건. ¶～にならない 팔 거리가 못되다 / このカメラは～ではない 이 카메라는 팔 것이 아니다. **2** 자랑으로 내세우는 것; 흥미·관심거리. ¶声(こえ)のよいのを～にする 목청 좋은 것을 자랑으로 하다. **3** (배우·예능인 따위의) 자랑거리 재간; 장기(長技). =十八番(じゅうはちばん).

うりや【売り家】图 방매가(放賣家); 팔 집. =売(う)りいえ.

うりょう【雨量】图 우량; 강수량. =降雨量(こううりょう). ¶～計(けい) 우량계.

うりわたし【売り渡し】图 매도. ¶～証(しょう) 매도 증서. ↔買(か)い受(う)け.

うりわた-す【売り渡す】5他 팔아넘기다. **1** (물건을) 매도하다. ¶家(いえ)を～ 집을 팔아넘기다. ↔買(か)い受(う)ける. **2** (배반해) 적에게 넘기다. ¶同志(どうし)を警察(けいさつ)に～ 동지를 경찰에 팔아넘기다.

__う-る__【売る】5他 **1 팔다. ㉠값을 받고 물건 등을 주다. ¶安(やす)く～ 싸게 팔다 / ひとつ100円(えん)で～ 하나에 100엔으로 팔다 / 春(はる)を～ (여자가) 몸을 팔다. ↔

買う. ㉡이익을 위해 배반하다. ¶友を～ 친구를 팔다〔배반하다〕. ㉢세상에 알려지게 하다. ¶名を～ 이름을 팔다; 이름을 날리다. **2** 걸다. ¶けんかを～ 싸움을 걸다 / ～·られたけんか 걸어온 싸움 / こびを～ 아양을 떨다; 교태를 보이다. ↔買う. 可能うれ-る 下1自

う-る【得る】 下2他 **1** 〈文〉☞える(得). ¶大いに～ところがある 크게 얻는 바가 있다. 注意 본래의 終止形은 'う'이며, 'うる'는 連体形. **2**《接尾詞적으로》…(할) 수 있다. ¶考え～ 생각할 수 있다 / 有り～ 있을 수 있다. 参考 '得る'보다 격식 차린 말.

うるうどし [閏年] 名 윤년. ↔平年.

***うるおい【潤い】** 名 **1** (알맞은) 습기; 물기를 머금음. ＝しめり(け). ¶～を帯びた空気 눅눅한 공기. **2** 정취; 정서; 정감; 인정미. ¶～のある生活 정취 있는〔정서적인〕 생활 / ～のある文章〔人〕 정감이 있는 문장〔사람〕. **3** (물질적인) 혜택; 보탬; 이익. ＝恵み. ¶財政上の～ 재정상의 혜택 / 家計の～になる 가계에 도움이 되다.

***うるお-う【潤う】** 5自 **1** 습기를 띠다; 축축해지다. ¶雨で庭の木が～ 비가 와서 뜰의 나무가 물기를 머금다. **2** 풍부〔윤택〕해지다; 혜택〔이익〕을 얻다. ¶生活が～ 살림이 펴이다 / ふところが～ 주머니가 두둑해지다 / 団地が出来て, まわりの商店も～ 단지가 생겨서 주위의 상점들도 덕을 본다. **3** 마음이 따뜻해지다. ¶激励の手紙で心が～ 격려의 편지를 받고 마음 훈훈해지다. 可能うるお-える 下1自

うるお-す【潤す】 5他 **1** 축축하게 하다; 축이다; 적시다. ¶ビールでのどを～ 맥주로 목을 축이다. **2** 윤택하게 하다; 혜택〔이익〕을 주다. ¶貧民に米を～ 빈민에게 쌀을 베풀다 / 機械工業で国を～ 기계 공업으로 나라를 윤택하게 하다. 可能うるお-せる 下1自

****うるさ-い** 〖煩い·五月蠅い〗 形 시끄럽다; 번거롭다; 귀찮다. ¶ラジオが～ 라디오(소리)가 시끄럽다 / 手続きが～ 절차가 번거롭다 / ～問題が起こった 시끄러운〔귀찮은〕 문제가 일어났다 / ～·くつきまとう 귀찮게 따라다니다 / ～おやじ 잔소리 많은 영감〔아버지〕 / ～仕事 성가신 일 / 味に～人 맛에 까다로운 사람.

うるさがた【うるさ型】《煩さ型》 名 무슨 일에나 참견을 잘 하는 사람; 잔소리꾼. ＝やかましや. ¶あの人は～だ 저 사람은 잔소리꾼이다.

うるし【漆】 名 **1**〖植〗옻나무. **2** 옻(칠). ¶～工芸 칠공예 / ～を塗る 옻칠을 하다 / ～にかぶれる 옻을 타다.

うるしぬり【漆塗り】 名 **1** 그릇에 옻칠을 함; 또, 칠장이. **2** 칠기(漆器). 「米.

うるち 〖粳〗 名 멥쌀. ＝うる米. ↔もち

ウルトラ [ultra] 接頭 울트라; 극단적인; 초(超)…. ¶～モダン 초현대식.

うる-む【潤む】 5自 **1** 물기를 띠다; 물기가 어리어 흐릿해지다. ¶めがねが～ 안경에 김이 서리다 / 目が涙で～ 눈에 눈물이 글썽글썽하다. **2** 울먹이다. ¶声が～ 목소리가 울먹이다.

うるわし-い【麗しい】 形 **1** 곱다; 아름답다. ¶～女性〔ながめ〕 아름다운 여성〔경치〕 / 声が～ 목소리가 곱다. **2** (기분이) 좋다; 명랑하다; (날씨가) 좋다〔맑다〕. ¶～天気 화사한 날씨 / ご機嫌～ 심기가 좋으시다. **3** 사랑할 만하다; 마음이 따스해지다. ¶～友情 아름다운 우정 / ～情景 (마음이 훈훈해지는) 아름다운 정경.

うれ【売れ】 名 판로; 팔림새. ＝売れ行き. ¶～がよくない 잘 안 팔리다.

うれあし【売れ足】 名 팔리는 속도; 팔림새. ¶～が速い 쑥쑥 잘 팔리다.

うれい【憂い·愁い】《患い》 名 **1** 근심; 걱정. ＝心配·うれえ. ¶～をいだく 근심하다 / ～を帯びた顔 근심을 띤 얼굴 / ～に沈む 수심에 잠기다 / 凶作の～ 흉작의 우려 / 後顧の～がない 후고의 염려가〔뒷걱정이〕 없다. **2** 슬픔; 한탄; 고뇌. ＝嘆き. ¶～を含んだ目つき 슬픈 빛을 띤 눈매.

うれ-う【憂う·愁う】 上2他 〈文〉『～べき』 우려할 만한. ¶～べき事態 우려할 만한 사태.

うれ-える【憂える】 下1他 걱정하다; 근심하다; 우려하다. ¶国の前途を～ 나라의 전도를 근심하다 / 経済の沈滞を～ 경제 침체를 우려하다.

うれ-える【愁える】 下1他 슬픔에 잠기다; 비탄하다. ¶こどもの死を～母親 자식의 죽음을 비탄하는 어머니.

うれくち【売れ口】 名 팔 곳; 판로; 살 사람. ¶～をさがす 팔 곳을 찾다 / ～がある〔ない〕 살 사람이 있다〔없다〕. 参考 좁은 뜻으로는, 흔히 '嫁入り先(＝시집갈 곳)'나 취직처를 가리킴. ¶まだ～が決まらない 아직 혼처〔취직 자리〕가 정해지지 않았다.

****うれし-い** 〖嬉しい〗 形 **1** 즐겁고 기쁘다. ¶君に会えて～ 자네를 만날 수 있어 기쁘다 / ～·くて夢中になる 기뻐서 어쩔 줄 몰라하다. ↔悲しい. **2** 고맙다; 감사하다; 황송하다. ¶涙が出るほど～ 눈물이 날 정도로 고맙다.
——悲鳴をあげる 즐거운 비명을 올리다. ¶生産が注文に間に合わず～ 생산이 주문을 맞추지 못해 즐거운 비명을 올리다.

うれしがらせ 〖嬉しがらせ〗 名 남을 기쁘게 하는 언행·태도. ¶～をいう 듣기 좋은 말을 하다. 参考 말뿐이고 실제는 실망하게 된다는 뜻을 가짐. ¶～はよしてくれ 입에 발린 소리는 그만두게.

うれしなき【うれし泣き】《嬉し泣き》 名ス自 너무 기뻐 욺. ¶～に泣く 너무 기뻐서 울다 / 感激のあまり～する 너

무. 감격한 나머지 기뻐서 울다 / 再会(さいかい)の喜(よろこ)びに～する 재회의 기쁨을 이기지 못하여 울다.

うれしなみだ【うれし涙】《嬉し涙》图 너무 기뻐 흘리는 눈물. ¶～を流(なが)す 기쁨의 눈물을 흘리다.

うれだか【売れ高】图 매상고; 매출액. ＝うりだか·売(う)り上(あ)げ. ¶今日(きょう)の～ 오늘의 매출액.

ウレタン [도 Urethan] 图〔化〕우레탄(수지)《합성 고무의 일종》.

うれっこ【売れっ子】图 인기 있는 사람; (인기 직업에서) 잘 팔리는 사람; 유행아. ＝はやりっこ. ¶今(いま)の～作家(さっか) 오늘의 인기 작가. 参考 본디, 기생·창녀에 대해서 써 왔으나, 지금은 탤런트·인기 교수에도 쓰임.

うれのこり【売れ残り】图 **1** 잔품; 팔다 남은 물건. ¶～を安(やす)く売(う)る 잔품을 싸게 팔다. **2**〈俗〉늦도록 시집을 못가거나 안 가고 있음; 또, 그런 여자. ¶～の娘(むすめ) (시집 못 간) 노처녀.

うれのこ-る【売れ残る】5自 **1** (상품이) 팔리지 않고 남다. ¶仕入(しい)れた品(しな)の半分(はんぶん)も～·った 사들인 물건의 절반이나 안 팔리고 남았다. **2** 여자가 혼기가 지나도록 독신으로 있다. ¶早(はや)く結婚(けっこん)しないと～わよ 혼기를 놓치면 독신으로 지내게 돼요.

うれゆき【売れ行き】图 팔리는 상태; 팔림새. ¶～がいい 팔림새가 좋다 / 不景気(ふけいき)で～が思(おも)わしくない 불경기로 팔림새가 시원찮다 / 飛(と)ぶような～ 불티나게 팔리는 상태.

う-れる【熟れる】下1自 (과일 따위가) 익다; 여물다. ¶かきが～ 감이 익다 / よく～·れたバナナ 잘 익은 바나나.

*__う-れる__【売れる】下1自 **1** (잘) 팔리다〔나가다〕; 전하여, (처녀가) 결혼하다. ¶高(たか)く～ 비싸게 팔리다 / 飛(と)ぶように～ 날개 돋친 듯이 팔리다 / あの子(こ)もとうとう～·れてしまったか 그 처녀도 마침내 결혼해 버렸군. **2** 널리 알려지다; 인기가 있다. ¶名(な)の～·れた人(ひと) 이름이 널리 알려진 사람 / 顔(かお)が～ 얼굴이 널리 알려지다 / 今(いま)一番(いちばん)～·れているタレント〔歌手(かしゅ)〕 지금 제일 인기 있는 탤런트〔가수〕. ↔買(か)える.

> **売(う)れる의 여러 가지 표현**
>
> 表現例 じゃんじゃん(쉴 새 없이; 신나게)·どんどん(속속; 자꾸자꾸).
>
> 관용 표현 飛(と)ぶように(날개 돋친 듯이; 불티나게)·羽根(はね)が生(は)えたように(날개 돋친 듯이).

うろ【雨露】图 우로. **1** 비와 이슬. ¶～をしのぐ 비와 이슬을 피하다. **2** 큰 은혜. ¶～の恵(めぐ)み 우로지택(雨露之澤).

*__うろうろ__ 副ス自 **1** 우왕좌왕하는 모양: 어정버정. ¶町(まち)を～と歩(ある)きまわる 거리를 어정버정 돌아다니다 / 道(みち)がわからず～した 길을 잘 몰라서 이리저리 헤맸다. **2** 당황하는 모양: 허둥지둥. ¶～(と)出口(でぐち)を探(さが)す 허둥지둥 출구를 찾다 / あわてて～する 당황해서 허둥지둥하다 / 突然(とつぜん)の訃報(ふほう)に～する 갑작스러운 부보에 당황하다.

うろおぼえ【うろ覚え】《空覚え》图 어슴푸레한 기억; 불확실한 기억. ¶～で話(はな)す 어렴풋한 기억으로 이야기하다 / ～の字(じ)を辞書(じしょ)で確(たし)かめる 잘 모르는 글자를 사전에서 찾아 확인하다.

*__うろこ__〖鱗〗图 비늘. ＝こけら·いろこ. ¶魚(さかな)の～を落(お)とす 물고기 비늘을 벗기다.

うろこぐも【うろこ雲】《鱗雲》图 비늘구름《'巻積雲(けんせきうん)'의 통칭》. ＝いわし雲(ぐも)·さば雲(ぐも).

うろた-える〖狼狽える〗下1自 당황하다; 허둥대다; 갈팡질팡하다. ＝まごつく. ¶悪事(あくじ)がばれて～ 못된 짓이 발각되어서 허둥대다 / 不意(ふい)をつかれて～ 허를 찔려 당황하다.

うろちょろ 副 (귀찮을 정도로) 졸랑졸랑 돌아다니는 모양: 졸랑졸랑. ¶そう～されてはじゃまになる 그렇게 졸랑대고 돌아다니면 내게 방해가 된다.

うろつ-く〖彷徨く〗5自 헤매다; 방황하다; 서성거리다. ¶当(あ)てどもなく町(まち)を～ 정처 없이 거리를 헤매다 / あやしい男(おとこ)が家(いえ)の前(まえ)を～·いている 수상한 사내가 집 앞을 서성거리고 있다.

うわ=【上】**1** 위치가 위나 표면임을 나타냄. ¶～皮(かわ) 겉껍질 / ～唇(くちびる) 윗 입술 / トラックの～乗(の)り 트럭의 짐 위에 탐. **2** 가치·정도가 높음을 나타냄. ¶～役(やく) 상사; 상관. **3** 실내에서 쓰는 것임을 나타냄. ¶～ばき 실내화. ⇨上(うえ) 박스記事

うわがき【上書き】图ス自他 표서(表書); 특히, 우편물·화물 등의 수취인의 주소·성명(을 씀). ＝表書(おもてが)き. ¶手紙(てがみ)の～をする 편지 겉봉을 쓰다 / 小包(こづつみ)の～を確(たし)かめる 소포 겉에 쓴 주소·성명을 확인하다.

*__うわき__【浮気】名ナ **1** 바람기. ¶～な男(おとこ) 바람둥이 사나이 / ～をする 바람을 피우다 / 彼女(かのじょ)は夫(おっと)の～に困(こま)っている 그녀는 남편의 바람기에 괴로워하고 있다. **2** 변덕; 마음이 들떠 변하기 잘 함. ＝うつりぎ. ¶～な性分(しょうぶん) 변덕스러운 성품 / ～で何(なん)にでも手(て)を出(だ)す 변덕스러워 무엇에나 손을 댄다.

__うわぎ__【上着】《上衣》图 **1 겉옷; 내복 위에 입는 옷. ↔下着(したぎ). **2** (아래위가 따로 떨어진 옷의) 윗도리; 저고리. ¶スーツの～ 슈트의 윗도리 / 背広(せびろ)の～とズボン 신사복의 윗도리와 바지.

うわぐすり【上薬】《釉薬·釉》图 유약; 잿물. ＝ゆうやく·つや薬(ぐすり). ¶～をかける 유약을 칠하다〔입히다〕.

うわくちびる【上唇】图 윗입술. ¶～をなめる 윗입술을 핥다. ↔下唇(したくちびる).

うわぐつ【上靴】图 실내화. ＝上(うわ)ばき.

うわごと〖譫言·囈語〗名 **1** 헛소리. ¶高熱(こうねつ)にうなされて～をいう 고열로 가위눌려서 헛소리를 하다. **2** 실없는 말; 허튼소리; 잠꼬대. ＝たわごと. ¶何(なん)の～を言(い)ってるんだ 무슨 실없는 말을 하고 있는 거야.

うわさ〖噂〗名ス他 **1 어떤 사람이나 일에 대해 말함; 또, 그 말. ¶人(ひと)の～をする 남의 이야기를 하다/人(ひと)の～も七十五日(しちじゅうごにち) 남의 이야기도 75일; 소문이란 오래 못 간다. **2** 세간의 평판; 풍설; 소문. ＝風説(ふうせつ)·評判(ひょうばん). ¶～の主(ぬし) 소문의 주인공/～が立(た)つ〔流(なが)れる〕 소문이 나다〔퍼지다〕/～にのぼる 남의 소문에 오르다/…の～が高(たか)い …라는 소문이 자자하다/～を一々(いちいち)気(き)にする 풍설〔소문〕에 일일이 신경 쓰다.
──をすれば影(かげ)(が差(さ)す) 호랑이도 제 말하면 온다.

うわすべり【上滑り】名ナ **1** 표면이 미끄러움. ¶雨(あめ)で路面(ろめん)が～する 비로 노면이 미끄럽다. **2** 피상적임; 수박 겉 핥기; 조심성이 없고 경솔함. ¶～の解釈(かいしゃく)〔知識(ちしき)〕 피상적인 해석〔지식〕/～な行動(こうどう) 경망스러운 행동.

うわずみ【上澄み】名 **1** 액체 침전물의 윗부분에 생기는 맑은 물; 웃물. ＝うわしる. **2** (막걸리를 가라앉혀 받은) 맑은 술. ¶酒(さけ)の～ 술의 웃국.

うわず-る【上ずる】《上擦る》5自 **1** 소리가 드높고 날카로워지다. ¶興奮(こうふん)して声(こえ)が～ 흥분해서 목소리가 드높고 날카로워지다. **2** 상기되다; 흥분하다; 달아오르다. ＝逆上(ぎゃくじょう)する. ¶～·った顔(かお) 상기된 얼굴/～·った相場(そうば) 달아오른 시세.

うわぜい【上背】名 (몸의) 키; 신장《남보다도 크다는 뜻을 포함할 때 말함》. ＝せたけ. ¶～がある 신장이 크다/体重(たいじゅう)の割(わり)に～がない 몸무게에 비해 키가 작다.

うわつ-く【浮つく】《上付く》5自 (기분이) 들뜨다; 마음이 들썽거리다. ¶～·いた気持(きも)ち 들뜬 마음/成功(せいこう)に酔(よ)って～·いている 성공에 취해 들떠 있다.

うわっちょうし【上っ調子】ダナ 침착하지 못하고 경솔함; 경조부박(輕佻浮薄)함. ＝おっちょこちょい. ¶～な青年(せいねん) 경조부박한 청년/話(はな)し方(かた)が～だ 말투가 경박하다. 注意 'うわちょうし'의 힘줌말.

うわっつら【上っ面】名 'うわつら'의 힘줌말.

うわっぱり【上っ張り】名 (옷이 더러워지지 않도록 입는) 사무〔노동〕용 겉옷; 덧옷. ¶働(はたら)きやすく～を着(き)る 활동하기 쉽게 사무용 겉옷을 입다.

うわづみ【上積み】名ス他 **1** 위에 짐을 덧쌓음; 또, 그 짐. ↔底積(そこづ)み·下積(したづ)み. **2** (어떤 정해진 금액·수량 이외에) 가외로 얼마간을 더 얹음. ¶三千円(さんぜんえん)を～する 3천 엔을 추가하다.

うわつら【上面】名 표면; 겉; 전하여, 외면적〔피상적〕인 것. ¶～だけ見(み)てはわからない 겉만 보고서는 모른다/～の理解(りかい)だけでは役(やく)に立(た)たない 피상적인 이해만으로는 소용없다.

うわて【うわて·上手】名 **1**〈雅〉 위쪽; 특히, 땅의 높은 곳이나 바람이 불어오는 쪽; 강의 상류. ＝かみて. ↔下手(しもて·したて). **2** (기예 등이) 남보다 더 뛰어남; 또, 그 사람; 바둑·장기의 상수. ¶こちらが一枚(いちまい)～だ 이쪽이 한 수 위다.
──に出(で)る 고자세를 취하다; 깔보고 나오다. ¶相手(あいて)の弱点(じゃくてん)を知(し)って～ 상대의 약점을 알고 고자세로 나오다.

うわぬり【上塗り】名ス自他 **1** 덧칠; 마무리칠; 특히, 겉치장을 위한 칠; 미장(美粧)칠. ＝仕上(しあ)げぬり. ¶壁(かべ)を～する 벽을 미장칠하다. ↔粗塗(あらぬ)り·下塗(したぬ)り·中塗(なかぬ)り. **2** 못된 짓 따위를 다시 거듭함. ¶うその～ 또 한번의 같은 거짓말/それこそ恥(はじ)の～だ 그야말로 더없는 수치다.

うわね【上値】名 **1** (거래에서) 지금까지의 시세보다 고가(高價)임; 비싼 금. ＝高値(たかね). ¶～を張(は)る 지금까지의 시세보다 비싸지다. ↔下値(したね). **2** 값이 오름.

うわのせ【上乗せ】名ス他 추가로 덧붙임. ¶料金(りょうきん)の五(ご)パーセントを～する 요금의 5퍼센트를 추가하다.

うわのそら【うわの空·上の空】名ナ 건성; 마음이 들뜸. ¶人(ひと)の話(はなし)を～で聞(き)く 남의 말을 건성으로 듣다.

うわばき【上履き】名 실내에서만 신는 신; 실내화. ＝うわぐつ. ↔下履(したば)き.

うわべ【上辺】名 겉; 표면; 외관; 외면; 외형. ¶～だけの同情(どうじょう) 겉치레에 불과한 동정/～を飾(かざ)る 겉을 꾸미다/～はまじめそうな人(ひと) 겉으로는 착실해 보이는 사람.

うわまえ【上前】名 **1** 겉섶. ↔下前(したまえ). **2** 남에게 줄 돈의 일부분. 参考 2의 어원은 'うわまい'.
──をはねる (남에게 돌아갈 몫〔금품〕 중에서) 일부를 가로채다. ¶アルバイトを世話(せわ)してその～ 아르바이트를 주선하고 급료의 일부를 가로채다.

うわまわ-る【上回る】《上廻る》5自 상회하다; 웃돌다. ¶収穫(しゅうかく)が予想(よそう)を～ 수확이 예상보다 웃돌다/目標(もくひょう)を～ 목표를 상회하다. ↔下回(したまわ)る.

うわむき【上向き】名 **1** 위를 향함. ＝あおむき. ¶少(すこ)し～の鼻(はな) 약간 들창코/～に寝(ね)る 바로 누워 자다. **2** (형세가) 좋아짐. ¶～の人気(にんき) 올라가는 인기/運勢(うんせい)が～になる 운세가 좋아지다. **3** 시세·물가의 오름세. ¶物価(ぶっか)は～だ 물가는 오름세이다/景気(けいき)が～になる 경기가 좋아지다. ⇔下向(したむ)き.

うわむ-く【上向く】5自 **1** 위를 향하다〔보다〕. ＝あおむく. **2** 상태가 좋아지다; 가락이 오르다; (일이) 궤도에 오르다. ¶チームの調子(ちょうし)が～ 팀의 컨디션이 좋아지다. **3**〖經〗 시세가 오르기 시작하다. ¶景気(けいき)が～ 경기가 좋아지다. ⇔下向(したむ)く.

うわめ【うわ目·上目】名 **1** 눈을 치뜸. ¶人(ひと)の顔(かお)を～で見(み)る 남의 얼굴을 칩떠보다. ↔下目(しため). **2** 용기(容器)째로〔포장된 채〕 무게를 닮. ＝皆掛(かいが)け. **3** (수량의) 초과; 여분. ¶千円(せんえん)より～だ 천 엔을 웃돈다.

—づかい【—使い】名 눈을 칩떠봄. ¶～に人(ひと)を見(み)る 남을 칩떠보다.

うわやく【上役】名 상사; 상관. ¶～の気嫌(きげん)をとる 상사의 기분을 맞추다; 상사에 아첨하다〔빌붙다〕. ↔下役(したやく).

うわ-る【植わる】5自 〈口〉 심어지다. ＝植(う)えられる. ¶桜(さくら)の木(き)が～·っている 벚(꽃)나무가 심어져 있다.

うわん【右腕】名 우완. ＝右腕(みぎうで). ¶～投手(とうしゅ) 오른팔 투수. ↔左腕(さわん).

**うん【運】名 운; 운명; 운수. ¶～がむく 운이 트이다/～がわるい〔よい〕 운수가 나쁘다〔좋다〕/～の尽(つ)き 운이 다함/～が開(ひら)ける 운이 트이다/～を天(てん)に任(ま)かせる 운을 하늘에 맡기다.

うん 感 **1** 승낙·긍정 등을 표시하는 말: 응(('はい(＝네)'의 막된 말씨)). ¶～, そうだ 응 그래; 응 그렇지/～もすうも無(な)く 어쩔 수 없이; 선택의 여지없이; 울며 겨자 먹기로. **2** 기절할 때, 또는 괴로울 때 내는 소리: 응; 끙. ¶～とうめく声(こえ) 끙하고 신음하는 소리/～といって気(き)を失(うしな)う 응하고 정신을 잃다. **3** 힘을 쓸 때 내는 소리: 끙. ¶～とばかりに力(ちから)を込(こ)める 끙하고 힘을 쓰다.

うん【云】ウン いう | 운 이르다 | 말하다; 이야기하다. ¶云云(うんぬん) 운운/云為(うんい) 운위.

うん〖運〗((運)) 教3 ウン はこぶ | 운 나르다 | **1** 이동·회전시키다. ¶運転(うんてん) 운전/運営(うんえい) 운영. **2** 나르다; 옮기다. ¶運送(うんそう) 운송/陸運(りくうん) 육운. **3** 운. ¶運勢(うんせい) 운세/時運(じうん) 시운.

うん〖雲〗教2 ウン くも | 운 구름 | 구름. ¶雲煙(うんえん) 운연/暗雲(あんうん) 암운/戦雲(せんうん) 전운.

*__うんえい__【運営】名ス他 운영. ¶事業(じぎょう)を～する 사업을 운영하다/クラブはうまく～されている 클럽은 잘 운영되고 있다.

うんか〖浮塵子〗名〔蟲〕 멸구.

うんか［雲霞］名 운하. **1** 구름과 놀. **2** 대단히 많은 사람이 모인 모양. ¶～の如(ごと)き大軍(たいぐん) 구름 같은 대군.

うんが【運河】名 운하. ¶パナマ～ 파나마 운하/～を開(ひら)く 운하를 개착하다.

うんかい【雲海】名 운해; (비행기나 산 위에서 내려다 보이는) 구름바다. ¶～を見(み)おろす 구름바다를 내려다보다.

うんき［温気］名 무더위; 열기. ＝蒸(む)し暑(あつ)さ. ¶～に蒸(む)されて食(た)べ物(もの)が腐(くさ)る 무더위에 떠서 음식이 썩다.

うんきゅう【運休】名ス自 운휴; 운전이나 운항을 쉼(('運転休止(うんてんきゅうし)(＝운전 중지)·運航(うんこう)休止(＝운항 정지)'의 준말)). ¶台風(たいふう)で列車(れっしゃ)が～する 태풍으로 열차가 운휴하다.

うんこ 名 〈兒〉 똥; 대변. ＝うんち.

うんこう【運行】名ス自 운행. ¶臨時列車(りんじれっしゃ)の～ 임시 열차의 운행/天体(てんたい)の～ 천체의 운행/星(ほし)がその軌道(きどう)を～する 별이 그 궤도를 운행하다.

うんこう【運航】名ス自 운항. ¶～休止(きゅうし) 운항 정지/欧州航路(おうしゅうこうろ)を～する 유럽 항로를 운항하다.

*__うんざり__ トス自 진절머리가 남; 지긋지긋함; 몹시 싫증남. ¶～(と)した表情(ひょうじょう) 지긋지긋해 하는 표정/話(はなし)が長(なが)いので～する 이야기가 장황해 진절머리가 나다/お説教(せっきょう)に～する 잔소리에 넌더리가 나다.

うんざん【運算】名ス他 운산; 연산. ＝演算(えんざん). ¶～がうまい 운산을 잘한다/～をまちがえる 운산을 잘못하다.

うんさんむしょう【雲散霧消】名ス自 운산무소; (걱정·의혹 등이) 말끔히 사라짐. ＝霧散(むさん). ¶心配(しんぱい)ごとが～する 걱정거리가 깨끗이 사라지다.

うんしゅう【雲集】名ス自 운집; 구름처럼 많이 모임. ¶～する観衆(かんしゅう) 운집하는 관중. ↔雲散(うんさん).

うんしゅうみかん〖温州蜜柑·雲州蜜柑〗名〔植〕 대표적인 귤의 한 품종((열매가 크며 껍질이 얇고, 물이 많으며 달고 씨가 없음; 일본 중남부에서 남)).

うんじょう【雲上】名 **1** 구름 위. ¶～にそびえる山(やま) 구름 위에 솟은 산. **2** 궁중.

—びと【—人】名 옛날, 궁중에서 일하던 귀족. ＝雲(くも)の上人(うえびと).

うんしん【運針】名 (재봉에서) 바늘 쓰는 법; 꿰매는 법; 침재(針才).

うんすい【雲水】名 운수. **1** 가는 구름과 흐르는 물; 행운유수(行雲流水). **2** 운수승(雲水僧); 행각승. ＝行脚僧(あんぎゃそう). ¶～になる 행각승이 되다.

うんせい【運勢】名 운세. ¶～がいい 장래 운수가 좋다/～を占(うらな)う 운수를 점치다/～を見(み)てもらう 운세를 보다.

*__うんそう__【運送】名ス他 운송. ¶～船(せん)〔業(ぎょう)〕 운송선〔업〕/～契約(けいやく) 운송 계약/汽車(きしゃ)で～する 기차로 운송하다.

うんだめし【運試し】名ス自 운수가 좋고 나쁨을 시험함. ¶～に宝(たから)くじを買(か)う 운수를 시험해 보려고 복권을 사다.

うんち 名 〈兒〉 ☞うんこ.

うんちく［蘊蓄］名 온축; 충분히 연구해서 간직한 깊은 지식. ¶～のある人(ひと) 해박한 지식이 있는 사람/東西(とうざい)の古典(こてん)に～が深(ふか)い 동서(의) 고전에 통달하다.

—を傾(かたむ)ける 있는 지식을 다 기울이다.

うんちゃん【運ちゃん】名 운전수((멸시 또는 친밀감을 가지고 부르는 말)).

*__うんちん__【運賃】名 운임; 삯. ¶～表(ひょう) 운임표/～前払(まえばら)い 운임 선불/旅客(りょきゃく)～の値上(ねあ)げ 여객 운임의 인상.

うんでい【雲泥】图 운니; 구름과 진흙; 전하여, 대단한 차이. ＝雲壌. ¶～の開きがある 큰 차이가 있다.
―の差 운니지차; 천양지차.

うんてん【運転】图ス他自 **1 운전. ¶自動車の～がうまい 자동차 운전을 잘 한다/機械をうまく～する 기계를 잘 운전하다. **2** (돈의) 운용. ¶資金をうまく～する 자금을 잘 운용하다.
―し【―士】图 운전사.
―しきん【―資金】图 운전 자금. ↔設備資金.
―しゅ【―手】图 운전 기사.
―めんきょ【―免許】图 운전 면허. ¶～をとる 운전 면허를 따다/～試験を受ける 운전 면허 시험을 보다.

うんと 副〈俗〉 정도·분량이 많은 모양: 매우; 썩; 아주; 많이; 몹시; 크게. ＝たくさん·ひどく. ¶～食べる 양껏〔잔뜩〕 먹다/～もうける 돈을 왕창 벌다/～しかられた 몹시 꾸지람을 들었다/金を～持っている 돈을 되게 많이 가지고 있다/～でかい 엄청나게 크다.

**うんどう【運動】图ス自 운동. ¶～会 운동회/～靴 운동화/選挙〔事前〕～ 선거〔사전〕 운동/禁酒～ 금주 운동/どんな～が好きですか 어떤 운동을 좋아하십니까/毎朝軽い～をする 매일 아침 가벼운 운동을 한다.
―いん【―員】图 운동원. ¶選挙の～ 선거 운동원.
―じょう【―場】图 운동장. ＝グラウンド·うんどうば.
―しんけい【―神経】图 운동 신경. ¶～が鈍い〔発達している〕 운동 신경이 둔하다〔발달해 있다〕.

うんともすんとも 連語 전연 대꾸가 없는 모양; 일언반구도 없는 모양. ¶～答えない 묵묵부답이다/～言わない (쓰다 달다) 아무 말이 없다/出ていったきり～言ってこない 나가고 난 다음에 가타부타 아무 말이 없다. 参考 'うん'은 대답의 말; 뒤에 否定의 말이 옴.

うんぬん〖云云〗图ス自他 운운. ¶会の運営うんぬん～の事はあと回しにして 회의 운영 운운하는 일은 뒤로 돌리고/効能を～する 효능을 운운하다.

うんのつき【運の尽き】連語 운이 다함. ¶ここで見つかったのが君の～だ 여기서 들켰으니 너도 이제 마지막이야〔끝장났다〕.

うんぱん【運搬】图ス他 운반. ¶材料をトラックで～する 재료를 트럭으로 운반하다.

うんぴつ【運筆】图 운필; 붓 놀리는 법. ＝筆遣い. ¶～に勢いがある 운필에 힘이 있다.

うんぼ【雲母】图 ☞うんも.

うんまかせ【運任せ】图 일의 성패를 운명에 맡김. ＝運次第. ¶～で試験をうける 운에 맡기고 시험을 치다.

うんむ【雲霧】图 운무; 구름과 안개. ¶～が立ち込める 구름과 안개가 자욱이 끼다.

**うんめい【運命】图 운명. ¶～のいたずら 운명의 장난/～的な出会い 운명적인 만남/～を切り開く 운명을 개척하다/～にあまんじる 운명에 순응하다/～とあきらめる 운명이라 여기고 단념하다.
―づける 下1他 운명 짓다. ¶彼との出会いは～·けられていた 그와의 만남은 정해진 운명이었다.

うんも［雲母］图〖鑛〗 운모; 돌비늘. ＝うんぼ·きらら·マイカ.

うんゆ【運輸】图 운수; 수송. ＝運送. ¶～業 운수업/陸上～ 육상 운수.

うんよう【運用】图ス他 운용. ¶法の～ 법의 운용/資金を～する 자금을 운용하다/施設をうまく～していく 시설을 잘 운용해 가다.

うんりょう【雲量】图 운량; 구름량; 구름이 하늘을 덮고 있는 비율.

え エ

1 五十音図 'あ行'와 'や行'의 넷째 음. [e] **2**〖字源〗'衣'의 초서체《かたかな 'エ'는 '江'의 오른쪽 부분》.

*え【柄】图 자루; 손잡이. ＝取っ手. ¶ひしゃくの～ 국자 자루/～の長いスプーン 자루가 긴 스푼.
―のない所に―をすげる 억지로 핑계를 대다; 또, 생트집을 잡다.

え【江】图 바다·호수 따위의 작은 후미. ＝入り江. ⇨湾.

え〖餌〗图〈雅〉 미끼; 모이; 먹이. ＝えさ. ¶～をあさる 먹이를 찾아다니다/鶏に～をやる 닭에 모이를 주다.

え【会】图 회; 사람들의 모임; 주로, 법회·제례의 모임. ¶万灯～ 만등회.

**え【絵】《画》图 그림. ¶～のうまい人 그림을 잘 그리는 사람/～を〔に〕描く 그림을〔으로〕 그리다.
―にかいた餅 그림의 떡. ＝画餅.
―にかいたよう 그림으로 그린 듯. ¶～な夕日の美しさ 그림으로 그린 듯한 석양의 아름다움.
―になる (좋은) 그림이 될 만하다; (모습이) 보기 좋다. ¶彼は何を着ても～ 그는 무얼 입어도 보기가 좋다.

=え【重】《수를 나타내는 순 일본말에 붙어서》 겹. ¶十～ 열겹; 십중/八～咲きの桜 겹벚꽃/ひもを二～にかける 끈을 두 겹으로 매다.

え 感 **1** 대답하는 소리: 네; 예. ¶～, そうです 네, 그렇습니다. **2** 의아해서 물을

때의 소리: 네; 예. ¶～, なんですって 네, 무어라고요.

エア [air] 图 에어. **1** 공기. ¶～カーゴ 에어카고; 항공 화물 / ～が抜ける 공기가 빠지다 / タイヤに～を入れる 타이어에 바람을 넣다. **2** 항공.

—ガール [일 air+girl] 图 에어 걸; 여객기의 여자 승무원.

—クラフト [aircraft] 图 에어크라프트; 항공기.

—クリーナー [air cleaner] 图 에어 클리너《공기 정화 장치》.

—コン 图 'エアコンディショナー·エアコンディショニング' 의 준말.

—コンディショナー [air conditioner] 图 에어컨디셔너; 공기 조절 장치.

—コンディショニング [air conditioning] 图 에어 컨디셔닝; 공기 조절.

—コンプレッサー [air compressor] 图 에어콤프레서; 공기 압축기.

—ターミナル [air terminal] 图 에어 터미널; 공항 터미널.

—ドーム [air dome] 图〔建〕에어 돔; 공기막(膜) 구조물.

—バス [air bus] 图 에어 버스; 단거리·중거리용의 제트 여객기.

—ポート [airport] 图 에어포트; 공항.

—ポケット [air pocket] 图 에어 포켓; 기류 관계로 공기가 희박해진 곳《비행기가 여기에 들어가면 양력을 잃고 급강하함》.

—メール [air mail] 图 에어 메일; 항공우편.

—ライン [airline] 图 에어라인; 정기 항공로(선을 가진 항공 회사).

エアゾール [aerosol] 图 에어로솔《가스 압력으로 약품 등을 뿜어 내는 방식》. ＝エーロゾル·スプレー. 参考 살충제·화장품 등에 사용함.

エアログラム [aerogram] 图 에어로그램; 항공 봉함 엽서; 항공 서한.

エアロビクス [aerobics] 图 에어로빅. ＝有酸素運動. ¶～ダンス 에어로빅 댄스.

えい [嬰] 图〔樂〕샤프; 올림표(標). ＝シャープ. ¶～ハ短調 올림 다 단조. ↔変.

えい 感 **1** 힘을 쓸 때 따위에 내는 소리: 얏. ¶～と切りつける 얏하고 칼로 치다. **2** 분노나 불만 등을 나타내는 소리: 에이. ¶～しくじった 에잇 실패다 / ～, 勝手にしろ 에이, 멋대로 해라.

えい 〖永〗 教5 エイ ヨウ ながい とこしえ | 영 길다 | **1** 시간이 길다. ¶永続 영속. **2** 미래로 시간의 끝이 없다. ¶永遠 영원 / 永眠 영면 / 永劫 영겁.

えい 〖泳〗 教3 エイ およぐ | 영 헤엄치다 | 헤엄치다. ¶泳法 영법 / 水泳 수영.

えい 〖英〗 教4 エイ ひいでる はなぶさ | 영 빼어나다 | **1** 꽃; 꽃송이. ¶石英 석영. **2** 남보다 뛰어난 사람. ¶英傑 영걸.

えい 〖映〗 教6 エイ うつる うつす はえる | 영 비추다 | **1** 비추다. ¶映画 영화 / 映写 영사. **2** 비치다. ¶反映 반영.

えい 〖栄〗《榮》 教4 エイ ヨウ はえ さかえる はえる | 영 번영하다 | **1** 우거지다. ¶繁栄 번영. **2** 명성이 높다. ¶栄光 영광 / 虚栄 허영.

えい 〖営〗《營》 教5 エイ いとなむ | 영 경영하다 | **1** 만들다. ¶営造 영조. **2** 꾀하다. ¶営利 영리. **3** 사업을 하다. ¶経営 경영 / 営業 영업.

えい 〖詠〗 常用 エイ よむ うたう | 영 읊다 | **1** 읊다; 노래하다. ¶詠嘆 영탄. **2** 시를 짓다; 또, 그 시. ¶献詠 헌영.

えい 〖影〗 常用 エイ ヨウ かげ | 영 그림자 | **1** 그림자. ¶陰影 음영. **2** 모습. ¶影像 영상 / 近影 근영.

えい 〖鋭〗《銳》 常用 エイ するどい とし | 예 날카롭다 | **1** 칼이 잘들다. ¶鋭利 예리. **2** (끝이) 날카롭다. ¶鋭鋒 예봉 / 鋭角 예각.

えい 〖衛〗《衞》 教5 エイ エ まもる | 위 지키다 | **1** 방비하다. ¶防衛 방위. **2** 수비하는 사람. ¶門衛 문지기.

えいい【営為】 图 영위. ＝いとなみ. ¶自然の力と人間の～ 자연의 힘과 인간의 영위.

えいい【鋭意】 图 예의. ¶～研究に努める 예의 연구에 힘쓰다. 参考 흔히 副詞적으로 쓰임.

えいいん【影印】 图 ス自 영인. ¶～本 영인본.

えいえん【永遠】 图 영원. ＝永久. ¶～の平和 영원한 평화 / ～に栄える 영원히 번영하다.

⁑**えいが【映画】** 图 영화. ＝キネマ·シネマ. ¶～ファン〔監督〕영화 팬〔감독〕/ ～館〔祭〕영화관〔제〕/ 記録～を撮る 기록 영화를 찍다 / ～を見に行く 영화를 보러 가다. 参考 '一本(＝한 편), 二本(＝두 편)' 이라고 셈.

—おんがく【—音楽】 图 영화 음악.

—か【—化】 图 ス他 영화화.

えいが【栄華】 图 영화. ¶～を極める 더 없는 영화를 누리다.

えいかいわ【英会話】 图 영어 회화. ¶～がうまい 영어 회화를 잘한다.

えいかく【鋭角】 图〔數〕예각. ¶～三角形 예각 삼각형. ↔鈍角.

えいかん【栄冠】 图 **1** 영관. ¶勝利の～をかちとる 승리의 영관을 차지하다. **2** 영예. ＝栄誉. ¶受賞の～に輝く 수상의 영예에 빛나다.

えいき【英気】 图 영기. **1** 뛰어난 기질. ¶～の持ち主 영기를 가진 사람. **2** 기력; 원기. ¶～を養う 정기를 기르다.

えいき【鋭気】名 예기. ¶~あふれる青年 예기에 넘치는 청년 / 相手の~をくじく 상대의 예기를 꺾다.

*えいきゅう【永久】名ダナ 영구. =永遠. ¶~に変わらぬ愛 영원히 변치 않는 사랑 / ~に続く 영구히 계속되다.

—し【—歯】名 영구치. ↔乳歯.

**えいきょう【影響】名ス自 영향. ¶~力 영향력 / 子どもによい~を及ぼす 아이에게 좋은 영향을 미치다 / 環境の変化によって~を受ける 환경의 변화에 따라 영향을 받다.

**えいぎょう【営業】名ス自他 영업. ¶~停止 영업 정지 / ~中 영업 중《게시》/ 九時まで~する 9시까지 영업하다 / 日曜日には~しない 일요일에는 영업하지 않는다.

えいくん【英君】名 영명〔훌륭〕한 군주.

えいけつ［永訣］名ス自 영결. =永別·死別. ¶~の辞 영결사.

えいけつ【英傑】名 영걸. ¶二十世紀最大の~ 20세기 최대의 영걸.

えいけん【英検】名 '実用英語技能検定(=실용 영어 기능 검정)'의 준말.

えいこ【栄枯】名 영고; 성하고 쇠함. ¶~盛衰 영고성쇠 / ~常無し (세상의) 영고는 덧없다.

*えいご【英語】名 영어. ¶~を話す 영어를 하다 / ~ができる 영어를 할 줄 안다 / ~がうまい〔まずい〕 영어를 잘한다〔잘 못한다〕.

えいこう［曳航］名ス他 예항. ¶故障した船を港まで~する 고장 난 배를 항구까지 예항하다.

えいこう【栄光】名 영광. =光栄. ¶~への道 영광에의 길 / 勝利の~に輝く 승리의 영광에 빛나다.

えいごう［永劫］名 영겁; 매우 긴 세월. ¶~不変 영겁 불변.

えいこく【英国】名 영국. =イギリス. ¶~人 영국인.

えいさい【英才】名 영재. =秀才. ¶~教育 영재 교육. ↔鈍才.

えいさくぶん【英作文】名 영작문. =英作. ¶~の練習をする 영작문 연습을 하다.

えいし【英姿】名 영자; 남자의 당당한 모습. ¶偉人の~に接する 위인의 영자에 접하다.

えいし【英詩】名 영시.

えいじ【英字】名 영자. ¶~新聞 영자 신문.

えいじ［嬰児］名 영아; 젖먹이; 갓난아이. =みどりご·あかご.

えいじつ【永日】名 영일; (낮이 긴) 봄날. =春日.

えいしゃ【映写】名ス他 영사. ¶~機〔幕〕 영사기〔막〕/ ~室 영사실.

えいしゃ【泳者】名 영자; 헤엄치는 사람. =泳ぎ手. ¶リレーの第一~ 릴레이의 제일 영자.

えいしゅ【英主】名 영주; 뛰어난 군주.

えいじゅう【永住】名ス他 영주. ¶南米に~する 남미에 영주하다 / ~の決心を固める 영주할 결심을 굳히다.

—けん【—権】名 영주권. ¶~を取得するのはむずかしい 영주권을 취득하기란 어렵다.

えいしょう【詠唱】名 영창. 一名 ☞アリア. 二名ス他 곡조를 붙여 노래함. ¶賛美歌の~ 찬송가의 영창.

えいじょく【栄辱】名 영욕.

えい-じる【映じる】上1他 ☞えい(映)ずる.

えい-じる【詠じる】上1他 ☞えい(詠)ずる.

えいしん【栄進】名ス自 영진. ¶重役に~する 중역으로 영진하다.

エイズ［AIDS］名〔醫〕에이즈; 후천성 면역 결핍증〔부전(不全) 증후군〕. ▷acquired immunode ficiency syndrome.

えいすうじ【英数字】名 영숫자; 영자와 숫자. 参考 alphanumeric의 역어.

えい-ずる【映ずる】サ変他 **1** 비치다. ¶月影が水面に~ 달 그림자가 수면에 비치다. **2** (눈에) 비치다. ¶外人の目に~じた日本 외국인의 눈에 비친 일본.

えい-ずる【詠ずる】サ変他 읊다. ¶故人の遺作を~ 고인의 유작을 읊다.

えいせい【永世】名 영세; 영구; 영대. =永代.

—ちゅうりつこく【—中立国】名 영세중립국.

えいせい【永生】名 영생; 오래 삶.

えいせい【衛星】名 위성. ¶人工~ 인공위성.

—こく【—国】名 위성국.

—コンピューター 名 위성 컴퓨터《satellite computer의 번역어》.

—ちゅうけい【—中継】名 위성 중계.

—つうしん【—通信】名 위성 통신.

—とし【—都市】名 위성 도시.

—ほうそう【—放送】名 위성 방송《전파가 직접 미치지 않는 산간 지대나 외딴 섬에서도 수신할 수 있음》.

*えいせい【衛生】名 위생. ¶~兵 위생병 / 保健~ 보건 위생 / ~に気をつける 위생에 조심하다.

えいせん［曳船］名ス自 예선; 배를 끎; 또, 그 배. =引き船.

えいぜん【営繕】名ス他 영선; 건축하고 수리함. ¶~課 영선과 / ~費 영선비.

えいそう【営巣】名ス自 영소; 짐승, 특히 새가 제 집을 만듦. ¶樹上に~する 나무 위에다 둥우리를 치다.

えいぞう【影像】名 영상; 초상.

えいぞう【映像】名 영상. ¶鏡に映った~ 거울에 비친 영상 / ~がゆがむ 영상이 일그러지다 / ~がぼやけて見える 영상이 흐려 보인다.

—にんげん【—人間】名 영상 인간; TV 등의 영상에 의해서 육성되는 인간. ↔活字人間.

えいぞう【営造】名ス他 영조. =造営.

—ぶつ【—物】名 영조물; 건조물.

えいぞく【永続】名ス自 영속; 오래 계속

됨. =長続き. ¶~性 영속성.

えいたつ【栄達】名ス自 영달. =立身出世. ¶~の道 영달의 길/一身の~をはかる 일신의 영달을 꾀하다.

えいたん【詠嘆】《詠歎》名ス自 영탄. ¶~の声がもれる 영탄의 소리가 새나오다/~の声をもらす (무심코) 감탄의 소리를 내다.

えいだん【英断】名 영단. ¶~をくだす 영단을 내리다.

えいだん【営団】名 2차 대전 중, 주택·도로 등 공공사업을 경영하기 위해 만들어진 재단. 参考 '営団地下鉄(=수도권 영단 지하철)' 이외는 모두 폐지되어 거의 公団(=공단)으로 개칭됨.

*えいち【英知】《叡智·叡知》名 예지; 뛰어난 지혜. ¶~に満ちた知性人 예지에 찬 지성인/~を結集する 예지를 결집하다.

えいてん【栄転】名ス自 영전. ¶支店長に~する 지점장으로 영전하다/ご~おめでとうございます 영전을 축하드립니다. ↔左遷.

エイト[eight]名 에이트. **1** 여덟 사람이 젓는 경조용(競漕用) 보트 (선수). **2** 럭비에서, 8인제의 스크럼.

えいトン【英トン】名 영(英)톤; 영국 톤 《1,016.1kg》. =ロングトン. ▷ton.

えいねん【永年】名 영년; 오랜 햇수. =ながねん. ¶~勤続 영년〔장기〕 근속.

えいのう【営農】名ス自 영농. ¶~家 영농가/~の経験を話し合う 영농 경험에 대해 이야기를 나누다.

—だんち【—団地】名 영농 단지.

えいはつ【英発】名ス自 영발; 재지(才智)가 겉에 나타남.

えいびん【鋭敏】名ダナ 예민. **1** 민감함. ¶~な神経 예민한 신경. **2** 이해와 판단이 빠름; 명민. ¶~な頭脳 명민한 두뇌. ↔遅鈍.

えいふつ【英仏】名 영불.

—かいきょう【—海峡】名〔地〕영불 해협; 도버 해협. ¶~トンネル 영불 해협 터널; 유러 터널.

えいぶん【英文】名 영문. ¶~和訳 영문 일역/~で書く 영문으로 쓰다.

えいぶんがく【英文学】名 영문학. ¶~科 영문학과/~者 영문학자.

えいへい【衛兵】名 위병; 보초. =番兵. ¶~所 위병소/~が立っている 위병이 서 있다.

えいべい【英米】名 영미; 영국과 미국. ¶~法〔文学〕 영미법〔문학〕.

えいほう【泳法】名 영법; 헤엄치는 법. =およぎかた. ¶潜水~ 잠수영법/~がきれいだ 영법이 깨끗하다.

えいほう【鋭鋒】名 예봉. ¶敵の~を挫く〔かわす〕 적의 예봉을 꺾〔피하〕다.

えいみん【永眠】名ス自 영면; 죽음. =永逝·逝去. ¶八十歳で~した 80세로 영면했다.

えいめい【英名】名 영명; 뛰어난 명성. =ほまれ. ¶~をあげる 영명을 날리다.

えいめい【英明】名ナ 영명. ¶~な君主〔うまれつき〕 영명한 군주〔천품〕.

えいやく【英訳】名ス他 영역. ¶和文~に上手な人 일문 영역에 능한 사람/次の文を~しなさい 다음 글을 영역하시오.

*えいゆう【英雄】名 영웅. =ヒーロー. ¶~譚 영웅담/建国の~ 건국의 영웅.

—色を好む 영웅호색.

えいよ【栄誉】名 영예; 명예. =ほまれ. ¶優勝の~に輝く 우승의 영예에 빛나다 / 入選の~を担う 입선의 영예를 차지하다.

—れい【—礼】名 군대 등에서 귀빈을 맞거나 보낼 때 행하는 의장대 사열과 같은 일정한 의례.

**えいよう【栄養·営養】名 영양. ¶~士〔素〕 영양사〔소〕/~不良 영양 불량/~がいい 영양이 좋다/~にならない 영양이 되지 않는다/~を取る 영양을 섭취하다.

—か【—価】名 영양가. ¶~の高い食べ物 영양가가 높은음식.

—しっちょう【—失調】名 영양실조. ¶~で貧血をおこす 영양실조로 빈혈을 일으키다.

—ぶん【—分】名 영양분. =養分.

えいり【絵入り】名 (책 따위에) 그림·삽화가 들어 있음. ¶~新聞 그림 신문.

えいり【営利】名 영리. =かねもうけ. ¶~性 영리성/~に汲々としている 영리에 급급하다/~を目的とする 영리를 목적으로 하다.

—じぎょう【—事業】名 영리 사업. ↔公共事業.

—しゅぎ【—主義】名 영리주의.

えいり【鋭利】名ナ 예리. ¶~な頭脳〔洞察力〕 예리한 두뇌〔통찰력〕/~な刃物 예리한 칼붙이.

エイリアス[alias]名〔컴〕에일리어스; 별명; 파일에 붙여진 이름.

エイリアン[alien]名 에일리언. **1** 외국인; 이국인. **2** (공상 과학 소설에서) 우주인. =異星人·宇宙人.

えいりん【映倫】名 영륜《'映画倫理規定(=영화 윤리 규정)'·'映倫管理委員会(=영화 윤리 규정 관리 위원회)'의 준말》.

えいりん【営林】名 영림; 산림을 경영함.

—しょ【—署】名 영림서.

えいれい【英霊】名 영령. =英魂. ¶~を祭る 영령을 봉안하다.

えいれんぽう【英連邦】名 영연방. =イギリス連邦. ¶カナダは~に属する 캐나다는 영연방에 속한다.

えいわ【英和】名 영일; 영어와 일본어. ¶~対訳 영·일어의 대역.

—じてん【—辞典】名 영일 사전.

えいん【会陰】名〔生〕회음; 음부와 항문과의 사이. =ありのとわたり.

ええ 感 **1** 상대의 말에 긍정이나 승낙 따위의 뜻을 나타내는 말: 네; 예. ¶~, そ

うです 예, 그렇습니다. ↔いいえ. **2** 다음 말을 주저하거나 곧 나오지 않거나 할 때 내는 말. ¶柿と栗と, ～, それから松茸 감과 밤과 에, 그리고 송이버섯 / あの人は, ～, ちょっと名前が思いだせません 저 사람은 저, 이름이 잘 생각나지 않습니다. **3** 기합 등을 넣을 때 내는 소리. ＝えい. ¶～, どうにでもなれ 에라 될 대로 돼라.

エーアイ [AI] 图 에이아이; 인공 지능. ▷artificial intelligence.

エーエム [a.m.] 图 에이 엠; 오전. ↔P.M.. ▷라 ante meridiem.

エーエム [AM] 图 에이 엠; 전파의 진폭 변조. ¶～放送 에이 엠 방송. ↔エフエム. ▷amplitude modulation.

エーカー [acre] 图 에이커《야드 파운드법의 면적 단위》. ¶敷地は10エーカーある 부지는 10에이커 된다.

エージ [age] 图 에이지. **1** 연령. ¶ティーン～ 틴 에이지. **2** 시대. ¶アトミック～ 원자 시대.

エージェンシー [agency] 图 에이전시; 대리점; 광고 대행업자; 광고 대리점.

エージェント [agent] 图 에이전트; 대리인〔점〕.

エージング [aging] 图 에이징. **1** 노화; 나이를 먹음. ¶～現象 에이징〔노화〕 현상. **2** (술·치즈 등의) 숙성. **3** (기계 등의) 노후화.

エース [ace] 图 에이스. **1** (주사위·카드 등의) 한 끗; 1. ¶クロバーの～ 클로버의 에이스. **2** 제1인자. **3**〖野〗(팀의) 주전 투수. ¶彼はチームの～だ 그는 팀의 에이스이다.

エーディー [AD] 图 에이디; 서력 기원. ↔B. C.. ▷라 Anno Domini.

エーティーエム [ATM] 图 에이티엠; (은행 등의) 현금 자동 예금 지급기. ▷automated-teller machine.

エーテル [도 Äther] 图〖化〗 에테르. ¶～は麻酔剤などにつかう 에테르는 마취제 등으로 쓴다.

エーデルワイス [도 Edelweiss] 图〖植〗 에델바이스. ¶～はヨーロッパのアルプスの花として名高い 에델바이스는 유럽 알프스에 피는 꽃으로 유명하다.

ええと 感 말이나 생각이 얼른 떠오르지 않아 좀 생각할 때 내는 소리: 저어; 거시기. ＝えっと. ¶きょうは, ～, たしか水曜日ですね 오늘은, 저어, 분명 수요일이지요.

エービーシーへいき [ABC兵器] 图 에이비시 무기《A는 수폭·원폭을, B는 곤충·세균을, C는 독가스·방사성 무진(霧塵)을 포함하는 대량 학살 무기》. ▷atomic, biological, chemical.

エーブイ [AV] 图 **1** 시청각. ¶～機器 시청각 기기. ▷audio-visual. **2** 성인용 비디오 소프트. ＝アダルトビデオ. ▷일 adult＋video.

──きょういく [AV 教育] 图 에이 브이 교육; 시청각 교육.

エープリルフール [April fool] 图 에이프릴 풀; 만우절《4월 1일》. ＝四月ばか·万愚節.

エール [yell] 图 옐; (운동 경기 등에서) 응원의 함성. ¶～を交換する 서로 상대편을 응원하다.

エーログラム [aerogram] 图 에어러그램; 항공 봉함 엽서.

えがお【笑顔】图 웃는 얼굴; 웃음 띤 얼굴. ＝笑い顔. ¶～を見せる 웃음 띤 얼굴을 보이다 / ～であいさつする 웃는 얼굴로 인사하다.

えかき【絵かき】《絵描き·画描き》图 그림쟁이; 특히, 직업적인 화가.

えがきだ-す【描き出す】[5他] 그려내다.

***えが-く**【描く】《画く》[5他] 그리다. **1** 그림을 그리다. ¶風景を～ 풍경을 그리다. **2** 묘사하다; 표현하다. ¶情景を～ 정경을 그리다. **3** 마음속에 떠올리다. ¶理想を～ 이상을 그리다 / 母の姿を心に～ 어머니의 모습을 마음에 그리다. [可能]えが-ける[下1自].

えがた-い【得難い】形 얻기〔구하기〕 어렵다; 희한하다. ¶またとない～好機 얻기 어려운 더없이 좋은 기회 / ～経験をつむ 귀중한 경험을 쌓다.

えがら【絵柄】图 (공예품 따위의) 그림이나 도안; 디자인. ¶～がよい 디자인이 좋다.

えがらっぽ-い 形 아릿하다; 맵싸하다. ＝えぐい·いがらっぽい. ¶～味がする 아릿한 맛이 나다 / のどが～ 목구멍이 아리아리하다.

えき【役】图 전역(戰役); 전쟁. ¶文禄慶長の～ 임진·정유 왜란.

えき【易】图 **1** 역; '易経(＝역경)'의 준말. **2** 점술. ¶～を立てる〔見る〕 점을 치다.

***えき**【液】图 액; 즙; 액체. ¶果物の～ 과일즙 / ～を搾る 즙을 짜다.

えき【益】图 **1** 벌이; 이익. ＝もうけ. ¶～の少ない仕事 이익이 적은 일. ↔損. **2** 효과. ＝ききめ. ¶言っても～がない 말해도 소용없다. **3** 유익함. ¶世の～になる人物 세상을 위해 유익한 인물. ↔害.

****えき**【駅】图 **1** 역; 정거장. ＝ステーション. ¶最寄りの～ 가장 가까운 역 / ～で待つ 역에서 기다리다. **2** 역참.

えき〖疫〗[常用] エキ ヤク | 역 돌림병 | (전)염병; 유행병. ¶疫病 역병 / 悪疫 악역 / 防疫 방역.

えき〖益〗(〖益〗) [教5] エキ ヤク ます ますます | 익 더하다 이롭다 | **1** 증가〔증진〕하다. ¶増益 증익. **2** 유익하다. ¶益虫 익충 / 権益 권익. ↔損.

えき〖液〗[教5] エキ | 액 즙·물 | 액. ¶液体 액체 / 血液 혈액 / 液汁 액즙.

えき〖駅〗《驛》常用 エキ うまや | 역 역말 | **1** 역참. ¶駅路 역로 / 宿駅 역참. **2** 역; 정거장. ¶始発駅 시발역. **3** 차례 차례로 보내다. ¶駅伝 역전.

えきいん【駅員】名 역원; 역무원.

えきか【液化】名ス自他 액화. ¶空気を～する 공기를 액화하다. ↔気化.

―てんねんガス【―天然ガス】名 액화 천연가스; 엘엔지(LNG). ▷gas.

えきが【えき芽】《腋芽》名 액아; 곁눈.

えきがく【疫学】名 역학; 전염병의 유행 동태를 연구하는 의학의 한 분야.

えきぎゅう【役牛】名 역우; 일소. ↔乳牛·肉牛.

えききん【益金】名 (이)익금. ＝利益金. ¶～を基金に繰り入れる 이익금을 기금에 편입하다. ↔損金.

えきざい【液剤】名 액제; 물약. ↔散剤·錠剤.

エキサイト [excite] 名ス自 익사이트; 흥분함; 열광함. ¶～ゲーム 백열전.

エキシビション [exhibition] 名 엑시비션; 전람회; 시범 경기.

―ゲーム [exhibition game] 名 엑시비션 게임; 공개〔시범〕경기.

えきしゃ【易者】名 점쟁이. ＝八卦見·うらないしゃ. ¶大道～ 길거리 점쟁이 / ～に運勢を見てもらう 점쟁이한테 운수를 보다.

―身の上知らず 소경이 저 죽을 날 모른다. ＝陰陽師身の上知らず.

えきしゃ【駅舎】名 역사; 정거장 건물.

えきじゅう【液汁】名 액즙. ＝しる·つゆ. ¶果物の～ 과일즙.

えきじゅう【益獣】名 익수; 결과적으로 사람이나 가축에게 이로운 짐승《박쥐·족제비 따위》. ↔害獣.

えきしょう【液晶】名 액정; 액체와 결정(結晶)의 중간 상태에 있는 물질. ＝液状結晶. ¶～表示電卓 액정 표시 전자 탁상 계산기.

えきじょう【液状】名 액상; 액체 상태. ¶～卵 액상란.

えきじょうかげんしょう【液状化現象】名〔地〕액상화 현상《지진 등에서, 건물을 받쳐주는 지반이 액체처럼 되어, 건물이 물 위에 떠 있는 것 같은 상태가 되는 현상》.

エキス [←네 extract] 名 엑스. **1** 진액. ＝精. ¶果実の～ 과일 엑스 / 高麗人参の～ 고려 인삼정. **2** 정수(精粹). ＝粋.

エキストラ [extra] 名 엑스트라; 단역 배우.

エキスパート [expert] 名 엑스퍼트; 전문가; 노련가. ＝くろうと·腕っこき·ベテラン·熟練者.

―システム [expert system] 名〔컴〕엑스퍼트 시스템; 전문가 시스템.

エキスポ [EXPO] 名 엑스포; 만국 박람회. 参考 Expositionの 준말.

えき-する【益する】サ変他 이익을 주다; 유익하다. ↔毒する·害する. ¶世に～事業 세상에 유익한 사업 / 何ら～ところがない 아무런 이익을 주지 못한다.

えきぜい【益税】名〈俗〉소비자가 낸 소비세 중, 어떤 이유로 납세가 되지 않고 사업자의 이익이 되어버린 부분을 이르는 말.

エキセントリック [eccentric] ダナ 익센트릭; 색다름; 이상함. ＝風変わり. ¶～な行動 괴상한 행동.

エキゾチック [exotic] ダナ 이그조틱; 이국적임. ¶～な雰囲気〔風景〕이그조틱한〔이국적인〕분위기〔풍경〕.

***えきたい**【液体】名 액체. ¶固体が溶けて～になる 고체가 녹아서 액체가 된다. ↔気体·固体.

―さんそ【―酸素】名〔理〕액체 산소.

えきちく【役畜】名 역축; (소·말 따위) 사역용 가축.

えきちゅう【益虫】名 익충《누에·꿀벌 따위》. ↔害虫.

えきちょう【益鳥】名 익조. ¶～を保護する 익조를 보호하다. ↔害鳥.

えきちょう【駅長】名 역장.

えきでん【駅伝】名 역전. **1** 역마. **2** 역참에서 역참으로 전송(傳送)함. ＝宿継ぎ·駅逓. **3** '駅伝競走'의 준말.

―きょうそう【―競走】名 역전 경주.

えきとう【駅頭】名 역두; 역전. ¶～に降り立つ 역두에 내려서다 / ～に群衆が集まる 역두에 군중이 모이다.

えきどめ【駅留め·駅止め】名 역유치(留置); 철도로 보낸 화물이 도착역에 수하인이 찾아 갈 때까지 보관되는 일. ¶～小荷物 도착역 유치 소화물.

えきば【役馬】名 역마; 노역에 쓰는 말.

えきばしゃ【駅馬車】名 역마차.

えきひ【液肥】名 액비; 액체 비료. ＝水ごえ·かけごえ.

えきびょう【疫病】名 역병; 돌림병; 악성 전염병. ＝伝染病·やくびょう. ¶～に罹る 전염병에 걸리다.

えきビル【駅ビル】名 역빌딩; 철도역을 중심으로 식당·점포 등의 각종 시설을 수용한 종합 빌딩. ▷building.

えきべん【駅弁】名 철도 역이나 기차 안에서 파는 도시락《'駅売り弁当'의 준말》.

―だいがく【―大学】名〈俗〉지방 신설 대학.

えきむ【役務】名 역무; 남을 위해 하는 노무나 서비스. ¶～費 역무비.

―ばいしょう【―賠償】名 역무 배상. ＝労務賠償.

えきむ【駅務】名 역무. ¶～員 역무원.

えきり【疫痢】名 역리; 이질. ¶～にかかる 이질에 걸리다.

えきりょうけい【液量計】名 액량계.

えきれいきかん【液冷機関】名 액랭 기관; 기관이 내는 열을 액체를 이용하여 냉각시키는 방식의 내연 기관.

えきわたし【駅渡し】名 발송역 인도《화

물을 지정된 발송역의 철도측 책임자에게 인도할 때까지 매주(賣主)가 책임을 지는 거래 조건》.
えぐ-い 〖蘞い〗 形 (맛이) 아리다. ＝えがらい·えがらっぽい. ¶のどが～ 목구멍이 아리다/青いずいきは～ 날 토란 줄기는 아리다.
エグザミネーション [examination] 名 이그재미네이션; 시험; 검정; 심사.
エグザンプル [example] 名 이그잼플. **1** 예(例); 실례. **2** (수학 등의) 예제.
エグジット [exit] 名 이그지트; 출구; 퇴로. ＝出口.
エクスタシー [ecstasy] 名 엑스터시; 망아(忘我)의 경지; 황홀; 법열.
エクスチェンジ [exchange] 名 익스체인지. **1** 환; 환시세. **2** 교환소; 환전소.
エクスプレス [express] 名 익스프레스. **1** 급행; 급행열차[버스]. **2** 속달 우편; 빠른우편. **3** 운송 회사.
エクスポート [export] 名 엑스포트; 수출; 수출품. ↔インポート.
エクスレント [excellent] ダナ 엑서런트; 훌륭함; 우수함.
エグゼクティブ [executive] 名 이그제큐티브; 상급 관리직; 중역.
エクソシスト [exorcist] 名 엑소시스트; 악마를 쫓는 기도사; 주술사.
えくぼ【笑くぼ】《笑窪·靨》名 보조개. ¶あばたも～ 제 마음에 들면 마맛자국도 보조개《제 눈에 안경이다》/笑うと～が出来る 웃으면 보조개가 생긴다.
えぐみ【絵組み】名 **1** 서적 등에 그림을 엮어 넣는 일; 또, 그 그림. **2** 그림의 짜임새; 도안(圖案).
えぐみ【えぐ味】《蘞味》名 아린 맛; 알싸한 맛.
えグラフ【絵グラフ】名 그림 그래프. ▷「graph.
えぐりだ-す【えぐり出す】《抉り出す》5他 **1** 도려내다. ¶病巣を～ 병소를 도려내다. **2** 은폐한 것을 찾아내어 폭로하다. ¶真相を～ 진상을 파헤치다.
えぐりと-る【えぐり取る】《抉り取る》5他 (칼 따위로) 도려내다.
*えぐ-る 〖抉る·刳る〗 5他 에다. **1** 도려내다. ¶腐った部分を～ 썩은 부분을 도려내다 / 丸木を～ってカヌーをつくる 통나무를 파서 카누를 만들다. **2** 상대방의 약점을 날카롭게 지적하다; 찌르다. ¶問題の核心を～ 문제의 핵심을 찌르다. 可能 えぐ-れる 下1自
えげつな-い 形 **1** (너무 노골적이어서) 역겹다; 야비하다. ＝どぎつい. ¶～演技 역겨운 연기. **2** 너무하다; 지독하다; 치사하다; 박정하다. ＝あくどい. ¶～商法 치사한 상술 / ～しうち 지독한 처사 / やり方が～ 하는 식이 너무 지독하다.
えこ 〖依怙〗 名 (한쪽만) 편듦; 두둔함. ＝えこひいき.
*エゴ [라 ego] 名 에고. **1** 자아; 자기. **2** 'エゴイズム·エゴイスト'의 준말.
エゴイスト [egoist] 名 에고이스트; 이기주의자. 「주의. ＝エゴ.
*エゴイズム [egoism] 名 에고이즘; 이기
えこう【回向】《廻向》名ス自 회향; 불공을 드려 죽은 이의 명복을 빎. ¶親戚一同で～する 친척 일동이 불공을 드려 죽은 이의 명복을 빌다. 「山びこ.
エコー [echo] 名 에코; 메아리; 반향. ＝
えごころ【絵心】名 **1** 그림 그리는 재능; 또, 그림을 이해하는 감상력·기호. ¶～がある 그림에 소양이 있다. **2** 그림을 그리고자 하는 마음. ¶～が動く 그림을 그리고 싶은 마음이 동하다.
えこじ 〖依怙地〗 名ダナ 외고집; 옹고집. ＝いこじ·かたいじ. ¶～な男 고집스러운 사나이 / ～になる 고집을 부리다.
*エゴチズム [egotism] 名 에고티즘; 자기 중심주의. ＝エゴティズム.
えことば【絵ことば】《絵言葉·絵詞》名 그림 두루마리에 써 넣은 글.
エコノミー [economy] 名 이코노미; 경제; 절약; 검약.
―クラス [economy class] 名 이코노미 클래스; (여객기 등의) 보통석(席). ↔ファーストクラス.
―ストア [economy store] 名 이코노미 스토어; 양판점. ＝量販店·ディスカウント ストア.
エコノミスト [economist] 名 이코노미스트; 경제인; 경제 전문가; 경제학자.
エコノミック アニマル [economic animal] 名 이코노믹 애니멀; 경제적 동물; 경제적 이익만을 추구하는 인간《일본 사람을 평해서 한 말》.
エコハウス [일 eco＋house] 名 에코하우스; 환경 공생(共生) 주택《태양열의 이용, 단열화에 따른 에너지 소비의 삭감, 빗물의 재이용 등을 꾀한 가옥》.
えこひいき 〖依怙贔屓〗 名ス他 한쪽만 편듦; 편애; 편파; 역성. ＝片ひいき·えこ. ¶～のある審判 편파적인 심판 / 生徒に対して～がひどい 학생에 대해 편애가 심하다. 「ぶら.
えごま 〖荏胡麻〗 名 〔植〕 들깨. ⇨えのあ
エコロジー [ecology] 名 이콜로지; 사회 생태학; 인간 생태학.
*えさ 〖餌〗 名 **1** 모이; 먹이; 사료. ＝え. ¶～をあさり歩く 먹이를 찾아 다니다 / ～をやる 모이를 주다. **2** 미끼. ¶釣り針に～をつける 낚싯바늘에 미끼를 달다 / 景品を～に客を釣る 경품을 미끼로 손님을 끌다.
えさがし【絵探し·絵捜し】名ス自 (숨은) 그림찾기 놀이; 또, 그 그림.
えざら【絵皿】名 **1** 정물·풍경 등의 그림을 그려 넣은 실내 장식용 접시. **2** 그림 물감을 푸는 접시. ＝絵の具皿.
えし【絵師·画師】名 〈雅〉 화가. ＝えかき. 参考 본디 궁중의 화가.
えじき 〖餌食〗 名 먹이; 희생물; 밥; 봉. ¶とらの～になる 호랑이의 밥이 되다 / ～にする 먹이로 삼다 / 悪人の～にさ

れる 악인의 밥〔희생〕이 되다.

*えしゃく【会釈】图[ス自] 1 (끄덕이며) 가볍게 인사함. =おじぎ. ¶~をかわす 가볍게 인사를 나누다. 2 헤아려 줌. =思いやり. ¶遠慮~もなく 남이야 아랑곳없이; 거리낌없이.

えしゃじょうり【会者定離】图 회자정리. ¶生者必滅~ 생자필멸 회자정리.

エス[S] 图 1 에스; 남. ¶~極 에스극; 남극. ↔エヌ. ▷south. 2 소형 사이즈. ↔L·M. ▷small. 3 〈學〉 에스; 여학생의 동성애(의 대상). ▷sister.

えず【絵図】图 1 그림. 2 (주택·정원 등의) 평면도. =絵図面. ¶~を引く 평면도를 그리다.

エスエスティー [SST] 图 에스에스티; 초음속 제트 여객기《음속의 2-3배》. ▷supersonic transport.

エスエフ [SF] 图 에스에프; 공상 과학 소설. ¶~作家 SF 작가. ▷science fiction.

エスエル [SL] 图 에스엘; 증기 기관차. ▷steam locomotive.

エスオーエス [SOS] 图 에스오에스; (선박용 무전의) 조난 신호. ¶~を発する SOS를 보내다《구조를 요청하다》.

えすがた【絵姿】图 화상; 그림으로 그린 사람의 모습. =絵像·画像.

エスカルゴ [프 escargot] 图〔動〕 에스카르고; 식용 달팽이《프랑스 요리에 씀》.

*エスカレーター [미 escalator] 图 에스컬레이터; 자동 계단《입학시험 없이 진학할 수 있는 부속 초·중·고교를 갖춘 사립 대학의 조직에도 비유됨》. ¶~式に大学までいく 에스컬레이터식으로 대학까지 진학하다.

エスカレート [미 escalate] 图[ス自] 에스컬레이트; (분쟁 따위가) 단계적으로 확대되어 감. ¶紛争が~する 분쟁이 단계적으로 확대되다. ↔デスカレート.

エスキモー [Eskimo] 图 에스키모. ¶~犬 에스키모개. [參考] 인디언 말로 '날고기를 먹는 사람'의 뜻.

エスケープ [escape] 图[ス自] 이스케이프. 1 달아남; 도망침. 2 〈學〉 싫어하는 학과의 수업을 빼먹고 쉼. =エス. ¶授業を~する 수업 시간에 빼소니〔땡땡이〕치다.

エスコート [escort] 图[ス他] 에스코트. (흔히, 여성의) 호위; 호송. ¶社長夫人を~する 사장 부인을 호위하다.

エスサイズ [Sサイズ] 图 에스사이즈《의복 등이 표준보다 작은 것》. ↔エムサイズ·エルサイズ. ▷small size.

エステティック [프 esthétique] 图 에스테티크; 전신 미용; 미안(美顔)·미조술(美爪術). =エステティーク.

エステル [ester] 图〔化〕 에스테르; 산(酸)과 알코올의 화합물.

エストール [STOL] 图 에스톨; 단거리 이착륙기. =エストール機. ▷short take-off and landing aircraft.

エスニック [ethnic] [ダナ] 에스닉; 민족의; 민족적; 인종적. ¶~ルック 민속 패션 / ~な衣装 민족적〔민속〕의상 / ~料理 민족 전통 요리.

―クレンジング [ethnic cleansing] 图 에스닉 클렌징; 인종 청소.

エスパー [esper] 图 에스퍼; 초능력자; (독심술·텔레파시 등의) 초인적인 지각을 가진 사람. [參考] ESP(extrasensory perception=초감각적 지각)+er의 합성어(合成語).

エスビースポット [SB スポット] 图 에스비 스포트《TV·라디오에서, 프로와 프로 사이에 끼워 넣는 극히 짧은 광고 방송》. ▷station break spot.

エスプリ [프 esprit] 图 에스프리. 1 정신; 정수(精髓). 2 기지; 재치. =才知·機知. ¶~のきいた話 재치 있는 이야기 / ~に富んだ人 기지가 풍부한 사람.

エスプレッソ [이 espresso] 图 에스프레소; 센 불에 볶은 원두 커피를 갈고 증기로 우려서 만든 진한 커피; 또, 그 기구.

エスペラント [Esperanto] 图〔言〕 에스페란토《1887년 폴란드의 자멘호프가 창시한 국제어》. =エス語.

えずめん【絵図面】图 (가옥·정원 등의) 평면도. =えず.

えせ= [似非·似而非] 《名詞에 붙여서》 1 '사이비·가짜'의 뜻. ¶~学者 사이비 학자 / ~医者 가짜〔돌팔이〕 의사. 2 '천하다·하찮다·시시하다'의 뜻. ¶~歌 천박한 노래.

えぞ [蝦夷] 图 1 関東 이북에 살던 일본의 선주(先住) 민족《지금의 아이누족의 옛이름》. =えみし. 2 北海道의 옛이름.

えぞう【絵像】图 화상(畫像); 그림으로 그린 사람의 모습. =えすがた.

えぞまつ 〚蝦夷松〛图〔植〕 가문비나무.

えそらごと【絵そらごと】《絵空事》图 (화가가 상상으로 그림을 그리는 데서) 거짓말; 허풍. ¶~をいう 허풍을 떨다.

*えだ【枝】图 1 가지. ¶~が伸びる 가지가 뻗다 / ~が大層広がっている 가지가 아주 많이 퍼져 있다. 2 갈래. ¶~道 갈랫길; 갈림길. ⇔幹.

えたい 〚得体〛图 참모습; 정체; 본성. =正体·本性. ¶~が知れない 정체를 알 수 없다.

えだうち【枝打ち】图[ス自他] 가지치기. =枝下ろし. ¶庭木を~する 정원수를 가지치기하다.

えだぎ【枝木】图 나뭇가지.

えだきりばさみ【枝切りばさみ】《枝切り鋏》图 전정가위.

えだげ【枝毛】图 끝이 갈라진 머리털.

えだこ【絵だこ】《絵凧》图 그림이 있는 연. ↔字だこ.

えだざし【枝挿し】图〔農〕 가지꽂이; 가지를 잘라서 하는 꺾꽂이.

えだつぎ【枝接ぎ】图〘農〙가지접; 대목에 다른 나무의 가지를 접붙이는 일.

えだにく【枝肉】图 지육; (소나 돼지의, 머리·내장 따위를 발라내고 남은) 뼈에 붙은 고기.

エタノール [도 Äthanol] 图〘化〙에탄올; 에틸알코올.

えだは【枝葉】图 지엽. =しよう. **1** 가지와 잎. ¶木(き)の~ 나무의 가지와 잎. **2** 지엽적임. =末節(まっせつ). ¶~の問題(もんだい)だ 지엽적인 문제다/~にこだわる 지엽적인 일에 얽매이다. ↔根幹(こんかん).

えだばん【枝番】图 '枝番号(えだばんごう)'의 준말《분류나 순번을 나타내는 번호를 다시 세분한 번호》.

えだぶり【枝ぶり】《枝振り》图 가지(가 뻗은) 모양. =えだつき. ¶~の良(よ)い松(まつ) 가지가 보기 좋게 뻗은 소나무.

えだまめ【枝豆】图 (가지째로 꺾은) 풋콩; 또, 그것을 삶은 것.

えだみち【枝道】图 **1** 샛길. =横道(よこみち)·わかれ道(みち). ¶ひとり別(わか)れて~に入(はい)る 혼자 헤어져서 샛길로 들어서다. **2** 사물이 본 줄기에서 벗어남. ¶話(はなし)が~にそれる 이야기가 옆길로 새다.

えだもの【枝物】图 (꽃꽂이에서) 솔·매화나무 등 나무류의 총칭. ↔草物(くさもの).

えだわかれ【枝分かれ】图ス自 주된 부분에서 갈라짐. =分岐(ぶんき). ¶~した流派(りゅうは) 갈라져 나온 유파.

***エチケット** [etiquette] 图 에티켓; 예절; 예의범절. =マナー·礼儀作法(れいぎさほう). ¶~に反(はん)する 에티켓에 어긋나다.

えちご [越後] 图〘地〙옛 지방 이름《지금의 新潟県(にいがたけん)》.

エチル [도 Äthyl] 图〘化〙에틸.

—アルコール [도 Äthylalkohol] 图 에틸알코올; 주정(酒精).

エチレン [ethylene] 图〘化〙에틸렌.

えつ【悦】图 (마음에 들어) 기뻐함. ¶~を覚(おぼ)える 기쁨을 느끼다.

—に入(い)る 은근히 기뻐하다; 흡족해하다. ¶ひとり悦に入っている 혼자서 희희낙락하다.

えつ【閲】图 검열; 교열. ¶~を受(う)ける 검열을 받다/~を請(こ)う 교열을 청하다.

えつ〖悦〗《悅》常用 エツ よろこぶ | 열 기뻐하다 | 기쁘게 여기다. ¶悦楽(えつらく) 열락/喜悦(きえつ) 희열/法悦(ほうえつ) 법열.

えつ〖越〗常用 エツ オチ オツ こえる こす | 월 넘다 | **1** 뛰어넘다. ¶越階(えっかい·おっかい) 차례를 건너 지위가 오름. **2** 뛰어나다. ¶卓越(たくえつ) 탁월. **3** 어떤 경계를 넘다. ¶越境(えっきょう) 월경.

えつ〖謁〗《謁》常用 エツ | 알 뵙다 | 윗사람을 뵙다; 귀인을 만나다. ¶謁見(えっけん) 알현.

えつ〖閲〗《閱》常用 エツ けみする | 열 점고하다 | 보다; 살펴 조사하다. ¶閲覧(えつらん) 열람.

えっ 感 뜻밖의 일로 놀라거나 의심할 때 내는 소리: 어; 앗; 이키나. ¶~, これは驚(おどろ)いた 어, 이건 놀랍구나.

えっきょう【越境】图ス自 월경. ¶~して逃亡(とうぼう)した 월경해서 도망쳤다.

—にゅうがく【—入学】图 타(他) 학구[학군] 입학.

えづ-く〖餌付く〗5自 새·짐승이 길들어서, 주는 먹이를 먹게 되다. ¶猿(さる)が~ようになった 원숭이가 길이 들어 먹이를 받아 먹게 되었다. 「에그.

エッグ [egg] 图 에그; 달걀. ¶ハム~ 햄

エックス [X] 图 엑스; 미지수의 기호.

—きゃく【—脚】图 X형 다리; 밭장다리. =X字脚(じきゃく). ↔O脚(オーきゃく).

—せん【—線】图 엑스선. =レントゲン線(せん). 参考 독일인 뢴트겐이 발견, '미지의 선'이란 뜻에서 붙인 이름.

—せんしょくたい [X染色体] 图〘生〙엑스 염색체. ↔Y(ワイ)染色体.

えつけ【絵付け】图ス自 도자기에 그림·무늬를 그려 넣고 굽는 일.

えづけ〖餌付け〗图ス他 야생 동물에 먹이를 주어 인간에 길들게 함. ¶野生(やせい)の猿(さる)を~する 야생 원숭이를 길들이다/~に成功(せいこう)する 야생 동물을 길들이는 데 성공하다.

えっけん【謁見】图ス自 알현. =拝謁(はいえつ). ¶ローマ法王(ほうおう)に~する 로마 교황을 알현하다.

えっけん【越権】图 월권. ¶それは~行為(こうい)だ 그것은 월권 행위다.

エッジ [edge] 图 에지. **1** 스키의 활주면 끝에 붙이는 금속판. **2** 스케이트의 날. ¶~を研(と)ぐ 에지를 갈다.

—ボール [edge ball] 图 에지볼; 탁구대의 가장자리에 맞은 공.

えっ-する【謁する】サ変自 알현하다. ¶陛下(へいか)に~ 폐하를 알현하다.

エッセー [essay] 图 에세이; 수필; 소론(小論). 注意 'エッセイ'라고도 함.

エッセンシャル [essential] ダナ 에센셜. ¶~な要素(ようそ) 본질적인 요소.

エッセンス [essence] 图 에센스. **1** 본질적 요소; 진수(眞髓). =エキス. **2** 식물체에서 뽑은 식용·향료의 정유. ¶レモン~ 레몬 에센스.

エッチ [H] ダナ 〈俗〉에이치; 변태. ¶~な話(はなし) 음란한 이야기/~な人(ひと) 징그러운 사람/まあ, ~! 어머 꼴불견이야. ▷일 hentai(変態(へんたい)). 参考 'エイチ'의 속된 발음.

エッチディーティブイ [HDTV] 图 에이치디티브이; 고선명 텔레비전. =高精細度(こうせいさいど)テレビジョン·ハイビジョン. ▷high-definition television.

えっちらおっちら 副 무거운 짐을 지거나 지쳐서 괴로운 듯이 힘들여 걷는 모양: 기신기신. ¶~(と)坂(さか)をのぼる 기신기신 비탈(길)을 올라가다.

エッチング [etching] 图 에칭; 부식(腐蝕) 동판화.

えっとう【越冬】图ス自 월동. ¶~資金

しきん 월동 자금 / 日本で～するつばめ 일본에서 월동하는 제비.

えつどく【閲読】图ス他 열독; 내용을 죽 훑어 읽음. ¶年鑑を～する 연감을 열독하다.

えつねん【越年】图ス自 월년; 해를 넘김. ¶郷里に帰って～する 고향에 돌아가서 해를 넘기다.

えっぺい【閲兵】图ス他 열병; 사열. ¶部隊を～する 부대를 열병하다.

えつぼ【笑つぼ】《笑壺》图 웃음이 함빡 넘치는 모양.

—に入る (일이) 뜻대로 되어 흐뭇한 표정으로 웃다. ＝ほくそえむ.

えつらく【悦楽】图ス自 열락; 기뻐하고 즐거워함. ¶～に浸る 열락에 빠지다.

えつらん【閲覧】图ス他 열람. ¶～室 열람실 / 資料を～する 자료를 열람하다 / ～に供する 열람하도록 하다.

えて【得手】图 가장 능한 재주; 장기; 특기. ¶それが彼の～なのだ 그것이 그의 장기다. ↔不得手.

—に帆を揚げる 신바람이 나다.

—かって〖—勝手〗图ナ 자기 위주〔제멋대로〕의 행위나 생각. ¶～な人 자기 중심적인 사람 / ～なふるまいを慎む 제멋대로 하는 행동을 삼가다.

エディション [edition] 图 에디션. **1** 출판; 간행. **2** 판(版). ¶ファースト～ 초판 / アメリカン～ 미국판.

エディター [editor] 图 에디터. **1** 편집자〔장〕; 주필. **2** 영화 필름 편집자〔기계〕.

エディティング [editing] 图 에디팅; (영화·영상의) 편집 작업.

エディプスコンプレックス [Oedipus complex] 图〘心〙오이디푸스 콤플렉스; 사내아이가 아버지에게 반감을 가지고, 어머니를 사모하는 경향. ↔エレクトラコンプレックス.

えてがみ【絵手紙】图 화신(畫信); 그림을 곁들인 편지.

えてして〖得てして〗副 자칫〔까딱〕하면. ＝えて·とかく. ¶過信は～失敗を招く 과신은 자칫 실패를 초래한다 / 急ぐと, ～失敗しがちだ 서두르면 자칫 실패하기 쉽다.

えてもの【得手物】图 특히 잘하는 일〔것〕; 장기.

エデン [그 Eden] 图〘聖〙에덴 (동산).

—のその【—の園】图 **1** 에덴 동산. **2** 낙원; 낙토. ＝楽園.

えと [干支] 图 간지; 육십 갑자. ＝かんし.

えど【江戸】图 '東京'의 옛이름《徳川幕府의 소재지》.

—の敵を長崎で討つ 엉뚱한 곳에서, 엉뚱한 일로 보복하는 일.

—じだい【—時代】图 徳川 시대; 徳川가 江戸에 幕府를 두고 통치하던 시대《1603-1867; 264년 간》.

—っこ【—っ子】图 江戸에서 나서 자란 사람; 東京 내기. ¶生っ粋〔ちゃきちゃき〕の～ 순 東京 토박이.

—ばくふ【—幕府】图〘史〙徳川幕府; 1603년 徳川家康가 江戸에 세운 무인(武人) 정권. ⇨박스記事

—まえ【—前】图 **1** 사람의 성격, 음식맛 등이 江戸풍임; 江戸식. ¶～ずし〔の料理〕 東京식 초밥〔요리〕. **2** 東京만에서 잡히는 물고기. ¶～のはぜ 東京 근해산 문절망둑.

江戸幕府 (将軍 일람)

代	将軍	在位 기간	没年
1	徳川家康	1603～05	1616
2	徳川秀忠	1605～23	1632
3	徳川家光	1623～51	1651
4	徳川家綱	1651～80	1680
5	徳川綱吉	1680～1709	1709
6	徳川家宣	1709～12	1712
7	徳川家継	1713～16	1716
8	徳川吉宗	1716～45	1751
9	徳川家重	1745～60	1761
10	徳川家治	1760～86	1786
11	徳川家斉	1787～1837	1841
12	徳川家慶	1837～53	1853
13	徳川家定	1853～58	1858
14	徳川家茂	1858～66	1866
15	徳川慶喜	1866～67	1913

えとき【絵解き】图ス他 **1** 그림풀이; 그림으로 설명을 보충함; 또, 그 설명문. ¶～をする 그림으로 설명을 보충하다. **2** 의문을 풀어 밝힘. ¶事件の～ 사건의 해명.

えとく【会得】图ス他 터득. ¶花のつくり方を～する 꽃 가꾸기를 터득하다.

エトランゼ [프 étranger] 图 에트랑제; 낯선 사람; 여행 중인 외국인; 이방인.

えど-る【絵取る】5自他 색칠하다; 채색하다; 개칠(改漆)하다. ＝色どる. ¶紅で～ 주홍으로 색칠하다.

えな〖胞衣〗图〘生〙포의; 태의(胎衣).

—わらい【—笑い】图 유아의 아무 뜻 없는 웃음; 배냇짓; 배내웃음.

えない【得ない】連語 할 수 없다. ¶止むを～ 부득이하다 / せざるを～ 하지 않을 수 없다.

エナジー [energy] 图 에너지. ☞エネルギー.

エナメル [enamel] 图 에나멜. ¶～靴 에나멜 구두; 칠피 구두.

—がわ【—革】图 에나멜 가죽; 칠피.

えにし〖縁〗图 (특히, 남녀 간의) 인연. ＝縁·ゆかり. ¶～の糸 인연의 끈 / 不思議な～で結ばれた二人 이상한 인연으로 맺어진 두 사람.

えにっき【絵日記】图 그림 일기.

エヌ [N·n] 图 엔; 북(北). ¶～極 엔극; 북극. ↔エス. ▷north.

エヌエイチケー [NHK] 图 엔에이치케이; 일본 방송 협회. ▷일 Nippon Hoso Kyokai.

エヌジー [NG] 图 엔지; (영화에서) 촬영 실패; (방송·TV에서) 녹음·녹화에 실

패하는 일. ¶ ~を出す 엔지를 내다. ▷no good.

エヌジーオー [NGO] 图 엔지오; 비(非)정부간 국제 기구; 비정부 조직. ▷nongovernmental organization.

*エネルギー [도 Energie] 图 에네르기; 에너지; 또, 정력. =エナジー. ¶ ~の節約 에너지 절약 / ~のある人 에너지가[활력이] 있는 사람 / 試合で~を使い果たす 시합에서 있는 힘을 다 써 버리다. 「칙.

—不滅の法則 에너지 불멸의 법

—たいしゃ【—代謝】图〖生〗에너지 대사. =エネルギー交代.

エネルギッシュ [도 energisch] ダナ 에네르기시; 정력적. ¶ ~な人 정력적인 사람 / ~に働く 정력적으로 일하다.

えのあぶら 〖荏の油〗图 들기름; 들깨 기름《도료(塗料)에 씀》. =えのゆ.

えのき 〖榎·朴〗图〖植〗팽나무.

*えのぐ【絵の具】图 그림물감; 채료(彩料). ¶ 油~ 유화 그림물감 / ~皿 그림물감을 푸는 데 쓰는 접시 / ~をぬる 그림물감을 칠하다.

*えはがき【絵はがき】《絵葉書》图 그림엽서. ¶ ~を送る 그림엽서를 보내다.

えはだ【絵肌】图 그림의 화면에서 받는 느낌; 화면의 재질감. =マチエール.

えび 〖蝦·海老〗图〖動〗새우.

—で鯛を釣る 새우로 도미를 낚다《적은 밑천으로 큰 이익을 얻다》. =えびたい.

えびあがり【えび上がり】《蝦上がり》图 차오르기; 철봉에 매달렸다가 몸을 새우처럼 구부렸다가 허공을 차며 상반신을 철봉 위로 올리는 일.

えひがさ【絵日傘】图 그림이 있는 양산.

えびがに 〖蝦蟹·海老蟹〗图〖動〗미국가재. =ざりがに.

エピキュリアン [epicurean] 图 에피큐리언; 쾌락주의자. 「구; 풍자시.

エピグラム [epigram] 图 에피그램; 경

エピゴーネン [도 Epigonen] 图 에피고넨; 추종자; 아류. =模倣者.

えびごし【えび腰】《蝦腰》图 새우등.

えびす 〖夷·戎·蛮·狄〗图 **1** 아이누족. =えぞ. **2** 오랑캐; 미개인. **3** 거친 사람. 參考 특히, 京都 지방 사람이 関東 이북의 무사를 가리키던 말.

えびす 〖恵比寿·恵比須〗图 7복신의 하나《상가(商家)의 수호신; 오른손에 낚싯대, 왼손에 도미를 들고 있음》.

—がお【—顔】图 싱글벙글 웃는 얼굴. ¶ 借りる時の~返す時のえんま顔 빌릴 땐 웃는 얼굴, 갚을 땐 성난 얼굴《앉아서 주고 서서 받는다》.

エピソード [episode] 图 에피소드; 일화. ¶ 知られざる~ 알려지지 않은 에피소드 / 数数の~を残す 많은 일화를 남기다.

えびたい 〖海老鯛〗图 'えびで鯛を釣る'의 준말. ⇨えび.

エピック [epic] 图 에픽; 서사시. ↔リリック. 「살통.

えびら 〖箙〗图 전동(箭筒); 등에 지는 화

エピローグ [epilogue] 图 에필로그; (시·소설 따위의) 종장(終章); 종결부 (사건의) 결말; 결말. ↔プロローグ.

エフ [F] 图 에프. **1** 화씨 온도계의 기호. ↔C. ▷Fahrenheit. **2** 건물의 층을 나타내는 기호. ¶ 3F 3층. ▷floor. **3**〖樂〗음의 이름; 파. ▷fa. **4** 여성을 나타내는 기호. ↔M. ▷female.

エフアイ [FI] 图 **1**〖映·TV〗용명(溶明). **2** (방송에서) 소리가 점점 커지는 일. ⇔エフオー. ▷fade in.

エフエー [FA] 图 자유 계약 선수. ▷free agent.

エフエム [FM] 图 에프엠; 주파수 변조. ↔エーエム. ▷frequency modulation.

—ほうそう [—放送] 图 에프엠 방송.

エフオー [FO] 图 에프오. **1**〖映·TV〗용암(溶暗). **2** (방송에서) 소리가 점점 작아지는 일. ⇔エフアイ. ▷fade out.

えふだ【絵札】图 **1** 그림이 있는 놀이딱지. **2** (트럼프에서) 잭·퀸·킹의 패.

えふで【絵筆】图 그림 붓; 화필. ¶ ~をとる 화필을 잡다; 화가가 되다 / ~を振るう 왕성하게 그림을 그리다.

エフビーアイ [FBI] 图 에프비아이; 미국 연방 수사국. ⇨ジーメン. ▷Federal Bureau of Investigation.

エプロン [apron] 图 에이프런. **1** 앞치마. =前掛け. **2** 'エプロンステージ'의 준말.

—ステージ [apron stage] 图 에이프런 스테이지《극장에서, 관객석 가운데까지 쑥 내민 무대의 일부》.

エフワン [F 1] 图 에프 원; 단좌석(單座席)의 자동차 경주 전용차의 하나. ▷Formula One.

エペ [프 épée] 图 에페; 펜싱 종목의 하나《온몸을 대상으로 하고, 찌르기의 수를 씀》.

えぼし 〖烏帽子〗图 옛날에 公家나 무사가 쓰던 건(巾)의 일종.

—を着せる 이야기를 과장하다; 말을 묘하게 꾸미다.

エポック [epoch] 图 에폭; 새 시대; 중요한 시기. ¶ ~を画す発明 획기적 발명 / ~を画する 한 시기를 긋다; 신기원을 이루다.

—メーキング [epoch-making] ダナ 에폭 메이킹; 새 시대를 엶; 획기적. ¶ 歴史上~な発見 역사상 획기적인 발견. 「트.

エボナイト [ebonite] 图〖化〗에보나이

エホバ [Jehovah] 图〖基〗예호바; 여호와. =ヤハウェ. 「림책을 보다.

えほん【絵本】图 그림책. ¶ ~をみる 그

えま【絵馬】图 기원을 하거나, 또는 그 소원이 이루어진 사례로 신사나 절에 봉납하는 액자. ¶ 願解き~ 소원풀이 액자. 參考 본디, 말을 바쳐야 하나, 그 대신에 말 그림의 액자를 바쳤음.

エマージェンシー [emergency] 名 이머전시; 비상〔긴급〕사태. ¶ ~ランディング 긴급 착륙.

えまき【絵巻】名 그림 두루마리. ¶ ~を繰くり広ひろげる 그림 두루마리를 펼치다.

えまきもの【絵巻物】名 ☞えまき.

えみ【笑み】名 웃음; 미소. =ほほえみ. ¶ ~をたたえる 미소를 띠다 / 顔かおに~を浮うかべる 얼굴에 웃음을 띄우다.

えみこぼれる【笑みこぼれる】《笑み溢れる》 下1自 만면에 미소를 띄우다.

えみわ-れる【笑み割れる】 下1自 (밤송이·석류 열매 따위가) 익어서 저절로 벌어지다.

え-む【笑む】 5自 **1** 미소짓다; 방긋이 웃다. =にっこりする. **2** 꽃봉오리가 벌어지다. ¶ 花はなの~ころ 꽃이 필 때 / 梅うめの花はなが~ 매화 꽃이 피다. **3** 열매가 익어 벌어지다. ¶ 栗くりのいがが~ 밤송이가 벌어지다.

エム [M] 名 엠. **1** 〈學·俗〉 돈; 금전. =ゲル·お金かね. ▷money. **2** 남성(적 요소). ↔W. ▷man. **3** 지진의 규모를 나타내는 기호. ▷magnitude. **4** 중형의 크기〔사이즈〕. ▷medium.

エムエスドス [MS-DOS] 名 〖商標名〗 엠에스도스《미국의 마이크로소프트사가 개발한 퍼스널 컴퓨터용 도스》. ▷Microsoft disc operating system.

エムサイズ [Mサイズ] 名 엠사이즈; 의복 등에서 표준 크기의 것. =エム判ばん. ↔エス〔エル〕サイズ. ▷middle size.

エムディー [MD] 名 ミニディスク의 준말. ▷mini disk.

エムピー [MP] 名 엠피; (미군) 헌병. ▷Military Police.

エムピーばん [MP盤] 名 엠피판《1분간에 33 1/3 회전하는 장시간 연주의 레코드로서 LP판과 회전수가 같으나 음(音)이 더 좋음》. =エムピー. ▷middle playing record.

エムブイピー [MVP] 名 엠브이피; (스포츠의) 최우수 선수; 또, 그 선수에게 주는 상. ▷most valuable player.

エメラルド [emerald] 名 **1** 에메랄드. =緑玉りょくぎょく·翠玉すいぎょく. **2** 에메랄드 빛깔. ¶ ~グリーン 에메랄드 그린; 청록색. 參考 5월의 탄생석.

エメリー [emery] 名 에머리; 금강사《연마용의, 모래처럼 생긴 강옥 가루》.

—ボード [emery board] 名 에머리 보드; 손톱 손질에 쓰는 손톱줄《매니큐어용》. =爪つめやすり.

えもいわれぬ【えも言われぬ】 連語 《連体詞적으로》 무엇이라 말할 수 없는〔없이 좋은〕; 필설난진(筆舌難盡)의. =えもいえぬ. ¶ ~美うつくしさ 형용 할 수 없는 아름다움 / ~景色けしきだ 말할 수 없이 아름다운 경치다.

エモーション [emotion] 名 이모션; 감정; 정서; 감동; 정감(情感).

えもじ【絵文字】名 **1** (상형 문자 이전의) 그림 문자. =ピクトグラフ. **2** 회화화(繪畫化)한 문자; 장식 문자《간판·마크에 씀》.

えもの【得物】名 **1** 자기가 가장 잘 쓰는 무기나 도구. **2** 무기. ¶ ~を手てにして戦たたかう 무기를 손에 들고 싸우다.

えもの【獲物】名 **1** (어렵에서) 수렵물; 어획물; 사냥감. ¶ ~を逃にがす〔捕とらえる〕 사냥감을 놓치다〔잡다〕/ ~をあさる 사냥감을 찾아 다니다. **2** 전리품. ¶ ~を分配ぶんぱいする 약탈품을 분배하다.

えもよう〖絵模様〗名 그림 무늬.

えら〖鰓〗名 **1** 아가미. **2** 〈俗〉 사람의 아래턱의 좌우 부분; 하관(下顴). ¶ ~の張はった顔かお 하관이 벌어진 얼굴.

エラー [error] 名 에러; 잘못; 실패; 실수. =あやまち·失策しっさく. ¶ ~をやる 실책을 범하다 / ショートの~で三塁さんるいでセーフになる 유격수의 실책으로 삼루에서 세이프되다.

—ダウン [error-down] 名 〖컴〗 에러다운; 프로그램 미스 등 소프트웨어의 오류나 하드웨어의 고장 따위로 컴퓨터 시스템이 다운〔정지〕 되는 일.

—トラップ [error trap] 名 〖컴〗 에러 트랩; 컴퓨터의 작동 중 에러가 생겼을 때 작동하는 프로그램.

えら-い【偉い】《豪い》 形 **1** 훌륭하다; 비범하다. ¶ ほんとに~人ひとだ 정말 훌륭한〔난〕 사람이다. **2** 지위·신분이 높다. ¶ ~人ひとのお越こし 높으신 분의 행차 / 今いまに~·くなるぞ 머지않아 출세할 거야. **3** 대단하다; 심하다; 난처하다. ¶ ~事件じけん 엄청난 사건 / ~ことになった 큰일 났다; 난처하게 되었다 / ~目めにあう 혼이 나다. **4** 심하다; 지독하다. ¶ ~寒さむさ 대단한 추위 / 現場げんばは~人出ひとでだった 현장은 엄청난 인파였다. **5** 뜻밖이다; 엉뚱하다. =とんでもない. ¶ ~所ところで~奴やつに出会であった 뜻밖의 곳에서 엉뚱한 놈〔녀석〕을 만났다.

エラスチック [elastic] 名ダナ 일래스틱; 신축성이 풍부함.

えらびだ-す 【選び出す】 5他 가려내다; 선출하다. =えりだす. ¶ 代表だいひょうを~ 대표를 선출하다.

えら-ぶ【選ぶ】 5他 **1** 고르다; 뽑다; 가리다. ¶ よい品しなを~ 좋은 물건을 고르다 / 代表だいひょうを~ 대표를 뽑다 / 代議士だいぎしに~·ばれる 국회의원으로 뽑히다. **2** 택하다. ¶ 方法ほうほう〔コース〕を~ 방법을〔코스를〕 택하다 / 恥はじをかくよりは死しを~ 창피를 당하느니 죽음을 택하다. 可能 えら-べる 下1自

—所ところがない (…과) 조금도 다를 바가 없다; 같다. ¶ 禽獣きんじゅうと~ 금수와 다를 바 없다.

えらぶつ【偉物】《豪物》 名 〈俗〉 뛰어난 사람; 실력자; 수완가. =実力者じつりょくしゃ·えらもの. 參考 가벼운 조롱조로 씀.

えらぶ-る【偉ぶる】 5自 젠체하다; (잘)

난 체하다. ¶～·った尊大な態度 잘난 체하는 거만한 태도.

***えり**【襟】《衿》图 **1** 옷깃; 동정; 칼라. ¶つめ～の制服 깃닫이의 제복. **2** 목덜미. ¶～が寒い 목덜미가 써늘하다.

—につく 목덜미에 붙다《부자나 권세가에 아부하다》.

—を正す 옷깃을 여미다; 태도와 자세를 바로하다. ¶襟を正して聞く 자세를 바로하고 듣다.

エリア [area] 图 에어리어; 지역; 구역. ¶サービス～ 서비스 에어리어; (방송국의) 가청〔가시〕 지역.

えりあか【襟あか】《襟垢》图 옷깃의 때. ¶～のついた着物を着ている 옷깃에 때가 묻은 옷을 입고 있다.

えりあし【襟足】图 목덜미의 머리털이 난 어름. ¶～の美しい女 목덜미가 예쁜 여자 / ～が長い 목이 길다.

エリート [프 élite] 图 엘리트; 선량(選良). ¶～社員 엘리트 사원 / ～コースを歩む 엘리트 코스를 밟다.

—いしき【—意識】图 엘리트 의식. ¶～が強い 엘리트 의식이 강하다.

えりかざり【襟飾り】图 양복 깃에 다는 장식《브로치 따위》. ¶～をした美人 옷깃에 장식을 단 미인.

えりくび【襟首】图 목덜미. ＝首すじ·うなじ·えりもと. ¶～におしろいを塗る 목덜미에 분을 바르다 / 人の～をつかむ 남의 목덜미를 잡다.

えりぐり【襟ぐり】《襟刳り》图 목둘레를 판 의복의 선; 네크라인. ＝ネックライン. ¶～の大きいセーター 네크라인이 큰 스웨터.

えりごのみ【えり好み】《選り好み》图 ス自 좋아하는 것만을 골라 취함; 가리기. ＝より好み·えりぎらい. ¶～がはげしい 몹시 가린다〔까다롭다〕/ 食べ物に～する 음식을 가리다.

えりしょう【襟章】图 금장; 배지; (제복의) 옷깃에 다는 휘장. ¶～をつける 배지를 달다.

えりすぐ-る〖選りすぐる〗5他 여럿 중에서 좋은 것만을 골라〔가려〕 내다; 엄선하다. ＝よりすぐる. ¶～·った精鋭 가려뽑은 정예.

えりぬき【えり抜き】《選り抜き》图 뽑아냄; 가려 냄; 선발함; 추려냄. ＝よりぬき. ¶～の選手 선발된 선수.

えりぬ-く【えり抜く】《選り抜く》5他 골라 뽑다; 가려 내다. ＝よりぬく. ¶力のつよそうな者を～ 힘센 듯한 사람을 선발하다.

えりまき【襟巻き】图 목도리. ＝くびまき·マフラー. ¶毛皮製の～ 모피로 된 목도리 / ～をする 목도리를 하다.

えりもと【襟もと·襟元】图 옷깃 언저리; 목 언저리. ¶～に付く 권력자에 아부하다 / ～をかき合わせる 옷깃을 여미다 / ～が寒い 목 언저리가 춥다.

えりわ-ける【えり分ける】《選り分ける》下1他 골라〔가려〕내다; 선별하다. ＝よりわける·選別する. ¶いたんでいるりんごを～ 상한 사과를 가려내다.

****える**【得る】㊀ 下1他 **1** 얻다; 획득하다; 손에 넣다; 자기 것으로 하다. ¶支持〔知識〕を～ 지지를〔지식을〕 얻다 / 病を～ 병을 얻다; 병에 걸리다 / 志を～ 뜻을 이루다 / 貴意をえたい 당신의 승낙을 얻고자 합니다. **2** 이해하다; 깨닫다. ¶(彼の話は一向に)要領をえない (그 사람 얘기는 도무지) 이해할 수 없다.

㊁ 下1自 《動詞의 連用形에 붙어서》…(할) 수 있다. ¶ありえない 있을 수 없다 / ひとりでは成しえない 혼자서는 할 수 없다. 参考 ㊁의 경우, 終止形·連体形는 흔히 'うる'로 됨. ¶有り**うる**こと 있을 수 있는 일 / 知り**うる**限りの情報 알 수 있는 한의 정보 / 考え**うる**限りの手をつくす 생각할 수 있는 온갖 손을 다 쓰다.

え-る〖選る〗5他 고르다; 뽑다; 선택하다; 추리다. ＝よる·えらぶ. ¶よいものだけ～ 좋은 것만 고르다 / ～·りに～ 고르고 또 고르다.

エル [L] 图 엘; 대형 크기〔사이즈〕. ¶～判のシャツ 대형 셔츠. ▷large.

エルエスアイ [LSI] 图 엘에스아이; 고밀도 집적회로(集積回路). ▷large scale integration.

エルエスディー [LSD] 图 엘에스디; 호밀에서 나는 맥각으로 만든 강력한 환각제. ▷lysergic acid diethylamide.

エルエヌジー [LNG] 图 엘엔지; 액화 천연 가스. ▷liquefied natural gas.

エルケー [LK] 图 거실과 부엌. ¶二～ 방 2개와 부엌. ▷living room and kitchen.

エルサイズ [Lサイズ] 图 엘사이즈; 기성복 등이 표준보다 큰 것. ＝L判. ↔ エスサイズ·エムサイズ. ▷large size.

エルシー [LC] 图 〘經〙 엘시; 신용장. ＝信用状. ▷letter of credit.

エルディーケー [LDK] 图 거실과 다이닝 키친. ¶三～ 방 3개와 식당을 겸한 부엌. ▷일 living room＋dining kitchen.

エルニーニョ [스 El Niño] 图 〘氣〙 엘니뇨《페루·에콰도르 연안 앞바다에서, 몇 년에 한 번씩 크리스마스 무렵에 해면의 수온이 일시적으로 높아지는 현상》.

エルピー [LP] 图 엘피; 장시간 연주용 레코드《1분간에 33 1/3번 회전》. ＝エルピーレコード. ¶～盤 엘피 판. ▷long playing record.

エルピーガス [LPガス] 图 〘化〙 엘피 가스; 액화 석유 가스; 프로판 가스. ＝LPG. ▷liquefied petroleum gas.

エレガント [elegant] ダナ 엘리건트; 우아함; 고상함. ¶～な服装〔振る舞い〕 우아한 복장〔행동거지〕.

エレキ 图 'エレキギター'의 준말.

—ギター [←electric guitar] 图 일렉트

릭 기타; 전기 기타. ＝エレキ.

エレクトラコンプレックス [Electra complex] 名 〘心〙 엘렉트라 콤플렉스; 여자 아이가 아버지를 따르고 어머니에게 반감을 느끼는 경향. ↔エディプスコンプレックス.

エレクトロニクス [electronics] 名 일렉트로닉스; 전자 공학; 전자 기술.

エレクトロン [electron] 名 〘理〙 일렉트론. **1** 전자. ¶～ガン 전자총. **2** 일렉트론 메탈; 마그네슘을 주성분으로 하는 초경(超輕) 합금《가볍고 강하기 때문에 항공기·자동차 따위의 재료로 쓰임》. ▷electron metal.

エレジー [elegy] 名 엘레지; 비가; 애가(哀歌). ＝悲歌(ひか). ¶青春(せいしゅん)の～ 청춘 비가.

***エレベーター** [elevator] 名 엘리베이터. 승강기. ＝リフト·昇降機(しょうこうき). ¶～に乗(の)る 승강기를 타다 / ～が途中(とちゅう)でとまる 엘리베이터가 도중에 서다.

エレメンタリー [elementary] 名 엘리멘터리; 기초적; 기본적.

エレメント [element] 名 엘리먼트. **1** 요소; 성분; 요인. **2** 자기의 활동 영역. ¶自己(じこ)の～に居(い)る 자기의 활동 영역내에 있다. **3** 〘化〙 원소.

エロ 名ダナ 'エロチック'의 준말; 에로. ¶～な話(はなし) 음란한 이야기 / ～本(ぼん) 음란한 내용의 책 / ～映画(えいが) 에로 영화. 參考 'エロチシズム'의 뜻으로도 쓰임.

──グロ [일 erotic＋grotesque] 名 에로그로; 에로틱하고 그로테스크함. ¶～映画(えいが) 선정적 괴기 영화.

エロキューション [elocution] 名 엘러큐션; 웅변술; 화술; 발성법; 낭독법.

エロス [그 Eros] 名 에로스. **1** (그리스 신화에서) 사랑의 신. 參考 로마 신화의 キューピッド. **2** (성적인) 사랑; 성애(性愛). ↔アガペー. ▷eros.

エロチシズム [eroticism] 名 에로티시즘; 관능적 기분; 호색 기분. ＝エロティシズム. ¶～を感(かん)じさせる踊(おど)り 에로티시즘을 느끼게 하는 춤.

エロチック [erotic] ダナ 에로틱; 선정적; 호색적. ＝エロティック. ¶～な描写(びょうしゃ)〔シーン〕 에로틱한 묘사〔신〕.

****えん【円】** 名 **1** 둥금; 또, 둥근 것; 원. ¶鳥(とり)が～を描(えが)いて飛(と)ぶ 새가 원을 그리며 날다. **2** 엔《일본의 화폐 단위》; 또, 엔화. ¶～が上(あ)がる〔高(たか)くなる〕 엔화가 오르다〔비싸지다〕.

えん【宴】 名 연회; 잔치. ＝うたげ. ¶花(はな)の～ 꽃놀이(잔치) / ～を張(は)る〔設(もう)ける〕 잔치를 베풀다 / ～たけなわとなる 연회가 한창 무르익다.

***えん【縁】** 名 인연; 연분. **1** 그렇게 될 운명. ¶不思議(ふしぎ)な～ 이상한 인연. **2** 숙명적인 인연. ¶前世(ぜんせ)の～ 전세의 인연 / ～を切(き)る 인연을 끊다; 이혼하다 / 彼(かれ)とは～もゆかりもない 그와는 아무런 관계도 없다. **3** 툇마루. ＝縁側(えんがわ). ¶～に出(で)る 툇마루에 나오다〔나가다〕.

──は異(い)なもの味(あじ)なもの 남녀 특히, 부부의 인연이란 도대체 어떻게 맺어지는지 이상하고도 재미있는 것이다.

──を結(むす)ぶ 부부·양자 등의 인연을 맺다; 결연하다.

えん【塩】 名 〘理〙 염. ¶酸化(さんか)により～を生(しょう)じる 산화에 의해 염을 생성하다.

えん [艶] 名 요염. ¶～を競(きそ)う 요염한 아름다움을 겨루다.

＝えん【炎】 …염; 염증. ¶盲腸(もうちょう)～ 맹장염 / 気管支(きかんし)～ 기관지염.

えん〖円〗《圓》 教1 エン まるい まるさ まどか | 원 둥글다 | **1** 둥글다. ¶円板(えんばん) 원판. ↔方(ほう). **2** 〘數〙 원. ¶円周(えんしゅう) 원주 / 楕円(だえん) 타원. **3** 일본 화폐의 기본 단위; 엔《銭(せん)의 100배》. ¶千円(せんえん) 천 엔.

えん〖延〗《延》 教6 エン のびる のべる のばす | 연 늘이다 끌다 | **1** 늘이다; 뻗다. ¶延命(えんめい) 연명 / 延長(えんちょう) 연장. **2** 기일이 늦어지다. ¶延期(えんき) 연기.

えん〖沿〗《沿》 教6 エン そう | 연 물따라가다 | 강이나 길, 또는 시간의 흐름을 좇다. ¶沿岸(えんがん) 연안 / 沿線(えんせん) 연선.

えん〖炎〗 常用 エン ほのお | 염 타다 불꽃 | **1** 타오르다. ¶情炎(じょうえん) 정염. **2** 불; 또, 여름. ¶炎帝(えんてい) 염제 / 火炎(かえん) 화염. **3** 염증. ¶肺炎(はいえん) 폐렴 / 胃炎(いえん) 위염.

えん〖垣〗 常用 エン かき | 원 울타리 | 울타리; 담. ¶垣根(かきね) 울타리. ⇨かき(垣).

えん〖宴〗 常用 エン うたげ | 연 잔치 | 잔치. ¶宴会(えんかい) 연회 / 酒宴(しゅえん) 주연. 注意 '筵'으로도 씀.

えん〖媛〗《媛》 人名 エン ひめ | 원 미녀 | 아름다운 여성. ¶才媛(さいえん) 재원.

えん〖援〗《援》 常用 エン たすける | 원 구원하다 | **1** 끌어 당기다. ¶援引(えんいん) 원인. **2** 구원하다. ¶援軍(えんぐん) 원군 / 援護(えんご) 원호.

えん〖園〗 教2 エン オン その | 원 동산 | **1** 동산; 과수 등을 심은 밭. ¶園芸(えんげい) 원예 / 花園(はなぞの) 꽃밭. **2** 구획된 일정한 장소나 지역. ¶動物園(どうぶつえん) 동물원 / 学園(がくえん) 학원.

えん〖煙〗《煙》 常用 エン けむる けむり けむい けむたい | 연 연기 | **1** 연기. ¶煙害(えんがい) 연해 / 煤煙(ばいえん) 매연. **2** 담배. ¶禁煙(きんえん) 금연.

えん〖猿〗 常用 エン さる ましら | 원 원숭이 | 원숭이. ¶類人猿(るいじんえん) 유인원.

えん〖遠〗《遠》 教2 エン オン とおい | 원 멀다 | **1** (시간·거리가) 멀다. ¶遠近(えんきん) 원근 / 永遠(えいえん) 영원. **2** 멀어지다; 멀리하다. ¶敬遠(けいえん) 경원. ⇔近(きん).

えん〘鉛〙《鉛》[常用] エン なまり | 연 납 | 납. ¶鉛版 연판 / 鉛筆 연필 / 亜鉛 아연 / 黒鉛 흑연.

えん〘塩〙《鹽》[教4] エン しお | 염 소금 | 1 소금. ¶塩田 염전 / 食塩 식염. 2 소금에 절이다. ¶塩蔵 염장. 3〘化〙염소. ¶塩化 염화 / 塩酸 염산.

えん〘演〙[教5] エン のべる | 연 행하다 | 1 연극·연주 등을 하다. ¶演技 연기 / 出演 출연. 2 말하다. ¶演説 연설. 3 실지로 맞춰 보다. ¶演習 연습 / 演算 연산.

えん〘縁〙《緣》[常用] エン ふち へり よる えにし | 연 연줄 | 1 가장자리. ¶外縁 외연. 2 인연. ㉠관계가 있다. ¶地縁 지연. ㉡혼인·육친의 관계; 또, 연줄. ¶縁故 연고 / 夫婦の縁 부부의 인연.

えん〘艶〙《艷》[人名] エン あでやか なまめかしい つや | 염 곱다 | 1 얼굴이 곱다; 요염하다. ¶艶美 염미 / 妖艶 요염. 2 남녀 간의 정사에 관한 일. ¶艶聞 염문.

えんいん【延引】[名][ス自] (일이) 질질 끌어 늦어짐; 지연. ¶会の開始が～する 회의 시작이 지연되다.

えんいん【遠因】[名] 원인. ¶紛争の～ 분쟁의 (간접적인) 원인. ↔近因.

えんえい【遠泳】[名][ス自] 원영. ¶～を行う 먼 거리를 헤엄치다.

*えんえき [演繹] [名][ス他]〘論〙연역. ¶～論理学 연역 논리학. ↔帰納.

—ほう [—法] [名] 연역법. ↔帰納法.

えんえん【延延】[副][トタル] (이야기나 일이) 질질 끄는 모양: 장장. ¶～五時間に及ぶ会議 장장 다섯 시간이나 계속되는 회의 / 行列が～と続く 행렬이 끝없이 이어지다.

えんえん【炎炎】《燄燄》[トタル] 활활 타오르는 모양. ¶～と燃える 활활 타오르다 / ～たる猛火 활활 타오르는 맹렬한 불길. 「り.

えんおう [鴛鴦] [名] 원앙(새). ＝おしど

—の契り 부부의 약속. ¶～を結ぶ 원앙의 인연을 맺다《부부가 되다》.

—の仲 금실이 좋은 부부 사이.

えんか【円価】[名] (일본 돈) 円의 화폐 가치. ¶～の変動 엔화 가치의 변동.

えんか【円貨】[名] (일본의) 엔화; 円 단위의 화폐. ¶～手形 엔화 표시 어음.

えんか【塩化】[名][ス自]〘化〙염화. ¶～水素 염화수소 / ～ナトリウム 염화나트륨《식염》.

—ビニール [vinyl] [名] 1 염화비닐. ＝塩ビ. 2 '塩化ビニール樹脂(＝염화비닐 수지)'의 준말. ＝塩ビ.

えんか【演歌】《艶歌》[名] 일본적인 애수를 띤 가요곡. ¶～歌手 演歌 가수.

—ちょう【—調】[名] 演歌조. ¶～の歌 演歌조의 노래.

えんか【縁家】[名] 1 사돈집. 2 연고가 있는 집; 친척집.

えんかい【宴会】[名] 연회. ＝うたげ·さかもり. ¶～を催す 연회를 개최하다.

えんかい【沿海】[名] 연해. ¶～都市 연해 도시 / ～漁業 연해 어업.

えんかい【遠海】[名] 원해. ＝遠洋. ↔近海. 「랑어 따위》.

—ぎょ【—魚】[名] 원해어《가다랑어·다

えんがい【塩害】[名] 염해; 논밭에 바닷물이 침수하거나 소금기가 많은 바람 때문에 농작물이 받는 피해. ¶～を受ける 염해를 입다.

えんかいしょく【鉛灰色】[名] 연회색; 납빛 비슷한 회색.

えんかく【沿革】[名] 연혁. ＝うつりかわり. ¶学制の～ 학제의 연혁 / 社の～をしらべる 회사의 연혁을 알아보다.

えんかく【遠隔】[名] 원격. ¶～探査 원격 탐사 / ～作用 원격 작용.

—せいぎょ【—制御】[名][ス他] 원격 제어〔조정〕. ＝リモートコントロール.

—そうさ【—操作】[名][ス他] 원격 조작. ＝リモートコントロール.

えんかつ【円滑】[ダナ] 원활. ¶交渉が～に進む 교섭이 원활하게 진행되다 / 二人の仲は～に行かない 두 사람 사이는 원활하지 못하다.

えんがわ【縁がわ·縁側】[名] 툇마루. ＝えん·えんさき. ¶～に腰をかける 툇마루에 걸터앉다. 「환.

えんかわせ【円為替】[名] 엔화 표시 외국

えんかん【鉛管】[名] 연관; 납으로 만든 파이프. ¶水道の～ 수도의 연관.

*えんがん【沿岸】[名] 연안. ¶～航路〔貿易〕 연안 항로〔무역〕 / ～地方は風が強い 연안 지방은 바람이 세다.

—ぎょぎょう【—漁業】[名] 연안 어업. ↔遠洋漁業.

えんがん【遠眼】[名] 원(시)안. ＝遠視. ¶～鏡 원시경. ↔近眼.

えんき【塩基】[名]〘化〙염기. ↔酸.

—せい【—性】[名] 염기성; 알칼리성. ¶～酸化物 염기성 산화물 / ～染料 염기성 염료. ↔酸性.

*えんき【延期】[名][ス他] 연기. ¶雨のため開会式を～する 우천으로 개회식을 연기하다. 「替手形.

—てがた【—手形】[名] 연기 어음. ＝切

*えんぎ【演技】[名][ス自] 1 연기. ¶～派 연기파 / ～をつける (감독이) 연기를 가르치다 / ～がうまい 연기를 잘하다 / すぐれた～を見せる 뛰어난 연기를 보여주다. 2 겉으로 꾸민 짓. ¶～の笑顔 연기로 꾸민 웃는 얼굴 / ～して悲しみを隠す 겉꾸밈으로 슬픔을 감추다 / ～にだまされる 연기에 속아 넘어가다.

*えんぎ【縁起】[名] 1 기원; 유래; 특히, 신사·절의 유래. ¶寺の～を話す 절의 유래를 이야기하다 / 伝説の～はわからない 전설의 기원은 모른다. 2 길흉의 조짐; 재수; 운수. ¶～が悪い〔良い〕

재수가 나쁘다〔좋다〕.
—でもない 재수없다; 불길하다. ¶～ことを言うな 재수없는 소리 마라.
—を祝う 재수 있기를 빌다.
—を担ぐ 무슨 일에나 재수를 따지다.
えんぎょ【塩魚】图 염어; 자반; 소금에 절인 생선.
えんぎょう【塩業】图 염업; 소금 제조·가공 사업.
***えんきょく**[婉曲] ダナ 완곡. ¶～な表現 완곡한 표현/依頼を～に断る 부탁을 완곡히 거절하다. ↔露骨.
えんきょり【遠距離】图 원거리. =長距離. ¶～通勤 원거리 통근/～から射撃する 원거리에서 사격하다. ↔近距離.
えんきり【縁切り】图ス自 (부부·부모 자식·형제·주종 관계 등의) 절연; 인연을 끊음《좁은 뜻으로는 부부의 이혼을 가리킴》. ¶～状 절연장.
えんきん【遠近】图 원근. ¶～感 원근감/距離の～を問わない 거리의 원근을 불문하다.
—ほう【—法】图〔美〕원근법. ¶～による絵 원근법에 의한 그림.
えんぐみ【縁組み】图ス自 **1** 양자·양녀 등의 관계를 맺는 일; 결연; 입양. ¶～がととのう 결연이 성립되다/養子～をする 양자 결연을 하다. **2** 결혼; 혼인.
えんグラフ【円グラフ】图〔數〕원 그래프. ▷graph.
えんぐん【援軍】图 원군. ¶～が到着する 원군이 도착하다/補欠選挙区に～を送る 보궐 선거구에 원군을 보내다.
えんけい【円形】图 원형. ¶～劇場 원형 극장. ↔方形.
—だつもうしょう【—脱毛症】图 원형 탈모증.
えんけい【遠景】图 원경. ¶富士の～ 富士 산의 원경. ↔近景.
***えんげい**【演芸】图 연예. ¶～界の人々 연예계 사람들/余興に～をやる 여흥으로 연예를 하다.
***えんげい**【園芸】图 원예. ¶～植物〔農業〕원예 식물〔농업〕.
エンゲージ[engage]图 인게이지; 약혼. =婚約.
—リング[←engagement ring]图 인게이지링; 약혼반지.
****えんげき**【演劇】图 연극. =芝居·劇. ¶～は総合芸術だ 연극은 종합 예술이다/～を見に行く 연극을 보러 가다.
エンゲルけいすう【エンゲル係数】图〔經〕엥겔 계수. ▷Engel.
えんげん[淵源]图ス自 연원; 기원; 근원. =みなもと. ¶教育の～ 교육의 연원/～をさぐる 연원을 더듬어 찾다.
えんこ 图ス自 **1**〈兒〉(어린아이가) 털썩 주저앉음; 퍼더버림. **2**〈俗〉(전차·자동차 등이) 고장 나서 움직이지 못함. ¶バスが～した 버스가 고장 났다.
えんこ【円弧】图 (원)호. =弧. ¶ボールが～を描いて飛ぶ 공이 원호를 그리며 날(아가)다.
えんこ【縁故】图 연고; 연줄. ¶～採用 연고 채용/～者 연고자/何の～もない土地 아무 연고도 없는 땅/～をたどる 연고를 더듬어 찾다/～をたよる 연고자를 의지하다/昔の～でせわになる 옛날의 연고로 도움을 받다.
えんご[掩護]图ス他 엄호. ¶～射撃のもとに 엄호 사격 하에/海兵隊の上陸を～する 해병대 상륙을 엄호하다. 参考 '援護'로 대용(代用)하는 수도 있음.
えんご【援護】图ス他 원호. ¶～の手をさしのべる 원호의 손길을 뻗치다/困窮者を～する 곤궁한 사람을 원호하다.
えんこう【円光】图 원광. =後光.
えんこう【援交】图 '援助交際(=원조 교제)'의 준말.
えんこう【遠郊】图 원교; 도시에서 멀리 떨어져 있는 곳. ↔近郊.
えんこうきんこう【遠交近攻】图 원교근공. ¶～の政策 원교근공 정책.
エンコード[encode]〔컴〕인코드; 정보를 암호화·기호화함; 기계어로 변환함.
えんこん[怨恨]图 원한. =うらみ. ¶～による殺人 원한에 의한 살인/金のことから～を抱く 돈 문제로 해서 원한을 품다.
えんざ【円座】《円坐》图 **1** 얇고 둥근 짚방석《골풀·삿갓사초 따위로도 결음》. **2** 둥글게 둘러앉음. =車座. ¶～をつくる 뺑 둘러앉다.
えんざい[冤罪]图 원죄; 억울한 죄. =ぬれぎぬ. ¶～をこうむる 원죄를 뒤집어쓰다/～を晴らす 원죄를 풀다.
エンサイクロペディア[encyclopedia]图 엔사이클로피디어; 백과사전.
えんさき【縁先】图 툇마루 끝. ¶～に腰かける 툇마루 끝에 걸터앉다/～で遊ぶ〔日なたぼっこをする〕툇마루에서 놀다〔볕을 쬐다〕.
えんさだめ【縁定め】图 부부 정혼의 결정. ¶昨日～をした 어제 정혼했다.
えんさん【塩酸】图 염산. ¶～は用途が広い 염산은 용도가 넓다.
えんざん【演算】图ス他 연산; 운산. =運算. ¶～記号 연산 기호/超スピードで～する 초스피드로 연산하다.
—そうち【—装置】图〔컴〕연산 장치.
—そし【—素子】图〔컴〕연산 소자.
えんし【煙死】图ス自 연기·독가스 등으로 질식사함.
えんし【遠視】图〔醫〕원시(안). =遠眼·とおめ. ¶～の人 원시안인 사람. ↔近視.
—がん【—眼】图 원시안. ↔近視眼.
えんし【鉛糸】图 연사; 끝에 납덩어리를 달아매어 중력 방향을 보는 데 쓰는 실.
えんじ〖臙脂〗图 연지; 거무스름한 적색. ¶～色 연지색.

えんじ【園児】图 원아; 유치원 등에 다니는 아이.

エンジェル 图 ☞エンゼル.

エンジニア [engineer] 图 엔지니어; 기사; 기술자.

エンジニアリング [engineering] 图 엔지니어링; 공학. ¶ヒューマン～ 휴먼 엔지니어링; 인간 공학.

えんじゃ【縁者】图 친척; 일가. ＝親類(しんるい)·身内(みうち). ¶～一同(いちどう)が集(あつ)まる 친척 일동이 모이다.

えんじゃく [燕雀] 图 연작; 제비와 참새; 작은 새; 소인물. ↔鴻鵠(こうこく).

──いずくんぞ鴻鵠(こうこく)の志(こころざし)を知(し)らん(や) 연작이 어찌 홍곡의 뜻을 알랴《소인이 큰 인물의 뜻을 알 리가 없다》.

えんしゅ【園主】图 원주; 정원·유치원·보육원 따위의 주인.

えんしゅう【円周】图 원주; 원둘레. ¶～角(かく) 원주각 / 月(つき)の～ははほぼ 7,000 マイルだ 달의 원둘레는 약 7천마일이다.

──りつ【──率】图 원주율.

*えんしゅう【演習】图ス自 연습. ¶水防(すいぼう)〔予行(よこう)〕～ 수방〔예행〕 연습 / 合同(ごうどう)大(だい)～を行(おこな)う 합동 대연습을 거행하다.

──りん【──林】图 연습림.

*えんじゅく【円熟】图ス自 원숙. ¶～期(き) 원숙기 / ～した人格(じんかく) 원숙한 인격 / ～の域(いき)に達(たっ)する 원숙한 경지에 이르다.

えんしゅつ【演出】图ス他 연출. ¶～家(か) 연출가 / ～効果(こうか) 연출 효과 / 有名(ゆうめい)劇作家(げきさっか)によって～される 유명 극작가에 의해 연출되다.

えんしょ【炎暑】图 염서; 혹서. ＝炎熱(えんねつ)·酷暑(こくしょ). ¶～を冒(おか)して練習(れんしゅう)する 혹서를 무릅쓰고 연습하다.

えんしょ [艶書] 图 염서; 연애 편지. ＝恋文(こいぶみ)·ラブレター. ¶～をもらった 염서를 받았다.

*えんじょ【援助】图ス他 원조. ¶資金(しきん)を～する 자금을 원조하다 / ～の手(て)をさしのべる 원조의 손길을 뻗치다.

──こうさい【──交際】图 〈俗〉 원조 교제; 청소년 매매춘《여중·고생들의 어른 상대의 매춘》. ＝援交(えんこう).

エンジョイ [enjoy] 图ス他 엔조이; 즐김; 향락. ¶学生生活(がくせいせいかつ)を～する 학창 생활을 즐기다.

えんしょう【延焼】图ス自 연소; 불길이 번져 탐. ＝類焼(るいしょう). ¶風下(かざしも)の建物(たてもの)に～する 바람 불어 가는 쪽 건물에 연소하다 / ～を免(まぬか)れる 연소를 면하다.

えんしょう【炎症】图 염증. ¶傷口(きずぐち)に～を起(お)こす 상처에 염증을 일으키다.

えんしょう【遠称】图 〔文法〕 원칭《'あれ' 'あちら' 'あそこ' 'あの' 등》. ↔近称(きんしょう)·中称(ちゅうしょう)·不定称(ふていしょう).

えんじょう【炎上】图ス自 염상; (특히, 누각이나 큰 건물이) 타오름. ¶ホテルが～した 호텔이 불탔다.

えんしょくはんのう【炎色反応】图 〔化〕 불꽃 반응.

えん-じる【演じる】上1他 ☞えん(演)ずる.

えん-じる [怨じる] 上1自 ☞えん(怨)ずる.

えんしん【遠心】图 원심. ↔求心(きゅうしん). ¶～分離機(ぶんりき) 원심 분리기.

──りょく【──力】图 〔理〕 원심력. ¶～が働(はたら)く 원심력이 작용하다. ↔求心力(きゅうしんりょく)·向心力(こうしんりょく).

えんじん【円陣】图 원진. **1** 원형으로 진을 침. **2** (많은 사람이 모여) 원형으로 줄지어 섬. ¶～を組(く)む 원형으로 둘러서다 / 選手(せんしゅ)が～をつくって作戦(さくせん)を練(ね)る 선수가 빙 둘러서서 작전을 짜다.

えんじん【猿人】图 원인; 처음으로 서서 걷고 손으로 도구를 사용한 원시인.

*エンジン [engine] 图 엔진. ¶～オイル 엔진 오일 / ～トラブル 엔진 고장 / ～をかける 엔진을 걸다 / ～を止(と)める〔切(き)る〕 엔진을 끄다 / ～をふかす 엔진을 고속 공회전시키다.

──がかかる 발동이 걸리다. **1** 일을 시작하다. **2** 본궤도에 오르다. ¶仕事(しごと)もやっとエンジンがかかってきた 일도 가까스로 본궤도에 오르기 시작했다.

──ブレーキ [일 engine+brake] 图 엔진 브레이크. *영어로는 engine braking.

えんすい【円すい】《円錐》图 〔數〕 원추; 원뿔. ＝円錐体(たい).

──けい【──形】图 원추형; 원뿔꼴.

えんすい【遠水】图 원수; 멀리 있는 물.

──は近火(きんか)を救(すく)わず 원수불구(不救) 근화《먼 곳에 있는 친척은 급할 때 소용이 없음의 비유》.

えんすい【塩水】图 **1** 염수; 소금물. ＝しおみず. **2** 바닷물. ＝海水(かいすい). ↔淡水(たんすい).

──こ【──湖】图 염수호; 함수호(鹹水湖). ↔淡水湖(こ).

えんずい【延髄】图 〔生〕 연수; 숨골.

エンスト [일 engine+stop] 图ス自 〈俗〉 엔진 고장; 엔진이 고장으로 움직이지 않음. ¶バスが～をおこす 버스가 엔진 고장을 일으키다.

えん-ずる [怨ずる] サ変自 원망하다.

えん-ずる【演ずる】サ変自 행하다; (무대에서) 연기하다. ¶失策(しっさく)を～ 실책을 범하다 / 醜態(しゅうたい)を～ 추태를 부리다 / 歌劇(かげき)を～ 가극을 상연하다.

えんせい [厭世] 图 염세. ¶～自殺(じさつ) 염세 자살. ↔楽天(らくてん).

──か [──家] 图 염세가. ＝ペシミスト. ↔楽天家(か).

──しゅぎ [──主義] 图 염세주의. ↔楽天主義(しゅぎ).

えんせい【延性】图 〔理〕 연성. ¶白金(はっきん)は～に富(と)む 백금은 연성이 풍부하다.

えんせい【遠征】图ス自 원정. ¶海外(かいがい)～ 해외 원정 / エベレスト～の途(と)につく 에베레스트 원정길에 오르다.

えんせき【宴席】图 연석. ¶～を設(もう)ける 연석을 마련하다.

えんせきがいせん【遠赤外線】图 원적외선.

*えんぜつ【演説】图ス自 연설. ¶選挙(せんきょ)～ 선거 연설 / 立会(たちあい)〔街頭(がいとう)〕～ 합동〔가두〕 연설 / 大衆(たいしゅう)に向(む)かって～す

る 대중을 향해 연설하다.

エンゼル [angel] 名 에인절. ＝エンジェル. **1** 천사(같은 사람). **2** 벤처 기업의 꿈에 공감하여 자본을 대는 사람.

—フィッシュ [angelfish] 名 〔魚〕 에인절피시《대표적인 관상용 열대어》.

—ママ [일 angel+mama] 名 장애아를 둔 엄마가 외출할 때, 일시 아이를 맡아 보살피는 복지원(員).

えんせん【沿線】名 연선; 철로변. ¶ 鉄道(てつどう)～ 철도 연선 / ～の景色(けしき) 철로변의 경치.

えんせん [厭戦] 名 염전; 전쟁을 싫어함. ¶ ～思想(しそう) 염전 사상 / ～ムードの歌(うた)がはやる 염전 무드의 노래가 유행하다. ↔好戦(こうせん).

えんそ【塩素】名〔化〕염소《기호: Cl》. ¶ ～は液化(えきか)しやすい気体(きたい)である 염소는 액화하기 쉬운 기체이다.

えんそう【演奏】名 ス他 연주. ¶ ～会(かい) 연주회 / ピアノを～する 피아노를 연주하다.

えんぞう【塩蔵】名 ス他 염장; 소금에 절여서 저장함. ＝塩(しお)づけ. ¶ ～食品(しょくひん) 염장 식품 / 牛肉(ぎゅうにく)を～する 쇠고기를 염장하다.

えんそうば【円相場】名 円 시세; 엔화의 외환 시세.

***えんそく**【遠足】名 소풍. ¶ ～に行(い)く 소풍 가다 / 家族(かぞく)揃(そろ)って～に出(で)かける 가족이 다 함께 소풍을 나가다.

えんそん【遠孫】名 원손; 먼 후손.

エンターテイナー [entertainer] 名 엔터테이너; 연예인.

エンターテインメント [entertainment] 名 엔터테인먼트; 오락; 연예. ¶ ～に徹(てっ)した映画(えいが) 어디까지나 오락을 위주로 한 영화.

エンタープライズ [enterprise] 名 엔터프라이즈; 기획; 또, 기업.

えんたい【延滞】名 ス自 연체. ¶ ～料(りょう) 연체료 / ～利子(りし) 연체 이자 / ガス代(だい)の支払(しはら)いが～している 가스 요금의 지불이 연체되고 있다.

えんだい【演題】名 연제.

えんだい【縁台】名 대오리·나무오리로 짠, 여름에 쓰는 평상(平床)의 일종. ＝涼(すず)み台(だい). ¶ ～で涼(すず)む 평상에서 시원한 바람을 쐬다.

えんだい【遠大】名ナ 원대. ¶ ～な計画(けいかく)をたてる 원대한 계획을 세우다.

えんだか【円高】名 엔고《엔의 대외 가치가 높아지는 일》; 엔화 강세. ↔円安(えんやす).

—さえき【—差益】名 엔고 차익. ¶ ～を国民(こくみん)に還元(かんげん)する 엔고 차익을 국민에게 환원하다.

—とうさん【—倒産】名 엔고 도산; 엔고에 의한 수출 부진으로 도산하는 일.

えんたく【円卓】名 원탁; 둥근 탁자.

—かいぎ【—会議】名 원탁회의.

えんタク【円タク】名 택시《본디, 1엔 균일로 시내의 일정 거리를 달리던 택시》. ＝流(なが)しタクシー. ▷taxi.

えんだて【円建て】名 엔화 표시; (대(對) 외환 시세에서) 일본돈 円(えん)을 표준으로 외국화폐를 산출하는 방식. ¶ ～の債券(さいけん) 엔화 표시 채권.

えんだん【演壇】名 연단. ¶ ～にのぼる〔たつ〕 연단에 오르다〔서다〕.

えんだん【縁談】名 혼담. ¶ ～がもち上(あ)がる 혼담이 나오다 / 娘(むすめ)に～が有(あ)る 딸에게 혼담이 있다 / ～がまとまる〔ととのう〕 혼담이 정해지다〔이루어지다〕.

えんちゃく【延着】名 ス自 연착. ¶ 列車(れっしゃ)が～する 열차가 연착하다. ↔早着(そうちゃく).

えんちゅう【円柱】名 원주. **1**〔數〕원기둥. ＝円壔(えんとう)·円筒(えんとう). **2** 둥근기둥.

****えんちょう**【延長】名 ス他 연장. ¶ ～線(せん) 연장선 / 期間(きかん)〔長(なが)さ〕を～する 기간을〔길이를〕 연장하다 / 修学旅行(しゅうがくりょこう)は教室(きょうしつ)の～だ 수학여행은 교실〔학습〕의 연장이다. ↔短縮(たんしゅく).

—せん【—戦】名 연장전. ¶ ～にもつれこむ 연장전에 들어가다.

えんちょう【園長】名 (유치원·동물원 등의) 원장.

えんちょく【鉛直】名 ダナ 연직; 수평면에 수직인 방향. ¶ ～線(せん) 연직선; 수직선 / 錘(おもり)をつけた糸(いと)は～になる 추를 단 실은 연직이 된다.

えんづ-く【縁づく】《縁付く》 五自 시집가다; 장가 가다. ＝かたづく·とつぐ. ¶ 娘(むすめ)は農家(のうか)に～いた 딸은 농가로 시집갔다.

えんづ-ける【縁づける】《縁付ける》 下1他 시집〔장가〕 보내다. ¶ 娘(むすめ)を金持(かねも)ちに～ 딸을 부자에게 시집 보내다.

えんつづき【縁続き】名 친척·인척(관계가 있음). ¶ ～の間柄(あいだがら) 친척간 / 私(わたし)は彼(かれ)と～になっている 나는 그와 친척 관계가 된다 / ～に当(あ)たる人(ひと)を頼(たよ)る 친척이 되는 사람을 믿다〔의지하다〕.

えんてい【園丁】名 원정; 정원사. ＝植木屋(うえきや)·庭師(にわし). ¶ ～に草(くさ)を刈(か)らせる 정원사에게 풀을 베게 하다.

えんてい [堰堤] 名 언제; 제언; 댐.

えんてん【炎天】名 염천. ¶ ～下(か)に野良仕事(のらしごと)をしている 뙤약볕 아래서 들일을 하고 있다.

えんでん【塩田】名 염전; 염밭. ＝しおはま.

エンド [end] 名 엔드; 끝; 종말; 종국. ¶ ウイーク～ 위크엔드; 주말.

—ユーザー [end user] 名 엔드 유저. **1** 유통 경로의 말단 이용자; 소비자. **2** 컴퓨터의 단말기 이용자.

—ライン [end line] 名 (테니스·배구 등에서) 엔드 라인. ↔サイドライン.

えんとう【円筒】名 원통. **1** 둥근 통. ¶ ～研削盤(けんさくばん) 원통 연삭〔연마〕반. **2** ☞ えんちゅう(円柱)1.

えんとう【遠島】名 **1** 원도; 낙도(落島). **2** 江戸(えど) 시대에, 육지에서 멀리 떨어진 섬으로 귀양 보내던 형벌의 한 가지. ＝島流(しまなが)し.

えんどう【沿道】名 연도; 길가. ＝みち

ばた. ¶マラソンコースの～に観衆が集まる 마라톤 코스 연도에 관중이 모이다.

えんどう〖豌豆〗图〔植〕완두. ¶～豆 완두콩 / さや～ 꼬투리째 먹는 완두.

えんどお-い【縁遠い】形 인연이 멀다. 1 관계가 멀다. ¶金に～仕事 돈과 무관한 일 / 私は自然科学には～ 나는 자연 과학과는 인연이 멀다. 2 결혼할 기회를 좀처럼 못 찾다. ¶～娘 결혼할 기회를 못 만난 처녀 / 顔も気だてもよいのにどういうものか～ 용모도 마음씨도 다 좋은데 웬일인지 결혼할 상대가 나타나지 않는다. 「독.

えんどく【鉛毒】图 연독; 납의 독; 납중

*えんとつ【煙突】图 1 굴뚝. ＝けむ(り)だし. ¶～掃除をする 굴뚝을 청소하다 / ～が詰まる 굴뚝이 막히다. 2〈隱〉(택시 기사가, 부당 이득을 노려) 미터기를 꺾지 않고 세운 채로 달리는 일.

エントリー [entry] 图ス自 엔트리; (경기 등의) 참가 신청; (배우의) 등장. ¶～ナンバー 엔트리 넘버 / 三種目に～する 세 종목에 참가하다.

エンドルフィン [endorphin] 图〔藥〕엔도르핀. ¶～効果 엔도르핀 효과.

エンドレス [endless] ダナ 엔드리스; 끝이 없음; 회전식. ¶～テープ 엔드리스 테이프; 순환 녹음 테이프.

えんにち【縁日】图 신불(神佛)에게 재를 올리는 날; 잿날. ¶十八日は観音様の～だ 18일은 관음보살의 잿날이다.

えんねつ【炎熱】图 염열; 염서(炎暑). ¶～下に猛練習する 염천하에 맹연습하다. ↔酷寒.

—じごく【—地獄】图〔佛〕염열 지옥.

えんのう【延納】图ス他 연납; 기일이 지나서 납부함. ¶税金を～する 세금을 연납하다. 「ゆか下.

えんのした【縁の下】图 (툇)마루 밑. ＝

—の筍 마루 밑의 죽순; (위가 막혀) 평생 출세를 못하는 사람의 비유.

—の力持ち 표면에 나서지 않고 그늘에서 진력함; 또, 그 사람.

エンバーゴー [embargo] 图 엠바고; 국제법상 자국 항구에 있는 외국 선박의 출항을 금지하는 일; 선박 억류.

えんばい [煙煤] 图 연매; 그을음.

えんばく〖燕麦〗图〔植〕연맥; 귀리. ＝オートむぎ. ¶～は家畜のえさとする 귀리는 가축 먹이로 쓴다. 「관(저).

エンバシー [embassy] 图 엠버시; 대사

えんぱつ【延発】图ス自 연발; 출발 예정이 지연됨. ¶天候関係で～する 일기 관계로 연발하다. ↔早発.

えんばん【円板】图 원판. ¶～クラッチ 원판 클러치; 디스크 클러치.

えんばん【円盤】图 원반. ¶空とぶ～ 비행접시. 「던지기.

—なげ【—投げ】图 투(投)원반; 원반

えんばん【鉛版】图〔印〕연판; 지형(紙型)에 납의 합금을 녹여 부어 만든 인쇄판. ＝ステロタイプ. ¶～を保存する 연판을 보존하다.

えんび [艶美] 图ダナ 염미; 요염하게 아름다움. ¶～な姿 아리따운 모습. 「말.

えんビ【塩ビ】图 '塩化ビニール'의 준

**えんぴつ【鉛筆】图 연필. ¶色～ 색연필 / 消しゴム付きの～ 지우개가 달린 연필 / 芯の堅い～ 심이 단단한 연필 / ～を削る 연필을 깎다.

えんびふく【えんび服】《燕尾服》图 연미복. ¶～を着て舞台に立つ 연미복을 입고 무대에 서다. 「해.

えんぷうがい【塩風害】图 염풍해; 염

えんぶきょく【円舞曲】图 원무곡; 왈츠. ＝ワルツ.

えんぷく [艶福] 图 염복. ¶彼は～家だ 그는 염복이 많은 사람이다.

エンブレム [emblem] 图 엠블럼; 표장(標章); 문장(紋章).

えんぶん【塩分】图 염분. ＝塩気. ¶～が濃い 염분이 짙다 / この水は～をたくさん含んでいる 이 물은 염분을 다량 함유하고 있다.

えんぶん [艶聞] 图 염문. ¶～が立つ 염문이 떠돌다 / ～を流す 염문을 흘리다 / 彼には～が絶えない 그에게는 염문이 끊이지 않는다.

えんぶん【鉛分】图 연분; 납 성분.

えんぷん【円墳】图 원분; 모양이 둥근 분묘《고분의 한 형식》.

えんぺい [掩蔽] 图ス他 엄폐; 덮어 가림. ¶～壕 엄폐호 / 罪跡を～する 죄적을 엄폐〔은폐〕하다.

えんぺい【援兵】图 원병. ＝援軍. ¶～を送る 원병을 보내다.

えんぼう【遠望】图ス他 원망; 먼 곳을 바라봄. ＝遠見・見わたし. ¶～がきく 멀리 볼 수 있다 / 山なみを～する 산줄기를 멀리 바라보다.

えんぽう【遠方】图 원방; 먼 곳. ¶～から来た 먼 곳에서 왔다 / はるか～にあかりが見える 아득히 먼 곳에 불빛이 보인다.

えんま [閻魔・炎魔] 图 1〔佛〕염마; 염라대왕. ＝閻羅. ¶うそをつくと～様に舌を抜かれる 거짓말을 하면 염라대왕에게 혀를 뽑힌다. 2〈俗〉빚쟁이; 외상값 수금원.

—ちょう [—帳] 图 1〔佛〕염마장. 2〈學〉교무〔교사〕수첩《학생의 성적·품행 등을 기록함》. 3〈俗〉경찰관 수첩.

えんまく【煙幕】图 연막.

—を張る 1 연막을 치다. 2 교묘한 말로 상대가 이쪽 뜻을 알지 못하게 하다.

*えんまん【円満】ダナ 원만. ¶～な人柄 원만한 인품 / ～退社 원만 퇴사; 사고 등이 없이 퇴사함 / 仲が～だ 사이가 원만하다 / ～に解決する 원만히 해결하다 / あの人たちはあまり～に行かない 그 사람들은 그다지 원만치 못하다.

えんむ【煙霧】图 연무. **1** ☞スモッグ. **2** 연기와 안개.

えんむすび【縁結び】图 결연; (남녀의) 연분을 맺음; 결혼. =縁組.

えんやす【円安】图 (환시세에서) 일본 円시세가 외국 통화에 비하여 쌈; 엔화 약세. ↔円高.

えんゆう【縁由】图 연유. **1** 유래; 관계. =ゆかり·関係. **2**〔法〕법률 행위나 의사 표시를 하는 동기. ¶事件の~ 사건의 연유/~を述べる 연유를 말하라. 注意 'えんゆ' 라고도 함.

えんゆうかい【園遊会】图 원유회; 가든 파티. =ガーデンパティー. ¶~を催す 원유회를 열다.

えんよう【援用】图ス他 원용. ¶ピタゴラスの定理を~して問題を解く 피타고라스의 정리를 원용해서 문제를 풀다.

えんよう【遠洋】图 원양; 원해. ¶~航路 원양 항로. ↔近海·沿海.

—ぎょぎょう【—漁業】图 원양 어업. ↔沖合〔近海〕漁業·沿岸漁業.

えんらい【遠来】图 원래; 멀리서 옴. ¶~の客 멀리서 온 손님.

えんらい【遠雷】图 원뢰; 멀리서 울리는 천둥소리. ¶砲声が~のようにとどろく 포성이 은은히 울리다.

エンリッチ[enrich]图 엔리치; 식품에 비타민이나 광물질을 넣어 영양을 풍부히 함. ¶~食品 영양 강화 식품.

***えんりょ**【遠慮】图ス自他 **1** 원려; 멀리 앞(일)을 내다봄. ¶深謀~に富む人 심모원려한 사람. **2** 사양; 사절. ¶あまり~する 너무 사양하다/~なく頂戴します 사양하지 않고 받겠습니다/招待を~する 초대를 사양〔사절〕하다. **3** 삼감. ㉠거리낌; 기탄. ¶~ない批評 기탄없는 비평/~のない間柄 스스럼없는 사이. ㉡조심함; 망설임; 하지 않음. ¶車内で喫煙は御~下さい 차 안에서 담배는 삼가 주십시오.

—会釈もなく 예절도 인사도 없이; 조금도 거리낌 없이; 조금도 스스러워하지 않고.

—がち〖—勝ち〗ダナ 몹시 망설이는〔조심하는〕 모양. ¶~にものを言う 조심스럽게 말을 하다.

—ぶか-い【—深い】形 몹시 조심스럽다. ¶~人 (언행에) 조심스러운 사람.

えんるい【縁類】图 결혼이나 양자 결연으로 맺은 관계. =縁者.

えんろ【遠路】图 원로; 먼 길. ¶~はるばるやって来る 먼 길을 마다하지 않고 찾아오다/~わざわざお越し下さいまして… 먼 길을 일부러 와 주셔서…/~御苦労でした 먼 길을 오시느라 수고하셨습니다.

お ォ

[o] **1** 五十音図 'あ行'의 다섯째 음. **2**〖字源〗'於'의 초서체《かたかな 'オ'는 於의 초서체의 왼쪽 부분》.

***お**【尾】图 **1** (동물의) 꼬리; 또, 그와 비슷한 것. =しっぽ. ¶すい星の~ 혜성의 꼬리/凧の~ 연 꼬리/犬が~をふる 개가 꼬리를 흔들다. **2**〈雅〉산기슭이 길게 뻗은 곳. ¶峰にも~にも 산봉우리에도 길게 뻗은 산기슭에도.

—に—をつける 꼬리에 꼬리를 달다《과장해서 말하다》.

—を引く 무엇이 끝난 다음에도 두고두고 그 영향이 남다.

お[男]图 **1**〈雅〉남자; 사나이. =おとこ. ¶賤の~ 천한 사나이. **2** 둘 중에서 크고 센 쪽. ¶~滝 수폭포/~波 센 파도. ↔女.

お【緒】图 **1** 가는 끈; 신발의 끈. ¶げたの~をすげる 게다 끈을 달다. **2** 악기의 줄; 현(弦). ¶琴の~ 거문고 줄.

お【雄】图 **1**《본디 牡로》수컷; 수. =おす·おん. ¶~花 수꽃/~じか 수사슴. ↔雌. **2** 씩씩한 모양. ¶~たけび 우렁찬 외침〔소리〕.

お=【小】작은; 가느다란. ¶~川 실개천; 작은 시내/~舟 조각배.

お=〖御〗**1**《体言·形容詞·形容動詞에, 또는 動詞 連用形에 'になる' 'なさる' 등이 붙은 꼴 앞에 붙여》존경·공손·친숙한 기분을 나타내는 말. ¶~宅 댁/~体をたいせつに 몸조심하시기를 (바랍니다)/~祝いします 축하합니다/~願いいたします 부탁드립니다/~出かけになる 외출하시다/~荷物を~持ちしましょう 짐을 들어 드리죠. 注意 한어(漢語)에는 보통 'ご'가 붙는데, 일상 자주 쓰이는 말에는 'お茶(=차)' 'お電話(=전화)' 따위와 같이 'お'가 붙기도 함. **2**《口語의 動詞 連用形 앞에 붙여, 그냥 말을 끊음》(부드러운) 명령을 나타내는 말. ¶さあ, ~食べ 자, 먹어라(…お食べなさい의 준말). **3** 상대방에 대한 동정이나 위로의 기분을 부드럽게 나타내는 말. ¶~あいにくさま 미안하게 됐습니다/~待ち遠さま 오래 기다리셨습니다. **4** 반약하다는 뜻을 강조함. ¶~そまつ 변변치 못함(⇨おさむい).

お〖汚〗常用 オ きたない けがす けがれる けがらわしい よごす よごれる

오 더럽다 | **1** 더러움; 얼룩. ¶汚点 오점. **2** 더럽다; 불결. ¶汚物 오물/汚損 오손.

おあいそ【お愛想】《御愛想》图 **1** (요릿집 등의) 계산(서). ¶~お願いします

계산을 부탁합니다. **2** 간살. ＝おせじ. ¶ ～をいう 따리를 붙이다. 注意 ‘おあいそう’라고도 함. ⇨愛想.

おあし〖お足〗名 **1** ‘足(＝발)’의 공손한 말씨. **2** 〈俗〉 돈. ＝おかね·ぜに. ¶～が足りない 돈이 모자라다. 注意 **2**는 ‘お銭’로도 썼음. 参考 발이 달린 것처럼 세상을 돌아다닌다 해서.

オアシス [oasis] 名 오아시스; 또, 비유적으로 위안이 되는 곳. ¶都会の～ 도회지의 휴식처〔오락장〕.

おあずけ【お預け】名 **1** 개 따위의 앞에 먹이를 놓고, 먹어라 할 때까지 먹지 못하게 함. **2** (약속·예정뿐이고) 당분간 실시가 보류됨; 연기됨. ¶～を食う 보류되다; 연기되다 / 結婚は当分～だ 결혼은 당분간 보류다.

おあつらえ〖御誂え〗名 ‘あつらえ’의 공손한 말씨.

—むき【—向き】名 ☞あつらえむき.

***おい**〖甥〗名 조카; 생질. ¶～っ子 조카아이. ↔めい.

おい【老い】名 **1** 늙음. ¶～を忘れる 늙음을 잊다. **2** 늙은 사람. ＝年寄り. ¶～も若きも 늙은이나 젊은이나.

—の繰り言 노인이 말을 자꾸 되뇌는 일; 또, 그 말.

おい 感 친한 사이나 아랫사람을 부를 때 쓰는 말: 이봐. ¶～, どこへ行くんだ 이봐, 어딜 가는 거지.

おいあ-げる【追い上げる】下1他 **1** 위쪽으로 몰다. ¶羊を丘の上に～ 양을 언덕 위로 몰다. **2** 바싹 뒤쫓다. ¶先頭を～ 선두를 바싹 뒤쫓다.

おいうち【追い討ち·追い撃ち】名 **1** 뒤쫓아 침; 추격. ¶～をかける 추격하다. **2** (힘없는 상대에게) 재차 타격을 줌. ¶冷害のあと水害の～を受ける 냉해 뒤에 다시 수해를 입다.

おいえ【お家】〘御家〙名 귀인의 또는 남의 집의 높임말: 귀댁.

—げい【—芸】名 자기가 잘하는 재주; 장기. ＝おはこ·十八番. ¶マージャンは僕の～だ 마작은 내 장기다.

—そうどう【—騒動】名 옛날 大名등의 집안에서 일어난 상속 문제 따위의 내분; (회사 등의) 내부 파벌 싸움.

おいおい〖追い追い〗副 차차. **1** 차츰차츰; 점차. ＝次第次第. ¶病気も～(と)よくなる 병도 차차 나아지다. **2** 때가 되면; 머지 않아. ¶～お分かりになります 차차 아시게 됩니다.

おいおい ㊀感 (호기 있게) 부르는 소리: 어이 어이; 이봐 이봐. ¶～いたずらはやめろ 이봐 이봐 장난은 그만둬. 参考 보통 남성이 씀. ㊁副 크게 우는 소리: 엉엉. ¶大の男が～(と)泣く 덩치도 큰 사나이가 엉엉 울다.

おいおと-す【追い落とす】5他 **1** 공격을 가해 적의 거점을 빼앗다. **2** (밑에서 올라간 자가) 선임자의 자리를 빼앗다. ¶先輩を～ 선배의 자리를 빼앗다.

おいかえ-す【追い返す】5他 물리치다; 냉담하게 돌려보내다. ¶敵を～ 적을 물리치다 / 使いの者を～ 심부름꾼을 쫓아 돌려보내다.

***おいか-ける**【追いかける】〘追い掛ける〙下1他 **1** 뒤쫓아가다. ＝追っかける. ¶すりを～·けて捕まえる 소매치기를 뒤쫓아가 붙잡다 / 流行を～ 유행을 뒤쫓다. **2** 한 가지 일에 뒤이어 잇달아 딴 일이 일어나다. ¶～·けて事件が起こる 잇달아 사건이 일어나다.

おいかぜ【追い風】名 뒤쪽에서 불어오는 바람; 순풍. ＝おいて. ¶～にのって 순풍을 타고. ↔向かい風.

おいき【老い木】名 노목; 전하여, 노쇠한 것. ↔若木.

おいく-ちる【老い朽ちる】上1自 **1** 사람이 늙어 쓸모없이 되다. **2** (나무 따위가) 오래되어 폭삭 썩다.

おいごえ【追い肥】名 추비; 덧거름. ＝追肥. ¶～をやる 덧거름을 주다. ↔もと肥.

おいこし【追い越し】名 추월; 앞지르기. ¶～車線 추월 차선 / ～禁止区域 추월 금지 구역. ⇨おいぬき.

***おいこ-す**【追い越す】5他 앞지르다; 추월하다. ＝おいぬく. ¶外国の技術を～ 외국 기술을 앞지르다 / 前の車を～ 앞차를 추월하다.

おいこみ【追い込み】名 몰아침; 몰아 넣음; 막판에 총력을 집중시킴. ¶～の段階 (공정(工程)의) 최종 단계 / 選挙戦が～にはいる 선거전이 막판에 접어들다.

—を掛ける 마지막 총력을 쏟다; 막판에 휘몰아치다.

おいこ-む【老い込む】5他 눈에 띄게 늙다. ¶退職してめっきり～ 퇴직하고 부쩍 늙다. ↔若返る.

おいこ-む【追い込む】5他 **1** 몰아넣다. ¶鶏を小屋に～ 닭을 닭장에 몰아넣다. ¶窮地に～ 궁지에 몰아넣다. **2** (경주 등에서) 막판에 총력을 다하다; 스퍼트하다. ¶ゴール直前で猛然と～ 골 직전에 맹렬히 역주(力走)하다.

おいさき【生い先】名 성장 발전해 가는 미래; 장래. ＝行くすえ. ¶～がたのもしい 장래가 믿음직하다.

—無し 장래성〔가망〕이 없다.

おいさき【老い先】名 (노인의) 여생. ¶～が短い 여생이 길지 않다.

おいさらば-える【老いさらばえる】下1自 늙어 빠지다; 늙어 추레해지다. ¶いくら～·えてもそれくらいは働けるよ 아무리 늙어 빠져도 그 정도는 일할 수 있다네.

＊＊おいし-い〖美味しい〗形 맛있다; 맛좋다. ＝うまい. ¶この料理は～ 이 요리는 맛이 있다 / とても～·く食べる 아주 맛있게 먹는다 / ～·くいただきました 맛있게 먹었습니다. 参考 ‘うまい’보다 공손한 말씨로, 대개 여성들이 많이 씀. ↔まずい.

おいしげ-る【生い茂る】5自 (초목이) 우거지다. ¶庭に雑草が～ 뜰에 잡초가 우거지다.
おいすが-る【追いすがる】《追い縋る》5自 뒤따라가 매달리다. ¶振り切って行くのを～ 뿌리치고 가는 것을 뒤따라가 매달리다. 「かき.
オイスター [oyster] 图 오이스터; 굴. ＝
おいせん【追い銭】图 추가금; 가욋돈. ＝おいがね. ¶盗人に～ 도둑에게 돈까지 주는 격으로, 손해 본 데다가 또 손해를 봄.
おいそだ-つ【生い育つ】5自 성장하다; 자라나다. ¶すくすくと～ 무럭무럭 자라다.
おいそれと 副《'～(は)…できない' 따위의 꼴로》 쉽사리〔간단히(는), 호락호락〕(…못 한다〔안 된다〕). ¶いくら頼んでもそんな大金を～は出せない 아무리 부탁해도 그런 큰돈을 간단히 내놓을 수는 없다.
おいだし【追い出し】图 **1** 내쫓음; 추방함. ¶反対派の～をはかる 반대파의 추방을 꾀하다. **2** 흥행이 끝났을 때 손님의 퇴장을 재촉하기 위해 치는 북. ＝打ち出し太鼓.
*__おいだ-す__【追い出す】5他 내쫓다; 몰아내다. ＝追い払う. ¶不貞の妻を～ 부정한 아내를 내쫓다/組合から～ 조합에서 내쫓다.
おいたち【生い立ち】图 성장함; 자라남; 또, 그 내력. ¶不幸な～ 불행한 성장 과정/子供の～を見守る 아이의 성장(과정)을 지켜보다.
おいた-つ【生い立つ】5自 성장하다; 자라다. ¶山深い里に～ 깊은 산골 마을에서 자라다.
おいた-てる【追い立てる】下1他 **1** 몰아내다; 내쫓다. ¶間借り人を～ 셋방에 든 사람을 내쫓다. **2**《흔히, 受動形으로》 몰아치다; 몹시 서두르게 하다. ¶仕事に～·てられる 일에 쫓기다.
オイタナジー [도 Euthanasie] 图 오이타나지; 안락사. ＝ユータナジー.
おいちら-す【追い散らす】5他 쫓아 흩어버리다〔해산시키다〕. ¶警官がやじうまを～ 경관이 군중을 쫓아 버리다.
おいつおわれつ【追いつ追われつ】連語 (서로 앞을 다툴 때) 쫓고 쫓기며.
⁑**おいつ-く**【追いつく·追い付く】5自 (뒤쫓아) 따라붙다. **1** 따라잡다. ¶先発隊に～ 선발대에 따라붙다. **2** 일정 수준에 도달하다. ¶外国の水準に～ 외국(의) 수준에 도달하다. **3**《'～·かない'의 꼴로》 소용 없다. ¶今更悔やんでも～·かない 이제 와서 후회해도 소용없다.
おいつ-める【追いつめる·追い詰める】下1他 막다른 곳〔궁지〕에 몰아넣다; 바싹 추적하다. ¶どろぼうを袋小路に～·めて捕える 도둑을 막다른 골목에 몰아넣어서 잡다.
おいて【追い手】图 뒤쫓는 사람; 추격자. ＝追っ手. ¶～を避けてかくれる 추격자를 피하여 숨다.
おいて〖措いて〗連語《'…を～'의 꼴로》 이외에; 제외하고. ¶彼を～適任者はない 그를 제외하고 적임자는 없다.
⁑**おいて**〖於いて〗連語《'…に～'의 꼴로》 …에서; …에 있어서. ¶東京に～開催される 東京에서 개최된다/古代に～はその例をみない 고대에서는 그 예를 볼 수 없다.
おいで〖御出で〗图 **1** '出る(＝나가다)' '行く(＝가다)' '来る(＝오다)' 'いる(＝있다)' 'おる(＝있다)'의 높임말. ¶～になる 오〔가〕시다; 계시다/～をねがう 오시기를 바라다/今どちらに～ですか 지금 어디 계십니까. **2** '出ろ(＝나오라)' '来い(＝오라)' '行け(＝가라)' '居れ(＝있거라)' 등의 친근한 말씨. ¶～なさい 오시오/坊やここへ～～ 아가야 이리 온 이리 온/しばらくじっとして～ 잠시 가만히 있어/用がすんだらあっちへ～ 볼일이 끝나거든 저리로 가거라.
おいてきぼり【置いてきぼり】图 내버려〔남겨〕 두고 가 버림; 따돌림. ＝おきざり·おいてけぼり. ¶～をくう 따돌림을 당하다/～を食わす 따돌리다.
おいなりさん〖御稲荷さん〗图 **1** いなり 1의 공손한 말씨. **2** 'いなりずし(＝유부초밥)'의 공손한 말씨. ¶昼食は～にしよう 점심은 유부초밥으로 하세.
おいぬき【追い抜き】图 앞지르기; (특히, 차선을 바꾸지 않고 하는) 추월.
*__おいぬ-く__【追い抜く】5他 앞지르다; 추월하다. ＝追い越す. ¶ゴール寸前で～ 골 직전에서 앞지르다/先輩を～ 선배를 앞지르다.
おいはぎ【追いはぎ】《追い剝ぎ》图 노상 강도. ¶～を働く 노상 강도질을 하다/夜道で～に遭う 밤길에 노상 강도를 만나다.
おいばね【追い羽根】图 계집아이들의 설놀이의 하나《두 사람 이상이 한 개의 羽子를 서로 침》. ＝追い羽子·羽根つき. ¶～をつく おいばね를 치다.
おいばら【追い腹】图 옛날에, 신하가 주군을 따라 할복해 죽는 일. ¶～を切る 주군을 따라 할복하여 죽다. ↔先腹.
*__おいはら-う__【追い払う】5他 쫓아버리다; 내쫓다. ＝おっ払う. ¶食卓のはえを～ 밥상의 파리를 쫓아 버리다.
おいぼれ【老いぼれ】《老耄》图 늙어빠짐; 늙은이. ¶あんな～に何ができるもんか 저런 늙정이가 무엇을 하겠는가.
おいぼ-れる【老いぼれる】《老い耄れる》下1自 늙어 빠지다; 노쇠하다. ¶この一二年の間にめっきり～·れた 요 일이년 동안에 부쩍 늙어 버렸다.
おいまく-る【追いまくる】《追い捲る》5他 **1** 몰아내다; 내쫓다; 쫓아버리다. ¶寄って来る浮浪児を～ 모여드는

부랑아를 쫓아버리다. 2 줄곧 뒤쫓다. ¶仕事に～·られる 일에 줄곧 쫓기다.

おいまつ【老い松】图 노송. =ろうしょう. ↔若松.

おいまわ-す【追い回す】5他 1 쫓아다니다. ¶一日中チョウを～ 하루종일 나비를 (잡으러) 쫓아다니다/女のしりを～ 여자 꽁무니를 쫓아다니다. 2 쉴새없이 일하게 하다. ¶仕事に～·される 일에 쫓기다.

おいめ【負い目】图 1 부채; 빚. ¶私は彼に～がある 나는 그에게 빚이 있다. 2 (마음의) 부담. ¶～があって断れない 신세진 것이 있어 거절하지 못하다.

おいもと-める【追い求める】下1他 추구하다. ¶理想を～ 이상을 추구하다.

おいや-る【追いやる】《追い遣る》5他 1 쫓아 보내다. ¶辺地へ～ 벽지로 쫓아 보내다. 2 몰고 가다; 몰아넣다. ¶死に～ 죽음으로 몰고 가다.

おいら〖俺等〗代 〈俗〉 우리(들). =おれ(たち). ¶～の手で花園をつくる 우리 손으로 꽃밭을 만들다.

おいらく【老いらく】图 〈雅〉 늘그막; 노년. ¶～の恋 늘그막의 사랑.

おいらん〖花魁〗图 유곽에서, 언니뻘의 창녀; 일반적으로, 유녀; 창녀; 갈보.

お-いる【老いる】上1自 늙다; 노쇠하다; 노령이 되다. ¶年～·いた猫 늙다리 고양이/～·いてますます壮ん 노익장. ↔若やぐ.

—·いては子に従え 늙으면 자식을 따르라.

オイル [oil] 图 오일; 기름. =油. 1 식용유. ¶サラダ～ 샐러드 기름. 2 석유; 연료용 기름. ¶エンジン～ 엔진 오일/～が切れる 기름이 떨어지다.

—ショック [oil shock] 图 오일 쇼크. 석유 파동.

—ダラー [oil dollar] 图 오일 달러.

—フェンス [oil fence] 图 오일 펜스; 해상에 유출된 석유의 확산을 방지하기 위해 해상에 만드는 울타리.

おいわけ【追分】图 1 길이 두 갈래로 갈라지는 곳; 갈림길. 2 '追分節(=민요의 하나)'의 준말.

***お-う**【負う】一 5他 1 지다; 짊어지다; (떠)맡다; 업다. ¶赤ん坊を～ 아기를 업다/責任を～ 책임을 지다/十字架を～ 십자가를 지다. 2 힘입다. ¶先輩の研究に～所が大きい 선배의 연구에 힘입은 바가 크다. 3 해를 보다; 입다. ¶傷を～ 상처를 입다. 二 5自 (이름 등에) 맞먹다; 알맞다. ¶名に(し)～ 이름에 맞먹다; 유명하다. 可能 お-える 下1自

お-う【追う】《逐う》5他 1 좇다. ㉠(뒤) 따르다. ¶母のあとを～ 어머니의 뒤를 좇다/流行を～ 유행을 따르다. ㉡(순서·전례를) 따르다. ¶順を～·って 차례를 따라; 차례대로/先例を～ 전례를 따르다. ㉢추구하다. ¶先人の跡を～ 선인의 발자취를 좇다. 2 쫓다. ㉠물리치다; 추방하다. ¶はえを～ 파리를 쫓다. ㉡뒤쫓다. ¶泥棒を～ 도둑을 뒤쫓다. 3 (소 따위를) 몰다. ¶声を掛けて牛を～ 소리를 질러 소를 몰다. 可能 お-える 下1自

おう【応】一 图 승낙. ¶いやも～もない 싫고 좋고가 없다. 二 感 긍정의 대답; 응. ¶～と答える 응 하고 대답하다.

***おう**【王】图 왕. 1 임금; 군주. ¶～の位につく 왕위에 오르다. 2 그 방면의 제1인자. ¶ホームラン～ 홈런왕. 3 장기 짝의 하나: 궁(宮).

おう【翁】옹. 一 图 남자 노인에 대한 경칭. ¶～ひとり住む 노옹 혼자서 살다. ↔媼. 二 接尾 남자 노인의 이름에 붙이는 경칭. ¶奈～ 나옹《나폴레옹》.

おう 感 아; 어. ¶～, ここに居るぞ! 어 여기 있다/～, それはよかった 아 그것 좋았어〔잘 됐어〕/～, それそれ 어, 그것 말이야 그거.

おう〖王〗教1 オウ きみ | 왕 임금 | 1 왕; 임금; 군주. ¶国王 국왕/大王 대왕. 2 왕족. ¶内親王 황녀. 3 가장 뛰어난 자. ¶発明王 발명왕.

おう〖凹〗常用 オウ くぼむ へこむ | 요 오목하다 | 오목하게 들어가다; 오목함. ¶凹凸 요철/凹面鏡 요면경; 오목거울.

おう〖央〗教3 オウ なか | 앙 가운데 | 가운데; 한가운데. ¶中央 중앙/震央 진앙.

おう〖応〗《應》教5 オウ こたえる | 응 응하다 | 1 응하다; 대답하다. ¶応答 응답. 2 받아서 움직이다. ¶応援 응원/反応 반응. 3 어울리다. ¶応用 응용.

おう〖往〗《徃》教5 オウ ゆく いにしえ | 왕 가다 | 1 가다. ¶来往 내왕/往診 왕진. ↔来. 2 목적지를 향해 가다. ¶往復 왕복. ↔復.

おう〖押〗常用 オウ コウ おす おさえる | 압 누르다 | 1 누르다; 밀다. ¶背中を押す 등을 밀다. 2 도장을 찍다. ¶押印 압인.

おう〖欧〗《歐》常用 オウ | 구 토하다 구라파 | 1 토하다《'嘔'와 통함》. 2 '欧羅巴(=구라파)'의 준말. ¶欧米 구미/西欧 서구.

おう〖殴〗《毆》常用 オウ なぐる たたく | 구 치다 | 때리다; 치다. ¶殴打 구타.

おう〖桜〗《櫻》教5 オウ さくら | 앵 앵두나무 | 벚나무; 벚꽃. ¶桜花 앵화; 벚꽃/桜色 연분홍색.

おう〖翁〗《翁》常用 オウ おきな | 옹 늙은이 | 옹. 1 남자 노인. ¶漁翁 어옹. ↔媼. 2 남자 노인의 높임말. ¶沙翁 사옹.

おう〘奥〙《奧》[常用] オウ おく | 오 아랫목 | **1** 깊숙한 곳; 깊다. ¶奥地 오지 / 山奥 깊은 산속. **2** 깊숙하고 중요한 뜻이 있다. ¶奥義 오의 / 奥妙 오묘.

おう〘横〙《橫》[教3] オウ コウ よこ | 횡 가로 | **1** 가로; 동서〔수평〕의 방향. ¶横断 횡단. ↔縦. **2** 방자함. ¶横暴 횡포 / 専横 전횡.

おうい【王位】[名] 왕위. ¶~につく 왕위에 오르다 / ~を継ぐ 왕위를 잇다.

おうう【奥羽】[名]〘地〙関東 지방의 북쪽, 本州의 북동부《青森·秋田·山形·岩手·宮城·福島県의 6현의 총칭》.

**おうえん【応援】[名][ス他] 응원. ¶~歌 응원가 / ~団 응원단 / ~にかけつける 응원하러 달려가다.

おうおう【往往】[副] 왕왕; 때때로. =おりおり·時々. ¶~失敗することがある 왕왕 실패하는 일이 있다 / 意見の相違も~生ずる 의견 차이도 왕왕 생긴다.

—にして [副] '往往'의 힘줌말.

おうか【桜花】[名] 앵화; 벚꽃.

—らんまん〘—爛漫〙[名] 앵화 난만.

おうか【欧化】[名][ス自他] 구화; 유럽화. ¶~思想 서구화 사상.

おうか[謳歌][名][ス他] 구가. ¶青春を~する 청춘을 구가하다.

おうが[横臥][名][ス自] 횡와; 모로 누움. ¶~褶曲 횡와 습곡. ↔仰臥.

おうかく【凹角】[名]〘數〙요각. ↔凸角.

おうかくまく【横隔膜】[名]〘生〙횡격막. ¶~呼吸 횡경막 호흡.

おうがた【凹型】[名] 요형; 오목꼴. =おうけい. ↔凸型.

おうかん【王冠】[名] 왕관. **1** 임금의 관. ¶~を載く 대관(戴冠)하다. **2** 병마개. ¶~を抜く 병마개를 뽑다.

おうぎ【扇】[名] 쥘부채. =せんす·すえひろ. ¶~であおぐ 부채로 부치다 / ~をかざす 부채로 이마를 가리다.

おうぎ【奥義】[名] 오의; (학예·무술 등의) 비법. =おくぎ. ¶学問の~をきわめる 학문의 오의를 궁구하다.

おうぎがた【扇形】[名] 부채꼴. =せんけい.

おうぎぼね【扇骨】[名] 부챗살.

おうきゅう【王宮】[名] 왕궁; 대궐.

おうきゅう【応急】[名] 응급. ¶~(の)処置 응급 조처 / ~手当 응급 치료.

おうぎょく【黄玉】[名] 황옥; 보석의 하나. =こうぎょく·トパーズ.

おうけ【王家】[名] 왕가. ¶~の出 왕가 출신.

おうけん【王権】[名] 왕권. ¶~の強大な国 왕권이 강대한 나라.

—しんじゅせつ【—神授説】[名] 왕권 신수설.

おうこう【王侯】[名] 왕후; 왕과 제후. ¶~貴族の暮らし 왕후 귀족의 생활.

おうこう【横行】[名][ス自] 횡행. **1** 멋대로 다님. **2** (악이) 활개침. ¶無頼の徒が~する 무뢰한들이 설치다.

おうこく【王国】[名] 왕국. ¶石油~ 석유 왕국 / 野球~ 야구 왕국.

おうごん【黄金】[名] **1** 황금; 또, 돈. =金·こがね. ¶~仏 황금불; 금부처 / ~律 황금률 / ~万能 황금 만능 / ~に目がくらむ 황금에 눈이 멀다. **2** 매우 귀중한 것의 비유. ¶~の足 황금의 다리 / ~の日々を過ごす 황금(과) 같은 나날을 보내다.

—じだい【—時代】[名] 황금 시대. ¶映画の~ 영화의 황금 시대.

おうざ【王座】[名] 왕좌. ¶ゆるがぬ~ 흔들리지 않는 왕좌 / …に~を譲る …에게 왕좌를 물려주다 / ~につく 왕좌에 오르다.

おうさつ【応札】[名][ス自] 응찰. ¶~者 응찰자.

*__おうさま__【王様】[名]〈口〉임금님; 왕. =国王. ¶消費者は~だ 소비자는 왕이다.

おうし【横死】[名][ス自] 횡사; 변사. ¶~を遂げる 횡사하다; 비명에 가다.

おうし【雄牛】《牡牛》[名] 수소; 황소. ↔雌牛. ¶~座〘天〙황소자리.

おうじ【往時】[名] 왕시; 지난날. =むかし. ¶~をしのぶ 지난날을 회상하다.

おうじ【王子】[名] **1** 왕자. **2** 황족의 남자. =王. ⇔王女.

おうじ【皇子】[名] 황자; 天皇의 아들. =みこ. ↔皇女.

おうしつ【王室】[名] 왕실. =王家. ¶英国~ 영국 왕실.

おうじつ【往日】[名]〈文〉왕일; 옛날; 지난날. =昔. ¶~の面影今やなし 옛 모습을 지금은 찾아볼 수 없다.

おうしゃ【応射】[名][ス自] 응사; 마주 쏨.

おうじゃ【王者】[名] 왕자. **1** 임금; 제왕. ¶天下を平定して~となる 천하를 평정하여 임금이 되다. **2** 제일인자. ¶柔道の~ 유도의 왕자. [注意] 'おうしゃ'라고도 함.

おうしゅ【応手】[名] (바둑·장기의) 응수; 전하여, 대책; 대응책. ¶~に苦しむ 응수〔대책〕에 고심하다.

おうしゅう【応酬】[名][ス自] 응수. **1** (말따위를) 주고받음. ¶ホームランの~ 홈런의 응수 / やじの~ 야유를 주고받음 / 負けずに~する 지지 않고 응수〔대꾸〕하다. **2** (술잔을) 주고받음; 수작(酬酌). ¶杯の~ 술잔을 주고받음.

おうしゅう【押収】[名][ス他] 압수. ¶証拠物件として書類を~する 증거물로서 서류를 압수하다.

おうしゅう【欧州】《欧洲》[名] 구주; 유럽. ¶~共同体 유럽 공동체.

おうじゅく【黄熟】[名][ス自] 황숙; (곡식 등이) 누렇게 익음. =こうじゅく. ¶麦が~する 보리가 누렇게 익다.

おうじょ【王女】[名] 왕녀; 공주. **1** 왕의 딸. **2** 황족의 여자. ⇔王子.

おうじょ【皇女】[名] 황녀; 天皇의 딸. =こうじょ. ↔皇子.

おうしょう【応召】名 スル自 응소. ¶～兵(へい) 응소병 / 子供(こども)を残(のこ)して～する 아이를 남겨 두고 응소하다. 「玉将(ぎょくしょう).
おうしょう【王将】名 (장기의) 궁. ＝
おうじょう【往生】名 スル自 1〔佛〕 극락왕생. 2 죽음. ¶～を遂(と)げる 생을 끝내다; 죽다. 3〈俗〉 체념함. ¶それくらいのことで彼(かれ)は～しない 그 정도의 일로 그는 단념하지 않는다. 4〈俗〉 어찌할 바를 모름; 손듦. ＝閉口(へいこう). ¶大雨(おおあめ)で～した 큰비로 애를 먹었다.
—ぎわ【—際】名 1 죽을 때. ＝死(し)にぎわ. 2 체념. ¶～が悪(わる)い 깨끗이 체념하지 못하다.
おうじょう【王城】名 왕성. 1 왕궁. 2 왕도; 특히, 京都(きょうと). ＝都(みやこ).
おうしょく【黄色】名 황색; 노랑. ＝きいろ. 注意 'こうしょく'로도 읽음.
—じんしゅ【—人種】名 황색 인종. ↔ 白色(はくしょく)人種·黒色(こくしょく)人種.
**おう-じる【応じる】上1自 ☞おうずる.
おうしん【往信】名 왕신; 답장을 바라고 내는 통신. ↔返信(へんしん).
*おうしん【往診】名 スル自 왕진. ¶～料(りょう) 왕진료 / ～を断(ことわ)る 왕진을 거절하다. ↔宅診(たくしん)·内診(ないしん).
**おう-ずる【応ずる】サ変自 응하다. 1 답하다. ¶問(と)いに～ 물음에 답하다. 2 받아들이다; 승낙하다. ¶招待(しょうたい)〔呼(よ)びかけ〕に～ 초대〔부름〕에 응하다. 3 따르다; …에 (걸)맞게 …하다. ¶収入(しゅうにゅう)に～·じて暮(く)らす 수입에 맞게 살다 / 時(とき)に～·じて変(か)わる 때에 따라 변하다.
おうせ［逢瀬］名 (남녀의) 밀회. ¶～を重(かさ)ねる〔楽(たの)しむ〕 밀회를 거듭하다〔즐기다〕.
おうせい［旺盛］ダナ 왕성. ¶～な精力(せいりょく) 왕성한 정력 / 元気(げんき)～に見(み)える 원기가 왕성해 보이다.
おうせい【王制】名 왕제; 군주 제도. ¶～国家(こっか) 왕제 국가.
おうせい【王政】名 왕정.
—ふっこ【—復古】名 왕정복고.
*おうせつ【応接】名 スル自 응접; 접대. ¶客(きゃく)の～をする 손님 접대를 하다.
—に暇(いとま)がない 1 손님 접대에 쉴 겨를이 없다. 2 일이 연달아 생겨서 하나하나 차분히 대처할 여유가 없다. ¶事件(じけん)につぐ事件で, ～ 잇따른 사건에 눈코 뜰 새 없이 바쁘다.
—ま【—間】名 응접실. ＝応接室(しつ).
おうせん【応戦】名 スル自 응전. ¶敵(てき)の砲撃(ほうげき)に～する 적의 포격에 응전하다.
おうせん【横線】名 횡선; 가로줄. ¶～を引(ひ)く 횡선을 긋다. ↔縦線(じゅうせん).
—こぎって【—小切手】名 횡선 수표. ＝線引小切手(せんびきこぎって).
おうそう【押送】名 スル他 압송. ¶罪人(ざいにん)を～する 죄인을 압송하다.
おうぞく【王族】名 왕족; 제왕의 일족.
おうだ【殴打】名 スル他 구타. ¶棒(ぼう)で～される 몽둥이로 구타당하다.

*おうたい【応対】名 スル自 응대; 응접. ¶電話(でんわ)の～ 전화 응대 / 心(こころ)のこもった～ 정성이 깃들인〔정성어린〕 응대. 注意 '応待'로 씀은 잘못.
おうたい【横隊】名 횡대. ¶二列(にれつ)～に並(なら)ぶ 2열 횡대로 줄서다. ↔縦隊(じゅうたい).
おうだく【応諾】名 スル他 응낙; 수락; 승낙. ¶とても～できない 도저히 응낙할 수 없다 / こんな条件(じょうけん)では～は思(おも)いもよらぬ 이런 조건으로는 수락은 어림도 없다.
**おうだん【横断】名 スル他 횡단. ¶～面(めん) 횡단면 / ～橋(きょう) 육교 / 太平洋(たいへいよう)～ 태평양 횡단 / ～歩道(ほどう)を渡(わた)る 횡단 보도를 건너다. ↔縦断(じゅうだん). 「플래카드.
—まく【—幕】名 (가로로 긴) 현수막;
おうだん〖黄疸〗名〔醫〕 황달.
おうちゃく〖横着〗名 ダナ スル自 1 뻔뻔스러움; 교활함. ¶～者(もの) 교활한〔뻔들거리는〕 놈 / 仕事(しごと)もしないで金(かね)をもらうとは～千万(せんばん)だ 일도 안 하고 돈을 받다니 뻔뻔하기 짝이 없다. 2 무례함. ¶～な奴(やつ)だ 뻔뻔스러운 놈이다; 무례한 녀석이다. 3 태만함; 빤들거림. ¶～を決(き)めこむ 아예 게으름을 피우기로 작정하다; 빤들거리기로 작정을 하다.
おうちょう【王朝】名 왕조. ¶ロマノフ～ 로마노프 왕조.
おうて【王手】名 1 (장기에서의) 장군. ¶～をかける 장군을 부르다. 2 (상대를 궁지에 몰아넣는) 마지막 수단. ¶優勝(ゆうしょう)に〔へ〕～をかける 우승을 위한 마지막 결정타를 가하다.
おうてん【横転】名 スル自 횡전; 뒹굶; 옆으로 넘어짐. ¶自動車(じどうしゃ)が～する 자동차가 뒹굴다.
おうと【王都】名 왕도. ＝帝都(ていと).
おうと［嘔吐］名 スル他 구토; 토함. ¶～感(かん) 구토감 / ～と下痢(げり) 구토와 설사.
—を催(もよお)す 구역질나다; 또, 몹시 불쾌감을 느끼다. ¶かれの言動(げんどう)には～ 그의 언동에는 구역질이 난다.
おうど【王土】名 왕토; 왕의 영토.
おうど【黄土】名 황토. ¶～層(そう) 황토층 / ～色(いろ)の 황토색의. 「파.
おうとう【王党】名 왕당. ¶～派(は) 왕당
おうとう【応答】名 スル自 응답. ¶何(なん)の～もない 아무(런) 응답도 없다.
おうどう【王道】名 왕도. 1 제왕이 덕으로써 나라를 다스리는 일. ¶～楽土(らくど) 왕도 낙토. ↔覇道(はどう). 2 쉬운 길; 편한 방법. ¶学問(がくもん)に～無(な)し 학문에 왕도는〔지름길은〕 없다. 「(しんちゅう).
おうどう【黄銅】名 황동; 놋쇠. ＝真鍮
おうとつ【凹凸】名 요철; 오목함과 볼록함. ＝でこぼこ. ¶～レンズ 요철 렌즈 / ～のはげしい道(みち) 심하게 울퉁불퉁한 길 / 運動場(うんどうじょう)の～を均(なら)す 운동장의 울퉁불퉁한 곳을 고르다.
おうなつ［押捺］名 スル他 도장을 찍음; 날인. ＝捺印(なついん). ¶指紋(しもん)の～ 지문 날인.
おうねつびょう【黄熱病】名 (열대 지방

에서 유행하는 바이러스성) 황열병.

おうねん【往年】图 왕년; 지난날. ＝むかし. ¶～の名優(めいゆう) 왕년의 명배우.

おうはん【凹版】图 요판. ¶～印刷(いんさつ) 요판 인쇄. ↔凸版(とっぱん)·平版(へいはん).

おうばんぶるまい［椀飯振る舞い］图 진수성찬; 성대한 향연. ¶新築祝(しんちくいわ)いに～をする 신축 기념으로 크게 잔치를 베풀다.

おうひ【王妃】图 왕비. ¶モナコの～ 모나코 왕비.

おうひ【応否】图 승낙 여부.

**おうふく【往復】图ス自 1 왕복. ¶～乗車券(じょうしゃけん) 왕복 승차권/郵便局(ゆうびんきょく)まで二度(にど)～する 우체국까지 두번 왕복하다. ↔片道(かたみち). 2 ㉠왕래. ¶手紙(てがみ)を～する 편지 왕래를 하다/自動車(じどうしゃ)の～が激(はげ)しい 자동차의 왕래가 대단히 잦다. ㉡교제. ¶平素(へいそ)親(した)しく～している 평소 가까이 지내고 있다. 3 '往復切符(きっぷ)(＝왕복 표)'의 준말.

—はがき【—葉書】图 왕복 엽서.

おうぶん【応分】图 응분; 분수에 맞음. ＝分相応(ぶんそうおう). ¶～の寄付(きふ) 응분의 기부/～のことをする 분수에 맞는 일을 하다. ↔過分(かぶん).

おうぶん【欧文】图 구문; 유럽인이 쓰는 글자나 글. ¶～タイプライター 구문 타자기. ↔和文(わぶん)·邦文(ほうぶん).

おうへい〖横柄〗ダナ 건방짐. ＝尊大(そんだい). ¶～な口(くち)のきき方(かた)をする 거만스러운 말투로 말하다/～にふるまう 건방지게 굴다.

おうべい【欧米】图 구미; 유럽과 미국. ¶～文化(ぶんか) 구미 문화.

おうへん【応変】图 응변. ¶臨機(りんき)～ 임기응변.

*おうぼ【応募】图ス自 응모. ¶～作品(さくひん) 응모 작품/懸賞(けんしょう)に～する 현상에 응모하다. ↔募集(ぼしゅう).

おうほう【応報】图 응보; 과보(果報). ＝むくい. ¶因果(いんが)～は免(まぬか)れがたい 인과응보는 면하기 어렵다.

おうぼう【横暴】图ダナ 횡포; 난폭. ¶～なふるまい 난폭한 행동/～をきわめる 온갖 횡포를 다하다.

おうま【雄馬】《牡馬》图 수(컷)말. ↔牝馬(めうま).

おうみょう【奥妙】图ダナ 오묘.

おうむ〖鸚鵡〗图〔鳥〕앵무새.

—がえし【—返し】图 앵무새처럼 남이 한 말을 그대로 흉내냄. ¶～に相(あい)づちを打(う)つ 앵무새처럼 맞장구치다.

おうめい【王命】图 왕명. ¶～に逆(さか)らう 왕명을 거스르다.

おうめん【凹面】图 요면; 오목한 면. ↔凸面(とつめん).

—きょう【—鏡】图 요면경; 오목 거울. ↔凸面鏡(きょう).

**おうよう【応用】图ス他 응용. ¶～問題(もんだい) 응용 문제/～が利(き)く 두름성이 있다/～が利かない 두름성〔응용력〕이 없다/てこの原理(げんり)を～する 지레의 원리를 응용하다.

おうよう〖鷹揚〗ダナ 의젓함; 대범함; 너그러움. ＝大様(おおよう). ¶～な人柄(ひとがら) 의젓한 인품/～な態度(たいど) 대범한〔의젓한〕태도/～に構(かま)える 의젓하게 대하다.

*おうらい【往来】[一]图ス自 1 왕래; 내왕. ＝ゆきき. ¶人(ひと)の～がはげしい 사람의 왕래가 빈번하다. 2 생각 등이 떠올랐다가 사라졌다 함. ¶胸中(きょうちゅう)を～する思(おも)い 가슴속에 오가는 생각. [二]图 1 도로; 길. ¶～で遊(あそ)んではいけない 길에서 놀면 안 된다. 2 왕래; 교제. ¶両家(りょうけ)の間(あいだ)には～があった 양가 사이에는 왕래가 있었다.

—どめ【—止め】图 통행 금지.

—ぼうがいざい【—妨害罪】图 교통 방해죄.

おうりつ【王立】图 왕립. ¶～博物館(はくぶつかん) 왕립 박물관.

おうりょう【横領】图ス他 횡령. ＝横取(よこど)り. ¶～罪(ざい) 횡령죄/公金(こうきん)を～する 공금을 횡령하다.

おうれつ【横列】图 횡렬. ↔縦列(じゅうれつ).

おうレンズ【凹レンズ】图 오목렌즈. ↔凸(とつ)レンズ. ▷lens.

おうろ【往路】图 왕로; 가는 길; 또, 갈 때. ↔復路(ふくろ)·帰路(きろ).

オウンゴール［own goal］图 오운골; (축구 등에서) 자살 골. ＝自殺点(じさつてん).

おえつ〖嗚咽〗图ス自 오열; 흐느껴 욺. ＝むせび泣(な)き. ¶～が漏(も)れる 흐느끼는 소리가 흘러나오다/あちこちで～の声(こえ)が聞(き)こえる 여기저기서 흐느껴 우는 소리가 들린다.

おえらがた【お偉方】图 높으신 분네들. ¶会社(かいしゃ)の～ 회사의 높으신 양반들. 参考 야유조를 띤 말.

お-える【負える】下1自 감당할 수 있다. ¶手(て)に～·えない 감당할 수 없다; 힘에 겹다.

**お-える【終える】下1他 (끝)마치다; 종결짓다. ¶学校(がっこう)を～ 학교를 마치다〔졸업하다〕/一生(いっしょう)を～ 일생을 마치다; 죽다/仕事(しごと)を～ 일을 끝내다. 参考 '会期(かいき)が～·えた(＝회기가 끝났다)'와 같이 自動詞적으로 쓰일 때도 있음. ↔始(はじ)める.

おお=【大】《名詞에 붙어서》 1 (외형상) 큰; 넓은; 많은. ¶～空(ぞら) 넓은 하늘/～川(かわ) 큰 강. ↔小(こ)=·小(お)=. 2 (정도가) 큰; 대단한; 몹시. ¶～あわて 몹시 당황함/～騒(さわ)ぎ 큰 소동/～けが 큰 부상. 3 대충. ¶～づもりに計算(けいさん)する 대충 계산하다. 4 서열이 위인 사람을 가리키는 말. ¶～旦那(だんな) 큰 주인; 주인 나리/～番頭(ばんとう) 총지배인.

おお 感 1 감동·놀람 또는 말을 시작할 때 내는 말: 야; 어. ¶～, すばらしい 야, 멋있다/～, 寒(さむ)い 어, 춥다. 2 막힌 대답: 어; 응. ¶～, そうか 어, 그래.

おおあざ【大字】图 일본의 말단 행정 구획의 하나《町(ちょう)·村(そん) 아래로 몇몇 小字(こあざ)를 포함하고 있음》.

おおあじ【大味】图ナ 1 (특히, 음식) 맛이 덤덤하여 감칠맛이 없음. ¶～な魚(さかな)

맛이 덤덤한 생선. **2** 조잡해 아기자기한 맛이 없음. ¶～な表現 아기자기한 맛이 없는 표현. ⇔小味.

おおあたり【大当たり】图자自 크게 적중함; 대성공(함); 히트(함). ¶～した映画 크게 히트한 영화/商売が～する 장사가 크게 성공하다/(くじで)一等の～をとる (추첨에서) 일등으로 당첨되다.

おおあな【大穴】图 **1** 큰 구멍; 전하여, 큰 결손〔손해〕. ¶～をあける 큰 구멍을 내다; 큰 손해를 보다. **2** 경마 등에서, 예상이 크게 뒤집힘. ¶～をねらう 예상 외의 결과〔히트〕를 노리다.

おおあめ【大雨】图 큰비. ＝豪雨. ¶～注意報 호우 주의보/～が降った 큰비가 내렸다. ↔小雨.

おおあらし【大あらし】《大嵐》图 대폭풍(우).

おおあれ【大荒れ】图 **1** 매우 사납게 날뜀; 큰 파란. ¶会議が～に荒れる 회의가 난장판이 되다/酔って～に荒れる 술에 취하여 크게 난동을 부리다. **2** 심한 폭풍우. ＝あらし. ¶～の海 몹시 거친 바다.

おおあわて【大慌て】图 매우 당황함; 몹시 허둥지둥함. ¶にわか雨に～で洗濯物を取り込む 갑작스러운 비에 허둥지둥 빨래를 걷어 들이다.

おお-い【多い】形 많다. ¶誤植の～本 오식이 많은 책/非難を～く受ける 비난을 많이 받다. 注意 '大きい'와 같은 어원. ↔少ない.

おおい【覆い】《被い》图 씌움; 씌우개; 덮개. ¶日～ 차양/荷物の～をする 짐을 덮개로 씌우다/～をかける〔とる〕 덮개를 씌우다〔벗기다〕.

おおい 感 멀리 있는 사람을 부르는 소리; 어이. ¶～, こっちだよ 어이, 이쪽이야.

オーイーエム [OEM] 图 오이엠; 주문자 상표 (부착) 제품. ▷original equipment manufacturing.

おおいかぶさ-る【覆いかぶさる】《覆い被さる》5自 **1** (위에서) 덮이다. ¶背中に～ 등에 덮이다. **2** 들씌워지다; 지워지다. ¶責任が～ 책임이 지워지다. 注意 口語적 표현은 'おいかぶさる'.

おおいかぶ-せる【覆いかぶせる】《覆い被せる》下1他 덮어씌우다. ¶布を～ 천을 덮어씌우다.

おおいそぎ【大急ぎ】ダナ 몹시 서두름; 아주 급함. ¶～の用事で 아주 급한 용무로/～で仕事をする 급히 서둘러 일하다.

おおいた [大分] 图〔地〕九州 지방 동부의 현; 또, 그 현청 소재지.

おおいちばん【大一番】图 (씨름 등에서) 우승에 관계 있는 중요한 대진. ¶優勝をかけた～ 우승이 걸린 중요한 대진〔승부〕.

おおいなる【大いなる】連体〈雅〉큰; 위대한. ¶～国家 위대한 국가/～業績〔損失〕 커다란 업적〔손실〕.

***おおいに**【大いに】副 크게; 매우; 많이. ¶～騒ぐ〔喜ぶ〕크게 떠들다〔기뻐하다〕/～飲もう 실컷 마시자.

おおいばり【大威張り】图 크게 뽐냄; 아주 으스댐. ¶～で歩く 아주 으스대며 걷다.

おおいり【大入り】图 (흥행장 등에서) 입장객이 많음. ¶～満員 대만원. ↔不入り.

****おお-う**【覆う】《被う》5他 **1** 덮다; 씌우다. ¶トタンで屋根を～ 함석으로 지붕을 덮다. **2** 가리다; 막다. ¶目を～惨状 눈뜨고 차마 볼 수 없는 참상/秘密のベールに～·われる 비밀의 베일로 가리어지다. **3** 싸 감추다; 숨기다. ¶非を～ 비위를 감추다. **4** 널리 퍼지다; 뒤덮다. ¶全国を～流行 전국을 뒤덮고 있는 유행/雨雲が空を～ 비구름이 하늘을 뒤덮다. **5** 전체를 나타내다. ¶一言で～·えば 한마디로 말하자면. 可能おお-える 下1自

おおうけ【大受け】图자自 크게 호평을 받음; 크게 히트함. ＝大好評. ¶～に受ける 대호평을 받다.

おおうつし【大写し】图자他〔映〕대사(大寫); 클로즈업. ＝クローズアップ. ¶～の画面 클로즈업된 화면/顔を～にする 얼굴을 클로즈업시키다.

おおうなばら【大海原】图 크고 넓은 바다. ＝大海.

おおうみ【大海】图 대해; 대양. ＝たいかい.

おおうりだし【大売り出し】图 대매출. ¶歳末～ 연말 대매출.

オーエー [OA] 图 오에이; (회사의) 사무 자동화. ¶～化 오에이화/～機器 오에이 기기. ▷offiice automation.

オーエス [프 ho hisse] 感 오 이스; 영차《줄다리기를 할 때 내는 소리》.

オーエス [OS] 图 ☞オペレーティングシステム. ▷operating system.

オーエッチピー [OHP] 图 오에이치피. ☞オーバーヘッド プロジェクター.

オーエル [OL] 图 오엘; 여자 사무원; 직장 여성. ¶銀行に勤めている～ 은행에 근무하고 있는 OL. 参考 전에는 BG라 했음. ▷일 office＋lady.

おおおく【大奥】图 江戸성의 将軍의 부인·측실들이 거처하던 곳.

おおおとこ【大男】图 몸집이 큰 사나이; 거한. ↔小男.

おおがかり【大掛かり】ダナ 대규모; 크게 벌임. ＝大仕掛け. ¶～な工事 대규모의 공사/見かけは～に見える 보기에는 어마어마하게 보인다.

おおかぜ【大風】图 대풍; 큰〔사나운〕바람.

***おおかた**【大方】图 **1** 대부분; 대강. ＝大部分. ¶～の会社は土曜休日です 대부분의 회사는 토요일이 휴일입니다/～を言ったにすぎない 대강을 이야기했을 뿐이다. **2** 일반 세상 사람. ¶～の評判〔意見〕 일반 세상

사람들의 평판〔의견〕.

*__おおかた__〖大方〗副 대충; 대개; 거의; 대체로; 아마. ＝あらかた·ほとんど. ¶～出来(でき)上(あ)がった 대충 완성되었다 / ～そんなことだと思(おも)った 대개〔대충〕 그럴 것이라고 생각했다.

*__おおがた__【大形】名 대형; 모양·무늬가 큰 것. ¶～の鳥(とり) 대형의 새 / ～の花柄(はながら) 대형의 꽃무늬. ↔小形(こがた).

*__おおがた__【大型】名 대형; 큰 형. ¶～のバス 대형 버스 / ～株(かぶ) 대형주 / ～プロジェクト 대형 프로젝트. ↔小型(こがた).

__オーがた__ [O型] 名 (혈액형의) O형.

__オーガニックフード__ [organic food] 名 오개닉 푸드; 자연〔건강〕 식품; 유기질 비료만을 써서 재배한 농작물.

__おおがね__【大金】名 대금; 많은 돈. ＝たいきん. ¶～持(も)ち 큰 부자; 갑부; 부호. ↔小金(こがね).

__おおかみ__〖狼〗名 **1**〘動〙 이리. **2** 여성에게 나쁜 짓을 하는 남자. ¶街(まち)の～ 거리의 늑대; 색한 / 送(おく)り～ 여자를 바래다 주는 체하면서 덮치는 사내.

__おおがら__【大がら·大柄】名ナ **1** 몸집이 보통 사람보다 큼. ¶～の子供(こども) 몸집이 큰 어린이. **2** 무늬나 모양이 큼. ¶～の花模様(はなもよう) 큼직한 꽃무늬. ⇔小柄(こがら).

__おおかれすくなかれ__【多かれ少なかれ】連語 많든적든 (간에); 다소간에. ＝いずれにしろ. ¶～皆(みんな)被害(ひがい)を蒙(こうむ)った 다소간에 모두 피해를 입었다.

__おおき-い__【大きい】形 크다. **1 (형상이) 크다. ¶～牛(うし) 큰 소 / 背丈(せたけ)が～ 키가 크다. **2** (수량·나이가) 많다. ¶ぼくより～子(こ) 나보다 큰 아이 / ～·くなったら何(なに)になる 크면 무엇이 되겠느냐. **3** (정도가) 심하다. ¶損害(そんがい)が～ 손해가 크다 / 問題(もんだい)が～·くなってしまった 문제가 커지고 말았다. **4** 굵(직하)다. ¶人物(じんぶつ)が～ 인물이 크다. **5** 중대하다. ¶～問題(もんだい) 큰 문제 / 責任(せきにん)が～ 책임이 크다. **6** (단위가) 크다. ¶～お金(かね)しか持(も)っていない 큰돈밖에 가진 것이 없다. **7** 허세를 부리다. ¶話(はなし)が～ 이야기가 거창하다 / ～つらをする 잘난 체하다. ⇔小(ち)さい.

__おおきく__【大きく】副 크게. ¶～踏(ふ)み出(だ)す 크게〔힘있게〕 내디디다 / ～構(かま)える 크게〔대담하게〕 나오다.

__おおきさ__【大きさ】名 (길이·넓이·도량 등의) 크기. ¶犬(いぬ)くらいの～の猫(ねこ) 개만한 크기의 고양이. ↔小(ち)ささ.

__おおきな__【大きな】連体 큰. ¶～荷物(にもつ) 큰짐 / ～開(ひら)きがある 큰 차이가 있다 / ～山場(やまば)を迎(むか)える 큰 고비를 맞이하다 / ～事(こと)を言(い)う 큰소리치다; 호언장담하다. ↔小(ち)さな.

──お世話(せわ) 쓸데없는 참견〔간섭〕. ¶～だ 걱정도 팔자다; 쓸데없는 간섭이다.

──顔(かお)をする 젠체하다; 혼자 난 체하다. ¶満点(まんてん)とったくらいで, ～な 만점 받았다고 재지 마라.

──口(くち)をきく〔たたく〕 큰소리치다.

__おおきに__【大きに】一副 〈文〉 매우; 대단히. ＝大(おお)いに. ¶～迷惑(めいわく)だ 아주 성가시다〔귀찮다〕. 二感 (関西(かんさい) 지방에서) '大(おお)きにありがとう(＝대단히 고맙다)'의 준말.

__おおきみ__【大君】名 **1**〈雅〉天皇(てんのう)의 높임말. **2**〈古〉親王(しんのう)·王子(おうじ)·王女(おうじょ) 등의 존칭.

__おおきめ__【大きめ】名ナ 조금 큼. ¶セーターを～に編(あ)む 스웨터를 좀 낙낙하게〔크게〕 뜨다. ↔小(ち)さめ.

__オーきゃく__ [O脚] 名 O각; 안짱다리. ＝がにまた. ↔X脚(エックスきゃく).

__おおぎょう__〖大仰·大形〗ダナ 어마어마함; 허풍을 침; 과대. ＝大(おお)げさ. ¶～なしぐさ 호들갑스러운 몸짓 / ～な身振(みぶ)りで話(はな)す 과장된 몸짓으로 얘기하다.

*__おおく__【多く】一名 많음; 많은 것. ¶それについて～を語(かた)らない 거기 대해서 여러 말을 하지 않다. 二副 대개(는); 대체로; 흔히. ¶～(は)失敗(しっぱい)に終(お)わる 대부분(은) 실패로 끝난다 / 台風(たいふう)は～秋(あき)に来(く)る 태풍은 대개 가을에 온다.

__おおぐい__【大食い】名 많이 먹음; 또, 그 사람; 대식(가). ＝大食漢(たいしょくかん). ¶やせの～ 말라깽이가 오히려 더 먹음.

__オークション__ [auction] 名 옥션; 경매. ＝せり売(う)り. ¶切手(きって)を～にかける 우표를 경매에 부치다.

__おおぐち__【大口】名 **1** 크게 벌린 입; 큰 입. ¶～をあけて笑(わら)う 입을 크게 벌리고 웃다. **2** 호언장담; 큰소리. **3** 거액·대량(의 거래). ¶～の注文(ちゅうもん) 거액〔대량〕의 주문. ↔小口(こぐち). 注意 'おおくち'라고도 함.

──をたたく〔きく〕 호언장담하다; 큰소리치다.

__おおくらしょう__【大蔵省】名 대장성《한국의 재정경제부에 해당; 2001년 1월 財務省(ざいむしょう)(＝재무성)로 개편》.

__オーケー__ [OK] 오케이. 一感 좋다; 알았다. ＝オーライ. 二名ス他 동의(同意); 승낙. ¶上役(うわやく)の～を取(と)る 상사의 승낙을 받다.

*__おおげさ__【おおげさ·大げさ】《大袈裟》ダナ **1** 과장; 허풍을 떪. ＝おおぎょう. ¶～な身振(みぶ)り 과장된 몸짓 / ～に言(い)う 과장되게 말하다; 허풍을 떨다. **2** 대규모. ＝大(おお)じかけ.

__オーケストラ__ [orchestra] 名 오케스트라. **1** 관현악. **2** 관현악단. ¶～の伴奏(ばんそう)で 관현악단의 반주로.

__おおごえ__【大声】名 큰 소리. ＝たいせい. ¶～でしかる 큰 소리로 꾸짖다 / ～をあげる 큰 소리를 지르다. ↔小声(こごえ).

__おおごしょ__【大御所】名 **1** 대가; 중진. ¶文壇(ぶんだん)の～ 문단의 중진. **2** 은퇴한 将軍(しょうぐん); 또, 그 거처의 높임말.

__おおごと__【大事】名 큰일; 중대사. ¶そのままでは～になる 그대로 두었다간 큰일 난다 / やりそこなったら～だ 잘못하면 큰일이다.

おおさか【大阪】[名]〖地〗近畿 지방 중앙부의 부(府); 또, 그 부청(府廳) 소재지《일본 제2의 도시》.
—の食い倒れ 大阪 사람은 먹는 데 재산을 탕진함. ⇨京の着だおれ.

おおざけ【大酒】[名] 대주; 많은 술. ¶～を食らう 술을 많이 마시다.
—のみ【—飲み】[名] 대주가; 주호(酒豪).

おおざっぱ【おおざっぱ·大雑把】[ダナ] 대략적임; 조잡함. ＝大まか. **1** 작은 일에 구애되지 않고 큰 대목만 잡는 모양: 대충; 얼추. ¶～に言うと 대충 말하면 / ～な見つもり 대충 잡은 어림. **2** 대범함. ¶～な性格 대범〔데면데면〕한 성격 / ～な考えかた 대범한 사고방식.

おおさわぎ【大騒ぎ】[名][ス自] 크게 소란을 피움; 큰 소동. ¶上を下への～ 야단법석 / 勝った負けたなどと～する 이겼다 졌다 하면서 크게 소란을 떨다.

おおし-い【雄雄しい】《男男しい》[形] 사나이답고 용감하다; 씩씩하다; 장하다. ¶～姿 씩씩한 모습. ↔めめしい.

おおしお【大潮】[名] (한)사리. ↔小潮.

おおじかけ【大仕掛け】[ダナ] 장치·짜임새가 큼; 대규모; 대대적임. ＝おおがかり. ¶～な計画 대규모 계획.

おおじだい【大時代】[名ナ] 시대에 뒤져 고리타분함; 몹시 예스러움; 구식. ¶～な言葉づかい 구식 말씨 / ～な演説 시대에 뒤진 연설 / ～な物の言いよう 예스러운 말투.

おおすじ【大筋】[名] (사물의) 대강(의 줄거리); 요점. ＝あらすじ. ¶計画の～を説明する 계획의 대강을 설명하다.

おおずもう【大相撲】[名] (일본 씨름 협회가 주관하는) 프로 씨름 대회. ¶～初場所 정초 씨름 대회.

おおせ【仰せ】[名] **1** 분부; 명령. ¶～の通り 분부대로 / ～に従う 분부에 따르다. **2** 말씀. ＝おことば. ¶ありがたい～をいただく 고마운 말씀을 듣다.

**おおぜい【大ぜい】《大勢》[名] 많은 사람; 여럿. ＝多勢·多人数. ¶～の前で 여러 사람 앞에서 / 子供が～集まる 아이들이 많이 모이다 / ～で出掛ける 여럿이서 나가다. [参考] '大勢(＝대세)'와 혼동되지 않도록 흔히 이렇게 씀. ↔小勢.
—に手なし 중과부적이다.

おおぜき【大関】[名] 프로 씨름꾼의 등급의 하나《横綱의 아래, 関脇의 위》.

おおせつか-る【仰せ付かる】[5自] 분부를 받다《'言いつかる'의 존대말》. ¶社長から～ 사장한테 지시를 받다.

おおせつ-ける【仰せ付ける】[下1他] '言いつける'의 높임말: 분부하시다. ¶なんなりと～·け下さい 무엇이든지 분부를 내려 주십시오.

おおそうじ【大掃除】[名] **1** 대청소. **2** (조직체의) 대대적인 내부 숙청.

*__オーソドックス__ [orthodox] [名][ダナ] 오서독스; 정통파; 정통적. ¶～な方法〔やりかた〕 정통적인 방법.

おおぞら【大空】[名] 대공; 넓은 하늘. ¶～をかける 넓고 넓은 하늘을 날다.

オーソリティー [authority] [名] 오소리티; (그 방면의) 권위(자); 대가. ¶斯界の～ 사계의 오소리티.

おおぞん【大損】[名][ス自] 큰 손해; 대손실. ¶株で～(を)する 주식으로 큰 손해를 보다.

オーダー [order] [名] 오더. **1** 주문; 명령. ¶～をうける〔取り消す〕 주문을 받다〔취소하다〕. **2** 순서; 질서. ¶バッティング～ 배팅 오더; 타순(打順).
—ストップ [일 order＋stop] [名] 레스토랑 등에서 그날의 주문을 마감함. ¶午後十時で～です 오늘 주문 마감은 오후 10시입니다.
—メード [일 order＋made] [名] 맞춤(물건). ＝あつらえ. ↔レディーメード. *영어로는 made-to-order라고 함.

おおだい【大台】[名] **1** (증권 시장에서) 백엔 대(臺)〔선(線)〕. ¶五百円の～に乗せる 시세를 500엔 선으로 올리다 / ダウ平均二千百円の～を割る 다우 평균 주가 2,100엔 선을 깨고 하락하다. **2** 전하여, 금액·수량의 큰 한계〔단위〕; 대; 선. ¶予算が一兆円の～を越える 예산이 1조 엔대를 넘다.

おおだいこ【大太鼓】[名] 큰북. ↔小太鼓.

おおだすかり【大助かり】[名] 큰 도움이 됨. ¶君が来てくれて～だ 자네가 와 주어서 큰 도움이 된다.

おおたちまわり【大立ち回り】[名] **1** (연극 등에서) 활극. **2** 대판 싸움. ¶衆人の前で～を演じる 여러 사람 앞에서 대판 싸움을 벌이다.

おおだてもの【大立て者】[名] **1** (한 극단의) 간판 스타. **2** 가장 중요시되는 인물; 거물. ¶政界の～ 정계의 거물.

おおづかみ【大づかみ】《大摑み》[一][名][ス他] 손에 가득 쥠. ¶菓子を～にとる 과자를 듬뿍 집다. [二][ダナ] 대충 파악함. ＝おおざっぱ. ¶～に説明する 대충 설명하다 / 要点を～にする 요점을 대충 파악하다.

*__おおっぴら__【おおっぴら·大っぴら】[ダナ] 까놓고 서슴지 않는 모양; 공공연한 모양. ¶～に休む 공공연하게〔여봐란 듯이〕 쉬다 / ～になった真相 모두가 알게 된 진상 / 禁制品を～に売る 금제품을 공공연하게 팔다.

おおつぶ【大粒】[名][ダナ] 알갱이가 큼〔큰 것〕; 큰 알. ¶～の雨 굵은 빗방울 / ～の涙 닭똥같은 눈물. ↔小粒.

おおづめ【大詰め】[名] 연극의 마지막 장면; 전하여, 끝장; 종국; 막판; 대단원. ¶いよいよ～に近づく 마침내 대단원에 가까워지다 / 審議が～になる 심의가 막판에 이르다.

おおて【大手】[名] **1** 성의 정면. ¶～門

성의 정문. =追おう手て. **2** 적의 정면으로 쳐들어가는 군대. =追う手. ⇔からめ手て. **3** (거래소에서) 거액 매매를 하는 사람[회사]; 큰손; 큰 거래처. =大手筋おおてすじ. ¶~五社ごしゃ 큰손 5개 회사.

──すじ【──筋】 名 ☞おおて3.

おおで【大手】 名 활개; 어깨로부터 손끝까지. ↔小手こて.

──を広ひろげる 두 팔을 크게 벌리다.

──を振ふる 활개를 치다; 전하여, 남을 꺼리지 않다.

オーディーエー [ODA] 名 오디에이; 정부 개발 원조《정부 자금으로 행해지는 발전 도상국에 대한 경제 원조》. ▷Official Development Assistance.

オーディエンス [audience] 名 오디언스; 관객; 청중; 시청[청취]자.

オーディオ [audio] 名 오디오. **1** (라디오·TV 등의) 소리의 부분. ↔ビデオ. **2** 하이파이. ¶~セット 오디오 세트 / ~マニア 오디오 마니아.

──メーター [audiometer] 名 오디오미터. **1** 청력 측정기. **2** (라디오·TV의) 시청률 자동 측정 장치.

オーディション [audition] 名 오디션; (방송 등에서) 출연자의 실기 테스트. ¶~を受うける 오디션을 받다.

おおでき【大でき】《大出来》 名ナ 훌륭하게 됨; 썩 잘됨. ¶彼かれにしては~だ 그로서는 썩 잘한 것이다.

オーデコロン [프 eau de Cologne] 名 오드콜로뉴《화장수》.

オート [auto] 名 오토. **1** 자동차. ¶~ショー 오토 쇼; 자동차 전시회. **2** 'オート三輪さんりん·オートバイ·オートレース'의 준말. **3** '자동(식)'의 뜻. ¶~ドア 오토 도어; 자동문 / フル~ 전 자동(식의).

──キャンプ [일 auto+camping] 名 오토캠핑; 자동차를 이용한 캠프.

──さんりん【──三輪】 名 삼륜차. =オート三輪車しゃ.

──ジャイロ [autogiro] 名 오토자이로; 헬리콥터 비슷한 항공기의 하나.

──バイ [일 auto+bicycle] 名 오토바이. ¶~をぶっ飛とばす 오토바이를 마구 몰다. *영어로는 motorcycle, 또는 motorbike라고 함.

──フォーカス [autofocus] 名〘寫〙 오토포커스; 자동 초점 카메라.

──マチック [auto-matic] ダナ 오토매틱. **1** 자동 권총. **2** 자동(식). ¶~ドア 자동식 문.

──マット [도 Automat] 名 오토맷. **1** 자동 기계. **2** (차표·담배·음료 등의) 자동판매기; 또, 자판기에 의한 셀프 서비스 식당.

──メーション [automation] 名 오토메이션; 자동 조작 (장치). =オートメ.

──レース [일 auto+race] 名 오토바이[자동차] 경주.

オート [oat] 名〘植〙 오트; 귀리.

──ミール [oatmeal] 名 오트밀.

おおど【大戸】 名 대문; 큰 가겟문. ¶~をおろす[閉しめる] 대문[가겟문]을 닫다. ↔裏木戸うらきど.

おおどうぐ【大道具】 名〘劇〙(건물 등 규모가 큰) 무대 장치. ↔小道具こどうぐ.

──かた【──方】 名 무대 장치 담당자.

***おおどおり【大通り】** 名 (시내의) 넓은 길; 큰 거리. ¶駅前えきまえの~ 역전의 대로.

おおどか『大どか』 ダナ 성질이 느긋하고 얽매이지 않는 모양. =おおらか. ¶~な性格せいかく 대범한 성격.

オートクチュール [프 haute couture] 名 오트 쿠튀르. **1** 최신 유행으로 맞춤; 또, 그 의상. **2** 고급 양장점.

おおどころ【大どころ】《大所》 名 **1** 유력한 사람; 대가(大家). ¶画壇がだんの~ 화단의 대가 / この道みちの~ 이 방면의 거장. **2** 대갓집; 자산가. =おおどこ. ¶~の旦那だんな 대갓집 주인.

おおどしま【大どしま】《大年増》 名 (나이가 한창 때를 훨씬 지난) 40대 여인《江戸えど 시대에는 30대》; 중년 여인.

オードトワレ [프 eau de toilette] 名 오드 투알레트; 향수보다 향기와 지속성이 약한 화장수.

おおとの【大殿】 名 **1** 대전; 궁전. **2** '大臣だいじん(=대신)'에 대한 높임말 : 대감. =おとど. **3** 귀인의 당주(當主); 또, 그 부친의 높임말. ↔若殿わかとの.

オードブル [프 hors-d'œuvre] 名〘料〙 오르되브르; 양식에서, 수프 전에 나오는 가벼운 요리. =前菜ぜんさい.

オートメ 名 'オートメーション'의 준말. ¶~化か 오토메이션화.

おおども【大ども】《大供》 名〈俗〉 어른; 철이 안 든 어른. 参考 '子供こども(=아이)'를 본떠서 놀림조로 만든 말.

おおとり【大鳥】《鵬·鳳·鴻》 名 **1** (학·황새처럼 몸집이) 큰 새. **2** [鵬] 붕새; (중국에서) 봉황과 같은 상상의 큰 새.

オーナー [owner] 名 오너; (주로, 야구단·선박·자동차 등의) 임자; 소유자.

──ドライバー [owner driver] 名 오너 드라이버; 자가(自家) 운전자.

──パイロット [owner pilot] 名 오너 파일럿; 자가용 비행기 조종사.

おおなた【大なた】《大鉈》 名『~を振ふるう』 **1** 대폭 깎아내다. ¶予算案よさんあんに~を振るう 예산안을 대폭 삭감하다. **2** 사업체[조직체]의 규모를 과감하게 정리하다. ¶行政改革ぎょうせいかいかくで~をふるう 행정 개혁으로 규모를 과감히 축소하다.

おおなみ【大波】 名 대파; 큰 파도. ¶経済変動けいざいへんどうの~に見舞みまわれる 경제 변동의 큰 물결에 휩쓸리다.

おおにゅうどう【大入道】 名 까까머리의 몸집이 큰 남자; 또, 그런 모양을 한 도깨비.

おおにんずう【大人数】 名 인원수가 많음; 또, 많은 사람. =多人数たにんず. ¶~の会かい 인원수가 많은 모임. 注意 'おおにんず'라고도 함. ↔小人数こにんず·こにんずう.

*オーバー [over] 오버. 一名ス自他 **1** 초과함. ¶予算よさんを～する 예산을 초과하다. **2**…위를 넘음. ¶センター～の二塁打にるいだ 센터를 넘는 2루타. 二ダナ 과장됨; 지나침. ¶～な表現ひょうげん 과장된 표현. 三名 'オーバーコート'의 준말.

—ウエート [overweight] 名 오버웨이트; (권투·레슬링 등에서) 체중 초과.

—オール [overalls] 名 오버올; (자동차 수리공 등이 입는) 내리닫이 작업복. =オーバーロール. 「=外套がいとう.

—コート [overcoat] 名 오버코트; 외투.

—シューズ [overshoes] 名 오버슈즈; (방수·방한용의) 덧신.

—スライド [overslide] 名ス自 〖野〗 오버슬라이드; 주자(走者)가 지나친 슬라이딩으로 오버런하는 일《터치당하면 아웃됨》.

—スロー [overhand throw] 名 오버스로《팔을 어깨 위로 올려 공을 던짐》. =上手投うわてなげ. ↔アンダースロー.

—タイム [overtime] 名 오버타임. **1** 시간외 노동; 초과 근무. ¶二時間にじかん～で働はたらく 두 시간 초과 근무하다. **2** 경기에서, 규정 시간이나 횟수를 넘김.

—ドクター [일 over+doctor] 名 박사 과정을 마치고도 취직을 못한 사람(들). =博士浪人はくしろうにん.

—ネット [overnet] 名 오버 네트; 배구에서, 네트를 넘어서 공을 침.

—ハンド [overhand] 名 오버핸드. **1** 〖野〗 ☞オーバースロー. **2** 테니스에서, 공을 위에서 내리치는 타법.

—ヒート [overheat] 名ス自 오버히트; (모터나 엔진 등의) 과열.

—フロー [overflow] 名 〖컴〗 오버플로; 넘침; 용량 초과《연산(演算) 결과가 처리 범위를 넘어섬》.

—ヘッドプロジェクター [overhead projector] 名 오버헤드 프로젝터; 슬라이드 형식의 시청각 교육 장치《OHP》.

—ホール [overhaul] 名 오버홀《항공기·자동차 등의 분해 수리·점검》.

—ラップ [overlap] 名ス自 오버랩《한 화면에 다른 화면이 겹쳐지면서 먼저 화면이 서서히 사라지는 촬영법》. ¶亡なき妻つまの顔かおが～してきた 죽은 아내의 얼굴이 오버랩하였다.

—ラン [overrun] 名ス自 〖野〗 오버런. **1** 주자가 달려 베이스를 지나침. **2** 멈춰야 할 곳을 지나쳐 달림. 「초과.

—ローン [overloan] 名 오버론; 대출

—ワーク [overwork] 名 오버워크; 과중 노동; 규정 외의 일. ¶～で倒たおれる 과로로 쓰러지다.

おおばか【大ばか】《大馬鹿》 名ダナ 큰 바보; 큰 바보짓. ¶～野郎やろう 바보 멍텅구리 같은 놈.

おおばこ〖車前草·大葉子〗 名 〖植〗 차전초; 질경이. =おんばこ·おばこ.

おおはし【大橋】 名 대교; 큰 다리.

おおはじ【大恥】 名 큰 창피; 개망신. =赤恥あかはじ. ¶～をかく 큰 창피를 당하다.

おおばしょ【大場所】 名 **1** 1월·3월·5월·7월·9월·11월에 개최되는 정기 씨름 대회. =本ほん場所. **2** 큰〔넓은〕 장소.

*おおはば【大幅】 대폭. 一名 (피륙의) 큰 폭《보통 폭의 두 배》. ↔小幅こはば. 二ダナ 수량 등의 변동이 큰 모양. ¶～の〔な〕値上ねあげ 대폭적인 가격 인상 / ～な人事異動じんじいどう 대폭적인 인사 이동 / 予定よていが～に狂くるう 예정이 크게 어긋나다.

おおはやり【大はやり】《大流行り》 名 대유행.

おおばん【大番】 名 **1** 옛날, 왕궁의 수호를 위하여 京都きょうとに 주재한 여러 봉건 제후의 무사. =大番役やく. **2** 〈俗〉 댓자; 대형; 사이즈가 큰 물건.

おおばん【大判】 名 **1** 대판; (종이·책 등이) 보통보다 큼. ¶～の画用紙がようし 대형 도화지. **2** (室町むろまち 말기에서 江戸えど 말기까지 통용된) 타원형의 큰 금화·은화《한 개는 小判こばん 열 개에 해당함》. ⇔小判こばん.

おおばんぶるまい［大盤振る舞い］ 名 ☞おうばんぶるまい. 注意 '大盤'은 '椀飯おうばん'의 취음.

オービー [OB] 名 오비. **1** (재학생에 대해서) 졸업생; 선배. ▷old boy. **2** (골프에서) 경기〔플레이〕 금지 구역. ¶～を出だす OB를 내다; 플레이 금지 구역으로 공을 잘못 치다. ▷out of bounds.

おおびけ【大引け】 名 (거래소에서) 마지막 장; 또, 그때의 시세. ↔寄より付つき.

—ねだん【—値段】 名 (거래소에서) 최종 시세; (그날의) 종가(終價). =終おわり値ね. ↔寄より付つき値段.

おおひろま【大広間】 名 (회합 등을 위한) 썩 넓은 방; 큰 홀.

オープナー [opener] 名 오프너. **1** 병마개〔깡통〕 따개. =栓抜せんぬき·缶切かんきり. **2** 개막 시합; 첫 경기.

オープニング [opening] 名 오프닝. **1** (첫)공개. ¶～ショー 공개 쇼. **2** 시작; 개시. ¶～ゲーム 개막〔시즌 첫〕 경기.

おおぶね【大船】 名 큰 배.

—に乗のった気持きもち〔よう〕 큰 배에 탄 기분《아주 든든해 안심하는 모양》.

おおぶり【大降り】 名 (눈·비 등이) 많이 쏟아짐; 큰비; 큰눈. ¶雨あめが～になる 비가 많이 오기 시작하다. ↔小降こぶり.

おおぶり【大振り】 名ス他 크게 흔듦. ¶バットを～する 배트를 크게 휘두르다〔스윙하다〕. ↔小振こぶり.

おおぶろしき【大ぶろしき】《大風呂敷》 名 **1** 큰 보자기. ¶～に包つつむ 큰 보자기에 싸다. **2** 과장해서 말함; 허풍침.

—を広ひろげる 허풍떨다; 흥감부리다.

オーブン [oven] 名 오븐. =天火てんぴ. ¶～トースター 오븐토스터; 오븐 겸용의 빵 굽는 기구.

*オープン [open] 오픈. 一名ナ **1** 뚜껑이 없음. **2** 공개. ¶～でやろう 공개적으로 하자. **3** 비공식. **4** 개방적; 격의 없음. ¶～な態度たいど 개방적인 태도 / 何なんでも～

に話せる仲 뭐든지 터놓고 이야기할 수 있는 사이. 二图ス自他 개점; 개관; 개장. ¶海水浴場の～ 해수욕장의 개장 / 結婚式場を～する 예식장을 열다. 三图 1 'オープンカー·オープンゲーム'의 준말. 2 옥외; 집 밖.

—カー [open car] 图 오픈 카. 1 무개차. 2 지붕이 접는 포장으로 된 차. ＊2는 영어로 convertible. 「젖혀 놓은 깃.

—カラー [open collar] 图 오픈 칼라;

—ゲーム [open game] 图 오픈 게임; (누구나 참가할 수 있는) 공개 경기; 비공식 경기.

—コース [open course] 图 오픈 코스; 육상·빙상 경기에서, 각 선수가 달리는 코스가 구분되어 있지 않은 주로(走路). ↔セパレートコース.

—サンドイッチ [open sandwich] 图 오픈 샌드위치; 두툼한 빵 위에 햄·고기·야채 등을 얹은 식품.

—シャツ [open shirt] 图 오픈〔노타이〕 셔츠; 목단추를 채우지 않고 입는 셔츠.

—ショップ [미 open shop] 图 오픈 숍; 노동조합 자유 가입 제도. ↔クローズドショップ.

—セット [open set] 图〔映〕 오픈 세트; 야외 촬영 장치.

—せん【—戦】图 비공식 경기. ＝オープンゲーム. ↔公式戦.

—チケット [open ticket] 图 오픈 티켓; 탑승 예약이 되어 있지 않은 항공권.

—リール [open reel] 图 오픈 릴; 녹음 테이프를 감는 둥근 릴; 또, 여기에 감긴 테이프. ↔カセット.

おおべや【大部屋】图 1 큰 방. ¶～に移す 큰 방으로 옮기다. ↔小部屋. 2 (극장 등의 분장실에서) 하급 배우들이 함께 쓰는 큰 방; 전하여, 하급 배우. ¶～女優 하급〔단역〕 여배우. 3 (병원의) 보통 입원실; 일반 병실.

オーボエ [이 oboe] 图〔樂〕 오보에《목관 악기의 일종》. ＝オーボー.

おおまか【おおまか·大まか】ダナ 1 (마음이) 후함; 헙헙함; 대범함. ¶～な性格 대범한 성격 / 金に～だ 돈 쓰는 것이 헙헙하다. 2 대략적임; 대충. ＝おおざっぱ. ¶～に見積もる 대충 어림하다. ↔細か.

おおまけ【大負け】图ス他 1 크게 짐; 대패. ＝大敗. ¶今年の春の試合で～した 금년 봄 시합에서 대패했다. 2 크게 값을 깎음. ¶～に負ける 값을 크게 깎아 주다.

おおまじめ【大まじめ】《大真面目》ダナ 남이 보긴 우습지만 제 딴은 진지한 모양. ¶～に答える (남 보기에 우스울 정도로) 유난히 진지하게 대답하다.

おおまた【大また】《大股》图 가랑이를 크게 벌림; 황새 걸음. ¶～を広げる 가랑이를 크게 벌리다 / ～に歩く 성큼성큼 걷다. ↔小また. 「각〕.

おおまちがい【大間違い】图 큰 잘못〔착

おおまわり【大回り】《大廻り》图ス 크게 돎; 멀리 돌아감; 우회함. ¶～になる 우회하게 되다 / 右～左小回り (네거리에서) 우회전은 크게 돌고 좌회전은 짧게 돎. ↔小回り.

おおみ【大身】图 날이 길고 큼. ¶～のやり 날이 길고 큰 창.

おおみえ【大見え】《大見得》图『～を切る』짐짓 과시하는 태도를 보이다; 허세부리다; 젠체하다.

おおみず【大水】图 홍수; 큰물. ＝洪水. ¶～が出る 홍수가 나다.

おおみせ【大店】图 (규모가) 큰 가게; 크게 장사를 하는 점포.

*おおみそか【大みそか】《大晦日》图 섣달 그믐날. ＝おおつごもり. ⇨みそか.

おおみだし【大見出し】图 신문·잡지 따위의 큰 표제. ↔小見出し.

おおみやびと【大宮人】图〈雅〉궁중에서 일하는 벼슬아치; 조신(朝臣). ＝公家·殿上人.

オーム [ohm] 图〔理〕 옴《기호: Ω》.

—の法則〔理〕 옴의 법칙. 「고.

おおむかし【大昔】图 아주 먼 옛날; 태

おおむぎ〖大麦〗图〔植〕 대맥; 보리.

おおむこう【大向こう】图 1 (극장에서) 무대 정면 관람석 뒤에 있는 입석. 2 입석의 관람자; 전하여, 널리 일반 관람자. ¶～から声がかかる 객석에서 칭찬하는 소리가 나오다.

—を唸らせる 관객의 갈채를 받다; 전하여, 대중의 인기를 얻다; 절찬을 받다.

—うけ【—受け】图 (연극에서) 관객으로부터 갈채를 받음; 전하여, 대중의 호평을 받음. ¶都市有権者の～をねらった政策 도시 유권자의 인기를 겨냥한 정책.

おおむね〖概ね·大旨〗图副 대체적인 취지; 대개; 대강; 대체로. ＝だいたい·あらまし. ¶事の～を知る 일의 대강을 알다 / ～良好だ 대체로 양호하다.

*おおめ【大目】图 1 큰 눈. 2 대충 어림잡음; 전하여, 관대함; 너그러움.

—に見る (부족한 점이 있어도) 너그러이 봐주다. ¶今回のことは大目にみよう 이번 일은 너그러이 봐주지.

おおめ【多め】《多目》图ダナ 좀 많은 정도·느낌. ¶少し～に計る 좀 넉넉하게 달다. ↔少なめ.

おおめだま【大目玉】图 1 왕방울눈; 크고 튀어나온 눈. ¶～をむき出す 눈을 부릅뜨다. 2 몹시 꾸중함. ¶～をくわす 호되게 야단치다. 「듣다.

—を食う〔頂戴する〕 호된 꾸중을

おおもうけ【大もうけ】《大儲け》图ス自 큰 벌이; 큰 이익. ¶株で～する 주식으로 큰돈을 벌다. ↔大損.

おおもじ【大文字】图 1 (로마자의) 대문자. ＝キャピタル. 2 (표제 따위에 쓰는) 큰 글자. ⇔小文字.

おおもて【おおもて·大もて】《大持て》图〈俗〉대인기; 대환영. ¶～に持てる

굉장한 인기를 끌다 / 日本のカメラは外国で～だ 일제 카메라는 외국에서 굉장한 인기가 있다. ⇨もてる.

おおもと【大元·大本】图 대본; 근본. ¶～を正す 근본을 바로잡다 / 教育の～を忘れる 교육의 근본을 잊다.

おおもとじめ【大元締め】图 총수; 우두머리. ¶財界の～ 재계의 총수.

*おおもの【大物】图 1 큰 물건. ¶～をつり上げる 큰 놈을 낚아 올리다 / ～がかかる 대짜가 걸리다. 2 거물; 큰 인물. ¶政界の～ 정계의 거물 / 彼は～だ 그는 통이 큰 사람이다. ⇔小物.

──ぐい【──食い】图 (씨름·바둑 등에서) 상수잡이; 고수 킬러. ¶～の棋士 상수〔고단자〕 킬러인 기사.

おおもり【大盛り】图 수북하게〔가득히〕 담음; 또, 그 담은 것.

おおもん【大門】图 대문. 1 큰 문. 2 (유곽·성의) 정문. ＝正門.

おおや【大家·大屋】图 1 셋집 주인. ＝やぬし. ¶～にかけ合って家賃を負けてもらう 집주인에게 교섭하여 집세를 깎다. 2 본채; 안채. ＝おもや.

おおやいし [大谷石] 图 宇都宮시 大谷町 부근에서 나는 응회석(凝灰石)《주춧돌·돌담 등의 자재로 쓰임》.

**おおやけ【公】图 공. 1 정부; 국가; 관청; 조직체. ¶～の職につく 공직에 취임하다. 2 공유; 공공; 공중. ¶～の場 공적인 자리 / ～の立場 공적인 입장 / 公園は～のものだ 공원은 공중의 것이다. ⇔私. 3 공공연함; 일반에 알려짐; 공포. ¶事件が～になる 사건이 일반에게 알려지다.

──にする 공표하다; 일반에게 공개하다. ¶内容を～ 내용을 공표하다.

おおやけざた【公ざた】《公沙汰》图 표면화됨; 숨겼던 일이 세상에 드러남. ¶事件が～になる 사건이 표면에 드러나다. ↔内ざた.

おおやね【大屋根】图 2층 또는 안채의 지붕. ↔小屋根.

おおゆき【大雪】图 대설; 큰눈. ↔小雪.

おおよう〚大様〛ダナ 언행에 여유가 있고 대범한 모양: 의젓함; 너글너글함. ＝鷹揚. ¶人柄が～に見える 인품이 의젓해 보이다 / ～にうなずく 점잖게 고개를 끄덕이다.

*おおよそ〚大凡〛㊀图 대강; 대략; 대요. ＝あらまし·大方. ¶事件の～は聞いている 사건의 대요는 듣고 있다.

㊁副 대체로; 약. ＝およそ·大体. ¶～千円有ればいい 대략 천 엔쯤 있으면 된다 / 犯人は～見当がついている 범인은 대체로 짐작이 간다.

オーライ [←all right] 感 오라이; 좋다; 알았다. ¶発車～ 발차 오라이 / 行くぞ. ～ 자, 간다. 알았어.

おおらか【大らか】ダナ 너글너글한 모양; 느긋하고 대범한 모양. ¶～な性格 느긋하고 대범한 성격 / ～に見える 너그럽게 보이다.

オーラル [oral] ㊀接頭 오럴; 구두의; 구술의; 입의. ¶～セックス 오럴 섹스.

㊁图 구술시험. ¶試験は～で行う 시험은 구술시험으로 한다.

オール [oar] 图 오어; (보트의) 노(櫓).

オール [all] 图 올. ¶～日本 전일본.

──スターキャスト [allstar cast] 图 올스타 캐스트; 인기 배우 총 출연.

──スターせん【──スター戦】图 올스타전. ＝オールスターゲーム. ▷all-star.

──ナイト [all-night] 图 올나이트; 철야. ¶～営業 철야 영업.

──バック [일 all＋back] 图 올백《가리마 없이 뒤로 빗어 넘긴 머리》.

──ラウンド [allround] ダナ 올라운드; 만능. ¶～マン 만능 선수 / ～プレーヤー 올라운드 플레이어; 만능 선수.

オールド= [old] 올드…. ¶～ファッション 올드 패션 / ～ゼネレーション 노년층; 기성 세대; 구세대.

──ミス [일 old＋miss] 图 올드 미스; 노처녀. ＝ハイミス·老嬢. *영어로는 old maid.

オールマイティー [almighty] 图 올마이티. 1 만능; 전지전능(한 신). ¶スポーツにかけては～だ 스포츠에 관해서는 만능이다. 2 (카드놀이에서) 가장 센 패《스페이드의 A》.

オーロラ [aurora] 图〔地〕 오로라; 극광(極光).

おおわざ【大技·大業】图 (씨름·유도 등에서) 대담한 큰 기술. ¶～をふるう 큰 기술을 쓰다〔부리다〕 / ～をかける 큰 기술을 걸다. ↔小技.

おおわらい【大笑い】图スル自 1 큰 소리로 (비)웃음. 2 큰 웃음거리. ¶こいつは～だ 이건 정말 실소감이다.

おおわらわ【おおわらわ·大わらわ】《大童》ダナ 힘껏 노력·분투하는 모양. ¶売りこみに～だ 팔기에 정신없다 / ～になって働く 정신없이 일하다.

*おか【丘】《岡》图 언덕; 작은 산; 구릉. ¶～に登る 언덕에 오르다.

おか〚陸〛图 1 육지; 뭍. ＝くが. ↔海. ¶船が～に着く 배가 뭍에 닿다. 2 욕조 밖의 몸을 씻는 곳. ＝流し場. 3 벼루의 먹을 가는 바닥. ↔海.

*おかあさん【お母さん】图 1 〈口〉 어머니《'母'의 높임말》. 参考 남에게 자기 모친을 말할 때는 보통 '母'라고 함. ↔お父さん. 2 화류계에서, 기녀가 여주인을 부르는 말.

おかいこ【お蚕】图 1〔蟲〕 누에《공손한 말씨》. ＝おこさま. 2 비단; 명주.

──ぐるみ〚──包み〛图 온통 비단으로 휘감음; 호화로운 생활을 함; 호사스럽게 자람. ¶～で育てられる 호강스럽게 자라다.

おかえし【お返し】《御返し》图 1 답례; 답례품. ＝返礼. ¶結婚祝いの～をする 결혼 축하의 답례를 하다. 2 거스름(돈). ＝お釣り. 3 보복.

おかえり【お帰り】㊀图 돌아오심; 돌아가심. ¶～にお寄りください 돌아가실 때 들러 주십시오. ㊁感 'お帰りなさい'의 준말.

——なさい 感 외출했다 돌아온 사람을 맞이하는 인사말: 잘 다녀오셨습니까.

おかか 图 〈女〉 가다랑어 포. ＝かつおぶし. ¶～入りのおにぎり 가다랑어 포가 든 주먹밥.

おかかえ【お抱え】《御抱え》 图 전속으로 고용함; 또, 그 사람. ＝かかえ. ¶～の運転手 전속 고용 운전사.

おがくず〖大鋸屑〗图 톱밥. ＝のこくず. ¶～を焚く 톱밥을 때다.

おかぐら【お神楽】《御神楽》 图 **1** 'かぐら'의 공손한 말씨. **2** 단층집을 2층으로 증축함; 또, 그 집. **3** ☞はいかぐら.

おかくれ【お隠れ】图 『～になる』 '死ぬ'의 높임말: (귀인이) 돌아가시다. ¶天皇が～になる 天皇가 붕어하다.

***おかげ**【おかげ·お陰】《御蔭·御陰》 图 **1** 덕택; 덕분; 은혜. ¶～で 덕택에 / 神の～をこうむる 신의 은총을 입다. **2** 탓; 때문. ¶あいつの～でひどい目に会った 저 녀석 때문에 혼났다.

——さま【——様】图 'おかげ'의 공손한 말씨《인사말》.

おかざり【お飾り】图 **1** 신불(神佛) 앞의 장식·공물(供物). **2** 설의 しめかざり(＝장식을 단 금줄). **3** 명색뿐이고 쓸모없는 것〔사람〕. ¶～亭主〔重役〕 명색뿐인 남편〔중역〕.

****おかし-い**〖可笑しい〗形 **1** 우습다; 우스꽝스럽다. ¶～·くてたまらない 우스워 죽겠다. **2** 이상하다; 비정상적이다. ¶車の調子が～ 자동차의 상태가 이상하다 / 患者の容態が～ 환자의 용태가 이상하다. **3** 수상하다. ¶～そぶりを見せる 수상한 거동을 보이다.

おかしがた-い【犯しがたい】《犯し難い》 形 범(접)하기 어렵다. ¶～気品 엄숙해서 가까이하기 어려운 기품.

おかしな〖可笑しな〗連体 우스운; 이상한. ¶～人 이상한〔우스운〕 사람 / ～ことを言って人を笑わせる 우스운 말을 해서 사람을 웃기다.

おかしみ 图 웃음을 자아내게 함; 유머가 있음. ¶文章に～がある 문장에 유머가 있다.

おかじょうき［陸蒸気］图 기차. 参考 明治 시대 초기에 쓰인 말.

おかしらつき【尾頭付き】图 머리와 꼬리를 잘라내지 않고 통째로 구운 생선《흔히 경사 때 쓰는데, 대개 도미를 씀》.

***おか-す**【犯す】5他 **1** 범하다. ㉠어기다. ¶法を～ 법을 어기다 / 罪を～ 죄를 범하다 / 過ちを～ 잘못을 저지르다. ㉡여자를 능욕하다. ¶暴力で～ 폭력으로 여자를 욕보이다. **2** 거역하다.

***おか-す**【侵す】5他 **1** 침범하다. ¶国境を～ 국경을 침범하다. **2** 침해하다. ¶人権が～·される 인권이 침해되다.
可能おか-せる 下1自

***おか-す**【冒す】5他 **1** 무릅쓰다. ¶嵐を～·して進む 폭풍우를 무릅쓰고 나아가다. **2** 더럽히다; 모독하다. ¶神聖を～ 신성을 모독하다. **3** 남의 이름을 사칭하다. ¶山田の姓を～ 山田란 성을 사칭하다. **4** (병균 등이) 침범하다. ¶肺炎に～·される 폐렴에 걸리다.
可能おか-せる 下1自

***おかず**〖御数·御菜〗图 반찬; 부식. ＝おさい. ¶お弁当の～ 도시락 반찬 / ～がまずい 반찬이 맛이 없다.

おかた〖御方〗图 남의 높임말: 분. ¶この～ 이분 / あの～ 저분.

おかっぱ〖お河童·御河童〗图 계집아이의 단발머리. ¶～頭 단발머리 / ～にする 단발머리로 하다.

おかっぴき［岡っ引き］图 江戸 시대의 탐정; (범인 체포의) 앞잡이. ＝めあかし·御用聞き.

おかづり［陸釣り］图ス自他 **1** (강가·바닷가 등) 뭍에서 낚시질함. ↔沖釣り·船釣り. **2** 〈俗〉 특히, 여성을 유혹함.

おかどちがい【お門違い】《御門違い》 名ナ 번지수가 다름《잘못 봄》; 전하여, 잘못 짚음; 착각. ＝見当違い. ¶私に頼むなんて～だ 내게 부탁하다니 번지수가 틀렸다 / ～もはなはだしい 착각도 이만저만이 아니다.

おかね【お金】《御金》图 돈; 금전. ¶～がかかる 돈이 들다 / ～で埋め合わせる 돈으로 때우다〔벌충하다〕. 「おはこ.

おかぶ【お株】《御株》 图 장기; 특기. ＝

——を奪う 남의 장기를 가로채다《그 사람보다 더 멋지게 잘 해내다》. 「う.

おかぼ〖陸稲〗图 육도; 밭벼. ＝りくと

おかぼれ〖傍惚れ·岡惚れ〗图ス自 〈俗〉 (남의 애인을) 짝사랑〔연모〕함; 혼자 열을 올림. ¶すし屋の娘に～する 초밥집 딸을 짝사랑하다.

おかま〖お釜〗图 **1** 'かま(＝솥)'의 공손한 말씨. ¶～を起こす 재산이 늘다 / ～が割れる (a)살림이 깨지다; (b)부부가 이별하다. **2** 〈俗〉 궁둥이. **3** 남색(男色); 비역. ¶～を掘る 비역질을 하다. **4** 화산의 분화구.

おかまい【お構い】《御構い》图 **1** 손님 접대. ¶～もできません 대접이 변변찮습니다. **2** 염두에 둠; 꺼림. ¶人の事は～無しに 남이야 어찌 되건〔아랑곳없이〕 / どうぞ～なく 걱정 마시고 마음대로 하십시오.

おかみ【お上】《御上》 图 **1** 〈雅〉 天皇; 조정. **2** 주군(主君); 주인; 또, 그 아내.

おかみ〖女将〗图 (요릿집·여관 등의) 여주인. ¶宿屋の～ 여관의 안주인.

おかみ〖御上·御内儀〗图 **1** 남의 아내《주로, 상인의 아내》. ¶やお屋の～さん 채소 가게 아주머니. 参考 지금은 일반적으로 '奥さん'이라고 부름. **2** 〈俗〉 마누라; 여편네. ＝かかあ·妻·細君. ¶うちの～さんと来たら 우리 집 여편네

는 말이야.

おがみたお-す【拝み倒す】5他 사정사정해서 억지로 승낙케 하다. ¶友人を~·して金を借りる 친구에게 빌다시피 해서 돈을 꾸다.

おが-む【拝む】5他 **1 공손히 절하다; (합장) 배례하다; 또, 몸을 굽혀 절하다. ¶仏を~ 부처님에게 합장 배례하다. **2** 간절히 바라다; 빌다. ¶一肌脱いでくれ, ~ 한 번 힘써 주게, 비네. **3** '見る'의 겸칭: 뵙다; 보다. ¶お顔を~ 얼굴을 뵙다. 可能おが-める下1自

おかめ『お亀·阿亀』名 **1** 둥근 얼굴에 광대뼈가 불거지고 코가 납작한 여자; 또, 그런 얼굴의 탈《추녀의 대표적인 얼굴로 일컬어짐》. =おたふく. ¶~の面をかぶる お亀의 탈을 쓰다. **2** 여자를 욕하는 말. ⇔ひょっとこ.

おかめ【おか目】《傍目·岡目》名 (남이 하는 일을) 옆에서 봄.

—はちもく【—八目】連語 본인보다 제3자가 시비곡직을 더 잘 앎; (실력 8급) 훈수 초단《바둑은 대국자보다 구경꾼이 여덟 수 더 앞을 내다본다는 데서》.

おかもち【おか持ち】《岡持ち》名 요리 배달통.

おかやき【おか焼き】《傍焼き·岡焼き》名ス自 자기와 직접 관련도 없는, 남의 사이가 좋음을 질투함. ¶~半分で悪口を言う 반질투심으로 욕을 하다.

おかやま[岡山]名〖地〗일본 중부 지방의 현; 또, 그 현청 소재지.

おから『雪花菜·豆腐渣』名 비지. =うのはな·きらず.

オカリナ[이 ocarina]名〖樂〗오카리나.

オカルト[occult]名 오컬트; 초자연적인〔신비로운〕현상. ¶~映画〔現象〕오컬트 영화〔현상〕.

おがわ【小川】名 작은 시내; 실개천.

おかわり【お代わり】名ス他 같은 음식을 다시 더 먹음; 또, 그 음식. ¶ごはんの~ (공기) 밥을 다시 청하는 일/~たのむ (밥이나 국 등을) 한 공기 더 주시오.

おかん【悪寒】名 오한; 한기. ¶~がする 오한이 나다 /~におそわれる 오한이 엄습하다.

おかんむり【お冠】名〈俗〉지르퉁함; 화가 남. ¶すっかり~だ 아주 저기압이다/大変な~だ 대단한 저기압이다.

*__おき__【沖】名 난바다; 먼 바다; 물가에서 멀리 떨어진 바다 위 또는 호수 위. ¶~に出る 먼 바다로 나가다.

おき『熾·燠』名 **1** 빨갛게 핀 숯불; 잉걸불. =おき火. **2** (장작 등이) 타다 남아 뜬숯같이 된 것. =燃えさし.

=おき【置き】《數量을 나타내는 말에 붙어서》간격; …걸러. ¶一日~ 하루걸러/一人〔一行〕~ 한 사람〔행〕걸러.

おぎ『荻』名〖植〗물억새.

おきあい【沖合】名 먼 바다 쪽. ¶~に船が停泊している 앞바다에 배가 정박하고 있다.

おきあがりこぼし【起き上がり小法師】名 오뚝이; 부도옹(不倒翁).

おきあが-る【起き上がる】5自 일어나다; 일어서다. ¶病人が床から~ 환자가 자리에서 일어나다. ↔横たわる.

おきかえ【置き換え】名 **1** 바꿔 놓음. **2**〖化·數〗치환(置換).

おきか-える【置き換える】下1他 **1** 옮겨 놓다. ¶テーブルを窓際に~ 책상을 창가로 옮기다. **2** 바꿔 놓다. ¶ミシンとテレビを~ 미싱과 TV를 바꿔 놓다.

おきがけ【起きがけ】《起き掛け》名ナ (잠자리에서) 막 일어남. =起き抜け·おきしな. ¶~の体操 (아침에) 일어나자마자 하는 체조/毎朝~にシャワーを浴びる 매일 아침 일어나는 길로 샤워를 한다.

おきがさ【置き傘】名 (직장 등에) 항상 비치해 두는 예비 우산. ¶~を人に貸す 예비 우산을 남에게 빌려 주다.

おきぐすり【置き薬】名 대금을 차후 수금하러 온다는 약속하에 행상인이 두고 가는 가정 상비약.

おきご【置き碁】名 접바둑.

おきごたつ【置きごたつ】《置き炬燵》名 옮겨 놓을 수 있는 こたつ. ↔掘りごたつ·切りごたつ.

おきざり【置き去り】名 내버려 두고 가 버림. =置いてきぼり·置き捨て. ¶連れに~にされる 일행과 떨어져 혼자 남게 되다/支度がおそければ~にするよ 채비가 늦으면 내버려 두고 가 버릴 테야.

オキシダント[oxidant]名 옥시던트. **1** 산화제. **2** 광학(光學) 스모그로서 생기는 질소 산화물 따위의 총칭.

オキシドール[oxydol]名〖化〗옥시돌; 과산화 수소의 약 3% 용액.

おきしな【起きしな】名 일어나려고 할 때; 또, 일어나서 곧. =起きぎわ. ↔寝しな.

オキシフル[Oxyful]名〖藥〗옥시풀《'オキシドール(=옥시돌)'의 상표명》.

おきっぱなし【置きっ放し】名 방치함; 그냥 내버려 둠. ¶自転車を外に~にする 자전거를 밖에 그냥 내버려두다.

おきづり【沖釣り】名ス自他 (앞바다에 나가서 하는) 바다낚시. ↔磯釣り·陸釣り.

おきて『掟』名 **1** 규정; 규칙. =さだめ·とりきめ. ¶世間の~ 세상의 관례/月千円ずつ払う~になっている 한 달에 천 엔씩 지불하도록 규정되어 있다. **2** 법도; 법률; 율법. ¶国の~ 나라의 법도/昔からの~に従う 옛날부터의 법도에 따르다.

おきてがみ【置き手紙】名 **1** (찾아간 상대자가 없을 때) 써 놓고 가는 편지. **2** 가출하는 사람이 작별 인사말이나 사연을 적어 놓은 편지. ¶~をして家出をする 편지를 써 놓고 가출하다.

おきどけい【置き時計】名 탁상 시계.

¶～のベルが鳴る 탁상 시계(의) 벨이 울리다.

おきどこ【置き床】图 床の間처럼 만든 선반((벽 옆 따위 적당한 곳에 두어 床の間 대용으로 쓸 수 있는 것)).

おきどころ【置き所】图 1 두는 장소; 둘 곳. ¶身の～もない 몸 둘 곳이 없다. 2 놓아 둔 장소; 둔 곳. ＝置き場. ¶～を忘れる 둔 곳을 잊다/～に困る 둘 곳이 마땅찮다.

おきな〖翁〗图 〈雅〉 영감; 노인의 높임말; 또, 노인의 자기 겸칭. ↔媼.

おぎない【補い】图 보충함; 보충한 것; 벌충. ＝うめ合わせ. ¶不足分の～をする 부족한 몫〔분량〕을 보충하다/～がつく 보충〔벌충〕이 되다; 메워지다/赤字の～に苦しむ 적자를 메우느라고 고생하다.

*おぎな-う【補う】5他 1 (부족을) 보충하다. ¶損失を～ 손실을 보충하다/家計の不足分を内職で～ 가계의 부족분을 부업으로 메우다. 2 변상하다; 보상하다. ¶欠損を～ 결손을 변상하다. 可能おぎな-える 下1自

おきなお-る【起き直る】5自 일어나서 바로〔고쳐〕 앉다; 다시 일어서다. ¶失敗から～ 실패에서 재기하다.

おきなわ【沖縄】图〘地〙鹿児島県과 타이완 사이에 있는 열도·현((현청 소재지는 那覇)). 参考 예전에는 '琉球'라고 하였음.

おきにいり【お気に入り】图 마음에 듦; 또, 그 사람〔것〕. ¶～のセーター〔弟子〕 마음에 드는 스웨터〔제자〕/社長の～ 사장이 좋아하는 사람.

おきぬけ【起き抜け】名ナ ☞おきがけ. ¶～に散歩する 일어나는 길로 산책하다 / ～に一服吸う 일어나자마자 (담배) 한 대 피우다.

おきのどく【おきのどく·お気の毒】图 ダナ '気の毒'의 높임말. 1 안됐음. ㉠딱함; 가엾음. ㉡상대가 기대한 것이 어긋난 것을 비꼬는 말. 2 미안함. ㉠폐를 끼쳐 안쓰러움. ㉡요구에 응하지 못하고 거절할 때의 인사말.

—さま【—様】感 폐를 끼쳤을 때나, 또는 미안하게 생각할 때 하는 말((빈정거리는 뜻으로도 씀)): 안됐군요; 미안합니다. ¶～に存じます 참 안 됐습니다/はなはだ～ですが, お引き取り願います 대단히 미안합니다만 돌아가 주시기 바랍니다.

おきば【置き場】图 물건 등을 두는〔둔〕 곳. ＝置き所. ¶自転車～ 자전거 두는 곳/身の～がない 몸 둘〔의지할〕 곳이 없다.

おきび【おき火】((熾火·燠火)) 图 ☞おき(熾) 1.

おきびき【置き引き】图 ス自他 들치기; 찻간이나 대합실 등에서, 남의 짐을 바꿔치기해서 훔쳐 감; 또, 그 사람. ¶～を捕える 치기배를 잡다.

おきふし【起き伏し】((起き臥し)) 一图 ス自 일어남과 자리에 듦; 기동; 전하여, 나날(의 생활). ＝起臥. ¶～も儘ならない 기동도 뜻대로 못하다.
二副 〈雅〉 자나깨나; 항상; 늘. ＝ねてもさめても·いつも. ¶～母のことばかり案じております 자나깨나 어머니의 일만 걱정하고 있습니다.

おきまり【お決まり】图 상투; 언제나 그러함. ¶～の文句 상투적인 말/～のお説教 늘 하는 잔소리.

おきみやげ【置き土産】图 1 (떠날 때 두고 가는) 고별 선물. ¶～にお人形を置いて行く 고별 선물로 인형을 두고 가다. 2 (비유적으로) 떠날 때 뒤에 남겨 두고 간, 성가신 일. ¶このがけ崩れは台風の～だ 이 산사태는 태풍이 남기고 간 선물이다.

おきもの【置物】图 1 객실·床の間 등에 두는 장식물. 2 허수아비; 꼭두각시; 이름뿐인 사람. ¶社長といっても彼は～に過ぎない 사장이라고는 하지만 그는 허수아비에 지나지 않는다.

おきや【置き屋】图 포주집. ¶～町 홍등가; 환락가.

おぎゃあ 副 갓난애의 울음소리: 응애.

おきゃくさん【お客さん】图 1 손님. 2 〈俗〉 (조직 등에서) 짐〔거추장〕스러운 존재. 3 〈俗〉 (시합 등에서) 다루기 쉬운 상대; 이용하기 좋은 상대. ＝かも.

おきゃん〖御俠〗名ナ 말괄량이; 왈가닥. ＝おてんば. ¶お前のような～は嫁にもらい手がないよ 너 같은 말괄량이는 아내로 데려갈 사람이 없어요.

おきゅう〖御灸〗图 '灸'의 공손한 말: 뜸; 뜸질.

**お-きる【起きる】上1自 일어나다. 1 바로〔일어〕서다. ¶倒れかかっていたいねが～ 쓰러져가던 벼가 바로 서다. 2 기상하다. ¶朝～·きてから夜寝るまで 아침에 일어나서 밤에 잘 때까지. 3 안 자다. ¶一晩中～·きている 밤새〔하룻밤 내내〕 자지 않고 있다. 4 생기다; 발생하다. ¶事件が～ 사건이 일어나다/発作が～ 발작이 일어나다.

—·きて半畳, 寝て一畳 일어나 앉으면 다다미 반 장, 누우면 한 장으로 족함((지나치게 부귀를 탐하지 마라)).

お-きる〖熾きる〗上1自 숯불이 벌겋게 피다. ¶炭がなかなか～·きない 숯이 잘 피지 않는다/火が～·きたらやかんをかけておいてよ 불이 피면 주전자를 올려놓아 다오.

おきわすれ【置き忘れ】图 물건 둔 곳을 잊음; 또, 물건을 둔 채 잊고 옴〔감〕. ¶電車内の～はあとを絶たない 전차 안의 유실물은 끊이지 않는다.

おきわす-れる【置き忘れる】下1他 물건 둔 곳을 잊다; 또, 가지고 오는 것을 잊다. ¶天気になったので傘を～ 날이 개어서 우산을 잊고 놔 둔 채 오다.

お-く〖措く〗5他 1 (중도에) 그치다; 그만두다. ¶筆を～ 붓을 놓다/おせっか

いは～·いてもらおう 참견일랑 그만 둬주게. **2** 빼놓다; 제쳐놓다. ¶何(なに)はさて～·き 만사를 제쳐놓고/彼(かれ)を～·いて, ほかに適任者(てきにんしゃ)はいない 그를 빼놓고 다른 적임자는 없다.

—能(あた)わず …해 마지 않다; …하지 않을 수가 없다. ¶感嘆(かんたん)～ 감탄해 마지 않다.

おーく【置く】 ㊀5他 **1 두다; 놓다. ¶本(ほん)を机(つくえ)の上(うえ)に～ 책을 책상 위에 두다/箸(はし)を～ 젓가락을 놓다《식사를 중단하다〔끝내다〕》. **2** (사람을) 쓰다; 고용하다. ¶女中(じょちゅう)を～ 가정부를 두다. **3** (사람을) 묵게 하다. ¶下宿人(げしゅくにん)を～ 하숙을 치다/二階(にかい)に弟夫婦(おとうとふうふ)を～ 2층에 동생 내외를 살게 하다. **4** (기구·사무실 따위를) 설치하다. ¶支店(してん)を～ 지점을 두다. **5** 남겨 두다. ¶留守番(るすばん)を～·いて出(で)かける 집 볼 사람을 두고 외출하다. **6** (마음에) 두다; 간직하다. ¶念頭(ねんとう)に～ 염두에 두다/信用(しんよう)の～·ける人(ひと) 신용할 수 있는 사람. **7** (어떤 상태하에) 놓이게 하다. ¶管理下(かんりか)に～ 관리하에 두다. **8** 사이를 떼다. ¶距離(きょり)を～ 거리를 두다. **9** 딴 데에 힘이 분산되지 않도록 하다. ¶主力(しゅりょく)を～ 주력을 두다. **10** 거르다. ¶三日(みっか)～·いて 사흘 걸러/一軒(いっけん)～·いた隣(となり) 한 집 거른 이웃. **11** 셈하다; 점치다. ¶そろばんを～ 주판을 놓다. **12**《動詞連用形(에 助詞 'て'가 붙은 형태 등)을 받아서》(미리) …하여 두다. ¶履歴書(りれきしょ)を書(か)いて～ 이력서를 써두다/宿題(しゅくだい)をして～ 숙제를 해놓다.

㊁5自 (이슬·서리가) 맺히다. ¶露(つゆ)が～ 이슬이 맺히다. 可能 おーける 下1自

おーく〖擱く〗 5他 쓰기를 중지하다; 쓰기를 끝내다. ¶筆(ふで)を～ 붓을 놓다.

おく【奥】 名 **1 깊숙한 곳. ↔表(おもて). ㉠안; 속. ¶洞穴(ほらあな)の～に隠(かく)れる 동굴 안 깊숙이 숨다. ㉡(가족이 사는) 안 채; 안방. ¶客(きゃく)を～に通(とお)す 손님을 안채〔내실〕로 안내하다. **2** 끝; 끝머리. ¶手紙(てがみ)の～に 편지의 끝머리에. **3** 남에게 알리거나 보여주지 않음; 또, 그것; 속; 비장(祕藏). ¶～の知(し)れない男(おとこ) 속마음을 알 수 없는 남자. ⇨おくのて.

***おく【億】** 名 억; 만의 1만 배. ¶～を数(かぞ)える 억을 헤아리다/～という数(すう)にのぼる 억이라는 수에 달하다.

おく〖屋〗 教3 オク や | 옥 집 | **1** 집; 주택. ¶家屋(かおく) 가옥. **2** 지붕. ¶屋上(おくじょう) 옥상. **3** (접미어적으로 쓰여) 직업·가게 이름에 붙이는 말. ¶酒屋(さかや) 술집/寿屋(ことぶきや) 寿 상점.

おく〖億〗 教4 オク | 억 억 | 억; 또, 많은 수. ¶三億円(さんおくえん) 3억 엔/億萬(おくまん) 억만.

おく〖憶〗 常用 オク おぼえる おもう | 억 기억하다 | **1** 마음속에 간직하다. ¶記憶(きおく) 기억. **2** 생각하다. ¶追憶(ついおく) 추억.

おくがい【屋外】 名 옥외; 집의 바깥. ¶～広告物(こうこくぶつ) 옥외 광고물. ↔屋内(おくない).

おくがき【奥書】 名 **1** 사본(寫本) 등의 끝에 필자명·베낀 사정·연월일 등을 쓴 것; 간기(刊記). =跋(ばつ). ↔前書(まえが)き·口書(くちが)き·端書(はしが)き. **2** 관청에서, 기재 사항이 틀림없음을 증명함; 또, 그 글.

おくがた【奥方】 名 **1** 신분이 높은 사람의 아내; 마님. **2** 부인.

おくぎ【奥義】 名 ☞おうぎ(奧義).

おくざしき【奥座敷】 名 (큰 집의) 안쪽 깊숙이 있는 거실; 안방. ↔表座敷(おもてざしき).

おくさま【奥様】 名 **1** 남의 아내의 높임말; 부인; 사모님. ¶～はお元気(げんき)ですか 부인께선 안녕하십니까. **2** 안주인; 마님《고용인의 입장에서》. ¶～からの下(くだ)され物(もの) 마님께서 주신 물건.

おくさん【奥さん】 名 남의 아내에 대한 높임말; 부인; 아주머니; 아주머님. ¶～によろしく 부인께 안부 전해 주십시오. 参考 '奥(おく)さま'보다는 경의(敬意)의 정도가 덜함.

おぐし〖御髪〗 名 〈女〉 남의 머리털의 높임말. ¶～のお手入(てい)れ 머리 손질.

オクシデンタリズム [Occidentalism] 名 옥시던털리즘; 서양풍(風); 서양 취미〔숭배〕. ↔オリエンタリズム.

おくしゃ【屋舎】 名 (큰) 건물; 가옥.

***おくじょう【屋上】** 名 옥상. ¶～庭園(ていえん) 옥상 정원.

—屋(おく)を架(か)す 옥상가옥(架屋); (일을) 부질없이 거듭하다.

おくション【億ション】 名 〈俗〉 1억 엔이 넘는 고가(高價)의 분양 맨션. ▷億＋マンション.

おく-する [臆する] サ変自 겁내다; 주눅들다. =気(き)おくれする. ¶～·せず突進(とっしん)する 겁내지 않고 돌진하다.

おくせつ【憶說】《臆說》 名 억설; 가설. ¶種々(しゅじゅ)の～がとびかう 여러 가지 억설이 분분하다.

おくそく【憶測】《臆測》 名ス他 억측. ¶人(ひと)の心中(しんちゅう)を～する 남의 심중을 억측하다/～をたくましゅうする 제멋대로 억측을 하다.

おくそこ【奥底】 名 **1** 깊은 속; 심처(深處). ¶～の知(し)れない学理(がくり) 깊이를 헤아릴 수 없는 학리. **2** 속마음; 본심. ¶あの人(ひと)の心(こころ)は～が知(し)れない 저 사람의 마음은 그 속을 헤아릴 수 없다.

オクターブ [도 Oktave, 프 octave] 名 〖樂〗 옥타브; 8도 음정. ¶1(いち)～上(あ)げる 한 옥타브 올리다.

オクタン [octane] 名 〖化〗 옥탄.

—か【—価】 名 옥탄가. ¶高(こう)～のガソリン 고옥탄가의 가솔린.

おくだん【憶断】《臆断》 名ス他 억단; 억측에 의한 판단. ¶軽々(かるがる)しく～を下(くだ)す 경솔히 억단을 내리다.

おくち【奥地】 名 오지; 벽지; 두메. ¶～の部落(ぶらく) 오지의 촌락.

おくちょう【億兆】 名 **1** 억조; 한없이 많

은 수. 2 억조창생; 만민.
おくづけ【奥付】名 판권장(版權張); 간기(刊記). ¶扉とびらから～まで 속표지에서부터 판권장까지.
おくて【おくて·奥手】《晩生》名 1《晩稲》늦벼. 2 늦게 익는 품종; 늦깎이. ¶～の小豆あずき 늦되는 팥. 3 늦됨. ¶あの娘むすめは～だ 저 처녀는 늦되었다. ⇔わせ.
おくでん【奥伝】名〈雅〉☞おくゆるし. ¶～を授さずかる (기예 등의) 비법을 전수받다. ↔初伝しょでん.
おくない【屋内】名 옥내; 집의 안; 실내. ¶～競技きょうぎ 실내 경기. ↔屋外おくがい.
—プール [pool] 名 실내 풀장.
おくに【お国】《御国》名 1 나라의 높임말. ¶～のため 나라를 위해. 2 상대방의 고향〔향리〕에 대한 높임말. ¶～はどちらですか 출신지는〔고향은〕어디십니까. 3 지방; 시골. ¶～郷談きょうだん 한 지방 사람들 사이에서만 통하는 이야기.
—いり【—入り】名자自 ☞くにいり.
—ことば【—言葉】名 방언; 사투리. =お国くになまり. 「자랑.
—じまん【—自慢】名 제 나라〔제 고장〕
—なまり〖—訛り〗名 지방 사투리. =お国くにことば. 「한 말씨.
—ぶり〖—振り〗名 '国振くにぶり'의 공손
おくねん【憶念】名〈文〉억념; 집념.
おくのいん【奥の院】名 본당 안쪽에 있어, 본존(本尊)·영상(靈像)을 모신 건물.
おくのて【奥の手】名 1 오의(奧義); 비법. 2 비장의 수법; 최후의 수단. ¶～を使つかう〔出だす〕 최후 수단을 쓰다.
おくば【奥歯】名 어금니. =臼歯きゅうし. ↔前歯まえば.
—に物ものが挟はさまったよう 어금니에 무엇이 낀 듯함《뭔가 석연치 않음》. ¶～な口くちぶり 무언가 숨기는 듯한 말투.
おくび〖噯気〗名 트림. =げっぷ.
—にも出ださない 조금도 입 밖에 내지 않다; 내색도 않다. ¶苦くるしみを～ 괴로움을 전혀 내색도 하지 않다.
****おくびょう** [臆病] 名ナ 겁이 많음. ¶～者もの 겁쟁이.
—かぜ【—風】名 겁; 두려움. ¶～を吹ふかす 겁을 내다 / ～に吹ふかれる 겁에 질리다; 두려워하다.
おくふか-い【奥深い】形 1 깊숙하다. ¶森もりの～所ところ 삼림의 깊숙한 곳. 2 뜻이 심오하다. ¶～真理しんり 심오한 진리. 注意 'おくぶかい' 라고도 함.
おくま-る【奥まる】5自 (입구에서) 쑥 안쪽에 있다; 후미지다. ¶～·った部屋へや 쑥 안쪽에 있는 방 / ～·った所ところにある家いえ 후미진 곳에 있는 집.
おくまん【億万】名 억만. ¶～長者ちょうじゃ 억만 장자.
おくみ〖衽·袵〗名 (옷의) 섶. ¶～を縫ぬいつける 섶을 대다.
おくむき【奥向き】名 1 (거실·부엌 등이 있는) 집의 안쪽. 2 (가사 등) 집안일. =ないしょ. ¶～のことはわかりかねる 집안 일은 알 수 없다.
おくめん〖臆面〗名 기가 죽은 모양; 주눅들린 얼굴. ¶～もない 염치없다; 뻔뻔스럽다; 넉살 좋다.
—もなく 염치도 없이; 뻔뻔스럽게; 넉살좋게. ¶～また頼たのみに来くる 뻔뻔스럽게 또 부탁하러 오다.
おくやま【奥山】名 심산; 깊은 산중. =深山みやま. ↔端山はやま·外山とやま.
おくゆかし-い【奥ゆかしい】《奥床しい》形 그윽하고 고상하다; 으늑하다; 웅숭깊다. ¶～人柄ひとがら 고상한 인품 / ～住すまい 그윽하고 으늑한 거처.
***おくゆき**【奥行き】名 1〔建〕안 길이; (건물·지면 등의) 앞쪽에서 뒤끝까지의 거리·길이. ¶～の深ふかい建物たてもの 안〔세로의〕길이가 긴 건물. ↔間口まぐち. 2 (지식·생각·인품 등의) 깊이. ¶～のある学問がくもん 깊이 있는 학문.
おくゆるし【奥許し】名 스승으로부터 기예의 비법을 전수받음. =奥伝おくでん. ↔初許はつゆるし.
おくら【お蔵·お倉】《御蔵》名〈俗〉(발표하려던 것을) 발표 않고 내버려 둠. ¶～にする 발표를 보류하다. 参考 'お蔵くらに入いれる(=광에 넣다)'의 뜻에서.
オクラ [okra] 名〔植〕오크라.
おぐら-い【小暗い】形〈雅〉어둑하다; 좀 어둡다; 어스레하다. =こぐらい·薄うすぐらい·ほのぐらい. ¶～森もりの中なか 어스레한 숲 속. 「らせる.
おくら-す【遅らす·後らす】5他 ☞おく
おくら-せる【遅らせる·後らせる】下1他 늦추다; 늦게 하다. =おくらす. ¶時計とけいを～ 시계를 늦추다 / 卒業そつぎょうを一年いちねん～ 졸업을 1년 늦추다. ↔進すすめる.
おくり【送り】名 1 보냄. ㉠(…앞으로) 보내어 줌. ¶ソウル～の品しな 서울로 보내는 물품 / ～先さき 보내는 곳; 발송처. ㉡전송; 배웅; 장송(葬送). ¶(駅えきまで)～に行ゆく (역까지) 배웅하러 가다. ㉢관할을 옮김. ¶検察庁けんさつちょう～ 검찰청으로 송치함. 2 '送おくり状じょう(=송장)'의 준말. 3 'おくりがな'의 준말.
おくりおおかみ【送りおおかみ】《送り狼》名 남의 뒤를 밟는 위험한 사람; 특히, 친절한 체 데려다 주면서 여자를 덮치는 남자〔치한〕.
おくりがな【送り仮名】名 1 한자로 된 말을 분명히 읽기 위하여 한자 밑에 받치는 仮名かな《'送おくる'의 'る' 따위》. 2 한문을 훈독할 때, 한자의 오른쪽 아래에 다는 仮名. =捨すてがな·そえがな.
おくりこみ【送り込み】名 보냄; 송출.
おくりこ-む【送り込む】5他 데려다 주다; 보내 주다. ¶宿屋やどやへ～ 여관으로 데려다 주다 / 荷物にもつを駅えきへ～ 화물을 역으로 보내다.
おくりじょう【送り状】名 1 운송장. 2 송장(送狀). =仕切しきり状じょう.
おくりだ-す【送り出す】5他 1 (현관이

나 대문까지) 배웅하다. ¶客(きゃく)を～ 손님을 배웅하다. **2** (사회에) 내보내다; 배출하다. ¶卒業生(そつぎょうせい)を～ 졸업생을 내보내다. **3** (사람이나 물건을) 보내다.

おくりつ-ける【送り付ける】 [下1他] (일방적으로) 보내다; 송부하다. ¶請求書(せいきゅうしょ)を～ 청구서를 송부하다.

おくりて【送り手】 [名] **1** 보내는 사람. ¶小包(こづつみ)の～ 소포 발송인. **2** (방송·통신 등의) 정보 제공자. ⇔受(う)け手(て).

おくりとど-ける【送り届ける】 [下1他] **1** 보내어 닿게 하다. **2** 데려다 주다. ¶家(いえ)まで～ 집까지 바래다 주다.

おくりな【おくり名·贈り名】《諡》[名] 시호. ＝諡号(しごう).

おくりぬし【送り主】 [名] 발송인〔자〕.

おくりバント【送りバント】 [名]〘野〙 보내기 번트. ＝犠牲(ぎせい)バント. ↔セーフティーバント. ▷bunt.

おくりび【送り火】 [名]〘佛〙 우란분(盂蘭盆) 마지막 날 저승에 돌아가는 선조의 혼백을 보내기 위하여 피우는 불. ↔迎(むか)え火(び).

おくりむかえ【送り迎え】 [名][ス他] 송영; 전송과 마중. ¶社長(しゃちょう)を車(くるま)で～する 사장을 차로 송영하다.

おくりもの【贈り物】 [名] 선물. ＝プレゼント·進物(しんもつ)·遣(つか)い物(もの). ¶誕生日(たんじょうび)の～ 생일 선물/～をする 선물을 하다.

⁑**おく-る【送る】** [5他] **1** 보내다. ㉠(물건 따위를) 부치다; 송금하다. ¶荷(に)を～ 짐을 부치다/毎月(まいげつ)万円(まんえん)～ 매달 만 엔 보내다. ↔受(う)ける. ㉡파견하다. ¶軍隊(ぐんたい)を～ 군대를 보내다. ㉢데려다 주다; 바래다 주다. ¶車(くるま)で～ 차로 데려다 주다. ㉣떠나 보내다; 차례로 옮겨 보내다. ¶友(とも)を～ 친구를 떠나 보내다/春(はる)を～ 봄을 떠나 보내다/バケツを手(て)で～ 양동이를 이 사람 손에서 저 사람 손으로 돌리다. ㉤날을 보내다; 지내다. ¶悲惨(ひさん)な生活(せいかつ)を～ 비참한 생활을 하다. **2** 좁히다. ¶ひざを～ 무릎을 좁혀서 자리를 내다. **3** 送(おく)りがなを 붙이다. ¶「楽(たの)しい」は「し」から～ '楽しい'는 'し'부터 '送りがな'를 붙인다. [可能]おく-れる[下1自]

***おく-る【贈る】** [5他] **1** (금품을) 보내다; 선사하다. ¶中元(ちゅうげん)の品(しな)を～ 백중(百中) 선물을 보내다. **2** 상대에게 감사·칭찬하는 뜻의 행위를 하다. ¶賛辞(さんじ)〔拍手(はくしゅ), 感謝状(かんしゃじょう)〕を～ 찬사를〔박수를, 감사장을〕 보내다. [可能]おく-れる[下1自]

おくるみ〖御包み〗 [名] (갓난아기의) 포대기.

***おくれ【後れ】** [名] **1** 뒤짐; 짐. ¶流行(りゅうこう)～ 유행에 뒤떨어짐/～をとり返(かえ)す〔とり戻(もど)す〕 뒤진 것을 만회하다. **2** 겁냄; 위축. ＝気(き)おくれ. ¶～を感(かん)じる 두려움을 느끼다.

—を取(と)る (남보다) 뒤지다〔못하다〕; 지다. ¶(英語(えいご)においては)誰(だれ)にも後れを取らない (영어에 있어서는) 누구에게도 뒤지지 않는다.

***おくれ【遅れ】** [名] 늦음; 늦은 정도. ¶一月(ひとつき)～ 한 달 늦음/～がちの時計(とけい) 잘 늦는 시계.

おくれげ【後れ毛】 [名] (여자의) 살쩍; 귀밑머리; 빈모. ＝おくれ髪(がみ). ¶～をかきあげる 귀밑머리를 그러올리다.

おくればせ【遅ればせ·後ればせ】《遅れ馳せ·後れ馳せ》[名] 뒤늦게 달려옴; 뒤늦음; 때늦음. ¶～ながらお祝(いわ)い申(もう)し上(あ)げます 뒤늦게나마 축하드립니다.

⁑**おく-れる【後れる】** [下1自] **1** 뒤(떨어)지다. ¶流行(りゅうこう)に～ 유행에 뒤지다. **2** 여의다. ¶親(おや)〔妻(つま)〕に～ 부모〔아내〕를 여의다. ↔先立(さきだ)つ.

⁑**おく-れる【遅れる】** [下1自] 늦다. **1** (일정한) 시간보다 늦다. ¶学校(がっこう)に～ 학교에 늦다/帰宅(きたく)が～ 귀가 시간이 늦다. **2** ㉠(예정보다) 더디다. ¶開発(かいはつ)が～ 개발이 늦다/返事(へんじ)が～·れ失礼(しつれい)しました 회답이 늦어 실례했습니다. ㉡못하다; 뒤지다. ¶知恵(ちえ)の～·れた子(こ) 지능이 뒤진 아이; 지진아. ↔進(すす)む.

***おけ〖桶〗** [名] 통; 나무통. ¶水(みず)～ 물통/風呂(ふろ)～ 목욕통/～で水(みず)を汲(く)む 통으로 물을 긷다.

おけら〖螻蛄〗 [名] **1**〘蟲〙 땅강아지. ＝けら. **2**〈俗〉 빈털터리. ＝すかんぴん. ¶競馬(けいば)ですって～になる 경마에서 돈을 모두 날려 빈털터리가 되다.

***おける〖於ける〗** [連語]《'…に～'의 꼴로》 **1** (그 때·곳에) 있어서의; 에서의; …인 경우의. ¶国会(こっかい)に～発言(はつげん) 국회에서의 발언. **2** …에 대한 (관계). ¶読書(どくしょ)の, 精神(せいしん)に～は食物(しょくもつ)の身体(しんたい)に～が如(ごと)し 독서의 정신에 대한 관계는 음식물의 신체에 대한 관계와도 같다.

おこうこ【お香こ】《お香香》[名] 야채의 소금절이. ＝香(こう)の物(もの)·おこうこう.

おこえがかり【お声掛かり】 [名] 윗사람·세력 있는 사람의 (특별) 분부·소개·추천. ¶社長(しゃちょう)の～で昇進(しょうしん)する 사장의 입김으로 승진하다.

おこがまし-い〖烏滸がましい·痴がましい〗 [形] **1** 우습다; 어리석다; 쑥스럽다. ¶問(と)われて名乗(なの)るも～ 묻는다고 해서 이름을 대는 것도 우습다. **2** 주제넘다; 건방지다. ¶～話(はなし)ですが私(わたし)にやらせてください 주제넘은 말입니다만 제게 시켜 주십시오.

おこげ【お焦げ】 [名]〈女〉 누룽지. ＝こげめし. ¶～でお握(にぎ)りを作(つく)る 누룽지로 주먹밥을 만들다.

おこさま〖お子様〗 [名] **1** 남의 아이에 대한 높임말. ¶～のお土産(みやげ)にどうぞ 자제분의 선물로 사십시오. **2** 어린이; 아이. ¶～ランチ 어린이용 런치.

おこし〖粔籹〗 [名] 밥풀과자; 강정.

おこし【お腰】 [名]〈女〉☞こしまき1.

おこし【お越し】 [名] 가심; 오심; 왕림; 행차. ¶～をお待(ま)ちしています 왕림하시기를 기다리고 있습니다/どちらへ～

ですか 어디 가시는 길입니까. 参考 'おいで' 보다 높임의 정도가 강함.

おこ-す【起こす】 5他 **1** 일으키다. ㉠일으켜 세우다. ¶老人を助け~ 노인을 부축해 일으키다. ↔倒す. ㉡(일 따위를) 벌이다; 시작하다. ¶事業を~ 사업을 일으키다. ㉢발생〔야기〕시키다. ¶事件〔戦争〕を~ 사건〔전쟁〕을 일으키다. **2** 깨우다. ¶朝早く~ 아침 일찍 깨우다/寝た子を~ 자는 애를 깨우다《평지풍파를 일으킴의 비유》. ↔寝かす. **3** 일구다. ¶畑を~ 밭을 일구다. **4** …하기 시작하다. ¶文章を~ 문장을 쓰기 시작하다. 可能おこ-せる 下1自

おこ-す【興す】 5他 일으키다. **1** 흥하게〔성하게〕 하다. ¶国を~ 나라를 일으키다. **2** 시작하다; 일어나게 하다. ¶新事業を~ 새로운 사업을 일으키다. 可能おこ-せる 下1自

おこ-す【熾す·燠す】 5他 불을 피우다; 불기운을 세게 하다. ¶火鉢に火を~ 화로에 불을 피우다. 可能おこ-せる 下1自

おこぜ【虎魚】 名〔魚〕 쑤기미.

おごそか【厳か】 ダナ 엄숙함. ¶~な雰囲気 엄숙한 분위기/~に儀式をとり行う 엄숙히 의식을 거행하다.

おこそずきん【御高祖頭巾】 名 눈만 내놓고 머리와 얼굴 전체를 가리는 여자의 방한용 얼굴 가리개.

おこたり【怠り】《惰り》 名 태만; 게으름(피움). ¶~なく励む 게으름 피우지 않고 노력하다.

おこた-る【怠る】 5自 **1** 게으름을 피우다; 태만히 하다. =なまける. ¶仕事を~ 일을 게을리 하다. **2** 방심하다; 소홀히 하다. =ゆだんする. ¶注意を~ 주의를 소홀히 하다. 参考 1,2는 약간 文語적인 뉘앙스로 쓰이며, 구어로는 거의 쓰지 않음. 可能おこた-れる 下1自

おことぞえ【お言添え】 名 일이 잘 되도록 말을 거들어줌; 조언. ¶~をお願いします 말씀 좀 잘 해 주십시오.

おこない【行い】 名 행실; 행위; 행동; 몸가짐. ¶日ごろの~がよくない 평소의 행실이 좋지 않다/よい~をする 착한 일을 하다.

おこないすま-す【行い澄ます】 5自 **1** 수계(守戒)하여 불도를 닦다. **2** 얌전한 체하다. ¶このごろすっかり~·している 요새 아주 얌전한 체한다.

おこな-う【行う】 5他 **1** (일을) 하다; 행하다; 처리하다; 시행하다. ¶テストを~ 테스트를 실시하다/卒業式を~ 졸업식을 거행하다. **2** 〈雅〉 불도를 닦다. 可能おこな-える 下1自

おこなわ-れる【行われる】 下1自 행하여지다. **1** 실시〔실행〕되다. ¶調査が~ 조사가 실시되다. **2** 널리 쓰이다; 유행하다. ¶世間に~慣習 세상에 널리 행하여지는 관습.

おこのみやき【お好み焼き】 名 물에 푼 밀가루에 좋아하는 재료를 섞어 넣고 번철에 부친 음식; 밀전병.

おこぼれ【お零れ】 名 다른 사람의 이득의 나머지; 여택(餘澤); 국물. ¶~にあずかる 여택을 입다/~をいただく〔頂戴する〕 (남의) 덕을 보다; 국물〔떡고물〕을 얻어 먹다.

おこり【瘧】 名〔醫〕 학질; 고금.

おこり【起こり】 名 시초. **1** 기원; 유래. =はじまり. ¶武家政治の~ 무가정치의 시초. **2** 원인; 발단. ¶事〔けんか〕の~ 일〔싸움〕의 발단.

おごり【奢り】 名 **1** 사치. =ぜいたく. ¶~をきわめる 온갖 사치를 다하다. **2** 한턱 냄. ¶きょうは君の~だ 오늘은 네가 한턱 낼 차례다.

おごり【傲り·驕り】 名 교만; 방자함. ¶~が身の破滅を招いた 교만이 일신의 파멸을 가져왔다.

おこりじょうご【怒り上戸】 名 술 취하면 성을 냄; 또, 그런 버릇이 있는 사람. ↔泣き上戸·笑い上戸.

おこりっぽ-い【怒りっぽい】 形 걸핏하면 화를 내다. ¶年をとって~·くなった 나이가 들자 성을 잘 내게 되었다.

おこりんぼう【怒りん坊】 名 걸핏하면 삐치는 사람. =おこりんぼ.

おこ-る【怒る】 5自 **1** 성내다; 화내다; 노하다. ¶まっかになって~ 불같이 노하다. 参考 'いかる' 보다 구어적임. **2** 꾸짖다. =しかる. ¶父にひどく~·られた 아버지한테 호되게 꾸중들었다. ↔ほめる. 可能おこ-れる 下1自

> **怒る의 여러 가지 표현**
>
> 표현例 かちんと(くる)(화가 울컥 (치밀다))·こちんと(来る)(조금 화가 (나다))·かりかり(する)(바작바작 화가 몹시 나다))·かっと(なる)(발끈(하다))·かっか(する)(발끈〔울컥〕하다)·むかっと(来る)(울컥 (치밀다))·むっと(する)(불끈(하다))·ぶすっと(する)(뾰로통(하다))·むかむか(する)(울컥 (치밀다)).
>
> 관용 표현 頭から湯気を立てて(머리에서 김이 날 정도로, 대로(大怒)하여·頰を膨らまして(뿌루퉁해서)·青筋を立てて(핏대를 올리며)·髪の毛を逆立てて(머리털을 곤두세우며)·目を剝いて(눈을 부라리고)·体〔唇〕を震わせて(몸〔입술〕을 떨며)·まっ赤になって((얼굴이) 시뻘게지며)·目に角を立てて; 目を三角にして(눈에 쌍심지를 켜고)·目の色を変えて(눈에 핏발을 세우고)·血相を変えて(안색을 바꾸어)·火のように(불같이)·烈火の如く(열화와 같이).

おこ-る【起こる】 5自 일어나다; 발생하다. ¶事件が~ 사건이 일어나다/ぜ

んそくの発作(ほっさ)が～ 천식의 발작이 일어나다 / いたずら心(ごころ)が～ 장난기가 일어나다. [注意] 요즘은 'おきる'를 쓸 때가 많음.

**おこ-る【興る】 [5自] 흥하다; 일어나다. ¶国(くに)が～ 나라가 흥하다 / 産業(さんぎょう)が～ 산업이 홍성하다.

**おこ-る 〖熾る·燠る〗 [5自] (불이 붙어) 활활 피어 오르다; 불기운이 세게 일어나다. ¶火(ひ)がまっかに～ 불이 시뻘겋게 피어오르다.

*おご-る 〖奢る〗 [一][5自] 사치하다. ¶～·った暮(く)らし 사치한 생활. [二][5他] 한턱 내다. ¶気前(きまえ)よく～ 호기 있게 한턱 쓰다 / 僕(ぼく)が～からもう一杯(いっぱい)やれよ 내가 한턱 낼 테니까 한잔 더 하게.

おご-る 〖驕る·傲る〗 [5自] 1 거만[오만]하다; 교만하다. ¶～·り高(たか)ぶるのも限度(げんど)がある 오만불손한 것도 한도가 있다. 2 우쭐해지다. ¶小成(しょうせい)に～ 조그마한 성공에 우쭐해지다.

—平家(へいけ)は久(ひさ)しからず 교만한 平家(=平(たいら)씨 일족)는 오래 가지 못한다《교만한 자는 반드시 망한다》.

おこわ 〖御強〗 [名] 〈女〉 지에밥. =こわめし·赤飯(せきはん). ¶～を炊(た)く 지에밥을 짓다.

おさい 〖御菜〗 [名] 반찬; 부식물《'菜(さい)'의 공손한 말》. =おかず.

おさえ【押さえ·抑え】[名] 1 누름. ¶石(いし)を～にする 돌로 눌러 놓다. 2 (문진(文鎭) 등) 지질러 놓는 물건. =おもし. ¶～に文鎮(ぶんちん)を置(お)く 서진으로 눌러 놓다. 3 지배; 통솔(력). ¶～が利(き)かない 통솔이 안 되다; 휘어잡을 수 없다.

おさえこみ【押さえ込み·抑え込み】[名] (유도에서) 누르기.

おさえこ-む【押さえ込む·抑え込む】 [5他] 억누르다; 억제하다. ¶反対派(はんたいは)を～ 반대파를 누르다.

おさえつ-ける【押さえつける·抑えつける】 [下1他] 꽉 누르다; 억누르다; 억압하다. ¶～·けられた民衆(みんしゅう)の自由(じゆう) 억압당한 민중의 자유 / 相手(あいて)を倒(たお)して～ 상대방을 쓰러뜨려 꽉 누르다.

**おさ-える【押さえる·抑える】 [下1他] 1 (억)누르다. ¶傷口(きずぐち)を～ 상처를 누르다. 2 억압[진압]하다; 꺾다; 억제하다; 막다. ¶暴動(ぼうどう)を～ 폭동을 진압하다 / 価格(かかく)を～ 가격을 억제하다. 3 참다. ¶怒(いか)りを～ 노여움을 참다. 4 (봉하기 위해) 덮다; 틀어막다. ¶漏水箇所(ろうすいかしょ)をテープで～ 물이 새는 곳을 테이프로 막다. 5 압류하다. ¶財産(ざいさん)を～ 재산을 압류[몰수]하다. 6 붙잡다; 붙들다. ¶帽子(ぼうし)でばったを～ 모자로 덮쳐 메뚜기를 잡다 / 犯行(はんこう)の現場(げんば)を～ 범행 현장을 덮치다. 7 (핵심을) 파악하다; 찌르다. ¶急所(きゅうしょ)を～ 급소를 찌르다.

おさおさ [副] 《否定의 말을 수반하여》 거의; 대체로; 전혀. =ほとんど·全(まった)く. ¶～おとらない 전혀 손색이 없다.

おさがり【お下がり】[名] 1 제퇴선(祭退膳). ¶～をいただく 음복(飮福)하다. 2 (윗사람의) 후[퇴]물림. =お古(ふる). ¶兄(にい)さんの～ 형님의 후물림.

おさき【お先】[名] 1 'さき(=먼저)'의 공손한 말. ¶～にどうぞ 먼저 하[가]십시오[쓰십시오, 잡수십시오] / ～に失礼(しつれい) 먼저 실례합니다. 2 앞길; 전도. 3 남의 앞잡이. ¶～に使(つか)われる 앞잡이가 되다; 앞잡이 노릇을 하다.

—まっくら【—真っ暗】 [ダナ] 앞일을 전혀 내다볼 수 없음; 앞날이 캄캄함. ¶就職(しゅうしょく)も決(き)まらず～だ 취직도 되지 않고 앞길이 캄캄하다.

おさきぼう【お先棒】[名] ☞さきぼう. ¶～に使(つか)う 앞잡이로 이용하다.

—を担(かつ)ぐ (경솔하게) 남의 앞잡이가 되다.

おさげ【お下げ】[名] 1 (소녀의) 땋아 늘어뜨린 머리. 2 양끝을 늘어뜨리는 여자의 띠 매는 법.

おざしき【お座敷】[名] 1 'ざしき(=방)'의 높임말[공손한 말]. 2 (기생 등이) 손님에게 불려 나가는 연회석; 술자리. ¶～を勤(つと)める 술자리에서 시중을 들다.

—が掛(か)かる (기생 등이) 손님 술자리에 불려 나가다; 전하여, (남한테) 부름을 받다; 초대되다. ¶講演(こうえん)の～ 강연해 달라는 부탁을 받다.

おさだまり【お定まり】[名] 늘 정해져 있는 모양; 판에 박음《좀 비꼬는 말씨》. =おきまり. ¶～のあいさつ 판에 박은[상투적인] 인사.

おさつ 〖御薩〗 [名] 〈女〉 고구마. =さつまいも. ¶～をふかす 고구마를 찌다.

おさつ【お札】[名] '札(さつ)·紙幣(しへい)(=지폐)'의 공손한 말.

おさと【お里】[名] 1 친정; 생가. =実家(じっか). ¶～に帰(かえ)る 친정으로 돌아가다[오다]. 2 신분과 가문; (남에게 별로 알리고 싶지 않은) 내력; 신분.

—が知(し)れる 내력[본색]이 드러나다.

*おさな-い【幼い】 [形] 1 어리다. ¶～時(とき) 어릴 때. 2 미숙하다; 유치하다. ¶～考(かんが)え方(かた) 유치한 생각.

おさながお【幼顔】[名] 어릴 적의 얼굴(모습). ¶～が残(のこ)っている 어릴 적 모습이 남아 있다.

おさなご【幼子】《幼児》[名] 어린아이; 유아.

おさなごころ【幼心】[名] 어린 마음; 동심. ¶～にも物(もの)の道理(どうり)がわかる 어린 마음에도 사물의 도리를 알다.

おさなともだち【幼友達】[名] 어릴 적 친구; 소꿉동무; 죽마지우.

おさななじみ【幼なじみ】《幼馴染み》 [名] 어렸을 때(부터) 친하게 사귄 사이; 또, 그 사람. ¶彼女(かのじょ)は私(わたし)の～です 그 여자는 내 소꿉친구입니다. [参考] 보통 이성에 대해 일컬음.

おざなり【おざなり·お座なり】[名][ダナ] 당장 발림; 당장[일시] 모면; 건성임; 적당히 넘김. =いいかげん. ¶～の計画(けいかく) 임시 모면의 계획 / ～を言(い)う 어물쩍 둘러대다.

おさまり【収まり·納まり】图 **1** 매듭짓는 일; 수습. ¶～が付かない 결말이 나지 않다; 수습이 되지 않다. **2** 영수; 수납. ¶税金の～が悪い 세금 수납 실적이 나쁘다. **3** 안정성〔감〕.

おさまりかえ-る【収まり返る·納まり返る】5自 (지위 등에 만족해) 완전히 안정되다. ¶社長として～·っている 사장으로서 만족하고 안정되어 있다.

⁑**おさま-る**【収まる】5自 **1** 수습되다; 원만해지다. ¶夫婦の仲が～ 부부 사이가 원만해지다. **2** 해결되다. ¶争いが～ 분쟁이 수습되다. **3** (제자리에) 들어가다; 원상태로 돌아가다. ¶元のさやに～ 본디 칼집에 들어가다《원상태로 돌아가다》.

⁑**おさま-る**【納まる】5自 **1** 납입되다; 납부되다; 수납되다. ¶税金が～ 세금이 걷히다 / 製品が得意先に～ 제품이 단골처에 납품되다. **2** 끝나다. ¶けんかが～ 싸움이 끝나다. **3** 납득되다. ¶さんざん話して, やっと～·った 끈덕지게 얘기해서 간신히 납득시켰다.

⁑**おさま-る**【治まる】5自 고요해지다. **1** 다스려지다; 평화로워지다. ¶国が～ 나라가 안정되다. ↔乱れる. **2** 가라앉다; 잠잠해지다; 멎다; 진정되다. ¶風が～ 바람이 자다 / 痛み〔気持ち〕が～ 통증〔마음〕이 가라앉다.

⁑**おさま-る**【修まる】5自 닦아지다; (품행이) 바르게 되다; 좋아지다. ¶身持ちが～ 몸가짐이 좋아지다.

おさむ-い【お寒い】形 **1**〈俗〉 한심하다; 빈약하다. ¶～財政状態 한심한 재정 상태 / ふところが～ 주머니가 빈약하다《돈이 없다》. **2** '寒い(=춥다)'의 공손한 말. ¶毎日～·うございます 매일 춥습니다.

おさめ【納め】图 끝냄; 그 해의 끝; 종료; 끝장; 마지막. =おしまい. ¶～のけいこ〔杯〕 마지막 연습〔술잔〕/ ～の会 마지막 회합; 납회 / ～相場 연말 최종 시세. ↔始め.

⁑**おさ-める**【収める】下1他 **1** 거두다; 얻다; 손에 넣다. ¶勝ち〔成功〕を～ 승리를〔성공을〕 거두다 / 利益を～ 이익을 얻다. **2** 정리해서 넣다〔담다〕. ¶全集に～ 전집에 넣다.

⁑**おさ-める**【納める】下1他 **1** 바치다; 납입〔납품〕하다. ¶税を～ 세금을 납부하다. **2** 거두다; 받아들이다. ¶粗品ですがどうぞお～·めください 변변치 않은 물건이지만 부디 받아 주십시오. **3** 넣다; 넣어두다. ¶胸に～ 가슴 속에 간직해 두다. **4** 끝내다; 마치다. ¶このへんで会を～·めます 이 정도로 모임을 마치겠습니다. 参考 接尾詞적으로도 쓰임. ¶歌い～ 노래를 마치다 / 舞い～ 춤을 끝내다.

⁑**おさ-める**【治める】下1他 **1** 다스리다; 통치하다. ¶国〔家〕を～ 나라를〔집안을〕 다스리다. ↔乱す. **2** 수습하다; 가라앉히다. ¶丸く～ 원만히 수습하다 / 心を～ 마음을 가라앉히다.

⁑**おさ-める**【修める】下1他 (학문을) 닦다; 수양하다. ¶学業を～ 학업을 닦다 / 身を～ 수신하다.

おさらい〚お浚い〛图ス他 **1** 복습. ¶ピアノの～をする 피아노 복습을 하다. **2** (연예계에서) 제자를 가르치는 일; 또, 가르친 기예의 발표회. =温習. ¶～会 연습 발표회 / 琴の～がある 거문고(의) 발표회가 있다.

おさらば 一感 안녕《'さらば'의 공손한 말》. =さようなら.
二图ス自 작별함; 이별함. ¶東京に～する 東京와 작별하다.

おさん【お産】图 출산; 해산. ¶～が軽い〔重い〕 순산〔난산〕이다 / ～をする 출산을 하다.

おさんじ【お三時】图〈女〉 오후, 3시경의 간식. =おやつ.

おさんどん〚お三どん〛图〈俗〉 **1** 하녀; 식모; 부엌데기. **2** 부엌일; 취사. ¶妻が病気で～をする 아내가 아파서 부엌일을 한다.

***おし**〚唖〛图〈卑〉 벙어리. =おうし. ¶～が手まねで話す 벙어리가 손짓으로 말하다. 参考 지금은 '口のきけない人'라고 함.
—の問答 벙어리 문답《종잡을 수 없는 말의 비유》.

おし【押し】《圧し》图 **1** 누름; 눌러 댐. **2** 누름돌. =おもし. ¶つけものに～をする 김치에 누름돌을 눌러 놓다. **3** 남을 누르는 힘; 영향력. =おさえ. ¶～がきく 영향력〔통제력〕이 있다.

おし【押し】一图 **1** 밀기. ¶～も押されもせぬ 확고부동한; 요지부동의. ↔引き. **2** (씨름에서) 밀어붙임. ⇨おしずもう·おしの一手. **3** 억지; 어거지.
二接頭 **1**《動詞 앞에 붙어》 굳이〔무리하게〕…하다. ¶～隠す 굳이 숨기다 / 室内に～入る 억지로 방 안에 들어가다. **2** 어세(語勢)를 강하게 하는 말. ¶年末も～詰まった 연말도 다 되었다.
—が強い 억지가 세다.

⁑**おじ** 图 **1** 삼촌; 백부; 숙부; 고모부; 이모부. ¶母方の～ 외삼촌; 외숙부. 注意 보통, 부모의 손위는 '伯父', 손아래는 '叔父'로 씀. ↔おば. **2**〚小父〛 부모와 같은 연배의 남자; 아저씨. 注意 보통 'おじさん'의 꼴로 사용함.

おしあい【押し合い】图 **1** 서로 밂. **2**〖經〗 시세에 변동이 없음; 보합 상태.
—へしあい【—へし合い】連語 여러 사람이 밀고 밀리며 붐빔. ¶人々は～しながら電車に乗り込んだ 사람들은 밀고 밀리며 전차에 올라탔다.

おしあ-う【押し合う】5自 서로 밀(고 당기)다.

おしあ-ける【押し開ける】下1他 밀어서 열다; 무리하게 열다. ¶ドアを～·けて入る 문을 밀어젖히고 들어가다.

おしあげ-る【押し上げる】下1他 밀어

올리다. ¶トップの座(ざ)に～ (발탁하여) 톱 자리에 앉히다.

おしあて【推し当て】图 추측; 짐작. ＝推(お)し量(はか)り·当(あ)て推量(ずいりょう).

おしあ-てる【押当てる】下1他 바짝 대다; 눌러 덮다; 꽉 누르다. ¶ドアに耳(みみ)を～ 문에 귀를 바짝 대다.

おしあ-てる【推し当てる】下1他 짐작으로〔추측하여〕맞히다.

**おし-い【惜しい】形 1 아깝다. ¶売(う)るのは～ 팔기는 아깝다/命(いのち)〔金(かね)〕が～ 목숨〔돈〕이 아깝다/～人(ひと)を失(うしな)った〔無(な)くしてしまった〕 아까운 사람을 잃었다. 2 섭섭하다; 애석하다. ¶なごり〔別(わか)れ〕が～ 이별이 아쉽다〔섭섭하다〕.

おじいさん 图 1『お祖父さん』 할아버지《조부를 높이거나 친밀하게 부르는 말》. 2『お爺さん』 할아버지; 영감님《남자 노인의 높임말; 또, 친밀하게 부르는 말》. ¶となりの～ 이웃집 할아버지. 注意 'おじいちゃん'은 口語적 말씨.

おしいただ-く【押し頂く】《押し戴く》 5他 1 삼가〔감사한 마음으로〕받다. ¶表彰状(ひょうしょうじょう)を～ 두 손을 높이 들어 삼가 표창장을 받다. 2 받들어 모시다. ¶彼(かれ)を名誉総裁(めいよそうさい)に～ 그를 명예 총재로 받들어 모시다.

おしいり【押し入り】图 1 억지로 들어감. 2 ☞おしこみ2.

*__おしいれ__【押し入れ】图 반침; (일본식) 벽장. ＝おしこみ. ¶ふとんを～にしまう 이불을 반침에 넣어 두다.

おしうつ-る【推し移る】5自 (상태가) 변해가다; 시간이 지나가다. ¶時代(じだい)が～ 시대가 변해가다.

おしうり【押し売り·押売】图ス他 강매; 또, 강매하는 사람. ¶～お断(ことわ)り 잡상인 사절/好意(こうい)の～は困(こま)る 호의랍시고 강요해서는 곤란하다.

*__おしえ__【教え】图 가르침; 교육. ¶孔孟(こうもう)の～ 공맹의 가르침/仏(ほとけ)の～ 부처님의 가르침/先生(せんせい)の～を守(まも)る 선생님의 가르침을 지키다.

—の庭(にわ)〈雅〉배움터; 학교. ＝学(まな)びの庭(にわ). ¶～に集(つど)う 학교에 모이다.

おしえご【教え子】图 제자; 가르친 학생. ¶私(わたし)の～ 나의 제자.

おしえこ-む【教え込む】5他 충분히〔철저히〕 가르치다. ¶挨拶(あいさつ)のし方(かた)を～ 인사하는 법을 철저히 가르치다.

*__おし-える__【教える】下1他 가르치다. 1 지식·기능 등을 습득시키다. ¶数学(すうがく)を～ 수학을 가르치다/犬(いぬ)に芸(げい)を～ 개에게 재주를 가르치다. 2 자기가 아는 바를 알리다. ¶秘密(ひみつ)を～ 비밀을 가르쳐〔알려〕 주다. 3 깨우쳐 주다. ¶人(ひと)の生(い)きる道(みち)を～ 사람이 살아가는 도리를 가르치다. ⇔学(まな)ぶ·習(なら)う·教(おそ)わる.

おしおき【お仕置き】图 ☞しおき. ¶いたずらっ子(こ)を～する 장난꾸러기에게 벌을 주다.

おじおじ『怖じ怖じ』副ス自 'おずおず'의 새로운 말씨. ＝おそるおそる.

おしおよぼ-す【押し及ぼす】5他 두루 미치게 하다; 들어맞게 하다.

おしかえ-す【押し返す】5他 되밀(치)다; 되물리치다. ¶相手(あいて)の攻撃(こうげき)を～ 상대방의 공격을 물리치다.

おしかく-す【押し隠す】5他 (애써) 감추다; 숨기다. ¶涙(なみだ)を～ 눈물을 애써 감추다.

おしかけにょうぼう【押しかけ女房】图 남자한테 매달려 어거지로 아내가 된 여자. ¶あの女(おんな)は～だ 저 여자는 억지 춘향으로 아내가 된 여자이다.

おしか-ける【押しかける】《押し掛ける》 下1自 (여럿이) 우르르 몰려가다; (청하지도 않았는데) 억지로 (들어)가다. ¶客(きゃく)がおおぜい～ 손님이 많이 밀어닥치다.

おしがみ【押し紙】图 부전지; 찌지(紙). ＝押紙(おうし)·付(つ)け紙(がみ).

おしがり【押し借り】图ス他 억지로 빌림〔꿈〕. ¶～して飲(の)んだ 억지로 돈을 꾸어 술을 마셨다.

おしが-る【惜しがる】5他 아쉬워하다; 아까워하다. ¶映画(えいが)が見(み)られなかったのを～ 영화를 못 본 것을 아쉬워하다.

おしき『折敷』图 (운두가 낮은) 네모난 「나무 쟁반.

**おじぎ『御辞儀』图ス自 1 (머리를 숙여) 절함; 인사함. ¶腰(こし)をかがめて丁寧(ていねい)に～をする 허리를 굽혀 공손하게 절을 하다. 2 사퇴; 사양. ¶～なしにいただきます 사양 않고 먹〔받〕겠습니다.

おしきせ【お仕着せ】图 1 철따라 주인이 고용인에게 옷을 해 입히는 일; 또, 그 의복. ¶～の制服(せいふく) 주인이 해준 제복. 2 주어진 대로의 것; 정해진 것. ¶給料(きゅうりょう)は～だ 급료는 주는 대로 받는다/～のパックツアー 틀에 박힌 패키지 여행.

おじぎそう『含羞草·御辞儀草』图〔植〕 함수초. ＝ネムリグサ.

おしきり【押し切り】图 작두.

*__おしき-る__【押し切る】5他 1 꽉 눌러서 자르다. ¶切断器(せつだんき)でたくさんの紙(かみ)を～ 절단기로 많은 종이를 (눌러) 자르다. 2 강행하다; 무릅쓰다. ¶反対(はんたい)を～ 반대를 무릅쓰다/過半数(かはんすう)で～ 과반수로 강행하다.

おしくも【惜しくも】副 아깝게도.

おしげ【惜しげ】《惜し気》图 애석하게 여기는 기색; 아까워하는 모양. ¶～もなく金(かね)をつかう 아까워하는 기색도 없이 돈을 쓰다.

おじけ『怖じ気』图 공포심; 무서운 생각; 축기(縮氣). ＝おぞけ. ¶～がつく 무서운 생각이 들다; 주눅 들다/～を震(ふる)う 무서워 떨다.

—だ-つ【—立つ】5自 섬뜩해지다.

—づ-く『—付く』5自 겁나다; 무서운 생각이 들다.

おじ-ける『怖じける』下1自 겁이 나서 흠칫흠칫 놀라다; 주눅 들다; 무서워서 뒤로 사리다. ＝ひるむ. ¶大(おお)きな物音(ものおと)に～ 큰 소리에 무서워 주눅 들다.

おしこみ【押し込み】图 **1** 반침. ＝押(お)し入(い)れ. **2** (가택 침입) 강도《'押し込み強盗(ごうとう)'의 준말》. ¶～を働(はたら)く 강도질을 하다.

***おしこ-む**【押し込む】㊀5自 **1** 억지로 들어가다. ＝押しいる. ¶満員(まんいん)バスに～ 만원 버스에 비집고 들어가다. **2** 강도질하러 들어가다. ¶金持(かねも)ちの家(いえ)に～ 부잣집에 강도질하러 들어가다.
㊁5他 억지로 밀어 넣다; 처넣다. ¶満員電車(まんいんでんしゃ)に客(きゃく)を～ 만원 전차에 손님을 밀어넣다.

***おしこ-める**【押し込める】下1他 **1** 억지로 집어〔밀어〕넣다. ＝押し込(こ)む. ¶ポケットに金(かね)を～ 호주머니에 돈을 쑤셔 넣다. **2** 가두다; 감금하다. ¶罪人(ざいにん)を牢屋(ろうや)に～ 죄인을 감옥에 가두다.

おしころ-す【押し殺す】《圧し殺す》5他 눌러 죽이다; (표정·감정 등을) 억누르다. ¶笑(わら)いを～ 웃음을 꾹 참다.

***おじさん** 图 **1** 『小父さん』 아저씨《아이들이 중년남자를 친밀하게 부르는 말》. **2** 백부·숙부의 높임말. 注意 '伯父さん·叔父さん'으로 씀. ↔おばさん.

おしずし【押しずし】《押し鮨·圧し鮨》图 (大阪(おおさか) 지방의) 누름 초밥. ＝箱(はこ)ずし·大阪ずし. ↔握(にぎ)りずし.

おしすす-める【押し進める】下1他 밀어 앞으로 나가게 하다. ¶荷車(にぐるま)を～ 짐수레를 밀고 나아가다.

おしすす-める【推し進める】下1他 밀고 나가다; 추진하다; 강행하다. ¶政策(せいさく)を～ 정책을 추진하다.

おしずもう【押し相撲】图 밀어 붙이기를 주로 하는 씨름. ↔四(よ)つずもう.

おしせま-る【押し迫る】5自 절박하다; 박두하다; 다가오다. ¶年(とし)の暮(く)れが～ 세모가 다가오다.

おしたお-す【押し倒す】5他 밀어 넘어뜨리다. ¶おどりかかって～ 달려들어 넘어뜨리다.

おしたじ『御下地』图〈女〉간장. ＝しょうゆ.

おしだし【押し出し】图 **1** 밀어냄. ¶～絵(え)の具(ぐ) 튜브(에 든) 그림 물감. **2** (씨름에서) 밀어내는 수. ⇨つきだし. **3** 외양; 풍채. ＝ふうさい·かっぷく. ¶～がきく 위압이 먹혀들다. **4**〔野〕 밀어내기. ¶～の一点(いってん) 밀어내기로 딴 1점.

おしだ-す【押し出す】㊀5自 **1** 여럿이 밖으로 나가다. **2** 위로 솟아 나오다. ¶噴火(ふんか)で溶岩(ようがん)が～ 분화로 용암이 솟아 나오다. ㊁5他 **1** 눌러 짜내다. ¶チューブから～ 튜브에서 짜내다. **2** 밀어내다. ¶土俵(どひょう)の外(そと)に～ 씨름판 밖으로 밀어내다. **3** (사람 앞에) 내놓다; 내세우다. ¶前面(ぜんめん)に～ 전면에 내세우다.

おした-てる【押し立てる】下1他 **1** 내세우다; 앞세우다. ¶旗(はた)を先頭(せんとう)に～·て行進(こうしん)する 깃발을 선두에 내세우고 행진하다. **2** 밀어붙이다. ¶土俵際(どひょうぎわ)まで～ 씨름판 경계선까지 밀어붙이다. **3** 강하게 주장하다. ¶大義名分(たいぎめいぶん)を～ 대의명분을 강력히 내세우다.

おしだま-る【押し黙る】5自 전혀 입을 열지 않다. ＝黙(だま)りこくる. ¶頭(あたま)をさげて～ 머리를 숙인 채 말이 없다.

おしちや【お七夜】图 (출생 후) 칫이렛날 밤; 또, 그 축하 잔치. ¶～の祝(いわ)いをする 칫이렛날 잔치를 하다. 参考 보통, 이때에 이름을 지음.

おしつけがまし-い【押しつけがましい】形 마치 강요하는 듯하다. ¶～親切(しんせつ) 억지로 내세우는 듯한 친절; 달갑지 않은 친절.

***おしつ-ける**【押しつける】《押し付ける》下1他 **1** 억누르다; 강압하다; 밀어붙이다. ¶漬(つ)け物(もの)のふたを～ 김치 그릇〔독〕의 뚜껑을 꽉 누르다. **2** 강제로 시키다; 강요하다. ¶いやな仕事(しごと)を～ 싫은 일을 강제로 시키다.

おしっこ 图〈兒〉쉬; 오줌. ¶～をする 쉬하다 / ～を漏(も)らす 오줌을 지리다.

おしつつ-む【押し包む】5他 **1** '包(つつ)む'의 힘줌말. **2** 애써 감추다. ＝押しかくす. ¶悲(かな)しみを笑顔(えがお)に～ 슬픔을 웃는 얼굴로 (애써) 감추다.

おしつぶ-す【押しつぶす】5他 **1** 눌러 찌부러뜨리다. ¶ボール箱(ばこ)を～ 판지 상자를 찌부러뜨리다. **2** 뭉개버리다. ¶反対意見(はんたいいけん)を～ 반대 의견을 누르다〔묵살하다〕.

おしつま-る【押し詰まる】5自 **1** 박두하다; 닥치다. ¶期日(きじつ)が～ 기일이 박두〔임박〕하다. **2** 연말이 다가오다. ¶～·って来(き)たので正月(しょうがつ)支度(したく)に忙(いそが)しい 연말이 다가와서 설 준비에 바쁘다. 参考 세모의 인사말을 흔히 'おしつまりまして'라고 함.

おしつ-める【押し詰める】下1他 **1** (꽉) 눌러 담다; 쑤셔 넣다. ¶弁当箱(べんとうばこ)を～ 도시락 상자에 밥을 눌러 담다. **2** 눌러서 작게 하다. ¶綿(わた)を小(ち)いさく～ 솜을 납작하게 꽉 누르다. **3** 밀어 붙이다. ¶土壇場(どたんば)に～ 막다른 곳으로 밀어 붙이다. **4** 간추리다; 요약하다. ＝つづめる. ¶～·めて言(い)えば 요약해 말하면.

おして【押して】副 굳이; 강제로; 무리하게. ＝しいて·むりに. ¶反対(はんたい)が多(おお)いのに～実行(じっこう)する 반대가 많은데도 굳이 실행하다.

おして【推して】副〈文〉미루어; 헤아려서.
—しるべし【—知るべし】連語 미루어 알 만하다. ¶困難(こんなん)なことは～だ 곤란함은 가히 짐작할 수 있는 일이다. 参考 口語에서는 'だ·です'를 붙여 씀.

***おしとお-す**【押し通す】5自他 **1** 억지로 통과시키다. ¶強行採決(きょうこうさいけつ)で予算案(よさんあん)を～ 강행 채결로 예산안을 통과시키다. **2** 끝까지 해내다〔버티다〕. ＝やりぬく. ¶知(し)らぬ存(ぞん)ぜぬで～ 모른다 아는 바 없다로 끝까지 버티다.

おしとど-める【押しとどめる】《押し止

める》 下1他 (강제로) 못하게 하다; 말리다. ¶出て行こうとするのを~ 나가려는 것을 말리다.
おしどり 〖鴛鴦〗 图 1〔鳥〕 원앙새. 2 의가 좋은 부부. ¶~入選 부부 입선/~弁護士 부부 변호사/~夫婦 원앙 부부.
おしなが-す 【押し流す】 5他 흘러가게 하다. ¶洪水で橋が~·された 홍수로 다리가 떠내려갔다.
おしなべて 〖押し並べて〗 副 대체로; 모두; 한결같이. ¶ことしの稲作は~悪い 금년 벼농사는 대체로 흉작이다/人~自由を叫ぶ 누구나 한결같이 자유를 부르짖는다.
おしなら-べる 【押し並べる】 下1他 (일렬로) 늘어놓다; 나란히 놓다.
おしのいって 【押しの一手】 連語 억지로 밀어붙임. ¶~で行くよりしかたがない 밀어붙이는 수밖에 없다.
おしの-ける 【押しのける】《押し退ける》 下1他 밀어젖히다; 밀어내다. ¶人を~·けて前へ出る 남을 밀어젖히고 앞으로 나아가다.
おしのび 【お忍び】 图 (지체 높은 사람의) 미행; 미복(微服) 잠행. ¶~で銀座へ出る 미복으로 銀座에 나가다.
おしば 【押し葉】 图 책갈피 따위에 끼워 말린 잎; 석엽. =腊葉.
*おしはか-る 【推し量る·推し測る】 5他 헤아리다; 짐작하다; 추량〔추측〕하다. ¶相手の心を~ 상대방의 마음을 헤아리다. 可能おしはか-れる 下1他
おしばな 【押し花】 图 종이나 책갈피에 끼워 말린 꽃《표본 따위로 씀》.
おしひろ-げる 【押し広げる】 下1他 1 펴서 넓히다; 확대하다. ¶勢力範囲を~ 세력 범위를 넓히다. 2 무리하게 넓히다. ¶木のわくを~ 나무테를 억지로 벌리다.
おしひろ-める 【押し広める】 下1他 1 널리 퍼뜨리다. ¶新しい製品を各地に~ 새 제품을 각지에 널리 퍼뜨리다. 2 범위를 넓히다. ¶考え方を~ 범위를 넓혀서 생각하다.
おしピン 【押しピン】 图 압핀; 압정(押釘). =画鋲. ▷pin.
おしべ 【雄しべ】《雄蕊》 图〔植〕 수술; 수꽃술; 웅예. =ゆうずい. ↔雌しべ.
おしボタン 【押しボタン】 图 누름단추. ¶~式の電話機 버튼식 전화기/~戦争 (미사일 등 원격 조정에 의한) 누름단추식 전쟁. ▷포 botão.
おしぼり 【お絞り】 图 물수건.
*おしまい 〖御仕舞い〗 图 끝; 마지막《'しまい'의 공손한 말씨》. =おわり. ¶仕事を~にする 일을 끝내다/これでお話は~(です) 이것으로 이야기는 끝(입니다).
おしまく-る 【押しまくる】《押し捲る》 5他 철저히 누르다; 마구 밀어붙이다; 시종 상대를 압도하다. ¶終始~·って勝つ 시종일관 밀어붙여서 이기다.
おしみな-い 【惜しみない】 形 아낌없다. ¶~拍手を送る 아낌없는 박수를 보내다/~·く金をつかう 아낌없이 돈을 쓰다.
*おし-む 【惜しむ】 5他 1 아끼다. ¶時間を~ 시간을 아끼다/協力を~·まない 협력을 아끼지 않다/骨身を~·まず働く 몸을 아끼지 않고 일하다. 2 애석히 여기다; 아쉬워하다. ¶友の死を~ 친구의 죽음을 애석히 여기다/別れ〔ゆく春〕を~ 작별〔가는 봄〕을 아쉬워하다. 3 소중히 여기다. ¶武士は名を~ 무사는 명예를 소중히 여긴다.
おしむぎ 【押し麦】 图 압맥; 납작보리.
おしむらくは 【惜しむらくは】 oshimurakuwa 連語 아깝게도; 유감스럽게도; 분하게도. ¶豪華ではあるが~気品がない 호화롭기는 하나 아깝게도 기품이 없다.
おしめ 【押し目】 图 오름세에 있던 시세가 일시 내림. ¶~買い 시세가 일시 내릴 때 삼.
*おしめ 〖襁褓〗 图 기저귀. =おむつ. ¶~をする〔当てる〕 기저귀를 채우다.
おしめり 【お湿り】 图 〈女〉 (알맞게 오는) 가랑비; 단비. ¶いい~ですね 좋은 단비군요.
おしもど-す 【押し戻す】 5他 밀어 되돌리다; 되밀다. =押し返す. ¶敵を~ 적을 후퇴시키다/ボールが風に~·される 공이 바람에 되돌아오다.
おしもんどう 【押し問答】 图ス他 입씨름; 승강이(질). ¶~をくり返す 입씨름을 되풀이하다/門番に呼び止められて~(を)する 문지기에게 저지당해 승강이하다.
おじや 图 〈女〉 ☞ぞうすい(雑炊).
おしゃか 〖御釈迦〗 图 〈俗〉 파치; 불량품; 못쓰게 됨. ¶~になる 파치가 나다; 못쓰게 되다/~を出す 파치를 내다.
おしゃく 【お酌】《御酌》 图 1 'しゃく(=술따르기)'의 공손한 말씨. ¶~をする 술을 따르다. 2 작부. =酌婦.
おしゃぶり 图 (갓난아이에게 빨리는) 가짜 젖꼭지. ¶~をくわえる 가짜 젖꼭지를 물다.
**おしゃべり 〖お喋り〗 图ス自 1 수다스러움; 또, 그러한 사람. ¶あれは~だ 저 사람은 수다쟁이다. 2 잡담.
おしゃま 图ダナ 깜찍함; 되바라짐; 또, 그런 계집아이. ¶~な女の子 깜찍한 계집애/~をいう 깜찍한 소리를 하다.
おしや-る 【押しやる】《押し遣る》 5他 1 밀어서 저쪽으로 보내다. 2 밀어 젖히다; 퇴박하다. ¶雑念を~ 잡념을 떨쳐 버리다/計画を~·って採用しない 계획을 물리치고 채택하지 않다.
*おしゃれ 〖御洒落〗 名ナ 멋〔모양〕을 냄; 또, 멋쟁이. ¶~な娘〔紳士〕 멋쟁이 아가씨〔신사〕/男のくせに~をする 남자인 주제에 너무 모양을 낸다.

おじゃん 名 〈俗〉 모처럼의 계획·예정·기대가 깨짐. ＝あてはずれ. ¶～になった (계획 따위가) 다 틀어졌다.
おしゅう【汚臭】名 오취; 악취. ¶～を放はなつ 악취를 풍기다. 「의 공손한 말.
おじゅう【お重】名 '重箱じゅうばこ(＝찬합)'
おしょう【和尚】名 화상; 스님; 또, 절의 주지. ¶山寺やまでらの～さん 산사의 스님.
おじょうさま【お嬢様】名 1 영애; 따님《상대방 딸에 대한 높임말》. 2 아가씨. ¶～育そだち 호강하고 자란 아가씨. 参考 口語形은 おじょうさん. 「ず2.
おじょうず【お上手】名ダナ ☞じょう
*おしょく【汚職】名 오직; 독직(瀆職); 부정. ¶～事件じけん 독직〔부정〕 사건. 参考 '瀆職とくしょく'의 고친 말.
おじょく【汚辱】名ス他 오욕; 수치; 창피. ＝はずかしめ·はじ. ¶～を被こうむる 창피를 당하다.
*おしよ-せる【押し寄せる】一下1自 몰려들다; 밀어 닥치다. ＝おしかける. ¶～敵てきの大軍たいぐん 몰려드는 적의 대군/波なみが～ 파도가 밀려 오다/サインを求もとめて～ 사인을 받으러 몰려들다. 二下1他 밀어붙이다. ¶いすを片かたすみに～ 의자를 한쪽 구석으로 밀어붙이다.
お-じる〖怖じる〗上1自 〈雅〉 무서워하다; 겁내다. ＝こわがる·ひるむ. ¶～·じないで物ものを言いう 떨지않고 말을 하다.
おしるし【お印】名 'しるし(印)'의 공손한 말.
*おしろい〖白粉〗名 분. ¶水みず〔粉こな〕～ 물〔가루〕분/～をつける 분을 바르다.
オシログラフ [oscillograph] 名 오실로그래프《전류의 진동 기록 장치》.
オシロスコープ [oscilloscope] 名 오실로스코프《전류의 관측용 장치》.
おしわ-ける【押し分ける】下1他 (좌우로) 밀어 헤치다. ＝かき分わける. ¶人ひとごみを～·けて進すすむ 인파를 헤치고 나아가다.
おしわたる【押し渡る】5自 (물·강 따위를) 힘차게 헤쳐 건너다〔나가다〕.
おしわり【押し割り·押割】名 'おしわり麦むぎ(＝납작보리)'의 준말. ↔ひきわり.
おしん【悪心】名 오심; 메스꺼움; 구역질남. ＝吐はき気け.
おじん 名 자기보다 나이 많은 남자를 '아저씨'로 생각해서 부르는 젊은이들의 말《'おじさん'의 전와》. ↔おばん.
おしんこ〖お新香·御新香〗名 야채를 소금이나 겨에 절인 반찬. ＝香こうの物もの·つけもの.
**お-す【押す】5他 1 (떼)밀다; (뒤에서) 밀다. ¶車くるまを～ 수레를 밀다/～·しても引ひいても動うごかない 꿈쩍도 하지 않다. ↔引ひく. 2《圧す》누르다; 내리누르다. ¶おもしを載のせて～ 누름돌을 얹어 누르다. 3 (남을) 압도하다. ¶～·し気味ぎみだ 약간 우세하다/相手あいての勢いきおいに～·される 상대의 기세에 눌리다. 4《捺す》찍다; 누르다. ¶はんこを～ 도장을 찍다. 5 박다; 붙이다. ¶はくを～ 박(箔)을 붙이다. 可能 お-せる 下1自
―·しも―·されもせぬ 당당하고 요지부동한; 확고부동한. ¶～大実業家だいじつぎょうか 버젓한 대실업가.
お-す【推す】5他 1 미루어 알다; 헤아리다. ¶この事ことから～と, あれが原因げんいんに違ちがいない 이 일로 미루어 보면 그것이 원인임에 틀림없다. 2 밀다; 추진시키다. ¶ロケットを～力ちから 로켓을 추진시키는 힘. 3 (장(長)으로) 추대하다; 추천하다. ¶会長かいちょうに～ 회장으로 밀다. 可能 お-せる 下1自
**おす【雄】《牡》名 수컷. ＝お. ¶～びな 수평아리/犬いぬの～ 수캐. ↔雌めす.
おす 感 〈俗〉 길 같은 데서 만났을 때 하는 인사말: 안녕《남학생 등 젊은 남자 친구들 사이에서 씀》. ＝おっす.
おすい【汚水】名 오수; 더러운 물. ＝下水げすい. ¶～処理場しょりば 오수 처리장.
おずおず〖怖ず怖ず〗副 〈雅〉 주뼛주뼛; 머뭇머뭇. ＝こわごわ·おそるおそる. ¶～(と)尋たずねてみる 주뼛주뼛〔몹시 조심스럽게〕 물어 보다/～進すすみ出でる 조심조심 앞으로 나아가다.
オスカー [미 Oscar] 名〘映〙 오스카 상.
おすそわけ【おすそ分け】《御裾分け》名ス他 남에게서 얻은 물건이나 이익을 다시 남에게 나누어 줌; 또, 그 나눠 준 것. ＝お福分ふくわけ. ¶ほんの～です(が) 약소합니다(만)/～にあずかる (남한테 얻은 물건의) 일부를 나누어 받다.
おすなおすな【押すな押すな】連語 사람이 많이 몰려 북새통을 이루는 모양: 밀치락달치락; 북적북적. ¶～の盛況せいきょう 대만원의 성황/～の騒さわぎ 밀치락달치락하는 소동.
おすまし【お澄まし】名 1 새침함; 또, 그 사람. ¶あの女おんなは～さんだ 저 여자는 새침데기다. 2〈女〉 맑은 장국. ＝すましじる.
おすみつき【お墨付き】名 1 흑색 도장이 찍혀 있는 문서《幕府ばくふ·大名だいみょう가 증명으로 신하에게 주었음》. 2 권위자의 보증(서). ¶～をいただく (윗사람의) 보증을 받다.
おすわり【お座り】名ス自 1〈兒〉 앉음. 2 개가 앉음; 또, 개에게 '앉아'라고 명령할 때 쓰는 말.
オセアニア [Oceania] 名〘地〙 오세아니아; 대양주. ＝大洋州たいようしゅう.
おせいぼ【お歳暮】《御歳暮》名 세밑 선물을 보냄; 또, 그 선물; 세찬.
おせおせ【押せ押せ】連語 1 일이 밀려 다른 일에 차례로 영향을 미침. ¶仕事しごとが～になる 일이 밀려서 다른 일이 자꾸 늦어지다. 2 (기한 등이) 임박함. 3 ☞おすなおすな. 4 밀어붙임. ¶～ムード 마구 밀어붙이는 기세.
**おせじ【お世辞】《御世辞》名 엉너리치는 말; 알랑거리는 말; 겉치레 인사《'世辞'의 공손한 말씨》. ¶～笑わらい 알랑거리는 웃음 / そんな事(こと)は～にも言(い)えない 그런 일은 빈말이라도 할 수 없다.

おせち【お節】《御節》名 설 따위 명절에 쓰는 특별 요리. ＝お節料理(りょうり).

おせっかい【御節介】名ダナ 쓸데없는 참견; 덥적거림; 또, 그런 사람. ¶～な人(ひと) 남의 일에 덥적거리는 사람 / ～をやく 쓸데없이 참견하다.

おせわ【お世話】名 'せわ1'의 높임말.

—さま【—様】名ダナ (남이 자기를 위해) 수고하심. ＝おせわさん. ¶どうもこのたびは～でした 이번에는 정말〔참으로〕 수고하셨습니다.

*__おせん__【汚染】名ス自他 오염. ¶大気(たいき)～ 대기 오염 / ～者(しゃ)負担原則(ふたんげんそく) 오염자 부담 원칙 / 水(みず)が～している 물이 오염되어 있다.

おぜん〖御膳〗名 (밥)상《'膳(ぜん)'의 공손한 말씨》. ¶～をととのえる 상을 차리다.

—だて【—立て】名 **1** 밥상을 차림. ¶夕飯(ゆうはん)の～をする 저녁 밥상을 차리다. **2** 준비; 채비. ¶～が整(ととの)う 채비〔준비〕가 갖추어지다.

__おそ-い__【遅い】形 늦다. **1 느리다; 더디다. ＝のろい. ¶足(あし)〔歩(あゆ)み〕が～ 발〔걸음〕이 느리다 / 理解(りかい)が～ 이해가 더디다. ↔速(はや)い. **2**《晩い》(시간이) 늦다. ¶～·く出(で)る月(つき) 늦게 뜨는 달 / 帰(かえ)りが～ 귀가 시간이 늦다. ↔早(はや)い. **3** (제때에) 대지 못하다. ¶後悔(こうかい)してももう～ 후회해도 이미 늦(었)다. ↔早(はや)い.

—·きに失(しっ)する 너무 늦어 시간에 대지 못하다〔쓸모가 없다〕. ¶遅きに失した感(かん)がある 너무 늦은 감이 있다.

おそいかか-る【襲い掛かる】5自 덤벼들다. ¶野犬(やけん)が～ 들개가 덤벼들다.

*__おそ-う__【襲う】5他 **1** 습격하다; 덮치다. ¶警察(けいさつ)がばくち宿(やど)を～ 경찰이 도박장을 덮치다. **2** (남의 집을) 느닷없이 방문하다. ¶みんなで友達(ともだち)の家(いえ)を～ 여럿이서 친구 집에 몰려가다. **3** (지위·가계 등을) 잇다; 계승하다. ¶三代目(さんだいめ)の家系(かけい)を～ 3대째의 가계를 잇다. 可能おそ-える下1自

おそうまれ【遅生まれ】名 늦게 남; 4월 2일에서 12월 말일 사이에 남《학령 미달로 그 다음 해에 취학함》. ¶～の子供(こども) 늦게 난 아이. ↔早生(はやう)まれ.

おそかりしゆらのすけ【遅かりし由良之助】連語 행차 뒤에 나팔《歌舞伎(かぶき) '忠臣蔵(ちゅうしんぐら)'에서 나온 말》.

おそかれはやかれ【遅かれ早かれ】連語 조만간(에); 언젠가는. ＝早晩(そうばん). ¶～人(ひと)は誰(だれ)でも死(し)ぬものだ 언젠가는 사람은 누구나 죽게 마련이다.

おそくとも【遅くとも】副 늦어도. ＝おそくても. ¶～十月(じゅうがつ)までに仕上(しあ)げろ 늦어도 10월까지는 끝내라.

おそくも【遅くも】副 ☞おそくとも.

おぞけ〖怖気〗名 공포심. ＝おじけ. ¶～をふるう 무서워 떨다. 「하다.

—だ-つ【—立つ】5自 무서워서 오싹

—づ-く【—付く】5自 무서워하다; 무서운 생각이 들다.

おそざき【遅咲き】名 (철)늦게 핌; 늦핌. ¶～の梅(うめ) 늦게 피는 매화. 参考 실력·재능을 남보다 늦게 발휘하는 인물을 가리키기도 함. ¶～の選手(せんしゅ) 늦깎이 선수. ↔早咲(はやざ)き.

おそじも【遅霜】名 늦서리. ＝晩霜(ばんそう).

おそぢえ【遅知恵】名 **1** 지능 발달이 늦음. ¶～の子供(こども) 지능 발달이 더딘 아이; 지진아. **2** 뒤늦어 쓸모없는 꾀; 늦꾀. ＝後(あと)ぢえ. ¶ばかの～ 바보의 늦꾀.

おそで【遅出】名 늦게 출근함; 늦게 출근하는 순번. ¶今日(きょう)は～だ 오늘은 늦게 출근하는 날이다. ↔早出(はやで).

おそなえ【お供え】名 **1** 'お供えもち'의 준말; 설이나 제사 때 공물(供物)로 쓰는 둥그런 찰떡. ＝かがみもち. **2** 'そなえもの(＝제물)'의 공손한 말씨.

おそばん【遅番】名 늦게 근무〔등교〕하는 차례·당번. ↔早番(はやばん).

おそまき【遅まき】《遅蒔き》名 **1**〔農〕철 늦은 파종; 늦파종. ¶～大根(だいこん) 늦파종 무. ↔早(はや)まき. **2** 뒤〔때〕늦게 함.

—ながら〖—乍ら〗副 뒤늦게나마.

おぞまし-い〖悍ましい〗形 싫은 생각이 들다; 역겹다. ＝うとましい. ¶口(くち)にするのも～ 입에 담기조차 싫다.

おそまつ〖御粗末〗名ダナ **1** 'そまつ'의 겸손한 말씨. ¶～様(さま) (대접이) 변변치 못했습니다 / ～なもてなしで申(もう)し訳(わけ)ございません 대접이 변변치 못하여 죄송합니다. **2** 서투름; 좋지 않음; 허술함. ¶～な演技(えんぎ) 서투른 연기 / 建物(たてもの)は～だ 건물은 허술하다.

**__おそらく__【恐らく】副 아마; 어쩌면; 필시. ＝多分(たぶん)·おおかた. ¶～雨(あめ)が降(ふ)るだろう 아마 비가 올 것이다 / ～不可能(ふかのう)だろう 아마 불가능할 것이다.

—は -wa 副 ☞おそらく. ¶～許(ゆる)すまい 아마 허락하지 않을 것이다.

おそるおそる〖恐る恐る〗副 겁내면서; 조심조심; 흠칫흠칫; 주뼛주뼛. ＝こわごわ. ¶叱(しか)られると思(おも)って～前(まえ)に出(で)る 꾸중 들을 줄 알고 주뼛주뼛 앞으로 나오다.

おそるべき【恐るべき】連語 무서운. **1** 두려운; 가공할. ¶誠(まこと)に～だ 실로 가공할 만하다. **2** 대단한; 지독한. ¶～才能(さいのう)の持(も)ち主(ぬし) 비상한 재능의 소유자.

おそれ【恐れ】《怖れ》名 두려움; 무서움; 겁. ¶～を知(し)らぬ者(もの)たち 두려움을 모르는 사람들 / ～をなして引(ひ)き下(さ)がる 겁에 질려 물러서다.

おそれ【おそれ·虞】名 염려; 걱정; 우려. ¶大雨(おおあめ)〔津波(つなみ)〕の～がある 큰비가 올〔해일이 덮칠〕 염려가 있다.

おそれい-る【恐れ入る】《畏れ入る》5自 **1** 황송해하다; 송구스러워하다. ¶どうも～·ります 대단히 송구스럽습니다《노인말》/ ご親切(しんせつ)～·ります 너무 친절히 해 주셔서 황송합니다. **2** (상대방의 역량에) 두 손 들다; 놀라다. ¶君(きみ)の腕前(うでまえ)には~·った 자네 솜씨에는 정말 놀랐네. **3** 기막히다; 질리다. ¶毎度(まいど)の長話(ながばなし)には~よ 번번이 늘어놓는 장광설에는 질렸네.

おそれおお-い 〖恐れ多い·畏れ多い〗 形 황공[황송]하다; 송구하다. ¶口(くち)に出(だ)すのも~ 감히 말하기도 황공하다/~お言葉(ことば)を頂(いただ)く 황공한 말씀을 듣다.

おそれおのの-く【恐れおののく】《恐れ戦く》 5自 무서워 벌벌 떨다; 무서워하다. ¶殺人事件(さつじんじけん)に住民(じゅうみん)は~·いている 살인사건에 주민들은 무서워 벌벌 떨고 있다.

おそれげ【恐れげ】 名 겁내는[두려운] 기색. ¶~もなく 겁도 없이.

おそれながら【恐れながら】《畏れながら》 連語 죄송합니다만. ¶~申(もう)し上(あ)げます 죄송합니다만 말씀드리겠습니다.

おそ-れる【恐れる】 下1自 두려워하다. **1**《怖れる》 겁내다; 무서워하다. ¶野獣(やじゅう)は火(ひ)を~ 들짐승은 불을 무서워한다. **2**《惧れる》 걱정하다; 우려하다. ¶友人(ゆうじん)が失敗(しっぱい)はしないかと~ 친구가 실패하지나 않을까 걱정하다. **3**《畏れる·懼れる》 경외하다. ¶神(かみ)を~·れないしわざ 신을 두려워하지 않는 행위.

> **恐(おそ)れる의 여러 가지 표현**
>
> 표현例 おどおど(する)(흠칫흠칫(하다))·どきどき(する)(두근두근(하다))·びくびく(する)(벌벌 (떨다); 흠칫흠칫(하다))·ぞっと(する·なる)(오싹(하다))·ひやひや(する)(조마조마(하다))·ひやっと(する)(섬뜩(하다); 오싹(하다)).
>
> 관용 표현 蛇(へび)に見込(みこ)まれた蛙(かえる)のように(뱀앞의 개구리처럼 무서워서 꼼짝도 못함)·血(ち)も凍(こお)るほど(피가 마를 듯이 자지러지게)·髪(かみ)が逆立(さかだ)つほど(머리털이 곤두설 정도로)·背筋(せすじ)が凍るほど(등골이 오싹해지도록)·声(こえ)も出(で)ないほど(말도 안 나올 정도로).

おそろい 〖御揃い〗 名 'そろい'의 공손한 말.

おそろし-い【恐ろしい】《怖ろしい》 形 두렵다; 무섭다. **1** 겁나다. =こわい. ¶~顔(かお)つき 무서운 표정[얼굴]. **2** 걱정[염려]스럽다. ¶末(すえ)~子供(こども)たち 장래가 염려스러운 아이들. **3** 심하다; 지독[대단]하다. ¶~勢(いきお)い 무서운 기세/~·く暑(あつ)い 무섭게[지독하게] 덥다. **4** 이상하다; 묘한 힘이 있다. ¶習慣(しゅうかん)というものは~もので… 습관이란 이상한 것이어서….

おそわ-る【教わる】 5他 배우다. ¶家庭教師(かていきょうし)に英語(えいご)を~ 가정교사한테서 영어를 배우다. ↔教(おし)える.

おそわ-れる【襲われる】 下1自 **1** 습격당하다. ¶山賊(さんぞく)に~ 산적에게 습격당하다/あらしに~ 폭풍우를 만나다. **2** (공포 따위에) 사로잡히다. ¶恐怖(きょうふ)に~ 공포에 사로잡히다.

おそわ-れる 〖魘われる〗 下1自 가위눌리다. =うなされる. ¶悪夢(あくむ)に~ 악몽에 가위눌리다[시달리다].

おそん【汚損】 名ス他自 오손. ¶~した品物(しなもの) 오손된 물품.

オゾン [ozone] 名〘化〙 오존. ¶~層(そう) 오존층/~ホール 오존 홀/~発生機(はっせいき) 오존 발생기.

おだ 名〈俗〉 기염; 열.

—を上(あ)げる (멋대로) 기염을 토하다. ¶一杯(いっぱい)やって~ 한잔 마시고 기염을 토하다. 参考 'おだいもく'의 준말에서.

おたあさま【おたあ様】 名 (궁중에서) '母(はは)(=어머니)'의 높임말; 어머님. =おたたさま. ↔おもう様(さま).

おだい【お代】 名 값; 대금《'代金(だいきん)'의 공손한 말》. ¶~はいくらですか 값은 얼마입니까.

おたいこ【お太鼓】 名 'おたいこむすび'의 준말; 일본 여자 옷의 허리띠를 매는 법의 한 가지.

—を叩(たた)く (그럴 듯한 말로) 비위를 맞추다.

おだいもく【お題目】 名 **1** ☞だいもく2. **2**〈俗〉(실행되지도 않을) 말뿐인 주장; 구두선(禪). ¶~を唱(とな)えてばかりいる 구두선만을 외치고 있다/~だけはりっぱだ 주장만은 훌륭하다.

おたいらに【お平らに】 連語 편하게 앉으라고 권하는 말. ¶どうぞ, ~(してください) 부디 편히 앉으십시오.

おたおた トス自 허둥지둥; 갈팡질팡. ¶突然(とつぜん)の指名(しめい)をうけて~(と)する 갑작스러운 지명을 받고 허둥대다.

おたか-い【お高い】 形 도도하다; 거만하다. ¶~·く構(かま)える 거만한 태도를 취하다.

おたがいさま【お互い様】 名 피차일반; 서로 매일반. ¶苦(くる)しいのは~です 괴로운 것은 피차일반입니다.

おたかく【お高く】 副『~とまる』 도도하게 굴다. ¶あの女(おんな)は~とまっている 저 여자는 도도하게 군다.

おたから【お宝】 名 **1**〈老〉 돈; 금전. **2** (종이에 인쇄한) 보물선 그림. **3** 극히 소중한 물건; 보물; 비장품.

おだき【雄滝】《男滝》 名 한 쌍의 폭포 중 세차고 큰 폭포; 수폭포. ↔雌滝(めだき).

おたく【お宅】 댁. 一名 **1** 상대방 집의 높임말. ¶~には被害(ひがい)はありませんでしたか 댁에는 피해가 없었습니까. **2**〈俗〉 어떤 취미 세계에 병적일 정도로 몰두하는 사람《흔히 カタカナ로 씀》. ¶ゲーム~ 게임 족속(들). 二代〈俗〉 당신; 남편; 귀하. ¶~はご承知(しょうち)でしょう 당신은 알고 계시겠지요.

おだく【汚濁】 名ス自 오탁. ¶~の世(よ) 오탁지세.

おだけ【雄竹】《男竹》 名〘植〙 참대·솜대·죽순대 따위, 큰 대나무의 속칭.

おたけび【雄たけび】《雄叫び》 名 우렁찬

외침. ¶～をあげる 우렁차게 외치다.
おたずねもの【お尋ね者】名 수배인; 지명수배된 범인〔용의자〕.
おたち【お立ち】名 **1** 떠나심(('出発(しゅっぱつ)(=출발)'의 높임말)). ¶いつ～になりますか 언제 떠나십니까. **2** (가려고 자리에서) 일어남. =おかえり. ¶もう～ですか 벌써 가시렵니까.
おたちあい【お立ち合い】名 거리의 상인들이 외치며 손님을 부르는 소리. ¶さあ, さあ, ～ 자아, 자아, 구경들 하세요.
おたちだい【お立ち台】名 알현이나 인사·인터뷰를 받는 사람이 올라서는 대.
おたっし【お達し】((御達し)) 名 관청·손윗사람으로부터의 통지나 지시; 시달. ¶その筋(すじ)の～により… (관계) 당국의 지시에 따라….
おだて〖煽て〗名 **1** 치살림; 치켜세움; 추어올림. **2** 부추김; 쑤석거림. 「다.
—に乗(の)る 추어줌에 놀아나다; 용춤추
*__おだ-てる__〖煽てる〗下1他 **1** 치켜세우다; 추어주다. ¶～·てて一杯(いっぱい)おごらせる 치켜 올려서 한잔 내게 하다. **2** 부추기다; 선동하다.
おたふく【お多福】名 ☞おかめ1.
—かぜ【—風邪】名〔醫〕유행성 이하선염(耳下腺炎); 항아리손님.
おだぶつ〖御陀仏〗名〈俗〉사람이 죽음; 전하여, 잡침; 허사. ¶～になる (a) 잡치다; (b)죽다. 參考 죽을 때 '阿弥陀仏(あみだぶつ)(=아미타불)'를 외므로.
おたま【お玉】名〈女〉**1** 'おたまじゃくし1'의 준말. **2** 알; 달걀. =卵(たま).
おだまき〖苧環〗名 베실 꾸리.
おたまじゃくし【お玉じゃくし】((御玉杓子)) 名 **1** 자루 달린 국자. =お玉(たま). **2**〔動〕올챙이. ¶～はかえるの子(こ) 올챙이는 개구리 새끼((그 아비에 그 자식)). **3**〈俗〉(악보의) 음표; 콩나물 대가리. ¶～が読(よ)めない 악보를 볼 줄 모르다.
おたまや【お霊屋】名 (귀인의 혼백을 모신) 사당; 영묘(靈廟). =みたまや.
おためがお【おため顔】((御為顔)) 名 남을 위하는 체하는 얼굴.
おためごかし【御為ごかし】名⁺ 남을 위하는 체하면서 자기 실속을 차림. ¶～の意見(いけん) 남을 위하는 체하면서 제 잇속만 차리는 의견.
__おだやか__【穏やか】ダナ 온화함. **1 평온〔온건〕함. ¶～な気候(きこう) 온화한 기후/～な意見(いけん) 온건한 의견. **2** 침착하고 조용함; 공손함. ¶～な人柄(ひとがら) 온화한〔온후한〕인품.
おだわら【小田原】名 '小田原ぢょうちん' '小田原評定(ひょうじょう)'의 준말.
—ぢょうちん〖—提灯〗名 주름이 잡혀 있어 접을 수 있는 초롱; 접등(摺燈).

〔小田原提灯〕

—ひょうじょう【—評定】名 질질 끌기만 하고 결론은 못 짓는 논의. 參考 豊臣秀吉(とよとみひでよし)가 小田原성을 공격했을 때, 성안에서는 화전(和戰) 양론이 맞서, 좀처럼 결론을 짓지 못하고 시간만 허송한 고사에서.
おたんこなす 名〈俗〉☞おたんちん.
おたんちん 名〈俗〉얼간이; 멍청이. =まぬけ. ¶この～め 이 얼간이야.
おち【落ち】名 **1** 빠짐; 빠뜨림; 누락; 실수. ¶配当(はいとう)～〔經〕배당락/～の良(よ)い石(せっ)けん 때가 잘 빠지는 비누. **2** 쫓겨남; 도망침. ¶都(みやこ)～ 낙향. **3** (뻔한) 종말; 결말. ¶笑(わら)われるのが～だ 웃음거리가 되는 것이 고작이다〔뻔하다〕. **4** (만담 등에서) 사람을 웃기고 그 이야기를 매듭짓는 부분. =さげ. ¶考(かんが)え～ (만담에서) 잘 생각하지 않으면 그 익살의 재미를 모르는 것.
おちあ-う【落ち合う】5自 (약속한 곳에서) 만나다; 합류하다. ¶駅(えき)で～ 역에서 서로 만나다/二(ふた)つの川(かわ)が～ 두 강이 합류하다.
おちあゆ【落ちあゆ】((落ち鮎)) 名〔魚〕가을에 산란하러 강에서 바다로 내려가는 은어. =さびあゆ·下(くだ)りあゆ.
おちい-る【陥る】5自 **1** 빠지다; 빠져들다. =おちこむ. ¶穴(あな)に～ 구멍에 빠지다. **2** (못된 상태에서) 헤어나지 못하게 되다. ¶危篤(きとく)に～ 위독상태에 빠지다. **3** 계략에 걸리다. ¶悪巧(わるだく)みに～ 흉계에 걸려 들다. **4** 함락하다; 떨어지다. ¶城(しろ)が～ 성이 함락되다.
おちおち〖落ち落ち〗副 ((뒤에 否定語를 수반하여)) 안정하고; 안심하고; 마음 놓고. ¶心配(しんぱい)で夜(よる)も～眠(ねむ)れない 걱정이 되어 밤에도 마음놓고 잘 수 없다.
おちかか-る【落ち掛かる】5自 **1** 떨어지려 하다. **2** 떨어져 내리다. ¶頭(あたま)の上(うえ)に山桜(やまざくら)が～ 머리 위에 산벚꽃(잎)이 떨어지다.
おちかさな-る【落ち重なる】5自 떨어져 쌓이다. ¶山道(やまみち)に枯(か)れ葉(は)が～ 산길에 마른 잎이 떨어져 쌓이다.
おちくぼ-む【落ちくぼむ】((落ち窪む)) 5自 움푹 패다; 쑥 들어가다. ¶～·んだ目(め) 움푹 들어간 눈.
おちこち〖遠近〗名〈雅〉여기저기. =あちらこちら. ¶～の村々(むらむら) 여기저기 (여러) 마을들.
おちこぼれ【落ちこぼれ】((落ち零れ)) 名 **1** 떨어져서 흐트러져 있는 것〔이삭〕. **2** 남은〔남겨진〕물건; 처진 것. **3** 전하여, (어떤 일로) 얻는 이익; 국물; 떡고물. =おこぼれ. **4** (학교 수업을 못 따라가는) 낙오자.
おちこみ【落ち込み】名 좋지 않은 상태가 됨; 하락; 하강. ¶景気(けいき)の～ 경기의 하강.
おちこ-む【落ち込む】5自 **1** 빠지다; 빠져 들다. **2** 좋지 않은 상태가 되다. ¶危険(きけん)に～ 위험에 빠지다. **3** 움푹 패다; 쑥 들어가다. =ひっこむ. ¶地面(じめん)が～ 지면이 움푹 패다. **4** 침울해지다. ¶失恋(しつれん)して～ 실연하여 침울해지다.

おちしお【落ち潮】图 ☞ひきしお.

*おちつき【落ち着き】图 1 침착성; 차분함; 침착한 태도. ¶～がない 침착성이 없다. 2 (놓임새의) 안정감; 안정성. ¶～が〔の〕悪(わる)い机(つくえ) (놓임새가) 안정감이 없는 책상/相場(そうば)が～をとりもどす 시세가 안정을 되찾다.

おちつきはら-う【落ち着き払う】5自 매우 침착한 모양을 보이다; 태연자약하다. ¶～·って話(はな)す 침착하게 얘기하다/どんな悪口(わるくち)を言(い)われても～·っている 어떤 욕을 먹어도 태연자약하다.

**おちつ-く【落ち着く】5自 1 자리잡다; 정착하다; 살다. ¶京都(きょうと)に～ 京都에 자리잡다/郷里(きょうり)に～ 고향에 정착하다. 2 (결혼하거나 직업 등을 잡아) 안정되다; 머물다. ¶結婚(けっこん)して～ 결혼하여 자리잡다. 3 가라앉다; (마음·행동이) 침착하다; 진정되다. ¶あわてずに～·け 당황하지 말고 침착해라/～·いて行動(こうどう)する 침착하게 행동하다/痛(いた)みが～ 아픔이 가라앉다. 4 변동이 없어지다; 안정되다. ¶相場(そうば)が～·いた 시세가 안정되었다. 5 (의견 등이) 타결을 보다; (결론으로) 도달〔귀결〕하다. ¶～所(ところ)は一(ひと)つ 귀결점은 하나/同(おな)じ結果(けっか)に～ 같은 결과에 도달하다.

おちつ-ける【落ち着ける】《落ち付ける》 ㊀下1他 1 안정시키다; 가라앉히다; 진정시키다. ¶腰(こし)を～·けて勉強(べんきょう)する 차분히 (자리잡고) 앉아서 공부하다. 2 귀결시키다. ¶原案(げんあん)どおりに話(はなし)を～ 원안대로 이야기를 귀결시키다. ㊁下1自 안정시킬〔가라앉힐〕 수 있다. ¶～部屋(へや) (마음이) 차분해지는 방.

おちど【おちど·落ち度】图 잘못; 과실; 실수. ¶こちらに～がある 이쪽에 잘못이 있다.

おちの-びる【落ち延びる】上1自 무사히 멀리 달아나다. ¶九州(きゅうしゅう)へ～ 멀리 九州로 무사히 달아나다.

おちば【落ち葉】图 1 낙엽. =落葉(らくよう). ¶～焚(た)き 낙엽 태우기/～の季節(きせつ) 낙엽 지는 계절/～を掃(は)く 낙엽을 쓸다. 2 'おちば色(いろ)'의 준말; 황갈색; 고동색.

*おちぶ-れる【落ちぶれる】《落魄れる·零落れる》下1自 영락하다. ¶こじきにまで～ 거지로까지 영락하다.

おちぼ【落ち穂】图 낙수; (떨어진) 이삭. ¶～拾(ひろ)い 이삭줍기.

おちむしゃ【落ち武者】图 싸움에 지고 도망치는 무사. =おちうど.

——はすすきの穂(ほ)におじる 패하여 도망치는 무사는 참억새꽃에도 놀란다《자라 보고 놀란 가슴 소댕 보고 놀란다》.

おちめ【落ちめ·落ち目】图 내리막길에 접어든 상태; 한물 감; 또, 그 판국. ¶人気(にんき)が～になる 인기가 내리막길에 접어들다.

おちゃ【お茶】图 1 (엽)차《'茶(ちゃ)'의 공손한 말》. ¶～の会(かい) 다과회/～を入(い)れる 차를 끓여 내다. 2 일하는 도중에 잠깐 쉼. ¶～にする 일하는 도중에 잠시 쉬다. 3 다도. =茶(ちゃ)の湯(ゆ). ¶～の先生(せんせい) 다도를 가르치는 선생.

——を濁(にご)す 어물어물〔적당히〕 해서 그 자리를 넘기다.

——を挽(ひ)く 기생·유녀 등이, 손님이 없어 한가하다. 参考 옛날, 손님을 받지 못한 기녀에게는 맷돌로 차를 갈게 한 데서.

おちゃうけ【お茶請け】图 ☞ちゃうけ.

おちゃっぴい 名子 장난기가 많고 수다스러움; 또, 그런 계집애. ¶～な小娘(こむすめ) 말괄량이 계집애.

おちゃのこ【お茶の子】图 1 ☞ちゃうけ. 2 아침 식사로 먹는 찻죽. 3 전하여, 간단함; 식은죽 먹기. =朝飯前(あさめしまえ). ¶酒(さけ)なら一升(いっしょう)ぐらいは～だ 술이라면 한 되쯤은 아무것도 아니다.

——さいさい 손쉬운 모양. ¶こんな仕事(しごと)は～だ 이런 일은 식은죽먹기다.

おちゃらか-す 5他 희롱하다; 조롱하다; 놀리다. ¶人(ひと)を～なよ 사람을 놀리지 마/人の話(はなし)を～なよ 남의 얘기를 조롱하지 마.

おちゅうど［落人］图 (싸움에 지고) 도망가는 사람; 패잔병. =おちうど.

おちゆ-く【落ち行く】5自 1 도망가다. ¶遠(とお)くへ～ 멀리 도망치다. 2 도달하다; 귀착하다. ¶思(おも)わぬ結論(けつろん)に～ 뜻밖의 결론에 도달하다. 3 몰락해 가다.

おちょうしもの【お調子者】图 1 추어주면 우쭐하는 사람; 경박한 사람. =おっちょこちょい. ¶彼(かれ)は少(すこ)し～だ 그는 약간 경망스럽다. 2 적당히 남의 비위만 맞추는 사람; 살살이.

おちょく-る 5他 조롱하다; 놀리다. ¶こんなに～·られても, 彼(かれ)はかみついたりしない 이렇게 놀려 대어도 그는 대들거나 하지 않는다.

おちょこ〚御猪口〛图 작은 사기 잔《'ちょこ'의 공손한 말》.

——になる 쓰고 있는 우산이 센 바람으로 뒤집히다.

おちょぼぐち【おちょぼ口】图 작게 오므린 (귀여운) 입. ¶～で〔をして〕笑(わら)う 입을 작게 오므리고 (귀엽게) 웃다.

**お-ちる【落ちる】《墜ちる》上1自 1 떨어지다. ㉠낙하하다. ¶木(こ)の葉(は)が～ 나뭇잎이 떨어지다/ちり一(ひと)つ～·ちていない 티끌 하나 떨어져 있지 않다/雨(あめ)が～ 비가 오다. ㉡(함정 등에) 빠지다; 또, (때 따위가) 지다. ¶わなに～ 함정에 빠지다/いくら洗(あら)ってもしみが～·ちない 아무리 빨아도 얼룩이 빠지지 않는다. ㉢(해·달이) 지다. ¶日(ひ)が西(にし)の空(そら)に～ 해가 서쪽 하늘에 지다. ㉣낙방하다. ¶試験(しけん)〔選挙(せんきょ)〕に～ 시험〔선거〕에 떨어지다. ㉤(전만) 못해지다; 줄다; 내리다. ¶速力(そくりょく)が～ 속력이 떨어지다/客(きゃく)が～ 손님이 줄다. ㉥함락되다. ¶城(しろ)が～ 성이 함락되다. ㉦(…손에) 넘어가다; (어음이) 결제되다; 낙찰하다. ¶五万円(ごまんえん)で～ 5만 엔에 떨어지다〔낙찰되다〕/十五日(じゅうごにち)に手形(てがた)

が～ 15일에 어음이 떨어진다〔결제된다〕. **2** 빠지다. ㉠누락되다. ¶名簿から～ 명부에서 빠지다. ㉡(빛깔 따위가) 날다; 바래다. ¶色が～ 색이 바래다. ㉢(살이) 빠지다. ¶頬の肉が～ 볼의 살이 빠지다. ㉣《'眠りに～'의 꼴로》 잠이 들다. ¶深い眠りに～ 깊은 잠에 빠지다. **3** 실토하다; 불다. ¶容疑者が～·ちた 용의자가 자백했다. **4** (전쟁에 져서) 몰래 도망하다. ¶都を～ 낙향하다; 서울을 몰래 도망쳐 빠져나가다. **5** 까무러치다; 기절하다. ¶首を締められて～ (유도에서) 목이 졸리어 기절하다. **6**『腑に～·ちない』 납득이 안 가다.

おつ【乙】㊀图 을. **1** 제2위. ¶成績は～だ 성적은 을이다. **2** 사물의 이름 대신 쓰이는 말. ¶甲は～に対し賠償責任を負う 갑은 을에 대해 배상 책임을 진다. ㊁ダナ **1** 멋짐; 특이함. ¶～な味 특이한 맛/～な気分になって 약간 에로틱한 기분이 되어. **2**《'～に'의 꼴로》 묘하게; 이상하게; 별스레. ¶～にすます 별스레 새침떼다.

おつ〖乙〗常用 オツ イツ おと きのと | 을 둘째(천간)

을. **1** 천간(天干)의 둘째. ¶乙丑 을축. **2** 제2위. ¶甲乙 갑을.

おっ= 완전히; 정말. ¶～たまげる 혼비백산하다.

おっ=【おっ·押っ】〈俗〉 動詞에 붙여 뜻을 강조하는 말(('押し'의 음편)); 세차게〔갑자기〕 무엇을 함을 나타냄. ¶～ぽり出す 내팽개치다.

おっ=【おっ·追っ】〈俗〉 動詞에 붙어 쫓는 뜻을 강조함(('追い'의 음편)). ¶悪者を～ぱらう 나쁜 놈을 쫓아 내다.

おっ 感 힘을 들이거나, 놀라거나, 갑자기 생각났을 때에 내는 소리: 야. ¶～, これは重いぞ 어이구, 이건 무겁군.

おっかあ【おっ母】((阿母)) 图 〈俗〉 **1** 엄마. **2** 마누라; 처.

おつかい【お使い】图 '使い(=심부름)'의 공손한 말. ¶～, ご苦労さまです 심부름하느라 수고했습니다.

おっかけ【追っ掛け】連語 **1** 뒤미처; 잇달아; 곧. ¶休みが終わると～試験が始まる 방학이 끝나면 뒤미처 시험이 시작된다. **2**〔映〕 추적 장면.

おっかけひっかけ【追っ掛け引っ掛け】副 연달아; 잇달아. ¶～難問が出る 잇달아 어려운 문제가 나오다.

おっか-ける【追っ掛ける】下1他 ☞おいかける.

おっかな-い 形 〈俗〉 무섭다; 두렵다. ＝こわい·恐ろしい. ¶～人 무서운 사람/～顔をする 무서운 얼굴을 하다.

おっかなびっくり 副 〈俗〉 무서워 떨면서; 벌벌 떨면서; 흠칫거리며. ¶～触ってみる 흠칫흠칫 만져 보다.

おっかぶ-せる〖押っ被せる〗下1他 **1** 뒤집어씌우다; 덮어씌우다. ¶袋を～ 자루를 덮어씌우다/責任を人に～·せて知らん顔をする 책임을 남에게 뒤집어씌우고 시치미 떼다. **2**《'～·せて' '～ように' 등의 꼴로》 고압적인 태도로 나오다. ¶～ような態度で命ずる 고압적인 태도로 명령하다.

おつき【お付き】图 (귀인의) 시종; 수행원. ＝お供. ¶～の人 시중드는 사람.

おつぎ【お次】图 **1** 다음; 다음 분(('次(の人)'의 높임말)). ¶～はどなたですか 다음은 어느 분입니까. **2** 옆방(('次の間'의 공손한 말)). ¶～にとおしなさい 옆방으로 모셔라.

おつきさま【お月様】图 달님.

***おっくう**〖億劫〗名ナ 귀찮음; 마음이 내키지 않음. ¶口をきくのも～だ 말을 하는 것도 귀찮다/年をとると何をするのも～になる 나이를 먹으면 무엇을 하거나 귀찮아진다.

—**が-る** 5自 귀찮아하다.

おつくり【お作り】图 **1**〈女〉 화장. ＝化粧. ¶～がよく出来ました 화장이 잘 되었습니다. **2** 생선회. ＝さしみ. ¶～を二人前頼みます 생선회를 2인분 부탁합니다. 参考 주로 関西 지방에서 씀.

おつけ〖お付け〗图 국; 특히, 된장국. ＝おつゆ. ¶朝食に～は付きものだ 아침 식사에 된장국은 으레 따르게 마련이다.

おつげ【お告げ】图 신불의 계시; 탁선(託宣). ¶神の～ 신의 계시/～を受ける 계시를 받다.

オッケー 感〈俗〉☞オーケー.

おっけん［臆見］图 억견; 억측.

おっこ-ちる〖落っこちる〗上1自〈俗〉 떨어지다; 불합격이 되다. ＝おちる. ¶屋根から～ 지붕에서 떨어지다.

おっこと-す〖落っことす〗5他〈俗〉 떨어뜨리다. ＝落とす. ¶財布を～ 지갑을 떨어뜨리다.

おっさん 图〈俗〉 아저씨((중년 남자를 친근하게 부르는 말)). ¶～, 元気がないわ 아저씨, 기운이 없네요.

おっしゃ-る〖仰る·仰有る〗5自 **1** 말씀하시다(('言う(=말하다)'의 높임말)). ＝言われる. ¶先生が～·いました 선생님이 말씀하셨습니다/何でも～とおりに致します 뭐든지 말씀〔분부〕대로 하겠습니다/お名前は何と～·いますか 존함이 어떻게 되십니까. 参考 命令形은 'おっしゃい'. ¶うそ～·い 거짓말 말아요 / 早く〔正直に〕～·い 빨리〔솔직히〕 말해요. **2**《인명 등을 받아》 …라는 이름이시다. ¶先程, 鈴木さんと～方がお見えになりました 아까 鈴木씨라는 분이 오셨습니다.

おった-てる【追っ立てる】下1他 쫓아내다; (급히) 몰아내다. ¶家賃滞納で借家から～·てられた 집세 체납으로 셋집에서 내쫓겼다.

おった-てる【おっ立てる·押っ立てる】

下1他 〈俗〉 힘차게 세우다(('押し立てる'의 힘줌말)).

おったまげる【押ったまげる】((押っ魂消る)) 下1自 'たまげる'의 힘줌말.

おっちょこちょい 名ナ 〈俗〉 경박함; 또, 그런 사람; 덜렁쇠; 촐랑이. ¶～な男 촐랑이 / ～な性格 경박한 성격.

おっつかっつ ダナ 비등비등함; 비슷비슷함. ¶二人の実力は～だ 두 사람의 실력은 비슷비슷하다.

おっつ-く【追っ着く·追っ付く】5自 〈俗〉 뒤좇아가 닿다; 뒤좇아 따라붙다. ¶今ごろは～時分だ 지금쯤은 따라붙을 시간이다.

おっつけ【押っ付け】图 밀어붙임; 또, 그 힘. ¶～が強い 밀어붙이는 힘이 세다; 박력이 좋다.

おっつけ〖追っ付け〗副 머지않아; 이제 곧. ¶～帰るだろう 곧 돌아오겠지 / ～手紙を書くよ 이제 곧 편지를 쓸게.

おっつ-ける【押っ付ける】下1他 **1** 밀어붙이다; 누르다. **2** 억지로 시키다; 억지로 떼어 맡기다(('押しつける'의 힘줌말)). ¶仕事を人に～ 일을 남에게 억지로 떼어 맡기다. **3** (씨름에서) 상대방의 팔을 바짝 끼고 샅바를 못 잡게 하다.

おって【追っ手】图 추격자〔대〕. ¶～がかかる 추격자〔대〕가 뒤따르다.

おって【追って】一副 추후에; 곧; 머지않아. ¶～通知する 추후 통지한다. 二((追而)) 接 '다음 사항을 덧붙여 씁니다'의 뜻: 추이; 추가하여; 추계(追啓). **―がき**【―書き】((追而書)) 图 추신. ＝追伸·二伸.

*__おっと__【夫】((良人)) 图 남편. ＝亭主. ¶～のある女 남편이 있는 여자 / 愛する～ 사랑하는 남편 / ～を失う 남편을 잃다. 參考 상대방의 남편을 말할 때는 'ご主人' 또는 'ご主人さま'라고 함. ↔妻.

おっと 感 놀랐을 때, 갑자기 생각났을 때, 급히 정지시킬 때 따위에 내는 소리: 이키(나); 아이쿠; 아니지. ¶～危ない 이키, 위험하다 / ～きた 알았다.

おっとう〖おっ父〗图 〈俗〉 아빠((친근하게 부르는 말)). ↔おっ母.

おっとせい〖膃肭臍〗图 〔動〕 물개; 해구(海狗). ¶～の毛皮 물개의 모피.

おっとっと 感 술 따위가 넘치게 되거나 까딱하면 실수하게 될 때 내는 소리; 아차차; 아이(고). ¶～, もう結構 아이고, 그만 됐소.

おつとめ【お勤め】图 **1** 직업; 근무(('勤め'의 공손한 말씨)). ¶～の帰りですか 퇴근하시는 길입니까 / ～はどちらですか 근무처는 어디십니까. **2** 상인이 고객에게 봉사하는 일. 「특가품.
―ひん【―品】图 서비스 상품; 사은

*__おっとり__ 副 대범하고 까다롭지 않은 모양. ¶～(と)かまえる 유연한 자세를 보이다. ↔こせこせ.

おっとりがたな【押っ取り刀】图 다급하여 칼을 찰 틈도 없이 손에 든 채로 달려감. ¶～でかけつける 허겁지겁 달려가다.

おっぱい 图 〈兒〉 젖(통이). ＝乳·乳房. ¶～を飲む 젖을 먹다.

おっぱじ-める【おっ始める】((押っ始める)) 5他 〈俗〉 갑자기 시작하다. ¶けんかを～ (갑자기) 싸움을 시작하다.

おっぱな-す【おっ放す】((押っ放す)) 5他 〈俗〉 내쫓다; 내보내다. ¶六人を～·してやった 여섯 명을 몰아냈다.

おっぱら-う【追っ払う】5他 〈俗〉 쫓아버리다; 쫓아내다. ＝追い払う.

おっぴろげる【おっ広げる】下1他 〈俗〉 벌리다; 넓히다(('ひろげる'의 힘줌말)). ¶股を～ 가랑이를 쫙 벌리다. 「っぽ.

おっぽ【尾っぽ】图 〈俗〉 꼬리. ＝尾·し

おっぽりだ-す【おっぽり出す】((押っ放り出す)) 5他 〈俗〉 내던지다; 내동댕이치다(('ほうり出す'의 힘줌말)). ¶窓からごみを～ 창에서 쓰레기를 내던지다.

おつまみ〖御摘まみ〗图 간단한 (마른) 안주(('つまみもの'의 공손한 말씨)). ¶ビールの～ 맥주의 마른안주.

おつもり〖御積もり〗图 (술자리에서의) 마지막 술잔; 필배; 종배. ¶これで～にしよう 이것으로 그만 마시자.

おつや【お通夜】图 '通夜'의 공손한 말씨. 「한 말씨)).

*__おつゆ__〖御汁〗图 국; 국물(('汁'의 공손

おつり【お釣り】图 거스름돈(('釣り銭'의 공손한 말씨)). ¶～が来る 값을 치르고도 거스름돈이 돌아오다.

おてあげ【お手上げ】图 어쩔 도리가 없음; 손듦; 도중에서 포기함((좁은 뜻으로는 파산)). ¶～の状態 파산 상태 / また失敗すればもう～だ 또 실패하면 이제 끝장이다. 參考 항복할 때, 손을 드는 데서.

おてあらい【お手洗い】图 화장실(('手洗い'의 공손할 말)).

おでい【汚泥】图 오니; 진흙(탕). ＝どろ. ¶～にまみれる 진흙투성이가 되다.

おでき〖お出来·腫物〗图 부스럼; 종기(('できもの'의 공손한 말)). ¶～の跡 부스럼 자국 / ～が出来る 종기가 나다.

*__おでこ__ 图 **1** 〈俗〉 마빡; 이마. ＝ひたい. ¶～が広い 이마가 넓다. **2** 이마가 내밂; 또, 짱구머리.

おてしょ〖御手塩〗图 〈女〉 작고 납작한 접시. ＝手塩皿·おてしょう.

おてだま【お手玉】图 오자미; 공기((조그만 주머니에 팥 따위를 넣은 공기)); 또, 그 놀이. ⇨おはじき.

おてつき【お手付き】图 **1** 〈俗〉 주인이 시녀·하녀 등과 육체 관계를 맺음; 또, 그 여자. **2** (歌がるた(＝노래 딱지놀이)에서) 잘못하여 딴 패에 손을 댐; 또, 그 벌로 떠맡는 딱지. ＝おてつけ.

おてつだい【お手伝い】图 **1** ☞おてつだいさん. **2** '手伝い'의 공손한 말씨.

おてつだいさん【お手伝いさん】图 가

정부. ¶～求む 가정부 구함.

おてなみ【お手並み】名 (상대의) 솜씨·기량. 「시다.
—拝見 (어디) 솜씨가 어떤지 좀 봅

おてのうち【お手の内】《御手の中》名 **1** 당신이 가지고 있는 것. **2** (당신의) 솜씨·기술. ¶～を拝見したい (당신의) 솜씨 구경 좀 했으면 싶다.

おてのすじ【お手の筋】名〈俗〉잘 알아맞힘. ¶どうだ～だろう 어때 귀신같이 맞히지.

おてのもの【お手のもの】《御手の物》名 특기; 장기. ¶算盤なら僕の～だ 주판이라면 내 장기다.

おてまえ【お手前】《お点前》名 다도(茶道)의 예법; 또, 그 솜씨.

おでまし【お出まし】《御出座し》名 행차; 납심. ¶陛下の～ 폐하의 납심.

おてもと【お手もと·お手元】《御手許》名 **1** '手もと'의 높임말. **2** (요릿집 등에서) 손님이 쓰는 젓가락의 공손한 말.

おてもり【お手盛り】名 **1** 자기 손으로 음식을 그릇에 담음. ¶～でどうぞ 손수 떠 잡수세요. **2** 제게 유리하도록 꾸밈. ¶～の案 자기에게 좋도록 짠 안.

おてやわらかに【お手柔らかに】連語 부드럽게 상대해 달라는 뜻《경기 따위를 시작하기 전에 흔히 인사말로 씀》. ¶どうぞ～ 잘 부탁합니다. 「ん.

おてらさま【お寺様】名 스님. ＝お寺さ

おてん【汚点】名 오점. ¶歴史に～を残す 역사에 오점을 남기다.

おでん〖御田〗名 오뎅; 꼬치안주.

おてんき【お天気】名 **1** 일기; 날씨. ¶～が悪い 날씨가 나쁘다. **2** 맑은 날씨. ¶きょうは～だ 오늘은 날씨가 좋다. **3**〈俗〉기분. ¶父の～をうかがう 아버지의 기분을 살피다. 「お天気者.
—や【—屋】名 기분파; 변덕쟁이. ＝

おてんとさま【おてんと様】《御天道様》名〈口〉태양; 해님. ＝おてんとうさま.

おてんば〖御転婆〗名ダナ 말괄량이; 왈가닥. ＝おはね. ¶～娘 말괄량이.

****おと【音】**名 **1** 소리. ¶鐘の～ 종소리 / 大きな～を立てる 큰 소리를 내다. **2** 소문; 평판. ＝うわさ. ¶～にきこえた力持ち 소문에 듣던 장사. **3** 소식; 음신(音信). ＝たより. ¶その後なんの～もない 그 후 아무 소식도 없다.
—に聞く 소문에 듣다; 유명하다. ¶～花の名所 유명한 꽃의 명소.

おとあわせ【音合わせ】名ス他 연주에 앞서 악기를 조율하는 일; 튜닝. ＝チューニング.

おといれ【音入れ】名 **1** TV·영화 제작에서, 음성·음악·음향의 녹음. **2**〈俗〉레코딩.

***おとうさん【お父さん】**名 아버지《'父'의 높임말》. ＝お父様. ¶～, 行ってまいります 아버지, 다녀오겠습니다. ↔お母さん.

****おとうと【弟】**名 남동생; 아우《넓은 뜻으로는 배우자의 남동생과 여동생의 남편 등도 가리킴》. ↔兄.

おとうとでし【弟弟子】名 같은 사장(師匠)·선생에게 나중에 입문(入門)한 남자 제자. ↔兄弟子.

おとうとぶん【弟分】名 (의형제 등의) 동생뻘이 되는 사람. ↔兄分.

おとおし【お通し】名 손님이 주문한 요리가 나오기 전에 내는 간단한 음식《'お通し物'의 준말》. ＝つきだし.

***おどおど** 副 주저주저; 주뼛주뼛; 조심조심. ＝おずおず·びくびく. ¶～(と)した態度 겁먹은 태도 / ～近づく 주뼛주뼛 다가가다. 「ご.

おとがい〖頤〗名〈雅〉아래턱. ＝下あ
—が落ちる 맛이 대단히 좋다.
—をたたく 욕을 하다; 잘 지껄이다.

おどかし【脅かし】名 위협; 협박. ＝おどし. ¶～に乗る 위협에 굴복하다.

****おどか-す【脅かす】**5他 **1** 위협하다; 협박하다. ＝おびやかす. ¶～·して金を取る 협박하여 돈을 빼앗다 / 殺すぞと～ 죽이겠다고 위협하다. **2** 깜짝 놀라게 하다. ＝おどす. ¶あんまり～なよ 너무 놀라게 하지 마라. 可能おどか-せる 下1自

おとぎ〖御伽〗名 **1** 말상대; 말벗; 특히, 전국 시대·江戸 시대에 주군 곁에서 말상대를 하던 사람. ＝おとぎ衆. **2** (귀인에게) 수청을 듦; 또, 그 여자; 첩. **3** (초상집에서) 밤샘을 함. **4** 'おとぎばなし'의 준말. ¶～の国 동화의 나라.
—ばなし【—話】《御伽噺》名 **1** 옛날 이야기; 동화. **2** 공상적인〔꿈 같은〕얘기.

おとくい【お得意】名 **1** '得意'의 높임말. ¶～の芸 가장 자신 있는 재주. **2** 단골; 고객. ¶～先 단골 거래처.

おどけ〖戯け〗名 **1** 장난기; 익살맞음. ¶～顔 익살맞은 얼굴 / ～話 익살스러운 얘기 / ～者 익살꾼. **2** 농담; 익살. ¶～じゃない 농담이 아니다.

おど-ける〖戯ける〗下1自 익살맞은 짓을 하다. ¶～·けて人を笑わせる 익살맞은 짓을 해서 사람을 웃기다.

****おとこ【男】**名 **1** 사나이; 남자; 남성. ¶～の先生 남자 선생 / ～の中の男 사나이 중의 사나이; 남자다운 남자 / ～を磨く 대장부로서의 수양을 쌓다 / ～になる 어엿한 남자가 되다. **2**《흔히 'よい'와 함께》(남자가) 잘생김. ＝男振り. ¶～がよくて金持ちだ 잘생기고 부자다. **3** (남편 이외의) 사내; 샛서방; 정부. ¶～をこしらえる〔作る〕다른 남자와 관계를 갖다; 서방질하다. **4** (남자의) 의기; 명예; 체면; 명성. ¶～を上げる〔下げる〕남자로서의 위신을 세우다〔깎다; 체면이 떨어지다〕/ ～を売る 훌륭한 남자라는 평판을 받다. **5** 남자 하인; 머슴. ＝下男. ¶～を使う 하인을 부리다. **6** (짐승의) 수컷. ¶～ネコ 수코양이. ⇔女.
—が廃る 사나이 체면이 떨어지다.

—が立(た)つ 사나이의 체면이 서다. ¶ここで投(な)げ出(だ)しては男が立たない 여기서 포기하면 남자의 체면이 서지 않는다. **—は度胸(どきょう), 女(おんな)は愛嬌(あいきょう)** 남자는 배짱, 여자는 애교.

おとこいっぴき【男一匹】 名 사내 대장부. ¶俺(おれ)も～だ. こんなことにへこたれるものか 나도 사내 대장부다. 이런 일에 꺾일 것 같은가.

おとこおんな【男女】 名 암뗀 남자; 선머슴 같은 여자.

おとこぎ【男気】《俠気》 名 협기; 의협심. ¶～のある人(ひと) 의협심이 있는 사람.

おとこぎらい【男嫌い】 名 (여자가) 남자를 싫어함; 또, 그러한 여자. ↔女嫌(おんなぎら)い.

おとこくさ-い【男臭い】 形 **1**남자 체취가 나다. ¶～部屋(へや) 사내 냄새가 나는 방. **2** 자못 남성답다. ¶～職場(しょくば) 남성적인 직장.

おとこぐるい【男狂い】 名 (여자가) 남자에 미침; 탕녀. ↔女狂(おんなぐる)い.

おとこけ【男気】 名 남자가 있는 기색. 注意 'おとこげ'라고도 함. ↔女気(おんなけ).

おとこごころ【男心】 名 **1** 남자의 마음. ↔女心(おんなごころ). **2** 남자의 바람기. ¶～と秋(あき)の空(そら) 남자의 마음과 가을 하늘은 변하기 쉽다는 말.

おとこざか【男坂】 名 신사나 절에 참배하러 들어가는 두 비탈길 중 더 가파른 쪽의 길. ↔女坂(おんなざか).

おとこざかり【男盛り】 名 남자의 한창때. ↔女盛(おんなざか)り.

おとこしゅう【男衆】 名 **1** 사나이들; 남정네. **2** 남자 하인; 머슴. ¶うちの～ 우리집 남자 하인. ⇔女衆(おなごしゅう)·女子衆(おなごしゅう). 注意 'おとこしゅ'라고도 함.

おとこじょたい【男所帯】 名 홀아비 살림; 남자뿐인 살림. ¶～にうじがわく 홀아비 살림에 구더기가 끓는다. ↔女所帯(おんなじょたい).

おとこずき【男好き】 名ナ **1**남자의 기호에 맞음; 남성이 좋아함. ¶～のする顔(かお) 남자들이 좋아하는 얼굴. **2** (여자가) 남자를 밝힘. ¶～の女(おんな) 남자를 밝히는 여자. ⇔女好(おんなず)き.

おとこだて【男だて】《男伊達》 名 사나이다움을 행동으로 보임; 또, 그런 사람; 협객. ＝俠客(きょうかく).

おとこっぷり【男っぷり】《男っ振り》 名 'おとこぶり'의 힘줌말. ↔女(おんな)っぷり.

おとこで【男手】 名 **1** 남자의 손. ¶妻(つま)に死(し)なれ～で育(そだ)てた子(こ) 아내를 여의고 홀아비손으로 기른 자식. **2** 남자의 필적. ¶この手紙(てがみ)は～だ 이 편지는 남자의 필적이다. ↔女手(おんなで).

おとこなき【男泣き】 名ス自 남자가 복받쳐 우는 울음. ¶～に泣(な)く 사나이가 격정을 못이겨 울다.

おとこのこ【男の子】 名 **1** 사내아이; 아들. **2** 〈女〉 젊은 남자. ⇔女(おんな)の子(こ).

おとこひでり【男ひでり·男日照り】《男旱》 名 남자 흉년〔기근〕. ¶その時(とき)は～でつまらぬ男(おとこ)も女(おんな)にもてた 그 때는 남자 흉년이라서 시시한 남자도 여자에게 인기가 있었다. ↔女(おんな)ひでり.

おとこぶり【男ぶり】《男振り》 名 **1** 남자다운 풍채·용모. ¶堂々(どうどう)とした～ 남자다운 당당한 풍채. ↔女(おんな)ぶり. **2** 남자로서의 면목. ＝男(おとこ)っぷり. ¶～をあげる 남자로서의 면목을 세우다.

おとこまえ【男前】 名 멋있는 사나이; 미남자. ＝男ぶり. ¶彼(かれ)はなかなか(の)～だ 그는 상당한 미남자다.

おとこまさり【男勝り】 名 여자가 남자 이상 씩씩함; 또, 그런 여자. ¶～の気性(きしょう) 남자 못지않은 괄괄한 기질.

おとこみょうり【男冥利】 名 남자로 태어난 행복·기쁨. ¶～に尽(つ)きる 남자로 태어나 더 없이 행복하다. ↔女冥利(おんなみょうり).

おとこむき【男向き】 名 남자용; 남성 취향. ¶～の柄(がら) 남자에 어울리는 무늬. ↔女向(おんなむ)き.

おとこもの【男物】 名 남자 용품. ¶～の傘(かさ) 남자용 우산. ↔女物(おんなもの).

おとこやく【男役】 名 **1** (연극 등에서) 여배우가 남자역을 함; 또, 그 여배우. **2** 남자가 해야 할 역할. ⇔女役(おんなやく).

おとこやもめ【男やもめ】《男鰥》 名 홀아비. ¶～にうじがわき, 女(おんな)やもめに花(はな)が咲(さ)く 홀아비는 이가 서 말, 과부는 은이 서 말.

おとこゆ【男湯】 名 남탕. ＝男風呂(おとこぶろ). ↔女湯(おんなゆ).

おとこらし-い【男らしい】 形 사내답다. ＝おおしい. ¶～·く謝(あやま)れ 남자답게 사과해라. ↔女(おんな)らしい.

おとさた【音さた】《音沙汰》 名 소식; 편지; 연락《'おと' 'さた' 모두 옛날에는 'たより(＝소식)'의 뜻》. ¶何(なん)の～もない 아무런 소식도 없다.

おとし【落とし】 名 **1** 떨어뜨림; 흘림. **2** 덫. ＝わな. ¶～をかける 덫을 놓다. **3** 'おとし穴(あな)'의 준말. **4** 이야기의 매듭.

おどし【脅し】《威し·嚇し》 名 **1** 으름장; 위협; 협박. ＝おどかし. ¶～がきかない 으름장이 효과 없다/～に乗(の)る 위협에 굴복하다/～の姿勢(しせい)をとる (짐승이) 덤벼들 자세를 취하다. **2** 허수아비. ＝かかし.

おとしあな【落とし穴】 名 함정. **1** 허방다리. ＝おとし. ¶通(とお)り道(みち)に～をつくる 다니는 길목에 함정을 만들다. **2** 남을 모함하는 계략; 모략. ＝策略(さくりゃく). ¶人(ひと)の～にかかる 남의 모략에 걸리다.

おとしい-れる【陥れる】《落とし入れる》 下1他 **1** 빠뜨리다. ¶危機(きき)に～ 위기에 빠뜨리다/人(ひと)を～ 남을 모함하다/敵(てき)を～ 적을 계략에 빠뜨리다. **2** 함락시키다. ¶城(しろ)を～ 성을 함락시키다.

おとしがみ【落とし紙】 名 휴지; 뒤지; 화장지. ＝ちりがみ.

おとしご【落とし子】 名 **1** 사생아. ＝おとしだね. **2** (예상외의) 부산물. ¶戦争(せんそう)〔高度(こうど)経済成長(けいざいせいちょう)〕の～ 전쟁

〔고도 경제 성장〕의 부산물.

おとしだま【お年玉】图 새해 선물; 신년 축하 선물〔세뱃돈〕. ¶ ～つき年賀はがき 경품부 연하 엽서. 參考 '年玉'는 '年の賜物(＝새해 선물)'의 뜻.

おどしつ-ける【脅しつける】《威し付ける·嚇し付ける》下1他 몹시 위협하다; 으르대다. ¶ ～·けて金品を奪う 무섭게 위협하여 금품을 빼앗다.

おとしどころ【落とし所】图 (落語 등에서) 결말을 내는 데 가장 적절한 장면〔시점〕. ¶ ～をさぐる 결론을 내릴 타이밍을 엿보다.

「분실〔유실〕자.

おとしぬし【落とし主】图 (금품 등의)

おとしばなし【落とし話】《落とし噺》图 '落語'의 풀어쓴 말씨.

おとしぶた【落としぶた】《落とし蓋》图 냄비나 용기(容器) 속에 쏙 들어가게 만든 뚜껑.

おとしまえ【落とし前】图〈俗〉(깡패 사회에서) 싸움의 뒤처리(로서 수수하는 금전). ¶ けんかの～を付ける 싸움의 뒤처리를 하다.

おとし-める〖貶める〗下1他 깔보다; 깎아내리다; 업신여기다. ¶ 人を～ような態度 남을 깔보는 듯한 태도.

おとしもの【落とし物】图 분실물; 빠뜨린 물건; 유실물. ¶ ～をする 물건을 빠뜨리다〔잃어버리다〕/ ～を拾う 분실물을 줍다. ↔拾いもの.

おどしもんく【脅し文句】《威し文句》图 위협하는 말; 으름장.

⁑おと-す【落とす】5他 **1** 떨어뜨리다. ㉠ 낙하시키다. ¶ 爆弾を～ 폭탄을 떨어뜨리다 / 橋の上から石を～ 다리 위에서 돌을 떨어뜨리다. ㉡(실수해서) 놓치다. ¶ ボールを～ 공을 놓치다 / コップを～ 컵을 떨어뜨리다. ㉢(값을) 내리다. ¶ 物価を～ 물가를 떨어뜨리다〔내리다〕. ㉣낙제〔불합격〕시키다. ¶ 成績が悪いので～ 성적이 나빠서 떨어뜨리다. ㉤잃어버리다. ¶ 財布を～ 돈지갑을 떨어뜨리다. ㉥(정도를) 낮추다; 줄이다. ¶ 水準〔品質〕を～ 수준〔품질〕을 떨어뜨리다. ㉦(명예·신용 등을) 깎다; 실추하다. ¶ 信用を～ 신용을 떨어뜨리다. ㉧(지위 등을) 낮추다; 강등시키다. ¶ 選手を二軍に～ 선수를 2군으로 강등시키다. ㉨(눈물을) 흘리다. ¶ 涙を～ 눈물을 떨어뜨리다. **2** 『命を～』(목숨을) 잃다; 죽다. ¶ 交通事故で命を～ 교통사고로 목숨을 잃다. **3** 죽이다; 잡다. ¶ 鶏を～ 닭을 잡다. **4** 빠뜨리다. ㉠누락하다; 빼다. ＝ぬかす. ¶ 名簿から名前を～ 명부에서 이름을 빼다. ㉡(남을) 나쁜 데에 빠지게 하다. ¶ 人を苦境に～ 사람을 곤경에 빠뜨리다 / わなに～ 함정에 빠뜨리다 / 罪に～ 죄에 빠뜨리다. **5** (경기 등에) 지다; 놓치다. ¶ 第一セットを～ 제1세트를 지다. **6** 함락시키다; 점령하다. ¶ 城を～ 성을 함락시키다. **7** (물·불을) 빼다. ¶ ふろ〔田の水〕を～ 목욕통〔논〕의 물을 빼다. **8** 전락하다. ¶ こじきに身を～ 거지로 전락하다. **9** (병 따위를) 떼다; 물리치다. ¶ おこりを～ 학질을 떼다〔떨어버리다〕. **10** (묻은 것을) 씻다; 없애다; 지우다. ¶ あかを～ 때를 밀다〔씻다〕/ 染みを～ 얼룩을 빼다〔없애다〕. **11** (경매에서) 손에 넣다; 낙찰하다. ¶ 高値で～ 비싼 값으로 손에 넣다 / 入札で～ 입찰에서 낙찰하다. **12** 불게 하다; 자백시키다. ¶ きびしい尋問などで～ 혹독한 심문으로 자백하게 하다. **13** 까무러뜨리다; 기절시키다. ¶ 締めて～ 목졸라 기절시키다. **14** (재치있게) 마무르다; 잘 처리하다. ¶ 話をうまく～ ('落語(＝만담)' 등에서) 이야기를 재치 있게 끝맺음하다. **15** 『気〔力〕を～』 낙심하다; 실망하다. ¶ 気を～·さないで一生懸命勉強しなさい 낙심하지 말고 열심히 공부해라. 可能 おと-せる 下1自

＊おど-す【脅す】《威す·嚇す》5他 으르다; 위협하다; 협박하다; 등치다. ＝おどかす. ¶ 人を～·して金をまきあげる 남을 위협하여 돈을 우려 내다. 可能 おど-せる 下1自

おとずれ【訪れ】图〈雅〉**1** 방문. ¶ 友人の～を待つ 친구의 방문을 기다리다. **2** 소식; 편지. ¶ 春の～ 봄 소식.

おとず-れる【訪れる】下1自〈雅〉**1** 방문하다; 찾다. ¶ 久し振りに友人の家を～ 오래간만에 친구 집을 찾다. **2** (철이) 찾아오다. ¶ 春が～ 봄이 오다.

おとつい〖一昨日〗图 ☞おととい.

⁑おととい〖一昨日〗图 그저께. ＝いっさくじつ·おとつい. ¶ ～会いました 그저께 만났습니다.

―来い 두 번 다시 오지 마라《사람을 내쫓을 때 하는 말》. ＝おとといおいで.

⁑おととし〖一昨年〗图 그러께; 재작년. ＝おとどし·いっさくねん. ¶ ～の夏 재작년 여름 / そこには～行った 거기에는 재작년에 갔다.

⁑おとな【大人】图 **1** 어른; 성인. ¶ ～になる 어른이 되다 / ～っぽい服装 어른 같은 복장. ↔子·子供. **2**【おとな】《'～だ' '～に'의 꼴로》 어른스러움. ㉠ 숙성함. ¶ 彼は年の割に～だ 그는 나이에 비해 숙성하다. ㉡(아이가) 온순함; 얌전함. ¶ 坊や, ～にしているのよ 아가야, 얌전하게 하고 있는 거다.

おとなげな-い【大人げない】形 어른답지 못하다; 점잖지 않다; 유치하다. ¶ ～事をする 유치한 짓을 하다 / 子供相手にけんかをするのは～ 아이를 상대로 싸우는 것은 어른답지 못하다.

おとなし-い〖大人しい〗形 **1** 온순하다; 얌전하다. ¶ ～娘 얌전한 처녀 / ～·く引き下がる 얌전히〔순순히〕 물러나다. **2** 화려하지 않다. ¶ ～柄の着物 수수한 무늬의 옷.

おとなしやか〖大人しやか〗ダナ 온순하고 정숙함〔점잖음〕. ¶～にふるまう 점잖게 행동하다.

おとな-びる〖大人びる〗上1自 어른다워지다; 점잖아지다. ¶子供(こども)がだんだん～·びて来(く)る 아이가 점점 어른스러워지다.

おとなぶ-る〖大人ぶる〗5自 어른 같은 태도를 보이다.

おとひめ［乙姫·弟姫］名 (전설에 나오는) 용녀(龍女); 용궁에 산다는 선녀.

おとめ【乙女】《少女》名 소녀; 처녀. ¶～の感傷(かんしょう) 소녀의 감상/～心(ごころ)を傷(きず)つける 소녀 가슴에 상처를 입히다.

—ご【—子】名〈雅〉소녀.

おとも【お供】一名 スル自 모시고 따라감; 또, 그 사람. ¶～致(いた)します 모시고 가겠습니다. 二名 (요정 등에서) 돌아가는 손님을 위해 부르는 자동차. ＝お車(くるま). ¶～が参(まい)りました 차가 왔습니다.

おどら-す【踊らす】5他 **1** 춤추게 하다. **2** (조종하여) 춤추이다; 놀아나게 하다; 용춤추이다. ¶かげで～ 배후에서 조종하다/世論(せろん)を～政治(せいじ)の黒幕(くろまく) 여론을 조종하는 정치의 흑막.

おどら-す【躍らす】5他 뛰게 하다; (몸을) 날리다. ¶胸(むね)を～ 가슴을 뛰게 하다/身(み)を～ 재빨리 몸을 날리다.

おとり〖囮〗名 **1** (새나 짐승을 꾀어 들이기 위한) 후림새; 미끼 짐승. ¶～を使(つか)う 미끼 짐승을 쓰다. **2** (사람을 꾀기 위한) 후림수; 미끼. ¶～商品(しょうひん) 미끼 상품/～捜査(そうさ) 함정 수사/景品(けいひん)を～にする 경품을 미끼로 쓰다.

***おどり**【踊り】名 춤; 무용. ¶～手(て) 무용수/～を踊(おど)る 춤을 추다/彼女(かのじょ)は～がうまい 그녀는 춤을 잘 춘다.

おどりあが-る【躍り上がる】5自 펄쩍 뛰어오르다; 벌떡 (뛰어) 일어나다. ¶よろこんで～ 기뻐서 펄쩍 뛰어오르다.

おどりかか-る【躍りかかる】《躍り掛かる》5自 덤벼들다; 달려들다. ¶とらが～ 호랑이가 달려들다.

おどりぐい【踊り食い·躍り食い】名 살아있는 뱅어·새우 따위를 초간장에 찍어 먹음; 또, 그 요리.

おどりくる-う【踊り狂う】5自 미친 듯이 춤추다; 미쳐 날뛰다. ¶一晩中(ひとばんじゅう)～ 밤새도록 미친 듯이 춤추다.

おどりこ【踊り子】名 **1** 춤추는 소녀; 무희. **2** 무용수; 댄서.

おどりこ-む【躍り込む】5自 뛰어들다. ¶敵陣(てきじん)に～ 적진으로 뛰어들다.

おどりじ【踊り字】名 같은 글자가 겹칠 때, 아래 글자를 생략한 것을 표시하는 부호. ＝送(おく)り字(じ)·かさね字(じ)·畳字(じょうじ).

々 ゝ 〱
［踊り字］

おどりで-る【躍り出る】下1自 **1** (갑자기) 뛰쳐 나가다. **2** 일약 주목받는 지위에 오르다. ¶スターの座(ざ)に～ 일약 스타 자리에 오르다.

おどりば【踊り場】名 **1** 무도장(舞蹈場). **2** (계단의) 층계참.

****おと-る**【劣る】5自 (다른 것보다) 못하다; 뒤떨어지다. ¶実力(じつりょく)が～ 실력이 뒤(떨어)지다/負(ま)けず～·らず 막상막하로. ↔まさる·すぐれる.

****おど-る**【踊る】5自 **1** 춤추다. ¶バレーを～ 발레를 추다. **2**《흔히 受動의 꼴로》 남의 장단에〔앞잡이가 되어〕 춤추다〔놀아나다〕. ¶ボス〔黒幕(くろまく)〕に～·らされる 두목〔막후 인물〕의 앞잡이가 되어서 날뛰다. 可能 おど-れる 下1自

***おど-る**【躍る】5自 **1** 뛰다. ㉠뛰어오르다. ¶馬(うま)が～ 말이 뛰어오르다. ㉡두근거리다. ¶胸(むね)が～ 가슴이 뛰다. **2** 고르지 못하다; 들쭉날쭉하다. ¶字(じ)が～·っている 글자가 들쭉날쭉하다. **3** 몹시 흔들리다. ¶自動車(じどうしゃ)が～ 자동차가 몹시 흔들리다.

おとろえ【衰え】名 쇠약; 쇠퇴. ¶病(や)み上(あ)がりの～ 병후의 허약함.

***おとろ-える**【衰える】下1自 쇠약해지다; 쇠퇴하다. ¶国(くに)が～ 나라가 쇠퇴하다/体力(たいりょく)が～ 체력이 쇠하다. ↔栄(さか)える.

おどろおどろし-い 形 무섭다; 음산한 느낌이다; 오싹하다. ¶～形相(ぎょうそう) 무서운〔기분 나쁜〕 형상/～物音(ものおと) 몸이 오싹하는 무서운 소리.

***おどろか-す**【驚かす】5他 놀래다; 놀라게 하다. ¶世間(せけん)を～大事件(だいじけん) 세상을 놀라게 하는 대사건/鳥(とり)の声(こえ)に～·される 새소리에 놀라다.

おどろき【驚き】《愕き》名 **1** 놀람. ¶～の余(あま)り, 声(こえ)も出(で)ない 놀란 나머지 말도 못하다/～を新(あら)たにする 새삼스럽게 놀라다. **2**〈俗〉놀랄 일. ¶これは～だ 이거 정말 놀랄 일인데.

おどろきい-る【驚き入る】5自 몹시 놀라다. ¶見事(みごと)な腕前(うでまえ), ～·りました 훌륭한 솜씨, 정말 놀랐습니다.

****おどろ-く**【驚く】《愕く·駭く》5自 놀라다; 경악하다. ¶～べき事件(じけん) 놀랄 만한〔놀라운〕 사건/～に足(た)りる 놀랄 만하다/～には当(あ)たらない 놀랄 필요는 없다. ⇨次面 박스記事

—勿(なか)れ 놀라지 마라; 자그마치; 물경(勿驚). ¶～千万円(せんまんえん)の損失(そんしつ)だ 물경 천만 엔의 손실이다.

おないどし【おない年】《同い年》名〈口〉동갑; 같은 나이. ¶彼女(かのじょ)とは～だ 그녀와는 동갑이다.

***おなか**〖御中·御腹〗名 배. ＝腹(はら). ¶～をこわす 배탈이 나다/～が大(おお)きくなる 배가 불러오다《임신하다》/～が空(す)く〔へる〕 배가 고프다.

おなが〖尾長〗名 **1** 꼬리가 긺. **2**〖鳥〗물까치.

—どり〖—鳥〗名 긴꼬리닭; 장미계(長尾鷄)《일본 고유 닭의 한 품종》.

おながれ【お流れ】名 **1** 손윗사람이 마시다 남긴 술잔의 술. ¶～をちょうだいする 윗사람으로부터 술잔을 받다. **2** 후물림; 손윗사람이 쓰던 것을 물려받음; 또, 그 물건. ＝お下(さ)がり. **3** 유회(流

> **驚(おどろ)くの 여러 가지 표현**
>
> **표현例** はっと(する)(깜짝 (놀라다))·どきっと(する)(뜨끔 (놀라다))·びくっと(する)(흠칫〔깜짝〕(놀라다))·ぞっと(する)(오싹(하다)).
>
> **관용 표현** 頭(あたま)から水(みず)を浴(あ)びたように(찬물을 뒤집어 쓴듯이)·息(いき)が止(と)まるほど(숨이 멎을 정도로)·腰(こし)を抜(ぬ)かさんばかりに(기겁을 할 정도로)·飛(と)び上(あ)がるほど(펄쩍 뛸 듯이)·目玉(めだま)が飛(と)び出(で)るほど(눈알이 튀어나올 정도로)·目(め)をぱちくりさせて(눈을 끔벅거리며)·目(め)を丸(まる)くして(눈이 휘둥그레질 만큼)·目を白黒(しろくろ)させて(눈을 희번덕거리며)·寝耳(ねみみ)に水(みず)(아닌 밤중에 홍두깨; 청천벽력).

會); 예정한 일이 중지됨. =さたやみ. ¶会(かい)が~になる 유회되다.

おなぐさみ【お慰み】 图 (가벼운) 재미; 즐거움. ¶うまくいったら~ 잘 되면 좋지《가볍게 비꼬는 투로》.

おなご〖女子·女〗 图 〈老·方〉 **1** 계집애; 소녀. **2** 여자; 여성. **3** 하녀《주로 関西(かんさい) 지방에서 씀》. =おなごしゅう.

おなさけ【お情け】 图 **1** 동정; 배려. **2** 총애; 각별히 돌봄. ¶~をいただく 총애를 받다.

**おなじ【同じ】 ㊀連体 ダナ '같음·동일'의 뜻. ¶~日(ひ)の午後(ごご) 같은 날 오후/今(いま)も昔(むかし)も~だ 지금이나 예나 같다/~誤(あやま)りを繰(く)り返(かえ)す 같은 잘못을 되풀이하다/志(こころざし)を~くする 뜻을 같이하다. ㊁副 《'なら'와 호응하여》 어차피; 이왕에. =どうせ. ¶~やるなら楽(たの)しくやろう 이왕 하는 바엔 즐겁게 하자.

──穴(あな)のむじな〔狐(きつね)〕 한 패거리의 악당; 한 동아리. =ひとつ穴のむじな.

──釜(かま)の飯(めし)を食(く)う 한솥 밥을 먹다《동고동락하다》. ¶君(きみ)とぼくとは同じ釜の飯を食った仲(なか)だ 너와 나는 한솥 밥을 먹으며 친하게 지낸 사이다.

おなじく【同じく】 接 같이; 동. ¶卒業生(そつぎょうせい)甲(こう), ~乙(おつ) 졸업생 갑, 동 을.

おなじみ〖御馴染み〗 图 잘 앎; 친밀함《'なじみ'의 공손한 말》. ¶みなさま~の 여러분이 잘 아시는.

オナニー [도 Onanie] 图 오나니; 자위 행위; 수음. =手淫(しゅいん)·自慰(じい)·マスターベーション.

おなべ〖お鍋〗 图 〈俗〉 하녀; 가정부. 參考 'なべ(=냄비)'를 가정부 이름처럼 이른 말.

オナペット [일 (도) Onanie+영 pet] 图 자위 행위를 할 때 마음속에 떠올리는 이성이나 그 사진.

おなみ [男波·男浪] 图 높낮이가 있는 파도 중, 높은 편의 파도. =片(かた)おなみ. ↔めなみ.

おなみだちょうだい【お涙ちょうだい】《御涙頂戴》 連語 관객의 눈물을 자아내게 하는 일〔작품〕. ¶~の恋物語(こいものがたり) 눈물을 자아내게 하는 러브 스토리.

おなら 图 〈俗〉 방귀. =へ. 參考 ならは '鳴(な)らす(=울리다)'의 변화.

おなり【お成り】 图 (황족이나 귀인의) 행차.

おなんど [御納戸] 图 **1** '納戸(なんど)'의 공손한 말씨. **2** 'お納戸色(いろ)'의 준말.

──いろ【──色】 图 ☞なんどいろ.

***おに【鬼】** 图 **1** 귀신; 도깨비. ¶赤(あか)~ 붉은 도깨비. **2** 죽은 사람의 영혼; 신. ¶護国(ごこく)の~となる (죽어서) 호국의 신이 되다. **3** 매우 무서운 사람〔것〕; 냉혹 무자비한 사람. ¶心(こころ)を~にする 마음을 모질게 먹다. **4** 빚쟁이; 채귀(債鬼). ¶~に責(せ)められる 빚쟁이에게 시달리다. **5** 어떤 일에 몹시 열중하는 사람. ¶仕事(しごと)の~ 일에 미친 사람/復(ふく)しゅうの~となる 복수의 화신이 되다. **6** 술레. ¶~さん, こちら 술래야, 날 잡아라. **7** 《接頭語적으로》 귀신과 같은; 세고 무서운. ¶~社長(しゃちょう) 무서운 사장/~監督(かんとく) 호랑이 감독/~ばばあ 마귀 할멈.

──が出(で)るか蛇(じゃ)が出るか 무엇이 일어날지, 어떻게 될지 예상을 할 수 없음.

──が笑(わら)う 귀신이 웃는다《장래를 예측함의 어리석음을 비웃는 말》. ⇨来年(らいねん).

──に金棒(かなぼう) 범에 날개《금상첨화》.

──のいぬ間(ま)の洗濯(せんたく) 무서운〔어려운〕 사람이 없을 때 마음놓고 쉼.

──の霍乱(かくらん) 병을 앓은 적이 없는 무쇠 같은 사람이 병났을 때의 비유.

──の首(くび)を取(と)ったよう 귀신의 목이라도 벤 듯이 기고만장함.

──の目(め)にも涙(なみだ) 비정한 사람에게도 때로는 눈물이 있다.

──も十八(じゅうはち), 番茶(ばんちゃ)も出花(でばな) 귀신도 18세, 엽차도 첫번째《어떤 여자라도 한창 때는 예쁜 법》. =鬼も十八.

おにいさん【お兄さん】 图 형; 형님; 오빠.

オニオン [onion] 图 〖植〗 어니언; 양파. ¶~スープ 양파 수프.

おにがわら【鬼がわら】《鬼瓦》 图 귀와.

おにぎり〖御握り〗 图 〈女〉 주먹밥. =おむすび·にぎりめし.

おにご【鬼子】 图 **1** 부모를 닮지 않은 못된 아이. =おにっこ. **2** 이가 난 채 태어난 아이.

おにごっこ【鬼ごっこ】 图 술래잡기. =鬼事(おにごと). ¶~をする 술래잡기를 하다.

おにば【鬼歯】 图 **1** 버드러진 덧니. **2** 사랑니. =おやしらず.

おにばば【鬼ばば】《鬼婆》 图 **1** 마귀 할멈. **2** 간악하고 잔인한 못된 할멈. 注意 'おにばばあ'라고도 함.

おにび【鬼火】 图 도깨비불. =きつねび·燐火(りんか). ¶墓地(ぼち)で~が燃(も)えている 묘지에서 도깨비불이 오르고 있다.

おにもつ【お荷物】 图 **1** 짐; 화물《'にもつ'의 공손한 말》. **2** 〈俗〉 (능력 등이 떨어져) 그 조직 등에서 거추장스런 존재. ¶チームの~ 팀의 애물단지.

—になる 짐스러운 존재가 되다. ¶若い者のお荷物にはなりたくない 젊은 이에게 짐이 되고 싶지는 않다.

おニュー〖御ニュー〗图 새로 산 물건; 신품. ¶~の靴に~の帽子 새 구두에 새 모자. ▷new.

おぬし[御主] 代 〈老·方〉 너. =おまえ. ¶~もそろそろ嫁をもらわにゃ 너도 이제는 장가를 가야지.

おね【尾根】图 산등성이; 능선. =おねすじ·峰すじ. ¶~道 능선길 / ~伝いに歩く 산등성이를 타고 걷다.

おねえさん【お姉さん】图 언니; 누님; 아가씨(('ねえさん'의 공손한 말)).

おねしょ〖お寝小〗图 〈兒·女〉 야뇨(夜尿); 자면서 오줌을 쌈. =寝小便. ¶~をして叱られる 잘 때 오줌을 싸서 꾸지람 듣다.

おねば〖御粘〗图 〈女〉 밥물; 곡정수(穀精水).

おねむ〖御睡〗图 〈兒·女〉 졸음; 잠.

おの〖斧〗图 도끼. =よき. ¶~でまきを割る 도끼로 장작을 패다 / 原始林に~を入れる 원시림에 도끼질을 하다((원시림을 벌채하기 시작하다)).

おの〖己〗代 〈雅〉 자기; 자신. =おのれ. ¶~が身 자기 몸.

**おのおの【おのおの·各】((各各)) 图副 각각; 각기; 각자. =めいめい·各自.

おのずから〖自ずから〗副 저절로; 자연히; 스스로. ¶~尊敬の念が生ずる 저절로 존경의 마음이 일어나다.

おのずと〖自ずと〗副 ☞おのずから. ¶~分かる時が来る 자연히 알 때가 온다.

おのの-く〖戦く〗 5自 와들와들 떨다; 전율하다. =わななく. ¶恐怖のあまり~ 무서운 나머지 부르르 떨다.

おのぼりさん【お上りさん】图 (구경하러) 서울로 올라온 시골 사람. ¶~の東京見物 촌뜨기의 東京 구경.

オノマトペ [프 onomatopée] 图〔言〕 오노매토피어; 의성어; 의태어.

おのれ【己】一图 그 자신; 자기 자신. ¶~の本分 자기 자신의 본분.
二代 1 나. 2 너; 자네.
三感 성날 때 내는 소리: 이놈; 너. ¶~今に見ていろ 너 어디 두고 보자.

おは【尾羽】图 새의 꽁지와 깃.
—打ち枯らす (쩡쩡거리던 사람이) 영락하여 초라해지다.

*__おば__ 图 아주머니; 큰[작은]어머니·외숙모·고모·이모의 총칭. ¶私とは~の関係です 나의 아주머니 뻘입니다. 注意 부모보다 손위는 '伯母', 손아래는 '叔母'로 씀. ↔おじ.

*__おばあさん__ 图 1〖お祖母さん〗할머님; 조모님(('祖母'의 경칭)). 2〖お婆さん〗 할머니((늙은 여자의 경칭)). 注意 口語적으로는 'おばあちゃん'. ⇔おじいさん.

オパール [opal] 图〔鑛〕 오팔; 단백석.

おはぎ〖お萩〗图 〈女〉 멥쌀과 찹쌀을 섞어 만든 경단. =はぎのもち·ぼたもち.

おはぐろ【お歯黒】((鉄漿)) 图 이를 검게 물들임; 열치(涅齒). =かねつけ.

おばけ【お化け】图 1 도깨비; 요괴. =化け物. ¶~屋敷 도깨비 (나오는) 집. 2 썩 크거나 별난 모양의 것. ¶~カボチャ 초대형 호박.

おはこ〖十八番〗图 1 가장 능한 것; 장기; 특기. ¶その歌は彼の~だ 그 노래는 그가 가장 잘하는 노래다 / ~の踊りを見せる 장기인 춤을 추어 보이다. 2 (입)버릇. ¶~の小言 입버릇처럼 하는 잔소리.

おはこび【お運び】图 행차; 왕림(('来ること(=옴)·行くこと(=감)'의 높임말)). ¶わざわざ~をいただきまして 일부러[이렇게] 왕림하여 주셔서.

*__おばさん__ 图 아주머니. 1 부인네를 높여 정답게 부르는 말. 注意 보통 '小母さん'으로 씀. 2 백모·숙모·고모·이모 등의 높임말. 注意 2는 '伯母さん·叔母さん'으로 씀. ⇔おじさん.

おはじき〖御弾き〗图 납작한 유리 구슬·조가비·잔돌 따위를 손가락으로 튕기며 노는 여자아이들의 놀이; 또, 그 구슬·잔돌 따위. ⇨お手玉.

おはち【お鉢】图 1 밥통. =おひつ. 2 분화구 ¶~巡り 분화구의 주위를 돎((특히, 富士山의 경우를 가리킴)).
—が回る 순번이[차례가] 돌아오다.

おはつ【お初】图 1 처음(임); 처음 것; 맏물. ¶~にお目にかかります 처음 뵙겠습니다 / ~を食べる 맏물을 먹다. 2 새 옷; 진솔; 첫물(옷). ¶この服~ね 이거 새 옷이군.

おはづけ【お葉漬け】图 〈女〉 채소 잎사귀 절임. =菜漬け.

おはつほ【お初穂】图 신불에 올리는 돈·곡식·음식 등; 공양물. 參考 햇곡 등을 신불·조정에 바치던 일에서.

おはな【お花】图 꽃꽂이. =いけばな. ¶~の先生 꽃꽂이 선생(님).

おばな【尾花】图〔植〕 참억새; 또, 그 꽃. =すすき. ¶枯れ~ 마른 참억새.

おばな【雄花】图〔植〕 웅화; 수꽃. =ゆうか·雄性花. ↔雌花.

おはなし【お話】图 1 말씀(('話'의 공손한 말)). ¶~は承りましたが (일단) 말씀은 들었습니다만. 2 이야기; 말. ¶全く~にならない 전혀 말이 안 된다. 3 만든 얘기; 꾸며댄 말.
—ちゅう【—中】图 이야기[말씀] 도중; (전화에서) 통화 중. ¶~ですが 말씀 도중입니다만.

おはなばたけ【お花畑】图 1 꽃밭. 2 고산(高山) 식물이 군생하는 곳.

おはね【おはね·お跳ね】((御跳ね)) 图 〈女〉 말괄량이. =おてんば.

おばね【尾羽·尾羽根】图〔鳥〕 미우(尾羽); 꽁지깃. =舵羽根.

おはよう【おはよう·お早う】感 아침 인사말: 안녕(하시오); 잘 잤니. 參考 공손히 말할 때는 'お早うございます(=

안녕하십니까; 안녕히 주무셨습니까). ¶先生(せんせい)～ございます 선생님 안녕하십니까. ⇨こんにちは·こんばんは.

おはらい【お払い】图 **1**‘払(はら)い(=지불)’의 높임말. =お支払(しはら)い. ¶～をすます 지불을 끝내다. **2**넝마나 못 쓰게 된 물건을 팔아 버림; 또, 그 폐품.

—ばこ【—箱】图 (고용인을) 해고함; 폐기 처분. ¶～にする 내버리다; 해고하다/～になる 해고당하다.

—もの【—物】图 넝마장수 등에게 팔아 버릴 물건; 고물.

おはらい 〖御祓い〗图 **1**해마다 6월과 12월 말일에 신사에서 행하는 액막이 행사; 불제(祓除). =大(おお)はらい. **2**(伊勢(いせ) 신궁 등의) 신사에서 내어 주는 액막이 부적. =大麻(たいま).

おはり【お針】图 **1**〈女〉바느질; 재봉. ¶～を習(なら)う 바느질을 배우다. **2**침모(針母). =お針子(はりこ).

おばん 图〈俗〉젊은 세대가 자기보다 손위의 여자를 ‘아줌마’ 취급하여 부르는 말(《‘小母(おば)さん’의 준말》). ¶～くさい服装(ふくそう) 아줌마 티나는 복장. ↔おじん.

おび【帯】图 **1**띠. ¶～をしめる〔解(と)く〕 허리띠를 매다〔풀다〕. **2**‘帯紙(おびがみ)·帯番組(おびばんぐみ)’의 준말. ¶新刊書(しんかんしょ)の～ 신간서의 (종이)띠.

おびあげ【帯揚げ】图 (일본 여자옷에서) 띠가 흘러내리지 않도록 매듭에 대어 뒤에서 앞으로 돌라매는 헝겊 끈. =しょいあげ.

おひいさま【おひい様】《御姫様》图〈女〉‘おひめさま’의 음편(音便).

おび-える〖怯える·脅える〗下1自 **1**무서워하다; 겁내다; 놀라다. ¶戦争(せんそう)に～ 전쟁을 겁내다. **2**가위눌리다. ¶夢魔(むま)に～·えてうわごとをいう 가위눌려서 헛소리를 하다.

おびがね【帯金】图 대철(帯鐵); 쇠테. ¶ビールだるの～ 맥주통의 쇠테.

おびがみ【帯紙】图 (종이) 띠. **1**포장하는 데 쓰는 종이 오라기. **2**(책 표지에 두르는) 띠지.

おびきだ-す【おびき出す】《誘き出す》5他 꾀어내다; 유인해 내다. ¶おとりを使(つか)って～ 후림수〔미끼〕를 써서 유인해 내다/言葉(ことば)巧(たく)みに～ 교묘한 말로 꾀어내다.

おびきよ-せる【おびき寄せる】《誘き寄せる》下1他 유인하다; 꾀어들이다. ¶隙(すき)を見(み)せて敵軍(てきぐん)を～ 허점을 보여 적군을 유인하다.

おびグラフ【帯グラフ】图〖數〗띠그래프. =帯状(おびじょう)グラフ. ▷graph.

おひさま【お日様】图〈女·兒〉해님.

おひざもと【おひざもと·おひざ元】《御膝下》图 슬하; 귀인의 곁; 시측(侍側).

おびじ【帯地】图 (띠를 만들) 띠 감.

おびじめ【帯締め】图 (일본 여자옷에서) 띠가 흘러 내리지 않도록 띠 위에 두르는 끈.

おひたし〖御浸し〗图 시금치·야채 등을 데친 음식; 나물. =浸(ひた)し物(もの). ¶ほうれんそうの～ 시금치 나물.

おびただし-い〖夥しい〗形 엄청나다. **1**(수량이) 매우 많다. ¶～人出(ひとで) 엄청난 사람〔인파〕. **2**(정도가) 심하다. ¶～損害(そんがい) 막심한 손해/きたないこと～ 더럽기가 이루 말할 수 없다. 「ち.

おひつ〖御櫃〗图 밥통. =めしびつ·おは

おびどめ【帯止め·帯留め】图 ‘おびじめ’에 꿰어, 띠의 정면에 다는 장식품.

おひとよし【お人よし】《お人好し》图 호인(好人); 어수룩한 사람. ¶～の隣(となり)のおじさん 사람 좋은 이웃집 아저씨/～な性格(せいかく) 싹싹한 성격.

おびドラマ【帯ドラマ】图 연속 드라마〔방송극〕; 일일 연속극. ▷drama.

おひなさま【おひな様】《お雛様》图 **1**☞ひなにんぎょう. **2**☞ひなまつり.

オピニオン リーダー [opinion leader] 图 오피니언 리더; 여론 형성에 큰 영향력을 지닌 사람; 여론 지도자. ¶財界(ざいかい)の～ 재계의 여론 지도자.

おひねり〖御捻り〗图 돈을 종이에 싸서 비튼 것(《신불에 바치거나 놀음차로 줌》). =紙花(かみばな)·紙(かみ)ひねり.

おびばんぐみ【帯番組】图 (라디오·TV에서) 매일 같은 시간에 방송하는 프로; 연속 프로(《おびドラマ 따위》).

おびふう【帯封】图 (신문·잡지 등을 우송할 때 두르는) 띠지. =帯紙(おびがみ).

おひめさま【お姫様】图 귀인의 딸의 높임말; 아가씨; 소저.

おひや【お冷や】图 **1**냉수; 찬물. =ひやみず. ¶～を一杯(いっぱい) 냉수 한 그릇 (주시오). **2**찬밥. =ひやめし.

おびやか-す【脅かす】5他 위협〔협박〕하다; (지위·신분 등을) 위태롭게 하다. ¶相手(あいて)チームを～打力(だりょく) 상대 팀을 위협하는 타력/自由(じゆう)が～·される 자유가 위협받다. 「いり.

おひゃくど【お百度】图 ☞ひゃくどま

—を踏(ふ)む **1**백 번이나 왕래하며 배례〔기도〕하다. **2**여러 번 찾아가서 부탁하다. ¶許可(きょか)をもらうために区役所(くやくしょ)に～ 허가를 받기 위해 구청에 여러 번 찾아가 부탁하다.

おひらき【お開き】图 (회합·연회 등의) 끝; 폐회. ¶～にする 폐회하다/この辺(へん)で～にしよう 이쯤에서 끝내자.

*__お-びる__【帯びる】上1他 **1**띠다. ㉠…기(미)가 있다; 머금다. ¶雨(あめ)を～·びた雲(くも) 비를 머금은 구름/哀調(あいちょう)を～·びた笛(ふえ)の音(ね) 애조를 띤 피리 소리. ㉡그러한 성질을 가지다. ¶…の様相(ようそう)を～ …한 양상을 띠다. ㉢(사명 등을) 지니다; 맡다. ¶重(おも)い任務(にんむ)を～ 중대한 임무를 띠다. **2**《佩びる》차다. ¶刀(かたな)を～ 칼을 차다.

おひれ【尾ひれ】《尾鰭》图 **1**(물고기의) 꼬리와 지느러미. **2**(이야기의) 군더더기; 과장. ¶話(はなし)に～がつく 이야기가

실제 이상으로 과장되다.
おびれ【尾びれ】《尾鰭》图〔魚〕꼬리지느러미.
おひろめ〖御披露目〗图 '披露(=피로)'의 공손한 말.
オフ [off] 图 오프. **1** (전기·기계 등에) 스위치가 꺼져 있음. ¶電源を～にする 전원을 끄다. **2** 'シーズンオフ'의 준말. ⇔オン.
—サイド [off side] 图 (축구 등의) 오프사이드《반칙의 하나》.
—ザレコード [off the record] 图 오프 더 레코드; 신문 기자 등이 기록·보도에서 제외할 사항. =オフレコ. ↔オンザレコード.
—シーズン [off-season] 图 오프시즌; 제철이 아님; 스포츠나 장사가 잘 안되는 계절. ¶～の旅 제철이 지난 여행. 参考 season-off는 일제 영어.
—リミッツ [off limits] 图 오프 리미츠; 출입 금지 (지대). ↔オンレコ.
—レコ 图 'オフザレコード'의 준말.
オフィシャル [official] ダナ 오피셜; 공적; 공식; 공인. ¶～ゲーム 공식 경기 / ～レコード 공인 기록.
オフィス [office] 图 오피스; 사무실; 회사; 관청.
—アワー [office hours] 图 오피스 아워; 근무〔영업〕 시간.
—ウルフー [office wolf] 图 오피스 울프; 직장의 늑대; 지위를 이용하여 여직원과 관계를 맺으려 하는 상사.
—ビル [일 office+building] 图 오피스 빌딩; 사무실용 빌딩.
—ラブ [일 office+love] 图 사내 연애. =社内恋愛. *영어로는 office love affair 또는 office romance 등.
—レディー [일 office+lady] 图 오피스 레이디; 'オフィスガール(=여사무원)'의 고친 이름. =OL.
おぶ-う〖負ぶう〗5他 〈口〉 (아기를) 업다. =背負う·しょう. ¶子供を～ 어린애를 업다. 可能おぶ-える 下1自
おふくろ〖御袋〗图 〈俗〉 어머니. ¶～の味 어머니의 정미(情味). 注意 (주로 성년 남자가) 자기 어머니를 남에게 대하여 말할 때에 씀. 또, 남의 어머니를 말할 때에는 뒤에 'さん'을 붙이는 것이 보통임. ↔おやじ.
オフコン 图 'オフィス コンピューター(=사무실용 소형 컴퓨터)'의 준말.
オブザーバー [observer] 图 옵서버. =陪席者. ¶～として出席する 옵서버로서 참석하다.
おぶさ-る〖負ぶさる〗5自 **1** 업히다. ¶母に～·った子供 어머니에게 업힌 아이. **2** 의지하다; 얹히다. ¶先輩に～ 선배에 의지하다 / 他人に～·ってした仕事 남의 힘에 얹혀서 한 일.
オブジェ [프 objet] 图〔美〕오브제. **1** (전위 미술에서) 환상적·상징적 효과를 내기 위해서 작품에 넣는 여러 가지 물체(에 의한 작품). **2** 꽃꽂이에서, 꽃 이외의 재료(에 의한 작품).
オプション [option] 图 옵션. **1** 자유 선택(권). **2** 소유주의 기호에 따라 다는 자동차 따위의 부품.
—とりひき【—取引】 图〔經〕옵션거래; 매매 선택권 거래.
おふせ【お布施】 图 '布施(=보시; 시주)'의 공손한 말.
オフセット [offset] 图 오프셋(인쇄). ¶～版 오프셋 판.
おふだ【お札】 图 부적. =守り札·おまもり.
おぶつ【汚物】 图 오물; 특히, 배설물. ¶～処理 오물 처리.
オプティミスト [optimist] 图 옵티미스트; 낙천가; 낙관론자. =オプチミスト. ↔ペシミスト.
オブラート [네 Oblaat, 도 Oblate] 图 오블라토《먹기 힘든 가루약 따위를 싸는 얇은 막》. ¶～に包んで発言する 완곡하게 에둘러서 발언하다.
おふれ〖御触れ〗图 (관청의) 공고. ¶禁止の～を出す 금지 공고를 내다.
オペ 图 **1** 'オペレーション'의 준말. **2** 'オペレーター'의 준말.
おべっか 图 〈俗〉 아부; 아첨; 알랑거림. ¶上役に～を使う 상사에게 아첨하다〔알랑거리다〕/ ～に乗らない 아첨에 넘어가지 않다.
オペラ [opera] 图 오페라; 가극.
—グラス [opera glass] 图 오페라 글라스; 관극용의 쌍안경.
—ハウス [opera house] 图 오페라 하우스; 가극장.
オベリスク [obelisk] 图 오벨리스크; 방첨탑(方尖塔)《고대 이집트의 유물》.
オペレーション [operation] 图 오퍼레이션. **1** (증권 시장에서) 투기 매매; 매매에 의한 시장 조작. **2** 수술. **3** 군사 작전. **4** 컴퓨터의 조작; 오퍼레이터가 컴퓨터를 작동시키기 위한 작업.
オペレーター [operator] 图 오퍼레이터; 기계류 조작에 종사하는 사람; 특히, 전화 교환원·컴퓨터 조작자 등.
オペレッタ [이 operetta] 图 오페레타; 희극적인 소가극; 경가극.
おべんちゃら 图 〈俗〉 간살을 부림; 또, 그 말·사람. =お追従·おべっか. ¶上役に～を言う 상사에게 간살을 부리다.
おぼえ【覚え】 图 **1** 기억. ㉠이해; 배움; 습득. ¶～がよい 습득이〔이해가〕 빠르다 / ～が悪い 기억력이 없다; 이해가 더디다. ㉡…한 적; 경험; 자각. ¶身に～がある〔ない〕 …한 기억〔일〕이 있다〔없다〕/ ～がないと言い張る 자신의 무죄를〔결백을〕 주장하다. **2** 자신. ¶腕に～がある 솜씨〔능력〕에 자신이 있다. **3** 신임; 총애. ¶社長の～がめでたい 사장의 신임이 두텁다. **4** ☞ おぼえがき.
おぼえがき【覚え書き·覚書】 图 **1** 메모; 비망록. =メモ. ¶話を聞きながら～を取る 이야기를 들으면서 메모하다. **2** 각서; 약식·비공식 외교 문서. ¶～を

交換する 각서를 교환하다.

おぼえず【覚えず】副 모르는 사이에; 부지중에; 무의식중에; 그만. =思わず. ¶~涙を流す 자기도 모르게 눈물을 흘리다.

**おぼ-える【覚える】下1他 1 (자연히) 느끼다. ¶哀れを~ 불쌍하게 느끼다/寒さを~ 추위를 느끼다. 2《憶える》 기억하다. ¶~·えていろ〔おけ〕 기억해 둬라; (단단히) 각오하고 있어라. 3 배우다. ㉠익히다. ¶こつ〔仕事〕を~ 요령〔일〕을 익히다/碁を~ 바둑을 배우다. ㉡경험해 알게 되다〔습관이 되다〕. ¶酒を~ 술맛을 알게 되다.

おぼこ 名 1 순진함; 숫됨; 또, 그런 사람; 숫보기. =うぶ. 2 'おぼこむすめ'의 준말.

—むすめ【—娘】名 숫처녀. =きむすめ.

おぼし-い〖思しい·覚しい〗形《'…と~''…と~·き'의 꼴로》 그렇게 보이다; 생각되다. ¶犯人と~〔~·き〕男 범인으로 생각되는 사나이.

おぼしめし〖思召し〗名 마음. 1 뜻; 생각; 의향《'思い·考え(=생각)·気持ち(=기분)'의 높임말》. ¶神様の~ 신의 뜻/~通りに 당신의 뜻대로; 마음대로. 2 보수·기부 따위를 상대의 호의에 맡김. ¶寄付の金額は~で結構です 기부 금액은 (약간의) 정의만으로 좋습니다. 3 〈俗〉 이성에 대한 관심《약간 농조로 하는 말》. ¶あの娘に~があるようですね 저 처녀에게 마음이 있으신 모양이군요.

おぼしめ-す〖思召す〗5他 〈雅〉 '思う'의 높임말; 생각하시다. ¶この問題についてどう~·しますか 이 문제에 대해 어떻게 생각하십니까.

オポチュニスト [opportunist] 名 오퍼튜니스트; 편의〔기회〕주의자.

おぼつかな-い〖覚束無い〗形 1 (될지 안 될지) 의심스럽다. ¶成功はとても~ 성공은 아무래도 미덥지 않다. 2 안정되지 않다. ¶~足取りで 불안한 발걸음으로. 3 빈약하다. ¶~英語で 빈약한 영어로. 4 막연하다; 분명치 않다. ¶~返事 막연한 대답/~声で述べる 분명치 않은 소리로 말하다.

*おぼ-れる〖溺れる〗下1自 빠지다. 1 물에 빠지다. ¶~·れている子を救う 물에 빠진 아이를 구하다. 2 탐닉하다. ¶酒色に~ 주색에 빠지다.

—者はわらをも摑む 물에 빠진 자는 지푸라기라도 잡는다.

おぼろ〖朧〗ダナ 몽롱한〔희미한〕 모양; 어슴푸레함; 아련함. ¶月が~にかすむ 달이 어슴푸레해지다/記憶が~になる 기억이 희미해지다.

おぼろげ〖朧気〗ダナ 몽롱한 모양; 어슴푸레한〔아련한〕 모양. ¶~な記憶 아련한 기억/人の影が~に見える 사람 그림자가 어슴푸레하게 보이다.

おぼろづき【おぼろ月】《朧月》名 으스름달. ¶春の夜の~ 봄밤의 으스름달.

おぼろづきよ【おぼろ月夜】《朧月夜》名 으스름 달밤. =おぼろ夜.

おぼろよ【おぼろ夜】《朧夜》名 으스름 달밤.

おぼん【お盆】名 1 '盆'의 공손한 말씨. 2 'うらぼんえ'의 준말; 우란분재(齋); 백중맞이《음력 7월 보름》.

オマージュ [프 hommage] 名 오마주; 어떤 인물이나 예술 작품 등에 바치는 존경·경의·찬사.

おまいり【お参り】名ス自 신불을 참배하러 감; 참배함. =参拝·参詣. ¶寺に~する 절에 불공드리러 가다.

おまえ【お前】名 신불이나 귀인의 앞의 높임말. =みまえ·御前.

おまえ〖お前〗代 너; 자네. ¶今度は~の番だよ 이번엔 네 차례다/~にやるよ 네게 주겠다/~とおれの仲じゃないか 자네와 나 사이가 아닌가. 参考 흔히 남성이 동등 또는 손아랫사람을 부를 때 쓰는 2인칭의 막된 말씨.

*おまけ〖お負け〗名ス自 1 값을 깎음. ¶五百円~します 5백 엔 깎아 드리겠습니다. 2 덤; 경품. ¶~をつける 경품을 붙이다/千円買ったら~に鉛筆をくれた 천 엔어치 사니까 덤으로 연필을 주더라.

—に 接 그 위에; 게다가. ¶彼は英語ができる. ~ロシア語も上手だ 그는 영어를 할 줄 안다. 게다가 러시아어도 잘한다.

おませ〖御老成〗名ナ 〈俗〉 조숙함; 또, 그런 아이. ¶~な子 조숙한 아이/~を言う 어른스러운 말을 하다.

おまちかね【お待ち兼ね】名 몹시 기다림. ¶社長がさっき〔先ほど〕から~です 사장님이 아까부터 몹시 기다리고 계십니다.

おまちどおさま【お待ち遠様】感 오래 기다리셨습니다《상대방을 기다리게 해서 죄송하다는 뜻의 인사말》. ¶どうも~. さあ, 参りましょう 오래 기다리시게 해서 미안합니다. 자, 가십시다.

おまつりさわぎ【お祭り騒ぎ】名 1 축제 때의 법석. 2 몹시 시끌법석댐; 야단법석. =大さわぎ. ¶祝賀会だといって~をする 축하회라 해서 야단법석을 떨다.

おまもり【お守り】一名ス他 '守り(=지킴)'의 공손한 말씨. ¶幼君を~する 어린 군주를 지키다. 二名 부적; 호부(護符). ¶~をからだに付ける 부적을 몸에 지니다.

おまる〖御虎子〗名 변기; 요강. =おかわ.

おまわり【お巡り】名 〈俗〉 순경; 경관. =おまわりさん. ¶交通の~さん 교통순경 아저씨.

おまんま〖御飯〗名 〈俗〉 밥. =めし·ごはん. ¶これでは~の食い上げだ 이래 가지곤 밥 먹고 살긴 다 틀렸다.

おみえ【お見え】名 오심《'그 곳에 옴'의 공손한 말》. ¶~になる 오시다/まだ~

でない 아직 오시지 않았다.

おみおつけ 〖御御御付け〗 图 된장국(('みそしる'의 공손한 말)).

おみき 【お神酒】 图 **1** 제주(祭酒); 신전(神前)에 올리는 술. ¶～を上^あげる 제주를 올리다. **2** 〈俗〉 술. ¶大分^だいぶ～がまわる 어지간히 술이 취하다.

おみくじ 〖御神籤〗 图 신의(神意)에 의하여 길흉을 점치는 제비. ¶～に吉^きちと出^でる 제비에 길(吉)로 나오다.

おみこし 〖御神輿〗 图 **1** ☞みこし. **2** 〈俗〉 허리; 궁둥이. ¶～をすえる 자리에 앉다. **—を上^あげる** (내키지 않아 하던 사람이) 겨우 (일에) 착수하다.

おみそれ 【お見それ】((お見逸れ)) 图자他 **1** 알아보지 못함((겸손한 말씨)). ¶おひげをはやしたので～するところでした 수염을 기르셔서 알아뵙지 못할 뻔했습니다. **2** 미처 몰라봄. ¶おみごとな腕前^うでまえ, ～いたしました 훌륭하신 솜씨, 미처 알아 모시지 못했습니다. 「생략함.

オミット [omit] 图자他 오밋; 제외함;

おみとおし 【お見通し】 图 남의 생각을 꿰뚫어 보심.

おむすび 〖御結び〗 图 〈女〉 주먹밥(('むすび'의 공손한 말)). ＝おにぎり.

おむつ 〖御襁褓〗 图 기저귀. ＝むつき·おしめ. ¶～カバー 기저귀 커버/紙^かみ～ 종이 기저귀/～をする〔あてる〕 기저귀를 채우다/～を取^とりかえる 기저귀를 갈다.

オムニバス [omnibus] 图 옴니버스; 몇 개의 독립된 단편을 모아서 하나의 작품으로 한 것. ¶～映画^えいが 옴니버스 영화.

オムライス [일 omelet+rice] 图 〖料〗 오므라이스. 「렛.

オムレツ [프 omelet(te)] 图 〖料〗 오믈

おめ 【お目】 图 **1** '目^め(＝눈)'의 공손한 말씨. ¶～に入^いる 마음에 드시다. **2** '見^みること'의 높임말: 보는 눈; 안목. ¶～が高^たかい 안목이 높으시다.

—に掛^かかる 만나 뵙다(('あう'의 겸사말)). ¶初^はじめてお目に掛かります (소개를 받을 때) 처음 뵙겠습니다.

—に掛^かける 보여 드리다((높임말)). ＝お見^みせする. 「다.

—にかなう (윗사람의) 눈〔마음〕에 들

—に止^と〔留^と〕まる (윗분의) 눈에 들다; 주목〔인정〕을 받다((겸사말)).

おめい 【汚名】 图 오명. ¶～をこうむる 오명을 뒤집어쓰다 / ～をすすぐ〔そそぐ〕 오명을 씻다.

おめおめ 副 뻔뻔스럽게; 염치없이; 순순히. ＝のめのめ. ¶負^まけては～と帰^かえれない 지고서는 이대로〔낯을 들고〕 돌아갈 수 없다/～と生^いきていられようか 이대로 낯두껍게〔비굴하게〕 살아 갈 수 있겠는가.

オメガ [omega; Ω·ω] 图 오메가. **1** 그리스 문자의 마지막 글자. **2** 최후; 끝. ¶アルファから～まで 알파에서 오메가까지; 처음부터 끝까지. ↔アルファ.

おめかし 图자自 (화장 하고) 모양을 냄; 멋부림((공손한 말씨)). ＝おしゃれ. ¶～して出^でかける 멋을 내고 외출하다.

おめし 【お召し】 图 **1** 부르심; 타심; 입으심; 잡수심((높임말)). ¶服^ふくを～になる 옷을 입으시다/～により参上^さんじょう致^いたしました 부르심을 받고 뵈러 왔습니다. **2** 'お召し物^もの'의 준말.

—かえ 【—替え】 图 **1** 갈아입으심; 갈아 입는 옷. **2** 갈아타심; 갈아타는 차.

—もの 【—物】 图 남의 의복의 높임말. ¶奥様^おくさまの～ 마님의 의복.

おめずおくせず 〖怖めず臆せず〗 連語 조금도 두려워함이 없이; 주눅들지 않고; 당당히. ¶～意見^いけんを述^のべる 당당하게 의견을 말하다.

おめだま 【お目玉】 图 꾸중; 야단; 사살. **—を食^くう** 꾸중을 듣다; 야단맞다.

おめでた 〖御目出度〗 图 (특히, 남의 결혼·임신·출산 등의) 경사. ¶お嬢様^じょうさまは近々^ちかぢか～だそうですね 따님께서는 근간 경사가 있으시다지요.

おめでた-い 〖御目出度い〗 形 **1** 경사스럽다(('めでたい'의 공손한 말)). ¶～祭日^さいじつ〔結婚式^けっこんしき〕 경사스러운 축제일〔결혼식〕. **2** 〈俗〉 (지나치게) 호인이다; (좀) 모자라다. ¶あの男^おとこは少々^しょうしょう～ 저 사내는 좀 모자란다/～·くできている 우둔하게 생겨 먹었다.

おめでとう 〖御目出度う〗 感 축하〔경축〕합니다(('おめでとうございます'의 준말; 경사나 신년 등을 축하하는 인사말)). ¶新年^しんねん～ございます 새해 복 많이 받으십시오/ご入学^にゅうがく～ 입학을 축하합니다.

おめみえ 【お目見え】 图자自 **1** 귀인〔윗사람〕을 (처음) 만나 뵘. ¶新入社員^しんにゅうしゃいんが社長^しゃちょうに～する 신입 사원이 사장에게 초대면하다. **2** 신인 배우가 첫 무대에 섬. ¶俳優^はいゆうが舞台^ぶたいで～する 배우가 무대에서 첫선을 뵈다. **3** 새로운 것이 첫선을 보임. ¶新型機^しんがたきが今日^きょう～する 신형기가 오늘 첫선을 보인다.

おめもじ 【お目もじ】((御目文字)) 图자自 〈宮中女〉 만나 뵘((서간문 등에 씀)). ¶一度^いちど～いたしたく… 한번 만나 뵙고자 하여….

おも 【面】 图 얼굴 (모습). ¶～長^なが 얼굴이 약간 긴 모양/～やせ 얼굴이 야윔.

*__おも__ 【主】 ダナ 주됨. **1** 주요〔중요〕함. ¶～な議題^ぎだい 주된 의제/会社^かいしゃの～な人々^ひとびと 회사의 주요한 사람들. **2** 중심을 이룸; 대부분임. ¶～な傾向^けいこう 주된 경향/ひやかし客^きゃくが～だ 눈요기〔구경〕만 하는 손님이 대부분이다.

__おも-い__ 【重い】 形 무겁다. **1 무게가 나가다. ¶～荷^に 무거운 짐/鉄^てつは水^みずより～ 철은 물보다 무겁다. **2** (언동이) 진중하다. ¶～態度^たいど 진중한 태도/口^くちが～ 입이 무겁다. **3** 동작이 굼뜨다; 또, 께느른하다. ¶腰^こしが～ 궁둥이가 무겁다((행동이 굼뜨다))/まぶたが～ 눈이 개개풀

어지다; 졸리다. **4** (기분이) 개운치 않다. ¶頭(あたま)が～ 머리가 무겁다/気(き)が～ 마음이 무겁다; 우울하다. **5** 중하다. ㉠ 중대하다. ¶～任務(にんむ) 무거운 임무/責任(せきにん)が～ 책임이 무겁다/事態(じたい)を～·く見(み)る 사태를 중시하다. ㉡(정도가) 심하다. ¶～課税(かぜい) 무거운 과세.

おもい【思い】名 **1 생각. ㉠생각; 마음. ¶深(ふか)い～ 깊은 생각/～を凝(こ)らす 골똘히 생각하다/～を焦(こ)がす 애를 태우다/～にふける 생각에 잠기다〔골몰하다〕/～をめぐらす (이리저리) 둘러 생각하다. ㉡(소중히) 생각하는 마음; 애정; 사랑. ¶～が通(つう)じる 생각〔사랑하는 마음〕이 (저쪽에) 통하다/～を寄(よ)せる …에게 마음을 두다; 애정을〔호의를〕 품다. ㉢뜻; 계획; 예정; 소원. ¶～通(どお)りに運(はこ)ぶ 뜻〔계획〕대로 되어가다/長年(ながねん)の～がかなう 오랜 소원이 이루어지다. ㉣걱정; 시름. ¶～に沈(しず)む 시름에 잠기다. ㉤예상; 짐작; 추측; 상상. ¶～描(えが)く 마음에 그리다〔상상하다〕. **2** 집착심; 집념; 특히, 원한. ¶～が積(つ)もる 원한이 쌓이다/～が残(のこ)る 원한이 남다. **3** 느낌; 기분; 경험. ¶身(み)を切(き)られる～ 살을 에는 듯한 느낌/～を新(あら)たにする 기분을 새로이 하다.

―半(なか)ばに過(す)ぎる (나머지는) 충분히 짐작이 가다; 마음에 짚이다.

―も掛(か)けない 생각지도 않다; 뜻밖이다.

―も寄(よ)らない 생각할 수도 없다; 뜻밖이다. ¶～出来事(できごと) 뜻밖의 사건.

―を致(いた)す (그 일을) 잘 생각하다.

―をはせる 이것저것 생각하다. ¶その背景(はいけい)に～ 그 배경에 대해 원점으로부터 생각하다.

おもいあがり【思い上がり】 名 실제의 자기보다 크게 여김; 우쭐해 함; 자부.

おもいあが-る【思い上がる】 5自 우쭐해하다; 뽐내다; 잘난 체하다. =うぬぼれる. ¶～·った態度(たいど) 우쭐해진 태도/お世辞(せじ)でほめられたのに～ 인사치레로 칭찬을 받았는데도 우쭐해한다.

おもいあた-る【思い当たる】 5自 마음에 짚이다; 짐작이 가다. ¶～所(ところ)〔節(ふし)〕がある 짚이는 데가 있다.

おもいあま-る【思い余る】 5自 생각다 못하다; 어찌해야 좋을지 갈팡질팡하다. ¶～·って親(おや)に打(う)ち明(あ)ける 생각다 못해 부모에게 고백하다.

おもいあわ-せる【思い合わせる】 下1他 비교해서 생각하다; 종합해서〔아울러, 결부시켜〕 생각하다. ¶あれこれと～·せて迷(まよ)う 이것저것 비교해 생각하다가 갈피를 못잡다.

おもいいれ【思い入れ】 名 **1** 깊이 생각함. ¶彼(かれ)が生(い)きていたらという～をする 그가 살아 있더라면 하고 깊이 생각하다. **2**〖劇〗 말없이 생각이나 감정을 나타내는 몸짓. ¶～あって退場(たいじょう) (말없이) 생각에 잠긴 표정을 하다가 퇴장.

おもいうか-べる【思い浮かべる】 下1他 **1** 마음속에 그리다〔떠올리다〕; 회상하다. ¶楽(たの)しかったことを～ 즐거웠던 일을 회상하다. **2** 연상하다. ¶'海(うみ)'と言(い)う言葉(ことば)から何(なに)を～·べますか '바다'라는 말에서 무엇을 연상합니까.

おもいえが-く【思い描く】 5他 마음에 그리다; 상상하다. ¶新(あたら)しい生活(せいかつ)を～ 새생활을 마음속에 그리다.

おもいおこ-す【思い起こす】 5他 상기하다; 생각해 내다. ¶幼年時代(ようねんじだい)を～ 유년 시절을 상기하다.

おもいおもい【思い思い】 副 제각각; 각자의 생각대로. =てんでに. ¶～の服装(ふくそう) 제각각의 복장/～に自分(じぶん)の道(みち)を進(すす)む 제각기 자기의 길을 나아가다.

おもいかえ-す【思い返す】 5他 **1** (지난 일·결정한 일을) 다시 생각하다. **2** 고쳐 생각하다; 생각을 바꾸다. =考(かんが)えなおす. ¶行(い)こうとしたが～·してやめた 가려다가 다시 생각하고 그만두었다.

おもいがけず【思いがけず】 副 의외로; 예기치 않았는데도. ¶～大金(たいきん)が手(て)に入(はい)った 의외로 거금이 손에 들어왔다. 参考 흔히, 예상했던 것보다 좋은 결과에 대해 씀.

おもいがけな-い【思いがけない】《思い掛けない》形 의외이다; 생각해 본 일도 없다; 뜻밖이다. ¶～事件(じけん) 뜻밖의 사건/～·く旧友(きゅうゆう)に会(あ)った 뜻밖에 옛 친구를 만났다. 注意 '…とは思(おも)いもかけませんでした'와 같은 꼴로도 씀.

おもいきった【思い切った】 連語 ☞おもいきる3.

おもいきって【思い切って】 連語 ☞おもいきる2.

おもいきや【思いきや】 連語《'…と'를 받아》(…라) 생각했더니 (실은…); 뜻밖에도. ¶行(い)ったと～ 간 줄 알았더니/死(し)んだと～, まだ生(い)きていた 죽은 줄 알았더니 아직 살아 있었다.

おもいきり【思い切り】 一名 체념; 단념. =あきらめ. ¶～が悪(わる)い 선뜻 단념 못하다. 二副 마음껏; 실컷. =思(おも)う存分(ぞんぶん). ¶～走(はし)った 마음껏 달렸다.

おもいき-る【思い切る】 5他 **1** 단념하다. ¶出世(しゅっせ)を～ 출세를 단념하다/彼(かれ)を～·れない 그를 단념할 수 없다. **2**《'～·って'의 꼴로 副詞적》㉠결심하고; 과감히; 눈 딱감고. ¶～·って打(う)ち明(あ)ける 눈 딱감고 털어놓다. ㉡마음껏. ¶～·って遊(あそ)んでやろう 실컷 놀아야지. **3**《'～·った'의 꼴로 連体詞적》대담한. ¶～·ったデザイン〔ことをしたもんだ〕 대담한 디자인〔짓을 했군〕.

あもいこみ【思い込み】 名 **1** 확신함. **2** 굳게 결심함. ¶～の強(つよ)いやつ 결심이 굳은 녀석.

おもいこ-む【思い込む】 5自 **1** 깊이〔단단히〕 마음먹다; 굳게 결심하다. ¶いったん～·んだら言(い)うことをきかない 한번 마음 먹으면 말을 안 듣는다. **2** 꼭 (그렇다고) 믿다; 믿어버리다. ¶ほんとうだと～ 정말이라고 믿(어 버리)다.

おもいしら-せる【思い知らせる】[下1他] 상대에게 뼈저리게 느끼게〔깨닫게〕 하다. ¶あいつ, 今度(こんど)～·せてやる 저놈, 이번에 단단히 깨닫게 해 줄 테다.

おもいし-る【思い知る】[5他] 깨닫다; 절실히 느끼다; 통감하다. ¶人生(じんせい)のはかなさを～ 인생의 허무함을 깨닫다.

おもいすご-す【思い過ごす】[5他] 지나치게 생각하다; 쓸데없는 걱정을 하다. ¶～·してくよくよする 쓸데없는 걱정으로 끙끙 앓다.

おもいだしわらい【思い出し笑い】[名] 지난 일을 회고하여 혼자서 웃음〔미소지음〕. ¶～をする 지난 일을 회고하며 미소짓다.

おもいだ-す【思い出す】[5他] 생각해 내다; 상기〔회상〕하다. ¶用事(ようじ)を～ 볼일이 생각나다/死(し)んだ父(ちち)を～ 죽은 아버지를 회상하다/～·したように雨(あめ)が降(ふ)った 느닷없이 비가 왔다.

おもいた-つ【思い立つ】[5他] **1** 무슨 일을 하려는 생각을 일으키다; 생각나다; 결심하다. ¶～·ったらすぐ実行(じっこう)にうつす 생각나면 곧 실행에 옮기다. **2** 기도〔계획〕하다. ¶外国旅行(がいこくりょこう)を～ 외국 여행을 계획하다.
—日(ひ)が吉日(きちにち·きちじつ) 마음(을) 먹었으면 바로 그날부터 시작하는 것이 좋다. ＝思い立ったが吉日.

おもいちがい【思い違い】[名][ス他] 틀린 생각; 잘못 생각; 착각; 오해. ＝勘違(かんちが)い. ¶それは君(きみ)の～だ 그건 네 오해〔착각〕이다.

おもいつき【思いつき】《思い付き》[名] **1** 문득 생각이 남; 착상. ¶廃物(はいぶつ)を利用(りよう)するのはよい～だ 폐물을 이용하는 것은 좋은 착상이다. **2** 즉흥적인 발상. ¶～の政策(せいさく) 즉흥적인 정책/～で物(もの)を言(い)うな 즉흥적인 생각으로 말하지 마라.

おもいつ-く【思いつく】《思い付く》[5他] **1** 문득 생각이 떠오르다. ¶急(きゅう)に～ 갑자기 생각이 떠오르다/妙案(みょうあん)を～ 묘안을 생각해 내다. **2** ☞おもいだす.

おもいつ-める【思いつめる·思い詰める】[下1他] 외곬으로만 깊이 생각하다; 골똘히 생각하(고 결심하)다. ¶あまり～なよ 너무 골똘히 생각하지 마라/～·めたあげく自殺(じさつ)した 외곬으로 생각하며 고민한 나머지 자살했다.

おもいで【思い出】《想い出》[名] 추억; 추상. ¶～話(ばなし) 추억담/～に浸(ひた)る 추억에 잠기다/少年時代(しょうねんじだい)の～をなつかしむ 소년 시절의 추억을 그리워하다.

おもいとどま-る【思いとどまる】《思い止まる》[5他] 단념하다; 생각 끝에 그만두다. ¶殴(なぐ)りつけようかと思(おも)ったが～ 때릴까 하다가 마음을 돌리다.

おもいなお-す【思い直す】[5他] 다시 생각하다; 재고하다. ＝思(おも)いかえす. ¶辞任(じにん)を～·した 사임을 재고했다.

おもいなしか【思いなしか】《思い做しか》[副] 그렇게 생각해서 그런지. ¶～, やせたようだ 그렇게 생각해서 그런지, 여윈 것 같다.

おもいのこ-す【思い残す】[5他] 미련을 남기다. ¶～ことはない 미련은 없다.

おもいのたけ【思いの丈】[名] (어떤 사람을) 생각〔사랑〕하는 마음의 전부. ¶～を述(の)べた (사랑하는) 속마음을 다 털어놓았다. [参考] 주로 남녀간에서 말함.

おもいのほか【思いの外】[副] 의외로; 뜻밖에; 예상과 달리. ¶～の成功(せいこう) 뜻밖의 성공/試験問題(しけんもんだい)は～やさしかった 시험 문제는 의외로 쉬웠다.

おもいまよ-う【思い迷う】[5自] 갈피를 못 잡다; 마음이 헷갈리다. ＝思い惑(まど)う. ¶進退(しんたい)に～ 진퇴에 대해 어찌할 바를 모르다.

おもいまわ-す【思い回す】[5他] 여러모로〔이것저것〕 생각하다.

おもいめぐら-す【思い巡らす】[5他] 'おもいまわす'의 약간 격식 차린 말씨. ¶老後(ろうご)のことを～ 노후의 일을 (이것저것) 생각하다.

おもいもう-ける【思い設ける】[下1他] 미리 생각해 두다; 예상하다; 예기하다. ¶～·けぬ災難(さいなん) 예기치 못한 재난/反論(はんろん)は～·けていたところだ 반론은 예상했던 바다.

おもいやり【思いやり】《思い遣り》[名] 동정함; 동정심; 배려. ¶～のない人(ひと) 동정심이 없는 사람/～がふかい 동정심이 많다; 배려가 깊다.

おもいや-る【思いやる】《思い遣る》[5他] **1** (멀리 있는 것에) 생각이 미치다; 《'～·られる'의 꼴로》 염려되다. ¶今(いま)からそんなでは行(ゆ)く末(すえ)が～·られる 지금부터 그래 가지고는 앞날이 염려된다. **2** 상상하다; 추측하다; 헤아리다. ¶さぞかしと～ 오죽하랴 하고 추측하다. **3** (남의 신상·마음을 헤아려) 동정하다; 배려하다. ¶病人(びょうにん)の気持(きも)ちを～ 환자의 심정을 헤아리다/少(すこ)しは彼(かれ)の立場(たちば)も～·ってください 조금은 그의 입장도 생각해 주시오.

おもいわずら-う【思い煩う】[5自] 고민하다; 염려〔걱정〕하다; (이것저것 생각하여) 괴로워하다. ¶日夜(にちや)～ 밤낮 걱정〔고민〕하다.

おもいわ-びる【思いわびる】《思い侘びる》[上1自] 괴롭게, 또 슬프게 생각하다.

****おも-う**【思う】[5他] **1** 생각하다. ㉠(일반적인 뜻으로) 생각하다. ¶これぞと～相手(あいて) 바로 이 사람이라고 생각되는 상대/正気(しょうき)の沙汰(さた)とは～·われぬ 제정신을 갖고 한 짓으로는 생각되지 않는다. ㉡예상하다; 헤아리다; 상상하다. ¶～·った通(とお)り 생각했던 대로/～·ったより軽(かる)い 생각했던 것보다 가볍다. ㉢느끼다. ¶悲(かな)しく～ 슬프게 생각하다. ㉣기대하다; 바라다. ¶手(て)に入(い)れたいと～品(しな) 갖고 싶다고 생각하는 물건/～ようにならない 생각〔뜻〕대로 되지 않다. ㉤회상하다. ¶昔(むかし)を～ 옛날을 생각하다. ㉥걱정하다. ¶災害地の惨事を～ 재해지의 참사를 생각하다. ㉦마음먹다; 결심하다. ¶やろうと～·えばやる 하려고 생각하면 한다. ㉧(…에) 마음이 끌리다; 그리(워 하)다; 사랑하다. ¶故国を～ 고국을 생각하다/心に～恋人 마음속에 그리는 애인. **2** 《'…かと～と'의 꼴로》…(는)가 했더니 곧; …하자마자 곧. ¶帰って来たかと～とまた出かける 돌아왔는가 했더니 곧 또 나간다. 注意 '想う·憶う' 등으로도 씀. 参考1 '考える'가 지적(知的)인 면에 한정되는 데 대해, '思う'는 정적(情的)·의지적으로도 쓰임. 参考2 '思う'의 높임말은 'おぼしめす', 겸사말은 '存ずる'. 可能おも-える 下1自

―に任せない 생각대로 (진척)되지 않다. ¶会社の経営が～ 회사 경영이 뜻대로 되지 않는다.

―念力岩をも通す 정성이 지극하면 바위라도 뚫는다.

おもうさま【思うさま】《思う様》副 마음껏; 실컷. ＝思いきり·思うぞんぶん. ¶～活躍する 마음껏 활약하다.

おもうぞんぶん【思う存分】副 마음대로; 만족할 만큼; 마음껏; 실컷. ＝思いきり. ¶～(に)たべる 실컷 먹다/～の働きをする 마음껏 활동하다.

おもうつぼ【思うつぼ】《思う壺》名 예기〔생각〕한 바. ¶～にはまる 바랐던 대로 되다/敵の～だ 적의 계략이다.

おもうに【思うに】副 생각건대. ¶今にして～ 이제 와서 생각건대.

おもうまま【思うまま】《思う儘》副 생각대로; 마음껏. ＝思う存分. ¶～遊び歩く 마음껏 놀러다니다.

おも-える【思える】下1自 생각되다; (자연히) 그렇게 느끼다. ¶そんな不人情な事をしそうには～·えない 그런 몰인정한 짓을 할 것으로는 생각되지 않는다.

おもおもし-い【重重しい】形 **1** 엄숙하고 무게가 있다; 위엄이 있다. ¶～雰囲気 엄숙한 분위기/～ふるまい 위엄이 있는 행동. **2** 정중하다. ¶～扱い 정중한 대우. ⇔軽々しい.

*__おもかげ__【面影】《俤》名 **1** (기억에 남아 있는 옛날의) 모습. ¶昔の～がしのばれる 옛 모습이 연상되다/なき母の～を思いうかべる 돌아가신 어머니 모습을 마음에 그리다. **2** (누군가 닮은) 면모; 얼굴 생김새. ¶父に似た～ 아버지를 닮은 모습.

おもかじ【面かじ】《面舵》名 **1** 뱃머리를 오른쪽으로 돌릴 때의 키잡이. ¶～いっぱい 키를 우로 잔뜩 꺾어라. **2** 우현(右舷). ⇔取りかじ.

おもがわり【面変わり】名スル自 변모; 모습이 달라짐. ¶～したのでよく分からなかった 변모해서 잘 몰랐다.

おもき【重き】名 중점; 무게; 중요시.

―を置く 중점을 두다; 중요시하다. ¶福祉問題に～ 복지 문제에 중점을 두다.

―を成す 중(요)시되다; 존중되다. ¶財界で～ 재계에서 중요시되다.

おもくるし-い【重苦しい】形 답답하다; 짓눌리는 것같이 괴롭다; 울적하다. ¶～ふんいき 무거운 분위기/気分〔胸〕が～ 기분〔가슴〕이 답답하다.

__おもさ__【重さ】名 **1 무게. ¶～を計る 무게를 달다. **2** 중대함; 중함. ¶責任の～ 책임의 중대성.

おもざし【面ざし】《面差し》名 용모; 얼굴 모습. ＝顔つき. ¶～が祖父に似ている 용모가 조부를 닮았다.

おもし〖重石〗名 **1** 눌러 놓는 물건〔돌〕; 김칫돌; 누름돌. ＝おし. ¶つけ物の～ 김칫돌. **2** (사람을) 누르는 힘; 관록. ¶～がきかない 관록이 안 먹히다.

__おもしろ-い__〖面白い〗形 **1 우습다; 이상하다. ¶～顔つき 우습게 생긴 얼굴/ちょっと～事を聞いたんだが 좀 이상한 말을 들었는데. **2** 재미있다. ㉠즐겁다; 유쾌하다. ¶パーティーは～·かった 파티는 즐거웠다/学校が～ 학교에 가는 것이 재미있다. ㉡흥미있다. ¶～小説 재미있는 소설/なかなか～はなしだ 꽤 재미있는 이야기다. ㉢색다른 데가 있다. ¶～男だ 재미있는 남자다. **3**『～·くない』좋지 않다. ¶～·くない評判 좋지 않은 평판/病状が～·くない 병세가 좋지 않다.

おもしろおかし-い〖面白可笑しい〗形 재미있고도 우습다. ¶～·く話す 재미있고도 우습게 이야기하다.

おもしろはんぶん【おもしろ半分】《面白半分》名 진반 농반; 반농조; 반장난. ¶～に似顔絵をかく 반장난으로 초상화를 그리다.

おもしろみ〖面白み〗名 재미; 흥미. ¶～のない人 재미가 없는 사람.

おもた-い【重たい】形 무겁다; 묵직하다. ¶～石 묵직한 돌/気分が～ 기분이 무겁다《답답하다》/まぶたが～ 눈꺼풀이 개개풀리다《졸리다》.

おもたせ【お持たせ】名 상대방이 가지고 온 선물의 높임말《갖고 온 과자 따위를 차와 함께 권할 때 쓰는 말》. ＝お持たせ物. ¶～で失礼ですが 갖고 오신 것이라 죄송합니다만.

おもだち【面だち】《面立ち》名 얼굴 (생김새); 용모. ＝顔だち·おもざし. ¶立派な～の青年 잘생긴 청년.

おもだ-つ【重立つ·主立つ】5自 (관계자들 중에서) 중심이 되다; 주(主)되다. ¶～·った人 중심이 되는 사람.

*__おもちゃ__〖玩具〗名 **1** 장난감; 완구. ＝がんぐ. ¶～のピストル 장난감 권총/～箱〔屋〕 장난감 상자〔가게〕. **2** 노리개. 参考 어른이 취미로 애용하는 물건을 농조로 말할 때도 있음. ¶パソコンは彼の～さ PC는 그의 노리갯감일세.

―にする 노리개로 삼다; 갖고 놀다. ¶

僕はおもちゃにされるのはいやだ 나는 노리갯감이 되는 것은 싫다.

おもったる-い【重ったるい】形〈俗〉어쩐지 무겁고 느른하다.

**おもて【表】图 1 표면. ㉠거죽; 겉. ¶貨幣の～ 화폐의 표면/封套の～ 봉투의 겉/～の意味 표면의 뜻; 드러난 의미/裏も～もない 겉이나 속이나 같다; 표리가 없다. ㉡(사람 눈에) 보이는 곳. ¶～に出る 표면화하다/～に立つ 표면에 나서다. ㉢정면(의 것). ¶～門 정문; 앞문/建物の～口 건물의 정면 출입구. ⇔裏. ㉣공식; 공적; 정식; 공공연. ¶～向きの用件 정식 용건. 2 바깥쪽에 있는 것. ㉠입구 가까이 있는 방. ¶～のへや 바깥 방. ↔奥. ㉡(집 안에서) 손님을 영접하는 곳. ¶～座敷 객실. 3 집 앞; 집의 바깥. ¶～に出る 밖으로 나가다/～が騒がしい 집 밖이 떠들썩하다. 4〔野〕각회의 전반부; 초. ¶二回の～ 2회 초. ↔裏.

おもて【面】图〈雅〉면. 1 얼굴; 안면. ¶～を上げる 얼굴을 들다. 2 가면; 탈. ＝仮面·めん. ¶～をつける 가면을 쓰다. 3 표면; 외면. ¶水の～ 물의 표면/～がよごれる 표면이 더러워지다.

おもで【重手】《重傷》图 중상. ＝ふかで. ¶～をおう 중상을 입다.

おもてがえ【表替え】图スル自他 畳의 겉 돗자리를 새것으로 갊.

おもてがき【表書き】图スル自他 편지 겉봉에 주소나 이름을 씀; 겉봉의 주소·성명. ＝上書き.

おもてかた【表方】图 (극장에서) 주로 관객의 응대에 관한 일을 보는 사람들《매표계·안내원 등》. ↔裏方.

おもてがまえ【表構え】图 집 정면의 구조. ¶～が立派だ 집 정면 구조가 훌륭하다.

おもてがわ【表側】图 1 겉 쪽. 2 도로에 면한 쪽; 정면 쪽. ↔裏側.

おもてかんばん【表看板】图 1 극장 정면에 거는 간판. 2 (세상에 내건) 표면상의 명목. ¶～は宿屋だが本業は密輸業だ 표면적으로는 여관이지만 본업은 밀수업이다.

おもてぐち【表口】图 1 (건물의) 정면 출입구. ↔裏口. 2 ☞まぐち1. 3 등산로·참배길 등의 정식 도로. ¶富士登山の～ 富士산 등산의 정식 등산로.

おもてさく【表作】图〔農〕앞갈이; 또, 그 작물. ↔裏作.

おもてざしき【表座敷】图 큰 집의 입구 가까이 있는 객실로 쓰이는 방. ¶～に案内する 객실로 안내하다. ↔奥座敷.

おもてざた【表ざた】《表沙汰》图 1 세상에 공공연하게 알려짐. ¶事が～になる 일이 공공연하게 알려지다《표면화됨》. ↔内ざた. 2 관청에서 취급되는 사건; 특히, 소송. ¶～にする 소송하다.

おもてだ-つ【表だつ】《表立つ》5自 표면화하다; 세상에 공공연하게 알려지다. ¶～·った話 표면화된 이야기/～·たないようにする 표면에 드러나지 않도록 하다.

おもてどおり【表通り】图 (시가지의) 한길; 큰길. ↔裏通り.

おもてにほん【表日本】图 일본 열도 중 本州의 태평양에 면한 지방. 参考 현재는 보통 '太平洋側(＝태평양 쪽)' 라고 함. ↔裏日本.

おもてむき【表向き】图 1 공공연함; 공식적임; 정식임. ¶～になる 공공연하게 되다/約束の内容は～にはしない 약속 내용은 공개하지 않는다. 2 (실제는 어떻든) 표면상. ＝うわべ. ¶～の理由 표면상의 이유/～(は)病気ということにした 표면상으로는 병인 것처럼 (위장)했다.

おもてもん【表門】图 대문; 정문. ↔裏門.

おもと〖御許〗图 곁; 앞《여자의〔여성에게 보내는〕 편지에서 겉봉 이름 밑 옆에 쓰는 말》. ¶～に 곁에.

おもな【主な】連体 ☞おも(主). ¶今日の～ニュース 오늘의 중요한 뉴스.

おもなが【面長】名ナ 얼굴이 갸름함. ¶～の人 얼굴이 갸름한 사람.

おもに【重荷】图 무거운 짐; (무거운) 부담·책임; 괴로운 일. ¶～を負う 무거운 짐〔부담〕을 지다.

―を下ろす 무거운 짐을 내리다; 책임있는 일·지위에서 해방되다. ¶心の～ 마음의 (무거운) 짐을 벗다.

**おもに【主に】副 주로; 대부분. ¶～青年が集まる 주로 청년이 모인다/夏は～いなかで暮らす 여름은 주로 시골서 지낸다.

おもね-る〖阿る〗5自 아첨〔아부〕하다. ＝へつらう·こびる. ¶権力者に～ 권력자에게 아첨하다/世に～ 세상에 아부하다《인기 전술을 쓰다》.

おもはゆ-い【面はゆい】《面映ゆい》形 낯간지럽다; 부끄럽다; 열없다. ＝照れくさい·はずかしい. ¶あまりほめられたのでいささか～ 너무 칭찬을 들어서 약간 열없다.

おもみ【重み】图 무게. 1 중량. ¶つめかけた見物人の～で床が抜ける 모여든 구경꾼의 무게로 마루가 빠지다. ⇨おもさ. ↔軽み. 2 중후함. ¶～のあることば 무게 있는 말. ⇨おもき. 3 관록. ¶重役らしい～がつく 중역다운 관록이 붙다.

*おもむき【趣】图 1 재미; 정취; 멋. ¶冬枯れの景色にも～がある 잎이 진 앙상한 겨울 경치에도 정취가〔멋이〕 있다. 2 느낌; 분위기. ¶深山幽谷の～がある 심산유곡의 느낌이 있다. 3 의도; 취지; 내용. ¶お話の～はわかりました 말씀의 취지는 알았습니다. 4 …라는 말. ¶承ればご病気の～ 듣자온즉 병환이시라는 말씀.

*おもむ-く【赴く】5自 1 향하여 가다. ¶京都に～ 京都로 가다/遭難現

場に直ちに～ 조난 현장으로 즉시 향하다. **2** (어떠한 경향·상태로) 향하다. ¶病気も快方に～ 병도 차차 나아지다.

おもむろに〖徐ろに〗副 서서히; 천천히. ＝ゆっくり. ¶～立ち上がる〔口を開く〕 천천히 일어서다〔입을 열다〕.

おももち【面持ち】名 표정; (기분이 나타난) 얼굴. ¶不安そうな〔いぶかしげな〕～ 불안한 듯한〔의아스러운〕 표정.

おもや【母家·母屋】名 **1** (건물 중앙의) 몸채. **2** (부속 건물에 대해) 주된 건물; 안채. ↔離れ.

おもやつれ【面やつれ】《面窶れ》名ス自 얼굴이 야위어〔수척해〕 보임. ＝おもやせ. ¶～した姿 수척해 보이는 모습.

おもゆ【重湯】名 미음. ¶病人に～を飲ませる 병자에게 미음을 먹이다.

おもり【お守り】名ス他 **1** 아기를 돌보는 일〔사람〕; 애보기. ＝子守. ¶赤ちゃんの～をする 아기를 보다. **2** 시중듦; 돌봄. ¶老人の～をする 노인의 시중을 들다.

おもり〖重り·錘〗名 **1** 추. **2** 분동(分銅). **3** 낚싯봉. ＝しずみ. ¶釣糸に～をつける 낚싯줄에 봉을 달다.

おも-る【重る】5自 **1** (무게가) 무거워지다. **2** (병이) 중해지다.

おもわく【思わく·思惑】名 **1** 생각; 의도; 기대; 예상. ¶自分の～で行動する 자기 생각으로 행동하다／～がはずれる 예상이 어긋나다. **2** 평판; 인기. ＝気うけ. ¶世間の～を気にする 세간의 평판에 신경을 쓰다. **3** 시세 등락의 예측. 注意 '思惑' 라고 씀은 취음.

おもわし-い【思わしい】形 좋다고 생각하다; (뜻대로여서) 바람직하다. ¶～成績が得られない 좋은 성적을 얻지 못하다／研究が～·く進まない 연구가 뜻대로 진척되지 않다.

***おもわず**【思わず】連語 엉겁결에; 뜻하지 않게; 무의식 중에. ＝うっかり. ¶～悲鳴をあげる 엉겁결에 비명을 지르다／～頭を下げる 무의식 중에 머리를 숙이다.

おもわすれ【面忘れ】名 (남의) 얼굴을 잊음. ¶すっかり～してしまった 아주 얼굴을 잊어버렸다.

おもわせぶり【思わせ振り】名ダナ 변죽울림; 의미 있는 듯이 이상하게 하는 말이나 태도. ¶～なしぐさ 의미있는 듯한 이상한 짓／あの女はなかなか～をする 저 여자는 꽤 교태를 부린다.

おもわぬ【思わぬ】連語 예상 못한; 뜻밖의. ¶～事故にあう 뜻밖의 사고를 당하다.

おもん-じる【重んじる】上1他 ☞おもんずる.

おもん-ずる【重んずる】サ変他 중요시하다; 존중하다. ＝重んじる. ¶体面を～ 체면을 중히 여기다／道理を～ 도리를 존중하다. ↔軽んずる.

おもんぱかり〖慮り〗名 **1** 사려; 생각; 고려. ¶～が足りない 생각이 모자라다. **2** 조치; 선처. ¶適切な～ 적절한 조치. 注意 'おもんばかり' 라고도 함.

おもんぱか-る〖慮る〗5他 **1** 잘〔깊이〕 생각하다; 고려〔숙고〕하다. ¶よくよく～·って事を行う 두루 잘 생각해서 일을 행하다. **2** 배려하다. ¶細かい点まで～ 세세한 데까지 배려하다.

おもん-みる〖惟る〗上1他 〈雅〉 잘 생각해 보다. ＝思い巡らす. ¶つらつら～に 곰곰이 생각해 보건대.

※おや【親】名 **1** 어버이; 부모. ¶二～ 부모; 양친／～に死なれる 부모를 여의다. ↔子. **2** ㉠《祖》 선조; 원조. ¶～代代 조상 대대. ㉡사물의 근본. ¶里芋の～ 토란의 어미 줄기. **3** 중심이 되는 것. ¶～企業 모기업／～柱 큰 기둥／トランプの～ 트럼프 놀이의 선.

——に似ぬ子は鬼子 자식은 반드시 부모를 닮는 법.

——の心子知らず 부모 마음을 자식은 모른다.

——のすねかじり 부모의 부양을〔원조를〕 받음; 또, 그런 자식.

——の光は七光 부모의 성망(聲望)이 높으면 자식은 여러모로 그 음덕을 입는다. ＝親の七光.

——はなくとも子は育つ 부모 없는 아이도 이럭저럭 자란다《세상 일이란 그렇게 걱정 안해도 된다는 말》.

おや 感 뜻밖의 일에 부딪치거나 또는 의문이 생겼을 때 내는 소리: 아니; 어머나; 이런; 저런. ¶～, これは何だろう 어, 이건 뭘까／～, 道を間違えたかな 아니, 길을 잘못 들었나.

おやおもい【親思い】名 부모를 소중히 여기는 효성; 또, 그 사람. ¶～の息子 효성이 지극한 아들.

おやおや 感 **1** 'おや' 의 힘줄말. **2** 약간 실망했을 때 내는 소리. ＝やれやれ.

おやがいしゃ【親会社】名 모(母)회사. ↔子会社.

おやがかり【親掛かり】名 다 큰 자식이 독립하지 못하고 부모를 의지하고 살아감; 또, 그 자식. ¶まだ～の身です 아직 부모님의 신세를 지고 있는 몸입니다.

おやかた【親方】名 **1** 우두머리. ㉠같은 업(業)의 장인(匠人)·제자들의 기능을 가르치고 생활을 보살펴 주며 감독하는 사람. ㉡공사판 인부들의 감독. **2** 배우·장인 따위의 높임말.

——日の丸 〈俗〉 **1** 예산을 많이 써도 정부가 봐주겠거니 하는 안이한 사고방식. **2** 국가를 등에 업고 방만 경영을 일삼는 공공 기관이나 단체. ¶～の放漫な経営 공공 기업체의 방만한 경영. 参考 '우리 두목은 국가다' 라는 뜻에서.

おやかぶ【親株】名 **1**〔經〕 (신주(新株)에 대한) 구주. ＝旧株. **2** 원포기; 원그루. ⇔子株.

おやがわり【親代わり】名 친부모 대신 돌봐 주고 양육하는 일; 또, 그 사람. ＝おやしろ. ¶叔父が～になって育てる

숙부가 친부모 대신에 양육하다.
おやきょうだい【親兄弟】图 부모와 형제자매; 가족. ¶~にも見放(みはな)される 부모 형제한테도 버림받다.
おやくしょしごと【お役所仕事】图 관청 사무《형식적이고 비능률적임을 비꼬는 말》.
*おやこ【親子】图 1 부모와 자식. ¶~連(づ)れ 부모자식 일행 / ~は争(あらそ)われないものだ 부모와 자식은 어쩔 수 없는〔닮는〕 법이다. 2 'おやこどんぶり(=닭고기 계란 덮밥)'의 준말. 3 바탕이 되는 것과 그에 딸린 것. ¶~電話(でんわ) 한 선으로 같이 쓰는 두 대 이상의 전화.
おやご【親御】图 양당(兩堂)《남의 부모의 경칭》. ¶~さんによろしく 부모님께 안부 전해 주십시오.
おやこうこう【親孝行】图ダナ스自 효도(함); 또, 효도하는 사람. =孝行(こうこう). ¶~な息子(むすこ) 효성스러운 아들; 효자. ↔親不孝(おやふこう).
おやごころ【親心】图 (자식을 사랑하는) 부모의 마음; 전하여, (그처럼 사랑하는) 따뜻한 마음. ¶~からの忠告(ちゅうこく) 부모와 같은 심정으로 해 주는 충고.
おやじ〚親父〛图 1 (성인 남자가 무간한 자리에서) 자기 아버지를 일컫는 말: 아버지. ¶うちの~ 우리 아버지. 参考 남의 아버지를 가리킬 때는 보통 '~さん'이라고 함. ↔おふくろ. 2〚親爺·親仁〛 직장의 책임자·가게 주인·노인 등을 (친근하게 또는 얕보아) 일컫는 말. ¶たばこ〔ラーメン〕屋(や)の~ 담배〔라면〕 가게 영감 / 頑固(がんこ)な~ 완고한 영감태기. ↔おかみ.
おやしお【親潮】图 오야시오 해류《일본 동해안을 남쪽으로 흐르는 한류》. =千島海流(ちしまかいりゅう). ⇨くろしお.
おやしらず【親知らず】图 1 친부모의 얼굴을 모름; 또, 그런 자식. 2 'おやしらずば(=사랑니)'의 준말. =知歯(ちし). ¶~が生(は)え始(はじ)める 사랑니가 나기 시작하다.
おやす-い【お安い】形 1 쉽다; 간단하다. ¶~ご用(よう)だ 쉬운 일이다. 2《'~·くない'의 꼴로》 남녀가 특별한〔심상치 않은〕 관계에 있다《놀리는 말》. ¶~·くない仲(なか) 연애 중에 있는 사이 / デートとは~·くないね 데이트를 하다니 보통 사이가 아니구먼.
おやすみ【お休み】图 1 '寝(ね)ること(=잠; 자기)' '休(やす)むこと(=쉼)'의 공손한 말씨. ¶~になる 주무시다. 2 잘 때의 인사말: 잘 자요《'お休みなさい(=안녕히 주무세요)'의 준말》. 3 '休業(きゅうぎょう)(=휴업)' '欠勤(けっきん)(=결근)'의 공손한 말씨. ¶日曜(にちよう)と祭日(さいじつ)は~です 일요일과 국경일은 휴업입니다.
おやだま【親玉】图〈俗〉(동료 중에서) 중심 인물; 우두머리; 두목. =かしら. ¶ギャングの~ 갱의 두목 / お前(まえ)らの~はだれだ 너희들의 두목은 누구냐.
おやつ〚お八つ·御八つ〛图 오후의 간식. =お三時(さんじ). ¶~をやる 간식을 주다 / ~にする 간식을 먹다.
おやばか【親ばか】《親馬鹿》图 자식 사랑에 눈이 먼 부모. ¶全(まった)くの~だ 정말 자식 귀여운 줄 밖에 모르는 어리석은 부모다.
おやばなれ【親離れ】图스自 아이가 부모에게 의지하지 않게 됨; 아이가 자립함. ↔子離(こばな)れ.
おやふこう【親不孝】名ダナ스自 불효 (자식). ¶~をする 불효를 하다 / ~の息子(むすこ) 불효자식 / この~者(もの)め 이 불효 막심한 놈. ↔親孝行(おやこうこう).
おやぶね【親船】图 모선; 본선.
——に乗(の)ったよう 모선에 탄 것 같다《안심이다; 마음이 든든하다》. =大船(おおぶね)に乗(の)ったよう.
おやぶん【親分】图 1 부모처럼 의지하고 있는 사람. =仮親(かりおや). 2 두목·우두머리; 특히, 협객·깡패 등의 우두머리. =親方(おやかた)·ボス. ¶~肌(はだ)の男(おとこ) 두목 기질의 사나이. ⇔子分(こぶん).
おやま〚女形〛图 (歌舞伎(かぶき)에서) 여자역을 하는 남자 배우. =おんながた.
おやまのたいしょう【お山の大将】連語 좁은 분야에서 자기가 가장 훌륭하다고 뽐내는 사람. ¶~になる 우쭐대다.
おやまさり【親勝り】图 자식이 부모보다 잘남; 또, 그런 자식. ¶~の子(こ) 부모보다 잘난 자식.
おやみ【小やみ】《小止み》图 ☞こやみ.
おやみだし【親見出し】图 (기사의) 주된 표제. =親項目(おやこうもく). ↔子(こ)見出し.
おやもと【親もと·親元】《親許》图 부모슬하; 부모가 계신 곳. =親里(おやざと). ¶病気(びょうき)で~に帰(かえ)る 병으로 부모 곁으로 돌아가다.
おやゆずり【親譲り】图 대물림; 부모로부터 물려받음; 또, 그것. ¶~の財産(ざいさん) 부모에게서 물려받은 재산. 参考 성격 등에 관해서도 일컬음. ¶~の気性(きしょう) 부모를 닮은 성격.
おやゆび【親指】《拇》图 1 엄지가락; 엄지 손가락; 엄지 발가락. =拇指(ぼし). 2〈俗〉 주인; 두목《곁말》.
およが-せる【泳がせる】下1他 (증거 수집 등을 위해 범죄 용의자 따위를 일부러 잡지 않고) 자유로이 행동하게 하다. =泳(およ)がす. ¶犯人(はんにん)を~·せておく 범인을 일부러 자유롭게 놓아 두다.
およぎ【泳ぎ】图 1 수영; 헤엄. =水泳(すいえい). ¶~が上手(じょうず)だ 헤엄을 잘 친다. 2 처세; 세상살이.
⁑およ-ぐ【泳ぐ】《游ぐ》5自 1 헤엄치다. ㉠수영하다. ¶海(うみ)で~ 바다에서 헤엄치다. ㉡(세상을) 헤쳐 나가다. ¶世(よ)の中(なか)を~ 세상을 헤엄쳐 나가다. 2 (틈바구니를) 헤집고 나아가다. ¶人(ひと)ごみの中(なか)を~ 인파를 헤치고 나아가다. 可能 およ-げる 下1自
*およそ〚凡そ〛一图 대강; 대충; 대개;

대략. ＝あらまし. ¶～の事情 대강의 사정/今から～千年前 지금으로부터 약 천년 전/話は～わかった 이야기는 대강 알았다. 二副 1 무릇; 일반적으로. ¶～人として親を思わぬものはない 무릇 사람으로서 부모를 생각하지 않는 사람은 없다. 2 전연; 도무지; 아주. ¶～意味がない 도시 의미가 없다/～ばかばかしい話だ 도무지 말 같지 않은 이야기다.

およばずながら【及ばずながら】《及ばず乍ら》 連語 미흡〔불충분〕하나마. ¶私にできることでしたら～お手伝い致しましょう 제가 할 수 있는 일이라면 미흡하나마 도와 드리겠습니다.

およばない【及ばない】 連語 1 못 당하다; 못 미치다. ¶かれの才能には～ 그의 재능에는 못 미친다/後悔しても～ 후회해도 소용없다. 2《'…に(は)～'의 꼴로》…할 필요〔것까지〕는 없다. ¶わびるには～ 사과할 것까지는 없다.

およばれ【お呼ばれ】 名 (식사 등에) 초대 받음. ¶～にあずかる 초대를 받다.

および【お呼び】 名 부름·초대의 높임말. ¶社長が～です 사장님께서 부르십니다.

*__および__【及び】 接 1 및. ¶国語～体育は必修科目である 국어 및 체육은 필수 과목이다. 2 또. ＝また. ¶父として～一人の男として 아버지로서 또 한 사나이로서.

およびごし【及び腰】 名 엉거주춤한 자세·태도. ¶～の外交 엉거주춤한 외교/責任を問われて～になる 문책을 당해 이도 저도 아닌 태도를 취하다.

およびたて【お呼び立て】 名 スル他 사람을 불러냄《공손한 말》. ＝およびだて. ¶仕事中～してすみません 일하는데 오시라고 해서 죄송합니다.

およびもつかない【及びもつかない】 連語 도저히 못 미치다《어림도 없다》. ¶私などとうてい彼に～ 나 따위는 도저히 그에게 못 미친다.

*__およ-ぶ__【及ぶ】 5自 1 미치다. ㉠달하다. ¶十万人に～人出 십만 명에 달하는 인파. ㉡(…상태·단계 등에) 이르다. ¶この期に～·んで 이 마당에 와서〔이르러〕/その時に～·んで 그때에 이르러/力の～限り 힘이 미치는 한/捜査の手が～ 수사의 손길이 미치다/事ここに～·んでは, いかんともしがたい 일이 여기에 이르러서는, 어떻게 할 도리가 없다. 2《보통 否定을 수반하여》미치다. ㉠견주다; 필적하다. ¶遠く～·ばない 훨씬 못 미치다. ㉡할 수 있다. ¶想像も～·ばない 상상도 할 수 없다/私に～仕事ではない 내가 할 수 있는 일은 아니다. ㉢이루어지다; 실현되다. ¶～·ばぬ恋〔願い〕 이룰 수 없는 사랑〔소원〕. ㉣다시 돌이킬 수 있다. ¶今更言っても～·ばぬ事 이제 와서 말해도 소용없는 일. 3《'に'를 받아, 否定·反語의 말씨로》…은 필요하다. ¶わざわざ来るには～·ばない 일부러 올 필요는 없다.

*__およぼ-す__【及ぼす】 5他 미치게 하다. ¶被害を～ 피해를 미치게 하다/影響を～ 영향을 미치다. 可能 およぼ-せる 下1自

オランウータン [orangutan] 名〘動〙 오랑우탄; 성성이. ＝猩猩.

おり【折り】 一名 1 꺾음; 꺾은 것. 2 도시락; 나무 상자(에 담은 것). ＝折り箱. ¶菓子の～ (나무)상자에 담은 과자/～につめる 도시락〔나무 상자〕에 담다. 二接尾 물건이 담긴 나무 도시락을 세는 말. ¶菓子一～ 과자 한 상자.

おり【折】 名 때. 1 ㉠시기(時機). ¶～に触れ(て) 그때그때; 이따금; 무슨 때가 있을 때마다/～が～だけに 때가 때이니만큼. ㉡그때; 그 경우. ¶出かけた～に 외출한 때에. 2 기회; 틈. ¶～あるごとに 기회 있을 때마다/～を見はからって 기회를 보아.

—もあろうに 하필이면 이런〔그런〕 때에. ¶～客がきた 하필이면 이런〔그런〕 때에 손님이 왔다.

—も—(とて) 바로 그때. ¶～雨が降ってきた 바로 그때 비가 오기 시작했다.

おり〖檻〗 名 우리; 감방. ¶ライオンの～ 사자 우리.

おり〖澱〗 名 침전물; 앙금.

おりあい【折り合い】 名 1 타협; 매듭을 지음. ¶～がつく 타협이 되다/～をつける 타협을 짓다. 2 인간관계; 사이. ¶夫婦の～ 부부 사이.

*__おりあ-う__【折り合う】 5自 1 (서로 양보해) 해결〔매듭〕짓다; 타협하다〔되다〕. ＝おれあう. ¶値段が～ 적정한 금이 나다. 2 서로 잘 지내다; 화합하다.

おりあしく【折あしく】《折悪しく》 連語 시기가 나쁜 모양; 공교롭게; 때마침. ＝あいにく. ¶～雨が降る 공교롭게 비가 오다. ↔折よく.

おりいって【折り入って】 連語《副詞적으로》특별히; 긴히. ¶～頼みたいことがある 긴히 부탁할 일이 있다.

オリーブ [olive] 名 올리브; 감람나무. ¶～色〔油〕 올리브색〔유〕.

オリエンテーション [orientation] 名 오리엔테이션; 진로 지도; 신인 교육.

オリエント [Orient] 名 오리엔트. 1 동양; 동방. 2 중근동. ¶古代～文明 고대 오리엔트 문명.

おりおり【折折】 一名 그때그때. ＝そのつど. ¶～の歌 그때그때의 노래/四季～の花 사철 따라 피는 꽃. 二副 때때로; 이따금. ＝ときどき. ¶～見かける 때때로 눈에 띄다.

オリオン [Orion] 名 오리온. ¶～座 오리온자리.

*__おりかえし__【折り返し】 名 1 되접어 꺾은 곳. ¶えりの～ 옷깃의 되접어 꺾은 곳. 2 반환 (지점); 되짚어〔되돌아〕 감〔옴〕. ＝ひき返し. ¶～運転 되짚어 가는

운전 / マラソンコースの～点(てん) 마라톤 코스의 반환점. **3**《副詞적으로》(받은) 즉시; 되짚어. ¶～聞(き)き返(かえ)す 즉각 되묻다 / ～ご返事(へんじ)をください 받으시는 대로 곧 회답 주십시오.

おりかえ-す【折り返す】[一][5他] **1** (천·종이를) 되접어 꺾다. ¶えりを～ 옷깃을 되접어 꺾다. **2** 되풀이하다. ¶～·して三遍(さんべん)歌(うた)う 되풀이해서 세 번 노래하다. [二][5自] **1** 되짚어 오다〔가다〕. ＝ひき返(かえ)す. ¶このバスは次(つぎ)の停留所(ていりゅうじょ)で～·します 이 버스는 다음 정류장에서 되돌아갑니다. **2** (대답·답장 등을) 지체 없이 하다. ¶～·して返信(へんしん)がくる 곧 회신이 오다.

おりかさな-る【折り重なる】[5自] 차례차례 겹쳐지다; 포개어지다. ¶～·って倒(たお)れる 겹쳐 넘어지다.

おりかさ-ねる【折り重ねる】[下1他] 접어서 쌓다; 겹쳐 포개다. ¶新聞(しんぶん)を～ 신문을 접어서 포개다.

おりがみ【折り紙】[名] **1** 종이접기 놀이; 또, 그 (색)종이. ¶～で鶴(つる)を折(お)る 색종이로 학을 접다. **2** (도검·미술품 등의) 감정서; 전하여, 보증. ¶～をつける 보증하다.

——つき【——付き】[名] 감정 보증의 딱지가 붙은 것; 확실히 보증함. ＝保証付(ほしょうつ)き. ¶～の悪人(あくにん) 소문난〔딱지 붙은〕 악인 / ～の店(みせ) 정평이 나 있는 가게.

おりから【折から】[連語] **1**《흔히, 副詞적으로》마침〔바로〕 그때; 때마침. ¶～来合(きあ)わせた人物(じんぶつ) 때마침 (그곳에) 와 있던 인물. **2**《편지 등에 쓰이어》…때이니; …때이므로. ¶気候不順(きこうふじゅん)の～ 기후가 불순한 때이므로.

おりくち【降り口】《下り口》[名] (플랫폼이나 회장에서) 그곳을 내려가면 밖으로 빠질 수 있거나 갈아탈 수 있는 통로; 출구 통로. [注意] 'おりぐち' 라고도 함. ↔登(のぼ)り口(ぐち)·上(あ)がり口(ぐち).

おりこみ【折り込み】[名] (신문·잡지 등에) 부록이나 광고를 접어서 끼워 넣는 일; 또, 그 물건. ¶～広告(こうこく) 신문 등의 삽입 광고지.

おりこ-む【折り込む】[5他] 접어 넣다; (사이에) 끼워 넣다. ¶ビラを新聞(しんぶん)に～ 삐라를 신문에 끼워 넣다.

おりこ-む【織り込む】[5他] **1** (무늬를) 섞어 넣어 짜다. ¶金糸(きんし)を～ 금실을 넣어 짜다. **2** (한 사물 중에 다른 사물을) 집어넣다. ¶君(きみ)の意見(いけん)も～·んである 자네 의견도 포함되어 있다 / これも～·んで考(かんが)えてみよう 이것도 넣어 생각해 보자.

オリジナル [original] 오리지널. [一][ダナ] 독창적; 고유의. ¶～な企画(きかく) 독창적인 기획. [二][名] (복제품에 대한) 원물; 원작; 원문; 원화(原畫); 원형 따위. ¶～シナリオ 오리지널〔창작〕 시나리오.

おりしも【折しも】[副] (때)마침; 바로 그때. ¶～彼(かれ)がとおりかかった 마침 그때 그가 지나갔다.

おりたたみ【折り畳み】[名] 접어 작게 함. ¶～式(しき)の傘(かさ) 접는 우산.

おりたた-む【折り畳む】[5他] (접어) 개다; 개키다. ¶新聞(しんぶん)を～ 신문을 접다 / 着物(きもの)を～ 옷을 개키다.

おりた-つ【降り立つ·下り立つ】[5自] 내려서다. ¶庭(にわ)に～ 뜰에 내려서다.

おりづめ【折り詰め】[名] 나무 도시락에 음식물을 담음; 또, 그 음식. ¶～のすし 나무 도시락에 담은 초밥.

おりづる【折りづる】《折り鶴》[名] 종이(로 접은) 학.

おりな-す【織り成す】[5他] **1** 실로 짜서 (무늬 등을) 만들어 내다. **2** 여러 요소로 구성하다. ¶スターが～夢(ゆめ)の舞台(ぶたい) 스타가 만들어 내는 꿈의 무대.

オリノコタール [orinoco tar] [名]〘化〙오리노코 타르; 베네수엘라의 오리노코 강 연안에 매장된 초중질유(超重質油)《중유보다도 가격이 싸 발전에 쓰고 있음》.

おりばこ【折り箱】[名] 도시락; (얇은) 나무 상자. ＝おり.

おりひめ【織り姫】[名] 베 짜는 아가씨; 직녀; 전하여, 직물 공장 여공의 애칭.

おりふし【折節】[名] **1** 그때그때. ¶四季(しき)～の眺(なが)め 사철 그때그때의 경치. **2** 시각; 계절. ¶～の移(うつ)り変(か)わり 계절의 바뀜. **3**《副詞적으로》(때)마침; 바로 그때. ¶～雷(かみなり)が鳴(な)り出(だ)した 바로 그때 천둥이 울리기 시작했다. **4**《副詞적으로》때때로; 간혹. ¶今(いま)も～は見(み)かけるが 지금도 간혹 보지만.

おりべんとう【折り弁当】[名] (얇은) 나무 상자에 담은 도시락.

おりほん【折り本】[名] 접책《글씨본이나 경문 책 따위에 많음》. ↔とじ本(ほん).

おりま-げる【折り曲げる】[下1他] 접어〔꺾어〕 구부리다. ¶針金(はりがね)を～ 철사를 구부리다.

おりめ【折り目】[名] **1** 접은 금〔자국〕. ＝筋目(すじめ). ¶ズボンの～ 양복 바지의 주름 / ～をつける (접은) 금을 내다; 전하여, 단정히 하다. **2** (사물의) 단락; 구분; 매듭. ＝けじめ. ¶仕事(しごと)に～をつける 일에 매듭을 짓다. **3** 예절. ¶～正(ただ)しい 예절 바르다; 단정하다.

おりもの【下り物】[名] **1** 대하(帶下). ＝こしけ. **2** 후산. ＝後産(あとざん).

*__おりもの__【織物】[名] 직물. ¶～屋(や) 방직업(자); 직조업(자) / ～業界(ぎょうかい) 직물 업계 / ～を織(お)る 직물을 짜다.

おりやま【折り山】[名] 옷감이나 종이 따위를 접어서 겉에 난 금〔자국〕.

おりよく【折よく】《折好く》[副] 때마침 (잘); 계제 좋게. ¶～来合(きあ)わせる 때마침 와 있어서 만나다. ↔折(おり)あしく.

__お-りる__【下りる】[上1自] **1 내리다. ㉠(아래로) 내려오다〔내려가다〕. ¶壇(だん)〔山(やま)〕を～ 단〔산〕에서 내려오다 / 幕(まく)が～ 막이 내리다; 전하여, 사건 등이 끝나다. ↔のぼる·上(あ)がる. ㉡(관청 등에서) 결

정·지시가 나오다. ¶許可(きょか)が~ 허가가 나다 / 年金(ねんきん)が~ 연금이 나오다. ㉢(체내에서) 밖으로 나오다. ¶回虫(かいちゅう)が~ 회충이 나오다. 2 물러나다. ㉠(벼슬·직위 등을) 그만두다. ¶政権(せいけん)の座(ざ)を~ 정권의 자리에서 물러나다. ↔のぼる. ㉡(자리를) 퇴출하다. =さがる. ¶御前(ごぜん)を~ 어전에서 물러나다. 3(자물쇠가) 채워지다. ¶かぎが~ 자물쇠가 잠기다. 注意1 '降りる'로도 씀. 注意2 2는 他動詞적임.

**おーりる【降りる】上1自 1(탈것·역 등에서) 내리다. ¶バス〔船(ふね)〕を~ 버스〔배〕를 내리다 / ~駅(えき)をまちがえる 역을 잘못 내리다. ↔乗(の)る. 2(이슬 등이) 내리다. ¶露(つゆ)が~ 이슬이 내리다 / 畑一面(はたけいちめん)に霜(しも)が~ 온 밭에 서리가 내리다. ↔乗(の)る. 3(승부 따위에서) 참가할 권리를 포기하다. ¶勝負(しょうぶ)を~ 승부를 포기하다. 注意1 '下りる'로도 씀. 注意2 3은 他動詞적임.

オリンピアード [Olympiad] 名 올림피아드; 국제 올림픽 경기 대회.

オリンピック [Olympic] 名 올림픽. =五輪(ごりん). ¶~村(むら) 올림픽촌 / ~競技(きょうぎ) 올림픽 경기.

*おーる〚居る〛5自 1 있다《'いる'의 약간 文語적인 말씨》. ¶だれか~か? 누구 있나. 参考 'おる'는 그곳에 있는 사람을 낮추는 뜻이 있으므로 자기나 자기 주변 사람에 대하여 쓰며, 손아래가 아닌 상대편에 쓰면 실례가 됨. ¶わたしは東京(とうきょう)に三年(さんねん)~·りましたよ 나는 東京에 3년 있었어요. 다만, 助動詞 'れる'를 쓰면 경어가 됨. ¶あなたは東京に何年(なんねん)~·られましたか 당신은 東京에 몇 년 계셨습니까. 2《動詞의 連用形이나 'て'에 붙어서》…하고 있다. ¶わかって~ 알고 있다 / ただいま調(しら)べさせて~·ります 지금 조사를 시키고 있습니다. 参考 'おる'는 건방진 표현으로 쓰이기도 함. ¶今(いま)に見(み)て~·れ (어디) 두고 보자. 可能 おーれる 下1自

**おーる【折る】5他 1 접다. ¶紙(かみ)を~ 종이를 접다 / びょうぶを~ 병풍을 접다 / 折(お)り紙(がみ)でつるを~ 종이를 접어 학을 만들다. 2 굽히다. ㉠구부리다. ¶膝(ひざ)を~ 무릎을 구부리다 / 指(ゆび)を~·って数(かぞ)える 손가락을 꼽아 세다. ㉡(기세 따위를) 굽히다. ¶我(が)を~ 자기 주장〔고집〕을 굽히다 / 節(せつ)を~ 절개를 굽히다. 3 꺾다; 부러뜨리다. ¶花(はな)を~ 꽃을 꺾다 / 筆(ふで)を~ 붓을 꺾다《집필을 그만 두다》. 可能 おーれる 下1自

**おーる【織る】5他 1(옷감 따위를) 짜다. ¶機(はた)を~ 베를 짜다 / 絹(きぬ)を~ 비단을 짜다. 2(여러 가지를) 짜맞추어 만들다. ¶色(いろ)と音(おと)とのハーモニーを~·り出(だ)す 색과 음의 조화를 이루어 내다.

オルガン [organ] 名 오르간; 풍금. ¶~を弾(ひ)く 오르간을 치다.

オルグ 名 'オルガナイザー(=정당·노동 조합 등의 조직책)'의 준말. 「상자.

オルゴール [네 orgel] 名 오르골; 음악

おれ〚己·俺〛代 나; 내. ¶~おまえの間柄(あいだがら)になる 너나들이하는 사이가 되다 / ~が~がの連中(れんじゅう) 걸핏하면 나서는 패거리 / ~の知(し)ったことか 내가 알게 뭐냐. 参考 주로 남자가 동료 또는 아랫사람에게 씀.

おれあーう【折れ合う】5他 ☞おりあう.

*おれい【お礼】《御礼》名 사례(의 말); 사례의 선물. ¶~を述(の)べる 감사의 말을 하다 / わずかばかりの~を差(さ)し上(あ)げる 자그마한 감사의 선물을 드리다 / ~にうかがう 사례차 방문하다.

—がえし【—返し】名 답례(의 선물); 답례품을 보냄. =返礼(へんれい).

—まいり【—参り】名ス自 1 소원 성취의 사례로 신불에 참배함. 2〈俗〉석방된 깡패 등이 자기를 고발한 사람의 집에 가서 앙갚음하는 일. ¶~がこわくて泣(な)き寝入(ねい)りする 보복이 무서워 (고발 못하고) 울며 겨자먹기로 참다.

おれせんグラフ【折れ線グラフ】名 꺾은선 그래프. ⇨おびグラフ. ▷graph.

**おーれる【折れる】下1自 1 접히다. ¶紙(かみ)の端(はし)が~ 종이 끝이 접히다. 2 꺾어지다. ㉠부러지다. ¶針(はり)が~ 바늘이 부러지다 / 骨(ほね)が~ (a) 뼈가 부러지다; (b)(무척) 힘들다. ㉡(기세 등이) 꺾이다. ¶我(が)が~ 고집이 꺾이다 / 気(き)が~ 기가 꺾이다; 한풀 죽다. ㉢(종전의 주장 등을) 굽히다; 타협하다. ¶組合側(くみあいがわ)が~·れて出(で)る 조합측이 타협적으로 나오다. ㉣(길·방향을) 꺾어 가다; 돌아가다. ¶十字路(じゅうじろ)を左(ひだり)に~ 네거리를 왼쪽으로 꺾어〔돌아〕가다.

オレンジ [orange] 名 1 오렌지. ¶~ジュース 오렌지 쥬스. 2 'オレンジ色(いろ)(=오렌지색)'의 준말. =だいだい色(いろ).

—カード [일 orange+card] 名 오렌지 카드; JR(=일본 여객 철도 회사) 그룹 각사가 차표 구입용으로 판매하는 대금 선불 카드.

*おろおろ 副ス自 1 불안하거나 놀라서 당황하는 모양: 허둥지둥. ¶~声(ごえ) 불안에 떠는 목소리 / どなられて~する 호통을 듣고 허둥거리다. 2 울 때 소리를 떠는 모양: 흑흑. ¶~(と)泣(な)く 흑흑 울다.

おろか〚疎か〛一 名ナ 소홀함; 적당히〔되는 대로〕함. ¶~な取(と)り扱(あつか)いをするな 함부로 다루지 마라. 二 副《'…は~'의 꼴로》…은 말할 것도 없고; …은 물론이고; …은커녕. ¶家(いえ)は~, 土地(とち)まで失(うしな)う 집은 물론이고, 땅까지 잃어버리다 / 国内(こくない)制覇(せいは)は~, 海外進出(かいがいしんしゅつ)を夢(ゆめ)みる 국내 제패는 말할 것도 없고 해외 진출까지 꿈꾸다.

おろか【愚か】名ナ 어리석음; 바보스러움; 모자람. ¶~なふるまい〔考(かんが)え〕 어리석은 행동〔생각〕/ 言(い)うも~な事(こと) 말할 필요조차 없는 일 / 自分(じぶん)の~をたなに上(あ)げて人(ひと)をくさす 자신의 어리

석음은 젖혀 두고 남을 욕하다.

おろかし-い【愚かしい】形 바보 같다; 어리석다. ¶～ことを言う 어리석은〔바보 같은〕 말을 하다.

おろかもの【愚か者】名 바보; 멍텅구리.

おろし【卸】名 도매. ¶～屋 도매상／～売り 도매.

おろし【下ろし】名 1 내리는 일; (짐을) 부림. ¶積み～ (짐을) 싣고 부림. 2《卸し》(무 따위를) 강판에 갊; 또, 그 것. ¶～大根 무즙. 3 신품을 쓰기 시작함. ¶仕立て～ 옷을 새로 맞추어 입음; 또, 그 옷.

おろし〚颪〛名 재넘이. ¶高嶺～ 높은 산에서 내리 부는 바람.

おろしあえ【下ろしあえ】《下ろし和え》名〔料〕 강판에 간 무즙을 섞어 조미한 요리. ¶イクラの～ 연어 알젓에 무즙을 섞어 조미한 것.

おろしうり【卸売り】名ス他 도매. ＝おろし. ¶～の値段 도맷값／～業〔市場〕 도매업〔시장〕. ↔小売り.

おろしがね【下ろし金】《卸し金》名 강판. ¶～で大根おろしをつくる 강판으로 무즙을 내다.

おろしたて【下ろしたて】《下ろし立て》名 갓 쓰기 시작한 새 물건. ¶～の服 갓 입기 시작한 새 옷.

おろしね【卸値】名 도맷값. ↔小売値.

**おろ-す【下ろす】㊀5他 1 내리다. ㉠《降ろす》 아래로 옮기다; 내려뜨리다. ¶幕を～ 막을 내리다; 전하여, 사건을 끝내다／車から荷を～ 차에서 짐을 부리다／腰を～ 앉다. ↔上げる. ㉡(아래로) 뻗어 내리다. ¶木が根を～ 나무가 뿌리를 내리다. ㉢(결점 등을 들어) 깎아내리다. ¶人をこき～ 남을 깎아내리다. 2 (밖으로) 내다. ㉠(기생충을) 구제하다. ¶虫を～ 회충을 구제하다. ㉡낙태시키다. ¶子を～ 아이를 떼다. 3 어육을 베어 가르다. ¶三枚に～ (생선을) 뼈와 양쪽 살로 가르다. 4 (돈 따위를) 인출하다. ¶預金を～ 예금을 찾다. 5《卸す》 강판에 갈다. ¶わさびを～ 고추냉이를 강판에 갈다. 6 새것을 쓰기 시작하다. ¶～·したばかりの服 첫물 옷; 갓 맞춰 입은 양복.
㊁5自 (바람이 높은 곳에서) 내리불다. ¶山を～風 산에서 불어 내리는 바람; 재넘이. 可能おろ-せる下1自

**おろ-す【降ろす】5他 1《下ろす로도》내리다. ㉠ (아래로) 내려뜨리다; 내려놓다. ¶棚から荷物を～ 선반에서 짐을 내리다／旗を～ 기를 내리다. ㉡(탈것에서) 내려놓다. ¶乗客を～ 승객을 내려 주다. ↔乗せる. 2《下ろす로도》 (쇠를) 채우다. ¶錠を～ 자물쇠를 채우다〔잠그다〕. 3 (지위에서) 물러나게 하다. ¶社長の座から～ 사장 자리에서 물러나게 하다／主役から～ 주역을 그만두게 하다. 可能おろ-せる下1自

おろ-す【卸す】5他 1 도매하다. 2 강판에 갈다. 可能おろ-せる下1自

おろそか〚疎か〛ダナ 소홀〔등한〕함. ＝なおざり. ¶準備が～だ 준비가 소홀하다／学問〔練習〕を～にする 학문〔연습〕을 소홀히 하다.

おろち〚大蛇〛名 큰 뱀; 이무기. ＝うわばみ·だいじゃ.

おろぬ-く〚疎抜く〛5他 솎다. ＝間引く. ¶菜を～ 푸성귀를 솎다. 注意 'うろぬく'의 전와(轉訛).

おわい［汚穢］名 오예; 오물; 대소변. ¶～屋 오물 수거인; 변소 치는 사람／～をくみ取る 변소를 치다.

おわらい【お笑い】名 1 만담. ＝落語. ¶一席～を申し上げます 만담을 한 차례 하겠습니다. 2 'お笑い草(＝웃음거리)'의 준말. ¶こいつはとんだ～だ 이건 어처구니없는 웃음거리군.

**おわり【終わり】名 1 끝(남); 마지막. ¶手紙の～ 편지의 끝／～を告げる 종말을 고하다／店はもう～です 가게는 이제 끝났습니다. ↔初め·始まり. 2 인생의 최후; 또, 그때; 임종.

おわりね【終わり値】名〔經〕 종가(終價). ↔始め値.

**おわ-る【終わる】㊀5自 끝나다. ¶授業〔生涯〕が～ 수업이〔생애가〕 끝나다／失敗〔むだ骨〕に～ 실패〔헛수고〕로 끝나다／飲み～ 술을 다 마시다. ↔始まる. ㊁5他 〈俗〉 (끝)마치다. ¶これで放送を～·ります 이것으로 방송을 마치겠습니다. ↔始める.

*おん【恩】名 은혜. ¶親の～ 부모의 은혜／～を受ける〔返す〕 은혜를 입다〔갚다〕／御～は一生忘れません 은혜는 평생 잊지 않겠습니다. ↔あだ.
―に着せる 공치사하다; 생색내다.
―に着る 은혜를 입다.
―をあだで返す 은혜를 원수로 갚다.
―を売る 은혜를 입히다〔베풀다〕

*おん【音】名 1 음; 소리. ¶～が低い 음이 낮다. 2 자음(字音). ¶～で読む 음으로 읽다; 음독하다. ↔訓. 3 발음. ¶正確な～ 정확한 (발)음.

オン［on］名 온; (전기·기계 등에) 스위치가 켜져 있음; 작동 중임. ¶スイッチを～にする 스위치를 넣다. ↔オフ.
―エア［on air］名ス自 온 에어; (방송국에서) 방송 중임; 또, 프로그램을 방송함. ＝オンディエア. ¶番組二本が～された 프로그램 두 편이 방송되었다. 参考 on the air에서.
―ザロック［on the rocks］名 온 더 록; 얼음에 위스키 따위를 부어 마시는 일; 또, 그런 음료.
―パレード［on parade］名 온 퍼레이드. 1 대행진. 2 총출연.

おん=【御】☞お(御)=. ¶～身 옥체／～礼 사례(의 말). 参考 'お'보다 존경이나 공손의 뜻이 강하며, 또 약간 격식 차린 말씨.

おん 〖音〗 教1 オン イン おと ね | 음 소리 소식 | **1** 음; 소리. ¶澄(す)んだ音(おと) 맑은 음/音響(おんきょう) 음향/笛(ふえ)の音(ね) 피리 소리. **2** 음악. ¶音符(おんぷ) 음표. **3** 한자의 음. ¶音訓(おんくん) 음훈/字音(じおん) 자음. ↔訓(くん).

おん 〖恩〗 教5 オン | 은 은혜 | 은혜. ¶師恩(しおん) 사은/報恩(ほうおん) 보은/恩愛(おんあい·おんない) 은애.

おん 〖温〗(〖溫〗) 教3 オン ウン あたたか あたたかい あたたまる あたためる ぬくい ぬくまる | 온 따뜻하다 | **1** 따뜻하다. ¶温暖(おんだん) 온난. ↔寒(かん)·冷(れい). **2** 온도. ¶気温(きおん) 기온. **3** 온화하다. ¶温順(おんじゅん) 온순/温情(おんじょう) 온정.

おん 〖穏〗(〖穩〗) 常用 オン おだやか | 온 안온하다 | 온화하다; 안온하다. ¶穏健(おんけん) 온건/平穏(へいおん) 평온/安穏(あんのん) 안온.

おんあい【恩愛】名 은애. **1** 은혜와 사랑. ¶～浅(あさ)からず 은애가 얕지 않다. **2** 부모 자식간·부부간 등의 애정. ¶～のきずな 은애로 맺어진 유대.

おんいき【音域】名〔楽〕음역. ¶テナー～ 테너의 음역/広(ひろ)い～の歌手(かしゅ) 넓은 음역의 가수.

おんいん【音韻】名〔言〕음운. ¶～法則(ほうそく) 음운 법칙/～変化(へんか) 음운 변화.

おんかい【音階】名〔楽〕음계. ¶長(ちょう)～ 장음계/～が正(ただ)しい 음계가 정확하다.

おんがえし【恩返し】名 자自 은혜를 갚음; 보은. ＝報恩(ほうおん). ¶恩(おん)を受(う)けた人(ひと)に～をする 은혜를 입은 사람에게 은혜를 갚다.

＊＊おんがく【音楽】名 음악. ¶～会(かい) 음악회/～家(か) 음악가/～コンクール 음악 콩쿠르/～鑑賞(かんしょう) 음악 감상.

おんかん【音感】名 음감. ¶～教育(きょういく) 음감 교육/～が鋭(するど)い 음감이 예민〔예리〕하다.

おんぎ【恩義】(《恩誼》)名 은의. ¶人(ひと)の～に報(むく)いる 남의 은의에 보답하다.

おんきせがまし-い【恩着せがましい】形 자못 은혜라도 베푸는〔생색을 내려는〕듯이 굴다. ¶～態度(たいど) 은혜라도 베푸는〔생색을 내는〕듯한 태도.

おんきょう【音響】名 음향. ¶～学(がく) 음향학/～効果(こうか) 음향 효과.

おんぎょく【音曲】名 일본식 음악·가곡의 총칭. ¶歌舞(かぶ)～ 가무 음곡. 参考 좁은 뜻으로는, 三味線(しゃみせん)에 맞추어 부르는 속곡(俗曲)을 일컬음.

おんくん【音訓】名 음훈. ¶漢字(かんじ)の～ 한자의 음훈/～索引(さくいん) 음훈 색인.

おんけい【恩恵】名 은혜. ¶…の～を受(う)ける …의 은혜를 입다/～を施(ほどこ)す 은혜를 베풀다/自然(しぜん)の～に浴(よく)する 자연의 은혜를 입다.

おんけつどうぶつ【温血動物】名 온혈동물(《'定温(ていおん)動物(＝정온 동물)'의 구칭》). ＝恒温(こうおん)動物. ↔冷血(れいけつ)動物.

おんけん【穏健】名 ダナ 온건. ¶～派(は) 온건파/～な思想(しそう) 온건한 사상.

おんこ【恩顧】名 은고. ＝ひいき. ¶人(ひと)の～を被(こうむ)る 남의 은고를 입다.

おんこう【温厚】名ナ 온후. ¶～篤実(とくじつ) 온후독실/～な紳士(しんし) 온후한 신사.

おんこちしん【温故知新】名 온고지신.

おんさ［音叉］名〔理〕음차; 소리굽쇠.

おんし【恩師】名 은사. ¶～の教(おし)え 은사의 가르침.

おんし【恩賜】名 은사; 天皇(てんのう)로부터 받음; 또, 그 물건. ¶～の時計(とけい) 天皇가 하사한 시계.

おんしつ【音質】名 음질. ¶～の良(よ)いラジオ 음질이 좋은 라디오.

＊おんしつ【温室】名 온실. ¶～効果(こうか) 온실 효과/～栽培(さいばい) 온실 재배.

—そだち【—育ち】名 온실 식물처럼 귀엽게만 자라서, 세상 풍파에 견뎌 내지 못함; 또, 그런 사람. ¶～のぼんぼん 과보호로 자란 도련님.

おんしっぷ【温湿布】名 더운찜질. ↔冷(れい)湿布.

おんしゃ【恩赦】名 은사; 특별 사면. ¶～にあずかる 은사를 입다.

おんしゃ【御社】名 귀사; 상대의 회사나 신사(神社) 등을 높여 부르는 말.

おんしゅう［恩讐·恩讎］名 은수; 은혜와 원수; 은원(恩怨). ¶～を越(こ)えた人間愛(にんげんあい) 은원을 초월한 인간애.

おんしゅう【温習】名 자他 온습; 복습. ＝復習(ふくしゅう)·おさらい.

—かい【—会】名 온습회; (무용 따위 기예의) 연습 성과를 발표하는 모임.

おんじゅん【温順】名ナ **1** 온순함. ＝従順(じゅうじゅん). ¶～な性質(せいしつ) 온순한 성질. **2** (기후가) 온난〔온화〕함. ¶～な風土(ふうど) 온화한 풍토.

おんしょう【恩賞】名 은상(《공을 기리어 군주 등이 주는 상》). ¶主君(しゅくん)から～を賜(たま)わる 주군께서 은상을 하사하시다.

おんしょう【温床】名 온상. **1**〔農〕인공적으로 온도를 높인 못자리. ¶稲(いね)を～で育(そだ)てる 벼를 온상에서 기르다. ↔冷床(れいしょう). **2** (나쁜 뜻으로) 사물이 발생하기 쉬운 환경. ¶悪(あく)の～としての賭博場(とばくじょう) 악의 온상으로서의 도박장.

おんじょう【恩情】名 은정; 은애의 마음. ¶～に報(むく)いる 은정에 보답하다.

おんじょう【温情】名 온정. ¶～あふれる言葉(ことば) 온정이 넘치는 말. 参考 '恩情(おんじょう)'는 주로 부모·자식간이나 사제간의 정애(情愛)의 뜻으로, '温情'는 일반적인 따뜻한 정의 뜻으로 씀.

おんしょく【音色】名 음색. ＝ねいろ.

おんしょく【温色】名 온색. **1** 온화한 얼굴 빛. **2** 난색. ＝暖色(だんしょく). ↔寒色(かんしょく).

おんしらず【恩知らず】名ナ 배은망덕함; 또, 그러한 사람. ¶～なふるまいをする 배은망덕한 짓을 하다.

おんしん【音信】名 자自 음신; 소식. ＝便(たよ)り. ¶～不通(ふつう) 음신〔소식〕불통/～がとだえる 소식이 끊어지다.

*おんじん【恩人】图 은인. ¶命(いのち)の～ 생명의 은인.

オンス [ounce] 图 온스; 무게의 단위((보통, 파운드의 16분의 1. 약 28.35g)).

おんすい【温水】图 온수. ¶～器(き) 온수기 / ～プール 온수 풀. ↔冷水(れいすい).

おんせい【音声】图 음성. ＝こえ. ¶～器官(きかん) 음성 기관.

──きごう【──記号】图 음성 기호; 발음 기호.

──げんご【──言語】图 음성 언어; 말.

──たじゅうほうそう【──多重放送】图 음성 다중 방송.

──メールボックス 图 ☞ボイスメールボックス.

おんせつ【音節】图 음절. ＝シラブル.

──もじ【──文字】图〔言〕 음절 문자((仮名(かな)처럼 한 음절을 한 글자로 나타내는 글자)).

*おんせん【温泉】图 1 온천. ＝いでゆ. ¶～療法(りょうほう) 온천 요법. ↔冷泉(れいせん). 2 온천장. ＝温泉場(ば). ¶～宿(やど) 온천장 여관.

──マーク [mark] 图 1 온천 기호((♨)). 2 〈俗〉 여자와 같이 가서 자는 여관((서양식의 것을 'ラブホテル'라고 함)). ＝連(つ)れこみ宿(やど)·逆(さか)さくらげ. 參考 2차 대전 후, 간판에 ♨표를 썼으므로.

おんぞうし【御曹司·御曹子】图 1 公家(くげ)의, 아직 가독 상속을 받지 아니한 아들. 2 명문의 자제〔장남〕. ¶会長(かいちょう)の～ 회장의 자제.

おんそく【音速】图 음속((단위는 'マッハ')). ¶超(ちょう)～ジェット機(き) 초음속 제트기 / ～を越(こ)える 음속을 초과하다.

おんぞん【温存】图ス他 온존. 1 소중하게 보존함. ¶非常用物資(ひじょうようぶっし)を～する 비상용 물자를 온존하다. 2 (좋지 않은 것을) 답습함. ¶悪習(あくしゅう)を～する 악습을 답습하다.

おんたい【御大】图 〈俗〉 두령; 대장((그 집단의 우두머리를 (친근하게) 부르는 말)). ¶～に叱(しか)られる 두목한테 꾸지람 듣다. 參考 '御大将(おんたいしょう)'의 준말.

おんたい【温帯】图〔地〕 온대. ¶～地方(ちほう) 온대 지방 / ～気候(きこう) 온대 기후 / ～低気圧(ていきあつ) 온대 저기압.

おんだん【温暖】名ナ 온난. ¶気候(きこう)の～な地方(ちほう) 기후가 온난한 지방 / 地球(ちきゅう)の～化(か) 지구의 온난화. ↔寒冷(かんれい).

おんち【音痴】图 1 음치. ¶～の人(ひと) 음치인 사람. 2 〈俗〉 특정한 감각이 둔함; 또, 그 사람. ¶方向(ほうこう)～ 방향 음치 / におい～ 후각이 둔함; 또, 그 사람.

おんちゅう【御中】图 귀중(貴中)((우편물을 받을 단체·회사 등의 이름 아래에 붙이는 말)). ¶丸善(まるぜん)株式会社(かぶしきがいしゃ)～ 丸善 주식회사 귀중. ⇨てがみ 박스記事

おんちょう [恩寵] 图 은총. ¶神(かみ)の～を受(う)ける 신의 은총을 받다.

おんちょう【音調】图 음조. 1 음의 고저. 2 악곡의 곡조. ＝ふし. 3 시나 노래의 리듬((칠오조(七五調) 따위)). 4 말의 고저; 악센트나 인토네이션.

おんてい【音程】图〔楽〕 음정. ¶～が狂(くる)う 음정이 틀리다.

おんてい【温低】图 '温帯(おんたい)低気圧(ていきあつ)(＝온대 저기압)'의 준말. ↔熱低(ねってい).

おんてき [怨敵] 图 원적; 원한의 적. ＝かたき. ¶多年(たねん)の～ 오랜 원적.

おんてん【恩典】图 은전; 혜택. ¶～に浴(よく)する 은전을 입다 / ～を与(あた)える 은전을 베풀다.

おんど【音頭】图 1 여러 사람이 노래에 맞춰 춤을 춤; 또, 그 곡〔춤〕. 2 선창; 선도; 앞장. ＝音頭取(と)り.

──を取(と)る 1 선창을 하다. ¶乾杯(かんぱい)の～ 건배를 선창하다. 2 선도하다; 앞장을 서다. ¶改革運動(かいかくうんどう)の～ 개혁 운동의 앞장을 서다.

──とり【──取り】图 채잡이; 선창(자); 선도(자). ＝首唱者(しゅしょうしゃ).

**おんど【温度】图 온도. ¶～計(けい) 온도계 / 体感(たいかん)〔絶対(ぜったい)〕～ 체감〔절대〕 온도 / ～が下(さ)がる〔上(あ)がる〕 온도가 내리다〔오르다〕 / 部屋(へや)の～が高(たか)い 방 온도가 높다.

──めもり【──目盛り】图 온도 눈금.

おんとう【温湯】图 온탕. 1 따뜻한 물; 적당한 온도의 더운 물. 2 온천.

おんとう【穏当】图ダナ 온당함. ¶～を欠(か)く 온당함을 잃다; 온당치 못하다 / ～に事(こと)を取(と)りさばく 온당하게 일을 처리하다.

おんどく【音読】图ス他 음독. 1 소리내어 읽음. ¶教科書(きょうかしょ)を～する 교과서를 음독하다. ↔黙読(もくどく). 2 한자를 음으로 읽음. ＝おんよみ. ¶漢字(かんじ)を～する 한자를 음독하다. ↔訓読(くんどく).

おんどり【おん鳥】((雄鳥)) 图 새의 수컷; 특히, 수탉. ↔めんどり.

オンドル 〖温突〗 图 온돌. ¶～の部屋(へや) 온돌방. ▷한 온돌.

**おんな【女】图 여자. 1 여성; 여인. ¶少女(しょうじょ)から～になる 소녀에서 (성숙한) 여자가 되다. 2 여자의 인물·용모. ¶いい～だねえ 잘생긴 여잔데 / ～が上(あ)がる 더욱 더 여자다워〔아름다워〕지다. 3 애인; 정부; 첩. ¶～ができる 애인이〔정부가〕 생기다. 參考1 넓은 뜻으로는 동물의 암컷도 가리킴. 參考2 쌍을 이룬 것 중에서, 작거나 완만한 쪽의 것을 가리킴. '～坂(ざか)' '～山(やま)' 등. ⇔男(おとこ).

──三人(さんにん)寄(よ)れば姦(かしま)しい 여자 셋이 모이면 새 접시를 뒤집어 놓는다((시끄럽다는 말)).

──の一念(いちねん)岩(いわ)をも通(とお)す 여자는 집념이 강하다는 뜻.

──の髪(かみ)の毛(け)には大象(たいぞう)もつながれる 여자의 미색에는 어떤 남자도 혹하기 쉽다는 비유.

──のくさったよう 여자 썩은 것 같다((미적지근한 남자의 비유)).

──は氏(うじ)なくして玉(たま)の輿(こし)に乗(の)る 천한 여자라도 예쁘면 시집을 잘 가서 덩을 탄다.

──を知(し)る 여자와 처음 육체관계를 가지다.

──のせっく【──の節句】图 ☞ひなまつり.

——のたましい【——の魂】图 (여자의 혼이 깃들어 있다는 뜻에서) 거울.

おんなあそび【女遊び】图 ☞おんな(女)どうらく.

おんながた【女形】图 ☞おやま.

おんなぎらい【女嫌い】图 남자가 여자를 싫어함; 또, 그런 남자. =ミソジニー(misogyny). ↔男嫌(おとこぎら)い.

おんなぐせ【女癖】图 여자에게 지분거리는 버릇. ¶~が悪(わる)い 여자 관계가 나쁘다.

おんなぐるい【女狂い】图 (남자가) 여자에 미침. ¶~の男(おとこ) 여자에 미친 사나이/~をする 여자에게 미치다. ↔男狂(おとこぐる)い.

おんなけ【女気】图 여자로 인해 이루어지는 분위기; 여자가 있는 기색. =おんなげ·おんなっけ. ¶男(おとこ)ばかりで~が全(まった)くない 남자뿐이고 여자가 있는 기색이 전연 없다. ↔男気(おとこけ).

おんなごころ【女心】图 여심; 여자의 (상냥한) 마음; 여자다운 마음. ¶~と秋(あき)の空(そら) 여자의 마음과 가을 하늘《변하기 쉬운 것의 비유》/~のせつなさ (남자를 그리워하는) 여심의 애달픔〔애처로움〕. ↔男心(おとこごころ).

おんなこども【女こども·女子供】图 아녀자. ¶~とばかにするな 아녀자라고 해서 업신여기지 마라.

おんなざか【女坂】图 (신사나 절 경내의) 두 개의 비탈길 가운데 경사가 가파르지 않은 쪽. ↔男坂(おとこざか).

おんなざかり【女盛り】图 여자로서 한창인 때. ¶~が過(す)ぎる 여자의 한창때가 지나다. ↔男盛(おとこざか)り.

おんなじ『同じ』連体〈口〉☞おなじ.

おんなじょたい【女所帯】图 여자들만의 살림. ↔男所帯(おとこじょたい).

おんなずき【女好き】名ｽ **1** 여색을 좋아함; 또, 호색가. ¶根(ね)っからの~ 타고난 색골. **2** (남자의 용모·기질이) 여성들이 좋아하는 형. ¶~のするタイプ 여자들이 좋아하는 타입. ⇔男好(おとこず)き.

おんなだてらに【女だてらに】連語《副詞적으로》 여자답지 않게; 여자인 주제에. ¶~あぐらをかく 여자답지 않게 책상다리를 하고 앉다/~大酒(おおざけ)を飲(の)む 여자답지 않게 술을 많이 마시다.

おんなたらし【女たらし】《女誑し》图 여자를 농락함; 또, 그런 사람; 난봉(꾼); 탕아; 색마. ¶あいつは~だから気(き)をつけろ 저놈은 색한이니 조심해라.

おんなで【女手】图 **1** 여자의 힘〔일손〕. ¶~がほしい 여자 일손이 필요하다/~一(ひと)つで子供(こども)を育(そだ)てる (남편 없이) 여자 혼자 힘으로 아이를 키우다. **2** 여자의 필적. ¶~の手紙(てがみ)が来(き)た 여자 필적의 편지가 왔다. ⇔男手(おとこで).

おんなでいり【女出入り】图 여자 관계의 말썽거리. ¶~が絶(た)えない男(おとこ) 여자 관계로 말썽이 끊이지 않는 사나이/あいつは~が多(おお)い 저놈은 여자 관계(의 말썽거리)가 많다.

おんなどうらく【女道楽】图 오입질; 계집질. =女遊(おんなあそ)び. ¶~で身(み)を持(も)ちくずす 계집질로 신세를 망치다.

おんなのこ【女の子】图 **1** 계집아이. ¶十(とお)ばかりの~ 열 살쯤 되는 여자 아이. **2** 젊은 여자; 아가씨; 처녀; 소녀. ¶会社(かいしゃ)の~ 회사의 여사원. ⇔男(おとこ)の子(こ).

おんなばら【女腹】图 여자애만 낳는 여자. ¶私(わたし)は~で七人(しちにん)とも女(おんな)ばかりです 저는 계집애만 낳는 여자라 일곱이 모두 계집애뿐입니다. ↔男腹(おとこばら).

おんなひでり【女ひでり】《女旱り》图 (연애·결혼 상대가 될) 여자가 귀함; 여자 흉년. ↔男(おとこ)ひでり.

おんなむき【女向き】图 여자가 쓰기에 적합함; 또, 그 물건; 여자용. ¶~の柄(がら) 여성 취향의 무늬. ↔男向(おとこむ)き.

おんなもじ【女文字】图 **1** 여자 글씨. ¶~手紙(てがみ) 여자 글씨의 편지. **2** ひらがな의 일컬음《예전에 남자는 한자를 쓰고, 주로 여자가 이것을 쓴 데서》. =女手(おんなで). ⇔男文字(おとこもじ).

おんなもち【女持ち】图 여자용. ¶~の時計(とけい) 여자용 시계. ↔男持(おとこも)ち.

おんなもの【女物】图 여자용품. =婦人物(ふじんもの). ↔男物(おとこもの).

おんなやく【女役】图 **1** 여자가 해야 할 역할. **2** 여자역을 하는 남자 배우. =女(おんな)がた·おやま. ⇔男役(おとこやく).

おんなやもめ【女やもめ】《女寡》图 과부; 미망인. ↔男(おとこ)やもめ.

おんなゆ【女湯】图 (목욕탕의) 여탕. =女風呂(おんなぶろ). ↔男湯(おとこゆ).

おんならし-い【女らしい】形 여자답다. ¶~物腰(ものごし) 여자다운 태도〔말씨〕. ↔男(おとこ)らしい.

おんねん［怨念］图 원념; 원한을 품은 집념. ¶~をいだく 원한을 품다/~がこもっている 원한이 서리어 있다.

おんのじ【御の字】图 **1** 극상품. **2**〈俗〉(예상보다) 괜찮음; 감지덕지함. ¶半日(はんにち)で五千円(ごせんえん)なら~ですよ 한나절에 5천 엔이라면 감지덕지지요.

おんば『乳母』图 유모. =うば.

——ひがさ【——日がさ·——日傘】图 유모를 댄다, 양산을 받친다 하여 아이를 끔찍히 소중하게 키우는 일. ¶~で育(そだ)てられる 애지중지 키워지다.

おんぱ【音波】图 음파. ¶超(ちょう)~ 초음파.

おんばん【音盤】图 음반; 레코드(판). =レコード盤(ばん).

おんびき【音引き】图 **1** (자전에서) 한자를 그 음으로 찾음. ¶~索引(さくいん) 자음(字音) 색인. ↔画引(かくび)き. **2** (인쇄·교정에서) 장음 기호(('ー')).

おんぴょうもじ【音標文字】图 음표 문자. **1** 표음 문자. =音声(おんせい)文字·表音(ひょうおん)文字. **2** 발음 부호.

おんびん【音便】图 음편; 음이 연속될 때 발음하기 쉽게 본디 음과 다른 음으로 변하는 현상《イ音便(おんびん)·ウ音便·促(そく)

音便·撥(はつ)音便의 네 가지가 있음》.

おんびん【穏便】 [ダナ] 온당하고 원만함; 모나지 않음. ¶～な取(と)り計(はか)らい 모나지 않은 조처 / ～にとり扱(あつか)う 온당하고 원만하게 다루다.

おんぶ〖負んぶ〗 [一][名][ス他] 〈児〉 어부바; 업음. ¶赤(あか)ん坊(ぼう)を～する 아기를 업다. [二][名][ス自] 〈俗〉 남에게 의지함; 특히 비용을 부담시킴. ¶資金(しきん)の不足分(ふそくぶん)は親(おや)に～する 자금 부족분은 부모에게 보조받다.

—に抱(だ)っこ 갈수록 양냥《업어 주면 안아 달란다》. ＝おんぶすればだっこ.

おんぷ【音符】 [名] 음부. **1** 글자의 보조 기호《탁음(濁音) 부호·반(半)탁음 부호·장음 부호 따위》. **2**〔樂〕음표. ¶四分(しぶ)～ 사분 음표.

おんぷ【音譜】 [名] 음보; 악보. ＝楽譜(がくふ). ¶～を読(よ)む 악보를 읽다.

おんぷう【温風】 [名] 온풍. ¶～暖房(だんぼう) 온풍 난방.

オンブズマン せいど【オンブズマン制度】 [名] 옴부즈맨 제도《행정부의 감찰이나 행정에 대한 민원 처리를 담당하는 제도》. ▷스웨덴 **ombudsman**.

おんぼろ [名] 〈俗〉 몹시 낡았음; 매우 남루함. ＝ぼろぼろ. ¶～バス 털터리 버스 / ～の着物(きもの) 누더기 옷.

おんみ【御身】 [一][名] 옥체; 존체(尊體)《'身(み)' 의 높임말》. ¶～お大切(たいせつ)になさいますよう 옥체 보중하시기를. [二][代] 〈雅〉 당신. ＝あなた.

おんみつ [隠密] [一][ダナ] 은밀. ¶～に事(こと)を運(はこ)ぶ 은밀히 일을 진행시키다. [二][名] (江戸(えど) 시대의) 밀정; 간자. ＝忍(しの)び者(もの)·間者(かんじゃ).

おんもと〖御許〗 [名][代] ☞おもと(御許).

おんもん [諺文] [名] 언문. ▷한 언문.

おんやく【音訳】 [名][ス他] 음역; 한자음을 빌려 외래어의 발음을 나타낸 것《'倶楽部(くらぶ)(＝클럽·구락부)·仏陀(ぶつだ)(＝불타·부처)' 따위》.

おんよく【温浴】 [名][ス自] 온욕. ＝温水浴(おんすいよく). ¶～療法(りょうほう) 온욕 요법. ↔水浴(すいよく)·冷水浴(れいすいよく).

おんよみ【音読み】 [名][ス他] ☞おんどく2. ↔訓読(くんよ)み.

オンライン [on-line] [名]〔컴〕온라인. ¶～処理(しょり) 온라인 처리 / ～預金口座(よきんこうざ)システム 온라인 예금 계좌 시스템.

オンリー [only] 온리. [一][副] 다만. ¶～ワンだ 오직 하나이다. [二][接尾] …뿐; …만. ¶金(かね)もうけ～ 오직 돈벌이에만 열중함 / 仕事(しごと)～の人(ひと) 일밖에 모르는 사람.

おんりょう [怨霊] [名] 원령; 원혼. ¶～のたたり 원령의 앙화 / ～に取(と)りつかれる 원령에 씌다.

おんりょう【温良】 [名ナ] 온량; 온순하고 솔직함. ¶～な人(ひと) 온량한 사람.

オンレコ [名] 'オンザレコード'의 준말; (기자 회견 등에서) 기록·보도를 전제로 이야기하는 것. ↔オフレコ.

おんわ【温和】 [名][ダナ] 온화. **1** (성질이) 온순하고 부드러움. ¶～な性質(せいしつ) 온화한 성질. **2** (기후가) 따뜻하고 고름. ¶気候(きこう)が～だ 기후가 온화하다.

おんわ【穏和】 [名][ダナ] 온화. ¶～な表現(ひょうげん) 온화한 표현〔말씨〕.

か カ

1 五十音図(ごじゅうおんず) ‘か行(ぎょう)’의 첫째 음. [ka]. 2〔字源〕‘加’의 초서체《かたかな ‘カ’는 ‘加’의 왼쪽》.

か【可】 图 가. 1 좋음; 또, 좋다고 평가함. ¶栄養(えいよう)は～とする 영양은 가하다고 판정하다. 2 가함. ¶分割払(ぶんかつばら)いも～ 분할 지급도 가(능)함. 3 성적 평가 등에서, 양(良)의 아래.
——もなく不可(ふか)もなし 가도 없고 불가도 없다《특히 좋은 것도 없고 나쁜 것도 없다; 곧, 평범함》.

か【寡】 图 과; (수가) 적음. ¶～よく衆(しゅう)を制(せい)す 과 능히 중을 제압함/～を以(もっ)て衆に当(あ)たる 소수로 다수에 맞서다. ↔衆(しゅう).
——は衆(しゅう)に敵(てき)せず 중과부적. ＝衆寡(しゅうか)敵(てき)せず.

***か【蚊】** 图 모기《유충은 ‘ぼうふら’》.
——の食(く)うほどにも思(おも)わぬ 모기가 무는 만큼도 여기지 않는다《아무렇지도 않게 여기다》.
——の鳴(な)くような声(こえ) 모기 소리만한 목소리《가냘픈 목소리》.
——の涙(なみだ) 새발의 피《극히 적은 것의 비유》. ＝雀(すずめ)の涙(なみだ). ¶～ほどの退職金(たいしょくきん) 쥐꼬리만한 퇴직금.

か【科】 图 과. 1 교육·학문 분야 등을 나타내는 구분. ¶社会(しゃかい)～ 사회과. 2 생물 분류상의 한 계급. ¶ネコ～ 고양잇과.

か【香】 图 향기; 냄새. ＝かおり. ¶香水(こうすい)の～ 향수 냄새/磯(いそ)の～(がする) 바다 냄새(가 나다).

か【華】 图 화; 겉꾸밈; 허식.
——を去(さ)り実(じつ)に就(つ)く 부화(浮華)를 버리고 실질을 취함.

***か【課】** 图 과. 1 관청 등의 사무 조직상 소구분. ¶他(ほか)の～へ転属(てんぞく)する 딴 과로 전속하다. 2 교재의 작은 한 구분. ¶前(まえ)の～の復習(ふくしゅう) 앞 과의 복습/次(つぎ)の～に進(すす)む 다음 과로 나아가다.

か=【下】 하…; 아래의. ¶～半身(はんしん) 하반신. ↔上(じょう)=.

か=【過】 과…; 과도한; 지나친. ¶～保護(ほご) 과보호/～不足(ふそく) 과부족/～飽和(ほうわ) 과포화/～燐酸石灰(りんさんせっかい) 과인산 석회. ↔亜(あ)=.

=か【下】 …하; …밑; …아래. ¶民主政治(みんしゅせいじ)～の国民(こくみん) 민주 정치하의 국민.

=か【化】 …화; …이 되다; …로 하다. ¶通俗(つうぞく)～ 통속화/一般(いっぱん)～する 일반화하다.

=か【家】 …가. ¶努力(どりょく)～ 노력가.

=か【歌】 …가; 노래. ¶恋(れん)～ 연가/軍(ぐん)～ 군가/流行(りゅうこう)～ 유행가.

か ㊀終助 1《体言·連体形에 붙음; 다만, 形容動詞型 活用에서는 어간에 붙음》 의문·질문·반어·힐난 및 영탄·독촉 등을 나타내는 말. ¶これがなんだろう～ 이것이 무엇일까《의문》/これはなんです～ 이것은 무엇입니까《질문》/そんなことがありえよう～ 그런 일이 있을 수 있을까《반어》/まだ分(わ)からないの～ 아직 모른단 말인가《힐난》/ブルータス, お前(まえ)も～ 브루터스, 너도나《영탄》/ああ, そう～ 아 그런가《영탄》/さあ, 早(はや)く答(こた)えない～ 자, 빨리 대답하지 않겠나《독촉》/冗談(じょうだん)もいいかげんにしない～ 농담 좀 작작하지 않을래《독촉》. 2《‘う’ ‘よう’나 否定에 붙여서》 권유·의뢰를 나타내는 말. ¶そろそろ出(で)かけよう～ 슬슬 나서 볼까/貸(か)してくれません～ 빌려 주시지 않겠습니까. 3 다짐하는 기분을 나타내는 말. ¶しっかりやれよ, いい～ 잘해라, 알았지. 4 남의 말이나 속담·노래의 문구 따위를 되새기면서, 그 뜻이나 사실을 혼자 확인하는 뜻을 나타내는 말. ¶火(ひ)のない所(ところ)に煙(けむり)は立(た)たぬ～, それもそうだな 아니 땐 굴뚝에 연기 날까라더니, 과연 그렇군. 參考 글 가운데서 ‘これが何(なん)だ～分(わ)からない 이것이 무엇인지 모르겠다’처럼은 쓰지만, 문장 끝에서는 ‘だ’에는 붙지 않음. ¶これは何(なん)～ 이것은 무어냐.
㊁副助 1《흔히 疑問의 말에 붙여서》 특정한 사물에 한정할 수 없음을 나타내는 말. ¶何年(なんねん)～前(まえ)の出来事(できごと) 몇 해 전엔가 일어난 일/何(なに)～飲(の)み物(もの)がほしい 뭔가 마실 것이 있었으면 싶다. 2 불확실한 추정(推定)을 나타내는 말. ¶風邪(かぜ)をひいたの～寒気(さむけ)がする 감기가 들었는지 오슬오슬 춥다/気(き)のせい～青(あお)ざめてみえる 기분 탓인지 창백해 보인다. 3 열거한 중에서, 어느 하나를 선택하는 뜻을 나타내는 말. ¶早(はや)く行(ゆ)ける～どう～わからない 빨리 가게 될지 어떨지 모르겠다/君(きみ)が来(く)る～ぼくが行(ゆ)く～だ 네가 오든지 내가 가든지다. 4《‘どころ’ ‘ばかり’와 결합해》 뿐더러; 커녕. ¶ほめるどころ～しかりつけた 칭찬은커녕 야단을 쳤다/もうかるどころ～損(そん)ばかりしている 벌기는커녕 손해만 보고 있다. 5 ‘…とすぐ(＝…하자 곧)’의 뜻을 나타내는 말. ¶試合(しあい)が始(はじ)まる～始(はじ)まらない～に雨(あめ)が降(ふ)りだした 시합이 시작되자마자 비가 내리기 시작했다.

か 〖下〗 教1 カ ゲ した しも もと さげる さがる くだる くだす くださる

おろす 하
おりる 아래 내리다

1 ㉠아래. ¶下流(かりゅう) 하류/下水(げすい) 하수. ㉡다른 것의 영향을 받는 처지; 밑. ¶インフレ下(か)の 인플레하의/門下(もんか) 문하. 2 하치; 손아래; 천하다. ¶下位(かい) 하위/下士(かし) 하사/下劣(げれつ) 야비함.

か〘化〙《化》教3 カ ケ ばける ばかす | 화 화하다 | 1 바뀌다; 변하다. ¶風化(ふうか) 풍화 / 簡易化(かんいか) 간이화. 2 가르쳐 이끌다. ¶教化(きょうか・きょうけ) 교화.

か〘火〙教1 カ コ ひ ほ やく | 화 불 | 1 불(꽃). ¶火気(かき) 화기 / 発火(はっか) 발화. 2 등불. ¶灯火(とうか) 등화. 3 타다; 태우다. ¶火災(かさい) 화재 / 失火(しっか) 실화. 4 총포 따위의 무기. ¶火器(かき) 화기 / 火薬(かやく) 화약.

か〘加〙教4 カ くわえる くわわる | 가 더하다 | 1 보태다; 더하다. ¶加法(かほう) 덧셈 / 追加(ついか) 추가. 2 가입〔참가〕하다. ¶加入(かにゅう) 가입.

か〘可〙教5 カ よい べし | 가 가하다 | 1 가; 허가할 수 있다; 좋다. ¶分売(ぶんばい)も可(か) 분매도 가함 / 認可(にんか) 인가 / 優良可(ゆうりょうか) 우량가. 2 할 수 있다. ¶可能(かのう) 가능.

か〘仮〙《假》教5 カ ケ かり かす | 가 가짜 | 1 가짜; 거짓. ¶仮装(かそう) 가장 / 仮病(けびょう) 꾀병. 2 빌(리)다; 용서하다. ¶仮借(かしゃく) 가차. 3 임시(변통으)로; 잠시; 가령. ¶仮定(かてい) 가정.

か〘何〙教2 カ なに なん いずれ | 하 무엇 | 무엇; 어느 것. ¶誰何(すいか) 수하 / 幾何(きか) 기하. 注意 훈(訓)으로 쓰이는 경우가 많음. ¶何時(なんじ) 몇 시 / 何時(いつ) 언제 / 何故(なぜ) 왜.

か〘花〙《花》教1 カ ケ はな | 화 꽃 | 1 꽃; 꽃이 피다. ¶百花(ひゃっか) 백화. 2 꽃다운; 화려함. ¶花燭(かしょく) 화촉 / 美花(びか) 미화; 아름다운 꽃.

か〘価〙《價》教5 カ あたい | 가 값 | 값; 가격; 가치. ¶定価(ていか) 정가 / 価値(かち) 가치.

か〘佳〙常用 カ よい | 가 좋다 | 1 좋다; 경사스럽다. ¶佳句(かく) 가구 / 佳節(かせつ) 가절. 2 곱다; 아름답다. ¶佳人(かじん) 가인 / 佳麗(かれい) 가려.

か〘果〙教4 カ はたす はてる はて | 과 열매 | 1 실과; 열매. ¶果実(かじつ) 과실. 2 원인·인연으로 말미암은 결과. ¶果報(かほう) 과보 / 因果(いんが) 인과. 3 결단을 내리다. ¶果断(かだん) 과단.

か〘河〙教5 カ かわ | 하 강 | 1 황하(黄河). ¶河北(かほく) (중국의) 하북 / 江河(こうが) 강하《양자강과 황하》. 2 강; 내. ¶河川(かせん) 하천 / 運河(うんが) 운하.

か〘科〙教2 カ しな とが | 과 품등 | 1 등급; 종류; 구분된 하나 ¶科学(かがく) 과학 / 分科(ぶんか) 분과. 2 죄를 과하다; 허물; 법. ¶科料(かりょう) 과료 / 罪科(ざいか) 죄과.

か〘架〙常用 カ かける かかる | 가 시렁 | 1 시렁; 걸이; 또, 장대. ¶書架(しょか) 서가. 2 공중에 건너지르다. ¶架空(かくう) 가공 / 架設(かせつ) 가설.

か〘夏〙教2 カ ゲ なつ | 하 여름 | 여름. ¶夏期(かき) 하기 / 盛夏(せいか) 성하 / 初夏(しょか) 초하 / 常夏(とこなつ) 상하.

か〘家〙教2 カ ケ いえ や うち | 가 집 | 1 집; 가정. ¶人家(じんか) 인가 / 家計(かけい) 가계 / 出家(しゅっけ) 출가. 2 일가; 일족. ¶家門(かもん) 가문 / 本家(ほんけ) 본가.

か〘荷〙教3 カ に になう | 하 짐 | 1 짐. ¶出荷(しゅっか) 출하. 2 메다; 짊어지다. ¶荷重(かじゅう) 하중 / 負荷(ふか) 부하.

か〘華〙常用 カ ケ はな | 화 꽃 | 1 '花'의 본디 글자. ¶華道(かどう) 화도《꽃꽂이의 예도(藝道)》. 2 화려함. ¶華美(かび) 화미 / 栄華(えいが) 영화.

か〘菓〙常用 カ | 과 과자 | 1 과실; 나무 열매. 注意 '果(か)'와 같음. 2 군음식; 과자. ¶製菓(せいか) 제과 / 茶菓(さか) 다과 / 菓子(かし) 과자.

か【訛】カ なまり | 와 거짓 | 1 잘못되다; 그릇되다. ¶訛伝(かでん) 와전. 2 표준어가 아님; 사투리. ¶訛語(かご) 와어 / 訛音(かおん) 와음. 注意 '譌'는 같은 글자.

か〘貨〙《貨》教4 カ | 화 돈 | 1 값 있는 물건; 재보(財寶). ¶財貨(ざいか) 재화. 2 돈. ¶貨幣(かへい) 화폐 / 通貨(つうか) 통화.

か〘渦〙常用 カ うず | 와 소용돌이 | 소용돌이(치며 흐르다). ¶渦水(かすい) 소용돌이 / 渦紋(かもん) 소용돌이 무늬.

か〘過〙《過》教5 カ すぎる すごす あやまつ あやまち | 과 지나다 허물 | 1 지나가다. ¶過客(かかく) 과객; 길손 / 通過(つうか) 통과. 2 (정도가) 지나치다. ¶過激(かげき) 과격. 3 잘못; 과실. ¶過誤(かご) 과오.

か〘嫁〙常用 カ よめ とつぐ かたづく | 가 시집가다 | 1 시집가다. ¶嫁娶(かしゅ) 가취. 2 (죄·책임 등을) 떠넘기다. ¶転嫁(てんか) 전가.

か〘暇〙常用 カ ひま いとま | 가 겨를 | 1 겨를; 틈. ¶余暇(よか) 여가. 2 작별하고 떠남. ¶請暇(せいか) 청가.

か〘禍〙《禍》常用 カ わざわい まが | 화 재난 | 화; 재난; 재앙. ¶禍福(かふく) 화복. ↔福(ふく).

か〘靴〙《靴》常用 か くつ | 화 가죽신 | 가죽신; 구두. ¶長靴(ながぐつ) 장화 / 軍靴(ぐんか) 군화.

か〘嘉〙人名 カ よみす | 가 좋다 | 1 좋다; 맛이 좋다. ¶嘉言(かげん) 가언 / 嘉肴(かこう) 가효. 2 경사(스러움). ¶嘉慶(かけい) 가경.

か〘寡〙常用 カ すくない | 과 적다 | 1 적다. ¶多寡(たか) 다과. 2 왕후(王侯)의 자칭. ¶寡人(かじん) 과인. 3 홀아비; 또는 홀어미. ¶鰥寡(かんか) 환과 / 寡婦(かふ・やもめ) 과부.

か〘歌〙教2 カ うた うたう | 가 노래 | 1 노래를 부르다. ¶唱歌(しょうか) 창가. 2 노래. ¶歌集(かしゅう) 가집.

か〘箇〙常用 カ コ | 개 낱개 | 개; 셀 때, 数詞에 붙이는 말.

¶十二箇月(じゅうにかげつ) 12개월. 注意 '個'는 같은 글자.

か〖稼〗常用 カ かせぐ | 가 심다 | **1** 곡류를 심다; 농사. ¶稼穡(かしょく) 가색《곡식 농사》. **2** 열심히 일하다; 벌다. ¶稼働(かどう) 가동.

か〖課〗教4 カ | 과 시험하다 | **1** (조세·일 따위를) 할당하다〔과하다〕. ¶課税(かぜい) 과세. **2** (관청·회사 등의) 과. ¶庶務課(しょむか) 서무과. **3** 교과서의 한 단락; 과.

が【我】名 자기 생각이나 의지; 자기 본위의 생각; 아집(我執). ¶～をおさえる 아집을 억제하다 / ～が強(つよ)い 고집이 세다 / ～を張(は)る 고집 부리다 / ～を立(た)てる 고집 부리며 굽히지 않다.

—を折(お)る 아집을 꺾다. ¶説得(せっとく)されてついに～ 설득되어 끝내 아집을 꺾다.

—を通(とお)す 자기 주장을 밀고 나가다.

***が**【蛾】名〔蟲〕나방.

が【賀】名 축하. ¶～の祝(いわ)い 장수 축하 / 七十(しちじゅう)の～ 70세의〔칠순〕 축하.

が 一 格助 **1** 동작·작용을 행하는 주체나 성질·상태를 갖는 주체를 나타내는 말: 이; 가. ¶雨(あめ)～降(ふ)る 비가 온다 / 花(はな)～咲(さ)く 꽃이 핀다 / 私(わたし)～やったのではない 내가 한 것은 아니다 / 試験(しけん)～行(おこな)われる 시험이 실시된다. **2** 욕망·가능성·호불호(好不好)·교졸(巧拙) 등의 대상을 나타내는 말: 이; 가; 을; 를. ¶本(ほん)～欲(ほ)しい 책을 갖고 싶다 / 字(じ)～よめない 글을 읽지 못하다 / 君(きみ)～好(す)きだ 네가 좋다; 너를 좋아한다 / 母(はは)～恋(こい)しい 어머니가 그립다. 参考 감정 표현 중 '…たい(=…을 하고 싶다)'의 대상을 나타낼 때엔 'を'도 흔히 쓰이지만, '…をほしい(=…을 원하다)〔すきだ(=좋아하다)〕'와 같은 용법은 일반적이 아님. 가능의 대상인 경우에는 'が' 쪽이 일반적이며, 특히 '…ができる(=…을 할 수 있다)'라고 할 때에는 'を'는 쓰지 않음. **3**《文語적·관용적》소유·소속·소재·관계·원인·분량·정도 등을 나타내는 말: 의. ¶わ～国(くに) 우리 나라 / われら～母校(ぼこう) 우리 모교 / 我(わ)～物(もの) 내 것 / 生(い)きん〔食(く)わん〕～ために働(はたら)く 살기〔먹기〕 위해서 일하다. 参考 사람이나 人称代名詞 뒤에 붙을 때는, 'の(=의)'와는 달리 친근감 또는 경멸의 뜻을 나타냄. **4**《겹친 名詞 사이에 넣어서》뜻을 강조하는 말. ¶いつ～いつまでも 언제 언제까지나 / みな～みな 모두가 다.

二 終助《終止形에 붙어》**1** 그 앞뒤의 글을 접속시키는 말. ¶食(く)ってみた～, 予想(よそう)どおりの味(あじ)だった 먹어 보았는데 예상대로의 맛이었다 / よく出来(でき)る～, 体(からだ)が弱(よわ)い (공부는) 잘하지만 몸이 약하다. **2**《위의 용법에서 'が' 다음을 표현하지 않고 끊어서》상대방의 반응을 기다리는 기분, 은근히 반대하는 기분, 또는 가벼운 감동, 혹은 희망을 나타내는 말. ¶ちょっと分(わ)かりかねます～ 얼른 이해가 안 갑니다만 / お願(ねが)いしたい事(こと)が有(あ)るのです～ 부탁 드리고 싶은 일이 있는데요. **3**《'…う〔よう·まい〕が…う〔よう·まい〕が'의 꼴로》그 어느 쪽이라도의 뜻. ¶泣(な)こう～わめこう～知(し)らない 울든 아우성치든 모르겠다 / ふろう～ふるまい～, かまいはしない (비가) 오든 말든 상관없다 / 行(ゆ)こう～行(ゆ)くまい～私(わたし)の知(し)ったことじゃない 가든 안 가든 내 알 바가 아니다.

三 接 그런데; 하지만. ¶顔(かお)は美(うつく)しい. ～, 心(こころ)は曲(ま)がっている 얼굴은 곱다. 그런데 마음은 비뚤어졌다 / 私(わたし)は彼(かれ)を信(しん)じていた. ～, 彼は私の期待(きたい)を裏切(うらぎ)った 나는 그를 믿고 있었다. 그런데 그는 내 기대를 저버렸다.

が【牙】ガ ゲ きば | 와 엄니 | 이; 엄니. ¶歯牙(しが) 치아 / 爪牙(そうが) 조아 / 象牙(ぞうげ) 상아 / 毒牙(どくが) 독아.

が【瓦】ガ かわら | 와 기와 | **1** 기와; (옥에 대하여) 깨지기 쉽고 가치가 없는 것. ¶煉瓦(れんが) 벽돌. **2** 무게의 단위 'グラム(=그램)'의 취음자. ¶三百瓦(さんびゃくグラム) 300그램.

が〖我〗教6 ガ われ わ | 아 나 | **1** 나; 우리. ¶彼我(ひが) 피아 / 自我(じが) 자아. **2** 자기 본위의 생각. ¶我流(がりゅう) 자기류 / 我意(がい) 아의.

が〖画〗《畫》教2 ガ カク エ えがく | 화 그림 획 가르다 | **1** ㉠그리다. ¶画家(がか) 화가. ㉡그림. ¶日本画(にほんが) 일본화. ㉢'映画(えいが)(=영화)'의 준말. ¶邦画(ほうが) 방화. **2** ㉠계획(하다). ¶画策(かくさく) 획책 / 企画(きかく) 기획. ㉡한자의 획. ¶字画(じかく) 자획. 注意 '劃(かく)'의 대용.

が〖芽〗《芽》教4 ガ ゲ め | 아 싹 | **1** (초목의) 싹. ¶発芽(はつが) 발아 / 麦芽(ばくが) 맥아. **2** 싹틈; 징조. ¶萌芽(ほうが) 맹아.

が〖賀〗教5 ガ | 하 축하 | (장수를) 축하하다. ¶賀宴(がえん) 하연 / 賀状(がじょう) 하장.

が〖雅〗《雅》常用 ガ みやびやか | 아 바르다 | **1** 바르다. ¶雅楽(ががく) 아악 / 雅言(がげん) 아언. **2** 풍류; 아취. ¶清雅(せいが) 청아.

が〖餓〗《餓》常用 ガ うえる | 아 주리다 | 굶주리다. ¶飢餓(きが) 기아 / 餓死(がし) 아사.

カー [car] 名 카; 특히, 승용차. ¶マイ～ 마이카; 자가용 차 / レンタ～ 렌터카.

—コンポ [일 car+component] 名 카 콤포; 자동차에 부착된 음향 장치의 총칭.

—ショップ [일 car+shop] 名 카숍; 자동차 부품이나 장식품 따위를 파는 가게.

—ステレオ [일 car+stereo] 名 카스테레오.

—フェリー [car ferry] 名 카페리. =フェリーボート. ¶関釜(かんぷ)～ 부관(釜關) 카페리《부산과 下関(しものせき) 사이를 운항》.

カーキいろ【カーキ色】名 카키색; 다갈

색. ＝かれ草色(くさいろ). ¶～の軍服(ぐんぷく) 카키색 군복. [参考] 'khaki'는 '흙먼지'라는 뜻의 힌두어.

かあさん【母さん】[名] 'お母(かあ)さん(＝어머니)'의 다정한 말씨; 엄마. [注意] 俗語적 표현은 'かあちゃん'. [参考] 자기 아내를 가리킬 때도 있음. ↔父(とう)さん.

ガーゼ [도 Gaze] [名] 가제; 거즈.

カーソル [cursor] [名]〔컴〕 커서.

ガーター [garter] [名] 가터; 양말 대님.

ガーター [Garter, the] [名] 기사(騎士)에게 내리는 영국의 최고 훈장.

—くんしょう【—勲章】[名] 가터 훈장.

かあちゃん【母ちゃん】[名] 〈俗·兒〉 엄마. ↔父(とう)ちゃん.

—のうぎょう【—農業】[名] 〈俗〉 주부 농업; 여자가 중심이 되어 하는 농사.

かあつ【加圧】[名][ス他] 가압. ¶蒸気(じょうき)を～する 증기를 가압하다 / 金属(きんぞく)に～して板状(いたじょう)に伸(の)ばす 금속에 가압하여 판상으로 늘이다.

カーディガン [cardigan] [名] 카디건《앞을 튼 털 스웨터》. ＝カーデガン.

カーデナー [gardener] [名] 가드너; 정원사. ＝庭師(にわし).

ガーデニング [gardening] [名] 가드닝; 원예 또는 정원 가꾸기.

***カーテン** [curtain] [名] 커튼; 휘장; 장막. ¶～をかける 커튼을 달다 / ～をあける 커튼을 걷다 / ～を引(ひ)く〔おろす〕 커튼을 치다〔내리다〕.

—コール [curtain call] [名] 커튼 콜; 연극·음악회 등에서, 공연이 끝났을 때 막 앞에 출연자가 나와 인사할 것을 요청하는 박수.

ガーデン [garden] [名] 가든; 뜰; 정원; 화원. ¶ビヤ～ 비어 가든; 빌딩 옥상이나 정원에 개설된 맥주집.

—パーティー [garden party] [名] 가든 파티; 원유회(園遊會).

***カード** [card] [名] 카드. **1** 명함 모양으로 자른 두꺼운 종이쪽지. ¶キャッシュ～ 캐시 카드; 현금 인출 카드. **2** 트럼프. ¶～遊(あそ)び 카드놀이 / ～をくばる 카드를 도르다. **3** 시합의 편성. ¶好(こう)～ 좋은 카드〔대전표〕.

—リーダー [card reader] [名] 카드 리더; 카드 판독기. ＝カード読(よ)み取(と)り機(き)·CR(シーアール).

—ローン [일 card＋loan] [名] 카드 론; 카드 대출《신용 카드나 캐시 카드 등에 의한 소액 융자》.

ガード [girder; girder bridge] [名] 거더; (도로·선로 위의) 철교; 육교. ¶～下(した)にある店(みせ) 육교 밑에 있는 가게.

***ガード** [guard] [名] 가드. **1** 호위; 수위. ¶ボディー～ 보디가드; 신변 경호인. **2** (농구에서) 주로, 상대의 득점을 막는 선수. **3** (권투·펜싱에서) 방어. ¶右(みぎ)の～が甘(あま)い 오른쪽 방어가 허술하다 / ～を固(かた)める 방어를 단단히 하다.

—マン [일 guard＋man] [名] 가드맨; 경비원; 특히, 야간의 빌딩·공장·백화점 등의 화재 방지, 경비 따위를 담당하는 사람. *영어로는 그냥 guard.

—レール [guardrail] [名] 가드레일.

カートーン [cartoon] [名] 카툰; 만화; 특히, 풍자 만화. ＝カートゥーン.

カートリッジ [cartridge] [名] 카트리지. **1** 레코드 플레이어의 바늘을 끼우는 부분. **2** 녹음 테이프 장치용의 작은 용기. **3** 필름 용기. ＝パトローネ.

ガードル [girdle] [名] 거들; 양말대님이 붙은 짧은 코르셋.

カートン [carton] [名] 카턴. **1** 판지(板紙); 마분지. **2** 밀랍을 입힌 마분지 상자. ¶～入(い)りコーラ 카턴에 담은 콜라. **3** 판지 화판(畫板).

カーニバル [carnival] [名] 카니발; 사육제(謝肉祭); 전하여, 소란스러운 큰 축제. ¶海(うみ)の～ 바다의 카니발〔축제〕.

カーネーション [carnation] [名]〔植〕 카네이션. ＝オランダせきちく.

カーネル [kernel] [名]〔컴〕 커늘; 운영 체제 중 가장 기본적인 기능을 담당하는 부분《컴퓨터 사용자는 이를 직접 제어할 수 없음》.

カーバイド [carbide] [名]〔化〕 **1** 카바이드; 탄화칼슘. **2** 탄화물의 총칭.

カービンじゅう【カービン銃】[名] 카빈총. ▷carbine.

カーブ [curve] [名][ス自] 커브. **1** 곡선. ¶～を描(えが)いて飛(と)ぶ 커브를〔곡선을〕 그리며 날다. **2** (길 따위가) 굽음; 굽은 곳. ¶～を切(き)る 커브를 틀다. **3** (야구·탁구에서) 곡구(曲球); 또, 곡구가 됨. ¶アウト～ 아웃커브.

—ミラー [일 curve＋mirror] [名] 커브 미러; 시계(視界)가 좁은 도로의 커브 지점에 설치된 대형 볼록 거울.

カーペット [carpet] [名] 카펫; 양탄자.

カーボン [carbon] [名] 카본. **1**〔化〕 탄소. **2** 탄산지; 복사지. ＝カーボンペーパー. **3** 전극용 탄소봉(棒).

—し【—紙】[名] 카본지; 탄산지. ＝カーボンペーパー.

—ファイバー [carbon fiber] [名] 카본 파이버; 탄소〔카본〕 섬유.

—ブラック [carbon black] [名] 카본 블랙; 매연에서 생기는 흑색 안료《인쇄 잉크의 원료 따위에 씀》.

カーラー [curler] [名] 컬러《머리를 컬하는 기구》; 클립. ＝カールクリップ.

ガーリー [girlie] [名] 걸리; 젊은 여성의 누드 사진이 많이 있는 잡지나 쇼.

カーリーヘア [curly hair] [名] 컬리 헤어; 머리 전체를 컬(curl)한 머리 모양.

ガーリック [garlic] [名] 갈릭; 마늘.

カール [curl] [名][ス他] 컬; 머리를 곱슬곱슬하게 만듦; 또, 그 고수머리. ¶ピン～ 핀컬 / ～人形(にんぎょう) 고수머리 인형.

ガール [girl] [名] 걸; 소녀; 특히, 어떤 직업에 종사하고 있는 젊은 여자. ¶エレベーター～ 엘리베이터 걸. ↔ボーイ.

—スカウト [Girl Scouts] 名 걸스카우트; 소녀단(원). ↔ボーイスカウト.

—ハント [일 girl+hunt] 名 걸 헌트. ↔ボーイハント.

—フレンド [girl friend] 名 걸 프렌드; 여자 친구. ↔ボーイフレンド.

があんと 副 **1** 단단한 것이 세게 마주칠 때 울리는 소리: 땡(하고). ¶鐘楼で鐘の音が～鳴る 종루에서 종소리가 땡하고 울리다. **2** 머리 따위에 강렬한 타격을 받은 모양: 꽝(하고).

かい【回】名 회; 횟수. ¶九～の裏 (야구에서) 9회 말 / ～をかさねる 회를 거듭하다.

かい【快】名 기분이 좋음; 유쾌함. ¶～をむさぼる 쾌락을 탐하다 / ああ, ～なるかな 아아, 유쾌하도다.

かい【怪】名 기괴[괴이]함. ¶ピラミッドの～ 피라미드의 불가사의 / 深夜の～ 심야의 괴이.

かい【櫂】名 노. =オール. ¶～で漕ぐ 「노로 젓다.

かい【貝】名 **1** 조개. ¶～のように押し黙る 조개처럼 입을 꾹 다물고 말을 않다. **2** 조가비. ¶～細工 조가비 세공. **3** 소라. =ほらがい. **4** 자개. =あおがい. ¶～をちりばめる 자개를 박아 넣다.

かい【買い】名 (물건 등을) 사기; 삼. ¶安物買い 싸구려 물건을 삼.

*__かい__【効·甲斐】名 보람; 효과. ¶苦心[努力]した～が無い 고생[노력]한 보람이 없다. 注意1 '甲斐'로 씀은 취음. 注意2 接尾語로 쓰일 때는 'がい'라고 탁음으로 읽음. ¶生き甲斐 사는 보람.

かい【階】一名 **1** 계단; 층계. ¶～をのぼる 층계를 오르다. **2** (건물의) 층. =フロア. ¶この～には止まりません 이 층에는 서지 않습니다.

二接尾 …층. ¶五～建て 5층 건물.

かい【会】名 **1** 모임. ¶お祝いの～ 축하 모임 / ～を開く[催す] 모임을 열다[개최하다]. **2** 회; 단체. ¶～を結成する 회를 결성하다.

かい【解】名 풀이; 해답. ¶～を求めよ 해답을 구하라 / 本文に～をつける 본문에 풀이를 달다.

かい【下位】名 하위. ¶成績は～である 성적은 하위이다. ↔上位.

かい【下意】名 하의. ↔上意.

—じょうたつ【—上達】名 하의상달. ↔上意下達.

かい 終助 **1** 친밀감을 갖고 묻거나 확인하는 기분을 나타냄: …냐; …니. ¶見た～ 보았니 / もういい～ 이제 됐니 / 仕事は今日中にすみそう～ 일은 오늘 중으로 끝날 것 같으냐. **2** 강한 반대나 부정(否定)의 뜻을 나타냄. ¶そんなこと知る～ 그런 것 알게 뭐냐 / そんなことがある～ 그런 일이 있을 게 뭐야. 参考 終助詞 'か'+終助詞 'い'.

かい〖介〗常用 カイ | 개 끼이다 | **1** 끼이다; 중재[중개]하다. ¶介在 개재 / 紹介 소개. **2** 작다; 시시한 것. ¶一介の市民 일개 시민. 注意 '芥'와 통함.

かい〖会〗(會) 教2 カイ エ あう | 회 만나다 | **1** ㉠마주치다; 모이다. ¶会見 회견 / 会談 회담 / 再会 재회. ㉡대조하다; ¶照会 조회. **2** ㉠모임. ¶会を催す 모임을 개최하다. ㉡단체; 그룹. ¶同好会 동호회.

かい〖回〗教2 カイ エ まわる まわす めぐる | 회 돌다 | **1** 돌다; 돌리다. ¶回覧 회람 / 転回 전회. **2** 회; 한 바퀴; 횟수. ¶初回 초회 / 回忌 회기.

かい〖灰〗(灰) 教6 カイ はい | 회 재 | **1** 재. ¶灰塵 회진 / 石灰 석회. **2** 잿빛. ¶灰白色 회백색.

かい〖快〗教5 カイ ケ こころよい | 쾌 상쾌하다 | **1** 상쾌하다; 재미있다. ¶快感 쾌감. **2** 빠르다. ¶快速 쾌속.

かい〖戒〗常用 カイ いましめる | 계 경계하다 | **1** 경계하다; 금지하다. ¶戒厳 계엄 / 警戒 경계. **2** 계율. ¶十戒 십계. 注意 '誡'의 대용 한자.

かい〖改〗教4 カイ あらためる あらたまる | 개 고치다 | **1** 고치다; 고쳐지다; (새것으로) 바꾸다. ¶改新 개신 / 改革 개혁. **2** 검사하다; 점검하다. ¶改札 개찰.

かい〖届〗(屆) 教6 カイ とどける とどく とどけ | 계 이르다 | 닿게 하다; 보내 주다; 신고하다. ¶届け先 보낼 곳 / 欠席届 결석계. 注意 주로 훈독함.

かい〖怪〗常用 カイ ケ あやしい あやしむ | 괴 괴상하다 | **1** 의아하다. ¶怪文書 괴문서. **2** 괴상하다; 괴상한 것. ¶奇怪 기괴 / 怪物 괴물.

かい〖拐〗(拐) 常用 カイ | 괴 속이다 | **1** 속이다; 후리다. ¶拐騙 괴편; 기만함. **2** 유괴하다. ¶誘拐 유괴.

かい【廻】カイ エ めぐる まわる | 회 돌다 | 빙 돌다; 바깥쪽을 돌다. ¶廻向 회향 / 輪廻 윤회. 注意 '回'로 대용함.

かい〖悔〗(悔) 常用 カイ ケ くいる くやむ くやしい | 회 뉘우치다 | **1** 뉘우치다. ¶悔悟 회오 / 懺悔 참회 / 後悔 후회. **2** 문상(問喪). ¶悔み状 조문(弔文).

かい〖海〗(海) 教2 カイ うみ | 해 바다 | 바다. ¶海洋 해양 / 航海 항해. ↔陸.

かい〖界〗教3 カイ | 계 경계 | **1** 경계. ¶界隈 일대(一帶) / 分水界 분수계. **2** 경계를

긋다. 3 범위의 안; 사회. ¶社交界 사교계 / 学界 학계.

かい〖皆〗常用 カイ みな | 개 모두 | 모조리; 모두; 다; 전부. ¶皆勤 개근 / 悉皆 실개; 모두 다.

かい〖掛〗常用 カイ かける かかる かかり | 괘 걸다 | 1 걸다; 걸리다. ¶掛け図 괘도. 2 곱하다. ¶掛け算 곱셈. 3 비용. ¶掛け値 에누리. 注意 주로 훈독함.

かい〖械〗教4 カイ | 계 기계 | 1 형틀; 가쇄를 채우다. ¶手械 쇠고랑; 수갑. 2 도구; 기계; 장치. ¶機械 기계.

かい〖絵〗《繪》教2 カイ エ | 회 그림 | 그림. ¶絵画 회화 / 絵本 그림책 / 図絵 그림 / 油絵 유화.

かい〖開〗教3 カイ ひらく ひらける あく あける | 개 열다 | 1 열다; 열리다; 꽃이 피다. ¶開閉 개폐 / 開放 개방 / 満開 만개. 2 시작하다. ¶開始 개시 / 開会 개회.

かい〖階〗教3 カイ きざはし | 계 층계 | 1 층층대. ¶階段 계단 / 石階 돌계단. 2 등급. ¶階級 계급. 3 층. ¶二階 2층.

かい〖解〗教5 カイ ゲ とく とかす とける ほどく | 해 풀다 | 1 분해하다. ¶解剖 해부. 2 해득하다; 풀다; 해답. ¶方程式の解 방정식의 해답. 3 (속박에서) 풀다. ¶解脱 해탈 / 解熱 해열.

かい〖塊〗常用 カイ かたまり | 괴 덩어리 | 흙덩이; 덩어리. ¶塊状 괴상 / 土塊 토괴.

かい〖壊〗《壞》常用 カイ エ こわす こわれる やぶれる | 괴 무너뜨리다 | 무너지다; 부서지다. ¶破壊 파괴 / 壊滅 괴멸 / 崩壊 붕괴.

かい〖懐〗《懷》常用 カイ いだく おもう なつかしい なつかしむ なつく なつける ふところ | 회 품다 | 1 품. ¶懐中 회중. 2 마음에 품다; 생각; 그리다. ¶懐古 회고.

⁑がい【害】图 1 해. ¶～を受ける 해를 입다 / ～を与える 해를 입히다 / 健康に～がある 건강에 해롭다. ↔利·益. 2 방해; 지장. ¶テレビは勉強の～になる 텔레비전은 공부에 방해가 된다.

がい【我意】图 고집. =我. ¶あくまで～を通す 끝까지 제 고집대로 하다.

ガイ [guy] 图 가이; 사나이; 녀석. ¶タフ～ 터프 가이; 정력적인 사나이.

がい〘甲斐〙接尾《名詞나 動詞의 連用形에 붙어》(…할 만한) 값(어치); (…한) 보람. ¶苦労のし～ 고생한 보람 / 年～もない 나잇값도 못하다. 参考 '～もない'의 꼴로 쓰는 경우가 많음.

=がい【外】…외; 밖. ¶問題～ 문제 밖 / 領域～ 영역 외.

=がい【街】…가. ¶住宅～ 주택가 / 官庁～ 관청가.

がい〖刈〗常用 ガイ かる | 예 베다 | 베다; 풀이나 털을 짧게 깎다; 제거하다. ¶稲刈り 벼베기 / 丸刈り 막 깎기; 머리를 짧게 깎음. 注意 주로 훈독함.

がい〖外〗教2 ガイ ゲ そと ほか はずす はずれる | 외 밖 | 1 겉; 표면. ¶外観 외관. ↔内. 2 범위의 밖. ¶郊外 교외. ↔内. 3 처족; 외가. ¶外戚 외척. 4 외국의. ¶外人 외(국)인.

がい〖劾〗常用 ガイ | 핵 캐묻다 | 죄를 사실(査實)〔추궁〕함. ¶弾劾 탄핵.

がい〖害〗《害》教4 ガイ そこなう | 해 해치다 | 1 해치다. ¶害毒 해독. ↔利. 2 재앙; 재난. ¶干害 한해(旱害) / 風水害 풍수해.

がい〖涯〗常用 ガイ みぎわ はて | 애 물가 | 1 물가. ¶水涯 수애; 물가. 2 끝. ¶生涯 생애 / 天涯 천애.

がい〖凱〗人名 ガイ | 개 개선하다 | 싸움에 이김; 또, 그 환호성. ¶凱歌 개가 / 凱旋 개선 / 凱楽 개악; 개선가.

がい〖街〗教4 ガイ カイ まち | 가 거리 | 가로; 거리; 네거리; 시가. ¶街路 가로 / 商店街 상(점)가 / 街角 가각; 길모퉁이.

がい〖慨〗《慨》常用 ガイ | 개 분개하다 | 한탄하고 슬퍼하다. ¶慨嘆 개탄.

がい【碍】《礙》ガイ ゲ | 애 장애 | 방해하다; 가로막다. ¶障碍 장애 / 碍子 애자. 注意 '礙'가 본자(本字).

がい〖該〗常用 ガイ | 해 갖추다 | 1 넓게 갖추다. ¶該博 해박. 2 맞다; 일치하다. ¶該当 해당. 3 그. ¶該地 그곳.

がい〖概〗《槪》常用 ガイ おおむね | 개 대강 | 1 평미레; 계량(計量)하다. 2 대체; 대강. ¶概要 개요 / 梗概 경개. 3 기세; 절개; 모양. ¶気概 기개.

かいあお-る【買いあおる】《買い煽る》5他〔經〕시세를 끌어올리기 위해 (주식 등을) 마구 사들이다.

かいあく【改悪】图ス他 개악. ¶制度を～する 제도를 개악하다. ↔改正·改善·改良.

*がいあく【害悪】图 해악; 해; 나쁜 일. ¶～を及ぼす 해악을 끼치다 / 社会に～を流す 사회에 해악을 퍼뜨리다.

かいあげ【買い上げ】图 1 수매. ¶政府が米の～をする 정부가 쌀을 수매하다. 2《'お～'의 꼴로》손님이 물건을 사는 행위에 대한 높임말. ¶お～品 (손님께서) 사신 물건. 注意 '買上品·買上金' 등과 같은 경우는 '送りがな'를 생략해서 씀.

かいあ-げる【買い上げる】下1他 **1** 수매(收買)하다. ¶政府が米を~ 정부가 쌀을 수매하다. ↔払い下げる. **2** 손님이 사는 것을 파는 쪽에서 높여 이르는 말. ¶~·げてくださった方々 사 주신 분들. ↔払い下げる.

かいあさ-る【買いあさる】《買い漁る》5他 여기저기 다니며 사 모으다. ¶古本を~ 헌 책을 (여기저기 쏘다니며) 사 모으다.

がいあつ【外圧】名 외압; 외부(로부터의) 압력. ¶~がかかる 외부 압력이 가해지다/~に屈する 외압에 굴복하다. ↔内圧.

かいい【介意】名ス他 개의. ¶一向に〔さらに〕~しない 조금도 개의치 않다.

かいい【怪異】名ナ 괴이; 괴상함. ¶~な事件 괴이한 사건.

かいい［魁偉］名ナ 괴위; 얼굴이나 체격이 유난히 우람짐. ¶容貌~(な人) 용모 괴위(한 사람).

がいい【害意】名 해의; 해치려는 뜻. ¶~を抱く 해치려는 생각을 품다.

かいいき【海域】名 해역. ¶カリブ~を封鎖する 카리브 해역을 봉쇄하다. 参考 수역(水域)보다 넓을 경우에 씀.

かいいぬ【飼い犬】名 집에서 기르는 개. ↔のらいぬ.

—に手をかまれる 기르던 개에게 손을 물리다《돌봐 준 사람한테 도리어 해를 입다》.

かいいれ【買い入れ】名 매입; 사들임. ¶~値段 매입 가격.

—げんか【買入原価】名 매입 원가. =仕入れ値段.

かいい-れる【買い入れる】下1他 (장사·생산 등을 위해) 매입하다; 사들이다. ¶政府が麦を~ 정부가 보리를 수매하다/冬物を~ 겨울 옷감이나 옷을 사들이다.

かいいん【改印】名ス自 개인. ¶~届 「개인 신고.

***かいいん**【会員】名 회원. ¶協会の~になる 협회 회원이 되다.

かいいん【海員】名 해원; 선원. 参考 보통, 선장은 포함하지 않음.

かいいん【開院】名ス自他 개원. **1** 국회가 열림. ¶~式 개원식. **2** 병원·미장원 따위를 개업함. **3** (병원·소년원 따위가) 처음으로 엶; 또, 그날 일을 시작함. ⇔閉院.

がいいん【外因】名 외인; 외부 원인. ¶失敗の~ 실패의 외인. ↔内因.

かいう-ける【買い受ける】下1他 매수하다; 매입하다; 사들이다. ¶人の不用品を~ 남의 불용품을 사들이다. ↔売り渡す.

かいうさぎ【飼いうさぎ】《飼い兎》名 집토끼. =いえうさぎ·家兎.

かいうん【海運】名 해운. ¶~会社 해운 회사. ↔陸運.

かいうん【開運】名 개운; 운수가 트임. ¶~を祈る 운이 트이기를 기원하다.

かいえい【開映】名ス自他 시영(始映); (극장에서) 영화를 상영하기 시작함. ¶十二時に~ 12시 시영. ↔終映.

かいえん【開演】名ス自他 개연; 연극·연주·연설 따위를 시작함. ¶演劇は午後三時に~する 연극은 오후 3시에 개연한다. ↔終演.

かいえん【開園】名ス自他 개원; 동물원·식물원·유치원 따위를 엶. ¶~時間 개원 시간. ↔閉園.

がいえん【外延】名〔論〕외연; 어떤 개념이 적용되는 사물의 범위. ↔内包.

がいえん【外援】名 외원. **1** 외부로부터의 지원. **2** 외국의 원조.

かいおうせい【海王星】名〔天〕해왕성.

かいおき【買い置き】名ス他 사서 비치함; 또, 그 비치한 물건. =買いだめ·ストック. ¶~がなくなる 비축해 둔 물건이 다 떨어지다/タバコの~が切れる 사 둔 담배가 다 떨어지다.

かいおけ【飼いおけ】《飼い桶》名 구유. =かいばおけ.

かいオペ【買いオペ】名 '買いオペレーション'의 준말. ↔売りオペ.

かいオペレーション【買いオペレーション】名 중앙은행이 유가 증권을 사들여서 통화를 공급하는 일. =買いオペ. ↔売りオペレーション. ▷operation.

かいおん【快音】名 쾌음. **1** 잘 돌아가는 엔진 소리. ¶~を響かせて離陸する 쾌음을 울리며 이륙하다. **2** (야구에서) 홈런이나 안타를 쳤을 때의 통쾌한 소리. ¶~を発する 통쾌한 소리를 내다.

かいか【怪火】名 괴화. **1** 원인 모를 불이나 화재. =不審火. ¶一昨日の~の原因が判明した 그저께 일어난 괴화의 원인이 판명되었다. **2** 이상한 불; 도깨비불. =陰火·鬼火.

かいか【開化】名ス自 개화. ¶文明~ 문명 개화/~した国 개화된 나라.

かいか【開花】名ス自 개화. **1** 꽃이 핌. ¶~期 개화기 / 暖かいと~が早い (날이) 따뜻하면 개화가 빠르다. **2** 성과로서 나타남; 결실함. ¶努力が~する 노력이 결실을 보다.

かいか【開架】名 개가; 도서관에서 열람자에게 서가(書架)를 자유로이 개방함.

—しき【—式】名 개가식.

かいか【階下】名 **1** 계하; 층계의 아래. **2** 아래층. ¶~に住む人 아래층에 사는 사람. ↔階上.

かいが【絵画】名 회화; 그림. =絵. ¶~を学ぶ 그림을 배우다.

がいか［凱歌］名 개가.

—をあげる〔奏する〕 개가를 올리다; 승리하다. ¶兵たちが凱歌をあげて帰ってくる 병사들이 개가를 올리고 돌아온다.

がいか【外貨】名 외화. **1** 외국 화폐. ¶~

獲得 외화 획득. ↔邦貨. **2** 외국 물품. ¶～の排斥 외화 배척.

―じゅんび【―準備】 名 외화 준비. ¶～高 외화 준비액.

がいが【外画】 名 외화. ↔邦画.

*** かいかい【開会】** 名ス自他 개회. ¶～式 개회식/～の辞 개회사/～を宣言する 개회를 선언하다. ↔閉会.

かいかい【怪怪】 ダナ 괴괴. ¶奇々～な事件 기기괴괴한 사건.

*** かいがい【海外】** 名 해외. ¶～旅行 해외여행/～に伝わる 해외로 전하여지다/～に雄飛する 해외로 웅비하다. ↔国内·海内.

―ほうそう【―放送】 名 해외 방송.

がいかい【外海】 名 외해. ＝そとうみ. ↔内海·近海.

がいかい【外界】 名 외계. ¶～の温度 외계의 온도/～から遮断される 외계로부터 차단되다. ↔内界.

かいがいし-い〖甲斐甲斐しい〗 形 **1** 바지런하다; 몸을 아끼지 않고 충실하다. ¶～・く働く 바지런하게 일하다. **2** 생동감이 있다; 활발하다. ¶～いでたち 발랄한 옷차림.

かいかえ-す【買い返す】 5他 (팔았던 것을) 되사다. ＝買い戻す.

かいか-える【買い換える·買い替える】 下1他 새로 사서 바꾸다. ¶車を～ 새 차를 사서 바꾸다(개비(改備)하다).

*** かいかく【改革】** 名ス他 개혁. ¶機構を～する 기구를 개혁하다/～を唱える 개혁을 주창하다.

かいがく【開学】 名 (학교 특히, 대학의) 개교. ¶～記念日 개교 기념일.

がいかく【外角】 名 외각. **1**〔數〕 다각형의 한 변과 그 이웃 변의 연장이 이루는 각. **2**〔野〕 홈플레이트의 중심에서 타자에게 먼 쪽(의 부분). ＝アウトコーナー. ⇔内角.

がいかく【外郭】《外廓》 名 외곽.

―だんたい【―団体】 名 외곽 단체.

がいかく【外殻】 名 외각; 겉껍데기.

かいかけ【買い掛け】 名 외상 매입; 또, 그 대금. ＝買いがかり. ¶～を支払う 외상값을 지불하다. ↔売り掛け.

―きん【買掛金】 名 외상 매입 대금; 외상값. ↔売掛金.

かいかた【買い方】 名 **1** 사는 편; 매주(買主). ＝買い手. **2** 사는 방법·태도. ¶～がうまい 물건 사는 요령이 좋다; 물건을 잘 산다. ⇔売り方.

*** かいかつ【快活】** 名ダナ 쾌활. ¶～な態度 쾌활한 태도/気性が～だ 성품이 쾌활하다.

かいかつ［開豁］ ダナ 개활. **1** 도량이 넓고 활달한 모양. ¶～な気性 활달한 성품. **2** 시야가 활짝 트인 모양. ¶～な高原〔風景〕 개활한 고원〔풍경〕.

がいかつ【概括】 名ス他 개괄. ¶以上の意見を～すると 이상의 의견을 개괄하면.

かいかぶり【買いかぶり】《買い被り》 名 **1** 과대평가. **2** 실제보다 비싸게 삼.

かいかぶ-る【買いかぶる】《買被る》 5他 **1** (실질 이상으로) 평가하다. ¶人柄を～ 사람됨을 너무 믿다/才能もないくせにおのれを～ 재능도 없는 주제에 자기를 과대평가하다. **2** 실제보다 비싼 값으로 사다.

かいがら【貝殻】 名 패각; 조가비; 조개껍데기. ¶～を拾う 조가비를 줍다.

かいかわせ【買い為替】 名 매입환(換).

かいかん【快感】 名 쾌감. ¶勝利の～を味わう 승리의 쾌감을 맛보다.

かいかん【怪漢】 名 괴한. ¶～が徘徊する 괴한이 배회하다/～を取り押さえる 괴한을 붙잡다.

かいかん【会館】 名 회관. ¶市民～ 시민 회관.

かいかん【開館】 名ス自他 개관. ¶～以来五年になる 개관 이래 5년이 되다. ↔閉館.

**** かいがん【海岸】** 名 해안; 바닷가. ＝うみべ. ¶～気候〔段丘〕 해안 기후〔단구〕/～伝いに 해안을 따라.

―せん【―線】 名 해안선; 또, 해안의 철도 선로.

かいがん【開眼】 名ス自他 개안; 눈을 뜨게 함. ¶～手術 개안 수술. 注意 'かいげん'으로 읽으면 딴 뜻.

がいかん【外患】 名 외환. ¶内憂～こもごも至る 내우외환이 번갈아 가며 닥치다. ↔内患·内憂.

がいかん【外観】 名 외관. ＝外見. ¶～は立派だが 외관은 훌륭하지만.

がいかん【概観】 名ス他 개관; 대충 살펴봄. ¶経済界の動向を～する 경제계의 동향을 개관하다.

がいかん［蓋棺］ 名 개관; 관 뚜껑을 덮음; 곧, 사람이 죽음을 이름.

かいき【買い気】 名 매기; 살 생각. ¶～がない 매기가 없다. ↔売り気.

かいき【回帰】 名ス自 회귀. ¶～本能 회귀 본능/サケは産卵期になると, 生まれた川へ～する習性がある 연어는 산란기가 되면, 태어난 강으로 회귀하는 습성이 있다.

―せん【―線】 名 회귀선. ¶南〔北〕～〔天〕 남〔북〕회귀선.

―ねつ【―熱】 名 회귀열. ＝再帰熱.

かいき【快気】 名ス自 **1** 상쾌한 기분. **2** 쾌차(快差); 쾌유.

―いわい【―祝い】 名 쾌유 축하.

かいき【怪奇】 名ダナ 괴기. ＝グロテスク. ¶複雑～な事件 복잡괴기한 사건.

かいき【会期】 名 회기. ¶国会の～ 국회의 회기/～を十日間延長する 회기를 열흘간 연장하다.

かいき【会規】 名 회규. ＝会則.

かいき【皆既】 名〔天〕 '皆既食'의 준말. ¶～月食 개기 월식.

―しょく【―食】《―蝕》 名〔天〕 개기식. ↔部分食.

かいき【開基】 名ス自他 개기. **1** 일·사업

등을 시작함. **2** 특히, 사찰의 창건; 또, 창건한 사람. =開山.

=**かいき**【回忌】'年回忌(=주기)'의 준말; 해마다 돌아오는 기일(忌日)《반드시 한(漢)숫자 밑에 쓰임》. ¶今年は父の三~だ 금년은 부친의 3주기이다. 参考 一回忌·三回忌·七回忌·十三回忌·十七回忌·二十三回忌·二十七回忌 등이 있으며, 三回忌 이후는, 죽은 해를 넣어 셈《예를 들면, 만 2년째의 기일은 三回忌》.

***かいぎ**【会議】名 ス自 회의. ¶学術~ 학술회의/~が流れる 유회되다/~に臨む 회의에 임하다/~を開く〔招集する〕회의를 열다〔소집하다〕.

──ろく【──録】名 회의록. =議事録.

かいぎ【懐疑】名 ス自他 회의. ¶生きることに~をいだく 삶에 회의를 품다.

──てき【──的】ダナ 회의적. ¶かれはいつも~な態度をとる 그의 태도는 언제나 회의적이다.

がいき【外気】名 외기; 바깥 공기. ¶~圏 외기권/~に触れる〔当たる〕바깥 공기를 쐬다/窓をあけ~をすう 창을 열고 바깥 공기를 마시다.

かいきゃく【開脚】名 개각; 두 다리를 벌림.

──とこう【──登行】名《スキ》개각 등행《스키를 역(逆) 八 자형으로 디디며 올라가는 방법》. =ヘリングボーン.

かいぎゃく[諧謔] 名 해학; 익살; 유머. =おどけ·しゃれ·ユーモア. ¶~を飛ばす 익살 떨다/~をもてあそぶ〔弄する〕해학을 농하다.

──しょうせつ[──小説] 名 해학 소설. =ユーモア小説.

がいきゃく【外客】名 외객. =がいかく. **1** 외국 손님〔관광객〕. ¶~誘致 외국 관광객 유치. **2** 외국인 바이어.

かいきゅう【懐旧】名 회구; 회고. =懐古. ¶~の情にたえない 회고의 정을 금할 수가 없다.

──だん【──談】名 회고담. ¶~に花が咲く 회고담에 꽃이 피다.

****かいきゅう**【階級】名 계급. ¶~章 계급장/~闘争 계급투쟁/二~特進 2계급 특진/知識~ 지식 계급/~が上がる 계급이 오르다.

──しゃかい【──社会】名 계급 사회.

がいきゅう[外舅] 名 외구; 장인.

かいきょ【快挙】名 쾌거. ¶宇宙征服の~を成し遂げる 우주 정복의 쾌거를 이룩하다.

かいきょ[開渠] 名 개거《위를 덮지 않은 수로나 도랑》. ↔暗渠.

かいきょう【回教】名〔宗〕회교; 이슬람교. =マホメット教·イスラム教. ¶~徒 회교도; 이슬람교도.

かいきょう【懐郷】名 회향. ¶~の念 고향을 그리는 마음; 향수.

──びょう【──病】名 회향병; 향수병. =ホームシック.

かいきょう【海峡】名 해협. ¶泳いで~を渡る 헤엄쳐서 해협을 건너다.

かいきょう【海況】名 해황; 바다의 기상·수온·염분 등 종합적인 상황.

***かいぎょう**【開業】개업. 一 名 ス自他 사업을 시작함. ↔閉業. 二 名 ス自 영업하고 있음. ¶~中 개업 중.

──い【──医】名 개업의. =町医者.

かいぎょう【改行】名 ス自 원고나 인쇄물에서 행(行)을 바꿈. 参考 보통, 한 자 들여 쓰거나 인쇄함.

がいきょう【概況】名 개황. ¶事業の~ 사업 개황/天気~ 일기 개황.

かいきょく【開局】名 ス自他 (방송국 등의) 개국. ¶~十周年 개국 십주년. ↔閉局.

かいぎょく【買い玉】名〔經〕'買い建て玉(=매수(買受) 건옥)'의 준말. ↔売り玉.

かいきり【買い切り】名 **1** 모두 사버림. ¶切符を~にする 표를 몽땅 사버리다. **2** 매절(買切). ¶~制 매절제.

かいき-る【買い切る】5他 **1** 몽땅 사버리다; 매점(買占)하다; 전세 내다. ¶特別席を~ (경기장 등의) 특별석을 몽땅 사버리다/バスを~ 버스를 전세 내다. **2** 매절(買切)하다.

かいきん【解禁】名 ス他 해금; 금지령을 풂. ¶鮎つりの~ 은어잡이의 해금.

かいきん【皆勤】名 ス自 개근. ¶~賞 개근상.

かいきん【開襟】《開衿》名 **1** 개금; 깃을 헤쳐 젖힘; 또, 젖힌 깃. ¶~スタイル 깃을 젖힌 스타일. ↔詰めえり. **2** ☞かいきんシャツ.

──シャツ [shirt] 名 노타이셔츠. =オープンシャツ.

がいきん【外勤】名 ス自 외근; 외무. ¶~の社員 외근 사원. ↔内勤.

がいく【街区】名 가구; 번지를 정리하기 위하여 작게 나눈 시가지의 구획.

かいぐい【買い食い】名 ス他 군음식을 사먹음. ¶~をしてしかられる 군음식을 사먹고 야단맞다.

かいくぐ-る〖掻い潜る〗5他 재빨리 빠져나가다. ¶警察の目を~ 경찰의 눈을 피해 잽싸게 빠져나가다. 参考 'くぐる'보다 어세(語勢)가 강함.

かいぐさ【飼い草】名 꼴. =かいば.

かいぐすり【買い薬】名 의사 처방에 의하지 않고, 약방에서 산 약; 매약. =売薬. ¶~で直した 매약으로 고쳤다.

かいく-る〖掻い刳る〗5他 (칼 따위로) 도려서 구멍을 내다.

かいく-る〖掻い繰る〗5他 (고삐 등을) 양손으로 번갈아 잡아당기다. =かいぐる. ¶手綱を~ 고삐를 다루다.

かいくれ 副 〈老〉《다음에 否定하는 말이 와서》전혀; 도무지; 아주. =全く·かいもく. ¶~わからない 전혀 모르겠다. 参考 '掻き暮れ(=아주 어두워짐)'의 음편(音便).

***かいぐん**【海軍】名 해군. ¶~将校 해군 장교. ↔陸軍·空軍.

⁑かいけい【会計】名 회계. ¶ ~係(がかり) 회계원 / ~をすませる 셈을 치르다; 계산을 마치다. 「認(こうにん)会計士'》.
—し【—士】名 회계사《정식으로는 '公
—ねんど【—年度】名 회계 연도《보통, 4월 1일부터 이듬해 3월 31일까지》.
がいけい【外形】名 외형. ↔内容(ないよう). ¶ ~取引(とりひき) 외형 거래.
—てき【—的】ダナ 외형적. ¶ ~な処理(しょり)がいつまでももつとは思(おも)われない 외형적인 처리가 언제까지나 지탱하리라곤 생각되지 않는다.
がいけい【外径】名 외경; (원통 따위의) 바깥지름. ↔内径(ないけい).
がいけい【概計】名 개산; 어림잡아 계산함. =概算(がいさん).
⁑かいけつ【解決】名ス自他 해결. ¶ ~に当(あ)たる 해결에 나서다 / ~をつける 해결을 짓다 / ~の糸口(いとぐち)をつかむ 해결의 실마리를 잡다 / 事件(じけん)の~を図(はか)る 사건의 해결을 도모하다 / 一応(いちおう)の~を見(み)る (어떻든) 일단은 해결을 보다 / ~にはなお程遠(ほどとお)い 해결에는 아직 멀었다.
かいけん【改憲】名ス自 개헌. ¶ ~案(あん) 개헌안.
かいけん【懐剣】名 비수(匕首); 단도《주로, 여성의 호신용》. =ふところ刀(がたな).
かいけん【会見】名ス自 회견. ¶ 首相(しゅしょう)に~を申(もう)し入(い)れる 수상에게 회견을 신청하다.
かいげん【戒厳】名 계엄. 参考 현재의 일본 법률에는 이런 규정이 없음.
—れい【—令】名 계엄령. ¶ ~を敷(し)く〔解(と)く〕 계엄령을 펴다〔해제하다〕.
かいげん【改元】名ス他 개원; 연호를 고침. ¶ 年号(ねんごう)が~される 연호가 개원되다 / 昭和(しょうわ)は平成(へいせい)と~された 昭和는 平成로 연호가 바뀌었다.
かいげん【開眼】名ス自 개안. 1〖佛〗 불도의 진리를 깨달음; 전하여, 일반적으로 예도(藝道)의 높은 경지를 알게 됨. ¶ 打撃(だげき)~ 타격 개안《야구에서, 타자가 타격의 요령에 눈을 뜸》. 2 불상·불화(佛畫)가 완성되어 처음으로 하는 공양. ¶ 大仏(だいぶつ)~ 대불 개안. 「眼)2.
—くよう【—供養】名 ☞かいげん(開
がいけん【外見】名 외견; 외관; 겉보기. =外観(がいかん)·そとみ. ¶ ~はよいが内容(ないよう)は貧弱(ひんじゃく)だ 외관은 좋으나 내용이 빈약하다.
かいこ【蚕】名 누에. =こ·おこ. ¶ ~を飼(か)う 누에를 치다.
かいこ【回顧】名ス他 회고; 회상. ¶ ~録(ろく) 회고록 / 往時(おうじ)を~する 옛날을 회고하다. 参考 '回顧'는 자기와 관련된 일을, '懐古'는 자기와 관련이 없는 것을 되돌아봄.
かいこ【懐古】名ス自 회고. ¶ ~趣味(しゅみ) 회고 취미 / 王朝(おうちょう)時代(じだい)を~する 왕조 시대를 회고하다. ⇨回顧(かいこ).
—てき【—的】ダナ 회고적. ¶ ~な趣味(しゅみ) 회고적인 취미.
かいこ【解雇】名ス他 해고. ¶ ~者(しゃ) 해고자 / 従業員(じゅうぎょういん)を~する 종업원을 해고하다. ↔雇用(こよう).
かいご【介護】名ス他 개호; 간호《'介添(かいぞ)え看護(かんご)'의 준말》. ¶ ねたきり老人(ろうじん)を~する 자리보전만 하고 있는 노인을 간호하다.
かいご【悔悟】名ス自他 회오; 회개. ¶ 罪(つみ)を~する 죄를 뉘우치다 / ~の涙(なみだ)にくれる 회오의 눈물에 젖다.
かいご【改悟】名ス自他 개오. =改悛(かいしゅん). ¶ 前非(ぜんぴ)を~する 전비를 뉘우치다.
がいこ[外姑]名 외고; 빙모(聘母); 장모. ↔外舅(がいきゅう).
がいご【外語】名 1 외어; 외국어. 2 外国語学校(がいこくごがっこう)(=외국어 학교)' '外国語大学(だいがく)(=외국어 대학)'의 준말.
かいこう【回航】《廻航》 회항. 一名ス他 배를 어느 항구로 항행시킴. ¶ ~船(せん)に乗(の)る 회항선을 타다 / 修理(しゅうり)のためA港(エーこう)に~する 수리하기 위해 A항으로 회항하다. 二名ス自 순항(巡航).
かいこう【改稿】名ス自他 개고; 원고를 고침. ¶ ~に~を重(かさ)ねる 개고에 개고를 거듭하다.
かいこう【開港】名ス他 개항. ¶ ~百周年(ひゃくしゅうねん)を迎(むか)える 개항 백주년을 맞이하다.
かいこう[邂逅]名ス自 해후. =めぐりあい. ¶ 旧友(きゅうゆう)に~する 옛 친구와 해후하다.
かいこう【開口】名 개구; 입을 엶; 말함; 말이나 문장의 첫머리; 모두(冒頭).
—いちばん【—一番】副 입을 열자마자; 개구 제일성으로. ¶ ~, 休会(きゅうかい)を宣(せん)した 입을 열자마자 휴회를 선언했다.
かいこう【開講】名ス自他 개강. ¶ ~式(しき) 개강식 / 四月(しがつ)一日(いちにち)に~する 4월 1일에 개강하다. ↔閉講(へいこう).
かいこう【開校】名ス自 개교. ¶ 明日(あす)は~記念日(きねんび)だ 내일은 개교 기념일이다. ↔閉校(へいこう)·廃校(はいこう).
*かいごう【会合】名ス自 회합. =集会(しゅうかい). ¶ 双方(そうほう)の代表(だいひょう)が~する 쌍방의 대표가 회합하다 / 重要(じゅうよう)な~がある 중요한 회합이 있다.
⁑がいこう【外交】名 외교. ¶ ~を絶(た)つ 외교를 단절하다 / ~関係(かんけい)を結(むす)ぶ 외교 관계를 맺다. ↔内政(ないせい).
—いん【—員】名 외교원; 외무 사원. ¶ 保険(ほけん)の~ 보험 외교원.
—じれい【—辞令】名 외교 사령; 외교상 듣기 좋게 하는 말; 전하여, 빈말; 겉치레 말. =おせじ. ¶ それは~にすぎない 그건 겉치레 말에 지나지 않는다.
がいこう【外航】名 외항; 외국 항로. ¶ ~用(よう)船舶(せんぱく) 외항용 선박. ↔内航(ないこう).
—せん【—船】名 외항선《보통 3,000톤 이상》. ↔内航船(ないこうせん).
がいこう【外港】名 외항. ¶ ~のない首都(しゅと) 외항이 없는 수도. ↔内港(ないこう).
がいこう【外向】名 외향.

—せい【—性】图 외향성. ＝外向型(がた). ↔内向性(ないこうせい).

—てき【—的】ダナ 외향적. ¶～で明(あか)るい人(ひと) 외향적이고 명랑한 사람. ↔内向的(ないこうてき).

がいこう【外項】图〔數〕외항《비례식 a:b=c:d에서 a와 d》. ↔内項(ないこう).

かいこく【戒告】《誡告》图ス他 계고. **1** 경고함. **2**〔法〕공무원에 대한 징계 처분의 하나; 견책. ¶～処分(しょぶん) 계고 처분. 参考 전에는 '譴責(けんせき)(＝견책)'라 했음.

か

かいこく【開国】图ス自 개국. **1** 외국과 국교·통상을 시작함. ¶～主義(しゅぎ) 개국주의. ↔鎖国(さこく). **2** 나라를 세움. ＝建国(けんこく). ¶～の祖(そ) 국조.

**がいこく【外国】图 외국. ¶～に進出(しんしゅつ)する 외국에 진출하다 / ～を旅行(りょこう)する 외국을 여행하다. ↔内国(ないこく).

—かわせ【—為替】图 외국환(換); 외환. ¶～市場(しじょう) 외환 시장.

—ご【—語】图 외국어. ¶彼(かれ)は～が堪能(たんのう)だ 그는 외국어가 뛰어나다.

—じん【—人】图 외국인. ¶～労働者(ろうどうしゃ)〔登録(とうろく)〕 외국인 노동자〔등록〕.

かいこし【買い越し】图〔經〕**1** (주식 매매 등에서) 매수 분량이 매도 분량보다 많아짐; 매수(買受) 우위. ¶～額(がく) 순매수액. **2** (거래소에서) 매도 쪽에서 매수 쪽으로 돌아섬. ⇔売(う)り越(こ)し.

がいこつ [骸骨] 图 해골. ¶～のようにやせる 해골같이 여위다.

かいことば【買い言葉】图 응수하는 욕설. ¶売(う)りことばに～ 오는 말에 가는 말. ↔売りことば.

かいこ-む【買い込む】5他 (시세를 내다보고) 사들이다. ¶今(いま)のうちに～·んでおけ 지금 (대량) 구입해 두게 / 値上(ねあ)がりを見越(みこ)して～ 값이 오를 것을 내다보고 많이 사들이다.

かいこ-む【かい込む】《掻い込む》5他 **1** 퍼 넣다. ¶水(みず)を～ 물을 퍼 넣다. **2** 겨드랑이에 끼다. ¶槍(やり)を(小(こ)わきに)～ 창을 겨드랑이에 끼다.

かいごろし【飼い殺し】图ス他 **1** 쓸모없게 된 가축이지만 죽을 때까지 길러 줌. **2** 쓸모없는 사람을 해고하지 않고 평생 고용해 둠. **3** 본인의 재능을 충분히 발휘할 기회를 주지 않고 고용해 둠. ¶～にされるよりは辞(や)めたほうがましだ 한직에서 놀고 먹으며 (썩고) 지내느니 차라리 그만두는 게 낫다.

かいこん【悔恨】图ス自 회한. ¶～の涙(なみだ) 회한의 눈물 / ～の念(ねん)にかられる 회한하는 마음에 사로잡히다.

かいこん【開墾】图ス他 개간. ¶～地(ち) 개간지 / 山野(さんや)〔荒(あ)れ地(ち)〕を～する 산야〔황무지〕를 개간하다.

かいさい [快哉] 图 쾌재. ¶～を叫(さけ)ぶ 쾌재를 부르다.

かいさい【皆済】图ス他 개제. **1** (할 일을) 죄다 마침. **2** (빚 등을) 죄다 갚음; 완제. ＝完済(かんさい). ¶借金(しゃっきん)を～する 빚을 모두 갚다 / 住宅(じゅうたく)ローンを～する 주택 대부금을 모두 갚다. ↔未済(みさい).

*かいさい【開催】图ス他 개최. ¶～地(ち) 개최지 / ～があやぶまれる 개최 여부가 의심스럽다 / 本会議(ほんかいぎ)～にこぎつける (가까스로) 본회의를 개최하기에 이르다.

かいざい【介在】图ス自 개재. ¶困難(こんなん)が～する 곤란이 개재하다 / ふくざつな事情(じじょう)が～する 복잡한 사정이 개재하다 / 彼(かれ)が～していては話(はなし)はまとまらない 그가 개재해서는 이야기가 타결되지 않는다.

がいさい【外債】图 외채; 외국채. ¶～を募集(ぼしゅう)する〔募(つの)る〕 외채를 모집하다 / ～を起(お)こす 외채를 기채하다. ↔内債(ないさい).

がいざい【外在】图ス自 외재. ¶～的(てき)な基準(きじゅん) 외재적 기준. ↔内在(ないざい).

かいざいりょう【買い材料】图〔經〕거래에서 매수하는 것이 유리하다고 판단되는 재료《시세 등귀가 예상되는 사건이나 풍설 따위》. ＝強(つよ)材料·好(こう)材料. ↔売(う)り材料.

かいさく【改作】图ス他 개작. ¶小説(しょうせつ)の～ 소설의 개작.

かいさく【改削】图ス他 (시·문장 등의) 글귀 따위를 고치거나 삭제하여 다시 다듬음; 개산. ＝改刪(かいさん). ¶原作(げんさく)に～を加(くわ)える 원작에 개산을 가하다.

かいさく【開削】《開鑿》图ス他 개착. ¶運河(うんが)を～する 운하를 뚫다〔개착하다〕. 注意 '開削'로 씀은 대용 한자.

かいささ-える【買い支える】下1他 (주식이나 외화 등의 거래에서, 매물이 많아 시세가 떨어질 때) 매입을 촉진하여 급격한 시세 변동을 막다. ¶日銀(にちぎん)が円(えん)の～·えに出(で)る 일본 은행이 엔 시세의 유지를 위해 매입에 나서다.

*かいさつ【改札】图ス自 개찰. ¶発車(はっしゃ)二十分(にじっぷん)前(まえ)に～を始(はじ)める 발차 20분 전에 개찰을 시작하다.

—ぐち【—口】图 개찰구.

かいさつ【開札】图ス自 개찰; 입찰(入札)·개표의 결과를 조사함. ¶～の結果(けっか)を発表(はっぴょう)する 개찰〔개표〕 결과를 발표하다.

かいさん【海産】图 해산. ↔陸産(りくさん).

—ぶつ【—物】图 해산물. ¶～市場(しじょう) 해산물 시장. ↔陸産物(りくさんぶつ).

*かいさん【解散】图ス自他 해산. ¶国会(こっかい)～ 국회 해산 / 六時(ろくじ)に～する 6시에 해산하다 / 人気(にんき)バンドが～した 인기 밴드가 해산했다.

かいさん【開山】图 개산. **1** 절이나 종파를 처음으로 창립함; 또, 그 창시자; 개조. ＝開基(かいき). **2** 일반적으로, 사물의 창시자. **3** 그 방면의 제일인자. ¶日(ひ)の下(した)～ (씨름·무예 등에서) 천하무쌍.

がいさん【概算】图ス他 개산; 어림(셈). ¶～払(ばら)い 개산불 / 費用(ひよう)の～を出(だ)す 비용의 개산을 내다 / ～で, 約(やく)一億円(いちおくえん)の赤字(あかじ)が出(で)た 어림해서 약 1

역 엔의 적자가 났다. ↔精算(せいさん).

かいし【怪死】名ス自 괴사; 원인 모를 의문의 죽음. ¶～体(たい) 괴시체 / ～事件(じけん) 변사 사건 / ～をとげる 의문사(死)를 하다.

かいし【懐紙】名 1 접어서 품에 지니는 종이《과자를 나누거나 술잔을 씻을 때 씀》. ＝ふところがみ·たとうがみ. 2 和歌(わか)·連歌(れんが)를 읊고 남에게 보이기 위해 정식으로 적을 때 쓰는 종이.

*かいし【開始】名ス自他 개시; 시작. ¶授業(じゅぎょう)の～が後(おく)れる 수업 개시가 늦어지다. ↔終了(しゅうりょう).

かいじ【快事】名 쾌사. ¶近来(きんらい)まれに見(み)る～ 근래 드물게 보는 쾌사.

かいじ【開示】名ス他 개시; 분명히 표시함《특히, 공개 법정에서》. ¶勾留(こうりゅう)理由(りゆう)の～ 구류 이유의 개시〔명시〕. 注意 'かいし'라고도 함.

がいし【外紙】名 외지; 외국의 신문. ¶～の報道(ほうどう) 외지의 보도.

がいし【外資】名 외자. ¶～導入(どうにゅう) 외자 도입. ↔民族資本(みんぞくしほん).

がいじ【外事】名 외사. 1 외국·외국인에 관한 일. ¶～係(がかり) 외사계(원). 2 외부에 관한 일. ↔内事(ないじ).

がいじ【外耳】名〖生〗외이. ¶～炎(えん) 외이염. ↔内耳(ないじ)·中耳(ちゅうじ).

かいしき【開式】名 개식; 식을 시작함. ¶～の辞(じ) 개식사; 개회사. ↔閉式(へいしき).

がいじし【外字紙】名 외국어 신문.

がいして【概して】副 대체로; 일반적으로. ＝大体(だいたい). ¶健康(けんこう)は～良好(りょうこう)である 건강은 대체로 양호하다.

かいしめ【買い占め】名 매점. ¶土地(とち)の～をする 토지를 매점하다.

かいし-める【買い占める】下1他 (상품·주식 등을) 매점하다. ¶株(かぶ)を～ 주식을 매점하다.

**かいしゃ【会社】名 회사. ¶～員(いん) 회사원 / 子会社(こがいしゃ) 자회사 / 株式(かぶしき)〔合資(ごうし)〕会社(がいしゃ) 주식〔합자〕회사 / ～をやめる 회사를 그만두다 / ～に勤(つと)める〔入(はい)る〕 회사에 근무하다〔들어가다〕.

かいしゃ［膾炙］名ス自 회자. ¶人口(じんこう)に～する 널리 사람 입에 오르내리다.

がいしゃ【外車】名 외국산 자동차; 외제차. ↔国産車(こくさんしゃ).

かいしゃく［介錯］名ス他 1 시중을 듦; 또, 그 사람; 후견(後見). ＝かいぞえ. 2 할복하는 사람의 목을 침; 또, 그 사람. ¶～をつとめる 介錯의 역할을 맡다.

—にん［—人］名 할복하는 사람의 목을 (뒤에서) 쳐 주는 사람.

*かいしゃく【解釈】名ス他 해석. ¶～をあやまる 해석을 잘못하다 / ～のしようでどうにでもとれる 해석 여하에 따라 여러 가지로 생각할 수 있다 / それは～の相違(そうい)だ 그것은 해석의 차이다.

がいじゅ【外需】名 외수; 외국으로부터의 수요. ↔内需(ないじゅ).

かいしゅう【会衆】名 회중; 회합에 모인 사람들. ＝参会者(さんかいしゃ).

かいしゅう【回収】名ス他 회수. ¶廃品(はいひん)～ 폐품 수집 / アンケートを～する 앙케이트를 회수하다.

かいしゅう【改修】名ス他 개수; 수리. ¶橋(はし)の～工事(こうじ) 다리의 개수 공사.

かいしゅう【改宗】名ス自 개종.

かいじゅう【怪獣】名 괴수. ¶ネス湖(こ)の～ 네스 호의 괴수.

かいじゅう【懐柔】名ス他 회유. ¶相手(あいて)を～する 상대를 회유하다 / ～策(さく)をめぐらす 회유책을 쓰다.

かいじゅう［晦渋］名ナ 회삽; 난해. ¶きわめて～な表現(ひょうげん) 지극히 회삽〔난삽〕한 표현.

かいじゅう【海獣】名 해수; 바다 짐승.

がいしゅう【外周】名 외주; 바깥 둘레. ＝そとまわり. ¶建物(たてもの)の～ 건물의 바깥 둘레. ↔内周(ないしゅう).

がいじゅう【害獣】名 해수; 인축(人畜)에 해를 끼치는 짐승.

がいじゅうないごう【外柔内剛】名 외유내강. ¶～な人(ひと) 외유내강한 사람. ↔内柔外剛(ないじゅうがいごう).

*がいしゅつ【外出】名ス自 외출; 나들이. ¶～着(ぎ) 외출복 / ～先(さき) 외출한 곳 / ちょっと～してくる 잠깐 나갔다 오겠다.

かいしゅん【回春】名 1 회춘. 다시 젊어짐. ¶～の妙薬(みょうやく) 회춘의 묘약. 2 병이 나음. ¶～の喜(よろこ)び 쾌유의 기쁨.

かいしゅん［改悛·悔悛］名ス自 개전. ＝改心(かいしん). ¶～の情(じょう)が著(いちじる)しい 개전의 정이 뚜렷하다.

かいしょ【会所】名 회소; 집회소; 회장. ¶碁(ご)～ 기원(棋院).

かいしょ［楷書］名 해서. ＝真書(しんしょ). ⇨行書(ぎょうしょ)·草書(そうしょ).

かいしょ【開所】名ス自 개소. ¶～式(しき) 개소식. ↔閉所(へいしょ).

かいじょ【介助】名ス他 시중듦. ＝介添(かいぞ)え. ¶分娩(ぶんべん)の～ 해산 구완.

—けん【—犬】名 장애인이나 행동이 자유롭지 못한 고령자를 돌보도록 훈련받은 개. ＝パートナードッグ·サービスドッグ.

かいじょ【解除】名ス他 해제. ¶武装(ぶそう)～ 무장 해제 / 大雨注意報(おおあめちゅういほう)～ 호우주의보 해제 / 警報(けいほう)が～される 경보가 해제되다.

かいしょう【かい性】《甲斐性》名 주변머리; 두름성; 변변함. ¶～がない 주변이 없다; 변변치 못하다 / 年(とし)をとって～が無(な)くなる 나이를 먹어 무능해지다. 注意 'かいしょ'라고도 함.

—なし【—無し】名 무기력함; 또, 그런 사람. ＝意気地(いくじ)なし.

かいしょう【回章】《廻章》名〈老〉회장. 1 회람 문서. ＝回状(かいじょう). ¶～をまわす 회장〔회람장〕을 돌리다. 2 답장.

かいしょう【快勝】名ス自 쾌승. ¶圧倒的(あっとうてき)な～ 압도적인 쾌승. ↔辛勝(しんしょう).

かいしょう【改称】名ス他 개칭. ¶社名(しゃめい)を～する 회사 명칭을 고치다.

かいしょう【解消】名ス自他 해소. ¶発展的～ 발전적 해소 / なやみが～した 고민이 해소됐다 / 赤字を～する 적자를 해소하다 / ストレスを～する 스트레스를 해소하다.

かいじょう【回状】《廻状》名 ☞かいしょう(回章). ¶忘年会の～を回す 망년회의 회람을 돌리다.

*かいじょう【海上】名 해상. ¶～交通 해상 교통 / ～で起こった事件 해상에서 일어난 사건. ↔陸上.

——じえいたい【——自衛隊】名 해상 자위대《防衛庁 소속》. ↔航空自衛隊·陸上自衛隊.

——トラック [truck] 名 한 사람의 선원이 운전하도록 된 소형(小型) 화물선.

——ふうさ【——封鎖】名 해상 봉쇄.

——ほあんちょう【——保安庁】名 해상 보안청《국토 교통성(國土交通省)의 외국(外局)으로, 해상 경비·구난(救難) 등 사무를 담당》.

かいじょう【階上】名 계상; 계단 위; 2층 이상의 방. ↔階下.

*かいじょう【会場】名 회장. ¶～を設営する 회장을 설치 운영하다 / ～は聴衆で立錐の余地もない 회장은 청중으로 입추의 여지도 없다.

かいじょう【開場】名ス自 개장. ¶六時～, 七時開演 6시 개장, 7시 공연 개시. ↔閉場.

かいじょう【開城】名ス自 개성. **1** 성문을 엶. **2** 항복하고 성을 적에게 내줌.

がいしょう【外傷】名 외상. ¶～を負う 외상을 입다. ↔内傷.

がいしょう【外商】名 외상. **1** 외국의 상인·상사. **2** (백화점 등에서) 직접 점포로 오지 않는 손님에게 나가서 물건을 파는 일. ＝外売. ¶～部 외판부.

がいしょう【外相】名 외상; 외무 장관. ¶～会議 외상 회의.

かいしょく【会食】名ス自 회식. ¶役員一同がレストランで～する 임원 일동이 레스토랑에서 회식하다.

かいしょく【快食】名 쾌식; 맛있게 식사함. ¶～快眠快便は健康のしるし 잘 먹고 잘 자고 잘 싸는 것은 건강하다는 징표.

かいしょく【海食】《海蝕》名ス自 해식. ¶～洞 해식동 / ～海岸 해식 해안. 注意 '海食'는 대용 한자.

かいしょく【解職】名ス他 해직. ＝免職. ¶社員を～処分にする 사원을 해직 처분하다.

がいしょく【外食】名ス自 외식. ¶間借りして～する 셋방에 들고 매식하다.

——さんぎょう【——産業】名 외식 산업.

かいしん【回申】名ス自 회신. ¶～を出す 회신을 내다.

かいしん【回診】名ス自他 회진. ¶病院長の～を待つ 병원장의 회진을 기다리다.

かいしん【回心】《廻心》名ス自〔宗〕회심; 개심(改心); 돌이마음. ¶パスカルの決定的～ 파스칼의 결정적인 회심.

かいしん【会心】名 회심; 마음에 듦. ¶～の友 회심의 벗 / ～の作 회심작.

——の笑み 회심의 미소. ¶～をもらす 회심의 미소를 짓다〔띠다〕.

かいしん【改心】名ス自 개심. ¶悪人が～する 악인이 개심하다.

かいじん［灰燼］名〈文〉회신.

——に帰す; ——と化す 흔적도 없이 다 타버리다. ¶戦火で都は灰燼に帰した 전화로 수도는 잿더미로 변했다.

かいじん【怪人】名 괴인; 괴이한 사람. ¶覆面の～ 복면한 괴인. 「부.

がいしん【外信】名 외신. ¶～部 외신

*がいじん【外人】名 외인; 외국인. ¶～教師 외국인 교사 / ～部隊 외인부대. 注意 '外国人'의 압축된 말로, 차별적인 말씨라고 해서 기피하는 경향이 있음. ↔邦人. 「凱旋.

がいじん［凱陣］名ス自 개진; 개선. ＝

かいず【海図】名 해도. ¶～を頼りに航海する 해도를 의지하여 항해하다 / ～にのっていない島 해도에 나와 있지 않은 섬.

*かいすい【海水】名 해수; 바닷물. ¶～の淡水化 해수의 담수화 / ～の浸入を防ぐ 바닷물의 침입을 막다. 参考 보통, 3.5%의 염분을 함유함.

——ぎ【——着】名 해수욕복. ＝水着.

——よく【——浴】名 해수욕. ¶～場 해수욕장 / ～をする 해수욕을 하다 / ～に行く 해수욕하러 가다.

かいすう【回数】名 횟수. ＝度数. ¶試験の～が多い 시험 횟수가 많다.

——けん【——券】名 회수권. ¶電車の～ 전차 회수권.

がいすう【概数】名 개수; 어림수. ¶～を調べる 대강의 수를 조사하다.

かいすり【貝すり】《貝磨り·貝摺り》名 나전(螺鈿) 세공; 또, 그 세공물〔장색〕. 参考 'かいずり'라고도 함.

かい-する【介する】サ変自 **1** 개재(介在)시키다; 끼우다; 사이에 세우다. ¶人を～·して聞く 중간에 사람을 통해서 듣다. **2** 마음에 두다. ¶意に～·しない 개의치 않다.

かい-する【会する】㊀サ変自 모이다. ＝集まる. **1** 회동하다. ¶一堂に～ 일당에 모이다. **2** 만나다; 마주치다. ¶一点に～ 한 점에서 만나다 / 旧友に～ 옛 친구를 만나다.

㊁サ変他 (사람을) 모으다. ＝集める. ¶同志を～ 동지를 모으다.

かい-する【解する】サ変他 **1** 풀다; 해석하다. ¶数学を～ 수학을 풀다 / 友情を愛情と～ 우정을 애정으로 해석하다 / いつも善意に～ 늘 선의로 해석하다. **2** 알다; 이해하다. ¶風流を～ 풍류를 이해하다 / 英語を～ 영어를 알다. 可能かい-せる下1自

*がい-する【害する】サ変他 **1** 해치다. ㉠

상하게 하다. ¶感情を～ 감정을 상하게 하다/健康を～ 건강을 해치다. ㉡죽이다; 살해하다. ¶人を～ 사람을 해치다. **2** 방해하다. ¶生長を～ 생장을 방해하다.

かいせい【回生】图ス自 회생. ¶起死～の妙手 기사회생의 묘수.

かいせい【快晴】图 쾌청. ¶～の土曜日 쾌청한 토요일. 参考 기상학에서, 운량(雲量)이 제로이거나 1인 날씨.

***かいせい**【改正】图ス他 개정. ¶古い規約を～する 낡은 규약을 개정하다. 参考 법령 개정에는 '改正'·'改定' 양쪽을 사용하나, '改定'는 특히 금액·수량 등에 관하여 쓰는 일이 있음.

かいせい【改姓】图ス自 개성; 성을 바꿈. ¶～届 개성 신고/結婚して～する 결혼하여 성을 바꾸다.

がいせいき【外性器】图〘生〙외성기; 외음부(外陰部). ↔内性器.

かいせき【懐石】图 다도에서 차를 대접하기 전에 내는 간단한 요리. 参考 선승(禪僧)이 온석(溫石)을 품고 허기를 견뎌 낸 데서.

—りょうり【—料理】图 요리를 만드는 대로 한 가지씩 손님에게 내놓는 懐石식의 고급 요리.

かいせき【会席】图 **1** 회석; 모임. ¶～に参加する 회석에 참가하다. **2** 連歌·俳諧 따위를 짓는 자리. **3** '会席料理'의 준말.

—りょうり【—料理】图 회석 요리《본디, '本膳料理(=정식의 일본 요리)'를 간략하게 한 요리이나 현재는 주연을 위한 고급 요리》.

かいせき【解析】해석. 一图ス他 분석. ¶統計～ 통계 해석/データを～する 데이터를 해석하다. 二图 '解析学(=해석학)'의 준말; 함수에 관한 연구를 하는 고등 수학의 한 분야. ↔代数学·幾何学. 「학.

—きかがく【—幾何学】图 해석 기하

がいせき[外戚]图 외척. ¶彼女は私の～に当たる 그녀는 나의 외척이 된다.

かいせつ【回折】《廻折》图ス自 회절. **1** 굽어 꺾임. **2**〘理〙빛이나 전파 등의 파동이 매질(媒質) 속에서 장애물을 만나면 꺾어져서 그 뒤쪽에까지 전파되는 현상. ⇒屈折.

***かいせつ**【解説】图ス他 해설. ¶ニュース～ 뉴스 해설/時事問題について～する 시사 문제에 대해 해설하다.

かいせつ【開設】图ス他 개설. ¶支店を～する 지점을 개설하다. ↔閉鎖.

がいせつ【概説】图ス他 개설. ¶国語～ 국어 개설/西洋史の～ 서양사의 개설. ↔詳説. 「선회.

かいせん【回旋】《廻旋》图ス自他 회선;

—とう【—塔】图 회선탑《기둥머리에서 늘여뜨린 몇 가닥의 쇠줄 끝에 매달려 돌게 만든 놀이 기구》.

かいせん【回線】图〘電〙회선. ¶電話の～がふさがっている 전화 회선이 막혀 있다; 통화 중이다.

かいせん【改選】图ス他 개선. ¶役員を～する 임원을 개선하다.

かいせん【会戦】图ス自 회전《대병력끼리의 전투》. ¶ワーテルローの～ 워털루 회전. ↔遭遇戦.

かいせん【海戦】图 해전. ¶～に敗れる 해전에 패하다. ↔陸戦·空戦.

かいせん【開戦】图ス自 개전. ¶～を宣する 개전을 선포하다. ↔終戦.

かいせん〖疥癬〗图 개선; 옴. =かいぜん·皮癬. ¶～にかかる 옴이 옮다.

***かいぜん**【改善】图ス他 개선. ¶生活～ 생활 개선/待遇を～する 대우를 개선하다/～の余地が有る 개선의 여지가 있다. ↔改悪.

がいせん[凱旋]图ス自 개선. ¶～門 개선문/～将軍 개선 장군/故国に～する 고국에 개선하다.

がいせん【外線】图 외선. **1** 옥외 전선. **2** 외부로 통하는 전화. ¶～につながる 외선으로 연결되다. ⇔内線.

—こうじ【—工事】图 (전기·전화 등의) 외선 공사. ↔内線工事.

がいぜん【慨然】トタル 개연. **1** 분개하는 모양. ¶～として落涙する 개연히 낙루하다. **2** 분발하는 모양. ¶～として天下の志をいだく 분연히 천하의 뜻을 품다.

がいぜんせい[蓋然性]图〘論〙개연성《이것을 수량화한 것이 확률》. =プロバビリティー. ¶～が高い 개연성이 높다. ↔必然性.

かいせんりょうり【海鮮料理】图 해물 요리; 신선한 어패류를 이용한 요리.

かいそ【改組】图ス他 개조; 조직을 개편함. ¶組合を～する (노동) 조합을 개편하다/内閣の一部を～する 내각의 일부를 개편하다.

かいそ【開祖】图 개조. **1** 한 유파의 기초를 연 사람. **2** 사찰을 창건한 사람. =祖師·開山. ¶真言宗の～空海 진언종의 개조 空海.

かいそう【回送】《廻送》图ス他 회송. ¶転居先に手紙を～する 이사한 곳으로 편지를 회송하다/送り主に～する 보낸 사람에게 반송하다.

かいそう【回想】图ス他 회상. ¶～にふける 회상에 잠기다/楽しかった昔を～する 즐거웠던 옛날을 회상하다.

—ろく【—録】图 회상록.

かいそう【改装】图ス他 개장. ¶店内～ 점포 내부 개장/店を～する 점포를 개장하다/菓子箱を～する 과자 상자의 포장을 바꾸다.

かいそう【改葬】图ス他 개장; 이장(移葬). ¶～式 개장식/遺体を～する 유해를 이장하다.

かいそう【会葬】图ス自 회장; 장례식에 모임. ¶～者 회장자.

かいそう【海草】图 해초. =うみくさ.
かいそう【海藻】图〘植〙해조; 바닷말. =うみも.
かいそう【海送】图ス他 해송; 해상 운송. ↔陸送·空送.
かいそう【壊走】《潰走》图ス自 궤주. =敗走. ¶敵が～する 적이 궤주하다. 注意 '壊走'로 씀은 대용 한자.
かいそう【快走】图ス自 쾌주. ¶ヨットで～する 요트로 쾌주하다.
かいそう【階層】图 계층. 1 건물의 각 층. 2 사회를 형성하는 여러 층. ¶知識～ 지식 계층 / ～的分類 계층적 분류. 注意 2는 '界層'로도 씀.
かいぞう【改造】图ス他 개조. ¶内部～ 내부 개조 / 納屋を書斎に～する 헛간을 서재로 개조하다.
かいぞう【海象】图〘動〙해상; 바다코끼리. =セイウチ.
かいぞう【解像】图ス自〘理〙해상; 렌즈가 세밀한 부분까지 분해해 찍음. ¶～力 해상력; 광학 기계의 분해 능력.
—ど【—度】图 해상도. ¶～を増した新製品 해상도를 증가시킨 신제품.
がいそう【外装】图 외장; 겉포장; 외부 설비〔장식〕. ¶～工事 외장 공사 / ～を解く 겉포장을 풀다. ↔内装.
かいぞえ【介添え】㊀图ス自 시중듦; 또, 그 사람. ¶～人〔役〕 시중드는 사람 / 花嫁の～をする 신부 시중을 들다. ㊁图 혼행(婚行) 때, 친정집에서 새색시를 따라가는 하녀. =介添女中.
かいそく【快速】图 쾌속. 1 매우 빠름. ¶～艇 쾌속정. 2 열차 등이 특정한 역에만 서고 달림; 또, 그 열차. ¶～列車 쾌속 열차.
かいそく【会則】图 회칙. ¶～変更 회칙 변경 / ～をつくる 회칙을 만들다.
かいぞく【海賊】图 해적. ¶～船 해적선 / ～版のレコード 해적판 레코드 / ～を働く 해적질을 하다. ↔山賊.
がいそふ【外祖父】图〈文〉외조부; 외할아버지.
がいそぼ【外祖母】图〈文〉외조모; 외할머니.
かいぞめ【買い初め】图ス他 (정월 초이튿날에) 새해 들어 처음으로 물건을 삼. =初買い.
がいそん【外孫】图 외손; 딸의 자식. =そとまご. ↔内孫.
かいたい【懐胎】图ス自 회태; 잉태; 임신. =妊娠·懐妊.
かいたい【拐帯】图ス他 괴대; 위탁을 받은 금품을 가지고 달아남. =持ち逃げ. ¶公金を～して行くえをくらます 공금을 갖고 행방을 감추다.
かいたい【解体】图ス自他 해체. ¶～工法〔修理〕 해체 공법〔수리〕/ 機械を～する 기계를 해체하다 / 組織が～した 조직이 해체되었다.
かいたい【懈怠】图ス自 해태; 태만. =けたい.
かいだい【海内】图〈文〉1 해내; 국내. ↔海外. 2 천하. ¶～にその名をとどろかす 천하에 그 이름을 떨치다.
かいだい【改題】图ス他 개제; 제목을 바꿈. ¶旧作を～する 구작을 개제하다.
かいだい【解題】图ス他 해제. ¶名著～ 명저 해제 / 作品の～を書く 작품의 해제를 쓰다.
*かいたく【開拓】图ス他 개척. ¶運命を～する 운명을 개척하다 / 荒れ地を～する 황무지를 개척하다 / 販路を～する 판로를 개척하다.
かいだく【快諾】图ス他 쾌락. ¶～を得る 쾌락을 얻다 / 資金の援助を～する 자금의 원조를 쾌락하다.
かいだし【買い出し】图 1 상품을 시장·도매상 등에 가서 삼. 2 소비자가 식량 생산지까지 가서 직접 삼. ¶米の～に田舎へ行く 쌀을 사(들이)기 위해 시골에 가다.
かいだ-す【かい出す】《掻い出す》5他 퍼내다. =くみだす. ¶舟底の水を～ 배 밑바닥의 물을 퍼내다. 注意 '掻き出す'의 변화.
かいたた-く【買いたたく】《買い叩く》5他 값을 후려때려서 사다. ¶足もとを見て～ 약점을 잡고 터무니없이 싼 값으로 사다 / 豊作で～·かれる 풍작으로 값이 턱없이 깎이다.
かいた-てる【買い立てる】下1他 마구 사들이다. ¶投機筋が～·てている 투기꾼 쪽에서 마구 사들이고 있다.
かいだめ【買いだめ】《買い溜め》图ス他 사재기; 매점(買占). ¶値上げ前に～する 값이 오르기 전에 사재기하다.
がいため【外為】图〘經〙'外国為替(=외국환)'의 준말.
かいだ-める【買いだめる】《買い溜める》下1他 (값 인상이나 품귀를 예상하고) 사재다; 매점하다.
かいだん【快談】图ス自 쾌담. ¶夜ふけまで～する 밤늦게까지 유쾌하게 이야기하다.
かいだん【怪談】图 괴담《도깨비·유령 등의 이야기》. ¶～物 괴담물 / この島に伝わる不気味な～ 이 섬에 전해지는 으스스한 괴담.
かいだん【戒壇】图〘佛〙계단; 승려가 계율을 받는 단(壇).
*かいだん【会談】图ス自 회담. ¶三国～ 삼국 회담 / 党首～を開く 당수 회담을 열다 / ～が持たれる 회담이 열리다 / 野党に～を申し入れる 야당에 회담을 제의하다.
**かいだん【階段】图 계단. 1 층층대. ¶～を下りる〔昇る〕 계단을 내려〔올라〕가다 / 急な～を駆けあがる 가파른 계단을 뛰어 올라가다. 2 단계; 순서. ¶～をふむ 단계〔순서〕를 밟다.
—きょうしつ【—教室】图 계단 교실.
—こうさく【—耕作】图 계단 경작.
かいだん【解団】图ス自他 해단. ¶オリンピック選手団の～式 올림픽 선수단의 해단식. ↔結団.

がいたん【慨嘆】《慨歎》图ス他 개탄. ¶道徳の頽廃を～する 도덕의 퇴폐를 개탄하다 / ～にたえない世相 개탄을 금치 못할 세태.

かいだんし【快男子】图 쾌남아. ＝快漢. 注意 '快男児'라고도 함.

ガイダンス [guidance] 图 가이던스. **1** (학생에 대한) 생활 지도; 보도(輔導). **2** (입학할 때) 교내 사정에 대한 설명(회). ¶入会のための～ 입회를 위한 가이던스.

かいちく【改築】图ス他 개축. ¶劇場を～する 극장을 개축하다.

かいちゅう【回虫】《蛔虫》图 회충; 거위. ＝腹の虫. 注意 '回虫'는 대용 한자.

かいちゅう【改鋳】图ス他 개주. ＝いなおし. ¶金貨の～ 금화의 개주.

かいちゅう【海中】图 해중; 바다 속. ¶～撮影 해중 촬영 / ～に没する 바다 속으로 가라앉다.

かいちゅう【懐中】图ス他 회중; 호주머니 속; 포켓이나 품속에 넣어 가지고 있음. ¶～無一物 주머니가 텅 비었음; 회중 무일푼 / ～がさびしい〔乏しい〕 호주머니가 달랑달랑하다 / ～を狙う 호주머니 속을 노리다.

—でんとう【—電灯】图 회중전등. ¶～をつける 회중전등을 켜다.

—どけい【—時計】图 회중시계.

—もの【—物】图 회중물; 소지품. ¶～ご用心 소지품 조심《소매치기를 조심하라는 게시》.

がいちゅう【外注】图ス他 외주; 외부에 주문함. ¶～品 외주품 / ～値段 외주 가격 / 部品の多くを～に出す 대부분의 부품을 외부에 발주하다.

*がいちゅう【害虫】图 해충. ¶～駆除 해충 구제 / 社会の～ 사회의 해충. ↔益虫.

かいちょう【会長】图 회장. ¶生徒会～ 학생회 회장 / ～選挙 회장 선거. 参考 회사에서는, 사장에서 은퇴한 사람 등이 하는 명예직인 경우가 있음.

かいちょう【回腸】《廻腸》图〖生〗회장 《대장(大腸)에 잇닿은 소장의 일부》.

かいちょう【快調】图ダナ 쾌조; 호조. ¶～なすべり出し 쾌조의 출발 / 仕事が～に運ぶ 일이 쾌조로 진행되다 / ～そのものだ (일이) 매우 잘되어 간다 / 機械が～だ 기계 상태가 매우 좋다 / エンジンは目下～ 엔진은 목하 쾌조임. ↔不調.

かいちょう【開帳】图ス他 **1** 개장(開帳); 감실(龕室)을 열어 평소에 보이지 않는 불상(佛像)을 공개함. ＝開扉. **2** 〈俗〉 개장(開場); 노름판을 엶. ¶賭場を～する 노름판을 벌이다.

かいちん【開陳】图ス他 개진. ¶自分の信念を～する 자기의 신념을 개진하다.

*かいつう【開通】图ス自他 개통. ¶～式 개통식 / 高速道路〔鉄道〕が～する 고속도로〔철도〕가 개통되다.

かいづか【貝塚】图 패총; 조개무지.

かいつくろ-う【かい繕う】《掻い繕う》 5他 **1** 수리하다. **2** (복장·머리 따위를) 매만져 고치다〔단정히 하다〕; 잘 다듬다; 정돈하다. ¶急いで服を～ 급히 옷매무시를 고치다.

かいつけ【買いつけ】图 늘 대놓고 삼. ¶～の店〔本屋〕 단골 가게〔서점〕.

かいつけ【買い付け】图 (대량) 매입; 수매; (업자가 산지에 가서) 사들임. ¶小麦の～が進む 밀(의) 매입이 진행되다. 注意 '買付金(＝구매 자금)' '買付量(＝구매량)'와 같은 경우에는 送りがな를 생략함.

かいつ-ける【買い付ける】 下1他 상품을 대량으로 사들이다. ¶外国から綿花を～ 외국에서 목화를 사들이다.

かいつぶり〖鳰·鸊鷉〗图〖鳥〗논병아리. ＝かいつむり. 参考 옛 이름은 'にお'.

かいつま-む〖掻い摘まむ〗 5他 (요점만) 간추리다; 요약〔개괄〕하다. ¶一連の事件を～·んで話す 일련의 사건을 간추려서 말하다.

かいて【買い手】图 매주(買主); 사는 사람〔쪽〕; 살 사람; 작자. ＝買い主. ¶～が多い 살 사람이〔작자가〕 많다 / ～がつく 살 사람이 나서다. ↔売り手.

—しじょう【買手市場】图 (거래에서) 매주 시장《공급에 비해 수요가 적어 사는 쪽이 유리한 시장》. ↔売手市場.

*かいてい【改定】图ス他 개정. ¶～法令 개정 법령 / 料金の～ 요금의 개정.

> **改定와 改訂의 차이**
>
> 改定는 종래의 것을 고쳐 새로 정한다는 뜻으로, '定価〔運賃〕を改定する(정가를〔운임을〕 개정하다)'나 '利率の改定(이율의 개정)'·'給与改定(급여 개정)' 따위와 같이 널리 쓰임.
>
> 改訂는 서적이나 문장의 내용을 바르게 고친다는 뜻으로, '教科書を部分的に改訂する(교과서를 부분적으로 개정하다)'·'辞書の改訂(사서의 개정)'·'改訂第三版(개정 제3판)' 등과 같이 씀.

*かいてい【改訂】图ス他 개정. ¶～版 개정판. 注意 법령에서는 '改定'로 씀. ⇨改定 박스記事

かいてい【海底】图 해저; 바다 밑. ¶～資源〔電信〕 해저 자원〔전신〕 / ～トンネル 해저 터널 / ～に沈む 바다 밑에 가라앉다.

かいてい【開廷】图ス自他 개정. ¶～日 개정일 / ～を宣する 개정을 선언하다. ↔閉廷.

*かいてき【快適】图ダナ 쾌적. ¶～な生活 쾌적한 생활 / ～な乗り心地 쾌적한 승차감. 注意 '快的'로 씀은 잘못.

がいてき【外的S】ダナ 외적. ¶気候

という～条件 기후라는 외적 조건 / 不幸の深さは～には規定できない 불행의 깊이는 외적으로는 규정할 수 없다. ↔内的.

がいてき【外敵】图 외적. ¶～の侵入に備える 외적의 침입에 대비하다 / ～から身をまもる本能 외적으로부터 몸을 지키는 본능.

*かいてん【回転】《廻転》图[ス自他] 회전. ¶機械の～を速くする 기계의 회전을 빨리하다 / 客の～のいい店 손님이 많은 가게 / 頭の～が速い 두뇌 회전이 빠르다 / 資金の～が速い 자금 회전이 빠르다.

―きょうぎ【―競技】图 (스키에서) 회전 경기. ＝スラローム.

―ドア [door] 图 회전문〔도어〕. ＝回転扉.

―まど【―窓】图 회전창. ⇨ひきまど.

―もくば【―木馬】图 회전목마《놀이 기구의 하나》. ＝メリーゴーラウンド.

―レシーブ [receive] 图 회전 리시브; 배구에서, 상대방이 쳐 넘긴 공을, 몸을 굴리면서 받는 일.

*かいてん【開店】개점. ㊀图[ス他] 개업. ＝店びらき. ¶～祝い 개업 축하 / ～披露 개점 피로 / 新装～ 신장 개업. ㊁图[ス自] 가게문을 열어 그날 영업을 시작함. ¶～(の)時間 개점 시간 / 銀行は午前九時に～する 은행은 오전 9시에 개점한다. ↔閉店.

―きゅうぎょう【―休業】图 개점휴업. ¶まるで～の状態だ 마치 개점 휴업 상태다.

がいでん【外電】图 외신; 외전. ¶～の伝えるところによると… 외신이 전하는 바에 의하면….

ガイド [guide] ㊀图[ス他] 가이드; 안내; 안내원. ¶国内観光～ 국내 관광 안내 / バス～嬢 (관광) 버스 안내양 / ～を雇う 안내원을 고용하다. ㊁图 'ガイドブック'의 준말.

―ブック [guide-book] 图 가이드북; 안내서. ＝手引き(書). ¶旅の～ 여행 안내서. 参考 특히, 등산·관광 등의 것을 말함.

―ポスト [guide post] 图 가이드포스트. **1** 이정표; 도로 표지. **2** (정부 경제 정책의) 지도 목표.

―ライン [guideline] 图 가이드라인; 기본선; 지도 목표; 지침. ¶賃上げの～を10パーセント台におく 임금 인상 기본선을 10퍼센트대에 두다.

かいとう【回答】图[ス自] 회답. ＝返答·返事. ¶～を求める〔迫る〕 회답을 요구하다〔다그치다〕 / 問いあわせに対して～する 문의에 대하여 회답하다. 参考 '回答'은 보통 정오(正誤)와는 무관하나 '解答'은 정오가 문제됨.

かいとう【快刀】图 쾌도; 잘 드는 칼. ―乱麻を断つ 쾌도로 난마를 자르다《복잡한 사건이나 문제를 명쾌하게 처리하다》.

*かいとう【解答】图[ス自] 해답. ¶～を求める〔見いだす〕 해답을 구하다〔찾아내다〕 / 土地問題への～ 토지 문제에 대한 해결책 / 代数問題の～を教える 대수 문제의 해답을 가르쳐 주다. ↔問題.

かいとう【解凍】图[ス他] 해동; 냉동된 것을 녹임. ¶冷凍食品を～する 냉동식품을 해동하다. ↔冷凍.

かいとう【会頭】图 (상공 회의소 등의) 회장. ¶商工会議所～ 상공 회의소 회장. 参考 회장보다 상위의 명예직의 뜻으로도 쓰임.

かいどう【会同】图[ス自] 회동. ¶対策を立てるため～する 대책을 세우기 위하여 회동하다.

かいどう【会堂】图 회당; (기독교의) 교회당. ¶公～ 공회당.

かいどう【怪童】图 괴동; (보통 아이와 달리) 몸이 크고 힘이 센 (사내)아이.

*かいどう【街道】图 가도. **1** 교통상 중요한 도로. ¶北国～ 北国 가도 / ～を車馬が往来する 가도를 차마가 왕래하다. **2** 인생행로. ¶人生の裏～を歩む 인생의 뒤안길을 걷다 / 出世～をまっしぐらに走る 출세 가도를 곧장 달리다.

―すじ【―筋】图 가도 연변. ¶～の村 가도 연변의 마을.

*がいとう [外套] 图 외투. ＝オーバーコート. ¶～を着る 외투를 입다.

がいとう【外灯】图 외등. ¶玄関の外に～をつける 현관 밖에 외등을 달다.

がいとう【街灯】图 가로등. ＝街路灯. ¶雨で～の光がうるんで見える 비로 가로등 불빛이 부옇게 보인다.

*がいとう【街頭】图 가두; 길거리; 노상. ＝街上·路上. ¶～演説 가두 연설 / ～募金 가두 모금.

*がいとう【該当】图[ス自] 해당. ¶～事項 해당 사항 / 条件に～する人物 조건에 해당하는 인물 / ～者は一人もいない 해당자는 한 사람도 없다.

かいどき【買い時】图 (물건을) 사기에 적절한 시기; 살 때. ＝買い場. ¶あの株は今が～だ 저 주식은 지금이 매수 적기다. ↔売り時.

かいどく【解読】图[ス他] 해독. ¶暗号文を～する 암호문을 해독하다.

―き【―器】图 해독기.

がいどく【害毒】图 해독. ¶～を世に流す 해독을 세상에 끼치다.

かいとり【買い取り】图 매입(買入). **1** 사서 제것으로 만듦. **2** (주로 서점이) 반품하지 않는다는 약속으로 상품을 사들이는 일; 매절(買切). ¶～の本 매절한 책.

かいどり【飼い鳥】图 집에서 (애완용으로) 기르는 새; 사육조. ↔野鳥.

かいと-る【買い取る】[5他] 사서 차지하다; 사들이다; 매입하다. ¶借りていた家を～ 세 들고 있던 집을 사다 / 権利を～ 권리를 사들이다.

かいな〖腕〗图〈雅〉1 팔. ＝うで. ¶～をなでる 팔을 쓰다듬다〔문지르다〕. 2 상박부. ＝にのうで.

かいな-い〖甲斐ない〗形 1 보람 없다; 효과가 없다. ¶看護の～く死亡する 간호한 보람도 없이 사망하다. 2 (…할 만한) 가치가 없다. ¶生きていても～身だ 살아 있어도 살 가치가 없는 몸이다. 3 무기력하다.

かいなで〖掻い撫で〗图 수박 겉 핥기(식임). ¶～の学問 어설픈〔수박 겉 핥기〕 학문 / ～の学者 데아는 〔평범한〕 학자. 注意 '掻き撫で'의 음편.

かいなら-す【飼い慣らす】5他 1 (사육하여) 길들이다. ¶犬を～ 개를 길들이다. 2 은혜를 베풀거나 하여 마음대로 부릴 수 있게 하다. ¶～·した手下 잘 복종하게 만든 부하.

かいなん【海難】图 해난. ¶～事故 해난 사고 / ～に会う 해난을 당하다.

かいにゅう【介入】图ス自 개입. ¶武力～ 무력 개입 / 紛争に～する 분쟁에 개입하다 / 第三者の～を禁ずる 제삼자의 개입을 금하다.

かいにん【懐妊】图ス自 회임; 임신. ＝妊娠·懐胎. ¶妻が～する 아내가 임신하다.

かいにん【解任】图ス他 해임. ＝解職. ¶～を通告する 해임을 통고하다.

かいぬし【飼い主】图 사육주(主); (가축·가금을) 기르는 사람. ¶～のない犬 주인 없는 개.

かいぬし【買い主】图 매주; 사는 사람. ＝買い手. ↔売り主.

かいね【買値】图 매가; 산〔사는〕 값; 매입 원가. ¶～で売る 산 값에 팔다 / ～を割って売る 매입가보다 싸게 팔다 《밑지고 팔다》. ↔売値. 「こ.

かいねこ【飼い猫】图 집괭이. ↔のらね

**がいねん【概念】图 개념. ¶～をつかむ 개념을 파악하다 / ～をはっきりさせる 개념을 확실하게 하다.

――てき【―的】ダナ 개념적. ¶～に把握する 개념적으로 파악하다. 参考 나쁜 의미로 쓰는 경우가 많음.

かいば【買い場】图 (상품·주식 등의) 매입 시기. ＝買い時. ↔売り場.

かいば【飼い葉】图 꼴; 여물. ＝まぐさ. ¶～おけ 구유; 여물통.

かいはい【改廃】图ス他 (법률·제도 따위의) 개폐. ¶占領下に定められた法律を～する 점령하에 정해진 법률을 개폐하다.

がいばい［外売］图 (백화점 등에서) 고객에게 외판하는 일. ＝外商.

がいはく【外泊】图ス自 외박. ¶無断で～する 무단(으로) 외박하다.

がいはく【該博】名ナ 해박. ¶～な知識 해박한 지식.

かいはくしょく【灰白色】图 회백색.

かいばしら【貝柱】图 1 조개관자. ＝肉柱. 2 가리비 따위의 조개관자를 삶아서 말린 것《식용》. ＝はしら.

*かいはつ【開発】图ス他 개발. ¶電源～ 전원 개발 / 新製品の～ 신제품 개발 / 潜在的能力を～する 잠재적 능력을 개발하다.

――とじょうこく【―途上国】图 개발도상국. ＝発展途上国.

かいばつ【海抜】图 해발; 표고(標高). ¶富士山は～3,776メートルある 富士산은 해발 3,776미터이다.

かいばなし【飼い放し】图 방목(放牧). ＝野飼い.

かいはん【改版】图ス他 개판. ¶著書を～する 저서를 개판하다.

がいはん【外販】图 외판《'外交販売'의 준말》. ¶～員 외판원.

かいひ【回避】图ス他 회피. ¶責任を～する 책임을 회피하다.

*かいひ【会費】图 회비. ¶年間～ 연회비 / 生徒会の～を納入する 학생회 회비를 납입하다.

かいひ【開披】图ス他 개피; 개봉(開封); 편지 봉투를 뜯음.

かいひ【開扉】图ス自他 1 문짝을 엶. ↔閉扉. 2 ☞かいちょう(開帳)1.

がいひ【外皮】图 외피; 겉껍질《좁은 뜻으로는 피부를 뜻함》. ¶～をむく 겉껍질을 벗기다. ↔内皮.

かいびかえ【買い控え】图 사는 사람이 매입을 중지하거나 매입량을 줄임.

かいびゃく［開闢］图 개벽. ¶天地～以来 천지개벽 이래.

かいひょう【開票】图ス他 개표. ¶～所 개표소 / ～立会人 개표 참관인 / 即日～ 당일 개표 / 選挙の～を行う 선거 개표를 하다.

かいひょう【解氷】图ス自 1 해빙. ¶～期 해빙기. ↔結氷. 2 ☞かいとう(解凍).

がいひょう【概評】图ス他 개평; 대체적 비평. ¶成績の～をのべる 성적의 개평을 말하다. ↔細評.

かいひん【海浜】图 해변; 바닷가. ＝うみべ·はまべ. ¶～ホテル 해변 호텔.

――しょくぶつ【―植物】图 해변 식물.

がいひん【外賓】图 외빈; 외국 손님.

かいふ【回付】《廻附》图ス他 회부. ＝送付. ¶書類の～が遅れる 서류 회부가 늦어지다.

*がいぶ【外部】图 외부. ¶建物の～ 건물 외부 / ～の者のしわざ 외부 사람의 소행 / ～に知れる 외부에 알려지다 / 秘密を～に漏らす 비밀을 외부에 누설하다. ↔内部.

かいふう【海風】图 해풍. 1 바닷바람. 2 해연풍(海軟風). ↔陸風.

かいふう【開封】一图ス他 개봉; (편지 등의) 봉한 것을 뜯음. ¶手紙を～する 편지를 개봉하다. 二图 봉하지 않은 우편물. ＝ひらき封. ¶～で手紙を送る 봉하지 않고 편지를 보내다.

**かいふく【回復】《恢復》图ス自他 회복. ¶

か

~期き 회복기 / 疲労ひろう~ 피로 회복 / 病気びょうきが~する 병이 회복되다 / 元気げんきを~する 원기를 회복하다 / ~がはやい 회복이 빠르다 / 景気けいき〔天気てんき〕が~する 경기〔날씨〕가 회복되다. 注意 병의 회복은 '快復'로도 씀.

かいふく【快復】名ス自 쾌복; 쾌유; 쾌차.

かいふく【開腹】名ス自〔醫〕개복.

—**しゅじゅつ**【—手術】名 개복 수술. ¶~を受うける 개복 수술을 받다.

かいぶし【蚊いぶし】《蚊燻し》名 모깃불. =かやり·かやり火び. ¶~をする 모깃불을 피우다.

かいぶつ【怪物】名 괴물. **1** 정체불명의 생물. =ばけもの. ¶海うみの~ 바다의 괴물. **2** 괴이한 힘이나 재능을 지닌 존재. ¶財界ざいかいの~ 재계의 괴물 / コンピューターという現代げんだいの~ 컴퓨터라고 하는 현대의 괴물.

がいぶん【外聞】名 외문; 세상 소문; 평판; 또, 그 결과로서의 체면. =うわさ. ¶~にかかわる 체면에 관계되다 / ~をつくる 소문이 날 일을 하다 / ~を気きにする 소문을 걱정하다 / ~をはばかる 소문이 날까 꺼리다 / 恥はじも~もない 창피고 체면이고 아랑곳없다.

—**が悪わるい** 소문나면 난처하다.

かいぶんしょ【怪文書】名 괴문서. ¶~が出でまわる 괴문서가 나돌다.

がいぶんぴつ【外分泌】名〔生〕외분비. ¶~腺せん 외분비선. ↔内分泌ないぶんぴつ.

かいへい【海兵】名 해병. **1** 해군의 하사관·병. =水兵すいへい. **2** 해병대의 사병.

—**たい**【—隊】名 해병대.

かいへい【開平】名ス他〔數〕개평; 제곱근풀이.

***かいへい**【開閉】名ス他 개폐. =あけたて. ¶自動じどう~ 자동 개폐 / 弁べんを~する 밸브를 여닫다.

—**き**【—器】名 (전기의) 개폐기. =スイッチ.

—**き**【—機】名 (철도 건널목의) 개폐기; 차단기. ¶~をおろす 차단기를 내리다.

がいへき【外壁】名 외벽; 바깥벽. ↔内壁ないへき.

かいへん【改編】名ス他 개편. ¶組織そしきを~する 조직을 개편하다.

かいへん【改変】名ス他 개변. =変更へんこう·変改へんかい. ¶制度せいどの~ 제도의 개변.

かいへん【海辺】名 해변; 바닷가. =うみべ. ¶~の小村しょうそん 해변의 작은 마을.

かいべん【快便】名 쾌변; 상쾌하게 대변을 봄. ¶快食かいしょく~ 쾌식 쾌변.

かいほ【改補】名 고쳐서 보충함; 개정 증보. ¶~版はん 개정 증보판.

***かいほう**【介抱】名ス他 병구완; 간호. =看護かんご·看病かんびょう. ¶けが人にんの~をする 부상자의 간호를 하다.

かいほう【懐抱】名ス他 회포. **1** 마음속에 품음. =抱懐ほうかい. ¶大志たいしを~する 큰뜻을 품다. **2** 품속에 지님.

かいほう【回報】《廻報》名 회보; (문서에 의한 정식) 회답. =返事へんじ.

かいほう【快方】名 (병의) 차도. ¶~に向むかう 차도가 있다.

かいほう【快報】名 쾌보. =吉報きっぽう·朗報ろうほう. ¶~に接せっする 쾌보에 접하다.

かいほう【会報】名 회보. =会誌かいし. ¶国会こっかい~ 국회 회보 / ~を発行はっこうする 회보를 발행하다.

***かいほう**【解放】名ス他 해방. ¶奴隷どれい~ 노예 해방 / 仕事しごとから~される 일에서 해방되다 / ~感かんを味あじわう 해방감을 맛보다. ↔束縛そくばく·拘束こうそく.

かいほう【解法】名 해법; 문제 푸는 방법.

***かいほう**【開放】名ス他 개방. ¶~厳禁げんきん 개방 엄금《문을 열어 놓지 말라는 뜻의 게시》/ 校庭こうていを~する 교정을 개방하다 / 市場しじょうの~を求もとめる 시장 개방을 요구하다. ↔閉鎖へいさ.

—**けいざい**【—経済】名 개방 경제. ¶~体制たいせい 개방 경제 체제.

—**てき**【—的】ダナ 개방적. ¶~な性格せいかく 개방적인 성격. ↔閉鎖的へいさてき.

かいほう【開方·開法】名〔數〕개방; 근풀이.

***かいぼう**【解剖】名ス他 해부. ¶~学がく 해부학 / 生体せいたい~ 생체 해부 / 死体したいを~する 시체를 해부하다 / 農村のうそんの実態じったいを~する 농촌 실태를 해부하다.

がいほう【外邦】名 외방; 외국.

がいぼう［外貌］名 외모; 겉모습. =外見そとみ·みかけ. ¶男おとこらしい~ 남자다운 외모 / 事件じけんの~ 사건의 겉모습 / ~を飾かざる 외모를 꾸미다.

かいぼつ【海没】名ス自 해몰; 바다 속에 가라앉음.

がいまい【外米】名 외미; 외국서 수입한 쌀. ¶~を配給はいきゅうする 외국쌀을 배급하다. ↔内地米ないちまい.

かいまき【かい巻き】《搔い巻き》名 (얇게) 솜을 둔 잠옷.

かいまく【開幕】名ス自他 개막. ¶芝居しばいの~を待まつ 연극 개막을 기다리다 / オリンピックが~する 올림픽이 개막되다. ↔閉幕へいまく.

かいま-みる【かいま見る】《垣間見る》上1他 틈으로 살짝 (엿)보다. ¶戸とのすきまから~ 문틈으로 살짝 (엿)보다 / 実態じったいを~ 실태를 엿보다.

かいみ【快味】名 쾌미; 상쾌한 맛.

かいみん【快眠】名ス自 쾌면; 기분 좋게 잠; 또, 그런 잠. ¶~をむさぼる 기분 좋게 실컷 자다.

かいむ【皆無】名ナ 개무; 전무. =絶無ぜつむ. ¶脱落者だつらくしゃ~ 탈락자 전무 / 可能性かのうせいは~だ 가능성은 전무하다 / 失敗しっぱいするおそれは~だ 실패할 염려는 조금도 없다.

がいむ【外務】名 외무. ¶~公務員こうむいん 외무 공무원 / ~社員しゃいん 외무 사원. ↔内務ないむ.

—**しょう**【—省】名 외무성.

—**だいじん**【—大臣】名 외무 대신.

かいめい【改名】名ス自 개명. =かいみょう. ¶~届とどけ 개명 신고 / 姓名せいめい判断はんだんを信しんじて~する 성명 철학을 믿고 개명하다.

かいめい【階名】名〔樂〕계명; 계(階)이름. ↔音名.
—しょうほう【—唱法】名 계명 창법; 계이름 부르기.
かいめい【解明】名 ス他 해명. ¶疑問の点を～する 의문점을 해명하다/問題の～に当たる〔乗り出す〕문제의 해명에 임하다〔나서다〕.
かいめつ【壊滅】《潰滅》名 ス自他 궤멸. ¶爆撃で都市が～する 폭격으로 도시가 궤멸하다/～の危機に瀕する 괴멸 위기에 직면하다. 注意 '壊滅'는 대용 한자.
かいめん【海綿】名 1 해면. =スポンジ. 2 ☞かいめんどうぶつ.
—どうぶつ【—動物】名 해면동물.
かいめん【海面】名 해면; 해상. ¶～をさがす 해면을 수색하다/ボートが～に浮かんでいる 보트가 해면에 떠 있다.
がいめん【外面】名 외면. 1 겉; 표면. =うわべ. ¶月の～は温度の差がはげしい 달 표면은 온도차가 심하다. 2 외모; 외양. ¶～だけりっぱな建築 외양만 훌륭한 건축/～は平気をよそおう 겉으로는 태연한 체하다. ⇔内面.
—てき【—的】ダナ 외면적. ¶～な特徴 외면적인 특징. ↔内面的.
かいもく『皆目』副《뒤에 否定을 수반하여》전혀; 전연; 도무지. =全く. ¶～わからない 전혀 모른다/～見当がつかない 도무지 짐작이 가지 않는다.
かいもど-す【買い戻す】5他 (판 것을) 되사다. ¶売値よりも高くやって～ 판 값보다 비싸게 주고 되사다/土地を～ 토지를 되사다.
かいもと-める【買い求める】下1他 돈을 치르고 입수하다〔손에 넣다〕. ¶古書を～ 고서를 매입〔입수〕하다.
*かいもの【買い物】一名ス自 물건을 삼; 쇼핑. ¶～かご 장바구니/～袋〔客〕쇼핑백〔객〕/～に行く 장보러 가다. 二名 사서 이득이 된〔될〕물건. ¶いい～をした 물건을 잘 샀다/お客さん, これは～ですよ 손님, 이것은 정말로 잘 사시는 겁니다.
かいもん【開門】名ス自 개문; 문을 엶. ¶午前九時に～する 오전 9시에 문을 연다. ↔閉門.
がいや【外野】名 1〔野〕외야. ¶～フライ 외야 플라이. ↔内野. 2 '外野手'의 준말. 3〈俗〉국외자; 제삼자; 주변 사람들. ¶～がうるさい 국외자가 시끄럽다/～は黙ってろ 제삼자는 잠자코 있어라. 「↔内野手.
—しゅ【—手】名〔野〕외야수. =外野.
かいやく【改訳】名ス他 개역. ¶聖書を～する 성서를 개역하다.
かいやく【解約】名ス他 해약. ¶～金 해약금/保険〔定期預金〕を～する 보험〔정기예금〕을 해약하다.
かいゆ【快癒】名ス自 쾌유. =本復·全快. ¶負傷も～しましたから 부상도 쾌유했으므로.
かいゆう【回遊】《廻遊》名ス自 회유. 1 주유. ¶～切符 회유표/～乗車券 회유 승차권; 주유권(周遊券)/全国の名勝を～する 전국의 명승지를 주유하다. 2《回游》어류가 떼를 지어 계절적으로 이동함. ¶～魚 회유어.
かいゆう【会友】名 회우. 1 같은 모임의 회원. ¶この方は同じ学会の～です 이분은 같은 학회의 회우입니다. 2 회원은 아니나 회와 관계가 깊은 사람에게 주는 이름·자격. ¶その人を～として迎える 그이를 회우로서 맞아들이다.
がいゆう【外遊】名ス自 외유. ¶～の途にのぼる 외유 길에 오르다.
がいゆう【外憂】名 외우; 외환. =外患. ¶～内患 외우내환. ↔内憂.
かいよう【海容】名 해용; 해서(海恕). ¶ご～願います 해용 있으시기를 바랍니다. 参考 편지에서, 상대방에게 사과하는 말로써 海容·容赦·寛恕·宥恕 등이 있으며, 'ご'를 붙여 씀.
かいよう【海洋】名 해양. =海. ¶～汚染 해양 오염/～温度差発電 해양 온도차 발전. ↔大陸.
—せいきこう【—性気候】名 해양성 기후. =海洋気候. ↔大陸性気候·内陸性気候. 「위궤양.
かいよう［潰瘍］名〔醫〕궤양. ¶胃～
がいよう【外用】名〔醫〕외용. ¶～薬 외용약. ↔内用.
がいよう【外洋】名 외양; 외해. =そとうみ·大洋·遠洋. ↔内洋.
がいよう【概要】名 개요. =あらまし. ¶事件の～を報告する 사건의 개요를 보고하다.
かいらい『傀儡』名 괴뢰. 1 꼭두각시. =くぐつ·でく. 2 앞잡이; 허수아비. ¶社長は大株主A氏の～にすぎない 사장은 대주주 A씨의 허수아비에 지나지 않는다.
がいらい【外来】名 외래. 1 외지에서 옴. ¶～種 외래종/～の文化 외래 문화. 2 '外来患者'의 준말.
—かんじゃ【—患者】名 외래 환자.
—ご【—語】名 외래어.
かいらく【快楽】名 쾌락. ¶～主義 쾌락주의/人生の～ 인생의 쾌락/～を追い求める 쾌락을 추구하다.
*かいらん【回覧】《廻覧》名ス他 회람. ¶公文を～する 공문을 회람하다.
—ばん【—板】名 회람판.
かいらん［解纜］名ス自 해람; 밧줄을 풀고 출항함; 출범. =ふなで.
かいり［乖離 名ス自 괴리. ¶人心の～ 인심의 괴리《인심이 떠남》/国民と為政者との～ 국민과 위정자와의 괴리. 「ビーバー.
かいり『海狸』名〔動〕해리; 바다삵. =
かいり【海里】《浬》名 해리《1해리는 1,852m》. 注意 'カイリ'라고도 씀.
かいり【解離】名ス自他〔理〕해리. ¶電

か

気～ 전기 해리 / 熱～ 열해리.

かいりき【怪力】图 괴력. ＝かいりょく. ¶～の持ち主 괴력의 소유자.

かいりく【海陸】图 해륙; 바다와 육지. ＝水陸. ¶～風 해륙풍.

かいりつ【戒律】图 계율. ¶～を守る 계율을 지키다 / ～を破った僧は破門になる 계율을 어긴 승려는 파문된다.

がいりゃく【概略】图 개략; 대략. ¶～を述べる 개략을 말하다. 注意 副詞적으로도 씀. ¶その内容は～こうである 그 내용은 대략 이러하다.

かいりゅう【海流】图 해류. ¶～図 해류도 / ～瓶 해류병 / ～に乗って漂着する 해류를 타고 표착하다.

かいりゅう【開立】图ス他〘數〙개립; 세제곱근풀이. ＝かいりつ.

*かいりょう【改良】图ス他 개량. ¶～を施す 개량하다 / 品種～ 품종 개량 / まだ～の余地がある 아직 개량할 여지가 있다. ↔改悪.

——しゅ【——種】图 개량종. ↔原種·変種.

かいりょう【飼い料】图 1 사료. ＝飼料. 2 사육비.

がいりょく【外力】图 외력; 외부의 힘. ¶～によって物体が動く 외력에 의해서 물체가 움직이다. ↔内力.

がいりん【外輪】图 외륜. 1 바깥쪽 바퀴. ＝そとわ. 2 바퀴의 바깥쪽에 댄 쇠덮개. ⇔内輪. 3 바깥 둘레.

かいれい【回礼】图ス自 회례; 돌아다니며 인사함. ＝お礼回り. 参考 좁은 뜻으로는 세배하러 돌아다님을 뜻함. ¶年始の～をする 연초에 세배를 다니다.

かいろ【懐炉】图 회로. ¶～灰 회로용의 (특수한) 재 / 白金～ 백금 회로.

かいろ【回路】图〘理〙회로. ＝サーキット. ¶～素子 회로 소자 / 集積～ 집적 회로; 아이시(IC) / 電気～ 전기 회로 / ～を閉じる 회로를 폐쇄하다.

かいろ【海路】图 1 해로; 뱃길. ＝ふなじ·うみじ. ¶～を行く 뱃길을 가다 / 待てば～の日和あり 기다리면 항해하기에 좋은 날씨가 있다《쥐구멍에도 볕들 날 있다》/ ～マニラにおもむく 해로로 마닐라에 가다. ↔ 陸路·空路. 2 배 여행. ¶～をとる 배 여행을 하다.

がいろ【街路】图 가로. ¶～灯 가로등 / ～樹 가로수.

かいろう【回廊】《廻廊》图 회랑; 건물·정원 등을 둘러싼 긴 복도. ¶社殿の～ 신사나 전각(殿閣)의 회랑.

かいろう[偕老]图 해로. ＝相老い. ¶～の契り (백년)해로의 맹세.

——どうけつ[——同穴]图 해로동혈; 부부가 금실 좋게 살다가, 늙어 죽어서는 한 무덤 속에 묻히는 일. ¶～の契りを結ぶ 백년해로의 가약을 맺다.

がいろく【街録】图 '街頭録音(＝가두녹음)'의 준말.

がいろん【概論】图ス他 개론. ¶法学～ 법학 개론. ↔各論.

*かいわ【会話】图ス自 회화; 대화. ¶～体 회화체 / ～を交わす 대화를 나누다 / ～がはずむ 대화가 활기를 띠다 / 英語の～を習う 영어 회화를 배우다 / 英～がうまい 영어 회화를 잘한다 / ～を楽しむ 담화를 즐기다 / 夫婦間に～がない 부부간에 대화가 없다.

かいわい〘界隈〙图 근처; 부근; 일대. ¶銀座～をぶらつく 銀座(＝東京의 번화가) 일대를 어슬렁거리다.

かいわり【貝割り】《穎割り》图 자엽(子葉); 떡잎. ＝貝割れ. ¶～葉 떡잎 / ～大根 떡잎 무.

かいん【下院】图 하원. ¶～議員 하원 의원. ↔上院.

かいん【禍因】图 화인; 화근. ＝禍根. ¶～を残す 화근을 남기다.

かいん【過飲】图ス他 과음. ＝のみすぎ.

か-う〘支う〙5他 1 지탱하다; 받치다; 버티다. ¶しんばり棒を～ 버팀대로 버티다. 2 (빗장 따위를) 지르다; 채우다. ¶錠を～ 자물쇠를 채우다. 可能 か-える 下1自

**か-う【買う】5他 1 사다. ㉠구입하다. ¶株を～ 주식을 사다 / 幸福は金で～·えない 행복은 돈으로 살 수 없다. ↔売る. ㉡자초하다. ¶恨みを～ 원한을 사다 / 怒り[顰蹙]を～ 노염[빈축]을 사다 / わざわいを～ 재앙을 부르다. ㉢비위를 맞추다. ¶歓心を～ 환심을 사다. ㉣(자청해서) 떠맡다. ¶けんかを～·って出る 싸움을 사서 하다[떠맡고 나서다]. ㉤인정하다; (높이) 평가하다. ¶彼の技量を～ 그의 기량을 높이 사다 / 実力を～·ってやらねばならぬ 실력을 높이 평가해 주어야 한다 / 語学力を～·われる 어학 실력을 인정받다. 2 불러서 놀다. ¶女を～ 창녀를 데리고 놀다 / 芸者を～ 기생을 부르다. 可能 か-える 下1自

**か-う【飼う】5他 기르다; 치다; 사육하다. ¶豚を～ 돼지를 치다 / 犬[小鳥]を～ 개[(작은) 새]를 기르다 / 家で～ペット 집에서 기르는 애완동물. 可能 か-える 下1自

カウチ [couch] 图 카우치; 장(長)의자; 소파. ＝長いす·ソファー.

——ポテト [couch potato] 图 카우치 포테이토; 소파에 누워 포테이토 칩이나 먹으면서 TV 등을 즐기는 생활 스타일; 또, 그런 사람.

ガウチョ [스 gaucho] 图 가우초; 남아메리카 초원 지방의 카우보이.

カウボーイ [cowboy] 图 카우보이; 목동.

かうん【家運】图 가운. ¶～が傾く 가운이 기울다 / ～の隆盛をはかる 가운의 융성을 꾀하다.

ガウン [gown] 图 가운. 1 길고 낙낙한 웃옷. ¶ナイト～ 나이트가운. 2 유럽의 성직자·대학교수·교사들의 정장.

カウンセラー [counselor] 图 카운슬러《카운슬링을 담당하는 사람》.

カウンセリング [counseling] 图 카운슬링; 상담 지도; 신상 상담.

カウンター [counter] 图 카운터. **1** 계산대. =帳場(ちょうば). **2** 계산계(係). **3** (바나 술집의) 조리대 바로 앞의 긴 술청. ¶~で酒(さけ)を飲(の)む 카운터에서 술을 마시다. **4** (가게의) 상품 진열 선반. =店台(みせだい). **5** (권투에서) 상대편의 공격을 피하여 되받아치기. =カウンターパンチ.

—アタック [counterattack] 图 카운터어택. **1** 역습; 반격. **2** 축구 등에서, 수세에서 단숨에 공격으로 전환하는 일.

—パンチ [counterpunch] 图 카운터펀치. =カウンター(ブロウ). ¶~を食(く)らう 카운터펀치를 얻어맞다.

—ブロウ [counterblow] 图 카운터블로. =カウンターパンチ.

カウンターテナー [countertenor] 图 카운터테너《여성 알토에 해당하는 성부를 노래하는 남성 가수》.

カウント [count] 图区他 카운트. **1** 셈; 계산. **2** 경기의 득점 (계산)《야구에선 스트라이크와 볼의 수; 권투에선 녹다운했을 경우의 초를 세는 수》. ¶ボール~ 볼카운트/~をとる 카운트를 하다. **3** 방사능 입자를 가이거 계수관으로 측정한 수. ¶三千(さんぜん)~の放射能(ほうしゃのう)を検出(けんしゅつ)する 삼천 카운트의 방사능을 검출하다.

—アウト [count-out] 图 카운트아웃; (권투에서) 녹아웃을 선언하는 일.

—ダウン [countdown] 图 카운트다운; 초읽기. ¶~が始(はじ)まる 카운트다운이 시작되다.

かえ【代え·替え·換え】图 **1** 대치; 대체; 교환. **2** 대리; 대신; 대치할 것. ¶~のズボン 여벌 바지/電球(でんきゅう)の~がない 전구의 여벌이 없다/~が居(い)ないので休(やす)めない 대신〔대리〕할 사람이 없어서 쉬지 못한다.

かえいよう【過栄養】图 과영양.

かえうた【替え歌】图 곡조는 같고 가사만 바꾼 노래. ¶卑(ひ)わいな~を歌(うた)う 외설적인 가사로 바꾼 노래를 부르다. ↔元歌(もとうた).

かえぎ【替え着】图 갈아입을 옷; 여벌 옷.

かえし【返し】图 **1** 반환; 돌려줌. **2** 방향을 바꿈; 뒤집음. ¶手首(てくび)の~が悪(わる)い 손목 젖히기가 불편하다. **3** 보복. =しかえし. ¶このお~は必(かなら)ずする 이 보복은 꼭 하겠다. **4** 답례. ¶お~の贈(おく)り物(もの) 답례의 선물.

かえしぬい【返し縫い】图 박음질. =返(かえ)し針(ばり).

かえしわざ【返し業】图 유도에서, 상대가 걸어온 수를 되받아 역이용하는 수.

かえしん【替えしん】《替え芯》图 (볼펜 등의) 교환용 심. ¶シャープペンシルの~ 샤프펜슬의 교환용 심.

かえ-す〖孵す〗5他 (알을) 까다; 부화하다. ¶卵(たまご)を~ 알을 부화시키다/ひなを~ (닭이) 병아리를 까다.

かえ-す [反す] 5他 **1**《翻す·覆す》뒤집다; 거꾸로 하다; 젖히다. ¶カードを~ 카드를 뒤집다/手首(てくび)を~ 손목을 젖히다/田(た)を~ 논을 갈다/着物(きもの)を~·して干(ほ)す 옷을 뒤집어 말리다/花瓶(かびん)を~·して水(みず)を流(なが)す 꽃병을 거꾸로 해서 물을 쏟다. **2**《動詞 連用形에 붙어》되풀이하다; 다시하다; 반복하다. ¶小説(しょうせつ)を読(よ)み~ 소설을 다시 읽다. 可能 かえ-せる 下1自

かえ-す【返す】一5他 (되)돌리다. **1** (본디 위치·상태로) 돌리다. ¶白紙(はくし)に~ 백지로 돌리다/読(よ)んだ本(ほん)をもとの場所(ばしょ)へ~·しておいて下(くだ)さい 책을 다 보셨으면 제자리에 갖다 놓으십시오. **2** 돌려주다. ¶本(ほん)を~ 책을 돌려주다/盃(さかずき)を~ 술잔을 되돌리다. **3** 돌려보내다. ¶使(つか)いを~ 심부름꾼을 돌려보내다/容疑者(ようぎしゃ)を~ 피의자를 돌려보내다〔석방하다〕. **4** 갚다; 대갚음하다. ¶借金(しゃっきん)を~ 빚을 갚다/恩(おん)を仇(あだ)で~ 은혜를 원수로 갚다/礼(れい)を~ 답례하다/~言葉(ことば)もない 뭐라고 대꾸할 말이 없다. 二5自 되돌아 오다〔가다〕. ¶寄(よ)せては~波(なみ) 밀려왔다 밀려가는 물결/取(と)って~ (중도에서) 되돌아서다; 도서다. 可能 かえ-せる 下1自

—ときのえんま顔(がお) 꾼 돈을 갚을 때 짓는 언짢은 얼굴. ↔借(か)りるときの地蔵顔(じぞうがお).

*__かえ-す__【帰す】《還す》5他 돌려보내다; 돌아가게 하다. ¶嫁(よめ)を親元(おやもと)に~ 며느리를 친정으로 돌려보내다/子供(こども)を一人(ひとり)で~·してはいけない 어린애를 혼자 돌아가게 해서는 안 된다. 可能 かえ-せる 下1自

かえすがえす【返す返す】副 **1** 거듭하는 모양; 거듭(거듭); 되풀이하여. ¶~頼(たの)む 거듭거듭 부탁하다/~もお大事(だいじ)に 부디 몸 조심하시기를. **2** 아무리 생각해도. ¶~(も)残念(ざんねん)だ 아무리 생각해도 분하다.

かえズボン【替えズボン】图 갈아입을 여벌 바지. ▷프 jupon.

かえだま【替え玉】图 (진짜처럼 꾸민) 가짜; 대리; 대역. =ダミー. ¶~受験(じゅけん)〔投票(とうひょう)〕 대리 수험〔투표〕/映画(えいが)で危険(きけん)な場面(ばめん)は~を使(つか)う 영화에서 위험한 장면에는 대역을 쓴다.

かえち【替え地】图区自 **1** 환토(換土); 환지(換地). **2** (퇴거시키고) 대신 주는 땅; 대토(代土). =代替地(だいたいち).

*__かえって__〖却って·反って〗副 도리어; 오히려; 반대로. ¶~安(やす)くつく 오히려 싸게 치이다/儲(もう)かるどころか~大損(だいそん)だ 벌기는커녕 도리어 큰 손해다.

かえて【替え手】图 교체하는 사람.

かえで〖楓〗图〔植〕단풍나무. =もみじ. ¶~紅葉(もみじ) 붉게 물든 단풍잎.

かえな【替え名】图 **1** 별명; 이명(異名). **2**〔劇〕배우가 맡은 역의 이름.

かえば【替え刃】图 갈아 끼우는 면도날. ¶かみそりの~ 면도칼의 여분의 날.

*__かえり__【帰り】《還り》图 돌아옴; 돌아

감; 돌아올 때; 귀로; 돌아오는 길. ¶外国～ 외국에서 (유학〔근무〕하고) 돌아옴〔돌아왔음〕/夫の～を待つ 남편의 귀가를 기다리다/～に日が暮れた 돌아오는 길에 해가 저물었다/～がおそい〔早い〕 돌아오는 게 늦다〔이르다〕/学校の～に本屋に寄る 학교(에)서 돌아오는 길에 책방에 들르다. ↔行き.

かえりうち【返り討ち】图 원수를 갚으려다가 도리어 (죽음을) 당함; 안고지는 일. ¶復讐戦で～に会う 복수전에서 도리어 당하다〔패하다〕.

かえりがけ【帰りがけ】图 돌아오는 길; 돌아올 때. =帰りしな. ¶～に立ち寄る 돌아오는 길에 들르다. ⇨=がけ.

かえりぐるま【帰り車】图 돌아가는 빈 차《주로 택시》. ¶～ですからお安く行きます 돌아가는 빈 차니까 싸게 모시겠습니다.

かえりざき【返り咲き】图 **1** 제철이 아닌 때에 꽃이 핌《특히, 봄꽃이 가을에 다시 피는 일》. =くるいざき. ¶秋に～の桜が咲く 가을에 철 아닌 벚꽃이 피다. **2** 복귀. =カムバック. ¶政界への～をねらう 정계 복귀를 노리다.

かえりざ-く【返り咲く】5自 **1** 제철 아닌 꽃이 피다. ¶桜が～ 벚꽃이 다시 피다. **2** 복귀하다; 컴백하다. ¶政界に～ 정계에 복귀하다.

かえりじたく【帰り支度】图 돌아갈 채비〔준비〕. ¶急いで～をする 서둘러 돌아갈 채비를 하다.

かえりしな【帰りしな】图 돌아갈 때; 돌아가는 길. =かえりがけ. ↔行きしな. ⇨=しな.

かえりしんざん【帰り新参】图 (그만둔 사람이) 다시 돌아와서 일함; 또, 그 사람. =出もどり.

かえりち【返り血】图 (칼로 상대를 베었을 때) 자기에게 튀어 오는 피. ¶～を浴びる (상대로부터) 튀어 나온 피를 뒤집어쓰다.

かえりてん【返り点】图 한문을 훈독할 때 한자 왼쪽에 붙여 아래에서 위로 올려 읽는 순서를 매기는 기호《レ, 一·二·三, 上·中·下, 甲·乙·丙 등》.

かえりばな【返り花】图 철이 지난 뒤에 피는 꽃; 제철 아닌 꽃. =狂い花.

かえりみ【顧み】图 **1** 뒤돌아봄. **2** 자신을 걱정함. **3** 돌봄. =世話. **4** 반성.

かえりみち【帰り道】《帰り路》图 귀로; 돌아오는 길. ¶～は大通りを行く 귀로는 큰길로 가다/～を急ぐ 귀로를 서두르다/今, 学校の～です 지금 학교에서 돌아오는 길입니다.

*__かえり-みる__【省みる】上1他 돌이켜보다; 반성하다. ¶日に三度わが身を～ 하루에 세 번 스스로를 돌이켜보다/過去のあやまちを～ 과거의 잘못을 반성하다.

*__かえり-みる__【顧みる】上1他 돌아보다. **1** 뒤돌아보다. ¶うしろを～ 뒤돌아보다. **2** 회고하다; 돌이켜보다. ¶昔を～ 옛날을 돌이켜보다/過ぎし半生を～ 지나온 반생을 돌이켜보다. **3** 돌보다. ¶身の危険も～·みない 신변의 위험도 개의치 않다/家庭を～暇が無い 가정을 돌볼 겨를이 없다.

—·みて他を言う (대답하기 거북하거나 싫을 때) 말머리를 돌려〔딴소리를 하여〕 얼버무리다.

かえりやみ【返り病み】图 병의 재발〔도짐〕; 또, 그 병.

__かえ-る__【返る】《還る》5自 **1 (본디 상태로) (되)돌아가다〔오다〕. ¶童心に～ 동심으로 돌아가다/もとの職業に～ 본래의 직업으로 돌아오다〔가다〕/正気に～ 본정신이 들다. **2** (본디 있던 곳으로) 되돌아오다. =もどる. ¶こだま〔忘れ物〕が～ 메아리가〔잃어버린 물건이〕 되돌아오다. **3**《動詞連用形에 붙어서》 완전히〔아주〕 …되다. ¶静まり～ 아주 조용해지다/あきれ～ 기가 막히다. 可能 かえ-れる 下1自

__かえ-る__【帰る】《還る》5自 돌아가다〔오다〕. **1 본디 장소로 다시 가다〔오다〕. ¶家に～ 집으로 돌아가다/古巣に～ 옛집으로 돌아가다. **2** 왔던 사람이 물러가다. ¶客が～ 손님이 돌아가다. 可能 かえ-れる 下1自

—·らぬ旅 돌아오지 못할 여행《죽음》. =死出の旅. ¶～に出る 다시 못 올 길을 떠나다《죽다》.

—·らぬ人 돌아올 수 없는 사람; 곧, 죽은 사람. ¶～となる 불귀(不歸)의 객이 되다.

かえ-る〖反る〗5自 뒤집히다; 젖혀지다; (앞뒤·상하가) 거꾸로 되다. ¶裾が～ 옷자락이 젖혀지다/ボートが～ 보트가 뒤집히다. 注意 '返る'로도 씀.

かえ-る〖孵る〗5自 부화하다; (알이) 깨다. ¶ひよこが～ 병아리가 부화하다.

__か-える__【変える】下1他 바꾸다. **1 변하다; 변화시키다. ¶顔色を～ 안색을 바꾸다/荒れ地を畑に～ 황무지를 밭으로 바꾸다. **2** 고치다; 변경시키다; 갈다. ¶心を～ 마음을 고치다/期日を～ 기일을 변경하다/主義を～·えない 주의를 바꾸지 않다. **3** (장소 따위를) 옮기다. ¶所を～ 장소를 옮기다. **4**《接尾語적으로》 고치다; 새로 하다. ¶書き～ 고쳐〔새로〕 쓰다.

**__か-える__【代える】下1他 대신하다; 대리하게 하다. ¶書面をもってあいさつに～ 서면으로써 인사를 대신하다/部長に～·えて課長を派遣する 부장을 대리하여 과장을 파견하다.

__か-える__【替える·換える】下1他 **1 바꾸다; 교환하다. ¶物を金に～ 물건을 돈으로 바꾸다/職業を～ 직업을 바꾸다/親切は金に～·えられない 친절은 돈으로 바꿀 수 없다/健康は何物にも～·え難い 건강은 그 무엇과

도 바꿀 수 없다. **2** 갈다. ¶ 畳の表を～ 다다미 겉을 갈다 / 井戸を～ 우물을 치다.

かえる〖蛙〗图〔動〕개구리. ＝かわず. ¶ ～の合唱 개구리의 합창 / 蛇に見こまれた～ 뱀이 눈독들인〔뱀 앞의〕개구리.

—の子は— 개구리 새끼는 개구리《부전(父傳)자전; 그 아비에 그 아들》.

—の面に水 개구리 낯짝에 물 붓기《어떤 처사를 당해도 태연함》.

かえるおよぎ【かえる泳ぎ】《蛙泳ぎ》图 개구리헤엄; 평영(平泳). ＝ひらおよぎ.

かえん【火炎】《火焔》图 화염; 불길; 불꽃. ＝ほのお. ¶ ～放射器 화염 방사기 / ～に包まれる 화염에 휩싸이다.

—びん【—瓶】图 화염병.

がえん-ずる〖肯んずる〗サ変他 수긍하다; 승낙하다 ＝がえんじる. ¶ 容易に～じない 쉽사리 승낙하지 않다.

****かお**【顔】图 **1** 얼굴. ㉠낯. ¶ ～を洗う 얼굴을 씻다; 세수하다 / ～を合わせる 얼굴을 (맞)대하다; 만나다. ㉡얼굴 표정; 기색; 눈치. ¶ 人待ち顔 누구를 기다리는 듯한 얼굴 / 何くわぬ～ 시치미 떼는 얼굴 / いやな～をする 불쾌한 얼굴을 하다 ㉢용모. ¶ きれいな〔美しい〕～ 예쁜 얼굴. ㉣사람; 인물. ¶ 新しい～ 새(로운) 얼굴. ㉤(구성원으로서의) 사람 수; 면면(面面). ¶ ひととおり～がそろってから始めよう 대충 멤버들이 모인 다음에 시작하자. ㉥안면; 잘 알려진 이름·명성. ¶ ～の売れた芸人 유명한 연예인 / ～をきかす 얼굴〔안면〕을 팔다 / 彼はこの辺で～だ 그는 이 부근에서 알아주는 사람이다. **2** 체면; 면목; 낯. ¶ ～が立つ 낯〔체면〕이 서다 / 合わす～がない 대할 낯이 없다; 면목이 없다 / 私の～が丸つぶれだ 내 체면이 말이 아니다. **3**『大きな～』젠 체함; 뽐냄. ¶ 大きな～をする 젠〔난〕체하다; 뽐내다. **4**《接尾語적으로》…한 모양; …체함; 짐짓 …행세를 함. ¶ 知らん～ 모르는 체함 / 得意顔 의기양양함; 우쭐함 / 主人顔をする 주인 행세를 하다.

—が売れる 얼굴이 팔리다《유명해지다》. ¶ テレビで顔が売れている 텔레비전으로 얼굴이 팔려〔알려져〕있다.

—が利く 얼굴이 (알려져 잘) 통하다.

—がつぶれる 체면이 깎이다.

—が広い 얼굴〔발〕이 넓다; 잘 알려지다. ¶ 財界に～ 재계에 잘 알려져 있다.

—にかかわる 체면에 관계되다.

—に泥を塗る 얼굴에 먹칠을 하다. ¶ 親の～ 부모의 얼굴에 먹칠을 하다.

—を売る 얼굴을 팔다; 널리 알려지게 하다. ¶ 選挙に備えて早くから顔を売っておく 선거에 대비하여 일찌감치 얼굴을 알려 놓다.

—を貸す (부탁을 받고) 만나다; 남의 앞에 나가다. ¶ ちょっと顔をかしてくれ 잠깐 나가서 얘기 좀 하세; (깡패 사이의 용어로) 나 좀 봅시다.

—を拵える 화장을 하다; 얼굴을 꾸미다.

—を出す 얼굴을 내밀다. ¶ パーティーにちょっとだけ～ 파티에 잠깐만 얼굴을 내밀다.

—を作る 얼굴을 꾸미다; 화장하다.

—をつなぐ 지면(知面) 관계를 이어가다. ⇨かおつなぎ.

—をつぶす 체면을 손상하다〔잃다〕.

—を振る **1** 얼굴을 돌리다; 외면하다. **2** 거부나 부정의 표시로 고개를 젓다.

—を汚す 체면을 손상하다. ＝顔に泥を塗る. ¶ 紹介してくれた人の～ 소개해 준 이의 체면을 손상시키다.

かおあわせ【顔合わせ】图ス自 **1** (첫) 대면; 또, (첫) 회합. ¶ 初～ 첫 대면〔모임〕. **2** (연극·영화에서) 공연(共演). **3** (씨름 따위의) 대전(對戰). ¶ 強敵と～をする 강적과 대전하다.

かおいろ【顔色】图 안색; 얼굴빛; 표정. ¶ ～が悪い 안색이 나쁘다 / ～が変わる 얼굴빛이 변하다 / ～を変える 안색을 바꾸다 / すぐ～に出る 곧 얼굴〔표정〕에 나타나다.

—をうかがう〔見る〕안색을 살피다《눈치를 보다〔살피다〕》. ＝顔色を読む.

(足利尊氏)

かおう【花押】《華押》图 화압; 수결(手決). ＝書き判.

かおかたち【顔形】《顔貌》图 얼굴 생김새; 용모. ¶ ～のととのった女 얼굴 생김새가 반듯한 여자 / 端正な～ 단정한 용모.

(徳川家康)
〔花押〕

かおきき【顔利き】图 (어떤 방면에) 잘 알려져 있고 세력이 있는 사람. ¶ 町内の～ 읍내의 유력가〔유명 인사〕.

***かおく**【家屋】图 가옥; 집. ＝家. ¶ ～を修理する 가옥을 수리하다. 參考 '一戸…' '一軒…' '一棟…' 등으로 셈.

カオス〔그 khaos〕图 카오스; 혼돈; 혼란. ＝混沌. ↔コスモス.

かおだし【顔出し】图ス自 (회합 같은 데에) 얼굴을 내밂; (잠깐) 출석함; 인사하러 감. ¶ 大した用はないがちょっと～をする 별 볼일은 없지만 잠깐 얼굴을 내밀다 / 忙しくて～もできない 바빠서 얼굴을 내밀지도 못하다.

かおだち【顔だち】《顔立ち》图 얼굴 모습〔생김새〕; 용모; 이목. ¶ 上品な～ 고상한〔점잖은〕용모 / 男らしい～ 남자다운 생김새. 參考 흔히 칭찬하는 경우에 씀.

***かおつき**【顔付き】图 **1** 얼굴 생김새; 용모. ¶ ～のわるい女 못생긴 여자. 參考 좋은 뜻으로는 잘 안 씀. **2** 표정; 얼굴. ＝かおいろ. ¶ おそろしい～ 무서운 얼굴 / 泣きそうな～ 울 것같은 표정 / 変な～をする 이상한 표정을 짓다.

かおつなぎ【顔つなぎ】《顔繋ぎ》图ス自 **1** (관계를 유지하거나 안면을 익히기 위

해) 방문하거나 참석함. ¶～に訪問(ほうもん)する 안면을 익히기 위해 방문하다. **2** (모르는 사람을) 소개함; 대면시켜 줌. ¶僕(ぼく)が～をした 내가 소개해 주었다.

かおなじみ【顔なじみ】《顔馴染み》 名 서로 잘 앎; 낯익은 사이; 친지. ¶～の客(きゃく) 낯익은 손 / いつの間(ま)にか～になった 어느새 친숙하게 되었다.

かおぶれ【顔ぶれ】《顔触れ》 名 (사업이나 모임에) 참가한 사람들; 면면; 멤버. ¶新内閣(しんないかく)の～ 새 내각의 면면 / ～がそろう 멤버가 다 모이다.

かおまけ【顔負け】 名スル自 무색해짐. ¶くろうと～の歌(うた)いっぷり 전문가가 무색할 정도의 노래 솜씨 / おとなも～だ 어른도 무색할 정도다 / 彼(かれ)の図々(ずうずう)しさには～だ 그의 뻔뻔스러움에는 정말 손들었다.

かおみしり【顔見知り】 名 안면이 있음; 아는 사이; 지면(知面). ¶～の犯行(はんこう) (평소) 안면 있는 사람의 범행 / 彼(かれ)とは～だ 그와는 안면이 있다.

かおみせ【顔見せ】 名 첫선을 보임. **1** (많은 사람에게) 처음으로 얼굴을 보임. ¶新役員(しんやくいん)が～をした 새 임원이 첫선을 보였다. **2**【顔見世】일단의 배우가 모두 나와서 관객에게 얼굴을 보임. ＝かおぶれ. ¶～興行(こうぎょう) 첫선 흥행.

かおむけ【顔向け】 名スル自 대면(對面); 대할 낯.
――ができない 부끄러워 얼굴을 마주 대할 수가 없다; 대할 낯이 없다. ¶こんな成績(せいせき)ではお母(かあ)さんに～ 이런 성적으로는 어머니를 대할 낯이 없다.

かおやく【顔役】 名 (그 지방·사회에서) 세력·명성이 있는 사람; 유지; 유력자《특히, 협객·노름꾼에 대해 일컫는 수가 많음》. ¶町内(ちょうない)の～に口(くち)をきいてもらう 동네 유지의 알선을 받다.

かおよごし【顔汚し】 名 체면 손상; 또, 그러한 짓을 하는 사람. ＝面(つら)よごし. ¶師匠(ししょう)の～ 스승의 체면을 깎음; 또, 그런 제자.

かおり【薫り·香り】 名 향기; 좋은 냄새. ¶～の高(たか)い花(はな) 향기 높은 꽃 / よい～がする 좋은 냄새가 나다 / 香水(こうすい)の～がただよう 향수 냄새가 풍기다〔감돌다〕.

かおりたか-い【薫り高い·香り高い】 形 **1** 향기 높다. **2** 가락이 고상하다; 격조 높다. ¶～文章(ぶんしょう) 격조 높은 문장.

かお-る【香る】 5自 향기가 나다; 좋은 냄새가 풍기다. ¶バラの花(はな)が～ 장미꽃 향기가 풍기다.

かお-る【薫る】《馨る》 5自 상쾌하게 느껴지다. ¶風(かぜ)～五月(ごがつ) 훈풍의 오월.

かか［呵呵］ 副 가가; 큰 소리로 웃는 모양. ＝あはは. ¶～大笑(たいしょう)する 가가대소하다; 크게 소리 내어 웃다.

がか【画家】 名 화가. ＝えかき. ¶日曜(にちよう)～ 일요화가.

がか【画架】 名 화가. ＝イーゼル.

がが［峨峨］ トタル 아아; (산 같은 것이) 험하게 우뚝 솟아 있는 모양. ¶～たる山脈(さんみゃく) 우뚝 치솟은 산맥.

かかあ〚嚊·嬶〛 名 〈俗〉 아내; 마누라《자기 아내나 남의 아내를 무간하게 일컫는 말》. ＝おっかあ. ¶うちの～ 우리 마누라. ↔宿六(やどろく).
――でんか【――天下】 名 내(內)주장; 엄처시하. ↔亭主関白(ていしゅかんぱく).

かがい【加害】 名 가해. ↔被害(ひがい).
――しゃ【――者】 名 가해자. ↔被害者(ひがいしゃ).

かがい【課外】 名 과외. **1** 정해진 과정 이외. ¶～活動(かつどう)〔授業(じゅぎょう)〕 과외 활동〔수업〕. **2** (관청 등의) 과(課)의 외부. ¶～の人(ひと)は立(た)ち入(い)り禁止(きんし) 과외의 사람은 출입을 금지함. ↔課内(かない).

がかい［瓦解］ 名スル自 와해. ¶内閣(ないかく)が～する 내각이 와해되다.

かかえ【抱え】 一名 **1** ☞おかかえ. **2** 기한을 정해서 고용한 기생·창녀. ↔自前(じまえ). 二接尾 아름. ¶一(ひと)～ 한 아름 / 三(み)～ 세 아름 / ふた～もある大木(たいぼく) 두 아름이나 되는 거목.

かかえこ-む【抱え込む】 5他 **1** (양팔로) 껴안다; 안다; 부둥켜안다. ＝だきこむ. ¶大(おお)きな荷物(にもつ)を～ 큰 짐을 껴안다. **2** (많은 것을) 떠맡다; 떠안다. ＝しょいこむ. ¶たくさんの仕事(しごと)を～ 많은 일을 떠맡다 / 借金(しゃっきん)を～ 빚을 떠안다 / 難問(なんもん)を～ 어려운 문제를 떠안다.

***かか-える【抱える】** 下1他 **1** (껴)안다. ㉠팔에 안다; 부둥키다. ¶荷物(にもつ)を～ 짐을 안다 / まきの束(たば)を～ 장작 다발을 껴안다. ㉡끼다. ¶書物(しょもつ)を数冊(すうさつ)小(こ)わきに～·えて 책 몇 권을 겨드랑에 끼고. ㉢(팔로) 감싸 쥐다. ¶頭(あたま)を～ 머리를 싸쥐다〔싸쥐고 고민하다〕/ 腹(はら)を～·えて笑(わら)う 배를 움켜잡고 웃다. **2** (돌볼 일을) 책임지다; 떠안다. ¶妻子(さいし)を～ 처자를 거느리다 / 負債(ふさい)を～·えている 부채를 떠안고 있다. **3** 고용하다. ¶運転手(うんてんしゅ)を～ 운전수를 고용하다 / 大勢(おおぜい)の店員(てんいん)を～·えている大店(おおみせ) 많은 점원을 두고 있는 큰 상점.

カカオ［cacao］ 名〔植〕 카카오.

***かかく【価格】** 名 가격. ＝ねだん·プライス. ¶適正(てきせい)～ 적정 가격 / 米(こめ)の～を上(あ)げる 쌀값을 올리다 / ～の低下(ていか)をもたらす 가격 저하를 초래하다.
――カルテル［도 Kartell］ 名〔經〕 가격 카르텔. ＝価格協定(かかくきょうてい).
――はかい【――破壊】 名 가격 파괴.

かかく【過客】 名 과객. **1** 내객(來客). **2** 길손; (지나가는) 나그네. ＝たびびと.

***かがく【化学】** 名 화학. ¶～者(しゃ) 화학자 / 生(せい)～ 생화학 / 有機(ゆうき)〔無機(むき)〕～ 유기〔무기〕 화학 / ～薬品(やくひん)〔工業(こうぎょう)〕 화학 약품〔공업〕. ⇨科学(かがく).
――きごう【――記号】 名 화학〔원소〕 기호.
――せいぶつへいき【――生物兵器】 名 화학 생물 무기. ＝シービー兵器(へいき).
――せん【――戦】 名 화학전.
――ちょうみりょう【――調味料】 名 화학 조미료.

—てき【—的】ダナ 화학적. ¶～性質(せいしつ)〔刺激(しげき)〕 화학적 성질〔자극〕/～な変化(へんか) 화학적인 변화.

—てきさんそようきゅうりょう【—的酸素要求量】名 화학적 산소 요구량. ＝COD(シーオーディー). 参考 chemical oxygen demand의 역어.

—へんか【—変化】名 ス自 화학 변화. ↔物理(ぶつり)変化(へんか).

⁑かがく【科学】名 과학. ＝サイエンス. ¶～者(しゃ) 과학자/～の力(ちから) 과학의 힘/～が進(すす)む 과학이 진보하다. 参考 '化学(かがく)'와 발음이 같으므로 '化学'를 'ばけ学(がく)', '科学'를 'サイエンスの科学'로 구별하기도 함.

—えいせい【—衛星】名 과학 위성.

—ぎじゅつ【—技術】名 과학 기술. ¶～においては後(おく)れを取(と)らない 과학 기술에서는 뒤지지 않는다.

—てき【—的】ダナ 과학적. ¶～に考(かんが)える 과학적으로 생각하다/～捜査(そうさ)〔根拠(こんきょ)〕 과학적 수사〔근거〕.

—りっこく【—立国】名 과학 입국. ¶～を目指(めざ)す 과학 입국을 지향하다.

かがく【価額】名 가액; 값.

ががく【雅楽】名 아악. ¶～を演奏(えんそう)する 아악을 연주하다. 参考 본디, 속악(俗樂)에 대해서 '바른 음악'의 뜻.

かか-げる【掲げる】下1他 1 내걸다. ㉠달다; 게양하다. ¶旗(はた)を～ 기를 달다/看板(かんばん)を～ 간판을 내걸다. ㉡내세우다; 싣다; 게재하다. ¶スローガンを～ 슬로건을 내걸다/理想(りそう)を～ 이상을 내세우다/発刊(はっかん)の主旨(しゅし)を巻頭(かんとう)に～ 발간의 주된 취지를 권두에 싣다. 2 들다; 언급하다. ¶第三条(だいさんじょう)に～げた費用(ひよう) 제 3 조에 언급한 비용.

かかし〖案山子〗名 1 허수아비. ＝おどし. ¶一本足(いっぽんあし)の～ 외다리(로 서 있는) 허수아비. 2 외견상 훌륭하나 무능한 사람; 굴퉁이. ＝見(み)かけだおし.

かか-す【欠かす】5他 1 빠뜨리다; 거르다. ¶一日(いちにち)も体操(たいそう)を～さない 하루도 체조를 거르지 않다/朝(あさ)の散歩(さんぽ)を～したことがない 아침 산책을 거른 일이 없다/毎日(まいにち)～さず練習(れんしゅう)する 매일 거르지 않고 연습한다/～ことが出来(でき)ない 빠뜨릴 수 없다; 없어서는 안 되다. 参考 대개 다음에 否定의 말이 따름. 2 결(여)하다. ¶義理(ぎり)を～ 의리가 없다. 可能 かか-せる 下1自

かかずら-う〖拘う〗5自 1 (귀찮은 일 따위에) 관련되다; 관계되다. ¶裁判(さいばん)に～ 재판〔송사〕에 관련되다. 2 구애되다. ＝こだわる. ¶小事(しょうじ)に～ 자질한 일에 구애되다.

かかせない【欠かせない】連体 빠뜨릴 수 없는; 없어서는 안 될.

かが-せる〖嗅がせる〗下1他 냄새 맡게 하다. ¶役人(やくにん)に鼻薬(はなぐすり)を～ 관리에게 약간의 뇌물을 쥐어 주다/においだけ～ 냄새만 맡게 하다.

かかと〖踵〗名 1 발뒤꿈치. ＝きびす·くびす. ¶～を上(あ)げる 발뒤꿈치를 들다. 2 (신발의) 뒤축. ¶～の高(たか)い靴(くつ) 굽 높은 구두/靴(くつ)の～をつぶす 구두 뒤축을 찌그러뜨리다/靴の～が減(へ)る 구두 뒤축이 닳다. 注意 'かがと'라고도 함.

かがま-る〖屈まる〗5自 (허리 따위가) 구부러지다; 웅크리다. ＝かがむ. ¶～·った腰(こし) 굽은 허리.

⁑かがみ【鏡】名 1 거울. ¶手(て)～ 손거울/～に映(うつ)った姿(すがた) 거울에 비친 모습/～をのぞく 거울을 들여다보다. 2 《본디 鑑·鑒로도》 모범; 귀감(龜鑑); 거울. ¶武人(ぶじん)の～ 무인의 귀감/人(ひと)の失敗(しっぱい)を我(わ)が身(み)の～とする 남의 실패를 자신의 거울로 삼다. 3 술통 뚜껑. ¶～をぬく 술통 뚜껑을 열다〔따다〕.

かがみこ-む【かがみ込む】《屈み込む》5自 몸을 구부려 웅크리다. ＝しゃがみこむ.

かがみびらき【鏡開き】名 설에 床(とこ)の間(ま)에 차려 두었던 鏡(かがみ)もち를 쪼개서 먹는 일《정월 11일(옛날에는 20일)에 행함》. ＝鏡割(かがみわ)り. 参考 '開(ひら)く'는 '割(わ)る'를 기(忌)하는 말.

かがみもち【鏡もち】《鏡餅》名 신불(神佛)에게 바치거나, 설에 床(とこ)の間(ま)에 차려 두는 둥글납작한 대소(大小) 두 개의 포갠 떡. ＝おかがみ·おそなえ.

*かが-む〖屈む〗5自 1 구부러지다; 굽다. ¶腰(こし)が～·んだ老人(ろうじん) 허리가 굽은 노인/寒(さむ)さで手(て)が～ 추위로 손이 곱다. 2 (몸을) 구부리다; 굽히다. ¶低(ひく)い門(もん)を～·んで通(とお)り抜(ぬ)ける 낮은 문을 몸을 굽혀서 빠져나가다. 3 웅크리다. ＝しゃがむ. ¶道(みち)ばたに～ 길가에 웅크리다. 可能 かが-める 下1自

かが-める〖屈める〗下1他 구부리다; 굽히다. ¶腰(こし)を～·めて花(はな)を摘(つ)む 허리를 굽혀 꽃을 따다. ↔伸(の)ばす.

*かがやかし-い【輝かしい】《耀かしい》形 빛나다; 훌륭하다. ¶～未来(みらい) 빛나는 미래/～成果(せいか)をおさめる 빛나는 성과를 거두다.

⁑かがや-く【輝く】《耀く》5自 (눈부시게) 빛나다; 반짝이다. ¶～瞳(ひとみ) 반짝이는 눈동자/希望(きぼう)に～生活(せいかつ) 희망에 빛나는 생활/空(そら)に～星(ほし) 하늘에 반짝이는 별/太陽(たいよう)が～ 태양이 빛나다/勝利(しょうり)の栄冠(えいかん)に～ 승리의 영관에 빛나다/子供(こども)たちの目(め)は～·いていた 어린이들의 눈은 반짝이고 있었다.

⁑かかり【係り】名 1【係】담당; 계(係); 계원. ¶～官(かん) 담당관/～の人(ひと)〔者(もの)〕 담당자/これは僕(ぼく)の～ではない 이것은 내 담당이 아니다. ⇨=がかり(係). 2 관계; 관련. ¶なんのゆかりも～もない 아무 인연도 관계도 없다.

⁑かかり【掛かり】名 1 비용; 씀씀이. ¶(何(なに)かと)～がかさむ (여러 가지로) 비용이 많이 들다. 2 공격; (바둑에서, 귀에) 걸침. ¶～の石(いし) 걸친 돌/高(たか)がか

り 높은 걸침. **3** 걸려듦; (특히, 물고기의) 걸림(새); 또, (낚싯바늘의) 미늘. ¶魚の～がよい 물고기가 잘 걸리다. **4** 발동·시동이 걸림. ¶エンジンの～が悪い 엔진의 시동이 잘 안 걸리다.

かがり〖篝〗图 **1** 'かがりび'의 준말. **2** 화톳불을 담아서 피우는 쇠바구니.

=がかり【係】**1** (일반적인) …계(원); 담당(자). ¶受付～ 접수계(원) / 案内～ 안내계(원). **2**【掛】(흔히 철도 관계에서) …계(원); 담당(자). ¶出札～ 매표계 / 改札～ 개표계.

=がかり【掛かり】**1**《수를 나타내는 말에 붙어》 그만한 수가 필요함을 나타냄. ㉠(일에 …사람이) 듦; …이서 함. ¶五人～でする 다섯 사람이 하다. ㉡(며칠) 걸려서 함. ¶三日～の旅行 사흘간에 걸친 여행 / 五日～でする 닷새 걸려서 하다. **2** 신세를 짐; 부양을 받음. ¶親～ 부모 신세를 지고 있는 처지. **3** …하는 길〔김〕. ¶通り～に寄った 지나는 길에 들렀다.

かかりあい【掛かり合い】图 **1** 관계; 관련. ¶私には何の～もないことだ 내겐 아무런 관련도 없는 일이다. **2** 말려듦; 연루. =まきぞえ. ¶事件の～になる 사건에 말려들다〔연루되다〕.

かかりあ-う【掛かり合う】5自 **1** 관계하다; 상관하다. ¶つまらぬことに～ 쓸데없는 일에 관계하다. **2** 연루되다; 말려〔걸려〕들다.

かかりいん【係員】图 계원; 담당자. ¶詳細は～に尋ねること 상세한 것은 계원에게 물을 것.

かかりきり【掛かり切り】图 그 일에만 관계함〔전념함, 매달림〕. =かかりっきり. ¶病人に～ 환자에만 (늘) 붙어 간호함 / 育児に～になる 육아에만 얽매이다 / 朝から大掃除に～だ 아침부터 대청소에만 매달려 있다.

かかりき-る【掛かり切る】5自 그 일에만 관계하다〔매달리다〕. ¶子供の世話に～・ってもいられない 아이를 돌보는 데만 매달려 있을 수도 없다.

かかりちょう【係長】图 계장. ¶人事～ 인사 계장.

かかりつけ【掛かり付け】图 언제나 그 의사의 진찰·치료를 받는 일. ¶～の医者 단골 의사.

かがりび【かがり火】《篝火》图 화톳불. =かがり. ¶～を焚く〔燃やす〕 화톳불을 피우다.

かか-る【係る】5自 **1**《본디 繫る로도》 관계되다; 관련되다. ¶本件に～訴訟 본건에 계속(繫屬)된 소송 / 名誉に～ 명예에 관계되다 / そりゃ首に～問題だ 그건 목이 걸린 문제다. **2** (문법에서) 다음 말에 걸리다. ¶この語は動詞に～ 이 말은 동사에 걸린다. ↔受ける. 可能 かか-れる 下1自

かか-る【懸かる】5自 걸리다. **1** (허공에) 멈춰 있다; 위치하다. ¶月が中天に～ 달이 중천에 걸리다〔뜨다〕. **2** (현상 등이) 붙다. ¶優勝が～・った一番 우승이 걸린 한 판. 可能 かか-れる 下1自

かか-る【掛かる】5自 **1** 걸리다. ㉠《흔히 '～・っている'의 꼴로》 (매)달리다; 늘어져 있다. ¶床の間に～・っている軸物 床の間에 걸려 있는 족자 / 風鈴が軒に～・っている 풍경이 처마에 (매)달려 있다. ㉡(사람들 눈에 띄게) 내걸리다. ¶壁に絵が～・っている 벽에 그림이 걸려 있다 / 獄門に～ (죄인의 목이) 옥문에 내걸리다; 효수(梟首)되다. 注意 ㉠㉡은 '懸かる'로도 씀. ㉢(술수·암수에) 걸려들다; 빠지다; 잡히다. ¶もちざおに～・ったせみ 끈끈이 장대에 걸린 매미 / 計略に～ 계략에 걸리다 / 網に魚が～ 그물에 물고기가 걸리다 / 敵の手に～・って殺される 적의 손에 걸려 죽음을 당하다. ㉣《懸かる로도》 (마음에서 떠나지 않고) 거리끼다. ¶子の将来が心に～ 자식의 장래가 마음에 걸리다. ㉤(자물쇠·단추 등이) 채워지다; 잠기다. ¶ホックがうまく～・らない 호크가 잘 걸리지〔채워지지〕 않는다. ㉥(날짜·시간·비용 등이) 소요되다; 들다. ¶時間が～ 시간이 걸리다 / 改装に百万円～ 개장에 백만 엔 들다. ㉦상대하다; 맞서다. ¶彼に～・っちゃかなわない 그에게 걸리면 못 당한다. ㉧《架かる로도》 가설되다; 놓이다; 통하다. ¶橋が～ 다리가 놓이다 / 電話が～ 전화가 걸리다〔가설되다〕. ㉨《懸かる로도》 중요한 갈림길이 되다; (부담·책임 따위가) 짊어지워지다. ¶国の運命が双肩に～・っている 나라의 운명이 양어깨에 걸려 있다. ㉩작용이 미치다; 힘이 가해지다. ¶詐欺に～ 사기에 걸리다 / 拍車が～ 박차가 가해지다 / ブレーキが～・らない 브레이크가 걸리지 않다 / エンジンが～ 엔진에 시동이 걸리다. **2** 덤비다; 대들다; 공격하다. ¶素手で～ 맨손으로 덤비다 / さあ～・って来い 자 덤벼들어라. 注意 본디 '繫かる'. **3** 한층 세련되다. ¶芸に磨きが～ 예능이 더 한층 세련되다. **4** 공이 들다; 필요로 하다. ¶手が～仕事 손이 가는 일. **5** (저울에) 달리다. ¶重すぎてはかりに～・らない 너무 무거워 저울에 달 수가 없다 / 一貫目は～ (무게가) 한 관은 나간다. **6** 오르다. ㉠상정되다. ¶議題が会議に～ 의제가 회의에 오르다. ㉡화제가 되다. ¶人の口に～ 남의 입에 오르다. ㉢상연되다. ¶芝居が～ 연극이 상연되다 / 処女作が舞台に～ 처녀작이 무대에 오르다. **7**《懸かる로도》 (의사에게) 보이다; 진찰을 받다. ¶医者に～ 의사의 진찰을〔치료를〕 받다. **8** 관계하다; 종사하다; …하고 있다. ¶今～・っている仕事 지금 관계하고 있는 일 / 当社の経営に

~ホテル 당사가 경영하는 호텔. 注意 '…하고 있다'의 뜻일 때에는 懸かる로도 씀. **9** 다루어지다. ㉠처리되다. ¶計算機に~ようなデータ 계산기로 처리될 수 있을 만한 데이터. ㉡판가름하다. ¶裁判に~ 재판에 걸리다〔회부되다〕. **10** 부과되다; 과(課)해지다. ¶税金が~ 세금이 부과되다. **11** 의지하다. ㉠기대다. ¶まだ親に~身 아직 부모 슬하에 있는 몸/女にもたれ~ 여자에게 기대다〔의지하다〕/老後は次男に~つもりだ 노후에는 작은아들에게 의지할 작정이다. ㉡부담지워지다. ¶一家の生計は父親に~ 집안 생계는 아버지에 의지하고 있다. **12** 튀다; 뒤집어쓰다. ¶ズボンにどろ水が~ 바지에 흙탕물이 튀다/とばっちりが~ (a)물똥이 튀다; 물벼락을 맞다; (b)말려들다; 언걸을 입다. **13** (기미를) 띠게 되다. ¶赤に少し青が~ 빨강에 약간 푸른 기를 띠다/黒みがかる 거무스름해지다. **14** (누 따위의) 끼침을 당하다. ¶迷惑が~ 폐가 되다; 누가 끼쳐지다. **15** (힘 따위가) 더 붙다; 오르다. ¶馬力が~ 마력이 붙다; 능률이 더 오르다/支柱に圧力が~ 지주에 압력이 가해지다. **16** 접어들다; …에 이르다〔다다르다〕. ¶汽車が鉄橋に~ 기차가 철교에 이르다. **17**《動詞의 連用形에 붙어》 ㉠막〔마침〕…하다. ¶そこへ自動車が通り~·った 그때에 자동차가 막 지나쳤다. ㉡바야흐로 …하게 되다; …하려 하다. ¶死に~ (막) 죽어가다/溺れ~ (막) 물에 빠지려 하다/日が暮れ~ 날이 저물어 가다. 可能かか-れる 下1自

かか-る【架かる】 5自 (다리·철도 등이) 가설되다; 놓이다. ¶橋が~ 다리가 놓이다/電線が~ 전선이 가설되다.

*__かか-る〚罹る〛__ 5自 (병·재난 따위에) 걸리다. ¶病気〔マラリア〕に~·って死ぬ 병〔말라리아〕에 걸려 죽다/盗難に~ 도둑 맞다; 도난당하다/火災に~ 화재를 입다.

かが-る〚縢る〛 5他 (실·끈 따위로) 사뜨다; 휘갑치다. ¶ボタン穴を~ 단춧구멍을 사뜨다/ そで口のほつれを~ 소맷부리의 해진 데를 (실로) 감치다. 可能かが-れる 下1自

=がか-る 《五段活用의 動詞를 만듦》 **1** …비슷하게 되다. ¶芝居~·った動作 신파조의 동작 /不良~ 불량기를 띠다/左翼~·っている 좌익 색채를 띠고 있다. **2** …(의) 빛을 띠게 되다. ¶やや青み~·った生地 약간 푸른빛을 띤 천〔옷감〕.

かがわ【香川】 图〔地〕四国 동북부의 현《현청 소재지는 高松》.

*__かかわらず〚拘らず〛__ 連語《'に(も)'를 받아서》(…에) 관계없이; …에도 불구하고; 무릅쓰고. ¶この寒さにも~泳ぎに行く 이 추위에도 불구하고 헤엄치러 가다/晴雨に~決行する 청우〔날씨〕에 관계없이 결행하다.

かかわり〚係わり〛 图 관계; 상관. ¶彼女とはなんの~もない 그녀와는 아무런 상관이 없다/深い~を持つ 깊은 관계를 갖다. 注意 본디 '関わり'로도 썼음.

*__かかわ-る〚係わる〛__ 5自 **1**《본디 関わる로도》관계되다; 상관하다. ¶~·り合う 서로 관계〔연관〕되다/命に~ことだ 목숨에 관계되는 일이다/私などの~·り知る所ではない 나 따위가 상관할 바는 아니다. **2**《본디 拘わる로도》구애되다. =こだわる·なずむ. ¶つまらぬことに~な 쓸데없는 일에 구애되지 마라/旧習に~·らない 구습에 구애되지 않다.

かかん【果敢】 ダナ 과감. ¶~な盗塁 과감한 도루/~に立ち向かう 과감히 맞서다.

かかん【花冠】 图〔植〕화관; 꽃부리. =花びら. ¶十字形~ 십자형 화관.

かき【垣】《墻》图 울타리; 담. =かきね. ¶石垣 돌담/庭に~をめぐらす 뜰에 울타리를 두르다. 「=壁に耳.
—に耳 담에도 귀; 비밀은 새기 쉬움.

かき〚柿〛 图〔植〕감(나무). ¶桃栗三年~八年 복숭아나무나 밤나무는 심은 지 3년, 감나무는 8년 만에 열매를 맺는다는 말.

かき〚牡蠣〛 图 굴(조개); 모려. =オイスター·ぼれい. ¶~養殖 굴 양식/生がき 생굴.

かき【夏季】 图 하계; 여름철. ¶~の風物 하계의 풍물. ↔冬季.

かき【夏期】 图 하기; 여름 기간. ¶~講習 하기 강습. ↔冬期.
—きゅうか【—休暇】 图 하기휴가.

かき【火器】 图 화기. **1** 불을 담는 그릇. =火入れ. **2** 총포류의 총칭. ¶自動~ 자동 화기.

かき【火気】 图 **1** 화기; 불기(운). =火のけ. ¶~厳禁 화기 엄금/ストーブの~が強まる 난로의 화기가 달아오르다/~が衰える 불기운이 약해지다. **2** 화력. ¶~が強い 화력이 세다.

かき[花卉] 图 화훼; 화초. =草花. ¶~園芸 화훼 원예/~栽培 화초 재배. 参考 '卉'는 풀의 총칭.

かき【花器】 图 화기; 꽃꽂이 그릇. =花いれ·はないけ.

かき【下記】 图 하기. ¶詳細は~の通り 상세한 것은 하기와 같음. ↔上記.

かき=〚掻き〛《動詞에 붙여서》어세(語勢)를 세게 하는 데 씀. ¶~分ける (좌우로) 밀어 헤치다/~くどく 연해 설득하다/~曇る 갑자기 흐려지다.

*__かぎ〚鉤〛__ 图 **1** 갈고랑이. ¶~で引っ掛ける 갈고랑이로 걸다. **2** 인용어(引用語)를 싸는 갈고리 모양의 괄호(「 」). =かぎかっこ.

かぎ【鍵】名 열쇠. =キー. ¶~束 열쇠 꾸러미 / ~であける 열쇠로 열다 / ~をさしこむ 열쇠를 지르다 / 事件の~を握る 사건의 열쇠를 쥐다. 参考 '錠(=자물쇠)'의 뜻으로 잘못 쓰이는 일도 있음. ¶~をかける 자물쇠를 걸다.

がき【餓鬼】名 1〔佛〕아귀. 2〈俗〉어린아이를 낮추어서 욕하는 말: 개구쟁이. ¶うちの~ 우리집 개구쟁이 / この~め 이 개구쟁이 놈〔녀석〕아.

—だいしょう【—大将】名 골목대장.

かきあげ【かき揚げ】《掻き揚げ》名 튀김의 하나《잘게 썬 조개관자·새우·야채 등을 밀가루 반죽에 버무려 튀긴 요리》.

かきあ-げる【かき揚げる】《掻き揚げる》下1他 (늘어진 것을) 그러올리다; 쓸어올리다. ¶ほつれ髪を手で~ 흐트러진 머리를 손으로 쓸어 올리다.

かきあ-げる【書き上げる】下1他 1 다 쓰다. ¶論文を~ 논문을 다 쓰다 / 長編を~ 장편을 완성하다. 2 조목조목 들어서 쓰다. ¶要求事項を全部~ 요구 사항을 조목조목 다 쓰다.

かきあつ-める【かき集める】《掻き集める》下1他 (단번에) 그러모으다; 긁어모으다. ¶資金を~ 자금을 그러모으다 / 落ち葉を~ 낙엽을 긁어모으다.

かぎあ-てる【かぎ当てる】《嗅ぎ当てる》下1他 냄새를 맡아 알아맞히다; 비유적으로, 알아〔찾아〕내다. ¶犯人の隠れ家を~ 범인이 숨어 있는 집을 찾아내다 / かれの思わくを~ 그의 의도를 알아내다.

かぎあな【かぎ穴】《鍵穴》名 열쇠 구멍. ¶~からのぞく 열쇠 구멍으로 들여다보다〔엿보다〕.

かきあやまり【書き誤り】名 잘못 씀; 오기.

かきあやま-る【書き誤る】5他 잘못 쓰다; 오기하다. ¶あて名を~ 상대방 주소를 잘못 쓰다.

かきあらた-める【書き改める】下1他 고쳐 쓰다; 개서(改書)하다. =書き直す. ¶記事を~ 기사를 고쳐 쓰다.

***かきあらわ-す**【書き表わす】5他 글이나 그림으로 쓰거나 그려서 나타내다. ¶文章で~·しようのない景色 글로 나타낼〔표현할〕 수 없는 경치 / 感謝の念は筆では~·せない 감사하는 마음은 붓으로는 표현할 수 없다.

かきあわ-せる【かき合わせる】《掻き合わせる》下1他 여미다. =つくろう. ¶えりを~ 옷깃을 여미다.

かきいだ-く【かき抱く】《掻き抱く》5他 꽉〔힘껏〕 껴안다. =かき抱く. ¶わが子をひしと~ 내 아들을 꽉 껴안다. 参考 '抱く'의 힘줌말.

かきいれ【書き入れ】名 1 (보태서) 써넣음; 기입; 또, 그 글자. ¶欄外に~をする 난외에 써넣다. 2 '書き入れ時'의 준말. ¶デパートは歳末が~だ 백화점은 연말이 대목이다.

—どき【—時】名 이익·매출이 아주 많을 때; 대목 때. =もうけどき. ¶秋は農家の~だ 가을은 농가가 (추수로) 바쁜 철이다.

かきい-れる【書き入れる】下1他 써넣다; 기입하다. ¶手帳にメモを~ 수첩에 메모를 써넣다.

かきうつ-す【書き写す】5他 (글씨·그림 등을) 베껴 쓰다〔그리다〕; 모사(模寫)하다. ¶古文書を~ 고문서를 베껴 쓰다.

***かきおき**【書き置き·書置】名 ス自他 1 (용건 따위를) 써서 뒤에 남김; 또, 그 편지〔메모〕. =おきてがみ. 2 유서; 유언장. ¶死後~が発見される 사후에 유서가 발견되다.

かきおく-る【書き送る】5他 써서 보내다. ¶ひと筆~ 몇 자 적어 보내다 / 旅先の様子を友人に~ 여행지의 일〔사정〕을 친구에게 써 보내다.

かきおこ-す【書き起こす】5他 (새로) 쓰기 시작하다; 기고(起稿)하다. ¶私小説を~ 사소설을 쓰기 시작하다.

かきおとし【書き落とし】名 빠뜨리고 씀〔쓴 것〕.

かきおと-す【書き落とす】5他 빠뜨리고 쓰다. =かきもらす. ¶たいせつなことをうっかり~·した 중요한 것을 깜빡 빠뜨리고 썼다.

かきおろし【書き下ろし】名 새로 씀; 새로 쓴 작품. ¶~の小説 (새로 쓴) 전작(全作) 소설 / ~のドラマ 새로 쓴 드라마.

かきおろ-す【書き下ろす】5他 (소설·각본 따위를) 새로 쓰다. ¶単行本として出版するために新たに~ 단행본으로서 출판하기 위하여 새로 쓰다.

かきかえ【書き換え·書き替え】名 1 고쳐 씀; 개서(改書). ¶名義の~ 명의 개서. 2 (증서 등의) 갱신. ¶運転免許証の~ 운전 면허증의 갱신.

かきか-える【書き換える·書き替える】下1他 1 고쳐〔다시〕 쓰다; 개서하다. ¶横書きに~ 가로쓰기로 고쳐〔바꿔〕 쓰다. 2 (증서 등을) 갱신하다. ¶免許証を~ 면허증을 갱신하다.

***かきかた**【書き方】名 쓰기. 1 쓰는 법; 서식. ¶論文の~ 논문 쓰는 법〔작성법〕 / こういう~では誤解を招く 이런 식으로 써서는 오해를 산다. 2 붓 놀리는 법; 글씨 쓰는 순서. ¶~がまずい 붓 놀리는 게 서투르다 / 字の~がちがう 글씨 쓰는 순서가 틀리다.

かぎがた【かぎ形】《鉤形》名 갈고리꼴.

かきき-える【かき消える】《掻き消える》下1自 (흔적도 없이) 사라지다; 지워지다. ¶けむりのように~ 연기처럼 사라지다.

かきき-る【かき切る】《掻き切る》5他 단숨에 베다〔가르다〕. ¶首を~ 목을 베다〔자르다〕 / 腹を~ 배를 싹 가르다. 注意 힘줌말은 'かっきる'.

かきぐせ【書き癖】名 1 필체. =筆ぐ

せ. 2 필기구의 쓰는 방법에 따라 생긴 길. ¶～のついた万年筆 길이 든 만년필.

かきくだ-す【書き下す】5他 1 (위에서 아래로) 내리쓰다. 2 붓 가는 대로 쓰다. ¶一気に～ 단숨에 써 내려가다.

かきくど-く〖掻き口説く〗5他 'くどく'의 힘줌말. ¶カメラを買ってくれと母を～ 카메라를 사 달라고 어머니를 졸라대다.

かきくも-る【かき曇る】《掻き曇る》5自 'くもる'의 힘줌말: 갑자기 흐려지다. ¶涙に～ 눈물로 눈앞이 흐려지다.

かきく-れる〖掻き暮れる〗下1自 1『涙に～』 눈물로 세월을 보내다. 2 (날이) 아주 어두워지다.

かきけ-す【かき消す】《掻き消す》5他 'けす'의 힘줌말; (완전히) 싹 지우다; 감쪽같이 없애다. ¶～ように見えなくなる 싹 지운 듯이 안 보이게 되다; 감쪽같이 사라지다 / ～ように隠れてしまう 감쪽같이 숨어버리다.

かきことば【書き言葉】图 글말; 문장어. ↔話しことば.

かきこみ【書き込み】图 (책·서류 등의 공간에) 써넣음; 또, 그 써넣은 글자. ¶行間の～ 행간에 써넣은 글(자) / 校正刷りに～をする 교정쇄에 써넣다 / 目がわるくて小さな～は読めない 눈이 나빠서 잘게 써넣은 글자는 못 읽는다.

かきこ-む【書き込む】5他 써넣다; 기입하다. ¶ノート十冊にびっしりと～ 노트 열 권에 꽉 차게 써넣다 / 手帳に～ 수첩에 써넣다.

かきこ-む【かき込む】《掻き込む》5他 1 그러모으다. ¶落ち葉を～ 낙엽을 그러모으다. 2 급히 먹다. =かっこむ. ¶飯を～ 밥을 (쓸어넣듯) 급히 먹다.

かぎざき【かぎ裂き】《鉤裂き》图 (천 따위가) 못 같은 것에 걸려서 갈고랑이 모양으로 찢어짐; 또, 그 찢어진 곳.

かきさし【書きさし】《書き止し》图 쓰다가 맒. ¶～の原稿 쓰다 만 원고.

かきさ-す【書きさす】《書き止す》5他 쓰다(가) 말다. ¶～·したままの草稿〔手紙〕 쓰다가 만 초고〔편지〕.

かきしぶ【かき渋】《柿渋》图 날감의 떫은 즙; 감물《방부제로 목재·베 따위에 바름》.

***かきしる-す**【書き記す】5他 적다; 쓰다《'書く'의 격식 차린 말씨》. =書きつける. ¶記録を～ 기록을 적다.

かきす-てる【書き捨てる】下1他 1 써 놓기만 하고 내버려두다. 2 아무렇게나 쓰다. =書きなぐる. ¶次から次へと～ 계속 갈겨쓰다.

かきそ-える【書き添える】下1他 (원본에 글을) 더 써넣다; 첨기하다. ¶手紙の末尾に家族の近況を～·えた 편지 끝에 가족의 근황을 첨기했다.

かきそこない【書き損ない】图 잘못 씀; 또, 그 글자. =書き損じ.

かきそこな-う【書き損なう】5他 잘못 쓰다. =書き損じる. ¶手紙のあて名を～ 편지의 수신인명을 잘못 쓰다.

かきぞめ【書き初め】图ス自 1 처음 (글을) 씀. 2 신춘 휘호; 새해 들어 처음으로 붓글씨를 쓰는 행사《보통 1월 2일에 함》.

かきそん-じる【書き損じる】上1他 ☞ かきそこなう. ¶あて名を～ 수신인 성명을 잘못 쓰다.

かきだし【書き出し】图 글의 첫머리; 서두; 모두(冒頭). ¶小説の～ 소설의 서두 / ～の文句がうまい (글의) 첫머리 문구가 멋지다.

かきた-す【書き足す】5他 보충해서 더 쓰다; 가필하다. =書き加える. ¶2,3行～ 2,3 행 가필하다.

かきだ-す【かき出す】《掻き出す》5他 긁어 내다; 퍼내다. ¶ボートの水を～ 보트의 물을 퍼내다 / ストーブの灰を～ 스토브의 재를 긁어내다.

かきだ-す【書き出す】5他 1 쓰기 시작하다. ¶小説を～ 소설을 쓰기 시작하다. 2 (필요한 것을) 뽑아 쓰다. =書き抜く. ¶問題点を～ 문제점을 뽑아 쓰다. 3 써서 내다. ¶勘定を～ 계산서를 써서 내다. 4 남의 눈에 띄는 곳에 써서 내걸다. ¶値段表を～ 가격표를 써서 내걸다.

かぎだ-す【かぎ出す】《嗅ぎ出す》5他 (냄새를) 맡아서 알아내다; 탐지하다. =探り出す. ¶猟犬が獲物を～ 사냥개가 사냥감을 냄새로 찾아내다 / 敵の秘密をうまく～·した 적의 비밀을 용케 탐지해 냈다.

かきた-てる【かき立てる】《掻き立てる》下1他 1 마구 저어서 거품이 일게 하다. ¶卵をまぜて泡を～ 달걀을 저어서 거품이 일게 하다. 2 (심지를) 돋우다. ¶灯心を～ 심지를 돋우다. 3 북돋우다. ¶気力を～ 기력을 북돋우다 / 不安を～ 불안을 부채질하다.

かきた-てる【書き立てる】下1他 1 하나하나 들어서〔조목조목〕 쓰다. ¶罪状を一つ一つ～ 죄상을 하나하나 들어서 쓰다. 2 눈에 띄게〔요란하게〕 써내다. ¶新聞に～·てられる 신문에 크게 다루어지다 / スターのスキャンダルを～ 스타의 스캔들을 떠들썩하게 써대다.

かきちら-す【書き散らす】5他 1 휘갈겨〔마구〕 쓰다. ¶へたな詩を～ 서투른 시를 마구 쓰다. 2 여기저기 써 두다. ¶落書きを～ 여기저기 낙서하다.

かきつく-す【書き尽くす】5他 충분히 써서 나타내다; 죄다 써 버리다.

***かきつけ**【書き付け·書付】图 1 문서; 증서; 적바림. =メモ. ¶予定を記した～ 예정을 기록한 쪽지〔문서〕. 2 계산서; (대금) 청구서. ¶飲み屋の～ 술집 계산서.

かきつ-ける【書き付ける】下1他 써 두

다; 기록해 두다. ＝かきとめる·かきしるす. ¶ノートに～ 노트에 적어 두다.

かぎつ-ける 〖嗅ぎ付ける〗 [下1他] **1** 냄새를 맡아서 찾아내다. ¶ねこがさかなを～ 고양이가 냄새로 생선을 찾아내다. **2** (우연한 일로) 탐지해 내다. ¶秘密(ひみつ)を～ 비밀을 탐지해 내다.

かぎっこ 【かぎっ子】《鍵っ子》 [图] 〈俗〉 늘 집의 열쇠를 가지고 다니는 맞벌이 집안〔부부〕의 아이.

かぎって 【限って】 [連語] ☞かぎる[二]1.

かきつら-ねる 【書き連ねる】 [下1他] 죽 써 늘어놓다; 길게 쓰다. ¶胸(むね)の内(うち)を～·ねた手紙(てがみ) 심정을 장황하게 피력한 편지.

かきて 【書き手】 [图] **1** 쓰는〔쓴〕 사람; 필자. ¶～の意図(いと)をくむ 필자의 의도를 헤아리다. ↔読(よ)み手(て). **2** 문장가; 명필가. ¶当代(とうだい)一流(いちりゅう)の～ 당대 일류의 명필〔문장가〕.

かきとど-める 【書きとどめる】《書き留める》 [下1他] (써서) 기록에 남기다; 적어 두다. ＝書(か)きとめる. ¶議事録(ぎじろく)に～ 의사록에 기록해 두다.

かきとば-す 【書き飛ばす】 [5他] **1** 날려 쓰다; 빨리 쓰다. ¶一日(いちにち)に200枚(にひゃくまい)の原稿(げんこう)を～ 하루에 200장의 원고를 써 갈기다. **2** (깜빡) 빠뜨리고 쓰다. ¶一行(いちぎょう)～ 한 줄 빼먹고 쓰다.

***かきとめ** 【書留】 [图] '書留郵便(ゆうびん)'의 준말. ¶～小包(こづつみ) 등기 소포 / 手紙(てがみ)を～にする 편지를 등기로 하다.

—ゆうびん 【—郵便】 [图] 등기 우편.

かきと-める 【書き留める】 [下1他] (잊지 않도록) 써 두다; 적어 두다. ＝書(か)きとどめる. ¶住所(じゅうしょ)を手帳(てちょう)に～ 주소를 수첩에 적어 두다.

***かきとり** 【書き取り】 [图] **1** 베껴 씀; 또, 그 글. **2** 받아쓰기. ¶漢字(かんじ)の～試験(しけん) 한자 받아쓰기 시험 / 英語(えいご)の～をやらせる 영어 받아쓰기를 시키다.

かきと-る 【書き取る】 [5他] **1** 받아쓰다. ¶手紙(てがみ)の文句(もんく)を～·らせる 편지 구절을 받아쓰게 하다. **2** (문장·어구를) 베껴 쓰다. ¶古(ふる)い文献(ぶんけん)を～ 옛 문헌을 베끼다.

かきなお-す 【書き直す】 [5他] 고쳐〔다시〕 쓰다; 정서하다. ¶台本(だいほん)を～ 대본을 고쳐〔다시〕 쓰다.

かきなが-す 【書き流す】 [5他] 붓 가는 대로 쓰다; 쉽사리 써 나가다. ¶手紙(てがみ)をすらすらと～ 편지를 술술 써 내려가다.

かきなぐ-る 【書き殴る】 [5他] 휘갈겨 쓰다. ¶一気呵成(いっきかせい)に～ 단숨에 휘갈겨 쓰다 / へたな字(じ)で～ 서툰 글씨로 휘갈겨 쓰다.

かきなら-す 〖掻き均す〗 [5他] 고르다; 평평하게 하다. ¶畑(はたけ)の土(つち)を～ 밭의 흙을 고르다.

かきなら-す 【かき鳴らす】《掻き鳴らす》 [5他] (거문고 등을 손톱으로) 타다; 켜다. ¶琴(こと)を～ 거문고를 타다 / ギターを～ 기타를 치다.

かきなら-べる 【書き並べる】 [下1他] 나란히 적다; 열기(列記)하다. ¶二人(ふたり)の名前(なまえ)を～ 두 사람의 이름을 나란히 적다.

***かきぬき** 【書き抜き】 [图][ス他] **1** 뽑아 씀〔베낌〕; 발췌. ＝抜(ぬ)き書(が)き. ¶規約(きやく)の～ 규약의 발췌. **2** 특히, 연극에서 각 배우의 대사만을 뽑아 적은 것.

かきぬ-く 【書き抜く】 [5他] **1** 일부를 뽑아 쓰다; 발췌하다. ¶必要(ひつよう)な事項(じこう)を～ 필요한 사항을 뽑아서 베끼다〔쓰다〕. **2** 끝까지 쓰다.

***かきね** 【垣根】 [图] **1** 울타리. ＝かき. ¶～を巡(めぐ)らす 울타리를 두르다. **2** (비유적으로) 격의; 장벽. ¶～をはずす 격의를 없애다 / ～を取(と)り払(はら)って話(はな)す 격의 없이 이야기하다.

—ごし 【—越し】 [图] 담을 격함; 담을 사이에 둠. ＝垣越(かきご)し. ¶～に立(た)ち話(ばなし)をする 울타리 너머로 서서 이야기하다 / ～に隣(とな)り合(あ)って住(す)む 담을 사이에 두고 이웃해 살다.

かきの-ける 〖掻き退ける〗 [下1他] 좌우로 밀어내다; 밀어젖히다. ¶人(ひと)を～·けて前(まえ)に出(で)る 사람을 밀어젖히고 앞으로 나가다.

かきのこ-す 【書き残す】 [5他] **1** (쓸 것을) 다 쓰지 않고 남겨 두다. ¶時間(じかん)がなくて, 二(に)ページぶん～·した 시간이 없어서 2페이지분을 못 쓰고 남겨 두었다. **2** 써서 남기다〔전하다〕.

かきのぞき 【垣のぞき】《垣覗き》 [图] 울타리 틈으로 (안을) 엿봄. ¶めくらの～ 장님 굿보기.

かぎのて 〖鉤の手〗 [图] 갈고랑이 모양으로〖대체로 직각〗 꼬부라짐; 또, 그런 모양의 것. ¶道(みち)を～にまがる 길을 직각으로 돌아가다 / 廊下(ろうか)が～に曲(ま)がっている 복도가 ㄱ자로 꼬부라져 있다.

かぎばな 【かぎ鼻】《鉤鼻》 [图] 매부리코. ＝わしばな.

かぎばり 【かぎ針】《鉤針》 [图] 코바늘.

—あみ 【—編み】 [图] 코바늘뜨기; 또, 그 뜬 것. ⇒ぼうばりあみ.

かきぶり 【書きぶり】《書き振り》 [图] **1** 글(씨) 쓰는 품. **2** 필적; 문체. ¶格調(かくちょう)の高(たか)い～ 격조 높은 문체.

かきま-ぜる 【かき混ぜる】《掻き混ぜる·掻き雑ぜる》 [下1他] **1** (휘저어) 뒤섞다. ＝混(ま)ぜ合(あ)わせる. ¶小麦粉(こむぎこ)に水(みず)を差(さ)して～ 밀가루에 물을 부어 뒤섞다. **2** 〈俗〉 뒤얽히게 하다. ¶話(はなし)を～ 이야기를 뒤얽히게 하다.

***かきまわ-す** 【かき回す】《掻き廻す》 [5他] **1** 휘젓다; 어지르다. ¶さじで～ 숟가락으로 휘젓다 / 部屋(へや)の中(なか)を～ 방 안을 어지르다. **2** 〈俗〉 (자기 생각대로) 휘두르다. ¶会社(かいしゃ)を～ 회사를 제멋대로 휘두르다.

かきみだ-す 【かき乱す】《掻き乱す》 [5他] 휘저어 어지럽히다; 교란시키다. ¶秩序

ちつじょを～ 질서를 어지럽게 하다.

かきむし-る〖掻き毟る〗5他 막 긁어서 쥐어뜯다; 긁어 대다. ¶髪の毛を～ 머리털을 쥐어뜯다/胸が～·られる思い 가슴이 쥐어뜯기는 느낌.

かきもち〖掻き餅·欠き餅〗名 **1** 설에 쓰는 鏡もち를 손으로 잘게 뜯은 것《칼로 써는 것을 꺼린 데서》. **2** 얇게 썰어서 말린 찰떡《굽거나 기름에 튀겨 먹음》. ＝おかき.

かきもの【書き物】名 **1** 쓴 것; 문서; 기록. ¶先祖伝来の～を調べる 조상으로부터 전해 온 문서를 조사하다. **2** 글씨나 문장을 씀. ¶～をしている 글을 쓰고 있다.

かきもら-す【書き漏らす】5他 ☞かきおとす.

かきゃくせん【貨客船】名 화객선; 여객과 화물을 함께 운반하는 배. ＝かかくせん. ↔旅客船·貨物船.

かきゅう【下級】名 하급. ¶～官吏〔官庁〕 하급 관리〔관청〕/～裁判所 하급 법원. ↔上級·中級.

――しん【――審】名〘法〙 하급심.

かきゅう【火急】名ナ 화급. ¶～の用 화급한 용무/～の知らせ 화급한 통지.

かぎゅう［蝸牛］名〘動〙 와우; 달팽이. ＝カタツムリ.

――かくじょう［――角上］名 와우각상. ¶～の争い 와우각상의 싸움《좁은 세계에서 하찮은 일로 다투는 것의 비유》.

かきゅうてき【可及的】副 가급적《법률어적인 말씨》. ＝できるだけ·なるべく. ¶～すみやかにたのむ 가급적 신속히 부탁하네.

かきょ【科挙】名 과거. ¶～制度 과거제도.

かきょう【佳境】名 가경. ¶この地方随一の～ 이 지방 제일의 가경/話がいよいよ～に入る 이야기가 점입가경하다.

かきょう【家郷】名 가향; 고향. ＝ふるさと. ¶～を離れて暮らす 고향을 떠나 살다.

かきょう【架橋】名ス自 가교; 다리를 놓음. ¶～工事 가교 공사.

かきょう［華僑］名 화교. ＝華人.

かぎょう【家業】名 가업. ¶～を助ける 가업을 돕다/代々の～を継ぐ 대대의 가업〔세업(世業)〕을 잇다.

かぎょう【稼業】名 장사; 생업; 직업. ＝なりわい. ¶しがない～ 보잘것없는 직업/医者という～も楽ではない 의사라는 직업도 편하지는 않다/～に精を出す 생업에 힘쓰다. 参考 자조적(自嘲的)으로 쓰는 경우가 있음.

かぎょう【課業】名 과업. ¶～を怠ける 과업을 게을리 하다.

かぎょうへんかくかつよう【か行変格活用】名〘文法〙 동사의 변격 활용의 하나《口語에서, 来る만이 'こ·き·くる·くる·くれ·こい'로 활용하는 것을 말함》. ＝カ変.

かきょく【歌曲】名 가곡. ＝リード. ¶ドイツ～を歌う 독일 가곡을 부르다.

かきよ-せる【かき寄せる】《掻き寄せる》下1他 **1** 긁어모으다. ¶落ち葉を～ 낙엽을 긁어모으다. **2** 끌어당기다. ¶ふとんを～ 이불을 끌어당기다.

*__かぎり__【限り】名 **1** 한. ㉠끝; 한계; 한도. ¶人間の欲望には～がない 인간의 욕망은 끝이 없다/～を見きわめる 한계를 가리다/横暴の～を尽くす 갖은〔온갖〕 횡포를 다하다/力の～努める 힘껏 노력하다. ㉡《従属句의 끝 따위에 쓰이어》 동안; …의 범위내. ¶仕事がある～は帰らない 일이 있는 동안은 돌아가지 않는다/あやまらない～許さない 사과하지 않는 한 용서하지 않는다. **2** 마지막; 최후. ¶きょうを～と奮戦する 오늘을 마지막으로 분전하다. **3**《때 등을 나타내는 名詞에 붙어》 뿐; 까지; 만. ¶申し込みは今月末～ 신청은 이달 말까지/三回～でやり直しを認める 세 번까지만 다시 하는 것을 인정한다.

――で(は)ない 그 범위에 들지 않는다. ¶非常の場合にはこの～ 비상시에는 차한(此限)에 부재(不在)함.

かぎりな-い【限りない】形 **1** 무한하다. ¶～·く続く道 한없이 계속되는 길/～喜び 무한한 기쁨. **2** 최고다; 더없다. ¶～感謝を捧げる 더없는 감사를 드리다.

__かぎ-る__【限る】㊀5他 **1 경계·범위를 짓다. ¶へいで周囲を～ 담으로 주위를 경계 짓다. **2** 제한하다; 한(정)하다. ¶ふたりに～ 두 사람으로 제한하다/日を～·って受け付ける 날을 한정해서 접수하다/人数を三人と～ 인원수를 세 사람으로 한정하다.

㊁5自 **1**《'…に～·って'의 꼴로》…만은; …에 한해서; …따라. ¶その日に～·って早く来た 그날따라 빨리 왔다/うちの子に～·って嘘はいわない 우리집 애만은 거짓말을 안 한다. **2**《'…は…に～'의 꼴로》…하는 것이 제일이다; …밖에 없다. ¶旅行は秋に～ 여행은 가을이 제일이다/疲れたら寝るに～ 피로했을 때에는 자는 게 제일이다. **3**《否定이 따른 전체로서》 꼭 …하다고는 할 수 없다; …만이 아니다. ¶金持ちが幸福だとは～·らない 부자가 꼭 행복하다고는 할 수 없다/雨が降らないとも～·らない 비가 안 온다고도 할 수 없다/だれに～·らず, 収入は多い方がいい 누구를 막론하고 수입은 많은 편이 좋다/夏に～·らず, 冬場もにぎわう 여름만이 아니라 겨울철에도 흥청거린다. 可能かぎ-れる 下1自

かきわ-ける【かき分ける】《掻き分ける》下1他 좌우로 밀어헤치다. ¶人ごみを～·けて進む 인파를 헤치고 나아가다.

かぎわ-ける【かぎ分ける】《嗅ぎ分ける》下1他 냄새를 맡아 구분〔식별〕하다. ¶香水の銘柄を～ 향수 브랜드를 냄

새로 식별하다.

かきわす-れる【書き忘れる】[下1他] 쓰는 것을 잊다; 잊고 쓰지 않다. ¶名前(なまえ)を～ 이름 쓰는 것을 깜빡 잊다.

かきわり【書き割り】[名]〖劇〗무대 배경의 한 가지(실내·집·산하 등을 그린 그림). ¶芝居(しばい)の～のような乾(かわ)いた空(そら) 연극 무대의 배경 그림 같은 메마른 하늘.

かきん[家禽][名] 가금. ↔野禽(やきん).

かきん[瑕瑾][名] 하근. **1** 흠; 티; 하자(瑕疵). ＝きず. ¶いささかの～もない 조금도 하자가 없다 / ～を償(つぐな)ってありあまる行為(こうい) 흠을 씻고도 남을 행위. **2** 결점; 약점; 허물. ＝短所(たんしょ). [参考] '瑕(か)'는 구슬에 생긴 흠, '瑾(きん)'은 아름다운 구슬의 뜻.

*か-く【欠く】[5他] **1** ㉠결(여)하다; 없다; (…이) 부족하다. ¶礼(れい)を～ 결례하다 / 資格(しかく)を～ 자격이 없다. ㉡빠뜨리다. ¶～ことのできない条件(じょうけん) 빠뜨릴 수 없는 조건 / 食事(しょくじ)を～こともある 식사를 거르는 일도 있다. **2** 게을리〔소홀히〕하다. ¶注意(ちゅうい)を～ 주의를 게을리하다. **3** 상하다; 부수다; 이지러뜨리다. ¶うっかりして茶碗(ちゃわん)を～いてしまった 깜박하다 찻잔을 깨뜨렸다.

か-く〖掻く〗[5他] **1 긁다; 할퀴다. ¶かゆい所(ところ)を～ 가려운 데를 긁다. **2** (칼로) 깎다. ¶かつお節(ぶし)を～ 가다랑어포를 칼로 깎다. **3** 파헤치다. ¶田(た)を～ 논을 갈다 / 砂(すな)を～ 모래를 헤집다 / 前足(まえあし)で地面(じめん)を～ 앞발로 땅을 헤집다. **4** (갈퀴로) 긁어모으다; (긁어서) 치우다. ¶落(お)ち葉(ば)を～ 낙엽을 갈퀴질하다 / 雪(ゆき)を～ 눈을 치다. **5** 자르다; 치다. ¶首(くび)を～ 목을 치다. [可能]か-ける[下1自]

**か-く【書く】[5他] (글씨·글을) 쓰다. ¶手紙(てがみ)を～ 편지를 쓰다 / 字(じ)を上手(じょうず)に～ 글씨를 잘 쓰다 / 文章(ぶんしょう)〔詩(し)〕を～ 문장을〔시를〕 짓다 / 平仮名(ひらがな)しか～けない 平仮名밖에 못 쓰다. ↔読(よ)む. [可能]か-ける[下1自]

**か-く〖描く·画く〗[5他] (그림을) 그리다. ＝えがく. ¶絵(え)を～ 그림을 그리다 / 隼(はやぶさ)が大空(おおぞら)に輪(わ)を～ 매가 창공에 원을 그리다. [可能]か-ける[下1自]

かく【画】《劃》[名] 획; 자획. ¶五(ご)～の漢字(かんじ) 5획인 한자.

*かく【格】[名] 격; 가치·지위 등의 단계. ¶先輩(せんぱい)～ 선배 격 / ～が上(あ)がる〔落(お)ちる〕 격이 올라가다〔떨어지다〕 / ～が高(たか)い〔上(うえ)だ〕 격이 높다〔위다〕 / ～に合(あ)わない 격에 맞지 않다 / ～がちがう 격이 다르다 / 大臣(だいじん)の代理(だいり)の～で参列(さんれつ)する 대신의 대리 격으로 참석하다.

*かく【核】[名] 핵. **1** 사물의 중심; 핵심. ¶訪問販売(ほうもんはんばい)を～にした商法(しょうほう) 방문판매를 핵심으로 한 상법. **2** '核兵器(かくへいき)'의 준말. ¶～ミサイル 핵 미사일 / ～戦争(せんそう) 핵전쟁 / ～の傘(かさ)〔冬(ふゆ)〕 핵우산〔겨울〕 / ～の持(も)ち込(こ)みに反対(はんたい)するデモ 핵무기 반입을 반대하는 데모 / ～を保有(ほゆう)する 핵무기를 보유하다.

かく【角】[名] **1 일본 장기 말의 하나(角行(かくぎょう)의 준말). ¶～をとられる 角를 먹히다. **2** 모난 것. ¶豆腐(とうふ)を～に切(き)る 두부를 네모지게 자르다. **3**〖數〗각; 각도. ¶～をはかる 각도를 재다.

かく〖斯く〗[副]〈雅〉이와 같이; 이렇게. ＝このように·こう. ¶～して 이렇게 해서 / ～のごとく 여사히; 여차히 / ～なる上(うえ)は 이렇게 된 바에는 / ～の如(ごと)き惨状(さんじょう) 이와 같은 참상.

かく〖各〗[教4] カク おのおの | 각 각각 | **1** 각각; 각자. ¶各地(かくち) 각지 / 各人各説(かくじんかくせつ) 각인각설. **2** 각자〔각각〕의. ¶各学校(かくがっこう) 각 학교.

かく〖角〗[教2] カク つの かど すみ | 각 뿔 | **1** 뿔; 뿔피리. ¶頭角(とうかく) 두각 / 角笛(つのぶえ) 각적. **2** 뾰족한 것; 모난 것. ¶角材(かくざい) 각재. **3** 각. ¶角度(かくど) 각도 / 直角(ちょっかく) 직각.

かく〖拡〗《擴》[教6] カク ひろげる | 확 넓히다 | 넓히다; 넓어지다. ¶拡張(かくちょう) 확장 / 拡大(かくだい) 확대 / 拡充(かくじゅう) 확충.

かく〖革〗[教6] カク かわ あらたまる | 혁 가죽 | **1** 가죽. ¶皮革(ひかく) 피혁. **2** 개혁하다. ¶革新(かくしん) 혁신.

かく〖核〗[常用] カク さね | 핵 씨 | **1** 씨; 알맹이. **2** 사물의 중심; 급소. ¶核心(かくしん) 핵심. **3** 세포의 중심에 있는 것. ¶細胞核(さいぼうかく) 세포핵.

かく〖格〗[教5] カク コウ キャク いたる | 격 이르다 | **1** 이르다; 통하다. ¶格物致知(かくぶつちち) 격물치지. **2** 네모지게 짠 물건. ¶格子(こうし) 격자. **3** 표준; 법칙. ¶格式(かくしき) 격식 / 規格(きかく) 규격.

かく〖殻〗《殼》[常用] カク から | 각 껍질 | (겉)껍질. ¶甲殻(こうかく) 갑각 / 外殻(がいかく) 외각.

かく〖郭〗[常用] カク くるわ | 곽 밭재 | 성곽; 전하여, 둘레. ¶城郭(じょうかく) 성곽 / 輪郭(りんかく) 윤곽.

かく〖覚〗《覺》[教4] カク おぼえる さます さめる さとる | 각 깨닫다 | 깨닫다; 눈뜨다; 확실해지다. ¶覚醒(かくせい) 각성 / 先覚(せんかく) 선각.

かく〖較〗[常用] カク コウ くらべる | 교 비교하다 | **1** 견주다. ¶比較(ひかく) 비교. **2** 겨루다.

かく〖隔〗《隔》[常用] カク へだてる へだたる | 격 막다 | **1** 가리워지다; 멀리하다. ¶隔意(かくい) 격의 / 遠隔(えんかく) 원격. **2** 거르다. ¶隔世遺伝(かくせいいでん) 격세 유전.

かく〖閣〗[教6] カク | 각 다락집 | **1** 이층의 전각; 귀인의 집. ¶仏閣(ぶっかく) 불각 / 閣下(かっか) 각하. **2** '内閣(ないかく)'의 준말. ¶閣僚(かくりょう) 각료 / 組閣(そかく) 조각.

かく〖確〗[教5] カク たしか たしかめる | 확 확실하다 | **1** 확

고하다. ¶確信(かくしん) 확신/確立(かくりつ) 확립. **2** 확실하다; 틀림없다. ¶確証(かくしょう) 확증/精確(せいかく) 정확.

かく 〖獲〗 常用 カク える | 획 잡다 | **1** 사냥해서 잡다. ¶捕獲(ほかく) 포획/漁獲(ぎょかく) 어획. **2** 손에 넣다. ¶獲得(かくとく) 획득.

かく 〖嚇〗 常用 カク おどす | 하 으르다 | 혁 성내다 | 성내다; 꾸짖다; 으르다. ¶嚇怒(かくど) 혁노; 버럭 성을 냄/威嚇(いかく) 위하; 위협.

かく 〖穫〗 常用 カク | 확 거둬들이다 | 곡물을 거둬들이다. ¶収穫(しゅうかく) 수확.

かく 〖鶴〗 人名 カク つる | 학 두루미 | 학; 두루미. ¶鶴首(かくしゅ) 학수/白鶴(はっかく) 백학.

***か-ぐ** 〖嗅ぐ〗 5他 **1** 냄새 맡다. ¶くんくんと～ 킁킁 냄새를 맡다/花(はな)の香(かお)りを～ 꽃 향기를 맡다. **2** 탐지하다. ¶人(ひと)の秘密(ひみつ)を～·いでまわる 남의 비밀을 캐고 다니다. 可能 か-げる 下1自

***かぐ**【家具】图 가구. ¶～屋(や) 가구점/婚礼(こんれい)～ 혼수용 가구/～をそろえる 가구를 갖추다.

—し【—師】图 가구 제조나 판매에 종사하는 사람.

かぐ【下愚】图 하우; 아주 어리석고 못남; 또, 그런 사람. ↔上知(じょうち).

がく【学】图 학문; 지식. ¶～のある人(ひと) 학문이 있는 사람/～を修(おさ)める 학문을 닦다/～にいそしむ 학문에 힘쓰다.

がく【楽】图 음악. ¶～を奏(かな)でる 음악을 연주하다/～の音(ね) 음악 소리.

***がく**【額】图 액. **1** 액수; 금액. ¶～の多少(たしょう)を問(と)わない 금액의 다소를 불문하다/膨大(ぼうだい)な～に達(たっ)する 방대한 액수에 달하다. **2** 액자. ¶～を飾(かざ)る 액자를 걸다/絵(え)を～に収(おさ)める 그림을 액자에 끼워 넣다.

がく 〖学〗(學) 教1 ガク まなぶ | 학 배우다 | **1** 배우다; 연구하다. ¶学習(がくしゅう) 학습/学業(がくぎょう) 학업/独学(どくがく) 독학. **2** 학문. ¶学者(がくしゃ) 학자/学識(がくしき) 학식.

がく 〖岳〗(嶽) 常用 ガク たけ | 악 큰산 | 높고 큰 산. ¶山岳(さんがく) 산악/富岳(ふがく) 富士(ふじ)산.

がく 〖楽〗(樂) 教2 ガク ラク ギョウ たのしい たのしむ | 악 음악 | **1** 음악을 연주하다; 또, 음악. ¶雅楽(ががく) 아악/管弦楽(かんげんがく) 관현악. **2** 즐겁다. ¶安楽(あんらく) 안락/楽土(らくど) 낙토. **3** 쉽다. ¶楽観(らっかん) 낙관.

がく 〖額〗 教5 ガク ひたい ぬか | 액 이마 | **1** 이마. ¶前額(ぜんがく) 앞이마. **2** 분량; 액수. ¶予算(よさん)の額(がく) 예산액/全額(ぜんがく) 전액/総額(そうがく) 총액. **3** 액자. ¶扁額(へんがく) 편액.

かくあげ【格上げ】图ス他 격상; 승격. ¶地位(ちい)を～させる 지위를 격상시키다/出張所(しゅっちょうしょ)を支社(ししゃ)に～する 출장소를 지사로 격상시키다. ↔格下(かくさ)げ.

かくい【各位】图 각위; 여러분. ¶会員(かいいん)～ 회원 각위/保護者(ほごしゃ)～におかれましては… 보호자 여러분께서는….

かくい【隔意】图 격의. ¶～ない意見(いけん)をかわす 격의 없는 의견을 나누다/～なく話(はな)す 격의 없이 이야기하다.

がくい【学位】图 학위. ¶理学(りがく)博士(はくし)の～を取(と)る 이학 박사 학위를 따다.

—ろんぶん【—論文】图 학위 논문.

かくいつ【画一】(劃一) 图 획일. ¶～化(か) 획일화/誤(あやま)れる～主義(しゅぎ) 그릇된 획일주의/考(かんが)え方(かた)を～にする 사고방식을 획일하게 하다.

—てき【—的】ダナ 획일적. ¶～なやり方(かた) 획일적인 방식.

かくいん【客員】图 객원. ＝ゲストメンバー. ¶～教授(きょうじゅ) 객원 교수/会(かい)の～となる 회의 객원이 되다. 注意 'きゃくいん'이라고도 함. ↔正員(せいいん).

がくいん【学院】图 학원; 学校(がっこう)의 딴 이름. 参考 흔히, 미션 스쿨이나 '各種学校(かくしゅがっこう)'에서 교명(校名)에 붙여 씀.

かくう【架空】图 가공. ㊀图 공중에 걸침. ¶～ケーブル 가공 케이블. ㊁名ナ 상상으로 만듦. ¶～の話(はなし)〔物語(ものがたり)〕 가공적인 이야기/～の人物(じんぶつ) 가공 인물. 注意 '仮空'로 씀은 잘못. ↔実在(じつざい).

—さくどう【—索道】图 가공 삭도. ＝ロープウエー.

かぐう［仮寓］图ス自 가우; 임시 거처(함); 우거(寓居). ＝かりずまい. ¶～に起居(ききょ)する 가우에 거처하다.

かくえきていしゃ【各駅停車】图ス自 (기차 등이) 정거장마다 정거함. ＝各停(かくてい). ¶東京(とうきょう)から小田原(おだわら)まで～する列車(れっしゃ) 東京에서 小田原까지 역마다 서는 열차.

かくエネルギー【核エネルギー】图 핵에너지; 원자력. ▷도 Energie.

がくえん【学園】图 **1** 학원; 학교《특히, 초급에서 상급 과정에 이르는 몇 개 학교를 갖춘 사립학교를 가리킴》. ¶～都市(とし) 학원 도시/～の自治(じち) 학원의 자치. **2** 'キャンパス(＝캠퍼스)'의 뜻의 미칭.

かくおち【角落ち】图 접장기; 잘 두는 편에서 '角(かく)(＝일본 장기 말의 하나)'를 떼고 두는 일.

かくおび【角帯】图 (일본옷에 매는) 겹으로 된 딱딱하고 폭이 좁은 남자용 허리띠. ↔へこ帯(おび).

がくおん【楽音】图 악음; 진동이 규칙적인, 듣기 좋은 소리. ↔騒音(そうおん)·雑音(ざつおん).

かくかい【各階】图 각층. ¶～止(と)まりのエレベーター 각층에 서는 엘리베이터.

かくかい【角界】图 씨름의 세계; 씨름꾼의 사회. ＝すもう界(かい)·かっかい.

かくがい【格外】名ナ 격외. **1** 보통이 아님; 이례적임. ¶～な値(ね) 이례적인 값. **2** 규격외; 등외. ¶～の品(しな) 규격 외의 물품; 등외품.

かくがい【閣外】图 각외; 내각의 외부.

¶新内閣に～から協力する 신내각에 각외에서 협력하다. ↔閣内.

がくがい【学外】图 학외《학교, 특히 대학의 외부》. ↔学内.

かくかく〖斯く斯く〗副 이렇게 이렇게; 이러이러; 여차여차. =かようかよう·しかじか. ¶～の事実 이러이러한 사실/～の次第で 이러이러한 사정으로/理由は～しかじかである 이유는 이러이러하고 저러저러하다.

がくがく 副 **1** 느슨해져서 흔들리게 된 모양: 근뎅근뎅. ¶入れ歯が～になる 의치가 근들근들해지다. **2** 자꾸 떨리는 모양: 바들바들; 부들부들; 오들오들. ¶寒くて～(と)震える 추워서 오들오들 떨다/兎飛びで膝が～になる 토끼뜀뛰기를 하여 무릎이 덜덜 떨리다.

かくかくさん【核拡散】图 핵확산《'核兵器拡散(=핵무기 확산)'의 준말》.

—ぼうしじょうやく【—防止条約】图 핵 확산 방지 조약. =核不拡散条約.

かくかぞく【核家族】图 핵가족. ¶都会の～化がいちじるしい 도시의 핵가족화가 뚜렷하다. ↔拡大家族.

かくがり【角刈り】图 상고머리로 깎은 남자의 머리 모양. ¶～の若者 상고머리로 치켜 깎은 젊은이.

かくぎ【閣議】图 각의. ¶～を開く 각의를 열다/定例～ 정례 각의.

がくぎょう【学業】图 학업. ¶～に励む 학업에 힘쓰다/～をおろそかにする 학업을 등한히 하다/～に身が入らない 학업에 열중하지 않다.

かくぎり【角切り】图 물체를 입방체로 자름; 또, 그 자른 것. ¶～の大根 네모지게 자른 무. 「사용의 금지.

かくきん【核禁】图 핵금; 핵무기 제조·

がくげい【学芸】图 학예. ¶新聞の～欄 신문의 학예란.

がくげき【楽劇】图 악극; 뮤직 드라마. ¶～を上演する 악극을 상연하다.

かくげつ【隔月】图 격월. ¶～に刊行する雑誌 격월간으로 발행하는 잡지/全集を～に配本する 전집을 격월로 배본하다. 「言.

かくげん【格言】图 격언. =金言·箴

かくげん【確言】图ス自他 확언. ¶～を得る〔避ける〕 확언을 받다〔피하다〕/間違いないと～する 틀림없다고 확언하다.

かくご【覚悟】图ス自他 각오. **1 체념하고 마음을 정함. ¶～はできたか 각오는 되었느냐/失敗するのは～の上だ 실패할 것은 이미 각오한 바이다. **2** 깨달음. ¶人生無常の～ 인생이 무상하다는 깨달음.

—の前 이미 각오함; 미리 각오한 바. =覚悟の上. ¶毀誉褒貶は世の常だから～だが 비방과 칭찬의 온갖 세평이 나도는 것은 세상의 상례이니까 이미 각오한 바이지만.

かくさ【格差】图 격차. ¶賃金〔給与〕～ 임금〔급여〕 격차/～がひろがる 격차가 벌어지다.

—ちんぎん【—賃銀】图 격차 임금《일과는 관계없이 나이·성별·학력 및 기업 규모 등에 따라 다른 임금》.

かくさ【較差】图 ☞こうさ(較差). ¶気温～ 기온 교차/年～ 연교차. 注意 'かくさ'는 관용음.

かくざい【角材】图 각재. ↔丸材.

がくさい【楽才】图 악재; 음악적 재능.

がくさい【学才】图 학재; 학문상의 재능. ¶～のある人物 학문에 대한 재능이 있는 인물/～にめぐまれる 학문하는 재능을 타고나다.

がくさい【学際】图 학제; 여러 학문 분야가 관련되는 일. ¶～的な研究 학제적인〔여러 학문 분야의 협동적·종합적인〕 연구. 参考 interdisciplinary의 역어.

かくさく【画策】图ス他 획책《주로 나쁜 뜻으로 씀》. =策動. ¶陰で～をめぐらす 뒤에서 획책을 꾸미다/舞台裏で～する 이면에서 획책하다.

かくさげ【格下げ】图ス他 격하. ¶部長から課長に～される 부장에서 과장으로 격하되다. ↔格上げ.

かくささつ【核査察】图 (국제 원자력 기구의) 핵사찰. ¶～を拒む 핵사찰을 거부하다.

かくざとう【角砂糖】图 각설탕. ¶コーヒーに～を入れる 커피에 각설탕을 넣다. 「식용 접시.

がくざら【額皿】图 (벽 따위에 거는) 장

かくさん【拡散】图ス自 확산. ¶核兵器の～ 핵무기의 확산/においが～する 냄새가 퍼지다. 「산 발효.

かくさん【核酸】图 핵산. ¶～発酵 핵

がくさん【学参】图 '学習参考書(=학습 참고서)'의 준말.

かくし【隠し】图 **1** 숨김. ¶真相～ 진상 은폐/～マイク 도청〔비밀〕 마이크/～財産 숨겨 둔 재산/～カメラ 몰래 카메라. **2**〈老〉 포켓; 호주머니. =ふところ. ¶財布を～に入れる 지갑을 포켓에 넣다.

かくし【客死】图ス自 객사. =きゃくし. ¶出張先のパリで～する 출장 간 파리에서 객사하다.

かくじ【各自】图 각자. ¶～のものは～で始末する 각자의 것은 각자가 간수하다/昼食は～が用意のこと 점심은 각자가 준비할 것/～の自由に任す 각자의 자유에 맡기다.

がくし【学士】图 학사. =バチェラー. ¶法～ 법학사. ⇨修士·博士.

*がくし【学資】图 학자금; 학비. ¶アルバイトで～をかせぐ 아르바이트로 학비를 벌다.

がくし【楽士】图 악사《극장·카바레 등의 연주자》. =バンドマン.

がくじ【学事】图 학사; 학교·학문에 관한 일. ¶～報告 학사 보고/～に志す 학사에 뜻을 두다.

かくしあじ【隠し味】名 맛을 내기 위해 특정한 조미료를 아주 조금만 넣음; 또, 그 조미료《おしるこ(＝단팥죽)에 치는 소금 따위》. ¶酢を～に用いる 초를 약간 쳐서 전체의 맛을 돋우다.

かくしえ【隠し絵】名 (그림 속의) 숨은 그림. ＝探しえ.

かくしおとこ【隠し男】名 샛서방; 정부(情夫). ＝隠し夫.

かくしおんな【隠し女】名 첩; 정부(情婦). ＝隠し妻.

かくしき【格式】名 격식. ¶～を重んずる 격식을 존중하다 / ～が高い 격식이 높다 / ～にこだわる 격식에 얽매이다.

―ばーる〖―張る〗5自 (너무) 격식을 차리(어 딱딱하게 굴)다. ¶～ったあいさつ 격식 차린 (딱딱한) 인사.

がくしき【学識】名 학식. ¶～の豊かな人物 학식이 풍부한 인물.

―けいけんしゃ【―経験者】名 학식 경험자.

かくしげい【隠し芸】名 여기(餘技); 숨은 재주〔장기〕. ¶宴会で～をやる 연회에서 숨은 재주를 보이다.

かくしご【隠し子】名 사생아.

かくしごと【隠し事】名 비밀로 하고 있는 일; 비밀 (사항). ＝ひめごと·秘事. ¶親に～をする 부모에게 숨기다〔비밀로 해두다〕.

かくじだいてき【画時代的】《劃時代的》ダナ 획시대적; 획기적. ＝画期的. ¶～な発明 획기적인 발명.

かくしだて【隠し立て】名ス自 (일부러) 숨김. ¶～するなんて水くさいぞ 숨기다니 섭섭하구나 / 少しも～をするつもりはない 조금도 숨길 생각은 없다.

かくしつ【確執】名ス自 확집; 서로 자기 의견만 주장함; 또, 그로 인한 불화. ＝かくしゅう. ¶嫁と姑との～ 고부간의 불화 / ～を解決する 불화를 해결하다 / 自分の意見に～する 자기 의견만 주장하다.

かくしつ【角質】名〖生〗각질. ＝ケラチン. ¶～化 각질화 / ～層 각질층.

かくじつ【隔日】名 격일. ¶～勤務 격일 근무 / ～に医者に通う 하루 걸러 의사에게 가다〔병원에 다니다〕.

**かくじつ【確実】ダナ 확실. ¶～な情報 확실한 정보 / ～な品 확실한〔믿을 만한〕 물건 / ～な商売 확실〔견실〕한 장사 / 行くかどうかまだ～でない 갈지 안 갈지 아직 확실하지 않다.

かくじっけん【核実験】名 핵실험. ¶地下～ 지하 핵실험 / ～探知 핵실험 탐지 / ～の禁止 핵실험 금지.

かくして〖斯くして〗連語 이렇게 하여; 이리하여. ＝こうして·かくて. ¶～大戦は始まった 이리하여 대전은 시작되었다.

かくしどころ【隠し所】名 1 (물건의) 은닉처. 2 음부(陰部)《풀어쓴 말씨》.

かくしどり【隠し撮り】名 상대방이 눈치채지 않게 몰래 촬영함.

*がくしゃ【学者】名 학자. ¶なかなかの～だ 상당한 학자다.

―はだ【―肌】名 학자 기질.

―ぶーる 5自 학자연하다; 학자티를 내다.

かくしゃく〖矍鑠〗トタル 확삭; 늙어도 기력이 정정함. ¶～たる老人 기력이 정정한 노인 / 老いてなお～としている 늙었어도 오히려 (기력이) 정정하다 / まだ～としている 아직도 정정하다.

かくしゅ【各種】名 각종; 여러 종류. ¶～各様 각종 각양 / ～取りそろえる 여러 가지를 갖추어 놓다.

―がっこう【―学校】名 각종 학교《학교 교육법의 적용을 받지 않는, 기술·직업 교육 시설; '予備校'나 양재·요리·미용·자동차 학원 따위》.

かくしゅ【確守】名ス他 확수; 굳게 지킴. ¶主義を～する 주의를 고수하다.

かくしゅ〔馘首〕名ス他 괵수. 1 목을 침〔벰〕. 2 해고. ¶～反対闘争 해직 반대 투쟁 / 不景気で～される 불경기로 해고당하다. ⇨くび.

かくしゅ〔鶴首〕名ス自他 학수(고대). ¶～して待つ 학수고대하다.

かくしゅう【各週】名 각주; 매주. ＝毎週. ¶～とも月曜日はいそがしい 매주 월요일은 바쁘다.

かくしゅう【隔週】名 격주. ¶～五日制 격주 오일제.

かくじゅう【拡充】名ス他 확충. ¶軍備～ 군비 확충 / 組織の～を図る 조직의 확충을 꾀하다 / 体育施設を～する 체육 시설을 확충하다.

がくしゅう【学修】名ス他 학수; 수학; 학문을 닦음.

**がくしゅう【学習】名ス他 학습. ¶～者 학습자 / ～帳〔権〕 학습장〔권〕 / ～参考書 학습 참고서 / 英語を～する 영어를 학습하다.

―かんじ【―漢字】名 학습 한자《'常用漢字' 가운데 초·중등 교육에서 학습하는 한자; 좁은 뜻으로는 '教育漢字'를 가리킴》.

―じゅく【―塾】名 보습〔입시〕 학원. ＝塾.

*がくじゅつ【学術】名 학술. ¶～書籍 학술 서적 / ～雑誌〔用語〕 학술 잡지〔용어〕.

―かいぎ【―会議】名 학술 회의《일본의 최고 학술 자문 기관》.

かくしょ【各所】《各処》名 각처; 여러 곳. ＝あちらこちら. ¶市内～ 시내 각처 / ～で火の手があがった 여기저기서 불길이 솟았다.

かくしょう【確証】名 확증. ¶～がない 확증이 없다 / ～をつかむ〔にぎる〕 확증을 잡다 / ～を得る 확증을 얻다.

がくしょう【楽章】名〖樂〗악장. ＝ムーブメント. ¶第一～ 제일 악장.

がくしょく【学殖】名 학식. ¶～豊かな人 학식이 풍부한 사람.

かくじょし【格助詞】名〖文法〗격조사《'花が咲く(＝꽃이 피다)' '枝を折

る(＝가지를 꺾다)'의 'が' 'を' 따위》. 参考 口語에서 'が·の·を·に·へ·と·より·から·で' 등이 있고, 文語에서는 위의 것 외에 'にて·して' 등이 있음.

*かくしん【核心】图 핵심. ¶問題の～ 문제의 핵심 / ～にふれる 핵심을 건드리다 / ～を突く 핵심을 찌르다.

*かくしん【確信】图ス他 확신. ¶～を得る〔持つ〕 확신을 얻다〔가지다〕 / 祖国の復興を～する 조국의 부흥을 확신하다. ↔危惧.

—はん【—犯】图 확신범.

*かくしん【革新】图ス他 혁신. ¶技術～ 기술 혁신 / 腐敗した政治を～する 부패한 정치를 혁신하다. ↔保守.

—てき【—的】ダナ 혁신적. ¶～な考え方 혁신적인 사고방식. ↔保守的.

かくじん【各人】图 각인; 각자.

—かくせつ【—各説】图 각인각설.

—かくよう【—各様】图 각인각양. ¶～のやりかた 각인각양의 방식.

かく-す【画す】《劃す》5他 ☞かくする.

**かく-す【隠す】5他 감추다; 숨기다. ¶金を～ 돈을 감추다 / 年を～ 나이를 숨기다 / 真相が～·される 진상이 은폐되다 / 雲が日を～ 구름이 해를 가리다 / 今さら何を～·そう 이제 새삼 무엇을 숨기랴. 可能かく-せる 下1自

かくすい【角すい】《角錐》图〔數〕 각추; 각뿔. ¶三～ 삼각뿔.

かくすう【画数】《劃数》图 획수. ¶～順にならべる 획수순으로 늘어놓다.

かく-する【画する】《劃する》サ変自 1 선을 긋다. ¶友情と恋愛の間に一線を～ 우정과 연애 사이에 선을 긋다. 2 구획하다; 경계를 짓다. ¶一時期を～ 한 시기를 구획하다. 3 계획하다. ¶事業を～ 사업을 꾸미다 / 倒閣を～ 도각을 꾀하다.

かくせい［覚醒］图ス自他 각성. ¶当局者の～を促す 당국자의 각성을 촉구하다.

—ざい［—剤］图 각성제. ¶～の常用は中毒を起こす 각성제를 상용하면 중독을 일으킨다. ↔催眠剤.

かくせい【隔世】图 격세.

—の感 격세지감. ¶～がある 격세지감이 있다. 「祖返り.

—いでん【—遺伝】图 격세 유전. ＝先

がくせい【学制】图 학제. ¶～改編〔改革〕 학제 개편〔개혁〕.

**がくせい【学生】图 학생; 특히, 대학생. ¶～時代 학생 시절 / ～運動 학생 운동. 参考 보통, 초등학생은 '児童', 중·고교 학생은 '生徒'라고 함.

—ことば【—言葉】图 학생어《학생 특유의 속어》. ＝学生語. 「学割.

—わりびき【—割引】图 학생 할인. ＝

がくせい【楽聖】图 악성. ¶～ベートーベン 악성 베토벤. 「ドスピーカー.

かくせいき【拡声器】图 확성기. ＝ラウ

がくせき【学籍】图 학적. ¶～簿から削除する 학적부에서 삭제하다.

かくせつ【各説】图 각설. 一图ス自 각자 의견을 말함. ¶各人～ 각인각설. 二图 각론(各論). ↔総説.

かくせつ【確説】图 확설; 확실한 설.

*がくせつ【学説】图 학설. ¶新しい～を立てる 새로운 학설을 세우다 / ～が分かれる 학설이 갈라지다.

がくせつ【楽節】图〔樂〕 악절. ¶小〔大〕～ 소〔대〕악절; 작은〔큰〕 악절.

かくぜん【画然】《劃然》トタル 획연; 확연. ¶～と区別する 획연히 구별하다 / ～とした違い 확연한 차이.

がくぜん［愕然］トタル 악연; 깜짝 놀라는 모양. ¶死去の知らせに～とする 사망 통지에 깜짝 놀라다 / ～として色をうしなう 악연〔아연〕실색하다.

かくそう【各層】图 각층; 여러 층. ¶各界～ 각계각층 / 国民～の意見を聞く 국민 각층의 의견을 듣다.

がくそう【学僧】图 학승. 1 학문이 깊은 승려. 2 불교학을 수학 중인 승려.

がくそう【学窓】图 학창. ¶～の思いで 학창(시절)의 추억 / ～をはなれる〔巣立つ〕 학창을 떠나다《졸업하다》.

がくそう【楽想】图 악상; 악곡의 구상. ¶～が浮かぶ 악상이 떠오르다 / ～を練る 악상을 다듬다.

がくそく【学則】图 학칙. ¶～を違反する 학칙을 위반하다 / ～の改正 학칙의 개정 / ～に従う 학칙에 따르다.

がくそつ【学卒】图 '大学卒業(者)(＝대학 졸업(자))'의 준말; 대졸(大卒). ¶～者 대졸자 / ～社員 대졸 사원. 参考 대졸이 아닌, 다른 학력을 가진 사람과 구별해서 씀.

*かくだい【拡大】图ス他自 확대. ¶写真を～する 사진을 확대하다 / 消費の～を図る 소비 확대를 꾀하다 / 紛争がさらに～する 분쟁이 더욱 확대되다. ↔縮小. 「ね·ルーペ.

—きょう【—鏡】图 확대경. ＝虫めが

—さいせいさん【—再生産】图 확대 재생산. ↔縮小再生産. 「대.

がくたい【楽隊】图 악대. ¶軍～ 군악

かくたる【確たる】連体 확고한; 틀림없는; 확실한. ¶～証拠がない 확실한 증거가 없다 / ～信念 확고한 신념.

かくだん【格段】ダナ 각별; 현격. ¶～の相違 현격한 차이 / ～に劣る 현격히 뒤떨어지다 / ～の進歩をとげる 현격한 진보를 하다.

がくだん【楽団】图 악단. ¶管弦～ 관현악단 / 交響～ 교향악단 / ～を組織する 악단을 조직하다.

がくだん【楽壇】图 악단. ＝楽界. ¶～から引退する 악단에서 은퇴하다.

かくち【各地】图 각지. ¶全国～から集まる 전국 각지에서 모여들다.

かくちく【角逐】图ス自 각축. ＝せりあい. ¶～戦 각축전 / 優勝をめざして～する 우승을 노리고 각축을 벌이다.

かくちゅう【角柱】图 각주. **1**〔數〕각기둥. **2**네모진 기둥.

*__かくちょう__【拡張】图ス他 확장. ¶事業(じぎょう)の~を図(はか)る 사업의 확장을 도모하다/領土(りょうど)を~する 영토를 확장하다. ↔縮小(しゅくしょう).

かくちょう【格調】图 격조. ¶~の高(たか)い詩(し)〔文章(ぶんしょう)〕 격조 높은 시〔문장〕.

がくちょう【学長】图 학장; (단과) 대학의 장. ⇨総長(そうちょう). 参考 관·공립 대학에서는 学長가 정식임.

がくちょう【楽長】图 악(단)장.

がくちょう【楽調】图 악조; 악률(樂律).

かくつう【角通】图 씨름 세계의 사정에 정통한 사람. =すもう通(つう).

がくつ-く 5自 (다리 따위가) 후들거리다. ¶~膝(ひざ) 후들후들 떨리는 무릎.

かくづけ【格づけ·格付け】图ス他 격·등급을 매김; 신용 평가. ¶~機関(きかん) 신용 평가 기관/~会社(がいしゃ) 투자 등급 평가 회사/生産物(せいさんぶつ)の~をする 생산물의 등급을 매기다.

かくて〖斯くて〗接 이리하여; 이래서; 그래서. =こうして. ¶~ふたりは結(むす)ばれた 이리하여 두 사람은 맺어졌다/~十年(じゅうねん)の歳月(さいげつ)が流(なが)れた 이리하여 10년의 세월이 흘렀다.

かくてい【画定】《劃定》图ス他 획정. ¶境界(きょうかい)を~する 경계를 획정하다.

*__かくてい__【確定】图ス自他 확정. ¶期日(きじつ)〔採用(さいよう)〕が~する 기일〔채용〕이 확정되다/範囲(はんい)を~する 범위를 확정하다.

—しんこく【—申告】图 확정 신고. ↔「予定(よてい)申告.

—てき【—的】ダナ 확정적. ¶合格(ごうかく)は~だ 합격은 확정적이다.

—はんけつ【—判決】图 확정 판결.

カクテル [미 cocktail] 图 **1** 칵테일. **2** 이종(異種)의 혼합된 상태. ¶ジャズと騒音(そうおん)の~ 재즈와 소음의 혼합.

—グラス [cocktail glass] 图 칵테일 잔.

—ドレス [cocktail dress] 图 칵테일 드레스《여자가 칵테일 파티에서 입는 드레스; 약식의 야회복》.

—パーティー [cocktail party] 图 칵테일 파티; 약식 연회《정해진 자리가 없고 서서 먹고 마심》.

—ラウンジ [cocktail lounge] 图 칵테일 라운지《호텔·여객선 등에서, 바(bar)를 갖춘 휴게실》.

がくてん【楽典】图〔樂〕악전.

かくど【客土】图〔農〕객토. =おきつち·いれつち. ¶~を入(い)れる 객토를 하다. 注意 'きゃくど'라고도 함.

かくど【確度】图 확실도. ¶~の高(たか)い情報(じょうほう) 확실도가 높은 정보.

*__かくど__【角度】图 각도. ¶~計(けい) 각도계/~定規(じょうぎ) 각도자/~を測(はか)る 각도를 재다/~をかえて話(はな)す 각도를〔방향을〕 바꿔서 말하다/いろいろな~から考(かんが)える 여러 각도〔관점〕에서 생각하다.

がくと【学徒】图 학도. ¶~軍事訓練(ぐんじくんれん) 학도 군사 훈련/工(こう)~ 공학도/~兵(へい) 학도병.

かくとう【格闘】《挌闘》图ス自 **1** 격투. =とっくみあい. ¶~技(ぎ) 격투기/強盗(ごうとう)と~する 강도와 격투하다. **2**(비유적으로) 씨름함. ¶難問(なんもん)と~する 어려운 문제와 씨름하다.

かくとう【確答】图ス自 확답. ¶~を得(え)る 확답을 얻다/~を避(さ)ける〔迫(せま)る〕 확답을 피하다〔다그치다〕.

*__がくどう__【学童】图 학동; 초등학교 아동. =小学生(しょうがくせい). ¶~服(ふく) 초등학교 아동복.

*__かくとく__【獲得】图ス他 획득. ¶~した権利(けんり) 획득한 권리/資材(しざい)~に苦労(くろう)する 자재 획득에 고심하다.

がくとく【学徳】图 학덕. ¶~兼備(けんび) 학덕 겸비.

かくとした【確とした】連体〈口〉확실한; 틀림없는. =確(かく)たる. ¶~証拠(しょうこ)がある 확실한 증거가 있다.

かくない【閣内】图 각내; 내각의 내부. ¶~不一致(ふいっち) 각내 불일치/~にも異議(いぎ)がある 내각 내에서도 이의가 있다. ↔閣外(かくがい).

がくない【学内】图 학내; 대학의 내부. ¶~の問題(もんだい) 학내 문제. ↔学外(がくがい).

*__かくにん__【確認】图ス他 확인. ¶人数(にんずう)を~する 인원수를 확인하다/身元(みもと)を~する 신원을 확인하다.

かくねん【隔年】图 격년; 한 해 거름. ¶大会(たいかい)を~に催(もよお)す 대회를 격년으로 개최하다.

*__がくねん__【学年】图 학년. ¶~末(まつ)試験(しけん) 학년말 시험/~が進(すす)む 진급하다/彼(かれ)とは同(おな)じ~だ 그와는 같은 학년이다.

かくねんりょう【核燃料】图 핵연료. ¶~物質(ぶっしつ) 핵연료 물질.

かくのう【格納】图ス他 격납; 창고 등에 넣어 둠. ¶~庫(こ) 격납고/航空機(こうくうき)を~する 항공기를 격납하다.

かくのごとく〖斯くの如く〗連語 이와 같이. ¶いまだ~愚(おろ)かなる人(ひと)を見(み)ず 여태껏 이처럼 어리석은 자는 못 봤다.

がくは【学派】图 학파. ¶ヘーゲル~ 헤겔 학파.

かくはいきぶつ【核廃棄物】图 핵폐기「물.

かくばくはつ【核爆発】图 핵폭발. ¶~実験(じっけん) 핵(폭발) 실험.

がくばつ【学閥】图 학벌. ¶~の弊(へい)を除(のぞ)く 학벌의 폐해를 제거하다.

かくば-る【角ばる·角張る】5自 **1** 네모지다. ¶~·った顔(かお) 모난 얼굴. **2** 긴장하다; 어려워하다; 점잔을 빼다. ¶~·ったあいさつ 딱딱한〔격식차린〕 인사/あまり~·らず気楽(きらく)に… 너무 긴장하지 말고 마음 편히…. **3** 모나다. ¶話(はなし)が~ 말에 모가 나다.

かくはん【各般】图〈文〉각반; 제반; 여러 가지. =諸般(しょはん). ¶~の事情(じじょう)を考慮(こうりょ)する 제반 사정을 고려하다.

かくはん [攪拌] 图ス他 교반; 휘저어 섞

음. ¶～機 교반기 / 卵をよく～する 달걀을 잘 휘저어 섞다. 注意 바르게는 'こうはん'이며, 'かくはん'은 관용음.

かくはんのう【核反応】名 핵반응. ＝原子核反応.

がくひ【学費】名 학비. ＝学資. ¶親から～をもらう 부모한테서 학비를 타다 / ～をかせぐ 학비를 벌다 / ～に困る 학비 마련에 어려움을 겪다.

かくびき【画引き】名 획인; 한자를 획수를 따라 찾는 일. ¶～索引 획수 색인. ↔音引き.

かくひつ［擱筆］名ス自 각필; 붓을 놓음. ¶以上を以って～する 이상으로 각필한다. ↔起筆. 「로.

かくひばち【角火鉢】名 네모난 목제 화로.

がくふ【岳父】名 악부; 장인(丈人). ＝しゅうと. ¶～の世話になる 장인에게 신세를 지다.

がくふ【楽譜】名 악보. ＝音譜. ¶～を見ながらピアノをひく 악보를 보면서 피아노를 치다.

*__がくぶ__【学部】名 학부; 단과 대학. ¶～は文～·理～·医～がある 학부는 문학부·이학부·의학부가 있다.

がくふう【学風】名 학풍. ¶アカデミックな～ 아카데믹한 학풍

かくふく【拡幅】名ス自 확폭(《도로·통로 등의 폭을 넓힘》). ¶道路の～工事 도로의 확장 공사 / 八車線に～する 8차선으로 확장하다.

かくぶそう【核武装】名 핵무장. ¶～禁止 핵무장 금지 / ～した爆撃機 핵무장한 폭격기.

がくぶち【額縁】名 **1** 액자; 사진틀. ¶絵を～に入れる 그림을 액자에 넣다. **2** 문얼굴. ¶窓に～を付ける 창에 문얼굴을 대다〔창틀을 달다〕.

かくぶんれつ【核分裂】名 핵분열. **1** 원자핵 분열. ¶～反応 핵분열 반응. 参考 원자 폭탄은 핵분열을 응용한 것임. ↔核融合. **2** 세포핵 분열.

かくへいき【核兵器】名 핵무기. ¶～の持ち込みを反対する 핵무기의 반입을 반대하다.

*__かくべつ__【格別】副ダナ **1** 각별; 유별남; 특별함; 유난함. ＝格段. ¶～の待遇を受ける 각별한 대우를 받다 / この夏は～暑い 올 여름은 유난히 덥다 / ～変わったこともない 별로 달라진 일도 없다 / このところの暑さは～だ 요즘 더위는 유별나다. **2** 어쨌든지(간에); 또 몰라도. ¶知らなかったら～だが 몰랐다면 또 몰라도 / 雨の日は～(として), その他は毎日行け 비 오는 날은 또 몰라도 그 외는 매일 가거라.

*__かくほ__【確保】名ス他 확보. ¶食糧〔資源〕を～する 식량〔자원〕을 확보하다 / 地位を～する 지위를 확보하다.

かくほう【各方】名 각방; 여러 방면.

かくほう【確報】名 확보; 확실한 보도〔소식〕. ¶～を待つ〔得る〕 확실한 소식을 기다리다〔듣다〕.

かくぼう【角帽】名 각모; 사각모; 전하여, 대학생. ¶～生活 대학 생활 / ～をかぶる 각모를 쓰다; 대학생이 되다 / ～が二人歩いて来る 대학생이 두 사람 걸어온다.

がくほう【学報】名 학보; 학술상의 보고; 또, 그것을 싣는 잡지·신문.

がくぼう【学帽】名 학모; 교모; 학생모. ¶～をかぶる 교모를 쓰다.

かくほうめん【各方面】名 각 방면. ¶広く～の意見を聞く 널리 각 방면의 의견을 듣다.

かくま-う〖匿う〗5他 몰래 숨겨〔감춰〕 두다; 은닉하다. ¶犯人を～ 범인을 숨겨 두다. 可能 かくま-える 下1自

かくまく【角膜】名〔生〕(눈의) 각막. ¶～移植(術) 각막 이식(술).

——えん【——炎】名〔醫〕각막염.

かくまで〖斯く迄〗副 이렇게까지; 이토록. ¶～(に)ご厚情を賜り… 이토록 후의(厚誼)를 베풀어 주시어….

*__かくめい__【革命】名 혁명. ¶～家 혁명가 / ～政府 혁명 정부 / 無血～ 무혈 혁명 / 産業～ 산업 혁명 / ～が起こる 혁명이 일어나다.

——てき【——的】ダナ 혁명적. ¶～な大発明 혁명적인 대발명.

がくめん【額面】名 액면. ¶～価格 액면 가격 / 株価が～を割る 주가가 액면가를 밑돌다.

——どおり【——通り】名 액면대로임. ¶～には受け取れない 액면대로는 받아들일 수 없다. 「가 미달.

——われ【——割れ】名 (주식 등의) 액면

かくも〖斯くも〗副 이처럼; 이렇게까지. ¶～盛大な歓迎会を催していただき… 이처럼 성대한 환영회를 베풀어 주시어….

**__がくもん__【学問】名ス自 학문. ¶耳～ 귀동냥으로 배움 / ～のある人 학문이 있는 사람 / ～にいそしむ 학문에 힘쓰다 / ～に志す 학문에 뜻을 두다.

——に王道無し 학문에 왕도란〔지름길은〕 없다.

——てき【——的】ダナ 학문적. ¶～な話 학문적인 이야기.

かくや〖斯くや〗連語 이런 것일까; 이러할까. ¶極楽も～と思われる別世界 극락도 이럴까 싶은 별세계.

がくや【楽屋】名 **1** 무대 뒤; (배우 등의) 대기실; 분장실. **2** 내막; 이면.

——うら【——裏】名 내막; 내정. ¶政界の～ 정계의 내막 / ～をあばく 내막을 폭로하다.

——すずめ〖——雀〗名 분장실에 드나들어 연극이나 배우들의 소식에 밝은 사람; 연극통; 연예가 참새. ＝芝居通. ¶～のうわさにのぼる 연예가 참새들의 입방아에 오르내리다.

——ばなし【——話】名 뒷이야기; 내막 얘기. ＝うらばなし.

かくやく【確約】名ス他自 확약. ¶身分保障を～する 신분 보장을 확약하다 / ～をえる〔とりつける〕 확약을 얻다〔얻어내다〕.

かくやす【格安】ダナ 품질에 비해서 값이 쌈. ¶～品 염가품 / お値段は～になっています 값은 특별히 쌉니다.

がくゆう【学友】名 학우. ¶～会 학우회; 동창회 / 親しい～ 친한 학우.

かくゆうごう【核融合】名〔理〕 핵융합. ¶～反応 핵융합 반응. 参考 수소 폭탄은 이 반응을 응용함. ↔核分裂.

かくよう【各様】名 각양; 각색. ¶各人～ 각인각색.

がくようひん【学用品】名 학용품. ¶～を買ってやる 학용품을 사 주다.

かぐら【神楽】名 신에게 제사 지낼 때 연주하는 무악(舞樂).

かくらん［攪乱］名ス他 교란. ¶敵の後方を～する 적의 후방을 교란하다 / 社会秩序を～する 사회 질서를 교란하다. 注意 바르게는 'こうらん'.

かくらん［霍乱］名〈老〉 **1** 일사병(日射病). **2** 곽란《급성 장(腸)카타르》. ¶鬼の～ 도깨비의 곽란《평소에 튼튼한 사람이 병에 걸림의 비유》/ ～で腹をこわす 곽란으로 배를 앓다.

がくらん【学らん】名〈俗〉 스탠드칼라의 남학생복; 특히, 기장이 긴 저고리와 헐렁헐렁한 바지의 한 벌을 가리킴. 参考 らんは オランダの 'ランダ(=외래 직물)'에서 유래된 말.

***かくり**【隔離】名ス自他 격리. ¶強制～ 강제 격리 / 伝染病患者を～する 전염병 환자를 격리하다.

—びょうしゃ【—病舎】名 격리 병동. =隔離病棟.

がくり【学理】名 학리; 학문상의 원리.

—てき【—的】ダナ 학리적. ¶事件を～に分析する 사건을 학리적으로 분석하다.

***かくりつ**【確率】名 확률. =プロバビリティー. ¶雨の降る～が高い 비가 올 확률이 높다 / 成功する～は五分五分だ 성공할 확률은 반반이다.

***かくりつ**【確立】名ス自他 확립. ¶対日外交政策を～する 대일 외교 정책을 확립하다.

かくりょう【閣僚】名 각료. ¶～級会談 각료급 회담 / ～の更迭があった 각료 경질이 있었다. 参考 보통, 수상인 総理大臣은 빼고 말함.

がくりょう【学寮】名 학료; 학교 기숙사. =寮. ¶～に入る 학교 기숙사에 들어가다.

***がくりょく**【学力】名 학력. ¶～低下 학력 저하 / 基礎～ 기초 학력 / ～がつく 학력이 붙다 / ～が進む〔劣る〕 학력이 나아지다〔떨어지다〕.

—けんさ【—検査】名 학력 검사. =アチーブメントテスト.

かくれ【隠れ】名 **1** 숨음. ¶～場所 숨은 곳. **2** ☞おかくれ. ⇨隠れもない.

かくれあそび【隠れ遊び】名 **1** 숨바꼭질. =かくれんぼう. **2** (부모·어른들 모르게) 몰래 유흥(遊興)을 함.

かくれい【閣令】名〔法〕 각령.

がくれい【学齢】名 학령. **1** 초등학교에 취학할 연령《만 6세》. ¶～前の児童 학령 전의 아동 / ～に達する 학령에 달하다. **2** 의무 교육 수학 기간《만 6세에서 만 15세까지》. ¶～期 학령기 / ～人口 학령 인구.

かくれが【隠れ家】名 (세상을 등지고) 숨어 사는 집; 은둔처.

かくれが【隠れが】《隠れ処》名 숨은 장소; 은신처. =かくれば. ¶犯人の～をつきとめる 범인의 은신처를 알아내다 / ～にひそむ 은신처에 숨다.

***がくれき**【学歴】名 학력. ¶～(偏重)社会 학력 (편중) 사회 / ～は問わない 학력은 불문한다 / ～がなくても出世できる 학력이 없어도 출세할 수 있다. ↔職歴.

かくれみの【隠れみの】《隠れ蓑》名 **1** 입으면 모습이 보이지 않는다는 상상의 도롱이. **2** (비유적으로) 방패막이; 핑계; 빙자; 위장. ¶審議会を～にする政府 심의회를 방패막이로 삼는 정부.

かくれもない【隠れもない】連語 널리 알려진; 공공연한. ¶～事実 잘 알려진 사실.

***かく-れる**【隠れる】下1自 **1** 숨다. ¶月が雲間に～ 달이 구름 사이로 숨다 / 人込みに～ 인파 속에 숨다 / ～·れた人材を探す 숨은 인재를 찾다. ↔現われる. **2** (고귀한 분이) 죽다. ¶お～·れになる 돌아가시다.

かくれんぼう【隠れんぼう】《隠れん坊》名 숨바꼭질. =かくれんぼ.

かくろん【各論】名 각론. ¶詳細は～で述べる 상세한 것은 각론에서 논술한다 / これより～に入る 이제부터 각론으로 들어간다. ↔総論·通論.

かぐわし-い〖香しい·芳しい·馨しい〗形 **1** 향기롭다. ¶～花の香り 향기로운 꽃향기 / ～名声 훌륭한 명성. **2** 아름답다; 아리땁다; 사랑스럽다. ¶～乙女の姿 아리따운 처녀의 자태.

がくわり【学割】名 '学生割引(=학생 할인)'의 준말. ¶～思想 학생 할인 제도의 관습에 젖어, 학생을 너무 관대하게 보는 생각 / ～がきく 학생 할인이 되다.

「庭訓」.

かくん【家訓】名 가훈; 가헌(家憲). =

がくんと 副 **1** 갑자기 부러지거나 움직이거나 흔들리는 모양: 뚝; 덜컥; 덜커덕; 털썩. ¶～汽車が動く 덜커덕 기차가 움직이다 / ～ひざをつく 털썩 무릎을 꿇다 / 成績が～落ちる 성적이 뚝 떨어지다. **2** 사람이 갑자기 쇠약해지는 모양: 탁; 폭(삭). ¶気持ちが～参る 기분이 탁 꺾이다 / 事件のあと～老けこんだ 사건이 있은 뒤에 폭삭 늙

어 버렸다.

かけ【掛け】图 **1** 걺; 거는 것. ¶洋服(ようふく)~ 양복걸이. **2** '掛(か)け売(う)り·掛(か)け買(が)い'의 준말. ¶~で売(う)る〔買(か)う〕 외상으로 팔다〔사다〕. **3**☞かけね. **4**☞か(掛)けきん. ¶たのもし講(こう)の~ 친목계의 곗돈〔부금〕. **5** '掛けそば(=메밀국수 장국)' '掛(か)けうどん(=국수장국)'의 준말. ¶もり~二百円(にひゃくえん) 메밀국수 (장국) 200 엔.

***かけ**〖賭〗图 **1** 내기. =かけごと. ¶~碁(ご)〔マージャン〕 내기 바둑〔마작〕/~をする 내기를 하다/~に勝(か)つ〔負(ま)ける〕 내기에 이기다〔지다〕. **2** (비유적으로) 도박; 큰 모험. ¶この手術(しゅじゅつ)は大(おお)きな~だ 이 수술은 큰 도박이다.

かけ【欠け】图 **1** (달의) 이지러짐. ¶月(つき)の満(み)ち~ 달의 참과 이지러짐. **2** 빠짐; 모자람. ¶定員(ていいん)に~がある 정원에 결원이 있다.

=かけ〖掛け〗《動詞의 連用形에 붙어서》 동작의 도중임을 나타냄. ¶読(よ)み~の本(ほん) 읽고 있는 책/書(か)き~の手紙(てがみ) 쓰고 있는 편지.

***かげ**【影】图 **1** 그림자. =かげぼうし. ¶~のような人(ひと) 그림자 같이 항상 따라다니는 사람; 찰거머리 같은 사람/湖水(こすい)に映(うつ)る山(やま)の~ 호수에 비치는 산 그림자. **2** 자취; 형적; 모습; 형체. ¶見(み)る~も無(な)い 옛 자취를〔모습을〕 찾아볼 수 없다《완전히 영락하다》/~を隠(かく)す 자취를 감추다.

—が薄(うす)い **1** 맥없이 풀 죽은 모양. **2** 존재가 희미하다. **3** 죽음이 임박해 보이다; 단명해 보이다.

—が差(さ)す **1** 그림자가 지다; 모습이 나타나다. **2** 빛이 비치다. ¶窓辺(まどべ)に月(つき)の~ 창가에 달빛이 비치다.

—も形(かたち)も(見(み)え)ない 자취〔형적〕도 없다.

—を潜(ひそ)める 자취를 감추다. ¶町(まち)の暴力(ぼうりょく)行為(こうい)が~ 거리의 폭력 행위가 자취를 감추다.

***かげ**【陰】《蔭》图 **1** 그늘. ㉠햇빛·불빛이 가려진 곳. ¶~になる (a)그늘이 지다; (b)햇빛〔불빛〕을 가려 서다; 빛을 가로막다/木(き)の~で休(やす)む 나무 그늘에서 쉬다. ㉡(그림의) 음영(陰影). ¶絵(え)に~をつける 그림에 음영을 넣다. **2** 뒤. ㉠드러나지 않는 데. ¶岩(いわ)~ 바위 뒤/戸(と)の~に隠(かく)れる 문 뒤에 숨다/~で悪口(わるくち)をいう 뒤〔뒷전〕에서 욕하다〔험담하다〕. ㉡배후. ¶~の人(ひと) 배후 인물/~であやつる 배후에서 조종하다.

—で糸(いと)を引(ひ)く 배후에서 조종하다.

—で舌(した)を出(だ)す 뒷전에서 헐뜯다〔비웃다〕. ¶今(いま)ごろは陰で舌を出していることだろう 지금쯤 뒤에서 비웃고 있겠지.

—になりひなたになり 음으로 양으로; 남이 알게 모르게《애씀》. ¶~友人(ゆうじん)のためにつくす 음으로 양으로 친구를 위해 애쓰다.

***がけ**〖崖·厓〗图 낭떠러지; 벼랑; 절벽. =切(き)り岸(ぎし). ¶~をよじのぼる 벼랑을 기어오르다/~っぷちに立(た)たされる 벼랑 끝에 세워지다〔몰리다〕.

=がけ【がけ·掛け】**1**《한자의 수사(數詞)에 붙여서》…할(割). ¶定価(ていか)の八(はち)~で売(う)る 정가의 8할로 팔다. **2**《動詞의 連用形에 붙여서》…하는 김; …하는 길. ¶帰(かえ)り~に寄(よ)ってくれ 돌아가는 길에 들러 주게/寝(ね)~に一杯(いっぱい)やる 자기 전에 한잔하다. **3** (몸에) 걸침; …바람. ¶ゆかた~で外出(がいしゅつ)する ゆかた 바람으로 외출하다/エプロン~で出(で)て来(く)る 에이프런 차림으로 나오다. **4**《인원수를 나타내는 말에 붙여서》(…이) 앉을 수 있음; …인용. ¶三人(さんにん)~のいす 세 사람이 앉을 수 있는 의자. **5** …곱. ¶三(み)つ~ 세 곱/二(ふた)つ~の大(おお)きさ 두 배의 크기.

かけあい【掛け合い】图 **1** 담판; 교섭; 흥정. ¶~のうまい人(ひと) 교섭〔흥정〕에 능한 사람/~に行(ゆ)く 교섭하러 가다. **2** 두 사람 이상이 번갈아 함; (연예에서) 콤비를 이루어 주고받음. ¶~で歌(うた)う 번갈아 노래하다.

—まんざい【—万歳】图 (두 사람이 주고받는) 콤비 만담. =漫才(まんざい).

***かけあ-う**【掛け合う】5他 **1** 담판〔교섭〕하다; 흥정하다. ¶賃金(ちんぎん)の値上(ねあ)げを~ 임금 인상을 교섭하다/値段(ねだん)を~ 값을 흥정하다. **2** 번갈아 가며 하다. ¶なぞを~ 수수께끼를 서로 내다/声(こえ)を~ 서로 소리치다. **3** 서로 끼얹다. ¶水(みず)を~ 물을 서로 끼얹다.

かけあが-る【駆け上がる】5自 뛰어올라가다. ¶階段(かいだん)を~ 계단을 뛰어올라가다. ↔駆(か)け下(お)りる.

***かけあし**【駆け足】图ス自 **1** 뛰어감; 구보《일을 급히 하거나, 일이 임박함의 비유로도 씀》. ¶~で行(ゆ)く 뛰어〔구보로〕 가다/冬(ふゆ)が~でやって来(く)る 겨울이 달려오다. **2** 말을 달리게〔뛰어가게〕 함. =ギャロップ. ↔並足(なみあし).

かけあわ-せる【掛け合わせる】下1他 **1** 곱셈하다. ¶五(ご)と六(ろく)を~ 5와 6을 곱하다. **2** 붙이다; 교배시키다. ¶優良種(ゆうりょうしゅ)の雄馬(おうま)と雌馬(めうま)とを~ 우량종의 수말과 암말을 교배시키다.

かけい〖筧·懸樋〗图 ☞かけひ.

かけい【家系】图 가계. =血(ち)すじ·血統(けっとう). ¶~図(ず) 가계도/自分(じぶん)の家(いえ)の~を調(しら)べる 자기 집의 가계를 조사하다.

***かけい**【家計】图 가계; 생계. ¶~費(ひ) 가계비/~が豊(ゆた)かだ〔苦(くる)しい〕 생계가 넉넉하다〔어렵다〕/~をささえる 가계를 유지하다/~を助(たす)ける 생계를 돕다.

—ぼ【—簿】图 가계부. ¶~をつける 가계부를 적다.

かけうどん【掛けうどん】《掛け饂飩》图 (밀)국수장국; 가락국수. =かけ.

かけうり【掛け売り】图ス他 외상 판매. =かけ·貸(か)し売(う)り. ¶~お断(ことわ)り 외상 사절/酒(さけ)を~する 술을 외상으로 팔

다. ↔掛け買い·現金売り.

かげえ【影絵】《影画》图 1 그림자 그림; 그림자놀이. ¶～芝居 그림자극. 2 실루엣. =シルエット·影法師.

かけおち【駆け落ち】图ス自 사랑의 도피; 눈 맞은 남녀가 몰래 다른 곳으로 달아남. ¶～者 사랑의 도피자/～をする 사랑의 도피를 하다.

かけお-りる【駆け下りる】上1自 뛰어 내려가다. ↔駆け上がる·駆け登る.

かけがい【掛け買い】图ス他 외상 매입. =かけ. ¶米を～する 쌀을 외상으로 사다/家財道具を～で仕入れる 가재도구를 외상으로 사들이다. ↔掛け売り·現金買い.

かけがえ【掛け替え】图 여벌; 예비품; 대신. =かわり·控え. ¶～がない 여벌이 없다. 參考 대개 'かな'로 씀.

—のない 둘도〔다시〕 없는; 매우 소중한. ¶～わが子 둘도 없는 내 자식/～命 하나뿐인 목숨.

かけがね【掛けがね】《掛け金》图 문을 잠그는 고리; 빗장; 걸쇠. ¶雨戸に～を掛ける 덧문에 문고리를〔빗장을〕 채우다/～を外す 빗장을 열다.

かけがみ【懸け紙】图 선물 포장지《흔히, のし·水引 등이 인쇄되어 있음》.

かげき【歌劇】图 가극. =オペラ. ¶～を上演する 가극을 상연하다.

かげき【過激】名ナ 과격. ¶～な思想 과격한 사상/～分子 과격 분자/～な運動は体に悪い 과격한 운동은 몸에 해롭다. ↔穏当·穏健.

—は【—派】图 과격파.

かけきん【掛け金】图 1 부금(賦金); 일부나 월부로 붓는 돈. =掛け銭. ¶保険の～を払う 보험 부금을〔보험료를〕 지불하다. 2 외상값. =掛け代金.

かけきん【かけ金】《賭け金》图 판돈; 노름판에서 건 돈.

がけくずれ【がけ崩れ】《崖崩れ》图 (산비탈·벼랑의) 사태.

かげぐち【陰口】图 (뒤에서 하는) 험담. =陰言. ¶～をたたく〔きく〕 (본인 없는 데서) 험담을 하다.

かけくらべ【駆け比べ】《駆け競べ》图ス自 달음박질; 경주. =かけっこ·かけくら. ¶うさぎとかめの～ 토끼와 거북의 경주.

かけご【かけ碁】《賭碁》图 내기 바둑.

かけごえ【掛け声】图 1 (남을) 부르는 소리; (특히, 연극·경기 등에서) 성원하는 소리. ¶がんばれと～が掛かる 힘을 내라는 응원 소리가 나오다. 2 (기운을 돋우거나 할 때 지르는) 맞춤〔구령〕 소리. ¶一二三と～を掛ける 하나 둘 셋 하고 (맞춤) 소리를 지르다. 3 (요란한) 제스처; 구호. ¶～に終わる 그저 구호로 그치다/～ばかりではかどらない 구호뿐이고 일은 진척이 없다.

かけごと【かけ事】《賭け事》图 내기; 도박; 노름. =かけ. ¶～に興じる 노름〔내기〕에 재미를 붙이다/彼は～が好きだ 그는 내기를 좋아한다.

かけことば［掛け詞·懸詞］图 수사법의 하나; 한 낱말에 두 가지 이상의 뜻을 갖게 한 것《'秋の野に人まつ虫の声すなり(=가을 들에서 사람을 기다리는데 청귀뚜라미 소리가 난다)'에서, 'まつ'는 '待つ(=기다리다)'와 'まつ虫(=청귀뚜라미)'의 두 가지 뜻을 엇걸었음; 和歌 등에 많음》.

かけこみ【駆け込み】图 뛰어듦; 또, 제시간에 늦지 않으려고 허둥거리는 일. ¶～申請 막바지 신청/～乗車 (차 출발 직전에) 뛰어오르며 타기.

—でら【—寺】图 江戸 시대에, 바람난 남편이나 강제 결혼에 시달린 끝에 도망쳐 온 여자를 보호해 주던 신중절. =縁切り寺.

かけこ-む【駆け込む】5自 1 뛰어들다. ¶のき下に～·んで雨やどりする 처마 밑으로 뛰어들어 비를 긋다. 2 직소(直訴)하다.

かけざん【掛け算】图 곱셈. ¶～で答えを出す 곱셈으로 답을 내다. ↔割り算.

かけじく【掛け軸】图 족자(簇子). =掛け物. ¶～を掛ける 족자를 걸다.

かけしょうぎ【かけ将棋】《賭け将棋》图 내기 장기.

かけす〘懸巣〙图〔鳥〕어치; 언치새. =かしどり.

かけず【掛け図】图 괘도. ¶～を掛けて生徒に説明する 괘도를 걸고 학생들에게 설명하다.

かけすて【掛け捨て】图ス他 1 계약 기간 내의 재해·상해 등의 보상뿐으로, 만기가 되어도 배당금도 없고 부금도 못 찾는 보험. 2 (보험 등의) 중도 해약. 注意 'かけずて'라고도 함.

かけずりまわ-る【駆けずり回る】5自 여기저기 뛰어다니다. ¶金のくめんに～ 돈을 마련하기 위해 여기저기 뛰어다니다/一日中仕事で～ 하루 종일 일로 이리저리 뛰어다니다.

かげぜん【陰ぜん】《陰膳》图 객지에 나간 사람의 무사함을 빌기 위해서 집에 조석으로 차려 놓는 밥상. ¶旅にある息子のために母が毎日～を据える 여행 중인 아들의 무사함을 빌어 어머니가 날마다 밥상을 차려 놓다.

かけそば【掛けそば】《掛け蕎麦》图 메밀국수장국. =(そば)かけ. ↔もりそば.

かけだおれ【掛け倒れ】图 1 외상값을 떼여 손실이 됨. ¶～で欠損をする 외상값을 떼여 결손을 보다. 2 비용만 들고 이익이 없음. =経費倒れ.

かけだし【駆け出し】图 신출내기; 신참. =しんまい. ¶～の記者〔医者〕 신출내기 기자〔의사〕.

—もの【—者】图 미숙한 자; 초심자; 신출내기. =新参者.

かけだ-す【駆け出す】5自 1 뛰기〔달리기〕 시작하다. ¶急に～ 갑자기 달리

기 시작하다. **2** (밖으로) 뛰어〔달려〕 나가다. ¶地震(じしん)だと言(い)ってはだしで外(そと)へ～ 지진이야 하며 맨발로 밖으로 뛰어나가다.

かけちが-う【掛け違う】5自 엇갈리다; (길이) 어긋나다. ＝行(ゆ)き違う·くい違う. ¶話(はなし)が少々(しょうしょう)～ 얘기가 약간 엇갈리다/～·ってなかなか会(あ)えない 길이 어긋나서 좀처럼 만나지 못하다/意見(いけん)が～ため折(お)り合(あ)わない 의견이 엇갈려 합의가〔절충이〕 안 되다.

かけぢゃや【掛け茶屋】名 (길가·유원지 등에서 발 따위를 치고 영업을 하는) 간이 찻집. ＝ちゃみせ·腰掛(こしか)け茶屋.

***かけつ**【可決】名ス他 가결. ¶全員(ぜんいん)一致(いっち)で～する 전원 일치로 가결하다/原案(げんあん)が～される 원안이 가결되다. ↔否決(ひけつ).

=かげつ【か月·箇月】《個月》名 …개월. ¶三(さん)～前(まえ) 3개월 전/全治(ぜんち)二(に)～ 전치 2개월.

かけつけ【駆け付け】名 급히〔달려〕 옴.
―さんばい【―三杯】名 후래 삼배. ＝遅(おく)れ三杯(さんばい).

かけつ-ける【駆け付ける】下1自 급히 달려〔뛰어〕오다〔가다〕; 서둘러 도착하다. ¶急(いそ)いで病院(びょういん)に～ 부랴부랴 병원에 달려가다 / 発車(はっしゃ)まぎわに～·けた 발차 직전에 당도했다.

かけっこ【駆けっこ】名ス自 〈兒〉 달리기; 경주. ＝かけくらべ·かけっくら. ¶うさぎとかめが～をする 토끼와 거북이가 달리기를 하다.

がけっぷち【がけっ縁】《崖っ縁》名 **1** 벼랑 끝. **2** 막다른 곳까지 쫓긴 상태.

かけて 連語 **1** 걸쳐서. ＝わたって. ¶秋(あき)から冬(ふゆ)に～ 가을부터 겨울에 걸쳐서. **2** 관하여; 대하여. ＝関(かん)して. ¶法律(ほうりつ)に～は専門家(せんもんか)だ 법률에 관해서는 전문가이다. **3** 맹세코. ¶神(かみ)(に)～ 신에 맹세코. **4** 걸고. ¶命(いのち)に～ 목숨을 걸고. ⇒か(掛)ける.

かけどけい【掛け時計】名 괘종시계; 벽시계. ＝柱(はしら)時計. ¶～が鳴(な)る 괘종시계가 울리다. ⇒おきどけい·かいちゅうどけい.

かけとり【掛け取り】名 외상값 수금(원(員)). ¶～に行(い)く 외상값을 받으러 가다/月末(げつまつ)に～がやって来(く)る 월말에 외상값 수금원이 찾아온다.

かげながら【陰ながら】《陰乍ら》副 보이지 않는 곳에서(나마); 멀리서나마; 남몰래. ¶～無事(ぶじ)を祈(いの)る 멀리서나마〔마음속으로〕 무사하기를 빌다/～慕(した)う 남몰래 그리워〔사모〕하다.

かけぬ-ける【駆け抜ける】下1自 **1** 뛰어서 앞지르다. ¶馬(うま)に乗(の)った将校(しょうこう)が歩兵(ほへい)の隊列(たいれつ)を～ 말 탄 장교가 보병 대열을 앞질러 가다. **2** 달려 빠져나가다; 달려서 지나가다. ¶雑木林(ぞうきばやし)を～ 잡목숲을 달려 지나가다.

かけね【掛け値】名 에누리. **1** 실제 값보다 더 부름. ¶～なしの五百円(ごひゃくえん) 에누리 없는 500엔/お客(きゃく)に～を言(い)う 손님에게 에누리하다. **2** 과장. ¶彼(かれ)の話(はなし)には～がある 그의 말에는 과장이 있다/～無(な)しに感心(かんしん)した 에누리 없이 (정말) 감탄했다.

かけのぼ-る【駆け登る】5自 뛰어올라가다; 뛰어오르다. ¶坂(さか)を～ 비탈길을 뛰어 올라가다. ↔かけおりる.

かけはぎ【掛けはぎ】《掛け接ぎ》名 짜깁기. ＝かけつぎ.

かけはし【掛け橋·懸け橋】名 **1**〈雅〉 사다리. **2**〈雅〉 가교(假橋). ¶虹(にじ)の～ 무지개 다리. **3** (벼랑 같은 곳의) 잔교. ＝桟橋(さんきょう). 注意 본디 '桟'으로도 썼음. **4**〈老〉 매개. ＝橋渡(はしわた)し·仲立(なかだ)ち. ¶恋(こい)の～をする 사랑의 다리를 놓다《중매하다》.

かけはな-れる【懸け離れる】下1自 **1** 멀리 떨어지다; 동떨어지다. ¶あまりにも現実(げんじつ)と～ 현실과 너무 동떨어지다. **2** 차이가 크게 나다. ¶～·れた実力(じつりょく) 차이가 많이 나는 실력.

かけひ【筧·懸樋】名 (지상에 걸쳐 놓고) 물을 끄는 홈통. ＝かけい·掛(か)け樋(とい). ↔うずみひ.

***かけひき**【駆け引き·掛け引き】名ス自 **1** 흥정(술); 상술; 교섭. ¶～がうまい 흥정을 잘하다/～を使(つか)わず誠意(せいい)で当(あ)たれ 술책을 쓰지 말고 성의로 대해라. **2** 책략.

かげひなた【陰ひなた】《陰日向》名 **1** 음지와 양지. **2** (언행에 나타나는) 표리. ＝うらおもて. ¶～のある人(ひと) 표리가 있는 사람; 안벽 치고 겉벽 치는 사람/～なく働(はたら)く 한결같이 꾸준히 일하다.

かけぶとん【掛け布団】名 이불. ¶軽(かる)い～を掛(か)けて寝(ね)る 가벼운 이불을 덮고 자다. ↔敷(し)きぶとん.

かけへだた-る【懸け隔たる】5自 **1** 멀리 떨어지다. **2** 큰 차이가 나다. ¶実力(じつりょく)の～·っている学生(がくせい)たち 실력 차이가 크게 나는 학생들.

かけへだて【懸け隔て】名 (양자 간의) 거리감; 격의. ＝かけ隔(へだ)たり.

かけへだ-てる【懸け隔てる】下1他 멀리 떨어지게 하다; (정도에) 현격한 차이가 나게 하다. ¶現実(げんじつ)と～·てられた世界(せかい) 현실과 동떨어진 세계.

かげべんけい【陰弁慶】名 ☞うちべんけい.

かげぼうし【影法師】名 (사람의) 그림자. ¶～を落(お)とす 그림자를 드리우다/夕日(ゆうひ)を浴(あ)びて長(なが)い～が映(うつ)る 석양을 받아 긴 그림자가 비치다〔지다〕.

かげぼし【陰干し】《陰乾し》名 음건(陰乾); 그늘진 곳에서 말림. ¶靴(くつ)〔色物(いろもの)〕を～にする 구두를〔물감 들인 옷을〕 그늘에서 말리다. ↔日干(ひぼ)し.

かけまわ-る【駆け回る】5自 (이리저리) 뛰어다니다; 바삐 돌아다니다. ¶子供(こども)が庭(にわ)を～ 어린이가 뜰을 뛰어다니다/資金集(しきんあつ)め에～ 자금을 모으기 위해 이리저리 뛰어다니다.

かげみ【影身】名 그림자처럼 잠시도 떨어지지 않음; 또, 그런 사람. ¶～になって助ける 항상 옆에서 도와주다/～に添って世話を焼く 항상 곁에서 보살펴 주다.

かげむしゃ【影武者】名 **1** (적을 속이기 위해 대장이나 주요 인물처럼) 가장해 놓은 무사〔사람〕. **2** 배후 조종자; 막후 인물. ＝黒幕.

かけめ【掛け目】名 **1** 저울에 단 무게. ＝量目. **2** 편물에서 코의 수를 늘리는 방법의 하나《겉뜨기의 掛け目가 있고 안뜨기의 掛け目가 있음》.

かけめ【欠け目】名 **1** 부족한 근량; 감량. **2** 불완전한 부분; 결점. **3** (바둑에서) 옥집.

かけめぐ-る【駆け巡る】5自 (여기저기) 뛰어다니다. ＝駆け回る. ¶山野を～ 산야를 여기저기 뛰어다니다. 参考 감정이나 상념 등이 격동하는 뜻으로도 씀. ¶熱き思いが胸中を～ 뜨거운 상념이 가슴속에서 요동친다.

***かけもち**【掛け持ち】名スル他 (두 가지 이상의 일을) 겸해서 담당함; 겸임; 겸무; 겹치기. ¶A校とB校を～で教える A교와 B교를 겸임해서 가르치다/劇場とテレビに～で出る 극장과 텔레비전에 겹치기로 출연하다.

かけも-つ【掛け持つ】5自 (두 가지 이상 일을) 겸해서 맡다; 겸무하다. ¶三つのクラスを～ 세 학급을 겸해서 담당하다.

かけもの【掛け物】名 **1**〈口〉족자. ＝掛け軸. ¶～を掛ける 족자를 걸다. **2** 몸을 덮는 침구; 덮을 것《이불 등》.

かけもの【かけ物】《賭け物》名 내기에 거는 돈이나 물건.

かけよ-る【駆け寄る】5自 달려가다〔오다〕; 달려들다. ＝走り寄る. ¶～·って抗議する 달려들어 항의하다/兄のそばに～ 형 곁으로 달려가다/～·ってあいさつする 달려와서 인사하다.

かけら『欠片』名 (부서진) 조각; 단편(斷片). ＝破片. ¶ビスケットの～ 비스킷 부스러기/コップの～を掃き集める 깨진 컵 조각을 쓸어 모으다/良心の～もない 한 조각의 양심도 없다/～ほども反省の色がない 손톱만큼도 반성의 빛이 없다.

かげり【陰り】《蔭り·翳り》名 **1** 해가 기울어 어두워짐. **2** 그늘(이 있는 모양). ¶彼女の顔には～がある 그 여자의 얼굴에는 (어두운) 그늘이 있다/景気のさきゆきに～が見える 경기 전망이 어두워 보인다.

かけ-る『翔る』5自 (높이 빠르게) 날다; 비상(飛翔)하다. ¶隼が空を～ 매가 하늘을 높이 날다.

か-ける『係ける』下1他 그 말을 문법적으로 딴 말과 연관시키다. ¶修飾語をこちらの名詞に～·けて解する 수식어를 이쪽 명사에 결부시켜 해석하다.

***か-ける**【懸ける】下1他 걸다. **1** 늘어뜨리다; 달다. **2** 내던지다. ¶命に～·けて… 목숨을 걸고…. **3** (상으로서) 약속하다. ¶賞金を～ 상금을 걸다. ☞ か(賭)ける.

***か-ける**【掛ける】下1他 **1** 걸다. ㉠《懸ける로도》늘어뜨리다; 달다; 치다. ¶窓にカーテンを～ 창에 커튼을 치다/壁に絵を～ 벽에 그림을 걸다/じゅずを手に～ 염주를 손에 걸다. ㉡(자물쇠·단추 등을) 채우다; 잠그다. ¶かぎを～ 자물쇠를 채우다/かんぬきを～ 빗장을 걸다〔지르다〕. ㉢올리다; 달다. ¶帆を～·けて走る舟 돛을 올리고 달리는 배. ㉣상정하다; 올리다. ¶議題を会議に～ 의제를 회의에 올리다. ㉤의지〔기대〕하다. ¶子の成長にのぞみを～ 자식의 성장에 기대하다. ㉥(…하기 위해) 기계 등에 올리다〔걸다〕. ¶材料を機械に～ 재료를 기계에 걸다/データをコンピューターに～ 데이터를 컴퓨터에 입력하다. ㉦말소리를 보내다. ¶声を～ (a)말을 걸다; (b)소리치다; 부르다/誘いを～ 꾀다; 권유하다/電話を～ 전화를 걸다. ㉧선수를 써서 치다. ¶足払いを～ 다리후리기를〔딴죽을〕 걸다 / 攻撃を～ 공격을 걸(어오)다. ㉨(계약을 맺고) …에 들다. ¶保険を～ 보험에 들다. ㉩기계를 움직여 작용시키다. ¶エンジンを～ 엔진의 발동을 걸다/ブレーキを～ 브레이크를 걸다. ㉪《'～·けて'의 꼴로》…에 걸고; 맹세코. ¶名誉に～·けて 명예를 걸고/神～·けて 신에 맹세코. **2** 걸리게〔걸려들게〕 하다; 빠뜨리다. ¶計略に～ 계략에 걸려들게 하다/わなに～ 올가미에 걸리게 하다〔빠뜨리다〕. **3** 걸치다. ㉠《架ける로도》놓다; 가설하다. ¶橋を～ 다리를 놓다. ㉡(손 따위를) 대다; 얹다. ¶肩に手を～ 어깨에 손을 얹다. ㉢《懸ける로도》걸쳐〔기대어〕 놓다; 버티어 놓다. ¶屋根にはしごを～ 지붕에 사다리를 걸치다. ㉣입다. ¶エプロンを～ 행주치마를 걸치다/たすきを～ 어깨띠를 두르다. ㉤쓰다. ¶眼鏡を～ 안경을 쓰다/マスクを～ 탈〔가면〕을 쓰다. ㉥(이불 등을) 덮다; 씌우다. ¶ふとんを～ 이불을 덮(어 주)다/テーブルに布を～ 테이블보를 씌우다. ㉦《懸ける로도》(불 위에) 올려놓다. ¶なべをこんろ〔火〕に～ 냄비를 풍로에〔불에〕 올려놓다. ㉧『(…から)…に～·けて』(…에서) …에 걸쳐서. ¶京都から大阪に～·けての一帯 京都에서 大阪에 걸친 일대/夏から秋に～·けて咲く 여름부터 가을에 걸쳐 핀다. **4** 앉다; 걸터앉다. ¶腰を～ (걸터) 앉다/どうぞお～·けください 어서 앉으십시오. **5** 치다. ㉠《架ける로도》(얼기설기) 만들다; 꾸미다. ¶小屋を～ 가건물을 짓다/くもが巣を～ 거미가

거미줄을 치다. ㉡줄을 긋다. ¶墨縄を～ 먹줄을 치다. ㉢체로 거르다; 체질하다. ¶ふるいに～ 체에 치다; 체질하다. ㉣뿌리다; (음식 따위에) 곁들이다. ¶塩を～ 소금을 치다. **6** (걱정·번거로움·수고를) 끼치다. ¶迷惑〔やっかい〕を～ 폐를 끼치다/苦労を～ 수고를 끼치다; 고생을 시키다. **7** 뒤집어씌우다; 뿌리다; 끼얹다. ¶植木に水を～ 분재(盆栽)에 물을 뿌리다. **8** (돈·시간·수고 등을) 들이다. ¶金を～ 돈을 들이다/費用はいくら～·けてもよい 비용은 얼마를 들여도 좋다/時間を～·けてしあげる 시간을 들여서 완성하다. **9** (불을) 지르다; 놓다. ¶火を～ 불을 지르다. **10** 과(課)하다; 매기다. ¶税金〔罰金〕を～ 세금〔벌금〕을 과하다. **11** (작용·힘·기세 따위를) 더하다; 가하다. ¶圧力を～ 압력을 가하다/勉強に馬力を～ 공부에 박차를 가하다〔더 힘을 쓰다〕/磨きを～ 닦아 문질러 윤을 내다; 더 세련되게 하다. **12** 곱하다. ¶三に七を～ 3에 7을 곱하다/ウェートを～·けて算出する 무게를 곱하여 셈하다. **13** (기계가 돌아가게) 틀다. ¶ラジオを～ 라디오를 켜다/レコードを～ 레코드를 틀다. **14** (기계·도구를 써서) …질하다. ¶かんなを～ 대패질을 하다/ぞうきんを～ 걸레질하다/はたきを～ 총채질을 하다/ブラシを～ 솔질하다/アイロンを～ 다리미질하다. **15** 상연하다; 올리다. ¶舞台に～·けた脚本 무대에 올린 극본. **16** 《動詞의 連用形에 붙어》 ㉠…하기 시작하다. ¶観客が席を立ち～ 관객이 자리를 뜨기 시작하다. ㉡아직〔미처〕 못 끝내다; …하다 말다. ¶読み～·けた本 아직 다 못 읽은 책/建て～·けた家 짓다 만 집/仕事をやり～·けたままにしておく 일을 하다 만 채로 두다. ㉢막 …하려 하다. ¶消え～ 막 꺼지려 하다; 꺼져 가고 있다/倒れ～·けている垣 쓰러져 가는 담.

⁑**か-ける【架ける】** 下1他 걸쳐 놓다; 가설하다. ¶橋を～ 다리를 놓다/はしごを～ 사다리를 걸치다/電線を～ 전선을 가설하다.

⁑**か-ける【欠ける】** 下1自 **1** 이지러지다. ㉠귀떨어지다; 흠지다. ¶茶わん〔刃〕が～ 공기 가장자리〔칼날〕의 이가 빠지다. ㉡《虧ける》 (만월이) 이울다. ¶月が～ 달이 이지러지다. ↔満ちる. **2** (있어야 할 것이) 빠지다; 없다; 결여되다. ¶必要な条文が～ 필요한 조문이 빠지다. **3** 부족하다; 모자라다. ¶義理に～ 의리가 없다/常識が～ 상식이 부족하다.

*__か-ける【駆ける】__《駈ける》 下1自 (사람·말 따위가) 전속력으로 달리다; 뛰다. ¶まっしぐらに～ 쏜살같이 달리다/馬が～ 말이 달리다.

*__か-ける〖賭ける〗__ 下1他 걸다. **1** 내기를 하다; 태우다. ¶この勝負に万円～·けよう 이 승부에 만 엔을 걸겠다. **2** 소중한 것을 대가로 하다. ¶命を～·けた恋 목숨을 건 사랑/優勝を～·けて戦う 우승을 놓고 싸우다. 注意 '懸ける'로도 씀.

かげ-る【陰る】《翳る》 5自 **1** 그늘지다; 흐려지다; (해가) 가리다. ¶日の～·った道 그늘진 길/空が～ 하늘이 흐려지다. **2** (해가) 기울다; 저물어 가다. ¶冬には早く日が～ 겨울에는 해가 빨리 기운다. **3** 표정이 어두워지다; 또, 상태가 나빠지다. ¶景気が～ 경기가 침체되다/不安で顔が～ 불안으로 안색이 흐려지다.

かげろう〖蜉蝣〗 名 **1**〔蟲〕 하루살이. **2** 단명함〔덧없음〕의 비유. ¶～の命 하루살이 목숨/～のようなはかない命 하루살이 같은 덧없는 목숨.

かげろう〖陽炎〗 名 아지랑이. ＝遊糸·糸遊. ¶春の野に～が立ち上る 봄의 들판에 아지랑이가 피어오르다/～が燃える 아지랑이가 피어오르다.

かけわた-す【掛け渡す】 5他 건너지르다; 놓다. ¶橋を～ 다리를 놓다/板を～ 널빤지를 건너지르다.

かけん【家憲】 名 가헌; 가법. ＝家訓. ¶～を守る 가헌을 지키다.

かげん【下弦】 名 하현. ¶～の月 하현달. ↔上弦.

かげん【下限】 名 (수나 값 따위의) 하한. ¶合格点の～を決める 합격점의 하한을 정하다. ↔上限.

かげん【加減】 名 가감; 더하기와 빼기. **—じょうじょ【—乗除】** 名 가감승제.

⁑**かげん【加減】** 一 名 ス他 가감. **1** 더함과 덜함. **2** 가늠봄; 조절함; 맞춤; 또, 그 정도. ¶適当に～する 적당히 가감하다/温度を～する 온도를 조절하다〔맞추다〕. 二 名 **1** 건강 상태. ¶からだの～が良い 몸의 건강 상태가 좋다/お～はいかがですか 건강은 어떻습니까. **2** 알맞음; 또, 그 상태·정도. ¶～をみる 상태·정도를 (살펴)보다. 三 接尾 《動詞 連用形, 상태를 나타내는 名詞에 붙어》 **1** 정도; 형편; 여부. ¶糸の張り～ 실의 팽팽한 정도/奴のばかさ～には腹が立つ 녀석의 바보짓에는 화가 난다/利口さ～は大したことない 영리한 정도는 별것 아니다《별로 영리하지 않다》. **2** 좀 …한 기미; 좀 …듯싶음. ¶こごみ～の姿 약간 구부정한 자세/ほろ酔い～ 좀 거나한 상태. **3** 알맞은 정도. ¶はいり～のふろ 들어가기 알맞게 데운 목욕물/湯が飲み～だ 끓인 물이 마시기 좋을 만큼 따끈하다.

かげん【過言】 名 **1** 실언(失言); 잘못 말함; 또, 그 말. **2** 과언. ＝かごん.

かげん【寡言】 名 과언; 과묵. ¶～の人 말수가 적은 사람. ↔饒舌.

⁑**かこ【過去】** 名 과거. ¶～にさかのぼる 과거로 거슬러 올라가다/～を問わな

い 과거를〔전력을〕 묻지 않다 / ～をしのぶ 과거를 그리워하다 / 暗(くら)い～を清算(せいさん)する 어두운 과거를 청산하다 / 今(いま)は遠(とお)い～の事(こと)となる 지금은 먼 과거사가 되다. ↔現在(げんざい)·未来(みらい).

*かご〖籠〗图 바구니. ¶花(はな)～ 꽃바구니 / 竹(たけ)～ 대바구니 / 買(か)い物(もの)～ (시)장바구니 / 鳥(とり)～ 새장 / ～を提(さ)げる 바구니를 들다.

かご〖駕籠〗图 가마; 교《옛날에는 대나무로, 후세엔 나무로 만들었으며, 위에 한 자루의 가마채가 달렸음; 신분·계급·용도에 따라 종류가 많음》. ¶～かき 가마꾼 / ～をかく 가마를 메다 / ～に乗(の)る 가마를 타다.

[駕籠]

かご【加護】图ス他 가호. ¶神(かみ)の～を祈(いの)る 신의 가호를 빌다.

かご【過誤】图 과오; 잘못. ＝あやまち. ¶医療(いりょう)～ 의료 사고 / 思(おも)わざる～を犯(おか)す 뜻밖의 과오를 범하다.

がご【雅語】图 아어. ＝雅言(がげん). ↔俚語(りご)·俗語(ぞくご).

かこい【囲い】图 **1** 둘러쌈; 두름; 또, 둘러싸는 것. ¶板(いた)で～をする 판자로 두르다. **2** 울타리; 담. ¶家(いえ)の周(まわ)りに～をする 집 주위에 울타리를 두르다. **3** (집 안에 마련한) 다실(茶室). ＝数寄屋(すきや). **4** (야채 등의) 저장. ¶～がきく 저장할 수 있다. **5** '囲(かこ)い者(もの)'의 준말.

かこいこ-む【囲い込む】5他 둘러싸서 가두다; 에워싸다.

かこいもの【囲い者】图 딴살림을 내준 첩. ＝かこいめ.

*かこ-う【囲う】5他 **1** 둘러싸다. ¶庭(にわ)を塀(へい)で～ 뜰을 담으로 둘러치다. **2** 숨겨 두다. ＝かくまう. ¶容疑者(ようぎしゃ)を～ 용의자를 숨겨 두다. **3** 첩을 두다. ¶女(おんな)を～ 첩을 두다. **4** 저장해 두다. ¶野菜(やさい)を～ 야채를 저장해 두다.

かこう【下向】图ス自 하향; (경기가) 쇠퇴해 감. ¶～気味(ぎみ) 하향세. ↔上向(じょうこう).

かこう【下降】图ス自 하강; 내려옴. ¶～気流(きりゅう) 하강 기류. ↔上昇(じょうしょう).

――せん【――線】图 하강선. ¶売(う)り上(あ)げ高(だか)が～を描(えが)く 매출액이 하강선을 그리다.

*かこう【加工】图ス他 가공. ¶～品(ひん)〔賃(ちん)〕 가공품〔임〕 / ～食品(しょくひん) 가공 식품 / 原料(げんりょう)を～する 원료를 가공하다.

――ぼうえき【――貿易】图 가공 무역.

かこう【河口】图 하구; 강어귀. ＝かわぐち. ¶～港(こう) 하구항 / ～堰(ぜき) 하구언 / 船(ふね)が～に到着(とうちゃく)する 배가 하구에 도착하다.

かこう【河港】图 하항; 강가에 있는 항구. ¶揚子江(ようすこう)の～として栄(さか)える 양쯔 강의 하항으로서 번영하다. ↔海港(かいこう).

かこう【火口】图 화구. **1**〖地〗 화산의 분화구. ¶～丘(きゅう) 화구구. **2** 아궁이.

――げん【――原】图 화구원《화구구(丘)와 외륜산(山) 사이에 생긴 평지》.

――こ【――湖】图〖地〗 화구호.

かこう【華甲】图 화갑; 환갑; 회갑. ＝還暦(かんれき). 参考 '華'를 풀면 十자 여섯과 一이 되는 데서 세는 나이 61세, '甲'은 십간 십이지의 첫째.

*かごう【化合】图ス自〖化〗 화합. ¶～物(ぶつ) 화합물 / 酸素(さんそ)と水素(すいそ)が～すると水(みず)になる 산소와 수소가 화합하면 물이 된다. ↔混合(こんごう).

がこう【画稿】图〖美〗 화고; 초벌 그림.

がごう【雅号】图 아호. ¶～をつける 아호를 붙이다.

かこうがん【花こう岩】《花崗岩》图〖鑛〗 화강암; 쑥돌. ＝御影石(みかげいし).

かごかき〖駕籠舁〗图 가마꾼. ＝かごや.

かこく［苛酷］ダナ 가혹. ＝無慈悲(むじひ). ¶～な収奪(しゅうだつ) 가혹한 수탈 / ～に過(す)ぎる条件(じょうけん) 너무 가혹한 조건.

かこく【過酷】ダナ 과혹; 지나치게 가혹함. ¶～な試練(しれん) 과혹한 시련 / ～な取扱(とりあつか)い 지나치게 가혹한 취급.

かごしま［鹿児島］图〖地〗 九州(きゅうしゅう) 남쪽 끝에 있는 현; 또, 그 현청 소재지.

かこ-つ〖託つ〗5他 **1** 핑계〔구실〕 삼다; 칭탁하다. ＝かこつける. ¶酔(よ)いに～·った暴言(ぼうげん) 술기운을 빙자한 폭언 / 病気(びょうき)を～ 병을 핑계 삼다. **2** 탄식〔원망〕하여 말하다; 탓〔한탄〕하다; 푸념하다. ¶身(み)の不遇(ふぐう)を～ 일신의 불우함을 한탄하다 / 無聊(ぶりょう)を～ 무료함을 푸념하다.

*かこつ-ける〖託ける〗下1他 핑계하다; 칭탁〔빙자〕하다; 구실 삼다. ¶病気(びょうき)に～·けて欠席(けっせき)する 병을 핑계 삼아 결석하다.

かごぬけ【かご抜け】《籠脱け》图ス自 **1** 몸을 솟구쳐 바구니를 빠져나가는 곡예. **2**☞かごぬけさぎ.

――さぎ【――詐欺】图 (관계자인 양 가장해, 앞문에서 금품을 받아 쥔 다음 뒷문 등으로 빠져 도망치는) 네다바이 사기.

かごのとり【かごの鳥】《籠の鳥》图 농중조; 새장에 갇힌 새. ＝かごの中(なか)の鳥. ¶～の生活(せいかつ) 자유를 속박당한 생활《특히, 창녀 또는 첩의 신세》.

かこみ【囲み】图 **1** 에워쌈. ¶点線(てんせん)の～ 점선으로 둘러친 곳〔박스〕. **2** 포위(망). ¶城砦(じょうさい)の～を解(と)く 성채의 포위를 풀다 / 敵(てき)の～を破(やぶ)る 적의 포위망을 뚫다. **3** 주위; 둘레.

かこみきじ【囲み記事】图 (신문 등의) 칼럼 기사; 박스 기사. ＝囲み物(もの).

かこ-む【囲む】5他 **1 두르다; 둘러〔에워〕싸다. ¶山(やま)に～·まれた町(まち) 산에 둘러싸인 도시 / 敵(てき)を～ 적을 포위하다 / 括弧(かっこ)で～ 괄호로 묶다 / かがり火(び)を～·んで歌(うた)う 모닥불을 둘러싸고 노래하다. **2** 바둑을 두다. ¶一局(いっきょく)～ (바둑을) 한 판 두다. 可能 かこ-める 下1自

かごめ 图 (여럿이 손을 잡고 노래 부르며 돌다가, 눈 가린 술래더러 등 뒤의 사

람을 알아맞히도록 하는) 술래잡기 놀이. =かごめかごめ.

かこん【禍根】图 화근. ¶~を除く〔絶つ〕 화근을 없애다 / 将来に~を残す 장래에 화근을 남기다.

かごん【過言】图 과언. =言いすぎ·かげん. ¶彼を天才といっても~ではない 그를 천재라 해도 과언은 아니다.

**かさ【笠】图 1 삿갓. ¶みのと~ 도롱이와 삿갓 / ~をかぶる 삿갓을 쓰다. 參考 '傘(=우산)' 와 구별하여 'かぶりがさ(=쓰는 갓)' 라 일컬음. 2 갓 모양의 것. ¶電灯の~ 전등갓 / 松たけの~ 송이버섯의 갓. 3 비유적으로, 비호하는 것; 배경. ¶権力を~にいばりちらす 권력을 믿고 마구 으스대다.

──に着る 권력이나 세력을 믿고 뻐기다; 매세하다. ¶親の威勢〔地位〕を~ 부모의 위세〔지위〕를 믿고 뻐기다.

**かさ【傘】图 우산; 양산. ¶~骨 우산살 / ~を差す〔すぼめる, たたむ〕 우산을 쓰다〔접다〕 / ~を広げる 우산을 펴다 / 風で~がおちょこになる 바람에 우산이 뒤집히다. 參考 '笠(=갓)' 와 구별하여 '差しがさ(=받치는 갓)' 라 일컬었음.

かさ【嵩】图 부피; 분량. ¶荷物の~ 짐의 부피 / ~が高い 고압적이다 / ~がはる〔ある〕 부피가 나가다〔크다〕 / 水の~が増す 물이 붇다 / ~を減らす 부피를 줄이다.

──にかかる 위압적인 태도로 나오다. ¶かさにかかった言い方 위압적인 말투 / かさにかかって攻め立てる 기세등등하게 공격을 퍼붓다.

かさ【暈】图〔天〕 무리. =ハロー. ¶月に~がかかる 달(에) 무리가 지다 / 月が~をかぶった 달무리가 졌다.

かさ【瘡】图 1 부스럼·종기 등의 피부병. 2 〈俗〉 창병; 매독.

──をかく 피부병, 특히 매독에 걸리다.

がさ 图 〈隱〉 경찰에 의한 강제 가택 수색. ¶~を入れる〔かける〕 가택 수색을 하다. 參考 '探す' 의 어간 'さが' 의 도치어(倒置語).

かさあげ【かさ上げ】(嵩上げ) 图 ス他 1 둑 따위를 더 높이 쌓아 올림; 덧쌓음. ¶~工事 둑 증축 공사. 2 비유적으로, 인상. ¶家族手当の~ 가족 수당의 인상 / 賃金ベースを~する 임금 베이스를 인상하다.

かざあし【風足】图 바람의 속도; 풍속.

かざあな【風穴】图 바람구멍. ¶~をふさぐ 바람구멍을 막다.

──を開ける 바람구멍을 내다; 칼 따위로 배·가슴 등을 꿰찌르다. ¶どてっ腹に~ぞ 배때기에 바람구멍을 내 줄테다.

かさい【家裁】图 '家庭裁判所(=가정 법원)' 의 준말. ¶~送り 가정 법원 이첩(移牒).

かさい【果菜】图 과채《가지·오이·호박 따위》. ¶~類 과채류.

*かさい【火災】图 화재; 불. =火事. ¶~警報 화재 경보 / ~が発生する 화재가 발생하다.

──かんちき【──感知器】图 화재 감지기.

──ほけん【──保険】图 화재 보험.

かざい【家財】图 가재. 1 살림살이; 가구. ¶~道具 가재도구. 2 한 집안의 재산; 가산(家産).

がざい【画材】图 화재. 1 그림의 소재. 2 그림을 그리기 위한 도구·재료; 화구(畫具). ¶~商 화구상.

かさかさ 副 ス自 ダナ 1 말라서 물기〔윤기〕가 없는 모양: 까칠까칠. ¶~した人 까칠한 사람《성격이 메마른 사람》 / ~した肌 까칠까칠한 살갗. 2 낙엽 같은 마른 것에 닿았을 때 나는 소리: 바삭바삭. ¶枯れ葉が~と音を立てる 마른 잎이 바삭바삭 소리를 내다.

がさがさ 副 ス自 ダナ 1 표면이 말라서 매끄럽지 않은 모양: 가슬가슬; 꺼칠꺼칠; 버석버석. ¶~した手 가슬가슬한 손 / ~と新聞を広げる 버석거리며 신문을 펼치다. 2 성질이 거칠거나 덤벙대는 모양: 거슬거슬; 덤벙덤벙. ¶~した人 거슬거슬한〔메마른〕 사람; 덤벙대는 사람 / ~にひび割れした手 거칠거칠하게 튼 손.

かざかみ【風上】图 1 바람이 불어오는 쪽. ¶~なので類焼をまぬかれた 풍향의 반대 쪽에 있어서 연소(延燒)를 면했다. ↔風下. 2 위쪽; 윗자리.

──に(も)置けない (성질이나 행실이 비열해) 자리를 같이할 수 없다. ¶武士の~ 무사로서 상종 못할 비열한 놈이다. 參考 악취가 나는 것이 바람이 불어오는 쪽에 있으면 참을 수 없다는 데서.

かざきり【風切り】图 1 배 위에 세워 바람의 방향을 보는 기(旗). 2 (새의) 칼깃. =かざきり羽·かざきりばね.

かさく【佳作】图 가작. ¶選外~ 선외가작 / あの詩はなかなかの~だ 그 시는 꽤 우수한 작품이다.

かさく【仮作】图 ス他 가작. 1 임시로 만듦; 또, 그 물건. 2 진실이 아닌 것을 꾸밈; 허구. ¶~物語 픽션.

かさく【家作】图 1 집을 지음; 또, 그 집. =家作り. 2 특히, 셋집〔세 놓을 집〕으로 지은 집. =貸家. ¶~持ち 셋집을 (여러 채) 가지고 있는 사람 / ~の上がりで暮らす 셋집의 임대 수입으로 살다.

かさく【寡作】图 ダナ 과작. ¶~の小説家 과작하는 작가. ↔多作.

かざぐるま【風車】图 풍차. 1 팔랑개비. ¶~がくるくる回る 팔랑개비가 뱅글뱅글 돌다. 2 ☞ふうしゃ.

かざけ【風邪気·風気】图 감기 기운. =かぜけ·かぜぎみ. ¶~で寝ている 감기 기운으로 누워 있다 / ~が取れない 감기 기운이 안 떨어진다.

かざごえ【風邪声】图 감기 든 목소리; 코멘 소리; 쉰 소리. =かぜごえ. ¶君は

~だが大丈夫(だいじょうぶ)か 자네 감기 든 목소리인데 괜찮겠는가.

かさこそ 副 마른 나뭇잎 따위가 스치며 나는 소리: 바스락바스락; 버석버석.

がさごそ 副 'かさこそ'보다 큰 소리의 형용: 버스럭버스럭. ¶~(と)音(おと)がしてリスが出(で)て来(き)た 버스럭버스럭 소리가 나더니 다람쥐가 나왔다.

かささぎ 〖鵲〗 图 〔鳥〕 까치. =鳥鵲(うじゃく).

—の橋(はし) 오작교.

かざしも 【風下】 图 바람이 불어 가는 쪽. =かざした. ¶~に立(た)つ 남의 영향하에 있다; 남에게 뒤지다. ↔風上(かざかみ).

かざ-す 〖翳す〗 5他 **1** 빛을 가리듯 눈 위를 받치다; 덮어 가리다. ¶扇(おうぎ)を~ 부채로 이마 위를 가리다/ランプに手(て)を~ 남폿불을 손으로 가리다/額(ひたい)に手(て)を~ 이마에 손을 얹다. **2** 쬐다. ¶火鉢(ひばち)に手(て)を~ 화로에 손을 쬐다. **3** 비추어 보다. ¶物(もの)を明(あ)かりに~·してみる 물건을 등불에 비추어 보다. **4** 머리 위로 치켜 올리다. ¶小手(こて)を~ 손으로 이마 위를 가리다/旗(はた)を~ 기를 머리 위로 치켜들다. 可能 かざ-せる 下1自

かさだか 【かさ高】《嵩高》 ダナ **1** 부피가 나감〔큼〕; 부픎. ¶~の品(しな) 부피가 큰 물건. **2** 얕보고 거만하게 굶. ¶~に物(もの)を言(い)う 얕보고 거만하게 말하다.

がさつ ダナ 동작·태도 따위에 침착성이 없이 거칠고 막된 모양. ¶~者(もの) 덜렁이; 데퉁바리/~なもの言(い)い 거친 말투/~な男(おとこ)だ 덜렁대는 사내다. ↔しとやか·繊細(せんさい).

がさつ-く 5自 **1** 버석거리다; 와삭거리다. **2** 덜렁대다; 수선거리다. ¶~·いた奴(やつ) 덜렁쇠; 수선쟁이/~·いた声(こえ) 수선거리는 소리.

かざとおし 【風通し】 图 ☞かぜとおし.

かさなりあ-う 【重なり合う】 5自 서로 겹치다; 거듭되다; 포개지다. ¶さまざまな変化(へんか)が~·って起(お)こった 갖가지 변화가 겹쳐 일어났다.

⁑**かさな-る** 【重なる】 5自 포개지다; 겹치다; 거듭되다. ¶~災難(さいなん) 거듭되는 재난/不幸(ふこう)が~ 불행이 겹치다/本(ほん)が二冊(にさつ)~·っている 책이 2권 포개져 있다/試験(しけん)と祭日(さいじつ)が~ 시험과 경축일이 겹치다/遠(とお)く山々(やまやま)が~·っている 멀리 산들이 겹쳐 있다

かさね 【重ね】 一图 **1** 겹침; 겹친 것. **2** 속옷과 겉옷이 갖추어진 옷. ¶~の羽織(はおり) 한 벌 갖추어진 羽織. **3** 옷을 껴입음. =かさねぎ. 二接尾 찬합이나 옷 따위, 겹치거나 포갠 것을 세는 말. ¶着物(きもの)ふた~ 옷 두 벌/布団(ふとん)一(ひと)~ 이부자리 한 채/重箱(じゅうばこ)一(ひと)~ 찬합 하나.

かさねがさね 【重ね重ね】 副 **1** 자주; 잇따라; 부디; 거듭거듭. ¶~不幸(ふこう)に出会(であ)う 잇따라 불행을 만나다/~おわび申(もう)し上(あ)げます 거듭거듭 사과 드립니다. **2** 더욱 더. ¶~お体(からだ)を大切(たいせつ)に 더욱더 몸조심하시기를.

かさねぎ 【重ね着】 图ス自他 옷을 여러 벌 껴입음; 또, 그 옷. =重(かさ)ね.

かさねて 【重ねて】 連語 재차; 거듭; 되풀이하여; 다시 한번. =ふたたび. ¶~お礼(れい)を言(い)う 거듭 사례하다.

⁑**かさ-ねる** 【重ねる】 下1他 **1** 포개다; 쌓아 올리다. ¶手(て)を~ 손을 포개다/本(ほん)を五冊(ごさつ)~ 책을 다섯 권 쌓다/セーターの上(うえ)にカーディガンを~·ねて着(き)る 스웨터 위에 카디건을 껴입다. **2** 겹치다; 거듭하다; 되풀이하다. ¶同(おな)じ失敗(しっぱい)を~ 같은 실패를 거듭하다/日(ひ)を~ 날을 거듭하다.

かざばな 【風花】 图 **1** 바람에 날리는 눈. **2** 갠 날, 눈발이 바람에 날리면서 조금씩 내리는 일; 또, 그 눈. ¶チラホラと白(しろ)い~がまう 간간이 하얀 눈발이 날리다.

⁑**かさば-る** 〖嵩張る〗 5自 부피가 커지다〔늘다〕. =かさむ. ¶目方(めかた)のわりに~品物(しなもの) 무게에 비해 부피가 큰 물건/荷物(にもつ)が~ 짐이 커지다.

かさぶた 〖瘡蓋·痂〗 图 (부스럼) 딱지. ¶~が取(と)れる〔できる〕 부스럼 딱지가 떨어지다〔앉다〕.

かざみ 【風見】 图 **1** 바람의 방향·강도를 봄. **2** 바람개비; 풍향계(計).

—どり 〖—鶏〗 图 **1** 수탉 모양의 풍향계. **2** (비유적으로) 기회주의자. ¶政界(せいかい)の~ 정계의 해바라기족. 「に.

がざみ 〖蝤蛑〗 图 〔動〕 꽃게. =わたりが

かさ-む 〖嵩む〗 5自 부피가 커지다; 많아지다; 불어나다. =かさばる. ¶荷物(にもつ)が~ 짐의 부피가 커지다/費用(ひよう)〔コスト〕が~ 비용이〔코스트가〕 불어나다.

かざむき 【風向き】 图 **1** 풍향. ¶~が変(か)わる 풍향이 바뀌다. **2** 대체의 경향; 형세. ¶会議(かいぎ)の~が変わる 회의의 형세가 바뀌다. **3** 기분. ¶社長(しゃちょう)の~がわるい 사장이 저기압이다. 注意 'かぜむき'라고도 함.

かざよけ 【風よけ】《風除け》 图 바람을 막음; 바람막이; 방풍(防風). =かぜよけ. ¶~の木(き)を植(う)える 바람막이 나무를 심다.

⁑**かざり** 【飾り】 图 **1** 꾸밈. ㉠장식(품). ¶~ボタン 장식 단추/客間(きゃくま)の~ 응접실의 장식(품)/~をつける 장식을 달다. ㉡허식. ¶~よりも中身(なかみ) 겉보다 알맹이/世辞(せじ)も~もない 입에 발린 소리도 허식도 없다/文章(ぶんしょう)に~がない 문장에 꾸밈이 없다. ㉢허울뿐인 것. ¶会長(かいちょう)といっても~だ 회장이라지만 허울뿐이다. **2** 설을 축하하는 장식인 'しめかざり·松(まつ)かざり'의 준말.

かざりぎり 【飾り切り】 图 조리에서 재료를 썰 때, 풍물이나 동식물을 본뜬 형상으로 만드는 일.

かざりけ 【飾り気】 图 겉보기를 꾸미려는 마음; 겉꾸밈. ¶~のない態度(たいど) 꾸밈이 없는 태도.

かざりた-てる 【飾り立てる】 下1他 화려하게 꾸미다; 성장(盛装)하다. ¶部屋(へや)

を～ 방을 화려〔요란〕하게 꾸미다.

かざりだな【飾り棚】[名] 1 (미술품 등을 놓기 위한) 장식 선반. 2 상품 진열용 선반; 쇼케이스.

かざりつけ【飾り付け】[名] (장식품으로 실내나 문간을) 꾸밈; 또, 그 장식(품). ¶店(みせ)の～ 가게의 장식.

かざりつ-ける【飾り付ける】[下1他] 꾸며 놓다; 장식하다. ¶子供(こども)の誕生(たんじょう)祝(いわ)いに部屋(へや)を～ 아이의 생일 축하로 방을 장식하다.

かざりまど【飾り窓】[名] 진열창; 쇼윈도. ＝ショーウインドー. ¶花屋(はなや)の～ 꽃집의 쇼윈도.

かざりもの【飾り物】[名] 1 장식(품). 2 이름뿐인 것이나 사람. ¶彼(かれ)は～の社長(しゃちょう)さ 그는 명색뿐인 사장이야.

**かざ-る【飾る】[5他] 1 장식하다; 꾸미다; 치장하다. ¶部屋(へや)に花(はな)を～ 방에 꽃을 장식하다 / うわべを～ 겉을 (보기 좋게) 꾸미다 / 言葉(ことば)を～ 말을 꾸미다 / 身(み)なりを～ 몸치장을 하다. 2 의의 있게 하다. ¶有終(ゆうしゅう)の美(び)を～ 유종의 미를 거두다 / 紙面(しめん)を～ 지면을 장식하다〔빛내다〕. 3 늘어놓다; 차려 놓다. ¶品(しな)を～ 상품을 진열하다 / 祭壇(さいだん)を～ 제단을 차려 놓다. [可能]かざ-れる[下1自]

かさん【加算】[名][ス他] 가산. 1 합산. ¶利子(りし)を～する 이자를 가산하다. 2 덧셈; 더하기. ＝足(た)し算(ざん). ↔減算(げんざん).

かさん【家産】[名] 가산. ＝身代(しんだい)·財産(ざいさん). ¶～が傾(かたむ)く 가산이 기울다 / ～を傾(かたむ)ける 가산을 기울이다〔탕진하다〕.

*かざん【火山】[名]〔地〕화산. ¶～島(とう) 화산도 / ～岩(がん) 화산암 / ～活動(かつどう) 화산 활동 / 海底(かいてい)～ 해저 화산.

—さよう【—作用】[名] 화산 작용.

—たい【—帯】[名] 화산대.

—ばい【—灰】[名] 화산회; 화산재.

がさん【画賛】《画讃》[名] 화찬; 도찬(圖讚)《그림 위나 여백에 써넣는 문장이나 글귀》. ＝賛(さん).

かさんか【過酸化】[名]〔化〕과산화. ¶～ナトリウム 과산화나트륨.

—すいそ【—水素】[名] 과산화수소.

かし〖樫·橿〗[名]〔植〕떡갈나무.

*かし【貸し】[名] 1 꾸어 줌; 빌려 줌; 또, 빌려 준 금품. ¶彼(かれ)には万円(まんえん)の～がある 그에게는 만 엔 받을 돈이 있다. 2 베푼 은혜·이익. ¶～を作(つく)る 은혜를 베풀다 / 彼(かれ)に～がある 그에게 베푼 은혜가 있다. 3 '貸方(かしかた)(＝대변)'의 준말. ⇔借(か)り.

かし【河岸】[名] 1 하안; 강안; 특히, 배를 대는 물가. ＝かわぎし. ¶～に舟(ふね)をつなぐ 강가에 배를 매다. 2 강가에 서는 시장; 특히, 어시장. ＝魚河岸(うおがし). ¶～で魚(さかな)を仕入(しい)れる 강가 어시장에서 생선을 사들이다.

—を変(か)える (먹고 마시거나 노는) 장소〔자리〕를 옮기다. ¶河岸を変えて飲(の)みなおそう 장소를 옮겨서 다시 마시자.

かし【下肢】[名] 하지; 다리; 동물의 뒷다리. ↔上肢(じょうし).

かし【下賜】[名][ス他] 하사. ¶～金(きん) 하사금 / 御(ご)～品(ひん) 하사품. ↔献上(けんじょう).

かし【仮死】[名]〔醫〕가사. ¶～の状態(じょうたい) 가사 상태; 인사불성.

かし【可視】[名] 가시. ↔不可視(ふかし).

—こうせん【—光線】[名] 가시광선; 가시선. ↔不可視光線(ふかしこうせん).

かし【歌詞】[名] 가사. ¶～を作(つく)る 가사를 짓다 / 応援歌(おうえんか)の～を募集(ぼしゅう)する 응원가 가사를 모집하다.

かし〔瑕疵〕[名] 하자; 결점; 흠. ＝きず·欠点(けってん). ¶一点(いってん)の～もない 한 점〔추호〕의 하자도 없다.

**かし【菓子】[名] 과자. ¶～屋(や) 과자 가게 / 和菓子(わがし) 일본식 과자 / 客(きゃく)に～を出(だ)す 손님에게 과자를 내놓다 / お～を買(か)いに行(い)かせる 과자를 사러 보내다.

—おり【—折り】[名] 선물용 과자 상자.

—パン〔포 pão〕[名] (식빵이 아닌) 단빵.

—ぼん【—盆】[名] 과자 쟁반.

カし【カ氏】[名] 화씨《기호: F》. ¶～二十度(にじゅうど) 화씨 20도. [參考] 본디 '華氏(かし)'로 썼음. ↔セ氏(し).

—おんどけい【—温度計】[名] 화씨온도계. ＝華氏寒暖計(かしかんだんけい).

*かじ〖舵〗[名] 1 (배의) 키. ¶～を切(き)る 키를 틀다. 2 (배의) 노. ¶～音(おと) 노젓는 소리. 3 (비행기의) 조종간. ＝方向舵(ほうこうだ).

—を取(と)る 1 키를 잡다. 2 일을 잘 조종하다. 3 사람을 바르게 이끌다. ¶妻(つま)が上手(じょうず)に夫(おっと)の～ 아내가 능숙하게 남편을 인도하다〔구슬리다〕.

かじ〖梶〗[名] 1 (수레, 특히 인력거의) 채. ＝かじ棒(ぼう). 2 ☞かじ(舵).

かじ〖鍛冶〗[名] 대장일; 또, 대장장이. ¶～場(ば) 대장간 / 刀(かたな)～ 도공(刀工).

—や【—屋】[名] 대장장이; 대장간.

*かじ【家事】[名] 가사; 집안일; 가정 사정. ¶～調停(ちょうてい) 가사 조정 / ～の都合(つごう)により 가정 형편에 의하여 / ～に追(お)われる〔かまける〕 가사에 쫓기다〔얽매이다〕 / ～を手伝(てつだ)う 가사를 돕다.

—しんぱん【—審判】[名]〔法〕(가정 법원의) 가사 심판; 가사 소송.

—ろうどう【—労働】[名] 가사 노동.

**かじ【火事】[名] 〈口〉 화재; 불. ＝火災(かさい). ¶山(やま)～ 산불 / 対岸(たいがん)の～ 강 건너 불 / 原因不明(げんいんふめい)の～ 원인 불명의 화재 / ～を出(だ)す 불을 내다; 화재를 일으키다 / ～騒(さわ)ぎを引(ひ)き起(お)こす 불난리를 일으키다 / 大(おお)～が発生(はっせい)する 큰 화재가 발생하다.

—どろ【—泥】[名] 〈俗〉 '火事場(ば)どろぼう'의 준말.

—ば【—場】[名] 화재 현장. ¶まるで～のような騒(さわ)ぎだった 마치 호떡집에 불난 것 같았다.

—ばどろぼう【—場泥棒】[名] 화재의 혼잡을 틈탄 도둑; 전하여, 혼잡한 틈에 부정한 이익을 얻는 자.

—みまい【—見舞い】[名] 화재 위문.

かじ【加持】名スル自〔佛〕가지; 주문을 외며 부처의 도움·보호를 빌어, 병이나 재앙을 면함. ¶～祈禱(きとう) 가지 기도.

がし【賀詞】名 하사; 축사. ¶～を述(の)べる 축사를 하다.

がし【餓死】名スル自 아사. ＝うえじに. ¶～に直面(ちょくめん)する 아사에 직면하다.

=がし《活用語의 命令形 따위에 붙어서》요구·희망의 뜻을 강조하는 말: …란 듯이. ¶これ見(み)よ～なやりかた 이것 보라는 듯한 태도/聞(き)こえよ～に 들으란 듯이/出(で)て行(い)け～に扱(あつか)う 나가란 듯이 다루다.

かしあげ【河岸揚げ】名スル他 양륙; 뱃짐을 뭍에 부림. ＝荷揚(にあ)げ·水揚(みずあ)げ.

かしあた-える【貸し与える】名 빌려〔꾸어〕주다; 대여하다.

かしいえ【貸し家】名 ☞かしや. ↔借(か)り家(いえ).

かしうり【貸し売り】名スル他 ☞かけうり. ↔現金(げんきん)売(う)り.

かじか〖鰍〗名〔魚〕둑중개. ＝ごり.

かじか〖河鹿〗名〔動〕'かじかがえる(＝기생개구리)'의 준말.

かしかた【貸し方】名 **1** 빌려 주는 쪽〔사람〕. ＝貸(か)し手(て). **2** 빌려 주는 방법·태도. **3**【貸方】(복식 부기의) 대변(貸邊). ⇔借(か)り方(かた).

かしがまし-い〖囂しい〗形 소란〔요란〕하다; 시끄럽다. ¶～おしゃべり 시끄러운 수다.

かじか-む〖悴む〗5自 (추워서 손발이) 곱다. ¶手(て)が～·んで字(じ)がかけない 손이 곱아 글을 쓸 수 없다/～·んだ手(て)を暖(あたた)める 곱은 손을 녹이다.

かしかり【貸し借り】名スル他 대차. ＝貸借(たいしゃく). ¶～無(な)し 대차 없음.

かしかん【下士官】名〔軍〕하사관; 준사관.

かじき〖梶木·旗魚〗名〔魚〕청새치. ＝まかじき·かじきまぐろ.

***かしきり**【貸し切り】名 전세(專貰); 대절. ¶～バス 전세 버스. ↔借(か)りきり.

かしき-る【貸し切る】5他 **1** 전세 주다. ¶来年(らいねん)まで～ 내년까지 전세 주다/食堂(しょくどう)を～ 식당을 전세 주다. **2** 전부〔몽땅〕빌려 주다. ⇔借(か)り切る.

かしきん【貸し金】名 대(출)금; 빌려 준 돈; 준 빚. ¶～を回収(かいしゅう)する 대출금을 회수하다. ↔借金(しゃっきん)·借(か)り金(きん).

かしきんこ【貸し金庫】名 (은행의) 대여 금고.

かし-ぐ〖傾ぐ〗5自 기울다; 기울어지다. ＝かたむく. ¶地震(じしん)で家(いえ)が～ 지진으로 집이 기울어지다.

かし-げる〖傾げる〗下1他 기울이다; 갸웃하다. ¶首(くび)を～ 고개를 갸웃하다.

かしこ〖畏·恐〗名 이만 실례합니다《여자가 편지 끝에 쓰는 말》. ＝かしく. ¶あらあら～ 이만 총총. 參考 畏(かしこ)し(＝황송합니다)'의 뜻.

かしこ〖彼処〗代〈雅〉저기. ＝あそこ. ¶どこも～も 어디나 모두/ここ～(と探(さが)し回(まわ)る) 여기저기 (찾아다니다).

‡**かしこ-い**【賢い】形 **1** 현명하다; 영리하다; 어질다. ¶～子供(こども) 영리한 아이. **2** 요령이 좋다; 약다; 빈틈없다. ¶なかなか～やりかただ 꽤 약은 방법이다/～·く立(た)ち回(まわ)る 약게 처신하다.

かしこくも〖畏くも〗連語 황공하옵게도; 황송스럽게도. ＝おそれ多(おお)くも. ¶～金一封(きんいっぷう)を下賜(かし)される 황공하옵게도 금일봉을 하사하시다.

かしこし【貸し越し·貸越】名スル他 대월. ¶当座(とうざ)～ 당좌 대월. ↔借(か)り越(こ)し.

―**きん**【貸越金】名〔經〕대월금.

かしこ-す【貸し越す】5他 대월하다; 일정 한도 이상으로 (돈을) 빌려 주다. ↔借(か)り越(こ)す.

***かしこま-る**〖畏まる〗5自 **1** 황공하여 삼가다; 송구해하다. ¶～·って社長(しゃちょう)の話(はなし)を聞(き)く 삼가 사장의 말을 듣다. **2** 정좌하다; 딱딱하게 앉다. ¶末座(まつざ)に～ 말석에 단정히 앉다/まあ, そう～·らないで楽(らく)にしなさい 자, 그렇게 어려워하지 말고 편히 앉아요. **3** 삼가 명령을 받들다. ¶はい, ～·りました 예, 분부대로 하겠습니다; 예, 알겠습니다.

かしさ-げる【貸し下げる】下1他 대여하다; 관청에서 민간에게 빌려 주다. ↔借(か)り上(あ)げる.

かししつ【貸し室】名 셋방. ＝貸間(かしま).

かししぶり【貸し渋り】名 은행 등의 금융 기관이 선뜻 대출해 주지 않고 신중을 기하는 일.

かしず-く〖傅く〗5自 시중들다; 받들어 섬기다. ¶姑(しゅうと)に～·いてくらす 시어머니를 모시고 살다/小間使(こまづか)いとしてお嬢様(じょうさま)に～ 몸종으로서 아가씨를 모시다. 參考 '현대 かな'에서는 'かしづく'로도 씀.

かしせき【貸し席】名 (회합이나 식사를 위해 요금을 받고) 빌려 주는 방; 또, 그것을 업으로 하는 집. ＝貸(か)し座敷(ざしき). 參考 좁은 뜻으로는 '待合(まちあい)'를 가리킴.

かしだおれ【貸し倒れ】名 외상값이나 빚돈을 떼임; 대손(貸損). ¶融通(ゆうずう)してやった金(かね)が～になる 융통해 준 돈을 떼이다.

かしだし【貸し出し】名 대출. ¶図書(としょ)の～ 도서의 대출/放漫(ほうまん)な～ 방만〔무분별〕한 대출. ↔借(か)り入(い)れ.

―**きん**【貸出金】名 대출금.

―**ぐち**【貸出口】名 대출 창구.

***かしだ-す**【貸し出す】5他 대출하다. ¶図書(としょ)を～ 도서를 대출하다/銀行(ぎんこう)が金(かね)を～ 은행이 돈을 대출하다. ↔借(か)り出(だ)す.

かしち【貸し地】名 임대지(賃貸地); 세를 받고 빌려 주는 땅. ↔借(か)り地(ち).

かしちん【貸し賃】名 세; 임대료. ＝損料(そんりょう). ¶～を取(と)る 임대료를 받다. ↔借(か)り賃(ちん).

かしつ【家室】名 가실. **1** 집; 주거. **2** 아내.

***かしつ**【過失】名 과실. ¶～犯(はん) 과실범/～傷害罪(しょうがいざい)〔致死罪(ちしざい)〕과실 상해죄

[치사죄] / ~を犯(おか)す 과실을 범하다. ↔故意(こい).　「좋은 날.
かじつ【佳日】图 가일; 경사스러운 날;
かじつ【果実】图 과실; 열매; 과일. ¶~酒(しゅ) 과실주 / 法定(ほうてい)〔天然(てんねん)〕~ 법정〔천연〕 과실 / ~が実(みの)る〔熟(う)れる〕 열매가 열리다〔여물다〕.
かじつ【過日】图 과일; 지난날; 일전. =先日(せんじつ). ¶~は失礼(しつれい)しました 일전에는 실례했습니다.　「トリエ.
がしつ【画室】图 화실; 아틀리에. =ア
かしつき【加湿器】图 (실내용) 가습기.
かしつけ【貸し付け】图 대부(금); 빌려 줌. =ローン. ¶~料(りょう) 대부료.
—きん【貸付金】图 대부금.
—しんたく【貸付信託】图 대부 신탁.
かしつ-ける【貸し付ける】下1他 대부〔대출〕하다; 빌려 주다. ¶設備資金(せつびしきん)を~ 설비 자금을 대출하다.
かして【貸し手】图 빌려 주는 사람; 대주(貸主). =貸(か)し主(ぬし). ¶資金(しきん)の~をさがす 자금을 빌려 줄 사람을 구하다. ↔借(か)り手(て).
かじとり【かじ取り】《舵取り》图 **1** 조타(操舵); 키잡이; 조타수(手). **2** 지도; 인도(자); 리더. ¶財界(ざいかい)の~役(やく) 재계의 지도자〔리더〕 노릇.　「り主(ぬし).
かしぬし【貸し主】图 ☞かして. ↔借(か)
カジノ [이 casino] 图 카지노; 도박장을 중심으로 한 오락 설비.
かじのき 〖梶の木〗 图 〔植〕 꾸지나무. =かじ·かみのき.　「빌딩.
かしビル【貸しビル】图 대여 빌딩; 임대
かしべや【貸し部屋】图 셋방. ¶~住(ず)まい 셋방살이.
かしほん【貸し本】图 대본; 세책(貰冊). ¶~屋(や) 대본집; 책 대여점.
かしま【貸間】图 〈老〉 셋방. =貸(か)し室(しつ). ¶まかない付(つ)きの~ 식사를 제공하는 셋방 / ~を捜(さが)す 셋방을 구하다.
かしまし-い 〖姦しい·囂しい〗 形 시끄럽다; 떠들썩하다. ¶女(おんな)三人(さんにん)よれば~ 여자 셋이 모이면 시끄럽다.
かしまだち [鹿島立ち] 图ス自 여행〔먼길〕을 떠남; 출범. =かどで.
カシミヤ [cashmere] 图 캐시미어《인도 캐시미르 지방의 염소털로 짠 직물》; 또, 이를 모방하여 짠 고급 양복감.
かしもと【貸し元】图 **1** 돈을 빌려 주는 사람; 전주(錢主). =金主(きんしゅ). **2** 노름꾼의 두목; 물주. =胴元(どうもと). 参考 노름돈을 빌려 주는 데서.
かしや【貸家】图 셋집. =貸(か)しいえ. ¶~ずまい 셋집살이 / ~の札(ふだ) 셋집임을 표시하는 표찰 / 家(いえ)を~にする 집을 세놓다. ↔借家(しゃくや)·(しゃっか)·借(か)り家(や).
かしゃ [仮借] 图 가차《한자(漢字)의 육서(六書)의 하나; 그 글자 본래의 뜻과는 관계없이 음만을 빌려서 다른 뜻으로 쓰는 일; '成吉思汗(じんぎすかん)' 따위》.
かしゃ【貨車】图 화차. ¶~と客車(きゃくしゃ) 화차와 객차 / ~繰(ぐ)り 화차의 배차(配車). ↔客車(きゃくしゃ).
かしゃ [華奢] 名ナ 화사; 호화; 화려하고 사치함. ¶~な暮(く)らし 호화로운 살림. 参考 'きゃしゃ'는 딴말.
かしゃく【仮借】一图ス他 가차; (사정을) 봐줌; 용서(함). ¶~なく罰(ばっ)する 가차없이 벌하다 / ~なき追及(ついきゅう) 가차없는 추궁. 二图 ☞かしゃ(仮借).
かしゃく [呵責] 图 가책. ¶良心(りょうしん)の~にたえない 양심의 가책에 견딜 수 없다.
かしゅ【火酒】图 화주; 독주; 증류주《위스키·소주 따위》. 参考 좁은 뜻으로는, 보드카를 가리킴.
かしゅ【火手】图 (기관차 등 보일러의) 화부(火夫). =かまたき·火夫(かふ).
***かしゅ**【歌手】图 가수. ¶オペラ~ 오페라 가수 / 流行(りゅうこう)~ 유행 가수.
かじゅ【果樹】图 과수; 과일나무. ¶~園(えん) 과수원 / ~栽培(さいばい) 과수 재배.
がしゅ【雅趣】图 아취; 아치(雅致). ¶~に富(と)んだ庭園(ていえん) 아취가 넘치는 정원.
がじゅ【賀寿】图 하수; 장수의 축하. =寿賀(じゅが). ¶~の宴(えん) 하수연; 수연.

賀寿(がじゅ)의 명칭

세는 나이	명 칭
61세	還暦(かんれき) (환갑; 회갑)
61세	華甲(かこう) (화갑; 회갑)
70세	古希(こき) (고희; 칠순)
77세	喜寿(きじゅ) (희수)
80세	傘寿(さんじゅ) (팔순(八旬))
81세	半寿(はんじゅ) (망구(望九))
88세	米寿(べいじゅ) (미수)
90세	卒寿(そつじゅ) (졸수)
99세	白寿(はくじゅ) (백수)
100세	上寿(じょうじゅ) (상수)
100세	百寿(ひゃくじゅ) (백수)

カジュアル [casual] ダナ 캐주얼; 손쉽게 입을 수 있음. ¶~ルック 캐주얼 룩; 간편한 복장 / ~な装(よそお)い 캐주얼한 차림.
—ウェア [casual wear] 图 캐주얼웨어; 평상복(服). =ふだん着(ぎ). ↔フォーマルウェア.　「집. ↔撰集(せんしゅう).
かしゅう【家集】图 가집; 개인의 和歌(わか)
かしゅう【歌集】图 가집. **1** 和歌(わか)를 모은 책. **2** 가곡집; 가요집. ¶青年(せいねん)~ 청년 가곡집.
かじゅう【果汁】图 과즙. =ジュース. ¶天然(てんねん)~ 천연 과즙.
かじゅう【荷重】图 〔理〕 하중; 물체에 작용하는 외력(外力). =ロード. ¶~試験(しけん) 하중 시험 / ~にたえる 하중에 견디다; 하중을 지탱하다 / 橋(はし)〔クレーン〕の~ 다리〔크레인〕의 하중.
かじゅう【加重】图ス自他 가중. ¶~平均(へいきん) 가중 평균 / 負担(ふたん)が~される 부담이 가중되다 / ~をかける 가중시키다.
かじゅう【過重】名ナ 과중. ¶~な責任(せきにん) 과중한 책임.
がしゅう【我執】图 아집. =我見(がけん)·片

意地. ¶～をすてる 아집을 버리다 / ～にとらわれる 아집에 사로잡히다.
がしゅう【画集】图 화집.
がしゅん【賀春】图 하정(賀正)《연하장 등에 쓰는 말》.
かしょ【箇所】《個所》图 개소; 곳; 장소. ¶破損～ 파손된 곳 / 危険～ 위험한 장소 / 不審の～ 미심쩍은 곳 / 訂正すべき～ 정정해야 할 곳 / いたんだ～はないか 상한 데는 없느냐.
=かしょ【か所·カ所】…개소; …군데. ¶不通三～ 불통이 세 곳 / 数～の誤り 몇 군데의 잘못.
かじょ【加除】图ス他 가제; 보탬과 뺌. ¶～式ノート 가제식 공책 / 名簿の～ 명부의 가제.
かじょ【花序】图〔植〕화서; 꽃차례.
かしょう【仮称】图ス他 가칭; 가명.
かしょう【歌唱】图ス自他 가창; 노래(부름). ¶～指導 노래 지도 / ～力がある 가창력이 있다.
かしょう【河床】图 하상; 강바닥. =かわどこ.
かしょう【火傷】图ス自 화상. =やけど. ¶火事で手に～を負う 화재로 손에 화상을 입다.
かしょう【過小】名ナ 과소. ¶力量を～に見誤る 역량을 과소하게 잘못 판단하다. ↔過大.
—ひょうか【—評価】图ス他 과소평가. ¶敵の戦力を～する 적의 전력을 과소평가하다. ↔過大評価.
かしょう【過少】名ナ 과소. ¶～見積もり 과소 견적 / ～な手当て 너무 적은 수당. ↔過多.
かしょう【過賞】图ス他 과상; 과찬; 지나치게 칭찬함. =ほめすぎ.
かしょう【華商】图 화상. =華僑.
かじょう【箇条】《個条》图 개조; 낱낱의 조목; 조항. ¶注意すべき～ 주의해야 할 조목〔조항〕. ⇨=か条.
—がき【—書き】图 조목별로 씀; 또, 그 쓴 것. ¶規約〔問題点〕を～にする 규약〔문제점〕을 조목별로 쓰다.
かじょう【下情】图 하정; 민정(民情); 민간의 실정. ¶～に通ずる〔疎い〕 민정을 잘 알다〔모르다〕.
かじょう【渦状】图 〈文〉 와상; 소용돌이 모양. =うずまきがた. ¶～星雲 와상 성운; 나선 은하.
かじょう【過剰】名ナ 과잉. ¶～人口〔投資〕 과잉 인구〔투자〕 / みかんの～生産 귤의 과잉 생산 / 自意識～ 자의식 과잉.
—ぼうえい【—防衛】图 과잉 방위. ⇨正当防衛.
=かじょう【か条】…개조. ¶五～のご誓文 5개조의 서약문.
がしょう【画商】图 화상. ¶絵を～で買う 그림을 화상에서 사다.
がしょう【賀正】图 하정《연하장에 쓰는 말》. =がせい·賀春.
がじょう〔牙城〕图 아성. =本拠. ¶保守派の～ 보수파의 아성 / 敵の～に迫る 적의 아성에 육박하다.
がじょう【賀状】图 하장; 축하의 편지; 특히, 연하장.
かしょく【河食】《河蝕》图ス自他 하식; 강의 침식(浸蝕) 작용.
かしょく〔華燭〕图 화촉; 혼례.
—の典 화촉지전; 혼례; 결혼식. ¶～をあげる 결혼식을 올리다. 参考 남의 결혼식을 축하해서 이르는 말.
かしょく【過食】图ス自他 과식. =食べすぎ. ¶～症 과식증 / ～は百病の本 과식은 만병의 근원.
***かしら**【頭】图 **1** 머리; 두부(頭部). ¶～右 우로 봐《구령》/ ～を下げる 머리를 숙이다. **2** 머리(털). ¶～に白いものがまじる 머리가 희끗희끗해지다. **3** 두목; 우두머리. ¶盗賊〔一味〕の～ 도둑〔일당〕의 우두머리 / ～にすえる 우두머리에 앉히다. 参考 좁은 뜻으로는, 목수·미장이 등의 우두머리를 가리킴. ¶大工の～ 도편수. **4** 맨 위나 처음에 있음〔있는 것〕. ¶この子を～に三人いる 이 애를 맏이로 세 아이가 있다.
—に霜を置く 머리에 서리를 이다《백발이 되다》.
かしら『か知ら』㊀終助《体言·連体形에 붙어서. 단, 形容動詞型 활용에서는 語幹에 붙어서》**1** 의심이나 수상쩍음을 나타냄: …ㄹ지〔ㄴ지〕 몰라; …(한)지; 일까. ¶あの人は本当に来る～ 그이는 정말 오는 것일까 / この水, きれい～ 이 물, 깨끗한지 모르겠어 / あら, 雨～ 어머, 비가 오는 것 아냐 / あれでいい～ 저래도 되는 건지 / こんなに幸せでいいの～ 이렇게 행복해도 되는 건지 몰라. **2**《否定語 'ない' 'ぬ' 에 붙어서》 완곡한 부탁·희망을 나타냄: …었으면 (싶은데). ¶あなたに行っていただけない～ 당신이 가 주셨으면 싶은데 / 早く夏休みが来ない～ 빨리 여름휴가가 왔으면 / だれかやってくれない～ 누군가 해 주었으면. ㊁副助《'なに' 'だれ' 'どこ' 등에 붙어서》 부정(不定)·불확실한 뜻을 나타냄: …ㄴ가; …인가. ¶なぜ～気味悪い 왠지 으스스하다 / なに～寒いわ 어쩐지 추워요. 参考 'か知らぬ·か知らん' 에서 전와(轉訛)한 말로서 주로 여성이 씀.
=がしら【頭】**1** …자마자; …한 순간. ¶出会い～ 만나자마자. **2** 가장 …한 사람. ¶出世～ 가장 출세한 사람 / もうけ～ 가장 (돈을) 많이 번 사람. **3** 어떤 것의 위·입구의 뜻을 나타내는 말. ¶波～ 물마루 / 目～ 눈구석.
かしらだ-つ【頭立つ】5自 남의 위에 서다; 출중하다; 장(長)이 되다. ¶～者は… 장 되는 자는….
かしらぶん【頭分】图 우두머리; 두목. ¶すりの～ 소매치기 두목.
かしらもじ【頭文字】图 두문자; 머리글자. =キャピタル·イニシアル. ¶英文の～は大文字で書く 영문의 머리글

자는 대문자로 쓴다 / ～を刺繡した ハンケチ (성명의) 머리글자를 수놓은 손수건.
「솔하는 소임.

かしらやく【頭役】图 남의 위에 서서 통

かじりつ-く〖齧り付く〗5自 1 물고 늘어지다; 물어뜯다. ¶骨に～ 뼈를 물어뜯다. 2 매달리다; 열중하다; 달라붙다. ¶地位に～ 지위에 매달리다 / 仕事に～ 일에 열중하다 / 机に～ 책상에 달라붙다《열심히 공부하다》/ 字引に～ 사전에 매달리다 / 石に～·いてもやりとげてみせる 세상없어도 해내겠다.

かしりょう【貸し料】图 임대료; 세.

***かじ-る**〖齧る〗5他 1 갉(아먹)다; 베어먹다. ¶ねずみが壁を～ 쥐가 벽을 갉다 / 親のすねを～ 부모에게 얹혀살다. 2 그저 조금 알다〔해보다〕. ¶英語を～ 영어를 조금 알다 / 聞き～ 들은 풍월로 조금 알다. 可能 かじ-れる 下1自

かしわ〖柏·槲〗图 떡갈나무.

かしわで【かしわ手】《柏手·拍手》图 신을 배례할 때 양손을 마주 쳐서 소리 내는 일. =開手. ¶～を打つ 신전(神前)에서 배례할 때 손뼉을 치다.

かしわもち〖柏餅〗图 1 떡갈나무 잎에 싼, 팥소를 넣은 찰떡《주로 단옷날에 먹음》. 2 〈俗〉 이불을 둘로 접어서 한 자락은 깔고 한 자락은 덮고 자는 일.

かしん【花信】图 화신; 꽃소식. =花だより. ¶南からの～ 남쪽으로부터의 화신 / 各地から～が寄せられる 각지에서 꽃소식이 들려오다.

かしん【過信】图ス他 과신. ¶能力を～する 능력을 과신하다 / 自分の力を～するな 자기 힘을 과신하지 마라.

かじん【佳人】图 가인; 미녀. =美女. ¶才子～ 재자가인.

——**はくめい**【——薄命】图 가인박명.

かじん【家人】图 1 가인; 한집안 사람; 자기 가족. ¶～に気がねして苦痛をこらえている老人 가족의 눈치를 보느라 고통을 참고 있는 노인. 2 가신(家臣).
「びお.

がじん【雅人】图 아인; 풍류인. =みや

がしんしょうたん〔臥薪嘗胆〕图 와신상담. ¶復讐をするため～する 복수하기 위해 와신상담하다.

****か-す**【貸す】5他 빌려 주다. 1 이용케 하다. ¶本を～·してやる 책을 빌려 주다 / 部屋を～ 방을 빌려 주다〔세주다〕. 2 조력하다; 도와주다; …하여 주다. ¶手を～ 손을 빌려 주다; 도와주다 / 人の話に耳を～ 남의 말을 들어 주다; 남의 말에 귀를 기울이다 / 耳を～·さない 들으려고도 하지 않다. ⇔借りる. 可能 か-せる 下1自

か-す【化す】5自他 ☞か(化)する.

か-す【科す】5他 ☞か(科)する.

か-す【課す】5他 ☞か(課)する.

かす 图 〈俗〉 야단; 잔소리.

——**を食う** 잔소리를 듣다; 야단맞다.

***かす**〖滓〗图 1 앙금. ¶～がたまる 앙금이 앉다. 2 찌꺼기; 찌끼. ¶残り～ (남은) 찌꺼기 / みそっ～ 된장 찌꺼기 / お前は人間の～だ 너는 인간 쓰레기다《쓸모없는 인간이다》.

かす〖粕·糟〗图 지게미. =酒かす. ¶～づけ 지게미에 담근 오이지 따위.

****かず**【数】图 1 수. =すう. ¶～をかぞえる 수를 세다 / ～が合わない 수가 안 맞는다. 2 여러 가지; 수가 많음; 다수. ¶～ある作品 수많은 작품 / 名物～あれど 명물도 많지만 / ～で押し切る 수적(數的)으로 밀어붙이다. 3 특별히 내세울 만한 가치 있는 것. ¶…の～に入る …축에 들다 / ～の内 …축에 듦 / 物の～ではない 문제가 되지 않는다; 대단한 것이 못된다.

——**限りない** 무수히 많다; 무수하다.

——**知れない**; ——**知れぬ** 수를 헤아릴 수 없다. ¶被害にあった人は～ 피해를 당한 사람은 수를 헤아릴 수 없다.

——**のほか** …축에 못 듦; 별 볼일 없음.

——**をこなす** 많은 양〔일〕을 처리하다.

——**を尽くす** 남김없이 하다; 온갖 일을 다하다. ¶お祈りの数を尽くして 온갖 기도를 다 드리고.

かず【下図】图 하도; 아래 그림. ¶～参照 아래 그림 참조. ↔上図.

****ガス** [gas] 图 1 가스. ¶～層 가스층 / ～井 가스정 / 都市～ 도시 가스 / ～ストーブ 가스 난로 / ～漏れ 가스 누출 / ～を引く 가스를 끌다《가설하다》/ ～をつける〔消す〕 가스 불을 켜다〔끄다〕/ ～の元栓を閉める 가스의 원밸브를 잠그다 / ～管をくわえる 가스관을 물다《가스 자살하다》. 2 (해상의) 짙은 안개《뱃사람들의 용어》. ¶～がかかる 짙은 안개가 끼다. 3 가솔린. ¶～欠 (자동차 등의) 연료가 떨어짐. 4 〈俗〉 방귀. =おなら. ¶～をならす 방귀를 뀌다. 5 (장(腸)에 괸) 기체. ¶腹に～がたまる 배 속에 가스가 차다. 注意 '瓦斯'로 씀은 취음(取音).

——**こんろ**〖——焜炉〗图 가스풍로.

——**じゅう**【——銃】图 가스총.

——**タービン** [gas turbine] 图 가스 터빈. ¶～発電 가스 터빈 발전.
「독.

——**ちゅうどく**【——中毒】图ス自 가스 중

——**マスク** [gas mask] 图 가스 마스크; 방독면.
「가스계량기.

——**メーター** [gas meter] 图 가스 미터;

——**ライター** [gas lighter] 图 가스라이터.

——**レンジ** [gas range] 图 가스레인지.

かすい【下垂】图ス自 하수; (아래로) 늘어짐. ¶胃～ 〖醫〗 위하수.

かすい【仮睡】图ス自 가수; 선잠; 수잠. =かりね·うたたね. ¶車の中で～する 차 안에서 선잠을 자다. ↔熟睡.

****かすか**〖幽か·微か〗ダナ 희미함; 미약함; 어렴풋함. ¶島が～に見える 섬이 희미하게 보이다 / ～な音がする 희미한 소리가 나다 / ～な記憶 어렴풋한 기억 / ～に息をしている 겨우 숨을 쉬고 있다 / ～に触れる 살짝 스치다.

かすがい 〖鎹〗 图 **1** 걸쇠. ＝かけがね. **2** 꺾쇠; 거멀장. ¶子は夫婦の～ 자식은 부부간의 꺾쇠《꺾쇠 모양으로 부부간의 정의를 잇는 역할을 한다는 뜻》. 參考 鎹는 일본에서 만든 한자.

かすかす 副 (ダナ) **1** 거의 여유가 없는 모양: 아슬아슬; 가까스로; 간신히; 겨우. ¶～で合格する 간신히 합격하다 / ～で間に合った 아슬아슬하게〔가까스로〕 시간에 대었다. **2** 과일 등 식품이 물기가 없고 맛이 없는 모양: 퍼석퍼석; 타박타박. ¶～の梨 퍼석퍼석한 배.

かずかず 〖数数〗 ⊟图 수가 많음; 다수; 여러 가지. ¶～の作品 많은 작품 / 思い出の～ 여러 가지〔이런저런〕 추억. ⊟副 종류가 많은 모양: 갖가지; 여러 가지. ¶酒肴を～とりそろえる 술과 안주를 여러 가지 갖추다.

かず-ける 〖被ける〗 下1他 **1** (죄 따위를) 씌우다; (책임 등을) 전가하다; 뒤집어씌우다. ¶失敗を人に～ 실패를 남의 잘못으로 돌리다 / 罪を人に～ 죄를 남에게 뒤집어씌우다. **2** 핑계 삼다. ＝かこつける. ¶病気に～·けて欠席する 병을 핑계로 결석하다.

かすじる 【かす汁】《粕汁》 图 지게미를 넣은 된장국《야채·자반 연어·자반 방어 등을 넣고 끓임》.

カスター [castor] 图 캐스터《소금·후추·소스 등을 넣은 작은 병들을 얹어 두는 식탁용 기구〔대〕》.

カスタード [custard] 图 커스터드《우유·달걀·설탕 따위를 섞어 조린, 크림 비슷한 식품》.

カスタネット [스 castanet] 图 〔樂〕 캐스터네츠. ＝キャスタネット.

カスタム [미 custom] 图 커스텀; '주문한, 특제의'의 뜻. ¶～カー 커스텀 카《주문 생산한 특제 고급차》.

かすづけ 【かす漬け】《粕漬け》 图 생선 도막 또는 야채를 지게미나 미림(味醂) 찌끼 따위에 절임; 또, 그 절인 것.

カステラ [포 Castella] 图 카스텔라.

カストラート [이 castrato] 图 카스트라토; 17–18세기, 이탈리아 등 유럽에서 소년의 목소리를 유지시키기 위하여 변성기 이전에 거세한 남성 가수.

かすとり 〖粕取り·糟取り〗 图 **1** 지게미로 만든 막소주. **2** 고구마를 원료로 만들어 지게미만 걸러 낸 막술. 參考 2는 대개 'カストリ'라고 씀.

かずならぬ 【数ならぬ】 連語 〈雅〉《連体詞적으로》 내세울 만한 가치가 없는; 하찮은. ¶～身 하찮은 몸.

かずのこ 【数の子】 图 말린 청어알《자손의 번영을 비는 뜻에서, 설에 많이 먹음》.

***かすみ** 〖霞〗 图 **1** 안개. ¶～か雲か 안갠가 구름인가 / ～がかかる 안개가 끼다 / ～がたなびく 안개가 끼어 길게 벋다. 參考 대개, 봄 안개를 'かすみ', 가을 안개를 '霧'라고 함. **2** 안개와 비슷한 것. ¶花霞 꽃 안개. **3** 'かすみあみ'의 준말. **4**《본디 翳》 눈이 흐림〔침침함〕. ¶目に～がかかる 눈이 침침해지다.

かすみあみ 【かすみ網】《霞網》 图 새 잡는 고운 그물; 새그물. ＝かすみ.

かすみがせき [霞が関] 图 〔地〕 **1** 東京都千代田区의 桜田門 남부 일대《외무성을 비롯한 여러 관청이 있음》. **2** 〈俗〉 일본 외무성의 딴 이름.

かすみわた-る 【かすみ渡る】《霞渡る》 5自 안개가 온통 뿌옇게 끼다.

***かす-む** 〖霞む〗 5自 **1** 안개가 끼다; 희미하게 보이다. ¶煙で～ 연기로 뿌예지다 / 遠くの山が～·んで見える 먼 산이 (안개로) 희미하게 보이다. **2** (존재가) 희미해지다. ¶新人のはなやかな活躍で, ベテランが～·んでしまった 신인의 화려한 활약 때문에 베테랑의 존재가 희미해졌다. **3**《본디 翳む》 눈이 흐려지다. ¶目が～ 눈이 침침해지다.

かすめと-る 【かすめ取る】《掠め取る》 5他 **1** 잽싸게 빼앗다; 탈취하다. **2** 남의 눈을 속여 훔치다; 후무리다. ¶親の財布から～·った金 부모의 돈지갑에서 몰래 훔친 돈.

かす-める 〖掠める〗 下1他 **1** 훔치다; 빼앗다. ¶品物を～ 물건을 훔치다 / 人の賃金を～ 남의 임금을 후무리다. **2**(눈을) 속이다. ¶親の目を～ 부모의 눈을 속이다. **3** (살짝) 스치다; 스쳐가다. ＝かする. ¶銃弾が頭を～ 총탄이 머리를 스쳐가다 / つばめがのき先を～·めて飛んだ 제비가 처마끝을 스치고 날아갔다.

かずもの 【数物】 图 **1** 값싼 양산품(量産品); 값싼 하등품. ¶～の靴 싸구려 구두. **2** 일정한 수로 한 벌이 되는 것. ¶～の皿 한 세트의 접시. **3** 한정(限定)품.

かずら 〖葛·蔓〗 图 덩굴풀. ¶つた～ 담쟁이덩굴 / ～がはびこる 덩굴이 뻗다.

かすり 〖掠り·擦り〗 图 **1** 스침. **2** (남의 몫의 일부를) 가로챔. ¶～を取る 이익의 일부를 슬쩍 가로채다.

―とり 【―取り】 图 남의 이익을 가로채는 일; 또, 그 사람.

かすり 〖絣·飛白〗 图 붓으로 살짝 스친 것 같은 잔 무늬(가 있는 천). ¶紺がすり 감색 바탕의 비백 무늬 천.

かすりきず 【かすり傷】《掠り傷》 图 **1** 찰과상; 찰상. ＝かすれきず. ¶～を受ける 찰과상을 입다. **2** 전하여, 가벼운 손실〔손해〕. ¶～ですんでよかった 경미한 피해로 끝나서 다행이다.

***かす-る** 〖掠る·擦る〗 5他 **1** (가볍게) 스치다. ¶春風が頰を～ 춘풍이 볼을 스치(고 지나가)다 / 燕が水を～ 제비가 물을 차고 날다. **2** 일부를 슬쩍 가로채다; 후무려 뺏다. ¶手間賃を～ 품삯의 일부를 가로채다.

か-する 【化する】 ⊟サ変自 **1** 화하다; 변하다. ¶暴徒と～ 폭도로 화하다 / 復讐の鬼と～ 복수의 화신으로 변하

다/焦土(しょうど)と～ 초토화되다. **2** 동화(同化)하다; 감화하다. **3** 둔갑하다.
[二][サ変他] 감화시키다. ¶徳(とく)を以(もっ)て人(ひと)を～ 덕으로써 사람을 감화시키다.

か-する【嫁する】[一][サ変自他] **1** 시집가다; 출가하다. ＝嫁(とつ)ぐ. ¶～·しては夫(おっと)に従(したが)う 출가하면 남편을 따른다. **2** 시집보내다. ＝嫁(とつ)がせる. [二][サ変他] 전가하다. ¶責任(せきにん)を～ 책임을 떠넘기다.

か-する【架する】[サ変他] 걸쳐 놓다; 구축하다. ¶橋(はし)を～ 다리를 놓다/屋上(おくじょう), 屋(おく)を～ 옥상가옥(屋上架屋).

か-する【科する】[サ変他] 과하다. ¶罰金(ばっきん)を～ 벌금을 과하다[매기다].

***か-する**【課する】[サ変他] 과하다. **1** 부과하다. ¶税(ぜい)を～ 세금을 부과하다. **2** (일거리를 주어) 시키다. ¶宿題(しゅくだい)を～ 숙제를 내주다/任務(にんむ)を～ 임무를 주다.

が-する【賀する】[サ変他] 축하하다. ¶新年(しんねん)を～ 신년을 축하하다.

***かす-れる**〖掠れる·擦れる〗[下1自] **1** (가볍게) 긁히다. **2**(먹이 적어서 붓 자국에) 흰 잔줄이 생기다. ¶字(じ)が～ 글자에 갈필(渇筆) 자국이 나다. **3** (목이) 쉬다. ¶声(こえ)が～ 목이 쉬다.

かせ〖枷〗[名] **1** 옛 형구인 칼·고랑·차꼬 등의 총칭; 가쇄(枷鎖). ¶手(て)～ 고랑/足(あし)～ 차꼬; 족쇄/首(くび)～ 항쇄; 칼. **2** 전하여, 방해물; 귀찮은 것. ＝ほだし.

***かぜ**【風邪】[名] 감기; 고뿔. ＝感冒(かんぼう)·ふうじゃ. ¶～がはやる[直(なお)る] 감기가 유행하다[낫다]/～を引(ひ)く 감기에 걸리다/～は万病(まんびょう)のもと 감기는 만병의 원인/～がなかなか抜(ぬ)けない 감기가 좀처럼 안 떨어진다/君(きみ)の～が移(うつ)ったよ 너한테 감기가 옮았어.

****かぜ**【風】[名] **1** 바람. ㉠(부는) 바람. ¶川(かわ)～ 강바람/～が吹(ふ)く 바람이 불다/～で舞(ま)い上(あ)がる 바람에 날아오르다. ㉡(사물의) 형세; 형편. ¶どういう～の吹(ふ)き回(まわ)しか彼(かれ)がやって来(き)た 무슨 바람이 불었는지 그가 왔다. **2** 풍습; 관습; 습관. ¶世間(せけん)の～の冷(つめ)たさ 세상 관습의 냉정함. **3**《接尾語적으로》 태도; 특히, 우쭐대는 티. ¶学者(がくしゃ)[役人(やくにん)]～を吹(ふ)かす 학자[관리]티를 내다.
――薫(かお)る 훈풍이 불다. ¶～五月(ごがつ) 훈풍이 부는 5월.
――にくしけずり雨(あめ)に髪(かみ)洗(あら)う 즐풍목우(櫛風沐雨)하다《오랜 세월을 외지로 여행하느라 비바람을 맞으며 고생하다》.
――に柳(やなぎ) 바람에 버들《적절히 응대하여 거스르지 않는 모양》.
――の前(まえ)の灯火(ともしび) 풍전등화.
――を切(き)る 바람을 가르다《기세 좋게 나아가는 모양》. ¶肩(かた)で風を切(き)って歩(ある)く 어깻바람을 일으키며 걷다.
――を食(く)らう (낌새를 알아채고) 허둥지둥 도망치다. ¶風を食らって逃(に)げる 낌새를 채고[들키자] 줄행랑을 놓다.

風(かぜ)의 여러 가지 표현

[표현例] 冷(つめ)たい(찬)·暖(あたた)かい(따뜻한)·強(つよ)い(강한)·激(はげ)しい(세찬)·弱(よわ)い(약한)·穏(おだ)やかな(온화한)·かすかな(미약한)·吹(ふ)き抜(ぬ)ける(사이를 지나가는)·吹(ふ)き通(とお)る(스치고 지나가는)·吹(ふ)き渡(わた)る(스쳐 지나가는)·一陣(いちじん)の(일진의; 한바탕 이는).

[관용 표현] 香(かお)りを運(はこ)ぶ(향기를 머금은)·肌(はだ)を刺(さ)す(살을 에는 듯한)·頬(ほお)をなでる(부드러운)·体(からだ)の中(なか)まで突(つ)き刺(さ)さる(온몸에 스며드는)·骨(ほね)を刺(さ)す(뼛속까지 스며드는)·身(み)の凍(こお)るような(온몸이 얼어붙는 듯한)·葉(は)をそよがす(잎을 산들산들 흔드는)·枝(えだ)を震(ふる)わせる(세차게 부는)·蕭蕭(しょうしょう)たる(으스스한).

かぜあたり【風当たり】[名] **1** 바람받이; 바람이 불어제침; 또, 그 세기. ¶高台(たかだい)の家(いえ)は～が強(つよ)い 고지대의 집은 풍세(風勢)가 세다. **2** 비난; 공격; 바람. ¶世間(せけん)の～が強(つよ)い 세상의 비난[바람]이 거세다.

かせい【仮性】[名] 가성. ¶～赤痢(せきり) 가성 적리/～コレラ 가성 콜레라. ↔真性(しんせい).
――きんし【――近視】[名] 가성 근시.

かせい【加勢】[一][名][ス自] 가세; 도움; 조력. ¶弱(よわ)い方(ほう)に～する 약한 편에 가세하다. [二][名] 조력하는 사람; 원병; 원군. ¶～を求(もと)める 원병을 청하다.

かせい【仮声】[名] 가성. **1** ☞つくりごえ. **2** 거짓소리《세칭·요들 따위》. ＝裏声(うらごえ).

かせい【歌聖】[名] 和歌(わか)에 가장 뛰어난 사람. ＝歌仙(かせん)·歌(うた)のひじり.

かせい【火勢】[名] **1** 화세; 불기운. ＝火気(かき). ¶～が強(つよ)い[衰(おとろ)える] 불기운이 세다[약해지다]. **2** 일의 열기. ¶論争(ろんそう)の～を強(つよ)める 논쟁의 열기를 돋우다.

かせい【火星】[名]〖天〗 화성. ¶～人(じん) 화성인/～探査(たんさ) 화성 탐사.

かせい【家政】[名] 가정; 집안 살림(을 하는 방법). ¶～学科(がっか) 가정학과.
――ふ【――婦】[名] 가정부. ¶～を雇(やと)う 가정부를 고용하다.

かせい[苛政][名] 가정; 학정(虐政). ¶～に苦(くる)しむ 학정에 시달리다.

かぜい【課税】[名][ス自] 과세. ¶～率(りつ) 과세율/～標準(ひょうじゅん) 과세 표준/源泉(げんせん)[累進(るいしん)]～ 원천[누진] 과세/～を免除(めんじょ)される 과세를 면제받다.

かぜい【寡勢】[名] 과세; 열세. ＝無勢(ぶぜい). ↔多勢(たぜい).

かせいがん【火成岩】[名] 화성암. ↔水成岩(すいせいがん).

かせいソーダ【苛性―】[名]〖化〗 가성소다《'水酸化(すいさんか)ナトリウム(＝수산화나트륨)'의 관용명》. ▷soda.

カゼイン [도 Kasein] [名] 카세인《인(燐)단백질의 한 가지》. ＝乾酪素(かんらくそ).

かぜおと【風音】[名] 바람 소리. [注意] 'かざおと'라고도 함.

かせき【化石】[名][ス自] **1**〖地〗 화석. ¶貝(かい)の～ 조개의 화석/古生物(こせいぶつ)の～が

出る 고생물의 화석이 나오다. **2** 돌로 변함; 돌이 됨. ¶～したような表情 화석〔돌〕처럼 굳은 표정.

—てき【—的】 ダナ 화석과 같은 모양. ¶～な頭脳 화석처럼 굳은 두뇌.

—ねんりょう【—燃料】 图 화석 연료《석탄·석유 따위》.

かせぎ【稼ぎ】 图 **1** 벌이(함). ㉠일함. ¶共～ 맞벌이/荒～ 막벌이; 막일/～に行く 벌이하러 가다/良い～になる 좋은 벌이가 되다/～も無いくせに 벌이도 못하는 주제에. ㉡일; 생업. ¶～ぐち 일자리; 벌잇자리. **2** 일하여 얻는 수입. ¶～高 벌이(한 금액); 수입/～が悪い〔少ない〕 수입이 나쁘다〔적다〕.

がせき【瓦石】 图 와석; 기와와 돌; 전하여, 무가치한 것. =がしゃく.

かせぎて【稼ぎ手】 图 버는 사람; 벌어 먹이는 사람. ¶あの家ではたった一人の～に死なれた 그집에선 유일하게 벌이하던 사람을 여의었다.

かぜぎみ【風邪気味】 图 감기기(氣); 감기 기운. =かぜけ. ¶～で体がだるい 감기 기운으로 몸이 나른하다.

***かせ-ぐ【稼ぐ】** ㊀5自 돈벌이하다. ¶アルバイトで～ 아르바이트로 돈벌이하다. ㊁5他 (돈·시간 따위를) 벌다. ¶学費〔大金〕を～ 학비를〔큰돈을〕 벌다/時〔時間〕を～ 시간을 벌다/点数を～ 점수를 따다; 높이 평가받다. 可能 かせ-げる 下1自

—に追いつく貧乏無し 부지런한 부자는 하늘도 못 막는다.

かぜぐすり【風邪薬】 图 감기약. =かざぐすり. ¶～を飲む 감기약을 먹다.

かぜけ【風邪気】 图 ☞かざけ.

かせつ【佳節】《嘉節》 图 가절; 경사스러운 날. ¶新年～ 신년 가절.

かせつ【仮説】 图 가설. =臆説·仮定. ¶単なる～ 단순한 가설/～を立てる 가설을 세우다.

かせつ【仮設】 图ス他 가설. **1** 임시로 세움. ¶～テント〔ステージ〕 가설 천막〔무대〕/～電話 가설 전화/～建築物 가건물. **2**〔數·論〕 가정; 전제. ¶～命題 가설 명제. ↔終結.

かせつ【架設】 图ス他 가설. ¶電線を～する 전선을 가설하다/鉄橋～工事 철교 가설 공사.

かぜつ【佳絶】 名ナ 가절; (풍경이) 더없이 좋음. ¶風光～の地 풍광이 더없이 아름다운 땅.

カセット [cassette] 图 카세트.

—テープ [cassette tape] 图 카세트테이프. ¶～を聴く 카세트테이프를 듣다.

—テープレコーダー [cassette tape recorder] 图 카세트테이프리코더《카세트테이프를 사용하는 녹음기》.

ガゼット [gazette] 图 가젯; 신문; 관보(官報); 공보.

ガゼット バッグ [gadget bag] 图 가젯 백《카메라 부품 등 작은 도구를 넣고 메는 백》. =ギャゼットバッグ.

かぜとおし【風通し】 图 **1** 통풍; 환풍. =かざとおし. ¶～がいい 통풍이〔환기가〕 잘되다. **2** (조직의) 의사소통이나 개방성《비유적》. ¶社内の～をよくする 사내의 의사소통이 잘되게 하다.

かぜのこ【風の子】 图『子供は～』 어린이는 바람의 아들《아이들은 찬바람 속에서도 잘 뛰어다니며 논다는 뜻》.

かぜのたより【風の便り】 图 풍문. =風聞. ¶～に聞く 풍문으로 듣다.

かぜひき【風邪引き】 图 감기 걸림; 또, 그 사람. ¶～で寝ている 감기로 누워 있다.

かぜむき【風向き】 图 ☞かざむき. 「け.

かぜよけ【風よけ】《風除け》 图 ☞かざよ

かせん【下線】 图 밑줄. =アンダーライン. ¶～を引く 밑줄을 치다.

かせん【化繊】 图 화섬《'化学繊維(=화학 섬유)'의 준말》.

かせん【歌仙】 图 和歌의 명인.

かせん【河川】 图 하천. =かわ. ¶～を改修する 하천을 개수하다/一級～ 일급 하천. 「じき.

—しき【—敷】 图 하천 부지. =かせん

かせん [火箭] 图 화전; 불화살《공격용 또는 신호용》. =火矢. ¶～を射る 화전을 쏘다.

かせん【架線】 图ス自他 가선. ¶～工事 가선 공사. 注意 동력선 공사 관계에서는 'がせん'이라고 함.

かせん【寡占】 图〔經〕 과점. ¶～経済 과점 경제/～価格 과점 가격/～体制 과점 체제.

かぜん【果然】 副〈文〉 과연; 정말; 역시. =はたして·やはり. ¶～事実となった 과연 사실이 되었다 / ～偽りだった 과연 거짓이었다.

がぜん [俄然] 副 아연; 갑자기. ¶～形勢が逆転する 갑자기 형세가 역전되다/～攻勢に出る 돌연 공세로 나오다. 参考 '～として'의 꼴로도 쓰임.

がせんし【画仙紙】《画箋紙》 图 화선지.

かそ【過疎】 名ナ 과소; 지나치게 드묾. ¶～地帯 과소 지대/人口～に悩む 인구 과소로 고민하다. ↔過密.

かそう【下層】 图 하층. ¶～社会 하층 사회/～雲 하층운/～の人びと 하층(사회) 사람들. ↔上層.

—かいきゅう【—階級】 图 하층 계급.

かそう【仮想】 图ス自他 가상. ¶～世界 가상 세계/～敵国 가상 적국.

—きおく【—記憶】 图〔컴〕 가상 기억. 参考 virtual memory의 역어.

かそう【仮装】 图ス自 가장. ¶～行列 가장행렬/～舞踏会 가장 무도회/女に～する 여자로 가장하다.

かそう【家相】 图 가상《집의 위치·방향·칸살의 배치 등의 모양》. ¶～が悪い 가상이 나쁘다.

かそう【仮葬】 图ス他 가(매)장. ¶行きだおれを～する 행려 사망인을 가매장

하다. ↔本葬(ほんそう).

かそう【火葬】图スル他 화장. ＝荼毘(だび). ¶～場(ば) 화장터 / ～に付(ふ)す 화장을 하다. ↔土葬(どそう)·水葬(すいそう)·風葬(ふうそう).

かぞう【家蔵·架蔵】图スル他 〈文〉 가장; 자기 집에 간직해 둠; 또, 그 물건. ¶～の名刀(めいとう) 가장의 명검. 注意 '架蔵'는 주로 책에 대해 일컬음. ¶架蔵の書(しょ) 소장한 서적.

がぞう【画像】图 화상. **1** 초상화. ＝絵(え)すがた. ¶自(じ)～ 자화상. **2** (사진·영화 등의) 영상. ¶～通信(つうしん) 화상 통신《팩시밀리·비디오 텍스 따위》/ ～処理(しょり) 화상 처리 / 鮮明(せんめい)な～ 선명한 화상 / ～がずれる〔ゆがむ〕 (TV의) 영상이 일그러지다.

かぞえ【数え】图 **1** 셈; 세기. **2** '数え年(どし)'의 준말. ¶～で二十歳(はたち) 세는나이로 스무 살. ↔満(まん).

かぞえあ-げる【数え上げる】下1他 하나하나 (들어서) 세다; 열거하다. ＝かぞえたてる. ¶欠点(けってん)を～ 결점을 열거하다.

かぞえうた【数え歌】图 숫자 풀이 노래《'一(ひと)つとや…二(ふた)つとや…' 또는 '一つとせ…二つとせ…'와 같이 엮어 나가면서 'ひ…ふ…み…'의 두운(頭韻)을 이용함》.

かぞえた-てる【数え立てる】下1他 (나쁜 일을) 하나하나 들다; 열거하다. ＝かぞえあげる. ¶欠点(けってん)を～ 결점을 하나하나 들다 / 罪状(ざいじょう)を～ 죄상을 열거하다.

かぞえどし【数え年】图 세는나이. ＝かぞえ. ¶～で三歳(さんさい) 세는 나이로 세 살. ↔満年齢(まんねんれい).

かぞ-える【数える】《算える》下1他 **1 세다; 셈하다. ¶数(かず)を～ 수를 세다 / ～·え切(き)れないほど多(おお)い 헤아릴 수 없을 만큼 많다 / ざっと～·えて…となる 대충 세어 …가 되다. **2** 열거하다. ¶罪状(ざいじょう)を～ 죄상을 열거하다. **3** (어느 범위 안의 하나로) 치다〔꼽다〕. ¶世界(せかい)の名作(めいさく)の一(ひと)つに～·えられる 세계 명작의 하나로 꼽히다.

―ほど 극히 조금. ¶全(まった)く～しかない 정말로 아주 조금밖에 안 되다.

かそく【加速】图スル自他 가속. ¶～装置(そうち) 가속 장치. ↔減速(げんそく).

―ど【―度】图 가속도. ¶～がつく 가속도가 붙다.

**かぞく【家族】图 가족. ¶～手当(てあて) 가족 수당 / ～風呂(ぶろ) 가족탕 / 四人(よにん)～ 네 식구 / ～を養(やしな)う 가족을 부양하다.

―けいかく【―計画】图 가족계획.

―せいど【―制度】图〔社〕 가족 제도.

かぞく【華族】图 화족; 작위를 가진 사람과 그 가족《明治(めいじ) 초에 생겨 2차 대전 후에 폐지됨》. ⇨貴族(きぞく).

がぞく【雅俗】图 아속. **1** 풍아(風雅)와 비속(卑俗). **2** 아어와 속어. ¶～折衷(せっちゅう) 아속 절충.

**ガソリン [gasoline] 图 가솔린; 휘발유. ¶～が切(き)れる 가솔린이 떨어지다.

―カー [gasoline car] 图 가솔린차.

―スタンド [일 gasoline＋stand] 图 가솔린 스탠드; 주유소. 參考 미국에서는 gas〔service〕 station이라고 함.

*__かた__【型】图 **1** 본; 골; 거푸집. ¶帽子(ぼうし)の～ 모자의 골 / 紙(かみ)で～をとる 종이로 본을 뜨다. **2** 형. ㉠(무도·예도(藝道) 등에서) 규범이 되는 일정한 형식. ＝フォーム. ¶柔道(じゅうどう)の～ 유도의 형 / ～を覚(おぼ)える 기본형을 익히다 / 相撲(すもう)の～が決(き)まる 씨름의 틀이 잡히다. ㉡전통적인 형식; 틀. ¶～のとおりに行(おこな)う 형식대로 행하다. ㉢유형; 타입. ¶同(おな)じ～の車(くるま) 같은 형의 차 / ～のちがう人(ひと) 유형〔스타일〕이 다른 사람 / 古(ふる)い～の人間(にんげん) 구식 사람 / 一(ひと)まわり～の大(おお)きなシャツ 한층 치수가 큰 셔츠 / ～を破(やぶ)る 형식〔관행〕을 깨다.

―にはまる 틀에 박히다. ¶型にはまったあいさつ 틀에 박힌 인사.

―にはめる 틀에 박다〔맞추다〕.

―の如(ごと)く 틀에 박은 듯이; 형식〔관례〕대로. ¶～挨拶(あいさつ)をする 틀에 박힌 인사를 하다 / ～式(しき)を終(お)えた 관례대로 식을 마쳤다.

*__かた__【形】图 **1** 모양; 형상. ¶洋服(ようふく)の～がくずれる 양복 모양이 구겨지다 / ～なしだ 형편없다; 엉망이다. **2** 무늬. ¶布(ぬの)に～を置(お)く 천에 무늬를 놓다. **3** 형적; 자국. ¶足(あし)の～がつく 발자국이 나다. **4** ☞かた(型)2㉡. ¶～どおりのあいさつ 격식대로의 인사. **5** 저당; 담보. ¶借金(しゃっきん)の～ 빚의 담보/～にとる〔おく〕 담보로 잡다〔잡히다〕.

*__かた__【方】㊀图 **1** 쪽; 편. ㉠방향; 방위. ¶東(ひがし)の～ 동쪽. 注意 'ほう'보다는 文語的인 표현. ㉡(양립되는) 둘 중의 하나. ¶借(か)り～貸(か)し～ 차변 대변 / 買(か)い～ 매주(買主) / 母(はは)～のいとこ 어머니쪽(의) 사촌《외사촌·이종사촌》. **2**《흔히, 否定語를 동반하여》 방법; 수단; 수. ¶せん～ない 하는 수 없다 / やる～なく 하는 수 없이. **3** 남에 대한 높임말: 분. ¶この～ 이분 / 女(おんな)の～ 여자 분 / お望(のぞ)みの～ 희망하시는 분.

㊁接尾 **1**《動詞連用形에 붙어서》 방법; 방식. ¶話(はな)し～ 말하는 법 / 作(つく)り～ 만드는 법 / 読(よ)み～ 읽는 법 / 走(はし)り～ 뛰는 방식. **2**《動詞連用形 또는 サ変動詞의 語幹에 붙어서》 ㉠…하는 일. ¶撃(う)ち～やめ 사격 중지 / 調査(ちょうさ)～を依頼(いらい)する 조사를 의뢰하다. ㉡…하는 사람; 담당계원. ＝係(かかり). ¶会計(かいけい)～ 회계원 / まかない～ 취사〔요리〕 담당자. **3** 사람의 수를 세는 공대말. ¶おひと～ 한 분 / お二(ふた)～ 두 분 / お三(さん)～ 세 분.

かた【潟】图 **1**〔地〕 석호(潟湖). **2**〈雅〉 갯가; 개펄; 간석지. ＝干潟(ひがた).

かた【肩】图 **1 어깨. ¶～をたたく 어깨를 치다 / ～が凝(こ)る 어깨가 뻐근하다 /

～にかかる (운명·책임 등이) 어깨에 걸리다 / 銃を～にする 총을 어깨에 메다 / ～にパットをいれる 어깨에 심을 넣다 / ～をそびやかす 어깨를 으쓱거리다《으스대다》. **2** (물건 따위의) 위쪽의 귀퉁이. ¶カード〔封筒〕の右～ 카드〔봉투〕의 오른쪽 위 귀퉁이.

—が凝らない (이야기 따위가) 시원시원해서 부담이 안 가다. ¶～話 (들어서) 부담이 안 가는 이야기.

—が張る 어깨가 뻐근하다〔결리다〕.

—で風を切る 어깻바람을 내다《기세가 등등한 모양》.

—の荷が下りる 어깨의 짐이 내려지다; 어깨가 가벼워지다.

—を怒らす 어깨를 으쓱하며 위압적 태도를 취하다. ¶肩を怒らしてにらみつける 어깨에 힘을 주고 노려보다.

—を入れる **1** 본격적으로 거들다; 응원하다. **2** 열의를 갖고 하다; 힘을 쏟다.

—を落とす (기운이 빠져) 어깨가 처지다. ¶がっくりと～ 어깨가 푹 처지다.

—を貸す **1** 무거운 짐을 같이 져 주다. **2** 거들어 주다; 도와주다.

—を並べる 어깨를 나란히 하다; 어깨를 겨루다. =比肩する. ¶先進国と～ 선진국과 어깨를 나란이 하다.

—を張る 어깨를 펴다; 으스대다.

—を持つ 편들다; 지지하다; 두둔하다. ¶妹の～ 누이동생 편을 들다.

かた【片】㊀图 둘 중의 한쪽. ¶～や横綱, ～や大関 한쪽은 横綱, 한쪽은 大関. ㊁接頭 **1** (두 개 한쌍인 것 중의) 한쪽; 짝. ¶～足 한(쪽) 발 / ～親 편친(偏親) / ～手 한(쪽)손. **2** 중심에서 벗어나 한쪽에 치우침. ¶～田舎 벽촌 / ～山里 두메산골 / ～すみ 한쪽 구석. **3** 불완전함. ¶～言 더듬거리는 말.

かた『方·片』图 결말; 처리.

—が付く 결말이 나다; 매듭지어지다. ¶事件の～ 사건의 결말이 나다.

—を付ける 결말〔매듭〕짓다; 처리하다. ¶長年の争いに～ 여러 해 동안의 분쟁을 결말짓다.

かた【過多】名ᄒ 과다. ¶供給～ 공급 과다 / 胃酸～ 위산 과다 / ～な期待 지나친 기대. ↔過少.

がた 图 〈俗〉 (기계 등이) 덜거덕거림.

—が来る **1** (기계 따위가 낡아서) 덜거덕거리게 되다. ¶この車はもうがたがきている 이 차는 이제 다된 것 같다. **2** (사람이 나이를 먹어) 몸이 여기저기 부실해지다. ¶右手に～ 오른손에 이상이 생기다.

=がた【型】…형; …타입. ¶努力～ 노력형 / ハムレット～ 햄릿형 / 2002年～の車 2002년형 자동차.

=がた【形】…형; 모양; 꼴. ¶卵～ 달걀꼴 / うずまき～ 소용돌이 모양.

=がた【方】**1** 경의를 나타내는 복수: …님들; …분들. ¶先生～ 선생님들 / あなた～ 여러분들. **2** 같은 소속〔패〕임을 나타냄: …편; …측(側). ¶徳川～ 徳川편 / 敵～ 적의 편. **3** 무렵; 녘. ¶夜明け～ 새벽녘 / 暮れ～ 해질녘. **4** 대체의 정도를 가리킴: …가량; …쯤. ¶二割～高くなる 2할쯤 비싸지다.

ガター [gutter] 图 거터; 볼링에서, 레인 양쪽에 있는 홈; 또, 이곳에 공을 떨어뜨리는 일. =ガッター.

かたあげ【肩上げ·肩揚げ】图ス自 의복의 어깨 징그기《아이들 옷에 함》.

—が取れる **1** 어깨의 징근 것을 풀어 옷을 넉넉하게 입게 하다. **2** (주로 소녀가) 어른이 되다.

かたあし【片足】图 **1** 한(쪽) 발. **2** 외발.

—を突っ込む **1** 반쯤 들어가다. ¶棺おけに～ 거의 죽어가다시피 되다. **2** (어떤 일에) 관여하다. ¶政治運動に～ 정치 운동에 관여하다.

***かた-い**【堅い·固い】形 《硬い로도》 **1** 단단하다; 딱딱하다; 굳다. ↔もろい·やわらかい. ㉠(물체, 특히 목재 등이) 단단하다. ¶～鉛筆 단단한 연필 / 石は木より～ 돌은 나무보다 단단하다. ㉡(의지·의리 따위가) 굳다. ¶～約束をかわす 굳은 약속을 나누다 / 意志が～ 의지가 굳다. ㉢(공격이나 유혹에) 굽히지 않다; 견고하다. ¶～とりで 견고한 요새 / 城の守りが～ 성의 수비가 견고하다. ㉣엄하다. ¶～·く戒める 단단히 타이르다〔훈계하다〕/ ～·く禁ずる 엄하게 금하다. ↔ゆるい. ㉤힘주어 …하다. ¶タオルを～·く絞る 수건을 꼭 짜다 / ～握手を交わす 굳은 악수를 나누다. ㉥(생각이) 굳다; 융통성이 없다. ¶頭が～ 머리가〔생각이〕 완고하다. **2** 확실하다; 틀림없다. ¶当選は～ 당선은 확실하다. **3** (유동체가) 되다. ¶～かゆ 된 죽. **4** 잘 움직이지 않다. ㉠(신발이) 꼭 끼다; 째다. ¶この靴は～ 이 구두는 꼭 낀다. ㉡빽빽하다. ¶～ハンドル 빽빽한 핸들. **5** 질기다. ¶～皮 질긴 가죽 / この牛肉は～·すぎる 이 쇠고기는 너무 질기다.

—·くなる 너무 긴장해서 행동이 굳어지다; 얼다. ¶そう～な 그리 긴장〔어려워〕하지 말거라 / 本番は堅くなって, うまくできなかった 본방송〔연기〕에서는 얼어버려 잘하지 못했다.

***かた-い**【硬い】形 딱딱하다. **1** (광물 등의 질이) 단단하다. ¶～金属 단단한 금속 / 鉄のように～ 쇠처럼 단단하다. ↔もろい·やわらかい. **2** (문장 따위가) 생경(生硬)하다. ¶～表現〔文章〕 딱딱한 표현〔문장〕. **3** 꾀까다롭다. ¶～表情 딱딱한 표정.

かた-い【かたい·難い】形 어렵다; 힘들다《격식 차린 말씨》. =むずかしい. ¶解する〔想像〕に～·くない 이해〔상상〕하기 어렵지 않다 / 言うはやすく行うは～ 말하기는 쉽고 행하기는 어렵다. 参考 口語에서는 주로 '…に～·くない'의 꼴로 쓰임. ↔やすい.

かだい【仮題】名 가제(목). ¶～をつける 가제를 달다.

かだい【課題】名 과제; 또, 주어진 문제; 임무. ¶人生の～ 인생의 과제/～を与える 과제를 주다/今後の～として残る 금후의 과제로 남다.

かだい【過大】名ナ 과대. ¶～視 과대시/～評価 과대 평가/～な期待をかける 지나치게 큰 기대를 걸다. ↔過小.

=**がた-い**【難い】《動詞連用形에 붙어》…하기 어렵다; 좀처럼 …할 수 없다. ¶動かし～事実 움직일 수 없는 사실/得～ 얻기 힘들다/聞き～ 듣기 어렵다/忘れ～ 잊을 수 없다. ↔=易い.

がだい【画題】名 화제; 그림의 제목. ¶～を付ける 화제를 붙이다.

かたいき【片息・肩息】名 할딱거리는 숨; 어깻숨. ¶～をつく 숨을 헐떡이다.

かたいじ【片意地】名ナ 외고집; 옹고집. =強情. ¶～な男 옹고집의 사나이/～を張る 옹고집을 부리다.

かたいっぽう【片一方】名 〈口〉(둘 중의) 한쪽. =片方·かたっぽ. ¶靴の～が無くなる 구두 한 짝이 없어지다. ↔両方.

かたいなか【片田舎】名 벽촌; 시골구석. ¶～でひっそりと暮らす 벽촌에서 조용히 살다.

かたいれ【肩入れ】名ス自 힘이 됨; 조력함; 도움; 편듦. ¶～しているチームが勝った 편드는 팀이 이겼다.

かたうで【片腕】名 한 팔. **1** 한쪽 팔; 외팔. **2** 가장 신임하는 조력자·보좌인; 오른팔. ¶彼は社長の～だ 그는 사장의 오른팔이다.

かたうらみ【片恨み】名ス他 (까닭 없이) 일방적으로 원망함. ⇒さかうらみ.

かたえくぼ【片笑くぼ】名 한쪽 보조개.

がたおち【がた落ち】名ス自 〈俗〉 **1** (값·생산량·인기 따위가) 뚝 떨어짐; 폭락. ¶売り上げ〔成績〕が～になる 매출액〔성적〕이 뚝 떨어지다/信用が～だ 신용이 폭락했다. **2** (솜씨 등이) 훨씬 못함〔떨어짐〕. ¶腕は～だ 솜씨는 훨씬 떨어진다.

かたおもい【片思い】名 짝사랑. =片恋. ¶～のせつなさ 짝사랑의 애달픔/～に悩む 짝사랑으로 고민하다.

かたおや【片親】名 편친(偏親); 한쪽 부모. ¶～に育てられる 편친 슬하에서 자라다. ↔二親.

かたがき【肩書き】名 (명함 등의 성명 오른쪽 위에 직함 따위를 쓰는 데서) 직함; 지위·신분·칭호 등. ¶～がつく 직함이 붙다/名刺に～を並べる 명함에 직함을 열기하다/～が物を言う 직함으로 행세하다.

かたかけ【肩掛け】名 **1** 숄; 어깨걸이. =ショール. ¶～をかける 숄을 걸치다. **2** 어깨에 멤〔걸침〕. ¶～のかばん 어깨에 메는 가방; 숄더백.

かたかた 副 맞부딪쳐서 나는 소리: 달그락달그락. ¶～と音をたてる 달그락달그락 소리를 내다.

かたがた【方方】名 여러분; 제현(諸賢) 《'人々'의 공손한 말씨》. ¶ご来場の～に申しあげます 내림하신 여러분께 말씀 드리겠습니다.

かたがた〖旁〗⊟接 겸하여; 아울러. =ついでに. ¶所用で上京し, ～美術館めぐりをする 볼일로 상경하여 겸사겸사 미술관 순례를 하다. ⊜接尾 …하는 김에; 할겸. =がてら. ¶涼み～買い物をする 바람도 쐴 겸 쇼핑을 하다.

がたがた ⊟副 **1** 심하게 떨리는 모양: 덜덜; 와들와들; 후들후들. ¶悪寒で体が～する 오한으로 몸이 덜덜 떨리다. **2** 단단한 물건이 부딪쳐서 나는 소리: 덜커덩덜커덩. ¶風で雨戸が～する 바람으로 빈지문이 덜커덕거리다. **3** 〈俗〉 투덜거리는 모양. ¶～言うな 투덜대지 마라. ⊜名ナ 짜임새가 엉성하거나 부서져 가는 모양: 어근버근. ¶～のおんぼろバス 다된 털털이 버스/組織が～になる 조직이 무너지다.

かたかな【片仮名】名 'かな'의 하나《대부분 한자의 일부분을 따서 만든 것으로, 한자의 한쪽이라는 뜻에서 '片かな'라 이름; 외래어나 의성어·의태어 등의 표기에 쓰임》. ↔平仮名.

かたがみ【型紙】名 형지; (재단(裁斷)이나 염색 등에 쓰는) 종이 본. ¶～をとる 종이 본을 뜨다.

かたがわ【片がわ·片側】名 한쪽 (편); 일방. ¶～通行 일방통행/道の～による 길 한쪽으로 다가서다. ↔両側.

かたがわり【肩代わり·肩替わり】名ス自 (빚·부담·계약을) 남을 대신해서 떠맡음; 인수함. ¶人の借金の～をする 남의 빚을 떠맡다.

*****かたき**【敵】《仇》名 **1** 싸우는 상대; 경쟁 상대자. ¶恋敵 연적/碁敵 바둑의 적수/商売敵 장사의 경쟁자. **2** 원수. =あだ. ¶金が～の世の中 돈이 원수인 세상/親の～を討つ 부모의 원수를 갚다.

かたぎ〖気質〗名 기질; 기풍. ¶学者～ 학자 기질/職人～ 장인(匠人) 기질/昔～の老人 기질이 완고하고 의리가 두터운 노인.

かたぎ【堅気】名ナ **1** 고지식하고 조신한 성질; 건실함. =律義. ¶～な人 고지식하고 건실한 사람/～で暮らす 건실하게 살다. **2** (유흥·투기업 등이 아닌) 건실한 직업(에 종사하는 사람). ¶芸者でなくて～の女 기생이 아니라 여염집 여자/やくざから足を洗って～になる 깡패 노릇을 청산하고 착실한 사람이 되다.

かたきうち【敵討ち】名ス自 복수; 원수를 갚음. =あだうち. ¶きっと～はしてやる 꼭 원수는 갚겠다.

かたぎぬ [肩衣] 名 室町시대 이후 무사의 예복의 하나(소매가 없으며, 아랫도리에는 '半袴(=발목까지 덮이는 바지)'를 입음).

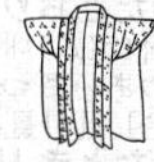
[肩衣]

かたきやく【敵役】名 1 연극에서, 악인역. =悪形. 2 미움받는 역할·처지. =にくまれ役. ¶いつも~にまわる 언제나 미움받는 역만 맡다.
かたく【仮託】名ス自他 가탁; 핑계; 빙자; 구실. =かこつけ. ¶寓話に~して説く 우화에 가탁하여 설명하다.
かたく【家宅】名 가택; 주거. =すまい·家屋敷. ¶~捜索 가택 수색 / ~侵入罪 가택 침입죄.
かたく【火宅】名〔佛〕화택; 이승(이승의 번뇌를 불난 집에 비유). =娑婆.
かたくずれ【型崩れ·形崩れ】名 (양복·구두 등의) 원형이 보기 싫게 변하는 일.
かたぐち【肩口】名 ☞かたさき.
かたくちいわし『片口鰯』名〔魚〕멸치.
かたくな『頑な』ダナ 완고함; 마음이 비뚤어지고 고집이 셈. =強情·頑固. ¶~な態度 완고한 태도 / ~に拒む 완강히 거부하다 / ~に口をつぐむ 고집스럽게 말을 안 하다. ↔すなお.
かたくない【難くない】連語 어렵지 않다. ¶察するに~ 추측하기에 어렵지 않다. ⇨かた(難)い.
かたくり『片栗』名 1〔植〕얼레지. 2 'かたくり粉'의 준말.
—こ【—粉】名 얼레짓가루; 녹말 가루.
かたくるし-い【堅苦しい】形 너무 격식을 차려 딱딱하다; 거북스럽다; 엄격하다. ¶~話 딱딱한 이야기 / 礼儀正しくて~人 예의 바르고 딱딱한 사람 / ~あいさつは抜きにして 딱딱한 인사는 생략하고.
かたぐるま【肩車】名 1 목말. ¶子供を~に乗せる 아이를 목말 태우다. 2 (유도에서) 어깨로 메어치기.
かたこい【片恋】名 짝사랑. =かたおもい.
かたこう【型鋼·形鋼】名 형강.
かたごし【肩越し】名 어깨너머. ¶~に話しかける 어깨너머로 말을 걸다 / ~にのぞきこむ (읽고 있는 책을) 어깨너머로 들여다보다.
かたこと【片言】名 1 (어린이·외국인 등의) 서투른 말씨; 떠듬떠듬하는 말씨. ¶~まじりの英語 떠듬거리는 영어 / ~を話す 더듬더듬 말을 하다. 2 한마디(의 말); 편언. =片言. ¶~も聞きもらすまいとする 단 한 마디도 빠뜨리지 않으려고 열심히 듣다.
かたこり【肩凝り】名 어깨가 뻐근함〔결림〕. ¶~をもみほぐす 어깨 결린 것을 주물러서 풀다.
かたさ【硬さ】名 경도(硬度); 굳기.
かたさき【肩先】名 어깻죽지; 어깻부들기. =肩口. ¶~が寒い 어깻죽지가 시리다.

かたざと【片里】名 ☞かたいなか.
かたしき【型式】名 (자동차·항공기·기계 등의) 형식; 모델. =モデル. ¶~番号 형식 번호.
かたじけな-い『忝ない·辱い』形 (호의가) 고맙다; 감사하다; 송구스럽다; 황공하다. ¶~御好意 고마우신 호의 / ~お言葉 황공한 말씀 / ~仰せ 송구스러운 분부.
かたじん【堅人】名 강직한 사람; 고지식한 사람. =かたぶつ.
かた-す『片す』5他〈方〉치우다; 정리하다. =かたづける. ¶部屋を~ 방을 치우다.
かたず『固唾』名 긴장했을 때 입 안에 괴는 침; 마른침.
—を呑む (긴장해서) 마른침을 삼키다. ¶かたずをのんで見守る 숨을 죽이고 지켜보다.
かたすかし【肩透かし】名 1 (일본 씨름에서) 상대가 밀고 나오는 것을, 몸을 홱 빼면서 상대의 어깨를 쳐 고꾸라뜨리는 수. 2 상대의 기세를 빗나가게 하여 허탕치게 함〔김을 뺌〕. ¶~を食う 허탕을 치다; 골탕을 먹다 / 予想外の問題を出して生徒に~を食わせる 예상 밖의 문제를 내어 학생을 골탕먹이다.
カタストロフィー [catastrophe] 名 카타스트로피; (연극·소설 등에서) 파국; 비극적 결말.
かたすみ【片隅】名 한쪽 구석. =一隅·すみっこ. ¶部屋の~に置く 방 한 구석에 놓다.
かたそで【片そで】《片袖》名 1 한쪽 소매. 2 쪽소매 책상. =片そで机.
かたたたき【肩たたき】《肩叩き》名ス自 1 (뻐근한) 어깨를 두드리는 일; 또, 그 도구. 2 '勧奨退告(=권고 사직; 명예퇴직)'의 속칭. ¶会社側の~ 회사측의 사직 권고 / 君は自分で辞めたのか, それとも~されたのか 자넨 스스로 그만둔 건가, 아니면 권고사직을 당한 건가. 参考 '인제 슬슬 그만두시지…' 하고 어깨를 툭툭 치면서 이르는 데서.
**かたち【形】名 1 모양. ㉠형상; 꼴; 형체. ¶~が崩れる 모양이 망그러지다 / ~をつくろう 모양을 갖추다 / これで~がついた 이제 모양은 갖춰졌다 / 影も~も見えない 그림자도 형체도〔아무것도〕 안 보이다. ㉡자세; 태도. ¶~を正す 자세를 바로잡다. 2 (사물의) 형식; 형태; 꼴. ¶ほんの~だけですが 그저 형식뿐입니다만(보잘것 없습니다만) / ~を整える 형식〔모양〕을 갖추다 / ~ばかりのお礼 외면치레로 하는 인사 / ~にとらわれる 형식에 얽매이다.
かたちづく-る【形づくる】《形作る·形造る》5他 만들다; 형성〔구성〕하다. ¶組織を~ 조직을 구성하다 / 性格が~·られる 성격이 형성되다.

かたちばかり【形ばかり】名ナ ☞かたばかり. ¶～のお祝(いわ)い 명색뿐인 축하.

かたちんば【片ちんば】名ナ 짝짝이. ＝ふぞろい. ¶靴下(くつした)を～に履(は)く 양말을 짝짝이로 신다/この靴(くつ)は～だ 이 구두는 짝짝이다.

かたつ【下達】名ス他 하달. ¶上意(じょうい)～ 상의하달. ↔上達(じょうたつ).

かたつう【肩痛】名 어깨의 통증.

***かたづ-く**【片付く】5自 **1** 정돈[정리]되다. ¶へやが～ 방이 정돈되다. **2** 처리되다; 해결되다; 마무리되다. ¶事件(じけん)が～ 사건이 해결되다/宿題(しゅくだい)が～ 숙제가 다 끝나다. **3**《嫁く》(딸이) 시집가다. ¶娘(むすめ)が～ 딸이 출가하다.

がたつ-く 5自 **1** 덜컹거리다. ¶風(かぜ)で戸(と)が～ 바람으로 문이 덜컹거리다. **2** (조직 등이) 흔들리다; 동요하다. ¶政府(せいふ)が～ 정부가 흔들리다. **3** (추위·공포로) 덜덜 떨리다. ¶足(あし)が～ 다리가 덜덜 떨리다.

****かたづ-ける**『片付ける』下1他 치우다. **1** 정돈[정리]하다. ¶机(つくえ)の上(うえ)を～ 책상 위를 정돈하다/部屋(へや)[ぜん]を～ 방[상]을 치우다. **2** 결말짓다; 해결 짓다. ¶宿題(しゅくだい)を～ 숙제를 해치우다/事件(じけん)を～ 사건을 해결짓다. **3** 〈俗〉 방해자를 처치하다. ¶邪魔者(じゃまもの)を～ 방해자를 처치해 버리다. **4**《嫁ける》시집 보내다. ¶娘(むすめ)を～ 딸을 출가시키다.

がたっと 副 **1** 물건이 갑자기 기울거나 떨어지는 모양: 덜커덕; 뚝. ¶～窓(まど)が外(はず)れる 덜커덕 창문이 (문틀에서) 빠지다. **2** 상태가 갑자기 나쁘게 변하는 모양: 갑자기; 뚝. ¶成績(せいせき)が～落(お)ちる 성적이 뚝 떨어지다/～疲(つか)れが出(で)た 갑자기 피곤해졌다.

かたっぱし【片っぱし·片っ端】名 한쪽 끝. 参考 'かたはし'의 힘줌말.

—から 닥치는 대로 (모조리). ¶～本(ほん)を読(よ)む 닥치는 대로 책을 읽다.

かたっぽう【片っ方】名 한쪽. 参考 'かたほう'의 힘줌말.

かたつむり『蝸牛』名〔動〕달팽이. ＝でんでんむし·かたつぶり.

***かたて**【片手】名 **1** 한(쪽) 손. ¶～で運転(うんてん)する 한손으로 운전하다. ↔両手(りょうて). **2** 일방; 한쪽(의 상대). ¶舞台(ぶたい)の～ 무대의 한쪽. **3** 여가; 짬. ＝かたてま. ¶～仕事(しごと) 틈틈이 하는 일; 부업. **4** 〈俗〉(5나 500 등) '다섯 (숫자가 붙은 돈)'의 변말. ¶～だけ貸(か)してくれ 다섯만 빌려 주게.

—おち【—落ち】名 한쪽으로 치우침; 공평하지 못함; 편파. ＝えこひいき. ¶～の仲裁(ちゅうさい) 편파적인 중재/～の報告(ほうこく)をする 일방적인 보고를 하다.

かたてま【片手間】名 (본업·볼일의) 여가; 짬; 틈; 또, 틈틈이 하는 일; 부업. ¶～仕事(しごと) 부업; 간단한 일/商売(しょうばい)の～に勉強(べんきょう)する 장사하는 틈틈이 공부하다.

かたどおり【型どおり】《型通り》名 정식(定式)대로임; 판에 박은 듯함. ¶～のあいさつをする 격식에 따른[판에 박은] 인사를 하다. 参考 副詞적으로도 씀.

かたとき『片時』名 한시; 잠시. ¶～も忘(わす)れない 잠시도 잊지 않다.

かたど-る『象る·模る·形どる』5自他 본뜨다; 모방하다; 나타내다. ¶…に～って作(つく)る …을 본떠 만들다/竜(りゅう)を～った彫刻(ちょうこく) 용을 본뜬 조각/生(せい)の歓(よろこ)びを～った名曲(めいきょく) 삶의 기쁨을 단적으로 표현한 명곡.

***かたな**【刀】名 **1** 외날의 칼. ↔剣(つるぎ·けん). **2** 큰 칼; 검. ＝太刀(たち). ¶～を抜(ぬ)く[差(さ)す] 칼을 빼다[차다]/人(ひと)を～にかける 사람을 칼로 쳐 죽이다/～を振(ふ)り回(まわ)す 칼을 휘두르다.

—折(お)れ矢(や)尽(つ)きる 칼은 부러지고 화살은 떨어지다(《싸움에 완패하다》).

—のさびとなる 칼에 맞아 죽다.

かたなかじ【刀かじ】《刀鍛冶》名 칼을 만들거나 벼리는 대장장이; 도공. ＝刀工(とうこう)·刀匠(とうしょう).

かたながれ【片流れ】名〔建〕용마루에서 추녀까지 한쪽으로만 경사지게 된 지붕. ↔両流(りょうなが)れ.

—づくり【—造り】名 지붕을 한쪽으로만 경사지게 만드는 건축 양식.

[片流れ造り]

かたなし【形なし·形無し】名ナ 형편[면목] 없이 됨; 엉망이 됨; 잡침. ¶大(だい)の男(おとこ)も～だ 대장부도 체통을 잃게 되었다/雨(あめ)で遠足(えんそく)も～だ 비로 소풍도 잡쳤다/失敗(しっぱい)続(つづ)きで彼(かれ)も～だ 잇단 실패로 그도 면목[형편] 없이 되었다.

かたならし【肩慣らし】名ス自〔野〕투수 등이 가볍게 공 던지기 연습을 하여 어깨를 풂; 몸을 풂.

かたは【片刃】名 외날(의 날붙이); 한쪽 날. ¶～のかみそり 외날 면도칼. ↔もろ刃(は)·両刃(りょうば).

かたばかり【形ばかり】《形許り》連語 형식만의 것; 명색뿐임; 극히 조금. ＝形(かたち)ばかり. ¶～のお礼(れい) 명색뿐인 사례. 参考 겸양의 뜻을 나타냄.

かたはし【片端】名 **1** 한쪽 끝[가]. ＝かたっぱし. ↔両端(りょうはし). ¶綱(つな)の～をつかむ 밧줄의 한쪽 끝을 잡다. **2** 일부분; 일단. ＝一端(いったん). ¶話(はなし)の～を聞(き)きかじって 이야기의 일단만 겉듣고/医学(いがく)の～をかじる 의학을 데알게 배우다.

かたはだ【片肌】《片膚》名 한쪽 어깨의 살갗. ↔もろ肌(はだ).

—を脱(ぬ)ぐ **1** 한쪽 어깨만을 벗다. **2** 발벗고 나서(서 도와 주)다; 한몫 거들다. ¶友人(ゆうじん)のために～ 친구를 위해 발벗고 나서서 도와 주다.

かたはば【肩幅】名 **1** 어깨통. ¶～が広(ひろ)い 어깨통이 넓다. **2** (옷의) 품.

かたはらいた-い『片腹痛い』形 가소롭다; 우습다. ＝ちゃんちゃらおかしい·

かたわらいたい. ¶身(み)の程(ほど)も知(し)らずそんなことをするとは～ 분수도 모르고 그런 짓을 하다니 가소롭다.

カタパルト [catapult] 名 캐터펄트; (항공모함 등의) 비행기 사출기(射出機).

かたひいき【片ひいき】《片贔屓》名 한쪽만 편듦; 편애. =えこひいき.

かたひじ【片ひじ】《片肘》名 한쪽 팔꿈치. ¶～を突(つ)く 한쪽 팔꿈치를 괴다.

かたひじ【肩ひじ】《肩肘》名 어깨와 팔꿈치.

—張(は)る 어깨에 힘주다; 어깨를 재다 「《뽐내는 모양》.

がたぴし トス自 **1** 단단한 것이 맞닿거나 부딪쳐 나는 소리: 삐걱삐걱; 탁; 덜커덕. ¶戸(と)が～いう 문이 삐걱거리다/障子(しょうじ)を～と閉(し)める 미닫이를 탁 하고 닫다. **2** 활동이 느스러진 모양. ¶～している会社(かいしゃ) 흔들흔들하는 회사.

かたびら〚帷子〛名 **1** (깁이나 베로 지은) 홑옷. **2** 장막·휘장 따위, 칸막이로 사용한 얇은 천.

かたぶつ【堅物】名 강직한 사람; 고지식하고 융통성 없는 사람. =堅人(かたじん). ¶あの人(ひと)は～で通(とお)っている 저 사람은 융통성이 없기로 소문나 있다.

かたぶとり【堅太り·固太り】《堅肥り》名ス自 단단하게 살이 찜; 또, 그런 사람. ¶～で油断(ゆだん)のない目(め)つきをした男(おとこ) 단단한 몸집에 빈틈없는 눈초리의 사나이.

がたべり【がた減り】名ス自〈俗〉뚝 떨어짐; 푹 줆; 격감. ¶売(う)り上(あ)げが～する 매출이 뚝 떨어지다/生産(せいさん)が～だ 생산이 푹 줄다.

かたほ【片帆】名 **1** (바람을 잘 받도록) 돛을 한쪽으로 기울여 올림; 또, 그 돛. ↔真帆(まほ). **2** 한쪽 돛.

*__かたほう__【片方】名 한쪽; 한편; 한 짝. =片一方(かたいっぽう). ¶靴(くつ)の～がなくなる 구두 한 짝이 없어지다. ↔両方(りょうほう).

かたぼう【片棒】名 교군꾼의 한 사람.

—を担(かつ)ぐ 함께 하다; 거들다; 협력〔가담〕하다. ¶犯罪(はんざい)の～ 범죄에 한몫 끼다. 参考 흔히 나쁜 뜻으로 씀.

かたぼうえき【片貿易】名 편무역. =片道(かたみち)貿易. ↔往復(おうふく)貿易.

かたほとり【片ほとり】《片辺》名〈雅〉**1** 두메; 궁벽한 시골. =片(かた)いなか. **2** 한구석. =片(かた)すみ. ¶ある町(まち)の～に 어느 도시의 한구석에.

かたまえ【片前】名 외자락《단추가 외줄인 양복 저고리》; 싱글. ↔両前(りょうまえ).

__かたまり__【固まり·塊】名 **1 덩어리. ㉠뭉치. ¶脂肪(しぼう)の～ 비곗덩어리/石炭(せきたん)の～ 석탄 덩어리. ㉡어떤 경향이 극단적으로 강한 사람. ¶欲(よく)の～ 욕심 덩어리/うその～ 지독한 거짓말쟁이. **2** 집단; 일단. ¶学生(がくせい)の～ 학생 집단.

__かたま-る__【固まる】《堅まる》5自 **1 굳(어지)다. ㉠엉기다; 딱딱해〔단단해〕지다. ¶油(あぶら)が～ 기름이 굳다/セメントが～ 시멘트가 굳어지다/雨(あめ)降(ふ)って地(じ)～ 비 온 뒤에 땅이 굳어진다. ㉡확고해지다. ¶意見(いけん)が～ 의견이 굳어지다/会社(かいしゃ)の基礎(きそ)が～ 회사의 기초가 잡히다/証拠(しょうこ)が～ 증거가 굳어지다/まだ頭(あたま)が～·らない 아직 머리가 미숙하다〔분별이 없다〕. **2** 덩어리지다; 뭉치다; (한데) 모이다. ¶二,三人(にさんにん)ずつ～·って歩(ある)く 두세 사람씩 한데 모여서 걷다/すみに～·っている 구석에 모여 있다. **3** (마음이 어떤 일에만) 쏠리다〔팔리다〕; …에 미치다. ¶競馬(けいば)にこり～ 경마에 미치다〔팔리다〕.

*__かたみ__【形見】《形身》名 추억거리가 되는 것; 기념물; (특히, 죽거나 이별한 사람의) 유물; 유품. ¶死(し)んだ母(はは)の～の指輪(ゆびわ) 돌아가신 어머니의 유품인 반지/若(わか)き日(ひ)の～ 젊은 날의 추억거리.

—わけ【—分け】名ス自 죽은 사람의 유품을 친척·친지들에게 나누어 줌.

かたみ【片身】名 몸의 반; 특히, 등뼈를 중심으로 가른 생선의 반쪽. =半身(はんみ).

かたみ【肩身】名 면목; 체면.

—が狭(せま)い 떳떳하지 못하다; 부끄럽게 느껴지다. ¶あんな親戚(しんせき)があるかと思(おも)うと～ 저런 친척이 있다고 생각하면 창피하다.

—が広(ひろ)い 떳떳하다; 자랑스럽다. ¶子(こ)の出世(しゅっせ)で親(おや)まで～思(おも)いをする 자식이 출세해서 부모까지 자랑스럽게 여기다.

かたみち【片道】《片路》名 편도; 한쪽; 일방. ¶～通行(つうこう) 일방통행/～切符(きっぷ) 편도 차표. ↔往復(おうふく).

かたむき【傾き】名 **1** 기욺; 기울기; 경사. ¶～加減(かげん) 기운 정도/船(ふね)の～がひどい 배가 많이 기울어져 있다/屋根(やね)の～が急(きゅう)だ 지붕의 경사가 가파르다. **2** 경향. ¶物価(ぶっか)は下落(げらく)の～がある 물가는 하락하는 경향이 있다.

__かたむ-く__【傾く】5自 기울다. **1 한쪽으로 쏠리다. ㉠비스듬해지다. ¶柱(はしら)が～ 기둥이 기울다/地震(じしん)で家(いえ)が～ 지진으로 집이 기울다. ㉡(해·달이) 지려고 하다. ¶日(ひ)が西(にし)に～ 해가 서쪽으로 기울다. ㉢쇠하다. ¶家運(かうん)が～ 가운이 기울다/～·きかけた会社(かいしゃ) 기울기 시작한 회사. **2** (사상·마음 등이) 한쪽으로 치우쳐지다. ¶急進思想(きゅうしんしそう)に～ 급진 사상으로 기울다/賛成(さんせい)に～ 찬성으로 기울다. **3** 그런 기미를〔경향을〕 띠다. ¶ぜいたくに～ 사치에 기울다/文弱(ぶんじゃく)に～ 문약해지다.

*__かたむ-ける__【傾ける】下1他 기울이다. **1** 비스듬히 하다. ¶杯(さかずき)を～ 술잔을 기울이다/首(くび)を～ 고개를 갸우뚱하다. **2** 쇠하게 하다. ¶国(くに)を～ 나라를 망하게 하다. **3** 집중하다; 쏟다; 경주하다. ¶耳(みみ)〔全力(ぜんりょく)〕を～ 귀를〔전력을〕 기울이다/教育(きょういく)に心(こころ)を～ 교육에 마음을 쏟다.

かため【片目】名 **1** 한쪽 눈. ¶～をつぶる 한쪽 눈을 감다. ↔両目(りょうめ). **2** 한쪽

이 먼 눈; 외눈. =隻眼.

かため【堅め·固め】图 조금 굳은 듯한 정도. ¶ごはんを~にたく 밥을 약간 되게 짓다. ↔やわらかめ.

かため【固め】图 **1** 굳힘; 단단하게 함. **2** 굳은 약속; 맹세. ¶夫婦の~ 부부의 굳은 언약. **3** 굳은 경비; 방비. ¶国境の~ 국경의 경비 / 城の~ 성의 방비.

=がため【固め】 굳힘; 굳히기. ¶基礎〔証拠〕~ 기초〔증거〕 굳히기.

****かた-める**【固める】《堅める》 下1他 **1** 굳히다. ㉠단단히 하다; 다지다. ¶こねて~ 반죽하여〔이겨〕 다지다 / 土を踏み~ 흙을 밟아 다지다. ㉡확고히〔튼튼히〕 하다. ¶決心を~ 결심을 굳히다 / 証拠を~ 증거를 굳히다 / 基礎を~ 기초를 단단히 하다. ↔揺るがす. **2** 뭉치다. ¶雪を~ 눈을 뭉치다. **3** 꼭 쥐다. ¶こぶしを~ 주먹을 부르쥐다. **4** 방비〔경비〕를 단단히 하다. ¶国境を~ 국경 방비를 단단히 하다 / 城門を~ 성문을 굳게 지키다. **5** 안정시키다. ¶身を~ (a) 결혼하여 살림을 차리다; (b) 일정한 직업을 갖다. 「기.

かためわざ【固め技】图 (유도의) 굳히

かためん【片面】图 편면; 한쪽 면; 일면. ¶レコードの~ 레코드의 한쪽 면. ↔両面.

かたや【片や】連語 (씨름 등에서) 한쪽은《대전(對戰)하는 力士의 이름을 부를 때 쓰는 말》. ¶~玉の海, ~武蔵丸 한쪽은 玉の海, 한쪽은 武蔵丸.

かたやぶり【型破り】名ナ 관행을 깸; 색다름; 파격적임. ¶~な行動 파격적인 행동 / ~な答案 색다른 답안.

かたよ-せる【片寄せる】 下1他 한쪽으로 모으다〔치우다〕. ¶本を~ 책을 한쪽으로 치우다.

かたより【片寄り·偏り】图 치우침; 편향. ¶ひどい~だ 심한 편향이다.

****かたよ-る**【片寄る·偏る】 5自 (한쪽으로) 치우치다. **1** 기울다; 편향되다. ¶進路が南に~ 진로가 남쪽으로 치우치다 / 人口が都市に~ 인구가 도시에 편중되다. **2** 불공평하다. ¶~·った判定をする 불공평한 판정을 하다.

かたら-う【語らう】 5他 **1** 말을 주고받다. ¶親子水入らずで~ 어버이와 자식만이 오붓하게 이야기를 주고받다. **2** 꾀다. ¶友達を~·って旅行する 친구를 꾀어 함께 여행하다. **3** (남녀가) 언약하다.

かたり〖騙り〗图 편취; 사기; 또, 그렇게 하는 사람. ¶~を働く 협잡질을 하다 / ~に会う 사기를 당하다.

かたりあ-う【語り合う】 5他 이야기를 나누다. ¶友と将来の夢を~ 친구와 장래의 꿈을 서로 이야기하다.

かたりあか-す【語り明かす】 5他 이야기로 밤을 새우다. ¶友人と~ 친구와 이야기로 지새우다.

かたりぐさ【語り草】《語り種》图 이야깃거리; 화제. ¶人びとの~になる 사람들의 이야깃거리가 되다.

かたりくち【語り口】图 어조; 말투《특히, 落語나 浄瑠璃 등에서 말함》. ¶しんみりした~ 차분한 말투.

かたりつ-ぐ【語り継ぐ】 5他 (옛이야기 등을) 말로 전해 내려가다; 구전(口傳)하다. ¶民話を~ 민화를 구전하다.

かたりつた-える【語り伝える】 下1他 말로 전하다; 구전하다. =語りつぐ.

かたりて【語り手】图 **1** 말하는 사람; 이야기꾼. ↔聞き手. **2** (극 따위에서의) 내레이터. =ナレーター.

かたりもの【語り物】图 곡조를 붙여 악기에 맞추어 낭창하는 이야기나 읽을거리《浄瑠璃·浪花節 따위》.

***かた-る**【語る】 5他 **1** 말하다; 이야기하다. =話す. ¶心のうちを~ 심중을 이야기하다. **2** 가락을 붙여 이야기하다. ¶浪花節を~ 浪花節를 하다. 可能かた-れる 下1自

——に落ちる 얘기하는 중에 무심코 진실을 말해 버리다.

——に足る 족히 이야기할 만하다. ¶~友人 말이 통하는 친구.

かた-る〖騙る〗 5他 **1** 편취하다. ¶金品を~ 금품을 편취하다. **2** 사칭하다; 속이다. ¶他人の名を~ 남의 이름을 사칭하다 / 身分を~ 신분을 속이다.

カタル [도 Katarrh] 图〔醫〕 카타르. ¶腸〔胃〕~ 장〔위〕 카타르.

カタルシス [그 katharsis] 图〔文學〕 카타르시스; (정신적인) 정화(淨化). ¶~を味わう 카타르시스를 맛보다.

***カタログ** [catalog(ue)] 图 카탈로그; 상품 목록〔설명서〕; 영업 안내서. 注意 '型録'로 씀은 취음.

かたわ〖片輪·不具〗 ⊟图 〈卑〉 신체 장애(인). ⊟ダナ 불균형; 불완전; 비정상. ¶~な知識 불완전한 지식 / ~な考え方 균형을 잃은 사고방식.

かたわく【型枠】图 (콘크리트를 부어 일정한 모양으로 만드는) 형틀.

かたわら【傍ら】⊟图 곁; 옆; 가. ¶道の~に咲く花 길가에 피는 꽃. ⊟副 …함과 동시에; (…하는) 한편. ¶仕事の~勉強する 일하는 한편 공부하다 / 親がかせぐ~子供が使ってしまう 부모가 버는 한편에서 자식이 써 버리다.

かたわれ【片割れ】图 **1** (깨어진) 한 조각. ¶土器の~ 토기 조각. **2** 분신(分身). **3** 〈俗〉 한패 중의 (그다지 중요하지 않은) 한 사람. ¶強盗の~がつかまる 강도 중의 한 놈이 붙잡히다.

——づき【——月】图 반달; 조각달.

かたん【下端】图 하단; 아래쪽의 끝. ↔上端.

かたん【荷担·加担】图ス自 가담함. ¶陰謀に~する 음모에 가담하다.

かだん【果断】名ナ 과단. ¶~に富む 아주 과감하다 / ~な処置〔行動〕をとる

과단성 있는 조치를〔행동을〕 취하다.

かだん【歌壇】名 가단; 가인(歌人)들의 사회; 또, 그 동아리.

かだん【花壇】名 화단; 꽃밭. ¶庭に～をつくる 뜰에 화단을 만들다.

がだん【画壇】名 화단; 화가들의 사회.

カタンいと【カタン糸】名 코튼사(絲); 재봉틀(용의 무명)실. ▷cotton.

がたんと 副 **1** 성적·값 등이 갑자기 떨어지는 모양: 뚝. ¶成績が～落ちる 성적이 뚝 떨어지다. **2** 단단한 것이 부딪쳐 소리를 내는 모양: 쾅; 꽝. ¶戸が～倒れた 문짝이 쾅하고 쓰러졌다.

かち【勝ち】名 이김; 승리. ¶逆転～ 역전승 / ～を得る〔収める〕 승리를 얻다〔거두다〕 / ～を制する 승리를 획득하다; 승리하다. ↔負け.

―に乗ずる〔乗る〕 이긴 여세를 몰다. ¶勝ちに乗じて一気に敵の本拠に迫る 승세를 몰아 단숨에 적의 본거지에 육박하다.

―を拾う 뜻밖에 이기다.

かち【価値】名 가치; 값. ＝ねうち. ¶～ある物 가치 있는 물건 / 希少～ 희소가치 / ～判断 가치 판단 / 交換〔使用〕～ 교환〔사용〕 가치 / 言及する～もない 언급할 가치도 없다.

―かん【―観】名 가치관. ¶彼とは～が違う 그와는 가치관이 다르다.

―づける 下1他 **1** 값을 매기다. **2** 가치를 정하다; 평가하다.

がち【雅致】名 아치; 아취(雅趣).

=がち〖勝ち〗《体言·動詞 連用形에 붙어서》 그러한 경향·상태가 많음을 나타냄. ¶病気～の子 병이 잦은 아이 / 遅れ～の時計 잘 늦는 시계 / 子供には有り～な行動 어린이에게는 흔히 있는 행동 / えてしてそう考え～だ 자칫 그렇게 생각하기 쉽다.

***かちあ-う**【かち合う】《搗ち合う》 5自 **1** 충돌하다. ㉠부딪치다. ¶バスとトラックが～ 버스와 트럭이 충돌하다. ㉡일치하지 않다. ¶理論が～ 이론이 상충하다. **2** 겹치다. ＝重なる. ¶会議が～ 회의가 겹치다 / 日曜と祝日が～ 일요일과 경축일이 겹치다.

かちいくさ【勝ち戦】名 싸움에 이김; 이긴 싸움; 승전. ↔負け戦.

かち-える【勝ち得る】下1他 쟁취하다; 거두다; 획득하다. ¶成功〔巨利〕を～ 성공〔큰 이득〕을 거두다 / 名声を～ 명성을 얻다.

かちかち ⊟副 단단한 물건이 가볍게 부딪치는 소리: 딱딱; 똑똑; 재깍재깍. ¶時計が～(と)いう 시계가 재깍재깍 소리를 내다 / 拍子木が～と鳴る 딱따기 소리가 딱딱 나다. ⊟ダナ **1** 대단히 단단한 모양. ¶～に凍る 꽁꽁 얼다. **2** 성격이 까다롭고 융통성이 없는 모양. ¶～の保守主義者 완고한 보수주의자 / 石頭で～の男 돌대가리에 융통성 없는 사내. **3** 몹시 긴장한 모양. ¶壇の上で～になる 단상에서 바싹 얼어 버리다.

かちき【勝ち気】名ナ 지기 싫어하는 성질; 기벽(氣癖); 오기. ＝負けん気. ¶～な女 억척〔기승〕스러운 여자.

***かちく**【家畜】名 가축. ¶～病院〔市〕 가축 병원〔시장〕 / ～を飼う 가축을 기르다. ↔野獣.

かちぐり〖搗ち栗·勝ち栗〗名 황밤; 황률《승리의 축하나 설날 선물로 사용》.

かちこし【勝ち越し】名 이긴 횟수가 진 횟수보다 많음. ↔負け越し.

かちこ-す【勝ち越す】5自 이긴 횟수가 진 횟수보다 많아지다. ¶Aチームが一回～ A팀이 1회 더 많이 이기다. ↔負け越す.

かちすす-む【勝ち進む】5自 이겨서 (다음 단계로) 나아가다. ¶準決勝に～ 준결승에 나아가다.

かちっ 副 찰칵; 딸가닥. ＝かちっと. ¶ライターをつける音が～とした 라이터를 켜는 소리가 찰칵하고 났다.

かちっぱなし【勝ちっぱなし·勝ちっ放し】名 내리 이김; (연전)연승《'勝ち放し'의 힘줌말》. ¶十日間～ 열흘 동안 내리 이김. ↔負けっ放し.

かちとうしゅ【勝ち投手】名〖野〗 승리 투수. ↔負け投手.

かちどき【勝ちどき】《勝ち鬨》名 승리의 함성; 개가(凱歌). ¶～を上げる 개가를 올리다; 승리의 함성을 지르다.

かちと-る【かち取る·勝ち取る】5他 쟁취하다; 거두다. ¶優勝を～ 우승을 쟁취하다.

かちなのり【勝ち名乗り】名 (씨름에서) 심판이 이긴 쪽의 이름을 부르고 그쪽으로 軍配를 드는 일. ¶～を上げる 승리를 선언하다.

かちにげ【勝ち逃げ】名ス自 이긴 자가 진 자의 도전을 받아들이지 않고 그 자리를 뜸.

かちぬき【勝ち抜き】名 승자가 계속 상대를 바꾸어 승부를 겨룸; 토너먼트. ¶～戦〔試合〕 승자 진출전〔경기〕; 토너먼트.

かちぬ-く【勝ち抜く】5自 **1** 내리 이기다. ¶～·いて決勝戦に進出する 내리 이겨 결승전에 진출하다. **2** (어떻게든) 이겨 내다.

かちのこ-る【勝ち残る】5自 (경기·승부에) 이겨서 다음 시합에 나아갈 자격을 얻다.

かちはな-す【勝ち放す】5自 끝까지 계속 (내리) 이기다. ＝かちっぱなす.

かちほこ-る【勝ち誇る】5自 이겨서 의기양양하다. ¶～·って大言壮語する 이겼다고 우쭐대며 호언장담하다.

かちぼし【勝ち星】名 (씨름에서) 이긴 자의 이름 위에 그리는 흰 동그라미표. ＝白星. ¶～をあげる 이기다 / ～を拾う 간신히 이기다. ↔負け星.

かちまけ【勝ち負け】名 승부; 승패. ¶

～を競う〔争う〕 승패를 겨루다 / ～は時の運 승패는 그때의 운 / ～にこだわるな 승패에 구애받지 마라.

かちみ【勝ち味】图 이길 가망; 승산. ＝かちめ. ¶～がない 승산이 없다.

かちめ【勝ち目】图 **1** 이길 낌새. **2** 이길 가망; 승산. ＝かちみ. ¶～がうすい〔ない〕 승산이 적다〔없다〕.

かちゃかちゃ 副 금속성 물건이 부딪쳐서 나는 약한 소리: 짤그랑짤그랑. ¶金具が～いう 쇠장식이 짤그랑거리다.

がちゃがちゃ 副 쇠붙이가 부딪쳐서 나는 센 소리: 짤가닥짤가닥. ¶かぎの束が～いう 열쇠 꾸러미가 짤가닥거리다.

がちゃめ【がちゃ目】图〈俗〉사팔눈.

がちゃり 副 작고 단단한 물건이 닿아서 나는 소리: 짤가닥; 짤각. ¶～とかぎをかける 짤가닥하고 열쇠를 채우다.

がちゃん 副 세게 부딪거나 깨어질 때 나는 소리: 쨍그랑; 찰카닥. ¶皿が～と割れる 접시가 쨍그랑하고 깨지다 / 電話を～と切る 전화를 찰카닥 끊다.

かちゅう【渦中】图 와중. **1** 소용돌이 속. **2** 사건·분쟁 속. ¶けんかの～にまきこまれる 싸움 와중에 말려들다.

かちゅう【火中】㊀图 화중; 불 속. ¶～に投ずる 불 속에 던지다. ㊁图ス他 불에 넣어 태워버림. ¶手紙は読後～した 편지는 읽고 나서 태워버렸다.

――の栗を拾う 불 속의 밤을 줍다《남의 이익을 위해서 위험을 무릅쓰다》.

かちょう【家長】图 (구민법에서) 가장; 호주. ＝戸主. ¶～権 가장권.

かちょう【花鳥】图 화조; 꽃과 새.

――ふうげつ【―風月】图 화조풍월. ¶～を友とする 화조풍월을 벗삼다.

かちょう【課長】图 과장. ¶人事～ 인사과장 / ～補佐 과장보; 과장 대리.

がちょう【画帳】图 화첩; 스케치북. ＝画帖.

がちょう【鵞鳥】图 거위.

かちょうきん【課徴金】图 과징금. ¶輸入～ 수입 과징금.

かちりと 副 단단한 것이 부딪쳐서 나는 소리: 짤까닥; 짤각; 짤랑. ¶～シャッターを切る 짤까닥 셔터를 누르다.

かちん 副 단단한 물건이 부딪치는 소리: 짤그랑. ¶十円銅貨が～と落ちる 10엔짜리 동전이 짤그랑하고 떨어지다.

――と来る 상대의 언동이 몹시 신경을 건드리다; 화가 울컥 치밀다. ¶小生意気な態度にかちんと来た 시건방진 태도에 기분이 팍 상했다.

＊＊**か-つ**【勝つ】《捷つ》5他 **1** 이기다. ㉠승리하다. ¶戦争〔試合〕に～ 전쟁〔경기〕에 이기다. ㉡《克つ》극복하다. ¶誘惑に～ 유혹을 이기다 / おのれに～ 극기(克己)하다. ⇔負ける. **2** (다른 것보다) 더 …하다; 그 경향이 세다. ¶理性の～った人 보다 이성적인 사람/ この味は砂糖よりしょうゆが～っている 이 맛은 설탕 맛보다 간장 맛이 더하다. **3** 획득하다; 쟁취하다. ¶競馬で～った金 경마에서 딴 돈. **4** 부담하기 힘겹다. ¶荷が～ 짐이 너무 무겁다; 힘에 부치다. 可能か-てる 下1自

――って兜の緒を締めよ 이겼다고 방심하지 마라.

――てば官軍負ければ賊軍 이기면 충신, 지면 역적.

かつ【活】图 삶; 살길. ¶死中に～を求める 죽을 수 밖에 없는 지경에서 살길을 구하다; 사중구활.

――を入れる **1** 기절한 사람의 급소를 찌르거나 주물러서 숨을 돌리게 하다. **2** 자극을 주어 활기를 불어넣다.

かつ【渇】图 **1** 목마름. ¶～をおぼえる 갈증을 느끼다. **2** 갈망.

――をいやす **1** 갈증을 풀다. **2** 소망을 이루다.

カツ 图 ☞カツレツ. ¶豚～ 돈가스.

かつ【かつ·且つ】副接 **1** 동시에; 또한. ¶必要(にして)～十分な条件 필요하고도 충분한 조건. **2** 한편(으로는). ¶～飲み～歌う 한편 마시며 한편 노래하다 / ～おどろき～喜ぶ 한편 놀라고 한편 기뻐하다. **3** 또; 그 위에. ¶～又 그 위에 또 / なお～ 더욱이 또 / 働き～学ぶ 일하고 또 배우다.

かっ= 《動詞에 붙어》그 동작을 강조하는 말. ¶～さらう 홱 채가다 / ～とばす 냅다 차다; 걷어차다.

かつ〖括〗常用 カツ くくる | 괄 묶다 | 묶다; 일괄하다. ¶括弧 괄호 / 統括 통괄.

かつ〖活〗教2 カツ いきる | 활 살(리)다 | 활동하다; 살다; 살리다. ¶活気 활기 / 快活 쾌활 / 才能を活かす 재능을 살리다.

かつ〖喝〗《喝》常用 カツ | 갈 꾸짖다 | 목이 쉴 정도로 소리를 지르다; 큰소리로 꾸짖다. ¶喝采 갈채 / 恐喝 공갈.

かつ〖渇〗《渴》常用 カツ かわく | 갈 마르다 | **1** 물이 마르다. ¶枯渇 고갈 / 渇水 갈수. **2** 목이 마르다. ¶飢渇 기갈.

かつ〖割〗《割》教6 カツ わる わり われる さく | 할 가르다 | 베다; 가르다; 나누다. ¶割腹 할복/ 分割 분할.

かつ〖滑〗常用 カツ コツ すべる なめらか | 활 반드럽다 | 미끄럽다. ¶滑走 활주 / 円滑 원활 / 廊下が滑る 복도가 미끄럽다.

かつ〖褐〗《褐》常用 カツ カチ | 갈 털옷 | 거친 털로 짠 옷; 또, 그 빛깔. ¶褐色 갈색.

かつ〖轄〗《轄》常用 カツ | 할 비녀장 | (수레바퀴의) 비녀장; 전하여, 통괄하다. ¶管轄 관할 / 分轄 분할.

=がつ【月】…월. ¶二～ 2월.

かつあい【割愛】图ス他 할애; 아까운 것을 내주거나 생략함. ¶説明を～する 설명을 생략하다 / とくに一冊だけ～しよう 특별히 한 권만 할애하지.

かつあげ【喝上げ】名 ス他 〈俗〉 공갈함; 협박함; 갈취.

かつ-える〖餓える·飢える〗下1自 굶주리다. **1** 허기지다. ＝飢える. ¶食べ物に～ 음식에 주리다. **2** 결핍을 느끼다; 갈망하다. ¶書物〔女〕に～ 책〔여자〕에 (굶)주리다/親の愛に～ 어버이의 사랑에 굶주리다.

かつお〖鰹·松魚〗名〘魚〙가다랑어.

かつおぶし【かつお節】《鰹節》名 가다랑어포《얇게 깎아 요리에 씀》. ＝かつぶし. ¶～を削る 가다랑어포를 깎다.

かっか【閣下】名 각하. ¶司令官～ 사령관 각하. 参考 본디, '귀인이 사는 전각의 아래'라는 뜻.

***がっか**【学科】名 학과. ¶好きな～ 좋아하는 학과/得意な～は英語だ 잘하는 학과는 영어다.

がっか【学課】名 학과. ¶一定の～を履修する 일정한 학과를 이수하다.

かっかい【各界】名 각계. ＝かくかい. ¶～の名士 각계의 명사.

がっかい【学会】名 학회. ¶～に出席する 학회에 참석하다.

がっかい【学界】名 학계. ¶～消息 학계 소식/～代表 학계 대표.

かっかく［赫赫］トタル 혁혁. **1** (강렬하게) 빛나는 모양. ¶～たる太陽 눈부시게 빛나는 태양. **2** 공적이 뚜렷한 모양. ¶～たる功績 혁혁한 공적.

かっかざん【活火山】名〘地〙활화산. ↔休火山·死火山.

かっかそうよう［隔靴搔痒］名 격화소양. ¶～の感がする 격화소양의 느낌이 있다.

かつかつ 副 **1** 한도에 겨우 될까말까한 모양: 될랑말랑. ¶十人～ 겨우 10명 정도/千円～しかない 겨우 천 엔 정도밖에 없다. **2** 그럭저럭; 겨우; 간신히; 빠듯이. ¶その日その日を～に暮らしている 그날그날을 간신히 살아가고 있다/五時～に間に合った 다섯 시 빠듯하게 대어 갔다.

がっかつ【学活】名 '学級活動(＝학급 활동)'의 준말. ＝ホームルーム.

がつがつ 副 ス自 **1** 걸신들린 모양: 걸근걸근. ¶飢えて～している 굶주려서 걸근거린다/ごちそうを～食う 맛있는 음식을 걸신들린 듯이 먹다/金銭にあまり～するな 금전에 너무 아등바등하지 마라. **2** 맹렬히 힘쓰는 모양. ¶～勉強する 맹렬히 공부하다.

かっかと 副 **1** 활활; 이글이글. ¶～燃える 활활 타오르다/炭火が～おこる 숯불이 이글이글 피어오르다. **2** 홧홧; 화끈화끈. ¶ほおが～ほてる 볼이 화끈화끈 달아오르다/怒りで～逆上する 노여움으로 불끈 화를 내다.

***がっかり** 副 ス自 **1** 실망·낙담하는 모양. ¶…を聞いて～する …을 듣고 실망〔낙심〕하다/試合に負けて～する 경기에 져서 실망하다. **2** 피곤해서 맥이 풀리는 모양. ¶疲れて～したような顔をしている 피곤해서 노그라진 얼굴을 하고 있다.

かつがん【活眼】名 활안; 통찰력. ¶～を開いて見ぬく 예리한 통찰력으로 꿰뚫어 보다.

がっかん【学監】名 학감.

***かっき**【活気】名 활기. ＝生気. ¶～に満ちた議論 활기찬 논의/～づく 활기 띠다/～を帯びる 활기를 띠다.

***がっき**【学期】名 학기. ¶新～が始まる 신학기가 시작되다.

***がっき**【楽器】名 악기. ¶～店 악기점.

かつぎあ-げる【担ぎ上げる】下1他 **1** 메고〔지고〕 나르다. ¶荷物を二階に～ 짐을 메고 2층으로 나르다. **2** (어떤 지위에) 내세우다; 받들어 앉히다. ¶市長に～ 시장으로 받들어 앉히다.

かつぎこ-む【担ぎ込む】5他 (특히, 부상자나 짐 따위를) 메다 들여놓다. ¶救急車で病院に～まれる 구급차로 병원에 실려 가다.

かつぎだ-す【担ぎ出す】5他 **1** 메어 내다. ¶荷物を倉庫から～ 짐을 창고에서 메어 내다. **2** (떠)받들어 모시다; 추대하다; 내세우다. ＝かつぎあげる. ¶彼を市長選挙に～ 그를 시장 선거에 (후보로) 내세우다.

かっきてき【画期的】ダナ 획기적. ＝エポックメーキング·画時代的. ¶～な発明 획기적인 발명.

かつぎや【担ぎ屋】名 **1** 미신가(迷信家). **2** 남을 속이고 좋아하는 사람. **3** 산지에서 직접 식량·야채 따위를 가지고 와서 팔러 다니는 장사꾼〔행상〕.

がっきゅう【学究】名 학구; 또, 학자. ¶～肌の人 학구적인 사람.

がっきゅう【学級】名 학급; 반. ＝クラス·組. ¶～担任 학급 담임/～を編成する 학급을 편성하다.

──ほうかい【──崩壊】名 학급 붕괴《수업 중, 아동들의 잡담·심한 장난 따위로 학급 통제가 불가능한 상태》.

かっきょ【割拠】名 ス自 할거. ¶群雄～ 군웅할거.

かつぎょ【活魚】名 활어; 활선어. ¶～料理 활(선)어 요리. ↔死魚.

かっきょう【活況】名 활황. ¶～を呈する 활황을 띠다〔나타내다〕/～を示す 활황을 보이다.

がっきょく【楽曲】名 악곡. ¶管弦～ 관현악곡/いろいろの～を演奏する 여러 가지 악곡을 연주하다.

かっきり 副 **1** 구별이 분명한 모양: 획연히; 딱. ¶～と二つに分ける 딱 둘로 나누다. **2** 수량 등에 우수리가 없는 모양: 딱; 꼭. ＝きっかり. ¶～千円 딱 천 엔/～五時だ 정각〔딱〕 5 시다.

かっきん［恪勤］名 ス自 각근; 정근(精勤). ¶～精励 각근정려.

***かつ-ぐ**【担ぐ】5他 **1** 메다; 짊어지다. ¶荷物を～ 짐을 메다. **2** (떠)받들다; 추대하다. ¶会長に～ 회장으로 추

대하다. **3** 속이다. ¶うまく~·がれた 감쪽같이 속았다. **4** (미신에) 사로잡히다. ¶縁起を~ 무슨 일에나 길흉을 몹시 가리다 / そんなに~なよ 그렇게 미신을 너무 믿지 말게. 可能 かつ-げる 下1自

がっく【学区】图 학구; (공립학교의) 통학 구역. ¶~制 학구제.

かっくう【滑空】图ス自 활공. ¶~飛行 활공 비행 / グライダーが大空を~する 글라이더가 하늘을 활공하다.

がっくり 副 갑자기 부러지거나, 기가 꺾이거나, 맥이 풀리는 모양: 푹; 탁; 덜컥《'がくり'의 힘줌말》. ¶~(と)首をたれる 푹 고개를 떨어뜨리다 / 父が死んで~する 부친이 죽어 풀이 탁 죽다 / 脳溢血で~死ぬ 뇌일혈로 덜컥 죽다.

かっけ〖脚気〗图〔醫〕각기(병).

がっけい【学兄】图 (편지 등에서) 학형.

かつげき【活劇】图 활극. **1** 난투 장면을 주로 하여 꾸민 연극·영화. ⇨たて(殺陣). **2** 난투; 격투. ¶街頭で~を演ずる 길거리에서 난투를 벌이다.

かっけつ［喀血·咯血］图ス自 객혈; 각혈. ¶肺結核で~した 폐결핵으로 각혈했다. ⇨吐血.

かっこ【各個】图 각개; 각각; 제각기. =めいめい·それぞれ. ¶~撃破 각개 격파 / ~の意見 각자의 의견 / ~に持ち帰る 제각기 가지고 돌아가다.

***かっこ**【かっこ·括弧】图ス他 괄호; 묶음표. ¶~をつける〔とる〕 괄호를 치다〔풀다〕/ 引用文を~でくくる 인용문을 괄호로 묶다.

括弧의 종류와 명칭

기호	명칭
「 」	かぎ·かぎかっこ(낫표(標))·引用符(따옴표)
『 』	二重かぎ(겹낫표)
( )	パーレン·丸かっこ(소괄호)
《 》	二重パーレン·二重かっこ(겹괄호; 이중 괄호)
〔 〕	きっこう(대괄호; 꺾쇠괄호)
[ ]	ブラケット(꺾쇠괄호)
〈 〉	山パーレン·ギュメ(꺾쇠괄호)
{ }	ブレース(중(中)괄호)
“ ”	引用符(큰따옴표)

かっこ【確固】〖確乎〗トタル 확고. ¶~たる決心 확고한 결심 / ~不動の態度を取る 확고부동한 태도를 취하다.

かっこいい 連語 근사하다; 멋있다. =すてきだ. 参考 'かっこ'는 '格好'를 짧게 이르는 말. 주로 어린이·젊은이가 씀.

かっこう【各項】图 각항(목).

⁑**かっこう**〖格好·恰好〗一图 **1** 모습; 꼴. **2** 모양; 볼품. ¶髪の~を直す 머리 모양을 고치다 / ~をつける 모양을 내다; 폼을 잡다 / なんという~だ 그 무슨 꼴이냐 / ~を構わない 몸차림에 마음을 쓰지 않다. **3** 체면치레. ¶~のいい事をいう 번드레한 말을 하다. 二名ナ 알맞음. =ころあい. ¶~の場所 알맞은 장소 / ~な値段 알맞은 값 / ~な品物 (크기·형·빛깔 등이) 꼭 알맞은 물건. 三接尾《주로 중년 이상 나이를 어림잡아 말할 때 씀》쯤; 대(代). ¶四十~の男 나이 40쯤 되는 남자.

—がつく 그럭저럭 모양이 잡히다〔갖추어지다〕; 그런대로 수습이 되다.

かっこう【滑降】图ス自 활강. ¶直~ 직활강 / ~競技 활강 경기 / スキーで急斜面を~する 스키로 급사면을 활강하다.

かっこう〖郭公〗图〔鳥〕곽공; 뻐꾸기. =かんこどり·よぶこどり.

⁑**がっこう**【学校】图 학교. ¶~に上がる〔入る〕 학교에 들어가다《진학·입학》/ (いやいや)~に通う (싫으나 마지못해) 학교에 다니다 / ~を出ていないが, りっぱな人だ 학교를 나오지는 않았지만 훌륭한 사람이다.

—きゅうしょく【—給食】图 학교 급식.

—きょういく【—教育】图 학교 교육. ↔社会教育·成人教育.

—ほうじん【—法人】图 학교 법인.

かっこく【各国】图 각국; 각 나라.

かっこ-む【かっ込む】〖搔っ込む〗5他 ☞かきこむ.

かっさい［喝采］图ス自 갈채. ¶拍手~ 박수갈채 / ~を博する〔送る〕 갈채를 받다〔보내다〕/ ~に答える 갈채에 답하다 / 嵐のような~を浴びる 우레와 같은 갈채를 받다.

がっさく【合作】图ス自他 합작. ¶日米~映画 미일 합작 영화.

かっさつ【活殺】图 활살; 생살. =生殺. ¶~自在 생살 자재.

—の権 생살여탈권.

がっさつ【合冊】图ス他 ☞がっぽん.

かっさら-う〖搔っ攫う〗5他 확 낚아채다. =かっぱらう. ¶横あいから手を出して~ 옆에서 손을 뻗어 채가다. 参考 'さらう'의 힘줌말.

がっさん【合算】图ス他 합산; 합계.

***かつじ**【活字】图 활자. ¶~を組む 조판하다 / ~にする 활자화하다《인쇄하다》/ ~になる 활자화되다 / ~を拾う 활자를 뽑다; 채자(採字)하다.

—たい【—体】图 활자체. ↔筆写体.

—ばん【—版】图 활자판; 활판.

かっしゃ【活写】图ス他 <文> 활사; 생생하게 묘사함〔나타냄〕. ¶世相を~する 세태를 생생하게 그리다.

かっしゃ【滑車】图 활차; 도르래. ¶~の原理 도르래의 원리.

がっしゅうこく【合衆国】图 합중국《특히, 미국》. ⇨れんぽう.

がっしゅく【合宿】图ス自 합숙. ¶スポーツ練習の目的で~する 스포츠 훈련의 목적으로 합숙하다.

かつじょう【割譲】图ス他 할양. ¶領土を~する 영토를 할양하다 / 敗戦で半島の一部を~する 패전으로 반

도 일부를 할양하다.

***がっしょう**【合唱】图スル他 합창. =コーラス. ¶二部~ 이부 합창/~曲 합창곡. ⇨斉唱. ↔独唱.

がっしょう【合掌】一图スル自 합장(배례). ¶霊前で~する 영전에서 합장하다. 二图〔建〕재목에 못을 안 쓰고 합각(合閣)으로 어긋매낌.

—づくり【—造り】图〔建〕재목을 합각으로 어긋매낀 건축 양식.

かっしょく【褐色】图 갈색. ¶~人種 갈색 인종/~植物 갈색 식물/日焼けした~の肌 볕에 그을린 갈색 피부.

がっしり 副 **1** 튼튼하고 실팍한 모양. =がっちり. ¶~(と)した肩 딱 벌어진 어깨/体が~している 몸이 올차다/~と受けとめる 힘차게 받아[막아]내다. **2** 탄탄하게 꽉 짜여 있는 모양. ¶~した建物 탄탄한 건물.

かっすい【渇水】图スル自 갈수. ↔豊水.

—き【—期】图 갈수기.

かっ-する【渇する】サ変自 **1** 목이 마르다. **2** 물이 마르다. ¶池の水が~ 연못의 물이 마르다. **3** 결핍되다; (굶)주리다. ¶愛情に~·している 애정에 굶주리고 있다.

—·しても盗泉の水は飲まず 목이 말라도 도천의 물은 마시지 않는다《아무리 궁해도 부정한 재물은 얻지 않음》.

がっ-する【合する】一サ変自 **1** 합쳐지다. =合う. ¶二つの流れが~ 두 강물이 합치다. **2** 일치하다. ¶意見が~ 의견이 일치하다.
二サ変自 합치다; 합하다. =合わせる. ¶全部を~ 전부 합하다.

かっせい【活性】图〔化〕활성. ¶~炭 활성탄/~ビタミン 활성 비타민.

—か【—化】图スル他 활성화. ¶組織を~する 조직을 활성화하다.

かっせん【合戦】图スル自 전투; 접전; 싸움. =会戦. ¶~場 싸움터/雪合戦 눈싸움/歌合戦 가요 대항전/天下分け目の~ 천하를 판가름하는 대결전.

かつぜん[豁然]トタル 활연. **1** 확 트인 모양. ¶~として大原野が展開する 활연히 큰 들판이 전개되다. **2** 돌연히 깨닫는 모양. ¶~として大悟する 활연히 크게 깨닫다.

かっそう【滑走】图スル自 활주. ¶スキーで~する 스키로 활주하다.

—ろ【—路】图 활주로.

がっそう【合奏】图スル他 합주. ¶~協奏曲 합주 협주곡. ↔独奏.

カッター[cutter]图 커터. **1** 이물이 길고 외대박이인 서양식 작은 범선. **2** 재단[절단]기. ¶~で切る 커터로 자르다.

—シューズ[일 cutter+shoes]图 바닥이 납작한 여성화.

がったい【合体】图スル自 합체. ¶会社が~する 회사가 합체하다.

かったつ【活達】《闊達》ダナ 활달. ¶~な人物[性格] 활달한 인물[성격].

かったる-い 形〈俗〉**1** 나른하다. ¶熱があるのか足が~ 열이 있는지 다리가 께느른하다. **2** 시원찮다; 답답하고 감질이 나다. ¶~やつだ 답답한 놈이다/あいつの話は~ 저놈(의) 얘기는 답답해 못 듣겠다.

かったん【褐炭】图 갈탄.

がっち【合致】图 スル自 합치; 일치. ¶目的に~する 목적에 합치하다.

かっちゃく【活着】图スル自〔植〕활착; 접목(接木) 또는 이식한 식물이 살아 뿌리박음. ¶~が悪い 활착이 잘 안되다.

かっちゅう[甲冑]图 갑주; 갑옷과 투구. =よろいかぶと·具足. ¶~をつける 갑주를 착용하다/~に身を固める 갑옷 투구로 무장을 하다.

かっちり 副 **1** 사물이 꼭 들어맞는 모양: 딱. ¶計算が~合う 계산이 딱 들어맞다. **2** 잘 맞아 빈틈이 없는 모양: 꼭. ¶~戸をしめる 문을 꼭 닫다.

がっちり 副〈俗〉**1** 튼튼한 모양. ¶~(と)した体格 다부진 체격. **2** 빈틈이 없고 단단한 모양. ¶~(と)スクラムを組む 단단히 스크럼을 짜다/守りを~(と)固める 수비를 공고히 하다. **3** 야무진 모양; 빈틈없는 모양《주로, 금전면에》. ¶~屋 (금전 관계에) 빈틈없는 사람/~かせぐ 알뜰하게 벌다.

ガッツ[guts]图 거츠; 원기; 근성《흔히 운동 경기에서 쓰이는 말》. ¶~が足りない 끈기가 부족하다/~のあるやつだ 기백 있는 놈이다.

—ポーズ[일 guts+pose]图 (운동선수 등이) 불끈 쥔 주먹을 가슴에 대거나 머리 위로 치켜들거나 하며 기쁨이나 승리를 나타내는 포즈.

がっつ-く 5自 **1**〈俗〉걸신이 들리다; 걸근거리다. ¶みっともなく~ 볼썽사납게 걸근거리다/~こじきは, もらいが少ない 거지도 걸근거리면 얻는 것이 적다. **2**〈學〉공부만 들이파다. ¶~·いて勉強する 놀지도 않고 공부만 들이파다.

***かつて**『嘗て·曾て』副 **1** 일찍이; 예전부터; 전에. =以前. ¶~少年の日に仰ぎ見た大学の教授 일찍이 소년 시절에 우러러보던 대학 교수. **2**《否定하는 말을 수반하여》전혀; 전연. ¶いまだ~病気をしたことがない 아직 한번도 앓은 적이 없다/そんなことは~聞かぬ 그런 일은 일찍이 들어본 일이 없다. 注意 근세 이후 'かって'라고도 함.

****かって**【勝手】图 **1** 편리함. ¶~の悪いへや[家] (쓰기에) 불편한 방[집]. **2** 부엌. ¶~道具 부엌 세간/お~仕事 부엌일. **3** 생계; 가계. ¶~が苦しい 생계가 곤란하다. **4** 모양; 상황; 사정. ¶~がわからない 사정을 모르겠다.

—が違う (기대한 것과) 사정이 다르다; 자기 영역이 아니어서 당혹하다.

―ぐち【―口】图 **1** 부엌문. **2** 茶室ちゃしつ에서 주인이 드나드는 문(門).

―むき【―向き】图 **1** 부엌 쪽; 부엌 일〔용〕. **2** 살림 형편; 생계. ¶～がよくない 생활 형편이 좋지 못하다.

―もと【―元】图 ☞かってむき.

⁂かって〖勝手〗图ダナ 시먹음; 제멋대로 함. ¶～をはかる 제멋대로 하려 들다/～にふるまう 제멋대로 행동하다/～が過すぎる 너무 방자하다/～なやつだ 방자한 놈이다/～にしろ 네 멋대로 해라.

―な熱ねつを吹ふく 제게 유리한 일을 신나게 떠들다. ¶てんでに～ 제각기 멋대로 지껄이다.

―きまま【―気まま】《―気儘》图ダナ 마음 내키는 대로 함. ¶～に暮くらす 제멋대로 살다.

―しだい〖―次第〗ダナ 제멋대로 함. ＝かって気きまま. ¶～なふるまい 방자한 행동/何なにをやろうと～だ 무엇을 하건 제 마음대로다.

がってん【合点】图ス自 승낙; 수긍함. ¶～だ 알았다/頼たのむよ. おっと～だ 부탁한다. 그래, 알았다/どうも～がいかない 아무래도 이해가 안 된다. ⇨がてん(合点).

かっと 圖 **1** 불길이 맹렬한 모양: 확확. ¶火ひが～おこる 불이 확 일어나다. **2** 몹시 내리쬐는 모양. ¶～日ひがさす 해가 쨍쨍 비치다. **3** 갑자기 화를 내는 모양: 발끈; 울컥. ＝かっかと. ¶～する 불끈 화내다/～なって人ひとを殴なぐる 발끈해서 사람을 때리다. **4** 눈이나 입을 갑자기 크게 뜨거나 벌리는 모양: 딱; 번쩍. ¶両目りょうめを～見開みひらく 두 눈을 딱 부릅뜨다.

***カット** [cut] ㊀图ス他 컷. **1** 절단; 잘라냄. ¶検閲けんえつで～される 검열에서 컷당하다/パスを相手あいてに～される 패스를 상대방에게 컷당하다. **2** (탁구 등에서) 공을 깎아침. ¶ボールを～する 공을 커트하다. **3** (머리를) 고르게 자름. ¶髪かみを～する 머리를 컷하다. **4** (임금 등의) 삭감. ¶賃金ちんぎんを～する〔される〕 임금을 삭감하다〔삭감당하다〕.

㊁图 컷. **1** 작은 삽화. **2** (영화의) 한 장면. ＝ショット. ¶ワン～ 한 컷〔장면〕.

―グラス [cut glass] 图 컷 글라스《조각이나 세공을 가한 유리 (그릇)》. ＝切きり子こガラス.

かっとう [葛藤] 图 갈등. ＝いざこざ・もつれ. ¶仲間同士なかまどうしの間あいだに～が起おこる 한동아리 사이에 갈등이 생기다.

⁂かつどう【活動】㊀图ス自 활동. ¶めざましい～ 눈부신 활동. ㊁图 '活動写真しゃしん(＝활동 사진)'의 준말. ¶～を見みる 활동 사진을〔영화를〕 보다.

―か【―家】图 **1** 활동가. **2** (노동・학생운동 등에 적극적인) 운동권 인사.

かっとばーす 【かっ飛ばす】 5他 〈俗〉 (배트로 공을 세게 쳐서) 멀리 날리다. ¶ホームランを～ 홈런을 날리다.

カツどん〖カツ丼〗图 돈가스 덮밥.

かつは【かつは・且つは】katsuwa 接 한편으로는; 그 위에. ¶～おどろき～喜よろこぶ 한편 놀라고 한편 기뻐하다. 参考 'かつは…かつは…'의 꼴로 흔히 씀.

かっぱ【喝破】图ス自他 갈파. ¶真理しんりを～する 진리를 갈파하다.

かっぱ〖河童〗图 **1** 물속에 산다는 어린애 모양을 한 상상의 동물. ＝川太郎かわたろう. ¶おかに上あがった～ 물 밖에 난 (물)고기《특기〔장기〕를 잃은 사람의 비유》. **2** 〈俗〉 헤엄 잘 치는 사람. ¶～天国てんごく 헤엄치기를 좋아하는 아이들의 천국.

―の川流かわながれ 원숭이도 나무에서 떨어진다.

―の屁へ 식은 죽 먹기. ＝屁のかっぱ.

カッパ [포 capa] 图 가빠. **1** 소매 없는 비옷. ＝あまがっぱ. **2** (짐・가마 따위에) 비막이로 덮는 동유지(桐油紙). 参考 '合羽'로 씀은 취음(取音).

***かっぱつ**【活発】《活潑》ダナ 활발. ¶～な少年しょうねん 활발한 소년/～なうごき 활발한 움직임. ↔不ふ活発.

かっぱらい〖掻っ払い〗图 날치기(꾼). ＝かっさらい. ¶すりや～が横行おうこうする 소매치기와 날치기가 설치다/～を働はたらく 날치기 짓을 하다.

かっぱらーう〖掻っ払う〗5他 날치기하다; 슬쩍하다. ¶ハンドバッグを～ 핸드백을 날치기하다.

かっぱん【活版】图 활판. ¶～刷すり 활판 인쇄/～屋や (활판) 인쇄소.

―いんさつ【―印刷】图 활판 인쇄.

がっぴ【月日】图 월일. ¶生年せいねん～ 생년월일/～をいれる 달과 날짜를〔월일을〕 적어 넣다.

がっぴょう【合評】图ス他 합평; 합동 비평. ¶～会かいを催もよおす 합평회를 개최하다/新作しんさくを～する 신작을 합평하다.

かっぷ【割賦】图 할부. ＝分割払ぶんかつばらい・わっぷ. ¶～販売はんばい 할부 판매.

カップ [cup] 图 컵. **1** 찻잔. ¶コーヒー～ 커피 잔. **2** 상배(賞杯). ¶優勝ゆうしょう～ 우승컵. **3** 브래지어의 젖 가리는 부분.

―ボード [cupboard] 图 컵보드; 찬장.

―めん【―麺】图 컵면; 컵라면.

かっぷく【割腹】图ス自 할복. ＝切腹せっぷく. ¶～自殺じさつ 할복자살/～して果はてる 할복하여 생을 마감하다.

かっぷく〖恰幅〗图 (드레진) 풍채; 허우대; 몸매. ¶～がいい 풍채가 좋다/堂々どうどうたる～の紳士しんし 당당한 체격의 신사.

かつぶし〖鰹節〗图〈口〉☞かつおぶし.

がっぷり 圖 (씨름에서) 서로 꽉 맞잡은 모양. ¶(両力士りょうりきしが)～(と)四よつに組くむ (두 씨름꾼이) 샅바를 꽉 맞잡다.

カップル [couple] 图 커플; (애인・부부 등의) 한 쌍. ¶似合にあいの～ 잘 어울리는 부부〔한 쌍〕.

***がっぺい**【合併】图ス自他 합병. ＝併合へいごう. ¶～授業じゅぎょう 합동 수업/町村ちょうそん～ 읍면〔町와 村〕의 합병/二ふたつの会社かいしゃ

を～する 두 회사를 합병하다.

—しょう【—症】图 합병증. =余病. ¶～を起こす 합병증을 일으키다.

かつべん【活弁】图 '活動弁士'의 준말; (무성 영화의) 변사(辯士).

かっぽ［闊歩］图ス自 활보. ¶大路を～する 대로를 활보하다 / 金の力で世の中を～する 돈의 힘으로 세상을 활보하다.

かつぼう【渇望】图ス他 갈망; 열망; 소원. =切望. ¶～をいやす 소원을 풀다 / 平和を～する 평화를 갈망하다.

かっぽう［割烹］图 1 할팽; (일본식의) 요리. ¶～着 소매 있는 앞치마 / ～旅館 일식 요리를 내놓는 여관. 2 일본 요릿집; 일식집. =割烹店.

がっぽう【合邦】图ス他 합방. ¶両国を～する 양국을 합방하다.

がっぽがっぽ 副 듬뿍듬뿍; 왕창. ¶～もうける (한 밑천) 왕창 벌다 / ～とお金が入ってくる 돈이 왕창 들어오다.

がっぽり 副 〈俗〉 돈 따위를 일시에 많이 손에 넣거나 잃는 모양. ¶株で～(と)もうける 주식으로 왕창 돈을 벌다.

がっぽん【合本】图ス他 합본. =合冊. 注意 'ごうほん'이라고도 함.

かつまた【且つ又】接 또한; 그 위에 또; 게다가. =おまけに. ¶智あり勇あり～徳もある 지혜롭고 용기 있고, 또한 덕도 있다.

かつもく［刮目］图ス自 괄목; 눈을 크게 뜨고 봄. ¶～して待つ 괄목하고 기다리다 / ～に価する 괄목할 만하다.

*かつやく【活躍】图ス自 활약. ¶～ぶりが注目される 활약상이 주목된다 / プロの選手になって～する 프로 선수가 되어 활약하다.

かつやくきん【括約筋】图〔生〕괄약근.

*かつよう【活用】㊀图ス他 활용. ¶余暇の～ 여가의 활용 / 廃品を～する 폐품을 활용하다. ㊁图ス自〔文法〕용언(用言)·조동사의 어미 변화. ¶動詞の～ 동사의 활용.

—けい【—形】图〔文法〕활용형《未然·連用·終止·連体·仮定(문어에서는 已然)·命令形의 6가지》.

—ご【—語】图〔文法〕활용어《用言과 助動詞의 총칭》.

—ごび【—語尾】图〔文法〕활용 어미.

かつようじゅ［闊葉樹］图 활엽수《'広葉樹'의 구칭》. ↔針葉樹.

かつら〖桂〗图 1〔植〕계수나무. 2 (달에 있다는) 상상의 나무. =月の桂.

かつら〖鬘〗图 1 다리. =かもじ·添え髪. 2 가발(假髮). =ウィッグ. ¶～をかぶる〔とる〕가발을 쓰다〔벗다〕/ ～をつけている 가발을 쓰고 있다. 注意 'かずら'라고도 함.

かつらく【滑落】图ス自 (등산에서) 실족하여 미끄러져 떨어짐. ¶～事故 미끄러져 떨어지는 사고 / 足を踏みはずして雪渓に～する 발을 헛디뎌 눈 덮인 골짜기에 미끄러져 떨어지다.

かつりょく【活力】图 활력. =バイタリティー·エネルギー. ¶～素 활력소 / ～がみなぎる 활력이 넘치다 / ～を蓄える 활력을 기르다 / ～を与える 활력을 불어넣다 / 会社が～をとり戻す 회사가 활력을 되찾다.

かつれい【割礼】图 할례. ¶～を施す 할례를 하다.

カツレツ［cutlet］图〔料〕커틀릿. =カツ. ¶ビーフ～ 비프커틀릿.

かつろ【活路】图 활로. ¶～を見いだす 활로를 찾아내다 / ～を求める〔開く〕활로를 찾다〔개척하다〕.

かて【糧】图 양식. 1 음식물; 식량. ¶その日の～にも困る 그날의 양식도 대기 어렵다. 2 전하여, 활동의 근원. ¶書物は心の～ 책은 마음의 양식.

*かてい【仮定】图ス自他 가정. ¶～の話 가정적인 이야기 / …と言う～の下に …라는 가정하에 / ～を置く 가정을 두다; 가정하다 / ～を洗い直す 가정을 재검토하다.

—けい【—形】图〔文法〕가정형《구어(口語)의 활용어(活用語)에서, '読めば(=읽으면)' '見れば(=보면)'의 '読め' '見れ' 등》.

**かてい【家庭】图 가정. ¶～生活 가정생활 / ～菜園 텃밭 / ～を守る〔持つ〕가정을 지키다〔가지다〕/ 今日は～サービスの日だ 오늘은 가족에게 봉사하는 날이다.

—きょうし【—教師】图 가정교사.

—さいばんしょ【—裁判所】图 가정법원. =家裁.

—てき【—的】ダナ 가정적. ¶～な夫〔ふんいき〕가정적인 남편〔분위기〕/ ～に恵まれない 가정적으로 불우하다.

—ないぼうりょく【—内暴力】图 가정 내 폭력.

かてい【課程】图 과정. ¶教育～ 교육 과정 / 大学の～ 대학 과정. 参考 '過程'와 혼동하기 쉬움.

*かてい【過程】图 과정. =プロセス. ¶研究の～ 연구 과정 / 変化の～にある 변화하는 과정에 있다 / さまざまな～をたどる 여러 가지 과정을 거치다.

カテーテル［네 katheter］图〔醫〕카테테르; 존데(Sonde); 소식자(消息子).

カテゴリー［도 Kategorie］图〔哲〕카테고리; 범주. =範疇.

かててくわえて【かてて加えて】《糅てて加えて》連語《副詞적으로》설상가상으로; 게다가; 그 위에; 엎친 데 덮쳐서. =おまけに. ¶事業に失敗し, ～事故に遭う 사업에 실패하고, 게다가 사고를 당하다 / ～細君までなくした 엎친 데 덮치기로 아내까지 잃었다.

=がてら《動詞 連用形이나 体言에 붙어서》…하는 김에; …을 겸하여. ¶花見～ 꽃구경을 겸하여 / 遊び～ 놀이를 하는 김에.

かてん【加点】图ス自 가점; 점수를 추가함. ¶最終回にも~する 최종회에서도 점수를 추가하다.

かでん【家伝】图 가전; 전가(傳家). ¶~の秘法〔妙薬〕 전가의 비법〔묘약〕.

かでん【家電】图 '家庭用電器'의 준말; 가전. ¶~業界 가전 업계.

かでん【瓜田】图 오이밭. =うり畑.

—の履 과전지리(瓜田之履)《의심받을 짓은 피하라는 말》. =李下の冠.

がてん【合点】图ス自 수긍; 납득. ¶早~ 지레짐작 / ~がいかない〔いく〕 납득이 안 가다〔가다〕. ⇨がってん.

がでんいんすい【我田引水】图 아전인수. ¶理論が~になる 이론이 아전인수 격이 되다.

かと【過渡】图 과도. ¶~政府 과도 정부.

—き【—期】图 과도기. ¶~の混乱に乗ずる 과도기의 혼란에 편승하다.

—てき【—的】ダナ 과도적. ¶~な現象 과도기적인 현상.

かど『廉』图 점(點); 이유; 사유. ¶病気の~により許す 신병을 참작해 용서하다 / 不審の~をただす 의심되는 점을 밝히다 / 窃盗の~で逮捕する 절도 혐의로 체포하다.

かど【角】图 **1 모난 귀퉁이. ¶岩の~ 바위 모서리 / 机の~に頭をぶつける 책상 모서리에 머리를 부딪치다. **2** 길모퉁이. ¶~のたばこ屋 길모퉁이의 담배 가게 / ~を曲がる 모퉁이를 돌다. **3** 모(남). ¶~のある人 모난 사람.

—が立つ 모가 나다. ¶物も言いようで~ 아 해 다르고 어 해 다르다.

—が取れる 원만해지다. ¶修養を積んで~ 수양을 쌓아서 모가 없어지다《원만해지다》.

かど【門】图〈雅〉**1** 문. =門. **2** 집 앞. ¶~で待つ 집 앞에서 기다리다. **3** 집안; 일족. ¶笑う~には福来たる 소문만복래 / ~ごとに祝う 집집마다 축하하다.

かど【過度】图ダナ 과도. ¶~の労働 과도한 노동 / ~に緊張する 지나치게 긴장하다. ↔適度.

かといって【かと言って】連語 그렇다고(해서). ¶もっともな意見だと思う. ~賛成するわけにもいかない 지당한 의견이라고 생각한다. 그렇다고 찬성할 수도 없다.

*かとう【下等】名ナ 하등. ¶~な酒 하급주 / ~動物 하등 동물 / ~な人間 저질 인간. ↔高等·上等.

かとう【果糖】图 과당.

かとう【過当】名ナ 과당. ¶~な要求 과당한 요구 / ~競争 과당 경쟁.

かどう【可動】图 가동; 움직일 수 있음.

—きょう【—橋】图 가동교.

かどう【稼働·稼動】图ス自他 가동. **1** 일함. ¶~日数〔人口〕 가동 일수〔인구〕. **2** 기계를 움직임. ¶~台数 가동 대수 / ~率 가동률 / 発電機を~させる 발전기를 가동시키다.

かどう【歌道】图 和歌를 짓는 기술·작법; 또, 그것을 연구하는 일. ¶~をきわめる 和歌를 깊이 연구 하다.

かどう【花道·華道】图 화도; 꽃꽂이의 도(道). ¶~を学ぶ 꽃꽂이를 배우다.

かとうせいじ【寡頭政治】图 과두 정치.

かどかどし-い【角角しい】形 **1** 모가 많다. **2** 성질이 원만치 않다.

かとく【家督】图 가독; 그 집의 상속인; 장남(長男); (일본 구(舊)민법에서) 호주의 지위. ¶~相続 호주 상속 / ~を継ぐ 호주를 승계하다.

かどぐち【門口】图 **1** 집의 출입구; 문간; 문 앞. ¶~に立つ 문간에 서다. **2** (어떤 일의) 시작; 개시.

かどだ-つ【角立つ】5自 모나다; 원만치 않다. ¶~·った言い方 모난 말투 / 話が~ 말이 모나다.

かどだ-てる【角立てる】下1他 모나게 하다. ¶話を~ 말을 모나게 하다.

かどち【角地】图 길모퉁이 땅.

かどづけ【門づけ】《門付け》图 **1** 걸립(乞粒). **2** 걸립꾼.

かどで【門出】图ス自 집〔길〕을 떠남; (새) 출발. ¶人生の~を祝う 인생의 새 출발을 축하하다.

かどなみ【門並み】图 집집마다. =軒並み. ¶~に国旗をあげる 집집마다 국기를 달다.

かどば-る【角張る】5自 **1** 모지다. =かくばる. **2** (말·태도 등이) 모나다; 딱딱하다. ¶~·った話はやめよう 딱딱한 이야기는 그만두자.

かどばん【角番】图 **1** (바둑·장기·씨름 등에서) 마지막 승패가 결정나는 판〔대국〕. ¶~に追い込まれる 막판에 몰리다. **2** 승패〔운명〕의 기로. ¶人生の~に立つ 인생의 갈림길에 서다.

かどまつ【門松】图 새해에 문 앞에 세우는 장식 소나무. =松飾り.

カドミウム [cadmium] 图〔化〕 카드뮴《은백색의 금속 원소; 기호: Cd》.

—おせん【—汚染】图 카드뮴 오염《공장 폐수 등에 함유된 카드뮴에 의해서 생활환경·음료수 등이 오염되는 일》.

—ちゅうどく【—中毒】图 카드뮴 중독. ⇨イタイイタイ病.

かどみせ【角店】图 길모퉁이 가게.

かとりせんこう【蚊取り線香】图 모기향. =蚊やり(せんこう). ¶~を焚く 모기향을 피우다.

カトリック [네 Katholiek] 图 가톨릭; 천주교(도). ↔プロテスタント.

—きょう【—教】图 가톨릭교; 천주교.

かどわか-す『拐す』5他 유괴하다; 속여(서) 꾀어내다. ¶家出娘を~ 가출한 처녀를 유괴하다.

かとんぼ『蚊蜻蛉』图 **1**〔蟲〕 꾸정모기. =ががんぼ·かのうば. **2**〈俗〉 거위영장; 말라깽이.

*かな【仮名】《仮字》图 한자(漢字)의 일

부를 따서 만든 일본 특유의 음절 문자《보통, 片(かた)かな와 平(ひら)がな를 일컬음》. 参考 넓은 뜻으로는 '万葉(まんよう)がな'도 포함함. ↔真名(まな).

—がき【—書き】图 かな로 씀; 또, 그 글. ¶難(むず)かしい字(じ)は～にする 어려운 글자는 かな로 쓴다.

—づかい【—遣い】图 かな 표기법. ¶現代(げんだい)～ 현대 かな 표기법/歴史的(れきしてき)～ 역사적〔구(舊)〕 かな 표기법.

—まじり【—交じり】图 한자와 かな를 섞어 씀; 또, 그런 글. ¶漢文(かんぶん)を～文(ぶん)に書(か)きくだす 한문을 한자와 かな의 혼용문으로 풀어쓰다.

—もじ【—文字】图 かな 문자. ＝かな.

かな=【金】1 쇠붙이의. ¶～だらい 쇠대야/～仏(ぶつ) 금속제 부처/～火(ひ)ばし 부젓가락. 2 철의. ¶～気(け) 철분; 쇳녹. 3 돈의; 금전의. ¶～縛(しば)り〈俗〉 돈으로 자유를 속박함. ⇨金(かね) 박스記事

かな【哉】終助〈雅〉《体言이나 活用語의 連体形에 붙어서》 감동이나 영탄(詠嘆)의 뜻을 나타냄: …도다; …구나. ¶すばらしき～わが青春(せいしゅん) 멋지구나 내 청춘/ああ壮(そう)なる～ 아아 장하도다.

かな 終助《의문 또는 반어(反語)의 終助詞 'か'에, 감동 또는 강조의 終助詞 'な'가 붙어서》 가벼운 의문을 나타냄: …일까. ¶そう～ 그럴까/まだ～ 아직 멀었나/そんな事(こと)もあったの～ 그런 일도 있었던가.

かなあみ【金網】图 철망. ¶～を張(は)る 철망을 치다.

かない【家内】图 1 가내; 가족. ¶～安全(あんぜん) 가내 안전/～一統(いっとう) 가내 모두. 2 (자기의) 아내; 집사람. ¶～は病気(びょうき)です 처는 병중입니다.

—こうぎょう【—工業】图 가내 공업.

—ろうどう【—労働】图 가내 노동.

**かな-う【適う】5自 들어맞다; 꼭 맞다; 적합하다. ¶理(り)に～ 이치에 맞다/目的(もくてき)に～ 목적에 들어맞다/時宜(じぎ)に～·った発言(はつげん) 시의 적절한 발언/礼儀(れいぎ)に～·わない 예의에 어긋나다.

**かな-う【叶う】5自 1 희망대로 되다; 이루어지다; 할 수 있다. ¶～·わぬ恋(こい) 이룰 수 없는 사랑/望(のぞ)みが～ 소망이 이루어지다/私(わたし)に～事(こと)ならお引(ひ)き受(う)けしますが 내가 할 수 있는 일이라면 맡겠습니다만. 2 허가되지 않다. ¶目(め)どおりが～·わない 배알할 수 없다.

—·わぬ時(とき)の神頼(かみだの)み 뜻대로 안 될 때의 하느님 찾기; 급하면 관세음보살.

**かな-う【敵う】5自 필적〔대적〕하다; 당해 내다. ¶彼(かれ)に～人(ひと)はいない 그를 당해 낼 사람은 없다. ⇨かなわない.

かなえ【鼎】图 1 (고대 중국의) 세발솥. ¶～の沸(わ)くような騒(さわ)ぎ 수습하기 어려운 소동; 난장판. 2 왕위·권위의 상징.

—の軽重(けいちょう)を問(と)う 통치자를 경시하고 천하를 뺏으려 하다; 전하여, 남의 실력을 의심하여 그 지위를 뒤집어엎고 빼앗으려 하다.

*かな-える【適える】下1他 들어맞추다; 일치시키다. ¶条件(じょうけん)を～ 조건을 충족시키다〔갖추다〕.

*かな-える【叶える】下1他 뜻대로 하게 하다; 이루어 주다; 들어주다. ¶望(のぞ)みを～ 소망을 이루어 주다.

かながた【金型】图 금형; 금속제의 거푸집. ¶～産業(さんぎょう) 금형 산업.

かながわ【神奈川】图〔地〕関東(かんとう) 지방 서남부의 현《현청 소재지는 横浜(よこはま)》.

かなきりごえ【金切り声】图 (여자의) 새된 목소리; 쇳 소리. ¶～を上(あ)げる 째지는 소리를 지르다/女(おんな)が～を立(た)てる 여자가 날카로운 소리를 지르다.

*かなぐ【金具】图 (기구 따위에 붙이는) 쇠장식. ＝金物(かなもの). ¶～が外(はず)れる 쇠장식이 빠지다.

かなくぎ【金くぎ】《金釘》图 1 쇠못. ¶～を打(う)つ 쇠못을 박다. ↔木(き)くぎ·竹(たけ)くぎ. 2 '金くぎ流(りゅう)'의 준말.

—りゅう【—流】图 서툰 글씨를 (한 유파처럼) 조롱하는 말.

かなぐし【金ぐし】《金串》图 (생선 따위를 굽는 데 쓰는) 쇠꼬챙이.

かなくず【金くず】《金屑》图 쇠부스러기.

かなくそ【金くそ】《金屎》图 1 쇠의 녹. 2 광재; 슬래그. ＝鉱滓(こうさい).

かなぐつわ【金ぐつわ】《金轡》图 쇠재갈. ¶～をはめる (a)쇠재갈을 물리다; (b)전하여, 입막음으로 뇌물을 주다.

かなぐりす-てる【かなぐり捨てる】下1他 확 벗어 던지다; 벗어 팽개치다. ¶上着(うわぎ)を～·てて川(かわ)に飛(と)びこむ 저고리를 확 벗어 던지고 강에 뛰어들다/恥(はじ)も外聞(がいぶん)も～ 창피고 체통이고 모두 내팽개치다.

かなけ【金け】《金気·鉄気》图 1 철분. ¶この水(みず)には～がある 이 물에는 철분이 있다. 2 (새 솥 따위에 뜨는) 쇳물; 쇳녹. ¶～が浮(う)く 쇳물이 뜨다. 3〈俗〉 돈; 금전; 쇳냥.

かなさび【金さび】《金錆》图 (쇠의) 녹.

*かなし-い【悲しい】《哀しい》形 1 슬프다. ¶～物語(ものがたり) 슬픈 이야기/～できごと 슬픈 사건/父(ちち)に死(し)なれて～ 아버지를 여의어 슬프다. ↔うれしい. 2 애처롭다. ¶～歌(うた) 애처로운 노래. 注意 2는 본디 '哀しい'.

かなしが-る【悲しがる】5他 슬퍼하다.

かなしき【金敷き】图 모루. ＝金床(かなとこ).

かなしばり【金縛り】图 1 (쇠사슬·철사로) 단단히 묶음. ¶～にあう 몸이 꼼짝 못하게 되다. 2〈俗〉 돈으로 자유를 속박함. ¶相手(あいて)を～にする 상대를 돈으로 속박하다.

かなしみ【悲しみ】《哀しみ》图 슬픔; 비애. ¶～に堪(た)えられない 슬픔에 겹다/～に沈(しず)む〔暮(く)れる〕 슬픔에 잠기다. ↔よろこび.

*かなし-む【悲しむ】《哀しむ》5他 슬퍼하다; 마음 아파하다. ¶死(し)を～ 죽음

을 슬퍼하다 / 彼のために～べき事だ 그를 위해 슬퍼해야 할 일이다 / 貧者を～ 가난한 사람을 마음 아파하다. ↔喜ぶ.

かなた〖彼方〗代 저쪽; 저편; 저기. ＝むこう·あちら. ¶～こなた 여기저기 / 海の～ 바다 저쪽 / はるか～に見える島 멀리 저쪽에 보이는 섬. ↔こなた.

かなだらい【金だらい】《金盥》图 쇠대야; 놋대야.

*かなづち【金づち】《金槌》图 **1** 쇠망치. ¶～でくぎを打つ 쇠망치로 못을 박다. ↔木づち. **2**〈俗〉 헤엄을 조금도 못 침; 또, 그런 사람. ¶彼は～だ 그는 맥주병이다.

——あたま【——頭】图 (완고한) 돌대가리. ＝石頭.

カナッペ [프 canapé] 图 카나페《얇게 썬 빵 위에 생선·고기 따위를 얹은 음식》.

かなつぼまなこ【金つぼ眼】图 움팡눈.

かなつんぼ〖金聾〗图 **1** 완전히 귀가 먹은 사람. **2** (비유적으로) 문외한; 절벽. ¶洋楽には～だ 서양 음악에는 절벽이다.

かなてこ【金てこ】《金梃》图 쇠지렛대.

かな‐でる【奏でる】下1他 연주하다; 타다. ¶セレナーデを～ 세레나데를 연주하다 / 琴を～ 거문고를 타다.

かなばさみ【金ばさみ】《金鋏》图 **1** 양철가위. **2** ☞かなばし.

かなばし【金ばし】《金箸》图 (대장간에서 쇠붙이를 집는) 큰 집게. ＝かなばさみ.

かなぶつ【金仏】图 **1** 금속제의 불상. ＝かなぼとけ. **2** 몹시 냉정한 사람. ¶彼の～にはあきれる 그의 몹시 냉정함에는 질린다. ⇨木仏.

かなぼう【金棒】《鉄棒》图 **1** 쇠몽둥이; 철장(鐵杖). ¶鬼に～ 범에 날개《힘이 더하여 아주 강해짐의 비유》. **2** (기계 체조용의) 철봉. ＝てつぼう.

かなめ〖要〗图 **1** (부채의) 사북. **2** 가장 중요한 점·부분·인물; 요점. ¶～になる役 주축이 되는 역 / 肝心～の所でしくじる 가장 요긴한 대목에서 실수하다 / ここが一番の～だ 여기가 가장 중요한 대목이다.

かなもの【金物】图 **1** 철물. ¶～屋 철물전[점]. **2** ☞かなぐ.

⁑かならず【必ず】副 반드시; 꼭. ＝きっと. ¶私は～成功して見せる 나는 반드시 성공해 보이겠다 / 彼が来れば～雨が降る 그가 오면 반드시 비가 온다 / 会えば～けんかだ 만나면 언제나 싸움질이다.

かならずしも【必ずしも】連語《뒤에 否定의 말이 따라서》 반드시[꼭] …인 것은 (아니다). ¶金があるからとて～幸福とはいえない 돈이 있다 해서 반드시 행복하다고는 할 수 없다 / ～成功するとは限らない 반드시 성공한다고는 할 수 없다 / ～そうだとは言い切れない 반드시[꼭] 그렇다고는 단언할 수 없다.

かならずや【必ずや】連語《뒤에 추측의 말이 와서》 필시; 반드시. ＝きっと·たしかに. ¶努力するから～成功するだろう 노력하니까 필시 성공할 테지.

⁑かなり〖可成〗副 ダナ 제법; 어지간히; 상당히; 꽤. ＝相当. ¶～の距離 상당한 거리 / ～な収入 상당한 수입 / ～上手だ 꽤[제법] 잘한다 / きょうは～暑い 오늘은 제법 덥다 / ～の成績をあげる 어지간한 성적을 올리다.

カナリア [스 canaria] 图〔鳥〕 카나리아. ¶～色 카나리아 색; 밝은 황색.

がなりた‐てる【がなり立てる】下1自 (고래고래) 소리 지르다; 떠들어대다. ¶マイクで～ 마이크로 떠들어대다.

がな‐る 5自〈俗〉 고함치다; 꽥꽥 소리 지르다. ＝どなる·わめく. ¶遠くで～声がする 멀리서 고함치는 소리가 들리다. 注意 他動詞的으로도 씀. ¶演歌を～ 演歌를 악을 써 부르다.

かなわない〖敵わない〗連語 **1** 이길 수 없다; 대적[필적]할 수 없다; 당해 내지 못하다. ¶あのチームには～ 저 팀에는 대적할 수 없다 / 小国は大国には～ 소국은 대국을 당할 수 없다. **2** 견딜 수 없다; 참을 수 없다. ＝やりきれない. ¶暑くて～ 더워서 견딜 수가 없다.

かなん【火難】图 화난; 화재. ¶～の相 화난을 입을 상 / ～除け 화재 예방의 부적. ↔水難.

かに〖蟹〗图〔動〕 게. ¶～の甲 게딱지 / ～の横ばい 게걸음.

——は甲羅に似せて穴を掘る 게는 구멍을 파도 게딱지처럼 판다《사람은 자기 분수에 걸맞은 언동밖에 못한다》.

かにく【果肉】图 과육; 과일의 살. ¶～の多い果物 살이 많은 과일.

かにこうせん [蟹工船] 图 게 공모선(工母船).

がにまた〖蟹股〗图〈俗〉 안짱다리. ＝O脚. ¶～歩き 안짱다리 걸음.

*かにゅう【加入】图 ス自 가입. ¶～者 가입자 / 組合[保険]に～する 조합[보험]에 가입하다. ↔脱退.

カヌー [canoe] 图 카누. ¶～競技 카누 경기.

⁑かね【金】图 **1** 금속; 특히, 쇠; 또, 쇠로 만든 물건. ¶～のたらい 금속 대야 / ～の箸 쇠젓가락. **2** 금전; 돈. ¶～をもうける[ためる] 돈을 벌다[모으다] / すぐ～の事を言う 곧 돈 얘기를 하다 / ～で動く 돈으로 움직이다 / ～のかからない選挙 돈이 안 드는 선거 / ～を生かして使う 돈을 유효하게 쓰다.

——がうなる 돈이 흠씬 많다.

——が敵 돈이 원수《돈 때문에 불행해짐; 또는, 돈과는 좀처럼 인연이 없음》.

——が子を生む 돈에 이자가 붙다.

——がものを言う 돈이 말한다《모든 것이 돈의 힘으로 해결된다》.

——に飽かす 돈을 아끼지 않고 쓰다. ¶金に飽かして建てた大邸宅 돈을 아끼지 않고 지은 대저택.

―に糸目をつけない 아낌없이 돈을 쓰다.
―に目がくらむ 돈에 눈이 어두워지다.
―の切れ目が縁の切れ目 돈 떨어지면 정분도 끊어진다.
―のなる木 돈이 생기는 근원; 재원(財源).
―の世の中 돈으로 좌우되는 세상; 황금만능의 세상.
―のわらじを履く 끈질기게 끝까지 찾아 헤매다.
―は天下の回りもの 돈은 돌고 도는 것.
―を食う 돈〔비용〕이 (많이) 들다.
―を寝かす 돈을 놀리다《돈을 굴리지 않고 쟁여 두다》.
―を回す 돈을 융통하다〔굴리다〕.

> **金かね=·金かな=·=金がね·かねの 구분**
>
> 어두(語頭)에 올 때 '金'는 'かね' 또는 'かな'가 됨. 일반적으로 'かな='는 복합어 앞에서 '금속(제)'라는 뜻으로 쓰며, 'かね='는 '돈'이라는 뜻으로 씀. 어말에 올 때는 일부를 제외하곤 보통 '=がね'가 됨.
>
> ◆**かね=**: 金入れ(지갑)·金請け(빚 보증인)·金回り(돈의 유통)·金づる(돈줄)·金遣い(돈 씀씀이). かな=로도 쓰는 말로는 金·のこぎり(쇠톱).
>
> ◆**かな=**: 金網(철망)·金物(철물)·金具(쇠장식)·金串(쇠꼬챙이)·金臭い(쇳내 나다). かね=로도 쓰는 말은 金気(철분).
>
> ◆**=がね·=かね**: 針金(철사)·留め金(맞물림쇠)·引き金(방아쇠)·銭金(돈).

***かね**〖鉦〗名 징. =たたきがね.
―や太鼓で捜す 야단법석을 떨며 찾다.
***かね**【鐘】名 **1** 종. =つりがね. ¶~をつく 종을 치다/~が鳴る 종이 울리다. **2** 종소리. ¶教会の~が村じゅうに響きわたった 교회 종소리가 온 마을에 울려 퍼졌다.
かね 連語《疑問의 助詞 'か'에 詠嘆의 助詞 'ね'를 붙인 말》…이냐. ¶本当~ 정말이냐/私の事~ 나에 관한 일이냐; 나를 두고 하는 말이냐.
かねあい【兼ね合い】名 균형; 걸맞음. =つりあい. ¶千番に一番の~ 천 번 해서 한 번 성공할까 말까 한 어려운 일/予算との~で決める 예산과의 균형을 생각해서 정하다/理想と経営の~がむずかしい 이상과 경영의 균형을 맞추기가 어렵다.
かねいれ【金入れ】名 **1** (돈)지갑; 돈주머니. =財布·巾着. **2** 돈을 넣어 두는 곳〔물건〕.
かねおや【金親】名 전주(錢主); 자본주.
かねかし【金貸し】名 ス自 돈놀이; 돈놀이꾼; 대금업(자).
かねがね〖予予·兼がね〗副 전부터; 미리; 진작부터; 이미. =かねて. ¶~言ったとおり 전부터 말한 바와 같이.
かねくいむし【金食い虫】名 돈만 잡아먹고 이익이 없는 것을 벌레에 비유한 말. =かねくい. ¶~の企画 밑 빠진 독에 물 붓는 격의 기획.
かねぐら【金蔵】《金庫》名 **1** 금고; 돈이나 보물을 넣어 두는 창고. **2** 돈구멍; 돈줄. =ドル箱.
かねぐり【金繰り】名 자금의 융통; 돈 마련. ¶~が苦しい〔つかない〕 돈 마련이 어렵다〔되지 않는다〕.
かねじゃく【かね尺】《曲尺·矩尺》名 **1** 곱자. =かねざし·まがり尺. **2** 곡척《경척(鯨尺)의 여덟 치를 한 자로 함》. =かね. ↔鯨尺.
かねずく【金ずく】《金尽く》名 돈의 힘으로 일을 처리함. =金銭ずく. ¶~で解決する 돈의 힘으로 해결하다. 注意 'かねづく'라고도 함.
かねそな-える【兼ね備える】下1他 겸비하다; 함께 갖추다. ¶知恵と勇気を~ 지혜와 용기를 겸비하다.
かねたたき〖鉦叩き〗名 **1** 징을 침; 징잡이. **2** 징을 치면서 경문 등을 외며 구걸하러 다니는 거지. **3** 징채; 당목. =撞木.
かねつ【加熱】名 ス他 가열. ¶~器 가열기; 히터/~炉 가열로.
かねつ【過熱】名 ス自他 과열. ¶~ぎみの景気 과열 기미의 경기/出火の原因はストーブの~であった 불이 난 원인은 난로 과열이었다.
かねづかい【金遣い】名 돈의 씀씀이. ¶~があらい 돈 씀씀이가 헤프다.
かねづまり【金詰まり】名 돈의 융통이 막힘; 자금이 딸림. ¶~で事業が振るわない 돈의 융통이 막혀서 사업이 부진하다. ↔金余り.
かねづる【金づる】《金蔓》名 돈줄; 돈을 대주는 사람. ¶いい~をつかむ 좋은 돈줄을 잡다/~をたどる 돈줄을 찾다.
かねて〖予て〗副 미리; 전부터. =かねがね. ¶~の計画 전부터의 계획/~申し上げましたように 진작 말씀드린 바와 같이.
かねない〖兼ねない〗連語《動詞 連用形를 받아》(그 전제하에서는) …할 듯하다; …할지도 모른다. ¶あの男ならやり~ 저 사내라면 할지도 모른다/死ねと言われれば死に~ 죽으라는 말을 들으면 죽을지도 모른다/あの調子ではやり~ 저 형편으로는 (일을) 저지를 것 같다. 参考 흔히 바람직하지 않은 결과가 예상될 때 씀.
かねばこ【金箱】名 **1** 돈궤; 금고. **2** 수입원이 되는 사람〔것〕; 돈줄. =ドル箱.
かねばなれ【金離れ】名 돈 쓰는 솜씨; 돈의 씀씀이. ¶~がいい 돈을 잘 쓰다/~の悪いやつ 돈에 인색한 녀석.
かねまわり【金回り】名 **1** 돈의 유통; 금융. **2** 주머니 사정; 수입 형편; 재정 상태. ¶兄はこのところ~がいい 형은 요즘 주머니 사정이 좋다.

かねめ【金め·金目】图 1 금전으로 환산한 가치; 값. ¶～に積もる 돈〔값〕으로 치다. 2 값나감; 값짐. ¶賊は, ～のものを取って逃走した 도둑은 값나가는 물건을 훔쳐 도주했다.
かねもうけ【金もうけ】《金儲け》图ス自 돈벌이. ¶いい～がある 좋은 돈벌이가 있다.
*かねもち【金持ち】图 부자; 재산가.
—金使わず 부자는 낭비하지 않는다; 또, 부자는 대개 인색하다는 말.
—けんかせず 부자는 싸움을 안한다《부자는 몸을 사린다; 부자 몸조심》.
*か-ねる【兼ねる】下1他 1 겸하다. ¶長椅子と寝台とを～ 긴의자와 침대를 겸하다/大は小を～ 큰 것은 작은 것을 겸한다. 2【かねる】《動詞連用形에 붙여서》(사정이 있어서) 그렇게 하기 어렵다. ¶納得し～話 납득하기 어려운 이야기/見るに見～ 차마 볼 수 없다/申し～·ねますが 말씀 올리기 죄송합니다만/お引き受けいたし～·ねます 수락하기 곤란합니다. 參考 'ちょっと, わかりかねます(=잘 모르겠습니다)'와 같이 공손한 否定의 말씨로 쓰일 때가 많음.
かねん【可燃】图 가연. ¶～性 가연성/～物質 가연 물질. ↔不燃.
—ぶつ【—物】图 가연물; 가연성 물질.
=かねん【か年·箇年】…개년; 햇수를 세는 말. ¶五～計画 5개년 계획.
かねんど【過年度】图 과년도. ¶～払い 과년도 지출《과년도에 속하는 경비를 현년도에 지출하는 일》.
かの〖彼の〗連体 저; 그《약간 文語적임; 오늘날엔 흔히 'あの(=저)'의 뜻으로 쓰는 경우가 많음》. ¶～人 저〔그〕 사람/～有名な事件 그 유명한 사건.
かのう［化膿］图ス自 화농. ¶～菌 화농균/～どめ 화농 방지(제)/傷が～する 상처가 곪다.
*かのう【可能】名夕 가능. ¶それは実行～なことだ 그것은 실행 가능한 일이다/～な限り努力する 가능한 한 노력한다. ↔不可能.
—せい【—性】图 가능성. ¶～を試す 가능성을 시험해 보다.
—どうし【—動詞】图〔文法〕가능 동사《'読める(=읽을 수 있다)'와 같이 동작·작용이 가능한 상태를 나타내는 動詞; 넓은 뜻으로는 '見る(=보다)'에 대하여 '見れる(=볼 수 있다)', '来る(=오다)'에 대하여 '来れる(=올 수 있다)' 따위도 포함됨》.
かのう【過納】图ス他 과납. ¶～金 과납금.
かのじょ【彼女】代 1 그녀; 그〔저〕 여자. ↔彼. 2《名詞的으로》〈俗〉(어느 남자의) 애인; 아내. ¶ぼくの～はしっかり者でとても頼りになる 내 아내는 알뜰하여 정말 믿음직스럽다. ↔彼氏. 參考 영어의 she에 해당하는 조어(造語).
かば〖河馬〗图〔動〕하마.
*カバー [cover] 커버. ⊟图 1 덮개; 뚜껑. ¶～をかける〔おおう〕 덮개를 덮다. 2 책가위. ¶本の～ 책가위/枕～ 베개커버; 베갯잇. ⊟图ス他 1 손실·부족을 보충함. ¶損失を～する 손실을 보충하다. 2〔野〕야수(野手)의 수비 동작을 다른 야수가 지원함. ¶投手が一塁を～する 투수가 일루를 커버하다.
—ガール [cover girl] 图 커버 걸.
かばいだて〖庇い立て〗图ス他 감싸 줌; 비호함; 싸고돎. =ひいき. ¶彼ばかり～する 그 사람만 감싸 주다.
かばいろ【かば色】《樺色》图 주황색. =かば.
*かば-う〖庇う〗5他 감싸다; 비호하다. ¶きず口を～ 상처 자리를 감싸다/母が子を～ 어머니가 아이를 감싸 주다/だれも～·ってくれない 아무도 비호해 주지 않는다. 可能 かば-える 下1自
がばがば ト ス自 1 액체가 몹시 흔들리는 소리: 출렁출렁; 콸콸. ¶～(と)水が流れる 콸콸 물이 흐르다/たるのなかで酒が～音を立てる 통 속에서 술이 출렁출렁 소리를 내다. 2 옷 따위가 너무 큰 모양: 헐렁헐렁. ¶～する服 헐렁헐렁한 옷/～な靴 헐렁헐렁한 구두. 3〈俗〉돈을 마구 버는 모양: 왕창. =がっぽがっぽ. ¶～もうける (돈을) 왕창 벌다.
かはく【仮泊】图ス自 가박; 선박이 임시로 정박함.
がはく【画伯】图 화백. 參考 이름 아래 붙여서도 씀. ¶横山～ 横山 화백.
かばしら【蚊柱】图 떼지어 날고 있는 모기떼. ¶～が立つ 모기가 떼지어 날다.
がばと 副 갑자기 일어나거나 엎드리는 모양: 벌떡; 푹. =ぱっと·がばっと·がっぱと. ¶～起き上がる 벌떡 일어나다/～泣き伏す 푹 엎드려 울다.
かばね〖屍·尸〗图〈雅〉시체; 송장. =しかばね·なきがら. ¶～を葬る 시체를 매장하다/激戦地に～をさらす 격전지에 시체가 나뒹굴다.
かばやき【かば焼き】《蒲焼き》图 장어구이《뱀장어·붕장어 따위를 뼈를 바르고 토막쳐서 양념을 발라 꼬챙이에 꿰어 구운 요리》.
かばらい【過払い】图ス他 과불; 초과 지불.
かはん【河畔】图 하반; 강가. =かわばた·かわぎし. ¶～の桜 강가의 벚꽃.
かはん【過半】图 과반; 절반 이상. =大方. ¶～を占める 과반을 차지하다.
かはん【過般】图 과반; 지난번. =さきごろ·先般·このあいだ. ¶～お願いした件 지난번 부탁드린 건/～面談の折 지난번 면담 때.
**かばん〖鞄〗图 가방. ¶書類～ 서류가방/～に詰める 가방에 채워 넣다/いつも～に本を入れて持って行く 늘 가방에 책을 넣어 가지고 다닌다.
がばん【画板】图 화판.
かはんしん【下半身】图 하반신. =しもはんしん. ¶～がだるい 하반신이 나른하다. ↔上半身.

かはんすう【過半数】图 과반수. ¶～を占める 과반수를 차지하다 / ～の賛成を得る 과반수의 찬성을 얻다.

かばんもち【かばん持ち】《鞄持ち》图 **1** 상사의 가방을 들고 따라다니며 시중을 듦; 또, 그 사람; (수행) 비서. **2** 전하여, 상사의 비위를 맞추며 따라붙는 사람.

かひ【可否】图 가부. **1** 찬부. ＝賛否. ¶～同数 가부 동수 / ～を決める 가부를 결정하다. **2** 가불가(可不可); 좋음과 나쁨. ＝よしあし. ¶共学の～を論ずる (남녀) 공학의 가부를 논하다.

かひ【歌碑】图 노래비; 그 사람의 和歌를 새긴 비.

***かび**〘黴〙图〔植〕곰팡이.

―が生える **1** 곰팡이가 피다. ¶つゆどきにはよく～ 장마철에는 곧잘 곰팡이가 슨다. **2** 진부하다; 케케묵다. ¶かびが生えたスローガン 케케묵은 슬로건.

かび【華美】图ダナ 화미; 화려. ¶～な室内装飾 화려한 실내 장식.

かびくさ-い【かび臭い】《黴臭い》形 **1** 곰팡내 나다. ¶この部屋はなんだか～ 이 방은 어쩐지 곰팡내가 난다《퀴퀴하다》. **2** 케케묵다. ¶～理論〔考え方〕케케묵은 이론〔사고방식〕.

かひつ【加筆】图ス他 가필. ¶～の個所 가필한 곳 / 旧稿に～の上出版する 구고에 가필하여 출판하다.

がひつ【画筆】图〔美〕화필. ＝えふで. ¶～をふるう 화필을 휘두르다 / ～を折って百姓になる 화필을 내던지고 농부가 되다.

がびょう【画びょう】《画鋲》图 압정; 압핀(押 pin).

がびょう［臥病］图 와병. ＝病臥.

か-びる〘黴びる〙上1自 곰팡이 피다〔슬다〕. ¶餅が～ 떡에 곰팡이가 피다.

かひん【佳品】图 가품; 훌륭한 물품·작품. ¶～を選定する 가품을 선정하다.

***かびん**【花瓶】图 화병; 꽃병. ＝花生け·花立て·はながめ. ¶～に花をいける 꽃병에 꽃을 꽂다.

かびん【過敏】名ナ 과민. ¶～症 과민증 / 神経～ 신경 과민 / ～に反応する 과민하게 반응하다.

かふ【下付·下附】图ス他 하부; 교부; 발급. ¶書類を～する 서류를 교부하다.

かふ【寡婦】图 과부. ＝やもめ·未亡人·後家.

***かぶ**【株】一图 **1** 그루터기. ＝切り株. **2** 그루; 포기. ¶～分け 포기 나누기 / 菊の～をわける 국화의 포기를 나누다. **3** 주(《'株式(＝주식)' '株券(＝주권)'의 준말》). ¶～に手を出す 주식에 손을 대다. **4** ☞おかぶ. ¶お～を取る〔奪う〕 남의 장기를 가로채다. **5** (영업상의) 특권 또는 이권. ¶ふろ屋の～ 목욕탕의 영업권 / 店の～をゆずりうける 가게의 영업권을 넘겨받다.

二接尾 주. **1** 그루. ¶もくれんを三～植える 목련을 세 그루 심다. **2** 주권의 수(數)에 붙이는 말. ¶二千～ 2천 주. **3** 名詞 뒤에 붙어서 그러한 신분·지위를 나타냄. ¶古～ 고참 / 親分～の男 우두머리 격인 사나이.

―が上がる 주가가 오르다; 전하여, 평판이〔인기가〕 좋아지다.

かぶ〘蕪〙图〔植〕순무. ＝かぶら.

かぶ【下部】图 하부. ¶～組織 하부 조직. ↔上部.

かぶ【歌舞】가무. 一图 노래와 춤. ¶～音曲 가무음곡. 二图ス自 노래하고 춤을 춤. ¶～の巷 화류항.

かふう【下風】图 **1** ☞かざしも. **2** 남의 밑. ¶人の～に立つ 남의 밑에 서다; 남만 못한 위치에 있다.

かふう【家風】图 가풍. ¶～に合わない 가풍에 맞지 않다.

かふう【歌風】图 和歌의 작풍(作風).

がふう【画風】图 화풍.

カフェイン［도 Kaffein］图〔化〕카페인. ¶～抜きのコーヒー 카페인을 뺀 커피.

カフェー［프 café］图 **1** 카페; 지금의 카바레《昭和 초기의 말》. **2** 커피점.

―オレ［프 café au lait］图 카페 오레《커피에 거의 같은 양의 데운 우유를 넣은 것》; 밀크 커피.

カフェテリア［미 cafeteria］图 카페테리아《손님이 음식을 날라다 먹는 간이식당》. ＝キャフェテリア.

かぶか【株価】图 주가. ¶～収益率 주가 수익률《PER》/ 平均～ 평균 주가 / ～下落の動き 주가 하락의 움직임 / ～が下がる 주가가 내리다 / ～が暴落する 주가가 폭락하다.

―しすう【―指数】图〔經〕주가 지수.

がぶがぶ 一副 액체를 많이 기운차게 마시는 모양: 벌떡벌떡. ¶酒を～(と)飲む 술을 벌떡벌떡 마시다. 二ダナ ☞だぶだぶ 3. ¶ビールで腹が～だ 맥주를 많이 마셔 배가 출렁거린다.

かぶき［歌舞伎］图 'かぶき芝居(＝江戸 시대에 발달한, 일본의 전통적 민중 연극의 하나)'의 준말. ＝旧劇. ¶～座〔役者〕歌舞伎 극장〔배우〕. ⇨新派·新劇.

かふきゅう【過不及】图 과불급; 과부족. ¶～なく 과부족 없이; 적당히.

かふく【下腹】图 하복; 아랫배. ＝したはら.

―ぶ【―部】图 하복부.

かふく【禍福】图 화복. ＝幸不幸.

―はあざなえる縄のごとし 화복규묵; 인생의 화복은 꼬아 놓은 새끼처럼 변전(變轉)한다. ＝禍福糾纆.

かぶけん【株券】图 주권. ＝株式. ¶～の名義を書き換える 주권 명의를 개서(改書)하다.

かぶさ-る〘被さる〙5自 **1** 덮이다; 씌워지다. ¶黒雲が頭上に～ 먹구름이 머리 위에 덮이다. **2** (책임·부담 등이) 덮어씌워지다; 자기에게 돌아오다〔미치다〕. ¶責任が～ 책임이 지워지다 / 上役が休んだので仕事がこっちに～ってきた 상사가 쉬었기〔결근했기〕

때문에 일이 내게로 넘어왔다.

*かぶしき【株式】图 주식. ¶～公開 주식 공개/～市場 주식 시장/～相場 주식 시세/～売買 주식 매매/～手数料 주식 (매매) 수수료.

—がいしゃ【—会社】图 주식회사.

—とりひきじょ【—取引所】图 증권 거래소.

—もちあい【—持ち合い】图 주식의 상호 보유.

カフス [cuffs] 图 (와이셔츠·여성복의) 커프스; 소맷부리. ¶～をたくしあげる 커프스를 걷어 올리다.

—ボタン [일 cuffs+buttons] 图 커프스 단추. *영어로는 cuff links.

*かぶ-せる『被せる』下1他 1 덮다; 씌우다. ¶ふたを～ 뚜껑을 덮다/帽子を～ 모자를 씌우다. 2 (위에서) 끼얹다. ¶頭をシャンプーで洗ったあと, 水を～ 머리를 샴푸로 감은 다음, 물을 끼얹다. 3 덮어씌우다; 전가(轉嫁)하다. ¶罪を～ 죄를 덮어씌우다.

カプセル [도 Kapsel, 영 capsule] 图 캡셀; 캡슐. 1 교갑(膠匣). =膠嚢. ¶～入りのビタミン剤 캡슐에 든 비타민제. 2 내부를 밀폐한 용기. ¶宇宙～ 우주 캡슐/タイム～ 타임캡슐.

—ホテル [일 capsule+hotel] 图 캡슐 호텔《간이 숙박 시설의 하나》.

かふそく【過不足】图 과부족. ¶～がない 과부족이 없다.

かぶと『甲·兜·冑』图 투구. ↔よろい.

—の緒 투구끈. ¶勝って～を締めよ (싸움·시합에) 이기더라도 방심치 말고 더욱 조심하라.

—を脱ぐ 항복하다.

[兜]

かぶとちょう [兜町] 图 1 〔地〕 東京 증권 거래소의 소재지《통칭 株屋町》. 2 〈俗〉 東京 증권 거래소; 또, 東京의 증권 시장.

かぶとむし『甲虫·兜虫』图 〔蟲〕 투구벌레; 투구풍뎅이.

かぶぬし【株主】图 주주. ¶～権 주주권/～総会 주주 총회.

—だいひょうそしょう【—代表訴訟】图 〔經〕 주주 대표 소송.

がぶのみ【がぶ飲み】图ス他 (술·물 따위를) 벌떡벌떡 마심. ¶麦茶を～する 보리차를 벌떡벌떡 마시다.

かぶり『頭』图 머리. =あたま. ¶そんなことは迷惑だ, と言って～を横にふった 그런 말은 귀찮다고 하며 머리를 가로 저었다.

—を振る 머리를 흔들다; 고개를 가로 젓다《부정의 표시》.

がぶり 副 1 단숨에 들이켜는〔먹는〕 모양: 덥석; 널름; 냉큼; 꿀꺽; 벌떡. ¶水を～と飲む 물을 꿀꺽 마시다/りんごを一口～とかむ 사과를 한입 덥석 물다. 2 왈칵 덤벼서 움직이는 모양: 덥석. ¶両力士は～と組んだ 두 씨름꾼은 덥석 맞잡았다.

かぶりつき『噛り付き』图 (극장 무대의) 바로 앞쪽 관람석. =雨落ち.

かぶりつ-く『噛り付く』5自 1 (특히, 음식을) 덥석 물다. =かみつく. ¶大きなりんごに～ 커다란 사과를 덥석 물다. 2 꼭 달라붙다. =しがみつく·むしゃぶりつく. ¶父の背に～ 아버지 등에 꼭 달라붙다.

⁑かぶ-る『被る』⊟5他 (들)쓰다; 뒤집어쓰다. ¶人の罪を～ 남의 죄를 뒤집어쓰다/面を～ 탈을 쓰다/帽子〔かつら〕を～ 모자를〔가발을〕 쓰다/水〔ほこり〕を～ 물을〔먼지를〕 뒤집어쓰다/布団を頭から～って寝る 이불을 머리까지 뒤집어쓰고 자다. ⊟5自 1 (연극이) 끝나다; 파하다. =はねる. ¶芝居が～ 연극이 끝나다. 2 (노출 과다로) 건판·필름이 흐려지다. ¶光がもれてフィルムが～ 광선이 새어서 필름이 부옇게 되다. 可能かぶ-れる下1自

かぶれ『気触れ』图 1 (옻 따위) 독한 기운을 타는 일; (피부의) 염증. ¶～ができる 염증이 생기다. 2 (문물에) 심취함; 물듦. ¶西洋～ 서양물이 듦; 서양에 도취함.

*かぶ-れる『気触れる』下1自 1 (옻 따위를) 타다; 독한 기운에 쐬어서 염증이 생기다. ¶うるしに～ 옻을 타다. 2 (나쁜) 영향을〔감화를〕 받다; 물들다; 심취하다. ¶過激思想に～ 과격 사상에 물들다/アメリカに～ 미국 풍습에 물들다/ジャズに～ 재즈에 심취하다.

かぶわけ【株分け】图ス他 분주(分株); 그루〔포기〕를 나누어 이식함. ¶菊の～をする 국화 포기를 나누어 이식하다.

かふん【花粉】图 〔植〕 화분; 꽃가루. ¶～管 꽃가루관/～が雌しべの先に付く 꽃가루가 암술 끝에 붙다/蝶が～を運ぶ 나비가 꽃가루를 나르다.

かぶん【寡聞】图 과문; 견문이 적음. ¶～にして存じません 과문해서 모릅니다. 參考 겸양해서 이르는 경우가 많음.

かぶん【過分】ダナ 과분; 분에 넘침. ¶茶代を～にはずむ 차값을 과분하게 듬뿍 내다/～なお褒めにあずかる 과분한 칭찬을 받다.

かぶんすう【仮分数】图 1 〔數〕 가분수. ↔真分数. 2 〈俗〉 대갈장군.

⁑かべ【壁】图 벽. 1 (건물의) 벽; 담. ¶～に寄りかかる 벽에 기대다/～を塗る 벽을 바르다. 2 장벽; 장애(물). ¶研究が～にぶつかる 연구가 벽에 부딪히다/十秒の～を破る 10초의 벽을 깨다/大きな～が立ちはだかる 큰 장벽이 가로막다.

—に突き当たる 장벽에 부딪히다.

—に耳あり 벽에도 귀가 있다《낮말은 새가 듣고 밤말은 쥐가 듣는다》. =壁に耳. ¶～, 障子に目あり 벽에는 귀가 있고, 장지에는 눈이 있다《비밀이 새기 쉬움의 비유》.

*かへい【貨幣】图 화폐. ¶～改革(かいかく) 화폐 개혁 / 本位(ほんい)～ 본위 화폐.
—かち【—価値】图 화폐〔통화〕가치. ¶～が下(さ)がる 화폐 가치가 떨어지다.
—けいざい【—経済】图 화폐 경제.
がべい［画餅］图 화병; 그림의 떡.
—に帰(き)す 계획이 틀어지다; 헛수고〔수포〕로 돌아가다.
かべかけ【壁掛け】图 벽걸이. ¶～テレビ 벽걸이(식) 텔레비전.
かべがみ【壁紙】图 벽지; 도배지. ¶～を張(は)り替(か)える 벽지를 다시 바르다.
かべごし【壁越し】图 벽 너머. ¶話(はな)し声(ごえ)が～に聞(き)こえる 말소리가 벽 너머로 들려오다.
かべしんぶん【壁新聞】图 벽신문.
かべつち【壁土】图 벽토. ¶～をこねる 벽토를 개다.
かべどなり【壁隣】图 벽을 사이에 둔 이웃《공동 주택에서 이름》.
かべひとえ【壁一重】图 벽 한 겹. ¶となりとは～だ 이웃과는 벽 하나 사이이다.
カへん【カ変】图〔文法〕'カ行(ぎょう)変格(へんかく)活用(かつよう)'의 준말.
かへん【可変】图 가변. ¶～式(しき) 가변식 / ～性(せい) 가변성. ↔不変(ふへん).
—しほん【—資本】图 가변 자본. ↔不変資本.
かべん【花弁】《花瓣》图〔植〕화판; 꽃잎. ＝花(はな)びら.
がペン〖鵞ペン〗图 거위의 깃을 비스듬히 잘라 만든 펜. ▷pen.
かほう【下方】图 하방; 아래쪽. 參考 그것보다 아래쪽을 가리키며, 그 자체의 아래쪽은 '下部(かぶ)(＝하부)'. ↔上方(じょうほう).
—こうちょくせい【—硬直性】图 하방경직성《상품 가격·임금 수준이 올라가기는 하나 내려가지 않는 성질》.
かほう【加俸】图 가봉. ＝加給(かきゅう). ¶年功(ねんこう)～ 연공 가봉 / 今年(ことし)から～がつく 금년부터 가봉이 붙는다. ↔本俸(ほんぽう).
かほう【加法】图〔數〕가법; 덧셈. ＝たし算(ざん). ↔減法(げんぽう).
かほう【家宝】图 가보. ¶祖先(そせん)伝来(でんらい)の～ 조상 전래의 가보.
かほう【家法】图 가법. ＝家憲(かけん).
かほう【果報】㊀图〔佛〕과보; 인과응보. ＝むくい. ㊁名ナ 행복; 행운. ¶～な男(おとこ) 행운의 사나이. ⇨因果(いんが).
—は寝(ね)て待(ま)て 행운은 누워서 기다려라《행운은 사람의 힘을 초월한 것이니 서두르지 말고 진득이 기다려라》.
—まけ【—負け】图ス自 행복이 과분하여 도리어 불편함.
—もの【—者】图 행운아. ¶私(わたし)は～だった 나는 행운아였다.
かほう【火砲】图 화포《대포 따위 중화기》. ¶～射撃(しゃげき) 화포 사격.
がほう【画法】图 화법. ¶その人(ひと)独特(どくとく)の～ 그 사람의 독특한 화법.
がほう【画報】图 화보.
かほご【過保護】图ダナ 과(잉)보호. ¶～児童(じどう) 과(잉)보호 아동 / ～に育(そだ)った子(こ) 과보호로 자란 아이.
かぼそ-い【か細い】形 가냘프다; 연약하다. ¶～からだ 가냘픈 몸 / ～声(こえ)で訴(うった)える 가냘픈 목소리로 호소하다. 參考 'か'는 接頭語.
カボチャ〖南瓜〗图 호박. ＝とうなす·なんきん. ¶～野郎(やろう) 못생긴 자식《추남 또는 능력이 없는 남자를 욕할 때》/ ～に目鼻(めはな) 호박 같은 여자. 參考 Cambodia 지방에서 전래한 데서 생긴 말.
ガボット［프 gavotte］图〔樂〕가보트; 옛 프랑스의 두 박자 춤곡.
*かま〖釜〗图 솥; 가마. ¶土(ど)がま 질솥 / 電気(でんき)がま 전기밥솥 / 茶(ちゃ)がま 차 끓이는 솥 / ～を火(ひ)に掛(か)ける 솥을 불에 올려놓다 / 同(おな)じ～の飯(めし)を食(く)う 한솥밥을 먹다; 한지붕 밑에 살다.
*かま【窯】图 가마. ¶炭(すみ)を焼(や)く～ 숯가마 / 陶器(とうき)の～ 도요(陶窯) / ～に火(ひ)を入(い)れる 가마에 불을 지피다.
*かま〖竈〗图 부뚜막; 아궁이. ＝かまど. ¶～持(も)ちがよい女(おんな) 알뜰한〔규모 있는〕여자〔주부〕.
*かま〖罐·缶〗图 기관(汽罐); 보일러. ＝ボイラー. ¶外(そと)がま 외연 기관 / 内(うち)がま 내연 기관 / 風呂(ふろ)の～ 목욕탕의 보일러. 參考 '缶'는 대용 한자.
かま〖鎌〗图 낫. ¶岸辺(きしべ)の草(くさ)にサクッサクッと～を入(い)れる 강가의 풀을 싹둑싹둑 낫으로 베다. 參考 '一挺(いっちょう)(＝한 자루), …'로 셈.
—をかける (넌지시) 넘겨짚다; 마음속을 떠보다.
がま〖蒲〗图〔植〕부들.
がま〖蝦蟆·蝦蟇〗图 'ひきがえる(＝두꺼비)'의 딴 이름. ¶～の脂(あぶら) 두꺼비 기름.
かまあと【窯跡】图 가마터; 요지. ＝窯址(ようし). ¶高麗焼(こうらいやき)の～ 고려자기의 요지.
かまいたち〖鎌鼬〗图 (갑자기 넘어지거나 했을 때 다치지도 않았는데) 피부에 낫으로 베인 듯한 상처가 생기는 현상.
*かま-う【かまう·構う】㊀5自 **1** 관계하다. ㉠상관하다. ¶費用(ひよう)に～·わず仕事(しごと)を進(すす)める 비용에 관계없이 일을 진행하다. ㉡구애하다. ¶小事(しょうじ)に～·わない 작은 일에 구애되지 않다. ㉢지장을 주다. ¶いっこう～·いません 전혀 관계〔지장이〕없습니다. **2** 상대가 되다; 마음을〔애를〕쓰다; 돌보다; 보살피다. ¶子供(こども)に～·わぬ母親(ははおや) 아이를 보살피지 않는 어머니 / 身(み)なりに～·わない 몸차림에 신경을 쓰지 않다. 參考 흔히, 否定의 말이 따름. ⇨おかまい. ㊁5他 **1** 상대하다; 염려하다; 마음을 쓰다. ¶だれも～·ってくれない 아무도 상대하여 주지 않다 / どうぞお～·いなく (a)괜찮습니다; 걱정 마십시오《제게 상관 마시고 일을 진행하십시오》; (b)손님으로 생각하실 건 없습니다. **2** (상대가 되어) 희롱하다; 놀리다. ＝からかう·ふざける. ¶しっぽを引(ひ)っ張(ぱ)ったりして, 犬(いぬ)を～ 꼬리를 잡아당기거나 하면서 개를 놀리다 / 女(おんな)の子(こ)を～ 계집아이를 상

대〔희롱〕하다. 可能かま-える 下1自

かまえ【構え】 图 **1** 구조; 꾸밈새. ＝つくり. ¶家の～ 집 구조 / 当世風の～ 현대적인 구조 / どっしりした～の家 덩실한 구조의 집. **2** (검도·유도 따위에서) 자세. ＝身がまえ. ¶正眼の～ (검도에서) 상대의 눈높이에 칼끝을 고정하는 자세 / 一分のすきもない～ 빈틈없는 자세 / 打つ～を見せる 칠〔공격〕 자세를 보이다. **3** 준비; 태세. ¶和戦両様の～ 화전 양면의 태세 / 敵を迎える～ 적을 맞을 태세.

かまえて【構えて】 連語 **1** 대비하고; 준비하고; 명심하고. **2**《뒤에 否定하는 말이 따름》 반드시; 결코. ¶～人の名をいうな 결코 남의 이름을 대지 마라 / ～忘れるな 결코 잊지 마라.

***かま-える**【構える】 下1他 **1** 꾸미다. ㉠(집·성 따위를) 짓다. ¶家を～ 집을 짓다〔꾸미다〕. ㉡(가정을) 이루다. ¶一家を～ 한 가정을 꾸미다 / 店を～ 가게를 차리다. ㉢만들어〔꾸며〕 내다; 칭탁(稱託)하다. ¶口実を～ 구실을 만들다 / 事を～ 일을 꾸미다 / 病気を～ 병을 칭탁하다; 꾀병을 앓다 / 罪を～·えて人を陥れる 없는 죄를 꾸며내어 남을 모함하다. **2** 자세를 취하다. ㉠태세를 취하다. ¶上段に～ (검도에서) 상단의 자세를 취하다 / 銃を～ 총 쏠〔사격〕 자세를 취하다 / 相手のパンチに備えて～ 상대 펀치에 대비하여 태세를 갖추다. ㉡…태도를 보이다; …연하다. ¶大胆に～ 대담하게 나오다 / のんきに～ 천하태평하게 굴다 / 図太く～ 뻔뻔스럽게 나오다 / 平気に～ 짐짓 태연한 체하다. **3** 준비〔대비〕하다. ¶～·えた言い方 (미리 상대방이 어떻게 나올 것인지) 대비한 말투.

かまきり〖蟷螂·螳螂〗 图〘蟲〙 사마귀; 당랑. ＝とうろう.

がまぐち〖蝦蟇口〗 图 (물림쇠가 달린) 돈지갑. ＝金入れ. 参考 벌린 모양이 두꺼비 아가리 비슷한 데서.

かまくび【かま首】〖鎌首〗 图 낫 모양으로 굽은 목《주로 뱀의 경우》. ¶へびが～をもたげる 뱀이 목을 쳐들다.

かまくらじだい 〔鎌倉時代〕 图〘史〙 1192 년 源頼朝가 幕府를 鎌倉에 연 후 1333 년 北条高時가 멸망할 때까지의 약 150 년간.

かま-ける 下1自 (그 일에만) 얽매이다; 매달리다. ¶子供に～·けて本も読めない 아이에게 얽매여서 책도 못 읽는다 / 雑事に～·けて約束を忘れた 잡일에 얽매여 약속을 잊었다.

=**がまし-い**《名詞나 動詞連用形에 붙어 形容詞를 만듦》 마치 (…하는 것) 같다. ¶催促〔批評, 押しつけ〕～ 재촉〔비평, 강요〕하는 것 같다 / 弁解〔言いわけ〕～ (마치) 변명하는 것 같다 / 他人～·くする 남처럼 굴다 / 勝手～事を申し上げるようですが 외람된 말씀을 드리는 것 같습니다만. 参考 주로 탐탁지 않은 일에 대해서 씀.

かま-す〖嚙ます〗 5他 〈俗〉 **1** 입으로 물게 하다; 틈이 나지 않도록 끼우다. ¶さるぐつわを～ 재갈을 물리다 / くさびを～ 쐐기를 박다. **2** 기세를 꺾다. ＝食わせる. ¶一発～ 한 방 놓다《공갈 치다》/ パンチを～ 펀치를 먹이다.

かます〖叺〗 图 가마니. ¶肥料を～にいれる 비료를 가마니에 담다.

かま-せる〖嚙ませる〗 下1他 ☞かます.

かまど〖竈〗 图 **1** 부뚜막; 화덕; 아궁이. ＝かま·くど. ¶～にかまを掛ける 부뚜막〔화덕〕에 솥을 걸다. **2** (독립된 살림을 차린) 한 집; 살림; 가구. ＝世帯. ¶～を分ける 분가하여 독립하다 / ～を持つ 살림을 차리다.

──がにぎわう 살림이 풍족해지다.

──を起こす **1** 독립하여 살림을 차리다. **2** 재산을 모으다; 집안을 일으키다.

──を破る 가산을 잃다; 파산하다.

かまとと〖蒲魚〗 图 〈俗〉 새침데기(짓); 의뭉스러움; 어리눅은 체함. ¶～令嬢 새침데기 아가씨.

かまば【窯場】 图 (도자기 굽는) 가마터.

かまびすし-い〖喧しい·囂しい〗 形 〈雅〉 시끄럽다; 떠들썩하다. ＝さわがしい·やかましい. ¶～·く騒ぎ立てる 시끄럽게 떠들어대다 / とかく女子供は～ 도시 아녀자는 시끄럽다.

かまぼこ〖蒲鉾〗 图 **1** 어묵. ¶板付き～ 목판에 붙인 어묵 / 竹輪～ 구멍 뚫린 대롱 모양의 어묵. **2** ☞かまぼこがた. ¶～兵舎 퀀셋 막사.

──がた【──形】 图 가운데가 불룩 솟은 꼴; 반원(半圓)형. 「원형 지붕.

──やね【──屋根】 图 (체육관 등의) 반

かまめし【かま飯】《釜飯》 图 솥밥《작은 솥에 쌀·고기·야채 따위를 1인분씩 넣어 지은 양념밥; 솥째로 밥상에 냄》.

かまもと【窯元】 图 도자기를 굽는 곳; 또, 그곳의 주인.

かまゆで〖釜茹で〗 图 **1** 솥에 넣고 삶음; 데침. **2**〘史〙 죄인을 팽(烹)하는 극형. ¶～の刑 정확(鼎鑊)의 형.

かまわない【構わない】 連語 **1**《て〔で〕も～의 꼴로》…해도 상관〔관계〕없다. ¶駐車しても～ 주차해도 괜찮다. **2** 걱정〔염려〕하지 않다. ⇨かまう.

＊＊がまん〖我慢〗 图ス他 **1** 참음; 자제(自制). ¶飲みたい酒を～する 먹고 싶은 술을 참다 / もはや～がならない 더 이상 참을 수가 없다. **2** 용서함; (너그럽게) 봐줌. ¶今度だけは～してやる 이번만은 봐준다.

──づよ-い【──強い】 形 인내력이 세다; 참을성이 많다. ¶～·く待つ 참을성 있게 기다리다.

かみ【上】 图 **1** 위. ↔下. ㉠위쪽. ¶～半身 상반신 / ～をもむ (허리) 위쪽을 주무르다. ㉡상류. ＝川上. ¶川の～ 강의 위쪽; 상류 / 舟で～に行く

배로 상류에 가다. ㉢윗자리; 상석. ¶人(ひと)の~に立(た)つ 남의 위에 서다/~に座(すわ)る 상좌에 앉다. ㉣군주·天皇(てんのう); 조정·정부; 주인·주군(主君); 지위나 신분이 높음; 또, 그 사람《군주·天皇·정부·관청은 흔히 'お~'로 씀》. ¶お~のお触(ふ)れ 정부의 공고(公告)/~は社長(しゃちょう)から下(しも)は新入社員(しんにゅうしゃいん)まで 위로는 사장으로부터 아래로는 신입 사원까지. ㉤앞; 전. ¶~半期(はんき) 상반기. **2** 옛날. ¶~つ代(よ) 아주 오랜 옛날/~は平安(へいあん)時代(じだい)から 옛날 평안 시대부터. **3** 서울(이 있는 쪽). ㉠京都(きょうと)의 일컬음; 또, 京都에 가까운 지역. ¶~方(がた)の気風(きふう) 関西(かんさい) 지방의 기풍. ㉡도시의 중심이 되는 쪽. ¶車(くるま)を~の方(ほう)へむかって走(はし)らせる 차를 도심 쪽으로 몰다. **4** (부엌에 대한) 안. ¶~女中(じょちゅう) 안에서 일하는 하녀〔시녀〕.

⁑**かみ【紙】** 名 **1** 종이. ¶~ナプキン 종이 냅킨/~一重(ひとえ)の差(さ) 종이 한 장의 차이《근소한 차이》/~テープが舞(ま)う 종이 테이프가 흩날리다. **2** (가위바위보에서) 보. =ぱあ. ↔石(いし)·はさみ.

⁑**かみ【神】** 名 신. **1** 하느님. ¶~の恵(めぐ)み 신의 은총/~を祭(まつ)る 신을 모시다/~に祈(いの)る 신에게 빌다〔기도 드리다〕. **2** 부처님에 대한 신도(神道)의 신. ¶~様(さま)にお参(まい)りする (신도의) 신에게 참배하다. **3** 신화 속에 나오는 초인적인 존재. ¶愛(あい)の~ 사랑의 신/勝利(しょうり)の女神(めがみ) 승리의 여신/縁結(えんむす)びの~ 연분을 맺어 주는 신.

──ならぬ身(み) 능력에 한계가 있는 인간; 전하여, 범인(凡人)의 몸. ¶~の知(し)るよしもなし 신이 아닌 범인으로서는 알 도리가 없다.

──も仏(ほとけ)も無(な)い (자비로운) 신도 부처도 없다. ¶~世(よ)を恨(うら)む 하늘도 무심한 세상을 원망하다.

⁑**かみ【髪】** 名 **1** 머리(털). ¶~が薄(うす)い 머리 숱이 적다/~を刈(か)る〔結(ゆ)う〕 머리를 깎다〔틀다〕/~を梳(と)かす 머리를 빗다. **2** 머리를 한 모양. =かみかたち. ¶日本髪(にほんがみ) 일본식 머리 (스타일)/~がこわれる〔くずれる〕 머리 모양이 망그러지다.

──を下(お)ろす 머리를 깎고 승려가 되다.

かみ【加味】 名ス他 가미. ¶酢(す)を~する 초를 가미하다/法(ほう)に人情(にんじょう)を~する 법에 인정을 가미하다.

かみあい【かみ合い】《嚙み合い》名 **1** 서로 물어뜯기. **2** 싸움. **3** (톱니바퀴의) 맞물림.

かみあ-う【かみ合う】《嚙み合う》5自 **1** 서로 물어뜯다; 다투다. ¶犬(いぬ)と犬が~ 개와 개가 서로 물어뜯다/会議(かいぎ)で両派(りょうは)が~ 회의에서 양파가 서로 다투다. **2** (이와 이가) 맞물리다. ¶歯車(はぐるま)が~ 톱니바퀴가 맞물리다.

かみあぶら【髪油】 名 머릿기름.

かみあわせ【かみ合わせ】《嚙み合わせ》名 **1** (톱니바퀴가) 맞물림. ¶歯車(はぐるま)の~ 톱니바퀴의 맞물림. **2** 위아래 이가 서로 맞물리는 상태. =咬合(こうごう).

かみあわ-せる【かみ合わせる】《嚙み合わせる》下1他 **1** 서로 물고 뜯게 하다; 다투게 하다. ¶犬(いぬ)を~ 개싸움을 붙이다. **2** 맞물리게 하다. ¶歯車(はぐるま)を~ 톱니바퀴를 맞물리게 하다. **3** (서로 조화시켜) 어우러지게 하다. ¶新前(しんまえ)にベテランを~·せて使(つか)う 신참에게 베테랑을 짝지워 부리다.

かみいちだんかつよう【上一段活用】 名〔文法〕動詞 語尾가 五十音図(ごじゅうおんず)의 'い' 단으로만 활용되는 일《見(み)る·落(お)ちる 따위》. ↔下(しも)一段活用.

かみいれ【紙入れ】 名 **1** 휴지 주머니. **2** 〈婉曲〉 지갑. =さいふ·札入(さつい)れ.

かみがかり【神懸かり】《神憑り》名 **1** 접신(接神); 신지핌; 신지핀 사람. ¶巫女(みこ)が~になる 무당이 신지피다. **2** 과학이나 이론을 무시하고 부조리한 것을 광신하는 일; 또, 그 사람.

かみがくし【神隠し】 名 (어린이 등이) 갑자기 실종됨《옛날에 마신(魔神)의 소행으로 믿었음》. ¶~に会(あ)う 행방불명이 되다. 注意 'かみかくし'라고도 함.

かみかけて【神懸けて】《神掛けて》連語 (신에) 맹세코; 반드시; 결코. =決(けっ)して·きっと. ¶~そんなことはいたしません 맹세코 그런 일은 하지 않겠습니다.

かみかざり【髪飾り】 名 **1** 머리 치장. **2** 머리 꾸미개《빗·비녀 따위》.

かみかぜ【神風】 名 **1** 신풍; 신의 위력으로 일어난다는 바람. **2** 〈俗〉《名詞 앞에 와서》결사적으로 행동함. ¶~タクシー 총알택시/~運転(うんてん) 난폭 운전/~タレント 겹치기 출연을 마구하는 정력적인 탤런트.

かみがた【上方】 名 京都(きょうと) 부근; 関西(かんさい) 지방. ¶~者(もの) 上方 (출신인) 사람. 参考 전에 왕궁이 京都에 있었으므로.

かみかたち【髪形】 名 머리형〔모양〕. =かみがた·ヘアスタイル. ¶きりりとした~ 말쑥하게 매만진 머리.

がみがみ 副 시끄럽게 꾸짖거나 잔소리를 심히 하는 모양: 앙알앙알; 딱딱; 꽥꽥. ¶~(と)いう 딱딱〔으드등〕거리다/~(と)叱(しか)る 꽥꽥 야단치다.

かみき【上期】 名 '上半期(かみはんき)(=상반기)'의 준말. ↔下期(しもき).

かみきりむし〖髪切り虫·天牛〗名〔蟲〕천우(天牛); 하늘소.

かみきれ【紙切れ】 名 종이쪽; 종잇 조각; 지편. =紙片(しへん). ¶条約(じょうやく)はほんの~に過(す)ぎないだろうか 조약은 한낱 종잇조각에 지나지 않을까.

***かみくず【紙くず】**《紙屑》名 종이 나부랭이; 휴지. =ほご. ¶~かご 휴지통/~同然(どうぜん) 휴지나 다름없음/~を拾(ひろ)う 휴지를 줍다.

かみくだ-く【かみ砕く】《嚙み砕く》5他 **1** 씹어〔깨물어〕 으깨다; 잘게 씹다. ¶丸

薬を～·いて飲む 환약을 씹어 삼키다. **2** 알기 쉽게 설명하다. ¶～·いて説明する 알기 쉽게 설명하다.

かみこ【紙子】《紙衣》图 종이옷; 두꺼운 종이에 감물을 먹여 지은 옷《옛날, 승복(僧服) 따위로 입었음》. =紙ぎぬ.

かみこな-す〚噛みこなす〛五他 **1** 잘 씹어서 새기다. **2** 잘 새겨 이해하다. ¶本の内容を～ 책의 내용을 잘 새겨 이해하다.

かみころ-す【かみ殺す】《噛み殺す》五他 **1** 물어(뜯어) 죽이다. **2** (입을 다물고) 억제하다; 누르다. ¶笑い〔あくび〕を～ 웃음〔하품〕을 눌러 참다.

かみざ【上座】图 상좌; 상석; 윗자리. =じょうざ. ¶～にすわる 상석에 앉다. ↔下座·末座.

かみざいく【紙細工】图 종이 세공(물). ¶～をする 종이 세공을 하다.

*__かみさま__【神様】图 **1** 신의 높임말. ¶～, どうかお助けください 신령님, 제발 도와주십시오. **2** 아주 뛰어난 사람; 귀신; 도사. ¶釣りの～ 낚시 도사 / 校正の～ 교정의 귀신 / お客様は～です 손님은 왕입니다.

かみさん【上さん】《上様》图〈口〉**1** (상인이나 신분이 낮은 사람의) 아내; 아낙; 안주인. ¶米屋の～ 쌀집 안주인. **2** 처; 마누라. ¶うちの～ 우리 집사람. 参考 친한 사이나 허물없는 사이에 씀.

かみしばい【紙芝居】图 그림 연극.

かみし-める【かみ締める】《噛み締める》下1他 **1** 악물다; 꽉 깨물다. ¶歯を～ 이를 꽉 깨물다 / くやしさに唇を～ 분해서 입술을 (꽉) 깨물다. **2** 음미하다. ¶先生の言葉をよく～·めて聞く 선생님의 말씀을 잘 음미해서 듣다.

かみしも〚裃·上下〛图 江戸시대의 무사의 예복 차림《풀이 센 肩衣와 袴가 한 빛깔로 염색되어 있음》. 参考 '裃'는 일본 한자.

[裃]

—を着る 격식을 차리다《긴장하여 딱딱한 모습을 하다》. ¶裃を着た文章 (격식을 차린) 딱딱한 문장.

—を脱ぐ 예장(禮裝)을 벗다; 격식을 버리다. ¶互いに裃を脱いで語り合う (격식을 버리고) 서로 허물없이 이야기하다.

かみしも【上下】图 **1** 위와 아래; 특히, 상위와 하위. ¶～共に 상하가 함께. **2** 저고리와 바지. **3** 허리의 아래위; 또, 안마사가 거기를 주무름. ¶あんまは～で七百円だった 온몸을 안마하는데 700엔이었다.

かみすき【紙すき】《紙漉き》图 종이뜨기; 또, 그것을 업으로 하는 사람.

かみせき【上席】图 (흥행장 등에서) 그달 상순의 흥행. ↔中席·下席.

*__かみそり__〚剃刀〛图 면도칼《머리가 예리한 사람에도 비유됨》. ¶～のように頭のよく切れる人 면도칼같이 예리하게 머리가 잘 도는〔영리한〕 사람.

—の刃を渡る 면도날을 밟듯, 아주 위험한 짓을 하다; 살얼음을 밟다.

—まけ【—負け】图자自 면도칼로 민 자극으로 피부가 트는 일.

かみだな【神棚】图 집 안에 신령을 모셔 놓은 감실(龕室).

かみだのみ【神頼み】图 신에게 빌어 가호를 바람. ¶苦しい時の～ 괴로울〔급할〕 때 하느님 찾기.

かみタバコ〚噛み煙草〛图 씹는 담배. ▷포 tabaco.

かみつ【過密】名·ナ 과밀(함); 빽빽함. ¶～都市 과밀 도시 / ～なスケジュール 빡빡한 스케줄. ↔過疎.

かみつ-く〚噛み付く〛五他 **1** 달려들어 물다; 물고 늘어지다. ¶犬が～ 개가 달려들어 물다 / 飼い犬に～·かれる 기르는 개에 물리다. **2** 대들다. =くってかかる. ¶上役に～ 상사에게 대들다.

かみづつみ【紙包み】图 종이로 쌈; 또, 그것《특히, '금일봉'을 말함》. ¶～にする 종이로 싸다; 종이 꾸러미로 하다.

かみつぶ-す〚噛み潰す〛五他 **1** 짓씹어 부수다; 깨물어 으깨다. ¶にが虫を～·したような顔 오만상. **2** 눌러 참다. ¶おかしさ〔あくび〕を～ 우스운 것〔하품〕을 꾹 눌러 참다.

かみつぶて【紙つぶて】《紙礫》图 (던져서 표적을 맞히기 위해) 종이를 (씹어) 단단하게 뭉친 것.

かみて【上手】图 **1** 위쪽. ¶～の家 위쪽의 집. **2** (강의) 상류. ⇔下手.

かみでっぽう【紙鉄砲】图 종이 딱총.

__かみなり__【雷】图 **1 천둥; 우레. ¶～が鳴る 천둥이 울리다. **2** 벼락. ¶～に打たれる 벼락을 맞다 / ～を落とす 벼락을 내리다《호통치다》.

—が落ちる 벼락〔불호령〕이 떨어지다.

かみなりおやじ【雷おやじ】《雷親父》图 걸핏하면 버럭 야단을 치는 아버지.

かみなりぐも【雷雲】图 ☞らいうん.

かみなりごえ【雷声】图 벽력 같은 (우렁찬) 목소리.

かみなりぞく【雷族】图 폭주족. =暴走族. ¶～を取り締まる 폭주족을 단속하다.

かみなりよけ【雷よけ】《雷除け》图 낙뢰(落雷) 방지 기구《피뢰침 따위》.

かみねんど【紙粘土】图 지점토《신문지 따위를 삶아 찰흙처럼 만든 것》.

かみのく【上の句】图 和歌의 첫 5·7·5의 3구. ↔下の句.

*__かみのけ__【髪の毛】图 머리털; 머리카락. =髪·頭髪. ¶～が濃い〔薄い〕 머리숱이 많다〔적다〕 / ～が生える〔抜ける〕 머리카락이 나다〔빠지다〕 / ～が逆立つ 머리털이 곤두서다; 화가 나다.

かみばさみ【紙挟み】图 **1** (서류·용지 따위를 끼워 두는) 종이 끼우개. =ペーパーホルダー. **2** 클립. =クリップ.

かみばさみ【紙ばさみ】《紙鋏》 [名] 종이(자르는) 가위.

かみはんき【上半期】[名] 상반기. =かみき. ↔下(しも)半期.

かみひとえ【紙一重】[名] 종이 한 장 두께 정도의 아주 좁은 간격. ¶～の差(さ) 종이 한 장(두께)의 차이; 근소한 차이.

かみぶくろ【紙袋】[名] (종이) 봉지. ¶～に入(い)れる 종이 봉지에 넣다.

かみふぶき【紙吹雪】[名] (환영·축하 때 뿌리는) 잘게 썬 오색 종이; 또, 그것이 눈보라처럼 흩날려 떨어지는 모양.

かみほとけ【神仏】[名] 신불; 신과 부처.

かみもうで【神もうで】《神詣で》 [名][スル自] 신사(神社) 참배.

かみや【紙屋】[名] **1** 종이를 만드는 집; 또, 그 사람. **2** 지물상(商); 지물포.

かみやしき【上屋敷】[名] 江戸(えど) 시대에 지위 높은 무사, 특히 大名(だいみょう)·旗本(はたもと) 등이 평상시에 사는 집. ↔下(しも)屋敷.

かみやすり【紙やすり】《紙鑢》 [名] 사포(砂布); 샌드페이퍼. =サンドペーパー·やすりがみ. ¶～で磨(みが)く 사포로 닦다/～をかける 사포질하다.

かみゆい【髪結い】[名] 머리를 매만짐; 또, 그것을 업으로 하는 사람〔가게〕.

──の亭主(ていしゅ) 아내의 벌이로 놀고 먹는 사내.

かみよ【神代】[名]〘史〙일본 신화에서, 신이 다스렸다고 하는 시대. =じんだい. ¶～の昔(むかし) 신화 시대.

かみより【紙より】《紙縒り》 [名] 지노. =こより·かんぜより.

かみわ-ける【かみ分ける】《嚙み分ける》 [下1他] **1** 잘 씹어 맛보다; 음미하다. ¶酸(す)いも甘(あま)いも～ 신맛 단맛 다 맛보다《여러 가지 일을 경험해서 다 알고 있다》. **2** (사리를 세밀하게) 분별해서 적확(的確)한 판단을 내리다. ¶そこのところをよく～·けて下(くだ)さい 그 점을 잘 분별하여 생각해 주십시오.

かみわざ【神業】《神事》 [名] **1** 신의 조화. **2** 귀신 같은 솜씨; 신기(神技). ¶それは全(まった)く～だった 그것은 정말 귀신 같은 솜씨였다. ↔人間業(にんげんわざ).

かみん【仮眠】[名][スル自] 선잠. =かりね·仮睡(かすい). ¶二時間(にじかん)ほど～する 두 시간쯤 선잠을 자다.

カミングアウト [coming out] [名] 커밍 아웃. **1** 동성애자라는 사실을 스스로 공표하는 일. **2** 젊은 여성의 사교계 데뷔.

かーむ 〚嚙む·咬む〛 [5他] **1 (깨)물다; 악물다. ¶舌(した)を～ 혀를 깨물다/犬(いぬ)に足(あし)を～·まれた 개한테 발을 물렸다. **2** 씹다. ¶よく～·んで食(た)べなさい 잘 씹어 먹어요. **3** (톱니바퀴 따위가) 서로 맞물(리)다. [可能]かーめる[下1自]

──·んではき出(だ)すよう 내뱉듯이 쌀쌀하게 말하는 모양. ¶～な口(くち)のきき方(かた) 쌀쌀한 말씨.

──·んで含(ふく)める **1** 부모가 자식에게 음식물을 잘게 씹어 입에 넣어 주다. **2** (몇 번이고) 잘 알아듣도록 이르다. ¶～ように教(おし)える 잘 알아듣도록 자상하게 가르치다.

> **咬(か)む의 여러 가지 표현**
>
> [표현例] がぶりと(덥석)·がりがり(으드득)·かりかり(오독오독)·こりこり(오도독오도독)·ぼりぼり(아작아작)·ばりばり(사각사각; 으드득으드득)·ぱりぱり(바삭바삭; 으썩으썩)·ぐちゃぐちゃ(잘강잘강; 짝짝)·くちゃくちゃ(질겅질겅; 쩍쩍)·にちゃにちゃ(짝짝; 잘강잘강).

*__かーむ__ 〚擤む〛 [5他] (코를) 풀다. ¶鼻(はな)を～ 코를 풀다.

ガム [gum] [名] 'チューインガム(=껌)'의 준말. ¶～をかむ 껌을 씹다.

カムコーダー [camcorder] [名] 캠코더; 녹화와 재생을 할 수 있는 일체형 비디오 카메라. =キャムコーダー.

がむしゃら 〚我武者羅〛 [名][ダナ] 무슨 일을 앞뒤 생각 없이 덮어놓고 함; 또, 그런 모양. ¶～に勉強(べんきょう)する (분별없이) 덮어놓고 공부를 하다/～に突進(とっしん)する 다짜고짜 돌진하다.

ガムテープ [←gummed tape] [名] 접착테이프《포장 따위에 씀》.

カムバック [come back] [名][スル自] 컴백; 재기; 복귀. =返(かえ)り咲(ざ)き. ¶映画界(えいがかい)に～する 영화계에 컴백하다.

カムフラージュ [프 camouflage] [名][スル他] 카무플라주. **1**〘軍〙위장; 미채(迷彩). **2** 본래의 모습〔진심〕을 남이 알아차리지 못하도록 하는 일. =カモフラージュ·カモフラージ.

カムルチ [한 가물치] [名]〘魚〙가물치.

かめ 〚瓶·甕〛 [名] **1** 단지; 항아리; 독. ¶～に水(みず)を張(は)る 항아리에 물을 채우다. **2** 꽃병. =花生(はない)け. **3** 술병. =とくり.

かめ 〚亀〛 [名] **1**〘動〙거북. ¶鶴(つる)は千年(せんねん), ～は萬年(まんねん) 학은 천년 거북은 만년《장수의 비유》. **2** 술꾼의 속칭.

──の年(とし)を鶴(つる)が羨(うらや)む 욕심은 한이 없다는 뜻.

*__かめい__【加盟】[名][スル自] 가맹. ¶～国(こく) 가맹국/国連(こくれん)に～する 유엔에 가맹하다. ↔脱退(だったい).

かめい【下命】[名][スル他] 하명. **1** 명령함. **2**《ご～의 꼴로》분부; 주문. ¶ご～を受(う)ける 하명을 받다/当店(とうてん)にご～ください 저희 상점에 주문해 주십시오.

かめい【仮名】[名] 가명. ¶新聞(しんぶん)に～で載(の)る 신문에 가명으로 나다〔실리다〕. ↔実名(じつめい)·本名(ほんみょう)·真名(まな).

かめい【家名】[名] 가명. ¶～を継(つ)ぐ 가명을 잇다/～をあげる 집안의 명예를 높이다.

がめい【雅名】[名] 아명; 아호(雅號).

カメオ [cameo] [名] 카메오; 마노(瑪瑙)·대리석 등에 돋을새김을 한 장신구.

がめつーい [形]〈俗〉악착스럽다; 극성맞다. ¶～·くかせぐ 억척스레 벌다.

かめのこ【かめの子】《亀の子》 [名] **1** 거북

의 새끼; 넓게는, 거북. **2** 'かめの甲(こう)(=귀갑)'의 변화.

かめのこう【かめの甲】《亀の甲》 名 **1** 귀갑; 거북의 등딱지. **2** 육각형이 상하 좌우로 연속된 무늬. =きっこう.

―より年(とし)の功(こう) 뭐니 뭐니 해도 오랜 경험이 소중함. 参考 '甲'와 '功'의 음이 같은 데서 멋부려서 하는 말.

*__カメラ__ [camera] 名 카메라. =キャメラ. ¶～を回(まわ)す 카메라를 돌리다/～で撮(と)る 카메라로 찍다/～におさめる 카메라에 담다.

―アイ [camera eye] 名 카메라 아이 《피사체를 가장 효과적으로 잡는 감각, 담을 수 있는 능력》.

―アングル [camera angle] 名 카메라 앵글. **1** 촬영 각도. **2** 사진의 구도.

―マン [cameraman] 名 카메라맨. **1** 사진 기자. **2** 사진사. **3** 촬영 기사.

―ルポ [일 camera+reportage] 名 카메라 르포; 사진 탐방; 카메라에 의한 탐방 기사. 「크; 사진 기술.

―ワーク [camera work] 名 카메라 워

カメリア [camellia] 名〔植〕 커멜리어; 동백나무. =ツバキ.

が-める 下1他 〈俗〉 (남의 물건을) 슬쩍하다. =ちょろまかす. 「온.

カメレオン [chameleon] 名〔動〕 카멜레

かめん【下面】 名 하면; 아래쪽 면. ↔上面(じょうめん).

かめん【仮面】 名 가면. =マスク. ¶～劇(げき) 가면극/～舞踏会(ぶとうかい) 가면 무도회/～をつける 가면을 쓰다. 「숨기다.

―をかぶる 가면을 쓰다; 본심·정체를

―を脱(ぬ)ぐ 가면을 벗다; 본심·정체를 드러내다. ¶紳士(しんし)の～ 신사의 가면을 벗다. 「면이 어둡다.

がめん【画面】 名 화면. ¶～が暗(くら)い 화

かも〖鴨〗 名 **1**〔鳥〕 오리. **2**〈俗〉 봉; 이용하기 좋은 사람. ¶～にする 봉으로 삼다/いい～が来(き)た 좋은 봉이 왔다.

―がねぎをしょって来(く)る (오리 찜을 하려는데) 오리가 파를 등에 지고 온다 《더욱 안성맞춤이다》. =かもねぎ.

かもい〖鴨居〗 名〔建〕 상인방(上引枋). ↔敷居(しきい).

*__かもく__【科目】 名 과목. ¶勘定(かんじょう)～ 계정 과목/必須(ひっす)～ 필수 과목.

かもく【課目】 名 과목. ¶必修(ひっしゅう)～ 필수 과목/選択(せんたく)～ 선택 과목.

かもく【寡黙】 名ナ 과묵. ¶～な人(ひと) 과묵한 사람/～で一途(いちず)な性格(せいかく) 과묵하고 한결같은 성격. ↔多弁(たべん).

かもじ〖か文字·髢〗 名 다리. =いれがみ. ¶～を入(い)れる 다리를 넣다.

かもしか〖羚羊·氈鹿〗 名〔動〕 영양(羚羊)《산양의 일종; 일본·한국·대만 등지에 분포》. =かもしし. ¶～のような足(あし) 영양 같은 날씬한 다리.

かもしだ-す【醸し出す】 5他 (어떤 기분 따위를) 빚어내다; 자아내다. ¶なごやかな雰囲気(ふんいき)を～ 화기애애〔화목〕한 분위기를 자아내다.

かもしれない【かも知れない】 連語 …己지도 모른다. ¶行(い)く～し行(い)かない～ 갈지도 모르고 안 갈지도 모른다/あしたは雨(あめ)～ 내일은 비가 올지도 모른다/有(あ)る～し, 無(な)い～ 있을지도 모르고 없을지도 모른다.

かも-す【醸す】 5他 **1** 빚다; 양조하다. ¶酒(さけ)を～ 술을 빚다. **2** 빚어내다; 만들어내다; 자아내다. ¶物議(ぶつぎ)を～ 물의를 빚다/友好的(ゆうこうてき)な雰囲気(ふんいき)を～ 우호적인 분위기를 자아내다. 可能 かも-せる 下1自

*__かもつ__【貨物】 名 **1** 화물; 짐. **2** '貨物列車(れっしゃ)(=화물 열차)'의 준말. ¶今度(こんど)は～が通(とお)る 이번에는 화물 열차가 지나간다.

―じどうしゃ【―自動車】 名 화물 자동차; 트럭. =トラック.

―せん【―船】 名 화물선. ↔客船(きゃくせん)·貨客船(かきゃくせん). 「ジュ.

カモフラージュ 名ス他 ☞カムフラー

かもめ〖鷗〗 名〔鳥〕 갈매기; 백구.

かも-る〖鴨る〗 5他 〈俗〉 봉으로 삼다. ¶麻雀(マージャン)で～·られる 마작판에서 봉노릇을 하다. 参考 かも(=봉)의 동사화(化). 可能 かも-れる 下1自

かもん【下問】 名ス他 하문. ¶ご～に答(こた)える 하문에 대답하다.

かもん【家門】 名 가문. **1** 집의 문(門). **2** 집안; 문중. ¶～の名誉(めいよ) 가문의 명예. **3** 문벌. 「(紋章).

かもん【家紋】 名 가문; 한 집안의 문장

かや〖茅·萱〗 名〔植〕 띠·참억새·새 따위의 총칭; 특히, 새. ¶～ぶきの家(いえ) 새 이엉으로 인 집; 모옥(茅屋).

かや【蚊帳】 名 모기장. =かちょう. ¶～をつる 모기장을 치다.

がやがや 副 여러 사람이 떠들썩하게 이야기하고 있는 모양〔소리〕; 왁자지껄; 왁자그르. ¶生徒(せいと)が～と騒(さわ)ぐ 학생이 와글와글 떠들다/教室内(きょうしつない)は～していた 교실 안은 떠들썩했다.

かやく【加薬】 名 **1** 가미(加味)《주요한 약에 보조 약을 더 넣음; 또, 그 약》. **2**〈関西方〉 양념; 고명. =やくみ. **3**〈関西方〉 '五目飯(ごもくめし)'에 넣는 여러 가지 재료. ¶～ごはん〔飯(めし)〕 '五目飯(ごもくめし)'의 딴 이름.

*__かやく__【火薬】 名 화약. ¶無煙(むえん)～ 무연 화약/～をこめる 화약을 재다.

カヤック [kayak] 名 카약《경조용(競漕用) 보트의 한 가지로, 한 자루의 노로 써 좌우로 저어 나감》.

かやぶき〖茅葺き·萱葺き〗 名 새〔띠〕로 지붕을 임; 또, 그 지붕〔집〕. ¶～の農家(のうか) 새 지붕의 농가.

かやり【蚊やり】《蚊遣り》 名 **1** (삼나무 잎·귤 껍질 따위로) 모깃불을 피움; 또, 그 재료. =かいぶし. ¶～火(び) 모깃불. **2** ☞かやりせんこう. 「こう.

―せんこう【―線香】 名 ☞かとりせん

かゆ〚粥〛图 죽. ¶~をすする 죽을 후루룩 마시다. ⇨おもゆ.

***かゆ-い**〚痒い〛形 가렵다. ¶背中が~ 등이 가렵다/もう十日も風呂に入っていないので全身が~ 벌써 열흘이나 목욕을 하지 않아 온몸이 가렵다.
—ところに手が届く 가려운 데에 손이 닿다; 세심하게 배려하다.

かゆばら【かゆ腹】《粥腹》图 죽만 먹은 배; (앓아) 죽만 먹어 힘이 없는 배. ¶~をかかえて 허기진 배를 안고/~で力が出ない 죽만 먹어 힘이 없다.

かゆみ〚痒み〛图 가려움. ¶~止め 가려운 데 바르는 약/~がとれる 가려움이 없어지다.

かよい【通い】图 **1** 내왕; 왕래; 교통. =ゆきき. ¶はしけの~ 거룻배의 왕래. **2** 통근; 전하여, 근무. =通いづとめ. ¶住み込みか~か 입주인가 통근인가/どちらにお~ですか 어디 다니십니까. ↔住込み. **3** '通い帳'의 준말. ¶銀行の~ 은행 통장.

=がよい【通い】늘 다님; 왕래함. ¶学校~ 통학/病院~ 통원/アメリカ~の船 미국에 다니는 배.

かよいじ【通い路】图〈雅〉통로; 다니는 길. ¶夢の~ 꿈길/雲の~ 구름(이 지나가는) 길.

かよいちょう【通い帳】图 통장. =通い. **1** 외상 통장. ¶酒屋の~ 술집의 외상 장부. **2** 예금 통장.

かよいつ-める【通い詰める】下1自 늘 다니다; 자주 다니다. ¶図書館に~ 도서관에 줄곧 다니다.

⁑かよ-う【通う】5自 **1** 다니다; 왕래하다. ¶学校に~ 학교에 다니다/電車で~ 전차로 다니다. **2** 통하다. ㉠마음이 상통하다. ¶心の~友人 마음이 통하는 친구/二人の心が~ 두 사람의 마음이 통하다. ㉡유통하다. ¶空気がよく~ 공기가 잘 통하다/あたたかい血が~ 따뜻한 피가 통하다/電流が~ 전류가 통하다. **3** 닮다; 비슷하다. ¶母に~おもざし 어머니를 닮은 얼굴 생김새. 可能かよ-える下1自

かよう【歌謡】图 가요. ¶~曲 가요곡; 유행가/国民~ 국민 가요.

⁑かよう【火曜】图 화요. ¶~日 화요일.

かよう〚斯様〛ダナ〈老〉이러함; 이와 같음. =このよう. ¶~に申しております 이와 같이 말하고 있습니다. 参考 副詞적으로도 씀. ¶~取り計らいます 이와 같이 조처합니다.

がようし【画用紙】图 도화지. ¶~に絵をかく 도화지에 그림을 그리다.

かよく【寡欲】《寡慾》名ナ 과욕; 욕심이 적음. ¶~の人 욕심이 적은 사람/彼の~ぶりは有名だ 그의 과욕한 태도는 유명하다. ↔多欲.

がよく【我欲】《我慾》图 아욕; 자기만의 이익이나 만족을 얻으려는 욕망. ¶~の深い人間 아욕이 많은 인간.

かよわ-い【か弱い】《繊い》形 연약하다; 가냘프다; 애잔하다. =弱々しい. ¶~女の細腕 연약한 여자의 가는 팔. 参考 'か'는 接頭語.

かよわ-す【通わす】5他 **1** 다니게〔왕래하게〕하다. ¶講習所に~ 강습소에 다니게 하다. **2** 통하게 하다. ¶心を~ 마음을 통하게 하다. 「わす.

かよわ-せる【通わせる】下1他 ☞かよ

⁑から【空】图 빔. **1** 공. ¶~車 빈 차/~の箱 빈 상자/~にする 비우다/コップが~になった 컵이 비었다. **2** 아무것도 갖고 있지 않음. ¶~馬 (짐이 없는) 빈 말/~で帰る 빈 손으로 돌아오다. **3** 진실이 없음; 거짓; 헛됨. ¶~いばり 허세(부리기)/~元気 허세; 객기.

⁑から【殻】图 **1** 껍질; 껍데기. =あきがら. ¶缶詰〔弁当〕の~ 빈 깡통〔도시락〕/卵の~ 달걀 껍질/枝豆の~ 콩깍지/古い~を破る 구각(舊殼)을 깨다〔벗다〕/自分の~に閉じこもる 자기만의 세계에 틀어박히다. **2** 허물; 외피. =ぬけがら. ¶へびの~ 뱀의 허물. ⇨もぬけのから.

から〔韓〕图〈雅〉한; 한국의 옛이름. =朝鮮. 参考 옛날에는 唐와 함께 대표적인 외국의 뜻으로 쓰였음.

から【唐】《漢》〈雅〉㊀图 당; 중국의 옛이름. ¶~の船 중국풍의 배.
㊁接頭《名詞 위에서》중국 등 외국에서 건너온 것임을 나타내는 말. ¶~人 당인; 중국인/~獅子 사자의 딴이름/~絹〔錦〕 중국 비단/~絵 당화.

から ㊀格助 **1** 출발하는 위치, 동작의 기점을 나타내는 말: …에서(부터). ¶学校~まだ帰らない 학교에서 아직 돌아오지 않(았)다/山~雲がわく 산에서 구름이 피어오르다/的~それる 과녁에서 빗나가다. **2** 경유·경로를 나타내는 말: …으로(부터). ¶玄関~お入りください 현관으로 들어오십시오/窓~光がさす 창문으로 빛이 비치다. **3** 시간상의 시초를 나타내는 말: …부터. ¶昨日~雨だ 어제부터 비가 온다/朝~ずっとテレビを見る 아침부터 줄곧 텔레비전을 보다. **4** 차례·범위를 나타내는 말: …부터. ¶先ずお礼~言いましょう 우선 감사의 말부터 하죠/あなた~どうぞお先に 당신부터 먼저 (하십시오). **5** 계산 등의 시초를 나타내는 말: …에서; …내지. ¶百円~二百円ほどの値段 100엔에서〔내지〕200엔 정도의 값. **6** 이상(以上); …이나. ¶一千万円~の借金がある 일천만 엔 이상의 빚이 있다. **7** 재료를 나타내는 말: …(으)로. ¶酒は米~作る 술은 쌀로 만든다. **8** 이유·원인·근거를 나타내는 말: …(이)니; …(이)므로; …(으)로; …으로부터. ¶先の定理~証明される 앞의 정리로 증명된다/かぜ~肺炎をひきおこした 감기로부터 폐렴을 일으켰다.

二接助 1《用言·助動詞의 終止形에 붙여서》 이유·원인을 나타내는 말: …(으)므로; …(으)니까. ¶うまい～食くったんだ 맛있으니까 먹었다/買かってあげる～しずかになさい 사 줄 테니까 조용히 해요/よくわからない～聞きいてみよう 잘 모르니까 물어보자. 2《'～(に)は' 의 꼴로 動詞形·形容詞形活用을 하는 말, 助動詞 'た'의 終止形에 붙여서》…(아니) 하는 이상은; …바에는. ¶こうなった～(に)は, しかたがない 이렇게 된 이상에는 하는 수 없다/決心けっしんした～には, やり通とおすぞ 결심을 한 이상, 해내고 말테다. 3《'～に'의 꼴로 動詞 連体形에 붙여서》…만 해도; …자마자. ¶見みる～に強つよそうだ 보기만 해도 셀 듯하다. 4《終助詞적으로》 결의·단정 등을 나타내는 말: …ㄹ테다; …ㄹ테니까. ¶ただではおかない～ 가만 두지는 않을 테니까/もうどうなっても知しらない～ 이젠 어떻게 되든 모른다.

がら 名 찌꺼기. ¶ニワトリの～でスープをつくる (살을 발라낸) 닭뼈로 수프를 만들다/石炭せきたんの～ (a)석탄재; (b)질이 나쁜 코크스.

がら 〖瓦落〗 名 〔經〕 (시세의) 대폭락. =がら落おち. ¶～が来きた 시세가 폭락했다. 参考 'がらがら(=와르르)' 무너진다는 뜻에서.

***がら** 【がら·柄】 一名 1 몸집; 체격. =体からだつき. ¶～の大おおきい子供こども 몸집이 큰 아이. 2 분수; 격. =分際ぶんざい·身分みぶん. ¶～にもないことを言いう 격에 맞지도 않는 말을 하다/そんなことをする～ではない 그런 일을 할 분수가 못된다. 3 무늬. ¶はでな～だ 화려한 무늬다.

二接尾 성질·상태를 나타내는 말. ¶場所ばしょ〔商売しょうばい〕～ 장소〔장사〕의 성질상〔상태〕/時節じせつ～ 시절이 시절인만큼.

カラー [collar] 名 칼라; 깃. =えり. ¶オープン～ 오픈 칼라.

カラー [color] 名 컬러. 1 색; 색채. =色いろつき. ¶～テレビ 컬러 텔레비전. 2 그림물감. =絵えの具ぐ. ¶ポスター～ 포스터 컬러. 3 독특한 분위기; 특색. ¶チームの～ 팀 컬러/ローカル～ 지방색.

―ジーンズ [일 color+jeans] 名 블루진에 대하여, 청색 이외의 빛깔로 만든 진(jeans)을 이름.

―チャート [color chart] 名 컬러 차트; 색채 견본책.

―フィルム [color film] 名 컬러 필름. 1 천연색 사진 필름. 2 천연색 영화.

がらあき 【がら明き·がら空き】 名ダナ 텅 빔. ¶～の電車でんしゃ 텅 빈 전(동)차.

からあげ 【空揚げ】 名ス他 〔料〕 튀김옷을 입히지 않고 그냥 튀김; 또, 그 요리. ¶ひなどりの～ 영계튀김.

****から-い** 【辛い】 形 1 맵다; 얼얼하다. ¶～酒さけ 쌉쌀한 술/～カレー 매운 카레/さんしょうはぴりりと～ 산초는 얼얼하게 맵다. 2 짜다; 가혹(苛酷)하다; 박하다. =きびしい·きつい. ¶点てんが～ 점수가 짜다〔박하다〕. 3《鹹い》 (맛이) 짜다. =しおからい. ¶おかずが～·すぎる 반찬이 너무 짜다. ⇔甘あまい. 4 괴롭다. =つらい. ¶～目めを見みる 괴로운 일을 당하다; 매운맛을 보다. ⇨からくも.

からいばり 【空威張り】 名ス自 허세; 허장성세. ¶～屋や 허세 부리는 사람/酒さけの上うえの～ 술김에 부리는 허세.

からいり 〖乾煎り·乾熬り〗 名ス他 〔料〕 (물기를 없애기 위해) 재료를 볶음; 또, 그렇게 한 음식.

からうま 【空馬】 名 빈 말; 짐을 싣지 않은 말.

―に怪我けがなし 빈 말이 다칠 리 없다《가진 것이 없으면 손해 볼 것도 없다》.

からうり 【空売り】 名ス他 (신용 거래에서) 공매; 공(空)매도. ↔空買からがい.

からおくり 【空送り】 名 (필요한 부분을 찾기 위해 녹음이나 재생 등을 하지 않고) 녹음 테이프를 그냥 돌리는 일.

からオケ 【空オケ】 名 가라오케; 반주 음악만을 수록한 테이프나 레코드. ¶～で歌うたう 가라오케로 노래하다. 参考 노래는 비어 있는 오케스트라의 뜻.

からおし 【空押し】 名ス他 무늬를 새긴 틀에 물감·먹·잉크 따위를 칠하지 않고 종이·가죽·헝겊 따위를 끼워 눌러서 무늬만 도드라지게 한 것; 엠보싱 가공.

がらおち 【がら落ち】《瓦落落ち》 名 시세의 폭락. =がら.

からがい 【空買い】 名 〔經〕 공매수(空買受); 공매(空買). ↔空売からうり.

からか-う 5他 조롱하다; 놀리다. ¶子供こどもを～ 아이를 놀리다/大人おとなを～ものじゃない 어른을 놀리는 게 아니다. 可能からか-える 下1自

からかさ 【唐傘】《傘》 名 지우산. ¶～を差さす 지우산을 받다.

―ばんぐみ 【―番組】 名 예정된 프로그램이 날씨 등 관계로 중지되었을 때 대신 방송하도록 되어 있는 프로그램. =スタンバイ.

からかぜ 【空風】 名 ☞からっかぜ.

からかね 【唐金】《青銅》 名 청동.

からかぶ 【空株】 名 〔經〕 공주(空株); 주식 거래에서, 실제로 현물을 주고받지 않는 주식. =くうかぶ. ↔実株じつかぶ.

からかみ 【唐紙】 名 1 당지《금니(金泥)·은니(銀泥)를 사용한 무늬 있는 고운 종이》. 2 (당지를 바른) 장지.

からから 〖乾乾〗 ダナ 바싹 마른 모양: 바삭바삭함; 보송보송함. ¶のどが～だ 목이 칼칼하다/池いけが～に干上ひあがる 연못이 바싹 마르다.

からから 〖空空〗 ダナ 텅 비어 있는 모양. =からっぽ. ¶財布さいふ〔ポケット〕が～だ 지갑이〔주머니가〕 텅텅 비었다.

からから 副 1 단단하고 마른 것이 맞부딪치는 소리: 대그락대그락. ¶～と鳴なる 대그락대그락 소리가 나다. 2 높은 소리로 쾌활하게 웃는 모양: 껄껄. ¶～(と)笑わらう 껄껄 웃다.

からがら 〖辛辛〗副『命いのち～』 목숨만 겨우 살아서. ¶命～逃にげ出だした 목숨만 겨우 건져 도망쳤다. 注意 대개 'かな'로 씀.

がらがら 一ダナ 텅텅 비어 있는 모양. ¶始発電車しはつでんしゃは～だ 시발 전차는 텅 비어 있다. 二副 1 단단한 것이 맞부딪쳐 나는 소리: 와르르; 드르륵. ¶屋根やねがわらが～とくずれ落おちる 지붕의 기왓장이 와르르 무너져 떨어지다 / ～と戸とを開あける 드르륵 하고 문을 열다. 2《흔히, '～した'의 꼴로》 장소를 안 가리고 마구 설치는 모양: 덜렁덜렁. ¶～した性分しょうぶん〔やつ〕 덜렁덜렁한 성품〔놈〕. 三名 딸랑이《젖먹이용 장난감》.
──へび【──蛇】名〔動〕 방울뱀.

からきし 副〈俗〉《뒤에 否定하는 말이 와서》 전혀; 통. ＝まるで·全まったく. ¶酒さけは～だめだ 술은 통 못한다 / 女おんなには～意気地いくじがない 여자에겐 통 맥을 못 춘다. 注意 口語로는 'からっきし'.

からきり 副 ☞からきし. ¶～分わかっていない 전혀 모르고 있다.

からくさ【唐草】名 '唐草模様もよう(＝당초무늬)'의 준말.

からくじ【空くじ】《空籤》名 꽝; 당첨되지 않은 제비. ¶～を引ひく 꽝을 뽑다 / ～なしの福引ふくびき 꽝이 없는 제비뽑기. ↔当あたりくじ.

がらくた 名 잡동사니; 허드레 물건. ¶～道具どうぐ 쓸모없는〔허드레〕 도구. 注意 '瓦落多'로 쓰은 취음.

からくち【辛口】名 1 (단맛보다) 매운맛을 좋아함; 또, 그런 음식을 좋아하는 사람. ＝辛党からとう. 2 (술 따위의) 맛이 달콤하지 않고 쌉쌀함. ¶～の酒さけ 쌉쌀한 술. ⇔甘口あまくち.

からくも 〖辛くも〗連語《副詞적으로》 겨우; 간신히; 근근히. ＝やっと·かろうじて. ¶～零敗れいはいを免まぬかれる 간신히 영패를 면하다 / ～難なんを逃のがれる 간신히 재난을〔화를〕 면하다.

からくり 〖絡繰り·機関〗名 1 실로 조종함; 또, 그 장치. 2 계략; 조작; 짜짜꿍이. ¶～を見破みやぶる 계략을 간파하다 / ～がばれる 조작이 드러나다. 3 기계 장치; 구조. ¶時計とけいの内部ないぶの～を知しる 시계 내부의 (세밀한) 구조를 알다.
──じかけ【──仕掛け】名 기계 장치; 조종 장치. 「망석중이.
──にんぎょう【──人形】名 꼭두각시;

からく-る 〖絡繰る〗5他 1 조종하다; 조작하다. 2 뒤에서 조종하다.

からぐるま【空車】名 빈 차. ＝空車くうしゃ. ¶～で走はしる 빈 차로 달리다.

からくれない【唐紅】名 당홍; 진홍색; 짙은 다홍빛.

からげいき【空景気】名 겉으로만 경기가 좋게 보이는 일. ¶～をつける 경기가 좋은 체하다 / かけ声ごえだけの～ 실속 없이 요란만 떠는 경기. 「らっけつ.

からけつ【空けつ】《空穴》名〈俗〉☞か

から-げる【絡げる】《紮げる》下1他 1 얽다; 매다. ＝くくる. ¶荷にを綱つなで～ 짐을 밧줄로 얽어매다. 2 걷어 올리다. ＝まくりあげる. ¶すそを～ 옷자락을 걷어올리다.

からげんき【空元気】名 허세; 객기. ¶～を出だす 허세를 부리다.

からころ 副 왜나막신 따위를 끄는 소리; 또, 딱딱한 것이 굴러가는 소리: 딸깍딸깍; 때구루루. ＝からんころん.

からさわぎ【空騒ぎ】名ス自 헛소동; 공연히 소란을 떪. ¶事件じけんは～に終おわった 사건은 헛소동으로 끝났다.

からし 〖芥子·辛子〗名 겨자. ¶～がきかない 겨자 맛이 없다; 맵지 않다.
──ゆ【──油】名 겨자 기름; 개자유.

からして 連語《助詞 'から'의 힘줌말 또는 관용적 표현》 1 …로 보아; …부터가. ¶この点てん～賛成さんせいできない 이 점으로 보아 찬성할 수 없다 / 名前なまえ～おもしろい 이름부터가 재미있다 / 面つら～気きにくわない 상통부터가 마음에 들지 않는다. 2 …이므로. ¶困こまる～騒さわぐのだ 곤란하니까 떠드는 거다.

から-す 〖嗄らす〗5他 (목이) 쉬게 하다. ¶声こえを～·して応援おうえんする 목이 쉬도록 응원하다.

から-す 〖涸らす〗5他 (강·못의 물을) 말리다; 고갈시키다. ¶池いけを～ 연못을 말리다 / 資源しげんを～ 자원을 고갈시키다.

から-す【枯らす】5他 (초목 따위를) 말리다; 시들게 하다; 말려 죽이다. ¶植木うえきを～ 나무를 말라 죽게 하다 / 尾羽おは打うち～ (세력 있던 자가) 영락하여 초라한 모습이 되다 / よく～·した木きで細工さいくする 잘 말린 나무로 세공하다.

⁑からす 〖烏·鴉〗名 1〔鳥〕 까마귀. ¶うのまねする～ 가마우지 흉내 내는 까마귀《제 분수를 모르고 남의 흉내 내다가 실패함의 비유》. 2《흔히 接頭語적으로》 색이 검은 것. ¶～ねこ 검정 고양이.
──の足跡あしあと (중년 여성의) 눈가에 생기는 잔주름. 「한 목욕.
──の行水ぎょうずい 까마귀 미역 감듯한 간단
──の雌雄しゆう 까마귀의 자웅《서로 닮아 분간하기 어려움의 비유》.

⁑ガラス [네 glas] 名 유리. ¶～窓まど〔戸と〕 유리창〔문〕 / ～細工さいく 유리 세공 / ～屋や 유리 가게 / ～瓶びん〔板いた〕 유리병〔판〕 / ～の破片はへん 유리 조각 / ～を割わる 유리를 깨다. 注意 '硝子'로 쓰은 취음.
──ウール [glass wool] 名 글라스 울; 유리솜. ＝ガラス綿めん.
──きり【──切り】名 유리칼.
──せんい【──繊維】名 유리 섬유. ＝グラスファイバー.
──ばり【──張り】名 1 유리를 끼움; 또, 끼운 것. ¶～の部屋へや 벽면에 유리를 붙인 방. 2 내부가 잘 보임; 공명정대하여 비밀이 없음. ¶～の政治せいじ 공명정대한 정치. 「さごうり.

からすうり 〖烏瓜〗名〔植〕 쥐참외. ＝ひ

からすき〖犂·唐鋤〗图 쟁기. =すき.

がらすき〖がら空き〗图 텅텅 빔. ¶~の地下鉄 텅텅 빈 지하철.

からすぐち【からす口】《烏口》图 오구; 강필; 가막부리《제도 용구》. =鋼筆.

からすみ〖鱲·鱲子〗图 숭어·방어·삼치 등의 알집을 소금에 절여 말린 식품《술안주용》.

からすむぎ〖烏麦·燕麦〗图〔植〕**1** 메귀리. =ちゃひきぐさ. **2** ☞えんばく.

からせき〖空咳·乾咳〗图 **1** 마른기침. **2** 헛기침. =せきばらい·からぜき.

からせじ【空世辞】图 치렛말; 빈말. ¶~を言う 치렛말을 하다.

***からだ**【体】《身体》图 몸. **1** 육체. ㉠신체. ¶丈夫な~ 튼튼한 몸/~が弱い 몸이 약하다/~を鍛える 몸을 단련하다. ㉡성적인 면에서의 육체; 정조. ¶~を許す 몸을 허락하다. **2** 몸통; 몸체; 체격. ¶彼はいい~をしている 그는 좋은 체격을 갖고 있다/~ばかり大きくて, する事は子供だ 덩치만 크고 하는 짓은 어린애다. **3** 몸의 상태; 건강. ¶~がつづかない 몸〔건강〕이 유지되지 않다/普通の~でない 보통 몸이 아니다《임신한 몸이다》.

──が空く (일을 마치고) 짬이 나다. ¶五時まで体があかない 5시까지 짬이 없다.

──に障る 몸에 해롭다.

──を売る 몸을 팔다《매춘》.

──を惜しむ 몸을 아끼다; 일하기 싫어하다.

──を粉にする 열심히 일함의 비유. ¶体を粉にして働く 뼈가 부서지도록 일하다.

──をこわす 몸〔건강〕을 해치다.

──を張る 일신을 내던져 행동하다.

からだき【空だき】《空焚き》图スル他 물이 없는 것을 깜박 잊은 채, 목욕통에 불을 땜《주전자·밥솥 따위에 대해서도 씀》.

からたけわり【唐竹割り】图 세로로 곧게 쪼갬《흔히, 사람을 벨 때를 말함》. ¶真っ向~ 정면 정수리에서 내리쳐 벰.

からたち〖枳殻·枸橘〗图〔植〕탱자(나무); 기각(枳殼). =きこく.

からだつき【体つき】图 몸매. ¶すらりとした~ 날씬한 몸매/きゃしゃな~ (고상하고 아름다우나) 가냘픈 몸매.

からだのみ【空頼み】图 ☞そらだのみ.

からちゃ【空茶】图 과자 없이 내는 차. ¶~を出す 과자 없이 차만 대접하다.

からっかぜ【空っ風】《乾っ風》图 강바람. =からかぜ.

からっきし 副 ☞からきし.

からっけつ【空っけつ】《空っ穴》图〈俗〉텅 빔; 무일푼; 빈털터리. =からけつ. ¶~の財布 빈 지갑/~になる 무일푼이 되다.

カラット [carat, karat, 도 Karat] 图 캐럿. **1** 합금 중에 함유된 금의 비율을 나타내는 단위. **2** 보석 무게의 단위.

からっと 副 ☞からりと.

がらっと 副 ☞がらり. ¶態度が~変わる 태도가 싹 바뀌다.

がらっぱち 名ナ 언어·동작이 거침; 또, 그런 사람; 덜렁댐; 덜렁이.

からっぺた【からっ下手】《空っ下手》名ナ 아주 서투름; 또, 그런 사람. =からへた. ¶私は口は~な方です 나는 언변이 아주 서툰 편입니다.

からっぽ【空っぽ】名ナ 텅 빔; 아무것도 없음. =空から. ¶~の箱 텅 빈 상자/家を~にする 집을 비우다/頭の中は~だ 머릿속은 텅 비었다.

からつゆ【空梅雨】图 장마철인데 비가 오지 않음. =てりつゆ. ¶今年は~だ 금년은 장마철인데도 비가 안 온다.

からて【空手】图 공수; 빈손; 맨손. =手ぶら·素手. ¶~で事業をおこす 빈손으로 사업을 일으키다/お土産を忘れて, ~で行く 선물을 잊고 빈손으로 가다.

からて【唐手·空手】图 가라테; 당수.

──チョップ [chop] 图 (프로 레슬링에서) 당수치기.

からてがた【空手形】图 공수표. **1**〔經〕융통 어음 중 지불 자금의 준비가 충분하지 않은 악질의 것. **2** 실없는 약속; 빈말. ¶~を切る 공수표를 떼다; 실없는 약속을 하다/~に終わる 공수표로 끝나다; 약속이 실행되지 않다.

からでっぽう【空鉄砲】图 **1** 공포(空砲). **2** 거짓말; 허풍. ¶~を打つ 허풍을 까다.

からとう【辛党】图 애주가; 술꾼. =左党. ↔甘党.

からとて 連語《活用語의 終止形에 붙어서》…라고 해서; …라 하더라도. ¶金持ちだ~いばるな 부자라고 해서 으스대지 마라/熱が下がった~安心はできない 열이 내렸다고 해서 안심할 수는 없다. 参考 'からといって'의 압축된 말씨.

からに【空荷】图 (짐차 따위가) 짐을 싣고 있지 않음. ¶~のトラック 빈 트럭.

からに 連語《用言의 終止形에 붙여》…만 하여도. ¶見る~うまそうだ 보기만 해도 맛있을 것 같다.

からには Karaniwa 接助《用言의 終止形에 붙어》…한 이상에는; …이니까 당연히; …바에는. =からは. ¶引きうけた~, やり遂げねばならない 맡은 이상에는 해내야 한다/やる~, りっぱにやれ 하는 이상 멋있게 해라/こうなった~, 私がやるよりほかない 이렇게 된 바에는 내가 할 수밖에 없다.

からねんぶつ【空念仏】图 공염불. =そらねんぶつ. **1** 입으로만 외는 염불. ¶口先だけの~ 말뿐인 공염불. **2** 실행이 따르지 않는 주장. ¶~に終わる 공염불로 끝나다.

からばこ【空箱】图 빈 상자. =あきばこ. ¶たばこの~ 빈 담뱃갑.

からびつ [唐櫃] 图 다리가 넷 또는 여섯 개 달린 중국식 궤〔장롱〕.

カラビナ [도 Karabiner] 名 카라비너《등반할 때 자일에 꿰는 강철 고리》.

から-びる『乾びる』上1自 마르다; (초목이) 시들다. ¶花束(はなたば)が～·びたまま病床(びょうしょう)に置(お)かれている 꽃다발이 시든 채 병상에 놓여 있다.

からぶき『乾拭き』名スル他 (윤기를 내기 위한) 마른걸레질. ＝つやぶき.

からふと [樺太] 名〔地〕☞サハリン.

からぶね【空船】名 공선; 빈 배.

からぶり【空振り】名スル他 **1**〔野〕㉠(공을) 헛침. ¶ストライクを～にした 스트라이크를 헛치고 말았다. ㉡타격 연습의 스윙. **2** 목적·목표에서 빗나가 헛일이 됨. ¶彼(かれ)の努力(どりょく)も～に終(お)わった 그의 노력도 헛일〔수포〕로 돌아갔다.

カラフル [colorful] ダナ 컬러풀; 다채로움; 화려함. ¶～な水着(みずぎ)〔飾(かざ)りつけ〕 화려한 수영복〔장식〕.

からま-す【絡ます】5他 **1** 얽히게 하다; 휘감기게 하다. ¶つたを柱(はしら)に～ 담쟁이덩굴을 기둥에 감기게 하다/指(ゆび)を～ 손가락을 깍지끼다/ひもを～ 끈을 얽히게 하다. **2** 묻히다; 바르다. ¶あんを～ 고물을 묻히다.

からま-せる【絡ませる】下1他 ☞からます.

からまつ『落葉松·唐松』名〔植〕낙엽송. ＝ふじまつ.

からま-る【絡まる】5自 얽히다; 휘감기다. ¶いろいろな事情(じじょう)が～ 여러 가지 사정이 얽히다/つる草(くさ)が～ 덩굴풀이 휘감기다.

からまわり【空回り】《空廻り》名スル自 **1** 겉돎; 헛돎. ¶タイヤが～する 타이어가 헛돌다. **2** (이론·행동이) 공전함. ¶議論(ぎろん)が～する 의론이 공전을 거듭하다.

からみ【空身】名 맨몸; 빈 몸; 홑몸. ¶～で山(やま)を登(のぼ)る 맨몸으로 산을 오르다.

からみ【辛味】名 **1** 매운맛; 짠맛; 매운〔짠〕맛이 나는 것. ¶～が足(た)りない 덜 맵다/～をきかせる 매운맛〔짠맛〕이 나게 하다. **2** 고추냉이·생강 따위 매운 것의 총칭. ⇔甘味(あまみ).

=がらみ【搦み】**1**《수량을 나타내는 말에 붙어》…가량; …내외; …쯤. ¶四十(しじゅう)～の男(おとこ) 40(세) 가량의 사나이/百円(ひゃくえん)～の品物(しなもの) 백 엔(어치) 안팎의 물건. 参考 현재는 나이를 가리키는 경우의 용법이 많음. **2** 밀접히 관련됨을 나타냄. ¶汚職(おしょく)～の事件(じけん) 독직에 관련된 사건/政局(せいきょく)は選挙(せんきょ)～で動(うご)く 정국은 선거와 관련되어 움직인다.

からみあ-う【絡み合う】5自 서로 얽히다〔엉키다〕; 뒤얽히다. ¶糸(いと)が～ 실이 엉키다/男女(だんじょ)の関係(かんけい)が複雑(ふくざつ)に～ 남녀 관계가 복잡하게 얽히다/～·って倒(たお)れる 뒤엉기어 쓰러지다.

からみつ-く【絡み付く】5自 **1** 휘감기다. ¶つるが～ 덩굴이 휘감기다. **2** 귀찮게 생트집을 걸다; 또, 성가시게 매달리다; 달라붙다. ¶しつこく～男(おとこ) 끈질기게 트집을 잡는〔달라붙는〕 사나이/彼(かれ)は酔(よ)うと～ 그는 취하면 귀찮게 생트집을 부린다.

***から-む**【絡む】5自 **1** 휘감기다; 얽히다; 얽매이다. ¶選挙(せんきょ)に～·んだ犯罪(はんざい) 선거에 관련된 범죄/事件(じけん)には女(おんな)が～·んでいる 사건에는 여자가 관련되어있다. **2** 귀찮게 생트집을 잡아 눌러붙다. ¶いやに～·んだ言(い)い方(かた)をする 되게 시비조로 말하다/よく～奴(やつ)だ 툭하면 시비를 거는 놈이다; 몹시 성가신 녀석이다/酔(よ)うと～くせがある 취하면 시비를 거는 버릇이 있다.

からむし『苧·苧麻』名〔植〕모시풀. ＝まお·ちょま.

からむし【空蒸し】名スル他 조미료나 물을 넣지 않고 오븐 따위에 넣어 구움; 또, 그런 음식. ¶まつたけの～ (가미하지 않은) 송이구이.

からめ【辛め】《辛目》名 **1** 매움함. ¶～に味(あじ)をつける 매움하게 맛을 내다. **2** 엄격한 맛이 있음. ¶～の採点(さいてん) 인색한 채점.

からめて【からめ手】《搦め手》名 **1** 잡으러 오는 사람들; 포박꾼. ＝捕(と)り手(て). **2** 성의 뒷문; 성의 뒷문을 공격하는 군대. ¶～から攻(せ)める 뒷문으로 쳐들어가다; 상대방이 예상도 못하는 방향에서 공격하여 항복하게 하다. ↔大手(おおて).

からめと-る【からめ捕る】《搦め捕る》5他 붙들어서 묶다; 포박하다.

から-める『搦める』下1他 포박하다; 묶다. ¶盗人(ぬすびと)を～ 도둑을 포박하다.

から-める【絡める】下1他 **1** 휘감다. ¶足(あし)を～·めて倒(たお)す 다리를 감아서 넘어뜨리다. **2** 연관시키다; 관련시키다. ¶賃上(ちんあ)げと～·めて, 労働時間(ろうどうじかん)の短縮(たんしゅく)を求(もと)める 임금 인상과 연계하여 노동 시간의 단축을 요구하다. **3** 바르다; 묻히다. ¶砂糖(さとう)を～ 설탕을 묻히다/油(あぶら)で～ 기름을 바르다.

がらもの【柄物】名 무늬나 그림이 들어 있는 물건. ↔無地(むじ).

からやくそく【空約束】名スル自 헛된〔실없는〕 약속.

カラライゼーション [colorization] 名 컬러라이제이션; 전자 채색《컴퓨터 기술을 이용하여, 흑백 영화를 컬러 영화로 재생하는 기법》.

がらり 副 **1** 미닫이·장지 따위를 세게 여는 소리; 드르르. ¶格子戸(こうしど)を～とあけて入(はい)る 격자문을 드르르 열고 들어가다. **2** 어떤 상태가 갑자기 변하는 모양: 싹. ¶態度(たいど)が～と一変(いっぺん)する 태도가 싹 일변하다/天気(てんき)が～と変(か)わる 날씨가 싹 변하다. **3** 무너지는 모양: 와르르. ¶石垣(いしがき)が～とくずれる 돌담이 와르르 무너지다.

からりと 副 **1** 밝고 너른 모양: 활짝. ¶～した性格(せいかく) 활짝 트인 성격/～夜(よ)が明(あ)けた 밤이 환히 밝았다. **2** 물기가 아주 없이 잘 마른 모양: 바싹. ¶～かわく 바싹 마르다/てんぷらを～揚(あ)げる 튀김을 바싹 튀기다.

から-れる【駆られる】下1自 (감정 등이) …에 사로잡히다. ¶嫉妬に～ 질투에 사로잡히다/不安に～ 불안에 쫓기다.

がらん [伽藍] 图〔佛〕가람; (본당·승방 등) 절의 큰 건물.

からんからん 副 딱딱한 것이 부딪는 소리: 때구루루; 땡땡; 딸깍딸깍. ¶～と鐘が鳴る 종이 땡땡땡 울리다/空きかんが～と転がっていく 빈 깡통이 때구루루 굴러가다.

がらんどう 名ナ 텅 비고 넓음. ＝がらんど. ¶～の教室 텅 빈 교실.

かり【仮】图 **1** 임시; 일시적. ¶～停留所 임시 정류소/～の処置〔住まい〕 임시 조치〔거처〕. **2** 일시적인 것임; 정식이 아님; 가…. ¶～の親 (수)양부모/～調印〔契約〕 가조인〔계약〕/～発注 가(假)발주/世をしのぶ～の名 세상의 눈을 피하는 가명. **3** 가정(假定). ¶これは～の話だが 이것은 가정의 말이지만.

かり 〖雁〗 图〔鳥〕기러기. ＝雁.

かり【狩り】图 **1** 사냥. ¶～に行く 사냥 가다. **2** 물고기나 조개를 잡는 일. ¶潮干狩り (개펄에서의) 조개잡이. **3** 야생 동식물을 감상·채집하는 일. ¶もみじ狩り 단풍놀이/まつたけ狩り 송이버섯 따기/みかん狩り 귤 따기. 參考 연독(連讀)의 경우, 'がり' 가 됨.

***かり**【借り】图 **1** 빌림; 또, 빌린 것; 빚; 비유적으로, 남에게 입은 은혜나 치욕. ¶～衣裳 임대 의상/～がある 빚이 있다《전에 패한 것에 대한 설욕에도 비유됨》/～を返す 빚을 갚다《(a)설욕하다; (b)은혜를 갚다》. **2** 장부상의 '借方(＝차변)' 의 준말. ⇔貸し.

カリ [네 kali] 图〔化〕칼리. **1** 'カリウム(＝칼륨)' 의 준말. ¶～肥料 칼리 비료/青酸～ 청산칼리. **2** 탄산칼륨. 注意 '加里' 로 씀은 취음(取音).

かりあげ【借り上げ】图 정부가 민간으로부터 물건을 빌림. ¶強制～ 강제 차용.

かりあげ 【刈り上げ】图 **1** 뒷머리를 쳐올림. **2** (벼·풀 따위의) 베기를 끝냄.

かりあ-げる【借り上げる】下1他 정부나 윗사람이 민간인이나 아랫사람으로부터 물건을 빌리다. ¶民家を～·げて宿舎にあてる 민가를 빌려 숙소로 쓰다.

かりあ-げる【刈り上げる】下1他 **1** 아래에서 위로 치베다. ¶髪を～ 머리를 치깎다. **2** 모두 베다; 베기를 끝내다. ¶田を～ 벼 베기를 끝내다.

かりあつ-める【駆り集める】下1他 급히 (사방에서) 그러모으다. ¶～·めの兵隊 급히 그러모은 병정〔군대〕/希望者を～ 희망자를 그러모으다.

かりいえ【借り家】图 빌려 든 집; 셋집. ＝しゃくや. ↔持ち家.

かりいれ【借り入れ】图ス他 차입; 꾸어들임. ¶資金を～する 자금을 차입하다.

—きん【借入金】图 차입금.

かりいれ【刈り入れ】图ス他 (농작물의) 베어 들이기; 거두어들이기; 수확. ¶～時 추수 때; 수확기.

かりい-れる【借り入れる】下1他 차입하다; 꾸어 들이다. ¶十萬円を～ 10만 엔을 차입하다.

かりい-れる【刈り入れる】下1他 수확하다; 거둬들이다. ¶麦を～ 보리를 거둬들이다.

かりうけきん【仮受金】图〔經〕가수금.

かりう-ける【借り受ける】下1他 빌리다. ¶ホテルを～·けて保養所とする 호텔을 빌려 휴양소로 하다.

カリウム [도 Kalium] 图〔化〕칼륨《기호: K》. ＝ポタシウム.

カリエス [도 Karies] 图〔醫〕카리에스. ¶脊椎～ 척추 카리에스.

かりおや【仮親】图 **1** 수양부모. **2** 양부모; 길러 준 어버이.

かりかえ【借り換え】图ス他 빚을 갚고 다시 빌림; 차환. ¶期末に～する 기말에 빚을 갚고 다시 빌리다.

—さい【借換債】图〔經〕차환채.

かりか-える【借り換える】下1他 (빚을 갚고) 다시 빌리다; 차환하다. ¶利率の低いローンに～ 이율이 낮은 대출로 다시 빌리다.

かりかし【借り貸し】图ス他 대차. ＝貸し借り. ¶～がきれいだ 대차(貸借) 관계가 깨끗〔분명〕하다.

かりかた【借り方】图 **1** 금품을 꾸는 사람〔방식·태도〕. ¶～がうまい 돈을 꾸는 방법이 능란하다. **2**【借方】(복식 부기에서) 차변. ⇔貸し方.

カリカチュア [caricature] 图 캐리커처; 희화(戯畫); 만화; 풍자화.

かりがね 〖雁が音·雁金·雁〗 图〈雅〉 **1** 기러기 울음소리. **2** 기러기. ＝雁·かり.

かりかぶ【刈り株】图 (보리·벼 따위의) 그루터기.

かりかり 副ス自 **1** 딱딱한 물건을 깨물어 바스러뜨리는 소리: 아삭아삭; 와삭와삭. ¶～かむ 와삭와삭 깨물다. **2** 파삭파삭하게 마른 모양. ¶～に揚げる (기름에) 파삭파삭하게 튀기다. **3**〈俗〉몹시 화난 모양; 신경이 곤두서는 모양. ¶～怒る 노발대발하다/神経が～する 신경이 곤두서다.

がりがり 副 **1** 단단한 것을 긁는 소리: 으드득으드득. ¶ねずみが板を～(と)かじっている 쥐가 판자를 으드득으드득 갉고 있다. **2** 단단한 것에 닿아서 나는 소리: 득득. ¶さびたのこぎりで板を～切る 녹슨 톱으로 득득 널을 자르다/頭を～掻く 머리를 득득 긁다. **3**〈俗〉㉠깡마른 모양: 깨깨. ¶やせて～だ 깨깨 말랐다. ㉡공부를 들이파는 모양《공부 못하는 사람이 비꼬는 말》. ¶～勉強する 기를 쓰고 공부하다.

がりがりもうじゃ【我利我利亡者】图

자기 잇속만 차리고 조금도 남을 돌보지 않는 사람《욕으로 이르는 말》.

かりぎ【借り着】图ス自他 옷을 빌려 입음; 빌려 입은 옷. ¶礼服(れいふく)がないので~をする 예복이 없어 빌려 입다.

カリキュラム [curriculum] 图 커리큘럼; 계통적인 교육 계획; 교육 과정. ¶~を立(た)てる 커리큘럼을 세우다.

かりき-る【借り切る】5他 전세내다; 몽땅 빌리다. ¶バス〔劇場(げきじょう)〕を~ 버스를〔극장을〕 전세 내다. ↔貸(か)し切(き)る.

かりきん【借り金】图 차금. =借金(しゃっきん).

かりこ【狩り子】图 (사냥의) 몰이꾼.

かりごえ【狩り声】图 사냥할 때, 몰이꾼들이 내지르는 고함 소리. =狩りこえ.

かりこし【借り越し】图ス他〔經〕차월. 参考 당좌 예금의 경우에 씀. ↔貸(か)し越(こ)し.

—きん【借越金】图 차월금.

かりこ-す【借り越す】5他 어느 한도 이상으로 빌리다. ↔貸(か)し越す.

かりこみ【刈り込み】图 가지치기; 전지(剪枝).

かりこみ【狩り込み】图 (짐승·범인 따위를) 일제히 찾아내어 잡음; 일제 검거. ¶~に会(あ)ってつかまる 일제 검거에 걸려 붙잡히다.

かりこ-む【刈り込む】5他 **1** (머리털·초목 따위를) 깎아서 손질하다. ¶芝生(しばふ)を~ 잔디를 깎아 손질하다. **2** 베어들여 저장하다. ¶納屋(なや)へ~ 헛간에 베어들이다.

かりこ-む【狩り込む】5他 범인·폭력 조직원 따위를 일제히 검거하다.

かりごや【仮小屋】图 임시로 지은 허술한 집; 가옥(假屋).

かりさしおさえ【仮差し押さえ】图〔法〕가(假)압류.

かりしゃくほう【仮釈放】图ス他〔法〕가석방.

かりしゅっしょ【仮出所】图ス自〔法〕가출소; 가출옥; 가석방.

かりじゅよう【仮需要】图 가수요.

かりじょうやく【仮条約】图 가조약.

かりしょぶん【仮処分】图ス他〔法〕가처분. ¶裁判所(さいばんしょ)に~の申請(しんせい)をする 법원에 가처분 신청을 하다.

カリスマ [도 Charisma] 图 카리스마.

かりずまい【仮住まい】图ス自 임시 거처〔주거〕. =仮寓(かぐう). ¶戦災(せんさい)のためバラックに~する 전재 때문에 판잣집에서 임시로 거처하다.

かりそめ【仮初め】图 **1** 그때만임; 잠시 동안; 일시적. ¶~の約束(やくそく) 그때뿐인 약속/~の恋(こい) 일시적인 사랑. **2** 우연; 사소함. ¶~の病気(びょうき) 사소한 병. **3** 소홀; 경솔. ¶~にする 소홀히 하다/~のふるまい 경솔한 행동/~ならぬ恩(おん) 소홀히 할 수 없는〔하면 안 되는〕 은혜.

—にも 連語 **1**《뒤에 禁止·仮定 등의 말이 와서》가정으로〔장난 삼아〕라도; 조금이라도; 결코; 절대로. =かりにも. ¶そんな悪事(あくじ)は~してはならない 그런 나쁜 짓은 결코 해서는 안 된다/~そんなことは口(くち)にするな 농으로라도 그런 말은 하지 마라. **2** 적어도. =いやしくも. ¶~大学生(だいがくせい)ではないか 적어도 대학생이 아니냐.

かりたお-す【借り倒す】5他 (금품을) 떼어먹다. =ふみ倒(たお)す. ¶友人(ゆうじん)の金(かね)を~ 친구의 돈을 떼먹다/借金(しゃっきん)を~ 빚을 떼어먹다.

かりだ-す【狩り出す】5他 (짐승·범인 따위를) 몰아내다.

かりだ-す【駆り出す】5他 (몰아세워) 끌어내다; 싫어하는 것을 끌어내다. ¶強制労働(きょうせいろうどう)に~ 강제 노동에 끌어내다/選挙(せんきょ)〔応援(おうえん)〕に~ 선거〔응원〕에 동원하다.

かりた-てる【狩り立てる】下1他 (사냥에서) 몰아대다; 몰이하다. ¶勢子(せこ)がうさぎを~ 몰이꾼이 토끼를 몰아대다.

かりた-てる【駆り立てる】下1他 휘몰다; (가축 따위를) 몰아대다; 후리다. 가게 하다. ¶国民(こくみん)を戦争(せんそう)に~ 국민을 전쟁으로 몰고 가다.

かりちん【借り賃】图 임차료; 세(貰). ↔貸(か)し賃(ちん).

かりて【借り手】图 차주; 빌려 쓰는 사람; 차용인. =借(か)り主(ぬし). ¶この本(ほん)は~がない 이 책은 빌려 보는 사람이 없다. ↔貸(か)し手(て).

かりとうき【仮登記】图ス他 가등기.

かりとじ【仮とじ】《仮綴じ》图ス他 가철; 가제본(假製本)(한 책).

かりとり【刈り取り】图 벰; 베기; 수확. ¶~機(き) (벼·보리 등의) 자동 수확기/稲(いね)の~をする 벼 베기를 하다.

かりと-る【刈り取る】5他 **1** 베어 들이다; 수확하다. ¶稲(いね)を~ 벼를 수확하다. **2** (베어) 제거하다. ¶雑草(ざっそう)〔悪(あく)の芽(め)〕を~ 잡초를〔악의 싹을〕 제거하다.

***かりに**【仮に】連語《副詞적으로》**1** 만일; 만약. =もし(も). ¶~ぼくが君(きみ)だったら 만일 내가 너라면/~雨(あめ)なら 만약 비가 오면. **2** 임시로; 잠정적으로; 시험 삼아서. =試(こころ)みに. ¶~使(つか)ってみる 임시로〔시험 삼아〕 써 보다/~この紙(かみ)に書(か)こう 임시로 이 종이에 쓰자.

かりにも【仮にも】連語 **1** 적어도; 그래도; =かりそめにも. ¶~選手(せんしゅ)であるからには 적어도 선수라면/~大学生(だいがくせい)だろう, 君(きみ)は 적어도 대학생이잖아, 자네는. **2**《흔히 뒤에 禁止·否定의 말이 와서》장난으로라도; 어떤 일이 있어도; 절대로; 결코. ¶~法(ほう)を犯(おか)すな 절대로 법을 어기지 마라/~死(し)ぬことなど口(くち)にするものではない 결코 죽는다는 등의 말을 해서는 안 된다. **3**《뒤에 仮定의 말이 와서》만약에. =もしも. ¶~雨(あめ)なら… 만약에 비가 오면….

かりぬい【仮縫い】图ス他〔裁〕시침바느질; 가봉. =下縫(したぬ)い. ¶洋服(ようふく)の~をする 양복 가봉을 하다. ↔本縫(ほんぬ)い.

かりぬし【借り主】图 ☞かりて. ↔貸(か)し主(ぬし).

かりね【仮寝】图ス自 **1** 선잠; 잠깐 눈을

붙임. ＝うたたね·仮睡.. ¶～を妨げる 선잠을 방해하다. **2** 객지에 나와서 잠; 객지에서 자는 한뎃잠. ＝たびね. ¶～の宿 객지에서 자는 숙소; 객사.

かりば【狩り場】㊔ 사냥터; 수렵장.

かりばし【仮橋】㊔ 가교; 임시 다리.

かりばらい【仮払い】㊔ス他 가불. ¶経費を～する 경비를 가불하다.

がりばん【がり版】㊔ **1**〈俗〉등사판. ＝がり. **2** 등사 원지. ¶～を切る 등사 원지를 긁다.

かりぶしん【仮普請】㊔ 임시 건축. ↔本普請.

カリプソ [ス calypso] ㊔〘樂〙칼립소.

カリフラワー [cauliflower] ㊔〘植〙콜리플라워; 모란채; 꽃양배추《양배추의 일종》. ＝花やさい.

がりべん【がり勉】㊔〈俗〉성적만을 위해 공부를 들이팜; 또, 그 사람. ¶～屋 공붓벌레 / ～をする 공부만 들이파다.

かりほ【刈り穂】㊔ 베어 낸 벼이삭.

かりぼし【刈り干し】㊔ 수확한 벼나 벤〔베어 온〕풀을 말림.

かりまいそう【仮埋葬】㊔ス他 가매장. ＝仮埋め.

かりめんきょ【仮免許】㊔ 가면허; 임시면허. ＝仮免.

かりもの【借り物】㊔ 빌려 쓰는 물건. ¶～の衣装 빌려 입은 옷 / ～の思想 (제 것이 아닌) 빌려 온 사상.

かりや【仮屋】㊔ 가옥; 임시 건물.

かりや【借り家】㊔ 셋집. ＝借家.

かりゃく【下略】㊔ス自他 ☞げりゃく.

***かりゅう**【下流】㊔ 하류. **1** 물아래. ＝川しも. ¶～に住む魚類 하류에 사는 어류. **2** 낮은 계층; 하층. ⇔上流.

かりゅう【花柳】㊔ '芸者町(＝기생촌)'의 딴 이름; 화류계; 유곽. ¶～の巷 화류항; 유곽촌.

—かい【—界】㊔ 화류계.

—びょう【—病】화류병; 성병.

かりゅう［顆粒］㊔ 과립; 작은 알갱이. ¶～状の風邪薬 과립상의 감기약.

がりゅう【我流】㊔ 아류; 자기류. ¶～の歌い方 자기류의 창법(唱法) / 何事も～では上達しない 어떤 일이라도 자기류로는 숙달되지 않는다.

がりゅう【画竜】㊔ ☞がりょう.

かりゅうど［狩人］㊔ 사냥꾼. ＝猟師. 参考 'かりびと'의 음편(音便).

かりょう【佳良】㊔ 가량; (꽤) 좋음. ¶成績～성적 양호 / 作品はおおむね～だ 작품은 대체로 괜찮다.

かりょう【加療】㊔ス自 가료. ¶一週間の入院～を要する 일주일간의 입원 가료를 요하다.

かりょう【科料】㊔〘法〙과료. ¶軽犯で千円の～処分を受ける 경범으로 천 엔의 과료 처분을 받다. 参考 '罰金(＝벌금)'보다 가벼움. '過料'와 구별하기 위해 'とが料'라고도 함.

かりょう【過料】㊔〘法〙과료; 과태료. 参考 '科料'와는 달리 형벌은 아님. '科料'와 구별하기 위해 'あやまち料'라고도 함.

がりょう【雅量】㊔ 아량. ¶～にとぼしい 아량이 부족하다 / ～を示す 아량을 보이다. ⇨度量.

がりょうてんせい［画竜点睛］㊔ 화룡점정; 중요한 끝마무리. ¶～を欠く 가장 요긴한 끝맺음을 빠뜨리다.

かりょく【火力】㊔ 화력. ¶～が弱い 화력이 약하다 / ～の強い兵器 화력이 센 무기 / 最新の～をそなえた兵力 최신 화력을 갖춘 병력.

—はつでん【—発電】㊔ 화력 발전. ¶～所 화력 발전소.

****か-りる**【借りる】上1他 빌리다; 꾸다. ¶お金を～ 돈을 꾸다 / へやを～ 방을 빌리다 / 猫の手でも～·りたい 고양이 손이라도 빌리고 싶다《매우 바쁘다는 형용》/ この席を～·りて一言します 이 자리를 빌려 한마디 하겠습니다.

注意 関西 방언의 영향을 받아 '彼の助けは借らん(＝그의 도움은 빌리지 않겠다)'처럼 5段活用로 쓰이는 수가 있음. ↔貸す.

—·りて来た猫のよう 평소와는 달리 매우 얌전하게 구는 모양의 비유.

—ときの地蔵顔 빌릴 때는 고마워서 간살을 떤다는 뜻. ↔返すときのえんま顔.

かりわたし【仮渡し】㊔ス他 임시로 줌; 특히, 가불. ¶～金 가불금.

かりん〖花梨〗㊔〘植〙모과(나무).

かりんさんせっかい【過りん酸石灰】《過燐酸石灰》㊔〘化〙과인산석회《비료》.

***か-る**【刈る】5他 **1** 베다. ¶稲〔草〕を～ 벼를〔풀을〕 베다 / まいた種は自らの手で～·らねばならぬ (자기가) 뿌린 씨는 자기 손으로 베어 들여야 한다. **2** (머리털 따위를) 깎다. ¶髪〔頭〕を～ 머리를 깎다 / 芝生を～ 잔디를 깎다. 可能 か-れる 下1自

か-る【狩る】5他 **1** 사냥하다. ¶うさぎを～ 토끼를 사냥하다. **2** (초목이나 꽃·버섯 따위를) 찾아다니다. ¶キノコを～ 버섯을 따러 가다.

か-る【駆る】《駈る》5他 **1** 몰다; 쫓다. ¶牛を～ 소를 몰다 / 国民を戦争に～ 국민을 전쟁으로 내몰다. **2** 급히 달리게 하다; 달리다. ¶車を～·って現場へ行く 차를 몰고 현장으로 가다. **3** 감정이 마음을 강하게 사로잡다《수동적으로 쓰임》. ¶衝動に～·られる 충동에 사로잡히다 / 好奇心に～·られる 호기심에 사로잡히다〔끌리다〕.

=が-る《形容詞·形容動詞의 語幹 및 助動詞 'たい'의 'た'에 붙여 五段活用動詞를 만듦》**1** …하게 여기다; 싶어하다. ¶痛～ 아파하다 / いや～ 싫어하다 / 寒～ 추워하다 / うれし～ 기뻐하다 / 行きた～ 가고 싶어하다. **2** …체하다. ¶強～ 센 체하다 / えら～ 잘난 체하다; 뽐내다 / 粋～ 멋있는 체하다.

⁑**かる-い【軽い】** 形 가볍다. ＝かろい. ¶ ～病気(びょうき) 가벼운 병 / ～食事(しょくじ) 간단한 식사 / 木(き)は石(いし)より～ 나무는 돌보다 가볍다 / 口(くち)が～ 입이 가볍다 / しりが～ 궁둥이가 가볍다 / 責任(せきにん)が～ 책임이 가볍다 / 人(ひと)を～·く見(み)る 남을 경시하다 / 質問(しつもん)を～·くいなす 질문을 가볍게 받아넘기다 / ～·く連勝(れんしょう)した 간단히 연승했다 / 身(み)も～·く心(こころ)も～ (기쁜 일로) 몸도 가볍고 마음도 가볍다 / ～·く三(さん)メートルは飛(と)んだ 가볍게 3미터는 뛰었다. ↔重(おも)い.

かるいし【軽石】 名 〖鑛〗 경석; 속돌. ＝浮(う)き石(いし). ¶ ～で足(あし)の裏(うら)をこする 속돌로 발바닥을 문지르다.

かるがる【軽軽】 副 (아주) 가볍게; 가뿐히; 거뜬히; 쉽게. ＝かろがろ. ¶ ～と持(も)ち上(あ)げる 아주 가볍게 들어 올리다 / ～やってのける 아주 간단히 해치우다.

かるがるし-い【軽軽しい】 形 경솔하다; 경망스럽다. ＝かろがろしい. ¶ ～ふるまい 경망스러운 행동 / そんな事(こと)を～·く言(い)うものではない 그런 일을 경솔하게 말하는 게 아니다. ↔重重(おもおも)しい.

かるくち【軽口】 名 **1** 우습고 재미있는 이야기; 가벼운 농담. ¶ ～話(ばなし) 익살스런 재담 / ～をたたく 가벼운 농담을 하다. **2** 입이 가벼움; 또, 그러한 사람. ¶ ～の男(おとこ) 입이 가벼운 남자.

カルシウム [네 calcium] 名 칼슘《기호: 「Ca」》.

カルスト [도 Karst] 名 〖地〗 카르스트. ¶ ～地形(ちけい) 카르스트 지형.

カルタ [포 carta] 名 놀이딱지; 화투; 트럼프. ¶ ～を取(と)る 카드놀이를 하다 / ～を切(き)る〔配(くば)る〕 카드를 떼다〔도르다〕. 注意 '歌留多·加留多'로 씀은 취음.

カルチャー [culture] 名 컬처; 교양; 문화. ¶ ～センター 문화〔교양〕 센터.

——ショック [culture shock] 名 컬처 쇼크; 문화 충격; 문화적 위화감.

カルテ [도 Karte] 名 카르테; 진료 기록「카드.

カルテット [quartet(te)] 名 〖樂〗 콰르테트; 사중주(단); 사중창(단).

カルデラ [caldera] 名 〖地〗 칼데라《화산 중앙의 움푹 들어간 곳》. ¶ ～湖(こ) 칼데라호 / ～地形(ちけい) 칼데라 지형.

カルテル [도 Kartell] 名 〖經〗 카르텔; 기업 연합. ⇨トラスト.

かるはずみ【軽はずみ】 名ダナ 경망함; 경솔. ¶ ～な事(こと)をするな 경솔한 짓을 하지 마라 / ～に物(もの)を言(い)うな 경솔하게 말하지 마라.

かるみ【軽み】《軽味》 名 가볍게 느끼는 정도; 가벼움. ↔重(おも)み.

かるめ【軽め】 名ダナ (약간) 가벼운 듯함. ¶ ～のラケットを使(つか)う 약간 가벼운 듯한 라켓을 쓰다.

カルメやき【カルメ焼き】 名 ☞カルメ「ラ.

カルメラ [포·스 caramelo] 名 카라멜로; 누런 설탕에 소다를 넣어 살짝 구운 과자. ＝カルメ焼(や)き.

かるわざ【軽業】 名 **1** 몸을 가볍게 날려 하는 곡예. ¶ ～師(し) 곡예사. **2** (비유적으로) 위험이 많은 사업이나 계획.

かれ【彼】 代 **1** 그 (사람)《'彼' '彼女(かのじょ)'는 보통 윗사람에겐 쓰지 않음》. ¶ ～はなかなかの紳士(しんし)です 그는 꽤 멋있는 신사입니다. **2**《名詞적으로》 그이; 저이《남편·애인을 가리키는 완곡한 말씨》. ¶ ～氏(し) 그이; 저이. ⇔彼女(かのじょ).

かれい〖鰈〗 名 〖魚〗 가자미.

かれい【華麗】 名ダナ 화려. ＝はなやか. ¶ ～な装(よそお)い 화려한 차림 / ～に舞(ま)う 화려하게 춤추다.

*__カレー__ [curry] 名 〖料〗 **1** 카레. ＝カレー粉(こ). **2** 'カレーライス'의 준말.

——こ【——粉】 名 카레 가루.

——ライス [←curry and rice; curried rice] 名 〖料〗 카레라이스.

ガレージ [garage] 名 개라지; 차고(車「庫).

かれえだ【枯れ枝】 名 삭정이; 마른 나뭇가지. ¶ たきつけに～を拾(ひろ)う 불쏘시갯감으로 마른 나뭇가지를 줍다.

かれおばな【枯れ尾花】 名 〈雅〉 마른 억새. ＝枯れススキ.

かれがれ〖嗄れ嗄れ〗 名ダナ (목이 쉬어) 목소리가 잘 나오지 않는 모양; 목이 잠기는 모양. ¶ ～の声(こえ) 쉰 목소리.

かれがれ〖涸れ涸れ〗 名ダナ (시내나 샘 등의) 물이 고갈되는 모양; 바싹바싹 타들어가는 모양. ¶ 井戸(いど)が～だ 우물이 거의 말라 간다.

かれがれ【枯れ枯れ】 ダナ 초목이 거의 말라 버린 상태; 시들시들. ¶ ～の森(もり)のこずえ 시들시들한 숲의 나뭇가지 끝.

かれき【枯れ木】 名 고목; 마른나무.

——に花(はな) 고목생화(枯木生花)《쇠했던 것이 다시 번영함의 비유》.

——も山(やま)のにぎわい 시시한 물건도 없는 것보다는 낫다는 말.

がれき〖瓦礫〗 名 와륵. **1** 기왓조각과 자갈. **2** (아무리 많아도) 소용〔가치〕없는 것. ＝瓦石(がせき). ¶ ～の山(やま) 와륵 더미《못쓸 잡동사니 더미》.

かれくさ【枯れ草】 名 마른풀; 고초(枯草). ↔青草(あおくさ).

かれごえ【かれ声】《嗄れ声》 名 쉰 목소「리.

かれこれ〖彼此〗 一代 이것저것. 二副 **1** 이러니저러니; 이러쿵저러쿵. ＝とやかく·つべこべ. ¶ ～言(い)う 이러니저러니 말하다 / ～するうちに期日(きじつ)が過(す)ぎてしまった 이럭저럭 하는 사이에 기일이 지나가 버렸다. **2** 대강; 거의; 그럭저럭. ＝おおよそ·ほとんど. ¶ もう～六時(ろくじ)になる 이제 그럭저럭 6시가 된다 / ～五十人(ごじゅうにん)ほど集(あつ)まった 그럭저럭 50명 정도 모였다.

かれさんすい【枯れ山水】 名 물을 사용하지 않고 지형(地形)으로써만 산수를 표현한 정원《돌을 주로 쓰고, 모래로 물을 표현하기도 함》. ＝枯れせんすい.

かれし【彼氏】 〈俗〉 一名 임; 그이; 애인 또는 남편 되는 사람. ¶ あなたの～は立派(りっぱ)な方(かた)ね 당신의 그이는 훌륭한 분

이군요. ↔彼女かのじょ. 三 代 그분; 그 사람 《'彼かれ(=그이)'를 친근하게 부르는 말》.

かれすすき【枯れすすき】《枯れ薄》 名 마른 참억새. ¶冬ふゆの野のの～ 겨울 들판의 마른 참억새.

かれつ[苛烈] 名 ダナ 가열. ¶～な戦闘せんとう 가열한 전투/攻撃こうげきは～をきわめた 공격은 더할 수 없이 가열하였다.

カレッジ[college] 名 칼리지. **1** 단과 대학. ¶～ライフ 대학 생활. **2** 전문학교. ⇨ユニバーシティー.

―リング[college ring] 名 칼리지 링; 대학이나 전문대학 등의 문장(紋章)을 새겨 넣은 반지.

かれの【枯れ野】 名 풀이 마른 들판.

かれは【枯れ葉】 名 고엽; 마른 잎.

―ざい【―剤】 名〔薬〕 고엽제.

かれら【彼ら】《彼等》 代 그들; 저들; 그 사람들. ¶～の物もの 그들의 것. 参考 'ら'는 복수를 나타내는 接尾語.

⁑か-れる〖嗄れる〗 下1自 (목이) 쉬다. =しわがれる. ¶声こえが～ 목이 쉬다.

⁑か-れる〖涸れる〗 下1自 (물이) 마르다; 고갈되다. ¶池いけが～ 연못이 마르다/財源ざいげんが～ 재원이 마르다[고갈되다].

⁑か-れる【枯れる】 下1自 **1** (초목이) 마르다; 시들다. ¶草木くさきの～·れた冬山ふゆやま 초목이 다 시든 겨울 산/やせても～·れても 아무리 나이를 먹어도[몰락해도]. **2** 연기·예능 등이 원숙하여 은근한 멋을 풍기게 되다. ¶～·れた芸げい[字じ] 원숙한 연기[글씨]/人間にんげんが～ 인간이 (은근한 멋이 풍길 만큼) 원숙해지다.

かれん〖可憐〗 ダナ **1** 귀여움; 사랑스러움. ¶～な花はな 귀여운 꽃. **2** 가련함; 애처로움. ¶～な花売はなうり娘むすめ 가련한 꽃 파는 처녀.

***カレンダー** [calendar] 名 캘린더. **1** 달력. =こよみ. ¶～を一枚いちまいめくる 캘린더를 한 장 넘기다. **2** 연중 행사표. ¶スポーツ～ 스포츠 행사표.

かれんちゅうきゅう[苛斂誅求] 名 가렴주구. ¶～のため人心じんしんが動揺どうようする 가렴주구로 민심이 동요하다.

カレント[current] 名 커런트. **1** '현재의' '오늘날의'의 뜻. **2** 흐름; 조류.

―トピックス [current topics] 名 커런트 토픽스; 오늘의 화제; 시사 문제.

かろう【家老】 名〔史〕大名だいみょう·小名しょうみょう 등의 중신으로서, 가무(家務)를 총괄하는 직(職); 가신(家臣) 중의 우두머리.

かろう【過労】 名 과로. ¶～のため病気びょうきになる 과로 때문에 병이 나다.

―し【―死】 名 과로사.

がろう【画廊】 名 화랑. =ギャラリー.

かろうじて【辛うじて】 副 겨우; 간신히. =ようやく·やっと. ¶～逃のがれる 간신히 도망치다/～完成かんせいまでこぎつけた 간신히 완성에까지 이르렀다.

カロチン [carotene] 名〔化〕 카로틴.

かろとうせん【夏炉冬扇】 名 하로동선 《철에 맞지 않는 무용지물의 비유》. =冬扇夏炉とうせんかろ.

かろやか【軽やか】 ダナ 가뜻함; 발랄하고 경쾌함. =かるやか. ¶～な服装ふくそう[足取あしどり] 경쾌한 복장[발걸음]/～に踊おどる 경쾌하게 춤추다/蝶ちょうが花はなのあいだを～に飛とびまわる 나비가 꽃 사이를 가뿟이[가볍게] 날아다니다.

***カロリー** [도 Kalorie; 영·프 calorie] 名 칼로리《열량의 단위; 기호: cal》. ¶～の低ひくい石炭せきたん 칼로리가 낮은 석탄.

―げん【―源】 名 칼로리 원.

かろん【歌論】 名 和歌わかに 관한 평론·이론.

ガロン [gallon] 名 갤런《영국에서는 약 4.5리터; 미국에서는 약 3.8리터》.

かろん-ずる【軽んずる】 サ変自 **1** 얕보다; 깔보다; 업신여기다. ¶人ひとを～ 사람을 얕보다/人に～·ぜられる 남에게 업신여김을 받다. **2** 아끼지 않다; 가볍게 여기다. ¶国くにのため一命いちめいを～ 나라를 위해 목숨을 아끼지 않다. 注意 'かろんじる'라고도 함. ⇔重おもんずる.

⁑かわ【川·河】 名 강; 시내. ¶～の流ながれ 강의 흐름; 강줄기/セーヌ川がわ 센 강/～を渡わたる 강을 건너다/～をさかのぼる 강을 거슬러 올라가다.

―の字じに(なって)寝ねる ('川'자의 모양에서) 부부가 자식 하나를 가운데 두고 자다. 参考 '川'는 널리 강의 뜻으로 쓰이며, '河'는 원래 황하(黄河)의 이름에서, 특히 큰 강에 쓰이기도 함. ↔山やま.

⁑かわ【皮】 名 **1** 껍질; 가죽. ¶バナナの～ 바나나 껍질/牛うしの～ 쇠가죽. **2** 표면; 겉면. ¶化ばけの～がはげる 속임수가[가면이] 드러나다/面つらの～が厚あつい 낯가죽이 두껍다. **3** 껍데기. ¶ふとんの～ 이불 홑청/まんじゅうの～ 만두피.

かわ【革】 名 (무두질한) 가죽. =なめしがわ. ¶～靴ぐつ 가죽 구두/～カバン 가죽 가방/～ジャン 가죽 점퍼.

***かわ**〖側〗 名 **1** 옆; 곁. =そば·かたわら. ¶当人とうにんよりも～の者ものが騒さわぐ 당자보다도 주위 사람이 떠든다. **2** 둘러싸는 것; 주위; 둘레; 테. ¶とけいの～ 시계 딱지. **3** 쪽; 편; 측. ¶反対はんたいの～ 반대쪽[측].

***=がわ【がわ·側】** **1** …쪽. ㉠…편; 방면. ¶両りょう～ 양쪽/東ひがし～ 동쪽/向むこう～ 맞은[건너편]쪽. ㉡…측. ¶敵てき～ 적측/組合くみあい～の要求ようきゅう 조합측의 요구. **2** 주위; …둘레. ¶井戸いど～ 우물가.

かわあかり【川明かり】 名 (어둠 속에서) 강의 수면이 어슴푸레하게 밝음.

かわあそび【川遊び】 名 ス自 강에서 놂; 특히, 뱃놀이.

⁑かわい-い〖可愛い〗 形 **1** 귀엽다; 사랑스럽다. ¶～小犬こいぬ 귀여운 강아지/～花はな 예쁜 꽃/孫まごが～·くてしようがない 손자가 못 견디게 귀엽다. **2** 작다. ¶～電池でんち 작은 전지. **3** 사랑하고 있다. ¶～·さ余あまって憎にくさ百倍ひゃくばい 사랑이 지나쳐서 미움이 백 배. 注意 '可愛い'로 씀은 취음.

―子こには旅たびをさせよ 사랑하는 자식

에겐 여행을 시켜라(세상살이의 쓴맛을 맛보게 해 주어라)).
**かわいが-る〖可愛がる〗5他 귀여워하다; 애지중지하다. ¶子供[こども]〔猫[ねこ]〕を~ 아이〔고양이〕를 귀여워하다. 参考 반어(反語)적으로 '구박하다'·'괴롭히다'의 뜻으로도 씀. ¶後輩[こうはい]〔新入[しんいり]り〕を~ 후배를〔신참을〕괴롭히다〔닦달하다〕. 可能かわいが-れる下1自
かわいげ〖可愛げ〗名 귀여운 데; 귀염성. ¶まったく~のない人[ひと] 귀염성이라고는 조금도 없는 사람.
**かわいそう〖可哀相〗ダナ 불쌍한 모양; 가엾은〔가련한〕모양. ¶~な孤児[こじ] 불쌍한 고아/いかにも~に見[み]える 정말로 가엾어 보인다/~に, またしかられている 가엾게도 또 야단을 맞고 있다.
*かわいらし-い〖可愛らしい〗形 귀엽다; 사랑스럽다; 작고 예쁘장스럽다. ¶~子供[こども] 귀여운 아이/~時計[とけい] 작고 예쁘장한 시계/赤[あか]ん坊[ぼう]の~手[て] 젖먹이의 귀여운 손.
かわうお【川魚】名 민물고기. ¶~料理[りょうり] 민물고기 요리.
かわうそ〖獺·川獺〗名〔動〕수달. =かわおそ. 参考 특별 천연기념물로 지정.
かわおび【皮帯·革帯】名 혁대; 가죽띠; 벨트. =バンド·ベルト.
**かわか-す【乾かす】5他 말리다. =干[ほ]す. ¶洗濯物[せんたくもの]〔ぬれた着物[きもの]〕を~ 세탁물〔젖은 옷〕을 말리다.
かわかみ【川上】名 (강의) 상류. =上流[じょうりゅう]. ↔川下[かわしも].
かわき【乾き】名 마름; 건조. ¶~物[もの] 마른안주/~が早[はや]い 건조가 빠르다.
かわき【渇き】名 목마름; 갈증. ¶心[こころ]の~ 마음의 갈증/喉[のど]の~をいやす 갈증을 풀다/~を覚[おぼ]える 갈증이 나다.
かわぎし【川岸·河岸】名 하안(河岸); 강가; 강기슭; 냇가; 강변. =かし.
かわきり【皮切り】名 1 맨 처음 뜨는 뜸. 2 최초; 일의 시작; 시초; 개시. =初手[しょて]·手始[てはじ]め. ¶式[しき]を~にいろいろの行事[ぎょうじ]が行[おこな]われる 식을 시작으로 여러 가지 행사가 행해진다/~にぼくが歌[うた]おう 개시로 내가 노래하겠다.
**かわ-く【乾く】5自 1 마르다; 건조하다. ¶冬[ふゆ]の~·いた風[かぜ]がつめたい 겨울의 건조한 바람이 차갑다/地面[じめん]が~ 땅이 마르다. ↔湿[しめ]る. 2 인간미가 없고 냉담한 느낌을 주다. ¶~·いた心[こころ] 메마른 마음〔인정〕.
**かわ-く【渇く】5自 1 목이 마르다; 물이 마르다. ¶のどが~ 목이 마르다. 2 몹시 바라다; 결근거리다. ¶音楽[おんがく]に~ 음악에 굶주리다 / いい読[よ]み物[もの]に~·いている 좋은 책을 읽기를 갈망하고 있다/親[おや]の愛[あい]に~·いている 부모의 사랑에 굶주리고 있다. 「구.
かわぐ【皮具·革具】名 가죽으로 만든 도
かわくだり【川下り】名 배·뗏목을 타고 강을 내려감; 특히, 급류 타기.
かわぐち【川口·河口】名 하구; 강어귀. =川[かわ]じり·河口[かこう].
かわぐつ【皮靴·革靴】名 가죽 구두〔신〕.
かわごし【川越し】一名ス自 걸어서 강을 건넘; 월천(越川). ¶~してとなり村[むら]へ行[ゆ]く 강을 건너서 이웃 마을에 가다. 二名 1 강 건너. ¶~に声[こえ]をかける 강 건너로 소리치다. 2 월천꾼. ¶~人足[にんそく] 월천꾼. 「공.
かわざいく【皮細工·革細工】名 가죽 세
かわざんよう【皮算用】名 독장수셈(('とらぬ狸[たぬき]の皮算用(=너구리 보고 피물(皮物) 돈 내어 쓴다)'의 준말)). ⇨むなざんよう. 「川上[かわかみ].
かわしも【川下】名 하류; 강 아래쪽. ↔
かわじり【川じり】〖川尻〗名 1 하류; 물아래. =川下[かわしも]. 2 강어귀. =川口[かわぐち].
かわ-す【交わす】5他 1 주고받다; 교환하다. ¶話[はなし]を~ 이야기를 주고받다. 2 교차하다. ¶情[じょう]を~ 남녀가 육체관계를 맺다. 3《接尾語적으로》서로 같은 동작을 하다. ¶見[み]~ 서로 맞보다/取[と]り~ 주고받다; 교환하다/言[い]い~ 말을 주고받다. 可能かわ-せる下1自
かわ-す〖躱す〗5他 몸을 홱 돌려 비키다〔피하다〕. ¶体[からだ]を~ 몸을 홱 돌려 피하다/するどい質問[しつもん]を~ 날카로운 질문을 피하다. 可能かわ-せる下1自
かわず〖蛙〗名〈雅〉개구리. =かえる.
かわすじ【川筋】名 1 강줄기. =川路[かわじ]. 2 강가 일대의 땅. ¶~にある村[むら] 강가에 있는 마을.
かわせ【川瀬】名 (강의) 여울. ¶~を渡[わた]る 여울을 건너다. ↔川[かわ]よど.
*かわせ【為替】名 1 환(換). 2 '為替手形[てがた]'의 준말. 3 '為替相場[そうば]'의 준말.
―ぎんこう【―銀行】名 외환 은행.
―そうば【―相場】名 환시세; 환율.
―てがた【―手形】名 환어음. 「そうば.
―レート[rate]名 환율. =かわせ相場
かわせみ〖川蟬·翡翠〗名〔鳥〕물총새.
かわぞい【川沿い】名 강가; 냇가. ¶~の町並[まちな]み 강가의 주택·상점들이 죽 늘어선 거리/~に行[ゆ]く 강을 따라 가다.
かわそう【皮装·革装】名 표지를 가죽으로 장정함. ¶~本[ぼん] 가죽 장정본.
かわぞこ【川底】名 강〔냇〕바닥. ¶~をさらう 강바닥을 쳐내다〔준설하다〕.
かわづたい【川伝い】名 강을 따라서〔끼
かわづつみ【川堤】名 강둑. 〔고〕감.
かわづら【川面】名 강의 수면. =かわも. ¶~を渡[わた]る風[かぜ] 강의 수면을 스쳐 가는 바람.
かわづり【川釣り】名 강낚시.
かわと【皮と·革と】〖皮砥·革砥〗名 혁지; 가죽숫돌; 면도칼을 가는 가죽 띠.
かわどこ【川床·河床】名 강바닥; 하상. =河床[かしょう]. ¶~が浸食[しんしょく]される 하상이 침식되다.
かわとじ【皮とじ·革とじ】〖革綴じ〗名 책 표지를 가죽으로 제본함; 또, 그 책.
かわどめ【川止め】名ス他 江戸[えど] 시대

에, 큰물이 났을 때 도강(渡江)을 금지한 일. ↔川明き.
かわなか【川中】图 강의 중앙; 강 복판.
かわながれ【川流れ】图 강물에 떠내려감; 강에 빠져 죽음; 또, 그 사람. ¶昨日~があった 어제 익사(자)가 있었다.
かわはぎ〖皮剝ぎ〗图〔魚〕쥐치.
かわばた【川端】图 냇가; 강가. ¶~のそぞろ歩き 강가 산책. 「폭.
かわはば【川幅·河幅】图 강의 너비; 강
かわばり【皮張り·革張り】图 가죽을 씌움〔씌운 것〕. ¶~のソファー 가죽을 씌운 소파.
かわひも【皮ひも·革ひも】图 가죽 끈.
かわびょうし【革表紙】图 가죽 표지.
かわびらき【川開き】图 그해의 강놀이 개시를 축하하여 냇가에서 불꽃놀이를 하는 연중행사. ⇨やまびらき.
かわぶくろ【皮袋·革袋】图 가죽 부대.
かわぶち【川縁】图〈口〉강가; 강변; 천변(川邊). =川端. 「배; 물윗배.
かわぶね【川船】图 강을 다니는 작은
かわべ【川辺】图〈雅〉강변; 냇가. =川端. ¶~にたたずむ 강변에 잠시 멈춰 서다. 「ち.
かわべり【川べり】《川縁》图 ☞かわぶ
かわみず【川水】图 강물.
かわむかい【川向かい】图 ☞かわむこう. ¶~の村 강 건너 마을.
かわむこう【川向こう】图 강 건너편; 대안(對岸). =川むかい.
—の火事 강 건너 불《자기에게는 아무런 관계도 없는 일의 비유》.
かわも[川面] 图 강의 수면. =川づら.
かわや【皮屋】图 피혁상〔가공업자〕.
かわや〖厠〗图 뒷간; 변소. 參考 옛날에, 냇물 위에다 지은 데서 '川屋'로도 썼음.
かわやなぎ〖楊柳·水楊〗图〔植〕냇버들.
かわよど【川よど】《川淀》图〈雅〉냇물이 괸 곳. ↔川瀬.
***かわら**〖瓦〗图 기와. ¶~屋根 기와 지붕 / ~で屋根をふく 기와로 지붕을 이다. ⇨かわらぶき. 「갈] 밭; 서덜.
かわら【川原·河原】图 강가의 모래〔자
かわらばん【かわら版】《瓦版》图 江戸시대에 찰흙에 글씨나 그림 등을 새겨, 기와처럼 구운 것을 판으로 하여 인쇄한 속보 기사판.
かわらぶき〖瓦葺き〗图 기와로 지붕을 임; 또, 그 지붕. ¶~の家 기와집. ⇨わらぶき·いたぶき.
⁂かわり【代わり】《替わり》⊟图 **1** 대리; 대용; 대신. ¶~の品物 대용 물품 / ~の人 대신하는 사람; 대리 / ~を勤める 대리역을 하다. **2** 대신《보상의 뜻》. ¶高給を出す~によく働いてもらいたい 높은 급료를 주는 대신 일을 잘해 주기 바란다 / 助けてやる~に命令に従え 도와줄 테니 대신 명령에 따라라. **3** 교대(자). ¶~が来る 교대(자)가 오다. **4** 한 그릇 다 먹고 다시 한 그릇을 더 먹음. ¶ご飯の(お)~をする 밥 한 그릇 더 들다. ⊟接尾《名詞에 붙어》 '…대용'의 뜻을 나타냄. 注意 대개 'がわり'로 연독(連讀)함. ¶香典がわり 부의(賻儀) 대신.
⁂かわり【替わり·換わり】《代わり》图 갈마듦; 교체.
かわり【変わり】图 **1** 다름; 변함. ¶以前と~がない 이전과 다름이 없다. **2** 이상; 별고. ¶~なく暮らす 별고 없이 지내다 / お~ありませんか 별고 없으십니까. **3** 차이. ¶一見本物と~はない 일견 진짜와 차이가 없다.
かわりあ-う【代わり合う】5自 갈마들다; 번갈아 하다; 교대하다. ¶寝ずの番を~ 불침번을 교대하다.
かわりがわり【代わり代わり】副 차례로; 번갈아. =かわるがわる.
かわりだね【変わり種】图 **1** 변종; 별종. **2** 괴짜; 기인. =変わり者. ¶学者としては~だ 학자로서는 괴짜다.
かわりばえ【代わり栄え·代わり映え】图ス自 바뀐 까닭에 전보다 잘됨; 바뀐 보람. ¶~しない顔ぶれ 전보다 나은 것 같지 않은 면면〔인사〕/ 今度の長官も一向~がしない 이번 장관도 전혀 바뀐 보람이 없다. 參考 흔히, 뒤에 否定의 말이 옴.
かわりは-てる【変わり果てる】下1自 (좋지 않게) 아주 변해 버리다. ¶~·てた姿 딴판으로 변해 버린 모습 / 戦争で町の様子が~ 전쟁으로 거리 모습이 아주 변해 버리다.
かわりばんこ【代わり番こ】图 교대 순번; 교대. =かわり番. ¶~に鬼になる 교대로 술래가 되다 / ~に見張りをする 교대로 망을 보다 / ~にぶらんこに乗る 교대로 그네를 타다.
かわりみ【変わり身】图 몸의 위치를 순간적으로 바꿈; 전하여, 변신; 전향(轉向). ¶~が早い 변신이 빠르다.
かわりめ【変わり目】图 **1** 바뀔 때. ¶季節の~ 환절기 / 世代の~ 세대가 바뀔 때. **2** 구별; 차이.
かわりもの【変わり者】图 괴짜; 기인; 별난 사람. =変人. ¶~だが腕は利く 괴짜지만 능력은〔솜씨는〕 있다.
⁂かわ-る【代わる】5自 대리〔대신〕하다; 대표하다. ¶私が~·りましょう 제가 대신하겠습니다 / 一同に~·って 일동을 대신해서 / 今や石油が石炭にとって~·った 바야흐로 석유가 석탄의 자리를 대신하게 되었다. 可能 かわ-れる 下1自
⁂かわ-る【替わる·換わる】5自他 바꾸다; 바뀌다; 갈리다; 교체〔교환〕되다〔하다〕. =いれかわる. ¶世代〔長官〕が~ 세대가〔장관이〕 바뀌다 / 席を~ 자리를 바꾸다. 可能 かわ-れる 下1自
⁂かわ-る【変わる】5自 **1** 변(화)하다; 바뀌다. ¶声が~ 목소리가 변하다 / 住まいが~ 주소가 바뀌다 / 年が~ 해가 바뀌다 / 相も~·らず元気に働く

변함없이 건강하게 일하다. **2** 틀리다. ¶動物と～ところがない 동물과 다를 바가 없다. **3**《'た·ている'와 합하여》(보통과는) 다르다. ¶一風～·った建物 어딘가 색다른 데가 있는 건물 / あの人は～·っている 저 사람은 별나다〔괴짜다〕/ 人が～·ったように暴れる 딴 사람처럼 사납게 날뛰다. [可能]かわ-れる[下1自]

かわるがわる【代わる代わる】[副] 번갈아 가며; 교대로. ＝かわりばんこに·かわりがわり. ¶～出て歌を歌う 교대로 나가서 노래 부르다 / 二人で～運転する 둘이 번갈아 가며 운전하다.

かわわたし【川渡し】[名] 옛날, 길손 등을 가마나 목말을 태워 내를 건네주던 일; 또, 그 일꾼.

かん【缶】《罐·鑵》[一][名] **1** 깡통. ¶ドラム～ 드럼통 / あき～ 빈 깡통 / ～に詰める 깡통에 담다. **2** 'かんづめ(＝통조림)'의 준말. ¶～をあける 통조림을 따다. [二][接尾] …통; (깡)통 등을 세는 말. ¶灯油二～ 등유 두 통. ▷네 kan; 영 can.

かん【刊】[名] 간; 간행; 출판. ¶2002年～ 2002년 간(행).

かん【勘】[名] 직감력; 육감. ¶～が鋭い 직감력이 날카롭다 / ～を働かせる 직감력을 발휘하다 / ～に頼る 직감에 의지하다.

かん【巻】[一][名] 책; 서적. ¶～をとじる 책을 덮다 / ～を措くあたわず 책을 놓을 수 없다. [二][接尾] …권. ¶全五～の本 전 5권의 책.

かん【官】[一][名] 관; 벼슬. ¶～を辞す 벼슬을 그만두다 / ～につく 관직에 오르다. [二][接尾] …관. ¶裁判～ 재판관.

かん【寒】[名] 한중(寒中); 소한에서 입춘까지의 약 30일간. ¶～の入り 한중에 접어듦; 또, 그날 / ～の明け 한중이 끝나는 날; 입춘.

—が明ける 한중이 끝나다; 입춘이 되다.

かん【感】[一][名] 감; 느낌. ¶～きわまる 몹시 감격하다 / ～に堪えない 감개무량하다. [二][接尾] …감; …느낌. ¶無力～ 무력감 / 幸福～ 행복감.

かん【棺】[名] 관; 널. ＝ひつぎ·棺桶. ¶～に納める 입관(入棺)하다.

—を蓋いて事定まる 개관사정(蓋棺事定)《사람의 진가는 사후에야 안다》.

かん【歓】[名] 기쁨; 즐거움.

—を尽くす 마음껏 즐기다. ¶一夜～ 하룻밤 실컷 즐기다.

かん［燗］[名] 술을 알맞게 데우는 일; 또, 그 데운 정도. ¶～をつける 술을 알맞게〔따끈하게〕 데우다 / ～が熱過ぎる 술이 너무 뜨겁게 데워지다 / いい(お)～だ 술이 알맞게 데워졌다.

かん［鐶］[名] (금속제) 고리. ¶カーテン〔蚊帳〕の～ 커튼〔모기장〕의 고리 / たんすの～ 장롱의 손잡이 고리.

かん［疳］[名] (주로 어린이의) 신경질적이고 짜증을 잘 내는 성질; 신경성 소아병《경풍 따위》.

—の虫 '疳'의 속칭; 감병(疳病); 짜증. ¶～が強い 짜증이 심하다.

かん［癇］[名] 성을 잘 내는 성질·병; 신경질; 피새. ＝疳. ¶～の強い子 신경질적인 아이 / ～が高ぶる 신경이 날카로워지다.

—に触る 신경을〔부아를〕 건드리다; 신경질나다. ＝しゃくにさわる.

かん【管】[一][名] 관. ¶ガスの～ 가스관 / コンクリートの～を埋める 콘크리트관을 묻다. [二][接尾] 피리 따위를 세는 말. ¶横笛の三～ 저 세 자루.

かん【簡】[ダナ] 손쉬움; 간단〔간결〕함. ¶～にして要を得る 간결하면서 요령이 있다 / ～に過ぎる 너무 간략하다.

かん［緘］[名] 봉(封)함; 봉함(封緘).

かん【艦】[名] 함; 군함. ¶～と運命を共にする 군함과 운명을 같이하다.

かん【観】[名] **1** 외관; 모양; 상태; 느낌. ¶さながら地獄の～をなす 마치 지옥과 같은 상태다. **2**《接尾語적으로》 관; 견해; 관점. ¶人生～ 인생관.

かん【貫】[名] 관《무게의 단위. 약 3.75kg》.

かん【間】[名] 간. **1** 틈; 사이; 동안. ¶天地の～ 천지간 / その～の事情 그간의 사정 / 指呼の～ 지호지간 / ～に乗ずる 기회를 틈타다 / ～を生じる 틈이 생기다; 사이가 틀어지다. **2**《接尾語적으로》 사이. ¶夫婦～ 부부간 / 東京·大阪～ 東京·大阪 간〔사이〕.

—髪を入れず 금방; 재빨리; 즉시; 지체없이. ＝すかさず.

かん【閑】[名] 한가함. ¶忙中の～ 망중한 / 忙中～あり 망중유한(有閑).

かん【館】[名] 관. **1** (큰) 건물. ¶公民～ 공민관. **2** 여관; 여인숙. ＝やどや.

かん〖干〗[教6] カン ほす ひる | 간 방패 | **1** 방패(로 막다); 방비하다. ¶干戈 간과 / 干城 간성. **2** 마르다; 말리다. ¶干満 간만 / 干潮 간조.

かん〖刊〗[教5] カン | 간 깎다 | **1** 칼로 깎다; 새기다. ¶刊刻 간각. **2** 책을 출판하다. ¶刊行 간행 / 発刊 발간.

かん〖甘〗[常用] カン あまい うまい あまえる あまやかす | 감 달다 | **1** 달다; 맛 좋다. ¶甘味 감미 / 甘露 감로. **2** 만족해〔기쁘게〕 하다; 감수하다. ¶甘言 감언 / 甘受 감수.

かん【奸】カン | 간 간악하다 | 간사하다; 간악하다. ¶奸臣 간신 / 奸悪 간악.

かん〖汗〗[常用] カン あせ | 한 땀 | 땀; 땀나다〔내다〕. ¶汗腺 한선 / 発汗 발한 / 汗馬 한마.

かん〖缶〗《罐》[常用] カン | 관 두레박 | 깡통; 양철통. ¶缶詰 통조림 / 空き缶 빈 깡통. [参考] can의 취음. 본디, '缶'의 음은 'フ'로서, '罐'과는 다른 자(字).

かん〖完〗[教4] カン まったい | 완 완전하다 | 1 완전하다. ¶完備(かんび) 완비 / 完璧(かんぺき) 완벽. ↔欠(けつ). 2 끝나다. ¶完了(かんりょう) 완료.

かん〖肝〗[常用] カン きも | 간 간 | 1 간; 간장. ¶肝油(かんゆ) 간유. 2 마음; 진심. ¶肝胆(かんたん) 간담.

かん〖官〗[教4] カン つかさ | 관 벼슬 | 1 벼슬아치; 관리. ¶高官(こうかん) 고관. 2 국가 기관. ¶官庁(かんちょう) 관청. 3 기관(器官). ¶官能(かんのう) 관능.

かん〖冠〗[常用] カン かんむり | 관 갓 | 1 (쓰는) 관; 관을 쓰다. ¶王冠(おうかん) 왕관 / 戴冠(たいかん) 대관. 2 첫째. ¶冠絶(かんぜつ) 관절 / 栄冠(えいかん) 영관.

かん〖巻〗《卷》[教6] カン ケン まく まき | 권 말다 | 1 감다; 말다. ¶席巻(せっけん) 석권. 2 감은 것; 두루마리; 특히, 서적. ¶巻(かん)をおく 책을 (손에서) 놓다 / 巻頭(かんとう) 권두.

かん【姦】カン かしましい | 간 간음하다 | 1 부정을 하다; 간악하다. ¶姦臣(かんしん) 간신 / 姦悪(かんあく) 간악. 2 간통하다; 여자를 범하다. ¶姦通(かんつう) 간통 / 強姦(ごうかん) 강간.

かん〖看〗[教6] カン みる | 간 보다 | 살펴[지켜] 보다; 보살피다. ¶看守(かんしゅ) 간수 / 看護(かんご) 간호.

かん〖陥〗《陷》[常用] カン おちいる おとしいれる | 함 빠지다 | 1 함락하다; 빠지다. ¶陥没(かんぼつ) 함몰 / 失陥(しっかん) 실함. 2 실수; 부족한 점. ¶欠陥(けっかん) 결함.

かん〖乾〗[常用] カン ケン ほす かわく かわかす いぬい | 건 마르다 | 1 마르다; 말리다. ¶乾燥(かんそう) 건조 / 乾湿(かんしつ) 건습. 2 (땅에 대한) 하늘. ¶乾坤(けんこん) 건곤. ↔坤(こん).

かん〖勘〗[常用] カン かんがえる | 감 살피다 | 1 잘 생각해 조사하다. ¶勘案(かんあん) 감안 / 勘定(かんじょう) 계산. 2 제육감; 직감력. ¶勘(かん)で分(わ)かる 육감으로 알다.

かん〖患〗[常用] カン ゲン わずらう うれえる | 환 근심 | 1 근심하다; 괴로움. ¶外患(がいかん) 외환. 2 병; 앓다. ¶患者(かんじゃ) 환자.

かん〖貫〗[常用] カン つらぬく | 관 꿰다 | 1 꿰뚫다; 관철하다. ¶貫徹(かんてつ) 관철 / 貫通(かんつう) 관통 / 一貫(いっかん) 일관. 2 호적. ¶本貫(ほんかん) 본관.

かん〖寒〗《寒》[教3] カン さむい | 한 차다 | 1 추위; 춥다. ¶寒暑(かんしょ) 한서 / 厳寒(げんかん) 엄한. 2 24절기의 소한과 대한. ¶寒中(かんちゅう) 한중 / 大寒(だいかん) 대한.

かん〖喚〗[常用] カン よぶ めす | 환 부르다 | 1 외치다. ¶喚声(かんせい) 환성 / 喚呼(かんこ) 환호. 2 불러오다. ¶召喚(しょうかん) 소환.

かん〖堪〗[常用] カン タン たえる こらえる たまる | 감 견디다 | 견디다; 참다. ¶堪忍(かんにん) 감인; 인내.

かん〖換〗[常用] カン かえる かわる | 환 바꾸다 | 바꾸다; 바뀌다. ¶換算(かんさん) 환산 / 交換(こうかん) 교환 / 転換(てんかん) 전환.

かん〖敢〗[常用] カン あえて | 감 굳세다 | 감연히 하다. ¶敢行(かんこう) 감행 / 果敢(かかん) 과감.

かん〖棺〗[常用] カン ひつぎ | 관 널 | 관. ¶棺桶(かんおけ) 관; 널 / 石棺(せっかん) 석관 / 出棺(しゅっかん) 출관.

かん〖款〗[常用] カン | 관 정성 | 1 정성; 진심으로 사귀다. ¶款待(かんたい) 관대 / 交款(こうかん) 교관. 2 조항; 항목. ¶約款(やっかん) 약관 / 定款(ていかん) 정관.

かん〖間〗《間》[教2] カン ケン あいだ ま | 간 사이 | 1 사이; 틈; 동안. ¶間隙(かんげき) 간극; 틈 / 三日間(みっかかん) 삼일간; 사흘 동안. 2 좋은 기회; 틈. ¶その間(かん)を利用(りよう)して 그 기회를[틈을] 이용하여.

かん〖閑〗[常用] カン | 한 한가하다 | 1 조용하다. ¶閑寂(かんじゃく) 한적 / 清閑(せいかん) 청한. 2 한가하다. ¶閑居(かんきょ) 한거 / 閑職(かんしょく) 한직.

かん〖勧〗《勸》[常用] カン ケン すすめる | 권 권하다 | 권고하다; 장려하다. ¶勧誘(かんゆう) 권유 / 勧奨(かんしょう) 권장.

かん〖寛〗《寬》[常用] カン ひろい ゆるやか | 관 너그럽다 | 너그럽다; 넓고 여유가 있다. ¶寛大(かんだい) 관대 / 寛容(かんよう) 관용.

かん〖幹〗[教5] カン みき | 간 줄기 | 줄기; 몸통; 주요 부분. ¶幹線(かんせん) 간선 / 主幹(しゅかん) 주간.

かん〖感〗[教3] カン | 감 감동하다 | 감동하다; 느낌. ¶感覚(かんかく) 감각 / 感激(かんげき) 감격 / 快感(かいかん) 쾌감 / 好感(こうかん) 호감.

かん〖漢〗《漢》[教3] カン から | 한 한나라 | 1 중국 본토; 또, 한(漢)민족; 중국에 관한 일. ¶漢土(かんど) 한토 / 漢文(かんぶん) 한문. 2 남자; 사나이. ¶好漢(こうかん) 호한.

かん〖慣〗[教5] カン なれる ならす | 관 익숙하다 | 익(숙하)다; 버릇; 습관. ¶慣習(かんしゅう) 관습 / 慣行(かんこう) 관행 / 慣用(かんよう) 관용.

かん〖管〗[教4] カン くだ | 관 관 | 1 관. ¶ガスの管(かん) 가스관 / 血管(けっかん) 혈관. 2 관할하다. ¶管理(かんり) 관리 / 所管(しょかん) 소관.

かん〖関〗《關》[教4] カン せき かかわる | 관 문빗장 | 1 빗장. ¶関鑰(かんやく) 관약《빗장과 자물쇠》. 2 관계[관여]하다. ¶関知(かんち) 관지 / 連関(れんかん) 연관.

かん〖歓〗《歡》[常用] カン よろこぶ | 환 기뻐하다 | 기쁨; 기뻐하다. ¶歓心(かんしん) 환심 / 歓楽(かんらく)

환락 / 哀歓 애환 / 歓迎 환영.

かん〖監〗常用 カン ケン みる | 감 살피다 | **1** 내려다 보다; 감시〔감독〕하다. ¶監察 감찰 / 監視 감시. **2** 감방. ¶監獄 감옥.

かん〖緩〗《緩》常用 カン ゆるい ゆるやか ゆるむ ゆるめる | 완 느리다 | 느리다; 완만하다; 늦추다; 느슨하다. ¶緩急 완급 / 緩和 완화 / 弛緩 이완.

かん〖憾〗常用 カン うらむ | 감 섭섭하다 | 섭섭히 생각하다. ¶遺憾 유감.

かん〖還〗《還》常用 カン ゲン かえる かえす | 환 돌아오다 | 돌아오다; 돌아가다. ¶還元 환원 / 生還 생환.

かん〖館〗《館》教3 カン やかた たち | 관 객사 | **1** 여관. ¶館舎 관사 / 旅館 여관. **2** 공공의 건물. ¶図書館 도서관.

かん〖環〗《環》常用 カン わ めぐる たまき | 환 고리 | **1** 고리; 바퀴 모양. ¶環状 환상 / 金環 금환. **2** 한바퀴 돌다; 두르다. ¶循環 순환.

かん【韓】カン | 한 나라이름 | **1** 중국 고대의 나라 이름. **2** ㉠삼한(三韓). ㉡한국; 대한민국. ¶日韓会談 한일 회담.

かん〖簡〗教6 カン けん えらぶ | 간 대쪽 | **1** (글자를 쓸 수 있는) 댓조각; 편지. ¶書簡 서간. **2** 손쉽다. ¶簡易 간이. ↔繁.

かん〖観〗《觀》教4 カン みる | 관 보다 | **1** 잘 보다. ¶観察 관찰 / 観光 관광 / 参観 참관. **2** 심중으로 생각하여 본질을 깨닫다. ¶観照 관조 / 直観 직관.

かん〖艦〗常用 カン ふね | 함 싸움배 | 군함. ¶艦首 함수 / 砲艦 포함 / 潜水艦 잠수함.

かん〖鑑〗常用 カン かがみ かんがみる | 감 거울 | **1** 거울; 본보기. ¶印鑑 인감 / 亀鑑 귀감. **2** 거울에 비추어 보다. ¶鑑定 감정.

がん【眼】图 **1** 눈; 눈알. **2**《接尾語적으로》안; 보는 눈. ¶審美～ 심미안.

がん【雁】图〔鳥〕기러기. ＝かりがね.

*__がん__【癌】图〔醫〕암. ¶肺～ 폐암 / ～細胞 암세포 / 社会の～ 사회의 암.

がん【願】图 **1** 신불에게 기원함. **2** 소원. ¶～がかなう 소원이 이루어지다.

—をかける 신불에게 소원성취를 빌다.

ガン [gun] 图 건. **1** 총포; 총. ¶～マン 건맨; 총잡이. **2** 소총 모양의 도구. ¶スプレー～ (소총 모양의) 분무기.

がん〖丸〗教2 ガン まる まるい まるめる | 환 알 | **1** 둥글다; 작고 둥근 것. ¶丸薬 환약. **2** 탄알. ¶弾丸 탄환 / 砲丸 포환.

がん〖含〗常用 ガン ふくむ ふくめる | 함 머금다 | 머금다; 내포하다. ¶含有 함유 / 含蓄 함축 / 包含 포함.

がん〖岸〗教3 ガン きし | 안 언덕 | 물가; 낭떠러지. ¶対岸 대안 / 海岸 해안 / 彼岸 피안.

がん【玩】ガン もてあそぶ | 완 장난하다 | 장난감삼다. ¶玩具 완구 / 愛玩 애완.

がん〖岩〗教2 ガン いわ いわお | 암 바위 | 바위. ¶岩石 암석 / 岩礁 암초.

がん〖眼〗教5 ガン ゲン まなこ め | 안 눈 | **1** 눈. ¶眼球 안구 / 碧眼 벽안. **2** 사물을 분별하는 능력. ¶眼識 안식.

がん〖頑〗常用 ガン かたくな | 완 완고하다 | 완고하다; 융통성이 없다; 외고집. ¶頑として 완강히 / 頑固 완고.

がん〖顔〗《顏》教2 ガン かお かんばせ | 안 얼굴 | 얼굴. ¶顔面 안면 / 顔色 안색.

がん〖願〗教4 ガン ねがう | 원 바라다 | **1** 바라다; 소원하다. ¶願書 원서 / 哀願 애원. **2** 신불에게 빌다. ¶発願 발원.

かんあく [奸悪·姦悪] 名ナ 간악. ¶～な人 간악한 사람.

かんあけ【寒明け】图 대한이 지나고 입춘이 되는 일. ↔寒の入り.

かんあつし【感圧紙】图 감압지.

かんあん【勘案】图ス他 감안. ¶事情を～する 사정을 감안하다.

かんい【官位】图 관위; 관등(官等). ¶～を剥奪される 관위를 박탈당하다.

かんい【簡易】图ダナ 간이. ¶～食堂 간이식당 / ～な方法 쉬운 방법.

—かきとめ【—書留】图 간이 등기 우편.

—さいばんしょ【—裁判所】图 간이 재판소.

—すいどう【—水道】图 간이 수도.

—ゆうびんきょく【—郵便局】图 간이 우체국.

かんいっぱつ【間一髪】图 간일발. ¶～の差 간일발의 차 / ～で間に合う 아슬아슬하게 대(어 가)다 / ～で助けられた 아슬아슬하게 구조되었다.

かんいん [姦淫] 图ス自他 간음. ＝姦通. ¶～罪 간음죄.

かんうんやかく [閑雲野鶴] 图 한운야학. ¶～を友とする 한운야학을 벗삼다.

かんえい【官営】图 관영. ¶～事業 관영 사업. ↔民営.

かんえつ【観閲】图ス他 군대 등을 검열〔사열〕함. ¶～式 사열식.

かんえん【肝炎】图〔醫〕간(장)염. ¶血清～ 혈청 간염.

がんえん【岩塩】图 암염; 돌소금. ＝やまじお.

かんおう【観桜】图 벚꽃을 관상함. ＝花見. ¶～会 벚꽃놀이 모임.

かんおけ【棺おけ】《棺桶》图 관(棺). ＝ひつぎ·棺.
―に片足をつっこむ 여명이 얼마 안 남다.

かんおん【漢音】图 한음《장안(長安)·낙양 등 중국의 북쪽에서 사용되던 음이 수(隋)·당(唐) 이후에 일본에 전해진 한자의 음: '行'을 'コウ', '明'을 'メイ'로 읽는 따위》.

かんか［干戈］图 간과; 방패와 창; 무기. ¶～におよぶ 전쟁에 이르다.
―を交える 전쟁을 하다; 교전하다.

*かんか【感化】图ス他 감화. ¶友人に～される 친구에게 감화를 받다/父の～を受ける 아버지의 감화를 받다.

かんか【看過】图ス他 간과. ¶～できない事態 간과할 수 없는 사태/～すべからざる問題 간과할 수 없는 문제.

かんか【管下】图 관하; 관내. ¶中央気象台～の測候所 중앙 기상대 관하의 측후소.

かんか【閑暇】图 한가; 한가한 틈. ¶～を利用して 여가를 이용하여.

かんが【閑雅】图ダナ 한아; 조용하고 우아함. ¶風姿～ 풍자 한아/～な別荘地 한아한 별장지.

がんか【眼下】图 안하; 눈 아래. ¶～に広がる景観 눈 아래 펼쳐지는 경관.

がんか［眼窩·眼窠］图 안와; 눈구멍.

がんか【眼科】图 안과. ¶～医 안과의.

かんかい【官界】图 관계. ¶～にある者 관계에 있는 사람; 공무원/～に入る 관계에 들어가다; 관리가 되다.

かんかい【感懐】图 감회. ¶～を抱く 감회를 품다/～無きあたわず 감회가 없을 수 없다《감개무량하다》.

かんがい【寒害】图 한해; 상해(霜害); 동해(凍害). ＝冷害.

かんがい【感慨】图 감개. ¶～にふける 감개에 잠기다.
―むりょう【―無量】ダナ 감개무량. ¶～な面持ち 감개무량한 표정.

かんがい【干害】《旱害》图 한해. ¶～を蒙る 한해를 입다. 注意 '干害'는 대용 한자.

かんがい［灌漑］图ス他〘農〙 관개. ¶～工事［用水］ 관개 공사［용수］/畑を～する 밭을 관개하다.

がんかい【眼界】图 안계. **1** 시계(視界). ¶～が開ける 시계가 트이다. **2** 시야. ¶～が狭い 시야가 좁다.

⁑かんがえ【考え】图 생각. ¶～も及ばない 생각［상상］도 못하다/～が甘い 생각이 낙관적이다［안이하다］/～が深い 생각이［사려가］ 깊다/いい～が浮かぶ 좋은 생각［착상］이 떠오르다/～をめぐらす 두루 생각하다/～を決める 생각을 정하다; 결심하다/当局の～をただす 당국의 생각을 묻다［따지다］/援助打ち切りの～を示す 원조 중단의 의사를 표시하다/彼には彼の～があろう 그에겐 그 나름의 생각이 있겠지.

かんがえかた【考え方】图 사고방식; 생각. ¶それは危険な～だ 그것은 위험한 생각이다.

かんがえごと【考え事】图 갖가지 생각; 궁리; 특히, 걱정거리. ¶～にふける 생각［시름］에 잠기다/～で夜も寝られない 걱정으로 밤에 잠도 못 잔다.

かんがえこ-む【考え込む】5自 골똘히 생각하다; 생각에 잠기다. ¶みなに反対されて～ 모두에게 반대를 받아 생각에 잠기다.

かんがえだ-す【考え出す】5他 **1** 생각해 내다; 고안하다. ¶新しい企画を～ 새로운 기획을 생각해 내다. **2** 생각하기 시작하다. ¶それで郷里の事を～·した 그래서 고향 일을 생각하기 시작했다.

かんがえちがい【考え違い】图ス自 잘못 생각함; 오해. ¶～もはなはだしい 오해도 심하군.

かんがえつ-く【考え付く】5他 생각나다; 생각이 떠오르다. ¶ふといい事を～·いた 문득 좋은 생각이 떠올랐다.

かんがえなお-す【考え直す】5他 **1** 다시 생각하다; 재고하다. ¶ほかによい案がないか～ 달리 좋은 안이 없을까 하고 다시 생각하다. **2** 생각을 바꾸다. ¶～·して, 行くことにした 생각을 바꾸어 가기로 했다.

かんがえぬ-く【考え抜く】5他 깊이 생각하다. ¶～·いた上の処置 깊이 생각한 다음의 조처.

かんがえぶか-い【考え深い】形 생각이 깊다; 사려가 깊다. ¶～·そうな顔つき 깊이 생각하는 듯한 표정.

かんがえもの【考え物】图 **1** 깊이 생각해 볼 일. ¶そいつは～だ 그것은 생각해 볼 일이다. **2** 수수께끼; 퀴즈. ＝はんじもの. ¶懸賞の～を解く 현상 수수께끼［퀴즈］를 풀다.

⁑かんが-える【考える】下1他 **1** 생각하다. ¶人の立場を～ 남의 입장을 생각［고려］하다/いいと～ 좋다고 생각［판단］하다/あなたの事ばかり～·えています 당신만 생각하고 있습니다/よく～·えて物を言え 잘 생각해서 말해라/自分の年を～·えてみろ 자기 나이를 생각해 봐. 参考 '思う(＝생각하다)'가 정의적(情意的)인 데 대하여,

考えるの 여러 가지 표현

표현例 じっくり(차분히)·つくづく(곰곰이)·つらつら(곰곰이)·よくよく(차근차근히; 잘).

관용 표현 頭を抱えて(머리를 싸쥐고)·頭を絞って(머리를 짜내어)·頭をひねって(머리를 짜서)·頭を冷やして(냉철하게)·首をかしげて(고개를 갸웃하며; 미심쩍게 여겨)·小首をかしげて(고개를 갸우뚱하며)·胸に手を当てて［置いて］(가슴에 손을 대고［얹고］; 곰곰이).

'考える'는 지적(知的)임. **2** 고안하다; 안출(案出)하다. ¶きばつな方法を~·えた 기발한 방법을 생각해 냈다.

―葦 생각하는 갈대《파스칼의 말》.

かんかく【感覚】 图 감각. ¶~がにぶい 감각이 무디다/~が古い 감각이 낡았다《고루하다》/現代の~にマッチする 현대 감각에 걸맞다〔어울리다〕.

―きかん【―器官】 图 감각 기관.

―ちゅうすう【―中枢】 图 감각 중추.

―てき【―的】 ダナ 감각적. ¶~な作品 감각적인 작품.

***かんかく【間隔】** 图 간격. ¶一定の~をおく 일정한 간격을 두다/五分~で発車する 5분 간격으로 발차하다.

かんがく【官学】 图 관학; 관립 학교. ¶~出 관립 학교 출신. ↔私学.

かんがく【漢学】 图 한학. ¶~者 한학자/~派 한학파. ↔国学.

がんかけ【願掛け】 图ス自 신불에게 발원함. =願だて. ¶病気がなおるように~をする 병이 낫도록 발원하다.

***かんかつ【管轄】** 图ス他 관할. ¶~裁判所 관할 재판소〔법원〕/県の~に属する 현의 관할에 속하다.

かんがっき【管楽器】 图 관악기. ↔弦楽器·打楽器.

かんが-みる【鑑みる】 上1他 (거울 삼아) 비추어 보다; 감안하다. ¶経験に~·みて 경험에 비추어/先例に~·みて処理する 전례에 비추어 처리하다/時局に~ 시국을 감안하다.

カンガルー [kangaroo] 图〔動〕캥거루.

かんかん 副 **1** 금속 따위를 두드릴 때 나는 소리: 광광; 땡땡. ¶鐘が~鳴る 종이 땡땡 울리다. **2** 햇볕이 몹시 내리쬐는 모양: 쨍쨍. ¶日が~(と)照る 햇볕이 쨍쨍 내리쬐다. **3** 숯불 따위가 세차게 피어오르는 모양: 활활. ¶炭火が~(と)おきる 숯불이 활활 피어오르다. **4** 몹시 골내는 모양. ¶あいつは今~だ 그 자식은 지금 잔뜩 골이 나 있다/~になって怒る 불같이 노하다.

カンカン [프 cancan] 图 캉캉(춤). =フレンチカンカン.

かんがん【汗顔】 图ダナ 한안; 부끄러워 얼굴에 땀이 남. =赤面. ¶~のいたりです 부끄럽기 짝이 없습니다.

がんがん 副 **1** 잔소리를 시끄럽게 하는 모양. ¶小言を~という 시끄럽게 잔소리를 하다/ラジオを~鳴らす 라디오를 시끄럽게 틀다. **2** 종소리 따위가 시끄럽게 울리는 소리: 땡땡. **3** 불을 마구 때는 모양: 활활. ¶ストーブを~焚く 난로를 마구 때다. **4** 골치가 몹시 아픈 모양: 띵. ¶かぜを引いて頭が~する 감기가 들어서 머리가 욱신욱신하다.

かんかんがくがく〔侃侃諤諤〕图 간간악악; 기탄없이 논의〔직언〕함. ¶~の論 기탄없는 논설.

かんかんでり【かんかん照り】 图 (한 여름의) 햇볕이 쨍쨍 내리쬠.

かんき【乾季·乾期】 图 건계; 건기; 건조기. ↔雨季.

かんき【勘気】 图 (주군·스승·아버지로부터 받는) 꾸지람; 노여움; 또, 그 벌. =勘当. ¶~に触れる 노여움을 사다/~をこうむる (스승이나 아버지로부터) 절연〔의절〕을 당하다.

かんき【喚起】 图ス他 환기. ¶注意を~する 주의를 환기하다.

かんき【官紀】 图 관기. ¶~紊乱 관기문란/~粛正 관기숙정.

かんき【寒気】 图 한기; 추위. =寒さ. ¶~がゆるむ 추위가 누그러지다/~団 한랭 기단. ↔暑気.

かんき【寒季】 图 추운 계절. =寒期.

かんき【換気】 图ス他 환기. ¶~装置 환기 장치/窓を開けて~する 창문을 열어 환기하다.

―こう【―口·―孔】 图 환기구.

―せん【―扇】 图 환기팬. =換気ファン.

かんき【歓喜】 图ス自 환희. =欣喜. ¶青春の~をうたう 청춘의 환희를 노래하다/~のあまり泣き出す 너무 기뻐서 울음을 터뜨리다. ↔悲哀.

―じゃくやく〔―雀躍〕图ス自 매우 기뻐 날뜀. =欣喜雀躍.

かんきつるい〔甘橘類〕图〔植〕감귤류《귤·유자·레몬 따위》.

かんきゃく【観客·看客】 图 관객. ¶~席 관객석/映画の~層を広げる 영화 관객층을 넓히다.

かんきゃく【閑却】 图ス他 한각; 등한시함; 방치. ¶重要な事を~する 중요한 일을 등한시하다.

かんきゅう【官給】 图ス他 관급. ¶~品 관급품.

かんきゅう【感泣】 图ス自 감읍; 감격해 욺. ¶師の温情に~してやまない 스승의 온정에 감읍하여 마지 않다.

かんきゅう【緩急】 图 완급. **1** 느림과 빠름; 느슨함과 급함. **2** 급함; 위급한 경우; 사변. ¶~自在 완급 자재/いったん~あるときは 일단 유사시에는.

―よろしきを得る 그때그때의 형편에 따라 적절하게 대처하다.

がんきゅう【眼球】 图 안구; 눈알. =めだま.

―ぎんこう【―銀行】 图 안구 은행. =アイバンク.

かんぎゅうじゅうとう【汗牛充棟】 图 한우충동; 장서(藏書)가 대단히 많음.

かんきょ【官許】 图ス他 관허. ¶~を得る 관허를 얻다.

かんきょ【閑居】 한거. ⊖图 조용한 거처〔집〕. ¶~にこもる 조용한 집에 틀어박혀 살다. ⊜图ス自 번거로운 세속의 일과 인연을 끊고 한가하게 삶.

かんきょう【感興】 图 감흥. =おもしろみ. ¶~をもよおす 감흥을 자아내다/~がそがれる 감흥이 깨지다/~がわく 감흥이 일다/~をそそる 감흥을 불러일으키다.

****かんきょう【環境】** 图 환경. ¶~衛生 환경 위생/家庭~ 가정 환경/~が

悪い 환경이 나쁘다 / 人間は～に支配される 인간은 환경에 지배된다.
―アセスメント [assessment] 图 환경 어세스먼트; 환경 영향 평가《EIA》.
―おせん【―汚染】图 환경오염.
―はかい【―破壊】图 환경 파괴.
―はんざい【―犯罪】图 환경 범죄; 환경을 파괴하는 범죄.
―ほご【―保護】图 환경 보호.
―ホルモン [hormone] 图 환경 호르몬《내분비 교란 물질》.
かんきょう【艦橋】图 함교; 브리지. ＝ブリッジ.
かんぎょう【勧業】图 권업; 산업을 권장함.
がんきょう【頑強】图ダナ 완강. ¶～に拒む 완강히 거부하다 / ～な抵抗にあう 완강한 저항에 부딪히다.
がんきょう【眼鏡】图 안경. ＝めがね. ¶～店 안경방〔점〕.
かんきり【缶切り】图 깡통 따개. ¶～であける 깡통 따개로 따다.
かんきわま-る【感極まる·感窮まる】5自 몹시 감동하다. ¶～·って泣き出す 너무 감동하여 울어 버리다.
かんきん【官金】图 관금; 관청〔정부〕의 돈. ¶～の濫費 관금의 낭비.
かんきん【換金】图ス自他 환금; 물건을 팔아 돈으로 바꿈. ¶～作物 환금 작물《과일·채소 따위》. ↔換物.
かんきん【かん菌】《桿菌》图〔醫〕간균.
かんきん【監禁】图ス他 감금. ¶～罪 감금죄 / 不法～ 불법 감금 / 独房に～する 독방에 가두다.
がんきん【元金】图 **1** 자본(금); 밑천. **2** 원금. ＝もときん. ¶～と利子をあわせて返す 원금과 이자를 합쳐서 갚다. ↔利子·利息.
―すえおき【―据え置き】图 원금 거치.
かんく【管区】图 관구; 관할 구역.
かんく [艱苦] 图 간고. ＝辛苦. ¶～に耐えて成功する 간난신고를 견디어 성공하다 / ～をなめる 간고를 겪다.
がんぐ [玩具] 图 완구; 장난감. ＝おもちゃ. ¶～店 완구점 / ～のようにもてあそぶ 장난감처럼 갖고 놀다〔놀리다〕.
がんくつ [岩窟] 图 암굴; 바위굴. ＝いわや·岩あな.
がんくび【がん首】《雁首》图 **1** 담뱃대의 대통; 담배통. **2**〈俗〉(사람의) 목; 머리. ¶～を並べてあいさつに出る 줄지어 인사하러 나오다.
かんぐ-る【勘ぐる】《勘繰る》5他 의심하여 억측하다. ＝邪推する. ¶人を～のはいい加減にしなさい 남을 의심하여 억측하는 짓은 작작 하시오.
かんぐん【官軍】图 관군. ＝政府軍. ¶勝てば～敗ければ賊軍 이기면 충신, 지면 역적. ↔賊軍.
かんけい [奸計·姦計] 图 간계. ＝わるだくみ. ¶～にはかられる 간계에 걸리다 / ～をめぐらす 간계를 짜내다.
**かんけい【関係】图ス自 관계. ¶鶏と卵の～ 닭과 달걀의 관계 / 教育～の仕事 교육 관계의 일 / ～を結ぶ 관계를 맺다 / 気候の～で不作だ 기후 관계로 흉작이다 / 彼女と～をしてしまった 그녀와 관계해 버렸다《성적 관계》/ 世話になった～上断れない 도움을 받은 관계로 거절할 수 없다.
―づける【―付ける】下1他 연관시키다; 관련 짓다. ¶海水温度と冷害を～·けて研究する 해수 온도와 냉해를 연관시켜 연구하다.
*かんげい【歓迎】图ス他 환영. ¶～会 환영회 / ～の辞 환영사 / ～を受ける 환영을 받다. ↔歓送.
かんげいこ【寒げいこ】《寒稽古》图 한중(寒中)에 추위를 무릅쓰고 무예·음곡(音曲) 등을 수련함; 동계 훈련.
*かんげき【感激】图ス自 감격. ¶～を新たにする 감격을 새로이 하다 / ～的な場面 감격적인 장면 / 友情に～する 우정에 감격하다.
かんげき【観劇】图ス自 관극; 연극 구경.
かんげき [間隙] 图 간극; 간격; 틈; 또, 불화(不和). ＝すき間. ¶～を埋める 간격을 메우다.
―を生ずる 틈이 생기다; 불화가 일다.
―を縫う 틈새로 빠져나가다.
かんげざい【緩下剤】图〔醫〕완하제.
*かんけつ【完結】图ス自 완결. ¶～編 완결편 / 連載小説が～する 연재 소설이 완결되다. ↔未完.
かんけつ【簡潔】图ダナ 간결. ¶～な文章 간결한 문장 / ～に答える 간결하게 대답하다. ↔冗漫·冗長.
かんけつ【間欠】《間歇》图 간헐.
―せん【―泉】图〔地〕간헐천.
―てき【―的】ダナ 간헐적. ¶～に降る雨 간헐적으로 내리는 비.
かんげつ【寒月】图 한월; 겨울의 달.
かんけり【缶けり】《缶蹴り》图 깡통차기(놀이).
かんけん【官憲】图 관헌. ¶～の手がまわる 관헌의 수배를 받다.
かんけん【官権】图 관권. ¶～をかさに着る 관권을 등에 업다.
かんけん [関鍵] 图 관건. **1** 문빗장. **2** (사물의) 핵심.
かんけん【管見】图 관견; 좁은 견해·견식. 参考 자기의 견식의 겸사말. ¶～によれば 제가 보는 바로는.
かんげん【換言】图ス他 환언. ＝いいかえ.
―すれば 환언하면; 바꿔 말하면.
かんげん【甘言】图 감언. ＝甘辞. ¶～につられる〔のせられる〕 감언에 솔깃해지다〔넘어가다〕. ↔苦言.
かんげん [諫言] 图ス他 간언. ＝忠言. ¶面をおかして～する (처벌을 각오하고) 감히 간언하다 / ～を聞き入れる 간언을 들어주다〔가납하다〕.
―耳に逆らう 간언은 귀에 거슬린다.
かんげん【管弦】《管絃》图 관현. **1** 관악기와 현악기. ＝糸竹. **2** 음악.

—がく【—楽】图 관현악. =オーケストラ. ¶~団 관현악단.

*かんげん【還元】图ス他自 환원. ¶利益を社会に~する 이익을 사회에 환원하다 / 酸化鉄を~すると鉄ができる 산화철을 환원하면 철이 된다.

がんけん【頑健】名ナ 우람하고 튼튼함; 강건(함). ¶ますます~になる 더욱 더 튼튼해지다 / ~なからだ 우람하고 튼튼한 몸.

かんこ【官庫】图 관고. 1 국고. 2 관가의 「창고.

かんこ【歓呼】图ス自 환호. ¶~の声に迎えられて凱旋する 환영하는 환호성 속에 개선하다.

かんご【漢語】图 한어; 한자어〔말〕. ↔ 和語·やまとことば.

*かんご【看護】图ス他 간호. =看病. ¶~人 간호〔간병〕인 / ~兵 위생병 / てあつい~を受ける 극진한 간호를 받다 / ~に当たる 간호를 맡다.

—し【—士】图 남성 간호사(師).

—ふ【—婦】图 간호사.

かんご【監護】图ス他 감호; 감독 보호.

*がんこ【頑固】图ダナ 1 완고; 외고집. =片意地·かたくな. ¶~な父 완고한 아버지 / ~で通っている人 완고하기로 소문난 사람. 2 나쁜 상태가 오래 감; 끈질김. ¶~なかぜ 지독한 감기 / ~な水虫 좀처럼 낫지 않는 무좀.

—いってつ【—一徹】名ナ 고집불통; 외고집.

かんこう【完工】图ス自他 완공; 준공. =竣工. ¶ダムが~した 댐이 완공되었다. ↔起工.

かんこう【寛厚】名ナ 관후. ¶~な性質〔人柄〕 관후한 성질〔인품〕.

かんこう【感光】图ス自 감광. ¶~材料 감광 재료 / ~度が高い (필름 등의) 감광도가 높다. 「画紙.

—し【—紙】图 감광지; 인화지. =印

—にゅうざい【—乳剤】图〔化〕감광유제. =写真乳剤.

かんこう【刊行】图ス他 간행. =発行. ¶~物 간행물 / ~の辞 간행사.

かんこう【慣行】图 관행; 관례. ¶~にならう 관행을 따르다 / ~にとらわれないで独自の味を出す 관행에 얽매이지 않고 독자적인 맛을 내다.

かんこう【敢行】图ス他 감행. ¶敵前上陸〔ストライキ〕を~する 적전 상륙〔파업〕을 감행하다.

かんこう【緩行】图ス自 완행; 서행. =徐行. ¶~車 완행차. ↔急行.

かんこう［緘口］图ス自 함구. ¶~して語らない 입을 봉하고 말하지 않다.

*かんこう【観光】图ス他 관광. ¶~地 관광지 / ~バス〔客〕 관광 버스〔객〕 / ~ホテル〔旅行〕 관광호텔〔여행〕.

—さんぎょう【—産業】图 관광 산업.

—しげん【—資源】图 관광 자원.

がんこう［雁行］ 안행. 一图 기러기 떼의 행렬. 二图ス自 비스듬히 줄을 지어 감. ¶~するふたりの小説家 난형난제(難兄難弟)인 두 소설가.

がんこう【眼光】图 1 안광; 눈빛. ¶鋭い~でにらむ 날카로운 안광으로 쏘아보다. 2 통찰력. =眼力.

—紙背に徹する〔徹る〕 안광이 지배를 뚫다《문장의 숨은 뜻까지 철저하게 알아내다》.

—人を射る 안광이 날카롭다.

がんこう【眼孔】图 1 안공; 눈구멍. 2 견식. ¶~が広い 견식이 넓다.

がんこうしゅてい【眼高手低】图 안고수저; 비평은 잘하되, 실제로 만드는〔창작하는〕 능력은 없음. 「공서.

かんこうちょう【官公庁】图 관공청; 관

かんごうべき【考うべき】連体 생각할(만한). ¶~問題であると思う 생각해 볼 문제라고 여긴다.

かんこうへん【肝硬変】图〔醫〕간경변(증)《간이 굳는 만성병》.

かんこうれい［箝口令］《鉗口令》图 함구령. =口止め. ¶~を敷く〔下す〕 함구령을 내리다.

かんごえ【寒肥】图 한비; 겨울에 주는 비료. =寒ごやし. ¶庭木に~をやる 정원수에 한비를 주다.

*かんこく【勧告】图ス他 권고. ¶~を受け入れる 권고를 받아들이다 / 再三の~にも応じない 재삼의 권고에도 응하지 않다.

かんこく【韓国】图 한국; 대한민국. ¶~語〔人〕 한국어〔인〕.

かんごく【監獄】图 감옥; 교도소. ¶~の飯を食う 콩밥을 먹다《감옥살이》. 参考 '刑務所·拘置所'의 구칭.

かんこつだったい【換骨奪胎】图ス他 환골탈태. 参考 흔히, 표절의 뜻으로 잘못 쓰임.

かんこどり【かんこ鳥】《閑古鳥》图〔鳥〕☞かっこう(郭公).

—が鳴く (뻐꾹새 우는 소리가 들릴 정도로) 쓸쓸하다; 특히, 장사가 파리를 날리다.

かんこんそうさい【冠婚葬祭】图 관혼상제. ¶~がますます派手になりつつある 관혼상제가 점점 화려해지고 있다.

かんさ【監査】图ス他 감사. ¶会計~ 회계 감사.

—きかん【—機関】图 감사 기관.

—やく【—役】图 (주식회사의) 감사.

かんさ【鑑査】图ス他 감사; 검사하여 적부·우열 따위를 감정함. ¶無~で出品する 무감사로 출품하다.

かんさい【完済】图ス他 완제; (부채 따위를) 다 갚음. =皆済. ¶ローンを~する 론〔대부금〕을 완제하다.

かんさい【関西】图〔地〕京都·大阪(를 중심으로 한) 지방. ¶~弁〔訛り〕 関西 지방 사투리. ↔関東.

かんさい【艦載】图ス他〔軍〕함재; 군함에 실음. ¶~機 함재기.

かんざい【寒剤】图 한제; 냉동제《온도

를 내리기 위해 쓰는 혼합제》.
かんざい【管財】图 관재. ¶～局(きょく) 관재국.
—にん【—人】图 관재인.
かんさく[奸策·姦策]图 간책; 간사한 계책. ¶～をめぐらす 간책을 쓰다.
かんさく【間作】图ス他〔農〕간작; 사이짓기. ¶桑畑(くわばたけ)にじゃがいもを～する 뽕나무밭에 감자를 간작하다.
がんさく[贋作]图ス他 안작; 가짜 작품(을 만듦). ¶～の絵(え) 가짜 그림 / 名画(めいが)を～する 명화를 위작하다.
かんざけ【かん酒】《燗酒》图 데운 술. ↔冷(ひ)や酒(ざけ).
かんざし『簪』图 비녀. ¶～をさす 비녀를 꽂다.
かんさつ【監察】图ス他 감찰. ¶～官(かん) 감찰관 / ～官庁(かんちょう) 감찰 관청.
—い【—医】图 검시의(檢屍醫).
**かんさつ【観察】图ス他 관찰. ¶～力(りょく) 관찰력 / ～が鋭(するど)い 관찰이 날카롭다 / 自然(しぜん)を～する 자연을 관찰하다.
—がん【—眼】图 관찰안.
かんさつ【鑑札】图 감찰. ¶営業(えいぎょう)～ 영업 감찰 / 犬(いぬ)の～ 개의 감찰; 개표.
参考 새 법령에서는 '免許証(めんきょしょう)(＝면허증)' 또는 '許可証(きょかしょう)(＝허가증)'라는 말을 씀.
がんさつ[贋札]图 위조지폐. ＝にせさつ. ¶千円(せんえん)の～ 천 엔짜리 위폐.
かんざまし【かん冷まし】《燗冷まし》图 (일단 데웠다가) 식은 술.
かんざらし【寒ざらし】《寒晒し》图 1 한중(寒中)에 곡식 따위를 말림. 2 겨울에 물에 불렸다가 그늘에 말려 빻은 찹쌀가루《과자의 재료》. ＝寒(かん)ざらし粉(こ)·白玉粉(しらたまこ).
*かんさん【換算】图ス他 환산. ¶～表(ひょう)〔率(りつ)〕 환산표〔율〕 / 金(かね)に～する 돈으로 환산하다 / メートルを尺(しゃく)に～する 미터를 척수로 환산하다.
かんさん【閑散】名ナ 한산. ¶取引(とりひき)が～になる 거래가 한산해지다 / 人通(ひとどお)りが少(すく)なく～とした町(まち) 사람(의) 왕래가 적고 한산한 거리. ↔繁劇(はんげき).
かんし【干支】图 간지; 십간(十干)과 십이지; 천간과 지지(地支). ＝えと.
かんし【冠詞】图〔文法〕관사. ¶定(てい)～ 정관사 / ～をつける 관사를 붙이다.
かんし【漢詩】图 한(문)시. ¶～を吟(ぎん)ずる 한시를 읊다. ↔和歌(わか).
かんし【環視】图 환시. ¶衆人(しゅうじん)～の中(なか)で捕縛(ほばく)される 중인환시리에 포박당하다.
*かんし【監視】图ス他 감시. ¶～哨(しょう) 감시 초소 / ～の目(め)を暗(くら)ます〔光(ひか)らせる〕 감시의 눈을 속이다〔번득이다〕.
—もう【—網】图 감시망. ¶～をくぐりぬける 감시망을 빠져나가다.
かんし[鉗子]图〔醫〕겸자《날이 없는, 가위 모양의 수술용 기구》. ¶～分娩(ぶんべん) 겸자분만 / 止血(しけつ)～ 지혈 겸자.
**かんじ【感じ】图 느낌. 1 감각. ¶寒(さむ)くて～が無(な)くなる 추워서 감각이 없어지다 / 指先(ゆびさき)の～が鈍(にぶ)る 손(가락)끝의 감각이 둔해지다. 2 ㉠인상. ¶～の悪(わる)い人(ひと) 인상이 나쁜 사람. ㉡감(感). ¶物足(ものた)りない～ 좀 부족한 느낌. 3 기분; 분위기. ¶春(はる)の～ 봄 기분 / 明(あか)るい～の絵(え) 밝은 느낌의 그림. 4 사물의 특유한 제맛. ¶作(つく)り物(もの)では～が出(で)ない (자연물이 아닌) 만든 것으로는 제맛이 안 난다.
*かんじ【漢字】图 한자. ¶常用(じょうよう)～ (일본의) 상용한자. ↔国字(こくじ)·和字(わじ)·仮名(かな).
—おん【—音】图 한자음.
—かなまじりぶん【—仮名交じり文】图 한자에 仮名가 섞인 문장《대부분의 현대문은 이것임》. ↔漢文(かんぶん).
—せいげん【—制限】图 한자 제한; 일본어를 쓰기 위한 한자의 자수·음훈을 일정 범위로 제한하는 일.
—はいしろん【—廃止論】图 한자 폐지론.
—ぼ【—母】图 한자모; 말을 나타내는 문자(文字) 하나로서의 한자.
かんじ【幹事】图 간사. ¶同窓会(どうそうかい)の～ 동창회 간사 / ～長(ちょう) 간사장《정당 등의 사무총장》.
—かいしゃ【—会社】图 간사 회사.
かんじ【監事】图 (공익 법인의) 감사. ¶常任(じょうにん)～ 상임 감사.
かんじい-る【感じ入る】5自 깊이 감동하다. ¶熱意(ねつい)に～ 열의에 감동하다 / 腕前(うでまえ)～·りました 솜씨〔재간〕에 깊이 감동하였습니다.
がんじがらめ『雁字搦め』图 친친 얽어맴. ＝がんじがらみ. ¶義理(ぎり)と人情(にんじょう)の～ 의리와 인정의 굴레 / ～にする 얽이치다; 꼼짝달싹 못하게 하다.
かんしき【乾式】图 건식; 액체나 용제(溶劑)를 쓰지 않는 방식. ¶～整流器(せいりゅうき) 건식 정류기. ↔湿式(しっしき).
かんしき【鑑識】图 감식. ¶～眼(がん) 감식안 / 美術品(びじゅつひん)の～に長(ちょう)じている 미술품(의) 감식에 능하다.
かんじき『樏·橇』图 설피(雪皮). ＝かじき·わかん·わかんじき. ¶～をはく 설피를 신다.
がんしき【眼識】图 안식. ＝めきき. ¶～が高(たか)い 안식이 높다 / ～のある批評家(ひひょうか) 안식이 있는 비평가.
かんじく【巻軸】图 1 권축; 두루마리(의 축). ＝巻物(まきもの). 2 권축의 축(軸)에 가까운 부분.
がんしつ【眼疾】图 안질; 눈병. ＝眼病(がんびょう). ¶～を患(わずら)う 안질을 앓다.
*がんじつ【元日】图 원일; 원단; 설날; 1월 1일. ＝元旦(がんたん).
かんじつげつ【閑日月】图 한일월. 1 한가한 세월. ¶～を送(おく)る〔楽(たの)しむ〕 한가한 세월을 보내다〔즐기다〕. 2 여유 있는 마음. ¶英雄(えいゆう)～あり 영웅 한일월.
かんして【関して】連語 …에 관하여; …에 대하여. ¶その件(けん)に～, 質問(しつもん)がある 그 건에 관해 질문이 있다.
かんじと-る【感じ取る】5他 감득〔감지〕

하다; 마음에 느껴 이해하다. ¶意気込(いきご)みが～·られる 패기〔기세〕를 감득할 수 있다/不穏(ふおん)な気配(けはい)を～ 불온한 기색을 감지하다. 「서장 관사.

かんしゃ【官舎】图 관사. ¶署長(しょちょう)の～

**かんしゃ【感謝】图ス他 감사. ¶～状(じょう) 감사장/～の気持(きも)ち 감사한 마음/～のしるしに 감사의 표시로/好意(こうい)に～する 호의에 감사하다/深(ふか)く～する 깊이 감사하다/～のことばもありません 어떻게 감사의 말씀을 드려야 할지 모르겠습니다.

—さい【—祭】图 추수 감사절.

*かんじゃ【患者】图 환자. ¶入院(にゅういん)〔外来(がいらい)〕～ 입원〔외래〕 환자/～を診察(しんさつ)する 환자를 진찰하다. 參考 의사 쪽에서 쓰는 말.

かんじゃ【間者】图 간자; 간첩; 첩자. ＝スパイ·間諜(かんちょう). ¶敵(てき)の～が入(い)り込(こ)む 적의 간자가 잠입하다/～を放(はな)つ 간첩을 보내다.

*かんしゃく〖癇癪〗图 뱃성; 짜증. ¶～を起(お)こす 뱃성 내다; 불끈하다.

—だま【—玉】图 1〈俗〉 뱃성; 울화통. ¶～が破裂(はれつ)する 울화통이 터지다. 2 딱총의 한 가지.

—もち【—持ち】图 뱃성쟁이; 불뚱이.

かんじゃく【閑寂】图ナ 한적. ¶～な山寺(やまでら) 한적한 산사/～を楽(たの)しむ 한적함을 즐기다.

かんじやす-い【感じやすい】《感じ易い》形 감수성이 예민하다; 다감하다. ¶～年(とし)ごろ 다감한〔감수성이 강한〕 나이.

かんしゅ【看守】图 간수; 교도관. ＝刑務官(けいむかん).

かんしゅ【看取·観取】图ス他 간취; 보아서 알아차림. ¶敵(てき)の計略(けいりゃく)を～する 적의 계략을 알아차리다.

かんしゅ【艦首】图 함수. ↔艦尾(かんび).

かんじゅ【官需】图 관수. ¶～品(ひん) 관수품. ↔民需(みんじゅ).

かんじゅ【感受】图ス他 감수.

—せい【—性】图 감수성. ¶～が鋭(するど)い〔豊(ゆた)かな〕人(ひと) 감수성이 예민한〔풍부한〕 사람.

かんじゅ【甘受】图ス他 감수. ¶非難(ひなん)を～する 비난을 감수하다/今(いま)の境遇(きょうぐう)を～する 지금의 처지를 감수하다.

がんしゅ［癌腫］图 암종. ⇨癌(がん).

*かんしゅう【慣習】图 관습. ¶～に従(したが)う 관습을 따르다/～をまもる〔破(やぶ)る〕 관습을 지키다〔타파하다〕.

—てき【—的】ダナ 관습적. 「法(せいぶんほう).

—ほう【—法】图〔法〕 관습법. ↔成文

かんしゅう【監修】图ス他 감수. ¶～者(しゃ) 감수자/辞典(じてん)を～する 사전을 감수하다. ⇨校閲(こうえつ).

かんしゅう【観衆】图 관중. ¶大勢(おおぜい)の～ 많은 관중/～をひき付(つ)ける 관중을 끌다. ⇨聴衆(ちょうしゅう).

かんじゅく【完熟】图ス自 완숙; (과실·종자 따위가) 완전히 익음. ¶～トマト 잘 익은 토마토/～した柿(かき) 잘 익은 감. ↔未熟(みじゅく).

かんしょ【寒暑】图 한서. ¶～の差(さ)がはなはだしい 한서의 차가 심하다.

*がんしょ【願書】图 원서; 특히, 입학 원서. ¶入学(にゅうがく)～ 입학 원서/～を出(だ)す 원서를 내다.

かんしょう【冠省】图 관생; 관략(冠略); 제번(除煩). ＝前略(ぜんりゃく).

かんしょう【完勝】图ス自 완승. ¶大差(たいさ)で～する 큰 차로 완승하다/緒戦(しょせん)に～する 서전에서 완승하다. ↔完敗(かんぱい).

かんしょう【勧奨】图ス他 권장. ¶栽培(さいばい)を～する 재배를 권장하다.

*かんしょう【鑑賞】图ス他 감상. ¶絵画(かいが)を～する 그림을 감상하다.

*かんしょう【観賞】图ス他 관상. ¶～魚(ぎょ) 관상어/庭(にわ)の草花(くさばな)を～する 뜰의 화초를 관상하다.

かんしょう【観照】图ス他 관조. ¶人生(じんせい)を～する 인생을 관조하다/単(たん)なる～は芸術(げいじゅつ)を生(う)まない 단순한 관조는 예술을 낳지 않는다.

*かんしょう【干渉】图ス自 간섭. 1 참견. ¶内政(ないせい)～ 내정 간섭/親(おや)が～し過(す)ぎる 부모가 지나치게 간섭하다. 2〖理〗 두 개 이상의 파동이 겹쳐지는 현상. ¶～計(けい) 간섭계/～縞(じま) 간섭무늬.

かんしょう【感傷】图 감상. ¶～にすぎない 감상에 지나지 않는다/～に耽(ふけ)る〔浸(ひた)る〕 감상에 잠기다.

—てき【—的】ダナ 감상적. ＝センチメンタル. ¶少女(しょうじょ)はとかく～になる 소녀는 자칫 감상적으로 되기 쉽다.

かんしょう【環礁】图〔地〕 환초.

かんしょう［癇性·癇症］图ダナ 격하기 쉬운 성질; 화를 잘 내는 성질; 또, 병적 결벽증. ¶あいつはどうも～で困(こま)る 저 놈은 도무지 신경질이어서 곤란하다.

かんしょう【管掌】图ス他 관장. ¶事務(じむ)を～する 사무를 관장하다.

かんしょう【緩衝】图ス他 완충. ¶～液(えき) 완충액/～の役割(やくわり) 완충 역할/～装置(そうち) 완충 장치; 범퍼.

—きおくそうち【—記憶装置】图〔컴〕 완충 기억 장치. ＝バッファメモリー. 參考 buffer memory의 역어.

—ちたい【—地帯】图 완충 지대.

かんじょう【冠状】图 관상; 관 모양.

—どうみゃく【—動脈】图 관상 동맥. ¶～硬化症(こうかしょう) 관상 동맥 경화증.

**かんじょう【勘定】图ス他 1 계산; 셈. ㉠수량을 셈. ¶人数(にんずう)を～する 인원수를 세다. ㉡금전 출납의 계산; 대금 지불; 회계. ¶～台(だい) 계산대/お～はいくらですか 계산은 얼마입니까/～は～だ 셈은 셈이다/お～を願(ねが)います 계산을 부탁합니다/～を済(す)ます 계산을 끝내다. 2 예산; 고려. ¶～に入(い)れる 예산에 넣다. 3 (부기의) 계정(計定). ¶…の～に組(く)み入(い)れる …의 계정에 넣다/～科目(かもく) 계정 과목. 注意 2,3의 뜻으로는

'する'가 붙지 않음.
―合って銭足らず 계산상으로는 맞는데 현금이 모자라다《이론과 실제가 부합하지 않다》.
―がき【―書き】名 (외상 대금 등의) 청구서; 계산서.
―ずく〖―尽く〗名 타산적으로 행동함; 셈속. ¶~ではできない仕事 셈속만으로는 할 수 없는 일.
―だか-い【―高い】形 셈속이 빠르다; 타산적이다. ¶~男だ 타산적인 사나이다.
かんじょう【干城】名 간성. ¶国家の~ 국가의 간성/~の材 간성지재; 간성이 될 재목《인재》.
*かんじょう【感情】名 감정. ¶~が高ぶる 감정이 고조되다; 흥분하다/~をむき出しにする 감정을 노골적으로 드러내다/~の機微にふれる 내적 감정을 건드리다/~を害する 감정을 해치다; 기분을 상하게 하다/~に訴える 감정에 호소하다. ↔理性.
―に走る 감정대로 일을 하다. ¶理性を忘れて~ 이성을 잊고 감정에 치우치다.
―てき【―的】ダナ 감정적. ¶~に物をいう 감정적으로 말하다. ↔理性的.
かんじょう【環状】名 환상; 고리처럼 둥글게 생긴 모양. 「선; 순환선.
―せん【―線】名 (철도·도로의) 환상
かんじょう【艦上】名 함상; 군함의 위. ¶~機 함상기.
がんしょう【岩漿】名〖地〗암장; 마그마.
がんしょう【岩礁】名 암초. ¶船が~に乗り上げられて大破した 배가 암초에 얹혀서 대파되었다.
がんじょう【頑丈】名ダナ 완장; 튼튼하고 야기참; 옹골참. ¶~な建物 튼튼한 건물/~なからだ 튼튼한 몸.
かんしょく【官職】名 관직. ¶~につく 관직에 취임하다/~を辞す 관직을 사퇴하다.
かんしょく【感触】名 감촉; 촉감. =はだざわり·てざわり. ¶~が柔かい 감촉이 부드럽다/ざらざらした~ 까칠까칠한 감촉.
かんしょく【寒色】名〖美〗한색; 찬색. =冷色. ↔暖色·温色.
かんしょく【間色】名 간색; 중간색.
かんしょく【間食】名ス自 간식. =おやつ. ¶~するから太るのだ 간식하니까 살이 찌는 거야. ↔常食.
かんしょく【閑職】名 한직. ¶~にまわされる〔左遷される〕 한직으로 돌려지다〔좌천되다〕. ↔激職·重職.
がんしょく【顔色】名 안색. =かおいろ. ¶~をうかがう 안색을 살피다.
―無し (완전히 압도되어) 무색하다; 파랗게 질리다. 「(感)ずる.
*かん-じる【感じる】上1自他 ☞かん
かんしん[奸臣·姦臣]名 간신. ¶~賊子 간신적자.

かんしん【寒心】名ス自 한심하게 여김; 오싹함; 걱정스러움. ¶~すべき風潮 한심하기 짝이 없는 풍조/~に堪えない 심히 염려스럽다.
*かんしん【感心】一名ス自 1 감심; 감탄. ¶~して話を聞く 감탄하여 이야기를 듣다/達者な日本語に~する 능숙한 일본말에 감탄하다/どうも~しない 아무래도 탐탁지 않다. 2 질림; 어이없음; 기가 막힘《역설적인 말투》. ¶あの人のまぬけさかげんには~する 저 사람의 어리석음에는 질린다.
二ダナ 기특함. ¶~な生徒だ 기특한 학생이다/~な程しんぼう強い 기특할 정도로 참을성이 강하다.
かんしん【歓心】名 환심. ¶~を得ようとする 환심을 사려고 하다.
―を買う 환심을 사다. ¶上役の~ 상사의 환심을 사다.
*かんしん【関心】名 관심. ¶~が高まる 관심이 높아지다/深い~を払う 깊은 관심을 표시하다/~の的となる 관심의 대상이 되다/異常なまでの~を寄せる 이상하리만큼 관심을 모으다/政治に~を持つ 정치에 관심을 갖다.
―じ【―事】名 관심사. ¶最大の~ 최대의 관심사.
かんじん【寛仁】名ダナ 관인; 관대하고 자비심이 많음.
―たいど【―大度】名 관인대도.
*かんじん【肝心】《肝腎》名ナ (가장) 긴요〔중요〕함. ¶何よりも基本が~だ 무엇보다도 기본이 중요하다/~な事柄を忘れていた 가장 중요한 일을 잊고 있었다.
―かなめ〖―要〗連語 가장 중요〔긴요〕한 것; 핵심. ¶~のこの一点だけは譲れない 가장 중요한 이 한 가지만은 양보할 수 없다. 参考 '肝心'의 힘줌말.
かんじん[韓人]名 한인; 한국 사람.
かんすい【完遂】名ス他 완수. ¶責任を~する 책임을 완수하다. 注意 'かんつい'로 읽음은 잘못.
かんすい【冠水】名ス自 관수; (홍수로 인한 논밭의) 침수. ¶~芋 물에 잠긴 감자.
かんすい[鹹水]名 함수; 짠물; 해수. =しおみず. ¶~湖 함수호. ↔淡水.
―ぎょ[―魚]名 함수어; 바닷물고기. =海水魚. ↔淡水魚.
がんすいたんそ【含水炭素】名〖化〗함수탄소《'炭水化物'의 구칭》.
かんすう【関数】《函数》名〖數〗함수. ¶~表 함수표/~関係 함수 관계/一次~ 1차 함수.
かんすう【巻数】名 권수《두루마리·책·필름·테이프 등의 수》.
かんすうじ【漢数字】名 한자 숫자《一·十·百·千·万 등》. 参考 '和数字'라고도 함. ↔アラビア数字·ローマ数字.
かん-する【冠する】一サ変他 (머리에) 쓰다; 씌우다; 위에 붙이다. ¶名刺に

哲学博士(てつがくはくし)と～ 명함 머리에 철학 박사라 써 넣다. 二 サ変自 관을 쓰다; 전하여, 관례(冠禮)를 하다.

かん-する [燗する] サ変他 술을 데우다. ¶ほどよく～·した酒(さけ) 알맞게 데운 술.

*かん-する【関する】サ変自 1 관계하다. ＝かかわる·関係(かんけい)する. ¶われ～·せず 오불관언(吾不關焉); 내 알 바가 아님/私(わたし)の～かぎり 내가 관계하는 한. 2 《'…に～'의 꼴로》 …에 관계가 있다; …을 대상으로 하는; …에 관한 것이다. ¶教育(きょういく)に～·して発言(はつげん)する 교육에 관하여 발언하다/君(きみ)の名誉(めいよ)に～ 너의 명예에 관계된다/その件(けん)に～·しては何(なに)も言(い)いたくない 그 건에 관해서는 아무 말도 하고 싶지 않다.

かん-ずる【感ずる】サ変自他 1 느끼다. ¶寒(さむ)さを～ 추위를 느끼다/腹痛(ふくつう)を～ 복통을 느끼다/雰囲気(ふんいき)を～·じさせる 분위기를 느끼게 하다/～所(ところ)があって, 行(おこな)いを改(あらた)める 느끼는 바가 있어 행실을 고치다. 2 감동하다. ¶意気(いき)[名曲(めいきょく)]に～ 의기[명곡]에 감동하다. 参考 'かんじる'라고도 함.

かん-ずる【観ずる】サ変他 1 깊이 생각한 끝에 인생의 진리를 터득하다; 깨닫다. ¶人生(じんせい)の無常(むじょう)を～ 인생의 무상함을 깨닫다. 2 유심히 살피다. ¶つらつら世相(せそう)を～ 곰곰 세태를 살펴보다. 3 체념하다. ¶結局(けっきょく)人生(じんせい)は夢(ゆめ)だと～ 결국 인생이란 꿈이라고 체념하다. 参考 'かんじる'라고도 함.

かんせい【歓声】名 환성; 환호성. ¶～をあげる 환성을 지르다/～耳(みみ)をろうするばかりであった 환성은 귀가 멍멍해질 정도였다.

かんせい [喊声] 名 함성. ＝鬨(とき)の声(こえ). ¶～をあげる 함성을 지르다.

かんせい【喚声】名 환성; 흥분해서 외치는 아우성 소리. ¶どっと～をあげる 와하고 환성을 지르다.

*かんせい【完成】名 ス自他 완성. ¶～品(ひん) 완성품/未(み)～ 미완성/自己(じこ)～ 자기완성/研究(けんきゅう)は～に近(ちか)い 연구는 완성에 가깝다. ↔未完(みかん).

かんせい【官制】名 관제. ¶～改革(かいかく) 관제 개혁/～に定(さだ)めてある 관제에 규정되어 있다.

かんせい【官製】名 관제. ¶～タバコ 관제담배/～はがき 관제엽서. ↔私製(しせい).

*かんせい【感性】名 감성. ¶鋭(するど)い～ 예민한 감성/～が豊(ゆた)かだ 감성이 풍부하다. ↔理性(りせい)·悟性(ごせい).

かんせい【乾性】名 건성. ¶～ろく膜炎(まくえん) 건성 늑막염. ↔湿性(しっせい).

—ゆ【—油】名 건성유. ＝乾油(かんゆ)·乾燥油(かんそうゆ). ↔不(ふ)乾性油.

かんせい【慣性】名〔理〕관성; 타성. ＝惰性(だせい). ¶～の法則(ほうそく) 관성의 법칙/～航法(こうほう) 관성 항법.

かんせい【管制】名 ス他 관제. ¶灯火(とうか)～ 등화 관제/報道(ほうどう)～ 보도 관제/航空機(こうくうき)の離着陸(りちゃくりく)の～ 항공기의 이착륙 관제.

—とう【—塔】名 관제탑. ＝コントロールタワー.

かんせい【閑静】名 ダナ 한정; 조용함. ¶～なすまい 조용한 주거. ↔喧噪(けんそう).

かんせい [陥穽] 名 함정. ＝おとしあな. ¶～に落(お)ちる 함정에 빠지다.

かんぜい【関税】名 관세. ¶～法(ほう) 관세법/～を払(はら)う 관세를 물다/～をかける 관세를 과하다[매기다].

—しょうへき【—障壁】名 관세 장벽.

かんぜい【間税】名 간(접)세《'間接税(かんせつぜい)'의 준말》. ↔直税(ちょくぜい).

がんせい【眼精】名 안정; 안력; 시력.

—ひろう【—疲労】名 안정 피로.

かんぜおんぼさつ [観世音菩薩] 名〔佛〕관세음보살. ＝観世音(かんぜおん).

かんせき【漢籍】名 한적; 한서; 중국 서적. ＝漢書(かんしょ). ¶～をひもとく 한서를 펼쳐 읽다/～に親(した)しむ 한서를 가까이 하다. ↔和書(わしょ).

がんせき【岩石】名 암석. ＝いわ. ¶～圏(けん) 암석권/～の突(つ)き出(で)た海岸(かいがん) 암석이 튀어나온 해안.

—せんい【—繊維】名 암석 섬유. ＝ロックウール.

かんせつ【冠雪】名 ス自 눈이 내려 산 위 따위에 덮임; 또, 그 눈. ¶山頂(さんちょう)は～している 산정에는 눈이 덮여 있다.

かんせつ【関節】名〔生〕관절; 뼈마디. ¶～炎(えん) 관절염/～が外(はず)れる 관절이 빠지다/～をくじく 관절을 삐다.

—リューマチ 名〔醫〕관절 류머티즘.

**かんせつ【間接】名 ダナ 간접; 에두름. ¶～に頼(たの)む 간접적으로 부탁하다/～にいやみをいう 에둘러 듣기 싫은 소리를 하다. ↔直接(ちょくせつ).

—きつえん【—喫煙】名 간접 흡연.

—しょうめい【—照明】名 간접 조명.

—ぜい【—税】名 간접세. ＝間税(かんぜい). ↔直接税(ぜい).

—せんきょ【—選挙】名 간접 선거. ↔直接選挙(せんきょ).

—てき【—的】ダナ 간접적. ¶～に忠告(ちゅうこく)する 간접적으로 충고하다. ↔直接的(てき).

—わほう【—話法】名〔文法〕간접 화법. ↔直接話法.

かんせつ【官設】名 관설; 관청에서 설치[시설]함. ＝官立(かんりつ)·公設(こうせつ). ¶～の施設(しせつ) 관설 시설. ↔私設(しせつ).

かんぜつ【冠絶】名 ス自 관절; 으뜸감; 제일임. ＝卓絶(たくぜつ). ¶世界(せかい)に～する 세계에서 으뜸가다.

がんぜな-い〖頑是無い〗形 1 아직 어려서 분별이 없다; 철이 없다. ¶～子供(こども) 철없는 아이. 2 천진난만하다. ＝あどけない. ¶～顔(かお) 천진스러운 얼굴.

かんぜより【観世より】《観世縒り》名 지노. ＝かんじんより·こより·かみより. ¶～で領収証(りょうしゅうしょう)をとじる 지노로 영수증을 철하다.

かんせん [乾癬] 名〔漢醫〕건선; 마른버짐.

かんせん【官選】名 ス他 관선; 국선. ＝国選(こくせん). ↔民選(みんせん)·私選(しせん)·公選(こうせん).

—べんごにん【—弁護人】名 관선 변호인(《'国選弁護人'의 구칭》).

かんせん【幹線】名 간선. ＝本線. ¶～道路 간선 도로. ↔支線.

*かんせん【感染】名ス自 감염. ¶～源〔経路〕 감염원〔경로〕/悪風に～する 나쁜 풍습에 물들다/結核に～する 결핵에 감염되다.

かんせん［汗腺］名 한선; 땀샘.

かんせん【観戦】名ス他 관전. ¶～記 관전기/タイトルマッチを～する 타이틀 매치를 관전하다.

かんせん【艦船】名 함선; 군함과 선박.

**かんぜん【完全】名ダナ 완전. ¶～に失敗する 완전히 실패하다/～を期す 완전을 기하다/～な人間はいない 완전한 인간은 없다. ↔不完全·不全.

—こよう【—雇用】名 완전 고용.

—しあい【—試合】名〔野〕 완전 시합; 퍼펙트게임.

—しつぎょう【—失業】名 완전 실업. ¶～率 완전 실업률.

—はんざい【—犯罪】名 완전 범죄.

—むけつ【—無欠】名ダナ 완전무결. ¶～な防備〔人はいない〕 완전무결한 방비〔사람은 없다〕.

かんぜん【敢然】副トタル 감연(히). ¶～(と)難局に当たる 감연히 난국에 대처하다/～と立ち上がる 감연히 일어나다/～として立ち向かう 감연히 맞서다.

かんぜん【勧善】名 권선; 선을 권함.

—ちょうあく【—懲悪】名 권선징악. ＝勧懲. ¶～小説〔映画〕 권선징악 소설〔영화〕.

がんぜん【眼前】名 안전; 눈앞. ＝目前. ¶～の敵〔光景〕 눈앞의 적〔광경〕/破滅が～に迫っている 파멸이 눈앞에 닥쳐 있다.

かんそ【簡素】名ダナ 간소. ¶～な生活 간소한 생활/式を～にする 식을 간소하게 하다.

—か【—化】名ス他 간소화. ¶事務を～する 사무를 간소화하다.

がんそ【元祖】名 원조; 시조; 창시자. ¶洋食屋の～ 양식집의 원조.

かんそう【完走】名ス自 완주; 주파; 끝까지 달림. ¶マラソンコースを～する 마라톤 코스를 완주하다.

*かんそう【乾燥】名ス自他 건조. ¶～室 건조실/無味～な本 무미건조한 책/空気が非常に～している 공기가 대단히 건조하다.

—むみ【—無味】名ダナ 건조무미; 무미건조. ¶～な生活 건조무미한 생활.

*かんそう【感想】名 감상. ＝所感·感懐. ¶～録 감상록/～文 감상문/～をのべる〔語る〕 감상을 말하다.

かんそう【間奏】名〔樂〕간주.

—きょく【—曲】名〔樂〕 간주곡; 인테르메조. ＝インテルメッツォ.

かんそう【歓送】名ス他 환송. ¶～会 환송회/卒業生を～する 졸업생을 환송하다. ↔歓迎. 参考 '歓迎'의 상대어로 만든 말. 예전에는 '壮行'라 했음.

かんぞう【肝臓】名〔生〕간장. ＝きも.

—がん『—癌』名 간암.

—ジストマ [distoma] 名〔動〕간디스토마.

がんぞう［贋造］名ス他 안조; 위조. ＝偽造. ¶～紙幣 위조지폐.

**かんそく【観測】名ス他 관측. ¶～所〔記事〕 관측소〔기사〕/希望的～ 희망적 관측/世界情勢の推移を～する 세계 정세의 추이를 관측하다.

—ききゅう【—気球】名 관측기구. ¶～を上げる 관측기구를 띄우다.

かんそく【緩速】名 완속; 완만한 속도. ¶～走行 완속 주행.

かんそん【寒村】名 한촌. ¶山あいの～ 산간의 한촌.

かんそんみんぴ【官尊民卑】名 관존민비. ¶今日なお～の悪習が残っている 오늘날까지도 관존민비의 악습이 남아 있다.

カンタータ［이 cantata］名〔樂〕칸타타; 교성곡. ＝交声曲.

カンタービレ［이 cantabile］名〔樂〕칸타빌레. ＝カンタビーレ. ¶アンダンテ～ 안단테 칸타빌레.

かんたい【寒帯】名 한대. ↔熱帯.

—きこう【—気候】名 한대 기후.

かんたい【歓待·款待】名ス他 환대; 관대(함). ¶真心こめた～を受ける 정성 어린 환대를 받다.

かんたい【艦隊】名 함대. ¶連合～ 연합 함대/無敵～ 무적함대/～を率いる 함대를 이끌다.

*かんだい【寛大】名ダナ 관대. ¶～な処置 관대한 조처/～にふるまう 관대하게 대하다. ↔冷厳.

がんたい【眼帯】名 안대. ¶～を掛ける〔取る〕 안대를 하다〔벗다〕.

かんたいじ【簡体字】名 간체자; 간자체(簡字體)(《중국에서 정식으로 쓰는 약자체의 한자; 機→机, 義→义, 華→华 등》). 参考 중국에서는 簡化字라 하며, 簡体字의 원글자를 繁体字라 함.

かんたいへいよう【環太平洋】名 환태평양.

—かざんたい【—火山帯】名〔地〕환태평양 화산대.

かんだか·い【かん高い】(《甲高い·疳高い》) 形 새되다. ¶～笑い声 새된 웃음소리/子供の～声 어린아이의 새된 목소리.

かんたく【干拓】名ス他 간척. ¶～地 간척지/～工事 간척 공사.

がんだち【願断ち】名ス他 신불에게 발원(發願)할 때, 소원이 성취되도록 자신이 좋아하는 음식물 등을 금식하는 일.

がんだて【願立て】名ス自 발원(發願). ＝立願·願かけ. ¶父の病気が治るように～する 부친의 병이 낫도록 기원하다.

かんたる【冠たる】連体 가장 훌륭한; 으뜸가는. ¶世界(せかい)に~大事業(だいじぎょう) 세계 제일의 대사업.

かんたん【感嘆】《感歎》图ス自 감탄. ¶~の声(こえ)を上(あ)げる 감탄의 소리를 지르다/~に値(あたい)する景観(けいかん) 감탄할 만한 경관/~おく能(あた)わず 감탄해 마지 않다.

—し【—詞】图〔文法〕감탄사; 감동사. =感動詞(かんどうし).

—ふ【—符】图 감탄부; 느낌표.

—ぶん【—文】图 감탄문. =感動文(ぶん).

かんたん【肝胆】图 간담; 간과 쓸개.

—相照(あいて)らす 간담상조하다; 서로 마음을 터놓고 사귀다.

—を寒(さむ)からしめる 간담을 서늘케 하다.

**かんたん【簡単】图ダナ 간단. ¶~な問題(もんだい) 간단한 문제/~明瞭(めいりょう) 간단명료/いとも~に解決(かいけつ)する 아주 간단히 해결하다/~にして要(よう)を得(え)る 간단하고도 요령이 있음/この器具(きぐ)は~なしかけだ 이 기구는 간단한 장치다. ↔複雑(ふくざつ)·煩雑(はんざつ).

かんだん【寒暖】图 한란; 추움과 따뜻함. ¶~の差(さ)が激(はげ)しい 한란의 차가 심하다.

—けい【—計】图 한란계. =温度計(おんどけい).

かんだん【歓談·款談】图ス自 환담. ¶一夕(いっせき)の~ 하룻밤의 환담/旧友(きゅうゆう)と~する 옛친구와 환담하다.

かんだん【閑談】图ス自 한담. =閑話(かんわ)·閑語(かんご). ¶梅(うめ)を眺(なが)めながら~する 매화를 바라보면서 한담하다.

かんだん【間断】图 간단. =切(き)れ目(め)·たえま. ¶~のない緊張(きんちょう) 간단 없는 긴장/~なくしゃべり続(つづ)ける 계속〔쉴 새 없이〕 지껄여대다.

*がんたん【元旦】图 원단; 설날. =元日(がんじつ). ¶一年(いちねん)の計(けい)は~に有(あ)り 한 해의 계획은 원단에 세울 일이다.

かんたんのゆめ［邯鄲の夢］連語 한단지몽; 황량몽(黃粱夢). =盧生(ろせい)の夢(ゆめ)·一炊(いっすい)の夢(ゆめ).

かんち［奸智·奸知］图 간지; 간사한 지혜. =狡智(こうち). ¶~にたけた人(ひと) 나쁜 꾀가 많은 사람.

かんち【完治】图ス自 완치. ¶病気(びょうき)〔傷(きず)〕が~する 병이〔상처가〕 완치되다. 注意 'かんじ'라고도 함.

かんち【感知】图ス他 감지; 알아차림. ¶火災(かさい)~装置(そうち) 화재 감지 장치/計画(けいかく)を~する 계획을 감지하다/まだだれも~しない 아직 아무도 알아차리지 못하다.

かんち【関知】图ス自 관지; 관여. ¶他人(たにん)の私事(しじ)には~しない 남의 사적인 일에는 관여하지 않는다/~するところでない 관여할 바 아니다〔못 되다〕.

かんち【官治】图 관치. ¶~行政(ぎょうせい) 관치 행정. ↔自治(じち).

かんちがい【勘違い】图ス自 착각; 잘못 생각함. =思(おも)いちがい. ¶とんだ~をする 엉뚱한 착각을 하다/君(きみ)は私(わたし)をだれかと~している 자네는 나를 누군가 딴 사람과 착각하고 있다.

がんちく【含蓄】图ス他 함축. =ふくみ. ¶彼(かれ)はなかなか~のある話(はなし)をする 그는 퍽 함축성 있는 말을 한다/~する所(ところ)は大(だい)だ 함축하는 바가 크다.

かんちゅう【寒中】图 한중; 엄동; 한겨울. ¶~見舞(みま)い 한중 문안(인사)/~水泳(すいえい) 한중 수영. ↔暑中(しょちゅう).

かんちゅう【閑中】图 한중; 한가로운 때. ¶~忙(ぼう)あり 한중망(忙).

がんちゅう【眼中】图 안중. ¶~の人(ひと) 안중에 둔 사람/~にあるのは金(かね)だけ 안중에 있는 것은 오직 돈뿐.

—にない〔置(お)かない〕 안중에 없다〔두지 않다〕.

—人(ひと)なし 안하무인; 방약무인.

*かんちょう【官庁】图 관청. =役所(やくしょ). ¶~事務(じむ) 관청 사무/中央(ちゅうおう)~ 중앙 관청/~に勤(つと)める 관청에 근무하다.

かんちょう【干潮】图 간조; 썰물. =ひきしお·低潮(ていちょう). ↔満潮(まんちょう).

かんちょう［浣腸·灌腸］图ス他〔醫〕관장. ¶滋養(じよう)~ 자양 관장.

かんちょう［間諜］图 간첩; 스파이. =まわしもの·間者(かんじゃ).

かんちょう【館長】图 관장. ¶図書(としょ)~ 도서관장/博物(はくぶつ)~ 박물관장.

かんちょう【艦長】图 함장.

がんちょう【元朝】图 원조; 원단; 설날 아침. =元旦(がんたん). ¶~参(まい)り 설날 아침의 신사 참배.

かんつう［姦通］图ス自 간통.

—ざい【—罪】图 간통죄《지금은 폐지됨》.

かんつう【貫通】图ス自他 관통. ¶トンネルが~する 터널이 관통되다/弾丸(だんがん)が肩(かた)を~する 탄환이 어깨를 관통하다/腹部(ふくぶ)に~銃創(じゅうそう)を受(う)ける 복부에 관통 총창을 입다.

カンツォーネ［이 canzone］图〔樂〕칸초네《이탈리아의 민요풍 가요곡》.

かんづく【感づく】《勘付く》5自 (직감적으로) 알아차리다; 낌새채다. =気(き)づく. ¶計略(けいりゃく)を~·かれる 계략을 알아채이다.

かんつばき【寒つばき】《寒椿》图〔植〕겨울철에 피는 동백꽃.

*かんづめ【缶詰】《罐詰》图 **1** 통조림. ¶牛肉(ぎゅうにく)の~ 쇠고기 통조림. **2** (좁은 곳에 사람을) 가두어 둠; 또, 갇힘. ¶一日中(いちにちじゅう)この部屋(へや)に~だよ 온종일 이 방에 갇혀 있단다/ホテルに~になって執筆(しっぴつ)する 호텔에 틀어박혀 집필하다.

かんづり【寒釣り】图 겨울 낚시.

かんてい【官邸】图 관저; 특히 총리대신의 관저. =公邸(こうてい). ¶首相(しゅしょう)~ 수상관저. ↔私邸(してい).

かんてい【艦艇】图 함정.

かんてい【鑑定】图ス他 감정. =めきき. ¶~料(りょう)〔書(しょ)〕 감정료〔서〕/~家(か) 감정가/筆跡(ひっせき)~ 필적 감정/酒(さけ)の味(あじ)を~する 술맛을 감정하다.

がんてい【眼底】图 안저; 눈알의 내면.

—しゅっけつ【—出血】图 안저 출혈.

かんていりゅう【勘亭流】图 서체의 하나; 歌舞伎(かぶき)의 간판 따위를 쓰는 굵은 서체. 參考 '勘亭'는 이 서체의 시조인 江戸(えど) 시대 말기의 서예가 岡崎屋(おかざきや)勘六(かんろく)의 호(號).

［勘亭流］

かんてつ【貫徹】图ス他 관철. ¶初志(しょし)を～する 초지를 관철하다.

カンテラ [네 kandelaar] 图 칸델라; 휴대용 석유등.

かんてん【寒天】图 한천. **1** 겨울 하늘. ＝さむぞら. **2** 우무. ¶～質(しつ) 한천질.

かんてん【干天】《旱天》图 한천; 가뭄.

—の慈雨(じう) **1** 한천의 감우; 가뭄에 오는 단비. **2** 곤란할 때 받는 도움.

***かんてん**【観点】图 관점. ＝見地(けんち)·見(み)かた. ¶この～から考(かんが)えると 이 관점에서 생각하면 / ～を絞(しぼ)る 관점을 좁히다[압축하다] / ～が違(ちが)えば解釈(かいしゃく)もちがってくる 관점이 다르면 해석도 달라진다.

かんでん【乾田】图 건답(乾畓). ¶～直播(ちょくはん)·(ちょくは) 건답 직파. ↔湿田(しつでん).

かんでん【感電】图ス自 감전. ¶～死(し) 감전사 / ～して死(し)ぬ 감전되어 죽다.

かんでんち【乾電池】图 건전지.

かんと【官途】图 관도; 벼슬길. ¶～につく 벼슬길에 오르다 / ～を辞(じ)す 관직에서 물러나다.

かんと 副 쨍과리 소리; 또, 금속이나 나무 따위를 두드리거나 서로 부딪칠 때에 나는 소리: 꽝.

かんと【還都】图 환도. **1** 도읍을 옮김. **2** 원래의 도읍지로 다시 돌아옴.

かんど【感度】图 감도. ¶～のいいラジオ 감도가 좋은 라디오 / 高(こう)～フィルム 고감도 필름.

がんと 副 **1** 딱딱한 것이 세게 부딪치는 소리: 쾅. **2** 강한 충격을 받은 모양: 쾅.

かんとう【巻頭】图 **1** 권두; 책머리. ＝巻首(かんしゅ). ¶～論文(ろんぶん) 권두(의) 논문. ↔巻末(かんまつ)·巻尾(かんび). **2** 사물의 기초. ¶大会(たいかい)の～を飾(かざ)る一戦(いっせん) 대회의 첫머리를 장식하는 일전.

—げん【—言】图 권두언; (잡지·회보 등의) 머리말.

かんとう【官等】图 관등; 관직의 등급. ¶～を減(げん)ずる 관등을 낮추다.

かんとう【完投】图ス自 〔野〕 완투. ¶連続(れんぞく)二試合(にしあい)を～する 연속 2경기를 완투하다. ⇨継投(けいとう)·連投(れんとう).

かんとう【間投】图 간투; 사이에 낌.

—し【—詞】图〔文法〕간투사; 감동사; 감탄사. ＝感動詞(かんどうし).

かんとう【敢闘】图ス自 감투; 용감히 싸움. ＝奮闘(ふんとう). ¶～賞(しょう) 감투상 / ～精神(せいしん) 감투 정신 / 最後(さいご)まで～する 마지막까지 감투하다.

かんとう【関頭】图 관두; 가장 중요한 지경; 갈림길. ＝わかれめ. ¶生死(せいし)の～に立(た)つ 생사의 갈림길에 서다.

かんとう【関東】图 '東京(とうきょう) 지방'의 일컬음; 東京·茨城(いばらき)·栃木(とちぎ)·群馬(ぐんま)·埼玉(さいたま)·千葉(ちば)·神奈川(かながわ)의 1도(都) 6현으로 이루어지는 지방. ↔関西(かんさい).

—だいしんさい【—大震災】图 1923년 9월 1일, 関東 지방 전역에서 일어난 지진; 또, 그에 따른 큰 재해.

—へいや【—平野】图〔地〕関東 평야.

かんどう【勘当】图ス他 의절(義絶); 못된 짓을 저질러서 부모나 스승이 자식 또는 제자와의 인연을 끊음. ¶道楽(どうらく)が過(す)ぎて親(おや)から～を受(う)ける 도락이 지나쳐서 부모로부터 의절당하다.

⁑**かんどう**【感動】图ス自 감동. ¶深(ふか)い～を受(う)ける 깊은 감동을 받다.

—し【—詞】图〔文法〕감동사; 감탄사. ＝感嘆詞(かんたんし)·間投詞(かんとうし).

かんどう【間道】图 간도; 샛길; 지름길. ＝ぬけみち·わきみち. ¶～づたいに 지름길을 따라 / ～を抜(ぬ)ける 샛길로 빠져나가다 / 山越(やまご)えの～がある 산을 넘는 샛길[지름길]이 있다. ↔本道(ほんどう).

かんどうみゃく【冠動脈】图〔生〕관동맥; 관상 동맥. ＝冠状動脈(かんじょうどうみゃく).

かんとく【感得】图ス他 **1** 감득. ¶真理(しんり)を～する 진리를 감득하다. ⇨かんち(感知). **2** 신불의 가호로 소원을 이룸.

⁑**かんとく**【監督】图ス他 감독. ¶野球(やきゅう)の～ 야구 감독 / 映画(えいが)～ 영화 감독 / ～不行(ふゆ)き届(とど)き 감독 소홀 / 部下(ぶか)を～する 부하를 감독하다.

かんどころ【勘どころ】图 **1**〔樂〕(三味線(しゃみせん) 따위의 현악기에서) 지판(指板); 손가락판(板) ＝つぼ. **2**【肝所】중요한 곳; 요소; 급소. ¶～を逃(の)がさない 요점을 놓치지 않다.

—をおさえる (사물의) 급소를 짚다.

がんとして【頑として】連語 막무가내로; 완강히. ＝かたくなに. ¶～承知(しょうち)しない 한사코 동의하지 않다 / ～きかない[受(う)けつけない] 막무가내로 듣지[받아들이지] 않다. 參考 대개 뒤에 否定의 말이 따름.

かんドック【乾ドック】图 건독; 건선거(船渠); 건식 선거. ＝乾船渠(かんせんきょ). ↔浮(う)きドック·湿(しっ)ドック. ▷dock.

カントリー [country] 图 컨트리; 나라; 시골; 교외.

—ウエア [country wear] 图 컨트리웨어; (행락지 등에서 입는) 야외복 따위의 가벼운 복장. ↔タウンウエア.

—クラブ [country club] 图 컨트리클럽; 교외의 골프장 따위의 휴양 시설《CC》.

—リスク [country risk] 图 컨트리 리스크; 투융자 대상국의 신용 위험도.

—リビング [일 country＋living] 图 컨트리 리빙; 전원 생활; 주말 등을 교외에서 보내는 생활 스타일. ＝田舎暮(いなかぐ)らし.

ガントリークレーン [gantry crane] 图 갠트리 크레인; 문형(門型) 기중기.

かんな【鉋】图 대패. ¶ ～屑 대팻밥 / ～で削る 대패로 깎다 / 板に～を掛ける 널빤지에 대패질을 하다.

—かけ【—掛け】图 대패질.

カンナ [canna] 图〔植〕칸나.

かんない【管内】图 관내. ＝管下. ¶ ～を見まわる 관내를 돌아보다. ↔管外.

かんない【館内】图 관내. ¶ ～施設 관내 시설 / 映画～ 영화관내 / ～禁煙 관내 금연. ↔館外.

かんなづき【神無月】图〈雅〉음력 10월. ＝かみなづき.

かんなべ【燗鍋】图 술 데우는 냄비《구리로 되었는데, 손잡이와 귀때 및 뚜껑이 있음》.

かんなん【患難】图 환난; 근심과 재난.

かんなん【艱難】图 간난. ＝難儀. ¶ ～辛苦 간난신고.

—汝を玉にす 사람은 많은 고난을 겪어야 훌륭한 사람이 될 수 있다.

かんにして【簡にして】連語 간단하고도; 간결하고(도). ¶ ～要を得る 간결하고(도) 요령이 있다.

かんにゅう【貫入】图ス自 관입. **1** 꿰뚫어 들어감; 또, 들여보냄. **2**〔地〕마그마가 지층이나 암석 속에 들어감.

かんにゅう【陥入】图ス自 함입; 빠져듦; 폭 패임.

かんにん【堪忍】图ス自 **1** 참고 견딤; 인내. ¶ ～は一生の宝 인내는 평생의 보배 / ならぬ～するが～ 참을 수 없는 것을 참아내는 것이 참다운 인내. **2** 화를 참고 용서함; 남의 과실을 용서함. ＝勘弁. ¶ もう～できない 이젠 용서할 수 없다.

—袋の緒が切れる 더 이상 참지 못하다; 울화통〔결창〕이 터지다.

がんにん【願人】图 (출)원인; 소청(訴請)자. ＝願い主.

カンニング [일 cunning] 图ス自 커닝; 시험 때의 부정행위. ¶ ～ペーパー 커닝페이퍼 / ～を見つかる 커닝을 들키다 / ～をしてつかまる 커닝을 하다가 잡히다. *영어로는 cheat, 또는 cheating.

かんぬき【閂】图 빗장; 장군목. ¶ ～を渡す〔さす·かける〕 빗장을 지르다 / ～をはずす 빗장을 벗기다.

かんぬし【神主】图 신사(神社)의 신관(神官); 또, 그 우두머리.

かんねい【奸佞·姦佞】名ナ 간녕. ¶ ～邪知 간녕 사지 / ～の輩〔臣〕 악하고 교활한 무리〔신하〕.

かんねつ【寒熱】图 한열. **1** 추위와 더위. **2** 오한과 열기. 「이 번갈아 듦.

—おうらい【—往来】图 오한과 신열

かんねつし【感熱紙】图 감열지; 감열기록지《팩시밀리나 컴퓨터용 프린터 등에 씀》.

***かんねん**【観念】一图ス自他 각오; 단념; 체념. ¶ ～しろ 단념〔각오〕해라 / 死んだものと～する 죽은 것으로 단념하다. 二图 관념. ¶ 固定～ 고정관념 / 誤った～をいだく 그릇된 관념을 갖다 / 時間～がない 시간관념이 없다.

—のほぞを固める 이젠 그만이라고 각오〔체념〕하다.

—てき【—的】ダナ 관념적. ¶ ～でなく具体的な方策がこの際必要なのだ 관념적이 아닌 구체적인 방책이 이런 경우 필요한 것이다.

—ろん【—論】图 관념론. **1**〔哲〕관념주의. ＝唯心論. ↔実在論·唯物論. **2** 비현실적인 생각〔이론〕.

がんねん【元年】图 원년. **1** 연호(年號)의 첫해. ¶ 昭和～ 昭和 원년. **2** 비유적으로, 획기적인 출발점이 되는 첫해를 말함. ¶ 福祉～ 복지 원년.

かんのあけ【寒の明け】图 ☞かんあけ.

かんのいり【寒の入り】图 한중(寒中)철로 접어듦; 또, 소한(小寒) 날《양력 1월 6-7일》. ↔寒明け. 「함.

かんのう【勧農】图 권농; 농사를 장려

かんのう【堪能】名ナ (어떤 방면에) 숙달함; 잘 감당할 재능이 있음. ＝じょうず. ¶ 琴に～な人 거문고에 능숙한 사람. 参考 통속적으로 'たんのう'라고도 함. ↔不堪.

かんのう【官能】图 관능. ¶ ～小説 관능 소설 / ～をくすぐる 관능을 은근히 자극하다 / ～に訴える 관능에 호소하다. 「り 관능적인 춤.

—てき【—的】ダナ 관능적. ¶ ～な踊

かんのう【完納】图ス他 완납. ＝全納. ¶ 税金を～する 세금을 완납하다.

かんのう【感応】图ス自 감응. ¶ ～コイル 감응〔유도〕 코일 / 電気に～する 감전(感電)하다 / 神仏が～する 신불이 감응하다〔소원을 들어주다〕 / 目は光に～する 눈은 빛에 감응한다.

かんのう【肝脳】图 간뇌; 간장과 뇌수; 전하여, 육체와 정신. ＝精魂. ¶ ～をしぼる 온갖 힘과 지혜를 다 짜내다.

—地に塗れる 간뇌도지(塗地)하다.

かんのう【間脳】图〔生〕간뇌.

かんのむし【疳の虫·癇の虫】图 감병(疳病) 또는 짜증의 원인으로 생각되었던 벌레; 또, 감병; 짜증. ¶ ～がおこる 짜증이 나다.

かんのもどり【寒の戻り】图 따뜻한 늦봄에 일시적으로 다시 추워지는 일; 꽃샘추위.

かんのん【観音】图 관음《'観世音·観世音菩薩'의 준말》.

—びらき【—開き】图 쌍바라지〔좌우 여닫이〕 문; 또, 그렇게 여는 방식. ＝両開き.

かんば【悍馬·駻馬】图 한마; 사나운 말. ＝あらうま·あばれうま.

かんぱ【寒波】图 한파. ¶ ～の襲来 한파의 내습 / ～が襲う 한파가 내습하다. ↔熱波.

かんぱ【看破】图ス他 간파. ¶ 真意を～する 진의를 간파하다 / 悪だくみを

～する 나쁜 계략을 간파하다.

カンパ [←러 kampaniya] 캄파. ㊀名 조직적인 대중 투쟁. ㊁名ス自他 대중에 호소하여 정치 운동 등의 자금을 모음; 또, 그 자금. ¶資金～ 자금 모금 운동.

かんばい【寒梅】名 한매; 한중(寒中)에 피는 매화. 「＝梅見.

かんばい【観梅】名 관매; 매화꽃 구경.

かんばい【完売】名ス他 완매; 매진. ¶即日～ 당일 완매.

かんぱい【完敗】名ス自 완패. ¶予選で彼に～した 예선에서 그에게 완패했다. ↔完勝.

***かんぱい**【乾杯】《乾盃》名ス自 건배; 축배. ¶結婚を祝って～する 결혼을 축하하여 축배를 들다.

かんぱく【関白】名 **1**〖史〗관백; 중고(中古) 시대에 天皇를 보좌하여 정무를 총리하던 중직(重職)《太政大臣의 위》. ⇨摂政. **2** 위력이나 권력이 강한 자의 비유. ¶亭主～ 남편이 집에서 몹시 위세를 부림; 또, 그 남편.

かんばし-い【芳しい】形 **1** 향기롭다. ＝かぐわしい·こうばしい. ¶～梅のかおり 향기로운 매화의 향기. **2** 명예스럽다; 훌륭하다. ¶～成績でない 훌륭한 성적이 못된다《성적이 나쁘다》. **3** 재미있다; 좋다; 곱다. ¶～·くないうわさ 좋지 않은 소문. 注意 2, 3은 보통 뒤에 否定의 말이 옴.

かんばし-る【甲走る】5自 (목소리가) 가늘고 높고 날카롭게 울리다; 새되게 울리다. ＝きんきんする. ¶～·った声 새된 목소리.

カンバス [canvas] 名 캔버스. **1** 투박한 삼베. ＝ズック. **2**〖美〗(유화(油畫)의) 화포(畫布). ＝キャンバス.

かんばせ〖顔·顔容〗名 **1** 안색; 용모. ¶花の～ 꽃 같은 얼굴. **2** 체면; 면목. ¶なんの～有って父母にまみえようか 무슨 낯으로 부모를 만나 뵐 것인가.

かんばつ [旱魃·干魃] 名 한발. ＝ひでり. ¶～にみまわれる 가뭄을 겪다 / ～で作物がだめになった 가뭄으로 농작물이 결딴났다.

かんばつ【間伐】名ス他 간벌; 솎아베기. ＝透かし伐り.

かんぱつ【間髪】名 '間, 髪を入れず'의 '間, 髪'를 한 단어로 잘못 해석한 데서 생긴 말.

かんはつをいれず【間髪を入れず】連語 즉각; 지체없이. ¶～言い返す 즉각 되받아치다.

カンパニー [company] 名 컴퍼니; 회사.

—ペーパー [company paper] 名 컴퍼니 페이퍼; 기업의 기관지(誌); 기업이 발행하는 대(對)내외 PR용 신문. ＝カンパニーマガジン.

—ユニオン [company union] 名 컴퍼니 유니언; 어용 노조; 회사측이 만든 기업 내 노동조합.

がんばり【頑張り】名 끝까지 버팀; 분발함. ¶最後の～ 마지막 분발 / もう一～だ 조금만 더 힘내자.

がんばりズム〖頑張りズム〗名〈俗〉맹렬히 노력하는 주의. 参考 'がんばる'+'イズム'의 조어(造語).

がんばりや【頑張り屋】名 어떤 일이 있어도 끝까지 초지를 관철하는 사람.

⁑**がんば-る**【頑張る】5自 **1** 강경히 버티다; 우기다. ¶いかに言われても正しいと～·り続ける 무슨 소리를 들어도, 옳다고 우겨대다. **2** 참고 계속 노력하다. ¶～·って店を持とう 끝까지 노력해서 가게를 장만하자 / ～·れ (운동 등에서) 힘내라; 분발해라. **3** 버티(고 서)다. ¶入り口に警官が～·っている 입구에 경관이 버티고 있다. 可能がんばれる下1自

⁑**かんばん**【看板】名 **1** 간판. ㉠상호·옥호 따위를 내다는 것; 전하여, 남의 주의를 끌기 위한 것. ¶立て～ 입간판 / ～を出す 간판을 내걸다《장사를 시작하다》/ ～をかかげる 간판을 내달다. ㉡겉보기·허울뿐인 것. ¶慈善を～にして 자선이란 이름[간판]을 내걸고 / ～に偽り有り 겉보기와는 딴판이다 / あの社長は～だ 저 사장은 이름뿐이다. ㉢신용; 평판. ¶～に傷がつく 신용·평판 등이 손상되다 / ～にかかわる問題 (상점의) 신용에 관계되는 문제. ㉣손님을 끌기 위해 내세우는 것·사람. ¶～役者 간판 배우. **2** 가장 잘하는 것. ¶かれの一枚～だ 그가 내세울 만한 유일한 것이다. **3** (음식점 등이) 그날의 영업을 마침; 폐점. ¶～にする 그날 영업을 마치다; 가게를 닫다 / ～をおろす 가게를 닫다; 폐업하다.

—だおれ【—倒れ】名 겉만 번지레하고 실속은 없음; 굴퉁이; 허울 좋음.

—むすめ【—娘】名 가게 앞에서 손님을 끌기 위해 내세운 예쁜 여점원.

かんぱん【乾板】名〖寫〗건판.

かんぱん【甲板】名 갑판. ＝デッキ. ¶上部～ 상부 갑판 / ～に出る 갑판으로 나가다. 参考 선박 관계에서는 'こうはん'이라고 함.

かんパン【乾パン】名 건빵. ▷포 pão.

がんばん【岩盤】名 암반.

かんび【完備】名ス自他 완비. ¶冷暖房～ 냉난방 완비 / 条件が～する 조건이 완전히 갖춰지다. ↔不備.

かんび【甘美】ダナ 감미. ¶～な果実 감미로운 과실 / ～な夢 달콤한 꿈 / ～な音楽 감미로운 음악.

かんび【艦尾】名 함미. ↔艦首.

かんぴ【官費】名 관비. ＝国費. ¶～生 관비생 / ～で外遊する 관비로 외유하다. ↔私費·公費.

がんぴし〖雁皮紙〗名 안피지.

***かんびょう**【看病】名ス他 간병; 간호; 병구완. ＝看護. ¶病人を～する 병자를 간호하다.

—づかれ【—疲れ】名 병구완에 지침.

かんぴょう〖干瓢·乾瓢〗图 박고지; 오가리. 「속에 넣은 김초밥.
—まき【—巻き】图 양념한 박고지를
がんびょう【眼病】图 눈병; 안질. =眼疾(がんしつ). ¶~にかかる 눈병에 걸리다/~を患(わずら)う 눈병을 앓다.
*かんぶ【幹部】图 간부. ¶~会(かい) 간부회/~社員(しゃいん) 간부 사원/中堅(ちゅうけん)~ 중견 간부/組合(くみあい)の~ 조합 간부.
かんぶ【患部】图 환부. ¶~に薬(くすり)をぬる 환부에 약을 바르다.
かんぷ【乾布】图 건포; 마른 헝겊.
—まさつ【—摩擦】图 건포마찰. ↔冷水(れいすい)摩擦.
かんぷ［姦夫］图 간부; 샛서방. =間男(まおとこ). ↔姦婦(かんぷ). 「姦夫(かんぷ).
かんぷ［姦婦］图 간부; 간통한 여자. ↔
かんぷ【完膚】图 완부; 흠이 없는 피부〔부분〕; 상하지 않은 부분.
—なきまでに 철저히. ¶~やっつける 철저히 해치우다.
かんぷ【還付】图ス他 환부. ¶~金(きん) 환부금/土地(とち)を~する 토지를 환부하다.
かんぷ【関釜】图 부관; 부산과 下関(しものせき). ¶~フェリー 부관 페리〔연락선〕.
カンフー［중 功夫］图 쿵후; 중국식 권법(拳法). =コンフー.
かんぷう【完封】图ス他 완봉; 완전히 봉(쇄)함. ¶~勝(が)ち〖野〗완봉승.
かんぷう【寒風】图 한풍; 찬바람. ¶身(み)を切(き)るような~ 살을 에는 듯한 찬바람/~が吹(ふ)きすさぶ 찬바람이 휘몰아치다. ↔熱風(ねっぷう).
かんぷく【感服】图ス自 감복. ¶~の至(いた)りだ 지극히 감복했다/彼(かれ)の手腕(しゅわん)には~した 그의 수완에는 감복했다.
かんぶくろ【かん袋】《紙袋》图 〈俗·口〉 종이 봉지. =かみぶくろ.
かんぶつ【乾物】图 건물; 마른 식품. =ひもの. ¶~屋(や) 건물상.
かんぶつ【官物】图 관물. ¶~を私用(しよう)する 관물을 사용하다. ↔私物(しぶつ).
かんぶつ【換物】图ス自 환물; 돈을 물건으로 바꿈. 参考 특히, 돈을 귀금속 따위로 바꾸어 재산을 간수함. ↔換金(かんきん).
かんぶつ［灌仏］图〖佛〗관불. 1 불상에 향수를 뿌림. 2 '灌仏会(え)'의 준말.
—え［—会］图〖佛〗관불회. =花(はな)まつり·降誕会(こうたんえ)·仏生会(ぶっしょうえ).
カンフル［네 kamfer］图 1〖薬〗캠퍼《강심제의 하나》. 2 'カンフル注射(ちゅうしゃ)2'의 준말. ¶その資金(しきん)が~となって会社(かいしゃ)はたち直(なお)った 그 자금이 활력소가 되어 회사는 다시 일어섰다.
—ちゅうしゃ【—注射】图 1 캠퍼 주사. ¶~を打(う)つ 캠퍼 주사를 놓다. 2 (비유적으로) 활력소; 즉효적 회복 수단. ¶インフレに対(たい)する~が必要(ひつよう)だ 인플레에 대한 특단의 조처가 필요하다.
かんぶん【漢文】图 한문. ¶~を学(まな)ぶ 한문을 배우다. ↔和文(わぶん)·国文(こくぶん).
—くんどく【—訓読】图 한문을 일본어 문법에 따라 읽는 일. ↔棒読(ぼうよ)み.
かんぷん【感奮】图ス自 감분; 감격하여 분발함. ¶~興起(こうき)する 감분 흥기하다.
かんぺい【官兵】图 관병; 관군.
かんぺい【観兵】图ス自他 관병; 열병.
—しき【—式】图 열병식.
かんぺき［完璧］图ダナ 완벽. =完全(かんぜん)無欠(むけつ). ¶~を期(き)する 완벽을 기하다/この文章(ぶんしょう)は~で添削(てんさく)の余地(よち)がない 이 문장은 완벽하여 첨삭의 여지가 없다. 注意 '完壁'로 씀은 잘못.
がんぺき【岸壁】图 안벽. 1 물가의 벼랑. 2 계선안(繫船岸). ¶~に横付(よこづ)けにする 안벽에 뱃전을 붙여 대다/~で見送(みおく)る 안벽에서 전송하다.
がんぺき【岩壁】图 암벽; 바위 낭떠러지. ¶~がそびえ立(た)っている 암벽이 우뚝 솟아 있다/~を登攀(とうはん)する〔よじ登(のぼ)る〕 암벽을 등반하다〔기어오르다〕.
かんべつ【鑑別】图ス他 감별. =めきき. ¶ひよこの雌雄(しゆう)を~する 병아리의 암수를 감별하다/真偽(しんぎ)を~する 진위를 감별하다.
*かんべん【勘弁】图ス他 용서함. =堪忍(かんにん). ¶~して下(くだ)さい 용서해 주십시오/もう~できない 더 용서할〔참을〕 수 없다. 参考 본디 뜻은, 생각해서 분별함.
—づよ-い【—強い】形 참을성이 많다.
かんべん【簡便】图ダナ 간편. ¶~な方法(ほうほう) 간편한 방법/扱(あつか)いの~な道具(どうぐ) 다루기가 간편한 도구.
かんぺん【官辺】图 관변; 정부 관계; 관청 방면. ¶~に知己(ちき)が多(おお)い 관청 방면에 아는 사람이 많다.
—すじ【—筋】图 관변측; 정부 관계 사람들. ¶~の語(かた)るところによれば 정부 관계자가 말한 바에 따르면.
かんぽ【緩歩】图ス自 완보; 느린 걸음.
かんぼう【官房】图 관방; 관청의 부국(部局)의 하나《장관에 직속하여 인사·문서·회계 등의 총괄적 사무를 담당하는 기관》.
かんぼう【感冒】图 감모; 감기. =かぜ. ¶流行性(りゅうこうせい)~ 유행성 감기.
かんぼう【監房】图 감방. ¶~に入(い)れる 감방에 넣다; 수감하다.
かんぼう【観望】图ス他 관망. ¶~台(だい) 관망대/周囲(しゅうい)の形勢(けいせい)を~する 주위 형세를 관망하다.
かんぽう【官報】图 관보. ¶~に載(の)せる 관보에 싣다. ↔私報(しほう).
かんぽう【漢方】图 한방. ↔蘭方(らんぽう).
—い【—医】图 한(방)의; 한의사.
—やく【—薬】图 한방약; 한약. ¶~を煎(せん)じる 한약을 달이다. 「포 사격.
かんぽう【艦砲】图 함포. ¶~射撃(しゃげき) 함
がんぼう【願望】图ス他 원망; 소원. ¶大(おお)きな~ 큰 소원/~を達(たっ)する 소원을 이루다/長年(ながねん)の~がかなう 오랜 소원이 이루어지다.
かんぽうのまじわり［管鮑の交わり］图 관포지교.

かんぼく [灌木] 图 관목(《'低木(ていぼく)'의 구칭》). ↔喬木(きょうぼく).

かんぼつ【陥没】图ス自 함몰; 땅이 꺼짐; 빠짐. ¶頭蓋骨(ずがいこつ)~ 두개골 함몰 / 道路(どうろ)のまんなかが~する 도로 한가운데가 함몰하다. ↔隆起(りゅうき).

がんほどき【願ほどき】《願解き》图ス自 신불에게 빌었던 일이 이루어졌을 때, 감사의 뜻으로 참배하는 일. ↔願(がん)かけ.

かんぽん【刊本】图 간본; 간행된 책. ↔写本(しゃほん)·稿本(こうほん).

かんぽん【完本】图 완본. ¶源氏物語(げんじものがたり)の~ 源氏物語의 완본. ↔欠本(けっぽん)·端本(はほん)·零本(れいほん).

がんぽん【元本】图 **1** 원금; 밑천. =もとで. ¶~割(わ)れ 원금마저 까먹음. **2** 원본; 이익이나 수입의 기초가 되는 재산 또는 권리(《셋집·주식·예금 따위》).

ガンマせん【ガンマ線】图〖理〗감마선(《방사선의 하나》). ▷gamma.

かんまつ【巻末】图 권말; 책의 맨 끝. =巻尾(かんび). ¶~の付録(ふろく) 권말 부록. ↔巻頭(かんとう)·巻首(かんしゅ).

かんまん【干満】图 간만. ¶~の差(さ)が大(おお)きい 간만의 차가 크다.

かんまん【緩慢】ダナ 완만. **1** 엄하지 않음; 미지근함. ¶~な処置(しょち) 미지근한 조처 / ~な警備態勢(けいびたいせい) 허술한 경비 태세. **2** 느릿느릿함; 활발치 못함. ¶~な動作(どうさ)〔傾斜(けいしゃ)〕 완만한 동작〔경사〕/ ~な市場景気(しじょうけいき) 완만한 시장 경기.

ガンマン [gunman] 图 건맨; 총잡이.

かんみ【甘味】图 감미; 단맛; 또, 단 식품. =あまみ. ¶~品(ひん) 단 과자류.

—りょう【—料】图 감미료(《설탕·사카린 등》). ¶人工(じんこう)~ 인공 감미료.

がんみ [玩味] 图ス他 완미. **1** 음식물을 잘 씹어 맛봄. **2** 음미. ¶熟読(じゅくどく)~ 숙독 음미 / 深(ふか)く~すべき言葉(ことば)だ 깊이 음미해야 할 말이다.

かんみん【官民】图 관민. ¶~一致(いっち) 관민 일치.

かんむり【冠】图 **1** 관. ¶~をかぶる 관을 쓰다 / 李下(りか)に~を正(ただ)さず 이하(李下)에 부정관(不整冠)(《의심받을 짓은 삼가라》). **2**『お~だ』성이 나 있다; 기분이 언짢다. **3** 한자의 윗머리(《草(くさ)かんむり(=초두)·竹(たけ)かんむり(=대죽머리) 따위》).

—を曲(ま)げる 부루퉁해하다; 심통〔외고집〕을 부리다.

—たいかい【—大会】图 자금을 구하는 주최자와 선전이 필요한 조직의 양쪽을 위해 스폰서의 조직 이름을 대회 명칭 위에 붙이는 경기 대회.

かんむりょう【感無量】ダナ ☞かんがい(感慨)むりょう.

かんめ【貫目】图 **1** 무게. =めかた. ¶~をはかる 무게를 달다 / ~が足(た)りない 무게가 모자라다. **2** (척관법에서) 관. ¶一(いっ)~ 한 관. ⇨貫(かん). **3** 관록. ¶~のある風采(ふうさい) 드레진〔무게 있는〕 풍채.

かんめい【官名】图 관명. =かんみょう. ¶~を詐称(さしょう)する 관명을 사칭하다.

かんめい【感銘·肝銘】图ス自 감명. ¶深(ふか)い~をうける 깊은 감명을 받다 / ~を与(あた)える 감명을 주다.

かんめい【簡明】图ダナ 간명; 간단명료함. ¶~な説明(せつめい) 간명한 설명 / ~に答(こた)える 간명하게 답하다.

がんめい【頑迷】《頑冥》名ナ 완미; 완명. ¶~な老人(ろうじん) 완미〔완고〕한 노인 / ~固陋(ころう) 완미 고루.

がんめん【顔面】图 안면; 얼굴. ¶~筋(きん) 안면근 / ~神経痛(しんけいつう) 안면 신경통 / ~を紅潮(こうちょう)させる 안면을 붉히다.

がんもう【願望】图ス他 ☞がんぼう.

がんもく【眼目】图 안목; 주안(점); 요점. ¶話(はなし)の~ 이야기의 요점 / …に~が置(お)かれる …에 주안점이 두어지다 / ~に掲(かか)げる 주안점으로 내세우다.

がんもどき〖雁擬き〗图〖料〗유부의 한 가지; 두부 속에 잘 다진 야채·다시마 따위를 넣어 기름에 튀긴 것. 参考 기러기 고기 맛과 비슷한 데서.

かんもん【喚問】图ス他 환문. ¶証人(しょうにん)~ 증인 환문.

かんもん【関門】图 **1** 관문. =関所(せきしょ). **2** 통과하기 어려운 곳. ¶出世(しゅっせ)の第一(だいいち)~ 출세의 첫 관문 / 入試(にゅうし)の~を突破(とっぱ)する 입시 관문을 돌파하다.

かんやく【完訳】图ス他 완역. **1** 전문을 번역함; 또, 그 문장. =全訳(ぜんやく). ¶イソップ童話(どうわ)を~する 이솝 동화를 완역하다. ↔抄訳(しょうやく). **2** 번역을 마침.

かんやく【漢訳】图ス他 한역. ¶~仏典(ぶってん) 한역 불전.

かんやく【漢薬】图 한약. =漢方薬(かんぽうやく).

かんやく【簡約】图ス他ダナ 간약. ¶長(なが)い文章(ぶんしょう)の要点(ようてん)をつかんで~にする 긴 문장의 요점을 파악하여 간략하게 하다.

がんやく【丸薬】图 환약. =丸剤(がんざい). ⇨錠剤(じょうざい). ↔粉薬(こなぐすり)·水薬(みずぐすり)·散薬(さんやく).

かんゆ【肝油】图 간유. ¶~でビタミンAの不足(ふそく)を補(おぎな)う 간유로 비타민 A의 부족을 보충하다.

かんゆ [換喩] 图 환유; 비유의 한 가지.

かんゆ【勧諭】图ス他 타이르며 권유함.

***かんゆう**【勧誘】图ス他 권유. ¶保険(ほけん)に加入(かにゅう)するよう~する 보험에 가입하도록 권유하다.

かんゆう【官有】图 관유. =国有(こくゆう). ¶~地(ち) 관유지. ↔民有(みんゆう).

—りん【—林】图 관유림(《'国有林(こくゆうりん)(=국유림)'의 구칭》). ↔民有林.

がんゆう【含有】图ス他 함유.

—りょう【—量】图 함유량. =含量(がんりょう).

かんよ【関与·干与】图ス自 관여. ¶国政(こくせい)に~する 국정에 관여하다. 注意 '干与'로 씀은 대용 한자.

かんよう【官用】图 관용. ¶~の車(くるま) 관용차.

かんよう【寛容】图ダナ 관용. ¶~な人(ひと) 마음이 너그러운 사람 / ~の精神(せいしん) 관용의 정신. ↔狭量(きょうりょう).

かんよう [涵養] 图ス他 함양. ¶徳性(とくせい)

を～する 덕성을 함양하다.

かんよう【慣用】图ス他 관용. ¶～語(ご) 관용어 / ～的(てき)語法(ごほう) 관용적 어법.

—おん【—音】图〔言〕관용음.

—く【—句】图 관용구; 이디엄. ＝イディオム.

—よみ【—読み】图 관용음에 따라 읽는 일.

かんよう【肝要】名ナ 간요; 긴요. ＝緊要(きんよう)·肝心(かんじん). ¶忍耐(にんたい)が～だ 인내가 가장 중요하다 / ～な点(てん)を抜(ぬ)かした答案(とうあん) 요긴한 점을 빠뜨린 답안.

かんようしょくぶつ【観葉植物】图 관엽 식물.

*__がんらい【元来】__副 원래. ＝もともと. ¶～正直(しょうじき)な人(ひと) 원래 정직한 사람.

かんらく【歓楽】图 환락. ＝快楽(かいらく). ¶～街(がい) 환락가 / ～の巷(ちまた) 환락의 거리 / ～におぼれる 환락에 빠지다.

かんらく【陥落】图ス自 함락. **1** 함몰. ¶地盤(じばん)の～ 지반의 함몰. **2**〈俗〉설득하여 납득시킴. ¶くどいて～させる 설득해서 함락시키다《승낙게 하다》/ とうとう彼(かれ)も～した 결국 그도 함락되었다〔승낙했다〕. **3** 공락(攻落). ¶敵城(てきじょう)が～した 적의 성이 함락되었다.

かんらん【観覧】图ス他 관람. ¶～料(りょう)〔席(せき), 車(しゃ)〕 관람료〔석, 차〕/ 一般(いっぱん)の～を許(ゆる)す 일반의 관람을 허용하다.

*__かんり【官吏】__图 관리《'国家(こっか)公務員(こうむいん)(국가 공무원)'의 통칭》. ＝役人(やくにん).

かんり【監理】图ス他 감리; 감독하고 관리함. ¶設計(せっけい)～ 설계 감리 / 電波(でんぱ)～局(きょく) 전파 감리국.

**__かんり【管理】__图ス他 관리. ¶～職(しょく) 관리직 / 品質(ひんしつ)～ 품질 관리 / おいの財産(ざいさん)を～する 조카 재산을 관리하다.

—にん【—人】图 관리인. ¶アパートの～ 아파트 관리인.

がんり【元利】图 원리; 원금과 이자. ¶～合計(ごうけい) 원리 합계.

がんりき【眼力】图 안력; 사물을 분별하는 힘. ＝がんりょく. ¶あの人(ひと)は恐(おそ)ろしい～をもっている 저 사람은 무서운 안력을 가지고 있다 / 人物(じんぶつ)を見(み)る～がある 인물을 보는 안력이 있다.

かんりつ【官立】图 관립. ¶～の大学(だいがく) 관립 대학. 參考 현재는 '国立(こくりつ)(＝국립)'라고 함. ↔公立(こうりつ)·私立(しりつ).

*__かんりゃく【簡略】__图ダナ 간략. ¶～化(か) 간략화 / ～な記事(きじ)〔仕方(しかた)〕 간략한 기사〔방법〕/ 説明(せつめい)を～にする 설명을 간략하게 하다. ↔煩雑(はんざつ).

かんりゅう【乾留】《乾溜》图ス他〔化〕건류. ¶石炭(せきたん)を～するとガスが発生(はっせい)する 석탄을 건류하면 가스가 발생한다. ↔蒸留(じょうりゅう).

かんりゅう【寒流】图 한류. ↔暖流(だんりゅう).

かんりゅう【貫流】图ス自 관류. ¶平野(へいや)を～する川(かわ) 평야를 관류하는 강.

かんりゅう【還流】환류; 흐름이 되돌아옴. ¶資金(しきん)の～ 자금의 환류.

かんりゅう【環流】图ス他 환류; 흐르면서 도는 일. ¶血液(けつえき)が体内(たいない)を～する 혈액이 체내를 환류하다.

かんりょう【官僚】图 관료. ¶～化(か) 관료화 / ～主義(しゅぎ) 관료주의.

—せいじ【—政治】图 관료 정치. ＝官僚制(せい).

—てき【—的】ダナ 관료적. ¶～な発想(はっそう) 관료적인 발상.

かんりょう【完了】완료. 一图ス自他 완전히 끝남〔끝냄〕. ¶準備(じゅんび)～ 준비 완료 / 仕事(しごと)が～する 일이 끝나다. ↔未完(みかん). 二图〔文法〕동작의 완료를 나타내는 어법. ¶～形(けい) 완료형 / ～の助動詞(じょどうし) 완료의 조동사.

がんりょう【顔料】图 안료. ¶～を混(ま)ぜる 안료를 섞다.

がんりょう【含量】图 함량. ＝含有量(がんゆうりょう). ¶ビタミンの～ 비타민의 함량.

がんりょう[岩稜]图 암릉; 암석이 노출된 산의 능선. ＝岩尾根(いわおね).

かんるい【感涙】图 감루; 감격의 눈물. ¶～にむせぶ 감격의 눈물을 흘리다.

かんれい【寒冷】名ナ 한랭. ¶～地(ち) 한랭지 / ～前線(ぜんせん)〔氣〕한랭 전선 / ～な気候(きこう) 한랭한 기후. ↔温暖(おんだん).

—しゃ[—紗]图 한랭사; 발이 거칠고 얇은 질긴 무명《장식·모기장용》.

かんれい【慣例】图 관례. ＝しきたり·ならわし. ¶～に従(したが)う 관례에 따르다 / ～にそむく 관례에 어긋나다.

かんれき【還暦】图 환력; 환갑. ＝本卦(ほんけ)がえり. ¶～祝(いわ)い 환갑 잔치 / ～を迎(むか)える 환갑을 맞(이 하)다. 參考 華甲(かこう)는 그 한문투의 말씨.

*__かんれん【関連】__《関聯》图ス自 관련. ＝連関(れんかん). ¶～産業(さんぎょう) 관련 산업 / ～のある事柄(ことがら) 관련이 있는 사항 / 事件(じけん)に～する 사건에 관련되다.

—せい【—性】图 관련성; 연관성. ¶二(ふた)つの事件(じけん)に～はない 두 사건에 관련성은 없다.

かんろ【甘露】图 감로; 맛이 좋은 것. ¶～水(すい) 감로수 / ああ, ～, ～ 아아, 맛있다, 맛있어.

—に【—煮】图 (생선 따위를) 달게 요리한 찜. ＝あめ煮(に)·あめだき.

かんろ【寒露】图 한로; 24절기의 하나; 양력 10월 8,9일경.

かんろ【官路】图 관로; 벼슬길.

がんろう[玩弄]图ス他 완롱; 우롱. ¶おれを～するか 나를 우롱하긴가.

—ぶつ[—物]图 노리갯감.

かんろく[貫禄]图 관록. ¶～がある〔つく〕관록이 있다〔붙다〕.

*__かんわ【緩和】__图ス自他 완화. ¶制限(せいげん)を～する 제한을 완화하다 / 財政難(ざいせいなん)が～する 재정난이 완화되다.

かんわ【閑話】图 한화; 한담. ＝むだ話(ばなし)·閑談(かんだん).

—きゅうだい【—休題】接 한화휴제; 여담은 그만하고. ＝さて.

かんわじてん【漢和辞典】图 한화 사전; 한일(漢日) 사전.

き キ

1 五十音図 'か行'의 둘째 음. [ki] 2 〖字源〗'幾'의 초서체《かたかな 'キ'는 '幾'의 초서체의 생략체》.

**き【木】《樹》图 1 나무. ㉠수목. ＝たち木. ¶柿の～ 감나무 / ～が茂る 나무가 우거지다. ↔草. ㉡재목. ¶～の箱 나무 상자 / ～でつくった家 나무로 지은 집 / ～をくべる 나무를 때다. 2《본디 柝》(극장에서) 딱따기. ¶～がはいる 딱따기를 치다; 무대의 막이 오르다 / ～をいれる 딱따기를 치다.

—から落ちた猿 나무에서 떨어진 원숭이《믿고 의지할 곳을 잃음의 비유》. ＝木をはなれた猿.

—で鼻をくくる 냉랭하게 대하다. ¶木で鼻をくくったような挨拶 무뚝뚝한 인사.

—に竹を接ぐ 나무에 대를 접붙이다《사물의 부조화·부자연스러움의 비유》.

—に縁って魚を求む 연목(緣木)구어.

き【黄】图 노랑. ¶～いろ 황색.

き【生】⊟图 잡것이 섞이지 않음. ¶ウィスキーを～で飲む 위스키를 (물 타지 않고) 그냥 마시다. ⊟接頭 1 순수함. ¶～娘 숫처녀 / ～まじめ 고지식함; 진국임. 2 정제하지 않음; 생. ¶～糸 생사 / ～薬 생약.

**き【気】图 1 기운. ¶陰惨の～ 음산한 기운 / 殺伐の～がみなぎる 살벌한 기운이 넘치다. 2 기; 기력. ¶～をくじく 기를 꺾다 / ～が尽きる 기력이 다하다. 3 김; 독특한 향기나 맛. ¶～の抜けたビール 김빠진 맥주. 4 기염; 의기. ¶～は天をつく 의기충천하다. 5 마음. ¶～の弱い男 마음이 약한 사내. 6 성질. ¶～が荒い 성질이 거칠다 / ～が強い 성질이 강하다. 7 마음씨. ¶～がいい 마음씨가 곱다. 8 정신; 의식. ¶～を失う 실신〔기절〕하다 / ～が付く 정신이 들다. 9 생각. ¶どうする～だ 어떻게 할 생각〔작정〕이냐 / やる～が無い 할 생각이 없다. 10 기분; 감정. ¶～まずい 기분이 서먹서먹하다. 11 숨; 호흡. ¶～が詰まる 숨이 막히다. 12 맥. ¶～が抜ける 맥이 빠지다.

—が合う 마음〔기분〕이 맞다.

—がある 1 마음이 있다 ¶車を買う～ 차를 살 마음이 있다. 2 (이성에) 관심이 있다. ¶彼女に～ 그녀에게 마음이 있다.

—が移る 마음이 변하다.

—が多い 1 무엇에나 흥미를 느끼다. 2 마음이 변하기 잘 하다; 변덕스럽다.

—が置けない 마음이 쓰이지 않다; 스스럽지 않다; 무간하다. ¶～間柄〔友人〕 무간한 사이〔친구〕. 參考 방심할〔마음을 놓을〕 수 없다는 뜻으로 잘못 쓰이는 경우가 있음.

—が重い 마음이 무겁다; 기분이 침울해지다. ¶考えただけでも～ 생각만 해도 마음이 무겁다. ↔気が軽い.

—が利き過ぎて間が抜ける 눈치가 너무 빨라 오히려 실수하다.

—が利く 1 눈치가 빠르다; 재치가 있다. ¶気が利かないやつ 눈치 없는 녀석. 2 멋지다; 세련되다. ¶気の利いたデザイン 멋진 디자인.

—が—でない (걱정이 되어) 안절부절못하다; 제정신이 아니다.

—が腐る 낙심하다; 기운이 죽다.

—が差す 어쩐지 마음에 걸려 불안하다; 꺼림칙한 느낌이 들다. ¶逃げたことに～ 도망친 것이 꺼림칙하다.

—が沈む 마음이 암담해지다; 기분이 가라앉다〔울적해지다〕.

—が渋る 마음이 내키지 않다.

—が知れない 속마음을 알 수가 없다.

—が進まない 마음이 내키지 않다.

—が済む 만족하다; 걱정되는 일이 없어져 마음이 놓이다.

—が急く 마음이 조급해지다.

—が立つ 흥분하다. ¶気が立って寝られない 흥분되어 잠을 이루지 못하다.

—が散る 마음이 산만해지다.

—が付く 1 깨닫다; 생각(이) 나다; 주의가 미치다. ＝考えつく·気づく. 2 (제)정신이 들다.

—が遠くなる 정신이 아찔해지다; 까무러치다.

—がとがめる 양심에 찔리다.

—が長い 성미가 느긋하다.

—が乗る 마음이 내키다. ¶気が乗ったら徹夜もする 마음이 내키면 철야도 한다.

—が早い 성급하다.

—が張る (마음이) 긴장하다.

—が晴れる 기분이 상쾌해지다.

—が引ける 기가 죽다; 열등감을 느끼다; 주눅이 들다; 겸연쩍다. ＝気おくれする. ¶こんなかっこうで人前に出るのは～ 이런 꼴로 남 앞에 나가기란 겸연쩍다.

—が触れる 정신이 돌다; 미치다.

—が短い 성미가 급하다.

—が向く 할 마음이 들다; 기분이 내키다.

—がめいる 마음이 침울해지다; 풀이 죽다.

—がもめる 안타까워 안절부절못하다; 애가 타다.

—に入る 마음에 들다. ¶この服が気に入った 이 옷이 마음에 들었다. ↔気にくわない.

—に掛かる 마음에 걸리다; 걱정이 되다.

—に掛ける 마음에 두다; 걱정하다; 괘념〔염려〕하다.

—にくわない 마음에 들지 않다. ↔気にいる.

—に障る 마음〔비위〕에 거슬리다; 불쾌하게 느껴지다. ¶人の～ことをいう 남의 비위에 거슬리는 말을 하다.
—にする 마음에 두다; 걱정하다. ¶うわさを～ 소문을 걱정하다.
—に止める 마음에 두다; 유념하다.
—になる 마음에 걸리다; 걱정이 되다.
—に病む 마음에 두고 끙끙 앓다; 걱정하다.
—のせい 마음〔기분〕 탓.
—は心 변변찮고 얼마 되지 않지만 정성이 담겨 있음.
—も漫ろ 마음이 싱숭생숭함.
—を入れる **1** 마음을 쏟다. **2** 기운을 북돋우다. ＝元気づける.
—を落とす 낙심〔실망〕하다.
—を配る 마음을 쓰다; 배려하다.
—を使う 주의하다; 신경을 쓰다.
—を付ける 정신 차리다; 조심〔주의〕하다.
—を取られる 딴 곳에 마음을 빼앗기다. ¶話に気を取られて約束を忘れる 얘기에 정신이 팔려 약속을 잊다.
—を取り直す 고쳐 생각하고 기운을 다시 내다.
—を抜く **1** 상대를 놀라게 하다. **2** 긴장을 풀다.
—を飲まれる (기세에) 압도당하다.
—を吐く 기염을 토하다.
—を晴らす 우울한 기분을 풀다.
—を張る 정신을 긴장시키다; 마음을 다잡다.
—を引く **1** 마음을 끌다. **2** 넌지시 속을 떠보다.
—を回す 상대의 마음을 이리저리 추측하다; 억측하다.
—を持たせる **1** 넌지시 언동으로 비추다. **2** (상대에게) 어떤 기대를 갖게 하다.
—を揉む 마음을 졸이다; 애태우다.
—を許す 상대를 믿고 경계심을 풀다; 방심하다. ¶決して～な 절대로 방심하지 마라.
—を良くする 기분이 좋아지다.
—を悪くする 기분〔감정〕을 상하(게하)다; 기분을 잡치다.

き【基】 ㊀图 **1** 기초. **2**〔化〕기. ¶水酸～ 수산기. ㊁接尾 …기; 묘석·장명등(長明燈) 따위 고정된 물건을 세는 말. ¶石塔一～ 석탑 1기.

き【奇】 图 **1** ㉠진기함. ¶～を好む 진기한 것을 좋아하다. ㉡이상함. **2** 홀수. ¶～の数 기수(奇數); 홀수. ↔偶.
—をてらう 별난 짓을 하다.

き【季】 图 俳句에서, 각 계절의 경물(景物). ¶～のない句 철에 대한 묘사가 없는 俳句.

き【機】 ㊀图 **1** 시기; 기회. ＝しおどき. ¶～をうかがう 기회를 엿보다 / ～を逸する 기회를 놓치다. **2** 기계. **3** 비행기. ¶～から降りる 비행기에서 내리다. ㊁接尾 …기; 기계; 비행기. ¶洗濯～ 세탁기 / 練習～ 연습기.
—が熟す 기회가 무르익다. ¶決起の～ 궐기할 시기가 무르익다.
—に乗ずる 기회를 틈타다. ¶機に乗じて逃走する 기회를 틈타 도주하다.
—を見るに敏 기회를 포착하는 데 매우 재빠르다.

き【記】 图 기; 기록. ¶思い出の～ 회상기 / 心に深く～して忘れず 마음에 깊이 새겨 잊지 않다.

き【軌】 图 궤; 정해진 길; 법칙; 방법.
—を一にする; —を同じくする 궤를 같이하다.

き【期】 ㊀图 (마침 좋은) 때; 기회. ¶この～に解決してしまおう 이번 기회에 해결해 버리자. ㊁接尾 …기; 기간. ¶産卵～ 산란기.

き=【貴】 귀…. **1** 귀중한. ¶～金属 귀금속. **2** 경의의 표시. ¶～銀行 귀은행.

=き【騎】 …기; 말 탄 사람의 수효. ¶数千～の軍兵 수천기의 군병.

き〖己〗 教6 キ コ おのれ おの つちのと | 기 몸 자기 | **1** 자기. ¶知己 지기 / 克己心 극기심. **2** 천간(天干)의 여섯째. ¶己丑 기축.

き〖企〗 常用 キ くわだてる たくらむ | 기 꾀하다 | 도모하다; 꾀하다; 계획하다. ¶企図 기도 / 企業 기업 / 企画 기획.

き〖肌〗 常用 キ はだ | 기 살가죽 | **1** 살갗; 피부. ¶肌色 피부색. **2** 기질. ¶学者肌 학자 기질.

き〖危〗 教6 キ あぶない あやうい あやぶむ | 위 위태롭다 | **1** 위태하다. ¶危機 위기 / 安危 안위. **2** 불안해하다; 우려하다. ¶危惧 위구.

き〖机〗 教6 キ つくえ | 궤 책상 | 탁자; 책상. ¶机下 안하(案下); 궤하 / 机案 궤안.

き〖気〗〘氣〙 教1 キ ケ | 기 기운 | **1** 호흡; 숨. ¶気管 기관. **2** 공기; 대기. ¶気体 기체. **3** 기운. ¶元気 원기. **4** 정신; 기분. ¶気力 기력 / 人気 인기.

き〖岐〗 常用 キ ギ わかれる | 기 갈라지다 | 나누이다; 갈라지다. ¶岐路 기로 / 岐れ道 갈림길.

き〖希〗 教4 キ ケ まれ こいねがう | 희 드물다 바라다 | **1** 드물다; 진기하다. ¶希少 희소 / 希有 희유. **2** 바라다. ¶希求 희구 / 希望 희망.

き〖忌〗 常用 キ いむ いまわしい | 기 기하다 꺼리다 | **1** 꺼리다. ¶忌避 기피 / 禁忌 금기. **2** 사람이 죽은 뒤 일정 기간 근신하다. ¶忌服 기복 / 忌明け 탈상(脫喪).

き〖汽〗 教2 キ | 기 김 | 김; 수증기. ¶汽笛 기적 / 汽船 기선 / 汽車 기차.

き〖奇〗 常用 キ くし | 기 기이하다 | **1** 진기하다; 이상하다. ¶奇怪 기괴 / 珍奇 진기. **2** 홀수. ¶奇数 기수. ↔偶.

き〖祈〗〘祈〙 常用 キ いのる | 기 빌다 | 빌다; 기원

하다. ¶祈願(きがん) 기원 / 祈雨(きう) 기우.

き〖季〗教4 キ すえ | 계 끝 | 1 형제 중의 막내; 끝. ¶季子(きし) 계자; 막내아들. ↔孟(もう)·仲(ちゅう). 2 춘하추동의 네 철. ¶季節(きせつ) 계절 / 四季(しき) 사계. 3 어느 기간. ¶雨季(うき) 우계.

き〖紀〗教4 キ | 기 법 적다 | 1 기록. ¶紀行(きこう) 기행. 2 도리; 규칙. ¶紀律(きりつ) 기율 / 風紀(ふうき) 풍기. 3 해; 연대. ¶紀元(きげん) 기원 / 西紀(せいき) 서기. 4 '日本書紀(にほんしょき)'의 준말.

き〖軌〗常用 キ | 궤 바큇자국 | 1 바퀴; 바큇자국; 궤도; 선로. ¶広軌(こうき) 광궤 / 軌跡(きせき) 궤적. 2 조리; 법칙. ¶常軌(じょうき) 상궤.

き〖姫〗《姬》常用 キ ひめ | 희 아가씨 | 높은 신분의 여자; 또, 여성의 미칭. ¶美姫(びき) 미희.

き〖既〗《旣》常用 キ すでに | 기 이미 | 1 이미. ¶既往(きおう) 기왕 / 既婚(きこん) 기혼. ↔未(み). 2 …을 다하다. ¶皆既日食(かいきにっしょく) 개기 일식.

き〖記〗教2 キ しるす | 기 적다 | 1 ㉠기록하다; 적어 두다. ¶記入(きにゅう) 기입 / 記録(きろく) 기록. ㉡기억하다. ¶暗記(あんき) 암기. 2 기록; 표; 문장. ¶記号(きごう) 기호 / 日記(にっき) 일기.

き〖起〗《起》教3 キ おきる おこる おこす | 기 일어나다 | 1 일어나다; 일어서다; 높이 들어 올리다. ¶起重機(きじゅうき) 기중기 / 起立(きりつ) 기립. 2 시작; 시초. ¶起因(きいん) 기인 / 起源(きげん) 기원.

き〖飢〗《飢》常用 キ うえる | 기 굶주리다 | 굶주리다. ¶飢餓(きが) 기아 / 飢饉(ききん) 기근.

き〖鬼〗常用 キ おに | 귀 귀신 | 1 귀신; 악마. ¶鬼畜(きちく) 귀축 / 吸血鬼(きゅうけつき) 흡혈귀 / 悪鬼(あっき) 악귀. 2 뛰어난 것. ¶鬼才(きさい) 귀재.

き〖帰〗《歸》教2 キ かえる かえす | 귀 돌아가다 | 1 돌아가(게 하)다. ¶帰京(ききょう) 귀경 / 不帰(ふき) 불귀. 2 귀착하다; 귀순하다. ¶帰順(きじゅん) 귀순 / 帰趨(きすう) 귀추.

き〖亀〗《龜》人名 キ かめ | 구 귀 균 거북 트다 | 1 거북. ¶亀甲(きこう·きっこう) 귀갑. 2 점치는 데 쓰는 거북딱지. ¶亀裂(きれつ) 균열 / 亀鑑(きかん) 귀감 / 亀卜(きぼく) 귀복.

き〖基〗教5 キ もと もとい もとづく | 기 터 | 1 터; 토대; 터전; 근본. ¶基礎(きそ) 기초 / 基盤(きばん) 기반 / 基幹(きかん) 기간 / 国防(こくぼう)の基(もとい) 국방의 기본. 2 기초로 하다. ¶基因(きいん) 기인.

き〖寄〗教5 キ よる よせる | 기 맡기다 | 1 몸을 의탁하다; 맡기다. ¶寄食(きしょく) 기식 / 寄生(きせい) 기생. 2 들르다. ¶寄港(きこう) 기항.

き〖崎〗常用 キ さき | 기 갑 | 갑(岬); 곶. 注意 주로 지명에 쓰이며 훈독함.

き〖規〗教5 キ のり | 규 법 | 1 컴퍼스; 전하여, 표준; 모범. ¶規準(きじゅん) 규준 / 規則(きそく) 규칙. 2 바르게 하다; 훈계하다. ¶規制(きせい) 규제.

き〖喜〗教4 キ よろこぶ | 희 기쁘다 | 1 기뻐하다; 기쁨. ¶喜悦(きえつ) 희열 / 歓喜(かんき) 환희. 2 희수; 77세. ¶喜(き)の字(じ)の祝(いわ)い 희수연(宴).

き〖幾〗《幾》常用 キ いく | 기 몇 얼마 | 몇; 얼마. ¶幾何(きか·いくばく) 기하; 얼마나 / 幾人(いくにん) 몇 사람 / 幾(いく)つ 몇 개.

き〖揮〗教6 キ ふるう | 휘 휘두르다 | 1 휘두르다. ¶揮毫(きごう) 휘호 / 指揮(しき) 지휘. 2 흩다; 흐트러뜨리다. ¶揮発(きはつ) 휘발.

き〖期〗教3 キ ゴ | 기 기약하다 | 1 기약하다. ¶期日(きじつ) 기일 / 期待(きたい) 기대. 2 때; 시기. ¶時期(じき) 시기 / 最期(さいご) 최후.

き〖棋〗常用 キ | 기 바둑 | 1 말; 바둑돌. ¶棋子(きし) 바둑돌. 2 장기; 바둑. ¶棋士(きし) 기사 / 将棋(しょうぎ) 장기.

き〖貴〗教6 キ たっとい とうとい たっとぶ とうとぶ | 귀 귀하다 | 1 신분이 높다. ¶貴族(きぞく) 귀족. ↔賤(せん). 2 비싸다; 소중히 하다. ¶貴金属(ききんぞく) 귀금속 / 騰貴(とうき) 등귀. 3 상대방에 대한 경의를 나타냄. ¶貴社(きしゃ) 귀사.

き〖棄〗常用 キ すてる | 기 버리다 | 버리다. ¶棄却(ききゃく) 기각 / 廃棄(はいき) 폐기.

き〖旗〗教4 キ はた | 기 기 | 기; 깃발. ¶旗手(きしゅ) 기수 / 校旗(こうき) 교기 / 旗(はた)を掲(かか)げる 기를 달다.

き〖器〗《器》教4 キ うつわ | 기 그릇 | 1 그릇; 도구. ¶器具(きぐ) 기구 / 楽器(がっき) 악기. 2 재능이 있음. ¶器量(きりょう) 기량.

き〖輝〗常用 キ かがやく | 휘 빛(나다) | 빛나다; 비치다. ¶輝石(きせき) 휘석 / 光輝(こうき) 광휘.

き〖機〗《機》教4 キ はた | 기 틀 때 | 1 틀; 기계; 베틀. ¶機械(きかい) 기계 / 織機(しょっき) 베틀. 2 기틀; 시기; 기회. ¶機(き)を見(み)る 기회를 보다 / 機会(きかい) 기회. 3 요점; 요긴한 점. ¶機密(きみつ) 기밀 / 万機(ばんき) 만기.

き〖騎〗常用 キ のる | 기 말타다 | 1 말을 타다. ¶騎馬(きば) 기마. 2 말 탄 병사. ¶騎士(きし) 기사.

ぎ【儀】名 1 의식. ¶結婚(けっこん)の～ 결혼 의식. 2 일; 사항. ¶お願(ねが)いの～いかがなりましたでしょうか 부탁 드린 일 어떻게 되었는지요. 3《接尾語적으로》 모형; 기계. ¶地球(ちきゅう)～ 지구의.

ぎ【義】㊀名 의(義). 1 바른 도리. ¶～によって助太刀(すけだち)をする 의에 따라서 조력을 하다 / ～にもとる 도리에 어긋나다. 2 뜻; 의미. ¶文字(もじ)の～を解(かい)する 글자의 뜻을 해석하다. ㊁接頭 의로 맺은 관계를 나타내는 말. ¶～兄弟(きょうだい) 의

형제 / ～父 의부; 장인.

ぎ【議】图 논함; 토의. ¶委員会の～を経て決定する 위원회의 토의를 거쳐 결정하다.

ぎ〚技〛教5 ギ わざ | 기 재주 | 솜씨; 손재주; 기예. ¶技芸 기예 / 技巧 기교 / 足技 발기술.

ぎ〚宜〛常用 ギ よろしい | 의 마땅하다 | 마땅하다. ¶時宜 시의 / 適宜 적의 / 便宜 편의 / 宜しくお願いいたします 잘 부탁드립니다.

ぎ〚偽〛〘僞〙常用 ギ いつわる にせ | 위 거짓 | 인위; 가짜; 거짓. ¶偽善 위선 / 名前を偽る 이름을 속이다.

ぎ〚欺〛常用 ギ キ あざむく | 기 속이다 | 기만하다; 속이다. ¶欺瞞 기만 / 詐欺 사기.

ぎ〚義〛教5 ギ よし | 의 의롭다 | **1** 의; 도리에 맞는 일; 옳은 길. ¶義理 의리 / 信義 신의. **2** 뜻; 의미. ¶意義 의의. **3** 몸의 일부를 대용하는 것. ¶義眼 의안.

ぎ〚疑〛教6 ギ うたがう | 의 의심하다 | 의심하다. ¶疑似 의사 / 疑惑 의혹 / 質疑 질의.

ぎ〚儀〛常用 ギ | 의 거동 | **1** 법칙; 법도. ¶儀典 의전. **2** 예법; 예식. ¶儀式 의식. **3** 측량 기구; 모형. ¶水準儀 수준의.

ぎ〚戯〛〘戲〙常用 ギ ゲ ざれる たわむれる | 희 희롱하다 | 놀다; 희롱하다. ¶遊戯 유희 / 戯画 희화 / 悪戯·いたずら 악희; (못된) 장난.

ぎ〚擬〛常用 ギ もどき なぞらえる | 의 비기다 | **1** 흉내 내다; 본뜨다. ¶擬人 의인 / 模擬 모의. **2** 흉내 낸. ¶擬国会 모의 국회.

ぎ〚犠〛〘犧〙常用 ギ いけにえ | 희 희생하다 | 희생. ¶犠牲 희생 / 犠打 희생타.

ぎ〚議〛教4 ギ はかる | 의 논하다 | **1** 상의하다; 의논하다. ¶閣議 각의 / 議院 의원. **2** 상의 내용; 의견. ¶議案 의안. **3** 논하다. ¶議論 의론.

ギア [gear] 图 ☞ギヤ.

きあい【気合い】图 **1** 기합 (소리); 정신을 집중하는 기세. ¶～術 기합술 / ～のこもった技 정신이 집중된 기술 / ～を掛ける 기합을 넣다. **2** 마음; 성질; 의기; 호흡. ¶いい～の男 마음이 좋은 사나이 / ～が合う 호흡이 맞다.

──を入れる **1** 정신을 집중해 일을 하다. ¶気合いを入れてやれ 정신을 집중해서 해라. **2** 기합을 넣다.

──まけ【──負け】图ス自 (경기를 시작하기 전에) 상대방 기세에 압도당함.

ぎあく【偽悪】图 위악. ¶～趣味 위악〔일부러 악한 체하는〕취미.

***きあつ【気圧】**图 기압; 대기의 압력. ¶～計 기압계 / ～谷 기압골.

──はいち【──配置】图 기압 배치. ¶夏型の～ 여름철형 기압 배치.

きあわ-せる【来合わせる】下1自 (마침) 와 있어서 만나다; 우연히 만나다. ¶君はいい所へ～·せた 자네는 때마침 잘 왔다.

きあん【起案】图ス他 기안; 기초(起草). ¶公文を～する 공문을 기안하다.

ぎあん【議案】图 의안. ¶～を撤回する 의안을 철회하다.

きい【奇異】名ナ 기이. ¶～の感に打たれる 기이한 느낌을 갖게 되다 / ～な姿 기이한 모습.

きい [忌諱] 图 기휘. 注意 'い'는 '諱'의 관용음.

──に触れる 기휘에 저촉되다《남, 특히 윗사람이 꺼리고 싫어하는 언동을 해서 불쾌감을 사다》.

きい【貴意】图 귀의《흔히 편지에 씀》.

──を得たい 고견을 듣고 싶다.

キー [key] 图 키. **1** 열쇠; 실마리; 단서. ¶彼がこの問題の～を握っている 그가 이 문제의 열쇠를 쥐고 있다. **2** (피아노 등의) 건반. ¶～をたたく 건반을 두드리다. **3** 기본.

──ステーション [key station] 图 키 스테이션; 방송망의 중심이 되는 방송국. ＝親局·キー局.

──パンチャー [key puncher] 图 키 펀처; 전자 계산기의 기록 카드에 구멍을 뚫는 사람. ＝パンチャー.

──ポイント [일 key＋point] 图 키포인트; 요점. ¶問題解決の～ 문제 해결의 키포인트. *영어로는 point라고 함.

──ボード [key board] 图 키보드. **1** (피아노·오르간의) 건반. **2** 호텔 등에서 열쇠를 걸어 두는 판(板). **3**〘컴〙자판.

──ホルダー [일 key＋holder] 图 키 홀더; 열쇠 고리.

──ワード [key word] 图 키 워드 **1** 단서가 되는 말; 중심어. **2**〘컴〙정보 검색에서 단서가 되는 말.

きいきい 副 **1** 물건이 삐걱거리는 소리: 삐걱삐걱. **2** 소리가 새되고 신경을 건드리는 모양.

ぎいぎい 副 물건이 삐걱거리는 크고 둔한 소리: 끽끽; 삐걱삐걱. 「ン.

キーサン [한 妓生] 图 기생. ＝キーセ

きいたふう【利いた風】連語 아는 체하는 태도로 건방짐. ¶～な口をきく 아는 체 시건방진 소리를 하다; 시큰둥한 소리를 하다.

きいちご〖木苺〗图〘植〙나무딸기.

きいつ【帰一】图ス自 귀일. ¶いろいろ言っても～するところは同じだ 이러쿵저러쿵 말해봤자 귀일하는 곳은 한가지다.

きいっぽん【生一本】⊟图 순수. ¶灘の～ 진짜 灘산의 술《灘는 神戸시 부근의 술의 명산지》. 注意 '気一本'은 잘못.

㊁[ダナ] 올곧고 강직함. ¶~な性質 강직한 성질.
きいと【生糸】图 생사. ↔練り糸.
キーパー [keeper] 图 키퍼; 골키퍼. ¶~チャージ 키퍼 차지〔수비 방해〕.
*きいろ【黄色】[名ナ] 황색; 노랑. ¶~な蝶 노란 나비; 노랑나비. ⇨黄.
きいろ-い【黄色い】形 1 노랗다. ¶~車 노란 차/くちばしが~ 부리가 노랗다《미숙한 사람의 비유》. 2 목소리가 새되다〔날카롭다〕.
──声 (여자나 어린아이의) 새된 목소리.
きいん【棋院】图 기원.
きいん【起因】图[スル自] 기인. =おこり. ¶管理不十分に~する人災 관리 불충분에 기인하는 인재.
ぎいん【議院】图 의원; 의회. =国会. ¶~制度 의회 제도.
*ぎいん【議員】图 의원. ¶国会~ 국회의원/~に選ばれる 의원으로 뽑히다.
キウイ [kiwi] 图〔鳥〕키위《키위과에 속하는 새》.
きうけ【気受け】图 남이 그 사람에 대해서 갖는 느낌. =受け. ¶~がいい 호감을 받다; 세평이 좋다.
きうつ [気鬱] 图 기울; 마음이 울적함. ¶~症 기울증.
きうつり【気移り】图[スル自] 정신·주의가 딴 데로 쏠림. ¶すぐに~する子供 이내 정신이 딴 데로 쏠리는 어린이.
きうん【機運】图 기운; 시운(時運); 때. =おり. ¶~の熟するのを待つ 시운이 무르익기를 기다리다.
きうん【気運】图 기운. ¶民主化運動の~が高まる 민주화 운동의 기운이 높아지다.
きえ【帰依】图[スル自] 귀의. ¶キリスト教〔仏道〕に~する 기독교〔불도〕에 귀의하다. [参考] 본디는 불교 용어.
きえい【気鋭】[名ナ] 기예. ¶新進~の士 신진 기예의 인사.
きえい-る【消え入る】[5自] 1 숨이 끊어지다; 죽다; 기절하다. ¶~ような声で哀願する 모깃소리로 애원하다. 2 스러지다. ¶身も魂も~思い 몸과 마음이 스러지는 듯한 심정〔슬픔〕.
きえう-せる【消えうせる】《消え失せる》[下1自] 1 사라져 없어지다. ¶相手がいつのまにか~ 상대방이 어느새 사라져 없어지다. 2 도망치다.
きえぎえ【消え消え】[ダナ]《주로 'に' 'と'를 수반하여》1 거의 사라져 없어지는 모양. ¶雪がところどころ~に残っている 스러져가는 눈이 군데군데 남아 있다. 2 살아 있는 것 같지 않은 상태. ¶息も~に 숨도 꺼질 듯이.
きえさ-る【消え去る】[5自] 사라져 없어지다; 모습을〔자취를〕 감추다. ¶視界から~ 시계에서 사라지다.
きえつ【喜悦】图[スル自] 희열. ¶~措く能わず 기쁨을 누를 수 없다.
きえのこ-る【消え残る】[5自] 꺼지지〔사라지지〕 않고 남아 있다. ¶~雪の間に若草が芽を出す 채 녹지 않고 남은 눈 사이로 어린 풀이 싹을 내밀다.
きえは-てる【消え果てる】[下1自] 아주 꺼지다; 완전히 사라지다. ¶街の灯が~頃 거리의 등불이 모두 꺼질 무렵/望みも夢も~·てた 희망도 꿈도 모두 사라졌다.
**き-える【消える】[下1自] 1 꺼지다. ¶火が~·えたような 불이 꺼진 듯한《매우 쓸쓸함의 비유》/電灯が~ 전등불이 꺼지다. 2 스러지다; 사라지다. ㉠없어지다. ¶雪が~ 눈이 스러지다〔녹아 없어지다〕/うわさ〔姿〕が~ 소문〔모습〕이 사라지다/足音が~·え去る 발소리가 사라져 없어지다. ㉡풀리다. ¶憎しみ〔わだかまり〕が~ 미움〔맺혔던 감정〕이 스러지다.
きえん【奇縁】图 기연; 기이한 인연. ⇨合縁奇縁.
きえん【機縁】图 기연; 기회와 인연. =きっかけ. ¶これを~に今後もお訪ね下さい 이를 인연으로〔계기로〕 해서 금후에도 찾아 주십시오.
きえん【気炎】《気焔》图 기염; 대단한 기세. ¶怪~ 정도를 벗어난 대단한 기세.
──を揚げる 기염을 올리다《위세 좋은 말을 우쭐해서 하다》.
──を吐く 기염을 토하다.
──ばんじょう【──万丈】图 기염만장.
ぎえん [義捐] 图 의연. =寄付·喜捨. ¶~金を募る 의연금을 모으다. [注意] '義援'으로도 씀.
きえんさん【希塩酸】《稀塩酸》图 희염산; 묽은 염산.
きおい【気負い】图 단단히 벼름; 분발; 패기. =意気込み. ¶若いので~がある 젊어서 기백이 있다.
きおいた-つ【気負い立つ】[5自] (지지 않으려고) 기를 쓰다; 분기(奮起)하다. =勇みたつ. ¶両軍共に~·っている 양군 다 같이 기를 쓰고 있다.
きお-う【気負う】[5自] 분발하다; 단단히 마음먹다.
きおう【既往】图 기왕; 지나간 일; 과거. ¶~年度 지난 연도/~をなつかしむ 지난 일을 그리워하다/~にさかのぼる 과거로 거슬러 올라가다.
──しょう【──症】图 기왕증; 전에 앓았던 병.
**きおく【記憶】图[スル他] 기억. =もの覚え. ¶~力 기억력/~喪失〔障害〕 기억 상실〔장애〕/~から薄れる 기억에서 점차 사라지다.
──そうち【──装置】图〔컴〕기억 장치. =メモリー.
──ようりょう【──容量】图〔컴〕기억 용량.
きおくれ【気後れ】图 기가 죽음; 주눅. ¶たくさんの人を前にして~がする 많은 사람들 앞에서 기가 죽다〔얼다〕.
キオスク [kiosk] 图 키오스크; 철도 공제회의 역 매점. =キヨスク. [参考] 유럽

에서는 신문·잡지나 꽃 따위를 파는 노점을 말함.

きおち【気落ち】 名ス自 낙심; 낙담. ＝力落とし. ¶息子に死なれてすっかり～する 아들을 잃고 매우 낙심하다 / エラで～した投手 에러를 범하고 낙심한 투수.

きおも【気重】 名ナ 기분이 침울함. ¶入試の発表をまえにして～な日を送る 입시 발표를 앞두고 침울한 나날을 보내다. ↔気軽.

きおん【基音】 名 기음. **1**〖理〗원음(原音). ↔倍音. **2**〖樂〗음계의 제1음; 주음(主音). ＝キーノート.

***きおん【気温】** 名 기온. ¶～が高い 기온이 높다. ↔水温·地温.

ぎおん［祇園］ 名 **1** 京都八坂 신사의 구칭; 또, 그 부근의 유곽. **2** '祇園会(＝京都八坂 신사의 제사)'의 준말.

ぎおん【擬音】 名 의음; (방송 등의) 효과음. ¶～効果 의음 효과.

—ご【—語】 名 의음어; 의성어.

きか【奇禍】 名 기화; 뜻밖의 재난. ¶～にあう 기화를 당하다.

きか【幾何】 名 '幾何学'의 준말.

—がく【—学】 名 기하학. ¶～的 기하학적(인) / ～模様 기하학적 무늬.

—きゅうすう【—級数】 名 기하급수.

きか【気化】 名ス自〖理〗기화; 액체가 기체로 바뀜. ¶水が～する 물이 기화하다. ↔液化.

きか【帰化】 名ス自〖法·生〗귀화. ¶～人 귀화인 / ～植物 귀화 식물 / 米国に～する 미국에 귀화하다.

きか【机下】《几下》名 (편지에서) 궤하; 안하(案下). 參考 보통 남성이 씀.

きか【貴家】 名 (편지 등에서) 귀가; 귀댁. ＝お宅.

きか【貴下】 代 귀하. ＝貴殿. ¶～のお手紙拝見致しました 귀하의 혜함(惠函) 배견하였습니다.

きが［起臥］ 名ス自 기와; 일어남과 누움; 일상생활. ＝起き伏し. ¶～を共にする 일상생활을 함께 하다.

きが【飢餓】《饑餓》名 기아. ＝うえ. ¶～に瀕する 굶주리게 되다 / ～に苦しむ 기아로 고생하다 / ～線上をさまよう 기아선상을 헤매다.

ぎが【戯画】 名 희화; 익살맞은 그림. ＝カリカチュア·ざれ絵. ¶～を描く 희화를 그리다.

ギガ［giga］ 名 기가《단위명에 붙어서, 10억 배(10^9)의 뜻을 나타냄; 기호: G》. ¶～トン 기가톤.

***きかい【器械】** 名 기계. ¶医療～ 의료 기계. 參考 '機械'보다 규모가 작고 비교적 구조가 간단한 것.

—たいそう【—体操】 名 기계 체조. ↔徒手体操.

****きかい【機械】** 名 기계. ¶～工学 기계공학 / 工作～ 공작 기계.

—か【—化】 名ス自他 기계화.

—ご【—語】 名〖컴〗기계어《machine language의 역어》. ＝機械コード.

—こうぎょう【—工業】 名 기계 공업. ↔手工業.

—コード［code］ 名 ☞きかいご(機械語).

—てき【—的】 ダナ 기계적. ¶～な仕事［考え方］ 기계적인 일［사고방식］/ ～に覚える 기계적으로 외다.

—ぶんめい【—文明】 名 기계 문명.

—ほんやく【—翻訳】 名 기계 번역《컴퓨터로 번역하는》. ＝自動翻訳.

***きかい【機会】** 名 기회. ＝おり·しおどき·チャンス. ¶～主義 기회주의 / 絶好の～ 절호의 기회 / ～をねらう［うかがう］ 기회를 노리다［엿보다］/ ～が熟する 기회가 무르익다 / ～をつかむ［逃す, 逸する］ 기회를 잡다［놓치다］/ ～があったら会おう 기회가 있으면 만나자.

—きんとう【—均等】 名 기회균등. ¶教育の～ 교육의 기회균등.

きかい【奇怪】 名ナ 기괴. ＝きっかい. ¶～な行動 기괴한 행동.

—せんばん【—千万】 名ナ 기괴천만.

***きがい【危害】** 名 위해. ¶～を加える 위해를 가하다.

きがい【気概】 名 기개. ＝気骨·はり. ¶～のある男 기개 있는 사나이.

***ぎかい【議会】** 名 의회. ¶市～ 시의회.

***きがえ【着替え】** 名ス自 옷을 갈아입음; 또, 갈아입을 옷. ¶～を済ます時間もない 옷을 갈아입을 시간도 없다.

きか-える【着替える】 下1他 (옷을) 갈아입다. ＝着がえる. ¶平服に～ 평복으로 갈아입다.

きがかり【気掛かり·気懸かり】 名ナ 떠름함; 마음에 걸림; 걱정; 근심; 염려. ＝心配·懸念. ¶～なことがある 떠름한［마음에 걸리는］일이 있다.

***きかく【企画】**《企劃》名ス他 기획. ＝くわだて·プラン. ¶～倒れ 지나친 기획으로 (회사 등이) 쓰러짐 / ～性に欠く 기획성이 결여되다.

***きかく【規格】** 名 규격. ¶～品 규격품 / ～に合う 규격에 맞다.

—か【—化】 名ス他 규격화. ¶部品の～を図る 부품의 규격화를 꾀하다.

きがく【器楽】 名〖樂〗기악. ¶～演奏 기악 연주 / ～練習曲 기악 연습곡. ↔声楽.

—きょく【—曲】 名〖樂〗기악곡. ↔声楽曲.

ぎがく［伎楽］ 名 탈을 쓰고 음악에 맞추어 연기하는 고대 무용극. ＝呉楽.

きかげき【喜歌劇】 名 희가극. ＝コミックオペラ·オペレッタ.

きかざ-る【着飾る】 5自他 (화려하게) 몸치장을 하다; 성장하다. ¶～·って外出する 몸치장을 하고 외출하다.

きか-す【利かす】 5他 ☞き(利)かせる.

きか-す【聞かす】 5他 ☞きかせる.

***きか-せる【利かせる】** 下1他 **1** (특성과 효능을) 잘 살리다. ¶わさびを～ 고추

냉이의 매운 맛을 내다/すごみを～ 무섭게 굴다; 공갈하다/顔を～ 얼굴을 팔다; 안면을 이용하다/幅を～ 영향력을 미치다〔행사하다〕/鼻薬を～ 약간의 뇌물을 쥐여 주다. **2** 눈치 빠르게 굴다. ¶気を～·せて準備しておく 눈치 빠르게 (알아서) 준비해 두다.

きか-せる【聞かせる】 下1他 **1** 들려주다. ¶音楽を～ 음악을 들려주다. **2** (찬찬히) 일러주다; 타이르다. ¶よく言って～·せよう 잘 타일러〔말해〕 주자/道理を言って～ 도리를 말하여 타이르다. **3** 귀를 기울이게 하다; 들을 만하다. ¶おもしろおかしく～ 재미있어 귀를 기울이게 하다/彼ののどは，なかなか～ね 그의 노래는 제법 들을 만한데.

きがた【木型】 图 목형; 나무로 만든 골《주물(鑄物)·구두 따위의 원형》.

きかつ【飢渇】《饑渇》图ス自 기갈.

きかぬかお【利かぬ顔】 图 고집이 세어 보이는 얼굴.

きかぬき【聞かぬ気·利かぬ気】 連語 남에게 지거나 남이 시키는 것을 싫어하는 성질; 기승한 성질; 외고집. ＝きかんき. ¶～の子 기승스러운 아이.

きがね【気兼ね】 图ス自 사양; 어렵게 여김; 스스러움. ＝えんりょ. ¶～のいらない相手 스스럼없는 상대/人に～(を)する (남을) 스스러워하다.

きがまえ【気構え】 图 마음가짐; 마음의 준비〔대처〕. ＝心構え. ¶反撃の～をする 반격할 채비를 하다.

***きがる【気軽】** ダナ 사물에 구애치 않고, 선뜻선뜻 처신하는 모양; 소탈함; 선선함. ＝きさく. ¶社長は～な性格です 사장님은 소탈한 성격입니다. ↔気重.

きがる-い【気軽い】 形 소탈〔선선〕하다.

きがわり【気変わり】 图ス自 마음이 변함; 변덕. ＝心がわり.

きかん【基幹】 图 기간. ＝大もと. ¶～産業 기간 산업.

きかん【季刊】 图 계간. ＝クォータリー. ¶～誌 계간지.

きかん【既刊】 图 기간. ¶～出版物 기간 출판물. ↔未刊.

***きかん【期間】** 图 기간. ¶提出～ 제출 기간/一定の～を置く 일정한 기간을 두다.

***きかん【器官】** 图 기관. ¶呼吸～ 호흡 기관. 注意 '器管'으로 쓰은 잘못.

きかん【気管】 图〔生〕기관(氣管).
—し【—支】 图 기관지. ¶～炎 기관지염/～喘息 기관지 천식/～肺炎 기관지 폐렴.

***きかん【機関】** 图 기관. ¶内燃～ 내연 기관/報道～ 보도 기관/特務～ 특무 기관. 参考 '機構'는 조직의 구조를 가리키며, '機関'은 흔히 개개의 조직 그 자체를 말함.
—し【—士】 图 기관사.
—し【—紙】 图 기관지. ＝機関新聞. ¶政党の～ 정당의 기관지.
—しゃ【—車】 图 기관차.
—じゅう【—銃】 图 기관총. ＝マシンガン·機銃. ¶～のようにまくし立てる 기관총처럼 계속 지껄여 대다.
—とうしか【—投資家】 图〔經〕기관투자가.
—ほう【—砲】 图 기관포.

きかん【旗艦】 图〔軍〕기함.

きかん【帰還】 图ス自 귀환. ¶～者〔兵〕 귀환자〔병〕/故国に～する 고국에 귀환하다.

きかん［亀鑑］ 图 귀감; 본받을 모범; 본보기. ＝かがみ·手本. ¶彼は軍人の～として尊敬された 그는 군인의 귀감으로서 존경받았다.

きがん【奇岩】《奇巖》图 기암. ¶～怪石 기암괴석.

きがん【祈願】 图ス他 기원. ＝祈念. ¶神仏に～する 신불에게 기원하다.

ぎかん【技官】 图 기관; 특별한 학술·기예를 담당하는 국가 공무원《구제(舊制)의 '技師·技手'》. ¶厚生～ 후생 기관.

ぎがん【義眼】 图 의안. ＝入れ目.

きかんき【聞かん気·利かん気】 連語 ☞ きかぬき.

きかんぼう【利かん坊】 图 고집 센 개구쟁이.

きき【利き】 图 작용; 기능. ¶左～ 왼손잡이/腕～ 수완이 있는 사람.

きき【効き】 图 효력; 효능. ＝ききめ. ¶薬の～が早い 약의 효능이 빠르다/～がよい 잘 듣는다.

***きき【危機】** 图 위기. ＝ピンチ. ¶～意識 위기 의식/～が迫る 위기가 닥치다/～を脱する 위기를 벗어나다.
—いっぱつ【—一髪】 图 위기일발. ¶～のところで助かった〔命拾いした〕 위기일발에서 살아났다〔목숨을 건졌다〕. 注意 '危機一発'로 쓰은 잘못.

きき【記紀】 图〔史〕古事記와 日本書紀.

きき［忌諱］ 图 ☞きい(忌諱).

きき【機器·器機】 图 기기; 기계·기구(器具)의 총칭.

きき【鬼気】 图 귀기; 소름 끼칠 정도로 무서운 기. **—迫る** 소름 끼치다; 끔찍하다. ¶事故現場の～さま 사고 현장의 끔찍한 장면.

きき【奇奇】 トタル 기기; 몹시 기이함.
—かいかい【—怪怪】 名ナ 기기괴괴《奇怪의 힘줌말》.

きき【喜喜】《嬉嬉》トタル 희희. ¶～として戯れる 희희낙락하게 (장난 치고) 놀다. 注意 '喜喜'는 대용 한자.

きぎ【木木】 图 (여러 가지) 나무들; 많은 나무. ¶～が色づく 나무들이 단풍이 들다.

きぎ【機宜】 图 기의; 시기와 형편에 알맞음. ＝時宜. ¶～の処置を取る 시의 적절한 조치를 취하다.

ぎぎ【疑義】 图 의의. ¶～をただす 의심스러운 곳을 캐다〔따지다〕.

ききあ-きる【聞き飽きる】 上1他 싫증

이 나도록 듣다. ¶彼(かれ)の自慢話(じまんばなし)は～·きた 그의 자랑은 신물이 나도록 들었다.

ききあし【利き足】名 주로 잘 쓰는 쪽의 발.

ききあやまり【聞き誤り】名 잘못 들음. ＝聞(き)きちがい. ¶～のないように 잘못 듣는 일이 없도록.

ききあやま-る【聞き誤る】5他 잘못 듣다. ＝聞(き)きちがえる.

ききあわせ【聞き合わせ】名 문의; 조회. ＝問(と)い合(あ)わせ.

ききあわ-せる【聞き合わせる】下1他 조회〔문의해 확인〕하다. ＝問(と)い合わせる. ¶真偽(しんぎ)を～ 진위를 조회하다.

ききい-る【聞き入る】5自 열심히〔반하여 귀여겨〕 듣다. ¶名曲(めいきょく)に～ 명곡에 도취해 듣다. ⇨見入(みい)る.

ききい-れる【聞き入れる】下1他 **1** 들어주다. ¶願(ねが)いを～ 소원을 들어주다. **2** 들어서 알다; 얻어듣다.

ききうで【利き腕】名 주로 잘 쓰는 쪽의 팔; (보통) 오른팔. ¶～をねじる 오른팔을 비틀다.

ききお-く【聞き置く】5他 들어 두다. ¶要求(ようきゅう)を一応(いちおう)～程度(ていど)にとどめる 요구를 일단 들어 두는 정도로 그치다 / お～·き下(くだ)さい 들어만 두십시오.

ききおさめ【聞き納め】名 마지막으로 들음; 두 번 다시 못 들음. ¶今日(きょう)の講義(こうぎ)が～になる 오늘 강의가 마지막이 된다 / あの演奏(えんそう)が～となった 그 연주를 더 이상 못 듣게 되었다.

ききおとし【聞き落とし】名 빠뜨리고 들음; 못 들음.

ききおと-す【聞き落とす】5他 들어야 할 것을 못 듣다; 빠뜨리고 듣다. ＝聞き漏(も)らす. ¶大事(だいじ)な事(こと)を～ 중요한 것을 빠뜨리고 못 듣다. ↔見落(みお)とす.

ききおぼえ【聞き覚え】名 **1** 귀로 듣고 배움; 귀동냥. ＝耳学問(みみがくもん). ¶～にしては正確(せいかく)に知(し)っている 들은풍월 치고는 정확히 알고 있다. **2** 들은 기억. ¶～のある声(こえ) 들은 적이 있는 목소리. ⇔みおぼえ.

ききおよ-ぶ【聞き及ぶ】5他 **1** 들어서 알다; 전해 듣다. ¶すでにお～·びでしょうが 이미 들으셨겠지만 / お～·びのことと存(ぞん)じますが (이미) 들어 아시리라고 생각합니다만. **2** 이전부터 듣고 있다. ¶お名前(なまえ)はかねがね～·んでおりました 존함은 일찍부터〔익히〕 들어 왔습니다.

ききかえ-す【聞き返す】5他 **1** 되묻다; 반문하다. ＝聞き直(なお)す·問(と)い返(かえ)す. **2** 다시 한번 듣다. ¶テープを何度(なんど)も～ 테이프를 몇 번이고 다시 듣다.

ききがき【聞き書き】名ス自 들은 바를 적음; 또, 그 기록.

ききかじり【聞きかじり】《聞き齧り》名 일부만 듣고 앎; 데앎. ＝半可通(はんかつう).

ききかじ-る【聞きかじる】《聞き齧る》5他 설듣다; 일부만 듣다; 수박 겉 핥기로 알다; 데알다. ¶つまらぬ事(こと)を～·って噂(うわさ)を広(ひろ)める 쓸데없는 일을 설듣고 소문을 퍼뜨리다.

ききかた【聞き方】名 **1** 듣는 법〔태도〕; 듣기. ＝ヒアリング. ¶話(はな)し方(かた)と同様(どうよう)に～も大切(たいせつ)だ 말하기와 마찬가지로 듣기도 중요하다. **2** 듣는 편. ＝ききて. ¶～に回(まわ)る 듣는 편이 되다.

きぎく【黄菊】名 황국; 노란 국화.

ききぐるし-い【聞き苦しい】形 **1** 듣기가 괴롭다; 듣고 있을 수가 없다; 듣기 거북하다. ¶～中傷(ちゅうしょう) 듣기 거북한 중상 / ～話(はなし)に顔(かお)をしかめる 듣기 거북한 이야기에 얼굴을 찌푸리다. **2** 알아듣기 힘들다. ¶低(ひく)い声(こえ)で話(はな)すのでどうも～ 낮은 목소리로 이야기하기 때문에 여간 알아듣기 힘들다.

ききごたえ【聞きごたえ】《聞き応え》名 들을 만함; 들은 보람. ¶～のある演説(えんぜつ) 들을 만한 (가치가 있는) 연설.

ききこみ【聞き込み】名 (특히, 형사 등이 정보 따위를) 얻어들음; 탐문. ¶～捜査(そうさ) 탐문 수사 / ～をもとにして犯人(はんにん)を挙(あ)げる 얻어들은 정보를 토대로 하여 범인을 검거하다.

ききざけ【利き酒】《聞き酒》名ス自 시음; 또, 그 술. ¶～に酔(よ)う 시음한 술에 취하다 / ～をする 술을 시음하다.

ききじょうず【聞き上手】名ダナ (남의 이야기를) 잘 들음; 또, 그런 사람. ¶～の人(ひと)は話(はなし)もうまい 남의 얘기를 잘 듣는 사람은 이야기도 잘한다. ↔聞(き)きべた·話(はな)し上手(じょうず).

ききすご-す【聞き過ごす】5他 귀담아듣지 않다; 듣고(도) 흘려버리다. ＝聞き流(なが)す. ¶人(ひと)の悪口(わるくち)は～ものだ 남의 욕은 귀담아듣지 않는 법이다.

ききずて【聞き捨て】名 듣고도 그냥 넘김; 듣고도 문제시하지 않음.

—ならない〔ならぬ〕 그냥 들어 넘길 수 없다. ¶～一言(ひとこと) 그냥 들어 넘길 수 없는 한 마디.

ききす-てる【聞き捨てる】下1他 듣고도 못 들은 체하다〔그대로 넘기다〕. ＝聞き流(なが)す. ¶妻(つま)の小言(こごと)を～ 아내의 잔소리를 듣고 흘려 버리다.

ききすま-す【聞き澄ます】5他 (조용히) 귀기울여 듣다. ¶足音(あしおと)を～ 발소리를 귀기울여 듣다.

ききそこない【聞き損ない】名 잘못 들음; 헛들음; 횡들음. ¶～のないようによく聞(き)け 헛듣지 않도록 잘 들어라.

ききそこな-う【聞き損なう】5他 **1** 잘못 듣다. ＝聞き違(ちが)える. ¶話(はなし)の趣旨(しゅし)を～ 얘기의 취지를 잘못 듣다. **2** 들을 기회를 놓치다; 못 듣다. ＝聞きもらす. ¶遅刻(ちこく)して先生(せんせい)の訓示(くんじ)を～ 지각하여 선생님 훈시를 못 듣다.

ききそこ-ねる【聞き損ねる】下1他 ☞ききそこなう.

ききだ-す【聞き出す】5他 **1** 캐물어 알아내다. ¶秘密(ひみつ)を～ 비밀을 캐물어서

알아내다. **2** 듣기 시작하다. ＝聞(き)き始(はじ)める. ¶ラジオ講座(こうざ)を～·してから 라디오〔방송〕 강의를 듣기 시작하고서부터.

ききただ-す【聞きただす】《聞き糺す·聞き質す》5他 물어 밝히다; 규문(糾問)하다. ¶罪状(ざいじょう)を～ 죄상을 캐어묻다.

ききちがい【聞き違い】名スル他 잘못 들음; 헛들음. ＝聞(き)きあやまり. ¶あわてて～(を)する 당황해서 잘못 듣다.

ききちが-える【聞き違える】下1他 잘못 듣다; 횡듣다. ＝聞(き)きあやまる. ¶名前(なまえ)を～えた 이름을 잘못 들었다.

ききつ-ける【聞きつける】《聞き付ける》下1他 **1** 우연히 들어서 알다. ＝聞(き)きこむ. ¶人事異動(じんじいどう)を～ 인사 이동 이야기를 우연히 듣다. **2** 늘 들어서 귀에 익다; 항상 듣고 있다. ＝聞(き)き慣(な)れる. ¶小言(こごと)は～·けている 잔소리는 노상 듣고 있다.

ききづたえ【聞き伝え】名 전해 들음; 또, 그 말; 전문(傳聞). ＝聞(き)きづて. ¶～では信用(しんよう)できない 전해 들은 이야기로는 믿을 수 없다. 注意 'ききつたえ'라고도 함.

ききつた-える【聞き伝える】下1他 전해 듣다; 전문(傳聞)하다. ＝ききづたえる. ¶評判(ひょうばん)を～·えてやってくる 소문을 전해 듣고 찾아오다.

ききづら-い【聞きづらい】《聞き辛い》形 **1** 알아듣기 어렵다. ¶発音(はつおん)が～ 발음이 알아듣기 힘들다. **2** 듣기 거북하다. ¶話(はなし)が露骨(ろこつ)で～ 이야기가 노골적이어서 듣기 거북하다.

ききて【利き手】名 **1** ☞ききうで. **2** 솜씨가 뛰어난 사람; 수완가. ¶なかなかの～だ 대단한 수완가이다.

ききて【聞き手】《聴き手》名 듣는 사람. ¶なかなかの～だ 듣는 솜씨가 상당한 사람이다/いい～になるのはむずかしい 남의 말을 잘 듣는 사람이 되기란 어렵다. ↔話(はな)し手(て)·語(かた)り手(て)·読(よ)み手(て).

ききとが-める【聞きとがめる】《聞き咎める》下1他 듣고 따지다. ¶～·めてしかる 얘기를 듣고, 따져 물으며 꾸짖다.

ききどころ【聞き所】名 특히 주의해서 들어야 할 대목; 들어 둘 만한 부분. ¶～を聞(き)きのがす 들어 두어야 할 데를 빠뜨리고 못 듣다.

ききどころ【利き所】名 **1** 효험이 있는 곳〔경우〕. ¶お灸(きゅう)の～ 뜸질에서 효험이 있는 부위. **2** 급소; 요소; 중요한 곳. ¶～をおさえる 급소를 누르다.

ききとど-ける【聞き届ける】下1他 들어 주다; 듣고 승낙하다. ＝聞(き)き入(い)れる. ¶願(ねが)いを～ 소원을 들어주다.

ききとり【聞き取り】名 듣기; 듣고 이해하기. ＝ヒヤリング. ¶～の試験(しけん) 듣기 시험.

ききと-る【聞き取る】5他 **1** 알아듣다; 듣고 잘 이해하다. ¶～ことができない 알아들을 수 없다. **2** 청취하다. ¶関係者(かんけいしゃ)から当時(とうじ)の様子(ようす)を～ 관계자로부터 당시의 상황을 청취하다.

ききと-れる【聞きとれる】《聞き蕩れる》下1自 도취되어 듣다; 넋을 잃고 듣다. ＝聞(き)きほれる. ¶レコードに～ 레코드에 도취되어 듣다.

ききなお-す【聞き直す】5他 되묻다; 다시 물어보다. ＝聞(き)き返(かえ)す. ¶問題(もんだい)を～ 문제를 되묻다.

ききなが-す【聞き流す】5他 건성으로 듣다; 귀담아듣지 않다. ＝聞(き)き捨(す)てる. ¶悪口(わるくち)を～ 욕설을 들은 체 만 체 하다/小言(こごと)を～ 잔소리를 흘려듣다/柳(やなぎ)に風(かぜ)と～ 버들가지에 바람 스쳐가듯 듣고 흘려버리다《마이동풍》.

ききな-す【聞きなす】《聞き做す》5他 듣고 그렇게 생각하다; 그렇게 알고 듣다. ¶口実(こうじつ)だと～·された 구실이라고 여겨졌다.

ききな·れる【聞き慣れる】下1他 귀에 익다; 익히 듣다. ¶～·れた子守唄(こもりうた) 귀에 익은 자장가.

ききにく-い【聞きにくい】形 **1** 알아듣기가 힘들다. ¶声(こえ)が低(ひく)いので～ 말소리가 낮아 알아듣기 어렵다. **2** 묻기 곤란〔거북〕하다. ＝たずねにくい. ¶自分(じぶん)の事(こと)は～ 자신에 관한 일은 묻기 거북하다. **3** 차마 들을 수 없다. ¶下品(げひん)な～話(はなし)をする 상스러워 차마 들을 수 없는 이야기를 하다.

きぎぬ【生絹】名 생사(生絲)로 짠 명주; 생명주. ↔練(ね)り絹(ぎぬ).

ききのが-す【聞き逃す】5他 (빠뜨리고) 못 듣다. ＝聞きおとす. ¶酒(さけ)の上(うえ)の失言(しつげん)だから～·そう 술이 취해서 한 실언이니 못 들은 척하겠네.

ききはず-す【聞き外す】5他 (들어야 할 것을) 듣지 못하다; 못 듣고 빠뜨리다. ＝聞きおとす. ¶要点(ようてん)を～·してしまった 요점을 못 듣고 말았다.

ききふる-す【聞き古す】5他 귀가 닳도록 듣다. ¶～·した話(はなし) 귀가 닳도록 들은 얘기. 参考 흔히 '～·した'의 꼴로 '言(い)いふるされた'와 같은 뜻으로 쓰임.

ききべた【聞きべた·聞き下手】名ダナ 남의 말을 듣는 솜씨가 서투름; 또, 그런 사람. ↔聞(き)きじょうず.

ききほ-れる【聞きほれる】《聞き惚れる》下1自 도취되어 듣다. ＝聞(き)きとれる. ¶歌声(うたごえ)に～ 노랫소리를 넋을 잃고 듣다. ⇨見(み)とれる.

ききみみ【聞き耳】名 들으려고 주의함. **—を立(た)てる** 귀를 기울여〔주의해서〕 듣다.

*__ききめ__【効き目】《利き目》名 효력; 효과; 효능; 보람. ¶この薬(くすり)は～がない 이 약은 효험이 없다/叱(しか)った～がある 꾸짖은 보람이 있다.

ききもの【聞き物】名 들을 만한 것; 들어 두면 좋은 것. ¶放送(ほうそう)プロの～は時事解説(じじかいせつ)だ 들을 만한 방송 프로그램은 시사 해설이다.

ききもら-す【聞き漏らす】5他 ☞ききおとす.

ききやく【聞き役】图 듣는 입장(의 사람). =聞(き)き手(て). ¶~にまわる 듣는 입장이 되다《듣기만 하다》.

ききゃく【棄却】图[ス他] 기각. ¶彼(かれ)の要求(ようきゅう)を~する 그의 요구를 기각하다 / 抗訴(こうそ)を~する 항소를 기각하다.

ききゅう【危急】图 위급. ¶~の際(さい)〔場合(ばあい)〕には 위급시에는 / ~を告(つ)げる 위급을 고하다〔알리다〕.

—そんぼう【—存亡】图 위급존망. ¶~の秋(とき) 위급존망지추.

ききゅう【希求】图[ス他] 희구. ¶平和(へいわ)を~する 평화를 희구하다.

ききゅう【気球】图 기구. =軽気球(けいききゅう). ¶係留(けいりゅう)~ 계류 기구.

ききゅう【帰休】图[ス自] 귀휴. ¶~制度(せいど) 귀휴 제도 / 操短(そうたん)で~する 조업 단축으로 귀휴하다.

ききょ【起居】图[ス自] 기거; 일상생활. ¶~を共(とも)にする 기거를 같이 하다.

ぎきょ【義挙】图 의거. ¶~を起(お)こす 의거를 일으키다.

ききよ-い【聞きよい】形 1 듣기 좋다. ¶~音色(ねいろ) 듣기 좋은 음색 / 人(ひと)をほめるのは~ものだ 남을 칭찬하는 것은 듣기 좋은 법이다. 2 듣기에 알맞다. ¶~音(おと)の高(たか)さ 듣기 알맞은 음정. ⇔聞(き)きづらい.

ききょう〖桔梗〗图〖植〗길경; 도라지.

ききょう【奇矯】名ナ 기교; 언행이 괴이하고 기발함. ¶~な言行(げんこう)で知(し)られる 기교한 언행으로 알려지다.

ききょう【帰京】图[ス自] 귀경. ¶久(ひさ)しぶりに~した 오래간만에 귀경했다.

ききょう【帰郷】图[ス自] 귀향. =帰省(きせい). ¶夏休(なつやす)みに~する 여름 휴가〔방학〕에 귀향하다. ↔出郷(しゅっきょう).

*きぎょう【企業】图 기업. ¶~家(か) 기업가 / ~会計(かいけい) 기업 회계.

—ごうどう【—合同】图 기업 합동. =トラスト.

—れんごう【—連合】图 기업 연합. =カルテル.

きぎょう【起業】图[ス自] 기업; 새로이 사업을 일으킴.

ぎきょう〔義侠〕图 의협. =男(おとこ)ぎ·男だて·任侠(にんきょう). ¶~心(しん) 의협심.

ぎきょうだい【義兄弟】图 1 의형제. ¶~の誓(ちか)いを結(むす)ぶ 의형제를 맺다. 2 처남·시숙(媤叔)·시동생·매형·매제·동서 등의 일컬음.

ききょく【危局】图 위국; 위험한 판국. ¶~に至(いた)る 위국에 이르다.

ぎきょく【戯曲】图 희곡. =ドラマ. ¶~を上演(じょうえん)する 희곡을 상연하다.

ききわけ【聞き分け】图 알아들음; 들어 분별〔분간〕함. ¶~のよい子(こ) 말을 잘 알아듣는 아이.

ききわ-ける【聞き分ける】[下1他] 1 (소리나 내용을) 들어서 구별〔분간〕하다. ¶ドの音(おん)とレの音(おん)を~ 도음과 레음을 들어서 구별하다. 2 알아듣다; 납득〔분별〕하다. ¶子供(こども)が親(おや)の言(い)うことを~ 아이가 부모의 말을 잘 알아듣다.

ききわす-れる【聞き忘れる】[下1他] 1 들〔물〕어야 할 것을 잊다. ¶名前(なまえ)を~ 이름 묻는 것을 잊다. 2 들은 것을 잊다.

ききん【寄金】图 돈을 기부하는 일; 또, 기부금. =寄付金(きふきん). ¶多額(たがく)の~が集(あつ)まる 다액의 기부금이 모이다.

ききん【基金】图 기금. ¶~を設(もう)ける 기금을 설정하다.

*ききん〖飢饉·饑饉〗图 기근. ¶大(だい)~ 대기근 / 水(みず)~ 물 기근 / ~が迫(せま)る 기근이 닥치다.

ききんぞく【貴金属】图 귀금속. ¶~商(しょう) 귀금속상. ↔卑金属(ひきんぞく).

*き-く【効く】[5自] 듣다; 효과가 있다. ¶薬(くすり)がよく~ 약이 잘 듣다.

*き-く【利く】[一][5自] 1 잘 움직이다; 기능을 발휘하다. ¶気(き)の~·いた文章(ぶんしょう) 재치있는 (멋진) 문장 / 目(め)が~ 잘 보다; 보는 눈이 있다 / ブレーキが~·かない 브레이크가 안 듣는다 / 腕(うで)が~ 솜씨가 있다. 2 가능하다; 할 수 있다. ¶洗濯(せんたく)が~ 빨 수 있다; 세탁이 잘 되다 / 見晴(みは)らしが~ 전망이 좋다〔트이다〕 / つけの~店(みせ) 외상을 그을 수 있는 가게. 3 통하다. ¶賄賂(わいろ)が~·かない 뇌물이 통하지 않다. [二][5他]『口(くち)を~』말을 하다; (남을 위해) 말을 하여 (주선해) 주다. ¶有力者(ゆうりょくしゃ)に口を~·いてもらう 유력자에게 주선을 의뢰하다.

⁑き-く【聞く】[5他] 1 듣다. [注意] '聴く'로도 씀. ㉠(소리를) 듣다. ¶風(かぜ)のたよりに~ 풍문으로 듣다. ㉡남의 말 등을 알아듣다; 받아들이다. ¶人(ひと)の頼(たの)みを~ 남의 부탁을 듣다 / 親(おや)の言(い)いつけをよく~ 부모의 분부를 잘 듣다. 2《訊く》묻다. =問(と)う·たずねる. ¶~·いて見(み)ましょう 물어 봅시다 / ~は一時(いっとき)の恥(はじ), 知(し)らぬは末代(まつだい)の恥(はじ) 묻는 것은 한때의 수치, 모르는 것은 일생의 수치. 3 (냄새를) 맡아 분간하다; (술맛 따위를) 보다; 시음하다. ¶香(か)りを~ 향기를 맡아 분간하다 / 酒(さけ)を~ 술을 맛보다. [可能]き-ける[下1自]

—·いてあきれる 듣기만 해도 어처구니가 없다; …이 들으면 울고 가겠다.

—·いて極楽(ごくらく), 見(み)て地獄(じごく) 들어서 다르고 보아서 다르다《소문과는 아주 딴판이다》.

—·きしに勝(まさ)る (실태는) 이야기로 들던 바 이상이다. ¶~惨状(さんじょう) 소문〔예

聞(き)く의 여러 가지 표현

[관용 표현] 上(うわ)の空(そら)で(건성으로)·風(かぜ)の便(たよ)りに(풍문으로)·根問(ねど)い葉問(はど)い(시시콜콜 (캐묻다))·根掘(ねほ)り葉掘(はほ)り(꼬치꼬치; 미주알고주알)·耳(みみ)の穴(あな)をほじって(꼬치꼬치)·耳(みみ)を傾(かたむ)けて(귀를 기울여)·耳を澄(す)まして〔立(た)てて, そばだてて〕(귀를 기울여)·枕(まくら)をそばだてて(잠자리에 누워 귀를 기울이며).

상]보다 훨씬 더한 참상.

—ともなく 무심결에; 귓결에.

—耳を持たない (상대방의 말을) 더 이상 못 듣겠다.

*きく【菊】图 1 국화. ¶~の季節 국화의 계절. 2 가문(家紋)·문장의 이름《16 꽃잎의 국화 무늬는 일본 황실의 문장임》.

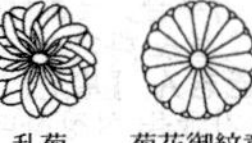

[菊 2]

きく〖菊〗常用 キク | 국 국화 | 1 국화. ¶残菊 잔국. 2 가문(家紋)·문장(紋章)의 이름.

きぐ［危惧］图ス他 위구; 걱정하고 두려워함. =危懼. ¶~の念をいだく 위구심을 품다.

*きぐ【器具】图 기구. ¶体操~ 체조 기구/台所~ 부엌 기구.

きぐ【機具】图 기구; 기계나 기구류(器具類). ¶農~ 농기구.

きぐう【奇遇】图ス自 기우; 기이한 만남. =めぐりあい. ¶旧友との~を喜ぶ 옛 친구와의 기우를 기뻐하다.

きぐう［寄寓］图ス自 기우; 우거(寓居). =かりずまい. ¶友人の家に~する 친구 집에 임시로 거처하다.

ぎくしゃく トス自 1 물체와 물체의 사이가 부드럽게 움직이지 않는 상태. 2 말씨나 동작이 제대로 되지 않는 모양. ¶~した歩き方 부자유스런 걸음걸이/~(と)した動作 어색한 동작.

きくず【木くず】《木屑》图 지저깨비; 톱밥; 대팻밥.

きぐすり【生薬】图 1 생약《재료 그대로의 약》. 2 한방약(漢方藥).

きくずれ【着崩れ】图ス自 (입고 있는 동안에) 옷매무새가 흐트러짐. ¶~のしない着付け 옷매무새가 흐트러지지 않는 옷맵시.

きぐち【木口】图 1 (목재의) 재질. ¶~がいい 목재의 질이 좋다. 2 (나무의) 단면. =小口. ¶~で年輪を数える 나무의 단면을 보고 나이테를 헤아리다.

ぎくっと 副 ☞ぎくりと.

きくにんぎょう【菊人形】图 국화꽃으로 꾸민 인형.

きくばり【気配り】图ス自 배려; 여러 모로 마음을 두루 씀. =心づかい. ¶あれやこれやと細かいことにまで~する 이것 저것 세세한 데까지 마음을 쓰다.

きくばん【菊判】图〔印〕국판《전지 16절 크기》. 参考 처음 수입되었을 때, 국화 상표가 붙어 있었음.

きぐみ【木組み】图 (목조 건축 등에서) 재목의 짜맞추기.

きぐみ【気組み】图 마음먹음; 마음가짐; 기세. =心がまえ·いきごみ. ¶~が違うから勝つはずがない 마음가짐이 다르니까 이길 턱이 없다.

きぐらい【気位】图 자존〔자부〕심; 기품. ¶~が高い 자존〔자부〕심이 세다.

きくらげ〖木耳〗图〔植〕목이버섯.

ぎくりと 副 갑작스러운 일에 놀라고 두려워서 긴장하는 모양: 움찔; 덜컥. =ぎくっと. ¶~胸にこたえる 가슴이 섬뜩해지다/不意を突かれて~する 허를 찔려 움찔하다.

きぐろう【気苦労】图ス自 (잔)걱정; 마음 고생; 심로. =心配. ¶子供が多くて~が絶えない 아이들이 많아서 잔걱정이 끊이지 않는다.

きくん【貴君】代 귀군; 자네. ¶~の健康を祈る 귀군의 건강을 비오. 参考 'きみ(=너)' 보다 공손함.

きけい【奇形】《畸形》图 기형; 불구. =不具·かたわ. ¶~児 기형아.

きけい【奇警】名ナ 기경; 기발. =奇抜. ¶~な表現 기발한 표현/~の言を吐く 기발한 말을 하다.

きけい【奇計】图 기계; 기발한 꾀. ¶~を案ずる 기계를 생각해 내다.

きけい【貴兄】代 귀형. 注意 '貴君(=자네)' 보다 공손함.

ぎけい【義兄】图 1 의형. 2 매형《손위 매부》; 형부·손위 처남 따위. ⇔実兄.

ぎげい【技芸】图 기예; 미술·공예 방면의 재주. ¶~に長ずる 기예에 능하다/~をきそう 기예를 겨루다.

*きげき【喜劇】图 희극. =コメディー. ¶どたばた~ 저속한 희극/それは~だね 그건 희극이로군. ↔悲劇.

きけつ【既決】图ス自 기결. ¶~事項 기결 사항. ↔未決.

—しゅう【—囚】图 기결수. ↔未決囚

きけつ【帰結】图ス自 귀결. ¶議論の結果は反対に~した 의론의 결과는 반대로 귀결됐다.

ぎけつ【議決】图ス他 의결. ¶~に従う 의결에 따르다/予算案を~する 예산안을 의결하다.

—きかん【—機関】图 의결 기관.

きけもの【利け者】图 재주꾼; 수완가; 실력자. =きれもの·ききもの. ¶彼は政界の~だ 그는 정계의 실력자다.

き-ける【聞ける】下1自 1 들을 수 있다. 2 들을 만하다. ¶初舞台をふむ新人にしては~演奏だ 데뷔하는 신인치고는 들을 만한 연주다.

**きけん【危険】图ダナ 위험. ¶~性 위험성/~思想〔負担〕 위험 사상〔부담〕/~な仕事 위험한 일/~にさらされる 위험에 노출되다. ↔安全.

—しんごう【—信号】图 위험 신호.

きけん【棄権】图ス他 기권. ¶試合を~する 시합을 기권하다/投票を~する 투표를 기권하다.

**きげん【期限】图 기한. ¶借金を~までに返す 빚을 기한까지 갚다/延長~が切れる 연장 기한이 다 되다/~が過ぎる 기한이 지나다.

**きげん【機嫌】图 1 기분; 비위. ¶~をそこねる 기분을 상하다. 2《흔히 'ご'를 붙여서》 기분이 좋음. ¶なかなかご~な様子 매우 기분이 좋으신 모양. 3 남의 안부. ¶(ご)～を伺う 안부를 묻다; 문안드리다 / ご～いかがですか 안녕하십니까 / ご～よう 안녕히 가십시오《작별 인사말》.

—を取る 비위를 맞추다.

—かい【—買い】图 **1** 변덕쟁이; 기분파. **2** 남의 비위를 잘 맞추는 사람; 아첨꾼. ¶～で調子のいい奴 아첨꾼이고 약삭빠른 녀석.

—とり【—取り】图 남의 비위를 맞춤; 또, 그런 사람. ¶あいつは女房の～ばかりしてしる 저 친구는 마누라의 비위만 맞추고 있다.

—なおし【—直し】图 기분 전환. ¶～にいっぱいやろう 기분 전환으로 한잔 하세.

きげん【紀元】图 기원. ¶西暦～ 서력 기원 / 一新～を画す 하나의 신기원을 구획하다.

*__きげん__【起源·起原】图 기원. ＝もと·起こり. ¶人類の～ 인류의 기원.

きご【季語】图 俳句나 連歌 등에서 춘하추동의 계절감을 나타내기 위해 반드시 넣도록 정해진 말. ＝季題.

きこう【奇行】图 기행; 기발한 행동. ¶～の持ち主 기행의 주인공.

**__きこう__【気候】图 기후. ¶さわやかな～ 상쾌한 기후 / ～の変わり目 환절기 / 熱帯～ 열대 기후 / ～のよい土地 기후가 좋은 고장.

きこう【起工】图ス自 기공. ＝着工. ¶新校舎の～式 새 교사의 기공식. ↔竣工·完工.

きこう【起稿】图ス自他 기고; 원고를 쓰기 시작함. ¶まだ～できずにいる 아직 기고를 못하고 있다. ↔脱稿.

きこう【寄稿】图ス自他 기고. ¶～家 기고가 / ～を頼まれる 기고를 청탁받다 / 新聞に～する 신문에 기고하다.

きこう【寄港】图ス自 기항. ¶海難にあってマニラに～する 해난을 만나 마닐라에 기항하다.

きこう【帰港】图ス自 귀항. ¶～が遅れる 귀항이 늦어지다.

きこう【帰航】图ス自 귀항; 돌아오는 항로. ＝復航. ¶～の途につく 귀항 길에 오르다. ↔往航.

きこう【機甲】图 기갑. ¶～兵団 기갑 병단 / ～部隊 기갑 부대.

きこう【機構】图 기구. ¶～改革 기구 개혁 / 国家～ 국가 기구.

きこう【紀行】图 기행. ¶～文 기행문.

きこう【貴公】代 귀공《남자의 동년배나 손아랫사람에 대한 호칭》. ＝きみ.

きごう［揮毫］图ス他 휘호. ＝染筆. ¶～料 휘호료 / A画伯の～を求める A화백의 휘호를 부탁하다.

**__きごう__【記号】图 기호. ＝印. ¶音部～ 음자리표 / ～をつける 기호를 달다.

ぎこう【技工】图 기공; 손으로 가공하는 기술; 기술공. ¶歯科の～ 치과 기공.

ぎこう【技巧】图 기교. ＝テクニック. ¶～をこらす 기교를 다하다.

—を弄す 기교를 부리다.

きこうし【貴公子】图 귀공자. ¶～然とした風采 귀공자연한 풍채.

きこうぼん［希覯本］图 희구서; 희귀본. ＝希書.

きこえ【聞こえ】图 **1** 남의 평판; 소문. ＝うわさ·評判. ¶秀才の～が高い 수재라는 평판이 높다. **2** 남이 듣는 것. ¶～のよいことを言う 듣기 좋은 말을 하다. **3** 들림; 들리는 정도. ¶右耳の～が悪い 오른쪽 귀가 잘 들리지 않는다.

きこえよがし 【聞こえよがし】 ダナ (욕설이나 비꼬는 말 따위를) 들어 보라는 듯이 일부러 함. ¶～に悪口を言う 들으라는 듯이 욕을 하다.

__きこ-える__【聞こえる】下1自 **1 들리다. ¶歌声がそとに～ 노랫소리가 밖에 들리다 / 皮肉に～ 비꼬는 것으로 들리다. **2**《보통 否定形으로》 이해하다; 납득하다. ¶そりゃ～·えません 그런 불합리한 일〔거짓말〕 따윈 이해할 수 없습니다. **3** 세상에 알려져 있다; 이름나다. ＝知れわたる. ¶美人を以て～·えた女性 미인으로서 세상에 널리 알려진 여성.

きこく【帰国】图ス自 **1** 귀국. ¶～手続き 귀국 절차 / ～の途につく 귀국 길에 오르다. **2** 귀향.

ぎごく【疑獄】图 의옥《대규모의 증수회 사건》. ¶～事件 의옥 사건.

きごこち【着心地】图 의복의 착용감. ＝着ぐあい. ¶絹物は～がよい 비단옷은 입었을 때의 감촉이 좋다.

きごころ【気心】图 기질; 속마음. ＝気だて. ¶～の知れた人〔間柄〕 속속들이 아는 사람〔사이〕 / ～が知れない 속마음을 알 수 없다.

きこしめ-す【聞こし召す】5他 '酒を飲む(＝술 마시다)'의 뜻을 놓으로 일컫는 말. ¶一杯～·したというわけさ 한잔하셨다 이 말씀이야.

*__ぎこちな-い__ 形 (동작 등이) 어색하다; 딱딱하다. ¶～文章〔挨拶〕 어색한 문장〔인사〕 / ～腰つき 어색한 자세.
参考 'ぎごちない'는 노인어.

きこつ【気骨】图 기골; 기개. ¶～のある人物 기골이 있는 인물 / ～を見せてやれ 기개를 보여 줘라. ⇨きぼね.

きこな-す【着こなす】5他 옷을 몸에 맞도록〔어울리게〕 입다; 맵시 있게 입다. ¶流行の服を～ 유행하는 옷을 맵시 있게 잘 입다.

きこのいきおい［騎虎の勢い］連語 기호지세.

きこ-む【着込む】《着籠む》5他 껴입다; 전하여, '着る(＝입다)'의 힘줌말. ¶重いオーバーを～·んで 무거운 외투를 걸쳐 입고 / 何枚も下着を～ 속옷을 여러 벌 껴입다.

きこり〖樵·樵夫〗图 나무를 벰; 또, 초부(樵夫); 나무꾼; 벌목꾼.

きこん【既婚】图 기혼. ¶～者(しゃ) 기혼자. ↔未婚(みこん).

きこん【気根】图 1 끈기. ＝根気(こんき). ¶年(とし)を取(と)ると～がなくなる 나이를 먹으면 끈기가 없어진다. 2〖植〗기근; 공기뿌리. ¶節(ふし)から～が伸(の)びる 마디에서 기근이 뻗다.

*きざ〖気障〗ダナ (언어·동작·복장 등이) 같잖음; 태깔스러움; 아니꼬움. ＝いやみ. ¶～な男(おとこ) 아니꼬운 사나이 / ～な歩(ある)き方(かた) 거드럭거리는 걸음걸이. 參考 'きざわり'의 준말.

きさい【奇才】图 기재; 세상에 드문 재주; 또, 그런 사람. ¶世(よ)にもまれな～ 세상에도 드문 기재.

きさい【鬼才】图 귀재. ¶文壇(ぶんだん)の～ 문단의 귀재.

きさい【既済】图 기제; 일이 이미 끝났음; 이미 다 갚았음. ↔未済(みさい).

きさい【記載】图ス他 기재. ¶台帳(だいちょう)に～する 대장에 기재하다.

きさい【起債】图ス自他〖經〗기채. ¶公債(こうさい)を～する 공채를 기채하다.

きざい【器材】图 기재. ¶実験用(じっけんよう)の～ 실험용 기재.

きざい【機材】图 기재; 기계의 재료. ¶建築用(けんちくよう)の～ 건축용 기재.

きさき〖后·妃〗图 황후; 중전(中殿); 중궁(中宮). ＝きさい(の宮(みや)).

ぎざぎざ 图ダナ 가장자리에 톱니 모양의 들쭉날쭉이 이어져 있는 모양; 깔쭉깔쭉함; 또, 그런 것. ¶ふちに～をつける 가장자리를 깔쭉깔쭉하게 하다.

きさく【奇策】图 기책; 기묘한 계책. ＝奇計(きけい). ¶～縦横(じゅうおう)の人(ひと) 기책이 종횡무진한 사람 / ～を弄(ろう)する〔めぐらす〕 기책을 부리다〔꾸미다〕.

*きさく【気さく】ダナ 담백하고 상냥함; 싹싹함. ＝気軽(きがる). ¶～な人(ひと) 싹싹한 사람 / だれにも～に話(はな)しかける 아무에게나 스스럼없이 말을 건다.

ぎさく【偽作】图ス他 위작. ＝贋作(がんさく). ¶唐代(とうだい)の陶器(とうき)を～する 당나라 때의 도자기를 위작하다.

きざけ【生酒】图 진국 술; 전내기. ＝きいっぽん.

きざし【兆し】《萌し》图 조짐; 징조; 전조. ¶流行(りゅうこう)〔春(はる)〕の～ 유행〔봄〕의 징조 / 回復(かいふく)の～ 회복의 조짐.

きざ-す【兆す】《萌す》5自 1 싹트다. ＝めぐむ. ¶新芽(しんめ)が～ 새싹이 움트다. 2 일이 일어날 징조가 보이다. ¶春(はる)が～ 봄이 움트다. 3 마음이 움직이다. ＝もよおす. ¶悪心(あくしん)が～ 악심〔나쁜 마음〕이 생기다.

きざっぽ-い〖気障っぽい〗形 아니꼬운 느낌이 들다. ¶～やつ 아니꼬운 놈.

きさま【貴様】代 네놈; 자네; 너. ＝おまえ. 參考 옛날에는 손윗사람에게 썼으나, 지금은 아주 친한 사이, 또는 상대를 경멸해서 쓰는 말씨.

きざみ【刻み】一图 1 ㉠잘게 썲. ㉡새기는 일; 또, 그것. ¶～を入(い)れる 칼자국을 새기다. 2 '刻みたばこ(＝살담배)'의 준말. 3 시간이 경과해 가는 일각일각. ¶時(とき)の～ 시각(時刻). 二接尾 《体言에 붙어서》 구분마다; …씩. ¶五円(ごえん)～ 5엔씩 / 八分(はっぷん)～ 8분마다.

きざみあし【刻み足】图 종종걸음. ¶～に歩(ある)く〔あとを追(お)う〕 종종걸음으로 걷다〔뒤를 쫓다〕.

きざみこ-む【刻み込む】5他 1 새겨 넣다. ¶模様(もよう)を～ 무늬를 새겨 넣다. 2 (마음속에) 아로새기다. ¶脳裏(のうり)に～ 뇌리에 아로새기다.

きざみタバコ【刻みタバコ】《刻み煙草》图 살담배. ＝きざみ.

きざみつ-ける【刻み付ける】下1他 새겨서 형적을 남기다; 조각하다; 새겨 두다. ¶松(まつ)の木(き)に名(な)を～ 소나무에 이름을 새겨 두다 / 心(こころ)に～ 마음에 새겨 두다; 명심하다.

*きざ-む【刻む】5他 1 잘게 썰다〔쪼개다〕; 썰어서 잘게 하다. ¶大根(だいこん)を～ 무를 잘게 썰다 / 土地(とち)を～んで売(う)る 땅을 쪼개어 팔다. 2 조각하다; 새기다. ¶文字(もじ)を～ 글자를 새기다. 3 잘게 구분하여 나아가다. ¶目盛(めも)りを～ 눈금을 새기다 / 時(とき)を～ 시간이 일각 일각 지나가다 / 年輪(ねんりん)を～ 연륜을 쌓다. 4 명심하다; 마음에 새겨 두다. ¶心(こころ)に～ 명심하다 / 胸(むね)に～ 가슴 속에 새기다. 可能 きざ-める 下1自

きさらぎ［如月］图〈雅〉음력 2월.

きざわり【気障り】名ナ 비위에 거슬림; 아니꼬움; 또, 그러한 모양. ＝きざ. ¶人(ひと)のことをつべこべ言(い)って～な男(おとこ)だ 남의 말을 이러쿵저러쿵하는 아니꼬운 놈이다.

きさん【起算】图ス自 기산. ¶着工(ちゃっこう)から～して百五十日(ひゃくごじゅうにち)めに完成(かんせい)した 착공으로부터 기산해서 150일 만에 완성했다.

**きし【岸】图 물가; 해안. ＝水(みず)ぎわ. ¶川岸(かわぎし) 강안(江岸); 강 둔덕 / ～に寄(よ)せる波(なみ) 해안에 밀려드는 파도. ↔沖(おき).

きし［旗幟］图 기치. 1 (무사들이) 싸움터에서 자기 존재를 알리기 위해 쓰던 깃발. ＝旗(はた)じるし. 2 전하여, 표방하는 입장; 방침; 주장. ―を鮮明(せんめい)にする 기치를 선명히 하다.

きし【棋士】图 기사. ¶プロ～ 프로 기사.

きし【騎士】图 기사. ＝ナイト. ¶～道(どう)(物語(ものがたり)) 기사도 (이야기).

きじ〖雉·雉子〗图〖鳥〗꿩. ＝きぎす. ―も鳴(な)かずば撃(う)たれまい 꿩도 울지 않으면 총에 맞지 않을 터《쓸데없는 말을 해서 재난을 당함의 비유》.

きじ【木地】图 1 나무 바탕; 나뭇결. ＝もくめ. 2 목각 등에 쓸 건목친 나무. 3 (칠하지 않은) 나무.

*きじ【生地】《素地》图 1 본연 그대로의 성질〔상태〕; 본바탕. ¶～が出(で)る 본성〔본바탕〕이 드러나다. 2 옷감; 천. ＝布地(ぬのじ). ¶洋服(ようふく)～ 양복감 / ～は三(さん)ヤード必要(ひつよう)だ 옷감은 3야드 필요하다. 3

유약을 칠하기 전의 도자기; 소태(素胎). **4** 밀반죽한 것. ¶パン～ 제빵용 밀반죽.

*__きじ__【記事】图 기사. ¶～広告 기사 광고 / 三面～ 삼면 기사 / ～差し止め 기사 (게재) 금지 / 新聞に～を載せる 신문에 기사를 싣다.

*__ぎし__【技師】图 기사. ＝エンジニア. ¶鉱山～ 광산 기사.

__ぎし__【義士】图 의사. 参考 특히, 赤穂義士(＝1703년 1월 30일 밤에 원수의 집으로 쳐들어가 주인의 원수를 갚은 47명의 무사)를 일컫는 경우가 많음.

__ぎし__【義姉】图 의로 맺은 누이《형수·손위 올케〔시누이〕·처형》. ↔実姉.

__ぎし__【義肢】图 의지; 의수(義手)와 의족. ¶～をつける 의족을 하다.

__ぎし__【義歯】图 의치; 틀니. ＝入れ歯.

__ぎじ__【疑似·擬似】《偽似》图〔醫〕의사; 유사(類似). ¶～コレラ 의사 콜레라 / ～脳炎 유사 뇌염. ↔真性.

__ぎじ__〔擬餌〕图 **1** 제물낚시로 된 미끼《낚시질의 미끼로 쓰는 벌레 따위의 빛깔·모양을 닮게 만든 것》. **2** 'ぎじばり'의 준말. 「ルアー.

__——ばり__〔——針〕图 제물낚시. ＝毛ばり·

__ぎじ__【議事】图 의사. ¶～進行 의사 진행 / ～公開の原則 의사 공개의 원칙 / ～を進める 의사를 진행시키다.

__——ていそくすう__【——定足数】图 의사 정족수.

__——どう__【——堂】图 의사당.

__——ろく__【——録】图 의사록.

__きしかいせい__【起死回生】图 기사회생. ¶～の本塁打 기사회생의 본루타 / 名医を得て～した 명의를 만나 기사회생했다.

__きしかた__【来し方】图 ☞こしかた.

__きしがた-い__【期し難い】形 기대하기 어렵다. ¶彼の成功は～ 그의 성공은 기대할 수 없다.

*__ぎしき__【儀式】图 의식. ¶～を行う 의식을 행하다 / ～に参列する 의식에 참례하다.

__——ば-る__【——張る】5自 (너무) 의식〔형식〕에 치우치다. ¶～ったあいさつ (너무) 격식을 차린 인사 / ～らない行事 딱딱하지 않은 행사.

__ぎしぎし__ 副 **1** 무리하게 밀어 넣거나 또는 강압적으로 말하는 모양: 꽉꽉; 꽥꽥. ¶～押し詰める 꽉꽉 밀어 넣다 / ～言う 사정없이 꽥꽥거리다. **2** 맞스쳐 나는 소리: 삐걱삐걱. ¶はしご段が～(と)鳴る 사다리꼴 계단이 삐걱삐걱 소리가 나다.

__きじく__【基軸】图 기축; 사상이나 조직 등의 토대·중심이 되는 것.

__きじく__【機軸】图 기축. **1** 차량·기관의 축. **2** 지구의 회전축. ＝地軸. **3** (근본적인) 방식; 방법; 짜임. ¶新～を出す 신기축을 (생각해) 내다.

__きしつ__【気質】图 기질; 성미; 성향. ＝気だて·気性·かたぎ. ¶学生～ 학생 기질 / おとなしい〔激しい〕～ 온순〔과격〕한 기질.

__きじつ__【忌日】图 기일. ＝きにち.

*__きじつ__【期日】图 기일. ＝きにち. ¶～までに納税する 기일까지 납세하다 / ～以外にゴミを捨てぬこと (정해진) 기일 이외에는 쓰레기를 버리지 말 것.

__きしな__【来しな】图 오는 길; 오는 김. ＝来がけ. ¶～に友達の所へ寄った 오는 도중에 친구 집에 들렀다. ↔行きしな.

__きしべ__【岸辺】图 물가; 강가; 바닷가. ¶船は～に着いた 배는 물가에 닿았다.

__きしぼじん__【鬼子母神】图〔佛〕☞きしもじん.

__きし-む__〖軋む〗5自 **1** 삐걱거리다. ＝きしる. ¶床が～ 마루가 삐걱거리다. **2** 삐걱거리며 기울거나 빠질 것 같다. ¶戸〔障子〕が～ 문이〔미닫이가〕 삐걱거리며 빠질 것 같다.

__きしめん__〖棊子麵〗图 가늘고 납작하게 만든 국수《名古屋 지방의 명산》. ＝ひもかわ(うどん).

__きしもじん__〔鬼子母神〕图〔佛〕귀자모신《순산·유아 보호 등의 여신》. ＝きしぼじん.

__きしゃ__【喜捨】图ス他 회사. ＝施与. ¶お寺に浄財を～する 절에 정재를 회사하다.

*__きしゃ__【汽車】图 기차. ¶～旅行 기차 여행 / ～ごっこ 기차 놀이 / ～に乗る 기차를 타다 / ～を降りる 기차에서 내리다 / ～に乗り遅れる 기차를 놓치다.

__きしゃ__【記者】图 기자. ¶～団 기자단 / 新聞〔婦人〕～ 신문〔여성〕 기자 / ～会見をする 기자 회견을 하다.

__きしゃ__【貴社】图 귀사《상대의 회사나 神社》. ¶～の社員 귀사의 사원.

__きしゃく__【希釈】《稀釈》图ス他〔化〕희석. ¶～度 희석도 / ～溶液 희석 용액 / 原液を～する 원액을 희석하다.

__きじゃく__【着尺】图 어른 옷 한 벌 감의 길이와 폭. ↔端尺.

__きしゅ__【奇手】图 **1** (바둑 따위의) 기수. ¶～を放つ 모험적인 수를 놓다. **2** 기발한 수법. ¶～を用いて敵を制する 기발한 수단으로 적을 제압하다.

__きしゅ__【旗手】图 기수. ＝はたもち. ¶改革の～ 개혁의 기수.

__きしゅ__【機首】图 기수. ¶～を下げる〔上げる〕 기수를 내리다〔올리다〕 / ～を東に向ける 기수를 동쪽으로 돌리다. ↔機尾.

__きしゅ__【機種】图 기종. **1** 비행기의 종류. ¶～を確認せよ 기종을 확인하라. **2** 기계의 종류. ¶古い型の～ 구형의 기종 / 同じ～ 같은 기종.

__きしゅ__【騎手】图 (경마 등의) 기수.

__きじゅ__【喜寿】图 희수; 77세(의 잔치). ＝喜の(字の)祝い. 参考 '喜'의 초서체 '㐂'가 '七十七'로 보이므로. ⇨がじゅ(賀寿) 박스記事.

ぎしゅ【技手】图 회사 등에서 기사(技師) 아래에 속한 기술자; 기사(技士). ＝ぎて.
ぎしゅ【義手】图 의수. ¶～をつける 의수를 달다. ↔義足ぎそく.
きしゅう【既習】图 이미 배움. ¶～単語たんご 이미 배운 단어. ↔未習みしゅう.
きしゅう【奇習】图 기습; 기이한 풍습. ¶その村むらには～が多おおく残のこっている 그 마을엔 기습이 많이 남아 있다.
きしゅう【奇襲】图ス他 기습. ＝不意打ふいうち. ¶～作戦さくせん 기습 작전 / 敵てきの背後はいごから～する 적의 배후에서 기습하다 / ～を試こころみる 기습을 시도하다.
きじゅう【機銃】图〔軍〕기총(('機関銃きかんじゅう(＝기관총)'의 준말)). ¶～掃射そうしゃ 기총 소사 / 軽けい～ 경기관총.
きじゅうき【起重機】图 기중기. ＝クレーン. ¶～船せん 기중기선((크레인을 장비한 배)) / ～で吊つり上あげる 기중기로 들어 올리다.
きしゅく【寄宿】图ス自 기숙. ¶～生せい 기숙생 / 寮りょうに～する 기숙사에 들다 / 親戚しんせきの家いえに～する 친척 집에 기숙하다. 「りょう.
—しゃ【—舎】图 기숙사. ＝(寄宿)寮
きじゅつ【奇術】图 기술; 요술. ＝てじな. ¶～を行おこなう 요술을 부리다.
—し【—師】图 요술쟁이. ＝てじな師し.
*きじゅつ【記述】图ス他 기술. ¶ありのままに～する 있는 그대로 기술하다.
きじゅつ【既述】图ス他 기술; 이미 기술(記述)〔말〕함. ＝前述ぜんじゅつ·上述じょうじゅつ. ¶～したように 기술한 바와 같이.
**ぎじゅつ【技術】图 기술. ¶～者しゃ 기술자 / ～畑ばたけ 기술 분야 / ～教育きょういく〔移転いてん〕 기술 교육〔이전〕/ 科学かがく～ 과학 기술 / 運転うんてん～を身みにつける 운전 기술을 몸에 익히다. 「☞ノーハウ.
—じょうほう【—情報】图 기술 정보.
**きじゅん【基準】图 기준. ¶判断はんだん〔比較ひかく〕の～ 판단〔비교〕의 기준 / 建築けんちく～ 건축 기준 / 設置せっち～ 설치 기준 / ～を上回うわまわる 기준을 상회하다.
*きじゅん【規準】图 규준; 규범이 되는 표준. ＝規範きはん. ¶～化か 규준화 / 行動こうどう～を定さだめる 행동 규준을 정하다.
きじゅん【帰順】图ス自 귀순. ＝帰服きふく. ¶～して忠誠ちゅうせいをつくす 귀순하여 충성을 다하다 / ～の意いを表あらわす 귀순할 뜻을 나타내다.
きしょ【奇書】图 기서; 진서; 진본.
きしょ【希書】((稀書))图 희서; 희귀한 서적. ＝稀覯書きこうしょ. 「서〕.
ぎしょ【偽書】图 위서; 가짜 책〔편지, 문
きしょう【奇勝】一图 기승; 경치가 뛰어나게 좋은 곳. ¶天下てんかの～ 천하(제일)의 기승. 二图ス自 **1** 기묘한 계략으로 이김. **2** 뜻하지 아니한 승리. ¶～を博はくする 의외의 승리를 얻다.
きしょう【希少】((稀少)) 名ナ 희소. ¶～金属きんぞく 희귀 금속 / ～価値かち 희소가치.
きしょう【気性】图 타고난 성질; 천성; 기질. ＝気きだて. ¶～がはげしい 천성이 괄괄하다; 기질이 과격하다.
*きしょう【気象】图 기상. **1**(날씨 등) 대기의 상태. ¶～観測かんそく 기상 관측. **2** 심적 경향. ¶進取しんしゅの～ 진취적인 기상.
—えいせい【—衛星】图 기상 위성.
—だい【—台】图 기상대; 관상대((気象庁きしょうちょう의 지방 기관)).
—ちょう【—庁】图 기상청((기상 관계 업무를 총괄하는 중앙 관청)).
*きしょう【記章】图 기장. **1** 참가자·관계자에게 기념으로 주는 표장(標章). ＝記念章きねんしょう·メダル. ¶従軍じゅうぐん～ 종군 기장 / ～をつける 기장을 달다. **2**((본디는 徽章)) 휘장; 배지. ＝バッジ.
きしょう【起床】图ス自 기상. ¶朝早あさはやく～する 아침 일찍 기상하다. ↔就床しゅうしょう·就寝しゅうしん.
—らっぱ『—喇叭』图 기상 나팔.
きじょう【机上】图 궤상; 탁상. ¶～の整頓せいとん 책상 위의 정돈 / ～版ばんの辞書じしょ 탁상판 사전.
—の空論くうろん 탁상공론.
きじょう【機上】图 기상. ¶～の人ひととなる 항공기를 타다.
きじょう【騎乗】图ス自 말을 탐; 승마. ¶～者しゃ 승마자 / ～が上手じょうずな人ひと 말을 잘 타는 사람.
きじょう【気丈】ダナ 마음이 굳셈〔다부진〕 모양. ＝気丈夫きじょうぶ. ¶～な女おんな 어기찬 여자. 「위증죄.
ぎしょう【偽証】图ス他 위증. ¶～罪ざい
ぎじょう【議場】图 의장; 회의장소.
きしょうてんけつ【起承転結】图 **1**(한시(漢詩)의) 기승전결. **2** 전하여, 사물의 순서·짜임새.
きじょうぶ【気丈夫】ダナ **1** 마음이 든든함. ＝心こころじょうぶ. ¶案内者あんないしゃがいるから～だ 안내자가 있으니까 마음 든든하다. **2** 다기짐; 다부짐; 어기참. ＝気丈きじょう. ¶～な人ひとだが病気びょうきには勝かてなかった 다기진 사람이지만 병을 이겨 낼 수는 없었다.
ぎじょうへい【儀仗兵】图 의장병.
きじょうゆ【生じょうゆ】((生醤油)) 图 **1** 달이지 않은 간장; 날간장. **2** 순 간장; 전국; 진국.
きしょく【喜色】图 희색. ¶～満面まんめんにあふれる 희색만면하다. ↔憂色ゆうしょく.
きしょく【気色】图 기색; 안색; 기분. ＝かおいろ. ¶相手あいての～をうかがう 상대방의 기색을 살피다. 「언짢다.
—が悪わるい 기색이 좋지 않다; 기분이
—ば-む 5自 기세를 올려 분발하다.
きしょく【寄食】图ス自 기식. ＝いそうろう. ¶親戚しんせきの家いえに～する 친척 집에 기식하다.
きし-る『軋る·轢る』5自 삐걱거리다. ＝きしむ. ¶車くるまがしきりに～ 차가 자꾸만 삐걱거리다 / 人ひとの重おもみで床ゆかが～ 사람 무게로 마루가 삐걱거리다.

きじるし【キ印】名 〈俗〉 미치광이.
きしん【寄進】名ス他 기진; 절이나 신사 등에 금품을 기부함; 희사; 봉납. ¶神社(じんじゃ)に石(いし)どうろうを～する 신사에 석등롱〔장명등〕을 봉납하다.
きしん【帰心】名 귀심; (고향·집에) 돌아가고 싶은 마음.
—矢(や)**のごとし** 돌아가고 싶은 마음 간절하다.
きしん【鬼神】名 귀신. **1** 초인적인 힘을 가진 신. ＝おにがみ. ¶～も泣(な)かしめる 귀신도 울리다. **2** 죽은 사람의 넋.
きじん【奇人】《畸人》名 기인; 괴짜. ＝変人(へんじん).
きじん【貴人】名 귀인.
ぎしん【疑心】名 의심. ＝疑(うたが)い·疑念(ぎねん). ¶～をいだく 의심을 품다 / ～を晴(は)らす 의심을 풀다.
—あんき【—暗鬼】名 '疑心, 暗鬼を生(しょう)ず' 의 준말; 의심을 하기 시작하면 모든 것이 의심스럽고 무서워짐. ¶～にかられる 불신에 사로잡히다.
ぎじん【擬人】名 의인. ¶～化(か) 의인화. ↔擬物(ぎぶつ).
—ほう【—法】名 의인법. ＝活喩法(かつゆほう).
ぎじん【義人】名 의인; 의사(義士).
き-す【期す】5他 ☞き(期)する.
き-す【帰す】5自他 ☞き(帰)する 一二.
キス [kiss] 名ス自 키스; 입맞춤. ＝接吻(せっぷん)·キッス. ¶映画(えいが)の～シーン 영화의 키스신 / 恋人(こいびと)に～する 애인에게 키스하다.
—マーク [일 kiss+mark] 名 키스 마크〔자국〕.
きず【傷】《疵·創·瑕》名 **1 상처. ＝けが. ¶かすり～ 찰과상 / 切(き)り～ (칼로) 벤 상처 / ～を負(お)う 상처를 입다 / ～がうずく 상처가 쑤시다. **2** (알리기 싫은) 비밀. ¶すねに～を持(も)つ 숨기고 있는 비밀을〔죄를〕 지니다. **3** 흠; 결점; 티. ＝あら. ¶～がつく 흠이 생기다 / 商品(しょうひん)に～をつける 상품에 흠집을 내다.
ぎ-す【擬す】5他 ☞ぎ(擬)する.
ぎ-す【議す】5他 ☞ぎ(議)する.
きずあと【傷跡】《疵痕》名 상처 자국. ¶こめかみに～がある 관자놀이에 상처자국이 있다 / 心(こころ)に受(う)けた～ 마음에 입은 상처.
きすい【既遂】名 기수. ¶～犯(はん) 기수범 / ～罪(ざい) 기수죄. ↔未遂(みすい).
きずい【気随】ダナ 〈老〉 제멋〔마음〕대로 하는 모양. ＝気(き)まま·わがまま.
—きまま【—気まま】《—気儘》名ダナ 제멋대로 하는 모양. ¶～に暮(く)らす 마음 내키는 대로〔제멋대로〕 살다.
きすう【奇数】名 기수; 홀수. ↔偶数(ぐうすう).
きすう〔帰趨〕名ス自 귀추. ＝なりゆき. ¶勝敗(しょうはい)の～は予断(よだん)を許(ゆる)さない 승패의 귀추는 예측을 불허한다.
きずきあ-げる【築き上げる】下1他 쌓아올리다; 노력하여 지위나 재산을 얻다. ¶石垣(いしがき)を～ 돌담을 쌓아 올리다 / 苦労(くろう)して～·げた今日(こんにち)の地位(ちい) 고생하여 쌓아올린 현재의 지위.
ぎすぎす トス自 **1** 말라서 토실토실한 감이 없는 모양: 깨깨. ¶(やせて)～(と)した女(おんな) 깨깨 마른 여자. **2** 애교가 없고 상냥하지 않은 모양. ¶～した話(はな)し方(かた)をする 퉁명스런 말투로 이야기하다 / ～(と)した人間関係(にんげんかんけい) 껄끄러운 인간관계.
*__きず-く__【築く】5他 쌓(아올리)다; 구축하다. ¶城(しろ)を～ 성을 쌓다 / 信用(しんよう)を～ 신용을 쌓다 / 新家庭(しんかてい)を～ 새 가정을 이루다 / 財産(ざいさん)〔財(ざい)〕を～ 재산을 모으다. 可能 きず-ける 下1自
きずぐち【傷口】《疵口》名 **1** 상처 (입은) 자리. ¶～がふさがる 상처가 아물다 / ～を縫(ぬ)う 상처를 봉합하다. **2** (비유적으로) 과거의 허물·실패; 흠; 결함. ¶古(ふる)い～にふれる 묵은 허물을 건드리다 / ～をひろげる 허물을 들춰내다.
*__きずつ-く__【傷つく】5自 **1** (몸을) 다치다; 상처를 입다. ¶～·いた兵隊(へいたい) 상처 입은 병사. **2** (물건 따위가) 깨지다; 상하다. ¶皿(さら)が～ 접시가 상하다〔흠이 나다〕. **3** (마음이) 상하다; (명예가) 손상되다. ¶童心(どうしん)が～ 동심이 멍들다 / 名声(めいせい)が～ 명성에 흠이 가다.
*__きずつ-ける__【傷つける】《傷付ける·疵付ける》下1他 **1** 상처를〔부상을〕 입히다; 다치게 하다. ¶人(ひと)をなぐって～ 남을 때려서 부상을 입히다. **2** 손상하다. ㉠(물건 따위를) 흠내다; 파손시키다. ¶絵(え)を～·けて叱(しか)られる 그림을 파손하여 야단맞다. ㉡(명예·기분 따위를) 훼손하다; 상하게 하다. ¶感情(かんじょう)を～ 감정을 해치다.
きずな〘絆·紲〙名 **1** 끊기 어려운 정이나 인연; 유대. ＝ほだし. ¶恩愛(おんあい)の～ 은혜와 사랑으로 맺은 인연; 은혜와 사랑의 굴레 / 夫婦(ふうふ)の～ 부부의 정리(情理). **2** (동물 등을) 매어 두는 줄; 고삐.
きずもの【傷物】《疵物》名 파치; 흠이 있는 것; 결딴난 것. ¶～の花(か)びん 흠집이 있는 꽃병. 参考 처녀성을 상실한 미혼 여성에도 비유됨. ¶あの娘(むすめ)は～だ 저 아가씨는 숫처녀가 아니다.
き-する【期する】サ変他 기하다. **1** 기한〔시일〕을 정하다. ¶雨季(うき)を～·して攻撃(こうげき)に出(で)る 우기를 기하여 공격으로 나오다. **2** 기약〔기대〕하다. ¶成功(せいこう)〔再会(さいかい)〕を～ 성공을〔재회를〕 기약하다.
き-する【帰する】一サ変自 **1** 돌아가다; …으로 끝나다; 귀착하다. ¶無(む)に～ 무로 돌아가다 / 努力(どりょく)が水泡(すいほう)に～ 노력이 수포로 돌아가다. **2** 귀의하다. ＝帰依(きえ)する. 二サ変他 돌리다; 탓으로 하다. ¶失敗(しっぱい)の責任(せきにん)を彼(かれ)にだけ～のは不当(ふとう)だ 실패의 책임을 그에게만 돌리는 것은 부당하다.
き-する【記する】サ変他 **1** 쓰다; 기록하다. ＝記(しる)す. ¶由来(ゆらい)を～ 유래를 기록하다. **2** 잊지 않고 마음에 새겨 두다; 기억하다; 명심하다. ¶心(こころ)に～·して忘(わす)れない 마음에 새기고 잊지 않다.
ぎ-する【擬する】サ変他 **1** 들이대다. ＝

つきつける. ¶短刀を胸に～ 단도를 가슴에 들이대다. **2** 흉내 내다; 본뜨다. ＝似せる. ¶書体を～ 글씨체를 흉내 내다. **3** 가정하다; 예상하다. ¶後継首相に～ 후계 수상으로 상정(想定)하다.

ぎ-する【議する】 サ変他 의논하다; 심의〔토의〕하다. ¶国政を～ 국정을 (의)논하다 / 会則の改訂を～ 회칙 개정을 심의하다.

きするところ【帰するところ】《帰する所》 連語 결국; 귀결되는 바. ＝つまり. ¶～, 原因は一つだ 결국 원인은 하나〔한 가지〕다 / ～は同じ事だ 결국은 같은 것이다.

きせい【奇声】 名 기성. ¶～を発する 기성을 지르다.

きせい【寄生】 名ス自 기생. ¶～生活 남에게 의존하는 생활 / 回虫が人体に～する 회충이 인체에 기생하다.

—かざん【—火山】 名〔地〕 기생 화산.

—ちゅう【—虫】 名 기생충. ¶社会の～ 사회의 기생충.

きせい【既成】 名 기성. ¶～作家 기성 작가. ↔未成.

—じじつ【—事実】 名 기성사실.

きせい【既製】 名 미리 만들어 놓음; 기성. ＝できあい·レディーメード. ¶～品 기성품 / ～服 기성복. ↔注文.

きせい【気勢】 名 기세. ＝いきおい. ¶～をあげる 기세를 올리다 / ～があがる 기세가 오르다 / ～をそぐ 기세를 꺾다.

きせい【帰省】 名ス自 귀성. ¶夏休みに～する 여름휴가에 귀성하다.

きせい【規正】 名ス他 규정; 잘못된 점을 바로잡음.

きせい【規制】 名ス他 규제. ¶自主～ 자주 규제 / デモの～ 데모의 규제 / 交通～ 교통 규제 / 法律で～する 법률로 규제하다.

＊ぎせい【犠牲】 名 희생. ¶～打 희생타 / 自己～ 자기 희생 / 大きな～を払う 큰 희생을 치르다.

—しゃ【—者】 名 희생자. ¶こんどの事件では大くの～を出した 이번 사건에서는 많은 희생자를 냈다.

—バント [bunt] 名〔野〕 희생 번트.

—フライ [fly] 名〔野〕 희생 플라이.

ぎせいご【擬声語】 名〔言〕 의성어. ⇨下段 박스記事

きせか-える【着せ替える】 下1他 다른 옷으로 갈아입히다. ¶病人の寝間着を～ 환자의 잠옷을 갈아입히다.

きせき【奇跡】《奇蹟》 名 기적. ¶～でも起こらぬ限り 기적이라도 일어나지 않는 한 / ～の生還 기적적인 생환.

—てき【—的】 ダナ 기적적. ¶～に助かる 기적적으로 살아나다.

きせき【軌跡】 名 **1**〔數〕 궤적; 자취. ¶～を求める 자취를 구하다. **2** 바퀴자국. **3** 선인(先人)의 행적. ¶偉人の～をたどる 위인의 역정을 더듬어 가다.

きせき【鬼籍】 名〔佛〕 귀적; 과거장. ＝過去帳.

—に入る 귀적에 들다; 죽다.

ぎせき【議席】 名 의석. ¶～を争う 의석을 다투다 / ～を獲得する 의석을 획득하다; 의원이 되다.

きせずして【期せずして】 連語 뜻밖에; 우연히; 예기치 않게. ＝思いがけず. ¶～出会った 우연히 만났다 / ～意見が一致した 우연히 의견이 일치했다.

＊きせつ【季節】 名 계절; 절기; 철. ＝シーズン. ¶～感〔風〕 계절감〔풍〕 / ～の

여러 가지 擬声語《동물 울음소리》	
犬(개)	ワンワン(멍멍)
牛(소)	モーモー(음매)
馬(말)	ヒヒーン(히힝)
蛙(개구리)	ケロケロ·ゲロゲロ(개골개골)
郭公(뻐꾸기)	カッコー(カッコー)(뻐꾹(뻐꾹))
烏(까마귀)	カーカー(까옥까옥)
きつね(여우)	コンコン(캥캥)
こおろぎ(귀뚜라미)	コロコロ(귀뚤귀뚤)
猿(원숭이)	キャッキャッ(깩깩)
すずめ(참새)	チュンチュン(짹짹)
せみ(매미)	ジージー·ミーンミーン(맴맴)
鶏(닭)	コケコッコー(꼬꼬; 꼬끼오)
猫(고양이)	ニャーニャー(야옹야옹)
ねずみ(쥐)	チューチュー(찍찍)
鳩(비둘기)	ポッポ(꾸룩)
ひよこ(병아리)	ピヨピヨ(삐악삐악)
豚(돼지)	ブーブー(꿀꿀)
みみずく(부엉이)	ホウホウ(부엉부엉)
やぎ(염소)	メーメー(매매)

여러 가지 擬態語(의태어)	
あたふた	허둥지둥
うつらうつら	꾸벅꾸벅
おずおず	머뭇머뭇; 주뼛주뼛
かんかん	(해가) 쨍쨍
きょろきょろ	두리번두리번
ぐずぐず	꾸물꾸물; 우물쭈물
ぐでんぐでん	곤드레만드레
しゃなりしゃなり	하느작하느작
ずきんずきん	욱신욱신
すべすべ	매끈매끈
だぶだぶ	헐렁헐렁; 뒤룩뒤룩
つるつる	반들반들; 미끈미끈
とぼとぼ	터벅터벅
にこにこ	싱글벙글; 생긋생긋
のろのろ	느릿느릿
ぴかぴか	번쩍번쩍
ぶらぶら	어슬렁어슬렁; 빈둥빈둥
ぶつぶつ	투덜투덜; 중얼중얼
ほかほか	따끈따끈; 후끈후끈
むかむか	메슥메슥
よちよち	아장아장
わなわな	와들와들

変(か)わり目(め) 계절이 바뀔 때; 환절기 / 入試(にゅうし)の～ 입시철.

—はずれ【—外れ】图 계절에 걸맞지 않음. ¶～の麦(むぎ)わら帽子(ぼうし)をかぶった人(ひと) 철에 맞지 않는 밀짚모자를 쓴 사람.

—ろうどう【—労働】图 계절 노동. ¶～者(しゃ) 계절 노동자.

きぜつ【気絶】图ス自 기절. ＝失神(しっしん). ¶驚(おどろ)きのあまり～する 놀란 나머지 기절하다.

ぎぜつ【義絶】图ス他自 의절. **1** 육친이나 군신의 인연을 끊음. ＝勘当(かんどう). **2** 절교. ¶友(とも)と～する 친구와 의절하다.

*__き-せる__【着せる】《著せる·被せる》下1他 **1** 입히다. ㉠(옷 따위를) 입히다. ¶衣服(いふく)を～ 옷을 입히다. ㉡(다른 것으로 겉을) 싸다; 도금(鍍金)하다. ¶砂糖(さとう)を～·せた菓子(かし) 설탕을 입힌 과자 / 残(のこ)り火(び)に灰(はい)を～ 타다 남은 불에 재를 덮다. **2** (책임 등을) 남에게 전가하다; 덮어씌우다. ＝かぶせる. ¶ぬれぎぬを～ 누명을 씌우다. **3** (은혜 등을) 베풀다. ¶恩(おん)を～ような態度(たいど)を取(と)る 은혜를 베풀어 주는 듯한 태도를 취하다.

キセル [ヲ khsier] 图 **1** 담뱃대. ¶～をくわえて話(はな)す 담뱃대를 물고 말하다. **2** 〈俗〉(승·하차역 가까운 역까지만 표를 사고 중간은 공짜로 타는) 부정 승차. ＝キセル乗(の)り. 注意 '煙管' 으로도 씀. 参考 2는 담뱃대 양쪽 끝만 かね(＝금속)로 된 데서.

—じょうしゃ【—乗車】图〈俗〉☞ キセル2.

きぜわし-い【気ぜわしい】《気忙しい》形 **1** (쫓기듯) 어수선하고 부산하다; 수선스럽다. ¶年末(ねんまつ)はなんとなく～ 연말은 어쩐지 어수선하다. **2** 성급하다; 성마르다. ¶～人(ひと) 성마른 사람.

きせん【機先】图 기선.

—を制(せい)する 기선을 잡다; 선수를 쓰다. ¶～者(もの)はかならず勝(か)つ 기선을 제압하는 사람은 반드시 이긴다.

きせん【汽船】图 기선. ¶遠洋(えんよう)通(かよ)いの定期(ていき)～ 원양 항로의 정기 기선.

きせん [貴賤] 图 귀천. ¶老若(ろうじゃく)～の別(べつ)なく 노소귀천의 차별이 없이 / 職業(しょくぎょう)に～なし 직업에 귀천 없다.

きぜん [毅然] トタル 의연; 의지가 굳고 어엿한 모양. ¶～たる態度(たいど) 의연한 태도 / ～として答(こた)える 의연하게 답하다.

ぎぜん【偽善】图 위선. ¶～者(しゃ) 위선자 / ～に満(み)ちた行為(こうい) 위선에 찬 행위. ↔偽悪(ぎあく).

*__きそ__【起訴】图ス他〔法〕기소. ¶～状(じょう) 기소장 / 窃盗(せっとう)の疑(うたが)いで～する 절도 혐의로 기소하다. ↔不(ふ)起訴.

—ゆうよ【—猶予】图 기소 유예.

**__きそ__【基礎】图 기초. ¶～工事(こうじ) 기초 공사 / ～がしっかりしている 기초가 튼튼하다 / ～を固(かた)める 기초를 굳히다.

—こうじょ【—控除】图 기초 공제.

—たいおん【—体温】图 기초 체온.

—たいしゃ【—代謝】图 기초 대사. ＝標準(ひょうじゅん)代謝.

—づ-ける【—付ける】下1他 기초를 다져 확고하게 하다.

きそ-う【競う】5自 다투다; 경쟁하다; 겨루다. ＝はりあう. ¶技(わざ)を～ 재주를 겨루다. 可能 きそ-える 下1自

きそう【奇想】图 기상; 기발한 생각. ¶～に富(と)む人(ひと) 기상이 풍부한 사람.

—てんがい【—天外】名ナ 기상천외. ¶～なやり方(かた)〔発想(はっそう)〕 기상천외의 방법〔발상〕.

きそう【起草】图ス他 기초; 기안. ¶法案(ほうあん)を～する 법안을 기초하다.

きぞう【寄贈】图ス他 기증; 증정. ＝贈呈(ぞうてい). ¶～品(ひん) 기증품 / 母校(ぼこう)にピアノを～する 모교에 피아노를 기증하다. 注意 'きそう' 라고도 함.

ぎそう [偽装] 图ス他 위장. ＝カムフラージ. ¶～殺人(さつじん) 위장 살인 / ～した民主(みんしゅ)国家(こっか) 위장된 민주 국가 / 木(き)の枝(えだ)で～する 나뭇가지로 위장하다.

ぎそう [艤装] 图ス他 의장; 함선이 항해나 전투를 할 수 있도록 여러 가지 장비를 갖추는 일. ＝船装(せんそう). ¶進水(しんすい)してすぐ～にとりかかる 진수하여 곧 의장에 착수하다.

ぎぞう【偽造】图ス他 위조. ＝贋造(がんぞう). ¶～罪(ざい)〔紙幣(しへい)〕 위조죄〔지폐〕 / 私(し)文書(ぶんしょ)を～する 사문서를 위조하다.

きそうせい【帰巣性】图〔動〕귀소성; 귀소 본능. ＝回帰性(かいきせい)·帰家性(きかせい). ¶ツバメの～ 제비의 귀소성.

きそうほんのう【帰巣本能】图〔動〕귀소 본능. ＝帰巣性(きそうせい).

きそく【気息】图 기식; 호흡. ＝呼吸(こきゅう).

—えんえん〖—奄奄〗トタル 기식엄엄; 숨이 막 끊어지려는 모양. ¶金(かね)づまりで～たる業界(ぎょうかい) 돈줄이 막혀 허덕이는 업계.

**__きそく__【規則】图 규칙. ¶～ずくめ 규칙 투성이 / 就業(しゅうぎょう)～ 취업 규칙 / ～を守(まも)る〔やぶる〕 규칙을 지키다〔깨다〕 / ～に反(はん)する 규칙에 어긋나다. ↔不規則(ふきそく).

—ただし-い【—正しい】形 규칙적이다. ¶～·く並(なら)ぶ 규칙적으로 늘어서다.

—だ-つ 5自 규칙적이다. ¶～·った生活(せいかつ) 규칙적인 생활.

きぞく【帰属】图ス自 귀속. ¶収入(しゅうにゅう)は国庫(こっこ)に～する 수입은 국고에 귀속한다 / 我(わ)が国(くに)に～する島(しま) 우리나라에 귀속하는 섬.

きぞく【貴族】图 귀족. ¶～の生(う)まれ 귀족 출신 / 労働(ろうどう)～ 노동 귀족《노조 간부의 일컬음》. ↔庶民(しょみん).

ぎそく【義足】图 의족. ¶～をつける 의족을 달다. ↔義手(ぎしゅ).

ぎぞく【義賊】图 의적.

きそつ【既卒】图 이미 학교를 졸업함. ¶～者(しゃ)可(か) 졸업자도 가함. ↔新卒(しんそつ).

きそば〖生蕎麦〗图 순 메밀국수.

きぞめ【着初め】图 새옷을 처음으로 입음.

きそん【既存】图ス自 기존. ¶～(の)施

設(しせつ)を利用(りよう)する 기존 시설을 이용하다. 参考 'きぞん'이라고도 함.

きそん【棄損】《毀損》名 スル他自 훼손. ¶名誉(めいよ)~ 명예 훼손 / 文化財(ぶんかざい)〔体面(たいめん)〕を~する 문화재를〔체면을〕 훼손하다. 注意 '棄損'으로 씀은 대용 한자.

きた【北】名 북. **1** 북쪽. ¶~へ帰(かえ)る雁(がん) 북쪽으로 돌아가는 기러기 / ~に面(めん)する窓(まど) 북쪽을 향하고 있는 창. **2** 북풍. ¶~が強(つよ)い 북풍이 세다. ⇔南(みなみ).

ぎだ【犠打】名〔野〕 희생타. =犠牲打(ぎせいだ). ¶~で進塁(しんるい)する 희생타로 진루하다. ⇨ぎひ(犠飛).

ギター [guitar] 名〔樂〕 기타. ¶ハワイアン~ 하와이안 기타 / ~を弾(ひ)く 기타를 치다.

きたい [危殆] 名 위태; 위험. =危険(きけん).

—にひんする 위험한 상태에 빠지다.

きたい【奇態】名ダナ 기태; 괴상한 모양; 기이한 형태. ¶~な動物(どうぶつ) 기이한 동물 / 今(いま)までに無(な)い~な事件(じけん) 지금까지 없던 괴상한 사건.

きたい【希代】《稀代》一名 희대; 세상에 드묾. ¶~の怪盗(かいとう) 세상에 드문 괴이한 도둑. 二ダナ 불가사의한〔이상야릇한〕 모양. ¶~な事(こと)をいう 이상야릇한 말을 하다. 注意 'きだい'라고도 함.

きたい【期待】名スル他 기대. ¶~はずれに終(お)わる 기대에 어긋나고 말다 / ~してやまない 기대해 마지 않다 / ~に反(はん)する〔こたえる, 添(そ)う〕 기대에 어긋나다〔부응하다〕.

きたい【機体】名 기체. ¶~の故障(こしょう) 기체의 고장 / ~がばらばらになる 기체가 산산조각이 나다.

きたい【気体】名 기체. ¶~物理学(ぶつりがく) 기체 물리학 / ~温度計(おんどけい) 기체 온도계. ↔固体(こたい)·液体(えきたい).

—ねんりょう【—燃料】名 기체〔가스〕 연료.

ぎたい【擬態】名〔生〕 의태. ¶枯(か)れ葉(は)に~をしている毛虫(けむし) 마른 잎으로 의태를 하고 있는 모충.

—ご【—語】名〔言〕 의태어. =擬容語(ぎようご). ↔擬声(ぎせい)語.

ぎだい【議題】名 의제. ¶~を提出(ていしゅつ)する 의제를 제출하다 / ~にのぼる 의제에 오르다.

きたえあ-げる【鍛え上げる】下1他 충분히 단련하다.

きた-える【鍛える】下1他 **1** (쇠 따위를) 불리다. ¶鉄(てつ)を~ 쇠를 불리다 / 刀剣(とうけん)を~ 칼을 벼리다. **2** 단련하다; 맹렬히 훈련하다. ¶心身(しんしん)を~ 심신을 단련하다 / 技(わざ)を~ 기예를 닦다.

きだおれ【着倒れ】名 옷치장으로 재산을 탕진함; 또, 그 사람. ¶京(きょう)の~, 大阪(おおさか)の食(く)いだおれ 京都(きょうと) 사람은 입어서 망하고, 大阪 사람은 먹어서 망한다. ⇨くいだおれ.

きたかいきせん【北回帰線】名〔地〕 북회귀선. ↔南(みなみ)回帰線.

きたかぜ【北風】名 북풍; 북새(바람). ↔南風(みなみかぜ).

ぎたぎた 副ト (기름 따위가) 진득거리거나 번들거리는 모양: 번들번들; 진득진득. ¶廃油(はいゆ)で~した海面(かいめん) 폐유로 번들거리는 해면.

きたきゅうしゅう【北九州】名 **1** 九州 북부 福岡県(ふくおかけん)을 중심으로 한 지역. **2** 福岡県 북부의 시.

きたきり【着たきり·着た切り】名 입은 옷뿐임; 단벌.

—すずめ〖—雀〗名〈俗〉 단벌 신사; 입은 옷〔단벌〕뿐인 사람. 参考 옛날이야기 '舌切(したき)り雀(すずめ)'의 음을 흉내 낸 말.

きたく【寄託】名スル他 기탁. ¶~金(きん) 기탁금 / 蔵書(ぞうしょ)を図書館(としょかん)に~する 장서를 도서관에 기탁하다.

きたく【帰宅】名スル自 귀가. ¶~が遅(おく)れる 귀가가 늦어지다.

きたぐに【北国】名 북국; (매우 추운) 북쪽 지방 또는 나라. ↔南国(なんごく).

きたけ【着丈】名 (키에 맞춘) 옷 길이; 옷기장(깃에서 단까지).

きた-す【来す】5他 오게 하다; 초래하다; 일으키다. ¶失敗(しっぱい)〔破局(はきょく)〕を~ 실패를〔파국을〕 초래하다 / 経営(けいえい)の不振(ふしん)を~ 경영 부진을 초래하다.

きだて【気だて】《気立て》名 심지; 마음씨. ¶~のやさしい娘(むすめ) 마음씨가 고운 아가씨 / 穏(おだ)やかな~ 온화한 마음씨. 参考 대개 좋은 경우에 쓰며, 젊은 사람이나 여성에 대해서 말함.

きたな-い【汚い】《穢い》形 더럽다. **1** 불결하다. ¶~足(あし) 더러운 발. **2** 꾀죄죄하다; 추레하다. ¶~身(み)なり 꾀죄죄한 몸차림. **3** 지저분하다. ¶~字(じ) 지저분한 글씨 / 机(つくえ)の上(うえ)が~ 책상 위가 지저분하다. **4** 추잡하다; 야비하다. ¶~言葉(ことば)でののしる 추잡한 말씨로 욕하다 / ~勝負(しょうぶ)をする 비열한 경기를 하다. **5** 인색하다. ¶金(かね)に~ 돈에 다랍다.

きたならし-い【汚らしい】《穢らしい》形 던적스럽다; 추접스럽다. ¶~身(み)なり 꾀죄죄한 옷차림 / ~考(かんが)え方(かた) 추접스런 사고방식.

きたはんきゅう【北半球】名 북반구. ↔南(みなみ)半球.

きたまくら【北まくら】《北枕》名 머리를 북쪽으로 두고 잠. 参考 죽은 사람을 안치할 때 이렇게 하므로 일반에서는 불길하다 하여 꺼림.

きたやま【北山】名 **1** 북쪽 산. **2**〈俗〉 배가 고파짐〔옴〕; 시장기를 느낌. ¶腹(はら)が~だ 배가 고프다. 参考 **2**는 '北(きた)'를 '来(き)た(=왔다)'에 엇걸어서 새긴 뜻.

ぎだゆう [義太夫] 名 '義太夫節(ぎだゆうぶし)'의 준말; 元禄(げんろく) 시대에 竹本(たけもと)義太夫가 시작한 浄瑠璃(じょうるり)의 한 파.

ギタリスト [gutarist] 名 기타리스트; 기타 연주가.

きた-る【来る】一5自 **1** 오다; 다가오다; 찾아오다. ¶世界的(せかいてき)なピアニストA(エー)氏(し)~ 세계적인 피아니스트 A씨 오다 / 台風(たいふう)~ 태풍이 다가오다. ↔去(さ)る. **2**《接尾語적으로》…하여 현재에 이르다; …하여 오다. ¶用(もち)い~ 사용하

여 오다. ㊁連体 오는; 이번. ¶～十日(とおか)の投票日(とうひょうび)には… 오는 10일의 투표일에는…. ↔去(さ)る.

きたるべき【来るべき】連体 다음에 오는; 요 다음의. ¶～総選挙(そうせんきょ)には… 다음 총선거에는….

きたん [忌憚] 名 기탄. ＝遠慮(えんりょ). ¶～のない批評(ひひょう) 기탄없는 비평 / ～なく言(い)えば 기탄없이 말하자면.

きだん【気団】名〔氣〕기단. ¶熱帯海洋性(ねったいかいようせい)～ 열대 해양성 기단 / オホーツク～ 오호츠크 기단.

きだん【奇談】名 기담; 기이한 이야기. ¶珍談(ちんだん)～ 진담과 기담.

きち【吉】名 길함; 경사스러움; 좋은 일. ¶おみくじで～が出(で)る 길흉을 점치는 제비에서 길(吉)이 나오다. ↔凶(きょう).

きち【危地】名 위지; 위험한 장소·처지·입장. ¶～に追(お)い込(こ)む 위지에 몰아넣다 / ～を脱(だっ)する 위지를 벗어나다.

*__きち__【基地】名 기지. ¶軍事(ぐんじ)～ 군사 기지 / 南極(なんきょく)～ 남극 기지.

きち【機知】《機智》名 기지; 재치. ＝とんち·ウイット. ¶～に富(と)む人(ひと) 기지가 풍부한 사람. 注意 본디는, '機智'.

きち【既知】名 기지; 이미 알고 있음〔알려짐〕. ¶～の事実(じじつ) 기지의 사실 / ～の間柄(あいだがら) 이미 알고 있는 사이. ↔未知(みち).

—すう【—数】名 기지수. ↔未知数(すう).

＝**きち**〈俗〉미치광이; …광(狂)《'気違(きちが)い'의 준말》. ¶色(いろ)～ 색광 / 本(ほん)～ 책 미치광이; 책벌레 / 釣(つ)り～ 낚시광 / カー～ 자동차광 / ジャン～ 마작광.

きち〖吉〗常用 キチ キツ よし | 길 길하다 | 훌륭함; 경사스러움; 좋은 일. ¶吉夢(きちむ) 길몽 / 吉報(きっぽう) 길보 / 不吉(ふきつ) 불길. ↔凶(きょう).

*__きちがい__【気違い】《気狂い》名 **1** 미치광이; 정신 이상(자). ¶～になる 미치다. **2** 광(狂). ¶映画(えいが)～ 영화광 / 本(ほん)～ 책벌레 / 釣(つ)り～ 낚시광. 参考 일반적으로 'マニア'라고 함.

—あめ【—雨】名 소나기.

—ざた〖—沙汰〗名 미치광이짓. ¶この荒海(あらうみ)に船(ふね)を出(だ)すとは～だ 이 거친 바다에 배를 출항시키다니 미친 짓이다.

—じみる〖—染みる〗上1自 언동이 제정신이 아닌 것 같다; 미친 것 같다. ¶～·みた行動(こうどう) 미친 것 같은 행동.

—みず〖—水〗名〈俗〉술《취하면 제정신을 잃으므로》.

きちきち ㊀ダナ **1** 틈이 없는 모양: 빽빽; 꽉. ＝ぎっしり. ¶～の靴(くつ) 꼭 끼는 구두 / ～に詰(つ)め込(こ)む 빽빽이 채우다. **2** 시간 여유가 없는 모양: 빠듯이. ＝すれすれ. ¶発車時間(はっしゃじかん)に～でまにあった 발차 시간에 빠듯하게 댔다.

㊁副 규칙이 바른 모양: 또박또박; 꼬박꼬박. ＝きちんと. ¶家賃(やちん)を毎月(まいげつ)～と払(はら)う 집세를 매달 또박또박 치르다.

ぎちぎち 副 **1** 서로 마찰하여 나는 소리: 삐걱삐걱. ¶戸(と)が～と鳴(な)る 문이 삐걱거리다 / ～といやな音(おと)を立(た)てる 삐걱삐걱 듣기 싫은 소리를 내다. **2** 일이 순조롭지 못한 모양. ＝ぎくしゃく.

きちく【鬼畜】名 귀축. **1** 마귀와 짐승. ¶～の仕業(しわざ) 귀축의 소행〔짓〕. **2** 잔인한 사람. ¶～のような人間(にんげん) 마귀나 짐승같이 잔인한 인간.

きちじ【吉事】名 길사; 경사. ¶～が続(つづ)く 경사가 계속되다. ↔凶事(きょうじ).

きちじつ【吉日】名 'きちにち'의 새로운 말씨.

きちにち【吉日】名 길일; (일진 등이) 좋은 날; 경사스러운 날. ＝きちじつ. ¶～を選(えら)んで式(しき)をあげる 길일을 택해 식을 올리다. ↔悪日(あくび·あくにち)·凶日(きょうじつ).

きちゃく【帰着】名ス自 귀착. ¶議論(ぎろん)の～点(てん) 의론의 귀착점 / 基地(きち)に～する 기지에 귀착하다.

きちゅう【忌中】名 기중; 상중. ＝喪中(もちゅう)《특히, 죽은 후 49일 동안》.

きちょう [几帳] 名 (옛날의) 칸막이 휘장.

きちょう【記帳】名ス他 기장. ¶～ずみ 기장필 / ～を済(す)ます 기장을 끝내다.

きちょう【基調】名 기조; 바탕. ¶～音(おん) 주음(主音) / ～演説(えんぜつ) 기조 연설 / …の～をなす …의 기조를 이루다 / 赤(あか)を～とした絵(え) 빨강을 기조로 한 그림.

きちょう【機長】名 (항공기의) 기장.

きちょう【帰朝】名 귀조; 귀국. ¶～の途(と)につく 귀국 길에 오르다.

*__きちょう__【貴重】名ナ 귀중. ¶～品(ひん) 귀중품 / ～な本(ほん) 귀중한 책 / ～な時間(じかん)をさく 귀중한 시간을 할애하다.

ぎちょう【議長】名 의장. ¶衆議院(しゅうぎいん)～ 중의원 의장.

きちょうめん〖几帳面〗ダナ 착실하고 꼼꼼한 모양; 차근차근한 모양. ¶～な人(ひと) 꼼꼼하고 빈틈이 없는 사람 / ～な性格(せいかく) 꼼꼼한 성격 / 時間(じかん)を～に守(まも)る 시간을 꼬박꼬박 지키다.

きちれい【吉例】名 길례; 좋은 선례. ＝きつれい·嘉例(かれい). ¶～の行事(ぎょうじ) 길례에 따른 행사.

キチン [kitchen] 名 키친; 주방. ＝キッチン. ¶ダイニング～ 다이닝 키친《주방겸 식당》/ リビング～ 리빙 키친《거실 겸용 다이닝 키친》.

*__きちんと__ 副 **1** 과부족 없이; 정확히; 또바기. ¶～払(はら)ってある 정확히 지불되어 있다 / 時間(じかん)を～守(まも)る 시간을 정확히 지키다. **2** 깔끔히; 말쑥이. ¶～した身(み)なり 깔끔한 옷차림 / ～した部屋(へや) 깔끔히 정돈된 방. **3** 잘 정리되어; 규칙 바르게. ¶～した生活(せいかつ) 규칙적인 생활.

きちんやど【木賃宿】名 싸구려 여인숙《본디는 숙박객이 자취를 하고 땔나무 값만 내게 된 여인숙》.

きつ〖喫〗《喫》常用 キッ | 끽 먹다 | 씹다; 먹다; 마시다; 먹다; 몸에 받다. ¶喫茶(きっさ) 끽다.

きつ〖詰〗常用 キツ つめる つまる つむ なじる |

힐 꾸짖다 | 문책하다; 캐어묻다. ¶詰問 힐문.

きつ〖吉〗☞きち.

＊きつ-い 形 **1**(정도가) 심하다; 되다; 과격하다; 대단하다. ¶～酔いよう 몹시 취한 모양/～仕事 고된 일. **2** 굳건하다; 강하다. ¶～顔〔性質〕 강인한 얼굴〔성질〕. ↔甘い. **3** 헐렁하지 않다. ¶靴が～ 구두가 꼭 끼다/日程が～ 일정이 빡빡하다/帯を～·くしめる 허리띠를 꽉 죄어 매다. ↔ゆるい. **4** 엄하다; 엄격하다. ¶～お達し 엄한 지시/～眼つき 엄한 눈매.

きつえん【喫煙】名자自 끽연; 흡연. ¶～室 흡연실/～者 끽연자. ↔禁煙.

きつおん [吃音] 名 흘음; 더듬는 말소리. ¶～矯正 말더듬이 교정.

きっかい【奇怪】名ナ '奇怪(=기괴)'의 힘줌말. ¶～至極 지극히 기괴〔괴이〕함/～な事件 기괴한 사건.

きづかい【気遣い】名 마음(을) 씀; 염려함; 걱정; 괘념. ¶無用の～だ 쓸데없는 걱정〔근심〕이다/落第の～はない 낙제할 염려는 없다.

きづか-う【気遣う】五他 마음을 쓰다; 염려하다; 걱정하다. ¶夫の安否を～ 남편의 안부를 걱정하다/何も～事はない 아무것도 염려할 것은 없다.

きっかけ〖切っ掛け〗名 **1** 시작; 시초. =手始め. **2** 동기; 계기; 꼬투리. ¶ひょんな～で友人となる 묘한 계기로 친구가 되다/話の～を作る 이야기할 계기를 만들다.

きっかり 副 **1**(시간·수량 등이) 꼭 들어맞는 모양; 꼭; 딱. =きっちり·かっきり. ¶百円～ 꼭〔딱〕 백 엔/～十時に着く 정각 열 시에 도착한다. **2** 아주 뚜렷한 모양. =くっきり. ¶～と区別される 뚜렷이 구별되다.

きづかれ【気疲れ】名자自 심로; 정신적 피로. ¶～がする 마음이 피곤하다/～で床につく 심로로 앓아 눕다.

きづかわし-い【気遣わしい】形 걱정스럽다; 염려스럽다. =心もとない. ¶～病気 걱정되는 병/合格するかどうか～ 합격될지 안 될지 염려스럽다.

きっきょう【吉凶】名 길흉. =禍福. ¶～を占う 길흉을 점치다.

キック [kick] 名자他 킥; 발로 참. ¶コーナー～ 코너 킥.

—オフ [kickoff] 名자自 킥오프. **1** 시축(始蹴). **2** 경기 개시.

—ボール [일 kick+ball] 名 공을 상대편의 동그라미 속에 차 넣는 것으로 승부를 겨루는 경기.

—ボクシング [일 kick+boxing] 名 킥복싱; 타이식(式) 복싱.

＊きづ-く【気付く】五自 **1** 깨닫다; 눈치 채다; 알아차리다; 생각나다. =感づく. ¶人に～·かない所 남이 알아차리지 못하는 곳/自分の誤りに～ 자기의 잘못을 깨닫다/忘れ物に～ 잊은 것을 알아차리다. **2**(실신 상태에서) 정신이 들다〔돌아오다〕. ¶注射のききめでやっと～ 주사의 효험으로 겨우 정신이 들다.

ぎっくりごし【ぎっくり腰】名 (물건을 들거나 할 때) 갑자기 허리가 삐끗하여 일어나는 심한 요통《중년층에 많음》.

きつけ【着つけ·着付け】名 **1** 옷을 (법식에 따라) 잘 입혀 줌; 또, 그 매무새. ¶～がよい 옷매무새가 좋다/花嫁の～をする 신부의 옷단장을 해 주다. **2**(늘 입어) 몸에 뱀〔익음〕. ¶～の服 입어 몸에 익은 옷.

きつけ【気付け】名 **1** 정신〔기운〕을 차리게 함; 깨어나게 함. ¶～に一杯やろう 정신〔기운〕나게 한잔하세. **2** ☞きづけ.

きづけ【気付】名 (편지 겉봉의) …방(方); 전교(轉交). ¶A社～山本先生 A사 전교 山本 선생님. 参考 '…方'는 상대방이 남의 집에 동거할 경우, '…内'는 호주 이외의 가족에게 보내는 경우에 씀.

きっこう [拮抗·頡頏] 名자自 길항; 맞버팀. ¶～筋 길항근/勢力が相～する 세력이 서로 팽팽하다.

きっこう [亀甲] 名 **1** 귀갑; 거북의 등딱지. **2** '亀甲形'의 준말; 거북딱지 모양의 육각형의 연속된 무늬. 「こう文字.

—もじ [—文字] 名 귀갑 문자. =甲骨

きっさ【喫茶】名 **1** 끽다; 차를 마심. =きっちゃ. **2** '喫茶店'의 준말. ¶音楽～ 음악 다방.

—てん【—店】名 끽다점; 찻집; 다방.

きっさき 【切っ先】名 칼끝; 뾰족하게 깎은 끝. ¶竹の～ 대꼬챙이 끝/～鋭く切り込む (칼을 들고) 날카로운 기세로 찌르다.

きつじつ【吉日】名 ☞きちにち.

ぎっしゃ [牛車] 名 우차《옛날에 소가 끌던 귀인의 수레》. =ぎゅうしゃ·うしぐるま.

ぎっしり 副 가득 찬 모양; 가득; 잔뜩. ¶～(と)詰まる 가득〔꽉〕 차다.

キッス 名자自 ☞キス.

きっすい【生っ粋】名 순수. =生え抜き. ¶～の江戸っ子 순수한 東京 토박이《순 서울내기》/～のスコッチウィスキー 순수한 스카치위스키.

きっすい【喫水】《吃水》名 흘수; 배의 아랫 부분이 물에 잠기는 깊이. =ふなあし. ¶この船は～が深い〔浅い〕 이 배는 흘수가 깊다〔얕다〕.

—せん【—線】名 흘수선. =水線.

きっ-する【喫する】サ変他 **1** 마시다; 먹다; (담배 따위를) 피우다. ¶茶を～ 차를 마시다/タバコを～ 담배를 피우다. **2** 받다; 입다; 당하다. ¶惨敗を～ 참패를 당하다/苦杯を～ 고배를 마시다/一驚を～ 깜짝 놀라다.

きっそう 【吉相】名 길상. **1** 복스러운 상. **2** 좋은〔경사스러운〕 일의 조짐.

きっちゃ【喫茶】名 ☞きっさ.

ぎっちょ 图 〈俗〉 왼손잡이. ＝左きき·左ぎっちょ.

きっちょう【吉兆】图 길조. ＝瑞兆. ↔凶兆.

きっちり 副 スル自 1 꼭 (들어)맞는 모양; 빈틈이 없는 모양. ＝きちっと. ¶～した服 꼭 맞는 옷/答えが～(と)合う 답이 딱 들어맞다. 2 수량 등에 우수리가 없는 모양; 꼭; 딱. ＝きっかり·かっきり. ¶～二時 2시 정각/千円～ 꼭 천 엔.

キッチン 图 ☞キチン.

きつつき〖啄木鳥〗图〔鳥〕딱따구리. ＝けら·けらつつき·たくぼく.

⁑きって【切手】图 1 수표; 어음. ＝手形. ¶小ぎって 수표. 2 '郵便切手(＝우표)·商品切手(＝상품권)'의 준말. ¶～収集 우표 수집/五円～をはる 5엔짜리 우표를 붙이다.

きっての〖切っての〗連語《名詞를 받아서 接尾語적으로》…에서 으뜸가는. ＝ずいいちの. ¶町内～美人だ 동네에서 제일가는 미인이다/当代～大学者 당대에서 으뜸가는 대학자.

⁑きっと 副 1〖屹度·急度〗꼭; 반드시. ¶彼は～来る 그는 꼭 온다/～お元気だよ 틀림없이 잘 있을 것이다/～そうだ 틀림없이 그렇다/～行くよ 꼭 갈게 / 外出すると～雨が降る 외출만 하면 반드시〔언제나〕 비가 온다. 2 엄한〔험악한〕 기색을 띠는 모양. ¶～にらみつける 딱 노려보다/態度〔気色〕が～なる 태도가〔안색이〕 갑자기 엄해〔굳어〕지다.

キッド [kid] 图 키드. 1 염소 새끼 가죽; 양피(羊皮). 2 송아지 가죽.

きつね〖狐〗图 1〔動〕여우. ¶とらの威を借る～ 호가호위(狐假虎威). 2 〈俗〉 여우같이 간사한〔요사스러운〕 사람; 특히, 창녀를 멸시하여 일컫는 말. 3 'きつねうどん'의 준말.

―と狸の化かし合い 여우와 너구리의 서로 속이기《교활한 자들끼리 서로 속임의 비유》.

―につままれる 여우에 홀리다; 도깨비에 홀린 것 같다.

きつねいろ【きつね色】《狐色》图 엷은 갈색.

きつねうどん〖狐饂飩〗图 유부국수. ＝きつね. 参考 여우가 유부를 즐겨 먹는다는 데서.

きつねけん [きつね拳]《狐拳》图 가위바위보의 하나.

きつねのよめいり【きつねの嫁入り】《狐の嫁入り》图 1 초롱불 행렬같이 줄지어 늘어선 도깨비불. 2 여우비. ＝ひでりあめ.

きつねび【きつね火】《狐火》图 도깨비불. ＝鬼火·きつねの提灯.

きっぱり 副 딱 잘라; 단호히; 확실히. ¶～(と)断る 딱 잘라서 거절하다/話を～する必要がある 얘기를 확실하게 할 필요가 있다.

きっぷ【気っぷ】《気っ風》图 〈俗〉 (잘게 굴지 않아) 멋있는 태도; 활달(豁達)함; 활수. ＝きまえ. ¶～がいい 활수하다; 째째하지 않다.

⁑きっぷ【切符】图 1 표. ＝チケット. ¶往復〔片道〕～ 왕복〔편도〕표/～売場 표 파는 곳; 매표소/当日限りの～ 당일 유효표/～を買う 표를 사다〔끊다〕/～を切る 검표(檢票)하다. 2 (교통 위반) 딱지. ＝違反切符. ¶交通違反で～を切られる 교통 위반으로 딱지〔스티커〕를 떼다.

きっぽう【吉報】图 길보; 희소식. ¶合格の～を待つ 합격의 희소식을 기다리다. ↔凶報·悪報.

きづま【気づま】《気褄》图 (상대의) 비위; 기분. ¶～を取る 비위를 맞추다.

―を合わす 마음에 들도록 장단을 맞추다《빌붙다》.

きづまり【気づまり·気詰まり】名ナ 어색함; 거북함. ¶先生といっしょでは～だ 선생님과 함께 하면 거북하다/知らない人が多くて～だった 모르는 사람이 많아 어색했다.

きつもん【詰問】图スル他 힐문; 나무라고 따짐. ¶免職の理由を～する 면직 이유를 힐문하다.

きづよ-い【気強い】形 1 마음 든든하다; 안심이다. ¶連れがあるので～ 동행이 있어서 마음 든든하다. 2 정에 끌리지 않다; 다기〔어기〕차다; 전하여, 매정하다. ¶～·くわが子をしかる 매정하게 제 자식을 꾸짖다.

きつりつ [屹立] 图スル自 흘립; 깎아지른 듯이 우뚝 솟아 있음. ¶高山が～する 높은 산이 우뚝 솟다.

きて【来手】图 올 사람; 와 줄 사람. ¶嫁に～がない 며느리〔색시〕로 와 줄 사람이 없다.

きてい【基底】图 기저. ¶～を成す思想 기저를 이루는 사상/はっきりしない態度の～には, なにか思わくがありそうだ 분명치 않은 태도의 밑바닥에는 무언가 의도가 깔려 있는 것 같다.

きてい【既定】图 기정. ¶～の方針 기정 방침/～事実 기정사실. ↔未定.

⁑きてい【規定】图スル他 규정. ¶～を定める 규정을 정하다/それは罰則に～してある 그것은 벌칙에 규정되어 있다/～に従う〔のっとる〕 규정에 따르다.

きてい【規程】图 규정. ¶事務～ 사무〔복무〕 규정/物品出納～ 물품 출납 규정. 参考 '規定'와 헷갈리기 쉬우므로 현재는 '規則'로 대용함.

ぎてい【義弟】图 1 의제; 의리로 맺은 아우. 2 손아래 처남〔동서〕·시동생·매제 따위. ↔実弟.

ぎてい【議定】图スル他 의정. ＝ぎじょう.

―しょ【―書】图 의정서. ¶～を交わす 의정서를 교환하다.

きてき【汽笛】图 기적. ¶～を鳴らす 기적을 울리다.

きてれつ〖奇天烈〗ダナ 〈俗〉 이상야릇함. ¶奇妙～な踊り 이상야릇한 춤. 参考 주로 '奇妙' 다음에 이어 씀.

きてん【基点】图 기점. ¶ソウルを～として半径百キロ以内 서울을 기점으로 해서 반경 백 km 이내.
きてん【起点】图 기점; 출발점. ＝起こり. ¶鉄道の～ 철도의 기점 / 日本橋を～とする 日本橋를 기점으로 하다. ↔終点.
きてん【機転·気転】图 기지(機智); 재치; 임기응변. ＝ウイット. ¶彼はなかなか～がきく 그는 매우 재치가 있다 / ～をきかす 재치 있게 굴다.
きでん【貴殿】代 귀하《주로 남자가 편지에서 동년배(이상)에 대하여 씀》.
ぎてん【儀典】图 의전. ＝典例. ¶～課長 의전 과장.
ぎてん【疑点】图 의문점. ¶いくつかの～を残す 몇 가지 의문점을 남기다 / ～をただす 의문점을 밝히다.
きでんたい【紀伝体】图 기전체. ↔編年体.
きと【企図】图スル他 기도. ＝くわだて. ¶革命を～する 혁명을 기도하다.
きと【帰途】图 귀도; 귀로. ＝帰り道. ¶～につく 귀로에 오르다.
きど【木戸】图 1 (정원이나 통로 등의) 외짝 여닫이문. ¶庭の～ 뜰로 드나드는 문. 2 (씨름·연극 등) 흥행장의 출입구. ¶～を突く 흥행장 등에서 입장을 거절하다. 3 '木戸銭'의 준말. ¶～を払う 입장료를 내다.
—ごめん【—御免】图 입장료를 내지 않고 출입이 허가됨; 또, 그런 사람. ＝顔パス.
—せん【—銭】图 관람료; 입장료.
—ばん【—番】图 (흥행장 따위의) 출입문 문지기.
きどあいらく【喜怒哀楽】图 희로애락. ¶～の情をおしころす 희로애락의 감정을 억누르다.
きとう【帰投】图スル自 항공기·함정 따위가 기지로 돌아옴. ¶母艦に～する 모함에 귀환하다.
きとう【気筒·汽筒】图 기통; 실린더. ＝シリンダー. ¶六～のエンジン 6 기통 엔진.
きとう［祈禱］图スル自他 기도. ＝いのり. ¶～者〔書〕 기도자〔서〕 / ～をささげる 기도를 드리다.
きとう［亀頭］图 귀두; 자지의 대가리.
きどう【軌道】图 궤도. ¶月の～ 달의 궤도 / ～を外れる 궤도를 벗어나다 / 安定～に乗せる 안정(된) 궤도에 올려 놓다.
—に乗る 궤도에 오르다. ¶事業が～ 사업이 궤도에 오르다.
きどう【機動】图 기동. ¶～演習 기동 연습.
—せい【—性】图 기동성. ¶～に富む 기동성이 뛰어나다.
—たい【—隊】图 기동대; '警察機動隊(＝경찰 기동대)'의 준말.
きどう【起動】图スル自 기동; 시동. ¶～力 기동력; 동력을 일으키는 힘.
きどうしゃ【気動車】图 기동차.
きどうらく【着道楽】图 옷치레를 즐김; 또, 그 사람. ¶～に金を使う 옷치레에 돈을 쓰다. ⇨食い道楽.
きどおし【着通し】图 늘 같은 옷을 입음.
きとお-す【着通す】5他 늘 같은 옷을 입다. ¶一年中洋服を～ 일년 내내 (같은) 양복을 입다.
きとく【奇特】名ナ 기특함; 갸륵함. ＝殊勝. ¶～な人 기특한 사람 / ～な行い 기특한 행동.
きとく【危篤】图 위독; 중태. ¶～状態 위독 상태 / 父の～を知らせる電報 아버지의 위독을 알리는 전보 / ～に陥る 위독 상태에 빠지다.
きとく【既得】图 기득. ¶～の知識 이미 알고 있는 지식.
—けん【—権】图 기득권. ＝きとっけん.
きどり【気どり】《気取り》图 (짐짓) …체함〔연함〕; 젠체함; 자처함. ¶芸術家〔社長〕～ 예술가〔사장〕 연함 / 変な～がない 별다르게 젠체하는 데가 없다 / ～が少しもない 거드름 피우는 데가 조금도 없다.
—や【—屋】图 젠체하는 사람. ＝ていさいや.
*きど-る【気どる】《気取る》5自 1 젠체하다; 거드름 피우다; 점잔 빼다. ＝もったいぶる. ¶～·った女 뽐내는〔점잔 빼는〕 여자 / ～·った歩きかた (짐짓) 점잔 빼는 걸음 / おつに～ 별스럽게 거드름 피우다. 2 …체하다; …연(然)하다; …을 자처하다. ¶学者を～ 학자연하다. 3 알아차리다; 눈치 채다; 깨닫다. ＝けどる·感づく. ¶～·られた様子はない 눈치 챈 것 같지는 않다.
きない【機内】图 기내. ¶～持ち込み手荷物 기내 반입 수하물.
—しょく【—食】图 기내식.
きない［畿内］图 京都에 가까운 다섯 지방〘山城·大和·河内·和泉·摂津〙의 총칭. ＝五畿·五畿内. 注意 'きだい'라고도 함.
きなが【気長】ダナ 느긋한 모양; 조급하게 굴지 않는 모양. ¶～に待つ 느긋하게 기다리다 / もっと～にやりなさい 좀 더 느긋하게 하세요. ↔気短か.
きながし【着流し】图 (남자의 일본 옷차림에서) はかま를 입지 않은 평소의 약식 복장. ¶～のままで出かける 평소 차림〔동저고릿바람〕으로 외출하다.
きなくさ-い【きな臭い】《焦臭い》形 1 (종이나 헝겊 등이 눋는) 단내가 나다. ＝こげくさい. ¶～におい 종이〔천 따위〕가 눋는 냄새. 2 화약 냄새가 나다; 전운이 감돌다. 3 어쩐지 수상쩍다. ＝うさんくさい. ¶だいぶ～話になってきた 이야기가 심상치 않게 되어 간다.
きなぐさみ【気慰み】图 울적한 마음을 달램; 기분 전환. ＝気ばらし. ¶～にこのあたりを歩いてみましょう 기분 전환으로 이 근방을 거닐어 봅시다.
きなこ【黄な粉】图 (볶은) 콩가루.
きなん【危難】图 위난; 재난. ＝難儀.

¶～にあう 재난을 만나다/～を免れる 위난을 면하다.

キニーネ [네 kinine] 名 〔藥〕 키니네《해열제; 또, 학질 치료제》. =キニン.

きにいり【気に入り】名《흔히 'お～'의 꼴로》 마음에 듦; 또, 그런 사람. ¶お～の品 마음에 드시는 물건.

きにち【忌日】名 기일; 제삿날.

*__きにゅう__【記入】名ス他 기입. =書き込み. ¶～漏れ 기입 누락/家計簿に～する 가계부에 기입하다/日付を～する 날짜를 기입하다.

ギニョール [프 guignol] 名 기뇰; 손가락에 끼워서 놀리는 인형극.

きにん【帰任】名ス自 귀임. ¶任地に～する 임지에 귀임하다.

きぬ [衣] 名 〈雅〉 옷; 의복. =ころも. ¶歯に～着せぬ 까놓고 말하다.

*__きぬ__【絹】名 명주; 비단《'絹織物(=견직물)'의 준말》. =シルク. ¶～張りの洋傘 비단천으로 된 양산/～を裂くような声 비단을 찢는 듯한〔날카로운〕 비명; 새된 목소리.

きぬいと【絹糸】名 견사; 명주실.

きぬおりもの【絹織物】名 견직물; 명주; 비단. =きぬおり.

きぬけ【気抜け】名ス自 맥이 빠짐. =気落ち·ひょうし抜け. ¶～のした様子 맥〔얼〕 빠진 모습.

きぬごし【絹ごし】《絹漉し》名 **1** 깁체; 깁체나 명주로 곱게 침; 또, 그 친 것. **2** 특히, '絹ごし豆腐(=깁체로 걸러서 만든 두부)'의 준말.

きぬずれ [衣擦れ] 名 옷이 스침; 또, 그 스치는 소리. ¶～の音がする 옷 스치는 소리가 나다.

きぬた 『砧』 名 다듬잇돌; 또, 다듬이질. ¶～打ち 다듬이질(하는 사람)/～の音 다듬이질 소리/～を打つ 다듬이질을 하다.

きね 『杵』 名 절굿공이. ¶～一丁 절굿공이 한 개. ↔うす.

ギネスブック [Guiness Book] 名 기네스북《1956년 창간 이래, 해마다 발행》.

きねづか 『杵柄』 名 절굿대. ¶昔取った～ 옛날에 익힌 솜씨《지금도 자신이 있음》.

きねん【祈念】名ス他 기념; 기원. =祈願. ¶成功〔健康回復〕を～する 성공〔건강 회복〕을 기원하다.

**__きねん__【記念】名ス他 기념. ¶～品 기념품/～祭 기념 축제/～切手 기념우표/結婚の～ 결혼 기념/～行事 기념행사/～に写真をとる 기념으로 사진을 찍다. 注意 '紀念'으로도 썼지만 '記念'이 일반적임.

—ひ【—碑】名 기념비. =モニュメント.

—び【—日】名 기념일. ¶開校～ 개교 기념일.

ぎねん【疑念】名 의념; 의심. ¶～をいだく 의심을 품다/～が生じる 의심이 생기다.

**__きのう__【昨日】名 어제. =昨日. ¶～の晩 어젯밤; 간밤/～きょう (a)어제와 오늘; (b)요즘; 최근/～の人 어제〔과거〕의 사람/あの日のことが, ～のことのように思い出される 그날 일이 어제 일처럼 생각난다.

—の敵は今日の友 어제의 적은 오늘의 친구.

—の今日 그 일이 있었던 어제의 다음날인 오늘; 그 일이 있고 나서 곧.

—は人の身今日は我が身 어제의 남의 불행 오늘은 내게 (닥칠지 모름).

—や今日のことではない 어제오늘 비롯된 일이 아니다.

きのう [気嚢] 名 기낭. **1** 조류의 허파와 연결된 주머니; 공기 주머니. **2** (기구(氣球) 등의) 가스를 넣는 주머니.

**__きのう__【機能】名ス自 기능. ¶～を高める 기능을 높이다/～が失われる 기능이 상실되다/健全な～を果たす 건전한 기능을 다하다/胃の～が衰える 위의 기능이 약해지다.

—しょうがい【—障害】名 기능 장애.

きのう【帰農】名ス自 귀농. ¶辞職して～する 사직하고 귀농하다.

きのう【帰納】名ス他 〔論〕 귀납. ¶～法 귀납법. ↔演繹.

—てき【—的】ダナ 귀납적. ↔演繹的.

ぎのう【技能】名 기능. =腕前·技. ¶～賞 기능상/～オリンピック 기능올림픽/～を磨く 기능을 연마하다.

きのうきょう【昨日今日】名 **1** 어제와 오늘. **2** 어제오늘; 요즘; 작금. ¶～始まった事ではない 어제오늘 비롯된 일이 아니다.

きのか【木の香】名 새 재목의 향기. ¶～も新しい家 재목 냄새도 싱그러운 새집.

*__きのこ__ 『茸·菌·蕈』 名 〔植〕 버섯. ¶毒～ 독버섯/～雲 원자운; 버섯구름/～を採る 버섯을 따다.

—がり【—狩り】名 버섯따기. =たけ狩り.

__きのどく__【きのどく·気の毒】名ナ **1 딱함; 가엾음; 불쌍함. ¶お～な身の上 가엾은 처지/人を～に思う 남을 불쌍히〔딱하게〕 여기다. **2** (폐를 끼쳐) 미안스러움. ¶まちがったことを教えて～なことをした 틀리게 가르쳐 줘서 미안하게 되었다 / やっかいをかけてお～でした 폐를 끼쳐서 미안합니다.

—が-る 5自 불쌍하게 생각하다; 딱하게 여기다.

きのぼり【木登り】名ス自 나무에 오름; 나무 타기.

きのみきのまま【着の身着のまま】《着の身着の儘》連語 입은 옷밖에는 아무것도 갖지 않음. ¶～で逃げる 달랑 입은 채로〔맨몸뚱이만으로〕 도망치다.

きのめ【木の芽】名 **1** 나무 순; 새싹. =このめ. ¶～が出る 나무 순이 나오다. **2** 산초나무의 순.

きのやまい【気の病】名 정신적 피로 등에서 오는 병; 마음의 병. =気病み.

きのり【気乗り】名ス自 마음이 당김〔내킴〕. ¶ ~がする 마음이 내키다 / ~がしない返事 내키지 않는 대답.

—うす【—薄】名ダナ **1** 별로 마음이 내키지 않음. ¶ ~な顔 별로 내키지 않는 얼굴. **2** 거래가 부진함.

きば〖牙〗名 엄니.

—を研ぐ 엄니를〔칼날을〕 갈다《상대방을 해치려고 기회를 노림의 비유》.

—を鳴らす **1** 이를 갈고 분해하다; 분해서 이를 갈다. **2** 노골적으로 적의를 드러내다.

きば【木場】名 **1** 재목을 쌓아 두는 곳. **2** 재목상들이 많이 모인 곳.

きば【騎馬】名 기마. ¶ ~戦〔隊〕 기마전〔대〕 / ~巡査 기마 순경 / ~民族 기마 민족.

きばえ【着映え】名ス自 입어서 훌륭하게 보임; 옷 입은 태〔맵시〕. ¶ ~のする洋服 때깔이 좋은 양복 / ~が〔の〕しない着物 (입어서) 태가 안 나는 의복; 입어서 환하지 않은 옷.

***きはく**【希薄】《稀薄》名ナ 희박. **1** (기체나 액체의 밀도·농도가) 묽음; 엷음. ¶ ~な塩水 진하지 않은 식염수. ↔濃厚·濃密. **2** 열의 등이 적음. ¶ 意欲が~だ 의욕이 희박하다.

きはく【気迫】《気魄》名 기백; 기개. ¶ ~に乏しい 기백이 없다 / ~に満ちている 기백에 차 있다 / ~に押される 기백에 눌리다.

きばく【起爆】名ス自 기폭. ¶ ~薬 기폭약 / ~剤 기폭제.

—そうち【—装置】名 기폭 장치.

きはずかし-い【気恥ずかしい】形〈雅〉 좀 부끄럽다; 창피하다; 멋쩍다. ¶ 人前に出るのはなんとなく~ 사람 앞에 나서는 것은 어쩐지 겸연쩍다.

きはだ【木肌】《木膚》名 나무 껍질.

きばたらき【気働き】名 (임기응변의) 재치. =きてん. ¶ ~のある人 재치가 있는 사람.

きはつ【揮発】名ス自 **1** 휘발. ¶ ~性の物質 휘발성의 물질. **2** '揮発油'의 준말.

—ゆ【—油】名 휘발유. =ガソリン. ¶ ~税 휘발유세.

きばつ【奇抜】名ナ 기발. ¶ ~な思いつき〔アイデア〕 기발한 착상〔아이디어〕 / ~な作戦 기발한 작전.

きば-む【黄ばむ】5自 노래지다; 노란빛을 띠다. ¶ いちょうの葉が~ 은행잎이 노랗게 물들다.

きばや【気早】名ダナ 성급함; 조급함. =せっかち. ¶ ~な人 성급한 사람 / ~な性格 조급한 성격.

きばらい【既払い】名 기불; 이미 지불이 끝남. =きはらい. ¶ ~の品 이미 돈을 치른 물품. ↔未払い.

きばらし【気晴らし】名ス自 기분 전환; 기분 풀이; 소창(消暢). =うさばらし·気散じ. ¶ ~に散歩する 기분 전환으로 산책하다.

きば-る【気張る】5自 **1** 분발하다; 기세부리다; 용기를 내다. ¶ ~·って勉強する 분발하여 공부하다. **2** 큰마음 먹고〔호기 있게〕 많은 돈을 내다. =はずむ. ¶ チップを~ 팁을 (호기 있게) 많이 주다. **3** 허세 부리다; 치레하다. ¶ あまり服装などに~·らないでもよい会合 그다지 옷치레 따위를 하지 않아도 괜찮은 모임.

***きはん**【規範】《軌範》名 규범; 모범; 궤범. ¶ ~性 규범성 / 社会~ 사회 규범 / ~に従う 규범에 따르다.

***きばん**【基盤】名 기반. ¶ 隣国との友好の~が固まる 이웃 나라와의 우호 기반이 다져지다 / 生活の~を揺るがす 생활의 기반을 뒤흔들다.

きはんせん【機帆船】名 기범선.

きひ【忌避】名ス他 기피. ¶ ~人物 기피 인물 / 徴兵を~する 징병을 기피하다 / 裁判官~の申請 재판관 기피 신청.

きび〖黍·稷〗名〔植〕 기장; 수수. ¶ ~もち 수수떡 / ~だんご 수수경단.

きび【機微】名 기미; 미묘한 사정. ¶ 人情の~をうがつ 인정의 기미를 (날카롭게) 파고들다 / 外交の~にふれる 외교의 미묘한 사정을 감촉하다.

ぎひ【犠飛】名 ☞ぎせいフライ.

きびき【忌引き】名ス自 근친이 죽어서 (일을 쉬고) 복상(服喪)함; 또, 그를 위한 휴가. =忌服. ¶ ~で欠席する 상고(喪故)로 결석하다.

きびきび 副 팔팔하고 시원스런 모양. ¶ ~した文章 명쾌한〔힘찬〕 문장 / ~した動き 팔팔하고 민첩한 움직임.

****きびし-い**【厳しい】《酷しい》形 **1** 엄하다; (혹)심하다; 지독〔혹독〕하다. ¶ ~暑さ 심한 더위 / ~先生 엄격한 선생님 / ~表情 엄한 표정 / しつけが~ (예의범절의) 가르침이 엄하다. **2** 냉엄〔긴박〕하다. ¶ ~国際情勢 긴박한 국제 정세 / ~現実 냉엄한 현실.

きびす〖踵〗名〈雅〉 뒤꿈치. =くびす.

—を返す 발길을 되돌리다. ¶ 門前で~ 문 앞에서 발길을 돌리다.

—を接して 접종(接踵)해서; 잇따라서; 꼬리를 물고.

きびだんご〖黍団子·吉備団子〗名 수수경단.

きひつ【起筆】名ス自 기필; 쓰기 시작함. ¶ 長編小説を~する 장편 소설을 기필하다. ↔擱筆. 「↔真筆.

ぎひつ【偽筆】名ス他 위필. =にせがき.

きびょう【奇病】名 기병. ¶ 医者もわからぬ~ 의사도 모르는 기이한 병.

ぎひょう【戯評】名 희평; 만평(漫評). ¶ 社会~ 사회 만평.

きひん【気品】名 기품. ¶ ~がただよう 기품이 풍기다 / どことなく~がある 어딘지 모르게 기품이 있다.

きひん【貴賓】名 귀빈. ¶ ~席〔室〕 귀빈석〔실〕 / ~を招く 귀빈을 초청하다.

*きびん【機敏】图ダナ 기민. ¶～な動作 기민한 동작/～に立ち回る 기민하게 행동하다.

*きふ【寄付·寄附】图ス他 기부. ¶～金を集める 기부금을 모으다/土地を母校に～する 토지를 모교에 기부하다.

きふ【棋譜】图 기보; 바둑이나 장기의 대국 기록.

ぎふ【義父】图 1 의부; 의붓아버지. ＝継父. 2 아버지뻘 되는 사람《장인, 시아버지·양아버지 등》. ↔実父.

ぎふ【岐阜】图〔地〕일본 중부 지방 서부 내륙에 있는 현; 또, 그 현청 소재지.

ギブアップ [give up] 图 1 기브업; (레슬링·골프 등에서 선수가) 시합을 포기할 때 하는 말. ＝降参. 2 항복하는 일; 손을 듦; 포기; 단념.

ギブアンドテーク [give-and-take] 图 기브앤드테이크; 주고받음.

きふう【気風】图 기풍; 기질. ¶～が荒い 기질이 거칠다.

きふう【棋風】图 기풍; 기사의 개성. ¶地に辛い～ 실리에 짠 기풍.

きふく【帰服·帰伏】图ス自 귀복; 귀순하여 따름. ¶権力者に～する 권력자에 귀복하다.

きふく【起伏】图ス自 기복. ¶ゆるやかな～ 완만한 기복/～に富む土地 기복이 많은〔심한〕 땅/～の多い一生 기복이 많은 일생.

きぶくれ【着ぶくれ】《着脹れ》图 옷을 껴입어 뚱뚱해지는 일.

きぶく-れる【着ぶくれる】《着脹れる》下1自 (겨울에) 옷을 많이 입어서 뚱뚱해지다. ¶～ほど着ても暖かくない 뚱뚱하도록 껴입어도 따듯하지 않다.

きふじん【貴婦人】图 귀부인.

ギプス [도 Gips] 图〔醫〕깁스; 석고 붕대. ＝ギブス. ¶～ベッド 깁스베드/～をはめる 깁스를 하다.

きぶつ【木仏】图 목불. 1 나무부처. 2 목석 같은 사람. ＝きぼとけ.

きぶつ【器物】图 기물. ¶～を大切に扱う 기물을 소중히 다루다.

ぎぶつ【偽物】图 위물; 가짜; 모조품. ＝にせもの.

きぶっせい【気ぶっせい】ダナ〈俗〉(기분이) 울적함; 답답함. ＝気づまり·気ぶしょう. ¶～な人 답답한 사람.

ギフト [gift] 图 기프트; 선물.

―ショップ [gift shop] 图 기프트 숍. 1 선물용 상품 판매점. 2 외국인을 상대로 하는 토산물 상점.

―チェック [gift check] 图 기프트 체크《전에, 은행 발행의 선물용 수표》.

きぶとり【着太り】《着肥り》图ス自 1 옷을 껴입어서 살이 쪄 보임. 2 옷을 입으면 의외로 살이 쪄 보이는 일. ¶あの服は～する 저 옷은 입으면 뚱뚱해 보인다. ↔着やせ.

きふるし【着古し】图 오래 입어서 낡음; 또, 그 옷. ¶兄の～で済ます 형이 입던 헌옷으로 때우다.

きぶん【奇聞】图 기문; 진문(珍聞).

**きぶん【気分】图 기분. ¶～屋 기분파/お祭り～ 축제 기분/～を損う 기분을 상하다〔잡치다〕/～は上上だ 기분은 최상이다/御～はいかがですか (문병 등에서) 기분은 어떻습니까/～がすぐれない 기분이 좋지 않다/～を楽しむ (그 자리의) 분위기를 즐기다.

ぎふん【義憤】图 의분. ¶～を感ずる〔おぼえる〕 의분을 느끼다/～に燃える 의분에 불타다. ↔私憤.

きへい【騎兵】图 기병. ¶～隊 기병대.

ぎへい【義兵】图 의병. ¶～をつのる〔挙げる〕 의병을 모으다〔일으키다〕.

きへき【奇癖】图 기벽; 이상한 버릇. ¶～の持ち主 기벽이 있는 사람.

きべん [詭弁] 图 궤변. ＝こじつけ. ¶～家 궤변가/～を弄する 궤변을 늘어놓다. 參考 학술 용어로는 '危弁', 신문에서는 '奇弁'으로 씀.

*きぼ【規模】图 규모. ¶～の大きな工場 규모가 큰 공장/広大な～を誇る 광대한 규모를 자랑하다.

ぎぼ【義母】图 1 의모; 의붓어머니. ＝まま母. 2 어머니뻘 되는 사람《장모, 시어머니, 양모 따위》. ↔実母.

きほう【気泡】图 기포; 거품. ¶～ガラス 기포 유리/水から～が出る 물에서 거품이 나오다.

きほう【気胞】图〔生〕기포. 1 폐포(肺胞). 2 물고기의 부레.

きほう【既報】图ス他 기보. ¶～の通り 기보한 바와 같이.

**きぼう【希望】图ス他 희망. ＝望み. ¶～の品 희망하는 물건/明るい～ 밝은 희망/～を失う〔持つ〕 희망을 잃다〔가지다〕/～がかなえられる 희망이 이루어지다. ↔絶望.

―たいしょく【―退職】图 희망〔명예〕퇴직.

―てき【―的】ダナ 희망적. ¶～観測 희망적 관측.

ぎほう【技法】图 기법. ＝テクニック. ¶小説の～ 소설 기법/墨絵の～ 묵화 기법.

きぼね【気骨】图 걱정; 심로(心労). 注意 'きこつ'로 읽으면 다른 말.

―が折れる 심적 부담으로 정신이 피로하다. ¶子供の世話は～ 애들 시중엔 마음고생이 따른다.

きぼり【木彫り】图 목각(木刻) (기술). ＝木彫. ¶～仏像 목각 불상.

**きほん【基本】图 기본. ¶～設計 기본 설계/～を学ぶ 기본을 배우다/～に忠実なスイング 기본에 충실한 스윙/サッカーを～から始める 축구를 기본부터 시작하다.

―きゅう【―給】图 기본급; 본봉.

―てき【―的】ダナ 기본적. ¶～人権 기본적 인권/～な事柄を身につける 기본적인 사항을 배워 익히다.

ぎまい【義妹】图 의매; 의리로 맺은 여

동생《의붓 누이동생·처제·손아래 시누이〔올케〕·계수(季嫂) 등》. ↔実妹じつまい.

きまえ【気前】图 기질; 특히, 활수한〔희떠운〕 기질. ¶～を見みせる 활수하게 굴다; 선심을 보이다 / 寺てらに～よく寄付きふした 절에 활수하게 기부했다.

—がいい 활수하다; 희떱다.

きまかせ【気任せ】图ダナ 마음〔기분〕 내키는 대로 함. ＝気きまま. ¶～に暮くらす 제멋대로 살다 / ～な一人旅ひとりたび 마음 내키는 대로 홀로 하는 여행 / ～を言いう 멋대로 말하다.

きまぐれ【気まぐれ】《気紛れ》图ダナ **1** 변덕(스러움); 변덕쟁이. ¶～な性質せいしつ〔天気てんき〕 변덕스러운 성질〔날씨〕 / ～を起おこす 변덕을 부리다. **2** 일시적 생각〔기분〕. ¶一時いちじの～な計画けいかく 일시적인 줏대 없는 계획 / ～に商売しょうばいする 일시적 기분으로 장사하다.

きまじめ〖生真面目〗图ダナ 고지식함; 진국; 올곧음; 지나치게 착실함; 또, 그런 사람. ¶～な青年せいねん 지나치게 착실한 청년 / あまりにも～でつきあいにくい 너무 고지식해서 사귀기 힘들다.

きまず-い【気まずい】形 서먹서먹하다; 거북하다; 어색하고 열없다. ¶二人ふたりの間あいだが～·くなる 두 사람 사이가 서먹하게 되다 / ～思おもいをする 찜찜한 생각이 들다.

きまつ【期末】图 기말. ¶～残高ざんだか 기말 잔액 / ～勘定かんじょう〔手当てあて〕 기말 계산〔수당〕 / ～テスト 기말 시험. ↔期首きしゅ.

きまって【決まって】副 반드시; 으레; 꼭; 늘; 정해 놓고. ¶彼かれと話はなせば～言いい合あいだ 그와 얘기하면 으레 말다툼이 벌어진다 / 日曜日にちようびには～教会きょうかいに行いく 일요일에는 꼭 교회에 간다.

きまま【気まま】《気儘》图ダナ 제멋〔맘〕대로 함; 사날; 방자(함). ¶～な人ひと 방자한 사람 / ～な生活せいかつ 제멋대로 사는 생활 / ～にふるまう 방자하게 행동하다 / 勝手かって～をする 사날좋게 굴다; 제멋대로 굴다.

きまよい【気迷い】图 망설임. ¶一時いちじの～で 한때의 망설임으로 / 行いこうか行いくまいか～状態じょうたいだ 갈까말까 망설이는 상태다.

＊きまり【決まり】《極まり》图 **1** 규칙; 정해진 바; 결정; 습관. ¶～に従したがって行動こうどうする 규칙에 따라 행동하다 / 朝あさは散歩さんぽが～だ 아침은 산책하는 것이 습관처럼 되어 있다. **2** 결말; 매듭; 아퀴. ¶話はなしの～がつく 이야기의 매듭이 지어지다 / ～よくかたづけて行ゆく 아퀴지게 처리해 나가다. **3**《흔히 'お～'의 꼴로》 판에 박은 듯함. ¶お～の小言こごと 늘 하는 잔소리.

—が悪わるい 쑥스럽다; 멋쩍다; 거북〔창피〕하다. ¶持もち金がねが少すくなくって～思おもいをした 가진 돈이 적어서 창피했다.

きまりきった【決まり切った】連体 **1** 극히 당연한; 두말할 것도 없는. ¶それは～事ことだ 그것은 극히 당연한 일이다. **2** 늘 같은; 판에 박은 듯한. ¶いつも～あいさつをする 늘 판에 박은 듯한 인사를 하다.

きまりて【決まり手】图 결정적인 수; 특히, 씨름에서 승부를 결판 짓는 수.

きまりもんく【決まり文句】图 상투어; 틀에 박힌 말. ¶～のあいさつ 틀에 박힌〔상투적인〕 인사말 / 当選とうせんの暁あかつきには…というのが候補者こうほしゃの～だ 당선되는 그때에는 …라고 말하는 것이 후보자들이 으레 하는 말이다.

＊きま-る【決まる】《極る》5自 **1** 정해지다; 결정되다. ¶方針ほうしんが～ 방침이 정해지다 / 無罪むざいに～ 무죄로 판결이 내리다 / この一戦いっせんで運命うんめいが～ 이 일전으로 운명이 결정된다. **2** (경기에서) 쓴 기술이 먹혀들다; 승부의 판결이 나다. ¶背負せおい投なげが～ (유도에서) 업어치기가 성공하다. **3** 틀이 잡히다. ¶踊おどりの型かたが～ 춤의 틀이 잡히다.

—·った 정해진; 일정한. ¶～職業しょくぎょう 일정한 직업.

…に—·っている 반드시 …이다; …으로 정해져 있다. ¶夏なつは暑あついに～ 여름은 덥게 마련이다 / 後悔こうかいするに～ 후회할 것이 뻔하다.

ぎまん[欺瞞]图ス他 기만. ¶国民こくみんを～する 국민을 기만하다.

きみ【君】图 **1** 군주; 국왕. ¶我わが～ 국왕 폐하. **2** 윗사람에 대한 높임말. ¶師しの～ 스승; 사부(師父) / 父ちちぎみ 아버님 / 背せの～ 남편; 서방님.

＊きみ【気味】图 **1**《接尾語적으로》 기미; 경향; 기; 티; 기색. ¶焦あせりぎみ 초조해하는 기색 / かぜの～で休やすむ 감기 기운으로 쉬다 / 彼かれにはうぬぼれの～がある 그에게는 뽐내는 경향이 있다 / 物価ぶっかが上あがりぎみだ 물가가 오를 기미가 보인다. **2** (고소한) 기분. ¶いい～だ 고소하다.

—わる-い【—悪い】形 어쩐지 기분이 나쁘다; 어쩐지 불안하고 무서운〔싫은〕 느낌이 들다. ¶～笑わらいをする 기분 나쁜 웃음을 웃다.

きみ【黄み】图 노랑; 노란 기운. ＝きいろみ. ¶～を帯おびた 노르스름한.

きみ【黄身】图 노른자위; 난황(卵黃). ¶～の二ふたつある卵たまご 쌍알. ↔白身しろみ.

きみ【君】代 그대; 자네; 너. 注意 동년배 또는 손아랫사람을 부르는 친밀감이 든 말투《주로, 남자가 씀》. ¶～も一緒いっしょに行いこう 자네도 함께 가세. ↔僕ぼく.

—僕の間あいだがら 너나들이하는 사이.

きみがよ【君が代】图 일본 국가(國歌)의 이름. 参考 1893년 제정.

きみじか【気短】ダナ 조급함; 성마름; 성급함. ＝短気たんき. ¶～な人ひと 성미가 급한 사람. ↔気長きなが.

きみつ【気密】图〔理〕 기밀. ¶～室しつ 기밀실 / ～服ふく 기밀복.

きみつ【機密】图 기밀. ¶～事項じこう 기밀

사항 / ～書類 기밀 서류 / ～を漏らす 기밀을 누설하다.

きみどり【黄緑】名 황색을 띤 녹색.

きみゃく【気脈】名 기맥; 혈맥; 연락.

—を通ずる 기맥을 통하다. **1** 몰래 연락을 취하다. **2** 한패가 되다.

*__きみょう__【奇妙】ダナ 기묘; 이상. ¶～な風習 기묘한 풍습 / ～によく効く薬 이상하게 잘 듣는 약.

—きてれつ ダナ 〈俗〉 보통과 몹시 다른 모양; 유다름; 기기묘묘. ¶～な話 이상야릇한 이야기.

ぎむ【義務】名 의무. ¶～者 의무자 / ～を果たす 의무를 다하다 / すべての人に負わされる～ 모든 사람에게 지워지는 의무. ↔権利.

—きょういく【—教育】名 의무 교육.

—づ-ける 下1他 의무 지우다. ¶費用の分担を～ 비용 분담을 의무로 지게 하다.

*__きむずかし-い__【気難しい】形 성미가 까다롭다; 신경질이다. ¶～老人 꾀까다로운 노인 / 食べ物に～ 음식에〔식성이〕 까다롭다.

きむすこ【生息子】名 숫총각; 동정남《'きむすめ'를 본떠서 만든 말》.

きむすめ【生娘】名 숫처녀; 동정녀; 순진한 처녀. ＝おぼこ. ↔きむすこ.

キムチ［한 김치］名 김치. ¶～が塩辛い 김치가 짜다 / ～を漬ける 김치를 담그다.

きめ【木目】《肌理》名 **1**《木理》 나뭇결. ＝もくめ. **2** 살결; 전하여, 물건 표면의 감촉; 결. ¶～のこまかい肌 살결이 고운 피부 / ～の荒い仕事 거친 일.

—が細かい **1** 살결 따위가 곱다. **2**(마음씨·주의 등이) 섬세하고 빈틈없다. ¶～行政 자상하고 친절한 행정.

きめ【決め】《極め》名 **1** 결정(한 사항); 규칙. ＝とりきめ. ¶社内の～を守る 사내의 규칙을 지키다. **2** 약속. ¶講義は一週二時間の～だ 강의는 일 주 두 시간의 약속이다.

きめい【記名】名スル自 기명. ↔無記名. ¶～押印 기명〔서명〕날인 / ～株券 기명 주권.

—とうひょう【—投票】名スル自 기명 투표. ↔無記名投票.

ぎめい【偽名】名 위명; 가명. ¶～を使う 가명을 쓰다. ↔実名·本名.

きめこまか【木目細か】《肌理細か》ダナ **1**(살갗이나 물건의 표면이) 매끄러운 모양. **2**(마음씀이) 세심한 모양. ¶もっと具体的に～く情報を提供すべきだ 더 구체적으로 세심하게 정보를 제공해야 한다.

きめこ-む【決め込む】《極め込む》五他 **1**(혼자서 멋대로) 그런 줄로 믿다. ¶はなから合格するものと～·んでいる 처음부터 합격될 것으로 꼭 믿고 있다. **2** 자처하다. ¶色男を～·んでいる 미남자인 양 자처하고 있다. **3** …하기로 (작정)하다. ¶ずるを～ 농땡이 부리다 / ねこばばを～ 물건을 줍고서 모른 체하기로 하다.

きめだま【決め球】名〔野〕결정구(球). ＝ウイニングショット.

きめつ-ける【決め付ける】《極め付ける》下1他 **1**(변명할 여지도 주지 않고) 엄하게 나무라다; 몹시 꾸짖다. ¶社員を頭から～ 사원을 가차없이 마구 꾸짖다. **2** 일방적으로 단정하다. ¶犯人と～ 범인이라고 일방적으로 단정하다.

きめて【決め手】名 **1** 결정하는 사람. **2** 결정적인 방법·수단·근거. ¶～を欠く 결정적 근거가〔방법·수단이〕 없다 / 有罪と断定する～がない 유죄로 단정할 근거가 없다.

きめどころ【決め所】名 **1** 결정〔결말〕짓는 데 좋은 시기. ¶今が話〔問題〕の～だ 지금이 이야기〔문제〕의 결말을 짓는 데 좋은 때다. **2** 요소; 요점; 급소.

き-める【決める】《極める》下1他 **1** 정하다; 결정하다. ¶態度を～ 태도를 정하다 / 組長を～ 반장을 정하다 / 法律に～·められている 법률로 정해져 있다. **2** 약속하다. ¶明日来ることに～ 내일 오기로 약속하다〔정하다〕. **3**『…と～·めている』…으로 생각〔작정〕하고 있다. ¶帰って来るものと～·めている 돌아올 것으로 생각하고〔믿고〕 있다. **4** 매듭짓다; 결판내다. ¶話を～ 이야기를 매듭짓다 / 一挙に勝負を～ 일거에 승부를 결판내다. **5**〈俗〉 멋지게 차려 입다. ¶黒のスーツで～ 검은 슈트로 빼입다.

きめん【鬼面】名 귀면; 도깨비 화상〔탈〕.

きも【肝】《胆》名 간. **1** 간장(肝臟). **2** 내장(전체). **3**《본디 胆》 간담; 기력; 담력. ＝きもったま.

—が据わっている 담이 차다; 다기지다. ＝大胆だ.

—が小さい 겁이 많다; 겁쟁이다.

—が太い 간이 크다; 대담하다.

—に銘ずる 명심하다.

—をつぶす〔抜かれる〕 간 떨어지다; 대단히 놀라다. 「늘해지다.

—を冷やす 두려워서 떨다; 간담이 서

きもいり【肝入り】《肝煎り》名(사이에 들어) 돌보거나 주선함; 또, 그 사람. ¶A氏の～で職を得た A씨의 주선으로 일자리를 얻었다. 参考 마음을 쓰고 수고한다는 뜻에서.

きもだめし【肝試し】名 담력이 있나 없나를 시험하는 일〔행사〕.

きもち【気持ち】名 **1** 마음(가짐); 기분; 감정. ＝気分. ¶～をゆるす 마음을 놓다 / ～が落ちつかない 마음이 가라앉지 않다 / ぼくに対してどんな～でいるのか 내게 대하여 어떤 감정으로 있는가 / ほんの～だけですが 그저 마음뿐입니다만《선물 따위를 건넬 때》/ 船酔いで～が悪い 뱃멀미로 기분이 나쁘다. **2**《副詞적으로》 어느 정도; 약간. ＝

いくらか. ¶～大きめな服 약간 큰 듯한〔좀 헐렁한〕옷 / ～やわらかい表現 약간 부드러운 표현.

きもったま【肝っ玉】《肝っ魂》名 배짱; 간덩이; 담력; 용기. ¶～の太い人 간이 큰 사람 / ～を据える 각오하다; 결심하다. 参考 'きもだま'의 힘줌말.

⁑**きもの**【着物】名 **1** 옷; 의복. ¶～を脱ぐ〔畳む〕옷을 벗다〔개다〕/ ～を着替える 옷을 갈아입다 / ～を着る (일본) 옷을 입다. **2** (양복에 대하여) 일본 옷. ＝和服. ¶～姿 일본 옷 차림 / ～より洋服が似合う 일본 옷보다 양복이 어울린다.

きもん【鬼門】名 **1** 귀문; 꺼리고 피하는 방향《동북방》; 귀방(鬼方). ↔うらきもん. **2** 〈俗〉 상대하기 싫은 사람〔사물〕; 질색. ＝にがて. ¶英語は～だ 영어는 딱 질색이다 / あの先生は～だ 저 선생은 아주 질색이다.

⁑**ぎもん**【疑問】名 의문. ¶～をいだく 의문을 품다 / ～をただす 의문을 조사해 밝히다 / ～をとく 의문을 풀다 / ～を投げかける 의문을 던지다〔제기하다〕.

—し【—詞】名 의문사.

—ふ【—符】名 의문부; 물음표《?》. ＝クエスチョンマーク. ¶～を打つ 의문부를 찍다.

—ぶん【—文】名 의문문. ↔平叙文

ギヤ [gear] 名 기어. ☞はぐるま(歯車).

きゃあきゃあ 副 (여자나 어린애가) 놀라서 지르는 소리: 꽥꽥; 빽빽. ¶～(と)悲鳴をあげる 빽빽 비명을 지르다.

ぎゃあぎゃあ 副 **1** 동물·사람이 시끄럽게 우는 소리: 꽥꽥; 앵앵. ¶～(と)泣く 앵앵 울다. **2** 시끄럽게 불평을 해대는 모양: 왁자그르르; 와글와글; 꽥꽥. ¶～さわぐ 와글와글 떠들어 대다.

きやく【規約】名 규약. ¶～にのっとる 규약에 준하다 / ～に従う 규약에 따르다 / ～を守る 규약을 지키다.

⁑**きゃく**【客】名 **1** 손; 손님. ＝客人. ¶～をもてなす 손님을 접대하다 / まねかれざる～ 불청객 / ～をする 손님을 치르다 / タクシーが～を拾う 택시가 손님을 태우다. **2** 여객; 나그네. ¶不帰の～となる 불귀의 객이 되다; 죽다.

きゃく〖却〗常用 キャク かえって しりぞく しりぞける | 각 물러나다 | **1** 물리치다; 되밀다. ¶却下 각하 / 返却 반각; 반환. **2** 뒤로 물러나다. ¶退却 퇴각.

きゃく〖客〗教3 キャク カク | 객 손 | 객. **1** ㉠ 손; 손님. ¶客室 객실 / 来客 내객. ↔主. ㉡주체의 상대. ¶客観 객관. **2** 여객; 나그네. ¶客地 객지 / 旅客 여객.

きゃく〖脚〗常用 キャク カク キャ あし | 각 다리 | **1** 다리; 다리의 힘. ¶脚部 각부 / 健脚 건각. **2** 토대가 되는 것; 물건의 다리 같은 것. ¶脚本 각본 / 失脚 실각.

⁑**ぎゃく**【逆】名ダナ **1** 반대; 거꾸로임. ＝さかさま. ¶～モーション 역모션 / ～にいえば 거꾸로 말하면 / ～をつく 역을〔허를〕찌르다 / 本心と～なことを言う 본심과 반대되는 말을 하다. ↔順. **2**〘数·論〙역. ¶～もまた真なり 역도 또한 참이다.

ぎゃく〖虐〗《虐》常用 ギャク しいたげる | 학 몹시굴다 | 가혹한 짓을 하다. ¶虐待 학대 / 残虐 잔학.

ぎゃく〖逆〗《逆》教5 ギャク ゲキ さか さからう | 역 거스르다 | **1** 거스르다; 반항하다. ¶逆行 역행 / 逆臣 역신. ↔順. **2**〘論〙역. ¶逆は必ずしも真ならず 역이 반드시 참은 아니다.

ギャグ [gag] 名 개그. ¶～を連発する 개그를 연발하다 / よく～をとばす 자주 개그를 하다.

きゃくあし【客足】名 (상점 등에 오는) 손님의 수. ¶～がつく 손님이 잘 오다 / ～が落ちる〔遠のく〕손님이 적어지다〔뜸해지다〕.

きゃくあしらい【客あしらい】名 손님 접대 (방법). ＝客扱い. ¶～の悪い〔よい〕店 손님 접대가 좋지 않은〔좋은〕가게.

きゃくあつかい【客扱い】一名 **1** 손님 접대. ＝客あしらい. ¶～がうまい 손님 접대가 능란하다. **2** (철도에서) 여객 수송에 관한 일〔업무〕. 二名ス他 손님으로 (깍듯이) 대접함. ¶～(を)しないでください 손님 취급을 하지 마십시오.

きゃくいん【客員】名 객원. ＝かくいん. ¶～教授 객원 교수. ↔正員.

きゃくいん【脚韻】名 (한시의) 각운. ¶～を踏む 각운을 달다. ↔頭韻.

きゃくうけ【客受け】名ス自 손님들 사이의 평판; 또, 손님들의 평이 좋음. ¶～がよい 손님들간의 평판이 좋다 / ～する演技 손님들의 평이 좋은 연기.

きゃくご【客語】名〘文法〙객어; 목적어. ＝客辞. 注意 'かくご' 라고도 함.

ぎゃくこうか【逆効果】名 ☞ぎゃっこうか.

ぎゃくこうせん【逆光線】名 ☞ぎゃっこう(逆光).

ぎゃくコース【逆コース】名 역코스; 반대 방향. ¶～の風潮 반사회 풍조 / ～を行く 역코스를 가다; 역행하다. ▷course.

ぎゃくさつ【虐殺】名ス他 학살. ¶大量～ 대량 학살 / ～される 학살당하다.

ぎゃくさん【逆算】名ス他 역산. ¶没年から～して 죽은 해로부터 역산하여.

きゃくし【客死】名ス自 ☞かくし.

***きゃくしつ**【客室】名 **1** 손님방; 응접실. **2** (호텔·객선 등의) 객실.

きゃくしゃ【客車】名 객차. ↔貨車.

ぎゃくしゅう【逆襲】名ス他自 역습. ¶敵を～する 적을 역습하다 / ～に出る 역습으로 나오다.

ぎゃくじゅん【逆順】名 1 역순. 2 ☞じゅんぎゃく(順逆).
ぎゃくじょう【逆上】名ス自 욱함; 앞뒤를 가리지 않고 불끈함. ¶血を見て～する 피를 보고 욱하다/～して切りつける 욱해서 칼로 치고 덤비다.
きゃくしょうばい【客商売】名 접객업.
きゃくしょく【脚色】名ス他 각색. 1 소설 등을 각본으로 만듦. ¶…の小説を映画に～する …의 소설을 영화로 각색하다. 2 사실을 흥미 있게 꾸밈. ¶彼の話は～が多すぎる 그의 이야기는 너무 꾸밈이 많다.
きゃくじん【客人】名 객인; 손님. ＝(お)きゃく.
ぎゃくしん【逆臣】名 역신; 군주에게 배반하는 신하. ＝反臣. ↔忠臣.
ぎゃくすう【逆数】名〔數〕역수.
きゃくすじ【客筋】名 1 단골 고객; 단골손님. ¶～からの情報 단골손님으로부터 얻는 정보. 2 손님의 신분이나 인품; 손님의 질. ＝客だね.
ぎゃくせい【虐政】名 학정. ＝苛政·暴政. ¶～の下に苦しむ 학정하에서 고생하다.
きゃくせき【客席】名 객석. ¶～に出て酌をする 객석에 나가 술을 따르다/この劇場は～が少ない 이 극장은 객석이 적다.
ぎゃくせつ【逆接】名〘文法〙역접. ↔順接.
ぎゃくせつ【逆説】名 역설. ＝パラドックス. ¶～的に言えば 역설적으로 말하면/いささか～めくが 약간 역설적이긴 하지만.
きゃくせん【客船】名 객선. ＝かくせん. ¶豪華～ 호화 객선. ↔貨物船.
ぎゃくせんでん【逆宣伝】名ス他 역선전. ¶自分が有利になるように～する 자기에게 유리해지도록 역선전하다.
きゃくせんび【脚線美】名 각선미.
きゃくそう【客層】名 객층; 고객이 될 사람들의 계층. ＝客種·客筋.
ぎゃくぞく【逆賊】名 역적.
きゃくたい【客体】名 객체. 注意 '客観'이라고도 함. ↔主体.
*ぎゃくたい【虐待】名ス他 학대. ¶捕虜を～する 포로를 학대하다.
きゃくだね【客種】名 (상점·흥행장 등의) 손님의 종류. ＝客すじ. ¶～がいい 손님의 질이 좋다.
ぎゃくたんち【逆探知】名ス他 역탐지; 전화의 발신처를 탐지함. ¶誘拐犯を～する 유괴범을 역탐지하다.
きゃくちゅう【脚注】(脚註) 名 각주. ¶～を付ける 각주를 달다. ↔頭注·わき注·標注.
ぎゃくて【逆手】名 역수. 1 (유도 등에서) 상대의 관절을 반대로 꺾는 수 ¶～を取る 역수를〔팔을 반대로 꺾어〕 잡다. 2 상대의 예상과는 전혀 다른 방법. ¶～にとる 역으로 이용하여 반격하다. ↔順手.
ぎゃくてん【逆転】名ス自他 역전. 1 형세가 뒤집혀짐. ¶～ホームラン 역전 홈런/形勢が～する 형세가 역전하다. 2 거꾸로 회전함. ¶ハンドルを～する 핸들을 반대 방향으로 돌리다.
きゃくど【客土】名 ☞かくど(客土).
ぎゃくと【逆徒】名 역도; 반역자. ＝げきと·反徒.
きゃくどめ【客止め】名ス自 (극장 등에서) 만원이 되어서 입장을 사절함. ＝札止め. ¶連日～の盛況 연일 만원 사례의 대성황.
きゃくひき【客引き】名ス自 손님을 여관이나 술집 등으로 끌어들임; 또, 그 사람; 유객(꾼). ＝客取り.
ぎゃくびきじてん【逆引き辞典】名 단어의 끝 글자부터 찾도록 표제어를 역순으로 배열한 사전; 역순 사전.
ぎゃくひれい【逆比例】名ス自 역비례. ☞はんぴれい.
ぎゃくふう【逆風】名 역풍; 앞바람. ＝むかい風. ¶～で舟がよく進まない 앞바람으로 배가 잘 나아가지 않다/～にあおられる 역풍에 뒤흔들리다. ↔順風.
きゃくぶん【客分】名 손님으로서의 대우; 또, 그런 대우를 받는 사람.
きゃくほん【脚本】名 각본. ＝台本. ¶～朗読 각본 낭독/映画～ 영화 각본. 参考 영화 각본은 'シナリオ'라고도 함.
──か【──家】名 각본가. ＝シナリオライター.
きゃくま【客間】名 응접실; 객실. ＝客座敷. ¶～に案内する〔とおす〕 응접실로 안내하다.
きゃくまち【客待ち】名ス自 (택시 등이) 손님을 기다림; 또, 그곳. ¶～顔 손님을 기다리는 듯한 표정.
ぎゃくもどり【逆戻り】名ス自 1 제자리〔본디 상태〕로 되돌아감. ¶話が～する 얘기가 제자리로 되돌아가다. 2 역행; 후퇴.
ぎゃくゆしゅつ【逆輸出】名ス他 역수출.
ぎゃくゆにゅう【逆輸入】名ス他 역수입. ¶～車 역수입 차.
きゃくよう【客用】名 객용; 손님용 (물건). ¶～のスリッパ 고객용 슬리퍼.
ぎゃくよう【逆用】名ス他 역용; 역이용. ¶敵の宣伝を～する 적의 선전을 역이용하다.
きゃくよせ【客寄せ】名 손님 끌기〔유치〕. ¶～の福引き〔目玉商品〕 손님을 끌기 위한 경품 추첨〔특매 상품〕.
ぎゃくりゅう【逆流】名ス自 역류; 거꾸로 흐름. ¶～効果 역류 효과/血が～する 피가 역류하다〔거꾸로 치솟다〕. ↔順流.
きゃくりょく【脚力】名 각력; 다릿심. ¶～をつける 다릿심을 키우다.
ギャザー [gather] 名 개더; 양복의 주름.
──スカート [←gathered skirt] 名 개더 스커트; 주름 치마.
きゃしゃ〘華奢〙名ナ (몸매·모습 등이)

고상하고 아름다우나 연약하게 느껴지는 모양; 날씬함. ¶～なからだつき 날씬하고 연약한 몸매 / ～に出来ている机 모양은 좋으나 튼튼하지 않은 책상. ↔がんじょう.

きやす-い【気安い】《気易い》形 마음 편하다; 거리낌없다. ¶～友達 허물없는 친구 / ～·く遊びに来て下さい 허물없이 놀러 와 주십시오.

キャスター [caster] 名 캐스터. **1** 가구의 다리에 붙인 작은 바퀴. **2** (TV 뉴스 등의) 보도원·해설자. ¶ニュース～ 뉴스 해설자 / スポーツ～ 스포츠 해설자.

キャスチング [casting] 名 캐스팅; 배역. ＝キャスティング.

—ボート [casting vote] 名 캐스팅 보트. ¶～を握る 캐스팅 보트를〔결정권을〕쥐다.

キャスト [cast] 名 캐스트; 배역. ¶オールスター～ 인기 배우 총출연 / ミス～ 잘못된 배역.

きやすめ【気休め】名 한때의 위안·안심; 잠시 안심시키기 위한 위안의 말. ¶いくらか～になる 얼마간 위안이 되다 / ～を言う 일시적인 위안의 말을 하다.

きやせ【着やせ】《着痩せ》名ス自 옷을 입으면 도리어 여위어 보임. ¶～するたち 옷을 입으면 말라 보이는 체격. ↔着ぶとり.

きゃたつ【脚立】《脚榻》名 (작업용) 접사다리. 注意 '脚立'로 씀은 대용 한자.

キャタピラー [caterpillar] 名〔商標名〕캐터필러; 무한궤도. ＝カタピラー.

きゃっか【却下】名ス他 각하; 기각. ¶上告を～する 상고를 기각하다.

きゃっか【脚下】名 발밑. ＝あしもと. ¶～照顧 자기 발밑을 보라《자기 자신을 반성하라는 뜻》. ↔頭上.

***きゃっかん**【客観】名 객관. ＝客体. ¶～主義 객관주의. ↔主観.

—せい【—性】名 객관성. ¶～を失う 객관성을 잃다. ↔主観性.

—てき【—的】ダナ 객관적. ¶～に考える 객관적으로 생각하다. ↔主観的.

きゃっきゃ 副 **1** 원숭이 따위의 우는 소리: 꺅꺅. **2** 들떠서 법석대는 소리: 왁작복작; 왁자그르르.

ぎゃっきょう【逆境】名 역경. ¶～にもめげずに 역경에도 굴하지 않고 / ～に陥る 역경에 빠지다 / ～のうちに育つ 역경 속에서 자라다 / たくましい人間こそ～の中から生まれる 강인한 인간이야말로 역경 속에서 태어난다. ↔順境.

きゃっこう【脚光】名 각광. ☞フットライト. —を浴びる 각광을 받다.

ぎゃっこう【逆光】名〔寫〕역광《'逆光線'의 준말》. ¶～で写真を撮る 역광으로 사진을 찍다. ↔順光.

ぎゃっこう【逆行】名ス自 역행. ¶時代の流れに～する 시대의 흐름에 역행하다. ↔順行.

ぎゃっこうか【逆効果】名 역효과. ¶～をもたらす 역효과를 가져오다. 注意 'ぎゃくこうか'라고도 함.

キャッシュ [cash] 名 캐시; 맞돈; 현금(지불). ¶～で払う 현금으로 치르다.

—カード [cash card] 名 캐시 카드; 현금 인출 카드. ¶～でお金を下ろす 캐시 카드로 돈을 찾다.

キャッチ [catch] 名ス他 캐치. **1** 잡음; 쥠. ¶情報を～する 정보를 입수하다. **2** 구기에서, 공을 받음. ¶ボールを～する 볼을 잡다.

—フレーズ [catchphrase] 名 캐치프레이즈. ＝うたい文句.

—ボール [일 catch＋ball] 名〔野〕캐치볼; 공을 던지고 받음; 또, 그 연습. ＝まりなげ.

—ホン [일 catch＋phone] 名 캐치폰《'통화 중'이라도 새로 걸려 온 쪽과 통화할 수 있는 방식의 전화》.

キャッチャー [catcher] 名〔野〕캐처; 포수. ¶～がサインを送る 포수가 사인을 보내다. ↔ピッチャー.

キャットフード [cat food] 名 캣 푸드; 고양이용 먹이. ¶猫に～をやる 고양이에게 고양이 먹이를 주다.

キャップ [cap] 名 캡. **1** ㉠테가 없는 모자. ⇨ハット. ㉡뚜껑; 깍지. ¶万年筆の～ 만년필 뚜껑. **2** 'キャプテン'의 준말.

ギャップ [gap] 名 갭; 틈새; 간격; 차이. ¶理想と現実との～ 이상과 현실과의 갭 / ～を埋める 갭을 메우다 / ～が生じる 갭이 생기다.

キャデー [caddie] 名 (골프장의) 캐디. ＝キャディー. ¶～料 캐디료.

キャド [CAD] 名〔컴〕캐드; 컴퓨터 보조 설계. ▷computer-aided design.

ギャバジン [gabardine] 名 개버딘《레인코트·양복 따위를 짓는 능직(綾織)의 천》. ＝ギャバ.

キャバレー [프 cabaret] 名 카바레. ＝ナイトクラブ.

きゃはん【脚半】《脚絆》名 각반. ＝ゲートル·はばき. ↔手っ甲. 注意 '脚半'으로 씀은 대용 한자.

キャビア [caviar] 名 캐비아; 용상어의 알젓. ＝カビア.

キャピタル [capital] 名 캐피털. **1** 로마자 따위의 대문자. ＝かしらもじ. **2** 자본(금). **3** 수도(首都).

キャビネ [프 cabinet] 名〔寫〕카비네판《가로 12cm, 세로 16.5cm》. ＝カビネ.

キャビネット [cabinet] 名 캐비닛. **1** 상자; 용기; (라디오·TV 등의) 케이스. **2** 진열장; 장.

キャビン [cabin] 名 캐빈; 선실(船室); (여객기의) 객실. ＝ケビン.

キャプテン [captain] 名 캡틴; 한 조직의 장(長)《운동 팀의 주장이나 선장 따위》. ¶野球部の～ 야구부의 주장.

キャブレター [carburetor] 名 카뷰레터; 기화기(氣化器).

ぎゃふん 副《흔히 '～と'의 꼴로》옥박

질러 찍소리 못하거나, 압도당하는 모양. ¶～となる 찍소리 못하다 / ～と言わせる 찍소리 못하게 하다.

キャベツ [cabbage] 名 캐비지; 양배추; 감람(甘藍). =カンラン·タマナ.

ギヤマン [네 diamant] 名 〈老〉 유리. =ガラス. 参考 원어는 금강석의 뜻인데, 그것으로 유리 절단에 사용한 데서.

きやみ【気病み】名ス自 근심에서 일어나는 병; 울화병.

きゃら〖伽羅〗名 가라. **1** 침향(沈香)(나무). **2** 침향의 수지《향료》.

ギャラ 名 〈俗〉 'ギャランティー'의 준말. ¶～が高い 갤런티가 많다.

キャラクター [character] 名 캐릭터. **1** 성격; 특성. **2** ㉠희곡·소설 중의 인물; 또, 배우가 연기하는 역의 성격. ㉡TV 만화에 등장하는 인물·동물.

—ウオッチ [character watch] 名 캐릭터가 문자판에 그려진 시계.

—しょうひん【—商品】名 캐릭터 상품; 인기 있는 사람·동물·심벌 등을 디자인화하여 상품화한 것.

キャラコ [calico] 名 캘리코; 옥양목.

キャラバン [caravan] 名 캐러밴. **1** 대상(隊商). **2** 먼 길의 도보 여행.

—シューズ [Caravan shoes] 名 〔商標名〕 캐러밴 슈즈; 천으로 된 고무창의 등산화.

キャラメル [caramel] 名 캐러멜.

ギャラリー [gallery] 名 갤러리. **1** 화랑(畫廊). **2** (골프 경기 등의) 관중.

ギャランティー [guarantee] 名 개런티; 계약 출연료; 보증금. =ギャラ.

—チェック [일 guarantee+check] 名 은행이 지급 보증한 개인 발행 수표. *영어로는 credit check.

きやり【木やり】《木遣り》名 **1** 목도(질). **2** '木やり歌'의 준말.

—うた【—歌】名 목도질하거나 또는 축제일에 山車(=꽃수레)를 끌 때에 부르는 노래. =木やり節.

キャリア [career] 名 커리어. **1** (직업·경기의) 경력. ¶～を積む 경력을 쌓다 / ～が長い 경력이 오래다 / 豊富な～の選手 경기 경력이 많은 선수. **2** 상급 공무원 시험에 합격한 국가 공무원. ¶ノン～ 비(非)고시 출신 공무원.

—ウーマン [career woman] 名 커리어 우먼; 안정된 직업을 갖고 혼자 독립할 수 있는 직업여성. =キャリアガール.

—ぐみ【—組】名 ☞キャリア2.

キャリングケース [carrying case] 名 캐리잉 케이스; 여행용 가방.

キリング フィールド [killing field] 名 킬링 필드; 전장; 싸움터. =戦場.

ギャル [gal] 名 갤; 소녀; 젊고 활발한 여성. ¶ピチピチ～ 팔팔한 처녀.

キャロル [carol] 名 캐럴; 크리스마스·부활절의 송가(頌歌).

ギャング [gang] 名 갱; 권총 등을 가진 강도(단); 조직적 폭력단.

キャンセル [cancel] 名ス他 캔슬; 매매 계약 또는 예약의 취소; 해약. ¶航空券を～する 항공권을 캔슬하다.

キャンデー [candy] 名 캔디. **1** 사탕. **2** 'アイスキャンデー(=아이스캔디)'의 준말. 注意 キャンディー라고도 함.

キャンドル [candle] 名 캔들; (양)초; 양초 모양을 한 전기스탠드.

キャンパー [camper] 名 캠퍼; 야영자; 천막 생활자.

キャンバス 名 ☞カンバス. 「교정.

キャンパス [campus] 名 캠퍼스; (대학)

キャンピング [camping] 名 캠핑; 야영; 천막 생활. =キャンプ.

—カー [일 camping+car] 名 캠핑카; 캠프용 자동차. *영어로는 camper.

***キャンプ** [camp] 캠프. 一名 **1** 야영 막사. ¶～村 캠프촌 / ～をはる 캠프를 치다. **2** (포로) 수용소. **3** 병영. ¶米軍～ 미군 병영. 二名ス自 야영.

—イン [camp in] 名ス自 캠프 인; (스포츠 등에서) 합숙 훈련에 들어감.

ギャンブル [gamble] 名 갬블; 노름; 도박. =かけごと.

キャンペーン [campaign] 名 캠페인; (정치·사회적) 운동. =キャンペン. ¶プレス～ 신문을 통한 운동〔선전 활동〕 / ～をはる 캠페인을 벌이다.

きゆう [杞憂] 名 기우; 쓸데없는 걱정. =取り越し苦労. ¶～に終わる 기우로 끝나다 / ～をいだく 쓸데없는 걱정을 하다 / 心配は～に過ぎなかった 걱정은 기우에 지나지 않았다.

きゅう【九】名 구; 아홉. =ここのつ·九.

きゅう〖灸〗名 뜸; 뜸질. =やいと.

—をすえる 뜸을 뜨다; 뜸질하다; 전하여, 뜨끔한 맛을 보여 주다.

きゅう【球】一名 **1** 둥근 물체; 공; 구슬. **2**〔數〕 구(球). 二接尾 (야구에서) 투수가 던지는 공의 수를 세는 말: …구. ¶第二～ 제2구.

きゅう【級】一名 급; 등급; 단계; 정도. ¶～が上がる 급이 오르다. 二接尾 …급. ¶柔道三～ 유도 3급 / プロ～ 프로급 / 大臣～ 대신〔장관〕급.

きゅう【旧】一名 **1** 그전의〔본디〕 상태. ¶～に復する 본디 상태로 돌아가다. **2** '旧暦(=구력)'의 준말; 음력. ¶～の正月 구정. 二接頭 구…. ¶～憲法 구헌법. ↔新.

⁑**きゅう**【急】名ダナ **1** 위급; 긴급. ¶～な用事 급한 볼일 / 天下の～ 천하의 위급 / ～を要する 시급하다. **2** 갑작스러움; 돌연. ¶～停車 급정거 / 雨が～に降り出す 비가 갑자기 내리기 시작하다 / ～に黙りこむ 갑자기 입을 다물다. **3** 빠름; 급함. ¶流れが～だ 흐름이 빠르다. **4** (경사 등이) 가파름. ¶～な坂 가파른 비탈 / ～な屋根 물매가 급한 지붕. **5** 성급함. ¶～な催促 성급한 재촉.

キュー [cue] 名 큐. **1** 당구봉〔채〕. **2** 연

출자가 방송자에게 보내는 손 신호《기호: Q》. ¶～を出(だ)す 큐를 보내다.

きゅう〖九〗教1 キュウ く ここの ここのつ | 구 아홉 | 구; 아홉; 수가 많음. ¶九天(きゅうてん) 구천 / 九九(くく) 구구(법) / 九死一生(きゅうしいっしょう) 구사일생 / 十中八九(じっちゅうはっく) 십중팔구.

きゅう〖久〗教5 キュウ ク ひさしい | 구 오래다 | 시간적으로 길다; 오래 가다. ¶久遠(くおん) 구원 / 耐久(たいきゅう) 내구.

きゅう〖及〗《及》常用 キュウ およぶ およぼす および | 급 미치다 | 미치다; 목적에 이르다. ¶及第(きゅうだい) 급제 / 普及(ふきゅう) 보급 / 波及(はきゅう) 파급 / 言及(げんきゅう) 언급.

きゅう〖弓〗教2 キュウ ゆみ | 궁 활 | 1 활; 궁술. ¶弓術(きゅうじゅつ) 궁술 / 強弓(ごうきゅう) 강궁. 2 활처럼 꾸부러진 것. ¶弓形(きゅうけい) 궁형.

きゅう〖丘〗常用 キュウ ク おか | 구 언덕 | 언덕. ¶丘陵(きゅうりょう) 구릉 / 砂丘(さきゅう) 사구.

きゅう〖旧〗《舊》教5 キュウ ク ふるい もと | 구 옛 | 1 옛날부터 있다; 오래다. ¶旧知(きゅうち) 구지 / 新旧(しんきゅう) 신구. ↔新(しん). 2 옛날; 과거. ¶旧悪(きゅうあく) 구악.

きゅう〖休〗教1 キュウ やすむ やすまる やすめる | 휴 쉬다 | 쉬다; 일을 그만두다. ¶休暇(きゅうか) 휴가 / 公休(こうきゅう) 공휴.

きゅう〖吸〗《吸》教6 キュウ すう | 흡 숨쉬다 | 들이빨다; 들이쉬다. ¶吸収(きゅうしゅう) 흡수 / 吸引(きゅういん) 흡인 / 呼吸(こきゅう) 호흡.

きゅう〖朽〗常用 キュウ ク くちる | 후 썩다 | 나무가 썩다. ¶老朽(ろうきゅう) 노후 / 不朽(ふきゅう) 불후.

きゅう〖求〗教4 キュウ グ もとめる | 구 구하다 | 1 바라다. ¶求愛(きゅうあい) 구애 / 要求(ようきゅう) 요구. 2 구하다. ¶求職(きゅうしょく) 구직.

きゅう〖究〗教3 キュウ ク きわめる | 구 궁구하다 | 사물을 구명하다; 궁구(窮究)하다. ¶究明(きゅうめい) 구명 / 研究(けんきゅう) 연구.

きゅう〖泣〗教3 キュウ なく | 읍 울다 | 눈물을 흘리며 탄식하다; 울다. ¶感泣(かんきゅう) 감읍 / 号泣(ごうきゅう) 호읍.

きゅう〖急〗《急》教3 キュウ いそぐ せく | 급 급하다 | 1 진행이 빠르다. ¶急行(きゅうこう) 급행. 2 갑작스럽다. ¶急停車(きゅうていしゃ) 급정거 / 緊急(きんきゅう) 긴급. 3 경사가 심하다. ¶急(きゅう)カーブ 급커브.

きゅう〖級〗《級》教3 キュウ しな | 급 등급 | 1 정도; 순서; 단계. ¶階級(かいきゅう) 계급 / 上級(じょうきゅう) 상급 / 進級(しんきゅう) 진급. 2 학급. ¶級友(きゅうゆう) 급우 / 飛(と)び級(きゅう) 월반.

きゅう〖糾〗常用 キュウ ただす あざなう | 규 규명하다 | 1 꼰노; 꼬(이)다. ¶紛糾(ふんきゅう) 분규. 2 조사〔규명〕하다. ¶糾明(きゅうめい) 규명 / 糾弾(きゅうだん) 규탄.

きゅう〖宮〗教3 キュウ グウ ク みや | 궁 대궐 | 1 궁궐; 대궐. ¶宮廷(きゅうてい) 궁정 / 王宮(おうきゅう) 왕궁. 2 황족의 거처. ¶東宮(とうぐう) 동궁.

きゅう〖救〗教4 キュウ グク すくう | 구 구하다 | 돕다; 구조하다; 건지다. ¶救命(きゅうめい) 구명 / 救恤(きゅうじゅつ) 구휼.

きゅう〖球〗教3 キュウ たま | 구 둥근물체 | 1 둥근 물체. ¶球形(きゅうけい) 구형 / 電球(でんきゅう) 전구. 2 ㉠공. ¶球技(きゅうぎ) 구기. ㉡야구. ¶球場(きゅうじょう) 야구장 / 球団(きゅうだん) 구단.

きゅう〖給〗教4 キュウ たまう たまわる | 급 주다 | 1 주다; 공급하다. ¶給水(きゅうすい) / 支給(しきゅう) 지급. 2 급료. ¶給与(きゅうよ) 급여 / 月給(げっきゅう) 월급 / 俸給(ほうきゅう) 봉급.

きゅう〖窮〗常用 キュウ きわめる きわまる | 궁 궁하다 | 1 끝까지 이르다. ¶無窮(むきゅう) 무궁. 2 가난하다. ¶窮乏(きゅうぼう) 궁핍 / 困窮(こんきゅう) 곤궁.

ぎゆう【義勇】图 의용. ¶～軍(ぐん) 의용군 / ～兵(へい)を募(つの)る 의용병을 모집하다.

ぎゅう【牛】图 1 쇠고기. ¶～の上(じょう)を五百(ごひゃく)グラム 상치 쇠고기를 500 그램. 2 쇠가죽. ¶～のくつ 쇠가죽 구두 / ～のかばん 쇠가죽 가방.

ぎゅう〖牛〗教2 ギュウ ゴ うし | 우 소 | 1 소. ¶牛乳(ぎゅうにゅう) 우유. 2 쇠고기. ¶牛缶(ぎゅうかん) 쇠고기 통조림 / 牛鍋(ぎゅうなべ) 쇠고기 전골(냄비).

きゅうあい【求愛】图ス自 구애. ¶～の手紙(てがみ) 구애의 편지.

きゅうあく【旧悪】图 구악. ＝宿悪(しゅくあく). ¶～露見(ろけん) 구악이 드러남 / ～が暴露(ばくろ)する 구악이 폭로되다.

キューアンドエー [Q&A] 图 큐 앤드 에이; 질문과 응답; 질의(質疑) 응답. ▷Question and Answer.

きゅういん【吸引】图ス他 흡인; 빨아들임. ¶空気(くうき)を～する 공기를 빨아들이다 / 真空(しんくう)ポンプで～する 진공 펌프로 흡인하다.

ぎゅういんばしょく【牛飲馬食】图ス自 우음마식; 마소처럼 많이 먹고 많이 마심. ＝鯨飲馬食(げいいんばしょく).

きゅうえん【休演】图ス自 휴연; 공연·출연을 쉼. ¶事情(じじょう)によって～する 사정에 의해서 공연을 쉬다.

きゅうえん【休園】图ス自 휴원; 유원지 등이 쉼. ¶本日(ほんじつ)～ 금일 휴원.

きゅうえん【救援】图ス他 구원; 구호. ¶～投手(とうしゅ) 구원 투수 / ～物資(ぶっし) 구호 물자 / 遭難者(そうなんしゃ)を～する 조난자를 구원하다 / ～の手(て)を差(さ)し伸(の)べる 구원

의 손길을 뻗치다.

きゅうえん【球宴】图 구연; 백구의 향연. ¶夢の~ 꿈의 구연.

きゅうおん【吸音】图ス自 흡음. ¶~材 「흡음재.

***きゅうか**【休暇】图 휴가. ¶有給~ 유급 휴가 / 夏期~ 하기휴가 / 生理~ 생리 휴가 / ~を取る 휴가를 얻다 / ~を過ごす 휴가를 보내다.

きゅうか【旧家】图 구가. **1** 오랜 가문〔집안〕. ¶~の出 구가의 출신. **2** 이전에 살던 집.

きゅうかい【休会】图ス自他 휴회. ¶~中 휴회 중 / 自然~に入る 자연 휴회로 들어가다 / ~を宣する 휴회를 선언하다.

きゅうかい【球界】图 구계; 특히, 야구를 하는 사람들의 사회. ¶~の第一人者 야구계의 제일인자.

きゅうかく[嗅覚]图 후각. =臭覚. ¶~を刺激する 후각을 자극하다 / 犬は~が鋭い 개는 후각이 예민하다. 注意 'しゅうかく'로 읽음은 잘못.

きゅうがく【休学】图ス自 휴학. ¶~届け 휴학원(願) / 一年間~する 일년간 휴학하다. ↔復学.

きゅうかざん【休火山】图 휴화산. ↔活火山·死火山.

きゅうがた【旧型】图 구형. ¶~の軍艦 구형 군함.

きゅうかなづかい【旧仮名遣い】图〈俗〉☞れきし(歴史)てきかなづかい. ↔新かなづかい.

きゅうかぶ【旧株】图〔經〕구주. =親株. ↔新株. 「がわ.

ぎゅうかわ【牛革】图 쇠가죽. =ぎゅう

きゅうかん【休刊】图ス自他 (신문·잡지 따위의) 휴간. ¶~日 휴간일 / ~のやむなきに至った 부득이 휴간할 수밖에 없게 되었다. ↔復刊.

きゅうかん【休館】图ス自他 (도서관·미술관·영화관 등의) 휴관. ¶~日 휴관일 / 本日~ 금일 휴관 / 臨時に~する 임시 휴관하다.

きゅうかん【急患】图 급환; 급병에 걸린 환자. ¶~で往診に出ている 급한 환자가 있어 왕진을 나갔다.

きゅうかんち【休閑地】图 휴한지. **1** 휴경지. **2** 공지. =あき地. 「관조.

きゅうかんちょう【九官鳥】图〔鳥〕구

きゅうかんび【休肝日】图〈俗〉애주가가 피로한 간을 좀 쉬게 하려고 그날 하루는 안 마시기로 한 날. 參考 '休館日(=휴관일)'을 흉내낸 말.

きゅうき【吸気】图 흡기. **1** (동물이) 들이마시는 숨. ↔呼気. **2** 흡입《엔진 따위가 가스나 증기를 빨아들임》; 또, 그 가스나 증기. ↔排気.

きゅうぎ【球技】图 구기. ¶体育の時間に~を行う 체육 시간에 구기를 하다.

きゅうきゅう【救急】图 구급. ¶~処置 구급 처치 / ~医療 구급 의료.

―しゃ【―車】图 구급차.

―ばこ【―箱】图 구급 상자. 「병원.

―びょういん【―病院】图 구급〔응급〕

きゅうきゅう〖汲汲〗トタル 급급함; 악착같음. =あくせく. ¶金儲けに~とする 돈벌이에 악착같다 / 営利に~としている 영리에(만) 급급하다.

きゅうきゅう 副ダナ 〈俗〉 **1** 가난해서 살림에 여유가 없는 모양: 빠듯. ¶~の生活 빠듯한 생활 / 子供が多いので~だ 아이들이 많아서 살기가 빠듯하다. **2** ☞ぎゅうぎゅう.

きゅうぎゅう【九牛】图『~の一毛』구우일모; 많은 수 가운데 극히 적은 것의 비유. ¶~の一毛にすぎない 구우일모에 불과하다.

ぎゅうぎゅう 副ダナ 〈俗〉 **1** 단단히 죄는 모양: 꽉(꽉). ¶~(と)締める 꽉꽉 죄다. **2** 빈틈없이 눌러 담는 모양: 꽉; 꽉꽉. ¶~詰めの電車 빽빽이 태운 전차 / ~(に)つめこむ 꽉꽉 눌러 담다. **3** 닦달하는 모양. ¶~の目に合わせる 닦달하다; 훌닦아 세우다. **4** 구두 가죽 따위가 마찰되어 나는 소리: 삐걱삐걱; 삑삑. 參考 'きゅうきゅう'의 힘줌말.

きゅうきょ【旧居】图 이전에 살던 곳〔집〕. ↔新居.

きゅうきょ[急遽]副 급거; 허둥지둥; 갑작스럽게. ¶~上京〔帰国〕した 급거 상경〔귀국〕했다 / ~現場に駆けつける 급거 현장으로 달려가다.

きゅうきょう【窮境】图 궁경; 궁지. ¶~に陥る 궁지에 빠지다 / ~を脱する 궁경〔궁지〕에서 벗어나다.

きゅうきょう【旧教】图 구교; 천주교; 가톨릭교. ↔新教.

―と【―徒】图 구교도; 가톨릭교도. =カトリック教徒. ↔新教徒.

***きゅうぎょう**【休業】图ス自 휴업. ¶本日~ 금일 휴업 / 開店~ 개점 휴업 / 臨時に~する 임시로 휴업하다.

きゅうきょく【究極·窮極】图 구극; 궁극. =とどのつまり. ¶~の目的 궁극의 목적 / ~のところ 마침내; 결국은.

きゅうきん【球菌】图 구균. ¶ぶどう状~ 포도상구균.

きゅうきん【給金】图 급료; 봉급. ¶~を直す 씨름꾼이 그 대회에서 반 이상 이기다《급료가 올라감》.

―なおし【―直し】图 씨름꾼이 그 대회에서 반 이상 이겨 승급함.

***きゅうくつ**【窮屈】图ダナ **1** 거북함; 어려움. ¶~な思いをする 거북〔갑갑〕한 느낌이 들다 / あの人の前に出ると~だ 저 사람 앞에 나가면 거북하다. **2** 갑갑함. ¶~な服 꼭 끼는 옷. **3** 답답함. ¶おやじと話していると~だ 아버지와 얘기하고 있으면 답답하다. **4** 옹색함. ㉠비좁음. ¶~な部屋 비좁은 방. ㉡궁핍함. ¶予算が~でなにも買えない 예산이 빡빡해 아무것도 살 수 없다.

きゅうけい【弓形】图 **1** 궁형; 활 모양.

=ゆみがた·ゆみなり. ¶~の月 활 모양의 달(상〔하〕현달). 2〔數〕활꼴.

きゅうけい【球形】图 구형; 공 모양. ¶~をしたおもり 공 모양의 추〔분동〕.

*__きゅうけい__【休憩】图ス自 휴게; 휴식. =休み. ¶~時間 휴게 시간 / ~室 휴게실 / 木陰でしばらく~する 나무 그늘에서 잠시 쉬다.

きゅうけい【求刑】图ス他〔法〕구형. ¶被告に5年の禁錮を~する 피고에게 금고 5년을 구형하다.

*__きゅうげき__【急激·急劇】ダナ 급격. ¶~な変化 급격한 변화 / ~な進歩をとげる 급격한 진보를 이루다.

きゅうけつ【吸血】图 흡혈. ¶~動物 흡혈 동물.

—き【—鬼】图 흡혈귀. =バンパイア.

きゅうげん【急減】图ス自他 급감; 갑자기 줆. ¶売上高が~した 매출액이 갑자기 줄었다. ↔急増.

きゅうご【救護】图ス他 구호. ¶~所 구호소 / ~班 구호반 / ~の手が必要だ 구호의 손길이 필요하다 / ~に当たる 구호에 임하다.

きゅうこう【休校】图ス自 휴교. ¶臨時~ 임시 휴교 / 台風で~になる 태풍으로 휴교하게 되다.

きゅうこう【休講】图ス自他 휴강. ¶本日~ 금일 휴강 / 二時間目は~だ 둘째 시간은 휴강이다.

きゅうこう【休航】图ス自他 휴항. ¶台風で~する 태풍으로 휴항하다.

きゅうこう【休耕】图ス自 휴경. ¶~地 휴경지 / ~田 휴경답(畓).

**__きゅうこう__【急行】급행. 一图ス自 급히 감. ¶災害地に~する 재해지에 급행하다. 二图 '急行列車'의 준말. ¶~に乗る 급행을 타다. ↔緩行.

—れっしゃ【—列車】图 급행열차.

きゅうこう【旧交】图 구교; 오랜 교제.

—を温める 옛정을 새로이하다.

きゅうごう【糾合】《鳩合》图ス他 규합. ¶同志を~する 동지를 규합하다.

きゅうこうか【急降下】图ス自 급강하. ¶~爆撃 급강하 폭격 / 温度が~する 온도가 급강하하다 / 成績が~する 성적이 갑자기 떨어지다.

きゅうこうばい【急こう配】《急勾配》图 급구배; 급경사.

きゅうこく【急告】图ス他 급고; 급히 알림. ¶住民に危険を~する 주민에게 위험을 급히 알리다.

きゅうこく【救国】图 구국. ¶~運動 구국 운동 / ~の志士 구국 지사.

きゅうごしらえ【急ごしらえ】《急拵え》图 급조(한 것). =にわかづくり. ¶~の舞台 급조한 무대.

きゅうこん【求婚】图ス自 구혼; 청혼. =プロポーズ. ¶友達の妹に~する 친구 누이동생에게 구혼하다.

きゅうこん【球根】图〔植〕구근; 알뿌리. ¶~栽培 구근 재배.

きゅうさい【休載】图ス他 휴재; 연재하던 것을 쉼. ¶今月号に限り~する 금월호에 한해서 휴재함.

きゅうさい【救済】图ス他 구제. ¶~事業 구제 사업 / 貧民〔難民〕~に乗り出す 빈민〔난민〕 구제에 나서다〔착수하다〕.

きゅうさく【旧作】图 구작. ↔新作.

きゅうし【九死】图『~に一生を得る』구사일생하다; 겨우 살아나다.

きゅうし【急使】图 급사; 급한 심부름(하는 사람). ¶~に立つ 급한 심부름을 가다 / ~をたてる 급사를 보내다.

きゅうし【急死】图ス自 급사; 급서. ¶脳溢血で~する 뇌일혈로 급사하다.

きゅうし【休止】图ス自他 휴지; 중지. ¶運転~ 운전 중지 / 作業を~する 작업을 쉬다.

—ふ【—符】图〔樂〕휴지부; 쉼표(('休符'의 구칭)). ¶~を打つ 종지부를 찍다; 일단락짓다.

きゅうし［臼歯］图〔生〕구치; 어금니. =うすば·おくば.

きゅうし【旧師】图 구사; 옛 스승. ¶~の恩 옛 스승의 은혜.

きゅうじ【給仕】图ス自他 1 잔심부름을 함; 또, 그 사람; 급사; 사환. 2 식사 시중을 듦〔드는 사람〕. ¶食事の~をする 식사 시중을 들다.

ぎゅうじ【牛耳】图 우이; 쇠귀.

—を執る 우이를 잡다; 좌지우지하다; 주름잡다. =牛耳る.

きゅうしき【旧式】一图 구식; 옛 형식. ¶~そのままに祭祀が取り行われた 옛 관례 그대로 제사가 거행되었다. 二名ナ 구식; 생각이나 행동이 진부함. ¶~の兵器 구식 무기 / ~な考え 진부한 생각. ↔新式.

きゅうじたい【旧字体】图 구자체; '当用漢字' 내지 '常用漢字' 제정 전의 자체(('旧·当'의 '舊·當' 따위)). =旧字. ↔新字体.

きゅうしつ【吸湿】图ス自 흡습; 수분·습기를 빨아들임. ¶~剤 흡습제.

—せい【—性】图 흡습성.

*__きゅうじつ__【休日】图 휴일. =休み. ¶~出勤 휴일 출근. ↔平日.

きゅうしゃ［厩舎］图 구사; 마구간. =うまや·馬小屋.

きゅうしゃ［鳩舎］图 비둘기장.

ぎゅうしゃ【牛舎】图 우사; 외양간. =うしごや.

ぎゅうしゃ【牛車】图 1 우차; 소 달구지. =牛ぐるま. 2 ☞ぎっしゃ.

きゅうしゃめん【急斜面】图 급(경)사면.

きゅうしゅ［鳩首］图ス自 구수; 머리를 맞대어 의논함. ¶~会談 구수 회담 / ~協議する 구수 협의하다.

きゅうしゅう【九州】图〔地〕本州의 서남쪽에 있는 큰 섬.

*__きゅうしゅう__【吸収】图ス他 흡수. ¶~剤 흡수제 / 養分を~する 양분을 흡

수하다 / 大企業(だいきぎょう)に～された 대기업에 흡수되었다. 「新設(しんせつ)合併.
—がっぺい【—合併】图 흡수 합병. ↔

きゅうしゅう【急襲】图ス他 급습. ¶敵(てき)が～して来(き)た 적이 급습해 왔다.

きゅうしゅう【旧習】图 구습. ¶～にとらわれる 구습에 얽매이다. ↔新風(しんぷう).

きゅうしゅつ【救出】图ス他 구출. ¶負傷者(ふしょうしゃ)〔遭難者(そうなんしゃ)〕を～する 부상자〔조난자〕를 구출하다 / 炎(ほのお)の中(なか)から子供(こども)を～する 불길 속에서 어린이를 구출하다. 「きゅうどう.

きゅうじゅつ【弓術】图 궁술. =弓道

きゅうしゅん[急峻] 名ナ 급준; 가파르고 험준함; 또, 그런 곳. ¶～な山(やま) 가파르고 험한 산 / ～な岩角(いわかど)をよじのぼる 험준한 바위 너설을 기어오르다.

*きゅうしょ【急所】图 급소. **1** (인체의) 중요한 곳. ¶～をやられる 급소를 (얻어)맞다 / ～をはずれる〔蹴(け)る〕 급소를 벗어나다〔걷어차다〕/ 人(ひと)の～を狙(ねら)う 남의 급소를 노리다. **2** 요점. ¶問題(もんだい)の～ 문제의 급소 / ～をつかむ 요점을 파악하다. **3** 아픈 곳; 약점. ¶～をつく言葉(ことば) 아픈 데를 찌르는 말 / ～を握(にぎ)られる 급소를 잡히다.

*きゅうじょ【救助】图ス他 구조. ¶人命(じんめい)～ 인명 구조 / ～を求(もと)める 구조를 요청하다 / おぼれた子(こ)を～する 물에 빠진 아이를 구조하다.
—しんごう【—信号】图 구조 신호.
—ぶくろ【—袋】图 구조대.

きゅうしょう【旧称】图 구칭; 옛 칭호.

きゅうじょう【休場】图ス自 휴장. **1** 흥행장 등이 휴업함. ¶本日(ほんじつ)～ 금일 휴장. **2** (경기에) 불참함. ¶横綱(よこづな)がかぜで～する 横綱가 감기로 출전하지 않다. **3** 증권 거래소가 입회를 쉼.

きゅうじょう【宮城】图 궁성. 參考 현재는 '皇居(こうきょ)'라고 함.

きゅうじょう【球場】图 구장; 야구장.

きゅうじょう【球状】图 구상; 구형. ¶～体(たい) 구상체.

きゅうじょう【窮状】图 궁상; 궁핍한 상태. ¶～を訴(うった)えて善処(ぜんしょ)をまつ 궁상을 호소하고 선처를 기다리다.

きゅうしょうがつ【旧正月】图 구정; 음력 설(의 행사).

きゅうしょく【休職】图ス自 휴직. ¶～期間(きかん) 휴직 기간 / 病気(びょうき)で～する 병으로 휴직하다 / 公傷(こうしょう)による～ 공상으로 인한 휴직.

きゅうしょく【求職】图ス自 구직. ¶～者(しゃ) 구직자 / ～広告(こうこく)をする 구직 광고를 내다. ↔求人(きゅうじん).

きゅうしょく【給食】图ス自 급식. ¶～費(ひ) 급식비 / 学校(がっこう)～ 학교 급식.

ぎゅうじ-る【牛耳る】5他 〈俗〉 우이를 잡다; 좌지우지하다. =牛耳(ぎゅうじ)を執(と)る. ¶党(とう)の活動(かつどう)を～ 당의 활동을 좌지우지하다. ⇒ぎゅうじ.

*きゅうしん【休診】图ス自 휴진. ¶～日(び) 휴진일 / 本日(ほんじつ)～ 금일 휴진 / 日曜(にちよう)·祭日(さいじつ)は～します 일요일·국경일은 휴진합니다. 「장.

きゅうしん【急伸】图ス自 급신장; 급성

きゅうしん【急進】图ス自 급진. ¶～思想(しそう) 급진 사상. ↔漸進(ぜんしん).
—しゅぎ【—主義】图 급진주의. ↔漸進(ぜんしん)主義·改良(かいりょう)主義.

きゅうしん【求心】图 구심. ¶～性(せい) 구심성 / ～点(てん) 구심점. ↔遠心(えんしん).
—りょく【—力】图 구심력(('向心力(こうしんりょく)(=향심력)의 구칭)). ↔遠心力(えんしんりょく).

きゅうじん【求人】图 구인. ¶～難(なん) 구인난 / ～広告(こうこく) 구인 광고. ↔求職(きゅうしょく).

きゅう-す【休す】サ変自 **1** 그치다; 끝나다. ¶万事(ばんじ)～ 만사휴의(休矣) **2** 쉬다; 휴식하다.

きゅうす〖急須〗图 (손잡이가 달린) 찻주전자 모양의 사기그릇. =きびしょ.

きゅうすい【給水】图ス自 급수. ¶～管(かん) 급수관 / ～塔(とう) 급수탑 / ～車(しゃ)〔タンク〕 급수차〔탱크〕/ ～状態(じょうたい)が悪(わる)い 급수 상태가 나쁘다 / 断水地区(だんすいちく)に～する 단수 지구에 급수하다. ↔排水(はいすい).

きゅうすう【級数】图〔數〕 급수. ¶等差(とうさ)～ 등차급수 / 等比(とうひ)～ 등비급수.

きゅう-する【窮する】サ変自 궁하다; 막히다. ¶金(かね)〔衣食(いしょく)〕に～ 돈〔의식〕에 궁하다 / 返答(へんとう)に～ 대답이 막히다.
—·すれば通(つう)ず 궁하면 통한다.

きゅう-する【給する】サ変他 지급하다; 주다; 공급하다. ¶手当(てあて)を～ 수당을 지급하다.

きゅうせい【急性】图 급성. ¶～肝炎(かんえん)〔肺炎(はいえん)〕 급성 간염〔폐렴〕. ↔慢性(まんせい).

きゅうせい【急逝】图ス自 급서(('急死(きゅうし)(=급사)'의 격식 차린 말씨)). ¶昨日(さくじつ)自宅(じたく)で～なさいました 어제 자택에서 급서하셨습니다.

きゅうせい【救世】图 구세.
—ぐん【—軍】图〔宗〕 구세군.
—しゅ【—主】图 구세주; 특히, 예수. =メシア. 參考 위기에 처했을 때, 이를 구해 주는 사람의 뜻으로도 씀. ¶チームの～ 팀의 구세주.

きゅうせい【旧制】图 구제; 옛 제도. ¶～大学(だいがく) 구제 대학 / ～高校(こうこう) 구제 고교. ↔新制(しんせい).

きゅうせい【旧姓】图 구성; (결혼·양자 관계로 성이 바뀐 사람의) 본성.

きゅうせき【旧跡】〖旧蹟〗图 구적; 고적. =旧址(きゅうし). ¶名所(めいしょ)～ 명소 고적.

きゅうせっきじだい【旧石器時代】图 구석기 시대. ↔新石器(しんせっき)時代(じだい).

きゅうせん【休戦】图ス自 휴전. ¶～ライン 휴전선 / ～協定(きょうてい) 휴전 협정.

きゅうせんぽう[急先鋒]图 급선봉; 최선봉. ¶反対運動(はんたいうんどう)の～に立(た)つ 반대운동의 급선봉으로 나서다. 「쥐.

きゅうそ[窮鼠]图 궁서; 궁지에 몰린
—(却(かえ)って)猫(ねこ)をかむ 궁서가 (도리어) 고양이를 문다.

きゅうそう【急送】名ス他 급송. ¶食糧(しょくりょう)を～する 식량을 급송하다.

きゅうぞう【急造】名ス他 급조. =急(きゅう)ごしらえ. ¶～の建物(たてもの) 급조한 건물.

きゅうぞう【急増】名ス自 급증. ¶人口(じんこう)～対策(たいさく) 인구 급증 대책/人口が～する 인구가 급증하다. ↔急減(きゅうげん).

***きゅうそく**【休息】名ス自 휴식. ¶～を取(と)る 휴식을 취하다.

きゅうそく【急速】名ダナ 급속. ¶～な進歩(しんぽ) 급속한 진보/両者(りょうしゃ)が～に接近(せっきん)する 쌍방이 급속히 접근하다.

—れいとう【—冷凍】名 급속 냉동.

きゅうそく【球速】名〔野〕구속. ¶～におされてヒットがない 구속에 눌려 안타가 없다.

きゅうたい【旧態】名 구태; 옛 모습. ¶～を存(そん)する 구태를 지니다/～を脱(だっ)する 구태를 탈피하다.

—いぜん【—依然】トタル 구태의연. ¶～たる考(かんが)え方(かた) 구태의연한 사고방식. 注意 '旧態以前(いぜん)'은 잘못.

***きゅうだい**【及第】名ス自 급제; 합격. ¶まずまず～だろう 그럭저럭 합격은 될테지/それだけうまけりゃ～だ 그만큼 잘하면 합격이다. ↔落第(らくだい).

きゅうたいせい【旧体制】名 구체제〔제도〕. =アンシャンレジーム. ¶～にはむかう 구체제에 대항하다. ↔新(しん)体制.

きゅうたいりく【旧大陸】名 구대륙. =旧世界(きゅうせかい). ↔新大陸(しんたいりく).

きゅうだん【球団】名〔野〕구단; 프로야구단. ¶～事務所(じむしょ) 구단 사무소.

きゅうだん【糾弾】《糺弾》名ス他 규탄. ¶～集会(しゅうかい) 규탄 집회/政府(せいふ)を～する 정부를 규탄하다/～の手(て)を緩(ゆる)めない 규탄의 손을 늦추지 않다.

きゅうち【窮地】名 궁지. ¶～に陥(おちい)る 궁지에 빠지다/～を脱(だっ)する 궁지를 벗어나다/～に追(お)い込(こ)む〔追い込(こ)まれる〕궁지에 몰아넣다〔몰리다〕.

きゅうち【旧知】名 구지. =昔(むかし)なじみ. ¶～の間(あいだ)がら 전부터 아는 사이/一見(いっけん), ～のごとし 처음 만났지만 구면과 같다.

きゅうちゃく【吸着】名ス自 흡착; 달라붙음. ¶～性(せい) 흡착성/色素(しきそ)を～する 색소를 흡착하다.

きゅうちゅう【宮中】名 궁중; 궁궐 안. =禁中(きんちゅう)·禁裏(きんり). ¶～に参内(さんだい)する 궁중에 참내하다; 입궐하다.

きゅうちょう【窮鳥】名 궁조; 쫓기어 곤경에 빠진 새.

—, 懐(ふところ)に入(い)る 궁조입회《쫓기는 새가 사람의 품안으로 들어온다는 뜻으로, 도망갈 곳을 잃은 사람이 와서 도움을 청함의 비유》.

きゅうちょう【級長】名 급장; 반장《'学級委員(がっきゅういいん)(=학급 위원)'의 구칭》.

きゅうつい【急追】名ス他 **1** 급추; 도망하는 사람을 급히 쫓음. ¶敵軍(てきぐん)を～する 적군을 급히 추적하다. **2** 추궁. ¶やつぎばやな質問(しつもん)で～する 연이은 질문으로 추궁하다.

きゅうっと 副〈口〉'きゅっと'의 힘줌말.

ぎゅうづめ【ぎゅう詰め】名〈俗〉억지로 마구〔꽉꽉〕쑤셔 넣은 상태. =すし詰(づ)め. ¶～の通勤列車(つうきんれっしゃ) 초만원 통근 열차.

きゅうてい【休廷】名ス自 휴정. ¶～を宣(せん)する 휴정을 선언하다.

きゅうてい【宮廷】名 궁정; 궁궐; 대궐; 궁중.

—ぶんがく【—文学】名 궁정 문학; 궁중 문학.

きゅうてき〔仇敵〕名 구적; 원수. =あだ·かたき·敵(てき). ¶～視(し)する 원수로 여기다/～を倒(たお)す 원수를 쓰러뜨리다.

きゅうてん【急転】名ス自 급전; 급변. ¶情勢(じょうせい)が～する 정세가 급전하다.

—ちょっか【—直下】名ス自 급전직하. ¶事件(じけん)は犯人(はんにん)の自供(じきょう)によって～解決(かいけつ)した 사건은 범인의 자백에 의해 급전직하로 해결되었다.

きゅうでん【宮殿】名 **1** 궁전; 대궐. **2** 신을 모신 사당. =神殿(しんでん).

きゅうでん【急電】名 급전; 지급 전보. =ウナ電(でん).

きゅうでん【休電】名ス自 휴전; 송전을 일시 중단함. ¶～日(び) 휴전일.

きゅうテンポ【急テンポ】名 급템포; 빠른 박자〔진도〕. ¶～で発展(はってん)する 빠른 템포로 발전하다. ▷이 tempo.

きゅうと【旧都】名 구도; 옛 도읍. ¶～京都(きょうと) 구도 京都. ↔新都(しんと).

キュート〔cute〕ダナ 큐트; (젊은 여자가) 날렵하고 귀여운 모양. ¶～なスタイル 큐트한 스타일.

きゅうとう【急騰】名ス自 급등; 폭등. ¶物価(ぶっか)が～した 물가가 급등했다. ↔急落(きゅうらく)·惨落(さんらく).

きゅうとう【給湯】名ス自 급탕; 온수를 공급함. ¶～設備(せつび) 급탕 설비/全館(ぜんかん)に～する 전관에 급탕하다.

きゅうどう【弓道】名 궁도; 궁술. =弓術(きゅうじゅつ).

きゅうどう【求道】名 구도; 진리를 구하여 수행함. ¶～者(しゃ) 구도자/～的(てき)な生活(せいかつ) 구도적인 생활.

きゅうどう【旧道】名 구도; 옛길. ↔新道(しんどう).

ぎゅうとう【牛刀】名 우도; 소 잡는 칼. ¶鶏(にわとり)を割(さ)くに～を用(もち)いる 우도할계; 닭 잡는 데 소 잡는 칼을 쓰다.

ぎゅうどん【牛どん】《牛丼》名 쇠고기 덮밥. =牛飯(ぎゅうめし).

ぎゅうなべ【牛なべ】《牛鍋》名 쇠고기 전골. =すきやき.

きゅうなん【救難】名 구난; 재난을 구함. ¶～信号(しんごう) 구난 신호/難船(なんせん)の～に向(む)かう 난파선을 구조하러 가다.

ぎゅうにく【牛肉】名 우육; 쇠고기.

きゅうにゅう【吸入】名ス他 흡입. **1** 빨아들임. **2** 치료를 위해 물약을 입에 분무하는 일. ¶酸素(さんそ)～ 산소 흡입/～をかける 분무약을 흡입하게 하다.

***ぎゅうにゅう**【牛乳】名 우유. =ミルク. ¶～配達(はいたつ) 우유 배달/生(なま)～ 생우

유 / ～を飲む 우유를 마시다 / ～で育てる 우유로 키우다.

きゅうねん【旧年】 名 구년; 작년《연초에 쓰는 말》. ＝去年. ¶～中は色々お世話になりました 지난해는 여러모로 폐가 많았습니다. ↔新年.

きゅうは【急派】 名ス他 급파; 급히 파견함. ¶援軍〔使者〕を～する 지원군을〔사자를〕 급파하다.

きゅうは【旧派】 名 구파. **1** 옛 유파. **2** (신파 연극에 대해서) 구파 연극《歌舞伎의 일컬음》. ＝旧劇. ⇔新派.

きゅうば【弓馬】 名 궁마. **1** 궁술과 마술; 무예 일반. ¶～の家 무사 집안. **2** 전쟁. ¶～を交える 전쟁을 하다.

きゅうば【急場】 名 절박한 경우. ¶～の間にあわせ (급한 경우의) 임시변통 / ～の処置 응급조치.

—をしのぐ 위기를 넘기다.

—しのぎ 『—凌ぎ』 名 (급한 대로의) 임시변통. ＝一時しのぎ. ¶～の対策 다급한 임시 대책.

ぎゅうば【牛馬】 名 우마; 소와 말. ¶～の如くこき使われる 마소처럼 혹사당하다.

きゅうはいすい【給排水】 名 급배수; 급수와 배수.

きゅうはく【急迫】 名ス自 급박; 절박. ＝切迫. ¶食糧事情が～する 식량 사정이 절박하다 / ～した事態 급박한 사태.

きゅうはく【窮迫】 名ス自 궁박; 몹시 쪼들림; 빈곤이 극심함. ＝窮乏. ¶～した生活 궁박한 생활 / 財政的に～している 재정적으로 궁박하다.

きゅうばく【旧幕】 名 明治 유신 이후에, 江戸幕府의 일컬음《'旧幕府'의 준말》. ¶～時代 旧幕 시대.

きゅうはん【急坂】 名 가파른 언덕.

きゅうはん【旧版】 名 구판. ¶～を改訂する 구판을 개정하다. ↔新版.

きゅうばん【吸盤】 名〔生〕 흡반; 빨판. ¶蛸の足の～が水槽の壁に吸い付く 낙지 발의 빨판이 물탱크 벽에 달라붙다.

きゅうひ【給費】 名ス自 급비; 비용, 특히 학비를 지급함. ¶～生〔制度〕 급비생〔제도〕 / 貧困な学生に～する 빈곤한 학생에게 학비를 지급하다.

キューピー [Kewpie] 名 큐피; 큐피드를 본뜬 눈이 큰 나체 인형《본디, 상표명》. ⇒キューピッド.

キュービズム [cubism] 名〔美〕 큐비즘; 입체파. ＝キュビズム.

きゅうピッチ【急ピッチ】 名ナ 급피치. ¶工事は～で進んでいる 공사는 급피치로 진행되고 있다. ▷pitch.

キューピッド [Cupid, 라 Cupido] 名 큐피드《로마 신화에서 사랑의 신으로 미소년에 비유됨》. ＝エロス.

きゅうびょう【急病】 名 급병; 급환. ¶～にかかる 급병에 걸리다.

きゅうひん【救貧】 名 구빈; 가난한 사람을 구제함. ¶～事業 구빈 사업 / ～法 구빈법.

きゅうびん【急便】 名 지급편; 지급 통신·운송. ＝至急便. ¶品物を～で送る 물건을 지급편으로 보내다.

きゅうふ【休符】 名〔樂〕 ☞きゅうしふ.

きゅうふ【給付】 名ス他 급부. ¶現物～ 현물 급부 / 反対～ 반대 급부.

きゅうブレーキ【急ブレーキ】 名 급브레이크; 급제동. ¶～を掛ける 급브레이크를 밟다. ▷brake.

きゅうぶん【旧聞】 名 구문; 전에 들은 소문. ¶これはもう～に属するが… 이것은 이젠 구문에 속하지만….

きゅうへい【旧弊】 一名 구폐. ¶～を一掃する 구폐를 일소하다. 二ダナ (생각 등이) 고루함; 완고함. ¶老人の～な考え 노인의 고루한 생각 / ～な家庭 완고한 가정.

きゅうへん【急変】 급변. 一名 돌발 사고. ¶～の報に接する 돌발 사고 소식에 접하다 / ～にそなえる 돌발 사고에 대비하다. 二名ス自 갑자기 달라짐. ¶病状が～する 병세가 급변하다.

きゅうぼ【急募】 名ス他 급모. ¶社員を～する 사원을 급모하다.

ぎゅうほ【牛歩】 名 우보; 느린 걸음.

—せんじゅつ【—戦術】 名 지연 전술.

きゅうほう【急報】 名ス他 급보. ¶～を受ける 급보를 받다 / 事件を～する 사건을 급보하다.

きゅうほう【旧法】 名 구법. **1** 폐지된 예전 법령. **2** 낡은 수법. ¶それはすでに～に属する 그것은 이미 낡은 수법에 속한다. ⇔新法.

きゅうぼう【窮乏】 名ス自 궁핍. ¶～生活 궁핍 생활 / ～に耐える 궁핍을 참고 견디다.

きゅうぼん【旧盆】 名 음력 7 월 보름에 행하는 우란분회(盂蘭盆會); 백중맞이.

きゅうみん【休眠】 名ス自 휴면. ¶～期〔会社〕 휴면기〔회사〕 / 工場は～の状態だ 공장은 휴면 상태다.

—こうざ【—口座】 名 휴면 계좌.

きゅうむ【急務】 名 급무; 급선무. ¶刻下〔目下〕の～ 목하의 급(선)무 / 失業対策が今日の～である 실업 대책이 오늘날의 급선무이다.

きゅうめい【救命】 名 구명. ¶～具〔艇〕 구명구〔정〕 / ～ボート 구명 보트.

—どうい【—胴衣】 名 구명 동의. ＝ライフジャケット.

きゅうめい【究明】 名ス他 구명. ¶真相を～する 진상을 구명하다.

きゅうめい【糾明】《糺明》 名ス他 규명. ¶殺人の動機を～する 살인 동기를 규명하다 / 責任〔真相〕を～する 책임〔진상〕을 규명하다.

きゅうめん【球面】 名 구면. ¶～幾何学 구면 기하학 / ～体 구면체 / ～天文学 구면 천문학.

—きょう【—鏡】 名 구면경〔거울〕.

きゅうもん【糾問】《糺問》 名 ス他 규문; (범죄 등을) 날카롭게 따져 물음. ＝糾明. ¶～を受ける 규문을 받다 / 罪状を～する 죄상을 규문하다.

きゅうやくせいしょ【旧約聖書】 名 구약 성서. ↔新約聖書.

きゅうゆ【給油】 名 ス自 급유. ¶～所〔船〕 급유소〔선〕/ 空中～ 공중 급유 / 港で～する 항구에서 급유하다.

きゅうゆう【級友】 名 급우; 반 친구. ＝クラスメート.

きゅうゆう【旧友】 名 구우; 옛 친구. ＝旧知. ¶偶然～に会う 우연히 옛 친구를 만나다 / 町で～と再会する 거리에서 옛 친구와 재회하다.

きゅうよ【窮余】 名 궁여; 궁한 나머지.
—の一策 궁여일책; 궁여지책. ¶～として高利貸しから金を借りた 궁여지책으로 고리대금업자에게 돈을 빌렸다.

きゅうよ【給与】 名 ス他 급여; 급료. ¶～の格付け 급여의 등급 분류 / 今の会社は～が悪い 지금 회사는 급여가 나쁘다 / 奨学金が～される 장학금이 지급되다.

*きゅうよう【急用】 名 급용; 급한 볼일〔용무〕. ¶～が出来た 급한 볼일이 생겼다 / ～で役所に行く 급한 볼일로 관청에 가다.

*きゅうよう【休養】 名 ス自 휴양. ¶～地 휴양지 / ゆっくり～する 느긋하게 휴양하다 / ～を取る 휴양을 취하다.

きゅうらい【旧来】 名 구래. ＝従来. ¶～の陋習 구래의 누습 / ～の殻に閉じこもる 구각(舊殼)에서 탈피하지 못하다.

きゅうらく【及落】 名 급락; 급제와 낙제; 합격과 불합격. ¶～の線上にいる 급락〔커트라인〕 선상에 있다 / ～がきまる 급락이 확정되다.

きゅうらく【急落】 名 ス自 급락. ¶株価が～する 주가가 폭락하다. ↔急騰.

きゅうり『胡瓜』 名 〔植〕 오이.

きゅうりゅう【急流】 名 급류. ¶～にのまれる〔押し流される〕 급류에 휩쓸려 들어가다〔떠내려가다〕.

きゅうりょう【丘陵】 名 구릉; 언덕. ＝丘·小山. ¶～地帯の丘を削って宅地を造る 구릉지대의 언덕을 깎아 택지를 만들다.

*きゅうりょう【給料】 名 급료; 봉급. ＝サラリー. ¶～日 봉급날 / ～取り 월급쟁이 / ～袋 월급 봉투 / ～があがった 급료가 올랐다 / ～がいい 급료가 많다〔괜찮다〕 / ～を払う〔もらう〕 급료를 지급하다〔받다〕.

きゅうれき【旧暦】 名 구력; 음력. ＝旧. ¶～の正月 음력 설. ↔新暦. ⇨右上段 박스記事

きゅうろう〔旧臘〕 名 구랍; 지난해의 섣달; 객랍(客臘)《새해에 쓰는 말》.

きゅっと 副 〈口〉 **1** 힘주어 조르는 모양: 꽉; 꼭. ¶～口をむすぶ 입을 꽉 다물다 / ～胸を締めつけられる 가슴을 꽉 졸리다. **2** (술 따위를) 단숨에 마시는 모양: 쭉. ¶～一杯やる 쭉 한잔 들이켜다.

旧暦 월명(月名) 일람

1월	睦月	7월	文月·ふづき
2월	如月·更衣	8월	葉月
3월	弥生	9월	長月·
4월	卯月	12월	菊月
5월	早月·皐月	10월	神無月
		11월	霜月
		12월	師走·極月
6월	水無月		

ぎゅっと 副 〈口〉 힘주어 조르거나 눌러대는 모양: 꽉; 단단히. ¶なわで～しばる 새끼로 꽉 묶다.

キュリー［프 curie］ 名 〔理〕 퀴리; 방사능의 단위《기호: Ci》.

キュロット［프 culotte］ 名 퀼로트. **1** 기장이 짧은 승마 바지. **2** 'キュロットスカート'의 준말.
—スカート［일 culotte＋skirt］ 名 퀼로트 스커트; 치마 바지. ＝キュロット.

きよ【寄与】 名 ス自 기여; 이바지함. ¶医学の発展に～するところ大である 의학 발전에 기여하는 바 크다.

きょ【居】 名 주거(住居); 거처. ＝住まい. ¶～を定める〔移す〕 거처를 정하다〔옮기다〕 / ～を構える 집을 짓다 / ～を求める 집을 구하다.

きょ【挙】 名 행동; 행위. ¶反撃の～に出る 반격으로 나오다.

きょ【虚】 名 허. **1** 허점. ＝油断. ¶～と実 허와 실 / ～をつく〔つかれる〕 허를 찌르다〔찔리다〕. **2** 공허. ＝空·うつろ. ¶心を～にして聞く 마음을 비우고 듣다. **3** 거짓(말). ＝うそ·いつわり. ¶～か実か 거짓말이냐 참말이냐. ↔実.
—に乗ずる 허를 틈타다.

きょ〖去〗 教3 キョ コ さる いぬ | 거 가다 | **1** 떠나가다; 시간이 지나가다. ¶去年 거년 / 退去 퇴거. ↔来. **2** 멀리하다; 제거하다. ¶去勢 거세 / 除去 제거.

きょ〖巨〗《巨》 常用 キョ コ | 거 크다 | **1** 크다. ¶巨人 거인 / 巨木 거목. **2** 많다. ¶巨万 거만 / 巨額 거액 / 巨富 거부.

きょ〖居〗 教5 キョ コ いる おる | 거 살다 | 앉다; 살다; 사는 곳. ¶居室 거실 / 別居 별거.

きょ〖拒〗《拒》 常用 キョ こばむ ふせぐ | 거 막다 | **1** 막다. ¶拒止 거지. **2** 저항하다; 거절하다. ¶拒絶 거절 / 拒否 거부.

きょ〖拠〗《據》 常用 キョ コ よる よりどころ | 거 의거하다 | 의거하다; 의지할 데. ¶拠点 거점 / 依拠 의거.

きょ〘挙〙(舉) [教4] キョ あげる あげて あがる こぞる

거 들다 **1** 들다. ¶挙手 거수. **2** (눈에 띄게) 행하다. ¶快挙 쾌거. **3** 기용하다. ¶選挙 선거.

きょ〘据〙[常用] キョ すえる すわる | 거 일하다

자리잡(게 하)다; 차려 놓다. ¶据銃 거총 / 据え置き 거치 / 据え付け 설치함. [注意] 주로 훈독함.

きょ〘虚〙(虛) [常用] キョ コ むなしい そら

허 비다 **1** 비다; 비게 하다; 공허. ¶虚無 허무 / 空虚 공허. ↔実. **2** 실속이 없다. ¶虚偽 허위.

きょ〘許〙[教5] キョ ゆるす ばかり もと | 허 허락하다

1 승낙하다. ¶許可 허가 / 特許 특허. **2** 곳; 곁; 옆. ¶父母の許 부모 곁.

きょ〘距〙(距) [常用] キョ へだたる へだてる

거 떨어지다 | 떨어져〔틈이〕 있다. ¶距離 거리 / 測距儀 측거의.

ぎょ〘魚〙[教2] ギョ うお さかな | 어 고기 | 물고기. ¶魚類 어류 / 魚群 어군 / 金魚 금붕어 / 香魚·あゆ 은어.

ぎょ〘御〙(御) [常用] ギョ ゴ おん お み

어 어거하다 | **1** 어거〔조종〕하다. ¶御者 마부 / 制御 제어. **2** 천자에 관한 일의 높임말. ¶崩御 붕어. **3** 존중해야 할 사물에 붙이는 말《공손한 말씨》. ¶御飯 진지 / 御用 용무.

ぎょ〘漁〙[教4] ギョ リョウ すなどる あさる | 어 고기잡다

고기를 잡다; 어로(漁撈)하다; 낚다. ¶漁船 어선 / 漁夫 어부 / 漁獲 어획 / 漁場 어장.

*きよ·い【清い】《浄い·潔い》[形] **1** 맑다. ¶少女の～ひとみ 소녀의 맑은 눈동자 / 目が～ 눈이 맑다. **2** (성품이) 깨끗하다; 청렴 결백하다. ¶～つき合い 깨끗한 교제 / 心の～人 청백한 사람 / ～·き一票 깨끗한 한 표.

ぎょい【御意】[名] **1** 존의(尊意); 귀인의 생각·뜻. ＝おぼしめし·お考え. ¶～次第 뜻대로; 생각하신 대로 / ～にかなう 윗사람의 뜻에 맞다. **2** (윗사람의) 분부; 하명. ＝お指図. ¶～を仰ぐ 분부를 앙청하다 / ～を承る 분부를 받다.

きよう【紀要】[名] 기요; 대학이나 연구소 등에서 정기적으로 내는 간행물.

きよう【起用】[名][ス他] 기용. ＝挙用. ¶新人を主役に～する 신인을 주역으로 기용하다.

*きよう【器用】[ダナ] **1** 재주〔잔재주〕가 있음. ¶手先の～な人 손재주가 있는 사람; 손끝이 야무진 사람. [参考] 名詞적으로 쓰일 때도 있음. ¶～がかえってあだとなる 재주가 도리어 원수가 되다〔파멸을 가져오다〕. **2** 약삭빠르게 처신함; 요령이 좋음. ¶～に世渡りする 약삭빠르게 처세하다 / ～に立ち回る 약삭빠르게 굴다.

—びんぼう【—貧乏】[名ナ] 잔재주가 화가 되어 오히려 대성하지 못함; 또, 그런 사람《'열 두 가지 재주에 저녁거리가 없다' 와 같은 뜻》.

きょう【今日】[名] 오늘. **1 금일. ＝こんにち. ¶～の中に 오늘 중으로 / ～明日のことではありませんが 오늘내일의 문제는 아니지만. ⇨あした·きのう. **2** 같은 날짜〔요일〕; 이날. ¶去年の～ 작년의 오늘. 「의 비유.

—あって明日ない身 인생이 무상함

—か明日か **1** 그날이 오기를 손꼽아 기다리는 모양. ¶～と兄の帰りを待つ 오늘이냐 내일이냐 하고 형이 돌아오기를 기다리다. **2** 그때가 임박한 모양. ¶～の命 오늘내일하는 목숨.

—という— 오늘만(큼)은. ¶～は貸した金を返してもらうぞ 오늘만큼은 빌려 준 돈을 돌려받고야 말겠다.

きょう【京】[名] **1** 서울; 수도. ＝都. ¶～にのぼる 상경하다. **2** '京都' 의 특칭. ¶～の美人 京都 미인. **3** 경; 조(兆)의 만 배. ＝けい.

—の着倒れ 京都 사람은 입는 데 가산을 탕진한다는 말. ⇨大阪.

きょう【凶】[名] 흉함; 불길함. ¶占いは～と出た 점괘가 불길하게 나왔다. ↔吉.

きょう【境】[名] 경. **1** 일정한 장소. ¶無人の～ 무인지경. **2** 마음의 상태. ¶無我の～ 무아지경.

きょう【強】[名] 강. **1** 세력이 강함; 또, 그런 사람. ¶北方の～ 북방의 강자. **2** 음이 셈; 또, 그 부분. ¶音の～と弱を弾き分ける 음의 강약을 분간해서 치다〔타다〕. ⇔弱.

きょう【経】[名] 경; 불경. ¶お～ 불경 / ～を読む〔あげる〕 경을 읽다〔외다〕.

きょう【興】[名] 흥; 흥취; 흥겨움; 재미. ¶～に乗る 흥겨워지다 / ～がつきない 흥이 끊이지 않다 / ～をそそる 흥을 돋우다 / ～をそえる 흥취를 더하다 / ～がわく 흥이〔재미가〕 나다.

—が醒める 흥이 깨지다.

きょう【郷】[一][名] **1** 마을; 촌락; 시골. **2** 고향. ¶～を出てはや十年 고향을 떠난 지 벌써 10년. [二][接尾] …향. ¶理想～ 이상향 / 桃源～ 도원향.

=きょう【強】(수량에서) …강. ¶五百円～ 500 엔 강 / 三キロ～だ 3킬로그램 강이다. ↔弱.

=きょう【狂】…광. ＝マニア. ¶野球〔相撲〕～ 야구〔씨름〕광. 「경.

=きょう［卿］…경. ¶ニュートン～ 뉴턴

きょう〘凶〙[常用] キョウ | 흉 흉하다 | **1** 매우 악하다. ¶凶悪 흉악. [注意] '兇' 의 대용. **2** 불길. ¶吉凶 길흉. ↔吉. **3** 흉년이 들다. ¶凶作 흉작. ↔豊.

きょう〘叫〙常用 キョウ さけぶ | 규 부르짖다 | 부르짖다. ¶絶叫 절규 / 叫喚 규환.

きょう〘共〙教4 キョウ とも | 공 함께 | **1** 같이; 함께. ¶共学 공학 / 共栄 공영. **2** '共産主義'·'共産党'의 준말. ¶反共 반공 / 容共 용공.

きょう〘狂〙常用 キョウ くるう くるおしい | 광 미치다 | **1** 미치다. ¶狂気 광기 / 発狂 발광. **2** 기세가 맹렬하다. ¶狂暴 광포 / 熱狂 열광.

きょう〘京〙教2 キョウ ケイ | 경 서울 | **1** 서울. ¶上京 상경. **2** '東京'의 준말. ¶京浜 東京와 横浜.

きょう〘享〙常用 キョウ うける | 향 드리다 | **1** (공물을) 바치다; 드리다. ¶享宴 향연. **2** 누리다. ¶享有 향유 / 享楽 향락.

きょう〘供〙教6 キョウ ク グ そなえる とも | 공 이바지하다 | **1** (신불에게) 올리다. ¶供米 공미 / 供養 공양. **2** 바치다; 제공하다. ¶供出 공출 / 提供 제공.

きょう〘協〙教4 キョウ かなう | 협 맞다 | **1** 힘을 합하다. ¶協同 협동. **2** 의논하여 일치하다. ¶協商 협상 / 協約 협약.

きょう〘況〙常用 キョウ いわんや まして | 황 모양 | (사물의) 모양; 형편. ¶状況 상황 / 実況 실황 / 盛況 성황.

きょう〘峡〙(峽) 常用 キョウ はざま | 협 골짜기 | (산)골짜기. ¶峡谷 협곡.

きょう〘挟〙(挾) 常用 キョウ はさむ はさまる | 협 끼다 | 끼다. ¶挟撃 협격 / 挟殺 협살.

きょう〘狭〙(狹) 常用 キョウ せまい せばめる せばまる | 협 좁다 | 좁다; 좁히다. ¶狭義 협의 / 偏狭 편협. ↔広.

きょう〘恐〙(恐) 常用 キョウ おそれる おそらく こわい おそろしい | 공 두려워하다 | **1** 무서워하다. ¶恐怖 공포 / 恐水病 공수병. **2** 황송하다. ¶恐縮 공축.

きょう〘恭〙常用 キョウ うやうやしい | 공 공손하다 | 공손하다; 공경하다. ¶恭賀 공하 / 恭敬 공경 / 恭順 공순.

きょう〘胸〙教6 キョウ むね むな | 흉 가슴 | **1** 가슴. ¶胸囲 흉위. **2** 가슴속; 마음속. ¶胸中 흉중 / 度胸 담력.

きょう〘脅〙常用 キョウ おびやかす おどす おどかす | 협 으르다 | **1** 옆구리. **2** 으르다; 위협하다. ¶脅迫 협박 / 脅威 위협.

きょう〘強〙教2 キョウ ゴウ つよまる つよめる しいる つよい こわい | 강 강하다 | **1** 강하다; 세다. ¶強力 강력 / 列強 열강. ↔弱. **2** 강요하다. ¶強制 강제 / 強姦 강간. 参考 '强'는 속자.

きょう〘教〙(敎) 教2 キョウ おしえる おそわる | 교 가르치다 | **1** 가르치다. ¶教育 교육 / 文教 문교. **2** 신불의 가르침. ¶教理 교리 / 宗教 종교 / 邪教 사교.

きょう〘郷〙(鄕) 教6 キョウ ゴウ さと | 향 마을 | **1** 마을; 읍. ¶他郷 타향 / 郷士 향사. **2** 곳; 장소. ¶桃源郷 도원향. **3** 고향. ¶郷里 향리 / 望郷 망향.

きょう〘境〙教5 キョウ ケイ さかい | 경 지경 | **1** 경계. ¶国境 국경 / 境内 경내. **2** ㉠범위. ¶環境 환경. ㉡모양; 상태. ¶心境 심경 / 逆境 역경.

きょう〘橋〙教3 キョウ はし | 교 다리 | 다리. ¶橋梁 교량 / 鉄橋 철교.

きょう〘矯〙常用 キョウ ためる | 교 바로잡다 | 굽은 것을 바로잡다; 사곡(邪曲)을 바로잡다. ¶矯正 교정 / 矯風 교풍.

きょう〘鏡〙教4 キョウ かがみ | 경 거울 | **1** 거울. ¶鏡台 경대. **2** 렌즈로 만든 기구. ¶眼鏡·めがね 안경 / 望遠鏡 망원경.

きょう〘競〙教4 キョウ ケイ きそう せる くらべる | 경 다투다 | 겨루다; 경쟁하다; 다투다. ¶競走 경주 / 競売·せり売り 경매 / 競馬 경마.

きょう〘響〙(響) 常用 キョウ ひびく どよむ | 향 울리다 | **1** 울리다. ¶音響 음향 / 反響 반향. **2** '交響楽団'의 준말. ¶日響 일본 교향악단.

きょう〘驚〙常用 キョウ ケイ おどろく おどろかす | 경 놀라다 | 놀래다; 놀라다. ¶驚異 경이 / 驚愕 경악 / 一驚 일경.

きょう〘経〙☞けい〘経〙

きょう〘興〙☞こう〘興〙

ぎょう【行】名 행. **1** 글자의 가로·세로의 줄. =くだり. ¶~を追って読む 행을 따라서 읽다 / ~を変える 행을 바꾸다. **2** 행서(行書). ¶~の名手 행서의 명수. ↔楷·草.

ぎょう【業】名 업. **1** 학문; 공부. ¶~を修める 수업하다; 학업을 닦다. **2** 생업; 직업. ¶終生の~ 평생의 직업 / 医を~とする 의사를 업으로 삼다.

=ぎょう【行】…행. ¶第一~ 제1행 / 三~削る 3행을 삭제하다.

ぎょう〖仰〗常用 ギョウ コウ ゴウ あおぐ おおせ おっしゃる
앙 우러러보다 | 1 위를 향하다; 우러러보다. ¶仰望(ぎょうぼう) 앙망 / 俯仰(ふぎょう) 부앙. 2 우러러 받들다. ¶信仰(しんこう) 신앙.

ぎょう〖暁〗《曉》常用 ギョウ あかつき | 효 새벽 |
1 새벽녘. ¶暁星(ぎょうせい) 효성. 2 잘 알다; 훤하다. ¶通暁(つうぎょう) 통효.

ぎょう〖業〗教3 ギョウ ゴウ わざ | 업 업 | 업. 1 직업. ¶生業(せいぎょう) 생업. 2 행위. ¶悪業(あくぎょう) 악업 / 自業自得(じごうじとく) 자업자득. 3 일; 근무; 학습. ¶業務(ぎょうむ) 업무 / 卒業(そつぎょう) 졸업.

ぎょう〖凝〗常用 ギョウ こる こらす | 응 엉기다 |
엉기다; 마음이 한곳에 집중되다. ¶凝固(ぎょうこ) 응고 / 凝視(ぎょうし) 응시.

ぎょう〖行〗☞こう〖行〗

きょうあい［狭隘］名ナ 협애. 1 토지 등이 좁음. ¶~な土地(とち) 좁은 땅. 2 도량이 좁음. ¶心(こころ)が~だ 마음이 좁다.

きょうあく【凶悪】《兇悪》名ナ 흉악. ¶~犯人(はんにん) 흉악 범인 / ~な強盗(ごうとう) 흉악한 강도.

きょうあす【今日明日】名 금명일〔간〕; 아주 가까운 장래. ¶~に迫(せま)る 오늘내일로 박두〔임박〕하다 / ~に届(とど)くだろう 금명일간에 배달될 것이다.

きょうあつ【強圧】名ス他 강압. ¶~を加(くわ)える 강압(을 가)하다.
—てき【—的】ダナ 강압적. ¶~態度(たいど) 강압적인 태도.

きょうい【強意】名〘文法〙강의. ¶~の助詞(じょし) 강의의 조사.

きょうい【脅威】名 위협. ¶~を感(かん)ずる 위협을 느끼다 / 戦火(せんか)の~にさらされる 전쟁의 위협 앞에 놓이다.

きょうい【胸囲】名 흉위; 가슴둘레. =バスト·胸回(むねまわ)り. ¶~を測(はか)る 흉위를 재다 / ~が広(ひろ)い 가슴둘레가 크다.

***きょうい**【驚異】名 경이. ¶自然(しぜん)の~ 자연의 경이 / ~の目(め)を見張(みは)る 경이의 눈으로 보다.
—てき【—的】ダナ 경이적. ¶~な新記録(しんきろく) 경이적인 신기록.

****きょういく**【教育】名ス他 1 교육. ¶再(さい)~ 재교육 / ~実習(じっしゅう) 교육 실습 / ~者(しゃ) 교육자 / 義務(ぎむ)~ 의무 교육 / ~を受(う)ける 교육을 받다. 2〈俗〉교양; 학력. ¶~がない 교양〔학력〕이 없다.
—かてい【—課程】名 교육 과정. =カリキュラム.
—かんじ【—漢字】名 교육 한자《일본에서 의무 교육 기간 중에 배워야 하는 한자 1,006 자》. =学習(がくしゅう)漢字.
—てき【—的】ダナ 교육적. ¶~環境(かんきょう)に恵(めぐ)まれる 교육적인 환경이 좋다.
—ママ［ma(m)ma］名 자녀 교육에 극성스러운 어머니《빈정대는 말》.

きょういん【教員】名 교원; 교사. =先生(せんせい)·教師(きょうし). ¶~室(しつ) 교무실 / ~を養成(ようせい)する 교원을 양성하다. 「자격증.
—めんきょじょう【—免許状】名 교사

きょうえい【共栄】名ス自 공영; 함께 번영함. ¶共存(きょうそん)~ 공존공영.

きょうえい【競泳】名ス自 경영; 수영 경기. ¶~種目(しゅもく) 경영 종목.

きょうえき【共益】名 공익; 공동 이익.
—ひ【—費】名 (아파트 따위의) 공익〔관리〕비.

きょうえつ【恐悦·恭悦】名ス自 (남의 경사를) 삼가 기뻐함.

きょうえん【共演】名ス自 공연. ¶三大(さんだい)スターが~する映画(えいが) 삼대 스타가 공연하는 영화.

きょうえん【競演】名ス他 경연. ¶有名(ゆうめい)な楽団(がくだん)が~する 유명한 악단이 경연한다.

きょうえん【供宴】《饗宴》名 향연. 1 주연. ¶~を催(もよお)す 향연을 베풀다. 2 화려한 행사. ¶光(ひかり)と音(おと)の~ 빛과 소리의 향연.

きょうおう【供応】《饗応》名ス他 향응; 음식·술 등의 대접. =接待(せったい). ¶業者(ぎょうしゃ)から~を受(う)ける 업자로부터 향응을 받다.

きょうおんな【京女】名 京都(きょうと)의 여자. ¶あずま男(おとこ)に~ 남자는 関東(かんとう), 여자는 京都(きょうと) 사람이 좋다는 말.

きょうか【供花】名 ☞くげ(供花).

きょうか【強化】名ス他 강화. ¶~米(まい) 강화미 / ~ガラス 강화 유리 / 陣容(じんよう)を~する 진용을 강화하다. ↔弱化(じゃっか).
—しょくひん【—食品】名 강화 식품《비타민·미네랄·단백질 등을 넣어서 영양 가치를 강화한 식품》.

きょうか【教化】名ス他 교화. ¶~活動(かつどう) 교화 활동 / 不良少年(ふりょうしょうねん)を~する 불량소년을 교화하다.

きょうか【教科】名 교과. ¶基礎(きそ)~ 기초 교과 / ~外(がい)活動(かつどう) 과외(課外) 활동.
—かてい【—課程】名 교과 과정. ⇨カリキュラム.
—しょ【—書】名 교과서. ¶国定(こくてい)~ 국정 교과서 / 検定(けんてい)~ 검정 교과서.

きょうか【狂歌】名 풍자와 익살을 주로 한 短歌(たんか)《江戸(えど) 시대 후기에 유행》.

きょうが【恭賀】名 공하; 근하. ¶~新年(しんねん) 공하 신년.

ぎょうが［仰臥］名ス自 앙와; (위를 보고) 반듯이 누움. ¶床(とこ)に~する 침상〔잠자리〕에 반듯이 눕다. ↔伏臥(ふくが).

きょうかい【協会】名 협회. ¶著作家(ちょさくか)~ 저작가 협회.

***きょうかい**【教会】名 교회. ¶~音楽(おんがく) 교회 음악 / 日曜(にちよう)には~に行(い)く 일요일에는 교회에 간다.
—どう【—堂】名 교회당. =教会.

きょうかい【教戒】名ス他 1《教誡》교계; 가르쳐 훈계함. 2《教誨》교회. ¶罪人(ざいにん)を~して真人間(まにんげん)に帰(き)す 죄인을 교회하여 참인간으로 돌아가게 하다.

***きょうかい**【境界】名 (땅의) 경계. =さ

かい·けいかい. ¶～標 경계표 / ～争い 경계 싸움〔분쟁〕/ ～を画する〔定める〕 경계를 긋다〔정하다〕/ ～を設ける 경계를 설정하다.

—せん【—線】图 경계선. ¶～を引く 경계선을 긋다.

きょうがい【境涯】图 경애; 신세《신분·처지 등》. ¶不運の～に生まれる 불운한 신세로〔처지에〕 태어나다.

ぎょうかい【業界】图 업계; 동업자의 사회. ¶～の情報 업계의 정보.

—し【—紙】图 업계지; 동업자 신문.

ぎょうがえ【行替え】图 행을 바꿈.

きょうかく［俠客］图 협객. ＝男だて. ¶～肌の男 협객 기질이 있는 남자.

きょうかく【胸郭】《胸廓》图 흉곽. ¶～呼吸 흉곽 호흡 / しっかりと広い～ 실팍하고 넓은 흉곽.

きょうがく【共学】图자自 공학. ¶男女～ 남녀 공학.

きょうがく［驚愕］图자自 경악. ¶～に耐えない 경악을 금치 못하다 / 急死の報に～した 급사의 소식에 경악했다.

ぎょうかく【仰角】图〔數〕앙각; 올려본 각. ↔俯角.

ぎょうかく【行革】图 '行政改革(＝행정 개혁)'의 준말.

きょうかたびら【経かたびら】《経帷子》图 (불교식 장례에서) 흰 수의(壽衣)《삼베·무명·종이 따위로 만들어 경문 등을 씀》. ＝経衣.

きょうかつ【恐喝·脅喝】图자他 공갈. ＝おどし·ゆすり. ¶～罪 공갈죄 / 金を目当てに人を～する 돈을 목적으로 사람을 공갈하다.

きょうが-る【興がる】5自 〈老〉 흥겨워〔재미있어〕 하다. ＝おもしろがる. ¶つまらない話を～·って聞きいる 시시한 이야기를 흥미 있게 귀여겨듣다.

きょうかん【凶漢】《兇漢》图 흉한. ¶～に襲われる 흉한에게 습격당하다.

***きょうかん**【共感】图자自 공감. ¶～を呼ぶ 공감을 불러일으키다 / ～を覚える〔与える〕 공감을 느끼다〔주다〕.

きょうかん【叫喚】图자自 규환; 큰 소리로 부르짖음. ¶阿鼻～ 아비규환 / ～のちまた (처참한 사건이 발생하여) 울부짖고 있는 곳.

きょうかん【教官】图 교관; 국·공립 학교·대학·연구소 등에서 교육·연구 등에 종사하는 공무원. ¶体育の～ 체육 교사 / 大学の～を務める 대학 교수로 근무하다.

ぎょうかん【行間】图 행간; 글의 행과 행 사이. ¶～からうかがわれる 글의 숨은 뜻이 엿보이다 / ～ににじみ出る 글의 참뜻이 자연히 드러나다.

—を読む 행간을 읽다; 글 속에 숨은 (필자의) 참뜻을 알아내다.

きょうき【凶器】《兇器》图 흉기. ¶今や～と化した自動車 이제는 흉기로 화해버린 자동차 / ～を所持したかどで逮捕された 흉기를 소지한 혐의로 체포되었다.

きょうき【驚喜】图자自 경희; 뜻밖의 좋은 일에 몹시 놀라고 기뻐함; 또, 그 기쁨. ¶入選の知らせに～する 입선 통지에 몹시 놀라고 기뻐하다.

きょうき【狂喜】图자自 광희; 몹시〔미칠 듯이〕 기뻐함. ¶～して迎える 몹시 기뻐하며 맞이하다 / 勝報に～する 승전보에 미칠 듯이 기뻐하다.

きょうき【狂気】图 광기; 미침; 또, 미친 듯한 기미. ¶～のさた 미친 짓 / ～のように暴れる 미친 듯이 날뛰다. ↔正気.

—じ-みる〖—染みる〗上1自 미친 듯하다; 미치광이처럼 보이다. ¶～·みた振る舞い 미치광이 같은 짓.

きょうき［俠気］图 협기; 호협한 기상. ＝男気. ¶～のある男 협기 있는 사나이 / ～に富む 의협심이 많다.

きょうき【狭軌】图 협궤《철도 레일 사이의 폭이 1.435m 이하인 궤도》. ¶～鉄道 협궤 철도. 参考 新幹線 이외의 철도는 대개 협궤임. ↔広軌.

きょうぎ【協議】图자他 협의. ¶十分～の上できめる 충분히 협의한 다음 결정하다 / ～に入る〔臨む〕 협의에 들어가다〔임하다〕/ 労使～を煮詰める 노사 협의를 합의에 접근시키다.

—りこん【—離婚】图 협의 이혼.

きょうぎ【教義】图 교의. ＝教理. ¶キリスト教の～ 기독교의 교의 / ～に反する行い 교의에 어긋나는 행위.

きょうぎ【狭義】图 협의. ¶～に解する 협의로 해석하다. ↔広義.

⁂**きょうぎ**【競技】图자自 경기. ¶トラック～ 트랙 경기 / 陸上～の花であるマラソン 육상 경기의 꽃인 마라톤 / ～に勝つ 경기에 이기다.

—じょう【—場】图 경기장. ＝スタジアム.

きょうぎ【経木】图 무늬목; 종이처럼 얇게 깎은 나무《경문을 적는 데 썼으나 나중에는 물건을 싸는 데도 쓰게 됨》. ¶団子を～に包む 경단을 얇은 무늬목에 싸다.

⁂**ぎょうぎ**【行儀】图 **1** 예의범절; 예절; 행동거지. ¶～見習い 예의범절을 배움 / ～がよい 예절이 바르다. **2** 순서. ¶～の悪い歯 (치열이) 고르지 못한 치아 / ～よく並ぶ 똑바로 늘어서다.

—さほう【—作法】图 예의범절.

—ただし-い【—正しい】形 예절 바르다.

—づよ-い【—強い】图 예절을 잘 지키다; 행실이 바르다.

きょうきゃく【橋脚】图 교각; 다리 기둥.

⁂**きょうきゅう**【供給】图자他 공급. ¶～源 공급원 / 食糧の～を受ける 식량 공급을 받다 / 需要が～を上回る 수요가 공급을 웃돌다. ↔需要.

きょうぎゅうびょう【狂牛病】图 광우병; 소의 뇌가 해면 모양으로 침식되며 죽는 병.

ぎょうぎょうし-い【仰仰しい】形 보기에 과장되다; 허세가 심하다; 야단스럽다. ¶~事を言う 허풍을 떨다 / ~いでたちで登場する 요란스러운 차림을 하고 등장하다 / ~·く騒ぎ立てる 호들갑스럽게 떠들어대다 / まあ~, そればかりのけがを 어머나, 엄살도 대단하네, 그까짓 상처를 가지고.

きょうきん【胸襟】名 흉금; 가슴속.
──を開く 흉금〔마음속〕을 터놓다. ¶若い人と胸襟を開いて談ずる 젊은이와 흉금을 터놓고 대화하다.

きょうく〔恐懼〕名ス自 공구; 몹시 두려워 삼감. ¶~身のおく所を知らず 황공하여 몸 둘 바를 모르다.

きょうく【教区】名〔宗〕교구. ¶~牧師 교구 목사.

きょうく【狂句】名 **1** 익살맞은 俳句 또는 俳句 형식의 재담《江戸 시대 후기에 성함》. **2** ☞せんりゅう(川柳).

***きょうぐう**【境遇】名 경우; 처지; 형편; 환경. ＝身の上·巡り合わせ·境涯. ¶気の毒な~にいる 딱한 처지에 놓여 있다 / 今の~ではそんな物は買えない 지금 처지로는 그런 물건은 살 수 없다.

きょうくん【教訓】名ス他 교훈. ¶~的 교훈적 / ~をたれる 교훈을 내리다 / 親の~を守る 부모의 교훈을 지키다.

きょうげき【京劇】名 경극《중국의 고전극》. 注意 'けいげき' 라고도 함.

きょうげき【挟撃】名ス他 협격; 협공. ＝はさみうち. ¶~作戦 협공 작전 / 前後から~する 앞뒤에서 협공하다.

きょうけつ【供血】名ス自 헌혈; 피를 제공함. ¶恩師のために~する 은사를 위해 헌혈하다.

ぎょうけつ【凝血】名ス自 응혈; 피가 엉김; 엉긴 피.

ぎょうけつ【凝結】名ス自 응결; 엉김. ¶~点 응결점 / 水蒸気が~する 수증기가 응결하다.

きょうけん【強健】名ナ 강건. ＝壮健. ¶~な身体 강건한 신체 / 老いてなお~を誇る 늙어서도 아직 강건함을 자랑하다. ↔病弱·虚弱.

きょうけん【強権】名 강권. ¶軍の~によって抑圧された 군의 강권에 의해 억압되었다.
──はつどう【──発動】名 강권 발동.

きょうけん【強肩】名〔野〕강견; 튼튼한 어깨. ¶~投手〔野手〕강견 투수〔야수〕/ ~を誇るキャッチャー 강견을 자랑하는 캐처.

きょうけん【教権】名 교권. ¶~主義 교권주의 / ローマ教会の~ 로마교회의 교권.

きょうけん【狂犬】名 광견; 미친개.
──びょう【──病】名 광견병.

きょうげん【狂言】名 **1** 能楽의 막간에 상연하는 희극《室町 시대에 발달》. ＝能狂言. **2** 歌舞伎 연극의 줄거리〔각본〕. **3** 거짓; 조작; 위장. ¶~自殺 자살극 / ~強盗 위장 강도(극).

きょうこ【強固】《鞏固》ダナ 공고; 굳음. ¶~な意志 공고한 의지 / ~に反対する 강경하게 반대하다 / 地歩を~にする 지위를〔입장을〕공고히 하다.

きょうご【教護】名ス他 교호; (어린이·불량아를) 교육하고 보호함.
──いん【──院】名 교호원; 소년원.

ぎょうこ【凝固】名ス自 응고; 엉겨 굳어짐. ¶~剤 응고제 / 血液が~する 혈액이 응고하다. ↔融解.
──てん【──点】名 응고점. ¶~降下 응고점 강하. ↔融解点.

きょうこう【凶行】《兇行》名 흉행; (살인 등의) 끔찍스런 행위. ¶逆上して~に及ぶ (순간적으로) 격분하여〔욱하여〕흉행을 저지르기에 이르다.

きょうこう【強行】名ス他 강행. ＝断行. ¶農地改革を~する 농지 개혁을 강행하다 / 反対をおしきって~する 반대를 무릅쓰고 강행하다.
──さいけつ【──採決】名 강행 채결. ¶法案を~する 법안을 강행 채결하다.

きょうこう【強攻】名ス他 강공; 무리하게 공격함. ¶~突破 강공 돌파.
──さく【──策】名 강공책. ¶~をとる 강공책을 취하다.

きょうこう【恐慌】名 공황. **1** 두려워 당황함. ¶とつぜん試験をするというので~をきたした 돌연 시험을 치른다고 해서 당황했다. **2**〔經〕경제 공황. ＝パニック. ¶金融~ 금융 공황 / 経済界の~ 경제계의 공황.

きょうこう【教皇】名 교황. ＝法王. ¶~庁 교황청.

きょうこう【強硬】ダナ 강경. ¶~な反対論 강경한 반대론 / ~にいいはる 강경히 주장하다 / ~意見を抑える 강경한 의견을 억누르다.

きょうごう【強豪】《強剛》名 강호. ¶~にぶつかる 강호와 부딪치다〔맞붙다〕/ ~同士の対戦 강호끼리의 대전.

きょうごう〔校合〕名ス他 교합. ¶異本を~して決定版をつくる 이본과 교합하여 결정판을 만들다.

きょうごう【競合】名ス自 경합. **1** 서로 다툼. ＝せりあい. ¶他社と~する商品 타사와 경합하는 상품. **2** 상황이 서로 얽힘. ¶~犯 경합범 / 事情が~する 사정이 경합하다.

ぎょうこう〔僥倖〕《僥幸》名 요행. ＝こぼれざいわい·まぐれあたり. ¶~に頼る 요행을 믿다 / ~を願う 요행을 바라다 / ~にめぐりあう〔恵まれる〕요행을 만나다.

ぎょうこう【行幸】名ス自 행행; 天皇의 행차. ＝みゆき. ↔還幸.

きょうこうぐん【強行軍】名 강행군. ¶~で仕上げる 강행군으로 끝내다.

きょうこく【峡谷】名 협곡.

きょうこく【強国】名 강국. ¶経済~

경제 강국. ↔弱国(じゃっこく).

きょうこのごろ【今日このごろ】《今日此の頃》名 요즘; 작금(昨今). ＝近(ちか)ごろ. ¶～の流行(りゅうこう) 요즘의 유행.

きょうさ【教唆】名ス他 교사. ¶～犯(はん) 교사범/～扇動(せんどう) 교사 선동/～罪(ざい) 교사죄/殺人(さつじん)～ 살인 교사..

きょうさい【共済】名 공제; 힘을 합하여 서로 도움. ¶～年金(ねんきん) 공제 연금.

—くみあい【—組合】名 공제 조합.

きょうさい【共催】名ス他 '共同主催(きょうどうしゅさい)'의 준말. ¶外務省(がいむしょう)·東京都(とうきょうと)～の研究会(けんきゅうかい) 외무성·東京都가 공동 주최하는 연구회. ↔主催(しゅさい).

きょうさい【恐妻】名 〈俗〉 공처.

—か【—家】名 공처가.

きょうさく【凶作】名 흉작. ＝不作(ふさく). ¶～の年(とし) 흉작의 해; 흉년/ことしは～だ 금년은 흉작이다/十年来(じゅうねんらい)の～に見舞(みま)われる 십 년 만의 흉작을 만나다. ↔豊作(ほうさく).

きょうさく【競作】名ス他 경작; (작품 등을) 경쟁하여 만듦. ¶新進作家(しんしんさっか)の～ 신진 작가의 경작.

きょうさつ【挟殺】名ス他〔野〕 협살. ¶三本間(さんぽんかん)で～される 삼루와 본루 사이에서 협살되다.

きょうざつ [夾雑] 名 협잡; 쓸데없는 것이 뒤섞임.

—ぶつ[—物] 名 협잡물; 불순물. ＝まじり物(もの).

きょうざまし【興ざまし】《興醒まし》名 파흥; 흥을 깨뜨리는 일; 흥이 깨어짐. ＝興(きょう)ざめ. ¶～の冗談(じょうだん) 흥을 깨는 농담/わるふざけはかえって～だ 지나친 농은 도리어 흥을 깨뜨린다.

きょうざめ【興ざめ】《興醒め·興冷め》名ナ ス自 파흥; 흥이 깨어짐. ＝興(きょう)ざまし. ¶せっかくの余興(よきょう)もあれじゃ～だ 모처럼의 여흥도 저러면 흥이 깨진다/実物(じつぶつ)を見(み)て～した 실물을 보고 기분이 잡쳤다.

—がお【—顔】名 흥이 깨진 표정; 기분을 잡친 표정. ¶呆(あき)れて～になる 어이가 없어 흥이 깨진 표정이 되다.

きょうざ-める【興ざめる】《興醒める·興冷める》下1自 흥이 깨지다; 기분 잡치다; 흥미를 잃다. ¶～·めた顔(かお)つき 기분 잡친 표정/～·めてみんな帰(かえ)ってしまった 흥이 깨져 모두 돌아가 버렸다/話(はなし)の腰(こし)を折(お)られて～ 말허리를 꺾이어 기분을 잡치다.

きょうさん【共産】名 공산. **1** 재산을 공유함. **2** '共産主義(しゅぎ)' '共産党(とう)'의 준말. ¶～圏(けん) 공산권.

—しゅぎ【—主義】名 공산주의. ＝コミュニズム.

—とう【—党】名 공산당.

きょうさん【協賛】名ス自 협찬; (계획의 취지에) 찬성하여 조력함. ¶～会(かい) 협찬회/ 新聞社(しんぶんしゃ)の～を得(え)る 신문사의 협찬을 얻다.

ぎょうさん〖仰山〗副ダナ **1**〈関西方〉 수량이 대단히 많은 모양. ＝たくさん·どっさり. ¶金(かね)を～に使(つか)う 돈을 마구 쓰다/～な紙(かみ)くずの山(やま) 엄청난 휴지 더미/花(はな)が～咲(さ)いた 꽃이 흐드러지게 피었다. **2** 과장하는 모양. ＝大(おお)げさ. ¶～な身(み)ぶり 과장된 몸짓 / ～に言(い)う 과장해서 말하다. 注意 '仰山'이라 씀은 취음(取音).

*__きょうし__【教師】名 교사. ＝先生(せんせい)·教員(きょういん). ¶家庭(かてい)～ 가정교사/人生(じんせい)の～ 인생의 스승.

きょうし【狂死】名ス自 광사; 미쳐서 죽음. ＝狂(くる)いじに. ¶ショックをうけて～する 충격을 받고 미쳐서 죽다.

きょうじ【凶事】名 흉사; 불길한 일. ＝わざわい. ¶～のしらせを聞(き)いて驚(おどろ)く 흉보를 듣고 놀라다. ↔吉事(きちじ).

きょうじ【教示】名ス他 교시. ＝示教(しきょう). ¶～を仰(あお)ぐ 교시를 바라다/計測法(けいそくほう)を～する 계측법을 교시하다/ご～にあずかる 교시를 받다. 注意 'きょうし'라고도 함.

きょうじ [矜持·矜恃] 名 긍지; 자부. ＝ほこり·プライド. ¶大国民(だいこくみん)としての～を持(も)つ 대국민으로서의 긍지를 갖다. 注意 'きんじ'는 관용음.

ぎょうし【凝視】名ス他 응시. ¶相手(あいて)を～する 상대를 응시하다.

*__ぎょうじ__【行事】名 **1** 행사. ¶年中(ねんじゅう)～ 연중 행사/今月(こんげつ)の～ 이달의 행사/学校(がっこう)～ 학교 행사. **2** 일을 집행함; 또, 그 사람. ¶月(つき)～ 매월 교대로 (노동) 조합·동내의 일 등을 보는 사람.

ぎょうじ【行司】名 씨름판의 심판원. ¶立(た)て～ (씨름판의) 최고위급 行司/～だまり 씨름 심판 대기소.

きょうしきこきゅう【胸式呼吸】名 흉식 호흡; 가슴 숨쉬기. ↔腹式(ふくしき)呼吸.

きょうしきょく【狂詩曲】名〔樂〕 광시곡. ☞ラプソディー. ¶ハンガリー～ 헝가리 광시곡.

*__きょうしつ__【教室】名 **1** 교실. ¶青空(あおぞら)～ 노천 교실/五年(ごねん)三組(さんくみ)の～ 5학년 3반 교실. **2** 대학 연구실. ¶物理学(ぶつりがく)～ 물리학 연구실. **3** 강습(회). ¶民謡(みんよう)〔生(い)け花(ばな)〕～ 민요〔꽃꽂이〕 강습회〔교실〕/～を開(ひら)く 강습회를 열다.

きょうしゃ【強者】名 강자. ¶～の雅量(がりょう) 강자의 아량. ↔弱者(じゃくしゃ).

きょうしゃ【香車】名 일본 장기 말의 하나《곧바로 앞으로 나아가기만 함》. ＝香(きょう)·きょうす·やり.

きょうしゃ [驕奢] 名ナ 교사; 호사함; 사치함. ＝ぜいたく·おごり. ¶～な生活(せいかつ) 사치한 생활/～をきわめる 온갖 사치를 다하다; 호사를 극하다.

きょうじや【経師屋】名 표구사; 표구점. ＝表具師(ひょうぐし)·表具屋(や).

ぎょうしゃ【業者】名 업자. **1** 사업자. ¶輸出(ゆしゅつ)～ 수출업자/出入(でい)り(の)～ 출입(하는) 업자. **2** 동업자. ¶～間(かん)の話合(はなしあ)い 업자간의 담합〔상담〕.

ぎょうじゃ【行者】名 **1** 행자; 불도를

닦는 사람. **2** '修験道'의 수도자.

きょうじゃく【強弱】图 강약. ¶~をつける 강약의 리듬을 붙이다/最後は体力の~が物を言う 최후에는 체력의 강약이 좌우한다.

きょうしゅ［拱手］图ス自 공수; (팔짱을 끼고) 아무것도 아니함. 注意 'こうしゅ'는 관용음.

—**ぼうかん**［—傍観］图ス他 공수〔수〕방관.

きょうしゅ【教主】图 교주. =教祖.

きょうしゅ【興趣】图 흥취. ¶~をそそる 흥취를 자아내다/~に乏しい 흥취가 없다/つきない~ 다할 줄 모르는 흥취/一段と~が募る〔高まる〕 한층 흥취가 더해지다〔고조되다〕.

きょうじゅ【享受】图ス他 향수; 받아들여 누림; 향유. ¶楽しみを~する 즐거움을 누리다/文化生活を~する 문화생활을 향유하다.

*__きょうじゅ__【教授】㊀图ス他 학문·기예를 가르침; 또 가르치는 사람. ¶生花の~ 꽃꽂이 선생〔강사〕; 꽃꽂이 강습/ご~ください 가르쳐 주십시오/~を受ける 교수를〔강습을〕 받다.
㊁图 (대학) 교수. ¶~会 교수회/名誉~ 명예 교수.

ぎょうしゅ【業主】图 업주; 사업주; 영업주. ¶~の横暴 업주의 횡포.

ぎょうしゅ【業種】图 업종. ¶~別の組合 업종별 조합/世の中にはさまざまな~がある 세상에는 갖가지 업종이 있다.

きょうしゅう【強襲】图ス他 강습. ¶~のヒット 강습 안타/敵陣を~する 적진을 강습하다.

きょうしゅう【教習】图ス他 교습.

—**じょ**【—所】图 교습소. ¶自動車~ 자동차 교습소.

きょうしゅう【郷愁】图 향수. =ノスタルジア. ¶~を感ずる〔覚える〕 향수를 느끼다/~を誘う夕焼け 향수를 불러일으키는 저녁놀.

ぎょうしゅう【凝集】图ス自他 응집; 엉기어 모임. ¶~力 응집력/勢力を~する 세력을 응집〔결집〕시키다.

ぎょうじゅうざが［行住坐臥］㊀图 행주좌와; 일상의 기거동작. ㊁副 일상; 늘; 항상. ¶~故郷を思う 앉으나 서나 고향을 생각하다.

*__きょうしゅく__【恐縮】图ス自 공축; 남의 후의(厚意)나, 끼친 폐에 대해 죄송스럽게 여김. ¶これは~の至りです 이거 황송하기 이를 데 없습니다/~ですが 죄송합니다만《부탁할 때 하는 말》/お手数をかけまして, ~です 폐를 끼쳐서 죄송합니다/お心づかい~に存じます 심려해 주셔서 (정말) 송구스럽게 생각합니다.

ぎょうしゅく【凝縮】图ス自 응축. **1** 엉기어 줄어 듦. ¶考えが~する 생각이 응축하다. **2**〘理〙 응결. =凝結.

きょうしゅつ【供出】图ス他 공출; 의무적으로 농산물을 정부에 팖. ¶~米 공출미/麦を~する 보리를 공출하다.

きょうじゅつ【供述】图ス他 공술; 진술. =口供·申し立て. ¶~書 진술서/自己に不利な~をする 자기에게 불리한 진술을 하다.

—**きょひけん**【—拒否権】图 진술 거부권; 묵비권.

きょうしょ【教書】图 (대통령의) 교서. ¶年頭~ 연두 교서.

きょうじょ【共助】图 공조; 서로 도움. =互助.

ぎょうしょ【行書】图 행서; 한자 서체의 하나. ⇒楷書·草書.

きょうしょう【協商】图ス自 협상. ¶三国~ 삼국 협상.

きょうしょう【狭小】图ナ 협소. ¶~な国土 협소한 국토/~な度量 좁은 도량. ↔広大.

きょうしょう【強将】图 강장; 강한 장수. ↔弱将.

—**の下に弱卒無し** 강장지하 무약졸.

きょうじょう【教場】图 교장; 교실. ¶分~ 분교장/~が狭い 교장이 좁다.

きょうじょう【教条】图 교조; 교회가 공인한 교의(教義). =ドグマ.

—**しゅぎ**【—主義】图 교조주의《dogmatism의 역어》. ↔修正主義.

ぎょうしょう【行商】图ス他 행상; 도붓장사〔장수〕. =旅あきない. ¶~に出掛ける 행상에 나가다/朝の汽車は~人で混む 아침 기차는 행상인으로 붐빈다.

ぎょうじょう【行状】图 **1** 행상; 품행; 행적; 몸가짐. =身持ち. ¶~を慎む 몸가짐을 삼가다. **2** 행장; 죽은 사람의 평생 경력을 쓴 기록. ¶彼の~には非難すべき点がない 그의 행적에는 비난할 만한 점이 없다.

きょうじょうもち【凶状持ち】图 전과〔범죄〕자.

きょうしょく【教職】图 교직. ¶~課程 교직 과정/~にある身 교직에 있는 몸/~に就く 교직자가 되다.

—**いん**【—員】图 교직원. ¶~会 교직원회/~組合 교직원 조합.

きょう-じる【興じる】上1自 ☞きょうずる.

きょうしん【強震】图 강진; (진도 5도의) 강한 지진《구용어》.

きょうしん【狂信】图ス他 광신.

—**てき**【—的】ダナ 광신적. ¶~な態度 광신적인 태도.

きょうじん【凶刃】《兇刃》图 흉인; 살인에 쓰는〔씌어진〕 칼. =毒刃. ¶~に倒れる 악한의 칼에 쓰러지다.

きょうじん［強靭］图ダナ 강인. ¶~なからだ〔精神〕 강인한 몸〔정신〕/~な態度 강인한〔끈덕진〕 태도.

きょうじん【狂人】图 광인; 미치광이. ¶~のうわごと 정신 이상자의 잠꼬대/~扱い 정신 이상자 취급.

きょうしんかい【共進会】图 공진회《품평회와 전람회를 절충한 것》. 注意 '競進会'로도 씀.

きょうしんざい【強心剤】图 강심제. ¶

～をうつ〔注射(ちゅうしゃ)する〕 강심제를 놓다〔주사하다〕/～を飲(の)む 강심제를 먹다.

きょうしんしょう【狭心症】图 협심증.

ぎょうずい【行水】图ス自 **1** 목욕재계. ＝潔斎(けっさい). **2** (데운) 물을 부은 큰 물통에 들어가 몸의 땀을 씻음; 목물. ¶からすの～ 까마귀 미역감기《목욕통에 들어갔다가는 곧 나오는 목욕》/～をつかう 목물하다.

きょうすいびょう【恐水病】图 공수병. ☞きょうけんびょう.

きょう-する【供する】サ変他 **1** 제공하다. ㉠대접하다. ＝さし出(だ)す. ¶客(きゃく)に茶菓(さか)を～ 손님에게 다과를 대접하다/ご覧(らん)に～ 보여 드리다. ㉡내놓다. ¶財産(ざいさん)を貧民救済(ひんみんきゅうさい)に～ 재산을 빈민구제에 내놓다. **2** 이바지하(게 하)다. ＝役立(やくだ)てる. ¶将来(しょうらい)の参考(さんこう)に～ 장래의 참고에 도움이 되게 하다/閲覧(えつらん)に～ 열람토록 하다.

きょう-ずる【興ずる】サ変自 흥겨워하다. ¶舞(まい)に～ 춤에 흥겨워하다/笑(わら)い～ 웃으며 흥겨워하다.

きょうせい【共生】《共棲》图ス自 공생; 공서(共棲). ¶～動物(どうぶつ)〔植物(しょくぶつ)〕 공생동물〔식물〕. ⇨寄生(きせい).

***きょうせい**【矯正】图ス他 교정; (결점을) 고침; 바로잡음. ¶歯列(しれつ)〔歯並(はなら)び〕を～する 치열을 교정하다/性格(せいかく)を～する 성격을 바로잡다.

—しりょく【—視力】图 교정시력. ↔裸眼(らがん)視力.

—ほご【—保護】图 교정 보호; 범죄자의 갱생을 위해 행해지는 처우.

きょうせい［嬌声］图 교성; 교태 부리는 소리. ¶～をあげる 교성을 지르다.

***きょうせい**【強制】图ス他 강제. ¶～労働(ろうどう)〔隔離(かくり)〕 강제 노동〔격리〕/～執行(しっこう)〔捜査(そうさ)〕 강제 집행〔수사〕/参加(さんか)を～する 참가를 강제하다/立(た)ち退(の)きを～する 강제로 퇴거시키다.

—しょぶん【—処分】图ス他 강제 처분. ¶～を取(と)り消(け)す 강제 처분을 취소하다.

—そうかん【—送還】图ス他 강제 송환. ¶密入国者(みつにゅうこくしゃ)を～する 밀입국자를 강제 송환하다.

きょうせい【強請】图ス他 강청; 무리하게 청함; 지싯거림. ＝ゆすり·ごうせい. ¶寄付(きふ)の～ 기부의 강청.

きょうせい【教生】图 교생; 교육 실습생.

***ぎょうせい**【行政】图 행정. ¶～学(がく) 행정학/～改革(かいかく) 행정 개혁/～手続(てつづ)き 행정 절차/彼(かれ)は～手腕(しゅわん)がある 그는 행정 수완이 있다. ↔立法(りっぽう)·司法(しほう).

—かんちょう【—官庁】图 행정 관청.

—きかん【—機関】图 행정 기관.

—きょうてい【—協定】图 행정 협정. ¶～を結(むす)ぶ 행정 협정을 맺다.

—しょぶん【—処分】图 행정 처분.

—そしょう【—訴訟】图 행정 소송. ¶～を起(お)こす 행정 소송을 제기하다.

—めいれい【—命令】图 행정 명령.

ぎょうせき【行跡】图 행적; 몸가짐; 품행. ＝行状(ぎょうじょう). ¶不(ふ)～ 품행이 좋지 못함/日(ひ)ごろの～をつつしむ 평상시의 몸가짐을 삼가다.

***ぎょうせき**【業績】图 업적. ¶～不良(ふりょう) 업적 불량/～が上(あ)がる〔伸(の)びる〕 업적이 오르다〔향상되다〕/新製品開発(しんせいひんかいはつ)で～をあげる 신제품 개발로 업적을 올리다.

—そうば【—相場】图 업적〔실적〕 시세.

ぎょうぜん【凝然】トタル 꼼짝 않고 있는 모양. ＝ぎょうねん. ¶～と見(み)つめる 꼼짝 않고 응시하다/～と立(た)ちつくす 꼼짝 않고 서 있다.

きょうそ【教祖】图 **1** 교조; 종조(宗祖). ＝教主(きょうしゅ). **2** 비유적으로, 새로운 운동의 리더. ¶アングラ劇(げき)の～ 언더그라운드 연극의 리더.

きょうそう【強壮】名ナ 강장; 강건. ＝壮健(そうけん). ¶～剤(ざい) 강장제/～な体格(たいかく) 강건한 체격. ↔虚弱(きょじゃく).

きょうそう【狂騒】《狂躁》图 광조; 미친 듯 떠들어댐. ¶～なジャズ音楽(おんがく) 몹시 시끄러운 재즈 음악.

きょうそう［競漕］图ス自 경조; 조정(漕艇) (경기). ＝レガッタ·ボートレース. ¶～用(よう)短艇(たんてい) 경조용 보트/三隻(さんせき)で～する 세 척이 경조하다.

****きょうそう**【競争】图ス自他 경쟁. ＝せりあい. ¶～相手(あいて) 경쟁 상대/生存(せいぞん)～ 생존 경쟁/～に暮(く)れる 경쟁으로 지새우다/～が激(はげ)しい 경쟁이 심하다.

—けいやく【—契約】图 경쟁 계약. ↔随意(ずいい)契約.

—しん【—心】图 경쟁심. ¶～をあおる 경쟁심을 부채질하다.

きょうそう【競走】图ス自 경주. ＝かけくらべ·かけっこ. ¶障害物(しょうがいぶつ)～ 장애물 경주/自動車(じどうしゃ)～ 자동차 경주.

—ば【—馬】图 경주마《경주용으로 개량한 말》. ＝競馬馬(けいばうま).

きょうぞう【胸像】图 흉상. ＝バスト. ¶創立者(そうりつしゃ)の～ 창립자의 흉상.

ぎょうそう【形相】图 형상; (무서운) 안색; 얼굴 표정. ¶ものすごい〔すさまじい〕～ 무시무시한 형상/うらみの～ 앙심 품은 표정. 参考 무섭거나 오싹한 느낌이 드는 경우에 씀.

きょうそうきょく【狂想曲】图〔樂〕 광상곡. ＝カプリ(ッ)チオ.

きょうそうきょく【協奏曲】图〔樂〕 협주곡. ＝コンチェルト. ¶ピアノ～ 피아노 협주곡.

きょうそく【教則】图 교칙.

—ぼん【—本】图 교칙본. ¶バイエル～ 바이어 교칙본.

きょうそく［脇息］图 사방침(四方枕); 궤상(几床). ＝ひじかけ.

きょうぞく【凶賊】《兇賊》图 흉적; 흉악한 도적. ＝凶漢(きょうかん).

きょうぞめ【京染め】图 京都(きょうと)에서

행해지는 염색법; 또, 京都식으로 염색한 직물의 총칭. ↔江戸染め.

きょうそん【共存】图 자自 공존. ¶平和～ 평화 공존/～共栄 공존공영. 注意 'きょうぞん'이라고도 함.

きょうだ【強打】图 자他 강타. ¶～者 강타자/ころんで頭を～した 넘어져서 머리를 세게 부딪쳤다.

きょうたい[嬌態]图 교태; 아양. ¶～を見せて男を誘う 교태를 부려 남자를 꼬시다.

きょうたい【狂態】图 광태. ¶酔って～を演ずる 취하여 광태를 부리다.

きょうだい【兄弟】图 1형제; 동기(同氣). ¶太郎の～ 太郎의 형제《본인은 제외》/太郎～ 太郎 형제《본인 포함》/～げんか 형제간의 싸움/花子は三人～だ 花子는 삼형제〔삼남매〕이다. 注意 '姉妹·兄妹·姉弟'로도 씀. 2☞きょうだいぶん. 3친한 남자 사이에서 친근감을 가지고 부르는 말; 친구; 형씨. ¶おい ～, 今日はどうだい 여보게 친구, 오늘은 어때.

—は他人の始まり 형제는 남이 되는 시초《결혼 등으로 형제간의 우애가 엷어짐의 비유》.

—でし【—弟子】图 동문 제자《스승이 같은 제자들》.

—ぶん【—分】图 의형제《흔히, やくざ 사회 등에서 씀》. ¶～の契りを結ぶ 형제의 의를 맺다.

きょうだい【強大】名ナ 강대. ¶～な海軍力 강대한 해군력/～な軍備 강력한 군비. ↔弱小.

きょうだい【鏡台】图 경대. ¶～の前で髪を結う 경대 앞에서 머리를 매만지다.

ぎょうたい【業態】图 업태; 운영 상황. ¶～を調査する 업태를 조사하다.

きょうたく【供託】图 자他〖法〗공탁. ¶～物 공탁물/保証金を～する 보증금을 공탁하다.

—きん【—金】图 공탁금. ¶～没収 공탁금 몰수.

きょうたく【教卓】图 교탁.

きょうたん【驚嘆】〖驚歎〗图 자自 경탄. ¶～に値する成功 경탄할 만한 성공/非凡な技に～する 비범한 재주에 경탄하다/～の余り言葉も出ない 경탄한 나머지 말도 안 나오다.

きょうだん【凶弾】〖兇弾〗图 흉탄. ¶～に倒れる 흉탄에 쓰러지다.

きょうだん【教壇】图 교단; 교직. ¶～を去る 교단을 떠나다/～を追われる 교단에서 쫓겨나다.

—に立つ 교단에 서다; 선생이 되다.

きょうだん【教団】图 교단. ¶日本キリスト～ 일본 기독교단.

きょうち【協治】图 책임 의식을 가진 개인이 다양한 조직에 참가해서 새로운 '공(公)'을 창출한다는 개념《관(官)주도의 통치와는 반대 개념임》.

きょうち【境地】图 경지. 1환경; 처지; 심경. ¶無我の～ 무아의 경지/新しい～を求める 새로운 환경을 찾다/今の～を話せば 지금의 심경을 말하면. 2분야. ¶独自の～を開く 독자적인〔새로운〕 경지를 개척하다.

きょうちゅう【胸中】图 흉중; 가슴속; 심정. ¶～を明かす 속을 털어놓다/～を察する (남의) 심정을 헤아리다/～に秘めておく 가슴속에 간직해 두다.

ぎょうちゅう〖蟯虫〗图 요충; 실거위.

きょうちょ【共著】图 공저. ¶弟子と～の本 제자와 공저한 책.

きょうちょう【凶兆】图 흉조; 불길한 징조. ¶大地震がおこる～ 대지진이 일어날 흉조. ↔吉兆.

*__きょうちょう__【協調】图 자自 협조. ¶～的 협조적/国際～ 국제 협조/労使の～ 노사간의 협조/～性に欠ける 협조성이 부족하다.

*__きょうちょう__【強調】图 자他 강조; 역설. ¶生命の尊厳は, いくら～してもし過ぎることはない 생명의 존엄함은 아무리 강조해도 지나침이 없다.

きょうちょく【強直】강직. 一图 자自 경직; (근육이) 굳어짐. ＝硬直. ¶死後～ 사후 경직/ひざの～ 무릎의 경직. 二名ナ 마음이 굳세고 정직함. ＝剛直. ¶～な人 강직한 사람.

きょうつう【共通】图 ダナ 자自 공통. ¶～の利害のために協力する 공통 이해를 위해서 협력하다/～の土俵にのぼる 의사소통이 안 되던 사람끼리 공통된 전제하에서 상의하다.

—ご【—語】图〖言〗공통어. 1 '全国共通語'의 준말. ⇨方言. 2세계의 통용어. ¶英語は世界の～だ 영어는 세계 공통어다.

—てん【—点】图 공통점. ¶二つの事件には～がある 두 사건에는 공통점이 있다.

きょうてい【協定】图 자他 협정. ¶～が成立する 협정이 성립되다/～を結ぶ 협정을 맺다.

—かかく【—価格】图 협정 가격. ⇨カルテル.

きょうてい【教程】图 교정; 교과목을 가르치는 순서〔방식〕; 또, 이에 따른 교과서. ¶文法～ 문법 교정/高等学校の～を終える 고등학교 교정을 마치다.

きょうてい【競艇】图 경정; 조정(漕艇); 모터보트 경주. ¶～場 경정장/～競技 조정 경기.

きょうてき【強敵】图 강적. ¶～と戦う 강적과 싸우다. ↔弱敵.

きょうてき【狂的】ダナ 광적. ¶～な考え 광적인 생각/～に主張する 광적으로 주장하다.

きょうてん【教典】图 교전. 1교범(教範). 2경전(經典); 종교상의 규범서.

きょうてん【経典】图 경전. 1불전. ＝お経. ¶僧侶たちは～を読んで修養を積む 승려들은 경전을 읽고 수양을 쌓는다. 2성전. ＝聖典.

ぎょうてん【仰天】图ス自 몹시 놀람; 기겁을 함. ¶びっくり~する 몹시 놀라다 / 事の次第に~する 일의 경과에 대해 몹시 놀라다.

きょうてんどうち【驚天動地】图 경천동지; 세상을 몹시 놀라게 하는 일. ¶~の大事件 경천동지의 대사건.

きょうと【凶徒】《兇徒》图 흉도; 흉악한 무리; 폭도. ¶~の手に倒れる 흉도의 손에 쓰러지다.

きょうと【京都】图〔地〕중부 일본에 있는 부(府); 또, 그 부청(府廳) 소재지. ⇨京.

きょうと【教徒】图 교도; 신도. ¶仏~ 불교도.

きょうど【強度】图 강도. **1** 정도가 심함. ¶~の近視 심한 근시. ↔軽度. **2**〔理〕세기. =強さ. ¶~試験 강도 시험 / 鋼材の~ 강재의 강도 / ~を測定する 강도를 측정하다.

きょうど【郷土】图 향토. ¶~入り 고향에 들어감 / ~芸術 향토 예술 / わが~の誇り 우리 고향의 자랑.

―しょく【―色】图 향토색; 지방색. =ローカルカラー. ¶~豊かな芸能 향토색 짙은 예능.

―りょうり【―料理】图 향토 요리.

きょうとう【共闘】图ス自 '共同闘争(=공동 투쟁)'의 준말. ¶~委 공동 투쟁 위원회 / ~態勢をとる 공동 투쟁 태세를 취하다.

きょうとう【教頭】图 교감(校監).

きょうとう【郷党】图 향당; 향토 사람들; 동향인. ¶~の誇り 동향인의 자랑 / ~の名誉を担う 동향[향토]인의 명예를 걸머지다.

**きょうどう【共同】图ス自 공동. ¶~所有権 공동 소유권 / ~経営者 공동 경영자 / ~便所 공동변소; 공중변소 / ~の敵 공동의 적 / 井戸を~で使う 우물을 공동으로 쓰다 / ~歩調を取る 공동보조를 취하다 / ~で事業をする 공동으로 사업을 하다.

―こう【―溝】图 공동구《전선·가스관 등을 한데 몰아 수용한 지하 터널》.

―しゃかい【―社会】图 공동 사회. =ゲマインシャフト. ↔利益社会.

―せんせん【―戦線】图 공동 전선. ¶~を張る 공동 전선을 펴다.

―たい【―体】图 공동체. ¶運命~ 운명 공동체.

―だいひょう【―代表】图 공동 대표.

*きょうどう【協同】图ス自 협동. ¶~作業 협동 작업 / 産学~ 산학 협동.

―くみあい【―組合】图 협동조합. ¶消費者生活~ 소비자 생활 협동조합 / 農業~ 농업 협동조합.

―たい【―体】图 협동체. =共同体. ¶生産~ 생산 협동체 / 会社は一つの~だ 회사는 하나의 협동체이다.

きょうどう【教導】图ス他 교도; 가르쳐 이끎. ¶学生の~に努力する 학생의 교도에 노력하다.

きょうとうほ[橋頭堡]图 교두보. =よりどころ·あしがかり. ¶~を築く 교두보를 구축하다.

きょうねん【享年】图 향년. =行年. ¶~九十歳 향년 90세.

きょうねん【凶年】图 흉년; 재년(災年). ¶今年は~だ 금년은 흉년이다 / ~が続く 흉년이 계속되다. ↔豊年.

きょうのぼり【京上り】图 지방에서 京都[서울]로 올라감. =上洛. ↔京下り.

きょうは【教派】图 교파; 종파.

きょうばい【競売】图ス他 경매. =せり売り·オークション. ¶家財を~に付する 가재를 경매에 부치다. 注意 법률 용어로서는 'けいばい' 라고도 함.

きょうはく【強迫】图ス他 강박; 강요; 협박. ¶~して仲間に引きこむ 강요해서 한패에 끌어들이다 / 金を出すことを~する 돈을 내라고 강요하다.

―かんねん【―観念】图〔心〕강박 관념. =オブセッション. ¶神経衰弱になって~に襲われる 신경 쇠약에 걸려서 강박 관념에 사로잡히다.

*きょうはく【脅迫】图ス他 협박; 위협함. =おどかし. ¶~状 협박장 / ~電話 협박 전화 / 刃物で~する 칼로 협박하다 / ~して金をまきあげる 협박해서 돈을 우려내다. 参考 형법에서는 민법상의 '強迫'와 구별해서 씀.

きょうはん【共犯】图 공범. ¶~者 공범자 / すりの~ 소매치기 공범 / ~は逃亡した 공범은 도망했다 / ~の容疑で手配される 공범 혐의로 수배되다. ↔主犯·単独犯.

きょうはん【共販】图 공판《'共同販売(=공동 판매)'의 준말》. ¶~会社 공판 회사.

きょうび【今日日】图 오늘날; 요사이; 요즈음; 현재; 현대. =きょうこのごろ·いまどき. ¶~の学生 오늘날의 학생 / ~珍しい, 感心な人だ 요즘 보기 드물게 기특한 사람이다.

*きょうふ【恐怖】图ス自 공포. ¶~政治 공포 정치 / ~が募る 공포가 점점 더해지다 / ~をそそる 공포심을 일으키게 하다 / ~におののく 공포에 떨다 / ~に襲われる 공포에 사로잡히다.

―しょう【―症】图 공포증. ¶高所〔赤面〕~ 고소〔적면〕공포증.

―しん【―心】图 공포심. ¶~を抱く〔与える〕공포심을 갖다〔주다〕.

きょうぶ【胸部】图 흉부; 흉강. ¶~疾患 흉부 질환.

きょうふう【強風】图〔氣〕강풍; 센바람. ¶~注意報 강풍 주의보 / ~にあおられる 강풍에 덜컥거리다〔펄럭이다〕/ ~に見舞われる 강풍의 엄습을 받다.

きょうへん【共編】图ス他 공편; 공동편집(물).

きょうべん【強弁】图ス他 강변; 억지를 씀; 억지 주장. =こじつけ. ¶自分の

負けとわかっていながら～する 자기가 진 것을 알면서도 억지 쓰다 / そんな～は通らない 그런 억지 주장은 통하지 않는다.

きょうべん [教鞭] 名 교편.

—を執る 교편을 잡다.

きょうほ【競歩】名 경보. ＝ウォーキングレース. ¶一万メートル～ 1만 미터 경보.

きょうほう【凶報】名 흉보. **1** 흉문(凶聞). ↔吉報. **2** 부음(訃音). ¶～に接する 부음에 접하다.

きょうぼう【共謀】名ス他 공모. ＝通謀. ¶盗みを～する 도둑질을 공모하다 / ～して脱獄する〔詐欺をはたらく〕 공모해서 탈옥하다〔사기를 치다〕.

きょうぼう【凶暴】《兇暴》 ダナ 흉포함. ¶～な犯人 흉포한 범인.

—せい【—性】名 흉포성. ¶～をあらわす 흉포성을 드러내다.

きょうぼう【狂暴】名ナ 광포; 미친 듯이 난폭함. ¶～なふるまい 광포한 행동 / ～を働く 광포한 짓을 하다 / 酒を飲むと～になる 술을 마시면 광포해진다.

きょうぼく [喬木] 名〘植〙 교목《'高木'의 구칭》. ↔灌木.

きょうほん【教本】名 교본; 교과서. ¶音楽の～ 음악 교칙본 / スキー～ 스키 교본 / ピアノの～ 피아노 교본.

きょうほん【狂奔】名ス自 광분. ¶金策に～する 돈 마련에 광분하다 / ～するあばれ馬 미쳐 날뛰는 말.

きょうま【京間】名 곱자로 6자 5치〘2m 약(弱)〙를 한 칸으로 하는 주택〔다다미〕의 치수《주로 関西 지방에서 씀》. ↔いなか間·江戸間.

きょうまくえん【胸膜炎】名〘醫〙 흉막염; 늑막염. ＝肋膜炎.

きょうまん [驕慢·憍慢] 名ダナ 교만; 오만. ¶～な態度 교만한 태도.

＊＊きょうみ【興味】名 흥미. ¶～の的 흥미의 대상 / ～をそそる〔失う〕 흥미를 돋우다〔잃다〕 / ～を引く〔示す〕 흥미를 끌다〔보이다〕 / ～を覚える〔持つ〕 흥미를 느끼다〔갖다〕 / ～が湧く 흥미가 솟다.

—しんしん【—津津】トタル 흥미진진. ¶～たる筋立て 흥미진진한 줄거리 / 今後の展開には～たるものがある 금후의 전개는 흥미진진한 데가 있다.

—ほんい【—本位】名 흥미 본위. ¶～の記事 흥미 본위의 기사.

きょうみぶか-い【興味深い】形 매우 흥미롭다. ¶～問題 대단히 흥미로운 문제. 注意 'きょうみふかい'라고도 함.

きょうむ【教務】名 교무. ¶～室 교무실 / ～手帳 교무 수첩.

ぎょうむ【業務】名 업무. ¶～命令 업무 명령 / ～上の過失 업무상 과실 / ～に励む 업무에 힘쓰다 / ～を担当する 업무를 담당하다 / ～成績を上げる 업무 성적을 올리다.

—じょうおうりょうざい【—上横領罪】名 업무상 횡령죄.

—ぼうがいざい【—防害罪】名 업무 방해죄.

きょうめい【共鳴】名ス自 공명. ¶音叉が～する 소리굽쇠가 공명하다 / 人の考えに～する 남의 생각에 공명하다 / ～を呼ぶ 공명을 불러일으키다.

—ばこ【—箱】名〘理〙 공명 상자.

きょうもん【経文】名 경문; 경. ¶～を読む〔唱える〕 경문을 읽다〔외다〕.

きょうやく【共訳】名ス他 공역; 공동으로 번역함. ¶～の小説 공역 소설 / 聖書を～する 성서를 공역하다.

きょうやく【協約】名ス自 협약. ¶通商～ 통상 협약 / 労働～ 노동 협약 / ～を結ぶ 협약을 맺다.

きょうゆ【教諭】㊀名ス他 교유; 훈유; 가르치고 타이름. ㊁名 교사; 중등·초등학교, 유치원의 정교사《구제에서는 중등학교 정교사》. ¶助～ 준교사 / 養護～ 양호 교사.

きょうゆう【享有】名ス他 (권리·능력 따위의) 향유. ¶すぐれた才能を～する 뛰어난 재능을 향유하다 / 人間は生きる権利を～している 인간은 살 권리를 향유하고 있다.

きょうゆう【共有】名ス他 공유. ¶～財産 공유 재산 / ～物 공유물 / 国民が～する文化財 국민이 공유하는 문화재. ↔専有.

きょうよ【供与】名ス他 공여. ¶賄賂を～する 뇌물을 공여하다 / 便宜を～する 편의를 제공하다.

きょうよう【供用】名ス他 공용; 사용하도록 제공함; 쓰도록 함.

きょうよう【共用】名ス他 공용; 공동 사용. ¶農機具を～する 농기구를 공용하다 / 台所が～のアパート 부엌을 같이 쓰게 된 아파트.

きょうよう【強要】名ス他 강요. ＝無理強い. ¶～された辞職 강요된 사직 / 寄付を～する 기부를 강요하다.

＊きょうよう【教養】名 교양. ¶～を高める〔積む〕 교양을 높이다〔쌓다〕 / ～に欠ける 교양이 없다 / ～を身につける 교양을 갖추다.

—かもく【—科目】名 교양 과목. ↔専門科目.

きょうらく【享楽】名ス他 향락. ¶人生を～する 인생을 향락하다 / ～にふける 향락에 빠지다.

—しゅぎ【—主義】名 향락주의.

—てき【—的】ダナ 향락적. ¶～な生活を送る 향락적인 생활을 하다.

きょうらん【供覧】名ス他 공람; 관람케 함. ¶～用の品物 공람용의 물건.

きょうらん【狂乱】名ス自 광란; 미쳐 날뜀. ¶半～ 반광란 / ～せんばかりに喜ぶ〔悲しむ〕 미쳐 날뛸 듯이 기뻐하다〔슬퍼하다〕.

—ぶっか【—物価】名 광란 물가; 비정상적으로 급등한 물가.

きょうり【教理】名 교리. ¶宗教の～ 종교 교리.

—もんどうしょ【—問答書】图 교리 문답서. ＝カテキズム.

きょうり【胸裏】《胸裡》图 흉리; 가슴속; 마음속. ¶深(ふか)く～に秘(ひ)める 깊이 가슴속에 간직하다.

きょうり【郷里】图 향리; 고향. ＝ふるさと·故郷(こきょう). ¶～を出(で)る 고향을 떠나다/十年(じゅうねん)ぶりに～に帰(かえ)る 10년 만에 향리로 돌아가다.

きょうりきこ【強力粉】图 강력분; 강력 밀가루. ↔薄力粉(はくりきこ).

きょうりつ【共立】图ス他 공립; 공동 설립. ¶～会館(かいかん) 공립 회관.

きょうりゅう【恐竜】图 공룡.

きょうりょう［橋梁］图 교량. ＝はし. ¶～工事(こうじ) 교량 공사/～を架設(かせつ)する 교량을 가설하다.

きょうりょう【狭量】名ナ 협량; 도량이 좁음. ¶～な人(ひと) 도량이 좁은 사람/～な考(かんが)え 좁은 생각〔소견〕. ↔広量(こうりょう).

きょうりょう【凶漁】图 흉어. ¶にしんの～ 청어의 흉어. ↔豊漁(ほうりょう).

****きょうりょく**【協力】图ス自 협력. ¶緊密(きんみつ)な～ 긴밀한 협력/相互(そうご)の～ 상호 협력/～を呼(よ)び掛(か)ける〔惜(お)しまない〕 협력을 호소하다〔아끼지 않다〕/～を取(と)りつける 협력을 성립시키다.

***きょうりょく**【強力】图ダナ 강력. ¶～接着剤(せっちゃくざい) 강력 접착제/～なうしろだて 강력한 후원/改革(かいかく)を～に押(お)し進(すす)める 개혁을 강력히 추진하다.

きょうれつ【強烈】ダナ 강렬. ¶～な色彩(しきさい) 강렬한 색채/～な印象(いんしょう)を受(う)ける 강렬한 인상을 받다/真夏(まなつ)の～な太陽(たいよう) 한여름의 강렬한 태양.

***ぎょうれつ**【行列】图ス自 행렬; 줄을 섬; 또, 그 줄. ¶仮装(かそう)～ 가장 행렬/～をつくる 행렬을 짓다/～して待(ま)つ 줄지어 기다리다 / 入(い)り口(ぐち)に長(なが)い～ができた 입구에 긴 행렬이 생겼다.

きょうれん【教練】图ス他 교련; 군사 훈련. ¶～教官(きょうかん) 교련 교관.

きょうわ【共和】图 공화. ¶～制(せい)〔党(とう)〕 공화제〔당〕/～政体(せいたい) 공화 정체.

—せいじ【—政治】图 공화 정치.

きょうわ【協和】图ス自 협화; 화합; 조화. ¶諸(しょ)国民(こくみん)と～する 여러 국민과 화합하다. 「不協和音(ふきょうわおん).

—おん【—音】图 협화〔어울림〕음. ↔

きょうわん【峡湾】图《地》협만; 육지에 쑥 들어온 좁고 긴 만. ＝フィヨルド.

きょえい【虚栄】图 허영. ＝みえ.

—しん【—心】图 허영심. ¶～が強(つよ)い 허영심이 강하다/～から, 借金(しゃっきん)して買(か)った外車(がいしゃ)を乗(の)り回(まわ)す 허영심에서, 빚내어 산 외제차를 굴리다.

ぎょえい【御影】图 어영; 天皇(てんのう)·황후·황태자 등의 사진; 어진.

ぎょえん［御苑］图 어원; 금원; 天皇(てんのう) 소유의 정원. ¶～は野鳥(やちょう)の駆(か)け込(こ)み寺(でら) 황실 정원은 들새의 피난처.

きょおく【巨億】图 거억; 막대한 수. ¶～の富(とみ) 거억의 부. 参考 '巨万(きょまん)(＝거만)' 보다도 뜻이 강함.

ギョーザ［중 餃子］图 중국식 만두의 하나. ＝チャオズ.

****きょか**【許可】图ス他 허가. ¶～制(せい) 허가제/～証(しょう) 허가증/無(む)～ 무허가/～を得(え)る 허가를 얻다/～がおりる 허가가 나오다; 허락이 내리다.

—ぎょぎょう【—漁業】图 허가 어업《장관·지사의 허가가 필요한 어업》.

ぎょか【漁火】图 어화; 고기잡이 불. ＝いさり火(び).

ぎょかい【魚介】图 어개; 해산 동물의 총칭. ¶～類(るい) 어개류. 参考 '介'는 조개의 뜻. 「⇨魚介(ぎょかい).

ぎょかい【魚貝】图 어패; 어류와 패류.

きょがく【巨額】图 거액. ¶～の予算(よさん)〔脱税(だつぜい)〕 거액의 예산〔탈세〕/～に上(のぼ)る融資(ゆうし) 거액에 달하는 융자/～を横領(おうりょう)する 거액을 횡령하다.

ぎょかく【漁獲】图ス他 어획. ¶年間(ねんかん)～量(りょう) 연간 어획량.

—だか【—高】图 어획고〔량〕. ¶～が少(すく)ない 어획량이 적다. 「大男(おおおとこ).

きょかん【巨漢】图 거한; 거인. ＝

きょかん【巨艦】图 거함; 큰 군함.

ぎょがん【魚眼】图 어안; 물고기의 눈.

—レンズ［lens］图 어안 렌즈; 180도의 넓은 각도의 렌즈. ＝全天(ぜんてん)レンズ.

きょぎ【虚偽】图 허위; 거짓; 가짜. ＝うそ·いつわり. ¶～の証言(しょうげん)〔申(もう)し立(た)て〕 허위 증언〔진술〕/～の申告(しんこく)をする 허위 신고를 하다. ↔真実(しんじつ).

ぎょき【漁期】图 어기; 고기잡이 시기. ＝漁期(りょうき). ¶さばの～ 고등어의 어기/～で活気(かっき)がある 어기로 활기가 있다.

ぎょきょう【漁況】图 어황; 고기잡이 상황. ¶最近(さいきん)の～ 최근의 어황.

***ぎょぎょう**【漁業】图 어업. ¶～権(けん) 어업권/遠洋(えんよう)～ 원양 어업/赤潮(あかしお)の発生(はっせい)は～に被害(ひがい)をもたらす 적조가 발생하면 어업에 피해를 가져온다.

—きょうてい【—協定】图 어업 협정. ¶日韓(にっかん)～ 한일 어업 협정.

—きょうどうくみあい【—協同組合】图 어업 협동조합. 「어업 전관 수역.

—せんかんすいいき【—専管水域】图

きょきょじつじつ【虚虚実実】图 허허실실; 서로 허실의 계책을 써서 힘껏 싸우는 모양. ¶～のかけひき 허허실실의 술책〔흥정〕/～秘策(ひさく)を尽(つ)くして戦(たたか)う 허허실실 비책을 다하여 싸우다.

きょきん【拠金】《醵金》图ス自 갹금; 돈을 갹출함; 또, 그 돈. ¶社員一同(しゃいんいちどう)が～して氏(し)の遺族(いぞく)に贈(おく)った 사원 일동이 갹금하여 씨의 유족에게 보냈다.

***きょく**【局】图 **1** 국. ㉠관청·회사 등의 사무를 분담하고 있는 곳. ¶編集(へんしゅう)～ 편집국. ㉡'郵便局(ゆうびんきょく)(＝우체국)'·'電話局(でんわきょく)'·'放送局(ほうそうきょく)' 따위의 준말. ㉢(바둑 따위 승부의) 한 판. ¶一(いっ)～かこむ (바둑을) 한판 두다. **2** 국면;

당면한 일·사태. ¶～に当たる 당면한 사태에 즈음하다.

*きょく【曲】名 1 구부러짐; 바르지 않음; 부정. ¶～を憎む〔正す〕 부정을 미워하다〔바로잡다〕. ↔直. 2 곡·악곡. ¶月光の～ 월광곡 / 心を打つ～ 심금을 울리는 곡 / 歌に～をつける 노래에 곡을 붙이다 / 美しい～が流れる 아름다운 곡이 흘러나오다. 参考 接尾語적으로도 씀. ¶小夜～ 소야곡 / ピアノ～ 피아노곡. 3 재미. ¶～のある話 흥미 있는 이야기 / 何の～もない 아무런 재미도 없다.

きょく【極】名 극. 1 끝. ㉠종국. ＝はて. ¶疲労〔興奮〕の～に達する 피로가〔흥분이〕 극에 달하다. ㉡결과; …한 나머지. ＝あげく. ¶失望の～, 病気になる 실망한 끝에 병이 나다. 2 남극과 북극. 3〖理〗자극(磁極).

きょく[巨軀]名 거구; 큰 몸집. ¶四十貫の～ 40관의 거구.

きょく〖旭〗人名 キョク あさひ あきら | 욱 아침해 | 아침해. ¶旭日 욱일; 아침해 / 旭光 욱광; 아침 햇빛.

きょく〖曲〗教3 キョク まがる まげる くせ くま つぶさに | 곡 굽다 | 곡. 1 곧지 못하다. ¶曲折 곡절 / 曲線 곡선. ↔直. 2 음악상의 작품. ¶楽曲 악곡.

きょく〖局〗教3 キョク つぼね | 국 방 | 국. 1 한정된 장소. ¶局所 국소 / 局部 국부. 2 관청 등의 사무를 분장하여 처리하는 곳. ¶事務局 사무국 / 局長 국장.

きょく〖極〗教4 キョク ゴク きわめる きわまる きわみ きまる きめる | 극 극처 | 극. 1 그 이상 없는 곳; 한계점. ¶極限 극한 / 至極 지극. 2 한쪽의 끝. ¶極東 극동 / 南極 남극.

ぎょく【玉】名 1 옥《보석》. ＝玉. 2 (음식점에서) 달걀. 3 (화류계에서) 기생. 4 '玉代(＝화대)'의 준말.

ぎょく【漁区】名 어구; 어업〔어로〕 구역. ¶～を制限する 어구를 제한하다.

ぎょく〖玉〗教1 ギョク たま | 옥 구슬 | 옥. 1 구슬; 보석. ¶玉石 옥석 / 宝玉 보옥. 2 임금에 관한 사물에 붙이는 미칭. ¶玉体 옥체 / 玉座 옥좌.

ぎょぐ【漁具】名 어구. ¶～商 어구상.

きょくう【極右】名 극우; 극단적인 우익 사상; 또, 그런 사람. ¶～分子 극우 분자. ↔極左.

ぎょくおん【玉音】名 옥음; 天皇의 음성. ＝ぎょくいん. ¶～放送 天皇의 직접 방송.

きょくがい【局外】名 국외. 1 관할 밖. 2 당면한 사건이나 일 등에 관계없음. ¶(事件の)～に立つ (사건의) 국외에 서다. ⇔局内.

—しゃ【—者】名 국외자〔인〕; 제3자.

—ちゅうりつ【—中立】名 국외 중립.

きょくがくあせい[曲学阿世]名 곡학아세. ¶～の徒 곡학아세지도(之徒).

きょくげい【曲芸】名 곡예. ＝曲技. ¶～団 곡예단 / 綱渡りの～を息をころして見る 줄타기 곡예를 숨을 죽이고 보다.

きょくけん【極圏】名 ☞きょっけん.

きょくげん【局限】名ス他 국한. ¶～された人々のみが参加する 국한된 사람들만이 참가한다 / 問題の範囲を～する 문제의 범위를 국한하다.

きょくげん【極限】名 극한. ¶～値 극한값〔치〕/ ～闘争 극한투쟁 / ～に達する 극한에 달하다.

—じょうきょう【—状況】名 극한 상황.

きょくげん【極言】名ス自他 극언. ¶～すれば彼は気違いだ 극언하면 그는 미치광이다 / 売国奴とまで～する 매국노라고까지 극언하다.

きょくさ【極左】名 극좌. ¶～分子 극좌 분자 / ～団体のデモ 극좌 단체의 데모. ↔極右.

ぎょくざ【玉座】名 옥좌; 보좌(寶座).

ぎょくさい【玉砕】名ス自 옥쇄. ¶陣地を死守して全員～した 진지를 사수하고 전원이 옥쇄했다. ↔瓦全.

ぎょくじ【玉璽】名 옥새; 임금의 도장.

きょくじつ[旭日]名 욱일; 아침 해. ＝あさひ.

—昇天の勢い 욱일승천의 기세.

—き[—旗]名 아침 해를 상징한 기《전에, 일본 군대의 연대기나 군함기 따위로 사용》.

きょくしゃ【曲射】名 곡사. ¶～砲 곡사포. ↔直射·平射.

きょくしょ【局所】名 국소; 국부. 1 몸의 일부분. 2 음부(陰部).

—ますい【—麻酔】名 국소〔국부〕 마취. ↔全身麻酔.

きょくしょう【極小】名ナ 극소; 극히 작음. ＝最小. ¶～値 극솟값 / ～の生物 극히 작은 생물. ↔極大.

—こく【—国】名 극소 국가; 극히 규모가 작은 국가《모나코·나우루 따위》. ＝マイクロステート.

きょくしょう【極少】名ナ 극소; 극히 적음. ¶～量 극소량.

ぎょくせき【玉石】名 옥석; 훌륭한 것과 하찮은 것. ¶～を弁じない〔弁ぜず〕 옥석을 가리지 않다〔못하다〕.

—こんこう【—混交】《—混淆》名ス自 옥석혼효. ¶～の状態 옥석이 뒤섞인 상태.

きょくせつ【曲折】名ス自 곡절; 꾸불꾸불함; 특히, 사물의 복잡다단한 사정. ¶～の多い人生 곡절이 많은 인생 / ～した山道 꾸불꾸불한 산길 / 紆余～を経る 우여곡절을 겪다 / 徐々に～しながら形成された思想 서서히 곡절을 겪으면서 형성된 사상.

きょくせつ【曲節】[名]〈文〉곡절; (음악의) 가락; 곡조. ＝メロディー.

***きょくせん**【曲線】[名] 곡선. ¶双～ 쌍곡선/矢が～を描いて飛ぶ 화살이 곡선을 그리며 날다. ↔直線.

—び【—美】[名] 곡선미. ¶若い～の女 젊은 곡선미를 지닌 여자.

きょくそう【曲想】[名] 곡상; 악상; 악곡의 구상. ¶～豊かな交響曲 곡상이 풍부한 교향곡.

きょくだい【極大】[名] 극대. ↔極小.

ぎょくたい【玉体】[名] 옥체; 天皇〔신분이 높은 사람〕의 몸의 높임말.

ぎょくだい【玉代】[名] 화대; 해웃값. ＝はな·玉·あげ代.

***きょくたん**【極端】[名][ダナ] 극단. ¶両～ 양극단/～な言い方 극단적인 말투/～な考え 극단적인 생각/～に嫌う 극단적으로 싫어하다/～に走る 극단으로 흐르다〔치우치다〕.

きょくち【局地】[名] 국지. ¶～気象 국지 기상.

—せんそう【—戦争】[名] 국지 전쟁. ↔全面戦争.

—てき【—的】[ダナ] 국지적. ¶～な大雨〔豪雨〕 국지적인 호우/紛争は～に解決された 분쟁은 국지적으로 해결되었다.

—ふう【—風】[名]〔氣〕 국지풍.

きょくち【極地】[名] 극지; 끝에 있는 땅; 남극이나 북극 지방. ¶～探検〔植物〕 극지 탐험〔식물〕/シベリアの～に住む 시베리아의 극지에 살다.

きょくち【極致】[名] 극치; 더할 수 없이 훌륭한 경지. ¶美の～ 미의 극치.

きょくちょう【局長】[名] 국장.

きょくちょう【曲調】[名] 곡조. ¶悲しい～ 슬픈 곡조.

きょくちょく【曲直】[名] 곡직; 정사(正邪); 정과 부정. ¶是非～を明白にする 시비곡직을 명백히 하다/～をただす 잘잘못을 규명하다.

きょくてん【極点】[名] 극점. **1** 절정; 극도. ＝どんづまり. ¶興奮は～に達した 흥분은 절정에 달했다. **2** 남극점 및 북극점.

きょくど【極度】[名] 극도. [参考] 흔히, 다음에 'に''の'가 붙음. ¶～の疲労〔不安〕 극도의 피로〔불안〕/ ～に嫌う 극도로 싫어하다. ↔適度.

きょくとう【極東】[名] 극동. ¶～政策 극동 정책. ↔近東·中東.

—ちほう【—地方】[名] 극동 지방.

きょくどめ【局留め】[名] (우체)국유치(局留置); 유치 우편.

きょくのり【曲乗り】[名][ス自] 말·자전거 따위를 곡예로 타는 일; 또, 그 사람.

ぎょくはい【玉杯】《玉盃》[名] 옥배; 옥으로 만든 술잔; 훌륭한 술잔.

きょくばだん【曲馬団】[名] 곡마단; 서커스. ＝サーカス.

きょくばん【局番】[名] 국번; 국번호. ¶市外～ 시외 국번호.

きょくび【極微】[名] 극미. ＝ごくび. ¶～の世界 극미한 세계.

きょくびき【曲弾き】[名][ス他] 三味線이나 비파(琵琶) 따위의 악기를 곡예처럼 별나게, 또 빠르게 탐.

きょくひつ【曲筆】[名][ス自他] 곡필; 사실을 굽혀 씀; 또, 그 문장. ¶舞文～ 무문곡필《붓을 함부로 놀리어 왜곡된 문사(文辭)를 씀》. ↔直筆.

きょくふ【曲譜】[名] 곡보; 악보. ¶バイオリンの～ 바이올린 악보.

きょくぶ【局部】[名] 국부. **1** 국소. ¶～手術 국부 수술. **2** 음부(陰部).

—てき【—的】[ダナ] 국부적. ¶～な痛み 국부적인 통증.

—ますい【—麻酔】[名] 국부 마취.

きょくめん【局面】[名] 국면. **1** 바둑·장기의 반면(盤面); 그 승부의 형세. ¶先手有利な～ 선수가 유리한 국면. **2** 사물이 되어가는 형세; 사태. ¶むずかしい〔新しい〕～に差しかかる 어려운〔새로운〕 국면에 접어들다/～の打開をはかる 국면 타개를 꾀하다.

きょくめん【曲面】[名] 곡면. ↔平面.

—たい【—体】[名] 곡면체.

きょくもく【曲目】[名] 곡목; 연주 프로그램. ¶演奏～ 연주 곡목/～を一部変更する 곡목을 일부 변경하다.

きょくりゅう【曲流】[名][ス自] 곡류; 강이 꾸불꾸불 흐름. ＝蛇行. ↔直流.

きょくりょく【極力】[副] 극력. ¶紛争は～避けるように 분쟁은 극력 피하도록/中止を～説得した 중지하도록 극력 설득했다.

ぎょくろ【玉露】[名] 옥로. **1** 향기가 좋은 고급 녹차. **2** 옥과 같이 아름다운 이슬.

きょくろん【曲論】[名][ス自] 곡론; 이치에 어긋난 이론. ¶自己の正当化のために～する 자기의 정당화를 위해 곡론하다. ↔正論.

きょくろん【極論】[名][ス自他] 극론; 극언; 또, 극단적 논의. ¶～すれば責任は彼にある 극언하면 책임은 그에게 있다/～の末物別れになる 극론 끝에 의견 일치를 보지 못하고 헤어지다.

ぎょぐん【魚群】[名] 어군; 물고기 떼.

—たんちき【—探知機】[名] 어군 탐지기. ＝魚探.

きょげい【巨鯨】[名] 거경; 큰 고래.

きょげん【虚言】[名][ス自] 허언; 거짓말. ＝うそ. ¶～を吐く 거짓말을 하다/～を並べ立てる 허언을 늘어놓다.

きょこう【挙行】[名][ス他] 거행. ¶記念式典を～する 기념 식전을 거행하다.

きょこう【虚構】[名][ス他] 허구. ＝仮構·フィクション. ¶～性 허구성/～の世界 허구의 세계.

ぎょこう【漁港】[名] 어항. ¶～として発展した 어항으로서 발전했다.

きょこく【挙国】[名] 거국; 나라 전체.

—いっち【—一致】[名][ス自] 거국일치. ¶～内閣 거국일치 내각/～して国難

(こくなん)に当(あ)たる 거국일치하여 국난에 대처하다.

きょこん【許婚】图 허혼; 약혼. ＝いいなずけ. ¶～者(しゃ) 약혼자.

きょさい【巨細】图 거세; 크고 작음. ＝大小(だいしょう)·こさい. ¶～漏(も)らさず 크고 작고 간에 빠뜨리지 않고 / ～に調(しら)べる 세세한 데까지 빼놓지 않고 조사하다.

きょざい【巨財】图 거재; 많은 재산. ¶～を投(な)げ出(だ)す 거재를 내놓다 / ～をたくわえる〔積(つ)む〕 거재를 모으다〔쌓다〕.

きょさつ［巨刹］图 거찰; 대찰; 큰 절.

きょし【巨資】图 거자; 대자본. ¶～を投(とう)じる 대자본을 투입하다.

きょし［鋸歯］图 거치; 톱니. ¶～状(じょう)の文様(もんよう) 톱니 모양의 무늬.

ぎょしがた-い【御し難い】形 다루기 어렵다〔힘들다〕. ¶～暴(あば)れ者(もの) 다루기 힘든 난폭자. ↔御(ぎょ)しやすい.

きょしき【挙式】图スル自 거식; (결혼)식을 올림. ¶～の日取(ひど)り 거식의 택일 / 盛大(せいだい)な～ 성대한 결혼식.

きょしつ【居室】图 거실; 거처방. ＝居間(いま).

きょじつ【虚実】图 허실. **1** 없음과 있음; 거짓과 참. ¶～とりまぜて 허와 실을 섞어서 / 事(こと)の～を確(たし)かめる 일의 허실을 확인하다. **2** 허허실실; 온갖 계략을 씀. ¶～を尽(つ)くして戦(たたか)う 온갖 계략을 다하여 싸우다.

きょしてき【巨視的】ダナ 거시적; 대국적 견지. ＝マクロ. ¶～理論(りろん) 거시적 이론 / 時代(じだい)を～にとらえる 시대를 거시적으로 파악하다. ↔微視的(びしてき).

──せかい【──世界】图 거시적 세계.

ぎょしゃ【御者】《馭者》图 어자; 마부. ¶荷馬車(にばしゃ)の～ 짐마차의 마부.

きょじゃく【虚弱】名ナ 허약. ¶プロ選手(せんしゅ)の彼(かれ)も小(ち)さいころは～な体質(たいしつ)であった 프로 선수인 그도 어릴 때는 허약한 체질이었다. ↔強健(きょうけん).

──じ【──児】图 허약아.

ぎょしやす-い【御しやすい】《御し易い》形 다루기 쉽다. ¶～相手(あいて) 다루기 쉬운 상대 / ～と思(おも)ったでしょう 다루기 쉽다고 생각했겠지요.

きょしゅ【挙手】图スル自 거수. ¶～の礼(れい) 거수경례 / ～で採決(さいけつ)する 거수로 채결〔결정〕하다.

きょじゅ【巨儒】图 거유; 학문이 깊은 (한)학자; 대학자. ＝大学者(だいがくしゃ).

きょしゅう【去就】图 거취; 향배; 진퇴. ¶～に迷(まよ)う 거취를 망설이다 / ～が注目(ちゅうもく)される 거취가 주목되다 / ～を明(あき)らかにする 거취를 분명히 하다 / ～を誤(あやま)る 진퇴를 잘못하다.

きょじゅう【居住】图スル自 거주. ¶～地(ち) 거주지 / ～面積(めんせき) 거주 면적 / 郊外(こうがい)に～している 교외에 거주하고 있다.

──せい【──性】图 (건물의) 거주성; 또, (탈것의) 승차감. ¶～のすぐれた自動車(じどうしゃ) 승차감이 좋은 (승용)차.

きょしゅつ【拠出】《醵出》图スル他 거출; 갹출. ¶～制(せい)国民年金(こくみんねんきん) 거출제 국민 연금 / 金品(きんぴん)を～する 금품을 갹출하다. 注意 '拠出'로 씀은 대용 한자.

きょしょ【居所】图 거소; 거처. ＝居場所(いばしょ). ¶～不明(ふめい) 거처 불명 / ～を定(さだ)める 거처를 정하다 / ～を移(うつ)す 거소를 옮기다.

きょしょう【巨匠】图 거장; (예술계의) 대가. ¶～の作品(さくひん) 거장의 작품 / 画壇(がだん)の～ 화단의 거장.

きょしょう【巨商】图 거상; 호상.

きょじょう【居城】图 거성; 평소에 거처하는 성.

ぎょしょう【魚礁·漁礁】图 어초; 물고기가 많이 모이는 바다 속의 바위가 있는 곳. ¶人工(じんこう)～ 인공 어초.

ぎょじょう【漁場】图 어장. ¶近海(きんかい)～ 근해 어장. 注意 'ぎょば'라고도 함.

きょしょく【虚飾】图 허식; 겉치레. ＝みえ. ¶～に満(み)ちた生活(せいかつ) 허식에 찬 생활 / ～を捨(す)てる 허식을 버리다 / ～をいましめる 허식을 경계하다.

ぎょしょく【漁色】图 어색; 엽색. ＝りょうしょく. ¶～家(か) 엽색꾼 / ～にふける 엽색(행각)에 빠지다 / ～に身(み)を持(も)ちくずす 엽색으로 신세를 망치다.

きょしょくしょう【拒食症】图 거식증.

きょしん【虚心】图ダナ 허심; 사념(邪念)이 없는 마음. ＝無心(むしん). ¶～に耳(みみ)を傾(かたむ)ける 마음을 비우고 귀를 기울이다. ↔成心(せいしん).

──たんかい［──坦懐］图ダナ 허심탄회. ¶～に話(はな)しあう 허심탄회하게 서로 이야기하다.

きょじん【巨人】图 거인. ¶～症(しょう) 거인증 / 哲学界(てつがくかい)の～カント 철학계의 거성 칸트.

きょすう【虚数】图〔数〕허수. ↔実数(じっすう).

キヨスク［kiosk］图 ☞キオスク.

ぎょ-する【御する】サ変他 어거하다. **1**《馭する》(말을) 잘 다루다. ¶荒馬(あらうま)を～ 사나운 말을 (잘) 다루다. **2** (남을 자기) 마음대로 움직이다〔다루다〕. ¶部下(ぶか)をうまく～ 부하를 잘 다루다. ⇨ぎょしやすい.

きょせい【去勢】图スル他 거세. ＝きんぬき. ¶～手術(しゅじゅつ) 거세 수술 / ～された人間(にんげん) 거세당한〔무기력한〕 사람 / 牛(うし)〔反対勢力(はんたいせいりょく)〕を～する 소를〔반대 세력을〕 거세하다.

きょせい【巨星】图 거성. **1** 큰 항성(恒星). ¶空(そら)に見(み)える～ 하늘에 보이는 큰 별〔거성〕. ↔矮星(わいせい). **2** 큰 인물. ¶楽壇(がくだん)の～ 악단의 거성.

──墜(お)つ 거성이 땅에 떨어지다《큰 인물이 죽다》.

きょせい【虚勢】图 허세. ＝からいばり.

──を張(は)る 허세를 부리다. ¶内心(ないしん)びくつきながら～ 속으로는 겁을 내면서 허세를 부리다.

ぎょせい【御製】图 어제; 임금이〔天皇(てんのう)가〕 지은 시가(詩歌).

きょせき【巨石】图 거석; 큰 돌. ＝大石

たいせき·巨岩きょがん. ¶~信仰しんこう 거석 신앙.
—ぶんか【—文化】图 거석 문화《유럽 신석기 시대 문화의 총칭》.
きょせつ【虚説】图 허설; 낭설; 뜬소문; 헛말. =そらごと·浮説ふせつ. ¶~に迷まよわされる 허설에 미혹되다. ↔実説じっせつ.
*きょぜつ【拒絶】图ス他 거절; 거부. ¶~証書しょうしょ 거절 증서 / 入場にゅうじょうを~する 입장을 거절하다 / ~にあう 거절당하다. ↔許諾きょだく·受諾じゅだく.
—はんのう【—反応】图〔醫〕거부 반응; 체내에 이식한 타인의 장기(臟器)를 배제하려는 생체 반응. 参考 비유적으로도 씀. ¶核かくに~を起おこす 핵(무기)에 거부 반응을 일으키다.
ぎょせん【漁船】图 어선; 고깃배.
きょそ【挙措】图〈文〉거조; 거동; 행동거지. ¶落おち着ついた~ 침착한 행동.
—を失うしなう 마음의 평정을 잃다; 허둥대다.
きょぞう【巨像】图 거상; 거대한 조상(彫像).
きょぞう【虚像】图〔理〕허상; 허영상(像); 비유적으로, 말만 있고 실재하지 않는 것. ¶歴史れきしの~ 역사의 허상 / マスコミがつくり上あげた~ 매스컴이 만들어 낸 허상.
ぎょぞく【魚族】图 어족; 어류. =魚類ぎょるい. ¶~保護ほご 어족 보호.
ぎょそん【漁村】图 어촌. ¶~の生活せいかつ 어촌 생활.
きょたい【巨体】图 거체; 거대한 체구〔몸뚱이〕. ¶象ぞうのような~ 코끼리 같은 거대한 체구 / ~を持もてあます 거구를 주체 못하다.
きょだい【巨大】名ナ 거대. ¶~都市とし 거대 도시 / ~な資本しほん 거대한 자본. ↔微小びしょう.
きょだく【許諾】图ス他 허락. =承諾しょうだく. ¶~を与あたえる 허락하다 / 申もうし入いれを~する 신청을 허락하다.
ぎょたく【魚拓】图 어탁; 물고기의 탁본. ¶~をとる 어탁을 뜨다.
きょだつ【虚脱】图ス自 허탈. =気抜きぬけ. ¶~感かん 허탈감 / ~状態じょうたいにおちいる 허탈 상태에 빠지다.
ぎょたん【魚探】图 '魚群ぎょぐん探知機たんちき(=어군 탐지기)'의 준말.
きょっかい【曲解】图ス他 곡해. ¶相手あいての意図いとを~する 상대방의 의도를 곡해하다 / ~してもらっては困こまります 곡해하시면 곤란합니다. ↔正解せいかい.
きょっきゅう【曲球】图〔野〕곡구; 커브. =カーブ. ↔直球ちょっきゅう.
きょっけい【極刑】图 극형; 사형. ¶凶悪犯きょうあくはんを~に処しょする 흉악범을 극형에 처하다.
きょっこう【極光】图 극광. =オーロラ. ¶大おおきい~のようでもある天あまの河がわ 커다란 극광 같기도 한 은하수.
ぎょっこう【玉稿】图〈文〉옥고. ¶~をいただく 옥고를 받다.
ぎょっと 副 갑작스런 놀람으로 마음이 순간적으로 동요하는 모양: 섬뜩; 흠칫; 철렁. =ぎくりと·ぎくっと. ¶夜道よみちで不意ふいに呼よびかけられて~する 밤길에 누가 느닷없이 부르는 바람에 섬뜩해지다 / ~して立たちすくむ 깜짝 놀라〔기겁을 해서〕 그 자리에 멈춰 서다.
きょてん【拠点】图 거점. =足場あしば. ¶軍事ぐんじ~ 군사 거점 / ~を築きずく 거점을 구축하다 / 最後さいごの~を失うしなう 최후의 거점을 잃다.
きょとう【巨頭】图 거두. ¶~会談かいだん 거두 회담 / 政界せいかいの~ 정계의 거두.
きょとう【挙党】图 거당; 한 정당 전체. ¶~体制たいせい 거당 체제 / ~的てきに反対はんたいする 거당적으로 반대하다.
きょどう【挙動】图 거동; 동작. =ふるまい·動作どうさ. ¶不審ふしんな~ 수상한 거동 / ~を注視ちゅうしする 거동을 주시하다.
—ふしん【—不審】图 거동이 수상함. ¶~の男おとこを検問けんもんする 거동이 수상한 사나이를 검문하다.
ぎょどう【魚道】图 어도. **1** 물고기가 떼지어 다니는 길. **2** 댐·제방에 만드는 어류의 통로. =魚梯ぎょてい.
きょときょと 副 두리번두리번. =きょろきょろ. ¶泥棒どろぼうは~(と)あたりを見みまわした 도둑은 두리번두리번 주위를 둘러보았다.
きょとんと 副 어이 없거나 맥이 빠져 멍하고 있는 모양: 멍하니; 멍청히. ¶~目めを見張みはる 멍하니 눈을 크게 뜨고 보다 / ~した顔かおをする 멍청한〔어이없는〕 얼굴을 하다 / いきなり名前なまえを呼よばれて~した 별안간 이름이 불리어 어리둥절했다.
ぎょにく【魚肉】图 어육. **1** 생선 살. ¶~ハム 어육 햄. **2** 생선과 짐승의 고기. ¶~を断たつ 육식을 끊다. 参考 비유적으로, 곧 칼 맞아 죽게 될 신세의 뜻으로도 쓰임. ¶われは~なり 나는 곧 죽게 될 몸이다.
**きょねん【去年】图 거년; 지난해; 작년. =昨年さくねん. ¶~の今頃いまごろ 작년 이맘때.
ぎょば【漁場】图 ☞ぎょじょう.
きょひ【巨費】图 거비; 거액의 비용. ¶~を投とうじ建造けんぞうされた原子力船げんしりょくせん 거액의 비용을 들여 건조된 원자력선.
*きょひ【拒否】图ス他 거부. ¶~権けん 거부권 / 賃金ちんぎん値上ねあげの要求ようきゅうを~する 임금 인상 요구를 거부하다.
—はんのう【—反応】图 거부 반응. ¶~を(ひき)起おこす 거부 반응을 일으키다. ⇨きょぜつはんのう.
きょひ【許否】图 허부; 허락 여부. ¶~を確たしかめる 허락 여부를 확인하다.
きょふ【巨富】图 거부; 막대한 재산. =巨財きょざい. ¶~を築きずく〔成なす〕 엄청난 재산을 모으다.
ぎょふ【漁夫·漁父】图 어부. =漁師りょうし.
—の利り 어부지리. ¶~を占しめる 어부지리를 차지하다.
ぎょぶつ【御物】图 어물; 황실〔임금〕의 소지품. =ぎょもつ·ごもつ.

ぎょふん【魚粉】名 어분. ¶～の肥料 어분 비료.

きょへい【挙兵】名ス自 거병. ＝旗揚げ.

きょへん【巨編】名 거편; 거작; 초대작.

きょほ【巨歩】名 거보; 큰 발자취〔업적〕. ¶～を残す〔しるす〕 큰 업적을 남기다 / ～を踏み出す 거보를 내딛다.

きょほう【巨砲】名 거포. **1** 큰 대포. ¶大艦～ 대함 거포. **2**〔野〕 강타자.

きょほう【巨峰】名 거봉. **1** 큰 산봉우리; 뛰어난 인물. ¶ヒマラヤの～ 히말라야의 거봉 / 学界の～ 학계의 거봉. **2**〔商標名〕 포도 품종의 하나; 알이 크고 맛이 단 우량종《1942년 일본에서 개발》.

きょほう【虚報】名 허보; 거짓 보도〔헛보고〕; 잘못된 정보. ＝デマ. ¶～にまどわされる 허보에 현혹되다.

ぎょほう【漁法】名 어로 방식.

きょぼく【巨木】名 거목. ＝巨樹.

きよま-る【清まる】5自 맑아지다. ¶心が～ 마음이 맑아지다.

きょまん【巨万】名 거만; 대단히 많은 수·금액. ¶～の富 거만의 재산.

きよみずのぶたい【清水の舞台】名 京都 清水寺의 불당의 일부.

—から飛び降りる 죽기 아니면 살기의 심정으로 과감히 일을 해보다. ¶～ような思いで愛を告白した 사생결단의 심정으로 사랑을 고백하였다. 参考 '清水の舞台'란 높은 벼랑 위에 튀어나오게 지었으므로.

ぎょみん【漁民】名 어민. ＝漁師.

きょむ【虚無】名 허무; 공허. ¶～感 허무감 / ～思想 허무 사상 / この世は～だ 이 세상은 허무하다.

—しゅぎ【—主義】名 허무주의. ＝ニヒリズム.

きょめい【虚名】名 허명. **1** 헛된 명성. ¶～を擁する作家 헛된 명성만 있는 작가 / ～に過ぎない 허명에 지나지 않는다. **2** 거짓 이름; 가명. ＝偽名. ↔実名.

ぎょめい【御名】名 어명; 임금의 이름.

*__きよ-める__【清める】《浄める》下1他 맑게 하다; 정하게 하다; 깨끗이 하다; 부정(不淨)을 없애다. ¶汚名〔恥〕を～ 오명〔치욕〕을 씻다 / 身心を～ 심신을 깨끗이 하다.

きょもう【虚妄】名 허망; 거짓; 사실이 아닌 것. ¶～の説 허망된 설 / ～の噂を立てる 허망한 풍문을 퍼뜨리다.

ぎょもう【漁網·魚網】名 어망.

ぎょゆ【魚油】名 어유; 물고기에서 짜낸 기름《등불·비누 제조 등에 씀》.

*__きょよう__【許容】名ス他 허용. ¶～事項〔範囲〕 허용 사항〔범위〕 / 放射能の～量 방사능의 허용량 / ～しがたい 허용하기 어렵다.

きょらい【去来】名ス自 오(고)감; 왕래. ＝ゆき来. ¶～する思い 오가는 사념《명멸(明滅)하는 온갖 감회》 / なつかしい思い出が脳裏に～する 그리운 추억이 뇌리에 오가다.

ぎょらい【魚雷】名 어뢰《'魚形水雷(＝어형 수뢰)'의 준말》. ¶～艇 어뢰정 / ～を発射する 어뢰를 발사하다.

きよらか【清らか】ダナ 맑은〔청아한, 깨끗한〕 모양. ¶泉の～な水 샘의 맑은 물 / ～な心 깨끗한 마음.

きょり【巨利】名 거리; 큰 이익. ¶～を得る〔博す〕 큰 이익을 얻다 / ～をむさぼる 큰 이익을 탐하다. ↔小利.

**__きょり__【距離】名 거리. ＝へだたり. ¶～が縮まる 거리가 좁혀지다 / ～が遠い 거리가 멀다 / ～を伸ばす〔縮める〕 거리를 늘리다〔좁히다〕 / ～を測る 거리를 재다 / ～を保って〔置いて〕付き合う 거리를 두고 교제하다.

きょりゅう【居留】名ス自 거류. ¶～地 거류지 / ～民 거류민.

ぎょりょう【漁猟】名 어렵; 고기잡이와 사냥. ¶古代人の生活は～を主とした 고대인의 생활은 어렵을 주로 했다.

ぎょるい【魚類】名 어류; 어족.

きょれい【虚礼】名 허례. ¶～虚飾 허례허식 / ～廃止 허례 폐지.

ぎょろう【漁労】《漁撈》名ス他 어로. ¶～長 어선의 어로 작업 지휘자 / ～を業とする 어로를 업으로 삼다.

きょろきょろ 副 두리번두리번; 힐끔힐끔. ¶～あたりを見回す 두리번두리번 주위를 둘러보다 / 目を～させる 눈을 두리번거리다.

ぎょろぎょろ 副 큰 눈망울을 뒤룩거리는 모양. ¶目を～させる 눈을 뒤룩거리다 / 人を～見る 눈을 뒤룩거리며 사람을 훑어보다 / ～とにらみまわす 눈을 뒤룩거리며 주위를 노려보다.

きょろつ-く 5自 〈俗〉 (침착하지 못한 상태로) 두리번거리다. ＝きょろきょろする. ¶不安げに目を～·かせる 불안한 듯 눈을 두리번거리다.

ぎょろつ-く 5自 〈俗〉 눈매가 이상하게 빛나다; 뒤룩거리다. ＝ぎょろぎょろする. ¶大きな目玉を～·かせる 커다란 눈알을 부라리다.

ぎょろめ【ぎょろ目】名 크고 번쩍번쩍 빛나며 잘 움직이는 눈.

きょろりと 副 눈을 움직여서 곁눈질하는 모양; 흘끔. ¶顔をあげて～見る 얼굴을 들어 흘끔 곁눈질하다.

ぎょろりと 副 큼직한 눈알을 굴리며 노려보는 모양. ¶～にらみつける 눈을 부릅뜨고 노려보다 / ～目をむく 눈을 부라리다.

きよわ【気弱】名ダナ 심약함; 마음이 약한 성질. ¶～な人 마음이 약한 사람 / ～に笑う 힘없이 웃다 / ～なことを言うな 마음 약한 소리 하지마.

キラー [killer] 名 킬러. **1** 살인 청부업자. **2** (배구에서) 강타자. **3** 특정한 상대에 대해서 센 사람. ¶レディー～ 여자를 잘 녹이는 사나이 / Aチーム～の投手 A팀에 대해 특히 강한 투수.

__きらい__【嫌い】名ナ **1 싫음; 마음에 들지

않음. ¶好(す)き～ 좋아함과 싫어함/私(わたし)の～な学科(がっか) 내가 싫어하는 학과/猫(ねこ)が～だ 고양이가 싫다. ↔すき. **2**《…の〔する〕～があるの 꼴로》…한 경향이 있다; …한 혐의가 있다. ¶あまりに綿密(めんみつ)な～がある 너무나 면밀한 경향이 있다/独裁(どくさい)の～がある 독재성이 있다. **3** 가림; 차별; 구별. ¶男女(だんじょ)の～なく採用(さいよう)する 남녀 구별 없이 채용하다/だれかれの～なく受(う)け付(つ)ける 누구누구 가리지 않고 받아들이다.

きらい【機雷】 名 기뢰(('機械水雷(きかいすいらい)(=기계 수뢰)'의 준말)). ¶～除去作業(じょきょさぎょう) 기뢰 제거 작업.

=ぎらい【嫌い】 …을 싫어함; …을 싫어하는 사람. ¶食(く)わず～ 까닭 없이 먹기 싫어함; 또, 그런 사람; 무턱대고 싫어함/女(おんな)～ 여자를 싫어함.

きら-う【嫌う】 5他 싫어하다. **1** 좋아하지 않다; 미워하다. ¶人(ひと)に～·われる 남에게 미움을 사다((남이 싫어하다))/家業(かぎょう)を～·って家(いえ)を出(で)る 가업이 싫어서 집을 나가다. ↔すく. **2** 꺼리다; 피하다. ¶鬼門(きもん)を～ 귀문〔동북방〕을 꺼리다. **3** 약하다; 타다. ¶湿気(しっけ)を～金属(きんぞく) 습기를 타는〔습기에 약한〕 금속.
—·わず 가리지〔구별하지〕 않고. ¶相手(あいて)～ 상대를 가리지 않고/所(ところ)～, つばをはき散(ち)らす 장소를 가리지 않고 침을 마구 뱉다.

きらきら 副 빛나는 모양: 반짝반짝. ¶～する宝石(ほうせき) 반짝이는 보석/星(ほし)が～と輝(かがや)く 별이 반짝반짝 빛나다/朝露(あさつゆ)が～(と)光(ひか)る 아침 이슬이 반짝반짝 빛나다.

ぎらぎら 副 강렬히 계속 빛나는 모양. **1** (눈부시게) 번쩍번쩍. ¶油(あぶら)で～する 기름으로 번들거리다/目(め)が～(と)異様(いよう)に輝(かがや)く 눈이 이상하게 번뜩이다. **2** 쨍쨍. ¶太陽(たいよう)が～(と)照(て)りつける 뙤약볕이 쨍쨍 내리쬐다.

きらく【気楽】 名ダナ 마음이 편함. **1** (마음에 걸리는 것 없이) 홀가분함. ¶～な仕事(しごと) 홀가분한〔마음 편한〕 일/～に暮(く)らす 마음 편(안)히 지내다/～に話(はな)しかける 스스럼없이 말을 꺼내다. **2** 매사에 무사태평함. ¶～な人(ひと)だ 무사태평한 사람이다/おい, ～にやれよ 이봐, 마음놓고 하게나.

きら-す【切らす】 5他 **1** 끊어진 상태로 두다〔하다〕; 다 없애다〔쓰다〕. ¶小遣銭(こづかいせん)を～ 용돈을 다 쓰다/タバコを～ 담배가 다 떨어지다. **2** 숨을 몰아쉬다; 헐떡이다. ¶息(いき)を～·して走(はし)る 헐떡이며 뛰다〔달리다〕. **3**『しびれを～』 기다림에 지치다. ¶待(ま)つのにしびれを～·した 기다리기에 지쳐 버렸다.

ぎらつ-く 5自 (강렬하게 반사되어) 번쩍이다. ¶夏(なつ)の太陽(たいよう)が海面(かいめん)に～ 여름 해가 해면에 (반사되어) 번쩍이다.

きらびやか 〖煌びやか〗 ダナ (옷·건물·가구 따위가) 눈부시게 아름다운 모양. =絢爛(けんらん). ¶～な服装(ふくそう)〔よそおい〕 눈부시게 화려한 복장〔옷차림〕/～に着飾(きかざ)る 눈부시도록 화려하게 차려입다.

きらぼし [綺羅星]((煌星)) 名 기라성.
—のごとく 기라성같이. ¶顕官(けんかん)が～並(なら)ぶ 현관들이 기라성처럼 늘어서다.

きらめか-す 〖煌めかす〗 5他 빛나게〔번쩍이게〕 하다. ¶胸(むね)に勲章(くんしょう)を～·して 가슴에 훈장을 번쩍거리며.

きらめ-く 〖煌めく〗 5自 **1** 빛나다; 번쩍이다. ¶星(ほし)が～ 별이 반짝이다. **2** 화려하게 눈에 띄다; 번쩍거리다. ¶～服装(ふくそう)で人目(ひとめ)をひく 번쩍거리는 옷차림으로 남의 눈을 끌다.

きらら 〖雲母〗 名 〔鑛〕 운모((풀어쓴 말씨)). =うんも.

きららか 〖煌らか〗 ダナ 눈부시게 아름다움. ¶～に輝(かがや)く 눈부시게 빛나다.

きらり 副 《흔히 'と'를 수반하여》 순간적으로 빛나는 모양: 반짝; 번쩍. ¶ひとみが～と輝(かがや)く 반짝하고 눈동자가 빛나다/～と眼鏡(めがね)が光(ひか)る 안경이 번쩍 빛나다.

きり【切り】 名 사물이 거기서 일단 끝나는〔일단락 짓는〕 곳; 또, 그렇게 되는 일. **1** 단락. =くぎり. ¶仕事(しごと)に～がつく 일이 일단락되다/～がいい 끝맺기에 알맞다/～が悪(わる)い 끝맺기에는 마땅치 않다/ひとまずこれで～を付(つ)けよう 우선 이것으로 일단락을 짓자. **2** 한도; 한정; 제한. ¶欲(よく)を言(い)えば～がない 욕심을 말하면 한이 없다.

きり 〖桐〗 名 〔植〕 오동나무. ⇨そうぎり.

きり 〖錐〗 名 송곳. ¶～をもむ 송곳을 비벼 (구멍을) 뚫다/腹(はら)が～で揉(も)むように痛(いた)む 배가 송곳으로 쑤시는 듯이 아프다.

きり【霧】 名 **1** 안개. ¶夜霧(よぎり) 밤안개/朝霧(あさぎり) 아침 안개/夕霧(ゆうぎり) 저녁 안개/深(ふか)い～ 짙은 안개/～がはれる〔立(た)ちこめる〕 안개가 개다〔자욱해지다〕/～に包(つつ)まれる 안개에 싸이다. **2** 안개같이 내뿜는 물이나 액체. ¶着物(きもの)に～を吹(ふ)く (다리기 위해) 옷에 물을 뿜다.

キリ 名 10; 마지막 (것); 끝; 최저(의 것). ¶ピンから～まで 첫째〔최상품〕부터 끝〔최하품〕까지. ↔ピン.
▷포 cruz(=십자가)에서 변한 말.

きり 副助 **1** 그것이 마지막임을 나타냄: …뿐; …만; …밖에. ¶もう百円(ひゃくえん)～残(のこ)っていない 이제 백 엔밖에 남아 있지 않다/彼(かれ)らは二人(ふたり)～になった 그들은 둘만〔뿐〕이 되었다/ふたり～で話(はな)す 둘이서만 이야기하다. **2** 동작이 끝나고 본디 기대했던 동작이 따르지 않음을 나타냄: 이후; 그 후. ¶あれっ～会(あ)わない 그 후로는 만나지 않다/部屋(へや)に入(はい)った～出(で)て来(こ)ない 방에 들어간 채 나오지 않는다 / 持(も)って行(い)った～返(かえ)さない 가져간 채 돌려주지 않다. **3** 접미어처럼 쓰는 경우도 있음. ¶丸(まる)っ～分(わ)からない 전혀 모른다/病人(びょうにん)に付(つ)

きっ～で看病(かんびょう)する 환자 곁을 떠나지 않고 꼭 붙어서 간호하다.

***ぎり**【義理】图 **1** 의리. ¶～のある仲(なか) 의리 있는 사이/～を立(た)てる 의리를 지키다/～をわきまえる 의리를 알다/浮(う)き世(よ)の～ 속세의 의리/～と人情(にんじょう)の板(いた)ばさみになる 의리와 인정 사이에 끼여 꼼짝 못하다. **2** 혈족은 아니지만 혈연자와 같은 관계가 있는 일. ¶～の子(こ) 의붓아들·수양아들·사위 (등)/～の兄(あに) 처남·동서·매형(등).

—がた-い【—堅い】形 의리가 굳다; 정의가 두텁다. ＝律義(りちぎ)だ. ¶～人(ひと) 의리가 굳은 사람.

—だて【—立て】图ス自 의리를 (굳게) 지킴. ¶そんなに～しなくてもよかろう 그렇게까지 의리를 내세우지 않아도 좋을 거야.

—にも 副 의리상으로라도; 겉발림말로도. ¶～うまいとは言(い)えない 빈말이라도 맛있다고는 못하겠다.

きりあげ【切り上げ】图 **1** 일단락을 지음. **2**〔數〕올림. ↔切(き)り捨(す)て. **3** (평가 등의) 절상. ¶平価(へいか)～ 평가 절상. ↔切(き)り下(さ)げ.

***きりあ-げる**【切り上げる】下1他 **1** 일단락 짓다; 일단 끝을 맺다. ¶仕事(しごと)を～ 일을 일단락 짓다/適当(てきとう)なところで～ 적당한 데서 일단 끝맺다. **2** (끝수 계산에서) 올림을 하다. **3** (화폐 가치를) 절상(切上)하다. ¶為替(かわせ)レートを～ 환율을 절상하다. ↔切(き)り下(さ)げる

きりうり【切り売り】图ス他 **1** 요구에 의해서 상품을 조금씩 잘라 팖; 끊어 팖. ¶たんものの～ 피륙의 자풀이/土地(とち)を～する 땅을 떼어 팔다. **2** 지식 따위를 조금씩 가르쳐 줌. ¶学問(がくもん)の～ 조금씩 강의하거나 출판함.

きりおと-す【切り落とす】5他 끊어 떨어뜨리다; 베어〔잘라〕놓다. ¶枝(えだ)を～ 가지를 잘라내다〔치다〕/堤防(ていぼう)を～ 제방의 일부를 트고 물을 흘려 보내다.

きりおろ-す【切り下ろす】5他 (칼로) 내리치다. ＝切(き)り下(さ)げる. ¶一刀(いっとう)のもとに～ 단칼에 내리치다.

きりかえ【切り替え·切り換え】图ス他 바꿔침; 달리함; 갊. ¶スイッチの～ 스위치 전환/運転免許(うんてんめんきょ)の～ 운전 면허의 갱신.

きりかえし【切り返し】图 **1** 반격. ¶鋭(するど)い～ 날카로운 반격. **2** (검도에서) 바른 자세로 진퇴하면서 행하는 치기 연습. **3** (씨름에서) 상대방이 내디딘 발을 되받아 뒤로 넘어뜨리는 수.

きりかえ-す【切り返す】5他 **1** 되받아치다; 반격하다. ¶敵(てき)の太刀(たち)を払(はら)って～ 적의 (큰) 칼을 밀어내고 되받아치다/皮肉(ひにく)な言葉(ことば)で～した 비꼬는 말로 반박했다. **2** (씨름에서) 상대방이 내디딘 발을 되받아 뒤로 넘어뜨리다. **3** (자동차) 핸들을 반대로 꺾다.

***きりか-える**【切り替える·切り換える】下1他 **1** 새로〔달리〕바꾸다. ¶時代(じだい)が変(か)わったから頭(あたま)を～ 시대가 변했으니까 사고방식을 바꾸다/チャンネルを～ 채널을 바꾸다. **2** 돈을 바꾸다; 환전(換錢)하다.

きりかか-る【切り掛かる】《斬り掛かる》5他 **1** (칼로 치려고) 달려들다. ¶刃物(はもの)を持(も)って～ 칼을 들고 달려들다. **2** 치려고 하다.

きりか-ける【切り掛ける】《斬り掛ける》下1他 **1** (칼로) 내리치려 하다; 또, 치는 동작을 도중까지 하다. ¶～けて, やめる 칼로 내리치려 하다가 그만두다. **2** 칼로 들이치다. **3** 베기 시작하다. ¶ケーキを～ 케이크를 베기 시작하다.

きりかぶ【切り株】图 그루터기. ＝くいぜ. ¶～につまずいた 그루터기에 걸려 넘어졌다.

きりかみ【切り紙】图 종이 오리기; 또, 그에 쓰는 종이. ＝きりがみ. ¶～細工(ざいく) 종이 오리기 공작.

きりかわ-る【切り替わる】5自 바뀌다; 변경되다. ¶新(あたら)しい制度(せいど)に～ 새로운 제도로 바뀌다.

きりきざ-む【切り刻む】5他 잘게 썰다; 잘게 자르다; 다지다. ¶ずたずたに～ 토막내다.

きりぎし【切り岸】图 벼랑; 절벽. ＝断崖(だんがい). ¶砂浜(すなはま)はコンクリートの～で海(うみ)と境(さかい)されている 모래사장은 콘크리트 절벽으로 바다와 경계를 짓고 있다.

きりきず【切り傷】图 칼 따위로 베인 상처. ¶顔(かお)に～がある 얼굴에 칼자국이 있다. ↔打(う)ち傷(きず)·突(つ)き傷(きず).

きりきり 副 **1** ㉠물건이 삐걱거리며 도는 소리: 삐걱삐걱. ㉡세차게 회전하는 모양: 팽팽; 빙글빙글. ¶飛行機(ひこうき)が～と回(まわ)って墜落(ついらく)する 비행기가 뱅글뱅글 돌면서 추락하다. ㉢세차게 감는 모양: 꽁꽁; 힘있게. ¶細引(ほそびき)を～巻(ま)き付(つ)ける 가는 삼노끈을 꽁꽁 둘러 감다. **2** 활시위를 세게 당기는 모양. ¶弓(ゆみ)を～と引(ひ)きしぼる 활을 팽팽하게 당기다. **3** 부지런히 또는 급히 일하거나 걷는 모양: 부리나케; 빨랑빨랑. ¶～(と)立(た)ちはたらく 부지런히 일하다. **4** 머리나 배가 찌르는 것같이 아픈 모양: 쑥쑥. ¶腹(はら)〔おなか〕が～(と)痛(いた)む 배가 쑤시듯이 아프다.

—しゃんと 副 깔끔하고 야무지게; 잽싸고 부지런히. ¶所帯(しょたい)を～切(き)り回(まわ)す 집안 살림을 깔끔하고 알뜰하게 꾸려나가다/年(とし)はとっても～している 나이는 먹었으나 알뜰하고 잽싸다.

—まい【—舞い】图ス自 눈코 뜰 새 없이 바쁘게 움직임. ＝てんてこまい. ¶たくさんの客(きゃく)で～をする 손님이 많아 눈코 뜰 새 없이 바쁘게 돌아가다.

ぎりぎり ㊀图副 용인된 한계점에 다다른 모양: 빠듯함. ¶～の期限(きげん)〔生活(せいかつ)〕 빠듯한 기한〔생활〕/～二千円(にせんえん)です 최저로 해서 2천 엔입니다/時間(じかん)～で

間に合った 빠듯이 시간에 대었다. 二副 바싹 감는 모양; 또, 이를 으드득거리는 모양: 바싹; 꼭꼭; 으드득. ¶ほうたいで～(と)しばる 붕대로 꼭꼭 감다/歯を～(と)鳴らす 이를 으드득거리다.

きりぎりす〖螽蟖〗名〖蟲〗여치. ＝ぎっちょ·きす·はたおり. ¶～のようにやせている (몸이) 여치처럼 말라 있다.

きりくず【切りくず】《切り屑》名 잘라 낸 부스러기. ＝切り端·裁ちくず.

きりくず-す【切り崩す】5他 **1** 깎아내리다; 무너뜨리다. ¶丘を～·して宅地にする 언덕을 깎아 택지로 만들다. **2** 무찌르다. ¶敵陣を～ 적진을 무찌르다. **3** 세력을 분열 약화시키다. ¶反対党を～ 반대당을 와해〔분열〕시키다.

きりくち【切り口】名 **1** ㉠벤 자리; 단면. ㉡베인 상처. ¶～をぬう 베인 상처를 꿰매다 / ～から血が流れる 베인 상처에서 피가 흐르다. **2** (봉한 자리의) 절단면. ＝きりぐち.

きりくび【切り首】《斬り首》名 목을 자름; 참수; 잘라 낸 머리. ¶～にする 참수하다.

きりこ【切り子】《切り籠》名 네모난 것의 모를 잘라 낸 형상; 또, 그 모양을 한 물건.
—ガラス 名 컷 글라스. ＝カットグラス.

きりこうじょう【切り口上】名 (일언일구를 똑똑 끊어서) 판에 박은 듯이 (격식 차려) 하는 말투. ¶～であいさつされる 깍듯이 격식 차린 말투의 인사를 받다/～で話す 딱딱하고 격식 차린 투로 이야기하다.

きりごたつ【切りごたつ】《切り炬燵》名 마루나 다다미의 일부분을 잘라내고 그 자리에 틀을 씌워 만든 화로. ＝掘りごたつ. ↔置きごたつ.

きりこみ【切り込み】名 **1**《斬り込み》쳐들어감. ¶～隊 (검으로 쳐들어가는) 돌격대/～をかける 쳐들어가다. **2** 물건을 깊숙이 벰; 또, 그 벤 자리; 칼집〔칼자국〕(을 냄). ¶Vの字型の～ V자형의 홈/～を入れる 칼집을 내다.

きりこ-む【切り込む】5他 **1** 깊이 베다. **2**《斬り込む》적 속에 깊숙이 쳐들어가다. ¶敵陣に～ 적진 깊숙이 쳐들어가다. **3** 상대방의 논의를 날카롭게 추궁하여 따지다. ¶～·んで尋問をする 날카롭게 파고들며 심문하다/矛盾を見つけて鋭く～ 모순을 발견하고 날카롭게 추궁하다.

きりころ-す【切り殺す】《斬り殺す》5他 칼로 베어 죽이다. ¶一刀のもとに～ 단칼에 베어 죽이다.

きりさいな-む【切りさいなむ】《切り苛む》5他 토막치듯 처참하게 베어 괴롭히다〔죽이다〕. ¶胸が～·まれる思い 가슴이 에는 듯한 느낌.

きりさ-く【切り裂く】5他 베어 양쪽으로 가르다; 째다. ¶カーテンを～ 커튼을 째다/魚の腹を～·いて腸を出す 생선 배를 가르고 창자를 꺼내다.

きりさげ【切り下げ】名 (화폐 가치의) 절하(切下). ¶ポンド～ 파운드화 (평가) 절하. ↔切り上げ.

きりさ-げる【切り下げる】下1他 **1** 잘라 늘어뜨리다. ¶前髪を～ 앞머리를 잘라 늘어뜨리다. **2**《斬り下げる》칼로 내리치다. ¶肩口を～ 어깻죽지를 칼로 내리치다. **3** (평가) 절하하다. ¶平価を～ 평가를 절하하다/為替レートを～ 환율을 절하하다. ↔切り上げる.

きりさめ【霧雨】名 안개비. ＝きりあめ·ぬかあめ. ¶～けむる町角 안개비로 부옇게 흐려 보이는 길거리.

ギリシア [라 Graecia] 名〖地〗그리스. ¶～語〔神話〕그리스어〔신화〕.

キリシタン [포 Christão] 名〖宗〗室町시대 후기에 일본에 들어온 가톨릭교의 일파《江戸幕府는 이의 신앙과 전교를 엄금함》. ＝南蛮宗.

きりすて【切り捨て】名 **1**〖數〗(어느 단위 이하의) 끝수를 잘라 버림. ¶～にする 잘라 버리다. ↔切り上げ. **2**《斬り捨て》江戸시대에 무사에게 무례한 짓을 한 평민을 칼로 베어 죽이던 일.
—ごめん【—御免】《斬り捨て御免》名 **1** 江戸시대에 무사가 무례한 짓을 한 평민을 베어 죽여도 죄가 안 되었던 일. **2** 특권을 이용한 횡포.

***きりす-てる**【切り捨てる】下1他 **1** 잘라서 버리다. ¶大根のしっぽを～ 무 꼬리를 잘라 버리다. **2**〖數〗(어느 단위 이하의) 끝수를 잘라 버리다. ¶小数点以下は～ 소수점 이하는 끊어버린다. ↔切り上げる. **3**《斬り捨てる》사람을 칼로 벤 뒤 그대로 버려두다. ¶一刀のもとに～ 단칼에 베어 버리다.

キリスト [포 Christo] 名〖宗〗그리스도; 구세주; 예수. ＝ヤソ·クリスト. 注意 '基督'으로 씀은 취음.
—きょう【—教】名 기독교; 예수교.

きりたお-す【切り倒す】《伐り倒す》5他 베어 쓰러뜨리다〔넘기다〕. ¶立ち木を～ 입목을 베어 넘기다.

きりだし【切り出し】名 **1** 베어 냄; 또, 베어 낸 것. ¶牛肉の～ 베어 낸 쇠고기 토막. **2** (말을) 꺼냄; 시작함. ¶話の～ 말을 꺼냄〔시작함〕; 이야기의 첫머리. **3** 비스듬히 날이 서고 끝이 뾰족한 공작〔세공〕용 칼; 창칼.

きりだ-す【切り出す】5他 **1** 자르기 시작하다. **2** 잘라 내어 반출하다. ¶石材を～ 석재를 떠내다. **3** 말을 꺼내다〔시작하다〕. ¶折りを見て用件を～ 기회를 보아 용건을 말하기 시작하다.

きりた-つ【切り立つ】5自 (산·낭떠러지 등이) 깎아지른 듯이 솟아 있다. ¶～·ったがけ 깎아지른 듯한 낭떠러지.

きりつ【規律·紀律】名 규율; 기율; 전하여, 질서. ¶～正しい生活 규율이 바른 생활/～(の)ある社会 질서 있는

사회 / ～をみだす 질서를 문란케 하다. 注意 법령에서는 '規律'로 통일.

きりつ【起立】名ス自 기립; 일어섬. ¶一同～ 일동 기립《구령》/ ～して校歌を歌う 기립해서 교가를 부르다.

きりつ-ける【切り付ける】下1他 **1**《斬り付ける》칼로 베어서 상처를 내다; 칼로 치려고 대들다. ¶うしろから～ 뒤에서 칼로 치다. **2** 새기다. ¶木に文字を～ 나무에 글자를 새기다.

きりづま【切り妻】名〔建〕**1** '切り妻屋根'의 준말. **2** '切り妻屋根'의 끝 부분; 합각머리. ＝きりむね.

―づくり【―造り】名〔建〕'切り妻屋根'의 가옥; 맞배집.

[切り妻屋根]

―やね【―屋根】名 맞배지붕; 'へ'자 모양으로 된 지붕; 뱃집지붕.

***きりつ-める**【切り詰める】下1他 **1** 줄이다; 일부를 잘라 내어 작게〔짧게〕하다. ¶すそが長過ぎるから～ 옷자락이 너무 길어서 잘라 내다. **2** 바싹 깎다; 조리차하다; 절약하다. ¶～·めた生活 절약하는 검소한 생활 / 経費を～ 경비를 절약하다.

きりどおし【切り通し】名 (산이나 언덕 등을) 절단해서 낸 길. ＝きりわり.

きりとり【切り取り】名 **1** 잘라냄. ¶～線 절취선. **2**《斬り取り》사람을 쳐 죽이고 물품을 빼앗음. ＝きりどり. ¶～強盗 살인강도.

きりと-る【切り取る】5他 **1** 잘라〔끊어〕내다; 도려내다. ¶手術して胃の半分を～ 수술하여 위의 절반을 잘라내다 / 新聞から記事を～ 신문에서 기사를 오려 내다. **2** 쳐들어가 적지를 빼앗다. ¶敵の領地を～·った 적의 영지를 빼앗았다.

きりぬき【切り抜き】名 오려 냄; 또, 오려 낸 것. ¶～帳 스크랩북 / ～細工 (색종이 따위를) 오려 붙이기 / 新聞の～ 신문을 오려 낸 것.

きりぬ-く【切り抜く】5他 오려 내다; 잘라 내다; 베어 내다. ¶新聞記事を～ 신문 기사를 오려내다.

***きりぬ-ける**【切り抜ける】下1自 **1** (곤경에서) 벗어나다; 헤어나다; (곤경을) 타개하다. ¶ピンチ〔危機〕を～ 위기를 벗어나다 / 難局を～ 난국을 타개하다 / 不況を～ 불황을 극복하다. **2** (포위 등을) 뚫고 나가다; 탈출하다. ¶単身敵の陣地を～ 단신으로 적의 진지를 뚫고 나가다.

きりばな【切り花】名 (꽃꽂이용으로) 자른 꽃가지.

きりはな-す【切り放す·切り離す】5他 **1** (따로) 떼다. ㉠잘라 버리다; 분리하다. ¶貨車を～ 화차를 떼다. ㉡별개의 것으로 하다; 분리하다. ¶この問題は～·して考える 이 문제는 따로 떼어 생각하다. **2** (고삐를 풀어) 놓아주다. ¶綱を～·して逃がしてやる 밧줄을 풀어 달아나게 해주다.

きりはら-う【切り払う】5他 **1**《伐り払う》(방해되는 것을) 베어 버리다; 잘라 버리다. ¶邪魔な枝を～ 방해되는 나뭇가지를 잘라 버리다. **2**《斬り払う》칼을 휘둘러 (적을) 물리치다. ¶むらがる敵を～ 떼지어 온 적을 쫓아버리다.

きりばり【切り張り】《切り貼り》名ス他 **1** 종이의 일부분을 도려내고 새 종이를 바름. ＝きりはり. ¶障子を～する 미닫이의 찢어진 곳을 때우다. **2** (인쇄물을) 가위질해서 만듦; 또, 그와 비슷한 독창성이 없는 구성. ¶～の論文だ 남의 것을 따다 쓴 (독창성 없는) 논문이다.

きりひとは【きり一葉】《桐一葉》名 초가을에 떨어지는 벽오동나무 한 잎. ¶～落ちて天下の秋を知る 일엽지추(一葉知秋)《자그마한 일로 천하의 대세〔쇠약의 징조〕를 알다》.

***きりひら-く**【切り開く】5他 **1** 절개하다; 째어서 열다. ¶腹部を～ 복부를 절개하다. **2** (산을 깎아) 길을 만들다. ¶道をつくるため山を～ 길을 내기 위하여 산을 깎아내다. **3** 개간〔개척〕하다. ¶荒れ地を～ 황무지를 개간하다 / 新分野を～ 새 분야를 개척하다. **4** (포위망을) 뚫다. ¶血路を～ 혈로를 뚫다 / 突破口を～ 돌파구를 열다 / 運命を～ 운명을 개척하다.

きりふき【霧吹き】名 분무(噴霧)하는 일; 또, 분무기. ＝スプレー. ¶着物に～をする 옷에 물을 뿜다.

―き【―器】名 분무기. ＝噴霧器·きりふき·スプレー.

きりふ-せる【切り伏せる】《斬り伏せる》下1他 (상대방을) 베어 쓰러뜨리다. ¶一刀のもとに～ 단칼에 베어 쓰러뜨리다.

きりふだ【切り札】**1** (카드놀이에서) 으뜸패. **2** 최후에 내놓는 가장 강력한 수단; 결정적인 수; 비장의 카드. ＝きめ手·奥の手. ¶～を握る 결정적인 수를 쥐다 / 最後の～を出す 최후의 카드를 쓰다.

きりぼし【切り干し】名 무나 고구마 따위를 썰어 말린 것.

―だいこん【―大根】名 무말랭이.

きりまく-る【切りまくる】《切り捲る》5他 **1** (적을) 마구 베다; 닥치는 대로 베다. ¶逃げる敵を切って切って～ 도망치는 적을 마구 베고 또 베다. **2** 호되게 논박하여 상대를 누르다.

きりまわ-す【切り回す】5他 **1** (칼 따위를) 마구 휘두르다; 또, 닥치는 대로 후려치다. ¶刀でその辺を～ 칼로 그 주변을 마구 후려치다. **2** (복잡한 일 따위를) 척척 해내다; 재치 있게 처리하다. ¶家事を一人で～ 집안 일을 혼자서 척척 꾸려 나가다.

きりみ【切り身】名 생선 토막. ¶さばの

～(선) 고등어 토막/～にする 생선을 토막내다.

きりむす-ぶ【切り結ぶ】《斬り結ぶ》 5自 칼날을 맞부딪치며 접전하다; (불꽃 튀기며) 맹렬히 싸우다. ¶ちょうちょうはっしと～ 칼을 쨍강쨍강 맞부딪치며 접전하다.

きりめ【切り目】名 **1** 벤 자국; 자른 자리; 절단면. ＝切り口. ¶魚に～をつける 생선에 칼집을 내다. **2** 사물의 단락; 매듭. ＝切れ目. ¶仕事の～をつける 일의 매듭[단락]을 짓다.

きりもみ〖錐揉み〗名ス自 **1** 송곳을 두 손으로 비벼 구멍을 뚫음. **2** 고등 비행술의 하나; 기체를 나선형으로 돌리며 급강하하는 일. ¶飛行機は～状態になって麦畑の中へ墜落した 비행기는 기체가 뱅글뱅글 돌면서 보리밭 속으로 추락했다.

きりもり【切り盛り】名ス他 사물의 처리; (수입 범위 내에서) 규모 있게 처리하는 일. ＝さばき. ¶家事の～ 살림을 꾸려나감/～がうまい (살림을) 규모 있게 잘 꾸려 나가다.

きりゃく【機略】名 기략; 임기응변의 책략. ¶～に富んだ男 기략이 풍부한 사나이/～にたける 기략에 뛰어나다/～を弄する 기략을 부리다.

—じゅうおう【—縦横】名 기략 종횡; 기략이 무궁무진함. ¶～の策士 기략 종횡의 책사.

きりゅう【寄留】名ス自 기류. ¶～地 기류지/～届 기류 신고/奈良に～する 奈良에 기류하다.

きりゅう【気流】名 기류. ¶上昇～ 상승 기류/～に乗って飛ぶ 기류를 타고 날다.

きりゅうさん【希硫酸】《稀硫酸》名〖化〗 희황산; 묽은 황산. ↔濃硫酸.

***きりょう**【器量】名 **1** 기량; 재능과 덕량; 역량. ¶人に将たる～がある 지도자로서의 역량이 있다/大臣としての～に乏しい 대신으로서의 기량이 부족하다. **2** 체면. ＝面目. ¶～を下げる 체면을 잃다. **3** (여자의) 용모. ＝みめ. ¶～のいい娘 미모의 처녀.

—じん【—人】名 **1** 재능이 뛰어나 역량이 있는 사람. **2** 얼굴이 잘생긴 사람.

—まけ【—負け】名ス自 **1** 재능이 있기 때문에 도리어 실패함. **2** 용모가 너무 잘생겨서 도리어 양연(良緣)의 복이 없음.

ぎりょう【技量】《伎倆·技倆》名 기량; 기능; 수완. ＝うでまえ·手なみ. ¶～を磨く 기량을 닦다/～を発揮する 수완을 발휘하다. 注意 '技量'로 씀은 대용 한자.

***きりょく**【気力】名 기력; 박력; 원기; 정력. ¶～がない 기력이 없다/～のある男 박력이 있는 남자/～に満ちた人 기력이 왕성한 사람/～を奮い立たせる 기력을 북돋우다/～が衰える 기력이 쇠약해지다.

きりりと 副 단단히 졸라 매어져서 느슨함이 없는 모양: 꾹; 꽉. ＝きりっと. ¶～した顔 야무진 얼굴/～締めた口もと 꼭 다문 입(가)/～鉢巻きをしめる 머리띠를 꽉 동여매다/弓を～引きしぼる 활시위를 잔뜩 당기다.

きりん〖騏驎〗名 천리마; 준마(駿馬).

—も老いては駑馬に劣る 준마도 늙으면 노마만도 못함; 뛰어난 사람도 늙으면 심신이 쇠약해져서 범인만도 못하게 됨의 비유. ↔腐っても鯛.

きりん〖麒麟〗名 **1**〖動〗기린. ＝ジラフ. **2** 매우 뛰어난 인물.

—じ【—児】名 기린아. ¶小さいころから～としてその片鱗を見せた 어릴 적부터 기린아로서 그 편린을 보였다.

****き-る**【切る】5他 **1** 치다; 베다. ¶人を～ 사람을 베다. **2** 자르다; 절단하다; 깎다. ¶ふたつに～ 둘로 자르다/封を～ 봉함을 뜯다. **3** 끊다. ¶あの人とは縁を～·りたい 저 사람과는 인연을 끊고 싶다/先頭を～ 선두를 끊다/彼と手を～ 그와 손을 끊다/電話を～·らずに置いて下さい 전화를 끊지 말고 놔 두십시오/伝票を～ 전표를 끊다/行列を～·って行く 행렬을 끊고[가로질러] 건너가다 / 出願受付は百人で～·ろう 출원 접수는 백 명으로 끊자. **4** 끄다. ¶電灯のスイッチを～ 전등 스위치를 끄다. **5** (찬바람 따위가) …의 살을 에다. ¶身を～ような寒さ 살을 에는 듯한 추위. **6** (공기·물 따위를) 헤치고 나아가다. ¶水を～·って泳ぐ 물을 헤치고 헤엄쳐 나가다. **7** (카드놀이에서) 뒤섞다; 치다. ¶トランプを～ 트럼프를 치다. **8** (수분 등을) 빼다. ¶塩けを～ 소금기를 빼다/水を～·ってから煮る 물기를 빼고 나서 익히다[찌다]. **9** 새로 시작하다. ¶スタートを～ 스타트를 끊다/口火を～ 입을 떼다; 말을 시작하다. **10** ㉠…을 끝내다; 다 …하다. ¶読み～ 다 읽다/金を使い～ 돈을 다 써버리다. ㉡완전히 …하다. ¶弱り～ 지쳐버리다; 아주 난감해하다. **11**《助詞'を'를 개재시켜》…을 하회하다; 이하가 되다. ¶原価を～·って売る 원가 이하로 팔다/体重が五十キロを～ 체중이 50 킬로를 밑돌다. **12** (핸들이나 키 따위를) 틀다; 꺾다. ¶ハンドルを右に～ 핸들을 우측으로 꺾다/カーブを～ 커브를 꺾다. **13** 긋다; 한정하다. ¶十字を～〖가톨릭〗성호를 긋다/日〔期限〕を～ 날짜를〔기한을〕 정하다. **14** 두드러진 행동을 하다. ¶みえを～ 젠체하다/肩で風を～ 뽐내며 걷다/しらを～ 시치미 떼다/札びらを～ 보라는 듯이 지폐를 꺼내다; 으스대며 돈을 쓰다/とんぼを～ 재주넘다; 공중제비하다/トップを～ 톱을 차지하다. **15** (막혔던 것을) 트다. ¶せきを～·ったように 둑을 튼 것같이《일시에 쏟아져 나옴의 형용》. 注意 1, 2에서, 사람은 '斬る', 나무는 '伐る', 피륙·종이·판자 따위와 같은 것은 '截る'로도 씀. 可能 きれる 下1自

—·っても切(き)れない 끊을래야 끊을 수 없다. ¶～仲(なか)〔関係(かんけい)〕 끊을래야 끊을 수 없는 사이〔관계〕.

> **切(き)る의 여러 가지 표현**
>
> 表現例 すっぱり(싹; 싹둑)·すぱっと(썩; 썩둑)·すかっと(싹; 싹둑)·ずばずば(썩썩; 숭덩숭덩)·すぱすぱ(싹싹; 싹독싹독)·ちょきちょき(삭둑삭둑)·ばっさり(싹둑)·ばさりばさり(싹둑싹둑)·ずたずた(に)(갈기갈기; 토막토막)·ざっくり(싹; 싹둑)·ぶつぶつ(に)(싹독싹독).

きる【着る】 上1他 **1** 옷을 입다. ¶シャツを～ 셔츠를 입다/洋服(ようふく)を着て出勤(しゅっきん)する 양복을 입고 출근하다/着て行(い)く物(もの)がない 입고 갈 것이 없다. ↔脱(ぬ)ぐ. **2** 전하여, ㉠뒤집어쓰다. ¶罪(つみ)を～ 죄를 뒤집어쓰다. ㉡(은혜 등을) 입다; 지다. ¶恩(おん)を～ 은혜를 입다/人(ひと)の好意(こうい)を恩(おん)に～ 남의 호의를 고맙게 여기다. 参考 はかま·ズボン 따위는 'はく'라고 함.

キルティング [quilting] 名〔裁〕 퀼팅; 심(心)을 넣고 박는 자수(刺繡); 또, 솜 따위를 넣고 누빈 것《누비이불·방한복 따위》. =キルト·刺(さ)し子(こ).

ギルド [guild] 名 길드; 중세 유럽에서, 기술 독점을 위해 조직된 동업자 조합.

***きれ【切れ】** 一名 **1** 자른 결과 생긴 작은 물건. ㉠조각; 토막. =きれはし. ¶木(き)の～ 나뭇조각; 나무토막/板(いた)～ 널조각/紙(かみ)～ 종잇조각. ㉡《본디 布·裂로도》 헝겊 또는 직물; 옷감. =きれじ·反物(たんもの). ¶木綿(もめん)の～で袋(ふくろ)をつくる 무명 헝겊으로 자루를 만들다/端切(はぎ)れ 자투리. **2** (물 따위의) 빠지는 정도. ¶水(みず)の～がいい 물이 잘 빠지다. **3** (칼 따위의) 드는 맛〔정도〕. =切(き)れ味(あじ). ¶～のいいわざ 능란한 솜씨/のこぎりの目(め)がつぶれて～が悪(わる)い 톱니가 무디어져서 잘 들지 않는다. **4** 예리함. ¶～のいい頭(あたま) 예리하게 돌아가는 머리.

二接尾 **1** 자른 물건의 수를 나타내는 말: 조각; 토막; 점. ¶一(ひと)～の肉(にく) 고기 한 점/切(き)りみ二(ふた)～ 생선 두 토막. **2**《'ぎれ'로 탁음이 되어》'다 됨·끝남'의 뜻을 나타냄. ¶会費切(かいひぎ)れ～ 회비가 다 떨어짐/時間切(じかんぎ)れで 시간이 다 되어.

きれあが-る【切れ上がる】 5自 위쪽으로 째지다. ¶目(め)じりが～ 눈초리가 위로 째지다.

きれあじ【切れ味】 名 칼 드는 맛〔정도〕; 또, 사람의 재능·솜씨의 날카로움. ¶～がするどい 날이 날카로워 잘 들다/さびているので～が悪(わる)い 녹이 슬어서 칼이 잘 들지 않는다/～のいいカーブ 날카로운 커브/～がよい批評(ひひょう) 날카로운 비평.

きれい【奇麗·綺麗】 ダナ **1** 고움; 예쁨; 아름다움. ¶～な花(はな) 고운 꽃/～な字(じ) 예쁜 글씨/口先(くちさき)だけで～なことを言(い)う 말만 번드르르하게 하다. **2** 깨끗함. ↔きたない. ㉠청결함; 말끔함. ¶～な水(みず) 깨끗한 물/身辺(しんぺん)を～にする 신변을 깨끗이 (정리) 하다. ㉡(솜씨 따위가) 훌륭함; 멋짐. ¶～に仕上(しあ)げる 깨끗이 마무리하다〔해내다〕. ㉢완전함; 남김없음. ¶～に食(た)べる 남김없이 먹다/七(しち)で～に割(わ)り切(き)れる 7로써 깨끗이 나누어떨어지다. ㉣떳떳함. ¶～なつきあい 깨끗한 교제/～な負(ま)け方(かた) 깨끗이 지기/腹(はら)の中(なか)が～だ 결백하다.

—ごと【—事】 名 내용은 하여튼 겉치레만은 좋은 것. ¶～で済(す)まそうと思(おも)ってもだめだ 겉치레만으로 끝내려고 생각해도 소용없다.

—ずき【—好き】 名ダ 깨끗한 상태를 좋아하는 모양; 또, 그 사람.

—どころ【—所】 名 기생; 예쁘게 치장한 여자. =きれいどこ·芸者(げいしゃ). ¶～をそろえる 기생을 모아 놓다.

ぎれい【儀礼】 名 의례. ¶通過(つうか)～ 통과의례/～的(てき)な訪問(ほうもん) 의례적인 방문.

きれぎれ【切れ切れ】 ダナ **1** 도막도막; 조각조각; 동강낸 것. ¶布(ぬの)を～にする 천을 조각조각으로 하다/～の話(はなし)では真相(しんそう)はよくわからない 단편적인 이야기로는 진상을 잘 알 수 없다. **2** 단편적으로 이어져 있는 모양. ¶息(いき)も～に駆(か)け込(こ)む 숨이 끊어질 듯이 헐떡이며 뛰어들다.

きれくち【切れ口】 名 잘린 곳; 단면(斷面). =切(き)り口(くち).

きれこ-む【切れ込む】 5自 깊이 베다; 쭉 째지다. ¶深(ふか)く～·んだ山(やま)ひだ 깊이 파인 산의 습곡(褶曲)/目(め)じりが～·んでいる 눈초리가 째져 있다.

きれじ【切れ地】 名 **1** (옷감의) 자투리. **2** 직물; 옷감; 피륙.

きれじ【切れ痔】《裂れ痔》 名〔醫〕 항문열상(裂傷). =裂(さ)け痔(じ).

きれつ【亀裂】 名 균열. =ひびわれ·われめ. ¶～がはいる 균열이 생기다/地震(じしん)で道路(どうろ)に～が出来(でき)る 지진으로 도로에 균열이 생기다.

きれっぱし【切れっ端】 名 **1** ☞きれはし. **2** 하찮은 것; 지스러기; 쓰레기. ¶人間(にんげん)の～ 인간 쓰레기.

きれなが【切れ長】 名ダナ 눈초리가 가늘고 길게 째져 있는 모양. ¶～の目(め)が印象的(いんしょうてき)な若者(わかもの) 눈초리가 가늘고 긴 눈이 인상적인 젊은이.

きれはし【切れ端】 名 끄트러기; 지저깨비; 토막; 자투리; 조각. =はしくれ·きれっぱし. ¶布(ぬの)の～ 천 자투리/ビスケットの～ 비스킷 조각/材木(ざいもく)の～ 재목의 토막.

きれま【切れ間】 名 끊어진 사이; 간단

(間断). ＝たえま. ¶雲の～ 구름 사이.

きれめ【切れ目】名 **1** 끊어진 자국; 잘린 곳. ＝切れ口. ¶雲の～から日が差す 구름 사이로부터 햇빛이 비치다. **2** (사물의) 중간 참; 짬; 틈. ¶演奏の～を利用してあいさつする 연주 막간을 이용해서 인사하다. **3** 단락. ¶文の～ 글의 단락 / 話の～ 이야기가 끊어진 중간. **4** 끊어질 때; 다할 때. ¶金の～が縁の～ 돈 떨어지면 정도 떨어진다《친구도 돈 있을 때》.

きれもの【切れ者】名 민완가; 수완가. ＝やりて·切れ手. ¶彼は～だ 그는 수완가다.

きれもの【切れ物】名 **1** (잘 드는) 날붙이. ＝はもの. **2** 매진〔절품〕된 물건.

き-れる【切れる】下1自 **1** 끊어지다; 잘라지다. ¶ヒューズが～·れた 퓨즈가 끊어졌다 / 息が～ (a) 숨이 끊어지다《죽다》; (b) 숨이 차다 / 切っても～·れぬ縁 끊을래도 끊을 수 없는 인연 / 話中に電話が～·れた 통화 중에 전화가 끊어졌다. **2** 무너지다; 터지다. ¶堤が～·れて大水が出る 둑이 터져 큰 물이 나다. **3** 떨어지다; 다 되다. ¶油が～ 기름이 떨어지다 / あいにくその品は～·れています 공교롭게도 그 물건은 다 떨어졌습니다. **4** 해지다. ¶くつ下が～ 양말이 닳아 해지다. **5** (기한 따위가) 다 되다; 마감되다. ¶定期が～ 정기 승차권의 유효 기간이 끝나다. **6** 중량·금액 등이 부족해지다; 미달하다. ¶体重が六十キロ～ 체중이 60kg 미달이다 / 元手が～ 자금이 달리다. **7** 방향이 바뀌다. ¶下り坂を海辺の方に～ 내리막길에서 해변 쪽으로 꺾이다 / ボールが右に～ 공이 오른쪽으로 꺾이다. **8**【きれる】완전히〔끝까지〕…할 수 있다. ¶明日までには読み～ 내일까지는 다 읽을 수 있다. 参考 흔히 否定을 수반해 '…할 수 없다'는 뜻으로 쓰임. ¶もう待ち～·れない 더 이상 기다릴 수 없다. **9** 예리하다. ㉠(칼 등이) 잘 들다. ¶良く～小刀 잘 드는 주머니칼. ㉡재기(才氣) 따위가 날카롭다; 민완하다. ¶頭が～ 머리가 잘 돌아가다 / なかなか～男 매우 유능한〔재치 있는〕 사나이.

きろ【岐路】名 기로; 갈림길. ¶運命の～に立つ 운명의 기로에 서다.

きろ【帰路】名 귀로. ＝かえりみち·もどりみち. ¶～につく 귀로에 오르다 / ～, 大阪に立ち寄る 귀로에 大阪에 들르다. ↔往路.

キロ [프 kilo] 名 킬로; 'キロメートル·キログラム' 등의 준말《기호: k》.

—グラム [프 kilogramme] 名 킬로그램《기호: kg》.

—ヘルツ [kilohertz] 名 킬로헤르츠《기호: kHz》.

—メートル [프 kilomètre] 名 킬로미터《기호: km》. ＝キロ.

—リットル [프 kilolitre] 名 킬로리터《기호: kl》. ＝キロ.

—ワット [kilowatt] 名 킬로와트《기호: kW》. ¶～時 킬로와트시《기호: kWh》.

ぎろぎろ 副 눈알을 굴리는〔희번덕거리는, 부라리는〕 모양. ¶～した鋭い眼光 희번덕거리는 날카로운 눈빛.

きろく【記録】名ス他 기록. ＝レコード. ¶～係 기록 담당 / ～を取る 기록하다 / ～に残す 기록으로 남기다 / ～を更新する 기록을 갱신하다 / ～を破る 기록을 깨다.

—えいが【—映画】名 기록 영화. ＝ドキュメンタリー映画. ↔劇映画.

—てき【—的】ダナ 기록적. ¶～な暑さ 기록적인 더위.

—ぶんがく【—文学】名 기록 문학.

—やぶり【—破り】名 기록을 깸. ¶～の豪雨 기록을 깬 호우.

ギロチン [프 guillotine] 名 기요틴; 단두대(斷頭臺). ＝ギヨチン.

ぎろん【議論】名ス他 의론; 토론; 논의; 논쟁. ¶この際, ～は抜きにして 차제에 의론은 빼고서 / ～が起こる 의론이 발생하다 / ～がかみあわない 의론이 서로 맞지 않다 / ～を戦わせる 서로 논쟁을 벌이다 / ～が蒸し返される 논의가 다시 되풀이되다 / ～を詰める 의론의 차이를 좁히다.

*__きわ__【際】名 가장자리; 가. **1** 바로 옆; 곁; 근처. ¶がけの～を歩く 낭떠러지의 가를 걷다. **2** 직전; 한계에 이른 때. ¶今わの～ 죽기 직전; 임종 / この～になって 이 막다른 판국에.

*__=ぎわ__【際】**1**《名詞에 붙어서》가; 옆; 곁. ¶水～ 물가 / 窓～ 창문가. **2**《動詞 連用形에 붙여, 体言을 만듦》…하려고 할 때〔무렵〕; …하기 시작할 때. ¶別れ～ 헤어지려고 할 때 / 往生～ 죽을 때 / 花も散り～になる 꽃도 지기 시작할 때가 되다.

ぎわく【疑惑】名 의혹. ¶～の目でみる 의혹의 눈으로 보다 / ～を晴らす 의혹을 풀다 / ～の念を抱く 의혹을 품다 / ～が晴れる 의혹이 풀리다 / ～がふっ切れない 의혹이 가시지 않다 / ～がつきまとう 의혹이 항상 떠나지 않다.

きわだ-つ【際立つ】5自 뛰어나다; 두드러지다; 눈에 띄다. ¶～·った美しさ 뛰어난 아름다움 / ～·った特色 두드러진 특색.

きわど-い【際疾い】形 **1** 아슬아슬하다; 절박하다; 위태롭다. ¶～芸当をやる 아슬아슬한 곡예를 부리다 / ～ところで助かる 아슬아슬한 고비에서 구조되다〔살아나다〕. **2** 외설스럽다; 음란하다. ¶～話 음란한 이야기.

きわまりな-い【極まりない】形 한이〔짝이〕 없다. ¶不健全なこと～ 불건전하기 짝이 없다 / 無礼～ 무례하기 짝이 없다.

きわま-る【極まる·窮まる】5自 **1** 극히 …하다; …하기 짝이 없다. ¶危険～

話 지극히 위험한 이야기 / 感~·って泣き出す 감회가 복받쳐 울음을 터뜨리다. **2**…이 최상이다. ¶楽しみはここに~ 즐거움은 이에 더할 나위 없다 / 夏はビールに~ 여름에는 맥주가 그만이다. **3**《谷まる》 꼼짝 못할 상태에 빠지다. ¶進退~ 진퇴유곡에 빠지다.

きわみ【極み·窮み】图 극도; 극점; 끝; 한(限); 마지막. ＝限り·はて. ¶~なき喜び 무한한〔끝없는〕 기쁨 / 天地の~ 하늘과 땅의 끝(나는 곳) / ぜいたくの~を尽くす 극도의 사치를 하다 / 不孝の~だ 불효 막심하다.

きわめつき【極め付き】图 **1** (골동품 따위에) 감정서가 붙어 있음. **2** 전하여, 정평이 있음. ＝おりがみつき. ¶~の芝居 정평 있는 연극. 參考 '極め付け'라고 하면 잘못.

きわめて【極めて】副 극히; 더없이; 지극히. ＝この上なく·非常に. ¶事は~重大だ 일은 매우 중대하다 / ~残念に思う 매우 유감스럽게 생각한다.

きわ-める【究める】下1他 **1** 궁구(窮究)하다; 깊이 연구하다. ¶学問の奥義を~ 학문의 오의를 궁구하다 / 真理を~ 진리를 깊이 추구하다. **2** 끝까지 밝히다; 알아내다. ¶真相を~ 진상을 알아내다〔파헤치다〕.

きわ-める【窮める·極める】下1他 **1** 극하다. ㉠끝까지 가다; 한도에 이르다. ¶山頂を~ 산꼭대기에 다다르다 / 位人臣を~ 지위가〔벼슬이〕 인신을 극하다. ㉡더없이 …하다. ¶雑踏を~ 몹시 붐비다 / ぜいたくを~ 사치를 극하다 / 混雑を~ 극도로 혼잡해지다 / 惨状を~ 더없는 참상을 보이다. **2** 몹시 …하다; 다하다. ¶口を~·めてほめる 입에 침이 마르도록 칭찬하다.

きわもの【際物】图 **1** 계절 상품. ¶~を商う 계절품 장사를 하다. **2** 일시적인 유행을 노린 상품·작품. ¶~小説 한때의 인기 소설.

きわやか【際やか】ダナ 뚜렷하게 눈에 띄는 모양; 두드러진 모양. ¶さかいめが~だ 경계선이 뚜렷하다.

きをつけ【気を付け】連語 차려《구령》. 「↔休め.

きん【斤】图 근《약 600 그램》. ¶食パン一~ 식빵 한 근.

きん【禁】图 금령. ¶~を犯して密猟する 금령을 어기고 밀렵하다.

きん【菌】图 균. ¶~の保有者 균의 보유자; 보균자 / ~の侵入を防ぐ 균의 침입을 막다.

***きん**【金】㊀图 **1** 금. ¶~の光 금빛 / ~の産地 금의 산지 / 沈黙は~ 침묵은 금. **2** 금요일. **3** '金賞(＝금상)' '金メダル(＝금메달)'의 준말. **4** 금액. ¶~一万円 금 일만 엔. **5** 돈; 금전. ¶~一封 금일봉 / 貸付~ 대부금. ㊁接尾 …금《기호: K》. ¶十八~のペン 십팔금의 펜.

きん【巾】 キン きれ はば | 건 헝겊 | **1** 천; 헝겊. ¶巾着 두루주머니 / 手巾 수건. **2** (목에) 두르는 것. ¶頭巾 두건. **3** 폭(幅). 注意 일본에서는 '幅'의 약자로 씀.

きん〖斤〗常用 キン | 근 근 | **1** 도끼. **2** 무게의 단위. ¶斤量 근량.

きん〖均〗教5 キン ひとしい | 균 평평하다 | **1** 땅을 평평하게 하다; 고르다. ¶平均 평균 / 均衡 균형. **2** 평등하다. ¶均等 균등 / 均質 균질.

きん〖近〗《近》教2 キン コン ちかい | 근 가깝다 | **1** 거리가 가깝다; 근처. ¶近所 근처 / 付近 부근. **2** 요사이. ¶近日 근일.

きん〖金〗教1 キン コン かね かな こがね | 금 쇠 | 금. **1** 광물의 일종. ¶金銀 금은 / 白金 백금. **2** 귀금속. ¶黄金 황금. **3** 돈; 금전. ¶金品 금품 / 貯金 저금.

きん〖菌〗常用 キン | 균 버섯 | 균. **1** 버섯이나 곰팡이류. ¶菌類 균류. **2** 세균. ¶殺菌 살균 / 保菌 보균.

きん〖勤〗《勤》教6 キン ゴン つとめる つとまる いそしむ | 근 힘쓰다 | **1** 열심히 하다. ¶勤労 근로 / 精勤 정근. **2** 근무하다; 종사하다. ¶出勤 출근 / 欠勤 결근.

きん〖琴〗常用 キン ゴン こと | 금 거문고 | 거문고; 현악기. ¶琴棋 금기 / 琴瑟 금슬.

きん〖筋〗教6 キン すじ | 근 힘줄 | **1** 힘줄. ¶筋肉 근육 / 随意筋 수의근. **2** 물체 내부에서 힘이 되는 줄 모양의 것. ¶鉄筋 철근.

きん〖禁〗教5 キン | 금 금하다 | **1** 금하다; 법도; 법률. ¶禁を破る 법률을 어기다 / 禁止 금지 / 厳禁 엄금. **2** 임금이 있는 곳; 궁전. ¶禁中 금중《대궐》.

きん〖緊〗常用 キン しめる しまる | 긴 굳다 | 세게 조르다; 다잡다; 시급하다. ¶緊張 긴장 / 緊縮 긴축.

きん〖錦〗人名 キン にしき | 금 비단 | **1** 비단. ¶錦繡 금수. **2** 색채가 곱다.

きん〖謹〗《謹》常用 キン つつしむ | 근 삼가다 | 사물에 주의하다; 삼가다. ¶謹慎 근신 / 謹賀新年 근하신년.

きん〖襟〗常用 キン えり | 금 깃 | **1** 깃; 목덜미. ¶開襟 개금. 注意 '衿'과 같음. **2** 가슴; 마음속. ¶襟度 금도 / 胸襟 흉금.

きん〖今〗☞ こん〖今〗.

***ぎん**【銀】图 **1** 은. ¶~のスプーン 은스푼. **2** '銀賞(＝은상)' '銀メダル(＝은메달)'의 준말.

ぎん〘吟〙常用 ギン | 음 읊다 | 1 (시가를) 읊다; 신음하다; 탄식하다. ¶吟遊(ぎんゆう) 음유 / 呻吟(しんぎん) 신음. 2 맛보다. ¶吟味(ぎんみ) 음미.

ぎん〘銀〙教3 ギン しろがね | 은 은 | 은. 1 광물의 일종. ¶銀箔(ぎんぱく) 은박 / 銀鉱(ぎんこう) 은광. 2 은 비슷한 빛나는 백색. ¶銀河(ぎんが) 은하 / 銀世界(ぎんせかい) 은세계. 3 화폐; 금전. ¶銀貨(ぎんか) 은화.

きんあつ【禁圧】名ス他 금압. ¶自由(じゆう)を～する 자유를 금압〔억압〕하다.

*__きんいつ__【均一】名 균일; 평등. ＝一様(いちよう). ¶～料金(りょうきん) 균일 요금 / 百円(ひゃくえん)～ 백 엔 균일 / ～にする 균일하게 하다. 注意 'きんいち'라고도 함.

きんいっぷう【金一封】名 금일봉. ＝寸志(すんし). ¶結婚(けっこん)祝(いわ)いに～を贈(おく)る 결혼 축하로 금일봉을 보내다〔증정하다〕.

きんいろ【金色】名 금빛; 황금빛.

ぎんいろ【銀色】名 은빛.

きんいん【近因】名 근인. ¶一次(いちじ)大戦(たいせん)の～ 1차 대전의 근인. ↔遠因(えんいん).

きんいん【金員】名 〈文〉 금원; 금액; 금전. ＝金額(きんがく)·金高(きんだか). ¶多額(たがく)の～をうけとる 많은 금액을 받다.

きんうん【金運】名 금운; 돈 운; 금전면에서의 운. ＝かねうん.

きんえい【禁泳】名 금영; 수영을 금함.

きんえい【近影】名 근영; 최근에 찍은 사진. ¶著者(ちょしゃ)～ 저자 근영.

ぎんえい【吟詠】名ス他 음영. 1 시가에 가락을 붙여서 노래함; 또, 그 시가. 2 시가를 짓는 일; 또, 그 시가.

*__きんえん__【禁煙】《禁烟》名ス自 금연. ¶～席(せき)〔車(しゃ)〕 금연석〔차〕 / 車内(しゃない)〔場内(じょうない)〕～ 차내〔장내〕 금연 / からだに悪(わる)いので～する 몸에 해로워 금연하다.

きんか【近火】名 근화; 이웃에 일어난 화재. ¶～お見舞(みま)い 근화 위문.

きんか【金貨】名 금화. ¶～で支払(しはら)う 금화로 지불하다.

──じゅんび【──準備】名 금화 준비.

きんが【謹賀】名 근하. ＝恭賀(きょうが).

──しんねん【──新年】名 근하신년.

ぎんか【銀貨】名 은화. ¶～本位制(ほんいせい) 은화 본위제.

ぎんが【銀河】名 은하. ＝天(あま)の川(がわ).

──けい【──系】名〘天〙 은하계. ¶地球(ちきゅう)は～宇宙(うちゅう)の中(なか)にある 지구는 은하계 우주 속에 있다.

きんかい[欣快]名 흔쾌. ¶～の至(いた)りです 흔쾌하기 이를 데 없습니다 / ご成功(せいこう)の由(よし)～に堪(た)えません 성공하셨다니 흔쾌하기 그지없습니다.

きんかい【近海】名 근해. ¶～航路(こうろ) 근해 항로. ↔遠海(えんかい)·遠洋(えんよう).

──ぎょぎょう【──漁業】名 근해 어업; 연안 어업. ↔遠洋(えんよう)漁業.

きんかい【金塊】名 금괴; 금덩어리.

ぎんかい【銀塊】名 은괴; 은덩어리.

きんかぎょくじょう【金科玉条】名 금과옥조. ¶勤勉(きんべん)と倹約(けんやく)を～とする 근면과 검약을 금과옥조로 삼다.

*__きんがく__【金額】名 금액. ＝かねだか. ¶相当(そうとう)な～ 상당한 금액.

きんかくし【金隠し】名 원산(遠山); 재래식변기 앞쪽에 있는 가리개.

ぎんがみ【銀紙】名 은종이. ¶菓子(かし)を～でつつむ 과자를 은종이로 싸다.

きんがわ【金側】名 1 금딱지; 겉데기가 금으로 된 물건. 2 '金側時計(きんがわどけい)(＝금시계)'의 준말.

きんかん【近刊】名 근간. ¶～予告(よこく) 근간 예고 / ～の図書(としょ) 근간 도서.

きんかん【金冠】名 금관. 1 금으로 된 관. ¶～をかぶる 금관을 쓰다. 2〘医〙 치아를 씌우는 금으로 된 의치. ¶歯(は)に～をかぶせる 이에 금관을 씌우다.

きんかん〖金柑〗名〘植〙 금감; 금귤.

きんかん【金管】名 1 '金管楽器(がっき)'의 준말. 2 금속관. ⇔木管(もっかん).

──がっき【──楽器】名 금관 악기. ＝ブラス. ↔木管(もっかん)楽器.

*__きんがん__【近眼】名 1 근안; 근시안. ＝近視(きんし)·ちかめ. 2 눈앞〔목전(目前)〕의 일밖에 모름; 또, 그런 사람.

──きょう【──鏡】名 근시(안)경.

きんかんばん【金看板】名 1 음각한 글자에 금박을 올린 간판. 2 전하여, 세상에 자랑스럽게 선전하는 상품〔주의, 사상〕 등. ¶古(ふる)めかしい～がこの酒屋(さかや)の歴史(れきし)を物語(ものがた)る 고풍스러운 금박 간판이 이 술집의 역사를 말해 준다.

きんき[欣喜]名ス自 흔희; 환희.

──じゃくやく[──雀躍]名ス自 흔희작약; 너무 좋아 기뻐 날뜀. ¶～の態(てい) 흔희작약하는 모습〔태도〕 / 勝利(しょうり)の報(ほう)に～する 승보에 흔희작약하다.

きんき[近畿]名 1 옛날, 궁성 소재지 근처의 지방. 2 京都(きょうと)·大阪(おおさか)를 중심으로 한 2부(府) 5현의 일컬음.

きんき【禁忌】名ス他 금기. 1 (신앙·습속 등에 의해) 꺼리어 피함. ＝タブー. ¶～を破(やぶ)る〔おかす〕 금기를 깨다〔어기다〕. 2 어떤 병에 대해 사용을 금하는 약품·식품 따위. ¶配合(はいごう)～の薬品(やくひん) (다른 약과) 배합이 금지된 약품.

きんきゅう【緊急】名ダナ 긴급. ¶～質問(しつもん) 긴급 질문 / ～な問題(もんだい) 긴급한 문제 / ～に手配(てはい)する 긴급히 수배하다 / ～時(じ)に備(そな)える 긴급시에 대비하다 / ～を要(よう)する 긴급을 요하다.

──じたい【──事態】名 긴급 사태. ¶～宣言(せんげん) 긴급 사태 선언.

──どうぎ【──動議】名 긴급동의.

──はっしん【──発進】名ス自〘軍〙 긴급발진. ☞スクランブル1.

きんぎょ【禁漁】名 금어. ＝きんりょう. ¶～期(き)〔区(く)〕 금어기〔구〕.

きんぎょ【きんぎょ·金魚】名 금붕어. ¶～鉢(ばち) 어항 / ～藻(も) 붕어마름.

──のうんこ〔糞(ふん)〕 금붕어의 똥처럼 많은 사람이 한 사람의 꽁무니를 (졸졸) 따라다님의 비유.

—うり【—売り】图 금붕어 행상(인).

きんきょう【近況】图 근황. =近状. ¶~報告 근황 보고/~を知らせる 근황을 알리다.

きんきょり【近距離】图 근거리. ¶~電話 근거리 전화. ↔遠距離.

きんきら 副 번쩍번쩍 빛나며 화려하고 야하게 보이는 모양: 번드르르. ¶~の衣装 번드르르한 의상.

—きん 副〈俗〉'きんきら'의 힘줌말; 겉만 번드르르함. ¶~のバカ女 겉만 번지르르한 멍청한 여자.

きんきん 副 흥분해서 새된 쇠소리를 내는 모양. ¶~ひびく声 째지는 목소리.

きんきん【近近】副 근근; 머지않아. =ちかぢか. ¶~(に)出直してくる 머지않아 다시 돌아온다/~持参します 머지않아 지참하겠습니다.

きんきん[僅僅]副 근근; 겨우; 단지. =わずか·たった·ほんの. ¶~五年で大成功する 겨우 5년 만에 대성공하다/~二名を残すのみ 겨우 두 명만을 남겼을 뿐/出席の数は~百名に過ぎなかった 출석수는 겨우 백 명에 불과했다.

きんぎん【金銀】图 금은. **1** 금과 은. **2** 금화와 은화; 일반적으로, 돈〔금전〕.

きんく【禁句】图 금구. **1** 和歌나 俳諧 등에서 약속상 또 정취를 해친다고 해서 피하기로 한 말이나 구절. **2** 경사스러운 장소 등에서 기피하는 말《死ぬ(=죽다)·別れる(=이별하다) 등》.

キング[king]图 킹; 임금; 왕.

—サイズ[미 king-size]图 킹사이즈; 특대; 대형의 것〔사람〕. ¶~のアメリカ煙草をふかす 킹사이즈의 미국 담배를 피우다. ↔ベビーサイズ.

きんけい【近景】图 근경. ↔遠景.

きんけい【謹啓】图 근계. =拝啓.

きんけつ【金欠】图〈俗〉돈이 몹시 달림. 参考 '貧血病'의 엇먹은 말씨인 '金欠病'의 준말이라고 함.

きんけん【勤倹】图 근검. ¶~貯蓄する 근검저축하다.

きんけん【金権】图 금권; 금력. ¶~に物を言わせて 돈의 힘을 빌려서/~的体質を深める 금권적인 성향을 굳혀 나가다/~選挙は薄れたようだ 금권 선거는 줄어든 것 같다.

—せいじ【—政治】图 금권 정치.

きんげん【謹厳】图ダナ 근엄. ¶~実直な人 근엄하고 올곧은 사람/~に見える 근엄하게 보이다.

きんげん【金言】图 금언; 격언. =金句. ¶古人の~ 옛 사람의 금언.

きんこ【禁固】《禁錮》图ス他 금고. ¶二十年の~に処せられる 20년의 금고에 처해지다. 注意 법령에서는 '禁錮'.

—けい[禁錮刑]图 금고형.

きんこ【近古】图 근고. ¶~の文学 근고 문학. 参考 일본 역사에서는 보통 鎌倉·室町 시대를 말함; 중세(中世)의 딴 말로도 씀. ↔上古·中古.

*きんこ【金庫】图 금고. ¶~番 금고지기; 금고 관리인/~破り 금고털이/信用~ 신용 금고/宝石を~にしまう 보석을 금고에 보관하다/金を~に入れる 돈을 금고에 넣다.

*きんこう【均衡】图ス自 균형. =バランス. ¶~を保つ 균형을 유지하다/~が取れる 균형이 잡히다/~状態が崩れる 균형 상태가 무너지다/収支(の)~を図る 수지 균형을 꾀하다.

—ざいせい【—財政】图〔經〕균형 재정; 건전 재정.

きんこう【近郊】图 근교. ¶~に住む 근교에 살다.

—のうぎょう【—農業】图 근교 농업.

きんこう【金鉱】图 금광; 금 광산. ¶~を発見する 금광을 발견하다/~をさがす 금광을 찾다.

**ぎんこう【銀行】图 은행. ¶~員 은행원/~口座 은행 계좌/~と取引を始める 은행과 거래를 트다/金を~に預ける 돈을 은행에 예금하다.

—きょうこう【—恐慌】图 은행 공황.

—じゅんびきん【—準備金】图 은행〔지급〕준비금

—わりびき【—割引】图 은행 할인.

きんこく【謹告】图ス他 근고. 参考 광고의 인사말 등에 흔히 씀.

きんこつ【筋骨】图 근골; 근육과 골격; 체격. ¶~たくましい青年 근골이 늠름한 청년/~隆々とした力士 근골이 우람한 씨름꾼.

きんこんしき【金婚式】图 금혼식《결혼 50주년 기념 잔치》.

ぎんこんしき【銀婚式】图 은혼식《결혼 25주년 기념 잔치》.

きんさ[僅差]图 근소한 차이. =小差. ¶~で決戦に勝ち進む 근소한 차로 이겨 결승전에 진출하다.

ぎんざ【銀座】图 東京에 있는 가장 번화한 거리. 参考 각 지방 도시의 번화가 이름에도 붙임.

きんざい【近在】图 도회지 가까이 있는 시골. ¶近郷~ 도시 가까운 마을.

きんさく【近作】图 근작; 최근 작품. ¶~を展覧する 최근 작품을 전람하다.

きんさく【金策】图ス自 돈을 마련함. ¶~に歩く 돈 마련하러 다니다/~に奔走する〔駆けずり回る〕 돈 마련하러 동분서주하다.

きんさつ【禁札】图 금지(사항을 쓴) 팻말. =制札.

きんざん【金山】图 **1** 금산; 금광. **2** 쇠붙이로 만든 것처럼 튼튼한 요해처. ¶~鉄壁 금성철벽.

**きんし【禁止】图ス他 금지. ¶発売〔駐車, 立ち入り〕~ 발매〔주차, 출입〕금지/~を解く 해금하다.

きんし【菌糸】图〔植〕균사.

きんし【近視】图 근시《'近視眼(=근시안)'의 준말》. ↔遠視.

—がんてき【—眼的】ダナ 근시안적. ¶~見識 근시안적인 견식.

きんじ [矜持·矜恃] 名 'きょうじ'의 관용음(慣用音).

きんじ【近似】名スル自 근사; 유사. ¶人間に最も～した動物 인간에 가장 근사한 동물 / もとの方法に～している 원래의 방법과 근사하다.

—ち【—値】名〔數〕근사치; 근삿값.

きんじ【近時】名 근시; 최근. ＝近ごろ·このごろ·最近. ¶～の世相 최근의 세태. ↔往時.

きんじ【金字】名 금자; 금니로 쓴 글자.

—とう【—塔】名 금자탑. **1** ☞ピラミッド. **2** 비유적으로, 불멸의 업적. ¶出版界に不滅の～をうちたてる 출판계에 불멸의 금자탑을 세우다.

ぎんし【銀糸】名 은사; 은실.

きんじえない【禁じ得ない】連語 금할 길이 없다. ¶同情〔今昔の感〕を～ 동정〔금석지감〕을 금할 길이 없다 / 危惧の思いを～ 위구심을 누를 길 없다 / 失笑を～ 실소를 금할 수 없다.

きんじさん【禁治産】名 ☞きんちさん.

きんしつ【均質】名 균질; 등질(等質). ¶～的 균질적 / ～性 균질성.

きんしつ [琴瑟] 名 금슬. **1** 거문고와 비파. **2** 금실; 부부 사이의 사랑.

—相和す 금실이〔부부 사이가〕좋다.

きんじつ【近日】名副 근일; 근간. ¶～開店 근일 개점 / ～封切り 근일 개봉 / ～中にうかがいます 근일 중으로 찾아뵙겠습니다.

きんしゅ【禁酒】名スル自 금주. ¶～禁煙 금주 금연 / 血圧がたかいので～する 혈압이 높아서 금주하다.

きんしゅ [筋腫] 名〔醫〕근종; 근육에 생기는 종기. ¶子宮～ 자궁 근종.

きんしゅ【金主】名 금주. **1** 자본주; 전주. ＝スポンサー. **2** 금전의 소유자.

きんしゅう [錦繡] 名 금수. **1** 비단과 수; 호화찬란한 의복이나 직물. ¶～を身にまとう 호화로운 옷을 몸에 걸치다. **2** 단풍의 비유. ¶～の山々 단풍으로 물든 산들 / ～を織りなす渓谷 비단에 수놓은 듯 아름다운 계곡.

きんじゅう [禽獣] 名 금수. ＝ちくしょう·鳥獣. ¶～に等しい行為 금수와 같은 행위 / ～にも劣る輩 금수만도 못한 족속들 / ～だに恩を知る, いはんや人においてをや 짐승도 은혜를 알거늘 황차 사람에게 있어서랴.

きんしゅく【緊縮】名スル自他 긴축. ¶～政策 긴축 정책 / ～財政 긴축 재정 / ～生活が引き続く 긴축 생활이 계속되다.

きんしょ【禁書】名 금서; 어떤 책의 출판이나 소지를 금하는 일; 또, 그 책.

*きんじょ【近所】名 근처; 근방; 또, 이웃집. ¶～どなり 가까운 이웃 / ～付き合い 이웃집과의 교제〔왕래〕.

—がっぺき【—合壁】名〈老〉벽 하나 사이에 둔 이웃. ＝隣近所.

—めいわく【—迷惑】名ダ 이웃에 끼치는 폐. ＝はた迷惑. ¶ラジオ·テレビの高い音声は, まことに～だ 라디오·텔레비전의 큰 소리는 정말이지 이웃에 폐가 된다.

きんしょう【近称】名〔文法〕근칭《자기에게 가까운 사물·방향·장소를 가리키는 지시 대명사로 'これ·ここ·こちら·こなた' 따위》. ↔遠称.

きんしょう【金将】名 일본 장기 말의 하나. ＝きん.

きんしょう [僅少] ダナ 근소함. ＝わずか·すこし. ¶～な謝礼 하찮은 사례 / ～の差で勝つ 근소한 차로 이기다.

きんじょう【今上】名 금상; 현재의 임금. ¶～陛下 금상 폐하.

きんじょう [錦上] 名 금상; 비단 위.

—花を添える 금상첨화라.

きんじょう【近状】《近情》名 근상; 최근 상태; 근황. ¶学校の～を知らせる 학교의 근황을 알리다.

ぎんしょう【銀将】名 일본 장기 말의 하나. ＝銀.

ぎんしょう【銀賞】名 은상.

ぎんじょう【吟醸】名スル他 정선된 원료를 써서 공들여 양조하는 일.

きんじょうてっぺき【金城鉄壁】名 금성철벽. ¶～の内野陣〔守り〕금성철벽의 내야진〔방비〕.

きん-じる【禁じる】上1他 ☞きんずる.

ぎん-じる【吟じる】上1他 ☞ぎんずる.

きんしん【謹慎】名スル自 근신; 삼감. ¶家に～している 집에서 근신하고 있다 / ～の意を表する 근신의 뜻을 나타내다 / しばらく～する 당분간 근신하다.

きんしん【近親】名 근친. ¶～者 근친자 / ～間の結婚は禁止されている 근친간의 결혼은 금지되어 있다.

—そうかん [—相姦] 名 근친상간.

きんしん【近臣】名 근신; 영주·군주를 가까이에서 모시는 신하. ¶～, 国をあやまる 근신, 나라를 그르치다.

きんす【金子】名 화폐; 금전; 돈.

*きん-ずる【禁ずる】サ変他 금하다. ＝とめる. ¶集会を～ 집회를 금하다 / 涙を～ことができなかった 눈물을 금할 수가 없었다.

ぎん-ずる【吟ずる】サ変他 (시가를) 읊조리다; 읊다; 또, 시가를 짓다. ¶詩を～ 시를 읊다.

きんせい【均整·均斉】名 균정; 균제; 균형. ＝シンメトリー. ¶～の取れた体格 균형 잡힌 체격.

きんせい【禁制】名スル他 금제. ¶～を解く 금제를 풀다 / 男子～の女子寮 남자 금제의 여자 기숙사.

—ひん【—品】名 금제품.

きんせい【近世】名〔史〕근세. ¶～文学史 근세 문학사. 参考 일본에서는 흔히, 江戸 시대를 가리킴.

きんせい【金星】名〔天〕금성; 샛별. 参考 明けの明星·よいの明星·あかぼし 등은 이 별을 말함.

—ロケット [rocket] 名 금성 로켓.

きんせい【謹製】名ス他 근제. ¶当社～の菓子 본사 근제의 과자.

ぎんせかい【銀世界】名 은세계. ¶雪が積もって～になった 눈이 쌓여 은세계가 되었다.

きんせき【金石】名 금석. ¶～学 금석학/～文 금석문/～の交わり 금석지교; 아주 굳은 교제.

きんせつ【近接】名ス自 근접. **1** 가까이 있음. ¶都市に～した村 도시에 근접한 마을. **2** 다가옴; 접근. ¶～掩護射撃 근접 엄호 사격/台風が～する 태풍이 다가오다.

きんせん【琴線】名 금선. **1** 거문고의 줄. **2** 비유적으로, 마음속 깊이 간직한 진정. ¶～に触れる 심금을 울리다.

*きんせん【金銭】名 금전; 돈; 화폐. ¶～出納簿 금전 출납부/～貸付業 금전 대부업/～感覚 금전 감각/～上のごたごた 금전상의 분쟁/あの人とは～上の関係はない 저이와는 금전상의 관계는 없다.

—ずく〖—尽く〗名 모든 것을 돈으로만[돈의 힘으로] 해결하려는 일. =かねずく. ¶～で人の世話をする 오직 돈 때문에 남을 돌봐 주다.

—とうろくき【—登録器】名 금전 등록기. =レジスター.

きんぜん［欣然］副トタル 흔연(히). ¶～承諾する 흔연히 승낙하다/～(として)死地に赴く 흔연히 사지로 향해 가다.

きんせんか〖金盞花〗名〘植〙금잔화.

きんそく【禁足】名ス他 금족. ¶～令 금족령/～をくう 금족을 당하다/～を命ずる 금족을 명하다.

きんぞく【勤続】名ス自 근속. ¶～二十五年の社員 25년 근속 사원/～年限によって昇進する 근속 연한에 따라 승진하다.

*きんぞく【金属】名 금속; 쇠붙이. ¶軽～ 경금속/重～ 중금속.

—げんそ【—元素】名 금속 원소.

—せい【—性】名 금속성. ¶～の音[ひびき] 금속성의 소리[음향].

—バット[bat] 名 금속 배트.

きんそん【近村】名 근촌; 가까운 마을. ¶～の農家から嫁に来た 근촌의 농가에서 시집왔다.

きんだ【勤惰】名 근타; 근태(勤怠); 또, 출근과 결근. =勤怠. ¶～表 근태표(출결근 일람표).

*きんだい【近代】名 근대; 현대에 가까운 시대. ¶～詩 근대시/～女性 근대 여성. 参考 일본에서는 보통 明治 이후부터 2차 세계 대전 때까지를 말함.

—おんがく【—音楽】名 근대 음악.

—か【—化】名ス自他 근대화. ¶～をめざす 근대화를 향해 나아가다/～を進める[阻む] 근대화를 추진[저해]하다.

—ごしゅきょうぎ【—五種競技】名 근대 5종 경기(올림픽 경기 종목의 하나).

—こっか【—国家】名 근대 국가.

—ぶんがく【—文学】名 근대 문학.

きんだか【金高】名〈口〉금액. =金額. ¶～が合わない 금액이 안 맞다.

きんたま【金玉】名〈俗〉불알. =睾丸. ¶～火ばち 추울 때 가랑이 사이에 화로를 넣고 쬐는 일; 또, 그 화로.

きんたろう【金太郎】名 **1** 坂田金時라는 전설적 영웅의 어릴 때 이름. =きんとき. **2** (어린이의) 배두렁이.

きんだん【禁断】名ス他 금단; 금제(禁制). ¶殺生～ 살생금단.

—の木の実〘基〙금단의 열매; 비유적으로, 해서는 안 되는 쾌락 등.

—しょうじょう【—症状】名〘醫〙금단 증상; 금단 현상. ¶禁煙して数日後～に悩まされた 금연하고 며칠 후 금단 증상에 시달렸다.

きんちさん【禁治産】名〘法〙금치산. ¶～者 금치산자/～の宣告を受ける 금치산 선고를 받다.

きんちゃく〖巾着〗名 **1** 두루주머니; 염낭; 돈주머니(옛날에 천·가죽 따위로 만들고 아가리를 끈으로 매어 돈·약 등을 넣어 허리에 찼음). **2** '腰ぎんちゃく'의 준말.

—あみ【—網】名 건착망.

—きり【—切り】名 소매치기(예스러운 말씨). =すり.

きんちゃく【近着】名ス自 근착. ¶～の洋書 최근에 도착한 양서.

きんちょ【近著】名 근저; 최근의 저작물. ¶これは彼の～の一つだ 이것은 그의 근저의 하나이다. ↔旧著.

きんちょう【禁鳥】名 금조; 보호조.

**きんちょう【緊張】名ス自 긴장. ¶～した顔色 긴장한 안색/～が解ける 긴장이 풀리다/筋肉の～をほぐす 근육의 긴장을 풀다/国際間の～が高まる 국제간의 긴장이 고조되다.

きんちょう【謹聴】一名ス他 근청; 삼가 들음. =拝聴. ¶演説を～する 연설을 근청하다. 二感 연설 도중에 청중 사이에서 연설자에게 찬의를 표하거나 다른 청중들에게 '잘 들으라'는 뜻으로 지르는 고함 소리.

きんちょく【謹直】名ダナ 근직; 근실하고 정직함. =きまじめ. ¶～な人[人柄] 근직한 사람[인품]/～に勤める 근실하게 근무하다.

きんてい［欽定］名ス他 흠정; 군주의 명에 의해서 제정하는 일.

—けんぽう【—憲法】名 흠정 헌법(일본에서는 明治 헌법을 가리킴). ↔議定憲法·民定憲法.

きんてい【謹呈】名ス他 근정. ¶著書を～する 저서를 근정하다.

きんてき【金的】名 **1** 금빛의 작은 과녁. **2** 모든 사람이 갈망[동경]하면서도 이룩하기 어려운 목표. ¶合格の～ 합격이라는 동경의 목표.

—を射当てる 뭇 사람이 동경하는 목표를 달성하다. =金的を射止める.

きんてつ【金鉄】图 금철. ¶～の誓(ちか)い〔意志(いし)〕금철과 같은 굳은 맹세〔의지〕/ 男児(だんじ)の一言(いちごん)～の如(ごと)し 남아 일언은 중천금이다.

きんてんさい【禁転載】連語 금 전재; 전재 엄금. ¶無断(むだん)～ 무단 전재 금지.

きんど【襟度】图 금도; 도량; 아량. ＝度量(どりょう). ¶大国民(だいこくみん)の～を示(しめ)す 대국민의 금도를 보이다.

きんとう【均等】图 균등. ¶機会(きかい)～ 기회 균등 / 寄付(きふ)を～に割(わ)り当(あ)てる 기부를 균등하게 할당하다.

—わり【—割り】图 균등할.

きんとう【近東】图〔地〕근동; 유럽에 가까운 동방 제국. ¶～地方(ちほう)の紛争(ふんそう) 근동 지방의 분쟁. ↔中東(ちゅうとう)·極東(きょくとう).

きんとき【金時】图 源頼光(みなもとのよりみつ)의 사천왕(四天王)《아주 뛰어난 네 명의 부하》중 한 사람인 坂田(さかたの)金時《전설적인 영웅으로, 어릴 때 이름은 金太郎(きんたろう); 혈색이 좋고 살이 토실토실 쪘다 함》.

—の火事見舞(かじみまい) 술을 마시고 얼굴이 몹시 붉은 모양.

きんとん〖金団〗图 강낭콩과 고구마를 삶아 으깨어 밤 등을 넣은 달콤한 식품.

ぎんなん〖銀杏〗图〔植〕은행(나무).

きんにく【筋肉】图 근육. ＝すじ. ¶～痛(つう) 근육통 / ～注射(ちゅうしゃ) 근육 주사 / たるんだ～ 처진 근육 / ～がもりあがった腕(うで) 근육이 불거진 팔.

—ろうどう【—労働】图 육체노동. ¶～者(しゃ) 육체노동자. ↔精神(せいしん)労働.

ぎんねず【銀ねず】《銀鼠》图 '銀(ぎん)ねずみ色(いろ)'의 준말; 은회색.

きんねん【近年】图 근년; 근래. ＝近(ちか)ごろ. ¶～に無(な)い寒(さむ)さ〔大雪(おおゆき)〕근래에 없는 추위〔큰 눈〕/ ～ますます発展(はってん)した 근년에 더욱더 발전했다.

きんのう【勤皇·勤王】图 근왕; 왕을 위해 진력하고 충성을 다함《특히, 幕府(ばくふ)에 충성하는 佐幕(さばく)파에 상대되는 말》. ＝尊王(そんのう). ¶～の志士(しし) 근왕의 지사.

—じょうい〔—攘夷〕图 근왕의 지사가 부르짖은 왕정복고 및 외국인 배척주의. ＝尊王(そんのう)攘夷.

きんば【金歯】图 금니; 금으로 씌운 이. ¶～を入(い)れる 금니를 해 박다.

きんぱ【金波】图 금파; 금빛 물결.

—ぎんぱ【—銀波】图 금파 은파; 달빛 따위로 금색·은색으로 반짝이는 물결.

きんぱい【金杯】《金盃》图 금배; 금잔. ¶記念(きねん)に～を配(くば)る 기념으로 금배를 도르다.

きんぱい〔金牌〕图 금패; 금메달. ¶首(くび)にさげた～ 목에 늘어뜨린 금메달.

ぎんぱい【銀杯】《銀盃》图 은배; 은잔.

きんぱく【緊迫】图 ス自 긴박; 몹시 절박함. ¶～した空気(くうき) 긴박해진 공기 / 世界情勢(せかいじょうせい)が極度(きょくど)に～する 세계 정세가 극도로 긴박해지다 / ～を緩和(かんわ)する 긴박한 상태를 완화시키다.

きんぱく【金ぱく】《金箔》图 금박. ¶～を張(は)る〔被(かぶ)せる〕금박을 붙이다〔입히다〕/ 屏風(びょうぶ)に～を置(お)く 병풍에 금박을 박다.

—がはげる 겉치레가 없어지고 실질이 드러나다.

ぎんぱく【銀ぱく】《銀箔》图 은박. ¶～がはげる 은박이 벗겨지다.

きんぱつ【金髪】图 금발. ＝ブロンド. ¶～美人(びじん) 금발 미인.

ぎんぱつ【銀髪】图 은발. ＝しらが.

きんばり【金張り】图 금을 입힘; 또, 그런 것. ¶～の時計(とけい) 금딱지 시계.

ぎんばん【銀盤】图 은반. ¶～の女王(じょおう) 은반의 여왕《여자 스케이트 선수》.

きんぴ【金肥】图 금비; 화학 비료.

きんぴか【金ぴか】图 ダナ〈俗〉금빛으로 번쩍번쩍 빛남; 또, 그러한 물건《새롭고 화려한 의복 따위에 비유됨》. ¶～の礼装(れいそう) 번쩍거리는 예장.

きんぴらごぼう【金平ごぼう】《金平牛蒡》图〔料〕우엉을 잘게 썰어 기름에 볶고 간장 등으로 조미한 요리.

きんぴん【金品】图 금품. ¶～の授受(じゅじゅ) 금품 수수 / ～を贈与(ぞうよ)する〔巻(ま)きあげる〕금품을 증여하다〔등치다〕.

きんぶち【金縁】图 금제 또는 금빛의 테; 금테. ¶～眼鏡(めがね) 금테 안경 / ～の額(がく) 금테(를 두른) 액자.

ぎんぶら【銀ぶら】图 ス自〈俗〉(東京(とうきょう) 번화가인) 銀座(ぎんざ) 거리를 산책하는 일.

きんぶん【均分】图 ス他 균분. ＝等分(とうぶん). ¶財産(ざいさん)を子供(こども)らに～する 재산을 자식들에게 균분하다.

—そうぞく【—相続】图 균분 상속.

きんぷん【金粉】图 금분; 금가루; 금 또는 금빛 합금의 가루. ＝きんこ. ¶～を吹(ふ)き付(つ)ける 금분을 뿜어 입히다.

*きんべん【勤勉】图 ダナ 근면. ¶～な人 부지런한 사람 / ～は成功(せいこう)の母(はは) 근면은 성공의 어머니. ↔怠惰(たいだ).

きんぺん【近辺】图 근변; 부근. ¶この～の商店(しょうてん) 이 부근의 상점 / ～を歩(ある)く 부근을 거닐다.

きんペン【金ペン】图 (만년필의) 금펜; 금 펜촉. ▷pen.

ぎんぽ〖銀宝〗图〔魚〕베도라치.

きんぼう【近傍】图 근방; 근처《한문투의 말씨》. ＝あたり·近所(きんじょ). ¶この～の工場地帯(こうじょうちたい) 이 근방의 공장 지대.

きんぽうげ〖金鳳花·毛茛〗图〔植〕미나리아재비. ＝うまのあしがた.

きんぼし【金星】图 일본 씨름에서 関脇(せきわけ) 이하의 씨름꾼이 横綱(よこづな)에게 이기는 일; 비유적으로, 뜻밖의 공훈. ¶犯人(はんにん)をとらえて～をあげる 범인을 잡아 뜻밖의 큰 공을 세우다.

きんほんい【金本位】图〔經〕금본위.

—せい【—制】图 금본위 제도.

ぎんまく【銀幕】图 은막; 스크린; 영화(계). ¶～の女王(じょおう) 은막의 여왕.

きんまんか【金満家】图 금만가; 재산가; 부호. ＝金持(かねも)ち. ¶～になる 부호가 되다.

*ぎんみ【吟味】名ス他 음미. ¶言葉(ことば)の意味(いみ)を～する 말의 뜻을 음미하다/材料(ざいりょう)を～して用(もち)いる 재료의 양부(良否)를 잘 조사하여 쓰다.

きんみつ【緊密】ダナ 긴밀. ¶～な間柄(あいだがら) 긴밀한 사이/～な連絡(れんらく)を取(と)る 긴밀한 연락을 취하다.

きんみゃく【金脈】名 **1** 금맥; 금의 광맥. **2**〈俗〉돈줄; 자금을 대주는 곳〔사람〕. ＝金(かね)づる·金主(きんしゅ)·金穴(きんけつ). ¶～を見(み)つける 돈줄을 찾아 내다.

*きんむ【勤務】名ス自 근무. ＝つとめ. ¶～時間(じかん)〔評定(ひょうてい)〕 근무 시간〔평정〕/三交替(さんこうたい)～ 3교대 근무/市役所(しやくしょ)に～する 시청에 근무하다/～を怠(おこた)る 근무를 게을리하다.

—さき【—先】名 근무처.

きんむく【金むく】《金無垢》名〈俗〉순금; 순금제(製). ＝純金(じゅんきん). ¶～の仏像(ぶつぞう) 순금 불상.

ぎんむく【銀むく】《銀無垢》名〈俗〉순은(제).

ぎんめし【銀飯】名〈俗〉쌀밥. ＝銀(ぎん)しゃり. ↔麦飯(むぎめし).

きんメダル【金メダル】名 금메달; 전하여, 우승; 제1위. ▷medal.

ぎんメダル【銀メダル】名 은메달; 전하여, 준우승; 제2위. ▷medal.

きんめっき【金めっき】《金鍍金》名ス自他 금도금.

きんモール【金モール】名 금(金)몰. **1** 금실로 꼰 끈《견장(肩章) 등에 씀》. **2** 금실을 써서 짠 견직물. ¶～の大礼服(たいれいふく) 금몰의 대례복. ▷네 moor.

きんもくせい『金木犀』名〔植〕금계(金桂).

きんもじ【金文字】名 금문자; 금빛의 문자; 금니(金泥)·금박·금가루 따위로 쓴 글자. ＝金字(きんじ). ¶～入(い)りの看板(かんばん) 금문자가 있는 간판.

きんもつ【禁物】名 금물. ¶油断(ゆだん)は～ 방심은 금물/この病人(びょうにん)には酒(さけ)は～だ 이 환자에게는 술은 금물이다.

きんゆ【禁輸】名 금수; 수출입의 금지. ¶～品目(ひんもく) 금수 품목/～を解除(かいじょ)する 금수를 해제하다.

*きんゆう【金融】名ス自 금융. ＝かねぐり. ¶～界(かい) 금융계/～資産(しさん) 금융 자산/～自由化(じゆうか) 금융 자유화/～が逼迫(ひっぱく)する 금융이 핍박하다.

—かんとくちょう【—監督庁】名 금융 감독청《1998년 발족; 한국의 금융 감독원에 해당》.

—かんわ【—緩和】名 금융 완화. ↔金融引(ひ)き締(し)め.

—きかん【—機関】名 금융 기관.

—きょうこう【—恐慌】名 금융 공황.

—しじょう【—市場】名 금융 시장.

—しほん【—資本】名 금융 자본.

—ひきしめ【—引き締め】名〔經〕금융 긴축. ↔金融緩和(かんわ).

—もちかぶがいしゃ【—持ち株会社】名 금융 지주 회사; 금융 기관의 주식을 소유하는 지주 회사.

ぎんゆうしじん【吟遊詩人】名 음유 시인.

きんよう【緊要】名ナ 긴요. ＝肝要(かんよう). ¶農村対策(のうそんたいさく)が～な問題(もんだい)だ 농촌 대책이 긴요한 문제다.

**きんよう【金曜】名 금요(일). ¶十三日(じゅうさんにち)の～日(び) 13일의 금요일.

きんよく【禁欲】《禁慾》名ス自 금욕. ¶～生活(せいかつ) 금욕 생활. ↔享楽(きょうらく).

—しゅぎ【—主義】名 금욕주의.

ぎんよく【銀翼】名 은익; (비행기의) 은빛 날개; 또, 비행기. ¶飛行機(ひこうき)が～をつらねて飛(と)ぶ 비행기가 은빛 날개를 나란히 하여 날다.

きんらい【近来】名 근래; 요사이; 요즘; 최근. ＝ちかごろ. ¶～の傑作(けっさく) 근래의 걸작/～にないこと 근래에 없는 일.

参考 副詞적으로도 씀. ¶～まれな大人物(だいじんぶつ) 근래 보기 드문 큰 인물.

きんらん［金襴］名 금란; 금실을 씨실로 하여 무늬를 놓은 화려한 비단의 일종. ¶～緞子(どんす) 금란 단자.

きんり【金利】名 금리; 이자. ¶低(てい)～ 저금리/～生活者(せいかつしゃ) 금리 생활자/～引(ひ)き上(あ)げ 금리 인상/～が付(つ)く〔上(あ)がる〕 금리가 붙다〔오르다〕/～がかさむ 금리가 늘어나다/～が高(たか)い〔安(やす)い〕 금리가 높다〔싸다〕.

きんりょう【斤量】名 근량; 근수; 무게. ＝目方(めかた)·斤目(きんめ). ¶～が不足(ふそく)する 근량이 부족하다.

きんりょう【禁猟】名 금렵; 사냥을 금함. ¶～期(き)〔区(く)〕 금렵기〔구〕.

きんりょう【禁漁】名 ☞きんぎょ(禁漁).

きんりょく【筋力】名 근력; 근육의 힘. ¶～の低下(ていか) 근력의 저하.

きんりょく【金力】名 금력. ¶～万能(ばんのう)の世(よ)の中(なか) 금력 만능의 세상/～で政治(せいじ)を左右(さゆう)する 금력으로 정치를 좌우하다/～に物(もの)を言(い)わせる 돈의 힘을 빌리다.

きんりん【近隣】名 근린; 가까운 이웃. ＝隣(となり)近所(きんじょ). ¶～の村(むら) 가까운 이웃 마을/～諸国(しょこく) 근린 제국/～窮乏化政策(きゅうぼうかせいさく) 근린 궁핍화 정책.

—こうえん【—公園】名 근린 공원.

ぎんりん【銀輪】名 은륜; 자전거의 미칭. ¶～部隊(ぶたい) 은륜〔자전거〕 부대/～を駆(か)る〔走(はし)らせる〕 자전거를 몰다.

ぎんりん［銀鱗］名 은린. **1** 은빛 비늘. **2** (살아 있는) 물고기의 미칭. ¶渓流(けいりゅう)に躍(おど)る～ 계류에서 뛰어오르는 은빛 물고기.

きんるい【菌類】名 균류; 곰팡이류.

きんれい【禁令】名 금령. ＝禁制(きんせい). ¶～を発(はっ)する 금령을 내리다/～を敷(し)く〔犯(おか)す〕 금령을 시행하다〔어기다〕.

ぎんれい［銀嶺］名 은령; 눈이 덮여 은색으로 빛나는 산.

*きんろう【勤労】名ス他 근로. ¶～者(しゃ) 근로자/～精神(せいしん)〔大衆(たいしゅう)〕 근로 정신〔대중〕/～奉仕(ほうし) 근로 봉사/～の尊(とうと)さ 근로의 존귀함.

—感謝(かんしゃ)の日(ひ) 근로 감사의 날《11월

23일; 제2차 대전 때까지의 '新嘗祭'를 고친 이름》.
—かいきゅう【—階級】图 근로 계급.
—しょとく【—所得】图〖經〗근로 소득. ¶～税 근로 소득세. ↔不労所得·財産所得.

く ク

1 五十音図 'か行'의 셋째 음. [ku] 2〖字源〗'久'의 초서체《かたかな 'ク'는 '久'의 생략체》.

く【口】图 인원수·기구(器具) 등을 세는 말: 명; 개. ¶盆五～ 쟁반 다섯 개.

*く【区】구. 图 1 대도시 행정 구획의 하나. ¶～の事業 구에서 하는 사업. 2 법령 집행상의 구획. ¶選挙～ 선거구.

く【句】구. 图 1 글의 구절. ＝文節. ¶語と～ 낱말과 구. 2 성구; 관용구. 3 ☞フレーズ. ↔節.

く【苦】图 1 고생; 괴로움. ＝くるしみ. ¶～をなめる 고생을 겪다. ↔楽. 2 근심; 걱정. ＝心配·なやみ. ¶～のない人 걱정이 없는 사람 / ～になる 걱정이 되다 / ～にする 걱정하고 괴로워하다.

—あれば楽あり 고생이 있으면 낙이 있다; 고생 끝에 낙이 온다.

—に病む 고민하다; 걱정하다.

—は楽の種 고생은 낙의 씨앗; 고생 끝에 낙이 온다.

—もなく 어렵지 않게; 힘 안 들이고. ¶～仕上げた 어렵지 않게 해냈다.

く〖区〗《區》教3 ク | 구 구역 | 1 구획을 짓다. ¶区域 구역 / 学区 학구. 2 구구하다; 자질구레하다. ¶区々 구구.

く〖句〗教5 ク | 구 구절 | 구. ¶文句 문구 / 発句 시가(詩歌)의 첫귀.

く〖苦〗教3 ク にがい にがる くるしい くるしむ くるしめる | 고 쓰다 | 1 쓰다. ¶苦笑 고소. 2 고생하다. ¶労苦 노고. 3 고통. ¶四苦八苦 사고팔고. ⇔楽.

く〖駆〗《驅》常用 ク かける かる | 구 몰다 | 말을 달리다. ¶駆使 구사 / 疾駆 질구.
注意 '駈'는 속자(俗字).

ぐ【具】㊀图 1 도구; 수단. ¶政争の～に利用する 정쟁 도구로 이용하다. 2〖料〗잘게 썰어 국·국수 등에 넣는 재료《어육·야채 등》: 속; 건더기. ＝実. ¶～の少ない味噌汁 건더기가 적은 된장국. ㊁接尾 1 의복·기구 등을 세는 말: 벌; 습(襲). ¶よろい二～ 갑옷 두 벌. 2 …구; 도구. ¶運動～ 운동구.

ぐ【愚】㊀图ダナ 어리석은 일〔사람〕. ¶～の骨頂 더없이 어리석음. ↔賢. ㊁代 자기의 겸사말: 저. ¶～の見ますところでは 제가 보는 바로는.

—にも付かぬ 턱도 없는; 얼토당토않은. ¶～話 얼토당토않은 말.

ぐ〖具〗《具》教3 グ そなえる そなわる つぶさ | 구 갖추다 | 1 갖추다. ¶具備 구비. 2 비치해 두는 물건. ¶家具 가구.

ぐ〖愚〗常用 グ おろか | 우 어리석다 | 1 어리석다. ¶愚昧 우매 / 愚問 우문. ↔賢. 2 자기 또는 자기와 관계 있는 것을 가리키는 겸사말. ¶愚弟 우제.

ぐ〖虞〗《虞》常用 グ おそれ | 우 염려하다 | 우려하다. ¶憂虞 우우 / 虞犯 우범.

**ぐあい【具合】《工合》图 1 형편; 상태. ¶～がよい 형편이 좋다 / 脈の～が変だ 맥박 상태가 이상하다. 2 (이러이러한) 식; 방식. ¶どんな～に会議を進めたらよいか 어떤 식으로 회의를 진행하면 좋을까 / こんな～に作れ 이런 식으로 만들게.

—が悪い 1 상태가〔형편이〕 좋지 않다. ¶からだの～ 몸 상태가 좋지 않다. 2 거북하다; 난처하다. ¶断るのは～ 거절하기가 난처하다.

クアハウス〔도 Kurhaus〕图 쿠어하우스; 온천지 등에 시설한 보양 시설.

クァルテット〔이 quartetto〕图 ☞カルテット.

ぐあん【具案】图 구안. 1 초안을 잡음. 2 일정한 수단·방법이 갖춰져 있음; 또, 그 안(案). ＝具体案.

ぐあん【愚案】图 우안; 어리석은 생각《특히, 자기의 안의 겸사말》.

*くい〖杭·杙〗图 말뚝. ¶～をうつ〔立てる〕 말뚝을 박다〔세우다〕 / 出る～は打たれる 모난 돌이 정 맞는다.

くい【句意】图 구의; 글귀의 뜻.

くい【悔い】图 후회. ¶何の～もない 아무런 후회도 없다 / 一生～をのこす 두고두고 후회하다.

くいあ-う【食い合う】5自 1 서로 잡아먹다; 서로 물다. ¶狼どうしが～ 늑대끼리 서로 물어뜯다. 2 맞물리다; 맞다. ＝かみあう. ¶歯車が～ 톱니바퀴가 맞물리다. ↔食いちがう.

くいあ-きる【食い飽きる】上1自 1 포식하다. 2 (음식 등에) 물리다. ＝たべあきる. ¶肉には～·きた 고기에 물렸다.

くいあげ【食い上げ】图 생활 수단을 잃음; 생활이 곤란함. ¶飯の～になる 실직자가 되다.

くいあら-す【食い荒らす】5他 1 들쑤시어 먹다; 구저분히 먹다. ¶ねずみに～·される 쥐가 먹어 망쳐 놓다 / 料理を～ 요리를 구저분히 먹다. 2 잠식하다. ¶選挙地盤(せんきょじばん)を～ 선거 지반을 잠식하다.

くいあらた-める【悔い改める】[下1他] 회개하다. ¶これまでの言動(げんどう)を～ 지금까지의 언동을 뉘우쳐 고치다.

くいあわせ【食い合わせ】[名] **1** 두 가지 이상의 음식을 동시에 먹어 중독을 일으킴. ¶うなぎと梅干(うめぼし)は～が悪(わる)い 장어와 매실 장아찌는 같이 먹으면 나쁘다. **2** 접합; 턱끼움((특히, 재목 따위)); 또, 그 부분. ¶寸法(すんぽう)を間違(まちが)って～がうまく行(い)かない 치수가 틀려 접합이 잘 안 된다.

くいいじ【食い意地】[名] 게걸; 걸신들림. ¶～が張(は)っている 걸신이 들렸다.

くいい-る【食い入る】[5自] **1** 먹어 들어가다; 잠식〔침범〕하다. ¶他(た)の地盤(じばん)へ～ 남의 지반을 잠식하다. **2** 죄어들다; 집어삼키다; 잡아먹다. ¶～ような目(め)つき 집어삼킬 듯한 눈매 / ～ように見(み)つめる 뚫어지게 보다.

クイーン [queen] [名] 퀸. **1** 여왕; 왕비; 또, 한 무리 중에서 화려하고 중심적 존재인 여성. ¶社交界(しゃこうかい)の～ 사교계의 여왕. **2** 카드패의 일종.

くいうち【くい打ち】(杭打ち)[名] 건축·토목 공사에서, 지반을 다지기 위해 콘크리트제의 말뚝을 박는 일; 말뚝박기.

—き【—機】[名] 말뚝 박는 토목 기계.

くいかか-る【食い掛かる】[一][5自] (물려고) 덤벼들다. ＝食(く)いつく. ¶犬(いぬ)が鶏(とり)に～ 개가 닭에게 덤벼들다. [二][5他] 먹기 시작하다. ¶晩飯(ばんめし)を～·ったところにベルが鳴(な)った 막 저녁을 먹으려는 참에 초인종이 울렸다.

くいかけ【食い掛け】[名] 먹다 맒; 또, 그 음식. ＝食(く)い止(さ)し. ¶～のりんご 먹다 만 사과.

くいかじ-る【食いかじる】(食い噛る)[5他] **1** 여기저기 먹어 보다 말다. **2** 어설프게 알다. ¶ドイツ語(ご)を～ 독일어를 조금 알다.

くいか-ねる【食い兼ねる】[一][下1他] 먹기 어렵다. ¶この肉(にく)は筋(すじ)が多(おお)くて～ 이 고기는 심줄이 많아서 먹기 힘들다. [二][下1自] 생활이 어렵다. ¶失業(しつぎょう)して〔稼(かせ)ぎがなくて〕～·ねている 실직해서〔벌이가 없어〕 먹고 살기가 어렵다.

***くいき**【区域】[名] 구역. ¶通学(つうがく)～ 통학 구역 / 受(う)け持(も)ちの～ 담당 구역 / 立入禁止(たちいりきんし)～ 출입 금지 구역.

くいき-る【食い切る】[5他] 깨물어 자르다〔끊다〕. ¶舌(した)を～·って自殺(じさつ)する 혀를 깨물어 자살하다.

ぐいぐい [副] **1**〈俗〉무엇을 힘차게 계속하는 모양: 죽죽; 쭉쭉. ¶独断(どくだん)で～(と)決(き)めてしまう 독단으로 데꺽데꺽 결정해 버리다. **2** 세차게 당기거나 밀치는 모양. ¶～押(お)す 힘차게 밀다 / ～引(ひ)っぱる 힘차게 당기다. **3** 벌떡벌떡. ¶酒(さけ)を～(と)あおる 술을 벌떡벌떡 들이켜다. ↔ちびちび.

くいけ【食い気】[名] 먹고 싶은 마음. ＝食欲(しょくよく). ¶～がない 식욕이 없다.

***くいこ-む**【食い込む】[5自] **1** 먹어 들어가다; 결손이 나다. ¶製品(せいひん)が売(う)れないので一個月(いっかげつ)千万円(せんまんえん)も～·んだ 제품이 안 팔려 한 달에 천만 엔이나 결손을 봤다. **2** 파고들다. ¶外国市場(がいこくしじょう)に～ 외국 시장에 파고들다.

くいころ-す【食い殺す】[5他] 물어 죽이다. ¶猫(ねこ)が鼠(ねずみ)を～ 고양이가 쥐를 물어 죽이다.

くいさが-る【食い下がる】[5自] 물고 늘어지다; 끈덕지게 다투다. ¶先頭(せんとう)の選手(せんしゅ)に～·って離(はな)れない 선두(의) 선수를 바짝 따라붙어서 떨어지지 않다 / 質問(しつもん)をして相手(あいて)に～ 질문을 하여 상대를 물고 늘어지다.

くいしば-る【食いしばる】(食い縛る)[5他]『歯(は)を～』이를 악물다. ¶歯(は)を～·ってがまんする 이를 악물고 참다.

くいしろ【食い代】[名] **1** 식비; 식대. ＝食費(しょくひ)·食いぶち. ¶～を稼(かせ)ぐ 밥값을 벌다. **2** 식품; 먹을거리. ＝食い料(りょう).

くいしんぼう【食いしんぼう·食いしん坊】[名ナ]〈俗〉먹보; 걸신 들린 사람. ＝食(く)いしんぼ·いやしんぼう. ¶～の子(こ) 걸신들린 아이.

クイズ [미 quiz] [名] 퀴즈. ＝なぞ·あてもの. ¶～番組(ばんぐみ) 퀴즈 프로.

くいすぎ【食い過ぎ】[名] 과식. ¶～で腹(はら)をいためる 과식으로 배앓이하다.

くいぞめ【食い初め】[名] 초반례(初飯禮)((생후 100일 또는 120일째 날, 아기에게 처음 밥을 먹이는 집안끼리의 행사)). ＝箸(はし)ぞめ·箸たて·百日(ももか).

くいたお-す【食い倒す】[5他] **1** 음식 값을 떼어먹다. ¶そば代(だい)を～·される 메밀국수 값을 떼이다. **2** 무위도식하다; (재산을) 까먹다. ＝くいつぶす. ¶親(おや)の築(きず)いた身代(しんだい)を～ 부모가 모아놓은 재산을 탕진하다.

くいだおれ【食い倒れ】[名][ス自] 먹고 마시는 것으로 재산을 탕진함. ¶京(きょう)の着倒(きだお)れ, 大阪(おおさか)の～ 京都 사람은 입어서 망하고, 大阪 사람은 먹어서 망함.

くいだめ【食いだめ】(食い溜め)[名][ス自他] 많이 먹어 둠. ＝くいおき. ¶人間(にんげん)はやたらに～(を)するわけにはゆかない 인간은 무턱대고 많이 먹어 둘 수는 없다.

くいたりな-い【食い足りない】[形] **1** 먹은 것이 양에 차지 않다. ¶一人前(いちにんまえ)ではまだ～ 일인분으로는 아직 양에 차지 않는다. **2** 만족하지 못하다. ＝ものたりない. ¶迫力(はくりょく)の点(てん)で今(いま)一(ひと)つ～文章(ぶんしょう) 박력 면에서 아직 좀 불만스러운 문장.

くいちがい【食い違い】[名] 어긋나는 일〔점〕. ¶証言(しょうげん)に～が生(しょう)ずる 증언에 차이점이 생기다.

***くいちが-う**【食い違う】[5自] 어긋나다. ¶継(つ)ぎめが～·ってぴったり合(あ)わない

이음매가 어긋나서 꼭 맞지 않는다/意見が～ 의견이 엇갈리다.

くいちぎ-る【食いちぎる】[5他] 물어뜯다. ¶泥棒が縄を～·って逃げた 도둑이 포승을 물어뜯고 도망갔다.

くいちら-す【食い散らす】[5他] **1** 나온 요리를 이것저것 조금씩 먹다; 또, 여러 가지 일에 조금씩 손을 대다. ¶何でも～·してみたが結局物にならない 무엇이나 조금씩 집적거려 보았으나 결국 아무것도 안 되다. **2** 지저분하게 흘리며 먹다. ¶子供が御飯を～ 아이가 밥을 지저분하게 흘리며 먹다.

くいつ-く【食いつく·食い付く】[5自] 물다. **1** (개 따위가) 달려들어 물다; 전하여, 달라붙다. ¶がぶりと～ 덥석 물다/犬が～ 개가 달려들어 물다. **2** (물고기가 미끼를) 물다; 전하여, (혹하여) 덤비다. ¶金もうけの話に～ 돈벌이 얘기에 혹하여 덤비다. **3** 트집을 잡고 덤비다. ¶上役に～ 상사에게 대들다.

クイック [quick] [ダナ] 퀵; 빠름. ¶～モション 퀵모션. ↔スロー.

クイック [KWIC] 图〔컴〕 퀴크; 기준어 내부 색인법; 문맥(文脈)이 붙은 키워드 표(表). ▷key word in context.

くいつく-す【食い尽くす】[5他] 다 먹어 치우다. ¶携帯した食料を～ 휴대한 식료품을 다 먹어 버리다.

くいつな-ぐ【食いつなぐ】《食い繋ぐ》 [5自] 겨우 목숨만 연명하다. ¶持ち物を売って～·いで来た 지닌 물건을 팔아서 겨우 목숨만 이어 왔다.

くいっぱぐれ【食いっぱぐれ】图 ☞くいはぐれ.

くいつぶ-す【食いつぶす】《食い潰す》 [5他] 무위도식하여 재산을 탕진하다. =食いたおす. ¶親の遺産を～ 부모 유산을 무위도식으로 탕진하다.

くいつ-める【食い詰める】[下1自] 수입이 없어져서 살길이 막막하다. ¶職を失って～ 실직하여 살길이 막막하다.

くいで【食いで·食い出】图 충분히 먹었다고 여겨지는 분량; 배부름. ¶安くて～のある物 싸고도 배부른 것.

ぐいと 副 **1** 세게 당기거나 밀거나 잡는 모양: 꾹; 꽉. ¶～つかむ 꽉 쥐다. **2** 단숨에 들이켜는 모양: 쭉. ¶～飲み干す 쭉 들이켜다.

くいどうらく【食い道楽】图 식도락. =しょくどうらく. ¶私は着道楽より～の方です 저는 옷 잘 입는 도락보다 식도락을 하는 편입니다.

***くいと-める**【食い止める】[下1他] 저지하다; 막다. ¶敵の大軍を～ 적의 대군을 막아내다.

くいにげ【食い逃げ】图[ス自] 먹은 음식 값을 물지 않고 달아남; 또, 그 사람. =無銭飲食. ¶～をする 음식 값을 떼어먹고 달아나다.

くいのばし【食い延ばし】图[ス自他] 늘루 먹기. ¶次の配給まで米を～する 다음 배급 때까지 쌀을 아껴서 먹다.

くいのば-す【食い延ばす】[5他] 늘루 먹다; 아껴 먹다. ¶わずかな食糧を～ 얼마 안 되는 식량을 아껴 먹다.

ぐいのみ【ぐい飲み】[一]图[ス他] 단숨에 꿀꺽 마심. ¶酒を茶わんで～にする 술을 찻잔으로 들이켜다. [二]图 크고 운두가 높은 술잔.

くいはぐれ【食いはぐれ】《食い逸れ》 图 먹을 기회를 놓침; 전하여, 생활 방도를 잃음. =食いっぱぐれ. ¶～のない商売 생계의 염려가 없는 장사.

くいはぐ-れる【食いはぐれる】《食い逸れる》 [下1自] **1** 먹을 기회를 놓치다. ¶夕食を～ 저녁 식사를 거르다. **2** (실직해서) 생계를 잃다. =食いっぱぐれる. ¶あれだけ英語ができれば～ことはない 저 정도로 영어를 할 줄 알면 굶을 걱정은 없다.

くいぶち【食いぶち】《食い扶持》 图 식비; 생활비. =食費·くいぶん. ¶わずかの～をもらう 약간의 생활비를 받다/毎月の～を入れる 매달의 식비를 내다.

***くいもの**【食い物】图 **1** 음식; 먹을거리; 식품. ¶～のうらみは恐ろしい 먹지 못한 한은 무섭다. **2** 전하여, 이용물; 제물; 희생물. ¶娘を～にする 딸을 희생물로 삼다.

くいようじょう【食い養生】图[ス自] 식이 요법. =しょくようじょう.

く-いる【悔いる】[上1他] 후회하다; 뉘우치다. =悔やむ. ¶軽はずみな行動を～ 경솔한 행동을 뉘우치다.

クインテット [quintet(te)] 图 퀸텟. **1** 오중창(五重唱); 오중주(五重奏). **2** 오중주단; 오중창단.

****く-う**【食う】《喰う》 [5他] **1** ㉠먹다. ¶肉を～ 고기를 먹다/～だけの働きをする 먹는 만큼의 일을 하다《제 밥값을 하다》. [参考] 여성어·공손한 말씨는 '食べる'. ㉡생활하다. ¶～には困らない 생활은 어렵지 않다. ㉢좀이 먹다. ¶虫に～·われた本 좀이 먹은 책. ㉣갉아먹다. ¶票が～·われる (선거 등에서) 표가 잠식당하다〔먹히다〕/相手の縄張りを～ 상대방의 세력 범위를 잠식하다. **2** ㉠잡아먹다. ¶野獣に～·われる 야수에게 잡아먹히다. ㉡들다; 걸리다; 소비하다. ¶時間を～ 시간이 걸리다/金を～ 돈이 들다. **3** (꺾어) 이기다; 상대를 꺾다. ¶優勝候補を～ 우승 후보를 꺾다. **4** ㉠만나다. ¶しけを～ 폭풍우를 만나다. ㉡(바람직하지 않은 일을) 당하다; 받다; 입다. ¶攻撃を～ 공격을 당하다/彼女にひじ鉄砲を～ 그녀에게 퇴짜를 당하다. ㉢속다; 넘어가다. ¶一杯～·わされた 감쪽같이 속았다. **5** ㉠(고기·벌레 등이) 물다. ¶蚊に～·われた跡 모기에 물린 자국. ㉡꽉 끼다. ¶くさびががっちりと～·っている 쐐기가 단단히 물려 있다. **6** (마음에) 들다. ¶気に～·わない 마음에 들지 않다. **7**【くう】『人を～』(사람을) 무시하다; 깔[넘]보다; 놀리다. ¶人を～·った事を言う 사람을 무시하는 말을 하다. **8**『何～·わぬ顔をする』 태연하다; 짐짓 시치미 떼다. [可能]くーえる [下1自]

—か—·われるか 먹느냐 먹히느냐. ¶～の戦い 먹느냐 먹히느냐의 싸움.

—や—·わず 겨우 연명하고 있는 가난한 살림의 비유. ¶～の生活 (먹는 둥 만 둥 하는) 찢어지게 가난한 생활.

くう【空】 [一][名] 하늘; 허공. ¶～に舞う (춤을 추듯) 하늘을 날다/～に消える 허공으로 사라지다/～をつかむ 허공을 잡다. [二][ダナ] 빔; 허(虛); 공허함; 아무것도 없음. ¶努力が～に帰する 노력이 헛되이 되다/頭が～になる 머리가 텅비다. [三][名][ダナ]〖佛〗공; 실체가 없음. ¶色即是～ 색즉시공/人生は～だ 인생은 공이다[덧없다].

くう〖空〗《空》 [教1] クウ そら から むなしい あく あける すく

공 비다 | **1** 하늘; 허공. ¶空間 공간. **2** 빔; 내용이 없음. ¶空論 공론/真空 진공. 「ちょき·ぱあ.

ぐう [名] (가위바위보의) 바위. ＝石. ↔

ぐう [副] **1** 숨이 막히거나 목에 무엇이 걸렸을 때 나는 소리: 끽. **2** 공복(空腹)시 배에서 나는 소리: 쪼르륵.

—の音も出ない 끽소리도 못하다. ¶証拠をつきつけられて～ 증거를 들이대어 끽소리도 못하다.

ぐう〖偶〗 [常用] グウ たまたま | 우 짝 | **1** 쌍; 짝이 됨. ¶配偶 배우(자). **2** 둘로 나누어 떨어지다. ¶偶数 우수. ↔奇.

ぐう〖遇〗《遇》 [常用] グウ あう | 우 만나다 | **1** 우연히 만나다. ¶千載一遇 천재일우. **2** 대우하다. ¶冷遇 냉우; 냉대.

ぐう〖隅〗 [常用] グウ すみ | 우 모퉁이 | 구석. ¶四隅 사우.

くうい【空位】 [名] 공위; 자리가 빔; 또, 그 비어 있는 지위. ¶会長の座が～になる 회장 자리가 공석이 되다.

ぐうい[寓意] [名] 우의; 어떤 일에 빗대어 뜻을 은연중에 나타냄; 또, 그 뜻. ＝アレゴリー. ¶～劇 우의극/～を含んだ絵 우의를 함축한 그림.

—しょうせつ[—小説] [名] 우의 소설.

くういき【空域】 [名] 공역. ¶戦闘訓練～ 전투 훈련 공역.

***くうかん【空間】** [名] 공간. ¶宇宙～ 우주 공간/時間と～を超越する 시간과 공간을 초월하다.

—げいじゅつ【—芸術】 [名] 공간 예술; 조형 예술. ＝造形芸術. ↔時間芸術. 「＝立体.

—ずけい【—図形】 [名] 공간[입체] 도형.

ぐうかん【偶感】 [名] 우감; 우연히 마음에 떠오르는 감상. ¶～を詩に託す 떠오르는 감상을 시로 지어 표현하다.

くうかんち【空閑地】 [名] 공한지; 공지. ＝あき地.

****くうき【空気】** [名] 공기. **1** 대기. ¶～銃 공기총/～汚染 공기 오염/～抵抗 공기 저항/新鮮な～ 신선한 공기/～を入れかえる 공기를 갈아 넣다; 환기하다. **2** 분위기. ¶会場の～が一変する 회장의 분위기가 일변하다.

—あっしゅくき【—圧縮機】 [名] 공기 압축기; 에어 컴프레서. 「에어컨.

—ちょうせつ【—調節】 [名] 공기 조절;

—でんせん【—伝染】 [名][スル自] 공기 전염. ↔接触伝染. 「＝空冷.

—れいきゃく【—冷却】 [名] 공기 냉각.

くうきょ【空虚】 [名][ダナ] 공허. **1** 아무것도 없음. ＝からっぽ. ¶おざなりの～な話 입발림의 허황한 이야기. **2** 내용이 없음. ¶～な生活[人生] 공허한 생활[인생].

ぐうきょ[寓居] [名][スル自] 우거; 임시로 사는 거처. ＝かりずまい.

ぐうぐう [副] **1** 쿨쿨. ¶～(と)高いびきをかいて寝ている 쿨쿨 크게 코를 골며 자고 있다. **2** 공복 때 배에서 나는 소리: 쪼르륵쪼르륵. ¶腹が～(と)鳴る 뱃속에서 쪼르륵쪼르륵 소리가 난다.

くうぐん【空軍】 [名] 공군. ¶戦略～ 전략 공군/～が出撃する 공군이 출격하다. ↔陸軍·海軍.

くうげき[空隙] [名] 공극; 틈. ¶～を埋める 틈을 메우다. ＝すきま.

—りつ【—率】 [名]〖地〗공극(孔隙)률; 모래·암석 등의 전체 체적에 대한 공극 부분의 비율. ＝孔隙率.

くうけん[空拳] [名] 공권; 빈주먹; 맨주먹. ¶赤手～ 적수공권.

***くうこう【空港】** [名] 공항; 비행장. ＝エアポート. ¶国際～ 국제 공항.

くうこく【空谷】 [名] 공곡; 빈 골짜기.

—の跫音 빈 골짜기의 발소리《쓸쓸히 살고 있을 때에 찾아오는 사람이나 반가운 소식》.

くうさつ【空撮】 [名][スル他] 공중에서 촬영함. ¶戦闘シーンを～する 전투 장면을 공중에서 촬영하다. 「쓸쓸한 산.

くうざん【空山】 [名] 공산; 사람이 없는

ぐうじ【宮司】 [名] 신사(神社)의 최고위 신관(神官).

くうしつ【空室】 [名] 공실; (호텔·아파트 등의) 빈방. ＝あきべや. ¶～あり 빈방 있음《게시》.

くうしゃ【空車】 [名] 공차; 빈 차. ＝からぐるま. ¶～を拾う 빈 차를 잡아타다. ↔実車. 「としゅ·空拳.

くうしゅ【空手】 [名] 공수; 빈손. ＝徒手

くうしゅう【空襲】 [名][スル他] 공습. ¶～警報 공습 경보/～に備える 공습에 대비하다/～で焼けだされる 공습으로 삶의 터전을 소실당하다.

くうしょ【空所】 [名] 비어 있는 곳; 빈 땅;

빈터. ¶~を満たす 빈 곳을 채우다.

***ぐうすう**【偶数】图 우수; 짝수. ¶~のページ 짝수 페이지. ↔奇数.

グーズベリー [gooseberry] 图〔植〕구스베리(나무의 열매)《잼을 만듦》.

ぐう-する【遇する】サ変他 대우하다; 대(접)하다. ¶客を丁重に~ 객을 정중히 대접하다/家族として~ 가족으로서 대접하다.

くうせき【空席】图 공석. **1** 빈자리. ¶~が目立つ 빈자리가 눈에 띄다. **2** 결원. ¶~をうめる 빈자리를 메우다.

くうせん【空船】图 공선; 빈 배. =からぶね·あきぶね. ¶~で復航する 빈 배로 돌아오다.

くうぜん【空前】图 공전. ¶~の盛況 공전의 성황.

—ぜつご【—絶後】图 공전절후. ¶~の大事件 공전절후의 대사건.

****ぐうぜん**【偶然】⊟圖 우연히. =ふと. ¶道で~友達と出会った 길에서 우연히 친구와 만났다. ⊟图ダナ この事故は~ではない 이 사고는 우연이 아니다/~に街で出会う 우연히 거리에서 만나다〔마주치다〕. ↔必然.

くうそ【空疎】名ナ 공소; 공허. ¶立ち木が~になっている 입목이 드문드문 서 있다.

***くうそう**【空想】图ス他 공상. ¶~家 공상가/~をたくましゅうする 공상의 날개를 펴다/~にふける 공상에 잠기다. ↔現実. ⇨夢想.

—かがくしょうせつ【—科学小説】图 공상 과학 소설《SF》. =サイエンスフィクション.

ぐうぞう【偶像】图 우상. ¶~崇拝 우상 숭배/~を破壊する 우상을 파괴하다/民衆の~ 민중의 우상.

ぐうたら 图ダナ〈俗〉무시근한〔늘쩡늘쩡한〕 모양; 또, 그런 사람. =のらくら. ¶~な人 트릿한 사람/~な息子に愛想をつかす 게으르고 흐리터분한 자식에게 정나미가 떨어지다.

くうだん【空談】图 공담. **1** 근거 없는 이야기. **2** 부질없는 얘기. =むだ話. ¶~にふける 쓸데없는 얘기에 열중하다.

くうち【空地】图 공지. **1** 빈 땅; 빈터. =あき地. **2** 하늘과 땅; 공중과 지상. ¶~連絡 공지 연락.

***くうちゅう**【空中】图 공중. ¶~サーカス 공중 서커스/~滑走 공중 활주/~を飛ぶ 공중을 날다.

—ささつ【—査察】图 공중 사찰.

—しゃしん【—写真】图 공중 사진; 항공 사진.

—せん【—戦】图 공중전.

—ぶんかい【—分解】图ス自 공중 분해. ¶飛行中に~する 비행 중에 공중분해되다/計画が~する 계획이 중도 파기되다.

—ろうかく【—楼閣】图 공중누각. **1** 토대가 없는 일; 사상(砂上)누각. **2** 신기루(蜃氣樓). =しんきろう.

くうちょう【空調】图 '空気調節(=공기 조절)'의 준말; 에어컨디셔닝. ¶~設備 에어컨디셔닝 설비.

くうてい【空挺】图 공정《'空中挺進(=공중 정진)'의 준말》. ¶~作戦 공정 작전.

—ぶたい【—部隊】图 공정〔공수, 낙하산〕 부대.

クーデター [프 coup d'Etat] 图 쿠데타. ¶無血~ 무혈 쿠데타/~で政権を奪う 쿠데타로 정권을 빼앗다.

くうてん【空転】图ス自 공전; 헛돎. =から回り. ¶車輪が~する 수레바퀴가 공전하다 / 話が~する 이야기가 헛돌다.

くうどう【空洞】图 공동. **1** 동굴. =ほらあな. ¶鍾乳石のある~ 종유석이 있는 동굴. **2**〔醫〕특히, 폐의 공동. ¶結核性~ 결핵성 공동/肺に~ができる 폐에 공동이 생기다.

くうとりひき【空取引】图 공거래; 차금(差金) 거래. =からとりひき.

クーニャン [중 姑娘] 图 쿠냥; 소녀; 아가씨; 젊은 여자.

***くうはく**【空白】名ナ 공백. =ブランク. ¶~期間 공백 기간/政治の~ 정치 공백/ノートの~を埋める 노트의 공백을 메우다.

くうばく【空漠】トタル 공막. **1** 막막(漠漠)함. ¶~たる宇宙 막막한 우주. **2** 종잡을 수 없음; 막연함. ¶~たる理論 공막한〔막연한〕 이론.

くうばく【空爆】图ス他 공폭《'空中爆撃(=공중 폭격)'의 준말》. ¶敵の兵站基地を~する 적의 병참 기지를 공중 폭격하다.

ぐうはつ【偶発】图ス自 우발; 우연히 발생함. ¶~事件 우발 사건/失言で乱闘事件が~する 실언으로 난투 사건이 우발하다.

くうひ【空費】图ス他 (돈·시간 등의) 허비; 낭비. =むだづかい. ¶大切な時間を~する 귀중한 시간을 낭비하다.

くうふく【空腹】名ナ 공복. =すきばら. ¶~を感ずる 공복을 느끼다/~をかかえる 허기진 배를 움켜 안다/~を満たす 공복을 채우다. ↔満腹.

くうぶん【空文】图 공문; 사문. =死文. ¶~化した条文 공문화한 조문.

クーペ [프 coupé] 图 쿠페; 2인승 마차; 2인승 자동차《투 도어의 소형차》.

くうぼ【空母】图 항모《'航空母艦(=항공 모함)'의 준말》. ¶~搭載機 항공모함 탑재기.

くうほう【空砲】图 공포; 빈총. ¶~を放つ 공포를 쏘다/~におわった 공포로〔아무런 성과 없이〕 끝났다.

クーポン [프 coupon] 图 쿠폰; 떼어서 쓰게 된 표. ¶~券 쿠폰권.

くうゆ【空輸】图ス他 공수《'空中輸送(=공중 수송)'의 준말》. ¶武器を~する 무기를 공수하다.

クーラー [cooler] 图 쿨러. **1** 냉각기(冷却器); 냉방 장치. ¶ルーム~ 룸 쿨러;

실내 냉방 장치. 2 휴대용 아이스박스.

くうらん【空欄】图 공란; 빈칸. ¶~を埋める 빈칸을 메우다.

くうり【空理】图 공리. ¶~空論 공리공론/~に走る 공리에 치우치다.

クーリー [중 苦力] 图 쿨리; 본디, 중국의 하층 인부; 동양 각지의 하층 노동자. 参考 힌두어 quli에서 나왔다 함.

クーリングタワー [cooling tower] 图 쿨링 타워; (건축물 옥상 외부에 설치한) 냉각탑.

クール [cool] ダナ 쿨. **1** 시원함. ¶夏の~なスタイル 여름의 시원한 스타일. **2** 〈俗〉 항상 냉정한 태도를 잃지 않는 모양. ¶~な人 냉정한 사람. ↔ホット.

くうれいしき【空冷式】图 공랭식. ¶~エンジン 공랭식 엔진. ↔水冷式.

くうろ【空路】图 공로; 항공로. ¶~パリに向かう 공로 파리로 향하다/~をはずれる 항공로를 벗어나다. ↔海路·陸路.

くうろん【空論】图 공론. ¶机上の~ 탁상 공론.

ぐうわ [寓話] 图 우화. ¶イソップの~ 이솝 우화.

くえき【苦役】图 고역. **1** 괴로운 육체 노동. ¶~を課せられる 고역이 부과되다. **2** 징역. ¶~に服する 징역을 살다.

クェスチョン マーク [question mark] 图 퀘스천 마크; 의문부; 물음표((?)). =インタロゲーションマーク. ¶~をつける 퀘스천 마크를 붙이다.

くえない【食えない】連語 **1** 먹을 수 없다. **2** (교활하여) 허투루 볼 수 없다. ¶あいつは~奴だから用心しろ 저 녀석은 허투루 볼 수 없는 놈이니까 조심해라. **3** 생활해 나갈 수가 없다. ¶安月給では~ 싼 월급으로는 살아갈 수가 없다.

く-える【食える】下1自 먹을 수 있다. **1** 먹을 만하다. ¶ちょっと~ね 제법 먹을 만한데. **2** 생활해 나갈 수 있다. ¶何とか~ 이럭저럭 생활해 나갈 수 있다.

クォータ [quota] 图 쿼터; 배당; 할당. ¶~制 쿼터제.

クォーター [quarter] 图 쿼터; 4분의 1; 특히, 규정 경기 시간의 4분의 1. ¶第二~ 제2 쿼터/~タイム 쿼터 타임((농구 경기의 휴게 시간)).

クォータリー [quarterly] 图 쿼털리; 계간; 1년에 4회 발행하는 정기 간행물. =季刊誌.

クォーツ [quartz] 图 쿼츠. **1** 석영; 수정. **2** 'クォーツクロック'의 준말.

――クロック [quartz clock] 图 쿼츠 클록; 수정 시계.

クォリティー [quality] 图 퀄러티; 품질; 성질. =質·品質.

くおん【久遠】图 구원; 영원. =永遠. ¶~の理想 구원의 이상.

くかい【区会】图 구의회(('区議会'의 구칭)).

くかい【句会】图 俳句를 짓는 모임.

くかい【苦海】图〔佛〕고해((이승의 괴로움을 바다에 비긴 말)). =苦界. ¶人生の~ 인생의 고해.

くがい【苦界】图 고계. **1**〔佛〕괴로움이 끊임없는 인간계. **2** (포주에 묶인) 창녀의 처지. ¶~に身を落とす〔沈める〕 창녀로 전락하다.

くかく【区画】((区劃)) 图ス他 구획; 경계. =セクション. ¶~整理 구획 정리/埋め立て地を~する 매립지를 구획하다/分譲地を一~買う 분양지를 한 구획 사다.

くがく【苦学】图ス自 고학. ¶~生 고학생/~して大学を出る 고학하여 대학을 나오다.

⁑**くがつ**【九月】图 구월. =菊月. 注意 아명(雅名)은 'ながつき'.

――の節句 음력 9월 9일의 명절; 중양절((다섯 명절의 하나)). =重陽.

***くかん**【区間】图 구간. ¶列車の不通~ 열차의 불통 구간/~が長い 구간이 길다.

くかん [軀幹] 图 구간; 몸통. =からだ. ¶~骨 구간골; 몸통뼈.

ぐがん【具眼】图 구안; 안식이 있음. ¶~の士 구안지사; 안식이 있는 사람.

⁑**くき**【茎】图 줄기. ¶~立ち 줄기가 뻗어 나옴/葉の~ 잎줄기. 注意 나무에서는 특히 '幹'라고 함.

⁑**くぎ**〖釘〗图 못. ¶五寸~ 다섯치 못; 대못/~を抜く 못을 뽑다/~を打ち付ける 못을 쳐 박다/糠に~ 겨에 못 박기((아무런 효과가 없음의 비유)).

――が利く (남에게 의견 따위를 말한) 효력이 있다.

――を刺す (틀림없도록) 다짐을 해 두다; 못(을) 박다. =釘を打つ. ¶一言くぎを刺しておこう 한마디 다짐을 해 두세.

くぎ【区議】图 '区議会議員'의 준말.

くぎかい【区議会】图 구의회. ¶~議員 구의회 의원.

くぎかくし【くぎ隠し】((釘隠し)) 图 못대가리를 감추기 위하여 그 위에 씌우는 쇠붙이 장식.

くぎごたえ〖釘応え〗图 **1** 박은 못이 단단히 박혔음〔박힌 정도〕. **2** 의견 등의 효과나 반응이 있음. ¶言っても~のしない連中だ 말해도 먹혀들지 않는 패거리이다.

くぎざき【くぎ裂き】((釘裂き)) 图 못에 걸려 (옷 따위가) 찢김; 그 찢긴 부분. ¶~をつくる 못에 걸려 찢기다.

くぎづけ【くぎ付け】((釘付け)) 图ス他 **1** 못을 쳐 고정시킴. ¶箱の蓋を~にする 상자 뚜껑에 못을 박다/窓を~する 창문에 못질하다. **2** 움직이지 못하게 함. ¶走者を塁上に~にする 주자를 누상에 묶어 두다/テレビの前で~になる TV 앞에서 꼼짝 않다.

くぎぬき【くぎ抜き】((釘抜き)) 图 못뽑이. ¶~つきの金づち 노루발장도리/

ペンチ型(がた)の～ 펜치 모양의 못뽑이.

くぎめ【くぎ目】《釘目》图 못박은 자리.

ぐきょ【愚挙】图 우거; 어리석은 짓. ¶～に出(で)る 어리석은 짓을 하다.

くきょう【苦況】图 고황; (일·사업 따위에서) 어려운 상황. ¶～を脱(だっ)する 고황에서 벗어나다.

くきょう【苦境】图 고경; 괴로운 처지〔입장〕. ¶～に立(た)つ 곤경에 처하다/～を乗(の)りこえる 곤경을 극복하다.

くぎょう[公卿]图 공경; 옛날, 조정에서 정삼품·종삼품 이상의 벼슬을 한 귀족(('공(公)'은 大臣(だいじん), '경(卿)'은 大納言(だいなごん)·中納言(ちゅうなごん)·参議(さんぎ) 및 3품(品) 이상을 가리킴)). =公家(くげ).

くぎょう【苦行】图ス自 고행. ¶難行(なんぎょう)～を重(かさ)ねる 난행고행을 쌓다.

くぎり【区切り·句切り】图 단락(段落). ¶～符号(ふごう) 구두점/仕事(しごと)に～をつける 일에 단락을 짓다.

*くぎ-る【区切る·句切る】5他 단락을 짓다; 구획 짓다. ¶土地(とち)を～ 토지를 구획 짓다/文節(ぶんせつ)で～ 문절로 나누다/一語(いちご)ずつ～·って読(よ)む 한마디씩 끊어서 읽다. 可能くぎ-れる下2

くぎん【苦吟】图ス自 고심하여 시가를 지음; 또, 시가를 짓느라고 고심함. ¶～の末(すえ)の名句(めいく) 고심 끝의 명구.

くく【九九】图 구구(법). ¶～を唱(とな)える 구구를 외다.

くく【句句】图副 구구; 구마다; 매구(每句).

くく【区区】トタル 구구. 1 각기 다름. =まちまち. ¶各人(かくじん)の考(かんが)えが～まちまちで統一(とういつ)がない 각자의 생각이 구구각각이어서 통일이 안 되다. 2 사소함. ¶～たる問題(もんだい)にこだわる 사소한 문제에 구애되다.

くぐつ[傀儡]图 〈雅〉 1 꼭두각시; 또, 꼭두각시를 노래에 맞추어 놀리는 기예; 망석중이. 2 남이 조종하는 대로 움직이는 사람.

くぐもりごえ【くぐもり声】图 입속에서 우물거리는 소리. =ふくみごえ.

くぐも-る 5自 목소리가 입속에서 우물거려 분명하지 않다. ¶S氏(エスし)の～·った声(こえ) S씨의 분명치 않은 목소리.

くくり[括り]图 1 묶음; 또는, 묶은 것; 다발. 2 결말; 매듭. =まとめ·しめくくり. ¶～をつける 매듭을 짓다.

くぐり[潜り·耳門]图 1 허리를 굽혀 빠져 나감. 2 'くぐりど·くぐり門(もん)'의 준말.

くくりつ-ける【くくり付ける】《括り付ける》下1他 동여매다. =縛(しば)りつける. ¶馬(うま)に荷(に)を～ 말에 짐을 동여매다.

くぐりど【くぐり戸】《潜り戸》图 쪽문. =切(き)り戸(ど)·くぐり.

くぐりぬ-ける【くぐり抜ける】《潜り抜ける》下1自 1 빠져 나가다. ¶火(ひ)の中(なか)を～ 불속을 빠져 나가다. 2 (곤란 따위에서) 헤어나다. ¶逆境(ぎゃっきょう)を～ 역경에서 헤어나다.

くぐりもん【くぐり門】《潜り門》图 쪽문.

*くく-る[括る]5他 1 묶다; 옭아 매다. =しばる. ¶犯人(はんにん)を～ 범인을 묶다/首(くび)を～ 목을 매다. 2 한데 묶다; 단〔다발〕을 짓다. =たばねる. ¶かっこで～ 괄호로 묶다/荒(あら)なわでまきを～ 새끼줄로 장작을 묶다. 3 끝맺다; 결말 짓다. =まとめる. ¶話(はなし)を締(し)め～ 이야기를 마무르다〔끝맺다〕. 4 「高(たか)を～」 대수롭지 않게〔허투루〕 보다; 우습게 보다; 깔보다. 可能くく-れる下1自

*くぐ-る[潜る] 5自 1 밑으로 빠져나가다. ¶垣根(かきね)を～ 울타리 밑으로 빠져나가다. 2 위험 등을 뚫다. ¶法網(ほうもう)〔難関(なんかん)〕を～ 법망〔난관〕을 뚫(고 빠져나가)다. 3 잠수하다. ¶海(うみ)に～·って貝(かい)をとる～ 바닷속에 잠수하여 조개를 잡다. 可能くぐ-れる下1自

くげ[供花·供華]图ス自 헌화; 불전에 꽃을 바침; 또, 그 꽃. =きょうか.

くげ[公家]图 1 조정(朝廷). 2 '天皇(てんのう)'의 일컬음. 3 (특히, 武家(ぶけ) 시대에) 조정에 출사하는 사람. ↔武家(ぶけ).

くげ[公卿]图 ☞くぎょう(公卿).

くけい[矩形]图 구형; 직사각형. =長方形(ちょうほうけい).

く-ける[絎ける] 下1他 공그르다; 실땀이 겉으로 나오지 않게 꿰매다. ¶袖口(そでぐち)を～ 소맷부리를 공그르다.

くげん【苦言】图ス自 고언; 직언. ¶～を呈(てい)する 직언을 드리다. ↔甘言(かんげん).

ぐけん【愚見】图 우견((자기 의견이나 생각의 겸사말)). =愚考(ぐこう). ¶～を申(もう)し述(の)べる 우견을 말씀드리다.

ぐげん【具現】图ス他 구현. ¶理想(りそう)を～する 이상을 구현하다.

くこ[枸杞]图〔植〕구기자나무. ¶～茶(ちゃ) 구기차.

くご[箜篌]图 공후((하프 비슷한 동양 여러 나라의 옛 악기)); 비파.

ぐこう【愚行】图 우행. ¶～を重(かさ)ねる 어리석은 짓을 되풀이하다.

ぐこう【愚考】图ス他 우고; 어리석은 생각((자기 생각의 겸칭)). =愚見(ぐけん). ¶かように～するものであります 이렇게 생각하는 바 입니다.

くさ[瘡]图 1〔醫〕피부병의 총칭((부스럼·습진 따위)). 2 매독(梅毒).

**くさ【草】㊀图 1 풀. ¶～がもえでる 풀이 움트다/～の上(うえ)に寝(ね)ころぶ 풀밭에 누워서 뒹굴다. 2 잡초. =雑草(ざっそう). ¶～を取(と)る〔むしる〕 풀을 뽑다〔뜯다〕. 3 꼴. =まぐさ. ¶馬(うま)に～をやる 말에 꼴을 주다. 4 (지붕을 이는) 짚·띠 따위; 이엉. ¶～ぶきの屋根(やね) 초가 지붕.
㊁接頭 본격적인 것이 아님. ¶～競馬(けいば) 시골 경마/～野球(やきゅう) 동네 야구.

=ぐさ[種]《動詞連用形 따위에 붙어서》 …재료; …거리. ¶語(かた)り～ 이야깃거리; 화젯거리/お笑(わら)い～ 웃음거리.

**くさ-い【臭い】形 1 고약한 냄새가 나다; 구리다. ¶～息(いき) 구린내나는 입김〔입냄새〕/～においがする 악취가 나다. 2 수상하다. =あやしい. ¶どうも,

あいつが～ 아무래도 저 녀석이 수상쩍다. **3** 세련되어 있지 않다; 때벗지 못하다. ¶かれの芸は～ 그의 연기는 세련되지 않았다. **4**《接尾語적으로》㉠…한 역한 냄새가 나다 ¶酒～ 술냄새가 나다/汗～シャツ 땀내나는 셔쓰. ㉡《名詞에 붙어서》…한 데가 있다; 좀 …한 것 같다. ¶学者～ 학자 냄새를 풍기다/インテリー～ 인테리 같은 냄새를 풍기다. ㉢《탐탁지 않은 뜻의 形容動詞 語幹에 붙어》그 정도가 심함을 나타내는 말. ¶面倒～ 아주 귀찮다/照れ～ 열없다; 겸연쩍다.

―飯を食う 콩밥(을) 먹다《옥살이하다》.

―物にふたをする 더러운 사실을 감추느라고 임시 방편으로 은폐하다.

ぐさい【愚妻】 图 우처; 형처(荊妻)《자기 아내의 겸칭》.

くさいきれ【草いきれ】《草熱れ》图 (여름철, 뜨거운 햇볕에 쬐인) 풀숲에서 풍기는 훗훗한 열기. ¶むせるような～ 풀숲에서 풍기는 숨막힐 듯한 열기.

くさいちご〖草苺〗 图〔植〕장딸기.

くさいろ【草色】 图 초록색; 풀빛. =もえぎ色·草葉色.

くさかげろう〖草蜉·草蜻蛉〗 图〔蟲〕풀잠자리.

くさがめ〖椿象〗 图〔蟲〕노린재. =へっぴりむし·かめむし.

くさがめ〖草亀·臭亀〗 图〔動〕남생이.

くさかり【草刈り】 图 풀베기; 또, 풀을 베는 사람. ¶～鎌 풀베는 낫/～をする 풀베기를 하다.

***くさき【草木】** 图 초목; 식물. =そうもく.

―もなびく 초목도 나부끼다《위세·덕망에 사람들이 붙좇다》.

―も眠る 초목도 잠들다《밤이 이슥해서 사방이 쥐 죽은 듯이 고요하다》.

くさぎ-る〖耘る〗 5自〈雅〉(논밭의) 김을 매다.

くさく【句作】 图ス自 俳句를 짓는 일.

ぐさく【愚作】 图 우작; 시시한 작품《자기 작품의 겸칭》. ¶～ですがご笑覧ください 졸작이지만 소람해〔웃으며 보아〕주십시오.

ぐさく【愚策】 图 우책. **1** 어리석은〔서투른〕계책. ¶～を弄する〔めぐらす〕어리석은 계책을 쓰다〔꾸미다〕. **2** (좁은 뜻으로) 자기 계획〔계책〕의 겸칭.

くさくさ 副〈俗〉화가 나거나 우울해서 기분이 좋지 못한 모양. =むしゃくしゃ·くしゃくしゃ. ¶～した気分 울적한 기분/気が～する 기분이 울적하다.

くさぐさ〖種種〗 图〈雅〉갖가지; 여러 가지. =いろいろ·さまざま. ¶～の品 갖가지 물건 / ～の雑事に追われる 갖가지 잡일에 쫓기다.

くさくだもの【草果物】 图 풀 열매로서 식용이 되는 것《딸기·오이 따위》.

くさけいば【草競馬】 图 농촌 등에서 소규모로 열리는 비공인 경마.

くさごえ【草肥】 图 풋거름. =緑肥.

くさ-す〖腐す〗 5他〈俗〉나쁘게 말하다; 내리깎다; 헐뜯다. =けなす·こきおろす. ¶人の作品を～ 남의 작품을 내리깎다. 可能 くさ-せる 下1自

くさずもう【草相撲】 图 (시골에서 하는) 풋내기 씨름. =野ずもう.

くさぞうし【草双紙】 图 江戸 시대의, 삽화가 든 통속 소설책의 총칭《흔히 ひらがな로 썼음; 赤本·青本·黄表紙·合巻物 따위》. =絵草紙.

くさたけ【草丈】 图 (벼·보리 등) 농작물이나 풀의 자란 키. ¶～が短い 농작물의 키가 작다.

くさだんご【草団子】 图 멥쌀 가루로 만든 쑥경단.

ぐさつ【愚札】 图 우찰《자기 편지의 겸칭》. 參考 자기 편지의 겸칭에는 '愚書·拙書·寸簡·寸書' 등이 있음.

くさつみ【草摘み】 图ス自 이른 봄, 들판에 나가서 나물을 캐거나 꽃을 따며 즐기는 일.

くさとり【草取り】 图 제초(除草); 김매기; 김매는 사람; 또, 제초 기구.

くさのね【草の根】 图 풀뿌리. **1** 풀의 땅속 줄기. **2** 무명의 일반 대중; 일반 시민. ¶～運動 대중〔민중〕운동.

―を分けても 온갖 방법으로; 무슨 수를 써서라도. ¶～捜す 샅샅이〔무슨 수를 써서라도〕찾다.

―みんしゅしゅぎ【―民主主義】 图 풀뿌리 민주주의.

くさば【草葉】 图 초엽; 풀잎.

―の陰 무덤 속; 저승. =あの世. ¶～から見守る 저승에서 지켜보다.

―の露〔玉〕 풀잎에 맺힌 이슬.

***くさばな【草花】** 图 화초. ¶庭に～を植える 뜰에 화초를 심다.

くさはら【草原】 图 초원. =くさわら. ¶～に寝ころがる 풀밭에 뒹굴다. 參考 넓고 큰 경우에는 'そうげん'이 사용됨.

***くさび〖楔〗** 图 **1** 쐐기. **2** 비녀장. ¶～で締める 비녀장을 박아 죄다.

―を打ち込む 쐐기를 박다.

―をさす 쐐기를 지르다〔박다〕; 미리 다짐을 해 두다.

―がたもじ【―形文字】 图 설형 문자. =せっけいもじ·けっけいもじ.

くさぶえ【草笛】 图 초적; 풀(잎)피리. ¶～を吹き鳴らす 풀피리를 불다.

くさぶか-い【草深い】 形 **1** 풀이 우거지다. ¶～野原を分けて進む 풀이 우거진 들판을 헤치고 나아가다. **2** 궁벽하다. ¶～田舎に住む 벽촌에 살다. 注意 'くさふかい'라고도 함.

くさぶき【草ぶき】《草葺き》图 이엉을 엮어 지붕을 임; 또, 그 지붕; 초가 지붕. ¶～の家 초가집.

くさまくら【草まくら】《草枕》图 나그네의 노숙; 여행 중의 잠자리.

***くさみ【臭み】** 图 **1** 그것 특유의 불쾌한 냄새. ¶口の～を消す 입의 구린내를 없애다/魚の～をとる 생선의 비린내를 없애다. **2** 남에게 주는 불쾌감; 역겨움. =嫌み. ¶～のある文章 역겨움을 주는 문장.

くさむしり【草むしり】《草毟り》名 풀을 뜯음; 풀을 뽑음; 제초. =草取(くさと)り. ¶~をする 풀뽑기를 하다.

くさむ-す【草むす】《草生す》5自 〈雅〉 풀이 나다〔우거지다〕. ¶~·した墓(はか) 풀이 무성한 무덤.

くさむら【草むら】《叢》名 풀숲. =くさやぶ. ¶~にすだく虫(むし) 풀숲에서 떼지어 우는 벌레.

くさもち【草もち】《草餅》名 쑥떡. =くさもちい.

くさもみじ【草紅葉】名 가을에 풀이 단풍 드는 일.

くさや 名 배를 갈라 묶은 소금물에 절여 말린 갈고등어《구우면 좀 구린내가 남》; 갈고등어 암치. =くさやの干(ひ)もの.

くさや【草屋】名 **1** 초옥; 초가집; 뜸집. **2** 꼴을 넣어 두는 헛간. =まぐさ小屋(ごや).

くさやきゅう【草野球】名 (빈터에서 하는) 동네 야구.

くさやね【草屋根】名 초가지붕. =わらやね.

くさやぶ【草やぶ】《草藪》名 풀숲; 푸서리. =くさむら. ¶~の中(なか)できりぎりすが鳴(な)く 풀숲에서 여치가 울다.

くさら-す【腐らす】5他 **1** 썩이다; 썩게 하다. ¶肉(にく)を~ 고기를 상하게 하다. **2**【くさらす】불쾌감을 품게 하다. ¶気(き)〔気分(きぶん)〕を~ 기분을 상하게 만들다. 注意 口語적 말씨는 '腐らかす'.

くさり【腐り】名 썩음; 상하거나 썩은 정도·부분. ¶~が早(はや)い 상하기 쉽다.

*__くさり__【鎖】名 **1** (쇠)사슬. =チェーン. ¶~付(つ)きの囚徒(しゅうと) 쇠사슬에 매인〔묶인〕 죄수 / ~でつなぐ (쇠)사슬로 매다〔묶다〕 / ~をはずす 쇠사슬을 풀다. **2** (물건과 물건을) 잇는 것; 연계. =きずな. ¶因果(いんが)の~ 인과의 사슬.

くさりかたびら【鎖かたびら】《鎖帷子》名 갑옷 속에 받쳐 입는 작은 미늘로 엮어 만든 속옷.

くさりがま【鎖がま】《鎖鎌》名 옛 무기의 하나로 낫에 긴 쇠사슬을 달고 그 끝에 쇠뭉치를 단 것《쇠뭉치를 던져 적의 무기를 빼앗아 들이고 낫으로 적의 목을 침》.

[鎖鎌]

ぐさりと 副 힘차게 찌르는 모양: 푹. =ぐさっと. ¶矢(や)が~ささる 화살이 푹 박히다.

__くさ-る__【腐る】5自 **1 썩다. ㉠상하다; 부패하다. ¶死体(したい)が~ 시체가 썩다. ㉡타락하다. ¶心(こころ)の底(そこ)まで~·った人間(にんげん) (마음이) 속속들이 썩어빠진 인간. ㉢(나무·암석·금속 따위가) 삭다. ¶木(き)が~ 나무가 썩다 / 鉄(てつ)が~ 쇠가 (녹슬어) 삭다. **2**【くさる】〈俗〉 기운을 잃다; 풀이 죽다; 낙심하다. ¶たび重(かさ)なる失敗(しっぱい)に~·ってしまう 거듭되는 실패에 풀이 죽어버리다 / そう~な 그렇게 낙담할 것 없다.

—·っても鯛(たい) 썩어도 준치.

—ほどある 썩어날 만큼 있다. ¶紙(かみ)なら~ 종이라면 지천으로 있다.

くされえん【腐れ縁】名 (끊을 수 없는) 더러운〔못된〕 인연〔관계〕; 악연. ¶~とあきらめる 헤어질래야 헤어질 수 없는 (더러운) 인연이라고 단념하다 / 仲間(なかま)との~をたちきる 한패들과의 못된 관계를 끊다.

くされがね【腐れ金】名 **1** 약간의 돈; 푼돈. =目(め)くされがね·はしたがね. **2** (부정하게 얻은) 더러운 돈. =悪銭(あくせん).

くさわけ【草分け】名 황무지를 개척함; 또, 그 사람; 전하여, 창시함; 또, 창시자. ¶この村(むら)の~の老人(ろうじん) 이 마을을 개척한 노인 / 真珠養殖(しんじゅようしょく)の~ 진주양식의 창시자.

*__くし__『串』名 꼬챙이; 꼬치. ¶だんごを~にさす 경단을 꼬챙이에 꿰다.

*__くし__『櫛』名 빗. ¶髪(かみ)を~で梳(す)く 머리를 빗으로 빗다 / 髪(かみ)に~を入(い)れる 머리를 빗(질하)다 / ~の歯(は)のごとし 같은 것들이 빽빽이 들어선 모양.

くし【駆使】名ス他 구사. ¶英語(えいご)を自由自在(じゆうじざい)に~する 영어를 자유자재로 구사하다 / 従業員(じゅうぎょういん)を~する 종업원을 마구 부리다.

*__くじ__『籤』名 제비; 추첨. ¶あみだ~ 사다리 뽑기 / 宝(たから)~ 복권 / ~を引(ひ)く 제비를 뽑다 / ~に当(あ)たる 당첨되다; 제비가 뽑히다 / ~で決(き)める 제비뽑기로 정하다. ⇨くじ運(うん).

くしあげ【くし上げ】《髪上げ》名ス自 머리를 빗어 틀어 올림; 또, 그것을 업으로 하는 사람.

くじうん【くじ運】《籤運》名 (제비뽑기에서) 당첨운. ¶~が強(つよ)い 당첨운이 좋다 / ~が悪(わる)い 당첨운이 없다.

くしがき『串柿』名 곶감. =干(ほ)しがき.

くしき『奇しき』連体 〈雅〉 영묘한; 이상〔야릇〕한; 기이한; 얄궂은. ¶~運命(うんめい) 기이한〔얄궂은〕 운명.

くじき【挫き】名 (뼈·관절 따위를) 삠; 접질림.

*__くじ-く__『挫く』5他 **1** 삐다. =捻挫(ねんざ)する. ¶足(あし)を~ 발을 삐다. **2** (기세를) 꺾다; 좌절시키다. ¶気勢(きせい)を~ 기세를 꺾다 / 強(つよ)きを~·き弱(よわ)きを助(たす)ける 강자를 누르고 약자를 돕다 / 出(で)ばなを~ 상대의 첫고등을 꺾다; 초장에 꺾다. 可能 くじ-ける 下1自

くしくも『奇しくも』連語 이상하게도; 기묘〔기이〕하게도. =ふしぎにも. ¶~一命(いちめい)をとりとめる 기이하게도 목숨을 건지다.

くしけず-る『梳る』5他 머리를 빗다; 빗질하다. ¶緑(みどり)の黒髪(くろかみ)を~ (젊은 여성의) 삼단 같은 머리를 빗질하다.

くじ-ける『挫ける』下1自 **1** (기세가) 꺾이다. ¶気(き)が~ 기가 꺾이다 / 彼(かれ)の望(のぞ)みは~·けた 그의 희망은 좌절되었다. **2** 접질리다; 삐다. ¶手首(てくび)が~ 손목이 삐다.

くしざし【くし刺し】《串刺し》名 **1** 꼬챙이에 꿴; 또, 꿴 것. ¶~焼(や)き 꼬치구

이 / ～にして焙る 꼬챙이에 꿰어 굽다. **2** (창 따위로) 찔러 죽임.

くじのがれ【くじ逃れ】《籤逃れ》[名] 제비를 뽑아 일·당번 등을 면함; 또, 옛날 징병제도에서 제비를 뽑아 입대를 면하던 일.

くじびき【くじ引き】《籤引き》[名][ス自] 제비뽑기; 추첨. ＝抽選. ¶～で順番を決める 추첨으로 차례를 정하다.

くしめ【くし目】《櫛目》[名] (빗은 머리에 남은) 빗살 자국. ¶～のそろった髪 빗살 자국이 가지런한 머리.

ぐしゃ【愚者】[名] 우자; 바보. ＝ばか者.
──も千慮に一得あり 우자도 천려일득; 어리석은 사람도 때로는 좋은 의견을 내놓는 법이다. ＝愚者にも一得

くしやき【くし焼き】《串焼き》[名] 산적·꼬치구이.

くじゃく『孔雀』[名]〔鳥〕 공작(새).

くしゃくしゃ [一][ダナ] **1** 구김살투성이인 모양: 쭈굴쭈굴; 꼬기작꼬기작; 꾸깃꾸깃. ＝しわくちゃ·くちゃくちゃ. ¶～に丸めた札 구깃구깃하게 구겨진 지폐 / 服が～になる 옷이 몹시 구겨지다. **2** 사물이 어지러이 뒤섞인 모양: 뒤죽박죽. ¶何もかも～になる 온통 모두 뒤범벅이 되다 / 涙で～になった顔 눈물로 뒤범벅이 된 얼굴. [参考] '～と'의 꼴도 쓰임. [二][副][ス自] 기분이 답답한〔우울한〕 모양. ＝くさくさ. ¶気が～する 기분이 울적하다.

ぐしゃぐしゃ [副][ダナ] **1** 사물을 뭉그러뜨린 모양; 또, 뭉그러진 모양. ¶～(と)踏みつぶす 짓밟아 뭉개어 버리다. **2** 물기가 많은 모양. ¶霜がとけて～になった庭 서리가 녹아 질척질척해진 뜰.

ぐじゃぐじゃ [副][ダナ] **1** 몹시 뭉그러져서 본 형태가 없어진 모양; 또, 몹시 젖어서 문적문적한 모양. ＝ぐしゃぐしゃ. ¶～の熟柿 뭉그러지도록 잘 익은 감 / 雪解けで～した道 눈이 녹아 질척질척한 길. **2** 잔소리나 불평 불만을 늘어놓는 모양: 고시랑고시랑. ¶～言うな 고시랑거리지 마라.

ぐしゃっと [副] 으스러지거나 부서지는 모양: 아싹; 아지직; 와지끈. ＝ぐしゃりと. ¶卵が～つぶれる 계란이 아싹 으스러지다.

くしゃみ『嚏』[名] 재채기. ¶～をする 재채기를 하다 / ～が出る 재채기가 나오다. ＝くさめ.

くじゅ【口授】[名][ス他] 구수; 말로 전하여 가르침. ＝口伝. ¶秘伝を～する 비전을 말로 전하다. ↔筆授.

くしゅう【句集】[名] 連句·俳句를 모아 놓은 책.

くじゅう【苦汁】[名] 고즙; (맛이) 쓴 즙; 또, 그같은 쓰라린 느낌; 고뇌. ¶～の日日 고뇌의 나날. 「을 하다.
──をなめる 쓴맛을 보다; 쓰디쓴 경험

くじゅう【苦渋】[名][ス自] **1** 고삽; 쓰고 떫음. **2** 일이 잘 안 되어 고민함. ¶～に満ちた表情 고뇌에 찬 표정 / 難問を抱えて～している 난문제를 안고 고민하고 있다.

くじょ【駆除】[名][ス他] 구제. ¶害虫を～する 해충을 구제하다.

くしょう【苦笑】[名][ス自] 고소; 쓴웃음. ＝にがわらい. ¶悪口をいわれて～する 욕을 먹고 쓴웃음을 짓다.

***くじょう**【苦情】[名] 불평; 불만; 푸념. ¶～が出る 불평이 나오다 / ～を持ち込む 불평을 해 오다 / ～を訴える 불만을 호소하다.

ぐしょう【具象】[名] 구상. ＝具体. ¶～画 구상화 / ～的 구상적 / ～化 구상화. ↔抽象.

ぐしょぐしょ [ダナ] 몹시 젖은 모양: 흠뻑. ＝びしょびしょ. ¶雨で服が～になる 비로 옷이 함빡 젖다.

ぐしょぬれ『ぐしょ濡れ』[名] 흠뻑〔몹시〕 젖음. ＝びしょぬれ·ずぶぬれ. ¶夕立に会って～になる 소나기를 만나서 흠뻑 젖다.

くじら【鯨】[名] **1**〔動〕 고래. ¶～ひげ 고래수염 / ～が潮を吹く 고래가 바닷물을 내뿜다. **2** 'くじら尺'의 준말.

くじらじゃく【鯨尺】[名] 경척; 피륙을 재는 자의 하나《곱자로 1자 2치 5푼, 약 38cm임》. ＝鯨差し. [参考] 옛날 고래 수염으로 만든 데서. ↔曲尺.

くじらとり【鯨取り】[名] 고래잡이; 또, 그 사람. 「고래잡이배.

くじらぶね【鯨船】[名] 포경선(捕鯨船);

くじらまく【鯨幕】[名] (장례식에 쓰는) 포장막《검정과 흰 색의 천을 번갈아 이어 만듦》.

****くしん**【苦心】[名][ス自] 고심. ¶～の作品 고심하여 만든 작품 / ～のかいがある 애쓴 보람이 있다.
──さんたん [──惨憺][名][ス自] 고심참담. ¶～して作り上げる 고심참담하여 만들어내다.

ぐしん【具申】[名][ス他] 구신; (상사에게) 자세히 아뢲. ¶上役に意見を～する 상사에게 의견을 구신하다.

ぐじん【愚人】[名] 우인; 어리석은 사람; 우물(愚物). ＝愚者. ¶～の夢 어리석은 사람의 꿈. ↔賢人.

****くず**『屑』[名] 쓰레기; 부스러기; 찌꺼기. ¶人間の～ 인간 쓰레기 / 紙～ 휴지조각 / かんな～ 대팻밥. 「말.

くず『葛』[名] **1**〔植〕 칡. **2** 'くずこ'의 준

ぐず『愚図』[名ナ] 행동·결단이 굼뜨고 꾸물거림; 또, 그 사람. ¶～な男 굼뜬 사내 / ～っぺ 굼뜬 사람; 굼벵이 / ～で仕事がのろい 굼떠서 일하는 것이 느리다. [注意] '愚図'는 취음.

くずいと【くず糸】《屑糸》[名] 실보무라지. ＝しけいと.

くずお-れる『頽れる』[下1自] **1** 맥없이 쓰러지다; 펵석 주저앉다. ¶部屋に入って来るなり～ 방에 들어오자마자 펵석 주저앉다. **2** 기력을 잃다; 낙심하다.

¶～·れた気持ち 풀이 죽은 기분.

くずかご〖屑籠〗图 휴지통; 쓰레기통. ＝くずいれ. ¶ごみは～にお捨て下さい 쓰레기는 쓰레기통에 버려 주세요.

くすくす 副 웃음을 억지로 참는 모양: 낄낄; 킥킥. ¶～笑い 낄낄거리는 웃음/後ろの方で～笑う 뒤쪽에서 킥킥거리며 웃다.

ぐずぐず〖愚図愚図〗副 ス自 ダナ **1** 무른 모양: 흐물흐물. ¶野菜を煮たら～になった 야채를 삶았더니 흐물흐물해졌다. **2** 느리고 굼뜬 모양: 꾸물꾸물; 우물쭈물. ¶～してはいられない 꾸물대고 있을 수 없다/～すると汽車におくれる 꾸물거리면 기차를 놓친다. **3** 우물우물 입속으로 불평하는 모양: 투덜투덜. ¶気に入らないので～言う 마음에 들지 않아서 투덜거리다. 注意 '愚図愚図'로 씀은 취음.

*__くすぐった-い__〖擽ったい〗形 **1** 간지럽다. ＝こそばゆい. ¶足のうらが～ 발바닥이 간지럽다. **2** 겸연쩍다; 낯간지럽다. ＝てれくさい. ¶ほめられてなんだか～ 칭찬을 들으니 어쩐지 겸연쩍다.

くすぐり〖擽り〗图 **1** 간질임. **2** 연예(演藝) 등에서 사람을 웃기기 위해 하는 몸짓이나 화술. ¶～を入れる 사람을 웃기기 위해 별난 몸짓을 하다.

*__くすぐ-る__〖擽る〗5他 간질이다. **1** 간지럽게 하다. ¶わきの下を～ 겨드랑 밑을 간질이다. **2** 우스운〔익살맞은〕 짓으로 남을 억지로 웃기다. ¶人の気持ちを～ 남의 마음을 간질이다.

くずこ【くず粉】《葛粉》图 갈분; 칡뿌리에서 얻은 흰 가루《식용함》. ＝くず.

くずざくら【くず桜】《葛桜》图 갈분을 반죽하여 속에 팥소를 넣고 쪄서 벚나무 잎으로 싼 여름철 일본 과자.

くずし【崩し】图 **1** 무너뜨림; 무너뜨린 것. **2** 'くずしがき'의 준말. **3** 무늬 따위를 간략히 함; 또, 그것.

くずしがき【崩し書き】图 **1** 흘림; 초서나 행서로 씀; 또, 그렇게 쓴 글씨. **2** 약자(略字).

くずしじ【崩し字】图 흘려 쓴 글자; 초서(草書) 한자.

__くず-す__【崩す】5他 **1 무너뜨리다. ¶山を～ 산을 허물어뜨리다/敵陣の一角を～ 적진의 일각을 무너뜨리다. **2** (글씨를) 흘리다. ¶字を～·して書く 글씨를 흘려 쓰다. **3**【くずす】(큰 돈을) 헐다; 잔돈으로 바꾸다. ¶千円札を～ 천 엔짜리 지폐를 헐다. 可能 くず-せる 下1自

くすだま【くす玉】《薬玉》图 조화(造花) 등을 공처럼 동그랗게 엮고 장식실을 늘어뜨린 것《개점 축하나 진수식(進水式) 따위에 장식으로 씀》.

ぐずつ-く〖愚図つく〗5自 **1** 꾸물거리다; 또, 투덜거리다. ¶後任人事の問題がまだ～·いている 후임 인사 문제가 아직도 주춤거리고 있다/子供が～ 아이가 칭얼거리다. **2** (날씨가) 끄물거리다. ¶～·いた天気 끄물거리는 날씨. **3** (병세 따위가) 그 상태로 끌다. ¶病勢が～ 병세가 그만저만하다. 注意 '愚図つく'로 씀은 취음.

くずてつ【くず鉄】《屑鉄》图 **1** 철제품을 만들 때 나오는 쇠부스러기; 쇠똥. **2** 철제품 따위의 폐품; 고철; 파쇠. ＝スクラップ.

くす-ねる 下1他 후무리다; 슬쩍 훔치다. ¶～·ね銭 훔친 돈/店の物を～ 가게 물건을 후무리다.

くすのき〖樟·楠〗图〔植〕장목; 녹나무.

くずふ[葛布]图 갈포; 칡의 섬유로 만든 피륙. ＝くず.

*__くすぶ-る__〖燻る〗5自 **1** (불이 잘 타지 않고) 연기만 내다. ¶まきが～·ってなかなか燃えつかない 장작이 내기만 하고 좀처럼 타지 않는다. **2** 그을다. ¶天井が～ 천장이 그을다. **3** 감정이 남아 있다; 풀리지 않다. ¶けんかのあとがまだ～·っている 싸운 감정이 아직 맺혀 있다〔풀리지 않았다〕. **4** (제자리에서) 맴돌다; 제자리걸음하다. ¶問題が～ 문제가 (복잡하여) 제자리에서 맴돌다. **5** 틀어박히다; 죽치다. ¶一日中家に～·っている 온종일 집에 죽치고 있다.

くす-べる〖燻べる〗下1他 잘 타지 않는 상태에서 연기를 내다; 그슬리다. ¶もぐさを～ 쑥을 피우다.

くずまい【くず米】《屑米》图 싸라기.

くす-む 5自 **1** 수수하다; 남의 관심을 끌지 못하다. ¶～·んだ存在 두드러지지 않은 존재. **2** 선명하지 않다; 칙칙하다. ¶～·んだ色 칙칙한 색. **3** 생기가 없다. ¶～·んだ顔 생기 없는 얼굴.

くずもち〖葛餅〗图 갈분 떡《콩가루나 꿀을 묻혀 먹음》.

くずもの【くず物】《屑物》图 **1** 폐물; 폐품. ¶～入れ 폐물통. **2** 흠이 있어 상품 가치가 없는 물품; 파치. ＝きず物.

くずや【くず屋】《屑屋》图〈卑〉넝마장수; 넝마주이. 参考 현재는 '廃品回収業者'라고 함.

くずゆ【くず湯】《葛湯》图 갈분탕; 갈분에 설탕을 넣고 뜨거운 물을 부어 휘저은 식품《환자가 주로 먹음》.

__くすり__【薬】图 **1 약. ㉠병 치료제. ¶かぜの～ 감기약/～を飲む 약을 복용하다〔먹다〕. ㉡유익; 도움. ¶若いうちの苦労は身の～ 젊어 고생은 몸에 약〔사서도 한다〕. ㉢(화학) 약품. ㉣살충제·농약 따위. ¶～を散布する 약을 살포하다. **2** 유약(釉藥); 잿물. ¶陶器に～をかける 도자기에 잿물을 입히다. **3** 화약. ⇨やく(薬).

—が効く 약발이 듣다〔효험이 있다〕.

—九層倍 약값은 원가에 비해 엄청나게 비쌈《폭리를 취함의 비유》.

—にしたく(て)も無い 눈곱만큼도〔약으로 쓰려 해도〕 없다. ¶人情味など～ 인정미 따윈 눈곱만큼도 없다.

くすりざけ【薬酒】名 약주; 약술.
くすりだい【薬代】名 약값; 치료비. ¶～をはらう 약값을 치르다.
くすりづけ【薬漬け】名 의사가 다량의 약을 함부로 환자에게 투여하는 일.
くすりどびん【薬土瓶】名 약탕관.
くすりばこ【薬箱】名 약상자; 약통.
くすりや【薬屋】名 약국; 약방.
くすりゆ【薬湯】名 약탕; 약품이나 약초를 푼 목욕탕. =くすりぶろ.
くすりゆび【薬指】名 무명지; 약손가락. =紅さし指·名なざし指.
ぐ-する【具する】《俱する》 一サ変自 1 갖추어지다. 2 함께〔같이〕 가다; 따라가다; 동반하다. ¶兄に～·して行く 형과 함께 가다. 二サ変他 1 갖추다. =ととのえる. ¶書類を～·して申告する 서류를 갖춰 신고하다. 2 데리고 가다. =ともなう. ¶供の者を～ 수행자를 대동하다.
ぐず-る〘愚図る〙 5自 1 꾸물거리다; 늑장 부리다. =ぐずぐずする. 2 칭얼거리다; 떼를 쓰다. ¶赤ん坊が眠くて～ 젖먹이가 졸리어 칭얼거리다. 注意 '愚図る'로 씀은 취음.
くずれ【崩れ】名 1 무너짐; 허물어짐; 붕괴. ¶山～ 산사태 / 石垣の～を直す 돌담이 무너진 것을 고치다. 2 모임 등이 끝나고 흩어진 사람들. ¶デモ隊の～ 흩어진 데모대. 3《신분·직업을 나타내는 말에 붙어서》 한때 …이었다가 지금은 영락한 사람; 퇴물. ¶学生～ 타락한 불량 학생 / 役者～ 배우 퇴물. ↔上がり.
くずれお-ちる【崩れ落ちる】上1自 무너져〔허물어져〕 내리다; 붕괴하다. ¶砲撃で城壁が～ 포격으로 성벽이 무너져 내리다.
**くず-れる【崩れる】下1自 1 무너지다. ㉠허물어지다. ¶決心が～ 결심이 무너지다 / 壁が～ 벽이 무너지다. ㉡흐트러지다. ¶姿勢が～ 자세가 흐트러지다 / 隊伍が～ 대오가 흐트러지다〔무너지다〕 / 泣き～ 쓰러져 울다. 2 날씨가 나빠지다. ¶天気が～ 날씨가 나빠지다. 3 헐다. ㉠진무르다. ¶しもやけで指が～ 동상으로 손가락이 헐다. ㉡【くずれる】(고액 지폐 등이) 잔돈으로 바꾸어지다. ¶千円札が～ 천 엔짜리 지폐를 (잔돈으로) 바꾸다. 4 (시세가) 내리다. ¶株が大きく～·れた 주가가 크게 폭락했다〔무너졌다〕 / 値が～ 값이 떨어지다.
くすんごぶ【九寸五分】名 〈俗〉 단도; 비수. =あいくち. ¶～を懐にのむ 비수를 품다.
**くせ【癖】名 1 ㉠버릇; 습관. ¶口癖 입버릇 / ～になる 버릇이 되다 / ～がつく 버릇이 들다 / …する～がある …하는 버릇이 있다. ㉡편향된 경향이나 성질. ¶～のある香り 독특한 향기. 2 어느 일정한 상태가 버릇처럼 굳어 버린 것; 접거나 구기거나 한 자국. ¶髪の～ 머리칼의 (한쪽으로 자는) 버릇. 3《'その～'의 꼴로 역접구(逆接句)와 더불어》 그런데도. ¶彼は寒がりだ. その～, コートは着たがらない 그는 추위를 잘 탄다. 그런데도 코트는 입으려 하지 않는다. 4《'～に'의 꼴로 助詞적으로 쓰임》 그런데도; …이면서도; …주제에. ¶金持ちの～に, けちだ 부자이면서도 인색하다 / 分からない～に知ったふりをするな 알지도 못하는 주제에 아는 체하지 마라.
くせげ【癖毛】名 곱슬머리; 고수머리.
くせつ【苦節】名 고절; 괴로움을 견디며 절개를 지킴. ¶～十年, ようやく芸術家の仲間入りができた 고절 십년에, 간신히 예술가 축에 낄 수 있게 되었다.
くぜつ【口舌·口説】名 1 말; 잡담. ¶～が多すぎる 말이 너무 많다. 2 (특히, 남녀간의) 말다툼. ¶～が絶えない 말다툼이 끊이지 않는다.
くせもの【くせ者】《曲者》名 1 심상치 않은 놈; (도둑 따위) 수상한 놈. ¶～が忍び込んだようすだ 수상한 놈이 몰래 침입한 모양이다. 2 보통내기가 아닌 자. =したたか者. ¶相手はなかなかの～だ 상대는 보통내기가 아니다.
くせん【苦戦】名ス自 고전. ¶～を強いられる 고전을 면치 못하다.
くそ〘糞〙 一名 1 똥; 전하여, 분비물이나 찌꺼기. ¶目～ 눈곱 / 鼻～ 코딱지 / ～をする 똥을 누다. 2《'…も～もない'의 꼴로》 …따위 문제가 안 되다. ¶礼儀も～もない 예의 따윈 필요없다.
二感 〈俗〉 남을 몹시 욕하거나 불끈했을 때 하는 말: 제기랄; 빌어먹을. ¶～, 覚えていろ 어디 두고 보자 / 何～ 이것쯤이야 / えい～ 에이 제기랄; 젠장.
三接頭 〈俗〉 1 그 존재를 저주하는 기분을 나타내는 말. ¶～坊主 땡추중. 2 보통 사람과 너무 달라 오히려 역겨운 기분을 나타내는 말. ¶～度胸 똥배짱 / ～力 뚝심.
四接尾 〈俗〉 그 말이 지닌 부정적인 뜻을 강조하는 말. ¶へた～ 몹시 서투름 / やけ～ 자포자기.
—の役にも立たぬ 아무 소용도 없다.
—もみそも一緒 ☞みそもくそもいっしょ.
ぐそう【愚僧】名 우승; 소승; 빈도(貧道). =拙僧.
くそおちつき【くそおちつき·くそ落ち着き】《糞落ち着き》名 (불안해질 정도로) 매우 침착함. ¶～に落ち着いている 더럽게 침착하다. ⇨くそ三.
ぐそく【具足】一名ス自 사물이 충분히 갖추어져 있음. ¶円満～ 원만하여 부족함이 없음 / 諸々の条件が～する 모든 조건이 두루 갖추어지다.
二名 1 도구; 세간. 2 갑주(甲冑).
くそくらえ【くそ食らえ】《糞食らえ》連語 〈俗〉 저주하거나 자포자기할 때 내

뱉는 말: 똥이나 처먹어라; 뒈져라; 될 대로 돼라.

くそぢから【くそ力】《糞力》图〈俗〉몹시 센 힘; 뚝심. ＝ばか力. ¶～を出す 뚝심을 쓰다/～が有る 뚝심이 있다/いざとなると～が出る 여차하면 뚝심이 솟아난다. ⇨くそ㊂.

くそどきょう【くそ度胸】《糞度胸》图 똥배짱. ¶～がある 똥배짱이 있다.

くそまじめ〖糞真面目〗ダナ 지나치게 고지식함. ¶～な人 되게 고지식한 사람/～に言う 고지식하게 말하다.

くそみそ〖糞味噌〗ダナ **1** 가치 없는 것이나 있는 것이나 구별 없이 취급하는 모양; 엉망임. ¶天才も凡人も～に扱う 천재고 범인이고 싸잡아 취급하다. **2** 상대방을 마구 해대는 모양. ＝さんざん·みそくそ. ¶～にやっつける 되게 혼내 주다.

くだ【管】图 **1 관. ¶水道の～ 수도관. **2** (물레의) 대롱; 북의 실꾸리 대.

——を巻く (물렛가락이 붕붕 소리를 내는 데서) 술에 취해 허튼소리를 뇌까리다; 술주정하다.

*ぐたい【具体】图 구체. ＝具象. ¶～案 구체안. ↔抽象.

——か【—化】图 ス他自 구체화. ¶合併の話が～する 합병 이야기가 구체화하다. ↔抽象化.

——せい【—性】图 구체성. ¶～に欠ける 구체성이 없다.

——てき【—的】ダナ 구체적. ¶もっと～な例をあげる 좀더 구체적인 예를 들다. ↔抽象的.

くだ-く【砕く】5他 **1 부수다. ㉠깨뜨리다. ¶ダイナマイトで岩を～ 다이나마이트로 바위를 부수다/氷を小さく～ 얼음을 잘게 깨뜨리다. ㉡쳐부수다. ¶敵の勢いを～ 적의 세력을 부수다. **2** ㉠마음을 쓰다; 애쓰다. ¶心を～ 애쓰다; 머리를 짜다. ㉡몸을 깎는 노력을 하다. ¶身を～ 있는 힘을 다하다. **3** 쉽게 풀어서 설명하다. ¶～·いて話す 알기 쉽게 풀어서 얘하다.

くたくた ダナ **1** 느른한 모양. ＝ぐたぐた. ¶つかれて～になる 피곤해서 녹초가 되다. **2** 천 따위가 낡아서 당길힘이 없어진 모양. ¶着物が～になる 옷이 후줄근해지다. **3** 물건이 지나치게 삶아진 모양: 흐물흐물. ¶菜っ葉が～になる 푸성귀가 흐물흐물해지다.

くだくだ 副 말을 장황하게 늘어놓는 모양. ＝くどくど. ¶不平を～(と)述べ立てる 불평을 장황하게 늘어놓다.

くだくだし-い 形 장황하고 번거롭다. ＝くどい. ¶～事は省略する 장황하고 번거로운 것은 생략한다.

くだ-ける【砕ける】下1自 **1** 부서지다; 깨지다. ¶～·けたガラスの破片 깨진 유리 파편/波が～ 파도가 부서지다. **2** 꺾이다; 좌절하다. ¶意気込みが～ 의욕이 꺾이다. **3** 스스럼없는 태도가 되다; 딱딱하지 않고 친근한 분위기가 되다. ¶～·けた人 소탈하고 빡빡하지 않은 사람/～·けた文章 알기 쉽게 풀어쓴 문장.

*ください【ください·下さい】連語 ☞くださる2.

*くださ-る【くださる·下さる】5他 **1** 주시다《'与える' 'くれる'의 높임말》. ¶先生が鉛筆を一本～ 선생님께서 연필을 한 자루 주시다. **2**【くださる】《'お' 'ご'를 수반한 動詞連用形이나 동작을 나타내는 한어(漢語), 또는 動詞連用形에 'て'를 수반한 꼴에 붙어》'호의적으로 …하시다' 라는 기분을 나타냄: …하여 주시다. ¶お読み～·い 읽어 주십시오/ご覧～·い 보아 주십시오/ご検討～·い 검토해 주십시오/話して～·い 얘기해 주십시오. 注意 'くだされる'라고도 함. 参考 'ください'는 命令形이며, 경의(敬意)는 그다지 높지 않음. 특히 경의를 나타내는 경우는 'くださいませ'를 씀.

くだされもの【下され物】图 주신 물건; 하사품. ＝賜り物·ちょうだい物.

*くだ-す【下す】《降す》5他 **1** 내리다. ㉠강등하다. ¶地位を～ 지위를 내리다. ↔のぼす. ㉡하달하다. ¶命令を～ 명령을 내리다. ㉢선고하다. ¶判決を～ 판결을 내리다. ㉣아랫사람에게 주다; 하사하다. ¶～·し賜わる品 내리신 물건. ㉤(눈·비를) 오게 하다. ¶雨を～ 비를 내리다. **2** (위쪽에서 아래로) 내려 보내다. ¶いかだを～ 뗏목을 띄워 내려 보내다. **3** (싸움·스포츠 등에서) 항복시키다. ¶敵を～ 적을 항복시키다〔항복받다〕. **4**《瀉す》설사하다. ¶腹を～ 설사하다. **5** 직접 손을 쓰다. ¶自ら手を～·してする 직접 손을 쓰다/筆を～ 붓을 들(어 쓰)다. **6**《'書き·読み'를 받아》단숨에 …해 내리다. ¶書き～ 단숨에 써 내려가다/読み～ 술술 읽어 내리다. 可能 くだ-せる 下1自

くだって〖下って·降って〗代 (편지 등에서) 자기에 관한 말을 낮추어 말할 때 쓰는 말: 불초(不肖). ¶～小生ことは 불초 소생은.

くたば-る 5自〈俗〉**1** 뻗다; 뒈지다; 죽다《'死ぬ'의 막된 말씨》. ¶～·ってしまえ 뒈져버려라. **2** 몹시 지치다. ＝へたばる. ¶強行軍で～ 강행군으로 몹시 지치다.

くたびれもうけ〖草臥れ儲け〗图 피곤하기만 하고 아무 소득이 없음; 헛수고. ¶骨折り損の～ 애쓴 보람 없는 헛수고/無計画で仕事をするのは～をするだけだ 계획 없이 일하면 헛수고를 할 뿐이다.

*くたび-れる〖草臥れる〗下1自 **1** 지치다; 피로하다. ¶長旅をしてすっかり～ 긴 여행으로 몹시 지치다. **2**〈俗〉(오래 써서) 낡다; 헐다. ¶～·れた洋服 낡아빠진 양복.

**くだもの【果物】图 과실; 과일. ＝フル

ーツ. ¶～ナイフ 과도/～籠 과일 바구니/～屋 과일 가게〔장수〕/～の皮をむく 과일 껍질을 벗기다/食後に～を食べる 식후에 과일을 먹다.

くだら [百済] 图 백제. ＝ひゃくさい.

──がく [──楽] 图 백제에서 전래된 아악.

──ごと [──琴] 图 ☞くご(箜篌).

*__くだらな-い__【下らない】形 **1** 하찮다; 시시하다. ＝つまらない. ¶～話 시시한 이야기. 注意 'くだらぬ·くだらん'이라고도 함. **2** (수량을) 밑돌지 않다; 이하가 아니다. ¶百万を～金額 백만이나 되는 금액.

*__くだり__【下り】《降り》图 **1** 내려감. ㉠특히, 서울에서 지방으로 내려감. ¶週末には～の列車が込む 주말에는 지방으로 가는 열차가 혼잡하다. ㉡낮은 곳으로 내려감. ¶川～ (배나 뗏목을 타고) 강을 내려감. **2** '下り坂(=내리받이)' '下り列車'의 준말. ¶～車線 하행 차선/この先は～だ 이 앞은 내리받이다. ⇔上り·登り.

くだり 〖件〗图 긴 문장 중의 어떤 부분. ¶この～がわからない 이 대목을 모르겠다/この本は合戦の～がおもしろい 이 책은 전투 대목이 재미있다.

ぐたり 副 아주 녹초가 된 모양. ＝ぐたりと·ぐったり. ¶気力次第に衰え～となる 기력이 점점 쇠하여 축 늘어지다.

くだりざか【下り坂】图 **1** 내리받이; 또, (사물의) 쇠퇴기; 사양길; 내리막. ¶景気は～だ 경기는 내리막이다. ↔のぼり坂. **2** 날씨가 나빠짐. ¶天気はあしたの朝から～になるでしょう 날씨는 내일 아침부터 나빠질 듯합니다.

くだりせん【下り線】图 하행선. ¶～渋滞 하행선 정체. ↔上り線.

くだりれっしゃ【下り列車】图 하행 열차. ＝下り. ↔上り列車.

__くだ-る__【下る】《降る》㊀5自 **1 내리다. ㉠《본디 降る》 내려가다. ¶山道を～ 산길을 내려가다. ↔のぼる. ㉡《본디 降る》 내려오다. ¶天から～ 하늘에서 내려오다. ㉢(명령·판정 등이) 내려지다. ¶命令が～ 명령이 내리다/判決が～ 판결이 내리다. **2** 내려가다. ㉠(지방으로) 가다. ¶故郷に～ 고향에 내려가다. ↔のぼる. ㉡(아래쪽으로) 가다. ¶川を～ 강을 내려가다. ㉢(시대가 바뀌어) 후세가 되다. ¶世が～ 후세로 내려가다; 후세가 되다. **3** 물러나다. ¶野に～ 하야하다. ↔のぼる. **4** 설사하다. ¶腹が～ 설사가 나다. **5**《본디 降る》 항복하다. ¶敵に～ 적에게 항복하다. **6** (어떤 기준량) 이하가 되다《흔히, 否定의 꼴로 쓰임》. ¶月収は千万を～·らない 월수입이 적어도 천만 엔은 된다. ↔のぼる. **7** 못하다; 뒤지다. ＝劣る. ¶品が～ 물건〔품질〕이 못하다. **8**《否定을 수반하는 용법으로》☞くだらない.

くだんの〖件の〗連体 예(例)의; 그; 전술한. ¶～用件で参上します 그 용건으로 찾아뵙겠습니다.

──如し 전술한 바와 같다《증서 따위의 끝머리에 쓰는 말》.

__くち__【口】图 **1 입. ¶～をあける 입을 벌리다/～でくわえる 입으로 물다/人の～にのぼる 남의 입에 오르다/～がきたない 입이 걸다. **2** 입과 비슷한 것; 아가리. ¶～をふさぐ 아가리를 막다. **3** 말. ¶～約束 구두 약속/～が多い 말이 많다/わきから～を出す 곁에서 말(참견)하다/～が達者だ 말을 잘한다. **4** 입구; 초입. ¶非常口 비상구/出入口 출입구. **5** 미각. ¶～が肥えている 입이 높다. **6** 물건의 끝(단); 첫부분; 첫머리. ¶糸口 실마리/宵の～ 초저녁. ↔切り. **7** 식구. ¶～を減らす 식구를 줄이다/一人口は食えないが二人口は食える 한 식구 살림은 못 살아도 두 식구 살림은 먹고 살 수 있다《남녀는 결혼해서 살아야만 한다는 뜻》. **8** 무엇을 분류한 그 하나하나; 쪽; 몫. ¶どっちの～にするか 어느 쪽으로 할 것인가/一～千円 한 몫 천 엔. **9** 자리. ㉠일자리; 직(職). ¶勤め口 근무처; 일자리/嫁の～をさがす 며느리 자리를 찾다. ㉡다친 자리. ¶傷口 상처. **10** (연예인 등에 대한) 손님의 부름; 권유. ¶～がかかる 부름을 받다. **11** 말의 입에 잡아맨 줄. ¶馬の～をとる 말의 고삐를 잡다. **12** 종류. ¶この～の品は売り切れです 이 종류의 물건은 다 팔렸습니다. **13** 입에 음식물을 넣는 횟수를 세는 말: 입. ¶一～で食べる 한 입에 먹다.

──がうまい 말을 잘하다; 말 솜씨가 좋다. ¶あのセールスマンは～ 저 외무원은 말을 잘한다.

──がうるさい 말이 많다. **1** 세상 평판이 시끄럽다. ¶世間の～ 세상 소문이 귀찮다. **2** 사소한 일에도 어쩌니 저쩌니 비난하다.

──が重い 입이 무겁다.

──が堅い 입이 뜨다; 해서 안 될 말은 안 한다.

──が軽い 입이 가볍다.

──が腐っても 입이 썩어도〔찢어져도〕. ＝口が裂けても. ¶～言わない 목에 칼이 들어와도 입을 열지 않는다.

──が過ぎる 말이 지나치다; 건방진 소리를 하다.

──が酸っぱくなる (같은 말을 여러 번 되풀이해서) 입에서 신물이 나다.

──が滑べる 입을 잘못 놀리다.

──が干上がる 입에 거미줄 치다; 입에 풀칠을 못하다.

──が減らない (지고도) 억지를 쓰다.

──から先に生まれる 말 많은 사람을 경멸하여 이르는 말.

──が悪い 입이 걸다; 욕을 잘하다.

──と腹が違う 말과 속이 다르다.

──にする **1** 입에 담다; 말하다. ＝口に出す. ¶～のをはばかる 입에 담기를

꺼리다. **2** 먹다. ¶酒は口にしない 술은 입에 대지 않는다.

—に出す 입밖에 내다; 말하다. ¶~べきことではない 입밖에 낼 일이 아니다.

—に乗る **1** 남의 입에 오르다. **2** 감언이설에 넘어가다; 속다.

—の下から 말하고는 금방; 말하기가 무섭게. ¶やせなければと言った~間食している 살을 빼야겠다고 말하고는 금방 간식을 먹고 있다.

—は口心は心 말과 생각이 일치하지 않음; 마음에 없는 말을 함.

—は災いの門〔元〕 입은 화근이니 말조심하라는 뜻.

—も八丁, 手も八丁 말도 잘 하고 일도 잘 한다.

—を入れる 곁에서 말참견하다

—を利く **1** 말을 하다. ¶大きな~ 큰소리치다. **2** (중간에 들어) 주선하다.

—を切る **1** 맨 먼저 발언하다; 말을 시작하다; 입을 떼다. **2** 봉한 것이나 마개를 따다.

—を極めて 극구. ¶~ほめる 극구 칭찬하다.

—を滑らす 까딱 입을 잘못 놀리다.

—を添える (얘기가 잘 되도록) 말을 거들다.

—を出す 말참견하다. ¶人のことに~な 남의 일에 참견마라.

—をつぐむ 입을 다물다.

—をとがらせる 입을 삐쭉 내밀다; 부루퉁하다; 성난 투로 말하다.

—を拭う 어떤 일을 하고도 안 한 체하다; 알면서도 모른 체하다.

—を糊する 입에 풀칠을 하다《겨우 살아가다》.

—を挟む 곁에서 말참견하다.

—を割る 입을 열다; 자백하다. ¶容疑者が~ 용의자가 입을 열다.

***ぐち**【愚痴】《愚癡》 图 푸념; 게정. ¶~をこぼす 푸념하다.

くちあけ【口開け】图 **1** (병·통조림 따위의) 마개를〔뚜껑을〕 처음으로 땀〔엶〕. =口開き. ¶~のウィスキー 마개를 갓 딴 위스키. **2** (장사 따위의) 마수걸이. =かわきり. ¶~の客 마수걸이 손님. ¶~ですから, お安くいたしますよ 마수걸이니까 싸게 드리겠어요.

くちあたり【口あたり】《口当たり》 图 입에 닿는 느낌; 입맛; 구미. =舌ざわり. ¶~のいい酒 입에 당기는 술.

くち-い 形 〈俗〉 배가 부르다. ¶腹が~ 배가 몹시 부르다.

くちいれ【口入れ】图 ス他 **1** 말참견. =くちだし. ¶他人のことに~する 남의 일에 말참견하다. **2** (사람·빚돈을) 알선〔주선〕함; 또, 그것을 업으로 하는 사람. ¶~屋 중개인.

くちうつし【口移し】图 ス他 **1** 음식물을 입에 머금었다가 남의 입에 넣어 줌. ¶~で水を飲ませる 입으로 옮겨서 물을 먹이다. **2** 구전; 말로 전함. =口伝え. ¶~で秘伝を教える 구전으로〔구두로〕 비전을 가르치다.

くちうつし【口写し】图 (어떤 사람의) 말씨〔말투〕와 똑같음. ¶まるで師匠の~だ 마치 스승의 말투와 똑같다.

くちうら【口うら】图 **1**《口裏》 말귀; 말하는 품으로 그 사람의 심중을 헤아려 앎. ¶~から察すると 말귀로 살펴보면. **2**《口裏》 상대방에게 얘기할 내용.

—を合わせる (여럿이 사전에 짜고) 말이 어긋나지 않도록 말을 맞추다. ¶仲間で~ 한패끼리 말을 맞추다.

くちうるさ-い【口うるさい】《口煩い》 形 ☞くちやかましい2.

くちえ【口絵】图 책·잡지의 첫머리에 넣는 그림; 권두의 그림; 권두화(卷頭畫).

くちおし-い【口惜しい】形 유감이다; 분하다. =悔しい. ¶あんな相手に負けて全く~ 저런 상대에게 져서 정말 분하다 / 誠意が通じないのが~ 성의가 안 통하는 것이 유감이다.

くちおも【口重】ダナ 입이 무거움. ¶~な人 입이 무거운 사람. ↔口軽.

くちおも-い【口重い】形 입이 무겁다. ↔口軽い.

くちかず【口数】图 **1** 말수. =ことばかず. ¶~が多い 말이 많다; 수다스럽다. **2** 인원수; 식구. ¶~をへらす 식구를 줄이다.

くちがた-い【口堅い】形 **1** 입이 무겁다. =口おもい. ¶~人だから信用できる 입이 무거운 사람이라 신용할 수 있다. **2** 하는 말이 확실하다.

くちがため【口固め】图 ス自他 **1** 입막음. =口止め. ¶金をやって~(を)する 돈을 주어 입막음〔입씻김〕을 하다. **2** 굳은 언약. ¶夫婦の~をする 부부의 언약을 하다.

くちがね【口金】图 꼭지쇠; 기물(器物)의 주둥이에 끼우는 쇠붙이. ¶ハンドバッグの~ 핸드백의 물림쇠.

くちがる【口軽】ダナ 입이 가벼움. ¶~な男 입이 가벼운 사나이. ↔口重.

くちき【朽ち木】图 썩은 나무. ¶~のように倒れる 썩은 나무처럼 쓰러지다.

くちきき【口利き】图 **1** 소개를 함; 또, 그 사람. ¶先生の~で入社した 선생님 소개로 입사했다. **2** (분쟁·상담 따위를) 조정·알선 또는 중개하는 일; 또, 그 사람. ¶~料 중개료; 구전. **3** 세력가. =顔きき·顔役. ¶村の~ 마을에서 행세하는 사람.

くちぎたな-い【口汚い】形 **1** 입이 더럽다〔걸다〕; 걸쩍지근하다. ¶~·く悪口を言う 걸쩍지근하게 욕하다. **2** 입정 사납다. ¶何でも食べる~人間 아무 것이나 먹는 입정 사나운 인간. ⇔口ぎれい.

くちきり【口切り】图 **1** 개봉(開封); 봉한 것을 뗌. **2** (사물의) 처음; 시작; 특히, 첫 매매 거래; 마수걸이. =かわきり. ¶余興の~に君がやれ 여흥의 시작은 네가 (먼저) 끊어라.

くちぎわ【口際】图 입 언저리. ¶~にほ

くろがある 입 언저리에 점이 있다.

くちく【駆逐】[名][ス他] 구축. ¶敵艦(てきかん)を～する 적함을 구축하다.

━かん【━艦】[名] 구축함.

くちぐせ【口癖】[名] 입버릇(이 된 말); 상투어. ＝きまり文句(もんく). ¶～のように言(い)う 입버릇처럼 말하다.

くちぐち【口口】[名] **1** 제각기(의 입); 각각. ＝めいめい. ¶～に言(い)う 제각기 말하다. **2** 여러 곳의 출입구. ¶～を固(かた)める 각 출입구를 굳게 지키다.

くちぐるま【口車】[名] 입발림; 감언이설.

━に乗(の)せる 감언이설로 속이다. ¶うまく口車に乗せられる 감언이설에 감쪽같이 넘어가다.

くちげんか【口げんか】《口喧嘩》[名][ス自] 언쟁; 입씨름; 말다툼. ＝口論(こうろん). ¶～が絶(た)えない 언쟁이 끊이지 않는다.

くちごたえ【口答え】[名][ス自] 말대답; 말대꾸. ＝言(い)い返(かえ)し·口返答(くちへんとう). ¶親(おや)の忠告(ちゅうこく)に～をする 부모의 충고에 말대꾸하다.

くちコミ【口コミ】[名]〈俗〉사람의 입을 통한 정보의 전달; 평판·소문 따위가 입에서 입으로 전해지는 일. ¶～でうわさが広(ひろ)がった 여러 사람의 입을 통해 소문이 퍼져 나갔다. ▷communication.

くちごも-る【口ごもる】《口籠る》[5自] **1** 중얼거리다; 말을 우물거리다. ¶問(と)いつめられて～ 추궁당하자 말을 우물거리다. **2** 말을 더듬다.

くちさがな-い【口さがない】[形] 입이 걸다; 험담을 잘 하다. ¶～連中(れんじゅう) 입이 건〔험한〕 패들 / 世間(せけん)は～ 세상 사람들은 마구 남의 험담을 한다.

くちさき【口先】[名] **1** 입 끝; 주둥아리. ¶～でくわえる 입 끝으로 물다. **2** 입에 발린 말. ¶～ばかりの親切(しんせつ) 말뿐인 친절 / ～だけの約束(やくそく) 말뿐인 약속.

くちさびし-い【口寂しい】《口淋しい》[形] 입이 심심하다. ¶～·くてタバコを吸(す)う 입이 심심해 담배를 피운다.

くちざわり【口触り】[名] ☞くちあたり.

くちしのぎ【口しのぎ】《口凌ぎ》[名] **1** 볼가심; 요기; 요깃거리. ¶～にお菓子(かし)をつまむ 볼가심으로 과자를 집어 먹다. **2** 호구할 정도의 생활. ¶当座(とうざ)の～にも困(こま)る 당장 입에 풀칠하기도 어렵다.

くちじょうず【口上手】[名][ダナ] 말주변〔구변〕이 좋음; 또, 그 사람. ¶～な人(ひと) 구변이 좋은 사람. ↔口下手(くちべた).

くちずから【口ずから】[副] 자기 입으로; 자기 말로. ¶～極意(ごくい)を伝授(でんじゅ)する 자기 입으로 비법을 전수하다.

くちすぎ【口過ぎ】[名] 생계(를 세우는 일); 살림. ＝生計(せいけい)·暮(く)らし·口過(くちす)ごし. ¶～のための仕事(しごと)をする 생계를 위한 일을 하다.

くちずさ-む【口ずさむ】《口遊む·口吟む》[5他] 읊조리다; 흥얼거리다. ¶流行歌(りゅうこうか)を～·みながら仕事(しごと)をする 유행가를 흥얼거리면서 일을 하다.

くちずっぱく【口酸っぱく】[連語] 입이 닳도록. ¶～言(い)ってきかせる 입이 닳도록 타이르다.

くちぞえ【口添え】[名][ス自] 곁에서 말을 거들어 줌; 조언. ¶知人(ちじん)の子供(こども)の入社(にゅうしゃ)に～する 아는 사람의 자제 입사(문제)에 한마디 거들다.

くちだし【口出し】[名][ス自] 말참견. ＝さしでぐち. ¶余計(よけい)な～をするな 쓸데없는 말참견을 하지 마라.

くちだっしゃ【口達者】[名][ダナ] **1** 말주변이 좋음; 또, 그 사람. ＝口(く)じょうず. ¶～で人(ひと)をまるめこむ 능변으로 사람을 구워삶다. ↔口(くち)ぶちょうほう. **2** 수다스러움; 수다쟁이. ＝口(くち)まめ.

くちつき【口つき】[名] **1** 입매; 입모습. **2** 말하는 모습; 말투. ¶不満(ふまん)そうな～ 불만스러운 듯한 말투.

くちつき【口付き】[名] **1** (궐련과 같이) 필터가 달려 있음; 또, 그런 물건. ¶～巻(ま)きタバコ 필터가 달린 담배. **2** (마소의) 고삐를 잡는 사람; 말구종; 마부. ＝口取(くちと)り.

くちづけ【口付け】[名][ス自] 입맞춤. ＝キス·接吻(せっぷん). ¶彼女(かのじょ)の頬(ほお)に～する 그녀의 볼에 입맞춤하다.

くちづたえ【口伝え】[名][ス他] **1** 구전; 입에서 입으로 전하여 옮김. ＝くちづて. ¶昔話(むかしばなし)を～(に)する 옛날 이야기를 구전하다. **2** 구수(口授); 직접 말로 전하여 가르침. ＝口伝(くでん). ¶～に教(おし)える 직접 말로 가르치다. 「づたえ1.

くちづて【口づて】《口伝て》[名] ☞くち

くちどめ【口止め】[名][ス自] **1** 입막음; 함구하게 함. ＝口(くち)ふさぎ. ¶他言(たごん)しないように～する 남에게 말하지 않도록 입막음하다. **2** '口止め料(りょう)'의 준말.

━りょう【━料】[名] 입막음으로 주는 돈; 입씻이.

くちとり【口取り】[名] **1** (마소의) 고삐를 잡고 끎; 또, 그 사람; 말구종; 마부. **2** '口取(くちと)りざかな'의 준말.

━ざかな【━肴】[名] **1** 술안주. **2** 지진 생선을 金団(きんとん)·かまぼこ·だて巻(ま)き 따위와 곁들여서 접시에 담은 요리.

くちなおし【口直し】[名] 입가심으로 음식을 먹음; 또, 그 음식물. ¶薬(くすり)の～にお菓子(かし)をたべる 약의 입가심으로 과자를 먹다. 「～色(いろ) 치자색.

くちなし【梔·梔子】[名]〔植〕치자나무. ¶

くちならし【口慣らし】《口馴らし》[名][ス自] **1** 술술 말할 수 있도록 연습함. ¶～に声(こえ)を出(だ)して読(よ)む 술술 말할 수 있도록 소리 내어 읽다. **2** (맛을) 입에 익힘. ¶～をする 맛을 익히다.

くちな-れる【口慣れる】《口馴れる》[下1自] **1** (말이) 입에 익다; 입버릇이 되다. **2** (음식이) 입에 익숙해지다.

くちのは【口の端】[名] 말 끝; 입길; 소문; 화제. ¶世人(せじん)の～にのぼる 세상 사람들의 입에 오르다.

━に掛(か)かる 남의 입(길)에 오르다. ¶

口さがない世間の人の～ 남의 얘기하기를 좋아하는 세상사람들의 화젯거리가 되다.

くちば【朽ち葉】图 썩은 낙엽. ¶～色 적갈색.

くちばし〖喙·嘴〗图 부리; 주둥이. ¶～でつつく 부리로 쪼다.

──が黄色い 부리가 노랗다; 애송이다; 대가리에 피도 안 말랐다.

──を容れる〔挟む, 突っ込む〕 말참견하다. ＝容喙する.

くちばし-る【口走る】5他 무의식중에 입밖에 내다; 엉겁결에 말하다. ¶あらぬことを～ 터무니없는 말을 무심코 입밖에 내다/うわごとを～ 무심코 실없는 소리를 하다.

くちはっちょう【口八丁】图〈俗〉말주변이 좋음; 또, 그러한 사람.

──てはっちょう【──手八丁】連語 구변도 좋고 수단도 좋다. 参考 '口も八丁手も八丁' 라고도 함.

くちは-てる【朽ち果てる】下1自 **1** 완전히 썩어 문드러지다. ¶住む人もなく～·てた家 사는 사람도 없이 완전히 못쓰게 돼 버린 집. **2** 세상에 알려지지 않은 채 보람없이 죽다. ¶世に知られずに～ 세상에 이름도 남기지 못하고 헛되이 죽다.

くちはばった-い【口幅ったい】形 입찬소리를 하다; 건방지다. ¶できもしないくせに～ことを言う 하지도 못하는 주제에 입찬소리를 한다.

くちばや【口早·口速】ダナ 말을 빠르게 함; 입이 잼. ＝早口. ¶自分勝手なことを～にしゃべる 제멋대로 재게 지껄이다.

くちび【口火】图 점화하는 데 쓰이는 불; 전하여, 도화선. ¶それがこの大戦の～となった 그것이 이 대전의 도화선이 되었다.

──を切る 도화선에 불을 댕기다; 시작하다. ¶反論の～ 반론을 개시하다.

くちひげ【口ひげ】《口髭》图 콧수염; 코밑수염. ¶～を生やした男 콧수염을 기른 남자.

くちびょうし【口拍子】图 입으로 장단을 맞춤; 또, 그 장단. ¶～をとる 입장단을 맞추다.

***くちびる**【唇】《脣》图 입술. ¶花の～ 미인의 입술/～が薄い 입술이 얇다; 말이 많다; 수다스럽다/～がかわく 입술이 마르다/～を盗む 입술을 훔치다; 강제로 입맞추다.

──をかむ 입술을 깨물다; 분함을 지그시 참다.

──をとがらす 입술을 삐쭉 내밀다; 불만스러운 듯이 굴다; 부루퉁해지다.

くちぶえ【口笛】图 휘파람. ¶～を吹く 휘파람을 불다.

くちふさぎ【口ふさぎ】《口塞ぎ》图 **1**《'お～'의 꼴로》요리의 겸사말: 변변치 못한 음식; 약소한 음식. ＝口よごし. ¶ほんのお～ですがお一つどうぞ 변변치 못한 음식입니다만 어서 하나 드십시오. **2** 입막음; 입씻이. ＝口止め. ¶～の賄賂 입막음을 하기 위한 뇌물.

くちぶり【口振り】图 말투; 말씨. ＝話し振り·ことばつき. ¶偉そうな～ 잘난 체하는 말투.

くちべた【口下手】图ダナ 말주변이 없음; 말솜씨가 없음. ¶～で意が通じない 말솜씨가 없어 뜻이 통하지 않는다. ↔口上手.

くちべに【口紅】图 입술 연지. ＝ルージュ. ¶～を差す〔つける〕 입술 연지를 칠하다〔바르다〕.

くちべらし【口減らし】图ス自 식구를 줄임. ¶子を奉公に出して～する 자식을 고용살이로 내보내 식구를 덜다.

くちほど【口程】图 입으로 말할 정도. ¶目は～に物を言う 눈은 입만큼 말을 한다〔감정을 전달한다〕.

──(に)もない 굳이 말할 정도도 못 된다; 큰소리는 치지만 실제로는 대단한 것이 못 된다.

くちまえ【口前】图 말솜씨; 말투. ＝話しぶり. ¶～のうまい男 말솜씨가 좋은 사내.

くちまかせ【口任せ】图 입에서 나오는 대로 지껄임; 신구(信口). ＝出まかせ. ¶～にしゃべる 멋대로 지껄이다.

くちまね【口まね】《口真似》图ス自他 입내. ¶～(を)する 입내를 내다/～がうまい 입내를 잘한다.

くちもと【口もと·口元】《口許》图 **1** 입가; 입언저리. ¶～がほころびる 입이 벌어지다《웃다》/～に微笑を浮かべる 입가에 미소를 띄우다. **2** 입매. ¶～が可愛い娘 입매가 예쁜 처녀.

くちやかまし-い【口やかましい】《口喧しい》形 **1** 말이 많아 시끄럽다. **2** 잔소리가 많다; 까다롭다. ¶～おやじ 잔소리가 심한 아버지/老人は食い物のことに～ 노인은 음식에 까다롭다.

くちやくそく【口約束】图ス自他 언약; 구두 약속. ＝口約. ¶～だけでは, あてにならない 언약만으로는 믿을 수 없다.

くちゃくちゃ 副ダナ **1** 몹시 구겨진 모양: 쭈글쭈글; 꾸깃꾸깃. ＝くしゃくしゃ. ¶着物が～になる 옷이 몹시 구겨지다. **2** 소리를 내며 씹는 모양: 질겅질겅; 쩍쩍. ¶ガムを～と噛む 껌을 질겅질겅 씹다.

ぐちゃぐちゃ 副ダナ **1** 두서없이 시끄러운 모양. ¶～(と)しゃべる 시끄럽게 지껄이다. **2** 뭉크러지거나 물에 젖어서 엉망이 된 모양. ＝ぐじゃぐじゃ. ¶雨に降られて着物が～になる 비를 맞아 옷이 후줄근해지다/雨で地面が～になる 비 때문에 지면이 질퍽질퍽해지다.

くちゅう【苦衷】图 고충. ¶～を察する 고충을 헤아리다.

くちゅう【駆虫】图ス自 구충; 해충을 구제함. ¶～剤 구충제.

***くちょう**【口調】图 어조(語調). ¶演説～ 연설조(調)/～を整える 어조

를 고르다/おごそかな～で話す 엄숙한 어조로 말하다.

ぐちょく【愚直】 名ダナ 우직. ＝ばか正直. ¶～な人 우직한 사람.

くちよごし【口汚し】 名 **1** 음식이 적어서 좀 부족함. ¶あの刺身はうまいがそれだけでは～にしかならない 그 생선회는 맛은 좋지만 그것만으로는 입가심밖에 안 된다. **2**《'お～'의 꼴로》음식을 권할 때의 겸사말: 보잘것 없는 음식. ¶ほんのお～ですが召し上がってください 보잘 것 없지만 좀 드십시오.

く-ちる【朽ちる】 上1自 **1** (나무 따위가) 썩다. ¶～·ちかかった橋 썩기 시작한 다리. **2** (명성 등이) 쇠퇴하다; 헛되이 죽다. ＝すたる. ¶片田舎で～ 벽촌에서 헛되이 죽다.

ぐち-る〖愚痴る〗 5自 〈俗〉 푸념하다. ¶子供の帰りが遅いと～ 아이의 귀가가 늦는다고 푸념하다.

くちわる【口悪】 名ダナ 입이 걺; 또, 그런 사람. ¶～な人 입이 건 사람.

****くつ【靴】《沓》** 名 신; 신발; 구두. ¶～クリーム 구두약/～底 구두창/～がきつい 구두가 꼭 끼다/かかとの高い〔低い〕～ 굽이 높은〔낮은〕 구두/～を履く〔脱ぐ, 磨く〕 구두를〔신을〕 신다〔벗다, 닦다〕/～ひもを結ぶ 구두끈을 매다.

> **くつ의 종류**
>
> 길이에 따라, 長靴(장화; 부츠)·半長靴(반장화)·短靴(단화), 재질에 따라, 革靴(가죽 구두)·ゴム靴(고무신), 용도나 목적에 따라, 雨靴(비신; 레인슈즈)·雪靴(설화)·厚底靴(통굽 구두)·運動靴(운동화)·スキー靴(스키화)·テニス靴(테니스화) 등의 명칭이 있음.

くつ〖屈〗 常用 クツ かがむ かがまる かがめる | 굴 굽다 | 굽어서 펴지지 않다; 좌절하다. ¶屈折 굴절/屈辱 굴욕. ↔伸.

くつ〖堀〗 常用 クツ ほり | 굴 해자 | 해자(垓字). ¶外堀 성 바깥 둘레의 해자. 注意 주로 훈독함.

くつ〖掘〗 常用 クツ ほる | 굴 파다 | 흙을 파내다; 땅 속에서 파내다. ¶発掘 발굴/採掘 채굴.

***くつう【苦痛】** 名 고통. ¶～を感ずる 고통을 느끼다/～を訴える 고통을 호소하다/～に耐える 고통을 견디다. ↔安楽·快楽.

くつおと【靴音】 名 구두 소리. ¶～が聞こえる 구두 소리가 들리다.

くつがえ-す【覆す】 5他 뒤집(어 엎)다. ＝ひっくりかえす. ¶手のひらを～ 손바닥을 뒤집다/政権を～ 정권을 뒤엎다. 可能 くつがえ-せる 下1自

くつがえ-る【覆る】 5自 뒤집히다. ＝ひっくりかえる. ¶政権〔判決〕が～ 정권〔판결〕이 전복되다〔뒤집히다〕.

クッキー [미 cookie, cooky] 名 쿠키. ¶レーズン入りの～ 건포도를 넣은 쿠키.

くっきょう〖究竟〗 名ナ **1** 필경; 결국. **2** 매우 형편이 좋음. ¶～の隠れ場所 안성맞춤인 은신처/～の機会を逃す 아주 좋은 기회를 놓치다.

くっきょう【屈強】 名ナ 몹시 힘이 셈. ¶～な人 아주 힘 센 사람.

くっきょく【屈曲】 名ス自 굴곡. ¶～の多い海岸線 굴곡이 많은 해안선/道の～がはげしい 길의 굴곡이 심하다/川が～して流れる 강이 구불구불 흐르다.

くっきり 副 또렷이; 선명하게. ¶晴れた空に富士山が～(と)浮かぶ 갠 하늘에 富士山이 또렷이 나타나다.

クッキング [cooking] 名 쿠킹; 요리(법). ¶～スクール 요리 학원.

くつくつ 副 **1** ☞くっくっと. **2** 무엇이 끓는 소리: 팔팔; 보글보글. ＝ぐつぐつ. ¶豆〔野菜〕を～(と)煮る 콩을〔야채를〕 푹푹 삶다.

ぐつぐつ 副 무엇이 끓는 소리: 부글부글. ¶～煮る 부글부글 끓이다.

くっくっと 副 나오는 웃음을 참으면서 내는 소리: 킥킥; 킬킬. ¶～笑う 킬킬거리다.

くっさく【掘削】《掘鑿》 名ス他 굴착. ¶～機 굴착기/運河を～する 운하를 파다. 注意 '掘削'는 대용 한자.

くっし【屈指】 名 굴지; 손꼽음. ＝指折り. ¶～の金持ち 손꼽는 부자.

***くつした【靴下】《沓下》** 名 양말. ¶～どめ 양말 대님/絹の～ 실크 양말/～をはく 양말을 신다.

くつじゅう【屈従】 名ス自 굴종. ＝屈伏. ¶涙を呑んで～する 눈물을 머금고 굴종하다.

くつじょく【屈辱】 名 굴욕. ¶～に耐えられない 굴욕을 참지 못하다.

ぐっしょり 副 몹시 젖은 모양: 함빡. ＝びっしょり·ぐしょぐしょ. ¶服が～ぬれている 옷이 함빡 젖었다.

クッション [cushion] 名 쿠션. **1** 푹신푹신 한 방석; 전하여, 완충물〔재〕. ¶～の効いたベッド 쿠션이 좋은 침대/ワン～置く 원 쿠션을 놓다; 직접적인 충격을 피하도록 사이에 완충물을 두다. **2** 당구대의 고무를 댄 가장자리. ¶スリー～ 스리쿠션.

くっしん【屈伸】 名ス自他 굴신. ＝伸び縮み. ¶～運動 굴신 운동/ひざを～させる 무릎을 굽혔다 폈다 하다.

グッズ [goods] 名 구즈; 상품; 물품; 용품. ¶カー～ 자동차 용품.

くつずみ【靴墨】 名 구두약. ¶～をつけて磨く 구두약을 바르고 닦다.

ぐっすり 副 깊이 잠든 모양: 푹. ¶疲れて～(と)眠る 피곤해서 푹 자다.

***くっ-する【屈する】** サ変自他 굽히다. **1** (몸·허리 따위를) 구부리다. ¶ひざを～

무릎을 꿇다 / 上体を～ 상체를 구부리다 / 指を～ 손꼽다. **2** ㉠(의지·결심 등을) 꺾다; 굴복시키다. ¶戦わずして敵を～ 싸우지 않고 적을 굴복시키다. ㉡꺾이다; 굴복하다. ¶失敗に～ことなくたちあがる 실패에 굴하지 않고 일어서다.

くつずれ【靴擦れ】[名] 구두에 쓸려서 까짐; 또, 그 상처. ¶～でかかとがすりむける 구두가 쓸려서 발뒤꿈치가 까지다.

*__くっせつ__【屈折】[名][ス自] 굴절. **1** 휘어서 꺾임. ¶～した道路 굽은 길 / 光線は水にはいると～する 광선은 물에 들어가면 굴절한다. **2** 뒤틀림; 꼬여서 비틀어짐. ¶～した心理 굴절된 심리.

くっそう【屈葬】[名] 굴장; 굽혀묻기. ¶～のならわしがある 굴장하는 관습이 있다. ↔伸展葬.

くったく【屈託】[名][ス自] **1** 꺼림칙하여 걱정됨; 거북함. ¶何の～もない人 크게 신경을 쓰지 않는 사람. **2** 지쳐서 진력냄; 싫증남; 진절머리. ¶同じような毎日の生活にすっかり～する 똑같은 일상생활에 완전히 진력이 나다.

ぐったり [副] 아주 녹초가 된 모양. ¶暑さで～となる 더위로 녹초가 되다.

*__くっつ-く__ [5自] **1** (착) 들러붙다; 달라붙다. ¶餅が～ 떡이 착 들러붙다 / ～·いて取れない 들러붙어 떼어지지 않는다. **2** 〈俗〉 남녀가 정식 아닌 부부 관계를 맺다. ¶変な女と～ 이상한 여자와 붙어살다.

くっつ-ける [下1他] **1** (꼭)붙이다; 들러붙게 하다. ¶割れた皿を接着剤で～ 깨진 접시를 접착제로 붙이다. **2** 자기 편으로 만들다. ¶味方に～ 자기 편으로 끌어들이다.

くってかか-る〚食って掛かる〛[5自] 대들다; 덤벼들다. ＝たてつく. ¶親〔審判〕に～ 부모〔심판〕에게 대들다.

*__ぐっと__ [副] **1** 힘을 주어 단숨에 하는 모양: 꿀꺽; 쭉. ¶綱を～引っ張る 밧줄을 힘껏 잡아당기다 / ～飲み込む 꿀꺽 삼키다. **2** 한층; 훨씬. ¶～引き立つ 훨씬 돋보이다 / 成績が～あがる 성적이 부쩍 올라가다. **3** 〈俗〉 강한 감동을 받는 모양: 뭉클. ¶～胸がつまる 가슴 벅찬 감동을 느끼다.

グッド [good] [一][感] 굿; 좋다. [二][接頭] 좋은; 뛰어난. ¶～アイデア 굿아이디어.

―タイミング [good timing] [名] 굿 타이밍; 좋은 시기; 적절한 순간.

―デザインマーク [good design mark] [名] 굿 디자인 마크. ☞ジーマーク.

―バイ [good-bye] [感] 굿바이; 안녕. ＝さようなら.

くつぬぎ【くつ脱ぎ】《沓脱ぎ》[名] **1** 현관·마루 등의, 신발을 벗는 곳. **2** 'くつぬぎ石(＝섬돌)'의 준말. 「하나).

グッピー [guppy] [名]〔魚〕 거피《열대어의

くっぷく【屈服·屈伏】[名][ス自] 굴복. ¶権力に～する 권력에 굴복하다.

くつべら【靴べら】《靴篦》[名] 구둣주걱.

くつみがき【靴磨き】[名] 구두닦기; 또, 구두닦이. ¶～の少年 구두닦이 소년.

くつや【靴屋】[名] 구둣방; 양화점.

*__くつろ-ぐ__〚寛ぐ〛[5自] **1** 편안히 지내다 〔쉬다〕. ¶温泉で～ 온천에서 편안히 쉬다. **2** 너그러워지다; 느슨해지다. **3** 허물없이 사귀다; 마음을 터놓다. ¶～·いだ集まり 허물없는 모임. [可能]くつろ-げる[下1自]

くつろ-げる〚寛げる〛[下1他] **1** 편하게 하다; 편히 쉬게 하다. ¶客の気持ちを～ 손님의 마음을 편안하게 해 주다. **2** 느슨하게 하다; 풀다. ¶ワイシャツのえりを～·げてビールを飲む 와이셔츠 깃을 풀고 맥주를 마시다.

くつわ〚轡〛[名] 재갈. ＝くつばみ. ¶馬に～をはめる 말에 재갈을 물리다.

―を並べる **1** 말머리를 나란히 하다. **2** 같이〔함께〕 행동하다.

―を嵌める 뇌물을 주어 입막음하다. ＝くつわをかます. ¶金の～ 돈으로 입막음하다. 「철써기.

くつわむし【くつわ虫】《轡虫》[名]〔蟲〕

くてん【句点】[名] 구점; 종지부; 마침표. ＝まる. ¶～を正確に打つ 구점을 정확히 찍다. ⇨読点.

くでん【口伝】[名][ス他] 구전; 구수(口授). ¶～文学 구전 문학 / 師から～を受ける 스승으로부터 구전을 받다.

ぐでんぐでん [ダナ] 《주로 '～に'의 꼴로》 술에 잔뜩 취한 모양: 곤드레만드레. ¶～に酔う 곤드레만드레 취하다.

*__くど-い__〚諄い〛[形] **1** 장황하다; 끈덕지다; 산뜻하지 못하다. ＝しつこい. ¶～男 끈덕진 남자 / 話し方は～がよくわかる講義 말은 시원스럽지 못하나 잘 알아들을 수 있는 강의. **2** 느끼하다; (빛깔이) 칙칙하다. ¶～味 느끼한 맛 / ～色 칙칙한 빛깔.

くとう【句読】[名] 구두; 구두점. ¶～を切る 구두점을 찍다

―てん【―点】[名] 구두점. ¶～を打つ〔つける〕 구두점을 찍다.

くとう【苦闘】[名][ス自] 고투; 고전. ＝苦戦. ¶悪戦～ 악전고투 / ～の連続 고투의 연속.

くどう【駆動】[名][ス他] 구동. ¶～軸 구동축 / 前輪～ 전륜 구동.

―そうち【―装置】[名] 구동 장치.

くどき【口説き】[名] 설득함; 또, 그 말. ¶～上手 남을 잘 설득하는 사람.

くどきおと-す【口説き落とす】[5他] 설득하여 납득시키다. ¶いやがる相手を～ 싫어하는 상대를 설득하여 승낙을 받아내다.

くど-く【口説く】[5他] **1** 설득이나 하소연을 끈덕지게 하다; 중언부언하다. ¶親を～·いて留学を許してもらう 부모를 설득하여 유학을 허락받다. **2** (이성에게) 구애하다. ＝言い寄る. ¶女を～ 여자에게 구애하다.

くどく【功徳】图〔佛〕공덕. **1** 좋은 과보(果報)를 얻을 만한 선행. ¶～を施(ほどこ)す〔積(つ)む〕 공덕을 베풀다〔쌓다〕. **2** 신불의 은총; 영검. ¶正直(しょうじき)の～でよい仕事(しごと)にありつく 정직한 공덕으로 좋은 일자리를 만나다.

くどくど〘諄諄〙副 같은 말을 지루하게 되풀이하는 모양: 장황하게; 지루하게. ¶～言(い)う 지루하게 뇌다. 参考 形容詞 'くどい'의 어간을 겹친 말.

くどくどし-い〘諄諄しい〙形 장황하다; 번거롭다. ¶～·く言(い)い訳(わけ)をする 장황하게 변명하다.

ぐどん【愚鈍】名ナ 우둔. ¶～な人(ひと) 우둔한 사람.

くない【区内】图 구내. ¶この～に住(す)む 이 구내에 산다.

くないちょう【宮内庁】图 궁내청; 황실에 관한 사무를 맡아 보는 관청.

くなくな 副ス自 **1** 낭창낭창하게 휘는 모양. **2** 맥없이 휘청거리는 모양. ¶～としゃがみこむ 털썩 주저앉다.

くなん【苦難】图 고난. ¶～に耐(た)える 고난을 참고 견디다.

⁑**くに**【国】图 **1** 나라. ㉠국가. ¶父母(ふぼ)の～ 부모의 나라; 조국 / ～を守(まも)る 나라를 지키다. ㉡독립된 하나의 세계. ¶おとぎの～ 동화의 나라. **2** 지역; 지방. ¶雪国(ゆきぐに) 눈이 많이 오는 지방. **3** 옛날 일본의 행정 구획. ¶出雲(いずも)の～ 出雲 지방. **4** 고향; 향토. ¶何年(なんねん)ぶりかで～に帰(かえ)る 몇년 만엔가 고향에 돌아가다.
—破(やぶ)れて山河(さんが)あり 나라는 망했지만 산천은 옛 모습 그대로다.
—を挙(あ)げて 거국적으로. ¶～取(と)り組(く)む 거국적으로 대응하다.

くにいり【国入り】图ス自 **1**《お～의 꼴로》중앙에서 출세한 사람이 고향을 찾는 일; 금의환향. ¶首相(しゅしょう)のお～を歓迎(かんげい)する 수상의 금의환향을 환영하다. **2** 영주가 자기 영지에, 또는 무사가 주군의 영지에 감.

くにがら【国がら·国柄】图 **1** 국가 성립의 사정; 국체. ¶民主主義(みんしゅしゅぎ)の～ 민주주의의 국체. **2** 그 나라·지방의 특색. ¶陽気(ようき)なお～ 활달한 그 지역의 특색.

くにくのさく【苦肉の策】連語 고육지책. ¶～を用(もち)いる 고육지책을 쓰다.

くにことば【国言葉】图《흔히 'お～'의 꼴로》지방 사투리〔말〕; 방언. ＝くになまり·さとことば.

くにざかい【国境】《国界》图 **1** 국경. **2** 지방과 지방과의 경계. ¶～にある峠(とうげ) 지방 경계에 있는 고개.

くにじまん【国自慢】图ス自《흔히 'お～'의 꼴로》고향 자랑; 향토 자랑. ¶お～の民謡(みんよう) 자기 고장 자랑인 민요.

くにそだち【国育ち】图 시골에서 자람; 또, 그 사람.

くにつづき【国続き】图 나라와 나라가 인접해 있음. ＝くにならび.

くにどなり【国隣】图 이웃 나라〔영지〕; 인접국.

くになまり【国なまり】《国訛り》图 지방 사투리; 시골말; 방언. ＝方言(ほうげん). ¶お～が出(で)る 사투리가 튀어나오다.

くにばらい【国払い】图 江戸(えど) 시대에, 죄인들을 영지 밖으로 추방하던 형벌.

くにぶり【国振り】《国風》图 **1**《흔히 'お～'의 꼴로》국풍; 나라·지방의 풍속. ＝くにがら. ¶お～ 그 나라·지방의 독특한 풍속. **2** 지방의 민요. ¶～を歌(うた)う 자기 지방의 민요〔속요〕를 부르다.

くにめぐり【国巡り】《国廻り》图 여러 나라를〔지방을〕 돌아다님.

くにもと【国もと·国元】《国許》图 출생지; 고향. ¶～の両親(りょうしん) 고향의 양친 / ～からのたより 고향에서 온 소식.

くにゃくにゃ 一副ス自 맥없이 구부러지거나 휘어지는 모양. 二ダナ 쉽게 구부러지거나 휘어지는 모양.

ぐにゃぐにゃ 副ダナ **1** 저항력·탄력이 없는 모양: 녹신녹신. ¶鉄棒(てつぼう)が熱(ねっ)せられて～(と)曲(ま)がる 철봉이 불에 달아서 는적는적 휘다. **2** 부드러워서 변형되기 쉬운 모양: 흐늘흐늘. ¶～のこんにゃく 흐믈흐믈한 곤약. **3** (동작·태도가) 무른 모양. ¶女(おんな)の前(まえ)では～になる 여자 앞에서는 맥을 못 추다. 参考 **3**은 サ変 動詞를 만듦. ¶～した性格(せいかく) 물렁물렁한 성격.

ぐにゃり 副 **1** 부드럽고 반응이 없는 모양. **2** 단단한 것이 맥없이 구부러지거나 비뚤어진 모양. ¶暑(あつ)さで～と曲(ま)がった線路(せんろ) 더위로 구불텅하게 휜 선로.

くぬぎ〘櫟·椚〙图〔植〕상수리나무《열매는 'どんぐり'》.

くねくね 副ス自 **1** 구부러진 모양: 구불구불. ¶～と曲(ま)がった道(みち) 구불구불 구부러진 길. **2** 교태를 지어 보이는 모양. ¶腰(こし)を～させる 허리를 비비 꼬다.

くね-る〘曲る〙5自 **1** 구부러지다; 구불거리다. ¶山(やま)の曲(ま)がり～·った道(みち) 산의 구불구불한 길 / 体(からだ)を～·らせる 몸을 비비 꼬다. **2** (성격이) 비꼬이다; 비뚤어지다. ＝すねる·ひねくれる. ¶曲(ま)がり～·った根性(こんじょう) 비뚤어진 근성.

くねんぼ〘九年母〙图〔植〕향귤나무.

くのいち【くノ一】图〈俗〉여자; 계집《변말》. 参考 '女' 자를 풀어 읽은 것.

くのう【苦悩】图ス自 고뇌. ＝悩(なや)み. ¶～のため夜(よる)も眠(ねむ)られない 고뇌 때문에 밤에도 자지 못한다.

くはい【苦杯】《苦盃》图 고배; 쓴 잔.
—を喫(きっ)する〔嘗(な)める〕 고배를 마시다; 쓰라린 경험을 하다.

くばり【配り】图 배치하는 일; 배치한 위치. ¶字(じ)の～ 글자의 배치.
—もの【—物】图 돌리는 선물. ¶隣近所(となりきんじょ)への～ 이웃에 돌리는 선물.

⁑**くば-る**【配る】5他 **1** 나누어 주다; 도르다. ¶慰問品(いもんひん)を～ 위문품을 나누어 주다 / 資料(しりょう)を～ 자료를 나누어 주다. **2** 고루고루 미치게 하다. ¶気(き)を～ 배려〔주의〕하다. **3** 배치하다. ¶人員(じんいん)

を要所に～ 인원을 요소에 배치하다. 可能 くば-れる 下1自

くひ【句碑】图 俳句를 새긴 비. ¶芭蕉の～ 芭蕉의 俳句 비.

＊＊くび【首】图 목. 1《頸》모가지. ¶～をしめる 목을 조르다. 2목 비슷한 부분. ¶瓶の～ 병의 목/足～ 발목. 3《頸》목부터 위의 부분; 머리. ＝あたま. ¶～をひっこめる 머리를 움츠리다. 4옷의 목에 해당하는 부분. ¶着物のえり～ 옷의 목덜미 부분. 5해고; 면직. ¶会社を～になる 회사에서 쫓겨나다.

—が危ない 1해고〔면직〕될 것 같다. 2살해될 것 같다.

—がつながる 1해고를 면하다. 2참수(斬首)를 면하다.

—が飛ぶ 1목이 날아가다〔잘리다〕. 2해고당하다.

—が回らない 빚이 많아 꼼짝 못하다.

—にする 목을 자르다; 해고하다.

—になる 해고되다. ¶とうとう首になった 끝내 해고당했다.

—を掻く 목을 베다. ¶敵将の～ 적장의 목을 베다.

—を賭ける 목숨을 걸고 하다.

—をかしげる 고개를 갸웃하다.

—を切る 1목을 자르다. ¶盗賊の～ 도적의 목을 치다. 2해고하다.

—を挿げ替える (윗사람·요직의 직책을) 경질하다.

—を縦に振る 승낙하다; 찬성하다.

—を突っこむ 1한다리 끼다. 2(필요 이상으로) 관여하다. ¶いろいろな事がらに～ 여러 가지 일에 관여하다.

—を長くする 몹시 기다려지는 모양. ¶首を長くして待つ 학수고대하다.

—をはねる 목을 치다.

—をひねる 1궁리하다. 2의아해하다.

—を横に振る 고개를 가로젓다《불승인·부정(否定)의 뜻을 나타내다》.

ぐび【具備】图ス自他 구비; 갖춤. ¶資格を～する 자격을 구비하다.

くびかざり【首飾り】《頸飾り》图 목걸이. ＝ネックレス. ¶真珠の～ 진주 목걸이.

くびかせ【首かせ】《首枷·頸枷》图 1항쇄(項鎖); 칼《형구》. 2자유를 속박하는 것; 방해물. ＝ほだし. ¶子は三界の～ 자식은 삼계의 애물.

くびがり【首狩り】图 미개 사회에서 다른 부족·부락을 습격해서 사람의 목을 베어 종교적 의식을 치르는 풍습.

くびきり【首切り】《首斬り》图ス他 1참수함; 또, 참수하는 사람; 망나니. 2면직; 해고. ¶社員の～ 사원의 해고.

くびじっけん【首実検】图ス他 1본인 여부를 확인함. ¶犯人の～をする 범인이 본인인지 여부를 확인하다. 2옛날, 싸움터에서 벤 적의 수급(首級)의 진위(眞僞)를 확인하던 일.

ぐびじんそう〖虞美人草〗图〔植〕우미인초; 개양귀비. ＝ヒナゲシ.

くびす〖踵〗图〈雅〉☞きびす.

くびすじ【首筋】《頸筋》图 목덜미. ＝うなじ. ¶～をつかむ 목덜미를 잡다.

くびったけ【首っ丈】图ダナ〈口〉홀딱 반함. ＝くびたけ. ¶たばこ屋の娘に～になる 담배 가겟집 딸에게 홀딱 반하다/彼はあの娘に～だ 그는 저 처녀에게 홀딱 반했다. 参考 본디는 '발에서 목까지의 길이'에서, 목까지 깊이 빠진다는 뜻이었음.

くびったま【首っ玉】《頸っ玉》图〈俗〉목; 모가지. ¶～にしがみつく 목에 매달리다.

くびっぴき【首っ引き】图ス自〈口〉늘 옆에 놓고 참조함. ¶辞書と～で原書を読む 사전을 노상 옆에다 놓고 참조하면서 원서를 읽다.

くびつり【首つり】《首吊り》㊀图ス自 목매달아 죽는 일; 또, 그 사람. ＝くびくくり. ¶～自殺 목매달아 자살함. ㊁图〈俗〉기성복. ＝つるし. ¶～を買う 기성복을 사다.

くびなげ【首投げ】图 (씨름·레슬링에서) 상대방의 목을 한 팔로 감고 허리를 디밀어 넘기는 수.

くびねっこ【首根っ子】图〈俗〉목; 목덜미. ¶～を押さえる 목덜미를 누르다.

ぐびりぐびり 副 목구멍을 울리면서 많은 술을 마시는 모양; 꿀꺽꿀꺽. ＝ぐびぐび. ¶～と大杯を傾ける 꿀꺽꿀꺽 큰 잔으로 들이켜다. ↔ちびちび.

くび-る〖括る〗5他 가운데를 끈 따위로 동여매다. ¶荷物を～ 짐의 중간을 동여매다.

くび-る〖縊る〗5他 목 졸라 죽이다. ＝しめ殺す. ¶にわとりを～ 닭을 목졸라 잡다.

くび-れる〖括れる〗下1自 잘록해지다. ¶腰が～·れている 허리가 잘록하다.

くび-れる〖縊れる〗下1自 목매어 죽다. ¶女は木の枝に縄をかけて～·れていた 여인은 나뭇가지에 줄을 걸고 목매서 죽어 있었다.

くびわ【首輪】《頸輪》图 1목걸이; 네크리스. ＝くびかざり. 2개 목걸이. ¶犬に～をつける 개에게 목걸이를 달다.

くぶ【九分】图 10분의 9; 10 중 9.

—くりん【—九厘】图 구분 구리; 99프로; 거의 100프로. ¶～の成功 99프로의 성공/～まちがいない 거의 틀림없다/～まで出来あがった 거의 다 완성되었다. 参考 副詞적으로도 쓰임.

—どおり【—通り】图副 십중팔구; 거의 (전부). ¶～完成した 거의 완성했다/成功は～まちがいない 성공은 거의 틀림없다.

＊＊くふう【工夫·功夫】图ス他 여러 가지로 궁리함; 고안함. ¶水が漏らないように～する 물이 새지 않게 궁리하다.

ぐぶつ【愚物】图 우물; 어리석은 사람.

くぶん【区分】图ス他 구분. ¶生徒を年齢によって～する 학생을 연령에 따라 구분하다.

⁑くべつ【区別】 名スル他 구별. ¶～をつける 구별을 짓다/～がつかない 구별이 안 되다.

く-べる〖焼べる〗 下1他 (장작 따위를) 태우기 위해 불속에 넣다; 때다. ¶まきを(火(ひ)に)～ 장작을 때다/暖炉(だんろ)に石炭(せきたん)を～ 난로에 석탄을 때다.

くぼ〖窪·凹〗 名 구덩이; 움푹 팬 곳. =くぼみ. ¶道(みち)の～ 도로의 팬 곳.

くぼた【くぼ田】《窪田·凹田》名 우묵한 저지대에 있는 논. ↔上(あ)げ田(た).

くぼち【くぼ地】《窪地·凹地》名 움푹하게 팬 땅. ¶～に水(みず)がたまる 패인 땅에 물이 괴다.

くぼま-る〖窪まる·凹まる〗 5自 움푹 패다. ¶地面(じめん)が～ 지면이 움푹 패다.

くぼみ〖窪み·凹み〗 名 **1** 움푹 팸; 그 정도. ¶～がひどい 몹시 패었다. **2** 우묵한 곳. ¶～に落(お)ちる 구덩이에 빠지다.

***くぼ-む〖窪む·凹む〗** 5自 우묵하게 들어가다; 움패다. =へこむ. ¶地盤(じばん)が～ 지반이 움푹 패어 들어가다/寝不足(ねぶそく)で眼(め)が～ 잠이 부족하여 눈이 쑥 들어가다.

くぼ-める〖窪める·凹める〗 下1他 움푹 들어가게 하다. =へこませる.

くま〖熊〗 名〖動〗곰. ¶ひぐま 큰곰/月(つき)の輪(わ)ぐま 반달(가슴)곰.

くま〖隈〗 名〈雅〉**1** 구석지고 으슥한 곳. ¶心(こころ)の～ 마음의 구석; 비밀/～無(な)く捜(さが)す 구석구석까지〔샅샅이〕 찾다. **2** 'くまどり'의 준말. **3** 과로·과음(過淫)으로 눈가에 생기는 검은 기미. ¶目(め)に～ができる 눈 가장자리가 거뭇해지다.

ぐまい［愚昧］名ナ 우매. ¶～な人(ひと) 우매한 사람.

くまぐま〖隈隈〗 名〈雅〉구석구석. =すみずみ. ¶～までさがす 샅샅이 찾다.

くまざさ〖隈笹·熊笹〗 名〖植〗얼룩조릿대《잎은 요리·과자의 장식에 씀》.

くまたか〖熊鷹〗 名〖鳥〗뿔매. ¶欲(よく)の～, またから裂(さ)ける 욕심 많은 뿔매, 가랑이부터 찢어진다《지나친 욕심은 파멸의 원인이 된다는 비유》.

くまで【くま手】《熊手》名 갈퀴. **1** 곡식·낙엽 등을 긁어 모으는 갈퀴. ¶～で落(お)ち葉(ば)をかきあつめる 갈퀴로 낙엽을 그러모으다. **2** 酉(とり)の市(いち) 축제에서 파는, 복을 긁어모은다는 복갈퀴.

くまどり〖隈取り〗 名スル他 **1** 歌舞伎(かぶき)에서 배우의 얼굴 표정을 과장해서 분장할 때 청색·홍색의 선을 그림; 또, 그 무늬. =くま. **2** 동양화에서 원근·요철(凹凸)을 나타내기 위하여 색을 바림하는 일; 또, 그렇게 한 곳. =ぼかし.

[隈取り1]

くまど-る〖隈取る〗 5他 **1** 바림을 하다; 음영을 만들다. ¶ろうそくの光(ひかり)が表情(ひょうじょう)を新鮮(しんせん)に～ 촛불빛이 표정을 신선하게 한다. **2** 배우가 'くまどり'를 하다.

くまなく〖隈無く〗 連語 **1** (그늘·흐림이 없이) 분명히; 뚜렷하게. ¶～照(て)らす月影(つきかげ) 한 점 흐린 데 없이 비치는 달빛. **2** 구석구석까지; 철저하게. =すみずみまで. ¶家中(いえじゅう)を～捜(さが)す 온 집 안을 샅샅이 뒤지다.

くまのい〖熊の胆〗 名 웅담. =熊胆(ゆうたん).

くまんばち〖熊ん蜂〗 名〖蟲〗말벌. =スズメバチ.

⁑くみ【組】 名 조(組). **1** 반(班); 학급. =クラス. ¶～にわける 반으로 나누다. **2** 한 패의 사람들; 패. ¶彼(かれ)とは同(おな)じ～に属(ぞく)する 그와는 같은 조에 속한다.

⁑くみ【組み】 名 **1** 세트; 쌍; 짝. ¶コーヒー器具(きぐ)の一(ひと)～ 커피 기구의 한 세트. **2**〖印〗조판. ¶～見本(みほん) 견본 조판/～に回(まわ)す 조판에 돌리다.

ぐみ〖茱萸·胡頽子〗 名〖植〗수유나무.

***くみあい【組合】** 名 **1** 조합. ¶協同(きょうどう)～ 협동 조합/農業(のうぎょう)～をつくる 농업 조합을 만들다. **2** 특히, 노동조합. ¶～運動(うんどう) 노동조합 운동.

——いん【——員】 名 (노동) 조합원.

——せんじゅうしゃ【——専従者】 名 조합 전임 종사자《노조 활동에만 종사하는 회사 종업원》.

くみあい【組み合い】 名 맞붙어 싸움. ¶～のけんかになる 드잡이 싸움이 되다.

くみあ-う【組み合う】 5自 **1** 짝이 되다; 편을 짜다; 한 패가 되다. ¶名人(めいじん)同士(どうし)が～って試合(しあい)をする 명수끼리 편을 짜서 경기를 하다. **2** 맞붙어 싸우다. ¶賊(ぞく)と～ 도둑과 맞붙(어 싸우)다.

くみあがり【組み上がり】 名〖印〗조판이 완료됨; 또, 그것. ¶～二百(にひゃく)ページ 조판 완료 200페이지.

くみあ-げる【くみ上げる】《汲み上げる》下1他 **1** 퍼 올리다. ¶井戸(いど)の水(みず)を～ 우물물을 퍼 올리다. **2** 하부 사람의 의견을 상부에서 받아들이다. ¶住民(じゅうみん)の声(こえ)を～ 주민의 의견을 받아들이다.

くみあ-げる【組み上げる】 下1他 **1** 짜〔쌓아〕 올리다. ¶塔(とう)を～ 탑을 쌓아 올리다. **2** 다 짜다. ¶予算案(よさんあん)を～ 예산안을 다 짜다.

***くみあわせ【組み合わせ】** 名 **1** 짜맞춤; 편성; 배합. ¶色(いろ)の～を考(かんが)える 색의 배합을 생각하다/試合(しあい)の～ 경기의 대전 편성. **2**〖數〗조합. ⇨順列(じゅんれつ).

くみあわ-せる【組み合わせる】 下1他 짜맞추다; 편성〔배합〕하다. ¶強豪同士(きょうごうどうし)を～ 강호끼리 짝을 편성하다.

くみいと【組み糸】 名 합사(合絲).

くみい-れる【くみ入れる】《汲み入れる》下1他 **1** 퍼 넣다. ¶ふろに水(みず)を～ 목욕통에 물을 퍼 넣다. **2** 참작하다. ¶人(ひと)の意見(いけん)を～ 남의 의견을 참작하다.

くみい-れる【組み入れる】 下1他 (어떤 것의) 일부로서 집어 넣다; 편입하다. ¶計画(けいかく)〔仲間(なかま), 予算(よさん)〕に～ 계획〔동아리, 예산〕에 넣다/A組(エーぐみ)に～ A조에 편입시키다.

くみいん【組員】[名] 조원; 조직원.

くみうち【組み討ち·組み打ち】[名][ス自] 맞붙어 싸움; 격투. ＝とっくみあい. ¶互いに～(を)する 서로 맞붙어 싸우다.

くみおき【くみ置き】《汲み置き》[名] 미리 길어 놓음. ¶～の水 미리 길어 놓은 물. ↔くみたて.

くみかえ【組み替え·組み換え】[名] 다시 짬; 다시 짠 것; 재편성.

—ディーエヌエー [—DNA] [名]〘生〙재조합(再組合) 디엔에이.

くみか-える【組み替える·組み換える】[下1他] 다시 짜다; 짜는 방식을 바꾸다. ¶予算を～ 예산을 다시 짜다.

くみかわ-す【酌み交わす】[5他] 술잔을 주고받다. ¶花を見ながら酒を～ 꽃을 보면서 술잔을 나누다.

くみきょく【組曲】[名]〘樂〙조곡; 모음곡. ¶バレー～ 발레 모음곡.

くみこ-む【くみ込む】《汲み込む》[5他] 퍼〔길어〕 넣다. ¶ふろおけに水を～ 목욕통에 물을 길어 넣다.

くみこ-む【組み込む】[5他] **1** 짜 넣다. ¶接待費を予算に～ 접대비를 예산에 짜 넣다. **2** 한패에 넣다; 편입하다. ¶体制に～·まれる 체제에 편입되다.

くみし-く【組み敷く】[5他] 싸움 상대를 밑에 깔고 누르다. ¶泥棒を～ 도둑을 깔아 눕히다.

くみしゃしん【組み写真】[名] 한 가지 주제로 찍은 여러 장의 사진을 한 벌로 편집한 것.

くみしやす-い〘与し易い〙[形] 상대하기 쉽다; 다루기 쉽다. ¶～と見てあなどる 상대하기 쉽다고 보고 깔보다.

クミス [kumiss] [名] 쿠미스; 마유주(馬乳酒)《말·낙타 젖으로 만든 술》.

くみ-する〘与する·組する〙[サ変自] 한패가 되다; 가담하다; 편들다. ¶悪事に～ 나쁜 일에 가담하다 / その意見に～ 그 의견에 찬성하다.

くみだ-す【くみ出す】《汲み出す》[5他] 퍼 내다; 길어 내다. ¶池の水を～ 못물을 퍼 내다.

くみたて【組み立て】[名] **1** 조립(법). ¶～式の住宅 조립식 주택. **2** 조립물; 구조; 조직. ¶分解してその～を調べる 분해하여 그 구조를 조사하다.

*くみた-てる【組み立てる】[下1他] **1** 조립하다. ¶ラジオを～ 라디오를 조립하다. **2** 구성하다; 조직하다. ¶論理を～ 논리를 구성하다.

くみちょう【組長】[名] 조장; 반장. ¶～を勤める 조장 일을 보다.

くみつ-く【組みつく·組み付く】[5自] 맞붙다; 달라붙다. ¶いくら殴られても～·いて離れない 아무리 맞아도 달라붙어서 떨어지지 않는다.

くみとり【くみ取り】《汲み取り》[名][ス他] **1** 퍼 냄; 길어 냄. **2** 변소 치기; 변소 치는 사람. ¶～便所 (퍼내는 식의) 재래식 변소.

—ぐち【—口】[名] 변소 치는 구멍.

*くみと-る【くみ取る】《汲み取る》[5他] **1** (물·액체를) 퍼내다. ¶汚水を～ 오수를 퍼내다. **2**《酌み取る》짐작하다; 이해하다. ¶意中を～ 의중을 헤아리다.

くみはん【組み版】[名]〘印〙조판.

くみひも【組ひも】《組紐》[名] 꼰 끈; 끈목. ＝くみお.

くみふ-せる【組み伏せる】[下1他] 맞붙어 상대를 깔아 눕히다. ＝くみしく. ¶敵を～ 적을 맞붙어 넘어뜨려 누르다.

くみほ-す【くみ干す】《汲み干す·汲み乾す》[5他] 몽땅 퍼내다; 몽땅 길어 내다. ¶井戸を～ 우물물을 몽땅 퍼내다.

くみみほん【組み見本】[名]〘印〙견본 조판. ＝見本組み.

くみやぐ【組み夜具】[名] 이불·요·丹前 따위를 한 세트로 한 침구.

くみわけ【組分け】[名][ス他] 여러 조로 가름. ¶二組に～する 2개조로 가르다.

くみん【区民】[名] 구민; 구의 주민. ¶～税 구민세. 「정책.

ぐみん【愚民】[名] 우민. ¶～政策 우민

⁑く-む〘汲む〙[5他] **1** 푸다; 퍼 올리다. ＝すくい上げる. ¶水を～ 물을 푸다〔긷다〕. **2** (계통 등을) 이어받다. ¶自然主義の流れを～作家 자연주의 유파에 속하는 작가. [可能]くめ-る[下1自]

⁑く-む【酌む】[5他] **1** (술 따위를) 따라서 마시다. ¶杯を～·み交わす 술잔을 주고 받다. **2** 추측하다; (딱한 사정을) 참작하다. ¶事情を～ 사정을 참작하다. [可能]く-める[下1自]

⁑く-む【組む】[一][5他] **1** 엇걸다. ㉠끼다. ¶腕を～ 팔짱을 끼다 / 肩を～ 어깨동무하다. ㉡꼬다. ¶足を～ (a)책상다리하고 편히 앉다; (b)다리를 꼬고 앉다; (c)좌선하다 / ひもを～ 끈을 꼬다. **2** 짜다. ㉠짜 맞추다. ¶たんすを～ 옷장을 짜다 / 活字を～ 활자를 짜다; 조판하다. ㉡조직〔편성〕하다. ¶隊伍を～ 대오를 짜다 / 時間表を～ 시간표를 짜다〔편성하다〕. [二][5自] **1** 짜다. ㉠한패가 되다. ¶彼と～·んで仕事をする 그와 한패가 되어 일을 하다. ㉡공모하다. ¶仲間と～·んで悪事を働く 동료와 공모하여 못된 짓을 하다. **2** 맞붙다; 팔을 맞잡고 씨름하다. ¶四つに～·んですもうを取る 서로 양팔로 끌어안고 씨름하다. [可能]く-める[下1自]

＝ぐ-む《名詞에 붙어서, 五段活用의 自動詞를 만듦》…하려고 하다; …하기 시작하다. ¶涙～ 눈물이 나오려고 하다; 눈물이 글썽글썽해지다.

くめん【工面】[一][名][ス他] 돈 마련. ¶金の～がつかない 돈이 마련되지 않는다 / 金〔元手〕を～する 돈〔밑천〕을 마련하다. [二][名] 주머니 사정; 살림. ＝かねまわり·ふところぐあい. ¶～がいい 주머니 사정이 좋다 / ～が良くなる 살림이 좋아지다.

⁑くも【雲】[名] **1** 구름. ¶雨雲 비구름 /

白(しら)～ 흰 구름/～がわき上(あ)がる 구름이 피어오르다. **2** 높은 곳·지위의 비유. ¶～(を)突(つ)くばかりの大男(おおおとこ) 하늘을 찌를 듯이 큰 사나이/～の上(うえ) 궁중.

──にかけ橋(はし) 구름에 사다리를 놓다; (분수에 맞지 않는) 이루지도 못할 희망의 비유. ＝高望(たかのぞ)み.

──をつかむ 구름을 잡다; 분명치 않아 붙잡을 곳이 없는 모양. ¶～ような話(はなし) 구름을 잡는 것 같은〔허황된〕 이야기.

くも 〖蜘蛛〗 图 〘動〙 거미. ¶～の糸(いと) 거미줄/～が巣(す)を張(は)る〔かける〕 거미가 집〔줄〕을 짓다〔치다〕.

──の子(こ)を散(ち)らすよう 거미 새끼가 흩어지듯 많은 사람이 흩어져 달아나는 모양. ¶～に逃(に)げ去(さ)る 많은 사람이 한꺼번에 뿔뿔이 흩어져 달아나다.

くもあい【雲合い】 图 (날씨가 갤는지 흐릴는지의) 구름의 상태; 날씨. ＝空模様(そらもよう)·雲行(くもゆ)き.

くもあし【雲足·雲脚】 图 **1** 구름의 움직임. ¶～が速(はや)い 구름의 움직임이 빠르다. **2** 얕게 뜬 비구름. **3** (탁자 등의) 구름 모양으로 구부러지게 장식한 다리.

くもい【雲居·雲井】 图 〈雅〉 (산허리 따위에) 구름이 기다랗게 끼어 있는 곳; 또, 높고 멀리 떨어진 곳. ¶～はるかに鳴(な)くひばり 저 높은 곳에서 지저귀는 종다리.

くもがくれ【雲隠れ】 图 ス自 **1** 〈雅〉 (달이) 구름에 가려짐. **2** 자취를 감춤; 도망침. ¶容疑者(ようぎしゃ)が～する 용의자가 종적을 감추다.

くもがた【雲形】 图 운형; 구름 모양(의 무늬·조각).

──じょうぎ【──定規】 图 운형자; 곡선자. ＝うんけい定規.

くもぎれ【雲切れ】 图 구름 사이. ＝雲間(くもま).

くもすけ【雲助】 图 **1** 江戸(えど) 시대에 역참(驛站)을 중심으로 일하던 뜨내기 가마꾼·짐꾼. **2** 전하여, 불량배; 못된 놈. ¶～運転手(うんてんしゅ) 악덕 운전수.

くもつ【供物】 图 공양물(供養物). ¶～台(だい) 공물대《공물을 올려놓는 대》.

くもなく【苦も無く】 連語 힘 안들이고; 어렵지 않게; 쉽게. ＝たやすく.

くものかけはし【雲の掛け橋】 連語 **1** (산허리 따위에) 기다랗게 낀 구름. **2** 높은 절벽 위에 만든 다리.

くものみね【雲の峰】 連語 뭉게구름; 적운(積雲). ＝入道雲(にゅうどうぐも).

くもま【雲間】 图 구름 사이. ＝晴(は)れ間(ま). ¶～から日(ひ)がさす 구름 사이로 해가 비치다.

くもまく【くも膜】《蜘蛛膜》 图 〘醫〙 지주막《뇌를 싸고 있는 막의 하나》. ¶～下出血(かしゅっけつ) 지주막하 출혈.

くもゆき【雲行き】 图 **1** 구름이 움직이는 모양. ¶～を見(み)る 구름의 움직임을 관찰하다. **2** 사태가 되어 가는 형세. ¶両国間(りょうこくかん)の～があやしい 두 나라 사이의 형세가 불온하다.

くもら-す【曇らす】 5他 **1** 흐리게 하다. ¶鏡(かがみ)を～ 거울을 흐리게 하다. **2** 불분명하게 하다. ¶声(こえ)を～ 말을 불분명하게 하다; 울먹이며 말하다. **3** 근심스러운 표정을 하다. ¶顔(かお)を～ 어두운 표정을 짓다.

*__くもり【曇り】__ 图 **1** 흐림. ¶晴(は)れのち～ 맑은 후 흐림. ↔雨(あめ)·晴(は)れ. **2** 불투명함. ¶眼鏡(めがね)の～ 안경 알의 흐림/窓(まど)ガラスの～をぬぐう 부연 창유리를 깨끗이 닦다. **3** 어두움; 우울함. ¶心(こころ)の～ 마음의 우울함/～なき身(み) 떳떳한 몸.

──ガラス 图 젖빛〔불투명〕 유리. ＝すりガラス.

__くも-る【曇る】__ 5自 **1 흐리다; 흐려지다. ¶湯気(ゆげ)でガラスが～ 김으로 유리가 흐려지다. **2** (마음이) 어두워지다; 우울해지다. ¶父(ちち)が重態(じゅうたい)と聞(き)いて顔(かお)が～ 아버지가 중태라는 말을 듣고 얼굴빛이 어두워지다. **3** 울음 섞인〔울먹이는〕 소리로 되다. ¶声(こえ)が～ 울먹이며 말하다. ⇔晴(は)れる.

くもん ［苦悶］ 图 ス自 고민; 괴로워함. ¶胃(い)の痛(いた)みに堪(た)えかねて～する 위통을 견디지 못하여 괴로워하다.

ぐもん【愚問】 图 우문. ¶～を発(はっ)する 어리석은 질문을 하다.

くやくしょ【区役所】 图 구청.

*__くやし-い【悔しい】《口惜しい》__ 形 분하다; 억울하다. ＝くちおしい. ¶人(ひと)からなぐられて～思(おも)いをする 남에게 얻어맞고 분한 생각이 들다.

くやしが-る【悔しがる】《口惜しがる》 5他 분해하다. ¶友達(ともだち)にはやされて, 私(わたし)は～·ってよく泣(な)いた 친구들한테 놀림을 받고 나는 분해서 곧잘 울었다.

くやしなき【悔し泣き】《口惜し泣き》 图 ス自 분해서 욺. ¶決勝戦(けっしょうせん)に敗(やぶ)れて～に泣(な)く 결승전에 지고 분한 나머지 울다.

くやしなみだ【悔し涙】《口惜し涙》 图 분해서 흘리는 눈물. ¶～にくれる 통한의 눈물에 잠기다.

くやしまぎれ【悔し紛れ】《口惜し紛れ》 ダナ 분한 김; 홧김. ¶～にかみ付(つ)く 분한 김에 대들다〔물어뜯다〕.

くやみ【悔やみ】 图 **1** 뉘우침; 후회. **2** 문상; 조상(弔喪)(하는 말). ¶お～に行(い)く 문상하러 가다/お～を言(い)う〔述(の)べる〕 조의를 표하다/衷心(ちゅうしん)からお～申(もう)し上(あ)げます 충심으로 조의를 표합니다.

──ごと【──言】 图 조상〔애도〕하는 말; 조사(弔詞).

*__くや-む【悔やむ】__ 5他 **1** 후회하다; 애석하게 여기다. ¶今(いま)さら～·んでも仕方(しかた)がない 이제 와서 후회해도 소용이 없다. **2** 애도하다. ¶友人(ゆうじん)の死(し)を～ 친구의 죽음을 애도하다.

くゆら-す〖燻らす〗 5他 (천천히) 연기를 피우다. ¶葉巻(はまき)〔香(こう)〕を～ 여송연〔향〕을 피우다.

くよう【供養】 图 ス他 공양. ¶開眼(かいげん)～ 개안 공양/遭難者(そうなんしゃ)を～する 조난자

를 공양하고 명복을 빌다.

くよくよ 副 사소한 일을 늘 걱정하는 모양. ¶～と悩む 끙끙 고민하다〔앓다〕.

くら【倉·蔵】《庫》名 곳간; 곳집; 창고. ＝倉庫. ¶酒ぐら 술곳간.

──が建つ 큰 부자가 되다.

倉·蔵·庫의 차이

◆倉 ── 곡물을 넣어 두는 건물이라는 뜻으로, 米倉(쌀광; 쌀 창고), 倉荷(입고 화물), 倉渡し(창고 인도) 등으로 씀.

◆蔵 ── 중요한 것을 남의 눈에 띄지 않게 넣어 두는 건물이란 뜻으로, 특히 일본식 土蔵(흙벽 광)를 가리킴. 蔵払い(창고떨이), 蔵屋敷(＝江戸 시대에, 영지 내의 쌀·특산물 등을 저장·판매하기 위해 두었던 창고 딸린 저택), 蔵開き(새해에 처음으로 창고문을 엶) 등으로 씀.

◆庫 ── 무기나 기구 따위를 간수해 두는 건물이라는 뜻.

くら〖鞍〗名 안장. ¶馬に～を置く 말에 안장을 얹다.

クラーク [clerk] 名 클러크. **1** 서기; 사무원. **2** 점원.

くら-い【暗い】形 어둡다. **1 밝지 않다. ¶～部屋 어두운 방 / ほの暗い 어두컴컴하다; 어슴푸레하다. **2** 희망이 없다. ¶～政治 어두운 정치. **3** 명랑하지 않다; 우울하다; 음침하다. ¶～日曜日 우울한 일요일 / いつも～顔をしている 늘 우울한 얼굴을 하고 있다. **4** 물정·사정을 잘 모르다. ¶世間に～ 세상 물정에 어둡다. **5** (범죄·불행 등) 비참한 느낌을 풍기다; 떳떳하지 못하다. ¶～過去 어두운 과거. **6** 칙칙하다. ¶～赤色 검붉은 빛깔. ⇔明るい.

くらい【位】[一]名 **1 지위; 계급. ¶名人の～ 명인의 자리 / ～が上がる 지위가 오르다. **2** 품격; 품위; 관록. ¶～高い芸術品 품격 높은 예술품. **3** 숫자의 자릿수. ¶千の～ 천의 자리.

[二]名副助 **1** 정도; 만큼; 쯤. ＝程. ¶茶さじ一杯～の塩 찻숟가락 하나 정도의 소금 / 百人～集まる 백 명 가량 모이다 / 駅まで十分～かかる 역까지 10분 정도 걸린다 / 棚の物が落ちた～の大きな地震だった 선반의 물건이 떨어질 정도의 큰 지진이었다 / 電話を掛ける～のひまはあるだろう 전화를 걸 정도의 틈은 있겠지 / あんなことを言う～だから, 何をするか分からない 저런 말을 할 정도니까 무슨 짓을 할지 모른다 / 途中でやめる～なら, やらない方がましだ 중도에서 그만둘 정도라면 (차라리) 안 하는 편이 낫다. **2**《'ない'를 수반하여》…만큼 … 한 것은 없다. ¶異国で病気をする～心細いことはない 이국 땅에서 몸이 아픈 것만큼 불안한 것은 없다.

ぐらい〖位〗副助 ☞くらい(位)[二].

クライアント [client] 名 클라이언트. **1** 변호 의뢰인; 광고주; 고객. **2** 컴퓨터·네트워크에서 서비스를 받는 쪽에 있는 시스템.

クライオニクス [cryonics] 名 크라이오닉스; 인체 냉동 보존술《장차 치료법이 발견되었을 때 다시 소생시킬 수 있게 보존하는 기술》.

くらい-こ-む【食らい込む】〈俗〉[一][5自] 구속되다; 수감되다. ¶窃盗で一年～んだ 절도로 1년간 교도소 생활을 했다. [二][5他] (귀찮은 일을) 할 수 없이 맡게 되다. ¶他人の借金を～ 남의 빚을 떠안다.

くらい-する【位する】[サ変自] 위치하다. ¶東北方に～ 동북쪽에 위치하다.

グライダー [glider] 名 글라이더; 활공기. ＝滑空機.

くらい-つ-く【食らい付く】[5自] ☞くいつく.

くらいどり【位取り】名 수(數)의 자릿수를 정함; 또, 그 정하는 방법. ＝位づけ. ¶～を間違える 자릿수를 잘못 정하다.

クライマー [climber] 名 클라이머; 등산가.

くらいまけ【位負け】名[ス自] **1** 실력 이상의 지위에 있어 오히려 그 사람에게 불리함. ¶～して自分の実力を発揮できない 분수 이상으로 자리가 높아 오히려 제 실력을 발휘하지 못하다. **2** 상대의 지위·품위 등에 압도됨. ¶名人相手ですっかり～する 명인 상대라 완전히 압도당하다〔꿀리다〕.

クライマックス [climax] 名 클라이맥스; 최고조; 정점. ¶～に達する 클라이맥스에 달하다.

クライミング [climbing] 名[ス自] 클라이밍; 등산; 특히, 록클라이밍(rock-climbing). ＝岩登り.

くらいり【蔵入り】名 **1** 곳간에 넣어 두는 일; 또, 그 물건. **2** (연극 등에서) 흥행의 순이익.

グラインダー [grinder] 名 그라인더; 원형 연마반(盤). ＝研磨機.

グラインド シューズ [grind shoes] 名 그라인드 슈스; 신바닥의 장심(掌心) 부분에 강화(強化) 플라스틱을 붙인 즈크 운동화.

くら-う【食らう】《喰らう》[5他]〈俗〉**1** 먹다; 퍼마시다. ¶酒を～ 술을 퍼마시다. **2** 먹고 살다. ¶十日も～·えないやすい賃金 열흘도 먹고 살 수 없는 싼 임금. **3** (원치 않는 일을) 당하다. ¶びんたを～ 따귀를 맞다 / 小言を～ 잔소리를 듣다. 可能 くら-える [下1自]

クラウン [crown] 名 크라운; 왕관.

グラウンド [ground] 名 그라운드; 운동장; 경기장. ¶ホーム～ 홈 그라운드.

くらがえ【くら替え】《鞍替え》名[ス自] 전직; 전업; 전신(轉身). ¶役人をやめて商人に～する 관리를 그만두고 상인으로 전신하다. 参考 본디, 창녀나

기생이 일터를 옮기는 데 썼던 말

くらがり【暗がり】名 **1** 어두운 곳; 또, 어두움. ¶～で見(み)えない 어두워서 안 보이다. **2** 남의 눈에 띄지 않는 곳. ¶～に隠(かく)れる 으슥한 곳에 숨다.

くらく【苦楽】名 고락. ¶～を共(とも)にする 고락을 같이하다.

クラクション [klaxon] 名 클랙슨; 자동차의 경적. ¶～を鳴(な)らす 클랙슨을 울리다. 参考 본래는 상표명임.

くらくら 副 **1** 현기증이 나는 모양: 어찔어찔. ¶目(め)が～する 눈이 어찔어찔하다. **2** 물이 끓어 오르는 모양: 부글부글. ¶お湯(ゆ)が～と煮(に)えたぎる 물이 부글부글 끓어오르다. ⇨ぐらぐら3.

ぐらぐら 副 **1** 크게 흔들리는 모양: 흔들흔들; 근들근들. ¶机(つくえ)が～と揺(ゆ)れる 책상이 근들근들 흔들리다. **2** 부서지거나 느슨해져서 흔들리거리는 모양: 흔들흔들. ¶椅子(いす)の脚(あし)が～する 의자 다리가 흔들거리다. **3** 물이 몹시 끓어오르는 모양: 부글부글(('くらくら2' 보다 정도가 심한 모양)). ¶湯(ゆ)が～と沸(わ)き立(た)つ 더운 물이 부글부글 끓어오르다.

くらげ〖水母·海月〗名〔動〕해파리.

*__くらし__【暮らし】名 살림. **1** 생계. ¶その日(ひ)暮(ぐ)らし 그날 벌어 그날 삶; 하루살이 (인생) / 家業(かぎょう)一本(いっぽん)で～を立(た)てる 오직 가업 하나로 살림을 꾸려나가다. **2** 일상생활. ¶平凡(へいぼん)な～ 평범한 생활.

グラジオラス [라 Gladiolus] 名〔植〕글라디올러스((붓꽃과의 다년생 식물)).

クラシック [classic] 클래식. 一名 고전. **1** (어떤 분야에서) 정평이 나 있는 고전 작품. ¶あの映画(えいが)はもはや～である 그 영화는 이미 클래식이다. **2** 고전 음악. ¶家(いえ)では～をよく聴(き)く 집에서는 클래식을 자주 듣는다. 二ダナ 고전적(임). ¶～な服装(ふくそう) 클래식한 복장.

—カー [classic car] 名 클래식카; 고전적 스타일의 자동차.

くらしむき【暮らし向き】名 살림살이. ¶～が楽(らく)ではない 살림살이가 넉넉하지는 못하다.

*__くら-す__【暮らす】一 5他 **1** 하루를 보내다. ¶一日(いちにち)じゅう本(ほん)を読(よ)んで～ 하루 종일 책을 읽으면서 날을 보내다. **2** 살다. ¶毎日(まいにち)を幸(しあわ)せに～ 매일을 행복하게 살다. 二 5自 살아가다; 지내다. ¶気楽(きらく)に～ 홀가분하게 지내다 / 安月給(やすげっきゅう)では～·していけない 박봉으로는 살아갈 수 없다. 可能 くら-せる 下1自

*__クラス__ [class] 名 클래스. **1** 학급. ¶～メート 클래스메이트; 급우. **2** 등급; 계급. ¶トップ～の人物(じんぶつ) 정상급 인물 / 一万(いちまん)トン～の船(ふね) 일만 톤급 선박.

—アクション [class action] 名〔法〕클래스 액션; 집단 소송; 단체 소송.

グラス 名 **1** [glass] 글라스; 유리컵; 양주 잔. ¶ワイン～ 와인글라스; 포도주 잔. **2** [glasses] 글라스; 안경; 쌍안경. ＝めがね. ¶オペラ～ 오페라 글라스.

—ファイバー [glass fiber] 名 글라스 파이버; 유리 섬유. ＝ガラス繊維(せんい).

グラスコート [grass court] 名 그래스 코트; 론 코트; 잔디가 깔린 테니스 코트. ＝ローンコート.

くらだし【蔵出し】((庫出し)) 名ス他 물품을 창고에서 냄; 출고. ¶～伝票(でんぴょう) 출고 전표. ↔蔵入(くらい)れ.

グラタン [프 gratin] 名 그라탱((화이트 소스로 무친 고기·야채 따위를 접시에 담아 오븐에 구운 요리)).

グラチエ [이 grazie] 感 그라치에; 감사합니다.

クラッカー [cracker] 名 크래커. **1** 얇고 짭짤한 비스킷. **2** 크래커 봉봉.

ぐらつ-く 5自 흔들리다; 흔들흔들하다. ¶椅子(いす)が～ 의자가 흔들거리다 / 考(かんが)えが～ 생각이 흔들리다.

クラッチ [clutch] 名 클러치. **1** 연축기(連軸器). ¶～を切(き)る 클러치를 떼다. **2** 1을 움직이는 발판; 클러치 페달. ＝クラッチペダル. **3** 기중기의 보습.

—バッグ [clutch bag] 名 클러치 백; 손잡이나 어깨 줄이 없는 (껴안는 식의) 소형 백.

クラッチ [crutch] 名 크러치; 노받이((보트의 노를 거는 두 갈래로 갈라진 쇠붙이)).

グラニューとう【グラニュー糖】名 그래뉴당; 고운 정제 설탕. ▷granulated sugar.

グラビア [gravure] 名〔印〕그라비어. **1** 사진 요판. **2** 1로 찍은 페이지. ¶新人(しんじん)女優(じょゆう)が巻頭(かんとう)の～を飾(かざ)る 신인 여우가 권두 페이지를 장식하다.

—いんさつ【—印刷】名 그라비어 인쇄.

クラブ [club] 名 클럽. **1** 구락부. ¶ナイト～ 나이트 클럽 / ～活動(かつどう) 클럽 활동. 注意 '倶楽部'로 씀은 취음. **2** 트럼프의 검은 클로버 잎〔♣〕이 그려져 있는 카드. ＝みつば. **3** 골프채.

—ハウス [clubhouse] 名 클럽 하우스; 골프 클럽 등의 회원용 건물.

*__グラフ__ [graph] 名 그래프. **1** 도표. ¶棒(ぼう)～ 막대 그래프. **2** (사진 위주의) 화보.

グラフィック [graphic] 그래픽. 一名 **1** 사진·그림을 주로 한 신문·잡지 따위 출판물. **2** ☞グラフィックアート. 二ダナ 사진을 주로 하여 시각적, 또는 사실적으로 알기 쉽게 설명함. ¶～な誌面(しめん) 그래픽한 지면.

—アート [graphic arts] 名 그래픽 아트; 문자·선화(線畫)·판화·도안 등에 의한 인쇄 미술.

—デザイナー [graphic designer] 名 그래픽 디자이너.

—デザイン [graphic design] 名 그래픽 디자인; 상업 디자인.

クラフト [craft] 名 크라프트. **1** 수공예(품). **2** 기능(技能).

くらべ【比べ】((較べ·競べ)) 名 **1** 비교. ¶背(せい)～ 키 대보기. **2** 겨룸; 경쟁. ¶かけ～ 경주 / 力(ちから)～ 힘겨루기.

くらべもの【比べ物】((較べ物)) 名 비교

하기에 족한 것. ¶～にならない 비교가 안 되다.

**くら-べる【比べる】《較べる》 下1他 1 비교하다; 대조하다. ¶翻訳(ほんやく)を原文(げんぶん)と～ 번역을 원문과 대조하다. 2《競べる》 경쟁하다; 겨루다. ¶根気(こんき)〔力(ちから)〕を～ 근기를〔힘을〕 겨루다.

グラマー [glamor] 名ダナ 글래머. ¶～な女優(じょゆう) 글래머한 여배우. 「(책).

グラマー [grammar] 名 그래머; 문법

くらま-す【暗ます】《晦ます》 5他 1 (모습을) 감추다. ¶姿(すがた)を～ 자취를 감추다. 2 속이다. ¶人(ひと)の目(め)を～·して逃(に)げる 남의 눈을 속이고 도망치다.

グラミーしょう【グラミー賞】 名 그래미상. ▷Grammy awards.

くら-む 〖眩む〗 5自 1 눈이 부시다. ¶対向車(たいこうしゃ)のヘッドライトに目(め)が～ 마주오는 차의 헤드라이트에 눈이 부셔 앞이 안 보이게 되다. 2 (욕심 따위로) 눈이 어두워지다. ¶金(かね)に目(め)が～ 돈에 눈이 어두워지다.

グラム [영 gram; 프 gramme] 名 그램. 注意 '瓦'로 씀은 음역.

くらもと【蔵元】 名 1 창고를 관리하는 사람. 2 술광을 가지고 있으면서 일본술을 만드는 사람.

***くらやみ【くらやみ·暗やみ】**《暗闇》 名 1 어둠; 어두운 곳〔때〕. ¶停電(ていでん)で～になる 정전으로 캄캄해지다. 2 사람 눈에 뜨이지 않는 곳. ¶～に葬(ほうむ)る 어둠 속에 파묻다; 흐지부지해버리다. 3 희망이 없는 암흑 세계. ¶この世(よ)は～だ 이 세상은 암흑 세계다.

ぐらりぐらり 副 크게 흔들리는 모양: 흔들흔들; 기우뚱기우뚱. ¶地震(じしん)で～(と)建物(たてもの)がゆれる 지진으로 건물이 기우뚱거리다.

ぐらりと 副 흔들리는 모양; 기우는 모양: 기우뚱. ¶突然(とつぜん)ビルが～揺(ゆ)れた 갑자기 빌딩이 기우뚱하니 흔들렸다.

クラリネット [clarinet] 名 〔樂〕 클라리넷. ＝クラリオネット.

くらわ-す【食らわす】《喰らわす》 5他 〈俗〉 먹이다. 1 먹게 하다. ＝食(く)わす. ¶子供(こども)に菓子(かし)を～ 아이에게 과자를 먹이다. 2 때리다. ＝なぐる. ¶パンチを～ 펀치를 먹이다.

くらわたし【倉渡し】 名ス他 창고 인도 《파는 사람이 상품을 맡겨 둔 창고에서 사는 사람에게 넘겨주는 일》.

—ねだん【—値段】 名 창고도 가격.

クランク [crank] 名 크랭크. 1 피스톤의 왕복 운동을 회전 운동으로, 또는 회전 운동을 왕복 운동으로 바꾸는 장치. 2 영화 촬영기의 핸들; 전하여, 영화 촬영.

—アップ [일 crank+up] 名ス自 크랭크업; 영화 촬영 완료. ↔クランクイン.

—イン [일 crank+in] 名ス自 크랭크인; 촬영 개시. ↔クランクアップ.

グランド [ground] 名 ☞グラウンド.

グランド= [grand] 그랜드. 1 대형의. ¶～ピアノ 그랜드〔대형〕 피아노. 2 장대한; 정식의.

—オペラ [grand opera] 名 그랜드 오페라; 정식 가극; 대(大)가극.

—スラム [grand slam] 名 그랜드 슬램. 1 스포츠에서, 한 시즌 안에 주요 경기에서 모두 우승함. 2〔野〕 만루 홈런.

グランプリ [프 grand prix] 名 그랑프리; 대상(大賞); 최우수상. ¶～受賞作品(じゅしょうさくひん) 그랑프리 수상 작품.

くり 〖栗〗 名 1〔植〕 밤나무. 2 밤. ¶火中(かちゅう)の～を拾(ひろ)う 불 속의 밤을 줍다.

くり【庫裏】《庫裡》 名 1 절의 부엌. 2 주지나 그 가족의 거실. ↔本堂(ほんどう).

クリアー [clear] 一ダナ 클리어. 1 명석한 모양. ¶～な頭脳(ずのう) 명석한 두뇌. 2 맑은 모양; 뚜렷한 모양. ¶画像(がぞう)が～に映(うつ)る 화상이 뚜렷이 비치다 / 頭(あたま)を～にする 머리를 맑게 하다. 二名ス他 1 (육상 경기에서) 바(bar)나 허들을 넘어뜨리지 않고 잘 뛰어넘는 일. ¶五(ご)メートルのバーを三回目(さんかいめ)に～した 5m의 바를 세번째에 뛰어넘었다. 2 불필요한 것이나 장애물을 깨끗이 치움. ¶難関(なんかん)を次々(つぎつぎ)に～してのける 난관을 차례차례 헤쳐 나가다. 注意 一二 모두 'クリア·クリヤー'라고도 함.

くりあげ【繰り上げ】 名ス他 (예정보다) 앞당김; 차례로 앞으로 당김. ¶国債(こくさい)～償還(しょうかん) 국채의 조기 상환.

***くりあ-げる【繰り上げる】** 下1他 (기일이나 순서를) 앞당기다. ¶出発(しゅっぱつ)時間(じかん)を予定(よてい)より～ 출발 시간을 예정보다 앞당기다. ↔繰(く)り下(さ)げる.

クリアランスセール [clearance sale] 名 클리어런스 세일; (재고〔창고〕 정리) 염가 대매출. ＝くらばらい.

くりあわせ【繰り合わせ】 名 이리저리 변통함. ¶～さえつけばいつでもかまわない 형편만 닿으면 언제든 상관없다.

くりあわ-せる【繰り合わせる】 下1他 이리저리 변통하다; 둘러대다. ¶仕事(しごと)をうまく～·せて暇(ひま)をつくる 일을 이리저리 잘 둘러대어 틈을 내다.

クリーク [creek] 名 크리크. 1 작은 내; 샛강. 2 후미. ＝入(い)り江(え). 参考 특히, 중국의 소(小)운하를 말함.

グリース [grease] 名 그리스; 진득진득한 윤활유. ＝グリス.

クリーナー [cleaner] 名 클리너. 1 전기청소기. 2 더럼을 없애는 약품이나 기구; 세제. ¶イヤ～ 귀이개 / エア～ 에어 클리너; 공기 청정기.

***クリーニング** [cleaning] 名 클리닝. 1 세탁. ¶～に出(だ)す (세탁소에) 세탁을 맡기다. 2 'ドライクリーニング(＝드라이 클리닝)'의 준말.

***クリーム** [cream] 名 크림. 1 우유로 만든 식품. ¶～スープ 크림수프 / シュー～ 슈크림. 2 크림《화장품의 하나》. ＝クレーム. ¶洗顔(せんがん)～ 세안 크림 / ヘア～ 헤어 크림. 3 구두약. ＝くつずみ. 4 'ア

イスクリーム(=아이스크림)'의 준말.
―いろ【―色】图 크림색; 담황색.
―ソース [cream sauce] 图 크림 소스.
―パン [일 cream+pão] 图 크림 빵.
くりい-れる【繰り入れる】下1他 1 차례차례로 끌어당기다. =たぐり込む. ¶釣り糸を～ 낚싯줄을 끌어당기다. 2 편입하다; 이월하다. ¶残額を来年度の会計に～ 잔액을 내년도 회계에 이월하다.
クリーン [clean] 图 클린. 1 깨끗함; 청결함. ¶～な試合ぶり 깨끗한 경기 태도. 2 (동작 등이) 멋지고 훌륭함. ¶～なジャンプ 멋진 점프.
―アップ [clean up] 图〔野〕클린업; 주자(走者) 일소. =クリーンナップ.
―アップトリオ [일 cleanup+trio] 图〔野〕클린업 트리오.
―ヒット [clean hit] 图 클린 히트. 1〔野〕깨끗한 안타. 2 대성공.
―ルーム [clean room] 图 클린룸《반도체 제조 공장 등에서, 극히 고도의 방진 설비를 갖춘 방》; 무진실(無塵室).
グリーン [green] 图 그린. 1 녹색. 2 녹지; 잔디밭.
―エージ [일 green+age] 图 그린 에이지; 젊은 세대.
―カラー [일 green+collar] 图 그린 칼라《노동자를 화이트칼라《사무직》와 블루칼라《생산직》로 나누었으나, 이에 더하여 소프트웨어 산업에서 일하는 사람들을 그린칼라로 부르게 되었음》.
―しゃ【―車】图 일본 철도의 특별 객차《종전의 1등차》.
―ティー [green tea] 图 그린 티; 녹차.
―ベルト [green belt] 图 그린 벨트; 녹지대.
―ベレー [Green Beret] 图 그린 베레《미 육군 특수 부대》.
―レボリューション [green revolution] 图〔農〕그린 레벌루션; 녹색 혁명.
クリエーティブ [creative] ダナ 창조적; 독창적. ¶～な仕事 창조적인 일/～なセンス 독창적인 센스.
くりかえし【繰り返し】图 1 반복함; 되풀이함. 2 후렴(後斂). =リフレーン.
**くりかえ-す【繰り返す】5他 되풀이하다. ¶歴史は～ 역사는 되풀이한다/失敗を～ 실패를 되풀이하다.
くりか-える【繰り替える】下1他 1 바꿔치다; 교환하다. ¶数学と英語の時間を～ 수학과 영어시간을 바꿔치다. 2 유용하다; 둘러대다. ¶費用の一部を～ 비용의 일부를 둘러대다.
くりき【功力】图〔佛〕공력; 공덕의 힘.
くりくり 副 1 (크지 않은 것이 경쾌하게) 잘 도는 모양; 또, 아주 동글동글한 모양: 똥글똥글; 되록되록. ¶人形のような～(と)した目 인형과 같은 부리부리한 눈. 2 빡빡. ¶頭を～にそる 머리를 빡빡 깎다.
―ぼうず【―坊主】图 까까머리; 까까중; 중대가리. =いがぐりあたま.
ぐりぐり 副 1 둥근 것이 안에서 움직이는 모양: 때굴때굴; 되록되록. =くりくり. ¶目を～回す 눈알을 되록되록 굴리다. 2 누르면서 돌리는 모양. ¶ひじで相手の肩を～ともむ 팔꿈치로 상대방의 어깨를 누르면서 안마하다.
くりげ【くり毛】《栗毛》图 말의 밤색 털; 또, 그 말; 구렁말.
クリケット [cricket] 图 크리켓.
グリコーゲン [도 Glykogen] 图〔化·生〕글리코겐.
くりこし【繰り越し】图 이월. ¶次年度に～をする 차년도로 이월하다.
―きん【繰越金】图 이월금.
くりこ-す【繰り越す】5他 이월(移越)하다. ¶残額を次期に～ 잔액을 차기로 이월하다.
くりごと【繰り言】图 같은 말을 몇 번이고 되풀이함; 또, 그 말; 특히, 불평·푸념. ¶老いの～ 노인의 푸념.
くりこ-む【繰り込む】㊀5自 떼를 지어 들어가다〔오다〕; 몰려 들어가다〔오다〕. ¶会場に～ 회장에 몰려 들어가다. ㊁5他 1 차례로 들어가게 하다. ¶軍隊を～ 군대를 계속 투입하다. 2 (그 일부로서) 집어넣다. ¶修繕費を予算に～ 수선비를 예산에 집어넣다. 3 끌어당기다. ¶綱を手もとへ～ 밧줄을 끌어당기다.
くりさげ【繰り下げ】图 다음으로 물림. ¶日程の～ 일정의 순연(順延).
くりさ-げる【繰り下げる】下1他 (예정된 순번을) 차례로 다음으로 물리다/또, 예정했던 시일을 늦추다. ¶出発を一時間～ 출발을 한 시간 늦추다. ↔繰り上げる.
グリス 图 ☞グリース.
クリスタル [crystal] 图 크리스털. 1 수정(水晶). 2 'クリスタルグラス'의 준말. 3〔理〕결정(結晶).
―グラス [crystal glass] 图 크리스털 글라스; 수정과 같이 투명한 고급 유리; 또, 그 제품.
クリスチャン [Christian] 图 크리스천; 기독교 신자.
クリスマス [Christmas] 图〔基〕크리스마스. ¶～イブ〔カード, ツリー〕크리스마스 이브〔카드, 트리〕.
―カロル [Christmas carol] 图 크리스마스 캐럴. =クリスマスキャロル.
グリセリン [glycerine] 图〔化〕글리세린. =グリスリン·リスリン.
くりだ-す【繰り出す】㊀5他 1 (실을) 풀어내다. ¶糸を～ 실을 풀(어 내)다. 2 계속 투입하다. ¶軍勢を～ 군대를 계속 투입하다. ㊁5自 몰려 나가다. ¶花見に～ 떼지어 꽃구경 가다.
クリック [click] 图ス自〔컴〕클릭; (마우스 단추를) 누름; (화면에 나타난 항목을) 마우스로 조작하여 선택함.
クリップ [clip] 图 클립. 1 종이 끼우개. ¶書類を～でとめる 서류에 클립을 끼워 고정시키다. 2 머리를 흩어지지 않게 끼워 두는 기구. ¶髪に～をつけたま

ま台所仕事をする 머리에 클립을 끼운 채 부엌일을 하다.

グリップ [grip] 图 그립; (라켓·배트 따위를) 쥐는 법; 또, 그 쥐는 부분; 손잡이. ¶～つき 손잡이가 달린 (것).

くりど【繰り戸】图 빈지(문); 덧문.

クリトリス [clitoris] 图 클리토리스; 음핵; 공알. ＝ひなさき.

クリニック [clinic] 图 클리닉; 진료소; 의원.

グリニッジじ【グリニッジ時】图 그리니치시; 국제 표준시. ▷Greenwich.

くりぬ-く『刳り貫く』5他 도려내다; 도려내어 구멍을 뚫다. ¶トンネルを～ 터널을 뚫다〔파다〕/りんごの心を～ 사과 속을 도려내다.

くりの-べる【繰り延べる】下1他 날짜나 시각을 차례로 미루다; 순연하다. ¶会合を次の週に～ 회합을 다음 주로 순연하다.

くりひら-く【繰り開く】5他 (책·서류 따위를) 펼쳐 페이지를 넘기다. ¶辞典を～ 사전을 펼쳐 보다.

くりひろい【くり拾い】《栗拾い》图 밤줍기; 밤 줍는 사람.

くりひろ-げる【繰り広げる】下1他 **1** 차차 죽 펴다〔펼치다〕. ¶絵巻物を～ 두루마리 그림을 펴다. **2** 전개하다. ¶連日熱戦を～ 연일 열전을 벌이다.

くりふね【くり船】《刳り舟》图 통나무배; 마상이. ＝くりぶね·丸木舟.

くりまわ-す【繰り回す】5他 이리저리 둘러대다〔변통하다〕. ¶家計を～ 가계를 이리저리 둘러대다〔꾸려 나가다〕.

くりや『厨』图〈雅〉부엌; 주방. ＝台所.

クリヤー 图 ☞クリアー.

くりょ【苦慮】图ス他自 고려; 애써 여러 가지로 생각함. ¶失業者の救済に～する 실업자 구제에 고심하다.

くりようかん『栗羊羹』图 밤 양갱.

くりよ-せる【繰り寄せる】下1他 끌어당기다. ¶網を～ 그물을 끌어당기다.

グリル [grill] 图 그릴. **1** 간이 양식집. **2** 석쇠(에 구운 고기).

くりわた【繰り綿】图 씨아로 씨만 뺀 솜; 조면(繰綿).

クリンチ [clinch] 图ス自 (권투에서) 클린치.

グリンピース [green peas] 图 그린피스; 청완두《완두콩의 일종》. ＝青豌豆·グリーンピース.

く-る『刳る』5他 후벼 파다; 도려서 구멍을 내다; 속을 도려내다. ＝えぐる. ¶丸木を～ 통나무를 도려내다. 可能 く-れる 下1自

く-る【繰る】5他 **1** 씨아로 목화씨를 빼다. ¶棉を～ 목화씨를 앗아 솜을 만들다. **2** (실·밧줄 따위를) 감다; 당기다. ¶糸を～ 실을 감다. **3** 하나씩 밀어내다; (손끝으로) 굴리다. ¶繰り戸を～ 빈지를 하나씩 밀어 닫다. **4** (책장을) 넘기다. ¶ページを～ 책장을 한 장 한 장 넘기다. **5** (날짜를) 세다. ¶日数を～ 날짜를 세다. 可能 く-れる 下1自

⁑**くる**【来る】サ変自 **1** 오다. ㉠(거리·시간적으로) 이리로 오다; 다가오다. ¶行く年～年 가는 해 오는 해/手紙が～ 편지가 오다/春が～ 봄이 오다/ぴんと～ 직감적으로 알다; 단박 깨닫다/知らせがきた 소식이 왔다/順番がきた 차례가 왔다/いつかきた町 언젠가 왔던 도시. ㉡(어떤 원인으로) 일어나다; 생기다. ¶過労から～病気 과로에서 오는 병. **2** …처럼 되다. ¶そうこなくちゃ面白くない 그렇게 되지 않으면 재미없다. **3**【くる】㉠《'ときている' 'ときたものだ' 의 꼴로》…이다; …하다. ¶それが面白いときている 그것이 재미있게 되어 있다. ㉡《'ときたら' 'ときては' 'とくると' 'ときた日には' 의 꼴로》…라면; …의 경우는. ¶野球と～と飯より好きだ 야구라면 밥보다 더 좋다/あの人ときたら全く問題にならない 저 사람으로 말하자면 전연 문제가 안 된다. **4**【くる】《動詞連用形＋'て'를 받아서》㉠이쪽으로 (다가)오다. ¶走って～ 뛰어오다; 달려오다. ㉡…하고 오다. ¶菓子を買って～ 과자를 사오다. ㉢점차 …하게 되다. ¶わかって～ 점차 알게 되다/電車がこんで～ 전차가 혼잡해지다. ㉣…해 오다. ¶今まで述べてきた事 여태까지 말해 온 것.

くる『佝僂·瘻』图 구루; 곱사; 곱사등(이). ＝せむし.

—びょう【—病】图 구루병; 곱사병.

ぐる 图〈俗〉(나쁜 짓을 하는) 한패; 한통; 공모. ¶二人で～になってだました 둘이서 한패가 되어 속였다.

くるい【狂い】图 **1** 미침; 돎. ¶頭の～ 머리가 돎. **2** 고장; 기계의 이상. ¶機械の～ 기계의 고장. **3** 차질; 착오. ¶計画の～ 계획의 차질.

＝ぐるい【狂い】《名詞 뒤에 붙어》…에 미침〔미친 사람〕; …광. ¶女～ 색광/競馬～ 경마광.

くるいざき【狂い咲き】图ス自 제철이 아닌 데 꽃이 핌; 또, 그 꽃. ¶桜が～する 제철도 아닌데 벚꽃이 피다.

⁑**くる-う**【狂う】5他 **1** 미치다. ㉠(정신이) 이상해지다; 실성하다. ¶気が～ 미치다. ㉡지나치게 열중하다. ¶競馬に～ 경마에 미치다. **2** 미친 듯이 …하다; 사납게 날치다. ¶舞い～ 미친 듯이 춤추다. **3** 고장나다. ¶時計が～ 시계가 잘 맞지 않다. **4** 어긋나다. ㉠틀어지다; 빗나가다. ¶見込みが～ 예상이 틀어지다. ㉡뒤바뀌다. ¶順序が～ 순서가 뒤바뀌다. ㉢틀리다; 잘못되다. ¶ねらいが～ 겨냥이 잘못되다.

クルー [crew] 图 크루; (배·비행기 등의) 승무원; 보트 경기의 팀을 구성하는 선수들.

クルーザー [cruiser] 图 크루저. **1** 순양함. **2** 순항형(巡航型) 요트.

クルーズ [cruise] 图 크루즈; 순항(巡

航)；객선에 의한 장기 관광 여행.

*グループ [group] 名 그룹; 무리; 집단; 단체; 동아리. =仲間. ¶~活動 그룹 활동 / ~を作る 그룹을 만들다.

—ウエア [groupware] 名 《컴》 그룹웨어《집단 작업을 지원하기 위한 컴퓨터 소프트웨어; 또, 그 시스템》.

—サウンズ [group sounds] 名 그룹 사운드.

—ディスカッション [group discussion] 名 그룹 디스커션; 그룹 토의.

グルーミー [groomy] ダナ 글루미; 어두움; 음산함; 우울함. ¶~な色 음침한 색깔 / ~な時代 암울한 시절.

くるおし-い 【狂おしい】 形 미칠 듯하다; 미칠 것 같다. =くるわしい. ¶それを考えると~気持ちになる 그것을 생각하면 미칠 것 같은 기분이 든다.

くるくる 副 1 뱅뱅; 뱅글뱅글. ¶風車が~と回る 팔랑개비가 뱅뱅 돌다. 2 여러 겹으로 감는 모양: 둘둘; 친친. ¶傷の上に包帯を~と巻く 상처 위에 붕대를 친친 감다. 3 바지런히. ¶一日中~と働く 온종일 바지런히 일하다.

ぐるぐる 副 'くるくる1, 2'보다 동작이 큰 모양: 빙빙; 친친. ¶プロペラが~と回る 프로펠러가 빙빙 돌다 / 自転車で広場を~回る 자전거로 광장을 빙빙 돌다.

**くるし-い 【苦しい】 形 괴롭다. 1 고통스럽다. =つらい. ¶~立場 난처한 입장. 2 답답하다. ¶走り続けたので息が~ 계속 달렸기 때문에 숨이 가쁘다. 3 어렵다; 가난하다. ¶家計が~ 생계가 곤란하다. 4 거북하다; 구차하다. ¶~弁解 구차한 변명. 参考 복합어에서는 'ぐるしい'가 됨. ¶心苦しい思い 쓰라린 생각 / 聞き苦しい話 듣기 거북한 이야기 / 見苦しい服装 보기 흉한 복장.

—時の神頼み 어려울 때의 하느님 찾기.

くるしが-る 【苦しがる】 5自 괴로워하다. ¶息がつまって~ 숨이 차서 괴로워 하다.

くるしまぎれ 【苦し紛れ】 ダナ 괴로운 김(에 …함); 괴로운[난처한] 나머지(…함). ¶~に嘘を言う 난처해진 나머지 거짓말을 하다.

くるしみ 【苦しみ】 名 괴로움; 고통; 고뇌. ¶産みの~ 출산의 고통; 산고(産苦) / ~を嘗める 괴로움을 맛보다[겪다]; 고생을 경험하다.

**くるし-む 【苦しむ】 5自 1 괴로워하다. ㉠고생하다. =なやむ. ¶病気で~ 병으로 고생하다. ㉡번민하다. =なやむ. ¶借金に~ 빚 때문에 고민하다. 2 (뜻대로 안 되어) 고심하다; 애쓰다. ¶理解に~ 이해가 되지 않아 애를 먹다 / 時局打開に~ 시국 타개에 고심하다.

*くるし-める 【苦しめる】 下1他 1 괴롭히다. ¶拷問で~ 고문으로 괴롭히다 / 神経痛に~·められる 신경통으로 고통을 받다. 2 귀찮게 하다. =困らせる. ¶無理をいって親を~ 억지를 써 부모를 괴롭히다.

クルス [포·스 cruz] 名 크루스; 십자가.

グルタミン [glutamine] 名 《化》 글루타민.

—さん 【—酸】 名 글루탐산.

くるぶし 〖踝〗 名 복사뼈. ¶~まで水に浸かる 복사뼈까지 물이 차다.

**くるま 【車】 名 1 차륜; 수레[차] 바퀴. ¶~のついた家具 바퀴가 달린 가구. 2 (자동차·마차·인력거 등) 수레의 총칭《明治·大正 연대에는 주로 인력거를, 지금은 주로 자동차를 말함》; 차. ¶~酔い 차멀미 / ~で行く 자동차로 가다 / ~を呼ぶ 차를 부르다.

—の両輪 수레의 양바퀴《상호 불가분한 관계의 비유》.

—を転がす 〈俗〉 자동차를 굴리다[운전하다].

—を捨てる (택시 따위) 차에서 내리다.

—を拾う 차[택시]를 잡다.

くるまいす 【車いす】《車椅子》 名 휠체어.

くるまえび 〖車蝦·車海老〗 名 《動》 참새우.

くるまざ 【車座】 名 빙[둥그렇게] 둘러앉음. ¶~になって飲む 빙 둘러앉아 술을 마시다.

くるまだい 【車代】 名 1 찻삯. 2 교통비(명목으로 지불하는 사례금). ¶お~にでもしてください 교통비로라도 써 주세요. 3 차 대금; 자동차 값.

くるまちん 【車賃】 名 찻삯. =車代.

くるまどめ 【車止め】 名 1 차의 통행 금지; 또, 그 표지. 2 역 구내의 선로 끝에 설치하여, 차량의 타성에 의한 진행을 멈추게 하는 장치.

くるまよせ 【車寄せ】 名 현관 앞에 차를 댈 수 있게 만든 곳. =ポーチ. ¶~に自動車をまわす 현관 앞으로 차를 돌리다.

くるま-る 〖包まる〗 5自 휩싸이다; 몸을 휩싸다. ¶ふとんに~ 이불을 뒤집어 쓰다.

くるみ 〖胡桃〗 名 《植》 호두.

—わり 【—割り】 名 호두 까는 도구. ¶~人形 《樂》 호두까기 인형.

=ぐるみ 〖包み〗 《名詞에 붙여서》 …까지 몽땅; …까지 합쳐서. =ごと. ¶身~を剝ぐ 몸에 지닌 것을 몽땅 털다 / 家族~南米へ移住した 온 가족이 모두 남미로 이주했다.

くる-む 〖包む〗 5他 휩[감]싸다; 둘러싸다. ¶赤ん坊をタオルで~ 갓난아기를 타월로 감싸다. 可能 くる-める 下1自

グルメ [프 gourmet] 名 구르메; 미식가. =美食家·食通.

くるめ-く 〖眩く〗 5自 빙빙 돌다; 특히, 눈이 핑핑 돌다; 현기증이 나다. ¶目も~ばかりのスピード 눈이 핑핑 돌 정도의 속력.

ぐるり ㊀名 둘레; 주위. =まわり. ¶家の~を垣で取り巻く 집 둘레를 울타리로 둘러싸다. ㊁副 《'~と'의 꼴로》

1 둘레를 돌아보는 모양(('くるりと'보다 무거운 느낌이 있음)): 한번 빙; 휙. ¶ ～と振(ふ)り向(む)いてにらみつける 휙 뒤돌아 매섭게 노려보다. **2** 주위를 둘러싸거나 도는 모양: 빙. ¶ 敵(てき)の要塞(ようさい)を～と取(と)り囲(かこ)んだ戦車(せんしゃ) 적의 요새를 빙 둘러싼 전차〔탱크〕.

くるりと 副 **1** 한 바퀴 뱅그르르; 빙; 휙. ¶ ～回(まわ)す 뱅그르르 돌리다 / ～ひと回(まわ)りする 한 바퀴 빙 돌다. **2** 홱; 싹. ¶ ～振(ふ)り向(む)く 홱 돌아보다.

くるわ 〖郭·廓〗 图 **1** 유곽. ＝遊里(ゆうり)·さと. ¶ ～通(がよ)い 유곽 출입. **2** 구역. **3** ((본디 曲輪)) 성(城)·성채의 둘레에 흙이나 돌로 울타리를 쳐 놓은 지역.

くるわ-せる【狂わせる】 下1他 **1** 미치게 하다. ¶ 過重(かじゅう)な精神的(せいしんてき)負担(ふたん)が彼(かれ)を～·せた 과중한 정신적 부담이 그를 미치게 했다. **2** 뒤틀리게 하다. ㉠틀어지게 하다. ¶ 一日(いちにち)の計画(けいかく)を～ 하루의 계획을 틀어지게 하다 / 判断(はんだん)を～ 판단을 잘못하게 하다. ㉡뒤죽박죽이 되게하다; 뒤엎다. ¶ 相手(あいて)の策略(さくりゃく)を～ 상대방의 책략을 뒤엎어 놓다.

***くれ【暮れ】** 图 저묾; 저물 때. **1** 저녁때; 해질 녘. ＝夕方(ゆうがた). ¶ ～の鐘(かね) 저녁종 / ～の六時(ろくじ) 저녁 6시. ＝明(あ)け. **2** 계절, 특히 한해의 마지막. ＝末(すえ)·年末(ねんまつ). ¶ 年(とし)の～ 세밑; 세모(歳暮) / 秋(あき)の～ 늦가을 / ～はなにかと忙(いそが)しい 세모는 여러 가지로 바쁘다.

クレー [clay] 图 클레이. **1** 'クレー射撃(しゃげき)(＝클레이 사격)'의 준말. **2** 점토; 흙. ¶ ～コート 클레이 코트.

グレー [영 grey, 미 gray] 图 그레이; 회색. ＝ねずみ色(いろ)·灰色(はいいろ). ¶ ～のせびろ 회색 신사복.

――カラー [gray collar] 图 그레이칼라; 컴퓨터 관계의 일 또는 오토메이션 장치의 감시·정비 등에 종사하는 노동자의 일컬음((화이트칼라와 블루칼라의 중간 직종이라는데서)). ⇨グリーンカラー.

クレージー [crazy] ダナ 크레이지; 미치광이 같은; 열광적임. ¶ ～な相場(そうば) 폭발적 장세(場勢).

クレーター [crater] 图 크레이터; 달의 곰보처럼 보이는 분화구.

グレーダー [grader] 图 그레이더((도로 공사 등에 쓰이는, 땅 고르는 기계)).

グレード [grade] 图 그레이드; 등급; 계급. ¶ ～を上(あ)げる 등급을 격상하다.

クレープ [프 crêpe] 图 **1** 크레이프; 바탕을 오글쪼글하게 짠 직물. ＝ちりめん·ちぢみ. **2** 밀가루에 우유·계란 등을 풀어 넣고 철판에다 얇게 구운 과자.

――ペーパー [crepe paper] 图 크레이프 페이퍼((쪼글쪼글한 수예용 종이)).

グレープ [grape] 图 그레이프; 포도. ¶ ～ジュース 포도 주스.

――フルーツ [grapefruit] 图 〔植〕 그레이프프루트((감귤류의 일종)).

クレーム [claim] 图 **1** 클레임((무역에서, 손해 배상 청구)). ¶ ～が付(つ)く 클레임이 붙다; 말썽이 나다. **2** 이의(異議); 불평. ＝苦情(くじょう). ＊2는 영어로 complaint.

クレーン [crane] 图 크레인; 기중기. ¶ ～車(しゃ) 크레인차.

クレオソート [creosote] 图 크레오소트((마취·진통·살균제용)).

クレオン 图 ☞クレヨン.

くれがた【暮れがた·暮れ方】 图 **1** 저물녘; 해질녘; 저녁때. ＝夕方(ゆうがた). ¶ ～になる 저녁때가 되다. ↔明(あ)け方(がた). **2** 어떤 기간이나 계절·연대의 끝 무렵. ¶ 秋(あき)の～ 늦가을.

くれぐれ 〖呉呉〗 副 《흔히 'も'가 따름》 부디부디; 아무쪼록. ¶ ～も気(き)をつけて 아무쪼록 조심하도록〔해요〕. 注意 '呉呉'로 씀은 취음.

グレコローマン [Greco-Roman] 图 그레코로만((레슬링에서, 상반신만으로 싸우는 종목)). ＝グレコローマンスタイル.

クレジット [credit] 图 크레디트. **1** 차관 (계약); 신용 대부(貸付). ¶ ～カード 크레디트〔신용〕 카드 / ～を設定(せってい)する 차관을 설정하다. **2** 신용 판매; 월부. ¶ ～で買(か)う 월부로 사다.

――タイトル [credit title] 图 크레디트 타이틀((스태프·캐스트의 이름을 표시한 영화·TV의 자막)).

クレゾール [도 Kresol] 图 〔化〕 크레졸. ((강력한 소독·살균제)).

――せっけんえき【――せっけん液】 ((――石鹸液)) 图 크레졸 비눗물((살균·소독용임)). ＝リゾール.

ぐれつ【愚劣】 图ダナ **1** 우열; 어리석고 못남. ¶ ～極(きわ)まる行為(こうい) 어리석기 짝이 없는 행위. **2** 시시함. ¶ ～な遊(あそ)び 시시한 놀이.

くれて【くれ手】 ((呉れ手)) 图 **1** (…을) 줄 사람. ¶ 小遣(こづか)いの～がない 용돈을 줄 사람이 없다. ↔もらい手(て). **2** (…을) 해 줄 사람. ¶ よめに来(き)て～がない 색시로 와 줄 사람이 없다.

くれない【紅】 图 다홍; 주홍색. ＝まっか. ¶ ～に染(そ)まる 다홍색으로 물들다. 参考 본디, '呉(くれ)(＝중국의 오나라)'에서 수입된 藍(あい)의 뜻.

くれなず-む【暮れなずむ】 5自 해가 좀체로 지지 않다. ¶ ～春(はる)の日(ひ) 질듯질듯 하면서 쉬 지지 않는 봄의 긴 해.

くれのこ-る【暮れ残る】 5自 해가 덜 져 어스레하다; 땅거미지다. ¶ ～空(そら)の色(いろ) 어스레한 하늘빛. ↔明(あ)け残(のこ)る.

クレバス [crevasse] 图 크레바스; 빙하나 설계(雪渓)의 갈라진 틈.

クレパス [일 Craypas] 图 〔商標名〕 크레파스. ▷프 crayon＋pastel.

くれは-てる【暮れ果てる】 下1自 해가 완전히 지다.

クレペリンけんさ【クレペリン検査】 图 크레펠린 검사((독일의 정신병학자 크레펠린이 고안한 성격 검사법)). ▷도 Kraepelin.

クレムリン [Kremlin] 名 크렘린《모스크바에 있는 궁전 이름》; 구소련 정부.

くれゆ-く【暮れ行く】 5自 (해가) 저물어 가다. ¶～太陽(たいよう) 저물어 가는 태양.

クレヨン [프 crayon] 名 크레용. ＝クレオン. ¶～でかく 크레용으로 그리다.

****く-れる〖呉れる〗** 下1他 **1** 주다. ㉠(남이 호의·친절에서 물건을 이쪽으로) 주다. ¶金(かね)を～ 돈을 주다 / それをぼくに～·れ 그것을 내게 주게 / 友(とも)だちが妹(いもうと)に～·れた本(ほん) 친구가 누이동생에게 준 책. ㉡(이쪽에서 상대에게) 주다. ¶乞食(こじき)に銭(ぜに)を～·れてやる 거지에게 돈을 집어 주다 / あんなやつには何(なに)も～·れてやるな 저런 놈에게는 아무것도 주지 마라. 参考 이렇게 주는 입장에서 말할 경우에는, 상대를 멸시하는 느낌이 들게 됨. ㉢동작을 가하다. ¶目(め)も～·れない 거들떠 보지도 않다. **2**《動詞連用形＋'て'를 받아》㉠호의를 갖고 …하다. ¶本(ほん)を買(か)って～ 책을 사 주다 / 教(おし)えて～ (나에게) 가르쳐주다. ㉡(남에게 불이익을 주는 뜻을 나타내어) …해주다. ¶目(め)に物見(ものみ)せて～ 뜨끔한 맛을 보여 주다. 参考 사역(使役) 표현을 받아 命令形으로 쓸 때에는, 상대방의 허락을 구하는 뜻이 됨. ¶早(はや)く帰(かえ)らせて～·れ 빨리 돌아가게 해 주게〔다오〕.

***く-れる【暮れる】** 下1自 저물다. **1** 날이 저물다; 해가 지다. ¶日(ひ)が～·れてあたりが暗(くら)くなる 해가 져서 주위가 어두워지다. **2** 한 해가〔계절이〕 끝나다. ¶年(とし)が～ 한 해가 저물다; 세밑이 되다 / 今年(ことし)もあと三日(みっか)で～ 금년도 앞으로 사흘만 지나면 해가 저문다. ⇔明(あ)ける.

く-れる〖暮れる〗 下1自 어찌 할 바를 몰라 그냥 …하기만 하다. ¶思案(しあん)に～ 어찌 할 바를 몰라 생각에 잠기다 / 途方(とほう)に～ 어찌 할 바를 모르다 / 悲(かな)しみに～ 슬픔에 잠기다.

ぐ-れる 下1自 〈俗〉 **1** 비뚤어지다; 타락하다. ¶母(はは)が死(し)んでから～·れ出(だ)す 어머니가 죽고 나서 빗나가기 시작하다. **2** (기대가) 어긋나다; 어그러지다. ¶計画(けいかく)が～ 계획이 어그러지다 / 何(なに)もかも～ 모든 것이 다 뒤틀어지다.

クレンザー [cleanser] 名 클린저; (가루비누가 든) 마분(磨粉). ＝みがき粉(こ).

クレンジングクリーム [cleansing cream] 名 클렌징 크림; 피부의 때를 닦아 내는 유성 크림. ＝クリンシンクリーム.

ぐれんたい【ぐれん隊】《愚連隊》 名 〈俗〉 (유흥가를 중심으로 행패를 일삼는) 불량배; 깡패. ¶～になぐられる 불량배한테 얻어맞다. 注意 'ぐれん'을 '愚連'으로 씀은 취음.

くろ〖畔〗 名 (논·밭의) 두둑; 또, 평지의 둔덕. ＝あぜ. ¶田(た)の～ 논두둑.

****くろ【黒】** 名 **1** 검은 빛깔; 검정. ¶～のスーツ 검은 양복. **2** 검은 색과 관계 있는 것. ㉠검은 바둑돌; 흑. ¶～を持(も)つ 흑을 쥐다. ↔白(しろ). ㉡검은 상복. ¶葬式(そうしき)に～を着(き)る 장례식에 검은 상복을 입다. ㉢검은 개. **3**〈俗〉 범죄 혐의가 뚜렷함; 또, 그 사람. ¶証拠(しょうこ)固(がた)めで～と出(で)る 증거 수집에서 범죄 혐의가 짙은 것으로 판명되다. ↔白(しろ).

グロ 名ダナ ☞グロテスク. ¶～な写真(しゃしん) 그로테스크한 사진.

****くろ-い【黒い】** 形 **1** 검다. ㉠까맣다. ¶顔(かお)の～人(ひと) 얼굴이 검은 사람 / ～·く塗(ぬ)る 검게 칠하다. ㉡(피부가) 볕에 타다. ¶日(ひ)に焼(や)けた～顔(かお) 볕에 타서 거무스름한 얼굴. ㉢(속이) 엉큼하다. ¶腹(はら)が～ 뱃속이 검다. ㉣더럽다; 더러워져 있다. ¶シャツが～·くなる 셔츠가 꺼매지다. **2** (범죄 등의) 혐의가 짙다. ¶あいつを～とにらんでいる 저놈을 혐의자로 주목하고 있다.

***くろう【苦労】** 名ス スル自 노고; 고생; 애씀. ＝骨折(ほねお)り. ¶～知(し)らずの人(ひと) 고생을 모르는 사람 / ～して仕上(しあ)げる 고생하여 완성하다 / ～に耐(た)える 고생을 견디다 / ～のかいがない 고생한 보람이 없다 / せっかくの～も水(みず)の泡(あわ)だ 모처럼 애쓴 것도 물거품이 되었다.

—しょう【—性】 名ス 사소한 일까지도 걱정하는 성질; 잔걱정이 많은 성질. ¶～である 사서 걱정하는 경향이 있다.

—にん【—人】 名 세상의 쓴맛 단맛을 다 겪은 사람.

ぐろう [愚弄] 名スル他 우롱. ¶人(ひと)を～するにも程(ほど)がある 사람을 놀려도 분수가 있지.

くろうと【玄人】 名 **1** 전문가; 숙련자; 익수. ¶～なみにギターをひく 전문가 못지 않게 기타를 치다. **2** (기생·접대부 등) 화류계 여자. ¶あの女(おんな)は～だ 저 여자는 화류계 여성이다. ⇔素人(しろうと).

—はだし〖—跣〗 名 비전문가이면서도 전문가가 빰치게 잘하는 일; 또, 그 사람.

クローク [cloak] 名 클로크. **1** 소매없는 외투; 망토. **2** 호텔·극장 따위에서 외투나 소지품 등을 맡는 곳《'クロークルーム(cloakroom)'의 준말》. ¶～にコートをあずける 소지품 예치소에 코트를 맡기다. 参考 미국에서는 checkroom이라고 함.

クロース [cloth] 名 클로스. **1** 직물; 천; 특히, 책 장정에 쓰는 천. ¶～とじの本(ほん) 천〔클로스〕 표지의 책. **2** 'テーブルクロース(＝테이블 클로스)'의 준말.

クローズアップ [close-up] 名スル他 클로즈업. **1** (영화나 사진 등에서) 대사(大寫). ＝大写(おおうつ)し·アップ. ↔ローングショット. **2** 비유적으로, 어떤 일을 크게 다룸. ¶貿易(ぼうえき)の不均衡(ふきんこう)が～される 무역 불균형이 클로즈업되다.

クローバー [clover] 名〔植〕 클로버; 토끼풀. ＝うまごやし·クローバ·シロツメクサ.

グローバリゼーション [globalization] 名 글로벌리제이션; 세계화.

グローバル [global] ダナ 글로벌; 세계

적 규모임. ¶ ～な視野で考える必要がある 세계적인 시야에서 생각할 필요가 있다.

——スタンダード [global standard] 图 글로벌 스탠더드. **1** 금융·경영 시스템 등에서, 국제적으로 공통되는 이념이나 규칙. **2** 공업 제품 등의 국제 표준 규격. 参考 '세계 표준'의 뜻.

くろおび【黒帯】 图 (유도·태권도 등에서) 검은 띠; 또, 유단자. ¶彼は～だ 그는 유단자이다.

グローブ [glove] 图 글러브((야구·권투용의 가죽 장갑)). ＝グラブ.

クローム 图 ☞クロム.

クロール [←crawl stroke] 图 크롤(('クロールストローク(＝크롤 영법)'의 준말)).

クローン [clone] 图 〔生〕 클론; 수정(受精)을 거치지 않고, 세포나 개체로부터 그와 똑같은 형태나 성질을 가진 것을 만드는 일; 또, 그 세포나 개체. ¶～動物〔野菜〕 클론 동물〔야채〕/～人間禁止法 복제 인간 금지법.

くろがね 〖鉄〗 图 〈雅〉 철; (무)쇠.

くろかみ【黒髪】 图 검은 머리; 검고 윤기가 흘러 아름답게 보이는 머리털. ¶～をくしげる 검은 머리를 빗질하다.

くろくま 〖黒熊〗 图 흑곰.

くろくも【黒雲】 图 **1** 먹구름. **2** 가로막는 불안한 것; 암운. ¶前途をおおう～ 앞길을 뒤덮는 암운.

くろぐろ【黒黒】 副 아주 새까만 모양. ¶～とした髪の毛 새까만 머리털.

くろご【黒子】((黒衣·黒巾)) 图 (歌舞伎·能 등의 무대에서) 검은 옷을 입고 배우 뒤에서 연기를 돕는 사람; 또, 그 검은 옷. 注意 'くろこ'라고도 함.

くろこげ【黒焦げ】 图 검게 눋음〔탐〕. ¶～の御飯 검게 눋은 밥/～になる 새카맣게 타다.

クロコダイル [crocodile] 图 〔動〕 크로코다일; 악어; 특히, 나일악어.

くろごま 〖黒胡麻〗 图 〔植〕 검은깨.

くろざとう【黒砂糖】 图 흑사탕.

くろじ【黒地】 图 바탕이 검음; 또, 검은 바탕의 천〔종이〕.

***くろじ【黒字】** 图 흑자; 이익. ¶節約して家計を～にする 절약해서 가계를 흑자로 만들다. ↔赤字.

——とうさん【——倒産】图 흑자 도산.

くろしお【黒潮】 图 쿠로시오((일본 열도를 따라 태평양을 흐르는 난류)). ¶～が太平洋を北上する 쿠로시오가 태평양을 북상하다. ⇨親潮.

くろしろ【黒白】 图 흑백. **1** 흑과 백. **2** 일의 선악; 유죄와 무죄. ¶法廷で～を決する 법정에서 흑백을 가리다. **3** 흑백 사진·영화. ↔天然色.

クロス [cross] 크로스. 一图 **1** 십자; 십자가. **2** (테니스·탁구·배구 등에서) 대각선. ¶～スパイク 크로스 스파이크. 二图スル自 열십자로 교차함. ¶バス通りと～する道 버스길과 교차하는 길.

——カウンター [cross counter] 图 (권투에서) 크로스 카운터.

——カントリー レース [cross-country race] 图 크로스컨트리 레이스; 단교(斷郊) 경주. ＝クロスカントリー.

——バー [crossbar] 图 크로스바; 가로대. ＝バー.

——ワード [crossword] 图 크로스워드; 십자말풀이. ＝クロスワードパズル.

グロス [gross] 图 그로스; 12다스를 한 단위로 한 호칭((144개)).

くろずいしょう【黒水晶】 图 흑수정; 흑색 또는 갈색 수정.

クロスゲーム [close game] 图 클로즈게임; 팽팽한 경기; 접전. ¶逆転また逆転の～ 역전을 거듭하는 대접전. ↔ワンサイドゲーム.

クロスプレー [close play] 图 〔野〕 클로즈 플레이; 세이프인지 아웃인지의 판정이 미묘한 플레이.

くろず-む【黒ずむ】 5自 거무스름해지다. ¶ワイシャツが～ 와이셔츠가 거메지다/内出血で肌が～ 내출혈로 살갗이 거뭇해지다.

クロゼット [closet] 图 클로짓; 화장실.

くろそこひ【黒そこひ】((黒内障)) 图 〔醫〕 흑내장. ＝黒内障. 「ぬ(だい).

くろだい 〖黒鯛〗 图 〔魚〕 감성돔. ＝ち

くろちゃいろ【黒茶色】 图 흑갈색.

クロッキー [프 croquis] 图 〔美〕 크로키; 속사화(速寫畫)((짧은 시간에 빨리 그리는 사생(寫生))). 参考 일본서는 'スケッチ(＝스케치)'와 구별하여 씀.

グロッキー [groggy] 图ダナ 그로기. **1** 권투에서 마구 얻어맞아 비틀거리는 모양. **2** 몹시 지침. ¶～になる 그로기 상태가 되다/今日は少々～だ 오늘은 좀 지쳤다.

クロッケー [프 croquet] 图 크로케((나무공을 나무 망치로 쳐서 여러 개의 작은 쇠문을 통과시키는 옥외 운동)).

くろつち【黒土】 图 흑토; 다량의 부식질을 함유한 검은 흙. ↔赤土.

くろっぽ-い【黒っぽい】 形 **1** 거뭇하다; 거무스름하다. ¶～服 거무스름한 옷. **2** 〈俗〉 (헌 책방 등의 통용어로) 전문가 티가 나다. ¶～まねをする 전문가 티를 내다. ↔白っぽい.

グロテスク [grotesque] 图ダナ 그로테스크; 괴기한 모양. ＝グロ. ¶～な生物 그로테스크한 생물.

くろと 〖玄人〗 图 ☞くろうと.

くろぬり【黒塗り】 图 검은 칠을 하는 일; 검은 칠을 한 물건. ¶～の外車 검은색의 외제 승용차.

くろねこ【黒猫】 图 검은 고양이.

くろねずみ【黒ねずみ】((黒鼠)) 图 **1** 주인집의 금품을 축내는 고용인. ↔白ねずみ. **2** 거무스름한 잿빛〔회색〕.

クロノメーター [chronometer] 图 크로노미터; 온도·습도 등 외계의 영향을 받지 않는 매우 정확한 휴대용 태엽 시계

《천체 관측이나 항해에 쓰임》.
くろば-む【黒ばむ】5自 거무스름해지다; 거메지다.
くろパン【黒パン】《黒麵麭》图 흑빵《호밀가루로 만든 흑갈색 빵; 영양이 많음》.
くろビール【黒ビール】图 흑맥주. ▷beer.
くろびかり【黒光り】图ス自 검고 윤이 남. ¶～する甲冑(かっちゅう) 검게 윤이 나는 갑주.
くふぶち【黒縁】图 검은 테. ¶～のめがね 검은 테 안경.
くろふね【黒船】图 江戸(えど) 말기에 서양 배를 부른 이름. 參考 검게 칠한 데서.
くろほ【黒穂】图 흑수; 깜부기. 注意 'くろぼ' 'くろんぼ(う)'라고도 함.
—びょう【—病】图 깜부깃병.
くろぼし【黒星】图 검은 점. **1** (씨름에서) 졌음을 나타내는 표《●》; 전하여, 패배; 실책. ¶～が並(なら)ぶ 패배가 이어지다 / この事件(じけん)では, 警察側(けいさつがわ)の～続(つづ)きだ 이 사건에서는 경찰측의 연속 패배다 / あの発言(はつげん)は大臣(だいじん)の～だ 그 발언은 장관의 실책이다. ↔白星(しろぼし). **2** (과녁 중앙의) 검은 동그라미; 흑점; 전하여, 정곡(正鵠). ＝図星(ずぼし). ¶～をさす 정곡을 찌르다.
くろまく【黒幕】图 흑막. **1** (무대에서 장면이 바뀔 때 사용하는) 검은 무대막. **2** 뒤에서 조종하는 사람; 막후의 인물. ¶政界(せいかい)の～ 정계의 막후 인물.
くろまつ〖黒松〗图〔植〕흑송; 곰솔; 해송(海松). ＝雄松(おまつ). ↔赤松(あかまつ).
くろまめ【黒豆】图 흑태(黑太); 검은콩.
くろみ【黒み】《黒味》图 검은 빛〔부분〕; 거무스름한 느낌. ¶～がかる 거무스름하다 / ～を帯(お)びる 검은 빛을 띠다.
くろ-む【黒む】5自 검은 빛을 띠다; 거메지다; 검어지다. ＝黒(くろ)ずむ.
クロム [chrome] 图〔化〕크롬《기호: Cr》. ＝クローム. ¶～鋼(こう)〔中毒(ちゅうどく)〕 크롬강〔중독〕/ ～は空気中(くうきちゅう)でさびない 크롬은 공기 중에서 녹슬지 않는다.
—めっき〖—鍍金〗图 크롬 도금.
くろめ【黒目】《黒眼》图 (눈의) 검은 자위. ↔白目(しろめ).
—がち【—勝ち】名ナ 검은 자위가 크고 눈이 부리부리한 모양. ¶～の女(おんな) 검은 눈망울이 (크고) 부리부리한 여자.
くろ-める【黒める】下1他 검게 하다; 검게 물들이다.
くろも〖黒藻〗图〔植〕검정말.
くろもじ〖黒文字〗图 **1** 이쑤시개. ＝つまようじ. **2**〔植〕나무줄기에 검은 반점이 있는 녹나뭇과의 관목《나무껍질에 향이 있어, 이쑤시개·젓가락 등을 만듦》.
くろやま【黒山】名ナ 사람이 많이 모인 것을 형용하는 말. ¶～の(ような)人(ひと)だかり 새까맣게 모인 사람 떼. 參考 사람 머리가 검은 데서.
グロリア [라 gloria] 图〔基〕글로리아; 주의 영광을 기리는 기도문이나 노래.
クロレラ [chlorella] 图〔植〕클로렐라《녹조류(綠藻類)에 속하는 단세포 식물》. ¶食糧(しょくりょう)資源(しげん)として～の利用(りよう)が研究(けんきゅう)されている 식량 자원으로서 클로렐라의 이용이 연구되고 있다.
クロロホルム [chloroform] 图〔化〕클로로포름《무색 투명한 휘발성 약품; 마취제·용제(溶劑)용》.
くろわく【黒枠】《黒框》图 까만 테; 특히, 부고장·사망 광고의 가장자리에 두른 검은 줄; 또, 그 통지나 광고. ¶～の付(つ)いた葉書(はがき) (엽서에 까만 테를 두른) 부고장.
クロワッサン [프 croissant] 图 크루아상《버터를 많이 써서 구운, 초승달 모양의 부드러운 빵》.
ぐろん【愚論】图 우론. ¶～ばかりで話(はなし)が進(すす)まない 우론만 되풀이할 뿐 이야기가 진행되지 않는다.
くろんぼう【黒ん坊】图 **1** 검둥이; 흑인. ＝くろんぼ. **2** ☞くろほ(黒穂).
くわ【桑】图〔植〕뽕나무. ¶～を摘(つ)む 뽕잎을 따다.
くわ〖鍬〗图 괭이. ¶畑(はたけ)に～を入(い)れる 밭을 괭이로 일구다〔갈다〕.
くわい〖慈姑〗图〔植〕자고; 쇠귀나물.
クワイア [choir] 图 콰이어; (교회의) 성가대 (자리); 합창단.
くわいれ【くわ入れ】《鍬入れ》图ス自 **1** 농가 행사의 하나《정월 열 하루나 길일에 밭에 나가 첫 괭이질을 하고 떡 또는 쌀을 바치어 풍작을 빎》. **2** (건축·토목 공사 등의) 첫 삽질; 기공식.
くわえこ-む【くわえ込む】《銜え込む》5他 **1** (단단히) 물다. ¶魚(うお)が鉤(はり)を深(ふか)く～ 물고기가 낚싯바늘을 깊이 물다. **2** (부정한 관계를 맺기 위해) 사람을 데리고 오다《경멸하는 말씨》. ¶客(きゃく)を～ 손님을 끌어들이다.
くわえざん【加え算】图 덧셈. ＝足(た)し算(ざん)·寄(よ)せ算(ざん).
くわえて【加えて】接 덧붙여; 게다가; 거기다. ¶強風(きょうふう)が吹(ふ)き, ～雪(ゆき)が降(ふ)る 강풍이 불고, 거기다 눈까지 온다.
くわ-える【加える】下1他 **1 가하다. ㉠더하다; 보태다; (수·양·정도를) 늘리다. ¶汁(しる)に塩(しお)を～ 국에 소금을 치다 / 筆(ふで)を～ 가필하다 / 二(に)に三(さん)を～と五(ご)になる 2에 3을 더하면 5가 된다. ㉡주다; 베풀다. ¶計画(けいかく)に修正(しゅうせい)を～ 계획에 수정을 가하다. **2** 가입시키다; 넣다. ¶仲間(なかま)に～ 한패에 넣다.
くわ-える〖銜える〗下1他 **1** (입에) 물다. ¶～·えたばこ 입에 문 담배 / 指(ゆび)を～ 손가락을 입에 물다. **2** 〈俗〉(정상적인 관계가 아닌 사람을) 데리고 있다. ¶男(おとこ)を～·えている女(おんな) 사내를 동반하고 있는 여자.
くわがた【くわ形】《鍬形》图 **1** 투구의 챙 위에 사슴 뿔처럼 두 가랑이지게 세운 장식. **2** 'くわがたむし'의 준말.
—むし〖—虫〗图〔蟲〕하늘가재.
くわけ【区分け】图ス他 구분; 구획지어

나눔. ¶宅地(たくち)を～する 택지를 구획하여 나누다.

**くわし-い【詳しい】《委しい·精しい》形 상세하다; 자세하다; 정통하다. ¶～·く説明(せつめい)する 자세히 설명하다/～事(こと)はあとで話(はな)す 상세한 것은 나중에 이야기하겠다.

くわ-す【食わす】5他 **1** 먹이다. **2** 부양하다. ¶家族(かぞく)を～·して行(い)く 가족을 부양해 가다. **3** 주다; 맞게 하다. ¶けんつくを～ 야단을 치다/拳骨(げんこつ)を～ 주먹을 (한대) 먹이다. **4** 속이다. ¶一杯(いっぱい)～ 감쪽같이 속이다.

くわずぎらい【食わず嫌い】名 **1** 먹어보지도 않고 까닭없이 싫어함; 또, 그런 사람. ＝たべずぎらい. **2** 사실을 이해하지도 않고 무턱대고 싫어함; 또, 그런 사람. ¶～をする 덮어놓고 싫어하다.

くわせもの【食わせ物】名 **1** 겉만 번드레하고 속은 보잘것없는 것; 굴퉁이. **2** 보통내기가 아닌 사람. ¶おとなしい顔(かお)をしているがとんだ～だ 얌전한 얼굴을 하고 있지만 엉뚱한 놈이다. 注意 사람의 경우는 흔히 '食わせ者'로 씀.

くわ-せる【食わせる】下1他 ☞くわす.

くわだて【企て】名 기획; 기도; 계획. ＝もくろみ. ¶海外(かいがい)進出(しんしゅつ)の～が失敗(しっぱい)に終(お)わる 해외 진출 계획이 실패로 끝나다.

くわだ-てる【企てる】下1他 기도〔계획〕하다. ＝もくろむ. ¶事業(じぎょう)を～ 사업을 계획하다.

くわつみ【桑摘み】名 뽕 따는 일; 뽕따기; 또, 그 사람. ¶～の手伝(てつだ)いをする 뽕따기를 거들다.

くわばたけ【桑畑】名 뽕(나무) 밭.

くわばら【桑原】名 **1**【くわばら】 벼락이나 불길한 일을 피하기 위해 외는 주문. ¶あ雷(かみなり)だ, ～～ 앗 벼락이다, 제발 살려 줍쇼. 参考 벼락은 뽕나무 밭에는 떨어지지 않는다는 전설에서 인용된 말로, 두 번 겹쳐서 씀. **2** 뽕(나무) 밭. ＝くわばたけ.

くわり【区割り】名ス他 구분; 토지 등을 몇 개로 나눔. ＝くわけ. ¶分譲地(ぶんじょうち)の～をする 분양지를 분할하다.

くわ-れる【食われる】下1自 **1** 먹히다. ¶ネコに～·れたネズミ 고양이에게 먹힌 쥐. **2** (상대에게) 눌리다; 압도당하다. ¶新商品(しんしょうひん)に～ 신상품에 눌리다.

*くわわ-る【加わる】5自 **1** 가해지다; 더해지다; 늘다. ¶給料(きゅうりょう)に手当(てあて)が～ 급료에 수당이 가산되다 / 負担(ふたん)が～ 부담이 늘다. **2** 참가〔참여〕하다; 가담하다; 한패가 되다. ¶相談(そうだん)に～ 상담에 참여하다. 可能 くわわ-れる 下1自

くん【訓】名 훈; 자훈(字訓). ¶～を付(つ)ける 훈을 달다 / ～ではなんと読(よ)むか 훈으로는 무엇이라고 읽는가. ↔音(おん).

=くん【君】 동배 또는 손아랫사람 이름 뒤에 붙여 가벼운 존경의 뜻을 나타내는 말: …군《주로 남성에 대하여 씀》. ¶山田(やまだ)～ 山田군.

くん〖君〗教3 クン きみ |군 임금| **1** 천자. ¶君恩(くんおん) 군은. **2** 경칭. ㉠아버지·남편에 대한 경칭. ¶父君(ちちぎみ) 아버님. ㉡동배 또는 손아랫사람을 부르는 칭호. ¶諸君(しょくん) 제군.

くん〖訓〗教4 クン よむ おしえる |훈 가르치다| **1** 가르치다; 타이르다. ¶教訓(きょうくん) 교훈. **2** 한자를 훈독하다. ¶訓読(くんどく) 훈독. ↔音(おん).

くん〖勲〗《勳》常用 クン いさお いさおし |훈 공| **1** 국가를 위해 세운 공적. ¶勲功(くんこう) 훈공. **2** 훈장의 등급을 나타내는 말. ¶勲一等(くんいっとう) 훈일등.

くん〖薫〗《薰》常用 クン かおる |훈 향내| **1** 좋은 냄새가 나다. ¶薫風(くんぷう) 훈풍. **2** 선행으로 남을 감화시키다. ¶薫陶(くんとう) 훈도/薫育(くんいく) 훈육. 「를 이루다.

ぐん【群】名 떼; 무리. ¶～をなす 무리 ─を抜(ぬ)く 발군〔출중〕하다; 빼어나다. ¶～成績(せいせき) 발군의 성적.

ぐん【軍】군. 一名 **1** 병(兵)의 집단; 군대. ¶～を率(ひき)いる 군대를 거느리다. **2** 전쟁. ＝いくさ. ¶正義(せいぎ)の～を起(お)こす 정의의 싸움을 일으키다. 二接尾 **1** 군대. ¶義勇(ぎゆう)～ 의용군. **2** 팀. ¶巨人(きょじん)～ 거인군; 거인 팀.

ぐん〖軍〗教4 グン いくさ |군 군사| **1** 군대. ¶軍団(ぐんだん) 군단. **2** 전쟁. ¶軍事(ぐんじ) 군사.

ぐん〖郡〗教4 グン こおり |군 고을| 군; 고을; 행정 구획의 하나. ¶～役所(やくしょ) 군청.

ぐん〖群〗教5 グン むれる むれ むら |군 무리| **1** 무리; 떼. ¶群衆(ぐんしゅう) 군중. **2** 수많다. ¶群雄(ぐんゆう) 군웅.

くんい【勲位】名 훈위; 훈공의 등급과 위계(位階).

ぐんい【軍医】名 군의. ¶～官(かん) 군의관.

くんいく【訓育】名ス他 훈육. ¶～を重(おも)んずる 훈육을 중시하다.

くんいく【薫育】名ス他 훈육; 덕육. ¶生徒(せいと)を～する 학생을 훈육하다.

ぐんえき【軍役】名 **1** 군역; 군대 복무. ¶～に服(ふく)する 군에 복무하다. **2** 전역(戰役); 전쟁. 「기.

くんえん【薫煙】名 훈연; 향을 피운 연

ぐんか【軍歌】名 군가. ¶大声(おおごえ)で～をうたう 큰 소리로 군가를 부르다.

ぐんか【軍靴】名 군화. ¶～の響(ひび)き 군화 소리.

くんかい【訓戒】《訓誡》名ス他 훈계. ¶～を垂(た)れる 훈계를 내리다/生徒(せいと)を～する 학생을 훈계하다.

ぐんかく【軍拡】名 '軍備拡張(ぐんびかくちょう)(＝군비 확장)'의 준말. ↔軍縮(ぐんしゅく).

ぐんがくたい【軍楽隊】名 군악대.

*ぐんかん【軍艦】名 군함.

ぐんき【軍機】名 군기; 군사 기밀. ¶～漏洩(ろうえい) 군기 누설.

ぐんき【軍紀】图 군기. ¶～が乱(みだ)れる 군기가 문란해지다.

ぐんき【軍規】图 군규; 군대의 규칙.

ぐんき【軍記】图 군기; 전쟁 이야기를 적은 책. ＝戦記(せんき).

──ものがたり【──物語】图 전쟁을 주제로 서사시적으로 엮은 역사 소설; 군담 소설《平家(へいけ)物語·太平記(たいへいき) 등》.

ぐんきょ【群居】图ス自 군거; 떼지어 생활함. ＝群棲(ぐんせい). ¶水鳥(みずどり)の～する沼(ぬま) 물새가 군거하는 늪.

くんくん 副 냄새를 맡는 모양: 킁킁. ¶小犬(こいぬ)が～と鼻(はな)を鳴(な)らす 강아지가 킁킁거리다.

ぐんぐん 副 힘차게 진행하거나 성장하는 모양: 부쩍부쩍; 우쩍우쩍; 쭉쭉. ＝どんどん. ¶～伸(の)びる 쭉쭉 뻗다〔자라다〕/成績(せいせき)が～(と)上(あ)がる 성적이 부쩍부쩍 오르다.

ぐんけん【郡県】图 군현; 군과 현.

──せいど【──制度】图 군현 제도.

ぐんけん【軍犬】图 군견; 군용견.

くんこう【勲功】图 훈공; 공훈. ¶～を立(た)てる 공훈을 세우다.

ぐんこう【軍功】图 군공; 전공. ＝戦功(せんこう). ¶～により勲章(くんしょう)を授(さず)けられる 군공에 따라 훈장을 받다.

ぐんこう【軍港】图 군항. ¶要塞(ようさい)としての～ 요새로서의 군항.

ぐんこく【軍国】图 군국.

──しゅぎ【──主義】图 군국주의. ＝ミリタリズム.

くんし【君子】图 군자. ¶聖人(せいじん)～ 성인 군자. ↔小人(しょうじん).

──は危(あや)うきに近寄(ちかよ)らず 군자는 위험한 것에 가까이 가지 않는다.

──は独(ひと)りを慎(つつし)む 군자는 사람이 보지 않는 곳에서도 행동을 조심한다.

くんじ【訓示】图ス他 훈시. ¶生徒(せいと)に～をする 학생에게 훈시를 하다.

ぐんし【軍使】图 군사. ¶敵陣(てきじん)に～を遣(つか)わす〔立(た)てる〕 적진에 군사를 파견하다〔보내다〕.

ぐんじ【軍事】图 군사. ¶～力(りょく) 군사력/～機密(きみつ) 군사 기밀/～援助(えんじょ) 군사 원조/～行動(こうどう) 군사 행동.

──きち【──基地】图 군사 기지.

──さいばん【──裁判】图 군사 재판.

──どうめい【──同盟】图 군사 동맹.

──ゆうびん【──郵便】图 군사 우편.

ぐんしきん【軍資金】图 군자금. **1** 군비. ¶～を集(あつ)める 군자금을 모으다. **2** (…에 필요한) 자금. ¶今日(きょう)は～がたっぷりある 오늘은 (군)자금이 풍족하다.

くんしゅ【君主】图 군주. ¶～制(せい) 군주제/専制(せんせい)～ 전제 군주.

──せいじ【──政治】图 군주 정치. ↔共和(きょうわ)政治.

ぐんじゅ【軍需】图 군수(품). ¶～工業(こうぎょう)〔産業(さんぎょう)〕 군수 공업〔산업〕/～品(ひん) 군수품. ↔民需(みんじゅ).

ぐんしゅう【群衆】图 군중. ¶～を押(お)し分(わ)けて行(ゆ)く 군중을 헤치고 가다/犯人(はんにん)は～に紛(まぎ)れて逃走(とうそう)した 범인은 군중 속에 뒤섞여 도주했다.

*__ぐんしゅう__【群集】图ス自 **1** 군집; 떼지어 모여듦. ¶砂糖(さとう)に蟻(あり)が～する 설탕에 개미가 군집하다. **2** 군중(群衆).

──しんり【──心理】图 군중 심리. 注意 '群衆心理'로 씀은 잘못.

ぐんしゅく【軍縮】图 군축; '軍備(ぐんび)縮小(しゅくしょう)(＝군비 축소)'의 준말. ¶～会議(かいぎ) 군축 회의. ↔軍拡(ぐんかく).

*__くんしょう__【勲章】图 훈장. ¶文化(ぶんか)～ 문화 훈장/～の授与(じゅよ) 훈장의 수여.

くんじょう【薫蒸】《燻蒸》图ス他 훈증; 약제 등을 태워 연기를 피움. ¶～剤(ざい) 훈증제.

ぐんしょう【群小】图 군소. ¶～国家(こっか) 군소 국가.

ぐんじょう【群青】图 군청; 선명한 청색; 또, 군청색 물감. ¶～の空(そら) 짙푸른 하늘.

──いろ【──色】图 군청색; 감청색. ＝ウルトラマリン.

くんしん【君臣】图 군신. ¶～義(ぎ)あり 군신유의(君臣有義).

*__ぐんじん__【軍人】图 군인. ¶職業(しょくぎょう)～ 직업 군인/～になる 군인이 되다.

ぐんじん【軍陣】图 군진; 군대의 진영. ¶～を立(た)て直(なお)す 군진을 재정비하다.

くんずほぐれつ『組んずほぐれつ』《組んず解れつ》連語 맞붙었다 떨어졌다하며 싸우는 모양. ¶～の格闘(かくとう) 치고받고 하는 격투.

くん-ずる【薫ずる】サ変自他 **1** 향기가 나다; 향을 피우다. ¶香(こう)を～ 향을 피우다. **2** 훈풍이 불다. ¶梅花(ばいか)～の候(こう) 매화 향기 감도는 계절.

くん-ずる【訓ずる】サ変他 한자를 훈으로 읽다; 훈독하다.

くんせい【薫製】《燻製》图 훈제. ¶豚肉(とんにく)の～ 돼지고기의 훈제.

ぐんせい【群棲】图ス自 군서; 동물이 무리를 이루어 생활함; 군거. ＝群居(ぐんきょ). ¶縞馬(しまうま)の～ 얼룩말의 군서.

ぐんせい【群生】图ス自 군생; (식물 따위가) 한 곳에 모여서 남. ¶～地(ち) 군생지/高山植物(こうざんしょくぶつ)が～する 고산 식물이 군생하다.

ぐんせい【軍政】图 군정. **1** 전시에, 또는 점령지에서 군이 하는 행정. ¶占領地(せんりょうち)に～を敷(し)く 점령지에 군정을 펴다. **2** 군사에 관한 정무. ↔民政(みんせい).

ぐんぜい【軍勢】图 군세; 군대의 세력〔인원수〕; 또, 군대. ¶敵(てき)はおびただしい～だ 적은 엄청난 군세이다. 注意 근대적인 군에 대하여는 일컫지 않음.

ぐんせき【軍籍】图 군적; 병적. ¶～に入(はい)る 군적에 들다《군인이 되다》/～を剝奪(はくだつ)する 군적을 박탈하다.

ぐんせん【軍扇】图 옛날에, 장수가 군진을 지휘할 때 쓰던 쥘부채《오늘날의 지휘봉에 해당함》.

〔軍扇〕

ぐんぞう【群像】图 군상. ¶青春(せいしゅん)～ 청춘 군상.

ぐんそく【軍足】图 군용 양말《대개 투박

한 흰 무명실로 짬》. ↔軍手.
ぐんぞく【軍属】图 군속; 군무원.
*ぐんたい【軍隊】图 군대. ¶～にはいる 군대에 들어가다 / ～の飯を食う 군대 밥을 먹다《군대 생활을 하다》.
=くんだり《지명에 붙여서》'都(=서울)'에서 멀리 떨어진 시골구석을 가리키는 데 쓰는 말. ¶こんな田舎～まで… 이런 시골구석까지… / 都を離れて奥州～まで行く 서울을 떠나 奥州 시골구석까지 내려가다. 参考 '下り(=내려감)'가 변한 말.
ぐんだん【軍団】图 군단. ¶～長 군단장.
ぐんだん【軍談】图 군담. **1** 전쟁 이야기. **2** 옛날의 전쟁 이야기를 소재로 한 江戸 시대의 통속 소설. **3** 군담 소설에 가락을 붙여서 들려주는 일종의 야담(野談). =軍記読み.
くんづけ【君付け】图 이름 뒤에 '군'을 붙여서 부름; 또, 그 정도의 대우《동배 정도 및 그 이하의 대우》. ¶～で呼ぶ (무간하게) '군'을 붙여서 부르다. ↔さん付け·呼び捨て.
—の間柄 '군'을 붙여 부를 정도의 무간한 사이.
くんづほぐれつ【組んづほぐれつ】連語 ☞くんずほぐれつ.
ぐんて【軍手】图 목장갑; 작업용 무명장갑《'軍用手袋'의 준말》. ¶～をはめる 목장갑을 끼다. 参考 본디, 군대용. ↔軍足.
くんてん【訓点】图 한문을 훈독하기 위하여 찍은 부호《返り点·送りがな·ふりがな·ヲコト点 따위의 부호》.
くんでん【訓電】图ス他 훈전; 전보로 훈령함; 또, 그 훈령. ¶駐米大使に～する 주미 대사에게 전보로 훈령하다.
ぐんと 副〈俗〉**1** 힘껏 당기거나 버티는 모양: 꾹; 홱; 확. =ぐっと·ぐいと. ¶～引っぱる 확 잡아당기다. **2** 비교가 안 될 정도로; 쑥; 훨씬. =一段と. ¶気温が～下がる 기온이 뚝 떨어지다.
くんとう【勲等】图 훈등; 훈장의 등급. ¶位階～ 위계 훈등.
くんとう【薫陶】图ス他 훈도; 감화시켜 훌륭한 사람을 만듦. ¶～のたまもの 훈도의 덕택 / 学生を～する 학생을 훈도하다 / 師の～を受ける 스승의 훈도를 받다. 注意 '訓陶'라고 씀은 잘못.
ぐんとう【軍刀】图 군도. ¶～を帯びる 군도를 (허리에) 차다.
ぐんとう【群島】图 군도《'諸島'의 구칭》.
くんどく【訓読】图ス他 훈독. **1** 한자를 훈으로 읽음. =訓読み. ↔音読. **2** 한문을 일본말 토를 달아 읽음.
ぐんなり 副 힘이 빠진 모양; 기진맥진한 모양: 털썩. ¶～(と)すわりこむ 털썩 주저앉다.
ぐんば【軍馬】图 군마; 군용 말.
ぐんばい【軍配】图 **1** '軍配うちわ'의 준말. **2** 군대의 지휘. =指図.
—が上がる (…쪽에) 손이 오르다; 전하여, 승리의 판정이 내리다.
…に—を上げる …쪽에 손을 들다; …쪽을 승자로 인정하다.
—うちわ【—団扇】图 **1** 옛날, 장수가 군대 지휘에 쓰던 부채. =陣扇. **2** 씨름판에서 行司가 쓰는 부채.
ぐんばつ【軍閥】图 군벌. ¶～政治 군벌 정치.
ぐんぱつ【群発】图ス自 한동안 한 구역 안에서 집중적으로 일어남. ¶～地震 군발지진.
*ぐんび【軍備】图 군비. ¶～競争 군비 경쟁 / ～の増強 군비 증강.
—かくちょう【—拡張】图 군비 확장. ↔軍備縮小.
—しゅくしょう【—縮小】图 군비 축소. ↔軍備拡張.
ぐんぶ【群舞】图ス自 군무; 여럿이 함께 얼려 춤을 춤; 또, 그 춤. ¶白鳥の～ 백조의 군무 / 男女が～する 남녀가 군무하다.
ぐんぶ【軍部】图 군부. ¶～の意向 군부의 의향.
ぐんぶ【郡部】图 군부; 군에 속하는 부분·지역. ↔市部.
くんぷう【薫風】图 훈풍. ¶～かおる五月 훈풍이 향기로운 오월.
ぐんぷく【軍服】图 군복. ¶～を着る 군복을 입다《군인이 되다》.
ぐんぼう【軍帽】图 군모. ¶～を被る 군모를 쓰다.
ぐんぽうかいぎ【軍法会議】图 군법 회의; 군사법원. ¶～にかける 군법 회의에 회부하다.
ぐんま【群馬】图〖地〗関東 지방의 한 현《현청 소재지는 前橋 시》.
ぐんみん【軍民】图 군민; 군부와 국민.
ぐんむ【軍務】图 군무. ¶～に長く服する 군에 오래 복무하다.
ぐんもう【群盲】图 군맹; 많은 장님; 전하여, 많은 어리석은 사람.
—象を評す〔撫でる〕 군맹무상(撫象); 장님 코끼리 말하듯《좁은 소견으로 사물을 그릇 판단한다는 말》.
ぐんもん【軍門】图 군문; 진영의 문.
—に降る 적에게 항복하다.
ぐんゆう【群雄】图 군웅; 많은 영웅.
—かっきょ【—割拠】图ス自 군웅할거. ¶～の様相を呈している 군웅할거의 양상을 띠고 있다.
ぐんよう【軍用】图 군용. ¶～道路〔列車〕 군용 도로〔열차〕.
—き【—機】图 군용(비행)기.
—けん【—犬】图 군용견. =軍犬.
くんよみ【訓読み】图ス他 ☞くんどく. ↔音読み.
ぐんらく【群落】图 군락. **1**〖植〗식물 군락. ¶湿生植物の～ 습생 식물의 군락. **2** 많은 촌락.
ぐんりつ【軍律】图 군율; 군기. ¶～がきびしい 군율이 엄하다.
ぐんりつ【群立】图ス自 군립; 떼지어 서 있음. ¶高層ビルが～する街 고층 빌딩이 즐비한 거리.
ぐんりゃく【軍略】图 군략; 전략.

ぐんりょう【軍糧】 图 군량; 군대의 식량. ＝兵糧.

くんりん【君臨】 图スル自 군림. ¶財界に～する 재계에 군림하다.

—すれども統治せず 군림하되 통치하지 않는다《영국의 통치 형태》.

くんれい【訓令】 图スル自 훈령. **1** 훈시하여 명령함. **2**〖法〗상급 관청이 하급 관청에 내리는 명령. ¶内閣～ 내각 훈령.

ぐんれき【軍歴】 图 군경력.

‡くんれん【訓練】 图スル他 훈련. ¶～生〔所〕훈련생〔소〕/ 軍隊を～する 군대를 훈련하다 / ～を積む 훈련을 쌓다.

くんわ【訓話】 图スル自 훈화. ¶校長の～ 교장 선생님의 훈화 / 生徒に～する 학생에게 훈화하다.

け ケ

1 五十音図 'カ行'의 넷째 음. [ke] **2**〖字源〗'計'의 초서체《かたかな 'ケ'는 '介'의 생략형임》.

け [卦] 图 괘; 점괘. ¶八～ 팔괘 / よい～が出た 좋은 점괘가 나왔다.

‡け【毛】 图 **1** 털. ㉠체모. ¶～ほどの事 하찮은 작은 일. ㉡머리털. ＝毛髪. ¶～を染める 머리를 염색하다. ㉢양모(羊毛). ¶～織物 모직물 / ～のシャツ 털셔츠. ㉣새의 깃털. ¶鳥の～ 새털 / 鶏の～をむしる 닭 털을 뜯다. **2** 식물의 솜털; 털 모양의 것. ¶タンポポの種毛 민들레씨의 솜털 / ブラシの～ 솔의 털 / とうもろこしの～ 옥수수 수염.

—の生えた …보다 조금 낫거나 더한. ¶小屋に～くらいの家 오두막을 겨우 면할 정도의 집.

—ほど《否定의 말이 따라서》매우 적음; 아주 조금; 털끝만큼. ¶慈悲心など～もない人 자비심 따위는 털끝만큼도 없는 사람.

—を吹いて疵を求める 털을 불어 흠을 찾다; 애써 남의 흠·약점을 들추다; 또, 남의 결점을 들추려다가 오히려 자기의 결점을 드러냄의 비유.

け【気】 ㊀图 기. **1** 기운; 기척; 조짐; 기미; 기분. ¶病気の～ 병 기운; 병기미 / しゃれっ～ 멋스러운 기분; 익살기 / かぜの～がある 감기 기운이 있다 / 火の～がほしい 불기가 그립다〔있었으면 싶다〕. **2** 성분. ¶塩～がたりない 짠맛이 모자라다 / おしろいの～もない (얼굴에) 분기도 없다.

㊁接頭《動詞·形容詞에 붙어》뜻을 강조하거나 '어쩐지'의 뜻을 나타냄. ¶～押される 기세에 눌리다 / ～高い 고상하다 / ～だるい 어쩐지 나른하다.

㊂接尾《形容詞 語幹에 붙어 名詞를 만듦》…기; …의 기분; …싶어하는 마음. ¶寒～ 한기 / 眠～ 졸음.

＝け【家】(성이나 신분을 나타내는 말에 붙여) …가; …의 집안; …의 집. ¶将軍～ 将軍의 집안 / 山本～ 山本의 집안 / 宮～ 황족의 집안.

け 終助《助動詞 'た' 'だ'와 합하여 'たっけ' 'だっけ'의 꼴로 글의 끝에 붙어서》회상하면서 또는 상대방의 관심에 호소하듯이 진술하는 기분을 나타냄: …었지; …었던가. ¶そうだっ～ 그랬었지 / よく二人で遊んだっ～ 곧잘 둘이서 놀았었지 / あなたはどなたでしたっ～ 당신은 누구시더라.

げ【下】 图 하. **1** 열등함; 열등한 것; 떨어짐. ¶～の～だ 하지하(下之下)다. **2** (책의) 하권. ↔上.

＝げ〖気〗《形容詞 語幹 따위에 붙어 形容動詞 語幹·名詞를 만듦》…듯한 모양; …한 듯. ¶あわれ～に泣く 가엾게〔구슬프게〕울다 / おとな～がない 어른답지 않다; 점잖지 못하다 / 用あり～に近づく 볼일이 있는 듯이 다가오다.

ケア [care] 图 케어; 보살핌; 시중 듦; 돌봄; 보호; 간호. ¶スキン～ 스킨 케어; 피부 손질 / 患者の～が十分にできない 환자를 충분히 돌볼 수 없다.

—つきじゅうたく【—付き住宅】 图 신체장애자나 고령자용의 간호 시설이 딸린 주택.

—ハウス [일 care+house] 图 (경비가 저렴한) 간호인이 딸린 노인 요양소의 하나. ＝ケア付き老人ホーム. *영어로는 **nursing home**.

—ワーカー [일 care+worker] 图 간호복지사《장애인이나 노인의 간호를 담당할 수 있는 자격을 가진 사람》.

けあい【け合い】《蹴合い》图 **1** 마주 (걷어)참; 서로 발길질함. **2** 닭싸움; 투계.

けあがり【け上がり】《蹴上がり》图 (기계 체조에서) 차 오르기.

けあ-げる【け上げる】《蹴上げる》下1他 차 올리다; 위쪽으로 차다. ¶ボールを～ 공을 차 올리다.

けあし【毛足·毛脚】 图 **1** 직물 따위의 표면에 난 털. ¶～の長いカーペット 털이 긴 카펫. **2** 털이 자라나는 모양. ¶～の早い人 털이 빨리 자라는 사람. **3** 털이 많이 난 다리.

けあな【毛穴】《毛孔》图 모공; 털구멍. ¶～が開く 털구멍이 열리다.

ケアレスミス [←careless mistake] 图 부주의로 인한 잘못〔실수〕.

けい【兄】〈文〉㊀图 형. ＝あに. ↔弟. ㊁代 형; 친구나 가까운 선배에 대한 경칭. ¶～の自重を望む 형의 자중을 바라오. ㊂接尾 …형《남자끼리 친구나 선배 이름에 붙이는 존칭; 君보다는 정중함》. ¶田中～ 田中형.

—たりがたく弟たりがたし 난형난제(難兄難弟); 어슷비슷함.

けい【刑】名 형; 형벌. =刑罰·しおき. ¶~に服す 형(벌)을 치르다 / 三年の~に処す 3년형에 처하다.

けい【系】名 계; 계통. ¶文科~ 문과계 / ラテン~ 라틴계.

けい【経】名 **1** 날실. ¶~と緯 날(실)과 씨(실). **2** 경도(經度). ¶東~ 동경.

けい〖罫〗名 **1** 종이 따위에 일정한 간격으로 그은 줄. ¶~紙 괘지. **2**〘印〙괘선. ¶表~ 가는 괘선 / 裏~ 굵은 괘선 / ~を引く 괘선을 긋다.

けい【計】名 계. **1** 계획. ¶一年の~ 1년지계. **2** 합계. ¶~五千円 합계 5천 엔.

けい=【軽】경…. ¶~機関銃 경기관총 / ~金属 경금속.

けい〚兄〛教2 ケイ キョウ あに | 형 형 | **1** 형. ¶兄さん 형님. **2** 친구·선배를 호칭할 때의 높임말. ¶学兄 학형.

けい〚刑〛常用 ケイ ギョウ | 형 형벌 | 벌주다; 죄로 다스리다; 목자르다; 죽이다. ¶刑具 형구 / 死刑 사형.

けい〚形〛教2 ケイ ギョウ かたち かた | 형 모양 | **1** 모습; 형; 모양. ¶形態 형태 / 人形 인형. **2** 모습을 이루다; 본뜨다; 나타내다. ¶形成 형성 / 形容 형용.

けい〚系〛教6 ケイ | 계 계통 | **1** 일련(一連); 계통. ¶系列 계열 / 傍系 방계. **2** 계통이 선 분류. ¶文学系 문학계.

けい〚径〛〘徑〙教4 ケイ みち | 경 지름길 | **1** 좁은길; 샛길; 지름길. ¶経路 경로. **2** 곧은 길; 지름. ¶径三センチ 지름 3센티 / 直径 직경.

けい〚茎〛〘莖〙常用 ケイ くき | 경 줄기 | 풀줄기; 대. ¶根茎 근경 / 地下茎 지하경.

けい〚係〛教3 ケイ かかる かかり かかわる | 계 매다 | **1** 관계를 가지다. ¶係累 계루 / 関係 관계. **2** 계; 담당하다. ¶係員 계원.

けい〚型〛教4 ケイ かた | 형 틀 | **1** 틀; 거푸집; 모형. ¶原型 원형. **2** 본; 모범. ¶典型 전형.

けい〚契〛〘契〙常用 ケイ ケツ キツ ちぎる | 계 계약 | **1** 할인(割印). ¶契符 부절(符節). **2** 약속하다. ¶契約 계약.

けい〚計〛教2 ケイ はかる はからう | 계 세다 | **1** 수를 세다; 계산하다. ¶計算 계산 / 計量 계량. **2** 계략(을 꾸미다); 계획(을 세우다). ¶百年の計 백년지계.

けい〚恵〛〘惠〙常用 ケイ エ めぐむ | 혜 은혜 | **1** (은혜·정 등을) 베풂. ¶恵沢 혜택. **2** 슬기롭다; 영리하다. ¶知恵 지혜.

けい〚桂〛人名 ケイ かつら | 계 계수나무 | 월계수; 계수나무. ¶桂冠 계관 / 肉桂 육계. 注意 지금은 '月桂樹'를 말함.

けい〚啓〛〘啓〙常用 ケイ ひらく | 계 열다 | 닫은 것을 열다; 깨우치다. ¶啓示 계시 / 啓蒙 계몽.

けい〚掲〛〘揭〙常用 ケイ かかげる | 게 높이들다 | 높이 들어 올리다; 내걸다. ¶掲揚 게양 / 掲載 게재.

けい〚渓〛〘溪〙常用 ケイ たに | 계 시내 | 골짜기. ¶渓谷 계곡 / 渓流 계류.

けい〚経〛〘經〙教5 ケイ キョウ へる たつ つね | 경 날실 | **1** 직물의 날(실). ¶経緯 경위. ↔緯. **2** 남북의 방향〔길〕. ¶経線 경선 / 東経 동경. **3** 줄거리; 항상 일정함. ¶経常 경상 / 経費 경비.

けい〚蛍〛〘螢〙常用 ケイ ほたる | 형 개똥벌레 | 개똥벌레. ¶蛍雪の功 형설지공 / 蛍光灯 형광등.

けい〚敬〛教6 ケイ キョウ うやまう つつしむ | 경 공경하다 | 공경하다. ¶敬老 경로 / 敬礼 경례 / 畏敬 외경.

けい〚景〛教4 ケイ キョウ かげ | 경 경치 | 경치; 풍경. ¶天下の景 천하의 절경 / 景色 경치 / 絶景 절경.

けい〚軽〛〘輕〙教3 ケイ キョウ かるい かろやか | 경 가벼움 | **1** 가볍다; 민첩하다; 간편(하다). ¶軽重 경중 / 軽快 경쾌. **2** 경솔하다. ¶軽薄 경박.

けい〚傾〛常用 ケイ かたむく かたむける かしげる | 경 기울다 | **1** 기울다. ¶傾斜 경사 / 左傾 좌경. **2** 한 곳으로 집중하다. ¶傾倒 경도 / 傾聴 경청.

けい〚携〛常用 ケイ たずさえる たずさわる | 휴 들다 | **1** 손에 들다. ¶携帯 휴대 / 必携 필휴. **2** 남의 손을 끌다; 맞잡다. ¶提携 제휴 / 手を携える 손을 잡다.

けい〚継〛〘繼〙常用 ケイ つぐ まま | 계 잇다 | **1** 뒤를 잇다. ¶継承 계승 / 後継 후계. **2** 의붓부모나 의붓자식 관계. ¶継父 계부 / 継子 의붓자식.

けい〚慶〛常用 ケイ キョウ よろこぶ | 경 경사 | 축하하다. ¶慶事 경사 / 慶祝 경축.

けい〚憩〛常用 ケイ いこい いこう | 게 쉬다 | 쉬다. ¶憩止 게지 / 休憩 휴게.

けい〚警〛教6 ケイ キョウ いましめる | 경 경계하다 |

1 조심하(게 하)다. ¶警告(けいこく) 경고 / 警報(けいほう) 경보. 2 지키다. ¶警備(けいび) 경비.

けい 〖鶏〗《鷄》 常用 ケイ にわとり とり | 계 닭 | 닭. ¶鶏肉(けいにく) 닭고기 / 養鶏(ようけい) 양계.

げい【芸】 名 1 연예. 2 (흥행에서) 동물이 보여 주는 재주. ¶動物(どうぶつ)に～を仕込(しこ)む 동물에게 재주를 가르치다.

—が細(こま)かい 하는 일에 세심한 주의가 기울어져 있다.

—が無(な)い 1 익힌 재주〔기예〕가 없다. 2 평범하여 특이한 데가 없다.

—は身(み)を助(たす)ける 취미로 익혀둔 재주가 궁할 때 생활에 도움을 준다.

ゲイ [gay] 名 게이; 동성 연애(자); 남색(男色). ＝ホモ.

—バー [gay bar] 名 게이바; 남색 애호자들이 모이는 바.

げい 〖芸〗《藝》 教4 ゲイ | 예 재주 | 1 수련하여 몸에 익힌 기능; 재주. ¶芸を習(なら)う 재주를 배우다 / 技芸(ぎげい) 기예. 2 예능. ¶芸能(げいのう) 예능 / 演芸(えんげい) 연예.

げい 〖迎〗《迎》 常用 ゲイ ゴウ むかえる | 영 맞음 | 1 맞이하다; 기다리다. ¶送迎(そうげい) 송영 / 歓迎(かんげい) 환영 / 迎春(げいしゅん) 영춘. 2 남의 비위를 맞추다. ¶迎合(げいごう) 영합.

げい 〖鯨〗 常用 ゲイ くじら | 경 고래 | 고래. ¶鯨油(げいゆ) 경유; 고래 기름 / 捕鯨(ほげい) 포경.

けいあい【敬愛】 名 ス他 경애. ¶～する友(とも) 경애하는 벗 / ～の念(ねん)を示(しめ)す 경애의 마음을 나타내 보이다.

けいい【敬意】 名 경의. ¶～を表(あら)わす 경의를 표하다.

けいい【経緯】 名 경위. 1 날줄과 씨줄. 2 사물의 경위. ＝いきさつ. ¶事件(じけん)の～を話(はな)す 사건의 경위를 말하다. 3 경도(經度)와 위도(緯度).

けいい【軽易】 ダナ 경이; 손쉬움. ¶ごく～な仕事(しごと) 극히 손쉬운 일.

けいいん【契印】 名 계인; 할인. ＝割(わ)り印(いん). ¶～を照合(しょうごう)して調(しら)べる 계인을 대조하여 조사하다.

げいいんばしょく【鯨飲馬食】 名 ス自 경음마식; 우음마식. ＝牛飲(ぎゅういん)馬食.

*けいえい【経営】 名 ス他 경영. ¶～難(なん) 경영난 / ～者(しゃ) 경영자 / ～陣(じん) 경영진 / ～方針(ほうしん) 경영 방침 / ～合理化(ごうりか) 경영 합리화 / 会社(かいしゃ)〔天下(てんか)〕を～する 회사〔천하〕를 경영하다.

—コンサルタント [consultant] 名 경영 컨설턴트. ＝経営士(し).

けいえい【継泳】 名 계영; 릴레이식 수영.

けいえい【警衛】 名 ス他 경위; 경호(원). ¶首相官邸(しゅしょうかんてい)の～に当(あ)たる 수상 관저의 경호에 임하다.

けいえん【敬遠】 名 ス他 경원. ¶社長(しゃちょう)を～する 사장을 경원하다 / ～の四球(しきゅう) 〖野〗 경원 4구《강타자를 경원하여 걸리기 위한 고의적인 4구》.

けいえんげき【軽演劇】 名 경연극.

けいおんがく【軽音楽】 名 경음악. ↔古典音楽(こてんおんがく).

**けいか【経過】 名 ス自他 경과. ＝成(な)り行(ゆ)き. ¶手術後(しゅじゅつご)の～は順調(じゅんちょう)だ 수술후의 경과는 순조롭다 / 試合(しあい)の～を見守(みまも)る 경기 경과를 지켜보다.

—きてい【—規定】 名 경과 규정.

けいが【慶賀】 名 ス他 경하; 축하. ＝慶祝(けいしゅく). ¶～の至(いた)り 경하스럽기 그지없음 / ～に堪(た)えません 경하하여 마지않습니다.

**けいかい【警戒】 名 ス他 경계. ¶～警報(けいほう) 경계 경보 / ～すべき人物(じんぶつ) 경계해야 할 인물 / ～を強(つよ)める〔解(と)く〕 경계를 강화하다〔풀다〕.

—しょく【—色】 名 〖動〗 경계색. ↔保護色(ほごしょく).

—しん【—心】 名 경계심. ¶～を抱(いだ)く 경계심을 품다.

—せん【—線】 名 경계〔비상〕선. ＝非常線(ひじょうせん). ¶～をはる 경계선을 펴다 / 水位(すいい)は～を越(こ)えた 수위는 경계선을 넘었다.

*けいかい【軽快】 ダナ 경쾌. ¶～な動作(どうさ) 경쾌한 동작 / ～なリズム〔音楽(おんがく)〕 경쾌한 리듬〔음악〕 / ～な服装(ふくそう) 경쾌한 복장 / ～に歩(ある)く 경쾌하게 걷다.

けいがい [形骸] 名 형해; (건물 등의) 뼈대. ¶～もとどめない 흔적도 없다 / ～だけを残(のこ)して焼(や)け落(お)ちる 형해만 남기고 타 버리다.

—か [—化] 名 ス自 형해화. ¶法(ほう)の～ 법의 형해화〔유명무실화〕.

けいかく [圭角] 名 규각; 언행이 모남.

—が取(と)れる (사람이) 모가 나지 않고 원만하게 되다.

**けいかく【計画】 名 ス他 계획. ＝プラン·もくろみ. ¶～を立(た)てる〔練(ね)る〕 계획을 세우다〔짜다〕 / クラス会(かい)を～する 학급회를 계획하다.

—てき【—的】 ダナ 계획적. ¶～な犯行(はんこう) 계획적인 범행.

けいかん [挂冠] 名 ス自 괘관(挂冠); 벼슬을 물러남. 注意1 かいかん의 관용음. 注意2 '掛冠'으로도 썼음. 参考 갓을 벗어 성문에 걸고 떠난 데서.

けいかん [桂冠] 名 계관. ☞げっけいかん. ¶～詩人(しじん) 계관 시인.

けいかん [荊冠] 名 형관; 가시(면류)관. 参考 예수를 십자가에 못박을 때 머리에 씌움; 수난의 비유로 일컬음.

けいかん【景観】 名 경관; 경치. ＝けしき·ながめ. ¶雄大(ゆうだい)な～ 웅대한 경관.

*けいかん【警官】 名 경관; '警察官(けいさつかん)(＝경찰관)'의 준말.

けいかん【鶏冠】 名 계관; 닭의 볏.

けいがん [慧眼] 名ナ 혜안; 사물을 통찰하는 안력. ¶～の士(し) 혜안지사.

けいがん [炯眼] 名ナ 형안; 날카로운 안력. ¶～をもって鳴(な)るベテラン刑事(けいじ) 형안으로 알려진 베테랑 형사. 参考 '慧眼(けいがん)'과 같은 뜻으로도 씀.

けいき【刑期】图 형기. ¶三年の～を終える 3년 형기를 마치다.
けいき【契機】图 계기. ＝きっかけ·動機. ¶株価の暴落を～として恐慌が起こる 주가 폭락을 계기로 해서 공황이 일어나다／失敗を～として計画を改める 실패를 계기로 하여 계획을 고치다.
**けいき【景気】图 1 ㉠경기. ¶～下落 경기 하락／～後退 경기 후퇴／～浮揚 경기 부양／～が立ち直る 경기가 회복되다. ㉡호경기. ¶大変な～だ 대단한 호경기다. 2 활동 상태나 위세〔기세〕; 기운. ¶～のいい若者 팔팔한 젊은이／酒を飲んで～をつける 술을 마시고 기운을 내다.
—づく【—付く】5自 경기가 좋아지다; 기세가 오르다. ¶歳末に入りこの店も～いてきた 연말이 되어 이 가게도 경기가 좋아졌다.
—づけ【—付け】图 경기나 기세가 오르게 함. ¶～に一杯やる 기세를 돋우기 위해 한잔하다.
けいき【継起】图ス自 계기; 잇따라 일어남. ¶不祥事件が～する 불상사가 잇따라 일어나다.
けいき【計器】图 계기. ＝メーター.
げいぎ［芸妓］图 예기. ＝芸者.
けいきかんじゅう【軽機関銃】图 경기관총. ↔重機関銃.
けいききゅう【軽気球】图 경기구. ＝気球.
けいきょ【軽挙】图ス自 경거; 경솔한 행동. ¶～を戒める 경솔한 행동을 경계하다／～して事をあやまつ 경솔한 행동을 하여 일을 그르치다.
—もうどう【—妄動】图ス自 경거망동(('軽挙'의 힘줌말)). ¶～をつつしむ 경거망동을 삼가다.
けいきょう【景況】图 경황; 상황; 경기 상태. ＝ありさま. ¶現在出版界の～はあまり振るわない 현재 출판계의 경기는 별로 신통치 않다.
けいきょく［荊棘］图 형극; 고난. ¶～の道を歩む 형극의 길을 걷다.
けいきんぞく【軽金属】图 경금속. ¶～工業 경금속 공업. ↔重金属.
けいく【警句】图 경구. ＝エピグラム·アフォリズム. ¶～を吐く 경구를 말〔토로〕하다.
けいぐ【刑具】图 형구.
けいぐ【敬具】图 경구; 경백(('삼가 말씀드렸습니다'의 뜻)). ＝敬白. ⇨右上段 박스記事
けいぐん【鶏群】图 계군; 군계.
—の一鶴 군계일학.
けいけい［炯炯］トタル 형형; 눈이 날카로운 모양. ¶～たる眼光 형형한 안광.
けいけいに【軽軽に】副 가벼이; 경솔히. ＝かるがるしく. ¶やさしいからといって～行動するな 쉽다고 해서 경솔히 행동하지 마라.
げいげき【迎撃】图ス他 영격; 요격. ＝邀撃. ¶～ミサイル〔戦闘機〕 요격 미사일〔전투기〕. ↔出撃.

편지의 끝맺음말

편지를 끝맺는 말은 글의 첫머리에 쓰는 말과 상응해서 쓰임. '拝啓(배계)'에 대해서는 '敬具'가 일반적이며, 이외에 '拝具·敬白(경백)'가 쓰임. 또, '謹啓(근계)'에 대해서는 '謹言(근언)·謹白(근백)' 등을 쓰는데, 더욱 공손한 표현으로는 '頓首(돈수)·再拝(재배)' 등도 있음. '前略(전략)·冠省(관생)'에는 '早々·匆々·草々(총총)·不一'나 '不備(불비; 여불비례(餘不備禮))' 등을 씀. 여성의 경우에는 'かしこ(삼가 올림)'도 씀.

けいけつ【経穴】图〔漢醫〕 경혈.
けいけん［敬虔］ダナ 경건. ¶～な態度で神に祈る 경건한 태도로 신에게 빌다〔기도하다〕.
**けいけん【経験】图ス他 경험. ¶～者 경험자／～談 경험담／～に富む 경험이 풍부하다／～を生かせる 경험을 살리다／苦い～が生かされる 쓰라린 경험이 활용되다／得難い～を積む 얻기 어려운 경험을 쌓다／この痛さは～しなければわからないだろう 이 아픔은 경험해 보지 않으면 모를 것이다.
—てき【—的】ダナ 경험적. ¶昔の船乗りは嵐の前兆を～に知っていた 옛날의 뱃사람은 폭풍의 전조를 경험적으로 알고 있었다.
けいげん【軽減】图ス他自 경감. ¶税金を～する 세금을 경감하다.
けいこ『稽古』图ス他 (학문·기술·예능 등을) 배움〔익힘, 연습함〕. ¶踊りの～をする 춤을 배우다／お茶の～に通う 다도를 배우러 다니다／～をつける (a)연습하여 익히다; (b)지도하다.
—ごと【—事】图 젊은 여성이 교양〔소양〕으로 익혀야 할 일들((요리·꽃꽂이·다도·서예 등)).
—だい【—台】图 연습을 위해 쓰이는 물건; 또, 연습 상대. ¶～になる 연습 상대가 되다.
*けいご【敬語】图 경어; 높임말. ¶～の使い方 경어 사용법. ⇨次面 박스記事
けいご【警固】图ス他 경고; 경비; 경호.
けいご【警護】图ス他 경호; 또, 경호원. ¶～をつける 경호원을 딸리다／身辺を～する 신변을 경호하다／警官の～の下に送られる 경관의 경호 아래 호송되다. 参考 '警固'의 후세 표기임.
げいこ【芸子】图 기생. ＝芸者.
**けいこう【傾向】图 경향. ¶他人に頼る～がある 남에게 의지하는 경향이 있다／出題の～を分析する 출제 경향을 분석하다.
けいこう【携行】图ス他 휴행; 가지고 다님; 휴대. ¶～食糧 휴대 식량.
けいこう【経口】图 경구; (약 따위를)

입을 통해 먹음; 내복. ¶ ~避妊薬(ひにんやく) 먹는 피임약 / ~感染(かんせん) 경구 감염.

けいこう【蛍光】图 형광. ¶ ~灯(とう) 형광등 / ~染料(せんりょう) 형광 염료.

—とりょう【—塗料】图 형광 도료.

—ぶっしつ【—物質】图 〔理〕 형광 물질; 형광체. =蛍光体(たい).

けいこう【鶏口】图 계구; 닭의 주둥이.

—となるも牛後(ぎゅうご)となるなかれ 계구우후(鶏口牛後)《닭의 볏이 될망정 쇠꼬리는 되지 마라》.

げいごう【迎合】图ス自 영합. ¶権力(けんりょく)に~しやすい 권력에 영합하기 쉽다.

けいこうぎょう【軽工業】图 경공업. ¶このあたりは~が盛(さか)んだ 이 일대는 경공업이 성하다. ↔重工業(じゅうこうぎょう).

けいごうきん【軽合金】图 경합금.

けいこく【傾国】图 경국; 나라를 기울게 함. ¶~の美人(びじん) 경국지색(之色).

けいこく【渓谷】《谿谷》图 계곡; 골짜기. =たに(ま). ¶~づたいに山(やま)に登(のぼ)る 계곡을 따라 산에 오르다.

けいこく【警告】图ス他 경고. ¶~を発(はっ)する 경고를 발하다; 경고하다 / ~を無視(むし)する 경고를 무시하다.

けいこつ［頸骨］图 경골; 목뼈. ¶事故(じこ)で~を傷(いた)める 사고로 목뼈를 다치다.

げいごと【芸事】图 노래·三味線(しゃみせん)·춤 등 개인 예능에 관한 일. ¶~を習(なら)う 예능을 배우다.

*けいさい【掲載】图ス他 게재. ¶論文(ろんぶん)を~する 논문을 게재하다.

けいさい【継妻】图 후처. =後妻(ごさい).

**けいざい【経済】㊀图 경제《'経国済民(けいこくさいみん)(=경국제민)'의 준말. ¶~政策(せいさく) 경제 정책 / 家(いえ)の~が苦(くる)しい 가정 경제가 어렵다. ㊁名ナ 경제(적); 절약. ¶~な品(しな) 경제적인 물건 / ~な人(ひと) 경제적인〔검소한〕 사람 / 時間(じかん)の~を図(はか)る 시간 절약을 도모하다.

—かいはつ【—開発】图 경제 개발.

—かんねん【—観念】图 경제 관념. ¶~がない人(ひと) 경제 관념이 없는 사람 / ~が発達(はったつ)している 경제 관념이 발달해 있다.

—せい【—性】图 경제성. ¶~が高(たか)い 경제성이 높다.

—せいちょうりつ【—成長率】图 경제 성장률.

—たいこく【—大国】图 경제 대국.

—てき【—的】ダナ 경제적. ¶~に使(つか)う 경제적으로 사용하다.

げいさい【芸才】图 예능에 관한 재주. ¶~に富(と)む 예능에 관한 재능이 뛰어나다.

けいさく【計策】图 계책; 계략.

**けいさつ【警察】图 경찰. ¶~官(かん) 경찰관 / ~署(しょ) 경찰서 / ~へ引(ひ)っ張(ぱ)られる 경찰에 끌려 가다 / ~の厄介(やっかい)になる 경찰의 신세를 지다; 범법하다 / ~に届(とど)ける 경찰에 신고하다.

けいさん【計算】图ス他 계산. **1 셈. ¶~が下手(へた)だ 계산이 서투르다 / ~が合(あ)う 계산〔셈〕이 맞다 / ~をまちがえる 계산을 잘못하다. **2** 결과나 과정 등을 예측함. ¶~に入(い)れる 계산에 넣다; 고려하다 / ~があってした事(こと)だ 속셈이 있어 한 일이다 / 相手(あいて)の出方(でかた)を~して対策(たいさく)を立(た)てる 상대방의 대응을 예상하고 대책을 세우다.

—き【—機·—器】图 계산기. ¶電子(でんし)計算機 전자계산기; 컴퓨터 / 卓上(たくじょう)計算器 탁상 계산기.

—じゃく【—尺】图 계산척; 계산자.

—しょ【—書】图 계산서; 청구서. ¶~をください 계산서를 주시오.

—ずく【—尽く】图 타산적임. ¶~の行為(こうい) 타산적인 짓.

—だか·い【—高い】形 ☞かんじょうだかい.

—ちがい【—違い】图 계산이 틀림; 계산

敬語動詞(けいごどうし) 일람

尊敬語(そんけいご)(존경어)	基本形(きほんけい)	謙譲語(けんじょうご)(겸양어)
なさる(하시다)	する(하다)	いたす(하다)
いらっしゃる(계시다)	いる(있다)	おる(있다)
おいでになる(가시다)	行(ゆ)く(가다)	参(まい)る(찾아뵙다)· うかがう·あがる(찾아뵙다)
いらっしゃる(오시다) おいでになる(오시다) お見(み)えになる(오시다)	来(く)る(오다)	
おっしゃる(말씀하시다)	言(い)う(말하다)	申(もう)す·申し上(あ)げる(말씀드리다)
ご覧(らん)になる(보시다)	見(み)る(보다)	拝見(はいけん)する(삼가 보다)
召(め)し上(あ)がる(잡수시다)	食(た)べる(먹다) 飲(の)む(마시다)	いただく·頂戴(ちょうだい)する(들다)
お召しになる(입으시다)	着(き)る(입다)	×　×
くださる(주시다)	くれる(주다)	×　×
×　×	もらう(받다)	いただく·頂戴する·たまわる (받잡다; 내리시다)

착오. ¶しかられるなんて, とんだ～だ 야단맞다니 전혀 뜻밖이다.
けいし【兄姉】图 형자; 형과 누이; 오빠와 언니. ↔弟妹. 「죽음.
けいし【刑死】图ス自 형사; 형을 받아
けいし【継嗣】图 계사; 후계(자). =あとつぎ·あととり·よつぎ·相続人. ¶～を限定する 후계자를 한정하다.
けいし【けい紙】《罫紙》图 괘지. =けがみ. ¶両面～ 양면 괘지.
けいし【警視】图 경시《경찰관 계급의 하나; 警視正의 아래, 警部의 위; 한국의 경감에 상당》. 「視庁의 장.
—そうかん【—総監】图 경시 총감; 警
—ちょう【—庁】图 경시청; 東京都를 관할 구역으로 하는 경찰 기관.
けいし【軽視】图ス他 경시. ¶人の意見を～する 남의 의견을 경시하다 / 細部も～してはいけない 세세한 부분도 경시해서는 안 된다. ↔重視.
けいじ【刑事】图 형사. **1** 형사 사건. ¶その事件は～問題を引き起こした 그 사건은 형사 문제를 일으켰다. ↔民事. **2** 범죄 수사관의 통칭.
—さいばん【—裁判】图 형사 재판.
—じけん【—事件】图 형사 사건.
けいじ【慶事】图 경사. ¶国の～ 나라의 경사 / ～が重なる 경사가 겹치다.
けいじ【啓示】图ス他 계시; 묵시(默示). ¶天の～ 하늘의 계시 / 神の～を受ける 신의 계시를 받다.
*けいじ【掲示】图ス他 게시. ¶～板 게시판 / 今月の目標を～する 이 달의 목표를 게시하다.
けいじ【計時】图ス自 계시; 스톱 워치로 (경기 따위의) 시간을 잼. ¶～員 계시원 / ～係 계시 담당(자).
けいじか【形而下】图 형이하. ¶～の現象 형이하의 현상. ↔形而上.
—がく【—学】图〔哲〕형이하학.
**けいしき【形式】图 형식. ¶文書の～ 문서의 형식 / 規定の～をふむ 규정된 형식을 밟다 / ～にとらわれる 형식에 얽매이다. ↔実質·内容·質料.
—てき【—的】ダナ 형식적. ¶～なあいさつ 형식적인 인사 / ～で実がない 형식적이고, 내용이 없다 / ～に行って, あとをかえりみない 형식적으로 행하고 뒤를 돌보지 않는다. ↔実質的.
—ばる【—張る】5自 형식을 중시하다; 형식〔격식〕만 차리다. ¶～った講義 형식을 중시한 강의.
けいしき【型式】图 형식; (자동차·항공기·기계 따위의) 구조·외형 따위의 특정한 형. =かたしき·タイプ·モデル.
けいじじょう【形而上】图 형이상. ↔形而下.
—がく【—学】图 형이상학.
けいしつ【形質】图 형질. **1** 형태와 성질. **2**〔生〕생물의 형태적·유전적인 특징. ¶遺伝～ 유전 형질 / 細胞の～転換 세포의 형질 전환.
—さいぼう【—細胞】图〔生〕형질 세포; 플라스마 세포. =プラズマ細胞.
けいじどうしゃ【軽自動車】图 경자동차; 소형 자동차. =ミニカー.
けいしゃ【傾斜】一图ス自 기욺. ¶～鉄塔が右に～する 철탑이 오른쪽으로 기울다 / 神秘主義に～する 신비주의로 기울다. 二图 물매; 경사. ¶～地 경사지 / 急な～ 급경사 / 山の～面 산의 경사면.
けいしゃ【けい砂】《珪砂·硅砂》图 규사.
けいしゃ【鶏舎】图 계사; 닭장. =とりごや. ¶鶏を～に入れる 닭을 닭장에 넣다.
げいしゃ【芸者】图 **1** 기생; 예기. =芸妓·芸子. ¶～を揚げて遊興する 기생을 불러들여 놀다. **2** 예능에 뛰어난 사람. ¶なかなかの～だ 대단한 재주꾼이다. 「여인).
—あがり【—上がり】图 기생 출신(의
けいしゅ【警手】图 철도 건널목지기. ¶踏切～ 철도 건널목지기.
けいしゅう［閨秀］图 규수. ¶～画家 규수 화가. 参考 흔히 '閨秀作家(=규수 작가)' 처럼 接頭語적으로 씀.
けいじゅう【軽重】图 경중. =けいちょう. ¶事の～を問わず… 일의 경중을 가리지 않고….
けいしゅく【慶祝】图ス他 경축. ¶～行事 경축 행사 / ～の宴 경축 연회.
**げいじゅつ【芸術】图 예술. ¶～家 예술가 / ～品 예술품 / 総合～ 종합 예술 / 作者の～感を示す 작자의 예술감을 보여 주다.
—のための— 예술을 위한 예술. =芸術至上主義. ↔人生のための芸術. 「고 인생은 짧다.
—は長く人生は短し 예술은 길
—てき【—的】ダナ 예술적. ¶～な写真 예술적인 사진.
げいしゅん【迎春】图 영춘; 새해를 맞음. 参考 연하장 등에서 잘 쓰이는, 새해 인사말의 하나. 「=経籍.
けいしょ【経書】图 경서; 유학의 경전.
けいしょう【形象】图 형상.
—か【—化】图ス自他 형상화. ¶理想を～する 이상을 형상화하다.
けいしょう【敬称】图 경칭. ¶～をつけて呼ぶ 경칭을 붙여서 부르다 / ～を用いる〔略す〕경칭을 쓰다〔약하다〕.
けいしょう【景勝】图 경승. ¶天下の～地 천하의 경승지 / ～(の)地として知られる 경승지로서 알려지다.
けいしょう【継承】图ス他 계승. =承継. ¶王位〔文化遺産〕を～する 왕위를〔문화 유산을〕계승하다.
けいしょう【警鐘】图 경종. ¶～を鳴らす 경종을 울리다 / これは現代への～である 이것은 현대에 대한 경종이다.
けいしょう【軽少】名ナ 경소; 약간; 조금. ¶～ですがお礼のしるしです 약소하지만 감사의 표시입니다.
けいしょう［軽捷］名ナ 경첩; 몸이 날

렵함. ¶～な身(み)のこなし 날렵한 동작.

けいしょう【軽傷】 图 경상. ¶足(あし)に～を受(う)ける 발에 경상을 입다. ↔重傷(じゅうしょう).

けいしょう【軽症】 图 경증. ¶～ですむ 경증으로 끝나다. ↔重症(じゅうしょう).

けいじょう【刑場】 图 형장. ＝しおきば. ¶～に引(ひ)かれる 형장으로 끌려가다.

──の露(つゆ)と消(き)える 형장의 이슬로 사라지다.

けいじょう【計上】 图ス他 계상. ¶予算(よさん)に旅費(りょひ)〔交際費(こうさいひ)〕を～する 예산에 여비〔교제비〕를 계상하다.

けいじょう【啓上】 图ス他 계상; 말씀드림《편지에서 씀》. ¶一筆(いっぴつ)～ (간단히) 한 자 적어 올립니다.

けいじょう【形状】 图 형상; 모양. ＝形(かたち). ¶異様(いよう)な～ 이상한 형상 / ～が様々(さまざま)である 형상이 가지가지다 / ～しがたい 무어라 형용할 수 없다.

けいじょう【敬譲】 图 경양; 존경과 겸양. ¶～語(ご) 경양어.

けいじょう【経常】 图 경상. ¶～の赤字(あかじ) 경상 적자. ↔臨時(りんじ).

──しゅうし【──収支】 图 경상 수지.

──ひ【──費】 图 경상비. ↔臨時費(りんじひ).

けいじょう【警乗】 图ス他 (경찰관이) 차나 배에 편승하여 이동하며 경계함. ¶～警官(けいかん) 이동 순찰 경관.

けいしょく【軽食】 图 경식; 간단한 식사; 경식사. ¶～喫茶(きっさ) 경식과 차.

けいしん【敬神】 图 경신. ¶～の念(ねん)が厚(あつ)い 신을 공경하는 마음이 두텁다.

けいしん【軽信】 图ス他 경신. ¶人(ひと)の言葉(ことば)を～する 남의 말을 경솔히 믿다.

けいしん【軽震】 图 경진; 가벼운 지진.

けいず【系図】 图 계도; 계보; 족보《일의 내력·유래에도 비유됨》.

──かい【──買い】 图 문벌이 낮은 사람이 가난한 귀족의 족보를 삼; 또, 그 산 사람.

けいすい【軽水】 图 경수; 보통의 물. ↔重水(じゅうすい).

──ろ【──炉】 图 경수로. ¶～型(がた)原発(げんぱつ) 경수로형 원자력 발전소.

けいすう【係数】 图〖理〗계수. ¶摩擦(まさつ)～ 마찰 계수 / 膨張(ぼうちょう)～ 팽창 계수.

けいすう【計数】 图 계수. ¶～に明(あか)るい 계수에 밝다 / ～を整理(せいり)する 계수를 정리하다. ↔計量(けいりょう).

──かん【──管】 图 계수관. ¶ガイガー～ 가이거(Geiger) 계수관.

けいずかい【けいず買い】《窩主買い》图 장물 매매; 또, 장물아비. ＝故買(こばい).

けい-する【刑する】 サ変他 형벌을 과하다; 특히, 사형에 처하다.

けい-する【慶する】 サ変他 경축하다. ¶～·すべきこと 경하〔축하〕할 일 / 昇進(しょうしん)を～ 승진을 경축하다.

けい-する【敬する】 サ変他 존경하다. ＝敬(うやま)う.

──·して遠(とお)ざける 경원하다.

けいせい［傾城］ 图 논다니; 창녀(娼女)《본디는 미인》. ⇨傾国(けいこく).

けいせい【形勢】 图 형세. ＝なりゆき·情勢(じょうせい). ¶～は有利(ゆうり)である 형세는 유리하다 / ～が逆転(ぎゃくてん)した 형세가 역전되었다 / 目下(もっか)の～では結果(けっか)が予測(よそく)できない 지금 형세로는 결과를 예측할 수 없다.

けいせい【形声】 图 형성; 육서(六書)의 하나《뜻을 나타내는 부분과 음을 나타내는 부분을 결합하여 새로운 한자(漢字)를 만드는 방법: '氵'+'工'→'江' 따위》. ＝諧声(かいせい). ¶～文字(もじ) 형성 문자.

けいせい【形成】 图ス他 형성. ¶人格(じんかく)の～ 인격의 형성.

──げか【──外科】 图 성형 외과. ⇨整形外科(せいけいげか).

けいせい【経世】 图 경세; 세상을 다스리는 일. ¶～家(か) 경세가; 정치가.

──さいみん【──済民】 图 경세제민.

けいせい【警世】 图 경세; 세상을 깨우침. ¶～の鐘(かね) 경세의 종.

けいせき【形跡】《形迹》图 형적; 흔적; 자취. ＝あとかた. ¶窓(まど)から入(はい)った～がある 창으로 침입한 흔적이 있다.

けいせつ【蛍雪】 图 형설. ＝苦学(くがく).

──の功(こう)を積(つ)む 형설의 공을 쌓다.

げいせつ【迎接】 图ス他 영접. ＝応接(おうせつ). ¶～に暇(いとま)なし 영접하기에 바쁘다.

けいせん【経線】 图 경선; 자오선(子午線). ↔緯線(いせん). 参考 옛 그리니지 천문대 자리를 지나는 본초자오선이 경도를 재는 기준임.

けいせん【係船】《繫船》图ス自 계선; (특히, 불경기로) 배를 매어 둠; 또, 그 배. ¶～料(りょう) 계선료 / こんな不況(ふきょう)では～してしまった方(ほう)がよっぽどましだ 이런 불경기에서는 계선해 버리는 편이 차라리 낫다. 注意 본디는 '繫船'.

けいせん【けい線】《罫線》图 **1** 괘선. **2** '罫線表(ひょう)(＝시세 동향(표시) 그래프)'의 준말.

けいそ【けい素】《珪素·硅素》图〖化〗규소《기호: Si》.

けいそう【係争】《繫争》图ス自 계쟁. ¶目下(もっか)～中(ちゅう)の事件(じけん) 목하 계쟁 중에 있는 사건.

けいそう【形相】 图 형상. ＝かたち.

けいそう［珪藻·硅藻］ 图〖植〗규조. ¶～土(ど) 규조토.

けいそう【継走】 图ス自 계주; 릴레이 경주. ＝リレー.

けいそう【軽装】 图ス自 경장; 가벼운 차림. ¶～で山(やま)に登(のぼ)る 경장으로 산에 오르다.

けいぞう【恵贈】 图ス他 혜증《남에게서 기증〔선사〕받고, 그 상대방을 존경하여 이르는 말》. ＝恵与(けいよ). ¶高著(こうちょ)～の栄(えい)を賜(たま)る 훌륭한 저서를 기증받는 영광을 입다.

けいそく【計測】 图ス他 계측. ¶～器(き) 계측기 / 速度(そくど)〔気圧(きあつ)〕を～する 속도를〔기압을〕 계측하다.

***けいぞく【継続】** 图ス自他 계속. ¶審議(しんぎ)を～する 심의를 계속하다.

──てき【──的】 ダナ 계속적. ¶～に薬(くすり)を服用(ふくよう)する 계속적으로 약을 먹다.

***けいそつ【軽率】** 图ダナ 경솔. ＝軽(かる)は

ずみ. ¶～なふるまい 경솔한 행동〔짓〕/～に扱う 경솔히 다루다. 参考 '軽卒'로 쓰면 잘못. ↔慎重.

けいぞん【恵存】图 혜존《자기의 저서 등을 보낼 때에, 상대방 이름 한옆에 덧붙여 쓰는 말》. 注意 'けいそん'이라고도 함. ⇨恵贈.

けいたい【形態】图 형태; 형체; 모양; 생김새. ¶生物の～ 생물의 형태/氷·雪·水蒸気はいずれも水の異なった～である 얼음·눈·수증기는 어느 것이나 물의 다른 형태이다/国家の～は一様ではない 국가 형태는 다 같지는 않다.

けいたい【敬体】图 경체; 경어체《口語에서, 'です''ます''でございます' 따위의 공손한 말을 쓰는 표현과, 文語에서는 '候' 문체를 가리킴》. ↔常体.

***けいたい**【携帯】图ス他 휴대. ¶～品 휴대품/～電話 휴대 전화/ラジオを～して出かける 라디오를 휴대하고 외출하다.

けいだい【境内】图 (신사·사찰의) 경내; 구내. ↔境外.

けいたく【恵沢】图 혜택. ＝めぐみ·うるおい·恩沢. ¶～に浴する 은혜를 입다. 注意 'けいだく'라고도 함.

げいだん【芸談】图 예담《예능·예도(藝道)의 비결이나 고충 등에 관한 이야기》.

けいだんれん【経団連】图 '経済団体連合会(＝경제 단체 연합회)'의 준말《1946년에 설립된 각종 경제 단체의 연합체》.

けいちつ［啓蟄］图 계칩; 경칩(驚蟄)《24 절기의 하나》. 参考 겨울잠을 자던 벌레가 땅 위로 나온다는 뜻.

けいちゅう【傾注】图ス他 경주. ¶研究に全力を～する 연구에 전력을 경주하다.

けいちょう【傾聴】图ス他 경청. ¶～に値する意見〔話〕 경청할 가치가 있는 의견〔이야기〕.

けいちょう【慶弔】图 경조; 경사와 상사. ¶～電報 경조 전보/～費がかさむ 경조비가 늘어나다.

けいちょう【軽重】图 경중. ＝けいじゅう. ¶人命に～はない 인명에 경중은 없다.

けいちょうふはく［軽佻浮薄］图ダナ 경조부박; 경솔하고 소견이 얕음. ¶～な行動 경조부박한 행동.

けいつい［頸椎］图 경추《척주(脊柱)의 윗부분에 있는 7개의 뼈》.

けいてい【兄弟】图 형제. ＝きょうだい. ——牆に鬩ぐ 형제끼리 집안싸움하다.

けいてき【警笛】图 경적. ¶～を鳴らす 경적을 울리다.

けいてん【経典】图 경전. ¶仏教～ 불교 경전/儒教の～ 유교의 경전.

けいでんき【継電器】图〔電〕계전기; 릴레이. ＝リレー.

けいでんき【軽電機】图 경전기《전기 세탁기 등과 같은 간단한 소형의 전기 기계》. ＝軽電. ↔重電機.

***けいと**【毛糸】图 모사; 털실. ¶～玉 털실 뭉치/～のチョッキ 털실 조끼/～で編み物をする 털실로 뜨개질을 하다.

けいど【傾度】图 경(사)도.

けいど【経度】图〔地〕경도. ¶～と緯度で示す 경도와 위도로 표시하다. 参考 경도 15도의 차이는 시각으로 한 시간 차이를 가져옴. ↔緯度.

けいど【軽度】图 경도; 정도가 가벼움. ¶～のやけど 가벼운 화상/～の貧血を起こす 가벼운 빈혈을 일으키다.

けいとう【傾倒】图ス自他 경도. **1** 심취함; 열중함. ¶カントに～する 칸트에 심취하다. **2** 전력(專力)함; 경주(傾注)함. ¶農村問題に全力を～する 농촌 문제에 전력을 기울이다.

***けいとう**【系統】图 계통. **1** 일정한 체계. ¶命令～ 명령 계통/～をたてる 계통을 세우다/～を異にする 계통을 달리하다. **2** 같은 혈통. ¶～の正しい家柄 혈통이 바른 가문/母方の～の人 어머니 쪽 계통의 사람.

——**じゅ**【——樹】图〔生〕계통수.

——**だつ**【——立つ】5自 계통이 서다. ¶～·った調査 계통이 선 조사.

——**だてる**【——立てる】下1他 계통 짓다; 계통을 세우다. ¶～·てて調査する 계통을 세워서 조사하다.

——**づける** 下1他 계통을 세우다.

——**てき**【——的】ダナ 계통적. ¶外国語を～に教える 외국어를 계통적으로 가르치다.

けいとう【継投】图ス自〔野〕계투. ¶～策が成功する 계투책이 성공하다.

げいとう【芸当】图 **1** (특별한 기술과 훈련이 필요한) 곡예; 재주. ¶猿に～をしこむ 원숭이에게 곡예를 가르치다. **2** 대담한 행위. ¶彼にしかできない～ 그만이 할 수 있는 대담한 행위.

げいどう【芸道】图 예도; 기예(技藝)나 예능의 길. ¶～にいそしむ 예도에 전념하다.

けいどうみゃく［頸動脈］图〔生〕경동맥.

げいなし【芸無し】图 아무 재주도 없고 평범함; 또, 그러한 사람.

けいにく【鶏肉】图 계육; 닭고기. ＝かしわ.

げいにん【芸人】图 **1** 연예인. **2** 전문인은 아니지만 훌륭한 예능을 가진 사람. ¶彼もなかなかの～だ 그도 대단한 예능인이다.

げいのう【芸能】图 예능. **1** 연예. ¶～界 예능〔연예〕계/～番組 연예 프로그램/伝統～ 전통 예능. **2** ☞げいごと.

——**じん**【——人】图 예능인; 연예인.

けいば【競馬】图 경마. ¶～場 경마장/～で有り金全部をとられた 경마로 가진 돈을 전부 잃었다.

けいはい【けい肺】《珪肺》图 규폐(증). ＝珪肺病. 参考 속칭은 'よろけ'.

けいばい【競売】图ス他 ☞きょうばい.

けいはく【敬白】图 경백; 경구(敬具).
けいはく【軽薄】㊀图ダナ 경박. ¶～な人〔笑い〕 경박한 사람〔웃음〕. ↔重厚. ㊁图 겉치레 말; 아첨. ＝おせじ·おべっか·ついしょう. ¶～口をきく 알랑거리는〔아첨하는〕 말을 하다 / 例の～をいう 언제나처럼 간살을 부리다.
—たんしょう【—短小】图 경박단소. ↔重厚長大.
けいはつ【啓発】图ス他 계발; 계몽. ¶先生の話に大いに～される 선생님의 말씀에 크게 계발되다.
*けいばつ【刑罰】图 형벌. ¶～を加える 형벌을 가하다.
—ふそきゅうのげんそく【—不遡及の原則】图〔法〕형벌 불소급의 원칙. ＝刑法不遡及の原則.
けいばつ【警抜】名ナ 경발; (착상 등이) 기발하고 빼어남. ¶～な文章 기발하고 빼어난 문장.
けいばつ［閨閥］图 규벌《처가와 그 친척의 세력을 중심으로 한 파벌》. ¶～政治 규벌 정치.
けいはん［京阪］图〔地〕'京都·大阪'의 준말. ＝上方. ¶～地方 京都·大阪 지방.
—しん［—神］图〔地〕'京都·大阪·神戸'의 준말.
けいはんざい【軽犯罪】图 경범죄.
—ほう【—法】图 경범죄법.
けいひ［桂皮］图 계피. ＝肉桂皮. ¶～酸 계피산 / ～油 계피유.
けいひ【経費】图 경비. ¶必要～ 필요 경비 / ～がかさむ 경비가 많이 들다 / ～を節約する 경비를 절약하다.
けいび【警備】图ス他 경비. ¶～隊〔員〕 경비대〔원〕 / ～艇 경비정 / ～に当たる 경비에 임하다 / ～が厳重だ 경비가 엄중하다.
けいび【軽微】名ナ 경미. ＝わずか. ¶～な損害 경미한 손해.
けいひこうき【軽飛行機】图 경비행기.
けいひん【京浜】图〔地〕東京와 横浜. ¶～一帯 東京와 横浜 일대.
—こうぎょうちたい【—工業地帯】图 京浜 공업지대《東京·川崎·横浜를 중심으로 하는 공업 지대》.
*けいひん【景品】图 1 경품. ＝景物·おまけ. ¶～付き大売り出し 경품부 대매출. 2 (참가자에게 주는) 상품; 기념품.
げいひん【迎賓】图 영빈.
—かん【—館】图 영빈관.
けいふ【系譜】图 계보; 족보. ¶我が家の～ 우리집 계보〔족보〕 / 自然主義文学の～ 자연주의 문학의 계보.
けいふ【軽浮】图ダナ 경부; 경조부박; 경박. ¶～な行い 경박한 행동.
けいふ【継父】图 계부; 의붓아버지. ＝ままちち. ⇨実父.
けいぶ【警部】图 (경찰에서) 경부《警視의 아래, 警部補의 위; 우리나라의 경위(警衛)에 상당함》.
けいぶ【軽侮】图ス他 경모; 경멸. ＝軽蔑. ¶～の目で見下げる 경멸하는 눈으로 멸시하다.
けいぶ［頸部］图 경부; 목 부분. ¶子宮の～ 자궁 경부.
げいふう【芸風】图 예풍. ¶二人は～が違う 두 사람은 예풍이 다르다 / 独特の～を確立した 독특한 예풍을 확립했다.
けいふく【敬服】图ス自 경복; 탄복. ¶みごとな腕前にすっかり～する 훌륭한 솜씨에 완전히 탄복하다.
けいぶつ【景物】图 1 경물; 풍물; 계절에 따라 달라지는 풍물. ¶夏の～ 여름의 풍물. 2 홍취를 더하는 것. ¶とんだ～ 뜻밖에 일어난 좀 재미있는 일. 3☞けいひん(景品).
けいへいき【経閉期】图 폐경기; 갱년기.
*けいべつ【軽べつ】《軽蔑》图ス他 경멸. ¶～のまなざし〔目〕 경멸하는 눈초리〔눈〕 / 子供にまで～される 아이한테까지 경멸당하다.
けいべん【軽便】图ダナ 경편; 간편. ¶～な洗面用具 간편한 세면 도구.
—てつどう【—鉄道】图 경편 철도.
けいぼ【敬慕】图ス他 경모. ＝仰望·欣慕. ¶～の念 경모하는 마음.
けいぼ【継母】图 계모; 의붓어머니. ＝ままはは. ⇨実母.
けいほう【刑法】图 형법. ¶～の規定 형법 규정.
*けいほう【警報】图 경보. ¶～器 경보기 / 洪水～を発する 홍수 경보를 발하다 / ～を解除する 경보를 해제하다. 参考 '警報'는 '注意報(＝주의보)'에 비해, 큰 재해가 예상될 경우에 발령함.
けいぼう【警棒】图 경찰봉.
けいぼう【警防】图 경방; 위험·재해를 경계하고 막음. ¶～団 경방단.
けいみょう【軽妙】图ダナ 경묘. ¶～洒脱 경묘 쇄탈 / ～な筆致 경묘한 필치. ↔鈍重.
けいむしょ【刑務所】图 형무소; 교도소. 参考 속되게 'むしょ'라고도 함.
けいめい【鶏鳴】图 계명. 1 닭의 울음(소리). 2 새벽녘. 参考 본디, 첫닭이 우는 축시, 곧 오전 2시경을 일컬었음.
げいめい【芸名】图 예명. ¶師匠の～を受け継ぐ 스승의 예명을 이어받다. ⇨本名. ↔実名.
けいもう［啓蒙］图ス他 계몽. ¶～家 계몽가 / ～思想 계몽 사상 / 農村の女子を～する 농촌 여자를 계몽하다.
—てき［—的］ダナ 계몽적. ¶～な本 계몽적인 책.
**けいやく【契約】图ス他 계약. ¶～書 계약서 / ～を結ぶ 계약을 맺다 / ～が成立する 계약이 성립하다 / この～は有効です 이 계약은 유효합니다.
けいゆ【経由】图ス自 경유. ¶～手続き 경유 절차 / アラスカを～して帰国する 알래스카를 경유하여 귀국하다.
けいゆ【軽油】图〔化〕경유. ¶～発動機 경유 발동기. ↔重油.

げいゆ【鯨油】名 경유; 고래기름.

けいよう【形容】㊀名 ス他 형용. ¶何とも~しがたい 무어라 형용하기가 어렵다/自然の美を巧みに~する 자연의 미를 능란하게 형용하다.
㊁名 얼굴 모습; 자태; 모양; 상태.
—し【—詞】名 형용사.
—どうし【—動詞】名 형용 동사《사물의 성질·상태를 나타내는 말로서 'きれいだ(=예쁘다)' '静かだ(=조용하다)' 처럼 'だ'로 끝나는 말》.

けいよう【掲揚】名 ス他 게양. ¶国旗を~する 국기를 게양하다.

けいら[警邏]名 ス他 경라; 순라(꾼). =パトロール. ¶~中の巡査 순찰 중인 순경.

けいらく【競落】名 ス他 경락; 경쟁 입찰에서 낙찰하는 일. ¶~期日 경락 기일. 参考 'きょうらく'의 법률 용어.

けいらん【鶏卵】名 계란; 달걀.

けいり【刑吏】名 형리.

けいり【経理】名 ス他 경리. ¶~に明るい人 경리에 밝은 사람.

けいりし【計理士】名 계리사《'公認会計士(=공인 회계사)'의 구칭》.

けいりゃく【経略】名 ス他 경략. ¶天下を~する 천하를 경략하다.

*けいりゃく【計略】名 계략. =はかりごと·もくろみ. ¶~を巡らす 계략을 꾸미다/~にまきこまれる〔ひっかかる〕 계략에 말려〔걸려〕들다.

けいりゅう【渓流】《谿流》名 계류; 시냇물. ¶~を下る 계류를 따라 내려가다.

けいりゅう【係留】《繫留》名 ス他 계류. ¶~気球 계류 기구/船が~中である 배가 계류 중이다.

けいりょう【計量】名 ス他 계량. ¶~カップ〔単位〕 계량컵〔단위〕/選手の体重を~する 선수의 체중을 달다.
—か【—化】名 ス他 계량화.

けいりょう【軽量】名 경량. ¶~級 경량급/~化 경량화/~貨物 경량 화물. ↔重量.

けいりん【競輪】名 경륜; 직업 선수의 자전거 경기를 놓고 하는 공인 도박. ¶~場 경륜장/~選手 경륜 선수.

けいりん[経綸]名 경륜; 국가를 통치함; 또, 그 방책. ¶国家~の材 국가 경륜의 인재/今の内閣には~が無い 현 내각에는 경륜이 없다.

けいるい【係累】《繫累》名 계루. **1** 신변에 얽매인 누(累). ¶~を断つ 신변의 주체스러운 것과 관계를 끊다. **2** 부양 가족; 딸린 식구. ¶~が多い 딸린 식구가 많다. 参考 '系累'라고 쓰면 잘못.

けいれい【敬礼】名 ス自 경례. =おじぎ.

*けいれき【経歴】名 경력. =履歴. ¶~を偽る 경력을 속이다/~に傷がつく 경력에 손상이 가다〔흠이 되다〕/どういう~の方なんですか 어떤 경력을 지닌 분입니까.

けいれつ【系列】名 계열. ¶~会社 계열 회사/~企業 계열 기업/浪漫主義の~に属する作品 낭만주의 계열에 속하는 작품.

けいれん〖痙攣〗名 ス自 경련. =ひきつり. ¶胃~ 위경련/ももが~をおこす 허벅지가 경련을 일으키다.

けいろ【毛色】名 **1** 모색; 털빛. **2** 모양; 성질; 종류. ¶一風~の変わった人 어딘가 좀 색다른 사람.

けいろ【経路】名 경로. ¶入手の~を探る 입수하게 된 경로를 알아보다.

けいろう【敬老】名 경로. ¶~会 경로회/~精神 경로 정신.
—のひ【—の日】名 경로의 날《9월 15일》.

けいろうどう【軽労働】名 경노동. ↔重労働.

けいろく[鶏肋]名 계륵; 그다지 쓸모는 없으나 버리기도 아까운 것.

けう[希有·稀有]名ナ 희유; 희한. ¶~(な)事件 희유한 사건/~な目にあう 희한한 일을 당하다.
—にして 겨우; 간신히; 하마터면.

けうと-い【気疎い】形 싫다; 불쾌하다; 역겹다. =いとわしい·うとましい. ¶~出来事 불쾌한 일/あの人に会うのは~ 그 사람을 만나는 것은 싫다.

けうら【毛裏】名 안에 털을 댄 옷〔물건〕. =うらけ. ¶~の外套 안에 털을 댄 외투.

ケー[K]名 **1** 부엌. ¶三~ 세 개의 방과 부엌. ▷kitchen. **2** 금·보석의 캐럿《K를 숫자 앞에 표시함》. ¶~十八 18금. ▷karat.

ケーオー[KO]名 ス他 케이오. ☞ノックアウト. ¶~勝ち 케이오 승/三ラウンドで~される 3라운드에서 케이오 당하다. ▷knockout.

*ケーキ[cake]名 케이크; 양과자. ¶デコレーション~ 데코레이션 케이크.

ケーケー[KK]名 '株式会社(=주식회사)'를 로마자화(化)한 'kabushiki kaisha'의 머리글자.

げえげえ 副 구역질하는 모양: 웩웩.

ゲージ[gauge]名 게이지. **1** 편물에서 일정 크기에 대한 코의 수. **2** 물건의 길이·폭·두께·굵기·지름 등을 재는 측정기의 총칭. **3** 궤간(軌間).

*ケース[case]名 케이스. **1** 상자; 갑; 용기. ¶シガレット~ 시가렛 케이스/~に入れる 케이스에 넣다. **2** 경우; 사정; 사례. ¶特殊な~ 특수한 케이스. **3**〘文法〙 격(格).
—スタディー[case study]名 케이스 스터디; 사례(事例) 연구법.
—バイ—[case by case]名 케이스 바이 케이스.
—ワーカー[caseworker]名 케이스워커; 사회복지 지도원.

ケーソン[caisson]名 케이슨; 잠함(潛函). ¶~工法 케이슨〔잠함〕 공법.

ゲート[gate]名 게이트. **1** ㉠문; 출입구. ㉡댐의 수문. **2** 항공기의 승강구.
—ボール[일 gate+ball]名 게이트 볼

《일본에서 고안된 스포츠; 5명이 한 편이 되어, 두 팀이 목제 스틱으로 목제 공을 쳐서 게이트를 차례로 빠져나가게 하여 승패를 겨루는, 노인을 위한 경기》.

ゲートル [프 guêtres] 名 게트르; 각반(脚絆). ＝巻(ま)ききゃはん.

ケープ [cape] 名 케이프; 방한용 또는 유아용의 소매 없는 외투.

ケーブル [cable] 名 케이블. **1**〘電〙 ㉠전기 절연물로 싼 전선. ㉡지중·수저(水底)용 전선. **2** 'ケーブルカー'의 준말.

—カー [cable car] 名 케이블카; 강삭(鋼索) 철도. ＝ロープウェー.

—テレビ [←cable television] 名 케이블 TV; 유선 텔레비전.

***ゲーム** [game] 名 게임. ¶ビッグ～ 빅게임 / シーソー～ 시소 게임.

—セット [일 game+set] 名 게임 세트; 경기 종료. ↔プレーボール.

—ソフト [일 game+software] 名 컴퓨터 게임용 프로그램.

けおさ-れる 〚気圧される〛 下1自 기세에 눌리다; 압도되다; 기가 죽다. ¶彼(かれ)のけんまくに～·れてだまりこんだ 그의 험한 기세에 눌려 입을 다물고 말았다.

けおと-す【け落とす】《蹴落とす》 5他 **1** 차서 떨어뜨리다. **2** (남을) 밀어내다; 실각시키다. ¶競争相手(きょうそうあいて)を～·してまで出世(しゅっせ)しようとする 경쟁 상대를 밀어내기까지 하여 출세하려 든다.

けおり【毛織り】名 모직; 모직물. ¶～のシャツ 모직 셔츠.

—もの【毛織物】名 모직물. ＝けおり.

****けが** 〚怪我〛 名 **1** 상처; 부상. ¶子供(こども)に～をさせないように気(き)をつけておくれ 아이가 다치지 않도록 주의해 주게. **2** 잘못; 과실; 또, 뜻밖의 일. ¶これという～もなく定年(ていねん)を迎(むか)えた 이렇다 할 사고 없이 정년을 맞이했다.

—の功名(こうみょう) 뜻밖의 공명《실패했다고 생각하거나 무심코 한 일이 뜻밖에 좋은 결과를 낳게 됨》.

***げか**【外科】名 외과. ¶～患者(かんじゃ) 외과 환자 / ～医(い) 외과의(사) / ～手術(しゅじゅつ)を受(う)ける 외과 수술을 받다. ↔内科(ないか).

げかい【下界】名 하계; 인간 세계; 이 세상; 지상. ¶航空機(こうくうき)から～を見(み)おろす 비행기에서 하계를 내려다보다.

けかえ-す【け返す】《蹴返す》 5他 **1** 차서 제자리로 보내다. **2** 차서 뒤엎다. ¶ちゃぶ台(だい)を～ 밥상을 차 엎다. **3** 되받아 차다. ¶ボールを～ 공을 되받아 차다.

けががち【けが勝ち】《怪我勝ち》 名ス自 실력이 아니라 우연히 이김. ¶優勝候補(ゆうしょうこうほ)に～する 우승 후보에게 우연히 이기다. ↔けが負(ま)け.

けが-す【汚す】《穢す》 5他 더럽히다; 모독하다. ¶名誉(めいよ)を～ 명예를 더럽히다 / 人妻(ひとづま)を～ 남의 아내를 욕보이다 / 末席(まっせき)を～ 말석을 더럽히다《그 지위에 있음의 겸칭》. 参考 'よごす'에 상대되는 말로, 정신면이나 도덕면에 대해 일컬음. 可能 けが-せる 下1自

けがにん【けが人】《怪我人》名 다친 사람; 부상자.

けがまけ【けが負け】《怪我負け》 名ス自 (실력은 있는데) 실수해서 짐. ¶なめてかかって～する (상대를) 얕보고 덤비다가 지다. ↔けが勝(が)ち.

けがらわし-い【けがらわしい·汚らわしい】《穢らわしい》 形 군단지럽다; 더럽다; 추잡스럽다. ¶～うわさ 추접스러운 소문 / 聞(き)くも～話(はなし) 듣기에도 추접스러운 얘기 / 見(み)るのも～ 보기도 싫다 / 彼(かれ)の名(な)は口(くち)に出(だ)すのも～ 그의 이름은 입에 담기도 더럽다.

けがれ【汚れ】《穢れ》名 **1** 더러움; 추악; 불결. ¶～を知(し)らない子供(こども) 더러움을 모르는〔천진무구한〕 어린이 / 家名(かめい)に～を残(のこ)した 가문에 오점을 남겼다. 参考 정신적인 것에 대해 흔히 씀. **2** (월경·상(喪)·해산 등) 부정(不淨). ¶祭(まつ)り事(ごと)を前(まえ)にして～をみそぐ 제사일을 앞두고 목욕재계하여 부정을 씻다.

けが-れる【汚れる】《穢れる》 下1自 **1** 더러워지다; 더럽혀지다. ¶～·れたからだ (a)더럽혀진 몸; (b)정조를 빼앗긴 몸 / ～·れた金(かね) 더러운 돈 / 名(な)が～ 이름이 더럽혀지다. **2** (상중(喪中)·해산·월경 등으로) 몸이 부정(不淨)해지다.

けがわ【毛皮】名 모피; 털가죽. ¶～のコート 모피 코트 / ～の手袋(てぶくろ)〔えりまき〕 털가죽 장갑〔목도리〕.

げかん【解官】名ス他 해관; 벼슬을 면하게 함; 면관. ＝免官(めんかん).

****げき**【劇】名 **1** (연)극. ＝芝居(しばい). ¶～に出(で)る 극에 출연하다 / ～の演出(えんしゅつ)をする 극의 연출을 하다. **2**《接尾語적》 극. ¶児童(じどう)～ 아동극 / 放送(ほうそう)～ 방송극.

げき〔檄〕名 격; 격문. ¶～文(ぶん) 격문.

—を飛(と)ばす 격문을 띄우다〔돌리다〕.

げき 〚劇〛 教6 ゲキ はげしい | 극 심하다 | **1** 극심하다. ¶劇甚(げきじん) 극심. **2** 극; 연극. ¶劇場(げきじょう) 극장 / 悲劇(ひげき) 비극.

げき 〚撃〛《擊》 常用 ゲキ うつ | 격 치다 | **1** 세게 치다; 때리다. ¶打撃(だげき) 타격 / 砲撃(ほうげき) 포격. **2** 힘으로 공격하다. ¶突撃(とつげき) 돌격.

げき 〚激〛 教6 ゲキ はげしい | 격 과격하다 | **1** 기세가 세다; 거세다; 심하다. ¶激烈(げきれつ) 격렬 / 過激(かげき) 과격. **2** 마음이 강하게 움직이다. ¶憤激(ふんげき) 분격.

げきえいが【劇映画】名 극영화. ↔記録(きろく)映画·ニュース映画·文化(ぶんか)映画.

げきえつ【激越】ダナ ス自 감정이 몹시 격함. ¶～な口調(くちょう) 격한 어조 / ～した感情(かんじょう) 격해진 감정.

げきか【劇化】名ス他 극화. ¶小説(しょうせつ)を～する 소설을 극화하다.

げきか【激化】名ス自他 격화. ＝げっか. ¶戦闘(せんとう)が～する 전투가 격화하다.

げきが【劇画】名 극화; 이야기에 그림을 곁들여 엮은 책《이야기를 주로 한 만화의 새로운 이름》. ⇒漫画.

げきげん【激減】[名][ス自] 격감. ¶人口が～した 인구가 격감했다 / 輸入が～する 수입이 격감하다. ↔激増.

げきこう【激高】《激昂》[名][ス自] ☞げっこう.

げきさい【撃砕】[名][ス他] 격쇄; 쳐부숨. ¶敵を～する 적을 쳐부수다.

げきさく【劇作】[名] 극작. ¶～家 극작가.

げきさん【激賛】《激讃》[名][ス他] 격찬.

げきし【劇詩】[名]〔文學〕극시. [参考] '詩劇'와 같은 뜻으로도 쓰임.

げきしゅう【劇臭·激臭】[名] 극취; 매우 강한 냄새. ¶～が鼻をつく 고약한 냄새가 코를 찌른다.

げきしょう【激賞】[名][ス他] 격상; 격찬. ¶審査員に～される 심사원에게 격찬을 받다 / 批評家の～を浴びる 비평가의 격찬을 받다.

*__げきじょう__【劇場】[名] 극장. ＝シアター.

げきじょう【激情】[名] 격정. ¶一時の～を抑える 한때의 격정을 억누르다 / ～に駆られる 격정에 사로잡히다.

げきしょく【激職·劇職】[名] 격무. ¶～に就く 격무를 맡다 / ～に耐えられない 격무에 견딜 수 없다. ↔閑職.

げきしん【激震·劇震】[名] 격진; 집이 무너지거나 산사태 등이 일어나는 심한 지진《진도(震度) 7》. ¶～で多くの家がつぶれる 격진으로 많은 집이 무너지다.

げきじん【激甚·劇甚】[名ナ] 극심; 격심. ¶敵に～の損害を与える 적에게 격심한 손해를 입히다.

げき-する【激する】[一][サ変自] 격하다; 격렬해지다; 거칠어지다. ¶感情が～ 감정이 격해지다 / ～·した心を静める 격한 마음을 가라앉히다. [二][サ変他] 격려하다. ¶外国へ立つ友を～ 외국으로 떠나는 벗을 격려하다.

げきせん【激戦·劇戦】[名][ス自] 격전. ¶～地 격전지 / ～をくりかえす 격전을 거듭하다.

げきぞう【激増】[名][ス自] 격증. ¶注文が～する 주문이 격증하다. ↔激減.

げきたい【撃退】[名][ス他] 격퇴. ¶敵の大軍を～する 적의 대군을 격퇴하다.

げきだん【劇団】[名] 극단. ¶新しい～を組織する 새 극단을 조직하다.

げきだん【劇壇】[名] 극단. ＝劇界. ¶～の消息 극단의 소식.

げきちゅう【劇中】[名] 극중. ¶～劇 극중극 / ～の人物 극중 인물.

げきちん【撃沈】[名][ス他] 격침. ¶敵艦を～する 적함을 격침하다 / 潜水艦に～される 잠수함에 격침되다.

げきつい【撃墜】[名][ス他] 격추. ¶敵機を～する 적기를 격추하다.

げきつう【劇痛·激痛】[名] 격통; 심한 아픔. ¶～を覚える 격통을 느끼다.

げきてき【劇的】[ダナ] 극적. ＝ドラマチック. ¶～シーン 극적인 장면 / ～な生涯〔出会い〕극적인 생애〔만남〕.

げきど【激怒】[名][ス自] 격노. ¶味方の裏切りに～する 동지의 배반에 격노하다 / ～のあまり我を忘れる 격노한 나머지 제정신을 잃다.

げきとう【激闘】[名][ス自] 격투. ¶リングの上で～する 링 위에서 격투하다.

げきどう【激動】[名][ス自] 격동. ¶～期 격동기 / ～する世界 격동하는 세계.

げきどく【劇毒】[名] 극독; 맹독.

げきとつ【激突】[名][ス自] 격돌. ¶優勝をかけて～する 우승을 걸고 격돌하다.

げきは【撃破】[名][ス他] 격파. ¶各個～ 각개 격파.

げきはつ【激発】[名][ス自他] 격발; 격렬하게 일어남. ¶ストライキを～させる 파업을 격발시키다.

げきはつ【撃発】[名][ス他] 격발; 방아쇠를 당김. ¶～装置 격발 장치.

げきひょう【劇評】[名] 극평; 연극 비평. ¶～家 연극 비평가.

げきぶん［檄文］[名] 격문. ☞げき(檄).

げきへん【劇変·激変】[名][ス自] 격변; 급변. ¶情勢が～する 정세가 격변하다 / 気候の～のため病気にかかる 기후의 급변으로 병에 걸리다.

げきむ【激務·劇務】[名] 격무; 극무. ¶～に耐える 격무에 견디다 / ～に倒れる 격무로 쓰러지다.

げきめつ【撃滅】[名][ス他] 격멸. ¶敵を～する 적을 격멸하다.

げきやく【劇薬】[名] 극약. ¶～を飲む 극약을 먹다.

けぎらい【毛嫌い】[名][ス他] 뚜렷한 까닭 없이 괜히 싫어함. ¶外国人を～する 외국인을 까닭 없이 싫어하다.

げきりゅう【激流】[名] 격류. ¶～が渦巻く 격류가 소용돌이치다 / ～にのまれる 격류에 휩쓸리다.

げきりん［逆鱗］[名] 역린《왕의 노여움》. ——に触れる 천자의 노여움을 사다.

*__げきれい__【激励】[名][ス他] 격려. ¶選手を～する 선수를 격려하다.

げきれつ【劇烈·激烈】[ダナ] 격렬. ¶～な震動〔競争〕격렬한 진동〔경쟁〕/ ～に論争する 격렬하게 논쟁하다.

げきろう【激浪】[名] 격랑. ＝荒波. ¶～にもまれる 격랑에 휩쓸리다.

げきろん【激論·劇論】[名][ス自] 격론. ¶～をたたかわす 격론을 주고받다 / 議案の賛否をめぐって～する 의안의 찬부를 둘러싸고 격론하다.

げげ【下下】[名] 하지하(下之下); 최하위. ＝下の下. ¶～の下だ 최하등이다; 아주 하치다. ↔上上.

げけつ【下血】[名][ス自] 하혈.

けげん〖怪訝〗[ダナ] 괴아; 의아(함). ¶～な顔つきをする 의아스러운 표정을 짓다 / ～そうに尋ねる 의아스러운 듯이 물어 보다.

げこ【下戸】[名] 술을 못하는 사람. ↔上戸. ——の建てたる蔵もなし 술 안 먹는 사람 (돈 모아) 곳집 지었다는 말 못 들었다《술꾼이 자위하는 말》.

げこう【下向】[名][ス自] 하향. **1** 시골로 내려감. **2** 신불을 참배하고 돌아감.

げこう【下校】[名][ス自] 하교; 하학(下學). ¶～時間(じかん) 하교 시간. ↔登校(とうこう).

げごく【下獄】[名][ス自] 하옥.

げこくじょう【下克上】《下剋上》[名] 하극상. ¶～の世(よ) 하극상의 세상.

けこ-む【け込む】《蹴込む》[一][5他] 차 넣다. ¶ボールをゴールに～ 공을 골에 차 넣다. [二][5自] 본전까지 까먹어 들어가다. ＝くいこむ.

けころば-す【け転ばす】《蹴転ばす》[5他] 차서 쓰러뜨리다; 차서 굴리다.

⁑**けさ**【今朝】[名] 오늘 아침. ＝こんちょう. ¶～は早起(はやお)きした 오늘 아침은 일찍 일어났다/～ほどは失礼(しつれい)しました (오늘) 아침에는 실례했습니다. [参考] 격식 차리는 데서는 'こんちょう' 'けさほど'를 씀. ↔今夜(こんや). 「의 준말.

けさ〖袈裟〗[名] **1**〖佛〗가사. **2** 'けさがけ'

―がけ【―掛け·―懸け】[名] **1** (가사 걸치듯) 물건을 한쪽 어깨에서 반대쪽 허리께로 비스듬히 걸침. **2** 칼로 어깨로부터 비스듬히 내리벰. ＝けさ切(ぎ)り.

げざ【下座】[一][名] **1** 하좌; 말석. ＝しもざ. ↔上座(じょうざ). **2** 무대를 향하여 왼쪽 자리; 또, 반주하는 사람들(의 자리). [二][名][ス自] 귀인 앞에서 자리를 물러서서 납작 엎드리는 절. ⇨どげざ.

げざい【下剤】[名] 하제; 설사약. ＝下(くだ)し薬(ぐすり). ¶～をかける 하제를 쓰다.

けさがた【今朝方】[名] 오늘 아침께. ＝けさほど. ¶～小雨(こさめ)が降(ふ)った 오늘 아침께 가랑비가 왔다.

げさく【下策】[名] 하책; 졸책. ↔上策(じょうさく).

げさく[戯作][名] 희작; 장난삼아 쓴 작품; 전하여, 江戸(えど) 시대 후기의 통속 오락 소설《読(よ)み本(ほん)·黄表紙(きびょうし)·洒落本(しゃれぼん)·人情本(にんじょうぼん) 따위》.

けさほど【今朝程】[名] ☞けさがた.

げざん【下山】[名][ス自] 하산. **1** 산을 내림. ¶無事(ぶじ)～する 무사히 하산하다. ↔登山(とざん). **2** (어느 기간 수행 후) 절에서 집으로 돌아옴. [注意] 'げさん'이라고도 함.

けし〖芥子·罌粟〗[名]〖植〗앵속; 양귀비.

げし【夏至】[名] 하지. ↔冬至(とうじ).

けしいん【消印】[名] 소인. ＝スタンプ. ¶当日(とうじつ)～有効(ゆうこう) 당일 소인 유효/～を押(お)す 소인을 찍다.

けしか-ける〖嗾ける〗[下1他] (부)추기다. **1** (개 등을) 부추겨서 덤벼들게 하다. ¶犬(いぬ)を～ 개를 부추겨 덤벼들게 하다. **2** (남을) 선동하다; 꼬드기다. ¶喧嘩(けんか)をしろと～ 싸움을 하라고 부추기다.

けしからん〖怪しからん〗[連語] 괘씸하다; 발칙하다; 무엄하다; 부당하다; 당찮다. ¶来(こ)ないとは～奴(やつ)だ 오지 않다니 괘씸한 놈이다/～考(かんが)えを持(も)つ 발칙한 생각을 갖다.

⁑**けしき**【景色】[名] 경치; 풍경. ＝ながめ·風景(ふうけい). ¶～のいい所(とこ) 경치 좋은 곳.

けしき【気色】[名] **1** 기색. ㉠기분의 나타남; 내색; 모양. ¶おどろいた～ 놀란 기색/恐(おそ)れる～もなく進(すす)み出(で)る 두려워하는 기색도 없이 앞으로 나아가다. ㉡조짐; 기미. ＝けはい. ¶いっこう立(た)ち上(あ)がる～もない 도무지 일어설 기미가 보이지 않는다. **2** (나쁜) 기분. ＝きげん. ¶～を損(そん)ずる 기분을 상하다

―ば-む [5自] (얼굴에) 성난 기색을 나타내다. ¶～·んで席(せき)を立(た)つ 성난 기색으로 자리에서 일어서다/悪口(わるくち)を言(い)われて～ 욕을 먹고 성난 얼굴을 하다.

げじげじ〖蚰蜒〗[名] 〈俗〉 **1**〖動〗그리마. ＝げじ. **2** 전하여, 남들이 꺼리고 싫어하는 사람. ¶～野郎(やろう) 징그러운 자식.

―まゆ〖―眉〗[名] 짙고 굵은 눈썹.

*__けしゴム__【消しゴム】[名] 고무 지우개. ＝ゴム消(け)し.

けしさ-る【消し去る】[5他] 지워 없애다. ¶記憶(きおく)を～ 기억을 지워 없애다.

けしずみ【消し炭】[名] 뜬숯. ＝おき炭(ずみ).

けしつぶ【けし粒】《芥子粒》[名] **1** 양귀비씨. **2** 극히 작은 (낟알 모양의) 것의 비유. ¶～のようなダイヤ 좁쌀만한 다이아몬드/彼(かれ)の言(い)うことには～ほどの真実(しんじつ)もない 그의 말에는 눈곱만큼의 진실도 없다.

けしつぼ【消しつぼ】《消し壺》[名] 숯불이나 장작불을 끄는 단지《뜬숯을 만드는 데에도 쓰임》. ＝火消(ひけ)しつぼ.

けしと-ぶ【消し飛ぶ】[5自] 날려 없어지다; 날아가 버리다. ＝ふっとぶ. ¶たましいが～ 혼비백산하다/爆発(ばくはつ)で家(いえ)が～ 폭발로 집이 날아가 버리다/円高(えんだか)で利益(りえき)が～·んだ 엔고로 이익이 날아갔다.

けしと-める【消し止める】[下1他] 불길을 잡다; 전하여, 다른 데로 번지는 것을 막다. ¶火事(かじ)を～ 불을 끄다/デマを～ 낭설이 번지는 것을 막다.

けじめ [名] 구분; 분간. ¶公私(こうし)の～をつける 공사간의 구분을 짓다/～がつかない 구분이 안 되다.

*__げしゃ__【下車】[名][ス自] 하차. ¶途中(とちゅう)～ 도중 하차/この駅(えき)で～するのですか 이 역에서 하차하는 겁니까. ↔乗車(じょうしゃ).

*__げしゅく__【下宿】[名][ス自] 하숙. ¶～屋(や) 하숙집/～人(にん) 하숙생/～代(だい) 하숙비/～をさがす 하숙을 구하다.

ゲシュタポ [도 Gestapo] [名] 게슈타포 《나치 독일의 비밀 경찰》.

げしゅにん【下手人】[名] 하수인; 특히, 살인범. ¶殺人(さつじん)の～を突(つ)き止(と)める 살인 하수인을 (끝까지) 알아내다.

*__げじゅん__【下旬】[名] 하순. ¶来月(らいげつ)の～頃(ごろ) 내달 하순경. ↔上旬(じょうじゅん)·中旬(ちゅうじゅん).

げじょ【下女】[名] 하녀; 가정부. ＝女中(じょちゅう). [参考] 'お手伝(てつだ)いさん'의 구칭. ↔下男(げなん).

*__けしょう__【化粧】[名][ス自他] **1** 화장; 단장. ¶～品(ひん) 화장품/～せっけん 화장 비누/～煉瓦(れんが) 장식용 벽돌/厚化粧(あつげしょう) 짙은 화장/薄化粧(うすげしょう) 엷은 화장/～を直

なおす〔落(お)とす〕 화장을 고치다〔지우다〕/ ～が崩(くず)れる 화장이 지워지다 / 外出(がいしゅつ)のため～する 외출하기 위하여 화장하다. **2** 외양만 그럴 듯하게 꾸밈. ¶ ～板(いた) 화장판(板).

―くずれ【―崩れ】图자自 (땀 등으로) 화장이 지워짐.

―しつ【―室】图 화장실. **1** 화장·몸단장을 하는 방. **2** 변소; 세면장.

―ばこ【―箱】图 **1** 화장 도구 상자. **2** 선물용으로 겉을 아름답게 꾸민 상자.

―まわし【―回し】图 씨름꾼이 씨름판 위에서 의식을 지낼 때 허리에 두르는, 아름답게 수놓은 앞치마 모양의 드림.

けじらみ〖毛虱〗图〘蟲〙 사면발이.

けしん【化身】图 화신. ¶ 神(かみ)の～ 신의 화신 / 悪魔(あくま)の～ 악마의 화신.

⁑け-す【消す】5他 **1** 끄다. ㉠불타는 것을 죽이다. ¶ 水(みず)をかけて火(ひ)を～ 물을 뿌려 불을 끄다 / 踏(ふ)んで～ (짓)밟아서 끄다. ㉡스위치·고동 등을 틀어 멈추다. ¶ 明(あ)かりを～ 등불을 끄다 / ラジオを～ 라디오를 끄다. **2** 없애다. ㉠지우다. ¶ つやを～ 광택을 지워 없애다 / 録音(ろくおん)を～ 녹음을 지우다 / 黒板(こくばん)の字(じ)を～ 칠판의 글씨를 지우다. ㉡제거하다; 죽이다. ¶ 毒(どく)を～ 독을 없애다 / 邪魔者(じゃまもの)を～ 방해자를 없애다《죽이다》/ うわさを～ 소문이 나지 않게 하다. ㉢소리나 냄새 등을 없애다. ¶ 音(おと)を～·してテレビを見(み)る 소리를 죽이고 TV를 보다. **3** 감추다 ; 안 보이게 하다. ¶ 姿(すがた)を～ 모습을 감추다. 可能け-せる下1自

げ-す【解す】サ変他 이해하다; 납득하다. 參考 보통 '～·しがたい(=이해하기 어렵다)' '～·しかねる(=이해할 수 없다)' '～·しにくい(=이해하기 어렵다)' 등의 꼴로 씀. ⇒げせる.

げす［下衆·下種］⊖图 신분이 매우 낮은 사람; 상놈. ⊜名ナ 근성이 비열함; 또, 그런 사람. ¶ ～な媚(こ)び笑(わら)い 비열한 아첨 웃음.

―の後知恵(あとぢえ) 어리석은 사람은 일이 끝난 뒤에야 대책이 나온다.

―の勘繰(かんぐ)**り** 마음이 비뚤어져 있는 자는 남을 잘 의심한다는 뜻.

―の逆恨(さかうら)**み** 마음이 비천한 사람은 반성할 줄 모르고 도리어 충고나 훈계를 해준 사람을 원망함.

―ば-る〖―張る〗5自 하치 근성을 그대로 드러내다; 비열한 태도를 취하다. ¶ ～·った男(おとこ) 아주 야비한 사나이.

***げすい**【下水】图 **1** 하수; 수챗물. ¶ ～管(かん) 하수관 / ～処理場(しょりじょう) 하수 처리장 / ～を浄化(じょうか)する 하수를 정화하다. ↔上水(じょうすい). **2** '下水道(どう)'의 준말. ¶ ～がつまる 하수도가 막히다.

―どう【―道】图 하수도; 수채. ¶ ～工事(こうじ) 하수도 공사. ↔上水道(じょうすいどう).

けすじ【毛筋】图 **1** 머리카락. 參考 사소한 것의 비유에도 쓰임. ¶ ～ほどの疑(うたが)い〔乱(みだ)れ〕もない 털끝 만큼의 의심〔흐트러짐〕도 없다. **2** 가르마; 빗질한 자국. ¶ ～の通(とお)った髪(かみ) 잘 빗은 머리.

ゲスト［guest］图 게스트. **1** 손님. ↔ホスト. **2** 'ゲストメンバー'의 준말. ↔レギュラー.

―メンバー［guest member］图 게스트 멤버; 임시 출석〔출연〕자.

―ワーカー［guest worker］图 게스트 워커; 외국인 노동자. 「은 정강이.

けずね【毛ずね】《毛脛·毛臑》图 털이 많

けずりぶし【削り節】图 얇게 깎은 가다랑어 포《국물을 우려내는 데 씀》.

⁑けず-る【削る】5他 **1** 깎다. ㉠(날붙이로) 깎아내다. ¶ 小刀(こがたな)で鉛筆(えんぴつ)を～ 창칼로 연필을 깎다 / 板(いた)を～ 판자를 (대패 따위로) 깎다. ㉡줄이다; 삭감하다. ¶ 予算(よさん)を～ 예산을 삭감하다 / 小遣(こづか)いを～ 용돈을 깎다〔줄이다〕. **2** 없애다; 지우다; 삭제하다. ¶ 名簿(めいぼ)から名前(なまえ)を～ 명부에서 이름을 지우다. 可能けず-れる下1自

げせない【解せない】連語 이해할 수 없다; 알 수 없다. ¶ あんなけちんぼうが大金(たいきん)を寄付(きふ)するとは～話(はなし)だ 저런 구두쇠가 거금을 기부하다니 이해할 수 없는 이야기다 / 何(なん)とも～話(はなし)だ 무엇인지 이해할 수 없는 얘기다.

げ-せる【解せる】下1自 이해되다; 이해〔납득〕할 수 있다. 參考 보통 '～·せない'의 꼴로 쓰임.

げせわ【下世話】名ナ 항간에서 흔히 하는 말〔이야기〕. ¶ '老(お)いては子(こ)に従(したが)え'と～にも言(い)うが '늙어서는 자식에 따르라' 고 흔히 말하기도 하지만.

げせん【下船】图자自 하선. ¶ 乗客(じょうきゃく)が～する 승객이 하선하다. ↔乗船(じょうせん).

げせん［下賤］名ナ 하천; 미천. =卑賤(ひせん). ¶ ～の身(み) 미천한 몸. ↔高貴(こうき).

けそう【懸想】图자自 이성을 그리워함; 사모; 연모. ¶ 小町娘(こまちむすめ)に～する 소문난 예쁜 아가씨에게 마음을 두다.

げそく【下足】图 (모임에 모인 사람들의) 벗어 놓은 신(발). ¶ ～札(ふだ) 신발표.

―ばん【―番】图 신발지기. 「アダイ.

けぞめ【毛染め】图자自 머리 염색. =ヘ

けた〖桁〗图 **1** 도리; 또, 다리의 횡목(横木). ↔梁(はり). **2** (숫자의) 자릿수. ¶ 五(ご)～の数(すう) 다섯 자릿수. **3** 규모; 수준; 급수. ¶ 人物(じんぶつ)の～がずっと大(おお)きい 인물의 틀이 훨씬 크다.

―が違(ちが)**う** **1** (수의) 자릿수가 틀리다. ¶ 答(こた)えの～ 해답의 자릿수가 틀리다. **2** (규모·실력·솜씨 등의) 정도가 크게 차이 지다; 현격한 차가 있다. ¶ どっちも金持(かねも)ちだが～ 어느 쪽이나 부자지만 규모가 다르다.

***げた**〖下駄〗图 **1** (왜)나막신. ¶ ～箱(ばこ) 신발장. **2**〘印〙(조판에서, '〓' 모양의) 복자(伏字). 參考 보통, 'ゲタ'로 씀. **3** 〈俗〉 수상 비행기의 플로트(float).

―を預(あず)**ける** 상대에게 그 처리를 일임하다; 만사를 맡기다.

──を履かせる 실제보다 점수를 올리다; 실제보다 크게〔좋게〕 보이게 하다. ¶点数に～ 점수를 후하게 매기다.

けたい［懈怠］名ス自 해태; 나태; 게으름. ¶～の心を起こす 나태한 마음을 일으키다. ＝けだい.

げだい【外題】名 **1**(책의) 표제. ↔内題. **2**(연극의) 제목.

けたお-す【け倒す】《蹴倒す》 5他 **1** 차서 쓰러뜨리다. ¶人を地上に～ 사람을 땅바닥에 차서 쓰러뜨리다. **2**(빚 등을) 떼어 먹다. ＝ふみたおす. ¶借金を～ 빚진 돈을 떼먹다.

けだか-い【気高い】形 품격이 높다; 고상하다. ¶名家の出だけあってどこかに～所がある 명가 출신인만큼 어딘가 고상한 데가 있다.

けたけた 副 경박하게 웃는 모양: 히히; 낄낄. ¶～(と)笑う 낄낄(거리며) 웃다.

げたげた 副〈俗〉 헤프게 웃는 모양: 히히. ¶大口をあけて～と笑う 입을 크게 벌리고 히히하고 웃다.

けだし［蓋し］副 생각건대; 어쩌면; 혹은; 대저; 아마(도). ＝たしかに·おそらく·たぶん. ¶～名言だ 확실히 명언이다. 注意 추정할 때 쓰는 文語的인 말.

けたたまし-い 形 갑자기 크고 날카로운 소리가 나다; 매우 소란스럽다. ¶～ベルの音が鳴る 요란한 초인종 소리가 울리다.

けたちがい【けた違い】《桁違い》 一 ダナ 현격한 차이; 단위가 틀림. ¶太陽は地球よりも～に大きい 태양은 지구보다 월등히 크다. 二名 숫자의 자릿수가 틀림.

げだつ【解脱】名ス自〔佛〕 **1** 해탈. **2** '涅槃(＝열반)'의 딴 이름.

けた-てる【け立てる】《蹴立てる》 下1他 **1** 차서 (물결·먼지 따위를) 일으키다. ¶軍艦が波を～·てて進む 군함이 파도를 헤치며 나아가다. **2** 박차는 동작을 하다. ¶席を～·てて帰る 자리를 박차고 돌아가다.

げたばき【げた履き】《下駄履き》 名 **1** 왜나막신을 신(고 있)음. **2** 'げた履き住宅'의 준말.

──じゅうたく【──住宅】名 (1층은 점포, 2층 이상은 주택으로 되어 있는) 상가 주택.

けたはずれ【けた外れ】《桁外れ》 ダナ 표준·규격과 훨씬 틀림; 월등함. ＝並外れ·ど外れ. ¶～の安値 월등히 싼 값.

けだま【毛玉】名 곱슬마디《털실이나 편물 따위의 표면에 덩어리가 진 것》. ¶～が出来る 곱슬마디가 생기다.

***けだもの**［獣］名 **1** 짐승. ＝けもの. **2** 인간답지 못한 사람을 욕하는 말. ＝人でなし. ¶この～め 이 짐승 같은 놈.

けだる-い【気だるい】《気怠い》 形 어쩐지 나른하다; 께느른하다. ¶～夏の昼下がり 어쩐지 나른한 여름날 오후.

げだん【下段】名 하단. **1** 아랫 단. ¶本棚の～ 책장의 하단. **2**(검도·창술에서) 칼이나 창을 낮춰 겨누는 자세. ¶刀を～に構える 칼을 하단으로 잡고 겨누다. ↔上段·正眼.

⁂けち 一名ダナ **1**《본디 吝》 인색함; 다라움; 쩨쩨함; 또, 그런 사람. ＝しみったれ. ¶～な老人 인색한 노인 / ～をする 인색하게〔다랍게〕 굴다 / 金に～である 돈에 인색하다. **2** 초라함; 보잘것없음. ¶～な服 초라한 복장 / ～な男 보잘것없는 사내 / ～な言い分 구차한 변명. **3** 비열함. ¶～な根性 비열한 근성 / ～なふるまいをするな 비열한 짓을 하지 마라. 二名 불길(不吉); 마(魔); 탈.

──が付く 마가 끼다; 재수 옴 붙다.

──を付ける **1** 재수없는 소리를〔짓을〕 하다. **2** 트집〔탈〕 잡다; 헐뜯다.

けちくさ-い【けち臭い】形 **1** 칙살맞다; 다랍다; 인색하다. ¶金持ちのくせに～ 부자인데도 칙살맞다. **2** 초라하다; 보잘것없다. ¶～洋服をきている 초라한 양복을 입고 있다. **3** 쩨쩨하다. ¶～考え 쩨쩨한 생각.

けちけち 副ス自 몹시 인색한 모양: 쩨쩨하게; 다랍게. ¶わずかな金に～する 적은 돈에 다랍게 굴다 / ～するな 쩨쩨하게 굴지 마라.

ケチャップ［ketchup］名 케첩. ¶トマト～ 토마토 케첩.

けちょんけちょん 副〈俗〉 호되게 당하거나 몰아세우는 모양. ＝こてんこてん. ¶～になる (몹시 당해서) 축 늘어지다 / ～にけなす 호되게 깎아내리다.

けちら-す【け散らす】《蹴散らす》 5他 **1** 차서 흩뜨리다. **2** 쫓아버리다. ¶むらがる敵を～ 모여드는 적을 쫓아버리다.

けち-る 5他 인색하게 굴다; 다랍게 아끼다. ¶修理費を～ 수리비를 지나치게 아끼다 / ～·ったばかりに損をした 인색하게 굴다가 손해를 보았다. 注意 'けち'를 動詞化한 말.

けちんぼう【けちん坊】《吝嗇坊》 名 인색한 사람; 구두쇠; 노랑이. ＝しみったれ·しわんぼう·けちんぼ. ⇨けち一.

けつ【穴】名 **1** 구멍. **2**〈俗〉☞けつ(尻). ¶～めど 똥구멍.

けつ［尻］名〈俗〉 **1** 엉덩이; 볼기. ＝しり. ¶～をまくる (a)자세를 고쳐 앉다; (b)갑자기 위압적 태도로 나오다 / ～をたたく 엉덩이를 때리다《격려〔재촉〕하다》. **2** 맨 끝. ＝びり. ¶～から三番目 꼴찌에서 세 번째.

──の穴が小さい〔狭い〕 도량이 좁다; 소심하다.

けつ【決】名 **1**(회의 등에서) 가부(可否)를 정함. ¶～をとる 채결(採決)하다. **2** 결정; 결단. ¶社長の～に従う 사장의 결정에 따르다.

けつ【欠】名 **1** 없음; 부족. ¶～を補う 부족을 메우다. **2** 흠; 결점. **3** 결석.

けつ〖欠〗《缺》 教4 ケツ かく かける | 결 빠지다

빠지다; 없다; 이지러지다. ¶ガソリン

欠(けつ) 가솔린 결핍 / 欠損(けっそん) 결손. ↔完(かん).

けつ〖穴〗教6 ケツ あな | 혈 구멍 | 구멍; 굴. ¶経穴(けいけつ)〘漢醫〙 경혈 / 穴居(けっきょ) 혈거 / 墓穴(ぼけつ) 묘혈.

けつ〖血〗教3 ケツ ケチ ち | 혈 피 | **1** 피; 혈액. ¶血圧(けつあつ) 혈압 / 血液(けつえき) 혈액. **2** 혈족. ¶血縁(けつえん) 혈연 / 血統(けっとう) 혈통.

けつ〖決〗教3 ケツ きめる きまる | 결 정하다 | **1** 둑이 무너지다; 부서지다. ¶決裂(けつれつ) 결렬 / 堤防(ていぼう)が決(けっ)する 방죽이 터지다. **2** 결정〔결심〕하다. ¶決意(けつい) 결의.

けつ〖結〗教4 ケツ ケチ むすぶ ゆう ゆわえる | 결 맺다 | **1** 실을 묶어서 단을 짓다. ¶結縄(けつじょう) 결승 / 結束(けっそく) 결속. **2** 동아리를 맺다; 짝을 짓다. ¶結社(けっしゃ) 결사 / 結婚(けっこん) 결혼.

けつ〖傑〗常用 ケツ すぐれる | 걸 준걸 | 뛰어나다; 우수하다. ¶傑作(けっさく) 걸작 / 傑出(けっしゅつ) 걸출.

けつ〖潔〗(〖潔〗) 教5 ケツ いさぎよい | 결 깨끗하다 | 깨끗하다. ¶潔白(けっぱく) 결백 / 高潔(こうけつ) 고결.

げつ【月】 월. ㊀图 '月曜日(げつようび)(=월요일)'의 준말. ㊁接尾 달수를 세는 말: 달; 개월(個月). ¶三(さん)か~ 3개월.

げつ〖月〗(〖月〗) 教1 ゲツ ガツ ガチ つき | 월 달 | **1** 달. ¶月光(げっこう) 월광 / 満月(まんげつ) 만월. **2** 월; 시간의 단위. ¶月刊(げっかん) 월간.

けつあつ【血圧】图 혈압. ¶~降下剤(こうかざい) 혈압 강하제 / ~が高(たか)い 혈압이 높다 / ~を計(はか)る 혈압을 재다.

*__けつい__【決意】图ス自他 결의; 결심. ¶~を固(かた)める 결의를 굳히다 / ~がゆらぐ 결심이 흔들리다.

けついん【欠員】图 결원; 궐원. ¶~をうめる 결원을 채우다 / 役員(やくいん)が~になる 임원이 결원이 되다.

げつえい【月影】图 월영; 달그림자; 달빛. =月(つき)かげ.

*__けつえき__【血液】图 혈액. =血(ち). ¶~検査(けんさ) 혈액 검사 / ~の循環(じゅんかん)が良(よ)くなる 혈액 순환이 좋아지다.

—がた【—型】图〘生〙 혈액형. ¶血(ち)を少(すこ)し採(と)って~を検査(けんさ)する 피를 조금 뽑아서 혈액형을 검사하다.

—ぎんこう【—銀行】图 혈액 은행.

—センター [center] 图 혈액 센터《혈액 은행을 개편한 것임》.

けつえん【血縁】图 혈연; 혈족; 혈육. =血族(けつぞく)·血(ち)すじ. ¶~関係(かんけい) 혈연 관계 / ~(の人(ひと))がない 혈육이 없다.

__けっか__【結果】图 결과. ㊀图ス自他 **1 어떤 원인으로 생기는 상태. ¶努力(どりょく)の~, 合格(ごうかく)した 노력한 결과 합격했다. ↔原因(げんいん). **2** 이루어진 상황. ¶~が出(で)る 결과가 나오다. ㊁图ス自 (식물의) 결실. ¶リンゴの~期(き) 사과의 결실기.

—てき【—的】ダナ 결과적. ¶~にはそれがよかった 결과적으론 그게 좋았다.

げっか【月下】图 월하; 달빛 아래.

—ひょうじん【—氷人】图 월하빙인; 중매인. =仲人(なこうど)·ばいしゃく人(にん).

げっか【激化·劇化】图ス自他 ☞げきか.

けっかい【決壊】《決潰》图ス自他 결궤; (둑 따위가) 터져 무너짐〔무너뜨림〕. ¶大水(おおみず)で堤防(ていぼう)が~する 홍수로 제방이 무너지다. 注意 본디는 '決潰'.

けっかい【血塊】图 혈괴; 핏덩어리.

けっかく【欠格】图 결격. ¶~者(しゃ) 결격자 / ~条件(じょうけん) 결격 조건. ↔適格(てきかく).

*__けっかく__【結核】图 결핵. ¶~菌(きん) 결핵균 / ~にかかる 결핵에 걸리다 / ~を撲滅(ぼくめつ)する 결핵을 박멸하다. 参考 좁은 뜻으로는, 폐결핵을 가리킴.

げつがく【月額】图 월액; 1개월당 금액. ¶授業料(じゅぎょうりょう)は~二千円(にせんえん)だ 수업료는 월액 2천엔이다.

けつか-る 5自 〈俗〉《動詞連用形+'て'를 받아》'いる' 'ある'의 막된 말씨: …하고 있다. ¶寝(ね)て~ 자빠져 자고 있다.

*__けっかん__【欠陥】图 결함. =不備(ふび)·欠点(けってん). ¶~を補(おぎな)う 결함을 보완하다 / 性格(せいかく)に~がある 성격에 결함이 있다.

—しゃ【—車】图 결함차.

*__けっかん__【血管】图 혈관. ¶毛細(もうさい)~ 모세 혈관 / ~が破(やぶ)れる 혈관이 터지다.

けつがん [頁岩] 图〘鑛〙 혈암; 이판암(泥板岩). =シェール. ¶油母(ゆぼ)~ 유모혈암; 오일 셰일(oil shale).

げっかん【月刊】图 월간. ¶~雑誌(ざっし) 월간 잡지.

げっかん【月間】图 월간. ¶~千個(せんこ)の生産(せいさん) 월간 천 개의 생산.

けっき【血気】图 혈기. ¶~の勇(ゆう) 혈기지용 / ~盛(さか)んである 혈기 왕성하다 / ~にまかせて暴(あば)れる 혈기가 뻗치는 대로 날뛰다 / ~にはやる 혈기에 치우치다; 무모하게 덤비다.

—ざかり【—盛り】名ナ 혈기 왕성한 때; 한창때.

けっき【決起】《蹶起》图ス自 궐기. ¶真相(しんそう)究明(きゅうめい)に市民(しみん)が~する 진상 규명을 위해 시민이 궐기하다. 注意 본디는 '蹶起'.

けつぎ【決議】图ス他 결의. ¶~文(ぶん) 결의문 / 不信任案(ふしんにんあん)を~する 불신임안을 결의하다.

けっきゅう【血球】图 혈구. ¶赤(せっ)~ 적혈구.

**__げっきゅう__【月給】图 월급. ¶初(はつ)~ 첫 월급 / ~日(び) 월급날 / ~袋(ぶくろ) 월급 봉투 / ~をもらう 월급을 받다〔타다〕. ↔日給(にっきゅう)·週給(しゅうきゅう).

—とり【—取り】图 월급쟁이. =サラリーマン.

けっきょ【穴居】图ス自 혈거. ¶~生活(せいかつ) 혈거 생활 / ~時代(じだい) 혈거 시대.

**__けっきょく__【結局】图 결국. ¶~は正(ただ)しい者(もの)が勝(か)つ 결국은 옳은 자가 이긴다 / ~そういうことになるか 결국 그렇게 되는가. 注意 흔히, 副詞적으로 쓰임.

*__けっきん__【欠勤】图ス自 결근. ¶~届(とどけ)(を出(だ)す) 결근계(를 내다) / 長期(ちょうき)〔無届(むとどけ)〕~ 장기〔무단〕 결근 / ~が

多(おお)い 결근이 많다. ↔出勤(しゅっきん).

けっく【結句】㊀名 결구; 시가의 맺음 구절. ↔起句(きく)·承句(しょうく). ㊁副 결국; 마침내. =つまり.

けづくろい【毛繕い】名 짐승이 혀·앞발 따위로 몸이나 털을 깨끗이 하는 일.

げっけい［月桂］名 **1** 달에 있다는 계수나무. **2** 달; 달빛.

—かん［—冠］名 월계관; 우승의 영예.

—じゅ［—樹］名 월계수.

げっけい【月経】名 월경. =月(つき)のもの·経水(けいすい)·メンス. ¶~痛(つう) 월경통 / ~不順(ふじゅん) 월경 불순 / ~閉鎖期(へいさき) 월경 폐쇄기; 폐경기.

けつご【結語】名 결어; 문장의 끝맺는 말.

けっこう【欠航】名ス自 결항. ¶暴風雨(ぼうふうう)のために連絡船(れんらくせん)が~する 폭풍우로 연락선이 결항하다.

けっこう【欠講】名ス自 결강. ¶~がつづく 결강이 계속되다.

けっこう【決行】名ス他 결행. ¶雨天(うてん)でも~する 우천이라도 결행한다.

けっこう【血行】名 혈행; 혈액 순환; 피돌기. ¶~障害(しょうがい) 혈행 장애 / ~をよくする 혈액 순환을 잘되게 하다.

⁑けっこう【結構】名 결구; 짜임새; 구조; 구성. =構(かま)え. ¶文章(ぶんしょう)の~ 문장의 짜임새 / ~に趣向(しゅこう)を凝(こ)らす 구성에 여러모로 머리를 쓰다.

⁑けっこう〖結構〗㊀ダナ **1** 훌륭함; 좋음. ¶~な出来(でき)ばえ 훌륭한 만듦새〔솜씨〕. **2** 부족함이 없음; 만족스러움. ¶~なお人柄(ひとがら) (a)나무랄 데 없는 인품; (b)그저 무던한 인품 / ~なご家庭(かてい)ですね 썩 훌륭한 가정〔집안〕이군요 / お元気(げんき)で~です 건강하시니 다행입니다. **3** 괜찮음; 이제 됐음. ¶おかわりはもう~です (음식을 더 권할 때) 이젠 됐습니다 / もう少(すこ)しで~です 조금만 더 주시면 됩니다. ㊁副 그런대로; 제법; 충분히. ¶代用品(だいようひん)でも~役(やく)に立(た)つ 대용품이라도 그런대로 도움이 된다 / ~おいしい 제법 맛있다 / ~まにあう (그만하면) 충분하다.

けつごう【欠号】名 결호; 차례대로 갖춘 잡지나 신문 중에서 빠진 호.

けつごう【結合】名ス自他 결합. ¶分子(ぶんし)が~する 분자가 결합하다.

げっこう【月光】名 월광; 달빛. =つきかげ. ¶~をあびる 달빛을 받다 / ~が隈(くま)なく照(て)り渡(わた)っていた 달빛이 구석구석까지 밝게 비치고 있었다.

げっこう【激高】〖激昂〗名ス自 격앙; 격분. =げきこう. ¶悪口(わるくち)を言(い)われて~する 욕설을 듣고 격분하다. 注意 '激高'는 대용 한자.

⁑けっこん【結婚】名ス自 결혼. ¶~話(ばなし) 혼담 / ~相手(あいて)〔祝(いわ)い〕 결혼 상대〔축하 선물〕 / ~式(しき)(を挙(あ)げる) 결혼식(을 올리다) / ~届(とどけ)(を出(だ)す) 혼인 신고(를 하다) / ~適齢期(てきれいき) 결혼 적령기 / 恋愛(れんあい)~ 연애 결혼 / ~は人生(じんせい)の墓場(はかば) 결혼은 인생의 무덤 / ~したての夫婦(ふうふ) 갓 결혼한 부부 / ~にこぎ着(つ)ける 결혼에 골인하다 / ~を申(もう)しこむ 청혼하다. 参考 법률적으로는 '婚姻(こんいん)'이라 함.

—きねんしき【—記念式】名 결혼 기념식.

—そうだんじょ【—相談所】名 결혼 상담소.

—ゆびわ【—指輪】名 결혼 반지.

けっこん［血痕］名 혈흔; 핏자국. ¶シャツに~がある 셔츠에 핏자국이 있다.

けっさい【決済】名ス他 결제. ¶~日(び) 결제일 / ~通貨(つうか) 결제 통화 / 勘定(かんじょう)を~する 셈을 결제하다 / 現金(げんきん)で~する 현금으로 결제하다.

けっさい【決裁】名ス他 결재. =裁決(さいけつ). ¶手形(てがた)の~ 어음 결재 / 長官(ちょうかん)の~を仰(あお)ぐ 장관의 결재를 바라다 / 案件(あんけん)を~する 안건을 결재하다.

けっさい【潔斎】名ス自 결재; 목욕재계. =ものいみ. ¶精進(しょうじん)~ 정진 결재.

*けっさく【傑作】名ナ **1** 걸작; 뛰어난 작품; 명작. ¶一代(いちだい)の~ 일대의 걸작. **2** 〈俗〉 별나고 야릇한 언동이나 모양. ¶~なやつだ 괴상한 놈이다 / また~をしでかした 또 엉뚱한 짓을 저질렀다.

けっさん【決算】名ス他 결산. ¶~報告(ほうこく) 결산 보고 / ~日(び) 결산일 / 旅行(りょこう)の費用(ひよう)を~する 여행 비용을 결산하다.

げっさん【月産】名 월산. ¶~一万台(いちまんだい) 월산 일만 대.

けっし【決死】名 결사. ¶~隊(たい) 결사대 / ~の覚悟(かくご) 결사적인 각오 / ~の勇(ゆう)をふるう 결사적인 용기를 내다.

—てき【—的】ダナ 결사적.

けつじ【欠字】〖闕字〗名 결자; 탈자(脱字).

げつじ【月次】名 월차; 월례. ¶~計画(けいかく) 월차 계획 / ~報告(ほうこく) 월례 보고.

けっしきそ【血色素】名 혈색소. ☞ヘモグロビン.

けつじつ【結実】名ス自 결실. ¶~の季節(きせつ) 결실의 계절 / 多年(たねん)の努力(どりょく)が~する 다년간의 노력이 결실하다.

⁑けっして【けっして·決して】副 결코; 절대로. =絶対(ぜったい)に·断(だん)じて. ¶~言(い)わない 결코 말하지 않다 / ~しゃべるな 절대로 말하지 마라 / ~そこへ行(い)ってはならない 결코 거기에 가서는 안된다 / 私(わたし)は~うそを申(もう)しません 난 결코 거짓말을 하지 않습니다. 参考 뒤에 否定·禁止나 'ものか'를 수반함.

けっしゃ【結社】名 결사. ¶~の自由(じゆう) 결사의 자유 / 秘密(ひみつ)~ 비밀 결사.

げっしゃ【月謝】名 월사. **1** 매달 내는 사례금. **2** 월사금; 수업료. ¶~を払(はら)う 월사금을 치르다.

けっしゅう【結集】名ス他自 결집. ¶~した力(ちから) 결집된 힘 / 総力(そうりょく)を~する 총력을 결집하다.

げっしゅう【月収】名 월수(입). ¶~千万円(せんまんえん)の所得(しょとく)がある 월수 천만 엔의 소득이 있다. ↔日収(にっしゅう)·年収(ねんしゅう).

けっしゅつ【傑出】名ス自 걸출. ¶~し

た人物 걸출한 인물 / ～した力量を示す 출중한 역량을 보이다.

けっしょ【血書】图ス自他 혈서. ¶～をしたためる 혈서를 쓰다.

けつじょ【欠如】图ス自 결여. ¶自主性の～ 자주성의 결여 / 責任感が～している 책임감이 결여되어 있다.

*けっしょう【決勝】图 결승. ¶～線 결승선 / ～戦 결승전 / ～で惜しくもまけた 결승에서 아깝게도 졌다.

—てん【—点】图 결승점. **1** 경주 등에서 승부를 정하는 지점. ＝ゴール. **2** 승부를 결정하는 득점.

*けっしょう【結晶】图ス自 결정. ¶努力〔愛〕の～ 노력〔사랑〕의 결정 / 雪が～をつくる 눈이 결정을 이루다.

けっしょう[血漿]图〔生〕혈장.

けつじょう【欠場】图ス自 결장. ¶病気で試合に～する 신병으로 시합에 결장하다. ↔出場.

けっしょうばん【血小板】图〔生〕혈소판.

けっしょく【欠食】图ス自 결식. ¶ききんのため～児童がふえた 기근 때문에 결식 아동이 늘었다.

けっしょく【血色】图 혈색; 얼굴빛. ¶～がよい〔悪い〕 혈색이 좋다〔나쁘다〕.

げっしょく【月色】图 월색; 달빛《한문투의 말씨》. ＝月の光.

げっしょく【月食】《月蝕》图 월식. ¶皆既～ 개기 월식. 注意 본디는 '月蝕'. ↔日食.

**けっしん【決心】图ス自 결심. ¶～がゆらぐ 결심이 흔들리다 / なかなか～がつかない 좀처럼 결심이 안 서다.

けっしん【結審】图ス自〔法〕결심.

けっ-する【決する】サ変自他 정해지다; 결정하다. ¶運命が～ 운명이 결정되다 / 意を～ 뜻을 정하다; 결심하다 / 雌雄を～ 자웅을 결하다.

けっせい【結成】图ス他 결성. ¶～式 결성식 / クラブ〔労動組合〕を～する 클럽〔노동조합〕을 결성하다.

けっせい【血清】图〔生〕혈청. ¶～肝炎〔療法〕 혈청 간염〔요법〕 / ～を注射する 혈청을 주사하다.

けつぜい【血税】图 혈세. **1** 가혹한 세금. ¶国民の～ 국민의 혈세. **2** 병역 의무.

げっせかい【月世界】图 월세계; 달나라. ＝月界. ¶～旅行は空想ではない 달나라 여행은 공상이 아니다.

**けっせき【欠席】图ス自 결석. ¶～届け 결석계 / 病気で～する 신병으로 결석하다. ↔出席.

—さいばん【—裁判】图 궐석 재판.

けっせき【結石】图〔醫〕결석. ¶腎臓～ 신장 결석.

けっせん【決戦】图ス自 결전. ¶天下分け目の～ 천하를 가르는〔두고 겨루는〕 결전 / 最後の～に備える 최후의 결전에 대비하다. ↔予戦.

けっせん【血戦】图ス自 혈전. ¶～数合にして敵は退却した 혈전 수합에 적은 퇴각하였다.

けっせん【血栓】图〔生〕혈전. ¶脳～ 뇌혈전.

けつぜん【決然】副トタル 결연; 단호. ＝きっぱり. ¶～たる態度をとる 결연한〔단호한〕 태도를 취하다.

けっせんとうひょう【決選投票】图 결선 투표.

けっそう【血相】图 혈상; 안색; 특히, 노여움이나 놀라움이 나타나 있는 안색. ＝顔色·顔つき. ¶ただならぬ～ 예사롭지 않은 안색 / ～を変える 안색을 바꾸다; 표정이 변하다.

けっそく【結束】图ス自他 결속. **1** 다발을 지음. ¶薪を～する 장작을 다발 지어 묶다. **2** 단결함. ¶～をかためる 결속을 굳게 하다 / ～がゆるむ〔乱れる〕 결속이 느슨해지다〔흐트러지다〕.

けつぞく【血族】图 혈족; 혈연. ¶～関係 혈족 관계 / ～結婚 혈족 결혼.

げっそり 副 **1** 갑자기 여위는 모양: 홀쭉. ¶下痢をして～(と)やせた 설사를 하고 나서 홀쭉해졌다 / ～と頬がこける 볼이 홀쭉해지다. **2** 〈俗〉 맥 빠진〔실망한〕 모양. ＝がっかり·がっくり. ¶落第して～する 낙제해서 맥이 빠지다.

けっそん【欠損】图ス自 결손. ¶～を補う 결손을 메우다〔보충하다〕 / ～が重なる 결손이 거듭되다.

—かてい【—家庭】图 결손 가정.

けったい【結滞】图ス自〔醫〕결체; 맥박의 난조. ¶心臓が悪くて時々～する 심장이 나빠서 때때로 결체하다.

けったい〘希代〙ダナ 〈関西方〉 기묘함; 이상야릇함. ＝変な. ¶～な男〔味〕 묘한〔이상야릇한〕 사나이〔맛〕.

ゲッタウエー [getaway]图 게터웨이; 탈출; 도망; 도주.

けったく【結託】《結托》图ス自 결탁. ¶業者と～する 업자와 결탁하다.

けったん【血たん】《血痰》图 혈담. ¶～が出る 혈담이 나오다.

*けつだん【決断】图ス自 결단. ¶～力 결단력 / ～を迫られる 결단을 강요당하다 / かなりの～を要する 상당한 결단을 요한다.

けつだん【結団】图ス自他 결단. ¶～式 결단식 / 遠征チームを～する 원정팀을 결단하다. ↔解団.

けっちゃく【決着】《結着》图ス自 결착; 결말이 남; 매듭 지음. ¶～がつく 결말이 나다 / 仕事に～をつける 일에 매듭을 짓다.

けっちょう【結腸】图〔生〕결장. ¶～炎 결장염.

けっちん【血沈】图〔醫〕혈침《'赤血球沈降速度(＝적혈구 침강 속도)'의 준말》. ¶～を計る 혈침을 재다.

ゲッツー [get two]图〔野〕겟 투; 병살. ＝ダブルプレー.

**けってい【決定】图ス他 결정. ¶～事項 결정 사항 / ～権 결정권 / 未～ 미결정 / ～に従う 결정에 따르다.

—てき【—的】ダナ 결정적. ¶～な瞬間 결정적인 순간 / Aチームの優勝

ゆうしょうは～だ A팀의 우승은 결정적이다.
—ばん【—版】图 결정판. ¶～として発行する 결정판으로서 발행하다.
*けってん【欠点】图 1 결점; 단점. ＝短所. ¶～を補う〔さらけ出す〕 결점을 보완하다〔드러내다〕. ↔美点. 2 (학교 성적에서) 낙제점. ¶～をとる 낙제점을 받다.
ケット [←blanket] 图 'ブランケット(＝담요)'의 준말.
けっとう【決闘】图ス自 결투. ＝はたしあい. ¶～状 결투장 / ～を申しこむ 결투를 신청하다.
けっとう【結党】图ス自他 결당. ¶～大会 결당〔창당〕 대회 / 新たに保守政党を～する 새로 보수 정당을 결당하다. ↔解党.
けっとう【血糖】图 〘生〙 혈당. ¶～値を下げる 혈당치를 낮추다.
けっとう【血統】图 혈통; 핏줄. ＝血すじ·血つづき. ¶～のよい家柄 혈통이 좋은 집안.
—しょ【—書】图 혈통서《기르는 동물의 바른 혈통을 증명하는 서류》. ¶～付きのシェパード 혈통서가 있는 셰퍼드.
けっとば-す 〘蹴っ飛ばす〙 5他 〈俗〉 'けとばす'의 힘줌말. ¶空き缶を～ 빈 깡통을 힘껏 차 버리다.
げつない【月内】图 월내; 그달 안.
けつにく【血肉】图 혈육. ＝骨肉. ¶～の争い 혈육간의 다툼.
けつにょう【血尿】图 혈뇨; 피 오줌.
けっぱい【欠配】图ス他 주식 배급이나 급료 지급을 거름. ¶～が続く 배급이〔급료가〕 오래 안 나오다. ↔満配.
けっぱく【潔白】图ダナ 결백. ¶清廉～な人 청렴결백한 사람 / 身の～を証明する 일신의 결백을 증명하다.
けっぱつ【結髪】图ス自 결발; 머리를 묶음〔틂〕.
けつばん【欠番】图 결번. ¶永久～ 영구 결번 / ～を埋める 결번을 메우다 / 病院では四号室は～のことが多い 병원에서는 4호실은 결번인 수가 많다.
けっぱん【血判】图ス自 혈판; 단지(斷指)하여 도장을 찍음; 또, 그 도장. ¶～状 혈판장.
けつび【結尾】图 결미; 끝맺음; 끝. ＝おわり·むすび.
けっぴょう【結氷】图ス自 결빙. ¶～期 결빙기 / 湖が～する 호수가 결빙하다. ↔解氷.
げっぴょう【月評】图 월평. ¶文芸作品の～ 문예 작품의 월평.
けつびん【欠便】图 정기편(定期便) 등이 운항을 거름; 결항.
げっぷ 图 〈俗〉 트림. ＝おくび. ¶～がでる 트림이 나다.
*げっぷ【月賦】图 월부. ＝月賦払い. ¶～販売 월부 판매 / ～で買う 월부로 사다. ↔年賦·日賦.
けつぶつ【傑物】图 걸물. ＝傑人·傑士. ¶財界を牛耳る～ 재계를 주름잡는 걸물.
けっぺき【潔癖】图ダナ 결벽. ¶～に身を処す 결벽하게 처신하다 / よごれをがまんできない～な性格 더러움을 참지 못하는 결벽한 성격.
けつべつ【決別】《訣別》图ス自 결별; 이별. ＝暇ごい·別れ. ¶～を告げる 이별을 고하다 / 青春に～する 청춘과 결별하다. 注意 '決別'로 씀은 대용한자.
けつべん【血便】图 혈변; 피똥.
*けつぼう【欠乏】图ス自 결핍. ¶食糧が～する 식량이 결핍하다.
げっぽう【月俸】图 월봉; 월급. ＝月給. ¶～五十万円 월봉 50만 엔. ↔年俸.
げっぽう【月報】图 월보; 월례 보고·보도. ¶社内～ 사내 월보. ↔日報·週報.
けっぽん【欠本】《闕本》图 결본; 궐본. ＝端本·欠巻. ¶全集の第一巻が～だ 전집의 제일권이 빠졌다. ↔完本·丸本.
けつまく【結膜】图 〘生〙 결막. ¶～炎 결막염.
けつまず-く 〘蹴躓く〙 5自 'つまずく'의 힘줌말.
けつまつ【結末】图 결말. ¶事件の～をつける 사건의 결말을 짓다.
げつまつ【月末】图 월말. ＝つきずえ. ¶～ばらい 월말 지불.
けつみゃく【血脈】图 혈맥. 1 혈관. 2 핏줄; 혈통. ＝血すじ. ¶～が絶える 혈통이 끊어지다.
けづめ 〘蹴爪·距〙 图 〘動·鳥〙 며느리발톱. ＝かけづめ.
けつめい【血盟】图ス自 혈맹. ¶～の間柄 혈맹을 맺은 사이 / ～して同志となる 혈맹을 맺고 동지가 되다.
げつめい【月明】图 월명; 달이 밝음; 밝은 달빛. ＝月あかり. ¶～の夜 달 밝은 밤.
げつめん【月面】图 월면; 달 표면. ¶～着陸 월면 착륙.
けつゆうびょう【血友病】图 〘醫〙 혈우병.
げつよ【月余】图 월여; 한 달 남짓. ¶～を経る 한 달 남짓 경과하다.
**げつよう【月曜】图 월요. ¶～日 월요일 / ～病 월요병.
けつらく【欠落】图ス自 결락; 결핍; 부족함. ¶道徳感覚が～する 도덕 감각이 결핍되다 / 判断力が～している 판단력이 부족하다.
げつり【月利】图 월리; 달변. ¶～二分〔一割〕の高利 월리 2푼〔1할〕의 고리. ↔日歩·年利.
けつるい【血涙】图 혈루; 피눈물. ¶～を絞る 피눈물을 짜다〔흘리다〕.
けつれい【欠礼】图ス自 결례; 실례. ＝失礼. ¶ものぐさで～する 게을러서 결례하다 / 喪中につき～いたします 상중이어서 결례합니다.
げつれい【月例】图 월례. ¶～会 월례회 / ～の集まり 월례 모임.

げつれい【月齢】图 (달의) 월령. 参考 만월은 월령으로 따지면 15 일임.

けつれつ【決裂】图ス自 결렬. ¶和平交渉が～する 화평 교섭이 결렬되다.

けつろ【血路】图 혈로; 활로. ¶～を開く 혈로를 열다; 어려운 사태의 해결책을 찾아 내다.

けつろ【結露】图ス自 결로. ¶～現象 결로 현상 / 窓ガラスに～する 창유리에 이슬이 맺히다.

⁑けつろん【結論】图ス自 결론. ¶～づける 결론 짓다 / ～が出る 결론이 나오다 / ～を引き出す〔得る, くだす〕 결론을 끌어내다〔얻다, 내리다〕.

げてもの【げて物】《下手物》图 **1** (별로 손을 가하지 않은) 조잡한 물건; 싸구려. ↔上手物. **2** (일반 사람이 별나게 보는) 색다른 것. ¶～趣味 (색다른 것에 대한) 별난 취미.

けど 接助終助 〈俗〉 ☞けれど(も).

げどう【外道】图 **1** 외도. ㉠〔佛〕(불교도의 입장에서 본) 사도(邪道)를 신봉하는 사람《남을 욕할 때에도 쓰임》. ㉡인도에 어긋난 악인. ¶この～め 이 악독한 놈. **2** 사악한 인상(人相)을 나타낸 탈.

げどく【解毒】图ス自 해독. ＝毒消し. ¶～剤 해독제 / ～作用 해독 작용.

***けとば-す**〖蹴飛ばす〗5他 **1** 〈俗〉 내차다; 걷어 차다. ¶ボールを～ 공을 멀리 차다 / 向こうずねを～ 정강이를 세게 차다. **2** 차버리다《'ける(＝차다)'의 힘줌말》. ㉠밀어 제치다. ¶同僚を～·して出世する 동료를 밀어 제치고 출세하다. ㉡일축하다; 물리치다. ¶一言の下に～ 한마디로 거부하다 / 申し出を～·した 제안을 일축했다.

けども 接助終助 〈女·方〉 ☞けれども.

ケトル [kettle] 图 케틀《밑바닥이 평평한 물주전자》. ＝ケットル.

けど-る〖気取る〗5他 《흔히, 'けどられる'의 꼴로 쓰임》 낌새채다; 눈치채다. ＝気づく. ¶早くも相手に～·られる 벌써 상대에게 눈치 채이다.

けなげ〖健気〗ダナ **1** (자기 몸을 돌보지 않고) 씩씩하고 부지런함; 다기짐; 다기참. ¶～に働く 바지런하게 일하다. **2** (나이나 몸에 비해서) 갸륵함; 기특함. ¶～な心がけ 갸륵한 마음씨 / 年に似あわず～なふるまいだ 그 나이답지 않게 기특한 행위다.

けな-す〖貶す〗5他 폄하다; 깎아내리다; 헐뜯다; 비방하다; 욕하다. ＝そしる·くさす. ¶人の作品を～ 남의 작품을 내리깎다 / 一体私をほめているのかそれとも～·しているのか 대관절 나를 칭찬하는 것이냐 아니면 비방하는 것이냐. 可能けな-せる下1自

けなみ【毛並み】图 **1** (동물의) 가지런히 난 털의 모양. ¶～の美しい馬 털이 함초롬한 말. **2** 성질; 종류; 씨알. ¶～の変わった物 색다른 것. **3** 〈俗〉 (혈통·가문·학벌 등의) 출신 성분. ¶彼は～がいい 그는 출신이 좋다.

げなん【下男】图 남자 하인; 사내종. ＝しもべ·下僕. ↔下女.

げに〖実に〗副 〈雅〉 실로; 참으로. ＝まことに·いかにも. ¶～悩ましき姿かな 실로 관능적인 모습이로구나.

けにん【家人】图 **1** 대대로 그 집을 섬기고 있는 사람. ＝いえのこ·家来. **2** ☞ごけにん.

げにん【下人】图 지체가 천한 사람; 아랫것; 특히, 하인. ＝下郎·下種·しもべ·召し使い.

けぬき【毛抜き】《鑷》图 족집게. ¶～でとげを抜く 족집게로 가시를 뽑다.

げねつ【解熱】图ス他 해열. ¶～剤 해열제《아스피린 등》. ↔発熱.

けねん【懸念】图ス他 **1** 괘념(掛念); 걱정; 근심; 불안. ＝心配·気がかり. ¶～が生じる 불안〔걱정〕이 생기다 / 強い～を抱く 강한 불안을 품다. **2** 〔佛〕 집념(執念); 집착.

ゲノム [도 Genom] 图〔生〕 게놈; 생물의 생존에 필요한 최소 한도의 염색체의 한 조(組).

けば【けば·毛羽】《毳》图 괴깔; 보풀. ¶～が立つ 보풀이 일다.

げば【下馬】图ス自 하마; 말에서 내림. ＝下乗. ¶これより先, ～のこと 여기서부터는 하마할 것《게시에서》.

—さき【—先】图 (성문이나 사찰 앞 등의) 하마해야 할 곳.

—ひょう【—評】图 하마평; 세평. ¶～ではK氏当選が有力だ 항간의 소문으로는 K씨 당선이 유력하다.

ゲバ 图 'ゲバルト'의 준말. ¶内～ 내홍(內訌); 내분. ⇨ゲバぼう.

***けはい**〖気配〗图 **1** 기미; 낌새 ; 분위기. ＝気色·けわい. ¶人の～ 인기척 / 今にも降り出しそうな～ 금방 비가 내릴 것 같은 기미 / 変な～がする 이상한 낌새가 있다 / 好転の～がうかがわれる 호전될 기미가 엿보인다 / 秋の～が感じられる 가을 기운이 느껴진다. **2** 〔商〕 경기; 시세. ¶市場は好～を保っている 시장은 호경기를 유지하고 있다. 注意 '気配'는 취음자.

けばけばし-い〖毳毳しい〗形 야하다; 현란하다. ¶～広告 요란한 광고 / ～みなりをした女 야한〔야단스러운〕 옷차림을 한 여자 / ～·く飾り立てる 야하게〔야단스럽게〕 치장하다.

けばだ-つ【毛羽立つ】《毳立つ》5自 보풀이 일다. ＝そそける. ¶生地がすれて～ 천이 닳아서 보풀이 일다.

けはな-す【け放す】《蹴放す》5他 **1** 차서 밀어 젖히다. **2** (발로) 차서 문 따위를 열다. ¶戸を～ 문을 발로 차서 열다.

ゲバぼう【ゲバ棒】图 과격파 학생 등이 난투에서 휘두르는 각재·쇠파이프 등. 参考 'ゲバ'는 'ゲバルト'의 준말.

けばり【毛ばり】《毛鉤》图 제물낚시. ＝虫ばり.

ゲバルト [도 Gewalt] 名 게발트; 폭력; 분쟁·데모 때의 실력 투쟁《본디, 학생 운동가의 용어》.

けびき【け引き】《野引き》名 **1** 괘〔선〕 긋기; 또, 그은 괘. **2** (목수 등이 쓰는) 선 그을 때 쓰는 먹자.

けびょう【仮病】名 꾀병. =にせ病(びょう)·作病(さくびょう). ¶~を使(つか)う 꾀병을 부리다.

げ-びる〖下卑る〗上1自 천하게 보이다; 상스럽다. =げすばる. 参考 보통 'げびた' 'げびている' 의 꼴로 쓰임. ¶~·びたふるまい〔笑(わら)い〕 야비한 행동〔웃음〕.

***げひん**【下品】⊟名 하품; 하치 (물건). ⊟ダナ 인품이 천함; 품위가 없음; 상스러움. ¶~な言葉(ことば)づかい 천한〔상스러운〕 말씨. ⇔上品(じょうひん).

けぶか-い【毛深い】形 (몸에) 털이 많다. ¶~体質(たいしつ) 털이 많은 체질 / ~人(ひと) 털북숭이 / ~犬(いぬ) 털북숭이 개.

けぶとん【毛布団】名 **1** 새털 이불. =はねぶとん. **2** 모피 깔개.

けぶり〖気振り〗名 내색; 기색. =そぶり·態度(たいど). ¶~を見(み)せない 기색을 보이지 않다; 내색을 않다 / 不満(ふまん)の~は少(すこ)しもなかった 불만스러운 티는 조금도 없었다.

げぼく【下僕】名 하인. =下男(げなん)·しもべ.

けぼり【毛彫り】名〔美〕 모조; 털같이 가는 선으로 무늬나 글자를 새김; 또, 그 새긴 것.

ケミカル [chemical] 名 케미컬; 화학적; 합성. ¶~シューズ 케미컬 슈즈 / ~レース 케미컬 레이스.

けみ-する〖閲する〗サ変他 **1** 검열하다; 조사하다. ¶書物(しょもつ)を~ 서적을 검열하다. **2** 세월이 흐르다; 경과하다. ¶完了(かんりょう)まで五年(ごねん)を~·した 완료까지 5년이 경과했다.

けむ〖煙〗名 〈俗〉 'けむり(=연기)' 의 준말. ¶~になる 연기처럼 사라지다.

──に巻(ま)く (기염을 토하여) 남을 현혹시키다; 어리둥절케〔얼떨떨하게〕 하다. ¶ほらをふいて人(ひと)を~ 허풍을 떨어 남을 어리둥절하게 만들다.

けむ-い【煙い】形 ☞けむたい1. ¶たき火(び)がいぶって~ 모닥불이 잘 타지 않고 연기가 나서 냅다.

けむくじゃら【毛むくじゃら】ダナ 〈俗〉 (수염이나 털이) 텁수룩해서 보기에도 징그러운 모양. ¶~な手(て) 털투성이의 손 / ~の脹(ふく)れた腹(はら)の処(ところ) 털이 수북이 난, 불쑥 내민 복부.

けむし【毛虫】名 모충; 쐐기. ¶~のように嫌(きら)う 송충이처럼 싫어하다. 参考 비유적으로, 심보가 나빠 남이 싫어하는 사람을 가리킴.

***けむた-い**【煙たい】形 **1** 냅다. =けむい. ¶部屋(へや)の中(なか)が~ 방안이 냅다 / ~·くて目(め)を開(あ)けていられない 내워서 눈을 뜨고 있을 수 없다. **2** (가까이 하기가) 거북하다; 어렵다. =けぶたい·けむったい. ¶~人(ひと) 거북스러운〔어려운〕 사람 / ~存在(そんざい) 대하기 거북한 존재.

けむたが-る【煙たがる】5自 **1** 내워하다. =けむがる. **2** 거북하게 여기다; 어려워하다. ¶老人(ろうじん)を~ 노인을 어려워하다 / 部下(ぶか)に~·られる 부하에게 경원당하다.

⁑**けむり**【煙】《烟》名 **1** 연기. ¶~にむせる 연기로 숨이 막히다 / ~を吐(は)く 연기를 뿜다 / ~が立(た)たない 연기가 나지 않다《가난하여 밥도 못 짓다》/ ~に巻(ま)かれる (화재 때 등) 심한 연기에 싸여 빠져나갈 수 없게 되다. **2** 연기처럼 떠오르는 것. ¶水(みず)~ 물보라 / 雪(ゆき)~ 눈보라 / 砂(すな)~ 사진(沙塵); 자욱한 모래 티끌 / 土(つち)~ 토연(土煙) / コーヒーに立(た)つ~ 커피에 모락모락 피어오르는 김.

──になる 연기로 사라지다. **1** 죽어 화장되다. **2** 다 타서 흔적도 없이 되다.

けむりだし【煙出し】名 **1** 연기를 뽑아내기 위해 지붕이나 처마밑에 낸 배출구 또는 창. **2** 굴뚝.

***けむ-る**【煙る】5自 **1** 연기가 나다; 연기가 끼다. ¶たばこが~ 담배 연기가 오르다. **2** (부옇게) 흐려 보이다. =かすむ. ¶雨(あめ)に~港(みなと) 비로 부옇게 보이는 항구 / ~·ってはっきり見(み)えない 흐려서 확실히 안 보이다.

げめん【外面】名 외면; 겉; 특히, 얼굴; 용모. =うわべ·そとがわ.

⁑**けもの**【獣】名 짐승. =獣(けだもの). ¶鯨(くじら)も~の一類(いちるい)だ 고래도 짐승의 한 종류다.

げもの【下物】名 하치. ↔上物(じょうもの).

けものみち【獣道】名 숲 속에 난 짐승마다의 특유한 통로. ¶~に迷(まよ)い込(こ)む 짐승 다니는 길로 잘못 들어 헤매다.

げや【下屋】名 본채에 붙여 단 작은 달개지붕; 또, 그 아랫 부분. ↔本屋(ほんや).

げや【下野】名ス自 하야. **1** 관직을 물러남. ¶責任(せきにん)をとって~する 책임을 지고 하야하다. **2** 여당에서 야당이 됨.

けやき〖欅〗名〔植〕 느티나무.

けやぶ-る【け破る】《蹴破る》5他 차서 부수다; (적을) 격파하다. ¶門(もん)を~·って部屋(へや)にとびこむ 문을 차 부수고 방으로 뛰어들다.

ゲラ [←galley] 名〔印〕 게라. **1** 'ゲラ刷(ず)り' 의 준말. **2** 조판한 활자판을 넣어두는 운두가 얕은 나무 상자.

──ずり【──刷り】名 교정쇄. =校正刷(こうせいず)り·ゲラ.

けらい【家来】名 가신(家臣); 부하; 종자; 하인.

げらく【下落】名ス自 떨어짐; 하락. ¶豊作(ほうさく)で米価(べいか)が~する 풍작으로 쌀값이 떨어지다 / 代議士(だいぎし)の相場(そうば)も大分(だいぶ)~した 국회의원 시세도 꽤 떨어졌다. ↔騰貴(とうき).

けらけら 副 새된 소리로 크게 웃는 모양; 또, 그 소리; 깔깔.

げらげら 副 큰 입을 벌리고 웃는 모양; 껄껄.

けり 名 사물의 끝장; 결말; 탁방(坼榜). 参考 和歌(わか)·俳句(はいく)가 助動詞 'けり' 로 끝나는 일이 많았으므로.

—がつく 끝장이[탁방] 나다.
—をつける 결말을 짓다. ¶話の~ 이야기의 결말을 짓다/紛争に~ 분쟁을 결말짓다.
げり【下痢】名スル自 설사. =腹くだし·くだりばら. ¶~を起こす 설사를 일으키다/生水を飲み過ぎて~する 찬물을 너무 마셔서 설사하다.
けりあ-げる【けり上げる】《蹴り上げる》下1他 1 차올리다. ¶ボールを~ 공을 차올리다. 2 (위에 있는 것을) 밑에서 차다. ¶下腹を~ 아랫배를 차다.
けりこ-む【けり込む】《蹴り込む》5他 차 넣다. ¶ゴール右隅に~ 골 오른쪽 구석으로 차 넣다.
けりだ-す【けり出す】《蹴り出す》5他 (바깥쪽으로) 차 내다.
げりとめ【下痢止め】名 설사를 멎게 하는 일; 또, 그 약; 지사제(止瀉劑).
げりべん【下痢便】名 설사(똥).
げりゃく【下略】名スル自他 하략; 이하 생략. =かりゃく. ↔上略·中略.
ゲリラ [스 guerrilla] 名 게릴라; 유격대. ¶~戦 게릴라전.
**け-る 〖蹴る〗5他 차다. 1 걷어 차다. ¶ボールを~ 공을 차다/席を~って立つ 자리를 (박)차고 일어나다. 2 거절하다; 일축하다. ¶賃金値上げの要求を~ 임금 인상 요구를 일축하다. ↔のむ. 可能け-れる下1自
ゲル [←도 Geld] 名 〈學·俗〉 겔트; 돈. =お金.
—ピン 名 〈學·俗〉 돈이 조금밖에 없음. 參考 'ピン'은 영어의 'pinch (=위기)'의 약어.
ゲルト [도 Geld] 名 〈學〉 겔트. ☞ゲル.
ゲルマニウム [도 Germanium] 名 〘化〙 게르마늄《희유 원소의 하나; 기호: Ge》.
げれつ【下劣】ダナ 하열; 비열; 용렬(庸劣). ¶~な根性 비열한 근성/品性が~だ 품성이 비열하다.
けれど 接助終助接 ☞けれども.
**けれども 一接助 《終止形에 붙음》 1 …지만, 그러나; …(이기는)하나. ¶頭はいい~, 軽はずみだ 머리는 좋으나 경박하다/顔は美しい~心は悪い 얼굴은 고우나 마음씨는 나쁘다/よく言って聞かせた~まだ直らない 잘 타일렀지만 아직도 여전하다/つまらない物です~, お受け取りください 하찮은 물건이지만 받아 주십시오. 2 …는데; …던데. ¶あしたは雨が降るそうです~お出かけになりますか 내일은 비가 온다는데 가시겠습니까.
二終助 1 실현이 어려울 것 같은 일이나 사실과 반대의 일을 원하는 기분을 나타냄: …는데; …ㄹ텐데. ¶あすもきょうぐらい涼しいと楽なんだ~ 내일도 오늘만큼 시원하면 편하겠는데/もうすこし背が高いといいのだ~ 좀더 키가 크면 좋을 텐데. 2 뒤를 말하다 마는 형식으로 완곡한 기분을 나타냄: …만; …마는. ¶晴れるといいんです~ 개면 좋겠는데/ちょっとお願いしたい事があるんです~ 잠깐 부탁드리고 싶은 일이 있습니다만.
三接 《句의 맨 앞에 붙어서》 그러나; 그렇지만; 하지만. ¶金はある. ~ひまがない 돈은 있다. 하지만 시간이 없어/この本はむずかしい. ~おもしろい本だ 이 책은 어렵다. 그러나 재미있는 책이다. 參考 대화체의 말로는 'が'보다 여성적이며, 주로 스스럼없는 친한 사람 사이에서는 'けれど' 'けど' 'けども' 따위 말이 쓰임.
ゲレンデ [도 Gelände] 名 겔렌데《광대하고 기복이 많은 스키 연습장》.
げろ 名スル自 1 〈俗〉 토악질; 토한 것. =へど. ¶~を吐く 게우다. 2 〈隱〉 자백. ¶ついに~した 드디어 자백했다.
げろう【下郎】名 1 하인; 신분이 낮은 사내. 2 남자를 욕하는 말: 놈; 자식.
けろけろ 副 나쁜 짓을 하거나 된서리를 맞고도 천연덕스러운 모양. =けろりと.
げろげろ 副 토악질하는 모양.
けろっと 副 ☞けろりと.
けろりと 副 〈俗〉 1 천연(덕)스럽게; 태연하게. ¶~した顔 천연(덕)스러운 얼굴/しかられても~している 꾸지람을 들어도 아무렇지도 않다는 듯이 태연하다. 2 흔적도 없이 사라지는 모양: 싹; 깨끗이. ¶頭痛が~直る 두통이 씻은 듯이 낫다/約束を~忘れる 약속을 까맣게 잊다.
*__けわし-い__【険しい】形 험하다; 험상궂다; 험악하다. ¶~登り道 험한[가파른] 오르막길/~目つき 험상궂은 눈/前途は~ 앞길은 험난하다/~山道を行く 험한 산길을 가다.
けん【件】一名 건; 사항; 생긴 일. =事がら. ¶例の~について話をする 예의 건에 관하여 이야기하다.
二接尾 건; 사건을 세는 말. ¶数~の交通事故 수 건의 교통사고.
けん【券】一名 '入場券(=입장권)' '乗車券(=승차권)' 등의 약칭; 표. ¶~を買って乗る 표를 사가지고 타다. 二接尾 …권. ¶商品~ 상품권/銀行~ 은행권.
*__けん__【県】名 현; 일본의 행정 구획으로, 都·道·府와 함께 가장 큰 지방 공공단체. ¶~議会 현 의회.
けん【兼】名 겸; 한 가지 일[용도] 외에 다른 일을 하거나 다른 용도에 쓰임. ¶食堂~居間 식당 겸 거실/秘書~通訳 비서 겸 통역.
けん【剣】名 1 검. =つるぎ. ¶破邪の~ 파사의 검/~を帯びる 검을 차다/~を抜く[取る] 검을 뽑다[잡다]. 2 검술; 검도. ¶~をよくする 검술에 능하다/~を学ぶ 검술을 배우다.
けん [拳] 名 권. 1 권법. 2 손(가락) 따위로 하는 승부놀이《가위바위보 등》. ¶~を打つ (가위바위보 등의) 손(가락)으

로 하는 승부놀이를 하다.

けん【権】⊟图 권; 권한; 권리. ¶兵馬(へいば)の～を握(にぎ)る 병마권을 잡다; 통수권을 쥐다. ⊟接尾 …권; 권리; 권력. ¶所有(しょゆう)～ 소유권 / 主導(しゅどう)～ 주도권.

けん［腱］图〔生〕건; 힘줄. ¶アキレス～ 아킬레스건.

けん【険】图 **1** 험한 곳. ¶箱根(はこね)の山(やま)は天下(てんか)の～ 箱根산은 천하의 험소. **2** 얼굴이 험상궂음. ¶～がある 험상궂다.

=けん【圏】…권; 일정 범위. ¶成層(せいそう)～ 성층권 / 共産(きょうさん)～ 공산권.

=けん【犬】…견; 개. ¶軍用(ぐんよう)〔警察(けいさつ)〕～ 군용〔경찰〕견.

=けん【軒】집을 세는 단위; 채; 동. ¶農家(のうか)十(じっ)～ 농가 열 채.

けん〖犬〗教1 ケン いぬ | 견 개 | 개. ¶愛犬(あいけん) 애견 / 駄犬(だけん) 똥개 / 犬猿(けんえん)の間(あいだ) 견원지간.

けん〖件〗教5 ケン くだり くだん | 건 사항 | 건; 사건; 사항; 또, 사건을 세는 데 쓰는 말. ¶事件(じけん) 사건.

けん〖見〗教1 ケン ゲン みる みえる みせる あらわれる まみえる | 견 보다 | **1** 보다. ¶見聞(けんぶん) 견문 / 一見(いっけん) 일견. **2** 보고 생각하다; 자기 생각. ¶見解(けんかい) 견해.

けん〖券〗(〖劵〗) 教5 ケン | 권 엄쪽 | **1** 표; 부절(符節). ¶券状(けんじょう) 권장. **2** 인지·증서류 등의 문서. ¶株券(かぶけん) 주권 / 証券(しょうけん) 증권.

けん〖肩〗(〖肩〗) 常用 ケン かた | 견 어깨 | 어깨. ¶肩胛骨(けんこうこつ) 견갑골 / 強肩(きょうけん) 강견.

けん〖建〗教4 ケン コン たてる たつ | 건 세우다 | 창건하다; 설립하다. ¶建国(けんこく) 건국 / 建設(けんせつ) 건설.

けん〖研〗(〖硏〗) 教3 ケン とぐ | 연 갈다 | **1** (돌 따위로) 갈다; 닦다. ¶研磨(けんま) 연마. **2** 궁구(窮究)〔연구〕하다. ¶研修(けんしゅう) 연수.

けん〖県〗(〖縣〗) 教3 ケン あがた | 현 고을 | 현; 행정 구획 이름(우리나라의 도에 상당). ¶県庁(けんちょう) 현청 / 県知事(けんちじ) 현지사.

けん〖倹〗(〖儉〗) 常用 ケン つづまやか | 검 검소 | 조리차하다; 절약하다; 검소하다. ¶倹約(けんやく) 검약 / 勤倹(きんけん) 근검.

けん〖兼〗(〖兼〗) 常用 ケン かねる | 겸 겸하다 | 겸하다. ¶兼務(けんむ) 겸무 / 首相(しゅしょう)兼(けん)外相(がいしょう) 수상 겸 외상.

けん〖剣〗(〖劍〗) 常用 ケン つるぎ | 검 칼 | **1** 검; 양면에 날이 있는 칼. ¶刀剣(とうけん) 도검. **2** 검술. ¶剣(けん)を学(まな)ぶ 검술을 배우다.

けん〖拳〗(〖拳〗) 人名 ケン ゲン こぶし | 권 주먹 | 주먹. ¶拳法(けんぽう) 권법 / 強拳(きょうけん) 강권 / 赤手空拳(せきしゅくうけん) 적수공권.

けん〖軒〗常用 ケン のき | 헌 집 | **1** 높다; 오르다. ¶軒昂(けんこう) 헌앙. **2** 가옥; 집; 집을 세는 말. ¶軒数(けんすう) 호수(戸數) / 一軒(いっけん) 한 채.

けん〖健〗教4 ケン すこやか | 건 건강하다 | **1** 꿋꿋하다; 건강하다. ¶健胃(けんい) 건위 / 健児(けんじ) 건아. **2** 쉬지 않고 노력하다; 잘. ¶健闘(けんとう) 건투 / 健筆(けんぴつ) 건필.

けん〖険〗(〖險〗) 教5 ケン けわしい | 험 험하다 | **1** 험한 곳. ¶険路(けんろ) 험로. **2** 위험하다. ¶冒険(ぼうけん) 모험.

けん〖圏〗(〖圈〗) 常用 ケン | 권 우리 | 한정된 범위. ¶当選圏(とうせんけん) 당선권.

けん〖堅〗常用 ケン かたい | 견 굳다 | 단단하다; 굳다. ¶堅固(けんご) 견고 / 堅牢(けんろう) 견뢰.

けん〖検〗(〖檢〗) 教5 ケン しらべる | 검 검사하다 | **1** 검사하다. ¶検閲(けんえつ) 검열. **2** 단속하다. ¶検束(けんそく) 검속.

けん〖嫌〗(〖嫌〗) 常用 ケン ゲン きらう いや | 혐 싫어하다 | **1** 싫어하다. ¶嫌悪(けんお) 혐오. **2** 의심(스럽다). ¶嫌疑(けんぎ) 혐의.

けん〖献〗(〖獻〗) 常用 ケン コン たてまつる ささげる | 헌 바치다 | 종묘·귀인에게 고기를 바치다; 드리다. ¶献上(けんじょう) 헌상 / 進献(しんけん) 진헌.

けん〖絹〗教6 ケン きぬ | 견 명주 | 명주. ¶絹糸(けんし) 견사 / 本絹(ほんけん) 본견 / 純絹(じゅんけん) 순견.

けん〖遣〗(〖遣〗) 常用 ケン つかわす つかう やる | 견 보내다 | **1** 보내다. ¶派遣(はけん) 파견. **2** 쓰다. ¶小遣(こづか)い 용돈.

けん〖権〗(〖權〗) 教6 ケン ゴン | 권 권력 | **1** 권리; 권력; 힘. ¶兵馬(へいば)の権(けん) 병마지권. **2** 꾀; 계략. ¶権謀(けんぼう) 권모.

けん〖憲〗(〖憲〗) 教6 ケン のり | 헌 법 | 기본 법칙; 특히, 나라의 근본 법률. ¶憲法(けんぽう) 헌법.

けん〖賢〗常用 ケン かしこい まさる | 현 어질다 | 재치가 뛰어나다; 어진 사람. ¶賢明(けんめい) 현명 / 賢人(けんじん) 현인. ↔愚(ぐ).

けん〖謙〗(〖謙〗) 常用 ケン へりくだる | 겸 겸손하다 | 겸손하다. ¶謙虚(けんきょ) 겸허 / 謙遜(けんそん) 겸손 / 恭謙(きょうけん) 공겸.

けん〖繭〗常用 ケン まゆ | 견 고치 | 고치. ¶繭糸(けんし) 견사 / 繭蚕(けんさん) 견잠 / 蚕繭(さんけん) 잠견.

けん〖顕〗(〖顯〗) 常用 ケン あきらか あらわれる |

현 드러나다 | 1 눈에 띄다; 분명하다. ¶顕著(けんちょ) 현저. 2 분명히 하다. ¶顕揚(けんよう) 현양.

けん〖験〗《驗》[教4] ケン ゲン しるし ためす | 험 증험하다 | 1 증좌. ¶効験(こうけん) 효험. 2 시험해 보다. ¶実験(じっけん) 실험.

けん〖懸〗[常用] ケン ケ かける かかる | 현 걸다 | 1 매달다; 걸다. ¶懸崖(けんがい) 현애. 2 멀리 떨어지다. ¶懸隔(けんかく) 현격.

げん【厳】[一][名] 엄(중)함; 심함. ¶守備(しゅび)を～にする 수비를 엄중하게 하다 / ～に戒(いまし)める 엄하게 훈계하다.
[二][トタル] 엄연; 엄숙. ¶事実(じじつ)は～として存(そん)する 사실은 엄연히 존재한다.

げん【減】[名] 줆; 감소. ¶収入(しゅうにゅう)の～ 수입의 감소 / 売(う)り上(あ)げは一割(いちわり)の～ 매출은 1할 감. ↔増(ぞう).

げん【弦】[名] 현. 1 활시위. 2 현악기의 줄. ¶ギターの～ 기타 줄 / ～を鳴(な)らす 현을 울리다. [注意] 2는 본디 '絃'으로 썼음.

げん【言】[名] 말. ¶先哲(せんてつ)の～にいわく 선철의 말씀에 이르기를.
―を左右(さゆう)にする 말을 이랬다저랬다 하다; 분명한 말을 하지 않다.
―をまたない 말할 것도 없다.

げん［舷］[名] 뱃전. ¶～に打(う)ち寄(よ)せる波(なみ)の音(おと) 뱃전에 부딪쳐 오는 파도 소리.

げん=【現】현…. ¶～住所(じゅうしょ) 현주소 / ～時点(じてん) 현시점.

げん〖元〗[教2] ゲン ガン もと はじめ | 원 근원 | 1 근본; 근원. ¶元素(げんそ) 원소 / 根元(こんげん) 근원. 2 제일인자; 제일 처음. ¶元祖(がんそ) 원조.

げん〖幻〗[常用] ゲン まぼろし | 환 곡두 | 곡두; 환상; 허깨비. ¶幻覚(げんかく) 환각 / 夢幻(むげん) 몽환.

げん〖玄〗[常用] ゲン くろい | 현 검다 | 1 검정; 검붉은 색. ¶玄米(げんまい) 현미. 2 심오한 도리. ¶玄(げん)の又(また)玄(げん) 현묘하고 또 현묘함.

げん〖言〗[常用] ゲン ゴン いう こと | 언 말 | 1 입으로 말함; 말. ¶言語(げんご・げんぎょ・ごんご) 언어 / 遺言(ゆいごん) 유언. 2 말하다. ¶他言(たごん) 남에게 말함.

げん〖弦〗[常用] ゲン つる | 현 시위 | 1 활시위. ¶鳴弦(めいげん) 명현. 2 악기의 현. ¶管弦(かんげん) 관현. [注意] '絃'과 통용됨.

げん〖彦〗《彥》[人名] ゲン ひこ | 언 선비 | 학문·재능이 모두 뛰어난 남자.

げん〖限〗[教5] ゲン かぎる かぎり きり | 한 한도 | 한. 1 구역을 정하다. ¶限定(げんてい) 한정 / 制限(せいげん) 제한. 2 구분; 범위. ¶限界(げんかい) 한계.

げん〖原〗[教2] ゲン はら もと | 원 근원 | 1 근본; 근원. ¶原因(げんいん) 원인 / 起原(きげん) 기원. 2 원형. ¶原語(げんご) 원어 / 原本(げんぽん) 원본.

げん〖現〗[教5] ゲン あらわれる あらわす うつつ | 현 나타나다 | 1 나타나다; 드러나다. ¶現像(げんぞう) 현상. 2 실제로 존재하다; 지금 있다. ¶現今(げんこん) 현금 / 現状(げんじょう) 현상.

げん〖減〗[教5] ゲン へる へらす | 감 줄다 | 수위가 내려가다; 줄다. ¶減水(げんすい) 감수 / 削減(さくげん) 삭감.

げん〖源〗[教2] ゲン みなもと | 원 근원 | 수원(水源); 사물의 시초. ¶源泉(げんせん) 원천 / 源流(げんりゅう) 원류 / 財源(ざいげん) 재원.

げん〖厳〗《嚴》[教6] ゲン ゴン おごそか きびしい いかめしい | 엄 엄하다 | 1 엄숙하다. ¶尊厳(そんげん) 존엄. 2 엄하다. ¶厳格(げんかく) 엄격 / 戒厳(かいげん) 계엄.

けんあく【険悪】[名ナ] 험악. ¶～な顔(かお)つき〔雲行(くもゆ)き, 仲(なか)〕 험악한 표정〔형세, 사이〕/ 二人(ふたり)の仲(なか)は～だ 두 사람 사이는 험악하다.

げんあつ【減圧】[名][ス自他] 감압; 압력이 줆; 압력을 줄임. ¶～弁(べん) 감압 밸브.

けんあん【懸案】[名] 현안. ¶多年(たねん)の～ 다년간의 현안 / ～が山積(さんせき)する 현안이 산적하다.

げんあん【原案】[名] 원안. ¶～どおり可決(かけつ)する 원안대로 가결하다.

けんあんしょ【検案書】[名]〔法〕(시체) 검안서.

*けんい【権威】[名] 권위(자). ＝オーソリティー. ¶～のある辞典(じてん) 권위 있는 사전 / その道(みち)の～ 그 방면의 권위(자) / ～を笠(かさ)に着(き)る 권위를 믿고 뻐기다.
―すじ【―筋】[名] 권위 있는 소식통.

けんい【健胃】[名] 건위.
―ざい【―剤】[名] 건위제. ＝健胃薬(やく).

けんいん【検印】[名] 검인. ¶旅券(りょけん)は領事(りょうじ)の～を要(よう)する 여권은 영사의 검인을 필요로 한다 / ～がなければ無効(むこう)だ 검인이 없으면 무효다.

けんいん［牽引］[名][ス他] 견인; 끎. ¶～車(しゃ) 견인차 / ～力(りょく) 견인력.

**げんいん【原因】[名][ス自] 원인. ¶～をさぐる 원인을 찾다 / 真(しん)の～を突(つ)き止(と)める 진정한 원인을 밝혀 내다. ↔結果(けっか).

げんいん【減員】[名][ス他自] 감원. ¶経費節約(けいひせつやく)のために～する 경비 절약을 위해서 감원하다. ↔増員(ぞういん).

げんいん【現員】[名] 현원; 현재의 인원.

けんうん【絹雲】《巻雲》[名]〔天〕권운; 새털 구름. ＝巻(ま)きぐも. [注意] '絹雲'으로 씀은 대용(代用) 한자.

けんえい【兼営】[名][ス他] 겸영. ¶本屋(ほんや)がレコード店(てん)を～している 책방이 레코드점을 겸영하고 있다.

けんえい【県営】[名] 현영; 현이 경영함. ¶～住宅(じゅうたく) 현영 주택 / ～グラウンド 현영 운동장.

げんえい【幻影】[名] 환영; 환각. ¶故人(こじん)の～ 고인의 환영 / 失敗(しっぱい)の～におびえる 실패의 환각에 겁을 먹다.

けんえき【検疫】 名スル他 검역. ¶入港(にゅうこう)した船(ふね)を～する 입항한 배를 검역하다/～のため上陸(じょうりく)を禁止(きんし)される 검역 때문에 상륙을 금지당하다.

けんえき【権益】 名 권익. ¶～を擁護(ようご)する〔守(まも)る〕 권익을 옹호하다〔지키다〕/～がおかされる 권익이 침해받다.

げんえき【原液】 名 원액.

げんえき【減益】 名スル自他 감익; 이익이 줆. ¶～率(りつ) 감익률. ↔増益(ぞうえき).

*__げんえき【現役】__ 名 현역. **1** 현재 군에 복무 중임; 또, 그 사람. ¶～将校(しょうこう) 현역 장교. ↔退役(たいえき)·予備役(よびえき). **2** 현재 활약하고 있음; 또, 그 사람. ¶～の選手(せんしゅ) 현역 선수/～を退(しりぞ)く 현역에서 물러나다. **3**〈俗〉(재수생에 대해) 재학 중인 수험생. ¶～で合格(ごうかく)した 고교 재학 중에 곧장 합격했다. ↔浪人(ろうにん).

けんえつ【検閲】 名スル他 검열. ¶定期(ていき)刊行物(かんこうぶつ)は～を受(う)けねばならぬ 정기 간행물은 검열을 받아야 한다.

けんえん【犬猿】 名 견원; 개와 원숭이.
—の仲(なか) 견원지간(犬猿之間).

げんえん【減塩】 名スル自他 감염; 염분 섭취량을 줄임. ¶～食(しょく) 감염식.
—しょうゆ〖—醬油〗 名 감염 간장.

けんえんけん【嫌煙権】 名 혐연권《담배 연기를 거부할 권리》.

けんお【嫌悪】 名スル他 혐오. ¶～感(かん) 혐오감/～の情(じょう)をいだく 혐오의 감정을 품다.　「잼.

けんおん【検温】 名スル自他 검온; 체온을

げんおん【原音】 名 원음. **1** 원어로서의 발음. **2**〘理·樂〙☞きおん(基音). **3** 본디음. ↔再生音(さいせいおん).

*__けんか〖喧嘩〗__ 名スル自他 다툼; 싸움; 분쟁. =あらそい·いさかい. ¶～口論(こうろん) 욕하며 싸움/～のたね 싸움의 불씨/売(う)られた～ 걸어온 싸움/夫婦(ふうふ)げんかをする 부부 싸움을 하다/～別(わか)れ 싸우고 (화해하지 않은 채) 헤어짐.
—過(す)ぎての棒(ぼう)ちぎり 싸움 끝난 뒤의 몽둥이《행차 뒤에 나팔》.
—を売(う)る 싸움을 걸다.
—を買(か)う **1** 걸어온 싸움에 상대하다. **2** 남의 싸움을 떠맡다. ¶おれがそのけんかを買おう 내가 그 싸움을 맡지.
—ごし【—腰】 名 당장 싸울 듯이 덤벼드는 태도; 시비조(是非調).
—ばや-い【—早い】 形 걸핏〔툭〕하면 싸우려 들다. =けんかっぱやい.
—りょうせいばい【—両成敗】 名 싸운 양쪽을 똑같이 처벌함.

けんか【献花】 名 (기독교나 무종교에서, 분향 대신에 하는) 헌화. 参考 불교에서는 '供花(くげ·くうげ·きょうか)'라고 함.　「강.

けんが【懸河】 名 현하; 세차게 흐르는
—の弁(べん) 현하지변《유창한 말솜씨》.

げんか【原価】《元価》名 원가. ¶製造(せいぞう)～ 제조 원가/～を割(わ)って売(う)る 원가 이하로 팔다.

げんか【減価】 名 감가. **1** 정가에서 할인함. =値引(ねび)き. ¶三割(さんわり)の～で売(う)る 3할 할인한 값으로 팔다. **2** 가격을 싸게 함. =値下(ねさ)げ.　「감가상각.
—しょうきゃく【—償却】 名スル他〘經〙

げんか【現下】 名 현하. =いま·目下(もっか). ¶～の諸情勢(しょじょうせい) 현하의 여러 정세.

げんか【言下】 名 언하; 말이 떨어지자마자; 일언지하. ¶～に断(ことわ)る 일언지하에 거절하다.

げんが【原画】 名 원화. ¶～に劣(おと)らぬ複製(ふくせい) 원화 못지않은 복제.

けんかい【見解】 名 견해; 의견. ¶～が分(わ)かれる 견해가 갈리다/～を異(こと)にする 견해를 달리하다.

けんがい【圏外】 名 권외. ¶当選(とうせん)～に落(お)ちる 당선권외로 떨어지다.

げんかい【厳戒】 名スル他 엄계. ¶奇襲(きしゅう)を～せよ 기습을 엄히 경계하라.

*__げんかい【限界】__ 名 한계. =限(かぎ)り·さかい. =リミット. ¶力(ちから)の～ 힘의 한계/～をこえる 한계를 넘다/～に達(たっ)する 한계에 달하다.　「용.
—こうよう【—効用】 名〘經〙 한계 효

げんがい【言外】 名 언외. ¶～の含(ふく)み 언외에 품은 뜻/～にほのめかす 언외에 은근히 비추다.

げんがい【限外】 名 한외; 한계 밖.

げんかいなだ［玄海灘·玄界灘］ 名〘地〙 현해탄.

けんかく【剣客】 名 검객. =けんきゃく. ¶彼(かれ)はすぐれた～である 그는 뛰어난 검객이다.

けんがく【建学】 名 건학; 새로이 학교를 세움. ¶～の精神(せいしん) 건학 정신.

*__けんがく【見学】__ 名スル他 견학. ¶工場(こうじょう)～ 공장 견학/～旅行(りょこう) 견학 여행/～に行(い)く 견학하러 가다.

げんかく【幻覚】 名〘心〙 환각. ¶～症状(しょうじょう) 환각 증상/～を起(お)こす 환각을 일으키다/～におそわれる〔なやまされる〕 환각에 사로잡히다〔시달리다〕. ↔実在(じつざい).

*__げんかく【厳格】__ ダナ 엄격. ¶～な父(ちち) 엄격한 아버지/～に取(と)り締(し)まる 엄격히 단속하다.

げんがく【弦楽】《絃楽》名 현악. ¶～合奏(がっそう) 현악 합주/～四重奏(しじゅうそう) 현악 4중주.

げんがく【減額】 名スル他自 감액. ¶予算(よさん)を～する 예산을 줄이다. ↔増額(ぞうがく).

げんがく［衒学］ 名 현학; 학식 있음을 자랑해 보임〔과시함〕. =ペダントリー.
—てき【—的】 ダナ 현학적. =ペダンチック. ¶～な表現(ひょうげん) 현학적인 표현.

げんがっき【弦楽器】《絃楽器》名 현악기. ↔管楽器(かんがっき)·打楽器(だがっき).

けんがみね【剣が峰】 名 **1** 높고 날카로운 산봉우리. **2** 씨름판의 둘레를 이루고 있는 경계선. ¶～で残(のこ)す 씨름판 경계에서 위태로운 지경을 견디다《밖으로 밀려나가면 짐》. **3** 성패의 갈림길〔고비〕. ¶ここが成否(せいひ)の～だ 여기가 성부의 고비다. 参考 본뜻은 분화구의 둘레.
けんかん【兼官】图 ス他 겸관; 겸직. ¶～を許(ゆる)さない 겸직을 불허하다.
けんかん【顕官】图 현관; 고관. ¶～が綺羅星(きらぼし)のごとく居並(いなら)ぶ 고관들이 기라성처럼 늘어서다.
けんがん【検眼】图 ス自他 검안. ¶～鏡(きょう) 검안경 / ～して処方(しょほう)する 검안해서 처방하다.
げんかん【厳寒】图 엄한; 심한 추위. ＝極寒(ごっかん). ¶～の候(こう) 엄한지절 / ～の地(ち)に暮(く)らす 몹시 추운 고장에서 살다. ↔厳暑(げんしょ).
**げんかん【玄関】图 현관. ¶自動車(じどうしゃ)を～へ着(つ)ける 자동차를 현관에 대다.
—ばらい【—払い】图 문전축객(門前逐客). ¶～を食(く)わされる 문전축객을 당하다.
—ばん【—番】图 문지기.
けんき【嫌忌】图 ス他 혐기; 꺼리고 싫어함.
けんぎ【嫌疑】图 혐의. ＝容疑(ようぎ). ¶～がかかる 혐의가 걸리다 / ～を受(う)ける 혐의를 받다 / ～をはらす 혐의를 풀다.
けんぎ【建議】图 ス他 건의. ¶政府(せいふ)に～する 정부에 건의하다.
**げんき【元気】一图 ダナ 원기; 기력; 건강한 모양. ¶～のない返事(へんじ) 힘없는 대답 / ～を出(だ)す 기운을 내다 / ～に歌(うた)う 힘차게 노래하다 / いつまでもお～で 언제까지나 건강하시기를 / 老(お)いてなお～旺盛(おうせい)だ 늙었어도 여전히 원기왕성하다. 二图 만물 생성의 근원이 되는 정기.
—づく【—付く】5自 힘〔기운〕이 나다; 기운을 차리다. ¶親(おや)の顔(かお)を見(み)たら急(きゅう)に～いた 부모의 얼굴을 보더니 갑자기 기운을 차렸다〔힘이 났다〕.
—づける【—付ける】下1他 기운〔힘〕을 북돋우다. ¶患者(かんじゃ)を励(はげ)まして～ 환자를 격려하여 기운을 북돋다.
げんき【原器】图 원기《도량형의 표준이 되는 기물》. ¶メートル～ 미터 원기.
げんぎ【原義】图 원의; 본뜻; 본래의 뜻.
けんきゃく【健脚】名ナ 건각. ¶～を誇(ほこ)る 건각을 자랑하다.
けんきゃく【剣客】图 ☞けんかく.
**けんきゅう【研究】图 ス他 연구. ¶～者(しゃ)〔生(せい)〕 연구자〔생〕/ 対策(たいさく)は鋭意(えいい)～中(ちゅう)です 대책은 예의 연구 중입니다.
けんぎゅう［牽牛］图〔天〕견우. ＝彦星(ひこぼし). ↔織女(しょくじょ). ¶～星(せい) 견우성.
げんきゅう【減給】图 ス自他 감급; 감봉. ＝減俸(げんぽう). ¶～処分(しょぶん) 감봉 처분. ↔増給(ぞうきゅう)·昇給(しょうきゅう).
げんきゅう【原級】图 **1** 원급. ㉠본디의 등급. ㉡〔文法〕(비교급·최상급에 대한) 원급. **2** 진급을 못한 본디의 학년. ¶～とめおきの生徒(せいと) 유급생 / ～にとめおく 유급시키다.
げんきゅう【言及】图 ス自他 언급. ¶～を避(さ)ける 언급을 피하다.
*けんきょ【検挙】图 ス他 검거. ¶一斉(いっせい)～ 일제 검거 / 殺人(さつじん)の容疑者(ようぎしゃ)を～する 살인 용의자를 검거하다 / 酒酔(さけよ)い運転(うんてん)で～された 음주 운전으로 검거되었다.
*けんきょ【謙虚】图 ダナ 겸허. ¶～な態度(たいど) 겸허한 태도 / ～に反省(はんせい)する 겸허하게 반성하다. ↔ごうまん.
けんぎょう【兼業】图 ス他 겸업. ¶料理屋(りょうりや)と旅館(りょかん)を～している 요릿집과 여관을 겸업하고 있다.
—のうか【—農家】图 겸업 농가. ↔専業(せんぎょう)農家.
げんきょう【元凶】《元兇》图 원흉. ¶陰謀(いんぼう)の～がつかまらない 음모의 원흉이 잡히지 않다.
げんきょう【現況】图 현황. ¶～報告(ほうこく) 현황 보고.
げんぎょう【現業】图 현업; 실지의 일; 특히, 공장·작업장 등 현장에서의 업무나 노동. ↔非(ひ)現業.
けんきょうふかい［牽強付会］图 ス他 견강부회. ＝こじつけ. ¶彼(かれ)の説(せつ)には～な所(ところ)が多(おお)い 그의 설에는 견강부회한 데가 많다.
げんきょく【原曲】图 원곡. ＝オリジナル. ↔編曲(へんきょく).
けんきん【献金】图 ス自他 헌금. ¶政治(せいじ)～ 정치 헌금 / 教会(きょうかい)で～を集(あつ)める 교회에서 헌금을 모으다.
*げんきん【厳禁】图 ス他 엄금. ¶火気(かき)～ 화기 엄금 / 立(た)ち入(い)り～ 출입 엄금.
*げんきん【現金】一图 현금; 현찰. ＝キャッシュ·げんなま. ¶～取引(とりひき) 현금 거래 / ～が乏(とぼ)しい 현금이 부족하다 / ～の持(も)ち合(あ)わせがない (마침) 현금을 가진 게 없다 / 小切手(こぎって)を～に換(か)える 수표를 현금으로 바꾸다. 二ダナ 타산적임. ¶月給(げっきゅう)を上(あ)げたらよく働(はたら)くとは～なやつだ 월급을 올리니까 일을 잘하다니 타산적인 녀석이다.
—うり【—売り】图 현금 판매. ↔かけうり·現金買(が)い.
—がい【—買い】图 현금 구매. ↔かけがい.
—かきとめ【—書留】图 현금(을 우송하는) 등기 우편.
—かんじょう【—勘定】图〔經〕현금 계정.
—じどうしはらいき【—自動支払機】图 현금 자동 지급기. ＝キャッシュディスペンサー《CD》.
けんぐ【賢愚】图 현우. ¶～の差(さ)が甚(はなは)だしい 현우의 차가 심하다.
けんくん【賢君】图 현군; 현명한 군주.
げんくん【元勲】图 원훈; 나라를 위해 세운 큰 공. ¶維新(いしん)の～ 유신의 원훈.
けんけい【賢兄】图 현형; 현명한 형. ¶～愚弟(ぐてい) 현형 우제.
げんけい【原形】图 원형. ¶～をとどめない 원형이 보전되어 있지 않다 / ～を保(たも)つ 원형을 유지하다.
—しつ【—質】图〔生〕원형질. ¶～運動(うんどう) 원형질 운동.
げんけい【原型】《元型》图 원형; 본. ¶～をとる 원형을 뜨다.
げんけい【減刑】图 ス自他 감형. ¶～の恩典(おんてん)に浴(よく)する 감형의 은전을 입다.

けんげき【剣劇】图 검극; 칼싸움을 주로 하는 연극·영화. ＝ちゃんばら物.

けんけつ【献血】图ス自他 헌혈. ¶～運動 헌혈 운동.

げんげつ【弦月】图 현월; 조각달. ＝ゆみはり月.

げんげつ【限月】图 (선물(先物) 거래에서) 상품의 수도(受渡) 기한.

けんけん 图〈俗〉앙감질. ＝ちんちん(かもかも)·片足とび. ¶～遊び 앙감질 놀이 / ～をする 앙감질을 하다.

けんけん 副 무뚝뚝하게 말하는 모양. ＝つんけん. ¶いやに～したものの言い方をする人だ 말투가 되게 무뚝뚝한 사람이다.

けんげん【建言】图ス他 건언; 건백(建白); 건의. ¶～書 건의서 / 部下の～に基づいて行う 부하의 건의에 따라 서 행하다.

*けんげん【権限】图〘法〙권한. ¶職務～ 직무 권한 / 命令をくだす～はない 명령을 내릴 권한은 없다 / ～をふりかざす 권한을 휘두르다.

けんげん【顕現】图ス自他 현현; 뚜렷이 모습을 나타냄; 명백하게 나타남. ¶理想を～する 이상을 실현하다.

げんげん［舷舷］图 뱃전과 뱃전.

――相摩す 뱃전이 서로 맞닿을 정도로 가까워지다《물 위에서의 격렬한 싸움을 일컫는 말》. ¶～大海戦 격렬한 대해전.

けんけんごうごう［喧喧囂囂］トタル (많은 사람이) 매우 시끄럽게 떠드는 모양; 훤효. ⇨かんかんがくがく.

けんご【堅固】图ダナ 1 견고. ¶～な城 견고한 성 / ～な決意 굳은 결의. 2 건강함; 튼튼함. ¶～に暮らす 건강하게 지내다.

げんこ〖拳固〗图〈口〉주먹; 주먹으로 때림. ＝げんこつ. ¶～でなぐるぞ 주먹으로 칠거야 / ～を振り上げる 주먹을 번쩍 들어 올리다 / いたずらすると～だぞ 장난치면 주먹 맞을 거야.

げんご【原語】图 원어. ¶～で読む 원어로 읽다. ↔訳語.

*げんご【言語】图 언어; 말. ＝ことば. ¶～生活〔政策〕 언어 생활〔정책〕.

――に絶する 말로 표현할 길이 없다. ¶～苦しみ 말로 다할 수 없는 괴로움.

――しょうがい【――障害】图 언어 장애.

**けんこう【健康】图ダナ 건강. 1 몸이 튼튼함. ¶～食 건강식 / ～美 건강미 / ～に良い 건강에 좋다 / ～がすぐれない 건강이 좋지〔시원치〕 않다 / ～に恵まれる 건강을 타고나다〔누리다〕 / ～をむしばむ 건강을 좀먹다 / ～を保つ 건강을 유지하다. 2 건전. ¶～な読み物 건전한 읽을거리 / ～な心身をつちかう 건전한 심신을 함양하다.

――しんだん【――診断】图 건강 진단.

――ほけん【――保険】图 건강 보험.

けんこう【兼行】图ス自他 겸행. 1 밤낮을 가리지 않고 서둘러 함. ¶昼夜～で働く 주야겸행으로 일하다. 2 둘 이상의 일을 동시에 함.

けんこう【軒高】《軒昂》トタル 헌앙; 의기(意氣)가 높은 모양. ¶意気～ 의기헌앙. 注意 '軒高'로 씀은 대용 한자.

けんごう【剣豪】图 검호; 검술의 명인. ¶～小説 검호〔검객〕 소설.

*げんこう【原稿】图 원고. ＝草稿. ¶～用紙 원고 용지 / 講演の～ 강연 원고 / ～の締め切り 원고 마감.

――りょう【――料】图 원고료. ＝稿料.

げんこう【原鉱】图〘鑛〙원광. ¶～のまま船積みする 원광 그대로 선적하다.

げんこう【現行】图 현행. ¶～のままの料金 현행대로의 요금.

――はん【――犯】图 현행범. ¶～を逮捕する 현행범을 체포하다.

げんこう【言行】图 언행. ¶～一致 언행일치 / ～を慎む 언행을 조심하다.

げんごう【元号】图 원호; 연호. ＝年号. ¶～を改める 연호를 바꾸다.

けんこうこつ［肩胛骨］图〘生〙견갑골; 어깨뼈. ＝貝殻骨.

けんこく【建国】图ス自他 건국. ¶～神話 건국 신화 / ～の父 건국의 아버지; 국부(國父). 「념일《2월 11일》.

――きねんのひ【――記念の日】图 건국 기

げんこく【原告】图 원고. ¶その証拠は明らかに～に不利だ 그 증거는 명백히 원고에게 불리하다. ↔被告.

げんこつ〖拳骨〗图 주먹. ＝にぎりこぶし·げんこ. ¶～で殴る 주먹으로 때리다 / ～を見舞う〔食らわす〕 주먹을 (한대) 먹이다.

げんごろう〖源五郎〗图〘蟲〙'源五郎虫(＝물방개)'의 준말.

けんこん［乾坤］图 건곤. 1 천지; 하늘과 땅. 2 음양(陰陽). 3 서북과 서남.

――いってき［――一擲］图 건곤일척. ¶～の大事業 건곤일척의 대사업.

げんこん【現今】图 현금; 현재. ¶～の政治情勢 현금의 정치 정세.

**けんさ【検査】图ス他 검사. ¶身体～ 신체검사 / 水質～ 수질 검사 / ～を受ける 검사를 받다 / 異常の有無を～する 이상 유무를 검사하다.

けんさい【賢才】图 현재. ¶広く～を求める 널리 현재를 구하다.

けんさい【賢妻】图 현처. ↔愚妻.

けんざい【健在】名ナ 건재. ¶両親とも～だ 양친이 다 건재하시다 / 会社はまだ～だ 회사는 아직 건재하다.

けんざい【建材】图 건재; 건축 재료. ＝建築資材.

けんざい【顕在】图ス自他 현재; 뚜렷한 형태를 가지고 나타나 있음. ¶不信が～化し始めた 불신이 분명히 드러나기 시작했다. ↔潜在.

げんさい【減債】图ス自 감채.

げんさい【減殺】图ス他 감쇄; 덜어서 적게 함. ¶興味が～される 흥미가 감쇄되다. 注意 'げんさつ'로 읽음은 잘못.

げんざい【原罪】图〔宗〕원죄.

**げんざい【現在】一图 현재. 1 지금《副詞적으로도 씀》. ＝今. ¶～の所は 현재의 형편은; 현재로서는 / 私は～の地位で満足です 나는 현재의 지위로 만족합니다 / ～は母と二人ぐらしです 현재는 어머니와 둘이 생활하고 있습니다. ↔過去·未来. 2《接尾語적으로 써서》'어떤 기준'을 나타냄. ¶一月一日～ 1월 1일 현재.

二图ス自他 현존함. ¶～の孫 현재 살아 있는 손자 / ～する最古の寺院 현존하는 가장 오래된 사원. 「〔금액〕.

—だか【—高】图 현재고; 현재 수량

—ち【—地】图 현재지; 현재 위치.

げんざいりょう【原材料】图 원자재.

けんざかい【県境】图 현경; 현계(縣界); 현과 현 사이의 경계.

けんさく【建策】图ス自他 건책. 1 계책을 세움. 2☞けんさく(献策). ¶～が容れられる 건책이 받아들여지다.

けんさく【検索】图ス他 검색. ¶～カード 검색 카드 / 索引があるので～に便利だ 색인이 있어서 검색하는 데 편리하다 / 索引を付して～に便ならしめる 색인을 붙여서 검색하는 데 편리하게 하다.

けんさく【献策】图ス他 헌책; 상신. ＝建策. ¶政府に治安対策を～した 정부에 치안 대책을 상신했다.

*げんさく【原作】图 원작. ¶～に忠実な脚色 원작에 충실한 각색.

げんさく【減作】图 감작; (농작물의) 수확량이 줆. ¶二割の～ 2할의 감작. ↔増作.

けんさつ【検察】图ス他 검찰.

—かん【—官】图 검찰관《'検事総長·次長検事·検事長·検事·副検事'의 총칭》.

—ちょう【—庁】图 검찰청. ¶最高～ 최고 검찰청; 대검찰청.

けんさつ【検札】图ス自他 검표. ¶車掌が～(を)する 차장이 검표하다.

けんさつ【賢察】图ス他 현찰. ＝お察し·ご推察. ¶事情を御～ください 사정을 현찰하여 주십시오.

けんさん[研鑽]图ス他 연찬; (학문 등을) 깊이 연구함. ¶～を積む 연찬을 쌓다; 깊은 연구를 쌓다.

けんざん【剣山】图 침봉《꽃꽂이 도구》. ¶～に花を差す 침봉에 꽃을 꽂다.

けんざん【検算·験算】图ス他 검산. ＝ためしざん. ¶答案を出す前に～する 답안을 내기 전에 검산하다.

*げんさん【原産】图 원산. ¶熱帯～の花 열대 원산의 꽃.

—ち【—地】图 원산지. ¶～証明 원산지 증명 / ジャガイモはチリが～である 감자는 칠레가 원산지이다.

げんさん【減産】图ス自他 감산. ¶冷害で大豆が～する 냉해로 콩이 감산되다 / ～して価格の安定をはかる 감산하여 가격 안정을 꾀하다. ↔増産.

げんざん【減算】图ス自他 감산; 뺄셈. ＝引き算. ↔加算.

けんし【剣士】图 검사. ＝剣客. ¶少年～ 소년 검사. 「(検視)2.

けんし【検死】(検屍)图ス他 ☞けんし

けんし【検視】图ス他 검시. 1 사실을 검사함. ¶事故の現場を～する 사고 현장을 검시하다. 2 검시(檢屍). ¶～した結果他殺の疑いありと認められた 검시한 결과 타살 혐의가 있다고 인정되었다.

けんし【犬歯】图 견치; 송곳니. 参考 사람일 때는 '糸切り歯', 맹수일 때는 '牙'라고 함.

けんし【絹糸】图 견사; 명주실. ＝きぬいと. ¶人造～ 인조 견사.

けんじ【健児】图 건아. ¶全国の～が集まる国体競技 전국의 건아가 모이는 国体(＝국민 체육 대회) 경기.

けんじ【堅持】图ス他 견지; 굳게 지님. ¶今までの方針を～する 지금까지의 방침을 견지하다.

けんじ【検事】图 검사.

—こうそ【—控訴】图 검사 항소.

けんじ【顕示】图ス他 현시; 분명히 나타내 보임. ¶自己～欲 자기 현시욕.

*げんし【原始】图 원시. ¶～林 원시림 / ～生活 원시 생활 / ～社会〔宗教〕 원시 사회〔종교〕.

—てき【—的】ダナ 원시적. ¶～な生物 원시적인 생물 / ～な方法〔やり方〕 원시적인 방법.

*げんし【原子】图〔理〕원자. ＝アトム. ¶～エネルギー 원자 에너지 / ～の化学的性質 원자의 화학적 성질.

—かく【—核】图 원자핵. ¶～反応 원자핵 반응; 핵반응.

—ばくだん【—爆弾】图 원자 폭탄; 원자탄. ＝原爆. 「兵器.

—へいき【—兵器】图 원자 무기. ＝核

—りょく【—力】图 원자력. ¶～潜水艦 원자력 잠수함.

—ろ【—炉】图〔理〕원자로.

げんし【原糸】图 원사.

げんし【原紙】图 원지. 1 닥나무 껍질로 만든 종이. 2 등사 원지. ¶～を切る (철필로) 원지를 긁다.

げんし【幻視】图〔心〕환시. ¶～幻聴を起こす 환시 환청을 일으키다.

げんし【減資】图ス自他〔經〕감자. ¶株式の～ 주식의 감자. ↔増資.

げんじ【現時】图 현시; 현재; 지금. ¶～の情勢 지금의 정세.

げんじ【言辞】图 언사. ＝ことば(づかい). ¶不穏な～を弄する 불온한 언사를 함부로 쓰다.

*けんしき【見識】图 견식; 식견; 또, 품위. ¶～がある 식견이 있다 / ～が高い 식견이 높다 / そんな事をしては～が下がる 그런 일을 하면 품위가 떨어진다.

—ばる【—張る】5自 잘난〔식견이 있

는〕 체하다. ＝見識ぶる. ¶ ～·った男 잘난 체하는 사나이.

*けんじつ【堅実】图ダナ 견실. ¶～な投資〔商売〕 견실한 투자〔장사〕/ ～な方法をとる 견실한 방법을 취하다.

*げんじつ【現実】图 현실. ¶夢が～になる 꿈이 현실로 되다 / ～に即して考える 현실에 입각해서 생각하다.

—か【—化】图ス自他 현실화. ¶恐れていたことが～した 우려했던 일이 현실화되었다.

—せい【—性】图 현실성. ¶～のない議論はだめだ 현실성 없는 논의는 소용없다.

—てき【—的】ダナ 현실적. ¶空想に走らず～に考える 공상에 흐르지 않고 현실적으로 생각하다.

—ばなれ【—離れ】图ス自他 현실과 동떨어짐. ¶～した議論 현실과 동떨어진 의론.

げんじてん【現時点】图 현시점. ¶～では制限しない 현시점에서는 제한하지 않는다.

げんじほう【限時法】图 한시법.

げんじものがたり【源氏物語】图 平安 시대의 궁중 생활을 묘사한 장편 소설의 하나《紫式部(＝平安 시대 중기의 여류 문학자)가 지음; 전 54권》.

けんしゃ【検車】图ス自他 검차; 차량 검사. ¶～係 검차계; 검차 담당자.

けんじゃ【賢者】图 현자; 현인. ＝賢人. ¶～の千慮一失 현자의 천려일실. ↔愚者.

げんしゅ【元首】图 원수. ¶国家～ 국가 원수.

げんしゅ【原酒】图 원주. **1** 전국을 짠 그대로의 술. **2** 숙성시키기 위해 일정 기간 통 속에 저장한 위스키의 원액.

げんしゅ【原種】图 원종. **1**〘農〙씨를 받기 위해서 뿌리는 종자. **2** 품종 개량 이전의 야생의 동식물. ↔改良種·変種.

*げんしゅ【厳守】图ス他 엄수. ¶約束は～のこと 약속을 엄수할 것 / 集合時間を～する 집합 시간을 엄수하다.

けんしゅう【検収】图ス他 검수; 물품의 수량·종류 등을 확인하고 수령함.

けんしゅう【研修】图ス他 연수. ¶～生 연수생 / 新入社員〔語学〕の～ 신입 사원〔어학〕 연수.

けんしゅう【献酬】图ス他 수작(酬酌); 술잔을 주고받음. ¶盛んに杯を～する 빈번히 술잔을 주고받다.

けんじゅう［拳銃］图 권총. ＝ピストル·短銃. ¶～一丁 권총 한 자루.

げんしゅう【減収】图ス自他 감수; 수입·수확이 줆. ¶甚だしい～ 격심한 감수 / 凶作で百万石の～だ 흉작으로 100만 섬의 감수다. ↔増収.

げんしゅう【現収】图 현수; 현재 수입.

*げんじゅう【厳重】ダナ 엄중. ¶～な警戒 엄중한 경계 / ～に取り締まる 엄중히 단속하다 / ～に注意する 엄중히 주의를 주다.

げんじゅう【現住】图ス自他 현주; 현재 거주하고 있음; 또, 그 주거. ¶～所 현주소. ↔先住.

げんじゅうみん【原住民】图 원주민. ¶アフリカの～ 아프리카 원주민.

げんしゅく【減縮】图ス他 감축. ¶予算の～ 예산의 감축 / 理事会の決定権を～する 이사회의 결정권을 축소하다.

げんしゅく【厳粛】ダナ 엄숙. ¶死は～なる事実である 죽음은 엄숙한 사실이다 / 式を～に執り行う 식을 엄숙히 거행하다.

けんしゅつ【検出】图ス他 검출. ¶指紋の～ 지문의 검출 / 井戸水から有毒物を～する 우물물에서 유독물을 검출하다.

けんじゅつ【剣術】图 검술. ¶～指南 검술 사범.

げんしゅつ【現出】图ス自他 현출; 나타〔드러〕남; 나타〔드러〕냄. ¶不夜城を～する 불야성을 나타내다 / 夢の世界を～する舞台装置 꿈의 세계를 현실처럼 나타내는 무대 장치.

けんしゅん［険峻·嶮峻］名ナ 험준; 높고 험함. ¶～な岩をよじ登る 험준한 바위를 기어오르다.

げんしゅん［厳峻］名ナ 엄준; 매우 엄격함; 준엄. ¶～な審判がくだる 준엄한 심판이 내리다.

げんしょ【原初】图 원초; 맨처음; 태초. ¶～期 원초기 / ～的 원초적 / 宇宙の～ 우주의 원초.

げんしょ【原書】图 원서《특히, 양서(洋書)를 가리킴》. ¶小説を～で読む 소설을 원서로 읽다. ↔訳書.

げんしょ【厳暑】图 엄서; 혹서. ＝極暑·酷暑. ↔厳寒.

けんしょう【健勝】名ナ 건승; 좋은 건강 상태. ＝すこやか. ¶ますます御～のことと存じます 더욱 건승하시리라고 생각합니다 / 御～を祈ります 건승을 기원합니다. 参考 편지에 쓰는 말로, 이밖에, 壮健·清栄·清祥·息災 등의 말을 씀.

けんしょう【憲章】图 헌장. ¶児童〔国連〕～ 어린이〔유엔〕 헌장.

けんしょう【肩章】图 견장. ¶～をつける 견장을 붙이다〔달다〕.

けんしょう【懸賞】图 현상. ¶～小説 현상 소설 / ～金 현상금 / ～付きで募集する 현상을 걸고 모집하다.

けんしょう【検証】图ス他 검증. ¶現場～ 현장 검증 / 実験によって理論の正しさを～する 실험으로써 이론이 옳다는 것을 검증하다.

けんしょう【謙称】图ス自他 겸칭《'小生(＝소생)·愚弟(＝우제)' 등》. ↔敬称.

けんしょう【顕彰】图ス他自 현창; 선행·공적 등을 드러내 표창함. ¶功績を～する 공적을 현창〔표창〕하다.

けんじょう【献上】名スル他 헌상. ¶～品 헌상품; 진상품/一献～する 한잔 올리다.

けんじょう【謙譲】名ナ 겸양. ¶～の美徳〔精神〕 겸양의 미덕〔정신〕.

——ご【——語】名 겸사말; 겸양어《'申し上げる(=아뢰다)' '愚見(=우견)' '拝見する(=배견하다)' 따위》. =けんそん語. ⇨そんけいご·ていねいご.

*げんしょう【減少】名スル自他 감소. ¶～傾向を示す 감소 경향을 나타내다/出生率が～する 출생률이 감소되다. ↔増加.

*げんしょう【現象】名 현상. ¶自然～ 자연현상/今の不景気は一時的な～だ 지금의 불경기는 일시적인 현상이다/～にとらわれて本質を見失う 현상에 사로잡혀 본질을 바로 보지 못하다. ↔本体·本質.

げんじょう【原状】名 원상. ¶～にもどす 원상으로 돌리다/～に復する 원상으로 돌아오다.

*げんじょう【現状】名 현상. ¶～打破 현상 타파/～維持 현상 유지/～を乗りきる 현상을 극복하다/～にあきたらない 현상에 만족지 않다.

げんじょう【現場】名 현장. =げんば. ¶事故～ 사고 현장/殺人の～をしらべる 살인 현장을 조사하다/～を目撃する 현장을 목격하다.

——ふざいしょうめい【——不在証明】名 현장 부재 증명; 알리바이. =アリバイ.

けんじょうしゃ【健常者】名 심신 장애가 없는 사람. ↔障害者.

けんしょく【兼職】名スル他 겸직. ¶～をやめる 겸직을 그만두다/大臣が学長を～することは好ましくない 대신〔장관〕이 학장을 겸직하는 것은 바람직하지 않다. ↔本職.

けんしょく【顕職】名 현직; 높은 벼슬. =要職. ¶高位～ 고위 현직.

げんしょく【現職】名 현직. ¶～の教授 현직 교수/～は裁判官だ 현직은 법관이다/～にとどまる 현직에 머물다. ↔前職.

げんしょく【原色】名 원색. **1** 삼원색에 속하는 색. ¶三～ 삼원색/～のドレス (화려한) 원색의 드레스. ↔中間色. **2** 본디 색깔. ¶～版 원색판/印刷では～を出すのに苦労する 인쇄에서는 원색을 내는 데 고심한다.

げんしょく【原職】名 원직. ¶～に復帰する 원직에 복귀하다.

げんしょく【減食】名スル自他 감식. ¶～療法 감식 요법/体重をへらすために～する 체중을 줄이기 위해서 감식하다.

けんしん【検診】名スル他 검진. ¶集団～ 집단 검진/結核の～をする 결핵 검진을 하다.

けんしん【検針】名スル自他 검침. ¶～日 검침일/水道のメーターを～する 수도 계량기를 검침하다.

けんしん【献身】名スル自他 헌신. ¶社会事業に～する 사회사업에 헌신하다.

——てき【——的】ダナ 헌신적. ¶～な看病 헌신적인 병간호.

けんしん【賢臣】名 현신; 어진 신하. ¶～二君に仕えず 현신은 두 임금을 섬기지 않는다.

けんじん【賢人】名 현인. ↔愚人.

げんしん【原審】名〘法〙 원심. ¶～を破棄する 원심을 파기하다.

げんじん【原人】名 원인《약 30만-70만 년전의 화석 인류》. ¶北京～ 베이징 원인/～の遺跡 원인의 유적.

げんず【原図】名 원도; 본래의 그림.

けんすい【懸垂】 현수. [一]名スル自他 매달림; 매어닮. [二]名 턱걸이. ¶～を六回やる 턱걸이를 여섯 번 하다.

——まく【——幕】名 현수막. =垂れ幕.

げんすい【元帥】名〘軍〙 원수.

げんすい【減水】名スル自他 감수. ¶晴天続きで河川が～する 가뭄이 계속되어 강물이 줄다. ↔増水.

げんすい【減衰】名スル自他 감쇠; 점점 감소되어 감. ¶～振動 감쇠 진동.

げんすいばく【原水爆】名 원수폭. ¶～禁止運動 원·수폭 금지 운동.

けんすう【件数】名 건수. ¶犯罪～ 범죄 건수/冬には夏より火事の～が増す 겨울에는 여름보다 화재 건수가 증가한다.

けんすう【軒数】名 집의 동수; 호수(戸数). ¶この村の～は約五十軒です 이 마을의 호수는 약 50호입니다.

けんすう【間数】名 칸수; 칸《약 1.8m》으로 잰 길이. ¶間口の～は二間 내림 칸수는 두 칸.

げんすうぶんれつ【減数分裂】名〘生〙 감수 분열.

けん-する【験する】サ変他 시험하다; 또, 검산하다. ¶薬の効果を～ 약의 효과를 시험하다.

げん-ずる【減ずる】サ変自他 **1** 감하다; 줄이다; 줄다; 덜다; 덜리다. ¶重量が～ 중량이 줄다/人員を～ 인원을 줄이다/痛みが～ 통증이 줄어들다. **2** 빼셈을 하다. ¶五より三を～ 5에서 3을 빼다.

げん-ずる【現ずる】サ変自他 나타나다; 나타내다. =現じる. ¶最大の効果を～ 최대의 효과를 나타내다.

げんすん【原寸】名 원촌; 실물대로의 치수; 원치수. =現尺. ¶～大の模型 실물 크기의 모형.

げんせ【現世】名 현세; 이승. ¶前世のたたりで～は苦しむ 전세의 앙얼로 이승에서는 고생하다. ↔前世·後世.

けんせい【憲政】名 헌정; 입헌 정치. ¶～の危機 헌정의 위기.

けんせい【権勢】名 권세. ¶～欲 권세욕/～をほしいままにする 권세를 남용하다〔제멋대로 부리다〕.

けんせい［牽制］名スル他 견제. ¶～球

견제구 / ～が強まる 견제가 강화되다 / ランナーを～する 러너를 견제하다.

げんせい【原生】名 원생; 원시.

—だい【—代】名〖地〗원생대.

—どうぶつ【—動物】名 원생동물; 원충. ＝原虫. ↔後生動物.

—りん【—林】名 원생림; 원시림.

げんせい【厳正】名ダナ 엄정. ¶～な裁判 엄정한 재판 / ～な態度を持する 엄정한 태도를 견지하다 / ～に審査する 엄정하게 심사하다.

—ちゅうりつ【—中立】名 엄정 중립.

げんせい【現世】名 현세. **1** ☞げんせ. **2** 현대; 현재의 세상.

げんせい【現勢】名 현세; 현재의 정세·세력. ¶世界の～ 세계의 현세.

げんぜい【減税】名ス他 감세. ¶～を公約した候補者 감세를 공약한 후보자. ↔増税.

けんせき［譴責］名ス他 견책. ¶～処分 견책 처분 / ～を受ける 견책을 받다 / 怠業のかどで～する 태업을 이유로 견책하다.

げんせき【原石】名 원석. **1** 가공하지 않은 보석. ¶ダイヤモンドの～ 다이아몬드 원석. **2** ☞げんこう(原鉱).

げんせき【原籍】名 원적. **1** 전적(轉籍)하기 전의 적(籍). **2** 본적. ＝本籍. ¶～地 원〔본〕적지.

けんせきうん【絹積雲】《巻積雲》名 권적운; 비늘구름. ＝まだら雲·うろこ雲·さば雲·いわし雲. 注意 '絹積雲'으로 씀은 대용 한자.

*__けんせつ__【建設】名ス他 건설. ¶～業 건설업 / 超高層ビルを～する 초고층 빌딩을 건설하다. ↔破壊.

—しょう【—省】名 건설성《2001년 1월 '運輸省' '国土庁' 등과 함께 '国土交通省(＝한국의 건설 교통부에 상당)'으로 흡수·통합됨》.

—てき【—的】ダナ 건설적. ¶～な意見 건설적인 의견. ↔破壊的.

げんせつ【言説】名 언설; 말. ¶無駄な～を弄する 실없는 말을 늘어놓다.

*__けんぜん__【健全】ダナ 건전. ¶～な読み物 건전한 읽을거리 / ～なる精神は～なる身体に宿る 건전한 정신은 건전한 신체에 깃들인다.

げんせん【原潜】名 '原子力潜水艦(＝원자력 잠수함)'의 준말.

げんせん【厳選】名ス他 엄선. ¶～した材料で作る 엄선한 재료로 만들다.

げんせん【源泉·原泉】名 원천. ¶活力の～ 활력의 원천.

—かぜい【—課税】名 원천 과세.

げんぜん【現前】名ス自他 현전; 목전에 있음. ¶～の事実 눈앞의 사실.

げんぜん【厳然】《儼然》トタル 엄연. ¶～たる事実 엄연한 사실 / ～とした態度 엄연한 태도.

けんそ【倹素】名ダナ 검소. ¶～な生活 검소한 생활.

けんそ【険阻】《嶮岨》名ナ 험조; 지세가 험함. ¶～な坂道 험한 고갯길.

*__げんそ__【元素】名〖化〗원소. ¶同位～ 동위 원소 / 放射性～ 방사성 원소.

—きごう【—記号】名〖化〗원소 기호.

—しゅうきりつ【—周期律】名〖化〗원소 주기율.

けんそう［喧騒·喧噪］名ナ 훤소; 떠들썩함. ¶～の巷 떠들썩한 거리 / 盛り場の～にあきれる 번화가의 시끄러움에 질리다.

けんそう【険相】名ナ **1** 험상; 험악한 인상(人相). ¶～な面構え 험상궂은 상판 / 急に～な顔になる 갑자기 험상궂은 얼굴이 되다. **2** ☞けんまく.

けんぞう【建造】名ス他 건조. ¶軍艦を～する 군함을 건조하다.

—ぶつ【—物】名 건조물. ¶～損壊罪 건조물 손괴죄.

*__げんそう__【幻想】名ス他 환상; 환각. ¶～をいだく 환상을 품다.

—てき【—的】ダナ 환상적. ＝ファンタジック. ¶～な音楽 환상적인 음악.

げんそう【現送】名ス他 현송; 현금·현물을 수송함.

げんぞう【幻像】名 환상; 환영(幻影).

げんぞう【現像】名ス他 현상. ¶フィルムを～する 필름을 현상하다.

けんそううん【絹層雲】《巻層雲》名 권층운; 햇무리구름. ＝うす雲·かさぐも. 注意 '絹層雲'으로 씀은 대용 한자.

けんぞく［眷属·眷族］名 권속; 친족. ＝やから. ¶一家～ 일가 권속 / ～を養う 권속〔가족〕을 부양하다.

*__げんそく__【原則】名 원칙. ¶～に反する 원칙에 반하다 / ～にもとづく 원칙에 입각하다 / ～を立てる〔きめる〕 원칙을 세우다〔정하다〕 / ～として認めない 원칙적으로 인정하지 않는다.

—てき【—的】ダナ 원칙적. ¶～に異議なし 원칙적으로 이의 없음.

げんそく【減速】名ス自他 감속. ¶～装置 감속 장치. ↔加速.

げんそく［舷側］名 현측; 뱃전. ＝ふなべり·ふなばた. ¶～に横づけける (다른) 뱃전에 갖다 대다.

げんぞく［還俗］名ス自他 환속. ¶尼僧が～する 비구니가 환속하다.

*__けんそん__〖謙遜〗名ナス自他 겸손; 겸양. ¶～な態度 겸손한 태도 / ～した言い方 겸손한 말씨.

げんそん【現存】名ス自他 현존. ¶～する人物 현존하는 인물 / ～する最古の寺 현존하는 가장 오래된 절. 注意 'げんぞん'이라고도 함.

げんそん【厳存】《儼存》名ス自他 엄존. ¶証拠が～する以上仕方がない 증거가 엄존하는 이상 어쩔 수 없다. 注意 'げんぞん'이라고도 함.

げんそん【減損】名ス自他 감손. ¶価値が～する 가치가 감손하다.

けんたい［倦怠］名ス自他 권태. ¶～期にさしかかる 권태기에 접어들다 / ～を

感(かん)ずる〔覚(おぼ)える〕 권태를 느끼다.

けんたい【兼帯】名ス他 겸대. **1** 겸용. ¶朝飯(あさめし)～の昼飯(ひるめし) 조반을 겸한 점심. **2** 〈俗〉 겸임; 겸무. ＝かけもち. ¶商売(しょうばい)しながら取(と)り締(し)まりの事(こと)をも～する 장사하면서 단속하는 일도 겸하여 한다.

げんたい【原隊】名 원대. ¶～へ復帰(ふっき)する 원대로 복귀하다.

*げんたい【減退】名ス自他 감퇴. ¶精力(せいりょく)～ 정력 감퇴/食欲(しょくよく)が～する 식욕이 감퇴하다. ↔増進(ぞうしん).

げんだい【原題】名 원제. ↔改題(かいだい).

**げんだい【現代】名 현대. ¶～化(か) 현대화/～人(じん) 현대인/～っ子(こ) 현대아/～の若者(わかもの)たち 현대의 젊은이들.

――かなづかい【――仮名遣い】名 현대어의 발음에 따라서 정한, 말을 仮名(かな)로 표기할 때의 준칙《1946년 제정, 1986년 개정》. ＝新(しん)仮名(かな)づかい. ↔歴史的(れきしてき)かなづかい.

――てき【――的】ダナ 현대적. ＝モダン. ¶～な感覚(かんかく)〔生活(せいかつ)様式(ようしき)〕 현대적인 감각〔생활양식〕.

けんだか【権高·見高】ダナ 거만한 태도로 남을 깔보는 모양《주로 여자의 말투에 대하여 일컬음》. ¶～な女(おんな)の声(こえ) 거만한 여자 목소리/～にふるまう 거만하게 굴다.

げんだか【現高】名 현고; 현재고; 현재 있는 수량. ＝ありだか·現在高(げんざいだか).

げんたる【厳たる】連体 엄연한; 엄숙한. ¶～事実(じじつ) 엄연한 사실.

けんたん〔健啖〕名ナ 건담; 잘 먹음. ¶～家(か) 건담가; 대식가/君(きみ)の～には驚(おどろ)くね 자네의 먹새에는 놀랐는걸.

げんたん【減反】《減段》名ス他 경작 면적을 줄임. ↔増反(ぞうたん).

けんち【見地】名 견지; 관점. ¶大局的(たいきょくてき)～に立(た)つ 대국적 견지에 서다/道徳(どうとく)的(てき)～からは好(この)ましくない 도덕적 견지에서는 바람직하지 않다.

げんち【現地】名 현지; 어떤 일의 현장. ＝現場(げんば)·げんじょう. ¶～妻(づま) 현지처/～受付(うけつけ)〔法人(ほうじん)〕 현지 접수〔법인〕/紛争(ふんそう)を～にとどめる 분쟁을 현지에 국한시키다/～へ向(む)け(て)出発(しゅっぱつ)する 현지를 향해 출발하다.

げんち【言質】名 언질. ¶～を取(と)る 언질을 잡다/～を与(あた)える 언질을 주다. 注意 'げんしつ'는 오독(誤讀).

*けんちく【建築】名ス他 건축. ¶木造(もくぞう)～ 목조 건축/～許可(きょか) 건축 허가/ビルを～中(ちゅう)である 빌딩을 건축 중이다.

けんちじ【県知事】名 현지사《우리나라의 도지사에 해당함》.

げんちゅう【原注】《原註》名 원주; 원본에 있던 본래의 주. ↔訳注(やくちゅう).

げんちゅう【原虫】名 원충. ☞げんせいどうぶつ.

けんちょ【顕著】ダナ 현저. ¶変化(へんか)のきざしは～である 변화의 조짐은 현저하다/薬効(やっこう)が～にあらわれる 약효가 현저하게 나타나다.

げんちょ【原著】名 원저; 원작. ¶～と照合(しょうごう)してみる 원작과 대조해 보다.

けんちょう【堅調】名 **1** 견실한 상태. **2** 시세가 오름세에 있음. ↔軟調(なんちょう).

けんちょう【県庁】名 현청《도청에 상당》. ¶～所在地(しょざいち) 현청 소재지.

げんちょう【幻聴】名〔心〕 환청; 헛들림. ＝そら耳(みみ). ¶確(たし)かに声(こえ)を聞(き)いたと思(おも)ったが～だろうか 확실히 소리를 들었다고 생각했는데 환청일까.

けんちんじる【けんちん汁】《巻繊汁》名〔料〕 튀긴 두부나 우엉·당근 등을 넣고 끓인 맑은 장국.

けんつく『剣突く』名 〈俗〉 핀잔; 호통. ¶～を食(く)う 심하게 야단맞다/～を食(く)わす 핀잔을 주다; 야단〔호통〕치다; 타박을 주다. 注意 '剣突く'로 씀은 취음.

*けんてい【検定】名ス他 **1** 검정. ¶～教科書(きょうかしょ) 검정 교과서. **2** '検定試験(しけん)(＝검정 시험)'의 준말. ¶学力(がくりょく)～ 학력 검정 시험.

――ずみ【――済み】名 검정필.

けんてい【献呈】名ス他 헌정. ＝進呈(しんてい)·献上(けんじょう). ¶著書(ちょしょ)を旧師(きゅうし)に～する 저서를 옛 스승께 헌정하다.

げんてい〔舷梯〕名 현제《배의 바깥쪽에 설치한 승강용 사다리》. ＝タラップ.

*げんてい【限定】名ス他 한정. ¶～販売(はんばい)〔出版(しゅっぱん)〕 한정 판매〔출판〕/議題(ぎだい)を人事(じんじ)問題(もんだい)に～する 의제를 인사 문제로 한정하다/人数(にんずう)を六人(ろくにん)と～する 인원수를 6명으로 한정하다.

――ばん【――版】名 한정판.

けんてき〔硯滴〕名 **1** 연적. **2** 벼룻물.

けんでん〔喧伝〕名ス他 훤전; 세상이 떠들썩하게 알림〔퍼뜨림〕. ¶一世(いっせい)に～された美談(びだん) 세상에 널리 알려진 미담.

げんてん【原典】名 원전. ¶～に当(あ)たってたしかめる 원전과 대조하여 확인하다/～に照(て)らしてみる 원전에 대조하여 보다.

げんてん【原点】名 원점. ¶～に立(た)ち帰(かえ)る 원점으로 되돌아가다/～に戻(もど)って考(かんが)え直(なお)す 원점으로 돌아가 다시 생각하다.

げんてん【減点】名ス自他 감점. ¶反則(はんそく)は一点(いってん)～する 반칙은 1점 감점한다/反則を犯(おか)して大(おお)きく～された 반칙을 범해 크게 감점당했다.

*げんど【限度】名 한도; 한계. ＝限(かぎ)り. ¶～を越(こ)える 한도를 넘다/ふざけるにも～がある 까부는〔장난치는〕 것도 한도가 있다/がまんするにも～がある 참는 데도 한도가 있다.

けんとう【健闘】名ス自他 건투. ¶～を祈(いの)る 건투를 빌다/～むなしく敗(やぶ)れる 건투도 헛되이 패하다.

けんとう〔拳闘〕名 권투. ＝ボクシング.

*けんとう【検討】名ス他 검토. ¶その案件(あんけん)の可否(かひ)を～する 그 안건의 가부를 검토하다/再(さい)～を迫(せま)られる 재검토를

하지 않을 수 없게 되다.

***けんとう【見当】** 图 **1** 목표. ＝めあて. ㉠ 방향; 부근. ¶寺はこの～にあるだろう 절은 이 근방에 있을 거다/真北はこの～だろう 정북은 이 방향쯤이 될 것이다. ㉡어림; 예상; 예측; 짐작; 가늠. ＝見込み. ¶～がつく 짐작이 가다; 어림이 잡히다/～をつける 짐작〔예상〕을 하다; 어림을 잡다/まあそんな～でしょう 대체로 그럴 것입니다. **2** …쯤; …가량; …정도; …내외. ¶百人～ 백 명 내외/費用は十万円～ 비용은 10만 엔 정도.

—ちがい【—違い】 图ダナ 대중〔짐작〕이 틀림; 예상이 어긋남; 엉뚱함. ¶～な返事 엉뚱한 대답/～もはなはだしい 짐작이 너무나도 틀린다.

けんどう【剣道】 图 검도. ¶～場 검도장/～五段の腕 검도 5단의 솜씨/～のけいこをする 검도 연습을 하다.

げんとう【原頭】 图 원두; 들판 (언저리); 들가. ¶秋色深き～に立つ 추색 짙은 들판에 서다.

げんとう【厳冬】 图 엄동. ¶～の季節 엄동의 계절/～の候 엄동지절.

げんとう【幻灯】 图 환등. ＝スライド.

—き【—機】 图 환등기. ＝スライドプロジェクター.

げんどう【言動】 图 언동. ¶不審〔不用意〕な～ 수상한〔조심성 없는〕 언동/～を慎む 언동을 삼가다.

げんどうき【原動機】 图 원동기. ¶～付き自転車 원동기가 달린 자전거.

げんどうりょく【原動力】 图 원동력. ¶工業発展の～となる 공업 발전의 원동력이 되다.

ケントし【ケント紙】 图 켄트지. ▷Kent.

げんとして【厳として】《儼として》 連語 엄연히; 엄(숙)히. ¶今も～存在する 지금도 엄연히 존재한다.

けんどちょうらい［捲土重来］ 图ス自他 권토중래. ＝けんどじゅうらい. ¶～を期して退く 권토중래를 기약하고 물러가다.

けんどん［慳貪］ 名ナ **1** 간탐; 인색하고 욕심이 많음. ¶陰険で～な性質 음험하고 탐욕스러운 성질. **2** 무자비함; 매정스러움. ＝じゃけん·つっけんどん. ¶～な返事 퉁명스러운 대답/～に物を言う 무뚝뚝하게 말을 하다.

けんない【圏内】 图 권내. ¶合格～にはいる 합격권 내에 들다. ↔圏外.

げんなま【現生】 图〈俗〉 맞돈; 현금; 현찰. ¶～で払う 현찰로 치르다.

げんなり トス自 〈俗〉 싫증이 나거나 낙심·피로 등으로 무엇을 할 기력을 잃은 모양. ＝うんざり·がっかり. ¶仕事が多過ぎて～(と)した 일이 너무 많아서 질렸다/暑さで～する 더위로 몸이 노그라질 듯하다/甘すぎて～する 너무 달아 약비나다.

けんなん【剣難】 图 검난; 칼 따위로 입는 재난. ¶～の相 검난지상(之相).

けんなん【険難】《嶮難》 名ナ 험난. **1** 험하고 어려운 모양; 또, 그런 곳. ¶～な山道 험난한 산길. **2** 괴로워 고민하는 모양. ¶人生は～の連続である 인생은 험난의 연속이다.

げんに【厳に】 副 엄히; 엄중히. ＝きびしく. ¶～戒める 엄히 훈계하다.

げんに【現に】 副 목전에; 현실적으로; 실제로; 지금. ¶～私の経験した事だ 실제로 내가 경험한 일이다/～君がそこに居るじゃないか 지금 자네가 거기 있지 않은가.

げんにゅう【原乳】 图 원유; 생우유.

けんにょう【検尿】 图ス自他 〖醫〗 검뇨; 소변 검사. ¶たんぱく質を調べるために～する 단백질을 조사하기 위해 소변 검사를 하다.

けんにん【兼任】 图ス他 겸임. ＝兼務. ¶会社の重役を～する 회사의 중역을 겸임하다/～を解く 겸임을 해임하다. ↔専任.

けんにん【検認】 图ス他 검인; 검사하여 인정함.

げんにん【現任】 图 현임; 현직. ¶～の大臣 현임 대신. ↔前任·後任.

けんにんふばつ【堅忍不抜】 图 견인불발. ¶～の精神を養う 견인불발의 정신을 기르다.

けんのう【権能】 图 권능. ＝権限. ¶～を与えられる 권능을 부여받다.

けんのう【献納】 图ス他 헌납. ¶神社〔お寺〕に灯籠を～する 신사〔절〕에 등롱을 헌납하다.

げんのう〖玄翁〗 图 (돌 깨는 데 쓰는) 큰 쇠메. 注意 '玄能'로도 씀.

けんのん〖険難·剣呑〗 名ナ 〈俗〉 위태로움; 위험함. ＝ぶっそう. ¶～がる 위태롭게 여기다; 무서워하다/それは～な話だ 그것은 위험한 이야기다. 注意 '剣呑'으로 씀은 취음.

けんば【犬馬】 图 견마; 개와 말.

—の労 견마지로. ¶～を惜しまない 견마지로를 아끼지 않다/～を取る〔尽くす〕 견마지로를 다하다.

***げんば【現場】** 图 현장. ＝げんじょう. ¶～監督 현장 감독/事故の～ 사고 현장/～の経験〔意見〕 현장의 경험〔의견〕/～からの生中継 현장으로부터의 생중계/(犯行の)～を押さえる (범행) 현장을 덮치다.

げんぱい【減配】 图ス他 감배; 배급량이나 (주식 등의) 배당을 줄임. ¶食糧不足で主食を～する 식량 부족으로 주식을 감배하다/今期から～する 이번 기부터 감배한다. ↔増配.

けんばいき【券売機】 图 (승차〔입장〕권 등의) 매표기. ¶自動～ 자동 매표기.

けんぱく【建白】 图ス他 건백; 건의; 건언(建言). ¶上司に～する 상사에 건의하다/意見を政府に～する 의견을 정부에 건의하다.

げんばく【原爆】 图 원폭《'原子爆弾

(＝원자폭탄)'의 준말》. ¶～症(しょう)〔実験(じっけん)〕 원폭증〔실험〕/～記念日(きねんび) 원폭 기념일《8월 6일》. 「＝きのこ雲(ぐも).

——ぐも【——雲】图 원폭운; 버섯 구름.

げんばつ【厳罰】图 엄벌. ¶～に処(しょ)する 엄벌에 처하다.

げんぱつ【原発】图 원발; '原子力(げんしりょく)発電所(はつでんしょ)(＝원자력 발전소)'의 준말. ¶～事故(じこ) 원자력 발전소 사고.

げんばらい【現払い】图ス自他 (요금 등을) 현금으로 치름.

けんばん[鍵盤]图 건반. ＝キーボード. ¶ピアノの～ 피아노 건반.

——がっき[——楽器]图〖樂〗 건반 악기《피아노·오르간 따위》.

げんばん【原盤】图 원반. ¶レコードの～ 레코드 원반.

げんばん【原板】图 원판. ＝ネガ(チブ). ¶写真(しゃしん)の～ 사진 원판.

げんぱん【原版】图〖印〗 원판. **1** 지형을 뜨기 전의 활자판. **2** (사진 등의) 인쇄판의 근본이 되는 판.

げんはんけつ【原判決】图〖法〗 원판결. ¶～を破棄(はき)する〔差(さ)し戻(もど)す〕 원판결을 파기〔환송〕하다.

けんび【兼備】图ス他 겸비. ¶才色(さいしょく)～の婦人(ふじん) 재색을 겸비한 여인/文武(ぶんぶ)を～する 문무를 겸비하다.

げんぴ【原皮】图 원피; 가공 안된 가죽.

げんぴ【厳秘】图 엄비; 극비. ＝極秘(ごくひ). ¶～に付(ふ)する 극비에 부치다.

けんびきょう【顕微鏡】图 현미경. ¶光学(こうがく)〔電子(でんし)〕～ 광학〔전자〕 현미경/～をのぞく 현미경을 들여다보다.

けんぴつ【健筆】图 건필. ¶～家(か) 건필가/～をふるう 건필을 휘두르다.

けんぴん【検品】图ス他 검품. ¶製品(せいひん)を念入(ねんい)りに～する 제품을 정성 들여 검품하다.

げんぴん【現品】图 현품. ＝現物(げんぶつ). ¶～を送(おく)る 현품을 보내다/～限(かぎ)り廉売(れんばい)する 현재 있는 품목에 한하여 염가 판매한다.

けんぶ【剣舞】图 검무; 칼춤. ¶～を舞(ま)う 칼춤을 추다.

けんぷ【絹布】图 견포; 비단; 견직물. ＝絹織物(きぬおりもの).

げんぷ【厳父】图 엄부; 엄친. ¶～慈母(じぼ) 엄부 자모. ↔慈母(じぼ).

げんぷ【原譜】图 원보; 본디 악보.

げんぷう【厳封】图ス他 엄봉; 엄중히 봉함. ¶金(かね)を箱(はこ)にいれて～する 돈을 궤에 넣고 단단히 봉하다.

げんぶがん【玄武岩】图 현무암.

げんぷく【元服】图ス自 원복; 관례(冠禮); (옛날의) 성인식. ＝げんぶく.

*けんぶつ【見物】图ス他 구경; 또, 구경꾼. ¶～人(にん) 구경꾼/～客(きゃく)〔席(せき)〕 관람객〔석〕/芝居(しばい)～ 연극 구경/～に行(い)く 구경(하러) 가다/野球(やきゅう)〔お祭(まつ)り〕を～する 야구〔축제〕를 구경하다.

*げんぶつ【原物】图 원물; (모조품·사진 등에 대해서) 본래의 것; 실물. ＝オリジナル. ¶～のほうが美(うつく)しい 실물 쪽이 아름답다.

げんぶつ【現物】图 현물. **1** 현품. ¶～が不足(ふそく)だ 현물이 부족하다/ここに～を持(も)ってきてある 여기에 현품을 갖고 왔다. **2** (금전 외의) 물품. ¶～支給(しきゅう) 현물 지급/～出資(しゅっし) 현물 출자. **3**〖經〗 ㉠거래 대상인 실제의 상품·주권 따위. ↔先物(さきもの). ㉡'現物取引(とりひき)(＝현물 거래)'의 준말. 「先物(さきもの)為替.

——かわせ【——為替】图〖經〗 현물환. ↔

けんぶん【検分】《見分》图ス他 검분; 입회하여 검사함; 실지 답사. ¶下(した)～ 미리 검사함; 예비 검사/実情(じつじょう)を～する 실정을 검사하고 확인하다.

けんぶん【見聞】图ス他 견문. ¶～を広(ひろ)める 견문을 넓히다/実地(じっち)に～する 실지로 견문하다.

げんぶん【原文】图 원문. ¶～にあたって確(たし)かめる 원문을 대조해 확인하다/～のまま掲載(けいさい)する 원문대로 게재하다. ↔訳文(やくぶん).

げんぶん【言文】图 언문; 말과 글.

——いっち【——一致】图 언문일치. 「대.

けんぺい【憲兵】图 헌병. ¶～隊(たい) 헌병

けんぺい【権柄】图 권병; 권세(로 억누름). ¶～面(づら) 권세를 과시하는 얼굴.

——ずく〖——尽く〗ダナ (권력을 앞세워) 위압적으로 언동하는 모양; 전횡(專橫)적; 우격다짐. ¶～で物事(ものごと)をやる 우격다짐으로 일을 하다.

げんぺい【源平】图 **1** 源氏(げんじ)와 平氏(へいし). **2** 두 편으로 갈라져서 승패를 다투는 일. ¶～に分(わ)かれて 청백(青白)으로〔두 패로〕 갈라져서.

けんぺいりつ[建坪率·建蔽率]图〖建〗 건폐율. ＝建築(けんちく)面積率(めんせきりつ).

けんべん【検便】图ス自他〖醫〗 검변; 대변 검사. ¶赤痢患者(せきりかんじゃ)の家族(かぞく)の～をする 이질 환자 가족의 검변을 하다.

けんぼ【賢母】图 현모. ¶良妻(りょうさい)～ 현모양처.

けんぽ【健保】图 '健康保険(けんこうほけん)(＝건강 보험)'의 준말. ¶～制度(せいど) 건강 보험 제도.

げんぼ【原簿】图 원부; 본래의 장부. ¶～と写(うつ)し 원부와 사본. ⇒元帳(もとちょう).

けんぽう【剣法】图 검법; 검술.

*けんぽう【憲法】图 헌법. ¶～の精神(せいしん) 헌법 정신/～を制定(せいてい)〔改正(かいせい)〕する 헌법을 제정〔개정〕하다.

けんぽう[拳法]图 권법《무술의 일종》.

げんぽう【減法】图〖數〗 감법; 뺄셈. ＝引(ひ)き算(ざん). ↔加法(かほう).

げんぽう【減俸】图ス自他 감봉. ＝減給(げんきゅう). ¶～処分(しょぶん) 감봉 처분. ↔増俸(ぞうほう).

けんぼうじゅっすう【権謀術数】图 권모술수. ¶～に富(と)む 권모술수에 능하다/～を用(もち)いる 권모술수를 쓰다.

けんぼうしょう【健忘症】图 건망증; 또, 잊어버리기를 잘함. ¶私(わたし)はとても～

だ 나는 건망증이 심하다.

げんぼく【原木】图 원목. ¶パルプの～ 펄프의 원목.

けんぽん【献本】图ス自他 헌본; 서적을 증정함; 또, 그 책; 증정본.

げんぽん【原本】图 원본. ¶戸籍～ 호적 원본/～に忠実に訳す 원본에 충실하게 번역하다.

けんま【研磨·研摩】图ス他 연마. 1 갈고 닦음. ¶～機 연마기/レンズを～する 렌즈를 연마하다. 2 깊이 연구함.

げんま【減磨·減摩】图 감마. 一ス自他 닳아서 줆. 二ス他 마찰을 적게 함. ¶～剤 감마제/～油 감마유.

げんまい【玄米】图 현미. ¶～茶 현미차/～パン 현미빵/～をつく 현미를 찧다〔쓿다〕. ↔白米.

けんまく〖剣幕〗图 (몹시 노해) 무섭고 사나운 얼굴〔태도〕. ¶すごい～でくってかかる 서슬이 시퍼레서 대들다/恐ろしい～でにらみつける 서슬이 푸른 얼굴로 노려보다. 注意 '剣幕'로 씀은 취음. 参考 본디는 '険悪(=험악)'의 뜻.

げんまん〖拳万〗图 〈兒〉 (약속을 꼭 지킨다는 표시로서의) 새끼손가락 걸기. =ゆびきり. ¶指切り～ 새끼 손가락을 걸며 약속함.

*げんみつ【厳密】ダナ 엄밀. ¶～な検査を行う 엄밀한 검사를 하다/一一～に調べる 하나하나 엄밀히 조사하다.

けんみゃく【検脈】图〔醫〕검맥; 진맥. ¶検温～ 검온 진맥.

げんみょう【玄妙】名ナ 현묘. ¶～な思想 현묘한 사상/そのわざは～だった 그 재주는〔기술은〕현묘하였다.

けんむ【兼務】图ス他 겸무; 겸임. =兼任. ¶会計と営業の課長職を～する 회계와 영업 과장직을 겸무하다. ↔本務.

けんめい【懸命】ダナ 힘껏〔열심히〕함; 결사적으로 함. ¶～に働く 힘껏 일하다/～に勤める 열심히 근무하다.

けんめい【賢明】图ダナ 현명. ¶～な方法 현명한 방법/やめたほうが～だ 그만두는 게 현명하다.

げんめい【原名】图 원명. ¶外国映画の～ 외국 영화의 원명〔원제명〕.

げんめい【厳命】图ス他 엄명. =厳令. ¶上官の～ 상관의 엄명/～を下す 엄명을 내리다.

げんめい【言明】图ス自他 언명. =明言. ¶～を避ける 언명을 피하다/知事は公約の実現を～した 지사는 공약 실현을 언명하였다.

*げんめつ【幻滅】图ス自他 환멸. ¶～の悲哀 환멸의 비애/～を感ずる〔覚える〕환멸을 느끼다/都会の喧騒に～する 도시의 훤소〔시끄러움〕에 환멸을 느끼다.

けんめん【券面】图 권면; 액면. ¶～額 액면 가격.

げんめん【原綿】《原棉》图 원면.

げんめん【減免】图ス他 감면. ¶税金の～ 세금의 감면/恩赦により刑を～される 은사로 형이 감면되다.

げんもう【原毛】图 원모. ¶～の輸入 원모의 수입.

げんもう【減耗】图ス自他 〈俗〉 감모; 닳아 줆〔줄게 함〕. ¶～率 감모율. 注意 'げんこう'의 관용음.

けんもほろろ 連語 〈俗〉 아주 냉담한 모양; 매몰차게 거절하는 모양. ¶～の態度 아주 쌀쌀맞은〔냉담한〕태도/人の頼みを～に断る 남의 부탁을 쌀쌀하게 거절하다/～のあいさつをする 아주 쌀쌀하게 인사하다.

けんもん【検問】图ス他 검문. ¶～所 검문소/犯人が～に(ひっ)掛かる 범인이 검문에 걸리다/車を止めて～する 차를 세우고 검문하다.

けんもん【権門】图 권문; 권문 세가. =権家. ¶～にへつらう〔媚びる〕권문에 아첨하다.

げんや【原野】图 원야; 들; 벌판. ¶荒涼たる～ 황량한 벌판.

**けんやく【倹約】图ス他 검약; 절약. =節約. ¶～家 검약가/～して本を買う 절약해서 책을 사다/小遣いを～する 용돈을 절약하다. ↔浪費.

げんゆ【原油】图 원유. ¶～から精製したもの 원유에서 정제한 것. 「짐.

けんゆう【兼有】图ス他 겸유; 겸하여 가

げんゆう【現有】图ス他 현유; 현재 가지고 있음. ¶～議席数 현유 의석수/～勢力 현유 세력.

けんよう【兼用】图ス他 겸용. 1 겸하여 씀. ¶晴雨～のかさ 청우 겸용 양산/この書斎は客間～です 이 서재는 객실 겸용입니다. 2 두 사람 이상이 같이 씀. ¶弟と～している部屋 아우와 같이 쓰고 있는 방.

けんよう【顕揚】图ス他 현양; 선양(宣揚). ¶国威の～ 국위 현양.

けんらん〔絢爛〕トタル 현란; 휘황찬란한 모양. ¶～豪華 현란 호화; 호화찬란/～たる文章 현란한 문장.

**けんり【権利】图 권리. ¶～を行使する 권리를 행사하다/とがめる～がない 나무랄 권리가 없다/店の～をゆずる 가게의 권리를 양도하다/他人の～を犯す 남의 권리를 침범하다. ↔義務.

—おち【—落ち】图〔經〕권리락.

—しょう【—証】图 권리증(《'登記済み証(=등기필증)'의 속칭》).

*げんり【原理】图 원리. ¶相対性～ 상대성 원리/てこの～を応用する 지레의 원리를 응용하다.

けんりつ【県立】图 현립; 현이 세워 운영함. ¶～病院 현립 병원/～に入る 현립(고등학교)에 들어가다.

げんりゅう【源流】图 원류. ¶ナイル川の～ 나일 강의 원류/文明の～をたどってみる 문명의 원류를 더듬어 보다.

*げんりょう【原料】图 원료. ¶～を加工

かこうする 원료를 가공하다 / ~を海外(かいがい)に仰(あお)ぐ 원료를 해외에 의존하다.

げんりょう【減量】 图ス自他 감량. **1** 분량이 줆; 분량을 줄임. ¶~経営(けいえい) 감량 경영 / ごみの~ 쓰레기 감량. ↔増量(ぞうりょう). **2** (운동 선수 등의) 체중이 줆〔체중을 줄임〕. ¶節食(せっしょく)して体重(たいじゅう)を~する 절식해서 체중을 줄이다.

***けんりょく【権力】** 图 권력. ¶~闘争(とうそう) 권력 투쟁 / ~側(がわ) 권력층 / ~の濫用(らんよう) 권력 남용 / ~争(あらそ)いをする 권력 다툼을 하다 / ~の座(ざ)につく 권좌에 앉다 / ~をふるう〔握(にぎ)る〕 권력을 휘두르다〔잡다〕 / ~をかさに着(き)る 권력을 믿고 매세(賣勢)하다 / ~をほしいままにする 권력을 남용하다.

けんるい【堅塁】 图 견루. ¶~を抜(ぬ)く 방비가 굳은 보루를 함락시키다 / ~を誇(ほこ)る 견루를 자랑하다.

げんれい【厳命】 图ス他 엄령; 엄명. ¶~をくだす 엄명을 내리다 / 陣地(じんち)の死守(ししゅ)を~する 진지 사수를 엄명하다.

けんろ【険路】《嶮路》 图 험로; 험(난)한 길. =険道(けんどう).

げんろ【言路】 图 언로. ¶~を開(ひら)く 언로를 트다.

けんろう［堅牢］ 图ナ 견뢰; 단단함; 견고. ¶~無比(むひ) 비할 데 없이 견고함 / ~な製本(せいほん) 견고한 제본 / ~な作(つく)り 튼튼한 만듦새.

げんろう【元老】 图 원로. ¶画壇(がだん)の~ 화단의 원로.

げんろくじだい［元禄時代］ 图 江戸(えど) 시대 중기 초의 元禄 연간〔1688-1704년〕을 중심으로 한 약 30년간《산업이 발달하고 학예·문화가 왕성하여 幕府(ばくふ) 정치의 안정기를 이루었음》.

げんろん【言論】 图 언론. ¶~機関(きかん) 언론 기관 / ~の自由(じゆう)を守(まも)る 언론의 자유를 지키다.

げんろん【原論】 图 원론. ¶経済(けいざい)~ 경제 원론.

げんわく［眩惑］ 图ス自他 현혹. ¶衆人(しゅうじん)を~する 뭇사람을 현혹하다 / あまりの美(うつく)しさに~される 너무나 아름다워 현혹되다.

こ コ

1 五十音図(ごじゅうおんず) 'か行(ぎょう)'의 다섯째 음. [ko] **2**〔字源〕'己'의 초서체《かたかな 'コ'는 '己'의 위쪽》.

****こ【子】《児》** 图 **1** 자식; 또, 그에 준하는 것《양자·새끼·알 따위》. ¶ふた子(ご) 쌍둥이 / もらい子(ご) 양자 / たらの~ 대구알 / 犬(いぬ)の~ 강아지 / ~芋(いも) 새끼감자 / ~を生(う)む 아이를 낳다 / ~ができる 아이가 생기다 / ~を育(そだ)てる 아이를 기르다 / 猫(ねこ)が~を生(う)む 고양이가 새끼를 낳다. ↔親(おや). 注意 가축일 경우는 '仔'로도 썼음. **2** 아이; 소녀. ¶いたずらっ~ 장난꾸러기 / かぎっ~ 맞벌이하는 집의 아이 / 会社(かいしゃ)の~とスキーに行(い)く 회사의 여사원과 스키 타러 가다. **3** 이자. ¶元(もと)も~もない 본전도 이자도 다 없어지다. **4** 갈라져 나온 것. ¶~会社(がいしゃ) 자회사 / 竹(たけ)の~ 죽순. **5** 여자 이름을 구성하는 말. ¶吉(よし)~ 요시코. **6**《複合名詞의 끝 부분의 요소로서》사람·사물의 뜻을〔상태를〕 나타내는 말. ¶売(う)り~ 점원; 판매원 / 踊(おど)り~ 무희; 댄서 / 振(ふ)り~ 진자; 흔들이; 추. ⇒っこ(子).

—はかすがい 자식은 부부 사이의 꺾쇠《아이는 부부 사이를 이어 준다는 뜻》.

—は三界(さんがい)の首(くび)かせ 자식은 삼계의 항쇄〔칼〕《자식은 애물이란 뜻》.

—を持(も)って知(し)る親(おや)の恩(おん) 자식을 갖고서야 알게 되는 부모의 은혜.

こ【木】 图《다른 말 앞에 붙어》나무. ¶~の実(み) 나무 열매 / ~かげ 나무 그늘.

こ【孤】 图 **1** 고아. ¶幼(よう)にして~となる 어려서 고아가 되다. **2** 외돌토리. ¶徳(とく)は~ならず 덕 있는 사람은 외롭지 않다.

こ【弧】 图 호. **1** 활; 활 모양. ¶~を描(えが)く 포물선을〔호를〕 그리다. **2**〔數〕원주 또는 곡선상의 일부분.

こ【個】《箇》 一图 개인; 개체. ¶~を生(い)かす 개인을〔개체를〕 살리다. 二接尾 물건을 세는 말: …개. ¶リンゴ三(さん)~ 사과 세 개.

こ【粉】 图 가루; 분말. ¶きな~ (볶은) 콩가루 / 米(こめ)の~ 쌀가루 / 身(み)を~にして 몸이 가루가 되도록《몹시 애씀》.

こ=【小】《体言·形容詞 등에 붙여서》**1** 작은. ¶~松(まつ) 작은 소나무 / ~男(おとこ) 몸집이 작은 남자. ↔大(おお). **2** 근소한; 약간; 가는. ¶~ぎれいな所(ところ) 말쑥한 곳 / ~耳(みみ)に挟(はさ)む 언뜻 듣다. **3** 얕보거나 무시하는 기분을 나타냄. ¶~利口(りこう) 잔꾀; 교활. **4** 거의; 약. ¶~一日(いちにち) 거의 하루.

こ=【故】 고; 고인. ¶~田村氏(たむらし) 고 다무라씨.

=こ【戸】 …호. ¶二万(にまん)~ 2만 호.

=こ【湖】 …호. ¶バイカル~ 바이칼 호.

こ〖戸〗《戶》 教2 コ と へ | 호 집·지게문

1 건물의 출입구. ¶戸外(こがい) 호외. **2** 집; 한 집. ¶戸籍(こせき) 호적. **3** 집을 세는 말. ¶数戸(すうこ) 수호.

こ〖古〗 教2 コ ふるい ふるす いにしえ | 고 예전

1 옛날. ¶古今(ここん) 고금 / 復古(ふっこ) 복고. ↔今(こん). **2** 낡다. ¶古書(こしょ) 고서. ↔新(しん).

こ〖呼〗 教6 コ よぶ | 호 부르다·숨쉬다 | **1** 숨을 내쉬다. ¶呼吸(こきゅう) 호흡 / 呼気(こき) 호기. **2** 부르다. ¶指呼(しこ)の間(かん) 지호지간 / 歓呼(かんこ) 환호 / 呼応(こおう) 호응 / 点呼(てんこ) 점호.

こ〘固〙教4 コ かためる かたまる かたい もと もとより | 고 단단하다 | 1 단단〔견고〕하다; 굳다. ¶固体(こたい) 고체. 2 딱딱하다. ¶頑固(がんこ) 완고.

こ〘虎〙人名 コ とら | 호 범 | 범; 두려운 것. ¶虎口(ここう) 호구/白虎(びゃっこ) 백호/竜虎(りゅうこ) 용호.

こ〘孤〙常用 コ みなしご | 고 고아·외롭다 | 1 고아. ¶遺孤(いこ) 유고. 2 외롭다. ¶孤立(こりつ) 고립.

こ〘弧〙常用 コ | 호 활 | 호. 1 활 모양. ¶括弧(かっこ) 괄호. 2〘數〙 원주 또는 곡선의 일부. ¶円弧(えんこ) 원호.

こ〘故〙教5 コ ゆえ ふるい もと ことさら | 고 옛날 | 1 지난 옛날; 낡다. ¶故事(こじ) 고사. 2 예로부터 친한 것. ¶故郷(こきょう) 고향. 3 죽은 이. ¶故人(こじん) 고인. 4 까닭 있는 사항. ¶事故(じこ) 사고.

こ〘枯〙常用 コ かれる からす | 고 마르다 | 1 마르다; 초목이 말라죽다. ¶枯死(こし) 고사. 2 물기가 없게 되다. ¶枯渇(こかつ) 고갈.

こ〘個〙教5 コ カ | 개 낱개 | 개. 1 한 개. ¶個人(こじん) 개인. 2 물건을 세는 말. ¶数個(すうこ) 몇 개; 수개.

こ〘庫〙教3 コ ク くら | 고 곳집 | 곳집. ¶書庫(しょこ) 서고/倉庫(そうこ) 창고/車庫(しゃこ) 차고.

こ〘湖〙教3 コ みずうみ | 호 호수 | 호수. ¶湖沼(こしょう) 호소/湖畔(こはん) 호반/江湖(こうこ) 강호.

こ〘雇〙《雇》常用 コ やとう | 고 품사다 | 고용하다. ¶雇用(こよう) 고용/解雇(かいこ) 해고.

こ〘誇〙常用 コ ほこる | 과 자랑(하다) | 자랑하다; 자만하다; 과장하다. ¶誇示(こじ) 과시.

こ〘鼓〙常用 コ つづみ | 고 북 | 1 북. ¶鼓動(こどう) 고동/太鼓(たいこ) 북. 2 격려하다. ¶鼓舞(こぶ) 고무.

こ〘顧〙《顧》常用 コ かえりみる | 고 돌아보다 | 1 뒤돌아 보다; 둘러보다. ¶一顧(いっこ) 일고/右顧左眄(うこさべん) 우고좌면; 좌고우면. 2 생각해 보다. ¶回顧(かいこ) 회고.

**ご【五】图 오. 1 다섯. ¶死者(ししゃ)は~を数(かぞ)えた 사망자는 다섯 명이었다. 2 다섯(번)째; 제 5 위. ¶~の巻(まき) 제 5 권.

ご【伍】图 대오; 동아리; 조. ¶~を組(く)む〔なす〕 조를 짜다.

ご【後】⊟图 후. 1 뒤. =後(のち·あと). ¶その~ 그 후. 2 오후. ⊟接尾 …후. ¶放課(ほうか)~ 방과 후/夕食(ゆうしょく)~ 저녁 식사 후.

ご[御] ⊟图 옛날, 여성을 높이어 부르던 말《御前(ごぜん)의 준말》. ¶伊勢(いせ)の~ 伊勢 마님. ⊟接頭 1《주로 한자어의 体言에 붙여서》 존경의 뜻 또는 자기 쪽의 것이 아닌 뜻을 덧붙이는 말. ¶~存(ぞん)じ 알고 계심/~苦労(くろう)さま 수고하셨습니다/~両親(りょうしん)は~健在(けんざい)ですか 양친께서는 건재하십니까. 参考 놀리는 기분을 띠는 수도 있음. ¶これは~あいさつだね 말을 그렇게 하는 데가 어딨어. 2 상대방에게 자기의 행위를 겸손하게 나타내는 말. ¶~あいさつに伺(うかが)う 인사 드리러 찾아뵙다/~説明(せつめい)いたしましょう 설명해 드리겠습니다. ⊟接尾 상대의 친족을 높여 부를 때 첨가하는 말. ¶母(はは)~ 자당(慈堂).

ご【碁】《棊》图 바둑. =囲碁(いご). ¶~盤(ばん) 바둑판/~石(いし) 바둑돌/賭(か)け~ 내기 바둑/~を打(う)つ〔囲(かこ)む〕 바둑을 두다. ⇨次面 박스記事

──将棋(しょうぎ)に助言(じょげん)するは喧嘩(けんか)の元(もと) 바둑·장기 두는 데 옆에서 훈수하는 것은 싸움의 원인.

──を打(う)つより田(た)を打(う)て 바둑을 두기 보다는 밭을 일구어라《보다 생산적인 일을 하라는 뜻》.

ご【語】⊟图 1 말; 언어; 말씨. ¶~を継(つ)ぐ 말을 잇다/~を選(えら)ぶ 말을 고르다. 2 낱말; 단어. ¶辞典(じてん)で~の意味(いみ)を調(しら)べる 사전에서 낱말의 뜻을 찾다. ⊟接尾 …어(語). ¶韓国(かんこく)~ 한국어.

ご〘五〙教1 ゴ いつつ いつ | 오 다섯 | 오; 다섯. ¶五輪(ごりん) 오륜/五穀(ごこく) 오곡/五官(ごかん) 오관. 参考 '伍'를 쓰는 일도 있음.

ご〘互〙常用 ゴ たがい | 호 서로 | 서로. ¶互選(ごせん) 호선/互恵(ごけい) 호혜/相互(そうご) 상호/交互(こうご) 교호.

ゴ〘午〙教2 ゴ うま ひる | 오 일곱째지지 | 지지(地支)의 일곱째; 말; 정남쪽; 낮 12 시; 그 전후의 두 시간. ¶午前(ごぜん) 오전/正午(しょうご) 정오.

ご〘呉〙《吳》常用 ゴ くれ くれる | 오 나라이름 | 오(나라). ¶呉越同舟(ごえつどうしゅう) 오월 동주.

ご〘後〙教2 ゴ コウ のち うしろ あと おくれる | 후 뒤·나중 | 1 뒤; 나중. ¶その後(ご) 그 후/前後(ぜんご) 전후. ↔前(ぜん)·先(せん). 2 뒤지다; 늦어지다. ¶後発(こうはつ) 후발/後進(こうしん) 후진.

ご〘娯〙《娛》常用 ゴ たのしむ | 오 즐거워하다 | 즐기다; 즐겁다. ¶娯楽(ごらく) 오락/娯遊(ごゆう) 오유.

ご〘悟〙常用 ゴ さとる | 오 깨닫다 | 시비가 분명히 판단되다; 진리를 깨닫다; 또, 그 힘. ¶悟道(ごどう) 오도/覚悟(かくご) 각오/悟性(ごせい) 오성.

ご〘碁〙常用 ゴ | 기 바둑 | 바둑; 바둑돌; 바둑을 두다. ¶囲碁(いご) 위기/碁石(ごいし) 바둑돌.

ご〘語〙教2 ゴ ギョ かたる かたらう | 어 말(하다) | 1 이야기하다; 말하다; 알리다. ¶語調(ごちょう) 어조. 2 말; 이야기; 낱말; 말씨. ¶語源(ごげん) 어원/主語(しゅご) 주어.

ご〘誤〙《誤》教6 ゴ あやまる | 오 잘못(하다) | 틀리다; 실수하다; 잘못(하다). ¶誤訳(ごやく) 오역/誤診(ごしん) 오진/過誤(かご) 과오.

ご〖護〗教5 ゴ まもる | 호 지키다 | 보호하다; 보호. ¶救護 구호 / 警護 경호.

ごあいさつ〖御挨拶〗图 **1** 'あいさつ'의 높임말. ¶~なさい 인사 드려라. **2**〈俗〉기발한〔당돌한〕 인사말; 뜻밖의 말. ¶これは~だね 이건 뜻밖의 말씀인데 / 来るな, とは~だね 오지 말라니, 좀 심한 말이군.

こあがり【小上がり】图 초밥집이나 간

바둑 관련 기본 용어

◆**布石(포석) 관련 용어** — 定石(정석: ~通りに打つ 정석대로 두다)·天元(천원(점))·星(화점)·隅(귀: 三隅〔四隅〕取られて碁を打つな 세〔네〕 귀 빼앗기고 바둑 두지 마라)·辺(변)·小目(소목: 向かい~ 향소목)·高目(고목: 大~ 대고목)·目外し(외목)·三三(삼삼: ~打ち込み 삼삼 침입)·三連星(삼연성)·大場(큰 곳)·掛かり(걸침: ~の石 걸친 돌 / 高〔小桂馬〕がかり 높은〔날일자〕 걸침)·開き(벌림: 二間ビラキ 두 칸 벌림)·締まり(굳힘: 小桂馬〔一間〕ジマリ 날일자〔한 칸〕 굳힘)·割り打ち((변에서의) 갈라치기)·模様(모양: 大~ 큰 모양〔세력권〕)·消し(삭감)·見合い(맞보기: 左右のヒラキを~にして 좌우의 벌림을 맞보기로 하여).

◆**행마 관련 용어** — 小〔大〕桂馬(날일〔눈목〕자 행마)·尖み(구(口)자 행마)·一間飛び(한 칸 뜀: ~に悪手なし 한 칸 뜀에 악수 없다)·空き三角(빈삼각)·帽子(모자 (씌움)).

◆**실전 관련 용어** — 先手(선수: ~を取る 선수를 잡다)·後手(후수)·当たり(단수: 両~ 양단수 / ~をかける〔かけられる〕 단수를 치다〔당하다〕)·取り(따냄: ~返し 되따냄)·ゲタ(장문)·竹節(쌍립: ~に継ぐ 쌍립으로 잇다)·切り(끊음)·継ぎ手(이음수)·つけ(붙임: 鼻〔腹〕づけ 코〔배〕붙임 / 尖みつけ 모붙임)·跳ね(젖힘: ~返し 되젖힘 / 二段バネ 이단 젖힘)·覗き(들여다봄: ~に接がぬ馬鹿は無し 들여다보는 데 잇지 않는 바보는 없다)·伸び(뻗음)·押さえ(눌러막음)·押し(밂)·肩突き(어깨 짚음)·這い(김)·渡り(건너 이음)·挟み(협공)·厚み(두터움; 세력)·捨て石(사석)·さばき(타개)·嵌め手(속임〔함정〕수)·追い落とし(몰아떨구기)·打って返し(환격: ~を食う 환격을 당하다)·打ち過ぎ(과수)·ポン抜き(빵때림: ~三十目 빵때림은 30집)·征(축: ~当たり 축머리 / ~知らずに碁を打つな(축도 모르고 바둑 두지 마라)·読み(수읽기: ~が早い 수읽기가 빠르다)·味(뒷맛: ~残り 뒷맛을 남김 / ~の悪い手 뒷맛이 나쁜 수)·手抜きする(손을 빼다).

◆**劫(패) 관련 용어** — 劫立て(패를 씀)·劫材(=劫種 팻감)·劫争い(패싸움)·花見劫(꽃놀이패)·本劫(본패)·半劫(반집패)·両劫(쌍패)·劫を立つ〔立てる〕(패를 쓰다).

◆**사활(死活) 관련 용어** — 活き(생; 삶: 黒先で~ 흑선으로 생 / この石は~だ 이 말은 살았다)·死に石(죽은 돌〔말〕)·詰め碁(묘수풀이)·一手(한 수: ~勝ち 한 수 승 / 次の~ 다음 한 수)·手筋(맥점)·手順(수순: ~を誤る 수순을 그르치다)·関(빅(수))·中手(치중(수))·攻め合い(수상전: ~負け 수상전 패)·打ち欠く(먹여치다)·欠け目(옥집: ~にする 옥집으로 만들다)·本目((옥집이 아닌) 완전한 집)·花六(매화육궁)·目あり目なし(유가무가(有家無家)·ダメ詰まり(手) 자충(수)·後切り(=石の下 후절수)·大石(대마(大馬): ~死せず 대마불사)·手数を伸ばす(수를 늘리다).

◆**寄せ(끝내기) 관련 용어** — 寄せに入る(끝내기에 들어가다)·上げ石(=浜 따낸 돌)·大寄せ(큰 끝내기)·すそ開き(뒷문 열림)·秒読み(초읽기: ~に入る 초읽기에 들어가다)·駄目(공배: ~詰め 공배 메우기)·手入れ(손질)·打ち上げ(돌을 따냄; 종국(終局))·込み(덤; 공제: ~碁 덤바둑 / 五目半の~ 5호반 공제)·持碁(비긴 바둑)·作り碁(계가 바둑)·地(집: 地取り碁 집〔실리〕 바둑 / ~が足りない 집이 부족하다)·三目半の勝ち(3호〔석 집〕 반 승)·中押し(불계: ~勝ち〔負け〕 불계승〔패〕)·持ち時間(대국 제한 시간).

◆**치수(置數) 관련 용어** — 手合い割り(치수)·手直り(치수 고치기)·角番(막판: ~に追い込まれる 막판에 몰리다)·下手(하수)·上手(상수)·互い先(=相先 호선)·先相先(선상선)·定先(=先 정선)·置き碁(접바둑: 三目の~ 석 점 접바둑)·置き石((접바둑에서) 미리 놓는 돌)·大手合い(승단 대회)·二目置く(두 점 (미리) 놓다)·白番〔黒番〕で打つ(백〔흑〕으로 두다).

◆**기타 일반 용어** — 碁会所(기원)·碁笥(바둑알 통)·力碁(힘〔싸움〕바둑)·ざる〔へぼ〕碁(보리〔줄〕바둑)·ポカ(엉뚱한 실수〔악수〕)·巧い手(묘수; 멋진 수)·気合い(기세)·封じ手(봉수)·待った(무르기: ~無し 무르기 없기 / ~をする(한번 둔 수를) 무르다)·下手の長碁(하수의 장고(끝에 악수만 둠)).

이 요릿집 등에서 테이블석과 별도로 한 쪽에 마련한 다다미방의 객석.

こあざ【小字】名 (행정 구역의 하나로) 大字(おおあざ)를 더 세분한 소구역.

こあじ【小味】名ナ 감칠맛. ¶～の利(き)いた話(はなし)〔料理(りょうり)〕 감칠맛이 나는 이야기〔요리〕. ↔大味(おおあじ).

こあたり【小当たり】名スル自 (남의 속을) 좀 떠봄; 좀 건드려 봄. ¶～に当(あ)たってみる 슬쩍 떠보다.

コアラ [koala] 名〔動〕 코알라; 오스트레일리아 특산의 작은 동물.

こ-い【濃い】形 **1** 짙다; 진하다. ¶～霧(きり) 짙은 안개/～スープ 진한 수프/～化粧(けしょう) 짙은 화장/血(ち)は水(みず)よりも～ 피는 물보다 진하다. ↔淡(あわ)い. **2** 사이가 좋다; 정답다. ¶～仲(なか) 정다운 사이/情(なさけ)が～ 정이 두텁다. **3** 짙다; 정도가 심하다. ¶疑(うたが)いが～ 혐의가 짙다/可能性(かのうせい)が～ 가능성이 많다. ⇔薄(うす)い.

*__こい__【恋】名 (남녀간의) 사랑; 연애. ¶～に落(お)ちる 사랑에 빠지다/～をする 연애를 하다/～に破(やぶ)れる 실연당하다/～をささやく 사랑을 속삭이다.

——は思案(しあん)の外(ほか) 사랑이란 이성이나 상식으로 판단할 수 없는 것.

——は盲目(もうもく)〔闇(やみ)〕 사랑은 맹목적인 것.

こい〖鯉〗名〔魚〕 잉어. ⇨ひごい.

——の滝登(たきのぼ)り 입신출세의 비유. ＝竜門(りゅうもん)の滝登り.

こい【請い】《乞い》名 청함; 청. ¶～を入(い)れる 청을 들어주다.

*__こい__【故意】名 고의; 일부러 함. ¶～犯(はん) 고의범/～にする 고의로 하다/そうなったのは偶然(ぐうぜん)で～にしたのではない 그렇게 된 것은 우연이지 일부러 한 것은 아니다. ↔過失(かしつ).

ごい【語意】名 어의; 말의 뜻. ¶～がはっきりしない 말의 뜻이 분명치 않다.

ごい [語彙] 名 어휘. ¶～が豊富(ほうふ)な人(ひと) 어휘가 풍부한 사람. ＝こいか.

こいうた【恋歌】名 연가; 사랑의 노래.

こいかぜ【恋風】名 (마음에 스며드는) 연정. ¶～を吹(ふ)かせる 연정을 풍기다.

こいがたき【恋敵】《恋仇》名 연적. ＝ライバル. ¶～に恋人(こいびと)を奪(うば)われる 연적에게 연인을 빼앗기다.

こいき【小意気】《小粋》ダナ 멋짐; 맵시 있음. ¶～な女(おんな) 멋쟁이 여자.

こいこが-れる【恋い焦がれる】下1自 애타게 그리다. ¶一目(ひとめ)見(み)た人(ひと)に～ 한번 본 사람을 애타게 그리다.

こいごころ【恋心】名 연심; 연정. ¶浅(あさ)い～をいだく 옅은 연정을 품다.

こいし【小石】《礫》名 작은 돌; 자갈.

こいじ【恋路】名 사랑의 길; 연애; 연심. ¶～のやみを迷(まよ)う 사랑에 눈이 멀다/忍(しの)ぶ～ 은밀한 사랑.

こいじ【小意地】名『～の悪(わる)い』 심술궂은. ¶～悪(わる)げな表情(ひょうじょう) 심술궂은 표정.

*__こいし-い__【恋しい】形 그립다. ¶故郷(こきょう)が～ 고향이 그립다/別(わか)れた人(ひと)を～く思(おも)う 헤어진 사람을 그리워하다.

こいした-う【恋い慕う】5他 연모하다; 그리워하다. ¶母(はは)を〔ひそかに〕～ 어머니를〔몰래〕 그리워하다.

こい-する【恋する】サ変他 연애〔사랑〕하다. ¶～人(ひと) 사랑하는 사람/～二人(ふたり) 사랑하는 두 사람.

こいそ-める【恋い初める】下1他 연정을 품기 시작하다.

コイタス [coitus] 名 코이투스; 성교.

こいつ〖此奴〗代〈俗〉 **1** 이놈; 이 녀석. ¶～が犯人(はんにん)です 이 녀석이 범인입니다. **2** 이 물건; 이것. ¶～はすばらしい 이건 멋있구나.

こいなか【恋仲】名 사랑하는 사이. ¶～の娘(むすめ) 사랑하는 아가씨.

こいにょうぼう【恋女房】名 연애결혼한 아내; 사랑하는 아내. ＝こいづま.

こいぬ【小犬·子犬】名 작은개; 강아지.

こいねが-う〖希う·冀う·庶幾う〗5他 간절히 바라다; 열망하다. ¶無事(ぶじ)を～ 무사하기를 간절히 바라다.

こいねがわくは〖希くは·冀くは·庶幾くは〗 **koinegawakuwa** 副 바라건대; 부디. ＝何(なに)とぞ. ¶～速(すみ)やかに救済(きゅうさい)の手(て)を延(の)べられんことを 바라건대 속히 구제의 손길을 뻗치시기를.

こいのぼり〖鯉幟〗名 (단오절에 올리는, 천 또는 종이로 만든) 잉어 드림.

*__こいびと__【恋人】名 연인; 애인. ¶永遠(えいえん)の～ 영원한 연인/～同士(どうし) 연인끼리/～ができる 애인이 생기다.

こいぶみ【恋文】名 연문; 연애 편지. ＝ラブレター·つやぶみ. ¶～を書(か)く〔送(おく)る〕 연애 편지를 쓰다〔보내다〕.

こいめ【濃いめ】《濃い目》名 좀 짙은 듯함; 약간 진함. ¶～のコーヒーを好(この)む 약간 진한 커피를 좋아하다/口紅(くちべに)を～につける 입술 연지를 약간 짙게 바르다. ↔薄(うす)め.

こいものがたり【恋物語】名 사랑 이야기; 연애 소설.

こいやまい【恋病】名 ☞こいわずらい.

コイル [coil] 名 코일. ＝巻(ま)き線(せん).

こいわずらい【恋わずらい·恋煩い】名 상사병; 사랑의 병. ¶～にやつれる 상사병으로 여위다.

コイン [coin] 名 코인; 화폐; 동전. ¶～テレビ 코인 텔레비전.

——ランドリ [일 coin＋laundry] 名 코인 세탁집.

——ロッカー [일 coin＋locker] 名 코인로커; 수화물 보관함.

こ-う【恋う】5他 그리워하다. ¶母(はは)を～ 어머니를 그리워하다/故郷(こきょう)を～気持(きも)ちがつのる 고향을 그리워하는 마음이 점점 더해지다. 参考 현대어에서는 '恋(こ)い慕(した)う' 와 같은 복합어로 쓰며, 단독으로는 거의 쓰지 않음.

こ-う【請う】《乞う》5他 청하다; 원하다; 바라다; 소망하다. ¶人(ひと)に物(もの)を～ 남에게 물건을 청하다.

こう【公】一名 공; 공공. ＝公(おおやけ). ¶～と

私 공과 사 / ～の立場 공적인 입장. ㊁接尾 이름 밑에 붙여 존경 또는 친밀 또는 경멸 등의 뜻을 나타내는 말. ¶頼朝～ 頼朝 공 / ずべ～ 불량소녀 / わん～ 견공(犬公).

こう【功】图 공. **1** 공적. ＝手柄·いさお. ¶～を急ぐ 공을 서두르다 / ～を立てる 공을 세우다. **2** 경험을 쌓음; 연공. ¶年の～ 연공. **3** 보람; 효용; 이익. ¶～が少ない 보람이 적다 / 労して～なし 애만 쓰고 보람이 없다.
―を奏する 보람이 나타나다; 주효하다.

*こう【甲】图 갑. **1** 갑옷. **2** 게·거북 따위의 등딱지. ＝こうら. ¶かめの～ 거북의 등딱지; 귀갑. **3** 손발의 등. ¶足の～ 발등 / 手の～ 손등. **4** 사람이나 사물을 가리키는 데 씀. ¶～は乙に対して十万円を払う 갑은 을에 대해 10 만 엔을 지불한다.

こう［劫］图 **1**〘佛〙 겁; 무한한 시간. ＝ごう. ↔刹那. **2** (바둑의) 패. ¶～争い 패싸움. ⇨碁 박스記事
―を経る 세월이 지나다; 연공을 쌓다.

こう【孝】图 효(도). ＝孝行. ¶親に～を尽くす 부모에게 효도를 다하다.
―は百行の本 효는 백행의 근본.

こう【効】图 효과; 효험; 보람; 효능. ¶薬石の～なく 약석의 보람 없이 / ～を奏する 주효하다.

こう【幸】图 행; 행복. ＝さいわい.
―か不幸か 행인지 불행인지. ¶～級長になるはめになった 행인지 불행인지 반장이 될 처지가 되었다.

こう【香】图 향. ＝練り香·たき物. ¶～をたく 향을 피우다.

こう【校】㊀图 학교. ¶わが～が勝った 우리 학교가 이겼다. ㊁接尾 교정 횟수를 가리키는 말. ¶三～ 삼교.

こう【項】图 **1** 사항; 조항; 개조(個條). ＝項目. ¶～を改める 조항을 고치다 / ～を立てる〔削る〕 항목을 설정〔삭제〕하다. **2**〘數〙 항. ¶この～ 이 항 / 同類～ 동류항.

こう【綱】图 강; 생물 분류의 한 단계.

こう【稿】图 고; 원고. ¶～を改める 원고를 고쳐 쓰다.
―を起こす 원고를 쓰기 시작하다.
―を脱す 탈고하다.

**こう〖斯う〗副 이렇게; 이와 같이. ¶～いう問題 이러한 문제 / ～して 이러한 경로〔방법, 이유〕로 / ああだ～だ 이러쿵저러쿵 / ～までうまくは作れない 이렇게까지 잘은 만들 수 없다 / ～言えばああ言う 이렇게 말하면 저렇게 말한다 / ぼくは～だと思う 나는 이렇다고 생각한다.

こう〚口〛教1 コウ ク くち | 구 입 | **1** 입. ¶口腔 구강 / 糊口 호구. **2** 입으로 말하다. ¶口伝 구전 / 口述 구술.

こう〚工〛教2 コウ ク たくみ | 공 장인 공업 | **1** 손으로 하는 일; 교묘함. ¶工作 공작 / 細工 세공. **2** 장인(匠人). ¶工匠 공장. **3** 공업. ¶工学 공학.

こう〚公〛教2 コウ ク おおやけ きみ | 공 공변되다 | **1** 공평하다; 올바르다. ¶公明 공명. ↔私. **2** 관청; 공적(公的). ¶公私 공사. ↔私. **3** 귀인 또는 타인의 높임말. ¶貴公 귀공.

こう〚孔〛常用 コウ ク あな | 공 구멍 | **1** 구멍. ¶眼孔 안공. **2** 중국 사람의 성. ¶孔子 공자.

こう〚功〛教4 コウ ク いさお | 공 공 | **1** 공적. ¶功名 공명. **2** 효과; 효험. ¶功徳 공덕.

こう〚巧〛常用 コウ たくみ うまい | 교 공교하다 | 교묘하다; 됨됨이가 좋다. ¶巧拙 교졸 / 巧妙 교묘 / 巧緻 교치. ↔拙.

こう〚広〛〘廣〙教2 コウ ひろい ひろまる ひろめる ひろがる ひろげる | 광 넓다 | **1** 넓다. ¶広域 광역. ↔狭. **2** 넓히다; 발전시키다. ¶広義 광의.

こう〚弘〛人名 コウ グ ひろい ひろめる | 홍 넓다 | **1** 광대하다. ¶弘遠 홍원. **2** 크게 하다; 넓히다. ¶弘報 홍보.

こう〚甲〛常用 コウ カン かぶと | 갑 첫째 등딱지 | **1** 등딱지; 단단한 껍질; 갑옷. ¶甲殻 갑각 / 甲冑 갑주. **2** (천간의) 첫째. ¶甲子 갑자.

こう〚交〛教2 コウ キョウ まじわる まじえる まじる まざる かう かわす こもごも まぜる | 교 사귀다 섞이다 | **1** 교차하다; 교섭하다. ¶交歓 교환 / 交渉 교섭. **2** 사귀다; 교제하다. ¶交友 교우 / 外交 외교.

こう〚光〛教2 コウ ひかる ひかり | 광 빛(나다) | **1** 빛나다; 비치다. ¶夜光 야광 / 光輝 광휘. **2** 빛; 볼 만한 경치. ¶光線 광선 / 観光 관광.

こう〚向〛教3 コウ キョウ むく むける むかう むこう さき | 향 향하다 | **1** 얼굴을 마주 대하다; 그쪽으로 향하다. ¶向上 향상. **2** 따르다. ¶向背 향배.

こう〚后〛教6 コウ ゴ きさき のち | 후 임금 | 왕후; 황후. ¶皇后 황후 / 后妃 후비.

こう〚好〛教4 コウ このむ すく よい よしみ | 호 좋다 | **1** 아름답다; 보기 좋다. ¶好男子 호남자. **2** 사랑하다; 좋아하다. ¶愛好 애호. **3** 좋다. ¶好機 호기.

こう〚江〛常用 コウ え | 강 물이름 | **1** 양자강; 큰 강. ¶江湖 강호 / 長江 장강. **2** 일본어의 'え'는 후미를 말함. ¶入り江 후미.

こう〖考〗教2 コウ かんがえる | 고 상고하다 시험 | **1** 조사하다; 시험하다. ¶考査(こうさ) 고사. **2** 상고(詳考)하다. ¶考慮(こうりょ) 고려.

こう〖行〗教2 コウ ギョウ アン いく ゆく おこなう | 행 가다 행하다 | **1** 걸어가다; 여행. ¶行路(こうろ) 행로 / 運行(うんこう) 운행. **2** 가게 하다; 보내다. ¶行軍(こうぐん) 행군. **3** 행하다; 하다. ¶行動(こうどう) 행동 / 実行(じっこう) 실행.

こう〖坑〗常用 コウ あな | 갱 구덩이 | **1** 구덩이. ¶坑道(こうどう) 갱도 / 炭坑(たんこう) 탄갱. **2** 구덩이에 묻다. ¶焚書坑儒(ふんしょこうじゅ) 분서갱유.

こう〖孝〗教6 コウ キョウ | 효 효도 | 효도하다. ¶孝道(こうどう) 효도 / 孝子(こうし) 효자 / 孝女(こうじょ) 효녀.

こう〖宏〗人名 コウ ひろい | 굉 크다 넓다 | 굉장하다; 넓(히)다; 크다. ¶宏遠(こうえん) 굉원.

こう〖抗〗常用 コウ | 항 대항하다 | 항거하다; 대항하다. ¶抗議(こうぎ) 항의 / 対抗(たいこう) 대항 / 抵抗(ていこう) 저항 / 抗争(こうそう) 항쟁.

こう〖攻〗常用 コウ せめる | 공 치다 닦다 | **1** 공격하다; 치다. ¶攻勢(こうせい) 공세 / 難攻(なんこう) 난공. **2** 닦다. ¶専攻(せんこう) 전공.

こう〖更〗常用 コウ さら ふける ふかす あらたまる かわる | 경 갱 바꾸다 다시 | **1** 새로워지다; 바꾸다. ¶更新(こうしん) 갱신 / 変更(へんこう) 변경. **2** 교대하다. ¶更迭(こうてつ) 경질.

こう〖効〗《效》教5 コウ きく ききめ | 효 본받다 보람 | 효능; 효력; 효과. ¶効果(こうか) 효과 / 即効(そっこう) 즉효.

こう〖岬〗常用 コウ みさき さき | 갑 곶 | 갑; 곶. ¶岬角(こうかく) 갑(岬). 注意 주로 지명에 쓰며 훈독함.

こう〖幸〗教3 コウ さいわい さち しあわせ みゆき | 행 다행 | **1** 행복. ¶幸運(こううん) 행운 / 不幸(ふこう) 불행. **2** 복을 주다; 총애하다. ¶幸臣(こうしん) 행신 / 寵幸(ちょうこう) 총행.

こう〖拘〗常用 コウ ク とらえる かかわる | 구 잡다 | 붙잡다; 잡다; 잡아매어 두다. ¶拘束(こうそく) 구속 / 拘禁(こうきん) 구금 / 拘置(こうち) 구치.

こう〖肯〗常用 コウ うべなう がえんずる | 긍 수긍하다 | (요구 따위를) 들어주다; 허락하다; 승낙하다. ¶肯定(こうてい) 긍정 / 首肯(しゅこう) 수긍.

こう〖侯〗常用 コウ | 후 제후 | **1** 봉건시대의 영주. ¶諸侯(しょこう) 제후. **2** 오등(五等)의 작위〘公(こう)·侯(こう)·伯(はく)·子(し)·男(だん)〙의 제2위. ¶侯爵(こうしゃく) 후작.

こう〖厚〗教5 コウ あつい | 후 두텁다 | **1** 풍족하다; 두텁다; 후하다. ¶厚意(こうい) 후의. ↔薄(はく). **2** 짙다; 진하다. ¶濃厚(のうこう) 농후. **3** 넉넉하게 하다. ¶厚生(こうせい) 후생.

こう〖恒〗《恆》常用 コウ つね | 항 항상 | **1** 항상 일정하다. ¶恒心(こうしん) 항심 / 恒例(こうれい) 항례. **2** 오래다. ¶恒久(こうきゅう) 항구.

こう〖洪〗常用 コウ | 홍 크다 넓다 | **1** 홍수; 큰물. ¶洪水(こうずい) 홍수. **2** 크다; 넓다. ¶洪恩(こうおん) 홍은 / 洪図(こうと) 홍도.

こう〖皇〗教6 コウ オウ きみ | 황 임금 | **1** 임금; 군주; 제왕. ¶皇帝(こうてい) 황제. **2** 天皇(てんのう)(의). ¶皇子(こうし·おうじ·みこ) 황자 / 皇女(こうじょ·おうじょ·みこ) 황녀.

こう〖紅〗教6 コウ ク グ べに くれない あかい | 홍 붉다 | **1** 선명한 적색. ¶紅顔(こうがん) 홍안 / 真紅(しんく) 진홍. **2** 연지; 또, 여성. ¶紅粉(こうふん) 홍분; 연지와 분 / 紅一点(こういってん) 홍일점.

こう〖荒〗《荒》常用 コウ あらい あれる あらす すさぶ | 황 거칠다 | **1** 거칠(어지)다. ¶荒蕪(こうぶ) 황무 / 荒涼(こうりょう) 황량. **2** 못쓰게 되다. ¶荒廃(こうはい) 황폐.

こう〖郊〗常用 コウ | 교 성밖 변두리 | **1** 성밖; 변두리. ¶郊外(こうがい) 교외 / 近郊(きんこう) 근교. **2** 제사지내다. ¶郊祀(こうし) 교사.

こう〖香〗常用 コウ キョウ か かおり かおる かんばしい | 향 향기 | **1** 냄새; 향기. ¶香味(こうみ) 향미. **2** 향기롭다. ¶香気(こうき) 향기.

こう〖候〗教4 コウ そうろう | 후 철 | **1** 방문하여 묻다; 염탐하다; 망보다. ¶斥候(せっこう) 척후. **2** 조짐; 징조. ¶気候(きこう) 기후 / 症候(しょうこう) 증후. **3** 시절; 철. ¶時候(じこう) 시후.

こう〖校〗教1 コウ キョウ かんがえる くらべる | 교 학교 | **1** 학교. ¶校医(こうい) 교의 / 母校(ぼこう) 모교. **2** 비교하여 맞추다. ¶校正(こうせい) 교정.

こう〖浩〗《浩》人名 コウ ひろい | 호 넓다 | 물이 많고 넓다. ¶浩然(こうぜん)の気(き) 호연지기.

こう〖耕〗《耕》教5 コウ たがやす | 경 갈다 | 밭을 갈다; 농사짓다. ¶耕作(こうさく) 경작 / 耕地(こうち) 경지 / 農耕(のうこう) 농경.

こう〖航〗教4 コウ | 항 배 | 배나 비행기로 가다. ¶航海(こうかい) 항해 / 密航(みっこう) 밀항 / 航空(こうくう) 항공.

こう〖貢〗常用 コウ ク みつぐ | 공 공물 바치다 | 바치다; 공물. ¶貢物(こうぶつ) 공물 / 年貢(ねんぐ) 연공 / 朝貢(ちょうこう) 조공.

こう〖降〗教6 コウ ゴウ おりる おろす ふる くだる | 항 강 항복하다 내리다 | **1** 내려오다; 내리다. ¶降霊(こうれい) 강령. ↔昇(しょう). **2** 항복하다. ¶投降(とうこう) 투항. **3** 비·눈 등이 오다. ¶降雪(こうせつ) 강설.

こう〖高〗教2 コウ たかい たか たかめる たかまる | 고 높다 | **1** 높다; 높은 곳. ¶高低(こうてい) 고저. ↔低(てい).

2 (계급·소질·자격 등의) 정도가 높다; 뛰어나다; 비싸다. ¶高価(こうか) 고가 / 高血圧(こうけつあつ) 고혈압. ↔低(てい). 3 '高等学校(こうとうがっこう)'의 준말. ¶高卒(こうそつ) 고졸.

こう〚康〛教4 コウ やすらか | 강 편안하다 | 1 편안함. ¶安康(あんこう) 안강 / 小康(しょうこう) 소강. 2 몸이 튼튼함. ¶健康(けんこう) 건강.

こう〚控〛《控》常用 コウ ひかえる ひく | 공 당기다 | 1 빼다. ¶控除(こうじょ) 공제. 2 소송하다. ¶控訴(こうそ) 항소.

こう〚黄〛《黃》教2 コウ オウ きこ | 황 누르다 | 황색; 누렇게 되다. ¶黄金(おうごん・こがね) 황금.

こう〚慌〛《慌》常用 コウ あわてる あわただしい | 황 당황하다 | 당황하다. ¶慌忙(こうぼう) 황망 / 恐慌(きょうこう) 공황.

こう〚港〛《港》教3 コウ みなと | 항 항구 | 항구. ¶港湾(こうわん) 항만 / 漁港(ぎょこう) 어항.

こう〚硬〛常用 コウ かたい | 경 단단하다 | 딱딱하다; 단단하다. ¶硬直(こうちょく) 경직 / 硬質(こうしつ) 경질 / 硬度(こうど) 경도. ↔軟(なん).

こう〚絞〛常用 コウ しぼる しめる しまる | 교 죄다 짜다 | 1 끈 따위로 죄다; 짜다. 2 목을 죄어 죽이다. ¶絞殺(こうさつ) 교살 / 絞刑(こうけい) 교형.

こう〚項〛常用 コウ うなじ | 항 목덜미 구분 | 1 목덜미. ¶項背(こうはい) 항배. 2 조항; 항목. ¶項目(こうもく) 항목 / 条項(じょうこう) 조항.

こう〚溝〛《溝》常用 コウ みぞ | 구 도랑 | 1 논과 논 사이를 흐르는 도랑. ¶排水溝(はいすいこう) 배수구. 2 성 둘레의 호(濠). ¶城溝(じょうこう) 해자.

こう〚鉱〛《鑛》教5 コウ あらがね | 광 쇳돌 | 광석. ¶鉱業(こうぎょう) 광업 / 鉄鉱(てっこう) 철광.

こう〚構〛《構》教5 コウ かまえる かまう | 구 얽다 | 1 짜다; 얽다; 만들다. ¶構造(こうぞう) 구조 / 機構(きこう) 기구. 2 얽이; 울타리; 둘레. ¶構内(こうない) 구내.

こう〚綱〛常用 コウ つな | 강 벼리 줄 | 1 벼리; 밧줄; 사물을 총괄하여 규제하는 것. ¶綱紀(こうき) 강기 / 要綱(ようこう) 요강. 2 크게 구분한 것. ¶綱目(こうもく) 강목.

こう〚酵〛常用 コウ | 효 술밑 | 1 발효(醱酵). ¶酵母(こうぼ) 효모 / 酵素(こうそ) 효소. 2 술찌끼.

こう〚稿〛常用 コウ | 고 초 | 시문의 초고. ¶稿本(こうほん) 고본 / 原稿(げんこう) 원고 / 草稿(そうこう) 초고.

こう〚興〛教5 コウ キョウ おこる おこす | 홍 일으키다 | 홍취 | 1 홍하다; 번성해지다. ¶興亡(こうぼう) 홍망. 2 홍미; 홍겨움; 홍취. ¶興味(きょうみ) 홍미 / 遊興(ゆうきょう) 유홍.

こう〚衡〛常用 コウ はかり | 형 저울 | 횡 가로 | 1 저울대. ¶権衡(けんこう) 권형. 2 저울. ¶度量衡(どりょうこう) 도량형. 3 균형; 비등. ¶均衡(きんこう) 균형.

こう〚鋼〛教6 コウ はがね | 강 강철 | 정련한 철; 강철. ¶鋼鉄(こうてつ) 강철 / 製鋼(せいこう) 제강.

こう〚講〛《講》教5 コウ | 강 풀이하다 | 1 설명하다; 풀이하다. ¶講義(こうぎ) 강의. 2 익히다; 연습하다; 공부하다. ¶講習(こうしゅう) 강습. 3 화해하다. ¶講和(こうわ) 강화. 4 계(契). ¶頼母子講(たのもしこう) 계.

こう〚購〛《購》常用 コウ あがなう | 구 사다 | 물건을 사들이다. ¶購入(こうにゅう) 구입 / 購読(こうどく) 구독 / 購買(こうばい) 구매.

ごう【号】호. ㊀名 1 명칭. 2 (문인·화가 등의) 아호. 3 활자 크기의 단위. 4 (잡지·신문 등의) 발행 순위. ¶次(つぎ)の~で完結(かんけつ)する 다음 호에서 완결한다. ㊁接尾 1 탈것 따위에 붙이는 말. ¶ひかり~ 히카리호. 2 순서를 나타내는 수에 붙이는 말. ¶第五(だい)~ 제 5 호.

ごう【郷】名 1 고향; 시골. 2 고대 행정 구역의 하나; 군내의 한 구역《군(郡) 안의 수개 면을 합친 것》. 「(入郷循俗). —に入(い)っては郷に従(したが)え 입향순속

ごう【業】名〔佛〕1 선악의 행위; 특히, 악행. ¶~が深(ふか)い 악행이 깊다 / 悪(あく)~ 악업. 2 업보(業報). ⇨ごうか(業火). —を煮(に)やす; —が煮(に)える 화가 치밀어 속을 태우다〔속이 끓다〕.

ごう【合】接尾 홉; 한 평〘약 3.3m²〙·한 되〘약 1.8리터〙의 10분의 1. ¶酒(さけ)一(いち)~ 술 한 홉.

ごう〚号〛《號》教3 ゴウ さけぶ | 호 부르짖다 | 1 큰 소리로 울다; 부르짖다. ¶号泣(ごうきゅう) 호읍. 2 호령하다; 신호하다. ¶号令(ごうれい) 호령 / 信号(しんごう) 신호.

ごう〚合〛教2 ゴウ ガッ カッ コウ あう あわす あわせる | 합 합하다 | 일치하다; 합하다; 합치다. ¶合一(ごういつ) 합일 / 合意(ごうい) 합의 / 結合(けつごう) 결합 / 配合(はいごう) 배합.

ごう〚拷〛常用 ゴウ | 고 치다 | 고문하다. ¶拷問(ごうもん) 고문.

ごう〚剛〛常用 ゴウ こわい つよい | 강 굳세다 | 굳세다. ¶剛柔(ごうじゅう) 강유 / 剛直(ごうちょく) 강직. ↔柔(じゅう).

ごう〚豪〛常用 ゴウ | 호 뛰어나다 | 1 지력이나 재치가 뛰어나다; 외관이 크고 기운이 있다; 뛰어난 사람. ¶豪傑(ごうけつ) 호걸 / 文豪(ぶんごう) 문호. 2 '豪州(ごうしゅう)(=호주)'의 준말.

こうあつ【高圧】名 고압. ¶~線(せん) 고압선 / ~釜(がま) 압력솥. ↔低圧(ていあつ).

—てき【—的】ダナ 고압적. =頭(あたま)ごなし·高(たか)びしゃ. ¶~な態度(たいど)〔物言(ものい)い〕 고압적인 태도〔말투〕/ ~に出(で)る

고압적으로 나오다.

こうあつ【降圧】图 강압; 혈압을 내리게 함. ¶~剤 강압제; 혈압 강하제.

こうあん【公安】图 공안. ¶~警察 공안 경찰/~をたもつ 공안을 유지하다.

—いいんかい【—委員会】图 공안 위원회《경찰의 민주적·중립적 운영을 관리하기 위해 설치된 위원회》. ¶国家~ 국가 공안 위원회.

—しょく【—職】图 공안직; 검·경찰·교정 등 공안 업무를 맡은 일반직 공무원.

*__こうあん__【考案】ス他 고안; 연구하여 생각해 냄. =案出·くふう. ¶~者 고안자/新しく~したデザイン 새로 고안한 디자인/新製品を~する 신제품을 고안하다.

*__こうい__【好意】图 호의. ¶~を寄せる 호의를 가지다〔보이다〕/~を無にする 호의를 저버리다/~を抱く 호의를 품다. ↔悪意.

—てき【—的】ダナ 호의적. ¶~に解釈する 호의적으로 해석하다.

**__こうい__【行為】图 행위. ¶勇気ある~ 용기 있는 행위/愚かな~ 어리석은 행위/考えを~に表わす 생각을 행위로 나타내다.

こうい【更衣】图ス自 경의; 탈의. =ころもがえ. ¶~室 경의실; 탈의실.

こうい【厚意】图 후의. =厚情·親切心. ¶御~を感謝します 후의에 감사드립니다/~を無にする 후의를 저버리다.

こうい【皇位】图 황위; 天皇의 지위. ¶~継承 황위 계승.

こうい【校医】图 교의; 학교의.

こうい【高位】图 고위 (인사); 높은 지위. ¶~高官 고위 고관. ↔低位.

ごうい【合意】图ス自 합의; 의사가 일치함. ¶~にもとづく決定 합의에 의거한 결정/~点を見いだす 합의점을 찾아내다/協議の上で~した 협의를 거쳐 합의했다.

こういう〖斯ういう〗連体 이러한; 이런. ¶~場合 이러한 경우.

こういき【広域】图 광역; 넓은 구역. ¶~経済〔行政〕 광역 경제〔행정〕/~生活圏 광역 생활권.

こういしょう【後遺症】图〖醫〗후유증. ¶交通事故の~ 교통 사고의 후유증/~が残る 후유증이 남다.

ごういつ【合一】图ス自他 합일. ¶知行~ 지행합일.

こういっつい【好一対】图 걸맞은 한 쌍. ¶~の夫婦 아주 잘 어울리는 부부.

こういってん【紅一点】图 홍일점; 많은 남성 중에 한 여자가 섞임; 또, 그 여자. ¶入選者中の~ 입선자 중의 홍일점.

*__こういん__【工員】图 공원《職工(=직공)'의 고친 이름》.

こういん【光陰】图 광음; 세월; 시간. =とき. ¶一寸の~ 촌각(寸刻)/~を惜しむ 시간을 아끼다/~は人を待たず 세월은 사람을 기다리지 않는다.

—矢のごとし 세월은 화살과 같다.

こういん【拘引】《勾引》图ス他 구인. ¶警察に~される 경찰에 구인되다.

—じょう【—状】图 구인장.

こういん【行員】图 행원; 은행원.

こういん【鉱員】图 광원; '鉱夫(=광부)'의 고친 이름.

*__ごういん__【強引】ダナ 강제로 밀어붙이는 모양; 억지로 하는 모양. ¶~に実行する 강행하다/~に決めてしまう 강제로 결정해 버리다.

こうう【降雨】图 강우. ¶~量 강우량/激しい~ 세찬 강우.

ごうう【豪雨】图 호우; 폭우; 큰비. =大あめ. ¶集中~ 집중호우/~に会う 호우를 만나다/~で河川が氾濫した 호우로 하천이 범람했다.

*__こううん__【幸運】《好運》名ナ 행운; 호운. =ラッキー. ¶~児 행운아/~の女神 행운의 여신/~に恵まれる 행운을 만나다/~にも入賞した 운 좋게도 입상했다. ↔不運·非運.

こううんき［耕耘機］图 경운기. 注意 '耕運機'로 대용하기도 함.

こうえい【光栄】名ナ 광영; 영광. =ほまれ. ¶身に余る~ 분에 넘치는 영광/~の至りです 더없는 영광입니다.

こうえい【公営】图 공영. ¶~企業 공영 기업/~住宅 공영 주택. ↔私営·民営.

—とばく［—賭博］图 공영 도박《지방자치 단체가 시행하는 경마·경륜·복권 등》. =公営ギャンブル. 「손·後胤.

こうえい［後裔］图 후예; 후손. =子孫

こうえい【後衛】图 후위. ↔前衛.

こうえき【公益】图 공익. ¶~事業 공익사업/~を守る〔図る〕 공익을 지키다〔도모하다〕. ↔私益.

こうえき【交易】图ス自他 교역; 무역. ¶~条件 교역 조건/~都市 교역 도시/外国と~する 외국과 교역하다.

こうえつ【校閲】图ス他 교열. ¶~者 교열자/原稿を~する 원고를 교열하다/~を受ける 교열을 받다.

こうえん【口演】图ス自 구연; 말로 진술함; 또, 말로 하는 연예를 행함.

**__こうえん__【公園】图 공원. ¶児童~ 어린이 공원/国立~ 국립공원/~を散歩する 공원을 산책하다. 参考 '公苑'으로도 씀.

*__こうえん__【公演】图ス自他 공연. ¶定期〔地方〕~ 정기〔지방〕 공연.

こうえん【好演】图ス自 호연; 뛰어난 연기·연주. ¶難役を~する 난역을 호연하다/新人ながら~だった 신인이지만 호연을 보였다.

*__こうえん__【後援】图ス他 후원; 응원; 원조(함). =後ろ盾. ¶~会 후원회/新聞社が~する行事 신문사가 후원하는 행사.

こうえん【紅炎】《紅焰》图 홍염. **1** 붉은 불꽃. **2**〔天〕태양 표면에서 나는 불길 모양의 가스. ＝プロミネンス.

*こうえん【講演】图ス自 강연. ¶～会を開く 강연회를 열다/母校で～する 모교에서 강연하다.

こうお【好悪】图 호오; 좋아함과 싫어함. ＝すききらい. ¶～の情 호오의 감정/～の念が激しい人 호오의 감정이 심한 사람.

こうおつ【甲乙】图 갑을. **1** 갑과 을; 우열. ¶～をつけがたい 우열을 가리기 어렵다. **2** 누구누구. ＝たれかれ·某某. ¶～の区別なくつきあう 누구누구의 구별 없이 사귀다.

こうおや【講親】图 계주. ＝講元.

こうおん【厚恩】图 후은; (잊을 수 없는) 깊은 은혜.

こうおん【恒温】图 항온. ＝定温.

—どうぶつ【—動物】图 항온〔정온〕 동물; 온혈 동물. ↔変温動物. 参考 '温血動物'의 고친 이름.

こうおん【高音】图 고음. **1** 높은 소리; 큰 소리. ¶～を発する 큰소리를 내다. **2**〔樂〕소프라노. ⇔低音.

—ぶきごう【—部記号】图〔樂〕고음부기호; 높은음자리표. ＝ト音記号.

こうおん【高温】图 고온. ¶～計 고온계; 고온도계/～多湿 고온 다습.

ごうおん［轟音］图 굉음; 크게 울리는 소리. ¶～を発する 굉음을 내다/一大～とともに爆破された 일대 굉음과 함께 폭파되었다.

こうか【工科】图 **1** 공과. **2** (대학에서) '工学部(＝공학부)'의 구칭.

こうか【功過】图 공과; 공적과 과실; 공과 허물. ＝功罪. ¶～相半ばす 공과가 서로 반반이다.

こうか【考課】图 (근무의) 고과. ¶～表 고과표/人事～ 인사 고과.

**こうか【効果】图 효과. ¶～をあげる 효과를 거두다/音響～ 음향 효과/逆～ 역효과/猛練習の～があらわれる 맹연습한 효과가 나타나다.

こうか【降下】图ス自他 **1** 강하; 하강. ¶落下傘～ 낙하산 강하/気温が～する 기온이 내려가다/国旗を～する 국기를 강하하다. ↔上昇. **2** 명령이 내림. ¶組閣の大命が～した 조각의 대명이 내렸다.

—ぶたい【—部隊】图 낙하산 부대.

*こうか【高価】图ナ 고가; (귀중해서) 값이 비쌈. ¶～な品 값비싼 물품/～につく 비싸게 치이다. ↔廉価·安価.

こうか【高架】图 고가. ¶～線 고가선/～鉄道 고가 철도.

こうか【高歌】图 고가; 방가(放歌); 큰 소리로 노래함. ¶～放吟する 큰 소리로 시가를 읊다.

こうか【校歌】图 교가.

こうか【黄禍】图 황화《황색인의 진출로 백인에게 재화가 미친다는 인종주의적 주장》. ↔白禍.

こうか【硬化】图ス自 경화; 굳어짐; 강경해짐. ¶～症 경화증/動脈～ 동맥 경화/野党の態度が～する 야당 태도가 강경해지다. ↔軟化.

*こうか【硬貨】图 경화; 금속 화폐. ＝コイン. ¶百円～ 100엔짜리 동전. ↔軟貨·紙幣.

こうが【黄河】图〔地〕황하; 황허 강. ¶～文明 황하 문명.

こうが【高雅】图ダナ 고아. ¶～な装い 고아한 차림새. ↔卑俗·低俗.

ごうか【業火】图〔佛〕업화; 지옥의 맹렬한 불; 전하여, 불 같은 노여움.

*ごうか【豪華】图ダナ 호화. ¶～客船 호화 여객선/～な邸宅〔衣装〕 호화로운 저택〔의상〕.

—けんらん［—絢爛］トタル 호화현란; 호화찬란.

—ばん【—版】图 호화판. **1** 제본이 특별히 좋은 서적. ↔普及版. **2**〈俗〉화려하고 사치스런 모양. ¶～宴会 호화판 연회.

こうカード【好カード】图 (스포츠 등에서) 접전(接戰)이 예상되어 흥미를 끄는 대전(對戰). ▷card.

こうかい【公海】图 공해. ↔領海.

**こうかい【公開】图ス他 공개. ¶～録音〔放送〕 공개 녹음〔방송〕/～質問 공개 질문/一般～ 일반 공개/庭園〔情報〕を～する 정원을〔정보를〕 공개하다/～の席で 공개 석상에서. ↔非公開.

—かいつけ【—買い付け】图〔經〕공개 매수.

—そうさ【—捜査】图 공개 수사. ¶～に踏み切る 공개 수사를 단행하다.

—にゅうさつ【—入札】图 공개 입찰. ¶～制度 공개 입찰 제도.

**こうかい【後悔】图ス自他 후회. ¶罪を～する 죄지은 것을 후회하다/今まで怠けたのを～している 지금까지 게으름 피운 것을 후회하고 있다/今更～しても始まらない 이제 와서 후회해도 소용없다.

—先に立たず 나중에 후회해 보았자 소용없다; 후회막급이다.

*こうかい【航海】图ス自 항해. ¶処女～ 처녀항해/～灯 항해등/無事に～を続ける 무사히 항해를 계속하다.

—にっし【—日誌】图 항해 일지.

こうがい【笄】图 **1** 옛날에, 머리를 빗어 올리는 젓가락 모양의 도구. **2** 일본식 머리 쪽에 꽂는 비녀 같은 장식품.

こうがい【口外】图ス他 (비밀 등을) 입 밖에 냄; 말함; 발설. ＝他言. ¶～を憚る 발설을 꺼리다/決して～しないと約束する 결코 입 밖에 내지 않겠다고 약속하다.

*こうがい【公害】图 공해. ¶～問題 공해 문제/スモッグ～ 매연 공해/～防止 공해 방지/～を除去する〔なくす〕 공해를 제거하다/～をひき起こす 공해를 발생시키다.

*こうがい【郊外】图 교외. ¶～電車 교외 전차 / ～を散歩する 교외를 산책하다 / ～に住む 교외에 살다.
こうがい【校外】图 교외. ¶～活動 교외 활동 / ～指導〔授業〕 교외 지도〔수업〕. ↔校内.
こうがい【港外】图 항외; 항구 밖. ¶～待避 항외 대피 / ～に停泊する 항구 밖에 정박하다. ↔港内.
こうがい【構外】图 구외; 울 밖. ¶駅の～ 역 구외. ↔構内.
*ごうかい【豪快】ダナ 호쾌. ¶～な投げ技 호쾌한 메치기(기술) / ～なホームラン 호쾌한 홈런 / ～に笑い飛ばす 호쾌하게 웃어넘기다.
ごうがい【号外】图 호외. ¶～売り 호외를 팖〔파는 사람〕 / ～が出る 호외가 나오다.
こうかいどう【公会堂】图 공회당. ¶～でピアノ演奏会を開く 공회당에서 피아노 연주회를 열다.
こうかがく【光化学】图 광화학. ¶～スモッグ 광화학 스모그. 注意 'ひかりかがく'라고도 함.
こうかく【口角】图 구각; 입아귀. ¶～炎 구각염.
―泡を飛ばす 게거품을 튀기다《격렬히 논쟁하다》.
こうかく【広角】图 광각. ¶～撮影 광각 촬영.
―レンズ [lens] 图 광각 렌즈. ＝ワイドレンズ.
*こうがく【工学】图 공학. ¶～部 공학부 / 機械～ 기계 공학 / 人間～ 인간 공학 / 電気～ 전기 공학 / 社会～ 사회 공학 / システム～ 시스템 공학.
こうがく【光学】图 광학. ¶～系〔機械〕 광학계〔기계〕.
―ガラス [네 glas] 图 광학 유리《렌즈·프리즘 등》.
こうがく【後学】图 후학. 1 후진 학도. ¶～の指導にあたる 후진 지도를 맡다. ↔先学. 2 장래에 도움이 되는 학문〔것〕. ¶～のため見ておこう 후학을 위해서 알아〔보아〕 두자.
こうがく【高額】图 고액. ¶～(の)紙幣 고액 지폐 / ～納税者 고액 납세자. ↔低額·小額.
**ごうかく【合格】图ス自 합격. ＝パス. ¶～者〔品〕 합격자〔품〕 / 試験〔入試〕に～する 시험〔입시〕에 합격하다 / 検査に～した品物 검사에 합격한 물건. ↔不合格.
こうがくしん【向学心】图 향학심. ¶～にもえる 향학심에 불타다.
こうがくねん【高学年】图 고학년; 상급 학년. ↔低学年.
こうかつ〖狡猾〗ダナ 교활. ＝狡獪. ¶～な手段 교활한 수단 / ～にたちまわる 교활하게 굴다. ↔愚直.
こうかん【公刊】图ス他 공간; 간행. ¶ちかく～するつもりだ 일간 간행할 작정이다 / 学位論文を～する 학위 논문을 간행하다.
こうかん【公館】图 공관. ¶在外～ 해외 공관.
**こうかん【交換】图ス他 1 교환. ＝とりかえ. ¶～条件 교환 조건 / 名刺の～ 명함의 교환 / 意見を～する 의견을 교환하다. 2 '電話交換手〔台〕(＝전화 교환원〔대〕)'의 준말. ¶～を呼び出す 전화 교환원을 불러 내다.
―こうぶん【―公文】图 교환 공문; 국가간에 서로 교환하는 공식 합의 문서.
―しゅ【―手】图 전화 교환원.
―だい【―台】图 (전화) 교환대.
こうかん【交歓】《交驩》图ス自 교환; 다같이 모여 즐김. ¶～音楽会 교환 음악회 / 両校の選手が～する 양교 선수가 함께 즐기다.
―きょうぎ【―競技】图 교환 경기.
こうかん【好漢】图 호한; 쾌남아; 호감이 가는 남자. ＝好男子.
こうかん【好感】图 호감. ¶～をいだく 호감을 가지다〔품다〕 / ～を与える 호감을 주다 / ～の持てる言葉 호감을 갖게 되는 말.
こうかん [巷間] 图 항간; 세상. ＝世間·ちまた. ¶～のうわさ 항간의 소문 / ～の俗説 항간의 속설.
こうかん【後患】图 후환; 뒷근심. ¶～を絶つ 후환을 없애다.
こうかん [浩瀚] 名ナ 호한. 1 넓고 큼. 2 책의 권수가 많음. ¶～な蔵書 호한한〔많은〕 장서.
こうかん【高官】图 고관. ¶外務省の～ 외무성의 고관.
こうかん【鋼管】图 강관; 강철관.
こうがん【厚顔】名ナ 후안; 철면피. ¶～無恥 후안무치 / ～なお願い 염치없는 부탁 / ～な男 뻔뻔스런 사내 / ～にも昇給を要求した 뻔뻔스럽게도 승급을 요구했다.
こうがん【紅顔】图 홍안; 젊은이의 혈색이 좋은 얼굴. ¶～の美少年 홍안의 미소년.
こうがん [睾丸] 图〘生〙고환; 불알. ＝きんたま. ¶～炎 고환염.
ごうかん【合歓】图ス自 합환; 환락을 같이함; 특히, 남녀가 동침함. ¶～の日を待つ 합환의 날을 기다리다.
ごうかん [強姦] 图ス他 강간. ¶～罪 강간죄 / ～未遂 강간 미수. ↔和姦.
こうがんざい【抗がん剤】《抗癌剤》图 항암제.
こうき【工期】图 공기; 공사 기간.
こうき【公器】图 공기. ¶新聞は天下の～である 신문은 천하의 공기이다.
こうき【広軌】图 광궤. ¶～鉄道 광궤 철도. ↔狭軌.
こうき【好奇】图 호기. ¶～の目を向ける 호기의 눈초리를 보내다.
―しん【―心】图 호기심. ¶～に駆られる 호기심에 끌리다.
こうき【好機】图 호기. ＝チャンス. ¶～をとらえる〔逸する, のがす〕 호기를 잡다〔놓치다〕 / 千載一遇の～ 천재일우의 호기.

こうき【後記】名 후기. 一名 1 뒷말; 발문(跋文). ＝あとがき. ¶編集～ 편집 후기. 2 후일의 기록. 二名スル他 뒤쪽에 적음; 또, 그 글. ¶要領は～のとおり 요령은 후기와 같음. ⇔前記.

こうき【後期】名 후기. ¶～の試験 후기 시험 / ～印象派 후기 인상파. ↔前期·中期.

こうき【香気】名 향기. ＝かおり·芳香. ¶～の強い花 향기 높은 꽃 / ～が漂う 향기가 감돌다. ↔臭気.

こうき【校旗】名 교기.

こうき【高貴】名ナ 고귀. ¶～薬 값비싸고 귀한 약 / ～の出身 고귀한 집안의 출신 / ～な客をもてなす 고귀한 손님을 접대하다. ↔卑賤·下賤.

こうき【綱紀】名 강기; 나라의 기강.

—しゅくせい【—粛正】名 강기숙정.

こうぎ［交誼］《交宜》名 교의; 교분; 우호. ¶～をかたじけなくする 교의의 영광을 입다 / ～を結ぶ 교분을 맺다.

こうぎ【広義】名 광의; 넓은 뜻. ¶～に解する 광의로 해석하다. ↔狭義.

*こうぎ【抗議】名スル自 항의. ¶～文 항의문 / ～の声 항의의 목소리 / ～を申し込む 항의를 제기하다 / 判定に～する 판정에 항의하다.

こうぎ［厚誼］名 후의; 두터운 정의. ¶今後とも倍前のご～を賜りますようお願いいたします 앞으로도 배전의 후의를 베풀어 주시기를 바랍니다. 参考 '交誼'의 높임말.

*こうぎ【講義】名スル他 강의. ¶歴史の～ 역사 강의 / ～を聞く 강의를 듣다 / ～に出る 강의에 나가다 / 化学を～する 화학을 강의하다.

—ろく【—録】名 강의록.

ごうぎ【合議】名スル自他 합의. ¶～体 합의체 / ～の上で決める 합의한 다음에 결정하다.

ごうぎ【強気·豪儀·豪気】ダナ 1 기세가 세찬 모양. 2 굉장한 모양; 멋진 모양. ¶そいつは～だね 그것 굉장하군 / ヨーロッパ旅行とは～だ 유럽 여행이라니 멋지군. 注意 'ごうき'라고도 함.

*こうきあつ【高気圧】名 고기압. ¶移動性～ 이동성 고기압. ↔低気圧.

こうきぎょう【公企業】名 공기업. ↔私企業.

こうきたい【公企体】名 '公共企業体(＝공공 기업체)'의 준말.

こうきゅう【公休】名 공휴(일). ¶～日 공휴일.

こうきゅう【好球】名 (야구 등에서) 치기〔받기〕 좋은 공. ¶～をねらい打つ 좋은 공을 노려서 치다.

こうきゅう【考究】名スル他 고구; 깊이 살펴 연구함. ¶古代史を～する 고대사를 고구하다.

こうきゅう【恒久】名 항구; 영구.

—てき【—的】ダナ 항구적. ¶～な設備〔減税〕 항구적인 설비〔감세〕.

こうきゅう【降給】名 급료를 내림. ¶～処分 감봉 처분. ↔昇給.

*こうきゅう【高級】名ナ 고급. ¶～官吏 고급 관리 / 内容の～な本 내용이 고급인 책. ↔低級·初級.

こうきゅう【高給】名 고급; 높은 급료. ¶～をもらう 고급을 받다. ↔薄給.

こうきゅう【硬球】名 경구. ↔軟球.

ごうきゅう【号泣】名スル自 호읍; 소리를 높여 욺. ¶悲報を聞いて～する 비보를 듣고 소리 높이 울다.

ごうきゅう【強弓】名 강궁; 센 활; 또, 그 활을 쏘는 사람.

ごうきゅう【剛球·豪球】名〔野〕 강속구. ¶～投手 강속구를 던지는 투수.

こうきゅうりょうしゅうしょう【公給領収証】名 공급 영수증; 음식세를 받은 표시로 음식점이 발행하는 정식 영수증.

こうきょ【皇居】名 황거; 天皇의 거처. ＝宮城.

こうきょう【口供】名スル他 공술(供述); 구두로 진술함. ¶犯罪の動機を～する 범죄 동기를 진술하다.

—しょ【—書】名 구공서; 진술서.

*こうきょう【公共】名 공공. ＝公. ¶～の福祉 공공복지 / ～性 공공성 / ～空地 공공 공지 / ～の施設 공공 시설 / ～用物 공공 용물; 공용물.

—きぎょうたい【—企業体】名 공공 기업체.

「営利事業.

—じぎょう【—事業】名 공공 사업. ↔

—しょくぎょうあんていじょ【—職業安定所】名 공공 직업 안정소. ＝職安.

—だんたい【—団体】名 공공 단체.

—ほうそう【—放送】名 공공 방송. ↔商業放送·民間放送.

—りょうきん【—料金】名 공공요금.

こうきょう【交響】名スル自 교향.

—がく【—楽】名 교향악. ¶～団 교향악단.

「ォニー.

—きょく【—曲】名 교향곡. ＝シンフ

こうきょう【好況】名 호황; 호경기. ¶～を呈する 호황을 보이다 / ～の波に乗る 호황의 물결을 타다. ↔不況.

**こうぎょう【工業】名 공업. ¶～製品 공업 제품 / ～規格 공업 규격 / ～団地 공업 단지 / ～用水〔廃水〕 공업 용수〔폐수〕 / ～が盛んになる 공업이 번성하게 되다.

—いしょう【—意匠】名 공업 의장. ＝インダストリアル デザイン.

—か【—化】名スル他 공업화.

—ちたい【—地帯】名 공업 지대《京浜·京葉·阪神·中京 공업 지대 등이 있음》.

*こうぎょう【鉱業】《礦業》名 광업. ¶～権 광업권 / ～抵当 광업 저당 / ～の振興 광업의 진흥.

こうぎょう【興行】名スル他 흥행. ¶～価値 흥행 가치 / 慈善～ 자선 흥행 / ～場 흥행장 / 二週間の～を打つ 2주 동안의 흥행을 하다.

―し【―師】图 흥행사; 프로모터.

こうきょういく【公教育】图 공교육. 参考 주로 초·중등 교육에 대해 말함. ↔私(し)教育.

こうきょく【好局】图 (바둑·장기의) 좋은 대국.

こうぎょく【紅玉】图 홍옥. 1 홍색의 보석. =ルビー. 2 사과의 한 품종.

こうきん【公金】图 공금. ¶~横領(おうりょう) 공금 횡령 / ~を費消(ひしょう)する〔使(つか)い込(こ)む〕 공금을 써 버리다.

こうきん【抗菌】图 항균. ¶~剤(ざい) 항균제 / ~効果(こうか) 항균 효과.

こうきん【拘禁】图자他 구금; 감금. ¶容疑者(ようぎしゃ)を~する 용의자를 구금하다. 参考 법률적으로는 '抑留(よくりゅう)(=억류)'가 단기간의 구속인 데 대해 '拘禁'은 비교적 장기간의 구속을 뜻하며, '勾留(こうりゅう)(=구류)'에 해당함.

*ごうきん【合金】图 합금. ¶~鋼(こう) 합금강 / ~鉄(てつ) 합금철; 페로알로이 / 軽(けい)~ 경합금 / 銅(どう)と錫(すず)の~を作(つく)る 구리와 주석의 합금을 만들다.

こうきんりせいさく【高金利政策】图 고금리 정책.

こうぐ【工具】图 공구; 공작 도구. ¶~鋼(こう) 공구강 / ~箱(ばこ) 공구 상자 / ~研削盤(けんさくばん) 공구 연삭반〔기〕.

ごうく【業苦】图〘佛〙업고; 전세의 악업으로 이승에서 받는 고통. ¶~を背負(せお)う 업고를 짊어지다.

*こうくう【航空】图 항공. ¶~券(けん) 항공권 / ~気象(きしょう) 항공 기상 / ~燃料(ねんりょう) 항공 연료 / ~輸送(ゆそう) 항공 수송.

―かんせいとう【―管制塔】图 항공 관제탑. =コントロールタワー.

―き【―機】图 항공기. ¶~強取(ごうしゅ) 항공기 탈취; 공중 납치; 하이잭.

―じえいたい【―自衛隊】图 (일본 방위청의) 항공 자위대.

―しゃしん【―写真】图 항공사진; 공중사진.

―ぼかん【―母艦】图 항공모함. =空母(くうぼ).

―ゆうびん【―郵便】图 항공 우편. =航空便(びん)·エアメール.

―ろ【―路】图 항공로. =エアライン.

こうくう【高空】图 고공; 높은 하늘. ¶~病(びょう) 고공병. ↔低空(ていくう).

こうぐう【厚遇】图자他 후우; 후대. =優遇(ゆうぐう). ¶~を受(う)ける 후대를 받다.

こうくり［高句麗］图〘史〙고구려.

こうくん【功勲】图 공훈; 공(로); 공적. =てがら·いさお.

こうくん【校訓】图 교훈.

こうぐん【行軍】图자自 행군. ¶強(きょう)~ 강행군 / 一日(いちにち)に十里(じゅうり)~する 하루에 백리 행군하다.

こうけ【公家】图 무가(武家) 시대, 조정에 출사(出仕)한 사람들. =公家(くげ).

こうげ【高下】一图 고하; 높낮이; 우열. =高低(こうてい). ¶品質(ひんしつ)の~ 품질의 고하 / 身分(みぶん)の~を問(と)わず 신분의 고하를 막론하고. 二图자自 오르내림. ¶物価(ぶっか)の~ 물가의 오르내림.

こうけい【口径】图 구경. ¶~比(ひ) 구경비 / 大砲(たいほう)の~ 대포의 구경 / 大(だい)~レンズ 구경이 큰 렌즈.

こうけい［公卿］图 공경; 조정에 벼슬하는 3품(品) 이상의 고관. =くぎょう.

*こうけい【光景】图 광경. ¶惨憺(さんたん)たる~ 참담한 광경 / 目(め)ざましい~ 눈부신 광경 / ほほえましい~ 흐뭇한 광경 / おそろしい~を目撃(もくげき)する 무서운 광경을 목격하다.

こうけい【後継】图 후계. =あとつぎ. ¶~者(しゃ) 후계자 / ~内閣(ないかく) 후계 내각.

*こうげい【工芸】图 공예. ¶~品(ひん) 공예품 / 伝統(でんとう)~ 전통 공예.

―さくもつ【―作物】图 공예 작물.

**ごうけい【合計】图자他 합계; 총액. =しめだか·総額(そうがく). ¶~でいくらになりますか 합계 얼마가 됩니까 / 三冊(さんさつ)で~千円(せんえん)になる 세 권에 합계 천 엔이 된다. ↔小計(しょうけい).

こうけいき【好景気】图 호경기; 호황. =好況(こうきょう). ¶~に向(む)かう 경기가 좋아지다 / ~の波(なみ)に乗(の)って 호경기 물결을 타고. ↔不景気(ふけいき).

**こうげき【攻撃】图자他 공격. ¶~手段(しゅだん) 공격 수단 / 人身(じんしん)~ 인신공격 / 五回裏(ごかいうら)の~ 5회 말의 공격 / ~を加(くわ)える 공격을 가하다 / ~にさらされる 공격에 노출되다 / ~を浴(あ)びせる 공격을 퍼붓다 / 失政(しっせい)を~する 실정을 공격하다. ↔守備(しゅび)·防御(ぼうぎょ).

こうけつ【高潔】图ナ 고결. ¶~な人格(じんかく) 고결한 인격.

こうけつ［膏血］图 고혈. ¶国民(こくみん)の~をすする 국민의 고혈을 착취하다.

―を絞(しぼ)る 고혈을 짜다; 착취하다.

ごうけつ【豪傑】图 1 호걸. ¶天下(てんか)の~ 천하의 호걸. 2〈俗〉대담한 사람; 통이 큰 사람. ¶~笑(わら)い 호탕한 웃음 / あいつはたいした~だ 저 녀석은 통이 대단히 크다.

こうけつあつ【高血圧】图 고혈압. ¶~症(しょう) 고혈압증. ↔低血圧(ていけつあつ).

こうけん【後見】图자他 후견(인); 뒤에서 보살펴 줌. =うしろだて·うしろみ. ¶~人(にん) 후견인 / ~役(やく) 후견인 역 / 甥(おい)を~する 조카를 뒤에서 보살피다.

*こうけん【貢献】图자自 공헌; 이바지. =寄与(きよ). ¶世界(せかい)平和(へいわ)に~する 세계 평화에 공헌하다 / 学問(がくもん)に~した人々(ひとびと) 학문에 이바지한 사람들.

こうけん【高見】图 고견. 1 뛰어난 의견. 2 상대의 의견. ¶御(ご)~を伺(うかが)いたく 고견을 듣고자. ↔卑見(ひけん).

こうけん【高検】图 고검《'高等(こうとう)検察庁(けんさつちょう)(=고등 검찰청)'의 준말》.

こうげん【公言】图자他 공언. ¶やましいことはないと~する 양심에 꺼리는 일은 없다고 공언하다 / ~して憚(はばか)らない 거리낌없이 공언하다.

こうげん【巧言】图 교언; 입으로만 그럴듯하게 꾸며 대는 말. ¶~令色(れいしょく) 교언영색 / ～を用いて人にとり入る 그럴듯한 말로 남에게 빌붙다.

こうげん【広言】《荒言》图ス自 광언; 방언; 큰소리 침; 흰소리; 호언장담. ＝おおぐち. ¶～を吐く 큰소리를 치다 / ～してはばからない 거리낌없이 큰소리치다. 「광원체.

こうげん【光源】图〔理〕광원. ¶～体

こうげん【抗原·抗元】图〔醫〕항원. ¶～物質 항원 물질.

こうげん【高言】图ス自 고언; 큰소리; 흰소리; 호언장담. ＝大言.

*こうげん【高原】图 고원; 높은 지대. ¶～地帯 고원 지대 / ～玄武岩 고원 현무암 / ～野菜 고랭지 야채.

ごうけん【合憲】图 합헌. ↔違憲.

ごうけん【剛健】图ダナ 강건; (심신이) 억세고 튼튼함. ¶質実～の気風 질실강건한 기풍 / ～な気風を養う 강건한 기풍을 기르다. ↔柔弱.

こうけんりょく【公権力】图 공권력. ¶～を行使する 공권력을 행사하다.

こうこ【公庫】图 공고; 주택·사업 자금을 대부하는 정부 기관. ¶住宅金融～ 주택 금융 공고.

こうこ【好個】《好箇》名ナ 적당함; 알맞음. ＝手ごろ. ¶時間つぶしに～な読み物 시간 보내기에 알맞은 읽을거리 / ～の見本だ 적당한 견본이다.

こうこ【後顧】图 후고; 뒤를 돌아봄.

—の憂い 후고의 염려; 후환. ¶～がない 후고의 염려가 없다.

こうご【口語】图 구어; 구두어. ＝話し言葉. ¶～形 구어형 / ～歌 구어의 단가. ↔文語.

—たい【—体】图 구어체. ¶～で書く 구어체로 쓰다. ↔文語体.

—ぶん【—文】图 구어문. ↔文語文.

*こうご【交互】图 교호; 번갈아. ＝かわるがわる. ¶左右～に動かす 좌우 번갈아 움직이다.

こうご【向後】图 향후; 금후; 앞으로. ＝今後. ¶～は気をつけます 앞으로는 주의하겠습니다 / ～の交際を禁ずる 앞으로 교제를 금지한다.

ごうご【豪語】图ス自 호어; 호언장담; 흰소리. ＝大言壮語. ¶絶対負けないと～する 절대 지지 않는다고 호언하다〔큰소리치다〕.

こうこう【口こう】《口腔》图 구강. ¶～衛生 구강 위생 / ～外科 구강 외과. 注意 의사끼리는 'こうくう'라고 함.

こうこう【工高】图 공고《'工業高等学校(＝공업 고등학교)'의 준말》.

*こうこう【孝行】名ナス自 효행; 효도. ¶～息子 효자 / ～娘 효녀 / 親に～な子供 어버이에게 효도하는 자식 / 女房～ 엄처시하 / ～を尽くす 효도를 다하다. ↔不孝.

—の〔を〕したい時分に親はなし 효도를 하고 싶을 때쯤 부모는 (이미) 안 계신다. ＝風樹の嘆.

—がお【—顔】图 효성스러운 체하는 태도.

こうこう【後攻】图ス自 (공격과 수비를 교대로 하는 운동 경기 등에서) 후공; 나중에 공격함. ＝あとぜめ. ↔先攻.

こうこう【航行】图ス自 항행. ¶～できない川 항행할 수 없는 강 / ～中の船舶 항행 중인 선박 / 島づたいに～する 섬을 따라 항행하다.

こうこう【高校】图 고교《高等学校'의 준말》. ¶～生 고교생 / ～時代 고교 시절 / 彼は～しか出ていない 그는 고등학교밖에 나오지 않았다.

こうこう【港口】图 항만의 출입구.

こうこう〔膏肓〕图「病～に入る」(a)병이 고황에 들다; 중병에 걸리다; (b)어떤 일에 완전히 물들어 남의 충고 따위는 듣지 않음의 비유. 注意 'こうもう'라 읽음은 잘못.

こうこう〔皓皓·皎皎〕トタル 호호; 교교; 빛나고 밝은 모양. ¶～たる月光 교교한 달빛 / 月が～と照る 달이 교교히 비치다.

こうこう〔煌煌〕トタル 황황; 번쩍번쩍 빛나는 모양. ¶～と輝く電灯 휘황하게 빛나는 전등.

こうこう『斯う斯う』副 이러이러; 여차여차. ¶～しかじか 여차여차 / ～いう話だ 이러이러하다는 이야기다.

こうごう【皇后】图 황후. ＝きさき.

ごうごう〔囂囂〕トタル 효효; 떠들썩한〔들레는〕 모양. ¶喧々～ 아주 시끄러움 / ～たる非難を浴びる 맹렬한 비난을 받다.

ごうごう〔轟轟〕トタル 굉굉; 큰소리가 울리는 모양. ¶～とひびく 요란하게 울리다 / ～たる爆音 요란한 폭음.

こうこうがい〔硬口蓋〕图〔生〕경구개. ¶～音 경구개음. ↔軟口蓋.

こうこうぎょう【鉱工業】图 광공업.

こうごうし-い【神神しい】形 성스럽고 엄숙하다; 거룩하다. ¶～境内 성스럽고 엄숙한 경내.

こうごうせい【光合成】图〔生〕광합성. ＝ひかりごうせい. ¶～細菌 광합성 세균. ↔化学合成.

こうこうや〔好好爺〕图 호호야; 마음 좋은 할아버지. ¶～ぶりを発揮する 호호야다운 면모를 발휘하다.

こうこがく【考古学】图 고고학. ¶～者 고고학자. ↔考現学.

こうこく【公告】图ス他 공고. ¶官報に～する 관보에 공고하다.

**こうこく【広告】图ス他 광고. ¶～主 광고주; 스폰서 / ～料〔文〕 광고료〔문〕 / ～媒体 광고 매체 / ～を出す〔載せる〕 광고를 내다〔싣다〕 / 新聞に～する 신문에 광고하다.

こうこく【抗告】图ス自〔法〕항고. ¶～裁判所 항고 법원 / ～訴訟 항고 소송 / 仮処分の決定に～する 가처분 결정에 항고하다.

こうこく【皇国】名 황국; 天皇가 다스리는 나라《일본》. ＝すめらみくに.

こうこつ［恍惚］トタル 황홀. ¶～たらしめる 황홀케 하다/～として見とれる 넋을 잃고 보다/名曲に～とする 명곡에 황홀해지다. 注意 '～の'의 꼴로도 쓰임. ¶～の状態 황홀한 상태.

──きょう［──境］名 황홀경. ＝エクスタシー. ¶～に入る 황홀경에 이르다.

こうこつ【硬骨】名 경골. **1** 단단한 뼈. ↔軟骨. **2** 강직하여 자기 의지를 좀체 굽히지 않음. ¶～の士 경골지사.

*__こうさ__【交差】《交叉》名ス自 교차. ¶立体～ 입체 교차/線路が～する 철길이 교차하다. ↔平行.

──てん【──点】名 교차점; 네거리. ＝四つ角·よつつじ.

*__こうさ__【考査】名ス他 고사. ¶人物を～する 인물을 고사하다.

こうさ【黄砂】《黄沙》名 황사. **1** 누런 모래. **2** 황사 현상.

こうさ［較差］名 교차; 격차; 최고와 최저, 최대와 최소 등의 차이. ¶日～ 일교차/気温の～が大きい 기온의 교차가 심하다. 注意 'かくさ'는 관용음.

こうざ【口座】名〔經〕계좌. **1** (장부의) 계정 계좌. **2** '振替〔預金〕口座(＝대체〔예금〕계좌)'의 준말. ¶～を設ける〔開く〕 계좌를 개설하다〔트다〕.

こうざ【高座】名 고좌; 연단의 한 단 높은 자리; 특히, 寄席의 무대. ¶～にかかる 만담을 하기 위해 무대에 서다.

*__こうざ__【講座】名 강좌; 강의. ¶刑法～ 형법 강좌/夏期～ 하기 강좌/～を設ける 강좌를 개설하다.

*__こうさい__【公債】名 공채. ¶赤字～ 적자 공채/～証書 공채 증서/～を発行する 공채를 발행하다.

**__こうさい__【交際】名ス自 교제. ＝つきあい. ¶～を求める 교제를 청하다/女性と～する 여성과 교제하다/～が広い 교제 범위가 넓다/～を断つ〔結ぶ〕 교제를 끊다〔맺다〕.

こうさい【光彩】名 광채. ¶～を放つ 광채를 내다.

こうさい［虹彩］名〔生〕홍채; 눈조리개. ¶～炎 홍채염.

──しぼり［──絞り］名 (카메라·촬영기의) 조리개. ＝アイリス.

こうさい【高裁】名 '高等裁判所(＝고등 법원)'의 준말.

こうざい【功罪】名 공죄; 공과 죄.

──相半ばする 공과 허물이 반반이다. ¶その政策は～ 그 정책은 공과 죄가 반반이다.

──相償う 공적과 죄과가 서로 상쇄하는 관계에 있다.

こうざい【好材】名 호재; 좋은 재료.

こうざい【鋼材】名 강재.

こうさく【交錯】名ス自 교착; 뒤섞임. ＝錯綜. ¶期待と不安の～ 기대와 불안의 교착/夢と現実とが～する 꿈과 현실이 교착하다.

*__こうさく__【工作】공작. 一名 **1** 만듦; 또, 학과의 하나. ¶～図 공작도/～道具 공작 도구/～の時間 공작 시간. **2** 토목·건축 등의 공사. ¶橋の補強～ 다리의 보강 공사. 二名ス他 어떤 목적을 달성하기 위하여 미리 손을 씀. ¶下〔事前〕～ 사전 공작/裏面で～する 이면에서 공작하다.

──きかい【──機械】名 공작 기계.

*__こうさく__【耕作】名ス他 경작. ¶～面積 경작 면적/～権 경작권/農地を～する 농지를 경작하다.

こうさく【鋼索】名 강삭. ＝ワイヤロープ.

──てつどう【──鉄道】名 강삭 철도. ＝ケーブルカー.

こうさつ【考察】名ス他 고찰. ¶世界情勢について～する 세계 정세에 대하여 고찰하다/詳しい～を加える 자세하게 고찰하다.

こうさつ【絞殺】名ス他 교살. ¶～される 교살당하다.

ごうさつ【強殺】名 '強盗殺人(＝강도 살인)'의 준말.

こうさん【公算】名 공산; 확률; 가망성. ¶成功する～は大きい 성공할 공산이 크다/勝てる～は全くない 이길 공산은 전혀 없다.

*__こうさん__【降参】名ス自 **1** 항복; 굴복. ¶白旗を掲げて～する 백기를 내걸고 항복하다. **2** 손듦; 질림; 딱 질색임. ¶この暑さには～だ 이 더위에는 두 손 들었다/あいつの頑固さには～した 그 녀석의 고집에는 두 손 들었다.

こうざん【高山】名 고산; 높은 산.

──しょくぶつ【──植物】名 고산 식물.

──びょう【──病】名〔醫〕고산병; 산악병. ＝山酔い.

*__こうざん__【鉱山】名 광산. ¶～王 광산왕/～所有権 광산 소유권.

こうし【口試】名 '口頭試問(＝구두시험)·口述試験(＝구술시험)'의 준말.

こうし【子牛】《仔牛》名 송아지.

こうし【公子】名 공자; 귀족의 아들; 귀공자. ＝わかとの·きんだち.

こうし【公私】名 공사. ¶～の別 공사의 구별/～の混同 공사의 혼동/～とも多忙 공사 모두 다망함.

こうし【公使】名 공사. ¶～館 공사관/ブラジル～ 브라질 공사.

こうし【光子】名〔理〕광자《빛의 입자》. ＝光量子·フォトン.

こうし【考試】名 고시; 시험. ＝試験.

こうし【行使】名ス他 행사. ¶実力～ 실력 행사/権利を～する 권리를 행사하다.

こうし【孝子】名 효자.

こうし【厚志】名 후지; 후한 마음씨. ＝厚情. ¶御～ありがたくお受けします 따뜻한 마음씨를 감사히 받겠습니다/ご～かたじけなく存じます 베푸신 후의는 고맙게 생각합니다.

こうし【後嗣】名〈文〉후사. ＝あとつぎ·よつぎ.

こうし【港市】图 항시; 항만 도시. ＝みなとまち.

*こうし【格子】图 격자. ¶～窓 격자창/～柄 격자 무늬의 천.
　――無き牢獄 창살 없는 감옥; (규칙이 엄하고 탄압이 심하여) 감옥과 같은 속박된 상태의 비유.
　――じま〖――縞〗图 바둑판〔격자〕 무늬.
　――ど【――戸】图 격자문; 격자 미닫이.

こうし【高師】图 고사(('高等師範学校'의 준말)). ¶女～出の才媛 여자 고등 사범학교 출신의 재원.

こうし［嚆矢］图 효시; 최초; 사물의 시초. ＝最初. ¶…をもって～とする …으로써 효시로 삼다.

*こうし【講師】图 강사. ¶大学～ 대학 강사/非常勤～ 시간 강사.

こうじ〖麹〗图 누룩; 곡자. ¶～菌 누룩 곰팡이/～色 주황색.

こうじ【小路】图 **1** 소로; 좁은 골목. ¶袋～ 막다른 골목. ↔大路. **2** (고유명사로서는) 네거리; 큰길. ¶広～ 넓은 길.

**こうじ【工事】图ス自 공사. ¶～中 공사 중/～現場 공사 현장/電気～ 전기 공사/～にとりかかる 공사에 착수하다/～が遅れる 공사가 늦어지다.
　――ば【――場】图 공사장.

こうじ【公示】图ス他 공시. ¶～地価 공시 지가/選挙期日を～する 선거 기일을 공시하다. ↔内示.
　――さいこく【――催告】图 공시 최고.

こうじ［好餌］图 호이; 좋은 미끼〔이용물〕; 밥. ¶～をもって人を誘う 좋은 미끼로 사람을 꾀다/悪人の～となる 나쁜 놈의 봉이 되다.

こうじ【好事】图 호사; 좋은 일.
　――魔多し 호사다마.

こうじ【後事】图 후사; 뒷일. ¶～を託する 후사를 부탁하다.

こうじ【高次】图 고차. **1** 높은 차원. ¶～の技術 고차원의 기술. **2**〔數〕 높은 차수. ¶～方程式 고차 방정식. ⇔低次.

ごうし［合祀］图ス他 합사. ＝合祭. ¶戦没者〔二神〕を～する 전몰자를〔두 신을〕 합사하다.

ごうし【合資】图ス自 합자.
　――がいしゃ【――会社】图 합자 회사.

ごうじ【合字】图 합자; 둘 이상의 글자를 합쳐서 한 글자를 만듦; 또, 그 글자 (('麻呂'를 '麿'로, '二十'을 '廿'으로 하는 따위)).

こうじかび〖麹黴〗图 누룩곰팡이.

こうしき【公式】图 공식. **1 공적인 형식. ¶～会談 공식 회담/～に認める 공식으로 인정하다/それは～どおりには行かない 그것은 공식대로 되지는 않는다. ↔非公式. **2**〔數〕 일반 법칙을 나타낸 관계식. ¶数学の～ 수학 공식/～にあてはめて計算する 공식에 맞추어 계산하다.

こうしき【硬式】图 경식. ¶～野球 경식 야구. ↔軟式.

こうしせい【高姿勢】图 고자세. ¶～に出る 고자세로 나오다/交渉で～をつらぬく 교섭에서 고자세로 일관하다. ↔低姿勢.

こうした〖斯うした〗連体 이러한; 이와 같은. ¶～事態になるとは夢にも思わなかった 이런 사태가 되리라고는 꿈에도 생각지 않았다.

こうしつ【皇室】图 황실; 天皇を 중심으로 한 그의 일족. ＝天皇家. ¶～会議 황실 회의.

こうしつ【硬質】图 **1** 경질. ↔軟質. **2** 딱딱하고 비정서적임. ¶～の文体 딱딱하고 비정서적인 문체.
　――ガラス［네 glas］图 경질 유리. ＝カリガラス.

こうしつ［膠質］图 교질; 아교 비슷한 물질. ＝コロイド.

*こうじつ【口実】图 구실; 핑계. ＝言いわけ·言いぐさ. ¶もっともらしい～ 그럴싸한 핑계/物価高を～に値上げする 물가고를 핑계로 값을 올리다/～を設ける〔与える〕 구실을 붙이다〔주다〕/彼は貧乏を～にしている 그는 가난을 구실로 삼고 있다.

こうじづけ【こうじ漬け】((麹漬け)) 图 어육류·야채 등을 누룩에 담아 절인 식품.

こうじつせい【向日性】图〔植〕 향일성. ＝向光性.

こうして〖斯うして〗一副 이렇게; 이와 같이. ¶鉛筆は～削る 연필은 이렇게 깎는다/～目をつぶっていると心が落ち着く 이렇게 눈을 감고 있으면 마음이 가라앉는다. 二接 이렇게 해서. ¶～, 彼と彼女は結婚した 이렇게 해서 그와 그녀는 결혼했다.

こうしゃ【巧者】图ダナ 교자; 능숙함; 교묘함; 또, 그런 사람. ＝巧手. ¶口巧者 능변(가)/～な手ぎわ 능숙한 솜씨/～な手口 능숙한 수법/～に語る 능숙하게 이야기하다.

こうしゃ【後者】图 후자. ¶～を選ぶ 후자를 택하다. ↔前者.

こうしゃ【校舎】图 교사. ¶木造の～ 목조 교사.

こうしゃ【公舎】图 공사; 관사.

こうしゃ【公社】图 공사. ¶～債 공사채/専売～ 전매 공사.

こうしゃ【降車】图ス自 하차(下車). ¶～口 하차구/～専用ホーム 하차 전용 플랫홈. ↔乗車.

こうしゃ【高射】图 고사. ¶～砲 고사포/～機関銃 고사 기관총.

ごうしゃ［豪奢］图ダナ 호사. ¶～な生活 호사스런 생활.

こうしゃく【公爵】图 공작; 5등 작위의 첫째. ＝公.

こうしゃく【侯爵】图 후작; 5등 작위의 둘째. ＝侯.

こうしゃく【講釈】一图ス他 **1** 강석; 문장의 뜻을 설명하여 들려줌. **2** 젠체하고〔장황하게〕 설명함; 또, 그 설명. ¶え

らそうに～を並べたてる 잘난 체하며 장황한 설명을 늘어놓다. 二图 '講談(=야담)'의 구칭.

—し【—師】图 야담가. ＝こうだんし.

こうしゅ【攻守】图 공수; 공격과 수비. ¶～にわたる活躍 공수에 걸친 활약.

こうしゅ【好手】图 호수. **1** 기술이 뛰어남; 또, 그 사람. **2** (바둑·장기에서) 잘 둔 수. ¶～を打つ 호수를 두다.

こうしゅ【好守】图ㅈ自 (야구 등에서) 호수(비). ＝好守備. ¶～好打 호수 호타. ↔拙守.

こうしゅ【絞首】图 교수. ¶～台〔刑〕 교수대〔형〕.

こうしゅ【甲種】图 갑종. ¶～合格 갑종 합격.

こうしゅう【口臭】图 구취; 입냄새. ¶妻の8割以上が夫の～を感じている 아내의 8할 이상이 남편의 입냄새를 느끼고 있다.

**こうしゅう【公衆】图 공중. ¶～便所〔衛生〕 공중 변소〔위생〕/～の利益をはかる 공중의 이익을 꾀하다/私は～の面前で罵倒された 나는 공중의 면전에서 매도되었다.

—でんわ【—電話】图 공중전화.

—どうとく【—道徳】图 공중도덕.

*こうしゅう【講習】图ㅈ他 강습. ¶～会 강습회/夏期～ 하기 강습/～を受ける 강습을 받다.

ごうしゅう【豪州】《濠洲》图〘地〙 호주; 오스트레일리아. ＝オーストラリア.

こうしゅうせい【光周性】图〘生〙 광주성; 광주기성.

こうしゅうは【高周波】图〘電〙 고주파. ¶～製鋼法 고주파 제강법/～電気炉 고주파 전기로/～ミシン 고주파 미싱. ↔低周波.

こうじゅつ【口述】图ㅈ他 구술. ¶～書 구술서.

—しけん【—試験】图 구술〔면접〕시험. ↔筆記試験.

こうじゅつ【公述】图ㅈ自他 공술; 공청회·공식 석상에서 의견을 말함. ¶具体的に～する 구체적으로 공술하다.

—にん【—人】图 공술인.

こうじゅつ【後述】图ㅈ自他 후술. ¶詳しくは～することにする 상세한 것은 후술하기로 한다. ↔前述·先述.

こうしょ【公署】图 (관)공서; 시청·구청 등 공공 단체의 사무를 보는 기관.

こうしょ【高所】图 고소; 높은 곳〔견지〕. ¶大所～から判断する 높은 견지에서 판단하다. ↔低所.

—きょうふしょう【—恐怖症】图 고소공포증.

こうじょ【公序】图 공서; 공공 질서.

—りょうぞく【—良俗】图 공서 양속; 미풍 양속. ¶～に反する行い 공서 양속에 반하는 행위.

こうじょ【控除】《扣除》图ㅈ他 공제. ¶～額 공제액/基礎～ 기초 공제/扶養～ 부양 공제/税金が～される 세금이 공제되다.

こうじょ【孝女】图 효녀. ＝孝行娘.

こうしょう【交渉】图ㅈ自 **1 교섭. ¶団体～ 단체 교섭/～を受ける 교섭을 받다/～に当たる 교섭을 맡다/～の成り行きが注視される 교섭의 귀추가 주목된다/～が行き詰まる 교섭이 정돈 상태에 빠지다. **2** 관계; 상관; 관련. ¶彼女と～がある 그녀와 관계가 있다/～を持つ〔断つ〕 관계를 지속하다〔끊다〕.

こうしょう【公傷】图 공상. ↔私傷.

こうしょう［公娼］图 공창. ¶～制度廃止 공창 제도 폐지. ↔私娼.

こうしょう【公称】图ㅈ自 공칭; 표면상의 일컬음. ¶～資本 공칭 자본.

こうしょう【公証】图 공증.

—にん【—人】图〘法〙 공증인. ¶～役場 공증인 사무소.

こうしょう【考証】图ㅈ他 고증. ¶～学 고증학/時代～が行き届いた小説 시대 고증이 철저한 소설.

こうしょう【口承】图ㅈ他 구승; 구전. ¶～されてきた民話 구전되어 온 민화.

—ぶんがく【—文学】图 구승 문학; 구비(口碑) 문학.

こうしょう［工廠］图 공창. ¶砲兵～ 포병 공창.

こうしょう［哄笑］图ㅈ自 홍소; 크게 웃음. ¶～がわく 홍소가 터지다.

こうしょう【校章】图 교장; 학교의 휘장.

こうしょう【高尚】图ナ 고상. **1** 품격이 높음; 점잖음. ¶～な趣味 고상한 취미. ↔低俗·低劣·野卑. **2** 정도가 높고 알기 어려움. ↔通俗.

こうしょう【高唱】图ㅈ他 고창; 소리 높이 읊음〔노래 부름〕. ＝高吟. ¶漢詩を～する 한시를 소리 높이 읊다. ↔低唱.

こうしょう【鉱床】图 광상. ¶金の～ 금의 광상/～を探す 광상을 찾다.

こうじょう【厚情】图 후정; 두터운 정. ＝厚意·厚志. ¶御～感謝します 후정을 감사드립니다/ご～を賜わる 후의를 베풀어 주시다. ↔薄情.

こうじょう【口上】图 **1** 말함; 말하는 일. ¶～がうまい 말을 잘하다/お祝いの～を述べる 축하 인사말을 하다/～で伝える 말로 전하다. **2** (흥행에서) 연극 줄거리 등의 설명을 함.

—しょ【—書】图 구상서《협의 기록이나 문제 제시 등을 적어서 상대국에 수교하는 외교 문서》.

*こうじょう【向上】图ㅈ自 향상. ¶品質が～する 품질이 향상되다/学力の～がめざましい 학력 향상이 눈부시다/地位の～を図る 지위 향상을 꾀하다. ↔低下.

**こうじょう【工場】图 공장. ＝こうば. ¶～長 공장장/～廃水 공장 폐수/～渡し相場 공장도 시세〔가격〕.

こうじょう【恒常】图 항상; 보통; 일정하여 변하지 않음. ¶温度を～に保つ 온도를 일정하게 유지하다.

こうじょう【攻城】图 공성; 성을 공격

함. ¶～砲(ほう) 공성포.

こうじょう【荒城】[名] 황성; 황폐한 성. ¶～の月(つき) 황폐한 성 위에 뜬 달.

ごうしょう【豪商】[名] 호상; 거상.

*ごうじょう【強情】[名][ダナ] 고집이 셈. ¶～なやつだ 어거지가 센 놈이다/～を張(は)る 고집을 부리다; 어거지를 쓰다/～を張(は)って誤(あやま)りを通(とお)そうとする 고집을 부리며 과오를 (그대로) 밀고 나가려고 하다.

こうしょうがい【公生涯】[名] 공생애; 공인으로 지낸 생애. ¶次官(じかん)でその～を終(お)える 차관으로서 그의 공생애를 마치다. ↔私生涯(ししょうがい).

こうじょうけん【好条件】[名] 호조건; 좋은 조건. ¶～に恵(めぐ)まれる 호조건을 누리다. ↔悪条件(あくじょうけん).

こうじょうせん［甲状腺］[名] 〖生〗 갑상선. ¶～ホルモン 갑상선 호르몬.

こうしょく【黄色】[名] 황색; 노랑. ＝きいろ. [注意] おうしょく라고도 함.

—じんしゅ【—人種】[名] 황색 인종.

—しんぶん【—新聞】[名] 황색 신문. ＝イエローペーパー.

こうしょく【好色】[名ナ] 호색. ＝いろごのみ. ¶～家(か) 호색가/～漢(かん) 호색한/～な人(ひと) 호색적인 사람; 색골/～な目(め)つき 호색적인 눈초리.

こうしょく【公職】[名] 공직. ¶～につく 공직에 취임하다/～から身(み)をひく 공직에서 물러나다/～を離(はな)れる 공직을 떠나다.

こうしょく【降職】[名][ス他] 강직; 직위를 낮춤. ¶課長(かちょう)から係長(かかりちょう)に～する 과장에서 계장으로 강직하다.

こうしょく【紅色】[名] 홍색; 붉은 빛깔. ＝べにいろ. ¶淡(たん)～ 담홍색.

ごうじょっぱり【ごうじょっ張り】《強情っ張り》[名ナ] 고집쟁이; 고집통이; 고집이 셈＝いじっぱり. ¶～な子供(こども) 고집이 센 아이.

こう-じる〖困じる〗[上1自] 곤란〔난처〕해하다; 시달리다; 고민하다. ＝困(こう)ずる. ¶処置(しょち)に～ 처치에 고민하다/貧苦(ひんく)に～ 가난에 시달리다.

こう-じる【高じる】[上1自] ☞こう(高)ずる.

こう-じる【講じる】[上1他] ☞こう(講)ずる.

こうしん【交信】[名][ス自] 교신. ¶～仲間(なかま) 아마추어 무선가들.

こうしん【功臣】[名] 공신. ¶創業(そうぎょう)の～ 창업 공신.

*こうしん【行進】[名][ス自] 행진. ¶示威(じい)～ 시위 행진/分列(ぶんれつ)～ 분열 행진/堂々(どうどう)と～する 당당히 행진하다.

—きょく【—曲】[名] 행진곡. ＝マーチ.

こうしん【高進】《亢進·昂進》[名][ス自] 앙진; 항진(亢進). ¶心悸(しんき)～ 심계 항진. [注意] '高進'으로 씀은 대용 한자.

こうしん【後進】 후진. [一][名] 1 후배. ¶～に道(みち)を開(ひら)く〔ゆずる〕 후진에게 길을 터주다〔양보하다〕. 2 진보가 더딤. ¶～性(せい) 후진성. ↔先進(せんしん). [二][名][ス自] (차 따위가) 뒤로 감. ↔前進(ぜんしん).

—こく【—国】[名] 후진국. ＝発展途上国(はってんとじょうこく). ↔先進国(せんしんこく).

こうしん【後身】[名] 후신. ¶多(おお)くの大学(だいがく)は旧制(きゅうせい)専門学校(せんもんがっこう)の～だ 대부분의 대학은 구제 전문학교의 후신이다. ↔前身(ぜんしん).

こうしん【更新】[名][ス自他] 1 경신. ¶世界記録(せかいきろく)を～する 세계 기록을 경신하다. 2 갱신. ¶免許証(めんきょしょう)の～ 면허증의 갱신 / 契約(けいやく)を～する 계약을 갱신하다.

こうしん【降神】[名] 강신. ¶～術(じゅつ) 강신술.

こうしん【航進】[名][ス自] 항진; 배나 비행기를 타고 나아감.

こうじん【幸甚】[名] 행심; 심행; 다행. ¶おいでくだされば～の至(いた)りと存(ぞん)じます 왕림하여 주시면 극히 다행으로 생각하겠습니다. [参考] 편지 따위에 씀.

こうじん【公人】[名] 공인; 공직에 있는 사람. ¶～の資格(しかく) 공인의 자격/～としての立場(たちば)〔責任(せきにん)〕 공인으로서의 처지〔책임〕. ↔私人(しじん).

こうじん［紅塵］[名] 홍진. 1 거리의 흙먼지. 2 속진; 세상의 번거로움. ¶～をさける 홍진을 피하다.

こうじん【後陣】[名] 후진; 맨 뒤쪽의 진. ＝ごじん·うしろぞなえ. ↔先陣(せんじん).

こうしんじょ【興信所】[名] 흥신소. ¶～にたのんで身元(みもと)をしらべる 흥신소에 부탁해서 신원을 조사하다.

こうじんぶつ【好人物】[名] 호인물; 호인. ＝お人(ひと)よし. ¶あんな～は珍(めずら)しい 저런 호인은 드물다/無類(むるい)の～ 다시없는 호인.

こうしんりょう【香辛料】[名] 향신료. ＝スパイス. ¶～を利(き)かす 향신료를 넣어 맛을 알맞게 하다/～を加(くわ)える 향신료를 넣다.

こうしんりょく【公信力】[名] 공신력.

こうず【好事】[名] 호사; 색다른 것을 좋아함. ＝ものずき.

—か【—家】[名] 호사가.

こうず【構図】[名] 구도. ＝コンポジション. ¶安定(あんてい)した～ 안정된 구도/この絵(え)は～はよいが色調(しきちょう)が悪(わる)い 이 그림은 구도는 좋으나 색조가 나쁘다.

こうすい【香水】[名] 향수. ¶～瓶(びん) 향수병/～をつける 향수를 바르다.

こうすい【硬水】[名] 경수; 센물. ¶～は洗濯(せんたく)に適(てき)しない 경수는 세탁에 적당하지 않다. ↔軟水(なんすい).

こうすい【鉱水】[名] 광수; 광물질을 많이 함유한 물.

*こうずい【洪水】[名] 홍수. 1 큰물. ＝おおみず. ¶～に遭(あ)う 홍수를 만나다/大雨(おおあめ)で～になる 큰비로 홍수가 나다. 2 지천으로 많음. ¶車(くるま)の～ 차의 홍수.

こうすいりょう【降水量】[名] 강수량. ¶年間(ねんかん)～がわずか百(ひゃく)ミリほどである 연간 강수량이 겨우 백 밀리 정도다.

ごうすう【号数】[名] 호수; 번호·크기를

나타내는 수. ¶ ~活字 호수 활자 / ~を重ねる 호수를 거듭하다.

こう-する【抗する】サ変自 맞서다; 저항〔항거〕하다. ¶ 敵の圧迫に~ 적의 압박에 저항하다.

こう-ずる〖困ずる〗サ変自 ☞こう(困)じる.

こう-ずる【高ずる】《昂ずる》サ変自 더해지다. **1** (정도가) 심해지다; (병세 따위가) 더치다. ¶ 病気が~ 병이 더치다 / 思いが~ 생각이 더해지다. **2** 버릇이 나빠지다; 거만해지다. ¶ 甘やかされてわがままが~ 응석을 받아 줘 버릇이 더 나빠지다.

こう-ずる【講ずる】サ変他 **1** 강의하다. ¶ 文学を~ 문학을 강의하다. **2** 강구하다. ¶ 手段を~ 수단을 짜내다 / よい方法を~ 좋은 방법을 강구하다. **3** (적과) 화해하다; 강화(講和)하다.

こうせい【攻勢】图 공세. ¶ ~をかける 공세를 취하다 / 守勢から~に転ずる 수세에서 공세로 전환하다. ↔守勢.

***こうせい**【公正】图ダナ 공정. ¶ ~な処置 공정한 조치 / ~を期する〔たもつ〕 공정을 기하다〔유지하다〕.

—とりひきいいんかい【—取引委員会】图 공정 거래 위원회. =公取委.

こうせい【校正】图ス他〔印〕 교정. ¶ 原稿と比べて~する 원고와 대조해서 교정하다.

—ずり【—刷り】图 교정쇄〔지〕. =ゲラ(ずり).

こうせい【更正】图ス他 경정; 바로잡아 고침. ¶ 予算の~ 예산의 경정.

***こうせい**【更生】《甦生》 ━图ス自 갱생; 새로워짐. =蘇生. ¶ 自力~ 자력 갱생 / 悪から~する 악으로부터 갱생하다 / ~して社会復帰する 갱생하여 사회에 복귀하다. ━图ス他 갱생; 버리게 된 것을 다시 쓰게 만듦; 재생. ¶ ~品 재생품.

こうせい【厚生】图 후생. ¶ ~事業 후생 사업 / ~施設 후생 시설.

—ろうどうしょう【—労働省】图 후생 노동성《한국의 보건 복지부와 노동부에 해당》.

こうせい【後生】图 후생. **1** 뒤에 태어남; 또, 그 사람. **2** 후배; 후진.

—畏るべし 후생이 가외(可畏)라《나이 어린 자는 장래 어떤 역량을 보일는지 모르므로 두려워해야 한다》.

こうせい【後世】图 후세. ¶ 名を~に伝える 이름을 후세에 전하다.

こうせい【恒星】图〔天〕 항성; 붙박이별. ↔惑星.

***こうせい**【構成】图ス他 구성(물). =組みたて. ¶ 文の~ 글의 구성 / 社会は個人によって~される 사회는 개인으로 구성된다 / 文章はうまいが筋の~がまずい 문장은 좋은데 줄거리〔플롯〕의 구성이 서투르다.

こうせい【鋼製】图 강제; 강철로 만듦; 또, 그 제품.

こうせい【高声】图 고성; 높은 목소리; 큰 소리. =大声. ↔低声.

***ごうせい**【合成】图ス他 합성. ¶ ~物 합성물 / ~ゴム 합성 고무 / 力の~ 힘의 합성 / ~した写真 합성한 사진.

—ご【—語】图 합성어; 복합어. =混合語. 複合語.

—じゅし【—樹脂】图〔化〕 합성수지.

—せんい【—繊維】图 합성 섬유《나일론·비닐론 따위》. =合繊.

—せんざい【—洗剤】图 합성 세제.

ごうせい【豪勢】ダナ 호세; 굉장함; 대단히 호사스러움. ¶ ~な料理 굉장한 요리.

こうせいぶっしつ【抗生物質】图 항생물질.

***こうせき**【功績】图 공적; 공로. =てがら. ¶ 科学発展に~を立てる 과학 발전에 공적을 세우다.

こうせき【航跡】图 항적; 배가 지나간 자취. ¶ 凪いだ海に残る漁船の~ 잔잔한 바다에 남는 어선의 항적.

こうせき【鉱石】《礦石》图 광석.

—じゅしんき【—受信機】图〔理〕 광석 수신기. =鉱石ラジオ.

こうせきうん【高積雲】图 고적운; 적권운(積巻雲); 면화 구름. =むらくも.

こうせきせい【洪積世】图〔地〕 홍적세; 빙하 시대. =更新世.

こうせつ【交接】图ス自 교접. **1** 교제. **2** 성교; 교미. =交合.

—き【—器】图〔生〕 교접〔교미〕기.

こうせつ【降雪】图 강설. ¶ ~量 강설량 / 50センチの~ 50cm의 강설.

こうせつ【公設】图 공설. ¶ ~質屋 공설 전당포. ↔私設.

—いちば【—市場】图 공설 시장.

こうせつ【巧拙】图 교졸; 잘하고 못함. ¶ ~を問わない 교졸을 묻지 않다.

こうせつ〔巷説〕图 항설; 풍문; 세상 소문. =風説. ¶ 街談~ 가담항설; 길거리나 항간에 떠도는 소문; 풍설 / 出所不明の~ 출처 불명의 풍문.

こうせつ【高説】图 고설. **1** 견식이 높은 학설. **2** 남의 학설·의견의 높임말. ¶ ご~をうけたまわる 고견을 배청하다.

ごうせつ【豪雪】图 큰 눈; 대설. ¶ ~地帯 강설량이 많은 지대.

ごうせっとう【強窃盗】图 강절도; 강도와 절도.

こうせん【交戦】图 ス自 교전. ¶ ~国〔権〕 교전국〔권〕 / ~区域〔状態〕 교전 구역〔상태〕 / 隣国と~する 이웃 나라와 교전하다.

こうせん【好戦】━图 호전; 싸움을 좋아함. ¶ ~の気風 호전의 기풍. ↔厭戦·反戦. ━图ス自 잘 싸움; 선전. ¶ 敵と~した 적과 선전하였다.

—てき【—的】ダナ 호전적. ¶ ~な民族 호전적인 민족.

こうせん【抗戦】图ス自 항전; 맞서 싸움. ¶ 少数の兵力で~する 소수 병력으로 항전하다.

****こうせん**【光線】图 광선. =光. ¶ 殺

人~ 살인 광선 / 不可視~ 불가시 광선 / ~を放つ 광선을 발하다.

—りょうほう【—療法】图 광선 요법.

こうせん【公選】图ス他 공선; 일반 유권자에 의한 선거; 민선. ¶~の知事 민선 지사. ↔官選.

こうせん【口銭】图 구전; 구문; 소개료. =手数料·コミッション. ¶~を貰う 구전을 받다.

こうせん【工専】图 공전(('工業専門学校(=공업 전문학교)'의 준말)).

こうせん【鉱泉】图 광천. ¶~水 광천수 / ~の温泉 광천 온천 / ラジウム~ 라듐 광천. 参考 흔히 섭씨 25도 이하의 냉천을 가리킬 때가 많음. ⇒おんせん.

こうせん【黄泉】图 황천; 저승. =よみ(じ)·あの世·冥土·九泉.

—の客となる 황천객이 되다((죽다)).

こうせん【鋼線】图 강선; 강철 쇠줄.

*__こうぜん__【公然】トタル 공연; 공공연함. =おもてむき·おおっぴら. ¶~と口にする 공공연하게 말하다.

—の秘密 공공연한 비밀.

こうぜん［昂然］トタル 앙연; 의기양양한 모양. ¶~たる面持ち 의기양양한 얼굴 / ~と胸を張る 자신만만하게 가슴을 펴다.

こうぜん［浩然］トタル 호연; 넓고 큰 모양. 「지기를 기르다.

—の気 호연지기. ¶~を養う 호연

ごうせん【合繊】图 합섬(('合成繊維(=합성 섬유)'의 준말)).

ごうぜん［傲然］トタル 오연; 거만한 모양. ¶~たる態度 오만한 태도 / ~と構える 거만하게 나오다.

ごうぜん［轟然］トタル 굉연; 굉장히 큰 소리가 울리는 모양. ¶~と爆発する 큰 소리를 내며 폭발하다.

こうそ【公訴】图ス他〔法〕공소. ¶~時効 공소 시효 / ~を棄却する 공소를 기각하다.

こうそ【控訴】图ス自〔法〕항소. ¶~権 항소권 / 検事の~ 검사의 항소 / ~を取り下げる 항소를 취하하다.

—ききゃく【—棄却】图 항소 기각.

—しん【—審】图 항소심; 제2심.

こうそ【皇祖】图 황조; 天皇의 선조. ¶~皇宗 天皇의 역대 선조.

こうそ【酵素】图〔化〕효소. ¶発酵~ 발효 효소 / ~剤 효소제. 「かぞ.

こうぞ［楮］图〔植〕닥나무. =紙のき·

こうそう【広壮】((宏壮)) 名ナ 굉장. ¶~な邸宅 굉장한 저택.

こうそう【後送】图ス他 후송. **1** 후방으로 보냄. ¶戦傷者を~する 전상자를 후송하다. **2** 나중에 보냄. ¶荷物はトラックで~する 화물은 트럭으로 후송하다.

こうそう【抗争】图ス自 항쟁. ¶必死的に~する 필사적으로 항쟁하다.

*__こうそう__【高層】图 고층. ¶~ビル 고층 빌딩 / ~アパート 고층 아파트 / ~気流 고층 기류 / ~建築 고층 건축.

—うん【—雲】图 고층운. =おぼろ雲.

*__こうそう__【構想】图ス他 구상. ¶~を練る 여러 모로 구상하다 / ~がまとまる 구상이 이루어지다.

—りょく【—力】图 구상력. ¶~にものを言わせてプランを立てる 구상력을 발휘하여 계획을 세우다.

こうそう【航走】图ス自 항주; 배로 달림. ¶~船 페리 보트.

**__こうぞう__【構造】图 구조. ¶機械の~ 기계의 구조 / 耐震~ 내진 구조.

—しき【—式】图〔化〕구조식.

—ちょうせいプログラム【—調整プログラム】图 구조 조정 프로그램((IMF가 누적 채무를 안고 있는 나라에 행하는 일련의 정책 권고)). ▷program.

—ふきょう【—不況】图〔經〕구조 불황; 경제 구조나 수요 구조의 변화에 대응하지 못해서 생기는 불황.

—りきがく【—力学】图 구조 역학.

ごうそう【豪壮】ダナ 호장. **1** 세력이 왕성한 모양. **2** 짜임새가 크고 호화로운 모양. ¶~な邸宅に住む 크고 호화로운 저택에 살다. 「藻植物.

こうそうるい【紅藻類】图 홍조류. =紅

*__こうそく__【拘束】图ス他 구속. ¶~を解く 구속을 풀다 / 何物にも~されない 누구에게도[어떤 일에도] 구속받지 않다 / 身がらを~する 신병을 구속하다. ↔解放.

—りょく【—力】图 구속력. ¶~を持たない約束 구속력이 없는 약속.

こうそく【校則】图 교칙. =校規. ¶~を守る 교칙을 지키다 / ~に反する 교칙에 어긋나다.

*__こうそく__【高速】图 **1** 고속. ¶~で走る列車 고속으로 달리는 열차. ↔低速. **2** '高速道路'의 준말. ¶首都~ 수도 고속도로 / ~にのって行く 고속도로를 타고 가다.

—どうろ【—道路】图 고속도로((정식 명칭은 '高速道')). =ハイウェー.

こうそく［梗塞］图ス自 경색; 막혀서 통하지 않음. ¶心筋~ 심근 경색 / 金融~ 금융 경색.

こうぞく【後続】图ス自 후속; 뒤에 잇따름. ¶~部隊 후속 부대 / ~を待つ 후속을 기다리다.

こうぞく【皇族】图 황족; 天皇의 친족. ¶~会議 황족 회의.

こうぞく【航続】图ス自 항속; 배·항공기가 연료 보급 없이 계속 항행하는 일. ¶~力 항속력 / ~距離 항속 거리.

ごうぞく【豪族】图 호족; 어떤 지방에 토착한 돈 많고 큰 세력이 있는 일족.

こうそくど【光速度】图〔理〕광속도; 진공 속에서의 빛이나 전자(電磁)파의 속도((1초에 약 30만 km)). =光速.

こうそくど【高速度】图 고속도.

—えいが【—映画】图 고속도 영화.

—さつえい【—撮影】图 고속도 촬영.

こうそつ【高卒】名 고졸(('高等学校卒業(=고등학교 졸업)'의 준말)).

ごうそっきゅう【豪速球】名 (야구에서) 강속구.

こうそん【皇孫】名 황손; 天皇의 손자(또는, 자손).

こうだ【巧打】名ス他 (야구 등에서) 잘 침. ¶~者 잘 치는 타자.

こうだ【好打】名ス他 (야구 등에서) 득점에 연결되는 타격. ¶~好走 타격도 좋고 달리기도 잘함 / 難しい球を~する 어렵게 오는 공을 잘 치다.

こうだ〖斯うだ〗連語 이렇다. ¶その理由は~ 그 이유는 이렇다 / ああだ~といろいろ言う 저렇다느니 이렇다느니 여러 말을 하다.

＊こうたい【交替·交代】名ス自 교체; 교대. ¶選手〔世代〕~ 선수〔세대〕교체 / 投手を~する 투수를 교체하다.

こうたい【抗体】名〔醫〕항체; 면역체. =免疫体. ↔抗原.

こうたい【後退】名ス自 후퇴; 저하. ¶敵に圧倒されて~する 적에게 압도되어 후퇴하다 / ~を重ねる 후퇴를 거듭하다 / ~を余儀無くされる 후퇴하지 않을 수 없게 되다 / 景気が~する 경기가 후퇴하다 / 考えが~する 생각하는 것이 자칫 소극적이 되다 / 学力が~する 학력이 저하되다. ↔前進.

こうだい【工大】名 공대(('工科大学(=공과 대학)'의 준말)).

こうだい【後代】名 후대; 후세. ¶~に名を残す 후대에 이름을 남기다. ↔前代.

こうだい【広大】((宏大)) 名ナ 광대; 넓고 큼. ¶~な平原 광대한 평원 / 気宇~ 기개와 도량이 큼. ↔狭小.

—むへん【—無辺】名 광대무변.

こうたいごう【皇太后】名 황태후; 선제(先帝)의 황후.

こうたいし【皇太子】名 황태자; 동궁.

—ひ【—妃】名 황태자비.

こうたく【光沢】名 광택; 윤. =つや·ひかり. ¶~紙 광택지 / 拭き込むと~が出る 자꾸 닦으면 광택이 난다.

ごうだつ【強奪】名ス他 강탈. ¶銀行から現金を~する 은행에서 현금을 강탈하다 / 現金輸送車が~された 현금 수송차가 강탈당했다.

こうたん【降誕】名ス自 강탄; 강생; 탄생. ¶キリスト~ 그리스도 강생 / 王子が~する 왕자가 태어나다.

＊こうだん【公団】名 공단. ¶住宅~ 주택 공단.

—じゅうたく【—住宅】名 공단 주택.

こうだん【降段】名ス自 강단; 단위(段位)가 떨어지는 일. ↔昇段.

こうだん【降壇】名ス自 강단. **1** 단상에서 내려감〔옴〕. ↔登壇. **2** (대학교수 등이) 정년 등의 이유가 아닌 다른 사유로 교직을 그만둠.

こうだん【講壇】名 강단; 강의나 강연하는 단. ¶~哲学者 강단 철학자.

—に立つ 강단에 서다; 강의하다.

こうだん【講談】名 寄席 연예의 하나인 야담. ¶~師 야담가. 参考 明治 시대 이전에는 '講釈'라고 했음.

こうだん【高段】名 고단; (바둑·유도 등에서) 단이 높음. ¶~者 고단자.

ごうたん【豪胆】((剛胆)) 名ダナ 호담; 대담. ¶~な男 대담한 사나이 / ~をもって聞こえる男 대담성으로 이름이 난 사나이. ↔臆病.

ごうだん【強談】名ス自 강경하게 담판함. =強だんぱん. ¶~におよぶ 강경한 담판을 하기에 이르다.

こうだんし【好男子】名 호남자; 쾌남; 미남자.

こうち【巧遅】名 교지; 잘하긴 하나 속도가 느림. ¶兵は~より拙速をたっとぶ 군대는 교지보다 졸속을 중요시한다. ↔拙速.

—は拙速に如かず 교지불여(不如)졸속; 교지는 졸속만 못하다.

こうち〔巧緻〕名ナ 교치; 정교하고 치밀함. ¶~な細工 교치한 세공. =精巧. ↔粗放.

こうち【拘置】名ス他 구치. ¶被告人を~する 피고인을 구치하다.

—しょ【—所】名 구치소.

＊こうち【耕地】名 경지; 경작지.

こうち【高地】名 고지; 높은 땅. ¶~栽培 고지 재배 / ~トレーニング (선수의) 고지 트레이닝. ↔低地.

こうち【高知】名〔地〕四国 남부의 현의 이름; 또, 이 현의 현청 소재지.

ごうち【碁打ち】名 **1** 바둑을 둠. **2** 바둑을 잘 두는 사람; 직업적인 기사.

—に時無し 바둑 두는 데 열중하여 시간 가는 줄 모르다.

—親の死に目に会わぬ 부모의 임종도 못 볼 만큼 바둑에 탐닉한다는 뜻.

こうちく【構築】名ス他 구축; 축조. ¶~物 구축물 / 陣地を~する 진지를 구축하다.

＊こうちゃ【紅茶】名 홍차. =ティー. ¶ブランデーを少し垂らした~を飲む 브랜디를 약간 떨어뜨린 홍차를 마시다.

こうちゃく〔膠着〕名ス自 교착. ¶戦線が~状態に陥る 전선이 교착 상태에 빠지다.

こうちゃくりく【硬着陸】名ス自 (우주선·경제 대책 등의) 경착륙. =ハードランディング. ↔軟着陸.

こうちゅう【口中】名 입속. ¶~薬 구중제(劑) / ~にふくむ 입에 머금다.

こうちゅう【甲虫】名〔蟲〕갑충((딱정벌레·개똥벌레 등)).

こうちゅう【校注】((校註)) 名ス他 교주; 문장의 자구(字句) 등을 교정(校訂)하고 주석을 더함; 또, 그 교정과 주석.

ごうちょ【合著】名 합저; 공저.

こうちょう【候鳥】名 후조; 철새. =渡り鳥. ↔留鳥.

＊こうちょう【好調】名ダナ 호조; 순조. ¶事業が~に運ぶ 사업이 순조롭게

되어 가다/チームは～だ 팀은 호조를 보이고 있다. ↔不調.

こうちょう【校長】名 교장.

こうちょう【高潮】名 고조; 사물의 절정. ＝クライマックス. ¶最～に達する 최고조에 달하다. 参考 たかしお로 읽으면 딴 뜻.

—せん【—線】名〔地〕고조선; 만조 때의 해안선. ↔低潮線.

こうちょう【紅潮】名ス自 홍조. ¶ほおを～させる 볼을 붉히다/喜びで顔が～する 기쁨으로 얼굴이 붉어지다/耳まで～する 귀까지 홍조를 띠다.

こうちょうかい【公聴会】名 공청회. ¶～を開く 공청회를 열다.

こうちょうどうぶつ【こぅ腸動物】《腔腸動物》名〔動〕강장〔자포(刺胞)〕동물.

こうちょく【交直】名〔電〕교직; 교류와 직류(直流). ¶～両用機関車 교직 양용 기관차.

こうちょく【硬直】名ス自 경직; 굳어서 빳빳해짐. ¶死後～ 사후 경직/～した精神 경직된 정신 / 手足が～する 수족이 빳빳해지다.

こうちん【工賃】名 공임; 공전. ¶取り付け～ 설치 공임/～を上げる〔下げる〕 공임을 올리다〔내리다〕.

**こうつう【交通】名ス自 교통. ¶～費 교통비 / ～難〔網〕 교통난〔망〕/～整理 교통정리/～の便を図る 교통 편의를 도모하다/～の便がよい 교통편이 좋다/彼との間には～がとだえた 그와는 내왕이 끊겼다.

—きかん【—機関】名 교통 기관.

—じこ【—事故】名 교통사고. ¶～に遭う 교통사고를 당하다/～を起こす 교통사고를 일으키다.

—じごく【—地獄】名 교통 지옥.

—じゅうたい【—渋滞】名 교통 체증.

—りょう【—量】名 교통량. ¶～が減る〔増す〕 교통량이 줄다〔늘다〕.

ごうつくばり〖強突く張り〗名ナ〈俗〉 욕심이 많고 고집이 셈; 욕심쟁이. ¶あの～め 저 욕심 많고 고집센 놈.

*こうつごう【好都合】名ナ 형편이 좋음; 안성맞춤. ¶万事～に運ぶ 만사가 잘되어 가다. ↔不都合.

こうっと〖斯うっと〗感 쉽게 판단이 안 돼 망설일 때 내는 소리: 자 (이거); 그럼. ¶～,どうしようかな 자 이거, 어떻게 하지.

*こうてい【肯定】名ス他 긍정. ¶～表現 긍정 표현/神の存在を～する 신의 존재를 긍정하다. ↔否定.

—てき【—的】ダナ 긍정적. ¶～な態度 긍정적인 태도.

こうてい【公定】名 공정. ¶～相場 공정 시세.

—かかく【—価格】名〔經〕 공정 가격. ＝丸公. ↔自由価格.

—ぶあい【—歩合】名 공정 금리.

こうてい【工程】名 공정; 작업 순서; 일의 진척. ＝プロセス. ¶～図 공정도/～管理 공정 관리/製造～を説明する 제조 공정을 설명하다/いくつもの～を経る 몇 개의 공정을 거치다.

こうてい【行程】名 행정. **1** 노정(路程). ＝みちのり. ¶一日の～ 하루의 행정. **2** 피스톤의 왕복 거리.

*こうてい【高低】名 고저; 높고 낮음; 높낮이. ¶土地〔声〕の～ 토지〔소리〕의 높낮이/物価の～ 물가의 등락.

こうてい【高弟】名 고제; 수제자; 뛰어난 제자. ＝高足.

こうてい【校訂】名ス他 교정; 여러 고서 등을 조사하여 되도록 원본에 가깝게 정정하는 일. ¶～本 교정본.

こうてい【校庭】名 교정; 학교 마당.

こうてい【皇帝】名 황제.

こうてい【航程】名 항정. ¶～十万キロ 항정 10만 km.

こうでい【拘泥】名ス自 구애. ＝執着. ¶点数に～する 점수에 구애되다/勝敗に～しないで試合をする 승패에 구애하지 않고 경기를 하다.

ごうてい【豪邸】名 호화 저택; 대저택.

こうてき【公的】ダナ 공적. ¶～な会合に姿を見せない 공적인 회합에 모습을 보이지 않다. ↔私的.

—しきん【—資金】名〔經〕 공적 자금; 정부나 중앙 은행·지방 공공 단체 등에서 융자하거나 출자한 자금을 이르는 말.

こうてき【好適】名ナ 호적; 썩 알맞음. ¶運動に～な季節だ 운동하기에 썩 알맞은 계절이다.

こうてき【公敵】名 공적; 공중의 적.

こうてきしゅ【好敵手】名 호적수; 맞수; 맞적수. ¶彼は私の～だ 그는 나의 호적수다.

こうてつ【更迭】名ス自他 경질; 교체. ¶監督の～ 감독의 경질/長官を～する 장관을 경질하다.

*こうてつ【鋼鉄】名 강철. ＝はがね·スチール. ¶～の意志 강철 같은 의지.

こうてん【交点】名 교점. **1** 선과 선〔면〕이 교차하는 점. **2**〔天〕 행성 또는 혜성이 황도(黄道)와 교차하는 점.

こうてん【公転】名ス自〔天〕 공전. ¶地球は太陽の周囲を～する 지구는 태양 주위를 공전한다. ↔自転.

*こうてん【好転】名ス自 호전. ¶景気〔事態〕が～する 경기〔사태〕가 호전되다/局面は～してきた 국면이 호전되었다. ↔悪化.

こうてん【好天】名 호천; 날씨가 좋음. ＝好天気. ¶～に恵まれる (다행스럽게) 날씨가 좋아지다.

こうてん【後天】名 후천. ↔先天.

—せい【—性】名 후천성. ¶～免疫 후천성 면역.

—てき【—的】ダナ 후천적. ↔先天的·先験的.

こうてん【荒天】名 황천; 비바람 치는 거친 날씨. ＝悪天候. ¶～をついて出発する 악천후를 무릅쓰고 출발하다.

こうてん【高点】图 고점; 높은 점수.

こうでん【香典】《香奠》图 향전; 부의(賻儀). ＝香料. ¶～を包む 부의를 내다. 参考 돈인 경우가 많은데, 종이에 싼 겉에 보통 '御霊前'이라 씀. 불교식(式)인 경우, 사망 직후는 '御霊前' 사망 후 좀 지났을 때는 '御仏前'이라고 씀. 神道인 경우는 '御玉串料', 기독교인 경우는 '御花料'라고 씀.

——がえし【——返し】图 부의에 대한 답례(품).

こうでんち【光電池】图〔理〕광전지《빛의 에너지를 전류로 바꾸는 장치》.

こうと[狡兎]图 교토; 날쌘 토끼.

——死して走狗煮らる 교토사 주구팽(狡兎死走狗烹).

*こうど【高度】고도. 一图 높이. ¶～計 고도계 / ～三千メートルを飛ぶ 고도 3천 미터를 날다. 二ダナ 정도가 높음. ¶～の技術 고도의 기술 / ～に自動化された工場 고도로 자동화된 공장.

こうど【光度】图 광도. 1〔理〕광원이 갖는 빛의 강도. ¶～計 광도계. 2〔天〕천체가 발하는 빛의 밝기.

こうど【硬度】图 경도; 물체의 단단한 정도.

こうとう【公党】图 공당; 당으로서 일반으로부터 공인된 정당. ↔私党.

こうとう【口答】图 구답; 말로 대답함. ¶口問～ 구문구답. ↔筆答.

こうとう【口頭】图 구두; 입으로 말함. ¶～で申し出る 구두로 신청〔신고〕하다 / ～にのぼす 입 밖에 내다.

——ぜん【——禅】图 구두선. ¶～に終わる 말로만 끝나다.

こうとう[喉頭]图〔生〕후두. ¶～炎 후두염 / ～結核 후두 결핵.

こうとう【紅灯】图 홍등; 붉은 등불.

——の巷 환락가; 홍등가. ＝色町.

こうとう【降等】图ス自他〔軍〕강등.

*こうとう【高等】名ナ 고등. ¶～な技術 고등 기술. ↔下等·初等.

——がっこう【——学校】图 고등학교.

——どうぶつ【——動物】图 고등 동물. ↔下等動物.

こうとう【高騰】《昂騰》图ス自 고등; 앙등; 물가가 오름. ＝騰貴. ¶地価が～する 땅값이 앙등하다. ↔低落.

こうとう【高踏】《高蹈》图 고답; 세속을 떠나 초연히 처신함.

——てき【——的】ダナ 고답적. ¶～な態度 고답적인 태도. ↔大衆的.

こうとう【好投】图ス自〔野〕호투; 투수가 공을 잘 던짐. ¶～して一安打に抑える 호투하여 1안타로 누르다.

**こうどう【行動】图ス自 행동; 행위. ¶～範囲 행동 범위 / ～を起こす 행동을 시작하다 / ～を取る 행동을 취하다 / 勝手な～をする 제멋대로 행동하다 / 考えを～に移す 생각을 행동에 옮기다 / 単独～は慎んで下さい 단독 행동은 삼가 주세요.

——は【——派】图 행동파. ↔理論派·書斎派.

——はんけい【——半径】图 행동반경. ¶～の広い人 행동반경이 넓은 사람.

*こうどう【講堂】图 강당. ¶～に集合して下さい 강당에 모여 주십시오.

こうどう【公道】图 공도. 1 떳떳하고 바른 길〔도리〕. ¶天下の～ 천하의 공도. 2 공로(公路). ↔私道.

こうどう【坑道】图 갱도; 지하도; 특히, 광산 등의 갱내(坑内)의 통로.

こうどう【黄道】图〔天〕황도.

——じゅうにきゅう【——十二宮】图〔天〕황도 십이궁.

ごうとう【強盗】图 강도. ¶銀行～ 은행 강도 / ～罪 강도죄 / ～を働く 강도질하다 / ～が入る 강도가 들다 / ～に入る 강도질하러 들어가다 / ～にやられる 강도에게 당하다.

**ごうどう【合同】합동. 一图ス自他 둘 이상이 하나가 됨; 둘 이상을 하나로 함. ¶企業～ 기업 합동 / ～運動会を行う 합동 운동회를 열다 / 二政党が～する 두 정당이 합치다. 二名ナ〔數〕두 개의 도형이 꼭 같음. ¶～三角形 합동 삼각형.

こうとうむけい[荒唐無稽]图ダナ 황당무계. ＝でたらめ. ¶～な話 황당무계한 이야기.

こうどく【鉱毒】图〔鑛〕광독. ¶～のために農作物が全滅した 광독으로 농작물이 전멸했다.

こうどく【講読】图ス他 강독; 책을 읽고 해설함. ¶英語～ 영어 강독 / 原書を～する 원서를 강독하다.

こうどく【購読】图ス他 구독. ¶～者〔料〕구독자〔료〕/ 雑誌を定期～する 잡지를 정기 구독하다.

こうとくしん【公徳心】图 공덕심. ¶～に訴える 공덕심에 호소하다.

こうとりい【公取委】图 '公正取引委員会(＝공정 거래 위원회)'의 준말.

こうない【港内】图 항내; 항구 안.

こうない【坑内】图 갱내. ¶～作業 갱내 작업. ↔坑外.

こうない【校内】图 교내. ¶～暴力 교내 폭력. ↔校外.

*こうない【構内】图 구내. ¶駅〔大学〕の～ 역〔대학〕구내. ↔構外.

こうなん【後難】图 후난; 후환; 뒤탈. ¶～を恐れる 후환을 두려워하다.

こうなん【硬軟】图 경연; 강경함과 유연함. ¶～両様の対応を維持する 강온 양면적인 대응을 유지하다.

こうにち【抗日】图 항일; 일본에 항거함. ¶～戦争 항일 전쟁 / ～運動 항일 운동. ↔親日.

*こうにゅう【購入】图ス他 구입. ¶物品～ 물품 구입 / ～資金〔値段〕구입 자금〔가격〕/ 一括～する 일괄 구입하다. ↔販売.

*こうにん【公認】图ス他 공인; 공적인 인

정. ¶社会党～候補 사회당 공천 후보 / 指定商人として～する 지정 상인으로 공인하다. ↔黙認.

こうにん【後任】图 후임. ¶～者 후임자 / ～の校長 후임 교장. ↔先任·前任.

こうねつ【光熱】图 광열; 전등과 연료.

—ひ【—費】图 광열비. ¶～がかさむ 광열비가 늘다.

こうねつ【高熱】图 고열. ¶～に苦しむ 고열로 괴로워하다 / ～にうなされる 고열로 헛소리하다.

こうねん【光年】图〘天〙광년; 천체 간의 거리를 나타내는 단위.

こうねん【後年】图 후년; 후일; 만년. ¶政界に勢力を振るったが～職を辞して故郷に帰った 정계에서 세력을 떨쳤으나 후년에 사직하고 고향으로 돌아갔다.

こうねん【高年】图 고년; 고령. ¶～層 고령층.

こうねんき【更年期】图 갱년기. ¶～障害 갱년기 장애.

*こうのう【効能】图 효능. ＝ききめ. ¶～書き 효능서 / 薬の～ 약의 효능 / ～があらわれる 효능이 나타나다.

こうのう【後納】图ス他 후납. ¶料金～郵便 요금 후납 우편. ↔前納.

ごうのう【豪農】图 호농; 돈 많고 세력 있는 농가. ＝大百姓. ¶村の～ 마을의 호농. ↔貧農.

こうのうしゅくウラン【高濃縮ウラン】图 고농축 우라늄. ▷도 Uran.

こうのとり【鸛】图〘鳥〙황새. ＝こうづる.

こうのもの【香の物】图 야채를 소금·겨에 절인 것. ＝つけもの·しんこ.

ごうのもの【剛の者】《強の者》图〈老〉호걸; 센 사람. ＝つわもの. ¶酒にかけてはなかなかの～だ 술에 관해서는 아주 센 사람이다.

こうは【光波】图 광파; 빛의 파동.

こうは【硬派】图 경파. **1** 강경파. ¶～の意見が通る 강경파(의) 의견이 통하다. **2**〈俗〉신문사의 정치·경제, 방송국의 뉴스·교양 부문을 담당하는 사람. ⇔軟派.

**こうば【工場】图〈口〉공장. ＝こうじょう. ¶下請け～ 하청 공장 / 町～ 동네 안의 작은 공장 / ～渡し値段 공장도 가격. 参考 보통, 'こうじょう'보다 소규모인 것을 말함.

こうはい【交配】图ス他 교배. ☞こうざつ.

こうはい【降灰】图 강회; 분화(噴火) 등으로 화산재가 지상에 내려옴; 또, 그 재. 参考 음독은 'こうかい'이지만, 학술 용어 등에서는 'こうはい'로 통일함.

こうはい【光背】图 광배; 후광; 불상 후면에 붙이는 빛을 본뜬 장식. ＝後光.

*こうはい【後輩】图 후배. ¶大学の二年～ 대학 2년 후배 / ～のめんどうを見る 후배를 돌봐 주다. ↔先輩·同輩.

こうはい【荒廃】图ス自 황폐. ¶～した土地 황폐한 토지 / 人心が～する 인심이 황폐해지다 / 教育の～を招く 교육의 황폐를 가져오다.

こうばい【公売】图ス他 공매. ¶～処分 공매 처분 / ～に付す 공매에 부치다 / 差し押さえ品を～する 압류품을 공매하다.

*こうばい【こう配】《勾配》图 구배. **1** 경사의 정도; 물매; 경사. ¶～が強い 경사가 심하다 / 屋根の～が急だ 지붕의 물매가 싸다 / ～をつける 경사지게 하다. **2** 비탈; 사면. ¶～を上がる 비탈을 올라가다 / ～をすべる 비탈에서 미끄러지다.

こうばい【紅梅】图〘植〙홍매; 붉은 빛깔의 매화.

*こうばい【購買】图ス他 구매. ¶～部 구매부 / ～組合 구매 조합 / ～欲をそそる 구매욕을 자극하다.

—りょく【—力】图 구매력. ¶～が低下する 구매력이 떨어지다.

こうばいすう【公倍数】图 공배수. ¶最小～ 최소 공배수. ↔公約数.

こうはく【工博】图 공박; 공학 박사(('工学博士'의 준말)).

こうはく【紅白】图 홍백. ¶～のもち 홍백의 떡 / ～歌合戦 가요 청백전.

—じあい【—試合】图 (홍군·백군으로 나뉘어서 하는) 홍백 경기; 청백전.

こうばく【広漠】トタル 광막; 넓고 아득함. ¶～たる大平原 광막한 대평원.

こうばし-い【香ばしい·芳ばしい】形 향기롭다; 구수하다. ＝かんばしい. ¶～花のかおり 향기로운 꽃 향기 / ～におい 구수한 냄새 / ～香りが漂う 향기로운 냄새가 감돌다.

こうはつ【後発】图ス自 후발. ¶～隊 후발대 / ～企業 후발 기업 / ～メーカー 후발 메이커. ↔先発.

ごうはら【業腹】图ナ 몹시 부아가 복받침. ＝しゃく·業こう. ¶～が煮える 몹시 화가 복받치다 / 全く～だ 몹시 부아가 치민다.

*こうはん【公判】图 공판. ¶～廷 공판정 / ～に付す 공판에 부치다 / ～が開かれる 공판이 열리다.

こうはん【広範】《広汎》ダナ 광범. ¶～な知識 광범한 지식 / ～な権限を与える 광범한 권한을 주다.

こうはん【後半】图 후반. ↔前半.

—せん【—戦】图 후반전. ↔前半戦.

こうはん［攪拌］图ス他 교반; 휘저어 섞음. ＝かくはん. ¶溶液を～する 용액을 휘저어 섞다.

こうはん【甲板】图 '甲板(＝갑판)'의 뱃사람 말. ¶～員 갑판원 / ～長 갑판장 / ～室 갑판실.

こうばん【交番】图ス自 **1 '交番所(＝파출소의 속칭)'의 준말. ¶駅前の～ 역전 파출소. **2** 교번; 번을 서로 갈아듦. ¶～制 당번 교대제 / 世代の～ 세대 교체.

こうばん【降板】图 ス自〔野〕강판; 투수가 마운드에서 물러남. ↔登板(とうばん).
こうばん【鋼板】《鋼鈑》图 강(철)판.
ごうはん【合板】图 합판. =ベニヤ板(いた). 注意 'ごうばん'이라고도 함. ↔単板(たんばん).
こうはんい【広範囲】图 ダナ 광범위. ¶~に及(およ)ぶ 광범위에 미치다/~な取引(とりひき) 광범위한 거래/~に渡(わた)る捜索(そうさく) 광범위에 걸친 수색.
こうはんき【後半期】图 후반기. ↔前半期(ぜんはんき).
こうはんせい【後半生】图 후반생. ↔前半生(ぜんはんせい).
こうひ【公費】图 공비; 국가·공공 단체의 비용. ¶~留学(りゅうがく) 공비〔관비〕유학. ↔私費(しひ).
こうひ【工費】图 공비; 공사 비용. ¶総(そう)~ 총 공사비.
こうひ【后妃】图 후비; 왕비. =きさき.
こうひ【皇妃】图 황비; 황후. =きさき.
こうび【交尾】图 ス自 교미; 흘레. ¶~期(き)にはいる 교미기에 접어들다.
こうび【後尾】图 후미. ¶船(ふね)の~ 배의 후미/行列(ぎょうれつ)の~ 행렬의 후미.
ごうひ【合否】图 합격 여부. ¶~の判定(はんてい) 합격 여부의 판정.
こうひつ【硬筆】图 (모필(毛筆)에 대하여) 경필《연필·펜 등의 총칭》.
*こうひょう【公表】图 ス他 공표. ¶~をはばかる 공표를 꺼리다/選挙結果(せんきょけっか)を~する 선거 결과를 공표하다.
*こうひょう【好評】图 호평. ¶~を博(はく)する〔得(え)る〕 호평을 받다〔얻다〕. ↔悪評(あくひょう)·不評(ふひょう).
こうひょう【講評】图 ス他 강평. ¶実習(じっしゅう)の~をする 실습에 대해 강평하다.
こうひょう【高評】图 고평. **1** 평판이 높음〔좋음〕. **2** 남의 비평에 대한 높임말. =高批(こうひ)·ご批評(ひひょう). ¶御(ご)~を請(こ)う 고평을 청하다.
こうびん【幸便】图 마땅한 인편〔차편〕. ¶~に託(たく)する 마땅한 편에 부탁하다. 参考 인편에 편지를 보낼 때 수신인 이름 옆에 씀.
こうひんいテレビ【高品位テレビ】图 고품위〔고선명〕 텔레비전.
こうふ【工夫】图〈卑〉공사장의 인부. =工手(こうしゅ). ¶線路(せんろ)~ 보선공.
*こうふ【交付】图 ス他 교부. ¶~金(きん) 교부금/証書(しょうしょ)〔旅券(りょけん)〕を~する 증서를〔여권을〕 교부하다.
*こうふ【公布】图 ス他 공포; 널리 알림. ¶法令(ほうれい)を~する 법령을 공포하다.
こうふ【鉱夫】图〈卑〉광부; 광산 노동자. 注意 고친 이름은 '鉱員(こういん)'.
こうぶ【公武】图 公家(くげ)(=조신(朝臣))와 武家(ぶけ)(=무사). ¶~合体(がったい) 江戸(えど) 시대 말기의 조정과 幕府(ばくふ)의 일치 협력(주장).
こうぶ【後部】图 후부; 후방; 뒷부분. ¶~座席(ざせき) 후부 좌석. ↔前部(ぜんぶ).
こうふう【校風】图 교풍; 학교의 기풍.
こうふく【口腹】图 구복; 입과 배; 식욕. ¶~を満(み)たす 식욕을 채우다.
**こうふく【幸福】图 ダナ 행복. =さいわい·幸(しあわ)せ. ¶~な生活(せいかつ) 행복한 생활/~を祈(いの)る 행복을 빌다. ↔不幸(ふこう).
こうふく【校服】图 교복.
こうふく【降伏·降服】图 ス自 항복. =降参(こうさん). ¶抵抗(ていこう)をやめて~する 저항을 그치고 항복하다/無条件(むじょうけん)~ 무조건 항복. ⇒ごうぶく.
ごうぶく[降伏]图 ス他〔佛〕항복; 신불(神佛)에게 빌어서 악마나 적을 진압하게 함; 또, 남을 굴복시킴. ¶悪魔(あくま)を~する 악마를 항복시키다.
こうぶくろ【香袋】《香嚢》图 향낭; 향주머니.
こうぶつ【好物】图 즐기는 음식; 좋아하는 물건. =このみ. ¶大(だい)(の)~ 아주 좋아하는 음식/~のカステラ 좋아하는 카스텔라.
こうぶつ【鉱物】图 광물. ¶~資源(しげん) 광물 자원/~質(しつ)肥料(ひりょう) 광물질 비료.
こうふん[口吻]图 **1** 말투; 말씨. =口(くち)ぶり. ¶激(はげ)しい~で物(もの)を言(い)う 격한 어조로 말하다. **2** 입; 주둥이; 부리.
こうふん【公憤】图 공분; 의분. ¶~を覚(おぼ)える 공분을 느끼다/~を押(お)さえがたく直言(ちょくげん)する 공분을 억제하지 못하고 직언하다. ↔私憤(しふん).
**こうふん【興奮】图 ス自 흥분. ¶~剤(ざい) 흥분제/~のるつぼと化(か)す 흥분의 도가니로 변하다/~を静(しず)める 흥분을 가라앉히다/~して眠(ねむ)れない 흥분해서 자지 못하다/~のあまり心臓麻痺(しんぞうまひ)で急死(きゅうし)した 너무 흥분한 나머지 심장 마비로 급사했다. ↔沈静(ちんせい).
こうぶん【公文】图 공문. ¶~発送(はっそう) 공문 발송.
こうぶん【構文】图 구문. ¶~論(ろん) 구문론. 参考 syntax의 역어.
こうぶんし【高分子】图〔化〕고분자.
—かがく【—化学】图 고분자 화학.
こうぶんしょ【公文書】图 공문서. ¶~偽造(ぎぞう) 공문서 위조. ↔私文書(しぶんしょ).
こうべ〖頭·首〗图〈老〉머리; 목. ¶~をたれる 고개를 숙이다.
こうへい【工兵】图 공병. ¶~隊(たい) 공병대.
**こうへい【公平】图 ダナ 공평. ¶~無私(むし) 공평무사/~な見方(みかた) 공평한 견해/~を欠(か)く 공평을 잃다/~にあつかう 공평하게 다루다/~に分(わ)け与(あた)える 공평하게 나누어 주다. ↔不公平(ふこうへい).
こうへん【口辺】图 입가. =口(くち)もと. ¶~に微笑(びしょう)をうかべる 입가에 미소를 띄우다.
こうへん【後編】《後篇》图 후편; 마지막 편. ↔前編(ぜんぺん)·中編(ちゅうへん).
こうべん【抗弁】图 ス他 항변. ¶相手(あいて)の主張(しゅちょう)に~する 상대방 주장에 항변하다/負(ま)けずに強(つよ)く~する 지지 않고 강력히 항변하다.
ごうべん【合弁】《合辦》图 합판; (본디, 중국에서) 외국 자본과 공동으로 사업을 경영함.
*こうほ【候補】图 후보. ¶~者(しゃ) 후보자/

大統領～ 대통령 후보 / ～に上がる〔上る〕 후보에 오르다 / ～に立つ 후보에 나서다 / ～を立てる 후보를 내세우다.

こうぼ【公募】图[ス他] 공모. ¶志願者を～する 지원자를 공모하다 / 懸賞小説を～する 현상 소설을 공모하다.

こうぼ【酵母】图 효모; 누룩. ¶～菌 효모균.

こうほう【工法】图 공법. ¶潜函～ 잠함 공법.

こうほう【公法】图 공법. ↔私法.

こうほう【公報】图 공보. ¶選挙～ 선거 공보.

こうほう【広報】《弘報》图[ス他] 홍보; 피아르. ¶～活動 홍보 활동 / ～官 공보관 / ～車〔板〕 홍보차〔판〕.

こうほう【後方】图 후방. ↔前方.

こうほう【航法】图 항법. ¶計器～ 계기 항법.

—し【—士】图 항법사. ＝ナビゲーター.

こうぼう【工房】图 공방; 조각가나 화가·공예가가 일하는 방. ＝アトリエ.

こうぼう【攻防】图 공방; 공수; 공격과 방어. ¶～を繰り返す 공방을 되풀이하다 / 必死の～戦をくり広げる 필사적인 공방전을 벌이다.

こうぼう［弘法］图 '弘法大師(＝平安 시대 초기의 고승인 空海의 시호)'의 준말.

—にも筆の誤り 서예에 뛰어난 弘法 대사도 때로는 잘못 쓸 때가 있다; 원숭이도 나무에서 떨어질 때가 있다.

—筆を択ばず 弘法 대사 같은 명필은 붓을 가리지 않는다; 진짜 명인은 도구와 상관없이 일을 잘해냄의 비유.

こうぼう【興亡】图 흥망. ＝興廃. ¶国の～にかかわる事件 나라의 흥망에 관계되는 사건.

ごうほう【合法】[名ナ] 합법; 적법. ¶～活動 합법 활동. ↔違法·不法.

—か【—化】图[ス他] 합법화. ¶再軍備を～する 재군비를 합법화하다.

—せい【—性】图 합법성.

ごうほう【業報】图〔佛〕 업보; 악업에 대해서 받는 보복.

ごうほう【号俸】图 호봉; 직책·연공 등에 따라 매긴 급료의 등급. ¶六級職一～ 6급직 1호봉.

ごうほう【豪放】图[ダナ] 호방(함). ¶～な性格 호방한 성격 / ～磊落な人 호방 뇌락한 사람.

こうぼく【公僕】图 공복; 공무원. ¶公務員は～だ 공무원은 공복이다.

こうぼく【坑木】图 갱목; 갱내나 갱도를 버티어 주는 데 쓰는 통나무.

こうぼく【香木】图 향목; 향나무. ¶～を焚く 향목을 피우다.

こうぼく【高木】图 고목; 교목; 높이 3m 이상 되는 나무. ↔低木. [注意] '喬木(＝교목)'의 고친 이름.

—は風に折らる 고목은 바람에 꺾인다; 모난돌이 정 맞는다.

こうほん【稿本】图 고본; 원고를 맨 책; 초고(草稿). ↔定本.

ごうほん【合本】图[ス他] ☞がっぽん.

こうま【小馬】图 **1** 작은 말; 조랑말. **2**【子馬】《仔馬》 망아지.

こうまん【高慢】图[ダナ] 교만; 오만; 건방짐. ¶～な態度 교만한 태도 / ～に人を見下ろす 건방지게 남을 깔보다.

—ちき 图[ダナ] 시건방짐《교만함의 낮춤말》. ¶うぬぼれてすぐ～になる 자만심으로 해서 곧 시건방지게 되다 / ～な顔をする 거만한 표정을 짓다.

ごうまん［傲慢］图[ダナ] 오만; 거만. ＝高慢. ¶～不遜 오만불손 / ～な態度をとる 오만한 태도를 취하다. ↔謙虚·けんそん.

こうみ【香味】图 향미; 향기와 맛; 음식물의 향기.

—やさい【—野菜】图 향미 야채; 향미를 첨가하는 조리용 야채.

—りょう【—料】图 향미료; 양념.

こうみゃく【鉱脈】图〔鑛〕 광맥; 쇳줄. ¶～が地表に露出する 광맥이 땅 위에 노출하다.

こうみょう【光明】图 광명; 밝은 빛; 희망. ¶～を失う 광명을 잃다 / 解決に一縷の～を見いだす 해결에 (대한) 한 가닥 희망을 발견하다.

こうみょう【功名】图 공명. ¶～を争う 공명을 다투다 / 抜けがけの～ 동료·경쟁자를 따돌리고 공을 세움. ⇨けが.

—しん【—心】图 공명심. ¶～にはやる 공명심에 들뜨다.

***こうみょう**【巧妙】[ダナ] 교묘. ¶～な手段 교묘한 수단. ↔拙悪·拙劣.

こうみん【公民】图 공민. ¶～としてのつとめを果たす 공민으로서의 의무를 다하다.

—かん【—館】图 공민관《市町村(＝시읍면) 주민을 위한 회관》.

—けん【—権】图 공민권. ¶～(の)停止 공민권 정지.

こうむ【工務】图 공무; 토목 공사 등의 일. ¶～店 (토목·건축 등의) 공무소.

こうむ【公務】图 공무. ＝公用. ¶～出張 공무 출장.

—いん【—員】图 공무원.

***こうむ-る**【被る】《蒙る》[5他] **1** 받다. ¶天罰を～ 천벌을 받다 / お客様からおしかりを～·りました 손님으로부터 꾸중을 들었습니다 / 御免を～ (a) 용서를 받다; 실례하다; (b) 싫다; 거절하다. **2** 입다. ¶損害〔愛顧〕を～ 손해〔애고〕를 입다 / 多大の恩恵を～ 크나큰 은혜를 입다.

***こうめい**【公明】图[ダナ] 공명. ¶～選挙 공명 선거 / ～な処置 공명한 조치.

—せいだい【—正大】图[ダナ] 공명정대. ¶～に処理する 공명정대하게 처리하다 / 彼は常に～だ 그는 항상 공명정대하다.

こうめい【抗命】图[ス自] 항명.

こうめい【高名】[名ナ] 고명; 유명함. ¶～な学者 고명한 학자.

ごうめいがいしゃ【合名会社】图 합명회사. 「こうほう. ↔前面.

こうめん【後面】图 후면; 뒷면. =後方

こうもう［鴻毛］图 홍모; 기러기의 털《매우 가벼운 것의 비유》. ¶死は~より軽し 죽음은 홍모보다 가볍다 / 命を~の軽きにする 목숨을 홍모처럼 가벼이 여기다.

こうもう【紅毛】图 홍모; 붉은 머리털.

—へきがん［—碧眼］图 홍모벽안; 곧, 서양 사람.

こうもう［孔孟］图 공맹; 공자와 맹자. ¶~の道 공맹지도.

—の教え 공맹의 가르침《유교》.

***こうもく**【項目】图 항목; 조목. ¶十~の要求を出す 10항목의 요구를 내다 / ~別に書きならべる 항목별로 써서 늘어놓다.

こうもり〖蝙蝠〗图〔動〕**1** 박쥐. =かわほり. **2** 간에 붙었다 쓸개에 붙었다 하는 사람. **3** 'こうもりがさ'의 준말.

こうもりがさ【こうもり傘】《蝙蝠傘》图 박쥐우산; 양산. =こうもり. ¶~をさす 양산을 받다.

こうもりぞく【こうもり族】《蝙蝠族》图 〈俗〉박쥐족《낮에는 쉬고 밤이 되면 행동을 개시하는 사람들》.

こうもん【孔門】图 공문; 공자의 문하.

—の十哲 공문십철《공자의 문인 중 열 사람의 뛰어난 제자》.

こうもん［肛門］图 항문. ¶~括約筋 항문 괄약근. 「うらもん. ↔前門.

こうもん【後門】图 후문; 뒷문. =裏門

—の虎, 前門のおおかみ 뒷문의 호랑이 앞문의 늑대《앞뒤로 위난(危難)이 닥쳐 어찌할 수 없음의 비유》.

こうもん【校門】图 교문. ¶~を出る 교문을 나서다.

ごうもん【拷問】图ス他 고문. ¶~禁止条約 고문 금지 조약 / 白状を強いて~する 자백을 강요해 고문하다.

こうや【広野】《曠野》图 광야; 넓은 들. =ひろの·荒れ野. ¶無人の~ 인적이 없는 벌판.

こうや【荒野】图 황야. =あらの. ¶西部の~ 서부의 황야.

こうや【紺屋】图 염색집. =こんや.

—のあさって 염색집의 모레《갖바치 내일 모레》.

—の白ばかま 염색집의 흰 하의《대장장이 집에 식칼이 논다》.

こうやく【口約】图ス自他 구약; 구두 약속; 언약. =くちやくそく. ¶~では証拠にならない 구두 약속으로는 증거가 안 된다.

***こうやく**【公約】图ス自他 공약. ¶減税を~する 감세를 공약하다 / 選挙の~を実行に移す 선거 공약을 실행에 옮기다.

こうやく〖膏薬〗图 고약. =あぶらぐすり. ¶~を貼る 고약을 붙이다 / ~をはぐ 고약을 떼다.

こうやくすう【公約数】图〔數〕공약수. ¶最大~ 최대 공약수. ↔公倍数.

こうやさい【後夜祭】图 학원 축제 등의 마지막 날 밤에 행하는 행사. ↔前夜祭. 「냄새 좋은 기름.

こうゆ【香油】图 향유; 머리에 바르는

こうゆう【公有】图ス他 공유. ¶~財産 공유 재산 / ~林〔地〕공유림〔지〕. ↔私有·民有.

こうゆう【交友】图 교우; 친구. ¶~関係 교우 관계 / ~範囲 교우 범위.

こうゆう【交遊】图ス自 교유; 교제. ¶名士との~ 명사와의 교유.

こうゆう【校友】图 교우; 동창생. ¶~会 교우회; 동창회.

ごうゆう【豪遊】图ス自 호유; 호화롭게 놂. =大尽遊び. ¶温泉に行って~する 온천에 가서 한바탕 놀다 / 彼は会社の金で~した 그는 회사 돈으로 호화롭게 놀았다.

***こうよう**【公用】图 공용; 공무. ¶~車 공용차 / ~で出張する 공용으로 출장가다. ↔私用.

***こうよう**【効用】图 **1** 효용; 효능. ¶くすりの~ 약의 효능 / 限界~ 한계 효용. **2** 용도. =用途. ¶他に~がない 달리 용도가 없다.

***こうよう**【紅葉】图ス自 홍엽; 단풍이 듦; 또, 그 잎; 단풍. ¶全山~する 온 산에 단풍이 들다.

こうよう【孝養】图ス自 효양; 효도. ¶~をつくす 효도를 다하다.

こうよう【高揚】《昂揚》图ス自他 고양; 앙양. ¶士気の~ 사기 앙양 / 感情が~する 감정이 고조되다.

***こうよう**【黄葉】图ス自 황엽; 나뭇잎이 누렇게 단풍이 듦; 또, 그 잎.

こうようじゅ【広葉樹】图 활엽수. 注意 '闊葉樹(=활엽수)'의 고친 이름. ↔針葉樹.

ごうよく【強欲】《強慾》图ナ 탐욕. =どんよく. ¶~非道 탐욕 무도 / ~な人間 지독한 욕심쟁이.

こうら【甲羅·甲ら】图 **1** 갑각(甲殼); (게·거북 따위의) 등딱지. =甲. ¶カメの~ 거북의 등딱지. **2** 연공(年功).

—を経る 연공을 쌓다; 숙련되다.

こうらい［高麗］图 **1**〔史〕고려《한국의 옛 왕조》. =こま. ¶~青磁 고려청자. **2**〔史〕고구려.

—きじ〖—雉〗图〔鳥〕꿩. 「にんじん.

—にんじん〖—人参〗图 ☞ちょうせん

***こうらく**【行楽】图 행락. ¶~客 행락객 / ~地 행락지 / ~シーズン 행락의 계절 / ~の春 행락의 봄철 / ~日和 행락에 알맞은 날씨.

こうらく【攻落】图ス他 공락; 공격하여 함락시킴. ¶敵の陣地を~する 적의 진지를 공락하다.

こうらん【高覧】图 고람; 상대방이 '봄'의 높임말. =御覧. ¶ご~を請う 고람하여 주시기를 청하다.

こうらん[攪乱] 图ス他 교란. ＝かくらん. ¶資力で会社の内部を～する 자력으로 회사의 내부를 교란하다.

*こうり【小売り】图ス他 소매; 산매(散賣). ¶～店 소매점/～お断り 소매는 사절(함). ↔おろし売り.

—しょう【小売商】图 소매상.

—ね【小売値】图 소매값. ＝小売り値段〔価格〕. ↔おろし値.

こうり【公理】图 공리. ¶数学の～ 수학의 공리.

こうり【公利】图 공리; 공익; 공공의 이익. ＝公益.

こうり【功利】图 공리. **1** 공명과 이득. ¶～, 打算 공리, 타산. **2** 이익과 행복.

—しゅぎ【—主義】图〘哲〙 공리주의.

こうり【高利】图 고리. ＝巨利. ↔低利·薄利. ＝高利かし.

—がし【—貸し】图 고리대금업(자).

こうり〘行李·梱〙图 고리; 고리짝. ¶柳ごうり 버들고리.

ごうり【合理】图 합리. ↔非合理·不合理.

—か【—化】图ス他 합리화. ¶経営の～ 경영 합리화/～を進める 합리화를 추진하다.

—せい【—性】图 합리성. ¶～を欠く 합리성이 결여되다.

—てき【—的】ダナ 합리적. ¶～な考え方 합리적인 사고방식.

ごうりき【強力】图 **1** 강력. ¶～犯 강력범/～無双 강력 무쌍. **2** 등산가의 짐을 지고 안내하는 사람.

*こうりつ【公立】图 공립. ¶～高等学校 공립 고등학교. ↔私立.

こうりつ【効率】图 효율; 일의 능률. ¶～のよい機械 효율이 좋은 기계.

—か【—化】图ス他 효율화.

—てき【—的】ダナ 효율적. ¶～市場仮説 효율적 시장 가설.

こうりつ【高率】图ダナ 고율. ¶～の利息 고율의 이자/～な所得税 고율의 소득세. ↔低率.

こうりゃく【攻略】图ス他 공략. ¶敵陣を～する 적진을 공략하다.

こうりゃく【後略】图ス他 후략; 뒷부분을 생략함. ↔前略·中略.

こうりゅう【交流】图 교류. ㊀图〘電〙 교류(전기). ¶～電動機 교류 전동기. ↔直流. ㊁图ス自他 (문화·사상 등의) 교류. ¶人事～ 인사 교류/世代間の～をはかる 세대간의 교류를 도모하다/東西文化が～する 동서 문화가 교류하다.

こうりゅう[勾留] 图ス他〘法〙 구류; 구금. ¶未決～ 미결 구금. 参考 신문에서는 '拘置(＝구치)'라고 함.

こうりゅう【拘留】图ス他〘法〙 구류《형벌의 하나; 기간은 1일 이상 30일 미만》. ¶～期間 구류 기간/～に処せられる 구류 처분을 받다.

こうりゅう【興隆】图ス自 흥륭; 융성함. ＝興起. ¶文化の～ 문화의 융성/新たな文化が～する 새로운 문화가 흥륭하다. ↔衰亡·衰滅.

ごうりゅう【合流】图ス自 합류. ¶本隊に～する 본대에 합류하다/二つの川が～する 두 강이 합류하다.

こうりょ【行旅】图ス自 행려; 여행; 여행자. ¶～病者〔病人〕 행려병자.

*こうりょ【考慮】图ス他 고려. ¶～の余地がある 고려할 여지가 있다/～に入れる 고려에 넣다/相手の立場を～する 상대방의 입장을 고려하다.

こうりょう【光量】图〘理〙 광량. ¶～計 광량계.

こうりょう【校了】图ス他 교료; 교정을 끝냄. ¶責任～ 책임 교료.

こうりょう【香料】图 **1** 향료; 양념. ¶料理に～を加える 요리에 양념을 치다. **2** '香典(＝부의 (賻儀))'의 딴 이름. ¶お～ 부의; 향전(香奠).

こうりょう【稿料】图 고료《'原稿料(＝원고료)'의 준말》.

こうりょう【綱領】图 강령. **1** 사물의 요점. ¶哲学～ 철학 개요. **2** (정당·노조 등의) 기본 방침. ¶党の～ 당의 강령.

こうりょう【荒涼】《荒寥》トタル 황량. ¶～たる原野 황량한 들판.

*こうりょく【効力】图 효력. ＝働き·ききめ. ¶～を生じる 효력이 생기다/～を発揮する〔失う〕 효력을 발휘하다〔잃다〕/彼の調停はなんの～もなかった 그의 조정은 아무런 효력도 없었다.

こうりょくしきもう【紅緑色盲】图〘生〙 홍록 색맹. ＝赤緑色盲.

こうりん【後輪】图 후륜; 뒷바퀴. ¶～駆動 후륜 구동. ↔前輪.

こうりん【降臨】图ス自 (신불의) 강림. ¶地上に～する 지상에 강림하다.

こう-る[梱る] 5他 (새끼로 묶어서) 포장하다; 꾸리다. ＝こる. 参考 '行李'를 動詞화한 말이라 함.

こうるい【紅涙】图 홍루. **1** 혈루(血涙); 피눈물. **2** 미녀가 흘리는 눈물. ¶～をしぼる 눈물을 짜다.

こうるさ-い【小うるさい】《小煩い》形〈俗〉 귀찮다. ¶～姑 성가신 시어머니/～·く聞く 귀찮게 묻다.

こうれい【恒例】图 항례. ＝慣例. ¶～の芸術祭 항례의 예술제.

こうれいち【高冷地】图 고랭지. ¶～農業 고랭지 농업.

こうれい【高齢】图 고령. ＝高年·老年·老齢. ¶～者 고령자.

—かしゃかい【—化社会】图 고령화 사회.

*ごうれい【号令】호령. ㊀图 구령. ¶～をかける 구령을 내리다/～に合わせて体操をする 구령에 맞추어 체조를 하다. ㊁图ス自 지배자가 명령함. ¶～一下 호령이 한번 떨어지자마자/天下に～する 천하를 호령하다.

こうれつ【後列】图 후열; 뒷줄. ¶～に並ぶ 뒷줄에 서다. ↔前列.

こうろ【行路】图 행로. **1** 길을 걸어감;

또, 그 사람. **2** 세상살이. ¶人生～ 인생행로.

—びょうしゃ【—病者】 图 행로〔행려〕병자. ＝行旅病人·行き倒れ.

こうろ【高炉】 图 고로; 용광로.

こうろ【航路】 图 항로. ¶～標識 항로 표지 / ハワイ～ 하와이 항로 / ～の安全を祈る 항로의 안전을 빌다.

こうろ【香炉】 图 향로.

こうろう【功労】 图 공로. ¶～株 공로주 / 多年の～ 다년간의 공로 / ～を立てる 공로를 세우다.

こうろう【高楼】 图 고루; 높은 다락집《흔히, 요정을 가리킴》. ＝たかどの. ¶春, ～の花の宴 봄철, 고루의 꽃놀이 술잔치.

こうろうい【公労委】 图 '公共企業体等労働委員会(＝공공 기업체 등 노동 위원회)' 의 준말.

こうろうほう【公労法】 图 '公共企業体等労働関係法 (＝공공 기업체 등 노동 관계법)' 의 준말.

こうろく［高禄］ 图 고록; 많은 녹봉·봉급. ＝高給. ¶～を食む 많은 봉급을 받다.

こうろん【口論】 图ス自 말다툼; 언쟁. ＝口げんか·言い合い. ¶つまらないことで～する 시시한 일로 말다툼을 하다 / ～からなぐり合いになった 말다툼 끝에 주먹다짐을 하게 되었다.

こうろん【公論】 图 공론. ＝世論. ¶天下の～ 천하의 공론 / 万機～に決すべし 나라의 정치는 만사 여론에 따라 결정해야 한다.

こうろん【高論】 图 고론. **1** 훌륭한 논설. ¶～卓説 고론 탁설. **2** 상대방의 논설에 대한 높임말. ＝ご議論.

こうろんおつばく［甲論乙駁］ 图ス自 갑론을박. ¶～でまとまらない 갑론을박으로 결론을 못 짓다.

こうわ【口話】 图 구화. ¶～法 구화법. ↔手話.

***こうわ【講和】** 图ス自 강화. ¶～条約 강화 조약 / ～を結ぶ 강화를 맺다 / 敵国と～する 적국과 강화하다.

こうわ【講話】 图ス自他 강화; 강연. ¶憲法～ 헌법 강화.

こうわん【港湾】 图 항만. ¶～施設 항만 시설 / ～労働者 항만 노동자.

****こえ【声】** 图 (목)소리. ¶神の～ 신〔하늘〕의 소리 / 虫の～ 벌레 소리 / ～がかれる〔弾む〕 목소리가 쉬다〔들뜨다〕 / ～を上げる 목소리를 높이다 / ～をひそめる (목)소리를 낮추다 / 師走の～を聞く 이제 곧 섣달이 된다 / 二十の～を聞いた時 꼭 스무 살이 되었을 때 / 石油値上げの～におびえる 석유가 인상의 소리에 겁을 내다 / 反対の～が高まる 반대 목소리가 높아지다.

—がかかる **1** 부름을 받다; 또, 연극에서 배우가 관객으로부터 갈채를 받다. ¶客席から～ 객석에서 갈채를 받다. **2** 윗사람으로부터 사랑을 받다; 특별한 배려를 받다. ¶社長から～ 사장의 특별한 귀여움을 받다. 「〔의견〕》.

—なき— 소리 없는 소리《민중의 소리

—の下 말이 채 끝나기도 전. ¶いらないといった～から手を出す 필요없다는 말이 끝나기도 전에 손을 내밀다.

—を限りに 목청껏. ¶～叫ぶ 목청껏 외치다.

—をかける **1** 부르다; 말을 걸다. ¶進んで～ 자진해서 말을 걸다. **2** 인사하다.

—を殺す 목소리를 죽이다. ¶声を殺して泣く 소리를 죽여 흐느끼다.

—をのむ 감동·긴장한 나머지 목소리가 안 나오다.

こえ【肥】 图 **1** 비료; 거름. ＝こやし. **2** 분뇨; 똥과 오줌. ＝しもごえ.

＝ごえ【越え】《지명이나 고개 등의 이름에 붙어》(…을) 넘음〔넘어가는 길〕. ¶山～をする 산을 넘다 / 伊賀～ 伊賀로 넘어가는 길.

***ごえい【護衛】** 图ス他 호위. ¶～艦 호위함 / ～兵 호위병 / 首相を～する 수상을 호위하다.

こえがわり【声変わり】 图ス自 변성(기). ¶～する年ごろ 변성할 나이.

こえだめ【肥だめ】《肥溜め》 图 분뇨 구덩이. ＝こやしだめ.

ごえもんぶろ〖五右衛門風呂〗 图 부뚜막 위에 직접 거는 철제 목욕통《나무 뚜껑을 밟고 가라앉히면서 들어감》. ＝かまぶろ·長州ぶろ. 参考 삶아 죽이는 형을 당한 石川五右衛門의 이름에서. ↔すえふろ.

***こ-える【肥える】** 下1自 **1** 살이 찌다. ¶天高く馬～·ゆる候 천고마비지절. **2** (땅이) 비옥해지다. ¶～·えた土地 비옥한 땅. ⇔やせる. **3** 안목이 높아지다. ¶目が～ 보는 눈이 높아지다. **4** 재산 등이 늘어나다. ¶懐が～ 주머니가 두둑해지다.

****こ-える【越える】** 下1自 **1** (높은 곳 등을) 넘(어가)다. ¶国境を～ 국경을 넘다 / ハードルを～ 허들을 넘다. **2** 건너다. ¶川を～ 강을 건너다.

****こ-える【超える】** 下1自 **1** (때가) 지나가다. ¶～·えて平成十二年 해를 넘겨 平成 12년 / 期限を～ 기한을 넘기다. **2** 기준을 넘다. ¶三十度を～暑さ 30도를 넘는 더위. **3** 보다 낫다. ＝まさる. ¶人に～ 남보다 낫다. **4** 초월하다. ¶常識を～ 상식을 초월하다. **5** 뛰어넘다; 건너뛰다. ¶順序を～ 순서를 건너뛰다 / 兄を～·えて弟が家をつぐ 형을 제쳐놓고 아우가 상속하다.

ゴー ［go］ 图 고; 나아감; 전진(표시). ↔ストップ.

—サイン ［일 go＋sign］ 图 고 사인; 어떤 일을 해도 좋다는 지시. ¶～が出る 허락의 지시가 나오다. ＊영어로는 green light 라고 함.

——ストップ [일 go+stop] [名] 고스톱; (교차로 따위의) 교통 신호(등). *영어로는 traffic light[signal].
ゴーイングマイウエー [going my way] [連語] 고잉 마이 웨이; 나의 길을 가련다《영화 제목에서 나온 말》. =わが道を行く.
*こおう【呼応】[名][ス自] 호응. ¶否定の～ 부정의 호응《'めったに(=좀처럼)' 다음에 부정의 말씨가 따르는 따위》/東西相～して攻める 동서에서 서로 호응하여 공격하다.
コークス [도 Koks] [名] 코크스. =骸炭.
ゴーグル [goggle] [名] 고글; 두 눈을 완전히 덮는 대형의 바람막이 안경《등산이나 스키·오토바이를 탈 때 씀》.
ゴーゴー [go-go] [名] 고고; 고고 춤; 또, 그 음악. ¶～ダンス 고고 춤.
ゴージャス [gorgeous] [ダナ] 고저스; 화려하고 멋짐; 호화로움. ¶～な装い 호화로운 복장.
**コース [course] [名] 코스. ¶登山の～ 등산 코스/将来の～ 장래 코스/マラソンの～ 마라톤 코스/事態は予想の～をはずれた 사태는 예상 코스를 벗어났다.
——ロープ [일 course+rope] [名] (풀장의) 코스 로프. *영어로는 lane rope.
コースター [coaster] [名] 코스터. **1** (유원지 등에 있는) 활주용(用) 놀이 시설. ¶ジェット～ 제트 코스터. **2** (술잔 따위의) 받침 접시.
ゴースト [ghost] [名] 고스트. **1** 유령. **2** (TV 화면에 겹쳐 나오는) 이중상(像)이나 난상(亂像). =ゴーストイメージ.
——ストーリー [ghost story] [名] 고스트 스토리; 괴담; 괴기담(談).
——タウン [ghost town] [名] 고스트 타운; (폐광으로 인한) 유령 도시.
——ライター [ghost writer] [名] 고스트 라이터; 대필[대작(代作)]자.
*コーチ [coach] 코치. [一名][ス他] 코치함. ¶バッティングを～する 배팅을 코치하다. [二名] 지도자; 감독. =コーチャー.
コーチングスタッフ [coaching staff] [名] 코칭 스태프; 코치 진용.
コーディネーター [coordinator] [名] 코디네이터. **1** TV 프로의 제작 진행 책임자. **2** 복식 등에서, 전체적인 조화나 통일을 고려하는 사람.
コーディネート [coordinate] [名][ス他] 코디네이트. **1** 일을 원활히 하게 조정함. **2** 복장의 각 부분을 배색 등을 고려하여 조화를 이루게 함. ¶洋服にアクセサリーを～させる 양복에 액세서리를 조화시키다/上下をうまく～する 상·하복을 잘 조화시키다.
コーティング [coating] [名][ス他] 코팅. **1** 방수·내열(耐熱) 가공 등을 위해 천 표면에 수지(樹脂) 등을 입히는 일. ¶ビニール～ 비닐 코팅. **2** 렌즈 표면에 얇은 막을 입히는 일.
コート [coat] [名] 코트. **1 외투. ¶レーン～ 레인코트/ハーフ～ 반코트. **2** 양복 따위의 웃옷.
コート [court] [名] 코트; 테니스·농구 등의 경기장. ¶～チェンジ 코트 체인지.
コード [chord] [名] 코드; 현; 화음.
コード [code] [名] 코드. **1** 부호; 암호. ¶～ブック 암호책/情報を～化する 정보를 코드[부호]화하다. **2** 윤리 규정. ¶プレス～ 신문 윤리 강령.
コード [cord] [名]〖電〗코드; 고무 따위로 절연한 전선(電線).
こおとこ【小男】[名] 몸집이 작은 남자. =小兵. ↔大男.
こおどり【小躍り】《雀躍り》[名][ス自] 작약(雀躍); 덩실거림. ¶～(を)して喜んだ 덩실거리며 기뻐했다.
コードレスでんわ【コードレス電話】[名] 코드리스 전화; 무선 전화. =コードレスホン. ▷cordless telephone.
コーナー [corner] [名] 코너. **1** 구석; 귀퉁이. **2** 백화점 등의 특설 매장. ¶ベビー～ 베이비 코너.
——キック [corner kick] [名] (축구에서) 「코너킥.
*コーヒー [coffee] [名] 커피. ¶～ポット 커피포트/～豆 커피콩《원두》/～を入れる 커피를 끓이다.
——ショップ [coffee shop] [名] 커피숍.
——わかし〖—沸かし〗[名] 커피 끓이는 기구《커피포트 따위》.
コーポラス [일 corporate+house] [名] 철근 구조의 중고층 아파트. =コーポ.
コーポレーション [cooperation] [名] 코포레이션; 회사; 조합; 단체.
コーラ [cola] [名] 콜라; 콜라나무의 씨를 주원료로 하는 탄산 청량음료의 총칭. ¶コカ～ 코카콜라.
コーライト [Coalite] [名] 콜라이트; 석탄을 저온 건류하여 만든 코크스《상표명》.
コーラス [chorus] [名] 코러스; 합창대; 합창곡.
コーラン [Koran] [名] 코란; 이슬람교의 「성전(聖典).
**こおり【氷】[名] 얼음. ¶～の刃 예리하게 간 칼날/～がとける 얼음이 녹다/池に～が張る 연못에 얼음이 얼다/～で冷やす 얼음으로 차게 하다/～を割る[かく] 얼음을 깨다[갈다].
——と炭 빙탄; 성질이 서로 정반대임.
——を歩む 얼음 위를 걷다《살얼음을 밟듯하다》.
こおりがし【氷菓子】[名] 얼음과자; 빙「과.
こおりざとう【氷砂糖】[名] 얼음사탕.
こおりつ-く【凍り付く】[5自] **1** 얼어붙다. ¶水道の栓が～ 수도꼭지가 얼어붙다/窓が～いてあかない 창문이 얼어붙어 열리지 않는다. **2** 완전히[꽁꽁] 얼다. ¶水が～ 물이 꽁꽁 얼다.
こおりどうふ【凍り豆腐】[名] 얼린 두부; 언두부. =高野どうふ.
こおりぶくろ【氷ぶくろ】《氷嚢》[名] 얼음주머니. =ひょうのう.
こおりまくら【氷まくら】《氷枕》[名] 얼음 「베개.

こおりみず【氷水】图 **1** 빙수. =かき氷(ごおり)·こおりすい. **2** 얼음물.

こおりや【氷屋】图 얼음[빙수] 가게; 또, 그 장수.

コーリャン[중 高粱] 图 고량; 수수. =コウリャン·カオリャン·こうりょう. ¶ ~酒(しゅ) 고량주.

⁑こお-る【凍る】《氷る》 5自 얼다; 차게(느끼게) 되다. ¶水(みず)が~ 물이 얼다/頬(ほお)が~寒(さむ)さ 볼이 어는 듯한 추위/早朝(そうちょう)の~·った空気(くうき) 이른 아침의 차가운 공기/身(み)も心(こころ)も~ 몸과 마음이 얼어붙는 듯하다.

コール [call] 图 콜; 요구불 단기 융자. =短資(たんし). ¶ ~市場(しじょう) 콜[단자] 시장.

—オプション [call option] 图 콜 옵션; 매입 선택권. ↔プットオプション.

—ガール [call girl] 图 콜걸.

—サイン [call sign] 图 콜 사인; 각 방송국·무선국의 전파 호출 부호.

ゴール [goal] ⊟图 골; 경주의 결승점; 목표. ¶ ~に飛(と)び込(こ)む 골인하다. ⊟图ス自 골. **1** 축구·하키 등의 골. ¶ ~を決(き)める 골을 넣다. **2** 'ゴールイン'의 준말.

—イン [일 goal+in] 图ス自 골인. ¶結婚(けっこん)に~する 결혼에 골인하다.

—キーパー [goalkeeper] 图 골키퍼.

—ゲッター [goal getter] 图 골 게터; (축구 등에서) 득점력이 뛰어난 선수.

—ポスト [goalpost] 图 골포스트.

—ライン [goal line] 图 골라인.

コールタール [coal tar] 图〔化〕콜타르.

コールテン【コール天】图 코르덴. =コーデュロイ. ▷corded velveteen.

ゴールデン= [golden] 골든; 황금같이 가치가 높은. ¶ ~アワー 골든 아워.

—ウイーク [일 golden+week] 图 골든위크; (일본에서) 4월 말부터 5월 초까지의 휴일이 많은 1 주일.

—ゴール [golden goal] 图 골든 골; 축구 룰의 하나《연장전에서 먼저 골을 넣는 쪽이 이김》.

コールド [cold] 图 'コールドクリーム' 'コールドパーマ(=콜드파마)'의 준말.

—ウエーブ [cold wave] 图 콜드 웨이브. =コールドパーマ.

—ウォー [cold war] 图 콜드 워; 냉전. ↔ホットウォー.

—クリーム [cold cream] 图 콜드크림. ↔バニシングクリーム.

ゴールド [gold] 图 골드; 금; 황금.

—ラッシュ [gold rush] 图 골드 러시; 많은 사람들이 새로 발견된 노다지판으로 몰려드는 일.

コールドゲーム [미 called game] 图〔野〕콜드 게임. ¶雨(あめ)のため, ~になる 비 때문에 콜드 게임이 되다.

コールドミート [cold meat] 图 콜드 미트《굽거나 삶아서 냉동한 쇠고기; 햄·소시지 따위》. =冷肉(れいにく).

こおろぎ〖蟋蟀〗图〔蟲〕**1** 귀뚜라미. =いとど·ちちろむし. **2**〈雅〉여치. =きりぎりす.

こおろし【子おろし】《子堕し》图 **1** 낙태; 또, 그것을 업으로 하는 자. **2** 낙태약.

コーン [corn] 图 콘; 옥수수. ¶ ~スープ 옥수수 수프.

—フレークス [cornflakes] 图 콘플레이크스《찐 옥수수 알을 납짝하게 눌러 말린 음식물》.

ごおん【御恩】图 남의 은혜의 높임말. ¶ ~は忘(わす)れません 베푸신 은혜는 잊지 않겠습니다.

こおんな【小女】图 **1** 몸집이 작은 여자. ↔大女(おおおんな). **2** (요릿집 등에서) 어린 여종업원.

こが【古画】图 고화; 옛 그림.

こがい【子飼い】图 새끼 때부터 기름; 어릴 때부터 맡아서 손수 기름. ¶ ~の部下(ぶか) 어릴 적부터 기른 부하.

こがい [蚕飼い] 图 누에치기; 양잠.

こがい【戸外】图 호외; 옥외; 집밖. ¶ ~で遊(あそ)ぶ 옥외에서 놀다. ↔屋内(おくない).

ごかい【碁会】图 기회; 바둑 두는 모임.

—しょ【—所】图 기원. ¶ ~で碁(ご)を打(う)つ 기원에서 바둑을 두다.

***ごかい**【誤解】图ス他 오해. =思(おも)いちがい. ¶ ~を解(と)く[招(まね)く] 오해를 풀다[사다]/~されやすい 오해 받기 쉽다/真意(しんい)を~する 진의를 오해하다/人(ひと)の~を受(う)ける 남의 오해를 받다.

こがいしゃ【子会社】图 자회사. ↔親会社(おやがいしゃ).

コカイン [cocaine] 图 코카인.

こかく【顧客】图 고객; 단골. =こきゃく·お得意(とくい). ¶映画館(えいがかん)の最上(さいじょう)の~は学生(がくせい)だという 영화관의 최상의 고객은 학생이라고 한다.

ごかく【互角】图ダナ 호각; 백중함. ¶ ~の勝負(しょうぶ) 호각의 승부/~の腕前(うでまえ) 백중한[우열이 없는] 솜씨.

ごかく【碁客】图 기객. =碁打(ごう)ち.

***ごがく**【語学】图 어학. ¶ ~の研究(けんきゅう) 어학 연구/あの人(ひと)は~に強(つよ)い 저 사람은 어학에 능하다.

こがくれ【木隠れ】图 나무나 나뭇잎에 가려 잘 안 보임. ¶学校(がっこう)が~に見(み)える 학교가 나무에 가려 어렴풋이 보인다.

こかげ【小陰】图 작은 그늘. ¶ ~に身(み)を隠(かく)す 작은 그늘에 몸을 숨기다.

こかげ【木陰】《木蔭》图 나무 그늘. =樹陰(じゅいん). ¶ ~で休(やす)む[~に憩(いこ)う] 나무 그늘에서 쉬다.

コカ-コーラ [Coca-Cola] 图〔商標名〕코카콜라.

こがし【焦がし】图 볶은 곡식을 빻은 것. =こうせん. ¶麦(むぎ)~ 보리 미숫가루.

=ごかし〖転し〗《体言에 붙여서》…을 가장하여 자기 이익을 꾀하는 일. ¶親切(しんせつ)~で人(ひと)をだます 친절을 미끼로 해서[가장해서] 남을 속이다.

***こが-す**【焦がす】5他 **1** 눌리다; 태우다. ¶御飯(ごはん)を真(ま)っ黒(くろ)に~ 밥을 새까맣게 태우다. **2** (애를) 태우다. ¶思(おも)いを~ 애태우다/自責(じせき)の念(ねん)に胸(むね)を~ 자책감으로 가슴을 태우다.

こかぜ【小風】图 실바람; 미풍. ¶窓を開けるとひやりとした～が吹きこんできた 창을 여니 차가운 실바람이 불어 들어왔다.

*こがた【小形】名ナ 소형; 모양이 작음. ↔大形·中形.

*こがた【小型】名ナ 소형; 형(型)이 작음; 또, 그것. ¶～(の)自動車 소형 자동차. ↔大型·中型.

ごがたき【碁敵】图 바둑의 맞수; 적수; 호적수.

*こがたな【小刀】图 창칼; 주머니칼. ＝ナイフ.

—ざいく【—細工】图 창칼 세공; 전하여, 잔꾀를 부림; 잔재주; 미봉책. ¶現今の経済の窮状は～では救えない 오늘의 경제 궁상은 일시적인 미봉책으로는 구제할 수 없다.

こかつ【枯渇】(涸渇) 图ス自 고갈. ¶池の水が～する 연못의 물이 말라붙다/資金が～する 자금이 고갈되다.

**ごがつ【五月】图 오월. ＝さつき.

—さい【—祭】图 오월제. 1 유럽에서 5월 1일의 봄 축제. 2 메이데이.

—にんぎょう【—人形】图 오월 단오에 장식으로 쓰이는 무사 차림의 인형.

こがね【小金】图 약간의 목돈〔재산〕. ¶～をためる 약간의 돈을 모으다.

こがね【黄金】(金) 图 황금. 1 ㉠금. ＝おうごん. ㉡돈; 금전. ㉢황금빛; 누런빛. 2 금화(金貨).

—の波 황금 물결; 누렇게 익은 벼이삭이 바람에 물결치는 모양.

—いろ【—色】图 황금빛. ＝金色·きんいろ·やまぶきいろ.

—むし〖—虫〗图〔蟲〕풍뎅이.

こかぶ【子株】图 1 새끼 그루. 2〔經〕신주. ＝新株. ⇔親株.

こがら【小がら·小柄】名ナ 1 몸집이 작음. ＝小づくり. ¶～な男 몸집이 작은 사나이. 2 모양·무늬가 작음. ¶～な模様 잔무늬/～の着物 자잘한 무늬의 옷. ⇔大柄.

こがらし【木枯らし】(凩) 图 초겨울〔늦가을〕의 찬바람. ¶～が吹く 초겨울의 찬바람이 불다.

こがれじに【焦がれ死に】图ス自 애타게 그리다 (병이 나) 죽음; 상사병으로 죽음. ¶～しそうな思い 상사병으로 죽을 것만 같은 그리움.

こが-れる【焦がれる】下1自 연모하다; 몹시 동경〔갈망〕하다; 애태우다. ¶思い～ 애타게 그리다/音楽家に～ 음악가를 동경하다/待ち～ 애타게 기다리다/恋い～ 애타게 연모하다.

こかん[胯間·股間]图 고간; 샅. ＝またぐら. ¶～を抜けたボール 가랑이 사이를 빠져나간 공.

ごかん【互換】图ス他 호환. ¶～性 호환성.

ごかん【五官】图 오관《오감(五感)을 일으키는 눈·귀·코·혀·피부》.

ごかん【五感】图 오감《시각·청각·후각·미각·촉각》.

ごかん【語幹】图〔文法〕어간. ↔語尾.

ごかん【語感】图 어감; 말의(풍기는) 뉘앙스; 언어 감각. ¶～が悪い 어감이 나쁘다/鋭い～の持ち主 언어 감각이 예민한 사람/外国語の～をつかむのはむずかしい 외국어의 어감을 잡기란 어렵다.

ごがん【護岸】图 호안. ¶～工事 호안 공사.

こき【古希】(古稀) 图 고희; 70세의 딴 이름. ¶～の祝い 고희연/～を祝う 고희를 축하하다. 注意 '古希'로 씀은 대용 한자.

こき【呼気】图 호기; 내쉬는 숨; 날숨. ↔吸気.

ごき[五畿]图 (옛날 일본의) 京都를 에워싼 다섯 지방《山城·大和·河内·和泉·摂津》. ＝五畿内.

—しちどう[—七道]图 옛날 일본 전국의 호칭《五畿와, 七道(＝東海·東山·北陸·山陰·山陽·南海·西海)》.

ごき【誤記】图ス他 오기; 잘못 적음. ¶姓名の～ 성명 오기.

ごき【語気】图 어투; 어세; 말투. ＝語調. ¶～あらくののしる 거친 말투로 욕을 퍼붓다/～鋭くつめよる 날카로운 어세로 따지고 들다.

ごぎ【語義】图 어의; 말의 뜻.

こきおと-す【こき落とす】(扱き落とす) 5他 훑어〔문질러〕 떨어뜨리다; 훑어 내리다. ¶もみを～ 벼를 훑다/どろを～ 흙을 떨어버리다.

こきおろ-す【こき下ろす】(扱き下ろす) 5他 1 (결점을 들어) 깎아내리다; 헐뜯다. ¶相手を～ 상대를 깎아내리다/政府の失策を～ 정부의 실책을 내리까다. 2 훑어 떨어뜨리다; 훑어 내리다. ＝こきおとす.

ごきげん【御機嫌】一图 'きげん(＝기분; 심기(心氣))'의 높임말. ¶～をとる 비위를 맞추다/～いかがですか 기분〔건강〕이 어떠십니까; 평안하십니까.

二名ナ 1 아주 기분이 좋은 모양. ＝いいきげん·上きげん. ¶～になる 기분이 좋아지다/酒がまわって大変な～だ 술이 거나해서 썩 좋은 기분이다. 2〈俗〉멋진〔근사한〕 모양. ¶～な映画〔曲〕 멋진 영화〔곡〕.

—ななめ【—斜め】图ダナ 심기가 편치 않음; 저기압. ¶約束をすっぽかされてすっかり～だ 상대가 약속을 어겨 몹시 기분이 언짢다.

—よう〖—好う〗連語 만났을 때나 헤어질 때의 인사말; 안녕하십니까; 안녕히 가십〔계십〕시오.

こきざみ【小刻み】图ダナ 1 잘게 썲; 잘게 저밈〔뗌〕. ¶大根を～に刻む 무를 잘게 썰다/～に歩く 종종걸음 치다. 2 질름거리는 모양: 조금씩; 질름질름. ¶～に使う 조금씩 쓰다/～に発表する 찔름찔름 발표하다.

こぎたな-い【小汚い】形 꾀죄하다; 구

중중하다. ＝うすぎたない. ¶～身(み)なり 꾀죄한 옷차림.

こきつか-う【こき使う】《扱き使う》5他 혹사하다. ¶従業員(じゅうぎょういん)を～ 종업원을 호되게 부려먹다 / 安月給(やすげっきゅう)で～ 싼 월급으로 혹사하다.

こぎつ-ける【こぎ着ける】《漕ぎ着ける》下1他 **1** 배를 저어 목적지에 닿게 하다. ¶小舟(こぶね)で島(しま)に～ 조각배를 저어 섬에 닿다. **2** 노력해서 겨우 목표에 도달하다; (간신히) …하기에 이르다. ¶正常化(せいじょうか)に～ (가까스로) 정상화에 이르다 / ようやく開店(かいてん)に～·けた 간신히 개점을 할 수 있게 되었다.

***こぎって**【小切手】名 수표. ¶～帳(ちょう) 수표장〔책〕/ 不渡(ふわた)り～ 부도 수표 / ～を切(き)る〔振(ふ)り出(だ)す〕 수표를 발행하다.

こぎて【こぎ手】《漕ぎ手》名 배를 젓는 사람.

ごきぶり〖蜚蠊〗名〘蟲〙바퀴. ＝あぶらむし.

こきま-ぜる【こき混ぜる】《扱き混ぜる》下1他 뒤섞다; 혼합하다. ¶嘘(うそ)とまことを～·ぜて話(はな)す 거짓말과 참말을 뒤섞어 말하다.

こきみ【小気味】名 기분; 마음. ¶～のいい話(はなし) 아주 기분 좋은 이야기.

―(が)よい 속이 시원하다; 고소하다. ¶小気味よく事(こと)をとりさばく 시원스럽게 일을 처리하다 / やつが失敗(しっぱい)して～ 녀석이 실패해서 고소〔시원〕하다.

―(が)悪(わる)い 어쩐지 기분이 나쁘다; 섬뜩하다. ¶なんとも～笑(わら)い 어쩐지 기분 나쁜 웃음.

こきゃく【顧客】名 ☞こかく(顧客).

****こきゅう**【呼吸】一名ス自他 호흡. ¶～音(おん) 호흡음 / ～困難(こんなん) 호흡 곤란 / 深(ふか)く～する 깊이 숨을 쉬다 / ～をととのえる〔合(あ)わせる〕 호흡을 가다듬다〔맞추다〕/ ひと～置(お)く 다음 동작까지 잠깐 사이를 두다 / ～がぴったり合(あ)う 호흡〔(일의) 손발〕이 잘 맞다.

二名 일의 요령; 미립. ¶演説(えんぜつ)の～ 연설의 요령 / 仕事(しごと)の～をのみ込(こ)む〔覚(おぼ)える〕 일의 요령을 터득하다〔익히다〕/ ～をはかって発言(はつげん)する 시기를 가늠하여 발언하다.

―き【―器】名 호흡기. ¶～系統(けいとう) 호흡기 계통 / ～が悪(わる)い 호흡기가 나쁘다.

こきゅう【鼓弓】《胡弓》名 호궁; 깡깡이 비슷한 동양 악기.

****こきょう**【故郷】名 고향. ＝ふるさと. ¶～が恋(こい)しい 고향이 그립다 / 第二(だいに)の～ 제이의 고향.

―へ錦(にしき)を飾(かざ)る 금의환향하다.

こぎよ-せる【こぎ寄せる】《漕ぎ寄せる》下1他 배를 저어 가까이 가다.

こぎ-る【小切る】5他 **1** 잘게 자르다; 또, 작은 부분으로 나누어 가르다. ¶幾(いく)つかに～ 몇 개로 잘게 자르다. **2**〈俗〉값을 깎다. 可能こぎ-れる下1自

こぎれ【小切れ】《小布》名 헝겊 조각. ¶～を縫(ぬ)いあわせて人形(にんぎょう)をつくる 헝겊 조각을 기워서 인형을 만들다.

こぎれい〖小綺麗·小奇麗〗ダナ 깔끔함; 말쑥함; 조촐함. ¶～な服装(ふくそう) 깔끔한 옷차림 / ～な部屋(へや) 깨끗한 방 / ～に暮(く)らす 조촐하게 살다. ↔こぎたない.

こ-く〖扱く〗5他 훑다. ＝しごく. ¶稲(いね)を～ 벼를 훑다. 可能こ-ける下1自

こく 名 **1** (뒤에 남는) 감칠맛. ¶～がある 감칠 맛이 있다 / ～のある酒(さけ) 감칠맛 나는 술. **2** 깊이 있는 내용. ¶～のある話(はなし) 깊이 있는 이야기.

こく【石】名 **1** 석; 섬; 10 말《곡물·액체의 용량 단위; 약 180 리터》. **2** 무가(武家) 시대의 봉록(俸祿)의 단위.

こく【刻】名 옛날의 시간 단위; 일주야를 12 등분하여 각기 12 간지(干支)를 배당하여 불렀음. ¶子(ね)の～ 자시(子時)《밤 11 시부터 오전 1 시까지》.

こく【酷】ダナ 가혹한 모양; 심한 모양. ¶～な処分(しょぶん) 가혹한 처분 / これ以上(いじょう)働(はたら)かせるのは～だ 이 이상 일을 시키는 건 가혹하다 / ～なようだが 너무 심한 것 같지만 / その批評(ひひょう)は～に過(す)ぎる 그 비평은 지나치게 가혹하다.

こく〖克〗 常用 コク よく かつ | 극 이기다 | 힘을 다하여 이겨내다; 이기다. ¶克己(こっき) 극기 / 克服(こくふく) 극복 / 相克(そうこく) 상극.

こく〖告〗《告》 教4 コク コウ つげる | 고 고하다 | **1** (말로) 알리다. ¶告白(こくはく) 고백 / 広告(こうこく) 광고 / 告(つ)げ口(ぐち) 고자질 / お告(つ)げ 신의 계시. **2** 아뢰다; 여쭈다. ¶申告(しんこく) 신고.

こく〖谷〗 教2 コク たに や きわまる | 곡 골짜기 | **1** 골짜기. ¶渓谷(けいこく) 계곡 / 谷底(たにそこ) 골짜기 밑. **2** 막히다. ¶進退(しんたい)谷(きわ)まる 진퇴유곡이다.

こく〖刻〗 教6 コク きざむ とき | 각 새기다 | **1** 새기다. ¶彫刻(ちょうこく) 조각 / 刻印(こくいん) 각인. **2** 시계의 시각을 나타내는 금; 시간; 때. ¶漏刻(ろうこく) 누각 / 時刻(じこく) 시각.

こく〖国〗《國》 教2 コク くに | 국 나라 고향 | **1** 나라; 옛날 제후(諸侯)의 봉토; 큰 것을 '邦(ほう)', 작은 것을 '国(こく)'라고 했음. ¶国家(こっか) 국가 / 外国(がいこく) 외국. **2** 고향; 향리. ¶国(くに)なまり 지방 사투리.

こく〖黒〗《黑》 教2 コク くろ くろい | 흑 검다 | **1** 검은 빛; 검정; 검다. ¶黒白(こくびゃく) 흑백 / 漆黒(しっこく) 칠흑. **2** 거무스름한 빛; 또, 어둡다. ¶黒人(こくじん) 흑인 / 暗黒(あんこく) 암흑.

こく〖穀〗《穀》 教6 コク | 곡 곡식 | 곡물; 곡식. ¶五穀(ごこく) 오곡 / 穀倉(こくそう) 곡창.

こく〖酷〗《酷》 常用 コク むごい ひどい | 혹 혹독하다 | **1** 가혹하다. ¶酷刑(こっけい) 혹형 / 惨酷(ざんこく) 참혹. **2** 정도가 심하다. ¶酷寒(こっかん) 혹한 / 酷似(こくじ) 혹사.

こ-ぐ〖扱ぐ〗5他 뿌리째 뽑다; 뿌리 뽑

다. ¶雑草(ざっそう)を根(ね)もとから～ 잡초를 뿌리째 뽑다. 可能 こ-げる 下1自

*こ-ぐ 〖漕ぐ〗 5他 **1** (노로 배를) 젓다. ¶ボートを～ 보트를 젓다. **2** 이리저리 헤치며 가다. ¶やぶを～ 숲을 헤치며 나아가다. **3** (자전거·그네 등을 탈 때) 발을 폈다 구부렸다 하다. ¶ペダルを～ 페달을 밟다 / ブランコを～ (발을 구르며) 그네를 타다. 可能 こ-げる 下1自

ごく【獄】名 옥; 감옥. ＝ろうや·牢獄(ろうごく). ¶～にとらわれる〔つながれる〕 옥에 갇히다 / ～に下(くだ)る 하옥되다.

ごく【語句】名 어구; 어귀; 말. ¶～の選択(せんたく) 어구의 선택 / ～の意味(いみ)を調(しら)べる 어구의 뜻을 조사하다.

*ごく 〖極〗 副 극히; 대단히. ＝きわめて. ¶～上等(じょうとう)の酒(さけ) 썩 좋은 술 / ～親(した)しい間柄(あいだがら) 아주 친한 사이.

ごく 〖獄〗 常用 ゴク ひとや | 옥 감옥 | 감옥. ¶獄死(ごくし) 옥사 / 出獄(しゅつごく) 출옥.

ごくあく【極悪】名ナ 극악. ¶～人(にん) 극악인 / ～なしわざ 극악한 짓.

—ひどう【—非道】名ダナ 극악무도.

こくい【国威】名 국위. ¶～(の)宣揚(せんよう)〔発揚(はつよう)〕 국위 선양.

ごくい【極意】名 (예도·무술 등의) 가장 심오한 경지; 비법. ＝奥義(おうぎ)·おくのて. ¶～を授(さず)ける 비법을 전수하다.

こくいっこく【刻一刻】連語 각일각; 시시각각. ＝刻刻(こっこく). ¶～変化(へんか)する〔水(みず)かさがふえる〕 시시각각으로 변화하다〔물이 붇다〕 / ～(と)変(か)わる 시시각각으로 변하다.

こくいん【刻印】名ス自 각인. **1** 도장을 새김; 새긴 도장. ¶～をおす 도장을 찍다. **2** ☞ごくいん.

ごくいん【極印】名 지울〔움직일〕 수 없는 증거; 낙인. 参考 본디는, 금·은화 등에 품질을 증명하고 위조를 방지하기 위해서 찍은 도장.

—を押(お)す〔打(う)つ〕 낙인을 찍다. ¶スパイの極印を押される 간첩이라는 낙인이 찍히다.

こくう【虚空】名 허공; 공중. ＝おおぞら·空(そら).

—を摑(つか)む '허공을 붙잡다'라는 뜻에서, 단말마적인 고통으로 발버둥치다. ¶虚空をつかんで倒(たお)れる 단말마적인 고통으로 발버둥치며 쓰러지다.

こくう【穀雨】名 곡우《24 절기의 하나》.

ごくう [御供] 名 공양물; 제수(祭需). ＝供物(くもつ)·ごく. ¶人身(ひとみ)～ 인신 공양.

こくうん【国運】名 국운. ¶～が栄(さか)える〔傾(かたむ)く〕 국운이 번성하다〔기울다〕 / ～を賭(と)する 국운을 걸다.

こくえい【国営】名 국영. ¶～企業体(きぎょうたい) 국영 기업체 / ～農場(のうじょう) 국영 농장. ↔公営(こうえい)·民営(みんえい)·私営(しえい).

こくえき【国益】名 국익. ¶～に反(はん)する〔沿(そ)う〕 국익에 반하다〔따르다〕 / ～を守(まも)る 국익을 지키다.

こくえん【黒煙】名 흑연; 검은 연기. ＝くろけむり. ¶もうもうたる～ 뭉게뭉게 오르는 검은 연기 / 機関車(きかんしゃ)が～を吐(は)いて 기관차가 검은 연기를 내뿜으며. ↔白煙(はくえん).

こくおう【国王】名 국왕.

こくがい【国外】名 국외; 나라 밖. ¶～追放(ついほう) 국외 추방. ↔国内(こくない).

こくがく【国学】名 국학; (江戸(えど) 시대에 일어난) 일본의 고대 문화·사상 등을 밝히려던 학문. ¶～者(しゃ) 국학자. ↔漢学(かんがく)·洋学(ようがく).

こくかっしょく【黒褐色】名 ☞こっかっしょく.

こくぎ【国技】名 국기《일본은 씨름》. ¶～館(かん) 국기관《씨름 전용 경기장》.

こくげき【国劇】名 국극; 그 나라 특유의 연극《일본은 歌舞伎(かぶき)》.

こくげん【刻限】名 각한. **1** 정해진 시각. ¶約束(やくそく)の～が来(き)た 약속한 시간이 됐다. **2** 때; 시각. ¶辰(たつ)の～ 진시.

**こくご【国語】名 국어. ¶～辞典(じてん) 국어사전 / ～の文法(ぶんぽう) 국어 문법.

—しんぎかい【—審議会】名 국어 심의회.

—もんだい【—問題】名 국어에 대해 해결할 문제《일본에서 표준어 제정·한자 제한 등의 문제》.

こくごう【国号】名 국호; 국명.

ごくごく【極極】副 극히; 몹시《'極(ごく)'의 힘줌말》. ＝きわめて. ¶～の秘密(ひみつ) 극비 / ～親(した)しい仲(なか) 극히 친한 사이.

ごくごく 副 물이 목을 넘어갈 때 나는 소리: 꿀꺽꿀꺽. ¶～(と)水(みず)を飲(の)む 꿀꺽꿀꺽(하고) 물을 마시다.

こくさい【国債】名 국채. ¶～を発行(はっこう)する 국채를 발행하다.

**こくさい【国際】名 국제. ¶～化(か) 국제화 / ～会議(かいぎ) 국제회의 / ～空港(くうこう) 국제공항 / ～結婚(けっこん) 국제결혼 / ～紛争(ふんそう) 국제 분쟁 / ～主義(しゅぎ) 국제주의 / ～均衡(きんこう) 국제균형 / ～電話(でんわ) 국제 전화 / ～司法共助(しほうきょうじょ) 국제 사법 공조 / ～間(かん)の交流(こうりゅう) 국제간의 교류.

—オリンピックいいんかい【—オリンピック委員会】名 국제 올림픽 위원회《IOC》. ▷Olympic.

—ご【—語】名 국제어; 세계어《에스페란토 따위》.

—しゅうし【—収支】名 국제 수지.

—しょく【—色】名 국제색; 다양한 인종과 풍물에서 우러나는 분위기. ¶～豊(ゆた)かな会議(かいぎ) 국제색 짙은 회의.

—つうかききん【—通貨基金】名 국제 통화 기금《IMF》.

—てき【—的】ダナ 국제적. ¶～に名声(めいせい)が上(あ)がる 국제적으로 명성이 높아지다.

—みほんいち【—見本市】名 국제 견본시《ITF》.

—れんごう【—連合】名〔政〕 국제 연합《UN》. ＝国連(こくれん).

こくさく【国策】名 국책; 국가 정책. ¶～映画(えいが) 국책 영화 / ～に沿(そ)って行(おこな)う 국책에 따라서 행하다.

*こくさん【国産】名 국산. ¶～品(ひん) 국산품. ↔外国産(がいこくさん)·舶来(はくらい).

—しゃ【—車】名 국산차. ↔外車(がいしゃ).

こくし【国士】名 국사. 1 우국지사. =憂国(ゆうこく)の士(し). 2 그 나라에서 당대 제일의 인물.

こくし【国史】名 국사. ¶～編纂事業(へんさんじぎょう) 국사 편찬 사업.

こくし【酷使】名ス他 혹사. ¶機械(きかい)〔少年(しょうねん)〕を～する 기계를〔소년을〕 혹사하다/～に耐(た)える 혹사에 견디다.

*こくじ【告示】名ス他 고시. ¶内閣(ないかく)～ 내각 고시/～価額(かがく) 고시 가격.

こくじ【国字】名 국자. 1 그 나라에서 공적으로 채용하고 있는 문자(《일본서는 한자와 仮名(かな)》). 2 일본에서 만든 한자(《峠(とうげ)·畑(はたけ) 따위》). =和字(わじ).

こくじ【国事】名 국사. ¶～多難(たなん) 국사 다난.

—こうい【—行為】名 국사 행위; 天皇(てんのう)가 국사에 관하여 할 수 있는 행위.

—はん【—犯】名 국사범; 정치범.

こくじ【刻字】名ス自 각자; 글자를 새김; 또, 그 글자.

こくじ【酷似】名ス自 혹사; 매우 닮음. ¶双生児(そうせいじ)のごとく～している 쌍둥이처럼 아주 비슷하다.

ごくし【獄死】名ス自 옥사. =牢死(ろうし). ¶～を遂(と)げる 옥사하다.

こくしびょう【黒死病】名〔醫〕흑사병. =ペスト.

こくしょ【国書】名 국서. ¶～を奉呈(ほうてい)する 국서를 봉정하다.

こくしょ【酷暑】名 혹서. =猛暑(もうしょ). ¶～の候(こう) 혹서지제(酷暑之際)/～のおり, おからだにお気(き)をつけください 혹서지절에 몸조심하시기 바랍니다. ↔厳寒(げんかん)·酷寒(こっかん).

こくしょう〖濃漿〗名 고기나 생선에 된장을 풀어 진하게 끓인 국물.

こくじょう【国情·国状】名 국정. ¶～不安(ふあん) 국정 불안/～視察(しさつ) 국정 시찰.

ごくしょう【極小】名 극소; 아주 작음. =きょくしょう.

ごくじょう【極上】名 극상; 최상. ¶～の品物(しなもの) 극상품. ↔極下(ごくげ).

こくしょく【黒色】名 흑색. ¶～土(ど) 흑(색)토.

—じんしゅ【—人種】名 흑(색)인종. ↔黄色(こうしょく)人種·白色(はくしょく)人種.

こくじょく【国辱】名 국욕; 나라의 치욕. ¶～的(てき)な行為(こうい) 국치적인 행위.

*こくじん【黒人】名 흑인; 검둥이. =くろんぼう·ニグロ. ¶～種(しゅ) 흑인종/～音楽(おんがく) 흑인 음악/～霊歌(れいか) 흑인 영가.

こくすい【国粋】名 국수.

—しゅぎ【—主義】名 국수주의. ¶～者(しゃ) 국수주의자.

—てき【—的】ダナ 국수(주의)적. ¶～な思想(しそう) 국수적인 사상.

こく-する【克する】(《剋する》) サ変自 극하다. 1 이기다. ¶下(しも), 上(かみ)を～ 하극상하다. 2 오행이 서로 상극하다.

こく-する【刻する】サ変他 새기다; 파다; 조각하다. =彫(ほ)りこむ·きざむ. ¶石(いし)に～ 돌에 새기다.

こく-する［哭する］サ変自 (통)곡하다. ¶墓前(ぼぜん)に～ 묘전에서 통곡하다.

こくぜ【国是】名 국시. ¶民主主義(みんしゅしゅぎ)を～とする 민주주의를 국시로 하다/～が揺(ゆ)らぐ 국시가 흔들리다.

こくせい【国政】名 국정. ¶～調査権(ちょうさけん) 국정 조사권/～に参与(さんよ)する 국정에 참여하다.

こくせい【国勢】名 국세. ¶隆々(りゅうりゅう)たる～ 융성한 국세.

こくぜい【国税】名 국세. ↔地方税(ちほうぜい).

—ちょう【—庁】名 국세청(《財務省(ざいむしょう)(=재무성)의 외국(外局)》).

*こくせき【国籍】名 국적. ¶～主義(しゅぎ) 국적주의/～法(ほう) 국적법/～不明(ふめい)の飛行機(ひこうき) 국적 불명의 비행기.

こくせん【国選】名 국선.

—べんごにん【—弁護人】名 국선 변호인. ↔私選(しせん)弁護人(べんごにん).

こくせん【黒線】名 흑선; 검은 선〔줄〕.

*こくそ【告訴】名ス他 고소. ¶検察庁(けんさつちょう)に～する 검찰청에 고소하다.

こくそう【国葬】名 국장.

こくそう【穀倉】名 곡창. =こくぐら.

ごくそう【獄窓】名 옥창; 옥중(獄中); 철창. =鉄窓(てっそう). ¶～に呻吟(しんぎん)する 옥중에서 신음하다.

こくぞく【国賊】名 국적. ¶～扱(あつか)いにされる 역적 취급을 받다.

ごくそつ【獄卒】名 옥졸. 1 옥사쟁이; 간수. 2 지옥에서 망령(亡靈)을 괴롭힌다는 마귀.

こくたい【国体】名 1 국체; 국가 체제. ¶～の尊(とうと)さ 국체의 존엄성/ほこるべき～ 자랑할 만한 국체/～を汚(けが)す 국가 체면을 손상하다. 2 '国民(こくみん)体育(たいいく)大会(たいかい)(=국민 체육 대회)'의 준말.

こくだか【石高】名 1 미곡의 수확량. 2 특히, 江戸(えど) 시대에, 쌀로 준 무사의 녹봉의 수량. =禄高(ろくだか)·扶持高(ふちだか).

こくたつ【告達】名ス他 윗사람이 고지(告知)함; 시달. ¶命令(めいれい)を～する 명령을 시달하다.

こくち【告知】名ス他 고지; 알림; 통지. ¶～板(ばん) 고지판.

—ぎむ【—義務】名 (보험에서) 고지 의무.

こぐち【小口】名 1 (상거래에 있어서) 보잘것없는 수량〔금액〕; 소량; 소액. ¶～の取引(とりひき) 소량의 거래/～の預金(よきん) 소액 예금. ↔大口(おおぐち). 2 횡단면; 자른 자리. =切(き)り口(ぐち).

—をきく 제법 똑똑한 체 말하다.

ごくちゅう【獄中】名 옥중. =獄内(ごくない)·獄裡(ごくり). ¶～生活(せいかつ) 옥중 생활/～記(き) 옥중기. ↔獄外(ごくがい).

こくちょう【国鳥】名 국조; 그 나라를 상징하는 새(《일본의 국조는 꿩》).

ごくちょうたんぱ【極超短波】名 극초단파; 파장이 1cm에서 1m 사이의 전파. =マイクロウエーブ.

ごくっと 副 액체나 알약 따위를 단숨에 삼키는 모양: 꿀꺽. ¶～生(なま)つばを飲(の)む 꿀꺽 군침을 삼키다.

こくつぶ【穀粒】名 곡물의 낟알.

ごくつぶし〖穀潰し〗名 밥벌레; 밥통;

식충이. ¶この～め, 出て行け 이 밥벌레야, 썩 나가거라.

こくてい【国定】图 국정. ¶～教科書 국정 교과서.

—こうえん【—公園】图 국정 공원; 국립공원에 버금가는 지정을 받은 공원《소재지의 都道府県에서 관리》.

*こくてつ【国鉄】图 국철《'日本国有鉄道(=일본 국유 철도)'의 준말; 1987년 민영화로 'JR'로 개편됨》. ↔私鉄·民鉄.

こくてん【黒点】图 흑점. **1** 검은 점. **2** 〖天〗 태양 흑점《태양면에 나타나는 검은 점》. ¶～が現われる 흑점이 나타나다. ↔白斑.

*こくでん【国電】图 옛 国鉄 중 대도시 주변 근거리 전차선을 이르던 말.

ごくでん【極伝】图 극전; 비전(祕傳) 중의 비전《目録·皆伝보다 위임》.

*こくど【国土】图 국토. ¶～計画 국토 계획/～総合開発 국토 종합 개발.

—こうつうしょう【—交通省】图 국토교통성《건설 교통부에 해당》.

こくどう【国道】图 국도. ¶京浜～ 京浜 국도. ↔県道·村道.

ごくどう【極道·獄道】名ナ 나쁜 짓을 하거나 또는 방탕에 빠짐; 또, 그 사람. ¶～(な)息子 방탕한 아들. 参考 남을 욕하는 말로도 쓰임. ¶～め 망할 놈; 개자식.

*こくない【国内】图 국내. **1** 나라의 영토 안. ¶～線 국내선/～販売 국내 판매. ↔国外·海外. **2** 나라 안에만 관계됨. ¶～問題〔産業〕 국내 문제〔산업〕. ↔国際.

ごくない【極内】名ナ 아주 비밀임; 극비. ¶～の話 특히 은밀한 이야기/～で調査する 극비리에 조사하다/～に処理する 극비리에 처리하다.

こくなん【国難】图 국난. ¶～に殉ずる 국난을 당하여 순사하다/～に瀕する 국난이 닥치다.

こくぬすびと【穀盗人】图 보수만 축내고 아무짝에도 못 쓸 사람을 욕하는 말. =ろくぬすびと.

こくねつ【酷熱】图 혹열; 혹서(酷暑). =炎熱. ¶～にぐったりする 혹서에 축 늘어지다.

*こくはく【告白】图ス他 고백. ¶恋の～ 사랑의 고백/罪の～ 죄의 고백/～文学 고백 문학/愛を～する 사랑을 고백하다.

こくはく【酷薄·刻薄】名ナ 혹독하고 박정함. ¶～非道 박정하기 짝이 없음/～な性格 지독하게 박정한 성격.

*こくはつ【告発】图ス他 고발. ¶～状 고발장/不法行為を～する 불법 행위를 고발하다/公害を～する 공해를 고발하다. ⇨告訴.

こくはつ【黒髪】图 흑발. ¶～の美人 흑발 미인.

*こくばん【黒板】图 흑판; 칠판. =ボールド. ¶～ふき 칠판 지우개/～をふく 칠판을 지우다.

こくひ【国費】图 국비. ¶～を支出する 국비를 지출하다/～で留学する 국비로 유학하다.

こくび【小首】《小頸》图 목; 고개.

—をかしげる; —を傾ける (의심스러운 듯) 고개를 갸우뚱거리다. ¶不思議そうに小首をかしげて 이상한 듯이 고개를 갸우뚱거리면서.

ごくひ【極秘】图 극비. =極内. ¶～(の)文書 극비 문서/～のうちに 극비리에/～裏にことを運ぶ 극비리에 일을 진행시키다.

こくびゃく【黒白】图 흑백. ¶～を明らかにする 흑백을 밝히다/～を法廷で決する 흑백을 법정에서 가리다.

—を争う 흑백을〔시비를〕 가리다.

—を弁ぜず 흑백을 가리지 못하다《자명한 것도 분별을 못하다》.

こくひょう【酷評】图ス他 혹평. ¶～をくわえる 혹평을 가하다/～を浴びる 혹평을 받다.

こくひん【国賓】图 국빈. ¶～待遇 국빈 대우.

ごくひん【極貧】图 극빈. =赤貧. ¶～生活 극빈 생활/～にあえぎながら暮らす 극빈에 허덕이며 살아가다.

こくふ【国府】图 국부; '中華民国国民政府(=중화민국 국민 정부)'의 준말.

こくふう【国風】图 국풍. **1** 그 나라 독특한 풍속·풍습(을 나타낸 시가나 속요(俗謠)). **2** 한시(漢詩)에 대하여 和歌.

*こくふく【克服】图ス他 극복; 곤란을 이겨냄. ¶悪条件を～する 악조건을 극복하다/危機〔不況〕を～する 위기를〔불황을〕 극복하다.

ごくぶと【極太】图 (같은 종류 중) 가장 굵음; 또 그런 것. ¶～の筆 가장 굵은 붓. ↔極細.

こくぶんがく【国文学】图 국문학. ¶～者 국문학자/～史 국문학사.

こくべつ【告別】图ス自 고별. ¶～の辞 고별사/～演奏会 고별 연주회.

—しき【—式】图 **1** 영결식. **2** (전임·퇴직 등의) 송별〔이임〕 의식.

こくぼ【国母】图 국모. **1** 황후. ¶～陛下 황후 폐하. **2** 天皇의 어머니; 황태후. 参考 'こくも'는 황태후의 뜻.

*こくほう【国宝】图 국보. ¶～的な存在 국보적인 존재/人間～ 인간 국보/～に指定する 국보로 지정하다.

こくほう【国法】图 국법. ¶～を犯す 국법을 어기다/～に触れる 국법에 저촉되다.

こくぼう【国防】图 국방. ¶～費 국방비/～の充実を図る 국방의 충실을 도모하다.

—しょく【—色】图 국방〔카키〕색. =カーキ色.

—そうしょう【—総省】图 국방총성; (미국의) 국방부; 펜타곤.

ごくぼそ【極細】图 극세; (동류 중) 가장 가늚; 또, 그러한 것〔털실〕. ¶～の毛糸

아주 가는 털실. ↔極太·中細.

こぐま【小ぐま】《小熊·子熊》 名 작은 곰; 곰 새끼.

—ざ[小熊座] 名〔天〕작은곰자리.

**こくみん【国民】 名 국민. ¶～精神 국민 정신/～の義務 국민의 의무.

—がっこう【—学校】 名 국민학교《1941-47년의 小学校의 이름》.

—きゅうかむら【—休暇村】 名 국민 휴가촌《국립공원이나 국정(國定) 공원 안의 휴양 시설》. =休暇村.

—けんこうほけん【—健康保険】 名 국민 건강 보험《공무원·회사원 등 이외의 일반 국민을 위한 사회 보험의 하나》. =国保. ¶～税 국민 건강 보험세.

—そうせいさん【—総生産】 名 국민 총생산. =GNP.

—てき【—的】 ダナ 국민적. ¶～な英雄 국민적인 영웅. ↔個人的.

—のしゅくじつ【—の祝日】 名 국경일《1948년에 제정》.

国民の祝日(국경일)	
명 칭	월 일
元日(설날)	1월 1일
成人の日(성인의 날)	1월 15일
建国記念の日(건국 기념일)	2월 11일
春分の日(춘분의 날)	3월 21일경
みどりの日(녹색의 날)	4월 29일
憲法記念日(헌법 기념일)	5월 3일
こどもの日(어린이날)	5월 5일
海の日(바다의 날)	7월 20일
敬老の日(경로의 날)	9월 15일
秋分の日(추분의 날)	9월 23일경
体育の日(체육의 날)	10월 10일
文化の日(문화의 날)	11월 3일
勤労感謝の日(근로 감사일)	11월 23일
天皇誕生日(天皇 탄생일; 1989년 제정)	12월 23일
5월 4일은 国民の休日(국민의 휴일)	

こくむ【国務】 名 국무. ¶～に携わる 국무에 종사하다. 「신.

—しょう【—相】 名 국무상; 국무 대

—しょう【—省】 名 (미국) 국무부.

—だいじん【—大臣】 名 국무 대신.

—ちょうかん【—長官】 名 (미국의) 국무 장관.

こくめい【国名】 名 **1** 국명; 국호. **2** 국가의 명성.

こくめい【刻銘】 名 각명; 금속제의 그릇에 새김; 또, 그 글자《기념하는 글귀나 제작자의 이름 따위》.

こくめい【克明】 ダナ **1** 극명; 세밀하게 주의를 기울이는 모양. =丹念. ¶～な描写 정확 세밀한 묘사. **2** 성실하고 정직함. =実直·りちぎ.

*__こくもつ__【穀物】 名 곡물; 곡식; 곡류. ¶～を栽培する 곡식을 재배하다.

—メジャー[major] 名 곡물 메이저; 다국적 거대 곡물 상사《석유 메이저에 대비하여 이르는 말》. 「=獄卒.

ごくもり【獄守り】 名 옥사쟁이; 옥졸.

ごくもん【獄門】 名 옥문. **1** 감옥의 문. **2** 효수(梟首). =さらし首. ¶～台 효수대/～にかける 효수하다.

*__こくゆう__【国有】 名 국유. ¶～地 국유지/～化 국유화/～鉄道 국유 철도. ↔民有·私有.

こくようせき【黒曜石】 名〔鑛〕흑요석.

こぐら-い【小暗い】 形 어스름하다; 어둑하다. =おぐらい. ¶～部屋 어스름한 방/～木立 어둑한 나무숲.

こぐら-い【木暗い】 形 나뭇잎이 우거져서 어둡다. ¶～山路 나무 그늘로 어두운 산길.

こくらがり【こくらがり·小暗がり】 名 좀 어두움; 또, 그런 곳.

*__ごくらく__【極楽】 名〔佛〕극락《'極楽浄土(=극락정토)'의 준말》. ¶聞いて～見て地獄 들어서 극락, 보면 지옥《듣는 말과 실제 보는 것과는 천지의 차가 있다》. ↔地獄.

—おうじょう【—往生】 名ス自 극락왕생. ¶～をとげる 극락왕생하다.

—おとし【—落とし】 名 쥐덫.

こくり 副《～と의 꼴로도 씀》머리를 꾸벅하는 모양《졸거나 승낙의 표시》: 꾸벅; 끄덕; 까딱. =こっくり. ¶～とうなずく 가볍게 끄덕이다/～と舟をこぐ 꾸벅꾸벅 졸다. 「牢役人.

ごくり【獄吏】 名 옥리; 옥졸; 간수. =

ごくり 副 물 등을 꿀꺽 마시는 모양; 또, 그 소리: 꿀꺽. ¶水を～と飲む 물을 꿀꺽 마시다/～(と)飲み下す 꿀꺽 삼키다.

こくりこくり 副 **1** 꾸벅꾸벅. ¶気持ちよさそうに～と居眠りしている 기분 좋게 꾸벅꾸벅 졸고 있다. **2** 승낙하는 뜻으로 고개를 끄덕이는 모양: 끄덕끄덕. =こっくりこっくり. ¶ああよしよしとお父さんは～した 아아 좋아좋아 하면서 아버지는 고개를 끄덕끄덕하셨다.

*__こくりつ__【国立】 名 국립. ¶～大学 국립대학. ↔公立·私立.

—こうえん【—公園】 名 국립공원.

*__こくりょく__【国力】 名 국력. ¶～を養う 국력을 기르다.

=__こく-る__《動詞 連用形에 붙어서》끝까지〔마구, 계속해〕…하다. ¶黙り～ 끝까지 침묵을 지키다/しかり～ 마구 닦아세우다/なすり～ 마구 칠하다.

こくるい【穀類】 名 곡류; 곡물.

こぐれ【木暮れ】 名 나무 그늘의 어둠침침한 곳.

こくれん【国連】 名 국련《'国際連合(=국제 연합)'의 준말》; 유엔. ¶～オブザバー 유엔의 옵서버.

—き【—旗】 名 국련〔유엔〕기.

ごくろう【御苦労】 名ナ **1** 수고·노고의

공손한 말씨. ¶～でした 수고하셨습니다/～をお掛けしました 수고를 끼쳤습니다/やあ, ～, ～, 야, 애썼군, 애썼어〔애쓴다, 애써〕. 2 (헛)수고를 다소 조롱하여 이르는 말. ¶雨の中をジョギングとは～なことだ 빗속을 조깅하다니 수고하는군/一文にもならないのに, ～なこった 한푼 벌이도 안 되는데 수고하는 군.

—さま【—様】感 1 수고하십니다; 수고하셨습니다. 2 (헛)수고를 하셨군요《다소 조롱하는 말》. ¶この暑いのに～なことだ 이 더위에 공연히 수고하는군. 参考 손윗사람에 대해 말할 때는 'お疲れ様'가 일반적임.

こくろん【国論】名 국론; 여론. ＝公論. ¶～を統一する 국론을 통일하다/～が定まらない〔沸騰する〕 국론이 정해지지 않다〔비등하다〕.

こぐんふんとう【孤軍奮闘】名ス自 고군분투.

こけ〖苔·蘚〗名 이끼. ¶～植物 선태(蘚苔)식물.

—が生える 이끼가 끼다《오래되다; 낡다》. ¶こけが生えたような考えかた 낡은 사고방식.

こけ【虚仮】名 1〘佛〙 거짓; 표리가 있음. ＝偽り. 2〈老〉 속이 얕음; 바보. ＝ばか. ¶人を～にするな 사람을 바보 취급 마라.

—おどし〖—威し〗名 (약자나 바보에게나 통할) 공갈; 엄포; 허세. ＝こけおどかし. ¶～の広告で客を釣る 속이 빤히 보이는 광고로 손님을 끌다/～で言うのではない 엄포를 놓기 위해 하는 말은 아니다.

こげ【焦げ】名 눌음; 눌은 것. ¶ごはんの～ 누룽지. ⇨おこげ.

ごけ【後家】名 1 홀어미; 과부; 미망인. ＝やもめ. ¶若～ 젊은 과부/～のがんばり 과부의 억척/死ぬまで～で通す 죽을 때까지 과부로 지내다. 2 외짝; 짝짝이. ¶はしの～ 젓가락의 외짝/～ぶた (a)그릇은 없어지고 외짝이 된 뚜껑; (b)제 뚜껑이 아닌 짝짝이 뚜껑.

—を立てる 과부로 수절하다.

ごけ［碁笥］名 기기(碁器); 바둑알통.

こけい【固形】名 고형. ¶～燃料 고체 연료/～食 고형식/～アルコール〔スープ〕 고형 알코올〔수프〕.

こけい［孤閨］名 고규; 공규(空閨). 「다.
—を守る 공규를 지키다; 독수공방하

ごけい【互恵】名 호혜. ¶～条約 호혜 조약/平等～ 평등 호혜.

—かんぜい【—関税】名 호혜 관세.

—ぼうえき【—貿易】名 호혜 무역.

こげくさ-い【焦げ臭い】形 단내(가) 나다; 눋는 냄새가 나다. ¶～飯 단내 나는 밥/～においがする 단내가 나다.

こけこっこう 一副 닭 우는 소리: 꼬꼬; 꼬끼오. ＝こけっこう.
二名〈兒〉 닭: 꼬꼬; 꼬꼬.

こけし〖小芥子〗名 (東北 지방 특산의) 여아(女兒) 모양의 채색 목각 인형. ＝こけし人形.

こげちゃ【焦げ茶】名 짙은 갈색. ＝焦げ茶色·チョコレート色.

こけつ［虎穴］名 호혈; 호랑이 굴; 전하여, 매우 위험한 곳. ＝虎口.

—に入らずんば虎児を得ず 호랑이 굴에 들어가야 호랑이 새끼를 잡는다.

こげつき【焦げ付き】名 1 눌어붙음; 눌어붙은 것. 2 빌려 준 돈의 회수 불능.

—そうば【—相場】名 보합 시세.

こげつ-く【焦げ付く】5自 1 눌어붙다. ¶飯が～ 밥이 눌어붙다. 2〈俗〉(꾸어 준 돈이) 회수할 수 없게 되다. ¶融資した金が～ 융자한 돈이 회수 불능이 되다. 3 (증권 등의) 시세가 장기간 변동 없다. ¶株相場が～ 증권 시세가 보합 상태이다.

ごけにん【御家人】名 1 鎌倉·室町 시대에 将軍과 주종 관계를 맺은 무사. 2 江戸 시대에 将軍 직속의 하급 무사. ↔旗本.

こけむ-す〖苔生す·苔蒸す〗5自〈雅〉1 (세월이 흘러) 이끼가 끼다. ¶～·した岩 이끼 낀 바위. 2 오래되어 낡다. ¶～寺 낡은 절.

こ-ける〖倒ける·転ける〗下1自 쓰러지다; 넘어지다; 구르다; 미끄러져 떨어지다. ¶～·けないように柱をつかむ 넘어지지 않게 기둥을 잡다/枕から～ 베개에서 미끄러져 떨어지다.

—·けつ転びつ 쓰러지다가 구르며《허둥지둥 달리는 모양》.

こ-ける〖痩ける〗下1自 살이 빠지다; 여위다. ＝やせほそる. ¶ほおが～ 볼이 홀쭉해지다/やせ～ 말라빠지다.

=こ-ける 어떤 동작이 심하게 계속되다. ¶笑い～ 자지러지게 웃어대다/眠り～ 내쳐 자다; 잠만 자다.

**こ-げる【焦げる】下1自 눋다; 타다. ¶飯が～ 밥이 눋다/太陽で～·げた皮膚 태양에 그을린 피부.

こけん［沽券］名 체면; 면목. ¶～を守る 체면을 지키다.

ごげん【語源·語原】名 어원. ¶～学 어원학/～不明 어원 불명.

ここ【個個】《箇箇》名 개개; 낱낱; 하나하나; 한 사람 한 사람; 각각. ＝おのおの. ¶～の問題 개개의 문제/～に持参すること 각자 지참할 것. 「사람.
—じん【—人】名 개개인; 한 사람 한

—べつべつ【—別別】名 하나하나; 각자 모두 달리함. ¶～に行動する 제각기 달리 행동하다. 「소리.

ここ［呱呱］名 고고; 갓난아기의 울음

—の声をあげる 고고의 소리를 울리다《태어나다; 시작되다》. ¶近代産業が呱々の声をあげた地 근대 산업의 발상지/彼はこの町で呱々の声をあげた 그는 이 도시에서 태어났다.

ここ【戸戸】名 호호; 집집마다; 집집이;

한 집 한 집. =家ごと.

ここ〖此処·此所〗 代 **1** 여기. ¶ ~へおいで 이리 온 / 以前~に来たことがあります 전에 여기 왔던 일이 있습니다 / ~で一休みしよう (a)여기서 좀 쉬자; (b)이쯤하고 좀 쉬자. ↔そこ·あそこ·かしこ. **2** 이때; 여기. ¶ ~ぞとばかり逃げを打った 바로 이때라는 듯이 도망을 쳤다 / ~が我慢のしどころだ 이때가〔지금이〕 참아야 할 때다. **3** 거기. ¶ そこは見晴らしのいい場所だ. ~にホテルを造る計画がある 그곳은 전망이 좋은 장소다. 거기에 호텔을 지을 계획이 있다. **4** 요; 요새. ¶ ~一週間雨が降らなかった 요 1주일 동안 비가 오지 않았다 / ~二, 三日が山だ 요 이삼일이 고비다.

——を先途と 이제야말로 마지막 운명을 결할 때라고《온 힘을 다해 노력하는 모양》. ¶ ~戦う 이제야말로 운명을 결할 때라 여기고 전력을 다하여 싸우다.

——を踏んだらあちらが上がる 여기를 밟으면 저쪽이 올라간다. **1** 관계가 밀접하여 서로 영향을 끼침의 비유. **2** 한쪽이 좋으면 다른 한쪽이 나빠져, 여의치 않음의 비유.

ここ【古語】 名 고어. **1** 옛말. ↔現代語. **2** 옛 사람의 말. =古言. ¶ ~にいわく 옛말에 이르기를.

**ごご【午後】《午后》 名 오후. =昼すぎ. ¶ ~六時 오후 여섯 시. ↔午前.

ココア [cocoa] 名 코코아.

——いろ【——色】 名 코코아 색.

ここいら〖此処いら〗 代 〈口〉 ☞ここら.

ここう【孤高】 名ナ 고고; 혼자 초연함. ¶ ~の人 고고한 사람 / ~を持する〔保つ〕 초연한 태도를 견지하다.

ここう〔糊口〕《餬口》 名 호구; 입에 풀칠함. =くちすぎ. ¶ ~の資 생계의 자료.

——をしのぐ 겨우 호구해 가다.

ここう〔虎口〕 名 호구; 범의 입; 몹시 위험한 곳〔처지〕; 위기. =虎穴.

——を脱する 호구를〔위험을〕 벗어나다.

こごう【古豪】 名 노장; 베테랑. =古つわもの. ¶ ~ぞろいのチーム 노련한 선수만 모인 팀. ↔新鋭.

ごこう【五更】 名 오경. **1** 하룻밤을 5등분한 시각의 이름; 곧, 초경(初更)·2경(更)·3경·4경·5경. **2** 인시(寅時).

ごこう【後光】 名 후광; 광배(光背). ¶ ~がさす 후광이 비치다.

こごえ【小声】 名 작은 (목)소리; 낮은 (말)소리. ¶ ~で囁く 작은 소리로 속삭이다. ↔大声.

こごえじに【凍え死に】 名ス自 동사.

こごえし-ぬ【凍え死ぬ】 5自 얼어 죽다; 동사하다. =凍死する. ¶ 雪の中で~ 눈 속에서 얼어 죽다.

こごえつ-く【凍え付く】 5自 얼어붙다; 또, 몹시 얼다. =凍り付く.

*__こご-える__【凍える】 下1自 얼다; (손·발 따위가) 추위로 곱아지다. ¶ 手〔指〕が~ 손〔손가락〕이 곱아지다 / 寒さに~ 추위로 얼다.

ここかしこ〖此処彼処〗 代 여기저기; 이곳저곳. =ほうぼう. ¶ ~に家が建つ 여기저기 집이 서다.

ここく【故国】 名 고국; 모국; 조국; 또, 고향. ¶ ~を思う 고향〔고국〕을 생각하다 / ~の土を踏む 고국 땅을 밟다.

ごこく【五穀】 名 오곡. ¶ ~の豊饒を祈る 오곡의 풍요를 빌다.

ごこく【後刻】 名 〈老〉 나중; 차후. =のちほど. ¶ ~改めて参上します 후에 다시 찾아뵙겠습니다. ↔先刻.

ごこく【護国】 名 호국. ¶ ~神社 호국 신사 / ~の鬼 호국의 신.

ここち【心地】 名 기분; 마음. ¶ すがすがしい~ 상쾌한 기분 / 天にも昇る~ 하늘에라도 올라갈 듯한 기분 / 生きた~もしない 살아 있는 기분이 안 난다.

——よ-い〖——好い〗 形 기분이 상쾌하다〔좋다〕; 쾌적하다. ¶ ~風 상쾌한 바람 / ~旅だった 기분 좋은 여행이었다.

=**ごこち**【心地】《動詞의 連用形에 붙어》 …한〔했을 때의〕 기분. ¶ 乗り~ 승차감 / 酔い~ 취한 기분 / 夢見~ 꿈결 같은 기분 / 住み~ 거주하는〔거주했을 때의〕 기분.

*__こごと__【小言】《叱言》 名 **1** 잔소리; 꾸중. ¶ ~幸兵衛 잔소리꾼 / ~を言う 잔소리하다 / ~を食う 꾸지람을 듣다 / お~を頂く 꾸중을 듣다. **2** 불평; 투덜댐. ¶ ~ばかり言ってやろうとしない 투덜대기만 하고 하려고 하지 않는다.

ココナツ [coconut] 名 코코넛; 야자 열매. =ココナッツ. ¶ ~オイル 야자유.

ココナッツ 名 ☞ココナツ.

ここに〖此処に·是に〗 一接 그런데; 그래서; 이에; 자에《화제를 꺼내거나 바꿀 때 쓰는 말》. =さて. ¶ ~謹んでお知らせ申し上げます 이에 삼가 알려드립니다. 二副 〈雅〉 이곳에; 이때에; 이 경우에. =ここにおいて.

——於いて **1** 이때에. **2** 이 때문에; 이러한 까닭으로〔이유로〕. ¶ ~諦めざるを得なかった 이 때문에 단념하지 않을 수 없었다.

ここのか【九日】 名 구일; 아흐렛날.

ここのつ【九つ】 名 **1** 아홉(개); 구. ¶ りんごが~ある 사과가 아홉 개 있다. **2** 아홉 살. ¶ ~の女の子 아홉 살 난 여자 아이.

ここのところ〖此処の所〗 連語 **1** 지금 현재로는. ¶ ~うまくいっている 지금으로서는 잘돼 가고 있다. **2** 이 일; 이 점. ¶ ~が肝心だ 이 점이 중요하다. 注意 口語적 말씨로는 'ここんとこ'라 함.

こご-む〖屈む〗 5自 쭈그리다; 허리를 굽히다; 구부리다. =かがむ. ¶ 道端に~ 길가에 쭈그리고 앉다. 可能 こご-める 下1自

こご-める〖屈める〗 下1他 구부리다. =かがめる. ¶ 腰を~ 허리를 구부리다.

こごもり【子ごもり】《子籠り》图 아이를 뱀; 임신.

ここら〖此処ら〗代 이 근처; 이 근방; 이쯤. ＝このへん·このあたり. ¶～で休もう 이 근처에서 쉬자/～でやめよう 이쯤에서 그만두자. 参考 'ここ' 보다 막연한 말씨.

こご-る〖凝る〗5自 엉기다; 응고하다; 굳다. ¶ラードが～ 라드가 굳어지다.

こころ【心】图 **1 마음; 또, 느낌; 기분. ¶重い～ 무거운 마음/～が広い〔大きい〕 마음이 넓다〔크다〕/～をおちつける 마음을 가라앉히다/～がはずむ 마음이 설레다/～を奪われる 마음〔넋〕을 빼앗기다. **2**《본디, 意로도》할 마음; 의사. ¶～が進まない 마음이 내키지 않다. **3** 생각; 의향. ¶ぼくの～を伝える 내 생각을 전한다. **4** 정성. ＝まごころ. ¶～を尽くす 정성을 다하다/母の～のこもった弁当 어머니의 정성이 담긴 도시락. **5** 인정. ¶～なきしわざだ 인정머리 없는 짓이다. **6** 정신. ¶～をこめる 정신을 집중하다. **7** 참뜻; 참맛; 진수(眞髓). ¶詩の～ 시의 참뜻/歌の～を知る 노래〔和歌〕의 참뜻을 알다.

—が動く 마음이 움직이다〔동하다〕.

—が重い 마음이 무겁다〔개운찮다〕.

—が通う 마음이 서로 통하다.

—が消える (슬픔·놀람 따위로) 정신이 나가다; 상심하다. ¶あまりの惨事に～ 엄청난 참사에 정신이 나가다.

—が騒ぐ (근심·걱정 따위로) 안절부절못하다; 가슴이 설레다.

—に浮かぶ 마음에 떠오르다.

—に掛かる 마음에 걸리다; 걱정되다. ＝気にかかる.

—に掛ける **1** 마음에 두다《잊지 않도록 주의하다》. **2** 걱정하다.

—に刻む 마음에 새기다; 명심하다.

—に留める 마음에 두다; 잊지 않다.

—に残る 기억에 남다. ¶～名画 기억에 남는 명화.

—に銘ずる 마음 깊이 새기다; 명심하다.

—にもない 마음에도 없다; 본심이 아니다. ¶～おせじを言う 마음에도 없는 발림말을 하다.

—の丈 마음의 전부. ¶～を書きしるす 생각하는 것 모두를 쓰다.

—の友 마음의 벗. **1** 서로 마음을 이해하는 친구. **2** (비유적으로) 마음을 위로해 주는 것. ¶聖書を～とする 성서를 마음의 벗으로 삼다.

—を合わせる 마음을 합하다; 협력〔합심〕하다.

—を痛める 상심하다; 고민하며 괴로워하다. ¶息子の勉強嫌いに～ 자식이 공부를 싫어해 상심하다.

—を入れ替える 마음을 고쳐먹다; 새사람이 되다.

—を動かす 마음을 움직이다. **1** 하고 싶은 마음이 들다. **2** 감동하다.

—を打つ 마음에 와 닿다; 감동시키다.

—を奪う 마음을 빼앗다; 황홀케 하다.

—を置く 거리끼다; 마음〔염두〕에 두다; 염려하다.

—を鬼にする 마음을 모질게〔독하게〕 먹다.

—を配る 마음을 쓰다; 배려하다. ¶お年寄りに～ 노인에게 마음을 쓰다.

—を汲む 마음을 헤아리다.

—を引く **1** 마음을 끌다. **2** 마음을 떠보다.

—を許す 마음을 허락하다〔주다〕. **1** 방심하다. ¶小さな成功に～な 조금 성공했다고 방심하지 마라. **2** 신용하다.

—を寄せる **1** 호의를 갖다. ¶ひそかに～ 남몰래 연모하다. **2** 열중하다.

＝ごころ【心】…마음; …기분. ¶子ども～ 어린(이의) 마음.

こころあたたま-る【心暖まる】連語 마음이 훈훈〔흐뭇〕해지다. ¶～思い 마음이 흐뭇해지는 느낌.

こころあたり【心当たり】图 짐작; 짐작 가는 곳; 짚이는 데. ＝見当. ¶～がない 짐작 가는 데가 없다/～を捜してみる 마음에 짚이는 데를 찾아보다.

こころある【心ある·心有る】連語《連体詞적으로》**1** 분별이 있는; 사리〔풍류〕를 이해하는. ¶～人々の怒りを買う 지각 있는 사람들의 분노를 사다/～人に見せたい 이야기가 통하는〔풍류를 아는〕 사람에게 보이고 싶다. **2** 인정이 있는; (상대를) 이해하는. ¶～はからい 인정 있는 배려〔조치〕. ⇨心ない.

こころいき【心意気】图 기상; 의기; (하고자 하는) 마음가짐; 의향; 의지. ¶何ものをも恐れない～ 두려움을 모르는 기상〔마음가짐〕/青年の～に感ずる 청년의 의기에 감동하다.

こころいわい【心祝い】图 마음만의 축복〔축하〕. ¶～の品 정표로 보내는 축하 선물/ほんの～ですが… 그저 마음뿐입니다만….

こころうつり【心移り】图ス自 마음이 변함. ＝心がわり.

こころえ【心得】图 **1** 마음가짐. ＝心がけ. ¶～がよくない 마음가짐이 좋지 않다/～をさとす 마음가짐을 타이르다. **2** (어느 정도의) 기능을 지님; 소양; 지식; 이해. ＝たしなみ. ¶武術の～ 무술의 소양/茶の湯の～がある 다도를 알다. **3** (미리) 주의해야 할〔지켜야 할〕 사항; 수칙. ¶登山の～ 등산 준수 사항/受験の～ 수험상 주의 사항. **4** 일시 상급 관리의 직무를 대리함. ¶課長～ 과장 직무 대리.

—がお【—顔】图ダナ 짐짓 아는 체함; 또, 그런 태도. ¶万事～で世話する 만사를 다 안다는 듯이 돌보다/～にうなずく 알았다는 듯이 고개를 끄덕이다.

—ちがい【—違い】图 **1** 도리에 어긋난 생각·행동. ¶～の行いをするな 그릇된 행동을 하지 마라. **2** 잘못 생각; 오해. ＝考え違い. ¶終わらないのに終わったのだと～をする 끝나지도 않았는데 끝난 것으로 잘못 생각하다.

こころ-える【心得る】下1他 알다. **1**

(어느 정도) 납득〔이해〕하다; 소양이 있다. ¶生け花も一通りは～·えている 꽃꽂이도 대충은 알고 있다/事情を～ 사정을 대강 알다〔이해하다〕. **2** (세세히 다 알고 나서) 떠맡다. ¶万事～·えた 만사 다 알았다/よし, ～·えた 알았다, 내게 맡겨라. **3** 익숙하다. ¶～·えたものだ 아주 익숙하군.

こころおき【心置き】图 **1** 거리낌; 격의. **2** 걱정; 염려. ¶～はご無用 염려할 필요 없다.

—なく **1** 거리낌 없이; 격의 없이. ¶～話す 격의 없이 이야기하다. **2** 걱정 없이. ¶～行ける 마음 놓고 갈 수 있다.

こころおぼえ【心覚え】图 **1** 기억하고 있음; 기억. ¶～がある 기억이 있다/全然～が無い 전혀 기억에 없다. **2** 잊지 않도록 표를 해 둠. ＝メモ·控え.

こころがかり【心掛かり·心懸かり】图 염려; 마음에 걸림; 걱정. ＝心配·気がかり. ¶一人で行かせるのはどうも～だ 혼자 보내기에는 아무래도 마음에 걸린다.

こころがけ【心掛け】图 마음가짐. ＝心がまえ. ¶立派な～の青年 마음가짐이 훌륭한 청년/貯金をするとは～がよい 저금을 하다니 마음가짐이 좋다.

こころが-ける【心掛ける】下1他 항상 주의하다; 유의(留意)하다; 명심하다. ¶失礼のないよう～ 실례되는 일이 없도록 항상 주의하다.

こころがまえ【心構え】图 마음의 준비; 각오. ¶いざという時に困らないように～をする 일단 유사시 곤란하지 않도록 미리 마음의 준비〔대비〕를 하다.

こころから【心から】副 마음으로부터; 진심으로. ＝しんから. ¶～礼を言う 진심으로 사례하다/～感心する 진심으로 기특하게 여기다.

こころがら【心がら·心柄】图 마음씨. ＝心だて·気だて. ¶～のやさしい人 마음씨 착한 사람.

こころがわり【心変わり】图ス自 변심; 변덕. ＝心移り. ¶～がして婚約を破棄する 변심해서 파혼하다.

こころくばり【心配り】图 마음을 씀; 배려. ＝心遣い. ¶いろいろと御～ありがとう 여러모로 배려를 해 주셔서 고맙습니다/あやまちのないよういろいろ～をする 잘못되는 일이 없도록 여러 가지로 마음을 쓰다.

こころぐるし-い【心苦しい】形 미안해 마음이 괴롭다. ¶約束を破って～ 약속을 어겨 마음이 괴롭다.

***こころざし**【志】图 **1** 뜻. ㉠마음. ¶～を立てる 뜻을 세우다/～を遂げる 뜻을 이루다. ㉡후의; 친절. ¶～を無にする 후의를 헛되이 하다. **2** 촌지(寸志); 정표로 보내는 선물. ¶ほんの～です 극히 조그마한 성의입니다.

—を得る 뜻을 이루다.

こころざ-す【志す】5自他 뜻하다; 뜻을 두다. ¶学に～ 학문에 뜻을 두다/作家を～ 작가를 지망하다.

こころさむ-い【心寒い】形 쓸쓸하다; 외롭다; 허전하다.

こころさわぎ【心騒ぎ】图 마음이 가라앉지 않음; 마음이 설렘. ＝胸騒ぎ.

こころして【心して】連語 정신 차려서; 조심해서. ¶～行け 조심해서 가라.

こころぞえ【心添え】图ス他 충고. ¶お～ありがとう 충고에 감사하네. 「つ.

こころだ-つ【心立つ】5自 ☞おもいた

こころだて【心立て】图 마음씨; 성품. ＝気立て. ¶～のいい人 마음씨가〔성품이〕좋은 사람/彼女は～が優しい 그녀는 마음씨가 상냥하다.

こころづかい【心遣い】图ス自 마음을 씀; 걱정함; 심려; 배려. ¶お～をいただきまして 혜려(惠慮)를 받자와/父が病気なのでいろいろと～(を)する 부친이 병환 중이어서 여러 가지로 마음을 쓰다.

こころづ-く【心付く】5自 생각나다; 생각이 미치다; 깨닫다. ＝思いつく. ¶ようやく悪いと～·いたらしい 이제야 잘못된 것을 깨달은 모양이다.

こころづくし【心尽くし】图 정성을〔성의를〕다함. ¶～の贈り物 성의를 다한 선물.

こころづけ【心付け】图 정표; 행하(行下); 팁. ＝祝儀·チップ. ¶使いのもの〔ボーイ〕に～をやる 심부름꾼〔보이〕에게 팁을 주다.

こころづもり【心積もり】图ス自 속셈; 예정; 심산(心算). ＝胸算用. ¶一応そう～しておくから… 일단 그렇게 마음먹고 있을 테니까…. ⇨積もり.

こころづよ-い【心強い】形 마음 든든하다. ＝気じょうぶだ. ¶君がいてくれるから～ 네가 있어 주니까 마음 든든하다. ↔心細い.

こころな-い【心無い】形 **1** 생각이 모자라다; 사려·분별이 없다. ¶～ことをしでかしたものだ 생각〔분별〕없는 짓을 했군. ↔心ある. **2** 매정하다; 인정이 없다. ¶～仕打ちをする 인정머리 없는 처사〔대우〕를 하다.

こころなしか【心なしか】《心成しか》副 그렇게 생각해서 그런지. ¶～, 草木も涙にぬれている 마음 탓인지, 초목도 눈물에 젖어 있다/～, やつれたようだ 그렇게 봐서 그런지 수척해 보인다.

こころならずも【心ならずも】連語 **1** 본의 아니게; 할 수 없이; 마지못해. ¶～断らなければならない 본의는 아니나 거절하지 않을 수 없다/～応諾するしかなかった 마지못해 응낙할 수밖에 없었다. **2** 나도 모르게; 무심결에. ¶～秘密をもらす 무심결에 그만 비밀을 누설하다.

こころにく-い【心憎い】形 (훌륭해서) 얄미울 정도다. ¶～演技 얄미울 정도로 잘하는 연기/～ほど上手だ 얄미울 정도로 멋진 솜씨다〔잘한다〕.

こころね【心根】图 마음의 본바탕; 심지; 마음씨. ＝根性·性根. ¶やさしい～ 착한 마음씨/母のことを心配する～がいじらしい 어머니를 걱정하는 심지가 갸륵하다/～をあらためよ 마음보를 고쳐라.

こころのこり【心残り】图 마음에 걸림; 유감; 미련. ＝残念·気がかり. ¶～(が)する 미련이 남다/この子のまだ小さいのが～だ 아직 어린 이 아이가 마음에 걸린다/完成を見とどけられないのが～だ 완성을 지켜보지 못하는 것이 유감이다.

こころばかり【心ばかり】《心許り》連語 약간의 성의; 촌지(寸志). ＝ほんのしるし. ¶～の品ですがお納めください 마음뿐인 하찮은 물건입니다만 받아 주십시오/ほんの～をお送りします 보잘것없는 것을 보냅니다. 參考 선물 등을 보낼 때의 겸사말.

こころひそかに【心ひそかに】《心密かに》副 마음속으로 몰래; 은근히. ＝人知れず. ¶～彼氏を思う 남몰래 그이를 생각하다/～よろこぶ 내심 기뻐하다.

こころぼそ-い【心細い】形 어쩐지 마음이 안 놓이다〔허전하다〕; 불안하다. ¶夜道を一人で歩くのは～ 밤길을 혼자 걷는 것은 마음이 불안하다/懐が～ 주머니가 허전하다《거의 비어 불안하다》. ↔心強い.

こころまち【心待ち】图ス自 은근히 기다림; 기대. ¶～に待つ 마음속으로 기다리다/便りを～にする 소식을 (마음속으로) 은근히 기다리다.

こころみ【試み】图 시도(해 봄); 시행(試行). ＝ためし. ¶最初の～ 최초의 시도/新しい～ 새로운 시도.

こころみに【試みに】副 시험삼아. ＝試しに. ¶～一度やってみよう 시험 삼아 한번 해보자.

***こころ-みる**【試みる】下1他 시도〔시험〕해 보다; 실제로 해보다. ＝ためす. ¶登頂を～ 등정을 시도해 보다/今一度の抵抗を～ 한번 더 저항을 시도해 보다.

こころもち【心持ち】图 마음; 생각; 기분. ＝気持ち·ここち. ¶酒に酔っていい～になる 술에 취해서 좋은 기분이 되다/若い者の～はわからない 젊은이의 생각〔기분〕은 알 수 없다.

こころもち〘心持ち〙副 기분상으로 조금; 약간. ＝幾らか. ¶～大きい (기분상) 약간 크다〔큰 것 같다〕/～右に寄せる 약간 오른쪽으로 다그다.

こころもとな-い【心もとない】《心許無い》形 어쩐지 불안하다〔염려되다〕. ＝たよりない. ¶～返事 어설픈 대답/子供だけでは～ 아이들만으로는 어쩐지 불안하다/ふところが〔資金が少なくて〕～ 호주머니가〔자금이 적어서〕 불안하다.

こころやす-い【心安い】形 **1** 친한 사이다; 흉허물 없다. ＝気安い. ¶～人ばかりの集まり 흉허물 없는 사람들끼리의 모임. **2** 안심되다; 염려 없다. ¶きみがいてくれれば～ 자네가 있어 주면 안심이다/お～·くおぼしめせ 마음 놓으십시오; 염려 마십시오. 「気休め.

こころやすめ【心休め】图 안심시킴. ＝

こころやまし-い【心やましい】《心疚しい》形 뒤가 켕기다; 양심의 가책을 받다. ¶何も～ものはない 뒤가 켕길 것은 아무것도 없다.

こころゆ-く【心行く】5自 흡족하다; 마음에 차다. ¶～まで楽しむ 실컷〔마음껏〕 즐기다/～ばかり大声で歌った 마음껏 큰 소리로 노래하였다.

***こころよ-い**【快い】形 **1** 상쾌〔유쾌〕하다; 기분 좋다; 시원하다; 즐겁다. ¶～そよ風 상쾌한 산들바람/～·く眠る 기분 좋게 자다/～一日をすごした 유쾌한 하루를 보냈다. **2**《주로 '～·く'의 꼴로》남(의 행위)에 대해 호의적이다. ¶～·く思わない 좋게 생각하지 않는다/～·く引き受ける 쾌히 떠맡다.

ここん【古今】图 고금. ¶～にまれな傑作 고금에 드문 걸작.

—とうざい【—東西】图 고금동서. ¶～に類のない傑作 고금동서에 유례가 없는 걸작.

—みぞう〔—未曾有〕图 고금 미증유. ¶～の大事件 고금에 없던 대사건.

ごごん【五言】图 오언. ＝五言詩.

—ぜっく【—絶句】图 오언 절구; 오언 사구로 된 한시의 한 체. ＝五切.

—りつ【—律】图 오언율; 오언 팔구로 된 한시의 한 체. ¶～詩 오언 율시.

ごさ【誤差】图 **1** 오차. ¶測定～ 측정 오차/計算の～ 계산 오차. **2** 착오. ¶～が生じる 착오가 생기다.

—の限界〘數〙 오차의 한계〔범위〕.

ござ〘茣蓙·蓙〙图 테두리를 댄 돗자리. ＝むしろ·うすべり. ¶～を敷く 돗자리를 깔다.

コサージュ〔corsage〕图 코사지; 여성의 가슴에 다는 장식 꽃. ＝コーサージ.

こさい【小才】图 잔재주; 잔꾀. ¶～がきく 잔재주가 있다.

こさい〔巨細〕图 큰 일과 작은 일; 상세함. ＝細大. ¶～もらさず 크나 작으나 빼놓지 않고; 자세히.

ごさい【後妻】图 후처; 후취. ＝のちぞい·継妻. ¶～を迎える 후처를 맞다. ↔先妻. 「＝小利口.

こさいかく【小才覚】图 잔꾀; 약삭빠름.

こざいく【小細工】图 **1** 자질구레한 세공. **2** 잔꾀; 잔재주. ¶～を弄する 잔재주를 부리다/～に過ぎる 잔꾀가 지나치다/～に走る 잔재주에 치우치다.

***ございます**〘御座います〙連語 'ある(＝있다)' 'である(＝이다)'의 공손한 말. ¶たくさん～ 많(이 있)습니다/有り難

う～ 감사합니다 / さようで～ 그렇습니다 / 終着駅で～ 종착역입니다. 参考 'ございます'의 음편; 'ある'의 뜻으로 상대방에 관한 일에는 보통 쓰지 않음(('お子さんはございますか(＝자제분은 있습니까)'보다는 'お子さんはおありですか'의 표현이 좋음)).

こさ-える〚拵える〛下1他 〈俗〉 ☞こしらえる. ¶頭にこぶを～ (맞아서) 머리에 혹을 만들다[혹이 나다].

こざかし-い〚小賢しい〛形 **1** 깜찍하다; 알로 까다. ¶子供のくせに～口をきく 어린 주제에 깜찍한 소리를 하다. **2** 교활하고 빈틈없다. ¶～やり方 빈틈없는 수법 / ～男 약아빠진 사나이.

こざかな【小魚】图 잔 물고기; 잔고기.

こさく【小作】图 **1** 소작(인). ＝小作農·請け作·下作. ↔自作. **2** '小作料'의 준말. 「작·小作.

—にん【—人】图 소작인. ＝請け作人

—りょう【—料】图 소작료; 도조.

ごさた〚御沙汰〛图 분부(('指図(＝지시)' '命令(＝명령)' 등의 높임말)). ¶～を待つ 분부를 기다리다.

こさつ[古刹] 图 고찰; 옛 절. ＝古寺.

こざっぱり トス自 산뜻한 모양; 말쑥한 모양. ＝こぎれい. ¶～(と)した身なり 말쑥한 옷차림.

ごさどう【誤作動】图 오작동.

ござむしろ〚茣蓙筵〛图 돗자리. ＝ござ.

こさめ【小雨】图 가랑비; 조금 오다 마는 비. ¶～模様の天気 가랑비가 올 듯한 날씨. ↔大雨.

こざら【小皿】图 작은 접시. ＝手塩皿. ¶～に取り分ける 작은 접시에 나누어 담다.

ござ-る【御座る】5自 **1** '居る(＝있다)' 'ある(＝있다)'의 높임말. 参考 '御座ある'의 준말. ㉠계시다; 있나이다. ㉡'ある'의 겸칭: 있나이다. ㉢'居る' 'ある'의 공손한 말씨: 있나이다. 参考 현재는 'ございます'의 형을 씀. **2** 〈俗〉 완전히 어떤 상태로 되다. ㉠홀딱 반하다. ㉡물건이 썩거나 상하다. ¶～·った洋服 낡아빠진 양복 / この魚は～·っている 이 생선은 썩었다.

こさん【古参】图 고참. ＝ふるがお. ¶最～ 최고참 / ～兵 고참병. ↔新参.

ごさん[午餐] 图 오찬; 점심. ＝昼飯.

—かい [—会] 图 오찬회.

ごさん【誤算】图ス他 **1** 오산. ＝計算ちがい. ¶ひどい～をする 큰 오산을 하다. **2** 착오. ＝見込みちがい. ¶作戦に重大な～があった 작전에 중대한 착오가 있었다.

ごさんけ【御三家】图 **1** 徳川将軍 일가인 尾張·紀伊·水戸 세 가문의 경칭. **2** 어떤 방면의 유력한 세 사람. ¶歌謡界の～ 가요계의 트리오.

ござんなれ 連語 어서 오너라((벼르고 있는 모양을 나타내는 말)). ＝よしきた·さあこい. ¶好敵～ 좋은 적수여, 어서 오너라[덤벼라].

※こし【腰】图 **1** 허리. ¶～の曲がった老人 허리가 굽은 노인 / ～を下ろす 앉다 / ～を伸ばす 허리를 펴다 / ～が重い 엉덩이가 무겁다((좀처럼 일어날 기색이 없다)). **2** 허리에 비유한 사물의 중간 부분. ㉠의복 따위의 허리 (부분). ¶～に上げをする (몸에 맞게) 허리를 징거 올리다. ㉡창문 등의 아래 부분. **3** 찰기·탄력성이 있음. ¶～のある餅 찰기가 있는 떡 / ～のあるうどん 쫄깃쫄깃한 국숫발. **4** 자세; 기세. ¶けんか腰 싸우려는 기세; 시비조.

—が砕ける **1** 허릿심이 없어지다. **2** 일이 중도에 꺾이다.

—が高い 고자세이다; 거만하다.

—が強い **1** 허릿심이 세다; 기력이 세어 좀처럼 남에게 굴하지 않다. **2** 끈기가 있다; 차지다. ⇔腰が弱い.

—が抜ける **1** 허릿심이 빠져서 일어서지 못하다. **2** 기겁을 하고 놀라다.

—が低い 저자세이다; 겸손하다. ↔腰が高い·頭が高い.

—が弱い **1** 버틸 힘이 없다; 무기력하다. **2** 끈기가 없다. ⇔腰が強い.

—を上げる **1** 앉은 자세에서 일어서다. **2** 겨우 어떤 일에 착수하다.

—を入れる **1** 허리에 힘을 주다; 침착한 태도를 취하다. **2** 본격적으로 달라붙다. ¶試験勉強に～ 본격적으로 시험 공부에 착수하다.

—を折る **1** 허리를 굽히다. **2** 중도에서 기운을 꺾다. ¶話の～ 말허리를 꺾다; 곁에서 말참견하여 말할 기분을 잡치다.

—をかがめる 허리를 굽히다; 절을 하다.

—を据える **1** 좌정하다. **2** 침착하게 일하다.

—を抜かす **1** 허리 관절을 삐다. **2** 기겁을 하다; 깜짝 놀라다.

こし〚輿〛图 가마. ¶玉の～に乗る 꽃가마에 타다((천한 집 여자가 귀족이나 부잣집으로 시집가다)).

こし【古詩】图 고시. **1** 옛 시. **2** 고체시(古體詩). ↔近体詩.

こじ【故事】图 고사.

—らいれき【—来歴】图 고사 내력; 사물의 유래.

こじ【固辞】图ス他 고사. ¶謝礼を～する 사례를 굳이 사양하다.

***こじ**【孤児】图 **1** 고아. ＝みなしご. ¶戦災～ 전쟁 고아 / ～になる 고아가 되다. **2** (비유적으로) 외톨이. ¶財界の～ 재계의 외톨이.

—いん【—院】图 고아원(('養護施設(＝양호 시설)'의 구칭)).

こじ【誇示】图ス他 과시. ¶権力を～する 권력을 과시하다.

ごし【五指】图 오지; 다섯 손가락. ¶彼はこの分野では～にはいる人物だ 그는 이 분야에서는 다섯 손가락 (안)에 드는 인물이다.

—に余る 다섯 손가락으로 꼽을 수 없

이 많다. ¶入賞候補は～ 입상 후보는 다섯 손가락으로 꼽을 수 없을 만큼 많다.

=ごし【越し】1《名詞에 붙어서》…너머. ¶窓～に見る 창 너머로 보다/壁～に話す 벽 너머로 이야기하다. 2그 동안 계속되어 왔음을 나타내는 말. ¶三年～の問題 삼년째 끌어 오는 문제.

ごじ【誤字】图 오자. ¶～脱字 오자 탈자/印刷物に～が多い 인쇄물에 오자가 많다. ↔正字.

こじあ-ける【こじ開ける】《抉じ開ける》 下1他 (비틀어) 억지로 열다. ¶戸を～ 문을 비집어 열다/ふたを～ 뚜껑을 (비틀어) 억지로 열다.

こしあん〖漉し餡〗图 삶은 팥을 으깨어 체 따위로 밭아 설탕을 쳐 만든 팥소. ↔つぶしあん.

こしいた【腰板】图 (장지문·벽 등의) 아랫부분에 대는 판자.

こしいれ【こし入れ】《輿入れ》图 ス自 (상류 가정의) 출가(出嫁); 시집감. ＝嫁入り. ¶吉日を選んで～(を)する 길일을 택하여 시집가다.

こしお【小潮】图 소조; 조금. ↔大潮.

こしおび【腰帯】图 허리띠; 허리끈.

こしおれ【腰折れ】图 허리가 굽음; 또, 그런 사람.

*こしかけ【腰掛け】图 1걸상. 2임시로 몸담고 있음; 또, 그 직업·지위·장소. ¶～に働いている会社 임시로 일하고 있는 회사.

——しごと【——仕事】图 임시 직업; 일시적으로 하는 일. ¶嫁に行くまでの～ 시집갈 때까지의 일시적으로 하는 일.

*こしか-ける【腰掛ける】 下1自 걸터앉다. ¶縁側に～ 툇마루에 걸터앉다/公園のベンチに～·けて休む 공원의 벤치에 걸터앉아 쉬다.

こしがたな【腰刀】图 요도; 허리에 차는, 날밑이 없는 단도. ＝腰の物.

こしがみ【こし紙】《濾し紙》图 거름종이; 여과지.

こしき【古式】图 고식; 옛날식. ¶～にのっとっておごそかに行う 옛날 법식에 따라서 엄숙하게 거행하다.

——ゆかし-い 形 예스럽다. ¶～行事 예스러운 행사.

*こじき〖乞食〗图 거지; 비렁뱅이; 또, 비럭질; 구걸. ＝物もらい·おこも. ¶～をする 빌어먹다; 구걸하다.

——に貧乏無し 거지로까지 몰락한 마당에 더 이상 가난해질 수는 없다.

——にも門出 거지라도 길을 떠날 때에는 축하해 주는 법이다.

——の系図話 거지의 족보 자랑; 말해 봤자 아무 소용없는 넋두리의 비유.

——の嫁入り 비가 올 듯하면서 오지 않음의 비유.

——も三日すれば忘れられぬ〔止められぬ〕 거지도 사흘 하면 그만두지 못한다《습관은 고치기 어렵다는 비유》.

——こんじょう【——根性】图 거지 근성.

ごしき【五色】图 오색. 1다섯 가지 색《적·청·황·백·흑색》. ＝五彩. 2여러 가지 종류. ¶～の糸〔旗〕 오색실〔기〕.

こしぎんちゃく【腰ぎんちゃく】《腰巾着》图 1허리에 차는 돈주머니. 2항상 상사·연장자 등에 알랑거리며 그림자처럼 붙어 다니는 사람. ¶社長の～ 알랑거리며 사장 곁을 떠나지 않는 사람.

こしくだけ【腰砕け】图 (씨름 등에서) 허릿심이 빠져 몸을 가누지 못함; 전하여, 일을 도중에 중지함. ¶～で土俵に倒れる 허릿심이 빠져서 씨름판에 쓰러지다/資金が切れて～となる 자금이 떨어져서 중단이 되다.

こしぐるま【腰車】图 1유도에서, 상대의 몸을 자신의 허리에 끌어당겨 들어올리듯이 던지는 기술. 2손수레; 채를 허리 부분에 대고 끄는 수레.

こしけ〖白帯下·腰気〗图 냉; 대하(帶下). ＝下り物·白帯下. ¶～がある 냉이 있다.

ごしごし 副 물건을 문지르거나 비벼대는 소리〔모양〕: 싹싹; 북북. ¶洗濯物を～(と)洗う 빨래를 싹싹 비벼서 빨다/鍋の底を～(と)こする 냄비 바닥을 박박 문지르다.

こしたんたん［虎視眈眈］ トタル 호시탐탐. ¶～と見守る 호시탐탐 지켜보다.

ごしちちょう【五七調】图 오칠조; 和歌 및 시의 음수율(音數律)의 하나《5음구(音句)·7음구를 반복함》. ↔七五調.

こしつ【固執】图 ス自他 고집. ＝こしゅう. ¶態度〔自説〕を～する 태도를〔자설을〕 고집하다/立場に～する 견해〔입장〕에 대해 고집을 세우다.

こしつ【個室】图 독실; 개인용의 방. ¶病院の～ 병원의 독실.

ごじつ【後日】图 후일. ¶～の証拠にする 후일의 증거로 삼다/～に譲る 후일로 미루다.

——だん【——談】图 후일담. ＝後日譚·後日物語.

こしつき【腰つき】图 허리의 모양; 허리의 자세; 허릿매. ¶ふらふらした～ 흔들거리는 허릿매.

ゴシック［Gothic］图 고딕. 1〘建〙 고딕 양식. ¶～式建築 고딕식 건축. 2〘印〙 고딕체. ＝ゴジック.

こじつけ〖故事付け〗图 억지; 견강부회(牽強附會). ¶その反論は単なる～にすぎない 그 반론은 단순한 억지에 지나지 않는다.

*こじつ-ける〖故事付ける〗 下1他 억지쓰다; 억지로 갖다 붙이다〔발라 맞추다〕. ＝付会する. ¶下手に～と話が変になる 잘못 갖다 맞추면 이야기가 이상해진다.

ゴシップ［gossip］图 가십; 소문; 풍문담. ＝うわさばなし. ¶～欄〔記事〕 가십난〔기사〕/スターの～ 스타의 가십/～の種をまく 가십 거리를 유포하다.

こしっぽね【腰っ骨】图 **1** 요골; 허리뼈. **2** 일을 밀고 나아가는 힘; 인내력; 참을성. ¶～が強(つよ)い 밀고 나아가는 힘이 세다; 참을성이 강하다.

ごじっぽひゃっぽ【五十歩百歩】图 오십보백보. ＝似(に)たり寄(よ)ったり. ¶～の問題(もんだい) 대차 없는[비슷비슷한] 문제.

こしなわ【腰縄】图 **1** (경범자일 때) 허리만 포승으로 묶음; 또, 그 포승. ¶～を打(う)つ 죄인의 허리를 묶다. **2** 허리에 차고 다니는 끈.

こしぬけ【腰抜け】图 **1** 허릿심이 빠져서 일어나지 못함. **2** 무기력하고 겁이 많음; 겁쟁이. ＝おくびょう者(もの)·いくじなし. ¶～ざむらい 얼뜨기 무사.

こしのもの【腰の物】图 **1**〈婉曲〉 요도(腰刀). **2** ☞こしまき(腰巻).

こしばり【腰張り】图 **1** 벽이나 장지 등의 아래쪽을 종이나 판자로 댐; 또, 그 댄 것. **2** 허릿심. ¶～が強(つよ)い 허릿심이 세다.

こしひも【腰ひも】《腰紐》图 (일본옷의) 「허리끈.

こしべん【腰弁】《腰辨》图 '腰弁当(こしべんとう)'의 준말; 도시락을 허리에 참; 또, 그 도시락; 전하여, 가난한 월급쟁이.

こしぼそ【腰細】图ダナ 허리가 가늚; 허리가 잘록함. ＝やなぎ腰(ごし). ¶～の美人(びじん) 허리가 가는 미인.

こしぼね【腰骨】图 **1** 요골; 허리뼈. **2** 끝까지 해내는 기력. ＝こしっぽね. ¶～が強(つよ)い 끈질기고 다부지다.

こじま【小島】图 소도; 작은 섬.

こしまき【腰巻き】图 **1** 옛날, 여성이 여름에 小袖(こそで) 위로 허리에 두른 예장용(禮裝用) 옷. **2** 무지기《일본식 속치마》. ＝ゆもじ·おこし.

こしまわり【腰回り】图 허리 둘레.

こしもと【腰元】图 **1** 옛날 귀인의 몸종; 시녀(侍女). **2** 허리 부근.

ごしゃ【誤写】图ス他 오사; 잘못 베낌. ¶～の多(おお)い写本(しゃほん) 잘못 베낀 데가 많은 사본.

ごしゃ【誤射】图ス他 오발. ¶～事件(じけん) 「오발 사건.

こしゃく〚小癪〛图ダナ 건방지고 아니꼬운 모양. ¶～な奴(やつ) 건방지고 아니꼬운 놈 / ～な振(ふ)る舞(ま)い 건방진[아니꼬운] 행동 / ～にさわる 화가 좀 나다 / ～なまねをするな 건방진 수작을 떨지 마라.

ごしゃく【語釈】图ス自 어구의 해석.

ごしゃごしゃ 副ス自〈俗〉 한데 뒤섞인 모양: 어수선하게. ＝ごちゃごちゃ. ¶～(と)した部屋(へや) 어수선한 방.

ごじゃごじゃ 副ス自 뒤섞여 매우 혼잡한 모양: 복닥복닥. ¶～した駅前(えきまえ) 복닥거리는 역전.

こしゃほん【古写本】图 고사본《江戸(えど) 시대 초기까지의 사본》.

こしゅ【戸主】图 호주. **1** 가구주. **2** 구민법에서, 일가의 가장《1947년 폐지》.

こしゅ【固守】图ス他 고수. ¶陣地(じんち)を～する 진지를 고수하다.

こしゅ【鼓手】图 고수; 북 치는 사람.

ごしゅ【五種】图 오종; 다섯 종류.

――きょうぎ【――競技】图 오종 경기《육상 경기의 하나》.

こしゅう【呼集】图ス他 호집; 불러모음; 소집. ¶非常(ひじょう)～ 비상 소집.

こしゅう【固執】图ス自他〈老〉 고집. ＝こしつ.

こじゅう［扈従］图ス自 호종; 모시고 수행함; 또, 그 사람. ＝こしょう. ¶～を従(したが)える 호종을 거느리다.

ごじゅう【五重】图 오중; 다섯 겹.

――の塔(とう) 오중탑; 오층탑.

――そう【――奏】图 오중주.

ごじゅうおん【五十音】图 **1** かな의 50개 음. **2** '五十音順(じゅん)〔図(ず)〕'의 준말.

――じゅん【――順】图 アイウ…의 순.

――ず【――図】图 かな의 50음을 체계적으로 정리한 일람도.

ごしゅうしょうさま【御愁傷様】图 **1** 죽음 등 불행을 당한 사람에게 하는 인사말: 얼마나 애통하십니까. **2** 상대의 실수나 실패 등에 대해 가볍게 비꼬는 말. ¶彼女(かのじょ)にふられて～ 그녀에게 퇴짜맞아 안됐습니다.

こじゅうと【小じゅうと】图 **1**《小舅》 남편 또는 아내의 형제《시숙, 처남》. **2**《小姑》 ☞こじゅうとめ.

――ひとりは鬼(おに)千匹(せんびき) 시누이 한 사람은 도깨비 천 마리와 같다《며느리에게 시누이는 매우 무서운 존재라는 뜻》.

こじゅうとめ【小じゅうとめ】《小姑》图 남편 또는 아내의 자매《시누이, 처형, 처제》. ＝こじゅうと.

ごじゅん【語順】图 어순. ＝語序(ごじょ).

こしょ【古書】图 고서. **1** 옛날 책. **2** 헌책. ＝古本(ふるほん). ¶～売買(ばいばい) 고서 매매.

ごしょ【御所】图 **1** 天皇(てんのう)의 거처; 궁궐; 또, 天皇. **2** 상황(上皇)·황태후·친왕 등의 거처; 또, 그들의 높임말.

こしょう【小姓】图 **1** 옛날에, 귀인 곁에서 시중을 든 소년; 시동. **2** 소년; 아이.

こしょう【古松】图 고송; 노송(老松).

こしょう【呼称】图ス他自 호칭. ¶～を略(りゃく)する 호칭을 생략하다.

こしょう【故障】图ス自 **1 (몸·기계 따위의) 고장. ¶からだの～ 몸의 이상 / 電車(でんしゃ)の～ 전차의 고장 / 機械(きかい)が～する 기계가 고장나다. **2** 지장; 장애; 마(魔). ＝さしさわり. ¶～が無(な)ければ 지장이 없으면 / 外部(がいぶ)から～がはいる 외부로부터 마가 끼다. **3** 반대; 이의. ¶～を申(もう)し立(た)てる 이의를 제기하다.

こしょう〚胡椒〛图 **1**〖植〗 후추나무. **2** 후추; 후춧가루. ¶～をふりかける 후춧가루를 치다.

こしょう［扈従］图ス自 ☞こじゅう.

こしょう【湖沼】图 호소; 호수와 늪.

こじょう【湖上】图 호상; 호수 위. ¶～の月(つき) 호수에 비친 달.

こじょう【古城】图 고성; 옛 성.

ごしょう【後生】图 **1**〖佛〗 후생; 내생; 극락왕생. ＝後世(ごせ). ↔前生(ぜんしょう). **2** 남에

게 애원할 때 쓰는 말: 제발. ¶～だからやめてくれ 제발 그만해 주게.
—を願ねがう 내세의 안락을 염원하다.
—だいじ【—大事】图 내세의 안락을 소중히 여겨 불도에 정진함; 전하여, 애지중지함. ¶～に持もっている 매우 소중히 간직하고 있다/～に育そだてる 애지중지 키우다.

ごじょう【互譲】图ス自 호양; 서로 사양함. ¶～の精神せいしん 호양의 정신.

こしょく【小食】图 1 소식; 먹는 양이 적음. ＝しょうしょく. 2 간식.

こしょく【個食】《孤食》图 가족이 각기 다른 시간에 식사하는 일.

ごしょく【誤植】图〘印〙 오식. ＝ミスプリント. ¶～を訂正ていせいする〔直なおす〕 오식을 고치다.

こしょくそうぜん［古色蒼然］トタル 고색창연. ¶～たる仏刹ぶっさつのたたずまい 고색창연한 절의 모습.

こしよわ【腰弱】名ナ 1 허릿심이 약함. 2 배짱〔버틸 힘〕이 없음; 또, 그러한 사람. ＝弱腰よわごし. ¶～な態度たいど 소극적인 태도.

こしらえ〚拵え〛图 1 마무리; 만듦새; 짜임새. ¶急きゅうごしらえの家いえ 서둘러〔날림으로〕 지은 집/～が悪わるくてすぐにこわれそうだ 시원찮게 만들어서 이내 망가질 것 같다/～がよい 만듦새가 좋다. 2 채비; 준비. 3 화장; 분장. ¶顔かおの～ 얼굴 화장/小こぎれいな～ 참한 옷매무새.

こしらえごと【こしらえ事】图 꾸며 냄; 허구; 날조. ＝つくりごと.

こしらえもの【こしらえ物】《拵え物》图 진짜를 흉내 낸 것; 모조품. ＝イミテーション.

⁑こしら-える〚拵える〛下1他 1 만들다. ㉠제조하다. ¶自分じぶんで洋服ようふくを～ 몸소 양복을 만들다/飯めしを～ 밥을 짓다. ㉡마련·장만하다. ¶金かねを～ 돈을 마련하다/身代しんだいを～ 재산을 장만하다/女おんなを～ 정부를 두다. 2 꾸미다. ㉠치장하다. ¶顔かおを～ 얼굴을 치장하다/身みなりをはでに～ 화려한 옷차림을 하다. ㉡조작〔날조〕하다. ¶話はなしを～ 이야기를 꾸며서 하다. 3 낳다. ¶五人ごにんも子供こどもを～ 다섯이나 아이를 낳다. 4 겉바르다; 속여〔얼렁뚱땅〕 넘기다. ¶その場ばを～ 그 자리를 얼렁뚱땅하여 넘기다.

こじら-す〚拗らす〛5他 ☞こじらせる.

こじら-せる〚拗らせる〛下1他 1 (병을) 악화시키다. ¶かぜを～·せて肺炎はいえんになる 감기를 더치게 하여 폐렴이 되다. 2 (문제 따위를) 꼬이게〔어렵게〕 만들다. ¶問題もんだいを～ 문제를 더 복잡하게 만들다.

こじ-る〚抉る〛5他 비집다; 비집어 틀다〔열다〕. ¶ナイフの先さきで缶かんのふたを～·ってあける 칼끝으로 깡통 뚜껑을 비집어 열다/鉄棒てつぼうで戸とを～·ってあける 철봉을 넣어 문을 비집어 열다.

*こじ-れる〚拗れる〛下1自 1 (병이) 악화되다. ¶病気びょうきが～ 병이 더치다. 2 복잡해지다. ¶話はなしが～ 이야기가 복잡해지다. 3 (마음 따위가) 비꼬이다; 뒤틀리다. ¶二人ふたりの仲なかが～ 두 사람 사이가 틀어지다.

こじわ【小じわ】《小皺》图 잔주름. ¶目尻めじりに～が寄よる 눈가에 잔주름이 잡히다.

こしわざ【腰技】图 (유도에서) 허리 기술.

こしん【湖心】图 호심; 호수의 한복판. ¶～に浮うかぶ島しま 호수 한가운데 떠 있는 섬.

こじん【古人】图 고인; 옛사람. ¶～の言げんによれば 옛사람의 말에 의하면/～我われをあざむかず 옛사람은 속이지 않는다; 옛말은 그르지 않다. ↔今人こんじん.

こじん【故人】图 고인. ¶今いまは～となった人ひと 지금은 고인이 된 사람/～をしのぶ 고인을 그리워하다/～の冥福めいふくを祈いのる 고인의 명복을 빌다.

⁑こじん【個人】图 개인. ¶～差さ 개인차/～タクシー 개인택시/～企業きぎょう 개인기업/～営業えいぎょう 개인영업/～教授きょうじゅ 개인 교수/～の資格しかくで参加さんかする 개인 자격으로 참가하다/～の名誉めいよを重おもんじる 개인의 명예를 존중하다.
—しゅぎ【—主義】图 개인주의. ↔全体主義ぜんたいしゅぎ·国家主義こっかしゅぎ.
—てき【—的】ダナ 개인적. ¶～な考かんがえ 개인적인 생각/～にはとてもいい人ひとだ 개인적으로는 아주 좋은 사람이다. ↔公共的こうきょうてき·社会的しゃかいてき.

ごしん【誤信】图ス他 오신; 잘못 믿음. ¶科学かがくが万能ばんのうであると～している 과학이 만능이라고 오신하고 있다.

ごしん【誤診】图ス自他 오진. ¶～を冒おかす 오진하다/名医めいいでも～することがある 명의라도 오진하는 일이 있다.

ごしん【誤審】图ス自他 오심. ¶ファウルをフェアと～する 파울을 페어로 오심하다/～かどうかをめぐってもめる 오심 여부를 둘러싸고 말썽이 생기다.

ごしん【護身】图 호신. ¶～術じゅつ 호신술/～刀とう 호신용 칼/～用よう 호신용.

ごしんぞう【御新造】图 남의 아내의 높임말: 부인; 합부인. ＝ごしんぞ. 注意 口語로는 'ごしんさん'이라고 함.

こじんまり 副 ☞こぢんまり.

⁑こ-す【超す】5他 넘다; 초과하다. ¶百万円ひゃくまんえんを～ 백만 엔을 초과하다/百人ひゃくにんを～ 백 명을 넘다/五人ごにんにひとりを～競争率きょうそうりつ 5 대 1을 넘는 경쟁률/三十五度さんじゅうごどを～暑あつさ 35도를 넘는 더위. 可能 こ-せる 下1自

⁑こ-す【越す】⊟5他 1 넘다; 넘어가다. ¶山やまを～ (a) 산을 넘다; (b) 한창때를 지나다/峠とうげを～ 고개를 넘다. 2 건너다. ¶川かわを～ 강을 건너다/～に越こされぬ 건너려 해도 건널 수 없는. 3 넘기다. ㉠지나가게 하다. ¶冬ふゆを～ 겨울을 넘기다/年としを～ 해를 넘기다/六十ろくじゅうの坂

を～ (나이) 육십 고개를 넘어서다. ㉡ 돌파하다; 이겨내다; 극복하다. ¶難関を～ 난관을 넘기다. **4** 앞지르다. ¶先を～ 앞지르다. **5** 낫다; 더 좋다. ¶それに～·した事はない 그보다 더 좋은 일은 없다. 三5自 **1** 이사하다. ＝ひっこす. ¶隣町に～ 이웃 마을로 이사하다. **2**《'お越し'의 꼴로》 ㉠ '行く(＝가다)'의 높임말. ¶どちらへお～·しですか 어디 가십니까. ㉡ '来る(＝오다)'의 높임말. ¶お～·しください 찾아와 주십시오. 可能こ-せる 下1自

***こ-す** 〖漉す·濾す〗 5他 거르다; 밭다; 여과하다. ¶水を～ 물을 밭다 / 餡を～ 팥소를 거르다. 可能こ-せる 下1自

こす-い 〖狡い〗 形 능갈맞다; 교활하다; 간사하다; 약다. ＝ずるい. ¶～奴 교활한 놈 / やりくちが～ 소행이 교활하다.

こすい【湖水】名 호수. ＝みずうみ.

こすい【鼓吹】名ス他 고취. ＝鼓舞. ¶愛国心を～する 애국심을 고취하다 / 士気を～する 사기를 고취하다.

ごすい【午睡】名ス自 오수; 낮잠. ＝ひるね. ¶～をとる 낮잠을 자다.

こすう【戸数】名 호수; 가구수.

こすう【個数】《箇数》名 개수. ¶荷物の～を数える 짐의 개수를 세다.

こずえ 〖木末·梢·杪〗 名 나뭇가지 끝; 우듬지. ¶～を風が渡る 나뭇가지 끝에 바람이 스친다.

こすから-い 〖狡辛い〗 形 다랍고 교활하다. ＝こすっからい. ¶～男 다랍고 교활한 남자.

こすっから-い 〖狡っ辛い〗 形 〈俗〉 다랍고 빈틈없이 교활하다.

コスト [cost] 名 코스트. **1** 원가; 생산비. ¶～ダウン 코스트 다운 / ～を割る 원가 이하로 떨어지다. **2** (상품의) 값; 비용. ＝値段.

――われ【――割れ】名 상품 판매가가 생산비나 구입비보다 낮아짐.

コスモス [cosmos] 名 코스모스. **1**〘植〙 국화과의 일년초. ¶～の花 코스모스 꽃. **2** 질서 있는 세계; 우주. ¶ミクロ～ 소우주; 소세계. ↔カオス.

コスモポリタン [cosmopolitan] 名 코즈머폴리턴; 세계주의자; 또, 국제인.

こすりつ-ける 〖擦り付ける〗 下1他 **1** 문질러 바르다. ¶傷口に薬を～ 상처에 약을 문질러 바르다. **2** (책임·죄 따위를) 남에게 전가하다. ＝なすりつける. ¶罪を人に～ 죄를 남에게 뒤집어씌우다. **3** (몸을) 비벼대다. ¶猫が頭を人のひざに～ 고양이가 머리를 사람의 무릎에 비벼대다 / 畳に頭を～·けてあやまる 다다미에 머리를 조아리며 사죄하다.

****こす-る** 〖擦る〗 5他 문지르다; 비비다. ¶背中を～ 등을 문지르다 / 冷えた手を～·って温める 시린〔차가운〕 손을 비벼 녹이다 / 眠い目を～·りながら勉強する 졸린 눈을 비비면서 공부하다. 可能こす-れる 下1自

こ-する【鼓する】サ変他 **1** (북 등을) 치다; 두드리다. ¶つづみを～ 장구를 치다. **2** 고무하다; 북돋다. ¶勇を～·して敵地に乗り込む 용기를 북돋우어 적지에 뛰어들다.

ご-する [伍する] サ変自 같은 위치에 서다; 어깨를 나란히 하다; 대열에 끼다. ¶列強に～ 열강(대열)에 끼다 / 名人の列に～ 명인 반열에 들다.

ご-する【期する】サ変他 기대하다; 예기하다; 기하다; 각오하다. ¶かねて～·したこと 전부터 각오했던 일.

こす-れる 〖擦れる〗 下1自 스치다; 비벼지다; 닿다. ＝すれあう. ¶服が～ 옷이 스치다 / 肩と肩が～ 어깨와 어깨가 스치다 / ～·れて切れる 닳아 무지러지다; 스쳐서 끊어지다.

***こせい**【個性】名 개성. ¶～が強い 개성이 강하다 / ～を生かす〔伸ばす〕 개성을 살리다〔키우다〕. ↔普遍性.

――てき【――的】ダナ 개성적. ¶～な作品〔マスク〕 개성적인 작품〔마스크〕.

こぜい【小勢】名 소세; 무세(無勢); 적은 인원수. ＝こにんず·寡勢. ¶～ながら敵の攻撃をよく支える 적은 인원수이긴 하나 적의 공격을 잘 막아내다 / 相手は～と見て呑んでかかる 상대는 소수라고 얕보고 덤비다. ↔大勢·多勢.

ごせい【語勢】名 어세. ＝語調·語気. ¶～を強める 어세를 높이다.

こせいだい【古生代】名〘地〙 고생대.

こせいぶつ【古生物】名 고생물.

こせがれ【小せがれ】《小倅》名 〈俗〉 **1** 젊은이를 얕잡아 하는 말: 애송이. ¶この～め 이 애송이 녀석. **2** 자기 아들에 대한 겸칭. ¶うちの～ 우리 자식 놈.

こせき【古跡】《古蹟》名 고적. ¶～を尋ねる 고적을 찾다.

***こせき**【戸籍】名 호적. ¶～簿 호적부 / ～調べ 호적 조사 / ～抄本 호적 초본 / ～にのせる 호적에 올리다.

こせこせ トス自 **1** 대범한 데가 없이 사소한 일을 걱정하는〔일에 얽매이는〕 모양; 곰상스럽게 구는 모양. ¶～した人物 좁쌀뱅이 / つまらぬ事に～するな 하찮은 일에 좀스럽게 굴지 마라. ↔おっとり. **2** (장소가) 비좁고 여유가 없는 모양: 빽빽함. ¶～(と)した町並み 빽빽이 들어찬 시가지.

こぜつ【孤絶】名ス自 주위와의 관계가 단절되어 외따로 떨어져 있음; 고립되어 있음. ¶大海に～した小島 넓은 바다에 외따로 떨어진 작은 섬.

こせつ-く 5自 〈俗〉 사소한 일에 얽매이다; 곰상스럽게 굴다.

***こぜに**【小銭】名 **1** 잔돈; 적은 돈. ¶～入れ 잔돈 지갑 / ～がない 잔돈이 없다 / ～に換える 잔돈으로 바꾸다. **2** 얼마 안되는 푼돈. ¶～を蓄える 푼돈을 모으다.

こぜりあい【小競り合い】图 옥신각신; 승강이. **1** 작은 전투〔충돌〕. ¶前線で～が続く 전선에서 소규모의 전투가 계속되다. **2** 사소한 분쟁; 알력; 분규. ＝ごたごた. ¶遺産をめぐって～がおこる 유산을 둘러싸고 분쟁이 일어나다.

こぜわし-い【小ぜわしい】《小忙しい》形 어쩐지 바쁘다; 일 없이 분주하다. ¶～く動きまわる 바삐 돌아다니다.

こせん【古銭】图 고전; 옛날 돈. ¶～家 고전 수집가〔애호가〕/～の収集 고전 수집.

こせん【弧線】图 호선; 반달 모양의 선.

ごせん【五線】图 오선.

—きふほう【—記譜法】图〔樂〕오선기보법.

—し【—紙】图 오선지.

ごせん【互選】图ス他 호선. ¶委員長は委員会で～する 위원장은 위원회에서 호선한다.

ごぜん【午前】图 오전; 상오. ↔午後.

—さま【—様】图〈俗〉연회 등으로 밤늦게까지 놀다가 자정이 지나서야 귀가하는 사람(《'御前様'를 엇먹은 말》).

ごぜん【御前】日图 어전; 귀인의 면전〔자리 앞〕의 높임말. ＝みまえ.
日代 **1** 상전을 부를 때의 높임말. **2** 지체 있는 남녀의 호칭에 붙이는 높임말. ¶若君～ 도련님.

—かいぎ【—会議】图 어전 회의; 구헌법에서, 天皇의 어전에서 한 최고 회의.

—さま【—様】图 '御前日'를 더욱 높여 부르는 말.

—じあい【—試合】图 어전 경기; 天皇 또는 将軍·大名 등의 앞에서 하는 무술 경기.

こせんじょう【古戦場】图 고전장; 옛 싸움터.

こそ 係助 어떤 사물을 다른 것과 구별하여 특히 내세우는 데 쓰는 말. **1**《강조하는 말에 붙여서》㉠…야 말로; …만은. ¶これ～本物だ 이것이야말로 진짜다/昨日は失礼しました. いや, こちら～ 어제는 실례했습니다. 천만에, 저야말로. ㉡…하기〔이기〕 때문에; …하기〔이기〕에. ¶愛すれば～ 사랑하기에/君の事を思えば～こうやって注意しているのだ 너를 생각하기 때문에 이렇게 주의를 주는 것이다. **2**《'こそすれ' 'こそなれ' 'こそあれ' 등의 꼴로》일단 긍정하는 뜻을 나타냄: …할지언정; …이긴 하나. ¶ほめ～すれ, 決して怒りはしない 칭찬은 할망정 결코 화내지는 않는다/感謝～すれ, 怒る事はなかろう 감사할지언정 화낼 일은 없을 게다. **3**《'ばこそ'의 꼴로 뒤를 생략하여》그러한 일이 전혀 있을 수 없음을 나타냄. ¶押しても引いても動かば～ 밀어도 당겨도 꿈쩍도 않는다.

こそあど 图 'これ·それ·あれ·どれ(＝이것·그것·저것·어느 (것))' 등과 같이, 지시 기능을 가진 말, 또는 그 체계를 일컫는 명칭. ⇨下段 박스記事

こぞう【小僧】图 **1** 나이 어린 승려. **2**〈卑〉나이 어린 사내 점원; 사환 아이. ＝でっち. **3** 나이 어린 사내를 얕잡아 일컫는 말. ¶いたずら～ 개구쟁이; 선머슴/こんな～に負けるものか 요따위 애송이에게 질까 보냐. ↔小娘. 參考 친근감을 나타내어 接尾語적으로도 씀. ¶いたずら～ 개구쟁이/小便～ 오줌싸개.

ごそう【護送】图ス他 호송. ¶犯人の～ 범인의 호송/多額の金を～する 거액의 돈을 호송하다.

ごぞう【五臓】图 **1**〔漢醫〕오장. **2** 온 힘; 혼신; 오체(五體).

'こそあど'의 체계

	근칭(近稱)	중칭(中稱)	원칭(遠稱)	부정칭(不定稱)	品詞性
사람	この方(이분) この人(이 사람) こいつ(이놈)	その方 その人 そいつ	あの方 あの人 あいつ	どの方(어느 분) どの人(어느 사람) どいつ(어느 놈)	名詞的
사물	これ(이것) こいつ(이것)	それ(그것) そいつ	あれ(저것) あいつ	どれ(어느 것) どいつ(어느 것)	
장소	ここ(이곳·여기) ここ(い)ら(이 근처)	そこ(거기) そこ(い)ら	あそこ あそこら	どこ(어디·어느 곳) どこ(い)ら(어디쯤)	
방향	こちら(이쪽) こっち(이쪽)	そちら そっち	あちら あっち	どちら(어느 쪽) どっち(어느 쪽)	
상태	こう(이렇게) こんなに(이렇게) このように(이렇게) このような(이와 같은)	そう そんなに そのように そのような	ああ あんなに あのように あのような	どう(어떻게) どんなに(어떻게) どのように(어떻게) どのような(어떠한)	副詞的
	こういう(이러한) こうした(이러한)	そういう そうした	ああいう ああした	どういう(어떠한) どうした(어떠한)	連体詞的
지시	この(이)	その(그)	あの(저)	どの(어느)	

—ろっぷ [—六腑] 名 오장육부. 1〖漢醫〗내장의 총칭. 2 마음속; 심중. ¶～に染みわたる 오장육부〔폐부〕에 사무치다; 마음속 깊이 스며들다.

こそぐ-る〖擽る〗5他 〈俗〉 ☞くすぐる.

ごそくろう【御足労】名 이렇게 일부러 오시게〔가시게〕 해서 죄송합니다의 뜻으로 쓰는 말. ¶～を煩わしました 일부러 오시게 하여 죄송합니다.

こそ-げる〖刮げる〗下1他 깎아〔긁어〕 내다; 떼어 내다. ¶釜底のお焦げを～ 솥바닥의 누룽지를 긁어 내다/くつの泥をへらで～·げ落とす 구두에 묻은 흙을 (구둣)주걱으로 떼어 내다.

こそこそ 副 몰래 하는 모양: 살금살금; 소곤소곤. ¶～話 소곤대는 이야기/～(と)逃げ出す 살금살금 도망치다/～(と)相談する 은밀하게 상의하다.

—どろぼう【—泥棒】名 좀도둑. ＝こそどろ.

—やど【—宿】名 남녀가 몰래 만나는 「여관.

ごそごそ 副 무엇인가 하는 소리가 들리는 모양: 바스락바스락. ¶押入れの中でねずみが～やっている 벽장 속에서 쥐가 바스락거리고 있다/～(と)音を立てる 바스락바스락 소리를 내다.

こそだて【子育て】名 아이를 키움. ¶～に追われる 아이 키우는 일에 쫓기다.

ごそつ-く 5自 부스럭 소리가 나다. ¶ポケットの中を～·かせて取り出す 호주머니 속을 부스럭거리며 꺼내다.

こぞっこ [小僧っ子] 名 〈卑〉 풋내기; 애송이. ¶この～が何を言うか 요 애송이가 무슨 소리냐/まだ～だ 아직 애송이다.

こぞって〖挙って〗連語 (많은 사람이) 모두; 빠짐없이. ＝あげて. ¶～参加〔賛成〕する 모두 참가〔찬성〕하다/～投票する 빠짐없이 투표하다.

ごそっと 副 ☞ごっそり. ¶～持って行かれた 몽땅 털렸다.

こそで【小そで】《小袖》名 1 통소매의 평상복. 2 大袖に 받쳐 입는 깃이 둥근 통소매의 옷《후에 겉옷이 됨》. 3 솜을 둔 명주옷. ↔布子.

こそどろ【こそ泥】名 〈俗〉 좀도둑《'こそこそ泥棒'의 준말》. ¶～を働く 좀도둑질을 하다/～に入られる 좀도둑이 들다.

こそばゆ-い 形 (関西 지방에서) 근질근질하다; 근지럽다. ＝くすぐったい. ¶背中が～ 잔등이 근지럽다/あまり褒められるのでなんとなく～ 너무 칭찬을 받으니 어쩐지 낯간지럽다.

ごぞんじ【御存じ】《御存知》名 1 '存じ'의 높임말; 알고 계심. ＝御承知. ¶～の方 알고 계시는 분/～の通り 아시는 바와 같이. 2 아는 사람; 지기(知己). ¶～より 친지로부터/～の木村さんが見えます 잘 아시는 木村씨가 오십니다.

⁑こたい【固体】名 고체. ¶～燃料 고체 연료/石や木などは～だ 돌이나 나무 등은 고체다. ↔気体·液体.

こたい【個体】名 개체. 参考 좁은 뜻으로는, 일개(一個)의 생물체를 가리킴.

*こだい【古代】名 고대《奈良·平安 시대》. ¶～の歴史 고대 역사.

こだい【誇大】ダナ 과대. ¶～広告 과대 광고/～な宣伝 과대 선전.

—もうそう【—妄想】名 과대망상. ¶～狂 과대망상증 환자.

ごたい【五体】名 오체; 머리와 사지. ¶～無事に育つ 아무 탈 없이 잘 자라다/～満足に生まれる 온전한 육신을 갖추고 태어나다.

ごだいしゅう【五大州】《五大洲》名〖地〗오대주. ＝五大陸.

ごたいそう〖御大層〗ダナ 〈俗〉 과대; 과장; 어마어마함. ＝おおげさ·ぎょうさん. ¶～な態度 거창한 태도/～な事を言うな 거창한 소리 말게; 큰소리치지 말게.

こたえ〖応え〗名 반응; 응답. ¶手ごたえがある 반응이 있다/歯応えがない (a)씹히는 맛이 없다; 너무 무르다; (b) 보람〔반응〕이 없다.

⁑こたえ【答え】名 1 대답. ＝返事. ¶口答え 말대답; 말대꾸/呼んでも～がない 불러도 대답이 없다. 2 (문제에 대한) 해답; 답안. ¶～を出す 답을 내다. ↔問い.

こたえられない〖堪えられない〗連語 못 견디게 좋다; 더없이 좋다. ¶～気持ち 무척 좋은 기분/～妙味 굉장한 묘미.

*こた-える〖応える·対える〗下1自 1 자극〔영향〕을 받아 타격을 입다. ¶寒さが～ 되게 춥다/失敗が身に～ 실패가 사무치다. 2 (반)응하다. ¶要求に～ 요구에 응하다. 3《報える》(상대의 기대에) 보답하다; 부응하다. ¶激励に～ 격려에 부응하다.

こた-える〖堪える〗下1自 견디다; 지탱하다; 참아 내다. ¶持ち～ 지탱하다/これだけあれば一年間は～ 이만큼만 있으면 일년간은 버틴다.

⁑こた-える【答える】下1自 대답하다; 해답하다. ¶次の質問に～·えよ 다음 질문에 답하여라/こだまが～ 메아리가 대답하다〔치다〕. ↔よぶ·問う.

こだか-い【小高い】形 좀 높다; 약간 높다. ¶～山 좀 높은 산.

こたかがり【小たか狩り】《小鷹狩り》名 가을의 매사냥.

こだから【子宝】名 (소중한) 자식. ¶まだ～に恵まれない 아직 자식을 두지 못하다.

こだくさん【子だくさん】《子沢山》名 자식이 많음. ¶律儀者の～ 가정에 충실한 자는 자식이 많다.

ごたごた 自副 혼잡하고 어수선한 모양. ＝ごちゃごちゃ·ごみごみ·ごたくさ. ¶～した所 혼잡한 곳/～並べてある

어수선하게 늘어놓여 있다. [二][名] 분규; 분쟁; 복잡한 일. ＝もめごと ¶～がおこる 분규가〔말썽이〕 일어나다.

こだし【小出し】[名] 조금씩 내놓음; 또, 그 물건. ¶金を～に使う 돈을 조금씩 쓰다/預金を～にする 예금을 조금씩 찾다.

こだち【木立】[名] 나무숲; 숲 속의 나무. ＝立ち木. ¶～の多い丘 나무가 많은 언덕.

こだち【小太刀】[名] 작은 칼; 또, 그런 칼을 쓰는 검술. ＝わきざし.

*__こたつ__〖火燵·炬燵〗[名] 숯불이나 전기 등의 열원(熱源) 위에 틀을 놓고 그 위로 이불을 덮게 된 난방 기구; 각로(脚爐). ¶電気～ 전기 각로.

ごたつ-く [5自] **1** 혼잡해지다; 복작대다. ¶正月の準備で～ 설 준비로 북적대다/大掃除で～ 대청소로 어수선하다. **2** 분규가 일어나다; 옥신각신하다. ¶後任者の問題で～ 후임자 문제로 분규가 일어나다.

こだね【子種】[名] **1** 아이를 낳게 되는 씨; 정자. ＝精子. **2** (대를 이을) 아이. ¶～が欲しい 대를 이을 아이가 아쉽다/～にめぐまれない 아직 대를 이을 아이를 두지 못하다.

ごたぶん【ごたぶん·御多分】[名] 〈俗〉 대부분이 그러함. ＝世間並み.
—にもれず 예외가 아니어서; 예상한 대로; 남들처럼; 또한; 역시《그다지 좋은 뜻으로는 안 쓰임》. ¶～彼も金がない 그도 역시 돈이 없다. [注意] '御多聞'으로 씀은 잘못.

こだま【木霊】《木魂》[名][ス自] 메아리(침). ＝山びこ. ¶～が返る 메아리가 돌아오다〔치다〕/銃声が谷間に～する 총소리가 골짜기에 메아리치다.

ごたまぜ [名] 뒤섞임; 뒤범벅; 뒤죽박죽. ＝ごったまぜ. ¶品物が～になっている 물건이 마구 뒤섞여 있다.

こだわり〖拘り·拘泥り〗[名] 구애됨; 구애되는 마음〔물건〕. ＝拘泥. ¶今までは彼に何の～もない 이제 와서는 그에게 아무런 구애될 것이 없다.

*__こだわ-る__〖拘る·拘泥る〗[5自] **1** 구애되다. ＝かかずらう. ¶小事に〔体面に〕～ 작은 일〔체면〕에 구애되다/形式に～必要はない 형식에 구애될 필요는 없다. **2** 작은 일에 트집을 잡다. ¶人のことばに～ 남의 말에 탈을 잡다.

ごだんかつよう【五段活用】[名] 5단 활용; 구어(口語) 동사 활용형의 하나; 어미가 ア·イ·ウ·エ·オ의 5단에 걸쳐 활용하는 것.

こだんな【小だんな】《小旦那》[名] ☞わかだんな. ↔おおだんな.

こち〖此方〗[代] 〈雅〉 **1** 여기; 이쪽. ＝こっち·こちら. ↔そち·あち. **2** 나; 우리.

こぢから【小力】[名] 다소의〔무시 못할〕 힘. ¶～のある男 좀 힘깨나 쓰는 사나이/小柄の割りに～がある 몸집이 작은 데 비해서 꽤 힘이 있다.

こちこち [一][ダナ] 굳어져서 부드럽고 연한 느낌이 없는 모양. **1** 굳은〔딴딴한, 딱딱한〕 모양. ¶～のパン (굳어서) 딱딱해진 빵. **2** 굳게 언 모양: 꽁꽁. ¶～に凍った 꽁꽁 얼었다. **3** 긴장하여 동작이 원활치 못한 모양. ¶優勝を目の前にして～になる 우승을 눈앞에 두고 (동작이) 굳어지다. **4** 완고하거나 융통성이 없는 모양. ¶～のがんこ者 융통성 없는 완고한 사람.
[二][副] **1** 단단한 물건이 서로 부딪는 소리: 톡톡; 달가닥달가닥. **2** 시계의 초침 소리: 재깍재깍. ¶～(と)時を刻む 재깍재깍 시계가 간다.

__ごちそう__〖御馳走〗[名][ス他] **1 손님을 향응함; 또, 그 대접. ¶～になる 대접을 받다/寒い時には火が何よりの～だ 추울 때에는 불이 무엇보다 좋은 대접이다. **2** 맛있는〔훌륭한〕 요리; 진수성찬. ¶～をならべる〔作る〕 진수성찬을 차려 놓다〔장만하다〕.
—さま〖—様〗[感] 잘 먹었습니다《식사를 끝냈을 때나 또는 대접을 받았을 때 하는 인사말》. [参考] 남녀간의 정사 따위의 장면을 듣거나 보았을 때 '기분 좋구나'의 뜻의 놀림말로도 쓰임.

こちゃく【固着】[名][ス自] 고착. **1** 단단히 달라붙음. ¶貝が岩に～する 조개가 바위에 딱 달라붙다. **2** (일정한 곳에) 정주(定住)함; 정착함.

ごちゃごちゃ [副] 어지러이 뒤섞인 모양; 너저분한 모양《'ごしゃごしゃ'의 힘줌말》. ¶～した町 너저분한 거리/～(と)並べてある 어수선하게 늘어놓여 있다.

ごちゃつ-く [5自] 북적거리다; 혼잡을 이루다. ＝ごたつく.

ごちゃまぜ [ダナ] 〈俗〉 뒤섞임; 뒤범벅. ¶汗と涙が～になった顔 땀과 눈물이 뒤범벅이 된 얼굴.

*__こちょう__【誇張】[名][ス他] 과장. ¶～された表現 과장된 표현/途方もなく～する 터무니없이 과장하다/自分の手柄を～して話す 자기의 공을 과장해서 말하다.

ごちょう[伍長][名] 구(舊) 일본 육군 계급의 하나《하사(下士)에 해당》.

ごちょう【語調】[名] 어조. ¶～を和らげる 어조를 부드럽게 하다.

こちら〖此方〗[代] 이쪽. **1** 이 방향. ¶鬼さん～ 술래야 이쪽(이다). **2** 여기; 이곳. ¶いつ～にいらっしゃいましたか 언제 이곳으로 (이사) 오셨습니까. **3** 이(쪽)것; 이(쪽) 물건. ¶～ではどうでしょう 이(쪽)것〔물건〕은 어떤가요. **4** 이(쪽) 사람; 나; 우리(들). ¶～はいつでも結構です 이쪽은〔나는, 저희들은〕 언제라도 좋습니다/もしもし, ～は田中ですが 여보세요, 저는 田中입니다만. **5**《'こちらさん'의 꼴로》 합석한 제3자나 상대방을 가리킴: 이 분; 댁. ¶～

さんは, いつもご繁昌はんじょうで何なによりです 댁은 언제나 번창하셔서 다행입니다. 参考 1, 3은 'こっち'의, 2는 'ここ'의 공손한 말. ⇔そちら·あちら·どちら.

こちんこちん ダナ 'こちこち'의 힘줌말. 1 단단한 모양: 꽁꽁. =かちんかちん. ¶~に凍こおる 꽁꽁 얼다/乾かわいて~になったもち 말라서 딱딱하게 굳은 떡. 2 바싹 긴장해서 굳어 있는 모양. ¶緊張きんちょうして~になっている 긴장해서 바짝 얼어 있다.

こちんとくる【こちんと来る】連語 불쾌하게 여기다; 아니꼽다; 부아가 나다. ¶相手あいての態度たいどに~ものがあった 상대방 태도에 아니꼬운 데가 있었다/その一言ひとことがこちんと来きた 그 한 마디가 비위를 거슬렸다. 注意 'こつんとくる'라고도 함.

こぢんまり 副 조촐하고 아담한 모양. ¶~(と)したすまい 자그마하고 아담한 집/二人ふたりだけで~(と)暮くらす 둘이서만 오붓하게 살다/~(と)した店みせ 작지만 아담하게 꾸민 가게.

こつ【骨】名 1 화장 뒤에 남은 재. ¶お~を拾ひろう 화장한 뼈를 줍다. 2【こつ】요령; 미립. ¶商売しょうばいの~ 장사의 요령/~をのみこむ 요령을 터득하다/仕事しごとの~をおぼえる 일의 요령을 익히다.

こつ〖骨〗教6 コツ ほね | 골 뼈 | 1 뼈; 골. ¶骨格こっかく 골격/骨髄こつずい 골수/肋骨ろっこつ 늑골. 2 화장(火葬)한 사람의 뼈. ¶納骨のうこつ 납골/骨拾こつひろい 화장한 뼈를 거두어들임.

ごつ-い 形〈俗〉1 거칠다; 투박하다; 세련되지 않다. ¶農夫のうふの~手て 농부의 거친 손/~男おとこ 메부수수한 사나이. 2 완고하다. ¶~おやじ 완고한 아버지〔영감〕. 3 만만찮다; 벅차다.

***こっか**【国家】名 국가.

—こうあんいいんかい【—公安委員会】名 국가 공안 위원회; 경찰의 최고 관리 기관으로 '内閣府ないかくふ(=내각부)'의 외국(外局).

こっか【国歌】名 국가. ¶~を斉唱せいしょうする 국가를 제창하다.

こっか【国花】名 국화. 1 나라꽃. 2 벚꽃.

こづか【小づか】《小柄》名 脇差わきざしの 칼집 바깥 쪽에 끼는 작은 칼.

***こっかい**【国会】名〔政〕국회.

—ぎいん【—議員】名 국회의원.

—ぎじどう【—議事堂】名 국회 의사당. =議事堂.

—としょかん【—図書館】名 국회 도서관.

***こづかい**【小遣い】名 용돈(('小遣い銭せん'의 준말)). =ポケットマネー. ¶~かせぎ 용돈 벌이/父ちちから~をもらう 아버지한테 용돈을 타다/~にも困こまる 용돈에도 궁색하다/~をやる 용돈을 주다.

こづかい【小使】名 (학교·관청 등의) 사환; 사정(使丁)(('用務員ようむいん'의 구칭)).

***こっかく**【骨格】《骨骼》名 골격; 뼈대. ¶~の逞たくましい男おとこ 뼈대가 건장한 남자.

こつがら【骨がら·骨柄】名 골격; 또, 인품. ¶人品じんぴん~いやしからぬ紳士しんし 인품이 점잖은 신사.

こっかん【酷寒】名 혹한; 혹독한 추위; 또, 그러한 시절. ↔酷暑こくしょ.

こっき【克己】名 극기; 자제(自制).

—しん【—心】名 극기심.

こっき【国基】名 국기; 나라의 기초.

***こっき**【国旗】名 국기. ¶~を掲かかげる〔揚あげる〕국기를 게양하다/~を降おろす 국기를 내리다.

こづきまわ-す【こづき回す】《小突き廻す》五他 쿡쿡 찌르거나 잡아 흔들다; 들볶다; 괴롭히다; 휘두르다. ¶姑しゅうとが嫁よめを~ 시어머니가 며느리를 들볶다/上級生じょうきゅうせいに~·される 상급생에게 들볶이다.

***こっきょう**【国境】名 국경. =国くにざかい. ¶~標ひょう 국경표/~を越こえる 국경을 넘다.

=こっきり〈俗〉뿐. ¶一度いちど〔一遍いっぺん〕~ 딱 한 번/百円ひゃくえん~ 꼭 백 엔.

こっく【刻苦】名ス自 각고; 몹시 애씀.

—べんれい【—勉励】名ス自 각고면려; 각고정려(刻苦精励).

コック [cock] 名 콕; 고동; 마개. ¶非常用ひじょうよう~ 비상용 고동/ガスの~をひねる 가스의 고동을 틀다〔열다〕.

コック [네 kok] 名 쿡; 요리사; 숙수.

こづ-く〖小突く〗五他 1 (손가락 따위로) 쿡 찌르다; 흔들다. ¶頭あたまを~ 머리를 쿡쿡 찌르다. 2 짓궂게 지분거리다〔괴롭히다〕; 지싯거리다.

こっくり 一副 1 수긍하는 모양; 머리를 꾸벅하는 모양: 끄떡. ¶~(と)うなずく 끄떡하고 (고개를) 끄덕이다〔수긍하다〕. 2 조는 모양: 꾸벅. =こくりこくり. ¶~居眠いねむりをする 꾸벅꾸벅 졸다. 3 고통없이 급사하는 모양: 덜컥. =ぽっくり. ¶~と死しにたい (어느 날) 덜컥 죽고 싶다. 二名 머리를 꾸벅하는 동작. ¶~をする 머리를 꾸벅하다.

こづくり【小作り】名ナ 작게 만들어진 것; 특히, 몸집이 작은 일. =こがら. ¶~な男おとこ 자그마한 사나이.

****こっけい**〖滑稽〗名ダナ 우스움. 1 골계; 익살맞음; 해학. ¶~なことを言いって笑わらわせる 익살스러운 소리를 해서 웃기다. 2 우스꽝스러움. ¶~な奴やつだ 우스꽝스러운 놈이다.

こっけい【酷刑】名 혹형. ¶~に処しょせられる 혹형에 처해지다.

こっこ【国庫】名 국고. ¶~収入しゅうにゅう 국고 수입/~金きん 국고금/~支出金ししゅつきん 국고 지출금.

=ごっこ …의 흉내(를 내는) 놀이. ¶鬼おに~ 술래잡기/汽車きしゃ~ 기차 놀이.

***こっこう**【国交】名 국교. ¶~断絶だんぜつ 국교 단절/~回復かいふく 국교 회복/~樹立じゅりつ〔正常化せいじょうか〕국교 수립〔정상화〕.

ごつごうしゅぎ【御都合主義】名 편의주의; 기회주의; 임기응변주의. =オポ

チュニズム·ひより見主義.

こっこく【刻刻】副 각각; 시시각각; 각일각. ¶期限が～(として)迫ってくる 기한이 시시각각(으로) 다가오다.

こつこつ〖矻矻〗副 꾸준히 노력하는 모양: 꾸준히; 지멸있게. ¶～(と)働く 착실히 일하다 / ～(と)現地調査を続ける 꾸준히 현지 조사를 계속하다.

こつこつ 副 1 문 두드리는 소리: 똑똑; 톡톡. ¶ドアを～(と)叩く 문을 똑똑 두드리다. 2 구두 소리: 뚜벅뚜벅. ¶～と靴音がきこえてくる 뚜벅뚜벅 구두 소리가 들려오다.

ごつごつ トス自 〈俗〉 1 울퉁불퉁하고 딱딱한 모양. ¶～した岩 울퉁불퉁한 바위. 2 거친 모양. ¶ぶっきらぼうで～した人 거칠고 무뚝뚝한 사람 / ～した人がら 우락부락한〔거친 느낌을 주는〕 인품 / ～した文章 세련되지 않은 문장. 参考 '～の'의 꼴로도 쓰임. ¶～の手 거친 손.

こつざい【骨材】图 골재. ¶天然～ 천연 골재 / 人工～ 인공 골재.

こっし【骨子】图 골자; 요점. ¶説明の～ 설명의 골자 / 法案の～を説明する 법안의 골자를 설명하다.

こつずい【骨髄】图 1〖生〗골수; 뼛속. 2 마음속; 심저.

—に徹する 골수에 사무치다. ¶恨み～ 원한이 골수에 사무치다.

こっせつ【骨折】图ス自他 골절. ¶タクシーにはねられて～する 택시에 받혀 골절되다.

こつぜん〔忽然〕トタル 홀연; 갑자기. ＝突然. ¶～とあらわれる〔消えうせる〕 홀연히 나타나다〔사라지다〕.

こっそう【骨相】图 골상. ¶～学 골상학 / ～をうらなう 골상을 보다.

こっそり 副 가만히; 살짝; 몰래. ＝そっと·ひそかに. ¶～(と)盗み出す 가만히〔슬쩍〕 훔쳐 내다 / ～話をする 몰래 이야기하다 / ～(と)抜け出す 몰래 빠져나오다〔빠져나가다〕.

ごっそり 副 〈俗〉 모두; 몽땅. ＝残らず·ねこそぎ. ¶どろぼうに～持っていかれた 도둑이 몽땅 가져가 버렸다. 参考 해를 입을 때에 씀.

ごったがえ-す【ごった返す】5自 몹시 혼잡해지다〔북적거리다〕; 붐비다; 뒤끓다. ¶人の波で～ 인파로 뒤끓다.

こっち〖此方〗代 이쪽; 여기; 이리; 이편(('こちら'의 구어(口語)적인 표현)). ¶～の知ったことでない 내가〔우리가〕 알 바 아니다 / ～へいらっしゃい 이리로 오시오. ↔あっち.

—の物 내 것; 내 마음대로 할 수 있는 것. ¶こうなったら～だ 이렇게 되면 우리 것이나 마찬가지다.

ごっちゃ ダナ 〈俗〉 무질서하게 뒤섞인 모양. ＝ごった. ¶～になる 뒤죽박죽이 되다 / 大ぜいの話し声が～になって聞こえる 여러 사람의 말소리가 뒤섞여서 들리다. 「리. ＝骨がめ.

こつつぼ【骨つぼ】《骨壺》图 납골 항아리.

こつづみ【小鼓】图 장구 모양의 작은 타악기((왼손으로 잡고 우측 어깨에 얹어 어른손으로 침)). ↔大鼓.

*こづつみ【小包】图 소포. 1 작은 꾸러미. 2 '小包郵便(＝소포 우편)'의 준말. ¶～で送る 소포로 보내다.

こってり 副 1 맛이나 빛깔이 아주 짙은 모양. ¶～した味 진한 맛((담박하지 않고 짙은 맛)) / 白粉を～(と)つける 분을 짙게 바르다. 2 실컷; 흠씬; 지겹도록. ¶～しかられた 몹시 꾸중 들었다 / ～しぼられた 단단히 사살을 들었다.

ゴッド [God] 图 가드; 하느님; 신.

こっとう [骨董] 图 골동. ¶～品 골동품 / ～的存在 골동품 같은 존재 / ～趣味 골동품 취미.

コットン [cotton] 图 코튼. 1 무명; 면포. 2 솜; 목화. 3 면사. ＝カタン糸.

こつにく【骨肉】图 골육; 육친. ＝肉親. ¶～の間柄 골육지친 / ～の情 골육의 정.

—相食む〔相争う〕 골육상쟁하다.

こっぱ【木っ端】图 1 자귓밥; 지저깨비. 2《名詞 앞에 붙어》 하찮고 시시한 것. ¶～役人 말단 관리 / ～野郎 졸때기.

—みじん〖—微塵〗图 산산조각(이 남). ＝粉微塵. ¶大波で舟が～になる 큰 파도로 배가 산산조각이 나다 / 僕の理想は～に打ち砕かれた 내 이상은 산산조각으로 부서졌다.

こっぱずかし-い【こっ恥ずかしい】形 〈俗〉 좀 부끄럽다; 조금 멋쩍다; 열없다. 参考 매우 부끄럽다의 뜻으로도 씀.

こっぴど-い〖こっ酷い〗形 〈俗〉 지독하다; 호되다. ＝手きびしい. ¶～目にあう 혼나다; 호되게 경치다.

こつぶ【小粒】图 1 소립; 알갱이가 작음; 작은 알. ¶～の実がなる 작은 알갱이 열매가 열리다. ↔大粒. 2 사람의 몸집·도량 따위가 작음. ＝こがら. ¶～の人 몸집이 작은 사람 / さんしょうは～でもぴりりと辛い 산초는 작아도 맵다((작은 고추가 더 맵다)).

**コップ [네 kop] 图 컵. ＝グラス. ¶紙～ 종이컵 / ～半分の水 반 컵의 물.

—の中のあらし 찻잔 속의 태풍((대국적으로 보면 사소한 소란〔집안싸움〕)).

—ざけ【—酒】图 컵 술; 잔술.

コッヘル [도 Kocher] 图 코헤르; 코펠.

こづま【小づま】《小褄》图 옷자락. ¶～をからげる (여자가) 옷자락을 걷어 올리다. 「2 속손톱; 반달.

こづめ【小づめ】《小爪》图 1 손톱 조각.

ごづめ【後詰め】图 1 후방 부대. ＝後陣·後陣. 2 적군의 배후를 찌르는 군대.

こづらにく-い【小面憎い】形 꼴도 보기 싫다; 얄밉다. ¶～奴 꼴도 보기 싫은 녀석 / ～ことを言う 얄미운 소리를 하다. 参考 'つらにくい'의 힘줌말.

こつり 副 단단한 것이 부딪쳐 나는 소

리: 탁. =こつん. ¶頭を～とぶつける 머리를 탁 부딪히다.

こづれ【子連れ】图 아이를 데리고 있음; 또, 그런 사람. ¶～で再婚する 자식을 데리고 재혼하다 / クラス会に～で参加する 학급회에 아이를 데리고 참석하다.

こつん 副 ☞こつり.

こて〖鏝〗图 **1** 흙손. **2** 인두《인두질·머리 손질·땜질 등에 쓰는 인두의 총칭》. ¶服に～をあてる 옷을 인두질하다.

こて【小手】图 **1** 하박(下膊); 전박(前膊); 팔뚝. ¶高手～にしばり上げる 팔을 꺾어 뒷짐결박하다 / ～をかざす 손을 이마 위에 가리다. **2** 손재주; 잔재주. ¶～がきく 손재주〔잔재주〕가 있다.

—さき【—先】图 손끝; 전하여, 손〔잔〕재주. ¶～の仕事 잔재주가〔잔품이〕 드는 일 / ～がきく 잔재주가 있다.

—しらべ【—調べ】图 ス自他 사전 연습. ¶～に一試合する 연습으로 한판하다.

—まわし【—回し】图 재빨리 준비함; 재치가 빠름. ¶～がきく 재치가 빠르다; 꾀바르다.

ごて【後手】图 **1** (상대에게) 선수를 빼앗김; 앞질림. ¶～に回る 앞질리다; 선수를 빼앗기다 / やることが～になる 하는 일이 선수를 빼앗기다〔뒤떨어지다〕. **2** 후수; (장기·바둑에서) 뒤에 두는 수. =後手番. ⇔先手.

こてい【固定】图 ス自他 고정. =固着. ¶～費 고정비 / ～給〔票〕 고정급〔표〕 / 蛍光灯を壁に～させる 형광등을 벽에 고정시키다. ↔浮動.

—かわせそうばせい【—為替相場制】图 고정 환율제. ↔変動為替相場制.

—かんねん【—観念】图 고정관념. ¶～にとらわれる 고정관념에 사로잡히다 / ～を捨てる 고정관념을 버리다.

—ぶあい【—歩合】图 고정 수수료; 외무사원 등이 받는 수수료의 최저한도.

こてい【湖底】图 호저; 호수 바닥. ¶あの深い～に沈んだ村 (댐 공사로) 저 깊은 호저에 잠긴 마을.

こてき【鼓笛】图 고적; 북과 피리.

—たい【—隊】图 고적대.

こてこて 副〈俗〉(흉할 정도로) 짙게 칠한 모양; 더덕더덕; 흠뻑. =こってり. ¶～と化粧する 더덕더덕 짙게 화장하다 / ジャムを～(と)つける 잼을 잔뜩 바르다.

ごてごて 副〈俗〉**1** 귀찮을 정도로 끈질긴 모양. ㉠'こてこて'의 힘줌말. ㉡뇌고 되뇌는 모양; 중절중절. ¶いつまで～と不平を並べてるんだ 언제까지 투덜대기냐 / ～ぬかすな 투덜대지 마라. **2** 물건이 난잡하게 어지러진 모양. ¶いろいろな物が～(と)並んでいる 여러 가지 물건이 어지럽게 널려 있다.

ごてつく 5自〈俗〉**1** 혼잡해지다; 복작거리다. =ごたごたする. **2** 불평하다; 투덜대다. **3** 옥신각신하다; 분쟁이 일다. =ごたつく. ¶遺産の相続で～ 유산 상속 문제로 옥신각신하다.

ごてどく【ごて得】图〈俗〉(보상 문제 등에 관련하여) 끈질기게 시비를 걸어 상대로 하여금 양보케 하여 이득을 봄. 注意 지금은 'ごねどく'라고도 함.

ごてる 下1自〈俗〉(싫어서) 찡찡대다; 투덜거리다. =ごてつく. ¶そんなに～なら勝手にしろ 그렇게 찡찡거리려면 마음대로 해라.

*__こてん__【古典】图 고전. =クラシック. ¶～劇 고전극 / ～音楽〔文学〕 고전음악〔문학〕 / ～組曲 고전 모음곡 / ～を読む 고전을 읽다.

—てき【—的】ダナ 고전적. ¶～な作品 고전적인 작품.

こてん【個展】图〖美〗개인전《'個人展覧会(=개인 전람회)'의 준말》. ¶～を開く 개인전을 열다.

ごてん【御殿】图 귀인의 저택의 높임말; 전하여, 호화스러운 저택; 대궐.

こてんこてん ダナ〈俗〉여지없이〔무참하게, 호되게〕 해대는〔당하는〕 모양. =こてんぱん·さんざん·したたか. ¶～に負ける 아주 참패하다 / ～にやられる 여지없이 당하다; 호되게 욕박질리다.

__こと__【事】图 일; 것《개체인 물건으로서가 아니고 파악한 의식·사고의 대상; 'もの'보다는 추상적인 것을 말함》. **1 사항; 사실; 사정; 사건. ㉠특히 중요한 일; 사건. ¶この～があって後 이 일이 있은 뒤 / なぜそんな～をしたのか 왜 그런 짓을 했는가 / ～に触れ折に触れ 일이 있을 때마다. ㉡사태; 사정. ¶～ここに至る 사태가 이에 이르다 / ～によっては 일〔사정〕에 따라서는; 어쩌면; 혹은 / ～の推移を見守る 사태의 추이를 지켜보다. ㉢(어떤 대상을 중심으로 하여) 그에 관한 일체의 상태. ¶自分の～は自分でしなさい 자기 일은 자기가 해라 / 山の～には詳しい 산에 대해서는 해박하다 / 昔の～は忘れよう 옛날 일은 잊어버리자. **2**【こと】말하거나 생각하거나 하는 내용의 존재·형성을 문제로 하는 경우에 쓰는 말. ㉠언어로 표현하는 존재·내용. ¶こんな～も話し合った 이런 일도 상의하였다 / ばかな～を言う 어리석은 말을 하다 / ～を急ぐ 일을 서두르다. ㉡《'AとはBの～だ'의 꼴로》 A와 B와는 같은 (뜻을 가진) 대상이라는 판단을 나타냄. ¶山田とは僕の～です 山田란 나를 말합니다. ㉢《'…という～だ'의 꼴로》 …라는 말〔소문〕이다. ¶じきに上京すると言う～だ 곧 상경한다는 얘기다. ㉣《体言에 이어서》 그에 대해서 말하자면의 뜻을 나타냄. ¶私～このたび 나로 말하면 금번. 参考 두 体言 새에 끼워서, 동일하다는 것을 나타냄: 곧; 즉. ¶謫仙～李太白は 적선 곧 이 태백은. **3**【こと】《문장 끝에 붙여, 動詞 連体形 또는 動詞에 否定의

'ぬ' 'ない'가 첨가된 꼴을 받아서》 요구·명령을 나타냄. ¶早く行く～ 빨리 갈 것/道路で遊ばない～ 길에서 놀지 말 것.

—ある時 일이 있을 때; 어려운 때.

—ともしない 아무렇지도 않게 여기다; 아랑곳 않다. ¶世の非難を～ 세상의 비난을 아랑곳하지 않다.

—ともせず 아무렇지도 않게 여기고; 아랑곳하지 않고. ¶嵐を～出発した 폭풍우를 아랑곳 않고 출발했다.

—なきを得る 큰일로 확대되지 않고〔문제가 되지 않고〕 무사하게 됨. ¶まちがいを早めに訂正して～ 오류를 진작 바로잡아 무사하게 되다.

—に当たる 그 일을 맡다; 그 일에 종사하다. ¶誠心誠意～ 성심성의를 다해 일을 처리하다.

—によると 어쩌면; 혹시; 경우에 따라서는. ＝事によったら.

—もあろうに 하필이면.

—もなく **1** 아무 일 없이; 탈 없이; 무사히. ¶～済んだ 무사히 끝났다. **2** 간단히; 수월히; 손쉽게. ¶～解いて見せる (문제 등을) 간단히 풀어 보이다.

—を分ける (말에) 조리를 세우다; 사정을 자세히 말하다. ¶事を分けて説明する 사정을 조리 있게 설명하다.

こと【異】 名 『…を～にする』 …을 달리〔따로따로〕 하다. ¶首足ところを～にする 목을 잘리다/攻守,所を～にする 공세·수세가 바뀌다.

こと【琴】 名 거문고. ¶～を弾く 거문고를 타다.

こと【古都】 名 고도. ＝旧都. ¶～京都 옛 도읍 교토. ↔新都.

こと [糊塗] 名ス他 호도; 어물어물 덮어버림. ¶うわべを～する 겉을 호도하다/一時その場を～する 일시적으로〔한때〕 그 자리를 우물쭈물 넘기다.

こと 終助 〈女〉《活用語의 終止形·連体形에 붙어》 **1** 감동·의문·동의·권유를 나타냄. ¶まあ, きれいな花だ～ 어머, 아름다운 꽃이기도 해라/それでいい～? 그래도〔그것으로〕 괜찮을까 / あなたも一緒にいらっしゃらない～ 당신도 같이 오시지〔가시지〕 않겠어요. **2** 단정하는 표현을 부드럽게 함. ¶とてもおもしろかった～よ 참 재미있었어요/いいえ, そうじゃない～よ 아네요, 그렇지 않아요. 参考 '事'와 같은 어원.

=ごと 〖共〗《名詞에 붙여서》 …와 함께; …째. ¶骨～食べる 뼈째 먹다/車～フェリーボートに乗り込む 차에 탄 채로〔차와 함께〕 페리보트에 타다.

=ごと 〖毎〗《名詞나 또는 그에 준하는 말에 붙여서》 …마다. ¶日～の勤め 날마다의 근무/月～の行事 월례 행사/夜～の酒宴 밤마다의 주연/五分～に 5분마다/あう人～に皆そういう 만나는 사람마다 모두 그렇게 말하다 / 家～に国旗を掲げる 집집마다 국기를 내걸다/五メートル～に印を付ける 5미터마다 표를 하다/一雨～に春めいて来る 비가 한 차례 올 때마다 봄기운이 더해 온다.

ことあたらし-い【事新しい】 形 **1** 새롭다. ¶～ことは何もない 새로운 일은 아무것도 없다. **2** 새삼스럽다. ¶～·く言うまでもない 새삼스레 말할 것까지〔필요〕도 없다.

ことう【孤島】 名 고도; 외딴 섬. ¶絶海の～ 절해의 고도/陸の～ 뭍의 고도《극도로 교통이 불편한 곳》.

こどう【鼓動】 名ス自 고동. ¶心臓が激しく～する 심장이 몹시 고동치다.

ごとう【語頭】 名 어두; 말머리. ¶～音 어두음. ↔語末·語尾.

ごとう【誤答】 名ス自 오답; 잘못 대답(함). ¶～率 오답률. ↔正答.

こどうぐ【小道具】 名 소도구. **1** 자질구레한 도구. **2**〖劇〗 소품. ↔大道具.

—がた【—方】 名〖劇〗 소품 담당자.

ごとおび【五十日】 名 한 달 중 5와 10이 붙는 날《상거래의 지급 날짜가 되어 교통 체증이 심한 날로 침》.

ことか-く【事欠く】 5自 **1** 부족하다; 없어서 어려움을 느끼다. ¶食うに～くらし 끼니를 거르는 살림살이/友達に～なんてことはない 친구가 없어 난처한 일은 없다/二十年分の研究に～·かぬだけの資料 20년분의 연구에 부족하지 않을 만큼의 자료. ↔事足りる. **2**《…(する)に～·いて의 꼴로》 달리 얼마든지 방법이 있는데 하필이면. ¶言うに～·いてそんなことを言うとは! (고르고 골라서) 하필이면 그런 말을 하다니.

ことがら【事がら·事柄】 名 사항; 일; 사물의 형편; 사정. ¶見てきた～ 보고 온 내용/重要な～ 중요한 사항/～によっては協力してもいい 일〔사정〕에 따라서는 협력해도 좋다.

ごとき 〖如き〗 助動 …과 같은. ¶花の～青春 꽃다운 청춘/今回の～は 이번과 같은 경우는/眠るが～最期だった 잠자는 듯한 최후〔임종〕이었다.

ことき-れる【こと切れる·事切れる】 下1自 숨이 끊어지다; 죽다. ¶駆けつけた時にはすでに～·れていた 달려갔을 때에는 이미 숨져 있었다/何かいいかけて～·れた 무언가 이야기하려다가 숨이 끊어졌다.

***こどく【孤独】** 名ナ 고독. ¶～感 고독감/～にたえる 고독을 감내하다. 参考 본디, 고아와 혼자몸의 뜻.

ごとく 〖如く〗 助動 …과 같이. ¶次の～書いてある 다음과 같이 씌어 있다/監督者の～ふるまう 감독자나 된 듯이 행세하다/母をしたう～彼になついた 어머니를 그리듯이 그를 따랐다.

ごどく【誤読】 名ス他 오독; 잘못 읽음. ↔正読.

ことこと 副 **1** 물체가 가볍게 부딪쳐 나

는 소리: 탁탁; 덜그럭덜그럭. ¶何か～と音をさせている 무언가 덜그럭덜그럭하고 소리를 내고 있다. 2 살살 끓는 소리: 보글보글. ¶豆を～と煮る 콩을 보글보글 삶다.

ことごと 〖事事〗 名 모든 일; 이일 저일.

ことごとく 〖悉く·尽く〗 副 전부; 모두; 모조리. ¶財産を～失う 재산을 모두 잃다 / ～の人が反対だ 모두가〔모든 사람이〕 반대다.

ことごとに【事ごとに】《事毎に》 連語 사사건건; 매사에; 일마다. ¶～反対する 매사에 반대하다 / ～人に逆らう 매사에 남과 반대로 하다 / ～争う 사사건건 싸우다.

ことこまか【事細か】 ダナ 자세함; 상세함. ＝事細やか. ¶事件の経過を～に話す 사건의 경과를 자세히 이야기하다.

ことこまか-い【事細かい】 形 상세하다; 자세하다. ¶あれこれ～·く注意を与える 이것저것 자세하게 주의를 주다.

ことざ【琴座】 名 〔天〕 거문고자리.

***ことさら**【ことさら·殊更】《故》 副 1 일부러; 고의로; 짐짓. ¶～(に)知らぬ顔をする 짐짓 모른 체하다 / ～にそんな仕打ちをする 일부러 그런 처사를 하다. 2 특(별)히; 새삼스러이; 유별나게. ¶～(に)大事をとる 특히 신중을 기하다 / ～むずかしい言葉を使う 특히 어려운 말을 쓰다.

ことし【今年】 名 올해; 금년. ＝本年·こんねん. ¶～の冬 금년 겨울 / ～は雨が多い 올해는 비가 잦다 / ～もあとひと月で終わる 금년도 앞으로 한 달이면 끝난다.

ごとし 〖如し〗 助動 〈雅〉《ク活用形》 1 비슷하다; 같다. ¶落花雪の～ 낙화가 눈발 같도다. 2 …인 듯하다; …인 것 같다. ¶知る人なきが～ 아는 사람이 없는 것 같다 / 大差なきものの～ 대차 없는 듯하다. 3《連体적 용법으로》 같은. ¶お前のごときばか者 너와 같은 바보. 4 …와 같다. ¶左記の～ 좌기와 같다.

ことた-りる【事足りる】 上1自 족하다; 충분하다. ¶これで十分～ 이것으로 충분하다 / 五千円も有れば～ 5천 엔만 있으면 충분하다.

ことづか-る【言付かる】《託かる》 5他 의탁받다; (전갈을) 부탁받다. ¶手紙を～ 편지를 부탁받다 / 社長からこれを～·ってまいりました 사장께서 이것을 전해 달라고 해서 왔습니다.

ことづけ【言付け】《託け》 名 전언; 전갈. ＝伝言·ことづて·依託. ¶～を頼む 전갈을 부탁하다.

ことづ-ける【言付ける】《託ける》 下1他 전갈하다; 전언〔전달〕을 부탁하다. ¶よろしくと～ 안부를 전하다 / 友人に～ 친구에게 편지 전달을 부탁하다.

***ことづて**【言づて】《言伝》 名 1 의탁; 전갈; 전언. ＝ことづけ. ¶～を頼む 전갈을 부탁하다. 2 전문(傳聞); 간접으로 들음. ¶～に聞く 전문(傳聞)하다.

ことてん【事典】 名 사전(('辞典'을 'ことば典'이라고 말하는 데 대하여 백과사전 등을 이름)).

ことと て【事とて】 連語 이유·근거를 나타냄: …므로; …인 까닭에; …라서. ¶慣れぬ～よろしくお願いします 익숙하지 못하므로 잘 부탁 드립니다 / 休み中の～うまく連絡がつかなかった 휴업〔휴가〕 중이라(서) 연락이 잘 닿지 않았다.

ことなかれしゅぎ【事なかれ主義】《事勿れ主義》 名 무사(안일)주의; 소극주의. ¶～だけでやっていては立派な仕事は出来ない 무사주의로만 하고 있어서는 훌륭한 일은 못한다.

ことなく【事無く】 連語 무사하게; 별일 없이. ¶夏休みも～終わった 여름 방학도 무사히 끝났다.

***ことな-る**【異なる】 5自 다르다; 같지 않다. ¶性格が～ 성격이 다르다 / 次元が～ 차원이 다르다.

***ことに**【殊に·ことに】 副 각별히; 특히. ＝特に·とりわけ. ¶～すぐれている 특히 뛰어나다 / この冬は～寒かった 이번 겨울은 각별히 추웠다.

ごとに 〖毎に〗 連語 ⇨＝ごと(毎).

ことにする【異にする】 連語 달리하다. ¶人生観を～ 인생관을 달리하다 / 席を～ 자리를〔좌석을〕 달리하다.

ことによると 〖事に依ると〗 連語 경우에 따라서는; 어쩌면; 혹시. ＝ひょっとすると. ¶～家にないかも知れない 어쩌면 집에 없을는지도 모른다 / ～会ってくれるかも知れない 경우에 따라서는 만나 줄는지도 모른다.

ことのついで【事のついで】《事の序で》 連語 무언가 하는 계제〔김〕; 무언가의 기회에. ¶～に書きしるす 하는 김에 적어 두다 / ～に訪問する 무언가 하는 계제에 방문하다.

ことのほか【殊の外】 連語 1 의외로; 뜻밖에. ¶～手間どった 의외로 시간이 걸렸다 / ～やさしかった 의외로 쉬웠다. 2 특별히; 대단히; 매우. ¶～重い病 대단히 중한 병 / ～かわいがる 유달리 귀여워하다 / ～ごきげんだった 매우 기분이 좋았다.

***ことば**【言葉】 名 말. 1 어(語); 단어나 연어(連語). ¶話し～ 구어 / 書き～ 문장어 / いなか～ 시골말 / はやり～ 유행어 / ～が過ぎる〔多い〕 말이 지나치다〔많다〕 / やさしい～に言い替える 쉬운 말로 바꾸어 말하다 / 不可能という～を知らない 불가능이란 말을 모른다. 2 언어. ¶韓国の～と日本の～ 한국말과 일본말. 3 (말하는) 말; 이야기. ¶～を換えるなら 바꿔 말하면 / ～の端々をとらえる 말꼬리를 잡다. **──が足りない** 설명이 부족하다.

―が尖る 말투가 험악해지다.
―に甘える《'お～'의 꼴로》 상대의 호의를 받아들이다. ¶お言葉に甘えてお願い申します 말씀을 받들어 부탁을 드리겠습니다.
―に余る 말로는 이루 다 표현할 수 없다.
―に尽くせない 말로 다 표현할 수 없다.
―に針をもつ 말에 가시가 있다《말속에 적의·악의가 있다》.
―のあや 교묘한 표현; 표현의 기교. ¶それは単なる～だ 그것은 단순한 말장난이다.
―の先を折る 남의 말허리를 꺾다.
―を返す 대답하다; 말대꾸하다.
―を飾る 말을 꾸미다; 아름답게 꾸며서 말하다.
―を濁す 말끝을 흐리다; 분명히 말하지 않다.
―を卑くする 겸손한 말씨를 쓰다.
―あそび【―遊び】图 말짓기놀이; 언어유희.
―あらそい【―争い】图 말다툼; 언쟁.
―かず【―数】图 말수. ＝口かず. ¶～の多い人 말이 많은 사람.
―じち【―質】图 〈口〉 언질. ＝言質. ¶～をとる 언질을 잡다.
―じり〖―尻〗图 말끝; 말꼬리. ¶～をとらえて難くせをつける 말꼬리를 잡고 트집을 잡다.
―ずくな【―少な】ダナ 말수가 적은 모양. ＝言葉すくな·ことずくな. ¶～に答える〔語る〕 간단히 대답〔말〕하다.
―づかい【―遣い】图 말씨; 말투. ¶丁寧な～ 공손한 말씨 / ～が悪い〔荒い〕 말씨가 나쁘다〔거칠다〕.
―つき〖―付き〗图 말투; 말버릇. ¶～がきつい 말투가 과격하다.

ことぶき【寿】图 1 축수; 축복; 또, 그 말. 2 장수; 또, 수명. ¶～を保つ 수를 누리다. 3 경사; 축하할 만한 일. ¶新年の～ 신년 하례.

ことぶれ〖事触れ·言触れ〗图 소식을 전함; 어떤 일을 널리 알리며 돌아다님; 또, 그 사람. ¶春の～ 봄소식.

ことほ-ぐ〖寿ぐ·言祝ぐ〗5他 축하하는 말을 하다; 축복하다. ＝ことぶく. ¶長寿を～ 장수를 축복하다.

ことめんどう【事面倒】名ナ 더욱 귀찮음〔성가심〕. ¶見つかったら～だ 들키면 더욱 귀찮다〔골치 아프다〕.

**こども【こども·子ども·子供】图 1 (어린) 아이. ↔大人. 2 자식; 아들딸. ¶～のない寂しさ 자식이 없는 쓸쓸함. ↔親. 3 생각이 모자람; 또, 그러한 사람. ¶考えることが～だ 생각하는 게 유치하다. ↔大人. 參考1 보통, 유치원에 갈 나이는 '幼児', 초등학교에 갈 나이는 '児童', 중·고등학교에 갈 나이는 '生徒'라고 함. 參考2 본디, 'こ(＝아이)'에 'ども(＝들)'이 붙은 것으로 아이들·많은 아이의 뜻.
―のけんかに親が出る 아이들 싸움이 어른 싸움 된다《어른답지 못한 일의 비유》.
―は風の子 아이와 장독은 얼지 않는다.
―あつかい【―扱い】图 ス他 어린애 취급. ¶～されて不愉快だ 어린이 취급을 받아 불쾌하다.
―じ-みる【―染みる】上1自 (어른이) 아이 같다. ＝子供っぽい. ¶～·みたふるまい 어른스럽지 못한 행동.
―ずき【―好き】图 1 어린아이를 좋아함; 또, 그런 사람. 2 어린애가 좋아함〔좋아하는 것〕.
―ずれ 图 어린 주제《깔보는 말투》. ¶～に何ができるか 어린애 주제에 무엇을 할 수 있겠는가.
―だまし〖―騙し〗图 어린애 속임수; 빤히 속 보이는 짓. ¶そんな～はやめなさい 그런 어린애 같은 속임수는 그만두어라.
―っぽ-い 形 (나이에 비해) 어린아이 같다; 유치하다. ¶～思いつき 어린아이 같은 생각.
―のひ【―の日】图 어린이날《5월 5일》.
―らし-い 形 어린애 같다〔답다〕; 어리다. ¶～笑顔 어린이다운 웃는 얼굴.

こともなげ【事もなげ】ダナ 아무렇지도 않은 듯이 태연〔천연〕스러운 모양. ¶～に言う 태연하게 말하다 / ～な態度をとる 아무렇지도 않은 태도를 취하다.

ことよ-せる【事寄せる】下1自 1 핑계〔구실〕 삼다; 칭탁하다; 빙자하다. ＝かこつける. ¶病気に～·せて欠勤する 병을 구실 삼아 결근하다. 2 맡기다; 명하다.

**ことり【小鳥】图 작은 새. ¶～を飼う 작은 새를 기르다.

ごとりと 副 무거운 물건이 부딪치거나 움직일 때의 소리: 쿵; 덜컥. ＝ごとんと. ¶～荷車が動き出す 덜컹하고 짐차가 움직이기 시작하다.

*ことわざ〖諺〗图 속담; 이언(俚諺). ¶～にもあるとおり 속담에도 있듯이.

ことわり【断り】图 1 예고; 미리 얻는 양해; 또, 그 말. ¶何の～もなしに欠勤する 아무 예고〔사전 양해〕도 없이 결근하다. 2 사절; 거절. ¶～を言う 거절하다 / せっかくですがお～いたします 모처럼의 호의지만 사절합니다 / 入場お～ 입장 사절.
―がき【―書き】图 설명서; 단서.
―じょう【―状】图 거절〔사죄〕의 편지.

**ことわ-る【断る】《謝わる》5他 1 거절〔사절〕하다. ¶借金を～ 돈을 빌려 달라는 것을 거절하다 / 援助を～ 원조를 사절하다. 2 예고하다; 미리 양해를 얻다. ¶一言も～·らずに 한 마디 양해도 구함이 없이 / ～っておくが 미리 말해 두지만. 可能ことわ-れる 下1自

**こな【粉】图 가루; 분말; 특히, 밀가루. ＝粉. ¶～食 분식 / 石灰の～ 횟가루 / ～をかける 가루를 뿌리다 / ひい

て～にする 갈아서 가루로 만들다/小麦を～にひく 밀을 가루로 빻다.

ごないぎ【御内儀】名 귀인 또는 상대방 아내의 경칭. ＝御内室.

ごないしつ【御内室】名 ☞ごないぎ.

こなおしろい【粉おしろい】《粉白粉》名 가루분. ↔水おしろい.

こなぐすり【粉薬】名 가루약. ＝こぐすり·散薬. ¶～を飲む 가루약을 먹다. ↔水薬·丸薬·錠剤.

こなごな【こなごな·粉粉】名 산산이 부서짐; 박살이 남; 산산조각. ＝こなみじん. ¶～にくだける 산산조각이 되다/～に割れる 산산조각으로 깨지다.

こなし〖熟し〗名 **1** 소화. ¶腹ごなし 음식의 소화를 도움. **2** 다루는 법. ¶着ごなし 옷매무시; 맵시 있게 입음. **3** 움직임; 몸놀림; 동작. ＝しぐさ. ¶身の～ 몸의 움직임; 기거동작/軽い身の～ 가벼운 몸놀림.

***こな-す**〖熟す〗5他 **1** 잘게 부수다. ¶つっつき～ 짓빻다/ 土のかたまりを～ 흙덩이를 잘게 바수다. **2** 소화시키다. ㉠ 음식을 새기다. ¶食物を～ 음식을 소화하다. ㉡(계획대로) 해치우다; 처리하다. ¶仕事を一日で～ 일을 하루에 해치우다/彼には～·せまい 그로서는 처리 못할 게다. ㉢(상품을) 팔아치우다. **3** 마음대로〔익숙하게〕 다루다; 구사하다. ¶英語を自由に～ 영어를 마음대로 구사하다/乗り～ (자동차나 말 따위를) 익숙하게 타다〔운전하다〕. 可能こな-せる下1自

こなた〖此方〗代 〈雅〉 **1** 이쪽; 이쪽편. ＝こちら·こっち. ↔かなた·そなた·あなた. **2** 사람을 가리키는 대명사. ㉠이 사람; 이분. ㉡나; 본인. ㉢당신. **3** 이후; 이래; 현재까지. ¶敗戦から～ 패전한 이래 (지금까지).

こなべ【小なべ】《小鍋》名 작은 냄비.

こなまいき【小生意気】ダナ 시건방짐. ¶～な奴 시건방진 녀석.

こなみじん【粉みじん】《粉微塵》名 산산이 부서짐〔깨짐, 박살남〕. ＝こっぱみじん. ¶ガラス窓が～になる 유리창이 산산조각이 나다.

こなミルク【粉ミルク】名 분유(粉乳). ＝ドライミルク. ▷milk.

こなゆき【粉雪】名 분설; 가루눈. ＝こゆき. ↔綿雪·ぼたん雪.

こなれ〖熟れ〗名 소화(消化). ¶～のよい食物 소화가 잘되는 음식.

こな-れる〖熟れる〗下1自 **1** 부서져 가루가 되다. **2** (음식이) 소화되다. ¶食べ物が～ 음식이 소화되다. **3** (지식·기술 등이) 몸에 배어 제것이 되다〔익숙해지다〕; 숙련되다. ¶～·れた英語 익숙한 영어/彼の技術はすっかり～·れている 그의 기술은 아주 몸에 배어 있다. **4** 세상사에 익숙해서 세련되다; 원숙해지다. ¶よく～·れた物腰 아주 세련된 태도〔동작〕/人間が～·れてきた 사람이 원숙해졌다.

こにく-い【小憎い】形 얄밉다; 밉살스럽다. ＝こにくらしい.

こにくらし-い【小憎らしい】形 얄밉다; 건방져 아니꼽다. ¶～子供 얄미운 아이/～ことを言う 얄미운 말을 하다.

***こにもつ**【小荷物】名 소화물(《'鉄道小荷物'의 준말》). ¶衣類を～で送る 옷가지를 소화물로 부치다.

コニャック [프 cognac] 名 코냑.

ごにん【誤認】名ス他 오인; 그릇 인식함; 잘못 봄〔생각함〕. ＝見まちがい. ¶事実～ 사실 오인/味方を敵と～する 아군을 적으로 오인하다.

こにんず【小人数】名 〈口〉 적은 인원수. ＝こにんずう. ¶～の会合 소수 인원의 회합. ↔多人数.

こぬか〖小糠·粉糠〗名 〈関西方〉《'こ'는 接頭語》 쌀겨; (속)겨. ＝ぬか.

——三合持ったら養子に行くな 겉보리 서 말만 있으면 처가살이하랴.

——あめ【——雨】名 가랑비. ＝ぬか雨.

こぬすびと【小盗人】名 좀도둑.

コネ 名 'コネクション'의 준말. ¶～がある 연줄이 있다/～をつける 관계를〔연줄을〕 맺어 두다/～で採用される 연줄로 채용되다.

こねあ-げる【こね上げる】《捏ね上げる》下1他 **1** 잘 반죽해서 만들어 내다. **2** 이리저리 궁리하여 적당히 꿰맞추어 꾸며내다. ¶なんとか期日までに報告書を～·げた 이럭저럭해서 기일까지 보고서를 만들어 냈다.

こねかえ-す【こね返す】《捏ね返す》5他 자꾸 이기다; 자꾸 (뭉)개어 반죽하다. ¶メリケン粉を何回も～ 밀가루를 몇번이고 개어 이기다. 参考 분쟁을 점점 더 악화시킨다는 뜻으로도 쓰임. ¶～·して問題をむずかしくする 들쑤시어 문제를 어렵게 만들다.

コネクション [connection] 名 커넥션. **1** 연고; (친분) 관계; 연줄. ＝コネ. **2** 연락; 관련. **3** 〈俗〉 (마약·밀수 등의) 비밀공조(共助) 조직.

こねこ【小猫·子猫】《仔猫》名 작은 고양이; 또, 새끼 고양이.

ごねどく【ごね得】名 〈俗〉 어쩌니 저쩌니 끈질기게 불평을 늘어놓아 그만큼 득을 봄. ＝ごてどく.

こねまわ-す【こね回す】《捏ね回す》5他 **1** ☞こねかえす. **2** (일을) 자꾸 주물러 터뜨리다; 뭉그대다.

***こ-ねる**〖捏ねる〗下1他 **1** 반죽하다; 이기다; 개다. ¶小麦粉を～ 밀가루를 반죽하다. **2** 억지 부리다; 떼를 쓰다. ¶だだを～ 떼를 쓰다/へりくつを～ 당찮은 이유를 내세우다; 억지 쓰다.

ご-ねる 下1自 〈俗〉 **1** 불평〔투정〕하다; 투덜거리다. ＝ごてる. ¶礼金〔補償金〕が少ないと～ 사례금〔보상금〕이 적다고 투덜거리다. **2** 죽다; 뻗다; 뒈지다. ＝くたばる. ¶欲張りじじいが～·

ねた 욕심쟁이 늙은이가 죽었다.

こねんへい【古年兵】图 고참병. ↔初年兵.

この〖此の〗連体 **1** 이. ¶～本 이 책/～外に 이 밖에/～点に注意しなさい 이 점에 주의해라. **2** 최근의; 요; 지난; 이후. ¶～夏 이번〔금년〕 여름/～一月は多忙であった 요〔지난〕 한 달 동안은 몹시 바빴다. 参考 말이 중간에 막히거나 할 때 잇는 말이나, 꾸짖을 때의 힘줌말로도 씀. ¶～ばか者め 이 바보같은 자식. ⇔その·あの·かの.

***このあいだ**【この間】《此の間》图 전날; 일전; 요전. ＝こないだ. ¶～の日曜に駅で彼に会った 요전 일요일에 역에서 그를 만났다.

このうえ【この上】《此の上》連語 **1** 이 이상. ¶～何を持っていくと言うのか 이 이상 뭘 더 갖고 가겠다는 거냐. **2** 이렇게 된 바에는. ¶～は一刻も早く帰ってほしい 이렇게 된 바에는 한시 바삐 돌아가〔돌아와〕 주었으면 좋겠다.

—ない【—無い】連語 더할 나위 없는; 무상의. ¶～名誉 더없는 명예.

このえ〔近衛〕图 근위; 天皇·군주의 측근에서 그 경호를 맡는 일; 또, 그 사람. ¶～兵 근위병/～師団〔連隊〕 근위 사단〔연대〕.

このかた【このかた·この方】《此の方》□图 (그때) 이래; 이후. ¶十年～ 지금까지 10년 동안/別れて～ 헤어진 이후. □代 이 양반; 이분《'この人'의 높임말》. ¶～はわたしの先生です 이분은 저의 선생님이십니다.

このかん【この間】《此の間》图 이 사이; 이 동안. ¶～の事情 이 동안〔저간〕의 사정/～暫く野に下った 이 동안 잠시 관직을 떠났다.

このくらい【この位】《此の位》图 이 정도; 이쯤. ¶長さは～ありました 길이는 이 정도 되었습니다/今日は～にしておきましょう 오늘은 이쯤 해 둡시다. 注意 このぐらい라고도 함.

このご【この期】《此の期》图 이 마당; 막판. ¶～に及んで何を言うか 지금에 와서 무슨 소리냐.

***このごろ**〖此の頃〗图 요사이; 이즘; 요며칠; 최근. ＝近ごろ. ¶～の流行 요즘의 유행/～の天候 요즘의 날씨.

このさい【この際】《此の際》图 차제; 이 기회; 이런 경우. ¶～はっきりさせておこう 차제에 분명히 해 두겠다〔두자〕/～あきらめたほうがいい 차제〔이번 기회〕에 단념하는 게 좋다.

このさき【この先】《此の先》連語 앞(으로). **1** 이 앞; 앞으로 나아갈 방향. ¶～工事中 전방은 공사 중/～の曲がり角に交番がある 요 앞의 길모퉁이에 파출소가 있다/～には人家はない 이 앞으로는 인가는 없다. **2** 금후; 이후. ＝今後. ¶～どうなるか分からない 앞으로 어떻게 될지 모르겠다.

このせつ【この節】《此の節》图 요즈음; 근래《격식 차린 말씨》. ＝このごろ·当節. ¶～の女は 요즈음 여자는/～は不景気だ 요즈음은 불경기다.

このたび【この度】《此の度》图 이번; 금번《격식 차린 말씨》. ＝今度. ¶～はお世話になりました 이번에는 폐를 많이 끼쳤습니다.

このところ【この所】《此の所》□副 요즘; 최근. ＝近ごろ. ¶～暑い日が続く 요즘 더운 날씨가 계속된다. □連語 이곳; 이 장소.

このは【木の葉】图 **1** 〈雅〉 나뭇잎. ＝きのは. ¶～が散る 나뭇잎이 지다. 参考 '一葉·一枚(＝한 잎)'로 셈. **2** 작은〔가벼운〕 것; 보잘것없는 것. ＝こっぱ. ¶～侍 졸때기 무사/～舟 조각배.

このぶん【この分】《此の分》图《'～なら' '～では' 등의 꼴로》 이 상태〔모양〕. ¶～なら雨にはなるまい 이 상태 같아서는 비는 안 오겠다/～だとうまくいくだろう 이런 상태라면 잘 될 거다.

このほう【このほう·この方】《此の方》□代 주로 손아랫사람에 대해서 쓰는 자칭; 나. ＝われ·おれ. □图 이쪽; 이편. ⇔その方.

このほど【この程】《此の程》图 일전; 이번; 최근《격식 차린 말씨》. ＝このたび·このごろ·今回. ¶～帰国したばかりです 최근에 귀국하여 얼마 안 됐습니다/～入閣が決まりました 이번에 입각이 결정되었습니다.

このま【木の間】图 수간(樹間); 나무 사이. ¶～隠れ 나무 사이에 가리어 보였다 안 보였다 하는 모양.

このまえ【この前】《此の前》图 전번; 일전; 요전; 이전. ＝前回·このあいだ. ¶～会った時に約束した 요전에 만났을 때 약속했다.

***このまし-い**【好ましい】形 **1** 마음에 들다; 호감이 가다; 끌리다. ¶～青年 호감이 가는 청년/僕には彼の実直さが～ 나는 그의 성실성이 마음에 든다. **2** 바람직하다; 탐탁하다. ＝のぞましい. ¶～·くない人物 바람직하지 않은 인물/慎重な検討が～ 신중한 검토가 요망된다.

***このみ**【好み】图 **1** 좋아함; 취미; 기호(嗜好). ¶あの柄は僕の～に合わない 저 무늬는 내 취향에 맞지 않는다/お～の料理をお選びください 좋아하시는 요리를 고르십시오. **2** 주문; 희망. ¶お～次第 주문〔희망하시는〕대로/お～に従って調製します 희망〔주문〕에 따라서 만듭니다. **3** 유행; 취향. ¶近頃の～ 최근의 취향.

このみ【木の実】图 〈雅〉 나무 열매; 과실. ＝きのみ.

***この-む**【好む】5他 **1** 좋아하다; 즐기다. ¶読書を～ 독서를 좋아하다/英雄色を～ 영웅호색/～と～·まざるとを

問わず 좋아하든 안 하든. **2** 바라다. ＝望む. ¶ 他人の来訪を～ 남의 내방을 바라다 / ～とおりになる 바라는 대로 되다. ⇨このんで. ⇔嫌う.

このめ【木の芽】图〈雅〉☞きのめ.

このもし-い【好もしい】形 ☞このましい.

このよ【この世】《此の世》图 **1** 이승; 현세. ＝今生. ¶ ～の見納め 삶의 종말; 이승에서의 마지막; 죽음 / ～を去る 세상을 떠나다; 죽다 / ～の人ではない 이 세상 사람이 아니다《죽었다》. ↔あの世. **2** 이 세상; 실(實)사회. ＝世間·世の中. **3** 현대; 당대.

─の限り 이승에서〔일생〕의 마지막.

─の別れ 죽음; 사별.

このよう〖此の様〗ダナ 이 모양; 이와 같음. ¶ ～に生活が苦しくてはやりきれない 이렇게 생활이 어려워서는 견딜 수가 없다 / ～な人は始めてだ 이런 사람은 처음이다 / ～にしてください 이렇게 해 주세요.

このんで【好んで】連語 **1** 기꺼이; 즐겨; 좋아서. ¶ ～遠くへ出かける 즐겨 멀리 출타하다. **2** 종종; 곧잘. ¶ ～子供の絵をかく 곧잘 애들 그림을 그린다.

ごば【後場】图〖經〗(거래소에서) 후장. ↔前場.

こばい【故買】图ス他 고매; 장물 취득. ¶ ～品 장물 / ～屋 장물아비 / ～の罪 장물죄 / 贓品～ 장물 취득.

こばか〖小馬鹿〗图『～にする』(사뭇) 깔보다; 얕보다. ¶ 人を～にしたような態度 남을 깔보는 듯한 태도.

こはく〖琥珀〗图 **1** 호박. **2** 호박단(緞)《비단의 일종》. ＝こはく織り.

─いろ【─色】图 호박색; 호박같이 누른빛.

ごばく【誤爆】图ス他 오폭; 잘못 폭격함.

こばこ【小箱】《小筥》图 (자질구레한 것을 넣는) 작은 상자.

ごはさん【御破算】图 **1** (주판에서) 떨기. ¶ ～で願いましては 떨고 놓기를. **2** (일을) 백지화함. ¶ ～にする 처음 상태로 되돌리다; 백지화하다 / 今までの話は～にして始めからやりなおす 지금까지의 이야기는 백지화하고 처음부터 새로 시작하다.

こばしり【小走り】图 잔달음질; 종종걸음. ¶ ～に歩く 잔달음질치다; 종종걸음으로 걷다.

こはずかし-い【小恥ずかしい】形 좀〔조금〕 부끄럽다. ¶ つまみ食いを見つかって～思いをした 몰래 집어〔훔쳐〕먹다 들켜서 좀 부끄러웠다. 注意 俗語적 표현은 'こっぱずかしい'.

こはだ〖小鰭〗图 このしろ(＝전어)의 중치《어초(魚酢)의 재료 따위로 씀》.

こはだ【木肌】《木皮·樸》图 나무껍질.

こばた【小旗】图 작은 깃발.

ごはっと【御法度】图 금지돼 있는 것; 금제(禁制). ＝タブー·禁制. ¶ 飲酒運転は～だ 음주 운전은 금지된 일이다. 参考 '法度'의 높임말.

こばな【小鼻】图 콧방울. ＝鼻翼.

─をうごめかす 콧방울을 벌름거리다《우쭐한 모양》.

こばなし【小話】《小咄》图 **1** 소화; 짤막한 이야기. ＝一口話. ¶ フランス～ 프랑스 소화 / 江戸～ 江戸 소화. **2** 소화(笑話). ＝コント.

こばなれ【子離れ】图ス自 부모가 자식의 자주성을 존중하여, 지나친 간섭을 삼가는 일.

こはば【小幅】㊀图 (옷감의) 폭의 규격을 나타내는 말《큰 폭의 반 폭, 곧 보통 폭; 약 36 cm》. ＝なみ幅.

㊁ダナ 소폭; 수량·가격 따위의 차가 적음. ¶ ～の〔な〕値動き 소폭의 시세 변동 / ～な修正にとめる 소폭 수정에 그치다. ⇔大幅.

*__こば-む__【拒む】5他 **1** 거부하다; 응하지 않다. ＝ことわる. ¶ 要求を～ 요구를 거부하다. **2** 저지하다; 막다. ＝はばむ. ¶ 敵の侵入を～ 적의 침입을 저지하다. 可能こば-める下1自

こばら【小腹】图 **1**『～が立つ』(좀) 화가 나다. **2**『～が痛む』아랫배가 아프다. **3**『～が減る』배가 조금 고프다.

こはる【小春】图 소춘; 음력 10월의 딴 이름.

─びより【─日和】图 음력 시월의 따뜻한 날씨.

コバルト [cobalt] 图 코발트. **1** 금속 원소의 하나《기호: Co》. **2** 하늘빛.

こはん【小半】图 반(半)의 반; 4분의 1.

こはん【湖畔】图 호반; 호숫가. ¶ ～の宿 호반의 여관.

こばん【小判】图 天正(＝1573-92년의 연호) 시대로부터 江戸 시대에 걸쳐 만든 타원형의 금화《한 개가 '一両'》. ↔大判.

**__ごはん__【御飯】图 'めし(＝밥)·食事(＝식사)'의 공손한 말씨. ¶ 朝～ 아침밥 / 白い～ 흰밥 / ～にする 식사를 하다 / あつあつの～ (갓 지은) 따끈따끈한 밥 / ～を炊く〔よそう〕 밥을 짓다〔담다〕 / さあ, ～ですよ 자, 밥 먹어요.

ごばん【碁盤】图 기반; 바둑판. ¶ ～の目 바둑판의 눈.

─じま〖─縞〗图 바둑판 무늬.

こはんにち【小半日】图 한나절; 약 반일. ¶ そこで～も待たされた 그곳에서 한나절이나 기다렸다.

こび〖媚〗图 교태; 아첨; 아양. ¶ 楊貴妃の～ 양귀비의 교태 / ～を売る 아양 떨다; 아첨하다 / ～を含む 교태를 띠다 / ～を示す 교태를 부리다.

ごび【語尾】图 어미. **1** 낱말의 끝. ＝語末. ↔語頭. **2**〖文法〗 활용어의 변화하는 끝부분. ＝活用語尾. ↔語幹. **3** 말끝. ＝ことばじり. ¶ ～をはっきり言わない 말끝을 흐리다.

*__コピー__ [copy] ㊀图ス他 카피; 사본; 복사. ¶ ～を取る 복사하다; 카피를 뜨다. ㊁图 (광고 등의) 초고(草稿); 문

안. [注意] 'コッピー' 라고도 함.

—しょくひん【—食品】[名] 카피 식품; 다른 원료를 써서 진짜처럼 모방해서 만든 식품(어묵으로 만든 (게)맛살 따위).

—はんざい【—犯罪】[名] 카피 범죄.

—ライター [copy writer] [名] 카피라이터; 광고 등의 문안 작성자.

こびき〖木挽き〗[名] 재목을 톱질해서 자름; 또, 톱질꾼.

こひざ【小ひざ】《小膝》[名] 무릎.

—を打(う)つ 무릎을 치다(감탄이나 동의의 뜻으로 씀). ¶小ひざを打って感心(かんしん)する 무릎을 치며 감탄하다.

こびじゅつ【古美術】[名] 고미술.

こひつじ【小羊·子羊】[名] 어린양; 양·염소 새끼의 총칭. [参考] 비유적으로도 씀. ¶あわれな～ 불쌍한〔가엾은〕 어린양/迷(まよ)える～ 길 잃은 어린양.

こびっちょ [名] 〈俗〉 난쟁이.

こびと【小人】[名] **1** 소인(전설이나 동화 등에 나오는 상상의 인물). ¶～の国(くに) 소인국. **2** 난쟁이.

こびへつら-う〖媚び諂う〗[5自] 아첨하다; 알랑거리다; 비위를 맞추다. ¶上司(じょうし)には～·い, 部下(ぶか)には威張(いば)り散(ち)らす 상사에게는 아첨하고 부하에게는 아주 거만하게 굴다.

こびゃくしょう【小百姓】[名] 가난한 농부; 소농.

こひょう【小兵】[名] 몸이 작음; 또, 그런 사람. =小(こ)がら. ¶～力士(りきし) 몸집이 작은 씨름꾼. ↔大兵(だいひょう).

こびりつ-く [5自] 〈俗〉 달라붙다. ¶心配(しんぱい)が頭(あたま)に～ 걱정이 머리에서 떠나지 않다/飯粒(めしつぶ)が紙(かみ)に～·いている 밥알이 종이에 들러붙어 있다.

こひる【小昼】[名] **1** 정오 무렵의 시각. =小昼時(どき). **2** 아침과 점심 사이의 곁두리〔새참〕. **3** 간식. =おやつ. [注意] 'こびる' 라고도 함.

こ-びる〖媚びる〗[上1自] **1** (여자가) 아양떨다; 교태 부리다. ¶金(かね)のありそうな人(ひと)に～ 돈푼이나 있어 뵈는 사람에게 아양 떨다. **2** 알랑거리다. =おもねる·へつらう. ¶上役(うわやく)に～ 상사에게 알랑거리다/権力(けんりょく)に～ 권력에 빌붙다.

こびん【小びん】《小鬢》[名] 옆 머리; 살쩍. =びん. ¶～に白髪(しらが)が出(で)る 옆 머리에 흰머리가 나다/～をかすめる 옆머리를 조금 스치다.

***こぶ**〖瘤〗[名] **1** 혹. =たんこぶ. ¶目(め)の上(うえ)の～ 눈 위의 혹; 전하여, 장애물/～ができる 혹이 나다〔생기다〕. **2** 혹같이 표면에 융기한 것; 육봉(肉峰); (끈 등의) 도도록한 매듭. ¶木(き)の～ 나무의 옹두리/ラクダの～ 낙타 등의 육봉. **3** 거치적거리는 것; 특히, 어린아이. ¶～つきの女(おんな) 아이가 딸린 여자.

こぶ【昆布】[名] ☞こんぶ. ¶～出(だ)し 다시마를 끓여 우린 조미용 국물.

こぶ【鼓舞】[名][ス他] 고무; 북돋움. ¶士気(しき)を～する 사기를 북돋우다.

ごぶ【五分】[名] **1** 5푼. ¶月(つき)～の利子(りし) 월 5푼의 이자. **2** 우열이 없음; 비슷함. =互角(ごかく). ¶～の勝負(しょうぶ) 비등한〔팽팽한〕 승부. **3** 10분의 5; 반. =半分(はんぶん). ¶～どおりできた 반 정도는 되었다.

—がり【—刈り】[名] 5푼 덧빗대기.

—ごぶ【—五分】[名] 어슷비슷함; 비등함('五分 2'의 힘줌말). ¶実力(じつりょく)は～だ 실력은 어슷비슷하다.

こふう【古風】[名ナ] 고풍; 예스러움; 옛날식. =昔風(むかしふう). ¶～な作(つく)りの茶室(ちゃしつ) 예스럽게 꾸민 다실/～な考(かんが)え 구식 생각/～を保(たも)つ 고풍을 지니다. ↔当世風(とうせいふう).

***ごふく**【呉服】[名] 포목; 비단 옷감(의 총칭). ¶～屋(や) 포목전; 드팀전/～商(しょう) 포목상. [参考] 중국의 오(呉)나라에서 직조법이 전래된 데서. ↔太物(ふともの).

***ごぶさた**〖御無沙汰〗[名][ス他] 오랫동안 격조함; 무소식('無沙汰'의 공손한 말씨). ¶～お許(ゆる)しください 격조했음을 용서해 주십시오/長(なが)らく～しております 오랫동안 격조하였습니다.

こぶし〖拳〗[名] 주먹. =げんこつ·にぎりこぶし. ¶～をふりあげる 주먹을 쳐들다. ↔平手(ひらて).

こぶし【小節】[名] **1** 나무 마디의 작은 것. **2** 작은 かつお節(ぶし)(=가다랑어포). **3** (노래, 특히 가요곡·민요 등의) 미묘하고도 장식적인 가락. ¶～がきいている 미묘한 가락을 잘 살렸다.

ごふじょう【御不浄】[名] 〈婉曲〉 변소; 화장실. ¶～はどちらかしら 화장실은 어딜까. [参考] 주로 나이 든 여성들의 용어.

こぶちゃ【昆布茶】[名] 다시마차(잘게 썬 다시마나 다시마 가루에 더운 물을 부은 차; 차의 대용임).

こぶつ【古物·故物】[名] **1** 고물. ¶～商(しょう) 고물상. **2** 예로부터 전해 오는 (내력 있는) 물건. ⇔新品(しんぴん).

ごぶつきまい【五分つき米】《五分搗き米》[名] 오분도쌀. =半搗(はんつ)き米(まい).

ごぶつぜん【御仏前】[名] **1** 부처의 앞; 불전; 위패의 앞. **2** 장례식이나 재를 올릴 때 향전(香奠)이나 공양물 등에 적는 말. [参考] 2는 장례 후에 쓰며, 장례까지는 ご霊前(れいぜん)이라고 함.

こふで【小筆】[名] (가는 글씨를 쓰는) 세필(細筆).

こぶとり【小太り】《小肥り》[名][ス自] 조금 살이 찜. ¶～な体(からだ) 통통한 몸(집).

こぶね【小船·小舟】[名] 작은 배.

こぶまき【昆布巻き】[名] 청어·망둥이 따위를 다시마로 말아서 익힌 요리(설날 같은 때 씀). =こんぶまき.

こぶり【小振り】[名][ス自] 작게 흔듦. ¶～でミートする 배트를 작게 휘둘러 공을 맞히다/バットを～にする 배트를 작게 휘두르다. ↔大振(おおぶ)り.

こぶり【小ぶり】《小振り》[名ナ] (다른 것보다) 좀 작음. ¶～の人形(にんぎょう) 좀 작은 인형/～の方(ほう)をください 작은 쪽을 주십시오. ↔大(おお)ぶり.

こぶり【小降り】[名] (비·눈이) 적게 내

림. ¶ ~になる 눈발〔빗발〕이 가늘어지다 / ~の中に帰ろう (비·눈 등이) 본격적으로 쏟아지기 전에 돌아가자. ↔大降り·本降り.

こふん【古墳】图 고분. ¶ ~を発掘する 고분을 발굴하다.

—じだい【—時代】图〖史〗고분 시대; 일본에서 많은 고분이 축조되었던 시대《弥生 시대 다음으로, 약 4-6세기경을 이름》.

こぶん【子分】图 1 부하. ＝手下·配下. ¶ ~としては申し分ない 부하로선 제격이다. 2 임시로 아들 취급을 받는 사람; 수양아들. ＝義子. ⇔親分.

こぶん【古文】图 고문. ↔現代文.

こへい【古兵】图 고병; 고참병. ＝古年兵. ↔新兵.

ごへい【御幣】图 신장대. ＝ぬさ. 注意 'おんべ' 라고도 함.

—を担ぐ 하찮은 운수나 미신을 믿다.

—かつぎ【—担ぎ】图 미신을 좋아함; 또, 그런 사람; 미신가. ＝かつぎや·縁起かつぎ.

ごへい【語弊】图 어폐. ¶そう言うと~がある 그렇게 말하면 어폐가 있다.

こべつ【戸別】图 호별. ＝家ごと·各戸. ¶ ~訪問 호별 방문. 「호별 할당.

—わり【—割り】图 (세금·기부 등의)

こべつ【個別】《箇別》图 개별; 하나하나. ＝個々別々. ¶ ~に審査する 개별로 심사하다. 「団指導.

—しどう【—指導】图 개별 지도. ↔集

—しょうひぜい【—消費税】图 개별〔특별〕소비세. ↔一般消費税.

—せい【—性】图 개별성. ↔一般性.

—てき【—的】ダナ 개별적. ¶選手を~に指導する 선수를 개별적으로 지도하다. ↔統一的.

ごほう【語法】图 어법. ¶日本語の~研究 일본어 어법 연구 / ~上まちがった言いかた 어법상 틀린 말씨.

ごほう【誤報】图スル他 오보. ¶一流新聞でも~がある 일류 신문이라도 오보가 있다 / その報道は~だった 그 보도는 오보였다.

ごぼう〖牛蒡·午蒡〗图〖植〗우엉. ¶ ~のような足 야위고 거무스름한 다리.

—ぬき【—抜き】图 1 (우엉을 뽑듯이) 긴 것을 단숨에 쑥 뽑음; 차례차례로 하나씩 쏙쏙 뽑음. ¶デモ隊を~にする (해산시키기 위해) 데모 대원을 한 사람씩 쏙쏙 잡아 내다. 2 많은 중에서 마음대로 골라 뽑음. ¶スターの~ 스타만을 뽑음 / 腕のある選手ばかりを~にする 실력 있는 선수만을 뽑다. 3〈俗〉(경주 등에서) 몇 사람을 차례로 앞지름. ¶ゴール近くで三人を~にする 골 근처에서 세 사람을 따라잡다.

こぼうず【小坊主】图 1 나이 어린 승려; 꼬마 중; 사미(沙彌). 2 소년《사내아이를 막되게 또는 친근하게 부르는 말》. ¶うちの~ 우리 아이놈.

こぼく【古木】图 고목; 노목(老木).

こぼく【枯木】图 고목. ＝枯れ木.

—に花開く 고목생화(生花). 1 있을 법도 하지 않은 일이 실현되다. 2 쇠했던 것이 다시 기운을 얻어 성해지다.

**こぼ-す〖零す·溢す〗一5他 1 흘리다; 엎지르다. ¶バケツの水を少し~ 양동이의 물을 조금 엎지르다 / 涙を~ 눈물을 흘리다 / パンくずを~ 빵 부스러기를 흘리다 / ~·さずに食べなさい 흘리지 말고 먹어라. 2 불평〔푸념〕하다; 투덜대다; 우는 소리를 하다. ¶愚痴を~ 푸념하다 / いくら~·しても済んだことは仕方がない 아무리 투덜대 봤자 이미 끝난 일은 할 수 없다. 可能 こぼ-せる 下1自

こぼね【小骨】图 잔뼈; 잔가시. ¶魚の~ 물고기의 잔가시. 「〔수고하다〕.

—を折る; —が折れる 조금 애쓰다

こぼね【子骨】图 부챗살. ↔親骨.

こぼれ〖零れ·溢れ〗图 넘쳐흐름; 흘린 것; 쓰다 남은 것. ¶人のお~をちょうだいする 남이 남긴 것을 물려받다.

こぼれお-ちる【こぼれ落ちる】《零れ落ちる》上1自 1 넘쳐(흘러) 떨어지다. 2 누락되다. ¶調査から~ 조사에서 누락되다. 3 (표정 등이) 밖으로 넘치다. ¶笑いが~ 웃음이 넘치다.

こぼれざいわい【こぼれ幸い】《零れ幸い》图 뜻밖의 행운; 요행. ＝僥倖·まぐれざいわい.

こぼればなし【こぼれ話】《零れ話》图 후문(後聞); 여담; 뒷이야기. ＝余聞. ¶事件が事件だけに~が多い 사건이 사건인만큼 뒷이야기가 많다.

こぼ-れる〖毀れる〗下1自 망가지다; 빠져 없어지다. ¶刃が~ 날이 망가지다; 날의 이가 빠지다 / 櫛の歯が~ 빗살이 빠지다.

**こぼ-れる〖零れる·溢れる〗下1自 넘치다. 1 넘쳐흐르다; 흘러나오다. ¶涙が~ 눈물이 흘러내리다. 2 냄새를 풍기다. ¶ ~·れてにおう花桜 넘치듯 풍기는 벚꽃의 향기. 3 (애교 등이) 넘치다. ¶ ~ばかりのあいきょう 넘칠 듯한 애교 / 色気が~ 성적 매력이 넘치다.

こほん【古本】图 고본. 1 헌 책. ＝ふるほん. ↔新本. 2 고서; 고대의 책.

ごほんごほん 副 거푸 콜록거리는 모양; 콜록콜록. ¶ ~とせきをする 콜록콜록 기침을 하다.

こぼんのう【子煩悩】名ナ 자식을 끔찍이 사랑하고 아낌; 또, 그런 사람. ¶ ~の〔な〕人 자식 사랑이 끔찍한 사람.

こま〖駒〗图 1〈雅〉망아지; 말. 2 (장기의) 말. ¶ ~を動かす 말을 쓰다. 3 三味線·거문고 따위 현악기의 줄 굄목; 기러기발.

—を進める 다음 단계에 나가다. ¶準決勝へ~ 준결승에 진출하다.

こま〖齣〗图 1 영화 필름의 한 화면. ¶思い出のひと~ 추억의 한 장면. 2 (소설·희곡·만화 등의) 한 구분〔장면〕; (대학 강의의) 일 회분. ¶四(よん)～漫画(まんが) 네 컷〔칸〕짜리 만화 / 日常生活(にちじょうせいかつ)の一(ひと)～ 일상생활의 한 단면.

こま【小間】㊀名 **1** 짬; 틈; 겨를. **2** 작은 방. **3** 다도(茶道)에서 다다미 4장 반 이하의 다실(茶室). ㊁接頭 '잔·작은' '사소한' '손쉬운'의 뜻을 나타내는 말. ¶～切(ぎ)れ 저민 조각 / ～使(づか)い 잔시중을 드는 하녀. 「＝木(こ)の間(ま).

こま【木間】《樹間》名 나무와 나무 사이.

こま〖独楽〗名 팽이. ¶～をまわす 팽이를 돌리다. 「금.

ごま〖胡麻〗名〔植〕참깨. ¶～塩(しお) 깨소

—を擂(す)る 자기 잇속을 노려 남에게 아첨하다. ¶いつも上役(うわやく)に～ 언제나 상사에게 아첨하다.

***コマーシャル** [commercial] 名 커머셜. **1** 'コマーシャル メッセージ'의 준말. **2** 상업상; 영업상; 선전. ¶～アート 상업미술 / ～デザイン 커머셜〔상업〕디자인.

—ソング [일 commercial＋song] 名 커머셜 송; CM송. *영어로는 jingle.

—フィルム [일 commercial＋film] 名 커머셜 필름; 광고〔선전〕영화《CF》.

—メッセージ [commercial message] 名 커머셜 메시지; CM.

ごまあぶら【ごま油】《胡麻油》名 참기름; 호마유.

こまい【古米】名 고미; 묵은쌀. ＝ふるごめ. ↔新米(しんまい).

こまいぬ【こま犬】《狛犬》名 신사나 절 앞에 돌로 사자 비슷하게 조각하여 마주 놓은 한 쌍의 상(像). ＝こま·唐犬(からいぬ). 参考 高麗(こま)에서 전해졌다고 함.

こまおち【こま落ち】《駒落ち》名 (장기에서) 상수가 어떤 말을 떼고 둠《角落(かくお)ち 등》. ¶～将棋(しょうぎ) 떼고 두는 장기. ↔平手(ひらて).

こまか【細か】ダナ **1** 잔 모양. ¶～な字(じ) 잔 글씨 / ～にくだく 잘게 빻다. **2** 자세한 모양. ¶～に調(しら)べる 자세히 조사하다. ↔大(おお)まか. **3** 자상한〔세세한〕모양. ¶～にめんどうをみる 자상하게 돌봐주다. ↔大(おお)まか. ⇨こまかい.

⁑**こまか-い**【細かい】形 **1** 잘다. ㉠작다; 미세하다. ¶～砂(すな) 잔모래 / ～字(じ) 잔 글씨 / ～金(かね) 잔돈 / 金(かね)を～·くする 돈을 잔돈으로 헐다 / ねぎを～·く刻(きざ)む 파를 잘게 썰다. ㉡대범하지 않다; 까다롭다. ¶～こごとを言(い)う 쓸데없는 잔소리를 하다. ㉢타산적이다; 인색하다. ¶金銭(きんせん)に～ 금전에 인색하다. **2** 촘촘하다; 곱다. ¶目(め)の～ふるい (쳇불이) 고운 체 / 網(あみ)の目(め)が～ 그물눈이 배다. **3** 자세하다; 세세하다; 빈틈없다. ¶～説明(せつめい) 자세한 설명 / ～心(こころ)づかい 세심한 배려 / 役者(やくしゃ)の～芸(げい) 배우의 빈틈없는〔완벽한〕연기 / ～点(てん)まで気(き)を配(くば)る 세세한 데까지 마음을 쓰다. **4** 대수롭지 않다; 사소하다. ¶～あらを探(さが)す 사소한 흠을 찾다〔잡다〕. ⇔あらい.

ごまかし〖誤魔化し〗名 남의 눈을 속임. ¶～がきく 속임수가 통하다.

こまかし-い【細かしい】形 몹시 잘다〔자세하다〕. ¶～ことまで知(し)っている 자잘한 것까지 알고 있다.

⁑**ごまか-す**〖誤魔化す〗5他 **1** 거짓 꾸미다; 속이다. ¶よい品(しな)のように～ 좋은 물건인 것처럼 속이다 / おつりを～ 거스름돈을 속이다 / 目(め)〔勘定(かんじょう)〕を～ 눈〔셈〕을 속이다. **2** 어물어물 넘기다; 얼버무리다. ¶答弁(とうべん)を～ 답변을 얼버무리다. 可能ごまか-せる下1自

***こまぎれ**〖小間切れ·細切れ〗名 저민 조각; 잚게〔작게〕구분한 것. ¶牛肉(ぎゅうにく)の～ 쇠고깃점 / ～運転(うんてん) 소구간〔단거리〕운전 / ～の休暇(きゅうか) 짧은 휴가 / ～にする (쇠고기 따위를) 잘게 저미다.

こまく【鼓膜】名〔生〕고막; 귀청. ¶～が破(やぶ)れる 고막이 터지다.

こまげた［駒下駄］名 딴 굽을 달지 않고, 통나무를 깎아 만든 왜나막신. ↔高(たか)げた·あしだ(足駄).

***こまごま**【細細】副 **1** 자질구레한 모양. ¶～した品物(しなもの) 자질구레한 물건. **2** 자세한 모양. ¶～(と)注意(ちゅうい)を与(あた)える 자상하게 주의를 주다 / ～と書(か)きしるす 자세히 쓰다. **3** 공손한 모양. ¶～と礼(れい)を言(い)う 공손하게 사의를 표하다. ⇔あらあら. **4** 바지런한 모양. ¶～と立(た)ち働(はたら)く 바지런히 일하다.

—し-い 形 **1** 자질구레하다; 세밀하다. **2** 자세하다; 세세하다. ¶～指示(しじ) 자세한 지시 / ～ことは略(りゃく)する 세세한 것은 생략하다.

こましゃく-れる 下1自 (아이가) 되바라지다; 자깝스럽다. ＝こまっちゃくれる. ¶～·れた子供(こども) 깜찍한〔되바라진〕아이 / ～·れた口(くち)をきく 되바라진 소리를 하다.

ごますり〖胡麻擂り〗名 아첨함; 아부함; 알랑거림; 또, 그 사람. ¶～の男(おとこ) 아첨하는 사나이.

こまた【小また】《小股》名 **1** 보폭(歩幅)이 좁음. ¶～に歩(ある)く 종종걸음으로 걷다. ↔大(おお)また. **2** 가랑이.

—が〔の〕切(き)れ上(あ)がる 여성의 몸매가 미끈하고 날씬함의 형용. ¶小またの切れ上がったいい女(おんな) 몸매가 미끈하고 마음씨 고운 여자.

こまち【小町】名 소문난 아름다운 처녀; 미녀. ＝小町娘(むすめ). 参考 小野(おの)小町(＝平安(へいあん) 시대의 여류 시인)가 절세미인이었다는 데서. 「若松(わかまつ).

こまつ【小松】名 작은〔어린〕소나무. ＝

—な〖—菜〗名〔植〕평지의 변종《겨울 국거리로 쓰임》. 参考 東京(とうきょう)江戸川区(えどがわく) 小松 강 부근에서 많이 남.

ごまつ【語末】名〔言〕말의 끝 부분; 어미. ¶～音(おん) 말의 끝소리. ↔語頭(ごとう).

こまづかい【小間使い】名 신변의 잔시중을 드는 하녀; 몸종. 「くれる.

こまっちゃく-れる 下1自 ☞こましゃ

こまぬ-く 〖拱く〗 5他 공수(拱手)하다; 수수(袖手)하다; 팔짱을 끼다. =こまねく. ¶腕(うで)〔手(て)〕を～ 수수방관하다; 손끝을 맺다.

こまね-く 〖拱く〗 5他 ☞こまぬく.

こまねずみ 〖高麗鼠·独楽鼠〗 名 (중국 원산의) 흰 생쥐. =まいねずみ.
—のよう 바지런한 모양. ¶～に働(はたら)く 바지런히 일하다.

ごまのはい 【ごまの灰】《護摩の灰》 名 옛날, 여행자를 가장하여 길손의 물건을 훔치던 도둑.

こまめ 〖小まめ〗 ダナ 아주 바지런한 모양; 알뜰한 모양; 충실한 모양. ¶～な男(おとこ) 바지런한 사나이/～に働(はたら)く 근실히 일하다.

こまもの 【小間物】 名 (여자의) 화장 도구·일용품 등의 자질구레한 물건; 방물; 장신구(具).
—や 【—屋】 名 **1** 小間物(こまもの)를 파는 가게. =小間物店(みせ). **2** 〈俗〉 토한 것. =へど. ¶～を開(ひら)く 온통 게워 놓다.

こまやか 【細やか】《濃やか》 ダナ **1** 자세한 모양. ¶～に説明(せつめい)する 자세히 설명하다. **2** 빛이 짙은 모양. ¶松(まつ)の緑(みどり)～に 소나무의 푸른빛도 짙게. **3** 아기자기한 모양; 정이 깊은 모양. ¶～な夫婦愛(ふうふあい) 아기자기한 부부애. **4** (상대를 생각하는 마음이) 자상한 모양. ¶～な心遣(こころづか)い 자상한 배려.

こまりき-る 【困り切る】 5自 몹시 난처해지다; 궁지에 몰리다; 곤경에 빠지다; 애를 먹다. ¶金(かね)がなくて～·っている 돈이 없어서 곤경에 빠져 있다/一人(ひとり)っ子(こ)のわがままに～ 외아들의 버릇없는 행동에 애먹는다.

こまりぬ-く 【困り抜く】 5自 몹시 난감해지다; 곤경에 빠지다. =困(こま)り切(き)る. ¶事業(じぎょう)が振(ふる)わなくて～·いている 사업이 잘 안 돼 몹시 곤란을 겪고 있다.

こまりは-てる 【困り果てる】 下1自 몹시 곤란을 겪다; 난감해하다; 몹시 난처해지다. ¶～·てて身(み)をひく 몹시 난처해져서 몸을 빼다/病気(びょうき)はするし金(かね)はなし, すっかり～ 병은 나고 돈은 없고 어찌할 바를 모르다.

こまりもの 【困り者】 名 귀찮은〔성가신〕 사람; 말썽꾸러기; 두통거리. ¶一家(いっか)の～ 집안의 골칫거리.

****こま-る** 【困る】 5自 곤란하다. **1** 괴로움〔어려움〕을 겪다; 시달리다. ¶～·っている家族(かぞく) 가난으로 어려움에 처해 있는 가족/目(め)が痛(いた)くて～ 눈이 아파 괴로움을 겪다/食(く)うには～·らない 먹고 살기는 어렵지 않다. **2** 난처하다. ¶～·ったことには 난처하게도/～·った男(おとこ)だ 곤란한〔한심한〕 사나이다/橋(はし)を流(なが)されて非常(ひじょう)に～ 다리가 유실되어〔떠내려가〕 몹시 곤란하다.

こまわり 【小回り】 名 ス自 **1** 조금 돌아가는 길; 조금 길을 돌아감. ¶～をする 조금 길을 돌아가다. **2** 작은 회전 반경으로 돎. ¶左(ひだり)～右(みぎ)大回(おおまわ)り 왼쪽으로 작게 돌고 오른쪽으로 크게 돎/～のきく自動車(じどうしゃ) 좁은 데서도 회전이 자유로운 자동차. ↔大回(おおまわ)り.
—が利(き)く **1** 좁은 데서도 방향을 바꿀 수 있다. ¶小型車(こがたしゃ)は～ 소형차는 좁은 데서도 회전이 된다. **2** 상황 변화에 재빨리 대응할 수 있다. ¶中小会社(ちゅうしょうがいしゃ)のよさは～点(てん)にある 중소 회사의 장점은 상황 변화에 대해 즉시 대처할 수 있다는 점에 있다.

コマンダー [commander] 名 커맨더; 사령관; 지휘관; 부대장.

ごまんと 副 〈俗〉 많이; 얼마든지. ¶証拠(しょうこ)は～ある 증거는 얼마든지 있다.

こみ 【込み】 名 **1** 다른 것도 같이 포함함; 한데 섞음. ¶～にする 한데 합치다〔넣다〕/大(おお)きいのも小(ちい)さいのも～にして売(う)る 큰 것 작은 것 (구분하지 않고) 다 한데 섞어서 팔다. **2**《다른 名詞를 받아서》…을 포함(해서). ¶税(ぜい)～で三万円(さんまんえん) 세금 포함하여 3만 엔. **3** (바둑에서) 덤; 공제. ¶五目半(ごもくはん)の～ 다섯 집 반 공제.

****ごみ** 〖塵·芥·埃〗 名 쓰레기; 티끌; 먼지. =ちり·あくた·くず. ¶～の山(やま) 쓰레기 더미/～箱(ばこ) 쓰레기통/生(なま)～ 부엌 쓰레기; 음식 찌꺼기/～を捨(す)てる 쓰레기를 버리다/目(め)に～が入(はい)る 눈에 먼지가 들어가다.

こみあ-う 【込み合う】 5自 붐비다; 혼잡〔복잡〕하다; 북적이다. =雑踏(ざっとう)する. ¶～·った電車(でんしゃ) 붐비는 전차/～·って車(くるま)が前(まえ)へ進(すす)まない 붐벼서 차가 앞으로 나아가지 못하다.

ごみあくた 〖塵芥〗 名 진개. **1** 티끌; 먼지; 쓰레기. **2** 허섭스레기.

こみあ-げる 【込み上げる】 下1自 치밀어 오르다; 복받치다. ¶涙(なみだ)が～ 눈물이 복받치다/吐(は)き気(け)を催(もよお)して～ 메스꺼워 속이 울컥거리다.

こみい-る 【込み入る】 5自 (사건의 성격·물건의 구조 등이) 복잡하게 얽히다. ¶話(はなし)が～ 이야기가 복잡해지다/何(なに)か～·った事情(じじょう)がある 무언가 복잡하게 얽힌 사정이 있다.

コミカル [comical] ダナ 코미컬; 희극적. ¶～な踊(おど)り 익살스러운 춤/～な味(あじ)の劇(げき) 희극적인 맛이 나는 연극.

ごみごみ 副 トス自 쓰레기·먼지가 많아서 너저분한 모양; 또, 어수선한 모양. ¶～した町(まち) 너저분한 거리.

ごみすてば 【ごみ捨て場】《塵捨て場》 名 쓰레기장; 쓰레기터.

コミセン 名 'コミュニティーセンター'의 준말.

こみだし 【子見出し】 名 (사전에서) 작은〔소〕표제어《복합어·성구(成句)·속담 따위가 배열됨》. ↔親見出(おやみだ)し.

こみだし 【小見出し】 名 **1** (신문 따위의) 작은 표제; 부표제. =サブタイトル. ↔大見出(おおみだ)し. **2** (한 문장의) 소제목.

ごみため〖塵溜め·芥溜め〗图 **1** 쓰레기를 버리는[모으는] 곳. =ごみ捨て·はきだめ. **2** 쓰레기통.

こみち【小道】图 **1** 소로; 좁은 길. **2** 샛길. =わき道·横道.

コミック [comic] 名ナ 코믹; 희극적. =こっけい. ¶ ~な役がら 희극적 역할.

コミッション [commission] 图 커미션. **1** 구문; 구전; 수수료. ¶ 一割の~を取る 1할의 커미션을 받다. **2** 뇌물. *2는, 영어로는 bribe라 함.

コミット [commit] 图 ス自 코미트. **1** 관계함; 관련됨. ¶ その問題に~している 그 문제에 관계하고 있다. **2** 약속하고 언질을 줌.

ごみとり【ごみ取り】《芥取り》图 쓰레받기. =ちりとり.

こみみ【小耳】图 「~にはさむ」 언뜻 듣다. ¶ よくないうわさを小耳にはさんだ 좋지 않은 소문을 언뜻 들었다.

コミューターこうくう【コミューター航空】图 커뮤터 항공; 소형기로 운행하는, 정기적인 근거리 항공 수송. 參考 commuter는 '통근자' 라는 뜻.

コミュニケ [프 communiqué] 图 코뮈니케; (외교상의) 성명서. =コンミュニケ. ¶ 共同~ 공동 코뮈니케.

コミュニケーション [communication] 图 커뮤니케이션; 통신; 보도; 전달. =コンミュニケーション·通じ合い. ¶ マス~ 매스커뮤니케이션.

コミュニズム [communism] 图 코뮤니즘; 공산주의. =コンミュニズム.

コミュニティー [community] 图 커뮤니티; 지역 사회; 공동 생활체.

―センター [community center] 图 커뮤니티 센터; 지역 사회의 중심으로서 (도서관 등) 문화 시설 등을 갖춘 곳; 구민(區民) 회관. =コミセン.

―バス [community bus] 图 커뮤니티 버스; 마을버스.

****こ-む**【込む】 ⊟ 5自 **1**《본디, 混む로도》 혼잡하다; 붐비다; 복작거리다. ¶ ~·んだ電車 붐비는 전차 / 休日は映画館が~ 휴일은 영화관이 붐빈다. ↔ すく. **2** 복잡하다. ¶ 手の~·んだ仕事 복잡한 일; 공이 많이 드는 일. **3** ㉠ 안으로 들어오다[가다]. ¶ 風が吹き~ 바람이 들이치다 / 泊まり~ 숙박하다; 묵다 / 手紙が舞い~ 편지가 날아들다. ㉡ (어떤 상태에) 잠기다; 오래 계속하다. ¶ 考え~ 생각에 잠기다 / だまり~ 침묵에 잠기다. ㉢ (어떤 극한 상태에 이르기까지) …되다; …버리다. ¶ ほれ~ 반해버리다 / 老い~ 늙어버리다. ⊟ 5他 《動詞 連用形에 붙어서》 **1** 안[속]에 넣다. ¶ レコードに吹き~ 레코드에 취입하다 / 腕で抱え~ 팔로 껴안다 / 積み~ 싣다. **2** 철저히[한결같이] …하다. ¶ 自分を売り~ 자기 선전을 하다 / 信じ~ 믿어버리다. 參考 '込' 는 일본에서 만든 한자임.

***ゴム** [네 gom] 图 **1** 고무. ㉠ 천연 고무. ¶ ~印 고무 도장 / ~ひも 고무줄 / ~まり 고무공 / ~管 고무관. ㉡ 합성 고무. **2** 'ゴムのき' 의 준말. **3** (고무) 지우개.

―けし【―消し】图 ☞けしゴム.

―サック [일 gom+sack] 图 **1** 손가락에 끼는 고무로 만든 색. **2** 콘돔.

―とび【―跳び·―飛び】图 고무줄넘기(놀이). =ゴム段·ゴム縄.

―なが【―長】图 고무장화. =ゴム長靴.

―のき【―の木】图 〖植〗 고무나무.

―のり〖―糊〗图 고무풀.

―びき【―引き】图 표면에 고무를 입혀 방수(防水)한 것. ¶ ~のかっぱ 고무를 입힌 비옷.

こむぎ【こむぎ·小麦】图 소맥; 밀.

―こ【―粉】图 밀가루. =うどん粉·メリケン粉.

こむずかし-い【小難しい】形 **1** 까다롭다. ¶ ~理屈をこねる 까다로운 이치만을 따지다 / 食物[服装]に~ 음식[복장]에 까다롭다. **2** 기분이 좋지 않다. ¶ ~顔 찌무룩한 얼굴.

こむすび【小結】图 (씨름에서) 씨름꾼 계급의 하나《関脇의 아래》.

こむすめ【小娘】图 **1** 소녀. **2** 계집아이《'娘(=처녀·젊은 여자)' 를 얕잡아 이르는 말》. ¶ ~のくせに生意気だ 계집애인 주제에 시건방지다. ⇔小僧.

こむそう【虚無僧】图 보화종(普化宗)의 승려《장발·장삼에, 삿갓을 깊숙이 쓰고 퉁소를 불며 각처를 돌아다니면서 수행함》.

[虚無僧]

ごむよう【御無用】图 **1** '無用(=필요 없음)' 의 높임말. ¶ 心配~ 걱정하실 것 없습니다. **2** 거절할 때의 말. ¶ 謝礼は~ 사례는 사절합니다.

こむら〖腓·腨〗图 장딴지. =ふくらはぎ·こぶら.

****こめ**【米】图 쌀. ¶ ~粒 쌀알 / ~をとぐ 쌀을 씻다 / ~にはうるちともち米とがある 쌀에는 멥쌀과 찹쌀이 있다.

こめい【呼名】图 호명; 이름을 부르는 일. ¶ ~点呼 호명 점호.

ごめいさん【御名算·御明算】图 주판의 듣고 놓기 등에서 답이 맞았을 때 '잘했다' 는 뜻으로 칭찬하는 말.

こめかみ〖顳顬·蟀谷〗图 섭유; 관자놀이. ¶ ~に青筋を立てる 관자놀이에 핏대를 세우다.

こめぐら【米蔵·米倉】图 **1** 쌀광; 쌀 창고. **2** 쌀의 산지(産地). =米どころ.

こめじるし【米印】图 기호 '※' 의 이름.

こめそうば【米相場】图 **1** 쌀의 시세. **2** 미두(米豆). ¶ ~に手を出す 미두에 손을 대다.

こめだわら【米俵】图 쌀 가마니[섬].

こめつき【米つき】《米搗き》图 쌀을 찧음; 또, 그 사람.

―ばった〖―飛蝗〗图 **1**〖蟲〗 방아깨비. =しょうりょうばった. **2** 무턱대고 굽신

거리는 사람을 비웃는 말.

こめつぶ【米粒】图 쌀알. ¶～ほどの小さい虫 쌀알만한 작은 벌레.

コメディアン [comedian] 图 코미디언; 희극 배우.

コメディー [comedy] 图 코미디; 희극. ↔トラジェディー. 「쌀 산지.

こめどころ【米どころ·米所】图 곡창;

こめぬか【米ぬか】《米糠》图 쌀겨. ＝ぬか.

こめのめし【米の飯】图 쌀밥.

こめびつ【米びつ】《米櫃》图 **1** 쌀궤; 뒤주. ¶～がからっぽだ 뒤주가 텅 비었다《돈이 한 푼도 없다; 살림이 몹시 구차하다》. **2**〈俗〉생활비를 벌어 대는 사람.

こめぶくろ【米袋】图 쌀부대.

こめや【米屋】图 쌀장사; 싸전; 쌀장수.

こ-める【込める】《籠める》 ㊀ 下1他 속에 넣다. **1 재다. ¶弾丸を～ 탄알을 재다. **2** (정성 등을) 들이다; 담다. ¶祈りを～ 기도를 들이다 / 満身の力を～ 혼신의 힘을 기울이다. **3** 포함하다. ＝ふくめる. ¶税を～·めて五万円 세금을 포함하여 5만 엔. **4** 집중하다. ¶力を～ 힘을 집중하다.

㊁ 下1自 온통 자욱이 끼다. ¶霧が辺りに～ 안개가 주변에 자욱이 끼다.

こめん【湖面】图 호면; 호수(의 표)면.

ごめん【御免】图 **1** 면허·공인·특허의 높임말. ¶天下～の 천하 공인의. **2** 면직의 높임말. ¶お役～になる 면직되다. **3** 용서·사면의 높임말; 전하여, 방문·사과를 할 때의 인사말. ¶～下さい〔なさい〕 (a)용서하십시오; (b)실례합니다 / 待たせて～ね 기다리게 해서 미안해요. **4** 그만둬 주었으면 싶은 일. ¶～をこうむる 거절하겠다; 싫다 / そんなことは～だ 그런 일은 싫다.

コメンテーター [commentator] 图 코멘테이터; 라디오·TV의 뉴스 해설자.

コメント [comment] 图 코멘트; 논평; 설명; 견해. ¶ノー～ 노 코멘트; 논평〔의견〕 없음. 「쓰다〔걸치다〕.

こも〖薦〗图 거적. ¶～をかける 거적을

ごもく【五目】图 **1** 여러 가지가 섞임; 또, 그것. ¶～そば 고기·야채 등 여러 가지를 얹은 메밀 국수. **2** '五目ずし' '五目ならべ' '五目めし' 따위의 준말.

—ずし〖—鮨〗图 생선·야채 등 여러 가지를 잘게 썰어 섞은 (뭉치지 않은) 비빔 초밥. ＝ちらしずし.

—ならべ【—並べ】图 오목 두기.

—めし【—飯】图 생선·야채 등 여러 가지를 섞어서 지은 밥. ＝かやく飯.

こもごも〖交交〗副 교대로; 번갈아; 갈마들며. ¶喜悲～の表情 희비가 엇갈린 표정 / 内憂外患～至る 내우외환이 갈마들며〔차례로〕 닥치다.

こもじ【小文字】图 **1** 로마자의 소문자. ＝スモールレター. ↔大文字. **2** 작은 글자; 작게 쓴 글자.

こもち【子持ち】图 **1** 아이가 딸려 있음; 임신중임; 또, 그 여자. ¶～の人はなかなか外出が出来ない 어린애가 딸린 사람은 좀처럼 외출을 못한다. **2** (물고기가) 알을 가짐. ¶～の魚 알밴 물고기 / ～あゆ 알배기 은어.

こもどり【小戻り】图ス自 본디 방향으로〔상태로〕 조금 되돌아옴〔되돌아감〕. ¶～する自動車に注意 조금 후진하는 자동차에 조심.

こもの【小物】图 **1** 자질구레한 (부속의) 도구. **2** 하찮은 인물; 잔챙이. ¶～ばかり釣れた 잔챙이만 낚였다 / 警察は～ばかりつかまえている 경찰은 송사리만 잡아들이고 있다. ↔大物.

こもの【小者】图 **1** 젊은이. **2** 하인; 종. ＝でっち. 「자리.

こもむしろ〖菰筵·菰蓆〗图 줄(로 짠) 돗

こもり【子守】图ス自 아이를 봄; 또, 아이 보는 사람. ¶孫の～でつかれる 손자를 봐주느라고 피로하다.

—うた【—歌】图 자장가.

こもりごえ【こもり声】《籠り声》图 입속으로 중얼거리는 소리.

*__こも-る__〖籠る〗ダナ **1** 자옥하다; 가득 차다. ¶煙が部屋に～ 연기가 방에 자옥하다. **2** (감정 따위가) 깃들다; 어리다; 담기다. ¶愛情の～·った手紙 애정 어린 편지 / 憎悪の～·ったまなざし 증오에 찬 눈. **3** 두문불출하다; 틀어박히다. ¶家に～ 집에 틀어박히다〔죽치다〕. **4** 성(城) 따위에 들어가 굳게 지키다. ＝たてこもる. ¶城に～ 성 안에 버티어 지키다.

こもれび【木漏れ日】《木洩れ日》图 나뭇잎 사이로 비치는 햇빛. ¶～がきらきらと射しこむ 나뭇잎 사이로 햇빛이 반짝반짝 비치다. 「고문 변호사.

こもん【顧問】图 고문. ¶～弁護士

こもんじょ【古文書】图 고문서. ¶懐古趣味で～を集める 회고 취미로 고문서를 수집하다. 参考 'こぶんしょ'로 읽음은 잘못.

*__こや__【小屋】图 소옥. **1** 오두막집; 작고 초라한 집. **2** 임시로 세운 작은 건물; 가옥(假屋). ¶ほったて小屋 오두막(집); 판잣집 / ～を掛ける 가건물을 짓다. **3** 가설극장〔흥행장〕으로 쓰는 건물.

—がけ【—掛け】图ス自 (흥행 따위를 위한) 가건물을 지음; 또, 그 건물.

こやかまし-い〖小喧しい〗形 잔소리가 심하다〔많아 귀찮다〕. ¶～老人 잔소리가 심한 노인. 「역의 아이.

こやく【子役】图〖映·劇〗 어린이 역; 아

ごやく【誤訳】图ス他 오역. ¶～だらけ 오역투성이 / ～が多い 오역이 많다.

こやし【肥やし】图 **1** 거름; 비료《풀어쓴 말씨》. ＝こえ. ¶～だめ 거름 구덩이. **2** (비유적으로) 밑거름. ¶失敗を～にする 실패를 밑거름으로 삼다.

こや-す【肥やす】5他 **1** 살찌게 하다. ¶家畜を～ 가축을 살찌우다 / 私腹を～ 사복을 채우다. **2** (비료를 주어) 땅을 기름지게 하다. ¶土地を～ 땅을 기름지게 하다. **3** 감상력을 기르다〔넓히다〕. ¶批評眼を～ 비평안을 기르다. 可能こや-せる 下1自　「こいつ.

こやつ〖此奴〗代〈老〉이놈; 이 자식. ＝

こやみ【小やみ】《小止み》名 (비·눈이) 잠시 멎음; 뜸함; 잠깐 쉼. ¶～なく降る 잠시도 쉬지 않고 내리다〔오다〕.

*__こゆう__【固有】名ナ 고유. ¶～財産 고유 재산/～な性質 고유한 성질/～の文化 고유의 문화.　「通名詞.

—めいし【—名詞】名 고유 명사. ↔普

こゆき【小雪】名 소설; 조금〔적게〕 오는 눈. ↔大雪.　「ゆき.

こゆき【粉雪】名 분설; 가랑눈. ＝こな

こゆび【小指】名 **1** 소지; 새끼가락; 새끼손가락; 새끼발가락. **2**〈俗〉(새끼손가락을 세우면서) 아내·첩·정부(情婦) 등을 나타내는 말. ＝れこ.

こゆるぎ【小揺るぎ】名ス自 조금 흔들림. ¶正座して～もしない 정좌하고 옴쭉도〔미동도〕 하지 않다.

ごゆるり〖御緩り〗副 (상대방을 높여) 천천히; 편안히. ¶～とお休みください 편히 쉬십시오.

こよい〖今宵〗名〈雅〉금소; 오늘 밤〔저녁〕. ＝今夜·今晩. ¶～の月の出 오늘 밤의 달돋이.

こよう【小用】名〈老〉**1** 사소한 볼일. **2** 소변(보러 감). ¶～に立つ 소피보러 가다/～を足す 소변을 보다.

こよう【雇用】《雇傭》名ス他 고용. ¶～関係 고용 관계/～契約〔創出〕 고용 계약〔창출〕/完全～ 완전 고용/終身～ 종신 고용. ↔解雇.

—しゃ【—者】名 고용자; 피고용자.

—ぬし【—主】名 고용주; 사용자.

*__ごよう__【御用】名 **1** 일·볼일의 높임말. ㉠용무; 일. ¶何の～ですか 무슨 용무이십니까/お安い～です 손쉬운 일입니다《기꺼이 응하겠습니다》. ㉡(전화 따위에서) 전할 말. ¶～をうかがっておきましょうか 무슨 용건이신지 여쭤 볼까요. **2** 옛날에, 관명(官命)으로 범인을 체포하던 일; 또, 그때 포리가 쓴 말. ¶～だ 꼼짝 마라, 관명이다/～になる 체포되다. **3** 어용. ¶～学者〔新聞〕 어용 학자〔신문〕/～組合 어용 조합.

—おさめ【—納め】名 종무(終務)《관청에서 12월 28일에 그해의 일을 끝내는 일》. ↔御用始め.

—かぜ【—風】名 권력을 믿고 부리는 횡포한 태도. ¶～を吹かす 권력을 믿고 횡포를 부리다.

—きき【—聞き】名 단골집의 주문을 받으러 돌아다님; 또, 그 사람.

—たし【—達】名 ☞ようたし**3**.

—はじめ【—始め】名 시무(始務)《관청에서 1월 4일에 새해 들어 처음 사무를 시작하는 일》. ↔御用納め.

こよなく 副 더할 나위 없이; 더없이; 각별히. ＝格別·この上なく. ¶～楽しい 더할 수 없이 즐겁다/～晴れた青空 더없이 맑은 푸른 하늘/自然を～愛する 자연을 각별히 사랑하다.

**__こよみ__【暦】名 달력; 일력; 월력; 책력. ＝ひよみ·暦本·カレンダー. ¶～をめくる 달력을 넘기다/～の上ではもう春だ 달력상으로는 벌써 봄이다.

こより〖紙縒り·紙撚り·紙捻り〗名 종이를 가늘게 꼰 끈; 지노; 지승(紙繩). ＝かんぜより·かんじんより. ¶～をよる 지노를 꼬다. 参考 'かみより'의 전와.

こら 感 **1** 이놈아; 이 자식아《상대를 책망하여 부르는 말》. ¶～, 早く 이놈아, 빨리. **2** 이거 참; 어렵쇼《뜻밖의 일로 놀라는 말》. ＝こりゃ.

こらい【古来】副 고래; 예로부터. ¶～の風習 예로부터의 풍습/～難所といわれた所 예로부터 험한 곳으로 불리던 곳.

ごらいこう【御来光】名 높은 산에서 맞는 장엄한 해돋이의 장관(壯觀). ¶山頂に立って～を拝む 산꼭대기에 서서 해돋이를 보다.

こらえしょう【こらえ性】《堪え性》名 인내력; 참을성. ¶～がない 참을성이 없다.

*__こら-える__〖堪える〗下1他 참다; 견디다; (감정 등을) 억누르다. ¶涙〔笑い〕を～ 눈물〔웃음〕을 참다/じっと～ 꾹 참다/怒りを～ 노여움을 누르다〔참다〕.

*__ごらく__【娯楽】名 오락. ¶～室〔映画〕 오락실〔영화〕/大衆～ 대중오락/～設備をする 오락 설비를 하다.

こらこら 感 (남자가 꾸짖거나 위협하려고) 상대방을 부를 때 쓰는 말: 이봐 이봐. ¶～, 待て 이봐〔이놈〕 기다려. 参考 본디 'これはこれは'에서.

こらしめ【懲らしめ】名 징벌; 징계.

*__こらし-める__【懲らしめる】下1他 징계하다; 응징하다; 따끔한 맛을 뵈다. ¶生意気だから～·めてやれ 건방지니 혼내 줘라/いたずら者を～ 장난꾸러기를 혼내 주다.

こら-す【凝らす】5他 **1** 엉기게 하다; 응결시키다. **2** (마음·눈·귀 따위를) 한곳에 집중시키다. ¶思いを～ 골똘히 생각하다/工夫を～ 머리를 짜다/ひとみを～ 뚫어지게 바라보다/意匠を～ 의장〔디자인〕을 공들이다/祈願を～ 일심으로 기원하다/息を～ (긴장하여) 숨을 죽이다.

こら-す【懲らす】5他〈老〉☞こらしめる. ¶一つ～·してやろうか 어디 (한번) 혼 좀 내 줄까.

コラム [column] 名 칼럼. ¶～欄 칼럼란. ＝囲み·囲み記事.　「트.

コラムニスト [columnist] 名 칼럼니스

*__ごらん__【御覧】名 **1** 보심. ¶～になる 보시다/～の通り 보시다시피/～なさい 보십시오. **2**【ごらん】'…て御覧なさい(＝…해 보십시오)'의 막된 말씨. ¶書いて～ 써 보렴/もう一度やって～ 한 번 더 해 보렴.

—に入れる 보여 드리다. 注意 '見せる(=보이다)' 의 공손한 말씨.

こり【凝り】图 **1** 굳음; 응고. **2** 근육이 뻐근함; 결림. ¶肩の~ 어깨가 뻐근함.

ごりおし【ごり押し】图ス他 〈俗〉 억지; 억지로[억척으로] 제 생각·주장을 관철함. =無理おし. ¶~にやって成功した 억척을 부려 성공했다.

こりかたまーる【凝り固まる】5自 **1** (엉겨) 굳어지다; 응고하다. ¶塩が~ 소금이 엉겨 굳다/~·ったような表情 굳은 (듯한) 표정. **2** (어떤 한 가지 일에) 열중[몰두]하다; 집착하다; 미치다. ¶写真に~ 사진에 (너무) 열중하다/怪しげな宗教に~ 이상한 종교에 열중하다.

こりこり 副 (탄력성이 있어) 조금 단단한 것을 씹는 소리; 또, 그 느낌: 오도독오도독; 올강올강. ¶氷を~かむ 얼음을 오도독오도독 깨물다.

こりごり【懲り懲り】图副ス自 지긋지긋함; 넌더리남; 신물이 남; 질색임. =こりこり. ¶もうあんな所に行くのは~だ 이제 그런 데 가는 것은 지긋지긋하다/もう株は~だ 주식이라면 이제 넌더리가 난다.

ごりごり 副 단단한 것에 세게 비비대며 움직이는 모양: 버걱버걱; 박박. ¶小刀で~削る 주머니칼로 박박 깎다.

こりしょう【凝り性】图 **1** 지나치게 열중[몰두]하는 성질; (일을) 철저하게 하지 않고서는 직성이 안 풀리는 성질. ¶大変~な質で 아주 열중하는 성질이어서. **2** 어깨가 잘 결리는 사람.

こりしょう【懲り性】图 〈俗〉 넌더리[진저리]를 내는 성질. =性懲り. ¶~もなく 넌더리[싫증]도 내지 않고.

こりつ【孤立】图ス自 고립. ¶~無援の状態で戦う 고립무원의 상태로 싸우다/国際的~ 국제적 고립.

ごりむちゅう【五里霧中】图 오리무중; 안개 속. ¶犯人の行方は~ 범인의 행방은 오리무중.

こりや【凝り屋】图 한 가지 사물에 열중하는 사람; 집착심이 강한 사람. ¶写真の~ 사진광(狂).

こりゃ 連語 〈口〉 (야) 이거. =これは. ¶~驚いた 이거 놀랐는 걸/~困った 이거, 야단났구나.

ごりやく【御利益】图 'りやく'의 높임말: 부처 등이 인간에게 주는 은혜. =ご利生. ¶~にあずかる (신불의) 공덕을 입다. 參考 어떤 사람[물건]에 의한 혜택에도 비유됨. ¶お守りの~ 부적의 덕택[영검].

こりょ【顧慮】图ス他 고려; 배려. ¶~する必要ない 고려할 필요 없다/相手の意向を~する 상대방 의향을 고려하다/人の迷惑を~しない 남에게 폐가 됨을 고려치 않다. 「=陵.

ごりょう【御陵】图 天皇·황후의 능.

こりょうり【小料理】图 (술집에서 내는) 간단한 요리. ¶~屋 일품 요릿집.

ゴリラ [gorilla] 图 〔動〕 고릴라.

*__こーりる__【懲りる】上1自 넌더리나다; 질리다; 데다. ¶あつものに~·りてなますを吹く 국에 덴 놈이 냉채를 불며 먹는다《자라 보고 놀란 가슴 소댕 보고 놀란다》/一回で~·りてしまう 단번에 싫증을 내다/~·りずにまたやって来る 넌더리 내지 않고 또 오다.

ごりん【五倫】图 오륜; 오상(五常). ¶三綱~ 삼강오륜.

ごりん【五輪】图 오륜; 올림픽 표지. ¶~のマーク 오륜 마크.

—き【—旗】图 오륜기; 올림픽기.

—たいかい【—大会】图 올림픽 대회.

こーる [梱る] 5他 짐을 꾸리다.

__こーる__【凝る】5自 **1 엉기다; 응고하다; 어리다. ¶血が~ 피가 엉기다. **2** 열중[몰두]하다. ¶野球に~ 야구에 열중하다/ばくちに~ 노름에 미치[빠지]다. **3** 머리를 짜내다; 공들이다. ¶~·った料理 공들여 맛을 낸 요리/~·った模様 정교한 무늬/衣装に~ 옷에 신경을 쓰다. **4** 뻐근하다; 결리다. ¶肩が~ 어깨가 뻐근하다.

—·っては思案に余る; —·っては思案の外 지나치게 골똘하다 보면 도리어 좋은 생각이 나지 않는 법.

こるい【孤塁】图 고루; 고립된 보루(堡壘). ¶~を守る 고루를 지키다.

コルク [cork] 图 코르크. =キルク. ¶~栓をした瓶 코르크 마개를 한 병.

コルサージュ [프 corsage] 图 코르사주; 여성복의 몸통 부분. ⇨コサージュ.

コルセット [corset] 图 코르셋. **1** 여자의 양장 속옷. **2**〔醫〕 (척주·골반을 고정시키는) 깁스.

コルト [Colt] 图 〔商標名〕 콜트《미국인 콜트가 고안한 자동 연발식 권총》.

ゴルフ [golf] 图 골프. ¶~ボール 골프공/~場 골프장/~クラブ 골프채; 골프 클럽/~をする 골프를 치다.

—ウイドー [golf widow] 图 골프 위도; 골프 과부《골프광의 아내》.

—ウェア [golf wear] 图 골프 웨어; 골프복. 「프장.

—リンク [golf links] 图 골프 링크; 골

これ 〚此れ〛 日代 **1** ㉠이것; 이. ¶~をご覧 이것을 보아라/~を君にあげよう 이걸 네게 주마. ㉡자기가 하고 있는 범위내의 일. ¶~を済ませて行くよ 이 일을 끝내고 갈게/~をかたづけるまで待て 이것을 끝낼 때까지 기다려라. ㉢지금; 이제. ¶~から先は始めてだ 요 앞에서부터는 처음하는[보는] 일이다/~までにない出来ばえ 지금까지 없었던 훌륭한 솜씨. ㉣여기. ¶~より立ち入り禁止 여기서부터 출입 금지. **2** 지금까지 화제에 오른 또는 이제부터 화제에 올릴 사물을 가리키는 말. ¶~ではあんまりじゃありませんか 이건 너무하지 않습니까 / ~は初めてお耳に入

れる事(こと)なのですが 이것은 처음 들려드리는 말씀입니다만. **3** 앞서 말한 것이나 문장을 가리키는 말. ¶～が私(わたし)の感(かん)じたことです 이것이 제가 느낀 점입니다 / そこへ一人(ひとり)の男(おとこ)が現(あらわ)れた. ～がとんでもない男だった 거기에 한 남자가 나타났다. 이게 엉뚱한 사내였다. **4** 판단의 대상이 되는 것을 강조하여 가리키는 말. ¶～すなわち 이것이 즉. **5** 사람을 가리키는 말 : 이 사람; 이분; 이 애. ¶～が私(わたし)の妹(いもうと)です 이 애가 내 누이동생입니다 / ～は私(わたし)の母(はは)です 이분은 저의 어머니입니다. **6** 공동으로 관련되어 있는 사물을 가리킴. ¶～はひどい 이건 너무하다 / ～くらいの冒険(ぼうけん)は平気(へいき)だ 이 정도의 모험은 아무렇지도 않다. **7**「～という」이렇다 할. ¶～という道楽(どうらく)もない 이렇다 할 취미도 없다 / ～といった決(き)め手(て)がない 이렇다할 결정적인 방법이 없다.

二感 주의를 촉구하거나 꾸짖을 때 쓰는 말. ＝こら. ¶～, やめないか 이봐, 그만두지 못할까 / ～, 泣(な)くんじゃない 이봐, 우는 게 아냐 / ～, こんなにりっぱになった 이봐 이렇게 훌륭하게 됐다.

ごれい【語例】图 어례; 그 말을 사용한 예. ¶豊富(ほうふ)な～ 풍부한 어례.

ごれいぜん【御霊前】图 죽은 사람의 영전(靈前); 또, 그 앞에 바치는 물건 등의 겉에 쓰는 말.

これかぎり【これ限り】連語 이것으로; 이것뿐; 이번뿐. ¶～やらない 이것을 마지막으로 안 한다 / お前(まえ)の顔(かお)を見(み)るのも～だ 네 얼굴을 보는 것도 이것이 마지막이다.

これから〖此れから〗連語 이제부터. **1** 앞으로; 금후; 장래. ¶～の韓国(かんこく) 금후[앞으로]의 한국 / ～の大学(だいがく) 금후의 대학. **2** 이제부터; 또, 여기(로)부터. ¶～行(ゆ)く 이제 간다 / ～出(で)かける所(ところ)だ 이제부터 출발하려는 참이다 / ～二(に)キロメートルばかり離(はな)れた所(ところ) 여기서부터 2킬로쯤 떨어진 곳.

これきり〖此れ切り〗連語 이것이 다[전부]; 이것뿐[밖엔]; 이것이 마지막. ＝これかぎり·これだけ. ¶～やらない 이것을 마지막으로 (이제) 안 한다.

コレクション [collection] 图 컬렉션. **1** 수집(품). ¶外国切手(がいこくきって)の～ 외국 우표의 수집. **2**〖裁〗패션의 신작 발표회; 또, 그 작품. ¶パリー～ 파리 컬렉션.

コレクター [collector] 图 컬렉터; 수집가. ¶コインの～ 동전 수집가.

コレクトマニア [일 collect+mania] 图 컬렉트 마니아; (취미로서의) 수집광.

これぐらい〖是位〗副 이[요] 정도; 이쯤; 이만큼. ＝これくらい. ¶～の高(たか)さ 이만한 높이.

これこれ〖此れ此れ·是是〗图 화제가 되어 온 것을 하나하나 열거할 때 쓰는 말: 이러이러(함); 여차여차(함). ＝しかじか·かくかく. ¶理由(りゆう)は～だ 이유는 여차여차하다 / ～と説明(せつめい)する 이러이러하다고 설명하다.

これこれ 感 상대의 주의를 끌 때에 내는 말: 이봐 이봐. ¶～, 静(しず)かにしろ 이봐 이봐 조용히 해.

これさいわい【これ幸い】《此れ幸い》图 무슨 일을 할 때 우연히 형편이 좋아짐; 마침가락; 마침 잘됨. ¶～と欠席(けっせき)する 마침 잘되었다고 결석하다.

これしき〖是式·此式〗图〈俗〉이까짓; 이쯤. ＝これっぽち. ¶何(なん)の～ 뭐야, 이까짓 / ～のことでへたばってどうする 요까짓 일로 주저앉으면 어떻게 하느냐.

コレステロール [cholesterol] 图〖生〗콜레스테롤. ＝コレステリン. ¶～が増(ふ)える 콜레스테롤이 늘다.

これだけ〖是丈〗連語 **1** 이것으로 끝; 이것뿐; 전부. ¶ぼくが欲(ほ)しいのは～だ 내가 갖고 싶은 것은 이것뿐이다. **2** 이만큼; 이 정도(로); 이토록. ＝これほど. ¶～言(い)っても分(わ)からないのか 이만큼 말해도 알아듣지 못하는가.

これっきり〖是っ切り〗連語 이것뿐; 이것으로. ＝これかぎり. ¶手持(ても)ちのお金(かね)はもう～だ 수중에 있는 돈은 이제 이것뿐이야.

これっぱかり〖是っ許り〗連語〈口〉아주 조금. ＝こればかり·これっぱかし. ¶悪意(あくい)は～もありません 악의는 눈곱만큼도 없습니다.

これっぽっち 图 **1** 요만큼; 이것뿐. ＝こればかり. ¶～しかないのか 요것밖엔 없는가. **2** 극히 조금. ¶欠点(けってん)は～もない 결점이라곤 조금도 없다.

これは〖此れは〗korewa 感 놀람·감탄을 나타내는 말: 아니; 이런. ¶～しまった 이것 큰일났군.

――これは〖――此れは〗――korewa 感 이런; 아니 이거; 이것 참《'これは'의 힘줌말》. ¶～, ようこそおいでくださいました 이것 참, 잘 오셨습니다.

こればかり〖此れ許り·是許り〗連語 **1** 이것만. ¶～はお許(ゆる)しください 이것만은 용서[허락]해 주십시오. **2**〈老〉이 정도; 이쯤; 요만큼; 조금. ¶～の事(こと)で弱音(よわね)をはくな 이 정도의 일로 죽는소리 하지 마라.

これほど【これ程】連語 **1** 이 정도(로). ＝これぐらい. ¶～の大(おお)きさ 이만한 크기. **2** 이렇게까지《정도가 지나칠 경우에 씀》. ¶～のばかとは知(し)らなかった 이렇게까지 바보인 줄은 몰랐다.

***これまで**〖此れ迄〗連語 **1** 지금[이제]까지. ¶～のところは許(ゆる)してやる 지금까지의 일은 용서해 주겠다. **2** 이곳[여기]까지. ¶わざわざ～足(あし)をお運(はこ)びになって 일부러 여기까지 와 주셔서. **3** 이렇게 되기까지. ¶～成長(せいちょう)したのも皆様(みなさま)のおかげです 여기까지 성장한 것도 여러분의 덕택입니다. **4** 이만; 마지막. ¶今日(きょう)は～ 오늘은 이만.

これみよがし【これ見よがし】ダナ 여

봐란듯이. ¶～の態度 여봐란듯한 태도/新しい服を～に着て歩く 새 옷을 여봐란듯이 입고 다니다.

コレラ [네 cholera] 名 〔醫〕 콜레라.

これら 〖此等·是等〗 代 이들; 이것들.

ころ 〖棈·轆子·転〗 名 산륜(散輪); 굴림대. ＝ころばし. ¶～を入れて動かす 굴림대를 넣고 움직이다.

***ころ** 〖頃·比〗 名 때. **1** 경; 시절; 무렵; 쯤. ＝時分. ¶去年の春の～ 지난해 봄 무렵/～は八月 때는 8월/もう寝る～だ 이제는 잠잘 때다. **2** 시기; 계제; 기회. ＝ころあい·しおどき. ¶～を見はからう 때[기회]를 엿보다.

ごろ 名 'ごろつき(＝깡패)'의 준말. ¶政治～ 정치 깡패.

ごろ [語呂·語路] 名 **1** 어조(語調); 말의 가락. ¶～がいい 어조가 좋다. **2** 'ごろあわせ'의 준말.

—あわせ [—合わせ] 名 어떤 성구의 음에 맞추어 뜻이 같지 않은 다른 말을 만드는 언어유희; 신소리(《'タクシー(＝택시)'와 비슷한 'テクシー(＝도보(徒步)' 따위》). ＝地口.

ゴロ 名 〔野〕 땅볼. ¶ピッチャー～ 피처 앞 땅볼/～を打つ 땅볼을 치다.

=ごろ 〖頃〗 **1** 경; 무렵; 쯤. ¶昼～ 정오경/今～ 지금쯤. **2** 그렇게 하기에 썩 알맞은 상태임. ¶食べ～ 먹기에 적당한 때/見～ 보기에 좋은 때. **3** 웬만함; 적당함. ¶年～ 혼기에 든 나이; 적령기/値～ 적당한 값.

ころあい 〖頃合い〗 名 **1** 적당한 시기; 때; 기회; 제때. ＝しおどき·チャンス. ¶～を見て攻撃に出る 적당한 시기를 봐서 공격으로 나오다. **2** 적당한 정도나 상태; 알맞음. ＝手ごろ·適度. ¶～の大きさ 알맞은 크기/～の値段 적당한 가격.

コロイド [colloid] 名 콜로이드; 교질(膠質). ¶～状態 교질 상태.

ころう 【故老·古老】 名 고로; 옛일에 밝은 노인. ¶土地の～の話を聞く 그 고장 노인의 추억담을 듣다.

ころがし 【転がし】 名 **1** 굴림. ＝ころばし. **2** '転がし釣り(＝훌림낚시)'의 준말. ＝ごろびき. **3** 전매(轉賣). ¶土地～ 토지 전매.

****ころが-す** 【転がす】 5他 **1** 굴리다. ¶ドラム缶[車]を～ 드럼통을[차를] 굴리다/山頂から石を～ 산정에서 돌을 굴리다. **2** 넘어뜨리다; 쓰러뜨리다. ¶タックルされて～·される 태클당하여 넘어져 뒹굴다. **3** 여러 번 전매하다. ¶土地を～·して大金をつかんだ 토지를 몇 번 전매하여 큰돈을 거머쥐었다. 可能ころが-せる 下1自

ころがりこ-む 【転がり込む】 5自 **1** 굴러 들어가다[오다]. ㉠(데굴데굴) 굴러서 들어오다[가다]. ¶ボールが塀のなかに～ 공이 담 안으로 굴러 들어가다. ㉡(뜻밖의 것이) 굴러들다. ¶金が～ 돈이 굴러들다. **2** (신세 지려고) 남의 집에 들어가다. ¶兄の家に～ 형의 집에 (신세 지려고) 기어들다.

****ころが-る** 【転がる】 5自 **1** 구르다. ¶ボールが～ 공이 구르다. **2** 자빠지다; 쓰러지다; 넘어지다. ＝ころぶ. ¶花瓶が～ 꽃병이 쓰러지다/つまずいて～ 발이 걸려 넘어지다. **3** 뒹굴다; (물건이) 아무렇게나 굴러다니고 있다; 또, 흔하다. ¶そんな物はどこにでも～·っている 그런 것은 어디에나 널려 있다. 可能ころが-れる 下1自

ごろく 【語録】 名 어록.

ころげお-ちる 【転げ落ちる】 上1自 굴러 떨어지다. ＝ころがりおちる. ¶屋根から～ 지붕에서 굴러 떨어지다.

ころげこ-む 【転げ込む】 5自 ☞ころがりこむ.

ころ-げる 【転げる】 下1自 **1** ☞ころがる. **2** ☞ころぶ.

ころころ 副 **1** 작은 물건이 굴러가는 모양: 대굴대굴. ¶小石が～(と)転落する 돌멩이가 대굴대굴 굴러 떨어지다. **2** 살찌고 둥근 모양: (오)통통. ¶～と太った子犬 통통하게 살찐 강아지. **3** 차례차례 행해지는 모양. ¶みんなが～(と)だまされてしまった 모두가 잇따라 속아 넘어갔다. **4** 젊은 여자가 웃는 모양: 깔깔. ¶年頃の娘は～(と)よく笑う 나이 찬 아가씨는 (사소한 일에도) 깔깔 잘 웃는다.

ごろごろ ㈠副 ス自 **1** 큰 물체가 굴러가는 모양: 데굴데굴. ¶ドラム缶を～と転がす 드럼통을 데굴데굴 굴리다. **2** 하는 일 없이 날을 보내는 모양: 빈둥빈둥. ¶失業して～している 실직해서 빈둥빈둥 놀고 있다. **3** 여기저기 흔한 모양: 얼마든지. ¶そんな物なら世間に～している 그런 물건이라면 세상에 흔해 빠졌다. **4** 천둥이 울리는 소리: 우르르 우르르. ¶雷が～鳴る 천둥이 우르릉거리다. ㈡名 〈兒〉 천둥.

ころしもんく 【殺し文句】 名 **1** 한 마디로 상대방을 옴쭉 못하게 하는 협박조의 말. **2** (상대방을) 사로잡는 말. ¶～を並べる (상대방을) 홀리는 말을 늘어놓다.

ころしや 【殺し屋】 名 〈俗〉 살인 청부업자.

****ころ-す** 【殺す】 5他 **1** 죽이다. ㉠목숨을 끊다. ¶首を締めて～ 목을 졸라 죽이다/虫も～·さぬ顔 벌레 하나 못 죽일 착한 얼굴. ㉡의식적으로 기운을 누르다; 약화시키다. ¶息[声]を～ 숨소리[목소리]를 죽이다. ㉢〔野〕 아웃시키다. ¶ランナーを～ 주자를 아웃시키다. **2** (감정 등을) 눌러 참다; 억누르다. ¶感情を～ 감정을 억누르다/腹の虫を～ (치미는) 분노를 눌러 참다. **3** 없애다; 제거하다. ¶臭みを～ 고약한 냄새를 없애다.

ごろつき 〖破落戸·無頼〗 名 불한당; 깡패; 무뢰한; 건달. ＝ならずもの·ごろ. ¶～にゆすられる 깡패에게 금품을 털리

다. 注意 '破落戸·無頼'로 씀은 취음.

コロッケ [프 croquette] 名〖料〗크로켓.

コロナ [corona] 名〖天〗코로나.

ごろね【ごろ寝】《転寝》名ス自 옷을 입은 채 아무 데나 쓰러져 잠. ¶公園のベンチで~する 공원 벤치에서 등걸잠을 자다.

ころば-す【転ばす】5他 **1** 쓰러뜨리다. ¶人の足をすくって~ 남을 딴죽 걸어 쓰러뜨리다. **2** 굴리다. ¶ボールを~ 공을 굴리다. 可能ころば-せる下1自

ころ-ぶ【転ぶ】5自 **1** 쓰러지다; 자빠지다. ¶石につまずいて~ 돌에 채어 넘어지다/すべって~ 미끄러져 넘어지다. **2** 구르다. ¶ボールが~ 공이 굴러가다. **3** 탄압을 받아서 개종(改宗)하다; 전향하다. **4** 절개를 굽히다; 타협하다. ¶金に~ 돈에 절개를 굽히다. **5** (모로) 눕다; 기생 등이 손님에게 몸을 팔다. 可能ころ-べる下1自

―·ばぬ先のつえ 넘어지기 전의 지팡이《유비무환(有備無患)》.

―·んでもただは起きない 자빠져서도 그냥은 일어나지 않는다《어떤 경우에든 반드시 이익만은 챙김의 비유》.

ころも【衣】名 **1** 〈雅〉옷; 의복. =きもの. ¶~をまとう〔ぬぐ〕옷을 입다〔벗다〕. **2** 승려의 옷; 법의(法衣); 승복(僧服). **3** 과자·튀김 따위의 거죽에 입힌 것. ¶てんぷらの~ 튀김옷.

ころもがえ【衣替え】《衣更え》名ス自 **1** (특히, 철에 따라) 옷을 갈아입음. =更衣. **2** 새 단장. ¶店の~ 가게의 신장(新粧).

ころり 副《흔히 '~と'의 꼴로》**1** 작은 물건이 떨어져 구르는 모양: 대구루루. ¶鈴が~と落ちる 방울이 대구루루 떨어지다. **2** 허무하게 지거나 죽거나 하는 모양: 맥없이; 덜컥. ¶~と参る (a) 맥없이 항복하다; (b) 덜컥 죽다/交通事故で~と死んだ 교통사고로 덜컥 죽었다.

ごろりと 副 아무렇게나 눕는 모양. ¶~寝る 벌렁 드러눕다/~寝そべる 벌렁〔아무렇게나〕엎드려 눕다.

こわ-い【怖い】《恐い》形〈口〉무섭다. **1** 두렵다. =恐ろしい. ¶~先生 무서운 선생님/~·くて大声をあげる 무서워서 큰 소리를 지르다/私は雷が~ 나는 천둥이 무섭다. **2** 위험하다. ¶車が多くて~道 차량 통행이 많아서 무서운 길.

こわ-い〖強い·剛い〗形 **1** 질기다; 딱딱하다; 되다. ¶~御飯 된밥/この肉は~ 이 고기는 질기다. **2** (힘·세력 등이) 세다. ¶手ごわい敵 (만만히 볼 수 없는) 강적. **3** 고집이 세다. ¶情が~ 고집이 세다. **4** 풀이 세다; 빳빳하다. ¶ワイシャツののりが~ 와이셔츠의 풀이 세다.

こわいろ【声色】名 **1** 음색; 목청. =こわね. ¶~をまねる 목청을 흉내 내다. **2** 배우의 대사의 말투나 음색; 또, 그것을 흉내 내는 짓; 성대모사. ¶~をつかう 배우의 대사〔말투〕를 흉내 내다.

こわがり【怖がり】《恐がり》名 별일도 아닌데 겁을 냄; 또, 겁쟁이. ¶~屋 겁쟁이/彼はとても~です 그는 아주 겁쟁이입니다.

こわが-る【怖がる】《恐がる》5自 무서워하다. =おそろしがる. ¶相手〔犬〕を~ 상대〔개〕를 무서워하다.

こわき【小わき】《小脇》名『~にかかえる』겨드랑이에 끼다. ¶かばんを~に抱える〔挟む〕가방을 겨드랑이에 끼다.

こわけ【小分け】名ス他 소구분; 세분. ¶~した薬品 소(구)분한 약품/ケーキを~にする 케이크를 조금씩 나누다.

こわごわ〖怖怖·恐恐〗副 두려워하는〔겁내는〕모양. =おそるおそる·おっかなびっくり. ¶~質問する 조심조심 질문하다/~近よって見る 흠칫거리며 접근해 보다/古井戸を~とのぞく 오래된 우물을 조심조심 들여다보다.

ごわごわ 副ス自 종이나 헝겊 따위가 딱딱해서 부드럽지 않은 모양; 빳빳한 모양. ¶~した生地〔紙〕빳빳한 옷감〔종이〕. 注意 '~の'의 꼴로도 씀. ¶~の布 빳빳한 천.

こわざ【小業·小技】名 (씨름·유도 등에서) 잔 수. ¶~がきく 잔 수가 잘 먹히다. ↔大業.

こわ-す【壊す】《毀す》5他 **1** 파괴하다; 부수다; 파손시키다. ¶家を~ 집을 부수다. **2** 고장 내다; 탈내다. ¶腹〔胃〕を~ 배탈나(게 하)다/体を~ 몸〔건강〕을 해치다. **3** (약속·계획 따위를) 망치다. ¶縁談を~ 혼담을 깨뜨리다/せっかくのいい話を~ 모처럼의 좋은 이야기를 망치다. **4** (고액 화폐를) 헐다; 바꾸다. =くずす. ¶万円札を千円札に~ 만 엔권을 천 엔권으로 바꾸다. 可能こわ-せる下1自

こわだか【声高】名 목소리가 큼; 목청이 높음. ¶~に話す 큰 소리로 이야기하다 / ~にののしる〔言い争う〕큰 소리로 욕하다〔언쟁하다〕.

こわだんぱん【こわ談判】《強談判》名ス自 강경한 담판. ¶~におよぶ 강경한 담판을 하기에 이르다.

こわづくり【声作り】名ス自 **1** 꾸민 목소리로 말함; 짐짓 격식 차려 말함. **2** 헛기침을 함. =声づくろい.

こわっぱ【小わっぱ】《小童》名 소년이나 풋내기를 얕잡아 부르는 말: 조그만 놈; 애송이. =小僧. ¶この~め 요 애송이 녀석.

こわね【声音】名〈雅〉음성. =こわいろ. ¶~が似ている 음성이 비슷하다.

こわば-る〖強張る·硬張る〗5自 굳어지다; 딱딱해지다. ¶顔〔表情〕が~ 얼굴〔표정〕이 굳어지다/糊でシャツが~ 풀을 먹여 셔츠가 빳빳해지다.

こわれもの【壊れ物】《毀れ物》名 **1** 파손

된 물건. 2 파손되기 쉬운 물건. ¶~注意 파손(물) 주의.

**こわ-れる【壊れる】《毀れる》[下1自] 1 깨지다. ㉠부서지다; 파괴〔파손〕되다. ¶ちゃわんが~ 공기가 깨지다 / コップがこなごなに~ 컵이 산산조각으로 깨지다. ㉡(약속 등이) 틀어지다. ¶商談が~ 상담이 깨지다 / 計画〔話〕が~ 계획이〔얘기가〕 틀어지다. 2 고장나다. ¶テレビが~ TV가 고장나다.

こん【根】[名] 1 근기(根氣); 끈기. ¶精も~も尽きはてる 정력도 끈기도 다 탈진하다 / ~が続かない 끈기가 지속되지 않다〔모자라다〕. 2〖數〗근; 거듭제곱근. ¶平方~ 제곱근 / ~を求める 근을 구하다.

こん【紺】[名] 감색. =紺色. ¶~の制服〔背広〕 감색 제복〔신사복〕.

こん [副]《흔히 '~と'의 꼴로》 1 단단한 것을 치거나 단단한 물건에 부딪쳐 나는 소리: 탁. ¶~, ~とくいを打つ 탁탁 말뚝을 박다. 2 여우의 울음소리: 깽.

こん=【今】 1 금…; 지금의; 이번의. ¶~学期 이번 학기. 2 오늘의. ¶~八日 오늘 8일.

=こん【献】《한(漢)숫자에 붙여서》 술잔을 올리는 횟수를 나타냄: …잔. ¶一~差し上げる 한 잔 올리다.

こん〖此ん〗[連体]〈俗〉 이(('この'의 전와)). ¶~畜生 이 개새끼 / ~にゃろ 이놈의 새끼(('この野郎'의 변화)).

こん〖今〗[教2] コン キン いま | 금 이제 | 1 현재; 지금; 근래; 이즈음. ¶今シーズン 현〔이번〕 시즌 / 古今·こきん 고금. ↔古·昔. 2 금번; 이번. ¶今夜 오늘 밤.

こん〖困〗[教6] コン こまる | 곤 곤하다 | 곤란하다; 고생하다. ¶困厄 곤액 / 貧困 빈곤 / 困乏 곤핍.

こん〖昆〗[常用] コン | 곤 형 자손 | 1 후사(後嗣); 자손; 또, 형(兄). ¶昆弟 곤제. 2 벌레. ¶昆虫 곤충.

こん〖恨〗[常用] コン うらむ うらめしい | 한 한하다 | 원망하다; 원망스럽다. ¶痛恨 통한.

こん〖根〗[教3] コン ね | 근 뿌리 | 1 뿌리. ¶草根木皮 초근목피. 2 근본. ¶根拠 근거. 3 끈기. ¶根性 근성. 4〖數〗근.

こん〖婚〗[常用] コン | 혼 혼인하다 | 혼인하다; 부부가 되다. ¶婚礼 혼례 / 離婚 이혼 / 婚姻 혼인 / 成婚 성혼.

こん〖混〗[教5] コン まじる まざる まぜる | 혼 섞다 | 1 섞다; 섞이다. ¶混成 혼성 / 混血児 혼혈아. 2 뒤섞여 혼잡하다. ¶混雑 혼잡 / 混戦 혼전.

こん〖紺〗[常用] コン | 감 감색 | 검은빛을 띤 푸른빛. ¶紺色 감색 / 紫紺 자감.

こん〖魂〗[常用] コン たましい たま | 혼 넋 | 1 혼; 넋. ¶魂魄 혼백 / 霊魂 영혼. ↔魄. 2 마음; 정신. ¶魂胆 혼담 / 心魂 심혼 / 商魂 상혼.

こん〖墾〗[常用] コン はる | 간 개간하다 | 개간하다. ¶新墾 신간 / 開墾 개간.

こん〖懇〗[常用] コン ねんごろ | 간 정성 | 친하다. ¶懇望 간망 / 懇願 간원 / 懇請 간청.

ごん [副]《'~と'의 꼴로》 1 단단한 것에 부딪쳐 내는 둔한 소리: 쿵. 2 종소리: 뎅. ¶鐘が~となる 종소리가 뎅 하고 울리다.

こんい【懇意】[名ナ] 1 친히 지냄; 또, 친한 사이. ¶~な間柄 친한 사이 / 彼とは十年来~にしている 그 사람과는 십년 전부터 친하게 지내고 있다. 2 친절함. ¶ご~のほど 친절히 해주심.

こんいん【婚姻】[名ス自] 혼인. [参考] 흔히 '結婚(=결혼)'의 법률적 용어.

—しょく【—色】[名]〖動〗 혼인색.

—とどけ【—届】[名] 혼인 신고.

こんかい【今回】[名] 1 금회; 이번 회. 2 금번; 이번. =こんど·このたび. ¶~左記に移転しました 이번에 좌기(의 장소)로 이전했습니다 / ~はじめて出席した 이번에 처음 참석하였다. ⇔前回·次回.

こんかぎり【根限り】[名副] 끈기가 계속되는 한; 힘껏; 힘 자라는 한. =精いっぱい. ¶~走る 힘껏 달리다 / ~の努力をする 힘 닿는 데까지 노력하다.

*こんがらか-る [5自] 헝클어지다; 뒤얽히다; 복잡〔혼란〕해지다. =こんぐらかる. ¶毛糸が~·ってどうしてもほどけない 털실이 헝클어져서 아무리 해도 풀리지 않는다 / 話が~ 이야기가 뒤얽히다 / 頭の中が~ 머릿속이 혼란스러워지다.

こんがり [副] 알맞게 구워진 모양. ¶餅を~と焼く 떡을 노르끄레하게 굽다 / 肌を~と焼く 피부를 알맞게 태우다.

こんかん【根幹】[名] 근간; 근본. ¶~をなす 근간을 이루다 / ~から考え直す必要がある 근본부터 고쳐 생각할 필요가 있다. ↔枝葉.

こんがん【懇願】[名ス他] 간원; 간절히 원함; 또, 그 원. ¶助力を~する 조력을 간원하다 / 会議への出席を~する 회의에 출석할 것을 간원하다.

こんき【今期】[名] 금기; 당기; 이번 시기〔기간〕; 바로 지금의 시기. ¶~の予算 당기 예산. ↔前期·次期.

こんき【根気】[名]〈口〉 근기; 끈기. =根. ¶~一つで 끈기 하나로 / ~の要る仕事 끈기가 필요한 일 / ~よく続ける 끈기 있게 계속하다.

—くらべ【—比べ】[名] ☞こんくらべ.

—まけ【—負け】[名ス自] 근기가 딸려서

짐. =根負こんまけ.
こんき【婚期】图 (주로, 여성의) 혼기. ¶~に達たっした娘むすめ 혼기에 이른 딸〔처녀〕/~が過すぎる 혼기가 지나다/~を逸いっする 혼기를 놓치다.
こんきゅう【困窮】图ス自 1 곤궁. ¶生活せいかつ~者しゃ 생활이 곤궁한 자. 2 해결책이 없어 곤란함. ¶住宅じゅうたく~者しゃ 주택이 없어 곤란을 받고 있는 자/対策たいさくに~する 대책을 세우는 데 고심하다.
*こんきょ【根拠】图 1 근거. =よりどころ. ¶推定すいていの~ 추정의 근거/判断はんだんの~を示しめす 판단의 근거를 보이다/合理的ごうりてきな~を失うしなう 합리적인 근거를 잃다/君きみはどういう~があってそんなことを言いうのか 넌 어떤 근거가 있어서 그런 말을 하느냐. 2 근거지. =本処ほんしょ. ¶暴徒ぼうとらが~にした砦とりで 폭도들이 근거지로 삼은 보루.
—ち【—地】图 근거지. 「↔昨暁さくぎょう.
こんぎょう【今暁】图 금효; 오늘 새벽.
ごんぎょう【勤行】图ス自〔佛〕근행; (승려가) 불전에서 독경(讀經)함.
ゴング [gong] 图 공. 1 징. 2 (권투에서) 시합의 개시·종료 등을 알리는 종. ¶~を鳴ならす 공을 울리다. *영어로는 bell.
コンクール [프 concours] 图 콩쿠르; 경기회; 경연 대회. =コンテスト. ¶作文さくぶん~ 글짓기 콩쿠르. 「る.
こんぐらか-る 5自 〈俗〉 ☞こんがらか
こんくらべ【根比べ】图ス自 끈기〔지구력〕 겨루기. =根気こんきくらべ.
*コンクリート [concrete] 一图 콘크리트. ¶~ミキサー 콘크리트 믹서/~の壁かべ 콘크리트 벽/~を打うつ 콘크리트를 치다/~を流ながし込こんで固かためる 콘크리트를 부어 넣어 굳히다.
—ジャングル [concrete jungle] 图 콘크리트 정글; 인간을 소외하는 대도시.
—パイル [concrete pile] 图 콘크리트 파일; 철근 콘크리트 말뚝.
—ブロック [concrete block] 图 콘크리트 블록. =ブロック.
ごんげ【権化】图 권화; 화신. =化身けしん. ¶悪あくの~ 악의 화신.
こんけつ【混血】图ス自 혼혈. ¶両りょう民族みんぞくはおよそ千年せんねんにわたって~した 두 민족은 약 천년에 걸쳐 혼혈하였다. ↔純血じゅんけつ. 「の子こ·ハーフ.
—じ【—児】图 혼혈아; 튀기. =あい
*こんげつ【今月】图 금월; 이달. =本月ほんげつ·当月とうげつ. ¶去年きょねんの~ 지난해의 이달/~中ちゅうに帰国きこくする 이달 안에 귀국한다. ↔先月せんげつ·来月らいげつ.
こんげん【根元·根源】图 근원; 근본. ¶あらゆる社会悪しゃかいあくの~を究きわめる 모든 사회악의 근원을 깊이 연구하다.
こんご【今後】图 금후; 차후; 이후; 앞으로. =以後いご·この後のち. ¶~もよろしく 앞으로도 잘 부탁 드립니다/政界せいかいの~を占うらなうかぎ 정계의 금후를 점치는 열쇠/~の推移すいいを見守みまもる 금후의 추이를 지켜보다/~気きをつけなさい 앞으로 조심하세요.
ごんご【言語】图 언어. =げんご. ¶~に絶ぜっする 이루 다 말할 수 없다.
—どうだん【—道断】图 언어도단. ¶わが子こを捨すてるとは~だ 자기 자식을 버리다니 언어도단이다.
こんごう【金剛】图 금강(('金剛石せき' '金剛砂しゃ' '金剛草履ぞうり' 등의 준말)).
—しゃ【—砂】图 금강사. =カーボランダム·エメリー. 「ンド.
—せき【—石】图 금강석. =ダイヤモ
—ぞうり【—草履】图 짚이나 골풀로 만든 크고 튼튼한 짚신.
—づえ〖—杖〗图 금강장; 수도자나 등산객이 가지고 다니는 8각 또는 4각의 흰 나무 지팡이. =金剛じょう.
—りき【—力】图〔佛〕금강력; 금강역사처럼 대단히 센 힘. ¶~をふりしぼる 있는 힘을 다 짜내다. 「=仁王におう.
—りきし【—力士】图〔佛〕금강역사.
こんごう【混合】图ス自他 혼합. ¶男女だんじょ~チーム 남녀 혼합팀/油あぶらと水みずは~しない 기름과 물은 혼합되지 않는다.
—ご【—語】图〔言〕혼합어(('やぶく' 가 '破やぶる'와 '裂さく'의 각각 두 낱말로 혼합되어 새 낱말이 된 것 따위)).
—ぶつ【—物】图 혼합물.
こんこん 一图 〈兒〉 1 눈. =雪ゆき. 2 여우. 3 기침. =せき. 二副 1 기침을 하는 모양: 콜록콜록. 2 딱딱한 것이 서로 맞닿는 소리: 데그럭데그럭. 3 눈·비·싸락눈이 내리는 모양: 펄펄; 펑펑; 후두둑. 4 여우가 우는 소리: 캥캥.
こんこんと〖昏昏と〗副 혼혼히. 1 의식이 없는 모양. =うつらうつら. ¶~眠ねむる 정신없이 자다. 2 사리에 어두운 모양; 깜깜한 모양.
こんこんと〖滾滾と〗副 곤곤히. 1 물 따위가 계속 샘솟아 오르는 모양. ¶泉いずみが~わいている 샘이 펑펑 솟아나오고 있다. 2 물이 세차게 흐르는 모양.
こんこんと【懇懇と】副 매우 간절한 모양. ¶~さとす 간곡하게 타이르다.
コンサート [concert] 图〔樂〕콘서트; 연주회; 음악회. ¶~を催もよおす 콘서트를 개최하다. 「음악당.
—ホール [concert hall] 图 콘서트 홀;
こんざい【混在】图ス自 혼재; 섞여 있음. ¶夢ゆめと現実げんじつが~している作品さくひん 꿈과 현실이 뒤섞여 있는 작품/米こめの中なかにもみが~する 쌀 속에 뉘가 섞여 있다.
コンサイス [concise] 콘사이스. 一ダナ 간명〔간결〕한 모양. 二图〔商標名〕소형 사전(의 판형). ¶~版ばん 콘사이스판.
こんさいるい【根菜類】图 근채류((무·당근 등과 같이, 주로 뿌리를 먹는 야채)). ↔葉菜類ようさいるい·果菜類かさいるい.
**こんざつ【混雑】图ス自 혼잡. ¶~を極きわめる通とおり 극도로 혼잡한 길/~を避さける 혼잡을 피하다/海水浴かいすいよくの客きゃく

で駅が～する 해수욕 손님으로 역이 혼잡하다.

コンサルタント [consultant] 名 컨설턴트; 상담역《기업 경영·관리 등에 대해서 진단·지도하는 전문가》. ＝マネジメントコンサルタント. ¶経営～ 경영 컨설턴트 / 結婚～ 결혼 상담역.

コンサルティング [consulting] 名 컨설팅; 상담에 응함; 조언. ¶～販売 조언 판매.

こんじ【今次】名 금차; 이번; 금번. ＝このたび·今回. ¶～の大戦 이번 대전.

こんじ【金字】名 금자; 금니(金泥)로 쓴 글자; 금빛 문자.

こんじ【根治】名ス他自 근치; 전치(全治). ＝こんち. ¶みずむしが～する 무좀이 근치되다 / この病気を～し得る人はあの医者だけだ 이 병을 근치할 수 있는 사람은 저 의사뿐이다.

こんじ【紺地】名 **1** 감색의 천. **2** 바탕색이 감색인 것. ¶～に朱の字 감색 바탕에 주홍 글자.

こんじき【金色】名 금색; 황금빛. ＝金色. ¶～世界 극락정토 / ～の仏像 황금빛의 불상 / ～に輝く 황금빛으로 반짝이다.

こんしぼり【紺絞り】名 감색의 홀치기 염색.

こんじゃく【今昔】名 금석; 지금과 옛날. ＝こんせき.

—の感 금석지감. ¶～に堪えない 금석지감을 금할 수 없다.

こんしゅう【今秋】名 금추; 올 가을; 금년 가을. ↔昨秋·来秋.

***こんしゅう**【今週】名 금주; 이번 주. ¶～中に仕上げる 금주 내에 완성하겠다. ↔先週·前週·来週.

コンシューマー [consumer] 名 컨슈머; 소비자; 수요자.

こんしゅん【今春】名 금춘; 올봄; 금년봄. ↔昨春·来春.

こんじょう【今生】名〈老〉금생; 이승; 이 세상에 살아 있는 동안. ¶～の思い出 이승에서의 추억 / ～の別れ 이승에서의 이별《죽음》.

***こんじょう**【根性】名 근성. ＝こころね. ¶助平〔折助〕～ 호색〔하인〕근성 / ひがみ～ 비꼬인 근성 / 役人〔こじき〕～ 관리〔거지〕근성 / ～のある男 근성〔성깔〕이 있는 남자 / ～がしっかりしている 근성이 건실하다 / ～が無い 끈기가 없다 / ～をたたき直す 근성을 뜯어고치다 / ～が曲がっている 마음보가 비뚤어져 있다.

—を入れ替える (반성하여) 마음을 고치다; 개심(改心)하다.

ごんじょう【言上】名ス他 여쭘; 말씀을 올림. ¶お礼～ 감사의 말씀을 드림 / 開発計画について～する 개발 계획에 대해서 말씀을 여쭙다.

こんしょく【混食】名ス自他 혼식. ¶～動物 잡식 동물 / ～は健康によい 혼식은 건강에 좋다.

こんしょく【混織】名ス他 혼직; 혼방; 섞어 짬. ＝交織.

こんしん【混信】名ス自 혼신《무선 통신이나 방송 등에서 다른 송신국의 송신이 섞여서 들림》. ¶短波放送が～する 단파 방송에 혼신이 생기다. 参考 전화의 경우는 '混線(＝혼선)'을 씀.

こんしん【渾身】名 혼신; 몸 전체; 온몸. ¶～の力をふりしぼって戦う 혼신의 힘을 다하여 싸우다.

こんしん【懇親】名 간친; 친목. ＝親睦. ¶～会 간친회 / ～を深める 친목을 돈독히 하다.

こんすい【昏酔】名ス自 혼취; 술에 취해 의식을 잃음.

—ごうとう【—強盗】名 남을 혼취·혼수 상태에 빠뜨려 물건을 훔치는 일《강도죄로 처벌됨》.

こんすい【昏睡】名ス自 혼수. ¶～状態 혼수 상태 / ～におちいる 혼수(상태)에 빠지다.

ごんすけ【権助】名〈老〉하인; 머슴. ＝下男. 参考 옛날에, 머슴이나 하인에게 이 이름이 흔했던 데서.

こんせい【懇請】名ス他 간청. ¶出馬を～する 출마를 간청하다.

こんせい【混成】名ス他自 혼성. ¶～チーム 혼성 팀 / ～競技 혼성 경기 / ～岩 혼성암.

—しゅ【—酒】名 혼성주; 혼합주. ＝再製酒.

こんせい【混声】名 혼성. ↔単声.

—がっしょう【—合唱】名 혼성 합창. ↔単声合唱.

こんせき【今夕】名 오늘 저녁; 오늘 밤. ＝今夕·こよい. ¶～の送別宴 오늘 밤의 송별연.

こんせき【痕跡】名 흔적. ＝跡形·形跡. ¶～をとどめる 흔적을 남기다 / ～を残さない 흔적을 남기지 않다.

こんせつ【懇切】名ダナ 간절; 친절하고 자상함. ＝ねんごろ. ¶～ていねいに説明する 친절하고 정중하게 설명하다.

こんぜつ【根絶】名ス他 근절. ＝ねだやし. ¶悪習〔汚職〕を～する 악습〔독직〕을 근절하다 / …の～を期する …의 근절을 기하다.

コンセプト [concept] 名 컨셉트; 개념; 관점; 발상; 주장; 새로운 사고방식. ¶企画の～ 기획의 관점.

—アド [일 concept＋ad] 名 컨셉트〔개념〕광고; 상품 내용의 직접적인 선전이 아니고, 기업이나 상품에 대한 이미지를 높이는, 새로운 착상의 광고.

—カー [일 concept＋car] 名 컨셉트 카《메이커가 새로운 의도나 제안을 수용하여, 최신 기술을 활용해서 만든 차》.

こんせん【混戦】名ス自 혼전. ¶～状態 혼전 상태 / 三つ巴の～ 삼파전.

***こんせん**【混線】名ス自 혼선. **1** 전화에서, 다른 통화가 섞임. ¶電話が～して聞きとれなかった 전화가 혼선되어 알아들을 수가 없었다. **2** 여러 가지 이야기가 뒤얽혀 갈피를 잡을 수 없게 됨. ¶

話がすっかり～してしまった 이야기가 완전히 혼선을 빚고 말았다.

こんぜん【婚前】 名 혼전; 결혼 전. ¶～交渉 혼전 교섭; 혼전 성교.

こんぜん [混然]《渾然》 トタル 혼연. ¶～一体となる 혼연일체가 되다.

コンセンサス [consensus] 名 컨센서스; 의견 일치; 동의; 합의. ¶ナショナル～ 국민적 합의 / 国民の～を得る 국민의 동의를 얻다 / 住民の～が欠かせない 주민의 합의를 빼놓을 수 없다.

コンセント [←consentric plug] 名〔電〕 콘센트《플러그를 끼우는 구멍》. ¶プラグを～に差し込む 플러그를 콘센트에 꽂다. *미국에서는 outlet, 영국에서는 socket라고 함.

コンソーシアム [consortium] 名 컨소시엄; (대규모 개발 사업 추진 등을 위한) 국제 차관단; 국제 융자단.

コンソール [console] 名 콘솔; 텔레비전이나 스테레오 등이 호화로운 캐비닛으로 된 양식. ¶～タイプ 콘솔형.

コンソメ [프 consommé] 名〔料〕 콩소메; 맑은 수프. ↔ポタージュ.

コンソレーション [consolation] 名 콘설레이션; (경기에서) 패자 부활전.

こんだく【混濁】《溷濁》 名ス自 혼탁. ¶～の世 혼탁한 세상 / 意識〔水〕が～する 의식〔물〕이 혼탁해지다.

コンダクター [conductor] 名〔樂〕 컨덕터; (오케스트라의) 지휘자.

コンタクト [contact] 名 콘택트. **1** 접촉; 교섭; 연락. ¶～を持つ 접촉〔교섭〕하다 / 先方と～をとる 상대방과 연락을 취하다. **2** 'コンタクトレンズ'의 준말.

──レンズ [contact lens] 名 콘택트렌즈. ¶～をはめる 콘택트렌즈를 끼다.

*__こんだて【献立】__ 名 **1** 식단; 메뉴. ¶～表 식단표. **2** 준비. ¶会議の～をする 미리 회의 준비를 하다.

こんたん【魂胆】 名 **1** 혼담; 간담; 넋. **2** 책략; 속셈; 생각. ¶何か～がありそうだ 무언가 속셈이 있는 듯하다 / ～を見抜く 속셈을 간파하다.

*__こんだん【懇談】__ 名ス自 간담. ＝懇話. ¶～会 간담회 / 差し向かいで～する 마주 앉아 간담하다.

コンチェルト [이 concerto] 名〔樂〕 콘체르토. ¶ピアノ～ 피아노 협주곡.

こんちくしょう【こん畜生】 感〈俗〉 몹시 화가 났을 때 내뱉는 말: 젠장; 제기랄; (이) 개자식. ¶～め (이) 개 같은 놈 / ～, だましやがったな 개 같은 놈, (나를) 속였구나.

コンチネンタル [continental] 名 콘티넨털; (유럽) 대륙식〔풍〕; 대륙 스타일. ¶～タンゴ 콘티넨털 탱고.

──プラン [continental plan] 名 콘티넨털 플랜《아침 식사 요금을 계산에 넣은 호텔의 요금 제도》.

*__こんちゅう【昆虫】__ 名 곤충. ¶～採集 곤충 채집 / ～の生態を観察する 곤충의 생태를 관찰하다.

こんちょう【今朝】 名 오늘 아침. ＝けさ. ↔昨朝·明朝.

コンテ 名 콘티《'コンティニュイティ'의 준말》. ¶絵～ 그림으로 된 촬영 대본.

コンテ [프 conté] 名〔商標名〕 콩테; 크레용의 하나《사생·데생용》.

こんてい【根底】《根柢》 名 근저; 근본 토대. ＝ねもと. ¶～にある思想 밑바탕에 깔린 사상 / ～からくつがえす 근저부터 뒤엎다.

こんでい【金泥】 名 금니; 금박 가루를 아교에 갠 것《서화용》. ＝きんでい.

コンディショナー [conditioner] 名 컨디셔너; 조절 장치. ¶バター～ 버터가 너무 굳지 않도록 식지 않게 하는 장치.

コンディション [condition] 名 컨디션. **1** 그 때의 상태〔양상〕. ¶～を調える 컨디션을 조절하다 / からだの～がよい 몸의 컨디션이 좋다. **2** 조건.

コンティニュイティ [continuity] 名 콘티뉴이티; (영화·TV 등의) 현장 촬영용 대본. ＝コンテ.

コンティニュー [continue] 名〔컴〕 컨티뉴; 데이터를 기억시킨 곳부터 다시 출력시킴.

コンテスト [contest] 名 콘테스트; 경연(대회). ＝コンクール. ¶音楽～ 음악 경연 대회 / 美人～ 미인 콘테스트.

コンテナー [container] 名 컨테이너. ＝コンテナ. **1** (운송용) 용기; 상자. ¶～船 컨테이너선. **2** 기계·기구 등의 용기.

コンデンサー [condenser] 名 콘덴서. **1** 축전기. **2** 응축기(凝縮器). **3** 집광(集光) 장치; 집광 렌즈.

コンテンツ [contents] 名 컨텐츠. **1** 내용; 알맹이. **2** (책의) 목차. **3** 케이블 TV나 PC 통신 등과 같은 각종 유·무선 통신망을 타고 흐르는 정보의 통칭.

コンテンポラリー [contemporary] 名 ダナ 컨템퍼러리; 동(同)시대인; 현대적. ¶～な感性 현대적 감성.

コント [프 conte] 名 콩트. ＝掌編.

⁑**こんど【今度】** 名 **1** 이번; 금번. ＝この度. ¶～こられた新任の先生 이번에 오신 신임 선생님 / ～に限った事ではない 이번에 국한된 일은 아니다 / ～の事はなかったことにしよう 이번 일은 없었던 것으로 하자. **2** 이 다음. ＝このつぎ. ¶～したら許さぬぞ 이 다음에 다시 하면 용서하지 않겠다 / ～こそはしっかりやろう 이 다음에는 정신 차려서 해야지.

こんとう【今冬】 名 금동; 올겨울.

こんとう [昏倒] 名ス自 혼도; 졸도. ¶暑い中を立ち続けていたために～した 더위 속에 계속 서 있었기 때문에 졸도했다.

*__こんどう【混同】__ 名ス自他 혼동. ¶～農 혼동농《경작과 축산을 겸한 농업》/ 公私を～する 공과 사를 혼동하다 / 時には自由と放縦とを～する 때로는

자유와 방종을 혼동한다.

こんどう【金堂】图〖佛〗금당. 1 본당; 대웅전. ¶法隆寺(ほうりゅうじ)の～ 法隆寺의 본당. 2 금박이나 금으로 꾸민 불당.

こんどう【金銅】图 금동. ¶～の仏像(ぶつぞう) 금동불상.

コンドーム [condom] 图 콘돔. ＝スキン·ルーデサック.

こんとし【来ん年】图 내년; 명년.

コンドミニアム [condominium] 图 콘도미니엄; 콘도. ＝コンド.

ゴンドラ [이 gondola] 图 곤돌라. 1 이탈리아의 베네치아 명물인 작은 배. 2 비행선·기구 등의 조롱(吊籠).

コントラスト [contrast] 图 콘트라스트. 1 대조; 대비. ¶白(しろ)と黒(くろ)の～ 흑과 백의 대조/鮮(あざ)やかな～をなす 또렷한 대조를 이루다. 2〖寫〗인화(印畫)의 명암 정도; 또, 피사체의 명암 정도.

コントラバス [도 Kontrabass] 图〖樂〗콘트라베이스; 최저음의 현악기. ＝(ダブル)バス·ダブルベース.

コンドル [condor] 图〖鳥〗콘도르; 남미에 분포하는 맹금. ＝はげたか.

コントロール [control] 图ス他 컨트롤. 1 통제; 조절; 관제(管制). ¶自分(じぶん)で自分の感情(かんじょう)を～できない 스스로 자기 감정을 통제하지 못하다. 2 (야구의) 제구력. ¶～のいい投手(とうしゅ) 컨트롤이 좋은〔제구력이 있는〕투수.

—タワー [control tower] 图 컨트롤 타워; 항공 관제탑.

こんとん [混沌·渾沌] トタル 혼돈. ＝カオス. ¶～たる世界情勢(せかいじょうせい) 혼돈한 세계정세/敗戦(はいせん)直後(ちょくご)はすべてが～の中(なか)にあった 패전 직후에는 모든 것이 혼돈 속에 있었다.

こんな 連体〈口〉이러한; 이와 같은. ＝このような. ¶そんな～で 이러니저러니 해서/～ことが分(わ)からないのか 이런 (쉬운) 것을 모르는가/あの日(ひ)の天気(てんき)も～だった 그날 날씨도 이랬다/～事(こと)があっていいのか 이런 일이 있어도 되는 건가. ↔あんな·そんな·どんな.

＊＊こんなん【困難】名·ダ 곤란. ¶～な問題(もんだい) 곤란한 문제/多(おお)くの～を伴(ともな)う 많은 곤란이 따르다/～に出会(であ)う〔ぶつかる〕곤란에 봉착하다/～にうち勝(か)つ 곤란을 극복하다/～ではあるが, 不可能(ふかのう)ではない 어렵기는 하나 불가능하지는 않다. ↔容易(ようい).

＊こんにち【今日】图 1 금일; 오늘. ＝本日(ほんじつ)·きょう. ¶来年(らいねん)〔去年(きょねん)〕の～ 내년〔작년〕의 오늘. 2 오늘날; 요즘. ＝現今(げんこん)·いま. ¶～の世界(せかい) 오늘날의 세계/私(わたし)の～あるは 오늘의 내가 있음은/～の隆盛(りゅうせい)を築(きず)く 오늘날의 융성을 이루다/～に至(いた)るまで彼(かれ)の行方(ゆくえ)は不明(ふめい)である 오늘날에 이르기까지 그의 행방은 묘연하다.

—てき【—的】ダナ 현대〔현재〕에 관한 모양. ¶～意義(いぎ) 오늘날의 의의.

—は〖今日は〗—wa 連語 낮에 하는 인사말: 안녕하십니까. ＝こんちは. ⇨こんばんは·おはよう.

こんにゃく〖蒟蒻·菎蒻〗图 곤약. 1〖植〗구약나물. 2 구약나물의 땅속줄기를 가루로 만들어 석회액을 섞어 끓여 굳힌 묵 같은 식품.

—だま【—玉】图 'こんにゃく1'의 땅속줄기.

—もんどう【—問答】图 엉뚱한 문답이나 종잡을 수 없는 말을 주고받음; 동문서답.

こんにゅう【混入】图ス自他 혼입; 섞어 넣음; 섞여 들어감. ¶毒(どく)が～する 독이 섞여 들어가다.

こんねん【今年】图 금년; 올해. ＝ことし. ¶～もどうぞよろしくお願(ねが)い申(もう)し上(あ)げます 금년에도 아무쪼록 잘 부탁드립니다. ↔明年(みょうねん)·昨年(さくねん).

こんねんど【今年度】图 금년도. ¶～最後(さいご)の授業(じゅぎょう) 금년도의 마지막 수업.

コンパ [←company] 图〈學〉(비용이 공동 부담인) 다과회; 친목회. ¶歓迎(かんげい)～ 환영 다과회.

コンバージョン [conversion] 图〖컴〗컨버전; (데이터 처리 방식의) 변환; 이행(移行).

コンバーチブル [convertible] 图 컨버터블; 오픈카 등 윗부분을 접었다 폈다 할 수 있는 자동차.

こんぱい [困憊] 图ス自 곤비; 고달픔. ¶疲労(ひろう)～(する) 피로 곤비(하다).

コンバイン [combine] 图 콤바인; 합성식 수확기(收穫機).

コンパクト [compact] 콤팩트. 一图 거울 달린 휴대용 화장 도구. 二ダナ 아담하고 고루 갖춘 모양. ¶～サイズ 콤팩트 사이즈/～カメラ 소형 카메라/～な辞書(じしょ) 작으면서도 내용이 충실한 사전.

—カー [compact car] 图 콤팩트카; 소형차; (미국에서) 중형차.

—ディスク [compact disk] 图 콤팩트 디스크《CD》.

コンパス [네 kompas] 图 컴퍼스. 1 제도용구의 하나. ＝ぶんまわし. 2〈俗〉보폭(步幅); 다리. ＝歩幅(ほはば)·足(あし). ¶～が大(おお)きい 보폭이 크다/～の長(なが)い人(ひと) 다리가 긴 사람. 3 나침반.

コンバット [combat] 图 컴뱃; 전투.

—マーチ [일 combat＋march] 图 컴뱃 마치《고교 야구 등에서 응원단이 연주하는 행진곡》. ＊영어로는 rooters' song 또는 fight song이라고 함.

コンパニオン [companion] 图 컴패니언. 1 동료; 동행자. 2 국제적 행사 등에서 내빈의 접대·안내를 맡은 여성. ＊2는 영어로 guide 또는 attendant라고 함.

—アニマル [companion animal] 图 컴패니언 애니멀; 애완 동물. ＝アニマルコンパニオン·ファミリーアニマル. 參考 인간의 동료로서의 동물이라는 뜻.

＊＊こんばん【今晩】图 오늘 밤〔저녁〕. ＝こんや·今夕(こんせき). ↔昨晩(さくばん)·明晩(みょうばん).

—は〖今晩は〗—wa 連語 저녁·밤의 인

사말: 안녕하십니까. ⇨こんにちは.

こんぱん【今般】图 금반; 금번; 이번. ＝今度. ¶～左記へ移転致しました 금번 좌기 장소로 이전하였습니다. ↔先般·過般.

コンビ [←combination] 图 콤비; 짝. ¶名～ 명콤비; 단짝 / ～を組む 콤비를 이루다; 짝을 짓다 / 気の合った～ 마음이 맞는 콤비. ⇨トリオ.

コンビーフ [corned beef] 图 콘드비프; 콘비프《소금만으로 간을 한 쇠고기 통조림》. ＝コーンビーフ.

コンビナート [러 kombinat] 图 콤비나트; 기업 결합. ¶石油化学～ 석유화학 콤비나트. 「준말.

コンビニ 图 'コンビニエンスストア'의

コンビニエンスストア [convenience store] 图 컨비니언스 스토어; (24시간) 편의점《CVS》. ＝コンビニ.

コンビネーション [combination] 图 콤비네이션. **1** 결합; 합동; 조화; 배합. ¶色の～が良い 색깔의 배합이 좋다. **2** 2인조. ＝コンビ. ¶～プレー 콤비플레이. **3** 여자나 어린이가 입는 내리닫이 속옷. ＝コンビ.

コンピューター [computer] 图 컴퓨터; 전자계산기. ＝電子計算機·電算機. ¶～犯罪 컴퓨터 범죄 / ～にかける 전산으로 처리하다; 전산화하다.

—ウイドー [computer widow] 图 컴퓨터 위도; 컴퓨터 과부《컴퓨터광의 아내》.

—ウイルス [computer virus] 图 컴퓨터 바이러스.

—くみはん【—組版】图 컴퓨터 조판; 전산 사식(電算寫植)《CTS》.

—グラフィックス [computer graphics] 图 컴퓨터 그래픽스《CG》. 「게임.

—ゲーム [computer game] 图 컴퓨터

—シミュレーション [computer simulation] 图 컴퓨터 시뮬레이션; 컴퓨터를 써서 하는 상황 재현(再現) 작업.

—ネットワーク [computer network] 图 컴퓨터 네트워크.

—フォビア [computerphobia] 图 컴퓨터포비어; 컴퓨터 공포증〔기피증〕. ＝コンピューターアレルギー.

—ホリック [computerholic] 图 컴퓨터 홀릭; 컴퓨터 중독 (환자). 参考 アルコホリック(＝알코올 중독(alcoholic))를 흉내낸 합성어. 「터 백신.

—ワクチン [computer vaccine] 图 컴퓨

コンピュータリゼーション [computerization] 图 컴퓨터리제이션; 컴퓨터가 생활 속에 널리 보급되는 현상.

コンピュートピア [computopia] 图 컴퓨토피아; 컴퓨터에 의해 실현되는 이상(理想) 사회. ▷computer＋utopia.

こんぶ【昆布】图〔植〕다시마. ＝こぶ. ¶～取り 다시마 채취.

コンプレックス [complex] 图 콤플렉스. **1** 복합(된 것). ¶ビタミンB～ 비타민 B 복합체. **2** (정신 분석에서) 열등감. ¶方言～ 사투리 콤플렉스 / 彼は大学出に～を抱いている 그는 대학 출신에게 콤플렉스를 갖고 있다. ▷inferiority complex.

コンプレッサー [compressor] 图〔機〕컴프레서; (공기) 압축기. ¶エア～ 에어 컴프레서; 공기 압축기.

コンペ [←competition] 图 **1** 시합; 경기 대회. ¶ゴルフ～ 골프 경기 대회. **2** (설계 등의) 공개 경기; 건축 설계의 공모.

コンペートー [포 confeito] 图 콘페이토; 별사탕. ＝コンペイトー.

こんぺき [紺碧] 图 감청색. ¶～の海 검푸른 바다.

コンベヤー [conveyor] 图 컨베이어. ¶ベルト～ 벨트 컨베이어.

—システム [conveyor system] 图 컨베이어 시스템. ＝流れ作業.

こんぼう【混紡】图ス他 혼방. ¶毛と化繊の～ 모와 화학 섬유의 혼방.

—し【—糸】图 혼방사.

こんぼう【こん棒】《棍棒》图 곤봉. **1** 막대기; 몽둥이. ¶～でなぐる 곤봉으로 때리다. **2** 나무로 된, 병 모양의 체조 용구. ¶～体操 곤봉 체조. **3** 경찰봉.

こんぽう [梱包] 图ス他 곤포; 짐을 꾸림; 또, 꾸린 짐. ¶書籍を～する 서적을 꾸리다.

***こんぽん**【根本】图 근본. ¶～義 근본의의〔취지〕/ 証拠が～からくつがえされる 증거가 근본부터 뒤집히다.

—てき【—的】ダナ 근본적. ¶～な方針 근본적인 방침 / ～に改める 근본적으로 고치다. ↔末梢的.

コンマ [comma] 图 콤마. **1** 구두점의 하나《,》. ＝カンマ. ¶～で切る 콤마로 끊다 / ～を打つ 콤마를 찍다. **2** 소수점. ＝ポイント.

—いか【—以下】图 콤마〔소수점〕이하(의 수); 표준 이하(의 사람〔것〕). ¶～の人物 수준 이하의 인물 / ～を切り捨てる 소수점 이하를 잘라 버리다.

こんまけ【根負け】图ス自 근기에 짐; 끈기가 딸림. ¶相手があまり熱心なので～した 상대방이 너무나 열심이므로 근기에 졌다 / ～して中止する 끈기가 딸려 중지하다.

コンミール [미 corn meal] 图 콘밀; 굵게 탄 옥수수. ＝コーンミール.

コンミッション 图 ☞コミッション.

こんみょうにち【今明日】图 금명(일); 오늘내일. ¶～中に発表される 금명간에 발표된다 / 出来れば～のうちにご返事下さい 가능하면 오늘내일 중으로 대답을 주세요.

こんめい【混迷】《昏迷》图ス自 혼미. **1** 사리에 어둡고 마음이 흐림. ¶～した精神 혼미한 정신. **2** 뒤섞여 매우 혼란함. ¶～する世界情勢 혼미한 세계정세 / ～に陥る 혼미에 빠지다 / ～を招く 혼미를 초래하다 / 政局の～が続く 정국의 혼미가 계속되다.

こんもう【懇望】名ス他 간망; 열망; 간절한 희망. ＝こんぼう. ¶総裁就任を～する 총재 취임을 간망하다 / ～黙しがたく 간절한 부탁을 모르는 체할 수 없어.

こんもり 副 **1** 큰 나무 등이 울창하여 으슥한 감이 있는 모양. ¶～(と)した森 울창한 숲. **2** 붕긋한 모양; 도도록한 모양. ¶～とした小山 붕긋한 구릉.

**こんや【今夜】名 금야; 오늘 밤. ＝今晩. ¶昨年の～ 작년의 오늘 밤 / ～は満月だ 오늘 밤은 만월이다 / このホテルへ泊まるのも～きりだ 이 호텔에 묵는 것도 오늘 밤뿐이다. ↔今朝·昨夜·明夜.

こんや【紺屋】名 ☞こうや(紺屋).

*__こんやく__【婚約】名ス自 혼약; 약혼. ¶～指輪 약혼 반지 / 目下～中 현재 약혼중 / ～が整う 혼약이 이루어지다.
—しゃ【—者】名 약혼자. ＝フィアンセ·いいなずけ.

こんゆう【今夕】名 금석; 오늘 저녁. ＝こんせき. ¶～の夜行でゆくつもりだ 오늘 저녁 야간열차로 갈 작정이다. ↔昨夕·明夕.

こんよう【混用】名ス他 혼용; 섞어서 씀. ¶漢字に仮名を～する 한자에 かな를 혼용하다.

こんよく【混浴】名ス自 혼욕; 남녀가 한데 섞여서 목욕함. ¶山奥の温泉では～する習慣がある 산골의 온천에서는 혼욕하는 습관이 있다.

*__こんらん__【混乱】名ス自 혼란. ¶頭が～する 머리가 혼란해지다 / ～に乗じる 혼란을 틈타다 / ～が起きる 혼란이 일어나다 / ～を避ける〔きたす〕 혼란을 피하다〔초래하다〕 / 大～に陥る 대혼란에 빠지다 / 社会を～に陥れる 사회를 혼란에 빠뜨리다.

こんりゅう【建立】名ス他 (절·당탑(堂塔)을) 건립함. ＝造立. ¶戦火で焼けた寺を新たに～する 전화로 불탄 절을 새로 건립하다.

こんりゅう【根粒】《根瘤》名〘植〙근류; 뿌리혹.
—バクテリア [bacteria] 名 뿌리혹 박테리아. ＝根粒菌·リゾビウム.

こんりょう［袞竜］名 곤룡포(袍); 천자의 예복《즉위식 등에 입음》.
—のそでに隠れる 곤룡포 소매에 숨다《천자의 비호를 받고 방자하게 굴다》.

こんりんざい【金輪際】副《뒤에 否定의 뜻을 수반하여》어디까지나; 결단코; 절대로. ¶～承知しない 결단코 승낙〔용서〕하지 않다 / 文法の勉強なんか～するものか 문법 공부 따위는 절대로 하지 않을 테다. 参考 본디, 불교에서 대지(大地)의 맨 밑바닥의 뜻.

こんれい【婚礼】名 혼례. ＝婚儀. ¶～式 혼례식 / ～の衣装 혼례 의상 / ～をあげる 혼례를 올리다.

こんろ〖焜炉〗名 풍로. ＝七厘. ¶石油〔ガス〕～ 석유〔가스〕 풍로 / 電気～ 전기 풍로. 注意 '焜'은 취음.

こんわく【困惑】名ス自 곤혹; 곤란한 일을 당하여 어찌할 바를 모름; 난처하여 당혹함. ¶～した顔つき 곤혹스러운 표정 / ～して頭をかく 곤혹〔난처〕하여 머리를 긁다.

さ サ

1 五十音図(ごじゅうおんず) 'さ行(ぎょう)'의 첫째 음. [sa] 2〘字源〙'左'의 초서체《かたかな 'サ'는 '散'의 왼쪽 윗부분》.

さ【左】图 좌; 세로쓰기 문장에서 왼쪽에 있는 문장이나 사항; 다음. ¶日程(にってい)は~の通(とお)り 일정은 좌와 같음.

**さ【差】图 차; 차이; 차등. ¶一点(いってん)の~ 한 점의 차/雲泥(うんでい)の~ 천양지차/実力(じつりょく)に~がない 실력에 차가 없다/身長(しんちょう)で~がつく 신장에서 차가 나다/~をつける 차등을 두다.

さ=〘早〙《名詞에 씌워서》**1** 이른. ¶~苗(なえ) 이른 모/~わらび 이른 고사리. **2** 음력 5월의; 5월과 관계가 깊은. ¶~月(つき) 음력 오월/~みだれ 오월 장마/~蠅(ばえ) 음력 5월의 성가신 파리.

=さ《形容詞·形容動詞의 語幹에 붙여 名詞를 만듦》…함; …임. ¶おもしろ~ 재미/静(しず)け~ 고요함/この詩(し)には明(あか)る~がある 이 시에는 명랑성이 있다.

さ 感 남을 권유하거나 결의를 촉구하거나, 또는 자신이 일을 시작하려고 할 때 지르는 소리: 자. ¶~, 始(はじ)めよう 자, 시작하자. 注意 さあ1보다 가벼움.

さ 間助 **1** 가벼운 다짐을 나타냄: 말이야. ¶それが~, 困(こま)った事(こと)に~, 見(み)つからないんだよ 그것이 말이야, 딱하게도 말이야, 보이지가 않는구나. **2** ㉠상대방에게 강하게 주장하는 기분을 나타냄: …(말이)야; …지. ¶そんな事(こと)あたりまえ~ 그런 일은 당연한 일이야/ぼくだってわかる~ 나라도 알 수 있단 말야. ㉡가볍게 단정하는 기분을 나타냄: …어; …아; …야. ¶まあ, いい~ 그래 좋아/心配(しんぱい)する事(こと)は無(な)い~ 걱정할 것 없어. ㉢자기가 직접 경험하지 않은 일을 설명하거나 하는 기분을 나타냄: …란다. ¶昔(むかし), 昔おじいさんとおばあさんがあったと~ 옛날 옛적에 할아버지와 할머니가 살고 있었더란다. ㉣항의·힐문의 느낌을 나타냄. ¶何度(なんど)言(い)ったら分(わ)かるの~ 몇번 말해야 알아듣겠나/いばりくさって, 何(なに)~ 뽐내기만 하고 뭐냐 말이야/なぜいやなの~ 왜 싫다는 거냐. 注意 ㉣은 의문을 나타내는 말〘何(なに)(=무엇), どこ(=어디), なぜ(=왜) 등〙에 붙음.

さ〘左〙教1 サ ひだり たすける | 좌 왼편 | **1** 좌; 왼쪽. ¶左(さ)のとおり 좌와 같이/左右(さゆう) 좌우. ↔右(ゆう). **2** 표; 증거. ¶証左(しょうさ) 증좌. **3** 좌; 급진파. ¶左翼(さよく) 좌익.

さ〘佐〙常用 サ すけ たすける | 좌 돕다 | 보좌하다; 돕다. ¶補佐(ほさ) 보좌/佐幕(さばく) 幕府(ばくふ)를 도움.

さ〘査〙教5 サ しらべる | 사 조사하다 | 조사하다. ¶査察(ささつ) 사찰/査定(さてい) 사정/審査(しんさ) 심사.

さ〘砂〙教6 サ シャ すな いさご | 사 모래 | 모래. ¶砂金(さきん·しゃきん) 사금/白砂(はくさ·はくしゃ) 백사.

さ〘唆〙常用 サ そそのかす | 사 꾀다 | 꾀다; 사주하다; 부추기다. ¶教唆(きょうさ) 교사/示唆(しさ) 시사.

さ〘差〙教4 サ シ シャ さす | 차 틀림 | **1** 틀림; 차별. ¶差別(さべつ·しゃべつ) 차별. **2** 차; 다른 수치와의 차이. ¶差額(さがく) 차액/誤差(ごさ) 오차.

さ〘詐〙常用 サ いつわる | 사 속이다 | 속이다; 거짓. ¶詐欺(さぎ) 사기/姦詐(かんさ) 간사/詐取(さしゅ) 사취/詐称(さしょう) 사칭.

さ〘鎖〙(〘鎖〙) 常用 サ くさり とざす | 쇄 쇠사슬 | **1** 쇠사슬. ¶鉄鎖(てっさ) 철쇄. **2** 닫다; 잠그다. ¶鎖国(さこく) 쇄국/封鎖(ふうさ) 봉쇄. 注意 '鎖'는 속자.

ざ【座】(〘坐〙) ㊀图 **1** (앉는) 자리; 좌석. ¶~につく 자리에 앉다/~をはずす 자리를 뜨다/~が長(なが)い 밑질기다/~に堪(た)えない 그 자리에 더 이상 앉아 있을 수 없다/~を占(し)める 자리에 앉다; 자리를 차지하다. **2** 지위. ¶妻(つま)の~ 아내의 지위. **3** 모여 있는 곳. ¶~がしらける 좌흥이 깨지다.

㊁接尾 **1** 극장·극단 등의 이름에 붙이는 말: …극장; …극단. ¶歌舞伎(かぶき)~ 歌舞伎 극장. **2** 별자리 이름 밑에 붙이는 말: …자리. ¶さそり~ 전갈자리.

—を持(も)つ 좌흥이 깨지지 않도록 신경을 쓰다. =座を取(と)り持つ.

ざ〘座〙教6 ザ すわる | 좌 자리 | **1** (앉을) 자리; 좌석. ¶座席(ざせき) 좌석/玉座(ぎょくざ) 옥좌. **2** 한 목적으로 모인 장소. ¶座談(ざだん) 좌담/座興(ざきょう) 좌흥. **3** 별자리. ¶星座(せいざ) 성좌.

サー [Sir] 图 서; 경(卿). ¶~ウィンストン チャーチル 윈스톤 처칠 경.

さあ 感 **1** 남에게 어떤 행동을 재촉할 때 하는 소리: 자; 어서. ¶~帰(かえ)ろう 자, 돌아가자/~お入(はい)りなさい 자, 어서 들어가〔와〕요. **2** 놀라거나 다급할 때 내는 소리: 아. ¶~大変(たいへん)な事(こと)になった 아, 이거 큰일 났구나. **3** 확실한 대답을 회피할 때의 소리: 글쎄. ¶~私(わたし)にできるかしら 글쎄, 내가 할 수 있을까.

—と言(い)う時(とき) (큰 사건이 터져) 여차할 때. ¶~にうろたえないよう, 日頃(ひごろ)の対備(たいび)が必要(ひつよう)である 유사시에 당황하지 않도록 평소의 대비가 필요하다.

サーカス [circus] 图 서커스; 곡예(단).

サーキット [circuit] 图 서킷. **1** 전기 회로. **2** (자동차 등의) 경주용 환상 도로.

—トレニング [circuit training] 图 서킷 트레이닝《지구력을 기르기 위해 팔·다리·복근(腹筋) 등 자극하는 곳을 바꾸면서 계속하는 단련법》.

サーキュレーター [circulator] 图 서큘레이터; 실내 공기 조절용 순환기(器).

サークル [circle] 图 서클; 동호회; 동인회. ¶ 読書どくしょ~ 독서 서클 / ~活動かつどう 서클 활동.

さあさあ 感 남에게 권유하거나 회답을 재촉할 때 등에 내는 소리: 자, 자; 어서 어서. ¶ ~どうぞお上あがり下ください 자, 자 어서 올라오십시오.

ざあざあ 副 **1** 비가 몹시 오는 소리: 쏴쏴; 좍좍. ¶ ~降ぶり 억수로 쏟아짐 / 雨あめが~と降ふる 비가 좍좍 온다. **2** 물이 큰 소리를 내며 흐르는 소리: 콸콸; 쏴쏴. =じゃあじゃあ. ¶ 頭あたまから水みずを~(と)かぶる 머리서부터 물을 좍좍 뒤집어쓰다.

サーチライト [searchlight] 图 서치라이트; 탐조등. =探照灯たんしょうとう.

サード [third] 图 서드. **1** 제 3. **2** 〖野〗 3루(수). ¶ ~ベース 서드 베이스; 3루.

サードニックス [sardonyx] 图 사도닉스; 붉은 줄무늬 마노《8월의 탄생석》. =しまめのう.

****サービス** [service] 图 ス他自 서비스. **1** (무료) 봉사. ¶ お隣となりに~する 이웃에 봉사하다. 参考 좁은 뜻으로는, 애프터서비스를 가리킴. **2** 접대(하는 방법). ¶ ~がいい 서비스가 좋다; 접대를 잘하다. 参考 좁은 뜻으로는, 음식점의 일정한 기간의 염가 제공을 가리킴. ¶ ~料金りょうきん 봉사 요금 / モーニング~ 조조할인. **3** (테니스 등에서) 서브.

—エリア [service area] 图 서비스 에어리어. **1** (라디오·TV의) 시청〔청취〕 가능 지역. **2** (고속도로상의) 휴게소《휴식·급유 등의 설비가 있는 곳》.

—ぎょう【—業】 图 서비스업.

—ステーション [service station] 图 서비스 스테이션. **1** 안내나 여러 가지 서비스를 하는 곳. **2** (자동차의) 주유소.

サーブ [serve] 图ス自 (테니스 등의) 서브 (방식). =サービス. ↔レシーブ.

サーファー [surfer] 图 서퍼; 파도타기를 하는 사람. =サーフライダー.

サーフィン [surfing] 图 서핑; 파도타기.

サーブル [프 sabre] 图 사브르《펜싱 경기의 일종》; 또, 그 종목에 쓰는 칼. =サーベル.

サーベイランス [surveillance] 图 서베일런스. **1** 감시(제도); 망봄. ¶ エイズ~委員会いいんかい 에이즈 감독 위원회. **2** 경제 정책에 대한 선진 각국의 상호 감시.

ザーメン [도 Samen] 图 자멘; 정액.

サーモン [salmon] 图 새먼. **1** (통조림의) 연어. ¶ ~ステーキ 새먼 스테이크《연어구이》. **2** 연어 빛깔; 오렌지색.

—ピンク [salmon pink] 图 새먼 핑크; (연어 살빛깔 같은) 붉은 핑크색.

さあらぬ 〖然有らぬ〗 連語 〈雅〉 그런 기색도 보이지 않는; 아무렇지도 않은 듯한; 천연스러운. ¶ ~態てい〔体てい〕 천연덕스러운 태도 / ~顔かお 아무렇지도 않은 듯한 얼굴. 参考 'そうでない(=그렇지 않다)'의 뜻에서.

サーロイン [sirloin] 图 설로인《소의 허리 윗부분의 고기》; 등심. ¶ ~ステーキ 설로인 스테이크.

さい【妻】 图 처; 아내. ¶ それはうちの~のことばです 그것은 집사람의 말입니다. 参考 남에게 자기 아내를 지칭할 때 씀.

さい【才】 一 图 타고난 능력; 소질. ¶ ~に走はしる 재주를 너무 믿다 / ~におぼれる 재주를 과신해 실패하다 / 金かねもうけの~がある 돈벌이하는 재주가 있다.
二 接尾 **1** 재목의 체적의 단위; …재《한 치짜리 각재 열두 자 길이를 1才いっさい로 함》. **2** (흔히, '歳'의 약자로서) 나이를 셀 때 씀: …세. ¶ 満八まんはっ~ 만 8세.

さい【細】 图 자세함. ¶ 微びに入いり~を穿うがつ 세미한 데까지 미치다; 세심하다.

さい [賽·采·骰子] 图 주사위.

—は投なげられたり 주사위는 던져졌다《벌인춤이다》.

さい【際】 图 때; 즈음; 기회. =おり. ¶ この~に 이때에; 이 계제에 / 出発しゅっぱつの~(に)見送みおくってくれた人ひと 출발할 때 배웅해 준 사람.

さい 〖犀〗 图 〖動〗 무소; 코뿔소.

さい【差異】《差違》 图 차이. ¶ 大おおきな~がない 큰 차이가 없다.

さい【最】 トタル 가장 정도가 높은 모양; 으뜸감. ¶ 力量りきりょう, 群中ぐんちゅうに~たり 역량이 무리 중에서 으뜸이다 / これを~とする 이것을 으뜸으로 친다.

=さい【祭】 …제; 축제. ¶ 文化ぶんか~ 문화제.

さい 〖才〗 教2 サイ ザイ ざえ | 재 재주 | **1** 재능; 재주. ¶ 才媛さいえん 재원 / 天才てんさい 천재. **2** 흔히, '歳さい(=세)'의 약자로서 대용함. ¶ 三才さんさい 세 살; 3세.

さい 〖再〗 教5 サイ サ ふたたび | 재 두 번 | 두 번; 다시. ¶ 再三再四さいさんさいし 재삼재사 / 再考さいこう 재고 / 再来月さらいげつ 다음다음 달.

さい 〖災〗 常用 サイ わざわい | 재 화재 | 재앙. ¶ 災害さいがい 재해 / 災禍さいか 재화 / 天災てんさい 천재.

さい 〖妻〗 教5 サイ つま | 처 아내 | 처; 아내. ¶ 妻子さいし 처자 / 妻妾さいしょう 처첩.

さい 〖采〗《采》 人名 サイ とる | 채 가리다 | **1** 색채. ¶ 采色さいしょく 채색. 注意 '彩'와 같음. **2** 모습; 풍채. ¶ 風采ふうさい 풍채. **3** 주사위.

さい 〖砕〗《碎》 常用 サイ くだく くだける | 쇄 부수다 | 부서지다; 잘게 쪼개다. ¶ 粉砕ふんさい 분쇄 / 破砕はさい 파쇄 / 砕石さいせき 쇄석 / 粉骨砕身ふんこつさいしん 분골쇄신.

さい〖宰〗常用 サイ つかさ つかさどる | 재 재상 | 주관하다; 재상. ¶宰相(さいしょう) 재상 / 主宰(しゅさい) 주재.

さい〖栽〗常用 サイ うえる | 재 심다 | 묘목을 심다; 옮겨 심다. ¶栽培(さいばい) 재배 / 盆栽(ぼんさい) 분재.

さい〖彩〗《彩》常用 サイ あや いろどる | 채 채색 | 색칠하다; 아름다운 색채. ¶彩色(さいしき) 채색 / 光彩(こうさい) 광채.

さい〖採〗《採》教5 サイ とる | 채 캐다 | 골라서 가려내다; 뽑아 내다. ¶採用(さいよう) 채용 / 採点(さいてん) 채점 / 伐採(ばっさい) 벌채.

さい〖済〗《濟》教6 サイ セイ すむ すます なす わたる すくう | 제 건너다 | 1 다 되다; 끝나다; 마치다. ¶未済(みさい) 미제. 2 도와 주다; 구하다. ¶済民(さいみん) 제민.

さい〖祭〗教3 サイ まつる まつり | 제 제사 | 제. 1 제사. ¶祭礼(さいれい) 제례 / 祭祀(さいし) 제사. 2 축제. ¶前夜祭(ぜんやさい) 전야제.

さい〖斎〗《齋》常用 サイ いわう とき いつく ものいみ | 재 재계하다 | 심신을 깨끗이 하고 신을 받들다. ¶斎戒沐浴(さいかいもくよく) 목욕재계 / 潔斎(けっさい) 결재.

さい〖細〗教2 サイ ほそい ほそる こまか こまかい くわしい | 세 가늘다 | 1 가늘다. ¶細小(さいしょう) 세소 / 細流(さいりゅう) 세류. 2 잘다; 작다; 적다. ¶微細(びさい) 미세. ↔大(だい).

さい〖菜〗《菜》教4 サイ な | 채 나물 | 채소; 푸성귀. ¶菜食(さいしょく) 채식 / 野菜(やさい) 야채.

さい〖最〗教4 サイ もっとも | 최 가장 | 가장 뛰어나다; 제일. ¶最初(さいしょ) 최초 / 最大(さいだい) 최대.

さい〖裁〗教6 サイ たつ さばく | 재 마름질하다 | 1 마름질하다. ¶裁断(さいだん) 재단. 2 처리하다; 판가름하다. ¶裁定(さいてい) 재정.

さい〖催〗常用 サイ もよおす | 최 재촉하다 | 1 재촉하다. ¶催告(さいこく) 최고. 2 모임을 열다. ¶開催(かいさい) 개최.

さい〖債〗常用 サイ | 채 빚 | 1 빚. ¶債務(さいむ) 채무 / 社債(しゃさい) 사채. 2 빚을 독촉하다. ¶債鬼(さいき) 채귀.

さい〖歳〗《歲》常用 サイ セイ とし | 세 해 | 1 (한) 해; 일 년. ¶歳暮(せいぼ・さいぼ) 세모. 2 시간의 경과; 세월. ¶歳月(さいげつ) 세월.

さい〖載〗常用 サイ のせる のる | 재 싣다 | 1 얹다; 싣다. ¶積載(せきさい) 적재 / 満載(まんさい) 만재. 2 기록해 놓다. ¶記載(きさい) 기재.

さい〖際〗教5 サイ きわ | 제 사이 | 1 마주 만나는 곳; 경계. ¶国際(こくさい) 국제. 2 마주 만나다. ¶際会(さいかい) 제회. 3 즈음; 경우. ¶訪問(ほうもん)した際(さい)に 방문했을 때에.

ざい【在】名 1 시골《'在郷(ざいごう)'의 준말》. =いなか·在所(ざいしょ). ¶~の言葉(ことば) 시골 말씨. 2 (자리·방에) 그 사람이 있음. ¶~, 不在(ふざい)を示(しめ)す名札(なふだ) 재, 부재를 표시하는 명패.

ざい【材】名 1 목재; 재료. ¶いい~を使(つか)った普請(ふしん) 좋은 목재〔재료〕를 사용한 건축. 2 재능(이 있는 사람); 인재. ¶有為(ゆうい)の~ 유위한 인재 / ~を広(ひろ)く野(や)に求(もと)める 야에 (묻혀) 있는 인재를 널리 구하다.

ざい【財】名 재. 1 재물; 재산. ¶~を築(きず)く 재산을 쌓다 / ~を成(な)す 치부(致富)하다. 2〖經〗재화. ¶経済(けいざい)~ 경제재.

=ざい【剤】약을 나타내는 말: …제. ¶睡眠(すいみん)~ 수면제 / 消毒(しょうどく)~ 소독제.

=ざい【罪】…죄. ¶傷害(しょうがい)~ 상해죄 / 横領(おうりょう)~ 횡령죄.

ざい〖在〗教5 ザイ ある います おわします | 재 있다 | 1 있다; 존재하다. ¶健在(けんざい) 건재. 2 '在郷(ざいごう)'의 준말; 시골. ¶東京(とうきょう)の在(ざい) 東京의 근교.

ざい〖材〗教4 ザイ サイ | 재 재목 | 1 재목; 재료. ¶木材(もくざい) 목재 / 教材(きょうざい) 교재. 2 타고난 능력; 재능(있는 사람). ¶材幹(ざいかん・さいかん) 재간 / 人材(じんざい) 인재.

ざい〖剤〗《劑》常用 ザイ | 제 약제 | 특히, 약재를 조합한 것. ¶調剤(ちょうざい) 조제.

ざい〖財〗教5 ザイ サイ たから | 재 재물 | 재물; 재산. ¶財宝(ざいほう) 재보 / 私財(しざい) 사재 / 家財(かざい) 가재 / 文化(ぶんか)~ 문화재.

ざい〖罪〗教5 ザイ つみ | 죄 허물 | (범)죄. ¶犯罪(はんざい) 범죄 / 罪状(ざいじょう) 죄상 / 罪悪(ざいあく) 죄악.

さいあい【最愛】名 최애; 가장 사랑함. ¶~の妻(つま) 가장 사랑하는 아내. 注意 '最愛の'의 꼴로 사용되는 수가 많음.

さいあく【最悪】名 최악. ¶~の事態(じたい)を避(さ)ける 최악의 사태를 피하다 / ~の場合(ばあい)に備(そな)える 최악의 경우에 대비하다. ↔最善(さいぜん)·最良(さいりょう).

*ざいあく【罪悪】名 죄악. ¶~を犯(おか)す 죄악을 범하다.

ざいい【在位】名ス自 재위. ¶~十年(じゅうねん)で退位(たいい)した 재위 십년에 퇴위했다.

さいいんざい［催淫剤］名〖薬〗최음제.

さいう【細雨】名 세우; 가랑비; 이슬비. =きりさめ. ¶秋(あき)の~ 가을의 가랑비.

さいうよく【最右翼】名 최우익. 1 극우. 2 그렇게 될 경향이 가장 많음. ¶優勝(ゆうしょう)候補(こうほ)の~ 가장 유력한 우승 후보. ↔最左翼(さいさよく).

「↔初映(しょえい).

さいえい【再映】名ス他 재상영; 재방영.

ざいえい【在営】名ス自 재영; (군인으로서) 병영 안에 있음.

さいえん【再演】名ス他自 재연; 재상연; 재출연. ↔初演(しょえん).

さいえん［才媛］图 재원. ＝才女(さいじょ). ¶彼女(かのじょ)は～の誉(ほま)れが高(たか)い 그녀는 재원으로 이름이 높다.
さいえん【菜園】图 채원; 채소밭.
サイエンス [science] 图 사이언스; 과학.
──フィクション [science fiction] 图 사이언스 픽션; 공상 과학 소설〔영화〕; SF.
さいおう［災殃］图 재앙.
ざいおう【在欧】图ス自 재구; 유럽에 머무름〔삶〕. ¶～十年(じゅうねん) 유럽 체류 10년.
さいおうがうま［塞翁が馬］連語 새옹지마. ¶人間万事(にんげんばんじ)～ 인간 만사 새옹지마.
さいか【再嫁】图ス自 재가. ＝再縁(さいえん).
さいか【最下】图 최하. ¶～位(い) 최하위／～の成績(せいせき) 최하의 성적. ↔最上(さいじょう).
さいか【災禍】图 재화; 재해. ＝災害(さいがい). ¶～を被(こうむ)る 재화를 입다／～に遭(あ)う〔見舞(みま)われる〕재난을 당하다.
さいか【裁可】图ス他 재가. ¶国王(こくおう)の～を仰(あお)ぐ 국왕의 재가를 앙망하다／法案(ほうあん)を～する 법안을 재가하다.
ざいか【財貨】图 재화; 재물. ¶有形(ゆうけい)無形(むけい)の～ 유형무형의 재화.
ざいか【罪科】图 죄과. **1** 죄악. **2** 형벌. ＝しおき. ¶～に問(と)われる 죄과에 대해 문초당하다／殺人(さつじん)に対(たい)する～は重(おも)い 살인에 대한 죄과는 무겁다.
さいかい【再開】图ス他自 재개. ¶審議(しんぎ)を～する 심의를 재개하다／今日(きょう)休戦(きゅうせん)会談(かいだん)が～された 오늘 휴전 회담이 재개되었다.
さいかい【再会】图ス自 재회. ¶～を喜(よろこ)ぶ 재회를 기뻐하다／～を期(き)して別(わか)れる 재회를 기약하고 헤어지다.
**さいがい【災害】图 재해. ¶～地(ち) 재해지／大(おお)きな～にみまわれる 큰 재해를 입다〔만나다〕.
──は忘(わす)れた頃(ころ)にやって来(く)る 재해는 잊어버렸을 때쯤 해서 찾아온다《재해 후 경계심이 느슨해짐을 일깨우는 말》.
ざいかい【財界】图 재계; 경제계. ¶～人(じん) 재계인(사)／～は恐慌(きょうこう)を来(きた)している 재계는 공황을 겪고 있다.
ざいがい【在外】图 재외; 해외. ¶～邦人(ほうじん) 해외 동포.
──こうかん【──公館】图 재외 공관.
さいかく【才覚】一图 **1** 재치; 기지. ¶～者(もの) 유능하고 재치 있는 사람／～のある人(ひと) 재치 있는 사람／～に乏(とぼ)しい 눈치가 모자라다／～がきかない 눈치가 없다. **2** 궁리; 생각; 착상. ¶うまい～はないか 좋은 생각이 없는가. 二图ス他 (돈을) 마련함; 변통함. ＝くめん. ¶金(かね)の～をつける 돈을 마련하다／資金(しきん)の～がつかない 자금 변통이 안 되다.
*ざいがく【在学】图ス自 재학. ¶～証明書(しょうめいしょ) 재학 증명서／大学(だいがく)に～している 대학에 재학하고 있다.
さいかん【再刊】图ス他 재간. **1** (휴폐간된 간행물을) 다시 간행함. ¶雑誌(ざっし)を～する 잡지를 다시 간행하다. **2** 서적의 재판을 간행함. ↔初刊(しょかん).
さいかん【才幹】图 재간. ¶～のある人物(じんぶつ) 재간이 있는 인물.
ざいかん【在官】图ス自 재관; 관직에 있음. ¶～二十年(にじゅうねん)に及(およ)ぶ 재관 20년이 되다.
ざいかん【在館】图 재관; 대사관·박물관 등 '관(館)'으로 불리는 곳에 있음. 또, 재적(在籍)하고 있음.
ざいかん【在監】图ス自 재감; 재소; 교도소에 수감되어 있음. ¶～者(しゃ) 재소자.
さいき【債鬼】图 채귀; 빚쟁이. ＝借金取(しゃっきんと)り·かけとり. ¶～に責(せ)められる 채귀에게 시달리다.
さいき【再帰】图ス自 재귀; 다시 돌아옴〔돌아감〕. ＝回帰(かいき).
さいき【再起】图ス自 재기. ¶～不能(ふのう) 재기 불능／～をはかる 재기를 꾀하다／～を期(き)す 재기를 기약하다.
さいき【才気】图 재기. ¶～がある 재기가 있다／～あふれる新人(しんじん) 재기가 넘치는 신인.
──かんぱつ［──煥発］图 재기 발랄; 재기가 번득임.
──ばし-る【──走る】5自 재기가 넘치다. ＝才走(さいばし)る.
さいき［猜忌］图ス他 시기; 샘. ¶～の念(ねん) 시기지념; 시기심.
さいぎ【祭儀】图 제례; 제사 의식. ¶～を行(おこな)う 제사를 지내다.
さいぎ［猜疑］图ス他 시의. ¶～の目(め)で見(み)る 시의하는 눈으로 보다.
さいぎ【再議】图ス他 재의. ¶～に付(ふ)する 재의에 부치다／一事(いちじ)不(ふ)～の原則(げんそく) 일사부재의의 원칙.
さいきょ【再挙】图ス自 재거; 재기. ¶～をはかる 재기를 꾀하다.
さいきょ【裁許】图ス他 재허; 재가; 관청 등에서 심사한 뒤에 허가함. ¶～を請(こ)う 재가를 청하다／御(ご)～を願(ねが)います 재허하여 주시기 바랍니다.
さいきょう【最強】图 최강. ¶史上(しじょう)～を誇(ほこ)る 사상 최강을 자랑하다.
ざいきょう【在京】图ス自 재경《東京(とうきょう) 또는 京都(きょうと)에 있음》. ¶彼(かれ)は今(いま)～中(ちゅう)です 그는 지금 재경 중입니다.
ざいきょう【在郷】图ス自 재향; 향리에 있음. ＝ざいごう. ¶二三日(にさんにち)～します 이삼 일 향리에 있겠습니다.
さいきょういく【再教育】图ス他 재교육. ¶本社(ほんしゃ)の社員(しゃいん)を～する 본사 사원을 재교육하다.
**さいきん【最近】图 최근. ¶～の世界情勢(せかいじょうせい) 최근의 세계 정세／～ようやく元気(げんき)になった 최근 들어 간신히 건강을 회복했다／～では珍(めずら)しくない 최근에 와서는 희귀하지〔드물지〕 않다.
*さいきん【細菌】图 세균. ＝バクテリア·ばい菌(きん). ¶～兵器(へいき) 세균 무기／～を培養(ばいよう)する 세균을 배양하다.
ざいきん【在勤】图ス自 재근; 근무하고 있음; 재직. ¶パリ支店(してん)に～中(ちゅう) 파리 지점에 재근 중.

さ

さいぎんみ【再吟味】名ス他 재음미. ¶～する必要がある 재음미할 필요가 있다.

*さいく【細工】名ス自他 1 세공; 또, 세공품. ¶～物 세공물/～人 세공인/蝋細工 납세공. 2〈俗〉농간; 잔꾀. ¶陰で～をする 뒤에서 농간을 부리다.

—貧乏人宝 세공장이는 남에겐 소중하나, 자기는 늘 가난함. 「祭器.

さいぐ【祭具】名 제구; 제사용 도구. ＝

さいくつ【採掘】名ス他 채굴. ¶～権 채굴권/～鉱区 채굴 광구/金鉱を～する 금광을 채굴하다.

サイクリング [cycling] 名ス自 사이클링; 자전거 피크닉. ¶～コース 사이클링 코스.

さ

サイクル [cycle] 名 사이클. 1 자전거. ¶モーター～ 모터 사이클/～レース 자전거 경기. 2 주기(週期). ¶景気の～が長い 경기의 (변동) 주기가 길다.

サイクロトロン [cyclotron] 名〔理〕사이클로트론; 원자핵의 인공 파괴 장치.

さいくん【細君】名 1《妻君》남의 아내《같은 연배 이하의 경우에 씀》. 2 자기 아내. 注意 '妻君'으로 씀은 취음.

さいぐんび【再軍備】名ス自 재군비.

サイケ [psyche] 名ナ 'サイケデリック'의 준말.

ざいけ【在家】名 1〔佛〕재가; 속인. ↔出家. 2 고향의 집. ＝ざいか.

ざいけい【罪刑】名 죄형.

—ほうていしゅぎ【—法定主義】名〔法〕죄형 법정주의. ↔罪刑専断主義.

さいけいこく【最恵国】名 최혜국. ¶～待遇〔約款〕최혜국 대우〔약관〕.

さいけいれい【最敬礼】名ス自 최경례《가장 공손한 경례, 허리를 많이 굽힘》.

さいけつ【採血】名ス自 채혈; 피를 뽑음. ¶静脈から～する 정맥에서 채혈하다.

*さいけつ【採決】名ス他 채결. ¶多数決で～する 다수결로 채결하다. 参考 '採決'는 의회 등에서 의안의 찬반을 묻는 경우에, '裁決'는 행정 기관이 소원(訴願) 등에 대해 판단을 내리는 경우에 일컬음.

さいけつ【裁決】名ス他 재결. ¶～を下す 재결을 내리다/～をあおぐ 재결을 앙청하다〔바라다〕. ⇨採決.

さいげつ【歳月】名 세월. ＝としつき. ¶～は夢のように過ぎ去った 세월은 꿈과 같이 지나가 버렸다. 「지 않는다.

—人を待たず 세월은 사람을 기다리

サイケデリック [psychedelic] 名ナ 사이키델릭《마약을 복용했을 때의 환각에 따른 황홀한 상태》. ＝サイケ. ¶～サウンド 사이키델릭 사운드.

*さいけん【債券】名 채권. ¶～を発行する 채권을 발행하다.

さいけん【債権】名 채권. ¶～者 채권자/～差し押さえ 채권 압류/彼に対して～がある 그에 대해 채권이 있다. ↔債務.

*さいけん【再建】名ス他 재건. ¶国家～の道 국가 재건의 길/没落した家を～する 몰락한 집안을 재건하다.

さいけん【再検】名ス他 재검; 재검사; 재검토. ¶～を要する 재검을 요하다/機体の各部を～する 기체의 각부를 재검하다.

さいげん【再現】名ス自他 재현(함); 재현시킴. ¶往年の黄金時代を～する 왕년의 황금시대를 재현하다.

さいげん【際限】名《대개, 'ない'를 수반하여》제한; 끝; 한. ＝かぎり. ¶ぜいたくを言えば～がない 사치를 말하자면 한이 없다/言わしておけば～がない 말하도록 내버려 두면 끝이 없다/欲には～がない 욕심에는 한이 없다.

ざいげん【財源】名 재원. ¶～をひねり出す 재원을 염출하다/～が底をつく 재원이 바닥나다/山林は主要～だ 산림은 주요 재원이다.

さいけんとう【再検討】名ス他 재검토. ¶～を求める 재검토를 요청하다/この案件は～する必要がある 이 안건은 재검토할 필요가 있다.

さいこ【最古】名 최고; 가장 오래됨. ¶現存～の建築物 현존하는 최고의 건축물. ↔最新.

サイコ [psycho] 名 사이코. 1 정신 분석. 2 정신병〔신경증〕환자.

**さいご【最後】名 최후. 1 마지막; 맨 뒤(의 것). ¶～の努力 최후의 노력/～の列 맨 뒷줄. ↔最初. 2《'…たら～'의 꼴로》…하면 끝장; 일단 …했다 하면. ¶言い出したら～後へ引かない 일단 말을 꺼내면, 물러서지 않는다/にらまれたら～だ 한번 찍히면 끝장이다/落ちたら～, 助からない 한번 떨어졌다 하면 살아날 수 없다.

—に笑う者が最もよく笑う 최종 결과가 좋아서 웃는 자가 최고이다.

—の切り札 최후의 비방; 마지막 카

—の晩餐 최후의 만찬. └드.

—つうちょう〔—通牒〕名 최후 통첩.

—っぺ〖—っ屁〗名 1『いたちの～』족제비가 몰리고 몰린 끝에 뀌는 아주 구린 방귀. 2 궁여지책; 마지막 발버둥. ¶あいつの涙は一つの～だよ 저 녀석의 눈물은 하나의 궁여지책일세. 注意 'さいごべ'라고도 함.

さいご【最期】名 최후; 명이 다하는 때; 죽음; 임종. ¶ローマ帝国の～ 로마 제국의 최후/あえない～を遂げる 허무한 최후를 마치다/～を見届ける 임종을 지켜보다. ⇨次面 박스記事

ざいこ【在庫】名ス自 재고. ＝ストック. ¶～品 재고품/～管理 재고 관리.

サイコアナリシス [psychoanalysis] 名 사이코아날리시스; 정신 분석.

さいこう【再校】名ス他〔印〕재교; 두번째 교정. ¶～ゲラ 재교쇄. ↔初校.

さいこう【再考】名ス他 재고. ¶～を促

> **最後와 最期의 차이**
>
> **最後**는 '맨 뒤' 라는 뜻으로, '列の最後(줄의 맨 뒤)' '最後の切り札(마지막 비장의 카드)' 등으로 쓰임.
>
> **最期**는 '죽음' '임종' 이라는 뜻으로, 'あわれな最期をとげる(불쌍한 최후를 마치다)' '最期の言葉(임종 때의 말)' 따위로 쓰임. 이 경우 '最後'로 써도 틀린 것은 아니나, 보통은 '最期'로 씀.

す 재고를 촉구하다 / ～の余地はない 재고의 여지는 없다.

さいこう【再興】 名 ス自他 재흥; 부흥. ¶国を～する 나라를 재흥하다.

さいこう【採光】 名 ス自 채광. ¶～窓 채광창 / ～通風 채광 통풍 / ～のいい部屋 채광이 잘 되는 방. 「채광량.

さいこう【採鉱】 名 ス自 채광. ¶～量

さいこう【彩光】 名 채광; 아름답게 채색된 빛. ＝光彩.

さいこう【最高】 名 최고. ¶～速度 최고 속도 / 日本で～の山 일본에서 가장 높은 산 / ～の人出 최고의 인파. ↔最低.

—がくふ【—学府】 名 최고 학부.

—げんど【—限度】 名 최고 한도. ＝最高限. ↔最低限度.

—さいばんしょ【—裁判所】 名 최고 재판소(대법원에 상당).

—ほう【—峰】 名 최고봉. **1** 가장 높은 봉우리. ¶ヒマラヤの～ 히말라야의 최고봉. **2** 그 분야의 제1인자. ¶医学界の～ 의학계의 태두.

さいこう【催行】 名 ス他 여행사 등이 참가자를 모집하여 패키지 여행 등의 행사를 개최·실행함. ¶最少～人員三十名 행사 개최의 최소 참가 인원 30명 / 計画を～する 계획을 주최하여 시행하다.

ざいこう【在校】 名 ス自 재교. **1** 재학(在學). ¶～生 재학생. **2** 학교에 있음. ¶午前中～ 오전 중 재교. 参考 2는 선생에 대해서도 쓰임.

ざいごう【在郷】 名 재향. **1** 시골. ＝いなか·在. 注意 'ざいご' 라고도 함. **2** 시골〔고향〕에 있음. ＝ざいきょう.

—ぐんじん【—軍人】 名 재향 군인.

ざいごう【罪業】 名 〔佛〕 죄업. ¶～の深いこの身 죄업이 많은 이 몸. ⇒業.

さいこうきゅう【最高級】 名 최고급. ¶～の品 최고급품 / ～のあつらえ洋服 최고급의 맞춤 양복.

さいこうちょう【最高潮】 名 최고조. ＝クライマックス. ¶人気が～に達する 인기가 최고조에 이르다.

さいこうび【最後尾】 名 최후미. ¶列〔列車〕の～ 열〔열차〕의 최후미.

さいこく【催告】 名 ス他 〔法〕 최고. ¶貸金返済の～を受ける 대부금 반제의 최고를 받다.

サイコドラマ [psychodrama] 名 〔心〕 사이코드라마; 심리극. 「い.

さいころ【賽子·骰子】 名 주사위. ＝さ

サイコロジー [psychology] 名 사이콜러지; 심리학; 심리.

さいこん【再婚】 名 ス自 재혼. ＝再縁. ¶若い女と～する 젊은 여자와 재혼하다 / 良縁を得て～する 좋은 연분을 만나 재혼하다. 参考 세 번 이상의 경우에도 씀. ↔初婚.

さいさい【再再】 副 자주; 여러 번; 재삼. ＝再三. ¶～話したとおり 재삼 이야기한 바와 같이.

さいさき【さい先】《幸先》 名 (좋은) 징조; 전조(前兆). ¶～がいい 좋은 징조다. 参考 본디는, 길조.

さいさき【最先】 名 (사물의) 시초; 또, 어떤 일을 행하기 직전.

さいさよく【最左翼】 名 동료 중에서 가장 뒤떨어짐. ¶不器用で射撃はいつも～だった 재주가 없어 사격은 늘 꼴찌였다. 参考 군대 용어에서 나왔다 함.

サイザル ロープ [sisal rope] 名 사이잘로프《멕시코 원산의 사이잘 대마(大麻)로 만든 질긴 밧줄》.

さいさん【再三】 副 재삼; 두 번 세 번; 여러 번. ＝たびたび·再再. ¶～頼んだ 재삼 부탁했다 / ～注意を促した 재삼 주의를 촉구했다.

—さいし【—再四】 副 재삼재사《'再三'의 힘줌말》. ¶～忠告を受ける 거듭거듭 충고를 받다.

さいさん【採算】 名 채산. ¶～が合わない 채산이 안 맞다.

—が取れる〔合う〕 채산이 맞다.

—われ【—割れ】 名 (값이 원가 이하로 떨어져) 채산이 맞지 않음.

ざいさん【財産】 名 재산. ¶～権 재산권 / ～目録 재산 목록 / ～を作る 재산을 모으다 / 健康は私が親からもらった唯一の～だ 건강은 내가 부모에게서 물려받은 유일한 재산이다.

—か【—家】 名 재산가. ＝金持ち.

—けい【—刑】 名 재산형. ↔体刑.

さいし【才子】 名 **1** 재자; 재사(才士). ＝才人. ¶～佳人 재자가인. ↔才女. **2** (나쁜 뜻으로) 빈틈없는 사람.

—才に倒れる 재사는 (자기) 재주에 넘어진다.

—たびょう【—多病】 連語 재자다병. ¶～佳人薄命 재자다병 가인박명.

さいし【妻子】 名 처자. ＝つまこ. ¶～を養う 처자를 부양하다.

さいし【祭司】 名 **1** (유대교에서) 제사장(長). ¶ユダヤ教会の～ 유대 교회의 제사장. **2** 사제(司祭).

さいし【祭祀】 名 제사. ＝まつり. ¶祖先の～ 조상의 제사 / ～を行う 제사를 지내다.

さいじ【催事】 名 백화점 등에서의 특별 전시나 특매 행사. ¶七階～場 7층 특별 전시장〔특매장〕.

さいじ【祭事】图 제사; 신을 기리는 제사 의식. ¶おごそかに～を執(と)り行(おこな)う 엄숙하게 제사를 집행하다.

さいじ【細事】图 세사. **1** 사소한 일. ¶～にこだわらない 사소한 일에 구애되지 않는다. **2** 자세한 사항〔내용〕.

さいじ【細字】图 세자; 잔 글씨. ¶～用(よう)毛筆(もうひつ) 세자용 모필.

さいしき【彩色】图ス自 채색. ＝いろどり. ¶～を施(ほどこ)す 채색을 하다.

—どき【—土器】图 채색 토기.

さいしき【祭式】图 제식; 제사의 의식·방식.

さいじき【歳時記】图 세시기. 注意 '歳事記'로도 씀.

さいじつ【祭日】图 제일. **1** 신사(神社)의 제사가 있는 날. **2** '国民(こくみん)の祝日(しゅくじつ)(＝국경일)'의 통칭.

ざいしつ【在室】图ス自 재실; 방에 있음. ¶ご～でしょうか 방에 계십니까.

ざいしつ【材質】图 재질; 재목의 성질. ¶～が堅(かた)い 재질이 단단하다.

*さいして【際して】連語《'に'를 받아서》…에 즈음하여〔처하여〕; …을 당하여. ¶開会(かいかい)に～ 개회에 즈음하여 / 非常時(ひじょうじ)に～ 비상시에 처하여.

ざいしゃ【在社】图ス自 재사. **1** 회사에 있음. ¶午前中(ごぜんちゅう)は～する 오전 중은 회사에 있겠다. **2** 회사에 재직함. ¶～二十年(にじゅうねん)で課長(かちょう)になる 재직 20년에 과장이 되다.

さいしゅ【催主】图 모임 따위의 중심이 되어 행하는 사람.

さいしゅ【採取】图ス他 채취. ¶血液(けつえき)～ 혈액 채취; 채혈 / 指紋(しもん)を～する 지문을 채취하다.

さいしゅ【祭主】图 제주. **1** (伊勢(いせ) 신궁의) 신관(神官)의 우두머리. **2** 주로 제사를 맡아 지내는 사람. ＝主祭(しゅさい).

さいしゅう【採集】图ス他 채집. ¶昆虫(こんちゅう)～ 곤충 채집 / 判例(はんれい)を～する 판례를 모으다.

*さいしゅう【最終】图 **1** 최종; 맨 나중. ¶～学年(がくねん) 최종 학년. ↔最初(さいしょ). **2** '最終列車(れっしゃ)(＝마지막 열차)' '最終電車(でんしゃ)(＝최종 전차)' '最終バス(＝마지막 버스)'의 준말; 막차. ¶名古屋行(なごやゆ)きの～に乗(の)る 名古屋행 막차를 타다. ↔始発(しはつ).

—べんろん【—弁論】图〔法〕최종 변론.

ざいしゅう【罪囚】图 죄수.

ざいじゅう【在住】图ス自 재주; 거주. ¶千葉(ちば)～の人(ひと) 千葉에 거주하는 사람.

さいしゅつ【再出】图ス自他 재출; 두 번 나옴〔냄〕. ¶同(おな)じ言葉(ことば)の～を避(さ)ける 같은 말이 재차 나오는 것을 피하다. ↔初出(しょしゅつ).

さいしゅつ【歳出】图 세출. ¶今年度(こんねんど)の～ 금년도(의) 세출 / ～超過(ちょうか) 세출 초과. ↔歳入(さいにゅう).

さいしゅっぱつ【再出発】图ス自 재출발. ¶新(あら)たな覚悟(かくご)で～する 새로운 각오로 재출발하다.

**さいしょ【最初】图 최초. ¶～のうちはおとなしかった 처음 얼마 동안은 얌전했다 / 何事(なにごと)も～がかんじんだ 무슨 일이든지 처음이 중요하다. ↔最後(さいご)·最終(さいしゅう). 注意 副詞的으로도 쓰임.

—の最後(さいご) 처음이자 마지막.

さいしょ【細書】图ス他 **1** 세서; 잔 글씨(로 씀). **2** 자세히 씀; 또, 그 글.

さいじょ【才女】图 재녀; 재주 있는 여인; 재원. ＝才媛(さいえん). 参考 좁은 뜻으로는, 글재주가 있는 여자를 말함.

さいじょ【妻女】图 **1** 아내. ¶若(わか)くして～に先立(さきだ)たれた 젊은 나이에 아내를 잃었다. **2** 아내와 딸. ¶～たちが待(ま)っている 아내와 딸들이 기다리고 있다.

ざいしょ【在所】图 **1** 거처; 사는 곳. **2** 출신지인 시골. ¶～者(もの) 시골 사람.

さいしょう【宰相】图 재상; 수상; 국무총리. ＝総理(そうり)大臣(だいじん). ¶一国(いっこく)の～ 일국의 재상 / 鉄血(てっけつ)～ 철혈 재상.

さいしょう［妻妾］图 처첩. ¶たくさんの～を蓄(たくわ)える 많은 처첩을 두다.

さいしょう【最小】图 최소. ¶世界(せかい)～の国(くに) 세계 최소의 나라. ↔最大(さいだい).

—げん【—限】图 최소한. ¶被害(ひがい)を～に食(く)いとめる 피해를 최소한으로 막다. ↔最大限(さいだいげん).

—げんど【—限度】图 최소 한도. ☞さいしょうげん.

—こうばいすう【—公倍数】图〔數〕최소 공배수. ↔最大公約数(さいだいこうやくすう).

さいしょう【最少】图 최소. **1** 가장 적음. ¶～の人数(にんずう) 최소 인원수. ↔最多(さいた). **2** 가장 젊음; 최연소. ↔最長(さいちょう) 2.

*さいじょう【最上】图 최상. ¶～の喜(よろこ)び〔光栄(こうえい)〕 최상의 기쁨〔영광〕/ ～の品(しな) 최상품. ↔最下(さいか).

—きゅう【—級】图 최상급.

さいじょう【祭場】图 제장; 제사 지내는 깨끗한 장소.

さいじょう【斎場】图 **1** 재장; 장례식을 올리는 장소. **2** ☞さいじょう(祭場).

ざいじょう【罪状】图 죄상. ¶～を明(あき)らかにする 죄상을 밝히다.

さいしょく【才色】图 재색; 재지와 용모.

—けんび【—兼備】图 재색 겸비.

さいしょく【菜食】图ス自 채식. ¶～主義(しゅぎ) 채식주의 / ～は健康(けんこう)によい 채식은 건강에 좋다. ↔肉食(にくしょく).

ざいしょく【在職】图ス自 재직. ＝在勤(ざいきん). ¶～中(ちゅう) 재직 중 / 今(いま)の会社(かいしゃ)で～期間(きかん)三十年(さんじゅうねん)に及(およ)ぶ 지금의 회사에서 재직 기간 30년에 이르다.

さいしん【再審】图ス他 재심. ¶資格(しかく)を～する 자격을 재심하다 / ～を要求(ようきゅう)〔請求(せいきゅう)〕する 재심을 요구〔청구〕하다.

さいしん【再診】图〔醫〕재진. ↔初診(しょしん).

さいしん【最深】图 최심. ¶大洋(たいよう)の～部(ぶ) 대양의 최심부.

さいしん【最新】图 최신. ¶～型(がた) 최신형 / ～式(しき) 최신식 / ～流行(りゅうこう)の服(ふく) 최신 유행의 옷 / ～の情報(じょうほう) 최신 정보. ↔最古(さいこ).

さいしん【細心】[ダナ] 세심. ¶～の警戒(けいかい)を怠(おこた)らない 세심한 경계를 게을리하지 않다 / ～の注意(ちゅうい)を払(はら)う 세심한 주의를 기울이다. ↔放胆(ほうたん).

さいじん【才人】[名] 재인; 재사. ¶彼(かれ)はなかなかの～だ 그는 대단한 재사다.

サイズ [size] [名] 사이즈; 크기; 치수. ＝寸法(すんぽう). ¶キング～ 킹사이즈; 특대 / 帽子(ぼうし)の～ 모자의 치수 / ～を取(と)る 사이즈를 재다.

ざいす【座いす】《坐椅子》[名] (일본식) 방에 앉을 때 사용하는 등받이가 있는, 다리 없는 의자.

さい-する【際する】[サ変自] (어떤 사건·기회를) 만나다; 당하다; 임하다; 즈음하다. ¶非常時(ひじょうじ)に～心得(こころえ) 비상시에 임하는 마음가짐. ⇨さいして.

ざいせ【在世】[名] 재세; 살아 있는 동안; 목숨이 있는 동안. ＝ざいせい. ¶祖父(そふ)の～中(ちゅう)は豊(ゆた)かだった 조부의 재세 중은 살림이 넉넉했다.

*さいせい【再生】[名][ス自他] 재생; 회생; 갱생(更生). ¶～紙(し) 재생지 / ～装置(そうち) 재생 장치 / ～の喜(よろこ)び 재생의 기쁨 / ～の道(みち)を歩(あゆ)む 재생의 길을 걷다 / ～をちかう 갱생을 맹세〔다짐〕하다.

さいせい【再製】[名][ス他] 재제. ¶～フィルム 재생 필름 / ～酒(しゅ) 재제주; 혼성주.

さいせい【済世】[名] 제세; 세상을 구제함. ¶～救民(きゅうみん)の道(みち) 제세구민의 길.

さいせい【祭政】[名] 제정; 제사와 정치.

—いっち【—一致】[名] 제정일치.

*ざいせい【財政】[名] 재정. ¶地方(ちほう)～の確立(かくりつ) 지방 재정의 확립 / ～赤字(あかじ) 재정 적자 / ～困難(こんなん)でなやむ 재정 곤란으로 고민하다. 「자.

—とうゆうし【—投融資】[名] 재정 투융

さいせいき【最盛期】[名] 최성〔전성〕기. ¶～を過(す)ぎる 전성기를 지나다 / 今(いま)はなしの～だ 지금은 배가 한창때이다.

さいせいさん【再生産】[名][ス他] 재생산. ¶拡大(かくだい)～ 확대 재생산.

さいせき【採石】[名][ス自] 채석. ¶～場(じょう) 채석장 / ～権(けん)を設定(せってい)する 채석권을 설정하다.

さいせき【砕石】[名][ス自] 쇄석. ＝バラス. ¶～舗道(ほどう) 쇄석 포도.

さいせき【載積】[名][ス他] 재적; 배나 차에 실음; 적재. ＝積載(せきさい). ¶砂利(じゃり)を～したトラック 자갈을 실은 트럭.

ざいせき【在席】[名][ス自] 재석; (자기 직장에서) 근무하고 있음; 자기 자리에 있음. ¶午前中(ごぜんちゅう)は～している 오전 중에는 자리에 있다.

ざいせき【在籍】[名][ス自] 재적. ¶～者(しゃ) 재적자 / ～議員(ぎいん) 재적 의원.

ざいせき【罪責】[名] 죄책; 범죄의 책임. ¶～感(かん) 죄책감.

さいせつ【再説】[名][ス他] 재설; 되풀이해서 설명함. ¶この点(てん)については後(のち)に～する 이 점에 대해서는 나중에 다시 설명한다.

さいせつ【細説】[名][ス他] 세설; 상설; 자세히 설명함. ＝詳説(しょうせつ). ¶用法(ようほう)を～する 용법을 상세히 설명하다 / 紙面(しめん)の都合(つごう)で～を省(はぶ)く 지면 관계상 자세한 설명을 생략하다.

さいせん【再選】[名][ス他] 재선. ¶～禁止(きんし)の規定(きてい) 재선 금지(의) 규정 / 会長(かいちょう)に～される 회장에 재선되다.

さいせん【さい銭】《賽銭》[名] 새전; 신불에 참배하여 올리는 돈《불전(佛錢)·연보금(捐補金) 등》.

—ばこ【—箱】[名] (신사나 절의 당 앞에 놓인) 새전함(函).

さいぜん【最前】[名] **1** 최전; 맨 앞. ↔最後(さいご). **2**【さいぜん】조금 전; 아까. ＝さっき·さきほど. ¶～もお話(はな)ししたとおり 아까도 말한 바와 같이 / ～は失礼(しつれい)しました 아까는 실례했습니다.

*さいぜん【最善】[名] 최선. ＝ベスト. ¶～の策(さく) 최선책 / ～を尽(つ)くす 최선을 다하다. ↔最悪(さいあく).

さいぜんせん【最前線】[名] 최전선; 최전방. ＝第一線(だいいっせん).

さいせんたん【最先端】《最尖端》[名] 최첨단. ¶～の技術(ぎじゅつ) 최첨단 기술.

さいぜんれつ【最前列】[名] 최전열; 맨 앞줄. ¶～の席(せき)に座(すわ)る 맨 앞자리에 앉다. ↔最後列(さいこうれつ).

さいそう【採桑】[名][ス自] 채상; 뽕을 땀.

**さいそく【催促】[名][ス他] 재촉; 독촉. ¶～状(じょう) 독촉장 / 借金(しゃっきん)の～ 빚 독촉 / 矢(や)の～ 성화 같은 독촉.

—がまし-い [形] 재촉하는 것 같다. ¶～顔(かお) 재촉하는 듯한 표정 / ～言(い)い草(ぐさ) 재촉하는 투의 말씨.

さいそく【細則】[名] 세칙. ¶施行(しこう)～ 시행 세칙 / ～に従(したが)うこと 세칙에 따를 것. ↔概則(がいそく)·総則(そうそく)·通則(つうそく).

ざいぞく【在俗】[名]〔佛〕재속; 재가; 자기 집에서 중처럼 불도를 닦음. ＝在家(ざいけ). ¶～僧(そう) 재가승. ↔出家(しゅっけ).

さいた【最多】[名] 최다. ¶～得点(とくてん) 최다 득점. ↔最少(さいしょう).

ざいた【座板】《坐板》[名] **1** 의자의 앉는 부분이 되는 널빤지. **2** 마루 판자.

サイダー [cider] [名] 사이다. ¶冷(ひ)やし～ 냉사이다.

さいたい【妻帯】[名][ス自] 아내를 둠; 대처. ¶～者(しゃ) 대처자; 아내가 있는 자.

さいだい【最大】[名] 최대. ¶～限度(げんど) 최대 한도 / ～多数(たすう)の～幸福(こうふく) 최대 다수의 최대 행복. ↔最小(さいしょう).

—げん【—限】[名] 최대한. ¶能力(のうりょく)の～を発揮(はっき)する 최대한의 능력을 발휘하다. ↔最小限(さいしょうげん). 「いだいげん.

—げんど【—限度】[名] 최대 한도. ☞さ

—こうやくすう【—公約数】[名]〔數〕최대 공약수《비유적으로도 씀》. ¶両派(りょうは)の主張(しゅちょう)の～ 양파 주장의 최대공약수. ↔最小公倍数(さいしょうこうばいすう). 「것.

さいだい【細大】[名] 세대; 잔 것과 큰

—漏(も)らさず 빠짐없이; 모조리; 전부.

¶～調べ上げる 빠짐없이 모조리 조사해 내다.

さいたかね【最高値】图〖經〗최고치; 거래가로 가장 높은 값. ¶～を更新する 최고치를 갱신하다. ↔最安値.

さいたく【採択】图ス他 채택. ¶この歴史教科書は～されなかった 이 역사 교과서는 채택되지 않았다.

ざいたく【在宅】图ス自 재택; 집에 있음. ¶明日は御～ですか 내일은 댁에 계십니까.

—きんむ【—勤務】图 재택근무.

—ケア [care] 图 재택 케어; 만성 질환·신체 장애 등으로 요양해야 할 사람이 자기 집에 있으면서 받는 보건·복지 서비스.

さいたま [埼玉] 图〖地〗関東 지방에 있는 현의 하나《현청 소재지는 浦和》.

さいたる【最たる】連体 무리 중에서 그 경향이 가장 두드러진. ¶中でも～ものは… 그 중에서도 으뜸가는 것은….

さいたん【採炭】图ス自 채탄; 석탄을 캠. ¶～量 채탄량.

さいたん【最短】图 최단. ¶～距離〔コース〕 최단 거리〔코스〕. ↔最長.

さいたん [歳旦] 图 세단. **1** 설날 (아침). =元旦. ↔歳暮. **2** 신년.

さいだん【祭壇】图 제단. ¶～を設ける 제단을 차리다.

***さいだん**【裁断】图ス他 재단. **1** 마름질. =カッティング. ¶洋服の～ 양복의 재단. **2** 일의 옳고 그름을 판정함. =裁定. ¶議長の～をあおぐ 의장의 재단을 앙망(仰望)하다 / この事件を～することはむずかしい 이 사건을 판정하기는 어렵다.

***ざいだん**【財団】图 재단. ¶ロックフェラー～ 록펠러 재단.

—ほうじん【—法人】图〖法〗재단 법인. ↔社団法人.

さいち【才知】《才智》图 재지; 재주; 지혜. ¶～にたけた人物である 재지가 뛰어난 인물이다.

さいち [細緻] 名ナ 세치; 치밀. =緻密. ¶～な計画 치밀한 계획.

さいちく【再築】图ス他 재축; 개축. ¶～した建物 개축한 건물.

さいちゅう【最中】图 한창(인 때). =さなか·まっさかり. ¶勉強の～に停電した 한창 공부하는 중에 정전됐다. 參考 강조형은 '真っ最中'.

ざいちゅう【在中】图ス自 재중. ¶写真～ 사진 재중 / 履歴書～の封筒 이력서가 들어 있는 봉투.

さいちょう【最長】图 최장. **1** 가장 긺. ¶日本～の橋 일본에서 가장 긴 다리. ↔最短. **2** 가장 나이가 많음; 최연장. ↔最少.

ざいちょう【在朝】图ス自 재조; 조정에 출사하고 있음; 관직에 있음. ↔在野.

さいづち〖才槌·木椎〗图 (나무못을 박는) 소형의 나무 망치.

—あたま【—頭】图 짱구(머리).

さいてい【再訂】图ス他 재정; 두 번째 정정. ¶本を～して出版する 책을 재정정해서 출판하다. 參考 '三訂' 라고도 함.

***さいてい**【最低】图 **1** 최저; 최하. ¶～温度計 최저 온도계 / ～生活費 최저 생활비 / ～賃金 최저 임금. **2** 인품·성질 등이 형편없음. ¶あいつは～だ 저 녀석은 형편없다. ⇔最高.

—げん【—限】图 최저한. ↔最高限.

—げんど【—限度】图 최저 한도. ↔最高限度.

さいてい【裁定】图ス他 재정. ¶仲裁～ 중재 재정 / ～しにくい問題 재정하기 어려운 문제.

さいてき【最適】名ナ 최적. ¶～化 최적화 / ～の人事 최적의 인사 / ～な環境 최적의 환경.

—せいぎょ【—制御】图〖컴〗최적 제어.

ざいテク【財テク】图〖經〗재테크《'財務テクノロジー(=재무 테크놀로지)'의 준말》.

さいてん【再転】图ス自 재전; 다시 바뀜. ¶状況が～する 상황이 또 바뀌다 / 計画が～してもとに返る 계획이 다시 바뀌어 원점으로 돌아가다.

***さいてん**【採点】图ス他 채점. ¶～表 채점표 / ～競技 채점 경기.

さいてん【祭典】图 제전. ¶春の～ 봄의 제전 / 若者〔スポーツ〕の～ 젊은이〔스포츠〕의 제전.

さいでん【祭殿】图 제전; 제사를 거행하는 건물. ¶山上に～を設ける 산 위에 제전을 마련하다.

サイト [site] 图 부지(敷地); 용지. ¶ダム～ 댐 용지 / キャンプ～ 야영지.

さいど【再度】图 두 번; 재차. =ふたたび. ¶～の渡米 두 번(째)의 도미(渡美) / ～のお願い 다시 한번의 부탁 / ～挑戦する 재차 도전하다.

さいど【済度】图ス他〖佛〗제도. ¶～しがたい人 제도 못할 사람 / 仏が衆生を～する 부처가 중생을 제도하다.

さいど【彩度】图 채도; 색상(色相) 중에 흰색·검은색 따위가 섞인 비율.

サイド [side] 图 사이드. **1** 옆(쪽); 측(면). ¶プール～ 풀 옆 / 日銀～の見通しによれば 일본은행측의 전망에 의하면. **2** 'サイドブレーキ'의 준말.

—カー [side car] 图 사이드카.

—キック [sidekick] 图 사이드킥; 축구에서, 발 옆쪽으로 공을 차는 방법.

—ビジネス [일 side+business] 图 부업.

—ブレーキ [일 side+brake] 图 (자동차의) 수동 브레이크. ¶～を軽く引いたまま走る 사이드브레이크를 약간 당긴 채로 차를 몰다.

—ライン [sideline] 图 사이드라인. **1** 테니스·배구·축구 등의 경기장을 구획하는 세로줄. **2** 문자 옆에 긋는 줄.

—ワーク [일 side+work] 图 부업. =

サイドビジネス. 「표.
さいとうひょう【再投票】名スル自 재투
さいどく【再読】名スル他 재독; 다시〔고쳐〕 읽음. ¶～に耐(た)えない悪文(あくぶん) 다시 읽기 어려운 악필.
—もじ【—文字】名 한자의 훈독에서 두 번 읽는 글자(('未'를 'いまだ…ず(=아직도 …하지 아니하다)' '当'를 'まさに…(す)べし(=마땅히 …해야 하다)'로 읽는 따위)).
さいとり【才取り】名 (거래소에서) 매매를 거간하고 구전을 먹음; 거간꾼. =さや取引(とりひき)·ブローカー.
さいな-む〖苛む·嘖む〗5他 1 들볶다; 괴롭히다. =いじめる. ¶まま子(こ)を～ 의붓자식을 들볶다/責(せ)め～ 몹시 괴롭히다/悪夢(あくむ)に～·まれる 악몽에 시달리다. 2 꾸짖다; 책망하다. =しかる·責(せ)める. ¶良心(りょうしん)に～·まれる 양심의 가책을 받다.
**さいなん【災難】名 재난. =災(わざわ)い. ¶～がふりかかる 재난이 덮치다/とんだ～にあう 뜻밖의 재난을 당하다/～をまぬがれる 재난을 모면하다/～にめげず立(た)ち上(あ)がる 재난에 굴하지 않고 일어서다. 参考 주로 개인의 경우에 씀.
ざいにち【在日】名スル自 재일; (외국인이) 일본에 거주〔체재〕함. ¶～外国人(がいこくじん) 재일 외국인.
さいにゅう【歳入】名 세입. ¶～欠陥(けっかん) 세입 결함/～の増加(ぞうか)をはかる 세입 증가를 도모하다. ↔歳出(さいしゅつ).
さいにん【再任】名スル自他 재임. ¶議長(ぎちょう)に～された 의장에 재임되었다.
ざいにん【在任】名スル自 재임; 임무를 맡고 있음. ¶それは～中(ちゅう)のできごとであった 그것은 재임 중에 생긴 일이었다.
ざいにん【罪人】名 죄인. ¶～扱(あつか)いをする 죄인 취급을 하다.
さいにんしき【再認識】名スル他 재인식. ¶時局(じきょく)の重大性(じゅうだいせい)を～する 시국의 중대성을 재인식하다.
さいねん【再燃】名スル自 재연. ¶消(き)えた火(ひ)が～した 꺼진 불이 다시 타올랐다/紛争(ふんそう)が～する 분쟁이 재연하다.
さいねんしょう【最年少】名 최연소.
さいねんちょう【最年長】名 최연장.
**さいのう【才能】名 재능. ¶すばらしい～のある人(ひと) 대단한 재능이 있는 사람/～を伸(の)ばす〔生(い)かす〕 재능을 키우다〔살리다〕/～をみがく 재능을 닦다/～を悪用(あくよう)する 재능을 악용하다.
さいのめ［賽の目·采の目］名 1 주사위의 눈. 2 주사위 모양(의 작은 6면체). ¶ジャガイモを～に切(き)る 감자를 주사위 모양으로 썰다. 「ジー.
さいのろ【妻のろ】名〈俗〉☞サイノロ
サイノロジー 名〈俗〉 아내에게 무름; 또, 그런 사람; 엄처시하의 남편. =さいのろ. 注意 サイコロジー(psychology)의 말씨를 흉내낸 외래어풍의 말.
サイバースペース［cyber space］名 사이버 스페이스((컴퓨터 네트워크 등의 전자 미디어 속에 성립하는 가상 공간; 정보 우주)).
サイバーテロ［←cyber terrorism］名 사이버 테러; 국가나 사회 기반의 혼란을 목적으로 국가의 중요 정보 시스템에 침입해 파괴하는 행위.
さいはい【再拝】名スル他 1 재배; 거듭 배례함. ¶～三拝(さんぱい)して頼(たの)む 재배 삼배하여 부탁하다. 2 편지 끝에 쓰는 말. ¶頓首(とんしゅ)～ 돈수재배. ⇨けいぐ.
さいはい［采配］名 1 (옛날 싸움터에서 대장이 쓰던) 지휘채. 2 지휘; 지시; 명령. =さしず·指揮(しき). ¶監督(かんとく)の～に従(したが)う 감독 지시에 따르다. 3 총채; 먼지떨이. =はたき.
—を振(ふ)る 지시〔지휘〕하다.
*さいばい【栽培】名スル他 재배. ¶花(はな)を～する 꽃을 재배하다. 参考 넓은 뜻으로는, 어류의 양식도 이름.
さいばし【菜ばし】((菜箸)) 名 요리를 하거나 부식물을 도르는 데 쓰는 젓가락.
さいはじ-ける【才はじける】((才弾ける)) 下1自 약삭빠르다; 꾀바르다; 되바라지다. ¶あの子(こ)は全(まった)く～·けた子(こ)だ 저 아이는 아주 꾀바른 아이다.
さいばし-る【才走る】5自 재기가 넘치다. ¶～·った男(おとこ) 약아빠진 사나이. 参考 흔히, 좋지 않은 뜻으로 쓰임.
さいはつ【再発】名スル自 재발; 병〔사건〕 따위가 다시 발병〔발생〕함. ¶事故(じこ)の～を防(ふせ)ぐ 사고의 재발을 방지하다/病気(びょうき)が～する 병이 재발하다.
*ざいばつ【財閥】名 재벌. ¶～解体(かいたい) 재벌 해체/新興(しんこう)～ 신흥 재벌.
さいはて〖最果て〗名 맨 끝(의 장소); 땅 끝. ¶～の町(まち)〔地(ち)〕 (육지의) 맨 끝에 있는 도시〔땅〕.
さいはん【再犯】名スル自 재범(자). ¶～者(しゃ) 재범자. ↔初犯(しょはん).
さいはん【再版】名スル他 재판. ¶辞書(じしょ)はまもなく～されます 사전은 머지않아 재판됩니다. ↔初版(しょはん).
さいはん【再販】名 재판; 독점 금지법의 특례로서, 화장품·의약품·서적 등에 대해, 제조업자가 도산매 가격을 지정하는 일(('再販売(さいはんばい)価格維持(かかくいじ)契約(けいやく)'의 준말)). ¶～制度(せいど) 재판 제도.
**さいばん【裁判】名スル他 재판. ¶軍事(ぐんじ)～ 군사 재판/～が開(ひら)かれる 재판이 열리다/～にかける 재판에 회부하다/～にもちこむ 재판으로 몰고 가다/公正(こうせい)な～を受(う)ける 공정한 재판을 받다.
—ざた〖—沙汰〗名 법원에서 소송 사건으로 다룸((이렇게 되는 것을 바라지 않는다는 기분으로 하는 말)). ¶～になると面倒(めんどう)だ 소송 사건이 되면 귀찮다.
さいひ【採否】名 채용〔채택〕 여부. ¶～を決(き)める 채택 여부를 결정하다.
さいひ【歳費】名 (특히, 국회의원의) 세비. ¶～の引上(ひきあ)げを可決(かけつ)する 세비 인상을 가결하다.

さ

さいび【細微】名ナ 세미; 미세. =微細. ¶~な粒子 미세한 입자.

さいひつ【才筆】名 재필; 좋은 문장(을 쓰는 재주). ¶~をふるう 재필을 휘두르다《좋은 문장을 쓰다》.

さいひつ【細筆】名 세필. **1** 가는 붓; 초필. =ほそふで. **2** 잘게 씀. =細書.

さいひょう【砕氷】名ス自 쇄빙; 얼음을 깸. ¶~船 쇄빙선.

さいふ【採譜】名ス他 채보; 민요 등을 악보로 적음.

**さいふ【財布】名 돈지갑. =金入れ. ¶~をすられる 지갑을 소매치기당하다.

—の口をしめる (돈을) 낭비하지 않도록 하다.

—の底をはたく 있는 돈을 몽땅 써 버리다〔털다〕.

さいぶ【細部】名 세부. ¶~にわたって説明する 세세한 부분까지 설명하다.

さいふく【祭服·斎服】名 제복; (제주·신관(神官) 등이) 제사 때 입는 옷.

さいぶつ【才物】名 재사; 재주 있는 인물. =才人. ¶なかなかの~だ 대단한 재사다. ↔鈍物.

ざいぶつ【財物】名 재물. ¶~を窃取する 재물을 절취하다.

さいぶん【細分】名ス他 세분. ¶標本を綱目別に~する 표본을 강목별로 세분하다.

ざいべい【在米】名 재미; 미국에 살고〔묵고〕 있음. ¶~邦人 재미 동포.

さいべつ【細別】名ス他 세별; 세밀하게 구별함. ¶種類別に~する 종류별로 세별하다. ↔大別.

さいへん【再編】名ス他 재편; 편성이나 편집을 다시 함. ¶委員会を~する 위원회를 재편성하다/雑誌を~する 잡지를 재편집하다.

さいへん【砕片】名 쇄편; 파편. ¶ガラスの~ 유리 파편.

さいぼ【歳暮】名 세모. =年末. ↔歳旦. 注意 'せいぼ'라고도 함.

さいほう【再訪】名ス他 재방(문); 다시〔두 번〕 방문함. ¶名勝の地を~する 명승지를 다시 방문하다.

*さいほう【裁縫】名ス自 재봉; 바느질. ¶~箱 반짇고리/~が上手だ 바느질을 잘한다.

*さいぼう【細胞】名 세포. ¶~核〔膜〕 세포핵〔막〕/~運動 세포 운동/共産党の~組織 공산당의 세포 조직. 注意 'さいほう'라고도 함.

ざいほう【財宝】名 재보; 재산과 보물. =宝物. ¶金銀~ 금은재보/~の山を築く 재보를 산더미처럼 쌓다.

さいほうじょうど【西方浄土】名〔佛〕 서방 정토.

サイボーグ [cyborg] 名 사이보그; 인공 장기(臟器)로 신체 일부가 개조된 인간.

サイホン [siphon] 名 사이펀. =サイフォン. **1** 액체를 높은 곳에서 낮은 곳으로 옮기는 데 쓰는 굽은 유리관. **2** 유리로 만든 커피 끓이는 기구.

さいまつ【歳末】名 세말; 연말; 세모; 세밑. =年末. ¶~大売り出し 연말 바겐 세일/あわただしい~風景 분주한 세모 풍경/~助け合い運動 연말 (이웃) 돕기 운동.

さいみつ【細密】ダナ 세밀; 정밀. ¶~な注意 세밀한 주의/~画 정밀화.

さいみん【催眠】名 최면. ¶~療法 최면 요법.

—じゅつ【—術】名 최면술. ¶~を掛ける 최면술을 걸다.

さいみん【細民】名 세민; 영세민; 빈민. ¶~街 빈민가.

さいむ【債務】名 채무. ¶~不履行 채무 불이행/~返済 채무 변제/~を果たす 빚을 갚다/ばく大な~がある 막대한 채무가 있다/~を履行する 채무를 이행하다. ↔債権.

ざいむ【財務】名 재무. ¶~管理〔分析〕 재무 관리〔분석〕.

—しょひょう【—諸表】名 재무 제표.

ざいめい【罪名】名 죄명. **1** 죄목. **2** 죄를 지었다는 세상 소문. ¶~をすすぐ 죄의 오명을 씻다.

さいもく【細目】名 세목. ¶~について説明する 세목에 관하여 설명하다. ↔大綱.

**ざいもく【材木】名 재목; 목재. =木材. ¶~屋 재목상/山から~を切り出す 산에서 재목을 베어내다.

ざいや【在野】名 재야. **1** 관계에 나가지 아니함. ¶~の人物 재야 인물. ↔在朝. **2** 야당. ¶~の諸党が結束する 재야의 여러 정당이 결속하다.

さいやく【災厄】名 재액. =災難·わざわい. ¶~にあう 재액을 만나다/~が降りかかる 재액이 닥치다.

さいやすね【最安値】名 최저가; 거래 시세에서 가장 싼 값. ↔最高値.

さいゆ【採油】名ス自 채유. **1** 기름을 짬. ¶菜種から~する 평지 씨에서 기름을 짜다. **2** 석유를 파냄. ¶~権を得る 석유 채굴권을 얻다.

さいゆうしゅうせんしゅ【最優秀選手】名 최우수 선수. =MVP.

*さいよう【採用】名ス他 채용. ¶職員の~試験 직원의 채용 시험/彼の意見を~する 그의 의견을 채택하다/社員に~される 사원으로 채용되다.

さいらい【再来】名ス自 재래. **1** 다시 옴. ¶ブームが~する 붐이 다시 오다/戦争によって暗黒時代が~する 전쟁으로 암흑시대가 다시 오다. **2** 다시 이 세상에 태어남. =うまれかわり. ¶お釈迦さまの~ 부처님의 재래/彼は孔子の~だ 그는 제2의 공자(라고 할 만한 성인군자)다.

ざいらい【在来】名 재래; 지금까지 보통 있었던 일. ¶~種 재래종/~の風習〔方法〕 재래의 풍습〔방법〕.

さいらん【採卵】名ス自〔農〕 채란; 알을 낳게 해서 가짐.

さいりゃく【才略】图 재략. ¶~にたけた人 재략이 뛰어난 사람/彼の~に引っかかった 그의 재략에 걸려들었다.

さいりゅう【細流】图 세류; 작은 시내. =小川. ¶山間の~で喉をうるおす 산간의 세류에서 목을 축이다.

ざいりゅう【在留】图자自 재류. ¶ベトナム~の邦人 베트남 재류 일본인.

*さいりょう【最良】图 최량; 최선. ¶~の条件〔方法〕 가장 좋은 조건〔방법〕/攻撃は~の防禦 공격은 최선의 방어. ↔最悪.

さいりょう【裁量】图자他 재량. ¶自由~ 자유재량/君の~にまかせる 자네 재량에 맡긴다.

**ざいりょう【材料】图 1 재료. ㉠원료; 자재. ¶建築~ 건축 재료/トウモロコシを~とした飼料 옥수수를 원료로 한 사료. ㉡자료; 데이터. ¶研究~ 연구 자료/~を提供する 자료를 제공하다/~をあつめる 재료를 모으다. 2 시세를 등락시키는 원인. ¶悪~ 악재/好~ 호재.

ざいりょく【財力】图 재력; 경제력. ¶~にものをいわせる 돈으로 위력을 발휘하다/~によって政治に干渉する 재력으로 정치에 간섭하다.

さいりん【再臨】图자自〖宗〗재림. ¶キリストの~ 예수의 재림.

ザイル [도 Seil] 图 자일; 등산용 밧줄.

──パーティー [도 Seil+영 party] 图 자일 파티; (등산에서) 자일로 서로의 허리를 연결하여 맨 한 그룹》.

さいるい【催涙】图 최루. ¶~弾 최루탄/~ガス 최루 가스.

さいれい【祭礼】图 제례; 제사의 의식. ¶~を執り行う 제례를 집행하다.

サイレン [siren] 图 사이렌. ¶~を鳴らす 사이렌을 울리다.

サイレント [silent] 图 사일런트; 무성 영화. =サイレント映画. ↔トーキー.

──マジョリティー [silent majority] 图 사일런트 머조리티; 말없는 다수; 일반 대중. =物言わぬ大衆.

サイロ [silo] 图 사일로. 1 저장탑. 2 사일로형 저장 창고. ¶セメント~ 시멘트 사일로/ミサイルの~ 미사일 사일로.

さいろく【再録】图자他 재록. 1 잡지·기관지 등에 게재된 것을 한 번 더 게재하는 일; 또, 그 게재한 것. ¶評論を全集に~する 평론을 전집에 다시 수록하다. 2 전에 방송〔방영〕한 것을 한번 더 녹음함; 또, 그렇게 녹음한 것.

さいろく【採録】图자他 채록; 뽑아 내어 기록·녹음·녹화함; 또, 그것. ¶民謡の~ 민요의 채록/おもな意見を~する 중요한 의견을 채록하다.

さいろん【再論】图자他 재론. ¶~する余地がない 재론할 여지가 없다.

さいろん【細論】图자他 세론; 상론. ¶~するひまがない 세론할 틈이 없다.

*さいわい【幸い】㊀ 图ダナ 다행; 행복. =幸せ. ¶~な生活 행복한 생활/不幸中の~ 불행 중 다행/よい友をもって~だ 좋은 친구를 두어 행복하다. ㊁副 다행히. ¶~それで間に合った 다행히 그것으로 충족되었다/~(にも)大した被害はなかった 다행히 큰 피해는 없었다. ㊂图자自 좋은 결과가 되도록 작용함. ¶風が~した 바람이 도왔다/ヘルメットをかぶっていたのが~してけがをしなかった 헬멧을 쓰고 있었던 덕분에 부상을 면했다.

──にして 다행히도; 운좋게. ¶~合格した 다행히도 합격하였다. 参考 '幸い'㊀의 힘줌말.

さいわりびき【再割引】图자他 재할인. =さいわり. ¶K銀行は中央銀行から~してもらった K은행은 중앙은행에서 재할인해 받았다.

さいわん【才腕】图 재완; 수완. ¶会社の経営に~を振るう 회사 경영에 수완을 발휘하다.

*サイン [sign] 图자自 사인. 1 서명. =署名. ¶歌手から~をもらう 가수에게 사인을 받다. *'유명 인사의 サイン'은 영어로는 autograph라고 함. 2 신호; 암호. ¶キャッチャーの~ 캐처의 사인/~を送る 사인을 보내다. *2는 영어로는 signal.

──ランゲージ [sign language] 图 사인 랭귀지; 수화(手話); 이국인이나 농아자 사이에 손짓 따위로 하는 의사소통.

サウスポー [southpaw] 图 사우스포. 1 왼손 잡이 (투수). =左腕投手. 2 (권투의) 왼손잡이 선수.

サウナ [핀 Sauna] 图 사우나; 한증탕식 목욕탕. ¶~で汗を流す 사우나에서 땀을 빼다.

──ぶろ〖──風呂〗图 사우나탕. =サウナ. ⇨トルコぶろ.

サウンド [sound] 图 사운드. 1 소리; 음향. 2 녹음(을 재생)한 소리.

──トラック [sound track] 图 사운드 트랙《발성 영화 필름 한 옆에 녹음되어 있는 부분》. =サントラ.

さえ〖冴え〗图 1 (빛·색깔·음 따위가) 산뜻함; 아주 맑음. 2 (솜씨 등이) 훌륭하고 뛰어남. ¶頭の~ 머리의 명석함〔총기〕/腕の~を見せる 솜씨의 뛰어남을 보이다.

さえ 副助 1 …까지도; 조차; 마저. ¶夫婦げんかは犬~食わぬ 부부 싸움은 개도 물지 않는다《부부 싸움은 칼로 물 베기다》/自分の名前~書けない 자기 이름조차도 못 쓴다. 2《'ば'를 수반하여》 그 조건만으로 일이 충족됨을 나타냄: …만…면. ¶これ~あればいい 이것만 있으면 족하다/練習~すれば上手になるよ 연습만 하면 잘 하게 될거야/雨~上がればすぐに始められるのだがなあ 비만 걷히면 곧 시작할 수 있을 텐데. 3 (현재의 사물·상태에 더) 첨가하는 뜻을 나타냄: 그 위에; 까지. ¶雨が降ってきただけではなく,

雷～鳴りだした 비가 내리기 시작했을 뿐만 아니라 천둥까지 울리기 시작했다. ⇨すら·だに.

さえかえ-る〖冴え返る〗5自 매우 맑다; 맑아지다. ¶月が～ 달빛이 교교하다/酔いがさめて頭が～ 술이 깨어 머리가〔정신이〕 맑아지다.

さえき【差益】图 차익. ¶為替～ 환차익/円高により～が生じた 엔고로 인하여 차익이 생겼다. ↔差損.

***さえぎ-る**【遮る】5他 가리다; (가로)막다; 차단하다. ¶発言を～ 발언을 가로막다/カーテンで～ 커튼으로 가리다/霧で視界が～·られる 안개로 시계가 가려지다. 可能さえぎ-れる下1自

さえずり〖囀り〗图 **1** (새의) 지저귐. ¶うぐいすの～ 휘파람새의 지저귐. **2** 시끄럽게 지껄임〔재잘댐〕.

***さえず-る**〖囀る〗5自 (새가) 지저귀다; 전하여, (여자나 아이들이 시끄럽게) 재잘거리다. ¶カナリヤが～ 카나리아가 지저귀다/なにを～·っているんだ 뭘 재잘대고 있는 거야.

さえつ【査閲】图ス他 사열. ¶軍隊を～する 군대를 사열하다.

***さ-える**〖冴える〗下1自 **1** 맑고 깨끗하다. ㉠(빛·빛깔·소리 등이) 선명하다; 산뜻하다. ¶～·えた色 선명한 빛깔/月光が～ 달빛이 맑다. ㉡(머리 속이) 예민해지다; 또렷해지다. ¶頭が～ 머리가 맑아지다. **2** 뛰어나다; 훌륭하다. ¶～·えた腕前〔弁舌〕 뛰어난 솜씨〔화술〕/わざが～ 기술이 뛰어나다. **3** 스며들게 춥다; 냉랭하다. ¶～·えた星空 별이 총총하고 냉랭한 밤하늘. **4**《'～·えない'의 꼴로》 ㉠생기가 없다. ¶顔色が～·えない 안색이 안좋다/気分が～·えない 마음이 울적하다. ㉡어딘가 (좀) 부족하다; 아쉽다; 신통치 않다. ¶～·えない男 트릿한 사내/～·えない成績 신통찮은 성적.

さえわた-る〖冴え渡る〗5自 (구석구석까지) 맑아지다. ¶～·った秋の空 맑게 갠 가을 하늘/夜空にこうこうと～月かげ 밤하늘에 휘영청 맑게 비치는 달빛.

＊さお〖竿·棹〗图 **1** (대나무로 된) 장대; 작대기. ¶物干し竿 빨래 장대/旗竿 깃대. **2** 장대 비슷한 물건. ㉠삿대; 상앗대. ＝みさお. ¶～をさす 삿대질하다. ㉡저울대. ¶～ばかり 대저울.

さおさ-す〖竿さす·棹さす〗5自 **1** 삿대질하다; 배를 젓다. ¶流れに～ (물이) 흐르는 방향으로 삿대질하다. **2** 편승하다; 타다. ＝乗じる. ¶時流に～ 시류에 편승하다.

さおとめ【早乙女】《早少女》图〈雅〉 모내기하는 처녀; 전하여, 일반적으로 소녀; 처녀. ＝おとめ. ¶美しき～ 아리따운 아가씨.

さおばかり〖竿秤·棹秤〗图 대저울. ↔「皿ばかり.

＊さか【坂】《阪》图 비탈길; 고개. ¶険しい～を登る 가파른 비탈을 올라가다/～をくだる 비탈길을 내려가다/四十の～にさしかかる (나이가) 40 고개를 바라보다.

さか【逆】역. ㊀图 거꾸로 된 모양. ＝さかさま·ぎゃく·反対. ¶～になる 역으로〔거꾸로〕 되다. ㊁接頭 거꾸로 됨; 거슬러 됨. ¶～立つ 곤두서다/～のぼる 거슬러 올라가다.

さか【茶菓】图 다과. ¶～の用意 다과 준비/～を供する 다과를 대접하다. 注意 ちゃか라고도 함.

さが〖性·相〗图 **1** (타고난) 천성; 성질. ¶女の～ 여자의 천성/かなしき～ 어찌할 수 없는 슬픈 천성. **2** 관습; 습성; 습관. ＝ならわし. ¶これも浮き世の～だ 이것도 이 세상의 관습이다.

さが【佐賀】图〔地〕九州 서북부에 있는 현; 또, 그 현청 소재지.

ざか【座下】图 (편지에서) 좌하; 귀하. ＝足下·机下. 参考 수신인의 성명 아래에 써서 경의를 나타내는 말.

さかあがり【逆上がり】图 (철봉 체조에서) 거꾸로 오르기.

＊さかい【境】《界》图 **1** 경계. ＝境目. ¶畑と道の～ 밭과 길의 경계/～を接する 경계를 접하다. **2** 갈림길; 기로. ¶生死の～ 생사의 기로. **3** (어떤 범위 내의) 땅; 장소. ¶神秘の～ 신비경/清浄の～ 맑고 깨끗한 곳.

さかいめ【境目】图 경계(선); 갈림길. ＝境·分かれ目. ¶隣の家との～ 이웃집과의 경계선/運命の～ 운명의 갈림길/生きるか死ぬかの～だ 사느냐 죽느냐의 갈림길이다.

さかうえ【坂上】图 고개 위. ↔坂下.

さかうらみ【逆恨み】《逆怨み》图ス他 **1** 원한이 있는 사람으로부터 도리어 원한을 받음. ¶～を買う 되레 원한을 사다. **2** 호의를 곡해하여 도리어 원한을 품음. ¶～をする 되레 원한을 품다/親切で忠告したのに～された 친절하게 충고했는데도 도리어 원한을 샀다.

***さか-える**【栄える】下1自 성해지다; 번영하다. ¶店が～ 가게가 번창하다/悪徳が～·えはびこる 악덕이 성해져서 만연하다. ↔衰える.

さかおとし【逆落とし】图ス他 거꾸로 떨어뜨림. ¶相手を崖から～に蹴落とした 상대방을 벼랑에서 차서 거꾸로 떨어뜨렸다.

さがく【差額】图 차액. ¶～を返す 차액을 반환하다/～が生ずる 차액이 생기다.

さかぐせ【酒癖】图 ☞さけぐせ. 注意 'さかくせ'라고도 함.

さかぐら【酒蔵·酒倉】图 **1** 술 창고; 술 곳간; 술을 빚는 곳간. ＝さけぐら. **2** 양조장에서 직영하는 술집.

さかげ【逆毛】图 머리털 끝에서 털뿌리 쪽으로 거꾸로 빗은 머리. ¶～を立てて結う 머리털을 거꾸로 빗어 머리모양이 부풀게 매만지다.

さかご【逆子】《逆児》图 역아; 역산(逆産); 거꾸로 태어나옴; 또, 그 아이. ¶ ~だったのでお産に苦労した 역산이어서 낳는 데 고생했다.

*__さかさ__【逆さ】图 'さかさま'의 준말. ¶ ~につるす 거꾸로 매달다 / ~富士 물위에 거꾸로 비친 富士山.

さかさくらげ【逆さくらげ】《逆さ海月》图 '連れこみ旅館(=남녀 동반자가 들어가는 여관)'의 속어. 参考 ♨(=온천 표지)를 거꾸로 한 것이 くらげ(=해파리)와 닮은 데서.

さかさことば【逆さ言葉】图 **1** 뜻을 반대로 말함; 반어(反語)《'かわいい(=귀엽다)'를 'にくい(=밉다)'로 말하는 따위》. **2** 어음(語音)의 순서를 거꾸로 말함《'たね(=신문 기삿거리)'를 'ねた'라고 말하는 따위》.

**__さかさま__【逆様】《倒》图ダナ 거꾸로 됨; 반대로 됨; 역(逆). =さかさ·ぎゃく. ¶ 上下が~になる 상하가 거꾸로 되다 / 頭から~に落ちる 머리를 아래로 거꾸로 떨어지다; 곤두박이치다.

さがしあ-てる【探し当てる】下1他 찾아내다. =みつける. ¶ やっと~ 겨우 찾아내다 / 宝を~ 보물을 찾아내다.

さがしえ【探し絵·捜し絵】图 숨은 그림 찾기. =えさがし.

さかしお【酒塩】图 (음식 끓일 때) 조미료로서 술을 침; 또, 그 술. ¶ ~を加えて煮る 양념으로 술을 쳐서 익히다.

さかした【坂下】图 고개를 내려간 아래쪽; 고개 밑. ↔坂上.

さがしだ-す【捜し出す】5他 찾아내다. ¶ 隠れ家を~ 은신처를 찾아내다.

さがしもの【探し物·捜し物】图 물건을 찾음; 또, 그 물건. ¶ ~をする 물건을 찾다 / ~が出て来た 찾던 물건이 나왔다.

ざがしら【座頭】图 **1** 극단 등의 우두머리; 특히, (歌舞伎 등의) 주역 배우. **2** 좌상(座上). 注意 'ざとう'라고 읽으면 딴말.

**__さが-す__【探す·捜す】5他 찾다. ¶ 血眼になって~ 혈안이 되어 찾다 / 欠点[あら]を~ 결점을 찾다. 参考 '探す'는 갖고 싶은 것, 보고 싶은 것 등을 찾다의 뜻으로, '捜す'는 잃은 것 등을 찾다의 뜻으로 쓰나, 일반적으로는 '探す'를 많이 씀. ¶ 職を探す 직업을[일자리를] 찾다 / 犯人[落とし物]を捜す 범인[분실물]을 찾다.

*__さかずき__【杯】《盃·坏·盞》图 **1** 술잔. ¶ ~を干す 술잔을 비우다 / ~をさす 술잔에 술을 따르다 / ~を傾ける 술잔을 기울이다《술을 마시다》/ 夫婦の~をかわす 부부가 되는 술잔을 주고 받다. **2** ☞さかずきごと1.

—を返す **1** (술을 받아 마시고) 술잔을 되돌리다. **2** 부하가 두목과의 인연을 끊다. ↔杯をもらう.

さかずきごと【杯事】图 **1** 술잔을 나누어 굳게 약속함. 参考 부부·의형제·주종 관계를 맺는 맹세의 술잔. **2** 술잔치; 주연. =さかもり.

さかだい【酒代】图 **1** 술값. =さかて·さかしろ·のみしろ. ¶ 毎月~がかさむ 매달 술값이 늘다. **2** ☞さかて1.

*__さかだち__【逆立ち】图ス自 거꾸로 섬; 곤두섬; 물구나무서기; 또, 상하가 거꾸로 되어 있음.

—しても 副《뒤에 否定을 수반하여》 아무리 애써도[발버둥쳐도]. ¶ ~だめだ 아무리 발버둥이쳐도 소용없다 / ~かなわない 도저히 당해 낼 수 없다.

さかだ-つ【逆立つ】一5自 거꾸로 서다; 곤두서다. ¶ 髪の毛が~ 머리털이 곤두서다.

さかだ-てる【逆立てる】下1他 거꾸로 세우다; 곤두세우다. ¶ 鶏が猫に向かって羽を~ 닭이 고양이를 향해 깃털을 곤두세우다. ⇒柳眉.

さかだる【酒だる】《酒樽》图 술통.

さかて【酒手】图 **1** 팁; 행하(行下). =チップ. ¶ ~をはずむ 행하를[팁을] 후하게 주다. **2** 술값. =さかだい1. 注意 'さかで'라고도 함.

さかて【逆手】图 **1** 거꾸로 쥠. ¶ 短刀を~に持つ (칼날이 새끼손가락 쪽으로 가게) 단도를 거꾸로 쥐다. ↔順手. **2** 철봉 따위에서, 손바닥이 안으로 향하게 쥐는 일. 参考 'ぎゃくて'라고 하면 다른 뜻.

さかとび【逆飛び】图ス自 머리를 아래로 하고 거꾸로 물속에 뛰어듦. =さかとび込み.

さかとんぼ【逆とんぼ】《逆蜻蛉》图 'さかとんぼ返り'의 준말; (뒤로 넘는) 공중제비; 뒤로 재주넘기. ¶ ~をうつ 뒤로 공중제비를 넘다.

さかどんや【酒問屋】图 술 도매상. =さかどいや.

**__さかな__【魚】图 물고기; 생선. ¶ ~屋 생선 가게[장수] / 白身の~ 살이 흰 생선 / ~を釣る 물고기를 낚다. 参考 '一尾…' '一匹…' 따위로 셈.

**__さかな__【肴】图 술안주; 전하여, 주흥을 돋우는 노래·춤·화제 따위. ¶ 酒の~ 술안주 / ~がなにもない 술안주가 아무것도 없다 / ~に一曲うたう 주흥을 돋우기 위해 한 곡조 뽑다 / 人を~にする 어떤 사람을 화제 삼아 즐기다. 参考 酒菜의 뜻이며, 'さか(酒)'는 술, 'な(菜)'는 반찬.

—あらし【—荒し】图 술자리에서, 안주를 마구 먹어치우는 일; 또, 그 사람.

さかなで【逆なで】《逆撫で》图ス他 상대방이 싫어하는 일을 일부러 함. ¶ 神経を~するようなことを言う 남의 신경을 건드리는 말을 하다. 参考 동물 털의 결을 거슬러 만지면 싫어하는 데서.

さかなみ【逆波】《逆浪》图 역랑; 광도(狂濤). =逆浪. ¶ ~が立つ 역랑이 일다 / ~にのまれる 역랑에 휩쓸리다.

さかねじ【逆ねじ】《逆捩じ》名 1 거꾸로 비틂. 2 비난·항의 따위를 되받아 반박함; 역습. ¶～をくわせる 비난을 받고 역공하다; 되쏘아 주다.

***さかのぼ-る**〖遡る·溯る〗5自 거슬러 올라가다. 1 (물의) 흐름과 반대로 올라가다. ¶船(ふね)をこいで川(かわ)を～ 배를 저어 강을 거슬러 올라가다. 2 (시간적으로) 소급하다. ¶賃上(ちんあ)げは四月(しがつ)に～ 임금 인상은 4월로 소급해서 실시한다.

さかば【酒場】名 술집; 바. ¶大衆(たいしゅう)～ 대중 술집; 대폿집.

さかびたり【酒浸り】名 1 술에 담김〔젖음〕. 2 늘 술만 마심; 술에 잠겨 있음. ¶彼(かれ)は年中(ねんじゅう)～になっている 그는 언제나〔일년 내내〕 술에 빠져 있다.

さかぶとり【酒太り】《酒肥り》名 ☞さけぶとり.

さかま-く【逆巻く】5自 파도가 흐름을 거슬러 소용돌이치다. ¶～大波(おおなみ) 소용돌이치는 큰 파도 / 怒濤(どとう)～大海原(おおうなばら) 노도가 소용돌이치는 드넓은 바다.

さかまんじゅう【酒まんじゅう】《酒饅頭》名 밀가루를 반죽하여 술을 붓고 묵혀서 발효시킨 것을 만두피로하여 팥소를 넣어 찐 만두. ＝さかまん.

さかみち【坂道】名 비탈길; 고갯길; 언덕길. ¶～を上(のぼ)る〔駆(か)け降(お)りる〕 비탈길을 올라가다〔뛰어 내려오다〕.

さかもぎ【逆茂木】名 (적의 침입을 막기 위한) 가시나무 울타리; 녹채(鹿砦). ＝ろくさい·逆(さか)もがり. ¶～を破(やぶ)る 녹채를 뚫(고 나아가)다.

さかもり【酒盛り】名スル自 술잔치; 주연. ＝酒宴(しゅえん). ¶～のまっ最中(さいちゅう) 주연이 한창일 때 / お祝(いわ)いの～をする 축하 주연을 베풀다.

***さかや**【酒屋】名 1 술을 빚는 집. ＝造(つく)り酒屋(さかや). 2 술집; 술장수. ＝酒家(しゅか).

さかやき〖月代·月額〗名 江戸(えど) 시대에, 남자가 이마로부터 머리 한가운데까지 머리털을 밀었던 일; 또, 그 부분. ＝月代(つきしろ).

[さかやき]

さかやけ【酒焼け】名スル自 주독. ＝さけやき. ¶～で赤(あか)くなった顔(かお) 주독이 올라 붉어진 얼굴.

さかゆめ【逆夢】名 역몽; 사실과는 반대되는 꿈. ¶これが～ならいいのだが 이것이 역몽이라면 좋을 텐데. 参考 흔히, 길흉에 관계되는 것에 씀. ↔正夢(まさゆめ).

***さから-う**【逆らう】5自 거스르다. 1 (반대 방향으로) 거슬러 나아가다. ¶風(かぜ)に～·って進(すす)む 바람을 거슬러 나아가다. 2 거역하다; 반항하다. ¶親(おや)に～ 부모에게 거역하다 / 時代(じだい)に～ 시대에 역행하다. ↔従(したが)う.

***さかり**【盛り】名 1 한창(때). ¶～の年(とし)ごろ 한창때의 나이 / ～がすぎる 한창때가 지나다 / 花(はな)が今(いま)を～と咲(さ)く 꽃이 한창 만발하다. 注意 名詞에 붙여 接尾語的으로 쓰며, 대개 'ざかり'가 됨. ¶日(ひ)ざかり 한낮 / 若(わか)ざかり 한창때 / 男(おとこ)ざかり 남자의 한창때 / 働(はたら)きざかり (일생 중) 한창 일할 때. 2 발정; 암내. ¶～がつく 암내 내다; 발정하다.

さがり【下がり】名 1 (위치·정도·가치·값 등이) 내려감; 낮아짐; 또, 내려간 것. ¶米価(べいか)の～ 쌀값의 내림. ↔上(あ)がり. 2《낮·시각을 나타내는 '昼(ひる)' '八(や)つ' 등의 말에 붙여서》 정각을 지남; 또, 그때. ¶昼(ひる)～ 한낮이 지남 / 八(や)つ～ (오전·오후) 두 시를 좀 지난 때. 3『お～』 손윗사람에게서 물려받은 물품. ¶この洋服(ようふく)は親父(おやじ)の～だ 이 양복은 아버지에게서 물려받은 것이다. 4 씨름꾼의 샅바 앞에 드리우는 발 모양의 장식. ¶力士(りきし)は～をさばいて仕切(しき)りに入(はい)った 씨름꾼은 さがり를 좌우로 젖히고 맞붙을 태세를 취했다.

さかりば【盛り場】名 늘 사람이 붐비는 곳; 번화가. ¶～をうろつく 유흥가를 배회하다. ↔場末(ばすえ).

さがりめ【下がり目】名 1 눈초리가 처진 눈. ＝たれ目(め). 2 (물가가) 하락할 무렵; 내림세; 또, 그런 경향. ＝さがりくち. ¶株式(かぶしき)もこのごろ～だ 주식도 요즘 내림세다. 3 쇠퇴할 무렵; 내리막; 또, 그런 경향. ＝おちめ. ¶彼(かれ)の勢力(せいりょく)も～になった 그의 세력도 내리막이 되었다. ⇔上(あ)がり目(め).

さか-る【盛る】5自 1 동물이 교미하다; 흘레붙다. ＝つるむ. ¶犬(いぬ)が～·っている 개가 흘레하고 있다. 2 번창하다. ¶店(みせ)が～ 가게가 번창하다. 3 세(勢)가 활발해지다. ¶出(で)～ 한창 쏟아져 나오다 / 燃(も)え～ 세차게 타다.

****さが-る**【下がる】5自 1 내리다. ¶気温(きおん)が～ 기온이 내려가다 / 熱(ねつ)が～ 열이 내리다 / 物価(ぶっか)が～ 물가가 내리다 / 成績(せいせき)が～ 성적이 내리다〔떨어지다〕 / 腕前(うでまえ)が～ 솜씨가 떨어지다〔나빠지다〕 / 評判(ひょうばん)が～ 인기가 떨어지다 / 幕(まく)が～ 막이 내리다. ↔上(あ)がる. 2 (관청이나 윗사람에게서 허가 등이) 나오다; 발부되다. ¶旅券(りょけん)が～ 여권이 나오다 / 年金(ねんきん)が～ 연금이 나오다. 3 수그러지다. ¶頭(あたま)が～ 머리가 수그러지다. 4 후퇴하다; 뒤로 물러나다. ¶五歩(ごほ)後(うし)ろへ～ 다섯 발 뒤로 물러서다 / 基地(きち)から～ 기지에서 후퇴하다. 5 때가 흐르다〔지나다〕. ¶時代(じだい)が～ 시대가 흐르다.

さかん【左官】名 미장이. ＝かべぬり·しゃかん. ¶～を入(い)れて家(いえ)の修理(しゅうり)をする 미장이를 들여서 집 수리를 하다.

****さかん**【盛ん】《壮ん》ダナ 1 성함. ㉠기세가 좋음; 또, 맹렬함. ¶火(ひ)が～に燃(も)える 불이 기세 좋게〔활활〕 타다 / 敵(てき)が～に攻撃(こうげき)して来(く)る 적이 맹렬한 기세로 공격하여 오다. ㉡번성함; 번창함. ¶商売(しょうばい)が～である 장사가 번창하다. ㉢널리 행하여짐; 유행함. ¶仏教(ぶっきょう)が～である 불교가 성하다 / 学生(がくせい)の間(あいだ)に野球(やきゅう)が～だ 학생들 간에 야구가

유행이다. **2** 한창임; 왕성함. ¶血気~な若者たち 혈기왕성한 젊은이들/食欲が~だ 식욕이 왕성하다. **3** 적극적으로〔활발히〕 행해짐. ¶論議が~になる 논의가 활발해지다/~な拍手に迎えられる 많은〔열띤〕 박수로 환영받다/~に信号を送る 마구 신호를 보내다. **4** 성대함. ¶~な歓迎をする 성대한 환영을 하다.

さがん【砂岩】图 사암; 모래알이 물속에 가라앉아 굳어진 바위. ＝しゃがん.

さき【先】图 **1 앞. ㉠선두. ¶~に立って行く 앞서 가다; 앞장서서 가다/~を争ってバスに乗る 앞을 다투어 버스를 타다. ㉡전방. ¶この~は海だ 이 앞은 바다다. ㉢목적지; 장소; 곳. ¶行く~ 행선지/届け~ 보내 줄〔전달할〕 곳/訪れる~ 방문할 곳. ㉣장래; 앞날; 전도. ¶~が思いやられる 장래가 염려되다/~を見通す 앞(날)을 내다보다/~を読む 앞(날)을 내다보다. ㉤먼저; 우선. ¶ぼくが~だ 내가 먼저다/運賃を~に払っておく 운임을 선불해 두다. **2** 끝. ¶はなの~ 코끝. **3** (장사나 교섭의) 상대(방); 저쪽. ¶~のつごうにあわせる 상대방 형편에 맞추다/~は紳士だ 상대는 신사다. **4** (이)전. ¶あとにも~にも 이후에도 이전에도/三年~にこんなことがあった 3년 전에 이런 일이 있었다. ↔あと·のち.

—が見える **1** 앞이 내다보이다; 앞날이 예상되다. **2** 앞을 내다보는 능력이 있다.

—を越す 선수(先手)를 치다.

さき【左記】图 좌기; (오른쪽에서 시작하는 세로쓰기에서) 왼쪽〔다음〕에 적음. ¶~の通り 좌기와 같이.

さぎ〖鷺〗图〔鳥〕백로; 해오라기.

*__さぎ__【詐欺】图 사기. ¶~罪 사기죄/~にあう 사기를 당하다/~に(ひっ)かかる 사기에 걸리다/~を働く 사기를 치다/~で金を巻きあげる 사기로 돈을 우려내다.

—し【—師】图 사기꾼.

さきおくり【先送り】图ス他 그 시점에서 문제나 현안(懸案)의 판단이나 처리를 보류한 채 뒤로 미룸. ¶決定を~する 결정을 뒤로 미루다.

さきおととい〖一昨昨日〗图 그끄저께; 삼작일. 注意 'さきおとつい'라고도 함.

さきおととし〖一昨昨年〗图 그끄러께; 재재작년. ＝いっさくさくねん·さおととし·三年前.

さきがけ【さきがけ·先駆け】《先駈け》图ス自 선구. **1** 앞장서서 적진에 쳐들어감; 먼저 달려감. ¶~の功を立てる 앞장서서 쳐들어가는 공을 세우다. **2** 남〔다른 것〕보다 앞섬; 또, 맨 먼저 일을 시작함. ¶宇宙開発の~ 우주 개발의 선구/春の~の梅が咲く 봄의 선구인 매화가 피다.

さきが-ける【先駆ける】《先駈ける》下1自 앞장서다; 앞서다. ¶春に~·けて 봄에 앞서서. 参考 '…にさきがけて'의 꼴로 많이 씀.

さきがし【先貸し】图ス他 선대; 기일 전에 금전을 지급함〔가불해 줌〕. ＝前貸し. ¶月給の~をする 월급의 선대를 하다〔가불을 해주다〕. ↔先借り.

さきかた【先方】图 (거래·교섭 등의) 상대(방).

さきがね【先金】图 선금; 착수금.

さきがり【先借り】图ス他 먼저 빌림; 전차(前借); 가불. ＝前借り. ¶給料を~する 급료를 가불하다. ↔先貸し.

さきこぼ-れる【咲きこぼれる】下1自 가지가 휘도록 (꽃이 많이) 피다; 흐드러지게 피다; 만발하다. ＝咲きみだれる. ¶ふじの花が~ 등꽃이 만발하다.

さきごろ【先ごろ】《先頃》图 요전; 앞서; 일전. ¶~お話し申し上げたA君をご紹介します 요전에 말씀드린 A군을 소개합니다. ⇨ちかごろ.

さきざき〖先先〗图 **1** 먼 장래; 앞날. ¶~家族のことが心配だ 장차 가족의 일이 걱정이다/~世話になることだろう 장차 신세를 지게 될 게다. **2** 가는 곳마다. ¶~でことわられる 가는 곳마다 거절당하다. **3** 오래전. ¶~からの準備 오래전부터의 준비.

サキソホン [saxophone] 图〔楽〕색소폰. ＝サクソホン·サックス.

さきそろ-う【咲きそろう】《咲き揃う》5自 꽃이 일제히〔모두〕 피다. ¶庭の花がみんな~·った 뜰의 꽃이 일제히 피었다.

さきだち【先立ち】图 앞장섬; 특히, 행렬의 선두에 섬; 또, 그 사람.

*__さきだ-つ__【先立つ】㊀5自 앞서다. **1** 앞장서다; 선두에 서다. ¶~·って進む 앞장서서 나아가다/人に~·って働く 남보다 앞장서서〔솔선해서〕 일하다. **2** 딴 일에 앞서 행하다. ¶試合に~·って開会式がある 경기에 앞서 개회식이 있다. **3** 먼저 죽다. ¶むすこに~·たれる 자식을 여의다. **4** 무엇보다도 필요하다. ¶~ものは金だ 우선 필요한 것은 돈이다.

さきだ-てる【先立てる】下1他 앞세우다. **1** 앞장서게 하다. ¶鼓笛隊を~ 고적대를 앞세우다. **2** 먼저 여의다. ¶子を~ 자식을 앞세우다.

さきづけ【先付け】图 앞날의 날짜로 기입하는 일. ¶~の小切手 앞수표; 연수표/~の辞表を書く 날짜를 늦춘 사표를 쓰다.

さきどなり【先隣】图 하나 걸러 옆. ¶~の席 하나 걸러 옆자리/田中さんの家は私の家の~です 田中 씨의 집은 우리집 다음 다음입니다.

さきどり【先取り】图ス他 선취. **1** 남보다 먼저 가짐. ¶~特権 선취 특권/時代を~する 시대를 앞지르다. **2** (대금이나 이자 등을) 미리 받음. ＝前取

さ

り. ¶利子(りし)を～して金(かね)を貸(か)す 이자를 미리 떼고 돈을 빌려 주다. ↔先払(さきばら)い.

*さきに〖先に·前に〗副 (이)전에; 먼저; 앞서; 앞에. ¶～注意(ちゅうい)された事(こと)を忘(わす)れる 전에 주의받은 일을 잊다/その建物(たてもの)はすぐこの～あります 그 건물은 바로 이 앞에 있습니다/～お上(あ)がりください 먼저 드십〔들어가십〕시오.

さきにお-う【咲きにおう】《咲き匂う》 5自 아름답게 피다. ¶バラが～·っている 장미가 아름답게 피어 있다.

さきのこ-る【咲き残る】5自 (다른 꽃이 떨어진 뒤까지) 아직 피어 있다. ¶梅(うめ)一輪(いちりん), こずえに～ 매화 한 송이, 가지 끝에 지지 않고 남아 있다.

さきのばし【先延ばし】名 연기함. ¶実行(じっこう)を～にする 실행을 미루다.

さきばしり【先走り】名ス自 1 앞질러 감; 또, 그 사람. 2 나서서 주제넘게 굶. 3 야채·생선 따위가 철보다 이르게 나옴; 또, 그 만물. =はしり.

さきばし-る【先走る】5自 1 무엇을 남보다 앞질러 하다. 2 남을 제쳐놓고 주제넘게 나서다. =でしゃばる. ¶～·った行(おこな)いはやめろ 주제넘은 짓은 말아라.

*さきばらい【先払い】一名 (운임·우편료 등을) 수취인이 지불함; 수취인 부담. =着払(ちゃくばら)い. ¶運賃(うんちん)～で荷物(にもつ)を送(おく)る 운임 수취인 지불로 화물을 보내다. 二名ス他 선불. =前払(まえばら)い. ¶代金(だいきん)を～にする 대금을 선불로 치르다. ↔後払(あとばら)い.

さきぶれ【先触れ】名 미리 알림; 예고. =前(まえ)ぶれ. ¶台風(たいふう)の～の雨(あめ) 태풍을 알리는 비/～もなくたずねて行(ゆ)く 예고도 없이 찾아가다.

さきぼう【先棒】名 1 남의 앞잡이가 됨. 2 앞채를 멤; 앞채잡이. =先肩(さきかた). ↔後棒(あとぼう).

——をかつぐ《보통 'お～'의 꼴로》 남의 앞잡이 노릇을 하다. ¶社長(しゃちょう)のお～ 사장의 앞잡이 노릇을 하다.

——を振(ふ)る 남의 앞장을 서서 일하다.

さきほこ-る【咲き誇る】5自 화려하게 피다; 탐스럽게 한창 피다. ¶ばらが今(いま)を盛(さか)りと～·っている 장미가 바야흐로 한창이다.

さきぼそり【先細り】名ス自 1 끝으로 갈수록 가늘어짐. ¶～になった棒(ぼう) 끝이 가늘어진 막대기. 2 점점 쇠하여 감. ¶経営(けいえい)は全(まった)く～の状態(じょうたい)になりつつある 경영은 완전히 쇠퇴 일로에 있다. ↔先太(さきぶと)り.

*さきほど【先程】名 아까; 조금 전(《'さっき'보다 공손한 말씨》). =今(いま)し方(がた)·先刻(せんこく). ¶～は失礼(しつれい)しました 아까는 실례했습니다. ↔のちほど.

さきまわり【先回り】名ス自 앞질러 가 있음; 또, 앞질러 함. ¶話(はなし)の～をする 앞질러 말하다/～して待(ま)ちぶせる 앞질러 가서 매복하여 기다리다/～の秘書(ひしょ)が出迎(でむか)えた 앞질러 가 있던 비서가 마중했다.

さきみだ-れる【咲き乱れる】下1自 꽃이 난만하게 피다; 꽃이 어우러져 피다. ¶さまざまな花(はな)が～·れている 갖가지 꽃이 어우러져 피어 있다.

さきもの【先物】名〔經〕 선물; 장래 일정한 시기에 주고받을 조건으로 매매 계약을 함; 또, 그 상품. ¶～取引(とりひき) 선물 거래/～市場(しじょう) 선물 시장. ↔現物(げんぶつ).

——がい【——買い】名ス他 1 선물 매입. 2 장래의 이익을 예상하고 매입함.

——かわせ【——為替】名〔經〕 선물환.

——ぐい【——食い】名 신기한 것에 곧 달려듦; 또, 그런 사람.

さきゅう【砂丘】名 사구; 모래 언덕.

さきゆき【先行き】名 1 장래; 전망. =さきいき. ¶景気(けいき)の～が不安(ふあん)だ 경기 전망이 불안하다. 2 (시세의) 전도(前途)·동향.

さぎょう【さ行】名 五十音図(ごじゅうおんず)의 셋째 줄.

——へんかくかつよう【——変格活用】名〔文法〕 'さ'行(ぎょう) 변격 활용; 어미(語尾)가 'さ'行(ぎょう)로 변화하는 不規則 動詞(《'す·する' 따위》). =サ変(へん)·サ行変格(へんかく).

**さぎょう【作業】名ス自 작업. ¶～管理(かんり) 작업 관리/～効率(こうりつ) 작업 효율/～にとりかかる 작업에 착수하다.

ざきょう【座興】名 좌흥; 좌중의 흥을 돋우기 위한 놀이; 또, 그런 장소에서의 즉흥적인 장난. ¶その場(ば)の～にすぎない 한때의 좌흥에 지나지 않는다/～で言(い)ったまでのことだ 좌중의 농으로 말했을 뿐이다(《다른 뜻이 있는 것은 아니다》).

さきわたし【先渡し】名 ス他 1 (임금 따위를) 미리 줌; 선불. =前渡(まえわた)し. ¶賃金(ちんぎん)～ 임금 선급. 2 (상품 등을) 대금 완불 전에 줌; 상품을 계약 후 일정 기간이 지난 다음에 줌; 선도(先渡). =前渡(まえわた)し. ¶商品(しょうひん)の～ 상품을 미리 줌. 3 화물을 도착지에서 상대에게 인도함.

さきん【砂金】《沙金》名 사금. =しゃきん. ¶～の採取(さいしゅ) 사금 채취.

さきん-ずる【先んずる】サ変自 1 남보다 먼저 가다; 또, 남보다 앞서 하다. ¶一行(いっこう)に～ 일행보다 먼저 가다. 2 뛰어나다. ¶万人(ばんにん)に～ 출중하다. 参考 '先(さき)にする'의 전와(轉訛).

——·ずれば人(ひと)を制(せい)す 선수를 치면〔앞질러 하면〕 남을 누를 수 있다.

**さ-く【咲く】5自 (꽃이) 피다. ¶梅(うめ)の花(はな)が～ 매화꽃이 피다/ボタンがみごとに～·いている 모란이 멋지게 피어 있다/夕方(ゆうがた)～·いて三時間(さんじかん)でしぼむ 저녁에 피어 세 시간이면 시든다. 参考 '裂(さ)く(=찢다)'에서 나온 말.

*さ-く【裂く】5他 1 찢다. ¶紙(かみ)を～ 종이를 찢다. 2 쪼개다; 가르다. ¶斧(おの)で生木(なまき)を～ 도끼로 생목을 빠개다/魚(さかな)の腹(はら)を～ 생선의 배를 가르다.

*さ-く【割く】5他 1 가르다; 사이를 갈라놓다; 떼다. ¶恋人(こいびと)の仲(なか)を～ 연인의

さ

사이를 떼다. **2** (일부를) 나눠 주다; 다른 데 쓰다; 할애하다. ¶小づかいを～·いて本を買う 용돈을 할애하여 책을 사다 / 話し合いのため時間を～ 의논하기 위하여 시간을 내다 / 紙面を～·いて広告をのせる 지면을 할애하여 광고를 싣다.

さく【作】图 **1** 만듦; 또, 만든 것; 음악·조각·회화 등의 예술품. ¶ロダンの～ 로댕의 작품 / モーツァルトの～ 모차르트의 작품. **2** 작황; 수확. ¶～がいい 작황이 좋다 / 今年の米の～は不良だ 금년 쌀의 작황은 나쁘다.

***さく**〖柵〗图 **1** 목책(木柵); 울짱. ¶～をめぐらす 울타리를 치다 / 丸太で～を囲う 통나무로 울짱을 두르다. **2** 성채; 녹채(鹿砦). =とりで. **3** ☞しがらみ.

さく【昨】㊀图 어제; 지난날; 전날; 이전. ¶～の非を知る 지난날의 잘못을 알다. ㊁接頭 작…; 지난. ¶～十五日 작[어제] 15일 / ～晩 지난밤.

***さく**【策】图 계획; 계략; 대책. =はかりごと. ¶最善の～ 최선책 / 万全の～ 만전책 / ～をねる 계략[계책]을 짜다 / ～をめぐらす[用いる] 계략을 꾸미다[쓰다] / ～におぼれる 계략에 빠지다 / ～を講じる 대책을 강구하다 / ～をほどこす 방책을 세우다.

さく〖作〗教2 サク サ つくる なす おこる おこす | 작 짓다 |
1 성(盛)하게 하다. ¶作興 작흥 / 振作 진작. **2** 이루다; 만들다. ¶作曲 작곡 / 著作 저작. **3** 사람의 거동·동작. ¶作法 예의범절 / 動作 동작. 注意 3은 'さ'로 읽음.

さく〖削〗(〖削〗) 常用 サク けずる そぐ | 삭 깎다 |
잘라 내다; 깎아 내다; 줄이다. ¶削除 삭제 / 鉛筆を削る 연필을 깎다.

さく〖昨〗教4 サク | 작 어제 | 어제; 지난날. ¶昨年 작년 / 昨日 어제 / 昨今 작금.

さく〖索〗常用 サク なわ もとめる | 삭 노 | 색 찾다 | **1** 밧줄; 강철제의 로프. ¶索道 삭도. 参考 가는 것을 '縄'라고 하는 데 대한 말. 본디, 새끼를 꼬다의 뜻. **2** 찾다. ¶索引 색인 / 捜索 수색.

さく〖策〗教6 サク はかりごと ふだ むち | 책 꾀 대쪽 |
1 글씨를 쓰는 데 쓰는 대쪽. **2** 꾀; 계략. ¶策を授ける 책략을 (가르쳐)주다 / 策動 책동 / 対策 대책.

さく〖酢〗常用 サク す | 작 잔돌리다 | 초 초 | 초. ¶食酢 식초 / 酢酸 초산; 아세트산 / 氷酢酸 빙초산. 注意 '醋'는 같은 자.

さく〖搾〗常用 サク しぼる | 착 짜다 | 짜다. ¶乳を搾る 젖을 짜다 / 搾取 착취.

さく〖錯〗常用 サク ソ まじる あやまる | 착 섞이다 |
1 섞이다; 뒤섞이다. ¶錯綜 착종 / 交錯 교착. **2** 착각하다; 혼란하다. ¶錯誤 착오 / 錯覚 착각.

さくい【作意】图 작의. **1** 계략; 못된 의도. =たくらみ. ¶～があったわけではない 못된 의도가 있었던 것은 아니다. **2** 예술 작품 등의 제작 의도; 취향. =モチーフ. ¶十分な出来とはいえないが, ～は理解できる 매우 잘된 작품이라곤 할 수 없으나 작의는 이해된다.

さくい【作為】图 ス自 **1** (겉을 잘 보이기 위해) 조작함; 꾸밈. ¶～がめだつ 작위가 눈에 띄다 / ～のあとが見える 조작한 흔적이 보이다. ↔無為. **2**〖法〗작위. ¶～犯 작위범. ↔不作為.

——てき【——的】ダナ 작위적; 무리하게 또는 부자연스럽게 꾸민 모양. ¶～にふるまう 부자연스럽게 행동하다.

***さくいん**【索引】图 색인; 인덱스. =インデックス. ¶総画～ 총획 색인 / ～を引く 색인을 찾다. 参考 index의 역어.

さくおとこ【作男】图 (농가의) 머슴. ↔作女.

さくおんな【作女】图 고용되어 농사에 종사하는 여자. ↔作男.

さくがら【作がら·作柄】图 **1** 작황. ¶～が良い 작황이 좋다. **2** 예술 작품의 됨됨이; 작품으로서의 품위.

さくがんき【削岩機】图 착암기. ¶～で穴をあける 착암기로 구멍을 뚫다.

ざくぎり【ざく切り】图 양배추 따위의 야채를 통째로 큼직큼직하게 썲. ¶キャベツを～にする 양배추를 큼직큼직하게[썩둑썩둑] 썰다.

さくげん【削減】图 ス他 삭감. ¶予算[経費]を～する 예산을[경비를] 삭감하다.

さくご【錯誤】图 착오. =誤り·まちがい. ¶時代[試行]～ 시대[시행] 착오 / ～に陥る 착오에 빠지다 / 重大な～を犯す 중대한 착오를 범하다.

さくさく 副 **1** 눈 따위를 밟을 때 나는 소리: 사박사박. ¶～と霜を踏んで行く 사박사박 서리를 밟으며 가다. **2** 무엇을 씹거나 야채를 썰 때 나는 경쾌한 소리: 사박사박. ¶～とキャベツを刻む 사박사박 양배추를 썰다.

ざくざく ㊀副 **1** 'さくさく'의 센말: 서벅서벅. ¶霜柱を～と踏んでいった 서릿발을 서벅서벅 밟고 갔다. **2** 돈·재물 따위가 많은 모양; 지천으로; 얼마든지. ¶金なら～ある 돈이라면 얼마든지 있다 / 古銭が～でてきた 옛 화폐가 지천으로 나왔다. ㊁ダナ 직물·눈 따위가 거친 모양.

さくざつ【錯雑】图 ス自 착잡; 뒤섞여 복잡함. ¶事件が～していて解決のいとぐちが見つからない 사건이 착잡해서 해결의 실마리가 보이지 않는다.

さくさん【酢酸】(【醋酸】) 图〖化〗초산; 아세트산. ¶～菌 아세트산균.

さくし【作詞】图 ス自他 작사; 가사를 지

음. ¶~家(か) 작사가 / 校歌(こうか)を~する 교가를 작사하다.

さくし【作詩】图 ス自 작시; 시를 지음; 또, 그 시. =詩作(しさく).

さくし【策士】图 책사; 모사(謀士). =術士(じゅつし). ¶あいつは~だからゆだんがならない 그놈은 꾀가 많으니까 방심할 수 없다 / 彼(かれ)はなかなかの~だ 그는 대단한 모사꾼이다.

――策(さく)におぼれる 책사 책략에 넘어간다; 꾀 많은 자는 제 꾀에 넘어간다.

*さくじつ【昨日】图 작일; 어제(('きのう'보다 격식 차린 말씨)). =きのう. ¶~は失礼(しつれい)いたしました 어제는 실례했습니다.

*さくしゃ【作者】图 작자; (예술품을) 만든 사람. ¶工芸品(こうげいひん)の~ 공예품 작자. 参考 좁게는, 狂言(きょうげん)·연극 각본의 작자를 가리킴.

*さくしゅ【搾取】图 ス他 착취. ¶~階級(かいきゅう) 착취 계급 / 中間(ちゅうかん)~ 중간 착취.

さくしゅう【昨週】图 작주; 지난 주. =先週(せんしゅう).

さくじゅう【搾汁】图 ス自他 착즙; (과실 따위의) 즙을 짜냄; 또, 그 즙; 즙내기. ¶~機(き) 착즙기.

さくしゅつ【索出】图 ス他 색출. **1** (책 따위에서) 알고 싶은 것을 찾아 냄. **2** 새로운 가치를 더듬어 찾음.

*さくじょ【削除】图 ス他 삭제. =刪除(さんじょ). ¶一字(いちじ)~ 한 자 삭제 / 名簿(めいぼ)から~する 명부에서 삭제하다.

さく-す【冊す】サ変他 책봉하다; 칙명에 의해 황태자·황후 등을 봉하다.

さくず【作図】图 ス他 작도; 제도. ¶~問題(もんだい) 작도 문제 / 設計図(せっけいず)を~する 설계도를 그리다.

さく-する【策する】サ変他 획책하다; 꾀하다. =はかる. ¶一計(いっけい)を~ 계략을 세우다 / 勢力挽回(せいりょくばんかい)〔延命(えんめい)〕を~ 세력 만회를〔연명을〕 획책하다.

*さくせい【作成】图 ス他 작성. ¶試験問題(しけんもんだい)の~ 시험 문제의 작성 / 書類(しょるい)を三通(さんつう)~する 서류를 세 통 작성하다.

*さくせい【作製】图 ス他 제작; 만듦. =製作(せいさく). ¶器具(きぐ)の~ 기구 제작 / ブロンズ像(ぞう)を~する 청동상을 만들다.

さくせい【さく井】((鑿井)) 图 ス自 착정; (지하수나 석유를 얻기 위해) 우물을 팜. =ボーリング. ¶~機(き) 착정기.

サクセス [success] 图 석세스; 성공.

――ストーリー [success story] 图 석세스 스토리; 성공담. =成功物語(せいこうものがたり).

さくせん【作戦】((策戦)) 图 작전. ¶~計画(けいかく) 작전 계획 / ~を立(た)てる 작전을 세우다 / ~を練(ね)る 작전을 짜다 / ~が図(ず)に当(あ)たる 작전이 들어맞다.

さくそう [錯綜] 图 ス自 착종; 뒤섞임; 착잡. ¶~した人間関係(にんげんかんけい) 복잡한 인간 관계 / 事情(じじょう)が~する 사정이 복잡하게 얽히고 설키다 / 利害関係(りがいかんけい)が~する 이해 관계가 착잡하다.

サクソホン 图〔樂〕☞サキソホン.

さくちゅう【作中】图 작중. ¶~の人物(じんぶつ) 작중 인물.

さくづけ【作付け】图 ス他 작부; 작물을 심음. ¶~方式(ほうしき) 작부 방식 / ~が済(す)む 작물 심기가 끝나다. 注意 'さくつけ'라고도 함.

――めんせき【作付面積】图 작부〔식부〕 면적. ¶麦(むぎ)の~ 보리의 작부 면적.

さくっと 副 모래처럼 생긴 것을 떠낼 때나 또는 씹을 때 나는 소리: 삭. ¶砂(すな)をシャベルで~すくう 모래를 삽으로 삭 퍼내다.

さくてい【策定】图 ス他 책정. ¶予算(よさん)を~する 예산을 책정하다 / 基本方針(きほんほうしん)を~する 기본 방침을 책정하다.

さくどう【策動】图 ス自 책동. ¶~家(か) 책동가 / 反対派(はんたいは)の~ 반대파의 책동 / ストを~する 동맹 파업을 책동하다 / 陰(かげ)〔裏(うら)〕で~しているらしい 뒤에서 (몰래) 책동하고 있는 것 같다.

さくどう【索道】图 삭도; 공중 케이블(('架空(かくう)索道(=가공 삭도)'의 준말)). =空中(くうちゅう)ケーブル·ロープウエー.

*さくねん【昨年】图 작년; 지난해(('去年(きょねん)'의 격식 차린 말씨)). ¶~の大地震(だいじしん) 작년의 대지진. ↔今年(こんねん)·明年(みょうねん).

さくねんど【昨年度】图 작년도.

さくばく【索漠】((索莫·索寞)) トタル 삭막; 황폐하여 쓸쓸하고 적적한 모양. ¶~たる風景(ふうけい) 삭막한 풍경 / ~とした気持(きも)ち 삭막한 기분.

*さくばん【昨晩】图 어젯밤; 간밤; 작야(昨夜)(('ゆうべ'보다 공손한 말씨)). =昨夜(さくや). ↔今晩(こんばん)·明晩(みょうばん).

*さくひん【作品】图 작품. ¶~集(しゅう) 작품집 / 芸術(げいじゅつ)~ 예술 작품.

さくふう【作風】图 작풍. ¶現代的(げんだいてき)な~ 현대적인 작풍 / 彼(かれ)の~は一変(いっぺん)した 그의 작풍은 일변했다.

さくぶつ【作物】图 (그림·조각·문장 따위의) 작품. 参考 'さくもつ'라고 하면 딴말.

*さくぶん【作文】图 ス自他 **1** 작문; 글짓기. ¶~の時間(じかん) 작문 시간 / ~を書(か)く 작문을 쓰다. 参考 전에는 '綴方(つづりかた)'라고 했음. **2** 표현만은 좋으나 실질이 따르지 않는 것; 또, 그런 글. ¶役人(やくにん)の~ 관청 사람의 형식적인 서류 작성 / あの政治家(せいじか)の演説(えんぜつ)はまったくの~だ 저 정치가의 연설은 완전히 허울 좋은 빈말이다.

さくほう【作法】图 작법. ¶文章(ぶんしょう)~ 글 짓는 법 / 短歌(たんか)(の)~ 短歌(의) 작법. 参考 'さほう'라고 하면 딴말.

さくほう【昨報】图 작보; 어제의 보도. ¶~によれば 작보에 의하면. 参考 신문에서 쓰는 말.

さくぼう【策謀】图 ス他 책모; 계략; 책략. =はかりごと. ¶~をめぐらす 책략을 꾸미다 / 彼(かれ)の~に引(ひ)っ掛(か)かった 그의 책략에 걸렸다.

さくもく【作目】图 작물 종류를 나타내는 이름.

***さくもつ**【作物】图 작물; 농작물. ¶農(のう)～ 농작물 / 今年(ことし)は～の出来(でき)がよかった 금년에는 농작물 작황이 좋았다. 參考 'さくぶつ'라고 하면 딴말.

***さくや**【昨夜】图 작야; 어젯밤; 간밤(('ゆうべ'에 비하여 정중한 말씨)). ¶～の雨(あめ)も上(あ)がり 간밤의 비도 개고. ↔今夜(こんや).

さくやらい［柵矢来］图 나무로 성기게 짠 울짱.

さくゆ【搾油】图スル自 착유; 기름을 짬.

***さくら** 图 바람잡이. **1** 야바위꾼; 한통속. **2** 돈을 받고 극장 객석에서 배우에게 소리를 질러 칭찬하는 사람; 또, 강연 등에서의 박수꾼〔부대〕; 서로 짜고 박수를 치거나 찬성을 하는 사람. 參考 거저 구경한다는 뜻으로 '桜'에서 나온말이라고 함.

***さくら**【桜】图 **1**〖植〗벚나무; 벚꽃((일본의 국화)). **2** '桜色(さくらいろ)'의 준말. **3** 말고기.

さくらいろ【桜色】图 연분홍색; 담홍색. ¶ほんのり～になる 약간 연분홍색을 띠다.

さくらがり【桜狩り】图 벚꽃 놀이. ＝花見(はなみ).

さくらぎ【桜木】图 **1** 벚나무. **2** 벚나무의 목재.

さくらぜんせん【桜前線】图 벚꽃 전선((벚꽃의 개화일이 같은 곳 끼리를 줄을 그어 연결한 것)). ¶～が北上(ほくじょう)する 벚꽃 전선이 북상하다.

さくらにく【桜肉】图〈婉曲〉말고기. 參考 빛깔이 벚꽃과 같으므로.

さくらばな【桜花】图 벚꽃. ＝おうか.

さくらふぶき【桜吹雪】图 벚꽃이 (흩어져) 지는 모양을 눈보라에 비유한 말. ＝花(はな)ふぶき.

さくらもち【桜もち】((桜餅)) 图 밀가루를 반죽하여 얇게 밀어 팥소를 넣고 벚나무 잎으로 싸서 찐 떡((홍백(紅白) 2종이 있음)).

さくらん【錯乱】图スル自 착란. ¶精神(せいしん)～ 정신 착란 / ～状態(じょうたい) 착란 상태.

さくらんぼう〚桜ん坊・桜桃〛图 체리; (넓은 뜻으로는) 벚나무 열매의 총칭; 버찌. 注意 'さくらんぼ'라고도 함.

さくり 副 약간 단단한 물건이 쪼개지는 소리: 싹; 짝; 썩둑. ¶大根(だいこん)を～と切(き)る 무를 썩둑 자르다 / ～と割(わ)れる 짝 쪼개지다.

さぐり【探り】((捜り)) 图 탐색함; 탐지; 속〔의중〕을 떠봄.

—を入(い)れる 슬쩍 속을 떠보다. ¶世間話(せけんばなし)をしながらそれとなく～ 세상 이야기를 하면서 넌지시 속을 떠보다.

—あし【—足】图 (어두운 곳이나 보이지 않는 곳을) 발로 더듬어 가면서 걸음. ¶～をする 발로 더듬다 / ～で歩(ある)く 발로 더듬어 가면서 걷다.

ざくり 副 **1** 물체가 쉽게 쪼개지거나 찢어지는 모양: 짝. ¶スイカを～と割(わ)る 수박을 짝 쪼개다. **2** 부드러운 물건 속에 날붙이나 뾰족한 것을 세차게 찌르는 모양: 푹. ¶スコップで砂(すな)を～とすくう 삽으로 모래를 푹 퍼내다.

さぐりあ-てる【探り当てる】下1他 (손으로 더듬어) 찾아내다; 탐지해 내다. ¶先方(せんぽう)の家(いえ)を～ 상대방의 집을 알아내다 / やっと原因(げんいん)を～・てた 겨우 원인을 알아냈다.

さぐりだ-す【探り出す】5他 알아내다. **1** 비밀 따위를 알아내다. ¶仕入(しい)れ先(さき)を～ 구입처를 알아내다. **2** 찾아내다. ¶原因(げんいん)を～ 원인을 알아내다.

***さくりゃく**【策略】图 책략; 계략. ¶～を用(もち)いる 책략을 쓰다 / ～を立(た)てる 책략을 세우다 / まんまと～にはまる 감쪽같이 책략에 넘어가다.

****さぐ-る**【探る】5他 **1** 뒤지다; 더듬어 찾다. ¶手(て)で～ 손으로 더듬다 / ポケットを～ 호주머니를 뒤지다. **2** 탐지〔탐색〕하다; 살피다. ¶敵情(てきじょう)を～ 적정을 탐색하다 / 相手(あいて)の真意(しんい)を～ 상대의 진의를 살피다. **3** 찾다. ¶解決(かいけつ)の道(みち)を～ 해결의 길을 찾다. **4** (아름다운 풍경 등을) 찾아다니다; 탐방하다. ¶秘境(ひきょう)を～ 비경을 찾(아가)다.

さくれい【作例】图 작례; 시문 등을 짓는 본보기나 실례. ¶～を示(しめ)す 작례를 보이다.

さくれい【策励】图スル自他 책려; 채찍질하듯 독려함; 열심히 힘씀.

さくれつ［炸裂］图スル自 작렬. ＝破裂(はれつ). ¶敵(てき)の砲弾(ほうだん)が～した 적의 포탄이 작렬했다.

ざくろ〚石榴・柘榴〛图〖植〗석류나무.

ざくろばな【ざくろ鼻】((石榴鼻・柘榴鼻)) 图 주부코; 주독(酒毒)이 오른 코.

****さけ**【酒】图 **1** 술. ¶～の勢(いきお)いで 술김에 / 強(つよ)い～ 독한 술 / ～の上(うえ)のけんか 술김에 벌인 싸움 / ～が強(つよ)い〔弱(よわ)い〕 술이 세다〔약하다〕/ ～がはいる 얼근해지다 / ～を過(す)ごす 과음하다 / ～は気違(きちが)い水(みず) 술은 미치게 하는 물 / ～がまわる 취기가 돌다 / ～を断(た)つ〔たしなむ〕 술을 끊다〔즐기다〕/ ～を酌(く)み交(か)わす 술잔을 나누다 / ～をふるまう 술을 대접

酒(さけ)=・酒(さか)=・=酒(ざけ)의 구분

酒는 현대어에서 어두(語頭)에 올 때는 さか=로 되는 낱말이 많으며, 고풍스러운 느낌이 듦. 어말(語末)에서는 예외 없이 =ざけ로 됨.

◆**さけ=**：酒臭(さけくさ)い(술내가 나다)・酒酔(よ)い運転(うんてん)(음주 운전). さか=로도 쓰는 말: 酒癖(さけくせ・さかくせ)(술버릇) 등.

◆**さか=**：酒気(さかけ)(술기운)・酒場(さかば)(술집)・酒盛(さかも)り(주연). さけ=로도 쓰는 말: 酒瓶(さかがめ・さけがめ)(술독) 등.

◆**=ざけ**：祝(いわ)い酒(ざけ)(축하주)・利(き)き酒(ざけ)(시음)・コップ酒(ざけ)(컵〔잔〕술)・迎(むか)え酒(ざけ)(해장술)・やけ酒(ざけ)(홧술)・ふるまい酒(ざけ)(접대 술) 등.

하다 / ～で憂さを紛らす 술로 시름을 달래다. **2** 청주. ＝日本酒.

—に呑まれる 술에 먹히다; 술에 취해 제 정신을 잃다. ¶酒を飲んでも～な 술을 마셔도 이성을 잃지 마라.

—の酔い本性忘れず 술에 취해도 그 사람의 본성은 변하지 않는다.

—は憂いの玉箒 술은 근심 걱정을 없애는 약이다.

—は百薬の長 술은 백약의 으뜸.

さけ〖鮭〗图〘魚〙연어. ＝しゃけ·あきあじ·サーモン.

さげ【下げ】图 **1** 내림; 내린 것. ↔上げ. **2** (시세의) 하락(下落). **3** 재담이나 만담 등에서 사람을 웃겨 놓고 끝맺음으로 하는 부분.

さけい【左傾】图ス自 좌경. **1** 왼쪽으로 기욺. **2** 급진〔공산〕사상을 가짐〔가지게 됨〕; 좌익화. ＝左翼化. ¶～思想 좌경 사상. ↔右傾.

さけかす【酒かす】《酒粕·酒糟》图 주박; 재강; 지게미. ＝かす·さけのかす.

さげがみ【下げ紙】图 주로 관공서에서, 상사가 공문서에 의견 등을 써서 덧붙이는 쪽지; 부전지. ＝付け紙.

さけかん【さけ缶】《鮭缶》图 연어 통조림.

さけくさ-い【酒臭い】形 술내가 나다. ¶～息をはく 술내 나는 입김을 내뿜다.

さけぐせ【酒癖】图 주벽; 술버릇. ＝さけくせ·さかぐせ. ¶～が悪い 술버릇이 나쁘다.

さけくらい【酒食らい】图 술부대; 술보. 参考 욕으로 하는 말.

さげしお【下げ潮】《下げ汐》图 ☞ひきしお. ↔上げ潮.

さげしぶり【下げ渋り】图〘經〙시세가 내릴 듯하면서 안 내려감《거래 용어》.

さげすみ〖蔑み·貶み〗图 깔봄; 업신여김; 얕봄; 멸시.

さげす-む〖蔑む·貶む〗5他 깔보다; 업신여기다; 얕보다《'けいべつする' 보다 문장어적임》. ＝蔑視する. ¶～ような目つき 무시하는 듯한 눈초리 / 人を～のはよくない 남을 깔보는 것은 좋지 않다 / いなか者と～·まれる 촌사람이라고 멸시당하다.

さけづけ【酒漬け】图 **1** 술에 담그는 일; 또, 그 담근 것. **2** 술을 매일 많이 마시는 일. ＝さけびたり.

さけのみ【酒飲み】《酒呑み》图 술을 즐겨 마심; 또, 주호; 술보; 술고래; 술꾼. ¶いい～だ 굉장한 술꾼이다.

—本性たがわず 술꾼은 아무리 취해도 그 본성은 변하지 않는다. ＝酒の酔い本性忘れず.

さけび【叫び】图 **1** 외침; 부르짖음; 큰 소리를 냄; 외치는 소리. ¶魂の～ 영혼의 부르짖음. **2** 주장. ¶民族独立の～ 민족 독립의 주장.

さけびごえ【叫び声】图 큰 소리로 외치는 소리.

さけびたり【酒浸り】图 장취(長醉); 항시 술에 취해〔젖어〕있음. ＝さけびたし. ¶～の生活 장취의 생활.

**さけ-ぶ【叫ぶ】5自 외치다; 부르짖다; 강하게 주장하다. ¶火事だと～ 불이야 하고 외치다 / 再軍備反対を～ 재군비 반대를 부르짖다 / 無実を～ 억울함을 주장하다.

さけぶとり【酒太り】《酒肥り》图ス自 술살이 찜. ＝さかぶとり.

さけめ【裂けめ·裂け目】图 갈라진 곳; 터진 곳〔데〕; 금. ＝割れ目. ¶地面に～が生じた 지면에 금이 생겼다.

さげもどし【下げ戻し】图 반려(返戻); 각하(却下).

さけよい【酒酔い】图 술에 취함; 또, 그 사람. ＝よっぱらい.

—うんてん【—運転】图 음주 운전.

*__さ-ける__【裂ける】下1自 찢어지다; 터지다; 갈라지다. ¶地震で地面が～ 지진으로 땅이 갈라지다 / 紙〔服〕が～ 종이가〔옷이〕찢어지다.

**__さ-ける__【避ける】下1他 피하다; 꺼리다. ¶人目を～ 남의 눈을 피하다 / いざこざを～ 옥신각신 다투는 것을 피하다 / ラッシュアワーを～ 러시아워를 피하다 / 雨を～ 비를 긋다〔피하다〕.

__さ-げる__【下げる】下1他 **1 내리다. ㉠(위치·값 등을) 내리다. ¶幕を～ 막을 내리다 / 値段を～ 값을 내리다. ㉡관청에서 민간으로 넘겨주다. ¶払い～ 불하하다. ↔上げる. **2** (가치·정도·지위 등을) 낮추다; 떨어뜨리다. ¶温度〔地位〕を～ 온도〔지위〕를 낮추다 / 声を～ 목소리를 낮추다 / 補欠選手に～ 보결 선수로 떨어뜨리다. **3** 숙이다; 수그리다. ¶頭を～ 머리를 숙이다《(a)인사하다; (b)사과하다》. **4** (허리 따위에) 차다; 달다. ¶サーベルを～ 사벨을 차다 / 勲章を～ 훈장을 달다. 注意 '提げる' 로도 씀. **5** 되돌려 보내다; 물리다; 치우다. ¶皿を～ 접시를 치우다 / お膳を～ 상을 물리다. ↔上げる.

*__さ-げる__【提げる】下1他 (손에) 들다. ¶かばんを手に～ 가방을 손에 들다.

さげわた-す【下げ渡す】5他 (아랫사람에게, 또 관청에서 민간에게) 주다; 내리다; 불하하다. ¶国有林を民間に～ 국유림을 민간에게 불하하다.

さげん〔左舷〕图 좌현; 배가 가는 방향을 향해서 왼쪽 뱃전. ¶船が～に傾く 배가 좌현으로 기울다. ↔右舷.

ざこ【雑魚】图 **1** 잡어; 잡살뱅이 물고기. ＝じゃこ. **2** 오죽잖은 것〔사람〕; 송사리. ¶逮捕されたのは～ばかりだった 체포된 것은 송사리뿐이었다.

—の魚混じり 소인이 거물 틈에 끼여서 몹시 어색한 모양의 비유. 参考 'とと'는 'ざこ'에 비해서 큰 고기라는 뜻.

さこう【砂鉱】图〘鑛〙사광; 사금(砂金)·사철(砂鐵) 따위 금속광의 총칭. ¶～床 사광상.

ざこう【座高】《坐高》图 좌고; 앉은키. ¶～が高い 앉은키가 크다.

さこうべん [左顧右眄] 图ス自 좌고우면; 세상 형편만 살피고 좀처럼 결단을 내리지 못함. ＝うこさべん.

さこく【鎖国】图ス自 쇄국. ¶～主義(しゅぎ)〔政策(せいさく)〕 쇄국주의〔정책〕. ↔開国(かいこく).

さこそ 副 **1** 그처럼; 그와 같이; 그토록. ¶～勇(いさ)ましいことは言(い)ったが 그토록 큰소리는 쳤지만. **2** 틀림없이; 필시. ＝定(さだ)めし. ¶～お疲(つか)れのことでしょう 필시 피곤하시겠지요.

さこつ【鎖骨】图 쇄골; 흉골과 어깨를 잇는 뼈.

ざこつ【座骨】《坐骨》图 좌골. ¶～神経痛(しんけいつう) 좌골 신경통.

ざこね【雑魚寝】图ス自 여럿이 뒤섞여 아무렇게나 잠. ¶山小屋(やまごや)で～する 산막에서 여럿이 뒤엉켜 자다.

ささ 副《흔히 '～と'의 꼴로》**1** 물 따위가 시원스레 흐르는 모양: 잘잘. **2** 바람이나 사람이 많이 모여 소리 나는 모양: 솔솔; 술렁술렁.

ささ〖笹〗图〔植〕조릿대; 작은 대나무류의 총칭.

ささ〖些些〗トタル 사소〔근소〕한 모양; 하찮은 모양. ¶～たる事件(じけん) 사소한 사건 / ～たる言動(げんどう)を非難(ひなん)するのもおとなげない 하찮은 언동을 비난하는 것도 점잖지 못하다.

ささ [瑣瑣] トタル 쇄쇄함; 자질구레함. ¶～たる俗事(ぞくじ) 자질구레한 속사.

ささ=〖小·細〗〈雅〉잔; 약간. ¶～にごり 약간 흐림〔탁함〕/ さざ波(なみ) 잔물결. 注意 'さざ'라고도 함.

ささ 感 사람을 재촉할 때 쓰는 말: 자아; 어서. ＝さあさあ.

***ささい**〖些細·瑣細〗ダナ 사소; 시시함; 하찮음. ¶～な誤(あやま)り 사소한 잘못 / ごく～なことから口論(こうろん)する 아주 하찮은 일로 말다툼하다 / ～なことまで気(き)にやむ 사소한 일까지 걱정하다.

***ささえ**【支え】图 받침; 버팀; 지주(支柱). ¶心(こころ)の～を失(うしな)う 마음의 지주를 잃다.

さざえ〖栄螺〗图〔貝〕소라. ＝さざい.

****ささ-える**【支える】下1他 버티다. **1** 떠받치다. ¶つえで体(からだ)を～ 지팡이로 몸을 받치다 / 倒(たお)れそうな塀(へい)を丸太(まるた)で～ 넘어질 듯한 담을 통나무로 떠받치다. **2** 유지하다; 지탱하다. ¶家計(かけい)を～ 생계를 유지하다 / 一家(いっか)のくらしを～ 한 집안의 생계를 지탱하다. **3** 저지하다; 막아내다. ＝くいとめる. ¶敵(てき)の攻撃(こうげき)を～ 적의 공격을 막아내다.

ささおり【ささ折り】《笹折》图 **1** 조릿대 잎으로 음식을 싼 것. **2** 얇게 켠 나무판자로 만든 도시락. ＝折(おり).

ささがき〖笹掻き〗图 우엉 등을 조릿대 잎 모양으로 얇게 엇비슷이 자름; 또, 그렇게 자른 것. ＝ささぶき.

ささくれ 图 **1** 손거스러미. ＝さかむけ. ¶～ができる 손거스러미가 일다. **2** 끝이 가늘게 갈라진 것.

ささくれだ-つ【ささくれ立つ】5自 ☞ささくれる.

ささく-れる 下1自 **1** (손톱 따위에) 거스러미가 일다. ＝ささくれだつ. ¶手(て)が～ 손에 거스러미가 일다. **2** 끝이 가늘게 쪼개지다. ¶～·れた畳(たたみ) 끝이 잘게 갈라진 다다미. **3** 감정이 뒤틀리다. ¶気分(きぶん)が～ 심사가 뒤틀리다.

ささげつつ [捧げ銃] 图 받들어총.

ささげ-もつ【ささげ持つ】《捧げ持つ》5他 받쳐 들다. ¶賞品(しょうひん)を～ 상품을 받쳐 들다.

ささげもの【ささげ物】《捧げ物》图 **1** 헌상품. **2** 공물; 신불(神佛)에 바치는 물건. ＝供物(くもつ).

***ささ-げる**〖捧げる〗下1他 **1** 바치다. ㉠ 받들어 올리다. ¶宝冠(ほうかん)を～ 보관을 받들어 올리다 / トロフィーを～ 트로피를 받쳐 들다. ㉡ 받들어서 드리다. ¶母(はは)に～歌(うた) 어머니에게 바치는 노래 / 神前(しんぜん)に初穂(はつほ)を～ 신전에 햇곡식을 바치다. ㉢ 아낌없이 주다; 헌신하다. ¶愛(あい)を～ 사랑을 바치다 / 学問(がくもん)に生涯(しょうがい)を～ 학문에 생애를 바치다. **2** 드리다; 올리다. ¶祈(いの)りを～ 기도를 드리다.

ささたけ【ささ竹】《笹竹》图 조릿대; 작은 대나무류의 총칭. ＝ささだけ.

ささつ【査察】图ス他 사찰. ¶空中(くうちゅう)～ 공중 사찰.

ざざと 副 **1** 물이 세차게 흘러내리는 소리: 쏴. **2** 파도치는 소리: 쏴; 철썩. **3** 비가 세차게 내리는 소리; 바람이 나뭇잎 따위에 세차게 불어대는 소리: 쏴.

さざなみ〖小波·細波〗图 잔물결. ＝さざれなみ. ¶～が立(た)つ 잔물결이 일다.

ささぶき〖笹葺き〗图 조릿대 잎으로 지붕을 임; 또, 그 지붕. ¶～の屋根(やね) 조릿대 잎으로 인 지붕.

ささぶね【ささ舟】《笹舟》图 **1** 조릿대 잎을 접어서 만든 장난감 배. **2** 작은 배.

ささべり〖笹縁〗图 (의복의) 가선을 두름; 또, 가선을 두른 것. ¶～をする 가선을 두르다.

ささめき〖私語〗图 소곤거림; 속삭임. ¶恋(こい)の～ 사랑의 속삭임.

さざめき 图 멀리서 들려오는 떠들썩한 목소리〔소리〕. ¶祭(まつ)りの～ 멀리서 들려오는 축제의 떠들썩한 소리.

ささめ-く 5自 소곤거리다; 속삭이다. ¶人々(ひとびと)は～·き合(あ)っていた 사람들은 서로 소곤거리고 있었다.

さざめ-く 5自 소리 내어 떠들다. ¶笑(わら)い～ 웃으며 떠들다.

ささめゆき【ささめ雪】《細雪》图 세설; 가루눈; 가랑눈. ＝さざめゆき.

***ささやか**〖細やか〗ダナ **1** 작음; 자그마함; 아담함; 조촐함. ¶～な家(いえ) 아담한 집 / ～な暮(く)らし 조촐한 살림. **2** 사소함; 보잘것 없음; 변변치 못함. ¶～な心(こころ)づくし 촌지(寸志); 자그마한 성의 / ～な料理(りょうり) 변변찮은 요리.

ささやき〖囁き〗图 **1** 속삭임; 소곤거림. ¶～ごと 밀담 / 愛(あい)の～ 사랑의 속삭임. **2** 바람이 솔솔 붊; 졸졸 흐름.
—千里(せんり) 발 없는 말이 천리 간다.

***ささや-く**〖囁く〗5自他 1 속삭이다; 소곤거리다. ¶愛を～ 사랑을 속삭이다/耳もとで～ 귓전에 대고 속삭이다/社長の引退が～·かれている 사장이 물러난다는 말이 돌고 있다. 2 (바람이) 솔솔 불다; 물이 졸졸 흐르다.

ささやぶ〖笹藪〗图 조릿대나무 숲.

ささらなみ【ささら波】《細ら波》图 잔물결. ＝さざなみ·さざれなみ.

ささ-る【刺さる】5自 박히다; 꽂히다; 찔리다. ¶指にとげが～ 손가락에 가시가 박히다.

さざれいし〖細石〗图 작은 돌; 잔돌; 조약돌. ＝さざれ.

さざれなみ【さざれ波】《細れ波》图 잔물결. ＝さざなみ.

さし【刺し】图 1 색대. 2《名詞에 붙어서》꽂음; 꿰어 찌름. ¶鳥～ 끈끈이를 바른 대나무 장대로 새를 잡는 일〔사람〕. 3 '刺身(＝생선회)'의 준말. ¶いか～ 오징어회.

さし【差し】⊟图 1 두 사람이 함. ¶～で一杯やろう 둘이서 한잔하자/～でかつぐ 둘이서 메다. 2 돈꿰미; 가는 줄. ¶銭～ 돈꿰미; 전관. 3《名詞에 붙어》넣는 것. ¶状～ 편지 꽂이.
⊟接頭《動詞 앞에 붙어서》어세를 강하게 하는 말. ¶～出す 제출하다/～上げる 올리다; 드리다/～もどす 반려하다; 되돌리다/～招く 부르다.

=さし〖止し〗《動詞의 連用形에 붙여서》중지함; 도중에서 그만둠. ¶読み～の本 읽다가 만 책/食い～のりんご 먹다 만 사과/燃え～ 타다 맒; 타다 만 것/吸い～の煙草 피우다 만 담배.

***さじ**〖匙〗图 숟가락. ＝スプーン. ¶木～ 나무 숟가락.
──を投げる 숟가락을 던지다. 1 의사가 치료 가망이 없어 포기하다. 2 어떤 일의 가망이 없어 단념하다. ¶専門家も匙を投げた難問題 전문가도 손을 뗀 어려운 문제.

ざし【座視】《坐視》图ス他 좌시. ¶～するに忍びない 그대로 좌시할 수 없다. 参考 보통 否定의 꼴로 쓰임.

さしあい【差し合い】图 지장; 장애. ＝さしつかえ·さしさわり. ¶～があって伺えない 사정이 있어 찾아뵐 수 없다/～があったら御免下さい 지장이 있으면 용서하십시오.

さしあ-う【差し合う】5自 1 (다른 일과 겹쳐서) 지장이 있다; 장애가 되다. ¶その日は～·って出席できません 그 날은 다른 일과 겹치게 되어 참석 못합니다. 2 만나다; 마주치다. ＝出合う·でくわす. 3 서로 술을 따르다; 대작(對酌)하다.

****さしあ-げる**【差し上げる】下1他 1 들어올리다. ¶目よりも高く～ 눈보다도 높이 들어올리다. 2 드리다; 바치다《'与える'의 높임말》. ¶この本をあなたに～·げます 이 책을 당신에게 드리겠습니다. 3 …해 드리다《'(…して)やる'의 높임말》. ¶案内して～ 안내해 드리다/肩をたたいて～·げましょう 어깨를 두드려 드리겠습니다.

さしあし【差し足】图 (소리가 나지 않게 발끝으로) 가만가만 걸음. ¶ぬき足～ 발소리를 죽여 가만가만 걸음.

さしあたって〖差し当たって〗副 당장; 우선. ＝さしあたり. ¶～困ることはない 지금 당장 어려움은 없다.

***さしあたり**〖差し当たり〗副 당분간; 당장(은); 지금은; 목하; 우선. ＝さしずめ. ¶～これで間に合う 당분간 이것이면 된다/～必要なものをそろえる 우선 필요한 것을 갖추다. 参考 힘줌말은 'さしあたって'.

さしい-る【さし入る·差し入る】《射し入る》5自 (광선이) 비쳐서 들어오다; 들이비치다. ¶光線が～ 광선이 들어오다/朝日が～ 아침해가 들이비치다.

さしいれ【差し入れ】图ス他 1 (수감자에 대한) 차입(물). 2 일을 하고 있는 사람을 위로하기 위해 보내는 음식물.
──ひん【差入品】图 차입품.

さしい-れる【差し入れる】下1他 1 안으로 들여보내다; 속〔안〕에 넣다. ¶おりの中に餌を～·れてやる 우리 안에 먹이를 넣어 주다. 2 (구치소 등에) 차입하다. ¶衣類を～ 옷가지를 차입하다.

***さしえ**【挿絵】图 삽화. ＝イラスト(レーション)·挿画. ¶～画家 삽화가.

さしお-く【差し置く】《差し措く》5他 1 그대로〔내버려〕 두다. ¶その話は一応～ 그 이야기는 일단 그만〔접어〕둔다/仕事を～·いて外出する 일을 내버려 두고 외출하다/なにを～·いてもこの仕事をかたづけなければならない 무슨 일이 있어도 이 일을 마쳐야 한다. 2 (당사자·관계자를) 제쳐놓다. ¶先輩を～·いて生意気だ 선배를 제쳐놓고 건방지다/兄を～·いて出しゃばる 형을 제쳐놓고 주제넘게 나서다. 参考 'さし'는 接頭語.

***さしおさえ**【差押え·差し押さえ】图ス他 압류. ¶税務署の～を受ける 세무서에 압류당하다〔차압되다〕.

さしおさ-える【差し押さえる】下1他 1 눌러서 못하게 막다. ¶発言を～ 발언을 못하게 막다. 2 누르다; 눌러 움직이지 않게 하다. 3 압류하다. ¶家財道具を～·えられる 가재도구를 압류당하다.

さしかえ【差し替え·差し換え】图 1 바꿔 꽂음〔끼움〕; 또, 그 물건. 2 바꿈. ¶来週より映画が～ 내주부터 영화를 바꿔 상영함. 3〖印〗(활자 조판에서) 정판(整版).

さしか-える【差し替える·差し換える】下1他 1 바꿔 꽂다; 바꾸어 끼워 넣다. ¶かんざしを～ 비녀를 바꿔 꽂다. 2 바꾸(어 놓)다; (차 따위를) 새로 갈아 넣다. ¶番組を～ 프로를 바꾸다/お茶を～

차를 새로 갈아 넣다. **3**〖印〗 정판(整版)하다. ¶誤植を～ 오식을 정판하다.

さしかか-る【差し掛かる】 [5自] **1** 접어들다; 당도하다. ¶山〔峠〕に～ 산〔고개〕에 다다르다〔접어들다〕/期日に～ 기일이 다 되다/雨期に～ 우기에 접어들다. **2** 위에서 덮치다. ¶庭木が茂って軒に～ 정원수가 우거져서 처마에 덮치다.

さしか-ける【差し掛ける】 [下1他] 다른 것을 덮듯 위에서 대다; 받치다. ¶かさを～ 우산을 받쳐 주다.

さしか-ける【指し掛ける】 [下1他] 장기를 두다가 일시 중단하다.

さじかげん【さじ加減】《匙加減》 [名] **1** 약을 조제하는 정도. ¶～を間違える 조제를 잘못하다/うまく～して投薬する 잘 조제해서 투약하다. **2** 손짐작; 손어림; 알맞은 정도; 조절; 또, 고려; 참작; 재량. ¶～をする 고려에 넣다; 참작하다/上役の～ひとつできまる 상사의 재량 하나로 결정되다/～がむずかしい 조절하기가 어렵다.

さしかざ-す〖差し翳す〗 [5他] 손바닥이나 손에 든 것으로 머리 위에서 가리다. ¶手を～・して空を見あげる 손으로 해를 가리고 하늘을 바라보다. [参考] 'さし'는 接頭語. ⇨かざす.

さしがね【差し金】 [名] **1** 곡척; 곱자. ＝かね尺・曲がり尺. **2** 무대에 나오는 새나 나비 등을 관객이 보이지 않도록 뒤에서 조정하는 철사. **3**【さしがね】 뒤에서 조종함; 부추김. ¶こんどの事件はみんな彼の～だ 이번 사건은 모두 그가 뒤에서 조종한 일이다.

さしき【挿し木】 [名][ス自他] 삽목; 꺾꽂이. ¶父は庭で～をしている 아버지는 마당에서 꺾꽂이를 하고 계시다.

さじき【桟敷】 [名] 판자를 깔아서 높게 만든 관람석. ＝さんじき.

ざしき【座敷】 [名] **1 다다미방; 특히, 객실; 손님방. ¶～に通す〔あがる〕 객실로 안내하다〔들어가다〕. **2** 접객 또는 연회 시간; 또, 그 접대. ¶～が長い 연회 시간이 길다/お～を上手に持つ 연회에서 손님 접대를 잘하다. **3** 예능인이나 기생 등이 객석에 부름을 받음. ¶お～がかかる (기생이) 손님 자리에 부름을 받다. 「벌이는 재주.

―げい【―芸】 [名] 술자리에서 좌흥으로

―ろう〔―牢〕 [名] 광인(狂人)·죄인 등을 가두어 두는 방. 「점안약.

さしぐすり【差し薬】《注し薬》 [名] 눈약;

さしく-る【差し繰る】 [5他] 이리저리 꾸려〔둘러〕 맞추다; 변통하다. ＝くり合わせる. ¶当日は所用を～・ってそちらに伺います 그 날은 볼일을 적당히 보고 그리로 찾아 뵙겠습니다.

さしくわ-える【差し加える】 [下1他] 덧붙이다; 첨가하다.

さしこ【刺し子】 [名] 누비옷; 누빈 것. ¶～の手袋 누비 장갑/ぞうきんを～に縫う 걸레를 누비어 호다.

さしこ-える【差し越える】 [下1自] 남을 제쳐놓고 나서다; 주제넘게〔중뿔나게〕 나서다. ＝出しゃばる. [参考] 'さし'는 接頭語.

さしこみ【差し込み】 [名] **1** 찔러 넣음; 꽂음; 또, 그것. **2** 콘센트에 꽂는 부품; 플러그. ＝プラグ・コンセント. [参考] 일반적으로는 콘센트를 말하기도 함.

***さしこ-む**【さし込む】《射し込む》 [5自] 햇빛이 (쏟아져) 들어오다; 들이비치다. ¶窓をあけるとまばゆい陽の光が～・んできた 창을 열자 눈부신 햇빛이 (쏟아져) 들어왔다.

***さしこ-む**【差し込む】 [一][5他] 지르다; 질러〔끼워〕 넣다; 꽂다. ＝さし入れる・突き入れる. ¶錠にかぎを～ 자물쇠에 열쇠를 지르다/プラグをコンセントに～ 플러그를 콘센트에 꽂다.
[二][5自]《刺し込む》 갑자기 배·가슴 따위가 쿡쿡 찌르듯이 아프다.

さしころ-す【刺し殺す】 [5他] 찔러 죽이다. ¶ナイフで人を～・した 나이프로 사람을 찔러 죽였다.

***さしさわり**【差し障り】 [名] 지장; 남에게 폐를 끼칠 난처한 일. ＝さしつかえ・支障. ¶～が起こって行けない 지장이 생겨 못 간다/それを言うと～がある 그것을 말하면 남에게 지장을 준다〔폐가 된다〕/～が有るからここでは言えない 지장이 있으므로 여기서는 말할 수 없다.

さしさわ-る【差し障る】 [5自] 지장이 되다〔있다〕. ＝差し支える. ¶健康に～ 건강에 지장이 되다.

さししお【差し潮】《差し汐》 [名] 밀물. ＝上げ潮・満ち潮. ↔引き潮.

さししめ-す【指し示す】 [5他] **1** 지시하다; (손가락으로) 가리키다. ¶目標を～ 목표를 가리키다. **2** 지적하다. ¶問題のありかを～ 문제의 소재를 지적하다.

さしず【指図】 [名][ス他] 지시. **1 지휘. ＝言いつけ. ¶～の通り行なう 지시대로 행하다/先生の～で作業する 선생님의 지휘로 작업하다/お前の～は受けない 네 지시는 받지 않겠다. **2** 지정; 지명. ¶～人 지시인/～式手形 지시식 어음.

さしずめ【差し詰め】 [一][名] 막다른 곳; 막판; 막바지. ＝どんづまり.
[二]【さしずめ】 [副] **1** 결국; 필경. ＝つまり. ¶～あなたでなければ 결국 당신이 아니면. **2** 당장; 우선. ＝さしあたり. ¶～生活には困らない 당장 생활에는 곤란하지 않다.

***さしせま-る**【差し迫る】 [5自] 박두하다; 절박〔임박〕하다; 닥치다. ¶～・った用事 급한 볼일/出発の日が～ 출발할 날짜가 임박하다.

さしぞえ【差し添え・差添】 [名] **1** 큰 칼에 곁들여 차는 작은 칼. ＝わきざし. **2** 곁

에 따름; 수종(隨從). ＝つきそい. ¶～人(にん) 시중 드는 사람.

さしそ-える【差し添える】下1他 덧붙이다; 딸리다. ¶供(とも)を～ 종자(從者)〔수행자〕를 딸리다.

さしだしにん【差出人】名 발신인; 발송인. ¶～不明(ふめい)の手紙(てがみ) 발신인 불명의 편지. ↔受取人(うけとりにん).

*__さしだ-す__【差し出す】5他 **1** 내밀다. ¶手(て)を～ 손을 내밀다. **2** 제출하다; 내다. ¶願書(がんしょ)〔書類(しょるい)〕を～ 원서〔서류〕를 제출하다. **3** (우편물 따위를) 발송하다; 보내다. ¶返事(へんじ)を～ 답장을 보내다/代理人(だいりにん)を～ 대리인을 보내다. **4** 바치다. ¶命(いのち)を～ 목숨을 바치다. 参考 'さし'는 接頭語.

さした-てる【差し立てる】下1他 **1** (꽂아) 세우다. ＝立(た)てる. ¶はたを～ 기를 세우다. **2** 보내다. ㉠발송하다. ¶注文品(ちゅうもんひん)を～ 주문품을 발송하다/郵便物(ゆうびんぶつ)を～ (우체국에서) 우편물을 발송하다. ㉡심부름을 보내다; 파견하다. ＝さし向(む)ける. ¶使(つか)いの者(もの)を～ 심부름꾼을 보내다.

さしたる『然したる』連体《아래에 否定의 말을 수반하여》이렇다 할 (정도의); 별반의; 그다지. ＝さほどの. ¶～困難(こんなん)〔問題(もんだい)〕はない 이렇다 할 곤란은〔문제는〕없다.

さしちが-える【刺し違える】下1自 서로 맞찌르다; 서로 찔러 죽다. ¶敵(てき)と～·えて死(し)ぬ 적과 맞찔러 죽다.

さしつおさえつ【差しつ抑えつ】連語 권커니 잣거니《술잔이 연방 왔다갔다하는 모양》. ＝さしつさされつ.

さしつかえ【差し支え】名 지장; 지장되는 일. ＝さしさわり. ¶…と言(い)ったって～ない …라고 해도 지장 없다/家(いえ)に～があって欠席(けっせき)した 가정 사정으로 결석했다. 参考 'さし支(つか)え(が)ない(＝지장이 없다)'는 '해도 좋다'는 허용의 뜻으로도 씀.

*__さしつか-える__【差し支える】下1自 지장이 있다. ¶予定(よてい)に～ 예정에 지장을 초래하다/金(かね)に～ 돈에 궁하다/深酒(ふかざけ)は仕事(しごと)に～ 과음은 일에 지장이 있다/もう帰(かえ)っても～·えないよ 이제 돌아가도 괜찮아.

さしつかわ-す【差し遣わす】5他 사자로서 보내다; 파견하다. ＝さし向(む)ける·つかわす. ¶代理人(だいりにん)を～ 대리인을 파견하다. 参考 'さし'는 接頭語.

さしつぎ【刺し継ぎ】名 짜깁기.

さしつ-ける【差し付ける】下1他 **1** 갖다대다〔붙이다〕. ＝押(お)しつける. ¶母親(ははおや)の胸(むね)に顔(かお)を～·けて泣(な)く 어머니 가슴에 얼굴을 파묻고 울다. **2** 눈앞에 들이대다; 눈앞에 내밀다. ＝つきつける. ¶証拠(しょうこ)を～·けて抗議(こうぎ)する 증거를 들이대고 항의하다/請求書(せいきゅうしょ)を～ 청구서를 내밀다. **3** 빗대다; 빈정대다. ＝あてつける·あてこする.

さしつさされつ【差しつ差されつ】連語 권커니 잣거니. ＝さしつおさえつ. ¶～夜(よ)を明(あ)かす 권커니 잣거니하며 밤을 새우다.

さしつま-る【差し詰まる】5自 절박하다; 박두하다.

さして『然して』副《다음에 否定의 말을 수반하여》그다지; 별반. ＝それほど·大(たい)して. ¶～熱(あつ)くはない 별로 뜨겁지는 않다/～苦労(くろう)はない 그다지 고생은 없다.

さしでがまし-い【差し出がましい】形 주제넘다; 중뿔나다; 오지랖 넓다. ¶～口(くち)をきく 주제넘은 말을 하다.

さしでぐち【差し出口】名 주제넘은 말; 말참견. ＝口出(くちだ)し. ¶はたから～をする 옆에서 말참견하다.

さし-でる【差し出る】下1自 **1** 앞으로 나서다. **2** 주제넘은 짓을 하다. ＝出(で)しゃばる. ¶そんな～·でたことはやめたまえ 그런 주제넘은 짓은 말게. 参考 'さし'는 接頭語.

さしとお-す【刺し通す】5他 (찔러) 꿰뚫다. ＝つらぬく. ¶腹(はら)から背中(せなか)まで～ 배에서 등까지 꿰뚫다.

さしとめ【差し止め·差止】名 말림; 금제(禁制); 못하게 함. ¶出入(でい)り～ 출입금지/記事(きじ)～ 기사 (게재) 금지.

さしと-める【差し止める】下1他 **1** 금지하다; 못하게 하다. ＝おさえとどめる. ¶記事(きじ)を～ 기사를 못 내게 하다/出入(でい)りを～ 출입을 못하게 하다. **2** 정지하다. ¶送金(そうきん)を～ 송금을 정지하다. 参考 'さし'는 接頭語.

さしにない【差し担い】名 (막대를 써서 하나의 물건을) 두 사람이 멤. ＝差(さ)しあわせ. ¶もっこの～ 삼태기를 두 사람이 멤.

さしぬい【刺し縫い】名 **1** 누비질; 또, 누빈 것. **2** 수놓기의 하나로, 수본의 윤곽에 따라 바늘땀을 가지런히 수를 놓아 가는 일.

さしね【指し値】名〔經〕(매매를 위탁할 때의) 지정가(價).

—ちゅうもん【—注文】名 지정가 주문. ↔成(な)り行(ゆ)き注文.

さしの-べる【差し伸べる·差し延べる】下1他 내밀다; 내뻗다. ¶救(すく)いの手(て)を～ 구원의 손길을 뻗치다.

さしはさ-む【差し挟む】《挟む》5他 **1** 끼우다; 끼워 넣다. ¶本(ほん)にしおりを～ 책에 서표(書標)를 끼워 넣다/人(ひと)の話(はなし)に口(くち)を～ 남의 이야기에 말참견하다. **2** (마음에) 품다. ¶疑(うたが)いを～ 의심을 품다.

*__さしひか-える__【差し控える】㊀下1自 (어느 사람) 옆에 있다. ＝控(ひか)える. ¶左右(さゆう)に～ 좌우에 있다. ㊁下1他 **1** 삼가다; 조심하다. ¶酒(さけ)を～ 술을 삼가다. **2** 하려던 일을 그만두다. ¶外出(がいしゅつ)を～ 외출을 그만두다/発表(はっぴょう)を～ 발표를 보류하다. 参考 'さし'는 接頭語.

さしひき【差し引き·差引】㊀名 ス他 차

감; 공제; 공제 잔액(을 냄); 전하여, 정산. ¶～残高 차감 잔액/収入から支出を～する 수입에서 지출을 공제하다/～百万円赤字だった 정산 결과는 백만 엔의 적자였다.
㊁名ス自 **1** 체온의 오르내림. **2** 조수의 간만. ¶潮は一定の時間に～する 조수는 일정한 시간에 써고 들고 한다.
—かんじょう【差引勘定】名 차감 잔액 계산.

さしひ-く【差し引く】㊀5他 **1** 빼다; 제하다; 공제하다. ¶給料から税金を～ 급료에서 세금을 공제하다. **2** 과부족(過不足)을 계산하다. ㊁5自 바닷물이 써고 들고 하다.

さしひび-く【差し響く】5自 영향이 미치다. ¶家計に～ 살림에 영향을 미치다/疲労は運転に～ 피로는 운전에 영향을 끼친다.

さしまね-く【差し招く】5他 **1** 손짓해서 부르다. ¶こちらへくるように～ 이쪽으로 오도록 손짓해서 부르다. **2** 지휘하다. ¶兵を～ 군사를 지휘하다.

さしまわ-す【差し回す】5他 (그리로) 보내다; 돌리다. ＝さし向ける. ¶使者を～ 사자를 보내다/迎えの車を～ 마중할 자동차를 (그리로) 보내다. 参考 'さし'는 接頭語.

***さしみ**【刺身】名 생선회. ＝つくり(み). ¶たい〔まぐろ〕の～ 도미〔다랑어〕회/～包丁 (생선) 회칼.
—のつま **1** 생선회에 곁들여 나오는 무채나 오이 따위. **2** 있어도 그만 없어도 그만인 것. ＝そえもの. ¶どうせおれは～さ 어차피 나는 들러리란 말이야.

さしみず【差し水】名ス自 물을 더 부음; 또, 그 물. ¶煮えたったら～をする 끓어오르면 물을 더 붓다.

さしむかい【差し向かい】名 두 사람이 마주 봄. ＝差し. ¶夫婦～の膳 부부 겸상/～にすわる 마주 앉다/～で食事する 마주 앉아서 식사하다/～で飲む 마주 앉아 (술을) 마시다. 参考 부부나 애인에 관해서 말하는 경우가 많음.

さしむき『差し向き』副 우선; 당분간; 당장. ＝さしあたり. ¶～必要はない 당장 필요는 없다/～金銭には困らない 지금으로는 돈에 곤궁하지 않다.

さしむ-ける【差し向ける】下1他 **1** 보내다; 파견하다; 돌리다. ＝つかわす. ¶使いを～ 심부름꾼을 보내다/お迎えの車を～ 마중할 차를 보내다. **2** 그 쪽으로 향하게 하다; 그쪽으로 돌리다. ¶銃口を～ 총구를 돌리다. 参考 'さし'는 接頭語.

さしも『然しも』副 그토록; 그렇게도. ＝あれほどまで. ¶～ひどかった風もおさまった 그렇게 심했던 바람도 가라앉았다/～強情な彼も今度は参ったらしい 그토록 고집 센 그도 이번에는 손을 든 것 같다.
—の 連体 그토록 …한; 그 같은. ＝さすがの. ¶～彼もしりごみした 그토록 대담한 그도 뒤꽁무니를 뺐다.

さしもどし【差し戻し】名 **1** 환송; 반려. **2** ☞さしもどしはんけつ.
—はんけつ【—判決】名 환송 판결.

***さしもど-す**【差し戻す】5他〔法〕환송(還送)하다; 되돌려 보내다; 반려하다; 특히, 파기 환송하다. ¶書類を～ 서류를 되돌려 보내다/事件を第一審に～ 사건을 1심으로 환송하다.

さしゆ【差し湯】名 **1** 더운 물을 더 타서 식지 않도록 함; 또, 그 더운 물. **2** 달인 차가 진하거나 해서 한번 더운 물을 탐. ¶～がきく 물을 타도 차맛이 있다.

さしゅ【詐取】名ス他 사취; (돈이나 물품을) 속여서 빼앗음. ¶土地を～する 토지를 사취하다.

さしゅう【査収】名ス他 사수; (금품·서류 등을) 잘 조사하여 받음.

さじゅつ【詐術】名 사술; 속임수. ¶～にたけた男 속임수에 능한 사나이/～を弄する 속임수를 쓰다.

さしょう【詐称】名ス他 사칭. ¶官名を～する 관명을 사칭하다.

さしょう［些少］名ナ 사소; 조금; 약간. ＝わずか. ¶ほんの～ですが 극히 약소합니다만/～ながらお納め下さい 약소하지만 받아 주십시오.

さしょう【査証】名 사증. ㊀名ス他 조사하여 증명함. ¶旅券を～してもらう 여권을 사증해 받다. ㊁名 여권 등의 입국 허가 증명; 비자(visa). ＝ビザ.

さじょう【砂上】名 사상; 모래 위.
—の楼閣 사상누각.

ざしょう【座礁】《坐礁》名ス自 좌초. ＝擱坐. ¶操船を誤って～させる 배를 잘못 조종해 좌초시키다. 注意 본디는 '坐礁'. ↔離礁.

ざしょう［挫傷］名ス自 좌상; 타박상. ＝打ちみ·くじき. ¶～を受ける 좌상을 입다.

さしわたし【差し渡し】名 지름; 직경. ＝わたり. ¶～1メートルの大木 지름 1미터의 큰 나무.

さしわた-す【差し渡す】5他 **1** 이쪽에서 저쪽으로 건너지르다. ¶向こう岸へ丸太を～ 건너편 물가〔둔덕〕에 통나무를 건너지르다. **2** 배를 물 건너편에 건네다. 「물을 건너다.

さしわた-る【差し渡る】5自 배를 저어

さじん［砂塵·沙塵］名 사진; 모래 섞인 먼지. ＝すなぼこり. ¶軍馬の列が～を巻き起こしながら進む 군마의 대열이 사진을 일으키며 진군하다.

***さ-す**【刺す】5他 **1** 찌르다. ¶針で～ 바늘로 찌르다/短刀で人を～ 단도로 사람을 찌르다/とげが～ 가시가 찌르다. **2** 쏘다; 물다. ¶はちが～ 벌이 쏘다/蚊が～ 모기가 물다. **3** (바늘로) 누비다. ¶ぞうきんを～ 걸레를 누비다. **4**〔野〕주자를 터치아웃시키다. ¶ランナーを二塁で～ 주자를 2루에서 터치

아웃시키다. **5** (끈끈이 장대로) 새를 잡다. ¶鳥(とり)を～ 끈끈이 장대로 새를 잡다. **6** (혀를) 톡 쏘다. ¶この塩(しお)さばは舌(した)を～ 이 자반 고등어는 (짜서) 혀가 아리아리하다. 可能 さ-せる 下1自

> **刺(さ)す의 여러 가지 표현**
>
> 표현例 ぐさっと(푹)·ぐさりと(푹)·ずぶっと(푹)·ずぶずぶ(푹푹)·ぶすりと(푹)·ぶすっと(푹)·ぷすぷす(팍팍)·ざくりと(푹)·ちくりと(콕; 따끔하게)·ちくっと(콕; 따끔하게)·ちくちく(콕콕; 따끔따끔).

さ-す【差す】 一 5他 **1 가리다; (우산 따위를) 쓰다; 받(치)다. ¶傘(かさ)を～ 우산을 쓰다. **2** (무용 따위에서) 손을 앞으로 뻗다; 내밀다. ¶～手(て)引(ひ)く手(て) 내미는 손과 오그리는 손《춤추는 손놀림》/向(む)こうから手(て)を～·し出(だ)した 상대편에서 손을 내밀었다. **3** 꽂다. ¶刀(かたな)を～ 칼을 (허리에) 꽂다. **4** (배를 움직이기 위해) 상앗대질을 하다. ¶流(なが)れにさおを～ 흐르는 강물에 상앗대질을 하다. **5** 《点す·注す》 넣다. ¶目薬(めぐすり)を～ 안약을 넣다. **6** (술잔을 들어) 권하다. ¶杯(さかずき)を～ 술잔을 권하다.

二 5自 **1** (조수가) 밀려오다. ¶潮(しお)が～ 조수가 밀려오다. ↔引(ひ)く. **2** 《射す》 (안에서 밖으로) 나타나다; 나다; 띠다. ¶血(ち)の気(け)が～·してくる 핏기가 돌아오다/いやけが～ 시틋해지다. **3** 꺼림하다; 마음에 걸리다. ¶気(き)が～ 마음이 꺼림칙하다; 마음에 걸려 불안하다. **4** 문득 못된 마음이 들다; 평소에는 생각도 못할 짓을 하다; 살이 끼다. ¶彼(かれ)が人殺(ひとごろ)しをするなんて魔(ま)が～·したんだね 그가 살인을 하다니 마가 씐 거야. **5** 스며들다. =しみ入(い)る. ¶井戸(いど)に汚水(おすい)が～ 우물에 오수가 스며들다.

さ-す【指す】 5他 **1 (사물·방향 등을) 가리키다; 지적하다. ¶棒(ぼう)で東(ひがし)を～ 막대기로 동쪽을 가리키다/先生(せんせい)が僕(ぼく)を～·した 선생님이 나를 지명했다/とけいの針(はり)が正午(しょうご)を～·した 시곗바늘이 정오를 가리켰다. **2** (그쪽을) 향하다; 목표로 하다. ¶西(にし)を～·して行(ゆ)く 서쪽을 향해서 가다/山(やま)を～·して進(すす)む 산을 향해 나아가다. **3** (치수를) 재다. **4** 널빤지를 짜서 가구 따위를 만들다. ¶たんすを～ 장롱을 만들다. **5** (장기를) 두다. ¶将棋(しょうぎ)を～ 장기를 두다/一番(いちばん)～·しませんか· (장기) 한판 두지 않겠습니까.

*さ-す【挿す】 5他 **1** 꽂다; 끼우다. ¶かんざしを髪(かみ)に～ 비녀를 머리에 꽂다. **2** 꺾꽂이하다. ¶ポプラの枝(えだ)を地(ち)に～ 포플라 가지를 땅에 꺾꽂이하다. **3** 꽃꽂이하다. ¶ツバキの花(はな)を花瓶(かびん)に～ 동백꽃을 꽃병에 꽂다.

**さ-す 〖射す〗 5自 (광선·그림자가) 비치다. ¶朝日(あさひ)が～ 아침 햇빛이 비치다/影(かげ)が障子(しょうじ)に～ 그림자가 미닫이에 비치다.

さ-す 〖注す〗 5他 **1 (액체를) 붓다; 따르다. ¶水(みず)を～ (a)물을 붓다; (b)…에 찬물을 끼얹다; …의 흥을 깨다; (c)이간질하다/茶(ちゃ)を～ 차를 더 (첨가해서) 붓다. **2** (연지 따위를) 칠하다. ¶紅(べに)を～ 연지를 바르다.

さ-す 〖鎖す〗 5他 (자물쇠·빗장 따위를) 걸다; 지르다. ¶戸(と)を～·した 문을 닫아 잠갔다.

=さ-す 〖止す〗《動詞 連用形에 붙어 五段活用動詞를 만듦》 …하다가 말다〔그만두다〕. ¶書(か)き～ 쓰다 말다/本(ほん)を読(よ)み～ 책을 읽다가 그만두다/言(い)い～ 말을 하다가 말다.

さす【砂州】《砂洲》 名 사주; 해안이나 호안(湖岸)에 생긴 모래톱. =さしゅう.

*さすが 〖流石·遉〗 副 ダナ **1** 그렇다고는 하나; 뭐라고 해도; 역시; 정말이지. ¶この暑(あつ)さでは～に参(まい)った 이 더위에는 정말이지 손들었다/～(に)苦労人(くろうにん)だけある 역시 고생 많이 한 사람은 다르다/ひとり暮(ぐ)らしは～に寂(さび)しい 혼자 사는 것은 역시 외롭다. **2** 과연. ¶～は天才(てんさい) 과연 천재/～彼(かれ)の球(たま)は速(はや)い 과연 그의 공은 빠르다/～は君(きみ)だ. よくやった 과연 자네답군. 잘 했어. **3** 자타가 공인할 정도의; 그(처럼) 대단한. ¶～の彼(かれ)も参(まい)ったらしい 그처럼 대단한 그도 손을 든 모양이야. 注意 '流石·遉'로 씀은 취음.

さずかりもの【授かり物】 名 신불(神佛)이 내려 주신 것《특히, 아이를 가리킴》. =たまわりもの. ¶子(こ)は天(てん)からの～だ 자식은 하늘이 점지해 주신 것이다.

*さずか-る【授かる】 5自他 (내려) 주시다. =たまわる. ¶子宝(こだから)を～ 아이를 낳게 하여 주시다〔점지해 주시다〕.

*さず-ける【授ける】 下1他 **1** (윗사람이 아랫사람에게) 주다; 하사하다; 내려 주다. ¶文化(ぶんか)勲章(くんしょう)を～ 문화 훈장을 수여하다. **2** 전수(傳授)하다. ¶弟子(でし)に秘伝(ひでん)を～ 제자에게 비전을 전수하다.

サスプロ [←sustaining program] 名 서스프로; 민간 방송에서, 스폰서가 없는 자주 프로그램. =自主番組(じしゅばんぐみ).

サスペンス [suspense] 名 서스펜스. ¶スリルと～ 스릴과 서스펜스.

サスペンダー [suspender(s)] 名 서스펜더. **1** 양복 바지의 멜빵. =ズボンつり. **2** 양말 대님. =ガーター.

サスペンデッド ゲーム [suspended game] 名 〔野〕 서스펜디드 게임; 일시 정지 시합.

さすらい 〖流離·漂泊〗 名 방랑; 유랑. =漂泊(ひょうはく). ¶～の旅(たび) 방랑의 여로.

さすら-う 〖流離う·漂泊う〗 5自 방랑하다; 떠돌아다니다; 유랑하다. ¶異郷(いきょう)を～ 타향을 떠돌다.

*さす-る 〖摩る·擦る〗 5他 가볍게 문지르다; 어루만지다. ¶胸(むね)を～ 가슴을 쓸어

내리다; 안심하다 / 腰を~ 허리를 문지르다.

ざ-する【座する】《坐する》[サ変自] **1** 앉다. **2** 아무것도 하지 않고 있다. ¶~·して死を待つ (대항 수단을 취하지 않고) 앉아서 죽기를 기다리다. **3** (사건에) 관련되다; 연좌하다; 연루되다. =連座する. ¶汚職事件に~·して職を失う 독직 사건에 연좌되어 직을 잃다. [注意] 본디는 '坐する'.

—·して食らえば山もむなし 아무리 많은 재산이라도 놀고 먹으면 결국 없어진다.

**ざせき【座席】[名] 좌석; 자리. ¶~指定券 좌석 지정권 / ~に着く 자리에 앉다. ↔立ち席.

させつ【左折】[名][ス自] 좌회전; 진로를 왼쪽으로 꺾음. ¶~禁止 좌회전 금지 / ~可 좌회전을 할 수 있음 / ここでは~できません 여기서는 좌회전을 못합니다. ↔右折.

ざせつ[挫折][名][ス自] 좌절; 꺾임. =こしくだけ. ¶~感 좌절감 / 資金難で~する 자금난으로 좌절하다.

*__さ-せる__ [下1他] **1** 시키다. ¶予習と復習を~ 예습과 복습을 시키다. **2** 하도록 하다. ¶本人のすきなように~ 본인이 좋아하는 대로 하게 하다.

させる [助動]《一段活用動詞·カ変動詞의 未然形에 접속함》1** 사역의 뜻을 나타냄: …하게 하다. ¶学生に調べ~ 학생에게 조사하게 하다 / 本人を来させてください 본인을 오게 해〔보내〕 주십시오 / ボールを遠くへ投げ~ 공을 멀리 던지게 하다. **2** 허가·방임의 뜻을 나타냄. ¶子供に甘えさせない 아이에게 응석을 부리지 못하게 하다 / 君ばかりもうけさせているわけにはいかない 자네 혼자 이익을 보도록 내버려 둘 수는 없다 / すきなだけ食べさせておく 먹고 싶은 대로 먹게 놔두다. ⇨せる.

させん【左遷】[名][ス他] 좌천. ¶僻地に~される 벽지로 좌천당하다. ↔栄転.

ざぜん【座禅】《坐禅》[名] 좌선. ¶~を組む 좌선을 하다. [注意] 본디는 '坐禅'.

さぞ 〖嘸〗[副]《뒤에 추량(推量)의 말을 수반하여》 추측건대; 필시; 아마; 틀림없이; 여북〔오죽〕이나. =さだめし·さぞかし. ¶~お疲れでしょう 필시 피곤하시겠지요.

*__さそい__【誘い】[名] 꾐; 권유; 유혹. ¶~を受ける 권유를 받다 / ~をかける (의향을) 넌지시 떠보다; 홀려보다 / ~に乗る 꾐에 넘어가다 / ~の手を伸ばす 유혹의 손길을 뻗치다.

さそいいれ-る【誘い入れる】[下1他] 권유해서 (모임·단체 등에) 끌어넣다; 끌어들이다. =誘い込む. ¶会員に~ 회원으로 끌어들이다.

さそいか-ける【誘い掛ける】[下1自] 무엇을 하도록 꾀다; 권유하다; 무엇을 시키려고 꾀다.

さそい-こむ【誘い込む】[5他] 끌어들이다. ¶組織に~ 조직에 끌어들이다.

さそいだ-す【誘い出す】[5他] **1** 꾀어〔끌어〕 내다; 불러내다. ¶甘言で~ 감언으로 꾀어 내다. **2** …하도록 만들다. ¶話を~ 말을 하도록 만들다.

さそいみず【誘い水】[名] **1** (펌프에 붓는) 마중물. =呼び水. ¶~を注す 마중물을 붓다. **2** 어떤 일의 계기가 됨; 또, 그 계기. ¶彼の発言が~になり, 討議が活発になった 그의 발언이 계기가 되어 토의가 활발해졌다.

さそ-う【誘う】[5他] **1 꾀다; 권(유)하다. ¶旅行に~ 여행에 함께 가도록 권유하다 / 人を~ 사람을 꾀다 / 悪の道に~·われる 못된 길로 유혹되다. **2** 부르다; 불러내다. ¶今度はぼくが~よ 이번에는 내가 부르러 가겠네. **3** …하게 하다; 자아내다. ¶涙を~物語 눈물을 자아내는 이야기 / 食欲を~ 식욕을 자아내다 / 同情を~ 동정을 불러일으키다. [可能]さそ-える[下1自]

ざぞう【座像】《坐像》[名] 좌상. ¶仏の~ 불좌상. [注意] 본디는 '坐像'. ↔立像·胸像.

さぞかし 〖嘸かし〗[副] 'さぞ'의 힘줌말. ¶この前の地震では~心配なさったことでしょう 요전번 지진 때는 무척 염려하셨겠지요.

さそく【左側】[名] 좌측; 왼쪽. ¶~通行 좌측 통행. ↔右側.

さぞや 〖嘸や〗[副] 'さぞ'를 강조한 말. =さぞかし. ¶~お喜びのことでしょう 필시 기뻐하시겠지요.

さそり 〖蠍〗[名]〔蟲〕 전갈(全蠍).

さそりざ【さそり座】《蠍座》[名]〔天〕 전갈자리.

さそん【差損】[名] 차손; 수지의 차액으로서 생긴 손실. ¶~金 차손금 / 為替~ 환차손. ↔差益.

*__さた__ 〖沙汰〗[名][ス自] **1** 소식; 통지; 기별. ¶無事との~ 무사하다는 소식 / 音~もない 소식도 없다. **2** 평판; 소문. =うわさ. ¶町じゅうの専らの~ 온 시중〔동네〕에 자자하게 나도는 소문. **3** (남들의 평판 대상이 될 만한) 비정상적인 일; 또, 그러한 행위; 사태. ¶警察~ 경찰이 처리할 사건 / けんかざた 싸움질; 싸움 사태 / 気違いざた 미친 짓 / 正気の~ではない 미친 짓이다. **4** 지시; 분부. =さしず. ¶何分の~をお待ちします 모쪼록 분부를 기다리겠습니다.

さだか【定か】[ダナ] 명확한 모양; 확실함; 분명함. ¶彼の動静は~でない 그의 동정은 분명치 않다.

ざたく【座卓】《坐卓》[名] 좌탁; 앉아 쓰는 책상. [注意] 본디는 '坐卓'.

さだま-る【定まる】[5自] **1** 정해지다; 결정〔제정, 확정〕되다. ¶制度が~ 제도가 정해지다 / 態度が~ 태도가 결정되다 / 気持ちが~·らない 마음이 정해

지지 않다. **2** 안정되다; 가라앉다. ¶天気(てんき)が～ 날씨가 안정되다 / 風(かぜ)が～ 바람이 자다 / 反乱(はんらん)が～ 반란이 진압되다 / 事態(じたい)が～ 사태가 진정되다.

さだめ【定め】名 **1** 정함. ㉠결정. ¶値段(ねだん)の～がつかない 가격을 결정하기가 힘들다. ㉡규칙; 규정; 법규. ＝おきて. ¶国(くに)の～ 나라의 법규 / 特別(とくべつ)の～無(な)き限(かぎ)り 특별한 규정이 없는 한. **2** 정해진 상태. ㉠운명; 팔자. ¶人(ひと)の世(よ)の～ 인간 세상의 운명 / 悲(かな)しい～に泣(な)く 슬픈 운명에 울다. ㉡일정하고 변하지 않음. ¶～なき世(よ) 덧없는 세상.

さだめし【定めし】副《추측의 말을 수반하여》틀림없이; 필시; 아마. ＝さだめて・きっと・さぞかし. ¶～寒(さむ)かったろう 틀림없이 추웠겠지 / ～満足(まんぞく)したでしょう 필시 만족했겠지요.

さだめな-い【定めない】形 일정하지 않다; 무상하다. ¶～世(よ) 무상한 세상.

さだめ-る【定める】下1他 **1 정하다; 고정하다. ¶法律(ほうりつ)を～ 법을 제정하다 / ねらいを～ 겨냥하다; 조준을 맞추다 / 姿勢(しせい)を～ 자세를 잡다. **2** 안정시키다; 가라앉히다. ¶身(み)を～ 몸을 안정시키다 / 世(よ)を～ 세상을 진정시키다.

さたやみ〖沙汰止み〗名 **1** 계획이 중지됨; 작파함. ＝おながれ. ¶～になる 계획이 중지되다. **2** 소문이 흐지부지됨.

サタン [Satan] 名〘基〙사탄; 악마; 마왕. ＝魔王(まおう).

ざだん【座談】名ス自 좌담. ¶～会(かい) 좌담회 / ～の形(かたち)で話(はな)す 좌담 형식으로 이야기하다.

さち【幸】名〈雅〉**1** 행복; 행운. ＝さいわい・しあわせ. ¶～あれ 행복 있으라 / 新婚(しんこん)の二人(ふたり)に～多(おお)かれと祈(いの)る 신혼의 두 사람이 다복하기를 빌다. **2** 자연계에서 얻은 음식. ¶海(うみ)の～, 山(やま)の～ 산해진미.

ざちゅう【座中】名 좌중. **1** 여러 사람이 모인 자리; 좌상. ¶～を笑(わら)わす 좌중을 웃기다. **2** 연예단의 한 동아리《일본에서는 연예 단체의 이름을 보통 '…座(ざ)'라고 함》.

ざちょう【座長】名 좌장. **1** 의장; 좌담회 등을 주재하는 사람. ¶～を勤(つと)める 의장 노릇을 하다. **2** 연예단의 우두머리; (극단의) 단장. ＝座(ざ)がしら. ¶彼(かれ)は～格(かく)だ 그는 단장 격이다.

*__さつ__【札】名 지폐. ¶お～ 지폐 / ～を積(つ)み上(あ)げる 지폐를 쌓아 올리다 / ～をくずす 지폐를 헐다.

=**さつ**【刷】 인쇄한 차례를 세는 말: …쇄. ¶第三版(だいさんぱん)第二(だいに)～ 제 3판 제 2쇄.

さつ〖冊〗(〖册〗) 教6 サツ サク ふみ | 책 책 | 책. **1** 서책; 서적. ¶冊子(さっし) 책자. **2** 책을 세는 말: 권. ¶二冊(にさつ) 두 권.

さつ〖札〗教4 サツ ふだ | 찰 패 | **1** 패. ¶門札(もんさつ) 문패. **2** 편지; 증거가 될 문서. ¶書札(しょさつ) 서찰 / 鑑札(かんさつ) 감찰. **3** 지폐. ¶万円札(まんえんさつ) 만 엔권 / 札束(さつたば) 돈뭉치.

さつ〖刷〗教4 サツ する はく | 쇄 쓸다 | **1** 닦다; 쓸다. ¶刷新(さっしん) 쇄신. **2** 찍다; 박다. ¶印刷(いんさつ) 인쇄 / 縮刷(しゅくさつ) 축쇄.

さつ〖殺〗(〖殺〗) 教4 サツ サイ セツ ころす そぐ | 살 죽이다 | **1** 죽이다. ¶殺害(さつがい・せつがい) 살해 / 殺生(せっしょう) 살생. **2** 없애다; 지우다. ¶抹殺(まっさつ) 말살 / 相殺(そうさい) 상쇄.

さつ〖察〗教4 サツ | 찰 살피다 | **1** 살피다; 자세히 알다. ¶考察(こうさつ) 고찰 / 視察(しさつ) 시찰. **2** 헤아리다. ¶察知(さっち) 찰지.

さつ〖撮〗常用 サツ とる | 촬 집다 | (사진을) 찍다. ¶撮影(さつえい) 촬영 / 特撮(とくさつ) 특수 촬영.

さつ〖擦〗常用 サツ する すれる さする こする | 찰 비비다 | 문지르다. ¶摩擦(まさつ) 마찰 / 塗擦(とさつ) 도찰.

**ざつ【雑】一ダナ 조잡함; 엉성함; 거칢. ¶～な仕事(しごと)〔造(つく)り〕 조잡한 일〔만듦새〕/ 仕事(しごと)が～だ 일이 거칠다 / ～にできている 조잡하게 되어 있다.
二名 잡다한 것이 뒤섞여 있음. ¶～の部(ぶ)に入(い)れる 잡류부에 넣다.

ざつ〖雑〗(〖雜〗) 教5 ザツ ゾウ まじる まじわる まじえる | 잡 섞이다 | **1** (여러 가지가) 뒤섞여 있다; ¶雑種(ざっしゅ) 잡종. **2** 분명히 구별하기 어려운 것. ¶雑費(ざっぴ) 잡비 / 雑収入(ざっしゅうにゅう) 잡수입.

さつい【殺意】名 살의. ¶～をいだく 살의를 품다 / 犯人(はんにん)は～がなかったと申(もう)し立(た)てている 범인은 살의가 없었다고 주장하고 있다.

さついれ【札入れ】名 지갑. ＝紙入(かみい)れ.

*__さつえい__【撮影】名ス他 촬영. ¶～機(き) 촬영기 / 野外(やがい)～ 야외 촬영 / 記念写真(きねんしゃしん)の～ 기념 사진 촬영.
—**じょ**【—所】名 영화 촬영소. ＝スタジオ.

ざつえき【雑役】名 잡역; 허드렛일; 잡일. ¶～に服(ふく)する 잡역에 종사하다.

*__ざつおん__【雑音】名 잡음. **1** 소음. ¶都会(とかい)の～ 도회의 잡음〔소음〕. **2** (통신에 끼어드는) 잡소리. ＝ノイズ. ¶ラジオの～ 라디오의 잡음 / ～が多(おお)い 잡음이 많다. **3** 말참견. ¶～を入(い)れる 잡음을 넣다《제삼자가 이러쿵저러쿵하다》.

*__さっか__【作家】名 작가. ¶新進(しんしん)～ 신진 작가 / 陶芸(とうげい)～ 도예 작가.

*__ざっか__【雑貨】名 잡화. ＝小間物(こまもの). ¶～商(しょう)〔屋(や)〕 잡화상.

サッカー [soccer] 名〈俗〉사커; 축구. ＝蹴球(しゅうきゅう)・フットボール.

さつがい【殺害】名ス他 살해. ¶強盗(ごうとう)に～された 강도에게 살해당했다 / 情夫(じょうふ)を～する 정부를 살해하다.

*__さっかく__【錯覚】名ス自 착각. ¶目(め)の～ 눈의 착각 / ～におちいる 착각에 빠지다 / まるで自分(じぶん)の家(いえ)にいるような～

を起(お)こす 마치 자기 집에 있는 듯한 착각을 일으키다.

ざつがく【雑学】图 잡학; 잡다하고 계통이 없는 넓은 지식.

さっかしょう【擦過傷】图 찰과상; 찰상(擦傷). ＝すりきず. ¶～を負(お)う 찰과상을 입다.

サッカリン [saccharin] 图 사카린.

ざっかん【雑感】图 잡감; (통일성이 없는) 여러 잡다한 생각.

さつき【五月】《皐月·早月》图 1 음력 5월. 参考 양력 5월에도 씀. 2【さつき】〔植〕'さつきつつじ(＝영산백)'의 준말.

—あめ【—雨】图 5월의 장마; 매우(梅雨). ＝さみだれ·梅雨(ばいう).

—のせち【—の節】图 단오절.

—ばれ【—晴れ】图 5월의 맑은 날씨《본디는 음력 5월 장마철 사이의 맑은 날씨》. ＝つゆ晴(ば)れ·五月晴(ごがつば)れ.

*さっき〖先〗图副〈俗〉아까; 조금 전. ＝さきほど. ¶彼(かれ)は～帰(かえ)った 그는 조금 전에 돌아갔다 / ～から待(ま)っている 아까부터 기다리고 있다.

さっき【殺気】图 살기. ¶～がみなぎる〔ただよう〕살기가 가득차다〔감돌다〕/ ～を感(かん)じる 살기를 느끼다.

—だ-つ【—立つ】5自 (흥분하여) 살기를 띠다; 독살 피우다.

ざっき【雑記】图 잡기. ¶身辺(しんぺん)～ 신변잡기 / ～帳(ちょう) 잡기장.

さっきゅう【早急】ダナ 조급; 몹시 급함; 지급. ¶～に連絡(れんらく)する 지급으로 연락하다 / ～に手配(てはい)する 즉시 수배하다. 注意 'そうきゅう'라고도 함.

ざっきょ【雑居】图ス自 잡거. ¶～房(ぼう) (교도소의) 잡거 감방 / ～生活(せいかつ) 잡거생활 / 各国(かっこく)の人々(ひとびと)が～している 각국 사람이 잡거하고 있다.

—ビル 图 잡거 빌딩; 잡다한 회사·점포가 입주하고 있는 빌딩.

さっきょう【作況】图〔農〕작황. ＝作(さく)がら. ¶～指数(しすう) 작황 지수.

*さっきょく【作曲】图ス自他 작곡. ¶～家(か) 작곡가 / この歌(うた)は彼(かれ)が～したものだ 이 노래는 그가 작곡한 것이다.

*さっきん【殺菌】图ス他 살균. ¶低温(ていおん)～ 저온 살균 / ～灯(とう) 살균등 / ～剤(ざい) 살균제 / ～牛乳(ぎゅうにゅう) 살균 우유.

ざっきん【雑菌】图 잡균; 잡다한 세균. ¶～が混入(こんにゅう)する 잡균이 혼입하다.

*サック [sack] 图 색. 1 (물건을 보호하기 위한) 자루나 집. ¶めがねの～ 안경집 / 鉛筆(えんぴつ)の～ 연필 두겁. 2 콘돔.

サックス [sax] 图〈俗〉〔樂〕색소폰. ¶アルト～ 알토 색소폰. 注意 'サキソホン(saxophone)'의 단축형.

ざっくばらん ダナ〈俗〉탁 털어놓고 숨김없는 모양. ＝あけすけ·フランク. ¶～な人(ひと)がら 꾸밈없는 솔직한 성격 / ～に話(はな)す〔ものを言(い)う〕 탁 털어놓고〔까놓고〕이야기하다.

ざっくり 副 1 (옷감 따위의) 투박하게 짠 느낌; 거칠고 성긴 모양. 2 힘을 넣어서 끊는 모양; 큰 토막으로 쪼개지는 모양: 짝.

ざっけん【雑件】图 잡건; 잡다한 용건·사건. ¶～を片(かた)づける 잡건을 처리하다.

ざっけん【雑犬】图 잡견; 잡종개.

ざっこく【雑穀】图 잡곡. ¶～を栽培(さいばい)する 잡곡을 재배하다.

*さっこん【昨今】图 작금; 요즘. ¶～の出版(しゅっぱん)事情(じじょう) 작금의 출판 사정.

*さっさと 副 망설이거나 지체하지 않는 모양: 빨랑빨랑; 척척; 데꺽. ¶～歩(ある)け 빨랑빨랑 걸어라 / 後(あと)かたづけを～すます 뒤처리를 데꺽 해치우다 / ～帰(かえ)る 냉큼 돌아가다 / ～引(ひ)き揚(あ)げる 지체없이 철수하다.

さっし【察し】图 추찰(推察); 이해; 통찰; 짐작. ＝推察(すいさつ). ¶～が早(はや)い 이해가 빠르다 / 大方(おおかた)の～はついている 대강의 짐작은 하고 있다 / ご心中(しんちゅう)をお～します 심중을 이해합니다.

さっし【冊子】图 책자. ¶小(しょう)～ 소책자 / ～本(ほん) 철한 책. ↔巻子本(かんすぼん).

サッシ 图 ☞サッシュ.

**ざっし【雑誌】图 잡지. ＝マガジン. ¶娯楽(ごらく)～ 오락 잡지.

ざつじ【雑事】图 잡사; 자질구레하고 잡다한 일. ＝雑用(ざつよう). ¶～にかまける 잡사에 얽매이다 / ～に追(お)われる 잡일에 쫓기다.

サッシュ [sash] 图 새시; 창틀. ＝窓(まど)わく. ¶アルミ～ 알루미늄 새시.

ざっしゅ【雑種】图 잡종. ¶この犬(いぬ)はシェパードとテリヤの～だ 이 개는 셰퍼드와 테리어의 잡종이다.

ざっしゅうにゅう【雑収入】图 잡수입. ＝ざつしゅうにゅう. ¶月給(げっきゅう)のほかに～がある 월급 외에 잡수입이 있다.

さっしょう【殺傷】图ス他 살상. ¶～力(りょく) 살상력 / ～事件(じけん) 살상 사건 / 人馬(じんば)を～する 인마를 살상하다.

ざっしょく【雑色】图 잡색; 갖가지 빛이 섞인 빛깔; 잡다한 빛깔. ¶～の雲(くも) 갖가지 빛깔을 띤 구름. 注意 ぞうしき로 읽으면 딴말.

ざっしょく【雑食】图ス他 잡식. ¶～性(せい)動物(どうぶつ) 잡식성 동물.

さっしん【刷新】图ス他 쇄신. ¶人事(じんじ)の～ 인사의 쇄신 / 政界(せいかい)の～をはかる 정계의 쇄신을 도모하다.

さつじん【殺人】图 살인. ¶～犯(はん) 살인범 / ～の疑(うたが)いで検挙(けんきょ)する 살인 혐의로 검거하다.

—こうせん【—光線】图 살인 광선.

—ざい【—罪】图〔法〕살인죄.

—てき【—的】ダナ 살인적. ¶～混雑(こんざつ)ぶり 살인적인 혼잡 상태 / ～な暑(あつ)さ 살인적인 더위.

さっすい [撒水] 图ス自 살수. ¶～車(しゃ) 살수차. 注意 'さんすい'는 관용음.

さっすう【冊数】图 권수; 책 따위의 수. ¶～を数(かぞ)える 권수를 세다.

**さっ·する【察する】[サ変他] 헤아리다; 살피다. ¶原因(げんいん)を～ 원인을 살피다/～にあまりある 헤아리고도 남음이 있다/私(わたし)の気持(きも)ちを～·してください 저의 심정을 헤아려 주십시오.

ざつぜい【雑税】[名] 잡세; 잡다한 세금.

ざっせつ【雑説】[名] 잡설; 잡다한 설.

ざつぜん【雑然】[トタル] 잡연; 어수선한 모양. ¶～とした部屋(へや) 어수선한 방.

*さっそう〖颯爽〗[トタル] 삽상; 모습·태도·행동이 시원스럽고 씩씩한 모양; 선드러짐. ¶～たる姿(すがた) 씩씩한 모습/～と歩(ある)く 씩씩하게 걷다.

*ざっそう【雑草】[名] 잡초. ¶～を抜(ぬ)き取(と)る 잡초를 뽑아내다/～がはびこる 잡초가 무성하다. [参考] 강한 생명력에도 비유됨. ¶～のような生命力(せいめいりょく) 잡초와 같은 생명력.

**さっそく【早速】[副] 곧; 즉시. ＝すみやかに·すぐ(さま). ¶～申(もう)し込(こ)んでおこう 당장 신청해 두자/ご注文(ちゅうもん)の品(しな)は～お届(とど)けいたします 주문하신 물건은 곧 보내 드리겠습니다. [注意] 名詞적으로도 씀. ¶～のご返事(へんじ), ありがとう 즉각적인 회답, 고맙습니다.

ざった【雑多】[ダナ] 잡다. ¶～な品物(しなもの) 잡다한 물건/種々(しゅじゅ)～の人間(にんげん) 여러 종류의 잡다한 인간.

さつたば【札束】[名] 지폐 뭉치〔다발〕. ¶～を拾(ひろ)う 지폐 뭉치를 줍다.

*ざつだん【雑談】[名][ス自] 잡담. ¶～にふける 잡담에 몰두하다/～を交(か)わす 잡담을 나누다/会議中(かいぎちゅう)には～をするな 회의 중에는 잡담을 하지 마라.

さっち【察知】[名][ス他] 찰지; 헤아려 앎. ¶相手(あいて)の計画(けいかく)を～する 상대방의 계획을 찰지하다.

さっちゅう【殺虫】[名][ス自] 살충. ¶～剤(ざい) 살충제/～灯(とう) 살충등.

さっちょう〔薩長〕[名]〘地〙薩摩藩(さつまはん)(＝지금의 鹿児島県(かごしまけん)의 서부 지방)과 長州藩(ちょうしゅうはん)(＝지금의 山口県(やまぐちけん)의 서북부 지방).

さっと〖颯と〗[副] 1 동작 따위를 민첩하게 하는 모양: 날렵하게; 휑허케; 잽싸게. ¶警官(けいかん)の姿(すがた)を見(み)て～隠(かく)れる 경관의 모습을 보고 잽싸게 숨다/～切(き)りつける 날렵하게 (칼을) 내리치다/～かたづける 잽싸게 치워버리다〔정리하다〕. 2 비·바람이 갑자기 불어오는 모양: 휙; 쏴. ¶風(かぜ)が～吹(ふ)く 바람이 휙 불다/雨(あめ)が～降(ふ)り出(だ)した 비가 쏴 내리기 시작했다.

*ざっと [副] 거춤거춤; 대충; 대강. ¶～一読(いちどく)する 대충 한번 읽다/～十万人(じゅうまんにん)の人(ひと)が集(あつ)まった 대충 십만 명이 모였다/へやを～かたづける 방을 거춤거춤 정돈하다/～読(よ)んだが, いい本(ほん)だよ 대충 읽었는데 좋은 책이야/駅(えき)まで～一(いち)キロはある 역까지 대충 1km는 된다.

さっとう【殺到】[名][ス自] 쇄도; 밀려듦. ¶注文(ちゅうもん)～ 주문 쇄도/志願者(しがんしゃ)が～する 지원자가 쇄도하다.

ざっとう【雑踏】《雑沓》[名][ス自] 잡답; 혼잡; 붐빔. ＝人(ひと)ごみ. ¶都会(とかい)の～ 도시의 혼잡/～をきわめる 몹시 붐비다/～を抜(ぬ)け出(だ)す 혼잡한 곳을 빠져나오다/犯人(はんにん)は～に紛(まぎ)れて逃走(とうそう)した 범인은 혼잡을 틈타서 도주했다/繁華街(はんかがい)は年末(ねんまつ)で～していた 번화가는 연말로 붐비고 있었다.

ざつねん【雑念】[名] 잡념. ¶～を払(はら)いのける 잡념을 떨쳐 버리다/～を追(お)い払(はら)って熱心(ねっしん)に勉強(べんきょう)する 잡념을 쫓아 버리고 열심히 공부하다.

ざっぱく〔雑駁〕[ダナ] 잡박; 잡다하고 통일성이 없음. ¶～な知識(ちしき) 잡박한 지식/～な考(かんが)え 엉성한 생각.

*さつばつ【殺伐】[名ナ][トタル] 살벌; 거칠고 무시무시함. ¶～な気風(きふう) 살벌한 기풍/～たる風景(ふうけい) 살벌한 풍경/人心(じんしん)が～になる 인심이 살벌해지다.

**さっぱり [副] 1 후련한 모양; 산뜻한 모양; (맛 따위가) 담박한 모양. ¶～(と)した身(み)なり 산뜻한 몸차림/～した味(あじ) 산뜻한 맛/～とした性格(せいかく) 깔끔한 성격/床屋(とこや)へ行(い)って～した 이발하고 나니 상쾌하다 / 試験(しけん)が終(お)わって～する 시험이 끝나 시원하다. 2《흔히, 'と'를 수반하여》남김 없이; 깨끗이. ¶きれい～と平(たい)らげた 깨끗이 먹어 치웠다/きれい～かたづけた 아주 깨끗이 정리했다. 3《否定語가 붙어서》전혀; 전연; 조금도. ¶～わからない 전연 모르겠다/～食(た)べない 전연 안 먹는다. 4《'～だ'의 꼴로》전연 안 되다; 아주 말이 아니다〔형편없다〕. ¶景気(けいき)はどうも～です 경기는 아주 말이 아닙니다/英会話(えいかいわ)は～です 영어 회화는 전혀 할 수 없습니다.

ざっぴ【雑費】[名] 잡비. ¶～がかさむ 잡비가 많이 들다/～の予算(よさん)が多(おお)い 잡비의 예산이 많다.

さっぴ·く【差っ引く】[5他]〈俗〉공제하다. [注意] 'さしひく'의 促音便(そくおんびん).

さつびら【札びら】《札片》[名]〈俗〉지폐《몇장 이상의》. ＝さつ.

—を切(き)る 돈을 아낌없이 쓰다; 여봐란 듯이 큰돈을 쓰다.

さっぷ〔撒布〕[名][ス他] 살포. ¶～剤(ざい) 살포제/消毒剤(しょうどくざい)を～する 소독제를 살포하다. [注意] 'さんぷ'는 관용음.

さっぷうけい【殺風景】[名][ダナ] 살풍경. 1 무풍류. ¶～な冬(ふゆ) 살풍경한 겨울/その屋敷(やしき)は～と言(い)ったらない 그 저택은 살풍경하기 이를 데 없다. 2 흥이 깨짐; 재미없음. ¶～な話(はなし)になった 재미없는 이야기가 되어 버렸다.

ざつぶつ【雑物】[名] 잡물. 1 자질구레한 물건. ¶～を始末(しまつ)する 자질구레한 물건을 처분하다. 2 섞인 물건. ¶～をのぞく 잡물을 제거하다.

ざつぶん【雑文】[名] 잡문. ¶～書(が)き 잡문 쓰기 / ～を書(か)いて糊口(ここう)をしのぐ

잡문을 써서 겨우 호구해 가다.
ざつぼく【雑木】图 잡목. ＝ぞうき.
さつま［薩摩］图〔地〕옛 지방의 이름《지금의 鹿児島県(かごしまけん) 서반부》.
—あげ【さつま揚げ】图 어육(魚肉)을 갈아서 당근·우엉 등을 섞어 기름에 튀긴 음식.
—いも〖—芋·甘藷〗图 고구마. ＝甘藷(かんしょ).
さつまわり【察回り】图 기자나 카메라맨이 사건 등의 정보를 얻기 위해 경찰서 등을 정기적으로 도는 일. ¶～の記者(きしゃ) 경찰 담당 기자.
ざつむ【雑務】图 잡무. ¶～に追(お)われる 잡무에 쫓기다.
***ざつよう**【雑用】图 잡용; 자질구레한 용무〔씀씀이〕. ¶～に追(お)われる 자질구레한 용무에 쫓기다 / ～に供(きょう)する 잡용에 쓰다 / ～が多(おお)い 자질구레한 용무가 많다.
さつりく［殺戮］图ス他 살륙. ＝殺害(さつがい). ¶大(だい)～戦(せん) 대살륙전 / 無差別(むさべつ)に～する 무차별 살륙하다.
ざつわ【雑話】图 잡담. ＝雑談(ざつだん)·よもやま話(ばなし).
***さて**〖扨·扠·偖·却説〗一副 막상 (하려고 하면); 정작 …때가 되면. ¶～机(つくえ)に向(む)かうと眠気(ねむけ)がさす 막상 책상 앞에 앉으니 졸음이 온다 / ～となるとやる気(き)がうせる 막상 하려고 들면 할 기분이 사라진다. 二接 **1** 다른 화제로 옮기는 기분을 나타냄: 그런데. ＝ところで. ¶～, 君(きみ)のあれはどうなったかな 그런데 자네의 그건 어떻게 됐지 / ～, 次(つぎ)の問題(もんだい)にうつろう 그럼 다음 문제로 넘어가자. **2**《위의 글을 가볍게 받으며》 그리고; 그래서. ＝そして·それから. 参考 편지의 전문(前文)에서 본문으로 옮기는 첫머리에는 'さて·ところで·実(じつ)は·承(うけたまわ)れば·のぶれば' 따위를 쓰는 수가 많음. 'のぶれば'는 특히 격식 차린 말씨. 三感 다음 행동에 옮기려 할 때 자문(自問)·주저하는 빛을 나타냄: 자 (이제). ＝さあ. ¶～, そろそろ帰(かえ)ろうか 자, 슬슬 가볼까 / ～, 何(なに)から始(はじ)めたらよいか 자〔글쎄〕, 무엇부터 시작하면 좋을까. 「＝さで.
さであみ〖叉手網〗图 족대; 삼태그물.
さてい【査定】图ス他 사정. ¶税額(ぜいがく)の～ 세액의 사정 / 来年度(らいねんど)予算(よさん)を～する 내년도 예산을 사정하다.
サディスト［sadist］图 사디스트; 가학성 변태 성욕자. ＝サド. ↔マゾヒスト.
サディズム［sadism］图 사디즘; 가학성 음란증; 가학증. ↔マゾヒズム.
さておーく〖扨置く·扨措く〗5他 (어떤 사항·화제 등을) 일단 그대로 두다; 차치(且置)하다. ¶それは～·き 그것은 그렇다 치고 / 何(なに)は～·き 만사 제쳐 놓고; 우선 제일 먼저 / 冗談(じょうだん)は～·いて, 本題(ほんだい)に入(はい)ろう 농담은 그만 하고 본제로 들어가자. 参考 보통 'さておき' 'さておいて'의 꼴로 씀.
さてこそ 連語 그러고 보니 역시; 생각한 바와 같이. ¶～一大事(いちだいじ)だ 그러고 보니 중대사다.
さてさて 感 그랬구나 하고 놀랐을 때나 감탄했을 때에 내는 말: 저런; 아이고; 참으로; 거참. ＝なんとまあ·いやどうも·さてもさても. ¶～, 困(こま)ったことになったな 이것 참 일이 난처하게 되었군 / あの年(とし)で社長(しゃちょう)とは～, 大(たい)した男(おとこ)だ 그 나이에 사장이라니 거참, 대단한 사나이다.
さてつ【砂鉄】图〔鑛〕사철. ＝しゃてつ.
さては satewa 一接 끝내는; 결국에는; 드디어는; 그 위에; 그리고 또. ¶飲(の)む, 歌(うた)う, ～踊(おど)り出(だ)すという騒(さわ)ぎ 술 마시고 노래 부르고 게다가 춤까지 추기 시작하는 법석 / かき, なし, ～バナナと山(やま)ほど食(た)べた 감, 배, 그리고 또 바나나까지 엄청나게 먹었다. 二感 비로소 알아차리게 된 때에 내는 말: 그러고 보니; 그렇다면 (틀림없이). ¶～, ごまかす気(き)だな 그렇다면 (틀림없이) 속일 작정이구나 / ～, 犯人(はんにん)はお前(まえ)だな 그러고 보니 범인은 너로구나.
さても〖扨も·扠も〗一接 'さて'의 힘줌말. 二感 감탄했을 때에 내는 말: 참으로; 그것 참; 정말. ＝さてさて. ¶～見事(みごと)なものだ 정말이지 훌륭하군 / ～困(こま)ったことだ 이거 참 곤란한 일인데.
サテライト［satellite］图 새틀라이트; 위성. ¶～局(きょく) 난청 지역에 둔 중계국.
—スタジオ［satellite studio］图 새틀라이트 스튜디오; (라디오·TV에서) 방송국 밖에 마련한 이동 스튜디오《중계 차량을 이용함》.
サテン［satin, 네 satijn］图 새틴; 공단.
***さと**【里】《郷》图 **1** 마을; 촌락. ＝人里(ひとざと). ¶～を離(はな)れた山奥(やまおく) 마을에서 멀리 떨어진 산속. **2** 시골. ＝いなか. ¶～のならい 시골 풍습. **3** 어떤 사람이 자란 집. ㉠고향. ¶お～はどちらですか 고향은 어디십니까. ㉡(아내·양자·고용인 등의) 본가(本家). ¶嫁(よめ)が～に帰(かえ)る 며느리가 친정에 가다.
さとーい〖聡い·敏い〗形 **1** 총명하다; 재치 있다. ＝かしこい. ¶この子(こ)は～子(こ)だ 이 아이는 총명한 아이다. **2** 날카롭다; 예민하다; 재빠르다. ＝するどい·すばしこい. ¶利(り)に～人(ひと) 이해타산이 빠른 사람 / 耳(みみ)が～ 귀가 밝다.
さといも【里芋】图〔植〕토란.
さとう【左党】图 **1** 좌익 정당; 급진 정당. ⇨さよく2. **2** 술꾼. ＝上戸(じょうご)·ひだりきき. ⇔右党(うとう).
さとう【差等】图 차등; 등차; 차이점; 등급차. ¶実績(じっせき)によって～をつける 실적에 따라서 등차를 매기다 / ～を設(もう)けない 차등을 두지 않다.
****さとう**【砂糖】图 설탕. ¶～水(みず) 설탕물 / ～蜜(みつ) 설탕에 술을 타서 끓인 것.
—きび〖—黍〗图〔植〕사탕수수. ＝甘蔗(かんしょ·かんしゃ). 「＝甜菜(てんさい).
—だいこん【—大根】图〔植〕사탕무.

さどう【作動】图ス自 작동; 가동; 기계나 장치가 움직임. ¶冷蔵庫(れいぞうこ)の～音(おん) 냉장고의 작동음/エンジンが～をはじめた 엔진이 작동하기 시작했다.

さどう【茶道】图 **1** ☞ちゃどう. **2** ☞ちゃぼうず(茶坊主)1.

さとおや【里親】图 수양부모; 수양아버지〔어머니〕. ¶一日(いちにち)～ 하룻동안 남의 아이를 맡는 일. ↔里子(さとご).

さとがえり【里帰り】图ス自 **1** 출가한 여자의 첫 근친. **2** 고용된 사람이 휴가를 얻어 자기 집에 돌아감; 귀성(歸省); 또, 결혼한 여인이 잠시 친정을 방문함. ¶三年(さんねん)ぶりに子供(こども)を連(つ)れて～する 3년 만에 아이를 데리고 친정에 가다.

さとかた【里方】图 며느리·양자 등의 본가; 친정; 또, 그 친척. ¶～の伯母(おば) 친정 쪽 백모.

さどく【査読】图ス他 심사하기 위하여 읽음.

さとご【里子】图 수양아들·딸. ¶～に出(だ)す 수양아들·딸로 주다. ↔里親(さとおや).

さとごころ【里心】图 친정 생각; 고향 생각; 향수. ¶～がつく 고향〔친정〕 생각이 나다.

さとことば【里言葉】《里詞》图 **1** 시골말; 사투리. **2** 화류계〔유곽〕에서 쓰는 독특한 말.

さと-す【諭す】5他 잘 타이르다; 깨우치다; 교도(敎導)하다. ¶子供(こども)を～·してやる 아이를 깨우쳐 주다〔잘 타일러 주다〕/こころえちがいを～ 그릇된 생각을 타이르다.

さとびと【里人】图 **1** 그 고장 사람. **2** 마을 사람; 시골 사람.

さとやま【里山】图 마을 가까이 있으면서 주민들의 생활과 직결되어 있는 산이나 숲.

さとり【悟り】《覚り》图 **1**〔佛〕깨달음; 득도. ＝悟道(ごどう)·正覚(しょうがく). ¶～を開(ひら)く 득도하다/～の境地(きょうち) 득도의 경지. **2** 이해(하는 머리). ¶～が早(はや)い 이해가 빠르다; 머리가 좋다.

*__さと-る__【悟る】《覚る》5他 깨닫다. **1** 분명히 이해하다. ¶言外(げんがい)の意(い)を～ 언외의 뜻을 깨닫다/陰謀(いんぼう)を～ 음모를 눈치채다/あやまちを～ 잘못을 깨닫다. **2**〔佛〕(마음의 미혹을 벗어나) 진리를 터득하다; 득도하다.

サドル [saddle] 图 새들; 자전거·오토바이 등의 안장. ¶～シューズ 새들 슈즈.

サドンデス [sudden death] 图 서든 데스. **1** 돌연사; 급사. **2** (축구·골프 등에서) 먼저 득점한 쪽이 승자가 되는 1회 승부의 연장전. ¶～方式(ほうしき) 서든 데스 방식. 參考 패자를 급사에 비유한 말.

さなえ【早苗】图 못자리에서 옮겨 심을 무렵의 모; 볏모. ¶～を取(と)る 모내다; 모심다; 이앙하다.

さなか〘最中〙图 한창 …인 때. ＝(まっ)さいちゅう. ¶夏(なつ)の～ 한여름/大雨(おおあめ)の～に帰(かえ)って来(き)た 큰비가 한창 올 때 돌아왔다.

さながら〘然乍ら·宛ら〙副 마치; 흡사. ＝まるで·ちょうど. ¶～一幅(いっぷく)の絵(え)のようだ 마치 한 폭의 그림과 같다/地獄(じごく)～の戦場(せんじょう) 지옥을 방불케 하는 전쟁터.

さなぎ〘蛹〙图 번데기.

さなだむし〘真田虫〙图〔蟲〕촌충; 촌백충. ＝条虫(じょうちゅう).

サナトリウム [sanatorium] 图 새너토리엄; 결핵 요양소.

さにあらず〘然に非ず〙連語 그렇지는 않다. ¶的中(てきちゅう)だと思(おも)ったが～ 적중한 것으로 생각했으나, 그렇지 않다.

さね〘実·核〙图 **1** 물건의 중심부에 있는 단단한 곳; 또, 돌출부. ㉠나무 열매의 핵. ㉡〔建〕은촉. **2** (복숭아 따위의) 씨 속에 들어 있는 흰 알맹이; 배주(胚珠). **3** 종자; 씨. ¶うりざね顔(がお) 외씨 얼굴《얼굴이 외씨처럼 희고 갸름한 모양》. **4**〈俗〉공알; 음핵(陰核).

さのう［砂嚢］图 사낭. **1** 모래주머니. **2**〔鳥〕날짐승의 모래주머니.

*__さは__【左派】图 좌파; 좌익; 급진파. ¶～の陣営(じんえい) 좌파 진영. ↔右派(うは).

さば〘鯖〙图〔魚〕고등어.

―の生(い)き腐(ぐさ)れ 고등어는 쉬 상한다는 말.

―を読(よ)む 수량을 속여서 이익을 취하다.

サパー [supper] 图 서퍼; 저녁 식사; 만찬. ＝夕食(ゆうしょく)·晩餐(ばんさん).

さはい【差配】图ス他 **1** (세준 집·땅의) 대리 관리(인). ¶この地域(ちいき)の住宅(じゅうたく)は私(わたし)が～している 이 지역의 주택은 내가 관리하고 있다. **2** 사무를 분장함. **3** 지시〔지휘〕함; 또, 그 사람.

さはいえ〘然は言え〙sawaie 連語 그렇게 말은 하지만; 그렇긴 하지만.

サバイバル [survival] 图 서바이벌; (특히, 곤란한 상황 속에서) 살아남음.

―ゲーム [survival game] 图 서바이벌 게임. **1** 전쟁놀이의 하나. **2** 생존 경쟁. ¶不況下(ふきょうか)の企業(きぎょう)の～ 불황에 처한 기업의 생존 경쟁.

さばき〘捌き〙图 **1** 처리; 수습; 다룸. ¶足(あし)～ 발놀림/手綱(たづな)の～ 말고삐 다루는 솜씨. **2** 매각. ¶商品(しょうひん)の売(う)り～ 상품의 매각.

さばき【裁き】图 중재(仲裁); 재판; 심판; 재단(裁斷). ＝裁定(さいてい)·審理(しんり). ¶～の庭(にわ) 법정/法(ほう)の～ 법의 심판/～を受(う)ける 심판을 받다.

*__さば-く__〘捌く〙5他 **1** (엉킨 것을) 잘 풀(어내)다; (곤란한 문제를) 재치 있게 처리〔수습〕하다. ¶交通渋滞(こうつうじゅうたい)を～ 교통 정체를 잘 처리하다/手綱(たづな)を～ (고삐를) 마음대로 다루다/かみの毛(け)を～ 머리칼을 손질하다. **2** (상품을) 팔아 치우다. ¶手持(ても)ちの品(しな)を～ 갖고 있던 상품을 깨끗이 팔아 치우다.

*__さば-く__【裁く】5他 판가름하다; 중재하다; 재판하다. ¶理非(りひ)を～ 시비를 판가름하다/けんかを～ 싸움을 중재하다/罪人(ざいにん)を～ 죄인을 재판하다.

さばく【佐幕】图 徳川幕府 말기에 幕府를 편들어 도움; 또, 그 당파. ¶~派 幕府를 편들어 도운 일파. ↔勤王·尊王.

*さばく【砂漠】《沙漠》图 사막. ¶~化 사막화 / ~地帯 사막 지대.
—の船 사막의 배; 대상(隊商)이 부리는 낙타를 일컫는 말.

さばぐも【さば雲】《鯖雲》图 조개구름; 「권적운.

さば-ける〚捌ける〛下1自 1 물건이 잘 팔리다. =はける. ¶この本はよく~ 이 책은 잘 팔린다. 2 세상 물정에 밝다. ¶~·けた人 세상 물정에 밝은 사람《탁트인 사람》. 3 헝클어졌던 것이 잘 풀리다〔정돈되다〕.

さばさば トス自〈俗〉1 마음이 후련한 모양: 상쾌하게; 후련히. ¶借金がなくなって~した 빚을 다 갚고 나니 후련하다. 2 성격·거동 등이 소탈하고 시원스러운 모양: 시원시원; 서글서글. ¶~した感じのよい人 (성격이) 시원시원한 인상 좋은 사람.

サハリン [Sakhalin] 图〔地〕사할린《北海道 북쪽의 러시아령 섬; 2차 대전 전의 일본 이름은 '樺太'》.

さはんじ【茶飯事】图 (항)다반사; 예사로운 일. ¶彼の欠席は日常~だ 그의 결석은 일상 다반사다. 参考 '日常~'의 꼴로 쓰는 경우가 많음.

サバンナ [savanna] 图 사바나; 비가 적은 열대 지방의 초원. =サバナ.

さび〚山葵〛图〈俗〉(초밥집에서) 'ワサビ(=고추냉이로 만든 향신료)'의 준말. ¶~抜き (초밥에) 고추냉이 향신료를 넣지 않음.
—を利かせる 1 고추냉이 향신료를 많이 넣어 쏘는 맛을 내다. 2 사물을 긴장감이 나도록 손보다.

さび【寂】图 1 예스럽고 아취가 있음. ¶~のついた茶碗 아취가 있는 찻잔. 2 은근하고 깊은 정감이 있음. ¶~のある声 낮고 차분한 목소리.

**さび〚錆·銹〛图 1 녹. ¶ひどい~ 심한 녹 / ~がつく 녹이 슬다 / ~を落とす 녹을 없애다〔지우다〕. 2 나쁜 결과. ¶身から出た~ 스스로 초래한 나쁜 결과; 자업자득.

さびごえ【寂声】《錆声》图 목이 쉰 듯 낮고 아취가 있는 목소리.

**さびし-い【寂しい】《淋しい》形 1 허전하다. ¶タバコが切れて口が~ 담배가 떨어져서 입이 허전하다 / ふところが~ 호주머니가 허전하다《돈이 떨어지다》. 2 쓸쓸하다; 적적하다; (슬프고) 외롭다. ¶母に死なれて~ 어머니를 여의어 슬프고 외롭다 / ~山道 호젓한 산길. 3 섭섭하다. ¶友と別れて~ 친구와 헤어져 섭섭하다. 注意 'さみしい'라고도 함.

さびしがりや【寂しがり屋】《淋しがり屋》图 남보다 외로움을 잘 타는 사람. =さみしがりや.

*さびつ-く【さび付く】《錆付く》5自 1 녹슬어 엉겨붙다. ¶錠が~ 자물쇠가 녹슬어 열리지 않다 / ~·いた金具を掘り出した 잔뜩 녹슨 쇠장식을 파냈다. 2 기능이 쇠퇴하다. ¶頭〔腕〕が~ 머리〔솜씨〕가 녹슬다.

さびどめ【さび止め】《錆止め》图 녹슬지 않게 표면에 도료나 기름을 바름; 또, 그 도료나 기름; 방수제(防銹劑).

*ざひょう【座標】图 1〔数〕㉠좌표. ㉡'座標軸(=좌표축)'의 잘못 일컬음. 2 어떤 기준에 따라 자리를 정함; 또, 그 기준. ¶青春の~ 청춘의 좌표 / 未来を示す~ 미래를 가리키는 좌표.

さ-びる〚寂びる〛上1自 예스러운 멋이 있다; 한적한 정취가 있다; 노숙(老熟)하다. ¶~·びた山里 한적한 산골 마을 / ~·びた色 은은한 빛깔.

**さ-びる〚錆びる〛上1自 1 녹나다; 녹슬다. ¶~·びたナイフ 녹슨 칼. 2 차분하게 가라앉은 목소리로 변하다. ¶~·びた声 쉰 듯 차분히 가라앉은 목소리.

*さび-れる【寂れる】《淋れる·荒れる》下1自 (번창하던 곳이) 쇠퇴하다; 쓸쓸해지다. =すたれる. ¶歓楽街が~ 환락가가 쇠퇴하다.

サブ [sub] 图 서브. 1 보결 선수; 대리. 2 'サブウェー'의 준말.
—ウェー [subway] 图 서브웨이; 지하「철.
—カルチャー [subculture] 图 서브컬처; 하위(下位) 문화.
—タイトル [subtitle] 图 서브타이틀. 1 (서적·논문 등의) 부제; 부표제. =わき見出し. ¶~をつける 부제를 달다. 2〔映〕설명 자막.

サファイア [sapphire] 图〔鑛〕사파이어; 청옥(青玉)《강옥(鋼玉)의 하나》.

サファリ [safari] 图 사파리; 아프리카의 수렵 여행.
—ジャケット [safari jacket] 图 사파리 자켓《사파리용 복장을 본떠 만든, 활동적인 윗옷》.
—パーク [safari park] 图 사파리 파크; 자연 동물원《동물을 놓아기르며 자동차 안에서 구경하도록 되어 있음》.

ざぶざぶ 副 물을 헤치거나 휘저을 때 나는 소리: 첨벙첨벙; 점벙점벙. =じゃぶじゃぶ. ¶小川を~(と)渡って行く 시냇물을 점벙점벙 건너가다.

サブジェクト [subject] 图 서브젝트. 1 주제. 2〔文法〕주어. ↔オブジェクト.

*ざぶとん【座布団】《座蒲団》图 방석. ¶~を敷く 방석을 깔다 / ~をあてる 방석을 깔고 앉다.

サブマリン [submarine] 图 서브머린. 1 잠수함. 2〔野〕언더스로 투수. 参考 투구가 밑에서 위로 떠오르기 때문에.

サフラン [네 saffraan] 图〔植〕사프란. 注意 '泊夫藍'으로 씀은 취음(取音).

サブリミナル [subliminal] 图 서브리미널; 잠재의식. ¶~効果 서브리미널 효과; 잠재의식 효과.

—こうこく【—広告】图 서브리미널 광고; (TV 등에서) 아주 짧은 광고를 간격을 두고 되풀이해 방영함으로써 시청자의 잠재의식 속에 상품 이미지를 심어 놓으려는 방법. ＝サブリミナルアド.

サプリメント [supplement] 图 서플리먼트; 부록; 보유(補遺).

ざぶんと 副 물속에 뛰어들거나 물건을 물 속에 던졌을 때 나는 소리; 또, 파도가 밀려오거나 세차게 물을 뿌렸을 때의 소리: 풍덩; 텀벙; 첨벙; 철썩. ＝ざんぶと·ざぶりと·ざんぶり.

***さべつ**【差別】图スル他 차별. ¶無～ 무차별/～待遇 차별 대우/～をつける 차별을 두다/不当に～する 부당하게 차별하다/男女～をしない 남녀 차별을 하지 않다.

サボ 图 'サボタージュ'의 준말.

***さほう**【作法】图 1 예의범절. ＝エチケット. ¶礼儀～ 예의범절/食事の～ 식사 예절/～にかなう 법도에 맞다/～をならう 예의범절을 배우다. 2 작법; (시가·문장 등의) 만드는 법. ¶文章～ 문장 작법. ⇨さくほう(作法). 3 법식; 관례; 관습. ＝しきたり. ¶武家の～ 무가의 법식.

さぼう【砂防】图 사방. ¶～工事 사방 공사/～林 사방림/～ダム 사방댐.

サポーター [supporter] 图 서포터. 1 운동 선수의 몸을 보호하기 위해 고무를 넣은 천으로 만든 띠나 팬티 따위. ＝またあて. 2 후원자; 지지자.

サポート [support] 图スル他 서포트; 지지함; 원조함. ¶友人の計画を～する 친구의 계획을 지원하다.

サボタージュ [프 sabotage] 图スル自 1 사보타주; 태업. ＝サボ. ¶組合側は～を指令した 조합측은 사보타주를 지령했다. 2 〈俗〉 게으름 피움.

サボテン [스 sapoten] 图 〘植〙 사보텐; 선인장. ＝シャボテン. 注意 '仙人掌'으로 씀은 차자(借字).

さほど 〖然程·左程〗 副 《뒤에 否定하는 말이 따라서》 그다지; 그리; 별로. ＝それほど. ¶～むずかしくない 그다지 어렵지 않다/町は十年前と～変わっていなかった 거리는 10년 전과 별반 달라진 게 없었다.

***サボ-る** 5自 〈俗〉 사보타주하다; 게으름을 피우다. ¶学校を～ 게으름 피우고 학교에 가지 않다. 参考 'サボ'를 동사화한 것.

さま【様】㊀图 1 모양; 상태; 모습. ¶～を作る 모양을 내다/町の～が一変する 거리의 모습이 일변하다/煙のたなびく～が見えた 연기가 나부끼는 모양이 보였다. 2 방향. ㊁接尾 《名詞 등에 붙어서》 1 존경·공손을 나타냄. ¶田中～ 田中 씨/お嬢～ 아가씨. 2 어떤 일을 공손하게 하는 말. ¶ごちそう～ 잘 먹었습니다/お待ち遠～ 오래〔많이〕 기다리셨습니다/ご苦労～ 수고하셨습니다/お世話～ 신세 많았습니다. ⇨=さん 박스記事

—に様を付ける 공경하고 또 공경하다; 더없이 공경하다.

—になる 모양이 나다; 그럴듯해지다. ¶様にならない 꼴이 말이 아니다/着こなしが様になっている 옷 입은 맵시가 그럴듯하게 어울린다.

ざま 〖様·態〗 图 〈俗〉 모양이나 차림을 조소하는 말: 꼴; 꼬락서니. ¶何という～だ 무슨 꼴이냐. 参考 '様'의 전와.

—はない 〈俗〉 체면이 말이 아니다; 단정치 못하다; 꼴사납다. ¶年がいもなくかっとなったりして～ 점잖은 나잇값도 못 하고 벌컥 성을 내곤 해서 남보기 꼴사납다.

—を見ろ 꼴 좀 봐; 꼴좋게 됐군.

=ざま 〖方·様〗 《주로 動詞의 連用形에 붙어서》 1 그 동작의 방법·모양을 나타냄. ＝よう·かた. ¶書き～が悪い 쓰는 식이 나쁘다/後ろ～に倒れる 뒤로 벌렁 자빠지다. 2 …하자 마자. ¶振り向き～に切りつける 뒤돌아보면서 칼로 내리치다.

サマー [summer] 图 서머; 여름; 하계.

—キャンプ [summer camp] 图 서머 캠프; 하기 임간(林間)·임해(臨海) 학교.

—スクール [summer school] 图 서머 스쿨; 하기 학교〔강습회〕.

—セーター [summer sweater] 图 서머 스웨터; 삼베나 면으로 짠 바람이 잘 통하는 스웨터.

—タイム [summer time] 图 서머 타임; 하기 일광 절약 시간. ＝夏時間.

—ハウス [summer house] 图 서머 하우스; 여름 피서용 별장.

さまがわり【様変わり】图スル自 모양이 바뀜; 특히, 거래소에서 시세 동향이 급변함. ¶～の世の中 변화하는 이 세상/町が～する 거리의 모습이 바뀌다.

=さまさま 〖様様〗 《体言에 붙어서》 그것이 자기에게 고마운 것이라는 뜻을 나타내는 데 쓰는 말. ¶漫画～の世の中 만화라면 그만인 세상《만화책만 내면 잘 팔리는 세상》/商売は何と言ってもお金～だ 장사는 뭐니 뭐니 해도 돈이 제일이다.

***さまざま** 〖様様〗 图ダナ 여러 가지; 가지각색. ¶～の服装 가지각색의 복장/～な角度で検討する 여러 각도에서 검토하다.

***さま-す**【冷ます】5他 식히다. ¶湯を～ 더운 물을 식히다/興を～ 흥을 깨다/興奮を～ 흥분을 가라앉히다. 参考 'さます'는 'ひやす'에 비해서, 본디의 온도가 높은 것에 씀. 따라서, 열탕은 'ひやす'보다 'さます'가 보통.

***さま-す**【覚ます】〖醒す〗 5他 깨다; 깨우치다; 깨우다. ¶雨の音に目を～ 빗소리에 잠을 깨다/酔い〔眠気〕を～ 취기를〔졸음을〕 깨우다/迷いを～ 미망에서 깨다.

さまたげ【妨げ】名 방해; 지장; 장애. ¶通行(つうこう)の～となる 통행의 방해가 되다.

さまた-げる【妨げる】下1他 **1** 방해하다; 지장을 주다. ¶進行(しんこう)を～ 진행을 방해하다/安眠(あんみん)を～げられる 안면 방해를 받다/子供(こども)の成長(せいちょう)を～ 어린이의 성장을 저해하다. **2**《'…を～·げない'의 꼴로》허락의 뜻을 나타냄. ¶留任(りゅうにん)を～·げない 유임도 무방하다.

さまつ〖瑣末·些末〗名ナ 사소한 일; (중요하지 않은) 작은 일. ＝ささい. ¶～なことにこだわるな 사소한 일에 구애되지 마라.

さまで〖然迄〗副《뒤에 否定을 수반하여》그렇게(까지). ＝それほど(まで). ¶～心配(しんぱい)するには及(およ)ばない 그렇게까지 걱정할 것은 없다.

さまよ-う【さまよう·さ迷う】《彷徨う》5自 **1** 헤매다; 방황[유랑]하다. ¶ふぶきの中(なか)を～ 눈보라 속을 헤매다/あてどなく～ 정처 없이 떠돌아다니다/生死(せいし)の境(さかい)を～ 생사의 갈림길을 헤매다. **2** 주저하다.

さみし-い〖寂しい·淋しい〗形 ☞さびしい.

さみだれ【五月雨】名〈雅〉**1** 음력 5월경에 오는 장마; 매우(梅雨). ＝つゆ·梅雨(ばいう). **2** 단속적으로 되풀이하는 일의 비유. ¶～スト 단속적으로 되풀이하는 스트라이크.

—しき【—式】名 단속적으로 오래 끎; 또, 그러한 방식. ¶一(いっ)か月間(げつかん)～に会議(かいぎ)がある 한 달 동안 단속적으로 지루하게 회의가 열리다.

サミット[Summit] 名 서밋; 수뇌 회의; (특히, 미·영·불·독·일·이탈리아·캐나다 등) 서방 선진국 수뇌 회담.

さむ-い【寒い】形 **1** 춥다; 차다. ¶はだ～ 쌀쌀하다/北(きた)むきの～部屋(へや) 북향의 추운 방/～·くてかなわない 추워서 견딜 수 없다/～·からず暑(あつ)からずの好季節(こうきせつ) 춥지도 덥지도 않은 좋은 계절. ↔暑(あつ)い. **2** 오싹하다. ¶心胆(しんたん)を～·からしめる 간담을 서늘하게 하다/せすじが～·くなった 등골이 오싹해졌다. **3** 가난[빈약]하다. ¶ふところが～ 가진 돈이 적다/お～設備(せつび) 빈약한 설비. 参考 흔히 'お～'의 꼴로 씀.

さむがり【寒がり】名 몹시 추위를 탐; 또, 그 사람. ¶～屋(や) 추위를 잘 타는 사람. ↔暑(あつ)がり.

*__さむけ__【寒け】《寒気》名 **1** 한기; 추운 느낌. **2** 오한. ＝悪寒(おかん). ¶風邪(かぜ)をひいて～がする 감기가 들어 오한이 나다.

—だ-つ【—だつ·—立つ】5自 **1** 오한이 나다; 한기가 들다. **2** (두려움으로) 소름이 끼치다; 오싹하다. ＝おじけだつ. ¶目(め)をおおう惨状(さんじょう)に～·った 차마 눈뜨고 볼 수 없는 참상에 소름이 끼쳤다.

さむさ【寒さ】名 추위. ↔暑(あつ)さ.

—しのぎ〖—凌ぎ〗名 추위를 견딤; 또, 그 수단.

—まけ【—負け】名 추위를 못견뎌 감기 듦. ＝寒(かん)まけ.

さむざむ【寒寒】トス自 **1** 몹시 추운 모양. ¶～とした風景(ふうけい) 으스스 추워 보이는 풍경/冬(ふゆ)の夜(よ)も～とふけてゆく 겨울밤도 추위 속에 깊어 간다. **2** 운치가 없고 살풍경한 모양. ¶～としたあき家(や) 휑하고 살풍경한 빈집.

—し-い 形 몹시 추워 보이는 느낌을 주다. ¶星(ほし)も凍(こお)りつく～夜空(よぞら) 별도 얼어 붙을 춥디추운 밤하늘/家具(かぐ)一(ひと)つないひとり者(もの)の～部屋(へや) 가구 한 점 없는 독신자의 으스스하니 썰렁한 방.

さむぞら【寒空】名 **1** 차가운 겨울 하늘. **2** (겨울의) 찬 날씨. ¶～に町(まち)をさまよう 찬 날씨에 거리를 헤매다.

さむらい【侍】名 **1** 무사. **2**〈俗〉기골이 있는 사람; 한가락하는 사람. ¶大(たい)した～だ 기골깨나 있는 인물이다. **3** 옛날, 귀인의 신변을 호위하던 상급 무사.

—かたぎ〖—気質〗名 무사 기질; 격식을 차리는 딱딱한 성품.

さめ〖鮫〗名〔魚〕상어. ＝ふか.

さめざめ 副 하염없이 우는 모양. ¶深(ふか)い悲(かな)しみに～と泣(な)く 깊은 슬픔에 하염없이 울다.

さめはだ【さめ肌】《鮫肌》名 (상어 가죽처럼) 가슬가슬한[거친] 살갗. ¶～の女(おんな) 거친 살갗의 여자. ↔もちはだ.

さめやらぬ【覚めやらぬ】《覚め遣らぬ》連体 아직 완전히 깨지 않은. ¶夢(ゆめ)～面持(おもも)ち 꿈이 아직 덜 깬 얼굴/興奮(こうふん)～口調(くちょう) 흥분이 아직 덜 가신 어조.

*__さ-める__【冷める】下1自 식다. ＝冷(ひ)える. ¶湯(ゆ)が～ 더운 물이 식다/興(きょう)が～ 흥이 깨지다.

*__さ-める__〖褪める〗下1自 퇴색하다; 바래다. ＝あせる. ¶表紙(ひょうし)の色(いろ)が～ 표지 색이 바래다/洗(あら)っても～·めない色(いろ) 빨아도 바래지 않는 색.

*__さ-める__【覚める】《醒める》下1自 깨다; 눈이 뜨이다; 제정신이 들다. ¶目(め)が～ (a)잠이 깨다; (b)정신이 들다/夢(ゆめ)から～ 꿈에서 깨어나다/麻酔(ますい)が～ 마취가 깨다/酔(よ)いが～ 취기가 깨다/心(こころ)の迷(まよ)いが～ 갈피를 못 잡던 마음이 눈을 뜨다.

さも〖然も〗副 **1** 아주; 정말; 참으로; 자못. ＝いかにも. ¶～満足(まんぞく)そうに 아주 만족한 듯이/～悲(かな)しそうに話(はな)す 참으로 슬픈 듯이 이야기하다/～自分(じぶん)がほめられたかのようだ 마치 자기가 칭찬이라도 들은 것 같다. **2** 그럴 수도; 그렇기도. ＝そうも. ¶～あろう 그렇기도 할 테지. 注意 다음에 'ようだ' 'みたいだ' 라는 말이 오는 수가 많음. '～苦(くる)しそうだ' 처럼 '～…そうだ'의 '…'에 형용사 어간이 들어가는 말씨도 있음.

さもし-い 形 야비하다; 치사하다; 비열하다. ＝あさましい. ¶～根性(こんじょう) 치사한 근성.

ざもち【座持ち】名 좌중의 흥취를 돋움;

또, 그런 사람. ¶彼(かれ)は~がうまい 그는 좌홍을 돋우는 솜씨가 좋다.

ざもと【座元】图 흥행사; 흥행장 주인.

さもないと 〖然も無いと〗 連語 그렇잖으면; 불연이면. =さもなければ. ¶早(はや)く支度(したく)しなさい. ~汽車(きしゃ)に乗(の)り遅(おく)れるよ 어서 준비해요. 그렇잖으면 기차를 놓친다.

さもなければ 〖然も無ければ〗 連語 그렇지 않으면. =さもないと. ¶早(はや)く行(い)きなさい. ~遅刻(ちこく)する 빨리 가요. 그렇지 않으면 지각해.

さもん【査問】图スル他 사문. ¶~委員会(いいんかい) 사문 위원회 / 事件(じけん)の関係者(かんけいしゃ)を召喚(しょうかん)して~する 사건 관계자를 소환해서 사문하다.

さや 〖莢〗 图 (씨를 싸고 있는) 꼬투리; 콩깍지.

***さや** 〖鞘〗 图 **1** 칼집. ¶~を払(はら)う 칼을 뽑다 / 元(もと)の~に収(おさ)まる 제 칼집에 들어가다; 원상 복귀하다; 전하여, 부부가 화해하고 다시 같이 살다. **2** 붓두껍. =キャップ. **3** (값이나 이윤의) 차액. ¶利(り)ざや 매매 차익금; 마진.

—を取(と)る 매매 중개를 하고, 이때에 생긴 차액의 일부를 이익으로서 취하다. =さやをかせぐ.

さやあて【さや当て】《鞘当て》图スル自 **1** 대단치 않은 일을 꼬투리 잡아 붙는 싸움. 参考 본디, 무사가 길을 가다가 칼집 끝이 서로 스쳤을 때 시비를 벌이는 일. **2** 한 여자를 두고 두 남자가 서로 싸움. ¶恋(こい)の~ 사랑의 쟁탈전.

さやか 〖清か·明か〗 ダナ 〈雅〉 잘 보이는 〔들리는〕 모양. ¶~な月(つき)の光(ひかり) 청명한 달빛 / 月影(つきかげ)~に 달빛도 청명하게 / 歌声(うたごえ)が~に聞(き)こえる 노랫소리가 맑게 들려오다.

ざやく【座薬】《坐薬》图 좌약; 항문이나 요도(尿道)에 삽입하는 치료약. =さしこみぐすり. ¶痔(じ)の~ 치질의 좌약.

さやさや 副 **1** 서로 닿아서 바스락 바스락 소리가 나는 모양. ¶~と触(ふ)れあうこずえ (바람에) 서로 닿아 바스락거리는 우듬지. **2** 천천히 흔들리는 모양. ¶~とゆれるすすき 살랑살랑 흔들리는 참억새.

さやとり【さや取り】《鞘取り》图 차익금을 바라고 하는 상거래. =さや取引(とりひき).

さゆ 〖白湯〗 图 백탕; 백비탕(白沸湯). ¶~を沸(わ)かす 백탕을 끓이다.

さゆう【左右】⊟图 **1** 좌우. ¶~対称(たいしょう) 좌우 대칭 / ~に分(わ)かれる 좌우로 갈라지다. **2** 곁(에 있는 사람); 측근. ¶~の意見(いけん)を聞(き)く 측근자의 의견을 듣다 / ~にはべる 측근에서 섬기다. **3** 이랬다 저랬다 함. ¶言(げん)を~にする 말을 이랬다저랬다 하다《애매한 소리만 하다》.

⊟图スル他 좌우함; 좌지우지함. ¶運命(うんめい)を~する大事件(だいじけん) 운명을 좌우하는 대사건 / 市場(しじょう)を~する 시장을 마음대로 움직이다.

ざゆう【座右】图 좌우; 신변; 곁. =身辺(しんぺん). ¶~にそなえる 곁에 두다 / ~の書(しょ) 늘 곁에 두고 보는 책. 参考 편지 겉봉에서 받을 사람 이름 옆에 곁들여 귀하(貴下)의 뜻으로도 씀.

—の銘(めい) 좌우명.

さゆり 〖小百合〗 图 〈雅〉 백합. =ゆり.

****さよう**【作用】图スル自 작용. ¶消化(しょうか)~ 소화 작용 / 触媒(しょくばい)として~する 촉매로서 작용하다.

***さよう** 〖然様·左様〗 ⊟副ダナ 그렇게; 그런; 그처럼; 그와 같이. =そのとおり·そう·そのよう(に). ¶~でございます 그렇사옵니다 / ~な人(ひと)は存(ぞん)じません 그런 사람은 모릅니다 / ~取(と)り計(はか)らいます 그렇게 처리하겠습니다.

⊟感 그렇다. =そうだ·しかり. ¶~, わたしのものだ 그렇소, 내 것이오.

さようなら 〖然様なら·左様なら〗 ⊟感 안녕히 가십시오〔계십시오〕《그러면 이것으로 헤어집시다의 뜻》. =さよなら.

⊟接 그렇다면. =それなら.

さよきょく [小夜曲] 图 〔樂〕 소야곡. =セレナーデ.

***さよく**【左翼】图 좌익. **1** 왼쪽 날개. **2** 급진적·혁명적 사상 경향; 또, 그 단체. ¶~団体(だんたい) 좌익 단체 / 極端(きょくたん)な~思想(しそう) 극단적인 좌익 사상. **3**〔野〕 좌익수. =レフト. **4** 군대·함대·좌석 등의 왼쪽 끝에 늘어선 부분. ⇔右翼(うよく).

ざよく【座浴】《坐浴》图スル自 좌욕; (병자 따위의) 하반신만 물에 담그는 목욕; 또, 그렇게 하는 치료법. =腰湯(こしゆ).

さよなら ⊟感 ☞さようなら.

⊟图 〈俗〉〔野〕 최종회에서 점수가 나서 그것으로 승부가 결정되는 일. ¶~ホーマー 굿바이 홈런 / ~勝(が)ち (야구에서) 굿바이 승 / ~ゲーム 최종 게임.

さより 〖針魚·細魚〗 图 〔魚〕 학꽁치; 공미리; 침어; 침구어(針口魚).

さら 〖新〗 图 〈俗〉 새로움; 새것. ¶~の靴(くつ)〔洋服(ようふく)〕 새 구두〔양복〕.

****さら**【皿】图 **1** 접시. ¶~洗(あら)い 접시닦기. 参考 접시의 수를 셀 때도 씀. ¶一(ひと)~二(ふた)~ 한 접시 두 접시. **2** 접시에 담아 내놓는 요리. ¶次(つぎ)から次に~が出(で)る 잇달아 요리가 나오다. **3** 접시 비슷한 모양의 물건. ¶油(あぶら)の受(う)け皿(ざら) 기름이 떨어지는 것을 받기 위한 접시 / はかりの~ 저울판.

サラ 图 〈俗〉 샐러리; 봉급. =サラリー. ¶安(やす)~ 박봉. ⇨脱(だつ)サラ.

—きん【—金】图 ‘サラリーマン金融(きんゆう)’의 준말.

ざら 图 **1** ‘ざら紙(がみ)’ ‘ざらめ’의 준말. **2** 〈俗〉 흔함; 흔해 빠진 것; 쌔고 쌤. ¶~にある話(はなし) 흔한 이야기 / そんな例(れい)は~にある 그러한 예는 얼마든지 있다.

さらあらい【皿洗い】图 접시 닦는 일; 또, 그 사람; 접시닦기.

さらい=【再来】《‘週(しゅう)’ ‘月(げつ)’ ‘年(ねん)’ 앞에 붙어》 다음다음의. ¶~週(しゅう) 다음다음 주; 내후주 / ~月(げつ) 다음다음 달; 내

훗달 / ～年(ねん) 다음다음 해; 내후년.

さら-う 〖復習う〗 5他 되풀이하여 익히다; 복습하다. ¶ピアノを～ 피아노를 복습하다. 參考 名詞形은 'おさらい'를 쓰며, 흔히, 유예(遊藝)에 관하여 말함.

***さら-う** 〖攫う〗 5他 **1** 채다; 날치기하다. ¶金(かね)を～·って逃(に)げる 돈을 채어 도망치다 / 波(なみ)に足(あし)を～·われる 물결에 발을 채이다; 물결에 발이 휩쓸리다. **2** 휩쓸다; 독차지하다. ¶人気(にんき)を～ 인기를 독차지하다 / 浮動票(ふどうひょう)を一手(ひとて)に～ 부동표를 몽땅 휩쓸다.

***さら-う** 〖浚う·渫う〗 5他 (우물·못·도랑 등을) 쳐내다; 준설(浚渫)하다. ¶井戸(いど)を～ 우물을 쳐내다.

ざらがみ 【ざら紙】《更紙》 名 **1** 갱지(更紙). **2** 짚으로 만든 반지(半紙). ＝わら半紙(ばんし).

さらけだ-す 【さらけ出す】《曝け出す》 5他 속속들이 드러내다. ¶乳房(ちぶさ)を～ 유방을 드러내다 / 恥(はじ)を～ 수치〔치부〕를 드러내다.

サラサ [포 saraça] 名 사라사; 인물·화조(花鳥)·기하학적 무늬 등을 색색으로 날염한 피륙; 또, 그 무늬. ＝花布(かふ). 注意 '更紗'로 씀은 취음. 參考 본디, 인도·페르시아에서 도래함.

さらさら 副 **1** 사물이 거침없이 나아가는 모양: 술술; 졸졸. ¶小川(おがわ)が～(と)流(なが)れる 시냇물이 졸졸 흐르다. **2** 물건에 습기가 없고 끈적끈적하지 않은 모양: 바슬바슬; 보슬보슬. ¶～した粉雪(こなゆき) 보슬보슬한 가랑눈 / の髪(かみ) 바슬바슬한 머리카락. ↔べとべと·ねばねば. **3** 사물이 서로 가볍게 스칠 때 나는 소리: 삭삭; 사각사각. ¶笹(ささ)の葉(は)が～鳴(な)る 조릿대 잎이 사각사각 소리를 내다.

さらさら 〖更更〗 副 《뒤에 否定하는 말이 따라서》 만에 하나도; 결코; 조금도. ¶恨(うら)みは～ない 원한은 조금도 없다 / 成功(せいこう)の見込(みこ)みは～にない 성공할 가망은 전혀 없다.

***ざらざら** 副 만진 감촉이 거칠고 윤기가 없는 모양: 까칠까칠; 거슬거슬; 껄끔껄끔. ¶表面(ひょうめん)が～した紙(かみ) 표면이 거슬거슬한 종이 / 舌(した)が～する 혀가 까슬까슬하다. ↔すべすべ.

***さらし** 〖晒し·曝し〗 名 **1** 바램; 특히, 포목을 표백함; 또, 표백한 무명. ¶～あめ 흰엿 / ～の工程(こうてい) 표백하는 공정 / ～木綿(もめん) 희게 바랜〔마전한〕 무명. **2** 江戸(えど) 시대에, 죄인을 묶어서 거리에 내어 놓고 많은 사람에게 보여 창피를 주던 형벌. **3** 'さらし首(くび)'의 준말.

さらしくび 【さらし首】《晒し首·曝し首》 名 江戸(えど) 시대에, 죄인의 머리를 옥문에 내어 걸어 여러 사람들에게 보이던 일; 또, 그 머리; 효수(梟首).

さらしこ 【さらし粉】《晒し粉·曝し粉》 名 **1** 표백분. ＝クロールカルキ. **2** 물에 바래서 희게 한 쌀가루.

さらしもの 【さらし者】《晒し者·曝し者》 名 '晒(さら)し(＝효수)'의 형을 당한 죄인; 전하여, 대중 앞에서 창피를 당하는 사람. ¶～になる 남의 구경거리가 되다.

***さら-す** 〖晒す·曝す〗 5他 **1** 햇볕에 쬐다; 또, 비바람을 맞히다. ¶銅像(どうぞう)が風雨(ふうう)に～·されて立(た)っている 동상이 비바람을 맞으며 서 있다 / 日(ひ)に～·して肌(はだ)を焼(や)く 볕에 쬐어 피부를 태우다. **2** 바래다. ¶布(ぬの)を～ 포목을 바래다. **3** ㉠여러 사람의 눈에 띄게 하다. ¶恥(はじ)を～ 창피를 드러내다〔당하다〕; 망신하다. ㉡효수형에 처하다. **4** 위험한 상태에 두다. ¶銃口(じゅうこう)に身(み)を～ 총부리 앞에 몸을 드러내다.

サラダ [salad] 名 〔料〕 샐러드. ¶野菜(やさい)～ 야채 샐러드.

—オイル [salad oil] 名 샐러드 오일; 샐러드용의 식물성 기름. ＝サラダ油(ゆ).

—な 【—菜】 名 샐러드에 쓰는 야채《주로 양상추를 이름》.

さらち 【更地】《新地》 名 생땅; 생지(生地); 곧, 집을 지을 수 있는 빈터. ¶～のままの空(あ)き地(ち) 빈터로 있는 공지. 參考 'さら地'라고 쓰는 경우가 많음.

ざらつ-く 5自 껄끔거리다. ¶舌(した)が～ 혀가 껄껄하다 / 砂(すな)で廊下(ろうか)が～ 모래로 복도가 껄끔거리다.

さらなる 【更なる】 連体 가일층의; 한층 더한. ＝ますますの. ¶～発展(はってん)を望(のぞ)みます 더 한층의 발전을 기원합니다.

****さらに** 【更に】 副 **1** 그 위에; 더욱더. ¶～上達(じょうたつ)する 더 한층 능숙해지다 / 雨(あめ)が～はげしく降(ふ)る 비가 더욱 세차게 오다. **2** 다시 (한 번); 거듭. ¶～懇請(こんせい)する 거듭 간청하다 / ～すすめる 다시 (한 번) 권하다. **3**《뒤에 否定하는 말이 따라서》 조금도; 도무지. ＝まったく. ¶～反省(はんせい)の色(いろ)がない 도무지 반성의 빛이 없다 / ～帰(かえ)る様子(ようす)がない 돌아갈 기색이 조금도 없다.

さらぬ 【然らぬ】 連体 **1**《'体(てい)(＝태도)' '様(よう)(＝모양)' '顔(かお)(＝얼굴)'의 앞에 붙어서》 아무렇지도 않은; 태연한; 모르는 체하는. ¶～顔(かお) 태연한 얼굴. **2** 그렇지 않은; 다른.

さらば 〖然らば〗 ㊀接 그렇다면; 그러면. ＝それでは. ¶～お話(はな)し申(もう)しましょう 그러면 말씀 드리겠습니다.
㊁感 남과 헤어질 때의 인사: 그러면 안녕. ＝さようなら. ¶お～ 안녕 / ～故郷(こきょう)よ 잘 있거라 내 고향아.

さらば-える 下1自 **1** (살이 빠져) 뼈가 앙상하다. ¶やせ～ 말라서 뼈만 앙상하다 / 老(お)い～·えた身(み) 노쇠한 몸. **2** 시체 따위가 비바람을 맞아 뼈만 남다.

さらばかり 【皿ばかり】《皿秤》 名 **1** 접시 달린 저울. **2** 앉은뱅이 저울; 천칭; 천평칭. ＝てんびん. ↔さおばかり.

サラブレッド [thoroughbred] 名 서러브레드. **1** 영국 원산의 경마용말. ＝サラ. **2** 〈俗〉 가문 따위 출신이 좋은 사람. ¶政界(せいかい)の～ 정계의 명문 출신.

さらまわし【皿回し】图 접시돌리기 (곡예사).

サラミ [이 salami] 图 〖料〗 살라미; 이탈리아식 소시지.

ざらめ 〚粗目〛 图 **1** (결정이) 굵은 설탕; 싸라기 설탕. =ざらめ糖(とう). **2** (종이 따위가) 거슬거슬함; 거칢.

さらゆ【新湯】图 (데워 놓고 아직 아무도 들어가지 않은) 새 목욕물. =あらゆ.

***サラリー** [salary] 图 샐러리; 급료; 월급. ¶~をもらう 급료를 받다.

—マン [←salaried man] 图 샐러리맨; 봉급 생활자; 월급쟁이. =月給(げっきゅう)取(と)り·勤(つと)め人(にん).

—マンきんゆう【—金融】图 샐러리맨 금융; 회사원·주부 등 개인 상대의 소액 고리 대금업. =サラ金(きん).

さらりと 副 **1** 매끈한 모양. ¶~した布地(ぬのじ) 매끈한 천. **2** 성격·태도 등이 산뜻하며 구애됨이 없는 모양; 또, 시원스레 단안을 내리는 모양: 선뜻; 깨끗이. ¶未練(みれん)を~捨(す)てる 미련을 선뜻 버리다/~やってのける 깨끗이 해치우다/いやなことは~忘(わす)れる 언짢은 일은 깨끗이 잊다.

サリー [sari] 图 사리《인도 힌두교 여성이 입는 의상의 하나》.

さりがた-い【去り難い·避り難い】形 **1** 떠나기〔떨어지기〕 어렵다. **2** 버리기 어렵다. **3** 피하기 어렵다.

ざりがに 〚蝲蛄〛 图 〖動〗 가재. =えびがに.

さりげな-い 〚然り気無い〛 形 그런 티가 없다; 아무렇지도 않은 듯하다. ¶~おしゃれ 아무렇지도 않게 말한 신소리/~様子(ようす)をして尋(たず)ねる 아무렇지도 않은 듯이 묻다.

さりとて 〚然りとて〛 接 그렇다고 해서. ¶~やめるわけにも行(い)かぬ 그렇다고 해서 그만둘 수도 없다/欲(ほ)しいが, ~すぐには買(か)えない 탐이 나지만, 그렇다고 금방 살 수는 없다.

さりとは 〚然りとは〛 saritowa 接 **1** 그렇다고는; 그런 사정이라고는. =そうとは. ¶~知(し)らなかった 그런 줄은 몰랐다. **2** 사정을 알고 보니; 그것은 또. ¶~つらいね 알고 보니 참 딱하군.

さりながら 〚然り乍ら〛 接 그렇지만; 그렇긴 하나; 그러나. =しかしながら. ¶母(はは)に一目(ひとめ)会(あ)いたい. ~公務(こうむ)をおろそかにすることはできない 어머니를 한번 만나 뵙고 싶다. 그렇지만 공무를 소홀히 할 수는 없다.

サリン [Sarin] 图 사린《신경 중독제의 하나; 무색·무취의 액체》.

****さ-る**【去る】 ⊟5自 **1** 떠나다. ¶舞台(ぶたい)を~ 무대를 떠나다/世(よ)を~ 세상을 떠나다《죽다》. **2** 때가 지나가다; 경과하다. ¶冬(ふゆ)が~ 겨울이 지나가다/危機(きき)が~ 위기가 지나다. **3** 사라지다; 없어지다. ¶痛(いた)みが~ 아픔이 가시다. **4** 어떤 곳〔시간〕에서 떨어져 있다. ¶今(いま)を~こと十年(じゅうねん) 지금으로부터 10년 전. **5**《連体形으로》 지나간. ¶~五日(いつか)の朝(あさ) 지난 초닷샛날 아침. 参考 連体詞로 취급해도 좋음. ↔来(きた)る. ⊟5他 **1** 멀리하다; 제거하다. ¶悪友(あくゆう)を~ 악우를 멀리하다/妻(つま)を~ 아내를 멀리하다《이혼하다》. **2**《接尾語적으로》(완전히) …하다. ¶忘(わす)れ~ 잊어버리다/抜(ぬ)き~ 뽑아버리다/消(け)し~ 지워버리다.

—者(もの)は追(お)わず 거자막추(去者莫追)《떠나는 자를 굳이 말리지 마라》.

—者(もの)は日日(ひび)に疎(うと)し 거자일소(去者日疎); 죽은〔헤어진〕 사람은 세월이 감에 따라 차츰 잊혀진다.

***さる**【猿】图 **1** 원숭이. ¶犬(いぬ)と~の仲(なか) 견원지간《사이가 나쁨의 비유》. **2** 잔재주 부리는 사람, 흉내 잘 내는 사람을 욕하는 말.

—に烏帽子(えぼし) 격에 맞지 않는 복장이나 언행의 비유; 개발에 편자.

—の人(ひと)まね ☞さるまね.

—も木(き)から落(お)ちる 원숭이도 나무에서 떨어진다.

さる [申] 图 **1** 신; 지지(地支)의 아홉째. **2** 신방(申方)《서남서(西南西)》. **3** 신시(申時)《오후 4시 또는 오후 3시부터 5시까지의 사이》. ⇨じゅうにし.

さる 〚然る〛 連体 **1** 어느; 어떤. =ある. ¶~所(ところ)に 어떤 곳에/~人(ひと)のはなし 어떤 사람의 이야기. **2** 그와 같은; 그런; 그에 상당한. =そのような·そういう. ¶~人(ひと) 그런 사람/~事実(じじつ)なし 그런 사실이 없다. **3** 그에 상응한; 만만치 않은. ¶敵(てき)も~者(もの) 적도 만만치 않은 자.

***ざる** 〚笊〛 图 **1** 소쿠리. ¶~ですくう 소쿠리로 뜨다. **2** 'ざる碁(ご)' 의 준말. **3** 'ざるそば' 의 준말. **4** (소쿠리에서 물이 새듯) 빠질 구멍이 많은 것의 비유: 엉성함; 허점이 많음. ¶~捜査(そうさ) 허술한 수사/~法(ほう) 엉성한 법.

さるかい【猿飼い】图 ☞さるまわし.

さるがしこ-い【猿賢い】形 교활하다; 약다.

さるぐつわ 〚猿轡〛 图 소리를 내지 못하게 입에 물려 후두부(後頭部)에서 잡아매는 수건 따위. ¶~をかませる (소리 내지 못하게) 수건으로 재갈을 물리다.

ざるご【ざる碁】《笊碁》 图 서투른 바둑; 줄바둑; 보리바둑. =ざる·へぼ碁(ご). ¶~を打(う)つ 보리바둑을 두다.

さること 〚然る事〛 連語 **1** 그와 같음; 그러한 것〔일〕. **2** 당연한 일.

さることながら 〚然る事ながら〛 連語 …은 물론이거니와 또. ¶その心根(しんこん)は~ 그 속 마음은 물론이거니와/外見(がいけん)も~中身(なかみ)もすばらしい 겉보기는 물론이거니와 내용도 훌륭하다.

さるしばい 〚猿芝居〛 图 **1** 원숭이가 재주 부리는 구경거리. **2** (금세 간파되는) 서투른 연극; 잔꾀. ¶~をうつ 잔꾀를 부리다.

さるすべり 〚猿滑り·百日紅〛 图 〖植〗 백일홍. =ひゃくじつこう.

ざるそば 〚笊蕎麦〛 图 네모진 어레미나

대발에 담은 메밀국수. ＝ざる.

さるぢえ【猿知恵】《猿智慧》图 얕은꾀; 잔재주. ¶～をめぐらす 얕은꾀를 부리다 / あいつの～で何ができるものか 저 놈의 잔꾀로 무엇이 되겠는가. 注意 본디는 '猿智慧'.

さるど【猿戸】图 **1** 정원 입구의 간단한 나무 문. **2** (기둥 구멍에 비녀장을 박아서 잠그게 된) 비녀장 문.

さる-に【然るに】接 그런데도; 그런데; 그러나《'さあるに'의 준말》. ＝それなのに·ところが.

サルビア [salvia] 图〖植〗 샐비어.

サルファざい【サルファ剤】图 설파제《세균성 질환의 특효약》. ＝スルファ剤. ▷sulfa.

サルベージ [salvage] 图 샐비지. **1** 해난(海難) 구조. **2** 침몰선 등의 인양 작업. ¶～船 샐비지선; 조난선 인양 작업선.

さるほどに〖然る程に〗接〈雅〉**1** 그러는 중〔동안〕에. **2** 그런데. ＝さて.

さるまた〖猿股·申股〗图 팬츠; 잠방이. ＝パンツ. ¶～をはく 팬츠를 입다.

さるまね〖猿真似〗图ス自 원숭이 흉내; 잘 생각하지 않고 덮어놓고 남의 흉내를 냄; 또, 그런 사람. ¶人の～をする 남의 흉내를 내다.

さるまわし【猿回し】《猿廻し》图 원숭이에게 재주를 부리게 하여 그것으로 돈을 버는 사람. ＝猿つかい·猿ひき.

ざるみみ【ざる耳】《笊耳》图 (소쿠리에 물을 붓듯) 들은 말을 곧 잊어버림. ＝かごみみ. ↔袋耳.

さるめん【猿面】图 **1** 원숭이 (같은) 얼굴. **2** 원숭이 탈.

さるもの〖然る者〗連語 상당한 사람; 빈틈없는 사람; 여간내기〔보통내기〕가 아닌 자. ＝したたか者. ¶敵も～, 油断するな 적도 보통내기가 아니니 방심하지 마라.

ざるをえない【ざるを得ない】連語 …하지 않을 수 없다; …해야 하다. ¶言わ～ 말하지 않을 수 없다; 말해야 한다 / そうせ～ 그렇게 하지 않을 수 없다.

されこうべ〖髑髏·曝首〗图 촉루; 비바람을 맞아 뼈만 남은 해골. ＝しゃれこうべ·どくろ·野晒し.

ざれごと【ざれ言】《戯言》图 농지거리. ＝冗談. ¶～を言う 농담을 하다.

ざれごと【ざれ事】《戯事》图 장난; 장난으로 하는 짓.

されたい〖為れたい〗連語 '그렇게 하시기를 바란다'는 뜻의 격식차린, 명령조의 말. ＝されたし. ¶本署に出頭～ 본서에 출두하시기 바람.

されど〖然れど〗接〈雅〉그러나; 그렇기는 하나; 하지만. ＝しかし.

されば〖然れば〗接 **1** 연이나; 그러니까; 그러므로; 그렇다(고). ＝だから. ¶～と言って, うまい方法もない 그렇다고 해서 좋은 방법도 없다. **2** 그렇다면; 그러면. ＝さらば. ¶～出かけよう 그렇다면 떠나자. **3** 그런데; 그래서. ＝さて·それでは.

***さ-れる**〖為れる〗下1他 **1**《'せられる'가 단축되어 한 말로 된 꼴》남으로부터 동작·작용을 받다: …되다; …당하다. ¶採用～ 채용되다 / 攻撃(を)～ 공격당하다 / 相手に～·れない 상대해 주지 않다 / 人に自由に～ 남의 뜻대로 되다; 남에게 마음대로 부림을 당하다. **2** 'する'의 경어: 하시다. ＝なさる. ¶先生が説明を～ 선생님이 설명을 하시다 / お食事を～ 식사를 하시다.

ざ-れる〖戯れる〗下1自〈雅〉까불다; 장난치다. ＝ふざける·たわむれる. ¶あまり～な 너무 까불지 마라.

サロン [프 salon] 图 살롱. **1** 응접실; 홀. **2** (프랑스 등의 상류 사회에서의) 사교적 모임. ＝サルーン. **3** 미술 전람회.
——**ミュージック** [salon music] 图 살롱 뮤직; 레스토랑 따위에서 연주하는 평이한 음악.

サロン [말레이 sarong] 图 사롱; 자바인·말레이인 기타 회교도들이 허리에 두르는 천(옷).

さわ【沢】图 **1** 풀이 나 있고 물이 얕게 괸 저습지. **2** 계곡의 작은 개울. ¶～登り 계류를 따라 등산함.

さわ【茶話】图 다화. ＝ちゃわ. ¶～会 다화회; 다과회.

***さわがし-い**【騒がしい】形 **1** 시끄럽다; 소란하다; 떠들썩하다. ＝うるさい·そうぞうしい. ¶～教室 소란스런 교실. **2** 뒤숭숭하다; 불온하다. ¶世の中が～ 세상이 뒤숭숭하다.

さわが-せる【騒がせる】下1他 시끄럽게 하다; 떠들썩하게 만들다. ¶世間を～·せた事件 세상을 떠들썩하게 한 사건 / 胸を～ 가슴을 두근거리게 하다《걱정하다》/ お～·せして申し訳ありません 시끄럽게 해서 죄송합니다.

***さわぎ**【騒ぎ】图 **1** 소동; 소란; 혼잡. ¶けんか～ 싸움 소동 / どんちゃん～ 떠들썩한 주연(酒宴) / 上を下への大～ 우왕좌왕하는 대혼란 / ～がおさまる 소동이 가라앉다. **2** 그런〔대수롭지 않은〕 정도; 이만저만한 정도. ¶困るどころの～ではない 곤란하다 할 정도가 아니다《작은 문제가 아니다》/ 痛いの痛くないどころの～じゃない 아프니 아프지 않니 하는 문제가 아니다.

さわぎた-てる【騒ぎ立てる】下1自 **1** 무슨 일을 (과장해서) 요란하게 떠들어대다. ¶マスコミが～·てている 매스컴이 떠들어대고 있다. **2** 시끄럽게 떠들다; 소란피우다. ¶子供たちが～ 아이들이 소란을 피우다.

****さわ-ぐ**【騒ぐ】5自 **1** 떠들다; 시끄러워지다; 소란〔소동〕 피우다. ¶酒を飲んで～ 술을 마시고 떠들다 / ～と命がないぞ 떠들면 목숨이 없다 / 賃金の値上げで～ 임금 인상으로 소동을 일으키다. **2** 당황해서 침착성을 잃다; 허동대다. =あわてふためく·うろたえる. ¶胸が~ 가슴이 두근거리다《좋지 않은 일이 일어날 것 같아서 걱정되다》/くだらぬ事に~な, 落ちつけ 사소한 일에 허둥대지 마라, 침착해라. **3** 사람들의 세평에 오르다. ¶マスコミが~ 대중매체에서 크게 다루다/昔はずいぶん~·がれた 옛날에는 꽤나 인기가〔평판이〕 높았다.

> **騒ぐ의 여러 가지 표현**
>
> **표현例** きゃあきゃあ(꽥꽥; 빽빽)·ぎゃあぎゃあ(와글와글)·きゃっきゃ(깩깩; 왁작복작)·わいわい(와자지껄; 와글와글)·がやがや(와글와글)·ざわざわ(술렁술렁)·どたどた(쿵쾅쿵쾅; 우당탕)·どたばた(우당탕; 쿵쾅쿵쾅).
>
> **관용 표현** 天地もくつがえったように(천지가 뒤집이기라도 한 것처럼)·おもちゃ箱をひっくり返したように(장난감 상자를 뒤엎어 버린 것처럼)·底抜けに(질탕하게)·蜂の巣をつついたように(벌집을 쑤신 듯이)·割れ返るように((장내가)발칵 뒤집힐듯이)·鍋が煮えたぎるように(냄비가 펄펄 끓어오르듯이)·天井も割れんばかりに(천장이 내려앉을 듯이)·床も抜けんばかりに(마룻바닥이 꺼질 듯이).

さわさわ 〚爽爽〛 トス自 **1** 상쾌하게 바람이 부는 모양: 산들산들. ¶春風が~と吹く 봄바람이 산들산들 불다. **2** 시원스러운 모양: 시원시원.

ざわざわ 〚騒騒〛 トス自 **1** 많은 사람들이 모여 떠들썩한 모양: 술렁술렁; 수선수선; 와글와글. ¶客席が~する 객석이 수선수선하다〔술렁거리다〕. **2** 물건이 가볍게 스쳐서 나는 소리: 와삭와삭. ¶竹籔が~する 대숲이 와삭거리다.

さわ-す 〚醂す〛 5他 **1** (감을) 우리다; (감의) 떫은 맛을 빼다. =あわす. ¶アルコールを注射して柿を~ 알코올을 주사해서 감의 떫은 맛을 빼다. **2** 물에 담가서 바래다. **3** 검은 옻칠을 윤이 나지 않게 엷게 칠하다.

ざわつ-く 5自 떠들썩하다; 와글거리다; 웅성거리다; 술렁거리다. =ざわめく. ¶心が~ 마음이 술렁거리다.

ざわめ-く 5自 웅성거리다; 술렁거리다. =ざわつく. ¶会場が~ 회장이 술렁〔웅성〕거리다.

***さわやか** 〚爽やか〛 ダナ 시원한 모양; 상쾌한 모양; 산뜻한 모양. ¶~な朝 상쾌한 아침/気分が~だ 기분이 상쾌하다/弁舌~に話す 말을 시원시원하게 하다《유창하다》.

さわら 〚鰆〛 图〘魚〙 삼치.

***さわり** 【触り】 图 **1** 닿음; 촉감; 감촉; 사람을 대했을 때의 느낌. ¶~が柔らかい 촉감이 부드럽다/~が冷たい 대하는 느낌이 차다. **2** 한 곡목 중에서 가장 들을 만한 대목; 전하여, 이야기의 긴요한 부분. ¶ここのところがこの話の~だ 이 대목이 이 이야기의 요점이다/~だけを話す 요점만을 이야기하다.

さわり 【障り】 图 **1** 방해; 지장. =さまたげ·さしつかえ. ¶あたり~ 지장/~があって行けない 지장이 있어서 갈 수 없다/目障りになる 눈에 거슬리다. **2** 월경. =月経·生理. ¶月の~ 월경.

***さわ-る** 【触る】 5自 **1** (가볍게) 닿다; 손을 대다. ¶絵に~·ってはいけない 그림에 손을 대어서는 안 된다/これに~な 이것에 손대지 마라. **2** 관계를 갖다. ¶だれも~·りたがらない問題 아무도 관여하고 싶지 않은 문제. **3** 기분을 상하게 하다〔해치다〕. ¶神経に~ 신경을 건드리다.

──·らぬ神にたたりなし 건드리지 않으면 탈이 없다《긁어 부스럼을 만들지 말라는 뜻》.

***さわ-る** 【障る】 5自 방해가 되다; 지장이 있다; 해롭다. ¶夜ふかしはからだに~ 밤샘은 몸에 해롭다/気に~ 감정을 상하다/癪に~ 화〔부아〕가 나다.

さわん 【左腕】 图 좌완; 왼팔. ¶~投手 좌완 투수. ↔右腕.

****さん** 【三】 图 **1** 셋. **2** 세번째. **3** 三味線에서, 가장 음이 높은 줄. ¶~の糸 三味線의 셋째 줄. **4**〘野〙 '三塁手'의 준말.

さん 【産】 图 **1** 낳음. ¶(お)~が軽い 해산이 수월하다. **2** 출신지; 산지. ¶大阪の~ 大阪 출신/アフリカ~ 아프리카산. **3** 재산. ¶~を成す 치부하다/~を築く 재산을 쌓다.

──を傾ける 재산을 기울이다《재산을 잃다; 재산을 다 털어넣다》.

さん 【算】 图 **1** 산가지. =算木. **2** 주판. ¶~を入れる (주판으로) 계산하다/~が合う (주판)셈이 맞다.

──を乱す〔散らす〕 산가지를 흩뜨린 것 같이 뿔뿔이 흩어지다. ¶算を乱して逃げる 뿔뿔이 흩어져 도망치다.

さん 【酸】 图 **1** 신 것; 신 맛. ¶~が強い 시큼하다. **2**〘化〙 산. ¶強い~を浴びる 강한 산을 뒤집어쓰다. ↔アルカリ.

=**さん** 〚様〛 〈口〉 **1** 인명·직명 등에 붙어 경의나 친밀함을 나타냄: …님; …씨; …분; …선생. ¶山田~ 山田님〔씨〕/むすこ~ 아드님/向こう~ 저쪽분/刑事~ 형사 나리/おふたり~ 두 분/お上り~ 시골 양반/お巡り~ 순경 아저씨. **2**《お〔ご〕…さん의 꼴로》 인사말 등에 붙어 공손한 기분을 나타냄. ¶お早う~ 안녕하세요/ご苦労~ 수고했어요. ⇨次面 박스記事

サン [sun] 图 선; 해; 태양. ¶~ルーム 선 룸; 일광욕실.

──デッキ [sun deck] 图 선 덱; 햇빛을

さんの 쓰임새

1) =さん은 현대어에서 가장 표준적인 호칭임. 구어(口語)에서 'さま'를 사용하는 것은 특히 공손하고 정중한 호칭이 됨: お母(かあ)～(어머니) → お母(かあ)さま(어머님) 등.
2) 직장에서 상사(上司)를 부를 때는 직명만으로 족하지만, 여성은 'さん'을 붙여도 괜찮음: 課長(かちょう)～(과장님) 등.
3) 또한 동물이나 음식물 등을 의인화하여 친근감을 나타내는 경우에도 쓰임: 熊(くま)～(곰돌이)·おいも～(감자)·象(ぞう)～(코끼리 아저씨) 등.

쬐기 위해 만들어진 (배의) 갑판.
—バイザー [sun visor] 名 선 바이저; 자동차의 차광판(板).

さん〖三〗教1 サン み みつ みっつ | 삼 셋 | 삼. **1** 셋. ¶三人(さんにん) 삼인/三度(さんど) 세 번. **2** 세 번; 여러 번. ¶再三(さいさん) 재삼.

さん〖山〗教1 サン セン やま | 산 메 | **1** 산. ¶山川(さんせん) 산천. **2** 사찰(寺刹)의 칭호에 붙이는 말; 또, 사찰; 특히, '天台宗(てんだいしゅう)'나 '比叡山(ひえいざん)'을 말함.

さん〖杉〗常用 サン すぎ | 삼 삼목 | 삼목. ¶杉材(すぎざい) 삼목재/松杉(まつすぎ) 소나무와 삼나무.

さん〖参〗(參) 教4 サン シン みつ まいる まじわる | 참 뵙다 | **1** 비교〔대조〕해 맞추다. ¶参考(さんこう) 참고/参照(さんしょう) 참조. **2** 참여하다; 참가하다. ¶参政(さんせい) 참정.

さん〖桟〗(棧) 常用 サン かけはし | 잔 잔교 | **1** 나무를 짜서 건너 지른 선반. **2** 잔도; 잔교; 가교. ¶桟道(さんどう) 잔도.

さん〖蚕〗(蠶) 教6 サン かいこ | 잠 누에 | 누에(를 치다). ¶蚕業(さんぎょう) 잠업/蚕糸(さんし) 잠사/蚕食(さんしょく) 잠식.

さん〖惨〗(慘) 常用 サン ザン みじめ いたましい むごい | 참 혹독하다 | **1** 마음 아프다; 애처롭다. ¶悲惨(ひさん) 비참. **2** 참혹하다. ¶惨劇(さんげき) 참극.

さん〖産〗(產) 教4 サン うむ うまれる うぶ | 산 낳다 | **1** 낳다; 해산하다. ¶産婦(さんぷ) 산부/産声(うぶごえ) 고고지성. **2** 만들어 내다; 생산하다. ¶産出(さんしゅつ) 산출/水産(すいさん) 수산/産地(さんち) 산지.

さん〖傘〗常用 サン かさ からかさ | 산 우산 | 양산; 우산. ¶傘下(さんか) 산하/落下傘(らっかさん) 낙하산.

さん〖散〗教4 サン ちる ちらす ちらかす ちらかる | 산 헤치다 | **1** 흩어지다; 흩다. ¶散見(さんけん) 산견/解散(かいさん) 해산. **2** 어수선하다. ¶散漫(さんまん) 산만.

さん〖算〗教2 サン かぞえる | 산 세다 | **1** 수를 세다; 계산하다. ¶予算(よさん) 예산. **2** 주판. ¶算(さん)が合(あ)う (주판) 셈이 맞다.

さん〖酸〗教5 サン すい す | 산 초 | 산. **1** 초; 신맛. ¶酸味(さんみ) 산미. **2** 쓰라리다. ¶辛酸(しんさん) 신산.

さん〖賛〗(贊) 教5 サン たたえる ほめる たすける | 찬 돕다 | **1** 칭찬하다; 찬양하다. ¶賛美(さんび) 찬미/賛歌(さんか) 찬가. **2** 찬조하다. ¶賛成(さんせい) 찬성/翼賛(よくさん) 익찬.

ざん【残】名 나머지; 잔액; 잔고. ¶五十円(ごじゅうえん)の～ 50 엔의 우수리〔잔액〕/決算期(けっさんき)に～が出(で)る 결산기에 잔액이 생기다.

ざん〖残〗(殘) 教4 ザン サン のこる のこす そこなう | 잔 남다 | **1** 남다; 나머지. ¶残金(ざんきん) 잔금. **2** 손상하다; 죽이다. ¶残害(ざんがい) 잔해. **3** 모질게 굴다. ¶残酷(ざんこく) 잔혹.

ざん【斬】ザン きる | 참 베다 | **1** 죄인을 베어 죽이다. ¶斬首(ざんしゅ) 참수. **2** 자르다. ¶斬髪(ざんぱつ) 참발.

ざん〖暫〗常用 ザン しばらく | 잠 잠깐 | 잠시; 잠깐. ¶暫時(ざんじ) 잠시/暫定(ざんてい) 잠정.

さんい【賛意】名 찬의. ¶～を表(あら)わす 찬의를 표하다.

さんいつ【散逸】(散佚) 名ス自 산일; 흩어져 없어짐. ¶文集(ぶんしゅう)が～した 문집이 산일되었다.

さんいん【山陰】名 **1** 산음; 산의 응달. ↔山陽(さんよう). **2** '山陰道(さんいんどう)'의 준말.
—ちほう【—地方】名 山陰 지방; 中国(ちゅうごく) 지방의 북쪽에 위치한 지역. ↔山陽地方(さんようちほう).
—どう【—道】名〘地〙옛날의 七道(しちどう)의 하나《지금의 京都(きょうと)와 中国(ちゅうごく) 지방·近畿(きんき) 지방의 해안 지방》.

さんいん【産院】名 산원; 산과 의원.

さんえい【山影】名 산영; 산의 그림자〔모습〕.

ざんえい【残映】名 잔영. **1** 저녁놀. =夕(ゆう)ばえ. **2** 가시지 않은 지난날의 모습. ¶江戸文学(えどぶんがく)の～をとどめる 江戸 시대 문학의 잔영을 간직하다.

さんえん【三猿】名 손으로 각각 눈·귀·입을 가리고 있는 세 마리 원숭이 상(像)《'見(み)ざる(=보지 않음)·聞(き)かざる(=듣지 않음)·言(い)わざる(=말하지 않음)'의 뜻을 나타냄》.
—しゅぎ【—主義】名 보지 않고 듣지 않고 말하지 않는 주의《소극적인 처세법을 일컬음》. 「まじお.

さんえん【山塩】名 산염; 돌소금. =や

さんか[山窩] 名〈卑〉산사람《산속이나 강변 같은 데서 죽세공·수렵을 업으로 하며 떠돌던 사람들》. =さんわ.

さんか【山河】名 산하; 산천. =さんが. ¶故郷(こきょう)の～ 고향 산천.

さんか【傘下】名 산하. =配下(はいか)·翼下

よっか. ¶~団体 산하 단체 / 総評~の組合 일본 노동조합 총평의회 산하의 조합 / 大企業の~に入る 대기업 산하에 들어가다.

さんか【産科】图 산과. ¶~医 산과의 / ~鉗子 산과 겸자.

**さんか【参加】图ス自 참가. ¶~者 참가자 / オリンピックに~する 올림픽에 참가하다 / ~を呼びかける 참가를 호소하다.

さんか【惨禍】图 참화. ¶戦争の~ 전쟁의 참화 / ひどい~を蒙った 큰 참화를 입었다.

さんか【賛歌】《讃歌》图 찬가. ¶オリンピック~ 올림픽 찬가 / 神(へ)の~を歌う 신에게 대한 찬가를 부르다.

*さんか【酸化】图ス自 산화. ¶~作用 산화 작용 / ~鉄〔鉛〕 산화철〔납〕 / ~を防ぐ 산화를 막다 / 鉄が~して錆が生じた 쇠가 산화해서 녹이 슬었다. ↔還元.

さんが【参賀】图ス自 참하; 신년 등에 궁중에 가서 축하의 뜻을 표함.

さんかい【山海】图 산해; 산과 바다.
—の珍味 산해진미.

さんかい【山塊】图 산괴; 주위의 산맥에서 떨어져 고립된 한 무더기의 산.

さんかい【参会】图ス自 참회; 모임에 나감. ¶~者 참석자 / 祝賀会に~する 축하회에 참석하다.

さんかい【散会】图ス自 산회. ¶委員会は六時に~する予定だ 위원회는 6시에 산회할 예정이다.

さんかい【散開】图ス自 산개; 밀집한 부대가 전투시 간격을 두고 흩어짐. ¶~して攻撃する 산개하여 공격하다.

さんがい【三界】图〔佛〕삼계《욕계(慾界)·색계·무색계(無色界)》.
—の首かせ 항상 따라다녀 벗어날 수 없는 인생의 애착·고뇌. ¶子は~ 자식은 삼계의 굴레《자식에 대한 걱정 때문에 안락을 얻을 수 없다는 뜻》.

さんがい【惨害】图 참해. ¶~を与える 참해를 입히다 / 旱魃によって農家は甚大な~をこうむった 한발로 인해 농가는 막대한 참해를 입었다.

ざんがい【残骸】图 잔해. **1** 산산이 부서지고 남은 조각. ¶墜落した旅客機の~ 추락한 여객기의 잔해. **2** 살해되어 유기된 시체. =むくろ. ¶~が累々としている 잔해가〔송장이〕 쌓이고 쌓여 있다.

さんかいき【三回忌】图 삼회기; 삼주기. =三周忌·三年忌.

**さんかく【三角】图ナ 삼각. ¶~屋根 삼각 지붕 / ~関数 삼각 함수 / ~形 삼각형 / 目を~にする 눈을 부라리다.
—かんけい【—関係】图 삼각관계.
—じょうぎ【—定規】图 삼각자. 「タ.
—す【—州】《—洲》图 삼각주. =デル
—ぼうえき【—貿易】图 삼각 무역.
—よくき【—翼機】图 삼각익기.

さんかく【参画】图ス自 참획; 계획에 참여함. ¶会社の設立に~する 회사 설립에 참획하다.

さんがく【山岳】图 산악. ¶~地帯 산악 지대 / ~信仰 산악 신앙〔숭배〕.
—びょう【—病】图 산악병; 고산병.

さんがく【産学】图 산학; 산업계와 대학. ¶~連携 산학 연휴〔제휴〕.
—きょうどう【—協同】图 산학 협동.

ざんがく【残額】图 잔액. ¶五千円の~になる 잔액이 5천 엔이 되다 / ~を払い込む 잔액을 납입하다.

**さんがつ【三月】图 3월. ¶~の声を聞くと大学入試だ 3월이라는 소리를 들으니 대학 입시로구나《일본 신학기는 4월》. 参考 雅語로는 'やよい(=음력 3월)'라 함.
—せっく【—節句】图 삼짇날; 3월 3일의 여자 아이 명절《ひなまつり를 함》. =ももの節句.

さんかっけい【三角形】图 ☞さんかくけい.

さんがにち【三が日·三箇日】图 정초의 「3일간.

さんかん [三韓] 图〔史〕삼한《마한·변한·진한; 또, 신라·백제·고구려》.

*さんかん【参観】图ス他 참관. ¶工場~ 공장 참관 / 授業を~する 수업을 참관하다.

さんかん【山間】图 산간; 산속. =やまあい. ¶~僻地 산간벽지.

さんかんおう【三冠王】图 삼관왕. **1**〔野〕한 시즌에 수위 타자·홈런왕·타점왕을 혼자서 차지한 선수. **2** 세 종류의 칭호나 영예를 동시에 획득한 사람.

さんかんしおん【三寒四温】图 삼한 사온. ¶韓国の冬は~の気候である 한국의 겨울은 삼한 사온의 기후이다.

さんぎ【算木】图 (점칠 때 또는 셈할 때 쓰는) 산가지.

ざんき [慙愧] 图ス自 참괴. ¶~に耐えない 부끄럽기 짝이 없다.

さんぎいん【参議院】图 참의원《일본의 상원》. ¶~議員 참의원 의원.

ざんぎく【残菊】图 잔국; 늦가을에서 초겨울까지 피어 있는 국화. ¶~をめでる 잔국을 완상(玩賞)하다.

さんきゃく【三脚】图 삼각. **1** 삼각 받침대. **2** '三脚架'의 준말. **3** '三脚いす(=세발 접의자)'의 준말.
—か【—架】图 삼각가《카메라·망원경 등을 올려놓는 세 발 달린 틀》.

*ざんぎゃく【残虐】图ダナ 잔학. ¶きわめて~な行為 극히 잔학한 행위.

さんきゅう【産休】图 산휴; '出産休暇(=출산 휴가)'의 준말.

サンキュー [thank-you] 感 생큐; 감사합니다.

さんきょう【山峡】图 산협; 산골짜기. =やまかい·谷間. ¶~の景色 산협의 경치.

**さんぎょう【産業】图 산업. ¶観光~ 관광 산업 / 基幹~ 기간 산업 / 第三

次～ 제3차 산업 / 地場～ 그 고장 고유의 산업.

—かくめい【—革命】图 산업 혁명.

—こうがい【—公害】图 산업 공해.

—スパイ [spy] 图 산업 스파이. 「물.

—はいきぶつ【—廃棄物】图 산업 폐기

さんぎょう【蚕業】图 잠업; 양잠업. ¶ ～試験場 잠업 시험장 / ～を奨励する 잠업을 장려하다.

ざんきょう【残響】图 잔향; 여음(餘音); 반향(反響).

*ざんぎょう【残業】图ス自 잔업. ¶ ～手当 잔업 수당 / 夜遅くまで～する 밤늦도록 잔업을 하다.

さんぎょうこうこく【三行広告】图 삼행 광고《신문에 석 줄로 싣는 (구인·구직 등의) 안내 광고》.

ざんぎり [散切り] 图 상투를 틀지 않고 가지런히 잘라서 산발한 머리 모양《특히, 明治 초년에 문명 개화의 상징이 된 남자 머리》. ＝斬髪.

さんきん【参勤】《参覲》图ス自〔史〕1 출사(出仕)하여 주군을 뵘. 2 '参勤交代'의 준말.

—こうたい【—交代】图 江戸幕府가 大名들을 교대로 일정한 기간씩 江戸에 머무르게 한 제도. ↔定府.

ざんきん【残金】图 잔금; 잔액. ¶ ～はいくらもない 잔금은 얼마 없다 / ～は二三日中に払います 잔금은 이삼일 중으로 치르겠습니다. 「기구.

さんぐ【産具】图 산구; 해산에 필요한

サンクスギビングデー [Thanksgiving Day] 图〔基〕(추수) 감사절《미국 축제일의 하나; 1년의 수확을 축하하며, 하나님께 감사함; 11월의 넷째 목요일》. ＝感謝祭. 「색안경.

サングラス [sunglasses] 图 선글라스;

さんぐん【三軍】图 삼군. 1 육해공군의 총칭. 2 대군; 전군(全軍).

さんけ【産気】图 산기; 해산할 기미.

—づく 5自 산기가 돌다. ¶ 明け方に～ 새벽녘에 산기가 돌다.

さんげ【散華】图ス自 산화. 1〔佛〕법회에서 독경하면서 줄을 지어 걸어가며 연꽃을 본뜬 종이를 뿌림. 2 꽃잎처럼 짐《전사(戰死)를 미화한 말씨》.

*ざんげ〘懺悔〙图ス他 참회. ＝悔悛. ¶ ～録 참회록 / 犯した罪を～する 저지른 죄를 참회하다. 注意 불교 용어로는 さんげ라고 함.

さんけい【三景】图 삼경; 세 곳의 경승지. ¶ 日本～ 일본 삼경《天の橋立(＝京都府 북쪽 宮津시 해안의 솔밭이 있는 모래톱)·松島(＝宮城県 남부의 松島만 일대의 섬과 만안(灣岸) 지대)·厳島(＝広島만 서남쪽의 작은 섬)》.

*さんけい [参詣] 图ス自 참예; 신불(神佛)에 참배함. ＝参拝. ¶ ～人 참예인; 참배자 / ～者が絶えない 참예자가 끊이지 않다.

さんけい【山系】图〔地〕산계. ¶ ヒマラヤ～ 히말라야 산계.

ざんけい [斬刑] 图 참형. ＝打ち首.

さんげき【惨劇】图 참극. ¶ ～が起こる 참극이 일어나다 / 全員死傷の～を演じる 전원 사상의 참극을 빚다.

さんけつ【三傑】图 삼걸; 세 걸물.

さんけつ【酸欠】图 '酸素欠乏(＝산소 결핍)'의 준말. ¶ ～空気 지층(地層)의 틈새, 공사용 구멍 등에서 새는, 산소가 부족한 공기.

さんげつ【山月】图 산 위로 보이는 달; 산에서 보는 달.

ざんげつ【残月】图 잔월; 새벽달. ＝ありあけの月. ¶ ～が西空にかかっている 잔월이 서쪽 하늘에 걸려 있다.

さんけん【三権】图 삼권. ¶ ～分立 삼권 분립.

さんけん【散見】图ス自 산견; 여기저기 조금씩 보임. ¶ 誤植が～される 오식이 드문드문 보이다.

ざんげん [讒言] 图ス他 참언; 윗사람에게 남을 중상모략함. ¶ ～して失脚させる 참언하여 실각시키다.

さんげんしょく【三原色】图 삼원색.

さんこ【三顧】图 삼고. ＝三顧の礼. ¶ ～草廬 삼고초려.

—の礼をとる 삼고의 예를 갖추다.

さんご【三五】图 1 '三五夜(＝삼오야)'의 준말; 십오야(十五夜); 특히, 8월 보름(날) 밤. 2 여기저기 흩어짐; 삼삼오오. ＝三三五五.

さんご〘珊瑚〙图 산호. ¶ ～色 산호색〔빛〕/ ～礁 산호초 / ～虫 산호충 / ～島 산호도.

—じゅ【—樹】图 산호수. 1 나뭇가지 모양을 한 산호. 2 인동과의 상록 교목.

さんご【産後】图 산후. ¶ ～肥立ち 산후의 회복. ↔産前.

さんこう【三更】图 삼경《밤 11시부터 새벽 1시 사이》; 한밤중. ＝まよなか.

さんこう【三綱】图 삼강《군신·부자·부부 사이에 지켜야 할 도리》. ¶ ～五常 삼강 오상〔오륜〕.

*さんこう【参考】图ス他 참고. ¶ ～書 참고서 / ～すべき文献 참고할 만한 문헌 / 人の意見を～する 남의 의견을 참고하다 / 大いに～になる 크게 참고가 되다 / ご～までに 참고하시기를.

—にん【—人】图 참고인.

さんこう【山行】图ス自 산행. 1 산길을 감. 2 산에 놀러 감.

さんこう [鑽孔] 图ス自他 찬공; 천공; 구멍을 뚫음; 펀치를 찍음. ＝穿孔.

さんごう【山号】图 산호; 절 이름 앞에 붙이는 칭호《'比叡山延暦寺'의 '比叡山' 따위》. 「한 햇빛.

ざんこう【残光】图 잔광; 저녁 때의 약

ざんこう【残香】图 잔향; 남아 있는 향내. 「참호를 파다.

ざんごう [塹壕] 图 참호. ¶ ～を掘る

さんごく【三国】图 삼국. 1 옛날에, 일

본·중국·인도의 총칭; 전하여, 전세계. **2** 세 개의 나라. ¶～間貿易 삼국간 무역. **3** (중국의) 위(魏)·오(吳)·촉(蜀)의 삼국. ¶～誌 삼국지.

—いち【— 一】图 세계 제일. ¶～の花嫁 천하 제일 가는 신부.

**ざんこく【残酷·惨酷】图ダナ 잔혹; 참혹; 혹독. ¶あまりにも～な仕打ち 너무나도 잔혹한 처사/～を極める 참혹하기 짝이 없다.

さんさ [三叉] 图 삼차; 세 갈래(로 갈라짐). =みつまた.

—ろ [—路] 图 세 갈래 길; 삼거리.

さんざ〖散散〗副〈俗〉마음껏; 실컷; 몹시. =さんざん. ¶～悪口を言われる 되게 욕을 얻어먹다/～遊んだ末に飲み逃げした 실컷 논 뒤 술을 마시곤 돈도 안 내고 도망쳤다. 参考 'さんざん'의 준말.

—さわぎ【—騒ぎ】图 술자리의 야단법석.

さんさい【三才】图 삼재. **1** 하늘과 땅과 사람; 삼극(三極); 삼원(三元). **2** 우주간의 만물.

さんさい【三災】图〘佛〙삼재; 세계가 파멸할 때 일어나는 세 가지 재해.

さんさい【三彩】图〘美〙삼채; 3색의 잿물을 올려 구운 도자기. ¶唐～ 당삼채.

さんさい [山塞·山砦] 图 산새. **1** 산중의 요새. **2** 산채(山寨); 산적의 소굴.

さんさい【山菜】图 산채; 산나물. ¶～料理 산채 요리.

さんざい【散在】图ス自 산재. ¶別荘が～している 별장이 산재해 있다.

さんざい【散剤】图〘薬〙산제; 가루약. =こなぐすり. ↔錠剤·液剤.

さんざい【散財】图ス自 산재; 돈을 씀; 또, 돈을 낭비함. ¶～をかける 많은 경비가 나게 하다; 폐를 끼치다/親の遺産を～する 부모의 유산을 낭비하다.

ざんさい [残滓] 图 잔재; 찌꺼기. ¶人身売買は封建制度の～だ 인신 매매는 봉건 제도의 잔재이다. 参考 'ざんし'의 관용음.

ざんざい [斬罪] 图 참죄; 참수형. =打ち首·斬首. ¶～に処する 참수형에 처하다.

さんさく【散策】图ス自 산책. =散歩. ¶公園を～する 공원을 산책하다.

ざんさつ [斬殺] 图ス他 참살; 베어 죽임. ¶一刀のもとに～する 한 칼에 베어 죽이다.

ざんさつ【惨殺】图ス他 참살; 끔찍하게 죽임. =虐殺. ¶捕虜を～する 포로를 참살하다.

さんざっぱら 副〈俗〉실컷(('さんざ'의 힘줌말)). ¶～悪態をつく 갖은 욕설을 하다/～遊んだ 만판 놀았다.

ざんざぶり【ざんざ降り】图 비가 세차게 내림.

さんざめ-く 5自〈俗〉왁자하게 떠들다. ¶弦歌～ 거문고와 노랫소리가 왁자하다.

さんざる【三猿】图 ☞さんえん(三猿).

さんさん [燦燦] トタル (태양 따위의) 빛이 눈부시게 빛나는 모양. =きらきら. ¶光が～とふりそそぐ 빛이 눈부시게 내리쬐다.

*__さんざん__〖散散〗副ダナ **1** 몹시 심한 모양. ¶～遊び回る 실컷 놀러 다니다/～負かした 여지없이 패배시켰다/～待たされた 몹시 기다렸다. **2** 아주 나쁜 모양; 호되게 경을 치는 모양. ¶試験の結果は～だ 시험 결과는 아주 엉망이다/～な目にあう 호되게 경을 치다/～にやっつける 되게 혼내 주다.

ざんざん 副 비가 세차게 내리는 모양; 좍좍. ¶朝から雨が～降る 아침부터 비가 좍좍 내리다.

さんさんくど【三三九度】图 결혼식의 헌배(獻杯)의 예; 신랑·신부가 하나의 잔으로 술을 세 번씩 마시고, 세 개의 잔으로 합계 아홉 번 마시는 일. ¶～の杯を交わす 교배(交拜)의 예를〔결혼식을〕거행하다.

さんさんごご【三三五五】副 삼삼오오. ¶～あつまる 삼삼오오 모이다/～連れ立って行く 삼삼오오 떼지어 가다.

さんし【三思】图ス自 삼사; 몇 번이고 되풀이하여 생각함. ¶～三省 깊이 생각하고 반성함.

さんし【蚕糸】图 잠사. **1** 생사; 명주실. **2** 양잠과 제사(製絲). ¶～業 잠사업/～試験場 잠사 시험장.

さんじ【三時】图 **1** 3시. **2** 오후의 간식; 오후 3시쯤에 먹는 간식. =おやつ. ¶お～にビスケットを与える (오후의) 간식으로 비스킷을 주다.

さんじ【参事】图 참사((기관·단체의 직명)). ¶～官 참사관.

*__さんじ__【惨事】图 참사. ¶～を招く 참사를 불러일으키다/親子焼け死にの～ 부모와 자식이 타죽은 참사.

さんじ【産児】图 산아.

—せいげん【—制限】图 산아 제한. =産制·バースコントロール.

さんじ【賛辞】〖讃辞〗图 찬사. =ほめことば. ¶～を送る 찬사를 보내다/～を惜しまない 찬사를 아끼지 않다.

ざんし [残滓] 图 ☞ざんさい.

ざんし【惨死】图ス自 참사; 무참한 죽음. ¶爆撃で～する 폭격으로 참사하다.

ざんじ【暫時】图 잠시. =しばらく. ¶～の猶予を乞う 잠시 유예를 청하다.

さんしき【算式】图 산식; 계산식.

さんしきすみれ〖三色菫〗图〘植〙팬지. =三色すみれ·パンジー.

さんじげん【三次元】图 삼차원. ¶～の世界 삼차원의 세계.

—えいが【—映画】图 삼차원 영화; 입체 영화.

さんしすいめい【山紫水明】图 산자수명. ¶～の地 산자수명한 땅〔곳〕.

さんしちにち【三七日】图 삼칠일. **1** 21일 동안. ¶～の参籠 세이레 동안 절에 머물러 기도함. **2** ㉠세이레; 생후 21

일째의 축하 (행사). ㉡사람이 죽은 뒤 21일째의 날에 행하는 제사〔불사(佛事)〕. =みなのか.

さんしつ【産室】 图 산실. =うぶや·産所.

さんしつ【散失】 图ス自 산실. ☞さんいつ(散逸). ¶貴重な資料が～する 귀중한 자료가 산실되다.

さんしゃ【三者】 图 삼자. ¶～会談 삼자 회담/～三様 각인각색/～凡退〔野〕삼자 범퇴.

—たくいつ【—択一】 图 삼자 택일. =三択.

サンシャインほう【サンシャイン法】 图 선샤인법; 의사(議事)공개법《국민의 알 권리로서, 행정부 등에 정보 공개를 의무화한 법률》. ▷sunshine law.

さんしゃく【参酌】 图ス他 참작. =斟酌. ¶実情を～して決める 실정을 참작하여 정하다.

さんじゃく【三尺】 图 **1** 삼척; 석 자. **2** 길이 석 자쯤 되는 간단한 띠《본디, 장색들이 띠었으나 나중에는 어린이용》. =へこおび·しごき.

—下がって師の影を踏まず 석 자 물러나 스승의 그림자를 밟지 않음.

—の秋水 삼척추수; 석 자 쯤 되는 날이 시퍼렇게 선 칼.

—の童子 삼척동자. ¶～でもわきまえていること 삼척동자라도 아는 일.

さんしゅ【三種】 图 **1** 3종류. **2** '第三種郵便物(=제3종 우편물)'의 준말《정기 간행의 신문·잡지 따위》.

—のじんぎ【—の神器】 图 **1** 일본의 왕위 계승의 표지로서 대대로 계승된 세 가지 보물《八咫の鏡·天叢雲の剣·八尺瓊の勾玉》. =さんしゅのしんき. **2**〈俗〉세 가지 귀중한 물건.

さんじゅ【傘寿】 图 (세는 나이) 80세; 또, 그 축하 잔치. 参考 '傘'의 약자 수이 80으로 볼 수 있으므로.

ざんしゅ［斬首］ 图ス他 참수; 참두(斬頭). ¶国賊として～された 국적으로서 참수되었다.

さんしゅう【三秋】 图 삼추. **1** 가을의 석 달 동안. **2** 3년.

—の思い 몹시 사모하여 애타게 기다리는 마음.

さんしゅう【参集】 图ス自 참집; 모여듦. ¶会議に～する 회의에 참집하다.

さんじゅう【三重】 图 삼중. ¶～苦 삼중고/～衝突 삼중 충돌.

—さつ【—殺】 图〔野〕삼중살; 트리플 플레이. =トリプルプレー.

—しょう【—唱】 图 삼중창. =トリオ.

—そう【—奏】 图〔樂〕삼중주.

—だな【—棚】 图 3층으로 된 선반.

さんしゅうき【三周忌】 图 삼주기. ☞さんかいき.

さんじゅうろっけい【三十六計】 图 삼십육계. ¶～をきめこむ 삼십육계를 놓다; 도망칠 작정을 하다.

—逃ぐるにしかず (어려운 때에는) 삼십육계 줄행랑이 제일.

***さんしゅつ【産出】** 图ス他 산출. ¶チーズを～する国 치즈를 산출하는 나라/金を～する 금을 산출하다.

さんしゅつ【算出】 图ス他 산출. ¶所要経費〔データ〕を～する 소요 경비〔데이터〕를 산출하다.

さんじゅつ【算術】 图 산술《'算数(=산수)'의 구칭》.

—きゅうすう【—級数】 图 산술급수.

—へいきん【—平均】 图〔數〕산술 평균; 상가 평균. =相加平均.

さんしゅゆ〘山茱萸〙 图〔植〕산수유나무.

さんじゅん【三旬】 图 삼순. **1** 상순·중순·하순의 총칭. **2** 30일간.

さんじょ【産所】 图 산실; 해산방. =うぶや·産室.

さんじょ【賛助】 图ス他 찬조. ¶～会員 찬조 회원/～出演 찬조 출연.

ざんしょ【残暑】 图 잔서; 늦더위.

さんしょう【三唱】 图ス他 삼창. ¶万歳～ 만세 삼창.

***さんしょう【参照】** 图ス他 참조. ¶別紙～ 별지 참조/文献を～する 문헌을 참조하다/次項を～してください 다음 항을 참조해 주십시오.

さんしょう〘山椒〙 图〔植〕산초나무. =さんしょ·はじかみ.

—は小粒でもぴりりとからい 작은 고추가 더 맵다.

—うお〘—魚〙 图〔動〕도롱뇽.

さんしょう［賛頌·讃頌］ 图ス他 찬송.

さんじょう【三乗】 图〔數〕3승; 세제곱.

—こん【—根】 图〔數〕세제곱근. =立方根.

さんじょう【山上】 图 산상; 산 위. ¶～の景色 산상의 경치.

—の垂訓 산상수훈《예수가 갈릴리 호반(湖畔)의 산 위에서 내린 설교》. =山上の説教.

さんじょう【参上】 图ス自 뵈러 감; 찾아 뵘. ¶お宅へ～致します 댁으로 찾아 뵙겠습니다.

さんじょう【惨状】 图 참상. ¶言語に絶する～ 말로 다할 수 없는 참상/～を呈する 참상을 드러내다.

ざんしょう【残照】 图 잔조; 저녁놀. =残光. ¶～に染まる山々 저녁놀에 물든 산들.

さんしょく【三色】 图 삼색. =さんしき. **1** 세 가지 색. **2** 삼원색.

—き【—旗】 图 **1** 삼색기. **2** 프랑스 국기.

—すみれ〘—菫〙 图 ☞さんしきすみれ.

—ばん【—版】 图〔印〕삼색(도)판. ¶～の印刷 삼색판 인쇄.

さんしょく【山色】 图 산색; 산 경치.

さんしょく【蚕食】 图ス他 잠식. ¶国内の市場を～される 국내 시장을 잠식당하다.

さんじょく［産褥］ 图 산욕; 해산할 때 산부가 눕는 자리. ¶～期 산욕기/～につく 산욕에 눕다.

—ねつ［—熱］ 图 산욕열; 산욕기에 일어나는 병.

さんしん【三振】名 ス自 〖野〗 삼진. =ストラックアウト. ¶三球～ 삼구 삼진 / ～を奪う 삼진을 빼앗다 / (投手が)三者～に打ちとる (투수가) 세 타자를 삼진으로 아웃시키다.

さんじん【山神】名 산신; 산신령. ¶～の祟り 산신의 지벌.

ざんしん［斬新］ダナ 참신. ¶～なデザイン 참신한 디자인.

さんしんとう【三親等】名 삼촌간(間)《증조부모·증손·백숙부모(伯叔父母)·조카 따위》. =三等親.

ざんす 助動 …습니다; …입니다. ¶そう～ 그렇습니다. 参考 江戸 吉原의 창녀의 말에서 나왔음.

さんすい【山水】名 산수. **1** 산과 내; 자연의 풍경. ¶～に遊ぶ 자연을 즐기다. **2** '山水画'의 준말. **3** 석가산(石假山)과 못이 있는 정원.

—が【—画】名 산수화. =さんすい.

さんすい【散水】《撒水》名 ス自 살수; 물을 뿌림. ¶～車 살수차. 注意 '散水'는 대용 한자. 参考 '撒水'의 관용음.

***さんすう**【算数】名 산수. **1** 초등 수학《학과의 이름》. **2** 수량의 계산; 셈. ¶～に暗い 셈에 어둡다. ⇨算術.

さんすくみ【三すくみ】《三竦み》名 삼자가 서로 견제하다가 셋이 다 꼼짝 못함. ¶～の状態 세 사람이 서로 견제하다가 꼼짝 못하게 된 상태 / ～になる 견제하다가 서로 꼼짝 못하게 되다.

サンスクリット［범 Sanskrit］名 산스크리트; 고대 인도의 문장어; 범어(梵語).

さんすけ【三助】名 때밀이《공중 목욕탕에서 물을 데우고 손님의 몸을 씻어 주는 남자 고용인》.

さんずのかわ［三途の川］名 〖佛〗 삼도내《죽은 사람이 저승에 갈 때 건넌다는 내》. =みつせ川. ¶～を渡る 삼도내를 건너다《죽다》.

***さん-する**【産する】一 サ変他 산출하다; 생산하다; 낳다. ¶この鉱山では鉄を～ 이 광산에서는 철을 산출한다 / 男児を～ 사내아이를 낳다. 二 サ変自 산출〔생산〕되다. ¶バターは牛乳から～ 버터는 우유로 만들어진다.

さん-する【算する】サ変他 헤아리다; 어떤 수나 양에 달하다. ¶人出は無慮三十万を～·した 인파는 무려 30만을 헤아렸다.

さん-ずる【参ずる】サ変自 **1** 찾아가 뵙다; 참배하다. ¶急を聞いて～ 위급하다고 듣고 찾아가 뵙다 / ごあいさつまで～·じました 인사차 찾아 뵈었습니다. **2** 참선하다. **3** (모임에) 참가하다.

さん-ずる【散ずる】一 サ変他 흩다; 흩뜨리다; 없애다; (마음을) 풀다. ¶財を～ 산재하다 / 酔って憂さを～ 술에 취해 시름을 풀다. 二 サ変自 흩어지다; 없어지다. ¶会合が～·じた 모임이 산회했다 / 集まった人々が～ 모였던 사람들이 흩어지다.

さんずん【三寸】名 세 치《짧음의 비유》. ¶舌先～で天下を取る 세 치 혀 하나로 천하를 손에 넣다 / すべては君の胸～にある 모든 것은 네 가슴〔마음〕에 달려 있다.

—の舌 세 치 혀; 변설.

さんぜ【三世】名 삼세. **1** 〖佛〗 전세·현세·내세; 또, 과거·현재·미래. ¶主従は～の縁 주종 관계를 맺음은 삼세의 인연. **2** 부모·자식·손자의 삼대.

さんせい【三省】名 ス他 삼성; 세 번 돌이켜 봄; 몇 번이고 반성함. ¶一日～ 일일 삼성. 注意 'さんしょう'라고 하면 잘못.

さんせい【三聖】名 **1** 삼성《석가·공자·예수》. **2** 그 길에서 가장 뛰어난 세 사람.

さんせい【参政】名 참정.

—けん【—権】名 참정권. ¶婦人～ 여성 참정권.

さんせい【産制】名 '産児制限(=산아 제한)'의 준말.

***さんせい**【酸性】名 〖化〗 산성. ¶～雨 산성비 / ～紙 산성지 / ～食品 산성 식품. ↔アルカリ性.

—どじょう【—土壌】名 〖農〗 산성 토양; 산성이 많고 토질이 나쁜 땅.

—ひりょう【—肥料】名 산성 비료.

****さんせい**【賛成】名 ス自 찬성. ¶原案に～する 원안에 찬성하다 / 大方の～をえる 태반의 찬성을 얻다 / ～をもとめる 찬성을 요청하다. ↔反対.

さんせいじ【三生児】名 세 쌍둥이. =三つ子·品胎.

さんせき【山積】名 ス自 산적. =やまづみ. ¶仕事が～している 일이 산적해 있다.

ざんせつ【残雪】名 잔설. ¶～が消える 잔설이 없어지다 / ～を頂ける山々 잔설을 머리에 인 산봉우리들.

さんせん【三遷】名 삼천. ¶孟母～ 맹모삼천. 「え.

—の教え 삼천지교. =孟母三遷の教

さんせん【参戦】名 ス自 참전. ¶ベトナム戦争に～する 월남전에 참전하다.

さんせん【山川】名 산천. ¶～草木 산천초목 / ～万里 산천 만리《산천을 넘어 멀리 떨어져 있음》.

さんぜん【三千】名 **1** 삼천. **2** 수가 매우 많음. ¶白髪～丈 백발 삼천장.

さんぜん【参禅】名 ス自 〖佛〗 참선. ¶～者 참선자 / ～して無我の境地に入る 참선하여 무아의 경지에 들다.

さんぜん【産前】名 산전; 출산전. ¶～休業 산전 휴가. ↔産後.

さんぜん［燦然］トタル 찬연; 반짝반짝 빛나는 모양. ¶金色～たる仏像 금빛 찬란한 불상 / ～たる栄誉にかがやく 찬연한 영예에 빛나다.

さんぜんせかい【三千世界】名 **1** 〖佛〗 삼천 세계. **2** 넓은 세계; 세상. ¶～に子を持つ親の心は一つ 세상은 넓다지만 자식 가진 부모 마음은 똑같다.

*さんそ【酸素】图 산소《기호: O》. ¶～ボンベ 산소 봄베 / ～溶接 산소 용접 / ～吸入 산소 흡입.

ざんそ［讒訴］图ス他 참소; 윗사람에게 남을 중상해서 고해 바침.

さんそう【山荘】图 산장. ¶～の夕暮れは興趣に富んでいる 산장의 황혼은 흥취가 풍부하다.

さんぞう【三蔵】图〔佛〕삼장. 1 불교의 성전을 분류할 때의 성전의 총칭《경(經)·율(律)·논(論)》. 2 삼장에 통달한 고승. ¶～法師 삼장 법사.

ざんぞう【残像】图 잔상. ¶目のうちの～ 눈속의 잔상 / 映画は～を利用したもの 영화는 잔상을 이용한 것.

さんぞく【三族】图 삼족. 1 아버지·아들·손자. 2 부모·형제·처자. 3 아버지·어머니·아내의 친족.

さんぞく【山賊】图 산적. ¶～を働く 산적질을 하다 / ～におそわれる 산적에게 습격당하다. ↔海賊.

さんそん【山村】图 산촌. ¶～生活 산촌 생활 / 電車もバスも通っていない～ 전차도 버스도 다니지 않는 산촌.

さんそん【散村】图 산촌; 인가가 흩어져 있는 마을.

さんぞん【三尊】图〔佛〕삼존. 1 아미타보살·관세음보살·세지(勢至)보살. 2 석가·문수(文殊)·보현(普賢).

ざんそん【残存】图ス自 잔존. ¶敵の～兵力 적의 잔존 병력 / 因習が根強く～している 인습이 뿌리 깊이 남아 있다. 注意 'ざんぞん'이라고도 함.

サンタ［포 Santa］图 산타. 1 성(聖); 세인트; 성인; 성도(聖徒). 2 'サンタクロース(＝산타클로스)'의 준말. ¶～のおじいさん 산타 할아버지.

—マリア［포 Santa Maria］图〔宗〕산타 마리아; 성모 마리아.

さんだい【三代】图 삼대. 1 부·자·손의 삼대. ¶～でつくり上げた身代 삼대에 걸쳐 이룬 재산. 2 삼대째의 상속인. ¶～将軍家光 삼대 將軍 家光.

—め【—目】图 삼대째. ¶売り家と唐様で書く～ 매가(賣家)라고 중국식 서체로 쓰는 삼대째《부자도 삼대째가 되면 학식은 있되 재산은 탕진하여 없어짐을 이름》.

さんだい【参内】图ス自 참내; 참조(參朝). 参考 지금은 '参入'라고 함.

ざんだか【残高】图 잔고; 잔액. ¶預金～ 예금 잔액 / ～を計算する 잔액을 계산하다.

さんだつ［簒奪］图ス他 찬탈. ¶王位を～する 왕위를 찬탈하다.

サンダル［sandal］图 샌들.

さんたろう【三太郎】图〈俗〉멍청이; 얼뜨기; 바보. ＝ばか. ¶～さん 멍청이; 얼뜨기 / 大ばか～ 천치 바보.

さんたん【賛嘆】《讚歎》图ス他 찬탄; 감탄하여 칭찬함. ¶～の声をあげる 찬탄의 소리를 지르다 / ～してやまない 찬탄하여 마지않다.

*さんたん［惨憺·惨澹］トタル 참담. ¶～たる敗北 참담한 패배 / ～たる結果に終わる 참담한 결과로 끝나다.

サンタン［suntan］图 선탠; 일광욕으로 피부를 그을리는 일. ＝日焼け. ¶～オイル〔ローション〕 선탠 오일〔로션〕 / ～メーキャップ 선탠 메이크업〔화장법〕.

さんだん【三段】图 삼단; 3단계.

—がまえ【—構え】图 고장이나 실패에 대비한 삼 단계의 대비. ¶大会に対して～で臨む 대회에 대해서 삼 단계의 대책으로 임하다.

—とび【—跳び·—飛び】图 삼단도; 세단〔삼단〕뛰기. ＝ホップステップジャンプ.

—ろんぽう【—論法】图〔論〕삼단 논법.

さんだん【算段】图ス他 변통함; (돈·물건 따위를) 마련할 궁리를 세움; 방법을 생각해 냄. ＝くめん. ¶～がつく (돈·물건을) 마련할 계획이 서다 / 無理～をする 무리해서 마련하다; 억지 수단을 쓰다.

さんだん【散弾】《霰弾》图 산탄; 많은 탄알이 흩어져 나오게 된 탄환. ＝ばらだま.

—じゅう【—銃】图 산탄총. ＝ショットガン.

さんち【山地】图 산지. ＝やまち. ¶～帯 산지대 / ～氷河 산지 빙하 / ～のソバ畑 산지의 메밀밭. ↔平地.

**さんち【産地】图 산지. ¶米〔りんご〕の～ 쌀〔사과〕의 산지.

—ちょくそう【—直送】图 산지 직송.

—ちょくばい【—直売】图 산지 직매.

サンチ［프 centi］图 센티; 센티미터《'サンチメートル'의 준말》. ＝センチ. ¶十五～砲 15센티 포; 150밀리 포. 参考 주로, 화포(火砲)의 구경을 표시하는 데 씀.

さんちゃんのうぎょう【三ちゃん農業】图〈俗〉젊은이는 외지로 나가고 주부〔かあちゃん(＝엄마)〕나 노인《じいちゃん(＝할아버지)·ばあちゃん(＝할머니)》이 주가 되어서 경영하는 농업.

さんちゅう【山中】图 산중; 산간; 산속.

—暦日無し 산중 무력일《산속에서 한가히 지내는 사람은 세월이 흐르는 것을 모른다》.

さんちょう【山頂】图 산정; 산 꼭대기; 정상. ＝山巓. ↔山麓·ふもと.

さんちょく【産直】图 '産地直送(＝산지 직송)·産地直売(＝산지 직매)'의 준말.

さんつう【産痛】图 산통; 진통. ¶～緩和法 산통 완화법.

さんづけ【さん付け】图 (경의나 친애하는 뜻으로) 사람 이름에 'さん(＝씨)'을 붙여서 부름. ¶先生を～にする 선생님을 'さん'을 붙여 부르다《만만하게 대하다》. ⇨君づけ.

さんてい【算定】图ス他 산정. ¶価格～ 가격 산정 / ～基準 산정 기준.

ざんてい【暫定】图 잠정; 임시로 결정함. ¶~(の)処置 잠정(적인) 조처.
—てき【—的】ダナ 잠정적; 일시적.
—よさん【—予算】图 잠정 예산.
サンデー [Sunday] 图 선데이; 일요일.
—スクール [Sunday school] 图 선데이 스쿨; 주일 학교. =日曜学校.
ざんてき【残敵】图 잔적. ¶~を掃蕩する 잔적을 소탕하다.
ざんてき【残滴】图 잔적; 남은 물방울[먹물]; 여적(餘滴).
さんど【三度】图 세 번. ¶~の食事 세 끼 식사/仏の顔も~ 부처의 얼굴도 세 번《아무리 착한 사람도 자꾸 심하게[무례하게] 굴면 성낸다》.
—目の正直 대개의 일이 세 번째는 제대로 된다는 말.
さんど【酸度】图 산도. 1 신맛·산성의 정도. 2〖化〗염기(塩基) 1분자 중에 포함되어 있는 수산기(水酸基)의 수.
サンド 图 ☞サンドイッチ. ¶ハム~ 햄샌드(위치).
サンド [sand] 图 샌드; 모래.
—ストーム [sandstorm] 图〖氣〗샌드스톰; (사막의) 모래 폭풍. =砂嵐.
—バス [sand bath] 图 샌드 배스; (미용을 위한) 모래찜질. =砂風呂.
—バッグ [sandbag] 图 샌드백; (권투에서, 천장에 매달아 놓은) 타격 연습용 모래주머니. =砂袋.
—ペーパー [sandpaper] 图 샌드페이퍼; 사포(砂布). =紙やすり.
ざんと【残徒】图 잔도; 토벌을 피해 남아 있는 도당; 잔당. =余党. ¶山賊の~ 산적의 잔당.
ざんど【残土】图 토목 공사에서 구덩이 등을 파서 나온, 불필요한 흙.
サンドイッチ [sandwich] 图 샌드위치. 1 샌드위치 빵. =サンド(ウィッチ). 2 사이에 끼임[끼인 것]. ¶左派と右派の間で~になる 좌파와 우파 사이에서 샌드위치가 되다.
—マン [sandwich man] 图 샌드위치맨《광고판 따위를 몸 앞뒤로 달고 다니며 광고하는 사람》.
さんとう【三冬】图 삼동. 1 겨울 동안의 석달. 2 세 겨울; 3년. ¶~を経たり 삼년이 지났다.
さんとう【三等】图 삼등. 1 셋째 등급. ¶~賞[国] 삼등상[국]/宝くじの~ 복권의 삼등. 2 (철도의) 삼등차. ¶~乗車券 3등 승차권. 3〈俗〉정도가 낮음; 저급.
—じゅうやく【—重役】图〈俗〉삼등중역; (실권이 없는) 고용 임원.
さんどう【参堂】图スル自 참당. 1 불당(佛堂)에 참배함. 2 방문의 높임말.
さんどう【参道】图 신사(神社)나 절에 참배하기 위하여 마련된 길. ¶表~ (참배하러 가는) 큰길.
さんどう【山道】图 산도; 산길. =やまみち.
さんどう【桟道】图 잔도; 험한 벼랑 같은 곳에 나무로 선반처럼 매어 만든 길이나, 절벽과 절벽 사이에 걸쳐 놓은 다리. =かけはし.
さんどう【賛同】图スル自 찬동. ¶趣旨に~する 취지에 찬동하다/~を得る 찬동을 얻다.
ざんとう【残党】图 잔당. =余党. ¶~を討伐する 잔당을 토벌하다.
さんとうしん【三等親】图 ☞さんしんとう.
さんとうせいじ【三頭政治】图 (고대 로마의) 삼두 정치.
さんとうな〖山東菜〗图〖植〗산동배추. =山東白菜·さんとうさい.
さんとく【三徳】图 1 삼덕. ㉠지·용·인(智·勇·仁)의 세 가지 미덕. ㉡〖佛〗법신(法身)·반야(般若)·해탈(解脫)의 세 가지; 또, 지덕(知德)·단덕(斷德)·은덕(恩德)의 세 가지 덕. 2 세 가지 용도. ¶~ナイフ 용도가 세 가지인 주머니칼.
さんどくしょう【酸毒症】图〖醫〗산독증. =アシドーシス.
サントニン [santonin(e)] 图 산토닌《회충약》. =セメンシナ.
サントラ 图 'サウンドトラック'의 준말.
さんにゅう【参入】图スル自 1 귀인을 찾아뵘; 알현. 2 들어옴; 참가함. ¶新規企業の~を好まない 신규 기업의 참가를 좋아하지 않는다.
さんにゅう【算入】图スル他 산입; 계산에 넣음. ¶予算に~する 예산에 산입하다/給料には残業手当も~してある 급료에는 잔업 수당도 산입되어 있다.
さんにん【三人】图 삼인; 세 사람.
—市虎を成す 삼인성호(成虎); 거짓말도 말하는 사람이 많으면 믿게 된다. =市に虎あり.
—寄れば文殊の知恵 셋이 모이면 문수보살 같은 좋은 지혜가 나온다.
—さんよう【—三様】图 세 사람이 각각 다름; 각인각색. ¶~の性格 세 사람의 각각 다른 성격.
ざんにん【残任】图 잔임; 남은 임무. ¶~期間 잔임 기간.
ざんにん【残忍】图ダナ 잔인. ¶~な性格 잔인한 성격/~きわまりない犯行 잔인하기 이를 데 없는 범행.
さんにんしょう【三人称】图 삼인칭.
さんねつ【散熱】图 산열; 열을 발산함.
さんねん【三年】图 삼년; 여러 해.
—飛ばず鳴かず 오랫동안 아무것도 안하고 지냄의 비유; 또, 웅비(雄飛)할 기회를 참고 기다림의 비유; 삼년불비(三年不蜚).
ざんねん【残年】图 여생; 남은 생애. =余命.
＊＊ざんねん【残念】名ダナ 1 분함; 억울함. ¶~がる 분해하다/~に思う 분하게 생각하다. 2 유감스러움. ¶~無念 유감천만/お会いできずに~でした 만나뵙지 못하여 유감이었습니다.
—しょう【—賞】图 애석상.
さんねんき【三年忌】图 삼주기(三周

忌). =さんかいき.

*さんば【産婆】图 산파; 조산원. 参考 '助産婦(じょさんぷ)'의 구칭임.

—やく【—役】图 (모임 등의) 산파역.

サンバ[samba]图〖樂〗삼바; 브라질에서 시작한 2/4 박자의 빠른 댄스 음악.

さんぱい【三拝】图ス自 1 삼배; 세 번 절함. 2 (편지 끝에 써서) 깊은 존경의 뜻을 나타내는 말.

—きゅうはい【—九拝】图ス自 삼배 구배; 여러 번 절함. ¶~してノートを借(か)りる 사정사정하여 노트를 빌리다.

*さんぱい【参拝】图ス自 참배. ¶~人(にん) 참배인 / 神社(じんじゃ)~ 신사 참배. 参考 절에 참배하는 일은 보통 '参詣(さんけい)'라고 함.

さんぱい【酸敗】图ス自 산패; 음식이 산화하여 시어짐. ¶~したミルク 산패한 우유 / 酒(さけ)が~する 술이 시어지다.

さんぱい【惨敗】图ス自 참패. ¶~を喫(きっ)する 참패당하다 / 決戦(けっせん)で~する 결전에서 참패하다. 参考 'ざんぱい'라고도 함. ↔圧勝(あっしょう).

さんばいず【三杯酢】图〖料〗설탕 또는 미림(味醂)·간장·초를 같은 비율로 섞은 양념장; 또, 그것을 친 음식.

さんばがらす【三羽がらす】《三羽烏》图 삼총사. 1 부하·제자 중의 뛰어난 세 사람. ¶門下(もんか)の~ 문하의 삼총사. 2 (같은 분야에서) 특출한 세 사람. ¶角界(かくかい)の~ 씨름계의 삼총사.

*さんばし【桟橋】图 1 잔교; 선창(船艙); 부두. ¶~まで見送(みお)くる 부두까지 전송하다 / 船(ふね)を~に横付(よこづ)ける 배를 선창에 가로대다. 2 (공사장 등의) 경사지게 설치한 비계.

さんぱつ【散発】图ス自他 1 산발; 산발적으로 일어남. ¶衝突事件(しょうとつじけん)が~する 충돌 사건이 산발하다. 2 드문드문 터짐; 발생함. ¶~三安打(さんあんだ)の完封(かんぷう) 산발 삼안타의 완봉.

—てき【—的】ダナ 산발적.

*さんぱつ【散髪】一图ス自 이발. ¶~屋(や) 이발소 / ~代(だい) 이발료 / ~に行(い)く 이발하러 가다 / ~してもらう (이발사가) 이발해 주다. 二图 산발; 흐트러진 머리. =ちらし髪(がみ). ¶~のまま外出(がいしゅつ)する 머리를 흩뜨린 채 외출하다.

ざんばらがみ【ざんばら髪】图 풀머리; 흐트러진 머리. =さんばらがみ.

さんばん【三番】图 셋; 세 번(째).

—しょうぶ【—勝負】图 삼판(양승제(制)) 승부.

ざんぱん【残飯】图 잔반; 먹다 남은 밥. =のこりめし. ¶~をあさる 잔반을 뒤지고 다니다.

さんび【酸鼻】《惨鼻》一图 아주 무참함. ¶~をきわめる 무참하기 이를 데 없다. 二图ス自 산비; 코로 거칠게 숨을 쉼; 또, 그와 같이 흐느껴 욺.

さんび【賛美】《讃美》图ス他 찬미. ¶祖国(そこく)を~する 조국을 찬미하다.

—か【—歌】图 찬미가; 찬송가.

*さんぴ【賛否】图 찬부; 찬반. ¶~を問(と)う 찬부를 묻다 / ~両論(りょうろん)に耳(みみ)を傾(かたむ)ける 찬부 양론에 귀를 기울이다.

さんびゃくだいげん【三百代言】图 1 엉터리 변호사를 욕하는 말. 2 궤변을 농함; 또, 그 사람. 参考 보수가 '三百文(さんびゃくもん)(=삼백 푼)' 정도인 싸구려 무자격 변호사를 부른 明治(めいじ) 초기의 말.

さんぴょう【散票】图 산표; 분산된 표. ¶~が意外(いがい)に多(おお)くて落選(らくせん)した 산표가 의외로 많아서 낙선했다.

さんびょうし【三拍子】图 1〖樂〗삼박자. ¶ワルツは~の曲(きょく)である 왈츠는 3박자 곡이다. 2 세 가지 중요한 조건.

—揃(そろ)う 필요한 조건이 모두 갖춰지다. ¶飲(の)む, 打(う)つ, 買(か)う, 三拍子揃ったならず者(もの) 술 마시고, 노름하고, 계집질하는 세 가지 나쁜 버릇을 갖춘 못된 놈 / 攻(こう)·守(しゅ)·走(そう)の三拍子揃った選手(せんしゅ) 공·수·주 삼박자를 갖춘 (야구) 선수.

さんピン[三一]图 1〈俗〉'さんピンざむらい'의 준말. 2 두 개의 주사위가 3과 1로 나오는 일. 参考 'ピン'은 포르투갈어 'pinta(=점(點))'의 전와(轉訛)로 1의 뜻.

—ざむらい[—侍]图 졸때기 무사《한 해 급여가 3냥 1푼이었던 데서; 江戸(えど) 시대에, 지체 낮은 무사를 경멸해 일컫던 말》. =さんピンやっこ.

さんぴん【産品】图 (생) 산품《'生産品(せいさんひん)'의 준말》. ¶主要(しゅよう)~ 주요 산품 / 石油(せきゆ)以外(いがい)の~ 석유 이외의 생산품 / 第一次(だいいちじ)~ 제일차 산품.

ざんぴん【残品】图 잔품; 팔고 남은 물품. ¶~整理(せいり)の大売(おおう)り出(だ)し 잔품 정리 대매출.

さんぶ【三部】图 삼부; 세 부. ¶~作(さく) 삼부작 / ~合唱(がっしょう) 삼부 합창.

さんぷ【参府】图ス自 江戸(えど) 시대에 여러 지방의 大名(だいみょう)가 江戸에 가서 근무하던 일. =参勤(さんきん).

さんぷ【散布】《撒布》图ス他 산포; 살포. ¶~剤(ざい) 살포제 / ビラを~する 삐라를 살포하다. 注意 '散布'는 대용(代用) 한자. 参考 '撒布(さっぷ)'의 관용음에서.

さんぷ【産婦】图 (임)산부.

ざんぶ【残部】图 1 잔부; 나머지 부분. 2 잔품; 팔다 남은 상품; 특히, 팔다 남은 책(의 부수). ¶~なし 잔품 없음.

さんぷく【三伏】图 삼복《초복·중복·말복》. ¶~の暑(あつ)さ 삼복더위.

さんぷく【山腹】图 산복; 산허리; 산의 중턱. =中腹(ちゅうふく). ¶飛行機(ひこうき)が~に衝突(しょうとつ)した 비행기가 산중턱에 충돌했다. ↔山頂(さんちょう)·山麓(さんろく).

さんぷくつい【三幅対】图 1 세 폭이 한 벌로 된 족자. ¶この山水(さんすい)は~になっている 이 산수는 세 폭 한 벌의 족자로 되어 있다. 2 세 개가 한 조로 된 것. ¶あの三人(さんにん)の踊(おど)りはまるで~だ 저 세 사람의 춤은 마치 한 폭의 그림〔한 사람의 춤〕같다.

さんふじんか【産婦人科】图 산부인과. ¶～医院 산부인과 의원.

**さんぶつ【産物】图 산물. ¶副～ 부산물 / 時代の～ 시대의 산물 / 研究の～ 연구의 소산.

ざんぶと 副 'ざぶんと'의 힘줌말: 첨벙. =ざぶりと. ¶水に～飛び込む 물속에 텀벙 뛰어들다.

サンプリング [sampling] 图スル自他 샘플링; 표본 추출; 견본을 뽑아 냄.

—ちょうさ【—調査】图 샘플링 조사; 표본 (추출) 조사.

サンプル [sample] 图 샘플; 견본; 표본. ¶～ケース 견본 상자 / 新薬の～ 신약 샘플 / 種々の～を見比べる 여러 가지 샘플을 비교해 보다.

さんぶん【散文】图 산문. ¶～で書く 산문으로 쓰다. ↔韻文.

—し【—詩】图 산문시. ↔定型詩.

—てき【—的】ダナ 산문적. ¶～な詩 산문적인 시 / ～な景色 산문적인 경치《평범한 경치》. ↔詩的.

さんぺい【散兵】图 산병; 적당한 간격으로 병사를 흩어 놓는 일; 또, 그 병사. ¶～壕 산병호 / ～線 산병선.

さんべん【三遍】图 3회; 세 번.

—回って煙草にしょ 야경을 세 번 돌고 나서 쉴 때 담배를 피우자라는 뜻; 빈틈없도록 확인한 다음에 쉬자.

**さんぽ【散歩】图スル自 산보; 산책. =散策. ¶街を～する 거리를 산책하다.

さんぼう【三宝】图 1〔佛〕삼보《불(佛)·법(法)·승(僧)을 일컬음》. 2 부처.

さんぼう【三方】图 1 삼방; 세 방면〔방위〕. ¶道が～に分かれる 길이 세 방면으로 갈라지다. 2 신불이나 귀인 앞에 음식물을 받쳐 내놓는 굽 달린 쟁반. 注意 'さんぽう'라고도 함. 參考 굽의 앞면과 좌우면에 구멍이 나 있음.

[三方 2]

さんぼう【参謀】图 참모. ¶選挙～ 선거 참모 / 会長の～役 회장의 참모〔상담〕역.

さんぼう【山房】图 산방. 1 산속의 집. 2 서재(書齋)의 이름에 쓰는 말.

=さんぼう 되어가는 대로 함. ¶行きなり～ 앞뒤 생각없이 행동함 / 人の言いなり～ 남이 하라는 대로 움직임.

さんぼう【算法】图 산법; 셈법; 산술(算術); 또, 연산의 규칙.

サンボリスム [프 symbolisme] 图 생볼리슴; 상징주의. =シンボリズム.

さんぼん【三本】图 세 자루〔그루〕; 세 대; 세 개; 세 판.

—じめ【—締め】图 거래 상담의 성립을 축하하여 세 번씩 거듭 치는 박수.

ざんぽん【残本】图 1 잔본; 팔다 남은 책. 2 낙질본(落帙本).

さんま〖秋刀魚〗图〔魚〕꽁치.

さんまい［三昧］图 1 삼매. ¶念仏三昧 염불 삼매 / 読書三昧 독서삼매. 2 툭하면 하려고 함; 마음 내키는 대로 함. ¶刃物三昧に及ぶ 툭하면 칼부림하곤 하다 / ぜいたく三昧にふける 마음껏 사치를 누리다. 注意 다른 말에 붙여 쓸 때는 'ざんまい'라고 함.

—きょう［—境］图 삼매경.

—ば［—場］图 1 승려가 사자(死者)의 명복을 빌기 위한, 묘지에 가까운 당(堂). 2 묘소; 또, 화장터.

さんまい【三枚】图 1 석 장. 2 생선의 머리를 떼고 등뼈를 따라 칼집을 내어 뼈와 두 조각의 살로 뜨는 일. =三枚おろし. ¶あじを～におろす 전갱이를 세 조각으로 뜨다. 「(三枚)2.

—おろし【—下ろし】图 ☞さんまい

—め【—目】图〔劇〕익살스러운 역; 또, 그 역을 맡은 배우. 參考 극장 앞에 붙이는 배우 일람표의 세 번째에 이름이 기록된 데서.

さんまい【産米】图 산미; 생산된 쌀. ¶新潟～ 新潟산 쌀 / 本年度～ 금년도에 생산된 쌀.

*さんまん【散漫】图ダナ 산만. ¶～な文章 산만한 문장 / 注意が～になる 주의가 산만해지다.

さんみ【三位】图 1 삼품《正三位(=정삼품)와 従三位(=종삼품)가 있음》; 또, 그 품계를 받은 사람. 2〔基〕성부(聖父)·성자(聖子)·성령의 총칭.

—いったい【—一体】图 삼위일체. ¶～のキリスト教の教理 삼위일체의 그리스도교 교리 / 陸海空軍が～となって作戦を立てる 육해공군이 삼위일체가 되어 작전을 세운다.

さんみ【酸味】图 산미; 신맛. ¶～のつよいみかん 몹시 신 귤 / すこし～のある食べ物 좀 신맛이 나는 음식.

**さんみゃく【山脈】图 산맥. ¶～地帯 산맥 지대 / ヒマラヤ～ 히말라야 산맥.

ざんむ【残務】图 잔무; 남은 사무. ¶会社の～を整理する 회사의 잔무를 정리하다.

さんめん【三面】图 삼면. 1 세 (가지) 얼굴. 2 세 방면. ¶～に敵をうける 삼면에 적을 받다〔맞다〕. 3 신문의 사회면《신문이 4면이던 때, 3면에 사회 기사를 실은 데서》. 「사.

—きじ【—記事】图 삼면〔사회면〕 기

—ろっぴ［—六臂］图 삼면육비《얼굴이 셋에 팔이 여섯 있는 불상》; 전하여, 혼자서 여러 사람 몫을 함. ¶～の大活躍 삼면육비의 대활약; 혼자 여러 사람 몫을 하는 눈부신 활약.

さんもうさく【三毛作】图 삼모작. ¶～の稲 삼모작의 벼. ⇨にもうさく.

さんもん【三文】图 1 서 푼; 적은 돈; 헐값. ¶二束～に売り飛ばす (짚신) 두 켤레를 서 푼에 팔아 버리다《헐값으로 팔아 치우다》/ ～の値うちもない 서 푼의 값어치도 없다《아무짝에도 쓸모가 없다》. 2《接頭語적으로》 가치가 아주 적음. ¶～文士 시시한 문사 / ～小説

(しょうせつ) 싸구려 소설.

さんもん【三門】 图 삼문. **1** 가운데 큰문과 양 옆에 작은 문이 있는 대문. **2** 절의 정문. ＝山門(さんもん).

さんもん【山門】 图 산문. **1** 절의 정문. **2** 선종(禪宗)의 사찰.

さんや【山野】 图 산야. ¶～に生(しょう)ずる草木(そうもく) 야생의 초목/～を駆(か)けめぐる 산야를 뛰어 돌아다니다.

さんやく【三役】 图 **1** (씨름에서) 大関(おおぜき)·関脇(せきわけ)·小結(こむすび)의 총칭. 参考 흔히, 横綱(よこづな)도 포함함. **2** (정당 등에서) 세 개의 중요한 직위; 또, 그 지위의 임원. ¶党(とう)〔組合(くみあい)〕～ 당〔노동조합〕3역.

さんやく【散薬】 图 산약; 가루약. ＝こなぐすり.

さんゆうかん【三遊間】 图 〖野〗 삼유간; 3루수와 유격수 사이.

さんよ【参与】 ㊀图ス自 참여. ¶経営(けいえい)に～する 경영에 참여하다. ㊁图 학식·경험이 있는 사람을 행정사무 등에 참여시키기 위한 직위; 고문; 상담역. ¶協会(きょうかい)の～になる 협회의 고문이 되다.

ざんよ【残余】 图 잔여; 나머지. ＝あまり·のこり·剰余(じょうよ). ¶～財産(ざいさん) 잔여재산/～の生(せい) 나머지 생애.

さんよう【山容】 图 산용; 산의 모양. ¶～水態(すいたい) 산용 수태《산수의 경치》/けわしい～を望(のぞ)む 험준한 산용을 바라(다)보다.

さんよう【山陽】 图 **1** 산양; 산의 남쪽. **2** 山陽道(さんようどう)의 준말. ↔山陰(さんいん).

―ちほう【―地方】 图 〖地〗 中国(ちゅうごく) 지방 중 瀬戸内海(せとないかい)에 면한 지역.

―どう【―道】 图 옛날 7도의 하나《中国 지방의 瀬戸内海에 면한 지방.

さんよう【算用】 图ス他 돈 계산; 셈. ¶胸算用(むなざんよう) 혼자 속으로 계산함; 속셈(을 해봄)/～が合(あ)わない 셈이 맞지 않다; 수지가 맞지 않다.

―すうじ【―数字】 图 산용〔아라비아〕숫자. ＝アラビアすうじ.

さんらん【散乱】 图ス自 산란; 흩어짐; 어지러짐. ¶紙(かみ)きれが～する 종잇조각이 어지러이 흩어지다.

さんらん［燦爛］ トタル 찬란. ¶金色(こんじき)～たる宝冠(ほうかん) 금빛 찬란한 보관.

さんらん【蚕卵】 图 잠란; 누에의 알.

―し【―紙】 图 잠란지. ＝種紙(たねがみ).

さんらん【産卵】 图ス自 산란. ¶～期(き)〔管(かん)〕 산란기〔관〕/～回遊(かいゆう) 산란 회유.

***さんりゅう【三流】** 图 삼류. ¶～歌手(かしゅ) 삼류 가수/～画家(がか) 삼류 화가. 参考 가장 낮은 뜻으로 쓰이는 수가 많음.

ざんりゅう【残留】 图ス自 잔류. ¶～部隊(ぶたい) 잔류 부대/～放射能(ほうしゃのう)〔農薬(のうやく)〕 잔류 방사능〔농약〕.

さんりょう［山稜］ 图 산릉; 산등성이. ＝尾根(おね). ¶～をつたって頂上(ちょうじょう)に至(いた)る 산등성이를 따라 정상에 이르다.

さんりん【三輪】 图 삼륜. **1** 세 개의 바퀴. **2** '三輪車(さんりんしゃ)'의 준말. ¶オート～ 삼륜 자동차.

―しゃ【―車】 图 삼륜차. **1** 삼륜 화물차. **2** 세발자전거. ¶子供(こども)が～に乗(の)っている 아이가 세발자전거에 타고 있다.

***さんりん【山林】** 图 산림. ¶～愛護(あいご) 산림 애호/～にまじわる 출가(出家)〔은둔〕하다/～に囲(かこ)まれる 산림에 둘러싸이다/～にわけ入(い)る 산림을 헤치고 들어가다.

さんるい【三塁】 图 〖野〗 3루(수). ＝サード. ¶～手(しゅ) 3루수.

―だ【―打】 图 3루타. ＝スリーベースヒット.

ざんるい【残塁】 ㊀图ス自 〖野〗 잔루. ¶三者(さんしゃ)～無得点(むとくてん)で終(お)わる 삼자 잔루 무득점으로 끝나다. ㊁图 함락되지 않고 남아 있는 보루.

さんれい【山霊】 图 산령; 산신령; 산신(山神).

さんれい［山嶺］ 图 산령; 산봉우리. ¶雪(ゆき)をいただく～ 눈 덮인 산봉우리.

***さんれつ【参列】** 图ス自 참렬; 참례; 참석. ¶記念式(きねんしき)〔葬儀(そうぎ)〕に～する 기념식〔장례식〕에 참례〔참석〕하다.

さんれつ【惨烈】 图 참렬; 몹시 참혹함〔끔찍함〕. ¶～をきわめる 참렬을 극하다; 극도로 참혹하다.

さんれん【三連】 图 내리 세 번〔개〕. ¶～勝(しょう) 삼연승.

―せい【―星】 图 (바둑에서) 삼연성.

さんろう［参籠］ 图ス自 신사·절 등에 일정 기간 머물러 기도함. ＝おこもり. ¶寺(てら)に～する 절에 묵으며 기도하다.

さんろく［山麓］ 图 산록; 산기슭. ＝山(やま)すそ. ¶～の別荘(べっそう) 산록의 별장. ↔山腹(さんぷく)·山頂(さんちょう).

さんろくばん【三六判】 图 〖印〗 삼륙판; 너비 세 치, 길이 여섯 치《약 18cm》되게 제본한 책의 크기. ＝さぶろくばん.

さんわおん【三和音】 图 〖楽〗 삼화음.

し シ

1 五十音図(ごじゅうおんず)의 'さ行(ぎょう)'의 둘째 음. [shi] **2** 〖字源〗 '之'의 초서체《かたかな 'シ'도 같음》.

し【史】 图 사; 역사. ¶～に名(な)をとどめる 역사에 이름을 남기다/～をひもとく 역사책을 펴서 읽다〔들추어 보다〕. 参考 接尾語적으로도 씀. ¶文学(ぶんがく)～ 문학사/世界(せかい)～ 세계사.

し【四】 图 사; 넷.

―の五(ご)の言(い)う 이러쿵저러쿵 둘러대다. ¶四の五の言って約束(やくそく)を守(まも)らない 이러쿵저러쿵 둘러대며 약속을 지키지 않는다.

し【士】㊀名 사. 1 무사; 군인. ¶～農工商 사농공상. 2 선비; 훌륭한 인사; 남자의 경칭. ¶好学の～ 호학지사《글 좋아하는 선비》/同好の～ 동호인. ㊁接尾 특별한 자격을 갖춘 사람. ¶弁護～ 변호사/計理～ 계리사; 공인회계사.

し【子】名 1 '子爵'의 준말. 2 공자(孔子). ¶～いわく,… (공)자 왈,….

*し【市】㊀名 시. ¶～に昇格する 시로 승격하다. ㊁接尾 시 이름에 붙이는 말: …시. ¶甲府～ 甲府 시.

し【師】㊀名 1 스승. ¶～の恩 스승의 은혜/～と仰ぐ 스승으로 우러르다. 2 군대; 전쟁. ¶問罪の～を起こす 문죄의 군사를 일으키다. ㊁接尾 그것을 업으로 하는 사람: …사; 꾼. ¶薬剤～ 약제사; 약사/詐欺～ 사기꾼.

し【志】名 뜻; 마음. ¶～を継ぐ 뜻을 잇다.

し【私】㊀名 사; 나; 개인. ¶公と～を区別する 공과 사를 구별하다. ↔公. ㊁接頭 개인의; 개인적인. ¶～生活 사생활/～文書 사문서.

**し【死】㊀名 ス自 사; 죽음. ¶～を覚悟する 죽음을 각오하다/～に追いやる 죽음으로 몰아가다/～の街と化す 죽음의 거리로 화하다. ↔生·しょう·活. ㊁名 1 사형; 사죄. ¶罪は～に当たる 죄는 사형에 해당된다. 2〔野〕아웃. ¶一～満塁 일사 만루. 参考 接尾語적으로도 씀. ¶自然～ 자연사/事故～ 사고사.

——一等を減ずる 사 일등을 감하다《사형에서 한 등급을 감형하다》.

——の灰 죽음의 재; 낙진(落塵).

——を賜わる (영주로부터) 자결하라는 명령을 받다; 사사(賜死)를 당하다.

*し【詩】名 시. ¶～を味わう 시를 음미하다. 参考 接尾語적으로도 씀. ¶近代～ 근대시/自由～ 자유시.

——を作るより田を作れ 시를 짓기보다는 논을 일구어라《생산적인 일을 하라는 뜻》.

し【資】名 1 밑천; 자본. ¶～を投じる 투자하다. 2 (훌륭한) 천성; 자질. ¶天与の～ 타고난〔천부의〕 바탕〔자질〕. 3 재료; 자료. ¶研究の～とする 연구 자료로 삼다.

し【氏】㊀代 씨; 그; 그분. ¶～の説を傾聴する 그(분)의 주장을 경청하다. 参考 주로 문장어에서 씀. ㊁接尾 …씨. 1 성에 붙이는 존칭. ¶山本～ 山本씨. 参考 주로 남자에게 씀. 2 친정의 성씨에 붙여 출신을 나타냄. ¶彼の妻は木村～の出である 그의 아내는 木村씨 집안 출신이다.

し=【至】《시간·장소를 나타내는 말에 붙어》지; 까지; …에 이름. ¶自五月～八月 5월부터 8월까지. ↔自.

=し【使】…사; 사자(使者). ¶遣唐～ 견당사/慰問～ 위문사.

=し【紙】…지. 1 종이. ¶和～ 일본 종이. 2 신문. ¶日刊～ 일간지.

=し【視】…시. ¶有望～ 유망시/白眼～する 백안시하다.

=し【誌】…지; 잡지. ¶機関～ 기관지/月刊～ 월간지.

し 接助《終止形에 붙여서》사물을 열거해서 말할 때에 씀. 1 엇갈리는 사항을 열거하여 말할 때에 씀: …고. ¶遊びには行きたい～, 金はない～ 놀러는 가고 싶고 돈은 없고. 2 동시에 있는 일을 열거하는 데 씀: …한데다 (더욱이). ¶頭もいい～気だてもいい 머리도 좋고 마음씨도 좋다/雪も降る～風も吹いた 눈도 오고 바람도 불었다. 3 한 가지 일을 들어서, 다른 것을 암시하는 기분을 나타냄: …니; …인데. ¶水道もない～, 不便な所ですよ 수도도 없고, 불편한 곳입니다/用事も有る～, きょうはこれで失礼いたします 볼일도 있고 해서 오늘은 이만 실례하겠습니다. 4 말을 하다가 삼가고 끝내지 못하는 기분을 나타냄: …고. ¶彼がそんな事をするはずはない～ 그가 그런 일을 할 리는 없고.

し〖士〗教4 シ ジ さむらい | 사 선비 | 1 선비. ¶士大夫 사대부/士君子 사군자. 2 군인; 무사. ¶勇士 용사/士気 사기. 3 훌륭한 남자. ¶紳士 신사.

し〖子〗教1 シ ス こ ね | 자 아들 | 1 자식; 아이. ¶子息 자식/妻子 처자. 2 남자의 높임말. ¶君子 군자. ㉠학문상 일가를 이룬 사람; 또, 그의 저서. ¶諸子百家 제자백가/孟子 맹자. ㉡특히, 공자. ¶子のたまわく 공자 가라사대〔왈〕.

し〖之〗人名 シ これ の ゆく | 지 이 가다 | 1 가다; 이르다; 도달하다. 2 格助詞 'の'에 상당하는 자(字): 의. ¶先祖代々之墓 조상 대대의 묘. 3 指示代名詞 'これ': 이. ¶之に依って 이에 의하여.

し〖支〗教5 シ ささえる つかえる | 지 버티다 | 1 버티다; 지탱하다; 도와 주다. ¶支柱 지주/支援 지원. 2 가지로 갈라지다; 가지. ¶支流 지류/気管支 기관지. 3 지불하다. ¶支出 지출.

し〖止〗教2 シ とまる とめる とどまる とどめる やむ やめる よす | 지 그치다 | 1 머물다. ¶静止 정지. 2 막다; 멈추다. ¶止血 지혈/停止 정지.

し〖氏〗教4 シ うじ | 씨 씨 | 씨. 1 같은 혈족의 집단; 성씨; 집안. ¶氏名 씨명/氏族 씨족. 2 씨족의 이름 밑에 붙임. ¶徳川氏 徳川씨 집안. 3 사람을 가리키는 말《주로 남자》. ¶彼氏 그분.

し〖仕〗教3 シ ジ つかえる つかまつる | 사 섬기다 | 섬기다; 출사하다. ¶仕官 사관/奉

仕(ほうし) 봉사 / 沖仲仕(おきなかし) 선박 하역 인부.

し〘司〙教4 シ ス つかさ つかさどる | 사 맡다 벼슬 | **1** (공사(公事)를) 책임 맡다; (책임자로) 다스리다. ¶司令(しれい) 사령 / 司法(しほう) 사법. **2** 관공리. ¶上司(じょうし) 상사.

し〘史〙教4 シ ふみ ふびと | 사 사관 | **1** 사관(史官). ¶史生(ししょう) 서기 / 侍史(じし) 시사. **2** 역사(서). ¶史学(しがく) 사학 / 史記(しき) 사기 / 史実(しじつ) 사실 / 歴史(れきし) 역사.

し〘四〙教2 シ よ よつ よっつ よん | 사 넷 | **1** 넷. ¶四季(しき) 사계(절) / 四書(ししょ) 사서. **2** 네 번. ¶四回(よんかい) 4회; 네 번 / 再三再四(さいさんさいし) 재삼재사. **3** 사방. ¶四海(しかい) 사해.

し〘市〙教2 シ いち | 시 저자 | **1** 시장; 장; 또, 매매; 장사. ¶市況(しきょう) 시황 / 市場(しじょう・いちば) 시장. **2** 행정상의 자치 단체; 시. ¶市民(しみん) 시민 / 京都市(きょうとし) 京都 시.

し〘矢〙教2 シ や | 시 살 | 화살. ¶弓矢(きゅうし・ゆみや) 궁시 / 嚆矢(こうし) 효시 / 一矢(いっし)をむくいる 보복하다.

し〘旨〙常用 シ むね うまい | 지 뜻 | **1** 음식 맛이 좋다; 맛이 있는 음식. **2** 마음속; 뜻; 취지. ¶要旨(ようし) 요지 / 論旨(ろんし) 논지.

し〘死〙教3 シ しぬ | 사 죽다 | **1** 죽음; 죽다; 없어지다. ¶安楽死(あんらくし) 안락사 / 酔生夢死(すいせいむし) 취생몽사. **2** 죽음의 위험을 무릅쓰다. ¶死守(ししゅ) 사수 / 死線(しせん) 사선.

し〘糸〙〘絲〙教1 シ いと | 사 실 | **1** (명주)실. ¶絹糸(けんし) 견사 / 糸巻(いとまき) 실패. **2** 실같이 가는 것. ¶菌糸(きんし) 균사 / 糸鋸(いとのこ) 실톱.

し〘至〙教6 シ いたる | 지 이르다 | **1** 이르다. ¶必至(ひっし) 필지 / 乃至(ないし) 내지. **2** 더할 나위 없음; 극히. ¶至極(しごく) 지극 / 至急(しきゅう) 지급.

し〘伺〙常用 シ うかがう | 사 살피다 | 찾아뵙다; 살피다. ¶伺候(しこう) 사후 / 奉伺(ほうし) 봉사.

し〘志〙教5 シ こころざす こころざし しるす | 지 뜻하다 | **1** 목적을 세우다; 뜻하다; 목표. ¶志望(しぼう) 지망 / 有志(ゆうし) 유지. **2** (상대를 생각하는) 마음; 정성. ¶寸志(すんし) 촌지 / 芳志(ほうし) 방지 / 篤志家(とくしか) 독지가.

し〘私〙教6 シ わたくし ひそかに | 사 사 | **1** 나; 개인. ¶公私(こうし) 공사 / 私立(しりつ) 사립. **2** 개인적인 것; 사적인 것. ¶私腹(しふく) 사복 / 公平無私(こうへいむし) 공평무사. ⇔公(こう).

し〘芝〙常用 シ しば | 지 영지 | **1** 영지(靈芝) 버섯. ¶霊芝(れいし) 영지. **2** 잔디. ¶芝生(しばふ) 잔디밭 / 芝原(しばはら) 잔디가 나 있는 벌판.

し〘使〙教3 シ つかう | 사 부리다 | **1** 사역하다; 부리다; 쓰다. ¶使用(しよう) 사용 / 酷使(こくし) 혹사. **2** 심부름 보내다; 또, 사자(使者). ¶使節(しせつ) 사절 / 密使(みっし) 밀사.

し〘刺〙常用 シ セキ さす ささる とげ | 자 척 찌르다 | **1** 찌르다. ¶刺激(しげき) 자극 / 刺繡(ししゅう) 자수 / 刺殺(しさつ・せきさつ) 척살. **2** 가시; 바늘. ¶棘刺(きょくし) 가시. **3** 풍자하다. ¶風刺(ふうし) 풍자.

し〘始〙教3 シ はじめる はじまる | 시 처음 비롯하다 | **1** 사물의 시초; 처음. ¶始祖(しそ) 시조 / 原始(げんし) 원시. ↔終(しゅう)・末(まつ). **2** 시작하다. ¶始業(しぎょう) 시업 / 創始(そうし) 창시. ↔終(しゅう).

し〘姉〙教2 シ あね | 자 누이 | 언니; 누이. ¶姉妹(しまい) 자매 / 令姉(れいし) 영자; 매씨. ↔妹(まい).

し〘枝〙教5 シ えだ | 지 가지 | **1** 가지. ¶枝葉(しよう) 지엽 / 剪枝(せんし) 전지. **2** 갈린 것; 분지(分枝). ¶枝流(しりゅう) 지류 / 連枝(れんし) 형제자매 / 枝族(しぞく) 지족. 注意 '支'와 같음.

し〘祉〙〘祉〙常用 シ チ さいわい | 지 복 | 행복; 복지. ¶福祉(ふくし) 복지.

し〘肢〙常用 シ | 지 팔다리 | **1** 수족; 팔다리. ¶肢体(したい) 지체 / 義肢(ぎし) 의지. **2** 갈린 부분·줄기; 가지. ¶分肢(ぶんし) 분지. 注意 '支'와 같음.

し〘姿〙〘姿〙教6 シ すがた | 자 맵시 | 맵시; 모양; 모습. ¶姿態(したい) 자태 / 姿勢(しせい) 자세 / 容姿(ようし) 용자 / 雄姿(ゆうし) 웅자.

し〘思〙常用 シ おもう おぼす | 사 생각하다 | **1** 생각하다; 생각. ¶思想(しそう) 사상 / 意思(いし) 의사 / 思考(しこう) 사고. **2** 사모하다. ¶思慕(しぼ) 사모 / 相思(そうし) 상사.

し〘指〙教3 シ さす ゆび ゆびさす | 지 손가락 가리키다 | **1** 손가락. ¶指紋(しもん) 지문 / 屈指(くっし) 굴지. **2** 가리키다; 지시하다. ¶指導(しどう) 지도 / 指名(しめい) 지명.

し〘施〙常用 シ セ しく ほどこす | 시 베풀다 | **1** 베풀다. ¶施主(せしゅ) 시주 / 施米(せまい) 시미 / 布施(ふせ) 보시. 注意 'セ'로 읽음. **2** 널리 펴다; 행하다. ¶施政(しせい) 시정 / 実施(じっし) 실시.

し〘師〙教5 シ いくさ | 사 군사 스승 | **1** 군사; 군대. ¶師団(しだん) 사단 / 出師(すいし) 출사. **2** 스승. ¶師範(しはん) 사범 / 恩師(おんし) 은사. **3** 장색(匠色)의 장(長); 기술자. ¶絵師(えし) 화공; 화사 / 医師(いし) 의사.

し〘紙〙教2 シ かみ | 지 종이 | **1** 종이. ¶紙幣(しへい) 지폐 / 用紙(ようし) 용지 / 紙型(しけい) 지형. **2** '新聞紙(しんぶんし)(=신문지)'의 준말. ¶紙面(しめん) 지면 / 日刊紙(にっかんし) 일간지.

し〘脂〙常用 シ あぶら やに | 지 비계 | **1** 동물성 기름; 기름 덩어리; 기름지다. ¶脂肪(しぼう) 지방 / 油脂(ゆし) 유지. **2** 식물의 진. ¶樹脂(じゅし) 수지 / 松脂(まつやに) 송진.

し〖紫〗常用 シ むらさき | 자 보랏빛 | 보랏빛. ¶紫煙しえん 자연/紫雲しうん 자운/紫外線しがいせん 자외선.

し〖視〗〖視〗教6 シ みる | 시 보다 | 1 살펴 보다. ¶視野しや 시야/注視ちゅうし 주시. 2 …으로 보다〔취급하다〕. ¶軽視けいし 경시/重大視じゅうだいし 중대시. 3 시력. ¶近視きんし 근시/乱視らんし 난시.

し〖詞〗教6 シ ジ ことば | 사 말 | 말; 언어 문장; 시문. ¶祝詞しゅくし 축사/品詞ひんし 품사/歌詞かし 가사. 注意 '辞じ'와 통함.

し〖歯〗〖齒〗教3 シ は よわい | 치 이 나이 | 1 이. ¶歯科しか 치과/犬歯けんし 견치. 2 나이; 연령. ¶年歯ねんし 연치.

し〖嗣〗常用 シ つぐ | 사 잇다 | 가문을 이음; 후사(後嗣); 상속인. ¶嗣子しし 사자/嫡嗣ちゃくし 적사.

し〖詩〗教3 シ | 시 시 | 시. 1 문예의 한 형태; 시. ¶詩人しじん 시인/英詩えいし 영시. 2 중국의 운문체의 하나; 한시. ¶詩歌しいか 시가/律詩りっし 율시/漢詩かんし 한시.

し〖試〗教4 シ こころみる ためす | 시 시험하다 | 시험하다; (시험)해 보다. ¶科挙かきょの試し 과거 시험/試金石しきんせき 시금석.

し〖資〗〖資〗教5 シ | 자 재물 | 1 생활의 재료; 재산; 밑천. ¶資金しきん 자금/資材しざい 자재/物資ぶっし 물자. 2 천성; 신분. ¶資格しかく 자격/資質ししつ 자질.

し〖雌〗常用 シ め めす | 자 암컷 | 1 암; 암컷. ¶雌雄しゆう 자웅. ↔雄ゆう. 2 연약함. ¶雌伏しふく 자복.

し〖飼〗〖飼〗教5 シ かう やしなう | 사 먹이다 | 모이·먹이를 주다; 기르다; 먹이다. ¶飼育しいく 사육/飼料しりょう 사료.

し〖漬〗常用 シ つける つかる | 지 담그다 | 담그다; 담가지다. ¶漬物つけもの (왜)김치; 야채 절임/塩漬しおづけ 소금절이. 注意 주로 훈독(訓讀)함.

し〖誌〗教6 シ しるす | 지 적다 | 1 기록하다; 또, 기록한 것. ¶日誌にっし 일지/書誌しょし 서지. 2 '雑誌ざっし(=잡지)'의 준말. ¶誌面しめん 지면/週刊誌しゅうかんし 주간지.

し〖賜〗常用 シ たまわる たまう たまもの | 사 주다 | 귀인이 주시다; 내리(시)다; 하사물. ¶恩賜おんし 은사/下賜かし 하사.

し〖諮〗〖諮〗常用 シ はかる | 자 묻다 | 자문하다. ¶諮問委員しもんいいん 자문 위원.

し〖示〗☞じ〖示〗

*じ【地】图 1 땅. ㉠토지; 지면(地面). ¶~ならし 땅 고르기; 정지(整地)/雨あめ降ふって~固かたまる 비 온 뒤에 땅이 굳는다. ㉡그 지방(의 것). ¶~の人ひと 그 지방 사람/~の産物さんぶつ 그 지방의 산물; 토산물. 2 (바둑에서) 집. ¶~を囲かこう 집을 짓다. 3 바탕. ㉠튼튼한 기초. ¶~ができている 튼튼한 바탕이 되어 있다/~に着ついた研究けんきゅう 튼튼한 바탕에 뿌리내린 연구. ㉡타고난 바탕; 본성. ¶~の声こえ 타고난〔제〕 목소리/~が出でる 본성이 드러나다. ㉢옷감의 바탕. ¶厚あつい~の服ふく 두꺼운 감의 옷/~のあらい織物おりもの 바탕이 거친 직물. 4 피부; 살결. ¶~が荒あれる 살결이 거칠어지다. ⇨地じの文ぶん.

—で行ゆく (유명한 소설이나 드라마에 묘사된 행동을) 그대로 실생활에 옮겨 하다. ¶小説しょうせつを~生いき方かた 소설을 실제로 옮긴 것 같은 생활 방식.

**じ【字】图 1 자; 글자. ¶~を覚おぼえる 글자를 익히다/書かきにくい~だ 쓰기 어려운 (글)자다. 2 글씨. ¶きれいな~だ 예쁜 글씨다/~がへただ 글씨가 서투르다; 글씨를 잘 못 쓴다.

じ【持】图 (바둑 따위에서) 비김; 무승부. ¶対局たいきょくは~になりそうだ 대국은 무승부가 될 것 같다.

じ[痔]图 치질. =痔疾じしつ. ¶いぼ~ 수치질/~を病やむ 치질을 앓다.

じ【辞】图 1 사; 말; 글. ¶送別そうべつの~ 송별사/~を低ひくくする 말을 정중히 하다; 공대말을 쓰다. 2 한문 문체의 하나. ¶帰去来ききょらいの~ 귀거래사.

じ【次】차. ㊀接頭 다음. ¶~年度ねんど 다음 연도. ㊁接尾 단계; 횟수. ¶第三だいさん~ 제3차.

じ=【自】《시간·장소를 나타내는 말에 붙어》자…; …부터. ¶~2時にじ至し8時はちじ 2시부터 8시까지. ↔至し.

=じ【寺】…사; 절. ¶東大とうだい~ 東大사.

=じ【児】…아. 1 아이. ¶肥満ひまん~ 비만아/優良ゆうりょう~ 우량아. 2 남아. ¶風雲ふううん~ 풍운아/幸運こううん~ 행운아.

=じ【事】…사; 일; 사항. ¶不祥ふしょう~ 불상사/関心かんしん~ 관심사.

=じ【時】…시. 1 때. ¶空腹くうふく~ 공복시. 2 시간; 시각. ¶十三じゅうさん~ 13시. 3 시간당. ¶キロワット~ 킬로와트시.

じ〖示〗教5 ジ シ しめす | 시 보이다 | 보이다; 알리다; 나타내다. ¶示唆しさ 시사/指示しじ 지시/教示きょうじ 교시.

**じ〖字〗教1 ジ あざ あざな | 자 자 | 1 자; 글자; 특히, 한자; 글씨. ¶字画じかく 자획/文字もじ 문자/十文字じゅうもんじ 열십자. 2 市町村しちょうそん 안의 작은 구획(=あざ).

じ〖寺〗教2 ジ てら | 사 시 절 관청 | 절; 사찰; 정사(精舍). ¶寺院じいん 사찰/南蛮寺なんばんじ 그리스도교 교회의 속칭/山寺やまでら 산사.

じ〖次〗〖次〗教3 ジ シ つぐ つぎ | 차 버금 | 1 둘째; 다음; 버금. ¶次席じせき 차석/次男

(じなん) 차남. **2** 차례; 순서. ¶次第(しだい) 순서; 차차 / 席次(せきじ) 석차. **3** 횟수 등을 세는 말. ¶第二次(だいにじ) 제이차.

じ〖耳〗教1 ジ ニ みみ のみ | 이 귀 | 귀; 귀 모양의 것. ¶耳目(じもく) 이목 / 耳鼻(じび) 이비; 귀와 코 / 牛耳(ぎゅうじ)を執(と)る 좌지우지하다.

じ〖自〗教2 ジ シ みずから おのずから より | 자 스스로 | **1** 자기; 본인; 이몸. ¶自身(じしん) 자신 / 各自(かくじ) 각자. ↔他(た). **2** 저절로. ¶自明(じめい) 자명 / 自然(しぜん·じねん) 자연. **3** 제멋대로. ¶自由(じゆう) 자유.

じ〖似〗教4 ジ にる にせる | 사 같다 | 비슷하다; 비슷하게 하다. ¶類似(るいじ) 유사 / 相似(そうじ) 상사 / 似顔(にがお) 닮은 얼굴.

じ〖児〗(兒) 教4 ジ ニ こ | 아 아이 | **1** 아이; 영아. ¶児童(じどう) 아동 / 幼児(ようじ) 유아 / 小児(しょうに) 소아. **2** (부모에 대한) 자식; 자녀. ¶愛児(あいじ) 애아.

じ〖事〗教3 ジ ズ こと つかえる | 사 일 | **1** 일; 사항; 사건. ¶事態(じたい) 사태 / 無事(ぶじ) 무사 / 火事(かじ) 화재. **2** 섬기다; 봉사하다. ¶事大主義(じだいしゅぎ) 사대주의 / 師事(しじ) 사사.

じ〖侍〗常用 ジ さむらい さぶらう はべる | 시 모시다 | **1** 모시다. ¶侍医(じい) 시의 / 近侍(きんじ) 근시. **2** 귀인을 모시는 사람; 무사. ¶若侍(わかざむらい) 젊은 무사.

じ〖持〗教3 ジ もつ | 지 가지다 | 가지다; 지탱하다; 몸에 지니다. ¶持病(じびょう) 지병 / 所持(しょじ) 소지 / 扶持(ふち) 녹; 녹미(祿米).

じ〖時〗教2 ジ シ とき | 시 때 | **1** 세월의 흐름; 하루의 구분; 때; 시; 시간. ¶時間(じかん) 시간 / 同時(どうじ) 동시. **2** 한 시간. ¶時速(じそく) 시속 / 毎時(まいじ) 매시. **3** 그때; 그 무렵; 시대. ¶時局(じきょく) 시국 / 当時(とうじ) 당시.

じ〖滋〗(滋) 常用 ジ シ しげる ます | 자 붇다 | **1** 우거지다; 자라다; 늘다. **2** 영양분이 되다. ¶滋養(じよう) 자양 / 滋雨(じう) 자우.

じ〖慈〗(慈) 常用 ジ いつくしむ | 자 사랑하다 | **1** 애육하다; 자애롭다. ¶慈善(じぜん) 자선 / 仁慈(じんじ) 인자. **2**〖佛〗사랑으로 괴로움을 제거하다. ¶慈悲(じひ) 자비.

じ〖辞〗(辭) 教4 ジ やめる ことば ことわる | 사 말 | **1** 말; 글. ¶辞典(じてん) 사전 / 祝辞(しゅくじ) 축사 / 讃辞(さんじ) 찬사. **2** 사절하다; 그만두다; 고별하다. ¶辞職(じしょく) 사직 / 辞令(じれい) 사령 / 固辞(こじ) 고사.

じ〖磁〗(磁) 教6 ジ | 자 지남석 | **1** 자석; 지남철. ¶磁石(じしゃく) 자석 / 磁界(じかい) 자계 / 磁気(じき) 자기. **2** 도자기; 사기그릇. ¶青磁(せいじ) 청자 / 陶磁器(とうじき) 도자기.

じ〖璽〗常用 ジ しるし | 새 옥새 | 천자의 인장; 옥새. ¶玉璽(ぎょくじ) 옥새 / 御璽(ぎょじ) 어새.

じ〖地〗☞ち〖地〗

じ〖治〗☞ち〖治〗

✱しあい【試合·仕合】名 ス自 경기; 시합. ¶野球(やきゅう)の~ 야구 경기.

じあい【地合い】名 **1** 옷감의 질·바탕. =おり地(じ). ¶ざらざらした~の洋服(ようふく) 바탕이 까칠까칠한 양복. **2** 시세의 전반적인 상황. ¶~が弱(よわ)い 전반적으로 시세가 약하다. **3** (바둑에서) 서로가 차지한 집의 균형; 국면; 반면.

じあい【自愛】名 ス自 자애; 몸조심함. ¶御(ご)~を祈(いの)ります 자애하시기를 빕니다 / 自重(じちょう)~する 자중자애하다.

じあい【慈愛】名 자애. ¶母(はは)の~ 어머니의 자애 / ~の心(こころ) 자애심.

しあがり【仕上がり】名 마무리; 완성(된 결과); 성과; 됨됨이. =できばえ. ¶すばらしい~ 훌륭한 만듦새 / ~は明日(あす)だ 완성되는 것은 내일이다.

***しあが-る**【仕上がる】5自 마무리되다; 다 되다; 완성되다. ¶きれいに~ 깨끗이 마무리〔완성〕되다 / ~·ってみると悪(わる)くない 완성되고 보니 괜찮다.

***しあげ**【仕上げ】名 마무리. **1** 마무름; 완성시킴; 완성된 품. ¶~を急(いそ)ぐ 마무리를 서둘다. **2** 끝손질; 마지막 공정(工程); 뒷마감. ¶~鉋(かんな) 마무리 대패 / 念入(ねんい)り〔丹念(たんねん)〕な~ 공들인 끝손질.

じあげ【地上げ·地揚げ】名 **1** 흙을 쌓아 땅을 높임. **2** 재개발을 위해 자투리땅을 사 모음. ¶~屋(や) 땅 투기꾼.

しあ-げる【仕上げる】下1他 **1** 일을 끝내다; 마무르다. ¶宿題(しゅくだい)を~ 숙제를 끝내다 / 三時(さんじ)までに~·げてください 세 시까지 일을 끝내 주십시오. **2** 성공하다; 성취하다. ¶独力(どくりょく)で~·げた人(ひと) 자수성가한 사람.

しあさって〖明明後日〗名 글피. ¶~は日曜日(にちようび)だ 글피는 일요일이다.

ジアスターゼ [도 Diastase] 名〖化〗디아스타아제《소화제로도 씀》. =ジャスターゼ.

シアター [theater] 名 시어터; 극장. ¶レストラン~ 레스토랑 시어터《극장 식당》.

しあつ【指圧】名 ス他 지압.

—りょうほう【—療法】名 지압 요법.

じあつ【地厚】名ナ 피륙 따위가 두꺼움. ¶~な布(ぬの) 두꺼운 직물. ↔地薄(じうす).

✱しあわせ【幸せ·仕合わせ】一名 운수; 운. =運(うん). ¶~がよい 운수가 좋다. 二名 ダナ 운이 좋음; 행운; 행복. =好運(こううん)·幸福(こうふく). ¶~な生活(せいかつ) 행복한 생활 / 息子(むすこ)の~を祈(いの)る 자식의 행운을 빌다 / ~にも一度(いちど)でパスした 운 좋게도 단번에 합격하였다. ↔ふしあわせ.

注意 二는 '倖せ'로도 씀.

しあん【私案】名 사안. ¶~にすぎないが検討(けんとう)してください 사안에 지나지 않지만 검토해 주세요.

しあん【思案】图区自 **1** 여러 가지로 생각함; 생각; 궁리. ¶～をめぐらす 이리저리 두루 생각해 보다. **2** 근심; 걱정. ¶～顔 근심스러운〔생각에 잠긴〕 얼굴 / ～の種 근심〔걱정〕거리.
——に余る 아무리 궁리해도 좋은 수가 떠오르지 않다. ¶思案に余って 궁리하다 못해서.
——に暮れる 어찌할 바를 몰라 이리저리 궁리만 하다.
——どころ【——所】图 잘 생각해야 되는 경우. ¶ここが～だ 바로 지금이 잘 생각해야 할 때이다.
——なげくび【——投げ首】图 궁리하다 못해 머리를 숙임; 좋은 생각이 없어 곤궁에 처함. ¶～の体である 궁리하다 못해 고개를 떨어뜨리고 있는 꼴이다.
——ぶか-い【——深い】形 생각이나 사려가 깊다.
しあん【試案】图 시안. ¶計画に関する～がなる 계획에 관한 시안이 작성되다. ↔成案.
シアン [cyan; 네 cyaan] 图〔化〕 시안; 탄소와 질소가 화합한 유독성 기체. ¶～公害 시안 (화합물에 의한) 공해.
=し-い《名詞 따위에 붙이거나 또는 動詞와 융합하여 形容詞를 만듦》 그 성질을 가지다; …하다; …듯하다; …스럽다. ¶おとな～ 온순하다 / 勇ま～ 용맹스럽다 / 疑わ～ 의심스럽다.
しい [思惟] 图区自 사유; 생각; 사고. ¶論理的～ 논리적 사유.
しい [恣意·肆意] 图 자의; 멋대로의 생각; 방자한 마음. ¶～的な解釈 자의적인 해석 / この意見は君の～に過ぎない 이 의견은 자네 멋대로의 생각에 불과하다.
しい【示威】图区自 ☞じい(示威).
じい〖爺〗图 **1** 허드렛일을 하는 남자 늙은이; 할아범. **2** 남자 노인.
じい〖祖父〗图 할아버지; 조부《친숙한 사이에서의 일컬음》. =おじいさん.
じい【侍医】图 시의. ¶皇后の～ 황후의 시의.
じい【示威】图区自 시위. =しい·デモンストレーション. ¶～行進 시위 행진.
——うんどう【——運動】图 시위 운동; 데모. =デモ.
じい【自慰】图区自 자위. **1** 스스로 위로함. ¶現状で満足だと～する 현상으로 만족하다고 자위하다. **2** 수음(手淫); 오나니. =オナニー.
じい【辞意】图 사의; 사직할 뜻. ¶～をもらす 사의를 비추다 / ～を翻す 사의를 번복하다.
シーアール [CR] 图〔컴〕 시아르; 카드 판독기(判讀機). ▷card reader.
シーアイ [CI] 图 시아이; 기업 이미지. ▷corporate identity.
ジーアイ [GI] 图 지아이; 미국 병사. ▷government issue.
——がり [——刈り] 图 미국 병사들처럼 머리를 짧게 바싹 치켜 깎기. =ジーアイカット.
シーアイエス [CIS] 图 시아이에스; 독립 국가 연합. =独立国家共同体. ▷Commonwealth of Independent States.
シーアは【シーア派】图 (이슬람교의) 시아파. ▷아랍 Shi'a.
ジーエッチキュー [GHQ] 图 지에이치큐. **1** 총사령부. **2** 특히, 2차 세계 대전 후 연합군이 일본 점령 중에 설치했던 총사령부. ▷General Headquarters.
シーイーオー [CEO] 图 시이오; 최고 경영 책임자. ▷chief executive officer.
ジーエヌピー [GNP] 图〔經〕 지엔피; 국민 총생산. ▷gross national product.
シーエフ [CF] 图 시에프《광고 선전용 영화》. ▷commercial film.
シーエフ [cf] 图 시에프《'비교〔참고〕하라'의 뜻을 나타내는 기호》. ▷라 confer.
シーエム [CM] 图 시엠. ☞コマーシャル1. ▷commercial message.
——ソング [일 CM+song] 图 시엠송《선전 광고용 노래》.
シーオーディー [COD] 图〔化〕 시오디; 화학적 산소 요구량《물의 오염을 나타내는 지표의 하나로, 단위는 ppm.》. ▷chemical oxygen demand.
しいか【詩歌】图 시가. **1** 和歌·俳句·시 등 운문(韻文)의 총칭. **2** 한시와 和歌. ¶～を愛好する 시가를 애호하다. 注意 'しか'의 관용음.
しいき【市域】图 시역; 시의 구역.
しいぎゃく [弑逆·弑虐] 图区他 시역; 시살(弑殺). =しぎゃく. ¶皇帝を～して自ら皇帝となる 황제를 시역하고 스스로 황제가 되다.
***しいく**【飼育】图区他 사육. ¶家畜の～ 가축의 사육 / 亭主～法 남편 다루는〔길들이는〕 법.
シークレット [secret] 图 시크릿; 기밀. ¶トップ～ 톱 시크릿; 일급 비밀.
じいさん〖爺さん〗图 남자 노인을 허물없이 부르는 말: 할아버지.
じいさん〖祖父さん〗图 조부를 친근하게 부르는 말: 할아버지.
しいじ【四時】图 사시. **1** 사철. =しじ. **2** 늘; 항상. 注意 'しじ'의 전와한 음.
シーシー [cc] 图 시시; 입방 센티미터. ▷cubic centimeter.
シージーエスたんい [CGS単位] 图 시지에스 단위. ▷CGS는 centimeter, gramme, second의 머리글자.
じいしき【自意識】图 자(아)의식. ¶～が強い 자의식이 강하다.
——かじょう【——過剰】图 자의식 과잉.
シーシック [seasick] 图 시식; 뱃멀미.
シージャック [seajack] 图 시잭; 해상 납치; 선박 납치. ⇨ハイジャック·スカイジャック.
シース [sheath] 图 시스《만년필·연필 따위를 넣는 가죽〔비닐〕 집》.

シースルー [see-through] 图 시스루; (얇아서) 비쳐 보임; 또, 그러한 옷감이나 복장. ¶ ～ルック 시스루 룩〔의상〕.

***シーズン** [season] 图 시즌; 시기; 계절. ¶ スキー～ 스키 시즌 / スポーツの～ 스포츠 시즌 / みかんの～ 밀감 철.

―オフ [일 season＋off] 图 시즌 오프; 철이 지남; 휴지(休止) 기간. ¶ 野球も～となった 야구도 시즌이 끝났다.

ジーセブン [G7] 图 지 세븐; 선진 7개국 재무 장관 회의《국제 경제 및 통화 문제 논의》. ▷Group of Seven.

シーソー [seesaw] 图 시소. ＝ぎったんばっこん.

―ゲーム [seesaw game] 图 시소 게임; 백중한 경기; 접전. ¶ ～を展開する 접전을 벌이다.

しいたけ 〖椎茸〗 图 〔植〕 표고(버섯).

しいた-げる 【虐げる】 下1他 잔혹하게 다루어 괴롭히다; 학대하다. ¶ 圧政に～·げられる 압정에 시달리다 / 動物を～のはよくない 동물을 학대하는 것은 좋지 않다. 參考 '虐待する' 보다 딱딱한 말씨.

シーチキン [Sea Chicken] 图 시치킨; 다랑어나 가다랑어의 살을 샐러드유에 담근 통조림《닭고기처럼 지방이 적음; 상표명》.

シーツ [sheet] 图 시트. ＝しきふ. ¶ ～を敷く 시트를 깔다.

しいて 【強いて】 副 **1** 억지로; 무리하여. ¶ ～行かせる 억지로 가게 하다〔보내다〕. **2** 구태여. ¶ ～行くには及ばぬ 구태여 갈 것까지는 없다 / ～行けとは言わない 굳이 가라고는 말 않는다.

シーティー [CT] 图 〔醫〕 시티; 컴퓨터 단층 촬영 장치. ▷computed tomography.

シイーディー [CD] 图 시디. **1** 콤팩트 디스크. ▷compact disk. **2** 현금 자동 지급기. ▷cash dispenser.

―ロム [CD-ROM] 图 〔컴〕 시디롬; 콤팩트 디스크에 컴퓨터 전용 데이터를 입력한 것.

シーティーエス [CTS] 图 시티에스. ☞ コンピューターくみはん.

ジーティーしゃ [GT車] 图 지티차《고속·장거리 주행에 적합한 승용차》. ▷GT는 grand touring car의 약칭.

ジーディーピ [GDP] 图 지디피; 국내 총생산. ▷gross domestic product.

シート [seat] 图 시트. **1** 자리; 좌석. ¶ ～カバー 시트〔좌석〕 커버. **2** 〔野〕 선수의 수비 위치.

―ノック [일 seat＋knock] 图 〔野〕 시트 노크; 야수(野手)들이 각자의 수비 위치에서, 본루에서 쳐서 보내는 공을 받아 처리하는 실전적인 수비 연습.

―ベルト [seat belt] 图 (비행기·자동차의) 시트 벨트; 안전 벨트.

シート [sheet] 图 시트. **1** 얇은 판. **2** 한 장의 종이. ¶ 切手一～ 우표 시트 한 장《보통, 100〔20〕 장》. **3** 자동차 따위의 덮개 천. ¶ 苗床に～をかける 못자리에 시트를 씌우다.

―パイル [sheet pile] 图 시트 파일.

シード [seed] 图ス他 시드《토너먼트식 경기에서 처음부터 강한 선수나 팀끼리 맞붙지 않도록 짜는 일》. ¶ ～校 시드교 / ～選手 시드 선수.

シーハイル [도 Schi Heil] 图 感 시하일; 스키 만세《스키어(skier)들의 인사말; 스키에 행복이 있으라는 뜻》.

ジーパン 【ジーパン·Gパン】 图 진 바지《청바지 따위》. 參考 G는 jean(s)의 음(音)에서. ▷일 jean(s)＋pants.

シーピーユー [CPU] 图 〔컴〕 시피유; 중앙 처리 장치. ▷central processing unit.

ジープ [미 jeep] 图 지프. **1** 〔商標名〕 (원래는 군용의) 4륜 구동(驅動) 소형 자동차. **2** 소형(小型). ¶ ～空母 소형 항공모함.

シーフード [seafood] 图 시푸드; 어개(魚介)·해조 등의 해산 식품; 또, 이것으로 만든 요리.

ジーマーク [Gマーク] 图 지 마크; 굿 디자인 마크《우수한 디자인 상품에 붙이는 표》. ▷good design mark.

シームレス [seamless] 图 심리스; 뒷솔기가 없는 여자 양말. ¶ ～ストッキング 심리스 스타킹.

ジーメン [G men] 图 지멘; 미국 연방 수사국의 특별 수사관《좁은 뜻으로는, 갱 체포 전담 형사》. 參考 일본에서는, 경찰관 외에 마약 등의 수사업무에 종사하는 관리. ▷미 Government men.

じいや 〖爺や〗 图 늙은 하인; 할아범. ＝じい. ↔ばあや.

***し-いる** 【強いる】 上1他 강요하다; 강제하다; 강권하다. ¶ ～·いて言えば 굳이 말한다면 / 酒を～ 술을 강권하다 / 自分の考えを人に～ 자기 생각을 남에게 강요하다.

シール [seal] 图ス自 실; 봉인; 봉인 대신 붙이는 종이. ¶ 記念～ 기념 실 / クリスマスの～ 크리스마스 실.

しいれ 【仕入れ】 图 매입; 구입. ¶ ～値段 매입 가격.

―さき 【―先】 图 구입〔매입〕처.

***しい-れる** 【仕入れる】 下1他 **1** 사들이다; 매입하다. ¶ 問屋から～ 도매상에서 사들이다. **2** (지식 등을) 얻다. ¶ 情報を～ 정보를 얻다.

シーレーン [sea-lane] 图 시레인; 해상 「교통로.

じいろ 【地色】 图 (직물 등의) 바탕색.

しいん 【子音】 图 〔言〕 자음. ＝しおん. ↔母音.

しいん 【死因】 图 사인. ¶ ～が判明する 사인이 판명되다 / ～は心臓麻痺だった 사인은 심장 마비였다.

しいん 【私印】 图 사인. ¶ ～偽造 사인 위조. ↔職印·公印·官印.

しいん 【指印】 图 손도장; 지장.

しいん 【試飲】 图ス他 시음. ¶ ～会 시

음회 / 新発売のビールを～する 신발매의 맥주를 시음하다. 參考 '試食(＝시식)'를 본떠 만든 말.

シーン [scene] 名 신. **1** 영화·연극의 장면; 전하여, 사건·소설의 장면. ¶ラスト～ 라스트 신 / 劇的～ 극적인 장면. **2** 광경; 풍경. **3** 어떤 범위를 나타내는 말; 세계. ¶ミュージック～ 음악 세계.

じいん【寺院】名 사원; 사찰; 절. ＝寺.

ジーン [gene] 名 진; 유전자.

—バンク [gene bank] 名〖生〗진 뱅크; 유전자 은행.

ジーンズ [jeans] 名 진. **1** 고운 능직(綾織) 무명; 또, 이것으로 만든 옷. ¶～の上下 진의 아래윗벌. **2** ☞ジーパン. ¶ブルー～ 블루진; 청바지.

しいんと 副 아주 조용한 모양: 쥐 죽은 듯이 (고요한); 찬물을 뿌린 듯; 괴괴히. ¶場内は～してせき一つ聞こえない 장내는 쥐 죽은 듯이 조용해 기침 소리 하나 들리지 않는다.

じいんと 副 **1** 감동으로 몸이 짜릿해지는 모양: 찌르르. ¶からだ中が～なる 온몸이 짜릿해지다 / 胸に～来る 가슴에 찌르르 와 닿다; 깊은 감동을 받다. **2** 무직하게 아픈 모양: 뻐근히. ¶背中が～痛む 등이 뻐근하게 아프다.

じう【慈雨·滋雨】名 자우; 단비. ¶旱天の～ 한천의 자우; 가물에 단비.

じうた【地歌】《地唄》名 **1** 그 지방의 속요(俗謡). **2** 특히, 京都·大阪 지방의 三味線 가곡.

しうち【仕打ち】名 (남에게 대한) 처사. ＝仕向け. ¶彼の僕に対する～はけしからん 나에 대한 그의 처사는 괘씸하다 / 全くひどい～だ 정말 가혹한 처사다. 參考 흔히, 나쁜 의미로 씀.

じうん【時運】名 시운; 때의 운수. ¶～に恵まれて成功する 시운을 잘 타고 나서 성공하다 / ～に遭う〔乗る〕 시운을 만나다〔타다〕.

しうんてん【試運転】名スル他 시운전. ¶新車の～ 새 차의 시운전 / 輪転機の～をする 윤전기의 시운전을 하다.

シェア [share] 名〖經〗셰어(《'マーケットシェア'의 준말》); (상품의) 시장 점유율. ¶大きな～を占める 셰어를 크게 차지하다 / ～を広げる 시장 점유율을 넓히다.

しえい【市営】名 시영. ¶～バス 시영 버스 / ～住宅 시영 주택.

しえい【私営】名 사영; 개인의 경영. ¶～鉄道 사영〔민영〕 철도. ↔公営·国営.

じえい【自営】名スル他 자영. ¶～事業 자영 사업 / ～業者 자영업자.

*__じえい__【自衛】名スル自他 자위. ¶～のための軍備 자위를 위한 군비 / ～手段を取る 자위 수단을 취하다.

—かん【—官】名 자위관; (일본) 자위대에 근무하는 사람.

—かん【—艦】名 자위함《일본 해상 자위대 함정의 총칭》.

—たい【—隊】名 자위대《2차 세계 대전 이후 일본의 군사 방위 조직》.

じえい【侍衛】名 시위; 귀인을 호위함; 또, 그 사람.

ジェーアール [JR] 名 제이아르; 구(舊) 일본 국유 철도의 분할·민영화에 따라, 1987년 4월에 발족한 6개의 여객 철도 회사와 한 개의 화물 회사의 공통 약칭《'JR 北海道' 'JR 貨物' 등으로 약칭함》. ▷Japan Railway(s).

ジェーアイエス [JIS] 名 ☞ジス.

ジェーオーシー [JOC] 名 제이오시; 일본 올림픽 위원회. ▷Japan Olympic Committee.

シェード [shade] 名 셰이드. **1** 차양. ＝日よけ·ひさし. **2** 전등갓.

シェーバー [shaver] 名 셰이버; 전기 면도기.

シェービング [shaving] 名 셰이빙; 면도. ＝ひげそり.

—クリーム [shaving cream] 名 셰이빙〔면도용〕 크림.

ジェーリーグ [Jリーグ] 名 제이리그; 일본 프로 축구 리그《일본 축구 협회가 축구의 강화를 위해 1993년에 설립함》. ▷J league.

しえき【使役】名スル他 사역. ¶～に駆り出す 사역에 동원하다 / 労働者を～して道路をなおす 노동자를 시켜서 도로를 고치다 / ～の助動詞 사역 조동사《'せる' 'させる' 'しめる' 따위》.

しえき【私益】名 사익. ¶～を図る 사익을 꾀하다. ↔公益.

シェシェ [중 謝謝] 感 셰셰; '고맙다' '감사하다'의 뜻.

シエスタ [스 siesta] 名 시에스타; (점심 식사 후의) 낮잠.

ジェット [jet] 名 제트. **1** 분사(噴射); 분출. **2** 분사 추진.

—エンジン [jet engine] 名 제트 엔진.

—きりゅう【—気流】名 제트 기류.

—コースター [일 jet+coaster] 名 제트 코스터《유원지에 있는 오락용 탈것의 하나》. ＝コースター.

ジェトロ [JETRO] 名 제트로; 일본 무역 진흥회. ▷Japan External Trade (Recovery) Organization.

シェフ [프 chef] 名 셰프; 주방장.

シェリフ [sheriff] 名 셰리프; (미국의) 보안관.

シェルター [shelter] 名 셸터; 방공호; (특히, 원·수폭 전쟁에 대비한 깊은 지하의) 방공 대피소.

シェルパ [Sherpa] 名 셰르파. **1** 네팔의 산중에 사는 종족(중 특히, 히말라야 등산 안내인이나 짐꾼). ⇒ポーター. **2** [sherpa] (선진국 수뇌 회의의) 준비 작업〔예비 교섭〕 등을 하는 고위 관리.

*__しえん__【支援】名スル他 지원; 원조. ¶～を受ける 지원을 받다 / 友軍の攻撃を～する 우군의 공격을 지원하다.

しえん【私怨】名 사원; 개인적인 원한. ¶～を晴らす 사원을 풀다 / ～をいだ

くのはよくない 사원을 품는 것은 좋지 못하다.

しえん【試演】名 ス他 시연; 리허설. ¶公演を前に~を行う 공연을 앞두고 시연을 하다.

じえん【自演】名 ス自 자연; 자신이 각색 또는 연출한 작품에 자신이 출연함. ¶自作~ 자작 자연.

****しお**【塩】名 **1** 소금; 식염. ¶~だら 소금에 절인 대구; 자반대구 / ~を含んだ風 짠바람 / ~をまく 소금을 뿌리다 / ~を振りかけて食べる 소금을 쳐서 먹다 / 魚を~に漬ける 생선을 소금에 절이다. **2** 짠맛의 정도; 간; 소금기. =しおけ. ¶~があまい 간이 싱겁다 / ~を利かす 간을 하다 / ~をひかえる 짠 것을 삼가다. **3** 소금절이. =しおづけ.
—が効く **1** 간이 맞다. **2** 효력이 있다.
—をする (생선·야채에) 소금을 뿌리다. ¶開いたサケにたっぷり~ 배를 가른 연어에 소금을 듬뿍 치다.

しお〖潮〗名 적당한 시기〔기회〕. =しおどき. ¶それを~に席を立った 그것을 (좋은) 기회로 자리에서 일어났다.

***しお**【潮】《汐》名 조수; 밀물; 썰물; 바닷물. ¶~先 밀물이 들어올 때; 밀물의 물마루 / ~の香〔かおり〕 바다 냄새 / ~が差す 밀물이 들어오다 / ~が満ちる 조수가 차다; 밀물이 되다 / 鯨が~を吹く 고래가 물을 뿜다. 参考 '~が引く(ような)(=썰물이 지다〔진 듯〕)' 등의 꼴로 사물의 쇠퇴·감소 등의 형용에 씀. ¶場内は~が引いたように静まり返った 장내는 썰물이 진 것처럼 아주 조용해졌다.

しおあい〖潮合い〗名 **1** 좋은 기회; 호기. =しおどき. ¶~を待つ 기회를 기다리다. **2** 물때《조수가 들고 날 때》. =潮時.

しおあし【潮足】名 조수의 간만(干滿) 속도. ¶速い~ 빠른 조수의 간만.

しおあじ【塩味】名 소금으로 맛을 냄; 또, 그 맛; 짠맛; 간. ¶~が弱い 간이 덜 되다; 싱겁다.

しおうみ【潮海】名 소금바다《염분을 함유한 보통의 바다》. ↔淡海.

しお-える【し終える】《為終える》下1他 끝내다; 끝마치다; 완료하다. =なしおえる. ¶宿題をやっと~·えた 숙제를 겨우 끝냈다.

しおかげん【塩加減】名 ス自他 간; 간을 맞춤. ¶~を見る 간을 보다 / この料理は~がよい 이 요리는 간이 알맞다.

しおがしら【潮頭】名 (밀물의) 물마루. =なみがしら·しおさき. ¶白い~が見える 밀물의 하얀 물마루가 보인다.

しおかぜ【潮風】名 갯바람; 바닷바람. ¶~にあたる 바닷바람을 쐬다 / ~を帆にはらむ 돛이 바닷바람을 받다.

しおから【塩辛】名 젓; 젓갈. ¶えびの~ 새우젓.
—ごえ【—声】名 쉰 목소리. =しゃがれ声. ¶大道商人が~を張り上げる 노점상이 쉰 목소리를 질러대다.

しおから-い【塩辛い】形 짜다. =しょっぱい. ¶~汁〔漬物〕 짠 국물〔야채 절임〕 / ~味 짠맛 / ~·く煮る 짜게 졸이다〔끓이다〕.

しおき【仕置き】名 ス他 **1** (江戸 시대에) 본보기로 사람을 처벌함; 특히, 사형. **2** (못된 짓을 한 아이에 대한) 징치(懲治); 징계; 처벌. ¶子供のお~ 아이의 잡도리 / お~を受ける 징계를〔처벌을〕 받다. 参考 본디, 조처·단속의 뜻.
—ば【—場】名 (사)형장.

しお-く【仕置く】《為置く》5他 해 놓다; 처치하다; 처분하다.

***しおくり**【仕送り】名 ス自他 생활비나 학비(의 일부)를 보내 줌. ¶国元へ~する 고향에 생활비를 보내주다 / 父から~を受ける 부친에게서 학비〔생활비〕를 보내 오다.

しおく-る【仕送る】5他 생활비나 학비를 보조하기 위해 금품을 보내다.

***しおけ**【塩気】名 소금기; 짠맛; 염분; 간. ¶~が足りない 소금기가〔간이〕 부족하다; 싱겁다 / ~の多い食べ物 소금기가 많은 음식; 짠 음식.

しおけ【潮気】名 (해상·해변에서 느끼는) 염분을 함유한 습기.

しおけむり【潮煙】名 바닷물의 물보라. =しおけぶり. ¶~が上がる 바닷물이 물보라 치다.

しおさい【潮さい】《潮騒》名 해조음(海潮音); (밀물 때의) 파도 소리. ¶遠くから~がきこえる 멀리서 파도 소리가 들려오다. 注意 'しおざい' 라고도 함.

しおざかい【潮境】名 조경; 성질이 다른 두 해류의 접경. =しおめ. 参考 일반적으로, '경계〔고비〕' 의 뜻으로도 쓰임. ¶四十五歳ぐらいがちょうど~だ 45세쯤이 고비다.

しおざかな【塩魚】名 소금에 절인〔소금 뿌린〕 생선; 염어; 자반.

しおざけ【塩ざけ】《塩鮭》名 소금에 절인 연어; 자반연어. =塩じゃけ.

しおさめ【仕納め】名 ス他 어떤 일·행동 따위의 마지막; 마지막으로 한번 더 함; 끝장. ¶これが今年の仕事の~だ 이것이 금년 일의 마지막이다 / 悪事の~だ 못된 짓도 (이것으로) 끝장이다. ↔しはじめ.

しおじ【潮路】名 **1** 조수가 드나드는 길. **2** 〈雅〉 뱃길; 해로; 항로. =ふなじ·海路. ¶八重の~ 기나긴 항로 / はるかな~ 아득한 뱃길.

しおしお〖悄悄〗副 **1** 꾸중을 들었거나 실망하여 풀 죽은 모양: 맥없이. =すごすご. ¶断られて~(と)帰る 거절을 당해 풀이 죽어 돌아오다 / 先生にしかられて~(と)職員室を出て来た 선생님한테 꾸지람을 듣고 풀이 죽어 직원실을 나왔다. **2** 시들어서 기운이 없는 모양: 시들시들. ⇔うきうき.

しおだし【塩出し】名ス自 (소금에 절인 것을) 물에 담가 소금기를 뺌. =塩抜き. ¶塩ざけの~をする 자반연어의 소금기를 빼다.

しおた-れる【潮垂れる】下1自 **1** (바닷물에 젖어서) 물방울이 떨어지다. **2**〈雅〉풀이 죽다; 초라한〔초췌한〕꼴이 되다. ¶悪口を言われて~ 욕을 먹어 풀이 죽다 / しょぼしょぼと~·れた姿をして帰って来た 맥없이 초라한 모습을 하고 돌아왔다.

*__しおづけ__【塩漬け】名 **1** (야채나 고기 따위를) 소금에 절임; 또, 그 식료품; 소금절이. ¶だいこんを~にする 무를 소금에 절이다. **2**〈俗〉주권(株券)을 값이 오를 때까지 지니고 있는 일.

しおどき【潮時】《汐時》名 **1** 물때; 조수가 들고 날 때. ¶船を出すには今がちょうど良い~だ 배를 내보내기에는 지금이 꼭 좋은 물때이다. **2** 기회; 적당한 때. ¶~を見て口を切る 기회를 엿보아 말문을 열다 / 今が売る~だ 지금이 팔기에 가장 좋은 시기다.

しおと-す【仕落とす】《為落とす》5他 (해야 할) 일부분을 무심코 빠뜨리고 말다. ¶点検を~·した所がある 점검을 빠뜨린 데가 있다.

しおな【塩菜】名 소금에 절인 푸성귀.

しおばらい【塩払い】名 장례식에 갔던 사람이 자기 집 대문 앞에서 소금을 뿌려 부정을 씻는 일.

しおひ【潮干】《汐干》名 **1** 간조(干潮); 바닷물이 썸. **2** 'しおひがり'의 준말.

——がた【——潟】名 갯벌.

——がり【——狩り】名 (바닷물이 썬 후) 갯벌에서의 조개잡이. ¶~をする (간조때에) 갯벌에서 조개잡이를 하다.

しおびき【塩引き】名 **1** 생선을 소금에 절임. ¶~の鮭 자반 연어. **2** ☞しおもの.

しおふき【潮吹き】名 **1**【しおふき】〔貝〕바지락개랑조개. **2** 고래가 해면에 나와 호흡할 때, 콧구멍에서 습기·수분이 있는 공기를 내뿜음. 参考 해수를 내뿜는 것처럼 보임.

しおぶろ【塩ぶろ·潮ぶろ】《塩風呂·潮風呂》名 바닷물이나 소금물을 끓인 목욕물〔탕〕; 또, 그곳에서 하는 목욕. =塩湯.

しおぼし【塩干し】《塩乾し》名ス他 (생선 따위를) 소금에 절여서 말림; 또, 그 말린 것; 건어물.

しおま【潮間】名 조수가 썬 동안〔사이〕. ¶~の間上陸する 조수가 썬 동안 상륙하다.

しおまち【潮待ち】名ス自 **1** (배를 내보내기 위해) 밀물 때를 기다림. **2** 기회〔때〕를 기다림.

しおみ【塩味】名 소금 맛; 소금기; 짠맛.

しおみ【潮見】名 물때와 조수의 형편을 살피는 일.

*__しおみず__【塩水】名 **1** 염수; 소금물. ¶~でうがいをする 소금물로 양치질하다. **2** 짠물; 바닷물. ⇔真水.

しおみず【潮水】名 조수; 바닷물. =うしお.

しおもの【塩物】名 자반; 소금에 절인 생선《특히 연어·송어》. =しおびき.

しおや【塩屋】名 소금 장수〔장사〕.

しおやき【塩焼き】名ス他 소금구이. ¶鮎の~ 은어의 소금구이.

しおやけ【潮焼け】名ス自 **1** 해풍(海風)과 햇볕에 피부가 탐. ¶~の肌 바닷바람에 탄 살결. **2** 해상의 수증기가 햇빛에 비쳐서 빨갛게 보임.

しおらし-い 形 온순하고 귀엽다; 기특하다; 조신하다. =いじらしい. ¶~子供だ 얌전하고 귀여운〔기특한〕아이다 / ~ことを言う 기특한 말을 하다.

しおり〖枝折り·栞〗名 **1** 서표(書標). ¶~ひも 서표끈 / 本の間に~をはさむ 책갈피에 서표를 끼우다. **2** 안내서; 입문서. ¶旅の~ 여행 안내서 / 名所の~ 명소 안내서. 注意 '枝折り'로 씀은 취음.

——ど【——戸】名 사립문; 시비(柴扉).

*__しお-れる__〖萎れる〗下1自 **1** (초목 따위가) 시들다. ¶花が~ 꽃이 시들다. **2** 풀이 죽다. ¶金を落として~ 돈을 잃고 풀이 죽다 / しかられて~·れている 야단맞고 풀이 죽어 있다.

しおん【師恩】名 사은; 스승의 은혜. ¶若いころ受けた~はいつまでも忘れられない 젊었을 때 입은 스승의 은혜는 언제까지나 잊혀지지 않는다.

しおん【子音】名〔言〕☞しいん.

じおん【字音】名 자음; 특히, 일본어화한 한자의 발음《'君→くん' '子→し·す·つ'로 읽는 따위》. ↔字訓.

——かなづかい【——仮名遣い】名 한자의 음을 仮名로 써서 표시할 때의 규칙.

しか〖鹿〗名〔動〕사슴. ¶~革〔皮〕녹비 / ~笛 사냥꾼이 사슴을 꾀어내는 데 쓰는 우레. 参考 옛날에는 'しし' 또는 'か'라고 했고, 특히 암컷을 'めか'라고 한 데 대해, 수컷을 'しか'라고 했음.

——待つ処の狸 좋은 사냥감을 얻으려고 기다렸다가, 의외로 하찮은 것을 잡음《기대에 미치지 못함의 비유》.

——を追う者〔猟師〕は山を見ず 사슴을 쫓는 자는 산을 보지 못한다《눈앞의 이익에만 열중하여 다른 일은 돌보지 않음의 비유》.

——を指して馬となす 사슴을 가리켜 말이라 하다《당치도 않은 말로 남을 우롱하거나 속이다; 지록위마(指鹿爲馬). =鹿を馬と言う.

しか【市価】名 시가; 시장 가격. ¶~の半値で売る 시가의 반값으로 팔다 / これは~より三割安い 이것은 시가보다 3할 싸다.

しか【紙価】名 지가; 종이 값. ¶洛陽の~を高める 낙양의 지가를 올리다《책이 호평을 받아 매우 잘 팔리다》.

しか【私家】名 **1** 사가; 사삿집. **2** 자기

집. =私宅(したく). 3 개인. =個人(こじん).

—ばん【—版】图 사가판; 자비 출판. =自家版(じかばん). ↔官版(かんぱん).

しか【史家】图 사가; 역사가.

しか【歯科】图 치과. ¶~技工士(ぎこうし)〔技工所(しょ)〕 치과 기공사〔기공소〕.

—い【—医】图 치과의; 치과 의사.

しか【詩歌】图 ☞しいか.

しか 終助《뒤에 否定을 수반하여》'그것만' 이라고 한정하는 뜻을 나타냄: …밖에. ¶会(かい)には一人(ひとり)~来(こ)なかった 모임에는 한 사람밖에 오지 않았다/火(ひ)の手(て)が早(はや)く,手(て)さげ金庫(きんこ)~持(も)ち出(だ)せなかった 불길이 빨라서 손금고밖에 가지고 나오지 못했다/正解者(せいかいしゃ)はたった一人(ひとり)だけ~おりませんでした 정해자는 단 한 사람밖에 없었습니다. 参考 'だけしか'는 더 강한 한정의 뜻을 나타냄.

しが【滋賀】图〔地〕近畿(きんき) 지방 동북부의 현(縣)《현청 소재지는 大津(おおつ) 시》.

しが【歯牙】图 1 치아; 이. =歯(は). ¶~検査(けんさ) 치아 검사. 2 말(끝).

—に(も)かけない 전혀 문제(도) 삼지 않다; 상대도 하지 않다.

じか〘直〙图 직접. ¶~談判(だんぱん) 직접 담판/手(て)で~につかむ 손으로 직접 잡다〔쥐다, 집다〕/~に話(はなし)を聞(き)く 직접 이야기를 듣다/~に渡(わた)す 직접 건네주다. ⇨じかに.

じか【時下】图 시하; 요즈음; 요사이; 목하《편지 서두에 쓰는 말》. ¶~の急務(きゅうむ) 시하의 급무/~秋冷(しゅうれい)の候(こう) 시하 추랭지절에.

じか【時価】图 시가; 시세. ¶これを~に換算(かんさん)すると 이것을 시가로 환산하면/~より安(やす)い 시가보다 싸다.

—はっこう【—発行】图〔經〕시가 발행. ↔額面(がくめん)発行.

じか【磁化】图ス自他 자화; 자기화.

じか【自家】图 1 자가; 자기 집. ¶~版(ばん) 사가판(私家版). 2 자기 자신.

—薬籠中(やくろうちゅう)の物(もの) 필요할 때 자유자재로 쓸 수 있는 것〔사람〕; 약농중물. ¶法律(ほうりつ)の知識(ちしき)を~とする 법률 지식을 언제라도 이용할 수 있도록 익혀두다.

—どうちゃく [—撞着] 图ス自 자가당착.

—はつでん【—発電】图 자가 발전.

—よう【—用】图 자가용. 1 자기집에서 씀〔쓰는 것〕. ¶農家(のうか)の~米(まい) 농가의 자가용미. 2 '自家用車(じかようしゃ)(=자가용차)'의 준말.

*じが【自我】图 자아. ¶~の形成(けいせい) 자아의 형성/~に目(め)ざめる 자아에 눈뜨다/~を押(お)し通(とお)す 자아를 관철하다; 뜻을 굽히지 않다. ↔非我(ひが).

—いしき【—意識】图 자(아)의식.

—じつげん【—実現】图 자아 실현.

シガー [cigar] 图 시가; 엽궐련; 여송연. =はまき.

*しかい【司会】图ス自他 사회. ¶~者(しゃ) 사회자/結婚式(けっこんしき)の~をつとめる 결혼식에서 사회를 보다/座談会(ざだんかい)で~する 좌담회에서 사회를 보다.

しかい【四海】图 사해. 1 사방의 바다. 2 천하; 세계.

—けいてい【—兄弟】图 사해 형제〔동포〕. =四海同胞(どうほう).

しかい【死海】图〔地〕사해.

しかい [斯界] 图 사계; 이 사회; 그 분야. ¶~の権威者(けんいしゃ) 사계의 권위자.

*しかい【視界】图 시계; 시야. =視野(しや)·眼界(がんかい). ¶~が開(ひら)ける 시야가 트이다/~が狭(せま)い 시야가 좁다/~に入(はい)る 시계에 들어오다.

しがい【市外】图 시외. ¶~電車(でんしゃ) 시외 전차. ↔市内(しない).

—つうわ【—通話】图 시외 통화〔전화〕. =市外電話(でんわ).

*しがい【市街】图 시가; 거리. =まち·通(とお)り. ¶~地(ち) 시가지/~戦(せん) 시가전.

*しがい [死骸·屍骸] 图 사해; 시체; 송장. =なきがら·しかばね.

じかい【次回】图 차회; 다음 회〔번〕. ↔前回(ぜんかい)·今回(こんかい).

じがい【自害】图ス自 자해; 자살. =自尽(じじん). ¶短刀(たんとう)で~する 단도로 자살하다/~して果(は)てる 자해하여 죽다.

しがいせん【紫外線】图 자외선. ¶~写真(しゃしん)〔療法(りょうほう)〕 자외선 사진〔요법〕.

*しかえし【仕返し】图ス自 1 복수; 앙〔대〕갚음; 보복; 원수를 갚음. =かたきうち. ¶けんかの〔敵(てき)に〕~をする 싸움의〔적에게〕 보복을 하다. 2 고쳐 함; 다시 함. =やりなおし. ¶もう一度(いちど)始(はじ)めから~をする 또 한번 처음부터 다시 하다/~がきかない 다시 할 수가 없다.

しかえ-す【仕返す】5他 1 보복하다; 앙갚음하다. ¶されたどおりに~ 당한 만큼 보복하다. 2 다시 하다. =しなおす.

じがお【地顔】图 화장하지 않은 맨얼굴. =素顔(すがお). ¶~の方(ほう)がきれいだ 화장을 안한 편이 예쁘다.

しかか-る【仕掛かる】5他 1 하기 시작하다. ¶夕食(ゆうしょく)〔外出(がいしゅつ)〕の支度(したく)を~ 저녁 식사〔외출〕 준비를 하기 시작하다. 2 일을 중도까지 하다. ¶~·った大仕事(おおしごと) 지금 하고 있는 큰일.

**しかく【四角】名ナ 사각. 1 네모남. ¶~な机(つくえ) 네모난 책상/~に切(き)る 네모나게 자르다. 2 모가 남; 딱딱함. ¶物事(ものごと)を~に考(かん)えすぎる 매사를 너무 딱딱하게 생각하다/あまり~な事(こと)をいうな 너무 딱딱한 말을 하지 마라.

—-い 形 네모지다. ¶~顔(かお) 네모진 얼굴.

—けい【—形】图 사각형. 注意 'しかっけい' 라고도 함.

—しめん【—四面】名ナ 1 네모반듯함. 2 딱딱하고 고지식함. ¶~なあいさつ 지나치게 딱딱한 인사.

—ば-る【—張る】5自 1 네모지다. ¶~·った顔(かお) 네모진 얼굴/肩(かた)が~ 어깨가 딱 바라지다. 2 (태도 등이) 딱딱해지

다; 굳어지다. ¶～·ったふるまい 딱딱한 행동; 지나치게 긴장된 행동 / そう～·らないで楽にしてくれ 그렇게 딱딱하게 굴지 말고 편히 앉게.

しかく【死角】图 사각. **1** 사정 거리내에 있으면서 맞지 않는 구역. ¶～地帯 사각 지대 / ～が生じる 사각이 생기다. **2** 어떤 지점에서 안보이는 범위. ¶バックミラーの～にはいる 백미러의 사각에 들다.

しかく【刺客】图 자객. ＝しきゃく. ¶～をさしむける〔放つ〕 자객을 보내다 / ～の手にかかる 자객의 손에 당하다. 注意 'せっかく'의 관용음.

しかく【視角】图 시각. ¶～が狭くなる 시각이 좁아지다 / ～を変えてみる 시각을 바꿔서 보다.

*しかく【視覚】图 시각. ＝視感. ¶～を失う 시각을 잃다 / ～が弱まる 시각이 약해지다.

──しょうがい【──障害】图 시각 장애. ¶～者 시각 장애인.

⁑しかく【資格】图 자격. ¶受験～ 수험 자격 / ～を欠く 자격이 없다 / 弁護士の～を取る 변호사 자격을 따다 / 親の～が無い 부모의 자격이 없다.

しがく【史学】图 사학; 역사학.

しがく【私学】图 사학; 사립(私立) 학교. ¶～の経営 사학의 경영. ↔官学.

じかく【字画】图 자획. ¶～で辞書を引く 자획으로 사전을 찾(아보)다.

⁑じかく【自覚】图ス自他 자각. ¶学生としての～が足りない 학생으로서의 자각이 부족하다. ↔他覚.

──しょうじょう【──症状】图 자각 증상.

⁑しかけ【仕掛け】图 **1** 시작함; 시작한 것; 또, 시작해서 (생산) 도중에 있음. ¶～の仕事 (시작해서) 지금 하고 있는 일. **2** (특수하게 고안된) 장치; 또는, 계략; 속임수. ¶うまい～がしてある 교묘한 장치가 되어 있다 / 別に種も～もない 별로 무슨 속임수가 있는 것도 아니다. **3** 남에게 작용함; 남을 대함. ¶相手の～を待って攻める 상대방이 나오는 것을 보고 공격하다. **4** '仕掛け花火'의 준말.

──にん【──人】图 **1** 직업적인 암살자; 살인 청부업자. **2** 배후 조종자.

──はなび【──花火】图 일정한 장소에 장치해서 갖가지 모양을 나타내게 한 불꽃. ↔打上げ花火.

*しか-ける【しかける·仕掛ける】下1他 **1** ㉠집적거려서 일을 일으키다; (시비 등을) 걸다; 도전하다. ¶けんかを～ 싸움을 걸다 / 攻勢を～ 공세를 취하다. ㉡장치하다. ¶爆薬〔わな〕を～ 폭약〔덫〕을 장치하다. **2** 일을 하기 시작하다; 중도까지 하다. ¶～·けてやめた 하다가 (중도에서) 그만두었다 / 仕事を～·けたとたん来客があった 일을 막 시작하려는데 손님이 왔다.

しかざん【死火山】图〔地〕 사화산. ↔活火山·休火山.

⁑しかし 〖然し·併し〗 接 그러나; 그렇지만; 그런데. ¶約束の時間になった. ～, かれは来なかった 약속 시간이 되었다. 그러나 그는 오지 않았다 / ～, 証拠はあるか 그런데 증거는 있는가. 参考 'しかし·だが·けれど(も)·が·ところが'는 반대되는 사항을 객관적으로 이끌어 갈 때 쓰임.

しかじか 〖然然·云云〗 副 **1** 말이나 글을 생략할 때 쓰는 말: 운운. ＝うんぬん. ¶金は受け取った…～と手紙が来た 돈은 받았다…운운하고 편지가 왔다. **2** 여차여차; 이러이러; 이와 같이. ¶～の理由で 이와 같은 이유로 / 用件は～とはっきり言いなさい 용건은 이러이러하다고 분명히 말하시오.

じがじさん【自画自賛】图ス自 자화자찬. ＝手前味噌·自賛.

しかして 〖然して·而して〗 接 연이나; 그러나; 그런데; 그리고《격식 차린 말씨》. ＝そうして·しこうして. ¶彼は折り返し点を通過した. ～ますます快調だ 그는 반환점을 통과했다. 그리고 더욱더 쾌조를 보이고 있다.

しかしながら 〖併し乍ら·然し乍ら〗 接 그렇지만; 그렇기는 하지만; 그러나《'しかし'의 힘줌말》. ¶～おかしいね 그렇지만 이상한데 / 彼は未熟であるかもしれない. ～前途は洋々としている 그는 미숙할 지도 모른다. 그러나 전도는 양양하다.

しかず [如かず·若かず·及かず] 連語 …하는 것이 상책이다; 미치지〔따르지〕 못하다; …보다 나을 것은 없다. ¶百聞は一見に～ 백문이 불여일견 / 三十六計逃げるに～ 36계에 줄행랑이 제일. 参考 動詞 'しく'의 未然形＋助動詞 'ず'.

じがぞう【自画像】图 자화상. ¶鏡を見ながら～を描く 거울을 보면서 자화상을 그리다.

*しかた【しかた·仕方】图 **1** 하는 방법; 수단; 방식. ¶料理の～ 요리법 / ほかに～がない 별도리가 없다. **2** 처사; 짓. ¶無法な～ 무법한 처사. **3** 몸짓 손짓. ¶～をして見せる 몸짓 손짓을 해 보이다. 注意 **3**은 '仕形'로도 씀.

──な-い 形 **1** 할 수 없다; 하는 수 없다. ¶留守なので～·くそのまま帰ってきた 외출 중이어서 할 수 없이 그냥 돌아왔다. **2** 어쩔 수 없다; 가망이 없다. ¶～奴だ 어쩔 수 없는 놈이다. **3** 견딜 수 없다. ¶腹が減って～ 배가 고파 못 견디겠다 / かわいそうで～ 불쌍해서 못 보겠다.

じかだのみ【じか頼み】《直頼み》图 직접 부탁〔의뢰〕하는 일. ＝じきだのみ.

じかたび【地下足袋】《直足袋》图 (노동자용의) 작업화《왜버선 모양에 고무창을 댐》. ＝ちかたび. 参考 본디 'じか'는 '直'로, '직접'의 뜻.

じがため【地固め】名 ス自 **1** 터다짐; 달구질. ＝地形(じぎょう). **2** 전하여, 기초를 단단히 굳힘. ＝足(あし)がため. ¶選挙(せんきょ)の～ 선거 기반 다지기〔굳히기〕/ これでわが会社(かいしゃ)も～が出来(でき)た 이로써 우리 회사도 기반이 잡혔다.

じかだんぱん【じか談判】《直談判》名 ス自 직접 담판. ＝直談(じかだん)·じき〔ひざづめ〕だんぱん. ¶社長(しゃちょう)〔地主(じぬし)〕と～する 사장과〔지주와〕 직접 담판하다.

しがち〖仕勝ち〗名 ダナ 자칫… 하는 경향이 많음; 걸핏하면 …함. ¶欠席(けっせき)(を)～だ 툭〔걸핏〕하면 결석한다 / 若(わか)いうちはとかく無理(むり)を～だ 젊을 때는 자칫하면 무리하기 쉽다.

しかつ【死活】名 사활; 생사. ¶～に関(かか)わる 사활에 관계되다.

—もんだい【—問題】名 사활 문제; 생사문제. ¶それは僕(ぼく)には～だ 그것은 나에게는 사활 문제이다.

＊**しがつ**【四月】名 사월. ＝卯月(うづき).

—かくめい【—革命】名 (한국의) 4월 혁명; 4·19 혁명.

—ばか〖—馬鹿〗名 ☞エープリルフール.

じかつ【自活】名 ス自 자활. ¶～の道(みち)はない 자활의 길은 없다.

しかつめらし-い〖鹿爪らしい〗形 **1** 짐짓 점잔빼다; 짐짓 위세를 부리다. ¶～·く控(ひか)えている 그럴싸하게 점잔을 빼고 (대기하고) 있다. **2** 합당한 듯하다; 그럴싸하다. ＝もっともらしい. ¶あの人(ひと)はいつも～話(はなし)ばかりする 저사람은 항상 그럴싸한 이야기만 한다. 注意 '鹿爪らしい' 로 씀은 취음.

しかと〖確と〗副 **1** 확실히; 틀림없이; 분명히. ¶～心得(こころえ)た 확실히 알았다〔납득했다〕/ ～この目(め)で見届(みとど)けました 똑똑히 이 눈으로 보고 확인했습니다. **2** 단단히; 꼭; 꽉. ＝しっかり·しっかと. ¶～握(にぎ)りしめる 단단히 쥐다.

しがな-い 形 보잘것없다; 하찮다; 가난하다; 초라하다. ¶～稼業(かぎょう) 보잘것없는 직업 / 私(わたし)は～左官(さかん)です 저는 보잘것없는 미장이입니다.

＊**じかに**〖直に〗副 직접(적으로). ¶～手渡(てわた)す 직접 건네〔넘겨〕주다 / ～着(き)る 맨살에 그대로 입다 / 校長(こうちょう)と～話(はな)す 교장과 직접 이야기하다.

じがね【地金】名 **1** 바탕쇠; 도금·가공의 바탕이 되는 쇠. **2** 전하여, 본래의 성질〔성격〕; 본성; 본심; 숨어 있는 (나쁜) 점. ¶～が出(で)る 본성이 나타나다 / 酔(よ)うと～が現(あらわ)れる 취하면 본성이 드러난다.

—を出(だ)す 본성을 드러내다.

しか-ねる〖為兼ねる〗下1他 **1** (하지) 못 하다; (…)하기 어렵다; 주저하다. ¶賛同(さんどう)～ 찬동하기 어렵다 / 決断(けつだん)～·ねている 결단을 내리지 못하고 있다. **2**《'しかねない' 의 꼴로》…할 듯하다; …할지도 모른다. ＝やりかねない. ¶彼(かれ)ならそういうことも～·ねない 그라면 그런 일도 할지 모른다.

しかのみならず〖加之〗接 (그)뿐만 아니라; 그 위에; 게다가; 더군다나. ＝そればかりでなく·その上(うえ).

しかばね〖屍·尸〗名 시체; 송장. ＝死骸(しがい)·かばね. ¶生(い)ける～ 산송장.

—にむち打(う)つ 송장에 매질하다《죽은 사람을 비난·공격하다》.

じかび【じか火】《直火》名 직접 재료를 불에 대고 구움; 또, 그 불.

じかまき〖直播き·直蒔き〗名 ス自 ☞じきまき.

しがみつ-く 5自 달라붙다. **1** 매달리다; 다랑귀 뛰다. ¶こわがって, 母親(ははおや)に～ 무서워하며 어머니에게 꼭 매달리다 / 課長(かちょう)のいすに～ 과장 자리에 매달리다〔연연해하다〕. **2** 거칠게 덤벼들다; 붙들고 늘어지다. ＝むしゃぶりつく.

しかめつら〖顰め面〗名 찌푸린 얼굴; 찡그린 얼굴. ＝しかめづら·しかめっつら. ¶痛(いた)くて～をする 아파서 찌푸린 얼굴을 하다; 아파서 상을 찡그리다.

しか-める〖顰める〗下1他 찡그리다; 찌푸리다. ¶顔(かお)を～·めて泣(な)く 상을 찡그리며 울다.

＊**しかも**〖然も·而も〗接 **1** 그 위에; 게다가; 더구나. ＝なお. ¶貧乏(びんぼう)で～病身(びょうしん) 가난하고 더구나 앓는 몸 / 日(ひ)は暮(く)れて, ～雨(あめ)まで降(ふ)ってきた 날은 저물고, 게다가 비까지 내리기 시작했다. **2** 그럼에도 불구하고; 그런데도; 그러고도. ¶注意(ちゅうい)を受(う)け～改(あらた)めない 주의를 받고서도 고치지 않다.

しからしめる〖然らしめる〗連語 그렇게 만들다; 그렇게 하게〔되게〕 하다. ¶世相(せそう)の～ところ 세태가 그렇게 만드는 바 / 努力(どりょく)の～ところと言(い)える 노력의 결과라고 할 수 있다.

しからずんば〖然らずんば〗連語 그렇지 않으면; 불연이면. ＝しからずば. ¶成功(せいこう)か～死(し)か 성공이냐 아니면 죽음이냐 / 吾(われ)に自由(じゆう)を与(あた)えよ, ～死(し)を与えよ 나에게 자유를 달라, 그렇지 않으면 죽음을 달라.

しからば〖然らば〗接 그러면; 그렇다면. ＝それならば. ¶求(もと)めよ, ～与(あた)えられん 구하라, 그러면 얻을 것이오 / たたけよ, ～開(ひら)かれん 두드려라, 그러면 열리리라.

しがらみ〖柵·笧〗名 책; 편비내; 수책(水柵)《급한 물살을 막기 위한 울타리》. 参考 들러붙어 떨어지지 않는 상태〔것〕에도 비유됨. ¶人情(にんじょう)の～ 인정의 얽매임 / 恋(こい)の～ 사랑의 굴레〔속박〕.

しか-り〖然り〗ラ変自 그렇다; 옳다; 그와 같다. ¶決(けっ)して～·らず 결코 그렇지 않다. ↔否(いな). 参考 흔히 감동을 나타냄.

しかり〖叱り〗名《'お～' 의 꼴로》 꾸짖음. ¶お～を受(う)ける 꾸중을 듣다.

しかりちら-す【しかり散らす】《叱り散らす》5他 (이사람 저사람 가리지 않고) 마구 꾸짖다; 마구 꾸짖어 대다.

しかりつ-ける〖叱り付ける〗下1他 몹시〔엄하게〕 꾸짖다. ¶いたずらっ子(こ)を

～ 장난꾸러기(애)를 엄하게 꾸짖다 / 頭ごなしに～ 덮어놓고 마구 야단치다.

しかりとば-す【しかり飛ばす】《叱り飛ばす》 5他 호되게 꾸짖다. ¶下の者を～ 아랫사람을 호되게 꾸짖다.

**しか-る 〖叱る〗 5他 꾸짖다; 야단치다. ¶子供をむやみに～のはよくない 아이를 무턱대고 꾸짖는 것은 좋지 않다 / いたずらをして先生に～·られる 장난을 치고 선생님에게 꾸중 듣다. 可能 しか-れる 下1自

しかる 〖然る〗 連語 그러하다. ¶果たして～か 과연 그런가 / ～(が)ゆえに 그렇기 때문에; 그런고로.

しかるに 〖然るに·而るに〗 接 그런데(도). ＝それなのに. ¶～何ぞや 그런데 이게 뭐냐 / 再三注意を与えた.～一向改める気配がなかった 재삼 주의를 주었다. 그런데 도무지 고칠 기색이 없었다.

しかるのちに 〖然る後に〗 連語 그런 연후에; 그리고 나서. ¶登録手続きを行い, ～申し込むこと 등록 절차를 밟고, 그리고 나서 신청할 것.

しかるべからず 〖然るべからず〗 連語 마땅치〔적당치〕 않다; 어울리지 않다.

しかるべき 〖然るべき〗 連語 1 마땅히 그래야 함; 그렇게 하는 것이 당연함. ¶罰せられて～だ 벌 받아 마땅하다. 2《連体詞적으로》 그에 상당〔해당〕하는; 그에 적합한; 걸맞는. ¶～処置 그에 합당한 조처 / ～人に頼む 적당한 사람에게 부탁하다.

しかるべく 〖然るべく〗 連語 《副詞적으로》 그에 알맞게; 적당히; 좋도록. ＝よいように. ¶～御配慮のほど 응당한 배려가 있으시기를 (바라마지 않습니다) / 細かなことは言いませんから～やってください 세세한 것은 말하지 않겠으니 적당히 해 주십시오.

シガレット [cigarette] 图 시가렛; 궐련.

しかれども 〖然れども〗 接 그렇기는 하지만; 그렇지만; 연이나; 그러나.

しかん【士官】图 사관. ¶～候補生 사관 후보생 / 見習～ 수습 사관.

—がっこう【—学校】图 (육군) 사관학교. ↔兵学校.

しかん【仕官】图ス自 사관. 1 관직에 오름. 2 江戸 시대 이전에, 야인(野人)이던 무사가 영주를 섬기게 되는 일. ¶～がかなう (원하던 대로) 영주를 섬기게 되다. ↔致仕.

しかん【史官】图 사관; 역사 편찬을 관장하는 관리.

しかん【史観】图 사관; 역사관. ¶唯物～ 유물 사관.

しかん [屍姦] 图 시간; 시체를 간음하는 일. ＝ネクロフィリア.

しかん [弛緩] 图ス自 이완. ¶精神〔筋肉〕が～する 정신〔근육〕이 이완하다. 注意 'ちかん'은 관용음. ↔緊張.

*しがん【志願】图ス自他 지원. ＝志望. ¶～兵 지원병 / 大学に～する 대학에 지원하다.

じかん【次官】图 차관. ¶政務～ 정무차관.

じかん【字間】图 자간; 글자와 글자 사이. ＝スペース.

**じかん【時間】图 시간; 때; 시각. ¶～講師 시간 강사 / ～外手当 시간외 수당 / ～が空く 시간이 나다 / ～を費やす 시간을 소비〔허비〕하다 / ～を惜しむ 시간을 아끼다 / ～をかける 시간을 들이다 / ～をかせぐ 시간을 벌다 / 国語〔約束〕の～ 국어〔약속〕 시간 / 帰りの～がおそい 돌아오는〔귀가〕 시간이 늦다.

—きゅう【—給】图 시간급. ↔能率給.

—ぎれ【—切れ】图 마감 시간; 시한이 넘음. ¶～でストに突入する 시한이 넘어 파업에 돌입하다.

—げいじゅつ【—芸術】图 시간 예술. ↔空間芸術.

—たい【—帯】图 시간대. ¶～別電気料金 시간대별 전기 요금 / 人出の多い～ 많은 인파로 붐비는 시간대.

—つぶし 〖—潰し〗 图 심심풀이; 시간 보내기. ＝暇つぶし.

—てき【—的】ダナ 시간적. ¶～にまにあわない 시간적으로 제때에 못대다.

—わり【—割り】图 1 수업 시간표. 2 (공사) 예정표; 시간 할당표.

**しき【式】⊟图 식. 1 의식(儀式). ¶祝賀の～ 축하 의식 / ～をあげる 식을 올리다. 2 산식(算式). ¶～に表わす 식으로 나타내다 / 次の～を解け 다음 식을 풀어라. 3 방식; 기준; 전례. ¶そういう～でやってみよう 그런 식으로 해보자 / いつもの～でやる 늘 하던 식으로 한다. ⊟接尾 ¶西洋～ 서양식 / 連発～ 연발식.

しき【敷き】图 1 (그릇 밑에 까는) 깔개. ¶花瓶～ 꽃병 깔개 / 下敷き 책받침. 2 '敷金' '敷きぶとん' '敷地'의 준말. ¶河川～ 하천 부지.

*しき【四季】图 사계; 네 계절; 사철. ¶～折々の風物 사계절 철마다의 풍물 / ～を通じてにぎわう観光地 사계절에 걸쳐 늘 북적거리는 관광지.

—ざき【—咲き】图 사철 꽃이 핌; 또, 그런 식물. ¶～のばら 사철 꽃이 피는 장미.

しき【士気】图 사기. ¶～(大いに)あがる 사기가 (크게) 오르다 / ～が高まる 사기가 높아지다 / ～を高揚する 사기를 앙양하다.

しき【志気】图 지기; (어떤 일을 이룩하려는) 의기. ¶愛国の～ 애국의 지기. 參考 '士気'는 집단(의 일원)으로서의 의기(意氣), '志気'는 주로 개인의 경우를 말함.

しき【私記】图 사기; 개인적인 기록.

しき【死期】图 사기; 죽을 때; 임종. ＝死期. ¶～が迫る 임종이 임박하다 / ～を早める 죽음을 재촉하다.

しき【子規】图〔鳥〕 자규; 두견새《한문

투의 말씨》. ＝ホトトギス.

しき【史記】 图〔史〕(중국의) 사기.

*__しき__【指揮】《指麾》图ス他 지휘. ＝さしず. ¶～官〔者〕 지휘관〔자〕/合奏を～する 합주를 지휘하다/工事の～をとる 공사를 지휘하다.

—けん【—権】图 지휘권. ¶～発動 지휘권 발동.

—ぼう【—棒】图 지휘봉. ＝タクト·バトン. ¶～を振る 지휘봉을 휘두르다.

しき 副助《흔히, 代名詞 'これ' 'それ' 'あれ'를 받아서》 기껏해야 …정도〔쯤〕; 겨우 …만큼; 고작 …정도의 것. ¶何の, これ～の傷 뭘, 이까짓 상처(쯤)/これ～のことができないはずはない 이 정도의 일을 못할 리는 없다.

しき〖式〗教3 シキ ショク のり | 식 법 | **1** 본보기; 일정한 방식; . ¶形式 형식/礼式 예식. **2** 의식. ¶式典 식전/結婚式 결혼식. **3** 수학 등의 식. ¶公式 공식/方程式 방정식.

しき〖識〗教5 シキ ショク シ しる しるす | 식 알다 | **1** 식별하다. ¶認識 인식/一面の識も無い 일면식도 없다. **2** 사물에 대해서 생각을 가짐. ¶見識 견식/学識共に高い 학문과 지식이 다 함께 높다.

しぎ〘鴫·鷸〙图〔鳥〕도요새.

しぎ【仕儀】图〈老〉(좋지 않은) 결과; 사물의 형세; 형편; 사정. ¶店をたたむ～となった 가게를 닫을 형편이 되었다/…の～に立ち至る …의 결과가 되다; …의〔할〕 형편에 이르다.

じき【直】㊀图 직접. ＝じか. ¶～の返答を承りたい 직답〔직접 대답〕을 듣고 싶소. ㊁接頭 직…. ¶～取引 직거래/～輸入 직수입. ㊂【じき】副 시간·거리가 가까움을 나타내는 말: 곧; 바로. ＝すぐ. ¶～そばの家 바로 옆집/～隣にある 바로 이웃에 있다/～にできます 금방 됩니다/もう～夏休みだ 이제 곧 여름 방학이다.

じき【次期】图 차기; 다음(번). ¶～首相 차기 수상/～政権をねらう 차기 정권을 노리다/～の選挙には 차기 선거에는. ↔前期·今期.

じき【時季】图 계절; 철. ＝季節·シーズン. ¶行楽の～ 행락의 계절; 행락철/すいかの～ 수박이 나는 계절.

—はずれ【—外れ】图 제철이 아님. ＝季節はずれ. ¶～の服 철 지난 옷/～の台風 때아닌 태풍.

*__じき__【時期】图 시기. **1** 때; 계절. ＝とき·おり. ¶～が～だけに 시기가 시기니만큼/～が来れば分かる 때가 되면 알게 된다. **2** 기간. ¶政治的空白の～ 정치적 공백기.

—しょうそう【—尚早】图 시기상조. ¶あせるな. ～だ 조급하게 굴지 마라. 시기상조다.

じき【時機】图 시기; 기회. ＝しおどき. ¶～を失っ〔逸〕する 시기를 놓치다/まだその～でない 아직 그 시기가 아니다/～をうかがう 기회를 엿보다.

じき【磁器】图 자기; 사기그릇. ¶～の製造法 자기 제조법. ⇨陶器.

じき【磁気】图 자기. ¶～カード 자기 카드/～を帯びる 자기를 띠다/鉄に～が生ずる 쇠에 자기가 생기다. 「폭풍.

—あらし〘—嵐〙图〔理〕자기람; 자기

—きらい【—機雷】图 자기 기뢰.

—ディスク 图 자기 디스크《레코드 같은 원반에 자성 재료를 바른 기억 장치》. ＝ディスク. 参考 magnetic disc〔disk〕의 역어.

—テープ 图 자기 테이프《녹음·녹화·컴퓨터 등에 사용됨》. 参考 magnetic tape의 역어.

—ふじょう【—浮上】图 자기 부상. ¶～式鉄道 자기 부상식 철도.

じき【自記】图ス他 자기. **1** 자기가 씀; 또, 그 쓴 것; 자필. **2** 기계가 자동적으로 기록함. ¶～装置 자기 장치.

—うりょうけい【—雨量計】图 자기 우량계. 「계.

—しつどけい【—湿度計】图 자기 습도

=__じき__【敷】《'…畳～'의 꼴로》 방에 몇 장의 다다미를 깔 수 있는가를 수로 나타내는 데 씀. ¶六畳～くらいある 다다미 6장 깔 수 있을 정도의 넓이다.

じぎ【字義】图 자의; 한자의 뜻. ¶～通りに解釈する 자의대로 해석하다.

じぎ【時宜】图 시의; 적절한 때; 적기; 호기. ¶～にかなった処置 시의 적절한 조치/～に適した 시의에 알맞은/～を得た 시의를 얻은; 때를 맞춘.

じぎ【辞儀·辞宜】图ス自 (머리 숙여) 절함; 인사. ＝あいさつ. ¶お～をする 인사를 하다. 参考 보통 'お～'의 꼴로 씀.

*__しきい__【敷居】《閾》图 문턱; 문지방; 하인방(下引枋). ＝しきみ. ↔鴨居.

—が高い 문지방이 높다《의리에 어긋난 짓이나 면목없는 짓을 하여 그 집을 찾기가 거북하다》.

—を跨ぐ (문지방을 넘어) 그 집으로 들어가다; 또, 그 집을 나가다. ¶敷居を跨げば七人の敵がある 집을 나서면 일곱 명의 적이 있다《사회에 나가면 조심하라는 뜻》.

—ごし【—越し】图 문지방 너머(에서 무엇을 함); (귀인에게 문안·인사 따위를) 문지방 너머에서 함.

しきいし【敷石】《鋪石》图 (길·뜰 따위에 깐) 납작한 돌; 포석(鋪石). ＝石畳. ¶大理石の～が敷いてある 대리석 포석이 깔려 있다. 「깐 길.

—みち【—道】图 돌·보도 블록 따위를

しきいた【敷板】图 **1** 밑에 까는 판자; 특히 마루청; 청널. **2** (변소의) 발판.

しきうつし【敷き写し】图ス他 (서화 따위를) 투명한 종이 밑에 대고 복사함; 전하여, 다른 것을 그대로 모방함. ¶原本を～にしたもの 원본을 밑에 깔고 복사한 것. =透きうつし.
しぎかい【市議会】图 시의회. ¶~議員 시의회 의원.
しきがわ【敷き皮】图 모피 깔개. ¶虎の~が敷いてある 호피 깔개가 깔려 있다.
しきがわ【敷き革】图 구두 안창.
しきかん【色感】图 색감. **1** 색채로부터 받는 느낌. ¶暖かい~ 따스한 색감. **2** 빛을 식별하는 감각. =色覚. ¶鋭い~ 예리한 색감. 「企業.
しきぎょう【私企業】图 사기업. ↔公
しききん【敷金】图 (집이나 방 등의) 전세 보증금. =しきがね. ¶家賃三か月分の~ 집세 3개월분의 보증금.
しきけん【識見】图 식견; 견식. =しっけん. ¶~のある人 식견이 있는 사람.
*しきさい【色彩】图 색채. **1** 빛깔. =いろ·いろどり. ¶~映画 색채 영화. **2** 특색; 성질; 경향. ¶~のある文章 특색 있는 문장 / 学術的~を帯びる 학술적 색채를 띠다.
—かんかく【—感覚】图 색채 감각.
じきさん【直参】图 주군(主君)을 직접 섬기는 신하; 특히, 江戸幕府에 직속된 1만석(石) 이하의 무사(旗本·御家人 따위). ↔陪臣.
しきし【色紙】图 和歌·俳句를 쓰기 위한 네모진 두꺼운 종이(여러 가지 빛깔이나 무늬가 있음).
しきじ【式次】图 식순(式順). =式次第. ¶~通りに進行する 식순대로 진행되다.
しきじ【式辞】图 식사; 의식 때의 인사말. ¶~を述べる 식사를 말하다.
しきじ【識字】图 문맹자에게 글을 익히게 함; 글을 깨우침. ¶~運動 문맹 퇴치 운동.
じきじき『直直』图副 직접. ¶~に話す 직접 이야기하다 / ~の御返答を承りたい 직접 대답을 듣고 싶소.
しきしだい【式次第】图 식의 순서; 식순(式順). =式次.
しきしゃ【識者】图 식자. ¶~のことばに耳を傾ける 식자의 말에 귀를 기울이다. 「지 않은 색맹.
しきじゃく【色弱】图 색약; 정도가 심하
*しきじょう【式場】图 식장. ¶結婚~ 결혼식장 / ~に行く 식장에 가다.
しきじょう【色情】图 색정; 욕정. =色欲. ¶~の強い人 색정이 강한 사람 / ~を催す 색정을 불러일으키다.
—きょう【—狂】图 색정광; 색광(증). =色きちがい.
—とうさく【—倒錯】图 색정 도착.
しきせ【仕着せ】《四季施·為着せ》图 **1** 철 따라 주인이 고용인에게 옷을 해 입히는 일; 또, 그 의복. **2** (윗사람이) 일방적으로 내린 것; 또, 정해져 있는 틀에 박힌〔뻔한〕 일. 参考 보통 'お~'의 꼴로 씀.
しきそ【色素】图 색소. ¶~細胞 색소 세포 / 有毒~ 유독 색소.
じきそ【直訴】图ス自他 직소; 직접 상소함. ¶~状 직소장 / ~する者は処罰される 직소하는 자는 처벌 받는다.
しきそう【色相】图 색상; 색조. =色あい. ↔彩度·明度.
じきそう【直奏】图ス他 직주; 직접 아룀. ¶王に~する 왕에게 직주하다.
しきそくぜくう【色即是空】图〘佛〙색즉시공.
じきそん【直孫】图 직손; 직계 자손.
しきだい【式台·敷台】图 현관 앞의 한 단 낮은 마루; 현관 마루. 参考 주인이 손님을 송영하는 곳.
*しきたり【仕来たり】图 (이제까지의) 관습; 관례. =ならわし. ¶土地の~ 그 고장의 관습〔관례〕 / ~に従う 관례에 따르다 / この家の~になっている 이 집의 관례가 되어 있다.
じきだん【直談】图ス自〈老〉직접 얘기〔담판〕함; 또, 직접 그 사람으로부터 들은 말. =じか談判. ¶間に人を入れるよりも~する方が早い 중간에 사람을 넣는 것보다 직접 얘기하는 편이 빠르다. 「だんぱん.
じきだんぱん【直談判】图ス自 ☞じか
*しきち【敷地】图 부지; 대지(垈地). ¶家の~ 가옥 대지 / 建設予定の~ 건설 예정 부지.
しきちょう【色調】图 색조; 색의 조화. =いろあい. ¶あの風景画は柔らかい~で描かれている 저 풍경화는 부드러운 색조로 그려져 있다.
しきつ-める【敷き詰める】下1他 빈틈없이 전면에 깔다. ¶砂利〔じゅうたん〕を~ 자갈〔융단〕을 전면에 깔다.
じきでし【直弟子】图 직제자; 직접 지도 받은 제자. =直門. ¶~になる 직제자가 되다. ↔又弟子·孫弟子.
しきてん【式典】图 식전; 의식. =式·儀式. ¶記念の~ 기념 식전.
じきでん【直伝】图 (오의(奥義)나 비전(祕傳)을) 직접 스승이 제자에게 전수함; 또, 직접 전수 받은 것. ¶~の秘術 직접 전수 받은 비술. 「도도.
しきど【色度】图〘理〙색도. ¶~図 색
しきどう【色道】图 색도; 색(色)〔정사(情事)〕에 관한 일.
じきとう【直答】图ス自 직답. =ちょくとう. ¶社長の~を聞きたい 사장의 직답을 듣고 싶다.
じきとりひき【直取引】图 **1** 직(접)거래. **2** 현금 거래.
**じきに『直に』副 곧; 금방; 바로. =すぐ(に)·ただちに. ¶~来ます 곧 옵니다 / もう~入梅になる 이제 곧 장마철에 접어든다 / ~良くなるよ 곧 좋아질 게다 / ~正月だ 곧 설이다.
しきねん【式年】图 제사를 지내기로 정해져 있는 해.
しきのう【式能】图 의식(儀式)으로서 행해지는 能楽.

じきひ【直披】图 친전(親展)《편지 겉봉에 쓰는 문구》. ＝親展. 注意 'ちょくひ'라고도 함.
じきひつ【直筆】图 직필; 자필(의 문서). ¶～の手紙 자신이 직접 쓴 편지. 参考 'ちょくひつ'는 딴말. ↔代筆.
*しきふ【敷布】图 요 위에 까는 천; 욧잇; 시트. ＝シーツ.
しきふく【式服】图 의식 때 입는 옷; 예복. ＝礼服.
しきぶとん【敷き布団】《敷き蒲団》图 (잘 때 까는) 요. ¶～を敷く 요를 깔다. ↔掛けぶとん.
*しきべつ【識別】图ス他 식별. ＝弁別・みわけ. ¶～力が乏しい 변별력이 부족하다 / 暗いので人の顔を～することができない 어두워서 사람 얼굴을 식별할 수가 없다.
しきま【色魔】图 색마; 호색한(漢). ＝女たらし. ¶～に引っ掛かる 색마에게 걸리다.
じきまき【直まき】《直播き》图ス他 직파. ¶稲の種を～して成功した地方もある 볍씨를 직파해서 성공한 지방도 있다. 注意 'じかまき'라고도 함.
しきめい【色名】图 색채의 명칭; 색채명. ¶伝統～ 전통 색채명 / 標準～ 표준 색채명.
しきもう【色盲】图 색맹. ¶～の人 색맹인 사람 / 赤緑～ 적록 색맹.
しきもの【敷物】图 깔개《방석·융단·돗자리 따위》.
じきもん【直門】图 직문; (선생에게) 직접 가르침을 받음; 또, 그 사람.
しきゃ 副助 〈方〉 ☞しか. ¶これ～ない 이것밖에 없다.
しきゃく【刺客】图 ☞しかく.
しぎゃく[弑逆] 图ス他 ☞しいぎゃく.
しぎゃく[嗜虐] 图 기학; 잔학한 일을 즐김. ¶～性 기학성; 잔학성.
じぎゃく【自虐】图ス自 자학. ¶～行為 자학 행위.
—てき【—的】ダナ 자학적. ¶～性格 자학적 성격 / ～な言動はつつしむべきだ 자학적인 언동은 삼가야 한다.
しきゅう【子宮】图 자궁. ＝子壺.
—がいにんしん【—外妊娠】图〔醫〕자궁외 임신. ＝外妊.
—がん【—癌】图〔醫〕자궁암.
—きんしゅ[—筋腫]图〔醫〕자궁 근종.
—だつ【—脱】图〔醫〕자궁탈(출증).
*しきゅう【支給】图ス他 지급. ¶現物～ 현물 지급 / ボーナスを～する 보너스를 지급하다.
しきゅう【四球】图〔野〕사구; 포볼; 베이스 온 볼. ＝フォアボール.
しきゅう【死球】图〔野〕사구; 히트 바이 피치. ＝デッドボール.
**しきゅう【至急】图 지급. ＝大急ぎ. ¶～電報 지급 전보 / ～を要する 지급을 요하다; 매우 급하다 / なにとぞ～にご返事ください 아무쪼록 빨리 대답해 주세요. 参考 副詞적으로도 씀. ¶～おいで下さい 급히 와 주십시오.
じきゅう【自給】图ス他 자급. ¶～作物 자급 작물 / 食糧を～する 식량을 자급하다 / ～率を高める〔低める〕 자급률을 높이다〔낮추다〕.
—じそく【—自足】图ス自他 자급자족. ¶～の生活 자급자족하는 생활.
—ひりょう【—肥料】图 자급 비료《분뇨·두엄 따위》. ↔化学肥料.
じきゅう【持久】图ス自 지구. ¶～力 지구력 / 堅忍～ 견인지구.
—せん【—戦】图 지구전; 장기전. ¶～に持ち込む 지구전으로 끌고 가다.
じきゅうけん【自救権】图〔法〕자구권.
しきゅうしき【始球式】图〔野〕시구식.
しきょ【死去】图ス自 사거; 사망; 죽음. ¶彼の～は多くの人に衝撃を与えた 그의 죽음은 많은 사람에게 충격을 주었다.
じきょ【辞去】图ス自 사거; 작별하고 떠남. ¶先生のお宅を～した 선생님 댁에서 작별 인사를 하고 나왔다.
しきょう【司教】图 (가톨릭에서) 주교(主教).
しきょう【市況】图 시황; 시장 경기〔시세〕. ¶株式～ 주식 시황 / ～は不況である 시황은 불황이다 / ～が強い 시세가 강세다.
しきょう【示教】图ス他 시교; 교시. ＝教示. ¶御～を仰ぎたく存じます 교시를 받고자 합니다.
しきょう【詩経】图 시경《오경(五經)의 하나》. ＝毛詩.
しきょう【詩興】图 시흥. ¶騒音のため～がさめた 소음 때문에 시흥이 깨졌다 / ～をそそる 시흥을 자아내다.
しきょう【試供】图ス他 시공; 시험 삼아 써 보라고 상품을 손님에게 제공함. ¶新製品を～する 신제품을 시공하다.
—ひん【—品】图 시공품; 견본.
しぎょう【始業】图ス自 시업; 수업이나 작업을 시작함. ¶～式 시업식 / 午前九時に～する 오전 9시에 수업〔작업〕이 시작된다. ↔終業.
*じきょう【自供】图ス自他 자공; 자백. ¶犯行を～する 범행을 자공하다 / 共犯の～によって捜査の方針を立てる 공범의 자백으로 수사 방침을 세우다. ⇨じはく(自白).
**じぎょう【事業】图 사업. ¶～場 사업장 / ～家 사업가; 실업가 / 慈善～ 자선 사업 / 社会～ 사회 사업 / ～を経営する 사업을 경영하다.
—しょとく【—所得】图 사업 소득.
—ねんど【—年度】图 사업 연도.
じぎょう【地形】图 터 다지기; 달구질; (건축물의) 기초 공사. ＝地固め. ¶～を強くする 터 다지기를 단단히 하다 / コンクリートで～をする 콘크리트로 기초 공사를 하다.
じぎょうじとく[自業自得] 图 'じごう

じとく'의 잘못.

しきよく【色欲】《色慾》图 색욕. **1** 성적 욕망; 정욕. ¶～におぼれる 색욕에 빠지다. **2** 색정과 이욕(利慾). ¶彼は～共に人にすぐれて強い 그는 색욕과 물욕이 다 남보다 두드러지게 강하다.

しきょく【支局】图 지국. ¶新聞～ 신문 지국. ↔本局.

じきょく【時局】图 시국. ¶重大な～ 중대한 시국/～講演会 시국 강연회/～便乗者 시국 편승자/～に便乗する 시국에 편승하다.

じきょく【磁極】图〔理〕자극; 자기극; 자석의 양극.

しきり【仕切り】图 **1** 칸막음; 또, 칸막이. ㉠경계. ¶～目 경계점; 경계선/～のカーテン 칸막이 커튼/部屋の～ 방의 칸막이. ㉡구분. **2** 결말을 지음; 셈끊기; 결산. ¶～帳 결산 장부/月末に～をしてください 월말에 셈을 결산해 주십시오. **3** '仕切金'의 준말. **4** 씨름꾼이 씨름판에서 맞붙을 태세를 취하는 일.

—きん【—金】图 청산금(淸算金).

—しょ【—書】图 **1** 상품 내용 명세서; 또, 청구서; 송장(送狀). ＝送り状·仕切状. **2** 매출 계산서.

—や【—屋】图 모아 온 폐품을 분류하여 팔아넘기는 직업; 고물상.

しきり【頻り】ダナ 빈번함; 자꾸 되풀이됨. ¶問い合わせが～だ 문의가 빈번하다. 参考 動詞 'しきる'의 連用形에서.

しきりと〚頻りと〛副 ☞しきりに.

しきりに〚頻りに〛副 **1** 자꾸만; 자주; 빈번히. ¶～手紙をよこす 빈번히 편지를 보내오다. **2** 계속적으로; 끊임없이; 줄곧; 연달아. ¶～ベルが鳴る 연달아 벨이 울리다/雨が～降る 비가 줄기차게 오다. **3** 열심히; 몹시; 매우. ¶～せがむ 몹시 조르다/～ほしがる 몹시 탐내다.

しき-る〚頻る〛接尾《動詞의 連用形에 붙어서》끊임없이 …하다. ¶雨が降り～ 비가 계속 쏟아지다/鳴き～ 계속 울어대다.

しき-る【しきる·仕切る】㊀5他 **1** 칸을 막다; 칸막이하다. ¶カーテンでへやを～ 커튼으로 방을 칸막이하다. **2** 셈을 끊다; 결산하다. ¶月末で～ 월말에 셈을 끊다〔결산하다〕. 注意 2는 自動詞적으로 쓰임. ㊁5自 (씨름꾼이 씨름판에서) 맞붙을 태세를 취하다.

じきわ【直話】图ス自 직접 이야기함; 또, 그 이야기. ¶これは社長の～だ 이것은 사장이 직접 이야기한 것이다.

しきん【至近】图 지근. ¶～距離 지근거리/～弾 지근탄.

しきん【資金】图 자금. ＝もとで. ¶～調達 자금 조달/育英～ 육영 자금/～をまかなう 자금을 조달하다/～源を断つ 자금원을 끊다.

—ぐり【—繰り】图 자금의 융통〔변통〕. ＝かねぐり. ¶～が困難だ 자금 변통이 어렵다.

—せんじょう【—洗浄】图 자금 세탁. ＝マネーロンダリング.

しぎん【市銀】图 시은《'市中銀行(＝시중 은행)'의 준말》.

じきん【地金】图 지금; 화폐의 재료로서의 금(속); 또, 도금·가공의 바탕쇠. ＝じがね.

しきんせき【試金石】图 시금석. ¶この仕事は彼の手腕を試す～だ 이 일은 그의 수완을 시험하는 시금석이다.

し-く［如く·若く］4自〈雅〉《否定이나 反語가 따름》미치다; 필적하다. ¶酒に～ものはない 술만한 것은 없다/子を見ること親に～·かず 자식을 보는 눈이 부모만한 사람은 없다.

—は無し …보다 더 나은 일은 없다; …이 제일이다. ¶逃げるに～ 도망치는 것이 상책이다.

し-く【敷く】㊀5他 **1** 깔다. ㉠밑에 펴다. ¶ふとんを～ 이불을〔요를〕깔다/下敷きを～·いて書く 책받침을 깔고 쓰다. ㉡깔고 앉다. ¶亭主をしりに～ (아내가) 남편을 깔아 뭉개다; 내주장하다. ㉢덮쳐〔엎어〕누르다. ¶盗賊を組み～ 도둑을 엎어누르다. ㉣《布く》부설하다. ¶鉄道を～ 철도를 부설하다. **2**《布く》(진(陣) 따위를) 치다; 배치하다. ¶背水の陣を～ 배수(의) 진을 치다. **3**《布く》널리 시행하다; 펴다. ¶法律を～ 법률을 시행하다/軍政を～ 군정을 펴다.

しく【詩句】图 시구. ¶～を暗唱する 시구를 외다.

じく【軸】图 축. **1** 굴대; 심대. ¶車の～ 바퀴의 굴대/～を受ける 축을 받치다. **2** 두루마리; 족자. ¶～をかける 족자를 걸다. **3** (붓·펜·식물 따위의) 대; (성냥의) 개비. ¶筆の～ 붓대/花の～ 꽃대/ペン～ 펜대/マッチの～ 성냥개비. **4** (집단·조직의) 활동의 중심. ¶チームの～となる 팀의 주축이 되다. **5**〔數〕좌표의 축. ¶座標～ 좌표축/～を定める 축을 정하다.

じく【字句】图 자구. ¶～の解釈 자구의 해석/～にこだわる 자구에 구애되다/～を訂正する 자구를 정정하다.

じく〚軸〛常用 ジク | 축 굴대 | **1** 축; 수레바퀴의 굴대. ¶車軸 차축/主軸 주축. **2** 회전·활동의 중심. ¶中軸 중축/枢軸 추축. **3** 좌표축. ¶Y軸 Y축.

じくあし【軸足】图 운동할 때, 자기 몸을 받치는 쪽의 다리. ¶相手の～に左外掛けがうまくかかる 상대편의 오른 다리에 왼발걸이가 제대로 걸리다.

じくう【時空】图 시공; 시간과 공간. ¶～を超えた真理 시공을 초월한 진리.

じくうけ【軸受け】《軸承け》图 **1** 축받이; 베어링. ＝ベアリング. **2** (문짝 따위의) 축을 받치는 부분; 암톨쩌귀.

じくぎ【軸木】图 1 두루마리 등의 축으로 쓰는 나무. 2 성냥개비. 3 연필의 (심을 싸고 있는) 나무.

しぐさ〖仕草·仕種〗图 1 행위; 처사; (하는) 짓(거리). ¶いじわるな～ 짓궂은 짓 / あいつの～が気(き)に入(い)らない 저 놈 하는 짓이 마음에 안 든다. 2 몸짓; 배우의 동작·연기·표정. ＝身(み)ぶり. ¶きどった～ 점잔빼는 몸짓 / ～がうまい 연기를 잘한다.

*ジグザグ [zigzag] 名(ナ) 지그재그; 번개꼴; 갈짓자형. ¶～デモ〔ミシン〕 지그재그 데모〔미싱〕/～に行進(こうしん)する 지그재그로 행진하다.

じくじ [忸怩] トタル 육니; 부끄럽고 창피스러움. ¶内心(ないしん)～たるものがある 내심 부끄러운 바가 있다.

しくしく 副ス自 1 코를 훌쩍이며 힘없이 우는 모양; 훌쩍훌쩍. ¶～(と)泣(な)く 훌쩍훌쩍 울다. 2 찌르거나 켕기듯이 아픈 모양; 쌀쌀; 콕콕. ¶腹(はら)が～する 배가 쌀쌀 아프다 / 虫歯(むしば)が～(と)痛(いた)む 충치가 콕콕 쑤시며 아프다.

しくじり 图 실패(함); 실수; 실책. ¶～子(こ) 사생아 / とんだ～をしてしまった 엉뚱한 실수를 해 버렸다.

*しくじ-る 5自他 〈俗〉 1 실패하다; 실수하다. ¶試験(しけん)に～ 시험에 실패하다 / 試験を～ 시험을 잡치다. 2 (잘못 따위로) 해고되다; 출입을 금지당하다. ¶お店(たな)を～ 주인 집에서 쫓겨나다 / 前(まえ)の会社(かいしゃ)を～·ってこの会社にはいった 전 회사에서 해고 당해 이 회사에 들어왔다. 可能 しくじ-れる 下1自

じくずれ【地崩れ】图ス自 산사태; 지반이 내려앉음.

ジグソー [jigsaw] 图 지그소; 실톱. ＝糸(いと)のこぎり.

──パズル [jigsaw puzzle] 图 지그소 퍼즐; 조각 그림 맞추기 놀이. ＝はめ絵(え).

しくつ【試掘】图ス他 시굴. ¶温泉(おんせん)を～する 온천을 시굴하다.

シグナル [signal] 图 시그널; 신호; 신호기. ¶～をおくる 신호를 보내다.

しくはっく【四苦八苦】사고팔고. ㊀图〖佛〗사고와 팔고. ㊁图ス自 인간의 온갖 괴로움. ¶～の体(てい) 고생이 많은 모양 / 宿題(しゅくだい)が多(おお)くて～だ 숙제가 많아서 몹시 힘들고 괴롭다.

じくばり【字配り】图 글자의 배치(配置); 배자(配字). ¶～が悪(わる)い 글자 배치가 나쁘다.

*しくみ【仕組み】图 짜임새; 얼개. 1 구조; 기구. ¶機械(きかい)の～がわかる 기계의 구조를 알다. 2 계획; 기도; 고안; 장치; 제도; 시스템. ¶大体(だいたい)の～ 개략적인 계획 / おもしろい～ 재미있는 고안. 3 (소설·희곡의) 줄거리; 얼거리; 구상. ¶劇(げき)の～ 극의 줄거리 / なかなかこった～だ 꽤 오밀조밀한 구성이다. 參考 '仕組み'와 '仕掛(しか)け'는 거의 같은 뜻이지만 눈에 보이지 않는 구조를 가르킬 때는 '仕組み'를 씀.

しく-む【仕組む】5他 궁리해서 짜다. 1 짜(만들)다; 기도하다; 계획하다. ¶巧(たく)みに～·まれたトリック 교묘하게 짜여진 트릭 / 反乱(はんらん)を～ 반란을 꾸미다. 2 (소설·희곡의) 줄거리를 짜다; 구성하다. ¶恋愛事件(れんあいじけん)を劇(げき)に～ 연애 사건을 극으로 구성하다.

じぐも〖地蜘蛛〗图〔動〕 땅거미. ＝つちぐも.

じくもの【軸物】图 1 족자. ＝掛(か)け軸(じく)·かけもの. 2 두루마리 모양의 책〔그림〕. ＝まきもの.

しぐれ【時雨】图 (늦가을부터 초겨울에 걸쳐 오는) 한 차례 지나가는 비; 오다 말다 하는 비. 參考 많은 벌레가 일제히 울 때에도 비유함. ¶セミ～ 매미가 일제히 울어 댐.

しぐ-れる〖時雨れる〗下1自 늦가을 비가 내리다. ¶～·れてきた 가을비가 내리기 시작했다 / 山沿(やまぞ)いは～でしょう (일기 예보에서) 산간 지역에는 가을비가 내리겠습니다.

じくん【字訓】图 자훈; 한자의 훈(訓) 《일본말로 새겨 읽기》. ＝訓(くん). 參考 '山(さん)'을 'やま'로 읽는 것이 자훈, 'さん'은 자음(字音). ↔字音(じおん).

しくんし【四君子】图 사군자《난초·대나무·매화·국화》.

しくんし【士君子】图 사군자; 학문에 통달하고 덕이 높은 사람.

*しけ〖時化〗图 1 센 비바람 때문에 바다가 거칠어짐. ¶～になる 바다가 거칠어지다. ↔なぎ. 2 전하여, ㉠폭풍우로 인한 흉어(凶魚). ㉡흥행물·상거래 등의 불경기. ¶このごろは～が続(つづ)いている 요즘은 흉어가 계속되고 있다 / 商売(しょうばい)も～続(つづ)きです 장사도 불경기가 계속되고 있습니다. 注意1 2㉠은 '不漁'로도 씀. 注意2 '時化'로 씀은 취음(取音).

*しけ [湿気] 图 습기; 습한 공기. ＝しめりけ·しっけ. 參考 'しっき'의 전와.

*しけい【死刑】图 사형. ¶～を執行(しっこう)する 사형을 집행하다 / ～を宣告(せんこく)される 사형을 선고 받다.

──しゅう【──囚】图 사형수.

しけい【私刑】图 사형; 린치. ＝リンチ. ¶～を加(くわ)える 사형을 가하다.

しけい【紙型】图〔印〕지형. ¶～を取(と)る 지형을 뜨다. 參考 'かみがた'라고 읽으면 '종이본'의 뜻임.

しけい【詩形·詩型】图 시형; 시의 형식. ¶俳句(はいく)の～は五七五(ごしちご)だ 俳句의 시형은 5·7·5다.

じけい【次兄】图 차형; 중형(仲兄); 둘째 형. ↔長兄(ちょうけい).

じけい【字形】图 자형; 글자의 꼴. ¶複雑(ふくざつ)な～ 복잡한 자형. ⇨字体(じたい).

じけい【自警】图ス自 자경; 스스로 자기 주위를 경계함. ¶～団(だん) 자경단 / 町(まち)を～する 동네를 스스로 경비하다.

しげき【史劇】图 사극. ¶シェークスピアの～は古今(ここん)の名作(めいさく)だ 셰익스피어의 사극은 고금의 명작이다.

しげき【刺激】《刺戟》 图ス他 자극. ¶～剤 자극제 / 文壇への～ 문단에 주는 자극 / 都会は～が強い 도시는 자극이 강하다 / ～のない生活にあきる 자극이 없는 생활에 싫증이 나다. 注意 본디는 '刺戟'.

—てき【—的】 ダナ 자극적. ¶～なことばを使わないこと 자극적인 말을 쓰지 말 것.

しげき【詩劇】 图 시극; 특별한 시형(詩形)으로 씌어진 극. ＝韻文劇. ¶～を上演する 시극을 상연하다.

しげく『繁く』 副 자주; 빈번히. ¶足～通う 뻔질나게 다니다.

しけこ-む 5自 〈文〉 **1** (유곽이나 요릿집 따위에) 틀어박혀 놀다; 또, 남녀가 함께 투숙하다. **2** 돈이 없어 활동을 못하고 (집에) 죽치다. ¶一日じゅう下宿に～·んでいた (돈이 없어) 하루 종일 하숙집에 틀어박혀 있었다.

しげしげ『繁繁』 副 **1** 자주 되풀이하는 모양: 뻔질나게; 빈번히. ¶彼は～と喫茶店に通っている 그는 뻔질나게 다방에 드나들고 있다. **2** 물건을 찬찬히 잘 보는 모양: 자상히; 찬찬히. ¶～(と)顔を見る 찬찬히 얼굴을 보다. 注意 2는 바르게는 'しけじけ'.

しけつ【止血】 图ス他 지혈; 출혈을 멈춤. ＝血止め. ¶～剤 지혈제.

じけつ【自決】 图ス自 자결. **1** 자살. ¶責任を感じて～した 책임을 느끼고 자결하였다. **2** 스스로 결정해 처리함. ¶民族～主義 민족 자결주의.

しけっぽ-い『湿気っぽい』 形 습기를 띠고 있다. ¶～空気 습한 공기.

しげみ【茂み】《繁み》 图 우거짐; 우거진 곳; 숲; 수풀. ¶立木の～ 나무숲 / 庭の～に小鳥が来てさえずる 뜰의 수풀에 작은 새가 와서 지저귀다.

＊し-ける『時化る』 下1自 **1** (폭풍우로) 바다가 거칠어지다; 또, (바다가 거칠어져서) 고기가 잡히지 않다. ¶漁が～ 고기가 잘 안 잡히다. 参考 名詞 '時化'를 활용시킨 것. **2** 〈俗〉 불경기로 우울하다; 돈 융통이 잘 안되다. ¶～·けた顔 (불경기로) 풀기 없는 얼굴 / ふところが～·けている 호주머니가 비어 있다. 参考 2는 대부분 '～·けた' '～·けている'의 꼴로 씀.

しけ-る『湿気る』 5自 습기가 차다. ＝しっける. ¶梅雨の間にたんすのなかが～·てしまった 장마 동안에 장롱 속에 습기가 차고 말았다.

＊しげ-る【茂る】《繁る》 5自 초목이 무성하다; 빽빽히 들어차다. ¶青葉が～ 신록이 우거지다 / 草が生い～ 풀이 무성하게 자라다.

しけん【私見】 图 사견. ＝私考. ¶～を披瀝する 사견을 밝히다 / ～に過ぎない 사견에 불과하다.

＊しけん【試験】 图ス他 시험; 테스트. ¶入学～ 입학시험 / ～をうける 시험을 보다 / ～にとおる〔合格する〕 시험에 합격하다 / 新車の性能を～してみる 새 차의 성능을 시험해 보다.

—かん【—官】 图 시험관.

—かん【—管】 图 시험관. ¶～ベビー 시험관 아기.

—し【—紙】 图〖化〗 시험지; 시약을 바른 종이(《리트머스 시험지 따위》).

—じごく【—地獄】 图 시험 지옥.

＊しげん【資源】 图 자원. ¶地下～ 지하자원 / 観光～ 관광 자원 / ～に乏しい国 자원이 부족한 나라.

—ナショナリズム [nationalism] 图 자원 내셔널리즘.

—リサイクル [recycle] 图 자원 리사이클《폐기물의 재활용》.

＊じけん【事件】 图 사건. ＝できごと. ¶殺人～ 살인 사건 / この～はきわめて重大だ 이 사건은 극히 중대하다 / ～のかぎを握る 사건의 열쇠를 쥐다.

じげん【字源】 图 자원; 문자가 구성된 근원. ¶かなの～ かな의 자원《かな가 비롯된 한자의 자체(字體)》.

じげん【時限】 图 **1** 시한. ¶～を決めて廃止する 시한을 정하여 폐지하다. **2** (수업 등) 시간의 단위; 교시(校時). ¶第六～ 제6 교시 / 一日六～の授業 하루 여섯 시간의 수업.

—ストライキ [strike] 图 시한부 스트라이크〔파업〕. ＝時限スト. ¶～に入る 시한부 파업에 들어가다.

—ばくだん【—爆弾】 图 시한폭탄. ¶～がしかけられている 시한폭탄이 장치되어 있다.

＊じげん【次元】 图 **1**〖數·理〗 차원. ¶三～ 3차원. **2** 전하여, 사물을 생각하는 입장. ＝レベル. ¶～の低い話 차원이 낮은 얘기 / ～の異なる問題 차원이 다른 문제.

—を異にする 차원을 달리하다; 차원이 다르다. ¶君と僕との考え方は～ 자네와 내 생각은 차원을 달리한다.

しこ『四股』 图 (씨름에서) 허벅다리에 손을 얹고 다리를 하나씩 옆으로 높이 쳐들었다가 힘차게 땅을 밟는 일《기본 동작의 하나》. ＝力足. 注意 '四股'로 씀은 취음.

—を踏む (씨름에서) 씨름꾼이 한 발씩 힘있게 높이 들어 땅을 구르다《시합 직전의 준비 운동》. 「부름.

しこ【指呼】 图ス他 〈文〉 지호; 손짓해

—の間 지호지간. ¶～にある〔望む〕 지호지간에 있다〔바라보다〕.

しご【死語】 图 사어; 폐어(廢語). ¶アイヌ語は～に近い状態だ 아이누 말은 사어에 가까운 상태이다 / ラテン語は～だ 라틴어는 사어이다. ↔活語.

しご【死後】 图 사후; 죽은 뒤. ＝没後. ¶～の世界 사후의 세계. ↔生前.

—こうい【—行為】 图〖法〗 사후 행위; 사인(死因) 처분《유언·사인(死因) 증여 따위》. ↔生前行為.

—こうちょく【—硬直】图〖生〗사후 경직〔강직〕. ＝死後強直(きょうちょく).
しご【私語】图ス自 사어; 사담; 소곤거림; 속삭임; 소곤거리는 말. ＝ささやき. ¶小(ちい)さな声(こえ)で～している 작은 목소리로 소곤대고 있다/～をつつしむ 사담〔소곤거리는 말〕을 삼가다. 「말.
しご【詩語】图 시어; 시에 쓰는 우아한
*じこ【自己】图 자기. ＝自分(じぶん)·おのれ·われ. ¶～矛盾(むじゅん)に陥(おちい)る 자기 모순에 빠지다/冷静(れいせい)に～を見(み)つめる 냉정하게 자기를 살펴보다.
—あんじ【—暗示】图 자기 암시. ¶～にかかる 자기 암시에 걸리다. 「欺(ぎ).
—ぎまん〔—欺瞞〕图 자기기만. ＝自
—けんお【—嫌悪】图 자기혐오. ¶～におちいる 자기혐오에 빠지다.
—けんじ【—顕示】图 자기 현시; 자기과시. ¶～欲(よく) 자기 현시욕. 「개.
—しょうかい【—紹介】图ス自 자기소
—どういつせい【—同一性】图 자기동일성. ⇨アイデンティティ.
—ひはん【—批判】图ス自 자기비판. ¶～を迫(せま)られる 자기비판을 (할 것을) 강요당하다. ↔相互(そうご)批判.
—まんぞく【—満足】图ス自 자기만족. ¶お前(まえ)の考(かんが)えは～に過(す)ぎないぞ 네 생각은 자기만족에 불과한 것이야.
—りゅう【—流】图 자기류. ＝我流(がりゅう). ¶彼(かれ)は何(なに)をするにも～だ 그는 무엇을 하든 간에 자기류(로 한)다.
**じこ【事故】图 사고. ¶交通(こうつう)～ 교통 사고/～を未然(みぜん)に防(ふせ)ぐ 사고를 미연에 방지하다/大(おお)きな～に見舞(みま)われる 큰 사고를 당하다.
じご【事後】图 사후. ¶～処理(しょり)〔報告(ほうこく)〕 사후 처리〔보고〕. ↔事前(じぜん).
—しょうだく【—承諾】图 사후 승낙.
—しん【—審】图〖法〗사후심.
じご【持碁】图 비긴 바둑.
しこう【伺候】《祗候》图ス自 사후. 1 웃어른께 문안드림. ¶首相(しゅしょう)は宮中(きゅうちゅう)に～した 수상은 궁중에 사후하였다. 2 웃어른을 가까이 모시고 있음. ¶天皇(てんのう)のそば近(ちか)くに～する 天皇(てんのう) 곁 가까이서 사후하다.
しこう【志向】图ス他 지향. ¶わが民族(みんぞく)の～するところ 우리 민족이 지향하는 바/文学(ぶんがく)を～する 문학을 지향하다.
しこう【指向】图ス他 1 지향. ¶物価(ぶっか)の安定(あんてい)を～する政策(せいさく) 물가 안정을 지향하는 정책. 2☞しこう(志向).
—せい【—性】图 지향성. ¶～アンテナ 지향성 안테나.
しこう【施工】图ス自他 시공. ＝せこう. ¶ダム建設(けんせつ)の～ 댐 건설의 시공.
*しこう【施行】图ス他 시행; 실시. ¶この法案(ほうあん)の～は困難(こんなん)である 이 법안의 시행은 곤란하다. 注意 관청 용어로는 'せこう'라고 함.
—さいそく【—細則】图 시행 세칙.
しこう【私行】图 사행; 사사로운 행위. ¶個人(こじん)の～を暴(あば)きたてる 개인의 사행을 들추어내다.
*しこう【思考】图ス他 사고; 생각; 생각함. ¶客観的(きゃっかんてき)～ 객관적인 생각/余(あま)りのショックで～が止(と)まった 너무나 큰 쇼크로 사고력이 멎었다.
—しょうがい【—障害】图 사고 장애.
—りょく【—力】图 사고력.
しこう【至高】图ナ 지고; 최고. ¶～の芸(げい) 최고의 기예〔연기〕/～なる存在(そんざい) 지고하신 존재《하느님》.
しこう〔恣行〕图ス他 자행; 마음대로 함; 방자한 행위. ¶権力(けんりょく)を～する 권력을 함부로 행사하다/彼(かれ)の～にはあきれて物(もの)も言(い)えない 그의 방자한 행위에는 어처구니가 없어 말도 안 나온다.
しこう〔歯垢〕图 치구; 이똥. ＝はくそ.
しこう〔嗜好〕图ス他 기호. ＝たしなみ·好(この)み. ¶～が変(か)わる 기호가 바뀌다/～に合(あ)う〔かなう〕 기호에 맞다.
—ひん〔—品〕图 기호품.
しこう【試行】图ス他 시행. ＝試(こころ)み·トライアル. ¶一度(いちど)だけの～ではわからない 한 번만의 시행으로는 모른다.
—さくご【—錯誤】图 시행착오. ¶～を繰(く)り返(かえ)す 시행착오를 되풀이하다.
しごう〔諡号〕图 시호. ＝おくりな. ¶～を賜(たま)う 시호를 내리시다.
*じこう【事項】图 사항; 항목. ¶重要(じゅうよう)～ 중요 사항/細部(さいぶ)の～ 세부 사항.
じこう【侍講】图 시강; 군주나 동궁(東宮)에게 강의함; 또, 그 사람.
じこう【時候】图 시후; 사철의 기후; 더위와 추위. ＝時節(じせつ). ¶～見舞(みま)い 시후 문안/～はずれの 제철이 아닌/～のあいさつ 시후(의) 인사.
じこう【時効】图 1〖法〗시효. ¶～期間(きかん) 시효 기간/～にかかる 시효에 걸리다/～に依(よ)って消滅(しょうめつ)した債務(さいむ) 시효에 의해서 소멸된 채무. 2〈俗〉무효. ¶もうあの約束(やくそく)は～だ 이미 그 약속은 무효다.
じごう【次号】图 차호; 다음 호. ¶～につづく 차호에 계속됨. ↔前号(ぜんごう).
しこうして〖然して·而して〗接 그리고; 그리하여. ＝そして. ¶彼(かれ)は偉大(いだい)な人物(じんぶつ)であり～愛情(あいじょう)の深(ふか)い人物(じんぶつ)でもある 그는 위대한 인물이며 그리고 애정이 깊은 인물이기도 하다.
じごうじとく【自業自得】图 자업자득. ¶～とあきらめる 자업자득이라고 체념하다. 「만든 물건.
しこうひん【紙工品】图 지공품; 종이로
じごえ【地声】图 타고난 음성; 본래의 목소리. ¶～の大(おお)きな人(ひと) 본래 목소리가 큰 사람/～だからどうしようがない 타고난 목소리라서 어찌할 도리가 없다. ↔裏声(うらごえ)·作(つく)り声(ごえ).
しごき〖扱き〗图 (운동부 등에서 하는) 몹시 심한 훈련〔기합〕. ¶～を受(う)ける 심한 훈련〔기합〕을 받다/運動部(うんどうぶ)の～が問題(もんだい)になる 운동부의 강도 높은 단련〔기합〕이 문제가 되다.

しこく【四国】图 1 사국; 네 나라. ¶~同盟 사국 동맹. 2〔地〕阿波·讃岐·伊予·土佐의 네 지방《지금의 徳島·香川·愛媛·高知 등의 네 현》.

*しご-く〖扱く〗5他 1 훑다; (훑듯이) 바싹 당기다. ¶槍を~ (찌르기 위해) 창을 바싹 당기다/稲の穂を~ 벼이삭을 훑다. 2〈俗〉(운동부 따위에서) 심하게 훈련을 시키다. ¶上級生に~·かれる 상급생에게 호되게 단련〔기합〕을 받다.

しごく【至極】图 지극. 1 더없음. ¶迷惑~だ 대단히 귀찮다/残念~だ 유감천만이다. 2《副詞적으로》(지)극히; 아주. ¶~面白い 아주 재미있다/~もっともだ 지극히 당연하다.

**じこく【時刻】图 시각; 때; 시간. ¶発車~ 발차 시각/~が移る 시간이 가다/~に遅れる 시간에 늦다/~を知らせるベル 시각을 알리는 벨.

—ひょう【—表】图 (열차·항공기 따위의) 시간표. =時間表.

じこく【自国】图 자국; 자기 나라. ¶~語 자국어/~の利益を図る 자국의 이익을 도모하다. ↔他国.

*じごく【地獄】图 1 ㉠〔宗〕지옥. ¶~に落ちる 지옥에 떨어지다. ↔極楽·天国. ㉡(비유적으로) 몹시 고통을 주는 곳. ¶~べや 어둡고 추한 방/試験〔交通〕~ 시험〔교통〕지옥. 2 화산에서 끊임없이 불을 내뿜고 있는 곳; 온천에서 늘 뜨거운 물이 솟아오르는 곳.

—で仏に会ったよう 지옥에서 부처님을 만난 것 같음《몹시 곤란할 때 뜻밖의 도움을 받는 기쁨의 비유》.

—にも鬼ばかりではない 지옥같은 이 세상에도 인정 많은 사람은 있다.

—の一丁目 아주 무서운 곳의 비유; 또, 파멸이나 곤란이 닥치는 첫 단계. 参考 지옥에는 一丁目만 있고 二丁目는 없다고 함.

—の沙汰も金次第 돈만 있으면 귀신도 부릴 수 있다《무슨 일이든지 돈이면 다 된다》.

—は壁一重 한 발짝 잘못 디디면 죄를 짓는다는 뜻.

—え【—絵】图 지옥도(圖).

—へん【—変】图〔佛〕'地獄変相'의 준말; 망령들이 지옥에서 온갖 고통을 받는 광경을 그린 그림. 参考 '地獄絵'는 그 그림 책.

—みみ【—耳】图 1 한 번 들으면 안 잊음; 또, 그런 사람. =袋耳. 2 남의 비밀·정보 따위를 재빨리 들어 알고 있음; 또, 그런 정보통.

しこしこ 副〈俗〉씹으면 질겨서 탄력성이 있는 느낌: 쫄깃쫄깃. ¶この貝柱は~していておいしい 이 조개 관자는 쫄깃쫄깃해서 맛있다.

しごせん【子午線】图〔天〕자오선. ¶本初~ 본초 자오선.

しこたま 副〈俗〉많이; 듬뿍; 잔뜩. =どっさりと. ¶~買いこむ 잔뜩 사들이다/~もうけた 듬뿍 벌었다.

**しごと【仕事】图 일; 직업; 업무. ¶賃~ 삯일/隠居~ 늙은이의 소일거리/立ち~ 서서 하는 일/~の虫〔鬼〕일벌레/職場での~ 직장에서 하는 일/台所の~ 부엌일/~にかかる〔携わる〕일에 착수〔종사〕하다/~が手に付かない 일이 손에 잡히지 않는다/お~はなんですか 하시는 일〔직업〕은 무엇입니까. 参考 특히, 삯일이나 바느질을 말하는 경우도 있음.

—にならない 일거리가 되지 않는다. ¶こんなに雨が降っては~ 이렇게 비가 와서는 일이 안 된다.

—がら【—柄】图副 일의 성격상; 직업(관계)상. ¶~とはいえ, 不快を感じた 직업상의 일이라고는 하나 불쾌감을 느꼈다/~出歩くことが多い 일의 성격상 나다니는 일이 많다.

—ぎ【—着】图 작업복.

—し【—師】图 1 토목 공사 노동자. =とび職·とびのもの. 2 사업을 계획하거나 경영하는 데 수완이 있는 사람; 일꾼. =やりて. ¶なかなかの~だ 수완이 보통이 아닌 사람이다.

—ば【—場】图 일터; 작업장.

しこな【しこ名】《醜名》图 1 씨름꾼의 호칭《双葉山·大鵬·貴乃花 따위》. 注意 '四股名'로 씀은 취음. 2 별명. =あだ名. 3 자기 이름의 겸칭.

しこみ【仕込み】图 1 가르침《좁은 뜻으로는 연극에서 첫날 개막까지의 준비 작업·준비금을 가리킴》. ¶~のよい犬 훈련을 잘 받은 개/先生のお~のおかげ 선생님이 잘 가르쳐 주신 덕분. 2 (음식점 따위에서) 재료를 들여놓음. =仕入れ. ¶~を誤って 물건을 잘못 들여놓아. 3 술·간장 등을 빚어 넣음. ¶酒の~は寒い冬に行われる 술을 빚어 넣기는 추운 겨울에 한다. 4 속에 장치함. 5 '仕込みづえ'의 준말.

—づえ〖—杖〗图 속에 칼 따위를 장치한 지팡이.

*しこ-む【仕込む】⊟5他 1 가르치다; 훈련하다; 길들이다; 버릇을 가르치다. ¶犬に芸を~ 개에게 재주를 가르치다. 2 속에 넣다〔장치하다〕. ¶刀をつえに~ 칼을 지팡이 속에 장치하다. 3 (상품 따위를) 사들이다; 구입하다. =仕入れる. ¶安い品物を~ 싼 물건을 사들이다. 4 (술이나 간장 따위의 원료를 조합(調合)해서) 통 따위에 담그다; 빚다. ¶酒を~ 술을 담그다.

*しこり〖凝り·痼り〗图 1 응어리. ¶腕に~ができた 팔에 응어리가 생겼다/~が取れる 응어리가 풀리다. 2 (사건이 처리된 뒤에도 남아 있는) 서먹서먹한 기분; 개운치 않은 기분. ¶感情の~ 감정의 응어리/一応和解はできたがまだ~が残っているようだ 일단 화해는 되었지만 아직도 맺힌 응어리가

가시지 않은 것 같다.
しこ-る〖凝る·痼る〗5自 응어리지다. ¶首(くび)が～ 목언저리가 뻣뻣하다.
じこ-る【事故る】5自〈俗〉사고, 특히 교통사고를 내다. ¶居眠(いねむ)り運転(うんてん)で～·った 졸음운전으로 사고를 냈다. 參考 '事故'를 동사화한 말.
ジゴロ[프 gigolo] 名 지골로; 남첩(男妾); 놈팡이; 기둥서방. ＝ひも. ↔ジゴレット.
しこん【士魂】名 무사(武士)의 정신.
—しょうさい【—商才】名 무사 정신과 장사의 재능(을 겸비함).
*__しさ__【示唆】名ス他 **1** 시사. ¶～多(おお)い労作(ろうさく) 많은 시사를 주는 노작 / 財界(ざいかい)の腐敗(ふはい)を～する事件(じけん) 재계의 부패를 시사하는 사건 / ～を与(あた)える 시사를 주다 / ～に富(と)む 시사하는 바가 크다. **2** 교사(教唆). 注意 'じさ'라고도 함.
—てき【—的】ダナ 시사적. ¶きわめて～だ 매우 시사적이다.
じさ【時差】名 시차. ¶東京(とうきょう)とロンドンとでは九時間(きゅうじかん)の～がある 東京와 런던과는 9시간의 시차가 있다. 「근.
—しゅっきん【—出勤】名 시차제 출
—ぼけ〖—惚け〗名ス自 시차병《시차로 인해 생활 리듬이 깨짐》. ¶～で苦(くる)しむ 시차병으로 고생하다.
しさい【子細】〖仔細〗名ダナ **1** 자세함; 또, 자세한 사정; 연유. ¶～を語(かた)る 자세한 사정을 말하다 / ～ありげな様子(ようす) 무슨 사정이 있는 듯한 태도 / 原因(げんいん)を～に調(しら)べる 원인을 자세히 조사하다. **2**《否定의 말이 따라서》별일; 지장. ＝さしつかえ. ¶～もあるまい 지장도 없을 테지; 별일도 없을 테지.
—に及(およ)ばず 여러 말 할 필요도 없다. ¶その件(けん)は解決済(かいけつず)みのことで, もはや～だ 그 일은 이미 해결되었으므로 이젠 더 말할 필요가 없다.
—がお【—顔】名 무슨 사정이〔연유가〕 있는 듯한 얼굴. ¶～に相談(そうだん)しあっている 무슨 사정이 있는 듯한 얼굴로 서로 의논하고 있다.
—ない【—無い】形 **1** 지장이 없다. **2** 어려운 일 없다; 쉽다.
—らし-い 形 무언가 있는 듯이 심각해하고 있다. ¶～様子(ようす)でうなずきあう 무언가 있는 듯이 심각한 표정으로 서로 끄덕이다. 「(神父).
しさい【司祭】名 (가톨릭의) 사제; 신부
しさい【詩才】名 시재. ¶彼(かれ)はすぐれた～のもち主(ぬし)だ 그는 뛰어난 시재의 소유자다.
しざい【死罪】名 사죄. **1** 사형. ¶～を減(げん)じて島流(しまなが)しにする 사형을 감하여 귀양 보내다. **2** 죽어서 마땅한 죄. ¶～にあたいする 죽을 죄에 상당하다.
しざい【私財】名 사재. ¶～を投(とう)じて慈善事業(じぜんじぎょう)をする 사재를 털어 자선 사업을 하다.
*__しざい__【資材】名 자재. ¶建築(けんちく)〔復旧(ふっきゅう)〕～ 건축〔복구〕 자재.
じざい【自在】名ダナ 자재. ¶自由(じゆう)～ 자유자재 / 機械(きかい)を～に操(あやつ)る 기계를 자유자재로 조종하다.
—かぎ〖—鉤〗名 붙박이 화로나 부뚜막 위에 걸어 놓고, 임의의 위치에 냄비·주전자 따위를 달아맬 수 있도록 된 갈고리.
[自在鉤]
—ばしご〖—梯子〗名 길이를 조절할 수 있게 된 사다리.
じざかい【地境】名 지경; 지계(地界); 땅의 경계. ＝じさかい. ¶～に木(き)を植(う)える 땅 경계에 나무를 심다.
*__しさく__【思索】名ス自他 사색. ¶哲学的(てつがくてき)な～にふける 철학적인 사색에 잠기다 / ～を凝(こ)らす 골똘히 사색하다.
—てき【—的】ダナ 사색적.
しさく【施策】名 시책. ¶経済(けいざい)～ 경제 시책 / いろいろの～を講(こう)ずる 여러 가지 시책을 강구하다.
しさく【試作】名ス他 시작; 시제. ＝試製(しせい). ¶～品(ひん) 시제품 / 新案(しんあん)の機械(きかい)を～する 신안의 기계를 시작하다.
しさく【詩作】名ス自 시작; 작시(作詩). ¶～にふける 시작에 골몰하다.
じさく【自作】名ス他 자작. **1** 스스로 만듦〔만든 것〕. ¶～の戯曲(ぎきょく) 자작한 희곡. **2** '自作農(じさくのう)'의 준말. ↔小作(こさく).
—じえん【—自演】名ス他 **1** 자작자연. **2** 무엇이든 자기 스스로 꾸려 나감.
—のう【—農】名 자작농. ↔小作農(こさくのう).
じざけ【地酒】名 그 고장(의) 술; 토주(土酒). ＝いなか酒(ざけ).
しさつ【刺殺】名ス他 척살. **1** 찔러 죽임. ¶～される 척살당하다. 注意 'せきさつ'라고도 함. **2**〖野〗 터치아웃.
*__しさつ__【視察】名ス他 시찰. ¶海外(かいがい)〔民情(みんじょう)〕～ 해외〔민정〕 시찰 / ～旅行(りょこう)に出(で)かける 시찰 여행을 떠나다.
*__じさつ__【自殺】名ス自 자살. ¶投身(とうしん)～ 투신자살 / ～未遂(みすい) 자살 미수 / ～を図(はか)る 자살을 꾀하다. ↔他殺(たさつ).
—てき【—的】ダナ 자살적. ¶～行為(こうい) 자살(적) 행위. 「방조죄.
—ほうじょざい[幇助罪] 名〖法〗자살
じさない【辞さない】連語 불사(不辞)하다. ¶死(し)をも～ 죽음도 불사하다.
しさ-る〖退る〗5自〈老〉물러나다; 물러서다. ＝しりぞく·すさる. ¶そろそろと後(うし)ろへ～ 슬슬 뒤로 물러나다 / あとへ～と壁(かべ)にぶつかる 뒤로 물러나면 벽에 부딪친다.
しさん【四散】名ス自 사산; 사방으로 흩어짐. ¶現場(げんじょう)には衣類(いるい)·食器(しょっき)などが～していた 현장에는 의류·식기 따위가 사방에 흩어져 있었다.
しさん【試算】名ス他 시산. **1** 어림잡기 위한 시험적인 계산. ¶建築費(けんちくひ)の～ 건축비의 시산. **2** 검산(検算). ＝試(ため)し算(ざん). ¶残高(ざんだか)～表(ひょう) 잔액 시산표.

*しさん【資産】图 자산. ¶ ~家 자산가 / ~株 자산주 / ~所得 자산 소득 / 固定~ 고정 자산.
—かんじょう【—勘定】图 자산 계정. ↔負債勘定.
しざん【死産】图ス自 사산. ¶ ~児 사산아. 注意 'しさん'이라고도 함.
*じさん【持参】图ス他 지참. ¶会費は当日~ 회비는 당일 지참 / 昼食は各自~する 점심은 각자 지참한다.
—きん【—金】图 지참금. ¶彼は~欲しさに彼女と結婚した 그는 지참금이 탐나서 그녀와 결혼하였다.
じさん【自賛】《自讃》图ス自他 자찬. ¶自画~ 자화자찬 / みずから~する 스스로를 칭찬하다 / ~にも程がある 자찬에도 정도가 있다.
しざんけつが [屍山血河] 图 시산혈하.
しし〖猪〗图〈雅〉멧돼지. =いのしし.
しし【四肢】图 사지; 팔다리. =手足. ¶~を動かす 사지를 놀리다 / ~を伸ばして休む 사지를 뻗고 쉬다.
しし【志士】图 지사. ¶幕末の~ 江戸幕府 말기의 지사 / 国の独立は多くの~によって進展された 나라의 독립은 많은 지사에 의해서 진전되었다.
しし【嗣子】图 사자; 대(代)를 이을 아들. =あととり(の子). ¶~はまだ幼少だ 사자는 아직 어리다.
しし〖獅子〗图〖動〗사자. =ライオン.
—身中の虫 불제자이면서 불교〔동료〕에 해를 끼침의 비유; 또, 내부에서 분쟁을 일으키는 자.
—の子落とし 자기 자식을 역경에 두어 그 역량을 시험해 봄《사자는 낳은 새끼의 강약을 시험하기 위해서 깊은 골짜기에 던져 본다는 말에서》.
—の歯嚙み 무섭게 화내는 모양.
—の分け前 강자가 약자를 이용해 얻은 이익을 독차지함의 비유《이솝 우화에서》.
—く [—吼] 图ス自 사자후.
—ばな【—鼻】图〈俗〉사자코; 개발〔들창〕코. =ししっぱな.
—ふんじん【—奮迅】图ス自 사자 분신; 맹렬한 기세로 분투〔돌격〕함. ¶~の勢い 사자 분신의 기세.
—まい【—舞】图 사자춤《풍년을 기원하고 또, 악마를 몰아내는 의식으로서 추는 춤》. =ししおどり.
しじ【四時】图 사시; 사계. =四季・しいじ.
しじ【師事】图ス自 사사. ¶先生に~して声楽の指導を受けた 선생님에게 사사하여 성악 지도를 받았다.
しじ【私事】图 사사. =わたくしごと. ¶他人の~に口を入れるな 남의 사삿일에 간섭하지 마라 / ~をあばく 사삿일을 들추어 내다.
*しじ【指示】图ス他 지시. ¶~を受ける 지시를 받다 / ~にそむく 지시를 어기다 / この点については~がなかった 이 점에 대해서는 지시가 없었다.
—ご【—語】图〖言〗지시어《あれ・これ・それ, あの・この・その 따위》.
—だいめいし【—代名詞】图 지시 대명사. ↔人称代名詞.
—やく【—薬】图〖化〗지시약.
*しじ【支持】图ス他 **1** 지지. ¶~者 지지자 / 住民の~を得る 주민의 지지를 얻다 / 国民の~をつなぎ止める 국민의 지지를 계속 유지하다 / 労組の~を取りつける 노조의 지지를 얻어 내다. **2** 지탱함. ¶一家を~する 한 집안을 지탱하다
じし【次子】图 차자; 차남·차녀.
じし【侍史】图 시사; 좌하(座下); 옥안하(玉案下)《편지 겉봉의 상대방 이름 곁〔아래〕에 씀》. 参考 본디, '祐筆(=귀인의 비서)'를 말함. '侍史'를 통해서 서한을 드린다는 뜻.
じじ〖爺〗图 ☞じじい. ↔婆.
じじ〖祖父〗图 ☞じじい. ↔祖母.
じじ【時事】图 시사. ¶~問題 시사 문제 / ~評論〔解説〕 시사 평론〔해설〕/ ~を論ずる 시사를 논하다.
じじ【時時】图副 시시; 시시로; 때때로.
—こっこく【—刻刻】图副 시시각각; 각일각. ¶~ニュースが入る 시시각각 뉴스가 들어오다 / 社会は~変化する 사회는 시시각각 변화한다 / 出発の時期は~迫ってくる 출발 시기는 점점〔각일각〕 다가온다.
じじい〖爺〗图 남자 늙은이; 영감. ¶食えない~ 간교한 늙은이 / たぬき~ 교활한 늙은이 / 欲ばり~ 욕심쟁이 영감. 参考 홀하게 부르는 말. ↔ばばあ.
じじい〖祖父〗图 조부; 할아버지《홀하게 부르는 말》. ↔ばばあ. =そふ.
ししきゅう【四死球】图〖野〗사사구; 사구(四球)와 사구(死球).
ししそんそん【子子孫孫】图 자자손손; 자손대대. =ししそんぞん. ¶~に伝える 자자손손에게 전하다 / ~に至るまで語り伝える 자자손손에 이르기까지 이야기로 전하다.
ししつ【私室】图 사실. ¶院長の~ 원장의 사실. ⇨個室. ↔公室.
ししつ【資質】图 자질. ¶すぐれた~の持ち主 뛰어난 자질의 소유자 / 医師としての~に欠ける 의사로서의 자질이 없다.
ししつ【紙質】图 지질. ¶~が悪い 종이 질이 나쁘다.
しじつ【史実】图 사실. ¶~に忠実な小説 사실에 충실한 소설 / 神話は~ではない 신화는 사실이 아니다.
じしつ [痔疾] 图 치질. =痔. ¶~を患う 치질을 앓다.
じしつ【自室】图 자기 방. ¶~にとじこもる 자기 방에 들어박히다.
じじつ【事実】图 사실. **1 실제의 일. ¶~上の夫婦 사실상의 부부 / ~を曲げる 사실을 왜곡하다. **2**《副詞적으로, '…は~だ' 라는 기분으로》 정말로; 참말로. ¶~そうなのだ 사실 그렇다 / ~

そういう結果になった 사실 그런 결과가 되었다.
──は小説よりも奇なり 세상에 실제로 일어난 일에는 소설보다 더 기이한 것이 있다《바이런의 말》.
──むこん【──無根】图 사실무근. ¶～の噂 사실무근한 소문.
じじつ【時日】图 시일. ＝つきひ. ¶多くの～を経過した 많은 시일이 경과했다/もういくらも～がない 이제 시일이 얼마 없다.
しじま〖無言·静寂〗图〈雅〉침묵; 정적. ＝沈黙·静寂. ¶夜の～を破る 밤의 정적을 깨다.
しじみ〖蜆〗图〔貝〕가막조개; 바지락.
じじむさ-い〖爺むさい〗形 노추(老醜)해 보이다; 늙은이 같다; 추레하다. ¶～格好をした人 노추한 꼴을 한 사람.
ししゃ【使者】图 사자; 사신. ＝使い. ¶和解の～をつかわす〔立てる〕 화해의 사자를 보내다.
ししゃ【死者】图 사자. ＝死人. ¶数十名の～を出す 수십 명의 사망자를 내다. ↔生者.
ししゃ【支社】图 1 지사. ¶～勤務 지사 근무. ↔本社. 2 신사(神社)의 분사(分社). ＝末社·分社.
ししゃ【試写】图ス他 시사. ¶映画の～会 영화의 시사회.
ししゃ【試射】图ス他 시사. ¶～場 시사장/原子砲を～した結果 원자포를 시사한 결과.
じしゃ【自社】图 자사; 자기 회사. ¶～製品 자사 제품.
──かぶ【──株】图〔經〕자사주. ¶～買い 자사주 매입.
ししゃく【子爵】图 자작《5 등작의 넷째 작위》.
じしゃく【自酌】图 자작.
＊じしゃく【磁石】图 1〔理〕자석. ＝マグネット. ¶棒～ 막대 자석. 2〔鑛〕자철광. ¶～を掘り出す 자철광을 캐내다. 3 '磁石盤'의 준말.
──ばん【──盤】图 자석반; 나침반. ＝コンパス.
ししゃごにゅう【四捨五入】图ス他 사사오입; 반올림. ¶小数点以下は～する 소수점 이하는 사사오입한다.
ししゅ【死守】图ス他 사수. ¶陣地を～する 진지를 사수하다.
じしゅ【自主】图ス自 자주. ¶～独立〔防衛〕 자주독립〔방위〕/～外交を貫く 자주 외교를 관철하다.
──けん【──権】图 자주권. ¶～を握る 자주권을 쥐다.
──てき【──的】ダナ 자주적. ¶～な態度 자주적인 태도.
──トレ 图 '自主トレーニング'의 준말; (스포츠에서), 선수가 스스로 계획을 세워 자발적으로 하는 연습.
──ばんぐみ【──番組】图 자주 프로그램; 민간 방송국이 광고주 없이 자기 부담으로 기획 편성하여 방송하는 프로그램. ＝サスプロ.
じしゅ【自首】图ス自 자수. ¶殺人犯は警察に～した 살인범은 경찰에 자수했다.
＊ししゅう〖刺繡〗图ス自他 자수. ＝ぬいとり·ぬい. ¶花模様を～する 꽃무늬를 자수하다/ハンカチに～する 손수건에 수를 놓다.
ししゅう【詩集】图 시집. ¶～を編む〔刊行する〕 시집을 엮다〔간행하다〕.
しじゅう【四十】图 사십; 마흔. ¶人生は～から 인생은 사십부터.
──うで【──腕】图 40대에 오는 견비통. ¶～, 五十肩 마흔 살엔 팔이, 쉰 살엔 어깨가 아파 옴. 注意 '四十肩'라고도 함.
──くらがり【──暗がり】图 마흔 살쯤 되어 시력이 떨어지는 일; 노안.
しじゅう【四重】图 사중(四重); 네 겹.
──しょう【──唱】图 사중창. ＝カルテット·クァルテット. ¶混声〔男性〕～ 혼성〔남성〕 사중창.
──そう【──奏】图 사중주. ＝カルテット·クァルテット. ¶弦楽〔ピアノ〕～ 현악〔피아노〕 사중주.
＊＊しじゅう【始終】图 시종. 1 자초지종; 처음부터 끝까지; 모두. ¶事の～を明らかにする 일의 자초지종을 밝히다/一部～を語る 자초지종을 다 말하다. 2 처음과 끝. 3【しじゅう】《副詞적으로》 언제나; 늘; 끊임없이. ＝しょっちゅう·いつも. ¶～遊んでいる 늘 놀고 있다/～忘れ物をする 늘 물건을 잊어 버리고 놓고 온다.
＊じしゅう【自習】图ス自他 자습. ¶～書 자습서/～時間 자습 시간.
じじゅう【自重】图 자중; 자체의 무게. ¶～三十二トンの機械 자중 32 톤의 기계. ⇨自重.
じじゅう【侍従】图 시종; 근시(近侍). ¶～武官 시종 무관.
しじゅうから〖四十雀〗图〔鳥〕박새. 注意 'しじゅうがら'라고도 함.
しじゅうくにち【四十九日】图〔佛〕사십구일; 또, 사십구일재(齋). ＝七七日·なななぬか. ¶父の～を営む 아버지의 사십구일재를 올리다.
しじゅうはって【四十八手】图 1 일본 씨름 기술의 총칭《지금은 70 가지로 정리됨》. 2 사람을 조종하는 온갖 수단〔비법〕. ¶就職～ 취직의 요령/商売の～ 장사의 온갖 수법.
──の裏表 1 씨름 기술의 모든 트릭〔비기(祕技)〕. 2 온갖 수단〔비책〕.
ししゅく【私淑】图ス自 사숙; 어떤 사람을 본보기로 해서 배움. ¶私が～しているA先生 내가 사숙하고 있는 A 선생님.
しじゅく【私塾】图 사숙; 사설(私設) 글방. ＝家塾. ¶農村で～を開いて青年を教育する 농촌에서 사숙을 열어 청년을 교육하다.
＊じしゅく【自粛】图ス自 자숙. ¶～自戒

する 자숙자계하다 / ～を促(うなが)す 자숙을 촉구하다.

*ししゅつ【支出】图[ス他] 지출. ¶金銭(きんせん)の～ 금전 지출 / ～を切(き)り詰(つ)める 지출을 줄이다. ↔収入(しゅうにゅう).

しじゅつ【施術】图[ス自] 시술; 의술을 베풂; 특히, 수술을 함. ＝せじゅつ. ¶～の結果(けっか) 수술 결과.

しじゅん【至純】[名ナ] 지순; 더없이 순수함. ¶～な愛国心(あいこくしん) 지순한 애국심.

じじゅん【耳順】图 이순; 60세.

ししゅんき【思春期】图 사춘기. ¶～の少女(しょうじょ)〔悩(なや)み〕 사춘기의 소녀〔고민〕/ ～に達(たっ)する 사춘기에 달하다.

—やせしょう【—やせ症】《—痩せ症》图 사춘기 여성이 거식(拒食) 등으로 체중이 극단적으로 감소하는 질환.

ししょ【支所】图 지소; 출장소.

ししょ【支署】图 지서; 본서에서 갈라진 관서(官署). ↔本署(ほんしょ).

ししょ【史書】图 사서; 역사 책. ＝史籍(しせき). ¶～をひもとく 사서를 펴서 읽다.

ししょ【司書】图 사서. ¶～官(かん) 사서관 / 図書館(としょかん)の～ 도서관의 사서.

ししょ【四書】图 사서; 유교의 경전《대학(大學)·중용(中庸)·논어·맹자(孟子)의 총칭》. ¶～五経(ごきょう) 사서오경.

ししょ【私書】图 사서. **1** 개인의 편지·문서. **2** 은밀한 편지.

—ばこ【—箱】《—函》图 사서함.

しじょ【子女】图 자녀. ¶～の教育(きょういく) 자녀 교육 / 良家(りょうか)の～ 양갓집 자녀.

*じしょ【地所】图 지소; (집을 짓는 등의 목적을 위한) 땅; 대지; 토지. ＝土地(とち). ¶～付(つ)き売(う)り家(いえ) 토지가 딸린 방매가 / 田舎(いなか)の～を売(う)る 시골의 땅을 팔다. [注意] 'ちしょ' 라고도 함.

じしょ【字書】图 자서; 자전. ＝字典(じてん).

じしょ【自署】图[ス自] 자서. ¶本人(ほんにん)の～のある願書(がんしょ) 본인의 서명이 있는 원서 / 調書(ちょうしょ)に～する 조서에 본인의 서명을 하다. ↔代署(だいしょ).

**じしょ【辞書】图 사서; 사전. ＝辞典(じてん)·字引(じび)き·字書(じしょ). ¶～を引(ひ)く 사전을 찾아 보다.

—たい【—体】图 사서체《책의 항목 배열이 사전 형식으로 되어 있는 것》.

じじょ【次女】《二女》图 차녀; 둘째 딸. ↔長女(ちょうじょ)·三女(さんじょ).

じじょ【自助】图 자조. ¶～自立(じりつ)の精神(せいしん) 자조 자립의 정신.

じじょ【自序】图 자서; 저자 스스로 쓴 서문. ¶巻頭(かんとう)に著者(ちょしゃ)の～がある 권두에 저자의 자서가 있다.

じじょ【自叙】图 자서; 자기가 자기에 관해서 말함.

—でん【—伝】图 자서전. ＝自伝(じでん). ¶～を書(か)く 자서전을 쓰다.

じじょ【侍女】图 시녀. ＝腰元(こしもと). ↔侍僕(じぼく).

ししょう【刺傷】图[ス他] 자상. ¶～を受(う)ける〔負(お)う〕 자상을 입다.

*ししょう【師匠】图〈老〉**1** 사장; (학문·기예 등을 가르치는) 선생; 스승. ＝先生(せんせい). ¶生(い)け花(ばな)の～ 꽃꽂이 선생 / お～さん 선생〔스승〕님 / ～について漢文(かんぶん)を教(おそ)わる 스승 밑에서 한문을 배우다. ↔弟子(でし). **2** 예능인의 높임말.

*ししょう【支障】图 지장. ＝さし支(つか)え·さしさわり. ¶～を生(う)む 지장을 가져오다 / ～があるため延期(えんき)する 지장이 있어서 연기하다 / 計画(けいかく)に～をきたす 계획에 지장을 초래하다.

ししょう【死傷】图[ス自] 사상. ¶～者(しゃ) 사상자 / 多数(たすう)の乗客(じょうきゃく)が～した 다수의 승객이 사상하였다.

ししょう［私娼］图 사창. ¶～撲滅(ぼくめつ)運動(うんどう) 사창 박멸 운동. ↔公娼(こうしょう).

—くつ［—窟］图 사창굴.

しじょう【史上】图 (역)사상. ¶～まれな例(れい) 사상 보기 드문 예 / ～に名(な)をとどめる 역사에 이름을 남기다.

*しじょう【市場】图 시장; 장; 저자. ＝いちば. ¶青果(せいか)～ 청과물 시장 / 証券(しょうけん)～ 증권 시장 / ～にでる 시장에 나오다〔출하되다〕/ ～が広(ひろ)い 시장이〔판로가〕 넓다 / 新(あたら)しい～を開拓(かいたく)する 새로운 시장을 개척하다. [参考] '青物(あおもの)市場(＝야채 시장)' '魚(うお)市場(＝어시장)' 등은 'いちば'로 읽음.

—せんゆうりつ【—占有率】图 시장 점유율. ＝(マーケット)シェア.

—ちょうさ【—調査】图〔經〕 시장 조사. ＝マーケッティングリサーチ.

しじょう【紙上】图 지상. ¶～の空論(くうろん) 지상의 공론 / ～討論会(とうろんかい) 지상 토론회. [参考] 특히, 잡지의 경우는 '誌上(しじょう)'.

しじょう【至上】图 지상; 최상. ¶～の喜(よろこ)び 무상의 기쁨 / 芸術(げいじゅつ)～主義(しゅぎ) 예술 지상주의.

—めいれい【—命令】图 지상 명령. ¶操業(そうぎょう)の安定(あんてい)は企業(きぎょう)の～だ 조업 안정은 기업의 지상 명령이다.

しじょう【私情】图 사정. **1** 이기적인 감정. ¶公職(こうしょく)にありながら～に溺(おぼ)れるのはよくない 공직에 있으면서 사사로운 정에 빠지는 것은 좋지 않다. **2** 사적〔개인적인〕 감정. ¶～をさしはさむ〔交(まじ)える〕 사적 감정을 개입시키다.

しじょう【試乗】图[ス自] 시승. ¶新車(しんしゃ)に～する 새 차에 시승하다.

しじょう【詩情】图 시정. ¶～にあふれる手紙(てがみ) 시정이 넘치는 편지 / ～をそそる 시정을 자아내다.

じしょう【事象】图 사상; 사실과 현상(現象). ＝できごと·物事(ものごと). ¶近(ちか)ごろの社会(しゃかい)の種々(しゅじゅ)の～を批判(ひはん)する 요즘 사회의 여러 현상을 비판하다.

じしょう【自称】[一]图[ス自] 자칭. ¶～天才(てんさい) 자칭 천재 / 元(もと)社長(しゃちょう)と～する男(おとこ) 전에 사장이었다고 자칭하는 사나이. [二]图 (문법에서) 일인칭. ¶～代名詞(だいめいし) 자칭 대명사. ⇨人称(にんしょう). ↔対称(たいしょう)·他称(たしょう).

**じじょう【事情】图 사정. ¶～がからむ

사정이 얽히다/～やむを得ざる場合は 사정이 부득이한 때는/～を打ち明ける 사정을 털어놓다/その間の～がうかがわれる 저간의 사정이 엿보이다〔사정을 짐작할 수 있다〕.

——つう【——通】图 어떤 사정에 정통함; 소식통.

じじょう【磁場】图〔理〕자장; 자기장. ＝じば.

じじょう【自乗】(《二乗》) 图ス他〔數〕자승; 제곱. ＝二乗·平方. ¶三の～は九である 3의 제곱은 9다.

——こん【——根】图〔數〕제곱근. ＝平方根.

じじょう【自浄】图 자정; 자체 정화. ¶～作用 자정 작용/～の能力 자정 능력. 參考 비유적으로도 씀. ¶政界の～力 정계의 자정력.

じじょうじばく【自縄自縛】图ス自 자승자박. ¶～になる 자승자박이 되다/～に陥る 자승자박에 빠지다.

ししょうせつ【私小説】图 사소설. **1** 근대 일본 문학에 특유한 소설의 한 체《작자가 자기 신변을 있는 그대로 묘사하면서 심경을 진술해 나가는 소설》. ＝わたくし小説. **2** 작품 주인공이 자신의 체험·운명을 이야기하는 형식으로 쓴 소설. 參考 독일어 Ich-Roman의 역어.

ししょく【姿色】图 자색; 자태. ＝みめかたち. ¶～端麗 자색 단려.

ししょく【試食】图ス他 시식. ¶～会 시식회/料理を～して見る 요리를 시식해 보다/みんなで～する 모두가 함께 시식하다.

＊じしょく【辞職】图ス他 사직. ¶彼は～の意志を表明した 그는 사직할 의사를 표명하였다.

ししん【使臣】图 사신. ¶外国の～を招く 외국 사신을 초대하다.

ししん【指針】图 지침. **1** 나침반 또는 계기류(計器類)의 바늘. ¶血圧計の～ 혈압계의 지침. **2** 나아갈 방침. ＝手引き. ¶生涯の～ 생애의 지침/処世の～とする 처세의 지침으로 삼다.

ししん【私信】图 사신. **1** 개인적인 편지; 사용(私用)의 편지. ¶他人の～を公開する 타인의 사신을 공개하다. **2** 은밀한 통지.

ししん【私心】图 사심. **1** 이기심. ¶～のない行い 사심 없는 행위/～を捨てる 사심을 버리다. **2** 사의(私意).

ししん【視診】图ス他 시진; 눈으로 보아 진찰함. ↔触診·聴診·問診.

ししん【詩心】图 시심; 시정(詩情).

しじん【士人】图 **1** 무사. ＝さむらい. **2** 교육·지위가 있는 사람; 인사(人士); 선비. ¶広く一般の～に訴える 널리 일반 인사에게 호소하다.

しじん【私人】图 사인. ¶～として賛成する 개인적으로 찬성하다. ↔公人.

＊しじん【詩人】图 시인. ¶吟遊～ 음유시인. ↔歌人·俳人.

じしん【地神】图 지신; 땅의 신.

＊＊じしん【地震】图 지진. ¶有感～ 유감 지진/無感～ 무감 지진《진도 0》/～が起こる 지진이 일어나다. ⇨震度階 박스記事

——, 雷, 火事, おやじ 지진·천둥·화재·아버지《사람들이 무서워 하는 것의 순서》.

——けい【——計】图 지진계.

——たい【——帯】图〔地〕지진대.

——つなみ【——津波】图 지진 해일.

じしん【時針】图 시침; 단침. ＝短針. ↔分針·秒針.

じしん【磁針】图 자침. ¶～は南北を指す 자침은 남북을 가리킨다.

＊＊じしん【自信】图 자신. ¶～満々の表情 자신만만한 표정/成功する～があるらしい 성공할 자신이 있는 모양이다/～をつける 자신을 갖게 하다/～にあふれる 자신에 넘치다/～のほどを示す 자신(만만함)을 보여주다.

じしん【自身】图 자신. **1** 자기; 스스로. ＝みずから. ¶彼～も知るまい 그 자신도 모를 거다/機械～が記憶する装置 기계 자신이 기억하는 장치. **2** 그 자체; 그것. ¶それ～問題だ 그 자체가 문제다.

じじん【自刃】图ス自 자인; 칼로 자살함. ＝自害. ¶～して果てる 자인하여 죽다/生き残った将兵は～した 살아남은 장병은 자인하였다.

じじん【自尽】图ス自 자진; 자결; 자살. ¶ピストルで～する 권총으로 자결하다.

ししんけい【視神経】图 시신경. ¶～が疲れた 시신경이 피곤하다.

じ-す【辞す】5自他 ☞じ(辞)する. ¶脱退も～·さない 탈퇴도 불사하다.

ジス [JIS] 图 지스; 일본 공업 규격. ▷Japanese Industrial Standard.

——かんじ【——漢字】图 지스 한자《일본 공업 규격으로 정해진 '정보 교환용 한자 부호'에 수록되어 있는 한자》. ⇨ジスコード.

——コード [JIS code] 图 지스 코드; JIS로 제정된 컴퓨터 등의 정보 교환용 부호《영(英)숫자·片仮名 등 256 종과, 한자(漢字) 제 1 수준 2,965자, 제 2 수준 3,390 자가 있음》.

——マーク [JIS mark] 图 지스 마크; 일본 공업 규격 마크《Ⓙ》.

しすい [試錐] 图ス他 시추. ＝ボーリング.

しずい【歯髄】图〔生〕치수; 치아 수질. ¶～炎 치수염/～腔 치수강.

じすい【自炊】图ス自 자취. ¶～生活をする 자취 생활을 하다/アパートで～する 아파트에서 자취하다. ↔賄い·外食.

しすう【指数】图〔數·經〕지수. ¶物価～ 물가 지수/不快～ 불쾌 지수/知能～ 지능 지수.

しすう【紙数】图 지수; 종이 수; 페이지 수. ¶～に限りがあるので 지면이 제한되어 있어서.

じすう【字数】图 자수. ＝じかず. ¶～をあわせる 자수를 맞추다.

しずおか【静岡】 图 〘地〙本州(ほんしゅう) 중부의 태평양 연안에 있는 현; 또, 그 현청 소재지.

****しずか【静か】** ダナ 조용〔고요〕한 모양·상태. ¶～な夜(よる) 조용한 밤 / ～な海(うみ) 고요한 바다 / ～な人(ひと) 조용하고 온순한 사람 / ～に歩(ある)きなさい 조용히 걸어요 / 世(よ)の中(なか)が～になってきた 세상이 평온해졌다.

しずかのうみ【静かの海】 图 〘天〙고요의 바다《달의 지명》.

***しずく【滴】**《雫》图 물방울. ¶涙(なみだ)のひと～ 한 방울의 눈물 / 木(こ)の葉(は)から雨(あめ)の～が落(お)ちる 나뭇잎에서 빗방울이 떨어지다.

しずけさ【静けさ】 图 조용함; 고요함; 조용〔고요〕한 정도. ¶～を破(やぶ)るサイレンの音(おと) 정적을 깨뜨리는 사이렌 소리 / 嵐(あらし)の前(まえ)の～ 폭풍 전의 고요.

しずしず【静静】 副 **1** 몹시 조용하고 정숙한 모양. ¶～と進(すす)む葬列(そうれつ) 조용조용 나아가는 장례 행렬. **2** 음전한 모양. ¶～と歩(ある)く 가만가만 걷다.

シスター [sister] 图 시스터. **1** 자매. ↔ブラザー. **2**〘가톨릭〙수녀. **3**〈女〉동성애 상대. ＝エス.

―ボーイ [일 sister＋boy] 图 시스터 보이; (복장·태도가) 여자 같은 남자.

システム [system] 图 시스템; 조직; 계통; 체계. ¶オンライン～ 온라인 시스템 / 運営(うんえい)～ 운영 시스템.

―エンジニア [system engineer] 图 시스템 엔지니어; 정보 처리 전문 기술자.

―キッチン [일 system＋kitchen] 图 시스템 키친《싱크대·조리대·수납장 등이 쓰기 편하게 통일적·기능적으로 짜여져 있는 주방》.

―ばいばい【―売買】 图 〘經〙시스템 매매《증권 거래소에서, 컴퓨터 시스템에 의해 행하여지는 매매 거래》.

―めいがら【―銘柄】 图 東京(とうきょう) 증권 거래소의 컴퓨터 매매 거래에 편입된 주식의 종목.

ジストマ [distoma] 图 디스토마. ¶肝臓(かんぞう)～ 간 디스토마.

じすべり【地滑り】《地辷り》图スル自 **1** 땅의 일부가 경사면을 따라 차차 미끄러져 가는 현상; 사태(沙汰). ⇨山(やま)くずれ. **2** (비유적으로) 무슨 일이 일거에〔급격히〕변동하는 현상. ¶景気(けいき)が～を起(お)こす 경기가 급격한 변동을 일으키다.

―てき【―的】 ダナ **1** 압도적. ¶選挙(せんきょ)における～大勝利(だいしょうり) 선거에서의 압도적인 대승리 / 社会(しゃかい)の～変動(へんどう) 사회의 일대 변동. **2** 점차적. ¶～にもたらされる再軍備(さいぐんび)論議(ろんぎ) 점차적으로 고개를 쳐드는 재군비 논의.

しずまりかえ-る【静まり返る】 5自 아주 조용〔고요〕해지다; 고자누룩해지다. ¶子供(こども)らが～ (떠들던) 아이들이 고자누룩해지다 / ～·った夜中(よなか) (쥐죽은 듯이) 조용해진 한밤중.

***しずま-る【静まる】** 5自 (조용히) 가라앉다; 안정되다. ¶心(こころ)が～ 마음이 가라앉다 / 騒(さわ)ぎが～ 소동이 가라앉다 / あらしが～ 폭풍우가 자다 / 火(ひ)の手(て)が～ 불길이 약해지다 / 不気味(ぶきみ)に～·り返(かえ)っている 으스스하리 만큼 조용하다.

しずま-る【鎮まる】 5自 **1** (신(神)이) 진좌(鎭座)하다. ¶森(もり)の奥(おく)に～神(かみ) 숲속에 진좌하는 신. **2** (난리 등이) 진정되다. ¶暴動(ぼうどう)が～ 폭동이 진정되다.

しずみこ-む【沈み込む】 5自 **1** 깊이 내려가다〔가라앉다〕. **2** 기분이 침울해지다. ¶落選(らくせん)の報(ほう)にすっかり～ 낙선 소식에 아주 낙담하다.

****しず-む【沈む】** 5自 **1** 가라앉다. ¶海(うみ)に～ 바다에 가라앉다《바닷물에 빠져 죽다의 뜻으로 씀》/ 地盤(じばん)が～ 지반이 내려앉다. ↔浮(う)く·浮(う)かぶ. **2** (해·달이) 지다. ¶太陽(たいよう)が地平線下(ちへいせんか)に～ 태양이 지평선 밑으로 지다. ↔昇(のぼ)る. **3** (불행 등에) 빠지다; 영락하다. ¶不運(ふうん)に～ 불운에 빠지다. **4** 침울하다. ¶～·んだ気持(きも)ち〔顔(かお)〕 침울한 기분〔얼굴〕. **5** 잠기다. ¶物思(ものおも)いに～ 생각에 잠기다 / 涙(なみだ)に～ 눈물에 잠기다. **6** 약해지다; 까라지다; 기운이 없다. ¶～·んだ声(こえ) 기운없는〔까라진〕목소리 / 脈(みゃく)が～ 맥이 약해지다. **7** 색깔이나 소리가 차분한 느낌이다. ¶～·んだ色(いろ)の羽織(はおり) 차분한 빛깔의 羽織.

―瀬(せ)あれば浮(う)かぶ瀬あり 곤경에 처할 때가 있는가 하면 번성할 때도 있는 법이다.

しず-める【沈める】 下1他 **1** 가라앉히다. ¶船(ふね)を～ 배를 가라앉히다 / 体(からだ)を～ 몸을 낮게 도사리다. ↔浮(う)かす·浮(う)かべる. **2** 영락(零落)시키다. ¶苦界(くがい)に身(み)を～ 매춘부 신세가 되다.

***しず-める【静める】** 下1他 가라앉히다; 조용하게 하다; 진정시키다. ¶心(こころ)を～ 마음을 가라앉히다 / 鳴(な)りを～ 소리가 나지 않게 (조용히) 하다; 소리를 죽이다 / ほこりを～ 먼지를 가라앉히다.

***しず-める【鎮める】** 下1他 가라앉히다; 평정하다; 진압하다; 진정하다. ¶騒(さわ)ぎを～ 소란을 진정시키다 / 痛(いた)みを～ 아픔을 가라앉히다.

し-する【死する】 サ変自 죽다《예스러운 말씨》. ＝死(し)ぬ.

し-する【資する】 サ変自 **1** 이바지하다; 도움이 되다. ¶産業(さんぎょう)の発展(はってん)に～ 산업 발전에 이바지하다 / 教育(きょういく)に～所(ところ)は少(すく)なくない 교육에 이바지하는 바가 적지 않다. **2** 자본을 대다.

＝し-する【視する】《名詞 따위에 붙어》…시하다; …로 보다〔취급하다〕; …라고 생각하다. ¶英雄(えいゆう)～ 영웅시하다 / 重大(じゅうだい)～ 중대시하다.

じ-する【持する】 サ変他 **1** 유지〔보전〕하다. ¶名声(めいせい)を～ 명성을 유지하다 / 清潔(せいけつ)に身(み)を～ 몸을 청결하게 갖다 / 満(まん)を～·して待(ま)つ 만반의 준비를 하고

기다리다. **2** 지키다; 견지하다. ¶戒を～ 계명을 지키다/固く自説を～ 굳게 자기의 설을 지키다.

じ-する【辞する】サ変自他 **1** 물러나다; 떠나다. ¶先生のお宅を～ 선생님 댁을 물러나다/この世を～ 이 세상을 떠나다《죽다》. **2** 사퇴하다; 사임하다. ¶委員を～ 위원을 사퇴하다. **3**《'…を～·せず'의 꼴로》사양하지 않다. ¶死を(も)～·せず 죽음도 불사하다/水火をも～·せず 물불을 가리지 않다.

しせい【氏姓】图 성씨. ＝姓氏.

—せいど【—制度】图 성씨 제도《씨족을 단위로 한 大和 조정(朝廷)의 정치 조직으로, 단위는 氏이고 그 정치적 자격을 나타내는 것은 姓임》.

しせい【四姓】图 사성. **1** 인도 특유의 세습적인 신분 제도《승(僧)·왕족 (및 무사)·평민·노예의 네 계급》. ＝カースト. **2** 옛날 일본의 네 명문가《源·平·藤原·橘》. 注意 'ししょう'라고도 함.

しせい【市井】图 시정; 거리; 서민 사회; 항간. ＝ちまた·まちなか. ¶～人の哀歓をテーマにした作品 시정인의 애환을 테마로 한 작품/～の無頼漢 거리의 무뢰한〔불량배〕. 参考 옛날 중국에서, 우물이 있는 곳에 사람들이 모여 거리를 형성한 데서.

しせい【市勢】图 시세; 시의 (산업·인구 등 여러 분야의) 형세. ¶～調査 시세 조사/～要覧 시세 요람.

しせい【死生】图 사생; 생사. ＝いきしに·ししょう. ¶～観 사생관/～に関する問題 생사에 관한 문제.

—の間をさまよう 생사지경을 헤매다.

しせい【私製】图 사제. ¶～はがき 사제 엽서. ↔官製.

しせい【至誠】图 지성. ＝まごころ.

—天に通ず 지성이면 감천이다.

しせい【施政】图 시정. ¶～方針を述べる 시정 방침을 말하다.

しせい【姿勢】图 자세; 태도. ¶～をくずす 자세를 흐트리다/直立不動の～ 직립 부동의 자세/～を明らかにする 태도를 분명히 하다/気を付けの～をとる 차려 자세를 취하다.

—を正す **1** 자세를 바로잡다. ¶先生の号令で～ 선생님의 구령으로 자세를 바로잡다. **2** 종래의 방법을 반성하고 고치다.

しせい【資性】图 자성; 천성(天性). ¶～明朗 천성 명랑/恵まれた～ 타고난 천성/すぐれた～ 빼어난 천성.

しせい【試製】图スル他 시제. ＝試作. ¶～品 시제품.　「성 타고르.

しせい【詩聖】图 시성. ¶～タゴール 시

じせい【時世】图 시세; 시대; (변천하는) 세상. ¶～遅れ 시대에 뒤떨어짐/あのころとは～が違う 그때와는 시대가 다르다/いいご～だ 좋은 세상이다.

じせい【時制】图〔文法〕시제; 시상(時相); 텐스. ＝テンス.

*__じせい__【時勢】图 시세; 시대의 추세. ¶～を見る目が無い 시세를 볼 줄 아는 안목이 없다/～に抗する 시세에 항거하다/～に押されて消えてゆく 시세에 밀려 사라져 가다.

じせい【自制】图スル他 자제. ¶～心の強い人 자제심이 강한 사람/～力の強いたち 자제력이 강한 성질.

じせい【自省】图スル自 자성; 자기반성. ¶深く～する 깊이 자성하다.

じせい【自生】图スル自 자생; 야생. ＝野生. ¶山野に～する植物 산야에 자생하는 식물. ↔栽培.

じせい【辞世】图 사세. **1** 죽을 때 지어 남기는 시가(詩歌). ¶～の句 사세구(辭世句). **2** 이 세상을 하직함; 죽음.

じせい【磁性】图〔理〕자성. ¶～を帯びる 자성을 띠다/～のある鉄片 자성이 있는 쇳조각.

—インク [ink] 图 자성 잉크《이 잉크로 문자·기호 따위를 인쇄하면 판독기로 계산·조회 등을 자동적으로 할 수 있음》.

しせいかつ【私生活】图 사생활. ¶人の～に立ちいる 남의 사생활에 개입하다. ↔公生活.

しせいし【私生子】图 사생자; 구민법에서, 법률상 부부가 아닌 남녀 사이에 태어난 아이로 아버지의 인지(認知)를 못 받은 아이《현민법에서는 '嫡出でない子(＝적출이 아닌 아이)'라 함》.

しせいじ【私生児】图 사생아. **1** 사생자(私生子)의 통칭. ＝ててなしご. ¶～を産む 사생아를 낳다. **2** 아버지가 누구인지 모르는 아이의 통칭.

*__しせき__【史跡】《史蹟》图 사적. ¶奈良には～が多い 奈良에는 사적이 많다/～を保存する 사적을 보존하다.

—きねんぶつ【—記念物】图 (법으로 지정된) 사적 기념물.

しせき【歯石】图 치석; 치구(齒垢). ¶～を除去する 치석을 제거하다.

じせき【次席】图 차석. ¶～検事 차석 검사/～で入選する 차석으로 입선하다. ↔首席.

じせき【自責】图スル自 자책. ¶～の念に駆られる 자책감에 사로잡히다.

—てん【—点】图〔野〕자책점《투수 입장에서 자기 책임인 상대방 러너의 득점》. ⇨失点.

じせき【事績】图 사적; 이루어 놓은 일; 업적; 공적. ¶先人の～ 선인의 사적.

じせだい【次世代】图 차세대; 다음 세대. ¶～総合デジタル通信網 차세대 종합 디지털 통신망.

しせつ【使節】图 사절. ¶親善～ 친선 사절/～団を送る 사절단을 보내다.

しせつ【私設】图スル他 사설. ¶～鉄道 사설 철도. ↔官設·公設.

しせつ【施設】一图スル他 시설; 설비. ¶公共〔軍事〕～ 공공〔군사〕 시설/～が完備する 시설이 완비되다.
二图 '児童福祉施設(＝아동 복지

시설)·老人(ろうじん)福祉施設(=노인 복지 시설)' 등의 준말. ¶～の子(こ) 아동 복지 시설에 수용되어 있는 아이.

じせつ【持説】图 지설; 지론. =持論(じろん). ¶～を固守(こしゅ)する 지론을 고수하다 / これは僕(ぼく)の～だ 이것은 나의 지론이다.

じせつ【自説】图 자설; 자기의 설; 자기 의견. ¶～を曲(ま)げない 자설을 굽히지 않다. ↔他説(たせつ).

*__じせつ__【時節】图 시절. **1** 계절; 시후(時候). ¶暖(あたた)かい～ 따뜻한 계절 / 新緑(しんりょく)の～ 신록의 계절. **2** 시기(時機); 때. =チャンス. ¶～をまつ 시기를 기다리다. **3** 시세(時勢); 세상의 정세〔형편〕. ¶～を弁(わきま)えぬ発言(はつげん) 세상 형편도 분별하지 못하는 발언.

―がら【―がら·―柄】图 **1** 시절; 때. **2**《副詞적으로》 때가 때인만큼. =時分柄(じぶんがら). ¶～御(ご)自愛(じあい)のほどを 때가 때인만큼 자중 자애하시기를.

しせる【死せる】連体 죽은; 죽었던. ¶～孔明(こうめい), 生(い)ける仲達(ちゅうたつ)を走(はし)らしむ 죽은 공명이 산 중달을 달아나게 하다.

*__しせん__【視線】图 시선. ¶～が合(あ)う 시선이 마주치다 / ～をそらす 시선을 돌리다 / 熱(あつ)い～を感(かん)ずる 뜨거운 시선을 느끼다.

しせん【支線】图 지선. **1** (철도의) 본선으로부터 분리된 선. ↔本線(ほんせん). **2** 버팀줄《특히, 전봇대 따위를 받치려고 위에서 땅 위로 비스듬히 친 줄》.

しせん【死線】图 사선; 죽을 고비. ¶～をさまよう 사선을 헤매다.

―を越(こ)える 사선을 넘다. ¶幾度(いくど)か死線を越えてきた人(ひと) 몇 번이나 사선을 넘어온 사람.

しせん【詩仙】图 시선; 속사(俗事)를 초월한 시의 대가. 參考 특히, 이백(李白)을 가리킴.

しぜん【至善】图 지선. ¶至高(しこう)～の人(ひと) 지고 지선의 사람.

しぜん【史前】图 사전; 역사 이전; 선사 시대. ¶～学 선사학(先史學).

__しぜん__【自然】图ダナ 자연. **1** 천지 만물. ¶～環境(かんきょう) 자연 환경 / ～崇拝(すうはい) 자연 숭배 / ～の営(いとな)み 자연의 조화 / ～の摂理(せつり)に従(したが)う 자연의 섭리에 따르다. **2** 자연 그대로의 상태·모양. ¶～の美(び) 자연의 미 / ～を破壊(はかい)する行為(こうい) 자연을 파괴하는 행위. ↔人工(じんこう). **3** 사람이나 물건의 고유한 성격; 천성; 본성. ¶楽(たの)しい時(とき)に笑(わら)い, 悲(かな)しい時に泣(な)く, それが人間(にんげん)の～だ 즐거울 때 웃고, 슬플 때 우는, 그것이 인간의 본성이다. ↔作為(さくい). **4** 자연스러운 모양. ¶～な動作(どうさ) 자연스러운 동작 / 楽(らく)で～な姿勢(しせい) 편하고 자연스러운 자세. **5**《副詞적으로》 자연(히); 저절로. =ひとりでに. ¶英語(えいご)が～に出(で)て来(く)る 영어가 저절로 입에서 나오다 / 無口(むくち)だから～友人(ゆうじん)も少(すく)ない 말이 없으므로 자연히 친구도 적다 / ～と頭(あたま)が下(さ)がる 자연히〔저절로〕 머리가 숙여지다.

―に帰(かえ)れ 자연으로 돌아가라《루소의 근본 사상을 나타낸 말》.

―かがく【―科学】图 자연 과학. ↔人文(じんぶん)科学·社会(しゃかい)科学·文化(ぶんか)科学.

―しゅぎ【―主義】图 자연주의.

―じん【―人】图 자연인. ↔法人(ほうじん).

―すう【―数】图〔數〕 자연수.

―とうた〔―淘汰〕图 자연 도태《'自然選択(しぜんせんたく)'의 구칭》. ↔人為(じんい)淘汰.

―はっせい【―発生】图 자연 발생.

―ほう【―法】图 자연법. ↔実定法(じっていほう).

―ぼく【―木】图 자연목; 천연목.

―ほご【―保護】图 자연 보호. ¶～団体(だんたい) 자연 보호 단체.

じせん【自薦】图ス他 자천. ¶～他薦(たせん)の候補者(こうほしゃ) 자천 타천의 후보자.

*__じぜん__【事前】图 사전. ¶～工作(こうさく) 사전 공작 / ～に知(し)る 사전에 알다 / ～に通告(つうこく)する 사전에 통고하다 / ～に発覚(はっかく)する 사전에 발각되다. ↔事後(じご).

―うんどう【―運動】图 사전 운동.

―きょうぎ【―協議】图 사전 협의.

*__じぜん__【慈善】图 자선. ¶～事業(じぎょう) 자선 사업 / 隠(かく)れた～家(か) 숨은 자선가 / ～を施(ほどこ)す 자선을 베풀다.

―いち【―市】图 자선시; 바자. =バザー.

―こうぎょう【―興行】图 자선 홍행; 자선을 목적으로 하는 연주회 등의 홍행.

―なべ〖―鍋〗图 자선냄비. =社会(しゃかい)なべ.

じぜん【次善】图 차선; 최선의 다음(방법). ¶～の策(さく) 차선(지)책.

しそ【始祖】图 시조; 원조. =元祖(がんそ). ¶医学(いがく)の～ヒポクラテス 의학의 시조 히포크라테스.

しそう【志操】图 지조. ¶～堅固(けんご) 지조 견고 / ～高潔(こうけつ)な人(ひと) 지조가 높고 깨끗한 사람.

__しそう__【思想】图 사상. ¶～家(か) 사상가 / 経済学(けいざいがく)の根本(こんぽん)～ 경제학의 근본 사상 / 過激(かげき)な～ 과격한 사상 / ～を善導(ぜんどう)する 사상을 선도하다.

―せい【―性】图 사상성. ¶～のない発言(はつげん) 사상성이 없는 발언.

―てき【―的】ダナ 사상적. ¶～に行(ゆ)きづまる 사상적으로 벽에 부딪히다.

―はん【―犯】图 사상범.

しそう【死相】图 사상. **1** 죽을상; 죽음이 임박한 얼굴. ¶～が現(あらわ)れる 사상〔죽을상〕이 나타나다. **2** 죽은 얼굴. =死(し)に顔(がお). ¶二度(にど)と見(み)られない～ 두 번 다시 볼 수 없는 죽은 얼굴.

しそう〔使嗾·指嗾〕图ス他 사주; 부추김. =けしかけ. ¶君(きみ)の～によって彼(かれ)はとんだ失敗(しっぱい)をした 너의 사주로 그는 엉뚱한 실패를 했다.

しそう【歯槽】图 치조; 이뿌리가 박혀 있는 턱뼈의 구멍.

―のうよう〔―膿瘍〕图〔醫〕 치조 농양.

しそう【試走】图ス他 시주. **1** (자동차 등을) 시승(試乘)함. ¶～の実地(じっち)テスト

시주의 실지 테스트. **2** (경주에서) 뛰기 전에 컨디션을 시험함. ¶マラソンコースを～してみる 마라톤 코스를 시주해 보다.

—しゃ [—車] 图 시주차.

しそう【詩想】图 시상. **1** 시의 착상. ¶～が生まれる〔わく〕 시상이 떠오르다. **2** 시 속에 풍겨 있는 사상·감정. ¶豊かな～が作品にあふれている 풍부한 시상이 작품에 넘쳐흐르고 있다.

しぞう【死蔵】图ス他 사장. ＝退蔵. ¶貴重な研究資料を～している 귀중한 연구 자료를 사장하고 있다. ↔活用.

しぞう【私蔵】图ス他 사장; 개인 소장(물). ¶～の磁器 개인 소장의 자기.

じそう【自走】图ス自 자주; 자력으로 움직임. ¶～砲 자주포.

—タラップ [네 trap] 图 (비행기에 오르내릴 때 쓰는) 자동 트랩.

じぞう【地蔵】图〖佛〗 지장; '地蔵菩薩'의 준말. ¶～の顔も三度 아무리 온유하고 참을성이 많은 사람이라도, 여러 번 모욕을 당하면 성을 낸다. 参考 '仏の顔も三度'와 같은 뜻.

—がお【—顔】图 지장보살의 얼굴; 동글고 온순한 얼굴; 또, 빙긋빙긋 웃는 얼굴. ¶借りる時の～, 返す時のえんま顔 빌릴 때는 웃는 얼굴, 갚을 때는 찡그린 얼굴.

—ぼさつ [—菩薩] 图 지장보살.

しそく【四則】图〖數〗 사칙; 덧셈·뺄셈·곱셈·나눗셈의 총칭. ¶～計算 사칙산; 사칙을 이용한 계산 / ～を学ぶ 사칙을 배우다.

しそく【四足】图 **1** 사족; 네 발; 네발짐승. ＝よつ足. ¶～の動物 네발짐승. **2** 다리가 네 개 달린 책상이나 음식상.

しそく【子息】图 자식; 아들; 자제. ＝むすこ·せがれ. ¶御～ 자제분. 参考 남의 자식에 대해서만 씀.

しぞく【士族】图 사족; 무사의 가문(家門)《明治 유신 이후 무사 계급 출신자에게 주어진 신분의 명칭이었으나 현재는 폐지》. ⇨かぞく(華族).

—の商法 무사 출신자의 장사《장사에 익숙하지 않은 사람이 서툰 장사를 하여 실패함; 전하여, 섣부른 모험》.

しぞく【氏族】图 씨족. ¶～社会 씨족 사회 / ～制度 씨족 제도 / ～共同体 씨족 공동체.

じそく【時速】图 시속. ¶～百キロで走る 시속 100km로 달리다.

*__じぞく__【持続】图ス自他 지속. ¶～時間 지속 시간 / 効果が～する 효과가 지속되다 / 関係を～する 관계를 지속하다 / 若さを～する 젊음을 계속 유지하다.

—てき【—的】ダナ 지속적. ¶～に実験する 지속적으로 실험하다. ↔断続的.

しそこない【し損ない】《為損ない》图 실수; 실패. ¶名人にも～はある 명인에게도 실수는 있다.

しそこな-う【し損なう】《為損なう》5他 그르치다; 잘못하다; 실패하다; 실수하다. ＝やりそこなう·しくじる. ¶連絡を～ 연락을 잘못하다 / 仕事を～ 일을 잡치다.

**__しそん__【子孫】图 자손. ¶～万代 자손만대 / ～のために働く 자손을 위하여 일하다. ↔先祖·祖先.

じそん【自尊】图 자존. ¶独立～ 독립자존 / ～の念 난 체하는 마음 / ～の心が強い 자존심이 강하다.

—しん【—心】图 자존심. ＝プライド. ¶～を抑える〔傷つけられる〕 자존심을 억누르다〔상하다〕 / そんなことは～が許さない 그런 짓은 자존심이 허락하지 않는다.

しそん-じる【仕損じる】《為損じる》上1他 ☞しそんずる.

しそん-ずる【仕損ずる】《為損ずる》サ変他 (방법을) 그르치다; 실수하다. ＝しそこなう·しくじる. ¶せいては事を～ 서두르면 일을 잡친다.

__した__【下】一图 **1 아래; 밑. ㉠하부; 밑부분. ¶がけの～ 벼랑 밑 / ～の部屋 아랫방 / 上部を～にしておく 위를 밑으로 하여〔뒤집어〕 놓다. ㉡하위; 아랫사람. ¶～役 아랫사람들; 하급 관리 / ～への思いやり 아랫사람에 대한 배려 / 兄より三つ～だ 형보다 세 살 아래다. ㉢이하. ¶百円より～では売れません 백 엔 이하로는 팔 수 없습니다 / 千円より～ということはない 천 엔 이하일 리는 없다. ㉣…만 못함; 못미침. ¶人物が彼より～だ 인물이 그만 못하다 / これより～の品物では使いものにならない 이것보다 못한 물건으로는 소용없다. ㉤아랫자리; 말석. ＝下座. ¶課長の～にすわる 과장 아랫자리에 앉다. ⇔上. **2** 안; 속. ＝内側. ¶～帯 들보 / ～着 속옷 / ～ばき 바지 밑에 입는 속옷 / ～にシャツを着る 속에 셔츠를 입다. **3** 담보물. ¶これを～に金を貸してくれ 이것을 담보로 돈을 빌려 주게. **4** 지불 대금의 일부로 충당하는 일. ¶このカメラを～に取って新しいのをくれ 이 카메라를 값의 일부로 치고 새것을 다오. **5** 직후; 바로 뒤; …하자마자. ¶そう言う口の～からぼろを出す 그런 말이 채 끝나기도 전에 허점을 드러내다. **6** 마음(속). ¶～ごころ 속마음; 속셈 / ～に固い決意を秘める 마음속에 굳은 결의를 간직하다. 二接頭《名詞 앞에 붙여서》 미리 준비함의 뜻: 예비의. ¶～仕事 사전 준비 작업 / ～検分 예비 심사 / ～げいこ 예행연습.

—に見る **1** 내려다보다. **2** 얕보다; 멸시하다.

—にも置かない 대단히 정중하게 대접하다. ¶～もてなしを受ける 극진한 대접을 받다.

**__した__【舌】图 혀. ¶～の根のかわかぬうちに 입에 침도 마르기 전에; 말이 끝나

자마자/～が肥えている 구미가〔입맛이〕까다롭다/～をふるう (a)혀를 휘두르다《능변으로 지껄이다》; (b)입술을 떨다《놀라서 겁내다》/～先で丸め込む 감언이설로 녹이다〔속여 넘기다〕/～が長い 다변하다; 말이 많다/～を二枚に使う 앞뒤〔조리〕가 맞지 않는 말을 하다.

―が回る 혀가 (잘) 돌아가다; 막힘없이 잘 지껄이다.

―が縺れる 혀가 꼬부라지다; 혀가 굳어져 말이 분명치 않다.

―を出す 혀를 내밀다. **1** 몰래 비방하거나 업신여기다. **2** 자기의 실수를 부끄러워하거나 멋쩍어하다.

―を鳴らす 혀를 차다. **1** 감탄하다. **2** 불만·경멸하는 감정을 나타내다. ¶母親がしかると少年はチェッと舌を鳴らした 어머니가 꾸중을 하자 소년은 체 하고 혀를 찼다.

―を巻く 혀를 내두르다.

しだ〖歯朶·羊歯〗图〔植〕**1** 양치(식물). 注意 '歯朶'로 씀은 취음. **2** 풀고사리.

―しょくぶつ【―植物】图 양치식물.

じた【自他】图 자타. **1** 자기와 타인. **2**〔言〕자동사와 타동사.

―共に許す 자타가 공인하다. ¶彼は～野球通である 그는 자타가 공인하는 야구통이다.

したあじ【下味】图〔料〕(요리하기 전에) 소금·간장 따위로 미리 간을 함; 밑간. ¶～をつける 밑간을 하다.

したあらい【下洗い】图ス他 우선 대충하는 빨래; 애벌빨래.

したい【姿態】图 자태; 몸매. ＝からだつき. ¶妖艶な～ 요염한 자태.

***したい**【死体】《屍体》图 사체; 시체. ＝死骸·しかばね. ¶～遺棄 시체 유기/～を焼く 시체를 태우다. ↔生体. ⇨遺体, 박스記事

したい【肢体】图 지체; 수족(과 신체). ¶～障害 지체 장애. 「자유아.

―ふじゆうじ【―不自由児】图 지체부

しだい【次第】㊀图 **1 순서. ¶式の～を掲示する 식순을 게시하다. **2**《'～に' '～～に'의 꼴로 副詞적으로》차차로; 점점; 차츰차츰. ¶～に明るくなる 차츰 밝아 오다/空が～～に暗くなる 하늘이 점점 어두워지다. **3** 경과; 되어 가는 형편; 사정; 경위. ＝いきさつ·事情. ¶ことの～ 일의 경우; 일이 되어가는 형편/～によっては 사정에 따라서는/まことにお恥ずかしい～です 실로 부끄러울 따름입니다.

㊁接尾 **1** ㉠되어 가는 대로; 하라는 대로. ¶人の言いなり～になる 그저 남이 하라는 대로 하다/お墓の花も枯れ～ 무덤의 꽃도 시든 대로(놔두다). ㉡…여하로 결정됨; 나름. ¶手当たり～ 닥치는 대로/何事も人～だ 무슨 일이든 사람나름이다. **2** …하는 즉시; …하자마자; …하는 대로. ¶お望み～ 바라는 바에 따라서/荷物が着き～送金する 화물이 도착하는 즉시 송금한다/手紙が着き～すぐ来てくれ 편지가 도착하는 대로 곧 와 다오.

―おくり【―送り】图 사물이 순번을 따라 차례차례 진행되어 가는 일. ＝順おくり.

―に 副 ☞しだい(次第)㊀2. ¶～寒くなる 점차 추워지다/雨が～上がる 비가 차차 개다.

しだい【私大】图 사대《'私立大学(＝사립대학)'의 준말》. 「의 소재.

しだい【詩題】图 시제. **1** 시의 제목. **2** 시

***じたい**【事態】图 사태. ¶緊急～ 긴급 사태/～は急変した 사태는 급변했다/～が悪化してなかなか収拾できそうもない 사태가 악화되어 좀처럼 수습될 것 같지도 않다.

じたい【字体】图 자체. ＝字形. ¶旧～ 구자체《(한자 본래의) 정자(正字)》/新～ 신자체《常用漢字·人名用漢字 따위로 정한 자체》/～を楷書に変える 자체를 해서로 바꾸다.

***じたい**【自体】图 자체. **1** 자기 몸. ¶それ～の重みで倒れる 그 자체의 무게로 넘어지다. **2** 그 자신. ¶彼～では何も出来ない 그 자신으로는 아무것도 할 수 없다. **3** 그것. ¶法律～はりっぱだが… 법률 자체는 훌륭하지만….

***じたい**〖自体〗副 **1** 도대체; 대관절. ＝いったい. ¶～どうしたのだ 도대체 어떻게 된 것이냐/～どういう事になるのか 대관절 (앞으로) 어떻게 될 것이냐. **2** 본디; 근본적으로; 원칙적으로. ＝そもそも·元来. ¶～どういう問題にしても 본디 어떠한 문제일지라도/～お前の態度がよくない 근본적으로 네 태도가 좋지 않다.

***じたい**【辞退】图ス他 사퇴. ¶立候補を勧められたが～した 입후보(하기)를 권유받았으나 사퇴했다.

じだい【地代】图 지대. **1** 차지료(借地料). **2** 지가(地價). ＝ちだい.

じだい【次代】图 차대; 다음 세대. ¶～をになう青少年 다음 세대를 짊어질 청소년.

じだい【事大】图 사대. ¶～根性 사대 근성/～思想 사대 사상.

―しゅぎ【―主義】图 사대주의.

じだい【時代】图 **1 시대. ¶～の趨勢〔好み〕 시대의 추세〔유행〕/古き良き～ 옛날의 좋은 시대/～の風にあたる 시대의 풍조를 받아들이다/～に流される 시류를 따라가다. **2** 오래되어 낡은 모양·느낌. ¶～がつく 오래되어 낡다/～のついた茶わん 오래되어 낡은 찻잔. **3** ☞じだいもの2.

―おくれ【―遅れ·―後れ】图 시대에 뒤떨어짐. ¶～の考え 시대에 뒤떨어진 생각.

―がか-る〖―掛かる〗5自 예스럽다; 옛맛이 있다. ¶～·った言いまわし 예

스러운 말씨 / ~·った芝居 고풍스러운 연극.
—げき【—劇】图 사극; 무가(武家) 시대를 다룬 영화·연극. ＝まげ物. ↔現代劇. 「ナクロニズム.
—さくご【—錯誤】图 시대착오. ＝ア
—もの【—物】图 **1** 오래된 낡은 물건. ¶~のウィスキー 아주 오래된 위스키. **2** 역사물; 옛날의 역사상 사건을 취재하여 각색한 소설이나 浄瑠璃·歌舞伎 따위. ↔世話物·現代物.
したいよ-る【慕い寄る】5自 **1** 그리워하여 다가오다. ¶姉の美貌に引かれて~·って来る男達 누나의 미모에 끌려 접근해 오는 사내들. **2** 학식이나 인품에 끌려 따르려고 접근하다.
***した-う【慕う】**5他 **1** 뒤를 좇다. ¶母を~·って三千里 엄마 찾아 삼만리. **2** 연모하다; 사모하다; 그리워하다. ¶亡き母を~ 돌아가신 어머니를 그리워하다 / 彼女がひそかに~青年 그녀가 남몰래 사모하는 청년. **3** 경모하다. ¶学風を~·って入門する 학풍을 경모하여 입문하다.
***したうけ【下請け】**图ス他 하청. **1** '下請負(＝하도급)'의 준말. ¶~仕事 하도급을 받아 하는 일 / ~工場 하도급 공장 / ~に出す 하도급 주다. **2** '下請け人(＝하도급자)'의 준말.
したうち【舌打ち】图ス自 **1** 혀를 참. ¶顔をしかめてちぇっと~する 얼굴을 찌푸리고 체 하고 혀를 차다. **2** 입맛 다심. ¶一杯のビールに~をする 한 잔의 맥주를 마시며 입맛을 다시다. ⇨したつづみ.
したうちあわせ【下打ち合わせ】图 사전 협의. ＝下相談.
したえ【下絵】图 **1** 밑[초벌]그림. ¶作品の~ 작품의 초벌 그림. **2** (자수·조각 따위에서) 재료 위에 윤곽을 그리는 그림. ¶~の上に刺繡する 수본 위에 자수하다.
****したが-う【従う】**《随う》5自 **1** 따르다; 좇다. ¶~者僅かに三人 따르는 자 불과 세 사람 / 川に~·って山を下る 내를 따라서 산을 내려가다 / 大勢〔時勢〕に~ 대세〔시류〕에 따르다 / 父の言葉に~ 아버지 말씀에 따르다 / 業務に~仕事をする 업무에 따른 일을 하다. ↔逆らう. **2** 쏠리다. ＝なびく. ¶草が風に~ 풀이 바람에 쏠리다. **3** ㉠《'…に~·って'의 꼴로》…에 따라; …함과 함께. ¶仕事が進むに~·って興味も増した 일이 진척됨에 따라 흥미도 더해 갔다. ㉡《'~·って' '~·いまして'의 꼴로 接続詞적으로》따라서; 그러므로; 그 결과. ＝それゆえ. ¶品は上等, ~·って値段も高い 물건은 고급, 따라서 값도 비싸다. 可能 したが-える 下1自
したが-える【従える】《随える》下1他 **1** 따르게〔좇게〕하다; 복종시키다. ¶敵を~ 적을 복종시키다〔정복하다〕. **2** 데리고 가다; 거느리다. ¶従者〔供〕を~·えて行く 종자를 거느리고 가다 / 一族を~·えて移住する 일족을 거느리고 이주하다.
したがき【下書き】图ス他 초(草)를 잡음; 또, 초잡은 글; 초고(草稿); 초안. ¶演説の~ 연설의 초안.
したがって【従って】接 따라서; 그러므로; 그 결과. ＝それ故·だから. ¶戦争に敗れた. ~青年は再建のために大いに努力しなければならない 전쟁에 패했다. 따라서 청년은 재건을 위해 크게 노력하지 않으면 안 된다.
****したぎ【下着】**图 속옷; 내의. ¶~を着る 속옷을 입다. ↔上着.
したきりすずめ【舌切りすずめ】《舌切り雀》图 **1** 동화의 하나《풀을 핥아 먹었다가 심통 사나운 할머니에게 혀를 잘린 참새의 이야기》. **2** 생각한 것을 입 밖에 내지 못하는 사람.
****したく【支度·仕度】**图ス自他 채비; 준비. ¶外出の~ 외출 준비 / ~をするから待って下さい 채비를 할 터이니 기다려 주시오.
—きん【—金】图 준비금《결혼·취직 등의 준비에 필요한 돈》. 「＝自宅.
したく【私宅】图 사택; 개인 집; 자택.
***じたく【自宅】**图 자택. ＝私宅. ¶~訪問 자택 방문. ↔他家.
したくさ【下草】图 하초; 숲속 나무 그늘에 돋는 잡초. ＝下ばえ.
したげいこ【下げいこ】《下稽古》图 예행연습; 예비 연습. ＝まえげいこ. ¶歌の~をする 노래의 예비 연습을 하다.
したけんぶん【下検分】图ス他 미리 검사함; 예비 검사. ＝下見. ¶会場の~ 회장의 예비 검사.
したごころ【下心】图 속마음; 속셈; 본심; 특히, 나쁜 음모. ¶別に~があるわけではない 별로 속셈이 있는 것은 아니다 / 彼の~を見抜いた 그의 속마음〔속셈〕을 간파하였다.
したごしらえ【下ごしらえ】《下拵え》图ス自他 **1** 사전 준비; 미리미리 해 두는 준비. ¶お芝居の~は出来上がった 연극 준비는 다 됐다. **2** (본격적으로 하기 전에) 대충 준비함.
したさき【舌先】图 **1** 혀끝. ¶~をかみ切る 혀끝을 물어 끊다. **2** 입술; 주둥이; 말; 구변; 변설. ¶~でごまかす 입술 발림으로 속이다 / ~鋭く論評する 신랄하게 논평하다.
—三寸 변설. ＝舌三寸. ¶~で人をまるめこむ 세 치 혓바닥으로 사람을 구슬리다.
したざわり【舌触り】图 (음식물이 혀끝에 닿는) 맛. ¶~がいい 맛이 좋다 / とろけるような~ (입 안에서) 슬슬 녹는 것 같은 입맛.
***したじ【下地】**图 **1** 밑바탕; 준비나 기초. ＝素地. ¶研究の~はできてい

る 연구의 기초는 되어 있다 / ～が入(はい)っている (연회나 사람 앞에 나서기 전에) 이미 술을 조금 마시고 있다; 전작이 있다. **2** 소질; 본래의 성질. ¶絵(え)の～がある 그림 소질이 있다. **3** 간장(《국물을 만드는 바탕의 뜻》).

しだし【仕出し】[名] **1** (주문에 따라) 요리를 만들어 배달함. ＝出前(でまえ). ¶～料理(りょうり) 주문 받아 만들어서 배달하는 요리. **2** (연극·영화에서) 단역. ＝端役(はやく).
—べんとう【—弁当】[名] 맞춤 도시락.
—や【—屋】[名] 주문을 받아 요리를 만들어 배달하는 가게〔사람〕. [参考] 요릿집처럼 손님은 받지 않음.

⁂したし-い【親しい】[形] **1** 친하다; 사이가 좋다; 의좋다. ¶～間柄(あいだがら) 친한 사이 / ～·くつきあう 친교하다 / ～·く交(まじ)わる 친하게 사귀다. **2** (혈연이) 가깝다. ¶～縁者(えんじゃ) 가까운 일가. ⇔うとい. **3**《連用形으로서 副詞적으로》 직접. ㉠친히; 몸소. ＝みずから. ¶～·く手(て)に取(と)って御覧(ごらん)になる 친히 손에 들고 보시다 / ～·く言葉(ことば)をおかけになる 친히 말을 거시다. ㉡눈앞에; 목전에. ＝まのあたり. ¶～·くこの目(め)で見(み)た 직접 이 눈으로 보았다. **4** 낯익다; 생소하지 않다. ¶国民(こくみん)の耳目(じもく)に～ 국민의 이목에 생소하지 않다.

したじき【下敷き】[名] **1** 물건 밑에 까는 것; 깔개; 받침; 책받침. ¶花瓶(かびん)の～ 화병의 깔개〔받침〕. **2** 물건 밑에 깔림. ¶車(くるま)の～になる 차에 깔리다. **3** 모범; 본보기; 표준. ¶ハムレットを～にする 햄릿을 대본으로 삼다.

したしく【親しく】[副] ☞したしい3.

したしごと【下仕事】[名] **1** 하청 받은 일. **2** 사전 준비. ＝下(した)ごしらえ.

***したしみ**【親しみ】[名] 친숙; 친밀감; 애정. ¶～の持(も)てる人格(じんかく) 친밀감을 가질〔느낄〕 수 있는 인격 / 音楽(おんがく)に～を感(かん)ずる 음악에 친근감을 가지다.
—ぶか-い【—深い】[形] 친근감을 느끼는 것 같다. ¶～態度(たいど) 친근감이 드는 태도.

***したし-む**【親しむ】[五自] **1** 친하게 지내다. ¶友(とも)と～ 친구와 친하게 지내다 / 彼(かれ)とは十年(じゅうねん)も～·んでいる 그와는 10년이나 친하게 지내고 있다. ↔うとんずる·うとむ. **2** 늘 접촉해서 익숙하다. ¶土(つち)に～ 흙과 친하다(《전원생활을 하다》) / 薬(くすり)〔病(やまい)〕に～ 병이 잦다. **3** 즐기다. ¶自然(しぜん)〔書画(しょが), 酒(さけ)〕に～ 자연을〔서화를, 술을〕 즐기다.

したじゅんび【下準備】[名] 사전 준비. ¶会議(かいぎ)の～ 회의의 사전 준비.

したしらべ【下調べ】[名][ス他] **1** 예비 조사. ¶現地(げんち)へ～に行(い)く 현지로 예비 조사하러 가다. **2** 예습. ¶ここまで～をしてきなさい 여기까지 예습해 와요. ↔おさらい.

したず【下図】[名] 밑그림. ＝下絵(したえ)·エスキス. ¶～を書(か)く 밑그림을 그리다.

したそうだん【下相談】[名][ス自] 예비 상담〔상의〕; 미리 해 두는 의논. ＝下話(したばなし). ¶会議(かいぎ)の～にきました 회의에 대해 미리 상의하러 왔습니다.

したたか〖強か·健か〗[一副] **1** 세게. ＝強(つよ)く. ¶腰(こし)を～打(う)った 허리를 세게 받혔다. **2** 몹시; 많이. ＝ひどく. ¶～(に)酔(よ)う 몹시 취하다 / ～食(た)べた 많이 먹었다. [二ダナ] 만만치 않은 모양; 또, 보통 수단으로는 안 되는 모양.

したたかもの【したたか者】《強か者·健か者》[名] 만만찮은 사람. ¶あの女(おんな)は～だ 저 여자는 만만찮은 여자다.

したた-める〖認める〗[下1他] **1** 〈老〉 적다; (편지 등을) 쓰다. ＝書(か)きしるす. ¶手紙(てがみ)を～ 편지를 쓰다. **2** 〈老〉 식사하다; 음식을 먹다. ¶夕飯(ゆうはん)を～ 저녁을 먹다.

したたら-す【滴らす】[五他] (물방울이) 떨어지게 하다. ¶ひたいから汗(あせ)を～ 이마에서 땀을 흘리다.

したたらず【舌足らず】[名ナ] **1** 표현·설명이 충분치 못함. ¶～の論文(ろんぶん) 표현이 충분하지 못한 논문. **2** 혀가 짧음; (발음이 똑똑하지 못해서) 말을 알아 듣기 어려움. ＝舌(した)つき. ¶～のことば 혀짤배기소리.

したたり【滴り】[名] (물 따위가) 방울져 떨어짐; 또, 그 방울. ¶露(つゆ)の～ 이슬 방울. [参考] 'しずく'보다 격식 차린 말.

したた-る【滴る】[五自] **1** (물 따위가) 방울져 떨어지다; 듣다. ¶～血(ち) 방울져 떨어지는 피 / 水(みず)の～よう 물방울이 똑똑 떨어지듯(《여자가 매우 아름다움의 비유》). **2** 싱싱함이 넘쳐흐르다. ¶緑(みどり)～山々(やまやま) 신록이 우거진 산들.

したたる-い【舌たるい】[形] 말하는 것이 혀짤배기이다; 말투가 응석 부리는 것 같다. [注意] 口語형은 'したったるい'.

じたつ【示達】[名][ス他] 시달. ＝したつ. ¶当局(とうきょく)からの～により 당국으로부터의 시달에 의하여.

したつづみ【舌鼓】[名] 입맛을 다심. ⇨舌打(したう)ち. [注意] 'したづつみ'라고도 함.
—を打(う)つ **1** (맛이 너무 좋아) 입맛 다시다. **2** (기분이 언짢아) 혀를 차다.

したって [連語] 〈俗〉 **1** …라도; …인 경우에도; …에게도. ¶あたしに～困(こま)りますよ 나라도 곤란합니다. **2** 가령 …라 해도. ¶有(あ)るに～, ろくな物(もの)は有(あ)りゃしない 가령 있다 하더라도 변변한 것은 있을 턱이 없다.

したっぱ【下っ端】[名] (신분·지위가) 낮음; 또, 그런 사람(《막된 말씨》). ¶～役人(やくにん) 말단 관리.

したっぱら【下っ腹】[名] 〈口〉 ☞したはら.

したづみ【下積み】[名] **1** 다른 짐 밑에 쌓음; 또, 그 짐. ↔上積(うわづ)み. **2** ㉠늘 남의 밑에만 있고 출세 못함; 또, 그런 사람. ¶～の社員(しゃいん) 남 밑에서 출세를 못하는 사원. ㉡밑바닥 (생활 따위). ¶～時代(じだい) 밑바닥 시절.

したて【下手】图 **1** 아래쪽(의 물건이나 장소); 바람이 불어가는 쪽; (강의) 하류. ¶~の方から攻撃する 아래쪽으로부터 공격하다. **2** 남보다 직위나 능력이 낮음; (특히, 바둑·장기 등에서) 하수. **3** (씨름에서) 맞붙어서 상대방의 팔 밑에 지른 손. ⇔上手.

──に出る 공손하게 굴다; 겸손한 태도를 취하다; 저자세로 나오다. ¶下手に出ればつけ上がる 점잖게 대하면 기어오른다.

──なげ【──投げ】图 **1**〘野〙언더스로. =アンダースロー. **2** (씨름에서) 상대방 팔 밑으로 손을 질러 샅바를 잡고 넘어뜨리는 수. ↔上手投げ.

したて【仕立て】图 **1** 만드는 일; 특히, 재봉; 바느질. ¶~直し 고쳐 만듦 / フランス仕立 프랑스에서 맞춘 양복 / ~のよい服 바느질이 좋은 양복. **2** 준비해서 보냄. ¶~の舟 준비해서 보낸 배 / 特別仕立の列車 특별 편성의 열차. 参考 앞에 다른 말이 붙을 경우에는 대개 'じたて'가 됨.

──あ-げる【──上げる】下1他 **1** 다 짓다; 만들어 내다. ¶着物を~ 옷을 다 짓다. **2** 어떤 일을 소재로 무엇인가를 지어 내다; 꾸며 내다. ¶事件を芝居に~ 사건을 연극으로 지어 내다 / 悪者に~ 악한으로 꾸며 내다. 「입음).

──おろし【──下ろし】图 새 맞춤옷(을

──もの【仕立物】图 **1** 재봉; 바느질. ¶~をする 바느질을 하다. **2** 갓 지은 옷. ¶~を注文先に届ける 만든 옷을 주문처에 보내다. 「또, 그 주인.

──や【仕立屋】图 재봉소; 바느질 집;

*__したて-る__【仕立てる】下1他 **1** 만들다; 짓다; 특히, 옷을 짓다. ¶洋服を~ 양복을 짓다. **2** 준비하다; 마련하다. ¶馬車を~ 마차를 준비하다 / 臨時列車を~ 임시 열차를 배차하다. **3** 가르쳐 내다; 양성하다. ¶弟子を~ 제자를 양성하다 / 一流の商人に~ 일류 상인으로 키우다. **4** 꾸미다. ¶西部劇に~ 서부극으로 꾸미다.

したどり【下取り】图ス他 신품의 대금 일부로 중고품을 판매자가 인수하는 일 (신품 판매 촉진의 한 방법으로 이용). ¶~価格 (신품 대금의 일부로 쳐주는) 중고품 인수 가격 / 車を~に出す (새 차를 사기 위해) 쓰던 차를 내놓다. ⇨した(下)⊟3, 4.

したなが【舌長】ダナ 주제넘게(함부로) 지껄임; 큰소리침.

したなめずり【舌なめずり】《舌舐り》图ス自 **1** 입맛을 다심; 쩝쩝거림. ¶~(を)して御飯を待つ 입맛을 다시며〔침을 삼키며〕밥(상)을 기다리다 / ~をしながら食べる 입맛을 다시며 먹다. **2** (사냥감 따위를) 고대함; 몹시 기다림. ¶~して待ち構える 잔뜩 벼르고 대기하다.

したぬり【下塗り】图ス他 밑칠; 초벌〔애벌〕칠. ¶壁の~をする 초벽을 바르다. ↔上塗り·中塗り.

したのさき【舌の先】图 **1** 혀끝. **2** 입발림 말; 구변; 변설. =くちさき. ¶~で言いくるめる 감언이설로 구슬리다.

したのね【舌の根】图 혀뿌리.

──の乾かぬうちに 입에 침도 마르기 전에《말이 끝나자마자》. ¶うそは言わないと言った~またうそをついた 거짓말은 하지 않겠다고 말해 놓고는 금방 거짓말을 했다.

したばき【下履き】图 밖에서 신는 신《빨래·허드렛일 등을 하는 데 신는 신도 포함됨》. ↔うわばき.

じたばた 副〈俗〉손발을 버둥거리며 몸부림치는 모양; 버르적거리는 모양: 바동바동; 버둥버둥. ¶押え込まれて~する 내리눌려서 바동바동하다 / 今さら~しても手後れだ 이제 와서 발버둥쳐도 (이미) 때는 늦었다.

したばたらき【下働き】图ス自 **1** 남의 부하가 되어서 일함; 또, 그 사람. =下回り. **2** 부업일·허드렛일을 함; 또, 그 사람. =下まわり. ¶~のお手伝いさんがほしい 허드렛일을 할 가정부가 필요하다.

したはら【下腹】图 아랫배. =したばら. ¶~が出る 아랫배가 나오다 / ~に力を入れる 아랫배에 힘을 주다. 注意 口語形은 'したっぱら'.

したばり【下張り】《下貼り》图ス他 초배(初褙); 또, 초배지(紙). ¶壁の~ 벽 초배. ↔上張り.

したび【下火】图 **1** 불기운이 약해짐; 전하여, 한고비 지남; 기운이 꺾임. ¶火の手が~になる 불길이 수그러지다 / 流行が~になる 유행이 한물가다. **2**〘料〙밑불; 밑에서 쬐는 불. ↔上火.

したまち【下町】图 도시에서, 평지에 있는 상업 지역; 번화가. =ダウンタウン. ¶~娘 江戸의 下町 기질이 짙은 아가씨 / ~育ち 시정(市井)에서 자람〔자란 사람〕/ ~気質 下町 기질《東京의 下町에 남아 있는 호협하며 결기 있는 기풍 따위》. ↔山の手·山手.

したまわり【下回り】《下廻り》图 잡역부; 허드레꾼. =下働き.

したまわ-る【下回る】《下廻る》五自 하회하다; 밑돌다. ¶予想を大きく~ 예상을 크게 밑돌다 / 今年の米の収穫高は平年作を~ものと思われる 금년(의) 미곡 수확량은 평년작을 하회할〔밑돌〕것으로 생각된다. ↔上回る.

したみ【下見】图ス他 **1** ㉠예비 조사. =下検分·下調べ. ¶~に行く 예비 조사를 하러 가다 / 工場用地の~をする 공장 부지의 예비 조사를 하다. ㉡미리 읽어 둠. =下読み. **2** 집 외벽에 가로 댄 미늘판자벽.

〔下見2〕

―いた【―板】图 下見2에 대는 판자.

したむき【下向き】图 하향. **1** 아래쪽을 향함. ¶もう少し～になってください 좀더 고개를 숙여 주십시오. **2** 전하여, 쇠락하기 시작함; (시세·물가가) 하락하기 시작함; 내림세. ¶この店の景気も～になりかけた 이 가게 경기도 쇠퇴하기 시작했다. ⇔上向き.

したむ-く【下向く】[5自] **1** 아래쪽을 향하다. **2** 쇠퇴하다. ¶家運が～·いてきた 가운이 쇠퇴해졌다. **3** (시세·물가 등이) 내림세로 돌다. ¶ダウが～ 다우존스 평균 주가가 떨어지고 있다.

しため【下目】图 내리뜨는 눈; 전하여, 경멸함. ¶～になって話す 눈을 내리뜨고 말하다 / ～を使う 눈을 내리뜨고 보다. ↔上目. 「軽んじる.

―に見る 사람을 깔보다. ＝見さげる·

したもつれ【舌もつれ】《舌縺れ》图[ス自] 혀가 잘 돌지 않아 말이 분명치 못함.

したや【下屋·下家】图 아래채; 母屋(＝몸채)에 딸린 작은 집.

したやく【下役】图 (관청·회사 등에서 자기보다) 지위가 낮은 사람; 부하. ¶～に電話をかけさせる 부하에게 전화를 걸게 하다. ↔上役.

したよみ【下読み】图[ス他] 미리 읽어 둠; 예습. ＝予習. ¶今日は～(を)していないのでまちがえるかも知らない 오늘은 예습을 하지 않아서 틀릴지도 모른다.

じだらく〖自堕落〗图[ダナ] 타락하여 (몸가짐·생활이) 방종함; 단정치 못함. ＝ふしだら. ¶～な女 치신 없는 여자 / ～に暮らす 방종하게 살다.

したり 感 실수했을 때 하는 말: 아차; 아뿔싸; 낭패로구나. ＝しまった. ¶これは～ 아뿔싸 이건 낭패로군.

したりがお【したり顔】图 보라는 듯이 뽐내는 얼굴; 의기양양한 얼굴; 자랑스러운 얼굴. ¶～で歩く 자랑스러운 얼굴로 걷다 / ～で話す 득의만면해서 이야기하다.

しだれやなぎ【枝垂れ柳】《垂れ柳》图〔植〕수양버들. ＝糸柳·しだりやなぎ. 参考 단순히 '柳'라고 하면 이것을 가리킴.

しだ-れる【枝垂れる】《垂れる》[下1自] (가지 등이) 축 늘어지다. ¶柳が～·れている (실)버들이 축 늘어져 있다.

したわし-い【慕わしい】形 그립다. ＝なつかしい·恋しい. ¶お～お兄様 그리운 오라버님 / ～·く思う人 그리워하는 사람.

しだん【師団】图 사단. ¶～長 사단장.

しだん【指弾】图[ス他] 지탄; 규탄. ＝つまはじき. ¶世の～を受ける 세상의 지탄을 받다.

しだん【詩壇】图 시단. ¶～の中心人物 시단의 중심 인물.

じたん【時短】图 '労働時間短縮(＝노동 시간 단축)'의 준말.

じだん【示談】图 시담; 사화(私和). ＝和談. ¶～にする 화해하다 / 交通事故を～で済ます 교통사고를 합의로 마무르다. 「꾼; 해결사.

―や【―屋】图 (교통사고 등의) 사화

じだんだ〖地団駄·地団太〗图 (패씸하거나 분해서) 발을 동동 구름. 注意 '地団太·地団駄'로 씀은 취음.

―(を)踏む 발을 동동 구르며 분해하다. ¶じだんだをふんで悔しがる 발을 동동 구르며 분해하다.

**しち【七】图 칠; 일곱. ＝なな·ななつ. ¶～を数える 일곱을 세다.

*しち【質】图 **1** 전당물. ＝質物·かた. ¶～にとる 저당 잡다 / カメラを～に置く 카메라를 전당 잡히다 / 時計を～に入れる 시계를 전당 잡히다. **2** 담보물; 볼모; 질물. ¶人質 인질; 볼모.

しち【死地】图 사지. ¶～に赴く 사지로〔위험한 곳으로〕 향하다 / ～に追いこむ 사지〔궁지〕로 몰아넣다.

しち＝《形容詞·形容動詞 따위에 붙어서》 번잡한; 매우; 몹시. ¶～めんどうな事 아주 귀찮은 일; 몹시 복잡한 일 / ～くどい 몹시 끈질기다 / ～むずかしい 되게 어렵다.

しち〖七〗教1 シチ シツ ななつ なな なの | 칠 일곱 |

1 칠; 일곱 (번). ¶七宝 칠보 / 七曜 칠요. **2** 몇 번이고. ¶七難 칠난 / 七転八倒 칠전팔도.

*じち【自治】图 자치; (자기, 특히 지방 자치 단체·대학의 일을) 스스로 처리함. ¶地方～ 지방 자치 / ～行政 자치 행정. ↔官治. 「자치회.

―かい【―会】图 (학교·단지 따위의)

―たい【―体】图 자치체. ＝自治団体·地方公共団体. 「自治体.

―だんたい【―団体】图 자치 단체. ＝

―りょう【―領】图 자치령.

しちいれ【質入れ】图[ス他] 전당 잡힘. ¶時計を～する 시계를 전당 잡히다.

**しちがつ【七月】图 칠월. 参考 아명(雅名)은 'ふみづき'.

しちぐさ【質ぐさ】《質草·質種》图 전당잡힐 물건; 전당물. ＝質物. ¶指輪を～にする 반지를 전당물로 삼다.

しちくど-い 形 몹시 깐질기다. ¶～·く催促する 몹시 깐질기게 재촉하다.

しちけん【質権】图〔法〕질권《담보 물권(物權)의 하나》.

―せっていしゃ【―設定者】图 질권 설정자《흔히, 채무자를 일컬음》.

しちごさん【七五三】图 아이들의 성장을 비는 축하 행사《남자는 3세·5세, 여자는 3세·7세 되는 해 11월 15일에 빔을 입고 氏神(＝마을을 지키는 신) 따위에 참배함》.

―の祝い ☞しちごさん.

しちごちょう【七五調】图 칠오조《운문(韻文)에서 7음·5음의 가락을 반복하는 형식》. ↔五七調.

しちごん【七言】名 칠언《한 구(句)가 7자로 되는 한시(漢詩)의 한 형식》.
—こし【—古詩】名 칠언 고시《한 구가 칠언(七言)으로 된 고시》.
—ぜっく【—絶句】名 칠언 절구; 칠절(七絶). =七絶.
しちさん【七三】名 전체를 7과 3의 비례로 나눔; 특히, 7대 3의 비율로 탄 가르마 모양. ¶利益を～に分ける 이익을 칠삼의 비율로 나누다.
しちじゅう【七十】名 칠십.
しちせき【七夕】名 ☞たなばた. 注意 'しっせき'라고도 함.
しちてんはっき【七転八起】《七顛八起》名ス自 칠전팔기. =ななころびやおき.
しちてんはっとう【七転八倒】《七顛八倒》名ス自 ☞しってんばっとう. 注意 'しちてんばっとう'라고도 함.
しちどう【七道】名 칠도; 일곱 개의 기본적인 일본의 지방 구분《東海·東山·北陸·山陰·山陽·南海·西海》. 参考 江戸 시대까지 畿内(=京都 근방의 다섯 지방)와 함께 본토를 형성한 지역의 이름임.
しちながれ【質流れ】名 유질(流質); 유전(流典); 또, 유질된 것. ¶～の洋服 유질된 양복 / ～品 유질품.
しちなん【七難】名 칠난. **1** 여러 가지 재난. **2** 많은 결점. ¶色の白いは～隠す 살빛이 희면 많은 결점을 감춘다《얼굴빛이 희면 못생겨도 예쁘게 보인다》.
—はっく【—八苦】名 칠난팔고; 재난.
しちぶ【七分】名 칠분; 7할. ¶～丈 칠분 기장《발목과 무릎의 중간 기장》.
—そで〖—袖〗名 칠분 기장의 소매.
しちふくじん【七福神】名 복(福)을 준다고 하는 일곱 신.
しちふだ【質札】名 전당표. =質券.
しちほのさい【七歩の才】名 칠보재; 아주 뛰어난 시문(詩文)의 재주.
しちみせ【質店】名 전당포. =質屋. ¶～を経営する 전당포를 경영하다.
しちむずかし-い【しち難しい】形 복잡하고 어렵다; 몹시 까다롭다《'むずかしい'의 힘줌말》. ¶～問題だ 몹시 까다로운 문제다.
しちめんちょう〖七面鳥〗名〔鳥〕 칠면조. =ターキー. 参考 흔히, 변덕쟁이에 비유됨.
しちめんどう〖七面倒〗ダナ 매우 귀찮음; 몹시 번거로움《'めんどう'의 힘줌말》. ¶～な手続き 몹시 귀찮고 번거로운 절차.
—くさ-い〖—臭い〗形 매우 귀찮다; 몹시 번거롭다. =しちめんどくさい. ¶～ことが大嫌いなたちだ 귀찮고 번거로운 것을 아주 싫어하는 성미다.
しちもつ【質物】名 전당물. =しちぐさ.
しちや【七夜】名 이레 동안의 밤; (출생 후) 이레째의 밤.
—のいわい【—の祝い】名 이렛날 잔치〔축하〕《이때 아기에게 이름을 지어 주는 관습이 있음》. =お七夜.
*しちや【質屋】名 전당포. =質店·一六銀行. ¶～業 전당포업 / 公設～ 공설 전당포.
しちゃく【試着】名ス他 (옷이 맞는지) 입어 봄. ¶～室 입어 보는 방 / 水着を～する 수영복을 입어 보다.
しちゅう【支柱】名 지주. **1** 버팀목. ¶～をかう 버팀목을 대다. **2** 중심이 되고 있는 사람. ¶一家の～となって 한 집의 기둥이 되어서.
しちゅう【市中】名 시중. =市内·まちなか. ¶～の景気はいかがですか 시중 경기는 어떻습니까. ↔市外.
—ぎんこう【—銀行】名 시중 은행. =市銀. ↔地方銀行.
—きんり【—金利】名 시중 금리.
シチュー [stew] 名〔料〕 스튜《서양 요리의 하나》. ¶ビーフ～ 비프스튜 / タン～ (소의) 혀로 만든 스튜.
しちょう【支庁】名 지청《교통이 불편한 곳에 두는 都道府県 각 청(廳)의 하급 관청》. ¶東京都大島～ 東京都 大島 지청. ↔本庁.
しちょう【市庁】名 시청; '市役所'의 딴 이름.
しちょう【市長】名 시장. ¶～選挙 시장 선거.
しちょう〖征〗名 (바둑에서) 축(逐).
しちょう【思潮】名 사조. ¶世界の～ 세계의 사조 / 文芸～ 문예 사조.
しちょう【視聴】一名ス他 시청. 二名 이목; 주의; 주목. ¶世の～を集める 세상의 이목〔관심〕을 끌다.
—しゃ【—者】名 (TV) 시청자.
—りつ【—率】名 (TV의) 시청률. ¶～が高い 시청률이 높다. 参考 라디오는 '聴取率(=청취율)'라고 함.
しちょう【試聴】名ス他 **1** 시청. ¶新発売のレコードの～会 신발매 레코드의 시청회. **2** ☞オーディション.
じちょう【次長】名 차장. ¶建設局～ 건설국 차장.
*じちょう【自重】名ス自 자중. ¶～自愛 자중 자애 / くれぐれも～してください 아무쪼록 자중하여 주십시오.
*じちょう[自嘲] 名ス自 자조. ¶～的な笑い 자조적인 웃음.
しちょうかく【視聴覚】名 시청각. ¶～材料 시청각 재료.
—きょういく【—教育】名 시청각 교육.
しちょうそん【市町村】名 일본의 행정 구획의 명칭《우리나라의 시·읍·면에 해당하는 행정 구역》.
—ぎかい【—議会】名 市町村 의회.
しちょく【司直】名 사직. ¶～の手が伸びる 사직의 손길이 뻗치다.
しちりん【七輪·七厘】名 (흙으로 만든) 풍로. 参考 음식을 끓이는 데 값이 7리(厘)쯤의 숯으로 된다는 뜻이라 함.
じちんさい【地鎮祭】名 토목·건축 공사 등에 앞서 지신(地神)에게 지내는 고사. ¶家の敷地で～が行われた 집터에서 (지신에게) 고사를 지냈다.

しつ【失】图 1 실; 손실; 잃음. ¶得(とく)少(すく)なく～多(おお)し 득은 적고 실은 많다. ↔得(とく). 2 과실; 실패; 잘못. ¶これに過(す)ぎたる～やあるべき 이보다 더한 잘못이 있을까. 3 결점; 허물. ¶他人(たにん)の～を言(い)う勿(なか)れ 남의 허물을 말하지 마라.

しつ【室】图 실. 1 방. ¶～にこもる 방에 틀어박히다. 2 관청·회사 등의, 조직상의 한 구분. ¶役員(やくいん)～ 임원실 / 秘書(ひしょ)～ 비서실.

**しつ【質】图 질; 품질; 내용. ¶～が悪(わる)い 질이 나쁘다 / 量(りょう)より～を重(おも)んずる 양보다 질을 중히 여기다.

しっ 感 1 다가오는 동물을 내쫓는 말. 2 조용히 하도록 주위 사람에게 이르는 말: 쉬이. 参考 2는 흔히 'しーっ'으로 소리 내는 경우가 많음.

しつ〖失〗教4 シツ うせる うしなう | 실 잃다 | 1 손에서 놓다; 잃다; 없애다; 없어지다. ¶失礼(しつれい) 실례 / 損失(そんしつ) 손실. ↔得(とく). 2 잘못; 결점; 과실. ¶失敗(しっぱい) 실패 / 失政(しっせい) 실정 / 過失(かしつ) 과실.

しつ〖室〗教2 シツ むろ | 실 집 | 1 사는 집; 방; 거실. ¶居室(きょしつ) 거실 / 浴室(よくしつ) 욕실. 2 처; 아내. ¶正室(せいしつ) 정실 / 側室(そくしつ) 측실.

しつ〖疾〗常用 シツ やむ やまい はやい | 질 병 | 1 병. ¶疾病(しっぺい) 질병 / 眼疾(がんしつ) 안질. 2 빠르다. ¶疾走(しっそう) 질주 / 疾風(しっぷう) 질풍.

しつ〖執〗常用 シツ シュウ とる | 집 잡다 | 1 잡다; 집행하다. ¶執権(しっけん) 집권 / 執政(しっせい) 집정. 2 고집하다; 집착하다. ¶執拗(しつよう) 집요 / 執着(しゅうちゃく) 집착.

しつ〖湿〗《濕》常用 シツ シュウ しめる しめす うるおう | 습 축축하다 | 습기 차다; 젖다; 적시다. ¶湿気(しっき) 습기 / 多湿(たしつ) 다습.

しつ〖漆〗常用 シツ うるし | 칠 옻칠 | 칠; 옻칠. ¶漆器(しっき) 칠기 / 膠漆(こうしつ) 교칠.

しつ〖質〗教5 シチ シツ チ ただす | 질 모양 | 1 질; 바탕; 타고난 성질. ¶性質(せいしつ) 성질 / 気質(きしつ) 기질. 2 저당; 전당; 또, 볼모. ¶質屋(しちや) 전당포 / 人質(ひとじち) 인질; 볼모.

*じつ【実】图 실. 1 알맹이; 실질. ¶名(な)を捨(す)てて～を取(と)る 이름을〔명예를〕 버리고 실질을 취하다. 2 진실; 참. ¶～の所(ところ) 실인즉; 실제로는 / ～の親子(おやこ) 친부모 자식 / ～を言(い)うと 사실을 말하면. 3 실적; 실제 성과. ¶改革(かいかく)の～をあげる 개혁의 실적을 올리다.

じつ〖実〗《實》教3 ジツ み みのる まこと | 실 열매 | 1 열매. ¶果実(かじつ) 과실. 2 차다; 충분히 있다. ¶充実(じゅうじつ) 충실. ↔虚(きょ). 3 진실; 참. ¶実例(じつれい) 실례.

じつ〖日〗☞にち〖日〗

しつい【失意】图 실의; 실망. ＝失望(しつぼう). ¶～のどん底(ぞこ)におちる 실의의 구렁텅이에 빠지다 / 彼(かれ)は世(よ)に入(い)れられず～のうちに死(し)んだ 그는 세상의 버림을 받아 실의 속에 죽었다. ↔得意(とくい).

じついん【実印】图 실인; 인감도장. ¶登記書類(とうきしょるい)には～が要(い)る 등기 서류에는 인감도장이 필요하다. ↔認(みと)め印(いん).

しつう【私通】图ス自 사통; 간통. ＝密通(みっつう). ¶二人(ふたり)は～の疑(うたが)いをかけられた 두 사람은 사통의 의심을 받았다.

しつう【歯痛】图 치통. ＝はいた. ¶～の薬(くすり) 치통약.

しつうはったつ【四通八達】图ス自 사통팔달. ¶～の地(ち) 사통팔달로 교통편이 좋은 곳.

じつえき【実益】图 실익; 실리. ¶趣味(しゅみ)と～とを兼(か)ねる 취미와 실익을 겸하다. ↔実害(じつがい).

*じつえん【実演】一图ス他 실연. ¶映画(えいが)と～ 영화와 실연 / 美容法(びようほう)の～を行(おこな)う 미용법을 실연하다. 二图 (영화관에서) 상영 중간에 배우가 실연을 해 보이는 일. ＝アトラクション.

じつおや【実親】图 친부모. ↔養(やしな)い親(おや).

しつおん【室温】图 실온; 실내 온도.

しっか【失火】图ス自 실화. ¶昨夜(さくや)の火事(かじ)は～が原因(げんいん)だそうだ 간밤의 화재는 실화가 원인이란다. ↔放火(ほうか).

しっか［膝下］图 1 슬하. ＝ひざもと. ¶父母(ふぼ)の～を離(はな)れる 부모의 슬하를 떠나다 / ～に人材(じんざい)をかかえる 측근에 인재를 거느리다. 2 (부모에게 편지를 보낼 때) 호칭 밑에 붙이는 말. ¶母上様(ははうえさま)～ 어머님 전.

じっか【実科】图 실과. ¶理論(りろん)を先(さき)に教(おし)え次(つぎ)に～をやらせる 이론을 먼저 가르치고 다음에 실과를 시키다.

*じっか【実家】图 생가(生家); 친정. ＝さと. ¶妻(つま)は～に行(い)っています 처는 친정에 가 있습니다. ↔養家(ようか)·婚家(こんか).

しつがい【室外】图 실외; 옥외; 집 밖. ↔室内(しつない).

じっかい［十誡］图〔基〕십계(명).

じつがい【実害】图 실해; 실제 손해. ¶～は少(すく)ない 실질적인 손해는 적다.

*しっかく【失格】图ス自 실격. ¶反則(はんそく)を三回(さんかい)すると～になる 반칙을 세 번 하면 실격이 된다.

しっかと〖確と·聢と〗副 꼭; 꽉; 세게. ＝しっかりと. ¶手(て)を～握(にぎ)る 손을 꽉 쥐다〔잡다〕 / ～だきしめる 꼭 부둥켜안다 / ～心得(こころえ)よ 단단히 알아 둬라.

じつかぶ【実株】图 실주; 현주(現株); 주식의 현물. ↔空株(からかぶ·くうかぶ).

しっかり〖確り·聢り〗副ス自 1 견고한 모양: 단단히; 꼭; 꽉; 튼튼히. ¶～した建物(たてもの) 견고한 건물 / ～しばる 꼭 묶다 / 経営基盤(けいえいきばん)が～している 경영 기반이 튼튼하다. 2 마음이 긴장되어 있는 모양: 똑똑히; 정신 차려서. ¶～しろ 정신 차려라((a)기운을 내라; (b)멍청히 굴지 마라)/ ~がんばれ 끝까지 힘을 내라. **3 생각·토대 따위가 견실한 모양: 확고히; 견실하게. ¶ ~した研究 견실한 연구/若いが~した人だ 젊지만 견실한 사람이다.

しっかりもの【しっかり者】((確り者·聢り者)) 图 **1** 틀림없는〔견실한〕 사람; 의지가 굳세고 어기차서 흔들림이 없는 사람. **2** 절약가. =締まり屋.

しつかん【質感】 图 질감((재료의 질의 차이에서 받는 느낌)). ¶木の~を生かした彫刻 나무의 질감을 살린 조각/肌の~がよく出ている 표면의 질감이 잘 나타나 있다.

しっかん【疾患】 图 질환; 병. ¶胸部~ 흉부 질환/~のために休養する 병 때문에 휴양하다.

じっかん【十干】 图 십간; 천간(天干). ¶~十二支 십간 십이지.

じっかん【実感】 图ス他 실감. ¶~がこもる 실감이 깃들다/~がまだわかない 실감이 아직도 나지 않는다.

***しっき【湿気】** 图 습기. =しめりけ·しっけ. ¶~をはらんだ風 습기 찬 바람/~をぬぐい取る 습기를 닦아 내다/~をおびる 누기가 차다.

しっき【漆器】 图 칠기; 옻칠한 그릇. =ぬり物.

しつぎ【質疑】 图ス自 질의; 질문. =質問.

——おうとう【——応答】 图 질의응답. ¶方針説明ののち~があった 방침 설명 후에 질의응답이 있었다.

じつき【地突き】((地搗き)) 图ス自 달구질. =地固め·地形·じづき. ¶~をする 달구질을 하다.

じつぎ【実技】 图 실기. ¶~試験 실기 시험/講義が終わって~に移る 강의가 끝나고 실기로 옮기다.

しっきゃく【失脚】 图ス自 실각. ¶事件に連座して~した 사건에 연좌돼 실각했다.

***しつぎょう【失業】** 图ス自 실업. ¶~対策 실업 대책/~問題が深刻になってきた 실업 문제가 심각해졌다. ↔就業.

——ほけん【——保険】 图 실업 보험.

***じっきょう【実況】** 图 실황. ¶野球の~放送 야구 실황 방송/これは~を目撃した人の話だ 이것은 실황을 목격한 사람의 이야기다.

じつぎょう【実業】 图 실업. ¶~界 실업계/~教育 실업 교육/~の才がある 실업의 재간이 있다.

——か【——家】 图 실업가. ¶~肌の人 실업가 기질인 사람.

——がっこう【——学校】 图 실업학교.

しっきん【失禁】 图ス自 실금; 대소변을 참지 못하고 쌈. ¶恐怖のあまり~する 공포에 질린 나머지 실금하다.

シック [프 chic] ダナ 시크; 멋진〔세련된〕 모양. ¶~な装い 멋진 옷차림.

しっくい〖漆食·漆喰〗图 (천장이나 벽 따위에 바르는) 회반죽((석회에 찰흙과 풀가사리를 섞어 반죽한 것)). 注意 '漆食' '漆喰'로 쓰은 취음(取音).

シックス [six] 图 식스; 여섯.

——ナイン [일 six+nine] 图 **1** 99.9999%; 거의 완전함의 형용. **2** 〈俗〉 식스 나인; (남녀의) 상호 오럴 섹스((69의 모양에서)). *영어로는 sixty-nine.

シックネス バッグ [sickness bag] 图 시크니스 백; 비행기 멀미를 하는 사람을 위해 기내에 갖춰 놓은 비닐 주머니.

しっくり 副 **1** 잘 어울리는〔맞는〕 모양. ¶その絵はこのへやに~しない 그 그림은 이 방에 잘 어울리지 않는다. **2** 마음이 맞아 원만히 지내는 모양. ¶親子の間が~(と)行かない 부모와 자식 사이가 원만하지 못하다.

じっくり 副 침착하게 시간을 들여 정성껏 하는 모양: 차분히; 곰곰이. ¶~考えてから実行する 차분히 생각하고 실행하다/~と構える 차분하게 대처하다; 차분한 태도를 취하다.

***しつけ**〖仕付け〗图 **1** ((躾)) 예의범절을 가르침. ¶~がいい家庭 예의범절이 바른 가정; 가정교육이 잘된 가정. **2** (재봉에서) 시침질; 또, 그 실.

しっけ【湿気】 图 습기. =しっき·しめりけ. ¶~の多い部屋 습기 찬 방.

***しっけい【失敬】** 실례. ㊀名ダ ス自 버릇없음; 무례함. ¶~な奴だ 버릇없는 놈이다/~ですが 실례입니다만. 参考 남자끼리 작별·사과 등을 할 때 가벼운 인사로도 씀. ¶では~ 그럼 실례〔안녕〕/これは~ 아이고 미안/ここで~するよ 여기서 실례해야겠다.
㊁图ス他 〈俗〉 훔침; 슬쩍함. ¶人の財布を~する 남의 지갑을 슬쩍하다/兄の本棚から~してきた 형의 책장에서 슬쩍 가져왔다.

じっけい【実兄】 图 실형; 친형.

じっけい【実刑】 图 실형. ¶~を言い渡す 실형을 선고하다.

じつげつ【日月】 图 일월. **1** 해와 달. ¶~星辰 일월성신/~と光を争う 일월〔태양〕과 빛을 겨루다((어림없는 짓의 비유)). **2** 세월. ¶長い~を費やす 긴 세월을 보내다/~の過ぎるのははやい 세월이 지나가는 것은 빠르다.

しつ-ける〖仕付ける〗下1他 **1** ((躾る)) (예의범절을) 가르치다. ¶子供を~ 아이에게 예의범절을 가르치다. ⇨しつけ1. **2** 늘 해와서 길들다. ¶あまり~·けない仕事 그다지 해보지 않아 익숙하지 못한 일/病気は~·けている 병엔 익숙해져 있다. **3** 시침질하다.

しっ-ける〖湿気る〗下1自 〈俗〉 습기 차다; 축축〔눅눅〕해지다. =しめる. ¶せんべいが~ せんべい가 눅눅해지다.

しっけん【執権】 图 **1** 집권; 정권을 잡음. **2** 鎌倉 시대에 将軍의 보좌역((幕府의 서무를 총감(總監)했음)). **3**

室町むろまち 시대의 '管領かんりょう'의 딴 이름.
しっけん【識見】图 ☞しきけん.
*しつげん【失言】图ス自 실언. ¶~を謝しゃする 실언을 사과하다/~を取とり消けす 실언을 취소하다.
しつげん【湿原】图 습원; 다습한 초원. =野地やち. ¶~植物しょくぶつ 습원 식물.
じっけん【実検】图ス他 실검; (사실 여부를) 실제로 검사함. ¶首くび~ 본인을 실제로 만나 보고 확인함; 또, 수급(首級)의 진부(眞否)를 검사함.
じっけん【実権】图 실권. ¶~を握にぎる 실권을 쥐다/名なだけで~の無ない社長しゃちょう 명목뿐이고 실권이 없는 사장.
**じっけん【実験】图ス他 실험. ¶~段階だんかい 실험 단계/核かく~ 핵실험/~室しつ〔台だい〕 실험실〔대〕/自己じこの~に徴ちょうして 자기의 실험에 비추어서.
—かがく【—科学】图 실험 과학.
—がっこう【—学校】图 실험 학교.
—しき【—式】图〔化〕 실험식.
—しょうせつ【—小説】图 실험 소설.
—てき【—的】ダナ 실험적. ¶~な段階だんかい 실험적인 단계.
**じつげん【実現】图ス自他 실현. ¶希望きぼうの~を図はかる 희망의 실현을 도모하다/長年ながねんの夢ゆめを~する 오랜 꿈을 실현하다/…の~を急いそぐ …의 실현을 서두르다.
しっこ 图〈兒〉「お~」 소변; 쉬. ¶お~をする 쉬하다; 오줌 누다.
**しつこ-い 形 1 끈덕지다; 끈질기다; 치근치근하다; 집요하다. =くどい. ¶~質問しつもん 끈질긴 질문/~言いい方かた 치근치근한 말씨/~·くつきまとう 끈덕지게 따라다니다. 2 (맛·빛깔·냄새 따위가) 짙다; 농후하다; 산뜻하지 않다; 칙칙하다. ¶~味あじ 짙은 맛. 注意 'しつっこい'라고도 함.
しっこう【失効】图ス自 실효. ¶法律ほうりつ〔免許めんきょ〕の~ 법률〔면허〕의 실효/期限きげんがすぎたので~した 기간이 지나서 실효됐다. ↔発効はっこう.
しっこう【執行】图ス他 집행. ¶強制きょうせい~ 강제 집행/刑けいが~された 형이 집행되었다/逮捕状たいほじょうを~する 구속 영장을 집행하다.
—かん【—官】图 집행관; 집달리(《'執達吏しったつり(=집달리)'의 고친 이름》).
—きかん【—機関】图 집행 기관.
—ゆうよ【—猶予】图 집행 유예. ¶~になった 집행 유예가 되었다.
じっこう【実効】图 실효. ¶~ある措置そち 실효성 있는 조처/あまり~はなかった 별로 실효는 없었다/~をもたらす 실효를 거두다.
じっこう【実行】图ス他 실행. ¶~にうつす 실행에 옮기다/~を迫せまる 실행을 강력히 요구하다/~が伴ともなわない 실행이 따르지 않다/彼かれは口先くちさきばかりで~しない 그는 말뿐이지 실행하지 않는다.
—りょく【—力】图 실행력.

しっこく【桎梏】图 질곡; 속박. =束縛そくばく. ¶~を脱だっする 질곡을 벗어나다.
しっこく【漆黒】图 칠흑. ¶~の髪かみ 칠흑 같은(검고 윤기 있는) 머리(카락)/~のやみ 칠흑 같은 어둠.
じっこん【昵懇·入魂】图ダナ 절친함; 친밀히 사귀는 사이. =懇意こんい·じっきん. ¶~の間柄あいだがら 절친한 사이/昔むかしから~にしている 예전부터 절친하게 사귀고 있다.
**じっさい【実際】图 1 실제. ¶理論りろんと~ 이론과 실제/~にやってみる 실제로 해보다/~は, 私わたしではなく母ははが作つくりました 사실은 제가 아니라 어머니가 만들었습니다. 2《副詞적으로》 참으로; 정말로. ¶~困こまってしまった 정말로 곤란하게 되었다/あの時ときは~おかしかった 그때는 정말 우스웠다.
—てき【—的】ダナ 실제적. ¶~な意見いけん 실제적인 의견/~でない 실제적이지 않다. ↔観念的かんねんてき.
*じつざい【実在】图ス自 실재. ¶~の人物じんぶつ 실재의 인물/宇宙人うちゅうじんは~するか 우주인은 실재하는가. ↔架空かくう.
—ろん【—論】图〔哲〕 실재론. ↔観念論かんねんろん.
しっさく【失策·失錯】图ス自 실책; 실수; 실패. =しくじり·エラー. ¶若わかい時ときの~はしかたがない 젊었을 때의 실책은 하는 수 없다.
じっし【十指】图 십지; 열 손가락.
—に余あまる 열 손가락으로 셀 수 없다; 10보다 많다.
—の指さすところ 다수의 의견이 일치하는 바; 모든 사람이 인정하는 바. =十目じゅうもくの見みるところ.
じっし【実子】图 실(생)자; 친자. =生うみの子こ. ¶まま子こを~同様どうように育そだてる 의붓자식을 친자식과 다름없이 키우다. ↔養子ようし·義子ぎし·まま子こ.
*じっし【実施】图ス他 실시. ¶計画けいかくどおり~する 계획대로 실시하다/~の運はこびに至いたる 실시 단계에 이르다.
しっしき【湿式】图 습식; (복사 장치 따위에서) 액체나 용제(溶劑) 따위를 쓰는 방식. ¶~冶金やきん 습식 야금/~光電池こうでんち 습식 광전지. ↔乾式かんしき.
しっしっ 感 1 짐승을 쫓거나, 소·말 등을 몰 때에 내는 소리. 2 시끄러운 것을 가라앉힐 때 내는 소리; 쉿. =しいっ.
しつじつ【質実】图ダナ 질실; 꾸밈이 없이 진지함. ¶~剛健ごうけんの校風こうふう 질실 강건의 교풍. ↔華美かび.
*じっしつ【実質】图 실질; 실제 내용. ¶その憲法けんぽうは~においては決けっして民主的みんしゅてきでない 그 헌법은 실질에 있어서는 결코 민주적이 아니다. ↔形式けいしき·名目めいもく.
—ちんぎん【—賃金】图 실질 임금. ↔「名目めいもく賃金.
—てき【—的】ダナ 실질적. ¶なかなか~でいいね 아주 실질적이라 좋은데. ↔形式的けいしきてき.

じっしゃ【実写】名 ス他 실사; 실물을 그리거나 찍음.

じっしゃ【実射】名 ス他 실사; 실탄 사격. ¶ミサイルの～訓練 미사일의 실사 훈련.

じっしゃかい【実社会】名 실사회. ¶卒業して～に出る 졸업하고 실사회에 나가다 / ～の荒波にもまれる 실사회의 거친 파도에 시달리다.

じっしゅう【実収】名 실수; 실수입; 실제 수확량. ¶～二百万石 실수 이백만 석 / 手取り十万円の～を得る 십만 엔의 실수입을 얻다.

***じっしゅう**【実習】名 ス他 실습. ¶～生 실습생 / 工場で～をやる 공장 실습을 하다.

じっしゅきょうぎ【十種競技】名 십종경기.

しつじゅん【湿潤】名ダ 습윤; 습기가 많음. ¶低地は～で健康に悪い 저지는 습기가 많아서 건강에 나쁘다.

しっしょう【失笑】名 ス自 실소. ¶～を買う 실소를 사다 / 彼のやり方を見ると～を禁じえない 그의 하는 꼴을 보면 실소를 금할 수 없다.

***じっしょう**【実証】名 ス他 실증. ¶無実の罪を～する 무죄를 실증하다 / 理論の正しいことが～された 이론의 타당성이 실증되었다.

―てき【―的】ダナ 실증적. ¶科学は～でなければならない 과학은 실증적이어야 한다.

***じつじょう**【実状】名 실상; 실정. ¶～はこうなんです 실정은 이렇습니다 / ～を訴えて同情を求める 실정을 호소하여 동정을 구하다.

***じつじょう**【実情】名 **1** 실정; 실제의 사정. ¶～に合った計画 실정에 맞는 계획 / ～を調べる 실정을 조사하다. **2** 진정; 진심. ¶～を尽くす 정성을 다하다 / ～を打ち明ける 진심을 털어놓다. 参考 1은 '実状'로도 씀.

しっしょく【失職】名 ス自 실직. ＝失業. ¶会社が倒産し～する 회사가 도산해서 실직하다. ↔就職.

しっしん【失神·失心】名 ス自 실신. ＝喪神. ¶驚きのあまり～する 놀란 나머지 실신하다 / ショックで～する 쇼크로 실신하다.

しっしん［湿疹］名〖醫〗습진.

じっしんほう【十進法】名 십진법.

じっすう【実数】名 실수. **1** 실제의 수량. ¶参加者の～ 참가자의 실수. **2**〖數〗유리수·무리수의 총칭. ↔虚数.

しっ-する【失する】一 サ変他 **1** 잃다; 놓치다. ＝失う. ¶機会を～ 기회를 놓치다. **2** 잊다. ¶名を～ 이름을 잊다. 二 サ変自《'…に'를 받아서》(실수라고 인정될 만큼) 지나치게 …하다; …에 너무 치우치다. ¶寛大に～ 지나치게 관대하다.

しっせい［叱正］名 ス他 질정; 꾸짖어 바로잡음. ¶ご～を請う 많은 질정 있으시기를 바랍니다.

しっせい【失政】名 실정; 악정. ¶国王の～によって人民は塗炭の苦しみに陥った 국왕의 실정으로 인민은 도탄에 빠졌다.

しっせい【湿性】名 습성. ¶～肋膜炎 습성 늑막염. ↔乾性.

じっせい【実勢】名 실세; 실제의 세력.

―ちか【―地価】名 실세 지가; 실제 거래 지가.

じっせいかつ【実生活】名 실생활. ¶～に役立つ 실생활에 도움이 되다.

しっせき［叱責］名 ス他 질책. ¶～を受ける 질책을 받다 / 部下の不注意を～する 부하의 부주의를 질책하다.

しっせき【失跡】名 ス自 실적《'失踪(＝실종)'의 고친 일컬음》.

***じっせき**【実績】名 실적. ¶～をあげる 실적을 올리다 / ～を買われて支店長に栄転する 실적을 인정받아 지점장으로 영전하다.

***じっせん**【実践】名 ス他 실천. ¶～の伴わない決意 실천이 따르지 않는 결의 / 議論するよりも～することが大切だ 쟁론하기보다도 실천하는 것이 중요하다.

じっせん【実戦】名 실전. ¶～の経験 실전 경험 / ～さながらの予行演習 실전을 방불케 하는 예행연습.

じっせん【実線】名 (제도(製圖) 등에서) 실선. ¶点と点の間を～で結ぶ 점과 점 사이를 실선으로 연결하다. ↔点線·破線.

****しっそ**【質素】名ダナ 질소; 검소함. ¶～な暮らし〔身なり〕 검소한 생활〔옷차림〕 / 結婚式は非常に～だった 결혼식은 매우 검소했다. ↔ぜいたく.

しっそう［失踪］名 ス自 실종; 행방을 모름; 또, 행방을 감춤. ＝失跡. ¶店員が～してしまった 점원이 집을 나가 버렸다.

しっそう【疾走】名 ス自 질주. ＝疾駆. ¶全力～ 전력 질주 / 自動車が～する 자동차가 질주하다.

じっそう【実相】名 실상; 실제의 사정〔상태〕. ¶政界〔社会〕の～ 정계〔사회〕의 실상.

じつぞう【実像】名 실상. **1**〖理〗실제의 상. ¶～を結ぶ 실상을 맺다. **2** 외견·상상 따위를 떠난 실제의 모습; 참모습. ¶これが現代っ子の～だ 이것이 현대인의 실상이다. ⇔虚像.

しっそく【失速】名 ス自 실속; 비행 중 부력(浮力)이 떨어져 속력을 잃음. ¶～による墜落 실속으로 인한 추락 / 機体は砲弾を受けて～した 기체는 포탄을 맞고서 속도가 떨어졌다.

じっそく【実測】名 ス他 실측; 실제로 잼. ¶～図 실측도 / ～面積 실측 면적 / ～した距離 실측한 거리 / 水深を～する 수심을 실측하다. ↔目測.

じつぞん【実存】名 ス自 실존; 실재(實

在). ¶～人物 실존 인물.

しった [叱咤·叱咜] 名ス他 질타. ¶三軍を～する 삼군을 질타하다.

しったい【失対】名 '失業対策(＝실업 대책)'의 준말. ¶～事業 실업 대책 사업.

しったい【失態·失体】名 실태; 추태; 실수. ＝やりそこない. ¶酒を飲み過ぎて～を演ずる 술을 과음하고서 추태를 부리다.

じったい【実体】名 실체; 실물; 본체. ¶～をつかむ 실체를 파악하다 / 夢の～は何か 꿈의 실체는 무엇이냐.

―か【―化】名ス他 실체화.

じったい【実態】名 실태. ＝実情. ¶生活の～調査 생활의 실태 조사.

しったかぶり【知ったかぶり】《知ったか振り》名ス自 (모르면서도) 아는 체함; 또, 그런 사람. ¶～をして恥をかく (모르면서) 아는 체하다가 창피를 당하다 / 彼は何でも～(を)する 그는 무엇이든 다 아는 체한다.

じつだん【実弾】名 실탄. **1** 진짜 탄환. ＝実包. ¶～射撃 실탄 사격. ↔空包. **2** 뇌물·매수 등에 쓰는 현금을 일컬음. ¶選挙の裏で～が飛びかう 선거의 뒷전에서 현금이 난무하다.

しっち【失地】名 실지; 잃어버린〔빼앗긴〕 땅. ¶～回復 실지 회복.

しっち【湿地】名 습지. ¶この地方は～が多い 이 지방은 습지가 많다.

―そうげん【―草原】名 습지 초원.

*じっち【実地】名 실지. **1** 현장. ＝現場. ¶～調査 실지 조사. **2** 실제(로 하는 경우). ＝実際. ¶～は理論ほど容易ではない 실제는 이론만큼 쉽지는 않다.

―けんしょう【―検証】名ス他 실지 검증; 현장 검증. ＝現場検証.

しっちゃかめっちゃか 名ダナ 〈俗〉 엉망진창. ＝めちゃくちゃ.

じっちゅうはっく【十中八九】名 십중팔구; 대개. ¶～成功するだろう 십중팔구 성공할 것이다 / ～は物にならない 십중팔구는 쓸모없다. 注意 'じゅうちゅうはっく'라고도 함. 「영양실조.

しっちょう【失調】名 실조. ¶栄養～

じっちょく【実直】名ダナ 실직; 성실하고 정직함. ¶謹厳～ 근엄 실직 / ～な人 올곧은 사람.

しっつい【失墜】名ス自他 실추. ¶権威を～する 권위를 실추하다.

じつづき【地続き】名 땅이 잇닿아〔이웃해〕 있음. ¶工場が私の家と～なので騒々しい 공장이 우리 집과 바로 붙어 있어서 시끄럽다.

しつっこ-い 形 'しつこい'의 힘줌말. ¶～性格 끈질긴 성격. 「弟.

じってい【実弟】名 실제; 친아우. ↔義

しつてき【質的】ダナ 질적. ¶～変化 질적 변화 / ～にも量的にも 질적으로나 양적으로나 / ～な向上をはかる 질적인 향상을 도모하다. ↔量的.

しってん【失点】名 **1** 실점. ¶大量～ 대량 실점 / ～の挽回に全力をつくす 실점 만회에 전력을 다하다. ↔得点. **2**〔野〕 투수가 빼앗긴 모든 점수. ⇒自責点.

しってんばっとう【七転八倒】《七顚八倒》名ス自 아파서 마구 뒹굶; 고통으로 자반뒤집기함. ＝しちてんはっとう. ¶～の苦しみ 참을 수 없는 고통.

*しっと【嫉妬】名ス他 질투; 시샘. ＝やきもち·ジェラシー. ¶～の炎 질투의 불길 / 友の才に～をおぼえる 친구의 재능에 시샘을 느끼다.

*しつど【湿度】名 습도. ¶～計 습도계 / ～が高い 습도가 높다.

じっと 副 **1 몸이나 시선을 움직이지 않는 모양: 꼼짝 않고. ¶～顔を見る 얼굴을 응시하다 / ～立っている 꼼짝 않고 서 있다. **2** (참고) 가만히 있는 모양: 가만히; 꾹; 지그시. ¶～して居られない気持ち 가만히 (참고) 있을 수 없는 기분 / ～痛さをこらえる 아픈 것을 꾹 참다.

しっとう【失投】名ス自〔野〕 실투; 투수가 잘못하여 타자가 치기 쉬운 공을 던짐. ¶痛恨の～ 통한의 실투 / ～して通打される 실투하여 통타당하다.

しっとう【執刀】名ス自 집도. ¶有名なK博士の～で手術した 유명한 K박사의 집도로 수술했다. 「제 일함.

じつどう【実働】名ス自 실동(實動); 실

―じかん【―時間】名 실동 시간《실제로 일하는 시간》. ↔拘束時間.

シットコム [sitcom] 名〔劇〕 시트콤; (TV나 라디오의) 연속 홈코미디《등장인물이나 무대는 똑같으나 이야기는 매회 다름》. 参考 situation commedy의 준말.

しっとり 副 **1** 습기 찬 모양: 촉촉히; 함초롬히. ¶～した感触 촉촉한 감촉 / ～(と)濡れる 촉촉히 젖다 / 花が～(と)露を含む 꽃이 함초롬히 이슬을 머금다. **2** 참하고 숙부드러운 모양: 차분히; 찬찬히. ¶～した物腰 참하고 숙부드러운 몸가짐 / ～(と)した気分 차분한 기분.

じっとり 副 물기가 방울져 떨어질 듯이 젖어 있는 모양: 축축히; 흥건히. ¶～(と)汗ばむ 흥건히 땀이 배다.

しつない【室内】名 실내. ¶～装飾 실내 장식.

―がく【―楽】名〔樂〕 실내악. ¶～を演奏する 실내악을 연주하다.

**じつに【実に】副 실로; 참으로; 정말. ¶～美しい 참으로 아름답다 / ～面白い 정말 재미있다 / 助手の職にあること～十年 조수직에 있기를 실로 10년. 参考 본디는 '실제로·정말로'의 뜻. ¶～, 手めえ, さっきの女と約束したか 정말로 너, 아까 그 여자와 언약했는가.

しつねん【失念】名 スル他〈老〉실념; 깜박 잊음. =どわすれ. ¶お名前を~して申し訳ありません (댁의) 성함을 깜박 잊어서 미안합니다.

じつねん【実年】名 ('알찬 연령'이란 뜻으로) 대략 50세에서 69세까지의 장년과 노년 사이에 있는 중고령층. 参考 1985년 후생성이 공모한 것 중에서 뽑은 말. ⇨熟年.

*じつの【実の】連語《連体詞적으로》참말의; 실제의; 친. ¶~話 참말/~姉 친누이; 친언니.

—ところ 실은; 실인즉.

*じつは【実は】jitsuwa 連語《副詞적으로》실은; 사실은; 정말은. =本当は. ¶~私がやらせたのだ 실은 내가 시킨 것이다/~お願いがあってきました 실은 청이 있어서 왔습니다.

ジッパー [zipper] 名〖商標名〗지퍼; 척. =ファスナー·チャック.

**しっぱい【失敗】名 スル自 실패; 실수. =しくじり. ¶試験に~する 시험에 실패하다/彼を行かせたのは~だった 그를 보낸 것은 실수였다. ↔成功.

—は成功の母〔基〕실패는 성공의 어머니. ¶~と信じて同じ実験を繰り返した 실패는 성공의 어머니라 믿고 같은 실험을 되풀이하였다.

じっぱひとからげ【十把一からげ】《十把一絡げ》連語 (이것저것 따지지 않고) 함께 다룸; 통틀어 취급함; 한데 묶어 다룸. =じゅっぱひとからげ. ¶~にけなす 모두 한데 묶어〔싸잡아〕 깎아내리다〔헐뜯다〕.

じっぴ【実否】名 실부; 사실 여부; 진부. ¶~を確かめる 진부를 확인하다. 注意 'じっぷ'라고도 함.

じっぴ【実費】名 실비. ¶~負担 실비 부담/~で提供する 실비로 제공하다/交通費は~を支給する 교통비는 실비를 지급한다.

しっぴつ【執筆】名 スル自他 집필. ¶共同~ 공동 집필/小説を~中だ 소설을 집필 중이다.

しっぷ【湿布】名 スル他 습포; 찜질(하는 천). ¶温~ 더운 찜질/冷~ 냉찜질/のどに~(を)する 목에 찜질을 하다. ↔乾布.

じっぷ【実父】名 실부; 친아버지. ↔義父·養父.

しっぷう【疾風】名 질풍. =はやて. ¶車が~のように駆けぬける 차가 질풍처럼 달려 나가다.

—じんらい【—迅雷】名 질풍신뢰《맹렬한 기세와 민첩한 행동》. ¶~の進撃 질풍신뢰의 진격.

しっぷうもくう [櫛風沐雨] 名 즐풍목우; 긴 세월 동안 객지에서 갖은 고생을 함. ¶~三十年 즐풍목우 30년.

*じつぶつ【実物】名 실물. ¶~よりよくとれた写真 실물보다 잘 찍힌 사진/見本だけで~は見たことがない 견본뿐이고 실물은 본 적이 없다.

—だい【—大】名 실물 크기. ¶~の模型 실물 크기의 모형.

—とりひき【—取引】名〖經〗실물 거래. =現物取引. ↔清算取引.

しっぺい【疾病】名 질병; 병. =病気. ¶~のため欠勤する 질병 때문에 결근하다.

しっぺがえし【しっぺ返し】名 スル自 같은 방법으로 즉각 상대에게 보복함; 대갚음; 되쏘아 줌. =しっぺい返し. ¶~を食う 즉각 보복을 당하다/~を食わせる 당장 대갚음을 하다/相手の皮肉に~をする 상대방의 야유에 당장 되쏘아붙이다.

*しっぽ〖尻尾〗名 꼬리; 긴 것의 끝 부분. ¶犬の~ 개 꼬리/行列の~につく 행렬의 꽁무니를 따라가다. 参考 'しりお'의 전와.

—を出す 꼬리를〔본색을〕 드러내다《속인 것이 탄로나다》.

—をつかむ〔握る〕 꼬리〔단서〕를 잡다《상대방의 속임수의 증거·비밀·약점을 잡다》.

—を振る 꼬리를 치다; (상대의) 비위를 맞추다.

—を巻く (개가) 겁에 질려 꼬리를 사리다《지고서 기가 죽어 꽁무니를 빼다》.

じつぼ【実母】名 실모; 생모; 친어머니. ↔義母·養母·継母.

*しつぼう【失望】名 スル自 실망. ¶成果が上がらず~する 성과가 오르지 않아 실망하다/彼の無責任な発言には~した 그의 무책임한 발언에는 실망했다.

しっぽう【七宝】名 칠보. 1 '七宝焼'의 준말. 2〖佛〗불전(佛典)에 있는 일곱 가지의 보배. =七珍.

—やき【—焼】名 칠보 공예.

しつぼく【質朴】《質樸》名ナ 질박; 순박; 소박. ¶~な農民 질박한 농민/~な田舎の人 순박한 시골 사람.

しっぽり 副 1 촉촉히; 흠뻑 (젖은 모양). ¶春雨に~(と)ぬれて 봄비에 촉촉히 젖어서. 2 (특히, 남녀가) 정답게 희롱하는〔노는〕 모양. ¶~語る 남녀가 마주앉아 정담을 주고받다.

じつまい【実妹】名 친누이동생. ↔義妹.

しつむ【執務】名 スル自 집무. ¶~中面会謝絶 집무 중 면회 사절/~中は禁煙のこと 집무 중에는 금연할 것/社員の~振りを見る 사원의 집무 태도를 보다.

じつむ【実務】名 실무. ¶~担当 실무 담당/~にうとい 실무에 어둡다/~にたずさわる 실무에 종사하다.

じづめ【字詰め】名 (원고용지·인쇄물 등의) 한 행 또는 한 페이지에 채우는 글자 수; 또, 그 채우는 법.

*しつめい【失明】名 スル自 실명. ¶一眼~する 한쪽 눈을 실명하다/熱病を患い~する 열병을 앓아 실명하다.

じつめい【実名】名 실명; 본명; 본이름. =本名·じつみょう. ¶~小説

실명 소설. ↔仮名(かめい)·虚名(きょめい)·芸名(げいめい).

しつめいし【失名氏】名 무명씨; 모씨. ＝無名氏(むめいし)·某氏(ぼうし)·なにがし.

**しつもん【質問】名スル自他 질문. ¶～を受(う)ける 질문을 받다 / ～攻(ぜ)めに会(あ)う 질문 공세를 받다 / ～に答(こた)える 질문에 답하다. ↔回答(かいとう).

しつよう［執拗］ダナ 집요; 끈질김. ¶～な攻撃(こうげき) 끈질긴 공격 / ～に食(く)い下(さ)がる 집요하게 물고 늘어지다 / ～につきまとう 집요하게 따라[붙어]다니다. 注意 바르게는 'しつおう'.

**じつよう【実用】名スル他 실용. ¶～本位(ほんい) 실용 본위 / ～化(か)する 실용화하다.

──しゅぎ【──主義】名 실용주의.

──しんあん【──新案】名 실용 신안.

──てき【──的】ダナ 실용적. ＝実用むき. ¶～な贈(おく)り物(もの)をする 실용적인 선물을 하다.

じづら【字面】名 **1** 한자(漢字)의 자형 따위에서 받는 느낌; 문자 배열의 시각적인 느낌. ¶～がわるい 문자 배열의 시각적인 느낌이 좋지 않다. **2** 글의 겉으로 드러난 뜻. ¶～だけを読(よ)む 글의 겉으로 드러난 뜻만을 이해하다.

しつら-える〘設える〙下1他 (건물·방에) 설비하다. ＝しつらう. ¶玄関(げんかん)のそばにたまりの間(ま)を～ 현관 옆에 대기실을 마련하다 / 飾(かざ)り窓(まど)を～ 장식창을 설치하다.

じつり【実利】名 실리. ¶～を重(おも)んずる 실리를 중요시하다 / ～を取(と)る 실리를 취하다 / 体裁(ていさい)よりも～につく 겉모양[겉치레]보다는 실리를 좇다.

──しゅぎ【──主義】名 실리주의.

*しつりょう【質量】名 질량. **1**〖理〗 물체가 갖는 물질의 양. **2** 질과 양. ¶～共(とも)に充実(じゅうじつ) 질과 양이 모두 충실함.

**じつりょく【実力】名 실력. ¶～をつける[養(やしな)う] 실력을 기르다 / ～に訴(うった)える 실력에 호소하다 / ～に開(ひら)きがある 실력에 차이가 있다.

──こうし【──行使】名 실력 행사. ¶警官(けいかん)がデモ隊(たい)に対(たい)し～をする 경관이 데모대에 대하여 실력 행사를 하다.

──しゃ【──者】名 실력자. ¶彼(かれ)はかげの～だ 그는 막후 실력자다.

しつれい【失礼】名ナ スル自 실례. **1 예의가 없음; 무례. ＝失敬(しっけい)·無礼(ぶれい). ¶～な言(い)い方(かた) 실례되는 말투 / ～に当(あ)たる 실례가 되다 / ～な人(ひと)ね 무례한 사람이군 / あの人～しちゃうわ 저 사람 무례하네 / ちょっと前(まえ)を～します 잠깐 (앞을) 실례합니다《무엇을 집든가 남 앞을 지날 때》/ このたびはどうも～しました 이번엔 정말 실례가 많았습니다 / きょうは頭(あたま)が痛(いた)いので～します 오늘은 머리가 아파서 실례[사양]하겠습니다. 参考 '失礼'는 남녀 모두 쓰지만, '失敬(しっけい)'는 남자만 씀. **2** 작별·가벼운 사과·부탁 따위의 인사말. ¶お先(さき)に～します 먼저 실례하겠습니다 / ～させていただきます 그만 실례하겠습니다.

──ながら 실례입니다만《무엇을 묻거나 반대할 때 등의 인사말》.

じつれい【実例】名 실례. ¶～を挙(あ)げて説明(せつめい)する 실례를 들어 설명하다 / ～を引(ひ)いて示(しめ)す 실례를 인용해 보이다.

*しつれん【失恋】名スル自 실연. ¶～の悩(なや)み 실연의 괴로움 / ～の痛手(いたで) 실연의 아픈 상처.

じつろく【実録】名 실록. ¶～物(もの) 실록물《실록 소설 등》/ ソロモン海戦(かいせん)の～ 솔로몬 해전의 실록.

じつわ【実話】名 실화; 사실 이야기. ¶～読(よ)み物(もの) 실화 읽을거리 / ～に基(もと)づいて構成(こうせい)されたドラマ 실화에 의거하여 구성된 드라마.

して【シテ】《仕手》名 (能楽(のうがく)나 狂言(きょうげん)에서) 주인공역(役)(이 되는 배우). ↔アド·ツレ·ワキ.

して【仕手】名 **1**《為手》 할 사람. ¶相談(そうだん)[掃除(そうじ)]の～がない 의논[청소]할 사람이 없다. **2**〖經〗 많은 주(株)를 투기 매매하는 사람; 큰손.

して 連語 **1**《格助詞적으로》 ㉠그 동작·상태가 이루어지는 조건을 나타냄: …(이)서. ¶二人(ふたり)～見(み)る 둘이서 (함께) 보다 / みんな～手伝(てつだ)う 모두가 돕다. ㉡부림 받는 쪽을 나타냄: …로 하여금. ¶彼(かれ)を～勉強(べんきょう)せしめる 그로 하여금 공부하게 하다. **2**《接続副詞적으로》 어떤 조건·상황을 제시하고 그로부터 판단을 유도함을 나타냄: …하고; …한데; …이 되어. ¶山高(やまたか)く～谷深(たにふか)し 산은 높고 계곡은 깊다 / 日光(にっこう)を見(み)ず～日本(にっぽん)を言(い)うなかれ 日光을 보지 아니하고 일본을 말하지 마라. **3**《副助詞적으로》 副詞·副詞句의 뒤에서 그 뜻을 강조함을 나타냄. ¶かぜをひいたか～休(やす)んでいる 감기에 걸렸든가 하여 쉬고 있다 / 今(いま)に～思(おも)えば 지금에 와서 생각하면 / 彼(かれ)の頭(あたま)をもって～も解(と)けない 그의 머리를 가지고도 풀지 못한다 / 期(き)せず～意見(いけん)が一致(いっち)した 뜻밖에 의견이 일치했다 / この映画(えいが)は題名(だいめい)から～変(か)わっている 이 영화는 제목부터 색다르다.

しで【死出】名 **1** '死出(しで)の山(やま)'의 준말. **2** '死出(しで)の旅(たび)'의 준말.

──のたび【──の旅】連語 저승길; 죽어서 저승으로 감; 죽음. ¶～に出(で)る 저승길을 떠나다《죽다》.

──のやま【──の山】連語 저승; 사람이 죽어서 간다는 저승에 있는 험한 산.

してい【子弟】名 자제. **1** 아들과 아우. ¶～の教育(きょういく) 자제의 교육. ↔父兄(ふけい). **2** 연소자; 젊은이. ¶同郷(どうきょう)の～ 동향의 자제 / 良家(りょうか)の～ 양가의 자제.

してい【師弟】名 사제. ¶～愛(あい) 사제애 / ～関係(かんけい) 사제 관계.

**してい【指定】名スル他 지정. ¶～席(せき) 지정석 / ～旅館(りょかん) 지정 여관 / 期日(きじつ)を～する 기일을 지정하다.

―でんせんびょう【―伝染病】图〖醫〗 지정 전염병.

してい【私邸】图 사저; 개인 저택. =私宅. ¶~にこもる 사저에 틀어박히다. ↔官邸·公邸.

シティー [city] 图 시티; 도시; 시.

―ガール [일 city+girl] 图 시티 걸; 유행에 민감하고 도시적인 이미지가 감도는 젊은 여성. =シティーギャル. ↔シティーボーイ.

―ボーイ [일 city+boy] 图 시티 보이; 도시풍의 경박한 유행을 좇는 스타일의 젊은이. ↔シティーガール.

―ホテル [일 city+hotel] 图 시티 호텔; 특히, 도심부에 있는 호텔.

しでか-す〖仕出かす·為出かす〗 5他 해버리다; 저지르다. =やらかす. ¶大それたことを~ 엉뚱한 일을 저지르다/えらい事を~·したな 큰일을 저질렀구나. 參考 흔히, 그 결과가 나쁘거나 난처할 때 씀.

してからが 連語 …가 제일 먼저; …부터가; …조차도. ¶この私に~ 이 나부터가〔나조차도〕/お前に~駄目だ 너부터가 틀렸다.

***してき【指摘】**图スル他 지적. ¶欠点を~する 결점을 지적하다/~を受ける 지적을 받다.

してき【史的】ダナ 사적; 역사적. ¶~な見地〔意義〕 사적인 견지〔의의〕.

してき【私的】ダナ 사적. =プライベート. ¶~生活 사적 생활/~なつながり 사적인 관계/~な感情はさておき 사적인 감정은 접어 두고. ↔公的.

してき【詩的】ダナ 시적. ¶~な風景 시적인 풍경/~情操 시적 정조. ↔散文的.

じてき【自適】图スル自 자적. ¶悠々~ 유유자적/政界から引退して~の生活を送る 정계에서 은퇴하여 (유유)자적하는 생활을 보내다.

***してつ【私鉄】**图 사철; 민영 철도. =民鉄. ¶~労働組合 사철 노동 조합. ↔国鉄.

しては shitewa 連語 …라는 조건을 고려에 넣는다면; …깐에는; …치고는; …으로 보면. ¶子供に~できすぎだ 아이치고는 너무 잘했다/十四さいに~ませた方だ 14세 치고는 숙성한 편이다/彼は実業家と~失敗だった 그는 실업가로서는 실패였다.

してみると 接 그렇다면; 그로 판단해 보면; 그로 미루어 본다면. ¶~あれはほんとうの話だったのか 그렇다면 그것은 참말이었단 말인가.

してみれば 一連語 …로서는; …의 입장으로는. ¶父に~ 아버지의 입장으로는. 二接 ☞してみると.

しても 連語 1 그렇(다고는 하)지만. =…でも. ¶それに~高い 그렇(다고는 하)지만 비싸다. 2 가령 …라고 하더라도. ¶いずれに~文句はあるまい 어쨌든 군말은 없을 것이다/行くに~午前中は無理だ 간다 해도 오전중에는 무리다.

してやられる〖為て遣られる〗連語 감쪽같이 넘어가다; 당하다; 속다. =だまされる. ¶まんまとしてやられた 감쪽같이 속았다/今度は彼にしてやられた 이번에는 그에게 감쪽같이 넘어갔다.

してや-る〖為て遣る〗5他 1 (남에게) 해주다. ¶友人に忠告~ 친구에게 충고해 주다. 2 (감쪽같이) 잘하다; 속이다. ¶~·ったりとほくそえむ (감쪽같이) 잘 속였다고 싱글거리다. 3 완수하다.

***してん【支店】**图 지점. =でみせ. ¶~を開設する 지점을 개설하다. ↔本店.

―づめ【―詰め】图 지점 근무. ¶~を命じられる 지점 근무를 명령받다.

してん【支点】图〖理〗 지점; 지렛목; 받침점. ↔力点·作用点.

してん【視点】图 시점; (사물을) 보는 입장; 관점; 견지. ¶~をかえて考える 관점을 바꾸어서 생각하다.

しでん【市電】图 '市営電車(=시영 전차)'의 준말. ⇨とでん.

じてん【次点】图 차점. ¶~で落選する 차점으로 낙선하다.

じてん【自転】图スル自 자전. ¶地球は一日に一回~する 지구는 하루에 한 번 자전한다. ↔公転.

―しゃ【―車】图 자전거. ¶~競技 자전거 경기.

―しゃそうぎょう【―車操業】图 자전거 조업《쓰러지지 않게 자전거의 페달을 계속 밟아야 하듯이, 무리를 해서라도 일을 계속하여 자금 조달을 안 하면 망하는 불안정한 경영 상태》.

じてん【時点】图 시점. ¶現在の~では死亡者はない 현재의 시점에서는 사망자는 없다.

***じてん【辞典】**图 사전. =辞書. ¶その~が世に出て以来 그 사전이 세상에 나온 이래. 參考 흔히 '辞典'은 말, '字典'은 한자, '事典'은 사물을 설명한 것으로 구별함.

***じてん【字典】**图 자전. =字書. ¶漢和~ 한일(漢日) 자전.

***じてん【事典】**图 사전; '百科事典(=백과사전)'의 준말. 參考 '辞典', '字典'과 구별하여 'ことてん'이라고도 함.

じでん【自伝】图 자전. =自叙伝.

―しょうせつ【―小説】图 자전 소설.

してんのう【四天王】图 사천왕. 1〖佛〗 불법을 수호하는 네 신(神). 2 전하여, 제자나 부하 가운데 특히 뛰어난 인물 네 사람. ¶頼光の~ 頼光의 부하 사천왕. 參考 세 사람인 경우에는 '三羽がらす(=삼총사)'라고 함.

しと【使徒】图 사도. 1 예수의 12제자. 2 신성한 일에 몸을 바쳐 노력하는 사람. ¶平和の~ 평화의 사도/真理探究の~ 진리 탐구의 사도.

しと【使途】图 (돈의) 용도. ¶～不明(ふめい)の金(かね) 용도가 불분명한 돈／～を明(あき)らかにする 용도를 밝히다.

しとう【死闘】图スル自 사투. ¶～を繰(く)り広(ひろ)げる 사투를 벌이다／血(ち)みどろになって～する 피투성이가 되어 사투하다.

しとう【私闘】图スル自 사투; 사사로운 싸움. ¶～を繰(く)り返(かえ)す 사투를 되풀이하다／家臣間(かしんかん)の～を禁(きん)ずる 가신간의 사투를 금한다.

しとう【私党】图 사당; 도당. ¶～を組(く)む 작당하다. ↔公党(こうとう).

しとう【至当】名ナ 지당. ¶～な処置(しょち)であった 지당한 조처였다／そうするのが～だ 그렇게 하는 것이 지당하다.

しどう【始動】图スル自他 시동. ¶エンジンの～に要(よう)するエネルギー 엔진 시동에 소요되는 에너지.

**しどう【指導】图スル他 지도. ¶学習(がくしゅう)～ 학습 지도／～に当(あ)たる 지도를 맡다／～を受(う)ける 지도를 받다.

—てき【—的】ダナ 지도적. ¶～役割(やくわり)を演(えん)ずる 지도적인 역할을 하다.

しどう【士道】图 '武士道(ぶしどう)(=무사도)'의 준말.

しどう［斯道］图 사도; 그 방면〔분야〕. ¶～の大家(たいか) 사도의 대가／～に名(な)を知(し)られた人(ひと) 그 분야에 이름이 알려진 사람. 参考 주로 예능·학문에 대해서 말하며, 좁은 뜻으로는 엽색을 가리킴.

しどう【市道】图 시도; 시에서 만든 길.

しどう【私道】图 사도; (사유지에 만든) 사설 도로. ¶～を設(もう)ける 사도를 만들다. ↔公道(こうどう).

しどう【師道】图 사도; 스승의 길. ¶～すたれて地(ち)に落(お)つ 사도가 쇠퇴하여 땅에 떨어지다.

しどう［祠堂］图 사당. ＝ほこら.

じとう【地頭】图 마름; 사음(舍音)《일본 중세의 장원(莊園)에서, 조세 징수·군역(軍役)·범죄자 처단 등을 맡았던 관리자》. ¶泣(な)く子(こ)と～には勝(か)てぬ 우는 아이와 마름에게는 못 당한다《'地頭'의 권세와 횡포를 비유해서 한 말》.

*じどう【自動】图 자동. ¶～装置(そうち) 자동 장치／～式(しき) 자동식／～ドア 자동문. ↔他動(たどう)·受動(じゅどう).

—しゃ【—車】图 자동차. ¶～教習所(きょうしゅうじょ) 자동차 교습소／～整備士(せいびし)〔保険(ほけん)〕 자동차 정비사〔보험〕／～に乗(の)る 자동차를 타다／～を走(はし)らせる 자동차를 몰다.

—しょうじゅう【—小銃】图 자동 소총.

—せいぎょ【—制御】图 자동 제어. ＝オートメーション. ¶～装置(そうち) 자동 제어 장치.

—てき【—的】ダナ 자동적. ＝オートマチック. ¶～に記録(きろく)される 자동적으로 기록되다.

—はんばいき【—販売機】图 자동 판매기.

—ほんやく【—翻訳】图 자동 번역.

*じどう【児童】图 1 아동; 어린이. ¶～公園(こうえん) 아동 공원. 2 특히, 초등학교 학생. ＝学童(がくどう). 参考 일본에서는 대체로 초등학교 학생을 '児童', 중·고교생을 '生徒(せいと)', 대학생을 '学生(がくせい)'라고 함.

—げき【—劇】图 아동극.

—けんしょう【—憲章】图 어린이 헌장.

—ふくしし【—福祉司】图 아동 복지법에 의거하여 어린이와 어머니의 건강·보호 등을 다루는 기관.

—ぶんがく【—文学】图 아동 문학.

しどけな-い 形 난잡하고 단정치 못하다; 칠칠치 못하고 보기 흉하다. ¶～寝巻(ねま)き姿(すがた) 너저분하고 단정치 못한 잠옷 바람.

しと-げる〖為遂げる〗下1他 끝까지 해내다; 완수하다. ¶難工事(なんこうじ)を～ 난공사를 끝까지 해내다／大業(たいぎょう)を～ 대업을 완수하다.

しどころ〖為所〗图 해야 할 경우〔곳, 때〕. ¶ここが我慢(がまん)〔辛抱(しんぼう)〕の～だ 지금이 참아야 할 때다.

しとしと 副 1 비 따위가 조용히 내리는 모양: 촉촉히. ¶雨(あめ)が～(と)降(ふ)る 비가 부슬부슬 내리다. 2 물건이 습기를 띤 모양: 축축하게. ¶海苔(のり)が～になってしまった 김이 누기차 버렸다.

じとじと 副 (불쾌할 정도로) 몹시 습기찬 모양: 눅눅하게; 친친하게; 눅눅히. ¶～した空気(くうき) 눅눅한 공기／梅雨(つゆ)で畳(たたみ)が～する 장마로 畳가 끈끈하다／汗(あせ)でシャツが～している 땀으로 셔츠가 축축해졌다.

じとつ-く 5自 친친하다; 축축하다; 끈끈하다. ¶空気(くうき)が～ 공기가 친친하다.

しとね〖茵·褥〗图 〈雅〉 깔개; 요. ＝ふとん. ¶草(くさ)を～に寝(ね)る 풀을 요(로) 삼아 자다.

しと-める〖為留める·仕留める〗下1他 (무기를 써서) 숨통을 끊어 놓다; (총 따위로) 쏘아 죽이다. ¶猪(いのしし)を～ 산돼지를 쏘아 죽이다／敵(てき)を一刀(いっとう)のもとに～ 적을 단칼에 죽여 버리다.

しとやか〖淑やか〗ダナ 정숙함; 단아함. ¶～なお嬢(じょう)さん 정숙한 아가씨／～に歩(ある)く 얌전하게 걷다. ↔がさつ.

じどり【地鳥】《地鶏》图 1 토종 닭. ＝じとり. 2 일본의 토종 닭.

じどり【地取り】图スル自他 1 (건축할 때의) 지면(地面)의 구획. ＝地割(じわ)り. 2 (바둑에서) 넓게 집을 잡음. 3 범인의 행적을 조사함. ¶～調査(ちょうさ) 행적 조사／～捜査(そうさ) 행적 수사.

しどろもどろ ダナ 이야기 따위의 앞뒤가 맞지 않고 종잡을 수 없는 모양. ¶～の答弁(とうべん) 횡설수설 종잡을 수 없는 답변／追窮(ついきゅう)されて～になる 추궁당하여 갈피를 못 잡고 횡설수설하다.

**しな【品】图 1 물건. ㉠물품; 상품. ¶～切(ぎ)れ 품절／お～に手(て)を触(ふ)れないでください 상품에 손을 대지 말아 주시오／手(て)を換(か)え～を換え 이것저것 여러 가지 방법을 다하여. ㉡품질. ¶こちらは

よほど~が落ちる 이쪽 것은 꽤 질이 떨어진다. **2** 등급; 품위. ¶上の~ 상등급; 상품(上品).

しな 〖科〗 图 **1** 품; 인품. ¶~よく踊れ (정성들여) 품위 있게 춤춰라. **2**『~をつくる』(여자가 남자에게) 교태를 지어 보이다; 태를 내다. 注意 2는 '嬌態'로도 썼음.

しな [支那] 图 지나((중국의 구칭)).

=しな 《動詞 連用形에 붙어서》 그때; …하는 길. =がけ. ¶帰り~に寄る 돌아오는[가는] 길에 들르다 / 寝~に飲む 잠자리에 들면서 마시다.

=しな 【品】 물건의 종류나 수를 셀 때의 말: …가지. ¶夕食にはおかずが七~出た 저녁 식사엔 반찬이 일곱 가지가 나왔다.

しない 【市内】 图 시내. ¶~に住んでいる 시내에 살고 있다. ↔市外.

しない 【竹刀】 图 죽도((검도 연습용으로 대를 쪼개 만든 검)).

しな-う 〖撓う〗 5自 (탄력이 있어 부러지지 않고) 휘다; 휘어지다. ¶釣り竿[枝]が~ 낚싯대[가지]가 휘다.

しなうす 【品薄】 名ナ 품귀; (수요에 대하여) 상품이 달림. ¶この生地はこのごろ~です 이 감은 요즘 물건이 달립니다 / ~につきお一人様一個に願います 물건이 달려 한 분에게 한 개만 드리겠습니다.

——かぶ 【——株】 图 〘經〙 품귀주.

しなおし 【し直し】(《為直し》) 图ス自 다시 함; 재차 함. =やりなおし. ¶掃除の~をさせられる 청소를 다시 하게 되다[하도록 분부받다].

しなお-す 【し直す】(《為直す》) 5他 다시 하다; 재차 하다. ¶修理を~ 수리를 다시 하다.

しながき 【品書き】 图 물품 목록. ¶~を作って先方に送る 물품 목록을 만들어 상대방에게 보내다.

しなかず 【品数】 图 물품의 종류[수]. ¶~の多い店 물품 종류가 많은 가게 / ~が少ない 물품 종류가 적다.

しながら 【品がら·品柄】 图 품질. ¶~がよくない 품질이 좋지 못하다.

しながれ 【品枯れ】 图 물품이 출회되지 않음; 품귀. ¶人気機種が~になる 인기 기종이 품귀(상태)가 되다.

***しなぎれ** 【品切れ】 图 품절; 절품. ¶~になる 품절되다 / そのレコードは~です 그 레코드는 품절입니다.

しなさだめ 【品定め】 图ス自 품평. ¶新入社員の~をする 신입사원의 인물평을 하다.

シナジーこうか 【シナジー効果】 图 시너지 효과; 상승 효과. ¶チームワークによる~ 팀워크에 의한 상승 효과. ▷synergy effect.

しな-す 【死なす】 5他 (살리지 못하고) 죽게 하다. =死なせる. ¶多くの兵を~·した 많은 병사들을 죽게 하였다.

しなだ-れる 〖撓垂れる〗 下1自 응석부리며 사람에게 기대다; 요염하게 아양떨며 기대다. ¶恋人の胸に~ 연인의 가슴에 정답게 기대다.

しなの [信濃] 图 〘地〙 옛 지방 이름((현재의 長野県)).

***しな-びる** 〖萎びる〗 上1自 이울다; 시들다; 쭈그러들다. ¶~·びた白菜 시든 배추 / ~·びた婆さん 쭈글쭈글한 노파 / 花が~·びてしまった 꽃이 시들어 버렸다.

⁂しなもち 【品持ち】 图 (생선·채소 등의) 품질이 떨어지지 않고 좋은 상태를 유지함. ¶~のよい干物 품질(의) 보존 상태가 좋은 건물[포] / ~が良い 신선도가 좋다.

⁂しなもの 【品物】 图 물품; 물건. =品. ¶必要な~をそろえる 필요한 물건을 갖추다 / 見舞いの~を買う 위문품을 사다.

シナモン [cinnamon] 图 시나몬; 계피로 만든 향신료((단맛과 매운맛이 특색)). =肉桂.

***しなやか** ダナ **1** 탄력성이 있으며 부드러운 모양: 낭창낭창함; 보들보들함; 연함. ¶~な枝 낭창낭창한 나뭇가지 / ~に曲がる釣り竿 유연하게 휘어지는 낚싯대. **2** 사람의 동작이 딱딱하지 않고 부드러운 모양: 간들간들함; 나긋나긋함. ¶~な立ちいふるまい 나긋나긋하게 부드러운 행동거지 / ~な物腰 나긋나긋한 태도.

じならし 【地ならし】(《地均し》) 图ス他 **1** 정지(整地); 땅 고르기. **2** 땅 고르기에 사용하는 농기구나 롤러 따위의 도구. **3** (비유적으로) 준비 작업; 사전 공작. =根まわし. ¶反対が出ないように~をしておく 반대가 나오지 않도록 사전 공작[정지 작업]을 해 놓다.

じなり 【地鳴り】 图ス自 지반이 흔들려 일어나는 땅울림; 또, 그 소리. =地ひびき. ¶~がして山崩れが始まった 땅울림이 있고서 산사태가 나기 시작했다. ⇨やまなり.

シナリオ [scenario] 图 시나리오.

——ライター [scenario writer] 图 시나리오 라이터[작가]; 각본가.

しなわけ 【品分け】(《品別け》) 图ス他 품별; 물건을 종류나 품질에 따라 분류함. =類別. ¶とれた魚を~する 잡힌 물고기를 품별하다.

しなん 【指南】 图ス他 지남; 지도; 교도함; 또, 그 사람. ¶~書 지도서 / 剣術~ 검술 사범[지도].

——しん 【——針】 图 지남침; 자석(磁石).

——ばん 【——番】 图 옛날에, 大名에게 출사(出仕)하여 무사들의 무예를 지도하던 벼슬; 무술 사범. =指南役.

しなん 【至難】 名ナ 지난; 극히 어려움. ¶~な計画 지난한 계획 / ~のわざ 극히 어려운 기술[일].

じなん 【次男】 图 차남; 이남. =次子.

¶～坊 둘째 아들〔녀석〕. ⇨長男.
注意 법률상으로는 '二男'으로 씀.

シニア [senior] 图 시니어; 연장자; 상급(생). ¶～コース 상급 과정. ↔ジュニア.

──じゅうたく【──住宅】图 나이 많은 노인들을 위한 공동 주택《종신 연금 보험 등의 활용으로 생활 관련 서비스를 받을 수 있음》. ＝シニアハウス.

しにいそ-ぐ【死に急ぐ】5自 (자기의) 죽음을 재촉하다. ¶～若者 죽음을 서두르는 듯한 젊은이.

しにおく-れる【死に後れる】《死に遅れる》下1自 **1** 어떤 사람을 먼저 여의다; 자기만 살아남다. ¶娘に～ 딸을 여의고 살아남다. **2** (죽어야 할 때 죽지 않고) 살아남다. ¶～·れては恥 죽어야 할 때 죽지 않고 살아남아서는 수치다.

しにがお【死に顔】图 죽은 사람의 얼굴. ¶やすらかな～ 편안해 보이는 죽은 사람의 얼굴.

しにがくもん【死に学問】图 죽은 학문; 쓸모없는 학문.

しにがね【死に金】图 **1** 써도 보람 없는 돈; 보람 없이 쓴〔쓰는〕 돈. ＝むだがね. ¶彼は～を投じている 그는 보람 없는 돈을 투자하고 있다. ↔生き金. **2** 모으기만 하고 활용하지 않는 돈. ¶たんすの中に～を溜めておく 장롱 속에 돈을 사장하다.

しにがみ【死に神】图 사신; 사람을 죽음으로 꾀어 간다는 신. ¶～にとりつかれる 죽음의 신이 들리다.

シニカル [cynical] ダナ 시니컬; 냉소적. ＝皮肉·シニック. ¶～な笑いを浮かべる 시니컬한 웃음을 띠다.

しにぎわ【死に際】图 임종. ¶父の～に間に合う 부친의 임종에 대다.

しにざま【死にざま】《死に様》图 죽은 모양. ¶ふた目と見られない～ 두 눈 뜨고 볼 수 없는 (비참한) 죽음.

しにしょうぞく【死に装束】图 **1** 죽으려고 할 때, 특히 할복할 때 입는 흰 복장. ＝白装束. **2** 수의(壽衣).

しにせ〚老舗〛图 노포; 대대로 번창하며 이어내려오고 있는 유명한 가게. ＝ろうほ. ¶～ののれん 노포의 포렴(布簾)〔신용〕/ ～の信用にかかわる 노포의 신용에 관계된다.

しにそこな-う【死に損なう】5自 **1** 죽으려다 죽지 못하다. ¶自殺を図ったが薬の分量をまちがえて～·った 자살을 기도했으나 약의 분량을 잘못해서 죽지 못했다. **2** 죽어야 할 때에 죽지 않고 살아남다. **3** 죽을 뻔하다. ¶車にはねられて～·った 차에 받혀 죽을 뻔하였다.

しにた-える【死に絶える】下1自 멸족(滅族)하다; 멸종하다; 절멸(絶滅)하다. ¶一族が～·えてしまった 일족이 멸족되고 말았다.

しにどき【死に時】图 죽을 때; 죽어야 할 때. ¶男の～ 남자로서 떳떳하게 죽어야 할 때 / ～を失う〔得る〕 죽을 때를 놓치다〔얻다〕.

しにどころ【死に所】《死に処》图 죽을 곳; 죽어야 할 곳. ＝死に場所. ¶～を得る 죽을 곳을 찾아내다.

しにば【死に場】图 ☞しにどころ.

しにはじ【死に恥】图 치욕적인 죽음; 죽은 후에도 남는 치욕. ¶～をさらす 수치스러운 죽음을 하다 / 父の～をさらす 죽은 아버지를 욕되게 하다. ↔生き恥.

しにばしょ【死に場所】图 ☞しにどころ. ¶～を求めてさすらう 죽을 곳을 찾아 떠돌아다니다.

しにばな【死に花】图 훌륭하게 죽음으로써 얻은 명예; 사후의 영예.

──を咲かせる 훌륭한 죽음을 하여 사후에 명예를 남기다.

しにみ【死に身】图 **1** 죽어야 할 몸. ¶生き身は～ 살아 있는 몸은 언젠가는 죽어야 할 몸. **2** 전하여, 결사의 각오를 가짐. ¶～になって働く 결사적으로 일하다. **3** 죽은 것처럼 활기가 없음. ↔生き身.

しにみず【死に水】图 (임종 때의) 입축임물; 마지막 물.

──を取る 마지막 입술을 축여 주다《죽을 때까지 그 사람을 돌보다》. ¶父の～ 아버지의 임종을 돌보다.

しにめ【死に目】图 임종. ¶親の～にあえない 부모의 임종을 못 보다.

しにものぐるい【死に物狂い】图 결사적인 몸부림; 필사적으로 버둥거림. ¶～になって努力する 필사적으로 노력하다 / ～で働く〔勉強する〕 죽을 힘을 다해 일하다〔공부하다〕.

しにわかれ【死に別れ】图 사별. ＝死別. ↔生き別れ.

しにわか-れる【死に別れる】下1自 사별하다. ＝死別する. ¶親に～ 어버이를 사별하다; 부모를 여의다. ↔生き別れる.

しにん【死人】图 죽은 사람; 사자. ¶～をひつぎに収める 시체를 관에 넣다.

──に口無し 죽은 사람은 말이 없다. **1** 죽은 사람은 증인으로 세울 수 없다. ¶～で本当のことは分からない 죽은 사람은 말이 없어 진상은 알 수 없다. **2** 죽은 사람에게 죄를 덮어씌우다.

じにん【自任】图ス他自 자임; 자처; 적합한 자격〔능력〕이 있다고 스스로 믿음. ¶彼は天才を(もって)～している 그는 천재로 자처하고 있다 / 料理の名人だと～する 요리의 명인이라고 자처하다.

じにん【自認】图ス他 자인. ¶失策を～する 실책을 자인하다 / その発言は失敗を～するに等しい 그 발언은 실패를 자인하는 것과 같다.

じにん【辞任】图ス他 사임. ¶～を迫る 사임을 강요하다 / 責任を負って～する 책임을 지고 사임하다.

しぬ【死ぬ】 5自 죽다. **1** 숨이 끊어지다. ¶ ~か生きるかの切実な問題 죽느냐 사느냐의 절실한 문제 / 国のために~ 나라를 위해 죽다 / 惜しまれて~ 애석하게 죽다 / 旅先で~ 객사하다 / 戦争で~ 전사하다. **2** 활동이 멈추다; 자다. ¶ 風が~ 바람이 자다. **3** 활기가 없다; (서화(書畫) 따위에서) 생기가 없다. ¶ ~·んだ目 생기 없는 눈 / 字〔絵〕が~·んでいる 글씨〔그림〕에 생기가 없다. **4** 활용되지 않다; 놀다. ¶ ~·んだ金 죽은 돈; 노는 돈. **5**〔野〕 아웃되다. ¶ 一塁寸前でタッチされて~ 일루 바로 앞에서 터치되어 아웃되다. **6** (바둑에서) 포위되어 잡히다. ¶ 石が~ 돌이 죽다《잡히다》.

──者の貧乏 같이 일했어도 죽은 사람은 아무 것도 얻지 못한다; 죽으면 손해다. =死ぬ者は損.

──·んだ子の年を数える 죽은 자식 나이 세기.

──·んで花実がなる〔咲く〕ものか 죽은 꽃에 열매가 열리겠는가《죽은 정승이 산 개만 못하다》.

じぬし【地主】 图 지주. ¶ ~階級 지주 계급.

シネ [프 ciné] 图 'シネマ'의 준말.

──サイン [일 cine+sign] 图 시네사인《벽 따위에 부착한 작은 전구들을 명멸(明滅)케 하여 화면을 비치는 장치》.

──モード [일 cine+mode] 图 시네모드《영화에 쓰인 새 디자인의 의상; 영화 상영으로 유행하게 된 복장》.

シネスコ 图 'シネマスコープ'의 준말.

じねつ【地熱】 图 지열. **1** 지구 내부의 열. ¶ ~発電 지열 발전. 注意 'ちねつ'라고도 함. **2** 지면의 열기.

シネマ [프 cinéma] 图 시네마; 영화. =キネマ.

──スコープ [CinemaScope] 图〔映〕 시네마스코프《商標名》. =シネスコ.

シネラマ [Cinerama] 图〔映〕 시네라마《商標名》.

しの〖篠〗图〔植〕 **1** 조릿대. **2** 이대《가는 대나무의 한 가지》. =しの竹. **3** 'しの笛(=가는 대로 만든 피리)'의 준말.

──突く雨 (가느다란 대나무 다발이 내리찌르듯이) 줄기차게 내리는 비; 장대 같은 비; 작달비.

しのうこうしょう【士農工商】 图 사농공상; 무가 시대의 계급 관념에 의해서 무가·농민·공인(工人)·상인으로 순서를 매긴 사회 계급; 또, 모든 계급의 백성.

しのがき [篠垣] 图 조릿대로 엮어서 만든 울타리; 바자울.

しのぎ〖鎬〗图 (칼이나 창 따위의) 날과 등 사이의 조금 불룩한 부분.

きっさき
しのぎ
みね
刃
[鎬]

──を削る 맹렬히 싸우다; 격전을 벌이다.

しのぎ〖凌ぎ〗图 견디어 냄; 고통스러운 일을 참고 나감. ¶ 暑さ~ 더위 피하기 / 一時~に 임시방편으로 / 退屈~ 심심풀이 / ~がつかない 견디어 낼 수 없다; 궁지에 몰려 있다; 진퇴양난이다.

*__しの-ぐ__〖凌ぐ〗5他 **1** 참고 견뎌어 내다. ¶ 暑さを~ 더위를 참고 견뎌 내다 / 飢えを~ 굶주림을 견뎌 내다 / 糊口を~ 가난함을 견디고 그럭저럭 살아가다. **2** 헤어나다. ¶ 怒濤を~ 노도를 헤치고 나아가다 / 急場を~ 급한 고비를 넘기다; 위기를 극복하다. **3** 막다. ¶ 雨風を~ 비바람을 피하다. **4** 능가하다. ¶ 先輩を~ 선배를 능가하다 / 壮者を~元気 젊은이를 능가하는 기운. **5** 업신여기다; 깔보다. ¶ 長上を~ 윗사람을 업신여기다.

しのごの【四の五の】 連語 《副詞적으로》 (귀찮은 일을 가지고) 이러쿵저러쿵; 이러니저러니. ¶ ~言わずに 이러니저러니하지 말고.

しのしょうにん【死の商人】 图 죽음의 상인; 무기 제조·판매 업자.

しのだずし〖信太鮨·信田鮨〗图 (関西에서) 유부 초밥. =いなりずし.

しのだまき【しのだ巻き】《信太巻き·信田巻き》图 유부 속에 여러 가지 재료를 담아 싸서 달짝하게 삶은 식품《おでん(=꼬치)의 재료》. =ふくろ.

シノニム [synonym] 图 시노님; 동의어(同義語). ↔アントニム.

しのはい【死の灰】 图 죽음의 재《핵폭탄이 폭발할 때 생기는 방사능이 섞인 재》.

しのば-せる【忍ばせる】 下1他 **1** 숨겨 놓다; 숨기다; 잠입시키다; 남모르게 행동하다. ¶ 木陰に身を~ 나무 그늘에 몸을 숨기다 / 足音を~ 발소리를 죽이다 / 物見の者を要所に~ 망보는 자를 요소에 숨겨 놓다. **2** 감추어 가지다; 몰래 품다. ¶ ふところにあいくちを~ 품에 비수를 몰래 지니다.

しのび【忍び】 图 남몰래 함; 비밀히 함. **1** 미행(微行); 미복(微服) 잠행. ¶ お~の遊び 미행하여 놂. **2** 절도; 도둑질. ¶ ~を働く 도둑질을 하다.

──の術 둔갑술. =忍術.

──の者 첩자. =忍者.

しのびあい【忍び会い】《忍び逢い》图 사랑하는 남녀가 남몰래 만남; 밀회.

しのびあ-う【忍び会う】《忍び逢う》5他 남녀가 몰래 만나다; 밀회하다. ¶ 親の目を盗んで~ 부모의 눈을 속여 남녀가 몰래 만나다.

しのびあし【忍び足】 图 발소리를 죽여 걸음; 살금살금 걸음. ¶ ぬき足, さし足, ~ 앙큼상큼, 살금살짝 / ~で現場に近づく 살금살금 현장에 다가가다.

しのびあるき【忍び歩き】 图ス自 **1** 미행(微行). **2** ☞しのびあし.

しのびがえし【忍び返し】 图 담장울; (담 위의) 철책; 담 위에 못이나 뾰족한 대나무 따위를 박은 것.

[忍び返し]

しのびこ-む【忍び込む】 5自 몰래 들어가다; 잠입하다. ¶ 賊が~ 도둑이 잠입하다 / 窓

から～ 창문으로 몰래 들어가다.

しのびな-い【忍びない】形《'…するに～'의 꼴로'》참을 수 없다. ¶見るに～ 차마 볼 수 없다.

しのびなき【忍び泣き】名ス自 (남의 이목을 꺼리어) 소리를 죽이고 욺; 속으로 욺. ¶ふとんの中で～する 이불 속에서 소리를 죽이고 울다.

しのびやか【忍びやか】ダナ 남몰래 살며시 하는 모양: 은근히〔가만히〕함. ¶～に訪れる春のけはい 살며시 찾아드는 봄 기운 / ～に歩く 살며시 걷다.

しのびよ-る【忍び寄る】5自 살며시 다가오다. ¶～人影 살며시 다가오는 사람의 그림자 / うしろから～ 뒤에서 소리없이 다가오다 / 秋が～ 가을이 소리없이 다가오다.

しのびわらい【忍び笑い】名ス自 남이 모르게 소리를 죽이고 웃음. ¶観覧席のあちこちから～がもれる 관람석(의) 여기저기서 소리 죽이고 웃는 소리가 새어 나오다.

*しの-ぶ【忍ぶ】⊟5自 1 남의 눈에 띄지 않게 행동하다; 남이 모르게 하다. ¶人目を～ 남의 눈을 피하다; 기이다 / ～恋路 남모르게 하는 사랑 / 世を～ 세상의 이목을 피하다. 2 숨다. ＝かくれる. ¶屋根裏〔縁の下〕に～ 지붕〔툇마루〕밑에 숨다.

⊟5他 견디다; 참다. ¶恥〔笑い〕を～ 치욕〔웃음〕을 참다.

*しの-ぶ [偲ぶ] 5他 그리워하다; 연모하다; 회상하다. ¶おもかげを～ 모습을 그리(워하)다 / 故人を～ 고인을 회상하다 / 亡き子を～歌 죽은 자식을 그리는 노래.

シノプシス [synopsis] 名 시놉시스; 영화 등의 줄거리. ＝梗概·あらすじ.

じのぶん【地の文】名 지문(地文)《소설·희곡 등에서 대화가 아닌 설명이나 묘사를 하고 있는 문장》. ↔会話文.

しば【芝】名〔植〕잔디. ¶～を植える〔敷く〕잔디를 심다〔깔다〕.

しば〖柴〗名 섶나무; (땔감으로 알맞은) 잡목; 또, 그 가지. ¶～を刈る 섶〔땔〕나무를 하다 / ～の門 사립문; 보잘것없는 집.

*じは【自派】名 자파. ¶～に引き込む 자파로 끌어들이다. ↔他派.

じば【地場】名 그 지방; 본고장. ＝地元.

──さんぎょう【──産業】名 향토 산업.

じば【磁場】名 자장; 자기장; 자계(磁界). ＝じじょう.

**しはい【支配】名ス他 지배. ¶天下を～する 천하를 지배하다 / 運命を～する 운명을 지배하다 / 感情に～される 감정에 지배되다.

──かぶぬし【──株主】名 지배 주주.

──にん【──人】名 지배인; 매니저. ＝マネージャー. ¶営業所の～ 영업소의 지배인.

しはい【紙背】名 지배; 종이의 뒷면; 문장 이면의 깊은 뜻. ¶眼光～に徹する 안광이 지배를 뚫다.

**しばい【芝居】名 1 연극《歌舞伎·文楽 따위 일본 고유의 것을 가리킴》. 参考 예전에, 잔디 위에서 했으므로. 2 (배우의) 연기. 3〈俗〉전하여, 계획적〔농담〕으로 남을 속이기 위한 꾸밈수. ¶あの泣き言も彼の～だ 저 우는 소리도 그의 연극이다 / 下手な～をするな 섣부른 속임수를 쓰지 마라.

──を打つ 1 연극을 흥행하다. 2 계획적으로 속이다.

──がか-る 5自 (언행이) 연극 같다; 연극조이다; 과장된 행동을 하다. ＝芝居じみる. ¶～·ったしぐさ〔物言い〕연극조의 몸짓〔말투〕.

──ぎ【──気】名 (연극같이 꾸며) 남을 깜짝 놀라게 하려는 심사; 연극조. ＝しばい(っ)け. ¶～たっぷりの男 연극을 잘 부리는 사나이.

──ごや【──小屋】名 연극을 흥행하는 작은 건물; 극장.

──じ-みる【──染みる】5自 ☞しばいがかる. ¶～·みた言いかた〔振る舞い〕연극조의 말투〔행동〕.

じばいせき【自賠責】名 '自動車損害賠償責任保険(＝자동차 손해 배상 책임 보험)'의 준말.

しばえび〖芝蝦·芝海老〗名〔動〕보리새우.

しばかり【しば刈り】《柴刈り》名ス自 섶나무를 벰; 또, 그 사람; (땔)나무꾼. ¶山へ～に行く 산에 나무하러 가다.

しばかり【芝刈り】名ス自 잔디를 깎음. ¶～機 잔디 깎는 기계.

じはく【自白】名ス自 자백. ¶犯行を～する 범행을 자백하다 / 悪びれずに～する 기죽지 않고〔떳떳이〕자백하다.

じばく【自爆】名ス自 자폭. ¶愛機を敵艦に体当たりさせて～する 애기를 적함에 부딪쳐서 자폭하다.

しばし〖暫し〗副〈雅〉잠깐; 잠시. ＝しばらく. ¶～の別れ 잠시 동안의 이별.

*しばしば〖屡·屡屡〗副 자주; 여러 번; 누차; 종종. ＝たびたび. ¶～雨が降る 자주 비가 내리다 / 同じような事件が～起こった 비슷한 사건이 종종 일어났다.

しはす【師走】名 ☞しわす.

じはだ【地肌】《地膚》名 1 (화장하지 않은) 맨살갗; 자연 그대로의 표면. ¶～の荒れ 맨살갗의 거치름. 2 대지의 표면. ¶機上で見下ろすと, 山の～が黒々と現れた 기상에서 내려다보니 산의 지표가 검게 나타났다.

しばたた-く〖瞬く〗5他 (계속 눈을) 깜박거리다. ¶目を～·かせて友人の顔を見る 눈을 깜박거리면서 친구의 얼굴을 보다.

しばち【芝地】名 잔디밭. ＝しばふ.

しはつ【始発】名 시발. 1 처음으로 출발함. ¶～は六時だ 시발은 여섯 시다. ↔終発. 2 그곳에서부터 출발함. ¶

~列車 시발 열차 / 上野の~の急行 우에노 시발의 급행. ↔終着.
—えき【—駅】名 시발역. ↔終着駅.

じはつ【自発】名 자발. **1** 자진해서 행함. **2**〖文法〗동작·작용이 의지와 관계없이 자연히 그렇게 됨. ¶~の助動詞 자발 조동사(《'れる·られる' 따위》).
—てき【—的】ダナ 자발적. ¶~失業 자발적 실업 / ~に参加する 자발적으로 참가하다. ↔強制的·受動的.

しばはら【芝原】名 잔디가 나 있는 벌판.

*__しばふ__【芝生】名 잔디밭. ¶~を刈る 잔디밭을 깎다 / ~に入らないで下さい 잔디밭에 들어가지 마시오.

じばら【自腹】名 **1** 자기 배. **2** 자기 돈; 자기 부담. =身銭に.
—を切る 비용을 자담하다. =身銭を切る. ¶会費の不足分を自腹を切って出す 회비 부족분을 자기가 부담해서 내다.

*__しはらい__【支払い】名ス他 지불; 지급. ¶~保証 지급 보증 / ~をすます 지급을 끝내다. ↔うけとり.
—てがた【支払手形】名 지급 어음. ↔受取手形.
—ゆうよ【支払猶予】名 지급 유예. ☞ モラトリアム.

*__しはら-う__【支払う】5他 지불〔지급〕하다; 치르다. ¶代金を~ 값을 치르다 / 月末に~ 월말에 지급하다.

__しばらく__〖暫く〗副 **1 잠깐. =しばし. ¶今~お待ち下さい 잠깐만 더 기다려 주십시오 / ~前から休んでいます 얼마 전부터 쉬고 있습니다. **2** 오래간만; 당분간; 오랫동안. ¶やあ~だね 참 오랜만일세 / ~でした〔でございます〕 오래간만입니다 / ~ごぶさた致しました 오랫동안 소식 전하지 못했습니다. 参考 名詞적으로도 쓰임. ¶ここ~が山だろう 요 며칠이 고비일 것이다.

しばらくぶり〖暫くぶり〗名 ☞ひさしぶり. ¶~の上天気 오랜만의 쾌청한 날씨 / ~の我が家の味 오랜만에 맛보는 우리 집의 따뜻한 정.

しばりあ-げる【縛り上げる】下1他 꽁꽁 묶다. =くくりあげる. ¶泥棒をつかまえて~ 도둑놈을 잡아서 꽁꽁 묶다.

しばりくび【縛り首】名 **1** 옛날에, 죄인의 두 손을 뒷짐결박하고, 목을 벤 형벌. **2** 교수형(絞首刑).

しばりつ-ける【縛り付ける】下1他 **1** 붙들어 매다; 동여매다. ¶泥棒を木に~ 도둑을 나무에 붙들어 매다. **2** 행동의 자유를 뺏다. ¶義理に~·けられて 의리에 얽매여 / 規則で~ 규칙으로 자유를 구속하다.

__しば-る__【縛る】5他 **1 묶다. ¶薪を~ 장작을 묶다 / 手足を~·られる 손발이 묶이다. **2** 매다; 동이다. ¶ハンカチで傷口を~ 손수건으로 상처를 동이다. **3** 결박하다; 붙들어 매다. ¶賊を柱に~ 도둑을 기둥에 붙들어 매다. **4** 얽어매다; 속박하다. ¶規則に~·られて動きが取れない 규칙에 얽매여 꼼짝 못하다 / 金で自由を~ 돈으로 자유를 구속하다 / 学則で生徒を~ 학칙으로 학생을 속박하다. **5** 붙잡다; 체포하다. ¶犯人を~ 범인을 잡다.

しはん【四半】名 **1**《接頭語적으로》4분의 1. ¶~音 사반음. **2** 정사각형의 돌을 (현관 따위에) 비스듬히 까는 방식. ¶~敷き 정사각형의 돌을 비스듬히 깖. **3** 네모 반듯하게 자른 형겊.
—き【—期】名 4분기. ¶第一~の収支 (제)일 사분기의 수지.
—せいき【—世紀】名 사반세기(《25년간》).

しはん【市販】名ス他 시판. ¶~されている商品 시판되고 있는 상품.
—やく【—薬】名 시판약. ¶~を服用する 시판약을 복용하다.

しはん【示範】名 시범; 모범을 보임. ¶後進の~となる 후진의 시범이 되다.

しはん【師範】名 사범. **1** 사표; 모범. ¶後世の~と仰がれる 후세의 사표로서 추앙받다. **2** (학문·기예를 가르치는) 선생; 스승. ¶剣道の~ 검도 사범. **3** '師範学校(=사범학교)'의 준말. ¶~出の先生 사범학교 출신의 선생.
—だい【—代】名 대리(代理) 사범; 사범을 대신하여 가르치는 사람. ¶~を務める 사범 대리 일을 맡아 하다.

じはん【事犯】名〖法〗사범. ¶経済~ 경제 사범 / 暴力~ 폭력 사범.

*__じばん__【地盤】名 지반. ¶~沈下 지반 침하 / 選挙~ 선거 지반 / ~をかためる 지반을 굳히다 / あの政党は農村に~を持っている 저 정당은 농촌에 지반을 가지고 있다.

ジバン [포 gibão] 名 일본 옷의 안에 입는 속옷. =ジュバン. 注意 '襦袢'으로 쓰은 취음.

ジパング 名〖地〗일본. 参考 일본국의 중국음 ji-pen-kuo가 마르코 폴로에 의해 Zipangu로 전와〔轉訛〕되어 유럽에 소개된 데서.

しひ【私費】名 사비. ¶~で留学する 사비로 유학하다. ↔官費·公費.

しひ【詩碑】名 시비; 시를 새긴 비석. ¶~が建つ 시비가 서다.

しび [鴟尾] 名 치미; 망새; 궁전이나 불전 등 큰 건축물의 용마루 양단에 장치한 물고기 꼬리 모양의 장식.

じひ【自費】名 자비. ¶~出版 자비 출판 / ~で賄う 자비로 조달하다.

じひ【慈悲】名 자비. ¶~を乞う 자비를 청하다 / ~を施す 자비를 베풀다.
—しん【—心】名 자비심; 자애심. ¶~にすがる 자비심에 매달리다.
—ぶか-い【—深い】形 자비심이 깊다; 자비롭다.

じび【耳鼻】名 이비; 귀와 코. ¶~科 이비과 / ~咽喉科 이비인후과.

じビール【地ビール】名 전국적인 규모

의 제품이 아닌, 그 고장에서 만든 맥주《일본은 1994년부터 생산》. ▷네 bier.

シビア [severe] ダナ 시비어; 엄(격)함; 혹독함. ¶～な条件 엄격한 조건 / ～な批評 혹독한 비평.

*じびき【字引】名 1 자전(字典); 옥편《통속적이며 예스러운 말씨》. ＝字書·字典. 2 '辞典(＝사전)'의 속칭. ¶～を引く 사전을 찾다 / ～と首っ引きで原書を読む 사전과 씨름하면서 원서를 읽다.

じびきあみ【地引き網】名 후리; 후릿그물.

しひつ【紙筆】名 지필; 종이와 붓; 또, 문장. ¶～に尽くせない 문장으로 다 표현할 수 없다.

―に上せる 문장으로 써서 나타내다.

じひつ【自筆】名 자필. ＝直筆. ¶～本 자필본 / ～の履歴書 자필 이력서. ↔他筆·代筆.

じひびき【地響き】名 ス自 지축을 흔드는 소리; 땅울림. ＝地鳴り. ¶～を立てて戦車が通る 지축을 흔들며 전차가 지나가다.

しひょう【師表】名 사표. ¶先哲を～として人格を磨く 선철을 사표로 삼아 인격을 연마하다 / 文学の～として仰ぐ 문학의 사표로서 추앙하다.

しひょう【指標】名 지표; (방향을 가리키는) 표지(標識); 표적. ＝めじるし. ¶景気の～ 경기 지표 / 新聞の発行部数は文化の一～だ 신문의 발행 부수는 문화의 한 지표다.

しひょう【死票】名 사표; 낙선자에게 던져진 표. ＝死に票. 參考 의회에 반영되지 않아 헛된 것이 되는 데서.

しびょう【死病】名 사병; 죽을 병. ＝死に病. ¶～に取りつかれる 죽을 병에 걸리다 / 結核はもはや～ではない 결핵은 인제 죽을 병이 아니다 / ガンが～でなくなる日が待たれる 암이 죽을 병이 아닌 날이 (오기를) 기다려진다.

じひょう【時評】名 시평. ¶文芸～ 문예 시평 / 外交問題について～(を)する 외교 문제에 대해서 시평(을)하다.

*じひょう【辞表】名 사표. ＝辞職願い. ¶～を出す 사표를 내다.

じびょう【持病】名 지병. 1 근치되지 않는 만성병; 고질. ¶～の神経痛 지병인 신경통. 2 (비유적으로) 나쁜 버릇; 병. ¶すぐ怒り出すのが彼の～だ 걸핏하면 성내는 것이 그의 지병이다.

しびょうし【四拍子】名〔樂〕4박자.

しびれ『痺れ』名 저림; 마비; 전하여, 기다림에 지침. ¶足の～ 발의 저림.

―を切らす 1 오래 앉아 발이 저리다. 2 기다림에 지쳐서 안절부절못하다. ¶しびれを切らして口をはさむ 참지 못하고 말참견을 하다.

**しび-れる『痺れる』下1自 1 저리다; 마비되다. ¶きちんとすわって足が～ 똑바로 앉아 있어서 발이 저리다 / 電気で～ 감전되어 찌르르하다. 2〈俗〉(강한 매력에) 황홀해지다; 넋을 잃다. ¶ジャズに～ 재즈에 도취하다.

しふ【師父】名 사부. 1 스승과 아버지. ¶～の恩 사부의 은혜. 2 아버지와 같이 경애하는 스승. ¶～と仰ぐ人 사부로 추앙하는 사람.

しぶ【渋】名 1 떫은 맛. 2 ☞かきしぶ. ¶～を引く 감물을 먹이다. 3 물질에서 스며나오는 액체성의 검붉은 앙금. ¶茶～ 차의 앙금 / 水道の～ 수도의 앙금.

しぶ【四分】名 사분; 사 푼; 너 푼.

―おんぷ【―音符】名〔樂〕사분 음표. ＝しぶんおんぷ.

しぶ【市部】名 시부《시제(市制)를 펴고 있는 구역》. ↔郡部.

しぶ【支部】名 지부. ¶～を開設する 지부를 개설하다. ↔本部.

じふ【慈父】名 자부. ¶～のような師 인자한 아버지와 같은 스승. 參考 '父親(＝부친)'의 높임말. ↔慈母.

じふ【自負】名 ス自 자부. ¶一流であると～する 일류라고 자부하다.

―しん【―心】名 자부심. ¶～が強い 자부심이 강하다.

しぶ-い【渋い】形 1 떫다. ¶～味 떫은 맛. 2 (표정이) 떠름하다; 지르퉁하다. ¶～顔 떠름〔떨떠름, 지르퉁〕한 얼굴 / ～返事 떠름한 대답. 3 차분한 멋이 있다; 수수하다; 구성지다. ¶～柄の着物 수수한 무늬의 (일본)옷 / ～声 차분한 목소리 / 若いに似あわず好みが～ 젊은 사람답지 않게 취향이 소박하다. 4 (움직임이) 매끄럽지 못하다. ¶～戸 잘 닫히지 않는 문. 5 인색하다; 다랍다. ¶払いが～ 셈이 짜다 / 金に～ 돈에 쩨쩨하다.

しぶいろ【渋色】名 감물과 같은 적갈색.

しふう【詩風】名 시풍; 시의 기풍.

しぶがき【渋がき】《渋柿》名 떫은 감; 날감. ↔甘がき.

しぶがみ【渋紙】名 배접하여 감물을 먹인 종이《포장지 따위로 씀》.

しぶかわ【渋皮】名 1 (나무·과실 등의) 속껍질. 2 때 벗지 않은 피부·용모.

―がむける (여자 얼굴이나 살결이) 때를 벗고 세련되다; 촌티를 벗다. ¶渋皮がむけた女 때를 벗어 세련된 여인.

しぶき『飛沫』名 비말; 물보라. ¶波の～ 파도의 비말 / ～をあげて飛び込む 물보라를 일으키며 뛰어들다.

しふく【至福】名 지복; 더없는 (행)복; 극히 행복함. ¶～感 지극한 행복감.

しふく【私服】名 사복. 1 (제복이 아닌) 평복. ¶～に着替える 사복으로 갈아입다. ↔官服·制服. 2 '私服刑事'의 준말. ¶要所に～を張り込ませる 요소에 사복 경찰관을 배치시키다.

―けいじ【―刑事】名 사복형사.

しふく【私腹】名 사복; 사욕(私慾).

―を肥やす 사복을 채우다. ¶地位を利用して～政治家は許せない 지위를 이용해서 사복을 채우는 정치가

는 용서할 수 없다.

しぶ-く 『重吹く·繁吹く』 5自 1 물보라 치다; 물방울이 튀다. ¶波が~ 물결치다. 2 비바람이 치다. ¶雨が~なかを駆けつける 비바람이 치는 속을 달려가다 / 雨が~·いてとても歩けない 비바람이 쳐서 도저히 걸을 수 없다.

しぶごのみ【渋好み】图 은근한 멋을 좋아하는 성미·취미. ¶~の服装 (수수하나) 은근한 멋이 있는 복장.

ジプシー [Gypsy] 图 집시; 여기저기 떠돌아다님; 또, 그런 사람. =ボヘミアン. ¶~患者 이 병원 저 병원으로 옮겨 다니는 환자.

しぶしぶ 『渋渋』 副 떨떠름하게; 마지못하여. =不承不承に. ¶~承知する 마지못해 승낙하다.

しぶちゃ【渋茶】图 1 너무 우려져서 맛이 진하고 떫은 차. ¶~を飲む 떫은 차를 마시다. 2 하치 차. ¶~でも, おひとつ 맛없는 차지만, 한 잔 하시지요.

しぶつ【私物】图 사물; 개인 소유의 물건. ¶会社の備品を~化しないでください 회사 비품을 사물화하지 말아주세요. ↔官物.

*じぶつ【事物】图 사물《한문투의 말씨》. ¶具体的な~につき詳しく考察する 구체적인 사물에 대해 상세히 고찰하다. 参考 'ものごと'가 일(事)에 중점을 둠에 비해, '事物'는 물건(物)에 중점이 있음.

しぶっつら【渋っ面】图 우거지상; (못마땅하여) 잔뜩 찌푸린 얼굴; 지르퉁한 얼굴. =しぶつら.

ジフテリア [라 diphtheria] 图〔醫〕디프테리아.

シフト [shift] 시프트. 图 1 위치나 상태·태세 등의 이동·변경. ¶~レバー (자동차의) 변속 레버 / 夜勤に~する 야근 체제로 변경하다. 2 (구기·권투에서) 선수가 위치를 바꾸는 일; 특히, 야구에서 특정 타자에 대비한 변형 수비. ¶バント~ 번트에 대비한 변형 수비.

——キー [shift key] 图〔컴〕시프트 키; 입력 장치에 있는 키의 하나《대문자·소문자를 서로 바꿀 때나, 기호를 누를 때 사용함》.

しぶと-い 形 고집이 세다; 완고하다; 끈질기다; 강인하다. ¶~人間だ 고집이 센 인간이다.

しぶみ【渋み】图 떫음; 떫은 느낌. ⇒渋味.

しぶみ【渋味】图 1 떫은 맛. ¶~が少ない 떫은 맛이 적다. ⇒渋み. 2 (화려하진 않으나) 은근한 멋; 점잖고 고상함. ¶~のある洋服 점잖고 고상한 양복.

しぶり 『仕振り』 图 (일을)하는 모양; 하는 짓. ¶仕事の~ 일을 하는 모양 / ~が憎い 하는 짓이 밉다.

しぶりばら【渋り腹】图 무지근한 배.

*しぶ-る【渋る】一 5自 1 난삽하다; 원활하게 진행되지 않다. =とどこおる. ¶筆が~ 붓이 술술 나가지 않다 / 売行きが~ 팔림새가 시원치 않다 / 戸が~ 문이 잘 여닫히지 않다 / 交渉が~ 교섭이 잘 진척되지 않다. 2 (배가) 무지근해지다. ¶腹が~ 배가 무지근해지다 / 大便が~ 변이 잘 안 나오다.
二 5他 주저주저하다; 꺼리다. =ためらう. ¶承諾〔支払い〕を~ 승낙〔지급〕하길 꺼리다. 注意 動詞의 連用形에 연속시키는 일도 많음. ¶金を出し~ 돈을 선선히 내놓으려고 하지 않다.

しぶん【四分】图ス自他 사분.

——おんぷ【——音符】图〔樂〕☞しぶおんぷ.

——ごれつ【——五裂】图ス自 사분오열. ¶~の状態 사분오열의 상태.

しぶん【死文】图 사문. ¶~と化した法律 사문화한 법률.

じぶん【時分】图 1 때; 쯤; 무렵; 당시. ¶去年の今~ 작년 이맘때 / 若い~はよく勉強した 젊었을 때는 열심히 공부했다. 2 적당한 때; 시기(時機). ¶~はよし 시기는 좋다 / ~をうかがう 때를 엿보다.

——がら【——柄】图副 '시기로 보아·때가 때니만큼'의 뜻; 현재의 상황(으로 보아). ¶~ご自愛ください 때가 때이니만큼 자애하시기 바랍니다.

**じぶん【自分】一图 자기; 자신; 스스로. ¶~が言ったくせに 자기가 말한 주제에 / ~でもおかしいと思った 스스로도 이상하다고 생각하였다 / ~のことは~でせよ 자기 일은 자기가 하여라.
二代 나; 저. ¶~の責任であります 저의 책임입니다 / ~は二等兵であります 저는 이등병입니다. 参考 구(舊) 군대에서 많이 쓰였음.

——かって 『——勝手』 ダナ 제멋대로 함. ¶~なふるまい 제멋대로의 행동. 注意 'じぶんがって'라고도 함.

——じしん【——自身】图 자기 자신. ¶~で考えよ 자기 자신이 생각해 봐라.

——もち【——持ち】图 자기 부담. =自弁. ¶酒代は~となります 술값은 각자 부담이 되겠습니다.

しぶんしょ【私文書】图 사문서. ¶~偽造 사문서 위조. ↔公文書.

しへい【私兵】图 사병. ¶~を養う 사병을 기르다 / ~化する 사병화하다.

*しへい【紙幣】图 지폐. =さつ. ¶万円~ 만 엔 지폐. ↔硬貨·正金.

じへいしょう【自閉症】图〔醫〕자폐증.

じべた【地べた】图 〈口〉 땅바닥; 지면. =じびた·地面. ¶~に腰を下ろす 땅바닥에 앉다.

しべつ【死別】图ス自 사별. =死に別れ. ¶両親に~した 양친과 사별하였다. ↔生別.

しへん【四辺】图 사변. 1 주위; 근처; 근방. 2 사방; 사방의 변두리. ¶~をうかがう 사방을 살피다.

しへん【紙片】图 지편; 종잇조각. =かみきれ.

しべん【支弁】图ス他 〈文〉 지변; 처리함; (돈을) 지불함. ¶経費を~する 경비를 지불하다 / 公費を以って日当を~

せざるべからず 공비로 일당을 지불하지 않으면 안된다〔지변해야 한다〕.

しべん【至便】[名ナ] 지편; 아주 편리함. ¶交通～の地 교통이 아주 편리한 곳.

じへん【事変】[名] 사변. **1** 비정상적 사건; 또, 경찰력으로 진압할 수 없는 혼란·소란. ¶不測の～ 예측할 수 없는 사변. **2** 선전 포고 없는 전쟁 행위. ¶満州～ 만주 사변.

じべん【自弁】[名][ス他] 자변; 자담(自擔). ＝自分持ち. ¶～で出張する 본인 부담으로 출장가다 / 交通費は～のこと 교통비는 자기가 부담할 것.

しほ【試補】[名] 시보. ¶司法官～ 사법관 시보. ↔本官.

しぼ【思慕】[名][ス他] 사모. ¶～の念 사모하는 마음 / 先生を～する 선생님을 사모하다 / 亡き母に対する～の情 돌아가신 어머니에 대한 사모의 정.

じぼ【字母】[名] 자모. **1** 철음(綴音)의 근본이 되는 글자의 하나하나. **2** 활자의 모형(母型). ¶～をつくる 자모를 만들다.

じぼ【慈母】[名] 자모; 인자한 어머니. ¶～の慈しみを受けて育つ 자모의 사랑을 받고 자라다. ↔慈父.

しほう【司法】[名] 사법. ¶～機関 사법 기관 / ～修習生 사법 연수생. ↔立法·行政.

—かん【—官】[名] 사법관; 재판관. [参考] 검찰관도 포함해서 말하기도 함.

—けん【—権】[名] 사법권. ↔立法権·行政権.

—しょし【—書士】[名] 법무사《司法代書人의 고친 이름》.

しほう【私法】[名] 사법《민법·상법 따위》. ¶国際～を専攻する 국제 사법을 전공하다. ↔公法.

*しほう【四方】[名] 사방; 동서남북; 전하여, 주위; 모든 방면; 천하. ¶十マイル～ 사방 10마일 / ～に適材を求める 천하에 인재를 구하다 / ～を山で囲まれる 사방이 산으로 둘러싸이다 / ～に号令する 천하를 호령하다.

—はい【—拝】[名] 1월 1일 아침에 일본 궁중에서 행해지는 의식《본디, 일본 사대절(四大節)의 하나》.

—はっぽう【—八方】[名] 사방팔방. ¶～に連絡する 사방팔방으로 연락하다.

しほう【至宝】[名] 지보. ¶彼は我が社の～だ 그는 우리 회사의 보배이다.

しぼう【子房】[名]〖植〗자방; 씨방. ¶～が受精して果実となる 자방이 수정하여 과실이 된다.

*しぼう【志望】[名][ス他] 지망. ¶～者 지망자 / 進学〔作家〕を～する 진학을〔작가를〕 지망하다.

*しぼう【死亡】[名][ス自] 사망. ¶～届 사망 신고 / 交通事故で～する 교통사고로 사망하다.

—しゃ【—者】[名] 사망자. ¶この事故で多数の～を出した 이 사고로 다수의 사망자를 냈다.

—しんだんしょ【—診断書】[名] 사망 진단서.

**しぼう【脂肪】[名] 지방. ¶～過多症 지방 과다증 / ～組織 지방 조직.

—ぶとり【—太り】[名] 몹시 뚱뚱한 비대 현상. ＝脂太り.

—ゆ【—油】[名]〖化〗지방유.

じほう【時報】[名] 시보. **1** 시각을 알리는 일. ¶正午の～ 정오의 시보 / ラジオの～に合わせる 라디오의 시보에 맞추다. **2** (업계 등의) 그때그때의 정보를 알리는 신문·잡지 따위. ¶株式～を発行する 주식 시보를 발행하다.

じぼうじき【自暴自棄】[名] 자포자기. ＝やけ. ¶失恋して～になる 실연해서 자포자기가 되다.

しぼ-む〖凋む·萎む〗[5自] **1** 시들다. ¶花が～ 꽃이 시들다 / 希望が～ 희망이 사그라지다. **2** 오므라지다. ¶風船が～ 풍선이 오므라들다.

しぼり【絞り】[名] **1**《搾り로도》(쥐어) 짬. ¶～かす 짜고 남은 찌꺼기. **2** 'しぼりぞめ'의 준말. ¶～のゆかた 홀치기 염색을 한 ゆかた. **3**『お～』물수건. **4**〖寫〗조리개. ¶～を合わせる 조리개를 맞추다.

しぼりあ-げる【絞り上げる】[下1他] **1** 짜내다. ㉠바짝 짜다. ¶油を～ 기름을 다 짜내다. ㉡(금품·힘 따위를) 억지로 우려내다. ¶金を～ 돈을 우려내다 / 声を～ 목소리를 짜내다. **2** 진땀 빼게 하다; 몹시 꾸짖다〔혼내다〕. ¶いたずらっ子を～ 장난꾸러기 아이를 몹시 꾸짖다. [注意] 1은 '搾り上げる'로도 씀.

しぼりかす【絞りかす·搾りかす】《絞り滓·搾り滓》[名] 짜고 남은 찌꺼기. ¶酒の～ 술찌끼; 재강.

しぼりぞめ【絞り染め】[名] 홀치기 염색.

しぼりだし【絞り出し·搾り出し】[名] (치약·약·접착제 등이 든) 튜브. ＝チューブ. ¶～の歯磨き 튜브 치약.

しぼりだ-す【絞り出す·搾り出す】[5他] **1** (액체 등을) 짜내다. ¶絵の具を～ 그림물감을 짜내다. **2** (비유적으로) 생각·소리 등을 짜내다. ¶ない知恵を～ 없는 지혜를 짜내다 / のどの奥から～·したような声 목구멍 속에서 짜내는 듯한 목소리.

しぼりと-る【絞り取る·搾り取る】[5他] **1** (수분 등을) 짜내다. ¶油を～ 기름을 짜내다. **2** (금품을) 억지로 우려내다; 착취하다. ＝絞り上げる. ¶税金を～ 세금을 짜내다 / なけなしの金を～ 없는 돈을 우려 내다.

しぼ-る【絞る】[5他] **1《搾る로도》(쥐어) 짜다. ㉠물기를 빼다. ¶～ような汗 쥐어 짜듯이 줄줄 흐르는 땀 / タオルを～ 수건을 짜다 / 水けが無くなるまで～ 물기가 없어질 때까지 (쥐어) 짜다 / 雨で着物が～ようにぬれる 비로 옷이 쥐어짤 정도로 흠뻑 젖다 / そでを～ 소맷자락을 쥐어짜다《눈물을 몹시 흘리다》. ㉡채액(採液)하다. ¶りんごの汁(しる)を～ 사과즙을 짜다 / 油(あぶら)を～ 기름을 짜다《(a)기름을 채취하다; (b)몹시 야단치다》. **2** (무리하게) 짜서 나오게 하다. ¶知恵(ちえ)〔頭(あたま)〕を～ 지혜〔머리〕를 짜내다 / のどを～·って声(こえ)を出(だ)す 목청껏 큰소리를 내다. **3** 좁히다. ㉠조르다; 죄다. ¶レンズをF8(エフはち)に～ 렌즈를 F8로 조르다 / ラジオのボリュームを～ 라디오 볼륨을 줄이다. ㉡압축하다. ¶捜査範囲(そうさはんい)を～ 수사 범위를 좁히다 / 論点(ろんてん)を～ 논점을 좁히다. **4**《搾る로도》 착취하다. ¶その女(おんな)に稼(かせ)ぎをすっかり～·られた 그 여자에게 번 돈을 몽땅 털렸다. **5** 호되게 혼내다; 야단치다. ¶先生(せんせい)に～·られる 선생님에게 호되게 야단맞다 / こってり～·られる (a)되게 주의를 받다; 몹시 야단 맞다; (b)호된 수업〔훈련〕을 받다.

⁑**しぼ-る【搾る】** 5他 **1** (세게 누르거나 하여) 짜(내)다. ¶乳(ちち)を～ 젖을 짜다. **2** 무리하게 거두다; 착취하다. ¶税金(ぜいきん)を～ 세금을 (들이) 짜내다.

⁑**しほん【資本】** 名 자본. ¶～家(か) 자본가 / ～金(きん) 자본금 / ～の蓄積(ちくせき) 자본의 축적 / ～を投(とう)じる 자본을 투입하다.

―しじょう【―市場】 名 자본 시장. ¶～の育成(いくせい)を急(いそ)ぐ 자본 시장의 육성을 서두르다.

―しゅぎ【―主義】 名 자본주의. ↔社会主義(しゃかいしゅぎ)·共産主義(きょうさんしゅぎ).

⁑**しま【島】** 名 **1** 섬. **2** 어떤 한정된 지역《유곽 지대나 깡패의 세력 범위 따위》. ＝界隈(かいわい)·縄張(なわば)り. ¶この～はよその者(もの)には渡(わた)せない 이 구역은 타관 사람에겐 넘길 수 없다. **3**『取(と)り付(つ)く～もない』 의지할 데도 없다.

*__しま【縞】__ 名 줄무늬. ¶～のある布地(ぬのじ) 줄무늬가 있는 천 / 腹(はら)に～のある魚(うお) 배에 줄무늬가 있는 물고기.

しまい【仕舞い】《終い》 名 **1** 끝. ㉠최후; 마지막. ¶映画(えいが)を～まで見(み)る 영화를 끝까지 보다 / ～には飽(あ)きが来(く)る 마지막에는 싫증이 나다. ㉡파함; 끝맺음. ¶～を付(つ)ける 결말을 짓다; 처리하다 / 今日(きょう)の勉強(べんきょう)はこれでお～です 오늘 공부는 이것으로 끝입니다. **2** 매진. ＝売(う)り切(き)れ·品切(しなぎ)れ. ¶白菜(はくさい)は今日(きょう)は(お)～になりました 배추는 오늘은 다 팔렸습니다.

―みせ【―店】 名 투매품을 파는 가게; 또, 고물상.

―ゆ【―湯】 名 (다른 사람이 다 하고 난 뒤에 하는) 그 날의 마지막 목욕. ＝しまいぶろ.

*__しまい【姉妹】__ 名 자매. ¶～編(へん)〔校(こう)〕 자매편〔학교〕 / 兄弟(きょうだい)～ 형제 자매 / ～会社(がいしゃ) 자매 회사.

―とし【―都市】 名 자매(결연을 한) 도시.

＝じまい【仕舞い】《終い》 **1**《動詞에 否定의 'ず'를 붙여서 '…ず～'의 꼴로》 결국 …안 하고 맒. ¶行(い)かず～ 가지 않고 말았음〔맒〕 / 見(み)ず～ 안 보고 맒 / 買(か)わず～ 안 사고 말았음〔맒〕. **2** 끝냄. ¶店(みせ)～ (그날의) 가게를 드림 / 早(はや)～ 일찍 일을 끝냄; 가게를 일찍 드림.

しまいこ-む【仕舞い込む】 5他 깊이 간직하다. ¶金庫(きんこ)に～ 금고에 잘 보관하다 / 思(おも)いを胸(むね)のうちに～ 그리움을 가슴 속에 간직하다.

⁑**しま-う【仕舞う】**《終う》 ㊀5自 파하다; 끝나다. ¶仕事(しごと)が～·って帰(かえ)る 일이 끝나서 돌아가다〔돌아오다〕.

㊁5他 **1** 끝내다. ㉠마치다; 파하다. ¶仕事(しごと)を～ 일을 파하다 / 食事(しょくじ)を～·って茶(ちゃ)を飲(の)む 식사를 마치고 차를 마시다. ㉡(가게 따위를) 닫다. ¶店(みせ)を～ 가게를 닫다《(a)그날의 영업을 끝내다; (b)폐업하다》. **2** 치우다; 챙기다. ¶道具(どうぐ)を～ 연모를 치우다. **3** 안에 넣다; 간수하다. ¶着物(きもの)をたんすに～ 옷을 옷장에 넣다 / 大切(たいせつ)に～·っておく 잘 간수해 두다. **4** ㉠…해 버리다; …하고 말다. ¶行(い)って～ 가 버리다 / 死(し)んで～·えばそれまでだ 죽어 버리면 그뿐이다 / 忘(わす)れて～ 잊어 버리고 말다 / 盗(ぬす)まれて～·った 도둑맞고 말았다 / 見(み)られて～·った 들키고 말았다. ㉡동작이나 상태의 강조 표현으로 쓰임: 몹시 …하다; 완전히 …해 버리다. ¶あきれて～ 어안이 벙벙해지다 / あわてて～ (완전히) 당황해 버리다. 参考 口語로는 '…てしまう'를 '…ちまう·ちゃう'라고도 함.

じまう 連語 〈俗〉 '飛(と)んでしまう(＝날아가버리다)·死(し)んでしまう(＝죽어 버리다)' 따위의 'でしまう'의 준말. ¶読(よ)ん〔飲(の)ん〕～ 읽어〔마셔〕 버리다 / 死(し)ん〔転(ころ)ん〕～ 죽어〔자빠져〕 버리다.

しまうま【縞馬】 名 얼룩말. ＝ゼブラ.

じまえ【自前】 名 자기〔각자〕 부담. ＝自分持(じぶんも)ち. ¶昼食代(ちゅうしょくだい)は～ 점심값은 자기 부담 / ～でまかなう 자기 부담으로 마련하다.

しまかげ【島陰】 名 섬에 가려서 보이지 않는 곳; 섬 저쪽. ¶船(ふね)が～にはいってこちらから見(み)えない 배가 섬 저쪽으로 들어가서 이쪽에서는 보이지 않는다.

しまかげ【島影】 名 섬 그림자; (아련히 보이는) 섬의 모습. ¶～を認(みと)める 섬의 모습을 확인하다.

しまがら【しま柄】《縞柄》 名 (옷감 따위의) 줄무늬.

じまく【字幕】 名 〔映〕 자막. ＝タイトル.

しまぐに【島国】 名 섬나라. ¶～生(う)まれ 섬나라 태생.

―こんじょう【―根性】 名 섬나라 근성《시야가 좁고 포용력이 적은 반면, 단결성·독립성이 강하고 배타적인 섬나라 사람들의 일반적 기질》.

―てき【―的】 ダナ 섬나라적; 옹졸하고 너그럽지 못한 모양. ↔大陸的(たいりくてき).

しまじま【島島】 名 많은 섬; 이 섬 저 섬; 섬마다.

しまそだち【島育ち】 名 섬에서 자람; 또, 그 사람.

しまだ【島田】名 '島田まげ'의 준말.

[島田髷]

――まげ〘――髷〙名 여자 머리 모양의 하나《주로 처녀 때나 결혼식 때에 틀어 올림》.

**しまつ【始末】一名 1 (나쁜 결과로서의) 사정; 모양; 형편; 꼴. ¶何しろあの~だ 보다시피 저 꼴이다/人に哀れを請う~だ 남에게 동정을 구하는 형편이다/何をさせてもあの~だ 무엇을 시켜도 저 모양이다. 2 (일의) 전말; 자초지종. ¶事の~を語る〔述べる〕 일의 자초지종을 이야기하다.

二名 ス他 1 일의 매듭; (뒤)처리; 처치; 정리. ¶~をつける (일의) 끝매듭을 짓다/~に負えない〔の悪い〕子供 (못되어서) 어떻게 해 볼 도리가 없는〔몹시 애먹이는〕 아이. 2 절약; 검약. ¶~の良い 알뜰한; 빈틈없는; 조심성 있는/なんでも~して使う人 무엇이나 절약해서 쓰는 사람.

――しょ【――書】名 시말서; 전말서. ¶~をとる 시말서를 받다.

――や【――屋】名 절약가; 검소한 사람. =しまりや.

しまった 一感 실패하여 몹시 분해할 때 내는 말: 아차; 아뿔싸; 큰일났다. ¶~, さいふをすられた 아차, 지갑을 소매치기 당했다/~, もう五時だ 야단났군, 벌써 5시야. ↔しめた.

二連体 모르는 사이에 저지른 실패. ¶~ことをした 아차하는 실수를 저질렀다《뉘우칠 일을 하였다》.

しまづたい【島伝い】名 섬에서 섬으로 옮겨감; 섬을 따라 감. ¶~に北上する 섬을 따라 북상하다.

しまながし【島流し】名ス他 1 유형(流刑); 유배; 유적(流謫). =流罪·遠島. 2 비유적으로, 벽지로 좌천시킴. ¶地方の支店へ~になる 지방 지점으로 좌천되다.

しまね【島根】名〖地〗中国 지방 서북부의 현《현청 소재지는 松江》.

*しまびと【島人】名 섬 사람; 섬 주민.

しまもの【しま物】《縞物》名 줄무늬가 있는 직물. =しま織物. 「사람.

しまもり【島守】名 섬지기; 섬을 지키는

しまらな-い【締まらない】形〈俗〉시르죽다; 맺힌 데가 없다. ¶~顔 시르죽은 얼굴/~話だ 시답잖은 얘기야.

しまり【締まり】名 1 꼭 죄임. ¶~のわるいねじ 잘 죄이지 않는 나사. 2 긴장; 야무짐. ¶~のない顔 야무진 데가 없는 얼굴/行動に~がない 행동에 맺힌 데가 없다《칠칠치 못하다》. 3 감독; 단속. 4 절약; 검약; 낭비하지 않음. ¶彼は~のよい人だ 그는 낭비를 하지 않는 사람이다. 5《閉まり》문단속. =戸じまり. ¶~をしてから寝る 문단속을 하고 자다. 6 끝맺음; 종결. ¶~をつける 종결을 짓다.

しまりや【締まり屋】名 절약가; 또, 인색한 사람. ¶彼は前から~で通っている 그는 이전부터 절약하는〔인색한〕 사람으로 알려져 있다.

しま-る【閉まる】5自 꼭 닫히다. ↔ひらく·あく. ¶銀行は四時で~ 은행은 4시에 문을 닫는다.

**しま-る【絞まる】5自 (끈 따위로) 단단히 졸라지다. ¶首が~·って苦しい 목이 조여서 답답하다.

**しま-る【締まる】5自 1 단단하게 죄이다; 단단히 매어지다. ¶帯が~ 띠가 꼭 죄어지다/ねじが~·って動かない 나사가 꼭 죄여서 움직이지 않다/襟のあきが小さくて首が~ 깃이 꼭 끼여서 목이 죄이다. 2 느즈러져 있지 않다; 긴장하다; 야무지다. ¶~·った顔 (a) 야무진 얼굴; (b) 긴장된 얼굴/スポーツで鍛えた~·った体 운동으로 단련된 단단한 몸. ↔だらける. 3 절약하다; 알뜰하다; 인색하다. ¶収入がへったので~·らざるをえない 수입이 줄어서 절약하지 않을 수 없다/彼はなかなか~·っている 그는 어지간히 인색하다. ⇔ゆるむ. 4《閉まる로도》 닫히다; 잠기다. ¶戸が~ 문이 닫히다/栓が~·っている (a) 고동이 잠겨 있다; (b) 마개가 되어 있다. ↔ひらく·あく. 5 품행이 좋아지다; 착실해지다. ¶~·った人 건실한 사람.

じまわり【地回り】《地廻り》名 1 가까운 시골에서 보내오는 일; 또, 그 물품. ¶~米 근방에서 보내온 쌀. 2 늘 도시 근교를 돌아다님; 또, 그런 (돌팔이) 상인; 도시 근교를 돌아다니며 물건을 파는 상인. 3〈俗〉번화가를 배회하는 깡패·불량배.

**じまん【自慢】名ス他 자랑. ¶腕~ 솜씨 자랑/のど~ 노래 자랑/~話 자랑하는 이야기/~顔 자랑하는 듯한 얼굴; 난 체하는 얼굴/お国~ 고향 자랑/家柄を~する 자기 집안〔가문〕 자랑을 하다.

――たらし-い 形 너무 자랑하는〔뽐내는〕 것 같다. ¶~口ぶり 너무 자랑하는 듯한 말투/~·くて嫌だ 너무 뽐내는 것 같아서 싫다.

*しみ【染み】名 1 액체가 배어서 더러워짐; 물듦; 그 얼룩. ¶インクの~ 잉크의 얼룩/~がつく 얼룩지다. 2 (노인의 피부에 생기는) 검버섯; 기미.

しみ〘凍み〙名 1 어는 일; 얼음. ¶~豆腐 언 두부. 2 영하의 기온. ¶~が強い〔ひどい〕 한기가 지독하다.

しみ〘衣魚·紙魚·蠹魚〙名 반대좀; 좀. =衣魚虫.

*じみ〘地味〙名ダナ (빛깔이나 모양이 화려하지 않고) 수수함; 검소함. ¶~な色 수수한 색/~な着物 수수한〔검소한〕 옷/~に暮らす 검소하게 살다; 조용히 살다. ↔はで.

じみ【滋味】名 1 (숨은) 깊은 맛〔인상〕.

¶～豊かなる作品 깊은 맛이 풍부한 작품. **2** 좋은 맛; 또, 자양이 많은 음식. ¶～に乏しい 맛이 없다; 자양이 없다.

シミーズ 图 ☞シュミーズ.

しみい-る【染み入る】5自 〈雅〉 스며들다; 배어들다; 결다. ＝しみこむ. ¶目に～ような海の青さ 눈에 스며드는 듯한 바다의 푸른빛.

***しみこ-む**【染み込む】5自 깊이 스며들다; 배어들다. ¶水が壁の裏まで～ 물이 벽 안까지 스며들다 / 靴の中に水が～·んでくる 신 속에 물이 배어들다 / その言葉は私の心に～·んだ 그 말은 내 마음속에 깊이 스며들었다.

***しみじみ**〖染染·沁沁〗副 **1** 마음속에 깊이 느끼는 모양. ㉠진실로; 통절히; 절실히. ¶自分のやっている事が～(と)嫌になった 자기가 하고 있는 일이 정말 싫어졌다 / ご意見は～胸にこたえます 당신의 충언은 깊이 제 마음을 찌릅니다 / ～と喜びを味わう 마음속 깊이 기쁨을 맛보다. ㉡곰곰이; 진지하게. ¶～考える 곰곰 생각하다 / ～(と)思い出す 곰곰이 회상하다. **2** 조용하고 침착한 모양: 차근차근; 차분히. ＝しんみり. ¶～言い聞かす 차근차근〔차분히〕 타이르다 / ～(と)語り合う 차분히 이야기를 나누다.

しみず【清水】图 (샘솟는) 맑은 물.

じみち【地道】图ダナ 견실한 방법; (모험을 하지 않고) 착실히 나아가는 태도. ¶～な人 착실한 사람 / ～な研究 충실한 연구 / ～に稼ぐ〔暮らす〕 착실하게 벌다〔살아가다〕.

しみつ-く【染み付く】5自 **1** 얼룩이 지다; 찌들다. ¶よごれが襟に～·いて取れない 때가 옷깃에 찌들어서 빠지지 않는다 / 汗が～ 땀으로 얼룩지다. **2** 물들다; 젖어 들다; 배어들다. ¶都会の悪風が～ 도회지의 악풍이 물들다 / 貧乏性が～ 가난뱅이 근성이 배어들다 / タバコのにおいが～·いた 담배 냄새가 배었다.

しみったれ 图ダナ 〈俗〉 단작스러움; 인색함; 또, 그런 사람; 노랑이; 구두쇠. ¶小金ができたら～になった 돈이 좀 생기니까 노랑이가 되었다.

しみった-れる 下1自 〈俗〉 몹시 인색〔쩨쩨〕하게 굴다. ¶出すべき金も～ 내야 할 돈도 잘 내놓지 않다 / ～·れたことを言うな 쩨쩨한 소리 하지 마라.

しみで-る【染み出る】《滲み出る》 下1自 (겉으로) 배어 나오다; 스며 나오다. ¶包み紙を通して油が～ 포장지를 통하여 기름이 배어 나오다.

しみとお-る【染みとおる】《染み透る》 5自 **1** 속속들이 스며들다; 깊이 배어들다. ＝染みこむ. ¶寒さが骨の髄まで～ 추위가 뼛속까지 스며들다 / 汗が上着まで～·った 땀이 겉옷까지 배어들었다. **2** 깊이 느끼다. ¶心に～ 마음속 깊이 느끼다.

しみぬき【染み抜き】图ス他 얼룩을 뺌. ¶ズボンの～ 바지의 얼룩빼기.

しみゃく【支脈】图 지맥. ↔主脈.

シミュレーション [simulation] 图 시뮬레이션; 시스템이나 현상(現象)을 모형화하여, 컴퓨터 속에 비슷한 모델을 만들어 내는 일; 모의 실험.

****し-みる**【染みる】《滲みる》 上1自 **1** 스며들다. ㉠배다; 번지다. ¶紙にインクが～ 종이에 잉크가 번지다 / 油のにおいが着物に～ 기름 냄새가 옷에 배다. ㉡(얼얼하게) 자극하다. ¶薬が傷に～ 약이 상처에 스며들다 / 煙が目に～ 연기가 눈에 스며 따갑다. ㉢사무치다; 깊이 느끼다. ¶親切が身に～ 친절이 몸에 사무치다 / 寒さが身に～ 추위가 몸에 스며들다. **2** 물들다; 젖다. ¶悪習に～ 악습에 물들다.

し-みる〖凍みる〗 上1自 얼어붙다; 얼어붙을 정도로 차다. ¶今日はたいそう～なあ 오늘은 날씨가 되게 찬 걸.

＝じ-みる〖染みる〗《名詞에 붙어서 上一段活用의 動詞를 만듦》 **1** 배다; 끼다; 묻다. ¶汗～ 땀이 배다 / あか～ 때가 끼다. **2** …같아 보이다; …처럼 되다. ¶年寄り～ 늙은이 같아 보이다 / きちがい～ 미친 사람 같다.

しみわた-る【染み渡る】5自 스며들어 번지다. ¶心に～わびしさ 마음속에 스며드는 외로움.

***しみん**【市民】图 시민. ¶ソウル～ 서울 시민 / ～大会 시민 대회.

―かくめい【―革命】图 시민 혁명.

―けん【―権】图 시민권. ¶～を取る 시민권을 얻다〔취득하다〕.

―のうえん【―農園】图 도시 주민이 여가 활동으로 작물을 재배할 수 있도록 하기 위해 만들어진 농원.

****じむ**【事務】图 사무. ¶～用品 사무 용품 / ～をとる 사무를 보다.

―いん【―員】图 사무원. ¶学校の～ 학교 사무원.

―きょく【―局】图 사무국. ¶本会に～を置く 본회에 사무국을 두다.

―じかん【―次官】图 사무 차관《省(＝부)의 사무 처리의 최고 책임자로 大臣(＝장관)을 보좌함》. ↔政務次官.

―しょ【―所】图 사무소. ¶現場～ 「현장 사무소.

―てき【―的】ダナ 사무적. ¶～な処理 사무적인 처리 / ～な応対 사무적인 응대. ⇨せいじてき.

―とりあつかい【―取扱】图 서리(署理). ¶校長～ 교장 서리.

―や【―屋】图 사무가; 사무 계통에 종사하는 사람의 속칭. ↔技術屋.

ジム 图 짐《'ジムナジウム'의 준말》; 체육관; 도장. ¶ボクシング～ 복싱 도장.

***しむ-ける**【仕向ける】 下1他 **1** (특정한 태도로) 대하다. ¶親切に～ 친절하게 대하다 / 意地悪く～ 짓궂게 대하다. **2** (…하도록) 만들다; …하게 하다. ¶勉

強するように～ (자진해서) 공부하게 만들다/わざと怒るように～ 일부러 화나게 만들다. **3** (…앞으로) 발송하다; 보내다. ¶品物を注文先に～ 물품을 주문처에 발송하다.

じむし【地虫】图〔蟲〕**1** 풍뎅이나 딱정벌레 따위의 유충. ＝ねきりむし. **2** 땅속에 사는 벌레의 총칭.

しめ【締め】图 **1** 죔; 조름. **2** (금전 따위의) 합계; 총계. ¶今日までの～はいくらになりますか 오늘까지의 합계는 얼마나 됩니까. **3** (편지 봉투의) 봉함표 (《'〆'표》).

***しめい**【使命】图 사명. ¶～を全うする 사명을 다하다/～を果たして帰る 사명을 다하고 돌아오다/～を帯びて行く 사명을 띠고 가다.

―かん【―感】图 사명감. ¶～に燃える〔駆られる〕 사명감에 불타다〔사로잡히다〕.

***しめい**【氏名】图 씨명; 성명. ＝姓名. ¶～を名乗る 자기 성명을 대다/住所～を書く 주소 성명을 쓰다.

***しめい**【指名】图ス他 지명. ＝なざし. ¶～投票〔解雇〕 지명 투표〔해고〕/～を受ける 지명을 받다/委員に～される 위원에 지명되다.

―だしゃ【―打者】图〔野〕 지명 타자.

―てはい【―手配】图ス他 지명 수배.

じめい【自明】名ナ 자명. ¶～なこと 자명한 일/～の理 자명한 이치.

しめかざり【しめ飾り】《注連飾り·七五三飾り》图 설을 맞아 문 따위에 금줄을 쳐, 장식함; 또, 그 장식. ¶家の門に～をする 집의 문에 금줄을 치다.

しめがね【締め金】图 (띠·혁대 따위의 한쪽 끝에 단) 죔쇠; 버클. ＝尾錠. ¶ベルトの～を緩める 혁대의 버클을 느슨히 하다.

⁑**しめきり**【締め切り·締切】《〆切》图 **1** 마감; 마감 날짜. ¶募集の～の日 모집 마감날/～日に申し込む 마감날에 신청하다/～が迫る 마감 날이 다가오다. **2** 《閉め切り로도》 (문 따위가) 늘 닫혀 있음. ¶～の窓 언제나 꼭 닫혀 있는 창문.

⁑**しめき-る**【閉め切る】5他 꼭 닫다; 닫아 둔 채로 두다. ¶戸を～ 문을 꼭 닫다〔닫아두다〕/あの家は窓をいつも～·っている 저 집은 늘 창문을 꼭 닫아두고 있다.

⁑**しめき-る**【締め切る】5他 **1** 《閉め切る로도》 ㉠전부 닫아 두다; 완전히 닫다. ㉡오랫 동안 꽉 닫아 둔 채로 두다. **2** 《〆切る로도》 마감하다. ¶生徒の募集を～ 학생 모집을 마감하다/今日の受け付けはもう～·りました 오늘의 접수는 벌써 마감했습니다.

しめくくり【締めくくり】《締め括り》图 아퀴; 결말; 매듭. ¶論文の～をつける 논문의 매듭을 짓다/～がつかない 결말이 안 나다.

***しめくく-る**【締めくくる】《締め括る》5他 **1** 꼭 묶다; 단단히 동여매다. **2** 단속하다; 감독하다. ¶若い連中を～ 젊은 패들을 단속하다. **3** 매듭짓다; 결말짓다. ＝まとめる. ¶会議を～ 회의를 매듭짓다/話の内容を短く～ 이야기 내용을 간단히 간추리다.

しめころ-す【絞め殺す】5他 목 졸라 죽이다. ¶鶏を～ 닭을 목 졸라 죽이다/ひもで～·される 끈으로 목졸려 죽다.

しめさば〖締鯖〗图 고등어를 크게 두 조각으로 내어 소금과 식초로 간한 것.

しめし【示し】图 **1** 교시(教示); 계시(啓示). ＝さとし. ¶神のお～ 하느님의 계시. **2** 모범; 본보기. ＝みせしめ.

―がつかない 좋은 본보기가 못되다; 나쁜 선례가 되다. ¶こんなことを許して置いては～ 이런 일을 용서해 두어서는 좋은 본보기가 못 된다.

しめしあわ-せる【示し合わせる】下1他 **1** 서로 미리 짜다. ¶二人は～·せて家出した 두 사람은 미리 짜고 집을 나갔다. **2** 눈짓으로 서로 알리다. ¶刑事は目と目で～·せて犯人に飛びかかった 형사들은 서로 눈짓을 하고 범인을 덮쳤다.

しめしめ 感 ☞しめた. ¶～, うまくいったぞ 됐다, 일이 (아주) 잘 됐어.

じめじめ 副ス自 **1** 습기가 많은 모양: 축축; 질퍽질퍽. ¶～した土地 질퍽질퍽한 땅/つゆで毎日～している 장마로 매일 구중중하다. **2** 음침한〔스산한〕 모양. ¶～した話 음침한 이야기.

⁑**しめ-す**【示す】5他 **1** 가리키다. ¶方向を～ 방향을 가리키다/温度計が30度を～·している 온도계가 30도를 가리키고 있다. **2** 보이다; 나타내다. ¶模範を～ 모범을 보이다/腕前を～ 솜씨를 보이다/関心を～ 관심을 나타내다. 可能しめ-せる下1自

***しめ-す**【湿す】5他 적시다; 축이다. ＝ぬらす·しめらせる. ¶のどを～ 목을 축이다/布を湯で～ 천을 더운물에 적시다.

しめた 感 자기 뜻대로 되었을 때 기뻐서 하는 말: 됐다. ¶～, うまい方法を考えついた 됐다, 좋은 방법을 생각해 냈다. ↔しまった.

しめだか【締め高】《〆高》图 총액; 합계. ¶～を出す 총계를 내다.

しめだし【締め出し】图ス他 문을 닫고 들이지 않음; 쫓아냄. ¶家から～を食う 집에서 쫓겨나다.

***しめだ-す**【締め出す】5他 **1** 《閉め出す로도》 문을 열어 주지 않다; (비유적으로) 내쫓다. ¶門限に遅れた者を～ 문 닫는 시각에 대지 못한 사람을 들이지 않다. **2** 배제하다; 배척하다; 따돌리다. ¶学閥をつくって出身の違う人を～ 학벌을 만들어 출신이 다른 사람을 따돌리다.

しめつ【死滅】图ス自 사멸. ＝絶滅. ¶

氷河期に～したは虫類の化石 빙하기에 사멸한 파충류의 화석.

じめつ【自滅】图区自 자멸. ¶勝を焦って～する 승리를 서둘러 자멸하다.

しめつけ【締め付け】图 단단히 죔. ¶ボルトの～が十分でない 볼트의 죔이 불충분하다.

しめつ-ける【締め付ける】下1他 **1** 단단히 죄다〔조르다〕. ¶帯を～ 띠를 단단히 조르다/ペンチでボルトを～ 펜치로 볼트를 바싹 죄다. **2** 잡죄다; 엄격히 관리·감독하다; 압박하다. ¶下請け業者を～ 하도급 업자를 잡죄다/胸を～·けられるような感じがする 가슴이 죄어드는 듯한 느낌이 들다.

しめっぽ-い【湿っぽい】形 **1** 좀 축축하다; 눅눅하다. ¶～室内 습기찬 실내. **2** 음울〔침울〕하다; 스산하다. ¶話がだんだん～·くなる 이야기가 점점 음울해지다.

しめて【締めて】《〆て》副 합계하여; 전부해서.

しめなわ【しめ縄】《注連縄·七五三縄》图 금줄; 인줄. ＝しめ. ¶～を張る 금줄을 치다.

しめやか ダナ **1** 고요하고 차분한 모양. ¶～に語り合う 조용히 얘기를 주고받다. **2** 침울하고 구슬픈 모양. ¶葬儀が～に行われた 장례식이 구슬프게 거행되었다.

しめり【湿り】图 **1** 축축함; 또, 습기. ＝湿気. ¶～をおびる 습기가 차다/のりに～がはいった 김이 눅눅해졌다. **2** 『お～』(가뭄 끝의) 단비. ¶よいお～です 반가운 단비입니다.

しめりけ【湿り気】图 습기; 수분. ＝しっけ. ¶～のない所にしまう 습기 없는 곳에 간수하다.

⁑**しめ-る**【湿る】5自 **1** 축축〔눅눅〕해지다; 습하다. ¶つゆ時で家の中が～·ってきた 장마철이라서 집안이 눅눅해졌다. **2** 물로 불이 꺼지다. **3** 우울〔침울〕해지다. ¶気持ちが～·りがちになる 기분이 자꾸 우울해지려 하다.

*__し-める__【占める】下1他 차지하다. **1** 자리잡다. ＝占有する. ¶机が部屋の半分を～ 책상이 방의 반을 차지하다. **2** 얻다. ¶議席を～ 의석을 차지하다/漁夫の利を～ 어부지리를 얻다. **3** 중요한 위치를〔비율을〕 가지다. ¶重要なポストを～ 중요한 자리를 차지하다/反対が30パーセントを～ 반대가 30%를 차지하다.

⁑**し-める**【閉める】下1他 (문 따위를) 닫다. ＝とじる·とざす. ¶戸を～ 문을 닫다. ↔ひらく·あける.

⁑**し-める**【絞める】下1他 **1** (목을) 압박하여 숨을 못쉬게 하다; 졸라매다; 조르다. ¶ひもで首を～ 끈으로 목을 조르다. **2** 짜(내)다. ＝しぼる. ¶タオルを～ 수건을 짜다.

⁑**し-める**【締める】下1他 **1** 죄다. ㉠《緊める》(바싹) 조르다; 또, 매다. ¶帯を～ 허리띠를 조르다/ネクタイを～ 넥타이를 매다. ㉡(마음·행동을) 다잡다. ¶気を～·めて掛かる 마음을 다잡고 착수하다. ㉢엄히 단속〔감독〕하다. ¶社員を～ 사원을 단속하다. ⇔ゆるめる. **2** 짜내다. ¶油を～ 기름을 짜내다. 注意 '搾める'로도 썼음. **3** 마감하여 합계를 내다; 결산하다. ¶帳簿を～ 장부를 마감하(여 합계를 내)다. **4** 일이 성사됨을 축하하여 손뼉을 치다. ¶取引のまとまったしるしに手を～·めていただきましょう 거래가 성립된 표시로서 손뼉을 쳐 주시기 바랍니다. **5**〖料〗절이다. ¶酢で～ 초로 절이다.

しめわざ【締め技】图 (유도에서) 조르기(기술).

しめん【四面】图 **1** 사면; 둘레 ＝まわり. ¶～海に囲まれる 사면이 바다로 둘러싸이다. **2** (건물·토지의) 안길이와 폭의 길이가 같음; 사방. ¶五間～ 다섯 칸 사방.

—そか［—楚歌］图 사면초가.

—たい【—体】图〖數〗사면체.

しめん【紙面】图 **1** 지면; 신문지상. ＝紙上. ¶～を割いて載せる 지면을 할애해 싣다. **2** 서면; 편지. ＝手紙. ¶御～拝見いたしました 혜서(惠書)를 잘 보았습니다.

しめん【誌面】图 지면; 잡지의 기사면. ¶スキャンダルに多くの～を割く 스캔들에 많은 지면을 할애하다.

⁑**じめん**【地面】图 땅. **1** 지면. ¶～にすわって遊ぶ子供 땅바닥에 앉아서 노는 어린이. **2** 토지. ＝地所. ¶～を借りる 토지를 빌리다.

—し【—師】图 토지 사기꾼.

—もち【—持ち】图 토지를 많이 가진 사람; 지주. ＝地所持ち.

しも【下】图 아래. **1** 허리 아래; 아랫도리. ¶～半身 하반신. 参考 좁은 뜻으로는, 음부(陰部)를 가리킴. **2** 하류. ＝川下. ¶～の方へこぎ進む 아래로 저어 나아가다. **3** 표현의 뒷부분. ¶～に述べる通り 하술(下述)하는 바와 같이. **4** 신분이 낮은 사람; 아랫사람; 또, 하인·하녀. ¶～女中 부엌데기; 가정부/～万民に至るまで 아래로 만백성에 이르기까지. **5** 대소변·월경 등. ¶病人の～の世話をする 환자의 대소변 시중을 들다.

*__しも__【霜】图 **1** 서리. ¶～が降りる〔解ける〕 서리가 내리다〔녹다〕. **2** 흰머리. ¶頭に～を置く 머리에 서리를 이다《하얗게 세다》. **3** 냉장고 등에 생기는 성에. ¶～がつく 성에가 앉다.

しも 副助 **1** 위에 붙는 말의 뜻을 강조하는 말. ¶だれ～知っている 누구나 다 알고 있다. **2** 예외도 있다는 뜻을 암시하는 데 씀. ¶必ず～悪いとはいえない 꼭 나쁘다고는 말할 수 없다.

しもいちだんかつよう【下一段活用】图〖文法〗動詞 어미가 五十音図

의 'え' 단으로만 활용하는 일(('越(こ)える' 따위)). ↔上一段(かみいちだん)活用.

しもがか-る【下掛かる】图 이야기가 음란하게 되다; 얘기가 상스러워지다. ¶~·った話(はなし) 상스러운 이야기.

しもがこい【霜囲い】图 초목이 서리에 맞지 않도록 짚 등으로 덮거나 감거나 함; 또, 그렇게 한 것. =霜(しも)よけ. ¶庭木(にわき)に~をする 서리에 맞지 않도록 정원수에 짚을 덮어〔감아〕 주다.

しもかぜ【霜風】图 서릿바람.

しもがれ【霜枯れ】图 (초목이) 서리를 맞아 마름; 또, 그 시기〔경치〕. ¶~の木木(きぎ) 서리를 맞아 시든 나무들.

—どき【—時】图 **1** 초목이 서리를 맞아 시드는 계절. **2** 겨울철 장사 경기가 나쁜 때; 철이 지나 경기가 없을 때. ¶このごろは~で赤字(あかじ)続(つづ)きだ 요즘은 경기가 없을 때라서 계속 적자다.

しもが-れる【霜枯れる】下1自 서리를 맞아 시들다. ¶~·れた冬(ふゆ)の野(の) 초목이 시들어 버린 쓸쓸한 겨울 들판.

しもき【下期】图 '下半期(しもはんき)(=하반기)'의 준말. ¶~の決算(けっさん) 하반기 결산. ↔上期(かみき).

じもく【耳目】图 **1** 이목. ㉠귀와 눈. ¶世(よ)の~を引(ひ)く〔集(あつ)める〕 세상〔세인〕의 이목을 끌다/~を驚(おどろ)かす (남의) 이목을 놀라게 하다/~が注(そそ)がれる 이목이 집중되다. ㉡듣고 보는 것; 견문. ¶~を広(ひろ)める 견문을 넓히다. **2** 보좌함; 또, 그 사람. ¶~となって働(はたら)く 남의 손발이 되어 일하다〔보좌하다〕.

しも-げる【霜げる】下1自 야채 따위가 서리·추위 등 때문에 썩다. ¶~·げたイモ 서리 맞아 썩은 고구마.

しもごえ【下肥】图 인분뇨의 거름. =こやし. ¶~のにおいがぷんぷんとする 거름 냄새가 코를 찌르다.

しもざ【下座】图 아랫자리; 말석. ¶~につく 말석에 앉다/~にひかえる 말석에서 대기하다. ⇨げざ. ↔上座(かみざ).

しもじも【下下】图 신분·지위 따위가 낮은 사람들; 특히, 일반 시민. ¶~の事情(じじょう)にうとい 서민의 사정에 어둡다. ↔うえうえ.

しもそうじ【下掃除】图 변소 청소.

しもたや【しもた屋】((仕舞た屋))图 상점가 안에 있는 여염집((본디, 장사하던 집이 폐업한 집)). ↔店屋(みせや).

しもだらい【下だらい】((下盥))图 아랫도리 속옷을 빠는 대야.

しもつき【霜月】图 〈雅〉 상월; 동짓달; 「음력 11월.

しもて【下手】图 **1** 아래쪽; (강의) 하류쪽; 물 아래. ¶~の橋(はし) (강) 하류의 다리. ↔上手(うわて). **2** 무대를 향해서 왼쪽. ¶~から登場(とうじょう)する 무대 왼쪽에서 등장하다. ↔上手(かみて).

じもと【地元】图 **1 그 고장; 그 지방. ¶~の新聞(しんぶん) 그 지방의 신문/~の人(ひと)たちの意見(いけん) 그 고장 사람들의 의견. **2** 자기의 생활〔세력〕 근거지. ¶自分(じぶん)の~から立候補(りっこうほ)する 자기의 기반이 되는〔살고 있는〕 지역에서 입후보하다.

しもどけ【霜どけ·霜解け】((霜融け))图 서릿발이 녹는 일. ¶~の道(みち)はぬかるみで歩(ある)けない 서릿발이 녹은 길은 질척질척해서 걸을 수 없다.

しもとり【霜取り】图 (냉장고의) 성에 제거. ¶自動(じどう)~装置(そうち) 자동 성에 제거 장치.

じもの【地物】图 그 고장 토산물(土産物). ¶~の西瓜(すいか) 그 고장에서 나는 수박. ↔旅物(たびもの).

しものく【下の句】图 短歌(たんか)의 넷째와 다섯째 구((5·7·5 다음의 7·7의 구)). ↔上(かみ)の句.

しものゆみはり【下の弓張り】图 하현달. ↔上(かみ)の弓張り.

しもばしら【霜柱】图 서릿발. ¶~が立(た)つ 서릿발이 서다.

しもはんき【下半期】图 하반기. =しもき. ¶~の決算(けっさん)を報告(ほうこく)する 하반기 결산을 보고하다. ↔上半期(かみはんき).

しもふり【霜降り】图 **1** 서리가 내림. **2** 직물 따위의 무늬가 희끗희끗함. ¶~の夏服(なつふく) 희끗희끗한 무늬가 있는 여름옷. **3** 차돌박이; 지방(脂肪)이 희끗희끗〔드문드문〕 박혀 있는 좋은 쇠고기.

しもべ[下部·僕]图 〈雅〉 하인; 종. =下男(げなん)·召(め)し使(つか)い.

しもやけ【霜焼け】图 가벼운 동상(凍傷). =しもばれ·しもくち. ¶~にかかる 동상에 걸리다/足(あし)の指(ゆび)が~になった 발가락이 동상에 걸렸다.

しもよけ【霜よけ】((霜除け))图 초목이 서리에 맞지 않도록 짚으로 덮거나 감음; 또, 그때 쓰는 물건. =霜(しも)がこい.

*しもん【指紋】图 지문. ¶犯人(はんにん)の~を調(しら)べる 범인의 지문을 조사하다/~をとる 지문을 채취하다.

—おうなつ[—押捺]图 지문 날인. ¶~を拒否(きょひ)する 지문 날인을 거부하다.

しもん【試問】图ス他 시문; 시험. =試験(しけん). ¶口頭(こうとう)~ 구두 시험.

しもん【諮問】图ス他 자문. ¶~を受(う)け直(ただ)ちに答申(とうしん)する 자문을 받아 즉각 답신하다.

じもん【自問】图ス自 자문. ¶間違(まちが)ってはいないかと~する 잘못되지는 않았나 하고 자문하다.

—じとう【—自答】图ス自 자문자답. ¶心(こころ)の中(なか)で何度(なんど)も~する 마음속으로 몇 번이나 자문자답하다.

じもん【地紋】图 바탕 무늬.

*しや【視野】图 시야. ¶~の広(ひろ)い人(ひと) 시야가 넓은 사람/~をさえぎる 시야를 가로막다/~に入(はい)る 시야에 들어오다/~が狭(せま)い 시야가 좁다 / ~を広(ひろ)める 시야를 넓히다/~が開(ひら)ける 시야가 펼쳐지다.

しゃ【社】图 사; '会社(かいしゃ)·新聞社(しんぶんしゃ)' 등의 준말. ¶~の車(くるま) 회사차/~を出(で)る 사를 나오다.

しゃ [紗] 名 사; 얇고 성기게 짠 견직물.

=しゃ【者】…자; 사람. ¶当事(とうじ)～ 당사자 / 出席(しゅっせき)～ 출석자.

しゃ〖写〗《寫》教3 シャ うつす うつる | 사 베끼다 | 1 베끼다. ¶筆写(ひっしゃ) 필사 / 複写(ふくしゃ) 복사. 2 사진·영화를 찍다. ¶映写(えいしゃ) 영사.

しゃ〖社〗《社》教2 シャ ジャ やしろ | 사 땅귀신 | 1 나라의 신; 또, 그 제사. ¶社稷(しゃしょく) 사직. 2 사당. ¶神社(じんじゃ) 신사. 3 단체. ¶会社(かいしゃ) 회사.

しゃ〖車〗教1 シャ くるま | 차 거 수레 | 1 바퀴. ¶車輪(しゃりん) 차륜. 2 수레. ¶自動車(じどうしゃ) 자동차.

しゃ〖舎〗《舍》教5 シャ やどる | 사 집 | 1 임시로 머무르는 건물; 숙소. ¶客舎(きゃくしゃ) 객사. 2 사람이 사는 건물; 집; 저택. ¶官舎(かんしゃ) 관사 / 舎宅(しゃたく) 사택.

しゃ〖者〗《者》教3 シャ もの | 자 놈 | 1 사람. ¶学者(がくしゃ) 학자 / 記者(きしゃ) 기자. 2 사물(事物). ¶前者(ぜんしゃ) 전자.

しゃ〖卸〗常用 シャ おろす おろし | 사 짐부리다 | 도매하다. ¶卸値(おろしね) 도매값 / 卸問屋(おろしどんや) 도매상. 注意 주로 훈독함.

しゃ〖射〗教6 シャ セキ いる うつ さす あたる | 사 쏘다 | 1 활을 쏘다. ¶騎射(きしゃ) 기사. 2 총포를 쏘다. ¶発射(はっしゃ) 발사.

しゃ〖捨〗《捨》教6 シャ すてる | 사 버리다 | 1 버리다. ¶取捨選択(しゅしゃせんたく) 취사선택. ↔取(しゅ). 2 기부하다. ¶喜捨(きしゃ) 희사.

しゃ〖赦〗常用 シャ ゆるす | 사 놓아주다 | 죄를 용서하다. ¶赦免(しゃめん) 사면 / 恩赦(おんしゃ) 은사.

しゃ〖斜〗常用 シャ ななめ | 사 비끼다 | 비스듬함. ¶斜面(しゃめん) 사면 / 傾斜(けいしゃ) 경사.

しゃ〖煮〗《煮》常用 シャ にる にえる にやす | 자 삶다 | 끓이다; 삶다. ¶煮沸(しゃふつ) 자비; 끓임 / 雑煮(ぞうに) 떡국.

しゃ〖遮〗《遮》常用 シャ さえぎる | 차 막다 | 가리다; 가로막다. ¶遮断(しゃだん) 차단 / 遮蔽(しゃへい) 차폐.

しゃ〖謝〗教5 シャ あやまる ことわる | 사 사례하다 | 1 사례하다. ¶感謝(かんしゃ) 감사 / 謝礼(しゃれい) 사례. 2 사과하다. ¶謝罪(しゃざい) 사죄. 3 거절하다. ¶謝絶(しゃぜつ) 사절.

*じゃ 一助動 〈方〉 'である(=…이다)' 의 준말 'であ' 의 전와; 단정의 뜻을 나타냄. ¶わしはいや～ 나는 싫다 / 行(い)くの～ 가는 거다. 二接 그럼(('では' 의 전와)). ¶～さようなら 그럼 안녕 / ～, また 그러면, 또 (만나세). 三連語 'では' 의 전와. ¶そんな事(こと)～駄目(だめ)だ 그래선 안 된다.

じゃ【蛇】名 사; 큰 뱀. =おろち.

―の道(みち)はへび 뱀의 길은 뱀이 안다((동류(同類)의 (나쁜) 사람끼리는 서로 사정을 잘 안다; 초록은 동색)).

じゃ〖邪〗《邪》常用 ジャ ヤ よこしま | 사 간사하다 | 1 바르지 못하다. ¶邪悪(じゃあく) 사악 / 正邪(せいじゃ) 정사. 2 유해(有害)하다. ¶風邪(かぜ·ふうじゃ) 감기.

じゃ〖蛇〗常用 ジャ ダ へび | 사 뱀 | 뱀. ¶大蛇(だいじゃ) 대사 / 蛇蝎(だかつ) 사갈 / 蛇足(だそく) 사족.

ジャー [jar] 名 자((아가리가 넓은 보온병식의 그릇)).

じゃあく【邪悪】名ナ 사악. ¶～な考(かんが)えをいだく 사악한 생각을 품다.

ジャージー [jersey] 名 저지((메리야스같이 짠 부드럽고 바탕이 두꺼운 직물)).

しゃあしゃあ 一トヌ自 〈俗〉 넉살이 좋아 부끄러움을 모르고 비난을 당해도 태연한 모양; 유들유들. ¶彼(かれ)は何(なに)を言(い)われても～している 그는 무슨 말을 들어도 유들유들 태연하다. 二副 물 따위를 쏟는 소리의 형용; 좍좍. ¶～と水(みず)を流(なが)す 좍좍 물을 흘려 보내다.

じゃあじゃあ 副 물이 기운차게 떨어지는 모양; 좍좍; 펑펑. ¶水道(すいどう)の水(みず)が～と流(なが)れ出(で)る 수돗물이 펑펑 쏟아져 나오다.

ジャーナリスト [journalist] 名 저널리스트; (신문·잡지 등의) 편집자·기자·기고자. ¶国際(こくさい)～ 국제 저널리스트.

ジャーナリズム [journalism] 名 저널리즘; 신문·잡지 등의 사업.

ジャーナル [journal] 名 저널; 정기 간행물; 또, 그 간행물의 이름. ¶朝日(あさひ)～ 朝日 저널((주간지 이름)).

シャープ [sharp] 샤프. 一ダナ 1 예민함; 날카로움. ¶頭(あたま)の～な人(ひと) 머리가 샤프한 사람. 2 선명함. ¶～な画面(がめん) 선명한 화면. 二名 1〔樂〕 반음 올리는 기호((♯)). ↔フラット. 2 'シャープペンシル' 의 준말.

―ペンシル [일 sharp+pencil] 名 샤프 펜슬. *영어로는 ever-sharp pencil.

シャーベット [sherbet] 名 셔벗; 과즙에 설탕 따위를 넣어서 얼린 식품.

シャーマニズム [shamanism] 名 샤머니즘; 무술(巫術). =シャマニズム.

シャーレ [도 Schale] 名 샬레((의학 검사 등에 쓰이는 운두가 낮은 둥근 유리 그릇)). =ペトリ皿(ざら).

しゃい【謝意】名 사의. 1 감사의 뜻. ¶援助(えんじょ)に～を表(ひょう)する 원조에 사의를 표하다. 2 사과의 뜻. ¶被害者(ひがいしゃ)に～を表明(ひょうめい)する 피해자에게 사과의 뜻을 표하다.

シャイ [shy] ダナ 샤이; 부끄러움을 탐. =内気(うちき). ¶～な人(ひと)〔性格(せいかく)〕 수줍어하는 사람〔성격〕.

ジャイアント [giant] 图 자이언트; 거인; 대형. ¶～タンカー 대형 탱커.

ジャイロ [gyro] 图 자이로(('ジャイロコンパス'·'ジャイロスコープ'의 준말)).

—コンパス [gyrocompass] 图 자이로컴퍼스((자석을 쓰지 않고 자이로스코프 성질을 이용한 나침반)).

—スコープ [gyroscope] 图 자이로스코프((일정한 축의 주위를 고속도로 회전하는 원형의 물체; 나침반이나 선체의 동요 방지로 쓰임)). ＝回転儀(かいてんぎ).

しゃいん【社員】图 사원. **1** 회사원. ¶新入(しんにゅう)～ 신입 사원 / 正(せい)～として採用(さいよう)される 정사원으로 채용되다. **2** 사단(社團)(법인)의 구성원. ¶赤十字社(せきじゅうじしゃ)の～ 적십자사 사원.

しゃうん【社運】图 사운. ¶～をかけた事業(じぎょう) 사운을 건 사업.

しゃおく【社屋】图 사옥. ¶～を新築(しんちく)した 사옥을 신축했다.

しゃおん【謝恩】图 사은. ¶～会(かい) 사은회 / ～セール 사은 세일.

しゃか [釈迦] 图 석가(('釈迦牟尼(しゃかむに)(＝석가모니)'의 준말)).

—に説法(せっぽう)[経(きょう)] 부처님한테 설법; 공자 앞에서 문자 쓰기.

—にょらい [—如来] 图 석가여래.

ジャガー [jaguar] 图〖動〗재규어((아메리카 표범)).

*__しゃかい__【社会】图 사회. ¶～正義(せいぎ) 사회 정의 / 学校(がっこう)を卒業(そつぎょう)して～に出(で)る 학교를 졸업하고 사회에 나오다 / ～の風(かぜ)にあたる 세상 바람을 쐬다.

—あく【—悪】图 사회악. ¶～に染(そ)まる 사회악에 물들다.

—いしき【—意識】图 사회 의식. ↔個人(こじん)意識·自(じ)意識.

—かがく【—科学】图 사회 과학. ↔自然(しぜん)科学·人文(じんぶん)科学.

—きょういく【—教育】图 사회 교육. ↔学校教育(がっこうきょういく).

—じぎょう【—事業】图 사회사업.

—じん【—人】图 사회인. ¶卒業(そつぎょう)して～となる 졸업하고 사회인이 되다.

—せい【—性】图 사회성; 사교성. ¶～を身(み)につける 사회성을 몸에 익히다 / 幼児(ようじ)の～をやしなう 유아의 사회성[사교성]을 기르다.

—つうねん【—通念】图 사회 통념. ¶～に照(て)らして判断(はんだん)する 사회 통념에 비추어 판단하다.

—なべ〖—鍋〗图 자선 냄비. ＝慈善鍋(じぜんなべ).

—ふくし【—福祉】图 사회 복지. ¶～施設(しせつ) 사회 복지 시설.

—ほうし【—奉仕】图 사회 봉사. ¶～に一生(いっしょう)をささげる 사회 봉사에 일생을 바치다.

—ほしょう【—保障】图 사회 보장.

—めん【—面】图 (신문의) 사회면. ¶～にのる 사회면에 실리다.

—もんだい【—問題】图 사회 문제. ¶いろいろな～がおこる 여러 가지 사회 문제가 일어나다.

しゃがい【社外】图 사외; 회사 밖. ¶～重役(じゅうやく) 사외 중역 / 人材(じんざい)を～に求(もと)める 인재를 사외에서 구하다. ↔社内(しゃない).

—とりしまりやく【—取締役】图〖經〗사외 이사((회사에 이해 관계가 없는 외부 인사로서 경영 감시가 주임무임)).

じゃがいも【じゃが芋】图〖植〗감자. ＝ジャガタラいも·馬鈴薯(ばれいしょ). ¶～は澱粉(でんぷん)に富(と)む 감자는 전분이 많다.

しゃかく【写角】图 사각; 카메라 앵글. ＝カメラアングル.

しゃかく【射角】图 사각; 발사각(發射角).

しゃかく【斜角】图 사각; 빗각.

じゃかご【蛇かご】((蛇籠)) 图 철사나 대를 원통형으로 엮어 속에 돌을 채우는 바구니 모양의 것((하천 공사에서 호안(護岸)이나 물막이로 씀)).

じゃかご〖砂籠〗图 꽃꽂이에서 쓰는 용기(('蛇(じゃ)かご' 모양을 함)). 参考 '蛇'자를 꺼리어 '砂'를 씀.

じゃかすか 副〈俗〉기세 좋게 무엇인가 하는 모양: 척척; 제꺽. ＝じゃんじゃん. ¶～食(た)べる 척척 시원스럽게 먹다 / ～投資(とうし)する 주저하지 않고 제꺽 투자하다.

しゃがみこ-む【しゃがみ込む】5自 웅크리고 앉아 움직이지 않다. ¶急(きゅう)の腹痛(ふくつう)でその場(ば)に～·んだ 갑작스러운 복통으로 그 자리에 쭈그리고 앉았다.

*__しゃが-む__ 5自 웅크리다; 쭈그리다. ＝うずくまる·かがむ. ¶～·んだ姿勢(しせい) 웅크린 자세 / 道端(みちばた)に～ 길가에 쭈그리고 앉다. 可能 しゃが-める 下1自

しゃかりき ダナ〈俗〉열심히[기를 쓰고] 일하는 모양. ¶～になって働(はたら)く 열심히 일하다.

しゃがれごえ【しゃがれ声】((嗄れ声)) 图 ☞しわがれごえ. ¶～を出(だ)す 쉰 목소리를 내다.

しゃが-れる〖嗄れる〗下1自 ☞しわがれる. ¶風邪(かぜ)で声(こえ)が～ 감기로 목소리가 쉬다.

しゃかん【舎監】图 사감. ¶～がやかましい 사감이 엄하다.

しゃがん【斜眼】图 사안. **1** 곁눈. ＝横目(よこめ). **2** 사시; 사팔뜨기. ＝やぶにらみ.

じゃかん【蛇管】图 사관. **1** 흡열·방열(放熱)의 면적을 크게 할 목적으로 나선형으로 만든 관. **2** 호스. ＝ホース.

しゃかんきょり【車間距離】图 차간 거리; 앞 차와의 거리. ¶十分(じゅうぶん)な～を取(と)る 충분한 차간 거리를 잡다.

じゃき【邪気】图 사기. **1** 악의. ＝わるげ. ¶～のない人(ひと) 악의가 없는 사람. ↔無邪気(むじゃき). **2** 사람 몸에 병을 일으킨다는 미신적인 나쁜 기운. ¶～を払(はら)う 사기를 물리치다.

しゃきしゃき 副 **1** 일을 재빨리 요령 있게 처리하는 모양: 척척; 데꺽데꺽. ＝てきぱき. ¶何事(なにごと)も～(と)かたづける 무슨 일이든 데꺽데꺽 처리하다. **2** 물건

을 시원스럽게 씹는 소리: 아삭아삭; 사각사각; 싹독싹독. ¶たくあんを～とかむ 단무지를 어석어석 씹다.

しゃきっと 副 **1** 노인이 허리를 펴고 정정해 뵈는 모양. **2** 시원시원〔또깡또깡〕하고 야무진 모양. ¶気持ちが～なる 기분이 산뜻해지다.

しゃきょう【写経】 名 사경; 경문을 베낌; 또, 베낀 경문. ¶念仏を唱えながら～する 염불을 외면서 사경하다.

じゃきょう【邪教】 名 사교. ＝邪宗. ¶～を取り締まる 사교를 단속하다. ↔正教. 「しゃてい.

しゃきょり【射距離】 名 사거리. ＝射程

しゃきん【砂金】 名 ☞さきん.

しやく【試薬】 名 시약. **1**〖化〗화학 분석용 약품. ¶～を使ってヨード分の有無を調べる 시약을 써서 요오드 성분의 유무를 조사하다. **2** 시험삼아 써 보는 견본 약. ¶～品 시약품.

しゃく【尺】 名 **1** 길이. ¶～が長すぎる 길이가 너무 길다. **2** 자.

―を打つ; ―を取る 자로 치수를 재다. ¶反物の尺を取る 포목의 치수를 재다.

しゃく【酌】 名 술을 잔에 따름. ¶～をする 술을 따르다/お～をしましょう 술을 (한잔) 따라 드리겠습니다.

***しゃく**〖癪〗 一 名ナ 울화; 화; 부아; 아니꼬움. ＝かんしゃく. ¶本当に～な男だ 정말이지 아니꼬운 사나이다/彼に負けるなんて～だ 그에게 지다니 부아가 난다. 二 名 〈老〉 적(癪); (위경련으로) 일어나는 격통. ¶～が起こる 적이 일어나다.

―に障る 화〔부아〕가 나다〔치밀다〕.

―の虫 짜증; 신경질. ¶～が起こる 짜증〔신경질〕이 나다.

しゃく〖勺〗((勺)) 常用 **シャク** | 작 작 |
작; 1 홉의 10분의 1《약 0.018 ℓ》.

しゃく〖尺〗 教6 **シャク セキ** | 척 자 | **1** 척; 자; 10치. ¶尺貫法 척관법. **2** 길이; 기장. ¶縮尺 축척. **3** 자. ¶尺度 척도.

しゃく〖借〗 教4 **シャク シャ かりる** | 차 빌리다 |
1 빌리다. ¶借地 차지. ↔貸. **2** 용서하다. ¶仮借 가차.

しゃく〖酌〗((酌)) 常用 **シャク くむ** | 작 따르다 |
1 술을 잔에 따르다. ¶酌婦 작부/晩酌 저녁 반주. **2** 이것저것 비추어 요량하다. ¶参酌 참작.

しゃく〖釈〗((釋)) 常用 **シャク セキ とく ゆるす** |
석 풀다 | **1** 해석하다. ¶注釈 주석. **2** 변명하다. ¶釈明 석명. **3** 불교의 시조인 석가모니; 또, 불교. ¶釈門 석문.

しゃく〖爵〗((爵)) 常用 **シャク** | 작 벼슬 |
1 오등작(五等爵). ¶爵位 작위. **2** 덕(德)의 존귀함. ¶天爵 천작.

じゃく【弱】 一 名 약함; 약한 사람. ¶暖房を～にする 난방을 약하게 하다. 二 接尾 조금 모자람; 빠듯; …약. ¶十万円～ 십만 엔 빠듯. ⇔強.

じゃく〖若〗 教6 **ジャク ニャク ニャ わかい もしくは もし** |
약 만약 | **1** 젊다. ¶若冠 약관(弱冠). 参考 '弱'와 통용됨. ↔老. **2** 얼마간. ¶若干 약간.

じゃく〖弱〗((弱)) 教6 **ジャク よわい よわる よわまる よわめる** |
약 약하다 어리다 | **1** 힘이 없다; 약하다. ¶貧弱 빈약/軟弱 연약. ↔強. **2** 젊다; 어리다. ¶弱年 약년.

じゃく〖寂〗 常用 **ジャク セキ さびしい さび さびれる しずか** |
적 고요하다 | **1** 적막하다. ¶寂として声なし 고요하여 소리도 없다. **2** 승려의 죽음. ¶入寂 입적.

ジャグ [jug] 名 저그; 손잡이가 달리고 주둥이가 넓은 주전자.

しゃくい【爵位】 名 작위. ¶～を持つ富豪 작위를 가지고 있는 부호.

じゃくおん【弱音】 名 약음; 약한 음; 또, 음을 약하게 함. ¶～器 약음기.

しゃくぎ【釈義】 名スル他 석의; (문장이나 어구의) 뜻을 해석함; 또, 그 풀이. ¶この語の～がはっきりしない 이 말의 석의가 분명하지 않다.

しゃくざい【借財】 名スル自 차재; 빚. ＝借金. ¶多額の～ 다액의 빚/～がかさむ 빚이 늘다.

しゃくし『杓子』 名 **1** 국자. ＝お玉. **2** 주걱. ＝しゃもじ. ¶飯杓子 밥주걱. 「능함의 비유》.

―で腹を切る 국자로 할복하다《불가

―じょうぎ【―定規】 名ダナ 한 가지 표준을 무엇에나 적용시키려고 하는 융통성 없는 방법·태도. ¶～の〔な〕人間 (융통성 없는) 딱딱한 인간.

しゃくし【釈氏】 名〖佛〗석씨. **1** 석가. ＝釈迦. **2**《釈子》 불문에 들어간 사람; 승려.

しゃくじ【借字】 名 차자; 자의(字義)에 의하지 아니하고 음이나 훈만을 빌려다 쓴 글자《범어(梵語)의 음역이나 万葉がな 따위》. ↔正字.

じゃくし【弱視】 名 약시; 시력이 약함. ¶先天性～ 선천성 약시.

じゃくしつ【弱質】 名 약질; 약한 체질.

じゃくしゃ【弱者】 名 약자. ¶～を助ける 약자를 돕다/～に味方する 약자에 편들다. ↔強者.

しゃくしゃく［綽綽］ トタル 작작; 침착하고 초조하지 않은 모양. ¶余裕～ 여유 작작. 「く.

―ぜん［―然］ トタル ☞しゃくしゃ

じゃくじゃく【寂寂】 トタル 적적. **1** 조

용하고 적적한 모양. ¶あたりは~として人の気配もない 근방은 적적하여 인기척도 없다. **2** 마음을 번거롭게 하지 않는 모양. ¶空々~ 공공적적《번뇌나 집착이 없어 무아무심(無我無心)임》.

しやくしょ【市役所】名 시청. =市庁. ¶~の建物 시청 건물.

しゃくじょう[錫杖] 名 **1** 석장. **2** '祭文読み(=풍각쟁이)'가 흔들며 장단을 맞추는 도구.

じゃくしょう【弱小】名ナ 약소. **1** 약하고 작음. ¶~国家 약소 국가. ↔強大. **2** 나이가 젊음; 나이가 어림. =年少. ¶~のころから秀でていた 어렸을 때 부터 빼어났었다.

じゃくしん【弱震】名 약진《진도(震度) 3》. ¶昨夜の地震は~だった 어젯밤의 지진은 약진이었다.

しゃく-する【釈する】サ変他 해석〔해설〕하다. ¶経文を~ 경문을 해석하다.

じゃく-する【寂する】サ変自 승려가 죽다; 입적하다. =入寂する.

しゃくぜん【釈然】トタル 석연. ¶あの説明では~としない 그 설명으로는 석연치 않다.

じゃくそつ【弱卒】名 약졸. ¶勇将の下に~なし 용장 밑에 약졸 없다.

しゃくそん【釈尊】名 석존《석가모니의 높임말》.

じゃくたい【弱体】名ナ 약체; 약한 몸; 조직 등이 허약함. ¶~内閣 약체 내각 / 陣営が~だ 진영이 허약하다.

—か【—化】名ス自他 약체화. ¶組織が~する 조직이 약체화하다.

しゃくち【借地】名ス自他 차지; 땅을 빌림; 또, 그 땅. ¶~料 차지료 / ~契約 차지 계약.

じゃぐち【蛇口】名 수도꼭지. ¶~をひねる 수도꼭지를 틀다.

じゃくてき【弱敵】名 약적; 약한 적. ¶~といえどもあなどらず 약한 적일지라도 얕보지 않다. ↔強敵.

*__じゃくてん__【弱点】名 약점. =欠点·短所·弱み. ¶~をさらけ出す 약점을 드러내다 / ~を握る〔つかむ〕 약점을 잡다 / ~を突く 약점을 찌르다 / ~につけこむ 약점을 이용하다.

じゃくでん【弱電】名 약전. ¶~部門 약전 부문 / ~機 약전기. ↔強電.

*__しゃくど__【尺度】名 척도. **1** 물건을 재는 자. **2** 기준; 표준. ¶価値の~ 가치의 척도 / 優劣をきめる~ 우열을 가리는 척도. **3** 치수. ¶~を計る 치수를 재다.

しゃくどう【赤銅】名 적동.

—いろ【—色】名 적동색. ¶~の肌 구릿빛 피부.

じゃくどく【弱毒】名 약독; 독성 및 병원체의 성질을 약하게 함; 또, 그렇게 한 것. ¶~ワクチン 약독 백신.

しゃくとりむし【尺取り虫】名〔蟲〕자벌레. =寸取り虫. 參考 성충은 'しゃくが(=자벌레나방)'라고 함.

しゃくなげ〖石南花·石楠花〗名〔植〕석남《고산 식물로 관상용》.

じゃくにくきょうしょく【弱肉強食】名 약육강식. ¶まさに~の社会である 바로 약육강식의 사회이다.

しゃくにゅう【借入】名ス他 차입. =借り入れ. ¶~金 차입금.

しゃくねつ[灼熱] 名ス自 작열. ¶~する太陽 작열하는 태양.

じゃくねん【若年】《弱年》名 약년; 약관; 나이가 젊음〔어림〕; 또, 그 사람. ¶~労働者 미성년 노동자. 注意 본디는, '弱年'. ↔老年.

じゃくねん【寂然】トタル 적연; 쓸쓸하고 고요한 모양. =せきぜん.

じゃくはい【若輩】《弱輩》名 풋내기; 애송이. =青にさい. ¶~のくせに大きなことを言う 애송이 주제에 큰소리를 친다. 注意 본디는 '弱輩'. 參考 젊은 사람이 자기의 겸사말로도 씀. ¶まだ~でして 아직 애송이라서.

しゃくはち【尺八】名 **1** 퉁소《길이가 한 자 여덟 치이고 앞에 네 개, 뒤에 한 개의 구멍이 있음》. **2** 〈俗〉 펠라티오. =フェラチオ.

しゃくふ【酌婦】名 작부; 접대부. ¶~を相手に酒を飲む 작부를 상대로 술을 마시다.

*__しゃくほう__【釈放】名ス他 석방. ¶仮~ 가석방 / 容疑者を~する 용의자를 석방하다. ↔拘禁.

しゃくま【借間】名ス自 방을 빌려 씀; 또, 그 방; 셋방. =間借り.

じゃくまく[寂寞] 名トタル 적막. =せきばく. ¶~を破る鳥の声 적막을 깨뜨리는 새소리.

しゃくめい【釈明】名ス他 석명; 해명. ¶~の余地がない 해명할 여지가 없다 / ~を求める 해명을 요구하다.

じゃくめつ【寂滅】名ス自〔佛〕적멸. **1** 번뇌의 경계를 떠나 깨달음의 경지에 이름. **2** 죽음.

しゃくもん【借問】名ス他 ☞しゃもん.

しゃくや【借家】名 차가; 셋집. =借りや·しゃっか. ¶~人 세든 사람 / ~住まい〔暮らし〕 셋집살이 / ~を捜す 셋집을 찾다〔구하다〕. ↔貸家.

しゃくやく〖芍薬〗名〔植〕작약. ¶立てば~, 座れば牡丹, 歩く姿は百合の花 서면 작약이요, 앉으면 모란, 걷는 모습은 백합꽃《아름다운 미인의 형용》.

しゃくよ【尺余】名 한 자 남짓. ¶~のフナ 월척짜리 붕어.

しゃくよう【借用】名ス他 차용. ¶~証書 차용 증서 / 無断で~する 승낙을 얻지 않고 차용하다.

しゃくりあ-げる【しゃくり上げる】《噦り上げる》下1自 흑흑 흐느끼다; 늘키다. ¶子供が~·げて泣いている 아이가 흐느껴 울고 있다.

しゃくりなき【しゃくり泣き】《噦り泣

き》 图ス自 흑흑 흐느껴 욺.

しゃくりょう【借料】图 임차료; 세. ＝借り賃. ¶～を払う 세를 물다.

しゃくりょう【酌量】图ス他 작량; 참작. ¶情状～の余地無し 정상 참작의 여지가 없다.

しゃく-る〖杓る〗5他 **1**〈俗〉(물 등을) 떠내다; 뜨다. ＝しゃくう. ¶水を～·って飲む 물을 떠서 마시다. **2**(가운데가 움푹하도록) 후비다; 파다. ¶西瓜をスプーンで～·って食べる 수박을 숟가락으로 후벼 파 먹다. **3**(턱을 약간) 치켜 올리다《거만하게 지시할 때의 동작》. ¶あごを～ 턱을 치켜들다; 턱으로 지시하다. 可能しゃく-れる 下1自

じゃくれい【弱齢·若齢】图 약령; 약년; 나이 어림. ＝若年. ¶～ながらよくやった 어린 나이에 잘했다.

しゃくん【社訓】图 사훈.

しゃけ〖鮭〗图〈俗〉☞さけ(鮭). 参考 식품인 경우에 쓰는 말.

しゃけい【舎兄】图 사형《자기 형을 남에게 일컫는 말》. ↔舎弟.

しゃげき【射撃】图ス他 사격. ¶～場 사격장 / ～演習 사격 연습 / 一斉～ 일제 사격.

ジャケツ [jacket] 图 재킷; 털실로 짠 상의. 注意 'ジャケット'의 와음(訛音).

ジャケット [jacket] 图 재킷. **1** 양복 상의의 한 가지《앞이 트이는 것이 보통임》. **2** 레코드·책 따위가 상하지 않게 그 겉에 씌워 두는 커버·판지.

しゃけん【車検】图 차량 검사. ¶～証 차량 검사증 / 2年ごとに～がある 2년마다 차량 검사가 있다.

じゃけん【じゃけん·邪険】〖邪慳〗ダナ (남을 대하는 태도 따위가) 매정하고 무자비한 모양. ¶そう～にするな 그렇게 매정하게 굴지 마라 / ～に突き飛ばす 매정하고 무자비하게 밀치다.

しゃこ〖蝦蛄〗图〘動〙갯가재.

*__しゃこ__【車庫】图 차고. ¶～証明 차고 증명 / 自動車を～に入れる 자동차를 차고에 넣다.

しゃこう【射幸】〖射倖〗图 사행; 요행을 노림. 注意 '射幸'로 씀은 대용 한자.

—しん【—心】图 사행심. ¶～をあおる 사행심을 부채질하다.

しゃこう【斜光】图 사광; 비스듬히 비치는 빛. ¶夕日の～を受けて山路を行く 비끼는 석양을 받으며 산길을 가다.

しゃこう【遮光】图ス自他 차광; 빛을 가림. ¶～幕 차광막 / ～装置〔眼鏡〕 차광 장치〔안경〕.

—さいばい【—栽培】图〘農〙차광 재배《단일성(短日性) 식물의 개화기(開花期)를 앞당기기 위하여 일조 시간을 제한하는 재배 방식》.

—ばん【—板】图 차광판《자동차의 헤드라이트 빛을 막기 위해 도로를 따라 설치하는 판》.

しゃこう【社交】图 사교. ¶～上の礼儀 사교상의 예의 / ～なれのした人 능숙하게 사교를 잘하는 사람.

—かい【—界】图 사교계. ¶～の花形 사교계의 스타.

—じれい【—辞令】图 사교상의 인사말; 겉치레 말. ＝おせじ·外交辞令.

—せい【—性】图 사교성. ¶～に富む〔欠ける〕 사교성이 많다〔없다〕.

—ダンス [dance] 图 사교 댄스; 사교춤. ＝ソーシャルダンス.

—てき【—的】ダナ 사교적. ¶～な性格 사교적인 성격.

しゃこう [藉口] 图ス自 자구; 빙자함; 핑계댐. ¶病気に～して欠席する 신병을 빙자하여 결석하다.

じゃこう〖麝香〗图 사향.

—じか〖—鹿〗图 사향노루.

—ねこ〖—猫〗图 사향고양이.

しゃこく【社告】图ス他 사고. ¶～を新聞に出す 사고를 신문에 내다.

しゃさい【社債】图 (회)사채. ¶～を募る 사채를 모집하다.

しゃざい【謝罪】图ス他 사죄. ¶～の意を表明する 사죄의 뜻을 표명하다.

しゃさつ【射殺】图ス他 사살. ¶脱走者を～する 탈주자를 사살하다.

しゃし [奢侈] 名ナ 사치. ＝奢り. ¶～を極める 사치를 극하다 / ～に流れる 사치에 흐르다.

しゃし【斜視】图 사시; 사팔뜨기. ＝やぶにらみ. ¶彼は～だ 그는 사팔뜨기다.

しゃし【社史】图 사사; 창립 이래의 회사의 역사(를 쓴 책).

しゃじ【謝辞】图 사사. **1** 감사의 말. ¶援助に対して～を述べる 원조에 대하여 감사의 말을 하다. **2** 사과의 말.

シャシー [프 châssis] 图 샤시. **1** 차대(車臺). **2** 라디오 등을 조립하는 대. ＝シャーシー.

しゃじく【車軸】图 차축; 차의 굴대. ¶～が折れる 차축이 부러지다.

—を流す 장대비가 내리다《비가 억수로 쏟아지는 형용》. ¶～ような豪雨 억수로 퍼붓는 호우.

しゃじつ【写実】图 사실. ¶～に徹する 사실에 투철하다.

—しゅぎ【—主義】图〘文學〙사실주의. ＝リアリズム. ↔ロマン主義·理想主義.

じゃじゃうま【じゃじゃ馬】图 **1** 난폭한 말. ¶～を馴らす 사나운 말을 길들이다. **2** 방자하고 다루기 곤란한 여자. ¶～ならし 왈가닥 길들이기.

しゃしゃり-でる【しゃしゃり出る】下1自〈俗〉넉살좋게 나서다; 뻔뻔스럽게 나서다. ¶社長の前に～·出ておせじを言う 넉살좋게 사장 앞에 나서서 알랑거리다 / 子供同士のけんかに親が～ 아이들 싸움에 부모가 중뿔나게 나서서 참견하다.

しゃしゅ【射手】图 사수. **1** 궁수(弓手).

=いて. **2** 사격수. =射撃手·うちて. ¶機関銃の ~ 기관총 사수.

しゃしゅ【社主】图 사주. ¶新聞社の~ 신문사 사주.

しゃしゅ【車種】图 차종; 자동차 종류.

じゃしゅう【邪宗】图 사교(邪教)《특히, 江戸 시대에 기독교를 일컫던 말》.

しゃしゅつ【射出】图区自他 사출; 내쏨; 발사. ¶弾丸を~する 탄환을 발사하다 / 光を~する 빛을 내쏘다.

しゃじゅつ【射術】图 궁술; 활 쏘는 기술. =弓術.

***しゃしょう**【車掌】图 차장. ¶電車の~ 전차 차장 / 専務~ 여객 전무.

しゃじょう【射場】图 사장. **1** 활터. =矢場. **2** 사격장.

しゃじょう【写場】图 사장; 사진관. =スタジオ.

しゃじょう【車上】图 차 위; 차에 타고 있음.
—の人となる 차를 타다.

しゃしょく【写植】图 사식; '写真植字(=사진 식자)'의 준말.

****しゃしん**【写真】图 사진. ¶~版 사진판 / ~測量 사진 측량 / 卒業~ 졸업 사진 / ~を撮る〔写す〕 사진을 찍다 / ~を現像する〔引き伸ばす〕 사진을 현상〔확대〕하다 / ~に収める 사진에 담다 / ~を一枚焼いてください 사진을 한 장 인화해 주세요 / 彼は~嫌いだ 그는 사진 찍기를 싫어한다.
—うつり【—写り】图 사진의 찍힘새. ¶~のよくない顔 사진이 잘 안 받는 얼굴 / ~がいい 사진(발)이 잘 받다.
—き【—機】图 사진기. =カメラ.
—しょくじ【—植字】图 사진 식자; 사식. =写植.
—ちょう【—帳】《—帖》图 사진첩. =アルバム.
—でんそう【—電送】图 사진 전송.
—はんてい【—判定】图 (고속도 촬영에 의한) 사진 판정.

ジャス [JAS] 图 일본 농림 규격. ¶~マーク (통조림·버터 등) 농·수·축산물의 농림 규격 합격품에 붙이는 마크. ⇨ジス. ▷Japanese Agriculture and Forestry Standards.

ジャズ [jazz] 图〔樂〕재즈. ¶~バンド 재즈 밴드 / ~マン 재즈맨; 재즈 연주자.
—シンガー [jazz singer] 图 재즈 싱어; 재즈 가수.

じゃすい【邪推】图区他 사추; 그릇된 추측〔의심〕. ¶裏切ったのではないかと~する 배반한 것은 아닌가 하고 의심하다 / それは君の~だよ 그것은 자네의 오해이네.

ジャスダック [JASDAQ] 图〔經〕자스닥; (일본의) 장외(場外) 주식 시장 시스템의 일컬음. ⇨ナスダック. ▷Japan Association of Securities Dealers Automated Quotations.

ジャスト [just] 副 저스트; '꼭, 정확히'의 뜻. ¶二十枚~ 꼭 20장 / 九時~だ 9시 정각이다.
—ミート [just meet] 图〔野〕저스트 미트; 배트의 한복판에 맞혀 침.

ジャスミン [jasmine] 图〔植〕재스민. ¶~の香り 재스민의 향기.

しゃ-する【謝する】他サ変他 **1** 사의(謝意)를 표하다; 감사하다. ¶厚意を~ 후의에 감사하다. **2** 사죄하다; 사과하다. ¶無礼を~ 무례를 사과하다. **3** 사절하다; 거절하다. ¶面会を~ 면회를 사절하다. 自サ変自 작별 인사를 하고 떠나가다.

しゃぜ【社是】图 사시. ¶勤勉·努力がわが社の~だ 근면·노력이 우리 회사의 사시이다.

***しゃせい**【写生】图区他 사생. =スケッチ. ¶風景を~する 풍경을 사생하다.
—が【—画】图 사생화. ↔臨画.

しゃせい【射精】图区自 사정. ¶~管 사정관.

しゃせつ【社説】图 사설. ¶新聞の~ 신문 사설.

しゃぜつ【謝絶】图区他 사절. ¶面会を~する 면회를 사절하다.

しゃせん【斜線】图 사선; 빗금. ¶脱退者の氏名に~を引く 탈퇴자의 성명에 사선을 긋다.

しゃせん【車線】图 차선《接尾語적으로도 쓰임》. =レーン. ¶片道四~ 편도 4차선 / 追い越し~ 추월 차선.

しゃそう【車窓】图 차창. ¶~から景色を眺める 차창으로 경치를 내다보다.

しゃそく【社則】图 사칙. ¶~に従う 사칙에 따르다.

しゃたい【車体】图 차체; 보디. =ボディー. ¶~が大破した 차체가 대파되었다.

しゃたく【社宅】图 사택. ¶社員は~に住む 사원은 사택에 산다.

しゃだつ [洒脱] 图ダナ 쇄탈; 산뜻하고 속됨이 없음; 소탈. ¶~な人柄 쇄탈한 인품.

しゃだん【遮断】图区他 차단. ¶交通を~する 교통을 차단하다.
—き【—機】图 (건널목의) 차단기.

しゃだんほうじん【社団法人】图 사단법인. ⇨財団法人.

しゃち〖鯱〗图 **1** 범고래. =サカマタ. **2** ☞しゃちほこ.

しゃちこば-る〖鯱張る〗5自 ☞しゃちほこばる.

しゃちほこ〖鯱〗图 성곽 등의 용마루 양단에 장식해 놓는, 머리는 호랑이 같고 등에는 가시가 돋친 곤두선 물고기 모양의 장식물.
—だち【—立ち】图区自 **1** 곤두섬; 물구나무서기. =さかだち. **2** 있는 힘을 다함. ¶いくら~しても駄目だ 아무리 용써봐야 소용없다. 注意 구어적인 말씨는 'しゃっちょこだち'.

しゃちほこば-る【しゃちほこ張る】《鯱張る》5自 **1** 위엄 있게 도사리다. ¶社長椅子に~って座っている 사장 의자에 위엄있게 앉아 있다. **2** 긴장하여 몸이 굳어지다. =しゃちこばる·しゃち

ばる·しゃっちょこばる. ¶そんなに～·らず楽にしてください 그렇게 긴장하지 말고 편안히 앉아 주세요.

しゃちゅう【車中】名 차중; 차내. =車内. ¶～泊まり 차를 타고 가면서 밤을 지냄.

しゃちょう【社長】名 사장. ¶代表取締役～ 대표 이사 사장 / 副～ 부사장.

シャツ [shirt] 名 1 셔츠. ¶アンダー～ 언더셔츠; 속셔츠. 2 (넓은 뜻으로는) 와이셔츠·폴로셔츠 따위.

—ブラウス [일 shirt+blouse] 名 셔츠 블라우스; 와이셔츠 모양의 블라우스. *영어로는 shirtwaist blouse.

しゃっか【借家】名ス自〖法〗차가; 세든 집. =しゃくや. ¶借地～法 차지 차가법.

じゃっか【弱化】名ス自他 약화. ¶投手陣が～する 투수진이 약화되다. ↔強化.

ジャッカル [jackal] 名〖動〗재칼.

しゃっかん【借款】名 차관. ¶ドル～ 달러 차관 / 開発資金の～が成立する 개발 자금의 차관이 성립되다.

じゃっかん【若干】名副 약간. =いくらか. ¶～名の委員を置く 약간 명의 위원을 두다 / ～の欠点がある 약간의 결점이 있다 / 疑わしい点が～ある 의심스러운 점이 약간 있다.

じゃっかん【弱冠】名 약관; 남자의 20세; 전하여, 어린 나이. =弱年. ¶～にして天下に名を馳せる 약관으로 천하에 이름을 떨치다. 注意 '若冠'으로 씀은 잘못.

しゃっかんほう【尺貫法】名 척관법. 参考 일본서는 1959년에 폐지, 미터법으로 개정.

じゃっき[惹起] 名ス他 야기; (사건·문제 따위를) 일으킴. ¶重大事件を～した 중대 사건을 야기했다.

ジャッキ [jack] 名 잭; 간단한 기중기. ¶～で持ちあげる 잭으로 들어 올리다.

しゃっきり 副ス他 〈俗〉 1 (어떤 일에도 대응할 수 있게) 확고부동한 모양; 딱; 우뚝. ¶～と立ちなさい 똑바로 서라 / 腰が～と立つ 허리가 쭉 펴지다. 2 생기있고 분명한 모양. ¶気の～した老人 생기 있고 어기찬 노인.

しゃっきん【借金】名ス自 차금; 돈을 꿈; 빚. ¶友だちから～する 친구로부터 돈을 꾸다 / ～を返す 빚을 갚다 / ～を催促する 빚 독촉을 하다 / ～を踏み倒す 빚을 떼먹다.

—を質に置く 잡힐 것이라곤 빚밖에 없을 정도로 돈에 쪼들리다.

—とり【—取り】名 빚쟁이.

ジャック [jack] 名 재크. 1 트럼프에서, 병사 그림이 그려져 있는 카드. 2 플러그를 꽂아 전기를 접속시키는 장치. ¶イヤホン～ 이어폰 잭.

—ナイフ [jackknife] 名 잭나이프.

しゃっくり〖吃逆·噦り〗名ス自 딸꾹질. =しゃくり·さくり. ¶～が出る〔止まらない〕 딸꾹질이 나다〔멎지 않다〕.

しゃっけい【借景】名 차경; 먼 산 따위의 경치를 정원의 일부처럼 이용하는 일; 또, 그러한 조원(造園) 법. ¶叡山を～とした庭 比叡山(=京都 시 동북방의 산)을 차경으로 한 정원.

しゃっこう【釈講】名ス自 뜻을 설명하여 들려줌. =講釈.

じゃっこう【弱行】名 약행. ¶薄志～ 박지약행.

ジャッジ [judge] ⊟名 저지. 1 재판관. 2 (권투 등의) 부심. ⇨レフェリー. ⊟名ス他 심판; 판정. ¶～は真正 판정은 거짓이 없이 바름. ▷judgement.

—ペーパー [judge paper] 名 (권투의) 저지 페이퍼; 판정〔채점〕 용지.

シャッター [shutter] 名 셔터. 1 사진기의 셔터. ¶～を切る 셔터를 누르다. 2 덧문. ¶～をおろす 셔터를 내리다.

—チャンス [일 shutter+chance] 名 셔터찬스; (움직이는 물체 등을 찍을 때) 셔터를 누르기에 가장 알맞은 순간.

シャットアウト [shutout] 名ス他 셧아웃. 1 내쫓음. ¶～を食う 셧아웃당하다; 내쫓기다 / 部外者を～して会議を開く 부외자를 내보내고 회의를 열다. 2〖野〗상대방을 영패시킴. ¶～勝ち 완봉승 / 相手チームを～する 상대 팀을 영패시키다.

シャッポ [프 chapeau] 名 샤포; 모자.

—を脱ぐ 모자를 벗다《항복하다》. =兜をぬぐ.

しゃてい【射程】名 사정. ¶～距離 사정 거리 / 敵が～内にはいる 적이 사정 (거리) 안에 들어오다.

しゃてき【射的】名 1 과녁에 활·총을 쏨. 2 공기총으로 표적을 쏘는 놀이. ¶～屋〔場〕 장난감 총을 쏘는 오락장.

しゃでん【社殿】名 신전; 신사의 신체(神體)를 모신 건물.

しゃとう【斜塔】名 사탑. ¶ピサの～ 피사의 사탑.

しゃどう【車道】名 차도; 찻길. ¶～を横切る 차도를 횡단하다. ↔歩道·人道.

じゃどう【邪道】名 사도. 1 올바르지 못한 길〔방법〕. ¶人を～に導く 남을 나쁜 길로 인도하다. ↔正道. 2 도리에 맞지 않는 부정한 방법. ¶そのやり方は～だ 그 방법은 바르지 못하다.

シャトー [프 château] 名 샤토; 성(城); 궁전; 대저택.

シャドー [shadow] 名 섀도; 그림자. ¶アイ～ 아이 섀도. ↔ハイライト.

—キャビネット [shadow cabinet] 名 섀도 캐비닛《집권할 경우를 예상하여 야당이 조직하는 예비 내각》.

シャトル [shuttle] 名 셔틀. 1 일정 구간을 왕복하는 비행기·열차·버스 등의 교통 기관. ¶～バス 셔틀 버스 / スペース～ 스페이스 셔틀; 우주 왕복선. 2 (배드

민턴 따위의) 셔틀콕; 깃털 공. =シャトルコック.

しゃない【社内】图 사내. 1 회사 안〔내부〕. ¶～結婚(けっこん) 사내 결혼 / ～では公然(こうぜん)の秘密(ひみつ)だ 사내에서는 공공연한 비밀이다. 2 신사(神社)의 경내나 회사 건물의 안. ⇔社外(しゃがい).

—ベンチャー [venture] 图〘經〙 사내 벤처《기업이 신제품 개발이나 본업과는 다른 시장으로 진출하기 위해 기업 내부에 설치하는 독립된 사업 조직》.

—ほう【—報】图 사내보; 사보(社報).

しゃない【車内】图 차내. ¶～灯(とう) 차내등 / ～広告(こうこく) 차내 광고 / ～禁煙(きんえん)です 차내 금연입니다《게시》. ↔車外(しゃがい).

しゃなりしゃなり 副〈俗〉 하느작거리며 모양내고 걷는 모양: 간들간들. ¶彼女(かのじょ)は～と歩(ある)いている 그녀는 하느작하느작〔간들간들〕 걷고 있다.

しゃにくさい【謝肉祭】图 사육제; 카니발. =カーニバル.

しゃにむに【遮二無二】副 마구; 앞뒤 생각 없이; 무턱대고. =むやみに·めちゃくちゃに·がむしゃらに. ¶～突進(とっしん)する 앞뒤 가리지 않고〔저돌적으로〕 돌진하다.

じゃねん【邪念】图 사념; 잡념; 망상. ¶～をいだく 사념을 품다 / ～を払(はら)う 잡념을 떨어버리다.

じゃのめ【蛇の目】图 1 굵은 고리 모양. 2 '蛇の目傘(がさ)'의 준말.

—がさ【—傘】图 중앙과 둘레를 감색·적색 따위로 칠하고 중간은 백색 따위로 하여 큰 고리 모양의 무늬를 놓은 종이 우산.

[蛇の目]

しゃば【車馬】图 차마; 거마; 탈것. ¶～通行止(つうこうど)め 차마 통행 금지.

—だい【—代】图 거마비; 교통비. =車馬賃(ちん)·車馬料(りょう).

しゃば〘娑婆〙图 사바. 1〘佛〙 사바세계. 2 군대·감옥 속에서 보는 외부의 자유스러운 세계; 바깥 사회.

—け【—気】图 속세의 명예·이익에 집착하는 속된 마음. =しゃばき. ¶～の多(おお)い人(ひと) 속된 마음이 많은 사람 / ～を起(お)こす 속물 근성을 발휘하다. 注意 구어적인 말투로는 'しゃばっけ'라고도 함.

ジャパニーズ [Japanese] 图 재퍼니스; 일본(의); 일본말; 일본 사람.

ジャパノロジー [Japanology] 图 재퍼놀러지; 일본학《외국인이 일본을 대상으로 하여 그 사회·역사·문화 등을 연구하는 학문》.

しゃはば【車幅】图 차폭; 자동차의 폭. 注意 'しゃふく'라고도 함.

—とう【—灯】图 차폭등.

じゃばら【蛇腹】图 1 사진기·아코디언의 주름상자. 2 접등(摺燈)의 접는 부분.

ジャパン [Japan] 图 재팬; 일본.

しゃひ【社費】图 사비. 1 회사〔사단(社團)〕의 비용. ¶～で支払(しはら)う 사비로 지불하다. 2 신사(神社)의 비용.

しゃひ【舎費】图 사비; 기숙사비. ¶～が滞(とどこお)っている 기숙사비가 밀려 있다.

ジャピーノ [Japeeno] 图 자피노; 필리핀 여성과 일본인 남성 사이에서 태어난 혼혈아.

しゃぶ 图〈俗〉'覚醒剤(かくせいざい)'(=각성제)의 은어.

ジャブ [jab] 图 잽; (권투에서) 계속적으로 가볍게 치는 공격(법). ¶～を出(だ)す 잽을 뻗다.

しゃぶしゃぶ 图 얇게 저민 쇠고기를 끓는 물에 살짝 데쳐 양념장에 찍어 먹는 냄비 요리.

じゃぶじゃぶ 副 물을 휘젓는 모양: 철벅철벅; 점벙점벙. ¶～(と)洗濯(せんたく)する (빨래를) 점벙점벙 빨다 / 小川(おがわ)を～と渡(わた)る 개울을 철벅철벅 건너다.

しゃふつ【煮沸】图スル他 자비; 펄펄 끓임. ¶～消毒(しょうどく) 자비 소독. 注意 'しょふつ'의 관용음.

シャフト [shaft] 图 샤프트. 1 축; 회전축. 2 긴 자루. ¶ゴルフのクラブの～ 골프채의 자루.

しゃぶ-る 5他 입안에 넣고, 핥거나 빨다. ¶指(ゆび)を～ 손가락을 빨다 / 飴玉(あめだま)を～ 눈깔사탕을 우물거리다.

しゃへい [遮蔽] 图スル他 차폐; 가림. ¶～物(ぶつ) 차폐물 / 外(そと)から灯火(とうか)が見(み)えないように～(を)する 밖에서 등불이 보이지 않도록 가리다.

しゃべりまく-る〘喋り捲る〙5自他 마구 지껄여 대다. ¶一人(ひとり)で～ 혼자서 마구 지껄여 대다.

*しゃべ-る〘喋る〙5自〈俗〉1 지껄이다. ¶よく～やつだ 되게 말이 많은 녀석이다 / 出(で)まかせを～ 아무렇게나 지껄이다. 2 입밖에 내다. ¶だれにも～なよ 아무에게도 말하지 마 / ほかの奴(やつ)に～·ったら承知(しょうち)しないぞ 다른 놈에게 말하면 가만 안 둘테다. 3 수다떨다. ¶よく～女(おんな)だ 수다스러운 여자다. 可能 しゃべ-れる 下1自

シャベル [shovel] 图 셔블; 삽. =ショベル.

しゃへん【斜辺】图 사변; 빗변. ¶～に垂線(すいせん)を下(お)ろす 사변에 수직선을 내리긋다.

しゃほう【社報】图 사보.

しゃほん【写本】图 사본. ¶原本(げんぽん)と～ 원본과 사본. ↔版本(はんぽん)·刊本(かんぽん).

シャボン [포 sabão] 图 샤봉; 비누. =せっけん. ¶～入(い)れ 비눗갑.

—だま【—玉】图 비누 방울《곧 사라지는 덧없는 것에도 비유됨》.

**じゃま【邪魔】名スル スル他 1 방해; 장애; 거추장스러움. ¶～者(もの) 방해자 / ～物(もの) 방해물; 장애물 / ～が入(はい)る 방해가 끼다; 장애물이 생기다 / 勉強(べんきょう)を～する 공부를 방해하다. 2《'お～する'의 꼴로》 방문하다《겸사말》. ¶お～いたしました 실례했습니다《방문하고 떠날 때 따위》/ 今(いま)からお～してよろしゅうございますか 지금부터 실례해도 괜찮겠습니까《방문할 때 따위에 씀》.

—だて【—立て】名ス他 일부러 방해함; 가로막음. ¶いらぬ~をするな 쓸데없이 방해를 놓지 마라.

—っけ〖—っ気〗名ナ 〈俗〉 거치적거림; 방해로 느낌. ¶~な物を片づける 거치적거리는 물건을 치워 놓다/~な奴だ 거치적거리는 놈이다.

しゃみせん【三味線】名 일본 고유 음악에 사용하는, 세가닥의 줄이 있는 현악기; 삼현금. =さみせん·しゃみ. ¶~を弾く (a)三味線을 타다; (b)본심을 감추기 위해서 딴청을 부리다.

[三味線]

しゃむ【社務】名 사무. **1** 신사(神社)에서 다루는 사무. **2** 회사의 사무. ¶~で出張する 사무로 출장가다.

シャムそうせいじ【シャム双生児】名 샴 쌍생아; 가슴 아래쪽이 붙어 있는 일란성(一卵性) 쌍생아.

ジャム [jam] 名 잼. ¶パンに~をつける 빵에 잼을 바르다.

しゃめい【社命】名 사명; 회사의 명령. ¶~を帯びて出張する 사명을 띠고 출장가다.

*__しゃめん__【斜面】名 사면; 경사면. ¶急~ 급사면/丘の~に畑をつくる 언덕 사면에 밭을 만들다.

しゃめん【赦免】名ス他 사면; 죄를 용서함. ¶~状 사면장/~を請う〔受ける〕 사면을 청하다〔받다〕.

シャモ〖軍鶏〗名〔鳥〕 댓닭《투계(鬪鷄)용의 몸집이 크고 성질이 사나운 닭의 한 품종》.

しゃもじ〖杓文字〗名〈女〉 주걱; 국자. =しゃくし. ¶~でご飯を茶わんによそう 주걱으로 밥을 공기에 담다.

しゃもん [借問] 名ス他 차문; 물어봄. =しゃくもん. ¶それではちょっと~するが… 그럼 좀 물어 보겠는데….

しゃゆう【社友】名 사우. **1** 사원이 아니면서 사원의 대우를 받는 사람. **2** 같은 사(社)의 동료. ¶同期入社の~ 동기로 입사한 사우.

しゃよう【斜陽】名 **1** 사양; 석양. =夕日. ¶~を受けて家路につく 석양을 받으며 귀로에 오르다. **2** 몰락; 쇠퇴. ¶~産業 사양 산업.

—ぞく【—族】名 사양족《시세(時勢)에 뒤져 몰락한 상류 계급》.

しゃよう【社用】名 사용. **1** 회사의 용무. ¶~外出 사용으로 외출. **2** 신사(神社)의 용무.

—ぞく【—族】名 사용족; 회사 일을 빙자하여 사비(社費)를 유흥에 쓰는 자《'斜陽族'의 음을 따서 빗댄 말》.

しゃらく [洒落] 名ダナ 쇄락; 마음·행동이 담박 솔직한 모양. ¶~な人 쇄락한 사람.

しゃらくさ-い〖洒落臭い〗形〈俗〉 시건방지다. ¶~事を言うな 시건방진 소리 마라.

じゃらじゃら 副ス自〈俗〉**1** 동전 따위 쇠붙이가 맞부딪치는 소리: 짤랑짤랑. ¶ポケットに銀貨を~させて歩く 호주머니의 은전을 짤랑거리면서 다니다. **2** 옷·생김새가 빤들거리고 천하게 색정적인 모양. ¶~した男 기생오라비 같은 남자.

じゃら-す〖戯らす〗5他〈俗〉(짐승 따위를) 장난치게 하다; 재롱부리게 하다. ¶猫を~ 고양이를 재롱부리게 하다.

しゃり【射利】名 사리; (수단을 가리지 않고) 이익을 노림. =射倖. ¶~の心 사리심; 일확천금을 노리는 마음/~射幸にはしる 사리 사행에 치닫다.

しゃり【舎利】名 **1**〖佛〗사리; 불타·성자의 유골. ¶仏~ 불사리. **2** 화장하고 남은 뼈. **3**〈俗〉흰 쌀밥. ¶銀~ 흰 밥알. 参考 '舎利'는 범어의 음역.

—とう【—塔】名 사리탑.

*__じゃり__【砂利】名 **1** 자갈. =ざり. ¶~トラ 자갈을 운반하는 트럭《'じゃりトラック'의 준말》/道路に~を敷く 도로에 자갈을 깔다. **2**〈俗〉어린이; 조무래기; 꼬마. 注意 '砂利'로 씀은 취음.

じゃりじゃり 副 모래·자갈 따위를 밟는 소리; 또, 입안에 모래가 씹히는 모양: 지금지금. ¶口の中が~するほど砂を浴びた 입안이 지금거릴 정도로 모래를 뒤집어썼다.

しゃりょう【車両】《車輛》名 차량. ¶新造の~ 새로 만든 차량/~を整備する 차량을 정비하다.

*__しゃりん__【車輪】名 차륜; 수레바퀴. ¶~制動機 차륜 제동기/暴走で~がはずれる 폭주 끝에 바퀴가 빠지다.

ジャル [JAL] 名 잘; 일본 항공. ▷Japan Air Lines.

シャルマン [프 charmant] ダナ 샤르망; 귀여움; 매력적임. =チャーミング.

*__しゃれ__〖洒落〗名 **1** 신소리; 익살. ¶~の通じない人 익살이 안 통하는 사람/~を飛ばす 익살을 떨다. **2**『お~』멋부림; 성장. ¶お~をして外出する 멋을 부리고 외출하다.

しゃれい【謝礼】名ス自 사례. =お礼. ¶~金 사례금/~を言う 사례의 말을 하다.

しゃれき【社歴】名 사력. **1** 입사 이후의 연수〔경력〕. ¶~九年のベテラン 입사 후 9년의 베테랑. **2** 회사의 역사. ¶~がながい 회사의 역사가 길다.

しゃれこ-む [洒落込む] 5自 **1** 한껏 멋부리다. ¶そんなに~·んでどこへ行くんだ 그렇게 한껏 멋부리고 어디 가나. **2** (평상시는 좀처럼 엄두도 못 낼 일을) 큰마음 먹고 하다. ¶正月はハワイ旅行と~ 설에는 큰마음먹고 하와이 여행을 가기로 하다.

しゃれっけ【しゃれっ気】《洒落っ気》名 **1** 화려한 옷을 입어 남에게 돋보이려는

속셈. **2** 재치있는 언행으로 남을 깜짝 놀라게 하려는 속마음. **3** 재담을 피워 남을 웃기려는 여유있는 기분. ¶いかめしいようだがなかなか~もある 근엄해 보이지만 제법 익살기도 있다.

しゃれもの【しゃれ者】《洒落者》[名] **1** 멋쟁이. **2** 깔끔하고 재치있는 사람.

しゃ-れる〖洒落る〗[下1自] **1** 재치가 있다; 세련되다; 멋지다. ¶~·れた家 멋있는 집. **2** 똑똑한 체하다; 시건방지다. ¶~·れたことをぬかすな 시건방진 소리 마라. **3** 익살을 부리다. **4** 멋을 내다; 옷치레하다. ¶~·れて出かける 멋을 내고 외출하다.

じゃ-れる〖戯れる〗[下1自] (달라붙어서) 재롱부리다; 장난하다. =戯れる. ¶猫がまりに~ 고양이가 공을 가지고 재롱부리다.

じゃれん【邪恋】[名] 사련. ¶人妻と~に陥る 유부녀와 사련에 빠지다.

ジャロジー [jalousie] [名] 잴루지; 미늘살 창문《유리 제품》.

シャワー [shower] [名] 샤워(로 목욕함); 샤워 장치. =シャワーバス. ¶~を浴びる 샤워를 하다.

シャン [도 schön] [名ナ] 쇤; 미인. ¶トテ~ 굉장한 미인. [参考] 제2차 대전 전에 주로 학생들 사이에 쓰였던 말.

ジャンク [junk] [名] **1** 정크; 중국의 (연해·강에서 쓰는) 범선. [注意] '戎克'로 씀은 취음. **2** 폐품; 잡동사니.

——フード [junk food] [名] 정크 푸드; (영양가가 별로 없는) 스낵 과자·인스턴트 식품 등 대량 생산으로 소비되는 식품군(群).

ジャンクション [junction] [名] 정크션. **1** 접합; 연결. **2** 고속도로의 합류 지점.

ジャングル [jungle] [名] 정글; 밀림. ¶~の法則 정글의 법칙.

——ジム [junglegym] [名]〔商標名〕 정글짐; 놀이터 등에 있는 철관 따위를 맞추어서 만든 놀이 시설.

じゃんけん〖じゃん拳〗[名] 가위바위보. =いしけん. ¶~で決める 가위바위보로 정하다.

しゃんしゃん [副] **1** 건강하여 일을 잘하는 모양: 정정; 꼬장꼬장. ¶年をとっても~している 나이를 먹었어도 정정하다. **2** (일이 일단락된 것을 축하하여) 여럿이 손뼉을 치는 모양: 짝짝짝. ¶~と手拍子を打つ 짝짝짝하고 손뼉을 치다. **3** 방울 따위가 울리는 소리: 짤랑짤랑. ¶馬車の鈴が~と鳴る 마차 방울이 짤랑짤랑 울리다.

じゃんじゃん [副] 〈俗〉 **1** 연이어 기운차게 하는 모양: 척척; 한창; 마구; 쉴새없이. =どしどし. ¶~勉強する 쉴새없이 공부하다 / ~と申し込みがある 연이어 신청이 들어오다. **2** 종 울리는 소리: 땡땡. ¶~鐘を鳴らす 뎅뎅 종을 울리다.

シャンソン [프 chanson] [名] 샹송. ¶~歌手 샹송 가수.

シャンツェ [도 Schanze] [名] 샨체; 스키의 도약대.

シャンデリア [프 chandelier] [名] 샹들리에. ¶~がはなやかだ 샹들리에가 화려하다.

しゃんと [副] **1** 자세 따위가 똑바른 모양: 단정하게; 반듯하게. ¶上体を~伸ばす 상체를 반듯이 펴다 / ~して座る 자세를 단정히 하고 앉다. **2** ☞しゃんしゃん1. ¶米寿を迎えたがまだ~したものだ 미수를 맞이했으나 아직도 꼿꼿하더군.

ジャンパー [jumper] [名] 점퍼. **1** 잠바. ¶~をひっかける 점퍼를 걸치다. **2** (육상 경기나 스키의) 점프 선수.

シャンパン [프 champagne] [名] 샴페인. =シャンペン. ¶~を抜く 샴페인을 터뜨리다.

ジャンプ [jump] [名][ス自] 점프; 뜀; 도약. ¶三段跳びの~でしくじる 세단 뛰기 점프에서 실수하다.

——きょうぎ【——競技】[名] 점프 경기《스키에서 공중비행의 자세와 비(飛)거리를 겨루는 경기》. 「シャンツェ.

——だい【——台】[名] (스키의) 점프대.=

シャンプー [shampoo] [名][ス自] 샴푸; 세발제(洗髮劑); 머리를 감음. ¶毎日~する 매일 머리를 감다.

ジャンボ [jumbo] [名] 점보. **1** 거대함·대규모의 뜻. ¶~入学式 점보 입학식. **2** ☞ジャンボジェット.

——ジェット [jumbo jet] [名] 점보제트; 초대형 제트 여객기《보잉 747기의 애칭》. =ジャンボ.

ジャンボリー [jamboree] [名] 잼버리; 보이스카우트 대회.

ジャンル [프 genre] [名] 장르; 종류; 문예 양식. ¶新しい~の文学 새로운 장르의 문학 / ~別に分ける 장르별로 가르다.

しゅ【主】 주. [一][名] **1** 주체. ↔客. **2** 군주; 주군; 주인. ¶~が~なら従も従 그 주인에 그 신하. ↔従. **3** 중요한 점. ¶攻撃を~にして戦う 공격을 주로 하여 싸우다. ↔従. **4**〔基〕 주님. ¶わが~イエス 우리 주 예수 / ~よ, 罪深き我等を… 주여, 죄많은 우리들을…. [二][トタル] 중심이 되고 있는 모양. ¶~たる武器 주된 무기. [三][接頭] 주요한; 중심의; 주된. ¶~産地 주산지 / ~目的 주목적. ↔副.

しゅ【朱】[名] 주. **1** 주홍색; 또는 주홍색 안료. **2** 교정·인쇄에서 시문(詩文)을 고치는 붉은 글씨. ¶原稿に~を入れる 원고에 교정·가필하다.

——に交われば赤くなる 근묵자흑(近墨者黑)《사람은 사귀는 친구에 따라 선인도 되고 악인이 되기도 한다》.

しゅ【種】[名] 종. **1** 종류. ¶この~の書物 이런 종류의 서책. **2** 생물 분류의 최하 기초 단위. ¶この~は既に絶滅

した 이 종은 이미 멸종됐다.
=しゅ【手】…수; 일·역할을 하는 사람. ¶運転～ 운전사 / 交換～ 교환원.
=しゅ【首】…수; 시가(詩歌)를 세는 말. ¶和歌二十～, 和歌 20수.
=しゅ【酒】…주; …술. ¶果実～ 과실주 / 日本～ 일본 술.
しゅ〚手〛教1 シュ て た | 수 손 | 1 손. ¶手足 수족. ↔足. 2 손수 하다. ¶手記 수기. 3 어떤 기예의 전문가. ¶名手 명수. 4 어떤 일을 하는 사람. ¶選手 선수.
しゅ〚主〛《主》教3 シュ ス おも ぬし あるじ つかさどる | 주 주인 | 1 중심이 되는 사람; 우두머리. ¶主婦 주부 / 戸主 호주. ↔従. 2 군주; 영주. ¶主君 주군. 3 천주; 신. ¶天主 천주. 4 중심이 되어 일하다. ¶主謀 주모.
しゅ〚守〛教3 シュ ス まもる まもり もり かみ | 수 지키다 | 1 지키다. ¶守備 수비. 2 벼슬아치; 행정관. ¶郡守 군수.
しゅ〚朱〛常用 シュ ス あけ あか | 주 붉다 | 1 주홍색. ¶朱唇 주순. 2 ㉠인주. ㉡주묵(朱墨).
しゅ〚取〛教3 シュ とる | 취 취하다 | 가지다. ¶取得 취득 / 詐取 사취. ↔捨.
しゅ〚狩〛常用 シュ シュウ かる かり | 수 사냥하다 | 1 사냥. ¶狩猟 수렵. 2 임지(任地). ¶巡狩 순수.
しゅ〚首〛教2 シュ くび こうべ はじめ おさ | 수 머리 자백하다 | 1 머리. ¶首尾 수미. 2 최상위; 제일위. ¶首席 수석. 3 우두머리. ¶首魁 수괴.
しゅ〚株〛教6 シュ かぶ | 주 그루 | 1 나무의 그루터기. ¶守株 수주. 2 입목(立木)을 세는 말: 그루; 주. ¶両三株 이삼 주.
しゅ〚殊〛常用 シュ こと | 수 다르다 | 1 따로따로 되다; 다르다. ¶殊異 수이. 2 뛰어난. ¶殊勲 수훈 / 特殊 특수.
しゅ〚珠〛常用 シュ たま | 주 구슬 | 1 구슬. ¶真珠 진주. 2 진주같이 동그란 것. ¶念珠 염주.
しゅ〚酒〛教3 シュ さけ さか | 주 술 | 술. ¶酒肴 주효 / 酒宴 주연 / 斗酒 두주.
しゅ〚種〛教4 シュ たね くさ | 종 씨심다 | 1 씨를 뿌리다. ¶播種 파종. 2 종자. ¶種苗 종묘. 3 분류. ¶種別 종별.
しゅ〚趣〛常用 シュ おもむき おもむく | 취 향하다 | 뜻 1 뜻; 이유. ¶趣旨 취지. 2 취향. ¶趣味 취미 / 興趣 흥취.
じゅ【寿】图 수; 나이; 연세. ¶百年の～を保つ 백 살의 수를 누리다.
じゅ［呪］图 액막이; 주술(呪術); 주문(呪文). ¶～を唱える 주문을 외다.
じゅ【儒】图 유. 1 유학자. 2 유학; 유교. ¶～を学ぶ 유학을 배우다.
じゅ〚寿〛《壽》常用 ジュ ことぶき ことほぐ とし | 수 목숨 | 1 장수하다. ¶寿福 수복. 2 나이. ¶寿命 수명.
じゅ〚受〛《受》教3 ジュ ズ うける うかる | 수 받다 | 받다. ¶受容 수용 / 受験 수험 / 授受 수수. ↔授.
じゅ〚授〛《授》教5 ジュ さずける さずかる | 수 주다 | 주다; 가르치다. ¶授与 수여 / 教授 교수. ↔受.
じゅ〚需〛常用 ジュ もとめる もとめ | 수 구하다 | 없어서는 아니되다; 구하다. ¶需要 수요 / 必需 필수.
じゅ〚儒〛常用 ジュ | 유 선비 | 공자의 가르침을 받드는 학파. ¶儒学 유학.
じゅ〚樹〛教6 ジュ き うえる たてる | 수 나무 | 1 서 있는 나무. ¶樹木 수목 / 果樹 과수. 2 세우다. ¶樹立 수립.
シュア［sure］ダナ 슈어; 확실한 모양. ¶チャンスに頼れる～なバッター　찬스를 놓치지 않는 확실한 배터〔타자〕.
しゅい【首位】图 수위; 수석. ¶～を占める〔争う, 奪う〕 수위를 차지하다〔다투다, 빼앗다〕. ↔末位.
—だしゃ【—打者】图〔野〕 수위 타자. =リーディング ヒッター.
しゅい【主意】图 주의. 1 중심이 되는 중요한 뜻·생각; 주안(主眼); 주지(主旨). ¶立法の～を汲む　입법의 주의〔주지〕를 헤아리다. 2 이지(理智)나 감정보다 의지를 중요시하는 입장. ¶～的 주의적. ↔主情·主知.
しゅい【趣意】图 취의; 취지. ¶来訪の御～はよくわかりました　내방하신 취지는 잘 알았습니다.
しゅいん【主因】图 주인; 주된 원인. ¶死亡の～がはっきりしない　사망의 주된 원인이 분명하지 않다. ↔副因.
しゅいん【朱印】图 1 주인; 인주를 묻혀서 찍은 도장. 2 ☞しゅいんじょう.
—じょう【—状】图 무가 시대에 将軍의 주인을 찍은 공문서. =ご朱印.
じゅいん【樹陰】《樹蔭》图 수음; 나무 그늘. =こかげ. ¶～に憩う 나무 그늘에서 쉬다.
しゆう【私有】图ス他 사유. ¶～財産 사유 재산 / ～のヨットを持っている　사유의 요트를 가지고 있다. ↔公有.
しゆう【師友】图 사우. 1 스승으로 존경하는 친구. ¶～と仰ぐ 사우로 받들다. 2 스승과 친구.
しゆう【雌雄】图 자웅. 1 암컷과 수컷. ¶～を見分ける 암수를 분간하다. 2 ㉠우열. ¶～を決(けっ)する 자웅을 가리다. ㉡승부. ¶～を争(あらそ)う 승패를 다투다.

—どうしゅ [—同株] 图〔植〕자웅 동주; 암수 한 그루.

—どうたい【—同体】图〔動〕자웅 동체; 암수 한몸.

しゅう【州】图 주; (영국·미국 등의) 행정 구획의 하나. ¶オハイオ～ 오하이오주/～のみやこ 주도(州都).

しゅう【秀】图 수; 성적 평가에서, 최상위. ¶成績(せいせき)は～だ 성적은 수다.

*しゅう【週】图 주; 7일간. ＝ウィーク. ¶次(つぎ)の～の初(はじ)め 다음 주 초/～40時間(じかん)つとめる 주 40시간 일하다.

しゅう【衆】㊀图 많은 사람. ¶村(むら)の～ 마을 사람들/～に先(さき)んずる 남들보다 앞서다. ㊁接尾 사람을 나타내는 말에 붙어 존경 또는 친애하는 기분을 나타냄. ＝しゅ. ¶見物人(けんぶつにん)～ 구경꾼들.

しゅう【集】图 집; 시가·문장 등을 모은 서책. ¶家(いえ)の～ 가집(家集). 参考 接尾語적으로도 씀. ¶作品(さくひん)～ 작품집.

しゅう【醜】图 추(악)함; 더러움; 또, 추한 사람; 수치. ¶～, 言(い)うべからず 추악하기가 이루 말할 수 없다/～をさらす 수치를[추함을] 드러내다. ↔美(び).

シュー [일 shoe] 图 슈; 구두 모양의 기구나 부품. ¶ブレーキ～ 브레이크 슈.

しゅう〘囚〙常用 シュウ とらえる とらわれる | 수 가두다 | 1 죄인이 감금되다. ¶囚獄(しゅうごく) 수옥. 2 잡힌 사람. ¶囚人(しゅうじん) 수인/死刑囚(しけいしゅう) 사형수.

しゅう〘収〙(〘收〙) 教6 シュウ おさめる おさまる | 수 거두다 | 거두어 들이다. ¶収入(しゅうにゅう) 수입/収納(しゅうのう) 수납/回収(かいしゅう) 회수.

しゅう〘州〙教3 シュウ す | 주 고을 | 주. 1 강 가운데 있는 섬. ¶三角州(さんかくす) 삼각주. 2 대륙. 注意 '洲(しゅう)'와 통용됨. 3 연방 국가의 구성국. ¶ネバダ州(しゅう) 네바다 주.

しゅう〘舟〙常用 シュウ ふね ふな | 주 배 | 배. ¶舟艇(しゅうてい) 주정/片舟(へんしゅう) 편주/孤舟(こしゅう) 고주.

しゅう〘秀〙教4 シュウ ひいでる | 수 빼어나다 | 빼어나다; 빼어난 것. ¶秀作(しゅうさく) 수작. 参考 평가하는 말로서 '優(ゆう)(＝우)' 보다 위임을 나타내기도 함.

しゅう〘周〙(〘周〙) 教4 シュウ まわり めぐる | 주 두루 | 1 충분히[두루] 미치다. ¶周知(しゅうち) 주지. 2 돌다; 둘레. ¶周年(しゅうねん) 주년/円周(えんしゅう) 원주.

しゅう〘拾〙教3 シュウ ジュウ ひろう | 습 줍다 | 십 열 | 1 줍다. ¶拾得(しゅうとく) 습득/拾遺(しゅうい) 습유. 2 십; '十'의 갖은자. ¶金(きん)拾万円(じゅうまんえん) 일금 10만 엔.

しゅう〘洲〙人名 シュウ す | 주 섬 | 1 강 가운데 이루어진 섬. 2 지구상의 대륙. ¶欧洲(おうしゅう) 구주; 유럽주. 注意 '州'로 대용함.

しゅう〘秋〙教2 シュウ あき とき | 추 가을 | 1 가을. ¶秋分(しゅうぶん) 추분. 2 세월. ¶千秋(せんしゅう) 천추. 3 중요한 시기. ¶危急(ききゅう)存亡(そんぼう)の秋(とき) 위급 존망지추.

しゅう〘臭〙(〘臭〙) 常用 シュウ くさい におい | 취 냄새 | 냄새; 특히, 고약한 냄새(가 나다); 구리다. ¶悪臭(あくしゅう) 악취.

しゅう〘修〙教5 シュウ シュ おさめる おさまる | 수 닦다 | 1 장식하다. ¶修飾(しゅうしょく) 수식. 2 수양하다. ¶修身(しゅうしん) 수신. 3 책을 만들다; 편찬하다. ¶編修(へんしゅう) 편수.

しゅう〘終〙(〘終〙) 教3 シュウ おわる おえる ついに | 종 끝 | 1 끝나다; 끝마치다. ¶終結(しゅうけつ) 종결/臨終(りんじゅう) 임종. ↔始(し). 2 끝까지. ¶終身(しゅうしん) 종신/終日(しゅうじつ) 종일.

しゅう〘習〙(〘習〙) 教3 シュウ ならう ならわし | 습 익히다 | 1 배우다; 연습하다. ¶習得(しゅうとく) 습득. 2 버릇; 관습. ¶風習(ふうしゅう) 풍습/習性(しゅうせい) 습성.

しゅう〘週〙(〘週〙) 教2 シュウ めぐる | 주 두르다 | 1 한바퀴 돌다; 돌다. ¶週期(しゅうき) 주기/周遊(しゅうゆう) 주유. 2 주; 7일간. ¶毎週(まいしゅう) 매주/週間(しゅうかん) 주간.

しゅう〘就〙教6 シュウ ジュ つく つける | 취 나아가다 | 1 그쪽으로 가다. ¶去就(きょしゅう) 거취. 2 일에 착수하다. ¶就任(しゅうにん) 취임. 3 이루다. ¶成就(じょうじゅ) 성취.

しゅう〘衆〙(〘衆〙) 教6 シュウ シュ おおい もろもろ | 중 무리 | 1 인원이 많다. ¶衆寡(しゅうか) 중과. 2 많은 사람. ¶大衆(たいしゅう) 대중.

しゅう〘集〙教3 シュウ あつまる あつめる つどう | 집 모으다 | 1 모이다. ¶集結(しゅうけつ) 집결. 2 수집한 물건; 특히, 문학 작품 등을 모은 책. ¶全集(ぜんしゅう) 전집.

しゅう〘愁〙常用 シュウ うれい うれえる | 수 근심하다 | 우울하다; 근심하다. ¶哀愁(あいしゅう) 애수/愁眉(しゅうび) 수미.

しゅう〘酬〙常用 シュウ むくいる | 수 잔돌리다 | 보답하다; 갚다. ¶応酬(おうしゅう) 응수.

しゅう〘醜〙常用 シュウ みにくい しこ | 추 추하다 | 추하다. ¶醜態(しゅうたい) 추태. ↔美(び).

しゅう【蹴】シュウ ける | 축 차다 | 차다. ¶蹴球(しゅうきゅう) 축구/一蹴(いっしゅう) 일축.

しゅう〘襲〙常用 シュウ おそう かさねる | 습 엄습하다 | 1 습격하다. ¶襲撃(しゅうげき) 습격. 2 물려받다. ¶世襲(せしゅう) 세습.

じゆう【事由】 名 사유. ¶特別な～ 특별한 사유 / ～の如何を問わない 사유 여하를 불문하다.

じゆう【自由】 名ダナ 자유. ¶～な社会 자유로운 사회 / ～になる 자유롭게 되다 / 我に～を与えよ 나에게 자유를 달라 / ～を謳歌する 자유를 구가하다 / どうぞご～に 부디 마음대로〔편히 하십시오〕/ ご～にお取り下さい (팸플릿 따위) 마음대로 가져 가십시오.

―いし【―意志】 名 자유 의사. ¶自分の～で決める 자기의 자유 의사로 결정하다.

―がた【―形】 名 자유형《경영(競泳)의 한 종목》. ＝フリースタイル.

―ぎょう【―業】 名 자유업《작가 등》.

―けい【―刑】 名〘法〙자유형《징역·금고·구류의 세 가지가 있음》.

―こう【―港】 名 자유항. ＝自由貿易港·フリーポート.

―し【―詩】 名 자유시. ¶～は形式にとらわれない 자유시는 형식에 구애되지 않는다. ↔定型詩.

―じざい【―自在】 名ダナ 자유자재. ¶～にコンピューターを駆使する 자유자재로 컴퓨터를 구사하다.

―しょくぎょう【―職業】 名 ☞じゆうぎょう.

―ほうにんしゅぎ【―放任主義】 名 자유 방임주의.

じゅう【中】 接尾 …중. 1 …동안; …내내. ¶一日～ 하루 종일 / 一年～ 일년 동안; 일년 내내. 2 온…. ¶世界～ 온 세계.

じゅう【住】 名 삶; 또, 주소·주거. ¶衣食～ 의식주 / ～を定める 주거를 정하다.

じゅう【十·拾】 名 십; 열. ¶～に一つも間違いがない 열에 하나도 틀림이 없다.

―に八九 십중팔구. ＝十中八九.

じゅう【従】 名 종; 딸린 것. ¶運動を主とし, 勉学を～とする 운동을 주로 삼고, 면학을 다음으로 하다. ↔主.

じゅう【柔】 名 유; 부드러움. ↔剛.

―よく剛を制す 부드러움이 능히 억셈을 누른다; 유능제강(柔能制剛).

じゅう【重】 一名 1 중; 중요한 것. ¶～かつ大 중차대(重且大). 2《お重·一の重의 꼴로》☞じゅうばこ. ¶～の物をとる 찬합의 것을 먹다.
二接頭 중…. ¶～労働 중노동.

じゅう【銃】 名 총. ¶～を構える 총을 겨누다 / ～を担う〔突きつける〕 총을 메다〔들이대다〕.

じゅう〖十〗 教1 ジュウ とお と | 십 열 | 십. 1 열. ¶五十 오십. 2 수가 많음. ¶十人十色 각인각색.

じゅう〖汁〗 常用 ジュウ しる | 즙 즙 | 즙; 액체. ¶果汁 과즙 / 墨汁 묵즙.

じゅう〖充〗 常用 ジュウ あてる みちる | 충 가득하다 | 1 가득하다. ¶充実 충실. 2 채우다. ¶充填 충전 / 充電 충전. 3 메우다. ¶補充 보충 / 充当 충당.

じゅう〖住〗《住》 教3 ジュウ すむ すまう
주 살다 | 1 한곳에 머무르다. ¶去住 거주; 가는〔떠나는〕 사람과 있는 사람. 2 살다; 또, 그 곳. ¶住宅 주택 / 住所 주소.

じゅう〖柔〗 常用 ジュウ ニュウ やわらか やわらかい
유 부드럽다 | 1 부드럽다. ¶柔軟 유연. ↔剛. 2 유순하다. ¶柔順 유순. 3 몸과 마음이 튼튼하지 못하다. ¶優柔不断 우유부단.

じゅう〖重〗 教3 ジュウ チョウ え おもい おもんずる かさねる かさなる
중 무겁다 | 1 무게. ¶重量 중량. 2 크다. ¶重工業 중공업. 3 존중하다; 신분이 높다. ¶尊重 존중 / 重鎮 중진. 4 겹치다; 겹쳐지다. ¶重版 중판 / 五重 오중.

じゅう〖従〗《從》 教6 ジュウ ショウ ジュ したがう したがえる
종 따르다 | 1 따르다. ¶従軍 종군. 2 따라가는 사람. ¶主従 주종 / 従僕 종복. ↔主. 3 거스르지 않다; 따르다. ¶服従 복종 / 従順 종순.

じゅう〖渋〗《澁》 常用 ジュウ しぶ しぶい しぶる
삽 떫다 | 1 떫다. 2 일이 순조롭게 안 되다. ¶難渋 난삽.

じゅう〖銃〗 常用 ジュウ つつ | 총 총 | 총. ¶小銃 소총 / 拳銃 권총 / 銃撃 총격.

じゅう〖獣〗《獸》 常用 ジュウ けもの けだもの
수 짐승 | 짐승. ¶禽獣 금수 / 野獣 야수.

じゅう〖縦〗《縱》 教6 ジュウ ショウ たて ゆるす ほしいまま
종 세로 | 1 종; 세로. ¶縦断 종단. ↔横. 2 제멋대로 함. ¶放縦· 방종 / 操縦 조종.

しゅうあく【醜悪】 名ナ 추악. ¶～な容貌〔姿〕 추악한 용모〔모습〕/ ～な行い 추악한 행위.

じゅうあつ【重圧】 名 중압. ¶～がかかる 중압이 가해지다 / ～感を感じる 중압감을 느끼다 / 悪税の～にあえぐ 악세의 중압에 허덕이다 / 職責〔試験〕の～に耐えかねる 직책〔시험〕의 중압에 견딜 수 없다.

しゅうい【周囲】 名 주위. 1 둘레. ¶地球の～を回る 지구 주위를 돌다 / ～を見回す 주위를 둘러보다 / ～に花を植える 주위에 꽃을 심다. 2 사물·사람을 둘러싼 환경. ¶～がうるさい 주위가 시끄럽다 / ～から推されて立候

補する 주위 사람들에게 추대되어 입후보하다.

しゅうい【衆意】[名] 중의. ¶～をまとめる 중의를 모으다.

じゅうい【重囲】[名] 중위; 엄중한 포위; 여러 겹의 포위. ¶～に陥ちる 엄중한 포위 망에 빠져들다.

じゅうい【獣医】[名] 수의. ¶～に病犬を見てもらう 수의한테 병든 개를 진찰받다.

**じゅういちがつ【十一月】[名] 11월; 동짓달. [参考] 아어(雅語)로는 '霜月'.

しゅういつ【秀逸】[名] 수일. **1** 다른 것보다 빼어나게 뛰어남; 또, 그러한 것. ¶～な作品 빼어나게 뛰어난 작품. **2** 입선(入選)의 다음 순위.

じゅういつ[充溢] [名][ス自] 충일. ¶気力が～する 기력이 충일하다/闘志が～している 투지가 만만하다.

しゅういん【衆院】[名] '衆議院(=중의원)'의 준말. ¶～を解散する 중의원을 해산하다. ↔参院.

じゅういん【充員】[名][ス他] 충원; 부족한 인원을 보충함. ¶不足数を～する 부족한 인원수를 충원하다.

しゅうう【秋雨】[名] 추우; 가을비. =あきさめ. ¶～前線 추우 전선/春風～ 춘풍추우. ↔春雨.

しゅうう[驟雨] [名] 취우; 소나기. =にわかあめ·ゆうだち. ¶～に見舞われる 소나기를 만나다.

しゅううん【舟運】[名] 주운; 배에 의한 교통. ¶～の便がよい 배편이 좋다.

しゅうえき【就役】[名][ス自] 취역. **1** 임무에 종사함. ¶欧州航路に～する 유럽 항로에 취역하다. **2** 새 함선이 임무에 종사함. ¶～まもなく撃沈される 취역한지 얼마 되지 않아 격침되다.

しゅうえき【収益】[名] 수익. ¶～金 수익금/～をあげる 수익을 올리다/～は全部学校に寄付する 수익은 전부 학교에 기부한다.

じゅうえき【汁液】[名] 즙액; 즙. ¶くだものの～ 과일 즙.

じゅうえき【獣疫】[名] 수역; 가축 전염병. ¶～に罹る 수역에 걸리다.

しゅうえん【終演】[名][ス自] 종연. ¶八時に～の予定です 8시에 종연할 예정입니다. ↔開演.

しゅうえん[終焉] [名] 종언. **1** 임종; 목숨이 다함. =最期. ¶～を告げる 임종하다; 죽다. **2** 몸이 정착할 곳; 은거하여 여생〔늘그막〕을 보냄. ¶～の地 (a) 그 사람이 죽은 고장; (b)그 곳에서 죽으려고 정한 땅.

じゅうおう【縦横】[名] 종횡. **1** 가로와 세로; 동서와 남북《사방팔방이란 뜻으로도 씀》. ¶～に走る鉄道網 종횡으로 뻗어 있는 철도망. **2**《흔히 '～に'의 꼴로》 마음대로임; 자유자재. ¶～に活躍する 종횡으로 활약하다.

――むじん【――無尽】[名] 종횡무진. ¶～の大活躍 종횡무진의 대활약/～にあばれまわる 제 마음껏〔종횡무진으로〕 날뛰다.

しゅうか【秀歌】[名] 뛰어난 和歌. =名「歌」.

しゅうか【衆寡】[名] 중과; 다수와 소수.

――敵せず 중과부적. ¶～敗走する 중과부적으로 패주하다.

しゅうか【集荷】《蒐荷》[名][ス自他] 집하; (농산물 등의) 짐이 모임; 짐을 모음; 또, 그 짐. ¶～人 집하인/～場 집하장/りんごの～がはかどらない 사과의 집하가 순조롭지 않다.

しゅうか【集貨】[名][ス自他] 집화; 화물·상품이 모임; 화물·상품 등을 모음; 또, 그 화물·상품. ¶輸入品を倉庫に～する 수입품을 창고에 모으다.

じゅうか【銃火】[名] 총화; 총기에 의한 사격. ¶～を浴びせる 총격을 퍼붓다/～を交える〔交わす〕 서로 총격을 주고받다《교전하다》.

しゅうかい【周回】《周廻》 주회. **一**[名][ス自] (주위를) 돎. ¶地球を～する人工衛星 지구를 도는 인공위성. **二**[名] 둘레; 주위. ¶～五キロの湖 주위 5km의 호수.

*__しゅうかい__【集会】[名][ス自] 집회. =会合. ¶～の自由 집회의 자유/～に出る 집회에 나가다/～を開く 집회를 열다/平和を守る～を催す 평화를 지키는 집회를 열다.

しゅうかい【醜怪】[名][ダナ] 추괴; 얼굴이 보기 흉함; 추하고 괴이함. ¶～な容貌 추하고 괴이한 용모.

じゅうかき【重火器】[名] 중화기. ¶～は破壊力が大きい 중화기는 파괴력이 크다. ↔軽火器.

しゅうかく【収穫】[名][ス他] 수확. **1 농작물을 거두어 들임. ¶大豆を～する 콩을 수확하다. **2** 얻음; 또, 얻은 것; 좋은 결과. ¶旅行で得た～ 여행에서 얻은 수확/みるべき～もなく帰る 이렇다 할 수확도 없이 돌아오다.

――ていげん【――逓減】[名] 수확 체감. ¶～の法則 수확 체감의 법칙.

しゅうかく【臭覚】[名] 후각. =嗅覚. ¶～が鋭い 후각이 예민하다. [参考] 동물학에서 쓰는 말.

しゅうがく【就学】[名][ス自] 취학. ¶～率 취학률/～義務 취학 의무/～年齢 취학 연령.

――じどう【――児童】[名] 취학 아동.

――せい【――生】[名] 고등학교나 전수학교의 고등 과정 등에 적(籍)을 두고, 어학이나 기술 연수를 주목적으로 하는 외국인 학생.

しゅうがく【修学】[名][ス自] 수학. ¶～年限 수학 연한/～のため上京する 수학하기 위하여 상경하다.

――りょこう【――旅行】[名] 수학여행.

じゅうかしつ【重過失】[名] 중과실. ¶～罪 중과실죄.

じゅうかぜい【従価税】[名]〔經〕종가세.

⇨じゅうりょうぜい(従量税).

**じゅうがつ【十月】图 시월. 参考 아어(雅語)로는 'かんなづき'.

じゅうかつだい【重且つ大】連語 중차대; 매우 중대함. ¶任務(にんむ)が〔責任(せきにん)は〕~だ 임무가〔책임은〕 중차대하다.

しゅうかん【収監】图ス他〘法〙 수감. ¶判決後(はんけつご)ただちに~された 판결 후 즉각 수감되었다.

**しゅうかん【習慣】图 습관; 관습. =しきたり·ならわし. ¶悪(わる)い~を直(なお)す 나쁜 습관을 고치다 / 早寝(はやね)·早起(はやお)きの~をつける 일찍 자고 일찍 일어나는 습관을 들이다.

—は第二(だいに)の天性(てんせい)なり 습관은 제2의 천성이다.

—せい【—性】图 습관성. ¶~脱臼(だっきゅう)〔流産(りゅうざん)〕 습관성 탈구〔유산〕.

しゅうかん【週刊】图 주간. =ウイークリー. ¶~誌(し) 주간지. ↔年刊(ねんかん)·月刊(げっかん)·日刊(にっかん)·季刊(きかん).

しゅうかん【週間】图 주간. ¶~天気予報(てんきよほう) 주간 일기 예보 / 交通(こうつう)安全(あんぜん)~ 교통 안전 주간.

じゅうかん【縦貫】图ス他 종관; 세로〔남북으〕로 통함. ¶九州(きゅうしゅう)を~する高速道路(こうそくどうろ) 九州를 종관하는 고속도로. ↔横断(おうだん).

じゅうかん【重患】图 중환; 중병 (환자). ¶~をわずらう 중환을 앓다.

じゅうがん【銃丸】图 총알; 탄환.

*しゅうき【周期】图 주기. ¶~性(せい) 주기성 / 自転(じてん)の~ 자전 주기.

—てき【—的】ダナ 주기적. ¶天気(てんき)が~に変化(へんか)する 날씨가 주기적으로 변화하다.

—ひょう【—表】图〘化〙 주기표; 주기율표.

しゅうき【終期】图 종기. **1** 기한이 끝나는 시기. ¶国会(こっかい)も~に近(ちか)づいた 국회도 종기〔회기말〕에 가까워졌다. **2** 법률 행위의 효력이 소멸하는 시기. ¶契約(けいやく)の~を待(ま)つ 계약이 끝나는 시기를 기다리다. ⇔始期(しき).

しゅうき【秋季】图 추계. ¶~運動会(うんどうかい) 추계 운동회.

しゅうき【秋期】图 추기. ¶~株主(かぶぬし)総会(そうかい) 추기 주주 총회.

しゅうき【秋気】图 추기; 가을 공기〔날씨〕; 가을다운 느낌. ¶爽涼(そうりょう)の~ 상쾌하고 시원한 가을 공기 / ~を満喫(まんきつ)する 가을 공기를〔기분을〕 만끽하다.

しゅうき【臭気】图 취기; 악취. ¶~が鼻(はな)をつく 악취가 코를 찌른다.

=しゅうき【周忌】…주기. =かいき(回忌). ¶三(さん)~ 대상《一(いっ)~ (=1주기, 소상) 다음은 三~》.

しゅうぎ【衆議】图 중의. ¶~に決(けっ)する 중의에 따라(서) 결정하다.

—いん【—院】图 중의원《일본의 하원》. =衆院(しゅういん). ¶~議員(ぎいん) 중의원 의원. ↔参議院(さんぎいん).

しゅうぎ【祝儀】图 축의. **1** 축하의 의식; 혼례. ¶~をあげる 결혼식을 올리다. **2** 축하의 말. ¶新年(しんねん)の~を述(の)べる 새해 축하의 말을 하다. **3** 축의금 또는 축하의 선물. ¶~を届(とど)ける 축의금을 전하다.

じゅうき【什器】图 집기; (가장) 집물. ¶事務用(じむよう)の~ 사무용 집기.

じゅうき【銃器】图 총기. ¶~を不法所持(ふほうしょじ)したかどで逮捕(たいほ)される 총기를 불법 소지한 혐의로 체포되다.

しゅうきゅう【蹴球】图 축구. =フットボール. ¶~試合(しあい) 축구 경기 / 米式(べいしき)~ 미식 축구. 注意 흔히, 'サッカー'라고 함.

しゅうきゅう【週休】图 주휴. ¶~二日(ににち·ふつか)制(せい) 주휴 2일제.

しゅうきゅう【週給】图 주급. ¶~200ドルをとる 주급 200달러를 받다. ↔月給(げっきゅう)·日給(にっきゅう).

*じゅうきょ【住居】图 주거. ¶~を移転(いてん)する 주거를 이전하다 / 郊外(こうがい)に~を構(かま)える 교외에 주거를 정하다.

**しゅうきょう【宗教】图 종교. ¶~劇(げき) 종교극 / ~画(が) 종교화 / 新興(しんこう)~ 신흥 종교 / ~を信(しん)じる 종교를 믿다.

—おんがく【—音楽】图 종교 음악.

—かいかく【—改革】图 종교 개혁.

しゅうぎょう【修業】图ス自他 수업. =しゅぎょう. ¶~証書(しょうしょ) 수업 증서.

*しゅうぎょう【就業】图ス自 취업. **1** 일을 함; 일을 시작함. ¶~規則(きそく) 취업 규칙 / 朝(あさ)八時(はちじ)に~する 아침 8시에 일을 시작하다. **2** 직업을 갖고 있음. ¶~人口(じんこう) 취업 인구 / ~構造(こうぞう) 취업 구조. ↔失業(しつぎょう).

しゅうぎょう【終業】图ス自 종업. **1** 일정 기간의 학업을 마침. ¶~式(しき) 종업식. **2** (그날의) 일을 마침. ¶本日(ほんじつ)~ 금일 종업 / ~時間(じかん) 종업 시간. ⇔始業(しぎょう).

じゅうぎょう【従業】图ス自 종업. ¶~中(ちゅう)面会謝絶(めんかいしゃぜつ) 종업 중 면회 사절.

—いん【—員】图 종업원. ¶~持(も)ち株(かぶ)制度(せいど) 종업원 지주 제도.

しゅうきょく【終局】图 종국. **1** 바둑을 다 둠. **2** (전쟁·교섭 등) 사건의 낙착; 일의 종말. ¶事件(じけん)も~を告(つ)げた 사건도 종국을 고했다. ↔発端(ほったん).

しゅうぎょとう【集魚灯】图 집어등《밤에 물고기를 유인하는 등불》. ¶~で水面(すいめん)を照(て)らす 집어등으로 수면을 비추다.

*しゅうきん【集金】图ス自他 집금; 수금. ¶~員(いん) 수금원 / 新聞代(しんぶんだい)を~する 신문 대금을 수금하다.

じゅうきんぞく【重金属】图 중금속《비중 4이상의 금속》. ¶~類(るい)による環境(かんきょう)汚染(おせん) 중금속류에 의한 환경 오염. ↔軽金属(けいきんぞく).

しゅうぐ【衆愚】图 중우; 다수의 바보들.

—せいじ【—政治】图 중우 정치《민주정치를 경멸하여 일컫는 말》.

じゅうく【重苦】图 중고; 심한 고통; 견디기 어려운 고통. ¶税金(ぜいきん)の~にあえ

ぐ 세금의 중고에 허덕이다.

ジュークボックス [미 jukebox] 名 주크박스; 자동식 전축《돈을 넣고 단추를 누르면 지정된 곡이 나옴》. ¶～でジャズをかける 주크박스로 재즈를 틀다.

シュークリーム [←프 chou à la crème] 名 슈크림《크림을 곁들인 과자 이름》.

じゅうぐん【従軍】 名ス自 종군. ¶～看護婦 종군 간호사.

――いあんふ【――慰安婦】 名 종군 위안부. ¶～問題を追及する 종군 위안부 문제를 추궁하다.

――きしゃ【――記者】 名 종군 기자.

しゅうけい【集計】 名ス他 집계. ¶投票の～を出す 투표의 집계를 내다.

じゅうけい【重刑】 名 중형. ＝重科. ¶～に処す 중형에 처하다.

しゅうげき【襲撃】 名ス他 습격. ¶～して来る 습격해 오다/～に備える 습격에 대비하다.

じゅうげき【銃撃】 名ス他 총격. ¶～戦 총격전/～を浴びせる 총격을 퍼붓다.

しゅうけつ【終結】 名ス自 종결; 끝이 남. ¶争議が～した 쟁의가 종결되었다. ↔開始.

しゅうけつ【集結】 名ス自他 집결; 한곳에 모음. ¶艦隊を～する 함대를 집결시키다.

じゅうけつ【充血】 名ス自 충혈. ¶徹夜をしたので目が～している 철야를 해서 눈이 충혈되어 있다/～して目が赤い 충혈하여 눈이 벌겋다. 参考 정맥에 피가 몰리는 경우는 'うっ血'라 함.

しゅうけん【集権】 名 집권. ¶中央～ 중앙 집권. ↔分権.

しゅうげん【祝言】 名 결혼식; 혼례(婚禮). ¶～を挙げる 혼례를 올리다.

じゅうけん【銃剣】 名 총검. **1** 총과 칼. **2** 소총 끝에 꽂는 대검(帶劍); 또, 그것을 꽂은 소총. ¶～術 총검술/～で突く 총검으로 찌르다.

じゅうげん【重言】 名 중언. ＝じゅうごん. **1** 같은 뜻이 겹치는 말투《'ひにち' 'むやみやたら' '電車に乗車する' 따위》. **2** 같은 자가 겹친 숙어; 첩자(疊字); 첩어《'悠悠' '堂堂' 따위》.

じゅうご【銃後】 名 (전장의) 후방; 후방의 국민. ¶～の守り 후방의 방비. ↔前線.

しゅうこう【修好】 名ス自 수호; 나라와 나라가 친하게 교제함.

――じょうやく【――条約】 名 수호 조약.

しゅうこう【周航】 名ス自 주항. ¶観光船で多島海を～する 관광선으로 다도해를 주항하다.

しゅうこう【就航】 名ス自 취항. ¶新造船が今月初めにニューヨーク航路に～した 신조선이 금월초에 뉴욕 항로에 취항했다.

しゅうこう【舟行】 名ス自 주행. **1** 배로 감. ＝船旅. ¶～千里 주행 천리. **2** 뱃놀이.

しゅうこう【醜行】 名 추행. ¶～を摘発する 추행을 적발하다/～が露顕する 추행이 들통나다.

しゅうこう【衆口】 名 중구; 여러 사람의 말. ¶～が一致する 중구 일치하다/～にのぼる 뭇사람의 입에 오르다.

しゅうこう【集光】 名ス自 집광; 광선을 한 곳으로 모이게 함. ¶～器 집광기/～レンズ 집광 렌즈.

しゅうごう[秋毫] 名《뒤에 否定의 말이 와서》 추호; 털끝만큼; 조금. ＝わずか·いささか. ¶～も違わない 추호도 틀리지 않다/～のやましさもない 털끝만큼도 켕기는 데가 없다.

***しゅうごう【集合】** 一名ス自他 집합; 한자리에 모음〔모임〕; 또, 그 모임. ¶駅前に～のこと 역전에 집합할 것/生徒を～して注意を与える 학생을 집합시켜 주의를 주다. ↔解散.
二名〔數〕 집합. ¶～概念 집합 개념/偶数の～ 짝수의 집합.

じゅうこう【重厚】 名ナ 중후. ¶～な性格 중후한 성격/～な文体 중후한 문체. ↔軽薄.

じゅうこう【銃口】 名 총구; 총부리. ＝筒先. ¶～にさらされる 총부리에 직면하다/～を突きつける 총구를 들이대다. ↔銃尾.

じゅうごう【重合】 名ス自〔化〕 중합.

――たい【――体】 名 중합체.

***じゅうこうぎょう【重工業】** 名 중공업. ¶～都市 중공업 도시. ↔軽工業.

じゅうこうちょうだい【重厚長大】 名 중후장대. ↔軽薄短小.

――さんぎょう【――産業】 名 중후장대 산업.

しゅうごく【囚獄】 名 수옥; 감옥. ＝牢·牢獄.

しゅうこつ【収骨】 名ス自 수골. **1** 화장하고 남은 뼈를 수습함. **2** 흩어진 뼈를 매장하기 위하여 수습함.

じゅうごや【十五夜】 名 십오야; 음력 보름날 밤; 또, 한가윗날의 밤. ¶～の月が中天にかかる 보름달이 중천에 뜨다〔걸리다〕.

じゅうこん【重婚】 名ス自 중혼. ¶～を禁止する 중혼을 금지하다.

しゅうさ【収差】 名〔理〕 수차. ¶球面～ 구면 수차/このレンズは～が少ない 이 렌즈는 수차가 적다.

ジューサー [juicer] 名 주서; 주스 만드는 전기 기구. ¶～で果汁をしぼる 주서로 과즙을 짜다.

***しゅうさい【秀才】** 名 수재. ¶～教育 수재 교육/～の誉れが高い 수재로 이름이 높다. ↔鈍才.

じゅうざい【重罪】 名 중죄. ＝重科. ¶～をおかす 중죄를 범하다. ↔微罪.

しゅうさく【秀作】 名 수작; 걸작. ¶近来まれに見る～だ 근래 보기 드문 수작이다. ↔駄作.

しゅうさく【習作】 名ス他 습작. ＝エチュード. ¶～を展覧会に出す 습작

を 전람회에 내다.

じゅうさつ【重刷】名 ス他 중쇄; 늘려서 인쇄함; 증쇄(增刷).

じゅうさつ【銃殺】名 ス他 총살. ¶ ~刑(けい) 총살형 / ~に処(しょ)する 총살에 처하다.

しゅうさん【秋蚕】名 추잠(《농가에서의 일컬음》). =あきご. ¶ ~を飼(か)う 추잠을 치다. ↔春蚕(しゅんさん)·夏蚕(かさん).

しゅうさん【衆参】名 중의원과 참의원. ¶ ~両院(りょういん) 중참 양원.

しゅうさん【集散】名 ス自他 집산. ¶ 離合(りごう)~ 이합집산 / 各地(かくち)の産物(さんぶつ)が~する 각지의 산물이 집산하다. 「집산지.

——ち【——地】名 집산지. ¶ 米(こめ)の~ 쌀

じゅうさんや【十三夜】名 십삼야. **1** 음력 13일 밤. **2** 달맞이 풍습이 있는 음력 9월 13일 밤; 또, 그 밤의 달. =後(のち)の月(つき).

しゅうし【修士】名 **1** 석사. =マスター. ¶ 文学(ぶんがく)~ 문학 석사 / ~論文(ろんぶん) 석사 논문. **2** (가톨릭의) 수(도)사.

——かてい【——課程】名 석사 과정; 마스터 코스.

しゅうし【宗旨】名 **1** 종지; 종교의 교의·취지. ¶ ~が違(ちが)う 종지가 다르다. **2** 비유적으로, 신봉하는 주의·주장이나 취미·기호·직업(등의 부문).

——を変(か)える 종지를 바꾸다. **1** 믿고 있던 종지를 바꾸다. **2** 지금까지의 주의·취미·생각 따위를 바꾸다. ¶ 日本酒(にほんしゅ)から洋酒(ようしゅ)に宗旨を変えた 일본 술에서 양주로 기호를 바꾸었다.

しゅうし【収支】名 수지. ¶ ~の決算(けっさん) 수지 결산 / ~がつぐなわない 수지가 맞지 않다 / ~相償(あいつぐな)う 수지가 서로 균형이 맞다. 「쓸쓸한 생각.

しゅうし【秋思】名 추사; 가을에 느끼는

***しゅうし**【終始】副 ス自 시종; 내내; 줄곧. =ずっと. ¶ ~その方針(ほうしん)を持(じ)した 시종 그 방침을 유지했다 / 努力(どりょく)をもって~した 처음부터 끝까지 노력을 게을리하지 않았다.

——いっかん【——一貫】副 ス自 시종일관. ¶ ~態度(たいど)を変(か)えない 시종일관 태도를 바꾸지 않다. 「마지막.

しゅうし【終止】名 ス自 종지; 끝남; 끝;

——けい【——形】名〔文法〕종지형; 동사·형용사·조동사의 활용형의 하나로, 문장의 끝에 쓰이는 꼴(《'花(はな)が咲(さ)く(=꽃이 핀다)'의 '咲く' 따위》).

——ふ【——符】名〔言〕종지부; 마침표. =ピリオド. ¶ ~を打(う)つ 종지부를 찍다; 결말을 내다.

しゅうじ【修辞】名 수사. =レトリック. ¶ ~を凝(こ)らした文章(ぶんしょう) 아름다운 수식어로 꾸민 문장.

***しゅうじ**【習字】名 습자. =手習(てなら)い. ¶ ペン~ 펜 습자.

***じゅうし**【重視】名 ス他 중시. ¶ 学力(がくりょく)より人物(じんぶつ)を~する 학력보다 인물을 중시하다. ↔軽視(けいし).

じゅうじ【住持】名 주지. =住職(じゅうしょく). ¶ 山寺(やまでら)の~ 산사의 주지.

じゅうじ【十字】名 십자. **1** 십자형. **2** 십자가. **3** 십자로. =四(よ)つつじ.

——を切(き)る 성호를 긋다.

——か【——架】名 십자가. ¶ 重(おも)すぎる~ 너무나 무거운 십자가(《벅찬 희생·부담 등의 비유》) / ~を負(お)う 십자가를 지다.

——ぐん【——軍】名〔史〕십자군; 중세 유럽의 성지(聖地) 원정군.

——ろ【——路】名 십자로; 네거리. =四(よ)つつじ·よつかど.

***じゅうじ**【従事】名 ス自 종사. ¶ ダム建設(けんせつ)に~する 댐 건설에 종사하다.

しゅうじつ【終日】名 (온)종일. =一日中(いちにちじゅう). ¶ ~スト 종일 파업 / ~雨(あめ)が降(ふ)る 종일 비가 오다 / ~頭痛(ずつう)に悩(なや)む 종일 두통으로 고생하다.

しゅうじつ【週日】名 주일; 평일. =ウィークデー·平日(へいじつ). ¶ ~なので映画館(えいがかん)も空(す)いている 평일이라 영화관도 비어 있다.

***じゅうじつ**【充実】名 ス自 충실. ¶ ~した生活(せいかつ)〔内容(ないよう)〕충실한 생활〔내용〕/ 質的(しつてき)~を図(はか)る 질적 충실을 꾀하다. ↔空虚(くうきょ).

じゅうしまつ〖十姉妹〗名〔鳥〕십자매. =じゅうしまい.

しゅうしゃ【終車】名 종차; 막차. ¶ ~に乗(の)り遅(おく)れる 막차를 놓치다.

じゅうしゃ【従者】名 종자; 데리고 다니는 사람. =とも·ずさ.

しゅうしゅ［袖手］名 ス自 수수. **1** 팔짱을 낌. =ふところ手(で). **2** 애써(서) 일하기를 싫어함.

——ぼうかん［——傍観］名 ス他 수수방관. =拱手(きょうしゅ)傍観. ¶ ~, 我(われ)関(かん)せずの態度(たいど)をとる 수수방관, 오불관언의 태도를 취하다.

しゅうじゅ【収受】名 ス他 **1** 수수; 받아들임. ¶ 金品(きんぴん)を~する 금품을 수수하다. **2** 거저 얻음.

しゅうしゅう【収拾】名 ス他 수습. ¶ ~がつく 수습이 되다 / 事態(じたい)を~する 사태를 수습하다 / 政局(せいきょく)の~がつかない 정국이 수습되지 않는다.

****しゅうしゅう**【収集】(《蒐集》) 名 ス他 수집. **1** (취미 등을 위해) 모음. =コレクション. ¶ ~家(か)〔癖(へき)〕수집가〔벽〕/ 切手(きって)の~ 우표 수집. **2** 거두어 모음. ¶ ごみ~車(しゃ) 쓰레기차. 「トマニア.

——きょう【——狂】名 수집광. =コレク

しゅうしゅう 副 김이나 물이 힘차게 뿜어 나오는 소리: 픽픽. ¶ ~(と)湯気(ゆげ)が出(で)る 픽픽하고 김이 나오다.

じゅうじゅう【重重】副 **1** 거듭거듭. =重(かさ)ね重(がさ)ね. ¶ 失礼(しつれい)の段(だん)~おわびします 실례된 점 거듭거듭 사죄드립니다. **2** 아주 잘; 충분히. =よくよく·十分(じゅうぶん)に. ¶ ~承知(しょうち)の上(うえ)のことだ 충분히 알고서 한 일이다.

しゅうしゅく【収縮】名 ス自他 수축. ¶ 筋肉(きんにく)が~する 근육이 수축하다 / 経営

けいえいの規模を～する 경영 규모를 축소하다. ↔膨張.

しゅうじゅく【習熟】图ス自 습숙; 배워서 익숙해짐. ¶英語に～する 영어에 능숙해지다 / 仕事〔運転〕に～する 일〔운전〕에 익숙해지다.

*じゅうじゅん【柔順】图ダナ 유순. ¶～な妻 유순한 아내 / 見かけは～に見える 겉보기는 유순해 보인다.

*じゅうじゅん【従順】图ダナ 순종(順從); 온순함; 고분고분함. ¶～な動物 순한 동물 / 彼にだけは, 比較的～に振る舞ったらしい 그에게만은 비교적 고분고분하게 군 모양이다.

しゅうしょ【週初】图 주초. ↔週末.

しゅうじょ【醜女】图 추녀. ＝しこめ·醜婦. ↔美女.

**じゅうしょ【住所】图 주소. ＝アドレス. ¶現～ 현주소 / ～録 주소록 / ご～はどちらですか 주소는 어디십니까.

―ふてい【―不定】图 주소〔주거〕 부정. ¶～の男に嫌疑をかける 주거 부정의 사나이에게 혐의를 걸다.

しゅうしょう【愁傷】图 수상; 슬퍼함; 비탄함. ¶ご～さま 얼마나 애통하십니까((사람이 죽었을 때 문상하는 말)).

しゅうしょう【終章】图 종장; 마지막 장. ＝エピローグ. ↔序章.

じゅうしょう【重唱】图ス他 중창. ¶三人で三～する 셋이서 삼중창하다.

じゅうしょう【重症】图 중증. ¶～患者 중증 환자 / ～で生命がおぼつかない 중증으로 살아날 가망이 없다. ↔軽症.

*じゅうしょう【重傷】图 중상. ＝深手. ¶～者 중상자 / ～を負う 중상을 입다. ↔軽傷.

じゅうしょう【銃傷】图 총상. ＝銃創. ¶～を負う 총상을 입다 / ～の跡がなまなましい 총상 자국이 생생하다.

じゅうしょうしゅぎ【重商主義】图 중상주의. ＝マーカンティリズム.

しゅうしょく【修飾】图ス他 수식. ¶～の多い話 수식이 많은 말. 「修飾語.

―ご【―語】图〔文法〕 수식어. ↔被

*しゅうしょく【就職】图ス自 취직. ¶～口 취직처; 일자리 / ～試験 취직 시험 / 銀行に～する 은행에 취직하다 / ～を世話する 취직을 주선해 주다. ↔退職·失職·離職.

―なん【―難】图 취직난. ¶～の時代 취직난 시대.

―ろうにん【―浪人】图〈俗〉 대학을 나오고도 취직을 못하여 빈둥거리고 있는 사람.

しゅうしょく【秋色】图 추색; 가을빛; 또, 가을 경치. ＝しゅうしき. ¶～が深まる 가을(빛)이 깊어 가다〔짙어지다〕 / ～をたずねて一日をすごす 가을 경치를 찾아 하루를 보내다.

しゅうしょく【愁色】图 수색; 수심의 빛. ¶～をたたえた顔 수심의 빛을 띤 얼굴 / ～が濃い 수심의 빛이 짙다.

じゅうしょく【住職】图〔佛〕 주직; 주지. ＝住持.

じゅうしょく【重職】图 중직; 요직. ¶社長の～に就く 사장이라는 중직에 취임하다. ↔閑職.

しゅうしん【執心】图ス自 집심; 집착; 미련. ¶金に～が残る 돈에 대한 미련이 남다 / ずいぶんご～だね 집념이 대단하시군 / 立身出世に～する 입신출세에 집착하다 / 彼女にご～だ 그녀에게 집착이 대단하다.

しゅうしん【就寝】图ス自 취침. ¶～時間 취침 시간 / 十時には～することにしている 10시에는 취침하기로 하고 있다. ↔起床. 「르게 함.

しゅうしん【修身】图 수신; 행실을 바

―斉家治国平天下 수신제가치국평천하((유교의 기본적 정치관)).

しゅうしん【終身】图 종신; 평생((副詞적)). ＝終生·一生涯. ¶～刑 종신형 / ～会員 종신 회원 / ～独身ですごす 평생 독신으로 지내다.

―ねんきん【―年金】图 종신 연금.

―ほけん【―保険】图 종신 보험. ＝死亡保険.

しゅうじん【囚人】图 수인; 죄수. ¶～護送車 수인 호송차.

しゅうじん【衆人】图 중인. **1** 많은 사람들. **2** 보통 사람들.

―かんし【―環視】图 중인환시. ¶～の中で開票を行った 중인환시리에 개표를 진행하였다.

しゅうじん［集塵］图ス自 집진; 먼지·쓰레기 등을 모음. ¶～機〔装置〕 집진기〔장치〕 / ～袋 쓰레기 봉지.

じゅうしん【銃身】图 총신; 총렬.

じゅうしん【獣心】图 수심; 짐승 같은 마음. ¶人面～ 인면수심.

じゅうしん【重心】图 (무게의) 중심. ¶～を失ってころぶ 중심을 잃고 쓰러지다 / ～が低い 중심이 낮다.

―を取る 중심을 잡다. ¶両手で重心を取りながら綱渡りをする 양손으로 중심을 잡으면서 줄타기를 하다.

じゅうしん【重臣】图 중신. ¶国家の～ 국가의 중신.

シューズ [shoes] 图 슈즈; 구두. ¶レーン～ 레인 슈즈; 우화(雨靴) / バレー～ 발레화. 「듀스 어게인.

ジュース [deuce] 图 듀스. ¶～アゲーン

*ジュース [juice] 图 주스; 즙(汁); 액체. ¶レモン～ 레몬 주스.

しゅうすい【秋水】图 추수. **1** 가을철의 맑고 푸른 물. **2** 날이 시퍼렇게 선 날카로운 칼. ¶三尺の～〈雅〉 삼척 추수; 삼척 도검.

じゅうすい【重水】图〔化〕 중수; 중수소가 포함되어 있는 물. ↔軽水.

―ろ【―炉】图〔理〕 중수로.

じゅうすいそ【重水素】图〔化〕 중수소.

しゅうすじ［主筋］图 자기가 모시는 군

주나 주인의 혈연; 주인과 가까운 관계〔사람〕. ¶この会社(かいしゃ)では~でなければ出世(しゅっせ)できない 이 회사에서는 사장 계통이 아니면 출세하지 못한다.

しゅう-する【修する】 サ変他 **1** 학문·기예 등을 닦다; 학습하다; 수련하다. =おさめる. ¶学(がく)を~ 학문을 닦다〔배우다〕. **2** 바르게 하다. ¶身(み)を~ 몸과 마음을 바르게 닦다.

*__しゅうせい【修正】__ 名 ス他 수정. ¶~案(あん) 수정안/~を加(くわ)える 수정을 가하다/人工衛星(じんこうえいせい)の軌道(きどう)を~する 인공위성의 궤도를 수정하다.

—よさん【—予算】 名 수정 예산.

しゅうせい【修整】 名 ス他 수정; (사진 따위를) 손질해서 바로잡음. ¶ネガを~する 사진 원판을 수정하다.

しゅうせい【終生·終世】 名 종생; 필생; 일생 동안; 평생. =一生(いっしょう)·終身(しゅうしん). ¶~の事業(じぎょう) 필생의 사업/彼(かれ)の恩(おん)は~忘(わす)れることが出来(でき)ない 그의 은혜는 평생 잊을 수 없다.

*__しゅうせい【習性】__ 名 습성; 습관. =くせ. ¶朝寝坊(あさねぼう)の~ 늦잠 자는 버릇/クマは冬眠(とうみん)する~がある 곰은 동면하는 습성이 있다.

しゅうせい【集成】 名 ス他 집성; 집대성. ¶全国(ぜんこく)の民間伝説(みんかんでんせつ)を~する 전국의 민간 전설을 집대성하다.

—ざい【—材】 名 집성재; 얇은 널판지를 여러 개 접착한 목재.

しゅうぜい【収税】 名 ス自他 수세; 세금을 거둠. =徴税(ちょうぜい).

じゅうせい【獣性】 名 수성. **1** 동물의 성질. **2** (인간의 성질 중) 이성을 잃은 본능적인 성질. ¶~をむき出(だ)しにする 수성을 노골적으로 드러내다.

じゅうせい【銃声】 名 총성; 총소리. ¶~を聞(き)く 총성을 듣다/~がこだまする 총성이 메아리치다.

じゅうぜい【重税】 名 중세. ¶~に苦(くる)しむ 중세에 시달리다/~にあえぐ 중세에 허덕이다.

しゅうせき【集積】 名 ス自他 집적; 다량으로 모음〔모임〕. ¶材木(ざいもく)を~する 재목을 한 데 모아 쌓다.

—かいろ【—回路】 名 집적 회로. =IC(アイシー).

じゅうせき【重責】 名 중책. ¶~を果(は)たす〔全(まっと)うする〕 중책을 다하다.

しゅうせん【周旋】 名 ス他 주선; 알선. =斡旋(あっせん). ¶勤(つと)め口(ぐち)の~をする 일자리를 알선하다/先生(せんせい)の~で職(しょく)に就(つ)く 선생님의 주선으로 취직하다.

—ぎょう【—業】 名 중개〔소개〕업.

—や【—屋】 名 중개〔소개〕소; 또, 그 업자《직업 소개소·복덕방 따위》.

しゅうせん【終戦】 名 종전《특히, 일본의 경우 제2차 세계 대전에서 연합국측에 무조건 항복한 일》. ¶~後(ご)の国情(こくじょう) 종전 후의 국정. ↔開戦(かいせん).

**__しゅうぜん【修繕】__ 名 ス他 수선; 수리. =修復(しゅうふく)·修理(しゅうり). ¶~費(ひ) 수선비/時計(とけい)を~してもらう (수리공을 시켜서) 시계를 수리하다/屋根(やね)を~する 지붕을 수리하다/~がきかない 수선이 안 되다/まだ~がきく 아직 수리해서 쓸 수 있다.

じゅうせん【縦線】 名 종선. ¶~を引(ひ)く 종선을 긋다. ↔横線(おうせん).

じゅうぜん【十全】 名ナ 십전; 만전; 아주 완전함. ¶~な対策(たいさく)を講(こう)ずる 만전의 대책을 강구하다.

じゅうぜん【従前】 名 종전; 이전. =以前(いぜん). ¶~のとおりに進(すす)める 종전대로 추진〔진행〕하다. 参考 副詞적으로도 씀. ¶~通告(つうこく)したごとく実施(じっし)する 종전에 통고한 대로 실시한다.

しゅうそ【愁訴】 名 ス自 수소; 괴로움·슬픔을 호소함. ¶~嘆願(たんがん)する 수소 탄원하다.

しゅうそ【臭素】 名〔化〕 취소; 브롬《기호: Br》. =ブロム.

しゅうそう【秋霜】 名 추상. **1** 가을의 찬 서리. **2** 엄한 형벌의 비유. **3** 번쩍이는 예리한 칼붙이의 비유. ¶~三尺(さんじゃく) 추상 삼척《날카로운 칼》.

—れつじつ【—烈日】 名 추상열일. ¶~のごとき命令(めいれい) 추상 같은 명령.

しゅうぞう【収蔵】 名 ス他 수장; 거두어 깊이 간직함. ¶古(ふる)い切手(きって)を~する 오래된 우표를 수장하다.

じゅうそう【縦走】 名 ス自 종주. **1** 산등성이를 타고 걸음. **2** (산맥 따위) 지형이 남북으로 연하여 있음. ¶けわしい山脈(さんみゃく)が~している 험한 산맥이 남북으로 뻗어 있다.

じゅうそう【重奏】 名 ス他 중주. =アンサンブル. ¶弦楽(げんがく)四(し)~ 현악 사중주.

じゅうそう【重層】 名 겹겹으로 층을 이룸. ¶降灰(こうかい)が~をなす 화산재가 지상에 떨어져 중층을 이루다.

じゅうそう【重曹】 名〔化〕 중조《'重炭酸(じゅうたんさん)ソーダ(=중탄산소다)'의 준말》; 탄산수소 나트륨.

じゅうそう【銃創】 名 총창; 총상. =銃傷(じゅうしょう). ¶貫通(かんつう)~ 관통 총창/~を負(お)う 총상을 입다.

しゅうそく【収束】 名 ス自他 수속; 결말이 남; 결말을 지음; 수습함. ¶混乱(こんらん)が~する 혼란이 수습되다/事態(じたい)を~する 사태를 수습하다.

しゅうそく【終息】《終熄》 名 ス自 종식. ¶内乱(ないらん)が~する 내란이 종식되다.

しゅうぞく【習俗】 名 습속; 습관이나 풍속. =ならわし. ¶地方(ちほう)の~を調査(ちょうさ)する 지방의 습속을 조사하다.

じゅうそく【充足】 名 ス他自 충족. ¶条件(じょうけん)を~させる 조건을 충족시키다/~した生活(せいかつ) 충족된 생활.

じゅうぞく【従属】 名 ス自 종속. ¶大国(たいこく)に~する 대국에 종속하다. ↔自立(じりつ).

しゅうたい【醜態】 名 추태. ¶酔(よ)って~を演(えん)ずる〔さらす〕 술에 취해 추태를 부리다〔드러내다〕.

*じゅうたい【渋滞】名ス自 삽체; 정체; 밀림. ¶事故で交通が～する 사고로 교통이 정체되다.

じゅうたい【縦隊】名 종대. ¶五列〔二列〕～に並ぶ 5열〔2열〕 종대로 늘어서다. ↔横隊.

じゅうたい【重体·重態】名 중태. ¶～に陥る 중태에 빠지다.

じゅうだい【十代】名 **1** 십대. ¶夢多き～の少女 꿈많은 십대 소녀. **2** 열 번째의 대(代). ¶僕の家は～の間田舎に住んでいる 우리집은 10대에 걸쳐 시골에서 살고 있다.

**じゅうだい【重大】名ナ 중대. ¶～事 중대사 / ～事件 중대 사건 / ～な使命 중대한 사명 / ～なミスを犯す 중대한 미스를 범하다.

しゅうたいせい【集大成】名ス他 집대성. =集成. ¶多年の研究の～ 다년간의 연구의 집대성.

**じゅうたく【住宅】名 주택. =すみか. ¶～地 주택지 / 集団～ 집단 주택 / ～問題がクローズアップされる 주택 문제가 클로즈업되다.

—なん【—難】名 주택난. ¶～に苦しむ 주택난으로 고생하다.

—ローン［loan］名 주택 건축 또는 매입하는 사람에 대한 장기 융자.

しゅうだつ【収奪】名ス他 수탈. ¶独占資本の～ 독점 자본의 수탈 / 農民から地代を～する 농민으로부터 지대를 수탈하다.

**しゅうだん【集団】名 집단. ¶～検診 집단 검진 / 政治～ 정치 집단.

—あんぜんほしょう【—安全保障】名 집단 안전 보장.

—そしょう【—訴訟】名 집단 소송.

—のうじょう【—農場】名 집단농장.

じゅうたん［絨毯·絨緞］名 융단. =カーペット·段通. ¶～爆撃 융단 폭격 / ～を敷く 융단을 깔다.

じゅうだん【縦断】名ス他 종단. ¶台風が九州を～する 태풍이 九州를 종단하다. ↔横断.

じゅうだん【銃弾】名 총탄; 탄환; 총알. ¶～にたおれる 총탄에 쓰러지다.

じゅうたんさんソーダ【重炭酸ソーダ】名 중탄산소다. ☞じゅうそう(重曹).

しゅうち【周知】名ス他 주지. ¶～の事実 주지의 사실 / ～の如く 주지하는 바와 같이.

しゅうち【衆知】《衆智》名 중지. ¶～を集める 중지를 모으다.

しゅうち［羞恥］名 수치. =恥じらい. ¶～心がない 수치심이 없다.

しゅうちく【修築】名ス他 수축. ¶建物を～する 건물을 수축하다.

*しゅうちゃく【執着】名ス自 집착. =しゅうじゃく. ¶～心 집착심 / 金に～するたちだ 돈에 집착하는 성격이다.

しゅうちゃく【祝着】名〈老〉 경축; 경하(慶賀). ¶～至極に存じます 매우 경사스럽게 생각합니다.

しゅうちゃく【終着】名ス自 종착. ¶別れの～駅 이별의 종착역 / ～の列車 종착 열차. ↔始発.

**しゅうちゅう【集中】名ス自他 집중. ¶～力 집중력 / ～攻撃 집중 공격 / 人口が都会に～する 인구가 도시에 집중하다 / 注意を～させる 주의를 집중시키다. ↔分散.

—ごうう【—豪雨】名 집중 호우. ¶～は大きな災害をもたらす 집중 호우는 큰 재해를 초래한다.

—しょりシステム【—処理システム】名 집중 처리 시스템. ↔分散処理システム.

—ほうか【—砲火】名 집중 포화. ¶マスコミから非難の～を浴びる 매스컴으로부터 비난의 집중 포화를 맞다.

しゅうちょう［酋長］名 추장. ¶インディアンの～ 인디언 추장.

じゅうちん【重鎮】名 중진. ¶財界の～ 재계의 중진.

じゅうづめ【重詰め】名 찬합에 요리를 보기 좋게 담음; 또, 그 담은 요리. ¶～の弁当 찬합에 담은 도시락.

シューツリー［shoetree］名 슈트리; 구두골《구두 모양이 망가지는 것을 막기 위해 구두에 넣어두는 골》. =シューキーパー·シュートリー.

しゅうてい【修訂】名ス他 수정; 출판물의 오기(誤記)나 오·탈자(誤脫字) 등을 바르게 고침. ¶本を～して発行する 책을 수정하여 발행하다.

しゅうてき【衆敵】名 중적; 많은 적. ¶～たりとも恐れず 중적일지라도 무서워하지 않다.

*しゅうてん【終点】名 종점. ¶さあ, ～だ, 降りよう 자, 종점이다, 내리자. ↔起点·始点.

しゅうでん【終電】名 '終電車'의 준말. ↔初電.

じゅうてん［充塡］名ス他 충전; 채워 넣음. ¶ライターにガスを～する 라이터에 가스를 충전하다 / 虫歯をアマルガムで～する 충치를 아말감으로 봉박다.

*じゅうてん【重点】名 중점. **1** 사물의 중요한 점. =ウェート. ¶英語に～を置く 영어에 중점을 두다. **2**〔理〕 지렛대로 움직이려 하는 물체의 무게가 작용하는 점. =作用点. ↔力点·支点.

—しゅぎ【—主義】名 중점주의. ↔総花主義.

じゅうでん【充電】名ス自他 충전. ¶～器 충전기 / バッテリーに～する 배터리에 충전하다. ↔放電. 「電機.

じゅうでんき【重電機】名 중전기. ↔軽

しゅうでんしゃ【終電車】名 (그날 배차의) 마지막 전차; 막차. =終電. ¶～に乗り遅れる 막차를 놓치다 / やっと～に間に合う 겨우 막차에 대다. ↔始発電車.

しゅうと［姑］名 ☞しゅうとめ.

しゅうと〚舅〛图 시아버지; 또는 장인. ↔しゅうとめ.

しゅうと【宗徒】图 종도; 신자; 신도.

しゅうと【衆徒】图 중도; 많은 승려; 특히, 승병(僧兵). =しゅと.

シュート[chute] 图 슈트; 광석·짐짝·쓰레기 따위를 밀어 떨어뜨릴 때 쓰는 통. ¶ダスト～ 더스트 슈트; (아파트 등에서) 쓰레기를 떨어뜨리는 통.

シュート[shoot] 图 슛. 图ス自他 **1**〔野〕 오른손〔왼손〕 투수가 던진 공이 타자 앞에 와서 오른쪽〔왼쪽〕으로 휘는 일; 또, 그 공. *영어로는 screwball이라고 함. **2** (축구·농구 등에서) 슈팅. ¶五回目の～がやっとゴールインした 다섯 번째 슛이 간신히 골인했다.

ジュート [jute] 图 주트; 황마(黄麻)의 섬유《마대(麻袋)를 만듦》.

じゅうど【重度】图ナ (병 등의) 정도가 무거움; 중증(重症). ¶～の火傷 무거운 화상. ↔軽度.

しゅうとう【周到】ダナ 주도. =綿密. ¶用意～な準備 용의주도한 준비. ↔不用意.

じゅうとう【充当】图ス他 충당. ¶利益金は昨年度の赤字に～する 이익금은 작년도의 적자에 충당한다.

じゅうとう【重盗】图〔野〕 중도; 더블스틸. =ダブルスチール.

じゅうどう【柔道】图 유도. ¶～着 유도복 / ～選手 유도 선수.

しゅうどういん【修道院】图 수도원. ¶～生活 수도원 생활.

しゅうとく【拾得】图ス他 습득. ¶～物 습득물 / ～者 습득자 / 財布を～する 지갑을 습득하다.

しゅうとく 【収得】 图ス他 취득; 물건 따위를 자기 소유로 함. ¶株式を～する 주식을 취득하다.

***しゅうとく**【修得】图ス他 수득; 숙달해짐; 배워서 몸에 익힘. ¶医学を～する 의학을 배워 익히다.

***しゅうとく**【習得】图ス他 습득. ¶言語～期 (유아의) 말을 배우는 시기 / 実務を～する 실무를 습득하다.

しゅうとめ〚姑〛图 시어머니; 또는, 장모. =しゅうと.

***じゅうなん**【柔軟】ダナ 유연. ¶～なからだ 유연한 몸 / ～な考え方 유연한〔신축성 있는〕 사고방식. ↔強硬.
 ―たいそう【―体操】图 유연 체조.

****じゅうにがつ**【十二月】图 12월; 섣달. =師走·極月.

じゅうにく【獣肉】图 수육; 짐승의 고기.

じゅうにし【十二支】图 십이지; 지지(地支). ⇨下段 박스記事

じゅうにしちょう【十二指腸】图〔生〕 십이지장. ¶～潰瘍 십이지장 궤양.
 ―ちゅう【―虫】图 십이지장충.

じゅうにひとえ[十二単]图 옛날 여관(女官)들의 정장(正装)《남자의 속대(束帯)에 해당함》.

じゅうにぶん【じゅうにぶん·十二分】图ナ 십이분. ¶～の成果 십이분의〔충분한〕 성과 / ～に活用する 십이분 활용하다 / ～にいただきました 실컷 먹었습니다. 参考 '十分(=십분·충분)'의 힘줌말.

***しゅうにゅう**【収入】图 수입. ¶～源 수입원 / ～が安定する 수입이 안정되다 / ～を得る〔増やす〕 수입을 얻다〔늘리다〕. ↔支出.
 ―いんし【―印紙】图 수입 인지. =印紙. ¶証書に～を貼る 증서에 수입 인지를 붙이다.

しゅうにん【就任】图ス自 취임. ¶校長に～する 교장으로 취임하다. ↔辞任·退任·離任.

じゅうにん【重任】㊀图ス自他 중임; 연임. ¶会長の職に～する 회장직을 연임하다. ㊁图 중임; 중책. ¶～を負う 중임을 맡다.

じゅうにん【住人】图 주민; 거주자. ¶アパートの～ 아파트 주민.

じゅうにんといろ【十人十色】图 십인십색; 각인각색. ¶人の考え方は～だ 사람의 사고방식은 십인십색이다.

じゅうにんなみ【十人並み】图ナ 용모·재능 따위가 보통임. ¶～の才能 평범한 재능 / ～の腕前 보통 솜씨 / 器量

十二支(=십이지)		
자음(字音)	자훈(字訓)	방위(方位) 및 시각
子(し; 자)	ね·ねずみ(쥐)	北 / 北東 / 東 / 南東 / 南 / 南西 / 西 / 北西 (子 丑 寅 卯 辰 巳 午 未 申 酉 戌 亥; 午前 / 午後; 正午)
丑(ちゅう; 축)	うし(소)	
寅(いん; 인)	とら(범)	
卯(ぼう; 묘)	う·うさぎ(토끼)	
辰(しん; 진)	たつ(용)	
巳(し; 사)	み·へび(뱀)	
午(ご; 오)	うま(말)	
未(び; 미)	ひつじ(양)	
申(しん; 신)	さる(원숭이)	
酉(ゆう; 유)	とり·にわとり(닭)	
戌(じゅつ; 술)	いぬ(개)	
亥(がい; 해)	い·いのしし(돼지)	

りょうは～だ 용모는 보통이다.

*しゅうねん【執念】图 집념; 앙심. ¶～を燃やす 집념을 불태우다 / ～が実る 집념이 열매를 맺다.

—ぶか-い【—深い】形 집념이 강하다; 집요하다. ＝しつこい. ¶～·くつきまとう 집요하게 따라다니다.

しゅうねん【周年】图 주년. **1** 만 1년; 일주기(一周忌). **2**《수를 나타내는 말에 붙어》…회째의 해; 돌. ¶創立十～記念 창립 10주년 기념.

—さいばい【—栽培】图 사철 재배; 계절에 관계 없이 연중 내내 하는 재배.

じゅうねんいちじつ【十年一日】图 십년이 하루같이 늘 같은 상태임. ＝じゅうねんいちにち. ¶～の如く働く 십년을 하루같이 꾸준히 일하다.

じゅうねんひとむかし【十年一昔】图 십년이면 한 옛날〔강산도 변함〕. ¶～というけれど… 10년이면 강산도 변한다지만….

しゅうのう【収納】图ス他 **1** (현금·물품의) 수납. ¶～伝票 수납 전표 / 国庫に～する 국고에 수납하다. **2** (농작물을) 거두어들임. **3** (장·벽장·상자 따위에) 물건을 챙겨 넣음. ¶蔵書を～する 장서를 수납하다.

じゅうのう【十能】图 부삽.

しゅうは【周波】图〔理〕주파. ¶高～ 고주파 / 低～ 저주파.

—すう【—数】图〔理〕주파수. ¶～変調 주파수 변조《FM》.

しゅうは【宗派】图 종파. **1** 같은 종교 속에서의 분파. **2** 유파(流派). ＝流儀.

しゅうは【秋波】图 추파. ＝流し目·色目. ¶～を送る 추파를 보내다.

しゅうはい【集配】图ス他 집배. ¶郵便物を～する 우편물을 집배하다.

—いん【—員】图 (우편) 집배원. ＝集配人.

じゅうばこ【重箱】图 찬합. ＝お重. ¶～詰めのおせち料理 찬합에 담은 설날 특별 요리.

—の隅を楊枝でほじくる 찬합의 구석을 이쑤시개로 후비다《자잘한 일에까지 간섭하다》.

—よみ【—読み】图 '重箱' 처럼 한자(漢字)로 된 숙어에서, 앞자는 음(音)으로, 뒷자는 훈(訓)으로 읽는 법. ＝合羽よみ. ↔湯桶読み.

重箱読み	湯桶読み
縁組·王様·音引·客間·試合·地主·職場·図柄·先手·総身·台所·団子·土手·番組·本筋·本箱·本屋·役場·懐中物 등.	赤字·油絵·雨具·石段·親分·金具·生地·消印·子役·手数·手製·手帳·荷物·野宿·場所·古本·身分·夕刊·大道具 등.

しゅうバス【終バス】图 (그날 배차의) 마지막 버스. ↔始発バス. ▷bus.

じゅうはちばん【十八番】图 가장 자랑하는 장기. ＝おはこ. ¶あの歌が彼の～だ 저 노래가 그의 십팔번이다.

参考 본디, 歌舞伎 배우 市川 집안에 대대로 전해 내려온 인기 종목 18가지를 '歌舞伎十八番'이라 이른 데서.

しゅうはつ【終発】图 종발; 또, 막차. ¶～(のバス)に乗り遅れる 막차〔마지막 버스〕를 놓치다. ↔始発.

しゅうばつ【秀抜】图ナ 수발; 가장 뛰어남. ＝抜群. ¶～な成績 썩 뛰어난 성적.

じゅうばつ【重罰】图 중벌. ¶～に処せられる 중벌을 받다.

しゅうばん【終盤】图 종반《선거·바둑 따위의》. ¶選挙戦も～に入る 선거전도 종반에 접어들다. ↔序盤·中盤.

しゅうばん【週番】图 주번. ¶ここの当番は～制になっている 이곳의 당번은 주번제로 되어 있다.

じゅうはん【従犯】图 종범. ¶～者 종범자 / 殺人罪の～ 살인죄의 종범. ↔主犯·正犯.

じゅうはん【重犯】图 **1** 중범. ↔軽犯. **2** 누범(累犯). ↔初犯. 「↔初版.

じゅうはん【重版】图ス他 중판; 재판.

しゅうび [愁眉] 图 수미; 근심스러워 양미간〔얼굴〕을 찌푸림. ＝心配顔.

—を開く 수미를〔찌푸렸던 얼굴을〕펴다《상태가 호전되어 안심하다》.

じゅうひ【獣皮】图 수피; 짐승 가죽.

じゅうひ【柔皮】图 유피; 부드러운 가죽. 「춤.

じゅうび【充備】图ス他 충비; 충분히 갖

しゅうひょう【衆評】图 중평; 많은 사람의 비평. ＝世評. ¶～の一致する所 중평이 일치하는 바.

しゅうひょう【週評】图 주평. ¶新聞の～ 신문의 주평.

*じゅうびょう【重病】图 중병. ＝重患. ¶～に罹る 중병에 걸리다.

しゅうふ【醜婦】图 추부; 추녀. ＝醜女·しこめ.

しゅうふう【秋風】图 추풍; 가을 바람. ＝あきかぜ. ↔春風.

しゅうふく【修復】图ス他 수복; 복원(復元). ＝しゅふく. ¶～工事 복원공사 / 壁画の～にとりかかる 벽화 복원에 착수하다.

*じゅうふく【重複】图ス自 중복. ＝ちょうふく. ¶～した条項を削除する 중복된 조항을 삭제하다. 注意 '重復'로 씀은 잘못.

しゅうぶん【秋分】图 추분. ↔春分.

—てん【—点】图 추분점. ↔春分点.

—のひ【—の日】图 추분날《국경일의 하나》.

しゅうぶん【醜聞】图 추문. ＝スキャン

ダル. ¶ ~が立つ 추문이 나돌다 / ~を流す 추문을 퍼뜨리다.

**じゅうぶん【じゅうぶん·十分·充分】副 ダナ 충분; 십분. ¶ ~に話し合う 충분히 대화하다 / ~な報酬をもらう 충분한 보수를 받다.

―じょうけん【―条件】名〔論·數〕충분 조건. ↔必要条件.

じゅうぶん【重文】名 1 중문. ↔単文·複文. 2 '重要文化財(=중요 문화재)'의 준말.

しゅうへき【習癖】名 습벽; 버릇. =くせ. ¶ 夜ふかしの~がある 밤샘하는 버릇이 있다.

*しゅうへん【周辺】名 주변. ¶ 都市の~ 도시 주변 / 国会~をデモ行進する 국회 주변을 시위 행진하다.

―そうち【―装置】名〔컴〕주변 장치; 컴퓨터의 중앙 처리 장치에 대하여 입출력 장치·보조 기억 장치를 아울러 이르는 말《peripheral equipment의 역어》. =周辺機器.

しゅうほ【修補】名ス他 수보; 보수. =補修·修理. ¶ 寺を~する 절을 보수하다.

じゅうぼいん【重母音】名〔言〕중모음; 복모음; 이중 모음. =二重母音.

しゅうほう【週報】名 주보. =ウイークリー. ↔日報·月報·旬報.

しゅうぼう【衆望】名 중망; 많은 사람의 신망〔기대〕. ¶ ~にこたえる 중망에 보답〔부응〕하다 / 国民の~をになって登場した内閣 국민의 중망을 업고 등장한 내각.

じゅうほう【重宝】名 중보; 귀중한 보물. ⇨重宝2.

じゅうほう【銃砲】名 총포. ¶ ~店 총포점.

じゅうぼく【従僕】名 종복; 남자종〔하인〕. =下男·しもべ.

シューマイ [중 焼売] 名 슈마이; (중국 요리의) 찐 만두의 일종.

じゅうまいめ【十枚目】名 씨름꾼 계급의 하나《상급 씨름꾼의 하위》. =十両.

しゅうまく【終幕】名 종막. 1 연극의 마지막 막. ↔序幕. 2 연극이 끝남. =はね. ↔開幕. 3 사건의 종말. ¶ ~を告げる 종막을 고하다《사건이 끝나다》.

しゅうまつ【終末】名 종말; 끝. =終尾. ¶ 物語も~を迎える 이야기도 종말에 접어들다 / ~は悲惨だった 종말은 비참했다.

―ろん【―論】名〔宗〕종말론. =終末観.

しゅうまつ【週末】名 주말. =ウイークエンド. ¶ ~旅行 주말 여행 / ~の計画を練る 주말 계획을 짜다 / ~を箱根で過ごす 주말을 箱根에서 지내다. ↔週初.

じゅうまん【充満】名ス自 충만; 가득참. ¶ 部屋にガスが~している 방에 가스가 가득 차 있다.

しゅうみつ【周密】ダナ 주밀; 주도면밀함. ¶ ~な観察 주밀한 관찰.

しゅうみん【就眠】名ス自 취면; 취침. =就寝. ¶ ~薬 수면제 / ~時刻 취면 시각.

*じゅうみん【住民】名 주민. ¶ ~の意思を反映する 주민의 의사를 반영하다.

―じち【―自治】名 주민 자치.

―ぜい【―税】名 주민세.

―とうひょう【―投票】名 주민 투표. ¶ ~に付す 주민투표에 붙이다.

―とうろく【―登録】名 주민 등록.

しゅうめい【襲名】名ス他 습명; 오래 된 점포의 상호 또는 선대의 이름을 계승함. ¶ 師匠菊五郎の名を~する 스승 菊五郎의 이름을 계승하다.

しゅうめい【醜名】名 추명; 오명; 추문. ¶ ~を残す 오명을 남기다.

じゅうめん【渋面】名 불유쾌한 얼굴; 찡그린 얼굴. =しかめっつら·しかめづら. ¶ ~をつくる 얼굴을 찡그리다.

じゅうもう【獣毛】名 수모; 짐승의 털.

しゅうもく【衆目】名 중목; 많은 사람의 눈〔관찰〕. ¶ ~を驚かす 뭇사람을 놀라게 하다 / ~の一致する所 뭇사람의 보는 눈이 일치하는 바.

じゅうもく【十目】名 중목(衆目); 많은 사람의 보는 눈.

―の見る所十手の指す所 많은 사람이 그렇게 인정하는 바《모두의 관찰이나 의견이 같다는 뜻》.

じゅうもつ [什物] 名 1 집물; 집기. 2 비장(秘藏)의 보물. =什宝.

じゅうもんじ【十文字】名 열십자 (모양). =十字. ¶ 腹を~にかっ切る 배를 열십자로 가르다 / 道が~にまじわる 길이 열십자로 교차되다.

しゅうや【終夜】名 종야; 철야. ¶ ~営業 철야 영업 / 雨が~降りつづく 비가 밤새도록 내리다.

しゅうやく【集約】名ス他 집약. ¶ 意見を~する 의견을 집약하다.

―のうぎょう【―農業】名 집약 농업. ↔粗放農業.

じゅうやく【重役】名 중역. ¶ ~のいす 중역 의자〔자리〕 / ~会議を開く 중역 회의를 열다.

じゅうやく【重訳】名ス他 중역; 이중 번역. ¶ ~本 중역한 책 / ギリシア神話を英訳本で~した 그리스 신화를 영역판(版)을 대본으로 중역했다.

じゅうゆ【重油】名 중유. ↔軽油.

―きかん【―機関】名 중유 기관.

しゅうゆう【周遊】名ス自 주유. ¶ 世界~ 세계 주유 / ~天下 주유 천하.

*しゅうよう【修養】名ス自他 수양. ¶ ~を積む 수양을 쌓다 / ~が足りない 수양이 부족하다.

*しゅうよう【収容】名ス他 수용. ¶ ~人員〔能力〕 수용 인원〔능력〕 / 避難民を~する 피난민을 수용하다.

―じょ【―所】名 수용소. ¶ 捕虜~ 포로 수용소.

しゅうよう【収用】名ス他〔法〕수용. ¶

土地～(法) 토지 수용(법).

しゅうよう【襲用】 图ス他 습용; 답습. ¶古来の様式を～する 고래의 양식을 답습하다.

じゅうよう【充用】 图ス他 충용; 충당. ¶収益を借金の返済に～する 수익을 빚 갚는 데 충당하다/家計費をけずって学費に～する 가계비를 줄여서 학비에 충당하다.

じゅうよう【重用】 图ス他 중용. =ちょうよう. ¶若手を～する 젊은 사람을 중용하다.

**じゅうよう【重要】 名ナ 중요. ¶～な仕事 중요한 일/～な意味をもつ語句 중요한 의미를 지닌 어구.

—し【—視】 图ス他 중요시. ¶成績より人物を～する 성적보다 인물을 중시하다. ↔軽視.

—ぶんかざい【—文化財】 图 중요 문화재. =重文.

しゅうらい【襲来】 图ス自 습래; 내습. =来襲. ¶台風の～ 태풍의 내습/敵機が～する 적기가 내습하다.

じゅうらい【従来】 图 종래. =従前. ¶～通り実施する 종래대로 실시하다.

しゅうらく【集落】《聚落》图〘地〙 취락; 도시나 촌락. =村落. ¶山の麓に小さな～がある 산기슭에 자그마한 취락이 있다. ⇨ぐんらく(群落).

しゅうり【修理】 图ス他 수리. =修繕. ¶～に出す 수리를 맡기다/～がきかない 수리를 할 수 없다/家を～する 집을 수리하다.

*しゅうりょう【修了】 图ス他 수료. ¶～証書 수료 증서/高校課程を～する 고교 과정을 수료하다.

*しゅうりょう【終了】 图ス自他 종료. ¶試合～ 경기 종료/作業を～する 작업을 끝내다. ↔開始.

しゅうりょう【収量】 图 수량; 수확량. ¶反当たり～ 단보(段步)당 수확량.

じゅうりょう【十両】 图 1 열 냥; 십 냥. 2 씨름꾼의 계급의 하나. 参考 예전엔 동서(東西) 열명씩으로, 연봉이 十両(=열 냥)이었음. 정식으로는 '十枚目'라고 함.

じゅうりょう【重量】 图 중량. 1 무게. ¶～をはかる 무게를 재다. 2 무게가 무거움. ¶～級の選手 중량급 선수. ↔軽量.

—あげ【—挙げ】 图 역기(力技); 역도. =ウエートリフティング.

—かん【—感】 图 중량감. =重み. ¶～のある作品 중량감 있는 작품.

じゅうりょうぜい【従量税】 图 종량세《상품의 중량·용적·개수 등을 표준해서 부과하는 세금》. ⇨従価税.

*じゅうりょく【重力】 图〘理〙 중력. ¶～の法則 중력의 법칙.

—ダム [dam] 图 중력댐《단면이 삼각형에 가까운 콘크리트 댐》.

—は【—波】 图〘理〙 중력파. 1 표면 장력파(張力波). 2 만유 인력파.

じゅうりん [蹂躙·蹂躪] 图ス他 유린. ¶人権を～する 인권을 유린하다/敵地を～する 적지를 유린하다.

シュール [프 sur] 图 쉬르; '초(超)…'의 뜻.

—レアリズム [프 surréalisme] 图 쉬르레알리슴; 초현실주의. 注意 'シュールリアリスム'라고도 함.

じゅうるい【獣類】 图 수류; 포유 동물의 통칭. =けだもの·けもの.

しゅうれい【秀麗】 名ナ 수려. ¶眉目～ 미목 수려/～の地 수려한 땅.

しゅうれい【終礼】 图 종례.

じゅうれつ【縦裂】 图ス自 종렬; 세로로 갈라짐〔갈라진 틈〕.

しゅうれっしゃ【終列車】 图 종열차; 막차. ¶～に乗り遅れる 막차를 놓치다/～が通り過ぎて夜も更けて行く 막차가 지나가고 밤도 깊어 간다. ↔始発列車.

しゅうれん【修練·修錬】 图ス他 수련. ¶～を積む 수련을 쌓다.

しゅうれん【習練】 图ス自他 습련; 연습. =練習. ¶剣道の～に励む 검도 연습에 힘쓰다.

しゅうれん [収斂] 图ス自他 수렴. 1 수축함〔시킴〕. ¶～剤 수렴제/～作用 수렴 작용/血管の～ 혈관의 수렴. 2 한 군데로 모임〔모음〕; 집약. ¶意見が～される 의견이 수렴되다.

しゅうろう【就労】 图ス自 취로; 노동에 종사함. ¶～時間 취로 시간/八時～ 여덟 시 취로《8시에 일을 시작함》.

*じゅうろうどう【重労働】 图 중노동. ¶～に従事する〔耐える〕 중노동에 종사하다〔견디다〕. ↔軽労働.

しゅうろく【収録】 图ス他 수록. 1 채록(採錄). ¶初期の作品を全集に～する 초기 작품을 전집에 수록하다. 2 녹음·녹화함. ¶現地で～したテープ 현지에서 수록한 테이프.

しゅうろく【集録】 图ス他 집록; 모아서 기록함; 또, 기록한 것; 기록을 모음; 또, 모은 것. ¶講義の～ 강의의 집록.

じゅうろくや【十六夜】 图 음력 16일 밤. =いざよい.

しゅうろん【宗論】 图〘佛〙 종론; 종파간의 교의(教義) 논쟁. ¶～はどちらが負けても釈迦の恥 종파 싸움은 누가 져도 부처님 망신.

しゅうろん【衆論】 图 중론. ¶～を無視する 중론을 무시하다/～が期せずして一致する 중론이 우연히 일치하다.

しゅうわい【収賄】 图ス自他 수회. ¶～罪 수회죄/～の容疑で検挙される 수회 용의로 검거되다. ↔贈賄.

ジューンブライド [June bride] 图 준브라이드; 6월의 신부《행복을 약속한다는 6월에 결혼하는 신부》.

*しゅえい【守衛】 图 수위. ¶～を置く 수위를 두다/～長 수위장. 参考 좁은 뜻으로는, 국회의 '衛視'의 구칭.

じゅえき【受益】名 수익. ¶～者(しゃ)負担(ふたん) 수익자 부담/～権(けん) 수익권.
—しょうけん【—証券】名 수익 증권.
じゅえき【樹液】名 수액. ¶～をとる 수액을 채취하다.
ジュエリー [jewelry] 名 주얼리; 보석류; 또, 보석을 박은 장신구.
ジュエル [jewel] 名 주얼; 보석.
しゅえん【主演】名ス自 주연. ¶～俳優(はいゆう) 주연 배우/彼女(かのじょ)が～した映画(えいが) 그녀가 주연한 영화. ↔助演(じょえん).
しゅえん【酒宴】名 주연; 술 잔치. =さかもり. ¶～を催(もよお)す 주연을 열다/～を張(は)る 주연을 베풀다.
しゅおん【主恩】名 주은; 주인이나 주군(主君)의 은혜. ¶～に報(むく)いる 주군의 은혜에 보답하다.
しゅおん【主音】名〔樂〕주음; 으뜸음. =キーノート.
しゅか【主家】名 주가; 주인이나 주군의 집. =しゅけ.
しゅか【酒家】名 주가. **1** 주객; 술꾼. =酒飲(さけの)み. **2** 주점; 술집. =酒屋(さかや).
しゅが【主我】名 주아. =利己(りこ).
—しゅぎ【—主義】名〔哲〕주아주의; 이기주의. =利己(りこ)主義.
じゅか【儒家】名 유가; 유학자 (집안). ¶～思想(しそう) 유가 사상.
じゅか【樹下】名 수하; 나무 아래; 나무 밑. =じゅげ. ↔樹上(じゅじょう).
—びじん【—美人】名 수하 미인; 나무 밑에 여성을 배치한 풍속도의 통칭.
シュガー [sugar] 名 슈거; 설탕. ¶～ポット 설탕 단지〔그릇〕.
—ダディ [sugar daddy] 名 슈거 대디; (금품 등을 뿌리며) 젊은 여자를 후리는 돈 많은 중년 남자. =おじさま.
しゅかい [首魁] 名 수괴; 괴수; (역모 따위의) 주모자; 우두머리. ¶反乱(はんらん)の～ 반란의 수괴/～を捕縛(ほばく)する 수괴를 포박하다.
じゅかい【受戒】名ス自 수계; 신자·승려가 계율을 받음.
じゅかい【樹海】名 수해; 광대한 삼림. ¶見渡(みわた)す限(かぎ)りの～ 한없이 넓게 펼쳐진 수해.
しゅかく【主客】名 주객. =しゅきゃく. ¶～が入(い)れかわる 주객이 바뀌다.
—てんとう【—転倒】名ス自 주객 전도.
しゅかく【主格】名〔文法〕주격. ↔賓格(ひんかく).
しゅかく【酒客】名 주객; 술꾼. =さけのみ·酒家(しゅか).
じゅがく【儒学】名 유학. =儒教(じゅきょう). ¶～を修(おさ)める 유학을 배우다.
しゅかん【主幹】名 주간. **1** (한정된 일의) 주임; 감독. ¶編集(へんしゅう)の～ 편집 주간. **2** 일의 중심이 되는 일; 또, 그런 사람. ¶委員会(いいんかい)を～とする運営(うんえい) 위원회를 주간으로 하는 운영.
しゅかん【主管】名ス他 **1** 주관; 또 주관하는 사람. ¶福祉(ふくし)行政(ぎょうせい)を～する官庁(かんちょう) 복지 행정을 주관하는 관청. **2** 주임; 지배인. 参考 '主管'은 관청 관계에서 많이 쓰며, '主幹'은 보도·출판 관계에서 씀.
⁑しゅかん【主観】名 주관. ¶～を捨(す)てる 주관을 버리다/～だけでいうのは困(こま)る 주관만으로 말하는 것은 곤란하다/自然(しぜん)は～を離(はな)れて存在(そんざい)する 자연은 주관을 떠나서 존재한다. ↔客観(きゃっかん).
—てき【—的】ダナ 주관적. ¶～な判断(はんだん) 주관적인 판단/好(す)き嫌(きら)いは～なものである 좋아하고 싫어하는 것은 주관적인 것이다. ↔客観的(きゃっかんてき).
しゅかん【首巻】名 수권; 첫째 권; 제1권. ↔終巻(しゅうかん).
しゅがん【主眼】名 주안(점). =かなめ. ¶福祉(ふくし)に～を置(お)いた予算編成(よさんへんせい) 복지에 주안을 둔 예산 편성.
じゅかん【樹幹】名 수간; 나무 줄기.
しゅき【手記】名 수기. ¶獄中(ごくちゅう)～ 옥중 수기/遭難者(そうなんしゃ)の～ 조난자의 수기/～をつける〔書(か)く〕수기를 쓰다.
しゅき【酒気】名 주기; 술기운; 술에 취함. ¶～を帯(お)びる 주기를 띠다/～をさます 취기를 깨우다.
—おびうんてん【—帯び運転】名 음주운전《술기운이 어느 정도 있는 상태에서 운전하는 일》.
しゅき【酒器】名 주기; 술 마시는 데 쓰이는 기구《술잔이나 술병 등》.
⁑しゅぎ【主義】名 주의. =イズム. ¶国家(こっか)～ 국가주의/早起(はやお)き～ 일찍 일어나는 주의/～を曲(ま)げる 주의를 굽히다.
—しゃ【—者】名 주의자. ¶理想(りそう)～ 이상주의자. 参考 특히, 무정부주의자·공산〔사회〕주의자를 지칭할 때가 많음.
しゅきおくそうち【主記憶装置】名〔컴〕주기억 장치《중앙 처리 장치 속의 기억 장치》; 내부 기억 장치. ↔外部(がいぶ)記憶装置·補助(ほじょ)記憶装置.
しゅきゃく【主客】名 주객. **1** ☞しゅかく(主客). **2** 주빈(主賓). ¶～の座(ざ)にすわる 주객의 자리에 앉다.
しゅきゅう【守旧】名 수구; 보수. =墨守(ぼくしゅ). ¶～派(は) 수구파/彼(かれ)は～的(てき)だ 그는 보수적이다.
しゅきゅう【首級】名 수급; 싸움터에서 벤 적의 목《예스러운 말씨》. =しるし. ¶～をあげる 수급을 올리다; 적의 목을 베다. 参考 옛날, 중국에서 적의 목을 하나씩 칠 때마다 한 계급씩 진급된 데서.
じゅきゅう【受給】名 수급; 급여·연금·배급을 받음. ¶～者(しゃ) 수급자.
じゅきゅう【需給】名 수급. ¶～計画(けいかく) 수급 계획/～を調整(ちょうせい)する 수급을 조정하다.
しゅきょう【酒興】名 주흥. ¶～を添(そ)える 주흥을 더하다〔돋우다〕.
*しゅぎょう【修行】名ス自 수행. **1**〔佛〕불도를 닦음. ¶～の僧(そう) 수행승. **2** 학문·기예를 연마함. ¶武者(むしゃ)～ 무예를 익히기 위해 전국을 돌아다님/剣道(けんどう)を～する 검도를 수행하다. 注意 'しゅ

うぎょう'로 읽음은 잘못.
—じゃ【—者】图 수행자.
しゅぎょう【修業】图スル自他 수업. =しゅうぎょう. ¶花嫁(はなよめ)~をする 신부 수업을 하다.
じゅきょう【儒教】图 유교. =儒学(じゅがく). ¶~を信奉(しんぽう)する 유교를 신봉하다.
***じゅぎょう**【授業】图スル自 수업. ¶~中(ちゅう) 수업 중/~時間(じかん) 수업 시간/~をサボる 수업을 빼먹다/学校(がっこう)で~を受(う)ける 학교에서 수업을 받다.
—りょう【—料】图 수업료. ¶~が上(あ)がる 수업료가 오르다.
しゅぎょく【珠玉】图 주옥. **1** 진주와 보석. ¶金銀(きんぎん)~の宝(たから) 금은 주옥의 보배. **2** 아름다운, 뛰어난, 귀한 것의 비유. ¶~の名編(めいへん) 주옥 같은 명편.
しゅく【宿】图 **1** 여관. ¶~につく 여관에 도착하다. **2** 머무름; 묵음. **3** 역참(驛站). =宿場(しゅくば)·宿駅(しゅくえき). ¶三島(みしま)の~ 三島의 역참.
しゅく=【祝】축…. ¶~合格(ごうかく) 축 합격.
しゅく〖叔〗常用 シュク |숙 아제비| **1** 부모의 동생. ¶叔父(しゅくふ·おじ) 숙부. **2** 형제 순위의 셋째. ¶伯(はく)仲(ちゅう)叔(しゅく)季(き) 백중숙계.
しゅく〖祝〗《祝》教4 シュク シュウ いわう はふり |축 빌다| **1** 경사를 기뻐하다. ¶祝宴(しゅくえん) 축연. **2** 신을 모시고 기원하다. ¶祝禱(しゅくとう) 축도.
しゅく〖宿〗教3 シュク スク やど やどる やどす とまる |숙 묵다| **1** 여관; 여인숙. ¶下宿(げしゅく) 하숙. **2** 머무르다; 또, 그곳. ¶投宿(とうしゅく) 투숙. **3** 이전부터; 벌써부터. ¶宿望(しゅくぼう) 숙망/宿願(しゅくがん) 숙원.
しゅく〖淑〗常用 シュク よい |숙 맑다| **1** 아름답고 상냥함; 특히, 여성의 덕. ¶淑女(しゅくじょ) 숙녀/貞淑(ていしゅく) 정숙. **2** 좋다고 믿어 따르다. ¶私淑(ししゅく) 사숙.
しゅく〖粛〗《肅》常用 シュク つつしむ |숙 엄숙하다| **1** 삼가다. ¶静粛(せいしゅく) 정숙/粛然(しゅくぜん) 숙연. **2** 바로잡다; 엄하다. ¶粛正(しゅくせい) 숙정/厳粛(げんしゅく) 엄숙.
しゅく〖縮〗教6 シュク ちぢむ ちぢまる ちぢめる ちぢれる ちぢらす |축 오그라들다| 줄다; 작게 하다. ¶縮小(しゅくしょう) 축소/伸縮(しんしゅく) 신축. ↔伸(しん).
***じゅく**【塾】图 숙. **1** 자제를 모아 가르치는 사설 학교; 학원. =私塾(しじゅく)·学舎(がくしゃ). ¶英語(えいご)〔そろばん〕の~ 영어〔주산〕 학원/~に通(かよ)う 사설 학원에 다니다. **2** 기숙사《예스러운 말씨》. =寮(りょう). ¶~の生徒(せいと) 기숙사 학생.
じゅく〖塾〗常用 ジュク |숙 글방| **1** 자제를 가르치는 사설 학사(學舍). ¶私塾(しじゅく) 사숙. **2** 수학(修學)하는 자제의 기숙사.
じゅく〖熟〗教6 ジュク うれる つらつら |숙 익다| **1** 익히다; 삶다. ¶半熟(はんじゅく) 반숙. **2** 익다; 결실하다. ¶成熟(せいじゅく) 성숙. **3** 익숙해지다. ¶熟練(じゅくれん) 숙련.
しゅくい【宿意】图 **1** 숙의; 숙지(宿志). ¶~を遂(と)げる 숙지를 이루다. **2** 숙원(宿怨). ¶~を晴(は)らす 숙원을 풀다.
しゅくい【祝意】图 축의. ¶~を表(ひょう)する 축의를 표하다. ↔弔意(ちょうい).
しゅくえい【宿営】图スル自 숙영. ¶~地(ち) 숙영지/野外(やがい)に~する 야외에서 숙영하다.
しゅくえき【宿駅】图 역참. =宿(しゅく)·宿場(しゅくば).
しゅくえん[宿怨]图 숙원. =宿意(しゅくい). ¶~を晴(は)らす 숙원을 풀다.
しゅくえん【宿縁】图〘佛〙숙연; 전세의 인연; 숙인(宿因). ¶~があってこの世(よ)で結(むす)ばれる 전세의 인연이 있어서 이 세상에서 맺어지다.
しゅくえん【祝宴】图 축연. =賀宴(がえん). ¶~をはる 축연을 베풀다.
しゅくが【祝賀】图スル他 축하. =慶賀(けいが). ¶~式(しき) 축하식/~の宴(えん) 축하연/勝利(しょうり)を~する 승리를 축하하다.
しゅくがく【宿学】图 숙학; 오래 전부터 명성이 높고 덕망이 있는 학자.
しゅくがく【粛学】图スル自 학교 특히 대학의 내부를 숙정(肅正)함.
しゅくがん【宿願】图 숙원. =宿望(しゅくぼう). ¶~がかなう 숙원이 이루어지다/~を果(は)たす〔達(たっ)する〕 숙원을 이루다.
じゅくぎ【熟議】图スル他 숙의. ¶~をこらす 충분히 숙의하다/~に~を重(かさ)ねる 숙의에 숙의를 거듭하다.
しゅくげん【縮減】图スル他 감축. ¶予算(よさん)を~する 예산을 감축하다.
じゅくご【熟語】图 숙어. **1** 둘 이상의 한자가 결합하여 된 말. ¶漢字(かんじ)の~ 한자 숙어. ↔単純語(たんじゅんご). **2** 둘 이상의 말이 결합하여 된 말《'はるかぜ(=봄바람)·売(う)り物(もの)(=팔 물건)' 따위》. =複合語(ふくごうご). ↔新造語(しんぞうご). **3** 관용구; 성구(成句); イディオム. ¶英単語(えいたんご)~集(しゅう) 영어 단어 숙어집.
しゅくごう【宿業】图〘佛〙숙업; 현세에 와서 그 업보를 받는 전세에서의 행위; 또, 그 업보. =すくごう.
しゅくさい【祝祭】图 축제. **1** 축하의 제전. **2** 축전(祝典)과 제사.
—じつ【—日】图 축제일; 축일과 제일; 국경일. 參考 현재는 '国民(こくみん)の祝日(しゅくじつ)(=국경일)'라고 함.
しゅくさつ【縮刷】图スル他 축쇄; 축소판 인쇄. ¶~版(ばん) 축쇄판/文庫版(ぶんこばん)に~する 문고판으로 축쇄하다.
しゅくし【宿志】《夙志》图 숙지; 숙망; 숙원. ¶~を遂(と)げる 숙지를〔숙원을〕 이루다/~がかなう 숙원이 이루어지다.
しゅくし【祝詞】图 **1** 축사. =祝辞(しゅくじ)·しゅうし. **2** ☞のりと.
しゅくじ【祝辞】图 축사. =祝詞(しゅくし). ¶

来賓(らいひん)の～ 내빈 축사 / 結婚(けっこん)の～を述(の)べる 결혼 축사를 하다.

じゅくし【熟思】名ス他 숙사; 심사(深思); 숙려(熟慮). =熟考(じゅっこう). ¶～熟考のすえ… 심사숙고 끝에….

じゅくし[熟柿]名 숙시; 홍시. ¶～の落(お)ちるのを待(ま)つ 익은 감이 떨어지길 기다리다《느긋하게 때를 기다리다》.

―くさ-い〖―臭い〗形 숙시 냄새가 풍기다《술취한 사람이 숨을 내쉴 때 풍기는 냄새의 형용》.

じゅくし【熟視】名ス他 숙시; 눈여겨 봄. =凝視(ぎょうし). ¶相手(あいて)の顔(かお)を～する 상대방의 얼굴을 눈여겨 보다 / 事態(じたい)を～する 사태를 주시하다.

じゅくじくん【熟字訓】名 숙자훈; 한자로 쓰인 말을 한 자씩 읽지 않고 전체를 하나의 훈으로 읽는 것《明日(あす)·紅葉(もみじ) 따위》. ⇨あてじ.

*しゅくじつ【祝日】名 (나라에서 정한) 축일. =旗日(はたび). ¶国民(こくみん)の～ 국경일. ⇨さいじつ.

*しゅくしゃ【宿舎】名 숙사; 숙소. ¶静(しず)かなホテルに～をきめる 조용한 호텔을 숙소로 정하다.

しゅくしゃ【縮写】名ス他 축사; 축소하여 찍음. ¶地図(ちず)を～する 지도를 축사하다.

しゅくしゃく【縮尺】名ス他 축척. ¶～五万分(ごまんぶん)の一(いち)の地図(ちず) 축척 5만분의 1의 지도 / 10分(じゅうぶん)の1(いち)に～する 축척을 10분의 1로 하다. ↔現尺(げんしゃく).

しゅくしゅ【宿主】名〖生〗숙주. =やどぬし. ¶中間(ちゅうかん)～ 중간 숙주.

しゅくしょ【宿所】名 숙소. =やど. ¶～をきめる 숙소를 정하다.

しゅくじょ【淑女】名 숙녀. =レディー. ¶紳士(しんし)～ 신사 숙녀. ↔紳士(しんし).

しゅくしょう【祝勝】《祝捷》名 축승; 축첩(祝捷); 승리의 축하. ¶～会(かい)を催(もよお)す 승리 축하회를 열다.

*しゅくしょう【縮小】名ス他自 축소. ¶軍備(ぐんび)～ 군비 축소 / 原物(げんぶつ)を～して模型(もけい)を作(つく)る 원형을 축소해서 모형을 만들다. ↔拡大(かくだい)·拡張(かくちょう). 注意 '縮少'로 쓰면 잘못.

しゅくず【縮図】名 축도. ¶～器(き) 축도기 / 人生(じんせい)の～ 인생의 축도.

*じゅく-す【熟す】5自 **1** (과일 따위가) 잘 익다. =うれる. ¶～·したリンゴ 익은 사과 / かきが～ 감이 익다. **2** 무르익다. ¶計画(けいかく)が～ 계획이 무르익다 / 気運(きうん)が～ 기운이 무르익다. **3** 숙련되다; 숙달되다. ¶業(わざ)に～ 일에 숙련되다 / 腕(うで)が～ 솜씨가 원숙해지다. 「い.

しゅくすい【宿酔】名 숙취. =ふつかよ

じゅくすい【熟睡】名ス自 숙수; 숙면; 잠을 푹 잠. ¶昨日(きのう·さくじつ)は疲(つか)れていたので～した 어제는 피곤했었기에 푹 잠을 잤다.

しゅく-する【祝する】サ変他 축하하다《한문투의 말씨》. =祝(いわ)う. ¶喜寿(きじゅ)を～ 희수를 축하하다. 「す.

じゅく-する【熟する】サ変自 ☞じゅく

しゅくせい【粛正】名ス他 숙정. ¶綱紀(こうき)～ 강기숙정 / 官紀(かんき)を～する 관기를 숙정하다. 参考 '粛正'은 규율을 바로잡는 뜻으로 널리 쓰이며, '粛清'은 힘으로 사람을 제거하는 경우에 씀.

しゅくせい【粛清】名ス他 숙청. ¶血(ち)の～ 피의 숙청 / 反対派(はんたいは)を～する 반대파를 숙청하다.

じゅくせい【熟成】名ス自 숙성; 익어서 충분히 이루어짐. ¶～させた酒(さけ) 숙성시킨 술 / 酒が～する 술이 숙성되다.

じゅくせい【塾生】名 숙생; (사설) 학원생; 사숙〔학원〕에서 배우는 학생.

しゅくぜん【粛然】トタル 숙연; 엄숙한 모양. ¶～たる儀式(ぎしき) 엄숙한 의식 / ～と式典(しきてん)を行(おこな)う 엄숙히 식전을 거행하다 / ～としてえりを正(ただ)す 숙연히 옷깃을 여미다.

**しゅくだい【宿題】名 숙제. ¶～帳(ちょう) 숙제장 / 夏休(なつやす)みの～ 여름 방학 숙제 / ～を出(だ)す〔課(か)する〕 숙제를 내다〔과하다〕 / むずかしい～を抱(かか)える 어려운 숙제를 안고 있다.

じゅくたつ【熟達】名ス自 숙달. =練達(れんたつ). ¶仕事(しごと)〔英語(えいご)〕に～する 일〔영어〕에 숙달하다.

じゅくだん【熟談】名ス自 숙담; 숙의. ¶～して解決(かいけつ)する 숙의하여 해결하다.

じゅくち【熟知】名ス他 숙지; 잘〔익히〕 앎. ¶～の仲(なか) 잘 아는 사이 / この辺(へん)の地理(ちり)は～している 이 부근의 지리는 잘 알고 있다.

*しゅくちょく【宿直】名ス自 숙직. =とまり番(ばん). ¶今夜(こんや)は彼(かれ)が～です 오늘 밤은 그가 숙직입니다. ↔日直(にっちょく).

―しつ【―室】名 숙직실.

しゅくてき【宿敵】名 숙적. ¶十年来(じゅうねんらい)の～ 10년래의 숙적 / ～を倒(たお)す 숙적을 쓰러뜨리다.

しゅくてん【祝典】名 축전. ¶盛大(せいだい)な～を挙(あ)げる 성대한 축전을 거행하다.

しゅくでん【祝電】名 축전. ¶～を打(う)つ 축전을 치다. ↔弔電(ちょうでん).

しゅくとう[祝禱]名ス他 축도. ¶～を捧(ささ)げる 축도를 드리다. 「부의 숙정.

しゅくとう【粛党】名ス自 숙당; 정당 내

じゅくどく【熟読】名ス他 숙독. ¶教科書(きょうかしょ)を～する 교과서를 숙독하다. ↔速読(そくどく)·卒読(そつどく).

―がんみ[―玩味]名ス他 숙독 완미; 충분히 음미하며 읽음.

しゅくとして【粛として】副 **1** 아주 조용한 모양. ¶～声(こえ)なし 고요하여 아무 소리도 없다. **2** 엄숙히; 숙연히. ¶葬儀(そうぎ)は～執(と)り行(おこな)われた 장례식은 엄숙히 거행되었다.

じゅくねん【熟年】名 원숙한 연령《50세 전후(前後)의 연령》. =中高年(ちゅうこうねん). 参考 1970년대 후반부터 '中高年'을 대신해서 쓰기 시작했음.

しゅくば【宿場】名 옛날에 주요 가도(街道)의 요소에 만든 역참(驛站). =宿(しゅく)·宿駅(しゅくえき).

—まち【—町】名 역참 마을《역참을 중심으로 발달한 시가(市街)》. ⇨もんぜんまち·じょうかまち.

しゅくはい【祝杯】《祝盃》名 축배. ¶~をあげる 축배를 들다.

しゅくはく【宿泊】名ス自 숙박. ¶~料(りょう) 숙박료/旅館(りょかん)〔ホテル〕に~する 여관〔호텔〕에 숙박하다.

しゅくふく【祝福】名ス他 축복. ¶~を受(う)ける 축복을 받다/卒業(そつぎょう)を~する 졸업을 축복하다/~された家庭(かてい) 축복받은 가정.

しゅくへい【宿弊】名 숙폐; 오래된 폐단. ¶積年(せきねん)の~ 여러 해 쌓인 폐단/~を打破(だは)する 숙폐를 타파하다.

しゅくべん【宿便】名 숙변; 장(腸) 속에 오래 머물러 있는 변.

しゅくほう【祝砲】名 축포. =礼砲(れいほう). ¶~を打(う)つ〔放(はな)つ〕 축포를 쏘다.

しゅくぼう【宿望】名 숙망; 숙원. ¶多年(たねん)の~がかなう 오랜 동안의 숙원이 이루어지다/~を遂(と)げる〔果(は)たす〕 숙망을 이루다.

じゅくみん【熟眠】名ス自 숙면. =熟睡(じゅくすい).

*__しゅくめい__【宿命】名 숙명. ¶~のライバル 숙명의 라이벌/~的(てき)な出会(であ)い 숙명적인 만남/~と思(おも)って諦(あきら)める 숙명으로 생각하고 체념하다.

—ろん【—論】名 숙명론; 운명론. ¶~者(しゃ) 숙명론자.

しゅくもう【縮毛】名 축모; 곱슬곱슬한 털.

しゅくやく【縮約】名ス他 축약; 줄여서 간결하게 함. ¶大辞典(だいじてん)の~版(ばん) 대사전의 축약판 / 機構(きこう)を~する 기구를 축소하다.

しゅくゆう【祝融】名 축융; (중국의) 화신(火神); 전하여, 화재. ¶~の災(わざわ)い 화재.

じゅくらん【熟覧】名ス他 숙람; 자세히 살펴봄.

じゅくりょ【熟慮】名ス他 숙려; 숙고. ¶~断行(だんこう) 숙려 단행/~の上(うえ)で決定(けってい)する 숙고한 뒤에 결정하다.

*__じゅくれん__【熟練】名ス自 숙련. ¶~労働者(ろうどうしゃ) 숙련 노동자/~を要(よう)する仕事(しごと) 숙련을 요하는 일/細工(さいく)に~する 세공에 숙련되다. ↔未熟(みじゅく).

—こう【—工】名 숙련공. ↔見習工(みならいこう).

しゅくん【主君】名 주군. ¶~に仕(つか)える 주군을 섬기다.

しゅくん【殊勲】名 수훈. ¶~賞(しょう) 수훈상/~を立(た)てる 수훈을 세우다.

しゅけい【主計】名 주계; 회계를 관장(管掌)함; 또, 그 담당자.

しゅげい【手芸】名 수예. ¶~品(ひん) 수예품/~教室(きょうしつ) 수예 교실.

じゅけい【受刑】名 수형. ¶~者(しゃ) 수형자.

じゅけい【樹形】名 수형; 수목의 전체적인 모양새.

しゅけん【主権】名 주권. ¶国家(こっか)の~ 국가의 주권/~を侵(おか)す 주권을 침범하다/~を尊重(そんちょう)する 주권을 존중하다.

—ざいみん【—在民】名 주권재민.

じゅけん【受検】名ス自 수검; 검사를 받음. ¶経理検査(けいりけんさ)の~準備(じゅんび)をする 경리 검사의 수검 준비를 하다.

*__じゅけん__【受験】名ス他 수험. ¶~生(せい)〔者(しゃ)〕 수험생〔자〕/~地獄(じごく) 수험〔입시〕 지옥/~の準備(じゅんび)をする 수험 준비를 하다/大学(だいがく)を~する 대학 입학시험을 치르다.

じゅけん【授権】名〔法〕 수권. ¶~資本(しほん) 수권 자본.

しゅご【主語】名 **1**〔文法〕 주어. ↔述語(じゅつご)·客語(きゃくご). **2**〔論〕 주사(主辭).

しゅご【守護】名ス他 수호; 지킴. ¶~神(しん) 수호신.

しゅこう【手工】名 수공; 손으로 하는 공예·공작.

しゅこう【手交】名ス他 수교. ¶覚書(おぼえがき)〔首相(しゅしょう)のメッセージ〕を~する 각서〔수상의 메시지〕를 수교하다.

しゅこう〔酒肴〕名 주효; 술과 안주. =酒(さけ)さかな. ¶~をととのえる 술과 안주를 마련하다.

—りょう〔—料〕名 술값; 위로금; 금일봉.

しゅこう【趣向】名 취향. =おもむき·しくみ·くふう. ¶おもしろい~ 재미있는 취향/~を変(か)える 취향을 바꾸다.

しゅこう【首肯】名ス自 수긍. ¶~し難(がた)い提案(ていあん) 수긍하기 어려운 제안/その考(かんが)えは~できない 그 생각은 수긍할 수 없다/彼(かれ)の論(ろん)には~しかねる 그의 이론에는 수긍할 수 없다.

しゅごう【酒豪】名 주호; 대주가. ¶斗酒(としゅ)なお辞(じ)せずの~ 두주도 마다하지 않는 대주가.

じゅこう【受講】名ス自 수강. ¶~者(しゃ) 수강자/~料(りょう) 수강료/国史(こくし)の講座(こうざ)を~する 국사 강좌를 수강하다.

しゅこうぎょう【手工業】名 수공업. ¶~を営(いとな)む 수공업을 영위하다. ↔機械(きかい)工業.

しゅこうげい【手工芸】名 수공예.

じゅごん〖儒艮〗名〔動〕 듀공《남태평양 및 인도양에 사는 바다 짐승》.

しゅさ【主査】名 주가 되어 조사함; 또, 그 역할; 조사 등의 주임.

*__しゅさい__【主催】名ス他 주최. ¶~者(しゃ)〔側(がわ)〕 주최자〔측〕/大会(たいかい)を~する 대회를 주최하다. ↔共催(きょうさい).

しゅさい【主宰】名ス自他 주재. ¶会(かい)を~する 회를 주재하다/同人誌(どうじんし)を~する 동인지를 주재하다.

しゅざい【主剤】名〔醫〕 주제; 조제할 때 주되는 약. ¶アスピリンを~とした錠剤(じょうざい) 아스피린을 주제로 한 정제.

しゅざい【取材】名ス自 취재. ¶~源(げん) 취재원/~記者(きしゃ)〔旅行(りょこう)〕 취재 기자〔여행〕/~活動(かつどう) 취재 활동/現地(げんち)で~する 현지에서 취재하다/事件(じけん)の~に出(で)かける 사건을 취재하러 나가다.

しゅざい【首罪】名 수죄. **1** 여러 범죄 중에서 제일 중한 죄. **2** 주범. **3** 참형을 당

할 죄. ＝斬罪. ¶～に処する 참형에 처하다.

しゅざん【珠算】图 주산. ＝たまざん.

じゅさん【授産】图 수산; (주로 여자) 실업자·장애인 등에게 일을 주어 생활의 길을 얻게 함. ¶～所 부녀자나 실업자의 직업 보도소.

しゅさんち【主産地】图 주산지. ¶米の～ 쌀의 주산지.

しゅさんぶつ【主産物】图 주산물; 주된 생산물.

*しゅし【主旨】图 주지; 중심이 되는 논점; 언설(言說)의 주안점. ¶論文の～をつかむ 논문의 주지를 파악하다.

*しゅし【趣旨】图 취지. ＝趣意. ¶～を説明する 취지를 설명하다 / 本会の～に反する 본회의 취지에 반하다.

しゅし【種子】图 종자; 씨. ¶～の芽が出た 종자의 싹이 텄다.

──しょくぶつ【──植物】图〔植〕종자 식물(《'顕花植物(＝현화 식물)'의 고친 이름》).

しゅじ【主事】图 주사; (관청·학교 등에서) 사무 주관자. ¶～補 주사보 / 指導～ 지도 주사〔주임〕.

しゅじ【主治】图 1 주치; 주장하여 치료를 담당함. 2 '主治医'의 준말. 3 약의 주된 효력.

──い【──医】图 주치의. ＝しゅちい. ¶一家かかりつけの～ (어떤 가족의) 가정의.

しゅじ【主辞】图〔論〕주사; 주개념. ↔賓辞.

じゅし【樹脂】图 수지. ＝やに. ¶合成～ 합성 수지 / 天然～ 천연 수지 / 弦に～を塗る 현에 수지를 바르다.

しゅじく【主軸】图 주축. ¶放物線の～ 포물선의 주축 / ～になる選手 주축이 되는 선수 / 行政改革を政策の～とする 행정 개혁을 정책의 주축으로 삼다.

しゅしゃ【取捨】图ス他 취사. ¶～に迷う 취사 선택을 못하고 망설이다 / 雑誌の原稿はこちらで適宜～致します 잡지 원고는 이쪽에서 적당히 취사하겠습니다.

──せんたく【──選択】图ス他 취사 선택. ¶情報を～する 정보를 취사 선택하다.

しゅしゃ【手写】图ス他 수사; (손으로) 베낌. ¶～本 수사본 / 古文献を～する 고문헌을 수사하다.

じゅしゃ【儒者】图 유자; 유학자; 유가.

しゅじゅ【種種】名ナ 갖가지; 여러 가지; 가지가지. ＝いろいろ·様々. ¶～さまざま 가지각색 / ～の産物 여러 가지 산물 / 品数を～とりそろえる 물품 종류를 갖가지 골고루 갖추다. 注意 副詞적으로 쓰는 수도 있음. ¶対策を～考える 대책을 여러가지 생각하다 / ～あります 여러가지 있습니다.

──ざった【──雑多】ダナ 종종색색; 여러가지로 섞여 있는 모양. ¶～な商品 여러 가지 잡다한 상품.

じゅじゅ【授受】图ス他 수수; 주고받음. ＝やり取り. ¶金銭の～はなかった 금전 수수는 없었다.

しゅじゅう【主従】图 주종. 1 주인과 종자. ¶～関係 주종 관계. 2 주체와 종속; 주장이 되는 사물과 그에 딸린 사물. 注意 1의 뜻으로는 'しゅうじゅう'라고도 함.

*しゅじゅつ【手術】图ス他 수술. ¶～室 수술실 / 胃の～をする 위 수술을 하다.

じゅじゅつ[呪術]图 주술; 주문; 마술. ＝まじない·呪法·妖術. ¶～をつかう 주술을 쓰다.

しゅしょ【手書】一图 자필 편지. ¶友人の～を受けとる 친구 편지를 받다. 二图ス他 1 손으로 베낌; 또, 그것. ＝手写. 2 손수 씀; 또, 그것. ¶故人の～した日記 고인이 손수 쓴 일기.

しゅしょう【主唱】图ス自他 주창. ¶彼の～する新生活運動 그가 주창하는 신생활 운동.

しゅしょう【主将】图 (운동부의) 주장. ＝キャプテン. ¶柔道部の～ 유도부의 주장.

しゅしょう【首唱】图ス自他 수창; 먼저 주창함. ¶進化論を～した人 진화론의 수창자 / 政界刷新を～する 정계 쇄신을 먼저 주창하다.

*しゅしょう【首相】图 수상. ＝内閣総理大臣. ¶～官邸 수상 관저 / ～に指名される 수상으로 지명되다.

しゅしょう【殊勝】ダナ 기특함; 갸륵함. ＝奇特. ¶～な心掛け 기특한 마음씨. ↔不心得.

しゅじょう【主情】图 주정; 이성이나 의지보다 감정·정서를 중히 여김. 参考 단독으로는 거의 쓰지 않고 복합형으로 씀. ¶～説 주정설 / ～派 주정파. ↔主意·主知.

──しゅぎ【──主義】图 주정주의. ↔主意主義·主知主義.

しゅじょう【衆生】图〔佛〕중생. ＝有情. ¶一切～ 일체 중생.

──さいど【──済度】图 중생 제도.

じゅしょう【受賞】图ス自他 수상; 상을 받음. ¶～の喜び 수상의 기쁨 / ノーベル賞を～する 노벨상을 수상하다. ↔授賞.

じゅしょう【授賞】图ス自他 수상; 상장·상품·상금 따위를 줌. ¶ノーベル賞の～式 노벨상 수상식. ↔受賞.

*しゅしょく【主食】图 주식. ¶米を～とする 쌀을 주식으로 하다. ↔副食·副食物.

しゅしょく【酒色】图 주색. ¶～にふける〔おぼれる〕주색에 빠지다.

しゅしょく【酒食】图 주식; 술과 식사. ¶～を供する 주식을 제공하다.

しゅしん【主審】图 주심; 〔野〕구심(球審). ¶野球の～ 야구 주심〔구심〕. ↔副審·線審·塁審.

しゅしん【朱唇】《朱脣》图 주순; 연지

를 바른 붉은 입술. ¶~をほころばせる (여자가) 방긋 웃다.

**しゅじん【主人】图 주인. 1 업체의 임자. ¶店(みせ)の~ 가게 주인. 2 일가의 가구주. ¶ご~はご在宅(ざいたく)ですか 바깥양반은 계십니까. ↔主婦(しゅふ). 3 아내가 남편을 일컫는 말. ¶~は出(で)かけております 남편은 외출 중입니다.

—こう【—公】图 주인공. ＝ヒーロー.

じゅしん【受信】图ス他 수신. 1 전신·전화를 받음. ¶~装置(そうち) 수신 장치 / テレックスを~する 텔렉스를 수신하다. ↔送信(そうしん). 2 전보·우편물 따위를 받음. ↔発信(はっしん).

じゅしん【受診】图ス自 수진; 진찰을 받음. ¶早期(そうき)~ 조기 수진 / 半年(はんねん)に一回(いっかい)は~して下(くだ)さい 반년에 한번은 진찰을 받아 주세요.

じゅず【数珠】图 염주. ＝念珠(ねんず・ねんじゅ). ¶~をつまぐる 염주를 손 끝으로 세어 넘기다. 注意 'ずず' 라고도 함. 「주.

—だま【—玉】图 1 염주알. 2〖植〗염

—つなぎ『—繋ぎ』图 많은 물건〔사람〕을 염주 꿰듯 줄줄이 엮음. ¶罪人(ざいにん)を~につなぐ 죄인을 염주처럼 줄줄이 묶다.

しゅすい【取水】图ス自 취수; 수원지에서 물을 끎. ¶~口(こう) 취수구 / 利根川(とねがわ)から~する 利根 강에서 취수하다.

じゅすい［入水］图ス自 물 속으로 투신자살함. ＝身投(みな)げ.

しゅせい【守勢】图 수세. ¶~に立(た)つ 수세에 서다 / 攻勢(こうせい)から~にまわる 공세에서 수세로 돌다. ↔攻勢(こうせい).

しゅせい【守成】图ス他 수성. ¶創業期(そうぎょうき)から~期(き)に入(はい)る 창업기에서 수성기로 들어가다. ↔創業(そうぎょう).

しゅせい【酒精】图 주정; 알코올. ＝アルコール. ¶~分(ぶん) 주정분; 알코올 성분. 「주류(酒類).

—いんりょう【—飲料】图 주정 음료;

しゅぜい【酒税】图 주세. ¶~の税率(ぜいりつ)が一本化(いっぽんか)された 주세 세율이 단일화되었다.

じゅせい【儒生】图 유생. 1 유학자. 2 유학의 서생(書生)·학생.

じゅせい【受精】图ス自 수정; 정받이. ¶体外(たいがい)~ 체외 수정.

—らん【—卵】图 수정란. ＝有精卵(ゆうせいらん). ↔無精卵(むせいらん).

じゅせい【授精】图ス自 수정; 정자와 난자를 결합시킴; 인공적으로 수정(受精)시킴. ¶人工(じんこう)~ 인공 수정.

しゅせいぶん【主成分】图 주성분. ¶咳止(せきど)め薬(ぐすり)の~ 기침(멎게 하는) 약의 주성분.

しゅせき【酒席】图 주석; 연석(宴席). ¶~にはべる 주석에 배석하다.

しゅせき【主席】图 주석. 1 주인의 자리. 2 정부·단체 등의 최고 책임자. ¶国家(こっか)~ 국가 주석.

しゅせき【首席】图 수석. ¶~で卒業(そつぎょう)する 수석으로 졸업하다 / ~を争(あらそ)う 수석을 다투다. ↔次席(じせき).

しゅせん【主戦】图 주전. 1 싸우기를 주장함. ¶~論(ろん) 주전론. 2 주력이 되어서 싸움. ¶~投手(とうしゅ) 주전 투수.

しゅせん【酒仙】图 주선. 1 주호(酒豪). 2 당나라 이백(李白)의 이칭(異稱).

じゅせん【受洗】图ス自〔基〕수세; 세례를 받음.

しゅせんど【守銭奴】图 수전노.

じゅそ［呪詛・呪咀］图ス他 저주. ＝のろい. ¶相手(あいて)の男(おとこ)を~する 상대방 남자를 저주하다.

しゅぞう【酒造】图 주조. ¶~業(ぎょう) 주조업 / 蒸留酒(じょうりゅうしゅ)を~する 증류주를 주조하다.

じゅぞう【受贈】图ス自 수증; 기증받음. ¶~図書(としょ) 수증〔기증 받은〕도서.

じゅぞう【受像】图ス他 수상. ¶テレビ~機(き) 텔레비전 수상기 / ~がゆがむ 수상이 일그러지다. ↔送像(そうぞう).

しゅそく【手足】图 수족. 1 손과 발. ＝てあし. 2 부하. ＝てした. ¶~となって働(はたら)く 수족이 되어 일하다.

—を措(お)く所(ところ)なし 안심하고 몸 둘 곳이 없다.

しゅそく【首足】图 수족; 목과 발.

—処(ところ)を異(こと)にする 목을 잘리어 목과 발이 따로따로 되다《참수되다》.

しゅぞく【種族】图 종족. ¶~保存(ほぞん)の本能(ほんのう) 종족 보존의 본능 / 遊牧(ゆうぼく)を営(いとな)む~ 유목을 영위하는 종족.

しゅそりょうたん［首鼠両端］图 수서양단; 결단성이 없이 주뼛거리고 주저함. ¶~を持(じ)す 이도 저도 아니고 마음이 결정되지 아니하다.

*しゅたい【主体】图 주체. ¶学生(がくせい)を~としたデモ 학생을 주체로 한 데모. ↔客体(きゃくたい).

—せい【—性】图 주체성. ¶~を確立(かくりつ)する 주체성을 확립하다.

—てき【—的】ダナ 주체적. ¶~に行動(こうどう)する 주체적으로 행동하다.

*しゅだい【主題】图 주제. ＝テーマ·モチーフ. ¶反戦(はんせん)を~とした映画(えいが) 반전을 주제로 한 영화. ↔副題(ふくだい). 「グ.

—か【—歌】图 주제가. ＝テーマソン

じゅたい【受胎】图ス自 수태. ＝妊娠(にんしん). ¶人工(じんこう)~ 인공 수태.

—こくち【—告知】图〔基〕수태 고지.

—ちょうせつ【—調節】图 수태 조절.

しゅたく【手沢】图 수택. 1 오래 갖고 있는 동안에 물건에 묻은 손때. 2 '手沢本(しゅたくぼん)'의 준말. 「〔애장〕한 책.

—ぼん【—本】图 수택본; 고인이 애독

じゅたく【受託】图ス他 수탁. ¶~売買(ばいばい) 수탁 매매.

じゅだく【受諾】图ス他 수락. ＝承諾(しょうだく). ¶申(もう)し出(で)を~する 제의를 수락하다. ↔拒絶(きょぜつ).

しゅたる【主たる】連体 주된; 주요한. ＝おもな. ¶~問題(もんだい) 주된 문제.

**しゅだん【手段】图 수단. ＝てだて. ¶不

正(ふせい)の～で金(かね)をもうける 부정한 수단으로 돈을 벌다 / 目的(もくてき)のためには～をえらばない 목적을 위해서는 수단을 가리지 않다. ↔目的(もくてき).

しゅち【主知】 名 주지; 감정이나 정서보다 이지를 중히 함. ¶～的(てき) 주지적 / ～主義(しゅぎ) 주지주의. 参考 보통, 복합형으로 쓰임. ↔主情(しゅじょう)·主意(しゅい).

しゅちく【種畜】 名 종축. ¶～牧場(ぼくじょう) 종축 목장.

しゅちにくりん【酒池肉林】 名 주지육림; 호사한 술잔치. ¶～に耽(ふ)ける 주지육림에 빠지다.

しゅちゅう【手中】 名 수중. ¶～に収(おさ)める 수중에 넣다 / ～に帰(き)する 자기의 것이 되다.
——に握(にぎ)る 수중에 장악하다〔넣다〕.

じゅちゅう【受注】《受註》 名ス他 수주; 주문을 받음. ¶～が生産(せいさん)を上(うわ)まわる 수주가 생산을 웃돌다 / ビル工事(こうじ)を～する 빌딩 공사를 수주하다. ↔発注(はっちゅう).

しゅちょ【主著】 名 주저; 주된 저서.

しゅちょう【主潮】 名 주조; 주된 사조. ¶現代(げんだい)文学(ぶんがく)の～ 현대문학의 주조.

**しゅちょう【主張】 名ス他 주장. ¶正当防衛(せいとうぼうえい)を～する 정당방위를 주장하다 / ～を貫(つらぬ)く〔曲(ま)げない〕 주장을 관철하다〔굽히지 않다〕.

しゅちょう【主調】 名 주조. **1** 중심이 되는 경향. ¶会議(かいぎ)の～ 회의의 주조. **2** 〔楽〕 기본 가락; 기조(基調). ＝トニカ. 参考 넓은 뜻으로는 회화에서도 쓸 수 있음. ¶赤(あか)を～とした作品(さくひん) 빨간 색을 주조로 한 작품.

しゅちょう【首長】 名 수장; (집단이나 단체의) 우두머리. ＝かしら·おさ. 参考 좁은 뜻으로는 지방 자치 단체의 장을 가리킴. ¶～公選(こうせん) 지방 자치 단체장의 공선.

しゅつ〖出〗 教1 シュツ スイ でる だす | 출 나가다
1 가다; 내다. ¶出発(しゅっぱつ) 출발 / 輸出(ゆしゅつ) 수출. ↔入(にゅう). **2** 나타내다; 나타나다. ¶出現(しゅつげん) 출현.

じゅつ【術】 名 **1** 기술; 재주; 수. ¶身(み)をまもる～ 몸을 지키는 기술. **2** 수단; 방법. ¶施(ほどこ)すに～なし 손 쓸 방도가 없다. **3** 계략; 계책; 꾀. ¶～をめぐらす 계략을 꾸미다 / ～におちいる 계략에 빠지다. **4** 마술; 마법. ¶～にかかる 마술에 걸리다 / ～を使(つか)う 요술을 부리다.

じゅつ〖述〗《述》 教5 ジュツ のべる | 술 말하다
말하다. ¶口述(こうじゅつ) 구술.

じゅつ〖術〗《術》 教5 ジュツ わざ すべ | 술 꾀
1 기술; 솜씨; 학문. ¶剣術(けんじゅつ) 검술. **2** 꾀; 계략. ¶術数(じゅっすう) 술수.

しゅつえん[出捐] 名ス他 출연; 금품을 기부함. ¶～金(きん) 출연금 / 医薬品(いやくひん)を～する 의약품을 출연하다.

しゅつえん【出演】 名ス自 출연. ¶賛助(さんじょ)～ 찬조 출연 / お名残(なごり)～ 고별 출연 / 映画(えいが)に～する 영화에 출연하다.

しゅっか【出火】 名ス自 출화; 발화; 불이 남. ¶～地点(ちてん) 발화 지점 / ～現場(げんば) 출화 현장. ⇨失火(しっか). ↔鎮火(ちんか).

しゅっか【出荷】 名ス他 출하; 상품을 시장에 냄. ¶～が始(はじ)まる 출하가 시작되다. ↔入荷(にゅうか).

しゅつが【出芽】 名ス自 출아; 발아; 싹틈. ¶麦(むぎ)が一斉(いっせい)に～する 보리가 일제히 싹트다.

じゅっかい【述懐】 名ス自他 술회. ¶過去(かこ)〔往時(おうじ)〕を～する 과거를〔지난날을〕 술회하다 / 現在(げんざい)の心境(しんきょう)を～する 지금의 심경을 술회하다.

しゅっかん【出棺】 名ス自 출관. ¶～を見送(みおく)る 출관을 지켜보다.

しゅつがん【出願】 名ス自他 출원. ¶～手続(てつづ)き 출원 절차 / 特許(とっきょ)を～する 특허를 출원하다.

しゅつぎょ【出漁】 名ス自 ☞しゅつりょう.

***しゅっきん【出勤】** 名ス自 출근. ¶～簿(ぼ) 출근부 / ～時間(じかん)に遅(おく)れる 출근 시간에 늦다. ↔欠勤(けっきん)·退勤(たいきん).

しゅっきん【出金】 名ス自 출금; 돈을 냄; 또, 낸 돈. ¶～伝票(でんぴょう) 출금 전표 / ～がかさむ 지출이 늘다. ↔入金(にゅうきん).

しゅっけ【出家】 名ス自 〔仏〕 출가; 집을 떠나 승려가 됨; 또, 그 사람. ¶～の身(み) 출가한 몸. ↔在家(ざいけ).

しゅつげき【出撃】 名ス自 출격. ¶～命令(めいれい) 출격 명령. ↔迎撃(げいげき)·要撃(ようげき).

しゅっけつ【出欠】 名 출결; 출석과 결석. ¶～を取(と)る 출석을 부르다 / ～常(つね)ならず 출근 상태가 고르지 못하다.

しゅっけつ【出血】 名ス自 출혈. ¶内(ない)～ 내출혈 / ～多量(たりょう)で死亡(しぼう)する 출혈 과다로 죽다.
——じゅちゅう【——受注】 名ス他 출혈 수주.

しゅつげん【出現】 名ス自 출현. ¶新製品(しんせいひん)の～ 신제품의 출현 / 救世主(きゅうせいしゅ)の～ 구세주의 출현.

しゅっこ【出庫】 출고. 一 名ス他 창고에서 냄. ＝くら出(だ)し. ¶～を制限(せいげん)する 출고를 제한하다. 二 名ス自他 차고에서 차가 나옴〔차를 냄〕. ¶電車(でんしゃ)は朝(あさ)五時(ごじ)に～する 전차는 아침 5시에 출고한다. ⇔入庫(にゅうこ).

じゅつご【述語】 名 술어; 문법상의 풀이말. ⇨客語(きゃくご). ↔主語(しゅご).

じゅつご【術後】 名 수술 후. ¶～の経過(けいか) 수술 후의 경과. ↔術前(じゅつぜん).

じゅつご【術語】 名 술어; 학술 용어; 전문어. ＝テクニカルターム. ¶工学(こうがく)の～ 공학 술어.

しゅっこう【出向】 名ス自 출향. **1** …로 떠나감. **2** 다른 곳, 특히 다른 회사에 가서 일함. ¶子会社(こがいしゃ)に～する 자회사에 파견 근무 나가다.

しゅっこう【出校】 名ス自 **1** 학교에 나감. ＝登校(とうこう). ¶早(はや)めに～する 조금 일찍 등교하다. **2** 〔印〕 교정쇄가 나옴.

しゅっこう【出港】[名][スル自] 출항. ¶この船は明日～の予定です 이 배는 내일 출항할 예정입니다. ↔入港.

しゅっこう【出講】[名][スル自] 출강. ¶非常勤講師として～する 비상근 강사로 출강하다. ↔休講.

しゅっこう【出航】[名][スル自] 출항; 배나 비행기가 출발함. ¶事故のため～がおくれる 사고로 출항이 늦어지다.

じゅっこう【熟考】[名][スル他] 숙고. ＝熟慮. ¶事の成否を～する 일의 성사 여부를 숙고하다 / ～を重ねたうえでの結論 숙고를 거듭한 끝의 결론.

しゅっこく【出国】[名][スル自] 출국. ¶国際会議のため～する 국제 회의 때문에 출국하다. ↔入国.

―かんり【―管理】[名] 출국 관리. ↔入国管理.

しゅつごく【出獄】[名][スル自] 출옥; 출소. ¶刑期を終えて～する 형기를 마치고 출옥〔출소〕하다. ↔入獄.

じゅっさく【術策】[名] 술책. ＝はかりごと·たくらみ. ¶～をめぐらす 술책을 꾸미다 / ～を弄する 술책을 부리다.

しゅっさつ【出札】[名][スル自] 출찰; 입장권·승차권 등의 표를 팖. ¶～口 출찰구; 매표구. ⇨かいさつ(改札).

しゅっさん【出山】[名][スル自] 출산; 산에서 나옴; 특히, 승려가 절에서 밖으로 나옴. ↔帰山. [注意] 'しゅつざん'이라고도 함.

*しゅっさん【出産】[名][スル他自] 출산; 분만. ＝お産. ¶～祝い〔休暇〕 출산 축하〔휴가〕 / 無事男子を～する 무사히 남아를 출산하다.

―りつ【―率】[名] 출산율. ＝出生率. ¶産児制限により今年の～はいちじるしく減じた 산아 제한으로 금년의 출산율은 현저히 줄었다.

しゅっし【出資】[名][スル自] 출자. ¶共同～ 공동 출자 / 新規事業に～する 신규 사업에 출자하다.

しゅつじ【出自】[名] 출신; 출생; 태생. ＝でどころ·生まれ. ¶～が高い 지체가 높다 / ～と経歴をしらべる 출생과 경력을 조사하다.

しゅっしゃ【出社】[名][スル自] 출사; 회사에 출근함. ¶～時間 출근 시간 / 八時に～する 8시에 출근하다 / まだ～しておりません 아직 출근하지 않았습니다. ↔退社.

しゅっしょ【出所】 출소. [一][名] 1 출처. ＝出処·でどころ. ¶～不明の怪文書 출처 불명의 괴문서 / ～を明らかにする 출처를 밝히다. 2 출생지.
[二][名][スル自] 출옥; 출감. ¶～を許される 출옥이 허가되다. ↔入所.

しゅっしょ【出処】[名] 출처. 1 ☞で(出)どころ·しゅっしょ(出所). 2 나아가 벼슬하는 일과, 물러나 집에 있는 일.

―しんたい【―進退】[名] 출처 진퇴. 1 ☞しゅっしょ(出処)2. 2 (일을 당했을 때의) 처신; 거취. ¶～を明らかにする 거취를 분명히 하다. ⇨進退.

しゅっしょう【出生】[名][スル自] 출생. ＝しゅっせい. ¶～地 출생지 / ～率 출생률 / ～届 출생 신고.

しゅつじょう【出場】[名][スル自] 출장. ¶ボートレースに～する 보트 레이스에 출장하다. ↔欠場·退場.

しゅっしょく【出色】[名ナ] 유달리 뛰어남. ＝抜群. ¶～の人物 출중한 인물 / ～のできばえ 뛰어난 성과〔솜씨〕.

*しゅっしん【出身】[名] 출신. ¶軍人～の大臣 군인 출신의 대신 / 彼は東大～である 그는 東京 대학 출신이다.

しゅつじん【出陣】[名][スル自] 출진. ↔帰陣.

しゅっすい【出水】[名][スル自] 큰물; 홍수. ＝でみず. ¶集中豪雨による～ 집중호우로 인한 홍수 / 市内各所に～があった 시내 각처에 홍수가 났었다.

じゅっすう【術数】[名] 술수; 책략. ＝たくらみ. ¶権謀～ 권모술수.

*しゅっせ【出世】[名][スル自] 출세. 1 입신출세. ¶～作 출세작 / ～が早い 출세가 빠르다. 2〖佛〗 출가(出家)함.

―かいどう【―街道】[名] 출세 가도. ＝エリートコース. ¶順調に～を歩む 순조롭게 출세 가도를 걷다.

―がしら【―頭】[名] 일족이나 동급생 중에서 가장 출세한 사람; 또, 입신 출세가 제일 빠른 사람.

―ばらい【―払い】[名] 금전 등을 성공했을 때 갚는 일; 또, 그 약속. ¶～で借りる 출세하면 갚기로 하고 차용하다.

しゅっせい【出征】[名][スル自] 출정. ¶～軍人 출정 군인 / 召集を受けて～する 소집을 받고 출정하다.

しゅっせい【出生】[名][スル自] 〈老〉 ☞しゅっしょう.

**しゅっせき【出席】[名][スル自] 출석. ¶～をとる 출석을 부르다〔조사하다〕 / 御～を乞う 참석해 주시길 바람. ↔欠席·退席.

―ぼ【―簿】[名] 출석부.

しゅっせけん【出世間】[名]〖佛〗 출세간; 속세를 떠나 승려가 됨. ＝出世.

しゅつだい【出題】[名][スル自] 출제. ¶～傾向 출제 경향 / ～範囲が広い 출제 범위가 넓다.

しゅったつ【出立】[名][スル自] 길을 떠남; 출발. ＝旅立ち. ¶早朝～する 아침 일찍 길을 떠나다.

じゅっちゅう【術中】[名] 술중; 술책〔계략〕의 올가미 속. ¶～に陥る 술책에 빠지다.

*しゅっちょう【出張】[名][スル自] 출장. ¶～を命じられる 출장 명령을 받다 / 海外に～する 해외에 출장을 나가다.

―じょ【―所】[名] 출장소.

しゅっちょう【出超】[名] 출초(《'輸出超過(＝수출 초과)'의 준말》). ¶上半期の貿易は～だ 상반기 무역은 수출초과다. ↔入超.

しゅってい【出廷】[名][スル自] 출정. ¶被告

(ひこく)が～する 피고가 출정하다 / 証人(しょうにん)の～を求(もと)める 증인의 출정을 요구하다. ↔退廷(たいてい).

しゅってん【出典】[名] 출전. ＝典拠(てんきょ). ¶この格言(かくげん)の～は論語(ろんご)だ 이 격언의 출전은 논어이다.

しゅつど【出土】[名][ス自] 출토. ¶土器(どき)が～する 토기가 출토되다.

—ひん【—品】[名] 출토품.

しゅっとう【出頭】[名][ス自] 출두; (소환되어) 관청 등에 나감; 출석. ¶～を命(めい)ずる 출석을 명령하다 / 本人(ほんにん)の～を要(よう)する 본인의 출석을 요하다.

しゅつどう【出動】[名][ス自] 출동. ¶救急車(きゅうきゅうしゃ)の～ 구급차의 출동 / 機動隊(きどうたい)が～する 기동대가 출동하다.

しゅっとうし【出投資】[名]〘經〙출투자; 출자와 투자. ¶財政(ざいせい)～計画(けいかく) 재정 출투자 계획.

しゅつにゅう【出入】[名][ス自] 출입. ＝でいり. ¶生徒(せいと)の～を禁(きん)ずる 학생의 출입을 금하다.

しゅつば【出馬】[名][ス自] 출마. **1** 귀인이 말을 타고 외출함. **2** 장수가 전장에 말을 타고 나감. ＝出陣(しゅつじん). **3** (선거 등에) 입후보함. ¶地元(じもと)から～する 자기 고장에서 출마하다.

**しゅっぱつ【出発】[名][ス自] 출발. ¶～早々(そうそう) 출발하자마자 / ～間(ま)ぎわに 출발이 임박해서 / ～に際(さい)して 출발에 즈음하여 / 旅(たび)に～する 여행을 떠나다.

—てん【—点】[名] 출발점. ¶～から間違(まちが)った計画(けいかく)だった 처음부터 잘못된 계획이었다.

しゅっぱん【出帆】[名][ス自] 출범. ＝ふなで·出港(しゅっこう). ¶横浜港(よこはまこう)を～する 横浜 항을 출범하다.

*__しゅっぱん__【出版】[名][ス他] 출판. ¶～業(ぎょう) 출판업 / 本(ほん)を自費(じひ)～する 책을 자비 출판하다.

—ぶつ【—物】[名] 출판물. ¶～を取(と)り締(し)まる 출판물을 단속하다.

しゅっぴ【出費】[名][ス自] 출비; 지출. ¶～を切(き)り詰(つ)める 지출을 절약하다 / ～がかさむ 지출이 늘다. ↔入費(にゅうひ).

しゅっぴん【出品】[名][ス自他] 출품. ¶展示会(てんじかい)に新製品(しんせいひん)を～する 전시회에 신제품을 출품하다.

しゅっぺい【出兵】[名][ス自] 출병; 국외로 군대를 파견함. ＝派兵(はへい). ¶シベリア～ 시베리아 출병. ↔撤兵(てっぺい).

じゅっぺい [恤兵] [名][ス自他] 휼병; 돈이나 물건을 보내어 전쟁터에 있는 병사를 위로함. ¶～金(きん) 휼병금.

しゅつぼつ【出没】[名][ス自] 출몰. ¶海賊(かいぞく)が～する 해적이 출몰하다.

しゅっぽん【出奔】[名][ス自] 출분; 도망쳐 행방을 감춤. ¶有(あ)り金(がね)を盗(ぬす)みだして～した 현금을 훔쳐내어 행방을 감추었다.

しゅつらん [出藍] [名] 출람.

—の誉(ほま)れ 출람지예; 청출어람의 명예 《선생보다 뛰어난 제자라는 명예·평판》.

しゅつりょう【出漁】[名][ス自] 출어; 물고기를 잡으러 나감. ＝しゅつぎょ. ¶悪天候(あくてんこう)を押(お)して～する 악천후를 무릅쓰고 고기잡이 나가다.

しゅつりょう【出猟】[名][ス自] 출렵; 사냥하러 나감. ¶鉄砲(てっぽう)をかついで～する 총을 메고 사냥하러 나가다.

しゅつりょく【出力】[名] 출력. [一][名] 원동기 등이 일정 시간에 내는 유효 에너지. ¶～三十(さんじゅう)万(まん)キロワットの発電所(はつでんしょ) 출력 30만 킬로와트의 발전소. [二][名][ス他]〘컴〙중앙 처리 장치에서, 밖으로 정보를 내보냄; 또, 그 결과나 양. [参考] output의 역어. ⇔入力(にゅうりょく).

—そうち【—装置】[名]〘컴〙출력 장치. [参考] output unit의 역어.

しゅつるい【出塁】[名][ス自]〘野〙출루. ¶～率(りつ) 출루율 / フォアボールで～する 4구[포볼]로 출루하다.

「会(とかい).

しゅと【主都】[名] 주도; 대도시. ＝大(だい)都

*__しゅと__【首都】[名] 수도. ＝首府(しゅふ)·みやこ. ¶日本(にほん)の～は東京(とうきょう)である 일본의 수도는 東京이다.

—けん【—圏】[名] 수도권.

しゅとう【種痘】[名] 종두. ＝植(う)えぼうそう. ¶～を植(う)える 종두를 접종하다.

しゅどう【主動】[名][ス自] 주동. ¶ストライキの～者(しゃ) 파업 주동자.

しゅどう【手動】[名] 수동. ¶～式(しき)ポンプ 수동식 펌프. ↔自動(じどう)·電動(でんどう).

しゅどう【主導】[名][ス他] 주도. ＝リード. ¶～性(せい) 주도성.

—けん【—権】[名] 주도권. ＝イニシアチブ. ¶～争(あらそ)い 주도권 싸움 / ～を握(にぎ)る 주도권을 쥐다[잡다].

じゅどう【受動】[名] 수동. ＝受(う)け身(み). ¶～性(せい) 수동성. ↔能動(のうどう).

—たい【—態】[名]〘文法〙수동태. ＝受(う)け身(み). ↔能動態(のうどうたい).

しゅとく【取得】[名][ス他] 취득. ¶不動産(ふどうさん)～税(ぜい) 부동산 취득세 / 権利(けんり)を～する 권리를 취득하다.

*__しゅとして__【主として】[連語] 주로. ＝おもに·もっぱら. ¶今度(こんど)の試験(しけん)では～学力(がくりょく)を検査(けんさ)する 이번 시험에서는 주로 학력을 검사한다 / 私(わたし)は～英文学(えいぶんがく)を研究(けんきゅう)した 나는 주로 영문학을 연구하였다.

じゅなん【受難】[名][ス自] 수난. ¶～時代(じだい) 수난 시대 / 出版界(しゅっぱんかい)にとって～の年(とし)となる 출판계에는 수난의 해가 되다. [参考] 예수의 수난을 가리키는 일이 많음.

ジュニア [junior] [名] 주니어. **1** 연소자; 또, 소년·소녀. ¶～向(む)きのデザイン 주니어 취향의 디자인. **2** 하급; 하급생. ¶～コース 주니어 코스 / ～クラス 하급반. **3** 자식; 2세. ¶～が生(う)まれた 2세가 태어났다.

—デパート [일 junior＋department] [名] 소규모의 백화점.

しゅにく【朱肉】[名] 인주.

しゅにく【酒肉】名 주육; 술과 고기; 술과 안주. ＝さけさかな. ¶～に溺(おぼ)れる 주육에 빠지다.

じゅにゅう【授乳】名 ス自 수유. ¶～時間(じかん) 수유 시간.

—き【—期】名 수유기. ¶～の赤(あか)んぼう 수유기의 아기.

***しゅにん**【主任】名 주임. ¶現場(げんば)～ 현장 주임 / 営業部(えいぎょうぶ)～ 영업부 주임.

しゅぬり【朱塗り】名 주홍색을 칠함; 또, 그렇게 칠한 물건. ¶～の門(もん) 주홍색으로 칠한 문.

しゅのいのり【主の祈り】名〔基〕주의 기도; 주(主) 기도문. ＝主禱文(しゅとうぶん).

しゅのう【首脳】名 수뇌. ¶～会談(かいだん) 수뇌 회담 / 政党(せいとう)の～ 정당의 수뇌.

じゅのう【受納】名 ス他 수납. ¶粗品(そしな)ですが御(ご)～下(くだ)さい 변변치 못한 물건이지만 받아 주십시오.

シュノーケル [도 Schnorchel] 名 슈노르헬. **1** (잠수 중인) 잠수함의 통풍·배기 장치. **2**〔商標名〕물속을 헤엄치면서 숨을 쉴 수 있게 만든, 입에 무는 J형의 굽은 관.

—しゃ【—車】名 슈노르헬 차; 고가사다리차.

しゅはい【酒杯】《酒盃》名 술잔. ＝さかずき. ¶～を傾(かたむ)ける 술잔을 기울이다.

じゅはい【受配】名 ス他 수배; 배급·배부·배당 등을 받음.

しゅはん【主犯】名〈俗〉주범. ＝正犯(せいはん). ↔共犯(きょうはん)·従犯(じゅうはん).

しゅはん【首班】名 수반; 특히, 내각 총리 대신의 딴이름. ¶新内閣(しんないかく)の～となる 신내각의 수반이 되다.

じゅばん〖襦袢〗名 ☞ジバン. 注意 포르투갈어 gibão의 전와(轉訛).

しゅひ【種皮】名 종피; 씨의 껍질.

***しゅび**【守備】名 ス他 수비. ＝守(まも)り. ¶～を固(かた)める 수비를 단단히 하다 / ～が弱(よわ)い 수비가 약하다. ↔攻撃(こうげき).

***しゅび**【首尾】名 수미. **1** 사물의 처음과 끝; 시종. ＝終始(しゅうし). ¶文(ぶん)の～を整(ととの)える 글의 처음과 끝 부분을 잘 다듬다. **2** 사물의 경과나 결과; 전말. ＝てんまつ. ¶～は上々(じょうじょう) 결과는 썩 좋다 / ～を語(かた)る 일의 전말을 이야기하다.

—いっかん【—一貫】名 ス自 시종일관. ¶～した論理(ろんり) 시종일관된 논리.

—よく 副 순조롭게; 잘; 성공적으로. ¶交渉(こうしょう)は～いった 교섭은 순조롭게[잘] 되었다.

じゅひ【樹皮】名 수피; 나무 껍질. ¶～をはぐ 나무 껍질을 벗기다.

しゅひつ【主筆】名 주필. ¶新聞(しんぶん)の～ 신문의 주필.

しゅひつ【朱筆】名 주필; 붉은 먹물을 묻힌 붓; 또, 붉게 써 넣음.

—を加(くわ)える; —を入(い)れる 주필을 가하다; (원고 따위를) 정정하다. ¶原稿(げんこう)に～ 원고를 정정하다.

しゅびょう【種苗】名 종묘; 씨앗과 모종《수산업에선 치어(稚魚)를 가리킴》.

じゅひょう【樹氷】名 수빙; 상고대; 무송(霧淞).

しゅひん【主賓】名 주빈. **1** 내객 중 가장 주되는 손님. ＝正客(しょうきゃく). ¶～として招(まね)かれる 주빈으로서 초대받다. ↔陪賓(ばいひん). **2** 주인과 빈객; 주객.

しゅひんば [種牝馬] 名 종빈마; (번식용의) 씨암말. ↔種牡馬(しゅぼば).

***しゅふ**【主婦】名 주부. ¶～の座(ざ) 주부의 자리 / ～権(けん) 주부권 / 家庭(かてい)の～ 가정 주부 / 専業(せんぎょう)～ 전업 주부.

—れん【—連】名 '主婦連合会(れんごうかい)' (＝주부 연합회)의 준말.

***しゅふ**【首府】名 수부; 수도. ＝キャピタル.

じゅふ [呪符] 名 부적. ¶～をたいて祈(いの)る 부적을 태우며 기도하다.

シュプール [도 Spur] 名 슈푸르; 눈 위에 스키를 타고 활강(滑降)한 자국. ¶あざやかな～を描(えが)く 선명한 스키 자국을 그리다.

シュプレヒコール [도 Sprechchor] 名 슈프레히코르. **1** 무대의 등장 인물들이 시나 대사를 합창 형식으로 부르는 방법. **2** 집회나 행진 등에서 슬로건 등을 일제히 외치는 일. ¶戦争(せんそう)反対(はんたい)の～がひびきわたる 전쟁 반대의 함성이 울려 퍼지다.

じゅふん【受粉】名 ス自 수분; 꽃가루받이. ↔授粉(じゅふん).

じゅふん【授粉】名 ス自 수분; 암술에 수술의 화분을 붙여 줌. ¶人工(じんこう)～ 인공 수분. ↔受粉(じゅふん).

シュブング [도 Schwung] 名 슈붕; (스키에서) 회전.

しゅへき【酒癖】名 주벽. ＝さけぐせ. ¶～がある 주벽이 있다.

しゅべつ【種別】名 ス他 종별; 종류에 따른 구별. ＝類別(るいべつ)·種類分(しゅるいわ)け. ¶採集(さいしゅう)した昆虫(こんちゅう)を～する 채집한 곤충을 종별로 나누다.

シュペリオリティーコンプレックス [superiority complex] 名〔心〕슈피어리오리티 콤플렉스; 우월감. ↔インフェリオリティーコンプレックス.

しゅほ【酒保】名 주보; 군(軍)매점; 피엑스(PX).

しゅほう【主峰】名 주봉; (그 산맥 중의) 최고봉.

しゅほう【主砲】名 주포. **1** 그 군함에서, 가장 큰 대포. ¶口径(こうけい)八(はち)インチの～ 구경 8 인치의 주포. **2**〈俗〉〔野〕4번 타자. ¶敗因(はいいん)は～の不振(ふしん)にある 패인은 주포의 부진에 있다.

しゅほう【手法】名 수법; 기교. ＝テクニック. ¶写実的(しゃじつてき)な～をとる 사실적인 수법을 취하다.

しゅぼう【首謀】《主謀》名 주모(자). ¶反乱(はんらん)の～ 반란의 주모자.

じゅほう [呪法] 名 주법. **1** 주문을 외는 법식. **2** 주술(呪術).

じゅぼくどう [入木道] 名 서도의 딴이름. 参考 왕희지가 글을 쓴 나무에 먹이 세 치나 배어 있었다는 고사에서.

*しゅみ【趣味】图 취미. **1** 멋; 정취; 풍류. ¶～のある絵 정취가 있는 그림/音楽の～を解する人 음악의 멋을 아는 사람/～と実益とを兼ねている 취미와 실익을 겸하고 있다. **2** 취향. ¶～に合う 취향에 맞다/持ち物の一つにも～のよさが出ている 소지품 하나에도 고상한 취미가 엿보인다.

—てき【—的】ダナ 취미적(임). ¶かれの読書はいつまでたっても～だ 그의 독서는 언제까지나 취미로 보는 것이다. ↔職業的.

シュミーズ [프 chemise] 图 슈미즈; 속치마.

しゅみだん [須弥壇] 图〔佛〕수미단; 절의 불전(佛殿)에 설치한 본존(本尊) 등의 불상을 안치한 불좌.

しゅみゃく【主脈】图 주맥; (산맥이나 광맥·엽맥(葉脈) 따위의) 중심이 되는 줄기. ↔支脈.

*じゅみょう【寿命】图 수명. ¶平均～ 평균 수명/～が尽きる〔延びる〕 수명이 다하다〔늘다〕/～を延ばす 수명을 연장하다/～を絶つ 목숨을 끊다/機械に～が来る 기계가 수명이 다 되다/この車はもう～だ 이 차는 이제 수명이 다 됐다.

—が縮まる 수명이 줄어들다. ¶借金で～思いをする 빚 때문에 제 수명을 다할 수 없을 것 같은 생각이 들다.

しゅむ【主務】图 주무. ¶～大臣 주무 대신/～官庁 주무 관청.

じゅめい【受命】图ス自 수명. **1** 명령을 받음. **2** 천명을 받아 천자(天子)가 됨《고대 중국의 사상》. ↔簒奪.

しゅもく [撞木] 图 당목; 종·경쇠 따위를 치는 정자형(丁字型)의 방망이. =かねたたき·しもく. ¶～で鐘を突く 당목으로 종을 치다.

しゅもく【種目】图 종목. ¶営業～ 영업 종목/アルペン～ 알파인 종목.

じゅもく【樹木】图 수목. =立ち木. ¶～が生い茂る 수목이 우거지다.

しゅもくてき【主目的】图 주목적.

じゅもん [呪文] 图 주문. ¶～を唱える 주문을 외다.

*しゅやく【主役】图 주역. ¶歴史の～をになう 역사의 주역을 담당하다/映画で～を割り当てられる 영화에서 주역을 맡게 되다. ↔端役·脇役.

しゅやく【主薬】图 주약; 주제. =主剤. ¶ビタミンを～とした錠剤 비타민을 주제로 한 정제.

しゅゆう【酒友】图 주우; 술친구.

じゅよ【授与】图ス他 수여. ¶学位を～する 학위를 수여하다.

しゅよう【主用】㊀图 **1** 주군이나 주인의 용무. ¶～で旅行する 주인의 용무로 여행하다. **2** 중요한 용무. ㊁图ス他 주로 씀. ¶～薬 주로 쓰는 약.

*しゅよう【主要】名ナ 주요. ¶～輸出品 주요 수출품/財界の～人物 재계의 주요 인물. 参考 'おもな' 따위보다 약간 문어적인 말씨.

しゅよう [腫瘍] 图 종양《암이나 육종 따위》. ¶悪性～ 악성 종양.

じゅよう【受容】图ス他 수용. ¶～器官 수용 기관《눈·코 따위》/外来文化を～する 외래 문화를 수용하다.

*じゅよう【需要】图 수요. ¶～者 수요자/～供給の法則 수요 공급의 법칙/～が高まる 수요가 많아지다/～を満たす 수요를 채우다. ↔供給.

じゅよう【需用】图 수용; 전기·가스 등을 소비하는 일. ¶～家 수용가/～電力 수용 전력.

しゅよく【主翼】图 (항공기의) 주익. ↔尾翼.

しゅら【修羅】图 수라. **1** 'あしゅら(=아수라)'의 준말. **2** 전쟁; 투쟁. ¶～の巷 전쟁터.

—を燃やす 몹시 시기〔원망〕하다.

—じょう【—場】图 수라장. ¶～と化する 수라장으로 화하다.

—ば【—場】图 **1** (연극·야담 등에서) 비장한 싸움 장면. **2** ☞しゅらじょう.

シュラーフザック [도 Schlafsack] 图 슐라프작; 슬리핑 백; (등산용) 침낭(寝嚢). =寝袋·スリーピングバッグ.

ジュラき【ジュラ紀】图〔地〕쥐라기; 중생대 중기의 시대. ▷Jura.

ジュラルミン [duralumin] 图〔化〕두랄루민.

しゅらん【酒乱】图 주란; 심한 주정. ¶～の夫に泣く 주정이 심한 남편 때문에 울다〔마음고생하다〕.

じゅり【受理】图ス他 수리. ¶申請〔辞表〕を～する 신청을〔사표를〕 수리하다. ⇨じゅよう(受容).

じゅりつ【樹立】图ス他自 수립. ¶国交～ 국교 수립/新記録を～する 신기록을 수립하다.

しゅりゅう【主流】图 주류. ¶～派 주류파/時代思潮の～ 시대 사조의 주류. ↔支流.

しゅりゅうだん [手榴弾] 图 수류탄. =てりゅうだん. ¶～を投擲する 수류탄을 던지다.

しゅりょう【酒量】图 주량. ¶～があがる〔減る〕 주량이 늘〔줄〕다/～は一升に及んだ 주량은 한 되에 달했다.

しゅりょう【狩猟】图ス自 수렵; 사냥. =狩り. ¶～家〔期〕 수렵가〔기〕/～に出かける 사냥하러 나가다.

しゅりょう【首領】图 수령; 우두머리. =かしら·首魁. ¶山賊の～ 산적의 두목/一方の～となる 한쪽의 우두머리가 되다.

じゅりょう【受領】图ス他 수령; 영수. ¶～証 수령증/代金を～する 대금을 수령하다.

じゅりょう【寿陵】图 수릉; 생전에 미리 만들어 두는 무덤.

*しゅりょく【主力】图 주력. ¶敵の～を撃破する 적의 주력을 격파하다/輸出品では半導体が～だ 수출품에서는 반도체가 주력이다/復習

に～を注ぐ 복습에 주력을 기울이다.
——ぎんこう【——銀行】名 주거래 은행. ＝メーンバンク.
じゅりん【樹林】名 수림. ＝はやし. ¶～帯 수림 지대 / 針葉～ 침엽수림.
**しゅるい【種類】名 종류. ¶～が異なる 종류가 다르다 / 同じ～の昆虫 같은 종류의 곤충. 「류 판매.
しゅるい【酒類】名 주류. ¶～販売 주
じゅれい【樹齢】名 수령. ¶～百年の松 수령이 백년인 소나무 / 年輪で～を調べる 연륜으로 수령을 조사하다.
しゅれん【手練】名 수련; 익숙한 솜씨. ¶～の早わざ 익숙하고 재빠른 솜씨. 注意 'てれん' 으로 읽으면 딴 뜻이 됨.
しゅろ〖棕櫚·棕梠〗名〔植〕종려나무. ¶～ぼうき 종려비. 「楼).
しゅろう［鐘楼］名 ☞しょうろう(鐘
しゅわ【手話】名 수화. ¶～で伝える 수화로 전하다. ↔口話.
じゅわき【受話器】名 수화기. ¶～を取る 수화기를 들다. ↔送話器.
しゅわん【手腕】名 수완. ＝うでまえ·技量. ¶～家 수완가 / ～を発揮する 수완을 발휘하다.
しゅん〖旬〗名 어패(魚貝)·야채·과일 등이 가장 맛드는 철. ¶～の野菜〔くだもの〕 제철인 야채〔과일〕/ サンマの～になった 꽁치 철이 됐다. ↔はしり.
しゅん〖俊〗常用 シュン すぐれる | 준 뛰어나다 | 뛰어나다; 총명하다. ¶俊才 준재 / 俊秀 준수.
しゅん〖春〗教2 シュン はる | 춘 봄 | 1 봄. ¶春季 춘계 / 立春 입춘. 2 연초. ¶新春 신춘. 3 남녀 사이에 서로 이성을 구하는 마음. ¶思春期 사춘기.
しゅん〖瞬〗(〖瞬〗) 常用 シュン まばたく またたく | 순 눈깜짝거리다 | 깜빡하는 동안; 극히 짧은 시간. ¶瞬間 순간.
じゅん【純】一名ダナ 순수; 순진. ¶～なガソリン 순수한 가솔린 / ～な男 순진한 사나이. 二接頭 순…. ¶～日本式 순일본식 / ～理論 순이론.
*じゅん【順】一名 순서·차례. ¶～を追う 순서를 따르다〔기다리다〕/ ～が来る 차례가 오다 / ～に並ぶ 순서대로 늘어서다. 二名ダナ 1 온순·순직(順直)함. ¶～な人がら 온순한 인품. 2 당연함; 온당함. ¶老人に席を譲るのが～だ 노인에게 자리를 양보하는 것은 당연한 일이다. ⇔逆. 三接尾 …순; 순서를 나타냄. ¶先着～ 선착순 / イロハ～ 가나다순.
じゅん［醇］名ダナ 1 술이 불순물이 없고 진국임. ¶～な清酒 진국으로 된 청주. 2 순수함; 한결같음. ¶芸術の最も～なのは音楽だ 예술의 가장 순수한 것은 음악이다. 3 순박함. ¶～な人柄 순박한 인품.
じゅん=【準】준…; 정식의 다음 차례인; 비길 만한. ¶～会員 준회원.
じゅん〖旬〗常用 ジュン シュン | 순 열흘 | 1 열흘 동안. ¶上旬 상순 / 下旬 하순. 2 십 개월. ¶旬月 순월.
じゅん〖巡〗(〖巡〗) 常用 ジュン めぐる まわる | 순 돌다 | 1 돌아다니며 보다. ¶巡察 순찰 / 巡視 순시. 2 한바퀴 돌다. ¶一巡 일순.
じゅん〖盾〗常用 ジュン たて | 순 방패 | 방패. ¶矛盾 모순.
じゅん〖准〗常用 ジュン ならう なぞらえる | 준 수준기 | 준하다. ¶准尉 준위 / 批准 비준. 注意 '準'의 속자.
じゅん〖殉〗常用 ジュン したがう | 순 따라죽다 | 1 뒤따라 죽다. ¶殉死 순사. 2 대의를 위해 목숨을 버리다. ¶殉国 순국.
じゅん〖純〗教6 ジュン | 순 순수하다 | 순수하다. ¶純情 순정 / 清純 청순.
じゅん〖循〗常用 ジュン したがう めぐる | 순 좇다 | 1 뒤따라서 가다. ¶因循 인순. 2 빙빙 돌아다니다. ¶循環 순환.
じゅん〖順〗教4 ジュン したがう | 순 순하다 | 1 순종하다. ¶順応 순응. 2 차례. ¶順序 순서 / 打順 타순. ↔逆.
じゅん〖準〗教5 ジュン なぞらえる | 준 수준기 | 1 기준. ¶準則 준칙 / 標準 표준. 2 본받아 따르다. ¶準拠 준거.
じゅん〖潤〗常用 ジュン うるおう うるおす うるむ | 윤 젖다 | 1 물이 스며들다. ¶浸潤 침윤. 2 윤기가 있다. ¶潤色 윤색.
じゅん〖遵〗(〖遵〗) 常用 ジュン したがう | 준 따라가다 | 법칙을 따라 행동하다. ¶遵守 준수 / 遵法 준법.
じゅんあい【純愛】名 순애. ¶～をささげる 순애를 바치다.
*じゅんい【順位】名 순위. ¶～をきめる〔つける〕 순위를 정하다〔매기다〕.
じゅんいつ【純一】名ナ 순일. ¶～な芸術愛 순일한 예술애.
——むざつ【——無雑】名 거짓이나 꾸밈이 없고 순수함. ¶～の心境 거짓이나 꾸밈이 없는 심경. 「さめ.
しゅんう【春雨】名 춘우; 봄비. ＝はる
しゅんえい【俊英】名 준영; 뛰어나고 빼어남; 또, 그런 사람. ＝英俊. ¶画壇の～ 화단의 준영.
じゅんえき【純益】名 순익. ＝純利. ¶千万円の～ 천만 엔의 순익.
じゅんえん【巡演】名ス自 순연; 순회 공연. ¶地方～に出る 지방 순회 공연에 나가다.

じゅんえん【順延】图 ス他 순연. ¶雨天～ 우천 순연.

じゅんおくり【順送り】图 ス他 차례차례로 보냄. ¶ボールを～にする 공을 차례차례 다음으로 보내다.

じゅんか【純化】《醇化》图 ス他自 순화. ¶生徒の気風を～する 학생들의 기풍을 순화하다 / 国語を～する 국어를 순화하다.

じゅんか［醇化］图 ス他自 순화; 정성어린 교육으로 감화함. ¶人心を～する 인심〔민심〕을 순화하다. 参考 법령에서는 '純化'로 씀.

じゅんか【順化】《馴化》图 ス自 순화; 생물이 기후나 풍토 등에 차차 적응되어 감. ¶あのとらはまだ～していない 저 호랑이는 아직 순화되지 않았다. 注意 '順化'로 씀은 대용 한자.

じゅんかい【巡回】图 ス自 순회. ¶～大使〔公演〕 순회 대사〔공연〕 / 管内を～する 관내를 순회하다.

—としょかん【—図書館】图 순회 도서관.

しゅんかしゅうとう【春夏秋冬】图 춘하추동; 사철; 사계(四季). ¶トマトが～出回っている 토마토가 사계절 출회되고 있다.

じゅんかつ【潤滑】图 윤활. ¶～剤 윤활제.

—ゆ【—油】图 윤활유.

*しゅんかん【瞬間】图 순간. ＝瞬時. ¶～のできごと 순간에 일어난 일 / ～にして消え去る (일)순간에 사라지다 / 一～も猶予はできない 일순간도 유예〔우물쭈물〕할 수는 없다.

*じゅんかん【循環】图 ス自 순환. ¶～バス 순환 버스 / バスが同一コースを～する 버스가 같은 코스를 순환한다. 参考 '循還'으로 씀은 잘못.

—き【—器】图 순환기. ¶～障害 순환기 장애.

じゅんかん【旬刊】图 순간. ¶～の雑誌 순간 잡지. ↔日刊·週刊·月刊·季刊.

じゅんかん【旬間】图 순간; 십 일간. ¶交通安全～ 교통 안전 순간. ↔週間·月間·年間.

しゅんき【春季】图 춘계. ¶～大掃除 춘계 대청소 / ～修学旅行 춘계 수학 여행. ↔秋季.

しゅんき【春期】图 춘기. ¶～演奏会 춘기 연주회 / ～大売り出し 춘기 대매출〔바겐세일〕.

しゅんき【春機】图 춘기; 색욕; 색정.

—はつどうき【—発動期】图 춘기 발동기; 사춘기. ＝思春期.

しゅんぎく【春菊】图〔植〕쑥갓. ＝菊菜.

じゅんぎゃく【順逆】图 순역; 도리에 맞는 일과 어긋나는 일. ¶～を誤る 순역을 그르치다 / 事の～を弁える 사리를 분별하다.

じゅんきゅう【準急】图 준급《'準急行列車(＝준급행열차)'의 준말》.

じゅんきょ【準拠】图 ス自 준거. ¶学習指導要領に～した教科書 학습 지도 요령에 준거한 교과서.

じゅんきょう【殉教】图 ス自 순교. ¶～者 순교자.

じゅんきょう【順境】图 순경. ¶～に育つ 순경에서 자라다. ↔逆境.

じゅんぎょう【巡業】图 ス自 순업; 각지를 흥행하며 돌아다님. ¶地方～ 지방 순회 흥행.

じゅんきん【純金】图 순금. ＝金むく. ¶～のネックレス 순금 목걸이.

じゅんぎん【純銀】图 순은. ＝銀むく. ¶～製の食器 순은제 식기.

じゅんぐり【順ぐり】《順繰り》图 차례차례함; 차례로 순서를 따름. ¶～に発言する 차례차례 발언하다. 参考 흔히 'に'를 붙여서 副詞적으로 쓰는 경우가 많음.

じゅんげ【巡化】图 ス自〔佛〕순화; 승려가 각지를 돌아다니며 설법하여 사람들을 인도함.

しゅんけつ【俊傑】图 준걸. ¶門人中の～ 문인 중의 준걸.

じゅんけつ【純潔】图 名ナ 순결. ¶心の～な人 마음이 순결한 사람 / ～を守る 순결을 지키다.

—きょういく【—教育】图 순결 교육.

じゅんけつ【純血】图 순혈. ¶～種 순혈종; 순종 / ～の馬〔シェパード〕 순종 말〔세퍼드〕. ↔混血.

じゅんげつ【旬月】图 순월. **1** 열흘이나 한 달 정도; 전(轉)하여, 수일간의 단시일. ¶～の間に竣工させる 단시일 내에 준공시키다. **2** 열 달.

じゅんけっしょう【準決勝】图 준결승. ＝セミファイナル. ¶～に進出する 준결승에 진출하다.

しゅんけん［峻険·峻嶮］名ナ 준험; 험준. ¶～な山稜〔山岳地帯〕 험준한 산릉〔산악 지대〕.

しゅんげん［峻厳］图 ダナ 준엄. ¶～な態度〔処分〕 준엄한 태도〔처분〕.

じゅんけん【純絹】图 순견. ＝正絹.

しゅんこう【春光】图 춘광. **1** 봄 경치; 춘색. **2** 봄의 햇볕. ¶～うららか 봄볕이 화창함.

しゅんこう【春耕】图 춘경; 봄갈이. ↔秋耕.

しゅんこう［竣工·竣功］图 ス自 준공; 낙성. ＝落成·完工. ¶～式 준공식 / 新校舎が～する 새 교사가 준공되다. ↔着工·起工.

じゅんこう【巡航】图 ス自 순항. ¶～船 순항선 / ～ミサイル 순항 미사일 / カリブ海を～する 카리브해를 순항하다.

じゅんこう【巡行】图 ス自 순행. ¶地方を～する 지방을 순행하다.

じゅんこう【順行】图 ス自 순행. ↔逆行.

—うんどう【—運動】图〔天〕순행 운동. ↔逆行運動.

じゅんこく【殉国】图 순국. ¶～精神 순국 정신 / ～の烈士 순국 열사.

*じゅんさ【巡査】图 **1** 순경. **2** 경찰관. ＝おまわりさん. ¶騎馬～ 기마 경찰관/交通～ 교통 경찰관.

しゅんさい【俊才】图 준재; 영재; 수재. ＝英才·秀才. ¶彼は東大出の～だ 그는 東京 대학 출신의 준재다.

じゅんさつ【巡察】图ス他自 순찰. ¶～将校 순찰 장교/部隊内を～する 부대 안을 순찰하다.

しゅんさん【春蚕】图〔農〕춘잠; 봄누에. ↔秋蚕.

しゅんじ【瞬時】图 순시; 순간. ¶～も休まず動く〔働く〕 잠시도 쉬지 않고 움직이다〔일하다〕.

じゅんし【殉死】图ス自 순사. ＝追い腹. ¶死んだ主君を追って～する 망군을 좇아서 순사하다.

じゅんし【巡視】图ス他自 순시. ¶～船 순시선/地方官庁を～する 지방 관청을 순시하다.

じゅんじ【順次】副 순차적으로; 차례차례. ＝逐次·順に. ¶分かり次第～(に)発表して行く 알게 되는 대로 순차적으로 발표해 가다.

しゅんじつ【春日】图 춘일; (화창한) 봄날; 봄볕. ＝はるび. ¶～遅遅 춘일지지《봄날이 화창하고 한가로움》.

じゅんしゅ【巡狩·巡守】图ス自 순수; 천자가 여러 지방을 시찰함.

じゅんしゅ【遵守·順守】图ス他 준수. ¶法律を～しなければならない 법률을 준수하지 않으면 안 된다. 注意 '順守'로 쓰은 대용 한자.

しゅんしゅう【俊秀】图 준수; 준재. ＝俊才. ¶門下には～が集まっている 문하에는 준재들이 모여 있다.

しゅんじゅう【春秋】图 춘추. **1** 봄과 가을. **2** 1년; 세월; 성상(星霜). ¶幾～を経たことぞ 몇 해가 지났던고. **3** 나이. ¶～高し 춘추〔연세〕가 높다.

*じゅんじゅん【順順】图《'に'가 붙어서 副詞적으로》차례차례; 차차 조금씩. ¶仕事を～にかたづける 일을 차례차례 해치우다.

じゅんじゅんけっしょう【準準決勝】图 준준결승.

**じゅんじょ【順序】图 순서. ¶～を踏む〔乱す〕 순서를 밟다〔어지럽히다〕/～通りに進める 순서대로 진행하다.

—だ-てる【—立てる】下1他 순서를 정하다. ¶～·てて述べる 순서를 따라 조리 있게 말하다.

—ふどう【—不同】图 순서부동; 무순(無順). ＝順不同. ¶氏名は～ 성명은 무순.

—よく 副 순서 있게; 차례(대)로.

しゅんじょう【春情】图 춘정. ＝いろけ. ¶～を催す 춘정을 자아내다.

*じゅんじょう【殉情】图 순정; 모든것을 바치려는 사랑. ¶～物語 순정 소설.

*じゅんじょう【純情】名ナ 순정; 티없이 순진한 마음〔사랑〕. ¶～可憐 순정 가련/少年の～を失っていない 소년다운 순정을 잃지 않고 있다.

しゅんしょく【春色】图 춘색; 봄 경치. ¶山国の～を賞する 산골 지방의 봄 경치를 관상하다. ↔秋色.

じゅんしょく【殉職】图ス自 순직. ¶～死 순직사/～者 순직자.

じゅんしょく【潤色】图ス他 윤색. ¶事実を～して発表する 사실을 윤색해서 발표하다/～の跡が見える 윤색한 흔적이 보인다.

じゅん-じる【殉じる】上1自 ☞じゅん(殉)ずる.

じゅん-じる【準じる】上1自 ☞じゅん(準)ずる.

しゅんしん【春信】图 춘신; 봄 소식. ＝花信.

*じゅんしん【純真】名ナ 순진. ¶～な幼い子供 순진한 어린아이/～無垢な心 순진무구한 마음.

**じゅんすい【純粋】图ダナ 순수. ¶～な気持ち 순수한 마음/～の江戸っ子 순 東京 토박이/～に真理を追求する 순수하게 진리를 추구하다.

—し【—詩】图 순수시.

—りせい【—理性】图〔哲〕순수 이성. ↔実践理性.

じゅん-ずる【殉ずる】サ変自 …을 위해 목숨을 버리다. ＝じゅんじる. ¶社会正義のために～ 사회 정의를 위해 목숨을 바치다.

じゅん-ずる【準ずる】《准ずる》サ変自 준하다. ＝じゅんじる. ¶正社員に～待遇 정사원에 준하는 대우/以下これに～ 이하 이에 준한다/収入に～·じて会費を出す 수입에 준해서 회비를 내다.

しゅんせい［竣成］图ス自 준성; 준공. ＝竣工·落成. ¶新造船が～した 새 배가 준공됐다.

じゅんせい【純正】名ナ 순정. ¶～数学 순정〔순수〕수학/～な中立を守る 순정한 중립을 지키다.

—しょくひん【—食品】图 순정〔청정〕식품.

しゅんせつ【春雪】图 춘설; 봄눈.

しゅんせつ［浚渫］图ス他 준설. ¶～船 준설선/運河〔川〕を～する 운하를〔하천을〕준설하다.

じゅんせつ【順接】图ス自〔文法〕순접; 두 개의 글이나 구가 순리적으로 접속됨《'雨降って地固まる(＝비 온 뒤에 땅이 굳는다)'의 'て'와 같은 접속 관계를 나타내는 것》. ↔逆接.

じゅんぜん【純然】トタル 순연; 순전(純全); 섞임이 조금도 없음. ¶～たる芸術品 순전한 예술품.

しゅんそう【春草】图 봄 풀.

しゅんそく【俊足】图 준족. **1** 걸음이 빠름; 또, 그런 사람. ¶～をほこる 준족을 자랑하다. **2** 뛰어난 제자〔사람〕; 준재. ＝俊才.

しゅんそく［駿足］图 준족. **1** 준마(駿馬). ¶～を駆って国外に脱出する 준마를 몰아 국외로 탈출하다. **2** 발이

빠름; 또, 그런 사람. ¶~のランナー 준족의 러너. 注意 2는 '俊足'로도 씀.

じゅんそく【準則】图 준칙. ¶会員の守るべき~ 회원이 지켜야 할 준칙.

じゅんたく【潤沢】图ダナ **1** 윤기가 있음. ¶~な黒い瞳 윤기가 있는 검은 눈동자. **2** 풍족함. ¶品物が~に出回る 물건이 풍족하게 나돌다.

じゅんち[馴致]图ス他 순치. **1** 익숙하게 함; 길들임; 순화(馴化). ¶野生動物を~する 야생 동물을 길들이다. **2** 점차 어떤 상태에 이르게 함. ¶弛緩した気分を~して緊張に導く 이완된 기분을 차차 긴장되게 하다.

*__じゅんちょう__【順調】图ダナ 순조. ¶結果は~だ 결과는 순조롭다/事が~に運ぶ 일이 순조롭게 진행되어 간다. ↔不調.

じゅんちょう【順潮】图ダナ 순조; 배가 진행하는 방향으로 흐르는 조수. ↔逆潮.

しゅんでい【春泥】图 봄철의 진창. ¶~の道を歩く 봄철의 진창길을 걷다.

しゅんと 副 기가 죽어 소침해진 모양: 풀이 죽어. ¶しかられて皆~なってしまった 야단을 맞고서 모두 풀이 죽어 버렸다.

じゅんど【純度】图 순도. ¶~が高いアルコール 순도가 높은 알코올.

しゅんとう【春闘】图 '春季闘争(=춘계 임금 인상 투쟁)'의 준말. ¶~相場 춘계 임금 인상 투쟁에서, 비교적 큰 노조에서 내건 인상 요구액.

しゅんどう[蠢動]图ス自 준동. ¶不平分子の~ 불평 분자의 준동/ゲリラが~している 게릴라가 준동하고 있다.

じゅんとう【順当】ダナ 순당; 그렇게 되는 것이 당연함. ¶~な結果 당연한 결과/そうあるのが~だ 그렇게 되는 것이 당연하다.

じゅんなん【殉難】图 순난; 공공의 이익을 위해 죽음. ¶~者 순난자.

じゅんに【順に】連語《副詞적으로》순서대로; 차례로; 순서를 따라서. ¶~送る〔進む〕 차례로 보내다〔나아가다〕/背の~並ぶ 키 순으로 늘어서다/御~願います 순서대로 서 주십시오/~やろうじゃないか 순서대로 하자꾸나.

*__じゅんのう__【順応】图ス自 순응; 적응. =じゅんおう. ¶時代〔環境〕に~する 시대〔환경〕에 순응하다.

しゅんば【駿馬】图 준마. =しゅんめ.

じゅんぱく【純白】名ナ 순백. =まっ白. ¶~のユニホーム 순백의 유니폼.

しゅんぱつ【瞬発】图 순발. **1** 적은 충격에도 발화·폭발함. ¶~信管 순발 신관. **2** 순간적으로 큰 힘을 냄. ¶~力に富む 순발력이 좋다.

**__じゅんばん__【順番】图 순번; 차례. ¶君の~だ 너의 차례다/~を待つ 차례를 기다리다/~が狂う 차례가 틀어지다.

**__じゅんび__【準備】图ス他 준비. =したく. ¶~金 준비금/~体操 준비 체조/下~ 사전 준비/食事の~に忙しい 식사 준비에 바쁘다/~を急ぐ 준비를 서두르다/~が出来た 준비가 되었다.

じゅんび【純美】名ナ 순미; 순수하고 아름다움.

じゅんぴつ【潤筆】图 윤필; (부탁을 받고) 글씨를 쓰거나 그림을 그림.

—**りょう**【—料】图 윤필료; 휘호료. =揮毫料.

しゅんびん【俊敏】图ダナ 준민; 머리가 날카롭고 날렵함. ¶~な若者 준민한 젊은이.

しゅんぷう【春風】图 춘풍. =はるかぜ. ↔秋風.

—**しゅうう**【—秋雨】图 춘풍추우; 지나간 (긴) 세월. ¶~十幾年 춘풍추우 10여 년.

じゅんぷう【順風】图 순풍. =追い風. ¶船は~に乗じて航海した 배는 순풍을 타고 항해하였다. ↔逆風.

—**に帆を上げる** **1** 순풍에 돛을 달다. **2** 일이 순조롭게 진행되다.

—**まんぱん**【—満帆】图 순풍만범; 순풍에 돛 단 격임. ¶~の人生 순조로운 인생.

じゅんぷう[醇風·淳風]图 순풍; 인정이 두터운 풍속.

—**びぞく**[—美俗]图 순풍미속; 미풍양속; 인정이 두텁고 아름다운 풍속·습관. =良風美俗.

しゅんぶん【春分】图 춘분. ↔秋分.

—**の日** 춘분의 날(《'国民の祝日(=국경일)'의 하나; 3월 21일경》).

じゅんぶんがく【純文学】图 순(수)문학. ¶~を愛好する 순문학을 애호하다. ↔大衆文学.

じゅんぽう【旬報】图 순보. **1** 열흘마다 내는 보고·보도. **2** 순간(旬刊) 잡지 또는 신문. ¶~を発行する 순보를 발행하다. ↔日報·週報·月報.

じゅんぽう【遵法·順法】图 준법. ¶~精神 준법 정신. 注意 '順法'은 대용자.

—**とうそう**【—闘争】图〔社〕준법 투쟁(《노동 쟁의의 한 전법》).

じゅんぽう【遵奉】图ス他 준봉; 법률·교의(教義)를 따르며 지킴. ¶家訓を~する 가훈을 준봉하다.

じゅんぼく【純朴】(《淳朴·醇朴》) 名ナ 순박. ¶~な人柄 순박한 인품/~な田舎の老人 순박한 시골 노인.

しゅんみん【春眠】图 춘면; 봄밤의 잠.

—**暁を覚えず** 봄밤은 짧아 몸이 노곤해서 새벽이 와도 모르고 늦잠을 잔다.

じゅんめん【純綿】图 순면; 순 무명. ¶~夏服 순면의 하복.

じゅんもう【純毛】图 순모. ¶~の服地 순모 양복감.

じゅんゆう【巡遊】图ス自 순유; 각지를 여행하며 돌아다님. ¶北欧を~する 북유럽을 순유하다.

じゅんよう【準用】图ス他 준용; (법률 등을) 유추 적용함. ¶現在の内規

を～する 현재의 내규를 준용하다.

じゅんようかん【巡洋艦】图 순양함.

じゅんら［巡邏］图자自 순라; 순찰함. ＝パトロール. ¶盛(さか)り場(ば)を～する警察官(けいさつかん) 번화가를 순찰하는 경찰관.

じゅんらい【春雷】图 춘뢰; 봄날의 천둥 번개. 「＝ホクロ.

じゅんらん〖春蘭〗图〔植〕춘란; 보춘화.

じゅんらん【巡覧】图자自他 순람; 곳곳을 보고 다님. ¶名所旧跡(めいしょきゅうせき)を～する 명소 고적을 순람하다.

じゅんり【純理】图 순리; 순수한 이론이나 학리. ¶～に基(もと)づいて行動(こうどう)する 순리에 따라서 행동하다.

じゅんり【純利】图 순리; 순익; 순이익. ＝純益(じゅんえき). ¶一日(いちにち)に万円(まんえん)の～をあげる 하루 만 엔의 순이익을 올리다.

じゅんりょう【順良】名ナ 순량; 성질이 유순하고 착함. ¶～な人物(じんぶつ)〔学生(がくせい)〕 순량한 인물〔학생〕.

じゅんりょう【純良】名ナ 순량; 순수하고 품질이 좋음. ¶～なバター 순수하고 질이 좋은 버터.

じゅんれい【巡礼】(順礼) 图자自 순례; 여러 성지를 두루 참배함; 또, 그 사람. ¶～者(しゃ) 순례자/聖地(せいち)～ 성지 순례.

じゅんれき【巡歴】图자自 순력; 편력. ＝遍歴(へんれき). ¶諸国(しょこく)を～して見聞(けんぶん)を広(ひろ)める 각지를 편력해 견문을 넓히다.

じゅんれつ［峻烈］图ダナ 준열. ¶～に批判(ひはん)する 준열하게 비판하다.

じゅんれつ【順列】图 순열. **1** 순서; 서열. **2**〔数〕몇 개의 것을 일정 순서로 배열함; 그 총수.

じゅんろ【順路】图 순로; 어떤 지점까지 가는 길의 순서. ＝道順(みちじゅん). ¶～を追(お)って山頂(さんちょう)にとどく 순로를 따라 산정에 다다르다.

しょ【所】소. ⊟图 '事務所(じむしょ)(＝사무소)·研究所(けんきゅうじょ)(＝연구소)' 등의 준말. ¶～に行(ゆ)く 소에 가다.
⊟接尾 그 일이 행하여지는 또는 그 사물이 존재하는 곳. ＝じょ. ¶営業(えいぎょう)～ 영업소/停留所(ていりゅうじょ) 정류소.

しょ【書】⊟图 서. **1** 글씨를 씀; 또, 쓰는 법; 서도. ¶～の展覧会(てんらんかい) 서예 작품 전람회/～を習(なら)う 글씨를 배우다/～をよくする 글씨를 잘 쓰다. **2** 필적; 글씨. ¶見事(みごと)な～ 훌륭한 글씨. **3** 책; 서류. ¶万巻(まんがん)の～ 만권의 책; 많은 책/～を読(よ)む〔繙(ひもと)く〕 책을 읽다〔펴 읽다〕.
⊟接尾 …서; 책·서류의 뜻. ¶参考(さんこう)～ 참고서/始末(しまつ)～ 시말서.

しょ【暑】图 더위. ¶～をさける 더위를 피하다. ↔寒(かん).

しょ【署】图 서. **1** 관서; 관청. **2** '警察署(けいさつしょ)(＝경찰서)·税務(ぜいむ)署(＝세무서)' 등의 준말. ¶～に連行(れんこう)される 서에 연행되다. 参考 接尾語적으로도 씀. ¶消防(しょうぼう)～ 소방서/営林(えいりん)～ 영림서.

しょ〖且〗常用 ショ ソ かつ まさに しばらく | 차 또 | **1** 임시; 우연. **2** 거의; 정말. ⇨且(か)つ.

しょ〖処〗(處) 教6 ショ ところ | 처 머무르다 | **1** 머물러 있다; 관직에 있다. ¶処世(しょせい) 처세. **2** 벼슬〔결혼〕하지 않고 있다. ¶処士(しょし) 처사/処女(しょじょ) 처녀. **3** 처리하다. ¶処罰(しょばつ) 처벌.

しょ〖初〗教4 ショ はじめ はじめて はつ うい そめる | 초 처음 | **1** 시초. ¶初日(しょにち) 초일/最初(さいしょ) 최초. **2** 처음으로; 처음 착수한. ¶初演(しょえん) 초연.

しょ〖所〗(所) 教3 ショ ところ | 소 곳 | **1** 곳; 지점. ¶所在(しょざい) 소재/場所(ばしょ) 장소. **2** 특정한 일을 하기 위해 설치한 장소; 기관. ¶役所(やくしょ) 관청/収容所(しゅうようじょ) 수용소.

しょ〖書〗教2 ショ かく ふみ | 서 글 쓰다 | **1** (붓으로) 쓰다. ¶書記(しょき) 서기/書式(しょしき) 서식. **2** 글씨. ¶書画(しょが) 서화/書道(しょどう) 서도. **3** 서류·편지. ¶書信(しょしん) 서신/報告書(ほうこくしょ) 보고서. **4** 책. ¶書籍(しょせき) 서적.

しょ〖庶〗常用 ショ もろもろ | 서 여러 무리 | **1** 인민; 대중. ¶庶民(しょみん) 서민. **2** 첩의 소생. ¶庶子(しょし) 서자. ↔嫡(ちゃく).

しょ〖暑〗(暑) 教3 ショ あつい | 서 덥다 | **1** 덥다. ¶酷暑(こくしょ) 혹서/避暑(ひしょ) 피서. **2** 여름의 계절. ¶大暑(たいしょ) 대서.

しょ〖署〗(署) 教6 ショ | 서 임명하다 | **1** 일을 분배하다; 분담. ¶部署(ぶしょ) 부서. **2** 분담이 정해진 관청. ¶警察署(けいさつしょ) 경찰서. **3** 서명하다. ¶連署(れんしょ) 연서.

しょ〖緒〗(緒) 常用 ショ チョ お いとぐち | 서 실마리 | **1** 실마리; 처음. ¶緒論(しょろん) 서론/端緒(たんしょ) 단서. **2** 가는 끈. 注意 'ちょ'는 관용음.

しょ〖諸〗(諸) 教6 ショ もろ もろもろ | 제 여럿 | 수가 많다; 많은. ¶諸般(しょはん) 제반/諸君(しょくん) 제군/諸島(しょとう) 제도.

じょ【女】⊟图 여. **1** 여자. **2** 딸; 젊은 미혼 여성. ¶～三人(さんにん)あり 딸이 셋 있다.
⊟接頭 여…. ¶～学生(がくせい) 여학생.

じょ【序】图 서. **1** 서문; 머리말. ¶～を書(か)く 서문을 쓰다. ↔跋(ばつ). **2** 순서. ¶長幼(ちょうよう)～あり 장유유서.

じょ〖女〗教1 ジョ ニョ ニョウ おんな め むすめ | 여 계집 | **1** 여자. ¶女王(じょおう) 여왕/女性(じょせい·にょしょう) 여성. **2** 처녀; 계집아이. ¶女子(じょし·おなご) 여자/処女(しょじょ) 처녀.

じょ〖如〗教1 ジョ ニョ ごとし しく | 여 같다 | 같다; 그대로이다; 그대로; 같이. ¶如実(にょじつ) 여실/如意(にょい) 여의.

じょ〖助〗教3 ジョ たすける たすかる すけ | 조 돕다 | **1** 돕다;

도움. ¶助力 조력 / 助言 조언. **2** 조력하다; 보좌역. ¶助役 조역.

じょ 〖序〗 教5 ジョ ついで | 서 차례 | **1** 처음. ¶序論 서론. 參考 음악에서도 씀. ¶序曲 서곡. ↔跋. **2** 차례. ¶順序 순서.

じょ 〖叙〗(敍) 常用 ジョ のべる | 서 차례 | **1** 서술하다. ¶叙述 서술. **2** 머리말. ¶自叙 자서. 注意 '序'와 같음.

じょ 〖徐〗 常用 ジョ おもむろ | 서 천천하다 | 한가하고 여유 있다. ¶徐行 서행.

じょ 〖除〗 教6 ジョ ジ のぞく はらう | 재 덜다 | **1** 없애버리다. ¶除名 제명 / 排除 배제. **2** 나눗셈하다. ¶除数 제수.

しょあく【諸悪】图 제악; 온갖 악. ¶私利私慾は～の根源である 사리사욕은 제악의 근원이다.

しょい【初意】图 초의; 초지(初志). ¶～を翻す 초지를 번복하다.

しょい【所為】图 **1** 소위; 행위; 소행. ＝しわざ. ¶人間の～と思われない 인간의 소위라고 생각되지 않는다. **2** 때문; 까닭.

じょい【女医】图 여의(사).

じょい【叙位】图 서위; 위계(位階)를 내림.

しょいこ〖背負い子〗图 (일종의) 지게. ＝しょいご.

しょいこ-む【しょい込む】《背負い込む》 5自 떠맡다; 부담하다. ¶やっかいな役を～ 귀찮은 일을 떠맡다.

しょいちねん【初一念】图 초지(初志). ¶～を貫く 초지를 관철하다.

しょいなげ【しょい投げ】《背負い投げ》 图 〈俗〉 유도의 수의 하나; 업어치기. ＝せおいなげ.

—を食う 막판에 배반당하여 골탕 먹다.

しょいん【書院】图 서원. **1** 서재. **2** 절의 글방. **3** 손님방; 응접실. 參考 출판사의 이름으로도 쓰임.

—づくり【—造り】图 〔建〕 室町 시대에 발생하여 桃山 시대에 발달한 주택 건축 양식《현재의 일본식 주택은 거의 이 양식을 따름》.

しょいん【所員】图 소원. ¶研究所の～ 연구소 직원.

しょいん【署員】图 서원. ¶税務～ 세무서원 / 警察～ 경찰서원.

ジョイント [joint] 图 조인트. **1** 기계·목공 기구 따위의 이음매. **2** 《接頭語적으로》 합동. ¶～コンサート 합동 콘서트 / ～リサイタル 조인트 리사이틀.

—ベンチャー [joint venture] 图 조인트 벤처; 대규모 공사의 공동 도급 방식.

しよう〖仕様〗图 **1** 할 도리; 수단; 하는 방법. ¶住所がわからないので, 連絡の～がございません 주소를 모르기 때문에 연락할 방법이 없습니다. **2** 특히, 제조 물품의 형상·구조·치수·성분·성능·제조법 등의 규정. ¶～を厳しく定める 제조 규정을 엄격하게 정하다.

—がない 할 도리가 없다. ¶面白くて～ 못 견디게 재미있다 / この病気ではどうにも～ 이 병으로는 어찌 할 도리가 없다 / ～子だね 어쩔수 없는 아이로군. 注意 'しょうがない' 라고도 함.

—がき【—書】图 시방서(示方書). ＝しようしょ.

***しよう**【使用】图ス他 사용. ¶～を禁ずる 사용을 금하다 / 長く～に耐える 오래 쓸 수 있다 / 時間を有効に～する 시간을 유효하게 사용하다.

—しゃ【—者】图 사용자. **1** (물품의) 이용자. ＝ユーザー. ¶～印 사용자 인. **2** 경영자; 고용주. ＝雇用主·使用人. ¶～側 고용주〔경영자〕 측. ↔労働者.

—にん【—人】图 사용인. **1** 사람이나 시설을 쓰는 사람; 고용주. ＝使用者. **2** 고용된 사람.

しよう【私用】 사용. 一图 사사로운 일. ¶～で出かけた 사사로운 일로 외출하였다. 二图ス他 사사로이 씀. ¶電話を～する 전화를 사용하다. ⇔公用.

しよう【試用】图ス他 시용; 시험삼아 씀. ¶この薬を～して見よう 이 약을 시용해 보자.

しよう【止揚】图ス他 〔哲〕 지양. ¶矛盾を～する 모순을 지양하다.

しよう【姿容】图 자용; 모습. ＝姿·形. ¶端麗な～ 단려한 모습.

***しょ-う**〖背負う〗 5他 **1** 〈口〉 짊어지다. ＝せおう. ¶荷物を～ 짐을 짊어지다. **2** (귀찮은 일을) 떠맡다. ¶借金を～ 빚을 짊어지다. **3** 《自動詞적》 〈俗〉 우쭐하다. ¶少し～っている 조금 우쭐해 있다. 可能 しょえる 下1自

しょう【小】 소. 一图 작음. ¶大は～を兼ねる 대는 소를 겸한다. 二接頭 작음·적음의 뜻. ¶～資本 소자본.

—の虫を殺して大の虫を助ける 큰일을 하기 위해 작은 일을 희생하다.

—を捨てて大に就く 사소취대(捨小取大); 작은 것은 버리고 중요한 것을 취하다.

しょう【升】图 승; 되. ¶土一～に金一～ 흙 한 되에 금 한 되.

しょう【生】图 〈老〉 생; 삶; 생명. ＝いのち. ¶～を全うする 명대로 살다 / ～を営む 삶을 영위하다.

しょう〔妾〕代 여인의 자칭; (소)첩. ＝わらわ.

しょう【性】图 **1** 기질; 성격. ¶～が悪い 성질이 나쁘다 / ～が合わない 성미가 맞지 않다. 參考 接尾語적으로도 씀. ¶苦労～ 걱정 잘하는 성질. **2** 근성; 정신. ¶～を入れてかかれ 정신을 가다듬고 착수해라.

しょう【省】图 성. **1** 정부의 내각을 조직하는 행정 관청. ¶外務～ 외무성. **2** 중국의 최상급 지방 행정 구획. ¶四川～ 쓰촨 성. **3** 《接頭語적으로 써서》 생략함; 절약함. ¶～エネルギー 생에너지;

에너지 절약.

しょう【将】名 장; 장수. ¶一軍(いちぐん)の~ 일군〔전군〕의 장수 / ~たる者(もの)の心得(こころえ) 장수 된 자로서의 마음가짐.

—を射(い)んと欲(ほっ)すれば先(ま)ず馬(うま)を射(い)よ 장수를 쏘려면 먼저 말을 쏘아라.

しょう【商】㊀名 **1** 장사; 상업. ¶~行為(こうい) 상행위. **2** 상인. ㊁接尾 …상; 장사·장수의 뜻. ¶雑貨(ざっか)~ 잡화상 / 小売(こうり)~ 소매상.

しょう【章】名 장; 문장을 크게 나눈 한 단락. ¶~を改(あらた)めて述(の)べる 장을 바꾸어 기술하다 / 三(みっ)つの~から成(な)っている 세 장으로 되어 있다.

しょう【勝】名 **1** 승; 승리. ¶三(さん)~二敗(にはい) 3승 2패. ↔負(ふ)·敗(はい). **2** 지세·경치가 훌륭함; 또, 그런 곳. ¶天下(てんか)の~ 천하의 명승(지).

しょう【証】名 증(거); 증명. ¶~とするに足(た)る 증거로서 충분하다 / 後日(ごじつ)の~とする 뒷날의 증표로 삼다. 参考 接尾語적으로도 씀. ¶領収(りょうしゅう)~ 영수증.

しょう【賞】名 상; 상품. =ほうび. ¶~をもらう 상을 받다. 参考 接尾語적으로도 씀. ¶皆勤(かいきん)~ 개근상 / ノーベル経済学(けいざいがく)~ 노벨 경제학상.

しょう=【少】소…; 적음의 뜻. ¶~人数(にんずう·にんず) 소인수; 적은 인원수. ↔多(た).

=しょう【床】병원에서 병상 수를 세는 말. ¶二十(にじゅう·にじっ)~ 20 병상.

=しょう【症】…증; 병의 성질; 증상. ¶胃酸過多(いさんかた)~ 위산 과다증.

しょう〖小〗教1 ショウ こ お さ ちいさい | 소 작다 |
1 소; 작음. ¶微小(びしょう) 미소 / 小宇宙(しょううちゅう) 소우주. **2** 자기측의 겸칭. ¶小官(しょうかん) 소관 / 小生(しょうせい) 소생.

しょう〖少〗教2 ショウ すこし すくない | 소 적다 |
1 적다; 조금. ¶少数(しょうすう) 소수 / 少額(しょうがく) 소액. ↔多(た). **2** 연령이 적다; 젊다. ¶少女(しょうじょ·おとめ) 소녀. **3** 적어지다. ¶減少(げんしょう) 감소.

しょう〖升〗常用 ショウ ます のぼる | 승 되 오르다 |
1 용량의 단위; 되; 승. ¶升斛(しょうこく) 승곡. **2** 왕성해지다; 올라가다. 注意 '昇(しょう)'와 같음.

しょう〖召〗常用 ショウ めす | 소 부르다 | 부르시다. ¶召集(しょうしゅう) 소집 / 召喚(しょうかん) 소환.

しょう〖匠〗常用 ショウ たくみ | 장 장인 | **1** 장색; 기술자. ¶匠人(しょうじん) 장인. **2** 학술·예술이 뛰어난 사람. ¶名匠(めいしょう) 명장.

しょう〖床〗常用 ショウ とこ ゆか | 상 평상 | **1** 침상. ¶病床(びょうしょう) 병상. **2** 걸상. ¶床几(しょうぎ) 걸상. **3** 지반; 지층. ¶鉱床(こうしょう) 광상.

しょう〖抄〗常用 ショウ | 초 베끼다 | **1** (많은 데서) 뽑아 쓰다. ¶抄略(しょうりゃく) 초략. **2** ㉠발초(拔抄)하다. ¶抄本(しょうほん) 초본 / 詩抄(ししょう) 시초. ㉡옮겨 쓰다. ¶手抄(しゅしょう) 수초.

しょう〖肖〗《肖》常用 ショウ にる | 초 닮다 |
1 모양이 닮았다. ¶肖似(しょうじ) 많이 닮음. **2** 모양을 본뜨다. ¶肖像(しょうぞう) 초상.

しょう〖尚〗《尙》常用 ショウ なお たっとぶ | 상 오히려 숭상하다 | **1** 그 위에 더; 아직. ¶尚早(しょうそう) 상조. **2** 소중히 여기다. ¶尚武(しょうぶ) 상무.

しょう〖承〗教5 ショウ うけたまわる うける | 승 받다 | **1** 이어받다. ¶継承(けいしょう) 계승. **2** 받아들이다; 승낙하다. ¶承諾(しょうだく) 승낙 / 承認(しょうにん) 승인.

しょう〖招〗教5 ショウ まねく | 초 부르다 | 불러들이다. ¶招待(しょうたい) 초대 / 招聘(しょうへい) 초빙.

しょう〖昇〗常用 ショウ のぼる | 승 오르다 | 위로 오르다. ¶昇給(しょうきゅう) 승급 / 上昇(じょうしょう) 상승. ↔降(こう).

しょう〖昌〗人名 ショウ さかん | 창 창성하다 | 왕성하다; 번창하다. ¶昌運(しょううん) 창운 / 隆昌(りゅうしょう) 융창 / 繁昌(はんじょう) 번창.

しょう〖松〗教4 ショウ まつ | 송 소나무 | 소나무. ¶松明(しょうめい·たいまつ) 횃불 / 松柏(しょうはく) 송백.

しょう〖沼〗常用 ショウ ぬま | 소 늪 | 소; 늪. ¶沼沢(しょうたく) 소택 / 湖沼(こしょう) 호소.

しょう〖咲〗《咲》常用 ショウ さく | 소 웃다 | (꽃이) 피다. ¶咲(さ)き出(だ)す 피기 시작하다. 参考 본디 '笑'의 고자(古字)이나 일본에서는 '咲(さ)く'로 훈(訓)을 달고, 훈독으로만 쓰고 있음.

しょう〖昭〗教3 ショウ あきらか | 소 밝히다 | **1** 빛나고 밝음; 뚜렷함. ¶昭昭(しょうしょう) 소소; 명백한 모양. **2** 나라를 밝게 다스려 태평한 세상임. ¶昭代(しょうだい) 소대.

しょう〖宵〗《宵》常用 ショウ よい | 소 밤 | 밤; 초저녁. ¶春宵(しゅんしょう) 춘소.

しょう〖将〗《將》教6 ショウ まさに ひきいる | 장 장수 | **1** 장수. ¶将帥(しょうすい) 장수 / 主将(しゅしょう) 주장. **2** 장차; 바야흐로 …하려고 하다. ¶将来(しょうらい) 장래.

しょう〖消〗《消》教3 ショウ きえる けす | 소 사라지다 | **1** 사라지다. ¶消滅(しょうめつ) 소멸 / 消失(しょうしつ) 소실. **2** 다 써 버리다; 불을 끄다. ¶消費(しょうひ) 소비 / 消防(しょうぼう) 소방 / 消火(しょうか) 소화.

しょう〖症〗常用 ショウ | 증 증세 | 질병의 성질·상태. ¶症状(しょうじょう) 증상 / 重症(じゅうしょう) 중증.

しょう〖祥〗《祥》常用 ショウ ジョウ | 상 조짐 |

1 경사스러운 일; 기뻐할 일. ¶嘉祥(かしょう) 가상. 2 조짐. ¶祥瑞(しょうずい) 상서.

しょう〖称〗《稱》常用 ショウ はかる たたえる となえる | 칭 일컫다 | 1 저울질하다. ¶称量(しょうりょう) 칭량. 2 칭찬하다. ¶称賛(しょうさん) 칭찬. 3 일컫다; 호칭하다. ¶称号(しょうごう) 칭호 / 名称(めいしょう) 명칭.

しょう〖笑〗教4 ショウ わらう えむ | 소 웃다 | 1 웃다. ¶笑話(しょうわ) 소화. 2 남의 처분을 기대할 때의 겸손한 말. ¶笑納(しょうのう) 소납.

しょう〖商〗教3 ショウ あきなう はかる | 상 장사 | 1 장사하다. ¶商品(しょうひん) 상품. 2 장수. ¶商人(しょうにん, あきんど) 상인 / 巨商(きょしょう) 거상. 3 사물의 잘잘못을 가리다; 헤아리다. ¶商議(しょうぎ) 상의 / 協商(きょうしょう) 협상.

しょう〖唱〗教4 ショウ となえる うたう | 창 노래 | 1 소리 내 읽다. ¶唱道(しょうどう) 창도 / 提唱(ていしょう) 제창. 2 가락을 붙여서 노래 부르다. ¶独唱(どくしょう) 독창.

しょう〖渉〗《涉》常用 ショウ わたる | 섭 건너다 | 1 물속을 걸어서 건너다. ¶渉禽類(しょうきんるい) 섭금류 / 徒渉(としょう) 도섭. 2 널리 견문하다. ¶渉猟(しょうりょう) 섭렵. 3 관계하다. ¶渉外(しょうがい) 섭외 / 干渉(かんしょう) 간섭.

しょう〖章〗教3 ショウ あや しるし | 장 문채 글 | 1 무늬; 무늬가 있어 아름답다. 2 표지; 기장. ¶印章(いんしょう) 인장 / 勲章(くんしょう) 훈장. 3 글. ¶文章(ぶんしょう) 문장.

しょう〖紹〗常用 ショウ つぐ | 소 잇다 | 1 대면시키다. ¶紹介(しょうかい) 소개. 2 계승하다; 잇다. ¶継紹(けいしょう) 계소.

しょう〖訟〗常用 ショウ うったえる | 송 송사 | 송사하다. ¶訴訟(そしょう) 소송.

しょう〖勝〗《勝》教3 ショウ かつ まさる すぐれる | 승 이기다 | 1 이기다. ¶勝負(しょうぶ) 승부 / 圧勝(あっしょう) 압승. ↔敗(はい). 2 지세·경치가 좋다. ¶名勝(めいしょう) 명승.

しょう〖掌〗常用 ショウ てのひら たなごころ つかさどる | 장 손바닥 | 1 손바닥. ¶合掌(がっしょう) 합장. 2 취급하다. ¶分掌(ぶんしょう) 분장.

しょう〖晶〗常用 ショウ あきらか | 정 밝다 | 1 단순 광물의 특색인 일정한 모양. ¶結晶(けっしょう) 결정. 2 광물의 이름. ¶水晶(すいしょう) 수정.

しょう〖焦〗常用 ショウ こげる こがす こがれる あせる じらす | 초 그슬리다 | 1 그슬리다. ¶焦土(しょうど) 초토 / 焦眉(しょうび) 초미. 2 마음이 타다. ¶焦慮(しょうりょ) 초려.

しょう〖焼〗《燒》教4 ショウ やく やける | 소 타다 | 불사르다; 태우다; 타다. ¶焼失(しょうしつ) 소실 / 半焼(はんしょう) 반소.

しょう〖硝〗《硝》常用 ショウ | 초 초석 | 광물의 일종. ¶硝酸(しょうさん) 질산 / 硝煙(しょうえん) 초연 / 硝子(ガラス) 유리.

しょう〖粧〗常用 ショウ ソウ よそおう | 장 단장 | 꾸미다. ¶化粧(けしょう) 화장.

しょう〖証〗《證》教5 ショウ あかし | 증 증명하다 | 1 증명하다. ¶証言(しょうげん) 증언. 2 증명 서류. ¶免許証(めんきょしょう) 면허증 / 受領証(じゅりょうしょう) 수령증.

しょう〖詔〗常用 ショウ みことのり | 조 조서 | 조칙을 내리다. ¶詔旨(しょうし) 조지.

しょう〖象〗教4 ショウ ゾウ かたち かたどる | 상 모양 코끼리 | 1 눈에 보이는 모습. ¶現象(げんしょう) 현상 / 印象(いんしょう) 인상. 2 어떤 형상으로 나타내다. ¶象徴(しょうちょう) 상징. 3 코끼리. ¶象牙(ぞうげ) 상아.

しょう〖傷〗教6 ショウ きず きずつく いたむ いためる | 상 상하다 | 1 상처. ¶負傷(ふしょう) 부상. 2 상처 내다. ¶傷害(しょうがい) 상해. 3 상심하다. ¶感傷(かんしょう) 감상.

しょう〖奨〗《獎》常用 ショウ すすめる | 장 돕다 | 권장하다. ¶奨学(しょうがく) 장학 / 推奨(すいしょう) 추장 / 勧奨(かんしょう) 권장.

しょう〖照〗教4 ショウ てる てらす てれる | 조 비치다 | 1 비치다. ¶照明(しょうめい) 조명 / 照射(しょうしゃ) 조사. 2 비추어 보다. ¶照会(しょうかい) 조회.

しょう〖詳〗常用 ショウ くわしい つまびらか | 상 자세하다 | 1 자세하다. ¶詳細(しょうさい) 상세. 2 상세하고 명백히 하다. ¶詳報(しょうほう) 상보.

しょう〖彰〗常用 ショウ あらわれる あらわす あきらか | 창 밝다 | 드러나다; 명백히 하다. ¶彰徳(しょうとく) 창덕 / 表彰(ひょうしょう) 표창.

しょう〖障〗教6 ショウ ソウ さわる | 장 막다 | 1 거치적거리다; 방해하다. ¶障壁(しょうへき) 장벽 / 故障(こしょう) 고장. 2 가로막는 것; 제방·성채·칸막이 등. ¶障子(しょうじ) 장지.

しょう〖衝〗常用 ショウ つく | 충 찌르다 | 1 부딪다. ¶衝撃(しょうげき) 충격 / 衝突(しょうとつ) 충돌. 2 긴요한 곳[일]. ¶緩衝(かんしょう) 완충.

しょう〖賞〗教4 ショウ ほめる めでる | 상 칭찬하다 | 상. 1 칭찬하다. ¶賞罰(しょうばつ) 상벌 / 賞賛(しょうさん) 상찬. 2 상금; 상품. ¶賞金(しょうきん) 상금.

しょう〖償〗常用 ショウ つぐなう | 상 갚다 | 변상하다;

보상하다. ¶償金 배상금.

しょう〖礁〗常用 ショウ | 초 숨은바윗돌 | 물속에 있는 암석. ¶岩礁 암초.

しょう〖鐘〗常用 ショウ シュ かね | 종 쇠북 | 1 중국의 옛 악기. ¶鐘鼓 종고. 2 인경. ¶鐘声 종성 / 晩鐘 만종.

じよう【滋養】图 자양; 영양. ¶～を取る 영양을 섭취하다 / 卵には～がある 달걀에는 자양분이 있다.

──かんちょう〔──浣腸〕图〘醫〙자양관장.

じょう【上】상. ㊀图 1 위. 2 훌륭함; 상급. ¶それだけできれば～の部だ 그만큼 할 수 있으면 상에 든다. 3 순서가 앞임. ¶～の巻 상권. ⇔中·下. ㊁接頭 1 훌륭한; 좋은. ¶～成績 좋은 성적. 2 위의. ¶～半身 상반신. ↔下. ㊂接尾 1 …에 관하여; …점에서. ¶一身～ 일신상. 2 …의 위. ¶甲板～ 갑판 위.

じょう【冗】图 쓸데없음; 군더더기. ¶～を省く〔去る〕 군더더기를 없애다.

じょう【条】㊀图 1 조목; 대문. ¶その～に誤字がある 그 대문에 오자가 있다. 2 줄기; 길. 3 가지. ㊁接助 …이라고 하지만. ¶…とは言い～ …이라고는 하지만. ㊂接尾 1 …조; 조목을 세는 말. ¶第八～ 제 8 조. 2 …줄; …줄기. ¶一～の白線 한 줄기 흰 선.

じょう【状】㊀图 1 모양. ¶困惑の～ 곤혹스러운 모양. 2 상신서(上申書). 3 편지. ¶この～持参の者 이 편지를 가지고 가는 자. ㊁接尾 1 …상; …모양. ¶放射～ 방사상. 2 …장; 서류. ¶案内～ 안내장.

じょう【定】图 〈老〉 정해진 일; 그와 같음. ¶～宿 단골 여관 / 案の～ 생각한 대로 / ～飛脚 정기 파발꾼.

じょう［帖］㊀图 접책(摺册). ¶～仕立てにする 접책으로 만들다. ㊁接尾 1 '畳'를 세는 말. 注意 '畳'의 대용자(代用字). 2 종이·김을 세는 말.

じょう【城】接尾 …성. ¶姫路～ 姫路성 / 不夜～ 불야성.

*じょう【情】图 정. 1 감정. ¶～に感ずる 정에 감동되다 / ～に訴える 감정에 호소하다. 2 성심; 진심; 진정. ¶～をこめる 정성을 다하다 / ～のある人 정이 있는 사람. 3 인정; 동정; 애정. ¶～が厚い 인정이 많다 / ～にもろい 정에 약하다. 4 욕정. ¶～が深い 정이 깊다; 열정적이다 / ～を交わす (남녀가) 정을 통하다.

──が移る 정이 들다. ¶犬も三日飼えば～ 개도 사흘 기르면 정이 든다.

──を立てる 정조·의리를 지키다.

──を通じる 1 적과 내통하다. 2 (남녀가) 몰래 정을 통하다.

じょう【場】图 1 장소; 곳; 회장(會場). ¶称賛の声が～に満ちる 칭찬의 소리가 장내에 가득차다. 2《接尾語적》…장. ¶運動～ 운동장.

じょう【嬢】㊀图《'お～さん'의 꼴로》 처녀; 미혼 여성. ㊁接尾 …양. 1 결혼 전 처녀의 높임말. ¶花子～ 花子양. 2 여성의 뜻. ¶交換～ 교환양.

*じょう【錠】㊀图 1 자물쇠. ¶～をおろす〔かける〕 자물쇠를 채우다. 2 정제(錠劑). ㊁接尾 …정. 1 정제를 세는 말: …알. ¶一回一～ 1 회 1 정. 2 정제임을 나타낸 말. ¶糖衣～ 당의정.

じょう=【常】항상·늘·언제나의 뜻. ¶～雇い 장기간 고용(된 사람).

=じょう【丈】길이의 단위: …장《1丈는 10자, 곧 약 3.03m》.

=じょう【畳】'畳'를 세는 말: …장. ¶四～半 다다미 넉 장 반. ⇒帖.

じょう〖上〗教1 ジョウ ショウ うえ うわ かみ あげる あがる のぼる のぼせる のぼす | 상 위 | 1 위. ¶頂上 정상. 2 겉; 표면. ¶紙上 지상. 3 우수하다. ¶上米 상미. 4 등급의 상위. ¶上位 상위 / 最上 최상.

じょう〖丈〗常用 ジョウ たけ | 장 장 | 1 길이의 단위. ¶丈六 장륙; 장 6척. 2 어엿한 제몫을 하는 남자. ¶丈夫 장부. 3 세다; 튼튼하다. ¶気丈 마음이 굳셈.

じょう〖冗〗常用 ジョウ むだ | 용 쓸데없다 | 1 군더더기. ¶冗談 농담. 2 번거롭다. ¶冗漫 용만 / 冗長 용장; 장황.

じょう〖条〗〘條〙教5 ジョウ | 조 가지 | 1 조목으로 된 글. ¶条約 조약. 2 줄기. ¶一条 일조 / 条痕 조흔. 3 가지. ¶柳条 버들가지.

じょう〖状〗〘狀〙教5 ジョウ かたち | 상 모양 | 1 형태나 성질을 나타내는 말. ¶球状 구상 / 連鎖状 연쇄상. 2 실정; 상황. ¶状況 상황. 3 문서. ¶書状 서장 / 告訴状 고소장.

じょう〖乗〗〘乘〙教3 ジョウ のる のせる | 승 타다 | 1 타다; 태우다. ¶乗車 승차 / 乗客 승객. 2 차나 말 등의 탈것. ¶乗馬 승마. 3〘數〙승; 곱(셈)하다. ¶乗法 승법; 곱셈.

じょう〖城〗〘城〙教6 ジョウ セイ しろ き きずく | 성 재 | 성; 방비하기 위한 건축물. ¶城壁 성벽 / 籠城 농성 / 金城鉄壁 금성철벽.

じょう〖浄〗〘淨〙常用 ジョウ きよい | 정 맑다 | 깨끗하다. ¶浄土 정토 / 不浄 부정 / 清浄 청정.

じょう〖娘〗常用 ジョウ むすめ | 낭 각시 | 미혼 여자. ¶娘子軍 낭자군 / 村娘 시골 처녀. 注意 '嬢'와 통용됨.

じょう〖剰〗《剩》常用 ジョウ あまる あまつさえ | 잉 남다 | 1 남다. ¶剰余(じょうよ) 잉여 / 過剰(かじょう) 과잉. 2 그뿐만 아니라는 뜻을 나타내는 조자(助字).

じょう〖常〗教5 ジョウ つね とこ とこしえ | 상 항상 | 1 늘; 항상. ¶常住(じょうじゅう) 상주 / 日常(にちじょう) 일상. 2 항상 변함없는 도덕. ¶常軌(じょうき) 상궤 / 常道(じょうどう) 상도.

じょう〖情〗《情》教5 ジョウ セイ なさけ こころ | 정 뜻 | 1 마음; 기분. ¶人情(にんじょう) 인정 / 非情(ひじょう) 비정. 2 성심; 인정. ¶情愛(じょうあい) 정애 / 同情(どうじょう) 동정. 3 이성에 끌리는 마음; 애정. ¶恋情(れんじょう) 연정.

じょう〖場〗教2 ジョウ ば | 장 마당 | 1 장소; 곳. ¶場内(じょうない) 장내 / 工場(こうじょう・こうば) 공장. 2 연극의 한 장면. ¶第一幕(だいいちまく) 第一場(だいいちば) 제1막 제1장.

じょう〖畳〗《疊》常用 ジョウ たたみ たたむ | 첩 접다 | 1 겹치다; 포개지다. ¶重畳(ちょうじょう) 중첩. 2 마루 따위에 까는 물건; 다다미. 3 '畳(たたみ)'의 수를 세는 말: 장. ¶六畳(ろくじょう) 다다미 여섯 장.

じょう〖蒸〗教6 ジョウ むす むれる むらす | 증 김이오르다 | 1 수증기가 오르다. ¶蒸発(じょうはつ) 증발. 2 찌다. ¶燻蒸(くんじょう) 훈증.

じょう〖縄〗《繩》常用 ジョウ なわ | 승 노 | 1 노. ¶捕縄(ほじょう) 포승. 2 목수가 쓰는 먹줄. ¶縄墨(じょうぼく) 승묵.

じょう〖壌〗《壤》常用 ジョウ つち | 양 땅 | 1 경작할 수 있는 땅. ¶土壌(どじょう) 토양. 2 대지(大地). ¶天壌(てんじょう) 천양.

じょう〖嬢〗《孃》常用 ジョウ むすめ | 양 계집 | 1 처녀; 딸. ¶令嬢(れいじょう) 영양. 2 미혼 여성이나 소녀를 높여서 부르는 말. ¶嬢(じょう)や 아기야 / お嬢(じょう)さん 아가씨.

じょう〖錠〗常用 ジョウ | 정 제기이름 | 1 자물쇠. ¶手錠(てじょう) 수갑 / 施錠(せじょう) 자물쇠를 채움. 2 환약. ¶錠剤(じょうざい) 정제.

じょう〖譲〗《讓》常用 ジョウ ゆずる | 양 겸손 | 1 겸양하다. ¶譲歩(じょうほ) 양보. 2 넘겨주다. ¶譲渡(じょうと) 양도 / 分譲(ぶんじょう) 분양.

じょう〖醸〗《釀》常用 ジョウ かもす | 양 빚다 | 1 술을 빚다. ¶醸造(じょうぞう) 양조. 2 빚은 것; 술. ¶新醸(しんじょう) 신양.

しょうあい【性合い】图 1 기질; 성질. ¶~が合(あ)わない 성질이 맞지 않다 / 兄弟(きょうだい)でも~が異(こと)なる 형제라도 성질이 다르다. 2 성질이 잘 맞음. ¶~の夫婦(ふうふ) 성품이 잘 맞는 부부.

じょうあい【情合い】图 1 정분; 정의(情誼). ¶夫婦(ふうふ)の~ 부부의 정분 / 親子(おやこ)の~が厚(あつ)くなる 부모 자식 간의 정의가 두터워지다. 2 서로 마음이 맞음.

じょうあい【情愛】图 정애; 애정; 귀여워함. ¶これが肉親(にくしん)の~というものだ 이것이 육친의 애정이라는 것이다.

しょうあく【掌握】图ス他 장악. ¶部下(ぶか)を~する 부하를 장악하다.

しょうあつざい【昇圧剤】图〖薬〗승압제; 혈압을 올리는 약.

しょうあん【硝安】图 초안《'硝酸(しょうさん)アンモニウム(=질산암모늄)'의 준말》. ¶~爆薬(ばくやく) 초안 폭약. 注意 '安'은 취음.

しょうい［傷痍］图 상이; 상처; 부상. =きず·けが. ¶~軍人(ぐんじん) 상이군인.

しょうい【小異】图 소이; 약간의 차이. ¶大同(だいどう)~ 대동소이.
——を捨(す)てて大同(だいどう)につく 사소한 차이는 있어도 큰 줄거리에서 일치하면 서로 협력한다.

しょうい【少尉】图〖軍〗소위.

*__じょうい__【上位】图 상위. ¶~の者(もの) 상위자; 윗사람 / 女性(じょせい)~ 여성 상위 / ~を占(し)める 상위를 차지〔점〕하다 / ~に入(はい)る〔ランクされる〕상위에 들다〔랭크되다〕. ↔中位(ちゅうい)·下位(かい).
——がいねん【—概念】图 상위 개념. ↔下位(かい)概念.

じょうい【上意】图 상의; 윗사람의 의지·명령. ¶~討(う)ち 주군의 명령을 받아 죄인을 죽임. ↔下意(かい). 「意上達(じょうたつ).
——かたつ【—下達】图 상의하달. ↔下

じょうい【情意】图 정의. 1 감정과 의지. ¶~生活(せいかつ) 정의 생활 / ~の面(めん)では 정의의 면에서는. 2 기분. =気持(きも)ち.
——とうごう【—投合】图ス自 서로 마음이 통함. =意気投合(いきとうごう).

じょうい［攘夷］图 양이; 외적을 물리침; 특히, 江戸幕府(えどばくふ) 말기에 일어난 외국인 배척 운동. ¶勤王(きんのう)~ 근왕 양이; 안으로는 임금을 위하고 밖으로는 외적을 막아 물리침. 「양이론.
——ろん［—論］图〖史〗(江戸(えど) 말기의)

じょうい【譲位】图ス自 양위; 임금이 자리를 물려줌. =禅位(ぜんい).

しょういだん［焼夷弾］图 소이탄. ¶~を投下(とうか)する 소이탄을 투하하다.

しょういん【勝因】图 승인. ¶チームの~は団結(だんけつ)であった 팀의 승인은 단결이었다. ↔敗因(はいいん).

しょういん【証印】图ス自 증인. ¶~を押(お)す 증인을 찍다.

じょういん【上院】图 상원. ↔下院(かいん).

じょういん【乗員】图 승무원. ¶難破船(なんぱせん)の~を救助(きゅうじょ)する 난파선의 승무원을 구조하다.

じょういん【冗員】图 용원; 쓸데없는 인원; 남아 도는 사람. ¶~を整理(せいり)する 군더더기 인원을 정리하다.

しょうう【小雨】图 소우; 보슬비; 가랑비. =こさめ. ¶~決行(けっこう) 소우 결행《가랑비일 때는 예정대로 결행함》.

じょううち【常打ち】名ス他 일정한 장소에서 일정한 것을 흥행함. ¶～小屋 상설 흥행장.

しょううちゅう【小宇宙】名 소우주. ＝ミクロコスモス. ↔大宇宙.

しょううん【商運】名 상운; 장사 운. ¶～に恵まれる 상운이 따르다〔트이다〕.

しょううん【勝運】名 승운; 이길 운. ¶～に見放される 승운을 타지 못하다.

しょうえい【照影】名 조영; 초상화; 사진. ＝肖像画・肖像写真.

*__じょうえい__【上映】名ス他 상영. ¶～時間 상영 시간 / 二番館で～中の映画 재개봉관에서 상영 중인 영화.

しょうえき〔漿液〕名 장액; 특히, 동·식물 체내에 있는 투명 액체. ↔粘液.

しょうエネ【省エネ】名 ☞しょうエネルギー.

しょうエネルギー【省エネルギー】名 에너지 절약; 석유·전력 따위의 에너지를 절약함. ▷도 Energie.

しょうえん【小宴】名 소연. ¶～を張る 소연을 베풀다.

しょうえん【招宴】名ス他 초연; 연회에 초대함; 또, 사람을 초대해서 베푸는 연회. ¶～を催す 초대연을 베풀다.

しょうえん【消炎】名〔醫〕소염. ¶～剤 소염제 / ～作用 소염 작용.

しょうえん【硝煙】名 초연. ¶～がたちこめる 초연이 자욱이 끼다.

―だんう【―弾雨】名 초연탄우; 초연이 자욱하고 탄알이 비 오듯 함.

しょうえん〔荘園·庄園〕名〔史〕장원; 奈良 시대부터 室町 시대에 있었던 귀족·사찰의 사유지(私有地). ＝荘・そうえん. ¶～制度 장원 제도.

*__じょうえん__【上演】名ス他 상연. ¶新作のオペラを～する 신작 오페라를 상연하다.

じょうえん【情炎】名 정염. ¶～を燃やす 정염을 불태우다.

しょうおう【照応】名ス自 조응; 두 개의 물건이 서로 대응함. ¶首尾～する 처음과 끝이〔앞과 뒤가〕 잘 맞다.

じょうおく【場屋】名 **1** 연극 상연장; 극장. **2**〔法〕여관·음식점·극장·유원지 등과 같은, 불특정 다수인이 이용하기 좋게 물적·인적(人的) 설비를 해 놓은 곳.

しょうおん【消音】名ス他 소음; 폭음이나 잡음을 없앰. ¶～装置 소음 장치.

―き【―器】名 소음기. ＝マフラー・サイレンサー.

じょうおん【常温】名 상온. **1** 항상 일정한 온도. ¶この患者は～をたもつことが大切だ 이 환자는 상온을 유지하는 것이 중요하다. **2** 평상의 온도. ¶～で保存すること 상온에서 보존할 것. **3**〔氣〕평균 기온.

しょうか【上下】名 **1** (신분의) 상하; 위정자와 국민. ¶人権には～の区別無し 인권에는 상하의 구별이 없다. **2**『～する』오르내리게 하다. ¶価値を～する 가치를 올렸다 내렸다 하다. ⇨じょうか·じょうげ·うえした.

しょうか【小過】名 소과; 작은 허물〔과실〕. ¶～をあなどるなかれ 작은 과실이라고 허투루 보지 마라. ↔大過.

しょうか【唱歌】名 창가; 또, 그것을 위한 가곡. ¶～を歌う 창가를 부르다.

しょうか〔頌歌〕名 송가; (신의 영광, 영웅의 공적 등을) 칭송하는 노래. ＝オード. ¶聖徳～ 성덕 송가.

しょうか【商家】名 상가; 장사하는 집안. ＝店屋. ¶～に育つ 상가에서 자라다.

しょうか【商科】名 상과. ＝商学部. ¶～大学〔出身〕 상과 대학〔출신〕.

しょうか【昇華】名ス自 승화. ¶～作用 승화 작용 / 古典的な美に～される 고전적인 미로 승화되다.

__しょうか__【消化】名 소화. 一名ス自他 음식물을 잘 삭임. ¶～しにくい 소화하기 어렵다. 二名ス他 **1 완전히 이해함. ¶学んだ知識は～しなければならない 배운 지식은 소화시키지 않으면 안 된다. **2** (일·예산 등을) 남김 없이 처리함. ¶与えられたノルマを～する 주어진 노르마를 (다) 처리하다 / ～し切れないほど生産される 다 소화시키지 못할 만큼 생산되다.

―き【―器】名〔醫〕소화기(관).

―ざい【―剤】名〔藥〕소화제.

―ふりょう【―不良】名 소화 불량. ¶～を起こす 소화 불량을 일으키다.

*__しょうか__【消火】名ス自 소화. ¶～器 소화기 / ～にあたる 소화에 임하다.

―せん【―栓】名 소화전.

しょうが【小我】名 소아; 자아; 나. ¶～を捨てる 소아를 버리다. ↔大我.

しょうが〖生薑·生姜〗名 생강; 새앙; 생. ¶～酢 생강초 / ～湯 생강차.

―ざけ【―酒】名 생강주; 강판에 간 생강을 넣고 데운 술.

じょうか【城下】名 성하; 성을 중심으로 제후의 가신들이 사는 지역.

―まち【―町】名 성시(城市); 제후의 거성(居城)을 중심으로 발달된 도시.

じょうか【上下】名 상하. **1** 위아래. ＝じょうげ. **2** 상원과 하원. ¶～両院 상하 양원.

じょうか【情火】名 정화; 불같은 정욕; 욕정의 불길. ¶～を燃やす 욕정을 불태우다.

じょうか【浄化】名ス他 정화. ¶政界の～を図る 정계의 정화를 꾀하다 / 街を～する 거리를 정화하다.

―そう【―槽】名 정화조.

しょうかい〔哨戒〕名ス自他 초계; 망보며 경계함. ¶海上を～する 해상을 초계하다.

しょうかい【商会】名 상회; 상사(商社). ¶山田～ 山田 상사.

*__しょうかい__【照会】名ス他 조회. ¶詳細は事務所宛にご～下さい 상세

한 것은 사무소에 조회하여 주십시오.

**しょうかい【紹介】名スル他 소개. =ひきあわせ. ¶~状 소개장/自己~ 자기소개/~の労をとる 소개를 맡다/只今ご~にあずかりましたKでございます 방금 소개받은 K올시다.

しょうかい【詳解】名スル他 상해; 상세하게 풀이함. ¶その点についてはのちに~する 그 점에 관해서는 후에 상세히 풀이한다. ↔略解.

*しょうがい【生涯】名 생애. 1 일생; 평생. ¶~の事業 평생의 사업/~独身で通す 평생 독신으로 지내다. 2 일생 중의 어느 시기. ¶外交官としての彼の~は華々しかった 외교관으로서 그의 생애는 화려하였다.

―きょういく【―教育】名 평생 교육.

しょうがい【渉外】名 섭외. ¶~部 섭외부/~係 섭외 담당.

しょうがい【傷害】名スル他 상해. ¶~事件 상해 사건.

―ちし【―致死】名 상해 치사. ¶~罪 상해 치사죄.

―ほけん【―保険】名 상해 보험.

*しょうがい【障害】《障碍·障礙》名 장애. 1 방해; 방해물. ¶~が生じる 장애가 생기다/~を除く 장애를 제거하다. 2 신체상의 기능 장애. ¶胃腸~を起こす 위장 장애를 일으키다. 3 '障害競走'의 준말. 注意 본디는 '障碍'.

―きょうそう【―競走】名 (육상 경기 등의) 장애물 경주.

―ぶつ【―物】名 장애물. ¶~を乗り越える 장애물을 뛰어넘다.

じょうがい【場外】名 장외; 회장 밖. ¶~にホームランを放つ 장외로 홈런을 날리다. ↔場内.

―かぶ【―株】名 장외주; 비상장주.

―とりひき【―取引】名 장외 거래.

しょうかき【小火器】名〘軍〙소화기. =軽火器.

しょうかく【昇格】名スル自他 승격. ¶大学に~する 대학으로 승격하다.

しょうがく【小額】名 소액; 액면이 작은 돈. ¶~紙幣 소액 지폐. ↔高額.

しょうがく【少額】名 소액; (전체로서) 적은 금액. ¶予想より~だ 예상보다 소액이다. ↔多額.

しょうがく【商学】名 상학. ¶~部 상학부/~博士 상학 박사.

しょうがく【奨学】名 장학. ¶~生 장학생/~金 장학금.

じょうかく【城郭】《城廓》名 성곽. ¶天然の~ 천연의 성곽〔요새〕.

じょうかく【城閣】名 성각; 성루. ¶~に登る 성각에 오르다.

しょうがくせい【小学生】名 소학생; 초등학교 학생.

*しょうがつ【正月】名 1 설. ¶~を迎える 새해를 맞이하다/盆と~がいっしょに来たよう 백중날과 설이 한꺼번에 온 것 같다《대단히 분주하다; 또, 기쁜 일이 겹치다》. 2 정초의 쉬는 기간. =松の内. ¶~休み 정초 휴가/お~の晴れ着 설빔/目〔舌·耳〕の~ 눈〔혀·귀〕의 설《예쁘고 고운 것을 보며 〔맛있는 것을 먹으며, 재미있는 이야기를 들으며〕 즐기는 일》.

―きぶん【―気分】名 설 기분《정초에 일에서 해방된 느긋한 기분》. 「등학교.

*しょうがっこう【小学校】名 소학교; 초

しょうかん【召喚】名スル他〘法〙소환. =よびだし. ¶証人を法廷に~する 증인을 법정에 소환하다.

しょうかん【召還】名スル他 소환; 파견한 사람을 불러 돌아오게 함. ¶大使が一時本国に~された 대사가 일시 본국에 소환되었다.

しょうかん【償還】名スル他 상환. ¶負債を~する 부채를 상환하다.

しょうかん【将官】名 장관; 장성; 장군. ¶~に進む 장성으로 진급하다.

しょうかん【小寒】名 소한《24절기의 하나》. =寒の入り.

―の氷大寒に解く 소한 얼음이 대한에 녹는다; 소한이 대한보다 더 춥다《일이란 반드시 순서대로만 되는 것이 아님의 비유》.

しょうかん【消閑】名 소한; 파적; 심심풀이. =ひまつぶし. ¶~の具 파적거리/~の慰み 파한(破閑)의 낙.

じょうかん【上官】名 상관. =上役. ¶~の命令 상관의 명령. ↔下僚.

じょうかん［上燗］名 술을 알맞게 데움; 또, 그 술.

じょうかん【乗艦】名スル自 승함. ¶航空母艦に~する 항공모함을 타다.

じょうかん【情感】名 정감; 감흥; 느낌. ¶しっとりした~ 차분한 정감/~をこめて歌う 정감을 담아서 노래하다.

じょうかんぱん【上甲板】名 상갑판; 함선(艦船)의 맨 위층 갑판.

しょうき【小器】名 소기; 작은 그릇〔기량〕; 소인물. =小人物. ¶あんな~では成功出来ない 그릇이 저렇게 작아서는 성공 못한다. ↔大器.

しょうき【将器】名 장기; 장수가 될 만한, 훌륭한 기량(器量)·인물.

しょうき【匠気】名 (배우·예술가 등의) 대중적 인기를 얻고자 하는 마음; 장색(匠色) 기질.

*しょうき【正気】名ナ 정기; 제정신; 정상적인 정신 상태. =本気. ¶~に返る 제정신으로 돌아오다/~を失う 제정신을 잃다/~付く 정신을 차리다/~の沙汰とは思えない 제정신을 가진 사람의 짓이라곤 생각되지 않는다/~でそんな事を言うのか 제정신으로 그런 소릴 하는 건가/そんなことをして, お前, ~か 그런 짓을 하다니 너, 제정신이냐. ↔狂気.

しょうき【商機】名〘商〙상기. 1 상업 거래상의 (좋은) 기회. ¶~をつかむ 상업상의 좋은 기회를 잡다/~を逸する 상기를 놓치다. 2 상업상의 기밀. ¶ ~にふれる 상업상의 기밀에 저촉되다.
しょうき【勝機】图 승기; 이길 기회. ¶ ~をつかむ 이길 기회를 잡다 / ~をのがす 승기를 놓치다.
しょうき【詳記】图ス他 상기. ¶当時の顚末を~する 당시의 전말을 상기하다. ↔略記.
しょうぎ【商議】图ス他 상의; 협의. =相談·評議. ¶~員 평의원 / ~をこらす 숙의하다.
しょうぎ【将棋】图 장기. ¶~盤 장기판 / ~の駒 장기짝 / ~を指す 장기를 두다.
—だおし【—倒し】图 (장기짝이 잇따라 넘어지듯) 우르르 한데 겹쳐 쓰러짐; 장기 튀김. ¶車の急停車で乗客が~になる 차의 급정거로 승객이 줄줄이 넘어지다.
しょうぎ［床几·床机］图 승창; 걸상; 접의자; 거상(踞床). ¶~に腰をおろす (접는) 걸상에 앉다.
［床几］
じょうき【上気】图ス他 상기; 피가 머리에 오름. ¶~した顔 상기된 얼굴. =逆上.
じょうき【上記】图ス自 상기; 앞에 적은 것〔글〕. ¶~の通り相違ありません 상기와 같이 틀림없습니다. ↔下記.
じょうき【条規】图 조규; 조문의 규정. ¶~に従う 조규에 따르다.
じょうき【常軌】图 상궤; 상도(常道). ¶~を失う 상궤를 잃다.
—を逸する 상도를 벗어나다.
*じょうき【蒸気】图 1 증기; 김. ¶~浴 증기욕 / ~を上げる〔立てる〕 증기를 내다 / ~がのぼる 김이 나다. 2 '蒸気船' '蒸気機関車'의 준말. ¶ぽんぽん~ 통통배; 똑딱선.
—きかん【—機関】图 증기 기관. ¶~車 증기 기관차.
—せん【—船】图 증기선; 기선. =汽船.
*じょうぎ【定規·定木】图 정규. 1 자. ¶三角~ 삼각자 / ~をあてる 자로 재다 / ~で線を引く 자로 선을 긋다. 2 모범; 사물의 표준. ¶~に当てたような人 판에 박은 듯한 사람 / 杓子~ 바르지 않은 자; (한 가지 표준으로만 모든 것을 결정지으려는) 융통성 없는 방법〔태도〕.
じょうぎ【情義】图 정의; 인정과 의리. ¶~を欠く 정의가 없다.
じょうぎ【情宜】《情誼》图 정의; 친구나 사제간의 친밀감. =よしみ. ¶~に厚い人 정의가 두터운 사람.
じょうきげん【上機嫌】图ダナ 매우 좋은 기분. ¶酒に酔って~になる 술에 취해 기분이 좋아지다. ↔不機嫌.
しょうきち【小吉】图 1 조그마한 행운. 2 (점에서) 길한 징조가 조금 있는 일.
しょうきぼ【小規模】图ダナ 소규모. ¶~な戦闘 소규모 전투. ↔大規模.
しょうきゃく【消却】《銷却》图ス他 소각. 1 지워 없앰. ¶名簿から彼の名を~する 명부에서 그의 이름을 소각하다. 2 써버림; 소비함. =費消. ¶百トンの石炭を~する 백 톤의 석탄을 소비하다. 3 빚을 갚음. =返却. ¶負債を一年で~する 부채를 일년에 상환하다.
しょうきゃく【焼却】图ス他 소각; 태워 버림. ¶~消毒 소각 소독 / ごみを~する 쓰레기를 소각하다.
しょうきゃく【償却】图ス他〔經〕 상각; 빚 따위를 깨끗이 갚음; 상환. ¶負債を~する 부채를 상환하다.
じょうきゃく【上客】图 상객. 1 상좌에 모실 손님. =正客. 2 귀중한 고객; 큰 단골손님. =上得意. ¶~を失う 큰 단골손님을 놓치다.
*じょうきゃく【乗客】图 승객. =じょうかく. ¶バスの~ 버스 승객.
じょうきゃく【常客】图 상객; 단골손님; 고객. =じょうかく·常連. ¶~を大切にする 고객을 소중히 하다.
しょうきゅう【昇級】图ス自 승급. ¶二級から一級に~した 2급에서 1급으로 승급하였다. ↔降級.
しょうきゅう【昇給】图ス自 승급; 급료가 오름. ¶年に一度~する 1년에 한 번 승급하다. ↔減給.
*じょうきゅう【上級】图 상급. ¶~官庁 상급 관청 / ~生 상급생 / ~品 상급품. ↔中級·下級.
しょうきゅうし【小休止】图 소휴식; 잠깐 쉼. =小休み·小休.
しょうきょ【消去】图ス他自 소거; 지워 버림. ¶文字〔録音〕を~する 글자를〔녹음을〕 지워버리다.
しょうきょう【商況】图 상황. ¶~が不振だ 장사 경기가 부진하다.
**しょうぎょう【商業】图 상업. =あきない. ¶~美術 상업 미술 / ~を営む 상업을 영위하다.
—しゅぎ【—主義】图 상업주의; 영리주의. =金もうけ主義.
—デザイン [design] 图 상업 디자인. =コマーシャルデザイン.
—ほうそう【—放送】图 상업〔민간〕 방송. =民間放送. ↔公共放送.
じょうきょう【上京】图ス自 상경. ¶兄を頼って~する 형을 의지하고 상경하다. ↔離京.
**じょうきょう【状況·情況】图 상황; 정황. ¶~を踏まえる 상황에 입각하다 / ~判断を誤る 상황 판단을 잘못하다 / ~が変わる 상황이 바뀌다.
—しょうこ【—証拠】图 상황 증거.
しょうきょく【小曲】图 소곡. ¶~を演奏する 소곡을 연주하다. ↔大曲.
*しょうきょく【消極】图 소극. ¶~策 소극책. ↔積極.
—てき【—的】ダナ 소극적. ¶~な性質 소극적인 성격 / 彼のやる事はす

べて～だ 그가 하는 일은 모두 소극적이다. ↔積極的(せっきょくてき).

しょうきん【償金】图 상금; 배상금. ＝賠償金(ばいしょうきん). ¶～が支払(しはら)われる 배상금이 지불되다 / 敗戦国(はいせんこく)は戦勝国(せんしょうこく)に～を支払(しはら)う 패전국은 전승국에 배상금을 문다.

しょうきん【賞金】图 상금. ¶～を懸(か)ける 상금을 걸다 / ～を出(だ)す〔与(あた)える〕 상금을 내다〔주다〕.

じょうきん【常勤】图ス自 상근; 상시 근무. ¶～者(しゃ) 상근자 / ～の役員(やくいん) 상근 임원. ↔非常勤(ひじょうきん).

しょうく【章句】图 장구. **1** 문장의 장과 구〔문구〕. ¶中庸(ちゅうよう)～ 중용 장구. **2** 문장의 단락.

じょうくう【上空】图 상공; 하늘. ¶～に舞(ま)い上(あ)がる 상공에 날아오르다.

しょうくうとう【照空灯】图〖軍〗조공등; 탐조등. ＝サーチライト. ¶～で敵機(てっき)を捕捉(ほそく)する 탐조등으로 적기를 포착하다.

しょうぐん【将軍】图 **1** 장군《비유적으로도 씀》. ¶冬(ふゆ)～ 동장군. **2** '征夷(せいい)大将軍(たいしょうぐん)(＝幕府(ばくふ)의 실권자 직위)'의 준말.

——け【——家】图 **1** 将軍 가(문); 公家(くげ)에 상대되는 말로, 幕府(ばくふ)를 말함. **2** '征夷大将軍'을 일컬음.

*じょうげ【上下】상하. ㊀图 **1** 위와 아래; 위아래 전부; 상위와 하위. ¶～に揺(ゆ)れる 위아래로 흔들리다. **2** 의복의 위아래 한 벌. ⇨上下(しょうか). ㊁图ス自 오름과 내림; 상행과 하행. ¶物価(ぶっか)の～ 물가의 오르내림 / 大川(おおかわ)を～する舟(ふね) 큰 강을 오르내리는 배 / 熱(ねつ)が三十八度(さんじゅうはちど)を～する 열이 38도를 오르내리다.

——どう【——動】图 상하동; 상하로 흔들림〔진동함〕《가까운 지진일 때 느낌》. ↔水平動(すいへいどう).

しょうけい［捷径］图 첩경; 지름길; 손쉬운 방법. ＝近道(ちかみち)·はやみち. ¶問題解決(もんだいかいけつ)の～ 문제 해결의 첩경 / 学問(がくもん)に～はない 학문에 지름길은 없다.

しょうけい【小径】《小逕》图 소경; 작은 길; 좁은 길. ＝こみち. ¶～をたどる 오솔길을 가다.

しょうけい【小計】图ス他 소계; 일부분의 합계(를 냄). ¶～を出(だ)す 소계를 내다 / 半月(はんげつ)の支出(ししゅつ)を～する 반달치 지출을 소계하다. ↔総計(そうけい).

しょうけい【小憩·少憩】图ス自 소게; 잠깐 쉼. ¶～を取(と)る 잠깐 쉬다 / 頂上(ちょうじょう)で～する 산꼭대기에서 잠깐 쉬다.

しょうけい【承継】图ス他 승계; 계승. ＝継承(けいしょう). ¶伝統(でんとう)〔地位(ちい)〕を～する 전통을〔지위를〕 계승하다.

しょうけい【象形】图 상형. **1** 사물의 모양을 본뜸. **2** 한자의 육서(六書)의 하나; 상형(象形) 문자.

——もじ【——文字】图 상형 문자. ¶古代(こだい)の～ 고대의 상형문자.

じょうけい【上計】图 상계; 상책.

*じょうけい【情景】图 정경; 광경. ¶涙(なみだ)ぐましい～ 눈물겨운 정경.

しょうげき【笑劇】图 소극; 희극. ＝ファース. ¶～を上演(じょうえん)する 소극을 상연하다.

しょうげき【衝撃】图 충격. ＝ショック. ¶～療法(りょうほう) 충격 요법 / ～を受(う)ける 충격을 받다 / ～に耐(た)えうる 충격에 견뎌 내다 / 社会(しゃかい)に～を与(あた)える 사회에 충격을 주다.

——は【——波】图〖理〗충격파.

しょうけつ［猖獗］图ス自 창궐. ¶流感(りゅうかん)が～をきわめる 유행성 감기가 몹시 창궐하다.

しょうけん【商圏】图 상권. ¶～を広(ひろ)げる 상권을 넓히다.

しょうけん【商権】图 상권. ¶～を掌握(しょうあく)する 상권을 장악하다.

しょうけん【正絹】图 본견. ＝本絹(ほんけん)·純絹(じゅんけん). ¶～ネクタイ 본견 넥타이. ↔人絹(じんけん).

しょうけん【証券】图〖經〗증권; 유가증권. ¶～業(ぎょう) 증권업 / ～会社(がいしゃ) 증권회사 / ～投資(とうし) 증권 투자.

——アナリスト［analyst］图 증권 애널리스트; 증권 분석가.

——しじょう【——市場】图 증권 시장.

——とりひきじょ【——取引所】图 증권 거래소.

しょうけん【小見】图 **1** 작은 생각; 좁은 생각. **2** 자기의 생각을 낮추어 말하는 겸사말.

しょうげん【証言】图ス他 증언. ¶目撃者(もくげきしゃ)の～ 목격자의 증언 / 彼(かれ)の無罪(むざい)なことは私(わたし)が～する 그의 무죄함은 내가 증언한다.

**じょうけん【条件】图 조건. ¶～反射(はんしゃ) 조건 반사 / ～を付(つ)ける〔満(み)たす〕 조건을 달다〔충족시키다〕 / ～が合(あ)わない 조건이 맞지 않는다 / ～によっては承諾(しょうだく)する 조건에 따라선 승낙한다 / 相手(あいて)の～をのむ 상대방의 조건을 받아들이다.

——つき【——付き】图 조건부. ¶～で採用(さいよう)する 조건부로 채용하다.

——づける【——付ける】下1他 조건 지우다.

じょうげん【上弦】图 상현; 상현달; 또, 그 모양. ¶～の月(つき) 상현달. ↔下弦(かげん).

じょうげん【上限】图 상한. ¶～を設(もう)ける 상한을 정하다. ↔下限(かげん).

しょうこ【鐘鼓】图 종고; 종과 북.

しょうこ【尚古】图 상고; 옛 문물과 제도를 숭상함. ¶～思想(しそう) 상고 사상.

しょうこ【称呼】图ス他 칭호; 호칭. ＝呼称(こしょう). ¶～が学者(がくしゃ)によってまちまちだ 호칭이 학자에 따라 구구하다.

**しょうこ【証拠】图 증거. ＝あかし. ¶～を固(かた)める 증거를 굳히다 / ～をあげる〔握(にぎ)る〕 증거를 들다〔잡다〕 / ～立(だ)てる 입증하다 / ～が不充分(ふじゅうぶん)だ 증거가

불충분하다.
—ほぜん【—保全】图 증거 보전.
*しょうご【正午】图 정오; 한낮. ＝まひる. ¶～の時報(じほう) 정오의 시보.
じょうこ【上古】图 상고. ¶～の遺物(いぶつ) 상고의 유물. 參考 일본 역사에서는, 보통 大和(やまと)·奈良(なら) 시대를 가리킴.
じょうご【上戸】图 1 주호(酒豪); 술부대. ＝酒飲(さけの)み. ↔下戸(げこ). 2 술을 마셨을 때의 버릇을 뜻하는 말. ¶笑(わら)い～ 취하면 잘 웃는 사람〔버릇〕/泣(な)き～ 술에 취하면 우는 사람〔버릇〕.
じょうご【上午】图 상오. ↔下午(かご).
じょうご【畳語】图 첩어; 같은 단어를 겹친 복합어《やまやま(＝산들; 많이)·泣(な)く泣く(＝울며불며) 따위》.
じょうご〖漏斗〗图 누두; 깔때기. ＝ろうと.
しょうこう【商工】图 상공(업). ¶～会議所(かいぎしょ) 상공 회의소.
—ぎょう【—業】图 상공업. ¶～地帯(ちたい) 상공업 지대.
しょうこう【商港】图 상항; 무역항. ¶～として栄(さか)える 상항으로 번창하다.
しょうこう【将校】图 장교. ＝士官(しかん). ¶～になる 장교가 되다.
しょうこう【小康】图 소강. ¶休戦(きゅうせん)によって～を得(え)る 휴전으로 소강 상태가 되다/経済界(けいざいかい)は～の状態(じょうたい)である 경제계는 소강상태이다/病気(びょうき)は～を保(たも)っている 병은 소강을 유지하고 있다.
しょうこう【小稿】图 소고; 자기 원고에 대한 겸칭.
しょうこう【小考】图ス自 소고; 조금 생각함; 또, 자기 생각에 대한 겸칭.
しょうこう【昇降】图ス自 승강. ¶～口(ぐち) 승강구.
—き【—機】图 승강기; 엘리베이터. ＝エレベーター.
しょうこう【焼香】图ス自 소향; 분향. ¶仏前(ぶつぜん)に～する 불전에 분향하다.
しょうこう【症候】图 증후; 증상; 증세. ＝症状(しょうじょう). ¶はしかの～ 홍역 증세.
—ぐん【—群】图〔醫〕증후군. ＝シンドローム. 參考 어떤 집단이나 계급에서 종종 볼 수 있는 경향의 뜻으로도 씀. ¶ピーターパーン～ 피터팬 증후군《언제까지나 성인 사회에 적응하지 못하는 남성의 심적 병리 현상》.
しょうごう【商号】图 상호. ¶～権(けん) 상호권.
しょうごう【称号】图 칭호; 호칭. ¶弥陀(みだ)の～ 미타의 호칭/博士(はくし)の～ 박사 칭호.
しょうごう【照合】图ス他 조합. 1 대조하여 확인함. ¶指紋(しもん)を～する 지문을 대조하다. 2〔컴〕배열 순서가 같은 둘 이상의 파일을 하나로 모으거나 정해진 조건에 맞는 데이터를 선별하는 처리.
じょうこう【上向】图ス自 1 상향; 높은 데를 향함. ¶景気(けいき)が～する 경기가 상승세다. 2 노동자가 급료 등 조건이 좋은 직장으로 자꾸 옮김. ¶～移動(いどう) 노동자가 좋은 직장으로 자꾸 옮겨 감.
じょうこう【条項】图 조항; 조목. ＝くだり·箇条(かじょう). ¶規約(きやく)に新(あたら)しい～を加(くわ)える 규약에 새로운 조항을 첨가하다.
じょうこう【乗降】图ス自 승강; 타고 내림. ＝乗(の)り降(お)り. ¶～口(ぐち) 승강구/～客(きゃく)でごったかえす 오르내리는 손님으로 몹시 붐비다.
じょうこう【情交】图ス自 정교. 1 친한 교제; 정의(情誼). ¶～を続(つづ)ける 친교를 계속하다. 2 남녀간의 성교. ¶～を結(むす)ぶ 육체관계를 맺다.
しょうこうい【商行為】图 상행위. ¶～と認(みと)める 상행위로 인정하다.
しょうこく【小国】图 소국. ¶極東(きょくとう)の～ 극동의 소국. ↔大国(たいこく).
じょうこく【上告】图ス自〔法〕상고. ¶被告側(ひこくがわ)は直(ただ)ちに～した 피고측은 즉시 상고하였다.
—ききゃく【—棄却】图 상고 기각.
—しん【—審】图〔法〕상고심.
じょうこく【上刻】图 상각; 시각의 일각(一刻)을 삼등분한 처음 부분《40분간》. ¶辰(たつ)の～ 진시 상각《지금의 오전 7시부터 40분까지》. ↔中刻(ちゅうこく)·下刻(げこく).
しょうことな-い 形 하는 수 없다; 부득이하다; 도리 없다. ¶空車(くうしゃ)が来(こ)ないので～く歩(ある)くことにした 빈 차가 오지 않아 하는 수 없이 걷기로 했다.
しょうことなしに 連語《副詞적으로》하는〔어쩔〕수 없이. ¶～承知(しょうち)する 하는 수 없이 승낙하다.
しょうこり【性懲り】图 뉘우침; 질림.
—もなく 질리지도 않고; 뉘우치는 일도 없이. ¶損(そん)をしても～競馬(けいば)に出(で)かける 손해를 보고서도 질리지도 않았는지 경마(장)에 간다.
しょうこん【商魂】图 상혼. ¶たくましい～ 억척스러운 상혼.
しょうこん【性根】图 근기(根氣); 끈기. ¶～尽(つ)き果(は)てる 기진맥진하다. 參考 'しょうね'라고 하면 다른 뜻.
しょうこん【招魂】图 초혼. ¶香(こう)を焚(た)いて～する 향을 피워 초혼하다.
しょうさ【小差】图 소차; 약간의〔작은〕차이. ¶～で勝(か)つ〔敗(やぶ)れる〕 작은 차로 이기다〔지다〕. ↔大差(たいさ).
しょうさ【勝差】图 승차; 경기에 이긴 횟수의 차. ＝ゲーム差(さ). ¶両(りょう)チームの～が大(おお)きい 양 팀의 승차가 크다.
しょうさ【証左】图 증좌; 증거. ¶～を求(もと)める 증거를 요구하다/確(たし)かな～をつかむ 확실한 증거를 잡다.
じょうざ【上座】图 상좌; 상석. ＝かみざ. ¶主客(しゅかく)が～につく 주빈이 상좌에 앉다. ↔下座(げざ).
しょうさい【商才】图 상재; 장사 솜씨. ¶～がある 장사 솜씨가 있다/～にたける 장사 솜씨가 뛰어나다.
*しょうさい【詳細】图ダナ 상세. ＝ディテール. 1 자세함. ¶～に説明(せつめい)する 상세히 설명하다. 2 자세한 내용. ¶～は追(お)ってお知(し)らせいたします 상세한 것은 추후 알려 드리겠습니다.

しょうさい【小才】图 소재; 대수롭지 않은 재능. ¶~を誇(ほこ)る 대수롭지 않은 재능을 자랑하다. ↔大才(たいさい).

じょうさい［城塞·城砦］图 성새; 성채(城砦). =しろ·とりで.

じょうざい【浄罪】图ス自〘宗〙정죄; 죄를 깨끗이 씻음. ¶~のために地獄(じごく)の責(せ)め苦(く)を受(う)ける 정죄하기 위하여 지옥의 책고를 받다.

じょうざい【浄財】图 정재; 절이나 자선 사업 따위에 기부하는 깨끗한 돈《기부받는 쪽에서 하는 말》. ¶~を募(つの)る 정재를 모으다.

じょうざい【錠剤】图 정제; 알약. =タブレット. ↔散剤(さんざい)·液剤(えきざい).

しょうさく【小策】图 소책; 잔꾀. ¶~を弄(ろう)する 잔꾀를 부리다.

じょうさく【上作】图 **1** 훌륭하게 만듦; 훌륭한 솜씨. =上出来(じょうでき). ¶彼(かれ)の作品(さくひん)のうちでは~の方(ほう)だ 그의 작품 중에서는 잘된 것에 속한다. ↔下作(げさく). **2** 풍작. ¶今年(ことし)の米(こめ)は~だ 금년 쌀 농사는 풍작이다.

じょうさく【上策】图 상책. ¶中止(ちゅうし)するのが~だ 중지하는 것이 상책이다. ↔下策(げさく)·拙策(せっさく). 「거는) 편지꽂이.

じょうさし【状差し】图 (벽·기둥 따위에

しょうさつ【焼殺】图ス他 소살; 태워 죽임. ¶害虫(がいちゅう)を~する 해충을 태워 죽이다. 「ンフレット.

しょうさっし【小冊子】图 소책자. =パ

じょうさま【上様】图 (계산서나 영수증 따위에) 상대방의 이름 대신에 쓰는 높임말; 귀하. =うえさま.

しょうさん【消散】图ス自他 소산; 사라져 없어짐; 지워 흩뜨림. ¶雲霧(うんむ)の如(ごと)く~した 운무처럼 흩어져 없어졌다/臭気(しゅうき)が~する 악취가 날아가버리다.

しょうさん【硝酸】图〘化〙질산(窒酸). ¶~アンモニウム 질산암모늄/~カリウム 질산칼륨; 초석(硝石).

―ナトリウム［Natrium］图〘化〙질산나트륨; 칠레 초석. =硝石(しょうせき).

しょうさん【賞賛·称賛】图ス他 칭찬; 상찬. ¶~の的(まと) 칭찬의 대상/口(くち)をきわめて~する 극구 칭찬하다/~を受(う)ける〔浴(あ)びる〕칭찬을 받다.

しょうさん【勝算】图 승산. =勝(か)ちみ. ¶この試合(しあい)には~がない 이 시합에는 승산이 없다.

じょうさん【蒸散】图ス自〘植〙증산; 식물체 내의 수분이 수증기로 되어 밖으로 발산함. ¶~作用(さよう) 증산 작용. 参考 일반 액체의 증발과 구별하여 사용함.

しょうさんしょうし【少産少死】图 소산소사; 출생자 수와 사망자 수가 적음. ¶韓国(かんこく)の人口(じんこう)は~の先進国(せんしんこく)型(がた)になった 한국의 인구는 소산 소사의 선진국형이 됐다.

しょうし【将士】图 장사; 장병.

しょうし【小史】图 소사; 약사(略史). ¶日本文化(にほんぶんか)~ 일본 문화 소사.

しょうし【焼死】图ス自 소사; 타 죽음. =焼(や)け死(じ)に. ¶火事(かじ)に逃(に)げ後(おく)れて~した 화재를 미처 피하지 못해 타 죽었다/危(あや)うく~を免(まぬか)れる 아슬아슬하게 소사를 면하다.

しょうし【生死】图〈老〉생사; 생과 사. =せいし. ¶~不明(ふめい) 생사 불명.

しょうし【笑止】名ﾅ 가소로움. ¶彼(かれ)が立候補(りっこうほ)するとは~の至(いた)りだ 그가 입후보하다니 가소롭기 짝이 없다.

―が-る 5自 가소롭게 여기다.

―せんばん【―千万】名ﾅ 가소롭기〔같잖아서 우습기〕짝이 없음. ¶愛国心(あいこくしん)云云(うんぬん)とは~だ 애국심 운운하다니 가소롭기 짝이 없다.

しょうし【証紙】图 증지. ¶組合(くみあい)の検査済(けんさず)みの~を貼(は)った品(しな) 조합의 검사필 증지를 붙인 물품.

しょうし［頌詞］图 송사; 공덕 등을 칭송하는 문장. ¶~を呈上(ていじょう)する 송사를 올리다.

しょうじ【商事】图 상사. **1** 상업에 관한 일. ¶~契約(けいやく) 상사 계약. **2** '商事会社(しょうじがいしゃ)'의 준말.

―がいしゃ【―会社】图 상사 회사.

しょうじ【小事】图 소사; 사소한 일. ¶大事(だいじ)の前(まえ)の~ 큰일 앞의 작은일. ↔大事(だいじ).

―は大事(だいじ) 사소한 일도 얕잡아 보면 큰일이 되니까 조심하라는 뜻.

しょうじ【小字】图 소자; (다른 글자보다) 작은 글자. ↔大字(だいじ).

しょうじ【少時】图 소시; 소시적. =幼時(ようじ). ¶~の思(おも)い出(で) 소시적의 추억.

しょうじ【正時】图 매시의 정각. ¶毎(まい)~に発車(はっしゃ)する 매시 정각마다 발차한다. 参考 방송에서는 'せいじ'라고 함.

***しょうじ**【障子】图 **1** '明(あ)かり障子'의 준말; 장자; 장지; 미닫이(문). ¶~紙(がみ) (장지)문 종이/~を張(は)る 장지를 바르다. **2** 방에 칸을 막아 쓰는 'ふすま·からかみ·ついたて' 따위의 총칭.

―に目(め)あり 장지에도 눈이 있다《낮말은 새가 듣고 밤말은 쥐가 듣는다》.

じょうし【上司】图 상사; 상급 관청; 직장의 윗사람. =上役(うわやく). ¶~の命令(めいれい) 상사의 명령/~に取(と)り入(い)る 상사에게 빌붙다〔아첨하다〕.

じょうし［上巳］图 상사; 일본의 다섯 節句(せっく)(=명절)의 하나로, 음력 삼월 삼짇날인 桃(もも)の節句.

じょうし［上梓］图ス他 상재; 도서를 출판하는 일. =出版(しゅっぱん). ¶著書(ちょしょ)は今年(ことし)~する予定(よてい)だ 저서는 금년에 상재할 예정이다. 参考 옛날에 개오동나무 판목에 글자를 파서 인쇄했던 데서.

じょうし【上肢】图 상지; 두 팔. ¶~を上(うえ)へ伸(の)ばす 두 팔을 위로 쭉 펴다. ↔下肢(かし). 「しろあと.

じょうし［城址·城趾］图 성지; 성터. =

じょうし【城市】图 성시. **1** 성이 있는 시(市)나 읍. =城下町(じょうかまち). **2** 성벽으로

둘러싸인 도시.

じょうし【情死】名ス自 정사. ＝心中. ¶～を遂げる 정사하다.

じょうし【情史】名 정사; 정사(情事)를 제재(題材)로 한 소설. ＝恋愛物語.

じょうじ【情事】名 정사. ＝いろごと. ¶友人の～を耳にする 친구의 정사를 소문에 듣다. 「져 있는」 일.

じょうじ【常事】名 상사; 평시의〔정해

じょうじ【常時】名 상시; 언제나; 항상. ＝ふだん·つね. ¶～携帯する 항상 휴대하다 / ～観察を怠らない 상시〔항상〕 관찰을 게을리하지 않다. 注意 副詞적으로 쓰는 수가 많음.

じょうじ【畳字】名 첩자. **1** 같은 한자를 겹친 말《堂堂 따위》. **2** ☞おどりじ.

しょうじい-れる【招じ入れる】《請じ入れる》下1他 청해들이다; 맞아들이다. ¶客を応接間に～ 손님을 응접실로 맞아들이다.

**しょうじき【正直】一名ダナ 정직. ¶～は最善の策 정직은 최선의 방책 / ～に言えば許してやる 정직하게 말하면 용서해 준다. 二副 사실은; 솔직히 말해서. ¶～言ってうらやましい 솔직히 말해서 부럽다.

—の頭に神宿る 정직한 사람은 신이 보호해 준다. 「배.

—は一生の宝 정직은 일생의 보

—者が損をする (세상이 어지러워) 정직한 사람이 손해를 본다.

**じょうしき【常識】名 상식. ¶～外れな行い 상식을 벗어난 행동 / 非～ 몰상식 / ～に欠ける 상식이 부족하다 / ～的な見方 상식적인 견해 / ～をつける〔疑う〕 상식을 갖추다〔의심하다〕 / そんなことぐらい～だ 그런 것쯤이야 상식이다 / その程度のことは, ～で分かるはずだ 그 정도 일은 상식적으로 알 수 있을 것이다.

しょうしつ【消失】名ス自 소실; 소멸. ¶権利が～する 권리가 소실되다.

しょうしつ【焼失】名ス自他 소실. ¶全市の半ばを～する 전 시가지의 절반을 소실하다 / 一夜にして家を～し乞食になる 하룻밤 사이에 집을 소실하고 거지가 되다.

じょうしつ【上質】名ダナ 상질; 질이 좋음. ¶～の布地 상질의 옷감.

じょうじつ【情実】名 정실. ¶～が絡んでいる 정실이 얽혀 있다 / ～をまじえる 정실이 개입되다 / ～を排する 정실을 배제하다 / ～によって人事が行われる 정실에 의해 인사가 행해지다.

しょうしみん【小市民】名 소시민; 중산 계급. ＝プチブル·中産階級. ¶～的な考え方 소시민적인 사고방식.

しょうしゃ【小社】名 **1** 작은 회사. **2** 자기 회사의 겸칭. ¶～の製品 폐사의 제품.

しょうしゃ【商社】名 상사; 상사 회사. ¶総合～に勤める 종합 상사에 근무하다 / 外国の～と取引する 외국 상사와 거래하다. 注意 현재는 무역 상사를 가리키는 경우가 많음.

しょうしゃ【照射】名ス自他 조사; (광선 따위를) 쬠. ¶太陽灯を～する 태양등을 쬐다 / 放射線の～を受ける 방사선 조사를 받다.

しょうしゃ【勝者】名 승자. ¶～をたたえる 승자를 기리다. ↔敗者.

しょうしゃ［瀟洒·瀟灑］ダナ トタル 소쇄; 산뜻함; 맵시 있음. ¶～たる紳士 멋진 신사 / ～な建物 산뜻한 건물.

しょうじゃ【生者】名《佛》 생자; 생명 있는 모든 것. ＝せいじゃ. ↔死者.

—ひつめつ【—必滅】名 생자필멸. ¶～会者定離 생자필멸, 회자정리.

しょうじゃ【精舎】名《佛》 정사; 승려가 불도를 닦는 곳. ¶祇園～の鐘の音 기원 정사의 종소리.

*じょうしゃ【乗車】名ス自 승차. ¶～口 승차구 / 無賃～ 무임승차 / ソウル駅で～する 서울역에서 승차하다 / 皆さんご～ください 여러분 승차해 주세요. ↔下車·降車. 「きっぷ.

—けん【—券】名 승차권. ＝乗車切符

じょうしゃ【浄写】名ス他 정사; 정서. ＝清書. ¶草稿を～する 초고를 정서하다.

しょうしゃく【小酌】名ス自 소작. **1** 작은 연회. ＝小宴. ¶～を催す 소연을 베풀다. **2** 술을 조금 마심.

しょうしゃく【照尺】名 조척; 총의 가늠자. ¶～を覗いて照準をつける 가늠자를 들여다보고 조준을 하다.

しょうしゅ【焼酒】名 (한국·중국의) 소주. 参考 일본 소주는 '焼酎'.

じょうしゅ【上酒】名 상주; 고급주. ¶なかなかの～だ 상당한 고급주다.

じょうしゅ【城主】名 성주. **1** 성의 임자. **2** 江戸 시대, 한 지역의 영주는 아니지만 성(城)을 가지고 있던 大名의 신분.

じょうしゅ【城守】名ス自 성을 굳게 지킴; 또, 그 사람.

じょうしゅ【情趣】名 정취. ¶～に富む 정취가 풍부하다 / この絵には人を魅する～がある 이 그림에는 사람의 마음을 끄는 정취가 있다.

じょうしゅ【醸酒】名 양주; 술을 빚어 담금; 또, 그 술.

じょうじゅ【成就】名ス自他 성취. ¶長年の研究が～する 오랜 연구가 성취되다 / どうあっても目的を～しなければならない 어떻게 하든 목적을 성취해야만 한다.

しょうしゅう【召集】名ス他 소집. ¶～をかける 소집하다 / 臨時国会を～する 임시 국회를 소집하다.

—れいじょう【—令状】名 소집 영장.

しょうしゅう【招集】名ス他 초집; 예를 갖추어 모음; 소집. ¶役員を～する 임원을 소집하다.

しょうじゅう【小銃】名 소총. ¶～の射程 소총의 사정/自動～ 자동 소총. 参考 통속적으로, '鉄砲'라고 함.

じょうしゅう【常習】名ス他 상습. ¶麻薬を～する 마약을 상복하다.

—はん【—犯】名 상습범. ¶スリの～ 소매치기 상습범.

じょうじゅう【常住】名ス自 **1** 상주. ¶～人口 상주 인구. **2**《副詞적으로》 늘; 언제나. ¶～災害に備えている 늘 재해에 대비하고 있다.

—ざが [—座臥] 名副 상주좌와; 자나 깨나; 늘. ＝いつも. 注意 行住坐臥의 잘못.

しょうしゅつ【抄出】名ス他 초출; 발췌함; 또, 발췌한 것. ¶要点を～する 요점을 발췌하다.

しょうじゅつ【詳述】名ス他 상술. ¶原因を～する 원인을 상술하다/後ほど～します 나중에 상세히 설명하겠습니다. ↔略述.

じょうじゅつ【上述】名ス他 상술; (문장 등에서) 위〔앞〕에 말함. ＝前述. ¶結果は～の通り 결과는 상술한 바와 같이〔같음〕.

じょうしゅび【上首尾】名 (일이) 잘 됨; 잘 진척됨. ¶万事～に行った 만사가 잘되었다/～に終わる 생각대로 잘 끝나다. ⇨首尾. ↔不首尾.

しょうじゅん【昇順】名 작은 수에서 큰 수로 순차적으로 됨. ↔降順.

しょうじゅん【照準】名ス自 조준; 겨냥. ¶～器 조준기; 가늠쇠/～を合わせる 조준을 맞추다.

*じょうじゅん【上旬】名 상순. ¶来月～ 내월 상순. ↔中旬·下旬.

しょうしょ【小暑】名 소서.

しょうしょ [哨所] 名 초소. ¶～から離れない 초소에서 떠나지 않다.

*しょうしょ【証書】名 증서. ¶借用～ 차용 증서/卒業～ 졸업 증서.

しょうじょ【少女】名 소녀. ＝おとめ. ¶～時代 소녀 시절/～趣味 소녀 취미. ↔少年.

しょうじょ【昇叙】《陞叙》名ス自他 승서; 높은 벼슬에 임명함〔됨〕. ¶正三位に～する 정3품으로 승서하다.

しょうじょ【詳叙】名ス他 상술(詳述); 상세히 서술함. ↔略叙.

じょうしょ【上書】名ス自 상서; 상신(上申). ¶農地改革について～する 농지 개혁에 대해 상신하다.

じょうしょ【浄書】名ス他 정서. ＝清書. ¶論文を～する 논문을 정서하다.

*じょうしょ【情緒】名 ☞じょうちょ.

じょうじょ【乗除】名ス他〔數〕승제; 곱셈과 나눗셈. ¶加減～ 가감승제.

しょうしょう【少少】名副 소소; 조금; 약간. ＝ちょっと. ¶～気になる 약간 마음에 걸린다/～お待ちください 잠시 기다려 주십시오/砂糖を～下さい 설탕을 좀 주십시오/～てれるね 약간 부끄러운데/～のことでは参らない 여간한 일로는 지치지 않는다/～の努力ではだめだ 여간한〔보통〕 노력 가지고는 안 된다.

しょうしょう【少将】名 **1** 소장. **2** 옛날 '近衛府(＝근위부)'의 차관.

しょうしょう [蕭蕭] トタル 소소. **1** (비 오고 바람 불어) 으스스하고 쓸쓸함. ¶風～たる冬木立 바람 소소한 겨울의 나목(裸木). **2** 쓸쓸한 모양.

しょうじょう【生生】名 **1** 생사를 되풀이함; 또, 그 긴 동안. ¶御恩は～忘れまい 은혜는 언제까지나 잊지 않겠다. **2** (살아 있는) 중생.

しょうじょう【商状·商情】名 상거래의 상태〔정황〕; 상황(商況). ¶最近の～は活発でない 최근의 상황은 활발하지 않다.

しょうじょう【症状】名 증상. ¶自覚～ 자각 증상/～が出る〔好転する〕 증상이 나타나다〔호전되다〕/～を呈する 증상을 나타내다.

*しょうじょう【賞状】名 상장. ¶～を授与する 상장을 수여하다.

しょうじょう【小乗】名〔佛〕소승. ↔大乗.

—てき【—的】ダナ 소승적. ↔大乗的.

—ぶっきょう【—仏教】名 소승 불교. ↔大乗仏教.

しょうじょう【清浄】名 청정; 맑고 깨끗함. ＝せいじょう. ¶～無垢の乙女 청정무구한 소녀. ↔不浄.

しょうじょう [猩猩] 名 성성. **1**〔動〕☞オランウータン. **2** 술을 좋아한다는 중국의 전설상의 짐승. **3** 술고래; 술보.

しょうじょう [蕭条] トタル 소조; 단조롭고 쓸쓸함; 적적한 모양. ¶～たる冬景色 쓸쓸한 겨울 풍경.

じょうしょう【上昇】名ス自 상승. ¶物価が～する 물가가 상승하다/人気～中 인기 상승중. ↔下降·低下.

—きりゅう【—気流】名〔氣〕상승 기류. ¶～に乗る 상승 기류를 타다《운이 트여 만사가 잘되어 감에 비유됨》.

じょうしょう【常勝】名ス自 상승; 늘 이김. ¶～将軍 상승 장군/～街道 상승 가도/～のチーム 상승 팀.

じょうしょう【城将】名 성장; 성을 지키는 장수; 성주(城主).

じょうじょう【上上】名ナ 가장 좋음; 더할 나위 없이 좋음. ¶結果は～ 결과는 더할 나위 없이 좋음/～の出来映え 더할 나위 없는 됨됨이/調子は～だ 상태는 그만이다/旅行には～の天気でした 여행에는 더없이 좋은 날씨였습니다. ↔下下.

—きち【—吉】名 **1** 대길(大吉). **2** (기예(技藝)의) 최상(급).

じょうじょう【上乗】名ナ 상승; 가장 뛰어남; 최승(最勝). ＝上上·最上. ¶～の出来映え 가장 뛰어난 성과〔됨됨이〕/ここは保養地として～の所です 이곳은 휴양지로서 더없이

좋은 곳입니다. 參考 본디, 불교에서 으뜸가는 가르침의 뜻.

じょうじょう【上場】 名ス他 **1**〘經〙상장. ¶～銘柄 상장 종목 / ～企業 상장 기업. **2**〘劇〙상연. ＝上演. ¶この劇は近く東京で～される 이 연극은 머지않아 東京에서 상연된다.

──がいしゃ【──会社】 名 상장 회사.

──かぶ【──株】 名 상장주. ＝建て株.

じょうじょう【情状】 名 정상.

──しゃくりょう【──酌量】 名ス自〘法〙정상 작량; 정상을 참작함. ¶～を求める 정상 참작을 바라다 / 彼の残酷な所行は～の余地がない 그의 잔혹한 소행은 정상 참작의 여지가 없다.

じょうじょう【畳畳】 トタル 첩첩; 몇 겹으로 겹친 모양. ¶～たる山並み 첩첩이 뻗은 연산(連山).

しょうしょく【小食·少食】 名ナ 소식; 적게 먹음. ＝しょうじき. ¶～の人 소식가 / 近頃～になった 요즘 소식하게 되었다. ↔大食·多食.

じょうしょく【常食】 名ス他 **1** 상식. ¶米を～(と)する 쌀을 상식〔주식〕으로 하다. **2** 일정한 식사. ↔間食.

しょう-じる【生じる】 上1自他 ☞しょう(生)ずる.

しょう-じる【招じる】《請じる》 上1他 ☞しょう(招)ずる.

じょう-じる【乗じる】 上1自他 ☞じょう(乗)ずる.

しょうしん【傷心】 名 상심; 상한 마음. ¶～の思い 쓰라린 심사 / ～を慰める〔いやす〕 상심을 달래다〔풀다〕 / ～をいだいて郷里に帰る 상심을 안고 고향으로 돌아가다.

しょうしん【焼身】 名ス自 소신; 분신(焚身). ¶～自殺 분신자살.

しょうしん【小心】 名ナ 소심. ¶～な人間〔男〕 소심한 인간〔사내〕. 參考 본디, 조심성이 많음의 뜻.

──もの【──者】 名 소심한 자.

しょうしん【小身】 名 신분이나 지위가 낮음; 봉록(俸祿)이 적음; 또, 그러한 사람. ¶～者 지체가 낮은 자 / ～の者にはとても買えない 박봉자로서는 도저히 살 수 없다. ↔大身.

しょうしん【昇進】《陞進》 名ス自 승진. ¶異例の～ 이례적인 승진 / 社長に～する 사장으로 승진하다 / ～は手腕次第だ 승진은 수완 여하에 달렸다.

しょうしん【正真】 名 정진; 진실; 거짓이 아님. ＝本当·まこと. ¶～の品物 진품; 진짜.

──しょうめい【──正銘】 名 거짓 없음; 진실; 진짜. ¶～の事実 참되고 거짓 없는 사실; 절대적인 사실 / ～の月の石 진짜 월석.

しょうじん【小人】 名 소인. **1** 도량이 좁은 사람; 기량(器量)이 작은 사람. ¶～怒りやすい 소인은 화를 잘 낸다. ↔君子. **2** 나이가 젊은〔어린〕 사람. ＝子供. ㉠아이. ¶入場料, ～百円 입장료, 소인 100엔. ㉡난쟁이. ＝こびと. **3** 신분이 낮은 사람. ＝こもの.

──閑居して不善をなす 소인이 한가하면 자칫 나쁜 짓을 한다.

──の勇 필부지용; 소인의 부질없는 만용. ＝匹夫の勇.

しょうじん【精進】 名ス自 정진. **1**〘佛〙잡념을 버리고 정성껏 수행(修行)함. ¶仏道に～する 불도에 정진하다. **2** 몸을 정결히 하고 마음을 가다듬음. **3** 육식을 피하고 채식을 함. **4** 마음을 쏟아 노력을 계속함. ¶文学の研究に～する 문학 연구에 정진하다.

──あけ【──明け】 名 ☞しょうじんおち.

──あげ【──揚げ】 名 야채 튀김.

──おち【──落ち】 名 정진 기간〘육식을 금하고 채식하는 기간〙이 끝나고 평상시의 식사로 돌아감. ＝精進明け·精進落とし.

──び【──日】 名 소(素)하는 날〘부모의 기일(忌日) 등〙.

──もの【──物】 名 육류·어패류를 사용하지 않은 (채소류로 만든) 음식. ↔なまぐさもの.

──りょうり【──料理】 名 '精進物'를 쓴 요리.

じょうしん【上申】 名ス他 상신. ¶～書 상신서 / 長官に～して表彰を依頼する 장관에게 상신하여 표창을 의뢰하다.

じょうじん【情人】 名 연인; 애인; 정부(情夫); 정부(情婦). ＝じょうにん.

しょう-す【称す】 5自 ☞しょうする.

じょうず【上手】 名ダナ **1** ㉠상수(임); 하는 일이 능숙함; 또, 그 사람. ¶～な人 능숙한 사람 / ～になる 능숙해지다. ㉡솜씨가 좋음; 능란함. ¶聞き～ 상대방이 충분히 얘기하게 함; 또, 그런 사람 / ～に立ち回る 잘 처신하다 / 好きこそ物の～なれ 사람은 보통 좋아하는 일은 능숙하게 잘한다. ↔下手. **2**《흔히 'お～'의 꼴로》발림말(을 함). ¶お～をいう 발림말을 하다.

──の手から水が漏れる 원숭이도 나무에서 떨어진다.

──ごかし 名 발림 수작으로 실속을 차림; 또, 그런 사람.

──もの【──者】 名 입만 살아 있는 사람; 간살꾼.

じょうず【上図】 名 위의 그림. ↔下図.

しょうすい【将帥】 名 장수. ¶三軍の～となる 삼군의 총수가 되다.

しょうすい［憔悴］ 名ス自 초췌. ¶徹夜のために～しきった顔 철야로 몹시 초췌해진 얼굴.

じょうすい【上水】 名 상수. **1** 깨끗한 물; 정수(淨水). ↔下水. **2** '上水道'의 준말.

──どう【──道】 名 상수도. ↔下水道.

じょうすい【浄水】 정수. 一名 **1** 깨끗한 물. **2** 손 씻는 물. 二名ス自他 물을 깨끗이 함; 또, 그 물. ¶～場 정수장 / ～装置 정수 장치.

──ち【──池】 名 정수지.

しょうすう【小数】 名〘數〙소수.

—てん【—点】图〔數〕소수점. ¶～以下三位まで計算する 소수점 이하 세 자리까지 계산하다.

*しょうすう【少数】图 소수. ¶～精鋭主義 소수 정예주의. ↔多数.

—いけん【—意見】图 소수 의견. ¶～にとどまる 소수 의견에 머물다/～を切り捨てる 소수 의견을 묵살하다.

じょうすう【乗数】图〔數〕승수; 곱수. ↔被乗数.

じょうすう【常数】图 상수. ＝定数.

しょう-する【称する】サ変他 1 일컫다; 칭하다; 말하다. ＝なのる·唱える. ¶みずから名人と～ 스스로 명인이라고 일컫다. 2 칭찬〔칭송〕하다; 기리다. ＝ほめる. ¶その徳を～ 그 덕을 칭송하다〔기리다〕/聖人と～·せられる 성인이라고 칭송되다. 3 거짓으로 일컫다; 사칭하다. ¶風邪と～·して休む 감기라고 사칭하고 쉬다/遺族と～·して金品をだまし取る 유족이라고 사칭하고 금품을 사취하다.

しょう-する【証する】サ変他 1 증거를 대다; 증명하다. ¶多くの例がこれを～·している 많은 예가 이를 증명하고 있다. 2 보증하다. ¶本人であることを～ 본인임을 보증하다.

しょう-する【賞する】サ変他 칭찬하다; 완상(玩賞)하다. ¶善行を～ 선행을 칭찬하다/花〔月〕を～ 꽃〔달〕을 완상하다.

*しょう-ずる【生ずる】一サ変自 1 (초목이) 돋아 나오다; 나다. ¶芽が～ 싹이 돋아 나오다. 2 (사물이) 발생하다; 생기다; 일어나다. ¶事故が～ 사고가 발생하다/瘤が～ 혹이 생기다/疑念が～ 의심이 생기다. 二サ変他 1 (돋아) 나오게 하다. 2 생기게 하다. ¶事故〔混乱〕を～ 사고를〔혼란을〕 일으키다/無から有を～ 무에서 유를 낳다.

しょう-ずる【招ずる】《請ずる》サ変他 청하다; 초대하다; 청해 들이다. ¶客を応接間に～ 손님을 응접실에 맞아들이다.

じょう-ずる【乗ずる】一サ変自 (탈것 따위를) 타다; 기회를 포착하다; 때를 이용하다. ＝乗る·つけいる. ¶相手の弱点に～ 상대방의 약점을 이용하다/すきに～ 틈을 타다; 허점을 이용하다/夜陰に～·じて逃亡した 야음을 틈타서 도망쳤다. 二サ変他〔數〕승하다; 곱하다. ¶五に三を～ 5에 3을 곱하다. ↔除する.

しょうせい【勝勢】图 승세; 이길 듯한 형세. ¶～に乗じて敵に猛撃を加える 승세를 타서 적에게 맹공격을 가하다. ↔敗勢.

しょうせい【将星】图 장성. 1 대장이나 장군의 딴 이름. ¶居並ぶ～ 죽 늘어앉은 장성들. 2 옛날 중국에서, 대장에 비유한 별.

—落つ〔隕つ·墜つ〕 장성이 죽다.

しょうせい【小成】图 소성; 작은 성공. ↔大成.

—に安んずる 작은 성공에 안주〔만족〕하다.

しょうせい【招請】图ス他 초청. ¶～状 초청장/～講演 초청 강연/～に応じる 초청에 응하다.

しょうせい【笑声】图 소성; 웃는 소리. ＝笑いごえ. ¶どっと～が起こる 왁자하니 웃음소리가 일어나다.

しょうせい【小生】代 소생. ＝愚生. ¶～も無事勉学にいそしんでおります 소생도 무사히 면학에 힘쓰고 있습니다. 参考 동년배 또는 손아랫사람에게는 쓰지 않으며, 윗사람에게만 씀.

*じょうせい【情勢·状勢】图 정세; 형세. ¶～分析 정세 분석/～判断が甘い 정세 판단이 안이하다/憂慮すべき～ 우려할 만한 정세/目下の～にかんがみて 현 정세에 비추어서/世界～をにらむ 세계 정세를 예의 주시하다.

じょうせい【醸成】图ス他 양성; (술 따위를) 빚음; (어떤 상황을) 조성함. ¶酒を～する 술을 양조하다/社会不安を～する 사회 불안을 조성하다.

じょうせき【上席】图 1 상석; 상좌; 윗자리. ＝上座. ¶食卓の～に坐る 식탁의 상좌에 앉다. ↔末席. 2 수석. ¶～の検事 수석 검사.

じょうせき【定席】图 1 정석; 지정석. 2 상설(常設)의 寄席(＝재담·만담·야담의 연예장).

じょうせき【定石】图 (바둑의) 정석; 전하여, 일정한 방식〔격식〕. ¶～通りの方法 정석대로의 방법/これは商売の～になってる 이것은 장사의 정석이 되어 있다.

じょうせき【城跡】《城蹟》图 성적; 성터. ＝城址.

しょうせつ【小雪】图 소설(24절기의 하나).

*しょうせつ【小説】图 소설. ¶長編～ 장편 소설/推理～ 추리 소설/武侠～ 무협 소설/～にする 소설로 만들다; 소설화하다/この～は面白い 이 소설은 재미있다/事実は～より奇なり 사실은 소설보다 기이하다.

—か【—家】图 소설가.

しょうせつ【小節】图 소절. 1〔樂〕마디. ¶第一～ 첫째 마디. 2 조그마한 절조〔의리〕.

—にこだわる 작은〔하찮은〕 의리에 구애되다.

しょうせつ【詳説】图ス他 상설; 상술(詳述). ¶この問題については次に～する 이 문제에 대해선 다음에 상술한다. ↔概説·略説.

じょうせつ【常設】图ス他 상설. ¶～欄 상설란/委員会を～する 위원회를 상설하다.

—かん【—館】图 (영화) 상설관.

じょうぜつ〔饒舌·冗舌〕图ダナ 요설; 다변. ＝おしゃべり. ¶～をふるう 수다를 떨다/～を弄する 요설을 놀리다; 수다스럽게 지껄이다. ↔寡言.

しょうせん【商戦】图 상전; 상업상의 경쟁. ¶歳末～ 연말 판매 경쟁 / ～が激化する 상전이 격화하다.

しょうせん【商船】图 상선. ¶～学校 상선 학교 / ～隊 상선대 / ～に乗り組む 상선에 승선하다.

しょうせん【省線】图 민영화 이전에 鉄道省(=철도성)·運輸省(=운수성)이 관리하고 있던 시절에 부르던 철도선 이름.

しょうぜん【消然】《悄然》トタル 초연. ¶～として帰る〔立ち去る〕 초연히〔맥없이〕 돌아가다〔물러가다〕. 注意 '消然'으로 씀은 대용 한자.

じょうせん【上船】图ス自 상선; 승선; 배를 탐. =乗船. ¶三時に～する 3시에 배를 탄다. ↔下船.

じょうせん【乗船】⊟图ス自 승선; 배를 탐. ¶～者 승선자. ⊟图 타고 있는 배. ¶女王の御～ 여왕이 타고 있는 배.

じょうせん【定先·常先】图 정선; 바둑에서, 언제나 선(先)으로 둠.

しょうそ【勝訴】图ス自 승소; 소송에 이김. ¶裁判の結果被告が～した 재판 결과 피고가 승소했다. ↔敗訴.

じょうそ【上訴】图ス自〘法〙상소. ¶～期間 상소 기간 / ～を放棄する 상소를 포기하다 / 最高裁判所に～する 최고 재판소《대법원에 해당》에 상소하다.

しょうそう【尚早】图 상조. ¶時期～ 「시기상조.

しょうそう【焦燥】《焦躁》图ス自 초조. =焦慮. ¶～感 초조감 / ～にかられる 몹시 초조해지다 / 昇進が遅れて～している 승진이 늦어 초조해 있다. 注意 '焦燥'로 씀은 대용 한자.

しょうぞう【肖像】图 초상. ¶～を描かせる 초상을 그리게 하다. 「ト.

——が【——画】图 초상화. =ポートレー

じょうそう【上奏】图ス他 상주; 대신(大臣)·국회·관청 등이 天皇에게 말씀을 아룀. =奏上. ¶～文 상주문.

じょうそう【上層】图 상층. ¶大気の～ 대기의 상층 / ～部 상층부 / ～階 (건물의) 위층 / ～の人々の意見 윗사람들의 의견. ↔下層.

——うん【——雲】图〘氣〙상층운. 「계급.

——かいきゅう【——階級】图 상층〔상류〕

——きりゅう【——気流】图 상층 기류.

じょうそう【情操】图 정조; 가장 복잡한, 고차원의 감정; 정서. ¶～教育 정서 교육 / 美的～を養う 미적 정조〔정서〕를 함양하다〔기르다〕.

じょうぞう【醸造】图ス他 양조. ¶～業 양조업 / ～元 양조원 / ～酒 양조주.

***しょうそく**【消息】图 소식; 동정(動靜). ¶～を絶つ 소식을 끊다 / 最近の彼の～がわからない 최근의 그의 소식을 알 수 없다 / 財界人の～に通じている 재계인 소식에 정통하다.

——し【——子】图〘醫〙소식자《의료 기구의 하나》. =ゾンデ.

——すじ【——筋】图 어떤 방면의 정보에 밝은 사람. ¶政界の～によれば 정계 소식통에 따르면….

——つう【——通】图 소식통; 특히, 정계·외교계의 정세에 밝은 사람. ¶政界の～ 정계의 소식통.

しょうぞく【装束】图 장속; 옷차림; 또, 그 옷. ¶火事～ 불 끌 때의 옷차림 / 正月の晴れ～ 설빔 / 白～ 흰옷 차림; 소복 / 死に～ 수의(壽衣) / 旅～ 여행 때의 옷차림. 注意 옛날에는 束帯·衣冠·直衣 따위를 갖춘 예복을 가리켰음.

しょうそつ【将卒】图 장졸; 장병.

しょうたい【小隊】图 소대. ¶～長 소대장 / 三個～ 3개 소대.

***しょうたい**【正体】图 정체. **1** 본디의 형체. =本体. ¶化け物の～ 허깨비의 정체 / ～を見破る 정체를 간파하다 / ～をあばく 정체를 폭로하다 / ～を現わす 정체를 드러내다. **2** 본심; 정상적인 정신 상태. =正気. ¶～もなく酔う 정신을 잃을 정도로 몹시〔억병으로〕 취하다 / ～もなく眠りこける 정신없이 자다.

⁑**しょうたい**【招待】图ス他 초대; 초청. ¶～券〔状〕 초대권〔장〕 / ～を受ける 초대를 받다 / パーティーに～された 파티에 초대되었다 / 残念ながら御～に応じかねます 유감스럽게도 초대에 응할 수가 없습니다.

しょうだい【商大】图 상대; 상과 대학.

じょうたい【上体】图 상체; 상반신. ¶～の運動 상체 운동. ↔下肢.

⁑**じょうたい**【状態】图 상태. ¶経済～ 경제 상태 / 仮死(の)～ 가사 상태 / 目下の～では 목하〔현금〕의 상태로서는 / 健康～がよくない 건강 상태가 좋지 않다 / 戦争～に入る 전쟁 상태에 들어가다 / 静止した～で測る 정지된 상태에서 재다.

じょうたい【常態】图 상태; 정상적인 상태. ¶鉄道は～に復した 철도는 정상 상태로 복구되었다. ↔変態.

じょうだい【上代】图 상대; 아주 옛날; 상고《일본사(史)에서는 주로 大和·奈良 시대》.

じょうだい【城代】图 옛날, 성주(城主)를 대신해서 성을 지키던 사람.

しょうたく［妾宅］图 첩댁; 소실(小室)집; 첩의 집. ¶～を構える 첩을 두다; 첩 살림을 차리다. ↔本宅.

***しょうだく**【承諾】图ス他 승낙. =承知. ¶事後～ 사후 승낙 / ～を求める 승낙을 구하다 / 親の～を得る 부모의 승낙을 얻다 / 申し出を～する 신청을〔제의를〕 승낙하다. ↔拒否.

***じょうたつ**【上達】⊟图ス自 기능이 향상됨. ¶英語が～する 영어 실력이 향상되다 / ～が速い 기능 숙달〔향상〕이 빠르다 / 相当に～する 상당히 숙달되다. ⊟图ス他 상달; 상부에 전함. =上

通. ¶下意～ 하의상달. ↔下達.

じょうだま【上玉】图 **1** (보석·물건의) 상등품. ¶～のリンゴ 상등품인 사과. **2** 〈俗〉 미인. ¶なかなかの～だぞ 꽤 미인이야.

しょうたん【賞嘆】《賞歎》图 ス他 상탄; 크게 칭찬함. ＝嘆賞·称嘆. ¶出来ばえを～する 만듦새를 크게 칭찬하다 / ～の声があがる 칭찬하는 소리가 높아지다.

しょうだん【昇段】图 ス自 승단; 단수가 올라감. ¶～試験 승단 시험 / 柔道初段から二段に～した 유도 초단에서 2단으로 승단했다.

しょうだん【商談】图 ス自 상담; 장사〔거래〕 얘기. ¶～を取りきめる 상담을 마무리하다 / ～がまとまる〔成立する〕 상담이 타결되다〔성립되다〕.

じょうたん【上端】图 상단; 위 끝; 위의 가장자리. ↔下端.

じょうだん【上段】图 상단. **1** 윗단. ¶たなの～に果物がある 선반 윗단에 과일이 있다. ↔下段·中段. **2** 상좌. **3** (검도 따위에서) 칼을 머리 위로 치켜들어 겨눔. ¶～の構え 상단 겨눔; 칼을 머리 위로 치켜들어 겨눈 자세. ↔下段·中段. **4** 단위(段位)가 높음. ¶柔道の～者 유도의 고단자.

***じょうだん**【冗談】图 농담; 농. ¶～を真に受ける 농담을 곧이듣다 / ～言うな 농담 마라 / ～にも程がある 농담에도 정도가 있다 / ～をとばす 마구 농담을 하다.

—じゃない 농담이라도 그런 말 하면 안 된다; 웃기지〔말 같잖은 소리〕 마라.

—ぐち【—口】图 농담으로 하는 말. ¶～をたたく 농지거리하다.

—はんぶん【—半分】图 진담 반 농담 반. ¶～に話す 진담 반 농담 반으로 말하다.

しょうち【招致】图 ス他 초치; 초청하여 오게 함. ¶～運動 초치〔유치〕 운동 / 冬季オリンピックを～する 동계 올림픽을 초치〔유치〕하다.

****しょうち**【承知】图 ス他 **1** 알아들음. ¶ご～の通り 잘 아시는 바와 같이 / その話なら～しています 그 이야기라면 잘 알고 있습니다 / はい, ～しました 네, 잘 알았습니다. **2** (요구 등을) 들어줌; 동의; 승낙. ¶無理に～させる 억지로 동의하게 하다 / 彼はなかなか～しない 그는 좀처럼 승낙하지〔말을 듣지〕 않는다. **3** 용서. ¶嘘をつくと～しないぞ 거짓말하면 용서 않겠다.

—之助 〈俗〉 '承知'를 인명(人名)처럼 한 말. ¶おっと合点～ 응, 알았어, 그렇게 하지.

—ずく〖—尽く〗图 서로 양해하고 함.

じょうち【情痴】图 정치; 이성을 잃을 정도로 색정(色情)에 빠짐; 치정. ¶～文学 치정 문학.

しょうちゃく【勝着】图 ス他 (바둑에서) 승점; 결정적 승리의 원인이 된 (마지막) 결정적인 수. ↔敗着.

じょうちゃん【嬢ちゃん】图 『お～』 여아(女兒)에 대한 경칭: 아가씨; 아기씨. ¶お～, こっちおいで 아가, 이리 온 / お宅のお～は今年おいくつになりますか 댁의 (어린) 따님은 금년에 몇 살이 됩니까.

しょうちゅう【掌中】图 장중; 수중; 손바닥 안. ¶～に帰する 수중에 들어오다 / ～に収める 손아귀에 넣다.

—の玉 장중보옥; 장중주(珠)《귀한 자식; 또, 귀중한 물건》. ¶～を失う 귀한 자식을 잃다.

しょうちゅう 〖焼酎〗 图 소주. ＝ちゅう. ¶居酒屋で～を一杯ひっかける 선술집에서 소주 한잔 들이켜다.

じょうちゅう【城中】图 성중; 성안. ＝城内. ↔城外.

じょうちゅう【常駐】图 ス自 상주; 항상 주재함. ¶交番所に警官が～している 파출소에 경관이 상주하고 있다.

しょうちょ【小著】图 소저. **1** 페이지 수가 적은 저작. ¶～ながら力作だ 작은 책이지만 역작이다. **2** 자기 저서의 겸사말. ＝拙著.

***じょうちょ**【情緒】图 정서. **1** 정취; 정조(情調). ¶異国～ 이국정서 / 下町～ 서민들이 많이 사는 거리의 정취 / 港～ 항구다운 정서 / ～豊かな町 정서가 풍부한 거리. **2**〖心〗(희로애락 등의) 감정. ¶～不安定 정서 불안정.

注意 본디 음은 'じょうしょ'이나, 오늘날 'じょうちょ' 쪽이 일반적임.

—てき【—的】ダナ 정서적. ¶野の花にさえ～な郷愁を持つ 들꽃에서도 정서적인 향수를 느끼다.

しょうちょう【小腸】图 소장; 작은창자.

しょうちょう【省庁】图 성이나 청으로 불리는 기관《法務省(＝법무성)·防衛庁(＝방위청) 따위 중앙 관청의 총칭》.

***しょうちょう**【象徴】图 ス他 상징; 표상(表象). ＝シンボル·表徴. ¶白は純潔を, ハトは平和を～する 흰색은 순결을, 비둘기는 평화를 상징한다 / 桜は武士を～した 벚꽃은 무사를 상징했다.

じょうちょう【冗長】图 ダナ 용장; 장황; 말이나 글이 쓸데없이 길. ¶～文 쓸데없이 길기만 한 글 / ～な説明 장황한 설명 / ～をきらって簡潔に書く 용장을 싫어하여 간결하게 쓰다. ↔簡潔.

じょうちょう【情調】图 정조. **1** 기분; 정취. ＝おもむき. ¶異国～ 이국 정취. **2**〖心〗감각에 따라 일어나는 쾌·불쾌의 감정. ¶不愉快な～ 불쾌한 감정. **3** 가락. ＝ふし.

じょうちょう【場長】图 장장; 공장·시험장 등 장(場)자가 붙는 곳의 우두머리.

しょうちん【消沈】《銷沈》图 ス自 소침;

사라져 없어짐; 쇠퇴. ¶意気~する 의기소침해지다. ↔揚揚.

じょうっぱり【情っ張り】[名ナ] 고집을 부림; 고집쟁이. =いじっぱり.

じょうづめ【定詰め】[名] 항상 일정한 장소에 근무함; 또, 그 사람.

じょうづめ【常詰め】[名] (근무 장소에) 늘 있으면서 근무함; 또, 그 사람. ¶昼夜の区別無くそこに~している 밤낮 없이 그 곳에 상주하고 있다.

じょうてい【上程】[名][ス他] 상정; 의안을 회의에 내어 놓음. ¶一括~ 일괄 상정 / ~された法案 상정된 법안 / 国会に選挙法改正案を~する 국회에 선거법 개정안을 상정하다.

じょうてい【乗艇】[名][ス自] 승정; (잠항정(潜航艇)·구조정(艇) 등의) 배를 탐.

しょうてき【小敵】[名] **1** 소적; 약한 적. ¶相手のチームを~と見くびった 상대 팀을 약한 적으로 깔보았다. **2** 소수의 적. ¶~たりとも侮らず 소적이라 할지라도 깔보지 않는다. ⇔大敵. [注意] 2는 '少敵' 로도 씀.

じょうでき【上出来】[名ナ] 성과가 훌륭함; 품질이 좋음. ¶~の西瓜 잘 익은 수박 / ~の作文 썩 잘된 작문 / ~, ~ 참 잘했다; 훌륭하다 / 試験の成績の~なのを喜ぶ 시험 성적이 매우 좋은 것을 기뻐하다. ↔不出来.

しょうてん【小店】[名] 소점. **1** 작은 가게. **2** 폐점; 자기 점포에 대한 겸칭.

しょうてん【商店】[名] 상점; 가게. =みせ. ¶~街 상가 / ~が立ち並ぶ 상점이 늘어서다.

しょうてん【昇天】[名][ス自] 승천. **1** 하늘 높이 올라 감. ¶旭日~ 욱일승천. **2** (기독교에서) 죽음; 천당에 감. ¶御~せらる 돌아가심. [参考] 일반인의 죽음에 대한 완곡한 말씨로도 씀.

しょうてん【衝天】[名][ス自] 충천. ¶意気~ 의기충천.

しょうてん【焦点】[名] 초점. ¶話題の~ 화제의 초점 / ~を合わせる 초점을 맞추다 / 話の~がぼやける 이야기의 초점이 흐려지다.

—を絞る 초점을 좁히다. **1** (카메라의) 초점을 맞추다. **2** 전하여, 논의의 대상을 좁히다.

—きょり【—距離】[名] 초점 거리.

しょうでん【省電】[名] 전에 '鉄道省(=철도성)·運輸省(=운수성)' 관할 아래 있던 '省線電車(=성선 전(동)차)'의 준말. 「기. ↔略伝.

しょうでん【詳伝】[名] 상전; 자세한 전

しょうてんいん【小店員】[名] 어린 점원. [参考] '小僧(=어린 사내 점원)'의 고친 이름.

じょうてんき【上天気】[名] 맑게 갠 날씨; 좋은 날씨. ¶今日はピクニックには~だ 오늘은 소풍가기에는 아주 좋은 날씨다.

しょうてんち【小天地】[名] 소천지; 좁은 사회; 작은 세계; 인간 세계. ¶~に安住する 소천지에 안주하다.

しょうど【焦土】[名] 초토. ¶~戦術 초토 전술.

—と化す; —に帰す 초토화하다. ¶空襲で~ 공습으로 초토화하다.

しょうど【照度】[名]〔理〕조도; 광선이 비치는 면의 명도(《단위는 럭스(lux)》).

じょうと【譲渡】[名][ス他] 양도. ¶~所得〔契約〕 양도 소득〔계약〕 / 権利~ 권리 양도 / ~し得る財産 양도할 수 있는 재산 / 建物を~する 건물을 양도하다.

—うらがき【—裏書】[名] 양도 배서.

—せいよきん【—性預金】[名] 양도성 예금《NCD; CD》.

じょうど【浄土】[名]〔佛〕정토; 보살이 사는 깨끗한 나라; 극락정토. ¶西方~ 서방 정토. ↔穢土.

しょうとう【小刀】[名] 소도. **1** 작은 칼. =わきざし. ¶~を腰に差す 소도를 허리에 차다. ↔大刀. **2**☞こがたな.

しょうとう【小盗】[名] 소도; 작은 도둑; 좀도둑. =こそどろ.

しょうとう【消灯】[名][ス自] 소등. ¶~時間 소등 시간 / ~ラッパを吹く 소등 나팔을 불다. ↔点灯.

しょうとう【鐘塔】[名] 종탑; 종루. =カンパニーレ.

しょうどう【小童·少童】[名] 소동. **1** 어린 아이. **2** 심부름하는 소년.

しょうどう【商道】[名] 상도. ¶~が地に落ちた 상도덕이 땅에 떨어졌다.

しょうどう【唱導】[名][ス他] 창도; (어떤 사상 등을) 앞장서서 부르짖어 인도함. ¶改革を~する 개혁을 창도하다.

しょうどう【衝動】[名] 충동. ¶~を与える 충동을 주다 / 押さえ難き~に駆られて 참을 수 없는 충동에 이끌려 / 一時的~にかられて自殺する 일시적인 충동에 이끌리어 자살하다.

—がい【—買い】[名] 충동 구매.

じょうとう【上棟】[名] 상량. =棟上げ.

—しき【—式】[名] 상량식. =棟上げ式.

*__じょうとう__【上等】[名ナ] 상등; 고급; 훌륭함. ¶~舶来品 고급 외래품 / ~の品 상등품 / 極~ 극상(품) / これで~だ 이것이면 훌륭[충분]하다 / ベストテンまで行けば~だよ 베스트 텐까지 되면 잘 된 거야. ↔中等·下等.

じょうとう【城頭】[名] 성두; 성(城)의 부근; 또, 성 위. ¶~を歩む 성 주위를 거닐다 / ~に旗をかかげる 성 위에 기를 내걸다.

じょうとう【常灯】[名] 상등. **1** 신전(神前)·불전(佛前)에 항시 켜 두는 등불. =常灯明. **2** 길거리에 밤새 켜 두는 가로등. =常夜灯.

じょうとう〔常套〕[名] 상투; 예사로 늘 하는 투. ¶~の文句 상투적인 문구 / ~を脱する 상투에서 벗어나다.

—ご【—語】[名] 상투어. =決まり文

句(もんく)·常套句(く).

──しゅだん【──手段】 图 상투 수단.

じょうどう【常道】 图 **1** 상도; 상궤. ¶ ~をふみはずす〔はずれる〕 상도를 벗어나다. **2** 상투 수단; 예삿일. ¶ 揚(あ)げ足(あし)をとるのがあいつの~だ 남의 뒷다리를 잡는〔말꼬리나 약점을 잡고 늘어지는〕 것이 저 자의 상투 수단이다.

しょうどうとく【商道徳】 图 상도덕. ¶ ~にもとる 상도덕에 어긋나다.

しょうとく【生得】 图 생득; 타고남; 천성. ＝うまれつき. ¶ ~の才(さい) 타고난 재능 / ~の臆病者(おくびょうもの) 타고난 겁쟁이 / ~筆不精(ふでぶしょう)で 본디 글쓰기를 싫어해서. 參考 副詞적으로 쓰이기도 함.

しょうとく[頌徳] 图 송덕; 덕을 칭송함. ¶ ~碑(ひ) 송덕비.

*しょうどく【消毒】 图ス他 소독. ¶ 日光(にっこう)~ 일광 소독 / ~の効果(こうか)がある 소독의 효과가 있다.

──やく【──薬】 图 소독약.

じょうとくい【上得意】 图 물건을 많이〔비싸게〕 사 주는 손님. ¶ 店(みせ)いちばんの~ (우리) 가게에서 첫째가는 고객.

じょうとくい【常得意】 图 단골손님. ¶ あの人(ひと)はこの店(みせ)の~だ 저 사람은 이 가게의 단골손님이다.

しょうとくたいし【聖徳太子】 图 **1** 用明天皇(ようめいてんのう)의 둘째 왕자. **2** 예전에, 일화 1만 엔짜리 지폐의 통속적인 호칭.

**しょうとつ【衝突】 图ス自 충돌. ¶ ~事故(じこ) 충돌 사고 / 正面(しょうめん)~ 정면 충돌 / 武力(ぶりょく)~ 무력 충돌 / ~をさける〔招(まね)く〕 충돌을 피하다〔초래하다〕.

しょうとりひき【商取引】 图 상거래. ¶ ~上(じょう)の慣習(かんしゅう) 상거래상의 관습 / ~を行(おこな)う 상거래를 하다.

しょうない【省内】 图 성내; 중앙 행정 기관의 각 성〖우리나라의 부(部)〗의 내부; 부내. ¶ ~切(き)っての経済通(けいざいつう) 부내에서 으뜸가는 경제통.

じょうない【城内】 图 성내; 성 안; 성중. ↔城外(じょうがい).

じょうない【場内】 图 장내. ¶ ~禁煙(きんえん) 장내 금연 / ~整理(せいり) 장내 정리 / ~アナウンス 장내 방송 / ~が騒然(そうぜん)となる 장내가 시끄러워지다. ↔場外(じょうがい).

じょうなし【情無し】 名ナ 무정함; 또, 그런 사람. ¶ ~な男(おとこ) 무정한 남자.

しょうに【小児】 图 소아; (어린)아이. ¶ ~用(よう) 소아용.

──か【──科】 图〖醫〗 소아과.

──びょう【──病】 图 소아병; 전하여, 유치하고 극단적임. ¶ 左翼(さよく)~ 좌익 소아병 / ~的(てき)理想主義(りそうしゅぎ) 소아병적인 이상주의. 「ポリオ.

──まひ〖──麻痺〗 图〖醫〗 소아마비. ＝

じょうにく【上肉】 图 (정육점에서 썰어서 파는) 상질(上質)의 살코기. ⇨ちゅうにく(中肉).

しょうにゅう[鍾乳] 图〖鑛〗 'しょうにゅうせき'의 준말.

──せき[──石] 图 종유석. ＝いわつらら. 「石灰洞(せっかいどう).

──どう[──洞] 图 종유동; 석회동. ＝

しょうにん【上人】 图 상인. **1** 지덕을 갖춘 고승; 대사. **2** 승려에 대한 경칭.

*しょうにん【商人】 图 상인; 장사꾼. ＝あきんど. ¶ ~根性(こんじょう) 상인 근성 / 悪徳(あくとく)~ 악덕 상인 / あの人(ひと)は~臭(くさ)い 저 사람은 장사꾼 냄새가 난다.

──かたぎ〖──気質〗 图 상인 기질. ＝あきんどかたぎ. 注意 전에는 '商売(しょうばい)かたぎ'라고 했음.

しょうにん【小人】 图 (공중 목욕탕·철도 요금 등에서) 소인; 소아; 어린이. ¶ 入場料(にゅうじょうりょう), ~二百円(にひゃくえん) 입장료, 소인 200엔. 參考 'しょうじん' 'こびと'로 읽으면 딴 뜻. ↔大人(だいにん).

しょうにん【証人】 图 증인. **1** 사실을 증명하는 사람. ¶ ~尋問(じんもん) 증인 신문 / 生(い)き~ 산 증인 / ~を立(た)てる〔喚問(かんもん)する〕 증인을 세우다〔환문하다〕 / ~台(だい)に立(た)つ 증인대에 서다. **2** 보증인. ＝請(う)け人(にん). ¶ ~を二名(にめい)立(た)てる 보증인을 2명 세우다 / 僕(ぼく)が~になって就職(しゅうしょく)させた 내가 보증인이 되어 취직시켰다.

──いはくざい【──威迫罪】 图〖法〗 증인 협박죄.

しょうにん【昇任】《陞任》 图ス自他 승임; 벼슬이나 직위가 오름; 또, 올림. ¶ 理事(りじ)から理事長(りじちょう)に~した 이사에서 이사장으로 승임했다.

*しょうにん【承認】 图ス他 승인. ¶ ~を求(もと)める 승인을 요청하다 / 国会(こっかい)の~を得(え)た 국회의 승인을 얻었다 / 新政権(しんせいけん)を~する 신정권을 승인하다.

じょうにん【常任】 상임. ¶ ~幹事(かんじ) 상임 간사 / ~理事(りじ)(国(こく)) 상임 이사(국) / ~指揮者(しきしゃ) 상임 지휘자.

しょうにんずう【少人数】 图 소인수; 적은 인원수. ＝小人数(こにんずう)·しょうにんず. ↔多人数(たにんずう).

しょうね【性根】 图 근본적인〔확고한〕 마음가짐; 근성. ¶ ~の知(し)れない男(おとこ) 본성을 알 수 없는 사나이 / ~の卑(いや)しい人(ひと) 근성이 비열한 사람 / ~を入(い)れる 정성을 쏟다 / ~がすわっている 마음가짐이 확고하다; 착실한 인물이다.

──だま【──玉】 图 〈俗〉 ☞しょうね.

しょうねつ【焦熱】 图 초열; 타는 듯한 더위.

──じごく【──地獄】 图〖佛〗 초열지옥.

*じょうねつ【情熱】 图 정열. ＝パッション. ¶ ~家(か) 정열가 / 山(やま)に~をもやす (등산가가) 산에 정열을 불태우다 / ~をかたむける 정열을 기울이다.

──てき【──的】 ダナ 정열적. ¶ ~な女性(じょせい) 정열적인 여성 / ~なひとみ 정열적인 눈동자.

*しょうねん【少年】 图 소년. ¶ ~時代(じだい) 소년 시절 / 不良(ふりょう)~ 불량 소년 / ~の不良化(ふりょうか)を防(ふせ)ぐ 소년의 불량화를 막다. ↔青年(せいねん)·壮年(そうねん).

―老いやすく学成り難し 소년 이로(易老)하고 학난성(學難成)이라; 늙기는 쉬우나 배움을 이루기는 어렵다.
―よ, 大志を抱け 소년들이여, 야망〔큰뜻〕을 품어라.
―いん【―院】图 소년원.
―かんべつしょ【―鑑別所】图 소년 감별소《범죄 소년을 심판 전에 수용하는 기관》.
―だん【―団】图 소년단. ＝ボーイスカウト.
じょうねん【情念】图 정념. ¶果てしなき愛の～ 끝없는 사랑의 정념／～が湧く 정념이 솟다.
しょうねんば【正念場】图 (歌舞伎 등에서) 배우가 실패해서는 안되는 제일 중요한 장면. ＝性根場. ¶～を迎える 중대 국면을 맞이하다. 參考 일이 막다른 곳에 몰림을 뜻하기도 함.
しょうのう【小脳】图〔生〕소뇌; 작은 골. ↔大脳.
しょうのう【笑納】图 소납; 남에게 선물할 때 오죽잖은 물건이나 받아 달라는 뜻의 인사말. ¶粗品御～下さい 변변치 못한 것이지만 소납하여 주십시오.
しょうのう〖樟脳〗图〔化〕장뇌《방충제 등에 쓰임》. ¶～油 장뇌유.
じょうのう【上納】图 자他 상납. **1** 정부 기관에 납품함. ¶～米 상납미／品物で～する 물품으로 상납하다. ↔下付. **2** 〈俗〉상부 단체 등에 돈을 바침. ¶～金 상납금.
じょうのじょう【上の上】連語 상지상(上之上); 최상. ↔下の下.
しょうのつき【小の月】图 작은달. ↔大の月.
じょうば【乗馬】㊀图 자自 승마; 말을 탐. ¶～服 승마복／～競技 승마 경기. ↔下馬·下乗. ㊁图 승용마; 또, 타고 있는 말. ¶将軍の～ 将軍이 탄 말. ↔駄馬·輓馬.
*しょうはい【勝敗】图 승패. ＝かちまけ. ¶～は時の運 승패는 때의 운수／～はいまだ決しない 승패는 아직 끝나지〔결정되지〕 않았다.
しょうはい【賞杯】《賞盃》图 상배; 상으로 주는 잔〔컵〕. ＝カップ·トロフィー. ¶優勝者に～が贈られる 우승자에게 상배가 수여되다.
しょうはい［賞牌］图 상패; (상으로 주는) 메달. ＝メダル.
**しょうばい【商売】㊀图 자自 장사. ＝商い. ¶～屋 장사꾼／客～ 접객업／～替え 장사를 바꿈／～上手 장사를 잘함／～をしている (점포를) 자영하고 있다／それでは～にならない 그래서는 장사가 안 된다. ㊁图 〈俗〉직업; 전문. ¶あなたのご～は何ですか 당신의 직업은 무엇입니까 ／ 書くのが～だよ 글 쓰는 것이 직업이야.
―あがり【―上がり】图 기생 출신. ＝それ者上がり.
―おんな【―女】图 기생; 창녀.
―かたぎ〖―気質〗图 상인 (특유의) 기질; 금전상의 이해에 민감한 성질.
―がたき【―敵】《―仇》图 상업상의 경쟁자〔라이벌〕.
―がら【―柄】图 **1** 장사의 종류. ¶かたい～ 건실한 장사 종류. **2** 장사로 인하여 얻어진 습성; 직업적인 습성. ¶～目のつけ所が違う 직업적 습성으로 보는 관점이 다르다. 參考 흔히, 副詞적으로 씀.
―ぎ【―気】图 **1** 모든 것을 이익 중심으로 생각하는 태도; 장삿속. ¶～を離れて 장삿속을 떠나서. **2** 직업 의식. ¶～を出す 직업 의식을 드러내다.
注意 口語로는 '商売っけ'라고 함.
―にん【―人】图 **1** 장사꾼; 또, 장사를 잘하는 사람. ＝あきんど. ¶なかなかの～だ 장사를 썩 잘하는 사람이다. **2** 직업적임; 전문가. ＝くろうと. ¶みごとみごと! ～も同様だ 참으로 훌륭하다! 전문가나 매한가지다／～顔負けの腕前 전문가 뺨치는 솜씨. **3** 기생; 접대부《널리 화류계 여성》. ＝商売女. ¶～上がりの細君 화류계 출신의 마누라.
じょうはく【上白】图 **1** 상등 백미(白米). **2** 상등 백설탕. ＝上白糖.
じょうばこ【状箱】图 편지함; 편지를 넣어 두는 상자; 또, 편지를 넣어 심부름꾼이 들고 가게 만든 상자. ＝ふばこ.
しょうばつ【賞罰】图 상벌; 상과 벌. ¶～無し 상벌 없음／～を明らかにする 상벌을 분명히 하다.
*じょうはつ【蒸発】图 자自 증발. **1**〔理〕액체 표면의 기화 현상. ¶アルコールが～する 알코올이 증발하다. **2** 〈俗〉사람의 행방이 묘연해짐; 또, 가출. ＝人間蒸発. ¶～事件 증발〔실종〕 사건／評判のA歌手が～した 평판 높은 A가수가 증발〔실종〕했다.
じょうばり【情張り】名ナ ☞じょうっぱり.
しょうばん【相伴】图 자自 주빈(主賓)의 상대역이 되어 함께 대접을 받음; 또, 그 사람; 비유적으로, 특히 노력을 안 해도 남과의 균형 관계로 이익을 얻음. ¶～にあずかる 주빈과 함께 대접받다.
じょうはん【上半】图 상반; 위의 절반. ¶～部 상반부. ↔下半.
じょうはんしん【上半身】图 상반신. ＝かみはんしん. ¶～はだかになる 상반신을 벗다. ↔下半身.
*しょうひ【消費】图 자他 소비. ¶米の～量 쌀 소비량／時間をむだに～する 시간을 헛되이 소비하다. ↔生産.
―ざい【―財】图 소비재. ¶日用～ 일용 소비재. ↔生産財.
―しゃ【―者】图 소비자. ＝コンシューマー. ↔生産者.
―しゃぶっかしすう【―者物価指数】图 소비자 물가 지수《약칭: CPI》.
―せいかつきょうどうくみあい【―生活協同組合】图 소비 생활 협동 조합. ＝生活協同組合·生協·コープ.

―とし【―都市】图 소비 도시《위성 도시·관광 도시 따위》.

しょうび［焦眉］图 초미; 매우 위급함. ¶原子力管理は人類の～の問題である 원자력 관리는 인류 초미의 문제이다.

―の急 초미지급; 절박한 위험이나 급한 용무.

しょうび【賞美】图ス他 1 감상함. ¶月を～する 달을 감상하다. 2 맛있게 먹음. ¶すしを～する 초밥을 맛있게 먹다.

じょうひ【冗費】图 용비; 헛된〔쓸데없는〕비용; 낭비. ＝むだづかい. ¶～を省く 헛된 비용을 없애다.

じょうび【常備】图ス他 상비; 늘 준비하여 둠. ¶～兵力 상비 병력 / 非常食を～しておく 비상 식량을 상비해 두다.

―やく【―薬】图 상비약.

しょうひょう【商標】图 상표. ＝トレードマーク. ¶登録～ 등록 상표 / ～を付ける 상표를 붙이다.

―けん【―権】图 상표권.

しょうびょう【傷病】图 상병; 부상과 질병. ¶～兵 상병병.

じょう-びる【上びる】上1自 고상하게 보이다; 품위가 있어 보이다. ↔げびる.

しょうひん【小品】图 소품. ¶風景画の～三点を出品する 풍경화의 소품 석 점을 출품하다.

**しょうひん【商品】图 상품. ¶～価値 상품 가치 / ～目録 상품 목록; 카탈로그 / 目玉～ 특매품; 인기 상품.

―きって【―切手】图 ☞しょうひんけん.

―けん【―券】图 상품권.

―とりひきじょ【―取引所】图 상품 거래소《섬유·콩·설탕 등 일정한 상품의 선물(先物) 거래를 하는 곳》.

*しょうひん【賞品】图 상품. ¶～をもらう 상품을 받다.

*じょうひん【上品】ダナ 고상함; 품위가 있음; 점잖음; 우아함. ＝エレガント. ¶～な言葉 고상한〔점잖은〕말씨 / ～ぶる 고상한 체하다 / ～に笑う 품위 있게 웃다. ↔下品.

しょうふ［娼婦］图 창부; 창녀; 매춘부. ＝売春婦·遊女. ¶～に身を落とす 창부로 전락하다《창부가 되다》.

しょうぶ【尚武】图 상무; 무예를 숭상함. ¶勤倹～ 근검 상무 / ～の気風を養う 상무의 기풍을 기르다.

しょうぶ〖菖蒲〗图〔植〕1 창포. 2 'ハナショウブ(＝꽃창포)'의 속칭.

―の節句 단오절. ＝端午の節句.

―ざけ【―酒】图 창포술《창포 뿌리를 썰어서 담금》. ＝あやめざけ.

―ゆ【―湯】图 창포탕.

**しょうぶ【勝負】一图 승부; 이김과 짐. ¶～をつける 승부를 가리다 / ～のつくまで戦う 승부가 날 때까지 싸우다.
二图ス自 승부를 겨룸; 경기; 시합. ¶～の世界 승부의 세계 / 一本〔三本〕～ 단판〔삼판〕승부 / 実力で～する 실력으로 승부를 겨루다 / ～あった 승부가 났다.

―は時の運 승패는 그때그때의 운(에 달렸다).

―ごと【―事】图 (바둑·마작·카드 놀이 등의) 승부 겨루기; 특히, 도박. ¶～を好む 내기를 좋아하다.

―し【―師】图 1 도박꾼. 2 투기꾼. 3 전문 기사(棋士).

―て【―手】图 (바둑·장기 등에서) 승부수. ¶～に出る 승부수를 띄우다.

―どころ【―所】图 승부처. ¶～を逸する 승부처를 놓치다 / ここが～だ 여기가 승부처다.

―なし【―無し】图 무승부; 비김. ＝ひきわけ.

―ふく【―服】图 (경마에서) 기수가 입는 상의.

じょうふ【丈夫】图 (대)장부《남자의 미칭》. ＝ますらお. ¶偉～ 위장부 / 美～ 미장부; 미남자. 参考 'じょうぶ'로도 읽음.

じょうふ【情夫】图 정부. ＝色男·かくし男. ¶～をこしらえる 정부〔샛서방〕을 만들다. ↔情婦.

じょうふ【情婦】图 정부. ＝色女·かくし女. ¶～の家に通う 정부 집에 드나들다. ↔情夫.

じょうぶ【上部】图 상부. ¶～団体〔組織〕상부 단체〔조직〕/ 画面の～ 화면의 상부. ↔下部.

―こうぞう【―構造】图 상부 구조. ↔下部構造.

**じょうぶ【丈夫】ダナ 1 건강함; 강건함. ¶～な人 건강한 사람 / ～に育つ 건강하게 자라다 / 至って～です 매우 건강합니다. 2 견고; 튼튼〔단단〕함. ¶～な靴下 튼튼한 양말 / ～な箱〔机〕견고한 상자〔책상〕/ ～な事はお請け合い致します 튼튼한 것은 보증하겠습니다. 参考 'じょうふ'로 읽으면 딴 말.

しょうふく［妾腹］图 첩복; 첩의 소생. ＝めかけばら. ¶～の子 첩의 자식.

しょうふく【承服】《承伏》图ス自 승복; 응낙하여 좇음. ¶父の言にいやいやながら～する 아버지 말에 마지못해 따르다 / ～できない 승복할 수 없다.

じょうふくぶ【上腹部】图〔生〕상복부《배꼽 윗부분》. ↔下腹部.

じょうぶくろ【状袋】图〈老〉종이 주머니; 봉투. ＝封筒. ¶～に筆であて名を書く 봉투에 붓으로 수신인의 주소 성명을 쓰다.

*しょうふだ【正札】图 정찰; 정가표. ¶～販売 정찰 판매 / ～をつける 정찰을 붙이다.

―つき【―付き】图 1 정찰이 붙어 있음; 정찰이 붙은 상품. ＝札付き. 2 비유적으로, 세상의 정평이 있음; 또, 그 물건이나 사람. ¶～の悪党 정평 있는 악당. 参考 흔히, 나쁜 뜻으로 씀.

じょうぶつ【成仏】图ス自 성불; 죽어서 부처가 됨; 죽음; 번뇌를 해탈하여 무상(無上)의 깨달음을 얻음. ¶即身～ 즉

신성불 / 迷わず～せよ 방황하지 말고 성불하시라《임종 때 편안히 죽기를 기원하는 말》.

じょうぶみ【状文】图 편지; 서장(書狀).

しょうぶん【性分】图 〈老〉 성분; 천성; 성품. ＝たち·性格. ¶～に合わない 성미에 맞지 않다 / 持って生まれた～ 타고난 천성 / ～だから仕方がない 천성이니까 어쩔 수 없다.

じょうぶん【上聞】图 상문; 군주의 귀에 들어감. ¶～に達する 임금 귀에 들어가다.

じょうぶん【条文】图 조문; 법률·규약 등을 조목조목 벌여 적은 글. ¶～に明記してある通り 조문에 명기되어 있듯이 / 憲法の～にうたってある 헌법 조문에 명시되어 있다.

じょうふんべつ【上分別】图 훌륭한 생각; 제일 좋은 생각; 상책. ¶それ以外に～もない 그것 외에는 상책도 없다 / ああそれは～だ 아, 그것 참 좋은 생각이다. ↔無分別.

しょうへい【傷兵】图 상병; 부상병. ¶～を慰問する 부상병을 위문하다.

しょうへい［哨兵］图 초병; 보초병.

しょうへい【将兵】图 장병; 장교와 사병. ¶前線の～ 전선의 장병.

しょうへい［招聘］图⾃他 초빙. ¶～に応ずる 초빙에 응하다.

じょうへい【城兵】图 성병; 성을 지키는 병사.

しょうへき【障壁】图 장벽. **1** 칸막이 벽. ¶～に遮られる 칸막이 벽으로 차단되다. **2** 전하여, 방해가 되는 일. ＝じゃま·妨げ. ¶関税～ 관세 장벽 / 両国間の～を取り除く 양국간의 장벽을 제거하다.

じょうへき【城壁】图 성벽. ¶～によじ登る 성벽에 기어오르다.

しょうへん【小片】图 소편; 작은 조각. ＝かけら. ¶氷の～ 얼음 조각 / ～に切り刻む 작은 조각으로 저미다.

しょうへん【掌編】《掌篇》图 ☞コント.

——しょうせつ【—小説】图 장편 소설.

*しょうべん【小便】图⾃ **1** 소변; 오줌. ＝尿·ゆばり·しょんべん. ¶立ち～ 한뎃 소변; 변소 아닌 데에서의 방뇨 / この所に～無用 이 곳에 오줌 누지 말 것 / ～をする〔もらす〕 오줌을 누다〔지리다〕 / ～が近い 소변을 자주 보다 / ～を我慢する 소변을 참다. ↔大便. **2** 〈俗〉 매매 계약을 중도에서 깨뜨림. ¶料金を取って～しやがった 요금만 떼어먹고 약속을 어겼다.

——くさ·い【—臭い】形 **1** 지린내 나다. **2** 젖비린내 나다; 앳되고 미숙하다. ＝青臭い.

じょうへん【上編】《上篇》图 상편; 책의 첫째 편. ↔中編·下編.

じょうほ【譲歩】图⾃ 양보. ¶～をせまる 양보를 강요하다 / 一歩も～しない 일보도 양보 안하다.

しょうほう【商法】图 **1** 장사하는 방법. ¶士族の～ 무사(출신자)의 상법《서투른 일은 실패하기 쉬움의 비유》. **2** 〔法〕 상법. ¶～を改正する 상법을 개정하다.

しょうほう【唱法】图 창법; 가창법. ¶異色的な～の歌手 이색적인 창법의 가수.

しょうほう【勝報】《捷報》图 첩보; 승보. ¶～に接する 승리의 소식에 접하다 / ～に歓声が上がった 승보에 환성이 터졌다. ↔敗報.

しょうほう【詳報】图 상보. ¶現地からの～が届く 현지로부터의 상보가 도착하다. ↔略報.

*しょうぼう【消防】图 소방; 또, 소방직〔단원〕. ¶～士 소방사 / ～自動車 소방(자동)차.

——けん【—犬】图 소방견. ＝ファイアドッグ.

——しょ【—署】图 소방서.

じょうほう【上方】图 상방; 위쪽; 윗부분. ↔下方.

じょうほう【定法】图 정법. **1** 정해진 법칙. ¶～通り島流しの刑を言い渡された 정법대로 유형을 선고받았다. **2** 정해진 방법; 늘 하는 방식. ¶～通りバントで送る 정석대로 번트로 보내다.

**じょうほう【情報】图 정보. ＝インフォメーション. ¶～源 정보원 / ～が入る 정보가 들어오다 / ～を流す 정보를 흘리다 / ～を得る〔集める〕 정보를 얻다〔모으다〕 / ～に暗い 정보에 어둡다 / ある筋への～によれば 모처에 접수된 정보에 의하면 / ～が漏れた 정보가 새었다.

——かがく【—科学】图 정보 과학; 정보처리·축적 등에 관한 이론·기술을 연구하는 학문《information science 의 역어》.

——かくめい【—革命】图 정보 혁명; 컴퓨터 보급에 따른 여러 분야의 변혁.

——かしゃかい【—化社会】图 정보화 사회. ＝情報社会.

——けんさく【—検索】图 정보 검색《약칭: IR》.

——こうかいほう【—公開法】图 정보 공개법《국민의 알 권리의 하나》.

——サービス［service］图〔컴〕 정보 서비스; 컴퓨터를 사용하여 정보를 수집·가공·편집·배포하는 일.

——しょり【—処理】图 정보 처리《information processing의 역어》.

——つう【—通】图 정보통; 소식통.

——つうしん【—通信】图 정보 통신.

——もう【—網】图 정보망.

——りろん【—理論】图 정보 이론《information theory의 역어》.

しょうほうてい【小法廷】图 소법정; 最高裁判所(＝최고 재판소)의 법정〔합의체〕의 하나로, 5명의 법관으로 구성됨. ↔大法廷.

しょうほん【正本】图 정본. **1** 원본. ＝せいほん. ¶～と副本 원본과 부본. ↔写本·副本. **2** (연극의) 극본; 歌

舞伎(かぶき)의 대본.

しょうほん【抄本】《鈔本》 图 **1** 발췌해서 쓴 책. ↔原本(げんぽん)·完本(かんぽん). **2** 초본; 발췌한 문서·서류. ¶戸籍(こせき)～ 호적 초본. ↔謄本(とうほん)·原本(げんぽん).

じょうぼん【常凡】 图 ダナ 범상; 평범한 모양. ¶～な小説(しょうせつ)に過(す)ぎない 범상한 소설에 지나지 않다.

じょうまい【上米】 图 상미; 상등미. ¶新潟産(にいがたさん)の～ 新潟산 상등미.

じょうまえ【錠前】 图 〈口〉 자물쇠. ＝錠(じょう).　「하나》.

しょうまん【小満】 图 소만《24절기의

じょうまん【冗漫】 图 ダナ 용만; 장황함; 지루함. ¶～な文章(ぶんしょう) 장황한 문장/～な演説(えんぜつ) 지루한 연설. ↔簡潔(かんけつ).

しょうみ【正味】 图 정미. **1** 겉 포장을 제외한 알맹이. ㉠알맹이의 무게. ＝正目(しょうめ). ¶～100(ひゃく)グラム 정미 백 그램. ↔風袋(ふうたい). ㉡'正味値段(しょうみねだん)(＝에누리 없는 값; 도매값)'의 준말. ¶～は八掛(はちか)けだ 도매값은 정가의 팔할이다. **2** 실질; 실제의 수량. ¶～六時間(ろくじかん)ぐらい働(はたら)くわけだ 실직적으로 여섯 시간쯤 일하는 셈이다/～一万円(いちまんえん)もうける 실질적으로 1만 엔 벌다.

しょうみ【笑味】 图 ス他 '맛은 없습니다만 잡수어 주십시오'라는 뜻으로 식품을 선물할 때 하는 인사말. ¶ご～ください 변변치 않습니다만 드셔 보십시오.

しょうみ【賞味】 图 ス他 상미; 음식을 음미하면서 먹음. ¶銘菓(めいか)を～する 명과를 상미하다.

―きかん【―期間】 图 (가공 식품의) 유통 기한. ＝賞味期限(きげん). ¶～が切(き)れる 유통 기간이 지나다〔다 되다〕.

じょうみ【情味】 图 정미. **1** 인정미; 인간미. ＝おもいやり. ¶～がうすい 인정미가 적다/あの女(おんな)は～がある 저 여자는 인정미가 있다. **2** 풍미(風味); 정취. ＝おもむき. ¶～豊(ゆた)かに 정취도 풍부하게.

しょうみつ【詳密】 图 ダナ 상밀; 자세하고 세밀함. ¶～な描写(びょうしゃ)〔解説(かいせつ)〕 자세하고 세밀한 묘사〔해설〕.

じょうみゃく【静脈】 图 《生》 정맥. ¶～弁(べん) 정맥판/～瘤(りゅう) 정맥류. ↔動脈(どうみゃく).

―けつ【―血】 图 정맥혈.

―さんぎょう【―産業】 图 정맥 산업《사용후의 폐기물을 처리하여 자원으로서 재생·재가공 하는 산업 부문》. ↔動脈(どうみゃく)産業.　「↔皮下(ひか)注射.

―ちゅうしゃ【―注射】 图 정맥 주사.

しょうむ【商務】 图 상무; 상업상의 용무. ¶～省(しょう) (미국의) 상무부/～部長(ぶちょう) 상무부장/～長官(ちょうかん) 상무 장관/～に追(お)われる 상무에 쫓기다.

じょうむ【乗務】 图 ス自 승무. ¶特急(とっきゅう)に～する 특급 (열차)에 승무하다.

―いん【―員】 图 승무원.

じょうむ【常務】 图 상무. **1** 일상 업무. **2** 회사나 단체의 '常務(じょうむ)取締役(とりしまりやく)(＝상무 이사)·常務理事(じょうむりじ)(＝상무 이사)' 등의 준말.

しょうめい【正銘】 图 참된 것; 진짜. ¶正真(しょうしん)～ 거짓 없는 진짜.

***しょうめい【照明】** 图 ス他 조명. ¶～灯(とう) 조명등/～係(がかり) 조명 담당자/～器具(きぐ) 조명 기구/間接(かんせつ)～ 간접 조명/舞台(ぶたい)～装置(そうち) 무대 조명 장치/部屋(へや)の～が暗(くら)い 방의 조명이 어둡다.

―だん【―弾】 图 《軍》 조명탄.

****しょうめい【証明】** 图 ス他 증명. ¶印鑑(いんかん)～ 인감 증명/内容(ないよう)～ 내용 증명/真偽(しんぎ)を～する 진위를 증명하다/無実(むじつ)を～する 억울함을 증명하다/これで彼(かれ)の潔白(けっぱく)が～された 이것으로 그의 결백이 증명되었다.

しょうめつ【生滅】 图 ス自 생멸; 생사; 나타남과 사라짐. ¶万物(ばんぶつ)は～流転(るてん)する 만물은 생멸 유전한다.

しょうめつ【消滅】 图 ス自他 소멸. ¶権利(けんり)の～ 권리의 소멸/効力(こうりょく)が～する 효력이 소멸되다/こうして彼(かれ)の罪(つみ)はことごとく～した 이리하여 그의 죄는 모조리 소멸되었다.

―じこう【―時効】 图 《法》 소멸 시효.

****しょうめん【正面】** 图 정면. ＝おもて. ¶～玄関(げんかん) 정면〔전면(前面)〕 현관/～席(せき) 정면석/～の戸口(とぐち) 정면 출입구/～に見(み)える山(やま) 정면에 보이는 산/～を見(み)つめる 똑바로 앞을 응시하다/～から皮肉(ひにく)を浴(あ)びせられる 맞대 놓고 야유를 받다. ↔側面(そくめん)·背面(はいめん).

―きって【―切って】 連語 당당히; 서슴없이 맞대고. ¶～いう 맞대 놓고 말하다/～抗議(こうぎ)できない弱(よわ)み 당당히 항의할 수 없는 약점.

―しょうとつ【―衝突】 图 ス自 (차량·의견 등의) 정면충돌.

―ず【―図】 图 정면도.

じょうめん【上面】 图 상면; 윗면; 위쪽의 표면. ＝うわべ. ↔下面(かめん).

***しょうもう【消耗】** ㊀ 图 ス自他 소모. ¶兵力(へいりょく)の～ 병력의 소모/体力(たいりょく)を～する 체력을 소모하다/神経(しんけい)を～する仕事(しごと) 신경을 소모시키는 작업. ㊁ 图 ス自 〈俗〉 지침; 피곤해서 맥이 풀림. ¶きょうは～した 오늘은 지쳤다. 注意 본디, 'しょうこう'. 'しょうもう'는 관용음.

―せん【―戦】 图 소모전. ¶戦(たたか)いが長(なが)びくと～になる 싸움이 길어지면 소모전이 된다.

―ひん【―品】 图 소모품. ¶第一線(だいいっせん)では人命(じんめい)も～に過(す)ぎない 최전방에서는 인명도 소모품에 지나지 않는다. ↔備品(びひん).

じょうもく【条目】 图 조목; 조항; 항목. ¶～ごとに審議(しんぎ)〔検討(けんとう)〕する 조목조목 심의〔검토〕하다.

しょうもん【証文】 图 증문; 증서. ¶～を取(と)る〔書(か)く〕 증서를 받다〔쓰다〕/～を巻(ま)く 증서를 말아 올리다《증서에 써

있는 대금(貸金)의 환수를 포기하다》/ ～を入れる 증서를 써주다.
—の出し後れ 증서를 뒤늦게 내놓음; 사후(死後) 약방문.

じょうもん【定紋】图 가문(家門)에 따라 정해져 있는 문장(紋章); 가문(家紋). =もんどころ.

じょうもん【縄文】图 승문; 꼰무늬; 승석문(繩蓆文); 새끼줄 무늬.
—じだい【—時代】图 승석문 시대; 일본의 신석기 시대의 한 시기《기원전 1만년 전후부터 기원전 3세기경까지》.
—どき【—土器】图 승석문 토기.

じょうもん【城門】图 성문; 성의 출입구. ¶～を固める 성문을 굳게 지키다.

しょうやきょく【小夜曲】图 소야곡. =さよきょく·セレナーデ.

しょうやく【生薬】图 생약; 동식물·광물 따위를 재료로 하는 약. =きぐすり.

しょうやく【抄訳】图[ス他] 초역. ¶長編小説の～ 장편 소설의 초역/'戦争と平和'の～ '전쟁과 평화'의 초역. ↔全訳·完訳.

*じょうやく【条約】图 조약. ¶講和～ 강화 조약/～を締結する 조약을 체결하다/～に盛り込む 조약에 포함시키다/～を結ぶ 조약을 맺다.

じょうやど【定宿·常宿】图 단골 여관. ¶～にしているホテル 단골로 정해 놓고 묵는 호텔.

じょうやとい【常雇い】《常傭い》图 오랜 기간에 걸쳐서 고용됨《고용인, 농가의 머슴 등》. ↔臨時雇い.

じょうやとう【常夜灯】图 상야등; 밤새도록 켜 놓는 등. =常灯.

*しょうゆ〖醬油〗图 장유; 간장. =むらさき·したじ. ¶からし〔生, 酢〕じょうゆ 겨자〔날, 초〕 간장/～で味をつける 간장으로 맛을 내다. [参考] '正油'로 씀은 취음.

しょうよ【賞与】图 상여; 상으로 금품을 줌; 또, 그 금품. =ボーナス. ¶～金 상여금; 보너스/暮れの～ 연말 보너스/年に二回～がある 1년에 두 번 상여가 있다〔지급된다〕.

じょうよ【丈余】图 장여; 한 길 남짓; 열 자가 넘음. ¶～の旗 장여의 기(폭).

じょうよ【剰余】图 잉여; 여분. =残り. ¶～金 잉여금.
—かち【—価値】图 잉여 가치.

じょうよ【譲与】图[ス他] 양여; 양도. ¶～税 양여〔양도〕세/利益を～する 이익을 양여하다.

しょうよう【商用】图 상용. ¶～語 상용어/～文 상용문/～周波 상용 주파수/～で出張〔上京〕する 상용으로 출장〔상경〕하다.

しょうよう〔逍遥〕图[ス自] 소요; 슬슬 거닐며 돌아다님; 산책. =そぞろ歩き. ¶森を～する 숲(속)을 소요하다.

しょうよう【従容】[トタル] 종용; 침착한 모양. ¶～として死につく 침착한 태도로 죽음에 임하다.

じょうよう【乗用】图 승용. ¶～車 승용차/～馬 승용마/～に供する 승용으로 제공하다.

じょうよう【常用】图[ス他] 상용. ¶～語 상용어/～の万年筆 상용하는 만년필/～しても副作用のない薬 늘 사용해도 부작용이 없는 약.
—かんじ【—漢字】图 (일본의) 상용한자《1981년, '当用漢字' 대신에 일상 사용의 표준으로 제정한 1945자(字)의 한자》.

しょうよく【小欲·少欲】《小慾·少慾》[名ナ] 소욕; 욕심이 적음; 작은 욕망. =寡欲. ¶～な〔の〕人 욕심이 적은 사람/～を尊ぶ 소욕을 존중하다. ↔大欲·多欲.

じょうよく【情欲】《情慾》图 정욕; 색정(色情). ¶～の奴隷 정욕의 노예/～のとりことなる 정욕의 포로가 되다/～は制し難い 정욕은 억제하기 힘들다/～を押さえる 정욕을 억누르다.

しょうらい【招来】图[ス他] 초래. 1 가져옴. ¶この問題は政変を～するだろう 이 문제는 정변을 초래할 것이다. 2 사람을 초청해서 오게 함. ¶海外から指揮者を～する 해외에서 지휘자를 초청하다.

**しょうらい【将来】[一]图 장래; 미래; 전도. ¶近い～ 가까운 장래/輝かしい～ 빛나는 장래/～大人物になる男だ 장래 큰 인물이 될 사나이다/君は～何になるつもりか 자네는 장래 무엇이 될 작정인가/～に備える 장래에 대비하다/～きっと後悔するだろう 장차 반드시 후회할 것이다/彼は～を嘱望されている 그는 장래가 촉망되고 있다. [二]图[ス他] 1 외국에서 가져옴. ¶唐から～した宝物 당나라에서 가져온 보물/仏像を～する 불상을 (외국서) 가져오다. 2 야기함. ¶危機を～する 위기를 야기하다.
—せい【—性】图 장래성. ¶～のある事業 장래성이 있는 사업/～を見越す 장래성을 내다보다.

じょうらく〔上洛〕图[ス自] 京都로 올라감. =上京·入洛. ¶手勢を率いて～する 휘하(의) 군대를 이끌고 수도〔京都〕로 올라가다.

しょうらん〔照覧〕图[ス他] 조람; 신불(神佛)이 굽어봄. ¶神々も～あれ 신들이여, 굽어살피소서.

しょうり【小利】图 소리; 작은 이익. ¶目の前の～に迷う 눈앞의 작은 이익에 미혹되다/大利の前に～を捨てる 큰 이익 앞에 작은 이익을 버리다. ↔大利·巨利.
—たいそん【—大損】图 소리대손; 소리를 탐하다가 오히려 큰 손해를 봄.

*しょうり【勝利】《捷利》图[ス自] 승리. =勝ち. ¶大～ 대승리/～者 승리자/～の女神 승리의 여신/～を収める

승리를 거두다 / ～の栄冠を得る 승리의 영관을 얻다 / ～のほどはおぼつかない 승리 여부는 자신이 없다 / ～を決定づける 승리를 결정짓다. ↔敗北.

—とうしゅ【—投手】名〔野〕승리 투수. ↔敗戦投手.

じょうり【条理】名 조리. ＝筋道. ¶不～ 부조리 / ～が立たない言い分 조리가 서지 않는 주장 / ～にかなった話 조리에 맞는 이야기 / 法律の～に反する 법률의 조리에 위배되다.

じょうり【情理】名 정리; 인정과 도리. ¶～を尽くして説く 인정과 도리를 다해서 설득하다 / ～兼ね備えた名文 인정과 도리를 아울러 갖춘 명문.

じょうり【場裏】《場裡》名 장리; 그 장소 안; 또, 어떤 일이 이루어지는 범위. ¶競争～ 경쟁 무대 / 国際～ 국제 무대.

***じょうりく**【上陸】名ス自 상륙. ¶～作戦 상륙 작전 / 敵前～ 적전 상륙 / ～用舟艇 상륙용 주정 / 台風が～して被害をもたらした 태풍이 상륙하여 피해를 가져왔다 / 航海を終えて～した 항해를 마치고 상륙했다.

しょうりつ【勝率】名 승률; 이긴 비율. ¶～が高い 승률이 높다 / ～をあげる 승률을 올리다.

***しょうりゃく**【省略】名ス他 생략. ¶～文 생략문 / 以下～ 이하 생략 / あいさつは～する 인사는 생략한다.

しょうりゅう【昇竜】名 승룡; 하늘에 오르려는 기세 좋은 용. ¶～のごとき勢い 용이 하늘에 오를 듯한 기세; 승룡지세.

***じょうりゅう**【上流】名 상류. **1** 사회의 높은 계층. ¶～階級 상류 계급 / ～の生まれ 상류 (가문) 출신. **2** 강물이 흘러내려 오는 방향. ＝川上. ¶～に遡る 상류로 거슬러 올라가다 / その川の～三マイルの所に村がある 그 강의 상류 3마일 되는 곳에 마을이 있다. ⇔下流·中流.

じょうりゅう【蒸留】《蒸溜》名ス他 증류. ¶～液 증류액 / 海水を～する 바닷물을 증류하다. 注意 '蒸留'로 씀은 대용(代用) 한자. ↔乾留.

—しゅ【—酒】名 증류주《소주·위스키 따위》. ↔醸造酒.

—すい【—水】名 증류수.

しょうりょ【焦慮】名ス自 초려; 애태움; 초조해 함. ¶～の色が濃い 초조한 기색이 역력하다 / ～にかられる 몹시 애태우다 / ～の色が見える 애타는 빛이 보이다 / 仕事がはかどらなくて～する 일이 부진하여 애태우다.

しょうりょう【少量】名 소량; 적은 분량. ¶～の塩〔薬〕소량의 소금〔약〕. ↔多量·大量.

しょうりょう【渉猟】名ス他 섭렵; 여기저기 찾아다님; 전하여, 온갖 책을 널리 읽음. ¶山野を～する 산야를 섭렵하다 / 古今東西の書籍を～する 동서 고금의 서적을 섭렵하다.

しょうりょう【精霊·聖霊】名〔佛〕정령; 사자(死者)의 영혼. ＝(み)たま.

—え【—会】名 '盂蘭盆'의 딴 이름.

しょうりょく【省力】名 생력; 힘을 덞; 기계화·공동화 따위로 작업 시간과 노력을 덞. ¶～栽培 생력 재배.

—か【—化】名ス他 생력화. ¶作業を～する 작업을 생력화하다.

—のうぎょう【—農業】名 생력 농업.

じょうりょく【常緑】名 상록. ¶～の松 늘 푸른 소나무.

—じゅ【—樹】名〔植〕상록수. ＝ときわ木. ↔落葉樹.

しょうりん【小輪】名 소륜; 꽃의 둘레가 보통보다 작음. ¶～の花 (둘레가) 작은 꽃. ↔大輪.

じょうるい【城塁】名 성루; 성채. ＝とりで.

じょうるり［浄瑠璃］名 (일본의 가면 음악극의 대사를 영창(咏唱)하는 음곡에서 발생한) 음곡에 맞추어서 낭창(朗唱)하는 옛 이야기《후에 義太夫節의 딴 이름으로 됨》.

しょうれい【症例】名 증례; 질병이나 상처가 나타내는 증상의 보기.

***しょうれい**【奨励】名ス他 장려. ¶貯蓄を～する 저축을 장려하다 / それでは暗に悪事を～することになる 그러면 암암리에 나쁜 일을 장려하는 것이 된다.

—きん【—金】名 장려금.

じょうれい【条例】名 조례. ¶～違反 조례 위반 / ～を発布する 조례를 발포하다 / 会社側は公安～を無視している 회사측은 공안 조례를 무시하고 있다.

じょうれい【常例】名 상례; 관례. ＝恒例. ¶～に従う 상례에 따르다 / ～に拘泥する 상례에 구애되다.

じょうれん【常連】《定連》名 **1** (음식점이나 흥행장 따위의) 단골손님. ＝定客. ¶プロ野球の～ 프로 야구의 팬. **2** 늘 함께 어울리는 패거리. ¶～が毎日のように集まる 한 패거리가 매일 같이 모인다.

じょうろ［女郎］名 ☞じょろう(女郎).

じょうろ［포 jorro］名 물뿌리개. ＝じょろ. ¶～で庭木に水をやる 물뿌리개로 정원수에 물을 주다. 注意 '如雨露'로 씀은 취음.

しょうろう【鐘楼】名 종루; 종각. ＝鐘つき堂. ¶～に登って鐘を撞く 종루에 올라가서 종을 치다. 注意 옛날에는 'しゅろう'.

—もり【—守】名 종지기. ＝かねつき.

じょうろう【城楼】名 성루.

しょうろうびょうし【生老病死】名〔佛〕생로병사. ＝四苦.

しょうろく【抄録】名ス他 초록; 발초한 기록. ＝抜き書き. ¶雑誌の論文を～する 잡지의 논문을 초록하다.

しょうわ【小話】名 소화; 짤막한 이야

기; 에피소드. ＝エピソード·こばなし.

しょうわ【昭和】 名 1926년부터 1989년 까지의 일본 연호.

—げんろく【—元禄】 名 2차 대전 후 20여 년이 지나서 태평 무드에 젖은 일본의 세태를 근세 초기의 元禄 시대에 비유한 말.

しょうわ【笑話】 名 소화; 우스개; 우스운 이야기. ＝笑い話.

しょうわ【唱和】 名ス自 창화; 한 사람이 선창하고 여러 사람이 그에 따름. ¶男女の～による歌 남녀의 창화에 의한 노래 / 万歳を～する 만세를 따라 부르다 / 御～願います 함께 제창하시기 바랍니다.

じょうわ【情話】 名 정화. **1** 인정이 담긴 이야기. ＝人情話. **2** (남녀의) 정담. ＝睦言. ¶あの若い男女はさっきから～を交わしている 저 젊은 남녀는 아까부터 정담을 나누고 있다.

しょうわくせい【小惑星】 名〔天〕소행성(小行星). ＝小遊星.

しょうわる【性悪】 名ダナ 〈老〉 근성〔성질〕이 나쁨; 또, 그런 사람. ＝いじわる. ¶～な子 성질이 고약한 아이.

しょえい【初映】 名 초영; 영화를 그 나라에서 처음 상영함. ¶本邦～の 본국에서 처음으로 상영하는. ↔再映.

しょえん【初演】 名ス他 초연; 최초의 상연이나 연주. ¶本邦～ 우리 나라 초연 / ～は好評だった 초연은 호평이었다. ↔再演.

じょえん【助演】 名ス自 조연. ¶～者 조연자 / 多くの名作に～した 많은 명작에 조연했다. ↔主演.

ショー [show] 名 쇼. **1** 구경거리; 경(輕)연극; 촌극. ¶～ガール 쇼 걸. **2** 전람회. ¶ファッション～ 패션 쇼. **3** 영화(상영). ¶ナイト～ 나이트 쇼; 야간 상영 / ロード～ 로드 쇼.

—ウインドー [show window] 名 쇼 윈도; 진열창. ¶～をのぞき歩く 쇼 윈도를 들여다보며 걷다.

—ケース [show case] 名 쇼 케이스; 진열장.

—マン [showman] 名 쇼맨. **1** 쇼에 나오는 남자 배우. **2** 그때그때의 효과만을 나타내고자 노리는 사람.

—マンシップ [showmanship] 名 쇼맨십. **1** 관중이나 청중을 조금이라도 기쁘게 해 주려고 하는 연예인의 마음가짐. **2** 많은 사람에게 자기를 잘 보여서 인기를 얻는 재능.

—ルーム [show room] 名 쇼룸; 진열〔전시〕실.

*****じょおう【女王】** 名 여왕. **1** 여자 임금; 또, 왕후. ＝クイーン·女帝. ¶ビクトリア～ 빅토리아 여왕. **2** 어떤 분야에서 가장 훌륭한 여성. ¶銀盤の～ 은반의 여왕 / テニス界の～と呼ばれる 테니스계의 여왕으로 불리다.

—ばち〖—蜂〗 名〔蟲〕여왕벌. ⇨はたらきばち.

ジョーカー [joker] 名 조커. **1** (카드 놀이에서) 짝이 없는 으뜸패. ＝ばば. **2** 어릿광대. ＝道化師. **3** 익살꾼.

ジョーク [joke] 名 조크; 농담. ＝しゃれ. ¶～を飛ばす 조크를 하다.

ショーツ [shorts] 名 쇼츠. **1** 운동용의 짧은 반바지. ＝ショートパンツ. **2** 여성용의 짧은 속바지.

ショート [short] 쇼트. 一名 **1** 짧음. ¶～スカート 짧은 스커트 / ～タイム 짧은 시간. ↔ロング. **2**〔野〕'ショートストップ(＝쇼트스톱)'의 준말; 유격수. ¶～強襲のヒット 유격수를 강습한 히트. 二名ス自 'ショートサーキット(short circuit)(＝단락(短絡))'의 준말.

—カット [일 short+cut] 名 쇼트 컷; 단발머리. ¶髪を～にする 머리를 짧은 단발머리로 하다. *영어로는 short hair 라고 함.

—ケーキ [shortcake] 名 쇼트케이크; 서양 과자의 하나.

—バウンド [short bound] 名〔野〕쇼트 바운드.

—パンツ [일 short+pants] 名 쇼트 팬츠. ＝ショーツ 1. *영어로는 shorts.

ショートニング [shortening] 名 쇼트닝《생과자 제조용의 라드 따위 지방》.

ショービニズム [프 chauvinisme] 名 쇼비니슴; 극단적인 애국주의; 국수주의.

ショール [shawl] 名 숄; 어깨에 걸치는 여자용 목도리.

しょか【書家】 名 서가; 서도가; 서예가.

しょか【書架】 名 서가; 책꽂이. ＝本だな. ¶～に並んでいる文学全集 서가에 나란히 꽂혀 있는 문학 전집.

しょか【初夏】 名 초하; 초여름. ＝はつなつ. ↔晩夏·盛夏.

しょが【書画】 名 서화; 글씨와 그림. ¶～骨董 서화 골동.

しょかい【初回】 名 초회; 첫 번; 제1회. ¶～金 첫 불입금.

*****じょがい【除外】** 名ス他 제외. ¶特殊な事情の場合は～する 특수한 사정인 경우에는 제외한다.

—れい【—例】 名 제외례; 예외. ＝例外.

しょがく【初学】 名 초학; 처음으로 배움; 또, 그 사람. ＝初心·初学び. ¶～のための入門書 초학자를 위한 입문서.

—しゃ【—者】 名 초학자.

じょがくせい【女学生】 名 여학생《주로 중·고교 여학생을 일컬음》. ¶セーラー服の～ 세일러복을 입은 여학생.

しょかつ【所轄】 名ス他 소할; 관할. ¶警察～区域 경찰 관할 구역 / ～署 관할서 / この事件は本署の～ではない 이 사건은 본서의 관할이 아니다.

じょがっこう【女学校】 名 여학교. **1** 여자(중·고등)학교. **2** 구제(舊制)의 '高等女学校(＝고등 여학교)'의 준말.

しょかん【所感】 名 소감; 감상; 느낀 바. ¶年頭(の)～ 연두 소감 / ～を述べる 소감을 피력하다 / 昨夜の会についての御～を承りたい 어제 저녁 회합에 대한 소감을 듣고 싶습니다.

しょかん【書簡】《書翰》名 서간; 서한; 편지. ＝手紙(てがみ)·書状(しょじょう).
—せん〔—箋〕名 편지지(紙). ＝便箋(びんせん).
—たいしょうせつ【—体小説】名 서간체 소설.
—ぶん【—文】名 서한문.
しょがん【所願】名 소원.
—じょうじゅ【—成就】名 소원 성취. ¶～を祈(いの)る 소원 성취를 빌다.
じょかん【女官】名 여관; 궁녀. 注意 'にょかん' 'にょうかん' 이라고도 함.
しょき【所期】名ス他 소기; 기대함; 또, 기대하는 바. ¶～の如(ごと)く 소기와 같이 / ～の成績(せいせき)をあげる 소기의 성적을 올리다 / ～の目的(もくてき)を達(たっ)する 소기의 목적을 이루다.
しょき【初期】名 초기. ¶革命(かくめい)の～ 혁명의 초기 / ～微動(びどう) (지진의) 초기 미동 / 病(やまい)は～の手当(てあて)が大切(たいせつ)だ 병은 초기 치료가 중요하다. ↔末期(まっき).
—か【—化】名ス他〔컴〕초기화; 디스크나 메모리에 있는 기존 데이터를 지우고 새로 입력할 수 있는 상태로 만드는 일. ＝フォーマット·イニシャライズ.
しょき【暑気】名 서기; 여름 더위. ¶～を払(はら)う 더위를 쫓다. ↔寒気(かんき).
—あたり【—当たり】《—中り》名 더위 먹음. ＝暑(あつ)さ負(ま)け. ¶～で食(しょく)が細(ほそ)る 더위를 먹어 식욕이 없어지다.
—ばらい【—払い】名ス他 피서; 소하(消夏). ＝暑さしのぎ.
しょき【書記】名 서기. ¶討論会(とうろんかい)の～ 토론회 서기 / 裁判所(さいばんしょ)の～ 법원의 서기 / 定例(ていれい)会議(かいぎ)で～をつとめる 정례 회의에서 서기 일을 맡아보다.
じょきじょき 副 가위 따위로 자르는 모양: 싹둑싹둑. ¶紙(かみ)を～と切(き)る 종이를 싹둑싹둑 자르다.
*しょきゅう【初級】名 초급; 최초의 등급. ¶～者(しゃ) 초급자 / ドイツ語(ご)の～クラス 독일어의 초급반 / ～会話(かいわ) 초급 회화. ↔上級(じょうきゅう)·中級(ちゅうきゅう).
しょきゅう【初球】名〔野〕초구; 투수가 타자에 대해 최초로 던진 공.
しょきゅう【初給】名 초급; 초봉. ＝初任給(しょにんきゅう). ¶今年(ことし)この会社(かいしゃ)の～は十万円(じゅうまんえん)だ 올해 이 회사의 초봉은 10만 엔이다.
じょきゅう【女給】名〈卑〉여급. ¶バー〔カフェー〕の～ 바〔카페〕의 여급. 参考 지금의 ホステス에 해당함.
じょきょ【除去】名ス他 제거. ¶障害(しょうがい)を～する 장애를 제거하다.
—しょく【—食】名 알레르기를 잘 일으키는 아이들이 싫어하는 음식을 뺀 식품.
しょぎょう【諸行】名〔佛〕제행.
—むじょう【—無常】名〔佛〕제행무상.
じょきょうじゅ【助教授】名 조교수.
じょきょうゆ【助教諭】名 1 준교사. 2 '代用教員(だいようきょういん)(＝임시직 교사)'의 고친 이름.
じょきょく【序曲】名 1 서곡. ＝プレリュード·オーバーチュア. ¶～の演奏(えんそう)が始(はじ)まる 서곡의 연주가 시작되다. 2 시작; 전조; 조짐. ¶これはまだ事件(じけん)の～だよ 이것은 아직 사건의 서곡일세. ↔終曲(しゅうきょく).
ジョギング〔미 jogging〕名 조깅. ＝ジョッギング. ¶～シューズ 조깅화.
しよく【私欲】《私慾》名 사욕. ¶～に走(はし)る 사욕을 탐하다 / ～に目(め)がくらんだのだ 사욕에 눈이 어두워진 것이다 / 彼(かれ)は～一点張(いってんば)りの男(おとこ)だ 그는 자기 욕심밖에 모르는 사나이다.
しょく【食】一名 1 식사. ¶～にこと欠(か)く 끼니를 거르다. 2 음식; 먹는 양. ¶～を断(た)つ 단식하다 / ～を求(もと)める 음식을 구하다〔찾다〕. 3《본디는 蝕》식; (해나 달이) 이지러짐. ¶部分(ぶぶん)～ 부분식. 二接尾 식사 횟수를 세는 말: …식; …끼. ¶一日(いちにち)三(さん)～ 1일 3식.
—が進(すす)む 식욕이 나다. ＝箸(はし)が進む.
—が細(ほそ)い (먹는) 양이 작다; 입이 짧다.
—が細(ほそ)る 식욕이 없어져 별로 안 먹게 되다.
*しょく【職】一名 1 직업; 일자리. ¶～をさがす〔求(もと)める〕 직업을〔일자리를〕 구하다 / 不景気(ふけいき)で～がない 불경기로 일자리가 없다 / ～につく 취직하다 / ～を失(うしな)う 일자리를 잃다. 2 직무; 직책. ＝役目(やくめ). ¶～を解(と)く 해임하다 / ～を免(めん)じられる 면직되다 / 校長(こうちょう)の～にある 교장직에 있다. 3 직능; 손 따위로 하는 일의 능력. ¶手(て)に～をつける 직업상의 기술을 지니다 / 手に～を持(も)つ 손에 (직업이 되는) 기술을 지니다 / 手に～がない 직업상의 기술을 갖추지 못하다. 二接尾 장색(匠色). ¶左官(さかん)～ 미장이.
—を奉(ほう)ずる 그 직업에 종사하다; 봉직하다《겸양어》.
=しょく【色】…색. 1 색깔. ¶保護(ほご)～ 보호색. 2 상태; 모양. ¶地方(ちほう)～ 지방색.
しょく〖色〗教2 ショク シキ いろ | 색 빛 | 색. 1 빛. ¶配色(はいしょく) 배색. 2 남녀간의 색정. ¶好色(こうしょく) 호색. 3 물건의 꼴; 모양; 색채. ¶春色(しゅんしょく) 춘색 / 景色(けしき) 경치.
しょく〖食〗《食》常用 ショク ジキ シ くう くらう たべる はむ | 식 먹다 | 1 먹다; 먹을 것. ¶食事(しょくじ) 식사 / 衣食住(いしょくじゅう) 의식주. 2 녹(祿)을 먹다. ¶食禄(しょくろく) 식록. 3 먹이다. ¶食客(しょっかく) 식객.
しょく〖植〗教3 ショク うえる うわる | 식 심다 | 1 세우다; 심다. ¶植樹(しょくじゅ) 식수. 2 땅에 심어져 있는 것. ¶植物(しょくぶつ) 식물. 3 개척하기 위해서 이주하다. ¶植民(しょくみん) 식민.
しょく〖殖〗常用 ショク ふえる ふやす | 식 심다 | 1 번식하다; 번식시키다; 불어나다. ¶生殖(せいしょく) 생식. 2 사람을 이주시켜서 개발시키다. ¶殖民(しょくみん) 식민. 注意 2는 '植' 3과 같음.

しょく〖飾〗《飾》常用 ショク シキ かざる
식 꾸미다 | 장식(하다); 꾸미다. ¶装飾(そうしょく) 장식/服飾(ふくしょく) 복식.

しょく〖触〗《觸》常用 ショク ソク ふれる さわる
촉 닿다 | 1 뿔이 물건에 부딪다; 접하다; 닿다. ¶触角(しょっかく) 촉각/接触(せっしょく) 접촉. 2 물건에 닿아서 느끼다. ¶触覚(しょっかく) 촉각/触感(しょっかん) 촉감.

しょく〖嘱〗《囑》常用 ショク たのむ | 촉 부탁
하다 | 부탁〔위촉〕하다. ¶嘱託(しょくたく) 촉탁/委嘱(いしょく) 위촉.

しょく〖織〗教5 ショク シキ おる | 직 짜다 | 1 (직물을) 짜다. ¶織機(しょっき) 직기/紡織(ぼうしょく) 방직. 2 조합에서 만들다; 조립하다. ¶組織(そしき) 조직.

しょく〖職〗教5 ショク シキ | 직 구실 | 직. 1 직무로 하다; 맡아 보다; 직무. ¶職責(しょくせき) 직책/就職(しゅうしょく) 취직. 2 생계를 위한 일; 또, 몸에 익힌 기능. ¶職工(しょっこう) 직공/手職(てしょく) 수공업적인 직업.

じょく〖辱〗常用 ジョク はずかしめる かたじけない
욕 욕보이다 | 욕; 창피스럽다; 부끄럽다; 수치를 주다; 욕보다. ¶雪辱(せつじょく) 설욕/侮辱(ぶじょく) 모욕.

しょくあたり【食当たり】《食中り》图 ス自 식중독; 식상(食傷). ＝食中毒(しょくちゅうどく). ¶～する 식중독을 일으키다. ↔水(みず)あたり.

しょくあん【職安】图 '公共(こうきょう)職業(しょくぎょう)安定所(あんていじょ)(＝공공 직업 안정소)'의 준말.

しょくい【職位】图 직위. ¶部長(ぶちょう)という～ 부장이라는 직위.

しょくいき【職域】图 직역. 1 직업이나 직무의 범위. ¶～が広(ひろ)い 직무 범위가 넓다/他人(たにん)の～をおかす 남의 직무 영역을 침범하다. 2 직장. ¶～別(べつ)に 직장별로.

しょくいん【職印】图 직인. ¶書類(しょるい)には学校長(がっこうちょう)の～が要(い)る 서류에는 학교장의 직인이 필요하다. ↔私印(しいん).

*しょくいん【職員】图 직원. ¶～室(しつ) (학교의) 직원실.
―かいぎ【―会議】图 직원 회의.
―ろく【―録】图 직원록〔명부〕.

しょぐう【処遇】图ス他 처우. ＝あつかい. ¶抑留者(よくりゅうしゃ)の～問題(もんだい) 억류자의 처우 문제/与(あた)えられた～に満足(まんぞく)しない 주어진 처우에 만족하지 않다/彼(かれ)は冷(つめ)たい～を受(う)けた 그는 푸대접을 받았다.

しょくえん【食塩】图 식염; 소금. ¶～水(すい) 식염수/～注射(ちゅうしゃ) 식염 주사.

**しょくぎょう【職業】图 직업. ＝職(しょく)・生業(せいぎょう). ¶～訓練(くんれん) 직업 훈련/～軍人(ぐんじん) 직업 군인/～に就(つ)く 직업을 얻다/～をかえる 직업을 바꾸다/～には貴賤(きせん)が無(な)い 직업에는 귀천이 없다.
―あんていじょ【―安定所】图 직업 안정소. ＝安定所・職安(しょくあん).
―いしき【―意識】图 직업 의식. ¶～に欠(か)ける 직업 의식이 부족하다.
―がら【―柄】图 직업의 성질상; 직업상. ¶～顔(かお)が広(ひろ)い 직업상 발이 넓다.
―きょういく【―教育】图 직업 교육.
―ふじん【―婦人】图 직업 여성. ↔家庭(かてい)婦人.

しょくけ【食気】图 (왕성한) 식욕. ＝くいけ.

しょくげん【食言】图ス自 식언; 일구이언. ¶～行為(こうい) 식언 행위/三日(みっか)もたたぬ中(うち)に～する 사흘도 못 가서 딴소리하다.

しょくご【食後】图 식후; 식사 후. ¶～のくだもの 식후에 먹는 과일/お～はいかが 후식을〔디저트를〕 드시겠습니까. ↔食前(しょくぜん).

しょくさい【植栽】图ス自 식재; 식물을 재배함.

しょくざい【食材】图 '食品材料(しょくひんざいりょう)(＝식품 재료)'의 준말; 요리 재료.

しょくざい〔贖罪〕图ス自 속죄. ＝つみほろぼし. ¶～金(きん) 속죄금/キリストは全(ぜん)人類(じんるい)の～者(しゃ) 그리스도는 전인류의 속죄자.

しょくさん【殖産】图 식산. ¶～の早道(はやみち)としての投資(とうし)信託(しんたく) 식산의 지름길인 투자 신탁.

しょくし【食指】图 식지; 인지(人指); 집게손가락. ＝ひとさしゆび.
―が動(うご)く 1 식욕이 동하다. 2 탐을 내다; 마음이 동하다.

**しょくじ【食事】图ス自 식사. ¶～の時間(じかん) 식사 시간/～どき 식사 때/粗末(そまつ)な～ 간소한 식사/十人分(じゅうにんぶん)の～ 10명분의 식사/～の用意(ようい) 식사 준비/控(ひか)え目(め)に～をする 절제하여 식사를 하다/有(あ)り合(あ)わせの～ 있는 그대로 장만한 식사/～をとる 식사를 하다/～に呼(よ)ばれる 식사에 초대받다/～を抜(ぬ)きにする 식사를 거르다.

しょくじ【植字】图ス自 (활판 인쇄에서) 식자; 조판(組版). ¶～工(こう) 식자공/～機(き) 식자기. 参考 인쇄소 식자공은 '食事(しょくじ)'와 음이 같으므로 'ちょくじ'로 읽음.

しょくしゅ【触手】图 촉수; 더듬이. ¶～厳禁(げんきん) 촉수 엄금.
―を伸(の)ばす 촉수를 뻗치다. ¶いたるところに触手を伸ばして情報(じょうほう)を集(あつ)めている 도처에 촉수를 뻗쳐 정보를 모으고 있다.

しょくしゅ【職種】图 직종. ¶～を問(と)わず 직종을 불문하고.

しょくじゅ【植樹】图ス自 식수; 식목. ¶～祭(さい) (매년 5월의) 식목 행사/入学記念(にゅうがくきねん)に～する 입학 기념으로 식수하다.

しょくじょ【織女】图 직녀. 1 베짜는 여자. ＝はたおりめ. 2〔天〕'織女星(せい)(＝

직녀성)'의 준말. ⇨けんぎゅう.

しょくしょう【食傷】图ス自 1 식상; 식체; 체함. =食あたり. ¶たべ過ぎて~した 과식해서 체했다. 2 싫증이 남; 물림. ¶宴会に~した 연회에 식상했다 / テレビの歌謡番組にはいささか~気味だ TV 가요 프로에는 좀 물린 듯하다. 「이 요법.

しょくじりょうほう [食餌療法] 图 식

しょくしん【触診】图ス他 촉진; 손으로 만져서 진찰함. ↔聴診·視診·問診·打診.

しょくじんしゅ【食人種】图 식인종. =ひとくいじんしゅ.

しょく-する【嘱する】サ変他 당부하다; 위촉하다. ¶後事を~ 뒷일을 당부하다 / 将来を~ 장래를 위촉하다.

しょく-する【食する】一サ変他 먹다. =食べる. ¶肉類を~ 육류를 먹다 / 生肉を~習慣がある 날고기를 먹는 습관이 있다. 二サ変自 1〔天〕식분(蝕分)하다; 이지러지다. 2 생활을 유지하다. ¶~道を失う 생계를 유지할 방도를 잃다. 注意 1은 본디 '蝕する'.

しょくせい【職制】图 1 직제; 직무상의 제도. ¶会社の~を改める 회사의 직제를 고치다. 2〈俗〉계장·과장 이상의 관리직; 또, 그 직위에 있는 사람.

しょくせいかつ【食生活】图 식생활. ¶~の合理化 식생활의 합리화.

しょくせき【職責】图 직책; 직무상의 책임. ¶~を果たす 직책을 다하다.

しょくぜん【食ぜん】《食膳》图 1 밥상; 식탁. =おぜん. ¶~に上る 밥상에 오르다 / ~に着く 밥상을 대하다; 식사하다 / ~をにぎわす 밥상을 푸짐하게 하다. 2 요리. =膳部. 「올리다.

—に供する 요리로 내놓다; 밥상에

しょくぜん【食前】图 식전; 식사 전. ¶~服用 식전 복용 / ~に薬を飲む 식전에 약을 먹다. ↔食後.

しょくたい【食滞】图ス自〔醫〕식체. =食もたれ.

しょくだい [燭台] 图 촉가(燭架); 촛대. ¶~に火をともす 촛대에 불을 켜다.

しょくたく【食卓】图 식탁. ¶~塩 식탁염 / ~をかたづける 식탁을 치우다 / ~に着く 식탁에 앉다 / ~を囲む 식탁에 둘러앉다.

しょくたく【嘱託】《属託》图ス他 촉탁. 1 청탁; 청부; 위탁. 2 임시로 일을 의뢰함; 또, 의뢰받은 사람. ¶会社の~ 회사의 촉탁 / 学校の~医 학교의 촉탁의(사). 「살인.

—さつじん【—殺人】图ス自〔法〕촉탁

しょくちゅうどく【食中毒】图ス自 식중독. =食あたり.

しょくつう【食通】图 식통; 요리의 맛에 정통함; 또, 그런 사람. =グルメ. ¶~ぶる 식통〔음식(맛)에 대한 권위자〕인 체하다.

**しょくどう【食堂】图 식당. ¶簡易〔大衆〕~ 간이〔대중〕식당.

—しゃ【—車】图 식당차.

しょくどう【食道】图 식도. ¶食物は~を通って胃に達する 음식물은 식도를 통해서 위에 도달한다. 「うらく.

しょくどうらく【食道楽】图 ☞くいど

しょくにく【食肉】图 식육; 식용육(肉). ¶~類 식육류. 「獣.

—じゅう【—獣】图 육식 동물. ↔草食

—しょくぶつ【—植物】图 식육 식물; 식충(食蟲) 식물.

*しょくにん【職人】图 직인; 장색(匠色); 장인(匠人)《목수·이발사 따위》. ¶あの理髪店では~が足りない 저 이발관은 이발사가 모자란다.

—かたぎ『—気質』图 장인 기질.

—げい【—芸】图 장인 솜씨〔기술〕.

しょくのう【職能】图 직능. 1 직업이나 직무상의 능력. 2 (직업에 따라 고유한) 기능; 구실. ¶国会〔副詞〕の~ 국회〔부사〕의 기능.

*しょくば【職場】图 직장. =つとめ先. ¶~放棄 직장 포기 / ~の仲間 직장 동료〔친구〕/ ~の民主化 직장의 민주화.

—けっこん【—結婚】图ス自 직장결혼.

しょくばい【触媒】图〔化〕촉매. ¶~作用〔反応〕촉매 작용〔반응〕/ しんらつな批評が~となる 신랄한 비평이 촉매가〔자극이〕되다.

しょくはつ【触発】촉발. 一图ス自 물건에 닿아서 폭발함. ¶~水雷 촉발 수뢰. 二图ス他 자극을 받음; (행동을) 유발함. ¶情勢の急変に~されて 정세의 급변에 자극되어 / ミロの絵に~されて画家になった 미로의 그림에 자극을 받아 화가가 되었다.

しょくパン【食パン】图 식빵. ¶~にバターをつけて食べる 식빵에 버터를 발라 먹다. 注意 口語형은 'しょっパン'. ↔菓子パン. ▷포 pão.

*しょくひ【食費】图 식비. ¶ホテルの~ 호텔의 식비 / ~がかさむ 식비가 늘어나다 / 一箇月の~を計算する 한 달치의 식비를 계산하다.

*しょくひん【食品】图 식품; 식료품. ¶~衛生法 식품 위생법 / ~売場 식품 매장 / アルカリ性~ 알칼리성 식품 / 冷凍~ 냉동 식품.

—てんかぶつ【—添加物】图 식품 첨가물《조미료·착색제 등》.

しょくぶつ【食物】图 ☞しょくもつ. ¶副~ 부식물.

**しょくぶつ【植物】图 식물. ↔動物.

—えん【—園】图 식물원. ¶大学付属~ 대학 부속 식물원.

—ぐんらく【—群落】图 식물 군락. ☞ぐんらく1.

—さいしゅう【—採集】图 식물 채집.

—しつ【—質】图 식물질. ¶~肥料 식물질 비료. ↔動物質.

—せい【—性】图 식물성. ¶~器官

식물성 기관 / ~蛋白質 식물성 단백질. ↔動物性.

—にんげん【—人間】图 식물인간.

しょくぶん【職分】图 직분. =役目·つとめ. ¶めいめいの~を守る 각자의 직분을 지키다 / ~をまっとうする 직분을 완수하다.

しょくぼう【嘱望】《属望》图区自他 촉망. ¶前途を~されている青年 전도가 촉망되는 청년.

しょくみ【食味】图 식미; 음식 맛. ¶京の~ 京都의 음식 맛 / ~を落とす 음식 맛을 떨어뜨리다.

しょくみん【植民·殖民】图区自 식민. ¶~政策 식민 정책 / 南米に~する 남미에 식민하다.

—ち【—地】图 식민지.

しょくむ【職務】图 직무. ¶~分析 직무 분석 / ~評価 직무 평가 / ~犯罪 직무 범죄 / ~を怠る 직무를 태만히 하다 / それは私の~外の事だ 그것은 내 직무 밖의 일이다.

—しつもん【—質問】图 불심 검문.

参考 '不審尋問(=불심 심문)'의 고친 이름.

しょくめい【職名】图 직명; 직함. ¶名刺に~を印刷する 명함에 직함을 박다.

しょくもう【植毛】图区自他 식모. 1 체모(體毛) 이식. ¶~術 식모술; 체모 이식술 / 火傷のあとに~する 화상을 입은 자리에 식모하다. 2 솔·융단 따위에 털을 박음. ¶ブラシの~工程 솔의 식모 공정.

しょくもたれ【食もたれ】《食靠れ》图 식체(食滯); 속이 트릿함. ¶~する食べもの 잘 소화되지 않는 음식.

*しょくもつ【食物】图 식물; 음식물.

—れんさ【—連鎖】图〔生〕식물 연쇄; 먹이사슬.

しょくやすみ【食休み】图区自 식후의 휴식; 식사 후에 휴식함. ¶~する間に新聞を読む 식후 휴식하는 동안에 신문을 읽다 / 親が死んでも~ 부모가 돌아가셔도 식후 휴식《식후 휴식은 건강에 중요함의 비유》.

しょくよう【食用】图 식용. ¶~酢 식초 / ~に供される 식용으로 쓰이다 / ~に適する 식용에 알맞다 / この草は~になる 이 풀은 식용이 된다.

—がえる〖—蛙〗图〔動〕식용〔황소〕개구리. =うしがえる.

—しきそ【—色素】图 식용 색소.

—ゆ【—油】图 식용유.

*しょくよく【食欲】《食慾》图 식욕. ¶~旺盛〔不振〕 식욕 왕성〔부진〕/ ~がある〔ない〕 식욕이 있다〔없다〕/ ~がわく〔出る〕 식욕이 솟다〔나다〕/ ~をそそる 식욕을 돋우다 / ~が起こる (a) 식욕이 생기다; (b)(…하고 싶은) 마음이 동하다.

—の秋 식욕의 가을.

**しょくりょう【食料】图 1 식료; 음식물. 2 식대(食代).

—ひん【—品】图 식료품. ¶~店 식품점 / ~売り場 식품 매장.

*しょくりょう【食糧】图 식량. ¶~難 식량난 / 携帯~ 휴대 식량 / 三日分の~ 3일분 식량.

しょくりん【植林】图区自 식림; 식수 조림. ¶~事業 식림 사업.

しょくれき【職歴】图 직력; 직업 경력.

しょくん【諸君】代 제군; 여러분; 제현. ¶紳士淑女~ 신사 숙녀 여러분 / 満場の~ 만장하신 여러분.

参考 '君たち(=너희들)'보다는 공손하고 '皆さん(=여러분)'보다는 격식 차린 말씨. 윗사람에게는 안 씀.

じょくん【叙勲】图区他 서훈; 훈장 수여. ¶~者 서훈자 / 生前の功労により故人に~の御沙汰があった 생전의 공로로 고인에게 훈장을 수여한다는 통지가 있었다. 「潮.

しょけい【初経】图 초경; 첫월경. =初

しょけい【処刑】图区他 처형; 사형 집행. =しおき. ¶~台 처형〔사형〕대 / ~場 처형장 / 反逆者を~する 반역자를 처형하다.

しょけい【諸兄】图 제형. =皆さん. ¶在京の~によろしく 재경의 제형에게 안부 전해 주십시오. ↔諸姉.

じょけい【女系】图 여계; 모계. ¶~家族 모계 가족. ↔男系.

しょげかえ-る【しょげ返る】《悄気返る》五自〈俗〉몹시 기가 죽다; 풀이 죽다. =しょげこむ. ¶しかられて~ 야단을 맞고 몹시 기가 죽다.

しょげこ-む【しょげ込む】《悄気込む》五自 기가 싹 죽어 버리다; 아주 풀이 죽어 버리다. =しょげ返る. ¶落第して~ 낙제하여 풀이 싹 죽다 / 作品をけなされて~·んでしまった 작품을 헐뜯겨 기가 푹 죽고 말았다.

じょけつ【女傑】图 여걸; 여장부. =女丈夫. ¶昔は~といわれた人 예전에는 여걸이라 불린 사람.

しょ-げる〖悄気る〗下1自〈俗〉기가 죽다; 풀이 죽다; 실망하여 맥이 빠지다. ¶叱られて~·げている 꾸지람을 듣고 기가 죽어 있다 / 大失態を演じて~·げている 큰 실수를 저지르고 기가 죽어 있다. 注意 '悄気る'로 씀은 취음.

しょけん【所見】图 1 소견. ㉠의견. ¶~を述べる 소견을 말하다. ㉡보고 나서 얻은 결과. ¶レントゲン写真による~ 뢴트겐 사진에 의한 소견. 2 본 바; 풍경. ¶銀座~ 銀座(거리)의 풍경.

しょげん【緒言】图 서언; 전하여, 서론; 서문; 머리말. =まえがき·はしがき. ¶著書に~を書く 저서에 서문을 쓰다. 注意 관용적으로 'ちょげん'이라고도 함.

しょげん【諸元】图 제원; 기계류의 성능 따위를 분석적으로 나타낸 수치.

—ひょう【—表】图 제원표; 철도 차량 따위의 번호·용량·무게·정원 등을 기입한 일람표.

じょけん【女権】图 여권. ¶~(の)拡張(かくちょう) 여권 신장(伸張)/~尊重(そんちょう) 여권 존중/~論者(ろんしゃ) 여권론자.

じょげん【助言】图ス自 조언; 도움말. =口添(くちぞ)え·助語(じょご). ¶~者(しゃ) 조언자/後輩(こうはい)に~する 후배에게 조언하다/~を与(あた)える 조언하다.

じょげん【序言】图 서언; 머리말. =まえがき.

しょこ【書庫】图 서고. ¶~に本(ほん)をいれる 서고에 책을 넣다.

しょこう［曙光］图 서광. ¶解決(かいけつ)の~ 해결의 서광〔징조〕/東(ひがし)の空(そら)に~が差(さ)し初(はじ)める 동쪽 하늘에 서광이 비치기 시작하다.

しょこう【初校】图〖印〗초교. ¶~本(ほん) 초교본.

しょこう【諸侯】图 제후. =大名(だいみょう).

しょごう【初号】图 초호. **1** 창간호. ¶雑誌(ざっし)の~ 잡지의 제1호. **2** 초호 활자. ¶~活字(かつじ) 초호 활자. 参考 1호, 2호의 순서로 작아짐.

じょこう【女工】图〈卑〉여공; 여자 직공. =女子工員(じょしこういん). ¶~を雇(やと)う 여공을 고용하다. ↔男工(だんこう).

じょこう【女高】图 여고; 여자 고등학교. ¶~生(せい) 여고생.

じょこう【徐行】图ス自 서행. ¶~区間(くかん) 서행 구간/~運転(うんてん) 서행 운전/工事(こうじ)中(ちゅう)につき~ 공사 중 서행/~中(ちゅう)の車(くるま) 서행 중인 차/踏切(ふみきり)の前(まえ)で~する 건널목 앞에서 서행하다.

しょこく【諸国】图 제국; 여러 나라; 또, 옛날 일본의 여러 지방. ¶近東(きんとう)~ 근동 제국/~行脚(あんぎゃ) 여러 지방 행각.

しょこん【初婚】图 초혼; 첫 결혼. ¶彼(かれ)は38歳(さんじゅうはっさい)ですが~です 그는 서른여덟 살이지만 초혼입니다. ↔再婚(さいこん).

しょさ【所作】图 행위; 소행; 태도; 몸짓; (배우의) 연기. ¶落(お)ち着(つ)いた~ 침착한 행동〔태도〕/同(おな)じ~を繰(く)り返(かえ)す 똑같은 몸짓을 반복하다.

しょさい【所載】图 소재; 인쇄물에 기사가 실려 있음. ¶新年号(しんねんごう)~のインタビュー記事(きじ) 신년호에 실린 인터뷰 기사/A誌(エーし)~のK博士(ケーはくし)の論文(ろんぶん) A잡지에 실린 K박사의 논문.

*しょさい【書斎】图 서재. ¶~にこもる 서재에 틀어박히다.

—は【—派】图 서재파; 이론파. ↔行動派(こうどうは).

*しょざい【所在】图 **1** 소재; 있는 곳; 거처. =ありか. ¶~をくらます 행방을 감추다/~をつきとめる 소재를 알아내다/~が知(し)れない 거처를 알 수 없다/責任(せきにん)の~を明(あき)らかにする 책임 소재를 명백히 하다/~が不明(ふめい)になる 행방불명이 되다. **2** 소행; 행동. =しわざ. ¶かかる~をするにも 이런 짓을 하는데도. **3**《흔히, '~に'의 꼴로》여기저기; 도처. =ここかしこ·至(いた)る処(ところ).

—ち【—地】图 소재지. ¶県庁(けんちょう)~ 현청 소재지.

—ない〖—無い〗形 할 일이 없어 심심하다. ¶~顔(がお) 따분한 표정/~·くて退屈(たいくつ)だ 할 일이 없어 심심하다/~·げに立(た)っている 무료한 듯이 서 있다.

じょさい【如才】图 빈틈; 소홀(함). =ぬかり. ¶~のない人(ひと) 빈틈없는 사람/そこに~があるものか 그곳에 빈틈이 있을 리 있나/年少(ねんしょう)ながら~がない 연소하면서도 빈틈이 없다.

—ない〖—無い〗形 붙임성이 있다; 빈틈이 없다; 눈치〔약삭〕 빠르다. ¶~応対(おうたい) 붙임성 있는 응대/~·くふるまう 빈틈없이〔붙임성 있게〕 행동하다.

しょさつ【初刷】图 초쇄; 최초의 인쇄; 초판. =はつずり.

しょさつ【書冊】图 서책; 책. =書物(しょもつ).

しょさつ【書札】图 서찰; 편지《예스러운 말씨》. =手紙(てがみ).

しょさん【初産】图 초산. =ういざん·しょざん. ¶~婦(ぷ) 초산부.

—じ【—児】图 초산아; 첫아기.

しょさん【所産】图 소산. ¶研究(けんきゅう)の~ 연구의 소산〔결과〕/多年(たねん)の努力(どりょく)の~ 다년간에 걸친 노력의 소산.

じょさん【助産】图 조산; 출산을 도움. ¶~所(じょ) 조산원(院).

—ぷ【—婦】图 조산원《'産婆(さんば)(=산파)'의 고친 이름》.

じょさん【除算】图 제산; 나눗셈. =割(わ)り算(ざん). ↔乗算(じょうざん).

しょし【庶子】图 서자. ⇨しせいじ. 参考 구민법에서 본처가 아닌 여자가 난 아이로, 아버지가 인지한 경우임. 현민법에서는 '父(ちち)が認知(にんち)した子(こ)(=아버지가 인지한 아이)' 또는 '嫡出(ちゃくしゅつ)でない子(こ)(=적출이 아닌 아이)'라고 함. ↔嫡子(ちゃくし).

しょし【書誌】《書志》图 **1** 서지; 서적; 도서. **2** 귀중한 고문헌의 재료·체재·성립 따위에 관한 기술(記述). **3** 특정인 및 특정 제목에 관한 문헌의 (해설이 딸린) 목록. =ビブリオグラフィー.

—がく【—学】图 서지학.

しょし【初志】图 초지. =初心(しょしん). ¶~を貫徹(かんてつ)する 초지를 관철하다/~をなげうつ 초지를 포기하다/~を翻(ひるがえ)さない 초지를 번복하지 않다.

しょし【諸子】제자. 一代 너희; 제군. =諸君(しょくん). ¶生徒(せいと)~はよく勉強(べんきょう)せよ 학생 제군은 열심히 공부하라. 参考 보통, 남성만이 씀. 二图 (중국에서) 춘추 전국 시대에 유가(儒家) 이외에 일파의 학설을 세운 사람; 또, 그 저서·학설.

—ひゃっか【—百家】图 제자백가.

しょし【諸氏】图代 제씨; 여러분. =みなさん. ¶先輩(せんぱい)~のおかげです 선배 여러분의 덕분입니다.

しょじ【所持】图ス他 소지. ¶~品(ひん) 소지품/大枚(たいまい)の金銭(きんせん)を~する 많은 돈을 소지하다/銃器(じゅうき)を不法(ふほう)に~する 총기를 불법으로 소지하다.

しょじ【諸事】名 제사; 제반사; 모든 일. ¶～節約(せつやく) 제사 절약/～万端(ばんたん) 제사 만단; 모든 일.

じょし【女史】名 여사. ¶女流画家(じょりゅうがか)中村(なかむら)～ 여류 화가 中村 여사.

*__じょし__【女子】名 여자. **1** 여자 아이; 딸. ＝娘(むすめ). ¶三人(さんにん)の～を儲(もう)けた 딸 셋을 두었다. **2** 여인; 여성. ＝おんな·女性(じょせい). ¶～教育(きょういく) 여성 교육/～従業員(じゅうぎょういん) 여자 종업원/～学生(がくせい) 여자 대학생. ⇔男子(だんし).

—と小人(しょうじん)は養(やしな)い難(がた)し 여자와 소인배는 가까이 하면 기어오르고, 멀리하면 비뚤어지기 쉬워 다루기 힘들다.

—こう【—高】名 여고. ¶～生(せい) 여고생.

—だい【—大】名 여대; 여자 대학.

—だいせい【—大生】名 **1** 여자 대학의 학생. **2** 여자 대학생.

—ていしんたい［—挺身隊］名 (제2차 세계 대전 때의) 여자 정신대.

じょし【序詞】名 서사. **1** 서문; 머리말. ＝まえがき·序文(じょぶん). **2** ☞プロローグ.

じょし【序詩】名 서시; 머리말을 대신해서 쓴 시.

じょし【助士】名 조수(助手). ¶機関(きかん)～ 기관 조수.

じょし【助詞】名〖文法〗조사; 토씨. ⇨てにをは.

じょじ【女児】名 여아; 여자 아이. ↔男児(だんじ).

じょじ【叙事】名 서사. ¶～文(ぶん) 서사문/～文学(ぶんがく) 서사 문학. ↔叙情(じょじょう).

—し【—詩】名 서사시. ＝エピック.

しょしき【書式】名 서식. ¶欠席届(けっせきとどけ)の～ 결석 신고의 서식/～が違(ちが)う 서식이 다르다/～にのっとって書(か)く 서식에 따라서 쓰다.

しょしちにち【初七日】名 **1** 처음 이레 동안. **2** ☞しょなのか.

じょしつ【除湿】名ス自 제습; 습기를 방지하기 위해 공기 중의 수분을 제거함. ¶～剤(ざい) 제습제/書庫(しょこ)の中(なか)を～する 서고 내부를 제습하다. ↔加湿(かしつ).

しょしゃ【書写】名ス他 **1** 서사; 글씨를 베낌. ¶原本(げんぽん)を～する 원본을 베끼다. **2** (학교에서) 습자; 서예. ＝習字(しゅうじ).

*__じょしゅ__【助手】名 **1** 조수. ¶運転(うんてん)～ 운전 조수/～を雇(やと)う 조수를 고용하다. **2** (대학) 조교.

—せき【—席】名 (자동차 등의) 조수석.

しょしゅう【初秋】名 **1** 초추; 초가을. ＝はつあき. ¶～の清々(すがすが)しい空気(くうき) 초가을의 산뜻한 공기. ↔晩秋(ばんしゅう)·中秋(ちゅうしゅう). **2** 맹추; 음력 7월.

しょしゅう【所収】名 그 책에 수록되어 있음. ¶～作品(さくひん) 수록된 작품.

じょしゅう【女囚】名 여수; 여자 죄수. ↔男囚(だんしゅう).

じょしゅう【除臭】名 제취; 냄새를 없앰. ＝消臭(しょうしゅう). ¶～剤(ざい) 제취제.

しょしゅつ【初出】名ス自 초출; 처음으로 나옴〔나타남〕. ¶三年生(さんねんせい)で～する漢字(かんじ) 3학년 때 처음 나오는 한자/その語(ご)の～は平安時代(へいあんじだい)にさかのぼる 그 말이 처음 나온 것은 平安 시대로 거슬러 올라간다. ↔再出(さいしゅつ).

じょじゅつ【叙述】名ス他 서술. ¶細(こま)かな～ 세밀한 서술/事件(じけん)をありのままに～する 사건을 사실 대로 서술하다/年次(ねんじ)を追(お)って～する 연차순으로 서술하다.

しょしゅん【初春】名 **1** 초춘; 이른봄; 초봄. ＝はつはる. ↔晩春(ばんしゅん). **2** 맹춘; 음력 정월.

しょじゅん【初旬】名 초순; 상순. ＝上旬(じょうじゅん). ¶五月(ごがつ)～ 오월 초순.

しょしょ【処暑】名 처서《24절기의 하나; 양력 8월 23일경》.

しょじょ【処女】처녀. 一名 미혼 여성. ＝おとめ·きむすめ·バージン. ¶～を失(うしな)う 처녀성을 잃다/～のようなはじらい 처녀 같은 수줍음.

二接頭 최초의; 처음으로 하는; 인적 미답의. ¶～雪(ゆき)〔峰(ほう)〕 처녀설〔봉〕/～出版(しゅっぱん) 처녀 출판/～演説(えんぜつ) 처녀 연설.

—さく【—作】名 처녀작.

—ち【—地】名 처녀지; 미개간지. ＝未開拓地(みかいたくち).

—まく【—膜】名 처녀막. ＝ヒーメン.

—りん【—林】名 처녀림; 원시림. ＝原生林(げんせいりん).

しょじょう【書状】名 서장; 편지. ＝手紙(てがみ). ¶～差(さ)し 편지꽂이/～をしたためる 편지를 쓰다.

じょしょう【序章】名 (논문·소설 등의) 서장; 처음 장(章). ↔終章(しゅうしょう).

じょじょう【叙情】《抒情》名 서정. ¶～的(てき) 서정적/～味(み) 서정미. ↔叙事(じょじ).

—し【—詩】名 서정시. ＝リリック.

じょじょうふ【女丈夫】名 여장부; 여걸. ＝じょじょうぶ. ¶彼女(かのじょ)は世(よ)にもまれな～だ 그녀는 세상에도 드문 여장부이다. ↔偉丈夫(いじょうふ).

じょしょく【女色】名 여색; 정사(情事). ¶～に迷(まよ)う 여색에 미혹되다/～におぼれる 여색에 빠지다/～を遠(とお)ざける 여색을〔여자를〕 멀리하다.

じょじょに【徐徐に】副 서서히; 천천히; 점차; 점점. ¶～水量(すいりょう)が増(ま)す 서서히 물이 불어나다/機会(きかい)が～熟(じゅく)して来(く)る 기회가 점차 무르익어 오다.

しょしん【所信】名 소신. ¶首相(しゅしょう)の～表明(ひょうめい)演説(えんぜつ) 수상의 기조 연설/～をあかす 소신을 밝히다/～の一端(いったん)をのべる 소신의 일단을 말하다/～をまげない 소신을 굽히지 않다.

しょしん【書信】名 서신; 편지. ＝手紙(てがみ). ¶～を受(う)け取(と)る 서신을 받다.

しょしん【初審】名〖法〗초심; 제일심. ＝一審(いっしん). ¶～で有罪(ゆうざい)の判決(はんけつ)を受(う)ける 일심에서 유죄 판결을 받다.

しょしん【初心】一名 **1** 초심; 처음으로 배움. ＝初学(しょがく). ¶～者(しゃ) 초심자. **2** 당초의 결심; 초지. ¶～を通(とお)す〔貫(つらぬ)く〕 초지를 관철하다.

二名ナ 순진하고 때묻지 않음; 숫보기.

=うぶ. ¶ ~者 숫된 사람; 숫보기 / ~な人 순진한 사람.

—しゃマーク【—者マーク】图 초보자 마크; 초보 운전 스티커. =若葉マーク. ▷mark.

しょしん【初診】图 초진. ¶ ~料 초진료 / ~の患者 초진 환자.

じょしん【女神】图 여신. =めがみ. ¶ ~像 여신상.

じょすう【序数】图 서수; 순서를 나타내는 수. =順序数.

—し【—詞】图〔文法〕서수사(('第一'(=첫째)' '二つ目'(=두 개째)' '二番目'(=두 번째)' 따위)). ↔基数詞.

じょすうし【助数詞】图〔文法〕양수사(量數詞); 수를 셀 때 어떤 종류의 것인가를 나타내는 접미어(('二台'(=두 대)' '五組'(=다섯 조)' '何枚'(몇 장)' 의 台·組·枚 따위)). ⇨下段 박스記事

しょずり【初刷り】图 초쇄; 초판(물). =第一刷り. ¶ ~本 초쇄본((책의 초판)). ↔あと刷り.

しょ-する【処する】㊀サ変他 **1** 처하다. ¶ 死刑に~ 사형에 처하다 / 過料に~·せられる 과료 처분을 받다. **2** 처리하다. ¶ 事を~ 일을 처리하다.
㊁サ変自 대처하다. ¶ 世に~道 세상에 처신하는 방법; 처세술 / 身を~ 처신하다 / 難局に~ 난국에 대처하다.

しょ-する【書する】サ変他 쓰다. =書く. ¶ 乞われて扁額を~ 부탁 받고 편액을 쓰다.

じょ-する【序する】サ変他 **1** 서문을 쓰다. ¶ 巻頭に自ら~ 권두에 스스로 서문을 쓰다. **2** 순서를 정하다.

じょ-する【除する】サ変他 **1** 나눗셈하다; 나누다. =割る. ¶ 五を三で~ 5를 3으로 나누다. ↔乗ずる. **2** 제거하다. =取り除く. ¶ 障害を~ 장애를 제거하다.

しょせい【書生】图 **1**〈老〉학생((明治에서 大正 시대의 용어)). =学生. ¶ いなか書生 시골뜨기 학생 / ~気質 학생 기질. **2** 서생; 남의 집 가사를 돌보며 공부하는 사람. =学僕.

—っぽ 图〈俗·蔑〉백면서생((세상 물정을 잘 모르는 서생의 뜻)). ¶ 先生というより~といった感じの人 선생이라기보다 서생이라는 느낌이 드는 사람. 参考 구어(口語)로는 'しょせっぽ'라고도 함.

—ろん【—論】图 탁상공론.

しょせい【処世】图 처세. =世渡り. ¶ ~の道 처세하는 길 / ~術に長けた人 처세술에 능한 사람.

じょせい【助勢】图ス自 조력; 도와 줌. =手助け·加勢. ¶ ~してあげる 도와 주다.

じょせい【助成】图ス他 조성; 사업이나 연구의 완성을 도움. ¶ ~金 조성금.

じょせい【女性】图 여성; 여자. =おんな·婦人·女子. ¶ 理想的な~ 이상적인 여성. ↔男性.

—かいほううんどう【—解放運動】图 여성 해방 운동. =ウーマンリブ.

—ご【—語】图 여성어((일본말에서 공손한 말씨의 'お', 감탄사의 'あら', 終助詞의 '…わ' 따위)).

—てき【—的】ダナ 여성적. ¶ ~な身

흔히 쓰이는 助数詞(양수사)

일반적으로 물건을 셀 때는 一つ(한 개)·二つ(두 개)라고 하며, 사람을 셀 경우엔 人(인)·名(명)인데, '한 사람·두 사람'할 때는 보통 'ひとり·ふたり'라고 한다. 또, 종이같이 얇게 펴진 것은 一枚(한 장)·数枚(여러 장), 연필같이 갸름한 것은 一本(한 자루)·筆二本(붓 두 자루)라고 하며, 책은 一冊(한 권)·百冊(백 권)라고 센다.

지우개와 같이 쉽게 잡을 수 있는 것은 대개 一個(한 개)라고 세므로 찻잔은 '一個'이나, 접시는 一枚(한 장)라고 한다. 옷은 一着(한 벌)·背広二着(양복 두 벌), 켤레로 손이나 발에 끼거나 신는 것은 一足(한 켤레)·くつ下二足(양말 두 켤레)라고 한다.

다발로 묶은 것은 一束(한 단[다발]) 라고 하여 '서류 한 묶음'은 '書類一束'라고 하나, 텔레비전·자동차·기계 등과 같이 조립한 것은 一台(한 대)·十台(열 대)라고 센다.

한편, 동물을 셀 때에도 여러 가지 사용 구분이 있다. 새는 一羽(한 마리), 생선은 '一尾'라고 세는 것이 관습인데, 생선은 점차 '一匹'로 부르게 되었다. 이젠 새의 경우도 はと三匹(비둘기 세 마리)라고 해서 그리 어색하지 않다. 네발짐승에서 개·고양이 따위는 '一匹'이고, 소·말·코끼리 따위와 같이 덩치가 큰 짐승은 一頭(한 마리)라고 하나 이것 역시 점차 '一匹'로 바뀌어 갈 것 같다. 토끼에 한해서 전에는 一羽(한 마리)로 세던 습관이 있었으나 지금은 '一匹'라고 하는 것이 좀더 일반적이다.

비행기는 一機(한 대), 선박은 一隻(한 척)·船十隻(배 열 척)라고 세는 것으로 굳어졌으며, 집과 같은 건축물은 一軒(한 채)이라고 하나, 석탑과 같이 고정된 것은 一基(일기)라고 한다.

전차 하나하나의 차량은 一両(한 량)·十両編成(십 량 편성) 등으로 쓰나, 기다렸다가 다음 전차를 타자고 할 때에는 一台待とう(한 대 더 기다리자)라고 구분하여 쓴다.

이 밖에 布団一組み(침구 한 벌)·スキー用具一揃い(스키 용구 한 벌) 등에서 보듯이 一組み(한 벌[세트])·一そろい(일습; 한 벌)·一セット(한 세트) 등과 같은 말은 자유롭게 쓸 수 있으며, 그 종류도 여러 가지가 있다.

のこなし 여성적인 몸놀림〔몸가짐〕/ ～な物言い 여성적인 말씨〔말투〕. ↔男性的.

しょせき【書籍】名 서적; 책. ¶～コード 서적 코드 / ～商 서적상; 책방.

じょせき【除籍】名ス他 제적. ¶～処分 제적 처분 / ～された学生 제적당한 학생 / 戸籍から～する 호적에서 제적하다 / 死亡により～する 사망으로 제적하다. ↔入籍.

—ぼ【—簿】名 제적부.

しょせつ【諸節】名 계절이 바뀔 때마다 행하는 여러 가지 행사. ¶月齢および～を記入する欄 월령〔음력 날짜〕 및 각종 계절 행사를 기입하는 난.

しょせつ【諸説】名 제설; 여러 가지 설〔의견〕; 항설(巷說). ¶～入り乱れる 여러 설이 분분하다.

—紛紛 제설이 분분함.

じょせつ【序説】名 서설; 서론. ¶哲学～ 철학 서론.

じょせつ【除雪】名ス自 제설. ＝雪かき. ¶道路を～する 도로의 눈을 치우다 / ～作業にとりかかる 제설 작업에 착수하다.

—しゃ【—車】名 제설차.

しょせん【緒戦·初戦】名 서전. ¶～の大勝利 서전의 대승리 / ～を飾る 서전을 장식하다. 注意1 현재, '初戦'은 최초의 싸움·경기의 뜻으로, '緒戦'은 초반전의 뜻으로 씀. 注意2 緒戦은 관용음으로는 'ちょせん'.

しょせん〖所詮〗副 결국; 필경; 어차피; 도저히; 아무래도. ＝どうせ. ¶～かなわぬ恋 어차피 이룰 수 없는 사랑 / ～できない相談だ 도저히 되지도 않을 이야기다.

じょせん【女専】名 '女子専門学校(＝여자 전문학교)'의 준말.

しょそう【諸相】名 제상; 여러 가지 모습. ¶生活の～を描いた文学作品 생활의 여러 모습을 묘사한 문학 작품.

しょぞう【所蔵】名ス他 소장. ¶～者 소장자 / ～本 소장본 / A氏～の骨董品 A씨 소장의 골동품.

じょそう【助走】名ス自 조주; 도움닫기. ¶～路 조주로; 도움닫기 길 / ～が悪かったので高跳は失敗した 도움닫기가 나빠서 높이뛰기는 실패했다.

じょそう【女装】名ス自 여장. ＝女装束. ¶女まがいの～の美男子 여자로 착각할 정도의 여장 미남자. ↔男装.

じょそう【除草】名ス自 제초. ＝草取り. ¶～器 제초기 / ～剤 제초제 / 毎週～する 매주 제초하다.

***しょぞく**【所属】名ス自 소속함. ¶無～ 무소속 / 政府に～する財産 정부에 소속된 재산 / 君の～部隊はどこだ 너의 소속 부대는 어디냐.

しょぞん【所存】名〈老〉생각; 의견. ＝考え·意見·つもり. ¶厳守する～です 엄수할 생각입니다 / ～の一端を申し述べます 생각의 일단을 말씀드리겠습니다.

じょそんだんぴ【女尊男卑】名 여존남비. ¶米国は～の国だ 미국은 여존남비의 나라이다. ↔男尊女卑.

***しょたい**【所帯】《世帯》名 세대(世帶); 가구; 가정(의 생계); 집안 살림. ¶～主 가구주 / ～数 세대〔가구〕수 / ～のやりくり 집안 살림을 꾸려 나가는 일 / ～が苦しい 생계가 힘들다 / ひとり所帯 독거 세대 / 何～も同居する 몇 세대나 같이 살다. 参考 법률 용어로는 '世帯'라고 쓰고 'せたい'로 읽음.

—を畳む 살림을 걷어치우다.

—を持つ 가정을 갖다.

—くずし【—崩し】名 가족이 뿔뿔이 흩어짐.

—くずれ【—崩れ】名 새색시가 살림에 쪼들려 예쁜 맛이 없어짐.

—じ-みる【—染みる】上1自 살림꾼티가 배다; 살림때가 묻다; 살림에 찌들다. ¶彼はすっかり～·みて昔のはきはきした面影は少しもない 그는 몹시 살림에 찌들어서 옛날의 시원시원하던 모습은 조금도 볼 수 없다.

—どうぐ【—道具】名 살림 도구; 세간.

—もち【—持ち】名 **1** 가정을 가진 사람. **2** 살림을 꾸려 나가는 일. ¶～がいい 살림을 알뜰하게 꾸려 나가다.

—やつれ〖—窶れ〗名ス自 살림에 쪼들려 야위고 초라해짐; 살림에 찌듦.

しょたい【書体】名 서체. ¶清朝の～ 청조체 / きちんとした～ 깔끔한 서체; 또박또박 쓴 글씨.

しょだい【初代】名 초대. ＝第一代. ¶～大統領 초대 대통령.

じょたい【女体】名 여체. ＝にょたい.

じょたい【除隊】名ス自 제대. ¶満期～ 만기 제대. ↔入営·入隊.

しょたいめん【初対面】名 초대면. ¶～から打ち解ける 초대면부터 흉금을 털어놓다〔스스럼없이 대하다〕.

しょだち【初太刀】名 첫칼; 최초로 내리치는 칼. ¶～で切り伏せた 첫칼에 베어 쓰러뜨렸다 / ～でしとめる 첫칼로 숨통을 끊어 놓다 / ～を浴びる 첫칼을 받다.

しょだな【書棚】名 서가(書架); 책장. ＝本棚. ¶～を整理する 서가를 정리하다.

しょだん【初段】名 초단. ¶剣道の～を取る 검도의 초단을 따다.

しょだん【処断】名ス他 처단. ¶～をくだす 처단을 내리다 / 法の～が下される 법의 처단이 내려지다 / 刑法に照らして～する 형법에 따라서 처단하다.

****しょち**【処置】名ス他 처치; 조처; 조치. ¶応急～ 응급 조처 / 寛大な～をする 관대한 조치를 하다 / 早急に～する 재빨리 조치하다.

—無し 어찌할 도리 없음; 처치 곤란.

しょちゅう【暑中】图 서중; 삼복 때. ↔寒中.
──みまい【──見舞い】图 복중 문안. ＝「暑中伺い.
*じょちゅう【女中】图〈卑〉하녀; 식모; (여관·음식점 등의) 여자 종업원. 參考 현재, 일반 가정에서는 대개 'お手伝いさん(＝가정부)'이라고 함.
──ぼうこう【──奉公】图ス自 가정부로 일함. ¶～に出る 가정부살이(를) 하러 나서다.
じょちゅう【除虫】图 제충; 구충(驅蟲). ¶～剤 제충제; 살충제.
しょちょう【所長】图 (사무소나 출장소의) 소장.
しょちょう【署長】图 (세무서·경찰서 「등의) 서장.
しょちょう【初潮】图 초조; 첫 월경.
じょちょう【助長】图ス他 조장; 도움. ¶表現力を～する 표현력을 돕다/欲求不満を～する 욕구불만을 조장하다.
しょっかく【食客】图 식객. ＝居候・しょっきゃく. ¶先輩の家に～となる 선배의 집에 식객이 되다.
しょっかく【触覚】图 촉각. ¶とても～が発達している 촉각이 매우 발달되어 있다.
──きかん【──器官】图〘生〙촉각 기관. 「＝触官.
しょっかく【触角】图 촉각; 더듬이. ¶昆虫の～ 곤충의 촉각/～を伸ばす 촉각을 뻗치다.
しょっかん【触感】图 촉감. ＝手ざわり·肌ざわり. ¶暖かい～がある 따뜻한 촉감이 있다.
しょっかん【食間】图 식간; 식사와 식사 사이. ¶この薬は～に服用のこと 이 약은 식간에 먹을 것.
しょっかん【食感】图 음식을 먹을 때의, 씹는 맛이나 혀로 느끼는 미각 등의 감각.
しょっき【織機】图 직기; 베틀. ＝はた(おりき). ¶自動～ 자동 직기.
しょっき【食器】图 식기. ¶～棚 찬장.
ジョッキ[←jug]图 조끼((손잡이가 달린 큰 맥주잔)).
しょっきゃく【食客】图 ☞しょっかく「(食客).
しょっきり〖初っ切り〗图 1 (흥행 씨름에서) 쇼적인 막전(幕前) 경기〔오픈 게임〕. 2 시초; 시작; 첫판. ＝しょっぱな. ¶～から負け続けた 첫판부터 내리 졌다.
ショッキング[shocking] ダナ 쇼킹; 놀라운 모양; 충격적. ¶～なニュース〔出来事〕 충격적인 뉴스〔사건〕.
ジョッギング 图 ☞ジョギング.
ショック[shock]图 쇼크; 충격; 충격 증세. ¶オイル～ 오일 쇼크/～による振動 충격에 의한 진동/余りの～に発狂する 너무나 큰 충격으로 발광「하다.
──し【──死】图 쇼크〔충격〕사.
しょっけん【職権】图 직권. ¶～による仲裁 직권에 의한 중재/～外の事をする 직권 외의 일을 하다/人の～を侵す 남의 직권을 침해하다/～をかさに着る 직권을 내세우다. 「남용.
──らんよう【──濫用·──乱用】图 직권
しょっけん【食券】图 식권. ¶～を先にお求めください 식권을 먼저 사 주십시오.
しょっこう【職工】图 직공; 공장 노동자. 參考 '工員'의 구칭임.
しょっちゅう 副〈俗〉늘; 언제나; 항상. ＝いつも. ¶彼は～勉強ばかりしている 그는 늘 공부만 하고 있다/～へまをやる 항상 실수를 하다.
しょっ-てる〖背負ってる〗連語〈俗〉잘난 체하다; 우쭐거리다. ¶ずいぶん～ね 꽤 뽐내는군. 參考 'せおっている'에서.
ショット[shot]图 숏; 샷. 1 (테니스·골프에서) 공을 침; 또, 그 친 공. ¶ティー～ 티샷/ナイス～ 나이스 샷. 2 (영화에서) 한 장면(의 촬영). ＝カット. ¶ロング～ 롱숏; 원사(遠寫).
ショットガンブライド[shotgun bride] 图 숏건 브라이드; 배 부른〔임신한〕 신부((임신해서 할 수 없이 결혼하는 신부를 뜻함)).
しょっぱ-い〖塩っぱい〗形〈俗〉1 짜다. ＝塩からい. ¶～味がする 짠맛이 나다. 2 인색하다; 쩨쩨하다. ＝けちだ·しわい. ¶～おやじ 구두쇠 영감/～事を言うな 쩨쩨한 소리 마라.
しょっぱな【初っぱな】《初っ端》图〈俗〉일의 실마리; 처음 부분; 제일 처음. ＝出鼻·初手. ¶～をくじく 첫 기세를 꺾다/～からつまずく 초장부터 실패하다/～から猛烈に攻撃する 첫머리부터 맹렬히 공격하다.
ショッピング[shopping] 图ス自 쇼핑; 물건을 삼; 장보기. ＝買い物. ¶～バッグ 쇼핑백/～センター 쇼핑 센터.
──モール[shopping mall]图 쇼핑몰((산책로나 보행자 전용 쇼핑 광장 등이 있는 상가)).
ショップ[shop]图 숍; 상점; 가게. ¶フラワー～ 꽃집/コーヒー～ 다방.
──ガール[shopgirl]图 숍걸; 여점원.
しょて【初手】图 최초; 처음; (일의) 초장. ＝しょっぱな. ¶～から強く出る 처음부터 세게 나오다/～からあきらめている 처음부터 단념하고 있다.
參考 본디, 바둑이나 장기에서의 첫수.
しょてい【所定】图 소정. ¶～の様式 소정의 양식/～の手続きをとる 소정의 절차를 밟다. 「にょてい.
じょてい【女帝】图 여제; 여자 황제. ＝
しょてん【書店】图 서점; 책방; 또, 출판사. ＝本屋. ¶～で雑誌を買う 서점에서 잡지를 사다.
しょでん【初電】图 1 첫〔시발〕 전차. ↔終電. 2 (어떤 일에 대한) 첫 전보.
しょとう【初冬】图 1 초동; 초겨울. ＝はつふゆ. ¶～を思わせる寒さ 초겨울을 연상케 하는 추위. ↔晩冬. 2 음력 10월.

しょとう【初登】图区自 첫 등반; (험한 산을) 처음으로 정복함. =初登はん.

しょとう【初等】图 초등. =初歩. ¶~幾何 초등 기하. ↔高等·中等.

―きょういく【―教育】图 초등 교육.

しょとう【初頭】图 초두; 첫머리. =はじめ. ¶本年~から 금년 초두부터 / 二十一世紀~ 21세기 초두.

しょとう【諸島】图 제도; 여러 섬. ¶伊豆~ 伊豆 제도. 參考 전에는 '群島'라고 하였음.

しょどう【初動】图 초동; 사건이 커지기 전에 재빨리 손을 씀; 조기(早期). ¶~消防 조기 소방 / ~捜査 초동 수사.

しょどう【書道】图 서도; 서예. =習字. ¶~塾 서도를 배우는 곳; 서예 학원 / 前衛~ 전위 서예.

じょどうし【助動詞】图〖文法〗조동사.

***しょとく**【所得】图 소득. ¶~の源泉 소득의 원천 / ~が伸びる 소득이 증가하다 / わが国の国民~は年ごとに増加しつつある 우리나라 국민 소득은 해마다 증가 일로에 있다.

―こうじょ【―控除】图 소득 공제.

―ぜい【―税】图 소득세.

しょない【所内】图 소내((사무소 따위 '所(=소)'로 불리는 곳의 안)). ¶~の事だから内緒にしてくれ 소내의 일이니까 비밀로 해 주게. ↔所外.

しょない【署内】图 서내((경찰서·세무서 따위 '署(=서)'로 불리는 곳의 안)). ↔署外.

しょなのか【初七日】图 7일(재(齋)); 죽은 후 이레째(에 드리는 불공).

―き【―忌】图 ☞しょなのか.

じょなん【女難】图 여난; 여화(女禍). ¶~の相あり 여난의 상이 있음.

しょにち【初日】图 (영화·연극 등 흥행의) 초일; 첫날. ¶展覧会の~ 전람회의 첫날. 注意 'しょじつ'라고도 함. ↔千秋楽.

―を出す; ―が出る 계속해서 지고 있던 씨름꾼이 그날 처음으로 이기다.

しょにん【初任】图 초임; 첫 임관〔임명〕. ¶~の先生 초임의 선생님.

―きゅう【―給】图 초임급. ¶~調整 초임급 조정.

しょねん【初年】图 **1** 초년; 첫해. ¶~度 초년도. **2** 초기; 처음 몇 해 동안. ¶平成の~に 平成 초기에. 「병사)).

―へい【―兵】图 초년병((1년 미만의

じょのくち【序の口】图 **1** 시초; 시작. =発端. ¶これぐらいの暑さはまだ~に過ぎない 이 정도의 더위는 아직 시작에 불과하다. **2** (일본 씨름에서) 최하위의 씨름꾼((序二段의 아래)).

しょば 图 〈俗〉 (깡패 세계의) 세력권; 또, 장사판. =縄張り. 參考 '場所'를 거꾸로 말한 변말.

―だい【―代】图 야시(夜市)·노점 상인들이 불량배에게 무는 자릿세.

しょばつ【処罰】图区他 처벌. ¶規則に違反した者を~する 규칙에 위반한 자를 처벌하다 / 交通違反で~される 교통 위반으로 처벌받다. 「犯.

しょはん【初犯】图 초범. ↔再犯·重

しょはん【初版】图 초판. ¶~本 초판본 / ~は売り切れた 초판은 매진되었다. ↔再版·重版.

―けん【―権】图 초판권; 초판본의 복제를 타사에 대해 인정하지 않는다는 주장. =復刻権.

しょはん【諸般】图 제반; 여러 가지. =百般. ¶~の事情 제반 사정 / ~の準備を整える 제반 준비를 갖추다.

しょばん【初盤】图 (레코드의) 첫 취입; 또, 그 취입된 것. ¶本邦~の交響曲 우리나라에서 처음으로 취입한 교향곡.

じょばん【序盤】图 (바둑·장기 따위의) 초반; 또, 비유적으로 초기의 상황. ¶~戦 초반전. ↔中盤·終盤.

しょぴく 5他 〈俗〉 끌어당기다; 강제로 끌고 가다; 연행하다. ¶犯人を警察に~ 범인을 경찰로 연행하다. 注意 'しょっぴく'라고도 함.

しょひょう【書評】图 서평. ¶~欄 서평란 / ~を依頼する 서평을 의뢰하다.

じょびらき【序開き】图 시작; 서막. =始まり·発端. ¶この試合を~として各種の競技がくりひろげられる 이 경기를 서막으로 각종 경기가 펼쳐진다.

しょびん【初便】图 **1** 처음으로 보낸〔받은〕 편지. **2** 항로에 첫 취항하는 항공기〔배〕. =初就航. ¶新航路の~ 새 항로의 첫 배〔비행기〕 / 日本国内航空の就航~ 일본 국내 항공의 첫 취항 항공기.

ジョブ [job] 图〖컴〗조브; 작업; 처리 업무((연관성이 있는 몇 개의 처리 프로그램을 일괄(一括)한 일의 단위)).

―かんり【―管理】图 작업 관리((많은 작업의 실행 개시부터 종료에 이르기까지, 일련의 작업 처리를 제어하는 프로그램; job control의 역어)).

しょふう【書風】图 서풍. =かきぶり. ¶自由奔放な~ 자유 분방〔호탕〕한 서풍.

しょふく【書幅】图 서폭; 붓글씨 족자. =書軸. ¶~が掛かっている 서폭이 걸려 있다. ↔画幅.

***しょぶん**【処分】图区他 처분. **1** 처리. ¶廃棄~ 폐기 처분 / ごみを~する 쓰레기를 처분하다 / 余ったものを~する 남은 물건을 처분하다. **2** 처벌. ¶行政~ 행정 처분 / 厳重な~ 엄중한 처벌 / ~を受ける 처분을 받다.

じょぶん【序文】图 서문. ☞はしがき1. ↔跋文·本文.

ショベル 图 ☞シャベル. 參考 주로, 기계 관계에서 일컬음.

—カー [일 shovel+car] 图 셔블카《셔블[삽]이 달린 기중기를 설치한 자동차》.

—ローダー [shovel loader] 图 셔블 로더; (토목 공사용) 동력삽.

***しょほ【初歩】** 图 초보; 첫걸음; 초심. ¶~の段階 초보 단계 / 英語を~から習う 영어를 초보부터 배우다 / ~からやり直す 초보부터 다시 하다.

しょぼ-い 形 〈俗〉 (기대 이하의 내용으로) 맥빠지다; 김새다. ¶あんまり~こと言うな 너무 김새는 말 말게.

しょほう【処方】 图ス他 처방. ¶医者の~ 의사의 처방 / 新しい~ 새로운 처방 / 馬鹿に合う~はない 바보를 고치는 처방은 없다.

—せん [—箋] 图 **1** 처방전. ¶~を書く 처방전을 쓰다 / 医者の~がなければ薬を売らない 의사 처방전이 없으면 약을 팔지 않는다. **2** 일의 처리 방법이나 해결책; 처방. ¶非行防止の~ 비행 방지의 처방.

しょほう【諸方】 图 여기저기; 이곳 저곳; 사방; 각지. =あちこち·ほうぼう. ¶~から集まって来る 여기저기서 모여들다.

しょぼう【書房】 图 **1** 책방. =書店. 参考 흔히, 서점이나 출판사 이름에 붙여 씀. **2** 서재.

じょほう【除法】 图 제법; 나눗셈. =割り算. ↔乗法.

しょぼく-れる 下1自 〈俗〉 기운이 없고 초라하다. ¶~·れたかっこうをしている 무기력하고 초라한 꼴을 하고 있다.

しょぼしょぼ 一副 **1** 가랑비가 오는 모양: 보슬보슬; 부슬부슬. ¶~と降り続く雨 부슬부슬 계속 내리는 비. **2** 가랑비를 맞는 모양: 촉촉이. ¶雨に~と濡れる 비에 촉촉이 젖다. 二トス自 **1** (특히, 노인의) 눈이 가물거리어 슴벅거리는 모양. ¶としよりが目を~させる 노인이 눈이 침침하여 슴벅거리다. **2** 맥이 빠져 기운이 없는 모양: 기신기신. =しょんぼり. ¶~歩く 기신기신 걷다.

しょぼた-れる 下1自 **1** 비에 흠뻑 젖다. =しょぼぬれる. ¶雨に~·れた子犬 비에 흠뻑 젖은 강아지. **2** (옷 따위가) 꾀죄죄해 보이다. =しょぼくれる. ¶~·れたかっこう 꾀죄죄한 몰골.

しょぼつ-く 5自 **1** 비가 부슬부슬 오다. ¶小雨が~ 가랑비가 보슬보슬 내리다. **2** 눈이 가물가물하다[슴벅거리다]; 거슴치레해지다. ¶~·いた目つき 가물가물한 눈 / ねむくて目が~ 졸리어 눈이 개개풀어지다 / ねぼけたまなこを~·かせる 잠에 취한 눈을 슴벅거리다.

しょぼぬ-れる 『しょぼ濡れる』 下1自 비에 흠뻑 젖다. =そぼぬれる·しょぼたれる.

しょぼん 副 기운이 없어 초라하게 보이는 모양: 힘없이; 쓸쓸히. ¶~として生彩のない姿 쓸쓸하고 생기 없는 모습 / 一人~と立っている 홀로 맥없이 서 있다.

じょまく【序幕】 图 서막. **1** 연극 등의 첫 막. ↔終幕. **2** 사물의 시작; 첫 단계. =口あけ. ¶会議は~からひと荒れした 회의는 시작부터 한바탕 파란이 일었다.

じょまく【除幕】 图 제막. ¶~式 제막식.

***しょみん【庶民】** 图 서민. =大衆.

—ぎんこう【—銀行】 图 **1** 서민 은행《신용 조합 따위》. **2** 〈俗〉 전당포. =質屋·一六銀行.

—てき【—的】 ダナ 서민적. ¶~な人柄 서민적인 인품 / ~な趣味 (귀족 등의) 서민적인 취미. ↔貴族的.

しょむ【庶務】 图 서무. ¶~課 서무과 / ~係 서무계.

***しょめい【署名】** 图ス自 서명. =サイン·シグニチャー. ¶~捺印 서명 날인 / ~運動 서명 운동 / 契約書に~する 계약서에 서명하다.

しょめい【書名】 图 서명; 책 이름.

じょめい【助命】 图ス自他 조명; 구명. ¶死刑囚の~を嘆願する 사형수의 구명을 탄원하다.

じょめい【除名】 图ス他 제명. ¶~処分する 제명 처분하다 / 党から~される 당에서 제명당하다.

しょめん【書面】 图 서면. **1** 문서. ¶~で申し入れる 서면으로 신청하다. **2** 편지. ¶~の趣 서면의 취지.

しょもう【所望】 图ス他 〈老〉 소망; 소원; 바라는 바. ¶茶を~したい 차를 한잔 주(시)게 / ~とあれば差しあげましょう 소망이시라면 드리죠.

***しょもつ【書物】** 图 서책; 책; 도서. =本·書籍. ¶~を読む 책을 읽다.

しょや【初夜】 图 초야. **1** (신혼 부부의) 첫날밤. ¶結婚の~ 결혼 첫날밤 / ひっこしをした~ 이사간 첫날밤. **2** 초경; 초저녁. ¶~の鐘 초저녁 종소리.

じょや【除夜】 图 제야; 섣달 그믐날 밤.

—の鐘 제야의 종.

じょやく【助役】 图 **1** 조역; 대리. **2** 일본의 '市·町·村(=시·읍·면)'의 부(副)시장·부읍장·부면장. **3** (철도 역의) 부역장.

***しょゆう【所有】** 图ス他 소유. ¶~物 소유물 / 土地の~者 토지의 소유자 / 山林を~する 산림을 소유하다.

—けん【—権】 图 〖法〗 소유권. ¶~留保 소유권 유보.

じょゆう【女優】 图 여우; 여배우. ¶映画の~ 영화의 여배우. ↔男優.

しょよう【所用】 图 **1** 소용; 사용. ¶本人~の間は誰も使ってはならない 본인이 쓸 동안은 아무도 써서는 안 된다. **2** 용건; 볼일; 필요. =用事·必要. ¶~で外出する 용건이 있어 외출하다 / ~があって金を借りる 필요해서 돈을 꾸다.

しょよう【所要】 图 소요. ¶~の経費 소요 경비 / ~資金 소요 자금 / 駅ま

での～時間(じかん) 역까지의 소요 시간/～の手続(てつづ)き 소요〔필요〕 절차/往復(おうふく)～日数(にっすう) 왕복하는 데 소요되는 일수.

**しょり【処理】名ス他 처리; 조처; 처분. ＝処置(しょち). ¶熱(ねつ)〔化学(かがく)〕～ 열〔화학〕처리/それは君(きみ)が適当(てきとう)に～したまえ 그건 자네가 적당히 처리하게.

—プログラム 名〔컴〕처리 프로그램; 실제로 데이터 처리를 실행하고 그 결과를 출력하는 기능을 지닌 프로그램. ↔コントロールプログラム. 參考 processing program의 역어.

じょりゅう【女流】名 여류; 여성. ¶～作家(さっか)〔画家(がか)〕 여류 작가〔화가〕/～飛行家(ひこうか) 여류 비행사.

じょりょく【助力】名ス自他 조력; 힘을 보탬. ＝手助(てだす)け·加勢(かせい). ¶～を乞(こ)う 조력을 청하다〔바라다〕/及(およ)ばずながら～する 미력하나마 힘을 보태겠다.

*しょるい【書類】名 서류. ¶～選考(せんこう) 서류 전형/重要(じゅうよう)～ 중요 서류.

—そうけん【—送検】名ス他〔法〕서류 송청. ↔身柄送検(みがらそうけん).

ショルダーバッグ [shoulder bag] 名 숄더백; 어깨에 메는 핸드백형 가방.

じょれつ【序列】名 서열; 차례; 순서. ¶年功(ねんこう)～ 연공 서열/成績(せいせき)の～をつける 성적 순위를 매기다.

しょろう【初老】名 초로. ¶～の紳士(しんし) 초로의 신사. 參考 본디 40세의 딴 이름; 현재는 보통 60세 전후를 가리킴.

じょろう【女郎】名 유녀; 창녀(娼女). ＝おいらん·じょろ.

—かい【—買い】名 유곽에서, 창녀를 불러서 놂. ＝じょろ買い.

—や【—屋】名 유곽; 기루(妓樓). ＝じょろ屋.

しょろん【緒論】名 ☞じょろん(序論). 注意 'ちょろん'은 관용음.

じょろん【序論】名 서론. ¶～に大綱(たいこう)を述(の)べる 서론에서 대요(大要)를 말하다. ↔本論(ほんろん)·結論(けつろん).

しょんぼり 副ス自 〈俗〉 기운 없이 풀이 죽은 모양: 풀이 죽어; 쓸쓸히; 초연히; 기운 없이. ¶～立(た)っている 풀 없이 서 있다/仕事先(しごとさき)もみつからず～と家(うち)に帰(かえ)る 일자리도 구하지 못하고 풀이 죽어 집으로 돌아오다〔돌아가다〕.

しら〖白〗名 1 꾸밈이 없음. ＝まじめ. 2 ☞しらふ. ¶～では話(はな)しにくい 맨 정신으론 이야기하기 어렵다.

—を切(き)る 모르는 체하다; 시치미떼다; 딱 잡아떼다. ＝しらばくれる. ¶証拠(しょうこ)さえ挙(あ)がらなければ, ～つもりであったのに 증거만 잡히지 않는다면 딱 잡아뗄 작정이었는데.

しら=【白】《다른 말 앞에 붙여서》 1 흰. ¶～あや 흰 능직물/～壁(かべ) 흰 벽. 2 (염색하거나 칠하거나 간을 하지 않은) 본〔제〕바탕의; 민; 민짜의. ¶魚(さかな)の～干(ぼ)し (간을 하지 않고) 그대로 말린 생선/魚(さかな)の～焼(や)き (소금을 치지 않고 구운) 생선의 민짜구이. 3 술 취하지 않은; 맨송맨송한. ¶～面(ふ) 맨송맨송한 얼굴.

じらい【地雷】名 지뢰. ＝地雷火(じらいか). ¶～原(げん) 지뢰밭; 지뢰 매몰 지대/～探知機(たんちき) 지뢰 탐지기/～に触(ふ)れて爆死(ばくし)する 지뢰를 건드려 폭사하다.

じらい［爾来］副 이래; 그 후; 이후. ¶～彼(かれ)とは会(あ)っていない 그 후 그와는 만나지 못했다/～音信(おんしん)不通(ふつう)である 이후 소식이 없다.

しらうお【白魚】名 1 여성의 아름다운 손가락. ¶～のような指(ゆび) 섬세하고 흰 손가락. 2【しらうお】〔魚〕뱅어.

*しらが【白髪】名 백발. ＝はくはつ. ¶～頭(あたま) 백발의 머리/若(わか)～ 새치/～交(ま)じりの髪(かみ) 희끗희끗한 머리. ↔黒髪(くろかみ).

—こぶ【—昆布】名 머리카락 모양으로 가늘게 썬 허연 다시마. ＝しらがこんぶ.

しらかば〖白樺〗名〔植〕자작나무. ＝しらかんば·かば.

しらかゆ【白かゆ】《白粥》名 흰죽. 注意 'しらがゆ'라고도 함. ↔雑炊(ぞうすい).

しらかわよふね【白川夜船·白河夜船】名 깊이 잠들어 아무 것도 모름. ¶～のうちに 세상 모르게 잠이 깊이 든 동안에/～を漕(こ)ぐ 깊이 잠들다.

しらき【白木】名 껍질을 벗기거나 깎기만 하고 칠하지 않은 나무. ¶～の柱(はしら) 맨 나무 기둥/～造(づく)りの神殿(しんでん) 백골집의 신전. ↔黒木(くろき).

しらぎ［新羅］名〔史〕신라. ＝しんら.

—ごと［—琴］名〔樂〕신라금; 가야금.

しらぎく【白菊】名 백국; 흰 국화.

しらきちょうめん【白きちょうめん】《白几帳面》名ダナ 〈俗〉 몹시 꼼꼼〔깔끔〕한 모양. ＝きまじめ. ¶～な人(ひと) 매우 꼼꼼한 사람.

しらくも【白雲】名 흰 구름. ＝はくうん·しろくも.

しらけ【白け】名 무슨 일에나 관심·감동이 없음. ¶～の世代(せだい) 만사에 흥미와 의욕을 잃은 현대 젊은이.

しら-ける【白ける】下1自 1 바래서 허예지다; 퇴색하다. ＝あせる. ¶写真(しゃしん)が～ 사진이 바래다. 2 흥·분위기가 깨지다. ¶座(ざ)が～ 좌흥이 깨지다.

しら-げる〖白げる·精げる〗下1他 1 쓿다; 정미하다. ¶玄米(げんまい)を～ 현미를 쓿다. 2 널빤지를 깎아 희게 하다. 3 (세공품을) 닦아서 끝손질하다.

しらこ【白子】名 1 (물고기의) 이리. ¶～を食(く)う 이리를 먹다. 2 선천성 백피증(白皮症); 피부 색소 결핍증(의 사람·동물); 백인. ＝しろこ.

しらじ【白地】名 1 흰 바탕의 종이나 천. ＝しろじ. 2 숫처녀. ＝きむすめ.

—てがた【—手形】名〔經〕백지 어음.

しらしら〖白白〗副 1 날이 차차 밝아 오는 모양. ＝しらじら. ¶夜(よ)が～(と)明(あ)ける 날이 밝아 오다; 먼동이 트다. 2 희게 빛나는 모양; 희붐히; 희읍스름하게.

—あけ【—明け】名 새벽녘; 동틀 무

렵. =夜明(よあ)け·明(あ)けがた.

しらじら〖白白〗副《흔히 '~と'의 꼴로》**1** ☞しらしら. ¶東(ひがし)の空(そら)が~としてきた 동쪽 하늘이 밝아 오기 시작하였다. **2** 시치미(를) 떼는 모양; 천연덕스럽게.

—あけ【—明け】名 ☞しらしらあけ.

しらじらし-い【しらじらしい·白白しい】形 **1** 속이 빤히 들여다보이다. ¶~おせじ 속들여다보이는 입발림말/~うそをつく 속들여다뵈는〔빤한〕 거짓말을 하다. **2** 시치미 떼다; 뻔한 것을 모르는 체하다. ¶~態度(たいど)で押(お)し通(とお)す 끝까지 모르는 체하는 태도로 일관하다/知(し)らないなどと~ことがよく言(い)えるな 모른다는 둥 용케도 시치미 떼는구나.

しら-す【知らす】5他 알리다. =しらせる. ¶電報(でんぽう)で~ 전보로 알리다/要人(ようじん)の死(し)を当面(とうめん)~·さずにおく 요인의 죽음을 당분간 알리지 않고 두다.

しらす〖白子〗名 멸치·청어·은어 따위의 치어(稚魚).

—ぼし【—干し】名 뱅어포; 마른 멸치. =しらす.

しらす〖白砂〗名〔地〕 화산재와 속돌의 퇴적층.

—ちたい【—地帯】名 화산재와 속돌이 널리 분포되어 있는 지대.

しらず【知らず】連語 **1** 모르다. ¶余人(よじん)は~, われはわが道(みち)を行(い)くのみ 딴 사람은 어떻든 나는 나의 길을 갈 뿐. **2**《名詞 뒤에 붙어》 경험이 없음을 나타냄. ¶寒(さむ)さ~ 추위를 모름/こわいもの~ 무서움을 모름/命(いのち)~ 죽음을 두려워하지 않음.

じら-す〖焦らす〗5他 애태우다; 약올리다; 초조하게〔안달나게〕 하다. =じらせる. ¶そう~·さないでくれ 그렇게 애태우지 말게/わざと遅(おく)れて~ 일부러 늦게 와서 초조하게 하다.

しらずしらず【知らず知らず】《不知不識》副 저도 모르는 사이에; 어느 새; 부지불식간에. ¶~のうちに海岸(かいがん)にきてしまった 어느 새 바닷가에 와 버렸다/~に涙(なみだ)が出(で)てきた 저절로〔나도 모르게〕 눈물이 나왔다.

***しらせ**【知らせ】名 **1** 알림; 통지; 소식. ¶お~ 통지/合格(ごうかく)の~を受(う)ける 합격 통지를 받다/採用(さいよう)の~があった 채용 통지가 있었다. **2** 전조; 조짐. ¶虫(むし)の~ 예감/逆夢(さかゆめ)はよい~ 사실과 반대되는 꿈은 좋은 징조.

****しら-せる**【知らせる】下1他 알리다; 통지하다; 통보하다. ¶数日前(すうじつぜん)に~ 며칠 전에 알리다/電話(でんわ)で~ 전화로 알리다/暗(あん)に~ 넌지시〔남몰래〕 알리다/前(まえ)もって~ 미리 알리다; 예고하다/~·せずにおく 알리지 않고 두다/虫(むし)が~ 예감이 들다.

しらたま【白玉】名 **1** 백옥; 흰 빛깔의 옥. **2**〈雅〉 진주. **3** 새알심; 찹쌀가루로 만든 경단. ¶汁粉(しるこ)に~を入(い)れる 단팥죽에 새알심을 넣다.

しらちゃ-ける【白茶ける】下1自〈俗〉 바래서 희읍스름해지다. ¶日(ひ)に焼(や)けて~·けたカーテン 볕에 바래서 희읍스름해진 커튼.

しらつち【白土】名 **1** 백토. ㉠빛깔이 흰 흙. =しろつち. ㉡도자기의 원료로 쓰이는 찰흙; 도토(陶土). **2** (회벽에 바르는) 회반죽. =しっくい.

しらっぱく-れる 下1自〈俗〉 ☞しらばくれる.

しらなみ【白波】《白浪》名 백파. **1** 흰 물결. ¶~が立(た)っている 흰 물결이 일고 있다. **2**〈雅〉 도둑. ¶~稼業(かぎょう) 도둑질. 参考 옛날 중국의 '白波賊(はくはぞく)(=백파적)'의 이름에서 옴.

しらに【白煮】名 **1** 흰살 생선의 뼈 따위를 소금만으로 익힘; 또, 그것. =うしおに. **2** (간장을 쓰지 않고) 설탕과 소금만으로 삶음; 또, 그것. ¶さつまいもの~ 설탕과 소금을 쳐서 삶은 고구마.

しらぬかお【知らぬ顔】名 **1** 모르는 사람〔상대〕. ¶~でもなし, あいさつするか 모르는 사람도 아니니 인사나 할까. **2** (알면서) 모르는 체하는 얼굴. =知らん顔·知らんぷり. ¶今(いま)さら~もできない 이제 와서 모르는 체할 수도 없다.

—の半兵衛(はんべえ) 모르는 체함; 또, 그 사람. ¶~をきめこむ 모르는 체하기로 작정하다; 몽따기로 하다.

しらぬがほとけ【知らぬが仏】連語 모르는 것이 약《흔히, 당사자만 모르고 태평함을 조롱하여 빗대놓고 하는 말》. =見(み)ぬが仏(ほとけ).

しらぬり【白塗り】名 은(銀) 도금.

しらは【白歯】名 **1** 백치; 호치(皓歯); 흰 이. **2** 미혼의 여자; 처녀. ¶~の娘(むすめ) 미혼의 처녀. 参考 옛날, 일본에서는 여자가 결혼하면 이를 검게 물들인 데서.

しらは【白刃】名 칼집에서 뺀 칼. =ぬきみ.

しらは【白羽】名 흰 화살깃.

—の矢(や)が立(た)つ 많은 사람 가운데서 특별히 뽑히다; 희생자가 되다; 또, 눈독 들인 대상이 되다. =白羽の矢を立(た)てる.

しらばく-れる 下1自〈俗〉 알면서도 모르는 체하다; 시치미를 떼다. ¶いくら~·れても駄目(だめ)だ 아무리 시치미 떼도 소용없다/~·れて返事(へんじ)もしない 모르는 체하고 대답도 하지 않는다. 注意 口語적 표현은 'しらっぱくれる·しらばっくれる'.

しらはた【白旗】名 백기. **1** 흰 바탕의 기《옛날에는 源氏(げんじ)의 기》. =しろはた. **2** 항복이나 열차 통과 가능의 표시로서 쓰는 흰 기. =しろはた. ¶~をふる〔かかげる〕 백기를 흔들다〔달다〕《항복하다》. ⇔赤旗(あかはた).

しらふ〖白面·素面〗名 술 취하지 않았을 때(의 얼굴·태도). =素面(すめん). ¶~では踊(おど)れない 맨정신으로는 춤을 못 춘다/~の時(とき)はおとなしい 취하지 않았을 때는 온순하다. ↔酔顔(すいがん).

ジラフ[giraffe]名〔動〕 지라프; 기린.

しらべ【調べ】名 **1** 조사함. ㉠조사; 점검; 수사; 심문. ¶在庫～ 재고 조사/～がつく 충분히 조사가 끝나다/～を受ける 심문을 받다. ㉡음률을 고름; 조율(調律). **2** (음악의) 가락; 음곡. ¶楽の～ 음악의 가락/悲痛な～ 비통한 음조/妙なる～ 감미로운 음곡.

しらべあ-げる【調べ上げる】下1他 철저히 조사하다. ¶事件当日の行動を～ 사건 당일의 행동을 철저히 조사하다. 「조사함.

しらべもの【調べ物】名 (문서 따위를)

しら-べる【調べる】下1他 **1** 조사하다. ㉠연구하다; 검토〔점검〕하다. ¶事故の原因を～ 사고 원인을 조사하다/答案を～ 답안을 검토하다/問題を～ 문제를 연구〔검토〕하다. ㉡(뒤져) 찾다; 수색하다. ¶辞書で～ 사전으로 찾다/電話帳で番号を～ 전화 번호부에서 번호를 찾다/ポケットを～ 호주머니를 뒤지다/船内をくまなく～ 선내를 샅샅이 뒤지다. ㉢심문〔문초〕하다; 수사하다. ¶被告を～ 피고를 심문하다/犯罪を～ 범죄를 수사하다. **2** 음률을 맞추어 고르다. ¶琴の調子を～ 거문고의 가락을 고르다. **3** 음악을 연주하다. ¶琴を～ 거문고를 타다/鼓を～ つづみ를 치다.

しらほ【白帆】名 백범; 흰 돛. ¶～の船 흰 돛단배.

しらみ〖虱·蝨〗名〔蟲〕이. ¶～だらけの衣服 이투성이의 옷/～がわいている髪 이가 들끓는 머리.

しらみつぶし〖虱潰し〗名 이 잡듯이 샅샅이 잡거나 뒤짐; 일을 하나도 남김없이〔빈틈없이〕 처리함. ¶～の捜査 이 잡듯 철저한 수사/一軒一軒～に調べた 한 집 한 집 이 잡듯이 뒤졌다.

しら-む【白む】5自 **1** 희어지다; 희게 보이다; 새벽이 되어 밝아오다. ¶夜が～ 날이 새다/空の～頃出発する 동틀 무렵에 출발하다/東の空が～ 동녘 하늘이 희번해지다; 동이 트다. **2** 흥이〔분위기가〕 깨어지다. ＝白ける. ¶座が～ 좌석의 흥이 깨어지다.

しらゆ【白湯】名 맹탕으로 끓인 물; 백비탕. ＝さゆ.

しらゆき【白雪】名 〈雅〉 백설; 흰 눈. ¶富士の～ 富士 산의 흰 눈.

しらゆり【白ゆり】《白百合》名 흰 백합. ¶～のように清楚な美人 흰 백합처럼 청초한 미인. 「ぬかお.

しらんかお【知らん顔】名 〈俗〉 ☞しら

しらんぷり【知らん振り】名 〈俗〉 알면서도 모르는 체함; 시치미를 뗌. ¶挨拶をしても～だ 인사를 해도 모른 체한다/会っても～をする 만나도 모르는 체하다.

しり〖尻·臀·後〗名 **1** 궁둥이; 엉덩이; 볼기. ＝けつ·おいど·臀部. ¶～の軽い女 허튼계집; 몸가짐이 헤픈 여자/～が抜ける (옷의) 둔부가 해어져 구멍이 나다/～を上げる 일어서다/～を食らえ 엿 먹어라《욕》. **2**《본디 後》 뒤; 뒤쪽; 아래. ＝うしろ·あと. ¶女の～を追いまわす 여자 꽁무니〔뒤〕를 쫓아다니다/～を向ける 등을〔뒤를〕 보이다; 도망치다. **3** 끝; 끝 부분; 마지막; 꼴찌. ＝しまい. ¶なわの～ 새끼의 끄트머리/どんじり 맨 끝〔뒤〕; 꼴찌/帳じり (장부의) 셈끝/言葉じり 말꼬리. **4** (공기·병·냄비 따위의) 밑(바닥). ＝底. ¶とくりの～ 술병의 밑바닥. ↔口.

—が青い 미숙하여 제 구실을 못하다. ¶まだ～若者 아직 젖비린내 나는 젊은이. 「굼뜨다.

—が重い 궁둥이가 무겁다; 동작이

—が軽い 엉덩이가 가볍다. **1** 출랑거리다. **2** (여자가) 몸가짐이 헤프다. ⇨しりがる. 「오래 눌러앉다.

—が据わる 엉덩이를 붙이다; 한곳에

—が長い 궁둥이가〔밑이〕 질기다; (남의 집에) 오래 앉아 있다〔눌어붙다〕.

—が割れる 숨겨 둔 나쁜 일이 탄로나다; 들통이 나다.

—に敷く 아내가 남편을 우습게 보아 마음대로 휘두르다. ¶亭主を～ 남편을 깔아뭉개다; 내주장하다.

—につく **1** 남의 수하에 들어가다. **2** 남의 뒤를 따라가다; 남의 흉내를 내다.

—に火がつく 발등에 불이 떨어지다; (일이) 다급해지다.

—に帆を掛ける 꽁무니가 빠지게 달아나다; 줄행랑치다.

—をたたく **1** 격려하다. **2** 재촉〔독려〕하다. **3** 징계하다.

—をぬぐう 밑을 닦다; (남의 일의) 뒤치다꺼리를〔뒷수습을〕 하다.

—を持ち込む (남이 저지른 일에 대해) 뒤처리·책임을 질 것을 상대에게 요구하다.

しり【私利】名 사리. ¶～私欲に目がくらむ 사리사욕에 눈이 멀다/～をはかる 사리를 꾀하다. ↔公利.

じり【事理】名 사리; 사물의 도리. ¶～明白 사리명백/～をわきまえぬ人 사리를 분별치 못하는 사람.

しりあい【知り合い】名 아는 사이〔사람〕; 친지(親知). ＝知人·ちかづき. ¶先日～になった人 전날 알게 된 사람/互いにあいさつする程度の～ 서로 인사할 정도의 사이.

しりあ-う【知り合う】5自 서로 알(게 되)다; 아는 사이가 되다. ¶通学のバスで～ 통학 버스에서 서로 알게 되다.

しりあがり【しり上がり】《尻上がり》名 **1** 사물의 상태가 갈수록 좋아짐. ¶～に調子が出る 끝판에 갈수록 가락이 나다〔호조를 보이다〕/今年の貿易は～だ 금년의 무역은 후반에 갈수록 호조를 보이고 있다. **2** 말끝의 어조가 높아짐; 끝을 올림. ¶～の発音 말끝을 올리는 발음/～に物を言う 말끝을 올려서 말하다. ⇔しりさがり. **3**〈俗〉(기계 체조에서) 거꾸로 오르기. ＝さかあがり.

しりあし【しり足】《後足·尻足》 图 뒷걸음; 뒷발. ＝あとあし·後(うし)ろ足(あし).
―を踏(ふ)む 뒷걸음질치다; 망설이다.

シリアス [serious] ダナ 시리어스; 진지함; 엄숙함; 심각함; 중대함. ¶~なコメディー 진지한 코미디 / ~に悩(なや)む 심각하게 번민하다 / 日常生活(にちじょうせいかつ)にとって~な問題(もんだい) 일상 생활에 있어서 절실한 문제.

しりあて【しり当て】《尻当て》 图 바지 따위의 둔부(臀部)에 바대를 대는 일; 또, 그 바대. ¶ズボンに~を付(つ)ける 바지에 둔부 바대를 대다.

シリアルナンバー [serial number] 图 시리얼 넘버; 일련번호.

シリーズ [series] 图 시리즈. **1** TV 프로·영화·책 따위의 연속물. ¶名画(めいが)~ 명화 시리즈 / ~物(もの) 연속물. **2** 어느 기간 연속해서 행하는 (야구) 경기. ¶ワールド~ 월드 시리즈; 전 미국 프로 야구 선수권 대회.

しりうま【しり馬】《尻馬》 图 남이 탄 말 뒤에 탐.
―に乗(の)る 남이 하는 대로 덮어놓고 따라 하다; 덩달다. ¶人(ひと)のしり馬に乗(の)って騒(さわ)ぐ 남이 하니 덩달아 떠들다.

しりおし【しり押し】《尻押し》 图ス他 **1** 뒤에서 밀어 줌; 후원함; 후원자. ¶人(ひと)の~をする 남의 뒤를 밀어 주다; 남의 뒷배를 봐주다. **2**〈俗〉 아침 러시 아워 때 붐비는 전철 승객을 뒤에서 밀어 넣어줌; 또, 그 일을 하는 사람. ＝押(お)しこみ. ↔はぎ取(と)り.

しりおも【しり重】《尻重》 名ナ 엉덩이가 무거움; 좀처럼 무엇을 하려고 하지 않으며 동작이 둔함; 또, 그런 사람. ¶~でなかなか仕事(しごと)にとりかからない 엉덩이가 무거워 좀처럼 일을 시작하지 않는다. ↔しり軽(がる).

しりがお【知り顔】 图 아는 척함; 아는 척하는 얼굴.

しりがる【しり軽】《尻軽》 图ダナ **1** (여자가) 몸가짐이 헤픔; 바람기가 있음. ¶~女(おんな) 허튼계집; 몸가짐이 헤픈 여자 / ~娘(むすめ) 바람기가 있는 처녀. **2** 아무 일에나 덥적거림; 촐랑거림; 경솔함. ¶~に飛(と)びまわって人(ひと)の事(こと)に手出(てだ)しをする 쓸데없이 쏘다니면서 남의 일에 참견하다. ↔しり重(おも).

じりき【地力】 图 본디 지니고 있는 힘; 저력; 실력. ¶~を発揮(はっき)する 저력〔실력〕을 발휘하다 / ~がつく 실력이 붙다.

じりき【自力】 图 자력. **1** 자기 혼자의 힘. ¶~更生(こうせい) 자력갱생 / ~で立(た)ち上(あ)がる 혼자 힘으로 일어서다. **2**〔佛〕 불과(佛果)를 얻고자 자기 혼자 힘으로 수행함. ⇔他力(たりき).

しりきれ【しり切れ】《尻切れ》 图 **1** 뒷부분이 잘라져 없음. **2** 중도에서 끊어져 있음. ¶話(はなし)が~になった 이야기가 중동무이가 됐다. **3** '尻切れぞうり'의 준말.
―ぞうり【―草履】 图 **1** (오래 신어서) 뒤축이 해어진 짚신. **2** 뒤축이 짧은 짚신. ＝あしなか.
―とんぼ〖―蜻蛉〗 图 **1** 끝장을 내지 못하고 중도에서 그만둠. ¶演説(えんぜつ)が~になる 연설이 중도에서 끊어지다. **2** 무슨 일이든 오래 계속하지 못함; 작심삼일; 또, 그런 사람. ＝三日坊主(みっかぼうず).

しりくせ【しり癖】《尻癖》 图 **1** 오줌이나 똥을 잘 지리는 버릇. **2**〈俗〉 몸가짐이 헤픈 버릇. ¶~が悪(わる)い女(おんな) 아무하고나 잘 놀아나는 여자.

シリコーン [silicone] 图〔化〕 실리콘; 규소 수지《규소를 주로 한 합성 수지》.
―じゅし【―樹脂】 图〔化〕 실리콘 수지; 규소 수지.

しりこそばゆ-い〖尻擽い〗 形 낯간지럽다; 멋쩍다; 겸연쩍다. ＝しりこそばい. ¶あまり褒(ほ)められて~思(おも)いをした 너무 칭찬을 받아 멋쩍었다.

***しりごみ**〖後込み·尻込み〗 图ス自 뒷걸음질. **1** 후퇴; 뒤로 물러남. ¶馬(うま)が~をして前(まえ)に進(すす)まない 말이 뒷걸음질치고 앞으로 나아가지 않다. **2** 망설임; 꽁무니 뺌. ＝ちゅうちょ. ¶いくら呼(よ)んでも~している 아무리 불러도 꽁무니만 빼고 있다.

しりご-む〖後込む·尻込む〗 5自 **1** 물러서다; 뒷걸음질치다. **2** 망설이다; 꽁무니를 빼다; 머뭇거리다.

シリコン [silicon] 图〔化〕 실리콘; 규소《반도체 원료; 기호:Si》.
―バレー [Silicon Valley] 图 (미국 캘리포니아 주에 있는) 실리콘 밸리《반도체 관련 기업이 많이 있음》.

しりさがり【しり下がり】《尻下がり》 图 **1** 뒤쪽이 처짐. ¶~のアクセント 말끝이 내려가는 악센트. **2** 뒤로 갈수록 나빠짐. ¶成績(せいせき)が~に悪(わる)くなって行(ゆ)く 성적이 갈수록 나빠진다. ⇔しりあがり.

じりじり 副ス自 **1** 서서히 조금씩 힘있게 나아가는 모양: 천천히 그러나 착실히; 한발한발. ＝じわじわ. ¶~(と)敵(てき)に迫(せま)る 한발한발 적에게 다가가다 / ~(と)詰(つ)め寄(よ)る 한발한발 다가서다. **2** 태양 따위가 내리쬐는 모양: 쨍쨍. ¶太陽(たいよう)が~(と)照(て)りつける 햇볕이 쨍쨍 내리쬐다. **3** 마음이 차츰 초조해지는 모양: 바작바작. ¶~しながら待(ま)つ 바작바작 속을 태우며 기다리다. **4** 땀·기름 따위가 조금씩 배어나오거나 타는 모양. ¶~(と)にじみ出(で)る脂汗(あぶらあせ) 송송 배어나오는 진땀 / 肉(にく)が~こげる 고기가 지글지글 타다.

しりすぼまり〖尻窄まり〗 名ナ **1** 아래로〔뒤로〕 갈수록 좁아〔가늘어〕짐. ¶~になった袋(ふくろ) 아래쪽이 좁게 된 자루. **2** 처음에는 당당하던 세력이 차츰 약해짐; 용두사미가 됨. ＝しりすぼみ. ¶経営(けいえい)は~に悪(わる)くなって行(ゆ)く 경영은 날이 갈수록 악화되어 간다.

しりすぼみ〖尻窄み〗 名ナ ☞しりすぼまり.

***しりぞ-く**【退く】 5自 물러나다; 물러서다. **1** 후퇴하다. ¶～·いて考えるに 물러나서〔다시 한번〕 생각하건대 / こうなっては一歩も～·かない決心だ 이렇게 된 바엔 한발짝도 물러서지 않겠다. **2** (장소·지위 등에서) 물러가다. ¶御前を～ 어전을 물러나다 / 政界から～ 정계에서 물러나다. ⇔進む.

しりぞ-ける【退ける】《斥ける》 下1他 물리치다. **1** 멀리하다. ＝遠ざける. ¶人を～·けて密談する 사람을 물리치고 밀담하다. **2** 격퇴하다; 물러가게 하다. ＝追い払う. ¶敵の攻撃を～ 적의 공격을 물리치다. ↔進める. **3** 거절하다. ＝拒む. ¶彼の要求を～ 그의 요구를 물리치다. **4** (일·자리를) 그만두게 하다; 면직시키다. ＝やめさせる. ¶反対者を役員から～ 반대자를 임원에서 해임하다.

しりそ-める【知り初める】 下1他 처음 알다; 알기 시작하다. ¶恋を～·めた少女 사랑을 처음 알게 된 소녀.

じりだか【じり高】 名 (주식) 시세가 조금씩〔차차〕 오르는 상태. ¶株価が～になる 주가가 조금씩 오름세가 되다. ↔じり安·じり貧.

しりつ【市立】 名 시립. ＝いちりつ. ¶～病院 시립 병원 / ～(の)学校 시립 학교 / ～図書館 시립 도서관.

***しりつ**【私立】 名 사립. ＝わたくしりつ. ¶～探偵 사립 탐정 / ～大学 사립 대학 / 子供を～に入れる 애를 사립 학교에 넣다. ↔国立·公立·官立.

じりつ【自立】 名ス自 자립. ＝独立·ひとりだち. ¶～心 자립심 / ～経済 자립 경제 / 親もとを離れて～する 부모 슬하를 떠나 자립하다. ↔従属.

じりつ【自律】 名ス自 자율. ¶～自戒 자율 자계. ↔他律.

――せい【――性】 名 자율성. ¶学問の～ 학문의 자율성.

しりっぱしょり〖尻っ端折り〗 名ス自 〈口〉 (활동하기 좋게) 옷자락을 걷어 올려 허리띠에 끼움. ＝しりはしょり·しりからげ.

しりっぺた〖尻っぺた〗 名 〈口〉 엉덩이. ＝しり. ⇒ほっぺた.

しりっぽ〖尻っ方·尻尾〗 名 **1** 꽁무니(쪽); 끝쪽. **2**〈兒〉 짐승이나 연의 꼬리. ＝しっぽ. ¶豚の～ 돼지 꼬리.

しりとり【しり取り】《尻取り》 名 말잇기 놀이. ＝しりとり文句.

しりぬ-く【知り抜く】 5他 환하게〔모든 것을〕 다 알다; 속속들이 잘 알다. ¶財界の内幕を～·いている人 재계 내막을 속속들이 잘 알고 있는 사람 / 学校経営のからくりを～ 학교 경영의 이면 사정을 속속들이 알다.

しりぬぐい〖尻拭い〗 名ス自 〈卑〉 남의 (실패나 실수의) 뒤치다꺼리; 뒷갈망. ¶友人の借金の～をする 친구의 빚 뒤처리를 하다.

しりぬけ【しり抜け】《尻抜け》 名 **1** 보고 들은 것을 곧 잊음; 또, 그런 사람. ＝ざる耳·かご耳. ¶～だから重要な用事は言いつけられない 건망증이 있는 사람이라 중요한 일은 맡길 수가 없다. **2** 일을 끝맺지 못하고 중도에 그만둠; 또, 그런 사람. ¶～になる 뒤끝을 못맺다 / あの男は何をやっても～だ 저 남자는 무엇을 하든 끝매듭을 짓지 못한다.

しりはしょり〖尻端折り〗 名ス自 ☞しりっぱしょり.

じりひん【じり貧】 名 **1** (주식에서) 시세가 조금씩 내려감. ＝じり安. ↔じり高. **2**〈俗〉 점차 가난해지거나 상황이 악화됨. ¶～状態 점차 가난해지는〔악화되는〕 상태 / ～をもたらす〔たどる〕 점차 악화 상태를 초래하다〔겪다〕. ↔どか貧.

しりめ【しり目】《後目·尻目》 名 **1** 곁눈(질). ＝流し目. ¶～に見る 곁눈질로 보다. **2**《…を～にの 꼴로》 …을 흘긋 보기만 하고 무시하는 태도를 취함. ¶啞然とした観客を～に舞台をおりる 어안이 벙벙해하는 관객을 거들떠 보지도 않고 무대에서 내려오다.

――にかける **1** 곁눈질하다. **2** 슬쩍 눈길을 줄 뿐 무관심한 태도를 취하다《경멸하는 태도》. ¶父の小言を尻目にかけて遊びほうける 아버지의 잔소리를 무시하고 노는 데만 정신을 팔다.

しりめつれつ【支離滅裂】 名ナ 지리멸렬. ＝めちゃくちゃ. ¶彼の言うことは～だ 그가 말하는 것은 갈피를 잡을 수 없다.

しりもち〖尻餅〗 名 엉덩방아.

――をつく **1** 엉덩방아를 찧다. **2**〈俗〉 (사업 등이) 실패하다.

じりやす【じり安】 名 시세가 차차 떨어짐. ＝じり貧. ¶～の株 점차 하락해 가는 주. ↔じり高.

しりゅう【支流】 名 **1** 지류; 샛강. ＝えだがわ. ¶利根川の～ 利根川(＝関東 평야를 종단하는 강)의 지류. ↔本流·主流. **2** 분파. ¶朱子学派の～ 주자학파의 분파.

じりゅう【時流】 名 시류; 그 시대의 풍조〔경향, 유행〕. ¶～に投ずる 시류에 영합하다 / ～を追う〔抜く〕 시류를 따르다〔앞지르다〕 / ～に染まらない 그 시대의 풍조에 물들지 않다 / ～に乗る 시류를 타다.

しりょ【思慮】 名ス他 사려. ¶～分別 사려 분별 / ～ある行動 사려〔분별〕 있는 행동 / ～深い人 사려 깊은 사람 / ～が足りない 사려가 모자라다.

しりょう【史料】 名 사료; 역사 연구의 자료. ¶古代史の～を収集する 고대사 사료를 수집하다.

⁑しりょう【資料】 名 자료. ＝データ. ¶～

収集 자료 수집 / ~に使う 자료로 쓰다 / ~をそろえる 자료를 갖추다.

しりょう【飼料】图 사료. ＝かいば·えさ. ¶~作物 사료 작물 / 配合~ 배합 사료 / 牛馬の~ 마소의 사료.

しりょう【死霊】图 사령; 죽은 사람의 원령〔혼〕. ＝しれい. ¶~が祟る 죽은 사람의 원령이 빌미붙다. ↔生き霊.

しりょく【死力】图 사력; 죽을힘; 전력.

—を尽くす 사력을 다하다. ¶強敵をむかえて死力を尽くして戦う 강적을 맞아 사력을 다해 싸우다.

*__しりょく【視力】__图 시력. ¶~検査 시력 검사 / 裸眼~ 맨눈 시력 / ~が弱い 시력이 약하다 / ~が衰える 시력이 (쇠)약해지다 / ~を失う 시력을 잃다. ↔聴力.

しりょく【資力】图 자력; 재력. ＝財力. ¶~に物を言わせる 돈의 힘으로 밀어붙이다 / 彼にはそれをやるだけの~がない 그에게는 그것을 해낼 만한 재력이 없다.

じりょく【磁力】图〔理〕자기력. ¶~が働く 자기력이 작용하다.

しりんしゃ【四輪車】图 사륜거; 네 바퀴 달린 수레.

シリンダー [cylinder] 图 실린더; 기통(氣筒).

—じょう【—錠】图 열쇠를 꽂는 곳이 원통형인 자물쇠《문의 자물쇠로 씀》.

**__し-る【知る】__5他 알다. ¶昔のことをよく~·っている人 옛날 일을 잘 알고 있는 사람 / あす~·らぬ身 내일을 기약할 수 없는 몸 / あすの安否も~·らぬ旅 내일을 알 수 없는 나그넷길 / スペイン語を~·っている 스페인어를 알고 있다 / 人を使うコツを~·っている 사람 부리는 요령을 알고 있다 / ~·らぬが仏 모르는 것이 약 / 推して~べし 미루어 알 만하다 / 苦労を~·らない 고생을 모르다 / 子を持って~親の恩 자식을 낳아 보고 비로소 알게 되는 부모의 은혜 / 女を~ 여자를 알다《경험하다》/ そんなこと~もんか 그런 것 알 게 뭐야 / おれの~·ったことじゃない 내가 알 바 아니다 / おれの~·った事か 내가 알 게 뭐야. 注意 '~·っている'의 口語적 말씨는 '~·ってる'.

—·らぬは亭主ばかりなり 아내의 부정을 모르는 것은 남편뿐이라《당사자만 모르고 태평한 것을 딱하게 여기거나 조롱하여 이르는 말》.

—人ぞ知る 알 만한 사람은 (그 진가를) 다 안다.

__しる【汁】__图 **1 즙; 물. ¶レモンの~ 레몬즙 / ~の多い果物 물이 많은 과일 / ~を絞る 즙을 짜다. **2** 국(물). ¶~の実 국 건더기 / 味噌~ 된장국 / 煮出し汁 말린 가다랑어나 다시마 따위를 끓여 낸 국물. **3**『うまい~を吸う』㉠ 최대의 몫을〔가장 알짜를〕 차지하다《이익의 대부분을 독차지하다》. ㉡남의 노력·희생으로 이익을 얻다.

シルエット [프 silhouette] 图 실루엣. **1** 그림자; 윤곽 안이 검은 화상(畫像). ＝影絵. **2** 드레스의 입체적인 윤곽.

シルク [silk] 图 실크; 비단; 명주(실).

—ハット [silk hat] 图 실크해트.

—プリント [silk print] 图 실크 프린트; 명주에 날염한 것. ¶~のワンピース 실크 프린트의 원피스.

—ロード [Silk Road] 图〔史〕실크 로드; 비단길. ＝絹の道.

しるく『著く』副 분명히. ¶夜目にも~見える 밤눈에도 분명히 보이다.

しるけ【汁気】图 물기(의 정도). ¶小麦粉をまぶして~をおさえる 밀가루를 묻혀서 물기가 내배지 못하게 하다.

しるこ【汁粉】图 (새알심 따위를 넣은) 단팥죽. ¶氷じるこ 얼음 단팥죽.

__しるし【印】__《標·証》图 표(시); 표지. **1 안표. ¶チョークで~をする 분필로 표를 하다. **2** 정표; 증표; 증거. ¶…の~として …의 표시〔증거〕로서 / ほんのお~です (변변치 않지만) 그저 성의의 표시입니다《선물할 때》. **3** 기호; 부호; 마크. ¶木に~をつける 나무에 표를 하다 / 会員の~をつけている 회원 배지를 달고 있다. **4** 상징. ¶はとは平和の~だ 비둘기는 평화의 상징이다.

しるし『首·首級』图 수급; 전장에서 벤 적의 머리. 注意 전에는 '首級'로 썼음.

—を挙げる 수급을 올리다《전장 등에서 적의 목을 베다》.

しるし『験·徴』图 **1** 효능; 효과; 효험; 보람. ＝ききめ. ¶忠告してやった~もない 충고해 준 보람도 없다 / 薬の~が現われた 약의 효험이 나타났다. **2** 징조; 조짐. ＝きざし. ¶妊娠の~ 임신의 징후 / 成功の~が見える 성공의 징후가 보이다. 注意 1은 '験', 2는 '印·標'로도 썼음.

=じるし【印】 **1** …표(가 있는 것). ¶三角~ 삼각표 / まる~ 동그라미표 / ×~ 가위표《잘못·불가 등의 표시》. **2** 드러내 놓고 말하기가 거북한 것을 완곡하게 나타내는 말. ¶丸~ 동그라미; 돈 / キ~ 미치광이《'きちがい(=미치광이)'의 'き' 자에서》/ わ~ 춘화도; 에로책《'わいほん(=외설 서적)'의 뜻》.

しるしばかり【印ばかり】《標ばかり》图 副 그저 얼마 안 됨; 명색뿐임; 약간. ＝わずか. ¶~のお礼 약소한 사례 / ~の贈り物 얼마 안 되는 선물.

しる-す『印す·標す』5他 **1** 표하다. ㉠ 표시하다. ¶丸印を~·して他と区別する 동그라미표를 하여 다른 것과 구별하다. ㉡안표(眼標)로 하다; 잊지 않도록 표시를 하다. **2** 자취를〔자국을〕 남기다. ¶足跡を~ 발자취를 남기다.

可能 しる-せる 下1自

しる-す【記す】5他 **1** 적다; 쓰다; 기록하다. ¶帳面に名を~ 장부에 이름을 적다 / 今日の出来事を日記に~ 오늘 일어난 일을 일기에 적다. **2** (마

음에) 새기다; 기억하다. ¶心に~ 마음에 새기다.

ジルバ [←jitterbug] 名 지르박《사교춤의 하나》.

シルバー [silver] 名 실버. **1**은. **2**은빛. **3**은제 그릇.

—エージ [일 silver+age] 名 실버 에이지; 고령자〔층〕.

—さんぎょう【—産業】名 실버〔노인 복지〕 산업. =シルバーサービス.

—シート [일 silver+seat] 名 전차·버스 등의 경로석《노약자 우대석》.

—ハラスメント [일 silver+harassment] 名 노인 학대《간호 거부 등도 포함됨》.

しるべ【知るべ】《知る辺》名 아는 사람; 친지; 연고(자). =知り合い·知人. ¶~を頼って上京する 친지를 의지하여〔믿고〕 상경하다/~を頼って就職する 친지 연줄로 취직하다.

しるべ〖導·標〗名 길 안내; 길잡이; 도표. =案内·手引き. ¶山登りの~ 등산의 길 안내/地図を~に進む 지도를 길잡이로 나아가다.

しるもの【汁物】名 국; 주로 국물이 많은 요리. =つゆもの·あつもの.

しれい【司令】名ス他 사령(관). ¶~官 사령관/~部〔塔〕 사령부〔탑〕.

しれい【指令】名ス他 지령. ¶~書 지령서/罷業~ 파업 지령/党員に~する 당원에게 지령하다.

じれい【事例】名 사례. ¶~研究 사례 연구/このような~はあまり無い 이 같은 사례는 드물다〔그리 없다〕.

*__じれい__【辞令】名 사령. **1**관직의 임면(任免); 임면장; 사령장. ¶~を授与する 사령장을 수여하다/~を受ける 사령장을 받다/~がでる〔下りる〕 임명장이 나오다. **2**응대하는 형식적인 겉치렛말. ¶外交~ 외교 사령; 인사치레로 하는 말/~に巧みである 치렛말에 능하다.

しれき-る【知れ切る】5他 확실히 알고 있다. ¶~·った事を, 仰山らしく言っている 다 알고 있는 일을 대단한 것처럼 말하고 있다.

じれこ-む〖焦れ込む〗5自 〈俗〉 애타다; 초조해 하다; 속을 태우다. =いらだつ. ¶人を~·ませる 사람을 애태우다.

しれた【知れた】連語 빤히 아는; 말할 것도 없는. ¶そんなことは~ことだ 그런 것은 다 아는 일이다.

しれつ【歯列】名 치열; 잇바디. =はならび. ¶~矯正 치열 교정.

しれつ〖熾烈〗名ダナ 치열; 격렬. ¶~な競争 치열한 경쟁.

*__じれった-い__〖焦れったい〗形 안타깝다; 애타다; 애달다; 속이 상하다; 감질나다. =もどかしい·はがゆい·いらだたしい. ¶~話 감질나는 이야기/見るだけで触れられないのは~ものだ 보기만하고 만져볼 수 없다는 것은 안타까운 일이다.

しれっと 副 〈俗〉 아무일 없었다는 듯이 태연한 모양. ¶~した顔 천연덕스러운 얼굴/どんな大酒を飲んでも~している 아무리 술을 많이 마셔도 끄떡도 없다.

*__し-れる__【知れる】下1自 **1** 알려지다. ㉠아는 바가 되다. ¶名の~·れた人 이름이 알려진〔유명한〕 사람/お里が~ 내력이 밝혀지다/人と~·れず手渡す 남모르게 건네주다/人に~·れないように変装して行った 남에게 들키지 않도록 변장하고 갔다. ㉡발각되다; 판명되다. ¶嘘をついてもすぐに~ 거짓말을 해도 곧 알려진다〔알게 된다〕/真相〔死因〕はいまだに~·れない 진상〔사인〕은 아직껏 알려지지〔판명되지〕 않고 있다. **2** 알 수 있다. ¶気が~·れない 마음을 알 수 없다/得体の~·れぬ奴 정체를 알 수 없는 녀석. **3**『~·れた』 뻔한; 알고도 남음이 있는. ¶高が~·れた 뻔한; 기껏〔고작〕해야 …인. ⇨しれた. **4**『…かも~·れない』 …일지도 모른다. ¶どんな事が起こるかも~·れない 어떤 일이 일어날지도 모른다/それは本当かも~·れないぜ 그것은 정말일지도 모를 일일세.

しれる【知れる】連語 알고 있는. ¶われらの~如く 우리가 알고 있는 것처럼.

じ-れる〖焦れる〗下1自 초조해지다; 안달이 나다; 몸이 달다. ¶急用なのにバスが来なくて~ 일이 급한데도 버스가 오지 않아서 초조해지다/あいつ~·れているよ 저놈 안달하고 있어.

しれわた-る【知れ渡る】5自 널리 알려지다. ¶一般に~·った事実 일반에게 널리 알려진 사실/うわさが世間に~ 소문이 세상에 쫙 퍼지다.

しれん【試練·試錬】《試煉》名 시련. ¶きびしい~ 모진〔호된〕 시련/~を受ける 시련을 받다/多くの~を乗り越える 많은 시련을 극복하다.

ジレンマ [dilemma] 名 딜레마; 진퇴양난. ¶~におちいる 딜레마에 빠지다/~に突き当たる 딜레마에 부닥치다.

しろ【代】名 **1**재료·기초가 되는 것. ¶縫い~ 시접/とじ~ (철하기 위한) 꿰맬 몫. **2**대금(代金). ¶飲み~ 술값/食い~ 음식값; 식대/船~ 뱃삯/身の~金 몸값. **3**논. ¶~かき 써레질/苗~ 못자리; 묘판.

⁑__しろ__【白】名 **1**백; 흰색. ㉠색이 흰 것. ¶~を着る 흰옷을 입다. ㉡(바둑에서) 백(을 쥔 쪽). ¶~を握る 백을 쥐다/~優勢 백 우세. ⇔黒. ㉢홍백 시합 따위에서의 백군. ¶~がんばれ 백팀 힘내라. ↔赤. **2**〈俗〉 범죄 혐의가 없음〔없어짐〕; 무죄; 결백. ¶容疑者は~ときまった 용의자는 혐의가 없는 것으로 확정되었다. ↔黒.

*__しろ__【城】名 **1**성. ¶~を築く 성을 쌓다/~が落ちる 성이 함락되다. **2**남이 들어가는 것을 허용치 않는 자기만의 영역. ¶私のお~ 나의 세계; 나만의 영

역 / 野党(やとう)に～を明(あ)け渡(わた)す 야당에게 자기 영역을 넘겨주다.

しろあと【城跡】《城址》名 (옛) 성터; 성지. ¶～は今(いま)は公園(こうえん)になっている 성터는 지금은 공원이 되어 있다.

しろあり〖白蟻〗名〔蟲〕 흰개미.

しろあわ【白泡】名 백포. **1**입에서 나오는 흰 게거품. **2**흰 물거품.

**しろ-い【白い】形 희다. ¶～花(はな) 흰 꽃 / ～肌(はだ) 흰 살결 / ～歯(は)を見(み)せて笑(わら)う 흰 이를 드러내고 웃다 / 髪(かみ)が～·くなる 머리가 희어지다〔세다〕/ ～所(ところ)へ書(か)き入(い)れなさい 빈 칸에 써 넣으시오.

—目(め) 백안; 냉담 등을 나타내는 눈. ¶～で見(み)る 백안시하다.

—物(もの) **1**눈. ¶～が降(ふ)って〔落(お)ちて〕来(く)る 눈이 온다〔내린다〕. **2**흰머리; 백발. ¶頭(あたま)に～をおく 머리가 하얗게 세다. **3**분. ＝おしろい. ¶～をぬる 분을 바르다.

しろいし【白石】名 (바둑의) 흰 돌. ＝しろ. ↔黒石(くろいし).

しろいろしんこく【白色申告】名 백색신고《소득세·법인세 신고의 속칭》.

じろう【次郎】《二郎》名 차남; 둘째 아들. 参考 인명으로도 흔히 쓰임.

*__しろうと__【素人】名 **1**비전문가; 생무지; 초심자; 풋내기. ¶～には分(わ)からない 훈련을 안 쌓은 사람에게는 이해가 안 간다 / この方面(ほうめん)ではずぶの～です 이 방면에 대해선 전혀 생소합니다. **2**취미 삼아 하는 사람; 아마추어. ＝アマチュア. ¶～劇(げき) 아마추어 연극 / ～のどじまん 아마추어 노래자랑. **3**가정집 여자; 여염집 여자. ¶～娘(むすめ) 여염집 처녀 / ～に手(て)を出(だ)すな 여염집 여자에게 손대지 마라. ⇔玄人(くろうと).

—くさ-い【—臭い】形 풋내기〔아마추어〕 같다; 미숙하다. ¶～考(かんが)え 풋내기 같은 생각 / ～手(て)つき 미숙한〔풋내기〕 같은 솜씨·손놀림.

—すじ【—筋】名 거래 시장에서, 시세 정보에 어두운 일반 투자가들.

—ばなれ【—離れ】名ス自 초심자답지 않게 익숙함. ¶～した腕(うで) 초심자답지 않은 솜씨 / ～した歌唱力(かしょうりょく) 아마추어라고는 믿기 어려운 가창력.

—め【—目】名 문외한의 눈. ¶～にも分(わ)かる 전문가가 아닌 보통 사람의 눈에도 알 수 있다.

しろうま【白馬】名 **1**백마; 흰말; 부루말. **2**〈俗〉 탁주(濁酒); 막걸리. ＝濁(にご)り酒(ざけ)·どぶろく.

しろおび【白帯】名 **1**흰 띠. **2**유도·합기도 등에서, 아직 단에 오르지 못한 사람이 띠는 흰 띠; 또, 그 사람.

しろがね〖銀·白金·白銀〗名 〈雅〉 **1**은(銀). **2**은빛. **3**은화(銀貨).

—づくり【—造り】名 은으로 꾸미거나, 만듦. ¶～の太刀(たち) 은으로 장식한 칼; 은환도.

しろがまえ【城構え】名 **1**성의 구조. **2**성곽을 축조하는 일.

しろき【白木】名 **1**껍질을 벗긴 건축용 재목. **2**삼목(杉木)·노송나무 따위 재질의 흰 목재의 총칭. **3**☞しらき.

しろきじ【白生地】名 아직 염색하지 않은 흰 천.

しろく【四六】名 사륙. **1** 4와 6; 4푼과 6푼. **2** 4와 6의 곱《24》. **3** '四六判(しろくばん)'의 준말.

—じちゅう【—時中】副 온종일; 늘; 언제나. ¶～眠(ねむ)ってばかりいる 온종일 잠만 자고 있다.

—ばん【—判】名〔印〕 사륙판. ¶～の詩集(ししゅう) 사륙판의 시집.

しろくま〖白熊〗名〔動〕 백곰; 흰곰; 북극곰. ＝北極熊(ほっきょくぐま).

しろくも【白雲】名 ☞しらくも.

しろくりげ【白くり毛】《白栗毛》名 말의 털빛의 하나로, 연누런 색을 띤 밤색. ＝しらくりげ.

しろくろ【白黒】一名 흑백. **1**백과 흑. **2**시(是)와 비(非); 옳고 그름; 무죄와 유죄. ¶～を決(き)めよう 흑백을 가리자 / ～を争(あらそ)う 잘잘못을 다투다. **3**〈俗〉 (사진·영화 등에서) 흑백. ＝くろしろ·モノクローム. ¶～映画(えいが) 흑백 영화.
二名ス他 〈俗〉 (놀라거나 고통스러워서) 눈을 희번덕거림. ¶目(め)を～させる 눈을 희번덕거리다.

しろこ【白子】名 ☞しらこ2.

しろざけ【白酒】名 삼짇날에 쓰는 하얀 단술.

しろざとう【白砂糖】名 백설탕. ↔黒砂糖(くろざとう)·赤砂糖(あかざとう).

しろじ【白地】名 (천이나 종이 따위의) 흰 바탕; 바탕이 흰 것. ¶～のゆかた 백색 바탕의 ゆかた(＝일본식 홑옷).

しろしょうぞく【白装束】名 흰옷차림; 소복(素服)《죽은 사람·자결할 사람 등이 입음. 옛날에는 신부(新婦) 의상이나 산모가 산실에서 입던 옷》.

しろじろ〖白白〗副 매우 흰 모양. ¶壁(かべ)を～と塗(ぬ)り上(あ)げる 벽을 새하얗게 칠하다.

じろじろ 副 삼가는 기색없이 쳐다보는 모양: 빤히; 유심히; 뚫어지게; 말똥말똥. ¶人(ひと)の顔(かお)を～と見(み)る 남의 얼굴을 뚫어지게 보다 / ～みるのできまりが悪(わる)い 빤히 쳐다보아서 거북하다.

しろぜめ【城攻め】名ス自 성을 공격함.

しろそこひ【白そこひ】《白内障·白底翳》名 ☞はくないしょう.

しろタク【白タク】名〈俗〉 'しろナンバータクシー'의 준말.

じろっ 副 ☞じろり.

シロップ [syrup; 네 siroop] 名 시럽; 짙은 사탕액; 또, 과즙에 향미·설탕을 넣은 음료. ＝シラップ. ¶コーヒー～ 커피 시럽 / フルーツ～ 프루츠 시럽.

しろっぽ-い【白っぽい】形 **1**(전체적으로) 흰 빛을 띠다; 희어 보이다. ¶～着物(きもの) 흰 옷. **2**풋내기 티가 나다.

しろトラ【白トラ】图〈俗〉불법 영업 행위를 하는 무면허 트럭.

しろどり【城取り】图 성을 쌓는 일; 또, 그 설계 및 구조. ＝しろがまえ.

しろナンバー【白ナンバー】图〈俗〉자가용차(의 흰 번호판). ▷number.

—タクシー [taxi] 图 불법 영업 행위를 하는 자가용차.

しろぬき【白抜き】图 백발; 흑색 바탕 이외의 글자·도형을 희게 함; 또, 그 글자·도형. ¶～の文字 백발 문자.

しろねこ【白猫】图 흰 고양이.

しろねずみ【白ねずみ】《白鼠》图 **1** 흰쥐. **2** 새앙쥐. ＝こまねずみ. **3** 충실한 고용인. ¶洋服屋の～ 양복점의 충실한 일꾼. ↔黒ねずみ·どぶねずみ.

しろバイ【白バイ】图〈俗〉경찰의 백색 오토바이《교통 단속·경계용》.

しろはた【白旗】图 ☞しらはた.

しろば-む【白ばむ】5自 흰빛을 띠다; 희어지다. ＝しらばむ ¶夜空が～ 밤하늘이 희붐해지다; 먼동이 트다.

しろぼし【白星】图 **1** 흰 동그라미표(지). **2** (경기 따위에서) 승자〔승리〕의 표시. ＝勝ち星. ¶～をあげる〔とる〕 이기다; 승리하다. ⇔黒星. **3** 성공; 공(훈).

シロホン [xylophone] 图〔樂〕실로폰; 목금(木琴). ＝シロフォ(ー)ン. ¶～を打ち鳴らす 실로폰을 치다.

しろみ【白み】《白味》图 흼. ¶～がかった青色 흰색을 띤 푸른빛.

しろみ【白身】图 **1** (달걀의) 흰자위; 난백(卵白). ¶卵の黄身と～ 달걀 노른자위와 흰자위. ↔黄身. **2** 고기·생선의 흰 부분; 또, 살이 흰 생선. ↔赤身. **3** 재목의 흰 부분. ＝しらた. ↔赤身.

しろ-む【白む】5自 **1** 희어지다. ¶毛が～·んだ 머리털이 하얗게 세었다. **2** 기가 꺾이다; 주춤〔움찔〕하다.

しろむく【白むく】《白無垢》图 위아래가 다 흰 복장《맑고 깨끗함을 뜻하며 본디 경사(慶事)에 입었음》. ¶～の花嫁衣装 새하얀 신부 의상/～を着る 상하 백색의 옷을 입다.

しろめ【白目】《白眼》图 백안(白眼). **1** 눈의 흰자. **2** 흰자위가 많은 눈망울. ⇔黒目. **3** 차가운〔경멸하는〕 눈초리. ¶～でにらむ 눈을 흘기다/人を～で見る 사람을 백안시하다/～を剝く 눈을 부라리다.

—がち〖—勝ち〗名ナ 눈의 흰 부분이 많은 모양. ↔黒目がち.

しろもの【代物】图〈俗〉**1** 상품; 물건. ¶つまらない～ 보잘것 없는 물품/とんだ～ 형편없는 물건/これはたいした～だ 이것은 대단한 물건이다. **2** 사람; 인물; 미인. ¶やっかいな～ 귀찮은 놈; 골칫거리 인간/困った～だ 어찌할 수 없는 녀석이다/大した〔なかなかの〕～だ 대단한〔상당한〕 인물〔미인〕이다.

じろり 副 눈알을 굴리면서 쏘아보는 모양: 힐끗. ＝じろっ. ¶～と横目でにらむ 힐끗 곁눈질로 쏘아보다/相手の顔を～と見る 상대방의 얼굴을 힐끗 흘겨보다/一座を～と見回した 좌중을 힐끗 둘러보았다.

しろん【試論】图 시론. **1** 소론(小論); 에세이. **2** 시험삼아 해 보는 논술〔논문〕.

じろん【持論】图 지론; 지설; 그 사람이 늘 주장하는 설〔주장〕. ＝持説. ¶～を述べる 지론을 말하다/～を曲げない 지론을 굽히지 않다.

じろん【時論】图 시론. **1** 시사에 대한 의론(議論). ¶～を書く 시론을 쓰다. **2** 한 시대의 여론; 당시의 세론. ¶～が沸騰した 시론이 비등하였다.

しわ〖皺·皴〗图 주름; 구김살. ¶～だらけの服 구김살투성이의 옷/着物が～になる 옷이 구겨지다〔주름지다〕/紙の～をのばす 종이의 구김살을 펴다/額に～を寄せる 이마에 주름살을 짓다/～がよる 주름지다.

しわ-い〖吝い·嗇い〗形 (関西 지방에서) 인색하다; 다랍다. ¶～おやじだ 다라운〔인색한〕 영감이다.

しわがみ【しわ紙】《皺紙》图 바탕이 오글쪼글한 종이; 그레이프 페이퍼《냅킨이나 수예용》.

しわがれごえ【しわがれ声】《嗄れ声》图 쉰 목소리. ＝しゃがれごえ.

しわが-れる〖嗄れる〗下1自 목이 쉬다〔잠기다〕. ＝しゃがれる. ¶～·れた声で話す 쉰 목소리로 이야기하다.

しわくちゃ〖皺苦茶〗名ナ 주름이 많은 모양; 몹시 구겨진 모양; 고기작고기작한 모양; 우글쭈글한 모양. ¶～のばあさん 쭈글쭈글한 할머니/洋服が～になる 양복이 몹시 구겨지다/顔を～にする 너무 기뻐서〔슬퍼서〕 우는 것 같은 얼굴이 되다.

しわけ【仕分け】图ス他 구분; 분류. ¶良いのと悪いのとの～をつける 좋은 것과 나쁜 것의 구분을 짓다/郵便物を県別に～する 우편물을 현별로 분류하다.

しわ-ける【仕分ける】下1他 가르다; 구별〔분류〕하다; 구분하다. ¶荷物を～ 짐을 분류하다.

しわざ【仕業】图 소위(所爲); 소행; 짓. ＝ふるまい·おこない·所業. ¶神の～ 하느님이 하신 일/彼の～に相違ない 그의 소행임에 틀림없다/これはいったいだれの～だ 이건 도대체 누구 짓이냐.

じわじわ 副 천천히, 확실하게 사물이 진행되는 모양 : 싸목싸목. ¶～(と)責める 자근자근 죄어쳐서 괴롭히다/～(と)煮つめる 끄느름하게 졸이다/～と汗がにじみ出る 질금질금 땀이 배어 나오다/～と地面に吸い込まれる 서서히 지면에 빨려 들어가다/～と売れだす 서서히 팔리기 시작하다.

しわす【師走】图〈雅〉섣달; 음력 12월

《양력 12월에도 쓰임》. =しはす·極月. ¶～の十四日 음력 12월 14일.

じわっと 副 〈俗〉 극히 가볍게 천천히 힘이 가해지거나, 액체가 스며나오는 모양. ¶相手に～圧力をかける 상대방에 지그시 압력을 가하다 / 汗が～にじみ出る 땀이 축축이 배어 나오다.

しわば-む 〖皺ばむ〗 5自 주름살이 지다. ¶～·んだ手 주름진 손 / 皮膚が～ 피부가 주름지다.

しわ-める 〖皺める〗 下1他 주름잡다. ¶眉を～ 눈살을 찌푸리다.

しわよせ【しわ寄せ】《皺寄せ》 名 ス他 모순이나 불합리한 일이 해결되지 않고 전가되는 일. ¶赤字財政の～ 적자 재정이 가져 오는 악영향[여파] / デフレの犠牲は中小企業に～されている 디플레의 희생은 중소 기업에 미치고 있다 / 不況の～が零細企業におよぶ 불황으로 인한 피해가 영세 기업에 미치다.

しわよ-る【しわ寄る】《皺寄る》 5自 주름지다; 주름살잡히다.

じわりじわり 副 거리·간격을 조금씩 좁혀가는 모양: 한발짝한발짝. =じわじわ. ¶～と寄って来る 한발짝한발짝 다가오다 / ～と物価があがる 조금씩조금씩 물가가 오르다.

しわ-る 〖撓る〗 5自 휘어지다; 구부러지다. =たわむ. ¶雪で竹が～ 눈으로 대나무가 휘다.

じわれ【地割れ】 名 ス自 (가물거나 지진 때문에) 땅이 갈라짐. ¶地震で方々に～が生じた 지진으로 여러 곳의 땅이 갈라졌다 / 田に～ができる (가뭄으로) 논이 갈라지다.

しん【心】 一 名 **1 마음; 본심; 정신. ¶～から愛する人 진심으로 사랑하는 사람 / ～は親切な人 본심은 친절한 사람 / ～の強い男 심지가 강한 사나이. **2**《芯》 심; 심지. ¶鉛筆の～ 연필심 / ろうそくの～ 초의 심지 / りんごの～ 사과의 속《씨가 있는 부분》/ バットの～ 공을 쳐서 가장 멀리 갈 수 있는 배트의 중심 부분 / えりの～ 옷깃의 심. 二 接尾 …심. ¶公徳～ 공덕심.

***しん** 〖芯〗 名 **1** ☞しん(心)2. **2** 가지 끝에 자라는 싹[눈]. ¶～を摘む 싹[눈]을 꺾다[따다].

しん【信】 一 名 **1** 성실; 거짓이 없음. **2** 신뢰; 신용. ¶～を失う 신용을 잃다. **3** 신앙(심). ¶～をおこす 신앙심을 일으키다. 二 接尾 …신; 통신. ¶南極からの第一～ 남극에서 온 제1신.

—を置く 신뢰[신용]하다.

—を問う 신임을 묻다. ¶国民に～ 국민에게 신임을 묻다.

しん【真】 名 진실; 참다움; 진리; 참. ¶～の友情 참된 우정 / ～の学者 진실한 학자 / ～·善·美 진·선·미 / ～と偽を見分ける 참과 거짓을 분별하다. 参考 '偽'에 대하여 말할 때는 '真な'의 꼴로 쓰기도 함. ¶～な命題 참다운 명제. ↔偽.

—に迫る 진짜와 꼭 같다; 생생하다.

しん【新】 一 名 **1** 새로움; 새로운 것. ¶～を好む 새로운 것을 좋아하다. **2** '新暦'의 준말: 양력. ¶～の正月 신정; 양력 설. ⇔旧. **3**〔經〕 '新株(=신주)'의 준말. 二 接頭 신…; 새로운. ¶～世界 신세계 / ～体制 신체제.

しん【親】 名 육친; 근친. =みうち. ¶大義～を滅す 대의멸친《대의를 위해 육친도 버린다》.

—は泣き寄り, 他人は食い寄り 일가들은 울며 모여들고 남들은 먹으러 모여든다《궂은 일에는 일가친척》.

=しん【審】 …심; 재판의 심리. ¶第二～ 제2심.

しん〖心〗 教2 シン こころ | 심 마음 | **1** 염통. ¶心臓 심장. **2** 마음; 의식; 정신. ¶心血 심혈. **3** 사물의 중심이나 중앙; 중요한 부분. ¶心棒 굴대; 축 / 核心 핵심.

しん〖申〗 教3 シン もうす さる | 신 아뢰다 | **1** 진술하다; 말씀드리다. ¶申請 신청 / 上申 상신. **2** 지지(地支)의 아홉째. ¶庚申 경신.

しん〖伸〗 常用 シン のびる のばす | 신 펴다 | **1** 뻗다; 펴다. ¶伸長 신장 / 屈伸 굴신. ↔屈. **2** 말하다. ¶追伸 추신.

しん〖臣〗 教4 シン ジン おみ | 신 신하 | 임금을 섬기는 사람; 통치를 받는 사람. ¶君臣 군신 / 臣民 신민.

しん〖身〗 教3 シン み | 신 몸 | **1** 육체; 몸. ¶身心 심신. **2** 자기(몸). ¶身上 신상. **3** 물건의 알맹이; 내용. ¶刀身 도신.

しん〖辛〗 常用 シン からい つらい かのと | 신 맵다 | **1** 맵다; 매운 음식. ¶香辛料 향신료. **2** 마음이 쓰라리다. ¶辛苦 신고.

しん〖信〗 教4 シン まこと | 신 믿다 | **1** 거짓말을 않다; 참다움. ¶信義 신의. **2** 믿다; 신용하다. ¶信者 신자 / 信任 신임. **3** 전달 수단; 소식; 편지. ¶信書 신서 / 通信 통신.

しん〖侵〗《侵》 常用 シン おかす | 침 침노하다 | 침노하다; 침범하다. ¶侵略 침략 / 侵害 침해.

しん〖娠〗 常用 シン はらむ | 신 아이배다 | 잉태하다. ¶妊娠 임신.

しん〖津〗 常用 シン つ | 진 나루 | **1** 나루; 항구. ¶津駅 나루터; 항구 / 津津浦浦 방방곡곡. **2** 진액; 침. ¶津液 진액.

しん〖神〗《神》 教3 シン ジン かみ かん こう |

신 귀신 | 1 신; 하느님. ¶神威(しんい) 신위. 2 불가사의한 힘이 있음. ¶神秘(しんぴ) 신비 / 神通力(じんずうりき・じんつうりき) 신통력. 3 육체에 깃든 마음의 작용; 마음. ¶神気(しんき) 신기 / 精神(せいしん) 정신.

しん〖唇〗常用 シン くちびる | 순 입술 | 입술. ¶丹唇(たんしん) 붉은 입술. 注意 본디는 '脣'임.

しん〖振〗常用 シン ふる ふるう | 진 떨치다 | 1 흔들다. ¶振動(しんどう) 진동 / 振子(しんし・ふりこ) 진자. 2 왕성해지다; 활기 띠다. ¶振興(しんこう) 진흥.

しん〖浸〗《浸》常用 シン ひたす ひたる つける | 침 적시다 | 1 물에 잠기다; 젖다; 적시다. ¶浸水(しんすい) 침수. 2 물이 스며들다; 배다. ¶浸潤(しんじゅん) 침윤.

しん〖真〗《眞》教3 シン ま まこと | 진 참 | 1 거짓·꾸밈이 없음; 참됨; 참. ¶真理(しんり) 진리. 2 순전; 순수. ¶天真(てんしん) 천진.

しん〖針〗教6 シン はり | 침 바늘 | 1 바늘. ¶運針(うんしん) 운침. 2 바늘 모양을 한 것. ¶針葉樹(しんようじゅ) 침엽수 / 長針(ちょうしん) 장침. 3 침(鍼). ¶針灸(しんきゅう) 침구. 注意 3은 '鍼'으로도 씀.

しん〖深〗教3 シン ふかい み ふかめる ふかまる | 심 깊다 | 1 깊다. ¶深海(しんかい) 심해 / 水深(すいしん) 수심. ↔浅(せん). 2 짙다. ¶深夜(しんや) 심야.

しん〖紳〗常用 シン | 신 큰띠 | 귀인의 예복에 착용하던 폭 넓은 띠; 전하여, 지위나 교양이 높은 훌륭한 사람. ¶紳士(しんし) 신사.

しん〖進〗《進》教3 シン すすむ すすめる | 진 나아가다 | 1 올라가다; 계급이 오르다. ¶進級(しんきゅう) 진급. 2 나아가다. ¶進行(しんこう) 진행. ↔退(たい). 3 향상하다; 좋아지다. ¶進化(しんか) 진화.

しん〖森〗教1 シン もり | 삼 숲 | 1 나무가 우거지다; 또, 사물이 많이 늘어서 있다. ¶森林(しんりん) 삼림. 2 엄숙. ¶森厳(しんげん) 삼엄.

しん〖診〗常用 シン みる | 진 보다 | 진맥하다; 진찰하다. ¶診断(しんだん) 진단 / 聴診(ちょうしん) 청진.

しん〖寝〗《寢》常用 シン ねる ねかす | 침 자다 | 잠자리에 들다〔눕다〕; 누워 자다; 병으로 눕다. ¶就寝(しゅうしん) 취침.

しん〖慎〗《愼》常用 シン つつしむ つつましい | 신 삼가다 | 몸가짐을 조심하다; 삼가다. ¶慎重(しんちょう) 신중 / 謹慎(きんしん) 근신.

しん〖新〗教2 シン あたらしい あらた にい | 신 새 | 1 새것; 새롭다; 새로. ¶新設(しんせつ) 신설 / 新妻(にいづま) 신부. ↔旧(きゅう)·古(こ). 2 신력(新曆). ¶新(しん)の正月(しょうがつ) 신정. ↔旧(きゅう).

しん〖審〗常用 シン つまびらか | 심 살피다 | 1 상세히 조사하다. ¶審査(しんさ) 심사 / 不審(ふしん) 불심. 2 심리; 재판. ¶結審(けっしん) 결심. 3 심판원. ¶球審(きゅうしん) 구심.

しん〖震〗常用 シン ふるう ふるえる | 진 흔들리다 | 1 (천둥으로 만물이) 요동하다; 흔들다; 흔들리다. ¶震動(しんどう) 진동. 2 지진. ¶震源(しんげん) 진원 / 強震(きょうしん) 강진.

しん〖薪〗常用 シン たきぎ まき | 신 땔나무 | 1 땔나무를 베다. 2 땔나무; 장작. ¶薪炭(しんたん) 신탄 / 臥薪嘗胆(がしんしょうたん) 와신상담. 3 잡목.

しん〖親〗教2 シン おや したしい したしむ みずから | 친 친하다 | 1 어버이; 부모. ¶親子(しんし・おやこ) 친자; 부모와 자식 / 両親(りょうしん) 양친. 2 혈연; 친척. ¶親戚(しんせき) 친척 / 近親(きんしん) 근친. 3 친하다; 친교하다. ¶親友(しんゆう) 친우.

じん【人】 인. 一 名 평점 등에서 3단계로 나눈 것 중 셋째. ↔天(てん)·地(ち). 二 接尾 사람. ¶外国(がいこく)〜 외국인 / 経済(けいざい)〜 경제인 / 映画(えいが)〜 영화인.

じん【仁】 名 인; (유교에서) 윤리상의 이상. ¶孔子(こうし)の道(みち)は〜につきる 공자의 가르침은 인으로 요약된다 / 身(み)を殺(ころ)して〜を成(な)す 살신성인하다.

じん【陣】 진. 一 名 1 진; 군사의 배치. ¶〜をしく 진을 치다 / 背水(はいすい)の〜 배수진. 2 싸움. ¶大阪(おおさか)夏(なつ)の〜 1615년 여름, 徳川(とくがわ)가 豊臣(とよとみ)를 멸망시킨 싸움. 二 接尾 …진; 집단. ¶報道(ほうどう)〜 보도진.
━を取(と)る 1 진을 치다; 군대를 배치하다. 2 장소를 차지하다.

じん [腎] 名 신; 신장; 콩팥. ¶〜不全(ふぜん) 신부전 / 〜の病(やまい) 신장병.

ジン [gin] 名 진《증류주의 하나》. ¶〜トニック 진토닉.
━フィーズ [gin fizz] 名 진피즈《진에 레몬수 등을 섞은 칵테일의 하나》.

じん〖人〗教1 ジン ニン ひと | 인 사람 | 1 사람. ¶人道(じんどう) 인도. 2 인품. ¶人相(にんそう) 인상. 3《接尾語로서》…인. ¶黒人(こくじん) 흑인. 4 사람을 세는 말《'にん'으로 읽음》: …인. ¶三人(さんにん) 3인.

じん〖刃〗《刄》常用 ジン ニン は やいば | 인 칼날 | 1 칼날; 날이 달린 무기. ¶白刃(はくじん) 백인. 2 칼로 베다. ¶刃傷(にんじょう) 인상.

じん〖仁〗教6 ジン ニ ニン ひと | 인 어질다 | 1 어진마음; 인자함. ¶仁政(じんせい) 인정. 2 사람. ¶朴念仁(ぼくねんじん) 벽창호.

じん〖迅〗《迅》常用 ジン はやい | 신 빠르다 | 빠르다. ¶迅速(じんそく) 신속.

じん〖尽〗《盡》常用 ジン つくす つきる つかす ことごとく | 진 다하다 | 1 다하다; 죄다 없어지다. ¶蕩尽(とうじん) 탕진. 2 힘을〔끝까지〕 다하다. ¶尽忠報国(じんちゅうほうこく) 진충보국.

じん〖甚〗常用 ジン はなはだ はなはだしい | 심 심하다
1 보통 정도가 지나다; 심하다. ¶甚大(じんだい) 심대 / 劇甚(げきじん) 극심. 2 무엇; 무슨.

じん〖陣〗常用 ジン | 진 진치다 | 1 진을 치다; 군대의 배치. ¶陣立(じんだ)て 군세의 배치 / 陣頭(じんとう) 진두. 2 전시에 군대가 있는 곳. ¶陣営(じんえい) 진영 / 敵陣(てきじん) 적진. 3 전쟁; 싸움. ¶出陣(しゅつじん) 출진.

じん〖尋〗《尋》常用 ジン たずねる ひろ ついで | 심 찾다 | 1 찾다; 구하다; 캐묻다. ¶尋問(じんもん) 심문. 2 방문하다. ¶尋訪(じんぽう) 심방. 3 평상(平常); 보통. ¶尋常(じんじょう) 심상.

しんあい【親愛】名ナ 친애. ¶~感(かん) 친애감 / ~の情(じょう) 친애의 정 / ~なる読者(どくしゃ)に告(つ)げる 친애하는 독자에게 고함.

しんあん【新案】名 신안; 새로운 착상.
—とっきょ【—特許】名 '実用(じつよう)新案(しんあん)特許(=실용신안 특허)'의 속칭. ¶~を申請(しんせい)する 신안 특허를 신청하다.

しんい【真意】名 진의; 참뜻. ¶~を悟(さと)る〔さぐる〕 참뜻을 깨닫다〔살피다〕/ ~をもらす 참뜻을 말하다 / 発言(はつげん)の~をつかみかねる 발언의 진의를 알 수가 없다 / 私(わたし)の~はそこにあるのだ 나의 참뜻은 거기에 있는 것이다.

じんい【人位】名 인위; 인간·신하로서의 지위. ¶~をきわめる 신하로서 최고 지위에 오르다.

じんい【人為】名 인위. =人工(じんこう). ¶~をもって自然(しぜん)を征服(せいふく)する 인위로써 자연을 정복하다. ↔自然(しぜん)·天然(てんねん)·無為(むい)·天為(てんい).
—てき【—的】ダナ 인위적. ¶~に地震(じしん)を起(お)こす 인위적으로 지진이 일어나게 하다.

しんいり【新入り】名ス自 신입; 새로 들어옴; 또, 그 사람; 신참(新參). =新米(しんまい). ¶~の社員(しゃいん) 신입 사원 / ~の罪人(ざいにん) 새로 들어온 죄인 / ~のくせに生意気(なまいき)だ 신참인 주제에 건방지다.

しんいん【真因】名 진인; 진짜 원인. ¶彼(かれ)の自殺(じさつ)の~は不明(ふめい)である 그의 자살의 진인은 불분명하다 / ~をさぐる〔つきとめる〕 진인을 캐다〔밝혀내다〕.

*__じんいん__【人員】名 인원. ¶~点呼(てんこ) 인원 점호 / 参加(さんか)~ 참가 인원 / 過剰(かじょう)~ 과잉 인원 / ~を整理(せいり)する 인원을 정리하다.

しんうち【真打ち】《心打ち》名 '寄席(よせ)(=만담·야담 등을 하는 흥행장)'에서 맨 나중에 출연하는 인기 있는 출연자《지금은 만담가의 최고 계급》. =しんとり·しん. ↔前座(ぜんざ)·二(ふた)つ目(め).

しんえい【真影】名 진영; 사진. ¶陛下(へいか)の御(ご)~ 폐하의 사진〔초상화〕.

しんえい【新鋭】名ナ 신예. ¶~の選手(せんしゅ) 신예 선수 / ~部隊(ぶたい) 신예 부대 / ~機(き) 신예기 / プロゴルフ界(かい)の~ 프로골프계의 신예. ↔古豪(ここう).

しんえい【親衛】名 친위. ¶~兵(へい) 친위병 / ~隊(たい) 친위대.

じんえい【人影】名 인영; 사람 그림자; 사람의 모습. =ひとかげ. ¶~まばら 인적이 드묾.

じんえい【陣営】名 진영; 진지. ¶自由主義(じゆうしゅぎ)~ 자유주의 진영 / 資本家(しほんか)~ 자본가 진영 / ~を張(は)る 진을 치다 / 我(わ)が~に引(ひ)き入(い)れる 우리 진영에 끌어들이다.

しんえん[深淵]名 심연. ¶~をのぞきこむ 심연을 들여다보다 / 悲(かな)しみの~ 슬픔의 심연 / 越(こ)え難(がた)い~が横(よこ)たわる 넘기 힘든 심연이 가로 놓이다.
—に臨(のぞ)むが如(ごと)し 심연에 임하는 것 같다《매우 조심스럽다》.

しんえん【深遠】名ナ 심원. ¶~な哲理(てつり)〔思想(しそう)〕 심원한 철리〔사상〕.

じんえん【人煙】《人烟》名 인연; 인가(人家)에서 나는 연기; 전하여, 인가. ¶~まれな山中(さんちゅう) 인가가 드문 산중.

しんおう【深奥】名ナ 심오. ¶~なおもむき 심오한 풍취 / 芸(げい)の~を極(きわ)める 예술의 가장 심오한 경지에 이르다; 예술의 극치를 터득하다.

しんおう【震央】名 진앙; 진원(震源)의 바로 윗 지점.
—きょり【—距離】名 진앙 거리《진앙에서 지구 표면을 따라 잰 최단 거리》. ⇨震源(しんげん)きょり.

しんか【深化】名ス自他 심화; 깊어짐; 심각하게 됨; (이해 등을) 깊게 함. ¶対立(たいりつ)が~する 대립이 심화되다 / 解釈(かいしゃく)を~する 해석을 더 깊게 하다 / 紛争(ふんそう)が日増(ひま)しに~する 분쟁이 날이 갈수록 심화되다.

*__しんか__【進化】名ス自 진화. =エボリューション. ¶~論(ろん) 진화론 / 人間(にんげん)は猿(さる)から~したものだ 인간은 원숭이로부터 진화한 것이다 / ~の過程(かてい)をたどる 진화 과정을 더듬어 가다. ↔退化(たいか).

しんか【神化】신화. 一名 1 불가사의한 변화. 2 신의 화육(化育)·덕화(德化); 위대한 덕화. 二名ス自他 신이 됨; 또, 신으로 삼음; 신격화.

しんか【真価】名 진가. ¶~を問(と)う 진가를 따지다 / ~を認(みと)める〔発揮(はっき)する〕 진가를 인정〔발휘〕하다 / ~があらわれる 진가가 나타나다.

しんか【臣下】名 신하. =家来(けらい).

じんか【人家】名 인가. ¶~の多(おお)い所(ところ) 인가가 많은 곳 / ~のまれな山中(さんちゅう) 인가가 드문 산중 / ~が密集(みっしゅう)した地域(ちいき) 인가가 밀집한 지역.

シンガー[singer]名 싱어; 가수; 성악가. ¶ジャズ~ 재즈 싱어.
—ソングライター[singer-songwriter]名 싱어송라이터《가수로서 작사·작곡하는 사람》.

しんかい【深海】名 심해; 깊은 바다. ¶~魚(ぎょ) 심해어. ↔浅海(せんかい).

しんかい【新開】名ス他 신개; (인공을

가해서) 새로 개척함.

—ち【—地】名 신개지. **1** 새로 개간한 토지. **2** 교외 등의 새로 시가가 된 곳.

しんがい【心外】名ナ 심외; 의외; 어처구니없음; 유감스러움. ¶~な批評を受けた 의외의 비평을 받았다 / まことに~です 정말 의외〔뜻밖〕입니다 / ~にたえぬ 섭섭하기 짝이 없다.

しんがい〔辛亥〕名 신해《60 갑자(甲子)의 하나》. =かのとい.

—かくめい〔—革命〕名〔史〕신해혁명.

***しんがい**【侵害】名ス他 침해; 침범. ¶人権を~する 인권을 침해하다 / 領海を~する 영해를 침범하다.

—はん【—犯】名 침해범《살인죄·절도죄 등》. ↔危険犯.

しんがい【震害】名 지진의 피해. ¶今度の~は大した事ではなかった 이번 지진 피해는 대단한 것은 아니었다.

じんかい〔塵芥〕名 진개; 먼지; 쓰레기. =ごみ·ちりあくた. ¶~の捨て場 쓰레기 버리는 곳 / ~処理場 쓰레기 처리장.

じんがい【人外】名 인간이 사는 세계 밖. ¶~境 속세를 떠난 곳.

じんかいせんじゅつ【人海戦術】名 인해 전술. ¶~で行く 인해 전술로 나가다 / ~を取る 인해 전술을 쓰다.

しんがお【新顔】名 신참(新參); 신인. ¶~の社員 신입 사원 / ~の一人 신인의 한 사람. 参考 '새로 나온 것'의 뜻으로도 씀. ¶~の医薬品 새(로 나온) 의약품. ↔古顔.

しんかく【神格】名 신격.

—か【—化】名ス他 신격화. ¶天皇を~する 天皇를 신격화하다. 「자.

しんがく【神学】名 신학. ¶~者 신학

しんがく【進学】名ス自 진학. ¶~指導 진학 지도 / ~難 진학난 / 大学に~する 대학에 진학하다 / ~はむずかしい 진학은 어렵다 / ~熱を駆りたてる 진학열을 부추기다.

***じんかく**【人格】名 인격. ¶~高潔 인격 고결 / 二重~ 이중 인격 / まれに見る~のりっぱな政治家 드물게 보는 인격이 훌륭한 정치가 / ~を認める〔無視する〕 인격을 인정〔무시〕하다.

—か【—化】名ス他 인격화.

—しん【—神】名 인격신《신을 의인화한 것》. ↔自然神.

—てき【—的】ダナ 인격적. ¶~に見て感心できない行為だ 인격적으로 보아 탐탁잖은 행위다.

じんがさ【陣がさ】《陣笠》名 **1** 전립(戰笠)《옛날에 졸병들이 전쟁터에서 투구 대신 쓰던 일종의 전투모》. **2**〈俗〉전립을 쓴 보졸이나 졸병 따위; 전하여, (세력자에 대하여) 졸개. =陣がさ連. ¶~議員 평(平) 의원.

[陣笠1]

—れん【—連】名 졸개. =下っぱ.

しんがた【新型·新形】名 신형. =ニュールック. ¶~の自動車〔電車〕신형 자동차〔전(동)차〕.

しんかなづかい【新仮名遣い】名 ☞げんだいかなづかい.

しんかぶ【新株】名〔經〕신주. =子株. ¶~を旧株の株主に分ける 신주를 구주 주주에게 배분하다. ↔旧株.

—おち【—落ち】名〔經〕신주락.

—ひきうけけん【—引受権】名〔經〕신주 인수권.

しんから【心から】副 진정〔진심〕으로; 충심으로《'心から'의 한문투의 말》. ¶~祝う 진심으로 축하하다 / ~残念に思う 정말 유감스럽게 생각한다.

しんがら【新柄】名 새로 고안된 무늬. ¶今年の~ 금년의 최신 무늬 / 夏物の~ 여름철 옷감의 새로운 무늬 / 店に~を取りそろえる 가게에 새로운 무늬의 옷감을 구비하다.

しんがり〔殿〕名 맨 뒤; 최후; 후미(後尾). ¶A部隊を~にまわす A부대를 최후미로 돌리다 / ~を勤める 후위(後衛)를 맡아 보다. 参考 경주 따위에서 맨 끝에 위치한 사람을 뜻하는 완곡한 말씨로도 씀. ¶~に来たのはM君だ 맨 끝에 온 것은 M군이다.

しんかん【信管】名 신관《폭탄 등을 폭발시키기 위해서 탄두(彈頭)나 탄저(彈底)에 붙인 장치》. ¶着発〔時限〕~ 착발〔시한〕신관.

しんかん【心肝】名 심간; 마음(속). ¶~に徹して 마음속에 사무쳐 / ~を寒からしめる 마음〔간담〕을 서늘하게 하다《대담한 행동으로 상대방을 몹시 놀라게 하다》. 「=かんぬし.

しんかん【神官】名 신관; 신직(神職).

しんかん【新刊】名 신간. ¶~書 신간서(적) / ~案内 신간 안내. ↔旧刊.

しんかん【新患】名 신환; 새 환자.

しんかん【新館】名 신관. ↔旧館.

しんかん〔震撼〕名ス自他 진감; 흔들려 움직임; 흔들어 움직임. ¶天地を~する大音響 천지를 뒤흔드는 큰 음향 / 世を~させた事件 세상을 뒤흔든 사건.

しんかん【森閑】《深閑》トタル 삼한; 아무 소리도 없이 매우 고요한 모양. ¶~とした空気 매우 고요한 분위기 / ~たる邸内 매우 고요한 저택 안 / 家のなかが~としている 집 안이 쥐 죽은 듯이 고요하다.

しんがん【心眼】名 심안; 사물의 참모습을 식별하는 마음의 작용. ¶~を開いて祖国の現状を見よ 심안을 열고 조국의 현상을 보라. ↔肉眼.

しんかんせん【新幹線】名 신간선《일본의 주요 도시를 잇는 고속 전철; 또, 그 열차》.

しんき〔心悸〕名 심계; 심장의 고동.

しんき【心機】名 심기. =心持ち.

—いってん【—一転】名ス自 심기일전.

¶～, 一から出直す 심기일전(하여) 처음부터 다시 시작하다.

しんき【心気】 名 심기; 마음. ¶～常ならず (a)마음이 심상치 않다; (b)마음이 한결같지 않다 / ～さえ渡る 마음이 아주 맑아지다 / ～を静める 마음을 가라앉히다.

しんき【神器】 名 신기. **1** 제사 지낼 때 쓰는 기구; 제구(祭具). **2** 'じんぎ'의 새로운 말씨.

しんき【辛気】 名ナ (関西 지방에서) 마음이 꺼림칙함〔내키지 않음〕. ¶～な仕事 마음이 내키지 않는 일.

——くさ-い〖—臭い〗 形 마음대로 되지 않아 짜증이 나다; 주니 나다; 애가 타다(('辛気だ'의 힘줌말)). ¶～人 따분한 사람; 탐탁스럽지 않은 사람 / ～仕事 짜증스러운 일 / ～·くて泣きたくなる 짜증이 나서 울고 싶어지다.

しんき【新規】 名 신규. ¶～採用 신규 채용 / ～の計画 신규 계획 / ～に申しこむ 신규로 신청하다 / 商売を～に始める 장사를 새로 시작하다. 参考 본디, 새로운 규약·규정의 뜻.

——まき直し 처음부터 새로 다시함.

しんぎ【真偽】 名 진위. ¶～不明 진위 불명 / うわさの～を確かめる 소문의 진위를 확인하다.

しんぎ【信義】 名 신의. ¶～を守る 신의를 지키다 / 国際的～ 국제적 신의 / ～を重んじる 신의를 중히 여기다.

しんぎ【審議】 名ス他 심의. ¶国語～会 국어 심의회 / ～未了 심의 미료〔미필〕/ 予算を～する 예산을 심의하다 / ～を重ねる 심의를 거듭하다 / ～が空回りする 심의가 공전하다.

しんぎ【心木】 名 **1** 굴대. ＝心棒. **2** 중심이 되는 버팀.

しんぎ【神技】 名 신기; 신의 조화; 신묘한 기술. ＝神わざ. ¶～に近い 신기에 가깝다.

じんぎ【仁義】 名 **1** 인의; 사람이 행해야 할 도덕; 의리. ¶～の道 인의지도 / ～に欠けた行い 의리 없는 행동 / ～にもとる 의리에 어그러지다. **2** 폭력배나 노름꾼 등이 초대면 때에 하는 특수한 인사 방식; 또, 그들의 예의·법도·규칙. ¶～を知らない 예의를 모르다 / ～を切る 의례적인 초대면 인사를 하다.

——だて【—立て】 名 인의를 지킴. ¶～をする 의리를 세우다〔다하다〕.

じんぎ【神器】 名 신기; 신으로부터 전수한 보기(寶器); 특히, 일본 황위(皇位)의 상징인 세 가지 신기(神器). ¶三種の～ 세 가지 신기((칼·구슬·거울)).

しんきじく【新機軸】 名 신기축; 지금까지와는 아주 다른 새로운 계획·고안. ¶～を出す 신기축을 안출(案出)하다.

ジンギスカンなべ〖ジンギスカン鍋〗 名 칭기즈칸 요리((숯불 위에 석쇠를 걸쳐 놓고 양고기 등을 구워 먹는 요리)). ＝ジンギスカン料理. ▷Jinghis Khan.

しんきゅう【新旧】 名 신구. **1** 새(로운) 것과 묵은 것. ＝新古. ¶～勢力の交替 신구 세력의 교체 / ～思想 신구 사상. **2** 신력과 구력. ¶～二回の正月 신구 두 차례의 설.

しんきゅう【進級】 名ス自 진급. ¶～試験 진급 시험 / 二年に～する 2학년으로 진급하다 / ～が早い 진급이 빠르다.

しんきゅう [針灸·鍼灸] 名 침구; 침과 뜸. ¶～医 침구의 / ～師 침구사 / ～術 침구술 / ～院 침구원. 注意 '針灸'로 쓰은 대용 한자.

しんきょ【新居】 名 새 주택; 새로 지은〔이사한〕 주택. ＝新宅. ¶～を構える 새 주택을 장만하다. ↔旧居.

しんきょう【信教】 名 신교; 어떤 종교를 믿음.

——の自由 신교의 자유.

しんきょう【新教】 名 신교; 프로테스탄트((기독교의 일파)). ↔旧教.

***しんきょう【心境】** 名 심경. ＝心持ち. ¶静かな～ 조용한 심경 / ～の変化を来たす 심경의 변화를 가져오다 / ～を語る〔述べる〕 심경을 말하다.

——しょうせつ【—小説】 名 심경 소설.

しんきょう【進境】 名 진보(해서 도달)한 경지; 향상한 모양·정도. ¶著しい～を示す 현저한 향상을 보이다.

じんきょう [任俠·仁俠] 名 ☞にんきょう.

しんきょく【新曲】 名 신곡; 새 곡. ¶～を発表する 신곡을 발표하다. ↔古曲.

しんきろう〖蜃気楼〗 名 신기루. ¶～が現われる 신기루가 나타나다.

しんきろく【新記録】 名 신기록. ¶世界～ 세계 신기록 / ～が出る 신기록이 나오다 / ～を出す 신기록을 내다.

しんきん【信金】 名 '信用金庫(＝신용 금고)'의 준말.

しんきん【親近】 一名ス自 친근; 친밀하게 함. 二名 **1** 측근. **2** 근친; 친척; 인척. ＝身寄り. ¶～者 근친자.

——かん【—感】 名 친근감. ¶～を覚える〔いだく〕 친근감을 느끼다〔갖다〕 / どうしても～がわかない 아무래도 친근감이 우러나오지 않는다.

しんぎん [呻吟] 名ス自 신음. ¶病床に～する 병상에 신음하다 / 虐政のもとに～する 학정하에 신음하다.

しんきんしょう【真菌症】 名〔醫〕 진균증; 사상균증(絲狀菌症).

しんく【辛苦】 名ス自 신고; 쓰라린 고생. ＝難儀·辛酸. ¶艱難～ 간난신고 / ～をなめる 신고를 맛보다.

しんく【真紅·深紅】 名 진홍(색). ＝まっか. ¶～に染まった夕空 (노을로) 시뻘겋게 물든 저녁 하늘.

シンク [sink] 名 싱크; 부엌(의) 설거지대(臺)의 수조(水槽) 부분.

しんぐ【寝具】 名 침구. ＝夜具. ¶～を新調する 침구를 새로 장만하다.

ジンク [zinc] 名〔化〕 징크; 아연. ¶～

版 아연판.

しんくいむし〖心食い虫〗图 과수나 야채 따위의 해충《대개는 나방의 유충》.

*しんくう【真空】图 진공. 1〖理〗공기 따위의 물질이 전연 없는 공간. ¶ ~掃除機 진공 청소기. 2 (비유적으로) 실질이 없는 상태나 장소. ¶ ~状態〔地帯〕진공 상태〔지대〕/ 頭が~になる 머릿속이 텅 비다.

—かん【—管】图 진공관.

—ブレーキ [brake] 图 진공 브레이크.

じんぐう【神宮】图 신궁; 격이 높은 신사의 하나로, 대개는 제신(祭神)이 황조(皇祖)·天皇인 것; 특히, 伊勢의 皇大神宮.

ジンクス [미 jinx] 图 징크스; 불길함; 터부. ¶ ~を破る 징크스를 깨다.

シンクタンク [think tank] 图 싱크 탱크; 두뇌 집단.

しんくみ【信組】图 '信用組合(=신용 조합)'의 준말.

シングル [single] 图 싱글. 1 하나; 단일. ¶ ~ベット 1인용 침대. 2 'シングル幅'의 준말. 3 'シングルブレスト(=외줄박이 단추의 양복)'의 준말. =片前. ⇔ダブル. 4 'シングルヒット'의 준말. 5 독신자. ¶ ~ライフ 독신자 생활.

—はば【—幅】图 양복감의 폭 규격의 하나《약 71 cm》. ↔ダブル幅.

—ばん【—盤】图 싱글판; 양면에 각각 한 곡만 녹음된 소형의 레코드나 CD《여러 곡이 수록된 앨범에 대한 말》.

—ヒット [일 single+hit] 图〖野〗싱글 히트; 단타《1루까지 갈 수 있는 안타》. =ワンベースヒット. ↔ロングヒット. *영어로는 그냥 single이라고 함.

—ファーザー [single father] 图 싱글 파더; (어머니가 없는) 부자(父子)뿐인 가정의 어버지.

—マザー [single mother] 图 싱글 머더. 1 미혼모. =未婚の母. 2 자식을 양육하는 이혼녀 또는 별거녀. =シングルママ.

シングルス [singles] 图 싱글스; (테니스나 탁구 따위에서) 단식 경기. =単. ↔ダブルス.

—バー [single bar] 图 싱글스 바; 독신 남녀가 교제 상대를 찾기 위해 오는 술집. =デーティングバー.

シングルズ [singles] 图 싱글스; 결혼할 뜻이 없는 독신자; 전하여, 결혼을 하지 않은 동거 커플의 일컬음.

シンクロナイズド スイミング [synchronized swimming] 图 싱크로나이즈드 스위밍; 수중 발레.

しんぐん【進軍】图ス自 진군. ¶ ~ラッパ 진군 나팔 / 雪中を~する 눈이 내리는 가운데 진군하다.

**しんけい【神経】图 신경. ¶ ~細胞 신경 세포 / 歯の~を抜く 이의 신경을 뽑다 / ~がにぶい 신경이 둔하다 / ~が太い 신경이 굵다《놀라지 않는 성질이다》/ ~が細い 신경이 섬세하다 / ~がするどい 신경이 예민하다 / ~に触る 신경을 건드리다 / ~を使う〔静める, 尖らせる〕신경을 쓰다〔가라앉히다, 곤두세우다〕/ ~を逆なでする 일부러 비위를〔신경을〕건드리다 / それは君の~さ 그건 자네 마음 탓이야 / この仕事は非常に~にこたえる 이 일은 매우 신경이 쓰이는 일이다.

—か【—科】图〖醫〗신경과.

—か【—家】图 하찮은 일에 골치를 썩히는 사람; 신경질적인 사람.

—かびん【—過敏】名ナ 신경과민.

—しつ【—質】图ダナ 신경질(적임). ¶ ~な子供 신경질적인 아이 / ~でつき合いにくい人 신경질이어서 사귀기 힘든 사람. 「=ノイローゼ.

—しょう【—症】图 신경증; 노이로제.

—すいじゃく【—衰弱】图 신경 쇠약. =ノイローゼ. 參考 통속적으로, 정신 이상의 뜻으로도 쓰임.

—つう【—痛】图〖醫〗신경통. ¶ 肋間~ 늑간 신경통.

しんけい【親系】图 친계. 1 친족의 계통. 2 혈연 관계의 분류《직계와 방계, 존속과 비속(卑屬), 부계와 모계 따위》.

しんけい【針形】图〖植〗침형; 바늘꼴.

じんけい【仁兄】图 인형《편지에서 동년배를 친근하게 부르는 말》.

じんけい【陣形】图 진형. 1 전투 대형. =陣立て. ¶ ~を整える〔立て直す〕진형을 정돈하다. 2 바둑·장기에서, 돌이나 말의 포진 형태.

しんけいこう【新傾向】图 신경향.

しんげき【進撃】图ス自 진격. =進攻. ¶ ~命令 진격 명령 / 大軍を擁して~する 대군을 거느리고 진격하다 / 敵の~を阻む 적의 진격을 저지하다.

しんげき【新劇】图 신극《かぶき·신파극 따위의 구극에 대하여, 외국의 근대극의 영향을 받아 나타난 새로운 연극》. ¶ ~の俳優 신극 배우. ↔旧劇.

しんけつ【心血】图 심혈; 모든 정열; 온 정신. ¶ ~を傾けた作品 심혈을 기울인 작품.

—を注ぐ 심혈을 쏟다〔기울이다〕.

しんけつ【審決】图ス自他 심결. 1 심리하여 결정함. 2 공정 거래 위원회·특허청 따위의 공권적(公權的) 판단.

しんげつ【新月】图 신월. 1 ☞みかづき. ¶ ~が出る 초승달이 나오다〔뜨다〕. 2 동천(東天)에 솟아오르는 달.

*しんけん【真剣】一图 진검; 진짜 칼. 二图ダナ 진심; 진지(眞摯). ¶ ~な態度 진지한 태도 / ~さが足りない 진지함이 부족하다 / 私は~なんだ 나는 진정이야 / ~に取り組む 진지하게 달라붙다〔맞붙다〕/ ~になって働く 진지하게 일하다.

—しょうぶ【—勝負】图 1 진짜 칼을 쓰는 승부〔싸움〕. 2 목숨을 건 승부; 진지한 승부.

—み【—味】名 진지함; 진지한 마음.

しんけん【親権】名 친권. ¶～者(しゃ) 친권자/～を行(おこな)う 친권을 행사하다.

しんげん【進言】名ス他 진언. ＝具申(ぐしん). ¶上司(じょうし)に改革案(かいかくあん)を～する 상사에게 개혁안을 진언하다/～を受(う)け入(い)れる 진언을 받아들이다.

しんげん【森厳】名ナ 삼엄; 매우 엄숙한 모양. ¶～の神域(しんいき) 삼엄한 신사 경내.

しんげん［箴言］名 잠언. **1** 훈계의 말이나 구(句). ¶ソロモンの～ 솔로몬의 잠언. **2** 격언; 금언.

しんげん【震源】名 진원. **1** 지진의 최초 발생 지점. ＝震央(しんおう). **2** 소동이나 사건을 야기한 근원. ¶うわさの～はどこだ 소문의 진원지는 어디냐.

—きょり【—距離】名 진원 거리《진원에서 지구 내부를 통과하는 직선으로 잰 최단거리》. ⇨震央きょり.

—ち【—地】名 진원지. ¶その事件(じけん)の～は京都(きょうと)である 그 사건의 진원지는 京都다.

じんけん【人絹】名 인견《'人造絹糸(じんぞうけんし)(＝인조 견사)'의 준말》; 레이온; 또, 그 피륙. ¶～工業(こうぎょう) 인견 공업.

*__じんけん【人権】__名 인권. ¶～を尊重(そんちょう)する 인권을 존중하다.

—がいこう【—外交】名 인권 외교.

—じゅうりん［—蹂躙］名 인권 유린.

じんけんひ【人件費】名 인건비. ¶～に当(あ)てる 인건비에 충당하다/～がかさむ 인건비가 늘어나다〔많아지다〕.

しんげんぶくろ【信玄袋】名 자루의 한 가지《보통, 천으로 만들어 아가리를 끈으로 묶도록 되어 있으며 딱딱한 종이로 바닥을 댄 휴대용의 큰 자루》; 주머니 자루. ＝合切袋(がっさいぶくろ).

しんこ〖新香〗名 (새로 담근) 채소 절임〔(일본) 김치〕. ＝香(こう)の物(もの)·おしんこ.
注意 '新香(しんこう)'의 口語적 말씨.

しんご【新語】名 신어; 새말. **1** 신출어. **2** 신조어. ¶～辞典(じてん) 신어 사전.

じんご【人後】名 인후; 남의 뒤〔밑〕.

—に落(お)ちない 남에게 (뒤)지지〔남만 못하지〕 않다. ¶遊(あそ)ぶことにかけては～ 노는 데는 남에게 뒤지지 않는다.

じんご【人語】名 인어. **1** 인간의 말. ¶～を解(かい)する犬(いぬ) 사람 말을 알아 듣는 개. ↔天声(てんせい). **2** 말〔이야기〕소리. ¶山中(さんちゅう)～を聞(き)かない (첩첩) 산중에서 사람의 말소리를 듣지 못하다.

**__しんこう【信仰】__名ス他 신앙. ¶～心(しん) 신앙심/～生活(せいかつ) 신앙 생활/～を持(も)つ 신앙을 갖다/～が厚(あつ)い 믿음〔신앙〕이 두텁다.

—こくはく【—告白】名〖基〗신앙 고백.

しんこう【侵攻】名ス他 침공. ¶敵国(てきこく)を～する 적국을 침공하다/敵(てき)の～に備(そな)える 적의 침공에 대비하다.

しんこう【振興】名ス他自 진흥. ¶～策(さく) 진흥책/産業(さんぎょう)〔科学(かがく)〕の～を図(はか)る 산업〔과학〕 진흥을 꾀하다.

しんこう【深更】名 심경; 심야; 한밤중. ＝夜(よ)ふけ. ¶～までかかる 심야〔한밤중〕까지 걸리다/～におよぶ 한밤중에 이르다.

しんこう【深紅】名 심홍; 진홍. ＝真紅(しんく). ¶～色(しょく) 심〔진〕홍색.

しんこう【親交】名 친교. ¶～がある 친교가 있다/～を深(ふか)める 친교를 두터이 하다/～のある友人(ゆうじん) 친교가 있는 친구.

しんこう【新香】名 ☞しんこ.

しんこう【新興】名 신흥. ¶～勢力(せいりょく) 신흥 세력/～財閥(ざいばつ) 신흥 재벌/～階級(かいきゅう)〔都市(とし)〕 신흥 계급〔도시〕/～宗教(しゅうきょう) 신흥 종교.

しんこう【進攻】名ス他 진공. ¶敵陣(てきじん)に～する 적진에 진공하다.

*__しんこう【進行】__名 진행. 一名ス自 앞으로 나아감. ¶～中(ちゅう)の列車(れっしゃ) 달리는 열차. 二名ス自他 일이 진척됨; 진척. ¶工事(こうじ)の～が早(はや)い 공사 진척이 빠르다/議事(ぎじ)の～をはかる 의사 진행을 도모하다/病勢(びょうせい)が～する 병세가 진행〔악화〕되다.

—がかり【—係】名 진행자; 진행 담당; 사회자.

しんこう【進航】名ス自 진항; 배가 앞으로 나아감. ¶船(ふね)が北(きた)へ向(む)かって～している 배가 북을 향해 진항하고 있다.

__しんごう【信号】__名ス自 신호. **1 신호 장치. ＝シグナル. ¶～灯(とう) 신호등/交通(こうつう)～ 교통 신호/赤(あか)〔青(あお)〕～ 빨간〔푸른〕 신호/～待(ま)ち 신호 대기/～をよく見(み)て渡(わた)りましょう 신호를 잘 보고 건너갑시다. **2** 약속된 방법으로 알림; 또, 그 표시. ¶遭難(そうなん)～ 조난 신호/手旗(てばた)～ 수기 신호/危険(きけん)～を送(おく)る 위험 신호를 보내다.

—き【—旗】名 (함선 등에서 쓰는) 신호기.

—き【—機】名 신호기《철도나 도로상에 설치하여 진행·정지 등의 신호를 보여 주는 설비》.

__じんこう【人口】__名 인구. **1 사람의 수. ¶～調査(ちょうさ) 인구 조사/～稠密(ちゅうみつ) 인구 조밀/幽霊(ゆうれい)～ 유령 인구/～が殖(ふ)える 인구가 늘다/我(わ)が国(くに)は労働(ろうどう)～に富(と)む 우리나라는 노동 인구가 풍부하다. **2** 사람의 입; 소문. ¶～に上(のぼ)る 사람들의 입에 오르다〔화제가 되다〕/～を憚(はばか)る 소문나는 것을 꺼리다.

—に膾炙(かいしゃ)する 인구에 회자되다; 뭇 사람 입에 오르내리다; 널리 알려지다.

*__じんこう【人工】__名 인공. ¶～の美(び) 인공미/～林(りん) 인공림/～の模倣(もほう)し得(え)ない物(もの) 인공으로 모방할 수 없는 것. ↔自然(しぜん)·天然(てんねん).

—えいせい【—衛星】名 인공위성.

—ききょう【—気胸】名〖醫〗인공 기흉《'人工気胸療法(りょうほう)(＝인공 기흉 요법)'의 준말》.

—こうう【—降雨】名 인공 강우.

—こきゅう【—呼吸】名 인공호흡.

—しば【—芝】名 인조 잔디; 인공 잔디《운동장·서커스장 용》.

—しんぱい【—心肺】图〔醫〕인공 심폐. ＝人工しんはい.

—ずのう【—頭脳】图 인공두뇌(('컴퓨터'의 속칭)).

—そざい【—素材】图 인공 소재((꽃꽂이에서, 가공한 소재)).

—ちのう【—知能】图 인공 지능; 컴퓨터에서 인간의 지적 기능을 대신하는 장치; 또, 그 연구((번역기 등; artificial intelligence의 역어)).

—てき【—的】ダナ 인공적. ¶～に川の流れを変える 인공적으로 강의 흐름을〔물줄기를〕 바꾸다.

—とうせき【—透析】图 (신장병 환자의) 인공 투석. ＝血液透析.

じんこう〖沈香〗图 **1**〔植〕침향나무((팥꽃나뭇과에 속하는 상록 교목)). **2** 향료의 일종((침향나무로 만든 것)).

—も焚かず屁もひらず 침향도 피우지 않고 방귀도 뀌지 않는다((잘하는 일도 없지만 해를 끼치는 일도 없다; 극히 소극적이고 평범함의 비유)).

しんこきゅう【深呼吸】图ス自 심호흡. ¶～をする 심호흡을 하다.

しんこく【新穀】图 신곡; 햇곡식; 특히, 햅쌀. ＝新米.

しんこく【神国】图 신국; 신이 세우고 수호한다는 나라. ¶～日本 신국 일본((지난날의 일본의 자칭(自稱))).

*__しんこく__【申告】图ス他 신고. ¶～書 신고서 / 転入～ 전입 신고 / 青色～ 녹색신고 / 税関に～する 세관에 신고하다 / 着任を～する 부임하였음을 신고하다.

—のうぜい【—納税】图 신고 납세. ↔賦課課税.

しんこく【親告】图ス他 친고.

—ざい【—罪】图〔法〕친고죄.

*__しんこく__【深刻】ダナ 심각. ¶～化 심각화 / ～な発言〔表情〕 심각한 발언〔표정〕 / すぐ～ぶる 금세 심각한 체하다 / 問題は～だ 문제는 심각하다 / 人口は我が国の～な問題だ 인구는 우리나라의 심각한 문제다.

じんこつ【人骨】图 인골; 사람의 뼈.

しんこっちょう【真骨頂】图 그것의 본디의 진짜 모습; 진면목(眞面目). ¶～を発揮する 진면목을 발휘하다.

しんこん【心魂·神魂】图 **1** 심혼; (온)정신. ¶～を傾ける 심혼을 기울이다. **2** 골수.

—に徹する 골수에 사무치다.

しんこん【身魂】图 신혼; 몸과 마음; 온정신. ¶～をなげうって 온몸과 마음을〔온 정력을〕 쏟아 / ～をかたむける 온몸과 마음을 기울이다.

しんこん【新婚】图 신혼. ¶～生活 신혼 생활 / ～旅行 신혼 여행 / ～の夫婦 신혼 부부.

しんごん【真言】图 진언. **1** 진실한 언설(言說); 부처님의 말씀. **2** 주문(呪文). **3** '真言宗'의 준말.

—しゅう【—宗】图〔佛〕진언종((일본 불교의 한 파)).

しんさ【審査】图ス他 심사. ¶～委員 심사 위원 / 資格～ 자격 심사 / ～に合格する 심사에 합격하다.

しんさい【親裁】图ス他 친재; 천자나 귀인이 친히 재결(裁決)함. ¶～を仰ぐ 친재를 삼가 바라다 / 万機を～す 국정을 친히 재결하다.

しんさい【震災】图 진재; 지진에 의한 재해. ¶～に会う 진재를 당하다. 參考 특히, 1923년 9월 1일의 関東대진재를 가리키는 일이 많음. ¶～前の東京 関東 대진재 전의 東京.

しんざい【心材】图 심재((나무줄기의 적갈색으로 된 단단한 중심부)). ＝あかみ. ↔辺材.

じんさい【人災】图 인재; 사람의 부주의로 말미암은 재해. ¶洪水も半ば以上は～だ 홍수도 반 이상은 인재다. ↔天災.

じんざい【人材】图 인재. ＝人物. ¶～を抜擢する 인재를 발탁하다 / 有為な～を登用する 유위한 인재를 등용하다 / ～が求められる 인재가 요구되다.

しんさく【真作】图 그 작자가 만든 진짜 작품. ↔偽作·贋作.

しんさく【新作】图ス他 신작. ¶～舞踊 신작 무용 / ～を発表する 신작을 발표하다. ↔旧作.

しんさつ【新札】图 **1** 새로 발행한 지폐. **2** 아직 구겨지지 않은 새 지폐. ＝新券.

しんさつ【真札】图 진짜 지폐. ↔贋札.

**__しんさつ__【診察】图ス他 진찰. ¶～料 진찰료 / ～日 진찰일 / ～室 진찰실 / ～専門医 진찰 전문의 / よく～してもらう 세밀한 진찰을 받다 / Y博士の～を受ける Y박사의 진찰을 받다 / 立ち会い～を行なう 다른 의사의 입회하에 진찰을 하다.

しんさん【心算】图 심산; 속셈; 작정. ＝心づもり·胸算用. ¶～が狂う 속셈이 틀어지다.

しんさん【辛酸】图 신산; 괴로움과 쓰라림. ¶～を(つぶさに)なめる (갖은) 신산을 맛보다.

しんさん【神算】图 신산; 매우 뛰어난 계략.

—きぼう【—鬼謀】图 신산귀모; 뛰어난 계략과 귀신 같은 꾀.

しんざん【深山】图 심산. ＝奥山·みやま. ¶～幽谷 심산유곡.

しんざん【新参】图 신참; 신인. ＝新入り·新米. ¶～者 신참자 / 帰り～ (직장 등에서 한번 나갔다가) 다시 들어온 사람 / ～のくせに生意気だ 신참인 주제에 건방지다 / 彼は会社では～の方だ 그는 회사에서는 신참인 편이다. ↔古参.

しんし【深思】图ス他 심사; 깊이 생각함. ¶～の末の決断 심사한 끝의 결단.

しんし【紳士】图 신사. ＝ジェントルマン. ¶～服 신사복 / ～用 신사용 / ～ぶる 신사인 체하다 / いなか～ 시골 신사 / ～気取りの 신사인 체하는; 점잔빼는 / ～の体面にかかわる 신사 체면

에 관계되다 / ～にあるまじき行為(こうい) 신사에게 있을 수 없는〔신사답지 않은〕 행위. ↔淑女(しゅくじょ)·婦人(ふじん).

—きょうてい【—協定】 名 신사협정. **1** 비공식적인 국제 협정. **2** 상대를 믿고 하는 구두 약속. ＝紳士協約(きょうやく).

—どう【—道】 名 신사도.

しんし【唇歯】 名 순치; 입술과 이.

—ほしゃ [—輔車] 名 순치보거; 이해관계가 밀접해서 서로 돕지 않으면 안 될 관계〔사이〕. ¶互(たが)いに～の関係(かんけい)にある 서로 순치보거의 관계에 있다 / ～の間(あいだ) 순치보거의 사이《이해관계가 밀접해 서로 돕지 않으면 안 될 사이》.

しんし【親子】 名 어버이와 자식. ＝おやこ. ¶～の間柄(あいだがら) 부모와 자식의 관계〔사이〕.

しんし [真摯] ダナ 진지. ＝まじめ. ¶～な態度(たいど)〔愛(あい)〕 진지한 태도〔사랑〕/ ～な学究(がっきゅう)の徒(と) 진지한 학구의 도 / ～な討論(とうろん)を行(おこな)う 진지한 토론을 하다.

しんじ【しん地】《芯地·心地》 名 심《띠나 옷깃 속에 넣는 빳빳한 천》. ¶麻(あさ)の～を入(い)れる 마포(麻布)심을 넣다.

しんじ【心耳】 名 심이. **1** 마음과 귀; 마음으로 들음. ¶～を澄(す)まして聞(き)く 심이를 기울여서 듣다. **2**〖生〗심방; 심장 내부의 상반부. ＝心房(しんぼう). ↔心室(しんしつ).

じんし【人士】 名 인사; 지위나 교양이 있는 사람. ＝士人(しじん). ¶同(おな)じ趣味(しゅみ)を有(ゆう)する諸(しょ)～ 같은 취미를 가진 여러 사람들 / 関心(かんしん)を持(も)たれる～の来場(らいじょう)を歓迎(かんげい)する 관심을 가지신〔관심 있으신〕 인사가 찾아 주심을 환영한다.

じんし [壬子] 名 임자《60갑자의 하나》. ＝みずのえね.

*__じんじ【人事】__ 名 인사. **1** 인간사(事); 인간 사회에서 일어나는 일. ¶彼(かれ)は少(すこ)しも～に頓着(とんちゃく)しない 그는 조금도 인간사에 관심이 없다 / ～にわずらわされる 인간사에 마음을 썩이다〔번거로움을 당하다〕. **2** 사람이 할 수 있는 일. ¶～をつくす 사람이 할 수 있는 일을 다하다. **3** 개인의 신분·능력에 관한 일. ¶～課(か) 인사과 / 社員(しゃいん)の～異動(いどう) 사원의 인사 이동 / ～行政(ぎょうせい)を誤(あやま)る 인사 행정을 그르치다.

—は棺(かん)を蓋(おお)うて定(さだ)まる 사람의 참된 가치는 죽은 후에야 비로소 바르게 판단된다. ＝棺を蓋うて事(こと)定まる.

—を尽(つ)くして天命(てんめい)を待(ま)つ 진인사대천명(盡人事待天命)《할 수 있는 일을 다 한 다음에 천명을 기다리다》.

—いん【—院】 名 인사원《일본의 공무원의 인사 관리를 맡은 관청》.

—ふせい【—不省】 名 인사불성. ¶恐怖(きょうふ)のあまり～に陥(おちい)る 무서운 나머지 인사불성에 빠지다.

しんしき【神式】 名 神道(しんとう) 법식의 의식(儀式). ¶～結婚(けっこん) 神道 법식의 결혼 / 葬儀(そうぎ)は～による 장례는 神道 의식으로 치른다. ↔仏式(ぶっしき).

しんしき【新式】 名ナ 신식. ¶～のカメラ 신식 카메라 / 最(さい)～の飛行機(ひこうき) 최신식 비행기. ↔旧式(きゅうしき)·古式(こしき).

シンジケート [syndicate] 名〖經〗신디케이트. **1** 공동 판매 카르텔. **2** 공사채나 주식 등의 모집과 판매를 떠맡기 위해 연합한 은행 등의 금융 기관. ¶～を組織(そしき)する 신디케이트를 조직하다. 参考 속되게는, 마약·도박·매춘 등을 배경으로 하는 대규모 범죄 조직을 가리킴.

—ぎんこうだん【—銀行団】 名 신디케이트(에 가입하고 있는) 은행단.

しんじたい【新字体】 名 신자체《당용(當用) 한자 자체표(字體表)〖1981년 폐지〗 및 상용 한자표에서 정체로 채용된 자체: 条·従 등》. ↔旧字体(きゅうじたい).

しんじだい【新時代】 名 신〔새〕시대. ¶～を迎(むか)える〔切(き)り開(ひら)く〕 신시대를 맞이하다〔개척하다〕/ ～を画(かく)する 신시대를 획하는; 획기적인.

しんしつ【心室】 名〖生〗심실; 심장 내부의 하반부. ↔心耳(しんじ)·心房(しんぼう).

しんしつ【寝室】 名 침실. ＝ねま. ¶～兼(けん)居間(いま) 침실 겸 거실.

__しんじつ【真実】__ 名 **1 진실; 참; 정말. ¶～の所(ところ) 사실은; 실은 / ～の告白(こくはく) 진실한 고백 / ～をぶちまける 진실을 털어놓다 / ～を言(い)う〔語(かた)る〕 진실을 말하다. ↔虚偽(きょぎ). **2**《副詞적으로》참말로; 정말로. ¶～困(こま)った話(はなし) 참으로 곤란한 이야기 / ～世(よ)の中(なか)がいやになった 정말(이지) 세상이 싫어졌다.

—み【—味】 名 진실성〔미〕. ¶～が乏(とぼ)しい話(はなし) 진실성이 희박한 이야기.

しんしゃ【深謝】 名ス自他 심사. **1** 깊이 감사함. ¶御援助(ごえんじょ)を～する 원조를 깊이 감사하다 / 御厚情(ごこうじょう)に～いたします (베풀어 주신) 후정에 깊이 감사드립니다. **2** 깊이 사과함. ¶不始末(ふしまつ)〔失礼(しつれい)な言動(げんどう)〕を～する 잘못〔결례한 언동〕을 깊이 사과하다.

しんしゃ【新車】 名 신차; 새 차. ¶～を試運転(しうんてん)する 새 차를 시운전하다. ↔中古車(ちゅうこしゃ).

しんじゃ【信者】 名 신자; 신도. ＝信徒(しんと)·宗徒(しゅうと). ¶盲(もう)～ 맹신자; 광(狂)신자 / キリスト教(きょう)～ 기독교 신자 / ～になる 신도가 되다. 参考 흔히, 그 사람의 숭배자·팬의 뜻으로도 쓰임.

じんしゃ【仁者】 名 인자; 어진 사람. ¶知者(ちしゃ)は水(みず)を楽(たの)しみ～は山(やま)を楽(たの)しむ 지자요수(智者樂水), 인자요산(仁者樂山).

—は敵(てき)なし 인자무적(仁者無敵).

*__じんじゃ【神社】__ 名 신사. ＝おみや·やしろ. ¶～に参(まい)る 신사에 참배하다.

しんしゃく [斟酌] 名ス他 **1** 참작; 적절히 고려함. ¶事情(じじょう)を～して 사정을 참작하여 / この点(てん)を～して今度(こんど)だけは許(ゆる)す 이 점을 참작해서 이번만은 용서한다 / 双方(そうほう)の言(い)い分(ぶん)を～する 쌍방의 주장을 참작하다. **2** 거리낌; 사양.

＝えんりょ. ¶～はいらぬ 사양할 것 없다/何の～もあるものか 뭐 거리낄 게 있는가《인정사정 볼 것 없다》.

しんしゅ【進取】图 진취. ¶～の気象 진취적 기상; 진취성. ↔退嬰.

—てき【—的】ダナ 진취적. ¶～な人 진취적인 사람. ↔退嬰的.

しんしゅ【新種】图 신종. ¶～のウイルス 신종 바이러스/稲の～ 벼의 신종.

しんじゅ【真珠】图 진주. ¶人造～ 인조 진주/～細工 진주 세공(품)/～色 진줏빛. 「い'의 딴 이름》.

—がい【—貝】图 진주조개《'あこやが

—ぐも【—雲】图〖氣〗진주모운(母雲); 자개구름.

しんじゅ【神樹】图 1 신수; 신령이 머무른다는 나무. 2 신사(神社) 경내의 나무. 注意 '神木'라고도 함.

*じんしゅ【人種】图 1 인종. ¶～差別 인종 차별/～的偏見 인종적 편견/オリンピックはまるで～展覧会のようだ 올림픽은 마치 인종 전람회와 같다. 2 (비유적으로) 족속; …족. ¶深夜～ 심야족/ゴルフをする～ 골프족/政治家という～ 정치가라는 족속/サラリーマン～ 샐러리맨〔월급쟁이〕 족속. ⇨ぞく(族).

しんしゅう【信州】图 '信濃(=지금의 長野 현)'의 딴 이름.

しんしゅう【神州】图 신주. 1 신국(神國)《일본이나 중국에서 자기 나라를 자랑하여 일컫는 말》. ¶～男児 일본 남아. 2 신선(神仙) 세계.

しんじゅう【心中】图ス自 1 정사(情死). ¶無理～ 억지 정사/～未遂 정사 미수. 2 함께 죽음; 동반 자살함. ¶一家～ 일가 집단 자살. 注意 'しんちゅう'로 읽으면 딴말.

—ずく【—尽】图 상대에 대한 신의·애정을 일관함〔끝까지 변치 않음〕.

—だて【—立て】图ス自 끝까지 남에 대한 의리·약속을 지킴.

*しんしゅく【伸縮】图ス自他 신축. ¶～自在 신축자재/期間を適宜～する 기간을 적절히 신축하다/～性に富む 신축성이 크다.

—かわせそうばせい【—為替相場制】图〖經〗신축 환(換)시세제《고정 환율제와 변동 환율제의 각 이점을 합친 환율 제도》. 「세.

—かんぜい【—関税】图〖經〗신축 관

—しゅっきんせい【—出勤制】图 ☞フレックスタイム.

しんしゅつ【浸出】图ス自他 1 침출; 우러남; 우려냄. 2 ☞しんしゅつ(滲出).

—えき【—液】图 침출액; (약 따위를 물이나 알코올 등에) 우려낸 액체.

*しんしゅつ【進出】图ス自 진출. ¶政界に～する実業人〔婦人〕 정계에 진출하는 실업인〔여성〕/韓国商品が世界市場に～する 한국 상품이 세계 시장에 진출하다/決勝戦に～する 결승전에 진출하다.

しんしゅつ【新出】图ス自他 신출; (그 교과의 그 학년 교과서에) 새로 나옴; 처음으로 냄. ¶～漢字 신출 한자/～語 신출어.

しんしゅつ［滲出］图ス自 삼출; 스며 나옴. ¶～性 삼출성/～液 삼출액.

しんじゅつ【針術】《鍼術》图 침술. ＝はり. ¶～師 침술사; 침쟁이/～で神経痛を治療する 침술로 신경통을 치료하다. 注意 본디는 '鍼術'.

じんじゅつ【仁術】图 인술. 1 (유교에서) 어진 일을 행하는 방법. 2 의술. ¶医は～である 의(醫)는 인술이다.

しんしゅつきぼつ【神出鬼没】图 신출귀몰. ¶～の怪盗 신출귀몰하는 괴도.

しんじゅぶつ【神儒仏】图 神道·유교·불교.

しんしゅん【新春】图 신춘; 신년. ＝はつはる. ¶～早々 새해 벽두/～のお喜びを申しあげます 신년을 맞이하여 경하의 말씀을 올립니다.

しんじゅん【浸潤】图ス自 침윤; 침투. 1 (물 따위가) 스미어 젖음. ¶雨水が地に～する 빗물이 땅에 침투하다. 2 점차로 침범하여 넓어짐; 침식. ¶肺～ 폐침윤/共産的思想が～している 공산주의적 사상이 침투돼 있다.

しんしょ【信書】图 신서; (개인의) 편지. ＝書状·書簡. ¶～の往復をする 신서를 주고받다/～の秘密を侵す 신서의 비밀을 침해하다.

しんしょ【新書】图 신서. 1 신간 서적. 2 출판물 형식의 하나《B6판보다 소형(小型)으로, 일반 교양서나 소설 등을 수록한 총서》.

—ばん【—判】图 신서판; 신사륙(四六)판. 参考 최근에는 내용이 비교적 쉬운 서적이나 잡지도 포함함.

しんしょ【親書】图ス他 친서. 1 손수 씀. ¶～の手紙 손수 쓴 편지. 2 자필의 편지. 3 원수(元首)의 편지. ¶～を伝える 친서를 전하다 / 大統領の～を持参する 대통령의 친서를 휴대하다.

しんじょ【神助】图 신조; 신의 도움. ¶天佑～ 천우신조/～を祈る 신조를 빌다.

しんしょう【心証】图 심증. 1 마음에 받는 인상. ¶～を害する 좋지 않은 인상을 주다. 2〖法〗소송 사건 심리 중에, 법관이 상황 증거에서 얻는 확신. ¶～を固める 심증을 굳히다. ↔物証.

しんしょう【身上】图 1 재산; 밑천. ¶～のよい人 재산이 많은 사람/一～を作る 한밑천 장만하다〔잡다〕/たいした～だ 대단한 재산이다/～をつぶす〔はたく〕 재산을 탕진하다. 2〈老〉살림. ＝所帯. ¶～を持つ 살림을 하다〔차리다〕/～道具 살림(살이) 도구; 가재도구. 注意 口語적 말씨로는 'しんしょ'. ⇨身上.

—もち【—持ち】图 1 재산가; 부자.

2 가정(家政); 살림(살이). ¶~がいい細君 집안 살림을 잘하는 마누라〔아내〕/~がわるい 살림살이를 잘못하다.

しんしょう【辛勝】名ス自 신승; 간신히 이김. ¶一点差で~する 1점차로 신승하다/五対四で~した 5 대 4로 신승하였다. ↔楽勝.

しんしょう【身障】名 '身体障害(=신체 장애)'의 준말.

―じ【―児】名 '身体障害児(=신체 장애아)'의 준말.

―しゃ【―者】名 '身体障害者(=신체 장애인)'의 준말.

しんじょう【信条】名 신조; 신념. ¶生活~ 생활 신조/~を守る〔抱く〕 신조를 지키다〔갖다〕/誠実がぼくの~だ 성실이 내 신조다.

しんじょう【心情】名 심정. =おもい·胸中. ¶人の~を汲む〔察する〕 남의 심정을 헤아리다/彼の~実に哀れむべきものがある 그의 심정은 실로 동정할 만한 것이 있다.

―てき【―的】ダナ 심정적. ¶彼の行為は~には理解できる 그의 행위는 심정적으로는 이해할 수 있다.

しんじょう【真情】名 진정. **1** 진심. ¶~を吐露する 진정을 토로하다/この手紙には彼の~がこもっている 이 편지에는 그의 진정이 담겨 있다. **2** 실정. ¶~を把握する 실정을 파악하다.

しんじょう【身上】名 **1** 신상; 일신상의 일. ¶~調査 신상 조사/~調書 신상 조서. **2** 취할 점; 장점. =とりえ. ¶彼は勤勉が~だ 그는 근면이 취할 점이다/そこが彼の~だ 그것이 그의 (유일한) 장점이다. 参考 'しんしょう'로 읽으면 딴 뜻.

しんじょう【進上】名ス他 진상; 드림; 진정(進呈). ¶お祝いの品を~する 축하 물품을 진상하다.

―もの【―物】名 진상물; 진상품.

じんじょう【尋常】ダナ **1** 심상; 보통. ㉠평범; 예사스러움. ¶彼はどこか~でない所がある 그는 어딘가 보통이 아닌〔심상치 않은〕 데가 있다. ㉡순직함; 순순함; 얌전하고 수수함. ¶~な顔立ち 수수한 얼굴; 보통 생김새/~に白状する 순순히 자백하다. **2** 떳떳한 모양. ¶いざ~に勝負しろ 자, 정정당당하게 승부를 겨루자.

―いちよう【――様】ダナ 보통과 별로 다름(이) 없음; 범상함; 보통임; 평범함. ¶~では行かない 보통〔여느〕 방법으로는 안 된다.

―さはん【―茶飯】名 예사로운 일. =家常茶飯·日常茶飯.

―しょうがっこう【―小学校】名 심상 소학교《구제도에서의 小学校》.

しんしょうひつばつ【信賞必罰】名 신상필벌. ¶~を信条とする 신상필벌을 신조로 하다.

しんしょうぼうだい【針小棒大】名 침소봉대. ¶~に言いふらす 침소봉대하여 말을 퍼뜨리다.

しんしょく【侵食】《侵蝕》名ス他 침식; 잠식. ¶相手国の市場を~する 상대국의 시장을 잠식하다. 注意 본디는 '侵蝕'.

しんしょく【浸食】《浸蝕》名ス他 침식. ¶~作用 침식 작용/風雨の~ 비바람의 침식. 注意 본디는 '浸蝕'.

しんしょく【寝食】名 침식. ¶~を共にする 침식을 같이 하다.

―を忘れる 침식을 잊다. ¶寝食を忘れて仕事に励む 침식을 잊고 열심히 일하다.

しんじょたい【新所帯】《新世帯》名 신접살림; 신혼 가정. =あらじょたい.

しん-じる【信じる】上1他 ☞しん(信)ずる. ¶容易に~じない 쉽게 믿지 않는다. 「혼.

しんしん【心神】名 심신; 마음; 정신;

―こうじゃく【―耗弱】名 심신 모약; 심신의 정상적인 활동이 극히 곤란한 상태. ¶~者 심신 미약〔박약〕자.

―そうしつ【―喪失】名 심신 상실《법률적으로 의사(意思) 행위에 대한 책임이 없음》. ¶~者 심신 상실자.

しんしん【心身·身心】名 심신; 마음과 몸; 정신과 신체. ¶~の健康 심신의 건강/~をきたえる 심신을 단련하다/~を委ねる (a)마음과 몸을 맡기다; (b)전념하다/~をむしばむ 심신을 좀먹다〔멍들게 하다〕/~共に疲れた 심신이 모두 지쳤다.

―しょうがいじ【―障害児】名 심신 장애아. =障害児. 「장애인.

―しょうがいしゃ【―障害者】名 심신

しんしん【新進】名 신진. ¶~作家 신진 작가. ↔中堅·大家.

―きえい【―気鋭】名 신진 기예. ¶~の人々 신진 기예의 사람들.

しんしん【津津】トタル 끊임없이 넘쳐 나오는 모양: 진진. ¶興味~たるものがある 흥미진진한 바가 있다.

しんしん【深深】トタル **1** 밤이 깊어 가는 모양; 이슥한 모양. =沈沈. ¶夜は~とふけて行く 밤은 이슥해져 간다. **2** 죽은 듯이 고요해지는 모양.

***しんじん【信心】**名ス他 **1** 신(앙)심; 믿음. ¶~が足りない 신앙심〔믿음〕이 부족하다/~深い 믿음이 깊다; 경건하다/イワシの頭も~から 정어리 대가리같이 아무 쓸모없는 것이라도 믿는 마음만 깊으면 신불처럼 고맙게 여겨진다는 뜻. **2** 신불에게 기원함; 신앙함. ¶仏様に~する 부처님께 기원하다.

しんじん【新人】名 신인; 신참; 신진. =新顔·ニューフェース·新入り. ¶画壇で~が活躍する 화단에서 신인이 활약하다/~を登用する 신인을 등용하다.

しんじん【深甚】ダナ 심심; (뜻이나 마음이) 매우 깊음. 注意 '~なる'의 꼴도

씀. ¶～なる謝意(しゃい)を表(ひょう)する 심심한 사의를 표하다.

じんしん【人心】图 인심; 민심. ¶～面(おもて)のごとし 인심은 얼굴과 같다《사람의 얼굴이 각기 다른 것처럼 마음도 가지각색이다》/～を失(うしな)う 인심을 잃다/～を新(あら)たにする 민심을 새롭게 하다/～をつかむ〔まどわす〕 민심을 파악하다〔현혹시키다〕.

じんしん【人臣】图 인신; 신하. ¶位(くらい)～を極(きわ)める 지위가 인신을 극하다《신하로서 가장 높은 지위에 오르다》.

じんしん【人身】图 인신. **1** 인체. **2** 개인의 신상. ¶～攻撃(こうげき) 인신공격.

—じこ【—事故】图 인사 사고.

—ばいばい【—売買】图ス自 인신매매.

じんしん [壬申] 图 임신; 육십갑자의 하나. =みずのえさる.

しんしんと 副 **1** 한기(寒氣)가 오싹오싹 몸에 스미는 모양. ¶寒気(さむけ)が～身(み)にしみる 한기가 오싹오싹 몸에 스며든다/～と冷(ひ)えこむ冬(ふゆ)の夜(よる) 추위가 뼛속까지 스며드는 겨울밤. **2** 눈이 조용히 계속 오는 모양: 소복소복. ¶～降(ふ)る雪(ゆき) 소복소복 소리 없이 내리는 눈.

しんじんるい【新人類】图 ('신종의 인류'라는 뜻으로) 신세대를 일컫는 말《1985년경에 쓰인 말》.

しんすい【心酔】图ス自 심취. ¶西洋文化(せいようぶんか)〔キリスト教(きょう)〕に～する 서양문화〔기독교〕에 심취하다.

しんすい【浸水】图ス自 침수. ¶～家屋(かおく) 침수 가옥/船(ふね)が～して沈没(ちんぼつ)する 배가 침수해서 침몰하다/洪水(こうずい)で村(むら)が～した 홍수로 마을이 침수되었다.

しんすい【進水】图ス自 진수. ¶～式(しき) 진수식/昨日(きのう)～した船(ふね) 어제 진수한 배/巨大(きょだい)タンカーを～させる 거대한 유조선을 진수시키다.

しんすい【親水】图 친수; 물과 친화성이 있는 일. ↔疎水(そすい).

—けん【—権】图 친수권《환경권의 하나. 강가나 물가의 주민이 물과 친화할 수 있는 고유의 권리》.

—せい【—性】图 친수성《물에 잘 녹는 성질》.

しんずい【神髄·真髄】图 진수; 사물의 참뜻; 그 길의 오의(奧義). ¶仏教(ぶっきょう)の～ 불교의 참뜻/音楽(おんがく)の～を味(あじ)わう 음악의 진수를 맛보다/学(がく)の～をきわめる 학문의 진수를 깊이 연구하다.

じんずう【神通】图〔佛〕신통; 영묘하여 헤아릴 수 없고, 마음대로 무엇이나 할 수 있는 초자연적 작용. =じんづう.

—りき【—力】图 신통력. ¶～を得(え)ている 신통력을 얻고 있다.

しん-ずる【信ずる】サ変他 믿다. **1 의심하지 않다; 신용하다. ¶その話(はなし)は～·じがたい 그 말은 믿기 어렵다/～·じて疑(うたが)わない 믿어 의심치 않다/それは～·じられない 그것은 믿을 수 없다/それを固(かた)く～·じている 그것을 굳게 믿고 있다/～·ずべき報道(ほうどう)によれば 믿을 만한 보도에 의하면. **2** 신앙하다. ¶神(かみ)を～人(ひと) 신〔하느님〕을 믿는 사람/宗教(しゅうきょう)を～ 종교를 믿다.

しん-ずる【進ずる】サ変他 **1** 바치다; 진상하다; 진정(進呈)하다. **2**《動詞 連用形+'て'를 받아서》…해 주다. ¶書(か)いて～ 써 주다. 参考 예스러운 말씨.

じん-する【陣する】サ変自 진치다. =陣取(じんど)る. ¶川(かわ)を挟(はさ)んで～ 강을 사이에 두고 진을 치다.

しんせい【申請】图ス他 신청. ¶～人(にん) 신청인/～書(しょ) 신청서/特許(とっきょ)～中(ちゅう) 특허 신청 중/許可(きょか)を～する 허가를 신청하다.

しんせい【新星】图 신성. **1** 갑자기 나타나서 빛난 뒤, 점점 희미해져 가는 별. **2** (특히, 연극·영화계의) 새로운 스타; 혜성. ¶楽壇(がくだん)の～ 악단의 신성.

しんせい【新生】图ス自 신생. ¶キリストの教(おし)えによって～する 예수 그리스도의 가르침에 따라서 새로 태어나다.

—じ【—児】图 신생아; 초생아. =新産児(しんさんじ). ¶～黄疸(おうだん) 신생아 황달.

しんせい【新制】图 신제; 새 제도〔체제〕; 특히, 2차 대전 후의 새로운 학제. ¶～中学(ちゅうがく) 신제 중학교/～を実施(じっし)する 신제도를 실시하다. ↔旧制(きゅうせい).

しんせい【神聖】名ナ 신성; 성스러움. ¶～な愛(あい) 신성한 사랑/労働(ろうどう)の～ 노동의 신성함/～な場所(ばしょ) 신성한 장소/～なる儀式(ぎしき) 신성한 의식/学園(がくえん)の～をけがす 학원의 신성을 더럽히다.

—し【—視】图 신성시.

しんせい【神性】图 신성. **1** 신의 성격〔속성〕. ↔人間性(にんげんせい). **2** 마음; 정신.

しんせい【真性】图 진성. **1** 진짜로 인정되는 병상(病状). ↔疑似性(ぎじせい)·仮性(かせい). ¶～天然痘(てんねんとう)〔コレラ〕 진성 천연두〔콜레라〕. **2** 타고난 성질; 천성; 또, 생래(生來)의 순진한 마음. ¶人間(にんげん)の～は善(ぜん)だ 인간의 천성은 선이다.

じんせい【人生】图 인생. **1 사람이 이 세상에 살아감. ¶第二(だいに)の～ 제2의 인생/～夢(ゆめ)〔朝露(ちょうろ)〕の如(ごと)し 인생은 꿈〔아침 이슬〕과 같다《인생은 덧없다는 뜻》. **2** 일생. ¶幸福(こうふく)な～を送(おく)る 행복한 일생을 보내다.

—七十(しちじゅう)古来(こらい)稀(まれ)なり 인생 칠십 고래희.

—のための芸術(げいじゅつ) 인생을 위한 예술. ↔芸術のための芸術.

—僅(わず)か五十年(ごじゅうねん) 인생이 고작 50년《사람의 인생이 더없이 짧다는 말》.

—かん【—観】图 인생관. ¶～が異(こと)なる人(ひと) 인생관이 다른 사람.

—くん【—訓】图 인생훈. =処世訓(しょせいくん).

—こうろ【—行路】图 인생행로. ¶～難(かた)し 인생행로는 험하다.

じんせい【人性】图 인성; 인간 본연의 성질. ¶～は善(ぜん)か悪(あく)か 인성은 선인가 악인가/これ～のしからしめる所(ところ)だ 이것이 곧 인간의 본성이다.

じんせい【仁政】图 인정; 어진 정치. ¶

~を布(し)く 인정을 베풀다〔펴다〕.
じんぜい【人税】图 인세. ↔物税(ぶつぜい).
しんせかい【新世界】图 신세계. **1** 신대륙. ↔旧世界(きゅうせかい). **2** 신천지. ¶~をひらく 신천지를 개척하다.
しんせき［親戚］图 친척; 집안. =親類(しんるい)·みうち. ¶~に当(あ)たる 친척(뻘)이 된다 / ~のおじさん 친척 아저씨 / 遠(とお)い~より近(ちか)くの他人(たにん) 먼 친척〔사촌〕보다 가까운 남〔이웃〕이 낫다.
じんせき【人跡】图 인적. ¶~まれな奥山(おくやま) 인적이 드문 깊은 산.
—みとう【—未踏】图 인적미답. ¶~の地(ち) 인적미답의 땅.
シンセサイザー [synthesizer] 图〖樂〗 신시사이저《전자 회로를 써서 음을 합성·가공하는 장치 또는 악기》.
しんせだい【新世代】图 신세대.
しんせつ【新設】图ス他 신설. ¶~高校(こうこう) 신설 고교 / ~の道路(どうろ) 신설 도로 / ~工場(こうじょう) 신설 공장.
—がっぺい【—合併】图〖經〗 신설 합병. ↔吸収(きゅうしゅう)合併.
しんせつ【新説】图 신설. **1** 새로운 의견〔학설〕. ¶~を立(た)てる 신설을 세우다 / ~を出(だ)す 신설을 내놓다. ↔旧説(きゅうせつ). **2** 처음 듣는 이야기. ¶それは~だ 그건 처음 듣는 얘기다; 그것은 초문이다.
しんせつ【新雪】图 신설. **1** 새로 내린 눈. ¶~を踏(ふ)んで行(ゆ)く 신설을 밟고 가다. **2** 새해의 첫눈. =はつゆき.
****しんせつ**【親切】《深切》图ダナ 친절. ¶~心(しん) 친절한 마음 / ~な人(ひと) 친절한 사람 / ~ずくで 친절로써 / 小(ち)いさな~ 작은 친절 / ~を尽(つ)くす 친절을 다하다 / 人(ひと)の~を無(む)にする 남의 친절을 저버리다 / まあ御(ご)~に 아이고 고맙게도 / 御(ご)~誠(まこと)にありがとうございます 베풀어 주신 친절은 참으로 감사합니다. ↔不親切(ふしんせつ).
—ぎ【—気】图 친절심; 친절히 하고자 하는 마음씨. ¶彼(かれ)には~がない 그에겐 친절한 마음이 없다.
—ごかし ダナ 친절한 체하면서 자기 잇속을 차림.
しんせっきじだい【新石器時代】图 신석기시대. ↔旧(きゅう)石器時代.
しんせん【新線】图 신선; 새로 부설한 선로.
***しんせん**【新鮮】ダナ 신선. ¶~な空気(くうき) 신선한 공기 / ~味(み) 신선미; 신선한 맛 / ~なアイデア 신선한 아이디어 / ~な人事(じんじ) 신선한 인사《관례를 벗어난 대담한 인사이동》/ ~な生野菜(なまやさい)をとる 신선한 생야채를 먹다.
しんせん【神仙】图 신선. **1** 신과 선인(仙人). ¶~思想(しそう) 신선 사상 / 彼(かれ)の技術(ぎじゅつ)は~の域(いき)に達(たっ)している 그의 기술은 신선의 경지에 이르고 있다. **2** 신통력을 가진 선인. ¶~譚(たん) 신선담.
しんぜん【神前】图 신전. **1** 신의 앞. ¶~結婚(けっこん) 신전 결혼 / ~に誓(ちか)う 신전에 맹세하다 / ~に供(そな)える 신전에 바치다. **2** 신사(神社)의 앞.
しんぜん【親善】图 친선. ¶~使節(しせつ) 친선 사절 / ~試合(しあい) 친선 경기 / 日韓(にっかん)~サッカー〔蹴球(しゅうきゅう)〕大会(たいかい) 한일 친선 축구 대회 / 両国(りょうこく)の~を深(ふか)める 양국의 친선을 돈독히 하다.
じんせん【人選】图ス自 인선. ¶~を急(いそ)ぐ 인선을 서두르다 / ~に当(あ)たる 인선을 맡다 / ~に苦(くる)しむ 인선에 고심하다 / ~難(なん)に陥(おちい)る 인선난에 빠지다 / 実績中心(じっせきちゅうしん)に~する 실적 중심으로 인선하다 / 後任(こうにん)は目下(もっか)~中(ちゅう)である 후임은 목하 인선 중이다.
しんぜんび【真善美】图 진선미.
しんそ【親疎】图 친소; 친한 사람과 소원(疏遠)한 사람; 친밀함과 소원함. ¶~関係(かんけい) 친소 관계 / ~の別(べつ)なく交際(こうさい)する 친소의 구별 없이 교제하다.
しんぞ［新造］图 젊은 아내; 전하여, 아내. 參考 남이 일컫는 말. 보통, 'ご~さん'이라고 함.
しんそう【新装】《新粧》图 신장. ¶~開店(かいてん) 신장 개점 / ~成(な)った新館(しんかん) 새로 단장된 신관.
しんそう【深窓】图 심창; 깊이 들어 있는 방; 심규(深閨). ¶~の佳人(かじん) 심창〔심규〕의 가인《규중에서 자라 속세의 더러움에 물들지 않은 미인》.
—に育(そだ)つ 깊은 규중에서 자라다.
しんそう【深層】图 심층; 깊은 층; 깊숙이 숨겨진 곳. ¶~構造(こうぞう) 심층 구조 / ~部(ぶ)〔水(すい)〕 심층부〔수〕/ 心(こころ)の~では 마음속 깊은 곳에서는. ↔表層(ひょうそう).
***しんそう**【真相】图 진상. ¶事件(じけん)の~ 사건의 진상 / ~隠(かく)し 진상 은폐 / ~をきわめる〔究明(きゅうめい)する〕 진상을 규명하다 / ~はこうなんだ 진상은 이렇다 / ~を探(さぐ)って見(み)よう 진상을 알아보자.
しんぞう【心像】图〖心〗 심상; 이미지. ¶~に現(あら)われる 심상에 나타나다.
****しんぞう**【心臓】图 **1** 심장. ㉠염통. ¶~病(びょう) 심장병 / ~の鼓動(こどう)が止(と)まる 심장의 고동이 멈추다. ㉡중심부; 원동력. ¶工場(こうじょう)の~部(ぶ) 공장의 심장부. **2**〈俗〉 배짱; 뱃심; 뻔뻔스러움. ¶強(きょう)~ 강심장 / ~の弱(よわ)い男(おとこ) 배짱이 없는 남자 / ずいぶん~だね 배짱이 대단하군 / ~にも一文(いちもん)なしでカフェーへ入(はい)った 뱃심 좋게도 한 푼 없이 카페에 들어갔다. 參考 '心臓が強(つよ)い'에서, '~な' '~だ'의 꼴로도 쓰임.
—が強(つよ)い 심장이 강하다. **1** 심장이 튼튼하다. **2** 배짱이 좋다. **3** 뻔뻔스럽다.
—に毛(け)が生(は)えている 심장에 털이 나 있다; 강심장이다; 철면피하다.
—いしょく【—移植】图 심장 이식. ¶~手術(しゅじゅつ) 심장 이식 수술.
—まひ『—麻痺』图 심장 마비.
しんぞう【新造】图ス他 신조; 새로 지음〔만듦〕. ¶~の車(くるま) 신조한 차 / 高速船(こうそくせん)を~する 고속선을 신조하다.
—ご【—語】图 신조어.
じんぞう【人造】图 인조; 인공. ¶~湖(こ)

인공 호수 / ～ゴム 인조 고무 / ～真珠(しんじゅ) 인조 진주 / ～バター 마가린. ↔天然(てんねん).
—けんし【—絹糸】名 인조 견사. ＝人絹(じんけん)·レーヨン.
—せんい【—繊維】名 인조 섬유; 화학 섬유《나일론·비닐론 따위》.
—にく【—肉】名 인조육; 인조 고기. ＝合成肉(ごうせいにく).
—にんげん【—人間】名 인조 인간; 로봇. ＝ロボット.
じんぞう【じん臓】《腎臓》名〔生〕신장. ¶～が悪(わる)い 신장이 나쁘다.
—びょう【—病】名〔醫〕신장병.
しんそく【神速】名ダナ 신속; 몹시 빠름; 귀신같이 빠름. ¶～果敢(かかん)な攻撃(こうげき) 신속 과감한 공격.
しんぞく【親族】名 친족; 친척. ＝みうち·しんるい. ¶～関係(かんけい) 친족 관계 / ～権(けん) 친족권 / ～法(ほう) 친족법.
じんそく【迅速】名ダナ 신속; 재빠름. ¶～な行動(こうどう)〔対処(たいしょ)〕 신속한 행동〔대처〕/ ご注文(ちゅうもん)は～に手配(てはい)致(いた)します 주문은 신속히 처리하겠습니다.
しんそこ【心底】一名 심저; 마음속. ＝しんてい. ¶～から感謝(かんしゃ)する 마음속으로부터 감사하다 / ～から憎(にく)んでいる 마음속으로부터 미워하고 있다.
二副 참으로; 진심으로; 정말. ＝心(こころ)から·本当(ほんとう)に. ¶～好(す)き〔きらい〕だ 정말 좋아한다〔싫어한다〕.
しんそざい【新素材】名 신소재. ¶～の研究(けんきゅう)·開発(かいはつ) 신소재의 연구·개발.
しんそつ【真率】名ダナ 진솔; 정직하고 꾸밈 없는 모양. ¶～な態度(たいど) 정직하고 솔직한 태도 / ～な人柄(ひとがら) 진솔한 인품.
しんそつ【新卒】名 (그해의) 새 졸업자《'新卒業者(しんそつぎょうしゃ)'의 준말》. ¶大学(だいがく)の～を採用(さいよう)する 그해의 대학 (새) 졸업자를 채용하다.
しんたい【新体】名 신체; 새로운 체제. ¶～の詩(し)を作(つく)る 신체의 시를 짓다.
—し【—詩】名 신체시; 근대시《明治(めいじ) 시대의 새로운 형태의 시》.
**しんたい【身体】名 신체; 몸. ＝からだ. ¶健全(けんぜん)な～ 건전한 신체 / ～を鍛(きた)える 신체를 단련하다 / ～の自由(じゆう)を失(うしな)う 신체의 자유를 잃다.
—しょうがいしゃ【—障害者】名 신체 장애인. ＝身障者(しんしょうしゃ). ¶～大会(たいかい) ☞パラリンピック.
—そうけんき【—装検器】名 음(音)의 반사를 이용해서 몸에 감춘 것을 찾아내는 장비《공항 등에서 사용함》.
しんたい【進退】진퇴. 一名ス自 1 움직임. 2 행동거지. ¶挙措(きょそ)～ 거조 진퇴 / ～の自由(じゆう)を失(うしな)う 행동의 자유를 잃다. 二名 거취. ¶～を共(とも)に〔明(あき)らかに〕する 진퇴를 같이〔분명히〕 하다 / ～を潔(いさぎよ)くする 거취를 깨끗이 하다 / ～を誤(あやま)る 거취를 그르치다.
—窮(きわ)まる; —維(こ)れ谷(きわ)まる 진퇴유곡.
—りょうなん【—両難】名 진퇴양난.
しんだい【身代】名 (일신에 속한) 재산. ＝身上(しんしょう). ¶相当(そうとう)な～ 상당한 재산 / ～をつぶす 재산을 날리다 / ～を築(きず)く 재산을 모으다.
*しんだい【寝台】名 침대. ＝ベッド. ¶～付(つ)きの部屋(へや) 침대가 딸린 방.
—しゃ【—車】名 침대차.
しんだい【深大】ダナ 심대; 깊고도 큼. ¶～なる価値(かち) 심대한 가치 / ～なる影響(えいきょう)をこうむる 심대한 영향을 받다.
じんたい【人体】名 인체; 몸. ¶～実験(じっけん)〔模型(もけい)〕 인체 실험〔모형〕/ ～に害(がい)がある 인체에 해가 있다 / ～に影響(えいきょう)をおよぼす 인체에 영향을 미치다.
じんたい［靱帯］名〔生〕인대. ¶～が切(き)れる 인대가 끊어지다.
じんだい【人台】名 양복의 제작·진열에 쓰는 인체 모형; 보디. ＝ボディー.
じんだい【神代】名 일본 역사상 神武天皇(じんむてんのう) 이전의 시대《신(神)의 시대라고 일컬음》. ＝かみよ.
じんだい【甚大】ダナ 심대; 몹시 큼. ¶被害(ひがい)が～だ 피해가 몹시 크다 / ～な影響(えいきょう)を受(う)ける 심대한 영향을 받다.
じんだいこ【陣太鼓】名 진중(陣中)에서 진퇴의 신호로 치던 북.
しんたいそう【新体操】名 신체조.
じんだいめいし【人代名詞】名 인칭 대명사. ↔指示(しじ)代名詞.
しんたいりく【新大陸】名 신대륙. ↔旧(きゅう)大陸.
しんたかね【新高値】名〔經〕(주식에서) 신고가. ＝新値(しんね). ↔新安値(しんやすね).
しんたく【信託】名ス他 신탁. ¶金銭(きんせん)〔投資(とうし)〕～ 금전〔투자〕 신탁 / 財産(ざいさん)を～する 재산을 신탁하다.
—とうち【—統治】名 신탁 통치. ¶～地域(ちいき) 신탁 통치 지역.
しんたく【神託】名 신탁; 신의 계시. ¶～が下(くだ)る 신탁이 내리다 / 夢(ゆめ)に～をこうむる 꿈에 신탁을 받다.
しんたく【新宅】名 1 신택; 새로 지은 집; 새집. ＝新居(しんきょ). ¶～に移(うつ)る 새집으로 이사하다. ↔旧宅(きゅうたく). 2 분가(分家). ＝別宅(べったく).
—びらき【—開き】名 (새집의) 집들이.
しんだつ【侵奪】名ス他 침탈; 침노하여 빼앗음. ＝侵略(しんりゃく). ¶その自由(じゆう)を～する 그 자유를 침탈하다.
じんだて【陣立て】名 군세(軍勢)의 배치나 편제. ＝陣(じん)ぞなえ. ¶～をする 군세 배치를 하다.
しんたん【心胆】名 심담; 마음; 간담. ¶～を練(ね)る 용기를 기르다.
—を寒(さむ)からしめる 간담을 서늘케 하다.
しんたん【薪炭】名 신탄; 장작과 숯; 땔감; 시탄(柴炭). ＝燃料(ねんりょう). ¶～費(ひ) 신탄비; 연료비 / ～商(しょう) 신탄상.
*しんだん【診断】名ス他 진단. ＝見立(みた)て. ¶経営(けいえい)～ 경영 진단 / 健康(けんこう)～ 건강 진단 / ～を下(くだ)す 진단을 내리다 / 肺炎(はいえん)と～する 폐렴으로 진단하다 / この病気(びょうき)は～の仕様(しよう)がない 이 병은

진단할 방도가 없다 / 医者の~がはずれる 의사의 진단이 잘못되다.

—しょ【—書】图 진단서.

じんち【人知】《人智》图 인지; 사람의 지혜. ¶~の発達 인지의 발달 / ~を傾ける 인지를 기울이다〔다하다〕. 注意 본디는 '人智'.

じんち【陣地】图 진지. ¶~をしく 포진(布陣)하다 / ~を死守〔構築〕する 진지를 사수〔구축〕하다.

しんちく【新築】图ス他 신축. ¶~の家 신축한 집 / ~祝い 신축 축하. ↔改築·増築.

じんちく【人畜】图 인축. **1** 인간과 가축. ¶~には被害がない 인축에는 피해가 없다. **2** 몰인정한 사람을 욕하는 말. =人でなし. ¶~に等しい 인면수심(人面獸心)과 다름없다.

しんちゃ【新茶】图 신차; 그 해의 새싹을 따서 만든 차. =はしり茶. ¶~の香り 신차의 향내. ↔古茶.

しんちゃく【新着】图ス自 신착; 새로 도착함; 또, 그 물품. ¶~の洋書 새로 도착한 양서.

しんちゅう【心中】图 심중; 마음속. =内心. ¶~ひそかに期待する 심중에 남몰래 기대하다 / ~を明かす 심중을 밝히다 / ~を察するに余りある 마음속을 헤아리고도 남음이 있다 / ~穏やかでない 심중이 편안치 않다. 注意 'しんじゅう' 라고 하면 딴말.

しんちゅう【身中】图 몸속. =体内. ¶しし~の虫 사자 신중충(身中蟲); 사자 몸 속의 벌레. ⇨獅子.

しんちゅう〖真鍮〗图 진유; 놋쇠. =黄銅. ¶~細工 유기 세공 / 金着せ~ 금도금한 놋쇠.

しんちゅう【進駐】图ス自 진주. ¶~兵 진주병 / ~軍 진주군 / 外国に~する 외국에 진주하다.

じんちゅう【尽忠】图 진충. ¶~報国の精神 진충보국의 정신.

じんちゅう【陣中】图 진중; 또, 전쟁 중. ¶~勤務 진중 근무 / 敵の~に乱入する 적진 속에 난입하다.

—みまい【—見舞い】图 **1** 진중〔전선〕위문. **2**〈俗〉열심히 일하는 사람을 찾아가서 노고를 위로함. ¶選挙戦の~ 선거 운동을 하고 있는 사람을 찾아가서 위로함.

しんちょ【新著】图 신저; 새 저작〔저서〕. ↔旧著·近著.

しんちょう【伸長】图ス自他 신장; (길이나 힘이) 늘어남; 늘림; 번음. ¶学力〔体力〕の~ 학력〔체력〕의 신장.

しんちょう【伸張】图ス自他 신장; (세력·물체 따위가) 늘어나 넓게 펴짐〔폄〕. =伸展. ¶国力の~を図る 국력의 신장을 도모하다 / 勢力が~する 세력이 신장하다 / 国威を海外に~する 국위를 해외에 뻗(치)다.

***しんちょう**【身長】图 신장; 키. =せたけ·みの丈. ¶~を測る 신장을 재다 / ~が伸びる 키가 자라다.

***しんちょう**【慎重】图ダナ 신중. ¶~派 신중파 / ~を期する 신중을 기하다 / ~な態度を取る 신중한 태도를 취하다 / ~にかまえる 신중하게 대비하다. ↔軽率.

しんちょう【新調】图ス他 신조; 새로 맞춤; 또, 그것. ¶~の洋服〔ドレス〕새로 맞춘 양복〔드레스〕/ 背広を~する 신사복을 새로 맞추다.

しんちょう【深長】ダナ 심장; (뜻에) 깊이가 있음. ¶意味~ 의미심장.

じんちょうげ〖沈丁花〗图〔植〕서향(瑞香)《상록 관목; 관상용》.

しんちょく〔進捗·進陟〕图ス自 진척. ¶~状況 진척 상황 / 工事が~する 공사가 진척하다.

しんちんたいしゃ【新陳代謝】图ス自 신진대사. **1**〔生〕'物質交代(=물질교대; 물질대사)'의 구칭. **2** 새로운 것이 묵은 것에 대신함. ¶流行語は~がはげしい 유행어는 신진대사가 심하다 / 新旧選手の~がうまくいく 신구 선수의 신진대사가 잘 되어 간다.

しんつう【心痛】图ス自 심통; 근심; 걱정함. ¶~の色が見える 심통해 하는〔근심하는〕빛이 보이다 / さぞや~のことでしょう 무척 걱정이 되시겠지요 / ~のあまり床に伏す〔就く〕 걱정한 나머지 자리에 눕다.

じんつう【陣痛】图 진통. ¶~の苦しみ 진통의 고통 / ~が起こる〔始まる〕진통이 일어나다〔시작되다〕/ その国は今革命の~期にある 그 나라는 지금 혁명의 진통기에 있다.

じんづうりき【神通力】图 ☞じんずうりき.

しんて【新手】图 새로운 방법; 새 수법. ¶商売の~ 새로운 장사 수단 / ~の詐欺 새로운 수법의 사기; 신종 사기 / ~を考え出す 새로운 수단〔수법〕을 생각해 내다. ⇨あらて.

しんてい【新訂】图ス他 신정; 새로 정정(訂正)함. ¶~版 신정판 / ~教科書 신정 교과서.

しんてい【心底】图 심저; 심중; 본심. =しんそこ. ¶~を見届けた 마음속을 간파했다 / ~を打ち明ける 마음속을 털어놓다 / ~を見抜く〔見透かす〕마음속을 꿰뚫어 보다 / ~が読めた 본심을 알아차렸다.

しんてい【進呈】图ス他 진정; 진상. =進上. ¶粗品~ 조품 진정 / 無料~ 무료 진정.

じんていしつもん【人定質問】图〔法〕(피고인에 대한) 인정 신문(訊問).

じんていじんもん【人定尋問】图〔法〕(증인에 대한) 인정 신문(訊問).

しんてき【心的】ダナ 심적. ¶~傾向 심적 경향 / ~現象 심적 현상 / ~(な)活動 심적 활동. ↔物的.

じんてき【人的】ダナ 인적. ¶~関係

인적 관계 / ～資源しげん 인적 자원 / ～損害そんがい 인적 손해. ↔物的ぶってき.

―しょうこ【―証拠】 图 인적 증거. ＝人証じんしょう. ↔物的証拠ぶってきしょうこ.

シンデレラ [Cinderella] 图 신데렐라. **1** 서양 동화에 나오는 여주인공 이름. **2** 뜻밖에 행운을 만난 사람의 뜻. ¶ ～ボーイ 부유한 집의 딸을 배우자로 얻은 행운아 / ～ガール 신데렐라 걸; 무명에서 갑자기 유명해진 아가씨〔여성〕.

しんてん【親展】 图 친전. ＝直披じきひ・ちょくひ. ¶ ～の手紙てがみ 친전의 편지.

しんてん【伸展】 图 [ス自他] 신전; 신장(伸張). ¶ 国威こくいの～ 국위 신장 / 事業じぎょうが～する 사업이 신장하다.

しんてん【進展】 图[ス自] 진전; 사건이 진행하고 국면이 전개되는 일. ¶ 事件じけんの～ 사건의 진전 / 戦局せんきょくの～と共ともに 전국의 진전과 더불어 / 捜査そうさが～する 수사가 진전하다. [参考] 흔히, 진보·발전의 뜻으로 잘못 쓰임. ¶ 文化ぶんかが～する 문화가 발전하다.

しんでん【神殿】 图 신전; 신사(神社)의 본전(本殿); 또, 궁중 삼전(三殿)의 하나로 천신지기(天神地祇)를 모신 전각. ¶ ～に拝礼はいれいする 신전에 배례하다.

しんでんず【心電図】 图〔醫〕심전도.

しんてんち【新天地】 图 신천지. ＝新世界しんせかい. ¶ ～を求もとめて旅立たびだつ 신천지를 찾아 여로에 오르다.

しんと【信徒】 图〈老〉신도; 신자. ＝信者しんじゃ. ¶ カトリック教きょうの～ 가톨릭교 신도.

しんと 副 소리 하나 없이 대단히 조용한 모양; 괴괴히; 잠잠히. ＝しいんと. ¶ ～したへや 괴괴한 방 / ～なる 잠잠〔조용〕해지다 / 場内じょうないは～して咳せき一ひとつ聞きこえなかった 장내는 아주 조용해서 기침 소리 하나 들리지 않았다. [注意] 구어(口語)로는 'しーんと'라고 길게 발음할 때가 많음.

しんど【深度】 图 심도; 깊이의 정도. ＝深ふかさ. ¶ ～計けい 심도계 / 海うみの～を測はかる 바다의 심도를 재다.

しんど【進度】 图 진도. ¶ 学科がっかの～表ひょう 학과 진도표.

しんど【震度】 图〔地〕진도; 지진의 강도(強度). ¶ ～が強つよい 진도가 강하다.

―かい【―階】 图 진도 계급《진도를 숫자로 나타낸 등급》. ⇨下段 [박스記事]

じんと 副 **1** 눈물이 날 정도로 감동된 모양; 뭉클; 찡. ¶ 胸むねに～来くるあたたかい言葉ことば 가슴이 뭉클〔찡〕해지는 따뜻한 말. **2** 손발 등이 저리는〔마비되는〕 모양; 짜릿짜릿. ¶ 腕うでが～しびれた 팔이 짜릿하게 저렸다. [注意] 구어로는 'じーんと'라고 길게 발음할 때가 많음.

しんど-い 形〈関西方〉**1** 힘이 들다; 골치 아프다; 벅차다; 어렵다. ¶ この仕事しごとは～ 이 일은 힘이 든다; 이 일은 골치 아픈 일이다 / 全部ぜんぶ一人ひとりでやるのは～ 전부 혼자 하기에는 너무 힘들다. **2** 지치다; 녹초가 되다. ¶ おお～ 아이고 지쳤다.

しんとう【浸透】《滲透》图[ス自] **1** 침투; 젖어 들어감; 스며들어 속속들이 뱀. ¶ 雨水あまみずが地ちに～する 빗물이 땅에 스며들다 / 民主主義みんしゅしゅぎが国民こくみんの間あいだに～する 민주주의가 국민 사이에 침투하다. **2**〔化〕삼투. ¶ ～性せい 삼투성 / ～圧あつ 삼투압 / ～作用さよう 삼투 작용. [注意] '浸透'로 씀은 대용 한자.

しんとう【心頭】 图 심두; 마음(속); 염두. ＝念頭ねんとう. ¶ 怒いかり～に発はっする 화가 머리끝까지 오르다.

―を滅却めっきゃくすれば火ひもまた涼すずし 어떤 고난을 당해도 이를 초월하여 염두에 두지 않으면 괴로움을 느끼지 않는다.

しんとう【神道】 图 일본 민족 고유의 전통적인 신앙. ＝かんながらの道みち.

震度階しんどかい (진도 계급)

계급	상황 설명	계급	상황 설명
0	사람은 진동을 느끼지 못함.	5強	몹시 공포를 느끼게 되며, 많은 사람들이 행동에 지장을 느낌. 또, 서가의 책 등이 거의 떨어짐.
1	옥내에 있는 사람의 일부만이 진동을 느낌.		
2	잠자고 있는 사람의 일부가 잠을 깨며, 전등 따위가 조금 흔들림.	6弱	서 있기가 곤란해지며, 고정되어 있지 않은 무거운 가구 따위가 이동하거나 쓰러짐.
3	옥내에 있는 거의 모든 사람이 진동을 느끼며, 선반에 있는 식기류가 흔들림.		
4	잠자고 있는 사람의 거의가 다 깨며, 매달린 물건들은 크게 흔들림.	6強	서 있을 수가 없으며, 기지 않으면 움직일 수가 없음. 또, 많은 건물의 벽 타일이나 유리창이 떨어짐.
5弱	많은 사람들이 몸의 안전을 꾀하려고 하며, 서가의 책 따위가 떨어지기도 함.	7	심한 진동 때문에 자기 뜻대로 행동을 못하고 내진성이 강한 건물도 기울거나 크게 파괴되며, 땅이 갈라지거나 산사태도 일어남.

しんとう【親等】名 (친족 관계의) 촌수. ＝等親. ¶四～内の親族 4촌 이내의 친족.

しんどう【神童】名 신동; 천재아. ¶十で～, 十五で才子, 二十過ぎればただの人 10살 때는 신동, 15살엔 재사, 20이 넘어서는 평범한 사람(이 되고 만다) / あの人は幼時に～と呼ばれた 저 사람은 어릴 때 신동으로 불렸다. ⇨怪童.

しんどう【振動】名ス自他 진동. ¶～子 진동자 / ～計〔数〕 진동계〔수〕 / 窓ガラスが～する 창유리가 진동하다.

しんどう【新道】名 신도; 새로 개통한 길. ↔旧道·古道.

しんどう【震動】名ス自他 진동. ¶この車は～がひどい 이 차는 진동이 심하다 / 地震で家が～する 지진으로 집이 진동한다.

じんとう【陣頭】名 진두. ¶～に立つ 「진두에 서다.

—しき【—指揮】名 진두 지휘. ¶～を取る 진두 지휘를 하다 / ～に当たる 진두 지휘에 나서다.

じんどう【人道】名 인도. **1** 인륜. ¶～に反する罪 인도에 어긋나는 죄 / ～上ゆゆしき問題 인도상 묵과할 수 없는 중대한 문제 / ～にもとる行為 인도에 어그러진 행위. **2** 보도(步道). ¶裏町の～ 뒷골목 길 / ～を舗装する 보도를 포장하다. ↔車道.

—しゅぎ【—主義】名 인도주의; 휴머니즘. ＝ヒューマニズム.

—てき【—的】ダナ 인도적. ¶～問題 인도적 문제 / 捕虜を～にとり扱う 포로를 인도적으로 다루다.

じんとく【人徳】名 인덕. ¶皆に好かれるのは彼の～だ 여러 사람에게 호감을 받는 것은 그의 인덕이다.

じんとく【仁徳】名 인덕. ＝にんとく. ¶～の高い君子 인덕이 높은 군자.

ジントニック [←gin and tonic] 名 진토닉《진에 토닉워터를 탄 칵테일》.

じんとり【陣取り】名 땅뺏기《아이들 놀이의 하나》. ＝じんどり.

じんど-る【陣取る】5自 **1** 진치다. ¶川を前にして～ 강을 앞에 두고 진을 치다. **2** 어떤 장소를 점거하다; 자리를 차지하다. ¶最前列に～ 맨 앞자리를 차지하다.

シンドローム [syndrome] 名 신드롬; 증후군. ＝症候群.

シンナー [thinner] 名 시너; 칠을 묽게 하는 용제(溶劑).

—あそび【—遊び】名 시너 놀이〔냄새 맡기〕《중독되면 정신이 흐려지고, 현기증·구토의 증상을 나타냄》.

しんなり 副ス自 〈俗〉 부드럽고 아주 연한 모양: 나긋나긋; 낭창낭창. ¶～と細い指 나긋나긋하게 가는 손가락.

しんに【真に】連語 《副詞적으로》 진실로; 참으로. ＝まことに. ¶～うれしい 참으로 기쁘다 / ～国を思う人 진정으로 나라를 생각하는 사람.

じんにく【人肉】名 인육. ¶～の市 인육시장.

しんにち【親日】名 친일. ¶～派 친일파 / ～政策 친일 정책. ↔排日·抗日·侮日.

—か【—家】名 친일파인 사람.

***しんにゅう**【侵入】名ス自 침입. ¶不法～ 불법 침입 / 家宅～罪 가택 침입죄 / 敵国の～を受ける 적국의 침입을 받다 / 夜中に泥棒が～した 밤중에 도둑이 침입했다.

しんにゅう【浸入】名ス自 침입; (건물·토지에) 침수함. ¶泥水が家の中に～する 흙탕물이 집 안에 침수되다. ⇨しんすい(浸水).

しんにゅう【進入】名ス自 진입. ¶～路〔灯〕 진입로〔등〕 / 車の～を禁止する 차량 진입을 금지하다.

しんにゅう【新入】名ス自 신입; 신참. ＝しんいり. ¶～生 신입생 / ～社員 신입 사원 / ～の会員を紹介する 신입 회원을 소개하다.

しんにん【信任】名ス他 신임. ¶～投票 신임 투표 / 不～ 불신임 / ～の厚い人 신임이 두터운 사람 / 議会の～を得る 의회의 신임을 얻다 / ～を裏切る 신임을 배반하다.

—じょう【—状】名〔法〕 신임장.

しんにん【新任】名ス他 신임. ¶～のあいさつ 신임 인사 / ～の教師 신임 교사. ↔旧任·前任·先任.

しんね【新値】名〔經〕 (증권 거래에서) 신고가(新高價)와 신저가(新低價)의 총칭《보통, 신고가를 가리킴》. ¶～を抜く 신고가를 갱신하다.

しんねこ 名 〈俗〉 남녀가 남의 눈을 피하여 다정하게 속삭임; 밀회. ¶四畳半で～をきめ込む (요릿집의) 좁은 방에 숨어서 속삭이다.

しんねつ【身熱】名 신열; 몸의 열.

しんねん【信念】名 신념. ¶～の強い人 신념이 강한 사람 / 強い～を持つ 강한 신념을 갖다 / ～を貫く〔まげない〕 신념을 관철하다〔굽히지 않다〕.

***しんねん**【新年】名 신년; 새해. ＝新春·正月. ¶謹賀～ 근하신년 / ～を迎える 새해를 맞이하다 / ～おめでとうございます 새해 복 많이 받으세요. ↔旧年.

しんの【真の】連語 《連体詞적으로》 참다운; 진정한. ¶～幸福〔理解〕 참다운 행복〔이해〕 / ～闇 암흑; 칠흑 같은 어둠 / 彼こそ～学者だ 그 사람이야말로 참다운 학자이다.

しんのう【親王】名 친왕《적출(嫡出)인 황자·황손의 칭호》. 参考 여자는 内親王.

—ひ【—妃】名 친왕비.

しんぱ【新派】名 신파. **1** 새로 일으킨 유파. **2** '新派劇'의 준말. ⇔旧派.

—げき【—劇】名 신파극《明治 시대 중기(中期)에 歌舞伎에 대항하여 일

어난, 현대 세상(世相)을 주제로 한 연극》. ⇨新劇(しんげき).

シンパ 名 'シンパサイザー'의 준말.

じんば【人馬】 名 인마. ¶ ～一体(いったい) 인마일체 / ～殺傷(さっしょう) 인마 살상 / ～の往来(おうらい) 인마의 왕래.

しんぱい【心配】 一 名ナ ス自他 걱정; 근심; 염려; 심려. ＝気(き)がかり. ¶ ～の種(たね) 걱정거리 / 就職(しゅうしょく)の～ 취직 걱정 / ～御無用(ごむよう)です 걱정할 것 없습니다 / 落第(らくだい)の～はない 낙제할 염려는 없다 / いろいろご～をかけてすみません 여러 가지로 심려를 끼쳐 죄송합니다 / ～は体(からだ)の毒(どく)だ 근심하는 건 몸에 해롭다. 二 名 ス自他 배려; 주선. ＝心(こころ)づかい. ¶ 君(きみ)に良(よ)い地位(ちい)を～してやる 너에게 좋은 자리를 주선해 주겠다 / 急行切符(きゅうこうきっぷ)の購入(こうにゅう)を～してやる 급행권의 구입을 주선해 주다.

—ごと【—事】 名 근심사; 근심거리. ¶ 彼女(かのじょ)は～が多(おお)い 그녀는 근심거리가 많다.

—しょう【—性】 名 사소한 일에 고민하며 걱정하는 성질. ＝苦労性(くろうしょう).

しんぱい【心肺】 名 심폐. **1** 심장과 폐. **2** '人工(じんこう)心肺(＝인공 심폐)'의 준말.

じんぱい［塵肺］ 名〖醫〗진폐(증).

じんばおり【陣羽織】 名 옛날, 진중에서 갑옷 위에 입던, 소매가 없는 羽織(はおり)《비단·나사 따위로 만듦》.

[陣羽織]

しんぱく【心拍】《心搏》 名 심박; 심장의 고동. ¶ ～動(どう) 심박동. 注意 '心拍'로 씀은 대용 한자.

シンパサイザー [sympathizer] 名 심퍼사이저; 동조자; (특히, 좌익 운동의) 지지자. ＝シンパ.

しんばつ【神罰】 名 신벌; 천벌. ＝天罰(てんばつ). ¶ 悪事(あくじ)をすると～を受(う)ける 나쁜 짓을 하면 천벌을 받는다 / ～が下(くだ)る 천벌이 내리다.

しんぱつ【進発】 名 ス自 진발; (부대가) 출발함. ¶ 先頭部隊(せんとうぶたい)はすでに～した 선두 부대는 이미 출발하였다.

しんばり【心張り】 名 문·창문이 열리지 않게 버티는 버팀목《'心張り棒(ぼう)'의 준말》. ＝つっかい棒(ぼう). ¶ ～を支(か)う〔はずす〕 버팀목을 지르다〔벗기다〕.

シンバル [cymbals] 名〖樂〗심벌즈.

しんばん【新盤】 名 신반; 새로 발매된 레코드·CD; 새 음반. ＝新譜(しんぷ).

しんぱん【侵犯】 名 ス他 침범. ¶ 敵(てき)の～を防(ふせ)ぐ 적의 침범을 막다 / 領空(りょうくう)を～する 영공을 침범하다.

しんぱん【新版】 名 신판. **1** 내용·체재를 일부 정정하는 등 판을 새롭게 한 책. ¶ ～は旧版(きゅうはん)よりりっぱだ 신판은 구판보다 훌륭하다. ↔旧版(きゅうはん). **2** 새로 출판함; 또, 그 책. ＝新刊(しんかん).

*__しんぱん【審判】__ 名 ス他 심판. **1** 판결. ＝さばき. ¶ 最後(さいご)の～ 최후의 심판 / 海難(かいなん)～ 해난 심판 / テニスの～をする 테니스 심판을 하다 / ～を仰(あお)ぐ 심판을 바라다 / 神(かみ)の～は公平(こうへい)だ 신의 심판은 공평하다. **2** 심판원. ¶ ～に抗議(こうぎ)する 심판에게 항의하다 / ～の笛(ふえ)が鳴(な)る 심판의 호각이 울리다. 注意 'しんばん'이라고도 함.

しんぱん【親藩】 名 江戸(えど) 시대, 将軍(しょうぐん) 가문의 근친인 제후(諸侯)의 藩(はん).

しんぱん【信販】 名 '信用販売(しんようはんばい)(＝신용 판매)'의 준말.

しんび【審美】 名 심미. ¶ ～家(か) 심미가.

—がん【—眼】 名 심미안. ¶ ～のすぐれた人(ひと) 심미안이 뛰어난 사람.

しんぴ【神秘】 名ナ 신비. ¶ ～な世界(せかい) 신비로운 세계 / ～に包(つつ)まれている 신비에 싸여 있다 / ～を解(と)く 신비를 풀다 / ～のベールを剝(は)ぐ 신비의 베일을 벗기다 / 自然(しぜん)の～を探(さぐ)る 자연의 신비를 탐구하다.

—てき【—的】 ダナ 신비적. ¶ 仏像(ぶつぞう)の～な微笑(びしょう) 불상의 신비로운 미소 / あの山(やま)は何(なん)となく～だ 저 산은 어쩐지 신비롭다.

しんぴ【真否】 名 진부; 사실 여부. ＝真偽(しんぎ). ¶ 事(こと)の～を確(たし)かめる 일의 진부를 확인하다.

しんぴつ【真筆】 名 진필. ＝真跡(しんせき). ¶ これは偽筆(ぎひつ)か～か 이것은 위필이냐 진필이냐. ↔偽筆(ぎひつ)·代筆(だいひつ).

しんぴつ【親筆】 名 친필; 귀인이 친히 쓴 필적. ¶ 大臣(だいじん)の～ 대신의 친필.

しんぴょう［信憑］ 名 ス自 신빙. ¶ ～できる 신뢰할 수 있다.

—せい【—性】 名 신빙성. ＝信頼性(しんらいせい). ¶ ～にとぼしい 신빙성이 적다 / この証拠(しょうこ)には～がある 이 증거에는 신빙성이 있다.

しんぴん【新品】 名 신품. ¶ このカメラは～と同様(どうよう)だ 이 카메라는 신품이나 마찬가지이다. ↔中古(ちゅうこ)·古物(ふるもの·こぶつ).

じんぴん【人品】 名 인품. ＝人(ひと)がら·ひん·ふうさい. ¶ ～骨柄(こつがら)いやしからぬ紳士(しんし) 인품과 품위가 천하지 않은 신사; 점잖은 신사 / ～のよい人(ひと) 인품이 좋은 사람.

しんぶ【深部】 名 심부. ¶ 肺(はい)の～ 폐의 심부 / 意識(いしき)の～ 의식의 심부.

しんぷ【神父】 名〖宗〗신부.

しんぷ【新婦】 名 신부; 새색시. ＝はなよめ. ¶ 新郎(しんろう)～ 신랑 신부 / ～のお色直(いろなお)し (결혼식 후) 신부가 예복을 벗고 다른 옷으로 갈아입음. ↔新郎(しんろう).

しんぷ【親父】 名〈老〉친부; 친아버지. ＝ちち(おや). ¶ 御(ご)～様(さま) 아버님. 参考 상대방의 부친을 일컫는 존대말.

しんぷう【新風】 名 신풍. ¶ ～をもたらす 신풍을 일으키다 / 詩壇(しだん)に～を吹(ふ)き込(こ)む 시단에 신풍을 불어넣다. ↔古風(こふう)·旧習(きゅうしゅう).

シンフォニー [symphony] 名〖樂〗심포니; 교향곡. ＝シンホニー. ¶ ～オーケ

ストラ 심포니 오케스트라; 교향악단.

しんぷく【心服】图ス自 심복. ¶部下を～させる 부하를 심복시키다 / 師の教えに～する 스승의 가르침에 심복하다.

しんぷく【振幅】图〘理〙진폭. ¶振り子の～を計る 흔들이〔진자〕의 진폭을 재다 / ～が大きい 진폭이 크다 / ～を大きくする 진폭을 크게 하다.

しんぷく【震幅】图〘地〙진폭; 지진의 흔들리는 폭. ¶この地震は～が大きかった 이 지진은 진폭이 컸다.

しんふぜん【心不全】图〘醫〙심부전. ¶急性～ 급성 심부전.

じんふぜん［腎不全］图〘醫〙신부전.

しんぶつ【神仏】图 신불; 신과 부처; 또, 神道와 불교.

*じんぶつ【人物】图 인물; 인품; (뛰어난) 사람. ¶～画〔評〕인물화〔평〕/ ～描写 인물 묘사 / ～がりっぱだ 인물이 훌륭하다 / 政界きっての～ 정계에서 제일 가는 인물 / あの男は将来ひとかどの～になるだろう 저 사나이는 장래 훌륭한 사람이 될 것이다 / この事実で彼の～が少し分かった 이 사실로 그의 인품을 다소 알게 되었다 / 人間の価値は財産にあらずしてその～にある 인간의 가치는 재산에 있는 것이 아니고 그 사람됨에 있다 / 彼はなかなかの～だ 그는 대단한 인물이다.

シンプル［simple］ダナ 심플. **1** 꾸밈이 없음; 검소함; 소박함. ¶～な生活 검소한 생활 / ～な感じの人 소박한 느낌을 주는 사람. **2** 단순함; 간단함. ¶～な屋根 단조로운 지붕 / ～な洋服 (디자인이) 단순한 양복 / ～な柄 단순한 무늬.

—ライフ［simple life］图 심플 라이프; 「검소한 생활.

**しんぶん【新聞】图 신문. ¶～社 신문사 / ～配達 신문 배달 / ～記者 신문 기자 / ～報道 신문 보도 / スポーツ～に載る 스포츠 신문에 나다.

—がみ【—紙】图 (인쇄된) 신문지. ¶弁当を～でくるむ 도시락을 신문지로 싸다. 「んぶんがみ.

—し【—紙】图 신문지. **1** 신문. **2** ☞し

—じれい【—辞令】图 신문 사령.

—だね【—種】图 신문 기삿거리.

—や【—屋】图 **1** 신문 판매·보급소; 또, 그 종업원. **2** 신문쟁이; 신문 기자를 얕잡아 이르는 말. ＝ぶんや.

じんぶん【人文】图 인문; 사람이 만들어 낸 문화; 문물 제도. ¶～主義 인문주의 注意 'じんもん'이라고도 함. 参考 흔히, 자연과 상대적으로 말함. 「파.

しんべい【親米】图 친미. ¶～派 친미

しんぺい【新兵】图 신병. ↔古兵.

しんへいみん【新平民】图 일본에서, 천민 취급을 받다가 1871년에 새로 평민에 편입된 사람들을 차별적으로 일컫던 속칭.

しんぺん【神変】图 신변; 사람으로서는 헤아릴 수 없는 불가사의한 변화. ¶～不思議 신변 불가사의.

しんぺん【身辺】图 신변. ＝身のまわり. ¶～多忙 신변 다망 / ～雑事 신변 잡사 / ～が危ない 신변이 위험하다 / ～の世話をする 신변을 돌봐 주다 / ～を気づかう 신변을 염려하다.

—ざっき【—雑記】图 신변잡기.

—しょうせつ【—小説】图 신변 소설. ＝私小説.

**しんぽ【進歩】图ス自 진보. ¶すばらしい～ 눈부신 진보 / 著しい～ 현저한 진보 / ～が早い 진보가 빠르다 / 文明の～の跡を尋ねる 문명의 진보의 발자취를 더듬다 / 長足の～をとげる 장족의 진보를 이룩하다. ↔退歩·退化·保守.

—てき【—的】ダナ 진보적. ¶～な意見 진보적인 의견. ↔保守的.

シンポ 图 シンポジウム의 준말.

しんぼう【信望】图 신망. ¶世間の～を得る 세간의 신망을 얻다 / ～が厚い 신망이 두텁다 / 人々の～を集める 여러 사람의 신망을 모으다.

しんぼう【心棒】图 굴대; 회전축. ＝しんぎ. ¶車の～が折れる 차의 굴대가 부러지다 / 独楽の～ 팽이의 회전축. 参考 활동의 중심이 되는 것의 비유. ¶一家の～ 한 집안의 중심 / 彼は党の～だ 그는 당의 중심인물이다.

しんぼう【深謀】图 심모; 깊이 생각해서 세운 계략.

—えんりょ【—遠慮】图 심모원려. ¶～をめぐらす 심모원려를 하다.

*しんぼう〘辛抱〙图ス自 (어려움을) 참음; 참고 견딤. ¶つらいのを～して働く 괴로움을 참고 일하다 / 店を分けてもらうまで～する 분점을 내줄 때까지 참고 견디다 / もう少しの～だ 조금만 더 참는 거다 / それは～しきれない 그것은 참을 수 없다 / ～した甲斐がある 참고 견딘 보람이 있다.

—づよい【—強い】形 참을성이 많다. ＝がまん強い. ¶～く待つ 참을성 있게 기다리다.

—にん【—人】图 참을성이 강한 사람.

しんぽう【信奉】图ス他 신봉. ¶～者 신봉자 / 民主主義を～する 민주주의를 신봉하다.

じんぼう【人望】图 인망. ¶国民の～を得た首相 국민의 인망을 얻은 수상 / ～を失う〔集める〕인망을 잃다〔모으다〕/ ～が厚い 인망이 두텁다.

しんぼく【神木】图 신령이 깃든다고 하는 나무; 신사의 경내에 자라는 나무. ＝神樹. ¶～にしめ縄を張る 신목에 금줄을 치다.

しんぼく［親睦］图ス自 친목. ＝懇親·友好. ¶～会 친목회 / 相互の～を図る 상호간의 친목을 도모하다 / ～を深める 친목을 돈독히 하다.

シンポジウム［symposium］图 심포지

움. ＝シンポ·公開討論会. ¶～を開く 심포지엄을 열다.

シンホニー 名 ☞シンフォニー.

シンボル [symbol] 名 심벌. **1** 상징; 표상(表象). ¶鳩は平和の～である 비둘기는 평화의 심벌이다. **2** 기호; 부호.

しんぽん【新本】名 신본. **1** 새로 출판한 책; 신간 서적. ¶～紹介 신간 소개. **2** 새 책. ↔古本.

しんまい【新米】名 **1** 신미; 햅쌀. ↔古米. **2** 신참; 풋내기. ¶～の店員 신참 점원 / ～の若い記者 풋내기 젊은 기자 / ～は黙っていろ 풋내기는 잠자코 있어 / 商売はからきし～です 장사는 전혀 처음입니다. ＝しんまえ.

じんまく【陣幕】名 진막; 진영 둘레에 친 막.

じんましん〖蕁麻疹〗名 심마진; 두드러기. ＝ほろせ.

しんみ【新味】名 신미; 새맛; 새로운 느낌. ¶～を出す 새로운 맛을 내다 / ～に乏しい 새로운 맛이 부족하다 / ～がうかがわれる 신선함을 엿볼 수 있다.

しんみ【親身】《親味》名 ダナ 육친; 근친. ¶～も及ばぬ看病 육친보다도 더 알뜰한 병구완 / ～になって世話する 육친처럼 (정성껏) 돌봐 주다 / なんと言ってもそこは～だね 뭐니 뭐니 해도 육친이 제일이야.

しんみせ【新店】名 새 점포; 새로 낸 가게〔상점〕. ¶うちの近くに～が一軒ある 우리 집 근처에 새로 낸 가게가 하나 있다.

しんみち【新道】《新路》名 새로 낸 길; 신작로. ＝しんどう.

しんみつ【親密】名 ダナ 친밀. ¶～な間がら 친밀한 사이 / ～に語らう 친밀하게 서로 이야기하다 / きわめて～な交際をする 극히 친밀한 교제를 하다 / ～の度を加えた 더욱더 친밀해졌다. ↔疎遠.

じんみゃく【人脈】名 인맥. ¶～をたどる 인맥을 더듬어 올라가다 / 政界に強力な～を持つ 정계에 강력한 인맥을 가지다.

しんみょう【神妙】一 ダナ **1** 온순하고 얌전함. ＝すなお. ¶～な態度〔顔つき〕 온순한 태도〔얼굴 표정〕/ ～に勤める 얌전히 근무하다 / ～にせよ〔しろ〕 (a)얌전히 굴어라; (b)순순히 항복해라 / ～になわにかかる 순순히 포박당하다. **2** 기특함; 칭찬할 만함. ＝殊勝·感心. ¶～な心がけ〔青年〕 기특한 마음씨〔청년〕. 二 名 신묘; 불가사의. ＝しんびょう. ¶～不可思議な霊験 신묘 불가사의한 영험.

しんみり 副 ス自 **1** 조용히; 차분하게; 은밀하게. ＝しみじみ. ¶～(と)話す 조용히〔차분하게〕 이야기하다 / ～意見する 조용조용히 타이르다. **2** 마음이 침울하고 슬픈 모양; 숙연히. ＝しめやか. ¶悲しい知らせに一座は～した 슬픈 소식에 좌중은 숙연해졌다.

***じんみん**【人民】名 인민; 백성; 국민. ¶～裁判 인민재판 / ～のための, ～による, ～の政治 인민을 위한, 인민에 의한, 인민의 정치.

—こうしゃ【—公社】名 인민 공사.

—せんせん【—戦線】名 인민 전선.

じんむ【神武】名 일본의 개국(開國); 오랜 옛날. 参考 神武天皇가 일본 제 1대 천황인 데서.

—いらい【—以来】名 일본 개국 이래; 개벽 이래. ¶～の好景気 神武 이래의 호경기.

しんめ【新芽】名 새싹. ＝若芽. ¶～の季節 새싹이 움트는 계절 / ～が出る〔ふく〕 새싹이 나오다〔트다〕.

しんめい【神明】名 신명; 하늘과 땅의 신령. ＝かみ. ¶天地～に誓う 천지신명에게 맹세하다.

しんめい【身命】名 신명; 몸과 목숨. ¶～を惜しまず 목숨을 아끼지 않다 / ～をなげうって国事に奔走する 신명을 내던지고〔바쳐〕 국사를 위해 분주히 뛰어다니다.

—を賭する 신명을 걸다. ¶身命を賭して戦う 신명을 바쳐 싸우다.

じんめい【人命】名 인명. ¶～救助〔尊重〕 인명 구조〔존중〕/ ～にかかわる問題 인명에 관계되는 문제.

じんめい【人名】名 인명. ＝姓名. ¶～録 인명록 / ～事典 인명 사전.

—ようかんじ【—用漢字】名 인명용 한자《상용 한자인 1945자 이외에, 인명으로 쓰기 위해 추가된 285자의 한자》. ＝名づけ用漢字.

じんめん【人面】名 인면; 사람의 얼굴.

—じゅうしん【—獣心】名 인면수심. ＝ひとでなし.

しんめんもく【真面目】名 진면목; 진가. ＝真価·真骨頂. ¶～を発揮する 진가를 발휘하다. 注意 'しんめんぼく'라고도 함.

しんもつ【進物】名 진상물; 선물. ＝贈り物·使い物. ¶～を送る 선물을 보내다.

しんもん【審問】名 ス他 심문. ¶殺人容疑者を～する 살인 용의자를 심문하다 / この事件の～は今月の十日に開かれる 이 사건의 심문은 이달 10일에 열린다.

じんもん【尋問】《訊問》名 ス他 신문. ¶不審～ 불심 검문 / 人定～ 인정 신문 / ～調書 신문 조서 / 職務～ 직무 신문 / 捕虜を～する 포로를 신문하다 / きびしい～を受ける 준엄한 신문을 받다.

じんもん【陣門】名 진문; 군문(軍門).

—にくだる 항복하다. ¶敵の～ 적에게 항복하다.

しんや【深夜】名 심야. ＝よふけ·まよなか·深更. ¶～料金 심야 요금 / ～番組 심야 프로그램 / ～営業〔放

送] 심야 영업〔방송〕/ ~に戸をたたく 심야에 문을 두드리다 / ~まで作業する 심야까지 작업하다 / 会議は~に及んだ 회의는 심야에까지 이르렀다. ↔白昼·早朝.

しんやく【新約】名 신약. **1** 새로 맺은 약속. **2** '新約聖書'의 준말. ↔旧約.

—せいしょ【—聖書】名 신약 성서. ↔旧約聖書.

しんやく【新薬】名 **1** 신약. ¶~発売 신약 발매. **2** 항생 물질로 만든 약.

しんやすね【新安値】名〔經〕(주식 거래에서) 신저가. ↔新高値.

*しんゆう【親友】名 친우; 친구; 친한 벗. ¶無二の~ 둘도 없는 친구 / ~になる 친한 벗이 되다.

**しんよう【信用】名 신용. 一名 ス他 신뢰함; 믿고 씀. ¶~のある店 신용 있는 가게 / ~できない人 신용할 수 없는 사람 / ~が厚い 신용이 두텁다 / 社長に~される 사장의 신임을 받다 / 店の~にかかわる 상점의 신용에 관계되다 / ~を傷つける 신용을 손상하다 / ~を失う 신용을 잃다 / 商売は~が第一だ 장사는 신용이 제일이다.

二名 신용 거래. ¶~で買う 신용 거래로〔외상으로〕 사다.

—がし【—貸し】名〔經〕신용 대출.

—きんこ【—金庫】名 신용 금고.

—くみあい【—組合】名 신용 조합.

—ざん【—残】名 (주식에서) '信用取引残高(=신용 거래 잔고)'의 준말《융자 잔고와 대주(貸株) 잔고가 있음》.

—じょう【—状】名〔經〕신용장《LC》.

—とりひき【—取引】名〔經〕신용 거래. =マージン取引.

—はんばい【—販売】名 신용 판매. **1** 외상 판매. =信販. **2** 월부 판매.

—めいがら【—銘柄】名〔經〕(주식 시장에서) 신용 거래 종목.

しんよう【針葉】名 침엽. =針状葉.

—じゅ【—樹】名 침엽수. ↔広葉樹.

じんよう【陣容】名 진용. =陣だて·顔ぶれ. ¶堂々たる~ 당당한 진용 / 豪華な~ 호화스러운 진용 / ~を立て直す 진용을 재정비하다 / ~を整える 진용을 가다듬다.

**しんらい【信頼】名 ス他 신뢰. ¶~度 신뢰도 / ~し難い 신뢰하기 어렵다 / ~が置けない 신뢰할 수 없다 / ~するに足る人 신뢰할 수 있는 사람 / 人の~に背く 남의 신뢰를 저버리다 / ~にこたえる 신뢰에 보답하다 / 自己の力に~し過ぎる 자기 힘을 과신하다 / ~性に乏しい 신뢰성이 희박하다.

—すべき筋 신뢰할〔믿을〕 만한 소식통〔관계자〕. =権威筋.

じんらい【迅雷】名 신뢰; 맹렬한 우렛소리. ¶疾風~の勢い 질풍신뢰의 기세.

しんらつ【辛辣】名 ダナ 신랄. ¶~な批評 신랄한 비평 / ~な筆 신랄한 붓〔글〕/ ~な語調で言う 신랄한 어조로 말하다.

しんらばんしょう【森羅万象】名 삼라만상; 만물. =万有·万物.

しんり【審理】名 ス他 심리. ¶集中~ 집중 심리 / ~に付す 심리에 부치다 / ~を進める 심리를 진행하다.

*しんり【真理】名 진리. ¶永久不易の~ 영구 불변의 진리 / 動かすべからざる~ 움직일 수 없는 진리 / ~を愛する 진리를 사랑하다.

*しんり【心理】名 심리. ¶子供の~ 어린이의 심리 / 異常〔群集〕~ 이상〔군중〕 심리 / 思春期特有の~ 사춘기 특유의 심리 / 微妙な~につけいる 미묘한 심리에 파고들다.

—げき【—劇】名 ☞サイコドラマ.

—せん【—戦】名 심리전(쟁). =心理戦争.

—てき【—的】ダナ 심리적. ¶~効果 심리적 효과.

—びょうしゃ【—描写】名 심리 묘사.

じんりき【人力】名 인력. **1** 인간의 힘. =じんりょく. **2** '人力車'의 준말.

—しゃ【—車】名 인력거. =腕車.

*しんりゃく【侵略】《侵掠》名 ス他 침략. ¶~的行為 침략적 행위 / ~主義 침략주의 / ~戦争 침략 전쟁.

しんりょ【深慮】名 심려; 깊은 생각〔사려〕. ¶~遠謀 심려 원모 / ~に欠く 깊은 생각이 없다 / ~を巡らす 깊이 생각하다. ↔浅慮.

しんりょう【診療】名 ス他 진료. ¶~所 진료소 / ~を受ける 진료를 받다 / ~に当たる 진료에 임하다.

しんりょく【深緑】名 심록; 짙은 녹색. =ふかみどり. ¶~の山 심록의 산.

しんりょく【新緑】名 신록. ¶~の候 신록지절 / 萌えいずる~ 새싹이 움트는 신록.

じんりょく【人力】名 인력. ¶~に余る仕事 인력으로 감당할 수 없는 일 / ~の及ばない災害 인력으로 어쩌지 못하는 재해 / ~の及ぶ限り 인력이 미치는 한 / ~に頼らざるを得ない 인력에 의지하지 않을 수 없다. ⇨人力.

じんりょく【尽力】名 ス自 진력; 힘씀. =ほねおり·努力. ¶~のかいもなく 진력한 보람도 없이 / 御~のおかげで 진력하여 주신 덕택으로 / できるだけ~する 될 수 있는 한 힘쓰다 / ご~をこう 힘써 주시기 바람 / よろしく御~を願います 부디 진력하여 주시기 바랍니다; 잘 부탁드리겠습니다. 参考 자신이나 남의 일에 대해 모두 씀.

*しんりん【森林】名 삼림. =もり·はやし. ¶~地帯 삼림 지대 / ~開発〔公園〕 삼림 개발〔공원〕/ ~資源 삼림 자원 / ~限界 삼림 한계.

—てつどう【—鉄道】名 삼림 철도.

—よく【—浴】名 삼림욕.

じんりん【人倫】名 인륜. ¶~道徳 인륜 도덕 / ~にもとづく行為 인륜에

의거한 행위 / ～にそむく 인륜에 어긋나다 / 夫婦ふうふは～の始はじめである 부부는 인륜의 시초이다.

しんるい【進塁】名ス自〖野〗 진루. ¶走者そうしゃが二塁にるいに～する 주자가 2루에 진루하다.

**しんるい【親類】名 친척; 일가. ＝身内みうち·親族しんぞく·親戚しんせき. ¶遠とおい～より隣となり合あい 먼 일가보다 가까운 이웃; 이웃사촌 / 血ちを分わけた～ 피를 나눈 친척. 參考 흔히 넓은 뜻으로는 동류(同類)로 보는 것도 가리킴. ¶猫ねこはとらの～だ 고양이는 호랑이의 일가〔사촌〕뻘이다.

―えんじゃ【―縁者】名 친인척.

―すじ【―筋】名 친척 관계에 있는 사람. ¶あの人ひとはぼくの～に当あたる 저 분은 내 친척뻘이 된다.

―づきあい【―付き合い】名 1 친척간의 정의. ¶～が悪わるい 친척간의 정의가 나쁘다 / ～はむずかしいものだ 친척간에 다정하게 지내기란 어려운 일이다. 2 친척과 같은 다정한 교제. ¶あの家いえとは～をしています 저 집과는 친척같이 지내고 있습니다.

*じんるい【人類】名 인류. ¶～の幸福こうふく 인류의 행복 / ～の繁栄はんえいを願ねがう 인류의 번영을 기원하다.

―あい【―愛】名 인류애. ＝人間にんげん愛あい.

―がく【―学】名 인류학. ¶文化ぶんか～ 문화 인류학.

しんれい【心霊】名 심령. 1 영혼. ＝魂たましい. 2 '心霊現象げんしょう(＝심령 현상)'의 준말. ¶～学がく 심령학 / ～写真しゃしん 심령사진.

―じゅつ【―術】名 심령술.

しんれい【神霊】名 신령; 신; 신의 혼령. ¶～の加護かご 신령의 가호.

しんれい【浸礼】名〖宗〗 침례.

―きょうかい【―教会】名 침례 교회. ＝バプテスト教会.

しんれき【新暦】名 신력; 양력. ↔旧暦きゅうれき.

じんれつ【陣列】名 진열; 군대의 배치. ¶～を整ととのえる 진열을 정비하다.

しんろ【進路】名 진로. ＝ゆくて. ¶台風たいふうの～ 태풍의 진로 / ～を見みいだす 진로를 발견하다 / ～を切きり開ひらく 진로를 열다〔트다〕/ 人生じんせいの～を誤あやまる 인생의 진로를 그르치다 / ～を妨さまたげる 진로를 방해하다. ↔退路たいろ.

―しどう【―指導】名〖教〗 진로 지도. ¶生徒せいとの～ 학생의 진로 지도.

しんろ【針路】名 침로; 나아갈 길. ＝コース. ¶北きたに～を取とる 북쪽으로 침로를 잡다 / ～からそれる 침로를 벗어나다 / ～を定さだめる 침로를 정하다.

しんろう【心労】名ス自 심로; 정신적인 피로. ＝心こころづかい·気苦労きぐろう. ¶～が絶たえない 걱정이 끊이지 않다 / ご～をおかけしてすみません 걱정을〔심려를〕 끼쳐 드려 죄송합니다.

しんろう【辛労】名ス自 신로; 노고; 신고(辛苦). ＝ほねおり·苦労くろう. ¶～辛苦しんく 갖가지의 모진 고생 / 母はは に～をかける 어머니를 고생시키다 / ～に耐たえる 모진 고생을 견디다.

しんろう【新郎】名 신랑. ＝はなむこ. ¶～新婦しんぷ 신랑 신부. ↔新婦しんぷ.

じんろく【甚六】名 (무골(無骨))호인; 바보. ¶総領そうりょうの～ 바보 같은 맏아들《장남을 욕할 때 쓰는 말》.

しんろせん【新路線】名 신노선. ¶～をうちだす 신노선을 명확히 내세우다.

*しんわ【神話】名 신화. ¶～時代じだい 신화 시대 / ギリシア～ 그리스 신화 / 民主主義みんしゅしゅぎの～ 민주주의의 신화.

―てき【―的】ダナ 신화적.

しんわ【親和】名ス自 친화. 1 친목. ＝親睦しんぼく. ¶チームの～を図はかる 팀의 친화를 도모하다. 2 물질이 화합하는 일.

―りょく【―力】名〖化〗 친화력.

じんわ【人和】名 인화. ＝人ひとの和わ.

じんわり 副《'～と'의 꼴로》 1 사물이 천천히, 그리고 확실히 진행하는 모양. ¶胸むねに～(と)伝つたわってくる 가슴에 천천히 와 닿는다. 2 물기 따위가 천천히 스며나오는 모양. ¶目頭めがしらが～(と)してくる 눈시울이 촉촉히 젖어 오다.

す ス

[su] 1 五十音図ごじゅうおんず 'さ行ぎょう'의 셋째 음. 2〖字源〗 '寸'의 초서체《かたかな'ス'는 '須'의 오른쪽 초서체의 끝 부분》.

す [為] サ変自他 〈文〉 ☞する(為).

す【州】《洲》名 주; 토사가 물속에 퇴적하여 강·호수·바다의 수면에 나타난 곳. ¶中なか～ 강 가운데의 모래섬 / 船ふねが三角さんかく～に乗のり上あげる 배가 삼각주에 얹히다. 注意 '州'로 씀은 대용 한자.

*す【巣】名 1 새·짐승·곤충 따위의 집. ¶くもの～ 거미집 / つばめが～をかける 제비가 둥지를 틀다. 2 ㉠〈俗〉 사람이 사는 보금자리; 가정; 내 집. ¶愛あいの～ 사랑의 보금자리. ㉡소굴. ¶山賊さんぞくの～ 산적의 소굴.

す〖簀〗名 1 (대나 갈대로 거칠게 엮은) 깔개. ＝すのこ. 2 (말총이나 가느다란 철사로 잘게 엮은) 그물. ¶水嚢すいのうの～ 쳇불.

す〖簾〗名 (드리우는) 발. ＝すだれ. ¶～をかける 발을 치다.

*す【酢】《醋》名 초; 식초. ¶料理りょうりに～をかける 요리에 식초를 치다 / ～を利きかす (초를 쳐서) 신맛을 내다 / ～に漬つける 식초에 담그다.

す〖鬆〗名 1 철 지난 무·우엉, 너무 익힌 두부 따위에 생기는, 바람 든 구멍. ¶～

が立った大根 바람 든 무 / 大根に～が通る〔入る〕 무에 바람 들다. **2** 주물 따위의 내부에 생긴 공동(空洞).

す=【素】 **1**《名詞 앞에 붙어서》 ㉠아무것도 섞이지〔하지〕 않고 있는 그대로인 뜻을 나타냄: 맨…. ¶～通り 들르지 않고 그냥 지나감 / ～飯 맨밥 / ～うどん 맨국수 / ～はだか 알몸뚱이 / ～足 맨발 / ～手 맨손 / ～肌 (화장을 하지 않은) 맨 살결. ㉡(지위도 재산도 없는) 그저 단순한; 보잘것없는; 하찮은. ¶～町人 미천한 시정(市井)아치. **2**《形容詞·形容動詞語幹에 붙어》 그 상태가 보통의 정도를 넘어 그저 놀랄 뿐임을 나타냄. ¶～ばしこい 민첩하다; 재빠르다 / ～寒貧 찰가난.

ず 助動 《未然形에 붙음; 口語에서는 대개 連用形의 中止法으로, 또는 'ずに' 'ずと'의 꼴로 씀》 부정, 곧 진술한 말을 말하는〔글쓴〕이가 부정하는 뜻을 나타냄: …않다. ¶飲ま～食わ～一心に働いた 마시지도 먹지도 않고 열심히 일했다 / 何にも食わ～に寝ている 아무것도 먹지 않고 누워 있다.

ず【図】 图 **1** 그림; 회화. ¶山水の～ 산수화. **2** 도면; 도형. ¶設計～ 설계도 / ～で示す 도면〔도형〕으로 보이다. **3**〈俗〉 (보기 흉한) 꼴; (형편없는) 모양·광경. ¶見られた～ではない 눈뜨고는 못 보겠다.

――に乗る 생각대로 되어 우쭐대다. ¶少しでもほめるとすぐ～ 조금이라도 칭찬하면 금방 우쭐댄다.

ず【頭】 图 머리. ＝あたま. ¶～を低くする 겸손하게 처신하다.

――が高い 거만하다.

ず=〘図〙 보통의 정도를 넘어서 놀랄 만한 상태임을 나타냄. ¶～抜ける 유다르다; 두드러지다 / ～太い 배짱이 세다; 뻔뻔스럽다; 대담하다.

ず〖図〗《圖》 教2 ズ ト はかる | 도 그림 | **1** 계산해서 생각하다. ¶雄図 웅도. **2** 그림; 그리다. ¶図面 도면 / 地図 지도.

すあし【素足】 图 맨발. **1** 신발을 신지 않은 발. ＝はだし. ¶～で歩く 맨발로 걷다. **2** 양말이나 버선을 신지 않은 발. ¶～に靴をはく 맨발에 구두를 신다.

***ずあん【図案】** 图 도안; 디자인. ＝デザイン. ¶工芸品の～を描く 공예품의 도안을 그리다.

すーい【酸い】 形 시다. ＝すっぱい. ¶～味がある 신맛이 있다.

――も甘いもかみ分ける; ――も甘いも知っている 쓴맛 단맛 다 알다《세상 물정 따위를 잘 알다》.

すい【水】 一图 **1** 오행(五行)의 다섯째. **2** '水曜日'의 준말. ¶月, ～と会議がある 월요일과 수요일에 회의가 있다. **3**〈俗〉 꿀·설탕 따위만 탄 얼음물. ↔たねもの. 二 接尾 …수; 물. ¶地下～ 지하수 / 蒸留～ 증류수.

すい【粋】 一图 가장 정도가 높은 부분. ¶科学の～を集める 과학의 정수를 모으다. 二图 ダナ **1** 사회나 인정에 통하고 이해심이 있는 모양. ¶～なはからい 이해심 있는 조처 / ～を通す 세상·인정을 아는 처세를 하다. **2** 풍류를 즐김; 행동이 멋진 모양. ¶～な人 (a)풍류를 즐기는 사람; (b)세상 물정에 트인 사람. ↔やぼ·無粋.

――は身を食う 풍류에 빠지면 패가망신한다.

すい〖水〗 教1 スイ みず | 수 물 | **1** 물. ¶海水 해수. **2** (강·호수 등) 물이 있는 곳. ¶水陸 수륙 / 山水 산수. **3** 액체. ¶水薬 물약.

すい〖吹〗 常用 スイ ふく | 취 불다 | 입김을 불어 내다; 악기 따위를 불다. ¶吹奏 취주 / 吹管 취관 / 鼓吹 고취.

すい〖垂〗 教6 スイ たれる たらす | 수 늘어지다 | 드리우다; 매달리다. ¶垂涎 수연 / 垂線 수선 / 胃下垂 위하수.

すい〖炊〗 常用 スイ たく かしぐ | 취 불때다 | 밥을 짓다. ¶炊事 취사 / 自炊 자취.

すい〖帥〗 常用 スイ ソツ ひきいる | 수 장수 | 군대를 거느리다; 장군. ¶将帥 장수.

すい〖粋〗《粹》 常用 スイ いき | 수 순수하다 | **1** 순수하다; 정수(精粹). ¶純粋 순수. **2** 풍류를 즐김; 행동이 멋지다; 세련되다. ¶粋人 풍류남자.

すい〖衰〗《衰》 常用 スイ おとろえる | 쇠 쇠하다 | 쇠하다. ¶老衰 노쇠 / 盛衰 성쇠 / 衰弱 쇠약.

すい〖推〗 教6 スイ おす | 추 밀다 | **1** 밀다. ¶推進 추진. **2** 미루어 생각하다. ¶推量 추량 / 推考 추고 / 類推 유추.

すい〖酔〗《醉》 常用 スイ よう | 취 취하다 | 취하다. ¶酔客 취객 / 麻酔 마취.

すい〖遂〗《遂》 常用 スイ とげる ついに | 수 이루다 | 이루다. ¶遂行 수행 / 完遂 완수.

すい〖睡〗 常用 スイ ねむる ねむい | 수 졸다 | 졸다; 자다. ¶睡眠 수면 / 午睡 오수.

すい〖穂〗《穗》 常用 スイ ほ | 수 이삭 | 이삭. ¶穂状 수상; 이삭 모양 / 出穂 출수.

すい〖錘〗 常用 スイ つむ おもり | 추 저울 | **1** 저울추; 분동(分銅). ¶鉛錘 연추. **2** (물레의) 가락. ¶紡錘 방추.

ずい【髄】 图 **1** 골. ¶骨の～まで冷える 뼛속까지 시리다. **2**〘植〙 ㉠ 고갱이. ㉡줄기의 빈 속 부분. ¶よしの～から天井をのぞく 갈대 고갱이 구멍으로

하늘 보기《견식이 좁음의 비유》; 우물 안 개구리.

ずい〘随〙《隨》[常用] ズイ したがう まにまに | 수 따르다 | 1 따르다; 따라가다. ¶随行 수행 / 随伴 수반. 2 상황·형편에 따르다. ¶随時 수시 / 夫唱婦随 부창부수.

ずい〘瑞〙[人名] ズイ みず | 서 경사스럽다 | 하늘이 내리는 경사스러운 징표. ¶瑞兆 서조 / 瑞気 서기 / 祥瑞 상서.

ずい〘髄〙《髓》[常用] ズイ | 수 골 | 1 골. ¶骨髄 골수. 2 고등 동물의 중추 신경. ¶脳髄 뇌수.

すいあ-げる【吸い上げる】[下1他] 1 빨아올리다. ¶ポンプで水を～ 펌프로 물을 자아올리다. 2 (남의 이익을) 가로채다; 빨아먹다. ＝搾取する. ¶稼ぎを～ 벌이를 가로채다.

すいあつ【水圧】[名] 수압. ¶～試験 수압 시험 / ～がかかる 수압이 가해지다 / ～が下がる 수압이 떨어지다.

すいあて【推当て】[名] 억측; 멋대로 짐작함.

すいい【推移】[名][ス自] 추이. ¶時代の～を見守る 시대의 추이를 지켜보다.

すいい【水位】[名] 수위. ¶～計 수위계 / 大雨のため～が上がる 큰비로 수위가 올라가다.

ずいい【随意】[名][ダナ] 수의; 마음대로 함. ¶～契約 수의 계약 / ～に食べる 마음대로 먹다 / どうぞ御～に 부디 마음 내키는 대로 하십시오.

—きん【—筋】[名]〘生〙수의근; 맘대로 근. ↔不随意筋.

すいいき【水域】[名] 수역. ¶経済〔危険〕～ 경제〔위험〕 수역.

*__ずいいち__【随一】[名] 제일; 첫째. ¶当代～の名優 당대 제일의 명배우.

スイート [sweet] [名][ダナ] 스위트. 1 맛있음; 달콤함. 2 기분 좋음. 3 사랑스러움; 사랑하는 사람.

—ハート [sweet heart] [名] 스위트하트; 애인; 연인.

—ホーム [sweet home] [名] 스위트 홈; 즐거운 가정; 신혼 가정.

—ポテト [sweet potato] [名] 스위트 포테이토. 1 고구마. 2〘料〙고구마로 만든 양과자의 이름.

—メロン [일 sweet＋melon] [名]〘植〙스위트 멜론; 노랑참외.

すいい-れる【吸い入れる】[下1他] 빨아들이다; 흡입하다.

ずいいん【随員】[名] 수원; 수행원. ¶大使の～ 대사의 수행원 / 首相の～として海外へ赴く 수상의 수행원으로서 해외에 가다.

すいうん【水運】[名] 수운. ¶～の便 수운의 편의. ↔陸運.

すいうん【衰運】[名] 쇠운; 쇠망해 가는 운명. ¶～のきざしが見える 쇠운의 징조가 보이다 / ～をたどる 쇠운의 길을 걷다. ↔盛運.

*__すいえい__【水泳】[名][ス自] 수영. ＝泳ぎ·スイミング. ¶～大会 수영 대회 / ～競技 수영 경기 / ～着〔パンツ〕 수영복〔팬츠〕 / 寒中～ 한중 수영 / ～を習う 수영을 배우다.

すいえん [垂涎] [名][ス自] ☞すいぜん. [注意] ‘すいぜん’의 관용음.

すいえん【水煙】[名] 수연; 물보라. ＝みずけむり.

*__すいおん__【水温】[名] 수온. ¶～計 수온계.

すいか【水火】[名] 수화. 1 물과 불. 2 홍수와 화재. ¶～の難 수재(水災)와 화재. 3 물에 빠져 죽고 불에 타 죽는 것 같은 큰 고통. ¶彼のためなら～の中もいとわない 그를 위해서라면 물불을 가리지 않겠다. 4 매우 사이가 나쁨. ¶～の仲 의(誼)가 아주 좋지 않은 사이.

—も辞せず 물불을 가리지 않다.

すいか【水禍】[名] 수화. 1 수해; 수재. 2 물에 빠져 죽음; 익사.

すいか〖西瓜·水瓜〗[名]〘植〙수박. [注意] ‘すい’는 ‘西’의 당음(唐音). 서역 원산의 오이란 뜻.

—わり【—割り】[名] 눈을 가리고 앞에 놓인 수박을 막대기 따위로 쳐서 빼개는 놀이.

すいか [誰何] [名][ス他] 수하; 보초병 등이 ‘누구냐’ 하고 검문하는 일. ¶やみの中で～する 어둠 속에서 수하하다.

すいかい【水界】[名] 수계; 물과 육지와의 경계. ¶～線 수계선.

すいがい【水害】[名] 수해. ¶～地域 수해 지역 / ～を被る 수해를 입다.

すいかく【酔客】[名] 취객; 술취한 사람. ＝すいきゃく. ¶～にからまれる 취객이 시비를 걸어오다.

すいがら【吸い殻】[名] 1 (담배) 꽁초. ¶葉巻の～を捨てる 엽궐련의 꽁초를 버리다. 2 주성분을 짜내고 남은 찌꺼기. ¶～になるまで搾り取られる 찌꺼기만 남을 때까지 착취당하다.

すいかん【吹管】[名]〘化〙취관《화학·광물학의 실험 용구로서, 직각으로 구부러진 금속제의 관》. ¶～分析 취관 분석.

すいかん【酔漢】[名] 취한; 취객. ＝よっぱらい·よいどれ.

すいがん【酔眼】[名] 취안; 술에 취해 게슴츠레한 눈.

—もうろう〖—朦朧〗[トタル] 취안몽롱. ¶～として何も見えず 취안몽롱해서 아무것도 안 보이다.

すいき【水気】[名] 1 물기. ＝みずけ. 2 수증기. 3 수종; 부종(浮腫). ＝水腫. ¶少し～が来たようにむくんでいる 약간 부종이 생긴 것처럼 부어 있다.

ずいき [瑞気] [名] 서기. ¶～がこめる神域 서기가 감도는 신역.

ずいき【随喜】[名][ス自] 마음속으로부터 고맙게 생각함《본디, 불교에서 기쁘게 귀의(歸依)하는 일》.

—の涙 고마움의 눈물. ＝ありがた涙.

すいきゃく【酔客】图 ☞すいかく.

すいきゅう【水球】图 수구. =ウオーターポロ. ¶~競技(きょうぎ) 수구 경기.

すいぎゅう【水牛】图〖動〗수우; 물소.

すいきょ【推挙】图ス他 추거; 추천. ¶彼(かれ)を委員長(いいんちょう)に~する 그를 위원장으로 추천하다.

すいぎょ【水魚】图 수어; 물과 물고기.

—の交(まじ)わり 수어지교《아주 친밀한 교제·우정 등의 비유》.

すいきょう【水郷】图 ☞すいごう.

すいきょう〖酔狂·粋狂〗ダナ 좀 색다른 것을 좋아함; 또, 그런 사람. =ものずき. ¶だてや~でするわけじゃない 멋이나 별난 취향으로 하는 짓이 아니다/あの年(とし)で寒中水泳(かんちゅうすいえい)とは~な人(ひと)だ 저 나이에 한중 수영이라니 별난 사람이다. 注意 '酔興'로도 씀. 参考 본디, 술에 취해 미친 사람처럼 되는 일.

すいぎょく[翠玉]图〖鑛〗취옥. ☞エメラルド.

すいきん[水禽]图 수금; 물새. =みずとり. ¶~類(るい) 수금류.

すいぎん【水銀】图〖化〗수은《원소 기호: Hg》. ¶~剤(ざい) 수은제/~柱(ちゅう) 수은주/~寒暖計(かんだんけい) 수은 온도계.

—おせん【—汚染】图 수은 오염《유기 수은 오염과 무기 수은 오염의 총칭》.

—でんち【—電池】图 수은 (건)전지.

—とう【—灯】图 수은등.

すいくち【吸い口】图 **1** 입에 물고 빠는 부분. **2** (담뱃대·궐련의) 물부리. ¶パイプの~ 파이프의 물부리. **3** 국 따위, 마실 것에 띄워서 향미를 더해 주는 것《유자·머위의 꽃줄기 따위》.

すいくん【垂訓】图 수훈; (종교가·정치가 등의) 중대한 의의를 지닌 가르침. ¶山上(さんじょう)の~ (예수의) 산상 수훈.

すいぐん【水軍】图 수군; 수상(水上)에서의 전투(를 주로 하는 군대).

すいけい【推計】图ス他 추계; 추정하여 계산함; 추산(推算). ¶得票数(とくひょうすう)を~する 득표수를 추계하다.

すいけい【水系】图 수계; 지표(地表)의 물이 흐르는 계통. ¶アマゾン~ 아마존 수계/利根(とね)(川(がわ))~ 利根(강) 수계.

***すいげん**【水源】图 수원. =みなもと. ¶~をさがす 수원을 찾다.

—かんようりん[—涵養林]图 수원 함양림. =水源林(りん).

—ち【—地】图 수원지. ¶この川(かわ)の~はどこですか 이 강의 수원지는 어디입니까.

—ち【—池】图 수원지.

すいこう【水耕】图ス自 수경. =みずさいばい. ¶~田(でん) 수경논/~農場(のうじょう) 수경 농장.

—ほう【—法】图 수경법. =水(みず)栽培(さいばい).

すいこう【推考】图ス他 추고; 추측하여〔미루어〕 생각함. ¶時勢(じせい)の変遷(へんせん)と制度(せいど)の改革(かいかく)とを~する 시세의 변천과 제도의 개혁을 추고하다.

すいこう[推敲]图ス他 퇴고. ¶原稿(げんこう)を~する 원고를 퇴고하다/~に~を重(かさ)ねる 퇴고를 거듭하다.

すいこう【遂行】图ス他 수행. ¶計画(けいかく)どおりに~する 계획대로 수행하다/責任(せきにん)を~する 책임을 수행하다. 注意 'ついこう'로 읽는 것은 잘못.

すいごう【水郷】图 수향; 강이나 호숫가에 있는 경치 좋은 마을. =水郭(すいかく)·すいきょう.

ずいこう[瑞光]图 서광; 상서로운 빛.

ずいこう【随行】图ス自 수행. ¶~員(いん) 수행원/首相(しゅしょう)を~する 수상을 수행하다.

***すいこ-む**【吸い込む】5他 **1** 빨아들이다; 흡수하다. ¶海綿(かいめん)は水(みず)を~ 해면은 물을 빨아들인다. **2** 들이쉬다. ¶息(いき)を~ 숨을 들이쉬다.

すいさい【水彩】图 물에 푼〔녹인〕 그림물감으로 그림; 또, 그 그림. =水彩画(が). ↔油彩(ゆさい).

—が【—画】图 수채화. =みずえ. ↔油絵(あぶらえ).

すいさし【吸いさし】图 담배를 피우다가 도중에서 그만둠; 또, 피우다 만 담배. =吸いかけ.

***すいさつ**【推察】图ス他 추찰; 미루어 살핌; 미루어 헤아림; 짐작. =推量(すいりょう). ¶~どおり 짐작한 대로/~がつく 짐작이 가다/私(わたし)の~ではこれはたいした事件(じけん)ではない 내 생각으로는 이것은 대단한 사건은 아니다.

すいさん【推参】一图ス自 청하지도 않았는데 스스로 방문함. ¶昨日(きのう)は突然(とつぜん)~いたしまして失礼(しつれい)しました 어제는 갑자기 방문해서 실례했습니다. 参考 갑자기 방문함의 겸사말로도 씀. 二名ナ 무례함; 무례한 행위; 당돌한 짓《남의 무례함을 타박하는 말》. ¶~者(もの) 무례한 놈.

すいさん【推算】图ス他 추산; 어림으로 셈함. =推計(すいけい). ¶約(やく)二千名(にせんめい)と~される 약 2천 명으로 추산된다.

すいさん【水産】图 수산. ¶~物(ぶつ) 수산물/~試験場(しけんじょう) 수산 시험장/~資源(しげん) 수산 자원. ↔陸産(りくさん).

—ぎょう【—業】图 수산업.

すいさん[炊爨]图ス自 취찬; 밥을 지음; 취사. =炊事(すいじ). ¶キャンプで飯盒(はんごう)~する 캠프에서 반합으로 밥을 짓다. 参考 '爨'은 '炊'와 같은 뜻임.

すいざん【衰残】图 쇠잔. ¶~の身(み)をさらす 쇠잔한 몰골을 드러내다.

すいさんかぶつ【水酸化物】图 수산화물.

すいし【出師】图 출사; 출병. =出兵(しゅっぺい). ¶~の表(ひょう) 출사표.

すいし【水死】图ス自 익사. ¶~人(にん) 익사자/~体(たい) 익사체.

****すいじ**【炊事】图ス自 취사. ¶~場(ば) 취사장/~道具(どうぐ) 취사 도구/共同(きょうどう)~ 공동 취사/台所(だいどころ)で~する 부엌에서 취사하다.

ずいじ【随時】图副 수시; 아무 때(고); 그때그때; 때때로. ¶~入院(にゅういん) 수시 입

원/～薬を配布する 수시로 약을 배포한다/入学は～うけつけます 입학은 수시로 접수합니다.

すいしつ【水質】名 수질. ¶～汚染 수질 오염/～検査 수질 검사/～が良い 수질이 좋다.

ずいしつ【髄質】名 수질; 꽉 차 있는 장기(臟器)의 내부 조직《뇌의 백질(白質) 따위》. ¶副腎～ 부신 수질. ↔皮質.

すいしゃ【水車】名 수차. **1** 물레방아. **2** 무자위. 参考 광의로는 수력 터빈도 가리킴.

—ごや【—小屋】名 물방앗간.

*すいじゃく【衰弱】名ス自 쇠약. ¶神経～ 신경 쇠약/病気で～する 병으로 쇠약해지다.

すいしゅ [水腫] 名 수종; 부종(浮腫). ＝むくみ. ¶脳～〔醫〕뇌수종.

ずいじゅう【随従】名ス自 **1** 수종; (높은 분을) 따라다니며 시중듦; 또, 그 사람. ¶使節に～する 사절에 수종하다/～をつれて視察に向かう 수종을 거느리고 시찰을 떠나다. **2** 남의 말을 듣고 그것에 좇음. ¶他人の言に～する 남의 말을 좇다.

すいじゅん【水準】名 **1 수준. ＝レベル. ¶知的～ 지적 수준/文化～ 문화 수준/～以上 수준 이상/～が高い 수준이 높다/平均～の生活を楽しむ 평균 수준의 생활을 즐기다. **2** '水準器'의 준말.

—き【—器】名 수준기.

—そくりょう【—測量】名 수준 측량.

ずいしょ【随所】《随処》名 도처; 여기저기; 곳곳. ＝あちこち·方方. ¶国内の～に見られる 국내 어디서나 볼 수 있다/間違いが～に見られる 잘못된 점〔곳〕이 여기저기 보인다.

すいしょう【推奨】名ス他 추장. ¶～に値する作品 추장할 만한 작품.

すいしょう【水晶】名〔鑛〕수정. ＝水玉. ¶～細工 수정 세공/～時計 수정 시계.

—は塵を受けず 청렴결백한 사람은 불의나 부정을 받아들이지 않는다.

—たい【—体】名〔生〕수정체.

すいじょう【水上】名 수상. **1** 물 위; 수면. ↔陸上. **2** 물가.

—スキー [ski] 名 수상 스키.

ずいしょう [瑞祥·瑞象] 名 서상; 상서로운 조짐; 서조(瑞兆). ＝吉兆·吉瑞. ¶勝利の～が現れる 승리의 상서로운 조짐이 나타나다.

*すいじょうき【水蒸気】名 수증기; 김. ＝ゆげ. ¶～がふき出す 수증기가 뿜어 나오다.

すいしょく【水色】名 수색. **1** 물빛; 엷은 청색. ＝みずいろ. **2** (강·호수·바다 등의) 물가의 경치.

すいしょく [翠色] 名 취색; 비취색; 녹색. ＝緑色. ¶山は～したたるばかりだ 산은 온통 싱싱하게 푸르다.

すいしん【推進】名ス他 추진. ¶～力 추진력/ジェット～ 제트 추진/予定通り合理化を～する 예정대로 합리화를 추진하다.

すいしん【水深】名 수심. ¶～を測量する 수심을 측량하다.

すいじん【水神】名 수신; 물의 신. ＝水伯.

すいじん【粋人】名 **1** 풍류를 즐기는 사람; 풍류인. ¶なかなかの～だ 대단한 풍류인이다. **2** 세상 물정에 정통한 사람; 속이 트인 사람. ¶若い者の気持ちがわかる～ 젊은이의 기분을 이해하는 (트인) 사람.

すいすい 副 **1** 공중이나 수중을 가볍게 나아가는 모양: 획획; 쓱쓱. ¶とんぼが～(と)飛ぶ 잠자리가 획획 날다/あめんぼが～(と)泳ぐ 소금쟁이가 쓱쓱 헤엄치다. **2**〈俗〉술술; 거침없이. ＝すらすら. ¶仕事が～(と)はかどる 일이 척척 진척되다/試験問題が～(と)解けた 시험 문제가 술술 풀렸다.

すいせい【すい星】《彗星》名〔天〕혜성. ＝ほうきぼし. ¶ハレー～ 핼리 혜성.

—のごとく 혜성처럼《갑자기 화려하게 나타나는 모양》. ¶～音楽界に現われる 혜성처럼 음악계에 나타나다.

すいせい【水生】《水棲》名ス自 **1** 수생; 물속에서 생육함. **2** 수서; (동물이) 물에서 사는 일. ⇔陸生.

—しょくぶつ【—植物】名 수생 식물.

—どうぶつ【—動物】名 수서 동물.

すいせい【水性】名 수성; 물에 잘 녹는 성질. ＝水溶性. ¶～ペイント〔塗料〕수성 페인트. ↔油性.

すいせい【水勢】名 수세; 물살. ¶～の激しい流れ 물살이 거센 흐름〔냇물〕/～が弱まる 물살이 약해지다.

すいせい【衰勢】名 쇠세; 쇠퇴한 세력. ¶～を挽回する 쇠세를 만회하다/～に向かう 세력이 기울어져 가다.

すいせいがん【水成岩】名〔鑛〕수성암. ＝堆積岩. ↔火成岩.

すいせいむし【酔生夢死】名ス自 취생몽사; 헛된 일생. ¶いたずらに～することなかれ 헛되이 취생몽사하지 마라.

すいせき【水石】名 수석(壽石).

すいせき [燧石] 名 수석. ☞ひうちいし.

ずいせつ [瑞雪] 名 서설.

**すいせん【推薦】名ス他 추천. ¶～状 추천장/候補者を～する 후보자를 추천하다/安心して～できる 안심하고 추천할 수 있다.

すいせん【水仙】名〔植〕수선; 수선화. ¶八重咲き～ 겹수선.

すいせん【水洗】名ス他 수세. ¶～便所 수세식 변소/現像したフィルムを～する 현상한 필름을 수세하다.

すいせん【水栓】名 수도꼭지.

すいせん【垂線】名〔數〕수선; 수직선. ¶～を引く 수직선을 긋다.

すいぜん [垂涎] 名ス自 수연; 음식물을 탐내어 군침을 흘림; 몹시 탐냄. ¶～の的 몹시 탐나는 목표물〔대상〕. 注意

'すいせん' 'すいえん' 이라고도 함.

すいそ【水素】名〔化〕수소(원소 기호: H). ¶～と化合(かごう)する 수소와 화합하다. 「水爆(すいばく).

―ばくだん【―爆弾】名 수소 폭탄. ＝

すいそう【吹奏】名ス他 취주. ¶～楽団(がくだん) 취주악단/管楽器(かんがっき)を～する 관악기를 취주하다.

―がく【―楽】名 취주악. ¶行進曲(こうしんきょく)の～ 행진곡의 취주악.

すいそう【水槽】名 수조; 물통; 물탱크. ¶～に水(みず)をためる 수조에 물을 저장하다/～で熱帯魚(ねったいぎょ)を飼(か)う 수조에서 열대어를 기르다.

すいそう【水草】名 수초. **1** 물풀; 담수생(淡水生)의 풀. ＝みずくさ. ↔海草(かいそう). **2** 물과 풀.

すいそう【水葬】名ス他 수장. ¶戦死者(せんしし)の死体(したい)を国旗(こっき)に包(つつ)んで～する 전사자의 시체를 국기에 싸서 수장하다. ↔火葬(かそう)·土葬(どそう).

すいぞう【すい臓】(膵臓) 名 췌장; 이자. ¶～壊死(えし) 췌장 괴사. 「록.

ずいそう【随想】名 수상. ¶～録(ろく) 수상

*__すいそく__【推測】名ス他 추측. ¶～がつく 추측이 가다/～が当(あ)たる 추측이 들어맞다/株価(かぶか)の動(うご)きを～する 주가 동향을 추측하다/単(たん)なる～にすぎない 단순한 추측에 불과하다.

すいぞくかん【水族館】名 수족관. 注意 口語형은 'すいぞっかん'.

すいた【好いた】連体 (이성으로서) 마음이 끌리는; 호감이 가는; 반한. ¶～殿御(とのご) 마음 끌리는 (남자)분.

すいたい【推戴】名ス他 추대. ¶会長(かいちょう)に～する 회장으로 추대하다.

すいたい【衰退】(衰頽) 名ス自 쇠퇴. ¶～の一途(いっと)をたどる 쇠퇴 일로를 걷다/国運(こくうん)が～する 국운이 쇠퇴하다.

すいたい【酔態】名 취태; 몹시 취한 모습. ¶～をさらす 취태를 드러내다/～を演(えん)ずる 취태를 부리다. 「わ.

すいたく【水沢】名 수택; 못; 늪. ＝さ

―しょくぶつ【―植物】名 수택 식물.

*__すいだ-す__【吸い出す】5他 빨아내다; 퍼내다. ¶うみを～ 고름을 빨아내다/傷口(きずぐち)の毒(どく)を口(くち)で～ 상처의 독을 입으로 빨아내다/ポンプで水(みず)を～ 펌프로 물을 퍼내다.

すいだま【吸い玉】名 흡각(吸角); 흡종(吸鐘); 죽은피·고름을 빨아내는 기구. ＝すいふくべ·吸角(きゅうかく).

すいたらし-い【好いたらしい】形 마음이 끌리다; 호감이 가다. ¶本当(ほんとう)に～お方(かた)だわ 정말 호감이 가는 (남자)분이네요.

すいだん【推断】名ス他 추단; 추리해서 단정함. ¶～を下(くだ)す 추단을 내리다/勝手(かって)に～する 제멋대로 추단하다.

すいちゅう【水中】名 수중. ¶～撮影(さつえい) 수중 촬영/～カメラ 수중 카메라. ↔水上(すいじょう)·水底(すいてい).

―めがね【―眼鏡】名 물〔수중〕 안경.

―よくせん【―翼船】名 수중익선. ＝ハイドロ(ホイル). 「ずとり.

すいちょう【水鳥】名 수조; 물새. ＝み

**__すいちょく__【垂直】名ダナ 수직. ¶～線(せん) 수직선/～面(めん) 수직면/棒(ぼう)を地面(じめん)に～に立(た)てる 막대를 지면에 수직으로 세우다. ↔水平(すいへい).

―かんせん【―感染】名〔醫〕수직 감염. ＝母子(ぼし)感染. ↔水平(すいへい)感染.

―しこう【―思考】名〔哲〕수직 사고. ↔水平思考(すいへいしこう). 「직 이착륙기.

―りちゃくりくき【―離着陸機】名 수

*__すいつ-く__【吸い付く】5自 흡착하다; 딱 달라붙어 떨어지지 않다. ¶たこが吸盤(きゅうばん)で～ 문어가 빨판으로 흡착하다/君(きみ)の足(あし)にひるが～·いている 자네 발에 거머리가 붙어 있다/釘(くぎ)が磁石(じしゃく)に～ 못이 자석에 달라붙다.

すいつけたばこ【吸い付けたばこ】(吸い付け煙草) 名 담배에 불을 붙여서 권함; 또, 그 담배.

すいつ-ける【吸い付ける】下1他 **1** 빨아서〔빠는 것처럼〕 끌어당기다. ¶磁石(じしゃく)が鉄(てつ)を～ 자석이 철을 끌어당기다. **2** 담배를 남의 불에 갖다 대어 빨아서 불을 붙이다. ¶タバコを～·けながら声(こえ)をかける 담뱃불을 붙이면서 말을 걸다. **3** 항상 같은 담배를 피우다. ¶ピースを～ 늘 피스(＝일본 담배)를 피우다.

*__スイッチ__ [switch] 스위치. 一名 **1** (전기 회로의) 개폐기; 두꺼비집. ＝開閉器(かいへいき). ¶～を切(き)る〔入(い)れる〕 스위치를 끄다〔켜다〕. **2** (철도의) 전철기(轉轍機). ＝ポイント. 二名ス他 스위치를 넣음; 다른 것으로 전환〔변경〕함. ¶投手(とうしゅ)を～する 투수를 스위치하다〔바꾸다〕.

―バック [switchback] 名ス自 스위치백(열차가 급경사면을 오르내릴 때 방향을 교대로 바꿔 가면서 지그재그형으로 진행하는 일; 또, 그 선로).

―ヒッター [switch-hitter] 名〔野〕스위치히터; 좌우 어느 타석에서도 칠 수 있는 타자.

すいてい【水底】名 수저; 물밑. ＝みずそこ. ¶ダム工事(こうじ)のため～に没(ぼっ)した村(むら) 댐 공사 때문에 물밑에 잠긴 마을. ↔水上(すいじょう)·水中(すいちゅう).

*__すいてい__【推定】名ス他 추정. ¶～年齢(ねんれい) 추정 연령/死後(しご)三時間(さんじかん)と～する 사후 세 시간으로 추정하다.

すいてき【水滴】名 수적. **1** 물방울. ＝しずく. ¶～がつく 물방울이 묻다. **2** 연적(硯滴). ＝水(みず)つぎ·水差(みずさ)し.

すいでん【水田】名 수전; 무논; 수답(水畓). ＝みずた. ¶出水(しゅっすい)で畑(はたけ)はすべて～と化(か)した 홍수로 밭은 모두 무논으로 변했다. ↔陸田(りくでん).

ずいと 副 〈俗〉 그냥 급히 지나가는〔이동하는〕 모양; 쑥. ¶～寄(よ)って来(く)る 쑥 다가오다/～前(まえ)に出(で)る 앞으로 쑥 나가다/～入(はい)り込(こ)む 쑥 들어가다.

すいとう【出納】名ス他 출납. ¶～係 출납 담당/金銭～簿 금전 출납부/現金を～する 현금을 출납하다. 注意 'しゅつのう'는 딴 말.

すいとう【水痘】名〔醫〕수두; 작은마마. ＝みずぼうそう.

すいとう【水稲】名 수도; 무논에 심는 벼. ＝みずいね. ↔陸稲.

すいとう【水筒】名 수통; 빨병.

すいどう【水道】名 수도. **1 상수도. ¶～料 수도 요금/～工事 수도 공사/～を引く 수도를 끌다〔놓다〕. **2** 상수도와 하수도의 총칭. **3** 해협(海峽). ¶紀伊～ 紀伊 수도.

すいどう［隧道］名 수도; 굴; 터널. ＝トンネル. 注意 철도 관계에서는 'ずいどう'라고도 함.

ずいとくじ【随徳寺】名〈俗〉뒷일은 아랑곳없이 종적을 감춤. ¶～を決める 종적〔행방〕을 감추다/一目山～ 한달음에 줄행랑침/金を握って～ 돈을 갖고 줄행랑침. 參考 'ずいと跡をくらます(＝쓱 종적을 감추다)'를 절 이름을 빌려 표현한 말씨.

すいとりがみ【吸い取り紙·吸取紙】名 압지(押紙); 흡묵지. ＝すいとりし.

*__すいと-る__【吸い取る】5他 **1** 흡수하다; 빨아내다; 빨아들이다. ¶海綿で表面の水分を～ 해면으로 표면의 수분을 빨아들이다. **2** 전하여, 착취하다; 졸라대어 빼〔얻어〕내다; 등치다. ¶もうけを～ 남의 벌이를 가로채다/税金として～·られる 세금으로 빼앗기다.

すいとん〖水団〗名 수제비. ¶～入りのみそ汁 수제비 된장국.

すいなん【水難】名 수난; 수해. ¶～の相がある 수난의 상이 있다. ↔火難.

すいのう［水嚢］名 수낭. **1** 즈크 천으로 만든 바께쓰《휴대용》. **2** 식품을 건져 물을 빼는 어레미; 여수라(濾水羅). ＝みずこし.

すいのみ【吸い飲み】《吸い呑み》名 (환자가 누운 채로 물이나 약을 마실 수 있게 만든) 긴 부리가 달린 그릇.

すいはく【水伯】名 ☞すいじん(水神).

すいばく【水爆】名 수폭; '水素爆弾(＝수소 폭탄)'의 준말.

すいはん【垂範】名ス自 수범. ¶率先～ 솔선수범.

すいばん【水盤】名 (꽃꽂이용) 수반. ¶～に花を生ける 수반에 꽃을 꽂다.

ずいはん【随伴】名ス自 수반. **1** 손윗사람을 따라〔모시고〕감. ＝随行. ¶長官に～して出張する 장관을 따라 출장하다. **2** 어떤 일에 수반하여 일어남. ¶組織改革に～する課題 조직 개혁에 수반하는 과제. 注意 'ずいばん'이라고도 함.

すいはんき【炊飯器】名 취반기; 솥 대신으로 밥을 짓는 기구. ¶電気～ 전기밥솥.

すいはんきゅう【水半球】名〔地〕수반구《대부분이 바다인 지구의 남반구(南半球)를 이름》. ↔陸半球.

すいひ【水肥】名 수비; 인분뇨 등의 물거름. ＝みずごえ. ¶～をほどこす 물거름을 주다.

すいび【衰微】名ス自 쇠미; 쇠퇴하여 미약해짐. ¶～の兆し 쇠미의 조짐/国勢が～する 국세가 쇠퇴하다.

*__ずいひつ__【随筆】名 수필; 에세이. ＝エッセー. ¶～文学 수필 문학.

すいふ【水夫】名 수부; 뱃사람; 하급 선원. ＝船乗り; かこ. 注意 '水手'의 구칭.

*__すいぶん__【水分】名 수분; 물기. ＝みずけ. ¶～が多い 수분이 많다/～の足らないすいか 수분이 많지 않은 수박.

**ずいぶん〖随分〗一副 대단히; 몹시; 아주; 퍽. ＝非常に·かなり. ¶～暑い日だ 몹시 더운 날이다/～待たされた 꽤나 기다려야 했다/～遠いね 무척 멀구나. 二ダナ〈俗〉상대의 심한 태도를 나무라는 모양: 너무함; 고약함. ¶私に知らせないなんて～ね 내게 알려 주지 않다니 너무하네요. 「사.

すいへい【水兵】名〔軍〕수병; 해군 병

―ふく【―服】名 수병복; 또, 그 모양을 본뜬 여성·어린이 옷. ＝セーラー服. ¶～の少女 세일러복의 소녀.

**すいへい【水平】名ダナ 수평. ¶～を保つ 수평을 유지하다/～にならす 수평이 되게 고르다. ↔垂直.

―かんせん【―感染】名〔醫〕수평 감염《일반적으로 볼 수 있는 불특정 다수에의 감염》. ↔垂直感染.

―しこう【―思考】名 수평 사고. ↔垂直思考.

―せん【―線】名 수평선. ¶～のかなたに夕日が沈む 수평선 저쪽으로 저녁 해가 지다.

すいへん【水辺】名 수변; 물가. ＝みずぎわ·みずべ. ¶～を散歩する 물가를 산책하다.

すいほう【水泡】名 수포; 물거품. ＝水のあわ. ¶～のようにはかなく消えさる 물거품처럼 덧없이 사라져가다.

―に帰す 수포로 돌아가다.

すいぼう【水防】名 수방; 수해 방지. ¶～対策 수방 대책/～訓練 수방 훈련/～団 수방단《수해 방지 단체》.

すいぼう【衰亡】名ス自 쇠망. ＝衰滅. ¶ローマ帝国の～ 로마 제국의 쇠망/国家～の危機 국가 쇠망의 위기. ↔興隆. 「すみえ.

すいぼくが【水墨画】名〔美〕수묵화. ＝

すいぼつ【水没】名ス自 수몰; 물에 잠겨 버림. ¶ダム工事で～した村 댐 공사로 수몰된 마을.

すいま【睡魔】名 수마; 졸음. ＝ねむけ. ¶～におそわれる 수마에 사로잡히다《몹시 졸리다》.

すいま【水魔】名 수마. ¶荒れ狂う～ 사납게 놀치는 수마.

ずいまくえん【髄膜炎】图〔醫〕수막염; 뇌척수막염.

すいまつ［水沫］图 수말; 포말(泡沫); 물거품; 물보라. =しぶき.

すいみつとう〖水蜜桃〗图 수밀도. =すいみつ.

すいみゃく【水脈】图 수맥. 1 땅속의 물줄기. ¶~を掘り当てる 물줄기를 정확히 파서 찾아내다. 2 뱃길; 수로; 물길. =船路·みお.

*__すいみん__【睡眠】图ス自 수면. =ねむり. ¶~薬 수면약/~不足 수면 부족/~をとる 잠을 자다.

―こうざ【―口座】图 휴면 계좌. ↔活動口座.

スイミング［swimming］图 스위밍; 수영. ¶~クラブ 수영 클럽/~プール 수영 풀/~スクール 수영 교실.

ずいむし〖螟虫〗图〔蟲〕명충; 마디충. =めいちゅう.

すいめい【水明】图 수명; 맑은 물이 햇빛을 받아 뚜렷하게 빛나 보이는 일. ¶山紫~の地 산자수명한 땅.

すいめい【吹鳴】图ス他 취명; 불어서 울림. ¶サイレンの~ 사이렌의 취명.

すいめつ【衰滅】图ス自 쇠멸; 쇠퇴하여 멸망함. ¶~の危機にある 쇠멸의 위기에 (처해) 있다. ↔興隆.

すいめん【水面】图 수면; 물 표면. ¶時々~に浮かび上がる 가끔 수면에 떠오르다/~下に沈む 수면 밑으로 가라앉다.

すいもの【吸い物】图 (야채·조개 따위를 넣고 끓인) 맑은장국. =すまし·すまし汁. ¶たいの~ 도미장국/~を吸う 국물을 마시다.

すいもん【水門】图 수문; 물문. ¶~を開ける 수문을 열다.

すいやく【水薬】图 수약; 물약. =みずぐすり. ↔丸薬·散薬.

**__すいよう__【水曜】图 수요(일). ¶先週の~日 지난 주 수요일.

すいようえき【水溶液】图 수용액. ¶食塩の~ 식염 수용액; 식염수.

すいよく【水浴】图ス自 수욕; 미역을 감음. =みずあび. ¶川で~する人々 강에서 미역 감는 사람들.

すいよ-せる【吸い寄せる】下1他 빨아당기다《비유적으로, 사람의 마음을 끄는 일에도 쓰임》. ¶磁石が釘を~ 자석이 못을 끌어당기다/観客の視線を~ 관객의 시선을 끌다.

すいらい【水雷】图〔軍〕수뢰. ¶~艇 수뢰정/機械~ 기계 수뢰; 기뢰/~を敷設する 수뢰를 부설하다/~にかかる 수뢰에 걸리다. ↔地雷.

*__すいり__【推理】图ス他 추리. ¶~を働かせる 추리를 해보다/犯人を~する 범인을 추리하다.

―しょうせつ【―小説】图 추리 소설. =探偵小説·ミステリー.

すいり【水利】图 수리. 1 수상 운송의 편리. ¶~の便が悪い 수리의 편〔선편〕이 나쁘다. 2 물의 이용. ¶~権 수리권/~組合 수리 조합.

ずいり【図入り】图 책에 그림·그래프·사진·지도 따위가 들어 있음; 또, 그런 책. ¶~の参考書 삽화가 들어 있는 참고서.

すいりく【水陸】图 수륙.

―りょうよう【―両用】图 수륙 양용. ¶~戦車 수륙 양용 전차/~機 수륙 양용기.

すいりゅう【水流】图 수류; 물의 흐름. ¶~の急な川 물의 흐름이 거센 강/~にさからう 수류를 거스르다.

すいりょう【推量】图ス他 추량; 추측. ¶当て推量 억측/彼の口裏から~すると 그의 말투로 추측건대/相手の心中を~する 상대방의 심중을 헤아리다/それは~に過ぎない 그것은 단지 추측에 불과하다.

すいりょう【水量】图 수량. ¶大雨で川の~が増した 큰비로 강의 수량이 불어났다.

すいりょく【水力】图 수력. ↔火力.

―はつでん【―発電】图 수력 발전. ↔火力発電.

すいりょく【推力】图〔理〕추력; 추진력. =推進力.

すいれい【水冷】图 수랭; (실린더 등을) 물로 식힘. ¶~式発動機 수랭식 발동기. ↔空冷.

すいれん【水練】图 수영; 수영 연습. ¶畳の上の~ 다다미 위에서의 수영《쓸데없는 짓의 비유》.

すいれん〖睡蓮〗图〔植〕수련. =ひつじぐさ.

すいろ【水路】图 수로. 1 송수로(路); 물길; 물의 통로. ¶~を構築する 수로를 구축하다. 2 항로; 해로; 뱃길. ¶~を利用する 수로를〔뱃길을〕이용하다. ↔陸路. 3 (수영 경기에서) 풀의 경영(競泳) 코스. ¶長~ 장수로/短~ 단수로.

すいろう【衰老】图 쇠로; 늙어서 쇠약해짐; 노쇠.

すいろん【推論】图ス他 추론. ¶事実から~する 사실을 바탕으로 추론하다/~に過ぎない 추론에 불과하다.

スイング［swing］스윙. ㊀图ス他 팔·야구 배트 등을 흔듦〔휘두름〕. ¶~アウト 스윙 아웃. ㊁图〔樂〕재즈 연주 형식의 하나; 또, 재즈. =スウィング. ¶~ミュージック 스윙〔재즈〕음악.

**__す-う__【吸う】5他 1 (공기 따위를) 들이마시다; (유동식을) 마시다. ¶空気を~ 공기를 들이마시다/汁を~ 국물을 마시다. 2 빨아들이다; 빨아먹다. ¶海綿が水を~ 해면이 물을 빨아들이다/赤ん坊が母親の乳を~ 아기가 엄마의 젖을 빨다. 3 끌어당기다. ¶磁石が鉄を~ 자석이 쇠를 끌어당기다.

**__すう__【数】㊀图 1 수; 수효. ¶箱の~ 상자의 수/~をかぞえる 수를 세다. ↔量. 2〔數〕수; 정수·분수·유리수·무리수·실수·허수 등의 총칭. ¶~の観念 수의 관념. 3 계산; 계수. ¶~にあかる

い 계수에 밝다. 4 운명; 일의 되어가는 형편; 운수. ＝運命うんめい. ¶自然しぜんの~である 자연의 도리〔운명〕이다.
二接頭 수…; 서넛 또는 대여섯의 수를 막연히 나타내는 말. ¶~万人まんにん 수만 명/~十回じっかい 수십회.
—が知しれる《흔히 否定의 말이 딸리어》정도를 알 수 있다; 짐작할 수 있다. ¶どこまで押おしが強つよいのか数が知れない 어디까지 밀고 나올지 짐작할 수 없다.

すう〖枢〗《樞》常用 スウ くるる とぼそ
추 지도리 | 1 문지도리. 2 사물을 움직이는 중심; 사북. ¶枢軸すうじく 추축/中枢ちゅうすう 중추.

すう〖崇〗常用 スウ ス シュウ たっとい たっとぶ あがめる
숭 높이다 | 1 존귀하다. ¶崇高すうこう 숭고. 2 숭배하다. ¶崇敬すうけい 숭경.

すう〖数〗《數》教2 スウ ス かぞえる かず
수 셈하다 | 수. 1 물건의 다소; 수효. ¶数量すうりょう 수량/多数たすう 다수. 2 (수를) 셈하다; 계산하다. ¶数すうに明あかるい 수에 밝다/計数けいすう 계수.

スウェットシャツ [sweat shirt] 名 스웨트 셔츠; 땀받이 셔츠.
すうかい【数回】名 수회. ¶毎年まいねん~外国がいこくへ行いく 매년 수회〔몇 번〕외국에 간다.
*すうがく【数学】名 수학. ¶~問題もんだいを解とく 수학 문제를 풀다.
すうき【数奇】ダナ 수기; 기구; 불우(不遇). ¶~な生涯しょうがいを送おくる 불우한 생애를 보내다/~な運命うんめいにもてあそばれる 기구한 운명에 농락당하다. ⇒すき(数奇). 注意 'さっき'라고도 함. 参考 '数'는 운명, '奇'는 불우의 뜻.
すうけい【崇敬】名ス他 숭경. ¶~の念ねんを抱いだく 숭경하는 마음을 갖다.
すうこう【崇高】ダナ 숭고. ¶~な理想りそう〔精神せいしん〕 숭고한 이상〔정신〕/~な行おこない 숭고한 행위.
すうこう [趨向] 名 추향; 경향; 동향. ¶時ときの~にはさからい得えない 시류에는 거스릴 수 없다/事態じたいの~を見守みまもる 사태의 추향을 지켜보다.
すうし【数詞】名〔文法〕수사.
*すうじ【数字】名 1 숫자. ¶アラビア~ 아라비아 숫자/漢かん~ 한숫자/天文学的てんもんがくてき~ 천문학적 숫자. 2 몇 (글)자. ¶~, 訂正ていせいする 몇 자 고치다/~分ぶんの脱落だつらくがある 몇 자 정도의 탈락이 있다.
—に明あかるい 숫자〔수리(數理)〕에 밝다.
すうじ【数次】名 수차; 몇 차례; 몇 번. ＝数回すうかい·数度すうど. ¶~の会談かいだん 수차의 회담/~にわたる交渉こうしょう 수차에 걸친 교섭.
すうしき【数式】名 수식. ¶~であらわす 수식으로 나타내다.
すうじく【枢軸】名 추축. ¶数名すうめいの政治家せいじかが国政こくせいの~となって国くにを動うごかす 수명의 정치가가 국정의 추축이 되어 나라를 움직이다.
すうすう 副 1 콧숨 쉬는 소리: 식식; 씩씩; 색색. ¶~(と)寝息ねいきを立たてて眠ねむる 씩씩 숨소리를 내면서 자다. 2 바람이 문틈을 통할 때 나는 소리: 술술; 솔솔. ¶すきま風かぜが~(と)吹ふき込こむ 틈새기 바람〔외풍〕이 솔솔 새어 들어오다. 3 일이 순조롭게 진행되는 모양: 쑥쑥; 휘휘. ＝すいすい. ¶広ひろい道みちを車くるまが~(と)走はしる 넓은 길을 자동차가 휘휘 달린다.
*ずうずうし-い〖図図しい〗形 뻔뻔스럽다; 넉살 좋다. ¶~態度たいど 뻔뻔스러운 태도/~にも程ほどがある 뻔뻔스러움에도 정도가 있다.
ずうずうべん【ずうずう弁】名 東北とうほく 지방이나 出雲いずも 지방의 코맹맹이 소리의 말투《ジを ズ, ジューを ズー라고 발음함》. ＝東北弁べん. ¶東北人じんの~ 東北 지방 사람들의 코맹맹이 말투.
すうせい [趨勢] 名 추세; 형세; 동향. ＝成なり行ゆき. ¶時代じだいの~に逆行ぎゃっこうする〔従したがう〕 시대의 추세에 역행하다〔따르다〕.
すうた【数多】名 수다. ＝たくさん·あまた. ¶あの会社かいしゃは~の子会社こがいしゃを有ゆうする 저 회사는 여러 자회사를 가지고 있다.
ずうたい〖図体〗名〈俗〉덩치; 몸집《대개의 경우 큰 덩치를 가리킴》. ¶~ばかり大おおきい 덩치만 크다/大おおきな~をしていて何なんだ 덩치는 커 가지고 그게 뭐냐《덩칫값을 하라는 뜻》. 注意 '図体'는 취음(取音).
すうだん【数段】名 수단. 1 3·4 단 내지 5·6 단을 막연하게 이르는 말. 2《副詞적으로》훨씬; 월등히. ＝はるかに·数等すうとう. ¶彼かれの技術ぎじゅつの方ほうが~すぐれている 그의 기술(쪽)이 훨씬 우수하다.
すうち【数値】名〔數〕수치; 값. ¶~を求もとめる 수치를 구하다.
—せいぎょ【—制御】名〔컴〕수치 제어. ＝エヌシー(NC).
スーツ [suit] 名 슈트; 같은 천으로 지은 한 벌의 양복.
—ケース [suitcase] 名 슈트케이스; 여행용 소형 가방.
すうど【数度】名 수회; 2, 3 회에서 7, 8 회; 수차. ＝数回すうかい·数次すうじ. ¶~にわたる交渉こうしょう 수차에 걸친 교섭.
すうとう【数等】名 1 수단계(數段階). 2《副詞적으로 써서》상당히; 또, 월등히; 훨씬. ＝はるかに·数段すうだん. ¶~劣おとる 훨씬 못하다/それより~上うえだ 그보다 훨씬 위다/このほうが~いい 이쪽이 월등히 낫다.
すうどん【素うどん】《素饂飩》名 건더기 없이 맨국에 만 가락국수. ＝かけうどん·うどんかけ.
すうにん【数人】名 수인; 몇 사람; 수명.

すうねん【数年】图 수년; 여러 해; 몇 해. ¶～間(かん)〔来(らい)〕 수년간〔래〕/～前(まえ)に 수년 전에/ここ～は 요 수년간은.

スーパー [super] 图 슈퍼. **1** '초(超)…, …보다 위인, 뛰어난, 특대의, 더욱 …한' 의 뜻. ¶～マン 슈퍼맨/～タンカー 슈퍼탱커. **2** 'スーパーインポーズ' 'スーパーマーケット'의 준말. ¶～へ買(か)い物(もの)に行(い)く 슈퍼에 물건 사러 가다.

—インポーズ [superimpose] 图 슈퍼임포즈; 영화·TV 등의 한쪽 끝에 나오는 자막. ＝字幕(じまく)·スーパー.

—コンピューター [supercomputer] 图 슈퍼컴퓨터; 병렬 처리 기능으로 대량의 데이터를 초고속으로 처리하는 컴퓨터.

—さんまるいちじょう【—301条】图 〖經〗 슈퍼 301조; 미국 종합 무역 법안의 조항 중 하나《통상법 301조〖불공정 무역 관행에의 보복〗를 강화한 것》.

—マーケット [supermarket] 图 슈퍼마켓. ＝スーパーストア.

—レット [superrette] 图 슈퍼렛; 소규모〔소형〕 슈퍼마켓.

—レディー [일 super＋lady] 图 슈퍼레이디; 남성 못지않은 능력 있는 여성. ＝スーパーウーマン.

*__すうはい__【崇拝】图区他 숭배. ¶偶像(ぐうぞう)～ 우상 숭배/～する神(かみ)〔人物(じんぶつ)〕 숭배하는 신〔인물〕.

すうひょう【数表】图 수표; 여러 가지 수치를 이용하기 쉽게 표로 나타낸 것.

*__スープ__ [soup] 图 수프; (서양 요리의) 국. ＝しる·ソップ.

スーベニア [souvenir] 图 수버니어; 기념품; 또, 기념; 추억. ＝スーブニール.

—ショップ [souvenirshop] 图 수버니어숍; 토산품점; 기념품 판매점.

すうみつ【枢密】图 추밀; 추요(樞要)한 기밀; 정치적인 중요한 기밀.

ズーム [zoom] 图 줌. **1** 'ズームレンズ'의 준말. **2** 줌렌즈로 피사체의 영상을 확대 또는 축소하는 조작. ¶～アップ 줌업/～イン 줌인.

—レンズ [zoom lens] 图 줌렌즈; 초점거리를 일정 범위에서 변화시킬 수 있는 렌즈《영화·TV 등의 카메라에 씀》.

すうよう【枢要】ダナ 추요; 가장 요긴하고 중요함; 또, 그런 부분. ＝かなめ. ¶～な位置(いち)を占(し)める 중요한 위치를 차지하다/事務(じむ)に通達(つうたつ)して～の人物(じんぶつ)になる 사무에 통달하여 중추적인 인물이 되다.

すうり【数理】图 수리. **1** 수학의 이론. ¶～経済学(けいざいがく) 수리 경제학. **2** 계산; 계수적인 방면. ¶～に明(あか)るい〔暗(くら)い〕 수리〔계수〕에 밝다〔어둡다〕.

すうりょう【数量】图 수량; 분량. ¶おびただしい～ 엄청난 수량/～が増(ま)す 수량이 늘다/～が減(へ)る 수량이 줄다.

—けいき【—景気】图 〖經〗 수량 경기. ↔価格景気(かかくけいき).

—てき【—的】ダナ 수량적. ¶～には十分(じゅうぶん)だが品質(ひんしつ)の上(うえ)ではどうかな 수량적으로는 충분하나 품질면에서는 어떨는지.

すうれつ【数列】图 〖數〗 수열. ¶幾何(きか)～ 기하 수열/等差(とうさ)～ 등차 수열.

__すえ__【末】图 **1** 끝; 마지막. ㉠사물의 끝. ¶木末(こずえ) 나뭇가지 끝/命令(めいれい)が～まで届(とど)かない 명령이 말단까지 닿지〔이르지〕 않는다. ㉡어떤 기간의 끝〔마지막〕. ¶年(とし)の～ 한 해의 마지막. ↔初(はじ)め. ㉢인생의 끝; 말년. ¶彼(かれ)は～が惨(みじ)めだった 그는 말년이 비참하였다. ㉣형제 자매의 끝; 막내. ¶～の弟(おとうと) 막내 아우/これが～です 이 애가 막내입니다. **2** 먼 앞날; 장래; 미래. ＝行(ゆ)く末(すえ). ¶～が頼(たの)もしい 장래가 촉망되다. **3** 자손; 후예. ¶源氏(げんじ)の～ 源氏의 자손〔후예〕.

ずえ【図会】图 어떤 부문에 관한 책으로서 그림을 주로 한 것. ¶江戸名所(えどめいしょ)～ 江戸 명승지 그림책.

スエード [프 suède] 图 수에드; 송아지 따위의 가죽을 보드랍게 보풀린 것; 또, 그것을 모방하여 짠 직물. 參考 구두나 장갑 따위에 쓰임.

すえおき【据え置き】图 **1** 거치; (예금이나 채권 등을) 일정 기간 환불이나 상환하지 않음. ¶～期間(きかん) 거치 기간/五年(ごねん)～十年(じゅうねん)分割(ぶんかつ)償還(しょうかん)の借款(しゃっかん) 5년 거치 10년 분할 상환의 차관. **2** 변동이 예상되던 것을 그대로 둠. ¶米価(べいか)が～になる 쌀값이 (변동되지 않고) 그대로이다.

すえお-く【据え置く】5他 **1** 움직이지 않도록 놓다. ¶仏像(ぶつぞう)を～ 불상을 모셔 놓다. **2** (변동할〔손댈〕 것을) 그대로 두다. ¶料金(りょうきん)〔金利(きんり)〕を～ 요금을〔금리를〕 그대로 두다. **3** 저금·채권 따위를 일정 기간 거치하다.

すえおそろし-い【末恐ろしい】形 장래가 두렵다〔걱정이 된다〕. ¶～子供(こども)だ 장래가 걱정되는 아이다/小学生(しょうがくせい)で大人(おとな)を負(ま)かすとは～ 초등학생으로 어른을 이기다니 장래가 기대된다. ↔末頼(すえたの)もしい.

すえくさ-い【すえ臭い】《饐え臭い》形 쉰 것 같은 냄새가 나다.

すえこ【末子】图 ☞すえっこ.

すえごたつ【据えごたつ】《据え火燵》图 ☞ほりごたつ.

すえずえ【末末】图 **1** 〈老〉 끝끝내; 내내; 장래. ＝のちのち. ¶～までも幸福(こうふく)でありますように 내내 행복하시도록/～を案(あん)じる 장래를 염려하다. 參考 副詞적으로도 씀. **2** 자손; 후손. ＝子孫(しそん). ¶～まで語(かた)り伝(つた)える 자손 대대로 이야기로 전하다. **3** 서민. ＝しもじも·庶民(しょみん). ¶～の生活(せいかつ) 서민의 생활.

すえぜん [据え膳] 图 **1** 금방 먹을 수 있게 차려 내놓음; 또, 그 음식상. 參考 준비를 완전히 하고 곧 일에 착수할 수 있도록 하는 일에도 비유됨. **2** 〈俗〉 여자 쪽에서 걸어 온 유혹.

―食わぬは男の恥 차려 놓은 밥상도 못 먹는 것은 남자의 수치《여자 쪽에서 유혹을 해오는데도 이에 응하지 않는 것은 남자의 수치다》.
すえたのもし-い【末頼もしい】 形 장래가 기대〔촉망〕되다; 장래가 유망하다. ¶～青年 장래가 기대되는 청년.
すえつけ【据え付け】 名 설치하는 일; 설치한 모양; 고정시켜 놓음. ¶～の調理台 붙박이 조리대.
すえつ-ける【据え付ける】 下1他 설치하다; 고정시켜 놓다. ¶モーターを～ 모터를 설치하다.
すえっこ【末っ子】 名 막내; 막내둥이. ＝すえこ·まっし·ばっし. ¶三人兄弟の～ 세 형제의 막내.
すえながく【末長く·末永く】 副 오래도록; 언제까지나; 길이. ¶～お幸せに 길이길이 행복하시기를.
すえのよ【末の世】 名 **1**〈雅〉 후세. ＝後世·こうせい. ¶～までも添いとげる 후세까지 같이 살다《백년해로하다》. **2** 말세. ＝末世.
すえひろ【末広】 名 ☞すえひろがり.
すえひろがり【末広がり】 名 **1** 점차로 끝 쪽이 퍼져감. **2** 쥘부채를 경사(慶事)에 선물로 할 때 부르는 이름. ＝扇子. **3** 점차로 번영하는 일. ¶～の発展 끊임없는 발전.
すえふろ【据えふろ】《据え風呂》 名 큰 통에다 아궁이를 설치한 (가정용) 목욕통. ＝水風呂. ↔五右衛門ぶろ.
すえむすめ【末娘】 名 막내딸. ＝末女.
***す-える【据える】** 下1他 **1** 붙박다; 설치하다. ¶機械を～ 기계를 붙박아 놓다〔설치하다〕. **2** (눈길 따위를) 쏟다. ¶目を～ 응시하다; 눈여겨보다. **3** 차려 놓다. ¶膳を～ 상을 차려 놓다. **4** 자리 잡다. ¶腰を～ (a)자리 잡고 눌러 앉다; (b)(어떤 지위에) 눌러 붙다; (c)차분히 일에 정신 쓰다. **5** 어떤 지위에 앉히다; 모시다. ¶客を上座に～ 손님을 상석에 앉히다 / 会長に～ 회장으로 모시다. **6** (마음을) 가라앉히다; 침착히 하다. ¶心を～·えてよく見ろ 마음을 가라앉히고 잘 보라 / 腹に～·えかねる 치미는 화를 참을 수 없다. 参考 본디, 'すわる'의 他動詞.
す-える【饐える】 下1自 (음식물이 상해) 쉬다; 시큼해지다. ¶～·えたにおい 쉰 냄새 / 御飯が～·えてしまった 밥이 쉬어버렸다.
ずおも【頭重】 名 **1** 머리가 띵하고 무거움. **2** 남에게 좀처럼 머리를 숙이지 않는 태도. **3** 시세가 오를 듯하면서 좀처럼 오르지 않는 상태.
すか 名〈俗〉 기대가 어그러짐. ＝見当ちがい·あてはずれ.
―を食う 기대가 어그러지다; 바람맞다; 빗맞다. 参考 '肩すかしを食う'에서.
ずが【図画】 名 도화; 그림; 도면과 그림. ¶～を描く 그림을 그리다.
***スカート** [skirt] 名 스커트. ¶ミニ～ 미니 스커트 / ロング～ 롱 스커트.
スカーフ [scarf] 名 스카프; 목도리.
スカイ [sky] 名 스카이; 하늘.
―ウェー [skyway] 名 스카이웨이; 관망(觀望) 도로.
―ウォーク [skywalk] 名 스카이워크; (공중에 가설된) 두 빌딩 사이를 잇는 구름다리〔연락 통로〕. ＝スカイブリッジ.
―ジャック [sky jack] 名 스카이잭; 비행기의 공중 납치. ⇨ハイジャック·シージャック.
―ダイビング [skydiving] 名 스카이다이빙.
―パーキング [일 sky+parking] 名 빌딩 형식의 주차장; 주차 빌딩.
―ブルー [sky blue] 名 스카이 블루; 하늘색.
―ライン [skyline] 名 스카이라인. **1** 산이나 건물 등이 하늘을 배경으로 긋는 윤곽. **2** 산 위에 만든 드라이브웨이.
―ラウンジ [sky lounge] 名 스카이 라운지; 고층 빌딩이나 호텔 등의 최상층에 설치한 전망대 또는 사교장.
ずかい【図解】 名ス他 도해. ¶人体の～ 인체의 도해 / 使用法を～する 사용법을 도해하다.
ずがいこつ【頭蓋骨】 名 두개골. ＝頭骨.
スカウト [scout] 스카우트. 一名ス他 유능한 인재 등을 골라서 빼내는 일; 또, 그 담당자. ¶～されてモデルになる 스카우트되어 모델이 되다. 二名 'ボーイ〔ガール〕スカウト(＝보이〔걸〕스카우트)'의 준말.
すがお【素顔】 名 맨 얼굴; 평시의 얼굴. **1** 화장하지 않은 얼굴; 전하여, 있는 그대로의 상태〔모습〕. ＝地顔. ¶役者の～ 배우의 본〔분장하지 않은〕 얼굴 / 東京の～ 東京의 참모습. **2** 주기(酒氣)가 없는 얼굴. ＝しらふ. ¶～でそんなことがよくいえる (술도 안 먹은) 멀쩡한 얼굴로 그런 말을 잘도 한다.
すがき【素がき】《素描き》 名 소묘; 데생(dessin). ＝デッサン·そびょう.
すかさず『透かさず』 副 사이를 두지 않고; 기회를 놓치지 않고; 곧; 즉각. ¶話が終わるや, ～質問した 말이 끝나기가 무섭게 질문했다 / あいまいな点を～追及する 애매한 점을 즉각 추궁하다.
すかし【透かし】 名 **1** 틈을 만듦; 틈을 만들어 놓은 곳. **2** 종이를 빛에 비출 때 보이는 무늬·글자《지폐에 넣은 은화(隱畫) 따위》. ＝すかしえ. ¶精巧な～を入れた紙幣 정교한 은화를〔은문(隱紋)을〕 넣은 지폐.
すかしおり【透かし織り】 名 무늬를 넣고 속이 비치게 짠 깁.
すかしぼり【透かし彫り】 名〔美〕 투각(透刻); 섭새김; 투조; 또, 그 세공품. ¶～の欄間 투조로 만들어진 교창.
すかし-みる【透かし見る】 上1他 **1** 어둠이나 안개 따위로 잘 보이지 않는 것을 빛에 비추어보듯이 뚫어지게 보다. ¶黒いガラス板から日食を～ 검은 유리판을 통해서 일식을 보다. **2** 틈새로 보다.

すか-す 5自 〈俗〉 젠체하다; 점잔빼다; 시치미떼다. ¶あいつ, いやに～·してやがる 저녀석 되게 젠체하고 있다.

すか-す 〖賺す〗 5他 **1** 달래다; 어르다. ¶おどしたり～·したりして言うことを聞かせる 으르기도 하고 달래기도 하여 말을 듣게 하다 / 子供を～·して寝かしつける 아이를 달래어 잠재우다. **2** 속이다.

***すか-す** 〖空かす〗 5他 비워 두다; 공복으로 하다. ¶手を～ 손을 비우다; 손이 비게 하다《일감이 떨어지다》 / 腹を～ 배를 곯다.

***すか-す** 【透かす】 5他 **1** 틈새를 만들다; 성기게 하다. ¶雨戸を～ 덧문을 약간 열어 놓다 / 枝を～ 가지를 솎아 베다. **2** (통해서) 보다. ¶木の間を～·して見る 나무 틈 사이로 보다. **3** 빛에 비추어 훤히 보이게 하다. ¶紙を～·して見る 종이를 비쳐 보다. **4** 〈俗〉 소리 안 나게 방귀 뀌다. ¶誰か～·した 누군가(소리 없이) 방귀를 뀌었다. 可能すか-せる 下1自

すかすか ㊀副 **1** 일이 잘 진행되는 모양: 척척; 쓱쓱. ¶多くの関門を～(と)通り過ぎる 많은 관문을 척척 통과하다. **2** 칼 따위가 잘 드는 모양: 썩썩. ＝すっぱり. ¶～と切る 썩썩 베다.
㊁ダナ 틈이 많은〔구멍이 숭숭 난〕 모양. ¶箱ばかり大きくて中身は～だ 상자만 컸지 속은 숭숭 비다시피 했다.

ずかずか 副 서슴지 않고 나아가는 모양: 쑥쑥. ¶～(と)部屋にはいってくる 서슴없이 방에 들어오다.

***すがすがし-い** 〖清清しい〗 形 상쾌하다; 시원하다. ¶～山の空気 상쾌한 산의 공기 / ～気持ちになる 상쾌한 기분이 되다.

****すがた** 【姿】《相》 名 **1** 모습; 형체; 자태. ¶晴れ～ 차려입은 모습 / ありのままの～ 있는 그대로의 모습 / 元気な～を見せる 건강한 모습을 보이다 / ～をくらます 모습을 감추다; 숨다. **2** 형편; 상태. ¶移り行く世の～ 변해 가는 세상 모습〔형편〕. **3** 차림. ¶山～ 등산 차림 / 舞台～ 무대 의상 차림.

すがたみ 【姿見】 名 체경(體鏡); (전신을 볼 수 있는) 큰 거울.

すかたん 名 〈俗〉 **1** 기대가 어그러짐; 속음. ¶～くわされた 속았다; 허탕을 쳤다. ⇨すか. **2** 멍청이를 욕하여 하는 말. ＝すこたれ·まぬけ. ¶この～め 이 멍청한 놈아.

スカッシュ [squash] 名 스쿼시. **1** 과일즙을 소다수·냉수에 섞어 설탕을 탄 음료수. ＝スカッシ. ¶レモン～ 레몬 스쿼시. **2** 테니스 비슷한 실내 구기.

すかっと 副 **1** 선뜻 베는 모양: 싹; 싹둑. ¶～切る 싹둑 자르다. **2** 산뜻한 모양: 상쾌한 모양. ¶～した服装 산뜻한 복장 / ～した気分 상쾌한 기분.

すかない 【好かない】 連語 싫다; 마음에 들지 않다; 좋아하지 않다. ¶賭け事は～ 내기는〔도박은〕 싫다.

すがめ 〖眇〗 名 **1** 〈卑〉 사시(斜視). ＝やぶにらみ. **2** 〈卑〉 애꾸눈. ＝めっかち. ¶生まれつきの～ 타고난 애꾸눈.

すが-める 〖眇める〗 下1他 (자세히 살피기 위해) 한쪽 눈을 가늘게 뜨거나 감다; 한쪽 눈을 가늘게 뜨고〔감고〕 겨냥을 하다. ¶ためつ, ～·めつながめる 꼼꼼하게 자세히 바라보다.

すがやか 〖清やか〗 ダナ 상쾌한 모양. ¶～な気分 상쾌한 기분.

=すがら 《주로 名詞에 붙어 副詞적으로 씀》 **1** 내내; 계속해서. ¶日～ 하루 종일 / 夜も～ 밤새도록. **2** …하는 길〔김〕에. ¶旅～ 여행하는 길에 / 道～ 가는 길에. **3** 그대로. ¶身～で逃げる 맨몸으로 달아나다.

=ずから 《몸의 일부분을 나타내는 名詞에 붙어 副詞를 만듦》 그 사람 자신의 …에 의해서. ¶手～賞を与える 손수 상을 주다 / 手～植樹された 손수 나무를 심으셨다.

ずがら 【図柄】 名 (직물 따위의) 도안; 무늬. ＝模様. ¶はでな～ 화려한 무늬 / この織物は～がよい 이 직물은 도안이〔무늬가〕 좋다.

スカラシップ [scholarship] 名 스칼러십; 장학금; 또, 그것을 받을 자격.

すがりつ-く 〖縋り付く〗 5自 매달리다; 달라붙다. ¶母親に～ 어머니에게 매달리다 / ～·いて離れない 매달려 떨어지지 않다 / 必死に～ 필사적으로 달라붙다.

***すが-る** 〖縋る〗 5自 **1** 매달리다. ¶腕に～ 팔에 매달리다. **2** 의지하다; 기대다. ＝たよる ¶杖に～·って歩く 지팡이에 의지하여 걷다 / 他人に～ 남에게 의지하다 / 人の情けに～ 남의 동정에 기대다 / 人の肩に～·って生きる 남의 힘에 의지하여 살아가다. 可能すが-れる 下1自

すが-れる 〖闌れる·末枯れる〗 下1自 초목의 잎과 가지 끝이 마르기 시작하다; 전하여, 사람의 한창 때가 지나 노쇠해지다. ¶～·れた草原 시든 초원 / 草木の～·れかかった晩秋の野 초목의 잎과 가지가 말라붙기 시작한 늦가을의 들판.

ずかん 【図鑑】 名 도감. ¶動物～ 동물도감 / 魚類～ 어류 도감.

スカンク [skunk] 名 〖動〗 스컹크. ¶～の毛皮 스컹크의 모피.

ずかんそくねつ 【頭寒足熱】 名 두한족열; 머리는 차게 하고 발은 따뜻하게 하(여 잠 잘 자)는 건강법.

すかんたらし-い 【好かんたらしい】 形 불쾌한 느낌이 들다; 마음에 들지 않다;

싫다. ¶～目付き 싫어하는 눈초리.

すかんぴん【すかんぴん·素寒貧】[ダナ] 〈俗〉 몹시 가난함; 또, 그 사람; 찰가난. ＝一文なし·すっかんぴん. ¶全くの～になってしまった 아주 빈털터리가 되어 버렸다／株価の下落で～になる 주가 하락으로 빈털터리가 되다.

すき〖鋤〗[图] 가래. [参考] '一丁〔梃〕' '二丁〔梃〕'…라고 셈.

すき〖犂〗[图] 쟁기. ＝からすき. [参考] '一丁〔梃〕' '二丁〔梃〕'…라고 셈.

すき【数寄·数奇】[图] 풍류; 특히, 다도나 和歌 따위를 즐김. ¶～を好む 풍류를 좋아하다. [注意]1 'すうき'로 읽으면 딴 말. [注意]2 '好き'의 취음.

—を凝らす 공들여서 아취 있게 꾸미다. ¶数寄を凝らした庭園 공을 들여 풍취 있게 꾸민 정원.

すき【好き】[名ナ] **1 좋아함. ¶～な役者 좋아하는 배우／～な人 좋아하는 사람; 애인／登山が～だ 등산을 좋아한다／酒が大～だ 술을 아주 좋아한다／～で仕事をする 좋아서 일을 하다. ↔きらい. **2** 호색. ¶～者 호색가／～な道 난봉／あいつも～だなあ 저 놈도 색을 밝히는군. **3** 호기심. ¶～も度が過ぎる 호기심도 정도 문제다. **4** 내키는 대로; 제 마음대로. ¶～なことを言う 제멋대로 말하다／～なようにしたまえ 좋을〔마음 내키는〕 대로 해.

—こそ物の上手なれ 무슨 일이건 좋아서 하면 자연히 숙달되는 법이다.

*__すき__【透き】[图] 틈. **1** 빈틈; 빈 곳. ¶割り込む～もない 비집고 들어갈 틈도 없다／窓の～から明かりがもれる 창틈으로 빛이 새다. **2** 겨를; 짬. ¶仕事の～を見て伺いましょう 일의 짬을 보아 찾아뵙겠습니다. **3**《본디는 隙》 허술함; 허점; 틈탈 기회. ¶一分の～もない構え 한 치의 틈〔허점〕도 없는 (대비) 자세／監視の～をねらって脱走する 감시의 허술함을 틈타 탈주하다.

すき〖漉き〗[图] 종이를 뜨는 일. ¶手～の和紙 손으로 뜬 일본 종이.

すぎ【杉】[图]〔植〕삼목(杉木). ¶～板 삼목 판자／～材 삼목재.

=**すぎ**【過ぎ】**1**《때를 나타내는 名詞에 붙어》 지나감. ¶三時～ 3시 넘어〔지나〕／昼～ 점심때〔정오〕 지나／四十～の人 (나이) 40 넘은 사람. **2**《動詞의 連用形에 붙어》 도가 지나침. ¶食い～ 과식／太り～ 너무 비대함.

すきあ-う【好き合う】[5自] 서로 좋아하다. ¶～·った仲 서로 좋아하는 사이.

スキー [ski] [图] 스키. ¶サンド〔砂〕～ 샌드 스키《모래 언덕에서 타는 스키》／水上～ 수상 스키／～をはく 스키를 신다.

—イング [skiing] [图] 스키잉; 스키를 타는 일; 스키술(術).

—ヤー [skier] [图] 스키어; 스키를 타는 사람.

—ラック [ski rack] [图] 스키 래크; 자동차 지붕에 다는 스키 운반용 기구. ＝スキーキャリア.

すきいれがみ【すき入れ紙】《漉き入れ紙》[图] 글자나 무늬를 넣어 뜬 종이. ＝すき入れ.

すきうつし【透き写し】[图][ス他] ☞しきうつし.

すきおこ-す【すき起こす】《鋤き起こす》[5他] 가래로 흙을 파 일구다. ¶畑を～ 밭을 가래로 파 일구다.

すぎおり【杉折り】[图] 삼목나무의 얇은 판자로 짠 상자《초밥·과자 등을 담음》.

すきかえし【すき返し】《漉き返し》[图] 재생지(再生紙). ＝宿紙·すくし.

すきかえ-す【すき返す】《漉き返す》[5他] 헌 종이를 녹여서 다시 떠 만들다.

すきかえ-す【すき返す】《鋤き返す》[5他] 가래로 흙을 파 뒤집다. ¶畑を～ 밭을 가래로 파 뒤집다.

すきかって【好きかって】《好き勝手》[图][ダナ] (제각기) 자기 좋을 대로만 하는 모양. ¶～な事ばかり言う 자기 좋을 대로만 말하다／～は許さない 제멋대로 하는 것은 용서하지 않는다.

*__すききらい__【好き嫌い】[图] 호불호(好不好); 좋아함과 싫어함. ＝よりごのみ·えりごのみ. ¶～が激しい 기호가 까다롭다; 가리는 것이 많다／食べ物の～を言う 식성이 까다롭다／だれにも～はある 누구에게나 좋아하고 싫어하는 것은 있다／それは～の問題だ 그것은 호불호〔기호(嗜好)〕의 문제다／～を言っていられない 좋고 싫고를 말할 때가 아니다.

すきぐし〖梳き櫛〗[图] 참빗. ＝すき. ¶～で髪を梳く 참빗으로 머리를 빗다.

すきごころ【好き心】[图] **1** 호색하는 마음. ¶～が動く 호색하는 마음이 동하다. **2** 호기심; 호사심(好事心).

すきこのみ【好き好み】[图] 취미; 기호. ¶人は皆それぞれ～が違う 사람은 제각기 기호가 다르다.

すきこの-む【好き好む】[5他] 특별히 좋아하다《'好く(＝좋아하다)'의 힘줌말》.

—·んで 자기가 좋아서. ¶～苦労する者はいない (제가) 좋아서 고생하는 사람은 없다.

すぎさ-る【過ぎ去る】[5自] 지나가다. **1** 통과하다. ¶台風が～ 태풍이 지나가다. **2** (시일이) 지나가 버리다. ¶～·った昔 지나간 옛날／～·った事は仕方がない 지나간 일은 어찌할 수 없다.

すぎし【過ぎし】[連体] 지나간. ¶～日の古都のおもかげ 지난날의 고도의 모습〔자취〕.

すきしゃ【数寄者·数奇者】[图] 다도(茶道)를 좋아하는 사람. ⇨すき(数奇).

すきずき【好き好き】[图] 각자 기호가〔취향이〕 다름. ¶それは～だ 그것은 각자 기호〔취향〕의 문제다／たで食う虫も～ 오이를 거꾸로 먹어도 제 멋《사람의 기호는 제각기 달라서 남이 이러쿵저러쿵 말할 바 아니다》.

ずきずき 副 상처〔종기〕가 쑤시면서 아픈 모양: 욱신욱신. ＝ずきんずきん. ¶傷口が～(と)痛む 상처가 욱신거린다/頭が～する 머리가 욱신거린다.

スキゾ [schizo] 名 스키조. **1** 정신 분열증. **2** 한가지 일에 구애되지 않고 자기중심적이며 타인과의 깊은 관련을 피하려는 심리 경향. ↔パラノ.

すきっと 副 개운〔후련, 상쾌〕한 모양. ¶～した気持ち 상쾌한 기분.

スキッド [skid] 名 스키드; 자동차가 급정거했을 때 자동차가 옆으로 미끄러지는 일.

すきっぱら【すきっ腹】《空きっ腹》名 〈口〉☞すきばら. ¶～に酒を飲む 빈속에 술을 마시다/～で飲んだのですぐ回った 빈속에 마셨기 때문에 곧 취기가 돌았다.

スキップ [skip] 名ス自 스킵. **1** 좌우 번갈아 한 쪽 발로 껑충껑충 뛰어감. **2** 빼고 건너뜀. ¶本のつまらないところを～してよむ 책의 시시한 대목을 건너 뛰어 가며 읽다.

***すきとお-る**【透き通る】《透き徹る》5自 **1** 비쳐 보이다; 투명하다. ¶～·った空 맑은 하늘/底まで～·って見える 바닥까지 비쳐 보이다. **2** 소리가 맑다. ¶～·った声 맑은 목소리.

すきと-る【すき取る】《剝き取る》5他 얇게 벗겨내다. ¶皮を～ 껍질을 얇게 벗겨 내다.

すぎない 〖過ぎない〗 連語 《…に～의 꼴로》 단정(斷定)을 강조하는 말: …일〔할〕 뿐이다; …에 지나지 않다; …에 불과하다. ¶それは言いわけに～ 그건 핑계일 뿐이다/それは一部の者の意見に～ 그것은 일부 사람의 의견에 불과하다/氷山の一角に～ 빙산의 일각에 지나지 않다.

すぎなみき【杉並木】名 삼목 가로수.

すきばら【すき腹】《空き腹》名 공복; 허기진〔주린〕 배. ＝空腹·すきはら·すきっぱら. ¶～をかかえて 허기진 배를 움켜 안고/～にまずいものなし 공복에 맛없는 음식 없다《시장이 반찬》.

すきびと【好き人·数寄人】名 **1** 풍류를 아는 사람; 또, 유별난 것을 좋아하는 사람; 호사가. **2** 호색가. ＝好き者.

すきほうだい【好きほうだい】《好き放題》名ダナ 자기 좋을 대로 하는 모양. ¶～な暮らし 제멋대로의 생활/～にふるまう 저하고 싶은 대로〔제멋대로〕 행동하다.

***すきま**【透き間】《空き間·隙間》名 **1** (빈) 틈. ＝すき. ¶壁の～ 벽 틈/～だらけの家 틈새기 투성이인(허술한) 집/戸の～から風が入る 문틈으로 바람이 들어오다. **2** 겨를; 짬. ＝ひま. ¶仕事の～ 일의 짬/～のないスケジュール 빈틈없는 스케줄/～を見て手つだう 짬을 보아 거들다.

—かぜ【—風】名 (문·창문 따위의) 틈새기 바람; 외풍《비유적으로도 씀》. ¶夫婦のあいだに～が吹く 부부 사이에 찬바람이 분다《감정의 골이 생기다》.

すきみ【透き見】名ス他 틈으로 들여다봄. ＝のぞき見. ¶板塀の節穴から～をする 판자 울타리〔널판장〕의 옹이 구멍으로 들여다보다.

スキムミルク [skim milk] 名 스킴 밀크; 탈지 분유. ＝脱脂乳.

すきもの【好き者】名 **1** 호색가. ＝好きしゃ. ¶隅におけない～ 여간내기가 아닌 호색가. **2** 호사가; 호기심이 많은 사람. ＝好事家.

すぎもの【過ぎ者】名 (결혼 등의 상대가) 과분함; 과분한 상대(자). ¶お前には～だ 네게는 과분한 사람이다.

すきや【数寄屋·数奇屋】名 **1** 다도(茶道)를 위해서 지은 건물; 다실(茶室). **2** 다실풍의 건물.

すきやき【すき焼き】《鋤焼き》名 〔料〕 전골. ¶牛肉の～ 쇠고기 전골. 参考 '鋤(＝가래)'에 얹어 구웠기 때문이라고도 하고, 또 얇게 저민 고기를 구웠기 때문이라고도 함.

スキャナー [scanner] 名 스캐너. **1** 시티(CT) 스캐너. **2** 컴퓨터 입력 장치의 하나로, 그림이나 사진의 화상(畫像)을 읽어 들이거나 글자나 바코드를 판독하는 장치. **3**〔印〕 전자 색(色)분해기.

スキャンダル [scandal] 名 스캔들. **1** 추문(醜聞). ¶～が広がる 추문이 퍼지다/～を生む 추문을 내다. **2** 부정 사건; 의옥(疑獄). ¶～で失脚した 부정 사건으로 실각했다.

スキューバ [scuba] 名 스쿠버; 잠수 중 호흡하는 장치; 수중폐(水中肺).

—ダイビング [scuba diving] 名 스쿠버 다이빙. ⇨スキンダイビング.

すぎゆ-く【過ぎ行く】5自 **1** 지나가다. ¶車窓を～田園の風景 차창을 지나〔스쳐〕가는 전원 풍경. **2** 시간이 경과하다. ¶～月日を惜しむ 흘러가는 세월을 아쉬워하다.

ずきょう【誦経】名ス自 〔佛〕 송경; 독경. 参考 'じゅきょう'의 전와(轉訛).

スキル [skill] 名 스킬; 숙련; 훈련해서 터득한 기능.

****す-ぎる**【過ぎる】上1自 **1** 지나(가)다; 통과하다. ¶大阪駅はもう～·ぎた 大阪 역은 이미 지났다/日付変更線を～ 날짜 변경선을 지나다. **2** (시간·기한이) 지나다; 끝나다. ¶～·ぎた事 지나간 일/盛りを～ 한창 때가 지나다/夏休みが～·ぎた 여름 방학이 끝났다. **3** 지내다; 살아가다. **4** ㉠(수준·정도를) 넘다; 지나치다. ¶冗談〔口〕が～ 농담이〔말이〕 지나치다/あの女は四十を～·ぎている 저 여자는 40이 넘었다/満足これに～ものはない 이 이상 더 만족할 수는 없다. ㉡분에 넘치다; 과분하다. ¶お前には～·ぎた良い女房だ 너에게는 과분한 좋은 마누라다. [参考] 接尾語적으로 動詞連用形·形容詞語幹 등에도 붙임. ¶長～ 너무 길다/言い～ 말이 지나치다/知らな(さ)～ 너무 모르다.

—·ぎたるは猶及ばざるが如し 과유불급; 지나침은 미치지 못함과 같다.

スキン [skin] 名 스킨. **1** 살갗; 피부. ¶～ローション 스킨로션. **2** 콘돔. **3** 피혁.

—ケア [skin care] 名 스킨 케어; 피부 손질; 또, 그 화장품. ¶～クリーム 스킨 케어 크림; 피부 보호 크림.

—シップ [일 skin+ship] 名 스킨십; 살을 맞댐으로써 모정(母情)이 아이에게 전해지는 일.

—ダイビング [skin diving] 名 스킨 다이빙; 스포츠로서의 잠수((스쿠버 다이빙을 포함할 때도 있음)).

ずきん 〖頭巾〗 名 (자루 모양의) 두건((복면처럼 얼굴을 가리는 것도 있음)). ¶防寒～ 방한 두건/おこそ～ 검은 복면 두건/～をかぶる 두건을 쓰다.

ずきんずきん 副 머리·상처·종기 따위가 쑤시면서 아픈 모양: 욱신욱신. ＝ずきずき. ¶歯が～痛む 이가 욱신거린다/頭が時々～する 머리가 때때로 욱신욱신한다.

すーく【好く】 [5他] 좋아하다((현대어에서는 주로 受動·否定形으로 씀)). ¶～·かない奴 (보기) 싫은 놈/～·き合った仲 서로 좋아하는 사이/いけ～·かない 아주 싫다; 어쩐지 싫다/虫が～·かない 까닭없이 싫다; 주는 것 없이 밉다/～·いて～·かれる 사랑하고 사랑함을 받다; 서로 사랑〔좋아〕하다/～好かぬは君の勝手だ 좋아하고 안 하고는 자네 마음이다. ⇨好いた·好いたらしい. ↔きらう.

すーく 〖梳く〗 [5他] (머리를) 빗다. ¶髪を～ 머리를 빗다. [可能]すーける[下1自]

すーく 〖漉く·抄く〗 [5他] (종이나 김 따위를) 뜨다. ¶紙を～ 종이를 뜨다/海苔を～ 김을 뜨다. [可能]すーける[下1自]

すーく【透く】((空く)) [5自] **1** 틈이 나다; 틈새가 벌다. ¶戸と柱の間が～ 문과 기둥 사이에 틈이 나다/歯の間が～·いている 잇새가 벌어져 있다. **2** 성기다. ¶枝が～·いている 가지가 듬성듬성 나 있다. **3** 들여다보이다. ¶～·いて見える (환히) 들여다보이다. **4** (속이) 후련해지다. ¶胸が～ 속이 후련해지다.

すーく 〖空く〗 [5自] **1** 틈이 나다; 짬이 나다. ¶手が～ 짬〔손〕이 나다. **2** 속이 비다. ㉠허기지다. ¶腹が～ 배가 고프다. ㉡듬성듬성해지다. ¶バスが～·いている 버스가 비어 있다. ↔こむ.

すーく 〖鋤く〗 [5他] (가래 따위로) 땅을 일구다. ¶田〔畑〕を～ 논〔밭〕을 일구다. [可能]すーける[下1自]

すぐ 〖直ぐ〗 [一副] 곧; 즉시; 바로. ¶～隣の家 바로 이웃한 집/～こわれるおもちゃ 금방 망가지는 장난감/角を曲がって～の店 모퉁이를 돌아서 바로 그 가게/～分かる 곧〔쉬이〕 알 수 있다/もう～九時だ 이제 곧 9시다/～人の言う事を信じる 곧 남의 말을 믿는다/彼の家は～そこにある 그의 집은 바로 거기에 있다. [二ナリ] 〈雅〉 **1** 곧음; 똑바름. ＝まっすぐ. ¶～な道 곧은 길. **2** 순진함; 정직함. ¶心～なる者 마음이 정직한 자.

=ずく 〖尽く〗 ((名詞에 붙여서)) 문제 해결〔처리〕의 유일한 수단·방법으로 함: '…의 힘으로〔힘을 빌려〕; …이란 수단에 의해; …(만)으로; …껏; …때문에'의 뜻. ¶腕～で取る 완력으로 빼앗다/金～で人を押さえようとする 금력으로 남을 누르려고 하다/彼女は金～で彼と結婚した 그녀는 돈 때문에 그와 결혼했다/欲得～で人とつきあう 이익만 따져서〔타산적으로〕 남과 교제하다.

すくい【救い】名 **1** 구(조)함; 구제; 도움. ¶～を求める 구원을 요청하다/～の手をさしのべる 구원의 손길을 뻗치다. **2** 비참한 기분에서 어느 정도 해방시켜 주는 일; 마음에 밝음과 편안함을 주는 일. ¶せめてもの～ 그나마 유일한 위안/君の笑顔が～だ 자네 웃는 얼굴을 보니 안심이 되네.

すくいあーげる【救い上げる】 [下1他] 구해내다. ¶おぼれた子を～ 물에 빠진 아이를 구해 내다.

すくいあーげる【すくい上げる】((掬い上げる)) [下1他] 떠〔퍼〕올리다; 건져 올리다. ¶魚を網で～ 물고기를 그물로 건져 올리다.

すくいあみ【すくい網】((掬い網)) 名 사내끼; 산대.

すくいがたーい【救い難い】 形 **1** 구제하기 어렵다; 구제 불능이다. ¶～窮乏 구제 못할 가난/～やつだ 구제할 수 없는 놈이다. **2** ㉠어쩔 도리 없다. ㉡아무리 보아도 좋은 데가 없다. ¶～駄作 형편없는 졸작.

スクイズ [squeeze] 名 〖野〗 스퀴즈(('スクイズプレー'의 준말)).

—プレー [squeeze play] 名 〖野〗 스퀴즈 플레이; 타자가 번트하여 3루 주자를 생환시키는 공격법. ＝スクイズ.

すくいだーす【救い出す】 [5他] 구해내다. ¶人質を～ 인질을 구출하다.

すくいぬし【救い主】名 **1** 구해 준 사람. **2** 〖宗〗 구세주. ＝メシア·救世主. ¶～イエスキリスト 구세주 예수 그리스도.

すくーう 〖掬う·抄う〗 [5他] **1** (물·가루 모양의 것을) 떠내다; 건져 올리다. ¶スープを～ 국을 뜨다/網で金魚を～ 그물로 금붕어를 건져 올리다. **2** (움켜 떠 올리듯) 급히 들어 올리다; 딴죽 걸다. ¶あしを～ 딴죽 걸다; 발을 걸다/小またを～ 사타구니를 안쪽에서 걸어 들어 올려 넘기다. [可能]すくーえる[下1自]

すくーう【救う】 [5他] 구하다; 건지다. **1** 구원하다; 구제하다. ¶～·われない人間

にんげん 구제받지 못할 인간 / 貧民ひんみんを～ 빈민을 구제하다 / 青少年せいしょうねんを不良ふりょう化かから～ 청소년을 불량화로부터 건져내다. 参考 '済う'라고도 씀. 2 구조하다; 살리다. ¶溺おぼれかけた子供こどもを～ 물에 빠져 죽게 된 아이를 구하다 / 危あぶないところを～·われた 위험한 고비에서 구조되었다. 3 덜어 주다. ¶悩なやみを～ 고민을 덜어 주다. 可能すく-える 下1自

すく-う【巣くう】《巣食う》 5自 1 깃들이다; 둥지를 틀고 살다. ¶軒先のきさきにツバメが～ 처마끝에 제비가 둥지를 틀다. 2 소굴을 이루고 있다. ¶町まちに～暴力団ぼうりょくだん 거리에 기생하는 폭력단. 3 좋지 않은 생각·병 따위가 자리 잡다. ¶憎悪ぞうおが胸むねに～·っている 증오가 가슴속에 도사리고 있다.

スクーター [scooter] 名 스쿠터. ¶～に乗のる 스쿠터를 타다.

スクープ [scoop] 名ス他 스쿠프; 특종(기사). ＝特種とくだね. ¶これは朝日あさひの～だ 이것은 朝日 신문의 특종이다.

スクール [school] 名 스쿨. 1 학교. ¶モデル～ 모델 스쿨; 시범[모범] 학교; 실험 학교 / クッキング～ 쿠킹 스쿨; 요리 학원 / サマー～ 하계 강습회. 2 학파.

―カラー [일 school+color] 名 학교 특색; 교풍.

―バス [school bus] 名 스쿨[통학] 버스.

スクエア [square] 一名 스퀘어. 1 사각형; 네모꼴. ¶～ネック 스퀘어 네크(라인); 사각형으로 된 네크라인. 2 네모진 광장. ¶ワシントン～ 워싱턴 스퀘어[광장]. 3 직각자. 二名ダナ 고지식함; 융통성이 없음. ¶考かんえ方かたが～な人ひと 사고방식이 고지식해 융통성이 없는 사람.

―ダンス [square dance] 名 스퀘어 댄스《남녀 네 쌍이 춤》.

すぐさま〖直ぐ様〗副 곧; 즉각; 당장. ¶～駆かけつける 곧 달려가다[달려오다]. 参考 'すぐ'보다 文語적임.

すくすく 副 1 (나무 따위가) 기운차게 잘 뻗는[자라는] 모양: 쑥쑥. ¶竹たけが～(と)大おおきくなる 대나무가 쑥쑥 자라다. 2 아이가 건강하게 잘 자라는 모양: 무럭무럭. ¶子供こどもが～(と)育そだつ 아이가 무럭무럭 자라다.

ずくてつ【ずく鉄】《銑鉄》 名 〈俗〉 선철(銑鐵). ＝ずく.

すぐと〖直ぐと〗副 곧; 즉시; 바로. ＝「すぐ(に).

＊すくな-い【少ない】 形 1 적다. ¶今年ことしは雨あめが～ 올해는 비가 적다 / 最近さいきんは鳥とりが～·くなった 최근에는 새가 적어졌다. 2 어리다; 나이가 적다. ¶年としが～子供こども 나이가 어린 아이. ⇔多おおい.

すくなからず【少なからず】 副 적잖이; 많이; 매우; 몹시. ¶～驚おどろいた 적잖이 놀랐다 / うわさを～耳みみにした 소문을 적잖이 들었다.

すくなくとも【少なくとも】 副 적어도. ¶駅えきまで～五分ごふんはかかる 역까지 적어도 5분은 걸린다 / ～これだけは覚おぼえてくれ 적어도[최소한] 이것만은 알아[기억해] 주게 / ～考慮こうりょはしてほしい 적어도 고려는 해주기 바란다.

すくなくな-い【少なくない】 形 적지 않다; 많다. ¶不安ふあんは～ 꽤 불안하다 / 危険視きけんしする向むきも～ 위험시하는 경향도 적지 않다 / 反対はんたいする人ひとが～ 반대하는 사람이 적지 않다.

すくなめ【少なめ】《少な目》 名ダナ 좀 적은 듯싶은 수량. ¶～に見積みつもる 약간 적게[낮게] 어림하다. ↔多おおめ.

すぐに〖直ぐに〗副 1 곧; 즉시. ¶～帰かえる 곧 돌아가다 / 弟おとうとは～泣なく 동생은 걸핏하면 운다. 2 곧바로.

すくみあが-る〖竦み上がる〗 5自 자지러지다; 움츠러지다. ¶身みを～·らせる 몸을 움츠러뜨리다[곱송그리다].

すく-む〖竦む〗 5自 (긴장으로) 움츠러져 움직이지 않다; 위축되다; 자지러지다. ¶立たち～ 그 자리에 못박히다 / 恥はずかしさに身みが～思おもい 부끄러워 몸이 오그라드는 느낌 / 恐おそろしさに足あしが～ 두려워서 오금을 못펴다 / おどかされて～·んでしまった 협박을 당하여 얼어버렸다.

＝ずくめ〖尽くめ〗《名詞에 붙어서》 온통 그것뿐임; 그것만으로 이루어짐: …만(의); …일색; …투성이. ¶黒くろ～の服装ふくそう 검정 일색의 복장 / つらい事こと～の一年いちねん 괴로운 일뿐이었던 한 해 / 結構けっこう～ 그저 좋은 일뿐임 / うそ～の言いいわけ 거짓말투성이인 변명.

すく-める〖竦める〗 下1他 1 움츠리다. ¶首を～·めてくぐる 목을[고개를] 움츠리고 빠져나가다 / 体からだを～ 몸을 움츠리다. 2 꽉 누르다. ¶だき～ 꽉 껴안다.

すくよか〖健よか〗 ダナ (무럭무럭 자라) 튼튼한 모양. ＝すこやか. ¶赤あかん坊ぼうが～に育そだつ 갓난아기가 무럭무럭 자라다.

スクラッチ [scratch] 名 스크래치. 1 골프나 볼링에서, 핸디(캡) 없이 플레이하는 일. 또, 핸디 제로. ¶～プレーヤー 스크래치 플레이어 / ～マッチ 스크래치 매치. 2 야구·당구에서, 요행으로 맞는 일. ¶～ヒット 스크래치 히트; 요행으로 맞은 안타.

スクラップ [scrap] 名 스크랩. 1 (신문·잡지 따위에서) 오려낸 기사. 2 파쇠; 고철. ＝くず鉄てつ.

―ブック [scrapbook] 名 스크랩북. ＝切きり抜ぬき帳ちょう. ¶～をつくる 스크랩북을 만들다.

スクラム [scrum] 名 스크럼. ¶～を組くむ[解とく] 스크럼을 짜다[풀다].

スクランブル [scramble] 名 스크램블. 1 적기를 요격하기 위한 전투기의 긴급 발진. 2 번화가의 교차점에서, 잠시 차량의 통행을 막고 통행인이 어느 쪽이든 자유로이 횡단할 수 있게 함. ¶～方式ほうしき 스크램블 방식.

スクリーン [screen] 名 스크린. 1〖映〗

㉠은막; 영사막. ㉡영화; 영화계. ¶~に立(た)つ 영화계에 나서다. **2** 사진 제판에 쓰는 유리판. **3** (사진에서) 필터; 전하여, 심사. ¶国会(こっかい)の~を通(とお)す 국회의 심의를 거치다.

—テスト [screen test] 图 스크린 테스트; 영화에 출연하는 사람이 실제 화면에서는 어떻게 보이는가 알아보기 위한 시험적인 촬영.

—プロセス [screen process] 图 〔映〕 스크린 프로세스; 배경과 그 앞에서의 연기를 따로따로 찍어 한 화면으로 구성, 촬영하는 특수 촬영 방식.

—ミュージック [일 screen+music] 图 스크린 뮤직; 영화 음악.

スクリプター [scripter] 图 스크립터; 영화 촬영시의 기록계(원).

スクリプト [script] 图 스크립트; 방송용 원고; 대본. ¶~ライター (영화·방송의) 각본 작가.

スクリュー [screw] 图 스크루. **1** 배의 추진기. =スクルー. **2** 나사(못). =ねじ.

—ドライバー [screwdriver] 图 스크루드라이버; 나사돌리개. =ドライバー.

—ボール [screwball] 图 〔野〕 스크루볼 《투수가 던지는 공이 타자 앞에서 커브를 이루며 뚝 떨어지는 공》.

すぐ-る 〖選る〗 5他 골라 뽑다; 선발하다. ¶えり~ 추리고 또 추리다/精鋭(せいえい)を~ 정예를 선발하다.

すぐれて【優れて】《勝れて》 副 특별히; 뛰어나게; 두드러지게. =とりわけ. ¶人並(ひとなみ)~ 보통〔여느〕 사람보다 뛰어나게〔두드러지게〕/~政治的(せいじてき)な問題(もんだい) 특히 정치적인 문제.

すぐれな-い【優れない】《勝れない》 形 (건강·기분 등이) 좋은 상태가 아니다; 시원찮다. ¶天気(てんき)〔気分(きぶん)〕が~ 날씨가〔기분이〕 좋지 않다/健康(けんこう)が~ 건강이 시원찮다.

***すぐ-れる**【優れる】《勝れる》 下1自 뛰어나다; 우수하다; 훌륭하다. ¶~·れた人物(じんぶつ) 훌륭한 인물/数(すう)において~ 수적으로 우세하다/理解力(りかいりょく)に~ 이해력이 뛰어나다.

スクロール [scroll] 图スル他 〔컴〕 스크롤; 컴퓨터 화면에 표시된 앞뒤의 정보를 보기 위하여 화면을 상하·좌우로 이동시키는 일.

すくわれない【救われない】 連語 희망이 없다; 애쓴 보람이 없다. ¶その計画(けいかく)が中止(ちゅうし)となったのでは彼(かれ)も~ 그 계획이 중지된다면 그도 희망이 없다.

すけ【助】 ㊀图 **1** 도움; 조력; 가세(加勢). ¶~びと〔手(て)〕 조력자/~を頼(たの)む 도움을 청하다. **2** (寄席(よせ)에서) 真打(しんうち)의 보조. ¶~に出(で)る 真打ち의 보조로 출연하다. **3** 〈俗〉 (깡패 사회에서) 정부(情婦)《넓은 뜻으로는 봉이 될 여자》. ㊁接尾 〈俗〉 다른 말에 붙여 인명처럼 쓰는 말. ¶飲(の)み~ 술꾼/ねぼ~ 잠꾸러기/ちび~ 꼬마 녀석/三(さん)~ 목욕탕의 고용인; 때밀이/おっと合点(がってん)承知(しょうち)の~ 그래 알았어, 승낙이야.

ずけ 图 (초밥집에서) 지방이 적은 참치의 붉은 살.

***ずけい**【図形】 图 도형; 그림. ¶立体(りったい)~ 입체 도형/幾何学的(きかがくてき)~ 기하학적 도형/~に表(あら)わす 도형으로 나타내다/~をかく 도형을 그리다.

—にんしき【—認識】 图 〔컴〕 패턴 인식. =パターン認識.

スケート [skate] 图 **1** 스케이트. ¶~靴(ぐつ) 스케이트화/~がじょうずだ 스케이트를 잘 탄다. **2** 'ローラースケート(=롤러 스케이트)'의 준말.

—ボード [skateboard] 图 스케이트보드. =サーフローラー·スケボー.

—リンク [skating rink] 图 스케이팅 링크; 스케이트장.

スケープゴート [scapegoat] 图 스케이프고트; 속죄〔희생〕양; 희생물.

スケーリング [scaling] 图 〔醫〕 스케일링; 치구(歯垢)·치석 제거.

スケール [scale] 图 스케일. **1** 자《좁은 뜻으로는, 강철제 줄자》; 눈금; 치수; 축척. **2** 규모; 또, 사람 됨됨이로서의 통. ¶~が大(おお)きい 스케일이〔규모가, 통이〕 크다.

すげか-える【すげ替える】《挿げ替える》 下1他 **1** 바꾸어〔갈아〕 달다; 갈아 끼우다. ¶鼻緒(はなお)を~ (왜나막신의) 끈을 갈아 달다/人形(にんぎょう)の首(くび)を~ 인형의 목을 갈아 끼우다. **2** 직무를 바꾸다; 다른 사람으로 갈다. ¶幹部(かんぶ)を~ 간부를 갈(아치우)다.

すげがさ 〖菅笠〗 图 사초로 만든 삿갓. 「=すががさ.

***スケジュール** [schedule] 图 스케줄; 일정(표); 예정(표). ¶~をたてる 스케줄을 세우다/旅行(りょこう)の~をくむ 여행 일정표를 짜다.

すけすけ【透け透け】 ダナ 천이 얇아 살갗 따위가 비쳐 보임. ¶~のブラウス 속살이 비쳐 보이는 블라우스.

ずけずけ 副 〈俗〉 거침〔거리낌〕없이 무뚝뚝하게 말하거나 넉살 좋게 행동하는 모양: 툭툭. =つけつけ. ¶思(おも)った事(こと)を~(と)言(い)う 생각한 것을 거침없이 말하다/~座敷(ざしき)に上(あ)がりこむ 넉살 좋게 방으로 쑥〔썩〕 들어오다.

すけそうだら 〖助宗鱈〗 图 〔魚〕 명태. =すけとうだら·明太(めんたい). 参考 알은 'たらのこ'.

すけだち【助太刀】 图スル自 **1** 결투나 복수 등에 조력해 줌; 또, 그 사람. **2** 도와줌; 조력함; 가세; 또, 그 사람. ¶~を頼(たの)む 조력을 부탁하다/~に入(はい)る 돕고자 가세하다.

***スケッチ** [sketch] 图スル他 스케치. ¶~に行(ゆ)く 스케치〔사생(寫生)〕하러 가다.

—ブック [sketchbook] 图 스케치북; 사생첩(帖).

すけっと【助っと】《助っ人》 图 〈俗〉 (싸움 등에) 가세하여 돕는 사람; 조력하는

사람. 参考 '助人(すけびと)'의 변화.　「だら.

すけとうだら〖介党鱈〗图 ☞すけそう

すげな-い【素気ない】形 매정하다; 박정[냉담]하다; 쌀쌀하다. ＝つれない. ¶～返事(へんじ) 쌀쌀한 대답 / ～·くことわる 매정하게 거절하다.

すけばん【助番】图 1 보조 당번; 또, 그 사람. 2 불량소녀 그룹의 여자 두목.

すけべい【助平】名ナ ☞すけべえ.

すけべえ〖助平·助兵衛〗名ナ〈俗〉호색함; 음란하고 상스러움; 호색가; 색골; 엽색가. ＝すけべ. ¶何(なん)て～なやつだろう 정말이지 지독한 색골이군.

—こんじょう【—根性】图 1 호색 근성. ¶～を出(だ)す 호색 근성을 드러내다. 2 욕심을 내어 여러가지 일에 손을 대보고 싶어하는 마음. ¶つい～をおこして失敗(しっぱい)した 그만 이것저것 욕심내어 손을 대보다가 실패했다.

スケボー 图 'スケートボード'의 준말.

す-ける〖助ける〗下1他 돕다; 거들다. ＝たすける·手伝(てつだ)う. ¶ちょっと仕事(しごと)を～·けてくれないか 좀 (일을) 도와주지 않겠나.

す-ける【透ける】下1自〈俗〉들여다 보이다; 비쳐 보이다. ¶かきねが～·けてみえる 울타리 안이 들여다 보이다 / 下着(したぎ)が～·けて見(み)える 속옷이 비쳐 보이다 / ～ように白(しろ)い肌(はだ) 투명하게 흰 살갗.

す-げる〖箝げる·挿げる〗下1他 끼우다; 꿰다. ¶人形(にんぎょう)の首(くび)を～ 인형의 목을 끼우다 / げたの緒(お)を～ 왜나막신의 끈을 꿰어 달다.

スコア [score] 图 스코어. 1 득점. ¶タイ～ 타이스코어; 동점 / ～をつける 스코어를 매기다. 2〖樂〗총보. ＝総譜(そうふ).

—ブック [scorebook] 图 스코어북; 득점표; 운동 경기의 경과 기록부.

—ボード [scoreboard] 图 스코어보드; 득점 표시판. ＝スコアボールド.

スコアラー [scorer] 图 스코어러; (경기의) 득점 기록원. ¶オフィシャル～ 공식 기록원.

スコアリングポジション [scoring position] 图〖野〗스코어링 포지션; 득점 가능권(圈)《흔히 2·3루를 말하나 특히 2루를 가리킴》. ¶走者(そうしゃ)を～におくる 주자를 스코어링 포지션에 보내다.

⁑すご-い〖凄い〗形 1 무섭다. ¶～顔(かお)をした男(おとこ) 무서운 얼굴을 한 사나이. 2 굉장하다; 지독하다; 대단하다. ¶～美人(びじん) 굉장한 미인 / ～·く険(けわ)しい山道(やまみち) 무척 험한 산길 / ～腕前(うでまえ)だ 대단한 솜씨다 / わあ,～ 야 굉장하다[멋지다] / ～けちだ 지독한 구두쇠다. 3 오싹하리만큼 황량하다; 몹시 쓸쓸하다. ¶～ほどの月夜(つきよ) 쓸쓸한 달밤.

ずこう【図工】图 1(초등학교 학과의) '図画(ずが)(＝도화)·工作(こうさく)(＝공작)'의 준말. 2 화공(畫工).

すごうで【すご腕】《凄腕》名ナ ☞らつわん(辣腕). ¶～の刑事(けいじ) 민완 형사 / ～を振(ふ)るう 수완을 발휘하다.

スコール [squall] 图〖氣〗스콜.

すごく〖凄く〗副〈俗〉굉장히; 되게. ＝はなはだ·ひどく. ¶～おもしろい 되게 재미있다 / 朝晩(あさばん)～冷(ひ)える 아침 저녁으로 몹시 차가워지다.

⁑すこし【少し】副 조금; 약간; 좀. ＝わずか·ちょっと. ¶ほんの～ 아주 조금 / あの男(おとこ)は～足(た)りない 저 사내는 약간 모자란다 / 何(なん)でも～は心得(こころえ)ている 무엇이든 조금은 알고 있다 / お金(かね)が～残(のこ)っている 돈이 조금 남아 있다. ⇨すこしく·すこしも. ↔たくさん.

すこしく【少しく】副 조금; 좀; 약간. ＝すこし. ¶～不審(ふしん)な点(てん)がある 약간 미심쩍은[의심스런] 점이 있다 / ～寒(さむ)さがやわらいだ 추위가 약간 누그러졌다. 注意 '少し'의 文語적 표현.

すこしも【少しも】副《否定의 'ない'를 수반하여》조금도; 전혀(…않다). ＝いささかも·ちっとも. ¶～驚(おどろ)かない 조금도 놀라지 않다 / ～気(き)にならない 조금도 걱정되지 않는다 / ～怖(こわ)くない 조금도 무섭지 않다.

⁑すご-す【過ごす】5他 1 보내다. ㉠(시간을) 경과시키다; 소비하다. ¶手(て)をつかねたまま時(とき)を～ 팔짱을 낀 채 시간을 보내다 / 楽(たの)しい一時(ひととき)を～ 즐거운 한때를 보내다. ㉡지내다; 살아가다. ¶いかがお～·しでしょうか 어떻게 지내고 계시는지요. 2 도를 넘치다. ¶酒(さけ)を～ 술을 과음하다. 3《動詞連用形를 받아서》내버려 두다. ㉠…못한 체하다. ¶失敗(しっぱい)を見(み)～ 실수를 못 본 체하다. ㉡그대로 놓아두다. ¶やり～ 그냥 지나가게 하다. 可能 すご-せる 下1自

過(す)ごす의 여러 가지 표현

표현例 ぬくぬく(と)(편안하게)·のうのう(と)(태평스럽게; 여유있게)·あたふたと(허둥지둥)·ばたばた(허둥지둥; 분주하게)·ぼうっと(멍하니)·ぼやぼや(멍(청)하니)·ふらふら(어정버정)·ぶらぶら(빈들빈들)·ごろごろ(빈둥빈둥).

관용 표현 大過(たいか)なく(대과 없이)·悠悠(ゆうゆう)と(유유히)·悠悠自適(ゆうゆうじてき)に(유유자적하면서)·泰然自若(たいぜんじじゃく)と(태연자약하게)·便便(べんべん)(だらり)と(빈둥빈둥)·食(く)うや食わずで(겨우 입에 풀칠이나 하면서).

すごすご〖悄悄〗副 실망하고 기운 없이 물러가는 모양; 맥[기운]없이; 풀이 죽어. ＝しおしお. ¶～(と)引(ひ)き下(さ)がる 풀이 죽어 물러나다.

スコッチ [Scotch] 图 스카치. 1 'スコッチツイード'의 준말. 2 'スコッチウイスキー'의 준말.　「치 위스키.

—ウイスキー [Scotch whisky] 图 스카

—ツイード [Scotch tweed] 图 스카치

트위드; 사문직(斜紋織)으로 짠 거칠거칠한 모직물.

スコップ [네 schop] 图 스콥; (자루가 짧은 소형의) 삽.

すこぶる 〚頗る〛 副 대단히; 매우; 몹시. ¶ ~おもしろい小説 매우 재미있는 소설 / ~暑い 몹시 덥다.

すごみ 〚凄味〛 图 **1** 무시무시한 모양〔정도〕. ¶ ~のある顔 매서운 얼굴. **2** 위협적인 모양; 무시무시한 말; 으름장. ¶ ~をきかせる 위협(을)하다; 으름장을 놓다. 注意 '凄味'로 씀은 취음.

すご-む 〚凄む〛 5自 무시무시한 태도로 위협하다. ¶ 腕まくりをして~ 팔을 걷어붙이고 위협하다 / 弱い相手の前で~んで見せる 약한 상대자 앞에서 위협적인 태도를 보이다.

すごも-る 【巣ごもる】《巣籠る》 5自 (새나 벌레 따위가) 둥지 속에 틀어박히다; 칩거(蟄居)하다. ¶ 親鶏がひなをかえすために~ 어미 닭이 병아리를 까기 위해 둥지에 들다.

すこやか 【健やか】 ダナ 튼튼함; 건강함. =すくよか. ¶ ~な体 건강한 몸 / ~に育つ 건강하게 자라다 / お~にお過ごしのことと存じます 존체 건안하시리라고 믿습니다.

すごろく 〚双六〛 图 쌍륙; 주사위 놀이.
—ばん 【—盤】 图 쌍륙〔주사위〕판.

スコンク [미 skunk] 图 〈俗〉 스컹크; 영패(零敗). =スカンク·ゼロ敗.

すさび 〚遊び〛 图 위안거리; 소일거리. =慰みごと. ¶ 老いの~ 늘그막의 소일거리.

すさ-ぶ 〚荒ぶ〛 5自 ☞すさむ.

*__すさまじ-い__ 〚凄まじい〛 形 **1** 무섭다. ㉠ 무시무시하다. ¶ ~形相 무시무시한 형상 / ~権幕 무서운 서슬. ㉡ 굉장하다; 대단하다. ¶ ~人気 굉장한 인기. **2** 어이없다; 당찮다; 기가 막히다. ¶ これが名作だとは~ 이것이 명작이라니 기가 막힌다.

すさ-む 〚荒む〛 5自 **1** 거칠어지다. ㉠ (자포자기하여) 생활이 무절제해지다. =すさぶ. ¶ 心が~ 마음이 거칠고 피폐해지다 / 生活が~ 생활이 거칠어〔무절제해〕지다. ㉡ (기예의) 솜씨가 조잡해지다. ¶ 芸が~ 기예가 무디어지다. **2** …에 빠지다; 탐닉하다. ¶ 酒色に~ 주색에 빠지다.

ずさん 〚杜撰〛 图 ダナ 두찬; (저작 따위에) 틀린 곳이 많고 거칢; 날림. ¶ ~な著書 조잡한 저서 / ~な工事 날림 공사 / ~きわまる予算だ 엉성하기 짝이 없는 예산이다.

*__すし__ 〚鮨·鮓〛 图 **1** 초밥; 김밥. ¶ ~屋 초밥집. 参考 握りずし(=손으로 쥐어 뭉친 초밥)·散らしずし(생선·야채 등을 얹은 초밥)·巻きずし(=(둘둘) 만 초밥)·押しずし(=(大阪 지방의) 누름 초밥) 등이 있음. **2** 식해; 어초. =なれずし. 注意 寿司로 씀은 취음.

__すじ__ 【筋】 ⊟图 **1 줄기. ㉠ (이야기·극·소설 따위의) 얼거리; 줄거리. ¶ 芝居の~ 연극의 줄거리 / ~を立てる (내용의) 얼거리를 잡다 / 映画の~をたどる 영화의 줄거리를 더듬다. ㉡ 힘줄; 심줄; 근육. ¶ ~のある肉 심줄이 있는 고기 / 肩の~が凝る 어깻죽지가 뻐근하다 / 足の~を違える 발목을 삐다. ㉢ 핏대. ¶ 額に青~を立てる 이마에 핏대를 세우다. **2** 금; 선. ¶ 手の~ 손금; 장문(掌紋) / ~を引く 선을 긋다. **3** 줄; 줄무늬. ¶ 金~ 금줄 / 洋服の赤い~ 양복의 빨간 줄무늬. **4** 핏줄; 혈통; 가계(家系). ¶ 長生きの~ 장수하는 가문 / 由緒ある家の~をひく 유서 깊은 가문의 혈통을 이어받다. **5** (장래 뻗을) 소질. ¶ 芸の~がいい 기예에 소질이 있다. **6** 조리; 사리. ¶ ~の通ったはなし 조리 있는 이야기. **7** (밟아야 할) 순서; 절차. ¶ 君, それをぼくん所へ持って来るなんて~が違うよ 자네, 그것을 나한테 갖고 오다니 번지수가 틀리네〔잘못 생각이네〕. **8** 관계자; 당국; 소식통; 소스. ¶ その~からのお達し 당국으로부터의 시달 / 確かな~からの情報 확실한 소스로부터의 정보. ⊟接尾 **1** 《수를 나타내는 말에 붙어》 가늘고 긴 물건을 세는 말: 가닥; 줄기. ¶ 一~の毛 한 가닥의 털 / 一~の希望もない 한 가닥의 희망도 없다. **2** 《길·강 따위에 붙어》 연(沿)한 곳; 연변; 일대. ¶ 川~の家 강변의 집 / 街道~ 가도 연변. **3** 《名詞에 붙어》 …에 관계가 있는 사람. ¶ 財界~ 재계 관계자 / 消息~ 소식통 / 師匠~の人 스승뻘 되는 사람.
—が立つ; —が通る 이치에 맞다. ¶ 筋が立った話 이치에 맞는 이야기 / 全く筋が通らない話だ 전혀 이치에 닿지 않는 이야기다.

ずし 【図示】 图 ス他 도시. ¶ 会場の位置を~する 회장의 위치를 도시하다.

すじあい 【筋合い】 图 **1** (사물에 대한) 조리·근거·이유·도리. ¶ 話の~が立たない 이야기의 조리가 서지 않는다. **2** …할 처지·입장·성질. ¶ たのめる~ではない 부탁할 만한 처지가 못 된다 / とやかくいうべき~ではない 이러니 저러니 말할 입장이 못 된다.

すじがき 【筋書き】 图 **1** (소설·극·사건 따위의) 대강의 줄거리; 경개(梗概). =あらすじ. ¶ 芝居の~ 연극의 줄거리. **2** 미리 꾸며 놓은 계획. =もくろみ. ¶ ~通りに事を運ぶ 계획대로 일을 진행하다.

すじがね 【筋金】 图 **1** 보강하기 위해 그 속에 넣거나 끼우거나 하는 철근·철사 등의 심. **2** 확고한 신념(이 있음).
—いり 【—入り】 图 **1** (보강하기 위해) 철근·철사 따위가 들어 있음. **2** (인체 등이) 구조적으로 튼튼함. ¶ この腕は~だ 이 팔은 철근같이 단단하다. **3** 확고한

신념을 지니고 있음; 또, 그 사람. ¶～の党員 골수 당원.

ずしき【図式】图 도식. ¶工程を～で示す 공정을 도식으로 나타내다.

―か【―化】图[ス自] 도식화. ¶学説を～して説明する 학설을 도식화해서 설명하다.

すじくれだ-つ【筋くれ立つ】[5自] 근육〔힘줄〕이 불거지다. ¶～·った手 힘줄이 불거진 손.

すじこ【筋子】图 연어 알젓. ＝すずこ.

すじだて【筋立て】图 (이야기·극의) 줄거리를 꾸미기; 얼거리 짜기; 대강의 줄거리. ＝あらすじ. ¶ドラマの～に無理がある 드라마의 줄거리 구성에 무리가 있다.

すしだね【すし種】《鮨種》图 초밥의 재료. ＝たね·ねた.

すじちがい【筋違い】图[ダナ] 어긋남. **1** 사리〔도리〕에 어긋남. ¶～の話 사리에 어긋난 이야기. **2** 엉뚱함. ¶～の返事 엉뚱한 대답 / その話は～だ 그건 무관한〔엉뚱한〕 이야기다. **3** 비스듬히 교차함. ＝すじかい. ¶～に結ぶ 비스듬히 매다〔묶다〕.

すしづめ【すし詰め】《鮨詰め》图 (좁은 데에) 빈틈없이 꽉 들어참. ¶～の電車 초만원 전차 / ～教室 콩나물 시루 교실. [参考] 본디, 초밥을 도시락에 담은 것.

＝ずして **1**《動詞에 붙어서》…(하)지 않고. ¶問わ～明らかだ 묻지 않아도 명백하다 / 期せ～意見が一致した 예기치 않게 의견이 일치했다. **2**《形容詞에 붙어서》…(하지) 않아서. ¶久しから～ 머지않아서.

すじば-る【筋張る】[5自] **1** 힘줄이 당기다; 혈관이 불거지다. ¶～·った手 힘줄이 툭툭 불거진 손 / 足が～·って痛む 발의 힘줄이 땅겨서 아프다. **2** 말투나 태도가 딱딱해지다. ¶～·った話 딱딱한 이야기.

***すじみち**【筋道】图 사리; 조리; 절차; 순서. ¶一定の～を踏んで 일정한 순서〔절차〕를 밟아서 / ～が通った話 사리에 맞는 이야기 / ～を立てて話す 조리 있게 이야기하다.

すじむかい【筋向かい】图 비스듬히 마주 봄. ＝すじむこう. ¶～の家 비스듬히 마주 보는 건너편 집.

すじめ【筋目】图 **1** 접은 줄〔금〕; (치마·스커트의) 주름. ¶～の立ったズボン 줄이 선 양복 바지. **2** 가문; 가계; 혈통; 내력. ¶～の正しい家柄 혈통이 바른 집안. **3** 사리; 조리. ＝すじみち. ¶～を立てて話す 조리 있게 이야기하다.

***すしや**【すし屋】《鮨屋》图 초밥집; 초밥 파는 사람. ⇨すし.

***すじょう**【素性·素姓】《種姓》图 **1** 혈통; 집안; 태생; 성장 과정. ¶～は争われないものだ 혈통은 속일 수 없는 것이다. **2** 유래; 내력; 신원; 경력. ¶～を明かす 신원을 밝히다. **3** 타고난 성질; 천성; 본성; 본질. ¶～があらわれる 본성이 드러나다.

ずじょう【図上】图 도상; 도면·지도 상. ¶～演習 도상 연습 / 山の方向を～で調べる 산의 방향을 지도상에서 알아보다.

ずじょう【頭上】图 두상; 머리 위; 위쪽. ¶～注意 머리 위 조심. ↔脚下.

ずしり 副 ☞ずっしり.

ずしん 副 무거운 것이 떨어질 때 나는 둔한 소리를 나타내는 말: 쿵. ¶荷物を～と投げおろす 짐을 쿵 하고 던져 내려놓다.

ずしんずしん 副 무거운 사람이나 짐승이 걷는 모양: 쿵쿵; 저벅저벅. ＝ずしりずしり. ¶～と階段を降りる 쿵쿵거리며 계단을 내려가다.

***すす**〖煤〗图 **1** 검댕; 철매; 매연. ¶～が出る 검댕이 나오다 / ～で顔がよごれる 검댕으로 얼굴이 더러워지다. **2** 그을음. ¶～を払う〔掃く〕 그을음을 털어 내다〔쓸어 내다〕.

すず【鈴】图 방울. ¶～を鳴らす 방울을 울리다.

―を転がす〔振る〕ような声 옥반에 진주가 구르듯 곱고 맑은 목소리; (여자의) 낭랑한 목소리.

すず〖錫〗图 주석(朱錫)《기호: Sn》.

すずかけのき〖鈴懸の木〗图〔植〕 플라타너스. ＝すずかけ·プラタナス.

すずかぜ【涼風】图 (초가을께의) 산들〔선들〕바람; 서늘한 바람. ＝りょうふう. ¶～が立つ 선들바람이 불다.

すすき〖薄·芒〗图〔植〕 참억새. ＝かや.

すすぎ〖濯ぎ〗图 **1** 헹굼(질). ＝そそぎ. ¶洗濯物の～をよくする 빨래를 잘 헹구다 / ～は三回します 헹굼질은 세 번 합니다. **2** 발을 씻는 (더운) 물. ¶～を持って来なさい 발 씻을 물을 가져오시오. **3** 세탁; 빨래.

―もの【―物】图 세탁; 세탁물. ¶～がたまる 세탁물이 쌓이다.

すずき〖鱸〗图〔魚〕 농어. [参考] 갓난 새끼를 'こっぱ', 유어(幼魚)를 'せいご', 조금 자란 것을 'ふっこ'라고 함.

***すす-ぐ**〖濯ぐ·滌ぐ〗[5他] 씻다. **1** 헹구다. ¶洗濯物を～ 빨래를 헹구다 / 水をかえて～ 물을 갈아 헹구다. **2**《본디, 雪ぐ》 (누명·불명예 등을) 씻어 없애다. ＝そそぐ. ¶汚名〔恥〕を～ 오명〔치욕〕을 씻다. [可能]すす-げる[下1自]

***すす-ぐ**〖漱ぐ〗[5他] (입을) 가시다; 양치질하다. ¶口を～ 입을 가시다; 양치질하다. [可能]すす-げる[下1自]

すす-ける〖煤ける〗[下1自] **1** 그을다. ¶天井板が～ 천장 판자가 그을다. **2** 낡아 찌들어 거무스름해지다. ＝すすばむ. ¶～·けた障子 낡아 찌든 장지.

すずこんしき【すず婚式】《錫婚式》图 석혼식《결혼 10 주년을 축하하는 식》.

⁑すずし-い【涼しい】形 **1** 시원하다. ㉠선선하다; 서늘하다. ¶～秋の風 시원한

가을 바람 / 朝夕(あさゆう)は～・くなりました 아침 저녁으로 서늘해졌습니다. ↔暑(あつ)い. ㉡맑고 깨끗하다; 상쾌하다. ¶～ひとみ 맑고 시원스런 눈동자 / ～鈴(すず)の音(ね) 맑은 방울 소리 / 目(め)もとが～ 눈매가 시원스럽다. **2** 산뜻하다. ¶～柄(がら)の着物(きもの) 무늬가 산뜻한 옷.

—顔(かお) 시치미 떼는 모양·표정. ¶～をしている 시치미를 떼고 있다.

すずなり【鈴なり】《鈴生り》 名 **1** (과일 따위가) 주렁주렁 달림. ¶～のかき 주렁주렁 달린 감 / ぶどうが～になっている 포도가 주렁주렁 달려 있다. **2** 사람이 한 곳에 많이 모여 있음. ¶～の見物人(けんぶつにん) 왕창 모여든 구경꾼.

すすはき【すす掃き】《煤掃き》 名 ☞すすはらい. 参考 흔히, 세밑 대청소.

すすはらい【すす払い】《煤払い》 名 연말에 천장의 그을음과 마루 밑의 먼지까지 털어내는 대청소. =すすはき・すす取(と)り. ¶年末(ねんまつ)に～をして家(いえ)をきれいにする 연말에 대청소를 해서 집을 깨끗이 하다.

すすみ【進み】 名 나아감; 진행; 진도. ¶～も退(しりぞ)きもできない 진퇴양난이다 / このとけいは～が激(はげ)しい 이 시계는 너무 빠르다 / この子(こ)は勉強(べんきょう)の～がいたっておそい 이 아이는 공부 진도가 매우 느리다.

すずみ【涼み】 名 바람을 쐼; 납량(納涼). ¶夕(ゆう)～ (시원한) 저녁 바람을 쐼 / 川(かわ)へ～に行(ゆ)く 강에 바람 쐬러 가다.

すすみ-でる【進み出る】 下1自 (앞으로) 나아가다〔나오다〕. ¶先生(せんせい)の前(まえ)へ～ 선생님 앞으로 나아가다.

****すす-む【進む】** 5自 **1** 나아가다. ㉠(앞으로) 나아가다. ¶行列(ぎょうれつ)が～ (a)행렬이 나아가다; (b)(줄 선 사람이) 하나 하나 줄어 자기 차례가 가까워지다. ↔退(しりぞ)く. ㉡진출하다. ¶今後(こんご)韓国(かんこく)の～べき道(みち) 금후 한국이 나아갈 길. ㉢앞서다; 진보〔발달〕하다. ¶～・んだ技術(ぎじゅつ) 앞선 기술 / 世(よ)の中(なか)が～ 세상이 발달하다. ↔遅(おく)れる. ㉣진척하다; 진행하다. ¶工事(こうじ)が着々(ちゃくちゃく)と～ 공사가 착착 진척하다. ↔遅(おく)れる. **2** 나아지다; 증진하다. ¶食(しょく)が～ 식욕이 증진하다. **3** 오르다; 승진하다. ¶階級(かいきゅう)が～ 계급이 오르다. **4** 진학하다. ¶大学(だいがく)へ〔文科(ぶんか)に〕～ 대학〔문과〕에 진학하다. **5** (시계 따위가) 빠르다. ¶時計(とけい)が二分(にふん)ほど～ 시계가 2분쯤 빠르다. ↔遅(おく)れる. **6** (마음이) 내키다. ¶～・まぬ顔(かお) 내키지 않는 얼굴 / 気(き)が～・まない 마음이 내키지 않다. ⇨すすんで. 可能すすめる 下1自

> **進(すす)む의 여러 가지 표현**
>
> 표현例 すいすい(획획; 술술)・ずんずん(척척; 쑥쑥)・ぐんぐん(쭉쭉)・とんとん(척척)・どんどん(척척; 착착)・ぼつぼつ(슬슬)・じりじり(한발한발(서서히))・じわじわ(조금씩; 차근차근)・のろのろ(느릿느릿).
>
> 관용 표현 とんとん拍子(びょうし)に(척척; (순풍에 돛 단 듯이) 순조롭게).

***すず-む【涼む】** 5自 시원한 바람을 쐬다. ¶縁側(えんがわ)に出(で)て～ 툇마루에 나가 시원한 바람을 쐬다.

すずむし〖鈴虫〗 名〔蟲〕 방울벌레.

すすめ【勧め】 名 **1** ㉠《薦め로도》 추천. ㉡조언. ¶医者(いしゃ)の～ 의사의 조언. ㉢권장; 장려. ¶学問(がくもん)の～ 학문의 장려. **2** 권유. ¶彼(かれ)の～に従(したが)う 그의 권유에 따르다.

***すずめ**〖雀〗 名〔鳥〕 참새. ¶～色(いろ) 참새빛; 다갈색 / ～焼(や)き 참새구이 / ～のようにさえずる 참새처럼 재잘대다. 参考 수다스러운 사람이나, 출입이 잦아서 사정을 잘 아는 사람〔소식통〕의 비유로도 씀. ¶楽屋(がくや)～ 연극통(通); 전하여, 사회 사정에 밝은 사람.

—の涙(なみだ)ほど 극히 적은 것의 비유; 쥐꼬리만큼; 새발의 피. ¶～の月給(げっきゅう) 쥐꼬리만한 월급.

—百(ひゃく)まで踊(おど)り忘(わす)れず 참새는 백살이 되도록 춤추는 것을 잊지 않는다《세 살 적 버릇이 여든까지 간다》.

****すす-める【勧める】**《奨める》 下1他 권하다; 권고〔권장〕하다; 권유하다. ¶切(せつ)に～ 간절히 권하다 / 酒(さけ)〔お茶(ちゃ)〕を～ 술을〔차를〕 권하다.

すす-める【薦める】 下1他 추천하다; 천거하다. ¶候補者(こうほしゃ)として～ 후보자로 천거하다 / この人(ひと)を彼(かれ)の嫁(よめ)に～ 이 사람을 그의 신붓감으로 추천하다.

****すす-める【進める】** 下1他 **1** 앞으로 나아가게 하다. ㉠앞으로 움직이다. ¶注意(ちゅうい)して車(くるま)を～ 조심하여 차를 몰다. ㉡(시계를) 더 가게 하다. ¶時計(とけい)の針(はり)を～ 시곗바늘을 돌려 빨리 가게 하다 / 五分(ごふん)～・めておく 5분 더 가게 해두다. ⇔もどす・返(かえ)す. **2** 진척시키다. ¶夜通(よどお)し工事(こうじ)を～ 밤을 새워 공사를 진척시키다. **3** 진행하다. ¶調査(ちょうさ)を～ 조사를 진행시키다. **4** 진보〔향상〕시키다. ¶文化(ぶんか)を～ 문화를 향상시키다. ↔遅(おく)らせる. **5** 올리다. ㉠승진시키다. ¶官位(かんい)を～ 관위를 올리다. ㉡드리다; 바치다. ¶好物(こうぶつ)を～ 좋아하는 음식을 바치다.

すずやか【涼やか】 ダナ 시원한 모양; 상쾌한 모양. ¶～な目(め) 시원한 눈.

すずらん〖鈴蘭〗 名〔植〕 은방울꽃.

すずり〖硯〗 名 벼루.

すすりあ-げる【すすり上げる】《啜り上げる》 下1自 **1** 콧물을 훌쩍거리다. **2** 훌쩍거리며 울다; 흐느껴 울다. =しゃくりあげる. ¶～・げて泣(な)く 흐느껴 울다.

すすりこ-む【すすり込む】《啜り込む》 5他 소리를 내며 빨아들이다. ¶うどんを～ 가락국수를 후루룩 들이마시다 / はな水(みず)を～ 콧물을 훌쩍 들이마시다.

すすりな-く【すすり泣く】《啜り泣く》 5自 훌쩍거리며〔흐느껴〕 울다. ¶～·きしながら寝入ねいる 훌쩍거리며 잠들다.

すす-る〖啜る〗 5他 **1** 훌쩍훌쩍 마시다; 후루룩거리다. ¶熱あつい茶ちゃを～ 뜨거운 차를 훌쩍거리다. **2** 콧물을 훌쩍거리다. ¶はなを～ 콧물을 훌쩍거리다. 可能すす-れる 下1自

すすんで【進んで】 副 스스로 나서서; 자진하여. ¶～仕事しごとをする 자발적으로 일을 하다 / ～意見いけんを述のべる 자진해서 의견을 말하다.

ずせつ【図説】 名 도설; 그림을 넣은 설명; 또, 그 책. ¶植物しょくぶつ～ 식물 도설〔도감〕.

***すそ**〖裾〗 名 **1** 옷단; 옷자락. ¶～をからげる 옷자락을 걷어 올리다 / ～をひきずる 옷자락을 질질 끌다. **2** …의 아래쪽 부분. ¶山やまの～ 산기슭. **3** 머리털의 목덜미에 가까운 부분. ¶～を刈かり上あげる 목덜미의 머리털을 치켜 깎다.

すそかぜ【すそ風】《裾風》 名 앉았다 일어날 때 옷자락에서 일어나는 공기의 움직임.

すそさばき〖裾捌き〗 名 (일본옷을 입고 걷거나 움직일 때) 옷자락이 흐트러지지 않는 몸놀림. ¶～がきれいだ 옷자락을 다루는 품이 곱다.

すその【すそ野】《裾野》 名 **1** (화산의) 기슭이 완만하게 경사진 들판. ¶富士ふじの～ 富士산 기슭의 들판. **2** (비유적으로) 활동의 넓은 범위 따위. ¶文化ぶんかの～を広ひろげる 문화의 저변을 넓히다.

すそまえ【すそ前】《裾前》 名 (옷의) 앞자락. ¶～を直なおす 앞자락을 여미다.

すそもよう【すそ模様】《裾模様》 名 여자의 예복 따위의 단에 넣은 무늬; 또, 옷단에 무늬가 있는 옷.

すそわけ【すそ分け】《裾分け》 名 ス他 (얻은 물건 또는 이익의 일부를) 남에게 나누어 줌. ＝お福分ふくわけ.

***スター** [star] 名 스타; 인기인; 인기 배우〔가수, 선수〕. ＝花形はながた. ¶～プレーヤー 스타 플레이어.

―ダム [stardom] 名 스타덤; 인기 스타의 지위. ¶～に伸のし上あがる 스타덤에 오르다.

―レット [starlet] 名 스타릿; 신출내기 스타; 신인 배우《원뜻은 '작은 별'》.

スターター [starter] 名 스타터. **1** (경주 등의) 출발 신호를 하는 사람. **2** (엔진의) 시동기; 기동기(起動機).

スターティング [starting] 名 스타팅. **1** 출발. ¶～ポイント 출발점. **2** 선발(先發). ¶～ピッチャー 〖野〗 선발 투수.

―メンバー [starting member] 名 스타팅 멤버. **1** 경기에서, 처음에 출전하는 선수. **2** 경기 개시에 앞서 발표되는 양쪽의 멤버. ＝スタメン.

***スタート** [start] 名 ス自 스타트; 출발(점); 출발 신호; (조직·제도 등의) 발족. ¶～につく 출발점에 서다 / 九時くじに～する 9시에 출발한다 / さいさきよい～を切きる 좋은 출발을 하다.

―ライン [일 start＋line] 名 스타트 라인; 출발선.

スターリング [sterling] 名 스털링; 영국의 화폐. ＝ポンド. ¶～地域ちいき 스털링〔파운드〕 지역.

―ブロック [sterling bloc] 名 스털링 블록; 파운드 블록; 스털링 지역.

***スタイリスト** [stylist] 名 스타일리스트. **1** 옷차림에 신경을 쓰는 사람; 멋쟁이. **2** 의복·실내 장식 등의 디자이너; 또, 그것을 지도·조언하는 사람.

***スタイル** [style] 名 스타일. **1** 모습; 모양. **2** 양식; 형(型). ¶～満点まんてん 스타일 만점 / ニュー～ 뉴스타일 / アメリカン～ 아메리칸 스타일; 미국 스타일.

―ブック [stylebook] 名 스타일북; 유행복의 형(型)을 도시(圖示)한 책. ＝ファッションブック. ¶～からぬけ出だしたような美人びじん 스타일북에서 빠져나온 듯한 미인.

すだ-く〖集く〗 5自 (벌레가) 많이 모여 울다. ¶虫むしが～ 벌레가 떼지어 울다. 参考 본디의 뜻은, '모여들다·꾀다'.

スタグネーション [stagnation] 名 〖經〗 스태그네이션; 경기 침체; 불경기.

スタグフレーション [stagflation] 名 〖經〗 스태그플레이션; 불황 속의 물가 상승; 불황 인플레.

すたこら 副 부리나케 걸어가는 모양: 허둥지둥; 후닥닥. ¶～さっさと 후닥닥 재빨리〔날쌔게〕 / ～(と)逃にげ出だす 후닥닥 도망치다 / ～(と)歩あるく 부리나케 걷다.

スタジアム [stadium] 名 스타디움. **1** 경기장. **2** 야구장.

スタジオ [studio] 名 스튜디오. **1** (사진사·예술가 따위의) 작업장. **2** 영화 촬영소. **3** 방송국의 연주실; 방송실.

すたすた 副 총총걸음으로 걷는 모양: 총총; 종종; 부리나케. ¶～(と)歩あるく 부리나케 걷다; 종종걸음 치다.

ずたずた ダナ 잘게 찢긴〔잘린〕 모양: 토막토막; 갈기갈기. ¶～に切きる 토막내다 / ～に切きりさく 난도질하다 / 心こころが～だ 마음이 갈기갈기 찢기는 것 같다; 애간장을 저미다.

すだち【巣立ち】 名 (새끼가 자라서) 보금자리를 떠남《부모 슬하를 떠나 독립함의 비유로도 씀》. ¶～の小鳥ことり 보금자리를 떠나는 어린 새 / 若人わこうどが～する 젊은이가 독립〔자립〕해 나가다.

すだ-つ【巣立つ】 5自 **1** (새끼가 자라서) 보금자리를 떠나다. ¶雛ひなが～ 새끼 새가 둥지를 떠나다. **2** 부모 슬하를 떠나, 또는 학교를 졸업하고 사회로 나가다. ¶学窓がくそうを～ 학교를 졸업하고 사회에 진출하다. 可能すだ-てる 下1自

スタッカート [이 staccato] 名 〖樂〗 스타카토; 단주(斷奏); 단음(斷音). ＝スタカート. ↔レガート.

スタッフ [staff] 名 스태프; 담당자; 진

용; 부원. ¶編集~ 편집(부)원 / ~が揃う 진용이 갖추어지다.

すだて 〖簀立て〗 图 1 어살. 2 용수《간장·된장 전국에 박아 국물을 뜨는 용구》.

スタティック [static] ダナ 스태틱; 정적(靜的); 정지 상태. ¶~な美 정적인 미. ↔ダイナミック.

スタミナ [stamina] 图 스태미나; 정력; 끈기. ¶~料理 스태미나 요리 / ~がない 스태미나〔끈기〕가 없다 / ~が切れる 스태미나가 다 되다 / ~をつける 스태미나를〔정력을〕 돋우다.

スタメン 图 〈俗〉〖野〗'スターティングメンバー'의 준말.

すた-る 【廃る】 5自 〈方·雅〉 ☞すたれる.

すだれ 〖簾〗 图 발. ¶~を掛ける 발을 치다 / ~を巻く 발을 걷다.

*すた-れる 【廃れる】 下1自 1 쓰이지 않게 되다; 소용없게 되다. ¶すっかり~れてしまった器具 아주 소용없게〔못 쓰게〕 된 기구. 2 스러지다. ㉠유행하지 않게 되다. ¶流行語はすぐに~ 유행어는 금방 스러진다. ㉡쇠퇴하다; 떨어지다. ¶道義が~ 도의가 쇠퇴하다 / 男が~ 남자의 체면을 잃다.

スタンガン [stun gun] 图 스턴 건; 호신용의 고압 전류총《앞끝 부분을 상대방에게 갖다 대어 전기 충격을 줌》.

スタンス [stance] 图 스탠스; (야구·골프 따위에서) 공을 칠 때의 발 위치나 발을 벌리는 정도. ¶~を広くとる 스탠스를 넓게 잡다.

スタンダード [standard] 图ダナ 스탠더드; 표준; 표준적; 정통적; 정상적. ¶~なスタイル 표준 스타일 / ~な考え 정상적인 사고방식.

—ナンバー [standard number] 图 〖樂〗 스탠더드 넘버; 경음악에서, 유행에 관계없이 어느 시대에나 연주되는 곡목.

スタント [stunt] 图 스턴트; 아슬아슬한〔어렵고 위험한〕 묘기.

—マン [stunt man] 图 〖映〗 스턴트맨; (영화·TV에서) 위험한 연기를 배우 대신에 하는 사람.

スタンド [stand] 图 스탠드. 1 매장(賣場). ¶ガソリン~ 가솔린 스탠드; 주유소. 2 계단식 관람석. ¶~をうずめる観衆 스탠드를 메운 관중. 3 바텐더와 손님 사이에 카운터가 있는 술집. ¶~バー 스탠드바. 4 대(臺). ¶インク~ 잉크스탠드. 5 '電気スタンド(=전기스탠드)'의 준말.

—イン [stand in] 图 〖映〗 스탠드인; 주역(主役)의 대역을 하는 사람.

—プレー [일 stand+play] 图 스탠드 플레이; 관객의 인기를 끌려는 경기자〔연기자〕의 과장된 동작. *영어로는 grand-stand play라 함.

スタンバイ [stand-by] 图 스탠바이. 1 (항해에서) 준비; 대기. 2 (방송에서) ㉠준비 완료의 뜻의 신호. ㉡예비 프로(의 출연자).

*スタンプ [stamp] 图 스탬프. 1 우편물의 소인(消印). 2 명소·고적의 기념 스탬프. ¶~帖 스탬프 첩. 3 우표; 수입인지. ¶~を集める 우표를 모으다.

スチーム [steam] 图 스팀; 김; 증기 (난방 장치). ¶~アイロン 스팀 아이론; 증기다리미.

スチール [steal] 图ス他 〖野〗 스틸; 도루(盜壘). ¶ホーム~ 홈 스틸.

スチール [steel] 图 스틸; 강철; 강철제의 기구. ¶~サッシュ 스틸 새시 / ステンレス~ 스테인리스 스틸.

スチール [still] 图 〖映〗 스틸; 영화의 한 장면을 한 장의 사진으로 크게 인화한 것《영화 선전용》. =スチル. ¶~写真 스틸 사진.

スチュワーデス [stewardess] 图 스튜어디스; 여객기의 여자 승무원; 에어걸. =エアガール·エアホステス.

スチュワード [steward] 图 스튜어드; 비행기의 남자 승무원.

すっ= 〖素っ〗 뒤에 오는 말의 의미를 강조하는 접두어. ¶~ぱだか 알몸뚱이 / ~とんきょう 매우 엉뚱함 / ~飛ばす 냅다 날리다〔몰다〕.

=ずつ 〖宛〗 《數·量을 나타내는 말에 붙여》 1 같은 분량으로 할당함: …씩. ¶ひとりに千円~与える 한 사람에게 천 엔씩 주다 / 五十人~を一組とする 50명씩을 한 조로 하다. 2 같은 분량만큼 되풀이함; …씩. ¶毎日少し~食べる 매일 조금씩 먹다 / 一本~牛乳を飲む 한 병씩 우유를 마시다.

ずつう 【頭痛】 图 두통; 전하여, 걱정; 근심. ¶~の種 두통〔걱정〕거리 / ~持ち 두통 환자 / ~がする 두통이 나다; 머리가 아프다.

スツール [stool] 图 스툴; 등판이나 팔걸이가 없는 작은 걸상.

すっからかん 图ナ 〈俗〉 텅텅 빈 모양; 빈털터리. ¶~の空財布 텅텅 빈 지갑 / 相場に手を出して~になった 투기적 거래에 손을 대어 빈털터리가 되었다.

**すっかり 副 죄다; 모두; 아주; 완전히; 온통; 몽땅; 홀딱. ¶~読む 죄다 읽다 / ~食べてしまった 다 먹어 버렸다 / その丘から町が~見える 그 언덕에서 동네가 훤히 보인다 / ~おとなになる 어른이 다 되다 / ~春になった 완전히 봄이 됐다 / ~忘れていた 까맣게 잊고 있었다.

すっきり 卜ス自 산뜻한 모양; 세련된 모양; 말쑥한 모양; 상쾌한 모양. ¶~した気持ち 상쾌한 기분 / ~(と)した服装 말쑥한 복장 / まだ病気が~しない 아직 병이 깨끗이 낫지 않았다.

ズック [네 doek] 图 즈크. 1 삼·무명 섬유를 굵게 꼬아서 짠 천《돛·천막·신 따위를 만드는 데 씀》. 2 'ズック靴'의 준말; 즈크로 만든 운동화; 즈크화.

すっくと 副 1 힘차게 일어서는 모양: 벌

떡. ¶～立ち上がる 벌떡 일어서다. **2** 곧게 바로 서 있는 모양: 우뚝. ¶～立っている 우뚝 서 있다. 參考 'すくと'의 힘줌말.

すっくり 副《'～と'의 꼴로도 씀》똑바로 서 있는 모양: 우뚝. ¶～とそびえ立つ岩壁 우뚝 솟은 암벽.

ずっこ-ける 下1自 〈俗〉 **1** (짐 등이) 풀어져 흘러내리다. ¶汗で眼鏡が～・けそうだ 땀으로 안경이 흘러내릴 것 같다. **2** 타락한 상태가 되다.

すっころ-ぶ【すっ転ぶ】《素っ転ぶ》5自 기세 좋게 구르다. ¶バナナの皮をふんで～・んだ 바나나 껍질을 밟고 벌렁 나자빠졌다.

ずっしり 副 묵직한 느낌이 드는 모양; 묵직한 모양《'ずしり'의 힘줌말》. ¶～(と)重いカバン 묵직한 가방.

すったもんだ〖擦った揉んだ〗名ス自〈俗〉옥신각신; 분쟁; 복잡한 일. ¶～のあげく中止となる 옥신각신한 끝에 중지하게 되다/決定までにさんざん～した 결정이 될 때까지 심하게 옥신각신했다. 參考 副詞적으로도 쓰임.

すってんころりと 副 세차게 넘어지는〔구르는〕 모양: 쾅; 쿵; 벌렁. ¶～ころぶ 벌렁 넘어지다.

すってんてん 名 〈俗〉 무일푼이 된 상태: 빈털터리. ¶ばくちで～になる 도박으로 빈털터리가 되다.

すっと 一副 가볍게 빨리 움직이는 모양: 쑥; 쓱. ¶～通る 쓱 지나가다/手を～差し出す 손을 쑥 내밀다/～席を立つ 훌쩍 자리를 뜨다. 二副ス自 지금까지의 불쾌감이 없어져서 시원한 모양: 후련함; 상쾌함; 개운함. ¶胸が～する 가슴이 후련해지다/頭痛が去って～する 두통이 나아서 개운하다.

＊＊**ずっと** 副 **1** 몹시 차이가 지는 모양: 훨씬; 매우; 아주. ¶～昔 아주 옛날/～前の話だが 훨씬 전의 이야긴데/彼の方が～えらい 그가 훨씬 훌륭하다. **2** 처음부터 또는 오랫동안 내쳐 하는 모양: 쭉. ¶～立ち通しだ 쭉 서 있다/彼とは～一緒だ 그와는 쭉 같이 있다. **3** 주저하지 않고 지나가는 모양: 쑥; 휙. =ずかと・ずいと. ¶～奥へお通りください 안으로 쑥 들어가십시오.

すっとば-す【すっ飛ばす】《素っ飛ばす》5他 〈俗〉 마구 몰다〔달리게 하다〕. ¶自動車で高速道路を～ 자동차로 고속도로를 마구 달리다.

すっと-ぶ【すっ飛ぶ】《素っ飛ぶ》5自 〈俗〉 **1** 힘차게 날다; (날 듯이) 곧장 달려가다. ¶～・んで病院へかけつける 곧장 병원으로 달려가다. **2** 이어졌던 것이 갑자기 끊어지다. ¶ヒューズが～ 퓨즈가 뚝 끊어지다.

すっとぼ-ける〖素っ恍ける〗下1自 〈俗〉 시치미를 딱 떼다. ¶～な! 시치미 떼지 마. 參考 'とぼける'의 힘줌말.

すっとんきょう〖素っ頓狂〗ダナ 〈俗〉 매우 엉뚱하고 경솔한 모양; 갑자기 얼빠진 언동을 하는 모양; 또, 그 사람. ¶～な声をあげる 얼빠진 소리를 지르다. 參考 'とんきょう'의 힘줌말.

＊＊**すっぱ-い**【酸っぱい】形 시다; 시큼하다. =すい. ¶～あじ 신맛/～みかん 시큼한 귤/御飯が～・くなる 밥이 쉬다/口が～・くなるほど言い聞かす 입에 신물이 나도록 타이르다.

すっぱだか【すっ裸】《素っ裸》名 **1** 알몸뚱이; 맨몸. =すはだか・まっぱだか. ¶～になって冷水摩擦をする 벌거벗고 냉수마찰을 하다. **2** 빈털터리; 무일푼. =裸一貫. ¶～で出直しだ 무일푼으로 다시 시작한다.

すっぱぬ-く【すっぱ抜く】《素っ破抜く》5他 〈俗〉 **1** 폭로하다; 들추어내다. ¶秘密を～ 비밀을 폭로하다/汚職の内幕を～ 독직의 내막을 들추어내다. **2** 꼭뒤지르다. =だしぬく.

すっぱり 副 **1** 선뜻 끊는 모양: 싹. ¶～(と)切る 싹 베다; 싹둑 자르다. **2** (지금까지 하던 일을) 아주 그만둬 버리는 모양: 딱; 깨끗이. =きっぱり. ¶たばこを～(と)やめる 담배를 딱 끊다/～忘れる 깨끗이 잊다.

すっぴん 名 **1** 여성・배우 등이 화장을 전혀 하지 않은 맨얼굴임. ¶寝起きの～の顔 잠에서 막 깨어난 맨얼굴. **2** ☞しらふ.

すっぽか-す 5他 〈俗〉 (해야 할) 약속・일 따위를 하지 않고 제쳐놓다〔어기다〕. ¶約束を～ 약속을 어기다/勉強を～・して遊んでばかりいる 공부는 내팽개치고 놀고만 있다.

すっぽぬ-ける【すっぽ抜ける】下1自 〈俗〉 **1** 쑥〔훌렁〕 빠지다. ¶ドアのとってが～ 문의 손잡이가 훌렁 빠지다. **2**〖野〗(투수가 던진) 공이 빗나가다.

すっぽり 副 **1** 몽땅 덮는 모양: 푹. ¶ふとんを～(と)かぶる 이불을 푹 뒤집어쓰다. **2** 물건이 빠지거나 끼워지는 모양: 쑥; 싹; 꽉. ¶人形の手が～ぬける 인형의 팔이 쑥 빠지다.

すっぽん〖鼈〗名〖動〗자라. =どろがめ.

すっぽんぽん ダナ 〈俗〉 알몸(임). =まるはだか・すっぱだか. ¶～で泳ぐ 알몸으로 헤엄치다.

すで【素手】名 맨손; 맨주먹; 빈손. =てぶら. ¶～で魚をつかむ 맨손으로 물고기를 잡다/～で人の家をたずねる 빈손으로 남의 집을 방문하다/～で引き揚げる 빈손으로〔수확 없이〕 물러나다〔되돌아오다〕/～で商売を始める 맨손으로 장사를 시작하다.

すていし【捨て石】名 **1** (일본식 정원에서) 풍취를 돋우기 위해 군데군데 놓은 돌. ¶庭に～を置く 뜰에 정원석을 배치하다. **2** (토목 공사에서) 기초를 만들기 위해 물속에 던져 넣는 돌. **3** (바둑에서) 사석; 버림돌. ¶～を打つ 사석을 놓다. **4** 당장은 무익해 보이나 후일을 위해서 하는 투자나 예비 행위.

スティック [stick] 图 스틱. **1** 막대기(모양의 것). ¶リップ~ 립스틱. **2** (하키 따위에서) 타봉(打棒); 클럽.

すていん【捨て印】 图 (증서 따위의) 난외(欄外)에 정정·말소 등의 경우에 대비하여 찍어 두는 도장.

すてうり【捨て売り】 图[ス他] 투매; 밑지는 값으로 팖. =投げ売り. ¶商品を~する 상품을 투매하다.

ステーキ [steak] 图 스테이크; (서양 요리에서) 구운 고기; 특히, 'ビーフステーキ(=비프스테이크)'의 준말. =ビフテキ·テキ. ¶~ハウス 스테이크 전문점 / サーモン~ 연어구이.

ステージ [stage] 图 스테이지; 무대; 연단(演壇). ¶エプロン~ 에이프런 스테이지; (관객석 가운데로 쑥 나온) 무대.

—マネージャー [stage manager] 图 스테이지 매니저; 무대 감독.

ステーション [station] 图 스테이션. **1** 정거장; 역. ¶~ビル 스테이션 빌딩; 역 빌딩. **2** 어떤 일을 집중적으로 맡아서 하는 곳. ¶サービス~ 서비스 스테이션 / キー~ 키 스테이션.

ステータス [status] 图 스테이터스; 사회적 지위; 신분.

ステート [state] 图 스테이트; 국가; 주.

—アマチュア [state amateur] 图 스테이트 아마추어; 국가 보조로 훈련하는 아마추어 운동 선수.

ステートメント [statement] 图 스테이트먼트; 성명(서); 발표문.

ステープラー [stapler] 图 스테이플러; 서류 철하는 기구《商標名: ホチキス》.

すてお-く【捨て置く】 [5他] 내버려 두다; 방치하다. ¶進言を~ 진언을 (받아들이지 않고) 내버려 두다 / そのまま~わけには行かない 그대로 내버려 둘 수는 없다. [可能]すてお-ける[下1自]

すてがね【捨て金】 图 **1** 쓴 보람도 없이 되어 버린 돈; 헛돈. ¶多額の交際費も~になる 많은 액수의 교제비도 헛것이 되어 버리다. **2** 버린 셈치고 빌려주는 돈.

***すてき**〖素敵〗 [ダナ] 썩 뛰어남; 매우 근사함; 아주 멋짐. ¶~な洋服 멋진 양복 / ~な人ね 아주 멋쟁이인데; 아주 멋있는 사람이지 / ~によい天気 아주 좋은 날씨. [注意] '素適·素的'로도 씀.

すてご【捨て子】《棄て児》 图 어린[갓난] 아이를 버림; 또, 그 아이; 기아(棄兒). ¶~をする程の貧乏暮らし 아이를 버릴 정도의 가난한 살림.

すてさ-る【捨て去る】 [5他] (미련 없이) 버리고 떠나다; 떨쳐 버리다. ¶過去の栄光を~ 과거의 영광을 떨쳐 버리다.

すてぜりふ【捨てぜりふ】《捨て台詞》 图 **1** 즉석 대사《연기자가 분위기에 따라서, 즉석에서 말하는, 각본에 없는 대사》. =アドリブ. **2** 떠날 때 내뱉는 협박 또는 경멸조의 막된 말. =すてことば. ¶覚えていろと~を残して出て行った 두고 보자는 협박조의 막말을 내뱉고 나가 버렸다.

ステッカー [sticker] 图 스티커. ¶車の窓に駐車違反の~を張る 차창에 주차 위반의 스티커를 붙이다.

ステッキ [stick] 图 스틱; 지팡이.

ステップ [step] 图 스텝. **1** (기차·버스 따위의) 승강구 계단. **2** 댄스에서의 발놀림. ¶~を踏む 스텝을 밟다. **3** 삼단 도약 운동의 제 2 단계 도약. ¶ホップ~ジャンプ 홉 스텝 점프. **4** 목표에 이르는 단계의 하나하나. ¶成功への~ 성공에 이르는 단계.

—バイステップ [step-by-step] 图 스텝바이스텝; 한 걸음 한 걸음; 착실히 단계를 밟아 나감. ¶~で学習を進める 스텝바이스텝으로[한 걸음 한 걸음 착실히] 학습을 해나가다.

すててこ 图 **1** 무릎까지 오는 헐렁한 잠방이. **2** 'すててこ踊り'의 준말《코를 쥐었다가 떼는 시늉을 하면서 추는 우스꽝스러운 춤》.

すてどころ【捨て所】 图 버리는 곳; 버릴 곳[시기]. ¶ここが命の~ 여기가 목숨을 버릴 만한 곳[시기] / 心の憂さの~ 마음의 울적함을 떨쳐버릴[풀] 만한 곳 / ごみの~がない 쓰레기 버릴 곳이 없다.

⁑すでに【既に】《已に》 副 **1** 이미; 벌써; 이전에. ¶~述べた通り 이미 말한 바와 같이 / ~手遅れだ 때는 이미 늦었다 / それは~聞きおよんでいる 그것은 이미 들어 알고 있다. ↔いまだに. **2** 거의; 자칫. ¶~死ぬところだった 자칫하면 죽을 뻔했다.

—して 接 그러는 동안에; 이렇게 하는 사이에. ¶~日は暮れる 이윽고 해가 지다.

すてね【捨て値】 图 (손익을 도외시하고) 막 파는 값; 투매 가격; 헐값. ¶~で売る 헐값으로 팔다.

すてばち【捨て鉢】 图[ダナ] 자포자기. =やけくそ. ¶~な言動 자포자기적인 언동 / ~になる 자포자기하게 되다.

すてみ【捨て身】 图 목숨을 걺; 필사의 각오로 전력을 다함. ¶~の戦法 필사의 전법 / 強敵に~であたる 강적에게 필사적으로 대항하다.

⁑す-てる【捨てる】《棄てる》 [下1自] **1** 버리다. ¶ごみを~ 쓰레기를 버리다 / 家業を~·てて遊び歩く 가업을 팽개치고 놀러 다니다 / 権利[試合]を~ 권리[경기]를 포기하다 / 夫に~·てられる 남편에게 버림받다 / 世を~ 세상을 버리다《출가하다; 은둔하다》. **2**《接尾語적으로》 ㉠써서 낡은 것을 버리다. ¶聞き~ 듣고 흘려 버리다 / 読み~ (책을) 다 읽고는 버리다. ㉡…해 버리다; 완전히 …하다. ¶斬って[脱ぎ]~ 베어[벗어] 버리다 / 世界記録保持者を抜き~·てた 세계 기록 보유자

를 완전히 앞질렀다.
—·てたものではない 버리기에는 아깝다; 아직 쓸 만하다. ¶まんざら捨てたもんじゃない 아주 버릴 정도는 아니야; (아직은) 제법 쓸 만하다.
—神かみあれば拾ひろう〔助たすける〕神あり 버리는 신이 있으면 줍는〔구해 주는〕 신도 있다《한 쪽에서는 버림 받아도 다른 방면에서는 인정해 주는 사람도 있다》.
ステルス [stealth] 图 스텔스《항공기·미사일 따위에 전파 흡수재로서 페라이트 등을 칠하여 레이더로 탐지하기 어렵게 만드는 일》. ¶~戦闘機せんとうき 스텔스 전투기.
ステレオ [stereo] 图 스테레오. **1** 입체. ¶~映画えいが 입체 영화 / ~放送ほうそう 입체 방송. **2** 입체 (음향) 장치. ↔モノラル. **3** 'ステレオレコード'의 준말.
—タイプ [stereotype] 图 스테레오타이프. **1**〖印〗 연판 (인쇄). **2** 판에 박힌 문구; 상투 수단.
—レコード [stereo record] 图 스테레오 「〔입체〕 레코드.
ステロイド [steroid] 图 스테로이드; 호르몬을 주로 한 화합물의 총칭《경구(經口) 피임약 등으로 씀》.
ステンカラー [프 soutien+영 collar] 图 스텐 칼라; 와이셔츠 깃처럼 접은 여성복의 깃. =折おり立たてえり.
ずでんどう 副 사람이나 물건이 세차게 넘어지는 모양; 또, 사람을 메어치는 소리: 꽝; 쿵. ¶~と倒たおれる 쿵하고 넘어지다.
ステンド グラス [stained glass] 图 스테인드글라스; 무늬·그림이 있는 판유리.
ステンレス 图 'ステンレス スチール'의 준말.
—スチール [stainless steel] 图 스테인리스 스틸; 스테인리스강(鋼).
*__スト__ 图 'ストライキ(=스트라이크)'의 준말; 동맹 파업. ¶ゼネ~ 총파업 / ハン~ 단식 투쟁.
—を打うつ 동맹 파업을 하다.
—を構かまえる 파업에 들어갈 태세를 취「하다.
—けん【—権】 图 동맹 파업권.
—やぶり【—破り】 图 파업을 하고 있는 동료를 배신하는 행위; 또, 그 배신자. =スキャップ.
ストア [store] 图 스토어; 상점; 판매점. ¶キャンデー~ 캔디 스토어; 과자점 / ドラッグ~ 드러그 스토어; 약방 (겸용의 찻집) / チェーン~ 체인 스토어; 연쇄 상점.
すどうふ【酢豆腐】 图 아는 체하는〔데아는〕 사람. =半可通はんかつう·きいたふう. 參考 쉰 두부를 먹고 '초친 두부 요리'라고 아는 체했다는 落語らくご에서.
ストーカー [stalker] 图 스토커; 좋아하는 사람, 특히 연예인이나 운동선수 등을 따라다니며 귀찮게 하는 사람.
ストーキング [stalking] 图 스토킹. **1** 몰래 추적함; 살그머니 다가감. **2** 누구에겐가 까닭없이 미행을 당함.
すどおし【素通し】 图 **1** 가린 것이 없어 앞이 훤히 보임. ¶カーテンを掛かけないと道みちから~だ 커튼을 치지 않으면 길에서 훤히 들여다보인다. **2** 도수 없는 안경. ¶~の眼鏡めがね 도수 없는 안경.
*__ストーブ__ [stove] 图 스토브; 난로. ¶電気でんき~ 전기 난로 / ~をたく 난로에 불을 지피다〔때다〕.
—リーグ [미 stove league] 图〖野〗〈俗〉 스토브 리그; 프로 야구 시즌 오프에 행해지는 선수 쟁탈전.
すどおり【素通り】 图ス自 (들르지 않고) 그냥 지나침. ¶~はひどいじゃないか 그냥 지나치다니 너무하지 않나 / 家いえの前まえを~する (자기) 집 앞을 그냥 지나치다.
ストーリー [story] 图 스토리; 이야기; 소설·각본 등의 줄거리. ¶映画えいがの~を要約ようやくする 영화 줄거리를 요약하다.
—テラー [storyteller] 图 스토리텔러; 줄거리를 재미있게 전개시키는 작가.
ストール [stole] 图 스톨; 여성용의 숄.
ストール [STOL] 图 스톨; 단거리 이착륙기(機). ▷short take-off and landing.
ストけんスト【スト権スト】 图 (쟁의권이 금지당한 관공서 노동자들의) 쟁의권 탈환 파업.
ストッキング [stocking] 图 스타킹. ¶~をはく 스타킹을 신다. ↔ソックス.
ストック [stock] 图ス他 스톡. **1** 저축〔비축〕함; 재고(품); 저장품. ¶知識ちしきの~ 지식의 축적 / ~がある〔ない〕 재고가 있다〔없다〕 / 資材しざいを~する 자재를 비축하다. **2** 수프의 원료인 고기 국물.
—オプション [stock option] 图〖經〗 스톡옵션; 자사(自社)주 구입권《회사 발전에 이바지한 특정 개인이나 기관에 그 보수로 미리 정한 가격으로 회사 주식을 구입할 권리를 회사가 인정하는 일》.
—ジャック [일 stock+jack] 图 스톡 잭; 기업 탈취.
—フォーム [stock form] 图〖컴〗 스톡폼; 프린터용의 연속 용지.
ストッパー [stopper] 图 스토퍼《무엇을 멈추게 하는 기계·장치·사람》.
ストップ [stop] 图ス自他 **1** 스톱; 정지(신호); 중지. ¶ノン~ 넌스톱 / 工事こうじが~する 공사가 중지되다 / 連勝れんしょうに~をかける 연승에 제동을 걸다. ↔ゴー. **2** 정류장. ¶バス~ 버스 정류장.
—ウォッチ [stopwatch] 图 스톱워치.
—だか【—高】 图 (주식 거래에서) 상한가(上限價). ↔ストップ安やす.
—ねだん【—値段】 图 (주식 시세에서) 하루 변동폭의 한계.
—やす【—安】 图 (주식 거래에서) 하한가(下限價). ↔ストップ高だか.
—ライト [stoplight] 图 스톱라이트; (자동차 후미의) 제동등《브레이크를 밟으면 켜짐》. =ストップ〔ブレーキ〕ランプ.
ストマイ 图〖藥〗 'ストレプトマイシン(=스트렙토마이신)'의 준말.

――つんぼ【――聾】名〔醫〕마이신 귀머거리《스트렙토마이신 과용으로 일어나는 부작용〔청각 장애〕》.

すどまり【素泊まり】名[ス自] (식사는 안 하고) 잠만 자는 숙박. ↔本どまり.

ストライカー [striker] 名 스트라이커《축구 등에서, 강력한 슛 결정력을 가지고 많은 득점을 올리는 선수》.

*ストライキ [strike] 名 스트라이크; 동맹 파업〔휴교〕. =スト. ⇨ストけん.

ストライク [strike] 名 1〔野〕스트라이크. ↔ボール. 2 (볼링에서) 한 번의 투구로 핀을 전부 쓰러뜨리는 일.

ストライド [stride] 名 스트라이드; 달리기 할 때의 보폭(步幅)이 넓음. ¶～走法 스트라이드 주법.

ストライプ [stripe] 名 스트라이프; 줄무늬. ¶～のシャツ 줄무늬 셔츠 / 縦の～ 세로 줄무늬.

ストラック アウト [미 struck out] 名〔野〕스트럭 아웃; 삼진(三振).

ストリーキング [streaking] 名 스트리킹; 나체 질주.

ストリート [street] 名 스트리트; 거리; 시가; 가로(街路). ¶メーン～ 메인 스트리트; 중심가.

――バスケット [street basket] 名 스트리트 바스켓; 길거리 농구《보통, 한 팀이 3명임》. =スリーオンスリー.

――ファッション [street fashion] 名 스트리트 패션; 거리의 (젊은이들이 잘 입는) 패션. =ストリートカジュアル·ストリートスタイル.

ストリーミング [streaming] 名 스트리밍; 통신 회선으로 송수신되는 음성이나 동화(動畫)를 실(實)시간으로 재생하는 기술《인터넷 방송 등의 분야에 사용됨》.

ストリッパー [stripper] 名 스트리퍼; 스트립 쇼를 직업으로 하는 여자.

ストリップ [strip] 名 1 옷을 벗음; 알몸이 됨. 2 'ストリップショー' 의 준말.

――ショー [strip show] 名 스트립 쇼.

ストレート [straight] 名 스트레이트. 1 계속적임. ¶～で勝つ 내리 이기다. 2 (양주 따위를) 희석하지 않고 마시는 일. ¶ウイスキーを～で飲む 위스키를 스트레이트로 마시다. 3 좌절이나 실패 없이 곧장 나아감. ¶～で受かる 첫 시험에 데꺽 붙다 / ～で大学にすすむ (재수(再修)하지 않고) 곧장 대학에 진학하다. 4 직접적. ¶話を～に切り出す 이야기를 단도직입으로 꺼내다. 5〔野〕직구(直球). ¶～ボール 스트레이트 볼. 6 (권투에서) 팔을 쭉 뻗어 치는 일. ¶左～ 왼쪽 스트레이트.

――モルトウイスキー [straight malt whisky] 名 스트레이트 몰트 위스키; 순수한 위스키 원주(原酒).

ストレス [stress] 名 스트레스. 1〔醫〕정신적·육체적으로 받는 자극이나 긴장; 정신적 압박. ¶～を解消する 스트레스를 해소하다 / ～がたまる 스트레스가 쌓이다. 2 강세(強勢)의 악센트. =語勢·強勢. ↔ピッチ.

ストレッチ [stretch] 名 스트레치. 1 직선 코스. ¶ホーム～ 홈스트레치; (경기장에서) 결승점까지의 마지막 직선 코스. 2 전신(全身)의 근육과 관절을 풀어 주는 유연 체조. =ストレッチング·ストレッチ体操.

ストレッチング [stretching] 名 스트레칭. ☞ストレッチ 2.

ストレッチャー [stretcher] 名 스트레처; 환자를 뉘운 채 운반하는, (바퀴 달린) 이송용 침대.

ストロー [straw] 名 스트로; 빨대.

――ハット [straw hat] 名 스트로 해트; 밀짚모자; 맥고모자. =むぎわら帽·かんかん帽.

ストローク [stroke] 名 스트로크. 1 (보트에서) 노(櫓)의 한 번 젓기. 2 (수영에서) 손발로 한 번 젓기. ¶ワン～の差で勝つ 한 스트로크의 차로 이기다. 3 (테니스·골프 등에서) 공을 치는 일.

ストロベリー [strawberry] 名 스트로베리; 양딸기; 가공 식품으로서의 딸기.

ストロボ [strobo] 名 스트로보; (사진 촬영용) 섬광 장치《본디, 상표명》.

すとんと 副 떨어지거나 넘어질 때 나는 소리: 쾅; 쿵. ¶～尻餅をつく 쿵하고 엉덩방아를 찧다.

**すな【砂】《沙》名 모래. =いさご·まさご. ¶目に～が入る 눈에 모래가 들어가다.

――をかむよう 모래를 씹는 듯《음식·문장이 무미건조한 모양》. ¶～な文章 무미건조한 문장.

すなあそび【砂遊び】名 모래 장난. ¶子供が～をする 아이가 모래 장난을 하다.

すなあらし【砂あらし】《砂嵐》名 모래「폭풍.

**すなお【素直】[ダナ] 1 (비뚤어지지 않고) 고분고분함; 순직함; 순진함; 솔직함; 순수함. ¶～な子 고분고분〔순수, 순직〕한 아이 / 好意を～に受ける 호의를 순수하게 받아들이다 / ～に白状する 순순히 자백하다. 2 굽거나 일그러지지 않은 모양; (특별한) 버릇이 없는 모양. ¶～な字を書く 특징이 없는 밋밋한 글씨를 쓰다 / ～な髪の毛 (곱슬곱슬하지 않고) 곧은 머리카락.

すなけむり【砂煙】名 모래 (섞인) 먼지. =砂塵. ¶～を立てて自動車が走る 모래 먼지를 날리며 자동차가 달리다.

すなち【砂地】名 사지; 모래땅. ¶～に落花生を植える 모래땅에 땅콩을 심다. [注意] 'すなじ' 라고도 함.

スナック [snack] 名 스낵. 1 가벼운 식사. 2 'スナックバー' 의 준말. ¶終夜～ 철야 스낵바. 3 스낵 식품《포테이토 칩·팝콘 따위》.

――バー [snack bar] 名 스낵바; 간이식「당.

スナップ [snap] 一名 스냅. 1 똑딱단추;

프레스 단추. **2** (야구·골프 따위에서) 공을 던지거나 칠 때 손목에 힘을 들이는 일. ¶～をきかせる 손목의 힘을 효과적으로 이용하다. ㊁图ス自 'スナップショット'의 준말. ¶結婚式の～ 결혼식 스냅 사진.

―ショット [snapshot] 图 스냅 숏. **1** 재빨리 사진을 찍음; 또, 그 사진; 스냅 사진. **2**〖映〗시사적인 사건·인물을 즉흥적으로 촬영하는 일.

すなどけい【砂時計】图 모래시계.

すなば【砂場】图 사장. **1** 모래밭(의 장난터). ¶～で砂遊びをする 모래밭에서 모래 장난을 하다. **2** 모래땅; 모래벌판. ＝すなち.

すなはま【砂浜】图 (해변의) 모래사장; 모래톱. ¶～を散歩する 모래사장을 산책하다.

すなはら【砂原】图 모래벌판.

すなぶくろ【砂袋】图 (방화·수방용) 모래 주머니. ＝砂嚢.

すなぶろ【砂ぶろ】《砂風呂》图 (온천의 증기 따위로 뜨겁게 한) 모래찜질 (요법); 또, 그 설비. ＝砂湯. ¶～にはいる 모래 찜질을 하다.

すなぼこり【砂ぼこり】《砂埃》图 모래먼지; 사진(砂塵). ＝砂煙. ¶もうもうと～がたつ 자욱이 모래 먼지가 일다/～を上げてホームインする 모래 먼지를 일으키며 홈인하다.

すなやま【砂山】图 모래 산; 사구(砂丘). ¶～にのぼる 모래 언덕에 오르다.

****すなわち** 接 **1**〖即ち〗즉; 곧; 바꿔 말하면; 다름 아닌. ¶東京～日本の首府 東京 즉 일본의 수도/玄関わきで草をむしっていたのが～首相だった 현관 옆에서 풀을 뽑고 있던 사람이 바로〔다름 아닌〕수상이었다. **2**〖則ち·即ち〗《'…すれば' 꼴의 句를 받아서》그때는; …할 때는 (언제든지); …하면 곧. ¶戦えば～勝つ 싸우기만 하면 이긴다. 参考 뒤의 내용이 앞의 조건의 당연한 귀결임을 나타냄. **3**〖乃ち〗그래서; 그리고. ¶～ぼくは言下に拒絶した 그리하여 나는 일언지하에 거절했다.

スニーカー [sneakers] 图 스니커; 고무 바닥에 즈크 천으로 만든 운동화.

ずぬ-ける〖図抜ける·頭抜ける〗下1自 유다르다; 두드러지다; 뛰어나다. ＝なみはずれる·ずば抜ける. ¶～·けて背の高い人 유달리 키가 큰 사람/その絵は～·けてよくできている 그 그림은 뛰어나게 잘 그려져 있다.

すね〖脛·脛〗图 정강이. ＝はぎ.

―に傷(を)持つ 정강이에 상처가 있다《뭔가 감추고〔켕기는 데가〕있다》.

―をかじる 독립하지 못하고 도움을 받다. ¶親の～ 부모에게 얹혀 살다.

すねあて【すね当て】《臑当て》图 (축구 선수 등이 착용하는) 정강이받이; 레그가드. ＝レガーズ.

すねかじり〖臑噛り·臑齧り〗图 부모의 신세를 짐; 또, 그 사람. ¶まだ～の身です 아직 부모 슬하에 있는 몸입니다/～をして暮らす 부모의 신세를 지면서 살아가다.

すねもの【すね者】《拗ね者》图 세상과 앵돌아진 사람; 비뚤어진 사람; 잘 토라지는 사람. ＝ひねくれもの·つむじまがり. ¶世の～ 세상과 앵돌아진 사람/彼は～だ 그는 잘 토라지는 작자다.

***す-ねる**〖拗ねる〗下1自 (마음이) 비꼬이다; 앵돌아지다; 토라지다. ¶世を～ 세상과 뒤틀려 등지다/～·ねて言うことをきかない 앵돌아져〔비뚤어져서〕말을 듣지 않는다/すぐ～·ねて困る 걸핏하면 토라져서 애를 먹는다.

ずのう【頭脳】图 두뇌. **1** 뇌; 머리. **2** 판단력; 지력(知力). ¶～の足りない人 판단력〔지력〕이 부족한 사람/すぐれた～をもつ 우수한 두뇌를 소유하다. **3** 수장(首長); 우두머리; 수뇌. ＝かしら. ¶会社の～ 회사의 수뇌.

スノー 图 스노; 눈. ¶～コート 눈 (올 때 입는) 외투/～タイヤ 스노 타이어.

―ガン [snow gun] 图 스노건《인공설을 만들어 뿌리는 기계》.

―ボード [snowboard] 图 스노보드《스너핑(snurfing)용 보드》.

―モービル [snowmobile] 图 스노모빌; 레저용 동력 달린 눈썰매.

すのこ〖簀の子〗图 **1** 대나 오리목으로 듬성듬성 엮은 것《목욕탕 등의 발판으로 씀》. **2** 'すのこ縁'의 준말.

―えん【―縁】图 대나 오리목을 조금씩 사이를 두어 만든 툇마루.

スノビズム [snobbism] 图 스노비즘; 속물(俗物) 근성.

スノッブこうか【スノッブ効果】图 스노브 효과; 값이 내리면, 수요량이 감소하는 현상《싸구려를 사지 않겠다는 상류 의식의 발로라고 함》. ▷snob effect.

すのもの【酢の物】图 어육이나 채소에 식초를 친 요리. ＝なます. ¶きゅうりの～ 오이 초무침.

スパ [spa] 图 스파; 온천; 광천.

スパーク [spark] 图ス自 스파크; 방전(放電)할 때의 불꽃. ＝閃光. ¶電車の～ 전차의 스파크.

スパート [spurt] 图ス自 스퍼트; (경주 따위에서) 골 가까이에서 전속력을 냄; 역주(力走). ¶ラスト～ 라스트 스퍼트; 최후의 역주/～をかける 역주하다.

スパームバンク [sperm bank] 图 스펌 뱅크; 정자(精子) 은행.

スパーリング [sparring] 图 스파링; (권투에서) 정식 연습; (가벼운) 연습 시합. ¶～パートナー 스파링 파트너/公開の～ 공개 연습 시합.

***スパイ** [spy] 图ス他 스파이; 간첩. ¶～衛星 스파이〔정찰〕위성/産業～ 산업 스파이/～を働く 간첩질을 하다/敵の核戦力を～する 적의

핵전력을 탐색하다.

スパイク ⊟图区他 스파이크. **1** 끝이 뾰족한 구두 징; 또, 경기 중 스파이크로 상처를 입히는 일. **2** (배구에서) 상대방에게 힘차게 내리치는 공격법.
⊟图 'スパイクシューズ'의 준말.
—シューズ [←spiked shoes] 图 징을 박은 경기용 구두; 스파이크화.

スパイス [spice] 图 스파이스; 향신료. =香辛料. ¶～を利かせる 향신료를 넣어 맛을 내다.

スパゲッティ [이 spaghetti] 图 스파게티. =スパゲティ. ⇨マカロニ.

すばこ【巣箱】 图 **1** 야생 조류 등이 깃들일 수 있도록 나무에 다는 상자; 새집. ¶～をかける 새집을 달다. **2** 벌통.

すばしこ-い 形 재빠르다; 날래다. =すばやい·はしこい. ¶～·く逃げまわる 재빠르게 도망다니다. ⇨す=. 注意 'すばしっこい' 라고도 함.

スパシーボ [러 spasibo] 图 스파시보; 고맙습니다.

すぱすぱ 副 **1** 담배를 잇달아 빠는 모양: 뻐끔뻐끔; 빽빽. ¶～(と)たばこを吸う 담배를 빽빽 피우다. **2** 간단히 자르는 모양: 썩썩; 싹독싹독. ¶惜しげもなく～(と)切りすてる 미련없이 싹싹 잘라 내버리다. **3** 망설이지 않고 하는 모양. ¶～(と)かたづける 데꺽데꺽 해치우다.

ずばずば 副 거리낌 없이 말하거나 해내는 모양: 척척. ¶～(と)言ってのける 기탄없이 말해 치우다 / 欠点を～指摘する 결점을 가차없이 지적하다.

すはだ【素肌】《素膚》 图 **1** (화장하지 않은) 맨 살갗. ¶～が美しい 맨살결이 곱다. **2** 속옷을 입지 않은 상태. ¶～のままワイシャツを着る 맨살에 와이셔츠를 입다.

すはだか【素裸】 图 알몸; 맨몸. =まるはだか·すっぱだか.

すはだし【素はだし】《素跣》 图 맨발. =「はだし.

スパナ 图〖機〗 스패너. ¶～でナットを締める 스패너로 너트를 죄다.

すばなれ【巣離れ】 图区自 새끼가 자라서 둥지를 떠남; 전하여, 성인이 되어 독립함. =すだち. ¶～したばかりのツバメ 둥지를 갓 떠난 제비.

ずばぬ-ける【ずば抜ける】 下1自 〈俗〉 뛰어나다; 월등하다; 빼어나다. =ずぬける. ¶～·けて背の高い人 유별나게 키가 큰 사람 / ～·けてうまい 유난히 맛있다[잘한다].

すばや-い〖素早い〗 形 재빠르다; 날래다; 민첩하다. =すばしこい. ¶～動作 날랜 동작 / ～·く身をかわす 재빠르게 몸을 비키다.

⁑すばらし-い〖素晴らしい〗 形 훌륭하다; 근사하다; 굉장하다; 멋지다. ¶～成績 훌륭한[굉장한] 성적 / ～アイデア 훌륭한[멋진, 근사한] 생각 / ～景色 아주 멋진 경치 / そいつは～ 그것 멋지다. 参考 連用形는 口語로는 '非常に(=몹시·매우·대단히)' 의 뜻으로 씀. ¶～·く暑い日 몹시 더운 날 / ～·く大きな家 굉장히 큰 집.

ずばり 副 **1** 선뜻 잘라 내는 모양: 썩; 썩둑; 싹. ¶～(と)切る 썩둑 자르다. **2** 정곡(正鵠)을 정확히 찌르는 모양: 정통으로; 거침없이. =ずばっと. ¶痛い事を～(と)言ってのける 거침없이 아픈 데를 찔러 말해 버리다.

スパルタしき【スパルタ式】 图 스파르타식; 엄격한 훈련·교육 방식. ¶～教育 스파르타식 교육. ▷Sparta.

ずはん【図版】 图〖印〗 도판; 인쇄해서 책에 실린 그림. ¶～を入れる[のせる] 도판을 넣다[싣다].

スピーカー [speaker] 图 스피커. **1** 라디오나 텔레비전 등의 소리 나는 곳. **2** 'ラウドスピーカー(=확성기)' 의 준말.
—ホン [speakerphone] 图 스피커폰; 스피커와 마이크 겸용으로, 수화기 없이 통화할 수 있는 사무용 신형 전화기.

スピーチ [speech] 图 스피치; 연설. ¶テーブル～ 테이블 스피치; 탁상 연설.

スピーディー [speedy] ダナ 스피디; 쾌속; 민속(敏速). ¶問題を～に処理する 문제를 신속히 처리하다.

⁑スピード [speed] 图 스피드; 속력; 속도. ¶～違反 속도 위반 / ハイ～ 고속 / ～を出す 속력을 내다 / ～をおとす 속도를 줄이다.
—アップ [speed-up] 图区自 스피드업; 속력을 증가함; 능률을 향상시킴. ¶事務を～する 사무 능률을 향상시키다. ↔スピードダウン.
—ガン [speed gun] 图 스피드 건《야구 등에서, 구속(球速) 측정기》.
—ダウン [일 speed-down] 图区自 스피드 다운; 속력을 줄임. ¶やむなく～する 부득이 속도를 줄이다. ↔スピードアップ.

スピッツ [도 Spitz] 图〖動〗 스피츠《개의 한 품종》.

ずひょう【図表】 图 도표; 그래프. =グラフ·チャート. ¶国勢を～にして解説する 국세를 도표로 만들어서 해설하다.

スピリット [spirit] 图 스피릿. **1** 정신. ¶フロンティア～ 프런티어 스피릿; 개척정신 / ファイティング～ 파이팅 스피릿; 투지. **2** 원기; 활기.

スピン [spin] 图区自 스핀. **1** 회전; 선회. **2** (테니스·탁구 등에서) 공에 회전을 줌. ¶～ボール 스핀 볼 / ～を掛ける 스핀을 주다; 공에 회전을 주다. **3** (스케이트 등에서) 한 발로 서서 팽이처럼 도는 일. **4** (비행기의) 나선식 급강하. **5** (자동차에서) 급브레이크를 걸었을 때 뒷바퀴가 헛도는 일》.

スフ 图 스프; 'ステープルファイバー(=스테이플 파이버)' 의 준말; 짧게 자른 방직용 인조 섬유.

ずふ【図譜】 图 도보; 도감. =図鑑. ¶鳥類～ 조류 도감.

ずぶ 图 〈俗〉 전연; 아주. ¶～のしろうと 순 날짜[풋내기]; 순 생무지; 초(初)대 / ～ぬれ 흠뻑 젖음.

スフィンクス [Sphinx] 图 스핑크스; 그리스 신화의 괴물; 전하여, 수수께끼(인물).

スプーン [spoon] 图 스푼. 1 양식 숟가락. ¶ティー～ 티스푼; 찻숟가락. 2 골프 클럽 가운데, 우드 3번의 통칭.

すぶた【酢豚】图 중국 요리의 한 가지; 탕수육.

ずぶと-い 〖図太い〗 形 (대담하고) 유들유들하다; 뻰뻰스럽다. ¶～人 (대담하고) 유들유들한 사람 / ～事を言う 뻰뻰스러운 말을 하다. 注意 '図太い'로 씀은 취음.

ずぶぬれ 〖ずぶ濡れ〗 图 〈俗〉 흠뻑 젖음. ＝びしょぬれ. ¶～になる 흠뻑 젖다.

すぶり【素振り】图 실제로 치듯이 목검·라켓·배트 등을 휘두르는 일[연습]. ¶木刀の～をする 목검을 휘두르다.

スプリット [split] 图 스플릿《볼링에서, 첫 투구를 한 뒤, 2개 이상의 핀이 서로 떨어져서 남아 있는 일》.

ずぶりと 副 속으로 힘있게 들어박히는 모양: 푹. ¶短刀を～突き刺す 단도를 푹 찌르다 / ～はいる 푹 들어가다.

スプリング [spring] 图 스프링. 1 용수철. ＝ばね. ¶～カメラ 스프링 카메라《휴대용 사진기의 일종》. 2 봄. ＝春. 3 'スプリングコート'의 준말.

—コート [일 spring＋coat] 图 스프링 코트. ＝あいオーバー.

—ボード [spring board] 图 스프링 보드; 도약·다이빙의 도약판. ＝飛び板.

スプリンクラー [sprinkler] 图 스프링클러. 1 물뿌리개; 살수(撒水) 장치. 2 자동 소화 장치《천정 따위에 장치함》.

スプリンター [sprinter] 图 스프린터; 단거리 선수.

スプリント [sprint] 图 스프린트; (육상에서) 단거리 경주.

スプレー [spray] 图 스프레이; 분무기. ＝霧吹き. ¶ヘア～ 헤어 스프레이.

スプレッド [spread] 图 스프레드. 1 식품에 발라 먹는 것《잼·마가린·크림치즈 따위》. 2 수치(數値)의 차(差)·폭; 특히, 가격폭·금리차 등을 일컬음.

スプロールげんしょう【スプロール現象】图 스프롤 현상; 대도시가 무질서하게, 무계획적으로 교외로 뻗어가는 현상. ▷sprawl.

すべ 〖術〗 图 《보통, 뒤에 否定하는 말이 따름》 방법; 수단; 도리; 방도. ¶なす～を知らない 어찌할 바를 모르다 / なす～がない 어찌할 도리가 없다.

スペア [spare] 图 스페어. 1 예비품; 여분. ¶～タイヤ 스페어[예비] 타이어 / ～シート 스페어 시트; 예비 좌석; 보조석. 2 (볼링에서) 두번째 던진 공으로 남은 핀을 다 쓰러뜨리는 일.

スペース [space] 图 스페이스. 1 공간; 여백; 장소; 빈 곳. ¶～が無い 여백이 없다. 2 간격; 자간; 행간. ¶～を詰めて書く 행[자]간을 좁혀 쓰다. 3 우주.

—シャトル [space shuttle] 图 스페이스 셔틀; 우주 연락선.

—ステーション [space station] 图 스페이스 스테이션; 우주 정류장.

—デブリ [space debris] 图 스페이스 데브리; 우주 쓰레기《인공위성의 파편 등 우주에 방치된 쓰레기》.

スペード [spade] 图 스페이드《트럼프에서, ♠ 모양을 그린 딱지》.

すべからく 〖須らく〗 副 마땅히; 당연히; 모름지기. ¶学生は～勉強すべきだ 학생은 마땅히 공부해야 한다 / ～努力すべし 모름지기 노력할지어다. 参考 흔히 'べし(＝해야 한다)'로 맺음.

すべくく-る【統べくくる】《統べ括る》 5他 통괄하다; 총괄하다. ＝しめくくる. ¶組織を～ 조직을 통괄하다.

スペクタクル [spectacle] 图 〔映·劇〕 스펙터클; 장관(壯觀); 구경거리. ¶～映画 스펙터클 영화.

スペクトル [프 spectre] 图 〔理〕 스펙트르; 스펙트럼. ¶日光の～は赤·だいだい·黄·緑·青·あい·すみれの七色からなる連続～である 햇빛의 스펙트럼은 적·등(橙)·황·녹·청·남·자색의 7색으로 된 연속 스펙트럼이다.

ずべこう【ずべ公】图 〈俗〉 불량소녀. ＝ずべ.

スペシャリスト [specialist] 图 스페셜리스트; 전문가; 특기를 가진 사람.

スペシャル [special] 图 스페셜; 특별; 특제. ¶～サービス 특별 서비스 / ～ランチ 특제 런치 / これは～だ 이것은 특별이다.

すべすべ トス自 물건의 표면이 매끄러운 모양: 매끈매끈. ¶～(と)した羽二重 매끈매끈한 羽二重. 参考 '～の肌(＝매끈매끈한 살결)'와 같이도 씀. ↔ざらざら.

スペック [spec] 图 스펙; 시방서(示方書); 설계 명세서; 제원표(諸元表). ＝仕様. 参考 specification의 준말.

すべっこ-い【滑っこい】形 매끄럽다. ¶～手ざわり 매끄러운 촉감.

**すべて 〖総て·全て·凡て〗 图副 전부; 모두; 전체; 모조리. ¶大学生活の～ 대학 생활의 전부 / ～をはっきりさせる 모든 것을 분명히 하다 / ～の点でこの方がまさっている 모든 점에서 이쪽이 낫다 / ～あの調子だから困る 모두[언제나] 저 모양이니 곤란하다.

—の道はローマに通ず 모든 길은 로마로 통한다《수단은 달라도 목적은 같음의 비유; 또, 진리는 하나라는 비유》.

すべな-し【すべ無し】《術無し》 ク 〈文〉 도리[어찌할 수] 없다.

すべらか【滑らか】ダナ 미끈미끈하고 반질반질한 모양.

すべら-す【滑らす】《辷らす》 5他 미끄

러지게 하다. ＝すべらせる. ¶足を～ 발을 헛디디다 / 雪の上でそりを～ 눈 위에서 썰매를 지치다 / 口を～ 입을 잘못 놀리다; 실언하다.

すべり【滑り】《辷り》图 **1** 미끄러짐. ¶～の悪い戸 미끄럽게 잘 여닫히지 않는 문. **2** 이불. ＝おすべり.

すべりこみ【滑り込み】图 **1**〖野〗주자의 슬라이딩. ¶～セーフ 슬라이딩 세이프. **2** 기한에 간신히 대어 감. ¶～で提出する 가까스로 기한 안에 제출하다.

すべりこ-む【滑り込む】《辷り込む》 5自 **1** (야구 등에서 주자(走者)가 베이스에) 미끄러져 들어가다. ¶本塁に～ 홈 베이스에 미끄러져 들어가다. **2** 겨우 시간에 대가다. ¶時間すれすれに～ 아슬아슬하게 시간에 겨우 대가다. **3** (미끄러져 들어가듯) 살짝 들어가다. ¶そっと部屋に～ 살짝 방으로 들어가다. 可能すべりこ-める 下1自

すべりだい【滑り台】《辷り台》图 미끄럼대.

すべりだし【滑り出し】《辷り出し》图 미끄러지기 시작함; 전하여, 첫 출발; 첫 시작. ＝でだし. ¶事業の～ 사업의 시작 / ～は上乗だった 출발은 아주 훌륭했다.

すべりどめ【滑り止め】《辷り止め》图 **1** 미끄러지지 않도록 (장치)함; 또, 그 굄돌; 굄목. **2**〈俗〉(입학시험에서) 실패할 경우를 생각해 다른 학교에도 시험을 쳐 둠; 또, 그 학교. ¶～にA校を受けておいた 양다리 작전으로 A학교에 응시해 두었다.

スペリング [spelling] 图 스펠링; 스펠; 철자법. ＝スペル·つづり(かた).

***すべ-る**【滑る】《辷る》 5自 **1** 미끄러지다. ¶坂道で～ 비탈길에서 미끄러지다 / 足が～·ってけがをした 발이 미끄러져 다쳤다 / そりで野を～·って行く 썰매로 들판을 미끄러져 가다〔활주하다〕/ 入学試験に～ 입학시험에 미끄러지다〔떨어지다〕. **2**『口が～』무심코 (나도 모르게) 입을 잘못 놀리다. ¶やたらに口を～·らしてはいけない 함부로 입을 놀려서는 안 된다. **3**『言葉が～』무심코 잘못 말하다. **4**『筆が～』(써서는 안 될 것을) 나도 모르게 쓰다. 可能すべ-れる 下1自

す-べる【統べる】《総べる》 下1他 **1** 총괄하다; 통합하다. ¶全体を～·べ合わせて言ってみれば 전체를 총괄해서 말한다면. **2** 통솔·지배하다. ¶国政は大統領が～·べている 국정은 대통령이 통괄하고 있다.

スペル [spell] 图 스펠. ☞スペリング.

スポイト [네 spuit] 图 스포이트; 액즙 주입기(注入器). ¶インキを～で入れる 잉크를 스포이트로 넣다.

ずほう【図法】图 도법; 그림 그리는 법; 특히, 지도 만드는 방법《직사(直射) 도법·투영(投影) 도법 따위》.

スポークスマン [spokesman] 图 스포크스맨; 대변인(代辯人).

***スポーツ** [sports] 图 스포츠; 운동 경기. ¶～マン 스포츠맨 / ウインター～ 겨울 운동 경기.

—がり【—刈り】图 스포츠형 머리.

—ドリンク [일 sports＋drink] 图 스포츠 드링크; 운동 후 마시는 피로 회복제의 하나.

—マンシップ [sportsmanship] 图 스포츠맨십. ¶～にのっとる 스포츠맨십에 따르다.

スポーティー [sporty] ダナ 스포티; (옷이) 활동적이고 경쾌한 모양. ¶～な装い 스포티한 옷차림. ↔ドレッシー.

ずぼし〖図星〗图 **1** 과녁 중심의 흑점. **2** 급소; 핵심. ¶～を突く 핵심을 찌르다. **3** 적중함. ¶どうです, ～でしょう 어때요. 딱 맞았지요.

—を指される 핵심을 찔리다; 딱 알아맞히다.

スポット [spot] 图 스폿. **1** 점; 얼룩(점). ¶ビューティー～ 뷰티 스폿《여성의 얼굴에 일부러 찍은 작은 점》. **2** 장소; 지점. ¶行楽～ 행락 장소. **3** 'スポットアナウンス'의 준말. **4** 'スポットライト'의 준말. ¶～を当てる 스포트라이트를 비추다. **5** (라디오·TV에서) 프로 사이의 짧은 시간을 이용한 방송. ¶～広告 스폿 광고 / ～ニュース 스폿 뉴스. **6** (공항의) 주기장(駐機場).

—アナウンス [←spot announcement] 图 스폿 아나운스; 프로그램 사이에 끼우는 짧은 방송.

—げんゆ【—原油】图 스폿 원유; 장기 계약에 의하지 않고 그때그때 단기적으로 거래되는 원유.

—しきん【—資金】图 스폿 자금; 단기 운전 자금《spot fund의 역어》.

—しじょう【—市場】图 스폿〔실물〕시장.

—ライト [spotlight] 图 스포트라이트. ¶～をあびる 각광을 받다《세상 사람들의 주목을 받다》.

すぽっと 副 **1** 병마개 따위가 쉽게 빠지는 모양: 쏙. ¶びんのせんが～ぬける 병마개가 쏙 빠지다. **2** 구멍 따위에 같은 크기의 물체가 닿지 않고 수월하게 들어가는 모양: 쏙. ¶穴に～落ちる 구멍에 쏙 빠지다.

すぼま-る〖窄まる〗5自 오므라지다. ＝すぼむ. ¶口の～·った壺 아가리가 오므라진 항아리.

すぼ-む〖窄む〗5自 오므라지다; 오그라들다; 쇠하다; 차츰 좁아지다. ¶～·んだ口 오므라진 입 / 花が～ 꽃이 오므라지다 / 先の～·んだズボン 끝이 좁아진 양복 바지 / 傷口が～ 상처가 아물다 / 勢いが～ 세력이 쇠하다.

すぼ-める〖窄める〗下1他 오므라뜨리다; 오므리다; 움츠리다. ¶かさを～ 우산을 접다 / 口を～·めて笑う 입을 오므리고 웃다 / 寒そうに肩を～ 추운 듯이 어깨를 움츠리다.

ずぼら 图ダナ〈俗〉흐리터분함; 흘게

늦음. ¶彼(かれ)は～で困(こま)る 그는 흐리터분해서 곤란하다.

*ズボン [프 jupon] 名 즈봉; (양복) 바지. ＝スラックス. ¶半(はん)～ 반바지 / ～をはく 바지를 입다 / ～に折(お)り目(め)をつける 바지에 주름을 잡다. 「ペンダー.

—つり 〖—吊り〗 名 바지 멜빵. ＝サス

スポンサー [sponsor] 名 스폰서. **1** (음악회·연극 등의) 흥행주. **2** (민간 방송의) 광고주; 돈을 대는 사람. ¶テレビ番組(ばんぐみ)の～ TV 프로의 스폰서〔광고주〕.

スポンジ [sponge] 名 스펀지. **1** 해면(海綿). **2** 해면 모양의 고무 제품. ¶～バット 스펀지 배트. **3** 'スポンジボール'의 준말. 「크《카스텔라류》.

—ケーキ [sponge cake] 名 스펀지 케이

—ボール [일 sponge＋ball] 名 스펀지 볼; 고무로 만든 딱딱한 공.

すぽんぬき【すぽん抜き】名 (남을) 빼돌림; 속임; 불시에 습격함.

スマート [smart] ダナ 스마트. **1** 말쑥함; 단정하고 멋스러움; 세련됨. ¶～な服装(ふくそう) 말쑥한 복장 / ～にふるまう 세련되게 행동하다. **2** 재치 있음. ¶～に処理(しょり)する 재치 있게 처리하다.

*すまい【住まい】名 スル自 **1**《대개 接尾語적으로 사용하여 '…ずまい'로 씀》 사는 일; 살이. ¶田舎住(いなかず)まい 시골살이; 시골 살림 / ひとり住(ず)まい 독신 생활 / わび住(ず)まい 쓸쓸한 살림. **2** 사는 곳; 집. ¶お～はどちらですか 댁은 어디입니까 / けっこうなお～ですね 좋은 집이로군요. 注意 '住居'로 씀은 취음.

スマイリーフェイス [smiley face] 名 〔컴〕 스마일리 페이스; PC 통신 등에서 마지막에 보내는 웃는 얼굴《문자나 기호를 조합해서 만듦》. 「ほえみ.

スマイル [smile] 名 스마일; 미소. ＝ほ

すま-う【住まう】5自 살고 있다; 살다. ¶電灯(でんとう)も無(な)い田舎(いなか)に～·っている 전등도 없는 시골에 살고 있다.

すまし【澄まし】《清まし》名 **1** 새치름함. ¶～屋(や) 새침데기 / ～顔(がお) 새침한 얼굴. **2** (술자리에서) 술잔 씻는 물. **3** ☞すましじる.

—じる【—汁】名 (소금·간장으로 간을 한) 맑은 장국; 맨 국물.

すまじき 連語 《連体詞적으로 써서》 해서는 안되는; 할 것이 아닌.

—ものは宮仕(みやづか)え 못해 먹을 짓은 궁(宮)살이〔고용살이〕.

*すま-す【澄ます】《清ます》5他 **1** 깨끗이 하다; 맑게 하다. ¶濁(にご)りを～ 흐린 것을 맑게 하다 / 水(みず)を～·して汲(く)み上(あ)げる 물을 맑게 해서 퍼올리다. **2** (칼날 따위를 갈아) 시퍼렇게 하다. ¶刀(かたな)をとぎ～ 칼날을 시퍼렇게 갈다. **3** 마음을 가라앉히다; 마음을 진정시키다. ㉠(사념(邪念)을 버리고) 마음을 가라앉히다. ¶心(こころ)を～ 마음을 가라앉히다. ㉡『耳(みみ)〔目(め)〕を～』 주의를 집중시켜 듣다〔보다〕. ¶耳を～·して話(はなし)を聞(き)く 귀를 기울여 이야기를 듣다. **4** …체하다; 시치미 떼다; 점잔 빼다. ¶おつに～ 유난히 새침 떼다 / ～·した顔(かお)をして悪(わる)い事(こと)をする 점잖은 체하고서 나쁜 짓을 하다 / いくら催促(さいそく)しても～·したものだ 아무리 재촉해도 모르는 체한다. **5**《다른 動詞의 連用形를 받아서》 ㉠완전히〔아주〕 …하다; …되어 버리다. ㉡(마치 …처럼) 행세하다. ¶おとな〔警官(けいかん)〕になり～ 어른으로〔경관인 양〕 행세하다. 可能 すま-せる 下1自

⁑すま-す【済ます】5他 **1** 끝내다; 마치다; 완료하다. ¶儀式(ぎしき)を～ 의식을 마치다 / 借金(しゃっきん)を～ 빚을 다 갚다. **2** 때우다; 해결하다. ¶無(な)しで～ 없이 때우다 / 笑(わら)って～ 웃어넘기다 / これで～·そう 이것으로 때우자 / お昼(ひる)はそばで～·した 점심은 메밀국수로 때웠다 / 詫(わ)びたくらいでは～·されまい 사과한 정도로는 해결되지 않을 것이다. **3**《다른 動詞의 連用形를 받아》 ☞すます(澄)5. 可能 すま-せる 下1自

すま-せる【済ませる】下1他 ☞す(済)ます. ¶外(そと)で夕食(ゆうしょく)を～ 밖에서 저녁 식사를 끝내다.

スマッシュ [smash] 名 スル自 스매시; (테니스·탁구 따위에서) 공을 급각도로 세게 내리침. ＝うちこみ. ¶～がきまる 스매시가 성공하다.

*すまない【すまない·済まない】連語 미안하다. ¶遅(おく)れてほんとうに～ 늦어서 정말 미안하다 / 君(きみ)には大変(たいへん)～ことをした 자네에겐 대단히 미안하게 됐네 / ～けど, ちょっと待(ま)ってて 미안하지만 잠깐만 기다려.

*すみ【墨】名 **1** 먹. ¶～色(いろ) 먹빛; 검은 빛깔 / ～をする 먹을 갈다. 参考 'スミ(＝목탄)'와 구별하여 '摺墨(するすみ)'라고도 함. **2** 'すみいろ(＝먹빛)'의 준말. ¶～が薄(う)い 먹 빛이 엷다. **3** 먹물. ¶一面(いちめん)に～を流(なが)したような空(そら) 온통 먹물을 부은 듯한 하늘 / 筆(ふで)に～をつける〔含(ふく)ませる〕 붓에 먹물을 먹이다. **4** 그을음. ＝すす. ¶なべの～ 냄비의 그을음. **5** (오징어·문어 따위의) 고락; 먹물. ¶たこが～を吐(は)く 낙지가 고락을 내뿜다. 「유》.

—と雪(ゆき) 먹과 눈《아주 딴판인 것의 비

—を打(う)つ (목재 따위에) 먹줄을 치다.

*すみ【炭】名 숯; 목탄. ＝木炭(もくたん). ¶～かご 숯바구니 / ～を焼(や)く 숯을 굽다 / ～になる 깜부기숯이 되다 / ～を熾(おこ)す 숯불을 피우다.

⁑すみ【隅】《角》名 **1** 모퉁이; 귀퉁이. ¶四(よ)～ 네 귀퉁이. **2** 구석. ＝すみっこ. ¶～から～まで捜(さが)す 구석구석까지 찾다; 샅샅이 뒤지다.

—に置(お)けない 허투루 볼 수 없다; 여간 아니다. ¶なかなか～やつだ 아주 여간내기가 아니다; 허투루 못 볼 놈이다.

すみ【済み】名 끝남. ¶その件(けん)はもう～だ 그 건은 이미 끝났다 / 昼食(ちゅうしょく)はお～ですか 점심은 끝내셨습니까 / お代(だい)〔代

金]は～です 대금은 지불됐습니다.
=ずみ【済み】图 (이미) 끝남; 필(畢). ¶決裁[予約]～ 결재[예약]필 / 支払い～ 지급필. 「=すみなわ.
すみいと【墨糸】图 (목수가 쓰는) 먹줄.
すみうち【墨打ち】图 먹줄을 치는 일.
すみえ【墨絵】图 묵화; 수묵화.
すみか【すみか·住みか】《住処·住家》图 거처; 살고 있는 곳; 집. =すまい. ¶悪魔[盗賊]の～ 악마[도적]의 소굴 / かりの～ 임시 거처 / ～を捜す 살 집을 구하다.
すみがき【墨書き】图ス他 먹으로 그림; 또, 그 그림. ¶下絵を～する 밑그림을 먹으로 그리다. ↔作り絵.
すみかわ-る【住み替わる】5自 1 거주인이 바뀌다. 2 이주하다; 이사하다. ¶大きい家に～ 큰 집으로 이사하다.
すみき-る【澄み切る】5自 아주 맑아지다; 아주 맑게 트이다. ¶～·った秋空 맑은[맑게 갠] 가을 하늘 / ～·った心 맑은 심경; 명경(明鏡) 같은 마음.
すみごこち【住み心地】图 거주했을 때의 기분; 거주성(性). ¶～がよい 살기에 편하고 좋다.
すみこみ【住み込み】图 고용주의 집[직장]에서 침식을 함; 또, 그 사람; 더부살이. ¶～の店員 더부살이하는 점원. ↔通い.
すみこ-む【住み込む】5自 고용주의 집이나 일터에서 침식을 하다; 안잠자다.
すみずみ【隅隅】图 구석구석; 모든 곳. ¶～までさがす 구석구석을 뒤지다 / 名が全国～まで響く 이름이 전국 방방곡곡에 떨치다.
すみそ【酢みそ】《酢味噌》图 초된장. ¶イカの～あえ 오징어의 초된장 무침.
すみつ-く【住み着く】5自 정주(定住)하다; 그 자리에 자리 잡고 살다. =居着く. ¶東京に～ 東京에 정착하다 / 他所からはいって来た猫が～ 딴 데서 들어온 고양이가 자리 잡고 살다.
すみっこ【隅っこ】图 〈口〉 구석. =隅. ¶部屋の～ 방구석. 參考 '隅'의 口語적인 표현.
すみつぼ【墨つぼ】《墨壺》图 1 (목수의) 먹(줄)통. 2 먹물을 담는 종지.
すみつぼ【炭つぼ】《炭壺》图 (숯불을 넣고 뚜껑을 꽉 덮어) 뜬숯 만드는 단지. =ひけしつぼ.
すみとお-る【澄みとおる】《澄み透る》5自他 색이나 소리 등이 맑고 투명하게 보이거나 들리다. ¶秋晴れの日の空気は～·っている 높게 갠 가을날의 공기는 맑고 투명하다.
すみなら-す【住み慣らす】《住み馴らす》5他 (집에) 오래 살아 살기 좋게 하다.
すみな-れる【住み慣れる】《住み馴れる》下1自 오래 살아 정들다. ¶長年～·れた家[土地] 오래 살아 정든 집[고장] / この土地にも大分～·れた 이 고장에도 제법 정들었다.
すみなわ【墨縄】图 먹줄. =すみいと. ¶～を打つ 먹줄을 치다.
すみにく-い【住みにくい】《住み難い·住み悪い》形 사는 데 쾌적하지 않다; 정신적·물질적으로 생활에 불편하다. ¶とかくに人の世は～ 어쨌든 세상은 살기 힘들다. 「구이.
すみび【炭火】图 숯불. ¶～焼き 숯불
すみぶくろ【墨袋】图 (오징어의) 고락; 먹주머니.
すみません 【すみません·済みません】連語 1 죄송[미안]합니다. ¶どうも～ 대단히 죄송합니다 / お手数をかけて～ 폐를 끼쳐서 죄송합니다 / ～が火を貸して下さい 미안합니다만 (담뱃)불 좀 빌려 주십시오. 2 고맙습니다. ¶いつも～ 늘 고맙습니다 / こんな立派な物を頂いて～ 이런 훌륭한 것을 주셔서 고맙습니다. 3 부탁합니다. ¶お茶を一杯下さい. ～ 차 한 잔 주십시오. 부탁합니다. 參考 'すまない'의 공손한 말씨. 변하여, 'すいません'이라고도 함.
すみや【炭屋】图 숯을 파는 가게; 또, 그 사람.
すみやか【速やか】ダナ 빠름; 신속. ¶～に事を運ぶ 신속히 일을 처리하다 / ～な処置を取る 신속한 조처를 취하다 / ～に退去せよ 썩 물러가거라.
すみやき【炭焼き】图 1 숯을 굽는 일[사람]; 숯장이. 2 숯불구이 (요리). ¶～のステーキ 숯불구이 스테이크.
――がま【―窯】《―竈》图 숯가마.
すみれ【菫】图 1〖植〗제비꽃; 오랑캐꽃. 2 'すみれ色(=짙은 보라빛)'의 준말.
すみわけ【住み分け】《棲み分け》图 생활양식이 비슷한 두 종류 이상의 생물이 서식처를 서로 나누어 공존하는 현상.
すみわた-る【澄み渡る】5自 구름 한 점 없이 맑게 개다. ¶～·った青空 구름 한 점 없이 맑게 갠 푸른 하늘.
**す-む【住む】5自 1 살다; 거처하다. ¶都会に～ 도시에 살다 / ～家をさがす 살 집을 구하다 / ～世界が違う 살고 있는 세계가 다르다. 2《棲む》깃들이다. ¶森に～きつね 숲에 사는 여우 / 高いこずえに～鳥 높은 나뭇가지 끝에 둥지를 틀고 사는 새. 可能す-める 下1自
――·めば都 정들면 고향.
*す-む【澄む】《清む》5自 맑(아지)다. 1 말갛다; 투명하다. ¶～·んでさわやかな空気 맑고 상쾌한 공기 / 水が底まで～·んでいる 물이 바닥까지 투명하다[말갛다]. ↔濁る. 2 청명하다. ¶月が～ 달이 맑다. ↔曇る. 3 (소리가) 맑다. ¶～·んだ声 맑은 소리. ↔濁る. 4 깨끗하다. ¶～·んだ色 깨끗한[맑은] 빛깔 / よく～·んだ目 아주 깨끗한 눈 / 心が～ 마음이 맑다. ↔濁る.
**す-む【済む】5自 1 (일이) 완료되다; 끝나다. ¶試験が～ 시험이 끝나다 / 婚礼はめでたく～·んだ 혼례는 순조롭게 끝났다. 2 해결되다; (잘) 되다. ¶金

かねで～問題ではない 돈으로 해결될 문제가 아니다 / 千円で～ 천 엔으로 족하다. **3**《흔히, 否定·反語의 말을 수반하여》 변명이 되다. ¶あやまって～と思うか 사과로 끝난다고 생각하는가 / 世間に対して～·まない 세상 사람들 볼 낯이 없다. ⇨すみません·すまない. **4** 반제(返済)하다; 다 갚다. ¶借金が～ 빚을 다 갚다. **5** 흡족해지다; 직성이 풀리다. ¶気が～まで殴る 직성이 풀릴 때까지 때리다.

スムース [smooth] ダナ 스무드; 원활함; 순조로움. ＝スムーズ. ¶事が～にはこぶ 일이 순조롭게 진행되다 / 車が～に流れる 차의 흐름이 원활하다.

すめん【素面】 图 **1** (검도에서) 면(面)을 쓰지 않음. ¶～素籠手 방호구(具)를 갖추지 않음. **2** (술 취하지 않은) 맨송맨송한 얼굴. ＝しらふ. ¶～ではちょっと言いにくい事がある 맨송맨송한 얼굴로는 좀 말하기 거북한 일이 있다. ↔酔顔.

ずめん【図面】 图 도면; 설계도. ¶家の設計の～ 집의 설계 도면.

すもう【相撲】《角力》图 **1** 씨름. ¶～場 씨름판 / ～割り 씨름 대전표 / 腕相撲 팔씨름 / ～を取る 씨름을 하다. **2** 'すもうとり'의 준말.

—に勝って勝負に負ける 씨름에 이기고 승부에 지다《우세한 경기를 펼치고도 지다》.

—にならない 씨름이 안 되다; 실력차가 커서 상대가 안 되다. ¶相手が子供では～ 상대가 어린아이로는 상대가 안 된다.

—とり【—取り】 图 (프로) 씨름꾼. ＝力士·お相撲さん.

相撲取り의 계급

순위	명 칭	순위	명 칭
1	横綱	6	十両
2	大関	7	幕下
3	関脇	8	三段目
4	小結	9	序二段
5	前頭	10	序の口

※ 大関·関脇·小結를 三役라 하며 (현재는 横綱도 포함), 前頭 이상은 幕内 또는 幕の内라고 함.

スモーカー [smoker] 图 스모커; 흡연자; 애연가. ¶ヘビー～ 골초.

スモーキズム [smokism] 图 스모키즘; 흡연자 차별《기업이 흡연자를 채용하지 않는 따위》.

スモーキング [smoking] 图 스모킹; 흡연; 담배를 피움. ¶～ルーム 흡연실 / ノー～ 노 스모킹; 금연.

スモーク 一图 [smoke] **1** 연기. **2** 연기빛깔; 회색. 二接頭 [←smoked] '훈제(燻製)한'의 뜻. ¶～サーモン 훈제 연어 / ～ソーセージ 훈제 소시지.

スモールガバメント [small government] 图 스몰 거버먼트; 작은 정부《정부의 재정 지출을 억제하려는 정책을 시행함》.

すもぐり【素潜り】 图 잠수용 기구(器具)나 장치를 쓰지 않고 물속에 들어감.

スモッグ [smog] 图 스모그; 연무(煙霧). ¶～公害 스모그 공해 / ～に覆われた空 스모그로 뒤덮인 하늘.

すもの【酢物】 图 ☞すのもの.

すもも【李】 图〔植〕자두; 자두나무.

すやき【素焼き】 图 **1** 설구이. **2** (보전·가공을 위하여) 물고기 따위를 구워 두는 일. ＝しらやき.

すやすや 副 편안히 자는 모양: 새근새근. ¶子供が～とねている 어린애가 새근새근 자고 있다.

ずよう【図様】 图 도안(圖案)의 모양; 무늬. ＝図柄·もよう.

すら 副助 〈老〉 **1** …조차(도). ＝さえ. ¶子どもで～できる 아이들조차도 할 수 있다 / 虫～殺せない 벌레(조차)도 못 죽인다 / 親に～知らせなかった 부모에게조차 알리지 않았다. **2** …까지도.

スライス [slice] 图ス他 슬라이스. **1** (햄 등을) 얇게 썲; 또, 그 한 조각. ¶～ハム 얇게 썬 햄 / 肉の～ 얇게 썬 고깃점. **2** 골프에서, 친 공이 우(右)타자의 경우 목표에서 우로, 좌타자의 경우는 좌로 휘어져 나가는 일. ¶球が～する 타구가 슬라이스하다. ↔フック. **3** 테니스·탁구에서, 공을 깎아치는 일《불규칙적인 바운드를 함》.

スライダー [slider] 图〔野〕슬라이더; 타자 앞에서 밖으로 휘며 떨어지는 공.

スライディング [sliding] 图ス自 슬라이딩. **1** 활주함. **2**〔野〕베이스에 미끄러져 들어감. ＝滑り込み. ¶ヘッド～ 헤드 슬라이딩.

—システム [sliding system] 图〔經〕슬라이딩 시스템; 굴신(屈伸) 계산 제도《물가 변동에 따라서 노임도 증감하는 제도》. ＝スライド制.

—タックル [sliding tackle] 图 (축구에서) 슬라이딩 태클.

スライド [slide] 슬라이드. 一图 **1** 환등기. ¶～を上映する 슬라이드를 상영하다. **2** 계산자. ＝スライドルール. **3** 'スライドグラス'의 준말. 二图ス自他 **1** 미끄러짐; 미끄러지게 함. **2** 어떤 수량에 대응해서 다른 수량을 증감시킴. ¶物価に従って給料を～する 물가에 따라 급료를 슬라이드하다. **3**〔野〕미끄러져 들어감. ＝すべりこみ.

—グラス [일 slide＋glass] 图 슬라이드 글라스; (현미경의) 검경판(檢鏡板). ＝スライド(ガラス).

—せい【—制】 图 ☞スライディング システム. ¶物価～ 물가 연동제.

ずらかる 5自 〈俗〉 도망치다; 튀다. ¶国外へ～ 국외로 튀다 / おい, ～·ろうぜ 이봐, 내빼자〔튀자〕. 可能ずらかれる 下1自

スラグ [slag] 图 슬래그《금속 제련 때 나오는 찌끼》; 광재. ＝鉱滓.

***ずら-す** 5他 비키어 놓다; 특히, 겹치지 않도록 비키다. ¶机を右へ～ 책상을 오른쪽으로 비켜 놓다/日取りを一日～ 날짜를 하루 물리다. 可能ずら-せる 下1自

***すらすら** 副 막힘 없이 원활히 진행되는 모양: 술술; 줄줄; 척척; 거침없이. ¶難問を～と解く 어려운 문제를 척척 풀다/事が～(と)運ぶ 일이 순조롭게 진행되다.

スラッガー [slugger] 图 〖野〗 슬러거; 강타자.

スラックス [slacks] 图 슬랙스; (여성용) 좁은 바지.

スラッジ [sludge] 图 슬러지; 공장 폐수나 하수 처리 과정에서 생기는 진흙. ＝汚泥・へどろ.

スラム [slum] 图 슬럼; 대도시에서, 가난한 사람들이 모여 사는 구역. ¶～街 슬럼가; 빈민가.

すらり 副 **1** 막힘이 없는 모양: 술술; 쑥. ¶～(と)大刀を抜きはなつ 큰 칼을 쑥 빼들다/～(と)話がまとまる 쉽게 합의를 보다. **2**《'と'를 수반하여》 몸피가 가늘고 키가 큰 모양: 날씬하게. ¶～とした美人 날씬한 미인.

ずらりと 副 〈俗〉 여럿이 늘어선〔늘어앉은〕 모양: 죽. ¶～居流れる 죽 늘어앉다/名札が～掛かっている 명찰이 죽 걸려 있다.

スラローム [slalom] 图 슬랄롬; (스키에서) 회전 경기.

スラング [slang] 图 슬랭; 비어(卑語); 속어; 은어. ¶汚らしいアメリカの～を使う 추잡스러운 미국 은어를 쓰다.

スランゲージ [slanguage] 图 슬랭귀지; 속어 비슷한 말. 參考 slang과 language의 합성어.

スランプ [slump] 图 슬럼프. ¶～におちいる 슬럼프에 빠지다/～を脱する 슬럼프를 벗어나다.

***すり** 〖掏摸〗 图 소매치기. ＝ちぼ. ¶～を働く 소매치기하다/～ご用心 소매치기 조심《게시》.

すり 【刷り】 图 인쇄 (상태); 쇄(刷). ¶見本刷り 견본쇄/三色刷り 삼색 인쇄/校正刷り 교정쇄/～の具合をみる 인쇄 상태를 보다/～がきれいだ 인쇄가 깨끗하다.

すりあが-る【刷り上がる】 5自 인쇄가 끝나다. ¶今～った新聞 방금 인쇄가 끝난 신문.

ずりあが-る【ずり上がる】 5自 **1** 기어오르다; 밀려 오르다. ¶腹巻きが～ 배두렁이가 밀려 올라가다. **2** 조금씩 높은 지위로 올라가다.

すりあし【すり足】《摺足》 图ス自 발바닥 전체로 바닥을 스치듯이 걷는 걸음. ¶～で歩く 사뿐히 걷다.

スリー [three] 图 스리. **1** 셋; 세 개. ¶～シーズン 3계절/ビッグ～ 빅 스리; 3강《3대 강국 따위》. **2** 〖野〗 스리볼. ¶ツー～ 투 (스트라이크) 스리 (볼).

—クォーター [three-quarter] 图 스리쿼터. **1** 〖野〗 (투수가 팔을) 3/4 높이에서 비스듬히 내리던지는 일. **2** 'スリークォーターバック'의 준말.

—クォーターバック [three-quarter backs] 图 스리쿼터(백); (럭비에서) 스탠드 오프의 뒤에 자리하는 네 사람.

—サイズ [일 three+size] 图 (여성의) 버스트·웨이스트·히프의 사이즈.

—ラン [three run] 图 스리 런. ☞スリーランホーマー.

—ランホーマー [three-run homer] 图 〖野〗 스리런 호머; 3점 홈런.

スリーピングバッグ [sleeping bag] 图 슬리핑 백; 침낭. ＝シュラーフザック.

スリーブ [sleeve] 图 슬리브; 소매. ¶ノー～ 노 슬리브.

すりうす 〖磨り臼〗 图 맷돌. ＝もみすりうす・ひきうす・からうす・とううす.

ずりお-ちる【ずり落ちる】 上1自 흘러내리다; 흘러서 떨어지다. ¶眼鏡が～ 안경이 흘러내리다.

すりかえ【すり替え】《摩り替え》 图 몰래 바꿔치기함; 살짝 바꿈.

すりか-える【すり替える】《摩り替える》 下1他 몰래 바꿔치다; 살짝 바꾸다. ¶箱の中身を～ 상자의 내용물을 살짝 바꿔치기 하다.

すりガラス 〖磨り硝子〗 图 젖빛 유리; 불투명 유리. ＝つや消しガラス・くもりガラス. ▷네 glas.

すりきず【擦り傷】《擦り疵》 图 찰상(擦傷); 생채기. ¶ころんで～をこしらえた 굴러서 생채기가 났다. 參考 물건에 생긴 흠도 말함.

すりきり【すり切り】《摺り切り・摩り切り》 图 평(平)미레질함; 평미리침. ¶升に～一杯の米 평미레로 민 한 되의 쌀. ↔山盛り.

すりき-れる【擦り切れる】《摩り切れる・摺り切れる》 下1自 닳아서 떨어지다; 스쳐서 잘라지다; 무지러지다. ¶靴が～ 구두가 닳아 떨어지다.

すりくだ-く【すり砕く】《擂り砕く》 5他 갈아서 잘게 부수다. ＝すりつぶす. ¶錠剤を～ 정제를 갈아서 부수다.

すりこぎ【すりこ木】《擂り粉木》 图 (양념절구에 쓰는) 절굿공이. ＝あたりぎ・すりぎ・れんぎ. ¶～でにんにくをする 절굿공이로 마늘을 으깨다.

—で芋を盛る; **—で腹を切る**; **—に羽が生える** 불가능한 일의 비유.

すりごま 〖擂り胡麻〗 图 (양념)절구로 볶은 깨를 갈아 바순 것. ＝あたりごま.

すりこ-む【擦り込む】 5他 (약 따위를) 문질러서 (스며들게) 바르다. ¶軟膏を～ 연고를 문질러 바르다.

すりこ-む【すり込む】《擂り込む・摩り込む》 5他 갈아서 (섞어) 넣다. ¶ごまに塩を～ 참깨에 소금을 갈아 섞어 넣다.

すりこ-む【刷り込む】[5他] 다른 것을 인쇄하(여 넣)다; 박(아 넣)다. ＝刷(す)り入(い)れる. ¶さし絵(え)を～ 삽화를 넣어 인쇄하다 / 名刺(めいし)に役職名(やくしょくめい)を～ 명함에 직함을 박아 넣다.

ずりさが-る【ずり下がる】[5自] 흘러내리다. ¶靴下(くつした)〔ズボン〕が～ 양말이〔바지가〕 흘러내리다.

すりつ-ける【すりつける·擦り付ける】《摩り付ける》[下1他] 문질러〔비벼〕 대다; 또, 비벼서〔그어서〕 (불을) 켜다〔붙이다〕. ¶マッチを～ 성냥을 그어 켜다.

スリッパ [slippers] [名] 슬리퍼.

スリップ [slip] 슬립. ㊀[名][ス自] 미끄러짐; 특히, 눈·비로 자동차 등이 미끄러짐. ¶車(くるま)が～する 차가 미끄러지다. ㊁[名] 여성 양장(洋裝)의 속옷의 하나. —ダウン [slip down] [名] (권투에서) 슬립 다운《미끄러져 넘어짐》.

すりつぶ-す〖磨り潰す·擂り潰す〗[5他] 1 갈아서 으깨다; 갈아〔비벼〕 뭉개다. ¶ジャガイモを～ 감자를 갈아서 으깨다. 2 갈아서 형체를 없애다. 3 (재산 등을) 탕진하다. ¶女色(じょしょく)で身代(しんだい)を～ 여색으로 재산을 날리다.

すりぬか〖摺り糠·磨り糠〗[名] 왕겨. ＝もみがら.

すりぬ-ける【すり抜ける·擦り抜ける】《摺り抜ける》[下1自] 1 (사람들 틈을) 빠져나가다. ¶人(ひと)ごみの間(あいだ)を～·けて前(まえ)へ出(で)る 붐비는 사람 틈을 비집고 앞으로 나가다. 2 (꾸며 대어) 용케 피하다〔면하다〕. ¶とっさの機転(きてん)で～ 순간적인 기지로 용케 피하다.

すりばち【すり鉢】《摺り鉢·擂り鉢》[名] 양념절구; 철확; 유발. ＝あたりばち. ¶～でする 양념절구에 갈다.

すりひざ〖磨り膝·擦り膝〗[名][ス自] 걸음; 앉은걸음. ＝膝行(しっこう).

すりへら-す【すり減らす】《磨り減らす》[5他] 1 마멸시키다; 닳게 하다; 닳아 없어지게 하다; 무지러뜨리다. ¶くつの底(そこ)を～ 구두창이 닳도록 신다. 2 소모시키다. ¶心身(しんしん)を～ (과로로) 심신을 소모시키다.

すりへ-る【すり減る】《磨り減る》[5自] 1 닳아서 감소하다. ¶墨(すみ)が～ 먹이 닳아서 작아지다 / タイヤが～ 타이어가 마모되다. 2 조금씩 줄다. ¶身代(しんだい)が～ 재산이 (야금야금) 줄다. 3 마구 써서 약해지다; 소모되다. ¶神経(しんけい)が～ 신경이 쇠약해지다.

すりみ【すり身】《擂り身》[名] 으깬 어육《생선묵 등의 재료》.

すりみが-く【すり磨く】《摩り磨く》[5他] 1 (금속 따위를) 문질러 광택을 내다. 2 때를 벗겨내고 아름답게 하다.

スリミング [slimming] [名] 슬리밍; 운동이나 식사 제한 등으로 몸을 날씬하게 함.

スリム [slim] [名][ダナ]〘裁〙 슬림; (옷이) 몸에 꼭 맞아 날씬함. ¶～な体型(たいけい)〔体(からだ)つき〕 날씬한 체형〔몸매〕 / ～スカート 슬림 스커트; 주름이 없고 몸에 꼭 끼는 스커트.

すりむ-く【擦りむく】《擦り剝く》[5他] 스쳐서 껍질을 벗기다. ¶ころんでひざを～ 넘어져 무릎이 까지다.

すりむ-ける【擦りむける】《擦り剝ける》[下1自] 스쳐서 벗겨지다; 까지다. ¶膝頭(ひざがしら)が～ 무릎이 까지다.

すりもの【刷り物】《摺り物》[名] 인쇄물.

すりよ-る【擦り寄る】《摩り寄る》[5自] 1 바짝 다가서다. ¶～·ってひそひそ話(はな)す 바짝 다가서서 소곤거리다. 2 무릎걸음〔앉은걸음〕으로 다가오다. ¶少(すこ)しずつ～·ってくる 앉은걸음으로 조금씩 다가오다.

スリラー [thriller] [名] 스릴러; 스릴을 느끼게 하는 극·영화·소설. ＝スリラー物(もの). ¶～小説(しょうせつ) 스릴러 소설.

スリリング [thrilling] [ダナ] 스릴링; 스릴이 있는 모양; 전율적(戰慄的). ¶～な場面(ばめん) 스릴링한 장면.

スリル [thrill] [名] 스릴. ¶～とサスペンス 스릴과 서스펜스 / ～満点(まんてん) 스릴 만점 / ～を味(あじ)わう 스릴을 맛보다.

す-る〖掏る〗[5他] 소매치기하다. ¶財布(さいふ)を～·られた 지갑을 소매치기당했다. [可能]す-れる[下1自]

す-る【刷る】《摺る》[5他] 박다; 찍다. 1 (활판 따위로) 인쇄하다. ¶新聞(しんぶん)を～ 신문을 인쇄하다. 2 본을 대고 무늬를 찍어 내다. [可能]す-れる[下1自]

す-る〖剃る〗[5他] 〈方〉 깎다. ＝そる. ¶ひげを～ 수염을 깎다.

*す-る〖摩る·磨る·擂る〗[5他] 갈다; 빻다; 뭉개다. ¶墨(すみ)を～ 먹을 갈다 / みそを～ (a) 된장을 으깨다; (b)아첨하다 / ごまを～ (a)깨를 빻다; (b)아첨하다.

*す-る【擦る】[5他] 1 문지르다; 비비다. ㉠닦다. ¶タオルで背中(せなか)を～ 수건으로 등을 문지르다. ㉡쓸다. ¶やすりで～ 줄로 쓸다. ㉢쓿다. ¶もみを～ 벼를 (절구에) 쓿다. ㉣(성냥 따위를) 긋다; 켜다. ¶マッチを～ 성냥을 긋다. 2 탕진하다. ¶財産(ざいさん)を～ 재산을 탕진하다 / 競馬(けいば)であり金(がね)を～ 경마로 가진 돈을 다 날리다. ⇨すったもんだ.

⁑する〖為る〗[サ変自他] 1《단독으로 또는 '…(を)する' '…を…する'의 꼴로》 ㉠하다. ¶話(はなし)を～ 이야기를 하다 / そう～より外(ほか)はなかった 그렇게 할 수밖에 없었다. ㉡《역(役)이나 직명에 'を'를 붙인 꼴을 받아서》 … 노릇〔구실〕을 하다. ¶役員(やくいん)を～ 임원(노릇)을 하다 / 人足(にんそく)をして暮(く)らす 인부 노릇하며 지내다. 2 ㉠《'…にする'의 꼴로, 또는 形容詞連用形を 받아》 …한 상태가 되게 하다〔만들다〕; …의 지위로 삼다. ¶好(す)きなように～がよい 마음대로 해라 / 子供(こども)を医者(いしゃ)に～ 자식을 의사로 만들다 / だめに～ 못 쓰게 하다〔만들다〕 / 顔(かお)を赤(あか)く～ 낯을 붉히다 / 本(ほん)をまくらにして寝(ね)る 책을 베개삼아 자다. ㉡

《'…(と)する'의 꼴로》…의 상태가 되다. ¶びっくり~ 놀라다 / うっかり~ 멍청하다; 깜빡하다 / ぞっと~ 소름이 끼치다. ㉢《'…(を)した' '…とした' '…(を)している' '…としている' 따위의 꼴로》…의 상태(이)다. ¶堂々とした態度 당당한 태도 / いつもネクタイをしている 늘 넥타이를 매고 있다. **3** ㉠《금액을 가리키는 말을 받아서》…의 값이다; …하다. ¶この本は千円~ 이 책은 천 엔 한다. ㉡《시간(의) 경과를 나타내는 말을 받아서》지나다. ¶三日(も)~と 사흘 지나면〔있으면〕/ もう一月**すれば** 이제 한 달 지나면. **4**《'…がする'의 꼴로》(일이) 일어나다; …이 느껴지다; 생기다. ¶音が~ 소리가 나다 / においが~ 냄새가 나다 / 頭痛が~ 두통이 나다 / あかぬけのした服装 세련된 옷차림. **5**《'に' 'と'를 받아서》㉠생각하다; …으로 치다; …으로 삼고 있다. ¶お会いする日を楽しみに~ 만날 날을 낙으로 삼다 / 僕は君を頼りにしているよ 나는 자네를 의지하고 있네. ㉡…(으)로 하다. ¶相手に~ 상대로 하다. ㉢…을 골라잡다. ¶私はパンにします 나는 빵으로 하겠습니다. ㉣…에 착수하다; …을 하다. ¶これから食事にします 이제부터 식사에 들어가겠습니다. **6**《형식화된 다음과 같은 용법이 있음》. ㉠《'お…する'의 꼴로 動詞連用形를 중간에 가져와》존경하는 사람 등에 대한 행위를 나타내는 데 씀. ¶品物をお届け~ 물건을 보내드리다 / お頼み~ 부탁드리다 / この間お借りしたご本, お返しします 일전에 빌린 책, 돌려드리겠습니다. ㉡《'…と〔に〕して(は)' '…と〔に〕すれば' 등의 꼴로》…으로 한다면; …의 (입장·수준)으로서는. ¶社長に**すれば**不満もあろう 사장으로서는 불만도 있겠지 / 小学生にしては背が高い 초등학생으로선 키가 크다. ㉢《'…としたこと'의 꼴로》…답시고 한 것이; 딴사람 아닌 …이 한 노릇이. ¶おや, わたしとしたことが, とんだ手抜かりでした 어, 제가 (한답시고) 한 게 엉뚱한 실수였습니다.

─事なす事 하는 일이 모두. ¶~すべて気に入らない 하는 일이 모두 다 마음에 안 든다.

ずる 〖狡〗 名 교활함; 꾀부림; 또, 그런 사람. ¶~がしこい 간사〔교활〕하다 / ~を決め込む 농땡이 부리다.

ずる-い 〖狡い〗 形 교활하다; 약다. =こすい. ¶~やり方 교활한 방법 / ~·そうな目付き 교활한 듯한 눈매 / ~事をする 교활한 짓을 하다; (경기에서) 파울을 하다. (**)

スルーザグリーン [through the green] 名 스루 더 그린; 골프에서, 경기중인 티그라운드·해저드·그린을 제외한 지역.

スルーパス [through pass] 名 스루 패스; (축구 등에서) 상대방 수비진의 배후로 보내는 패스.

ずるがしこ-い 【ずる賢い】《狡賢い》 名 교활하다; 약아빠지다. =悪賢い. ¶~·く立ち回る 약빠르게 처신하다.

ずる-ける 〖狡ける〗 下1自 **1** 게으름 피우다; 꾀부리다; 베슥거리다. =なまける·さぼる. ¶掃除当番を~ 청소 당번을 (꾀부려) 빼먹다 / 宿題を~·けて来るようでは見込みがない 숙제를 게으름 피고 안 해 오는 정도라면 장래성이 없다. **2** (묶었던 것이) 풀려서 흘러내리다. ¶包帯が~ 붕대가 흘러 내리다.

するする 副 **1** (미끄러지듯) 진척되는 모양: 스르르; 쭈르르; 주르르. ¶いつの間にか~(と)抜けてしまう 어느 틈에 스르르 빠져버리다 / 猿が~木に登る 원숭이가 쭈르르 나무에 올라가다. **2** 잘 자라는 모양: 쑥쑥. ¶あさがおのつるが~(と)のびる 나팔꽃 덩굴이 쑥쑥 자란다.

ずるずる 副 **1** 끌(리)거나 미끄러지는 모양: 질질; 주르르. ¶~(と)すそを引きずる 질질 옷자락을 끌다 / 雪解けの坂道が~して歩けない 눈 녹은 언덕길이 줄줄 미끄러져 걸을 수 없다. **2** 일·시간 따위를 오래 끌고 가는 모양: 질질. ¶~(と)期限がのびる 질질 기한이 지연되다 / 約束が~になる 약속이 유야무야로 돼버리다. **3** 훌쩍거리는 모양: 훌쩍훌쩍. ¶洟を~(と)すする 콧물을 훌쩍거리다.

─べったり 名 ダナ 엉거주춤 결말이 나지 않고 질질 끄는 모양. ¶~になる 자꾸 질질 지연만 되다; 질질 끌다.

ずるっこ-ける 名 ☞ずっこける1.

するっと 副 거침없이 미끄러지는 모양: 스르르; 쑥. ¶手から~滑って落ちた 손에서 쑥 미끄러져 떨어졌다.

すると 接 **1** 그러자; 그랬더니. =そうすると. ¶とびらがあいた. ~, 若い男が中からあらわれた 문이 열렸다. 그러자 젊은 남자가 안에서 나타났다. **2** 그러면; 그렇다면. =それでは·だとすると. ¶~君は一人むすこなんだね 그렇다면 자넨 외아들이군.

するど-い 【鋭い】 形 날카롭다; 예리하다; 예민하다. ¶~小刀 날카로운 창칼 / ~頭 예리한 머리 / ~耳 예민한 귀. ↔鈍い. (**)

するめ 〖鯣〗 名 **1** 말린 오징어. **2** ☞するめいか.

するめいか 〖鯣烏賊〗 名 〔動〕 오징어.

ずるやすみ 【ずる休み】 名 ス自 꾀부려 쉼. ¶風邪と称して~する 감기라고 거짓 핑계대며 쉬다.

するりと 副 미끄러지듯 빠지는〔도망치는〕 모양: 훌렁; 쑥; 슬쩍. ¶~抜け落ちる 훌렁 빠져버리다 / ~逃げる 슬쩍 도망가다.

ずるりと 副 미끄러지거나 미끄러지듯 빠져 나가는 모양: 직; 스르르; 쑥. ¶道

みちがぬかって～滑すべった 길이 질척거려 직 미끄러졌다 / 布団ふとんから～と抜ぬける 이부자리에서 스르르 빠져나가다.

ずれ 图 엇갈리는 일; 어긋남. ¶時間じかんの～ 시간의 엇갈림 / 両者りょうしゃの見解けんかいに～がある 양자의 견해에 차이가 있다.

すれあ-う【擦れ合う】 5自 맞스치다. ¶肩かたと肩かたとが～ 어깨와 어깨가 맞스치다 / 車体しゃたいが～ 차체가 서로 스치다.

スレート [slate] 图 슬레이트.

―ぶき〖―葺き〗图 슬레이트로 지붕을 임. ¶～の屋根やね 슬레이트 지붕.

スレーブ [slave] 图 슬레이브. **1** 노예; (욕망 등의) 포로. **2**〖컴〗주(主)제동 장치에 제어되는 종속 제동 장치. ↔ホストコンピューター.

すれからし【擦れ枯らし】 图 ☞すれっからし.

ずれこ-む【ずれ込む】 5自〈俗〉예정이 늦어져, 그 다음 기한까지 넘어가게 되다. ¶スタート時間じかんが～ 스타트 시간이 늦추어지다.

***すれすれ**〖擦れ擦れ〗ダナ 아슬아슬한 모양. ¶弾丸だんがんが頭上ずじょう～にとんだ 탄알이 머리 위를 스칠 듯이 날아갔다 / 定刻ていこく～に到着とうちゃくした 정각이 거의 다 되어 도착했다 / ～の点数てんすうで合格ごうかくした 아슬아슬한 점수로 합격했다 / 発車はっしゃ～に飛とび乗のる 막 떠나려는 차에 뛰어오르다.

すれちがい【擦れ違い】 图 **1** 스치듯이 지나감. **2** 엇갈림.

***すれちが-う【擦れ違う】** 5自 **1** 스치듯 지나가다. ¶上のぼり列車れっしゃと下くだり列車が～ 상행 열차와 하행 열차가 스치듯 지나가다. **2**〈俗〉엇갈리다. ¶話はなしが～ 말이 엇갈리다.

すれっからし【擦れっ枯らし】 图 **1** (사람이) 가스러짐; 닳고 닳음; 굴러먹음; 또, 그런 사람. ¶～の女おんな 닳고 닳은 여자. **2** 무일푼이 됨; 또, 그 사람; 빈털터리. 參考 'すれからし'의 힘줌말.

***す-れる**〖磨れる·揺れる〗下1自 **1** 무지러지다; 스쳐서 닳거나 끊어지다. ¶そで口ぐちが～·れてしまった 소맷부리가 닳아 버렸다. **2** (문질려·비비어져) 갈리다. ¶墨すみが～ 먹이 갈리다.

***す-れる【擦れる】**《摩れる》下1自 **1** 스치다; 비비어지다. ＝こすれる. ¶木この葉はが～音おと 나뭇잎이 스치는 소리. **2** (사람이) 가스러지다; 반드러지다; 닳고 닳다. ¶～·れた男おとこ 닳고 닳은 사나이.

***す-れる【刷れる】**《摺れる》下1自 인쇄가 다 되다.

***ず-れる** 下1自 어긋나다; 벗어나다. ¶机つくえの位置いちが～·れている 책상 위치가 어긋나 있다 / 予定よていが一日いちにち～ 예정이 하루 어그러지다.

すろうにん【素浪人】 图 하찮은 浪人ろうにん《경멸하는 말》.

スロー [slow] ダナ 슬로; 늦음; 느림. ¶～テンポ 슬로 템포 / ～カーブ 슬로 커브 / ～ボール 슬로 볼. ↔クイック.

―ダウン [slowdown] 图 ス自他 슬로다운. **1** 속력을 늦추는 일. **2** 작업 능률을 떨어뜨리는 일. ＝サボタージュ.

―ビデオ [일 slow＋video] 图 슬로 비디오《느린 동작으로 바꾸어 재생하는 장치》. ＝スローモーションビデオ.

―モー 图 느림보; 느리광이《'スローモーション'의 준말》. ¶事務じむ処理しょりが～で困こまる 사무 처리가 굼떠 곤란하다.

―モーション [slow motion] 图 슬로 모션. **1** 동작이 느림; 굼뜸. ＝スローモー. **2** 고속도 촬영에 의한 영화(의 화면)《느린 동작으로 나타남》.

スロー [throw] 图 스로; (공을) 던짐. ¶アンダー～ 언더스로.

―フォワード [throw forward] 图 스로 포워드; 럭비에서, 가지고 있는 공을 앞쪽으로 던지거나 패스하는 일《반칙임》.

スローイング [thowing] 图 스로잉; 공 따위를 던지는 일; 또, 던지는 방법.

スローガン [slogan] 图 슬로건; 표어. ＝あいことば. ¶～を掲かかげる 슬로건을 내걸다〔내세우다〕. 「사.

スロープ [slope] 图 슬로프; 비탈; 경

ずろく【図録】 图 도록; (설명을 위한) 그림이 실린 기록이나 책.

スロットマシン [slot machine] 图 슬롯머신; 자동 도박기(機).

すわ 感〈雅〉돌연한 일에 놀라서 내는 소리: 어; 이크; 저런. ＝それっ. ¶～一大事いちだいじ 이크 큰일 났다.

すわこそ 感 'すわ'의 힘줌말.

スワッピング [swapping] 图 스와핑. **1** 부부 교환 (파티). ＝スワップ. **2**〖컴〗기억 장치의 자기 디스크나 테이프를 교환하는 일.

スワップ [swap] 图 스와프. **1** 서로 상대방에게 자국(自國) 통화를 예치하는 일《외국환 시장에 개입하기 위한 준비 조치》. ¶～協定きょうてい〔取引とりひき〕 스와프 협정〔거래〕. **2** 부부교환. ＝スワッピング.

すわり【座り】《坐り》**1** 앉음. ¶～場所ばしょ 앉을 곳; 앉을 장소 / お～しなさい 앉아요. **2** 안정(감); 앉음새. ¶～のいいいす 안정감이 좋은 의자 / この花瓶かびんは～が悪わるい 이 꽃병은 편안하게 잘 놓여 있지 않다.

すわりごこち【座り心地】《坐り心地》图 앉은 기분; 앉음새. ¶～のいい〔悪わるい〕椅子いす 앉기에 편한〔불편한〕 의자.

すわりこ-む【座り込む】《坐り込む》5自 주저앉아 움직이지 않다; 눌어붙다; 연좌〔농성〕하다; 버티고 앉다. ¶抗議こうぎのため役所やくしょの前まえに～ 항의하기 위해 관청 앞에서 연좌 농성하다.

****すわ-る【座る】**《坐る》5自 **1** 앉다. ㉠자리에 엉덩이를 붙이다. ¶そこへ～·れ 거기에 앉아라 / どっかと～ 털썩 앉다 / きちんと～ 단정히 앉다 / どうぞお～·り下ください 어서 앉으십시오. ↔立たつ. ㉡어느 지위·자리를 이어받다. ¶社長しゃちょう

のいすに～ 사장 자리에 앉다. **2** ㉠(…에) 단단히 자리 잡다. ¶赤ん坊の首が～ 근뎅거리던 갓난아이의 목이 단단히 자리 잡다. ㉡(배가) 얹히다; 좌초하다. ¶舟が～ 배가 좌초하다. 注意 본디는 '坐る'. 可能 すわ-れる 下1自

座る의 여러 가지 표현

표현例 どっかと(털썩)·どっかり(털썩)·でんと(의젓하게; 듬직하게)·ちょこ(な)んと(오도카니; 달랑)·ぺたりと(탈싹)·ぺたっと(탈싹)·きちんと(단정하게).

관용 표현 根が生えたように(꼼짝하지 않고[일어날 줄을 모르고] 그대로)·寸分の隙もなく(조그만 빈틈도 없이)·身を投げるように(몸을 내던지듯이 털썩).

*__すわ-る__【据わる】5自 **1** 자리 잡고 움직이지 않다; 침착해지다. ¶肝が～った人 담찬 사람/腰が～ 안정되다; 눌어붙다/覚悟が～ 각오가 (단단히) 서다. **2** (도장이) 찍히다. ¶判が～ 도장이 찍히다.

スワン [swan] 名 스완; 백조(白鳥).

すん【寸】名 길이; 치수. ¶～が足りない 치수가 모자라다.

—**が詰まる** 치수가 빠듯하다[짧다].

すん 〖寸〗 教6 スン | 촌 치 | 촌. **1** 길이의 단위; 치. ¶一寸五分 한 치 닷푼. **2** 길이; 치수. ¶原寸 원촌; 원치수. **3** 극히 조금. ¶寸刻 촌각/寸志 촌지.

すんい【寸意】名 촌의; 촌지(寸志).

すんいん【寸陰】名 촌음. ¶～を惜しむ 촌음을 아끼다.

すんか【寸暇】名 촌가; 극히 짧은 짬. ¶～を盗んで読書する 촌가를 틈타 독서하다.

すんかん【寸簡】名 촌간; 짧은 편지; 또, 자기 편지에 대한 겸칭.

ずんぎり【ずん切り】《寸切り》名 토막침; 통째 썰기. =輪切り·胴切り·ずんどぎり.

ずんぐり 副 모착한 모양; 땅딸막한[똥똥한] 모양. ¶～(と)した男 땅딸막한 남자; 땅딸보. ↔すんなり. 「줌말.

ずんぐりむっくり 副 'ずんぐり'의 힘

すんげき【寸劇】名 촌극; 토막극.

すんげき [寸隙] 名 촌극; 촌가(寸暇); 짧은 겨를; 약간의 틈. ¶～を縫って進む 약간의 틈을 헤치고 나아가다.

すんげん【寸言】名 **1** 짧은 말. **2** 짧고도 날카로운 비평의 말; 경구(警句).

すんごう [寸毫] 名 추호(秋毫); 극히 조금. =寸分. ¶～の疑いもない 추호의 의심도 없다/～も揺るがない 조금도 흔들리지 않는다.

すんこく【寸刻】名 촌각; 촌음. =寸時. ¶～を争う事態 촌각을 다투는 사태/～を惜しんで仕事に精をだす 촌음을 아껴서 열심히 일하다.

すんし【寸志】名 촌지. **1** 정표. **2** 변변치 않은 선물. =寸心·寸意. ¶～ですがお納めください 변변치 않지만 소납(笑納)해 주십시오. 参考 흔히, 겸사말로 씀.

すんじ【寸時】名 촌시; 촌각. ¶～も惜しんで読書する 촌각도 아껴가며 독서하다.

すんしゃく【寸尺】名 촌척. **1** 촌(寸)과 척(尺); 약간의 길이. ¶～を争う〔競う〕 촌척을 다투다. **2** 길이; 치수. =長さ·たけ.

すんずん【寸寸】名 조각조각; 토막토막; 갈가리. =きれぎれ·ずたずた. ¶～に切る 조각조각 베다/～に切り裂く 갈가리 찢다.

ずんずん 副 일이 지체없이 진척되는 모양; 척척; 쑥쑥. ¶仕事が～進む 일이 척척 진행되다/～先へ歩いて行った 쑥쑥 앞으로 걸어갔다.

すんぜん【寸前】名 직전(直前); 바로 앞. ¶到着～ 도착 직전/ゴール～で抜かれる 골 직전에서 앞질리다.

すんたらず【寸足らず】名ナ **1** 치수가 모자람; 키가 작음; 또, 그러한 사람. ¶～の人 키가 작은 사람/～の反物 치수가 모자라는 옷감. **2** (비유적으로) 보통보다 어느 정도 못함[뒤떨어짐]; 또, 그런 것. ¶～の説明 미흡한 설명.

すんだん【寸断】名ス他 촌단; 토막토막 끊음; 갈기갈기 찢음. ¶豪雨で幹線道路が～された 호우로 간선도로가 토막토막 끊겼다. 「토.

すんち【寸地】名 촌지; 척토(尺土); 촌

すんづまり【寸詰まり】名ナ (규정보다) 치수가 짧음; 길이가 모자람; 덜름함. ¶ズボンが～になる 바지가 (길이가 짧아서) 덜름해지다.

すんてつ【寸鉄】名 촌철. **1** 작은 날붙이. ¶身に～もおびず 몸에 무기라곤 지니지 않다. **2** (짤막한) 경구(警句).

—**人を殺す**; —**人をさす** 촌철살인.

すんでに 〖既に〗 副 하마터면; 까딱하면. =あやうく. ¶～ひかれるところだった 하마터면 치일 뻔했다.

すんでのこと 〖既の事〗 連語 하마터면; 아슬아슬하게. =すんでのところ. ¶～に火事になるところだった 하마터면 불이 날 뻔했다/～で助かった 아슬아슬하게 목숨을 구했다.

すんでのところ 〖既の所〗 連語 ☞すんでのこと. ¶～で命拾いした 아슬아슬하게 목숨을 건졌다.

すんど【寸土】名 촌토; 척토(尺土). ¶～もゆずらず 촌토도 양보치 않다/～を死守する 촌토를 사수하다.

ずんどう 〖寸胴〗 ㊀名 'ずんど切り'의 준말. ㊁名ナ 〈俗〉 아래위의 굵기가 같은 모양; 뚱뚱해서 보기 흉함. ¶背が低く～だ 키가 작고 몽톡하다/彼女は～でスタイルが悪い 그녀는 절구통

같아서 스타일이 나쁘다.

ずんどぎり【ずんど切り】《寸胴切·寸胴斬》名 1 대로 만든 꽃꽂이통《한 마디로 됨》. 2 토막 자름. 3 정원의 고목 줄기를 적당한 높이에서 자르고 그 밑둥치를 관상(觀賞)용으로 하는 일.

すんなり 副 1 날씬하게; 매끈하게; 나긋나긋하게. ¶～(と)した細(ほそ)い指(ゆび) 매끈한〔나긋나긋한〕 가는 손가락; 섬섬옥수. 2 척척; 순조롭게; 쉽게. ¶要求(ようきゅう)に～応(おう)じる 요구에 순순히 응하다/～(と)受(う)け入(い)れる 순순히 받아들이다/交渉(こうしょう)は～おわった 협상은 순조롭게 끝났다. 3 순진한 모양. ¶～した性質(せいしつ) 순진한 성질.

すんのま【寸の間】名 극히 짧은 시간이나 작은 공간.

すんびょう【寸秒】名 촌초; 아주 짧은 시간. ¶～を争(あらそ)う 촌각을 다투다.

すんびょう【寸描】名 촌묘; 짧은 묘사; 스케치. ¶人物(じんぶつ)～ 인물 촌묘.

すんぴょう【寸評】名 촌평; 단평; 짧은 비평. ¶～をはさむ 촌평을 하다.

すんぶん【寸分】一名 조금; 극소. ¶～の差(さ) 극소한 차이 / ～の狂(くる)いもない 조금도 틀림이〔착오가〕 없다.
二【すんぶん】副《뒤에 否定語가 와서》 조금도. ¶兄(あに)と～たがわぬ顔(かお) 형과 흡사한 얼굴 / ～違(ちが)わない 조금도 다름이 없다. 注意 'すんぷん' 이라고도 함.

ずんべらぼう 名·ナ 〈俗〉 1 흐릿한 사람; 야무지지 못한〔흘게 늦은〕 사람; 헐렁이. ¶～な仕事(しごと)ぶり 야무지지 못한 일솜씨. 参考 'ずべら坊(ぼう)' 의 전와. 2 표면이 밋밋한 모양. ＝のっぺらぼう.

すんぽ【寸歩】名 촌보; 약간의 걸음〔거리〕. ¶～の動(うご)きも許(ゆる)されない 촌보의 움직임도 용납되지 않다.

*すんぽう【寸法】名 1 길이; 치수; 척도. ¶目(め)～ 눈대중 치수《어림 치수》/洋服(ようふく)の～を計(はか)る〔取(と)る〕 양복 치수를 재다. 2〈俗〉 작정; 순서; 계획. ＝段(だん)どり. ¶万事(ばんじ)は～通(どお)りに行(い)った 만사는 계획대로 되었다/ちゃんと～はできている 계획은 다 서〔되어〕 있다/近(ちか)いうちに行(い)ってみようという～だ 근일 중으로 가볼 참이다. 3 형편; 모양; 상태. ¶商売(しょうばい)も今(いま)のところまあまあといった～です 장사도 지금 단계에서는 그저 그렇고 그런 형편입니다.

すんわ【寸話】名 짧은 이야기. ¶財界(ざいかい)～ 재계 단신(短信)/名士(めいし)の～をあつめる 명사들의 토막 이야기를 모으다.

せ セ

1 五十音図(ごじゅうおんず) 'さ行(ぎょう)' 의 넷째 음. [se] 2〖字源〗 '世' 의 초서체《かたかな 'セ' 는 '世' 의 초서체》.

せ【瀬】名 1 여울. ㉠물이 얕아 걸어서 건널 수 있는 곳. ＝浅瀬(あさせ). ¶～を渡(わた)る 얕은 여울을 건너다. ↔淵(ふち). ㉡물살이 세어 쉽게 건널 수 없는 곳. ＝早瀬(はやせ). 2 기회; 경우. ¶会(あ)う～を待(ま)つ 만날 기회를 기다리다/浮(う)かぶ～が無(な)い 셈평펴일 기회가 없다; (곤경에서) 헤어날 길이 없다. 3 처지; 체면. ¶(私(わたし)の)立(た)つ～が無(な)い (내) 체면이 서지 않는다; (내) 설자리가 없다.

*せ【背】名 1 등. ㉠배의 반대쪽. ¶壁(かべ)に～をもたせかける 벽에 등을 기대다/敵(てき)に～を見(み)せる 적에게 등을 보이다; 도망치다. ㉡뒤. ¶山(やま)を～にして立(た)つ 산을 등지고 서다/椅子(いす)の～ 의자의 등받이. 2 산등성이. ＝尾根(おね). ¶山(やま)の～ 산등성이. 3 신장; 키. ＝せい. ¶～が高(たか)い 키가 크다.
—に腹(はら)はかえられぬ 배를 등과 바꿀 수는 없다《당면한 큰일을 위해서는 딴 일에는 일절 마음을 쓸 수 없다》.
—を向(む)ける 등을 돌리다; 전하여, 모르는 체하다; 배반하다; 돌아서다. ¶世論(せろん)に～ 여론에 등을 돌리다.

ぜ【是】名 도리에 맞음; 옳음. ¶かれの主張(しゅちょう)を～とする 그의 주장을 옳다고 여기다. ↔非(ひ).
—が非(ひ)でも 어떻게 해서라도; 무슨 일이 있어도; 꼭. ＝ぜひとも. ¶～手(て)に入(い)れたい 무슨 일이 있어도 입수하고 싶다.

ぜ 終助《終止形에 붙어서》 친근한 사람끼리 가볍게 다짐을 하거나 주의를 환기하는 데 씀. ¶さあ行(い)こう～ 자, 가자꾸나/早(はや)く出(で)かけよう～ 빨리 나서자꾸나/互(たが)いに気(き)をつけよう～ 서로 주의하세. 参考 남자나 나이 많은 여자가 쓰는 말《정답기는 하나 막된 말씨》.

ぜ〖是〗教6 ぜ この これ | 시 옳다 | 시. 1 옳다. ¶是是非非(ぜぜひひ) 시시비비. ↔非(ひ). 2 ㉠사람들이 옳다고 인정하다. ¶是認(ぜにん) 시인. ㉡옳다고 인정하여 정한 것. ¶国是(こくぜ) 국시.

せい【背】名 높이; 키. ¶どんぐりの～比(くら)べ 도토리 키 재기.

⁑せい〖所為〗名 원인; 이유; 탓. ¶努力(どりょく)した～で合格(ごうかく)した 노력한 덕으로 합격하였다/失敗(しっぱい)を不運(ふうん)の～にする 실패를 불운 탓으로 돌리다/人(ひと)の～にする 남의 탓으로 돌리다/年(とし)の～だ 나이 탓이다.

せい【制】名 제; 제도; 규칙; 규정. ＝おきて. ¶～を犯(おか)す 규정을 어기다. 参考 接尾語적으로도 쓰임. ¶共和(きょうわ)～ 공화제/罰金(ばっきん)～ 벌금제.

せい【勢】名 세(력); 특히, 군세; 병력. ¶敵(てき)の～は約(やく)五万(ごまん) 적군의 병력은 약 5만.

*せい【姓】图 성; 성씨. ＝みょうじ. ¶～は田中です 성은 田中입니다／母方の～を名乗る 어머니 성을 따르다.

*せい【性】图 1 성질; 성격; 본성. ＝たち. ¶人の～は善である 사람의 본성은 선이다／習い, ～となる 습관이 천성이 된다. 2 남녀·자웅의 구별; 섹스. ¶～体験 성 체험／～にめざめる 성에 눈을 뜨다／～による差別 성차별. 3 〖言〗 성. ＝ジェンダー. ¶中～ 중성. 4《接尾語적으로》…로서의〔하는〕 성질을 나타냄. ¶安全～ 안전성／植物～ 식물성.

—の商品化 성의 상품화.

せい【正】정. ㊀图 1 올바름; 정도(正道). ¶邪は～に勝たず 사악은 정도를 이기지 못한다. ↔邪. 2 주가 되는 것. ¶～副二通の書類 정부 2통의 서류. ↔副. 3 〖數〗 양수(陽數). ＝プラス. ¶～の整数 양(陽)의 정수. ↔負. ㊁接頭 1 올바른 모양의 뜻. ¶～方形 정사각형. 2 정식의 뜻. ¶～会員 정회원.

せい【生】생. ㊀图 1 삶; 인생. ¶～の喜び 삶의 기쁨／～を楽しむ 삶을 즐기다. 2 생명; 목숨. ¶この世に～を受ける 이 세상에 태어나다. ⇔死. 3 생활; 생업. ¶～をいとなむ 생을 영위하다; 생활하다. 4 생물(生物). ¶～を哀れむ 생물을 불쌍히 여기다. ㊁代 소생(小生). ¶～らが喜び 우리들의 기쁨. ㊂接頭 가공하지 않음의 뜻. ¶～石灰 생석회. ㊃接尾 1 (생물의) 생장 기간. ¶二十年～の松 20년생 소나무. 2 학생; 생도. ¶上級～ 상급생.

—ある者は必ず死あり 생자필멸.

—は難く死は易し 살기는 어렵고 죽기는 쉽다.

—は死の始め 삶은 죽음의 시작(임).

せい【精】图 정. 1 기력; 원기; 정력. ¶～をつける 원기를 돋우다／～が尽きる 기력이 다하다. 2 정령(精靈). ¶森の～ 숲의 정령. 3 순수한 것; 정수; 엑스. ¶日本美術の～ 일본 미술의 정수／～を採る 진액을 채취하다.

—を出す 열심히〔끈기 있게〕 일하다. ¶勉強に～ 공부를 열심히 하다.

せい【聖】성. ㊀图 1 성인. ＝ひじり. 2 그 방면에서 가장 뛰어난 사람. ¶詩～ゲーテ 시성 괴테. ㊁ナリ《'～なる'의 꼴로》 신성한; 거룩한; 성스러운. ¶～なる土地 성스러운 땅. ㊂接頭 성인(聖人) 이름에 붙이는 말. ¶～フランシスコ 성 프란체스코.

せい【静】图 정; 고요; 조용함; 움직이지 않음. ¶～と動 정과 동／動中～あり 동중정. ↔動.

=せい【世】…세. 1 몇 대째임을 나타내는 말. ¶ナポレオン三～ 나폴레옹 3세. 2 지질학의 시대 구분의 하나. ¶沖積～ 충적세.

=せい【製】…제; 만든 재료·회사명·국명을 나타내는 말. ¶金属～ 금속제／アメリカ～の万年筆 미국제 만년필／ビニール～のかばん 비닐 가방.

せい〖井〗常用 セイ ショウ い | 정 우물 | 1 우물. ＝いど. ¶油井 유정. 2 우물틀의 꼴. ¶天井 천장. 3 마을. ¶市井 시정.

せい〖世〗教3 セイ セ よ | 세 인간 세상 | 1 세상. ＝よのなか. ¶世相 세태／出世 출세. 2 때. ㉠시간의 구분(('せ'로 읽음)). ¶現世 현세／来世 내세. ㉡비교적 긴 시간의 단위. ¶世紀 세기. ㉢시대의 구분. ¶近世 근세.

せい〖正〗教1 セイ ショウ ただしい ただす まさ | 정 바르다 | 정. 1 바르다. ¶公正 공정／正直 정직. 2 바르게 하다. ¶正誤 정오／改正 개정.

せい〖生〗教1 セイ ショウ いきる いかす いける うまれる うむ おう はえる はやす き なま | 생 낳다 살다 | 1 싹이 나다. ¶野生 야생／実生 실생. 2 낳다. ¶生殖 생식／誕生 탄생. 3 일어나다. ¶発生 발생.

せい〖成〗(〖成〗) 教4 セイ ジョウ なる なす | 성 이루다 | 1 이루다. ¶成功 성공／達成 달성. 2 되다; 성장하다. ¶成案 성안／成年 성년.

せい〖西〗教2 セイ サイ にし | 서 서녘 | 서. 1 서쪽. ¶西洋 서양／東西 동서. ↔東. 2 서양. ¶西欧 서구; 서유럽.

せい〖声〗(〖聲〗) 教2 セイ ショウ こえ こわ | 성 소리 | 1 소리. ¶声楽 성악／音声 음성. 2 말을 하다. ¶声明 성명／声優 성우. 3 세상의 평판. ¶声価 성가／名声 명성.

せい〖制〗教5 セイ | 제 짓다 | 1 제정하다. 법규. ¶制度 제도／立憲制 입헌제. 2 누르다. ¶制止 제지／強制 강제. 3 다스리다. ¶制覇 제패.

せい〖姓〗常用 セイ ショウ かばね | 성 성 | 성. 1 일족. ¶同姓 동성. 2 씨족 또는 가문의 고유명. ¶姓氏 성씨／旧姓 구성.

せい〖征〗常用 セイ ゆく うつ | 정 치다 | 토벌하러 가다. ¶遠征 원정／出征 출정.

せい〖性〗教5 セイ ショウ さが | 성 성품 | 성. 1 천성. ¶性格 성격／根性 근성. 2 신체적 특질에 의한 남녀·자웅의 구별. ¶性欲 성욕／女性 여성.

せい〖青〗(〖靑〗) 教1 セイ ショウ あお あおい | 청 푸르다 | 청. 1 푸르다. ¶青山 청산／群青 군청. 2 잎이 무성하다. ¶青青

(あおあお・せいせい) 청청 / 青嵐(せいらん) 청람.

せい〖斉〗《齊》常用 セイ ひとしい | 제 가지런하다 | 1 가지런하다. ¶一斉(いっせい) 일제 / 均斉(きんせい) 균제. 2 다스리다. ¶修身(しゅうしん)斉家(せいか) 수신제가.

せい〖政〗教5 セイ ショウ まつりごと | 정 정사 | 1 정사; 다스리다. ¶政治(せいじ) 정치 / 摂政(せっしょう) 섭정. 2 바로잡다. ¶家政(かせい) 가정.

せい〖星〗教2 セイ ショウ ほし | 성 별 | 성. 1 별. ¶日月(にちげつ)星辰(せいしん) 일월성신 / 衛星(えいせい) 위성. 2 중요한 인물. ¶将星(しょうせい) 장성.

せい〖牲〗常用 セイ いけにえ | 생 희생 | 희생. ¶犠牲(ぎせい) 희생.

せい〖省〗教4 セイ ショウ かえりみる はぶく | 성 살피다 | 성. 1 살피다. ¶省察(しょうさつ) 성찰. 2 반성하다. ¶内省(ないせい) 내성. 3 간단히 하기 위해 줄이다. ¶省略(しょうりゃく・せいりゃく) 생략.

せい〖逝〗《逝》常用 セイ ゆく | 서 가다 | 사망; 사람이 죽다. ¶逝去(せいきょ) 서거 / 永逝(えいせい) 영서.

せい〖清〗《淸》教6 セイ ショウ シン きよい きよまる きよめる すがし | 청 맑다 | 1 ㉠맑다. ¶清濁(せいだく) 청탁. ↔濁(だく). ㉡깨끗하다. ¶清潔(せいけつ) 청결. 2 말끔히 치우다. ¶清算(せいさん) 청산 / 清掃(せいそう) 청소 / 粛清(しゅくせい) 숙청.

せい〖盛〗《盛》教6 セイ ジョウ もる さかる さかん | 성 성하다 | 1 물건을 그릇 속에 가득히 쌓다. 2 번성하다; 성대하다. ¶盛況(せいきょう) 성황 / 繁盛(はんじょう) 번성.

せい〖婿〗《壻》常用 セイ むこ | 서 사위 | 사위. ¶女婿(じょせい) 여서. 注意 '聟'는 속자.

せい〖晴〗《晴》教2 セイ はれる はらす はれ | 청 개다 | 청; (날이) 개다. ¶晴天(せいてん) 청천 / 晴雨(せいう) 청우 / 快晴(かいせい) 쾌청.

せい【棲】セイ すむ | 서 살다 | 1 둥지; 살다; 보금자리. ¶棲息(せいそく) 서식. 2 사람이 살다. ¶同棲(どうせい) 동서 / 群棲(ぐんせい) 군서.

せい〖勢〗教5 セイ セ いきおい | 세 세력 | 1 기세. ¶威勢(いせい) 위세 / 勢力(せいりょく) 세력. 2 군대; 병력. ¶敵勢(てきせい) 적세 / 軍勢(ぐんぜい) 군세.

せい〖聖〗《聖》教6 セイ ショウ ひじり | 성 성스럽다 | 성. 1 ㉠성인; 성현. ¶四聖(しせい) 사성. ㉡천자. ¶聖業(せいぎょう) 성업 / 列聖(れっせい) 열성. 2 ㉠〔基〕종교적으로 거룩함. ¶聖母(せいぼ) 성모. ㉡Saint의 역어. ¶聖(せい)アグネス 성 아녜스.

せい〖靖〗《靖》人名 セイ やすい | 정 편안하다 | 편안; 평화롭게 하다. ¶靖国(せいこく・やすくに) 정국 / 靖安(せいあん) 정안 / 靖献(せいけん) 정헌.

せい〖誠〗《誠》教6 セイ まこと | 성 정성 | 진실하다; 진실한 마음. ¶誠実(せいじつ) 성실 / 忠誠(ちゅうせい) 충성.

せい〖精〗《精》教5 セイ ショウ くわしい | 정 자세하다 | 정. 1 쓿다; 대끼다; 희다. ¶精白(せいはく) 정백 / 精米(せいまい) 정미. 2 세밀하다; 자세하다. ¶精密(せいみつ) 정밀. 3 순수한〔뛰어난〕것. ¶精粋(せいすい) 정수.

せい〖製〗教5 セイ | 제 만들다 | 만들다; 짓다. ¶製造(せいぞう) 제조 / 外国製(がいこくせい) 외국제.

せい〖誓〗常用 セイ ちかう | 서 맹세 | 맹세하다. ¶誓約(せいやく) 서약 / 宣誓(せんせい) 선서.

せい〖静〗《靜》教4 セイ ジョウ しず しずか しずまる しずめる | 정 조용하다 | 1 움직이지 않다; 조용함. ¶静止(せいし) 정지 / 安静(あんせい) 안정. ↔動(どう). 2 고요하다; 조용히 하다. ¶静粛(せいしゅく) 정숙 / 鎮静(ちんせい) 진정.

せい〖請〗《請》常用 セイ シン ショウ こう うける | 청 청하다 | 청. 1 청원하다. ¶請求(せいきゅう) 청구 / 申請(しんせい) 신청. 2 부탁하다. ¶懇請(こんせい) 간청.

せい〖整〗教3 セイ ととのえる ととのう | 정 가지런하다 | 가지런히〔정돈〕하다. ¶整備(せいび) 정비 / 調整(ちょうせい) 조정.

***ぜい**【税】图 세; 세금. ¶~の負担(ふたん) 세부담 / ~の取(と)り立(た)て 세금 징수; 징세. 参考 接尾語적으로도 쓰임. ¶所得(しょとく)~ 소득세.

ぜい［贅］图 1 사치. ＝奢(おご)り. ¶~を尽(つ)くす 온갖 사치를 다하다. 2 쓸데없음. ＝むだ. ¶~を省(はぶ)く 낭비를 없애다.

ぜい〖税〗《稅》教5 ゼイ | 세 구실 | 세금. ¶税金(ぜいきん) 세금 / 血税(けつぜい) 혈세.

せいあい【性愛】图 성애.

せいあくせつ【性悪説】图 (순자의) 성악설. ↔性善説(せいぜんせつ).

せいあつ【制圧】图 자他 제압. ¶反対党(はんたいとう)を~する 반대당을 제압하다.

せいあん【成案】图 성안. ¶計画(けいかく)の~を公開(こうかい)する 계획의 성안을 공개하다. ↔草案(そうあん)・試案(しあん).

せいい【勢威】图 세위; 권세와 위력. ¶~を振(ふ)るう 권세와 위력을 떨치다.

せいいたいしょうぐん［征夷大将軍］图 1 (奈良(なら) 시대에) 북방 아이누족 정벌을 위해 파견된 군대의 총수. 2 鎌倉(かまくら) 시대 이후, 무력과 정권을 쥔 幕府(ばくふ)의 주권자의 직명. ＝将軍(しょうぐん).

せいい【誠意】图 성의. ＝まごころ. ¶誠心(せいしん)~ 성심성의 / ~をつくす 성의를 다하다 / ~を欠(か)く 성의가 없다.

せいいき【聖域】图 성역. 1 성스러운 구

역·곳. ¶～を侵す 성역을 침범하다/～をけがすことは許されない 성역을 더럽히는 일은 용서되지 않는다. **2** 문제삼을 수 없는 사항. ¶予算削減に～なし 예산 삭감에는 성역이 없음.

せいいき【声域】图 성역; 음역(音域). ¶あの歌手は～が広い 저 가수는 음역이 넓다.

せいいく【生育】图ス自他 생육. **1** 낳아서 키움. ¶～の恩 낳아서 키운 은혜. **2** (식물이) 자라서 커짐. ¶作物の～をうながす 작물의 생육을 촉진하다. ⇨せいいく(成育).

せいいく【成育】图ス自 성육; 자람. ¶稚魚が～する 치어가 자라다. 参考 학술 용어에서 '成育'는 동물에, '生育'는 식물에 씀.

せいいっぱい【精いっぱい】《精一杯》副ダナ 힘껏; 최대한으로; 고작. ¶～努力〔勉強〕する 힘껏 노력〔공부〕하다/～おまけしましょう 최대한으로 값을 깎아 드리겠습니다/食べていくのが～だ 입에 풀칠하는 게 고작이다.

せいいん【成因】图 성인. ¶火山の～ 화산의 성인/蜃気楼の～を調べる 신기루의 성인을 조사하다.

せいいん【成員】图 성원. ＝メンバー. ¶会の～ 모임의 성원.

せいう【晴雨】图 청우; 날이 갬과 비가 옴. ¶～兼用 청우 겸용/～にかかわらず決行する 날씨에 관계없이 결행한다. 「～ 암흑 성운.

せいうん【星雲】图〔天〕성운. ¶暗黒

せいうん【青雲】图 청운. **1** 푸른〔맑게 갠〕하늘. **2** 높은 벼슬; 고관.

―の志 청운의 뜻; 입신양명의 대망. ¶～を抱いて故郷を出る 청운의 뜻을 품고 고향을 떠나다.

せいうん【盛運】图 성운. ¶～に向かう 성운이 트다. ↔衰運.

せいえい【精鋭】名ナ 정예; 또, 정병. ¶～部隊 정예 부대/～をえりすぐる 정병만을 골라내다. 「순수한 액.

せいえき【精液】图 **1** 정액. ＝精水. **2**

せいえん【声援】图ス他 성원. ＝エール. ¶熱烈な～を送る 열렬한 성원을 보내다/声を限りに～する 목이 터져라 하고 성원하다.

せいえん【製塩】图ス自 제염. ¶～業 제염업/天日～ 천일 제염.

せいおう【西欧】图 서구. **1** 서유럽. ↔東欧. ¶～では文芸が古くから尊重された 서유럽에서는 예로부터 문예가 존중되었다. **2** 서양. ¶～文化 서구〔서양〕문화. 参考 2는 明治 시대에 동양에 대해 한 말.

せいおん【清音】图 **1** 청음; 맑은 음. **2** 일본말에서 탁음부(濁音符)·반(半)탁음부를 붙이지 않은 かな의 음《'バ·パ'에 대하여 'ハ', 'ズ'에 대하여 'ス' 등을 가리킴》. ↔濁音·半濁音.

せいおん【静穏】图ダナ 정온; 평온. ¶～な空気が漂っている 정온한 공기가 감돌고 있다. 参考 본디, 기상학에서 무풍 상태를 말했음.

***せいか**【成果】图 성과. ¶努力の～ 노력의 성과/多大な～をあげた 다대한 성과를 올렸다.

せいか【青果】图 청과; '青果物'의 준말. ¶～市場 청과 시장. 「과물상.

―ぶつ【―物】图 청과물. ¶～商 청

せいか【声価】图 성가; 명성. ¶～を高める 성가를 높이다/～が高まる 성가가 높아지다.

せいか【正価】图 정가; 에누리 없는 값. ＝しょうふだ. ¶現金～販売 현금 정가 판매.

せいか【正貨】图〔經〕정화; 본위 화폐. ＝本位貨幣. ¶～準備 정화 준비/在外～ 재외 정화.

せいか【正課】图 정과; 정규〔필수〕과목. ¶本校では英語会話を～として学習させる 본교에서는 영어 회화를 정규과목으로서 학습시킨다.

せいか【生花】图 **1** 생화. ¶霊前に～を供える 영전에 생화를 바치다. ↔造花. **2** 꽂꽂이. ＝いけばな.

せいか【生家】图 생가. **1** 태어난 집. ¶～を離れる〔訪ねる〕생가를 떠나다〔방문하다〕. **2** (며느리·양자의) 본가; 친정. ＝実家·さと. ↔婚家·養家.

せいか【盛夏】图 성하. ＝真夏. ¶～の候 성하지절. ↔初夏·晩夏.

せいか【精華】图 정화; 정수(精髓). ¶武士道の～ 무사도의 정화.

せいか【聖火】图 성화. ¶オリンピックの～ 올림픽 성화.

―リレー [relay] 图 성화 릴레이《1936년부터 시작》. 「성가대.

せいか【聖歌】图 성가; 찬송가. ¶～隊

せいか【製菓】图 제과. ¶～会社 제과 회사/～業 제과업.

せいか [臍下] 图 제하; 배꼽 밑.

―たんでん [―丹田] 图 제하단전; 아랫배. ＝丹田. ¶～に力を入れる 아랫배에 힘을 주다. 「청아한 음성.

せいが【清雅】名ナ 청아. ¶～な音声

せいかい【政界】图 정계. ¶～の動き 정계의 움직임/～に乗り出す 정계에 나서다.

せいかい【正解】图ス自 정해. ¶この問題の～は次号に載せます 이 문제의 정해는 다음 호에 싣습니다. ↔誤解·曲解. 「↔略解.

せいかい【精解】图ス他 정해. ＝詳解.

せいかい【盛会】图 성회; 성대한 모임. ¶～のうちに終わる 성황리에 끝나다.

せいかいけん【制海権】图 제해권. ¶～を握る〔失う〕제해권을 장악〔상실〕하다. ↔制空権.

せいかがく【生化学】图 생화학. ＝生物化学. ¶～検査 생화학 검사.

****せいかく**【正確】图ダナ 정확. ¶～な時刻 정확한 시각/～を期する 정확을

게하다/内容(ないよう)を～にとらえる 내용을 정확히 파악하다/英語(えいご)を～に発音(はつおん)する 영어를 정확히 발음하다.

せいかく【精確】名ダナ 정확; 정밀하고 정확함. ¶～な時計(とけい) 정확한 시계/～に調(しら)べる 정확하게 조사하다.

****せいかく**【性格】名 성격. =キャラクター. ¶明(あか)るい～ 밝은 성격/それとこれとは問題(もんだい)の～が違(ちが)う 그것과 이것은 문제의 성격이 다르다/彼(かれ)とは～が合(あ)わない 그와는 성격이 맞지 않는다.

—はいゆう【—俳優】名 성격 배우.

—びょうしゃ【—描写】名 성격 묘사.

せいかく【政客】名 정객. =せいじか·せいきゃく. ¶老獪(ろうかい)な～ 노회한 정객.

せいがく【声楽】名〔樂〕성악. ¶～家(か) 성악가/～曲(きょく) 성악곡/～のレッスンに通(かよ)う 성악 레슨을 받으러 다니다. ↔器楽(きがく).

ぜいがく【税額】名 세액. ¶追徴(ついちょう)～ 추징 세액.

****せいかつ**【生活】名ス自 생활. ¶～を営(いとな)む 생활을 영위하다/～にあえぐ 생활에 허덕이다/～にゆとりがある 생활에 여유가 있다/～の道(みち)を立(た)てる 생활의 방도를 세우다/～が立(た)たない 생활이 부지되지 않는다.

—かんきょう【—環境】名 생활환경.

—きゅう【—給】名 생활급. ↔能率給(のうりつきゅう).

—く【—苦】名 생활고.

—しゅうかんびょう【—習慣病】名 '成人病(せいじんびょう)(=성인병)'의 고친 이름《식생활·생활 태도 등의 개선으로 예방이 가능하다는 관점에서 개칭됨》.

—なん【—難】名 생활난. ¶～で苦(くる)しむ 생활난으로 고생하다.

—ひ【—費】名 생활비; 생계비. =生計費(せいけいひ). ¶～がかさむ 생활비가 늘어나다.

—ひつじゅひん【—必需品】名 생활필수품.

—ほご【—保護】名 생활 보호. ¶～法(ほう) 생활 보호법.

せいかっこう【背格好】《背恰好》名 키와 몸집. =せかっこう. ¶～がそっくりだ 키와 몸집이 꼭 닮았다.

せいかん【生還】名ス自 생환. ¶無事(ぶじ)に～する 무사히 생환하다/～は期(き)し難(がた)い 생환은 기대하기 어렵다.

せいかん【性感】名 성감. ¶～帯(たい) 성감대.

せいかん【清閑】名ナ 청한. ¶～の地(ち)に遊(あそ)ぶ 청한한 곳에서 노닐다/～を楽(たの)しむ 청한을 즐기다.

せいかん【盛観】名 성관; 장관. ¶行列(ぎょうれつ)は～をきわめた 행렬은 더없는 장관을 이루었다.

せいかん【静観】名ス他 정관. ¶事態(じたい)〔成(な)り行(ゆ)き〕を～する 사태〔추이〕를 정관하다.

せいかん［青函］名 青森(あおもり)시와 函館(はこだて)시. ¶～連絡船(れんらくせん) 青森와 函館 사이를 왕복하던 연락선.

—トンネル［tunnel］名 本州(ほんしゅう)와 北海道(ほっかいどう)를 잇는, 세계에서 가장 긴 철도 터널《1985년에 관통됨》.

せいかん［精悍］ダナ 정한. ¶～な目(め)つき 예리하고 사나운 눈.

せいがん【正眼·青眼】名 검도 자세의 하나《칼 끝이 상대방의 눈을 향한 자세》. =中段(ちゅうだん)の構(かま)え. ¶～に構(かま)える (검도에서) 正眼의 자세를 취하다. ↔大上段(だいじょうだん)·下段(げだん).

せいがん【誓願】名ス他 서원; 비원(悲願). ¶弥陀(みだ)の～ 미타의 서원〔비원〕.

せいがん【請願】名ス他 청원. ¶～休暇(きゅうか) 청원 휴가/～を却下(きゃっか)する 청원을 각하하다.

ぜいかん【税関】名 세관. ¶～がやかましい 세관이 까다롭다/～で調(しら)べられる 세관에서 조사를 받다.

せいがんざい【制がん剤】《制癌剤》名 제암제.

***せいき**【世紀】名 세기. ¶幾(いく)～にわたって 몇 세기에 걸쳐서/新(あたら)しい～を迎(むか)える 새로운 세기를 맞이하다.

—てき【—的】ダナ 세기적.

—まつてき【—末的】ダナ 세기말적. ¶～な傾向(けいこう) 세기말적인 경향.

せいき【西紀】名 서기; 서력. ¶～二千二年(にせんにねん) 서기 2002년.

せいき【性器】名 성기; 생식기. =生殖器(せいしょくき).

せいき【正規】名 정규. =正則(せいそく). ¶～の課程(かてい) 정규 과정/～の手順(てじゅん) 정규 절차/～のルートによる輸入(ゆにゅう) 정식 경로를 통한 수입.

せいき【精気】名 정기. **1** 만물이 생성하는 원기. ¶宇宙(うちゅう)の～ 우주의 정기. **2** 정력. ¶～に満(み)ちた体(からだ) 정력이 넘치는 몸. **3** 정신과 기력. **4** 정신; 혼. =魂(たましい). **5** 정령(精靈); 영기(靈氣). ¶深山(しんざん)の～ 심산의 정기.

せいき【生気】名 생기; 활력; 활기. =活気(かっき). ¶溌剌(はつらつ)たる～に満(み)ちている 발랄한 생기에 차 있다/～を取(と)りもどす 생기를 되찾다.

***せいぎ**【正義】名 정의. ¶～派(は) 정의파/～はついに勝(か)つ 정의는 결국 이긴다/～のために戦(たたか)う 정의를 위해 싸우다.

せいきゅう【生休】名 생휴; '生理休暇(せいりきゅうか)(=생리 휴가)'의 준말.

****せいきゅう**【請求】名ス他 청구; 요구. ¶本代(ほんだい)を～してきた 책값을 청구해 왔다/～を容(い)れる 청구를 받아들이다.

—しょ【—書】名 청구서.

せいきゅう【制球】名〔野〕제구; (투수의) 투구 조절. =コントロール.

—りょく【—力】名〔野〕제구력. ¶～のよい投手(とうしゅ) 제구력이 좋은 투수. =コントロール.

せいきゅう【性急】名ダナ 성급. =せっかち. ¶～な処置(しょち) 성급한 조치/～に過(す)ぎる 너무 성급하다/～に結論(けつろん)を出(だ)す 성급하게 결론을 내다.

せいきょ【盛挙】名 성거; 장거. ¶宇宙開発(うちゅうかいはつ)の進展(しんてん)は今世紀(こんせいき)の～だ 우주 개발의 진전은 금세기의 장거다.

せいきょ【逝去】名ス自 서거. ¶ご～を

悼(いた)む 서거를 애도함 / ご～されました 서거하셨습니다. 参考 자기 친척일 때는 '死去(しきょ)' 또는 '永眠(えいみん)'이라고 함.

せいぎょ【制御】《制禦·制馭》 名 ス他 제어. ＝コントロール. ¶～し易(やす)い 제어하기 쉽다 / 欲望(よくぼう)を～する 욕망을 제어하다.

—そうち【—装置】名〔컴〕 제어 장치. ¶自動(じどう)～ 자동 제어 장치.

せいぎょ【生魚】名 생어. **1** (신선한) 생선. ＝鮮魚(せんぎょ). ¶～販売(はんばい) 생선 판매. **2** 산 물고기. ＝活魚(かつぎょ).

せいぎょ【成魚】名 성어. ↔幼魚(ようぎょ)·稚魚(ちぎょ).

せいきょう【政教】名 정교; 정치와 종교. ¶～一致(いっち) 정교일치.

—ぶんり【—分離】名 정교분리.

せいきょう【正教】名 정교. **1** 바른 가르침·종교. ↔邪教(じゃきょう)·禁教(きんきょう). **2** 러시아 기독교의 자칭; 그리스 정교.

せいきょう【生協】名 '(消費(しょうひ))生活(せいかつ)協同組合(きょうどうくみあい)(＝(소비) 생활 협동조합)'의 준말.

せいきょう【盛況】名 성황. ¶会(かい)は大入(おおい)り満員(まんいん)の～だった 모임은 대만원을 이루는 성황이었다.

せいきょう【精強】名ナ 정강; 우수하고 강함. ¶～な軍隊(ぐんたい) 정강한 군대 / ～をほこるチーム 정예를 자랑하는 팀.

せいぎょう【正業】名 정업; (도박 따위가 아닌) 올바른 직업. ¶やくざから足(あし)を洗(あら)って～につく 건달 생활을 청산하고 떳떳한 직업을 가지다.

せいぎょう【生業】名 생업; 직업. ＝なりわい. ¶～に励(はげ)む 생업에 힘쓰다 / 文筆(ぶんぴつ)を～とする 문필을 생업으로 삼다.

せいぎょう【盛業】名 성업. ¶～中(ちゅう)の事業(じぎょう) 성업 중인 사업 / 御(ご)～を祝(しゅく)す 성업을 축하함.

せいきょういく【性教育】名 성교육; 순결 교육. ＝純潔(じゅんけつ)教育(きょういく). ¶～を施(ほどこ)す 성교육을 실시하다.

せいきょうと【清教徒】名 청교도《개신교의 한 파》. ＝ピューリタン.

せいぎょき【盛漁期】名 성어기. ＝豊漁期(ほうりょうき). ¶～を向(むか)える 성어기를 맞다.

せいきょく【政局】名 정국. ¶不安定(ふあんてい)な～ 불안정한 정국 / ～は混乱(こんらん)をきわめている 정국은 극히 혼란하다 / ～を担当(たんとう)する (a)정권을 장악하다; (b)새로이 정부를 조직하다.

せいきん【精勤】名ナ ス自 정근. ¶～手当(てあて) 정근 수당 / ～賞(しょう) 정근상.

****ぜいきん**【税金】名 세금. ¶～を払(はら)う 세금을 내다 / ～がかかる 세금이 붙다 / ～を納(おさ)める 세금을 납부하다 / ～を滞納(たいのう)する 세금을 체납하다 / 高(たか)い～を課(か)す 높은 세금을 과하다.

せいく【成句】名 성구. **1** 습관적으로 쓰이는, 두 낱말 이상으로 이루어진 관용구《いちかばちか·のるかそるか(＝되든 안 되든·운을 하늘에 맡기고) 따위》. ＝イディオム·慣用句(かんようく). **2** 속담; 금언. ¶故事(こじ)～ 고사 성구.

せいくうけん【制空権】名 제공권. ¶～を握(にぎ)る〔失(うしな)う〕 제공권을 장악〔상실〕하다. ↔制海権(せいかいけん).

せいくらべ【背比べ】《背競べ》 名 ス自 키대보기. ＝たけ〔せ〕くらべ. ¶どんぐりの～ 도토리 키 재기.

せいけい【成型】名 ス自他 성형; 틀에 넣어 프레스로 눌러 만듦. ¶プラスチックの～加工(かこう) 플라스틱의 성형 가공.

せいけい【成形】㊀名 ス自他 성형. ㊁名〔醫〕 흉곽 성형술.

—しゅじゅつ【—手術】名〔醫〕 성형수술; 흉곽 성형술.

せいけい【政経】名 정경; 정치와 경제. ¶～分離(ぶんり) 정경 분리 / ～不可分(ふかぶん)の政策(せいさく) 정경 불가분의 정책.

せいけい【整形】名 ス他〔醫〕 정형. ¶～手術(しゅじゅつ) 정형 수술.

—げか【—外科】名 정형외과. ⇨成形(せいけい).

せいけい【生計】名 생계; 생활. ¶～費(ひ) 생계비 / ～が豊(ゆた)かである 생활이 풍족하다 / 文筆(ぶんぴつ)で～を立(た)てる 문필로 생계를 유지하다 / ～が苦(くる)しい 생계가 곤란하다.

せいけい【西経】名〔地〕 서경. ↔東経(とうけい).

****せいけつ**【清潔】名 ダナ 청결. ¶～な選挙(せんきょ) 깨끗한 선거 / 体(からだ)を～に保(たも)つ 몸을 늘 깨끗이 하다 / ～に身(み)を処(しょ)する 깨끗하게 처신하다. ↔不潔(ふけつ).

せいけん【政権】名 정권. ¶～のたらい回(まわ)し 자기들끼리 돌려가며 정권을 잡기 / ～を握(にぎ)る 정권을 잡다 / ～に恋々(れんれん)とする 정권에 연연하다.

せいけん【政見】名 정견. ¶～発表(はっぴょう) 정견 발표 / 各(かく)政党(せいとう)の間(あいだ)に～の一致(いっち)を見(み)る 각 정당간에 정견의 일치를 보다.

せいけん【聖賢】名 성현. ¶～の教(おし)え 성현의 가르침.

****せいげん**【制限】名 ス他 제한. ¶産児(さんじ)～ 산아 제한 / 時間(じかん)に～がある 시간에 제한이 있다 / 応募(おうぼ)資格(しかく)を～する 응모 자격을 제한하다.

ぜいげん［贅言］名 ス自 췌언; 군말. ＝贅語(ぜいご). ¶～を弄(ろう)する 군말을 하다.

ぜいげん【税源】名 세원. ¶～を捜(さが)し出(だ)す 세원을 찾아내다.

せいご【正誤】名 정오; 올바름과 그릇됨. ¶～表(ひょう) 정오표 / 答(こた)えの～を見(み)きわめる 답의 정오를 확인하다.

せいご【生後】名 생후. ¶～五(ご)か月(げつ)の赤(あか)ん坊(ぼう) 생후 5개월의 아기.

せいご【成語】名 성어. **1** 고어(古語)로 널리 인용되는 말. ¶故事(こじ)～ 고사 성어. **2** 숙어; 관용어.

せいこう【性行】名 성행; 천성과 품행. ＝身持(みも)ち. ¶～不良(ふりょう) 품행 불량 / ～を調(しら)べる 성행을 조사하다.

せいこう【性向】名 성향; 성격; 기질. ＝気質(きしつ). ¶黙(だま)ってはいられない～ 잠자코 있지 못하는 성향 / 消費(しょうひ)～ 소비 성향 / 彼(かれ)の～は明(あか)るい方(ほう)だ 그의

성향[기질]은 명랑한 편이다.

せいこう【性交】名ス自 성교. ＝セックス. ¶～不能ふのう 성교 불능.

**せいこう【成功】名ス自 성공. ＝サクセス. ¶失敗しっぱいは～の母はは 실패는 성공의 어머니 / ～の見込みこみがある 성공할 가망이 있다 / 実験じっけんは～をおさめた 실험은 성공을 거두었다. ↔失敗しっぱい.

—ほうしゅう【—報酬】名 의뢰한 일이 성공한 경우에 지불하기로 약속한 보수. ＝成功金きん.

—り【—裏〔裡〕】名 성공리. ¶会かいは～に終おわった 모임은 성공리에 끝났다.

せいこう【政綱】名 정강. ¶新あたらしい～を発表はっぴょうする 새 정강을 발표하다.

せいこう[正鵠]名 'せいこく'의 관용음.

せいこう【生硬】名ダナ 생경. ¶～な文章ぶんしょう 생경한[딱딱한] 문장 / ～な若者わかもの 세상사에 어둡고 융통성이 없는 젊은이 / 彼かれの作品さくひんは～のきらいがある 그의 작품은 딱딱한 것이 흠이다. ↔洗練せんれん.

せいこう【盛行】名ス自 성행. ¶近代きんだい初期しょきに～した髪形かみがた 근대 초기에 성행한 머리형[헤어스타일].

*せいこう【精巧】名ダナ 정교. ¶～な機械きかい 정교한 기계 / 細工さいくは～をきわめている 세공은 극히 정교하다.

せいこう【製鋼】名ス自 제강. ¶～所じょ 제강소.

せいごう【整合】名ス自他 정합; 가지런하여 꼭 들어맞음; 꼭 맞춤. ¶歯はの不揃ふぞろいなのを～する 이가 고르지 않은 것을 가지런히 하다.

せいこうい【性行為】名 성행위.

せいこううどく【晴耕雨読】名ス自 청경우독(전원(田園)에서 유유자적하는 문인의 생활 등을 말함).

せいこうとうてい【西高東低】名〔氣〕 서고동저(한국이나 일본 부근의 전형적인 겨울철 기압 배치). ↔東高西低とうこうせいてい.

せいこうほう【正攻法】名 정공법. ¶計略けいりゃくを用もちいず～で戦たたかう 계략을 쓰지 않고 정공법으로 싸우다.

せいこく[正鵠]名 정곡; (사물의) 급소나 핵심. ¶～を失しっする 요점을 벗어나다. 注意 'せいこう'는 관용음.

—を射いる〔得える〕 정곡을 찌르다. ¶正鵠を射た意見いけん 정곡을 찌른 의견.

せいこつ【整骨】名 정골; 접골. ＝骨ほねつぎ. ¶～院いん 정골원; 접골원.

ぜいこみ【税込み】名 (급료·요금 등에서) 세금을 포함함; 또, 그 액수. ¶～で一万いちまん円えん 세금을 포함해 1만 엔. ↔手取てどり.

せいこん【成婚】名ス自 성혼. ¶御ご～を祝しゅくす 성혼을 축하함.

せいこん【精根】名 정력; 끈기; 기력; 힘. ＝気力きりょく. ¶～が尽つきる 정력이 다하다; 기진맥진하다.

せいこん【精魂】名 정혼; 심혼; 심혈. ¶～を注そそぐ〔傾かたむける〕 심혈을 기울이다.

せいさ【性差】名 성차; 남녀·암수의 성별에 따른 차.

せいざ【星座】名〔天〕 성좌; 별자리. ¶オリオン～ 오리온자리.

せいざ【正座】《正坐》名ス自 정좌; 무릎을 꿇고 단정하게 앉음. ＝端座たんざ. ¶仏壇ぶつだんに向むかって～する 불단을 향해서 정좌하다. ↔あぐら.

せいざ【静座】《静坐》名ス自 정좌; 마음을 차분히 하고 앉음. ¶威儀いぎを正ただして～する 위의를 갖추어 정좌하다.

*せいさい【制裁】名ス他 제재. ¶～を加くわえる 제재를 가하다 / 世論せろんの～を受うける 여론의 제재를 받다.

せいさい【正妻】名 정처; 본처. ¶～に迎むかえる 본처로 맞아들이다. ＝本妻ほんさい. ↔妾めかけ·内妻ないさい.

せいさい【精細】名ダナ 정세; 세밀. ¶～に調しらべる 세밀하게 조사하다.

せいさい【生彩】名 생채; 생기; 생생한 빛·기운. ¶～を欠かく 생기가 없다 / この絵えは～に満みちている 이 그림은 생동감에 넘쳐 있다.

せいさい【精彩】名 정채; (색채 등이) 두드러지게 뛰어남. ¶～に富とんだ絵え 정채가 풍부한 그림 / ～を放はなつ 정채를 발하다.

せいざい【製材】名ス自 제재. ¶～所しょ 제재소.

せいざい【製剤】名 제제; 제약(製薬). ¶～会社がいしゃ 제약 회사.

*せいさく【政策】名 정책. ¶外交がいこう～ 외교 정책 / ～を練ねる 정책을 가다듬다.

せいさく【制作】名ス他 제작; 예술 작품·방송 프로그램 따위를 만듦; 또, 그 작품. ¶油絵あぶらえの～ 유화 제작 / 共同きょうどう～ 공동 제작 / 出品しゅっぴん作品さくひんを～する 출품 작품을 제작하다. ⇒製作せいさく.

—スタッフ [staff] 名 제작 스태프. ¶番組ばんぐみの～ 프로그램 제작 스태프.

*せいさく【製作】名ス他 제작. ¶～所じょ 제작소 / 机つくえの～ 책상 제작 / 自動車じどうしゃの部品ぶひんを～する会社かいしゃ 자동차 부품을 제작하는 회사 / 精密機械せいみつきかいを～する 정밀 기계를 제작하다. 参考 일반적으로 '製作'는 기계·기구 등 실용적인 물건에, '制作せいさく'는 그림·조각·영화·방송 등 예술적 작품에 씀.

せいさつ【省察】名ス他 성찰. ＝しょうさつ. ¶自みずからの言動げんどうを～する 자신의 언동을 성찰하다.

せいさつ【生殺】名 생살; 살림과 죽임.

—よだつ【—与奪】名 생살여탈. ¶～の権けんをにぎる 생살여탈권을 쥐다.

せいさべつ【性差別】名 성차별; 성별에 따라 차별하는 일.

せいさん[凄惨·悽惨]名ナ 처참. ¶～な事故じこ 처참한 사고.

せいさん【成算】名 성산. ¶～がある 성산이 있다 / ～なしに事業じぎょうを始はじめる 성산 없이 사업을 시작하다.

せいさん【清算】名ス他 청산. ¶負債ふさいを～する 부채를 청산하다.

—とりひき【—取引】图 (증권 거래에서) 청산 거래. ↔実物(じつぶつ)取引.

せいさん【精算】图ス他 정산. ¶乗(の)り越(こ)し料金(りょうきん)を～する 승차 초과 요금을 정산하다. ↔概算(がいさん).

**せいさん【生産】图ス他 생산. ¶～高(だか) 생산량[액] / 注文(ちゅうもん)～ 주문 생산 / 電気部品(でんきぶひん)を～する 전기 부품을 생산하다 / ～を手控(てびか)える 생산을 보류하다 / 石炭(せきたん)の～がはかばかしくない 석탄의 생산이 원활하지 못하다.

—かかく【—価格】图〖經〗생산 가격. ¶～が高(たか)くつく 생산 가격이 비싸게 치이다.

—ざい【—財】图〖經〗생산재. ↔消費(しょうひ)財.

—せい【—性】图 생산성. ¶～向上運動(こうじょううんどう) 생산성 향상 운동.

—てき【—的】ダナ 생산적. ¶～な学説(がくせつ)〔意見(いけん)〕 생산적인 학설〔의견〕.

せいさん【青酸】图〖化〗청산; 수소의 시안화물(cyan化物).

—カリ〖—加里〗图〖化〗청산칼리; 시안화칼륨의 속칭.

せいさんかくけい【正三角形】图 정삼각형. =せいさんかっけい.

せいさんざい【制酸剤】图〖藥〗제산제. =制酸薬(やく).

せいし【世子】图 세자; 제후(諸侯)·大名(だいみょう)의 적자(嫡子).

せいし【姓氏】图 1 성씨. =みょうじ. 2 姓(かばね)와 氏(うじ). 参考 본디, '姓(かばね)'는 직업의 구별이고, '氏(うじ)'는 혈족의 구별.

せいし【正史】图 정사. 1 국가에서 편수한 역사책. ↔外史(がいし)·野史(やし). 2 정확한 사실의 역사. ↔稗史(はいし).

せいし【青史】图 청사; 역사(책). ¶～に名(な)を残(のこ)す 청사에 이름을 남기다.

せいし【正使】图 정사; 수석 사신(使臣). ↔副使(ふくし).

せいし【正視】图ス他 정시; 바로 봄. ¶気(き)の毒(どく)で～できない 가엾어서 똑바로 볼 수가 없다 / 事態(じたい)を～せよ 사태를 바로 보아라.

せいし【生死】图 생사. =しょうじ·しょうし. ¶～のせとぎわ 생사의 갈림길 / ～の境(さかい)をさまよう 생사의 기로를 헤매다 / ～を共(とも)にする 생사를 함께 하다.

せいし【精子】图〖生〗정자; 정충(精蟲). =せいちゅう. ↔卵子(らんし).

せいし【製糸】图 제사. ¶～工業(こうぎょう) 제사 공업 / ～会社(がいしゃ) 제사 회사.

せいし【製紙】图 제지. ¶～業(ぎょう) 제지업 / ～工場(こうじょう) 제지 공장.

せいし【制止】图ス他 제지; 말림. ¶発言(はつげん)を～する 발언을 제지하다 / ～を振(ふ)り切(き)る 제지를 뿌리치다.

せいし【静止】图ス自 정지; 멈추어 움직이지 않음. ¶～の状態(じょうたい) 정지 상태.

—えいせい【—衛星】图 정지 위성.

—きどう【—軌道】图 정지 궤도《적도 상공 약 35,800km의 원궤도》.

せいじ【正字】图 1 정자; 점획(點劃)이 올바른 글자. ↔俗字(ぞくじ)·略字(りゃくじ)·誤字(ごじ). 2 한자 본래의 바른 용법《'米(べい)'가 쌀, '英(えい)'가 뛰어남을 뜻하는 따위; 이에 대하여 미국·영국의 뜻으로 쓰은 취음》. ↔当(あ)て字(じ).

—ほう【—法】图 정자법; 정서법. =正書法(せいしょほう).

**せいじ【政治】图 정치. ¶民主(みんしゅ)～ 민주정치 / ～権力(けんりょく) 정치 권력 / ～が乱(みだ)れる 정치가 문란해지다 / ～に干渉(かんしょう)する 정치에 간섭하다 / ～を談(だん)じる 정치를 논하다.

—か【—家】图 1 정치가. =政客(せいかく). 2 〈俗〉 정치적 수완이 있고 술수에 능한 사람. =やり手(て). ¶校長(こうちょう)は中々(なかなか)の～だ 교장 선생은 상당한 수완가다.

—けっしゃ【—結社】图 정치 결사.

—てき【—的】ダナ 정치적. ¶～に解決(かいけつ)する 정치적으로 해결하다.

—はん【—犯】图 정치범. =国事犯(こくじはん). ¶～に亡命(ぼうめい)を許可(きょか)する 정치범에게 망명을 허가하다.

—や【—屋】图 정치꾼.

せいじ【政事】图 정사. ¶～を司(つかさど)る 정사를 맡아보다.

せいじ【青磁】《青瓷》图 청자(기). =あおじ. ↔白磁(はくじ).

*せいしき【正式】图ダナ 정식. =本式(ほんしき). ¶～の手続(てつづ)き 정식 절차 / ～に願(ねが)い出(で)る 정식으로 출원[신청]하다 / 二人(ふたり)はまだ～に結婚(けっこん)していない 두 사람은 아직 정식으로 결혼하지 않았다. ↔略式(りゃくしき).

**せいしつ【性質】图 성질. =たち. ¶ねばりづよい～ 끈기 있는 성질 / 油(あぶら)には燃(も)えやすい～がある 기름에는 잘 타는 성질이 있다 / 物(もの)にあきやすい～だ 무슨 일에 싫증을 잘 내는 성질이다.

せいしつ【正室】图 1 정실. =正妻(せいさい). ↔側室(そくしつ). 2 객실(客室)《앞마당을 향한 큰 방》. =表(おもて)ざしき.

*せいじつ【誠実】图ダナ 성실. ¶～な人(ひと)がら 성실한 인품 / ～を欠(か)く 성실성이 없다 / ～に相談(そうだん)に乗(の)る 성실하게 상담에 응하다. ↔不誠実(ふせいじつ).

せいじゃ【正邪】图 정사; 선악. ¶～曲直(きょくちょく) 정사곡직 / 事(こと)の～をわきまえない 일의 옳고 그름을 분별하지 못하다 / ～を明(あき)らかにする 옳고 그름을 밝히다.

せいじゃ【聖者】图 성자; 성인. =聖人(せいじん). ¶～としてあがめられる 성인으로 추앙을 받다.

せいじゃく【静寂】名ナ 정적. ¶～な夜(よる)の町(まち) 고요한 밤거리 / 夜(よる)の～を破(やぶ)る 밤의 정적을 깨다.

ぜいじゃく［脆弱］名ナ 취약; 무르고 약함. ¶～なからだ 약한 몸 / ～な構造(こうぞう)〔地層(ちそう)〕 취약한 구조〔지층〕.

せいしゅ【清酒】图 청주. 1 맑은술. ↔濁酒(だくしゅ). 2 日本酒(にほんしゅ). ↔合成酒(ごうせいしゅ).

せいじゅう［西戎］图〖史〗서융; 중국이 서방(西方)의 이민족을 일컫던 말.

ぜいしゅう【税収】图 세수. ¶～の伸(の)び

悩み 세수의 증가 부진 / ～が落ち込む 세수 실적이 떨어지다.

せいしゅく【星宿】名〔天〕성수.

せいしゅく【静粛】名ダナ 정숙. ¶～にする〔聞く〕 정숙히 하다〔듣다〕/ ご～にねがいます 정숙히 하시기 바랍니다.

せいじゅく【成熟】名ス自 성숙. ¶～した社会 성숙한 사회 / 心身ともに～する 심신이 함께 성숙하다 / 時機が～するのを待つ 시기가 무르익기를 기다리다.

*__せいしゅん__【青春】名 청춘. ¶～時代 청춘 시절 / 第二の～ 제2의 청춘 / ～の血が燃える 청춘의 피가 끓다 / ～を謳歌する 청춘을 구가하다.

せいじゅん【清純】名ナ 청순. ¶～な乙女〔少女〕 청순한 처녀〔소녀〕/ ～派スター 청순파 스타.

せいじゅん【背順】名 키순. ¶～に並ぶ 키순으로 늘어서다.

せいしょ【清書】名ス他 청서; 정서. ＝きよ書き·浄書. ¶原稿を～する 원고를 정서하다.

せいしょ【正書】名 ☞かいしょ(楷書).

——ほう【——法】名 정서법. ＝正字法.

せいしょ【聖書】名 성서; 성경. ＝バイブル. ¶旧約〔新約〕～ 구약〔신약〕 성서.

せいしょ【盛暑】名 성서; 성하. ＝盛夏. ¶～の候 성하지절.

せいしょう【政商】名 정상. ¶～の輩 정상배.

せいしょう【清祥】名 편지에서, 상대방의 건강과 만복을 축하하는 인사말. ¶御～の段大慶に存じます 건승하시다니 경하하옵니다.

せいしょう【清勝】名 편지에서, 상대방의 건승을 기뻐할 때 씀. ¶ますますご～のことと存じます 날로 더욱 건승하실 줄로 아옵니다.

せいしょう【斉唱】名ス他 제창. ¶万歳(の)～ 만세 제창 / 校歌を～する 교가를 제창하다.

せいじょう【政情】名 정정. **1** 정치 정세. ¶～不安 정정 불안 / ～騒然 정정이 어수선함 / ～が悪化する 정치 정세가 악화하다. **2** 정계 내막. ¶～に通じている 정계 내막에 밝다.

せいじょう【性情】名 성정; 성질과 심정; 타고난 본성. ＝性質·うまれつき. ¶～を矯める 성정을 고치다 / 穏和な～ 온화한 성정.

せいじょう【性状】名 성상. **1** (사람의) 성질과 행동; 성행(性行). ¶～に問題のある人 성행에 문제가 있는 사람. **2** (물건의) 성질과 상태. ¶鉱物の～を調べる 광물의 성상을 알아보다.

*__せいじょう__【正常】名ダナ 정상. ¶～値 정상치 / ～な状態 정상적인 상태 / ～に動く 정상적으로 움직이다 / ～に復する〔もどる〕 정상으로 돌아오다. ↔異常.

せいじょう【清浄】名ナ 청정. ＝しょうじょう. ¶～無垢 청정무구 / ～な空気 맑고 깨끗한 공기 / ～に保つ 청정하게 보전하다. ↔不浄.

——やさい【——野菜】名 청정 채소.

せいじょううえ【正条植え】名〔農〕정조식; 줄모.

せいじょうき【星条旗】名 성조기.

せいしょうねん【青少年】名 청소년. ¶～の暴力行為が増加している 청소년의 폭력 행위가 증가하고 있다.

せいしょく【生殖】名ス他 생식. ¶有性〔無性〕～ 유성〔무성〕 생식.

——き【——器】名 생식기. ＝性器.

注意 구어(口語)형은 'せいしょっき'.

——さいぼう【——細胞】名 생식 세포; 성(性)세포. ＝性細胞.

——せん［——腺］名〔生〕생식선; 성선. ＝性腺.

せいしょく【生食】名ス他 생식. ¶野菜の～はからだによい 야채의 생식은 몸에 좋다. ↔火食.

せいしょく【生色】名 생기; 활기. ¶～を失う 생기를 잃다 / ～をとりもどす 생기를 되찾다.

せいしょく【聖職】名 성직. ¶～者 성직자.

せいしん【誠心】名 성심. ＝まごころ.

——せいい【——誠意】名 성심성의. ¶～看病する 성심성의 간병하다 / ～事に当たる 성심성의 일에 임하다.

参考 흔히, 副詞적으로 씀.

せいしん［星辰］名 성신. ＝星. ¶日月～ 일월성신.

**__せいしん__【精神】名 정신. ＝スピリット. ¶～現象 정신 현상 / 立法の～ 입법 정신 / 憲法の～にもとる 헌법 정신에 위배되다 / ～を緊張させる 정신을 긴장시키다 / ～が成っとらん 정신이 돼먹지 않았다. ↔肉体·物質.

——一到何事か成らざらん 정신일도 하사불성(何事不成).

——えいせい【——衛生】名 정신 위생. ¶～に悪い 정신 위생에 나쁘다.

——かんてい【——鑑定】名 정신 감정.

——しゅぎ【——主義】名 정신주의. ↔物質主義.

——しょうがい【——障害】名 정신 장애.

——ちたい【——遅滞】名 정신 지체〔박약〕.

——てき【——的】ダナ 정신적. ¶～打撃を受ける 정신적 타격을 받다. ↔肉体的·物質的.

——ねんれい【——年齢】名 정신 연령; 지능 연령. ¶～が若い〔低い〕 정신 연령이 어리다〔낮다〕. ↔生活年齢.

——はくじゃく【——薄弱】名 정신박약. ＝精神遅滞. ¶～児童 정신박약아.

——ぶんせき【——分析】名〔心〕정신 분석. ＝サイコアナリシス.

——ぶんれつびょう【——分裂病】名 정신분열병〔증〕.

——ろうどう【——労働】名 정신노동. ↔肉体労働.

せいしん【清新】ダナ 청신. ¶文壇に～の気風を吹き込む 문단에 청신한 기풍〔바람〕을 불어넣다.

***せいじん【成人】** 名スル自 성인. **1** 어른. ＝おとな. ¶～男子(だんし) 성인 남자/～向(む)きの 성인용의/～に達(たっ)する 성인이 되다. ↔未成年(みせいねん). **2** 자라서 어른이 됨. ¶子供(こども)は目(め)に見(み)えて～する 어린애는 눈에 띄게 자란다.
—えいが【—映画】 名 성인 영화.
—のひ【—の日】 名 성인〔성년〕의 날《1월 15일》.
—びょう【—病】 名〔醫〕성인병. ☞せいかつ(生活)しゅうかんびょう.
せいじん【聖人】 名 성인. ¶～君子(くんし) 성인군자. ⇨賢人(けんじん)2.
せいず【製図】 名スル他 제도. ¶～用(よう)鉛筆(えんぴつ) 제도용 연필/設計図(せっけいず)を～する 설계도를 제도하다.
せいすい【盛衰】 名 성쇠. ¶栄枯(えいこ)～は世(よ)の習(なら)い 영고성쇠는 세상의 정해진 일/～をくりかえす 성쇠를 거듭하다.
せいすい【清水】 名 청수. ＝しみず. ↔濁水(だくすい).
—に魚(うお)棲(す)まず ☞みず(水)きよければうおすまず.
せいすい【精粋】 名 정수; 가장 순수하고 좋은 부분. ¶伝統芸術(でんとうげいじゅつ)の～ 전통 예술의 정수.
せいずい【精髄】 名 정수; 진수(眞髓). ¶日本(にほん)文学(ぶんがく)の～ 일본 문학의 정수.
せいすう【整数】 名〔數〕정수. ＝有理(ゆうり)整数. ↔分数(ぶんすう)·小数(しょうすう).
せいすう【正数】 名〔數〕정수; 양수(陽數). ↔負数(ふすう).
***せい-する【制する】** サ変他 **1** 누르다. ㉠ 제압하다; 또, 얻다. ¶機先(きせん)を～ 기선을 제압하다/過半数(かはんすう)を～ 과반수를 획득하다. ㉡ 억제하다; 제지하다. ¶怒(いか)りを～ 노여움을 억제하다/はやる気持(きも)ちを～ 조급해지는 마음을 누르다. **2** 지배하다; 휘어잡다. ¶死命(しめい)を～ 남의 생사에 관계되는 약점을 잡고 사람을 마음대로 다루다/全国(ぜんこく)〔大勢(たいせい)〕を～ 전국을〔대세를〕 지배하다 / 柔(じゅう)能(よ)く剛(ごう)を～ 유능제강(柔能制剛)/先(さき)んずれば人(ひと)を～ 선수를 쓰면 남을 지배할 수 있다. **3** 제정하다. ¶憲法(けんぽう)を～ 헌법을 제정하다.
せい-する【製する】 サ変他 만들다; 제조하다. ＝製造(せいぞう)する·つくる. ¶食品(しょくひん)を～ 식품을 제조하다.
せいせい【生成】 名スル自他 생성. ¶火山(かざん)の～ 화산의 생성/地球上(ちきゅうじょう)に～する動植物(どうしょくぶつ) 지구상에 생성하는 동식물.
せいせい【精製】 名スル他 정제. ¶～品(ひん) 정제품/石油(せきゆ)の～ 석유 정제/砂糖(さとう)を～する 설탕을 정제하다. ↔粗製(そせい).
せいせい〖清清〗 トスル自 (기분 등이) 시원하고 산뜻한 모양. ¶気(き)が～(と)する 기분이 시원〔상쾌〕하다/借(か)りを返(かえ)してやっと～した 빚을 갚고 나니 이제야 개운해졌다.
せいせい【生生】 トタル 생생한 모양; 생기가 넘치는 모양. ¶～たる色(いろ)と形(かたち) 생기 넘치는 빛깔과 모양.
せいぜい〖精精〗 副 **1** 힘껏 노력하여; 힘 있는 한; 가능한 한. ＝つとめて. ¶～勉強(べんきょう)しなさい 열심히 공부하세요/～勉強しておきます 최대한으로 싸게 해드리겠습니다《상인들이 쓰는 말》/～骨折(ほねお)ってみます 힘껏 노력해 보지요. **2** 기껏(해서); 겨우; 고작(해서). ＝たかだか·やっと. ¶もうけは～千円(せんえん)ぐらいか 이익은 기껏해야 천 엔쯤 될까/毎日(まいにち)暮(く)らして行(ゆ)くのが～だ 그날그날 살아가는 게 고작이다. 参考 흔히 かな로 씀.
ぜいせい【税制】 名 세제. ¶～の改革(かいかく) 세제 개혁.
せいせいかつ【性生活】 名 성생활.
せいせいどうどう【正正堂堂】 トタル 정정당당. ¶～と戦(たたか)う 정정당당하게 싸우다/陰(かげ)で言(い)わずに～と面前(めんぜん)で言(い)え 뒤에서 말하지 말고 정정당당하게 면전에서 말하라.
***せいせき【成績】** 名 성적. ＝できばえ. ¶かんばしくない～ 좋지 않은 성적/～は上々(じょうじょう)だ 성적은 아주 좋다/～が上(あ)がる〔下(さ)がる〕 성적이 올라가다〔떨어지다〕.
せいぜつ〔凄絶〕 名ナ 처절. ¶～をきわめた戦闘(せんとう) 처절하기 이를 데 없는 전투/～, 目(め)をおおわせるものがある 처절하기란 눈 뜨고 볼 수 없을 지경이다.
せいせっかい【生石灰】 名〔化〕생석회《산화칼슘의 속칭》. ＝きせっかい·きいしばい.
せいせん【生鮮】 名ナ (야채나 생선 따위가) 싱싱함; 신선함. ¶～度(ど) 신선도.
—しょくりょうひん【—食料品】 名 신선 식품.
せいせん【精選】 名スル他 정선. ¶～された商品(しょうひん)〔問題(もんだい)〕 정선된 상품〔문제〕/良書(りょうしょ)を～して推薦(すいせん)する 양서를 정선하여 추천하다.
せいぜん【生前】 名 생전. ¶故人(こじん)が～愛用(あいよう)していた辞典(じてん) 고인이 생전에 애용하던 사전. ↔死後(しご).
—そう【—葬】 名 본인이 생존해 있는 동안에 장례 형식으로 열리는 집회《종래의 장례에 부정적인 입장에서, 본인의 의사로 주관함》.
せいぜん【整然】 トタル 정연. ¶～とした報告(ほうこく) 정연한 보고/～と並(なら)ぶ 정연하게 줄을 서다〔정열하다〕.
せいせんしょくたい【性染色体】 名〔生〕성염색체.
せいぜんせつ【性善説】 名 (맹자의) 성선설. ↔性悪説(せいあくせつ).
せいそ〔清楚〕 ダナ 청초. ¶～な装(よそお)い〔身(み)なり〕 청초한 복장〔옷차림〕.
せいそう【成層】 名 성층; 층층이 겹침. ¶～岩(がん) 성층암.
—けん【—圏】 名〔氣〕성층권. ¶～飛行(ひこう) 성층권 비행. ↔対流圏(たいりゅうけん).
せいそう【政争】 名 정쟁; 정권 다툼. ¶～に巻(ま)き込(こ)まれる 정쟁에 휘말리다/

~の具となる 정쟁의 도구가 되다.

せいそう【星霜】 名 성상; 세월. =年月. ¶十年の~を経る 10개 성상이 흐르다 / 幾~を重ねる 여러 성상을 거듭하다; 오랜 세월이 흐르다.

せいそう【清掃】 名ス他 **1** 청소. ¶トイレの~ 변소 청소. **2** 쓰레기나 분뇨 등을 처리함. ¶~車 청소차 / ~業務 청소〔오물 수거〕 업무.

せいそう【正装】 名ス自 정장. ¶~して儀式に参加する 정장하고 의식에 참석하다. ⇨盛装. ↔略装.

せいそう【盛装】 名ス自 성장; 또, 그 차림새. ¶~して現われた女たち 성장하고 나타난 여자들 / ~して出かける 성장하고 외출하다. ↔微服. 参考 '盛装'는 화려한 차림새, '正装'는 깔끔하고 단정한 차림새를 말함.

せいそう【精巣】 名〘生〙정소; 정(精)집. ↔卵巣.

***せいぞう【製造】** 名ス他 제조. ¶~年月日 제조 연월일 / ~業 제조업 / 部品を~する 부품을 제조하다.

—もと【—元】 名 제조원.

せいそうねん【青壮年】 名 청장년.

せいそく【正則】 名 **1** 정칙; 바른 법칙〔규칙〕. **2** 규칙에 맞음. ↔変則.

せいそく【生息】 名ス自 **1** 생식; 생존; 번식함. ¶トキの~状況 따오기의 생존 상황 / 地球上に~する動物 지구상에 생존하는 동물. **2**《棲息·栖息》서식. ¶~地 서식지 / 水中に~する 물 속에 살다.

せいぞろい【勢ぞろい】《勢揃い》名ス自 (어떤 목적하에) 군대나 많은 사람이 한 곳에 모임; 또는, 모여야 할 사람이 모두 모임. ¶全国の精鋭が~した 전국의 정예가 한곳에 다 모였다.

***せいぞん【生存】** 名ス自 생존. ¶適者~ 적자생존 / 海にはいろいろな生物が~している 바다에는 여러 가지 생물이 생존하고 있다. 注意 'せいそん'이라고도 함.

—きょうそう【—競争】 名 생존 경쟁. ¶企業間のはげしい~ 기업간의 격심한 생존 경쟁 / ~から脱落する 생존 경쟁에서 탈락하다.

せいたい【生態】 名 생태. ¶植物の~ 식물의 생태 / 猿の~を探る 원숭이의 생태를 살피다.

—けい【—系】 名 생태계. ¶~破壊の主犯 생태계 파괴의 주범. ⇨しょくもつ(食物)れんさ.

せいたい【生体】 名 생체. ¶~解剖 생체 해부 / ~反応 생체 반응. ↔死体.

—こうがく【—工学】 名〘生〙생체 공학《bionics의 역어》. =生物工学·バイオニクス.

せいたい【成体】 名 성체; 생식 능력이 있을 만큼 성장한 동물. ⇨成虫.

せいたい【正体】 名 한자의 표준 자체. ↔略体·異体.

せいたい【政体】 名 정체. ¶立憲民主~ 입헌 민주 정체 / 専制~ 전제정체.

せいたい【声帯】 名〘生〙성대.

—もしゃ【—模写】 名 성대 모사. =こわいろ.

***せいだい【盛大】** ダナ 성대. ¶~な歓迎会 성대한 환영회 / 天井でネズミが運動会を~に行う 천장에서 쥐가 운동회를 성대하게 거행하다.

せいたいけん【性体験】 名 성체험.

せいたか【背高】 名ダナ 키가 큰 모양; 또, 키가 큰 사람. ¶~のっぽ 키다리.

せいたく【請託】 名ス他 청탁. ¶~をことわる 청탁을 거절하다.

せいだく【清濁】 名 **1** 청탁; 맑음과 흐림. **2** 군자와 소인; 선인과 악인. **3** 청음(清音)과 탁음(濁音).

—併せのむ 청탁병탄《도량이 커서 어떤 사람이나 받아들이다》.

****ぜいたく〖贅沢〗** 名ダナス自 사치; 또, 비용이 많이 듦. ¶~品 사치품 / ~な生活 사치스러운 생활 / ~な建物 호화로운 건물 / ~を言う 분에 넘치는 (사치스러운) 소리를 하다 / 衣服に~する 의복에 사치를 부리다 / ~三昧に暮らす 땅땅거리며 호화롭게 지내다. ↔質素.

せいたけ【背丈】 名 키; 신장. =せい·せたけ. ¶~が高い 키가 크다.

せいだ-す【精出す】 5自 열심히 일하다〔노력하다〕. ¶仕事に~ 일을 열심히 하다 / 商売に~ 장사에 힘쓰다.

せいたん【生誕】 名ス自 생탄; 출생; 탄생; 생신. =たんじょう. ¶~百年祭 탄신 백년제 / 御~お祝い申し上げます 생신을 축하드립니다.

せいだん【政談】 名 정담. **1** 정치에 관한 담론. ¶~演説 정치 연설. **2** 정치나 재판 등을 제재(題材)로 한 설화(說話). ¶大岡~ 大岡 정담.

せいだん【星団】 名〘天〙성단; 밀집한 항성 집단. ¶プレアデス~ 플레이아데스 성단.

せいたんさい【聖誕祭】 名〘宗〙성탄절. =聖誕節·クリスマス.

せいち【整地】 名ス他 정지. ¶~作業 정지 작업 / ~をして作物を植え付ける 정지하여 농작물을 심다.

せいち【生地】 名 생지; 출생지. =出生地. ¶母の~をだずねる 어머니의 출생지를 찾아가다.

せいち【聖地】 名〘宗〙성지. ¶~パレスチナ 성지 팔레스타인.

—じゅんれい【—巡礼】 名 성지 순례.

せいち〔精緻〕 名ダナ 정치; 정교하고 치밀함. ¶~な研究 치밀한 연구 / ~をきわめたししゅう 더없이 정교하고 치밀한 자수.

せいちゃ【製茶】 名ス自 제차; 찻잎을 음료용으로 가공함; 또, 그 차.

せいちゃくりつ【生着率】 名 이식한 장기나 조직이 시술 후에 제대로 그 기능

を 발휘하는 비율.

せいちゅう【成虫】图〔蟲〕성충; 엄지벌레. ¶～期(き) 성충기. ↔幼虫(ようちゅう).

せいちゅう【正中】정중. ㊀图 1 한가운데. ¶～線(せん) 정중선. 2 치우치지 않음. ¶政治的(せいじてき)には～を保(たも)つ 정치적으로는 중정(中正)을 지키다. 3〔天〕천체가 정남 또는 정북에 오는 일; 자오선 통과. ㊁图ス自 바로 맞음. ＝的中(てきちゅう).

せいちょう【性徴】图 성징; 남녀·자웅의 신체적 특징. ¶一次(いちじ)～ 일차 성징.

**せいちょう【生長】图ス自 생장; 초목 따위가 자람. ¶稲(いね)が～する 벼가 생장하다 / 庭(にわ)の木(き)がすくすくと～する 뜰의 나무가 쑥쑥 자라다.

**せいちょう【成長】图ス自 성장. ¶高度(こうど)～を遂(と)げる 고도성장을 이루다 / 子供(こども)は～が早(はや)い 아이들은 성장이 빠르다 / 子(こ)が立派(りっぱ)に～する 자식이 훌륭하게 자라다. 「주.

—かぶ【—株】图 1〔經〕성장주. 2 유망

—ホルモン [hormone] 图 성장 호르몬.

せいちょう【成鳥】图 성조; 다 자라서 생식 기능을 가진 새. ↔ひな.

せいちょう【整腸】图 정장; 장의 기능을 바로잡는 일.

—ざい【—剤】图〔藥〕정장제. ¶～を飲(の)む 정장제를 복용하다.

せいちょう【静聴】图ス他 정청; 조용히 들음. ¶暫(しば)く御(ご)～ください 잠시 조용히 들어 주십시오.

せいちょう【清聴】图ス他 혜청(惠聽); 남이 자기 이야기를 들어 줌의 공손한 말씨. ¶御(ご)～をわずらわす 번거로이 말씀을 올리다 / 御(ご)～をたまわる 말씀을 들어 주시다 / ご～を感謝(かんしゃ)します (이야기를) 들어 주셔서 감사합니다.

せいちょう【清澄】名ナ 청징; 맑고 깨끗한 모양. ¶～な朝(あさ)の空気(くうき) 맑고 깨끗한 아침 공기 / ～な音色(ねいろ) 맑고 깨끗한 음색.

せいつう【精通】图 사춘기에 처음 경험하는, 자연스레 일어나는 사정(射精). 參考 여성의 '初潮(しょちょう)(＝초경(初經))'에 대한 성(性) 과학 용어.

せいつう【精通】图ス自 정통. ¶英文学(えいぶんがく)に～する 영문학에 정통하다 / 三箇国語(さんかこくご)に～している 3개 국어에 정통하다.

せいてい【制定】图ス他 제정. ¶憲法(けんぽう)を～する 헌법을 제정하다.

せいてき【政敵】图 정적. ¶～を倒(たお)す 정적을 쓰러뜨리다.

せいてき【清適】图 청안(清安)《편지에서, 상대방의 무사하고 건강함을 기뻐하는 말》. ¶御(ご)～の段(だん)大慶(たいけい)に存(ぞん)じます 평안하시다는 말씀 매우 기쁩니다.

せいてき【静的】ダナ 정적. ¶きわめて～な描写(びょうしゃ) (지)극히 정적인 묘사. ↔動的(どうてき).

せいてき【性的】ダナ 성적. ¶～衝動(しょうどう) 성적 충동 / ～な魅力(みりょく) 성적 매력 / ～にルーズな女(おんな) 몸가짐이 헤픈 여자; 계명워리.

—とうさく【—倒錯】图 성적 도착; 성도착. ＝性倒錯(せいとうさく). 「제철소.

せいてつ【製鉄】图ス自 제철. ¶～所(じょ)

せいてん【晴天】图 청천; 맑은 하늘. ¶～の日(ひ) 청명한 날 / ～に恵(めぐ)まれる 때맞추어 날씨가 좋다. ↔雨天(うてん)·曇天(どんてん).

せいてん【青天】图 청천; 푸른 하늘.

—の霹靂(へきれき) 청천벽력.

—はくじつ【—白日】图 청천백일. ¶～の身(み)となる 청천백일의 몸이 되다《억울한 죄가 풀리다》.

せいてん【聖典】图〔宗〕성전《불교의 성전, 기독교의 성서, 이슬람의 코란 등》.

せいでん【正殿】图 정전. 1 왕이 임어하여 조회(朝會)를 행하는 궁전. ＝表御殿(おもてごてん). 2 신사(神社)의 본전(本殿).

せいてんかん【性転換】图 성전환. ¶～手術(しゅじゅつ) 성전환 수술.

せいでんき【静電気】图〔理〕정전기. ↔動(どう)電気.

*せいと【生徒】图 학생《중·고교 학생》. ¶受(う)け持(も)ちの～ 담임하고 있는 학생. ⇨児童(じどう)·学生(がくせい).

—かい【—会】图 (중·고교의) 학생회.

**せいど【制度】图 제도. ¶財産(ざいさん)の世襲(せしゅう)～ 재산의 세습 제도 / 中国(ちゅうごく)の文物(ぶんぶつ)～ 중국의 문물 제도 / ～をもうける 제도를 만들다 / ～を改(あらた)める 제도를 고치다.

せいど【精度】图 정도; 정밀도. ¶～の高(たか)い器械(きかい) 정밀도가 높은 기계 / かなりの～の望遠鏡(ぼうえんきょう) 꽤 정밀한 망원경.

せいとう【征討】图ス他 정토; 정벌; 토벌. ＝征伐(せいばつ). ¶叛乱軍(はんらんぐん)を～する 반란군을 토벌하다.

*せいとう【政党】图 정당. ¶～政治(せいじ) 정당 정치 / 保守(ほしゅ)～ 보수 정당 / ～に籍(せき)を置(お)く 정당에 적을 두다.

—ないかく【—内閣】图 정당 내각.

*せいとう【正当】图ダナ 정당. ¶～な理由(りゆう)〔報酬(ほうしゅう)〕 정당한 이유〔보수〕/ 彼(かれ)の主張(しゅちょう)は～だ 그의 주장은 정당하다. ↔不当(ふとう)·失当(しっとう).

—ぼうえい【—防衛】图〔法〕정당방위. ¶～を申(もう)し立(た)てる 정당방위를 내세우다〔주장하다〕.

せいとう【正答】图ス自 정답. ＝正解(せいかい). ¶～率(りつ) 정답률 / ～を出(だ)す 정답을 내다. ↔誤答(ごとう).

せいとう【正統】图 정통. ¶～派(は) 정통파 / ～の天子(てんし) 정통의 천자. ⇨オーソドックス.

せいとう【精糖】图ス自 정당; 조당을 정제함; 또, 정제한 백설탕. ↔粗糖(そとう).

せいとう【製糖】图ス自 제당. ¶～業(ぎょう) 제당업.

せいどう【生動】图ス自 생동. ¶～感(かん) 생동감 / 画面(がめん)に～する春(はる)の気配(けはい) 화면에 생동하는 봄기운.

せいどう【正道】图 정도. ¶～を(踏(ふ)み)

はずす 정도를 벗어나다 / ～を歩(あゆ)む 정도를 걷다. ↔邪道(じゃどう)·奇道(きどう).

せいどう【聖堂】 图 성당. **1** 공자(孔子)를 모신 사당(祠堂); 문묘(文廟). ＝聖廟(せいびょう). **2**〘宗〙교회당.

せいどう【青銅】 图〘化〙청동. ＝からかね·ブロンズ. ¶～の仏像(ぶつぞう) 청동 불상.

—き【—器】 图 청동기. ¶～時代(じだい) 청동기 시대.

せいどう【制動】 图ス他 제동(을 걺). ¶急(きゅう)～ 급제동 / ～を掛(か)ける 제동을 걸다 / ～がきかない 제동이 안되다.

せいとうさく【性倒錯】 图 성도착. ＝性的(せいてき)倒錯.

せいどうとく【性道徳】 图 성도덕. ¶～が乱(みだ)れている 성도덕이 문란하다.

せいとく【生得】 图 생득; 타고남; 천성(天性). ＝しょうとく·うまれつき. ¶彼(かれ)の音楽(おんがく)の才能(さいのう)は～のものである 그의 음악 재능은 타고난 것이다.

せいとく【聖徳】 图 성덕. **1** 천자의 덕. **2** 매우 뛰어난 지덕(知德).

せいどく【精読】 图ス他 정독. ＝熟読(じゅくどく). ¶古典(こてん)を～する 고전을 정독하다. ↔濫読(らんどく).

***せいとん** [整頓] 图ス他自 정돈. ¶整理(せいり)～ 정리 정돈 / 部屋(へや)を～する 방을 정돈하다.

せいなる【聖なる】 連体 거룩한; 성스러운; 신성한. ¶～教(おし)え 거룩한 가르침 / ～もの 성스러운 것 / ～夜(よ) 거룩한 밤. ⇨せい(聖).

せいなん【西南】 图 서남; 서남간. ＝にしみなみ. 注意 풍향을 말할 때는 '南西(なんせい)'. ↔東北(とうほく).

せいにく【精肉】 图 정육. ＝上肉(じょうにく). ¶～店(てん) 정육점; 고깃간.

ぜいにく [贅肉] 图 (운동 부족 등으로 인한) 군살; 군더더기 살. ¶～を落(お)とす〔とる〕 군살을 빼다 / 運動不足(うんどうぶそく)のため～がつく 운동 부족으로 인해 군살이 붙다.

せいねん【成年】 图 성년. ＝成人(せいじん)·丁年(ていねん). ¶～に達(たっ)する 성년에 달하다. ↔未成年(みせいねん).

せいねん【生年】 图 **1** 생년; 태어난 해. ¶～不詳(ふしょう) 생년 미상. ↔没年(ぼつねん). **2** 나이. ＝しょうねん. ¶～十歳(じっさい) 나이 열 살.

—がっぴ【—月日】 图 생년월일.

せいねん【盛年】 图 성년; 한창때(의 나이). ＝若(わか)ざかり.

—重(かさ)ねて来(き)たらず 한창때는 두 번 다시 오지 않는다.

***せいねん【青年】** 图 청년. ¶血気(けっき)盛(さか)んな～ 혈기 왕성한 청년 / 文学(ぶんがく)～ 문학청년. ↔少年(しょうねん)·壮年(そうねん).

せいのう【性能】 图 성능. ¶～のいいカメラ 성능이 좋은 카메라 / ～を高(たか)める 성능을 높이다.

せいは【制覇】 图ス自他 제패. **1** 제압하여 우두머리가 됨. ¶世界(せかい)～の野望(やぼう) 세계 제패의 야망. **2** 경기 등에서 우승함. ¶大会(たいかい)の連続(れんぞく)～を目(め)ざす 대회의 연속 제패를 노리다.

せいは【政派】 图 정파. ¶政党(せいとう)～ 정당 정파.

せいはい【成敗】 图 성패. ¶～は時(とき)の運(うん) 성패는 (그) 때의 운 / ～は紙一重(かみひとえ)の差(さ)だ 성패는 종이 한 장의 차이다.

せいばい【成敗】 图ス他 **1** 처벌함; 징계함. ¶けんか両(りょう)～ 싸운 자는 잘잘못간에 쌍방을 다 처벌함 / いか様(よう)とも御(ご)～を願(ねが)います 마음대로 처벌해 주십시오. **2** 재판함; 재결(裁決).

せいはく【精白】 图ス他 정백; 깨끗하게 쓿어서 희게 함. ¶玄米(げんまい)を～する 현미를 깨끗이 쓿다.

—まい【—米】 图 정백미; 정미.

せいはくじ【青白磁】 图 청백자; 백자 중에서 푸른 기가 있는 것.

せいはつ【整髪】 图ス自 조발(調髮); 이발. ＝理髪(りはつ). ¶～料(りょう) 정발료.

せいばつ【征伐】 图ス他 정벌. ＝征討(せいとう). ¶山賊(さんぞく)を～する 산적을 정벌하다.

せいはん【正犯】 图 정범; 주범. ¶共同(きょうどう)～ 공동 정범. ↔従犯(じゅうはん).

せいはん【製版·整版】 图ス自他〘印〙제판. ¶写真版(しゃしんばん)を～する 사진판을 제판하다.

せいはんごう【正反合】 图〘哲〙정반합《변증법의 중심 개념》.

せいはんざい【性犯罪】 图 성범죄.

せいはんたい【正反対】 图ダナ 정반대. ¶～の方向(ほうこう) 정반대의 방향 / ～のことを言(い)う 정반대로 말하다.

せいひ【正否】 图 정부; 옳고 그름. ¶事(こと)の～を見定(みさだ)める 일의 옳고 그름을 잘 보고 (확)정하다.

せいひ【成否】 图 성부; 성불성; 성패. ¶作戦(さくせん)の～ 작전의 성공 여부 / ～のかぎをにぎる 성패 여부의 열쇠를 쥐다 / ～を問(と)わない 성공 여부를 묻지 않다 / ～を卜(ぼく)する 성공 여부를 점치다.

せいび【整備】 图ス他自 정비. ¶自動車(じどうしゃ)～ 자동차 정비 / 法制(ほうせい)の～を図(はか)る 법제 정비를 꾀하다 / 道路網(どうろもう)を～する 도로망을 정비하다.

ぜいびき【税引き】 图 세금 공제. ¶～後(ご)の手取(てど)り額(がく) 세금 공제 후의 실수령액. ⇨ぜいこみ.

せいひつ【生必】 图 생필《'生活(せいかつ)必需(ひつじゅ)品(ひん)(＝생활필수품)'의 준말》. ¶～物資(ぶっし) 생활 필수 물자.

せいひょう【製氷】 图ス自 제빙. ¶～工場(こうじょう) 제빙 공장.

せいひょう【青票】 图 (일본 국회에서) 반대 투표에 쓰는 푸른 표. ＝あおひょう. ↔白票(はくひょう).

せいびょう【性病】 图 성병. ＝花柳(かりゅう)病(びょう). ¶～にかかる 성병에 걸리다.

せいひれい【正比例】 图ス自 정비례. ＝比例(ひれい). ¶XはYに～する X는 Y에 정비례한다. ↔反比例(はんぴれい)·逆比例(ぎゃくひれい).

せいひん【清貧】 图 청빈. ¶～な生活(せいかつ) 청빈한 생활 / ～に甘(あま)んじる 청빈에 만족하다.

**せいひん【製品】图 제품. ¶～を問屋(とんや)におろす 제품을 도매상에 넘기다.

**せいふ【政府】图 정부. ¶仮(かり)～ 임시 정부/傀儡(かいらい)～ 괴뢰 정부/～当局(とうきょく) 정부 당국/時(とき)の～ 당시의 정부.

—すじ【—筋】图 (보도 등에서) 정부 소식통. ¶～によると 정부 소식통에 의하면.

—まい【—米】图 정부미.

せいぶ【西部】图 서부. 1 서쪽 지역. ↔東部(とうぶ). 2 특히, 미국 서쪽, 태평양에 가까운 지역. ¶～劇(げき) 서부극.

せいふう【西風】图 서풍. ＝にしかぜ. ¶～が吹(ふ)く 서풍이 불다. ↔東風(とうふう).

せいふう【清風】图 청풍; 맑은 바람. ¶～明月(めいげつ) 청풍명월/一陣(いちじん)の～ 일진의 청풍/財界(ざいかい)に～を吹(ふ)き入(い)れる 재계에 새바람을 불어넣다.

せいふく【制服】图 제복. ＝ユニホーム. ¶～をきる 제복을 입다/防衛庁(ぼうえいちょう)の～組(ぐみ) 방위청의 무관((무관은 제복을 입는다 해서 쓰는 말)). ↔私服(しふく).

**せいふく【征服】图スル他 정복. ¶隣国(りんごく)を～する 이웃 나라를 정복하다/高山(こうざん)を～する 높은 산을 정복하다.

せいふく【正副】图 정부. ¶～二通(につう)の願書(がんしょ) 정부 2통의 원서/～議長(ぎちょう) 정·부의장.

**せいぶつ【生物】图 생물. ¶原生(げんせい)～ 원생생물/単細胞(たんさいぼう)～ 단세포 생물/月(つき)に～がいますか 달에 생물이 있습니까. ↔無生物(むせいぶつ). ⇨いきもの.

—かがくてきさんそようきゅうりょう【—化学的酸素要求量】图 생물 화학적 산소 요구량((물을 정화하는 데 필요한 산소량)). ＝BOD(ビーオーディー).

—しょり【—処理】图 생물 처리; 미생물을 이용한 수질 오염 물질의 처리.

—どけい【—時計】图〔生〕생물 시계; 체내 시계. ＝体内(たいない)時計.

—のうやく【—農薬】图 생물 농약. ＝天敵(てんてき)農薬.

せいぶつ【静物】图〔美〕정물(화). ↔人物(じんぶつ)·風景(ふうけい).

—が【—画】图〔美〕정물화. ¶～を得意(とくい)とする画家(がか) 정물화를 장기로 하는〔즐겨 그리는〕화가.

せいふん【製粉】图スル自他 제분. ¶～所(じょ) 제분소.

**せいぶん【成分】图 성분. ¶主(しゅ)～ 주성분/薬(くすり)の～ 약의 성분.

せいぶん【成文】图 성문; 문장으로 나타냄.

—か【—化】图スル他 성문화. ¶～を急(いそ)ぐ 성문화를 서두르다.

—ほう【—法】图〔法〕성문법. ↔不文法(ふぶんほう).

せいぶん【正文】图 정문. 1 (주석·이유서 등에 대해) 문서의 본문. 2 (수개 국어로 되어 있는 조약 등에서) 해석의 기준이 되는 조약문((역문(譯文)에 대해 일컬음)). ¶条約(じょうやく)の～を保管(ほかん)する 조약의 정본을 보관하다.

せいぶん【省文】图 (강의(講義)의 속기(速記) 등에서) 복잡한 한자 획을 일부 생략하고 쓰는 일; 또, 그 한자(('離'를 '离', '歷'을 '厂', '魔'를 '广'로 쓰는 따위)). ＝省筆(しょうひつ).

せいへい【精兵】图 정병. ＝せいびょう. ¶～を率(ひき)いて征途(せいと)に上(のぼ)る 정병을 거느리고 정도에 오르다.

せいへき【性癖】图 성벽; 버릇. ＝くせ. ¶変(へん)な～ 이상한 버릇/誇大妄想(こだいもうそう)の～ 과대망상을 하는 버릇.

せいべつ【性別】图 성별. ¶～は問(と)わない 성별은 따지지 않는다/ひなの～を鑑別(かんべつ)する 병아리의 성별을 감별하다.

せいべつ【生別】图スル自 생별; 생이별. ＝いきわかれ. ¶夫(おっと)と～する 남편과 생이별하다. ↔死別(しべつ).

せいへん【政変】图 정변; 또, 내각의 경질. ¶～が起(お)こる 정변이 일어나다.

せいへん【正編】图 정편; (속편에 대해) 먼저 편집된 책. ＝本編(ほんぺん). ↔続編(ぞくへん). 参考 본디 글자는 '正篇'.

せいぼ【生母】图 생모; 친어머니. ＝うみのはは·実母(じつぼ). ¶～に生(い)き別(わか)れる 생모와 생이별하다. ⇨ようぼ·けいぼ.

せいぼ【聖母】图〔宗〕성모 (마리아). ¶～マリア 성모 마리아.

せいぼ【歳暮】图 1 세모; 세밑; 연말. ＝年末(ねんまつ). ¶～大売(おおう)り出(だ)し 연말 대매출. ↔歳旦(さいたん). 2 세의(歲儀)(를 함)((한 해 동안 신세진 보답으로 연말에 선물을 보냄)). ¶お～をする〔送(おく)る〕 세의를 보내다. ⇨中元(ちゅうげん).

せいほう【西方】图 서방. ＝さいほう. ↔東方(とうほう).

せいほう【製法】图 제법. ¶薬(くすり)の～ 제약법.

せいぼう【制帽】图 제모. ¶制服(せいふく)～の軍人(ぐんじん) 제복 제모의 군인.

せいぼう【声望】图 성망; 명성과 인망. ¶～を得(え)る 성망을 얻다/～が高(たか)い 성망이 높다.

ぜいほう【税法】图〔法〕세법. ¶～を改正(かいせい)する 세법을 개정하다.

せいほうけい【正方形】图 정방형; 정사각형. ⇨長方形(ちょうほうけい).

せいぼうりょく【性暴力】图 성폭력.

せいほく【西北】图 서북. ＝にしきた·いぬい. 注意 풍향(風向) 등에서는 '北西(ほくせい)'임. ↔東南(とうなん).

せいぼつ【生没】图 생몰; 생사. ¶～年(ねん)不詳(ふしょう) 생몰년 미상.

せいほん【正本】图 정본. 1 원본과 똑같은 효력을 갖는 문서. ¶条約(じょうやく)の～は両国政府(りょうこくせいふ)が保管(ほかん)する 조약의 정본은 양국 정부가 보관한다. 2 전사(轉寫) 또는 부본의 원본. ↔副本(ふくほん).

せいほん【製本】图スル他 제본. ¶～所(しょ) 제본소/～が丈夫(じょうぶ)に出来(でき)ている 제본이 튼튼히 되어 있다.

せいまい【精米】图スル自 정미. ＝精白(せいはく)米(まい)·白米(はくまい). ¶～所(しょ) 정미소. ↔玄米(げんまい).

*せいみつ【精密】图ダナ 정밀. ¶～機械(きかい) 정밀 기계/～に調(しら)べる 세밀하게 조사하다.

せいみょう【精妙】图ダナ 정묘. ¶～な

細工(さいく) 정묘한 세공.

せいむ【政務】图 정무. ¶~を執(と)る〔見(み)る〕 정무를 보다.

—かん【—官】图 정무관《공무원 중, 국회 교섭 등 정치적인 직무에 종사하는 사람》. ↔事務官(じむかん).

—じかん【—次官】图 정무 차관. ↔事務(じむ)次官.

ぜいむ【税務】图 세무. ¶~署(しょ) 세무서/~官吏(かんり) 세무 관리.

**せいめい【生命】图 생명; 수명; 목숨. =いのち·寿命(じゅみょう). ¶~力(りょく) 생명력/~を捧(ささ)げる 목숨을 바치다/…に~を吹(ふ)きこむ …에 생명을 불어넣다/~をなげうって国家(こっか)に尽(つ)くす 생명을 내던져 국가에 봉사하다/操(みさお)は女(おんな)の~である 정조는 여자의 생명이다.

—かがく【—科学】图 생명 과학.

—ほけん【—保険】图 생명 보험. ¶~に加入(かにゅう)する 생명 보험에 가입하다.

せいめい【清明】청명. ㊀ダナ 맑고 밝음. ㊁图 24절기의 하나.

せいめい【声明】图ス自他 성명. =ステートメント. ¶共同(きょうどう)~ 공동 성명/~を出(だ)す 성명을 내다〔발표하다〕. 参考 'しょうみょう'로 읽으면 딴말.

せいめい【声名】图 성명; 명성. =名声(めいせい)·声望(せいぼう). ¶~とみに上(あ)がる 갑자기 평판이 높아지다. ⇨しょうみょう.

せいめい【盛名】图 성명; 성화(聲華). =名声(めいせい). ¶文豪(ぶんごう)としての~を馳(は)せる 문호로서 성명〔명성〕을 떨치다/御(ご)~はかねがね承(うけたまわ)っていました 성화는 일찍부터 듣고 있었습니다.

**せいめい【姓名】图 성명. =氏名(しめい). ¶~を名乗(なの)る 성명을 (상대방에게) 밝히다〔대다〕.

せいめん【生面】图 1 (이제까지 볼 수 없었던) 새로운 경지·방법. ¶新(しん)~ 새로운 경지〔면모〕/~を開(ひら)く 새 경지를 개척하다. 2 생면; 초면(初面). =初対面(しょたいめん). ¶~の人(ひと) 초면인 사람.

せいもく【井目】《聖目·星目》图 (바둑판의) 9개의 흑점; 화점(花點).

—を置(お)く 9점 접바둑을 두다; 실력에 큰 차이가 있다. ⇨一目(いちもく)おく.

ぜいもく【税目】图 세목; 세금의 종목. ¶~の多(おお)いことは重税(じゅうぜい)であるということだ 세목이 많다는 것은 세금이 무겁다는 뜻이다.

せいもん【正門】图 정문. =表門(おもてもん). ¶~からはいる 정문으로 들어가다. ↔裏門(うらもん).

せいもん【声紋】图 성문; 목소리를 주파수로 분석했을 때 나타나는 개인적 특성. ⇨しもん(指紋).

せいもん【誓文】图 서약문〔서〕. =誓書(せいしょ). ¶空(から)~ 거짓 서약문.

せいや【聖夜】图 성야; 크리스마스 이브. =クリスマスイブ.

*せいやく【制約】图ス他 제약. ¶時間(じかん)の~を受(う)ける 시간 제약을 받다/自由(じゆう)を~する 자유를 제약하다.

せいやく【成約】图ス自 성약; 계약이 이루어짐. ¶輸入(ゆにゅう)契約(けいやく)が~した 수입 계약이 성립되었다/ようやく~を見(み)た 가까스로 계약이 이루어졌다.

せいやく【誓約】图ス他 서약. ¶~書(しょ) 서약서 / 秘密(ひみつ)を守(まも)ると~する 비밀을 지키겠다고 서약하다.

せいやく【製薬】图 제약. =製剤(せいざい). ¶~会社(がいしゃ) 제약 회사.

せいゆ【精油】정유. ㊀图ス自 석유를 정제(精製)함; 또, 그 석유. ↔原油(げんゆ). ㊁图 식물에서 채취하여 정제한 방향유(芳香油). ¶椿(つばき)の~ 동백의 정유.

せいゆ【製油】图ス自他 제유; (원유나 동식물에서) 석유나 식용유·향유 등을 만듦. ¶~工場(こうじょう) 제유 공장.

せいゆ［声喩］图 목소리나 울음소리 등을 말로 흉내냄; 또, 그 의성어《'かあかあ·どしん' 따위》. =オノマトペ·擬声(ぎせい)(語(ご)).

せいゆう【清友】图 청우; 사귐이 깨끗한 벗.

せいゆう【西遊】图ス自 서유; 서쪽 땅, 특히 서양을 여행함. ¶~の途(と)につく 서유의 길에 오르다. 注意 'さいゆう'라고도 함.

せいゆう【声優】图 성우. ¶放送局(ほうそうきょく)の~ 방송국의 성우.

*せいよう【西洋】图 서양. =西欧(せいおう). ¶~文明(ぶんめい) 서양 문명/~から伝(つた)えられた新(あたら)しい知識(ちしき) 서양에서 전래된 새로운 지식. ↔東洋(とうよう).

—づくり【—造り】图 (서)양식 건물.

せいよう【静養】图ス自 정양. ¶病後(びょうご)の~ 병후의 정양/箱根(はこね)に~する 箱根에서 정양하다.

せいよく【性欲】《性慾》图 성욕. =肉欲(にくよく). ¶~の強(つよ)い人(ひと) 성욕이 왕성한 사람/~を刺激(しげき)する 성욕을 자극하다.

せいらい【生来】副 1《性来》날 때부터; 선천적으로. =生(う)まれつき. ¶~の怠(なま)け者(もの) 타고난 게으름뱅이/~正直(しょうじき)な男(おとこ)だ 천성이 정직한 사나이다. 2 생래; 난 후로; 본디부터. ¶~体(からだ)が弱(よわ)い 본디 몸이 약하다/~金(かね)とは縁(えん)がない 원래 돈과는 인연이 없다.

せいらん【清覧】图 고람(高覽)《편지 등에서, 상대방이 봄을 높여서 하는 말》. ¶御(ご)~願(ねが)います 고람하시기 바랍니다.

**せいり【整理】图ス他 정리. 1 질서를 바로잡음. ¶交通(こうつう)~ 교통정리/場内(じょうない)を~する 장내를 정리하다. 2 불필요한 것을 없앰. ¶人員(じんいん)~ 인원 정리.

せいり【生理】图 1 생리. ¶~現象(げんしょう) 생리 현상. 2 월경. =メンス. ¶~日(び) 생리일; 월경일.

—きゅうか【—休暇】图 생리 휴가.

—てき【—的】ダナ 생리적. 参考 흔히, '心理的(しんりてき)'의 상대어로서 쓰임. 또, 이지적인 것이 아니라 본능적이란 뜻으로도 쓰임. ¶男(おとこ)と女(おんな)の~な違(ちが)い 남자와 여자의 생리적인 차이/~にきらう 생리적으로 싫어하다.

ぜいり【税吏】图 세리; 세무 관리.
ぜいりし【税理士】图 세무사(税務士).
*せいりつ【成立】图ス自 성립. ¶契約(けいやく)が～する 계약이 성립하다.
ぜいりつ【税率】图 세율. ＝課税率(かぜいりつ). ¶累進(るいしん)～ 누진 세율.
せいりゃく【政略】图 정략. ¶～結婚(けっこん) 정략결혼 / ～を用(もち)いる 정략을 쓰다. 参考 넓은 뜻으로는 단순히 'かけひき(＝흥정)'의 뜻으로도 쓰임.
せいりゅう【清流】图 청류; 맑게 흐르는 물. ¶宿(やど)は～に臨(のぞ)んでいる 숙소는 맑은 물가에 있다. ↔濁流(だくりゅう).
せいりゅう【整流】图ス他〔電〕 정류. ¶～器(き) 정류기.
せいりょう【清涼】名ナ 청량; 맑고 시원함. ¶～の秋気(しゅうき) 청량한 가을 기운.
—いんりょう【—飲料】图 청량음료.
—ざい【—剤】图 청량제. 参考 속악(俗悪)한 사회에 사는 사람들의 기분을 상쾌하게 하는 것에도 비유됨. ¶一服(いっぷく)の～ 한 모금의 청량제.
せいりょう【声量】图 성량. ¶～に乏(とぼ)しい 성량이 부족하다 / あの人(ひと)は～が豊(ゆた)かだ 저 사람은 성량이 풍부하다.
*せいりょく【勢力】图 세력. ¶～争(あらそ)い 세력 다툼 / ～をのばす 세력을 뻗치다 / ～が衰(おとろ)える 세력이 쇠하다.
—けん【—圏】图 세력권. ¶～を広(ひろ)げる 세력권을 넓히다.
せいりょく【精力】图 정력. ¶～を注(そそ)ぐ 정력을 쏟다 / ～にあふれる 정력이 넘쳐흐르다 / ～が尽(つ)きる 정력이 다하다.
—ぜつりん【—絶倫】名ナ 정력 절륜.
—てき【—的】ダナ 정력적. ¶～な仕事(しごと)ぶり 정력적으로 일하는 모양 / ～に働(はたら)く 정력적으로 일하다.
せいれい【政令】图 정령; 각령(閣令). ¶新(あたら)しい～を公布(こうふ)する 새로운 각령을 공포하다.
せいれい【精励】图ス自 정려; 힘을 다하여 부지런히 일하거나 공부함. ¶刻苦(こっく)～ 각고정려 / 学問(がくもん)に～する 학문에 힘쓰다.
せいれい【精霊】图 정령. **1** 죽은 사람의 영혼. **2** 삼라만상에 깃들어 있다고 생각되는 신령. ＝精(せい). ⇨しょうりょう.
せいれい【聖霊】图〔基〕 성령. ¶～が降(くだ)る 성령이 내리다.
せいれき【西暦】图 서력; 서기. ＝西紀(せいき). ¶～の年代(ねんだい) 서력 연대.
せいれつ【整列】一图ス自 정렬. ¶一列(いちれつ)に～する 일렬로 정렬하다.
二图ス他〔컴〕 키(key) 항목의 모양이나 값에 따라, 데이터를 일정한 순서로 다시 배열하는 일. 参考 sort의 역어.
せいれつ［凄烈］图ダナ 몹시 격렬한 모양. ¶～な戦闘(せんとう) 몹시 치열한 전투.
せいれつ［清冽］ダナ 청렬; 물이 맑고 찬 모양. ¶～な谷川(たにがわ)の水(みず) 맑고 찬 계류(溪流)의 물.
せいれん【清廉】名ナ 청렴. ¶～潔白(けっぱく)な人(ひと) 청렴결백한 사람.
せいれん【精錬】图ス他 정련. ¶粗銅(そどう)を～して純銅(じゅんどう)とする 조동을 정련해서 순동으로 만들다.
せいれん【精練】图ス他 정련. **1** 잘 훈련[단련]함. ¶～された選手(せんしゅ) 잘 훈련된 선수 / 軍隊(ぐんたい)を～する 군대를 정련하다. **2** 동식물의 섬유에서 불순물을 제거해 순도를 높임《표백이나 염색의 준비 작업》. ¶～工場(こうじょう) 정련 공장.
せいれん【製錬】图ス他 제련. ¶～所(しょ) 제련소.
せいろう〖蒸籠〗图 나무 찜통《바닥에 경그레를 댄 것; 솥 위에 얹어 팥밥·만두 따위를 찌는 데 씀》. ＝せいろ.
せいろう【晴朗】名ナ〈文〉 청랑; 맑고 명랑함. ¶～な空(そら) 청랑한 하늘 / ある～な夏(なつ)の日(ひ)に 어느 청랑한 여름날에 / 天気(てんき)～なれど波(なみ)高(たか)し 날씨는 청랑하나 파도가 높다.
ぜいろく［贅六］图 빈틈이 없는 깍쟁이란 뜻으로, 東京(とうきょう) 지방 사람이 京都(きょうと)·大阪(おおさか) 지방 사람을 비웃는 말. ＝上方(かみがた)ぜいろく·才六(さいろく). ↔江戸(えど)っ子(こ).
せいろん【正論】图 정론. ¶～を吐(は)く 정론을 말하다. ↔曲論(きょくろん).
セイント 图 ☞セント.
*セーター [sweater] 图 스웨터.
セーフ [safe] 图 세이프. **1**〔野〕 주자가 살아서 베이스에 나감. **2** (테니스에서) 공이 정해진 선내(線内)에 들어감. ⇔アウト. **3**〈俗〉 성공함; 간신히 살아남. ¶A校(エーこう)を受(う)けた人(ひと)はみんな～だった A교에 응시한 사람은 모두 합격했다.
—ガード [safeguard] 图〔經〕 세이프가드; 긴급 수입 제한 조치《수입 정책 안전판(瓣)의 뜻》.
セーブ [save] 图ス他 세이브. **1** 절약. ＝節約(せつやく). ¶石油(せきゆ)の消費(しょうひ)を～する 석유 소비를 절약하다. **2** 힘을 아껴 둠. ¶力(ちから)を～する 힘을 (다 쓰지 않고) 아껴 두다.
—とうしゅ【—投手】图〔野〕 구원 투수.
—ポイント [save point] 图 (프로 야구에서) 세이브 포인트《구원 투수에게 주어지는 기록상의 개인 성적》.
セーファーセックス [safer sex] 图 세이퍼 섹스; (에이즈나 성적(性的) 감염증 등의 유행에 따라 요망되는) 보다 안전한 섹스.
セーフティー [safety] 图 세이프티; 안전; 무사.
—カラー [일 safety＋color] 图 세이프티 컬러; 안전색《아동들의 교통안전을 위해 쓰이는 주황색에 가까운 노란색》.
—バント [일 safety＋bunt] 图〔野〕 세이프티 번트.
—ビンディング [일 safety＋binding] 图 (스키에서) 무리한 힘을 가하면 풀어지도록 고안된, 죄는 기구.
—ベルト [safty belt] 图 세이프티 벨트; (자동차 등의) 안전띠. ＝シートベルト.
セームがわ【セーム革】图 새미 가죽;

부드럽게 무두질한 양·영양(羚羊) 따위의 가죽. ¶ ～の靴(くつ) 새미 가죽 구두. ▷프 chamois.

セーラー [sailor] 名 세일러. **1** 'セーラー服(ふく)'의 준말. **2** 선원.

—ふく【—服】 名 세일러복; 또, 그와 비슷한 옷《어린이·여학생용의 옷》.

セール [sale] 名 세일; 매출. ¶感謝(かんしゃ)～ 감사 세일 / バーゲン～ 바겐세일; 염가 대매출 / 歳末(さいまつ)～ 연말 대매출.

セールス [sales] 名 세일즈; 판매.

—ポイント [sales point] 名 세일즈 포인트《상품 판매시, 특히 강조하는 그 상품의 이점(利點)·특징》.

—マン [salesman] 名 세일즈맨; 외판「(사)원.

せおいこ-む【背負い込む】 5他 (부담될 일을) 떠맡다; 떠안다. ＝しょいこむ.

せおいなげ【背負い投げ】 名 (유도에서) 업어치기. ＝しょいなげ. ¶～で一本(いっぽん)を取(と)る 업어치기로 한판을 빼앗다.

***せお-う【背負う】** 5他 짊어지다. **1** 등에 메다; 업다. ＝しょう. ¶子供(こども)を～ 아이를 업다 / 荷物(にもつ)を～ 짐을 짊어지다. **2** (어려운 일·책임을) 지다; 떠맡다. ¶責任(せきにん)を～ 책임을 지다 / 一家(いっか)を～ 한 집안의 살림을 떠맡다.

せおよぎ【背泳ぎ】 名 배영; 송장헤엄. ＝はいえい·バック(ストローク). ¶～の選手(せんしゅ) 배영 선수.

セオリー [theory] 名 시어리; 학설; 이론. 參考 넓은 뜻으로는 가설(假說)도 가리킴.

****せかい【世界】** 名 세계. ¶若者(わかもの)の～ 젊은이의 세계 / 新(あたら)しい～が開(ひら)ける 새로운 세계가 열리다 / 勝負(しょうぶ)の～は厳(きび)しい 승부의 세계는 냉엄하다.

—かん【—観】 名 세계관. ¶～の違(ちが)い 세계관의 차이.

—きろく【—記録】 名 세계 기록.

—ぎんこう【—銀行】 名 세계 은행; 국제 부흥 개발 은행. ＝世銀(せぎん).

—たいせん【—大戦】 名 세계 대전.

—てき【—的】 ダナ 세계적. ¶～な音楽家(おんがくか) 세계적인 음악가.

せか-す〖急かす〗 5他 재촉하다. ＝せかせる. ¶出立(しゅったつ)を～ 출발을 재촉하다.

せかせか 副 ス自 **1** 말씨·동작 등이 성급하여 침착하지 못한 모양. ¶～(と)歩(ある)く 허둥지둥 걸어가다 / ～した話(はな)し方(かた) 성급한[침착하지 못한] 말투.

せか-せる〖急かせる〗 下1他 ☞せかす.

せかつ-く 5自 〈俗〉 성급하게 굴다; 부산하게 서두르다. ¶～·いて歩(ある)き回(まわ)る 부산하게 여기저기 돌아다니다.「う.

せかっこう【背格好】 名 ☞せいかっこう.

ぜがひでも【是が非でも】 連語 ☞ぜひ(是非)副.

せが-む 5他 졸라대다; 지싯거리다. ＝ねだる. ¶金(かね)を～ 돈 달라고 조르다 / 母(はは)に～·んでパソコンを買(か)ってもらう 어머니를 졸라서 PC를 사다. 可能 せが-める 下1自

せがれ〖倅·伜·悴〗 名 **1** 내 아들; 가아(家兒)《자기 아들의 겸칭》. ¶これが私(わたし)の～です 이놈이 제 자식입니다. **2** 남의 아들이나 연소한 남자를 낮추어 하는 말. ¶この小(こ)～め 이 졸망 친구야.

せがわ【背皮·背革】 名 양장 책의 등에 붙이는 유피(鞣皮).

セカンド [second] 名 세컨드. **1** 제2; 두 번째. ¶～ハウス 별장. **2**〔野〕2루(수). **3** (권투에서) 선수 보조자. ＝セコンド. **4** 초(秒); 초침. ＝セコンド.

—カー [second car] 名 세컨드 카; (가정용의) 두 대째의 자동차《주부의 쇼핑용 따위로 소형차가 많음》.

—バッグ [일 second＋bag] 名 큰 백 속에 넣는 작은 백《화장품 등을 넣거나 따로 들기도 함》.

—ハンド [second hand] 名 세컨드 핸드; 중고품; 고물. ＝セコハン.

—ベース [second base] 名〔野〕세컨드 베이스; 2루(壘).

****せき【席】** 名 **1** 자리; 좌석; 또, 지위. ¶～に着(つ)く 자리에 앉다 / ～をはずす 자리를 뜨다 / 課長(かちょう)の～を譲(ゆず)る 과장 자리를 양보하다. **2** 회장(會場). ¶会議(かいぎ)の～で報告(ほうこく)する 회의 석상에서 보고하다 / 宴会(えんかい)の～へ出(で)る 연회 석상에 나가다. **3** 흥행장; 연예장; 또, 그 연예. ¶お笑(わら)いを一(いっ)～申(もう)し上(あ)げます 만담을 한 차례 들려 드리겠습니다.

—の暖(あたた)まる暇(ひま·いとま)もない 너무 바빠 자리에 붙어 있을 틈도 없다.

***せき〖咳〗** 名 기침. ＝しわぶき. ¶～が出(で)る 기침이 나다 / ごほんごほんと～をする 콜록콜록 기침을 하다.

せき〖堰〗 名 보; 봇둑; 제언(堤堰). ＝いせき. ¶～を築(きず)く 봇둑을 쌓다.

—を切(き)る 둑을 터뜨리다; 전하여, 억제했던 동작·감정이 폭발하다. ＝せきを切(き)って落(お)とす. ¶涙(なみだ)がせきを切ったように頬(ほお)を伝(つた)わって流(なが)れた 눈물이 봇물(이) 터진 듯이 뺨을 타고 흘러내렸다.

***せき【籍】** 名 적; 호적. ¶～を抜(ぬ)く (호)적에서 빼다 / ～を入(い)れる 호적에 올리다 / 医学部(いがくぶ)に～を置(お)く 의학부에 적을 두다.

せき【積】 名〔數〕적; 곱. ¶～を求(もと)める 곱을 구하다. ↔商(しょう).

=せき【石】 …석. **1** 돌. ¶人造(じんぞう)～ 인조석. **2** 시계의 축(軸)을 받치는 보석이나 라디오 등의 트랜지스터를 세는 말. ¶二十(にじっ)～の腕時計(うでどけい) 20석의 손목시계.

=せき【隻】 **1** …척; 배의 수효를 세는 말. ¶貨物船(かもつせん)数(すう)～ 화물선 수 척. 注意 큰 배를 셀 때는 '隻'를 쓰나, 거룻배 등 작은 것일 때는 '艘(そう)'를 씀. **2** 쌍으로 되어 있어야 할 것의 한 쪽을 세는 말. ¶屏風(びょうぶ)一(いっ)～ 병풍 한 쪽.

せき〖夕〗 教1 セキ ゆう ゆうべ | 석 저녁 | 저녁때; 저녁. ¶朝夕(ちょうせき) 조석 / 夕陽(せきよう) 석양. ↔朝(ちょう).

せき〖斥〗常用 セキ しりぞける | 척 물리치다 | **1** 물리치다. ¶排斥(はいせき) 배척. **2** 엿보다. ¶斥候(せっこう) 척후.

せき〖石〗教1 セキ シャク コク いし いわ | 석 돌 | **1**㉠ 돌; 바위(조각). ¶石材(せきざい) 석재/岩石(がんせき) 암석. ㉡바둑돌. ¶定石(じょうせき) 정석. **2** 용적을 재는 단위의 이름. ⇨石(こく).

せき〖赤〗教1 セキ シャク あか あかい あからむ あからめる | 적 붉은빛 | **1** 빨강; 빨갛다. ¶赤十字(せきじゅうじ) 적십자/赤面(せきめん) 적면. **2** 벌거벗음; 아무것도 없음. ¶赤裸裸(せきらら) 적나라/赤貧(せきひん) 적빈.

せき〖昔〗教3 セキ シャク むかし | 석 옛 | **1** 이전; 옛날. ¶昔年(せきねん) 석년/今昔(こんじゃく) 금석. ↔今(こん). **2** 어제; 거년. ¶昔日(せきじつ) 석일.

せき〖析〗常用 セキ さく | 석 가르다 | 뜯어 헤치다. ¶析出(せきしゅつ) 석출/分析(ぶんせき) 분석/解析(かいせき) 해석.

せき〖隻〗常用 セキ | 척 짝 | 척. **1** 외짝. ¶隻手(せきしゅ) 척수/隻眼(せきがん) 척안. **2** 배·활 등을 세는 말. ¶一隻(いっせき) 일척/隻数(せきすう) 척수.

せき〖席〗教4 セキ むしろ | 석 자리 | **1** 풀·대 따위로 엮은 깔개. ¶枕席(ちんせき) 침석. **2** 자리. ¶座席(ざせき) 좌석/指定席(していせき) 지정석.

せき〖惜〗常用 セキ シャク おしい おしむ | 석 아끼다 | **1** (옛일을 생각하여) 안타까워하다. ¶痛惜(つうせき) 통석/惜別(せきべつ) 석별. **2** 아쉬워하다. ¶愛惜(あいせき·あいじゃく) 애석.

せき〖責〗教5 セキ シャク せめる | 책 꾸짖다 | 책. **1** 꾸짖다. ¶問責(もんせき) 문책/譴責(けんせき) 견책. **2** 할 일. ¶責任(せきにん) 책임/引責(いんせき) 인책.

せき〖跡〗常用 セキ シャク あと | 적 자취 | **1** 발자취. ¶人跡(じんせき) 인적/追跡(ついせき) 추적. **2** 흔적. ¶形跡(けいせき) 형적. 注意 '迹·蹟'는 같은 자.

せき〖潟〗常用 セキ かた | 석 개펄 | 개펄. ¶潟湖(せきこ) 석호/干潟(ひがた) 간석지. 参考 대개 훈독함.

せき〖積〗教4 セキ シャク つむ つもる | 적 쌓다 | **1** 쌓이다. ¶積雪(せきせつ) 적설. **2** 평수; 부피. ¶面積(めんせき) 면적/容積(ようせき) 용적. **3**〔數〕곱. ¶相乗積(そうじょうせき) 상승적. ↔商(しょう).

せき〖績〗教5 セキ つむぐ うむ | 적 잣다 | **1** 실을 뽑다〔잣다〕. ¶紡績(ぼうせき) 방적. **2** 성과. ¶成績(せいせき) 성적/業績(ぎょうせき) 업적.

せき【蹟】セキ | 적 자취 | 자취. ¶古蹟(こせき) 고적/旧蹟(きゅうせき) 구적; 고적. 注意 '跡'로 대용함.

せき〖籍〗《籍》常用 セキ ジャク ふみ | 적 문서 | **1** 문서; 책. ¶書籍(しょせき·しょじゃく) 서적. **2** 호적. ¶本籍(ほんせき) 본적/入籍(にゅうせき) 입적.

せきあ-げる〖咳き上げる〗下1自 **1** 콜록거리다; 몹시 기침하다. =せきいる·せきこむ. ¶父(ちち)が喘息(ぜんそく)で~ 아버지가 천식으로 콜록거리다. **2** 흐느껴 울다; 목메어 울다. =しゃくりあげる.

せきい-る【せき入る】《咳き入る》5自 계속해서 심하게 기침을 하다; 콜록거리다. =せきこむ. ¶苦(くる)しげに~ 괴로운 듯이 몹시 기침을 하다.

せきうん【積雲】名 적운; 뭉게구름. =わたぐも·つみくも. ¶はるか洋上(ようじょう)を覆(おお)う~ 저 멀리 바다 위를 뒤덮은 뭉게구름.

せきえい【石英】名〔鑛〕석영. ——**ガラス** [glass] 名 석영 유리.

せきえん［積怨］名 적원; 쌓이고 쌓인 원한. ¶~を晴(は)らす 쌓인 원한을 풀다.

せきがいせん【赤外線】名〔理〕적외선. ¶~写真(しゃしん) 적외선 사진.

せきがく［碩学］名 석학. =大学者(だいがくしゃ). ¶当代(とうだい)の~ 당대의 석학.

せきかっしょく【赤褐色】名 ☞ せっかっしょく.

せきがはら【関が原】名 승패나 운명을 좌우하는 중대한 싸움·경우. ¶今度(こんど)の試合(しあい)が~だ 이번 시합이 우승 여부를 판가름하는 고빗사위이다/受験生(じゅけんせい)ともなるとこの時期(じき)は~だろう 수험생으로서는 이 시기가 급락(及落)을 좌우하는 중요한 시기가 될 것이다. 参考 岐阜県(ぎふけん)의 지명. 1600년 이곳에서 있었던 싸움에서 승리한 徳川家康(とくがわいえやす)가 전 일본의 실권을 잡게 되었음. ⇨天王山(てんのうざん). ——**の戦(たたか)い** 関が原의 싸움; 운명을 건 싸움.

せきこ-む〖咳き込む〗5自 심한 기침이 계속해서 나다; 콜록거리다. =せき入(い)る·せき上(あ)げる. ¶風邪(かぜ)で~ 감기에 걸려 연방 콜록거리다.

せきこ-む〖急き込む〗5自 서둘러대다; 조급히 굴다; 안달하다. =あせる. ¶~·んで話(はな)す 몹시 흥분해서 이야기하다/~·んで質問(しつもん)する 조급하게 질문하다.

せきさい【積載】名ス他 적재. ¶最大(さいだい)~量(りょう) 최대 적재량/貨車(かしゃ)の~トン数(すう) 화차의 적재 톤수/船(ふね)に貨物(かもつ)を~する 배에 화물을 적재하다.

せきざい【石材】名 석재. ¶~店(てん) 석재 가게/建築(けんちく)につかう~ 건축에 쓰는 석재.

せきさく【せき索】《脊索》名〔生〕척색. ——**どうぶつ**【——動物】名 척색동물.

せきさん【積算】名ス他 적산. **1** 누계(累計); 총합계. ¶支出額(ししゅつがく)を毎日(まいにち)~して出(だ)す 지출액을 매일 적산해서 내다. **2** (공사비 등을) 견적함. ¶~表(ひょう) 적산표/~法(ほう) 적산법.

せきじ【席次】名 석차. =席順(せきじゅん). **1** 자리 순서. ¶~をきめる 석차를 정하다. **2** 성적 순위. ¶~が下(さ)がった〔上(あ)がった〕 석차가 떨어졌다〔올라갔다〕/~を争(あらそ)う 석차를 다투다.

せきしつ【石室】名 석실; (고분의) 석조

실. ＝いしむろ·いわむろ.

せきじつ【昔日】图 석일; 옛날. ＝むかし·昔時. ¶～のおもかげをとどめる 옛날의 모습을 간직하다.

せきしゅ【赤手】图 적수; 맨손; 빈손. ＝からて·徒手·素手. ¶～をもって敵を迎える 맨손으로 적을 맞다.

—くうけん[—空拳] 图 적수공권. ＝徒手空拳.

せきじゅうじ【赤十字】图 적십자. ¶～病院 적십자 병원.

—しゃ【—社】图 적십자사.

せきしゅつ【析出】图ス自他 석출. **1** 용액 또는 가스체에서 고체가 분리돼 나옴. **2** 화합물을 분석해서 어떤 물질을 추출함. ¶毒物を～する 독물을 석출하다.

せきじゅん[石筍]图〘鑛〙석순.

せきじゅん【席順】图 석순. **1** 좌석의 순서. ¶～を決める 석순을 정하다. **2** 성적 순위; 석차. ＝席次.

せきしょ【関所】图 관문(關門); 전하여, 난관. ＝せき. ¶入学試験という～ 입학시험이란 관문.

せきじょ【石女】图 석녀. ＝うまずめ.

せきじょう【席上】图 석상. ¶委員会の～で発表する 위원회 석상에서 발표하다.

せきしょく【赤色】图 적색. **1** 붉은 빛. **2** 공산주의. ¶～テロ 적색 테러.

—かくめい【—革命】图 적색〔공산〕 혁명.

せきしん【赤心】图 적심; 단심(丹心); 진심. ＝真心. ¶～を吐露する 진심을 토로하다.

せきずい【せき髄】《脊髓》图〘生〙척수; 등골. ¶～炎 척수염/～膜 척수막/～損傷 척수 손상.

せきせつ【積雪】图 적설. ¶～で列車が立ち往生している 적설로 열차가 꼼짝 못하고 있다.

せきぜん【積善】图 적선. ¶～の余慶 적선여경(餘慶). ↔積悪.

せきそう【積送】图ス他 적송; (화물 따위를) 실어 보냄. ¶地方へ～する品 지방에 적송하는 물품.

せきぞう【石造】图 석조. ＝石づくり. ¶～の住宅 석조 주택.

せきぞう【石像】图 석상. ¶～を立てる 석상을 세우다.

せきだい【席代】图 자릿값. ＝席料. ¶～を取る 자릿값을 받다.

せきた-てる【せき立てる】《急き立てる》下1他 재촉하다; 볶아치다; 다그치다. ¶返事を～ 대답을 재촉하다/早くしろと～ 빨리 하라고 재촉하다/時間に～·てられて急いで食べる 시간에 쫓겨 급히 먹다.

***せきたん**【石炭】图〘鑛〙석탄. ¶～を焚く〔くべる〕석탄을 때다.

—がら【—殼】图 석탄이 탄 찌꺼기.

—さん【—酸】图〘化〙석탄산; 페놀. ＝フェノール. ¶～樹脂 석탄산 수지《베이클라이트》.

せきちく〘石竹〙图〘植〙석죽; 패랭이꽃. ＝からなでしこ.

せきちゅう【せき柱】《脊柱》图 척주; 등뼈. ＝せきつい·せぼね.

せきちゅう【石柱】图 석주; 돌기둥.

せきつい[脊椎]图 척추. **1** 척주. ＝脊柱. ＝椎骨. **2** '脊椎骨(＝척추뼈)'의 준말.

—どうぶつ[—動物] 图 척추동물. ↔無脊椎動物.

せきとう【石塔】图 **1** 석탑. ¶～に仏舎利を安置する 석탑에 불사리를 안치하다. **2** 묘석. ＝墓石.

せきどう【赤道】图 적도. ¶～直下 적도 직하/～を通過する〔通る〕 적도를 통과하다.

—さい【—祭】图 적도제. ＝せきどうまつり.

せきとして【寂として】副 괴괴하게; 적막하게; 적적하리만큼 조용하게. ＝ひっそりして. ¶～声なし 괴괴하게 소리 하나 없다.

せきと-める【せき止める】《堰き止める·塞き止める》下1他 (흐르는 물이나 사물의 기세 등을) 막다. ¶川を～ 냇물을 막다/ダムで～ 댐으로 막다/事件の拡大を～ 사건의 확대를 막다.

せきとり【関取】图 (일본 씨름에서) 十両 이상 씨름꾼의 경칭《우리나라의 장사급》.

****せきにん**【責任】图 책임. ¶～が重い 책임이 무겁다/～を転嫁する 책임을 전가하다/～を取る〔負う〕 책임을 지다/～を果たす 책임을 다하다/～を問う 책임을 묻다.

—かん【—感】图 책임감. ¶～が強い 책임감이 강하다.

—しゃ【—者】图 책임자. ¶～を置く 책임자를 두다.

せきねん【昔年】图 석년; 옛날. ＝せきじつ·昔.

せきねん【積年】图 적년; 여러 해. ＝多年·累年. ¶～の恨み 여러 해 쌓인 원한/～の願い 오랜 소원.

せきのやま【関の山】图 기껏해야 그 정도임; 고작. ＝せいぜい·せいいっぱい. ¶二万円貸してくれたのが～だ 2만 엔 꾸어 준 것이 고작이다/借金をせずに暮らせるのが～だ 빚 안 지고 살아가는 것이 고작이다.

せきはい【惜敗】图ス自 석패. ¶一点の差で～する 일 점 차로 석패하다/善戦むなしく～した 선전도 보람 없이 석패했다. ↔辛勝.

せきばく【寂寞】图トタル 적막. ¶～たる荒野 적막한 황야.

せきばらい〘咳払い〙图ス自 헛기침. ＝しわぶき·こわづくり. ¶えへんと～をする 에헴 하고 헛기침을 하다/～して壇上に登る 헛기침을 하고 단상에 오르다.

せきはん【赤飯】图 팥을 둔 찰밥《경사스러운 날에 먹음》. ＝おこわ·こわめし. ¶～を炊いて卒業を祝う 찰팥밥을 지어서 졸업을 축하하다.

せきばん【石版】名〖印〗**1** 석판. **2** '石版印刷(=석판 인쇄)'의 준말.
—が【—画】名 석판화.
せきひ【石碑】名 석비. **1** 비석(碑石). =いしぶみ. ¶表面の字の磨滅した～ 표면의 글자가 닳아 없어진 석비. **2** 묘석. =はかいし. 「貧.
せきひん【赤貧】名 적빈; 찰가난. =極
—洗うが如し 적빈여세(如洗); 어찌나 가난한지 아무것도 가진 게 없다.
せきぶつ【石仏】名 석불; 돌부처. =いしぼとけ. ¶岩に彫りつけた～ 바위에 조각한 석불. 「分.
せきぶん【積分】名ス他〖數〗적분. ↔微
せきへい【積弊】名 적폐. ¶～を改める 적폐를 고치다.
せきべつ【惜別】名 석별. ¶～の情にたえない 석별의 정을 누를 수 없다.
せきぼく【石墨】名 석묵; 흑연. =こくえん·グラファイト.
せきむ【責務】名 책무. ¶負わされた～は重い 지워진 책무는 무겁다/～を全うする 책무를 완수하다.
せきめん【石綿】名 석면; 돌솜. =アスベスト·いしわた.
—スレート[slate] 名 석면 슬레이트.
せきめん【赤面】名ス自 적면. ¶～の至り 부끄럽기 짝이 없음/あまりほめられて～した 너무 칭찬을 들어서 얼굴이 뜨거웠다.
***せきゆ**【石油】名 석유. ¶～こんろ 석유 풍로/～コンビナート 석유 콤비나트/～が出る 석유가 나오다/～を掘り当てる 시굴하여 석유를 찾아내다〔발견하다〕. ⇨原油.
セキュリティー[security] 名 시큐리티. **1** 안전 (보장); 방범(防犯). **2** (유가) 증권; 특히, 주식. 「り日.
せきよう【夕陽】名 석양. =夕日·入
せきらら【赤裸裸】ダナ 적나라. =むきだし. ¶～の告白 솔직한 고백/～な事実 적나라한 사실.
せきらんうん【積乱雲】名〖氣〗적란운; 쌘비구름. =入道雲·雷雲.
せきり【赤痢】名〖醫〗적리《이질의 한 가지》. ¶～にかかる 적리에 걸리다.
せきりょう【席料】名 **1** 자릿세. =席代. ¶～を取る 자릿세를 받다/高い～を取られる 비싼 자릿세를 내다〔뜯기다〕. **2** 입장료.
せきりょう［寂寥］名トタル 적요; 적막함. ¶～感 적요〔적막〕감/～とした風景〔冬の海〕 적적하고 고요한 풍경〔겨울 바다〕.
せきりょう【責了】名〖印〗'責任校了(=책임 교료)'의 준말; 책임 오케이《마지막 교정을 인쇄소에 책임 지우고 교료하는 일》. 「=いしたたき.
せきれい〚鶺鴒〛名〖鳥〗척령; 할미새.
せきろう【石ろう】《石蠟》名 석랍; 파라핀. =パラフィン.
せきわけ［関脇］名 씨름꾼의 계급의 하나《大関의 아래, 小結의 위》.
せ-く〚咳く〛5自 기침하다. =しわぶく. ¶しきりに～ 자꾸 기침을 하다/～·いて眠られない 기침이 몹시 나서 잠을 잘 수가 없다.
せ-く〚塞く·堰く〛5他 **1** (물줄기 따위를) 막다. ¶岩に～·かれる谷川 바위에 가로막힌 계곡. **2** (사람의 사이를) 떼어 놓다. ¶親に～·かれた恋 부모가 반대하는 사랑.
せ-く〚急く〛5自 **1** 조급히 굴다; 서두르다; 안달하다. =あせる·急ぐ. ¶気が～ 마음이 조급해지다/気ばかり～·いてうまくはかどらない 마음만 조급하고 잘 진척되지 않는다. **2** 급해지다; 심해지다. ¶息が～ 숨이 가빠지다/息を～·かす 가쁘게 숨쉬다.
—·いては事を仕損じる 서두르면 (오히려) 일을 망친다.
セクササイズ[일 sexercise] 名 섹서사이즈; 섹스 능력을 높이기 위한 운동.
セクシー[sexy] ダナ 섹시; 성적 매력이 있음. ¶～な声 섹시한 목소리/～なポーズを取る 섹시한 포즈를 취하다.
セクシュアル[sexual] ダナ 섹슈얼; 성적 충동을 느끼(게 하)는 모양; 성적. =セクシー. ¶～な魅力 성적 매력.
—ハラスメント[sexual harassment] 名 섹슈얼 해러스먼트; 성(性)희롱. =性的いやがらせ·セクハラ.
セクショナリズム[sectionalism] 名 섹셔널리즘; 분파〔파벌〕주의. =セクト主義·なわばり根性.
セクション[section] 名 섹션; 분할된 부분; 부문(部門); 과(科); 절(節); 항; (신문·잡지 따위의) 난(欄); 면(面). ¶ホーム～ 홈 섹션; 가정란.
セクスタシー[일 sex+ecstasy] 名 섹스터시; 성적 황홀감.
セクト[sect] 名 섹트; 종파; 당파. ¶ノン～ 무종파; 무당파. 「널리즘.
—しゅぎ【—主義】名 종파주의; 섹셔
セクハラ 名 'セクシュアルハラスメント(=성희롱)'의 준말.
せぐりあ-げる【せぐり上げる】下1自 흐느끼다. =せき〔しゃくり〕あげる.
****せけん**【世間】名 세간; 세상. **1** 사회; 세상; 세상 사람들; 남. ¶～の人 세상 사람/～に出る 세상에 나가다/～(の口)がうるさい 남의 입이 시끄럽다/～の目が厳しい 세상 눈이 무섭다/～様に対して申し訳が無い 세상 사람을 대할 낯이 없다. **2** 활동·교제의 범위. ¶～を狭くする 남의 미움을 받아 교제하는 범위가 좁아지다.
—が狭い 교제 범위가 좁다.
—が詰まる 세상(인심)이 빡빡하다《불경기로 돈 융통이 잘 안되다》.
—が広い 발이 넓다.
—の口に戸は立てられぬ 세상 사람들의 입〔소문·비난〕은 막을 수 없다. =人の口に戸は立てられぬ.

—は広いようで狭い 세상은 넓고도〔넓은 것 같으면서〕좁다.
—晴れて 공공연히; 버젓이. ¶~夫婦となる 떳떳하게 부부가 되다.
—し【—師】 图 〈俗〉 처세술이 좋고 약게 구는 사람. ¶なかなかの~だ 아주 약삭빠른 사람이다.
—しらず【—知らず】 名ナ 세상 물정에 어두움; 또, 그런 사람. =世間見ず. ¶~の若者 세상 물정에 어두운 젊은이/君はずいぶん~だね 넌 세상을 너무 모르는구나.
—ずれ【—擦れ】 图ス自 세파에 시달려 닳고 닳음. ¶~していない女 세상의 때가 묻지 않은 여자.
—てい【—体】 图 세상에 대한 체면. =外聞. ¶~を繕う 체면치레를 하다/~などは構っていられない 체면 따위는 신경쓰고 있을 수가 없다/~がわるい 체면이 안 서다.
—てき【—的】 ダナ 세상에서 흔히 볼 수 있는 모양: 세속적; 상식적. ¶あまりにも~な人 너무나 세속적인 사람/~な話 세상에 흔히 있는 이야기; 그저 그렇고 그런 이야기.
—なみ【—並】 图ダナ 세상 사람과 같은 정도; 보통; 평범. ¶~の生活 평범한 생활.
—ばなし【—話】 图 세상 이야기; 잡담. =雑談·よもやま話. ¶~をする 잡담을 하다.
—ばなれ【—離れ】 图 세속을 벗어남; 초탈(超脱). ¶~の生活をしている 세속을 초탈한 생활을 하고 있다.
せこ［勢子］ 图 (사냥에서) 몰이꾼.
せこ【世故】 图 세상 물정; 세간의 풍속·습관.
—にたける 세상 물정에 밝다.
せこう【施工】 图ス他 시공; 공사를 시행함. =しこう. ¶~主 시공주.
セコハン 图 〈俗〉 중고품(品). =おふる. 参考 'セカンドハンド'의 준말.
セコンド [second] 图 세컨드. **1** 초(秒); 시계의 초침. ¶~を刻む音 (시계의) 똑딱거리는 소리. **2** ☞セカンド3.
せし【セ氏】《摂氏》图 섭씨. ¶~温度計 섭씨 온도계/~二十度 섭씨 20도. 注意 본디, '摂氏'라고 했음. ⇒カ氏.
せじ【世事】 图 세사; 세상 물정. =俗事. ¶~にうとい〔たける〕 세상 물정에 어둡다〔밝다〕/ ~にかまける 세상일에 얽매이다/~に通じている 세상 물정에 밝다.
—に賢い 남의 비위를 맞추는 말을 잘하다; 처세에 능하다.
せじ【世辞】 图 (상냥하게 들맞추는) 인사(말); 간살. ¶~を言う 간살(을) 부리다/~がうまい 아첨을 잘하다. ⇒おせじ.
—もの【—者】 图 아첨꾼; 간살쟁이; 따리꾼.
せし-める 下1他 〈俗〉 감쪽같이 집어세다; 교묘하게 가로채다. ¶まんまと~·められてしまった 감쪽같이 먹히고 말았다.
せしゅ【施主】 图 **1**〖佛〗시주. ¶供養の~ 공양의 시주. **2** 장례 등의 상주. **3** 건축주; 시공주(施工主). =建て主.
せしゅう【世襲】 图ス他 세습. ¶~財産 세습 재산/芸名を~する 예명을 세습하다.
せじょう【世上】 图 세상. =世の中·世間. ¶~のうわさ 세상의 소문/~の風説 세상의 풍설.
せじょう【世情】 图 세정; 세상 물정〔인정〕. ¶~にうとい 세상 물정에 어둡다/~に通じている 세상 물정에 밝다/~を観察する 세상 물정을 살피다.
せじょう【施錠】 图ス自 자물쇠를 채움.
せじん【世人】 图 세인; 세상 사람들. ¶~の注目を浴びる 세인의 주목을 받다/~に知られる 세상 사람들에게 알려지다.
せすじ【背筋】 图 **1** 등줄기; 등골. ¶~をのばす 기지개를 켜다; 허리를 펴다/~が寒くなる 등골이 오싹해지다. **2**〖裁〗등솔기. =背縫い.
ゼスチュア [gesture] 图 제스처. **1** 몸짓; 손짓. =みぶり·手まね. ¶~たっぷりの話し方 마구 제스처를 섞어가며 하는 이야기투/あれは彼一流の~だ 저건 그 사람 특유의 제스처다. **2** (하는 체하는) 시늉; 그런 체하는 행동. ¶ただの~だ 그저 시늉뿐이다. 注意 ゼスチャー·ジェスチュア라고도 함.
ぜせい【是正】 图ス他 시정. ¶誤りを~する 잘못을 시정하다.
せせこまし-い 形 **1** (답답하도록) 비좁다. =せまくるしい. ¶この部屋は~ 이 방은 비좁아서 답답하다. **2** 사소한 일에 안달하다; 좀스럽다; 곰상스럽다. ¶~考えかた 옹졸한 생각.
ぜぜひひ【是是非非】 图 시시비비. ¶~の立場をとる 시시비비의 입장을 취하다.
—しゅぎ【—主義】 图 시시비비주의.
せせらぎ〘細流〙图 얕은 여울; 또, 그 여울에 졸졸 흐르는 물(소리). ¶小川の~ 졸졸 흐르는 시냇물 (소리).
せせらわらい【せせら笑い】《嘲笑い》图 비웃음; 코웃음; 냉소.
せせらわら-う【せせら笑う】《嘲笑う》5他 비웃다; 코웃음치다; 냉소하다. =あざ(けり)わらう. ¶人の失敗を~ 남의 실패를 비웃다.
せせ-る〘挵る〙5他 **1** 쑤시다; 후벼내다. ¶ようじで歯を~ 이쑤시개로 잇사이를 쑤시다/魚の骨を~ 생선뼈를 발라내다. **2** 만지작거리다; 가지고 놀다. =いじる·もてあそぶ. ¶火箸で炭を~ 부젓가락으로 숯을 뒤적이다.
せそう【世相】 图 세상; 세태. ¶~は乱れている 세태가 어지럽다/~を反映する 세태를 반영하다.
せぞく【世俗】 图 **1** 세속. ¶~に媚びる

〔おもねる〕 세속에 영합하다 / ～に染まる〔従う〕 세속에 물들다〔따르다〕. 2세속 사람; 속인(俗人).
—てき【—的】ダナ 세속적; 속됨. ＝俗. ¶～な話 세속적인 이야기.
せたい【世帯】图 가구(家口); 세대. ＝しょたい. 參考 '所帯'는 일반 용어, '世帯'는 호적·국세 조사 등에 쓰는 말.
—ぬし【—主】图 가구주; 세대주.
—もち【—持ち】图 ☞しょたい(所帯)もち1.
せたい【世態】图 세태. ＝世情·世相. ¶～画 풍속화 / ～人情 세상 인심 / ～風俗 세태 풍속.
*せだい【世代】图 세대. 1어떤 연령층. ＝ゼネレーション. ¶戦中派の～ 전중파 세대 / おじさんと僕じゃ～がちがう 아저씨와 나와는 세대가 다르다. 2여러 대; 여러 연대의 층. ¶二～の夫婦 어버이와 자식 두 세대의 부부.
せたけ【背丈】图 1신장; 키. ＝せい·身長. ¶子どもの～ほどの桜の木 아이 키만한 벚나무 / ～が伸びる 키가 자라다. 2옷기장. ＝着丈. ¶～が合わない 기장이 맞지 않는다. 「종류」.
セダン [미 sedan] 图 세단《승용차의 한
せちがしこ-い【世知賢い】形 타산적으로 빈틈이 없다; 처세에 능하다.
せちがら-い〖世知辛い·世智辛い〗形 1세상살이가 힘들다; 살아가기 어렵다. ¶～世の中になったものだ 살아가기 힘든 세상이 돼버렸다. 2타산적이다; 쩨쩨하다; 인색하다. ¶～買い物のぶり 인색한 장보기; 쩨쩨한 쇼핑. 注意 본디 글자는 '世智辛い'.
せつ【節】图 1절; 시·문장의 단락. ¶詩の一～ 시의 일 절. 2〔文法〕 절. ¶従属～ 종속절. 3절개. ¶～を曲げる〔守る〕 절개를 굽히다〔지키다〕. 4때; 시기. ¶その～はお世話になりました 그때는 신세 졌습니다 / その～はよろしく 그때는 잘 부탁합니다.
*せつ【説】图 설; 주장; 의견. ¶新しい～を出す 새로운 설을 내놓다 / ～を異にする 의견〔주장〕을 달리하다.
せつ【切】ダナ 간절함. ¶親友の～なる勧め 친구의 간절한 권유 / ～に祈る 간절히 빌다. ⇨切なる·切に.
せつ〖切〗教2 セツ サイ きる きれる | 절 베다 | 체 온통 | 1자르다. ¶切開 절개 / 切断 절단. 2급하다. ¶切迫 절박. 3간절하게. ¶切実 절실 / 懇切 간절.
せつ〖折〗教4 セツ おる おり おれる | 절 꺾다 | 1꺾(이)다. ¶曲折 곡절. 2나누다. ¶折半 절반 / 折衷 절충. 3(기세를) 꺾다. ¶挫折 좌절.
せつ〖拙〗常用 セツ つたない まずい | 졸 졸하다 | 1서투르다. ¶拙劣 졸렬 / 稚拙 치졸. ↔巧. 2자기의 겸칭. ¶拙著 졸저 / 拙者 소생.
せつ〖窃〗《竊》常用 セツ ぬすむ ひそか | 절 훔치다 | 훔치다. ¶窃盗 절도 / 窃取 절취 / 剽窃 표절.
せつ〖接〗教5 セツ ショウ つぐ まじわる はぐ | 접 사귀다 | 1잇다. ¶接触 접촉 / 接合 접합. 2불러서 대접하다. ¶接待 접대. 3다가가다. ¶接近 접근.
せつ〖設〗教5 セツ もうける | 설 베풀다 | 마련하다; 설치하다; 만들다. ¶設備 설비 / 公設 공설.
せつ〖雪〗《雪》教2 セツ ゆき すすぐ | 설 눈 | 1눈. ¶新雪 신설 / 雪害 설해. 2씻다. ¶雪辱 설욕.
せつ〖摂〗《攝》常用 セツ ショウ とる | 섭 가지다 | 1취하다; 가지다. ¶摂取 섭취. 2겸하다. ¶摂政 섭정. 3기르다. ¶摂生 섭생.
せつ〖節〗《節》教4 セツ セチ ふし | 절 마디 | 절개 | 1마디. ¶関節 관절. 2절개. ¶節操 절조. 3철; 절기. ¶季節 계절 / 節気 절계.
せつ〖説〗《說》教4 セツ ゼイ とく | 설 말씀 | 1설명하다; 타이르다. ¶説得 설득 / 演説 연설. 2주장. ¶学説 학설 / 地動説 지동설.
せつ〖舌〗教5 ゼツ した | 설 혀 | 1혀. ¶舌端 설단. 2말. ¶口舌 구설 / 舌禍 설화.
せつ〖絶〗《絕》教5 ゼツ たえる たやす たつ | 절 끊다 | 1끊다. ¶断絶 단절. 2그만두다; 막다. ¶絶交 절교 / 杜絶 두절.
せつえい【設営】图スル他 설영; 어떤 일을 하기 위해 미리 시설·건물을 만듦. ¶観測基地の～ 관측 기지의 설치 / 宴会の場を～する 연회장을 만들다.
せつえん【節煙】图スル自 절연; 흡연량을 줄임. ¶健康のために～する 건강을 위해서 절연하다.
ぜつえん【絶縁】图スル自 절연. ¶～状 절연장 / ～器具 절연 기구.
—たい【—体】图 절연체. ＝絶縁物·不導体·不良導体. ↔導体.
せっか【赤化】图スル自他 적화; 공산주의화. ¶～政策 적화 정책 / ～を防止する 적화를 방지하다.
ぜっか【絶佳】图 절가; (경치가) 뛰어나게 아름다움. ¶風光～ 풍광 절가.
ぜっか【舌禍】图 설화; 구설수. ¶～事件 설화 사건 / ～を招く 설화를 초래하다. ↔筆禍.
せっかい〖節介〗图ダナ 쓸데없는 참견. ＝おせっかい. ¶いらぬ～をやくな 쓸데없는 참견을 마라.

せっかい【切開】图ス他 절개. ¶帝王~ 제왕 절개 / 患部を~する 환부를 절개하다.

せっかい【石灰】图 석회. =いしばい. ¶~岩 석회암 / ~水 석회수.

—せき【—石】图 석회석. =石灰岩.

—ちっそ【—窒素】图〖化〗석회질소.

—どう【—洞】图〖地〗석회동. ☞しょうにゅうどう(鍾乳洞).

せっかい【雪塊】图 설괴; 눈덩이. 「い.

せつがい【殺害】图ス他〈老〉☞さつが

せつがい【雪害】图 설해. ¶~対策 설해 대책 / ~の多い地 설해가 많은 고장 / ~を受ける 설해를 입다.

ぜっかい【絶海】图 절해. ¶~の孤島 절해의 고도. 「는 관용음.

せっかく[刺客]图 자객. 注意 'しかく'

せっかく〖折角〗副 **1 모처럼. ㉠애써(서); 크게 별러서. ¶~の努力が無になった 모처럼의 노력이 허사가 되었다 / ~の料理がすっかり冷えてしまった 모처럼의 요리가 완전히 식어 버렸다. ㉡《'~…だから' '~…のに'의 꼴로》일부러; 애써서. =わざわざ. ¶~ここまで来たんだから, 寄って行こう 모처럼 여기까지 왔던 길이니 들렀다 가자. ㉢《'~の'의 꼴로》(겨우 얻은) 소중한; 귀중한. ¶~の休日も雨でつぶれた 모처럼의 휴일도 비 때문에 잡쳤다. ㉣《'~だが' '~ながら' 따위의 꼴로》남의 제의나 호의 등을 거절하는 말. ¶~だが断る 모처럼이지만 사절하겠네. **2** 부디; 아무쪼록. ¶~ごきげんよう 부디 안녕히 계십시오.

せっかち〖急勝〗图ダナ 성급함; 안달; 또, 그런 사람. =性急. ¶~な人 성급한 사람; 성마른 사람.

せっかっしょく【赤褐色】图 적갈색. =せきかっしょく. ¶~に塗り替える 적갈색으로 다시 칠하다.

せっかん〖折檻〗图ス他 **1** 체벌을 가하여 징계함. **2** (어린이 등을) 엄하게 꾸짖음. ¶不良の息子を~する 행실 나쁜 자식을 징계하다.

せっかん【石棺】图 석관; 특히, 고분(古墳) 시대의 것. =せきかん.

せつがん【切願】图ス他 절원; 간절히 바람. =切望. ¶肥料の配給を~する 비료 배급을 간절히 바라다.

せつがん【接岸】图ス自 접안. ¶貨物船が岸壁に~する 화물선이 안벽에 접안하다.

せつがんレンズ【接眼レンズ】图〖理〗접안렌즈. =接眼鏡. ↔対物レンズ. ▷lens.

せっき【石器】图 석기. ¶~時代 석기 시대 / 打製~ 타제 석기; 뗀석기 / 磨製~ 마제 석기; 간석기.

せっき【節季】图 **1** 상점에서 상품의 구매·매출·대차 관계의 총결산을 하는 시기. ¶~仕舞 'おぼん(=우란분)'이나 연말에 하는 총결산. **2** 특히, 연말. ¶~大売り出し 연말 대매출. 参考 현재는 주로 関西 지방에서 씀.

せっき【節気】图 절기《계절의 구분; 또, 그 전환점을 가리키는 날》. ¶二十四~ 24절기.

せつぎ【節義】图 절의; 군신·부자·부부간의 절개와 의리. =みさお. ¶~にもとる行い 절의에 어긋나는 행위.

せっきゃく【接客】图ス自 접객. ¶~業 접객업 / ~にいとまない 접객에 겨를이 없다.

せっきょう【説教】图ス自他 **1** 설교. ¶牧師の~(を聞く) 목사의 설교(를 듣다). **2** (교훈적인) 잔소리. ¶お~はもうたくさんだ 잔소리는 이제 지겹다 / 朝からまたおやじに~された 아침부터 아버지한테 또 잔소리를 들었다. 参考 비웃거나 비꼬는 말.

ぜっきょう【絶叫】图ス自他 절규. ¶救い〔助け〕を求めて~する 구원〔도움〕을 청하여 절규하다.

*__せっきょく__【積極】图 적극. ¶~策 적극책 / ~論 적극론. ↔消極. 参考 보통, 단독으로는 쓰지 않음.

—せい【—性】图 적극성. ¶~に欠ける 적극성이 없다 / ~を示す 적극성을 보이다. ↔消極性.

—てき【—的】ダナ 적극적. ¶~(な)姿勢を打ち出す 적극적인 자세로 나오다. ↔消極的.

せっきん【接近】图ス自 접근. ¶台風が本土に~する 태풍이 본토에 접근하다 / あいつには~しない方がいい 저놈에겐 가까이하지 않는 게 좋다.

せっく【節句·節供】图 '五節句(=다섯 명절)'(의 하나)《현재는 특히 3월 3일과 5월 5일을 일컬음》.

—ばたらき【—働き】图 (남들은 명절날에 쉬는데) 일부러 바쁜 듯이 일함. ¶なまけ者の~ 게으름뱅이 명절날 일하듯《평소 게으른 사람은 남이 놀 때 일부러 바쁜 듯이 일함》.

ぜっく【絶句】절구. ㊀图 한시(漢詩) 형식의 하나; 기·승·전·결(起·承·轉·結)의 4구로 되어 있음. ㊁图ス自 도중에서 말이 막힘; 또, 배우가 대사를 잊어버려 말이 막힘. ¶やじられて~する 야유를 받고 말문이 막히다.

セックス[sex]图 섹스. =性·セクス. ¶~ツアー 섹스 투어〔관광〕/ ~に目覚める年ごろ 성에 눈뜰 나이.

—アピール[sex appeal]图 섹스어필; 성적 매력. =セックスアッピール.

—チェック[sex check]图 섹스 체크; (국제 경기 대회에서) 여자 선수에 대하여 여성임을 확인하는 일.

—フレンド[일 sex+friend]图 섹스만을 대상으로 하여 사귀는 친구. *영어로는 sexual companion.

*__せっけい__【設計】图ス他 설계. ¶~図 설계도 / 生活の~ 생활 설계 / 新造の家屋を和風に~する 새로 짓는

가옥을 일본식으로 설계하다.

せっけい【雪景】图 설경; 눈 경치. ＝ゆきげしき.

ぜっけい【絶景】图 절경; 아주 빼어난 경치. ¶天下(てんか)の～ 천하의 절경.

せっけいもじ［楔形文字］图 설형문자. ＝楔状(けつじょう)文字・くさびがたもじ. 注意 'せっけいもんじ'로도 읽음.

せっけっきゅう【赤血球】图〖生〗적혈구. ↔白血球(はっけっきゅう).

せっけん［席巻・席捲］图ス他 석권. ¶全国(ぜんこく)をを～する 전국을 석권하다.

せっけん【接見】图ス他 접견. ＝引見(いんけん). ¶外国(がいこく)公使(こうし)を～する 외국 공사를 접견하다. 参考 구속된 피의자가 변호사 등 외부 인사와 만나는 일도 가리킴.

**せっけん〖石鹼〗图 비누. ＝シャボン. ¶浴用(よくよう)～ 목욕 비누 / せんたく～ 세탁비누 / ～で洗(あら)う 비누로 씻다.

せっけん【節倹】图ス自他 절검; 절약; 검약. ＝節約(せつやく). ¶～の功(こう)が現(あら)われて貯金(ちょきん)も出来(でき)た 절검한 보람이 있어 저금도 하게 되었다.

せつげん【節減】图ス他 절감. ¶経費(けいひ)を～する 경비를 절감하다.

せつげん【雪原】图 설원; 눈 덮인 벌판. ¶一面(いちめん)万年雪(まんねんせつ)に覆(おお)われた～ 온통 만년설로 뒤덮인 설원.

ゼッケン［←도 Decke(n)］图 제킨; 운동선수·경마용 말에 붙이는 번호 표지; 또, 그 번호. ¶～番号(ばんごう) 제킨 번호.

ぜつご【絶後】图 절후. ¶空前(くうぜん)～ 공전절후; 전무(前無)후무 / 空前(にして)～の機会(きかい) 전무후무한 기회. ↔空前(くうぜん).

せっこう【拙攻】图 졸공; 졸렬한 공격. ¶～を繰(く)り返(かえ)す 졸공을 반복하다.

せっこう【拙稿】图 졸고; 서투른 원고《자기 원고의 겸칭》.

せっこう【斥候】图ス自他 척후. ¶～兵(へい) 척후병 / ～を出(だ)す 척후를 내보내다. ⇨ていさつ.

せっこう【石工】图 석공; 석수. ＝石屋(いしや)・いしく.

せっこう〖石膏〗图 석고. ＝ギプス. ¶～細工(さいく) 석고 세공.

せつごう【接合】图ス自他 접합. ¶両面(りょうめん)が〔を〕～する 양면이〔을〕 접합하다.

ぜっこう【絶交】图ス自 절교. ¶～状(じょう) 절교장 / 君(きみ)とはもう～だ 너하고는 인제 절교야.

ぜっこう【絶好】图 절호. ¶～の日和(ひより) 절호의 날씨 / ～のチャンスをのがす 절호의 기회를 놓치다.

せっこく【石刻】图 석각. **1** 돌에 새김. **2** 돌에 새겨 인쇄한 것. ¶～本(ほん) 석각본.

せっこつ【接骨】图ス自 접골. ＝ほねつぎ・整骨(せいこつ). ¶～術(じゅつ) 접골술 / ～医(い) 접골의 / ～院(いん) 접골원.

せっさ［切磋］图ス自 절차; 학문·수양을 닦음. 参考 본디, 뼈·구슬을 자르거나 갈아서 세공하는 뜻.

―たくま［―琢磨］图ス自 절차탁마《(a)학문·수양을 닦는 데 전념함; (b)뜻을 같이하는 친구끼리 서로 돕고 격려하여 진보 향상되어 감》. ¶～のかいがあった 절차탁마한 보람이 있었다.

せっさく【切削】图ス他 절삭; 금속을 자르고 깎음. ¶～工具(こうぐ) 절삭 공구.

せっさく【拙作】图 졸작; 변변하지 못한 작품《자기 작품의 겸칭으로 쓰는 일이 많음》.

せっさく【拙策】图 졸책; 서투른 계략·방책《자기 계책의 겸칭으로도 씀》. ¶そんな事(こと)をするのは～だ 그런 일을 하는 것은 졸렬한 짓이다 / 我(われ)ながら～だ 내 자신이 봐도 졸책이다.

せつざん【雪山】图 설산. **1** 눈이 녹지 않는 높은 산. **2** 히말라야 산(맥)의 딴 이름. ＝せっせん. ¶冬(ふゆ)の～に挑(いど)む 겨울철 히말라야 등산을 시도하다.

ぜっさん【絶賛】《絶讃》图ス他 절찬. ¶～を博(はく)した 절찬을 받았다 / ～に値(あたい)する 절찬할 만하다.

せっし【切歯】图ス自 절치; 이를 악묾; 이를 갊.

―やくわん［―扼腕］图ス自 절치액완; 이를 갈며 팔을 걷어붙이고 벼름. ¶～してくやしがる 이를 갈고 팔을 걷어 붙이며 분해하다.

せっし【摂氏】图 ☞セし. ↔華氏(かし).

せつじ【接辞】图 접사; 접두어·접미어의 총칭.

*せつじつ【切実】ダナ 절실. **1** 아주 중요함. ¶～な要求(ようきゅう) 절실한 요구 / ～な問題(もんだい) 절실한 문제. **2** 마음에 깊이 느끼는 모양. ¶人生(じんせい)の悲哀(ひあい)を～に感(かん)じる 인생의 비애를 절실히 느끼다.

せっしゃ【接写】图ス他 접사; 근접 촬영. ¶～装置(そうち) 근접 촬영 장치 / ～レンズ 접사 렌즈.

せっしゃ【拙者】代 자기의 겸칭: 나. ¶～にはわからん 나로서는 모르겠다 / ～も無事(ぶじ)でござります 나도 별고 없습니다. ⇨それがし. 注意 옛 무사들이 아랫사람이나 동료간에 썼음.

せっしゅ【接種】图ス他 접종. ¶予防(よぼう)～ 예방 접종.

せっしゅ【摂取】图ス他 섭취. ¶栄養(えいよう)の～ 영양 섭취 / 外国(がいこく)文化(ぶんか)の～ 외국 문화의 섭취.

せっしゅ【窃取】图ス他 절취. ¶商品(しょうひん)を～する 상품을 절취하다.

せっしゅ【節酒】图ス自 절주. ¶～に努(つと)める 절주에 힘쓰다 / 禁酒(きんしゅ)はしないが～する 금주는 안 하지만 절주한다.

せつじゅ【接受】图ス他 **1** 접수. ¶申請書(しんせいしょ)を～する 신청서를 접수하다. **2** 외교 사절을 받아들임. ¶新任(しんにん)の大使(たいし)を～する 신임 대사를 접수하다.

せっしゅう【接収】图ス他 접수. **1** 국가 등이 개인의 소유물을 거두어들임; 징발. ¶～解除(かいじょ) 접수 해제 / その建物(たてもの)は占領軍(せんりょうぐん)に～された 그 건물은 점령군에게 접수되었다. **2** 받아들임.

せつじょ【切除】图ス他 절제; 잘라 냄. ¶肺(はい)の一部(いちぶ)〔ポリープ〕を～する 폐의

일부를〔폴립을〕 절제하다.

せっしょう【折衝】名ス自 절충. ¶～を重ねる 절충을 거듭하다 / ～にあたる 절충에 임하다.

せっしょう【摂政】名 섭정. ¶～に任ぜられる 섭정에 임명되다.

せっしょう【殺生】一名ス他 살생. ¶無益な～をする 무익한 살생을 하다. 二名ナ 잔인함; 무자비함. ＝残酷. ¶～な話 잔인〔끔찍〕한 이야기 / ～な仕打ち 무자비한 처사 / ～なことをするな 잔인한 짓을 마라 / そんなことを言うとは～な 그런 말을 하다니 잔인하군.

ぜっしょう【絶唱】名 절창; 아주 훌륭한 시가. ¶古今の～ 고금의 절창.

ぜっしょう【絶勝】名 절승; 절경. ¶～の地 절승지.

*__せっしょく__【接触】名ス自 접촉. ¶車の～事故 자동차 접촉 사고 / 外部との～を断つ 외부와의 접촉을 끊다.

せっしょく【節食】名ス自 절식. ＝減食. ¶胃が悪いので～する 위가 나빠서 절식하다.

せつじょく【雪辱】名ス自 설욕. ¶～戦 설욕전 / ～を期す 설욕을 다짐하다 / A校に～した A교에 설욕하였다.

せっすい【節水】名ス自 절수. ¶～をよびかける 절수(하기)를 호소하다.

__せっ-する__【接する】一サ変自 접하다. **1 접(촉)하다. ㉠(한 점에서) 만나다. ¶空と海とが～する 하늘과 바다가 접하다. ㉡만나다; 교제〔응대〕하다. ¶多くの人に～ 많은 사람을 접하다 / 敵と～ 적과 만나다. ㉢인접하다; (맞)붙다. ¶家に～·した土地 집에 인접한 토지. ㉣면하다. ¶往来に～窓 길거리에 면한 창문. **2** 다루어 경험해 보다. ¶かつて～·した事のない難事件 여태까지 겪어 본 적이 없는 어려운 사건. **3** (소식 등을) 받다. ¶急報に～ 급보에 접하다. 二サ変他 **1** (몸의 일부를) 바싹 가까이 대다. ¶かおを～·して語る 얼굴을 맞대고 이야기하다. **2** 잇다; 매다. ＝つなぐ. ¶ひもの両端を～ 끈의 양 끝을 잇다. **3** 잇달다. ¶くびすを～·して至る 잇달아 오다.

せっ-する【節する】サ変他 제한하다; 절제하다. ¶浪費〔酒〕を～ 낭비를〔술을〕 절제하다.

ぜっ-する【絶する】一サ変自 절하다; 초월하다; …도 할 수 없다. ¶古今に～名作 고금에 다시 없는 명작 / 言語に～ 말로는 다할 수 없다; 이루 말할 수 없다. 二サ変他 (관계를) 끊다. ＝たちきる. ¶飲食を～·してはげむ 식음을 끊고 힘쓰다.

せっせい【摂生】名ス自 섭생. ＝養生. ¶～に努める 섭생에 힘쓰다 / ～にこころがける 섭생에 유의하다.

せっせい【節制】名ス自他 절제. ¶～ある生活 절제 있는 생활 / すべての欲望を～する 온갖 욕망을 절제하다.

せつぜい【節税】名ス自 절세; 세의 부담을 (합법적으로) 감함. ¶～は脱税と区別される 절세는 탈세와 구별된다.

ぜっせい【絶世】名 절세. ¶～の美人 절세의 미인.

せつせつ【切切】トタル 간절함; 절실함; 절절함; …하는 마음이 그지없음. ¶帰心～ (고향에) 돌아가고 싶은 마음이 간절함 / ～たる訴え 간절한 호소 / ～とほとばしる熱情 누를 길 없이 솟아오르는 열정 / 悲しみが～と胸に迫る 슬픔이 절절히 가슴에 파고들다.

せっせと 副 〈俗〉 열심히; 부지런히. ¶～働く 부지런히 일하다 / 若い中に～稼げ 젊었을 때 부지런히 벌어라.

せっせん【接線·切線】名〘數〙 접선. ¶弧に～を引く 호에 접선을 긋다.

せっせん【拙戦】名 졸전; (지지 않을 것도 지는) 서투른 싸움〔경기〕. ¶～の末敗ける 졸전 끝에 지다.

せっせん【接戦】名ス自 접전. ¶～に追い込む 접전으로 몰고 가다 / ～を演ずる 접전을 펼치다.

ぜっせん【舌戦】名 설전; 언쟁; 논전. ＝口論. ¶～を戦わす 설전을 벌이다 / ～の火花を散らす 불꽃 튀기는 설전을 벌이다. ↔筆戦.

せっそう【節操】名 절조; 지조. ＝操. ¶～のない当今の学者 절조 없는 요즘의 학자 / ～を守る 절조를 지키다.

せっそく【拙速】名ナ 졸속. ¶～な判断 졸속한 판단 / ～主義におちいる 졸속주의에 빠지다. ↔巧遅.

*__せつぞく__【接続】名ス自他 접속. ¶コードを～する 코드를 접속시키다 / 列車とバスの～が悪い 열차와 버스의 연계가 나쁘다.

—し【—詞】名〘文法〙 접속사.

—じょし【—助詞】名 접속 조사《앞말이 뒷말과 어떠한 관계로 이어지는가를 나타내는 조사; 구어(口語)에서는 'が·けれども·て·と·ば·ので·から·のに·し' 따위》.

せっそくどうぶつ【節足動物】名〘動〙「절지동물.

せった〖雪駄·雪踏〗名 눈이 올 때 신는 짚신의 하나.

セッター [setter] 名 세터. **1**〘動〙 영국산 사냥개의 일종. **2** (배구에서) 공격의 중심이 되어 토스하는 선수.

せったい【接待】名ス他 접대. ＝もてなし. ¶～係 접대계〔원〕/ 客を～する 손님을 접대하다 / お茶の～を受ける 차 대접을 받다.

—ざけ【—酒】名 접대술. ＝ふるまい酒. ¶～に酔う 접대 술에 취하다.

__ぜったい__【絶対】名 **1 절대. ¶～の地位 절대적 지위 / 神は～である 신은 절대적 존재이다. ↔相対. **2**《副詞적으로》 절대로. ㉠무조건; 무슨 일이 있어도. ¶上官の命令には～服従せねばならぬ 상관의 명령에는 절대로 복종하지 않으면 안된다. ㉡결코. ¶～そうじゃ

ない 결코 그렇지 않다/~ありえない 절대 있을 수 없다. ㊁단연코; 반드시; 꼭. ¶~出席するよ 반드시 출석할 걸세/~に反対する 단연코 반대한다. [注意] '絶体'로 씀은 잘못.

—おんど【—温度】[名] 절대 온도.

—しゃ【—者】[名] 절대자《신》.

—しゅぎ【—主義】[名]〔哲〕절대주의. ↔相対主義.

—たすう【—多数】[名] 절대다수. ¶~で可決される 절대다수로 가결되다. ↔比較多数.

—てき【—的】[ダナ] 절대적. ¶~存在 절대적 존재. ↔相対的.

—りょう【—量】[名] 절대량. ¶食糧の~が足りない〔不足だ〕 식량의 절대량이 부족하다.

ぜつだい【舌代】[名] 말 대신 글로 쓴다는 간단한 인사말. =しただい.

ぜつだい【絶大】[名ナ] 절대; 아주 큼. ¶~な権力 절대한 권력/~な信頼をおく 더없이 신뢰하다.

ぜったいぜつめい【絶体絶命】[名ナ] 절체절명; 도저히 면할 길 없는 막다른 처지. ¶~の窮地に追い詰められる 절체절명의 궁지에 몰리다. [注意] '絶対絶命'로 씀은 잘못.

せったく【拙宅】[名] 자기 집의 겸칭. ¶~までおこし下さい 저의 집으로 왕림하여 주십시오.

*__せつだん__【切断】(截断)[名][ス他] 절단. ¶針金を~する 철사를 자르다.

ぜったん【舌端】[名] 설단; 혀끝; 전하여, 말(투); 변설. =舌頭.

—火を吐く 열변을 토하다.

せっち【接地】[名][ス他] ☞アース.

せっち【設置】[名][ス他] 설치. ¶原子炉を~する 원자로를 설치하다.

せっちゃく【接着】[名][ス自他] 접착.

—ざい【—剤】[名] 접착제.

せっちゅう【折衷·折中】[名][ス他] 절충. ¶~案 절충안/和洋~の建物 일본식과 양식을 절충한 건물. [注意] '折中'로 씀은 대용(代用) 한자.

せっちゅう【雪中】[名] 설중; 눈 속. ¶~登山〔行軍〕 설중 등산〔행군〕.

せっちょ【拙著】[名] 졸저; 졸작《자기 저서의 겸칭》. ↔貴著.

ぜっちょう【絶頂】[名] 절정. **1** (산의) 정상. =いただき. ¶~をきわめる 정상에 오르다. **2** (사물의) 정점. ¶幸福の~ 행복의 절정/人気~の歌手 인기 절정의 가수.

せっちん〖雪隠〗[名]〈老〉변소; 뒷간. =かわや·便所. [注意] 'せついん'의 전와. [參考] 본디, 선종(禪宗)의 용어.

—だいく【—大工】[名]〈俗〉서투른 목수《변소 짓는 이외에는 쓸모가 없다고 업신여겨 하는 말》.

せっつ-く〖責付く〗[5他]〈俗〉서둘러 대다; 재촉〔독촉〕해 대다; 좨치다. =せがむ. ¶まだ解けないのかと, ~·かれている 아직 풀지 못했는가고 재촉받고 있다. [注意] 'せつく'의 힘줌말.

せってい【設定】[名][ス他] 설정. ¶問題~ 문제 설정/抵当権の~ 저당권의 설정/規則を~する 규칙을 설정하다/状況~が甘い 상황 설정이 느슨하다.

セッティング [setting] [名][ス他] 세팅. **1** 장치 등을 배치함; 특히, 무대 장치. ¶舞台の~をする 무대의 세팅을 하다. **2** (사물을) 배치함; 준비함. ¶食卓を~する 식탁에 식기 등을 배열하다/懇親会を~する 간친회를 준비하다.

せってん【接点】[名] 접점. **1**〔數〕접선이 곡면이나 곡선과 공유하는 점; 절점(切點). **2** 두 사물이 접하는 점; 또, 일치하는 곳. ¶議論の~を求める 논의의 접점을 찾다.

せつでん【節電】[名][ス自] 절전. ¶~に協力する 절전에 협력하다.

*__セット__ [set] [名] 세트. ㊀[名] **1** (도구 등의) 한 벌; 일습(一襲). =一式·ひとそろい. ¶ワン~ 한 세트/コーヒー~ 커피 세트. **2** (테니스·배구 등에서) 한 경기 중의 하나하나의 승부. ¶三~続けて勝つ 세 세트 내리 이기다. **3**〔劇·映〕무대 장치. ¶オープン~ 옥외 세트. ↔ロケ. ㊁[名][ス他] **1** (도구나 기계를) 조절함. ¶五時に鳴るようにとけいを~する 5시에 (벨이) 울리도록 시계를 조절하다. **2** (파마 후) 머리 모양을 다듬음. ¶髪を~しに行く 머리를 세트하러 가다.

—ポジション [미 set position] [名]〔野〕세트 포지션. ¶~に入る 세트 포지션에 들어가다.

せつど【節度】[名] 절도. ¶~を守る 절도를 지키다/~ある振る舞い 절도 있는 행동거지.

せっとう【窃盗】[名][ス他] 절도. ¶~罪〔犯〕 절도죄〔범〕/~を働く 절도질을 하다. ↔強盗.

せっとうご【接頭語】[名] 접두어; 접두사. =接頭辞. ↔接尾語.

ゼットき [Z旗] [名] 만국 신호에서 로마자 Z를 나타내는 신호기.

—を掲げる; —をあげる Z기를 올리다; 결전 태세에 들어가다.

*__せっとく__【説得】[名][ス他] 설득. =説伏. ¶嫁を貰うよう~する 장가를 들도록 설득하다/~して自首させる 설득하여 자수시키다.

セットバック [setback] [名]〔建〕세트백; 일조나 통풍이 잘 되게 하기 위해, 건물의 위층을 아래층보다 조금씩 후퇴시켜 계단 모양으로 짓는 일. =セットオフ.

せつな [刹那] [名] 찰나; 순간. =瞬間. ¶あわやの~ 아차 하는 순간/衝突した~, 気を失った 충돌한 순간 의식을 잃었다. [參考] '순간'의 뜻인 범어(梵語)의 취음. ↔劫.

—しゅぎ [—主義] [名] 찰나주의.

せつな-い〖切ない〗形 애달프다; 괴롭다; 안타깝다. ¶ああ, ～ 아아, 애달프다/～思(おも)い 안타까운 심사/～心中(しんちゅう) 안타까운 심중. 注意 '切なり'의 전와.

せつなる〖切なる〗連体 간절한. ¶～願(ねが)い 간절한 소원.

せつに【切に】副 간절히; 진심으로; 부디. ＝心(こころ)から·ねんごろに. ¶～勧(すす)める 간절히 권유하다/～お願(ねが)いします 간절히 부탁합니다.

せっぱ【切羽】名 (칼날밑의) 손잡이와 칼집이 접하는 곳에 붙인 엷은 덧쇠.
—つま-る【—詰まる】5自 궁지에 몰리다; 막다르다; 다급해지다. ¶～·って打(う)ち明(あ)ける 다급해지자 숨김없이 털어놓다/～·って盗(ぬす)みを働(はたら)く 절박해지자 도둑질하다.

せっぱ【説破】名ス他 설파; 논파(論破). ¶論敵(ろんてき)を～する 논적을 설파하다.

せっぱく【切迫】名ス自 절박. 1 임박; 긴박. ¶～した情勢(じょうせい) 절박한 정세/試験(しけん)の期日(きじつ)が～する 시험 기일이 임박하다/～した空気(くうき)がみなぎる 긴박한 공기가 감돌다. 2 조금씩 빨라짐. ¶呼吸(こきゅう)が～する 호흡이 가빠지다.

せっぱん【折半】名ス他 절반; 반분함. ＝二等分(にとうぶん). ¶利益(りえき)を～する 이익을 반분하다.

ぜっぱん【絶版】名 절판. ¶あの本(ほん)は～になった 그 책은 절판이 되었다.

**せつび【設備】名ス他 설비; 시설. ¶～投資(とうし) 설비 투자/～をととのえる 설비를 갖추다/この工場(こうじょう)の～は不完全(ふかんぜん)だ 이 공장의 설비는 불완전하다.
—しきん【—資金】名 설비 자금. ↔運転(うんてん)資金.

せつびご【接尾語】名 접미어; 접미사. ＝接尾辞(せつびじ). ↔接頭語(せっとうご).

ぜっぴつ【絶筆】名 절필. 1 죽기 전에 마지막으로 쓴 필적〔작품〕. ¶その作品(さくひん)が彼(かれ)の～となった 그 작품이 그의 절필이 되었다. 2 붓을 놓고 다시는 쓰지 않음. ＝折筆(せっぴつ).

ぜっぴん【絶品】名 절품; 일품(逸品). ¶古今(ここん)の～ 고금의 절품.

せっぷ【節婦】名 절부; 절개 굳은 여성. ＝貞女(ていじょ). ¶～は二夫(にふ)に見(まみ)えず 열녀는 불경이부(不更二夫).

せっぷく【切腹】名ス自 할복자살. ＝はらきり·割腹(かっぷく). ¶～をたまわる 할복자살할 것을 명령받다. 参考 江戸(えど) 시대에 무사에게 내린 사죄(死罪)의 하나.

せっぷく【説伏】《説服》名ス他 설복; 설득. ¶反対派(はんたいは)を～する 반대파를 설득하다.

せつぶん【拙文】名 졸문. ¶～がお目(め)にとまったとは光栄(こうえい)です 졸문이 눈에 들으셨다니 영광입니다. 参考 자기가 쓴 문장의 겸칭으로 쓰이는 일이 많음.

せつぶん【節分】名 입춘 전날《2월 3-4일경. 콩을 뿌려서 잡귀를 쫓는 행사를 함》. 参考 본디는, 입춘·입하·입추·입동(立冬) 전날을 가리켰음.

せっぷん［接吻］名ス自 입맞춤; 키스. ＝口(くち)づけ·キス. ¶ほおに～する 볼에 키스하다.

ぜっぺき【絶壁】名 절벽. ＝きりぎし. ¶～をよじ登(のぼ)る 절벽을 기어오르다.

せっぺん【切片】名 절편; 조각; 파편. ＝きれ(はし). ¶ガラスの～ 유리 조각.

せつぼう【切望】名ス他 간망; 갈망. ¶～に堪(た)えない 간절히 바라 마지않다/チャンスの到来(とうらい)を～する 찬스가 오기를 갈망하다.

せっぽう【説法】名ス自他 1〖佛〗설법. ＝説経(せっきょう). ¶辻(つじ)～ 가두 설교/釈迦(しゃか)に～ 부처님한테 설법; 공자 앞에서 문자 쓰기. 2 타이름; 훈계함. ＝意見(いけん). ¶きつく～される 엄하게 훈계를 듣다; 되게 야단맞다.

*ぜつぼう【絶望】名ス自 절망. ¶人生(じんせい)に～する 인생에 절망하다/～のどん底(ぞこ)にいる 절망의 구렁텅이에 빠져 있다. ↔希望(きぼう).
—てき【—的】ダナ 절망적. ¶回復(かいふく)は～だ 회복은 절망적이다.

せつまい【節米】名ス自 절미.

ぜつみょう【絶妙】名ナ 절묘. ¶～なプレー 절묘한 플레이/～の演技(えんぎ)〔タイミング〕 절묘한 연기〔타이밍〕.

ぜつむ【絶無】名ナ 절무. ＝皆無(かいむ). ¶犯罪(はんざい)が～の町(まち) 범죄가 전혀 없는 도시.

**せつめい【説明】名ス他 설명. ¶詳(くわ)しい～ 자세한 설명/事情(じじょう)を～する 사정을 설명하다/そう簡単(かんたん)には～がつかない 그렇게 간단히는 설명할 수가 없다.

ぜつめい【絶命】名ス自 절명; 죽음. ＝絶息(ぜっそく). ¶彼(かれ)はついに～した 그는 드디어 절명했다.

ぜつめつ【絶滅】名ス自他 절멸; 근절. ¶害虫(がいちゅう)が～する 해충이 근절되다/～の危機(きき)に瀕(ひん)する〔さらされる〕 절멸할 위기에 직면하다〔놓이다〕.

せつもん【設問】名ス自 설문. ＝設題(せつだい). ¶違(ちが)った角度(かくど)から～する 다른 각도에서 설문하다/～の意味(いみ)をよく考(かんが)えて解答(かいとう)せよ 설문의 뜻을 잘 생각해서 해답하라.

*せつやく【節約】名ス他 절약. ＝倹約(けんやく). ¶電力(でんりょく)の～ 전력의 절약/時間(じかん)を～して勉強(べんきょう)に励(はげ)む 시간을 아껴서 공부에 힘쓰다.

せつり【摂理】名 섭리. ¶自然(しぜん)の～ 자연의 섭리/神(かみ)の～に逆(さか)らう 신의 섭리에 거역하다.

*せつりつ【設立】名ス他 설립; 설치. ¶学校(がっこう)を～する 학교를 설립하다.

ぜつりん【絶倫】名ナ 절륜. ¶精力(せいりょく)～の男(おとこ) 정력절륜한 사나이.

せつれつ【拙劣】名ダナ 졸렬. ¶～な文章(ぶんしょう) 졸렬한 문장/～極(きわ)まりない 졸렬하기 짝이 없다.

せつわ【説話】名 설화; 이야기. ＝物語(ものがたり). ¶民間(みんかん)～ 민간 설화.

—ぶんがく【—文学】图 설화 문학.

せと【瀬戸】图 **1** 좁은 해협. 参考 '狭門(=좁은 문)'의 뜻. **2** '瀬戸物' '瀬戸際'의 준말.

—ぎわ【—際】图 (승부·성패·생사 등) 운명의 갈림길; 고빗사위. ¶~政策 벼랑 끝(까지 몰고 가는) 정책/生死の~に立つ 생사의 갈림길에 서다. 参考 바다와 좁은 해협의 경계라는 뜻.

—ないかい【—内海】图 本州·四国·九州에 둘러싸인 긴 내해.

—びき【—引き】图 철제 기구가 녹슬지 않도록 사기칠[법랑]을 입히는 일; 또, 그 제품. =ほうろう鉄器. ¶~なべ 법랑 냄비.

—もの【—物】图 **1** ☞せとやき. **2** 도자기; 사기그릇. ¶~屋 도자기 가게.

—やき【—焼】图 愛知県瀬戸 지방에서 만드는 도자기.

せど【背戸】图 집의 뒷문. =裏口.

—ぐち【—口】图 뒤쪽 출입구; 뒷문.

＊＊せなか【背中】图 **1** 등. =せ. ¶人の~をたたく 남의 등을 두드리다. **2** 뒷면; 뒤. =うしろ. ¶敵の~にまわる 적의 배후로 돌다[가다].

—あわせ【合わせ】图 **1** 서로 등을 맞대고 반대 방향으로 향함. ↔向かい合わせ. **2** 표리(表裏) 관계에 있음. ¶幸と不幸は~だ 행복과 불행은 표리 관계에 있다. **3** 사이가 나쁨. ¶~の両人 사이가 나쁜 두 사람.

ぜに【銭】图 (동전 따위) 소액 화폐; 전하여, 돈. =おかね. ¶~もうけ 돈벌이/~がある 돈이 있다/安物買いの~失い 싼 것이 비지떡.

ぜにいれ【銭入れ】图 (돈)지갑.

ぜにかね【銭金】图 돈; 금전; 또, 금전상의 이해(관계). ¶~ずく 무엇이건[모든 일을] 돈으로 해결하려 듦/~に代えられぬ 돈과 바꿀 수 없다/~の問題ではない 금전상의 (이해득실) 문제가 아니다.

セニョーラ [스 señora] 图 세뇨라; 부인. =奥様·夫人.

セニョール [스 senñor] 图 세뇨르; 미스터《남성에 대한 호칭》.

セニョリータ [스 señorita] 图 세뇨리타; 아가씨; 양(孃)《처녀에 대한 호칭》.

ぜにん【是認】图スル他 시인; 용인. ¶私の罪と~する 내 죄라고 시인하다/相手の行動を~する 상대방의 행동을 용인하다. ↔否認.

ゼネスト 图 총파업; 동맹 파업《'ゼネラルストライキ'의 준말》. ¶~を打つ 총파업을 벌이다.

ゼネラル [general] 제너럴. ━图 장군; 사령관. ↔アドミラル. ━ダナ 전면적; 일반적; 총체적.

—ストライキ [general strike] 图 제너럴 스트라이크; 총파업. =ゼネスト.

ゼネレーション [generation] 图 제너레이션; 동(同)시대(의 사람들); 세대. =ジェネレーション. ¶~の違い 세대차(差)/オールド~ 구세대.

せのび【背伸び】图スル自 **1** 발돋움(함); 또, 기지개를 켬. =せいのび. ¶~して見る 발돋움하고 보다/棚の本は~(を)しても届かない 선반의 책은 발돋움해도 닿지 않는다. **2** 자기 실력 이상의 일을 하려고 용씀. ¶~するのも程々にしなさい 억지도 정도껏 부리세요.

セパード [shepherd] 图 〔動〕 셰퍼드《개의 한 품종》. =シェパード.

せばま-る【狭まる】5自 좁아지다; 좁혀지다. ¶幅が~ 폭이 좁아지다/相手との差が~ 상대와의 차가 좁혀지다. ↔広まる.

せば-める【狭める】下1他 좁히다. ¶試験の範囲を~めてください 시험 범위를 좁혀 주십시오. ↔広める.

せばんごう【背番号】图 (운동선수의) 배번(背番); 등번호; 백넘버. =バックナンバー. ⇨ゼッケン.

＊＊ぜひ【是非】━图 시비; 옳고 그름. =よしあし. ¶~をわきまえる 옳고 그름을 분별하다/もう~の分別もつく年だ 이제는 옳고 그른 것도 알 나이다. ━图スル他 사물의 시비를 가림.

—に及ばず 할 수 없이; 부득이. =やむをえず.

—も無い 어쩔 수 없다. ¶みんなが反対するなら~ 모두가 반대한다면 어쩔 수 없다.

＊＊ぜひ〖是非〗副 반드시; 꼭. =どうしても·かならず·きっと. ¶~お会いしたい 꼭 만나고 싶다/~勝ちたい 꼭 이기고 싶다.

—とも 副 꼭; 무슨 일이 있어도《'是非'의 힘줌말》. ¶~来てほしい 무슨 일이 있어도 와 주기 바란다. 注意 뒤에 바람·명령의 표현이 따름.

セピア [sepia] 图 세피어; 암갈색; 또, 그 빛의 그림물감.

せひょう【世評】图 세평. ¶~を気にする 세평에 신경을 쓰다.

せびょうし【背表紙】图 책등. ¶~の金文字 책등의 금문자.

せびらき【背開き】图 생선을 등줄기에서 두 쪽으로 베어 가르는 일; 또, 그렇게 한 생선. =ひらき·背割り.

せび-る 5他 조르다; 강요하다. ¶通行人から金を~ 통행인에게서 돈을 뜯다/小づかいを~ 용돈을 조르다.

せびれ【背びれ】〖背鰭〗图 등지느러미.

＊せびろ【背広】图 신사복《저고리·조끼·바지로 이루어짐》. 参考 'civil clothes'의 'civil'의 음역(音譯)이라 함.

せぶみ【瀬踏み】图スル自 (일을 하기 전에) 우선 시험해 봄; 미리 떠봄. ¶相手の意向を~する 상대의 의향을 떠보다. 参考 본디, 강을 건너기 전에 여울의 깊이를 알아보는 일.

ゼブラ [zebra] 图 제브라; 얼룩말. =縞馬.

—ゾーン [일 zebra+zone] 图 횡단보도. 参考 흑과 백의 (얼룩말 같은) 줄무

늬 선으로 표시한 데서. *영어로는 zebra crossing이라고 함.

セブン [seven] 图 **1** 세븐; 7; 일곱. ¶ラッキー～ 러키세븐. **2** (럭비에서) 7인조의 스크럼.

せぼね【背骨】《脊骨》 图 ☞せきちゅう(脊柱). ¶～が曲(ま)がっている 등뼈가 휘어져 있다.

＊せま-い【狭い】 形 좁다. ¶～庭(にわ)〔道(みち)〕 좁은 뜰〔길〕/ 世間(せけん)は広(ひろ)いようで～ 세상은 넓은 것 같으면서 좁다 / 彼(かれ)は交際(こうさい)が～ 그는 교제 범위가 좁다 / 肩身(かたみ)が～ 열등감을 느끼다 / 見識(けんしき)〔了見(りょうけん)〕が～ 견식〔소견〕이 좁다 / 心(こころ)が～ 마음이 좁다 / 就職口(しゅうしょくぐち)が～ 취직문이 좁다. ↔広(ひろ)い.

せまきもん【狭き門】 图 좁은 문. **1**〘基〙 천국에의 길이 좁고 험함의 비유. **2** (비유적으로, 입학·취직 등의) 난관. ＝難関(なんかん). ¶入試(にゅうし)の～ 입시의 좁은 문.

せまくるし-い【狭苦しい】 形 비좁아 답답하다; 옹색하다. ¶～所(ところ)でございますがどうぞお上(あ)がりください 옹색한 곳이지만 어서 올라오십시오.

＊せま-る【迫る】《逼る》 ㊀ 5自 **1** 다가오다; 다가가다. ㉠바싹 따르다; 육박하다. ¶真(しん)に～ 박진감이 있다 / 敵(てき)に～ 적에게 육박하다 / 核心(かくしん)に～ 핵심에 다가가다. ㉡닥쳐오다; 박두하다. ¶締(し)め切(き)りが～ 마감 날짜가 다가오다. **2** 좁혀지다. ＝せばまる. ¶距離(きょり)が～ 거리가 좁혀지다. ㊁ 5他 강요〔강청〕하다. ¶決断(けつだん)を～ 결단을 강요하다.

せみ〚蟬〛 图〘蟲〙 매미. ¶空(うつ)～ 매미 허물 / みんみんぜみ 참매미 / ～の鳴(な)く昼下(ひるさ)がり 매미가 우는 한낮.

セミ＝ [semi-] 세미…; 반(半)….

―コロン [semicolon] 图 세미콜론《구문(歐文)에서 구두점의 한 가지로 ';'》; 쌍반점.

―ドキュメンタリー [semidocumentary] 图 세미다큐멘터리; 방송·영화 등에서 사실에 픽션을 섞은 반 기록적인 작품. ＝セミドキュメント.

―プロ [semipro] 图 세미프로; 반 프로; 준전문가. ＝半(はん)くろうと·セミプロフェッショナル. ¶写真(しゃしん)に関(かん)しては～だ 사진에 관해서는 세미프로다.

ゼミ 图 'ゼミナール'의 준말.

せみしぐれ【せみ時雨】《蟬時雨》 图 사방에서 요란하게 울어대는 매미 소리. 参考 매미 소리를 'しぐれ(＝소나기)'의 빗소리에 비유한 말.

セミナー [seminar] 图 세미나. ☞ゼミナール.

ゼミナール [도 Seminar] 图 제미나르; 세미나; (대학 등에서) 교수 지도 아래 행하는 학생의 공동 연구. ＝セミナー.

せめ【責め】 图 **1** (벌로 주는) 육체적·정신적 고통; 고문. ＝せっかん. ¶水火(すいか)の～に会(あ)う 물과 불의 고문을 받다. **2** 책망; 비난. ¶世人(せじん)の～をおそれる 세상 사람들의 책망을 두려워하다. **3** 책임; 임무. ¶～を負(お)わせる 책임을 지우다 / ～をふさぐ 맡은 일의 책임을 (그런대로) 완수하다.

――一人(いちにん)に帰(き)す 모든 책임은, 결국 최고 주권자에게 있다.

せめ【攻め】 图 공격; 공세. ¶～がまずい 공격(법)이 서투르다 / ～に転(てん)ずる 공세로 전환하다. ↔守(まも)り.

＝ぜめ【攻め】 …공세; …이 밀어닥침. ¶歓迎(かんげい)～に会(あ)う 환영 공세를 받다 / 来客(らいきゃく)～に会(あ)う 방문객이 밀어닥치다.

せめあ-う【攻め合う】 5自 서로 상대방을 공격하다. ¶双方(そうほう)が全力(ぜんりょく)をあげて～ 쌍방이 전력을 다해 서로 공격하다.

せめあぐ-む【攻めあぐむ】《攻め倦む》 5自 공격을 해도 항복하지 않아서 애먹다. ¶城(しろ)を～ 공성(攻城)에 지치다.

せめい-る【攻め入る】 5自 (적진·적국에) 쳐들어가다. ＝討(う)ち入(い)る. ¶敵城(てきじょう)に～ 적의 성에 쳐들어가다.

せめおと-す【攻め落とす】 5他 **1** 함락시키다; 공략(攻落)하다. ¶要塞(ようさい)を～ 요새를 함락시키다. **2**〈俗〉 설복(說服)하다. ＝説(と)きふせる. ¶父(ちち)を～·して車(くるま)を買(か)わせた 아버지를 설득하여 차를 사게 했다.

せめく【責め苦】 图 심한 괴로움; 모진 고문. ¶地獄(じごく)の～にあう 지옥의 고통을 당하다.

せめこ-む【攻め込む】 5自 공격해 들어가다. ＝攻(せ)め入(い)る. ¶敵陣(てきじん)に～ 적진으로 쳐들어가다.

せめさいな-む【責めさいなむ】《責め苛む》 5他 심하게 괴롭히다. ¶良心(りょうしん)に～·まれる 양심의 가책을 받다.

せめた-てる【攻め立てる】 下1他 (쉴 새 없이) 공격을 퍼붓다. ¶息(いき)もつかせず～ 숨쉴 새 없이 공격해대다.

せめた-てる【責め立てる】 下1他 **1** 몹시 몰아세우다. ¶非行(ひこう)を～ 비행을 몰아세우다. **2** 심하게 독촉하다. ¶借金(しゃっきん)返済(へんさい)を～ 빚돈을 갚으라고 성화같이 재촉하다.

せめつ-ける【責めつける】《責め付ける》 下1他 호되게〔엄히〕 책망하다. ¶相手(あいて)の責任(せきにん)を～ 상대방의 책임을 호되게 책망하다.

せめて【攻め手】 图 **1** 공격군〔측〕. ¶～に不利(ふり)な条件(じょうけん) 공격측에게 불리한 조건. **2** 공격 수단〔방법〕. ¶それはいい～だ 그건 좋은 공격법이다.

＊せめて〚切めて·迫めて〛 副 하다못해; 적어도; 최소한. ¶～命(いのち)だけでも助(たす)けてください 하다못해 목숨만이라도 살려 주십시오 / ～気持(きも)ちだけでも汲(く)んでください 하다못해 정성〔마음〕만이라도 헤아려 주십시오.

せめても〚切めても·迫めても〛 副 'せめて'의 힘줌말. ¶～の償(つぐな)い 부족하나마 그런대로의 보상〔속죄〕/ 読書(どくしょ)が～の慰安(いあん)である 독서가 (그런대로) 유일한 위안이다.

せめどうぐ【攻め道具】图 공격 용구《총포·도검(刀劍) 따위》. ＝攻(せ)め具(ぐ).

せめどうぐ【責め道具】图 고문(拷問)용구. ＝責(せ)め具(ぐ).

せめなじ-る【責めなじる】《責め詰る》 5他 힐문하다; 문책하다.

せめよ-せる【攻め寄せる】下1自 (많은 공격 병력이) 가까이까지 공격해 오다. ¶敵(てき)の大軍(たいぐん)が～ 적의 대군이 밀어닥치다.

せめよ-る【攻め寄る】5自 가까이까지 쳐들어오다〔가다〕. ¶寄(よ)せ手(て)が～ 공격군이 쳐들어오다.

***せ-める**【攻める】下1他 공격하다; 진격하다. ¶敵(てき)を～ 적을 공격하다/一気(いっき)に〔じわじわと〕～ 단숨에〔자근자근 죄어쳐서〕 공격하다. ↔守(まも)る·防(ふせ)ぐ.

***せ-める**【責める】下1他 **1** (잘못 등을) 비난하다; 나무라다; 책하다. ＝なじる. ¶自(みずか)らを～ 자신을 나무라다; 자책하다/非(ひ)を～ 잘못을 비난하다. **2** (육체적·정신적으로) 괴롭히다; 고통을 주다. ¶債鬼(さいき)に～·められる 빚쟁이에게 시달리다/いろいろ～·めてどろを吐(は)かせる 여러 가지로 고통을 주어서 실토케 하다. **3** 재촉하다. ＝せきたてる·せがむ. ¶借金(しゃっきん)を早(はや)く返(かえ)せと～ 빚을 빨리 갚으라고 재촉하다/子供(こども)に～·められておもちゃを買(か)う 아이에게 졸려서 장난감을 사다.

セメン 图 ☞セメント.

***セメント** [cement] 图 시멘트. ＝セメン. ¶～がわら 시멘트 기와/～ブロック 시멘트 블록〔벽돌〕/～を打(う)つ (a) 시멘트를 틀에 부어 넣어 굳히다; (b) (치과 의사가) 충치 구멍에 시멘트를 봉 박다.

せもじ【背文字】图 배문자; 책등에 박은 글자. 「등받이.

せもたれ【背もたれ】《背凭れ》图 의자의

せよ【施与】图ス他 **1** 시여; 베풂. ¶貧民(ひんみん)に品物(しなもの)を～する 빈민에게 물품을 베풀다. **2** 시주함.

ゼラチン [gelatine] 图 **1**〔化〕 젤라틴. **2** 'ゼラチンペーパー(＝젤라틴 페이퍼; 무대 조명용 색 투명지)'의 준말.

ゼラニウム [geranium] 图〔植〕 제라늄. ＝てんじくあおい.

セラピー [therapy] 图 세러피; 치료(법).

セラミックス [ceramics] 图 세라믹스; 무기(無機) 물질을 원료로, 열처리를 하여 얻는 제품의 총칭. ¶ファイン～ 파인 세라믹스.

せり【競り】图 **1** 경쟁; 경합. ¶最後(さいご)の～に負(ま)ける 마지막 경쟁에 지다. **2** 경매. ＝せりうり. ¶～にかける 경매에 부치다/古道具(ふるどうぐ)を～に出(だ)す 묵은 도구를 경매에 내놓다.

せり『芹』图〔植〕 미나리.

せりあい【競り合い】图 경쟁함; 심한 경쟁. ¶～を展開(てんかい)する 심한 경쟁을 벌이다/～に勝(か)つ 경쟁에 이기다.

せりあ-う【競り合う】5自他 서로 다투다; 경쟁하다; 경합하다. ¶選手権(せんしゅけん)を～ 선수권을 서로 다투다/一番(いちばん)を～ 첫째를 다투다.

せりあ-げる【せり上げる】《迫り上げる》下1他 밑에서 차츰 밀어 올리다. ¶舞台(ぶたい)に大道具(おおどうぐ)を～ 무대에 장치를 밀어 올리다.

せりあ-げる【競り上げる】下1他 서로 다투어 값을 올리다. ¶競売(きょうばい)で～ 경매에서 서로 값을 끌어올리다/買(か)い手(て)が互(たが)いに～ 사는 쪽이 서로 다투어 값을 올리다.

ゼリー [jelly] 图 젤리. ＝ジェリー.

セリーグ 图 'セントラルリーグ'의 준말.

せりいち【競り市】图 경매 시장. ¶～が開(ひら)かれる 경매 시장이 열리다.

せりうり【競り売り】图ス他 경매. ＝競売(きょうばい). ¶商品(しょうひん)を～にする 상품을 경매하다.

せりおと-す【競り落とす】5他 경락(競落)하다. ¶一千万円(いっせんまんえん)で～ 1천만 엔에 경락시키다/珍品(ちんぴん)を思(おも)わぬ安値(やすね)で～·した 진품을 생각지도 않은 싼값으로 경락하였다.

せりだし【せり出し】《迫り出し》图〔劇〕 무대에 구멍을 뚫고 밑에서 준비한 무대 장치나 배우를 무대 위로 밀어 올림; 또, 그 장치. ＝迫(せ)り.

〔迫り出し〕

せりだ-す【せり出す】《迫り出す》 ㊀5他 **1** 위로 밀어 올리거나 앞으로 밀어 내다. ¶からだを～ 몸을 밀어내다. **2**〔劇〕 무대 밑에서 'せり出(だ)し'를 이용하여 배우 등을 무대 위로 밀어 올리다. ㊁5自 (밀리듯이) 앞으로 나오다. ¶前歯(まえば)が～ 앞니가 밀려 나오다/おなかが～ 배가 나오다.

せりふ『台詞·科白』图 **1**〔劇〕 대사. ¶～がすばらしい 대사가 멋지다. ↔ト書(が)き. **2** 틀에 박힌 말; 말투; 언사. ＝言(い)い草(ぐさ)·きまり文句(もんく). ¶あいつの～が気(き)にくわない 저 놈의 언사가 마음에 안 든다/そんな～は聞(き)き飽(あ)きた 그 따위 틀에 박힌 말에는 신물이 난다. **3** 변명. ＝言(い)い分(わ)け. ¶そんな～は聞(き)きたくない 그런 변명은 듣고 싶지 않다.

せりふまわし【せりふ回し】《台詞回し》图〔劇〕 대사의 표현 솜씨. ¶あの役者(やくしゃ)は～に味(あじ)がある 저 배우는 대사 구사가 멋이 있다. 「＝アーチ.

せりもち『迫り持ち』图〔建〕 홍예; 아치.

せ-る【競る】5他 **1** 다투다; 경쟁하다. ＝争(あらそ)う. ¶激(はげ)しく～ 격렬하게 다투다. **2** (경매에서) 서로 다투어 값을 올리다〔내리다〕. ¶一万円(いちまんえん)に～·ったが売(う)らなかった (경매에서) 1만 엔으로 값을 올렸으나 팔지 않았다.

せる 助動《下一段(形)으로 활용함; 五段活用動詞의 未然形에 붙음; 上一·下一·カ変動詞에는 'させる'를 쓰고 サ変에

서는 전체가 'させる'의 형이 됨》. **1** 사역(使役)을 나타내는 말. ¶入学さ～ 입학시키다/勉強さ～ 공부를 시키다. **2** 상대편이 하는 대로 내버려두다의 뜻을 나타냄. ¶勝手に言わ～ 멋대로 말하게 하다/好きなようにさせておく 멋대로 하도록 내버려두다. **3** 본의 아닌 일·귀찮은 일을 하게 됨을 나타냄. ¶子供を交通事故で死なせた 아이를 교통사고로 죽게 했다.

セル [cell] 名 셀. **1** 세포; 작은 방. **2** 전지(電池); 전해조(電解槽). **3**〖컴〗낱칸; 비트 기억 소자(素子).

セル [←네 serge] 名 세루; 서지《소모사로 짠 모직물》. ¶紺～の学生服 감색(紺色) 서지의 학생복. 参考 serge의 음을 일본어화한 セル地의 준말.

セルフ [self] 名 셀프; 자기.

—コントロール [self-control] 名 셀프컨트롤. **1** 자제(自制). =克己. **2** 자동제어〔조정〕.

—サービス [selfservice] 名 셀프서비스; (대중식당·슈퍼마켓 등의) 자급식(自給式) 판매 방법. ¶～のスーパマーケット 셀프서비스하는 슈퍼마켓.

—チェッキングコード [self-checking code] 名〖컴〗셀프체킹 코드; 자체 검사 코드.

セルモーター [일 cell+motor] 名 셀 모터; 시동 모터. =セル.

セルロイド [celluloid] 名〖化〗셀룰로이드《본디, 商標名》. ¶～の玩具 셀룰로이드 완구〔장난감〕.

セレクト [select] 名ス他 실렉트; 추려냄; 선택.

セレナーデ [도 Serenade] 名 세레나데; 소야곡. =小夜曲·セレナード.

セレモニー [ceremony] 名 세리머니; 의식(儀式); 식전.

—マスター [일 ceremony+master] 名 (파티·방송 등의) 사회자; 진행자.

***ゼロ** [프 zéro] 名 제로; 영(零). =れい. ¶三対～ 3 대 0/十点満点で～ 10점 만점에 0점/人格が～だ 인격이 제로다. 注意 '零'로 씀은 취음.

—さい【—歳】 名 0세; 생후 1년 미만임. ¶～児 영세아; 1년 미만의 젖먹이.

—はい【—敗】 名ス自 영패. =零敗·スコンク. ¶やっと～を免れる 가까스로 영패를 면하다.

ゼロサムゲーム [zero-sum game] 名 제로섬 게임; 각 참가자의 득실점의 총계가 0이 된다는 게임 이론.

ゼロサムしゃかい【ゼロサム社会】 名 제로섬 사회; 이익을 얻는 개인이나 집단이 있으면 반드시 그에 따른 손실을 입는 개인·집단이 생긴다는 현대 사회《'Zero-Sum Society'의 역어》.

セロテープ [일 Cellotape] 名〖商標名〗셀로테이프《셀로판으로 만든 접착용 테이프》.

セロハン [cellophane] 名〖본디, 商品名〗셀로판. =セロファン. ¶～で包む 셀로판지로 싸다.

セロリー [celery] 名〖植〗셀러리. =セロリ.

***せろん【世論】** 名 세론; 여론. =せいろん·輿論. ¶～の圧力 여론의 압력/～に耳を傾ける 여론에 귀를 기울이다/～の動向を見極める 여론의 동향을 끝까지 지켜보다.

—ちょうさ【—調査】 名 여론 조사.

⁑**せわ【世話】** 名ス他 **1** 도와줌; 보살핌; 시중듦. ¶病人の～をする 환자의 시중을 들다/いらぬお～だ 쓸데없는 참견이다/大きなお～だ 괜한 참견이다. **2** 소개〔알선〕함. ¶就職を～する 취직을 알선하다. **3** 폐; 신세; 귀찮은 일. ¶～のやけない子 얌전한 아이/～をかける 폐를 끼치다. 参考 '忙しい'의 'せわ'에서 나온 말이라고 함.

—が焼ける 손이 가서 성가시다; 시중들기가 힘들다. ¶～子 성가신 아이.

—になる 폐를 끼치다; 신세를 지다. ¶友人の～ 친구의 신세를 지다.

—を焼く (수고를 아끼지 않고) 보살펴〔애써〕 주다.

—ずき【—好き】 名 남의 일을 잘 돌봐줌; 또, 그런 사람.

—にょうぼう【—女房】 名 살림이 몸에 밴 가정적인 살뜰한 아내.

—にん【—人】 名 **1** 보살펴 주는 사람; 시중드는 사람. **2** (단체 등의) 사무를 처리하고 그 운영을 맡아보는 사람. =せわやく.

—やき【—焼き】 名 **1** ☞せわずき. **2** ☞せわにん.

せわ【世話】 名 **1** 세상 소문. ¶下～ 항간에 떠도는 소문〔말〕. **2** 속담. =ことわざ. ¶～にも申します通り 속담에도 있는 바와 같이. **3** 속된 말. =俗語. ¶～に砕いて申しますと 속되게 말씀드린다면.

せわし-い 〖忙しい〗 形 **1** 바쁘다; 틈이 없다. =いそがしい. ¶この～時代に船で行くとは 이 바쁜 시대에 배로 가다니. **2** 조급하다; 성급하다. =せわしない. ¶～人だね 조급한 사람이군.

せわしな-い 〖忙しない〗 形 'せわしい2'의 힘줌말. ¶そんなに～·くするものでない 그렇게 조급히 구는 것이 아니다.

せわり【背割り】 名 **1** ☞せびらき. ¶魚の～をする 생선의 등을 가르다. **2** 羽織나 양복 윗도리의 등솔기 아랫부분을 터놓는 일.

せん【先】 선. 一名 **1** 이전; 예전. ¶～から知っていた 진작〔벌써〕부터 알고 있었다. ↔後. **2** (바둑에서) 선번; 선수. =先手. ¶～をとる 선을 잡다/～を争う 선수를 다투다. 二接頭 이전의; 먼저의. ¶～場所 먼저의 장소.

—を越す; —を取る 앞지르다; 선수를 치다.

⁑**せん【千】** 名 천; 수많음의 비유. ¶～のほめことばを並べる 수많은 찬사를 늘어놓다.

—に一つ 천에 하나; 만에 하나《있을

수 없는 일》. ¶～の望(のぞ)みもない 전혀 희망이 없다.

せん [撰] 名区他 찬; 시가(詩歌)·문장을 골라내어 편집함. ¶歌集(かしゅう)を～する 가집을 찬하다.

***せん**【栓】名 **1** 마개. ¶～を抜(ぬ)く 마개를 뽑다〔따다〕/耳(みみ)に～をする 귀를 막다/穴(あな)に～をさす 구멍에 마개를 끼우다. **2** 수도 등의 개폐 장치. =コック. ¶消火(しょうか)～ 소화전/水道(すいどう)の～ 수도꼭지.

****せん**【線】선. 一名 **1** 가늘고 긴 것. ¶～のように細(ほそ)い 선〔실〕처럼 가늘다/銅(どう)の～ 동선; 구리 철사. **2** 줄; 금. ¶～を引(ひ)く 줄〔금〕을 긋다. **3** (교통 기관) 노선. ¶赤字(あかじ)～ 적자(를 보는) 노선. **4** 대강의 방침. ¶国策(こくさく)の～に沿(そ)う 국가 시책의 노선을 따르다. **5** 도량; 신경. ¶～の太(ふと)い政治家(せいじか) 선이 굵은 정치가. **6** 경계; 한계. ¶守(まも)らなければならない～を超(こ)えている 지켜야만 하는 선을 넘어서 있다. **7** 수준. ¶いい～に達(たっ)した 괜찮은 수준에 달했다.
二接尾 **1** 실낱처럼 가는 것. ¶放射(ほうしゃ)～ 방사선. **2** 선로(線路). ¶動力(どうりょく)～ 동력선/電話(でんわ)～ 전화선. **3** 길; 교통 기관의 경로. ¶東海道(とうかいどう)～ 東海道선/国道一号(こくどういちごう)～ 국도 1호선. **4** 경계; 한계; 접하는 곳. ¶境界(きょうかい)～ 경계선/最低(さいてい)～ 최저선.

せん [腺] 名 선; 생물체 안의 분비선; 샘. ¶甲状(こうじょう)～ 갑상선.

せん【銭】名 **1** 일본의 화폐 단위의 하나; 円(えん)의 백분의 1. 参考 이자 계산 등에만 쓰임. **2** 옛날 화폐 단위의 하나; 貫(かん)의 천분의 1. =文(もん).

せん【選】名 **1** 가려냄; 선발. ¶～に入(い)る 입선하다/～に漏(も)れる 선발에서 빠지다. **2** '選挙(せんきょ)(=선거)'의 뜻. ¶市長(しちょう)～ 시장 선거.
―を異(こと)にする 다른 부류에 속하다.

せん〚千〛教1 セン ち | 천 일천 | 천. **1** 백의 10배. ¶千円(せんえん) 천 엔. **2** 수가 많음. ¶千差万別(せんさばんべつ) 천차만별. 注意 '仟·阡'은 같은 자로, 증서 등에 정확을 기하기 위해 씀.

せん〚川〛教1 セン かわ | 천 내 | 강; 내. ¶山川(さんせん) 산천/河川(かせん) 하천/母川(ぼせん) 모천.

せん〚仙〛常用 セン | 선 신선 | **1** 신선. ¶仙人(せんにん) 선인/神仙(しんせん) 신선. **2** 시가의 명인. ¶詩仙(しせん) 시선/歌仙(かせん) 가선.

せん〚占〛常用 セン しめる うらなう | 점 점치다 차지하다 | 점. **1** 점치다. ¶占術(せんじゅつ) 점술/占卜(せんぼく) 점복. **2** 차지하다. ¶占領(せんりょう) 점령/占有(せんゆう) 점유.

せん〚先〛教1 セン さき まず | 선 먼저 | 선. **1** 선두. ¶先鋒(せんぽう) 선봉/機先(きせん) 기선. **2** 시간적으로 앞섬. ¶先輩(せんぱい) 선배/先王(せんおう) 선왕. **3** 과거가 된 것. ¶先月(せんげつ) 지난달.

せん〚宣〛教6 セン のる のたまう | 선 베풀다 | **1** 널리 알리다. ¶宣伝(せんでん) 선전. **2** 분명하게 말하다. ¶宣誓(せんせい) 선서/宣言(せんげん) 선언.

せん〚専〛《專》教6 セン もっぱら | 전 오로지 | **1** 오로지. ¶専心(せんしん) 전심/専念(せんねん) 전념. **2** 독점하다; 독단하다. ¶専売(せんばい) 전매/専有(せんゆう) 전유.

せん〚泉〛教6 セン いずみ | 천 샘 | **1** 샘. ¶温泉(おんせん) 온천/源泉(げんせん) 원천. **2** 저승. ¶黄泉(こうせん·よみ) 황천/九泉(きゅうせん) 구천.

せん〚浅〛《淺》教4 セン あさい | 천 얕다 | **1** 얕다. ¶浅水(せんすい) 천수/深浅(しんせん) 심천. ↔深(しん). **2** (색깔이) 엷다. ¶浅紅(せんこう) 천홍색.

せん〚洗〛教6 セン あらう | 세 씻다 | 씻다; 빨다. ¶洗濯(せんたく) 세탁/水洗(すいせん) 수세.

せん〚染〛教6 セン ゼン そめる そまる しみる しみ | 염 물들이다 | **1** 물들이다. ¶汚染(おせん) 오염/捺染(なっせん) 날염. **2** 물들다; 영향을 받다. ¶感染(かんせん) 감염/伝染(でんせん) 전염.

せん〚扇〛《扇》常用 セン おうぎ あおぐ | 선 부채 | **1** 부채. ¶団扇(だんせん·うちわ) 부채/扇子(せんす) 선자. **2** 선동하다; 부채질하다. ¶扇動(せんどう) 선동. 注意 2는 '煽'과 같음.

せん〚栓〛《栓》常用 セン | 전 나무못 | **1** 마개. ¶栓抜(せんぬ)き (병)따개. **2** 수도 등의 개폐 장치. ¶給水栓(きゅうすいせん) 급수전.

せん〚旋〛常用 セン めぐる かえる | 선 돌리다 | **1** 빙빙 돌다. ¶旋回(せんかい) 선회/螺旋(らせん) 나선. **2** 돌아오다. ¶凱旋(がいせん) 개선.

せん〚船〛教2 セン ふね ふな | 선 배 | 선; 배. ¶船員(せんいん) 선원/客船(きゃくせん) 객선.

せん〚戦〛《戰》教4 セン いくさ たたかう おののく | 전 싸우다 | **1** 싸움; 전쟁. ¶戦乱(せんらん) 전란/作戦(さくせん) 작전. **2** 시합; 경기. ¶定期戦(ていきせん) 정기전/対抗戦(たいこうせん) 대항전. **3** 두려워 떨다. ¶戦慄(せんりつ) 전율.

せん【腺】セン | 선 샘 | 체내에서 분비 작용을 하는 기관(器官). ¶腺病質(せんびょうしつ) 선병질/扁桃腺(へんとうせん) 편도선. 参考 본디, 일본에서 만든 글자이나, 한국·중국에서도 씀.

せん〚践〛《踐》常用 セン ふむ | 천 밟다 | **1** 발로 밟다. **2** 실제로 행하다. ¶実践(じっせん) 실천.

せん〚銭〛《錢》教5 セン ぜに かね | 전 돈 | 전. **1** 금속 화폐. ¶銅銭(どうせん) 동전. **2** 돈의 단위; 円(えん)의 백분의 일. ¶五銭玉(ごせんだま) 5전짜리 금속 화폐.

せん〚銑〛常用 セン ずく | 선 무쇠 | 무쇠. ¶銑鉄(せんてつ) 선철/白

銑(はくせん) 백선 / 溶銑(ようせん) 용선.

せん〖潜〗《潛》常用 セン ひそむ もぐる くぐる | 잠 잠기다 | 1 잠수하다; 숨다. ¶潜水(せんすい) 잠수 / 潜伏(せんぷく) 잠복. 2 마음을 가라앉히다. ¶沈潜(ちんせん) 침잠.

せん〖線〗教3 セン | 선 실 줄 | 선. 1 실; 줄. ¶線路(せんろ) 선로 / 電線(でんせん) 전선. 2〘數〙점의 이동으로 생기는 도형. ¶点線(てんせん) 점선. 3 서로 접하는 두 면(面)의 경계선. ¶水平線(すいへいせん) 수평선.

せん〖遷〗《遷》常用 セン うつる | 천 옮기다 | 1 장소를 바꾸다; 옮아가다. ¶遷都(せんと) 천도 / 遷移(せんい) 천이. 2 바뀌고 변하다. ¶変遷(へんせん) 변천.

せん〖選〗《選》教4 セン えらぶ える | 선 가리다 | 가리어 내다; 뽑아 내다. ¶選択(せんたく) 선택 / 落選(らくせん) 낙선.

せん〖薦〗常用 セン こも すすめる | 천 천거하다 | 1 깔개. ¶薦席(せんせき) 천석; 거적자리. 2 천거하다. ¶推薦(すいせん) 추천.

せん〖繊〗《纖》常用 セン | 섬 가늘다 | 1 가늘다. ¶繊細(せんさい) 섬세. 2 '繊維(せんい)(＝섬유)'의 준말. ¶化繊(かせん) 화섬; 화학 섬유 / 合繊(ごうせん) 합섬.

せん〖鮮〗常用 セン すくない あざやか | 선 곱다 | 1 싱싱하다; 생생하다. ¶鮮血(せんけつ) 선혈 / 新鮮(しんせん) 신선. 2 선명하고 아름답다. ¶鮮麗(せんれい) 선려 / 鮮明(せんめい) 선명.

ぜん【前】전. ㊀图 이전; 앞. ¶～に申(もう)したとおり 전에 말씀 드린 바와 같이. ㊁接頭 1 전의. ¶～社長(しゃちょう) 전사장. 2 …보다 이전. ¶～近代的(きんだいてき) 전근대적. 3 기원전. ¶～五世紀(ごせいき) 기원전 5세기. ㊂接尾 …의 앞〔전〕. ¶選挙(せんきょ)～ 선거 전 / 四五日(しごにち)～ 4·5일 전. ⇔後(ご).

ぜん【善】图 선; 올바르고 착함. ↔悪(あく). ──は急(いそ)げ 좋은 일은 서둘러라《쇠뿔은 단김에 빼라》.

ぜん【禅】图〘佛〙선. 1 좌선. ¶～の境地(きょうち) 선의 경지 / ～に熟達(じゅくたつ)する 선에 숙달하다. 2 '禅宗(ぜんしゅう)(＝선종)'의 준말. ¶～の開祖(かいそ) 선종의 개조.

ぜん〖膳〗㊀图 (밥)상. ＝おぜん. ¶～を運(はこ)ぶ (밥)상을 나르다 / お～を囲(かこ)む (밥)상에 둘러앉다. ㊁接尾 1 공기에 담은 밥을 세는 말. ¶一(いち)～の飯(めし) 한 사발의 밥. 2 젓가락 한 쌍을 세는 말: 매. ¶はし五(ご)～ 젓가락 다섯 매.

ぜん=【全】전…. 1 전부; 전체. ¶～国民(こくみん) 전국민. 2 모두. ¶～八巻(はっかん) 모두 여덟 권.

=ぜん【然】…연; …인 체하는 모양. ¶学者(がくしゃ)～としている 학자연하고 있다.

ぜん〖全〗《全》教3 ゼン まったく まっとうする | 전 온통 | 1 모두; 온통. ¶全景(ぜんけい) 전경 / 全部(ぜんぶ) 전부. 2 (어느 범위에서) 일괄하여. ¶全世界(ぜんせかい) 전세계.

ぜん〖前〗《前》教2 ゼン まえ | 전 앞 | 전. 1 ㉠ 앞; 정면. ¶前進(ぜんしん) 전진 / 面前(めんぜん) 면전. ㉡ 앞부분. ¶前部(ぜんぶ) 전부. 2 ㉠ 어느 시점보다 이전. ¶戦前(せんぜん) 전전 / 前夜(ぜんや) 전야. ㉡ 과거. ¶前科(ぜんか) 전과. ⇔後(ご).

ぜん〖善〗教6 ゼン よい | 선 착하다 | 선. 1 바르다. ¶善良(ぜんりょう) 선량 / 偽善(ぎぜん) 위선. ↔悪(あく). 2 잘함. ¶善用(ぜんよう) 선용.

ぜん〖然〗教4 ゼン ネン しかり | 연 그렇다 | 1 그와 같이; 그대로. ¶当然(とうぜん) 당연 / 本然(ほんねん) 본연. 2 형용하는 말을 만드는 조자(助字). ¶学者然(がくしゃぜん) 학자연.

ぜん〖禅〗《禪》常用 ゼン | 선 선 | 선. 1 양위(讓位)하다. ¶禅譲(ぜんじょう) 선양. 2 불교. ¶禅師(ぜんじ) 선사 / 参禅(さんぜん) 참선. 3 '座禅(ざぜん)(＝좌선)'의 준말.

ぜん〖漸〗常用 ゼン ようやく | 점 차차 | 1 점점 나아가다; 점점 미치다. ¶東漸(とうぜん) 동점. 2 차츰. ¶漸進(ぜんしん) 점진.

ぜん〖繕〗常用 ゼン つくろう | 선 깁다 | 손보다; 수리하다. ¶修繕(しゅうぜん) 수선.

ぜんあく【善悪】图 선악. ¶～をわきまえる 선악을 분별하다.

せんい【戦意】图 전의. ¶重(かさ)なる敗北(はいぼく)に兵士(へいし)は～を喪失(そうしつ)した 거듭된 패배에 병사는 전의를 상실했다.

*せんい【繊維】图 섬유. ¶化学(かがく)～ 화학 섬유 / ～製品(せいひん) 섬유 제품.
──こうぎょう【──工業】图 섬유 공업.
──そ【──素】图 섬유소; 셀룰로오스《섬유의 탄수화물》. ＝セルローズ.

*ぜんい【善意】图 선의. ¶～の第三者(だいさんしゃ) 선의의 제삼자 / いつも～に解釈(かいしゃく)する 항상 선의로 해석하다. ↔悪意(あくい).

ぜんい【禅位】图 선위; 임금이 왕위를 물려줌. ＝譲位(じょうい).

ぜんいき【全域】图 전역; 온 영역·분야. ¶関東(かんとう)～ 関東 전역 / 自然(しぜん)科学(かがく)の～にわたって 자연 과학 전역에 걸쳐서.

せんいつ【専一】图 전일; 전념. ＝せんいち. ¶勉強(べんきょう)を～にする 공부에만 전념하다 / ご養生(ようじょう)が～です 그저〔오로지〕섭생이 제일입니다. 「ドロス.

せんいん【船員】图 선원. ＝ふなのり·マ

ぜんいん【全員】图 전원. ＝総員(そういん). ¶～一致(いっち)で通過(つうか)する 전원 일치로 통과되다 / 家族(かぞく)～で出(で)かける 가족 전원이 함께 외출하다.

せんうん【戦雲】图 전운. ¶～低(ひく)く垂(た)れこめる 긴박한 전운이 감돌다. 「같다.
──急(きゅう)を告(つ)げる 곧 전쟁이 일어날 것

せんえい【先鋭】《尖鋭》图ナ 첨예; 끝이 날카롭고 뾰족함; 전하여, 급진적임.

注意 '先鋭'는 대용 한자.
—か【—化】名ス自 첨예화. ¶対立が～する 대립이 첨예화하다.
ぜんえい【前衛】名 전위. ¶～絵画 전위 회화/～芸術 전위 예술.
—てき【—的】ダナ 전위적.
—は【—派】名 전위파. ＝アバンギャルド.
せんえき【戦役】名 전역; 전쟁. ＝戦争. ¶クリミヤ～ 크림 전쟁.
せんえつ［僭越］名ナ 참월; 분수에 넘친 일을 함; 또, 그러한 태도. ＝出しゃばり. ¶～な態度 건방진 태도. 参考 자기 행위에 대해 말하면 겸양을 나타냄.
—ながら 외람되지만. ¶～私が司会をいたします 외람되지만 제가 사회를 보겠습니다.
せんえん【遷延】名ス自 천연; 시일을 끎. ¶争議の妥結が～する 쟁의의 타결이 천연되다.
せんおう【専横】名ナ 전횡. ¶～政治 전횡 정치/王様の～を押さえる 왕의 전횡을 막다/～な振る舞いをする 제멋대로 횡포를 부리다.
ぜんおん【全音】名〔樂〕전음; 온음. ↔半音.
ぜんおんかい【全音階】名〔樂〕전음계; 온음계. ↔半音階.
ぜんおんぷ【全音符】名〔樂〕온음표.
せんか【戦火】名 전화; 전쟁. ¶～に見舞われる 전쟁을 만나다/～をこうむる 전화를 입다/～より救う 전화에서 구하다/～を交える 교전하다.
せんか【戦禍】名 전화. ＝戦災. ¶～を逃れる〔こうむる〕 전화를 피하다〔입다〕/～に荒れ果てる 전화로 아주 황폐되다.
せんか【戦果】名 전과. ¶～をあげる 전과를 올리다/赫々たる～を収める 혁혁한 전과를 거두다.
せんか【専科】名 전과; 전문의 학과 과정. ¶声楽～ 성악 전공.
せんが【線画】名 선화; 선만으로 그린 그림; 백묘(白描). ＝デッサン. ¶～の肖像 선화의 초상.
ぜんか【前科】名 전과. ¶～者 전과자/～五犯 전과 5범/～をもつ 전과가 있다/窃盗の～がある 절도의 전과가 있다.
ぜんか【全科】名 전과; 전교과; 전학과. ¶～学習書 전과 학습서/～を修める 전과를 수학(修學)하다.
せんかい【旋回】名ス自他 선회. ¶～運動 선회 운동/急～ 급선회.
せんかい【浅海】名 천해; 얕은 바다《깊이 200m까지를 말함》. ¶～魚 천해어. ↔深海.
せんがい【選外】名 선외. ¶～佳作 선외가작/惜しくも～になった 아깝게도 선외가 되었다.
ぜんかい【全会】名 전회; 회원 전체. ¶～一致で可決する 전회원 일치로 가결하다.
ぜんかい【全壊】《全潰》名ス自 전괴; 완전 파괴됨. ¶～した家屋 전파된 가옥. ↔半壊.
*ぜんかい【全快】名ス自 전쾌; 완쾌. ＝本復·全癒. ¶～祝い 완쾌 축하/すっかり～する 아주〔깨끗이〕 완쾌되다.
ぜんかい【全開】名ス自他 전개; (꼭지나 고동 등을) 전부 열어 놓음. ¶水道栓を～(に)する 수도 꼭지를 다 틀어 놓다. ↔半開.
ぜんかい【前回】名 전회; 전번. ＝先度·前度. ¶～までのあらすじ 전회까지의 줄거리. ↔今回·次回.
せんかく【先覚】名 선각(자). ¶時代の～者 시대의 선각자/～の教えに待つ所が多い 선각자의 가르침에 기대하는 바가 많다.
せんがく【先学】名 선학; 학문상의 선배. ↔後学.
せんがく【浅学】名 천학《자기 학식의 겸사말로도 씀》.
—ひさい【—非才】名 천학비재. ¶～の身 천학비재한 몸.
ぜんがく【全学】名 그 대학 전체. ¶～学生大会 대학 전체 학생 대회/～投票 대학 전체 투표.
ぜんがく【全額】名 전액. ＝総額. ¶～払い込み 전액 납입/～払いもどす 전액 환불하다. ↔半額.
ぜんがくれん【全学連】名 '全日本学生自治会総連合(＝전일본 학생 자치회 총연합)'의 준말《1948년에 결성됨》.
せんかた『詮方·為ん方』名 취할 방법; 수단. ＝せんすべ. ¶～尽きて 어쩔 도리가 없어; 백계(百計)가 다하여. 注意 '詮方'는 취음.
—な·い【—無い】形 어찌할 도리가 없다. ＝しかたがない. ¶今さら悔やんでも～ 이제 후회해도 어쩔 수가 없다.
せんかん［潜函］名 (토목·건축 기초 공사에서의) 잠함; 정통(井筒); 케이슨. ＝ケーソン. ¶～工法 잠함 공법; 케이슨 공법.
—びょう［—病］名 잠함〔잠수〕병; 케이슨병. ＝せんすいびょう.
せんかん【専管】名ス他 전관.
—すいいき【—水域】名 전관 수역.
せんかん【選管】名 선관위《'選挙管理委員会(＝선거 관리 위원회)'의 준말》. ¶～職員 선관위 직원.
せんがん【洗眼】名ス自 세안; 눈을 씻음. ¶～薬 세안약/水泳のあと～する 수영을 한 후 눈을 씻다.
せんがん【洗顔】名ス自 세안; 세수; 얼굴을 닦음. ¶～クリーム 세안 크림.
ぜんかん【全巻】名 전권.
ぜんかん【全館】名 전관. ¶～冷暖房完備 전관 냉난방 완비.
せんかんい【選管委】名 ☞せんかん(選管).
せんき【戦機】名 전기. ¶～は熟した 전기는 무르익었다/攻撃に転ずる～をうかがう 공격으로 전환한 기회를 노리다.

せんき【戦記】图 전기. ＝軍記(ぐんき).
━ものがたり【━物語】图 ☞ぐんき(軍記)ものがたり.
せんき［疝気］图〔漢醫〕산기; 산증. ¶他人(たにん)の～を頭痛(ずつう)に病(や)む 남의 일을 쓸데없이 걱정하다.
━すじ［━筋］图 **1** 산기가 생기는 근육. **2** 정통이 아닌 계통; 방계(傍系).
せんぎ［詮議］图ス他 전의. **1** 평의(評議)하여 일을 결정함. **2** 죄인의 문초·수사. ＝吟味(ぎんみ). ¶犯人(はんにん)を～する 범인을 문초하다.
***ぜんき**【前期】图 전기. ¶平安朝(へいあんちょう)～ 平安 시대 전기 / ～繰越金(くりこしきん) 전기 이월금. ↔中期(ちゅうき)·後期(こうき).
ぜんき【前記】图 전기; 전술. ¶～の通(とお)り〔ごとく〕 전기와 같이. ↔後記(こうき).
せんきゃく【先客】图 선객. ¶朝早(あさはや)く訪(たず)ねたらすでに～があった 아침 일찍 방문하니 벌써 선객이 있었다.
せんきゃく【船客】图 선객. ¶二等(にとう)～ 2등 선객.
せんきゃくばんらい【千客万来】图 천객만래; 많은 손님이 잇따라 찾아옴.
せんきゅう【選球】图ス自〔野〕선구; 타자가 치기 좋은, 투수의 투구를 고름.
━がん【━眼】图 선구안. ¶～が鋭(するど)い 선구안이 날카롭다.
***せんきょ**【占拠】图ス他 점거; 점령. ¶組合員(くみあいいん)が工場(こうじょう)を～する 조합원이 공장을 점거하다 / わが軍(ぐん)がA(エー)高地(こうち)を～した 아군이 A 고지를 점거했다.
せんきょ［船渠］图 ☞ドック.
****せんきょ**【選挙】图ス他 선거. ¶～区(く)〔屋(や)〕 선거구〔꾼〕 / 直接(ちょくせつ)～ 직접 선거 / ～違反(いはん) 선거 위반.
━うんどう【━運動】图 선거 운동.
━けん【━権】图 선거권. ¶～がある 선거권이 있다. ↔被(ひ)選挙権.
━にん【━人】图 선거인. ¶～名簿(めいぼ) 선거인 명부.
せんぎょ【鮮魚】图 선어; (물이 좋은) 생선. ¶～商(しょう) 생선 장수; 생선 가게.
せんきょう【仙郷·仙境】图 선경; 선계. ＝仙界(せんかい). ¶人気(ひとけ)なくしんとした～のおもむき 인기척 없이 괴괴한 선경의 정취(情趣).
せんきょう【宣教】图ス自 선교. ＝布教(ふきょう). ¶全国(ぜんこく)を～して歩(ある)く 전국을 돌아다니며 선교하다.
━し【━師】图 선교사; 전도사.
せんきょう【戦況】图 전황. ＝戦局(せんきょく). ¶～が悪(わる)い 전황이 나쁘다 / ～を報告(ほうこく)する 전황을 보고하다.
せんぎょう【専業】图 전업. **1** 전문 직업〔사업〕. ¶～農家(のうか)〔主婦(しゅふ)〕 전업 농가〔주부〕. **2** 국가가 허가한 독점 사업.
せんきょく【戦局】图 전국. ＝戦況(せんきょう). ¶～は有利(ゆうり)だ 전국은 유리하다 / そのために～が一変(いっぺん)した 그 때문에 전국이 일변하였다.
せんきょく【選曲】图ス自 선곡. ¶～集(しゅう) 선곡집 / クラシックから～する 클래식에서 선곡하다.
せんぎり【千切り】《繊切り》图 채침; 또, 그 채친 것. ＝千六本(せんろっぽん). ¶大根(だいこん)を～にする 무를 채치다.
せんきん【千金】图 천금. ¶一字(いちじ)〔一刻(いっこく)〕～ 일자〔일각〕 천금 / 命(いのち)は～にも代(か)えられぬ 목숨은 천금으로도 바꿀 수 없다 / 一攫(いっかく)～を夢(ゆめ)みる 일확천금을 꿈꾸다.
ぜんきん【前金】图 ☞まえきん.
ぜんきんだいてき【前近代的】ダナ 전근대적. ¶～な考(かんが)え方(かた) 전근대적인 사고방식 / ～雇用形態(こようけいたい) 전근대적 고용 형태.
せんく【先駆】图ス自 선구(자). ＝パイオニア. ¶その分野(ぶんや)で～となった書(か)き物(もの) 그 분야에서 선구가 된 기록.
━しゃ【━者】图 선구자; 선각자.
せんぐ【船具】图 선구; (항해에 필요한) 배의 용구. ＝ふなぐ.
ぜんく【前駆】图ス自 전구; 행렬 등의 전방을 기마로 선도함; 또, 그 사람. ＝先乗(さきの)り·先駆(せんく). ¶～のオートバイ 앞장서서 달리는 오토바이 / 騎馬(きば)で～する 말을 타고 앞장서다.
━しょうじょう【━症状】图〔醫〕전구 증상.
せんくち【先口】图 앞선 순번〔신청, 청약〕; 선약. ¶～の約束(やくそく)がある 선약이 있다 / こちらが～だ 이쪽이 앞 순번이다. ↔あと口(くち).
ぜんくつ【前屈】图ス自 전굴; 몸을 앞으로 구부림; 또, 몸(의 어떤 부분)이 보통보다 앞으로 굽어 있는 일. ¶～姿勢(しせい) 앞으로 구부린 자세. ↔後屈(こうくつ).
せんくん【先君】图 선군. **1** 선왕. **2** 선고(先考); 선친. ＝先考(せんこう). ¶～の遺命(いめい) 선군의 유명《임종 때의 명령》.
ぜんぐん【全軍】图 전군. ¶～を指揮(しき)する 전군을 지휘하다.
せんぐんばんば【千軍万馬】图 **1** 천군만마. ＝大軍(たいぐん). ¶～の間(かん) 싸움터. **2** 실전〔온갖〕 경험이 풍부함. ¶～の古(ふる)つわもの 경험이 많은 역전의 용사; 백전노장.
ぜんけ【禅家】图 선가. **1** 선종(禪宗). **2** 선사(禪寺). **3** 선승(禪僧).
せんけい【扇形】图 선형; 부채꼴. ＝おうぎがた.
せんけい【線形·線型】图〔數〕선형. ＝せんがた. ¶～写像(しゃぞう) 선형 사상.
ぜんけい【全景】图 전경; 전체의 경치. ¶～を撮影(さつえい)する 전경을 촬영하다 / 屋上(おくじょう)から町(まち)の～が見(み)える 옥상에서 시내의 전경이 보인다.
ぜんけい【前景】图 전경; 앞에 가까이 보이는 경치. ¶～には古(ふる)い橋(はし)がある 전경에는 낡은 다리가 있다. ↔背景(はいけい).
ぜんけい【前掲】图ス他 전게; 전술. ¶反対(はんたい)の理由(りゆう)は～の通(とお)りである 반대 이유는 전술한 바와 같다.
せんけつ【先決】图ス他 선결. ¶まず謝罪(しゃざい)するのが～だ 우선 사죄하는 것이 먼저다.

—もんだい【—問題】图 선결 문제. ¶金の工面が～だ 돈을 마련하는 게 선결 문제다.

せんけつ【専決】图ス他 전결. ¶～事項 전결 사항 / 局長が案件を～する 국장이 안건을 전결하다.

せんけつ【鮮血】图 선혈. ＝生き血. ¶～を流す 선혈을 흘리다 / ～がほとばしる 선혈이 솟아나다.

*せんげつ【先月】图 선월; 지난달. ¶～分 전월분; 지난달 치. ↔来月.

ぜんげつ【前月】图 **1** 전월; 지난달. ＝先月. ↔よくげつ. **2** 이전 달.

せんけん【浅見】图 천견; 천박한 소견. ¶～短慮 천견 단려 / ～を恥じる 천견을 부끄러워하다.

せんけん【先見】图 선견; 앞을 내다봄.

—の明 선견지명.

せんけん【先遣】图ス他 선견; 본대보다 먼저 파견함. ¶～隊 선견대 / 調査隊を～する 조사대를 먼저 파견하다.

せんけん【先賢】图 선현; 선철. ＝先哲. ¶～の教え 선현의 가르침.

せんけん【専権】图 전권. ¶統治者の～ 통치자의 전권 / ～を振るう 전권을 휘두르다.

*せんげん【宣言】图 ス他 선언. ¶ポツダム～ 포츠담 선언 / ～に盛り込む 선언(문)에 담다 / ～が採択される 선언이 채택되다.

ぜんけん【全権】图 전권. ¶～を握る〔委任する〕 전권을 쥐다〔위임하다〕.

—たいし【—大使】图 전권 대사《'特命全権大使'의 준말》.

ぜんけん【前件】图 전건; 전기(前記)의 조목; 전술한 사항〔물건〕. ¶～のうち三番目の箇条 전술한 사항 중 세 번째의 조목 / ～に照らして考える 전건에 비추어 생각하다. ↔後件.

ぜんげん【前言】图 전언; 앞서 한 말. ¶～を取り消す 전언을 취소하다.

ぜんげん【漸減】图ス自他 점감. ＝逓減. ¶税収が～した 세수가 점감했다. ↔漸増.

せんげんばんご【千言万語】图 천언만어. ¶～を費やしても表わせない 수없이 많은 말로써도 표현할 수 없다.

せんこ【千古】图 천고. ¶～のなぞ 천고의 수수께끼.

—ふえき【—不易】图 천고불역〔불변〕. ¶～の真理 천고불역의 진리.

せんご【先後】㊀图 선후; (시간·순서 등의) 앞뒤; 전후. ＝前後·あとさき. ㊁ス自 ☞ぜんご(前後)㊁. 参考 '前後' 보다 다소 예스러운 말씨.

せんご【戦後】图 전후; 특히, 제2차 세계 대전이 끝난 후. ¶～派 전후파 / ～生まれ 전후 태생. ↔戦前·戦中.

ぜんこ【全戸】图 전호. **1** 전가옥; 전가호(全家戸). ¶～流失 전가옥 유실 / 村の～ 마을의 전가호. **2** 한 집안의 전부. ＝うちじゅう.

ぜんこ【前古】图 전고. ＝大昔.

—みぞう〔—未曾有〕图 전고미증유. ＝古今みぞう. ¶維新の革命は～の革命であった 유신 혁명은 전고미증유의 혁명이었다.

ぜんご【前後】전후. ㊀图 앞뒤. **1 (시간·공간상의) 앞과 뒤. ¶～左右 전후좌우 / ～を見回す 앞뒤를 둘러보다. **2** 나중의 결과. ¶～を顧みる 앞뒤를 고려(顧慮)하다. **3** 전후 사정. ¶～を考えるゆとりがない 전후 사정을 생각할 여유가 없다. ㊁图ス自 **1** 전후함. ¶相～して到着する 앞서거니 뒤서거니 도착하다. **2** 순서가 뒤바뀜. ¶話が～する 이야기 순서가 뒤바뀌다 / 事が～して区別が付かぬ 일이 뒤바뀌어서 구별할 수가 없다. ㊂接尾 정도; …경(頃); 내외; 안팎; 쯤. ＝内外. ¶十人～ 10명 내외 / 七時～ 7시경 / 千円～ 천 엔 안팎.

—ふかく【—不覚】图 (의식을 잃어서) 전후 사정을 전혀 모르게 되는 일. ¶～に眠(りこけ)る 정신없이 자다 / 酔って～になる 취해서 제정신을 잃다.

ぜんご【善後】图 선후; 뒷수습. 注意 단독으로는 쓰이지 않음.

—さく【—策】图 선후책. ¶～を講ずる 선후책을 강구하다.

—しょち【—処置】图 뒤에 나쁜 영향이 없도록 취하는 조치.

せんこう【先考】图 선고; 망부(亡父). ↔先妣.

せんこう【先攻】图ス自 (야구 등의) 선공. ¶試合は訪問チームの～で開始された 경기는 방문 팀의 선공으로 개시되었다. ↔先守·後攻.

せんこう【先行】图ス自 선행. ¶～法規 선행 법규 / 時代に～する 시대에 선행하다.

—しひょう【—指標】图 선행 지표.

せんこう〔穿孔〕图ス自 천공; 구멍을 뚫음; 또, 그 구멍. ¶～機 천공기.

*せんこう【専攻】图ス他 전공. ¶～科目 전공과목 / 歴史を～する 역사를 전공하다.

せんこう【専行】图ス他 전행; 전단(専断). ¶独断～ 독단 전행.

せんこう【戦功】图 전공. ＝軍功. ¶～を立てる 전공을 세우다.

せんこう【鮮紅】图 선홍. ¶～色 선홍색.

せんこう【潜行】图ス自 잠행; 잠입. ¶犯人は市内に～した 범인은 시내로 잠입했다 / 地下に～して政治運動を続ける 지하에 잠입해서 정치 운동을 계속하다.

せんこう【線香】图 **1** 선향. **2** 모기향. ＝蚊取り線香. 注意 'せんこ'라고도 함.

—だい【—代】图 향전(香奠); 부의(賻儀). ＝香料·香典.

—はなび【—花火】图 **1** 지노 끝에 화약을 비벼 넣은 작은 꽃불. **2** 〈俗〉 쉽게 달아오르고 쉽게 식는 사람; 또, 그런 성질. **3** 덧없는 사물의 비유.

*せんこう【選考】《銓衡·詮衡》 名 ス他 전형. ¶書類(しょるい)～ 서류 전형 / 厳重(げんじゅう)に～する 엄중히 전형하다. 注意 '選考'는 대용 한자.

せんこう【選好】名 선호; 여럿 중에서 가려서 좋아함. ¶～度(ど)調査(ちょうさ) 선호도 조사.

せんこう[閃光] 名 섬광. ＝スパーク. ¶～信号(しんごう) 섬광 신호 / ～を放(はな)つ 섬광을 발하다 / ～が走(はし)る 섬광이 번쩍이다.

ぜんこう【全校】名 전교. ¶～生(せい) 전교생 / 県下(けんか)の～ 현내의 모든 학교.

ぜんこう【前項】名 전항. ¶～を参照(さんしょう)せよ 전항을 참조하라. ↔後項(こうこう).

ぜんこう【善行】名 선행. ¶～を積(つ)む 선행을 쌓다. ↔悪行(あくぎょう).

ぜんごう【前号】名 전호. ＝先号(せんごう). ¶～から続(つづ)く 전호에서 계속(됨). ↔次号(じごう).

せんこく【先刻】名 1 아까; 조금 전. ＝さきほど·さっき. ¶～からお待(ま)ちです 아까부터 기다리고 계십니다 / ～お見(み)えになりました 조금 전에 오셨습니다. ↔後刻(ごこく). 2《副詞적으로》이미; 벌써. ＝すでに·とうに. ¶～ご承知(しょうち)の通(とお)り 이미 아시는 바와 같이.

*せんこく【宣告】名 ス他 선고. ¶～猶予(ゆうよ) 선고 유예 / 死刑(しけい)の～ 사형 선고 / あと半年(はんねん)の命(いのち)と～される 앞으로 6 개월 살 목숨이라고 선고받다.

せんごく【戦国】名 전국. 1 전쟁으로 어지러워진 세상. ¶～動乱(どうらん)の世(よ) 전국 동란의 세상. 2 '戦国時代(じだい)'의 준말.

――じだい【――時代】名〔史〕전국 시대.

――だいみょう【――大名】名〔史〕일본 전국 시대, 각지에 할거하던 대영주《守護(しゅご)大名를 대신하여 출현함》.

*ぜんこく【全国】名 전국. ¶～いっせいに 전국 일제히 / ～大会(たいかい) 전국 대회.

――し【――紙】名 전국지. ＝中央紙(ちゅうおうし). ↔地方紙(ちほうし).

せんごくぶね【千石船】名 (江戸(えど) 시대) 쌀 천 섬을 실을 수 있었던 큰 배. ＝千石積(せんごくづ)み.

せんこつ【仙骨】名 선골; 범속하지 않은 골상(骨相)〔풍채〕. ¶～を帯(お)びる 범속하지 않은 풍채를 지니다.

ぜんざ【前座】名 (講談(こうだん)·落語(らくご) 등에서) 真打(しんう)ち에 앞선 견습 출연; 또, 그 사람. ¶～を勤(つと)める (본 프로에 앞선) 개막 출연을 하다. ⇨真打(しんう)ち.

センサー[sensor] 名 센서; 검출기(器); 정보를 검출·수집하는 장치.

せんさい【先妻】名 선처; 전처. ¶彼(かれ)には～の子(こ)が三人(さんにん)ある 그에게는 전처 자식이 셋 있다. ↔後妻(ごさい).

*せんさい【戦災】名 전재. ¶～孤児(こじ) 전재고아 / ～をこうむる 전재를 입다.

せんさい【繊細】名ナ 섬세. 1 결이 곱고 우미(優美)한 모양. ¶～な指(ゆび)〔模様(もよう)〕 섬세한 손가락〔무늬〕. 2 감정이 곱고 예민한 모양. ＝デリケート. ¶～な感受性(かんじゅせい) 섬세한 감수성. ↔がさつ.

せんざい【千載】名 천재; 천세; 천년. ＝千年(せんねん). ¶名(な)を～に残(のこ)す 이름을 천세에 남기다.

――いちぐう【――一遇】名 천재일우. ¶～の好運(こううん) 천재일우의 행운.

せんざい【洗剤】名 세제. ¶中性(ちゅうせい)～ 중성 세제.

*せんざい【潜在】名 ス自 잠재. ¶～する能力(のうりょく) 잠재(하는) 능력. ↔顕在(けんざい).

――いしき【――意識】名 잠재의식. ¶～がはたらく 잠재의식이 작용하다.

――てき【――的】ダナ 잠재적. ¶～な需要(じゅよう)を見込(みこ)む 잠재적 수요를 예상하다.

ぜんさい【前菜】名 전채. ＝オードブル.

ぜんさい【前妻】名 전처. ↔後妻(ごさい).

ぜんざい[善哉] 一名 1 '善哉もち(＝팥 고물을 한 떡)'의 준말. 2 (関西(かんさい) 지방 등에서) 단팥죽. ＝いなかじるこ.

二感 'よきかな'의 뜻: 좋을진저; 좋구나《좋다고 칭찬하는 말》.

*せんさく[穿鑿] 名 ス他 천착. 1 구멍을 뚫음. ¶岩石(がんせき)を～する 암석을 뚫다. 2 세세한 점까지 귀찮을 정도로 깊이 파고듦. ¶～ずき 남의 일 캐기를 좋아함 / 過去(かこ)を～する 과거를 꼬치꼬치 캐다.

せんさく[詮索] 名 ス他 탐색함; 추구함. ¶犯人(はんにん)を～する 범인을 철저히 수색하다.

センサス[census] 名 센서스. 1 인구 조사; 국세 조사. 2 실태 조사; 일제 조사. ¶農業(のうぎょう)～ 농업 센서스.

せんさばんべつ【千差万別】名 천차만별. ＝せんさまんべつ. ¶人(ひと)は～だ 사람은 천차만별이다.

ぜんざん【全山】名 전산; 만산(滿山); 온 산. ¶～の紅葉(こうよう) 만산홍엽.

せんざんこう『穿山甲』名〔動〕천산갑.

せんし【先史】名 선사; 유사(有史) 이전. ¶～時代(じだい) 선사 시대.

「사를 쓰다.

せんし【戦史】名 전사. ¶～を書(か)く 전

せんし【戦死】名 ス自 전사. ¶～者(しゃ) 전사자 / ～の知(し)らせを受(う)ける 전사 통지를 받다.

せんし【戦士】名 전사. ¶産業(さんぎょう)～ 산업 전사 / 無名(むめい)の～ 무명 전사.

せんじ『煎じ』名 1 달임; 끓임. ¶～茶(ちゃ) 달인 차. 2 'せんじしる(＝달여서 짜낸 액체)'의 준말. ¶～かす 달인 찌꺼기.

せんじ【戦時】名 전시. ¶～体制(たいせい) 전시 체제 / ～内閣(ないかく) 전시 내각. ↔平時(へいじ).

ぜんし【全史】名 전사; 그 분야 전체를 다룬 역사. ¶韓国映画(かんこくえいが)～ 한국 영화 전사.

ぜんし【全紙】名 전지. 1 자르지 않은 온장(張)의 종이《A판과 B판이 있음》. 2 모든 신문. ¶～に報道(ほうどう)される 전신문에 보도되다. 3 (신문의) 지면 전체.

ぜんし【前肢】名 전지; (네발짐승의) 앞다리. ＝まえあし. ↔後肢(こうし).

ぜんじ【漸次】副 점차; 차차; 점점. ＝次第(しだい)に·だんだん. ¶～進歩(しんぽ)する 점

차로 진보하다 / ～よくなる 점차 좋아지다. 注意 '漸時'로 쓰거나 'ざんじ'로 읽으면 잘못.

せんじぐすり【せんじ薬】《煎じ薬》图 탕약; 탕제(湯劑). ＝煎薬(せんやく).

ぜんじだいてき【前時代的】ダナ 전시대적. ＝前近代的(ぜんきんだいてき). ¶～な思考(しこう) 전시대적 사고.

せんじだ-す【せんじ出す】《煎じ出す》5他 (차·약을) 달여 우려내다.

せんしつ【船室】图 선실. ＝ケビン·キャビン. ¶一等(いっとう)～ 1등 선실.

***せんじつ**【先日】图 요전(날). ¶～は失礼(しつれい)しました 요전에는 실례했습니다 / ～お目(め)にかかった者(もの)です 일전에 뵈었던 사람입니다.

—らい【—来】副 일전부터; 요 며칠째. ¶～の雨(あめ) 요 며칠 전부터 오는 비 / ～病気(びょうき)で寝(ね)ている 요 며칠째 병으로 누워 있다.

***ぜんじつ**【前日】图 전일. **1** 전날. ¶結婚式(けっこんしき)の～ 결혼식 전날. ↔翌日(よくじつ). **2** 요전(날); 일전. ＝先日(せんじつ).

ぜんじつせい【全日制】图 ☞ぜんにちせい.

せんじつ-める【せんじ詰める】《煎じ詰める》下1他 **1** (한약 등을) 바짝 달이다. ¶薬草(やくそう)を～ 약초를 바짝 달이다. **2** 끝까지 따져 보다. ¶～·めれば失敗(しっぱい)の原因(げんいん)は努力(どりょく)の不足(ふそく)にある 따지고 보면 실패의 원인은 노력 부족에 있다.

ぜんじどう【全自動】图 전자동. ¶～洗濯機(せんたくき) 전자동 세탁기.

せんしばんこう【千思万考】图ス他 천사만고; 심사숙고. ¶～の結果(けっか) 심사숙고의 결과.

せんしばんたい【千姿万態】图 천자만태; 온갖 자태. ¶雲(くも)は～をなす 구름은 온갖 형상을 이루고 있다.

センシブル [sensible] ダナ 센시블. **1** 예민한 모양. **2** 민감한 모양. ¶～な世界(せかい) 센시블한〔감각적인〕 세계.

せんじもん【千字文】图 천자문.

せんしゃ【洗車】图ス自 세차.

せんしゃ【戦車】图 전차; 탱크. ＝タンク. ¶～部隊(ぶたい) 전차 부대.

せんじゃ【選者】图 선자; (심사해) 뽑는 사람. ¶俳句欄(はいくらん)の～ 俳句난의 선자.

ぜんしゃ【全社】图 전사. **1** 그 회사 전체. ¶～的(てき)な問題(もんだい) 전사적인 문제. **2** 모든 회사. ¶自動車(じどうしゃ)関連(かんれん)の～ 자동차에 관련된 모든 회사.

ぜんしゃ【前者】图 전자. ↔後者(こうしゃ).

ぜんしゃ【前車】图 전차; 앞차. ↔後車(こうしゃ).

—の轍(てつ)を踏(ふ)む 전철을 밟다.

せんじゃく【繊弱】名ナ 섬약. ¶～なからだ〔体質(たいしつ)〕 섬약한 몸〔체질〕.

ぜんしゃく【前借】图ス他 전차; 가불. ＝まえがり·先(さき)がり. ¶～金(きん) 전차금 / 月給(げっきゅう)の一部(いちぶ)を～する 월급의 일부를 전차하다.

せんじゃまいり【千社参り】图 천(千)곳의 신사를 참배하고 기도 드리는 일〔사람〕. ＝千社詣(せんじゃもう)で.

せんしゅ【先取】图ス他 선취. ＝さきどり. ¶～点(てん) 선취점 / 二回表(にかいおもて)に一点(いってん)を～する 2회 초에 1점을 선취하다.

せんしゅ【船首】图 선수; 뱃머리; 이물. ＝へさき·みよし. ¶～が浅瀬(あさせ)にのりあげる 뱃머리가 얕은 여울에 얹히다. ↔船尾(せんび).

せんしゅ【船主】图 선주. ＝ふなぬし. ¶～協会(きょうかい) 선주 협회.

せんしゅ［僭主］图 참주. **1** 폭력으로 군주 지위를 빼앗은 자; 군주 이름을 참칭하는 자. **2** 고대 그리스 국가의 독재자. ＝タイラント. ¶～政治(せいじ) 참주 정치.

****せんしゅ**【選手】图 선수. ¶補欠(ほけつ)～ 보결 선수 / 野球～ 야구 선수.

—けん【—権】图 선수권. ¶世界(せかい)～保持者(ほじしゃ) 세계 선수권 보유자.

—むら【—村】图 선수촌.

せんしゅう【千秋】图 천추. ＝千年(せんねん). ¶一日(いちにち)～の思(おも)い 하루를 천추같이 애태우며 기다리는 그리움.

—らく【—楽】图 **1** 아악의 한 곡명. **2** (씨름·연극 등) 흥행의 최종일. ＝らく. ↔初日(しょにち). 参考 법회 때의 아악에서, 마지막으로 千秋楽의 곡을 연주한 데서.

***せんしゅう**【先週】图 전주; 지난주. ¶～の土曜日(どようび) 전주(의) 토요일. ↔来週(らいしゅう).

せんしゅう【専修】图ス他 전수; 전공. ¶～科目(かもく) 전공과목 / 法律(ほうりつ)を～する 법률을 전공하다.

せんしゅう【選集】图 선집. ¶現代(げんだい)戯曲(ぎきょく)～ 현대 희곡 선집. ↔全集(ぜんしゅう).

せんじゅう【先住】一图ス自 선주. ¶～民(みん) 선주민. 二图 전 주지(住持). ↔現住(げんじゅう)·後住(ごじゅう).

せんじゅう【専従】图ス自 전종; 오로지 그 일에만 종사함. ¶農業(のうぎょう)～者(しゃ) 농업에만 종사하는 사람 / 組合(くみあい)～者(しゃ) 노동조합 전임자.

ぜんしゅう【前週】图 전주; 지난주. ¶～の今日(きょう) 전주의 오늘. ＝先週(せんしゅう). ↔来週(らいしゅう).

***ぜんしゅう**【全集】图 전집. ¶歌曲(かきょく)～ 가곡 전집 / 漱石(そうせき)～ 漱石(＝明治(めいじ) 말기의 소설가) 전집. ↔単行本(たんこうぼん).

ぜんしゅう【禅宗】图〔佛〕선종.

***せんしゅつ**【選出】图ス他 선출. ¶代議士(だいぎし)として～される 국회의원으로 선출되다.

せんじゅつ【先述】图ス自 전술; 앞에서 기술함. ＝前述(ぜんじゅつ). ↔後述(こうじゅつ).

***せんじゅつ**【戦術】图 전술. ¶～転換(てんかん) 전술 전환 / 新(あたら)しい～に出(で)る 새 전술로 나오다. ⇨戦略(せんりゃく).

ぜんじゅつ【前述】图ス自 전술. ＝先述(せんじゅつ). ¶～の件(けん) 전술한 건 / ～のとおり 전술한 바와 같이〔같음〕. ↔後述(こうじゅつ).

せんしゅぼうえい【専守防衛】图 전수방위; 오직 방위를 위해서만 무력을 쓰는 일.

せんしょ【選書】图 선서; 어떤 목적에 맞게 모은 책들; 또, 그 중의 한 책. ¶数学(すうがく)～ 수학 선서.
せんじょ【仙女】图 ☞せんにょ.
ぜんしょ【全書】图 전서. ¶六法(ろっぽう)～ 육법전서 / 百科(ひゃっか)～ 백과전서.
ぜんしょ【善処】图スル他 선처. ¶当局(とうきょく)に～を願(ねが)う 당국에 선처를 바라다.
せんしょう[僭称]图スル他 참칭. ¶王(おう)を～する 왕을 참칭하다.
せんしょう【先唱】图スル他 선창.
せんしょう【先勝】图スル自 선승. ¶東西(とうざい)対抗試合(たいこうじあい)で東軍(とうぐん)が～した 동서 대항 시합에서 동군이 선승하였다.
せんしょう【戦勝】《戦捷》图スル自 전승. ＝かちいくさ. ¶～国(こく) 전승국 / ～を祝(いわ)う 전승을 축하하다. ↔戦敗(せんぱい).
せんしょう【戦傷】图スル自 전상. ¶～を受(う)ける 전상을 입다.
せんじょう【戦場】图 전장; 싸움터. ¶～と化(か)した村(むら) 싸움터로 변한 마을 / ～の露(つゆ)と消(き)える 전장의 이슬로 사라지다.
せんじょう【千丈】图 천장; 천 길.
—の堤(つつみ)も蟻(あり)の一穴(いっけつ)より(崩(くず)れる) 천 길이나 되는 방죽도 개미구멍 하나로 무너진다.
せんじょう【洗浄】《洗滌》图スル他 세정; 세척; 깨끗이 씻음. ¶～器(き) 세척기 / 胃(い)を～する 위를 세척하다. 注意 '洗滌'의 본디 음은 'せんでき', 'せんじょう'는 관용음임.
せんじょう【扇状】图 선상; 부채꼴.
—ち【—地】图〘地〙 선상지.
せんじょう【扇情】《煽情》スル自他 선정. 注意 '扇情'로 씀은 대용 한자.
—てき【—的】ダナ 선정적. ¶～な姿態(したい) 선정적인 자태.
せんじょう【船上】图 선상; 배의 위. ¶～で暮(く)らす 배 위에서 살다.
せんじょう【線上】图 선상. ¶捜査(そうさ)～に浮(う)かぶ 수사 선상에 떠오르다 / 飢餓(きが)～の人(ひと)びと 기아 선상에 있는 사람들.
ぜんしょう[前哨]图 전초. ¶～部隊(ぶたい) 전초 부대. 「선거 전초전.
—せん[—戦]图 전초전. ¶選挙(せんきょ)の～
ぜんしょう【全焼】图スル自 전소. ＝丸焼(まるや)け. ¶～家屋(かおく) 전소 가옥. ↔半焼(はんしょう).
ぜんしょう【全勝】图スル自 전승. ¶～の力士(りきし) 전승의 씨름꾼 / ～して優勝(ゆうしょう)に花(はな)をそえる 전승해서 우승을 더욱 빛내다. ↔全敗(ぜんぱい).
ぜんじょう【禅譲】图 선양; 제왕(帝王)이 그 왕위를 세습하지 않고 덕 있는 사람에게 양위하는 일.
ぜんしょうとう【前照灯】图 전조등. ＝ヘッドライト. ¶～をつける 전조등을 켜다. ↔尾灯(びとう).
せんしょく【染色】图スル自他 염색. ¶色(いろ)の褪(あ)せた服(ふく)を～する 빛바랜 옷을 염색하다.
—たい【—体】图〘生〙 염색체. ¶～異常(いじょう) 염색체 이상 / ～地図(ちず) 염색체 지도 / ～の構造(こうぞう) 염색체의 구조.
ぜんしょく【前職】图 전직. ¶～大臣(だいじん) 전직 대신 / 彼(かれ)の～は教師(きょうし)だ 그의 전직은 교사다. ↔現職(げんしょく).
せん-じる〖煎じる〗上1他 (약·차 따위를) 달이다. ¶茶(ちゃ)を～ 차를 달이다.
せんしん【先進】图 선진. 1 선배. ＝先輩(せんぱい). ¶～の指導(しどう)を受(う)ける 선배의 지도를 받다. 2 더욱 진보·발달함. ¶～諸国(しょこく) 선진 제국. ↔後進(こうしん).
—こく【—国】图 선진국. ↔後進国(こうしんこく)·発展途上国(はってんとじょうこく).
せんしん【専心】图スル自 전심. ¶学問(がくもん)に～する 학문에 전념하다. 注意 副詞적으로도 씀.
せんしん【線審】图 (야구·축구 등에서) 선심. ＝ラインズマン. ¶～がアウトを判定(はんてい)する 선심이 아웃을 판정하다.
せんじん【先人】图 선인. 1 옛사람; 이전 사람. ¶～の教(おし)え 선인의 가르침. ↔後人(こうじん)·今人(こんじん). 2 선조; 또, 망부. ＝祖先(そせん)·亡父(ぼうふ).
せんじん【先陣】图 선진. 1 전진(前陣). ＝さきて. ¶～を承(うけたまわ)る 선진〔선봉〕을 맡다. ↔後陣(こうじん). 2 맨 앞장; 선봉. ＝さきがけ. ¶～を切(き)る 맨 앞장에 서다; 선두를 달리다. 「툼.
—あらそい【—争い】图 선봉〔선두〕 다
せんじん【戦陣】图 전진. 1 싸움터; 전장. ＝戦場(せんじょう). ¶～に臨(のぞ)む 전장에 임하다. 2 싸우기 위해 진을 침; 전열. ¶～をととのえる 전열을 가다듬다.
ぜんしん【全身】图 전신; 온몸. ¶～これ胆(きも) 전신이 담덩어리《담이 매우 큼》/ ～を耳(みみ)にして聞(き)く 온몸을 귀로 하여 듣다; 바싹 귀 기울여 듣다. ↔半身(はんしん).
ぜんしん【前身】图 전신. ＝前歴(ぜんれき). ¶A大学(エーだいがく)の～は師範学校(しはんがっこう)である A대학의 전신은 사범학교이다 / ～を洗(あら)う 이전의 신분·경력을 샅샅이 조사하다. ↔後身(こうしん).
ぜんしん【前進】图スル自 전진. ¶～基地(きち) 전진 기지 / 部隊(ぶたい)が～する 부대가 전진하다. ↔後退(こうたい)·後進(こうしん).
ぜんしん【漸進】图スル自 점진. ¶～主義(しゅぎ) 점진주의 / 学力(がくりょく)が～する 학력이 점차 나아지다. ↔急進(きゅうしん).
—てき【—的】ダナ 점진적. ¶～改革(かいかく) 점진적 개혁. ↔急進的(きゅうしんてき).
ぜんしん【善心】图 선심; 선량한 마음. ↔悪心(あくしん).
ぜんじん【全人】图 전인; 지성·감정·의지가 잘 조화된 사람. ¶～教育(きょういく) 전인 교육. 「先人(せんじん).
ぜんじん【前人】图 전인; 이전 사람. ＝
—みとう【—未到·—未踏】图 전인미답. ¶～の新境地(しんきょうち)〔分野(ぶんや)〕 전인미답의 신경지〔분야〕.
ぜんじんだい【全人代】图 전인대《'全国(ぜんこく)人民(じんみん)代表(だいひょう)大会(たいかい)(＝(중국의) 전국 인민 대표 대회)'의 준말》.

せんしんばんく【千辛万苦】名ス自 천신만고. ¶～のすえに得た成功 천신만고 끝에 얻은 성공/～を重ねる 천신만고를 거듭하다.

せんす【扇子】名 선자; 접부채; 쥘부채. ＝おうぎ. ¶～の要 쥘부채의 사북.

センス［sense］名 센스. **1** 감각. ¶ユーモアの～ 유머의 센스. **2** 지각; 분별력; 사려. ¶～のない人 센스가 없는 사람.

―タンク［일 sense＋tank］名 센스탱크; 감각 집단《패션 개발 등에 참여함》. ↔シンクタンク.

ぜんず【全図】名 전도; 전체를 그린 지도나 도면. ¶世界～ 세계 전도.

せんすい【泉水】名 **1** 뜰에 만든 연못. **2** 천수; 샘솟는 물; 샘물. ＝わきみず·いずみ.

せんすい【潜水】名ス自 잠수. ¶～艇 잠수정/～して海底をさぐる 잠수하여 해저를 탐사하다.

―かん【―艦】名 잠수함. ¶原子力～ 원자력 잠수함.

―し【―士】名 잠수사. ＝潜水夫.

―ふく【―服】名 잠수복. ＝潜水衣.

せんすべなーい〘為ん術ない〙形 어찌할 방법이〔도리가〕 없다; 하는 수 없다. ¶資金がなくては～ 자금이 없이는 어쩔 도리가 없다.

せんずり【千ずり】《千摺り·手弄》名 용두질; 수음(手淫). ¶～を掻く 용두질하다.

せんーする【宣する】サ変他 선언하다. ¶開会を～ 개회를 선언하다/戦いを～する 전쟁을 선포하다.

せんーする［撰する］サ変他 찬〔저술〕하다. ¶史書を～ 사서를 저술하다.

せんずるところ〘詮ずる所〙連語 요컨대; 생각건대; 결국. ＝つまり·要するに. ¶～勝手にしろということだ 요컨대 알아서 하라는 거야.

ぜんせ【前世】名〘佛〙전세. ＝前の世. ¶～の報い 전세의 응보. 注意 'ぜんぜ' 라고도 함. ↔現世·来世·後世.

***せんせい**【先生】名 선생《의사·변호사 등의 경칭으로도 쓰임》; 스승. ¶音楽の～ 음악 선생님/医者～ 의사 선생. 注意 代名詞로도 쓰임. 参考1 멸시나 야유하는 뜻으로도 종종 쓰임. ¶あの～にやらせろ 저 친구〔녀석〕에게 시켜라. 参考2 예능을 가르치는 사람을 높여 부를 때는 흔히 '師匠(＝스승)' 라 함.

せんせい【宣誓】名ス他 선서. ¶選手～ 선수 선서/～を行う 선서를 하다.

せんせい【専制】名ス自 전제. ¶～君主 전제 군주/～政治 전제 정치.

せんせい【先制】名ス他 선제. ¶～攻撃 선제공격/～のホームランを放つ 선제 홈런을 치다.

せんせい【戦勢】名 전세. ¶～を挽回する 전세를 만회하다.

ぜんせい【全盛】名 전성. ¶～をきわめる 전성을 극하다.

ぜんせい【前世】名 전세. **1** 옛날. ＝むかし. **2** ☞ぜんせ(前世).

ぜんせい【善政】名 선정. ¶～を敷く 선정을 펴다. ↔悪政.

ぜんせいき【前世紀】名 **1** 전세기; 지나간 세기. ¶～の遺物 전세기의 유물. **2** 태고적. ¶～の怪物 태고적 괴물.

せんせいじゅつ【占星術】名 점성술.

センセーショナル［sensational］ダナ 센세이셔널. **1** 크게 감동케 하는 모양. ¶～な内容 크게 감동을 주는 내용. **2** 선정적. ¶～な画面 선정적인 화면/事件を～にあつかう 사건을 센세이셔널하게 다루다.

センセーション［sensation］名 센세이션; 선풍; 감동. ¶一大～をまきおこす 일대 센세이션을 일으키다.

せんせき【戦跡】名 전적. ¶～を尋ねる 전적을 찾다.

せんせき【戦績】名 전적. ¶全勝優勝の～を上げる 전승 우승의 전적을 올리다.

せんせき【船籍】名 선적. ¶～原簿 선적 원부/ギリシア～の貨物船 그리스 선적의 화물선.

―こう【―港】名 선적항《원칙적으로 선주의 거주지에 두게 됨》.

ぜんせつ【前説】名 전설. **1** 이전에 말한 설(說). ¶～を翻す 전설을 번복하다. **2** 옛사람의 설.

せんせん【先占】名ス他 선점. ¶高地を～する 고지를 선점하다.

せんせん【宣戦】名ス自 선전.

―ふこく【―布告】名 선전 포고.

せんせん【戦線】名 전선. ¶～に立つ 전투에 참가하다/～を縮小する 전선을 축소하다.

せんせん＝【先先】☞ぜんぜん＝. ¶～月 지지난달/～日 그저께/～週 전전주/～代 전전(前前)대.

せんぜん【戦前】名 전전; 특히, 2차 대전 전. ¶～派 전전파/～戦後 전전 전후. ↔戦後·戦中.

ぜんせん【前線】名 전선; 제일선. ¶寒冷～ 한랭 전선/梅雨～ 장마 전선/～の部隊に配属される 일선 부대에 배속되다.

ぜんせん【善戦】名ス自 선전. ¶～空しく敗れた 선전도 헛되이 패하였다/～をたたえる 선전을 칭송하다.

***ぜんぜん**【全然】副 **1**《否定하는 말을 수반하여》 전연; 전혀. ＝全く·まるきり. ¶～読めない 전혀 못 읽(겠)다/～なっていない 전혀 돼먹질 않았다/～意に介さない 전연 개의치 않다. **2** 온통; 모조리. ¶心は～それに集中していた 마음은 온통 거기에 쏠려 있었다. 参考 否定이 안 따른 2의 용법은 오늘날 거의 쓰이지 않음. 회화 등에 '단연' '대단히'의 뜻으로 쓰이나 속어적 용법임. ¶～いいね 썩 좋구나/～おもしろい 정말 재미있다.

ぜんぜん=【前前】 전전…. =先先(せんせん)=. ¶~年(ねん) 전전해 / ~月(げつ) 전전달 / ~列(れつ) 앞의 앞 줄.

せんせんきょうきょう【戦戦恐恐】《戦戦兢兢》[トタル] 전전긍긍. ¶首(くび)にならないかと~としている 해고당하지 않을까 전전긍긍하고 있다. [参考] '戦戦恐恐'로 씀은 대용 한자.

せんぞ【先祖】 [名] 선조; 조상. ¶~代代(だいだい) 선조 대대. 「유전.

—がえり【—返り】 [名]〔生〕격세(隔世)

せんそう【戦争】 [名][ス自] 전쟁. =いくさ. ¶冷(つめ)たい~ 냉전 / ~成金(なりきん) 전쟁에 편승한 벼락부자 / ごみ~ 쓰레기 전쟁 / 交通(こうつう)~ 교통 전쟁.

—はんざいにん【—犯罪人】 [名] 전쟁 범죄인; 전범자. =戦犯(せんぱん).

—ほうき【—放棄】 [名] 전쟁 포기.

せんそう【船倉】《船艙》[名] 선창; 화물창; 배 안에 짐을 싣는 곳. =ふなぐら. ¶~に積(つ)み込(こ)む 화물창에 싣다.

せんそう【船窓】 [名] 선창; 배의 창문. ¶~越(ご)しに陸地(りくち)が見(み)える 선창 너머로 육지가 보인다.

ぜんそう【前奏】 [名] **1**〔樂〕전주. =序奏(じょそう). **2** 예고; 전조(前兆). =前触(まえぶ)れ. ¶春(はる)の訪(おとず)れの~ 봄이 오는 전조.

—きょく【—曲】 [名]〔樂〕전주곡. =プレリュード.

ぜんぞう【漸増】 [名][ス自] 점증. ¶人口(じんこう)が~する 인구가 점증하다. ↔漸減(ぜんげん).

せんぞく【専属】 [名][ス自] 전속. ¶~契約(けいやく) 전속 계약 / プロダクションに~する歌手(かしゅ) 프로덕션에 전속된 가수.

ぜんそく【喘息】 [名]〔醫〕천식. ¶~持(も)ち 천식 환자 / ~の発作(ほっさ) 천식의 발작.

ぜんそくりょく【全速力】 [名] 전속력. =フルスピード·全速(ぜんそく). ¶~を出(だ)す 전속력을 내다 / ~で走(はし)る 전속력으로 달리다.

ぜんそん【全損】 [名] 전손. **1** 죄다 없어진 손실. =まるぞん. **2** 해상 보험에서, 피보험물이 온통 없어진 손실. ¶~担保(たんぽ) 전손 담보. ↔分損(ぶんそん).

センター [center] [名] 센터. **1** 중앙; 중심; 중심지; 중심이 되는 기관. ¶ビジネス~ 비즈니스 센터 / 娯楽(ごらく)~ 오락 센터 / 癌(がん)~ 암센터. **2**〔野〕중견(수). **3** (농구 등에서) 중앙의 위치(의 선수).

—サークル [center circle] [名] 센터 서클; (축구·농구 등 경기장의) 중앙원.

—フライ [center fly] [名]〔野〕센터 플라이. =中飛(ちゅうひ).

—ライン [center line] [名] 센터 라인; (경기장·도로 등의) 중앙선.

せんたい【戦隊】 [名]〔軍〕전대《함대의 한 구분》. ¶第二(だいに)~ 제2 전대.

せんたい【船体】 [名] 선체. ¶船尾(せんび)から~が沈(しず)む 고물부터 선체가 가라앉다.

せんだい【先代】 [名] 선대. **1** 전대(前代). **2** 현 주인의 한 대 전 주인. ¶~にはお世話(せわ)になった 선대께는 신세 많이 졌다.

ぜんたい【全体】 [一][名] 전체. ¶~の意見(いけん)を聞(き)く 전체의 의견을 듣다 / ~をつかむ 전체를 파악하다. ↔部分(ぶぶん).
[二][副] **1** 원래(부터); 본디. =もともと·元来(がんらい). ¶~あの人(ひと)はあまり友人(ゆうじん)がない 원래 저 사람은 친구가 별로 없다. **2**《강한 疑問의 뜻을 나타내어》도대체. =一体(いったい)·全体. ¶~どういうつもりだ 도대체 어쩔 셈이냐.

—しゅぎ【—主義】 [名] 전체주의. ¶~国家(こっか) 전체주의 국가. ↔個人(こじん)主義.

—てき【—的】 [ダナ] 전체적. ¶~に見(み)る 전체적으로 보다. ↔部分(ぶぶん)的.

ぜんだい【前代】 [名] 전대; 전세(前世). =後代(こうだい).

—みもん【—未聞】 [名] 전대미문. =空前(くうぜん). ¶~の出来事(できごと) 전대미문의 사건.

せんたく【洗濯】 [名][ス他] 세탁; 빨래. =せんだく. ¶~物(もの) 세탁물; 빨랫거리 / ~挟(ばさ)み 빨래집게 / ~屋(や)〔代(だい)〕세탁소〔비〕/ 電気(でんき)~機(き) 전기 세탁기 / ~が利(き)く 세탁이 잘 되다 / ~してもちぢまない 세탁해도 줄지 않는다. 「누.

—せっけん【—石鹼】 [名] 세탁〔빨랫〕비

せんたく【選択】 [名][ス他] 선택. ¶~科目(かもく) 선택 과목 / ~に苦(くる)しむ〔迷(まよ)う〕선택에 고심하다〔망설이다〕/ ~を誤(あやま)る 선택을 잘못하다 / ~の幅(はば)を広(ひろ)げる 선택의 폭을 넓히다.

—し【—肢】 [名] 선택지《선다형(選多型) 문제에 마련된 몇 개의 답》.

せんだつ【先達】 [名] **1** 먼저 통달하여 남을 인도하는 일; 또, 그 사람; 선배. ¶学界(がっかい)の~ 학계의 선배. **2** 선도자; 안내인. [注意] 옛날에는 'せんだち'.

せんだって【先達て】 [名][副] 지난번; 얼마 전(에); 요전에. =さきごろ·このあいだ. ¶~来(き)た人(ひと) 전에 온〔왔던〕사람 / ~来(らい) 전부터; 지난번 이래. [注意] '先達て'로 씀은 취음(取音).

ぜんだて【ぜん立て】《膳立て》[名][ス自] **1** 상차림; 식사 준비. **2**《보통 'お'를 붙여서》사전에 준비를 갖추는 일. =下準備(したじゅんび). ¶お~が整(ととの)う 사전 준비가 끝나다.

ぜんだま【善玉】 [名] (옛 소설 등에 나오는) 선인(善人). ¶~悪玉(あくだま) 선인과 악인. [参考] 江戸(えど) 시대의 통속 소설 그림 따위에서, 선인의 얼굴을 ○ 속에 '善' 자를 써서 나타낸 데서. ↔悪玉(あくだま).

センタリング [centering] [名][ス自他] **1**〔컴〕문자나 행(行) 등을 화면 중앙에 가지런히 배치하는 일. **2** (축구의) 센터링. =センターリング.

せんたん【先端】《尖端》[名] 첨단. **1** (칼 따위의) 뾰족한 끝. ¶錐(きり)の~で突(つ)く 송곳 끝으로 찌르다 / 刃(やいば)の~をとがらす 칼끝을 날카롭게 하다. ↔後端(こうたん). **2** 시대의 선두. ¶流行(りゅうこう)の~ 유행의 첨단 / 時代(じだい)の~を行(ゆ)く 시대의 첨단을 가다. [注意] '先端'으로 씀은 대용 한자.

—さんぎょう【—産業】 [名] 첨단 산업.

☞ハイテクさんぎょう.

せんたん【戦端】图 전단. ¶～を開く 전단을 열다.

せんだん【専断】《擅断》图ス他 전단; 제 마음대로 단행함. ¶人事の管理を～する 인사 관리를 전단하다/～をほしいままにする 전단을 자행하다.

せんだん〖栴檀〗图〔植〕전단. **1** 멀구슬나무. ＝おうち. **2**'びゃくだん(＝백단향)'의 딴 이름.

―は双葉より芳し 백단향은 떡잎 때부터 향기롭다《될성부른 나무는 떡잎부터 알아본다》.

せんだん【船団】图 선단. ¶～を組んで出港する 선단을 이루어 출항하다.

ぜんだん【全段】图 전단. ¶～抜き(신문에서) 전단 기사〔광고, 취급〕.

ぜんだん【前段】图 전단; 문장에서, 어떤 단락의 그 앞 단락. ↔後段.

せんち【戦地】图 전지; 전장; 전쟁터. ＝戦場. ¶～勤務を命じる 전지 근무를 명하다/～の夫からたよりがある 전지의 남편으로부터 소식이 있다.

センチ[centi] 图 센티. **1** 미터법에서, 그 단위의 100분의 1을 뜻함《기호: c》. **2**'センチメートル'의 준말.

センチ ダナ 센치《'センチメンタル'의 준말》. ¶～な人 센치한 사람/お～なドラマ 센치한 드라마.

ぜんち【全治】图ス自 전치; 완쾌. ＝ぜんじ·全快. ¶病気が～する 병이 완쾌하다/～二週間の傷を負う 전치 2주의 상처를 입다.

ぜんちし【前置詞】图 전치사.

ぜんちぜんのう【全知全能】图 전지전능. ¶～の神 전지전능하신 하느님.

センチメートル[프 centimètre] 图 센티미터《기호: cm》. ＝センチ.

センチメンタル[sentimental] ダナ 센티멘털; 감상적. ＝センチ. ¶～な歌 감상적인 노래.

センチメント[sentiment] 图 센티멘트. **1** 감정. **2** 감상(感傷).

せんちゃ【せん茶】《煎茶》图 달인 (엽)차. ⇨番茶. ↔まっ茶.

せんちゃく【先着】图ス自 선착. ¶白組が～する 백군이 선착하다/～100名様に記念品を差し上げます 선착하시는 100명(의 손님)에게 기념품을 드립니다.

―じゅん【―順】图 선착순. ¶～に並んでください 선착순으로 서 주십시오.

せんちゅうは【戦中派】图 전중파. 參考 '戦前派·戦後派'를 본뜬 말.

せんちょう【船長】图 선장. **1** 배의 승무원의 우두머리. ¶～室 선장실. **2** 배의 길이. ↔船幅.

ぜんちょう【全長】图 전장. ¶～百メートル 전장 100미터.

***ぜんちょう**【前兆】《前徴》图 전조; 조짐. ＝きざし·まえぶれ. ¶地震〔噴火〕の～ 지진〔분화〕의 전조.

ぜんつう【全通】图ス自 전선 개통. ¶路線が～する 전 노선이 개통되다.

せんて【先手】图 선수; 먼저 수를 씀; 기선을 제압함. ¶警察の～を打って外国へ高飛びした 경찰보다 선수를 쳐서 외국으로 달아났다/～～と攻めて行く(바둑·장기에서) 계속 선수로 공격하다. ↔後手.

せんてい[剪定] 图ス他 전정; 전지(剪枝). ＝整枝. ¶果樹を～する 과수를 전지하다.

せんてい【選定】图ス他 선정. ¶～図書 선정 도서/候補者を～する 후보자를 선정하다.

***ぜんてい**【前提】图 전제. ¶～条件 전제 조건/結婚を～に交際する 결혼을 전제로 교제하다.

せんでき[洗滌] 图ス他 ☞せんじょう.

ぜんてき【全的】ダナ 전적《'全面的·全般的(＝전면적·전반적)'의 준말》. ¶～な信頼 전적인 신뢰/～に支持を受ける 전적으로 지지를 받다.

せんてつ【先哲】图 선철; 선현. ＝前哲. ¶～に学ぶ 선철에게 배우다.

せんてつ【銑鉄】图 선철; 무쇠. ＝ずく

ぜんてつ[前轍] 图 전철. ∟(鉄).

―を踏む 전철을 밟다.

ぜんでら【禅寺】图〔佛〕선사; 선종(禪宗)의 절; 선찰(禪刹). ＝禅林.

せんてん【先天】图 선천. ¶～毒 선천독. ↔後天.

―せい【―性】图 선천성. ¶～免疫 선천성 면역/～心臓病 선천성 심장병. ↔後天性.

―てき【―的】ダナ 선천적. ¶～性質 선천적 성질/～な才能 선천적인 재능. ↔後天的.

****せんでん**【宣伝】图ス他自 선전. ＝ピーアール·プロパガンダ. ¶～屋 허풍쟁이/自己～ 자기 선전/盛んに新車の～をする 활발하게 신차의 선전을 하다/～に大わらわだ 선전에 분주하다.

ぜんてん【全店】图 전점. **1** 가게 전체. ¶～大売り出し 전점 대매출. **2** 모든 가게. ¶大通りは～休業 대로변의 전 상점은 휴업.

ぜんてんこう【全天候】图 전천후. ¶～機 전천후기. 參考 all weather의 역어.

せんと【遷都】图ス自 천도; 도읍을 옮김. ¶京都から江戸へ～する 京都에서 江戸로 천도하다.

セント[cent] 图 센트《미국의 화폐 단위; 1달러의 100분의 1》. 注意 '仙'로 씀은 음역.

セント[Saint; St.; S.] 图 세인트; 성인(聖人); 성도(聖徒). ＝セイント. ¶～フランシス 성(聖) 프란체스코.

せんど【先途】图 **1** 운명의 갈림길(이 되는 중요한 때). ＝せとぎわ. ¶ここを～と戦う 지금이 운명을 결할 때다 하고(있는 힘을 다해) 싸우다. **2** 전도(前途); (종국적인) 결말. ＝前途. ¶～

程遠(ほどとお)し 전도요원하다 / ～を見通(みとお)す 결말을 내다보다.

せんど【先度】图 전번; 지난번; 요전. ＝先(さき)ごろ·せんだって. ¶～おたずねした件(けん) 지난 번 문의한 건 / ～はお世話様(せわさま)でした 전번엔 폐가 많았습니다.

せんど【鮮度】图 (신)선도; 야채·어육 등의 신선한 정도. ＝いき. ¶～が高(たか)い〔落(お)ちる〕 신선도가 높다〔떨어지다〕 / ～を保(たも)つ 신선도를 유지하다.

ぜんと【前途】图 전도. ¶～洋々(ようよう) 전도양양 / ～多難(たなん) 전도 다난 / ～遼遠(りょうえん)だ 전도요원하다.

ぜんど【全土】图 전토. ¶日本(にほん)～ 일본 전토 / ～に広(ひろ)がる 전국에 퍼지다.

*__せんとう__【先頭】图 선두. ¶～打者(だしゃ) 선두 타자 / ～を切(き)る 선두에 서다 / 国旗(こっき)を～に入場(にゅうじょう)する 국기를 선두로 입장하다. ↔後尾(こうび).

せんとう〔尖塔〕图 첨탑; 뾰족탑. ¶教会(きょうかい)の～ 교회의 첨탑.

*__せんとう__【戦闘】图ス自 전투. ¶～機(き) 전투기 / ～部隊(ぶたい) 전투 부대 / ～に加(くわ)わる 전투에 참가하다.

せんとう【銭湯】图〈俗〉대중목욕탕. ＝ふろや·ゆや·公衆浴場(こうしゅうよくじょう). ¶～に行(い)く 대중목욕탕에 가다.

せんどう【先導】图ス他 선도. ¶～車(しゃ) 선도차 / 案内者(あんないしゃ)が～する 안내자가 선도하다.

*__せんどう__【扇動】《煽動》图ス他 선동. ＝アジテーション. ¶大衆(たいしゅう)を～する 대중을 선동하다.

—てき【—的】ダナ 선동적. ¶～政治家(せいじか) 선동적 정치가 / ～な演説(えんぜつ) 선동적인 연설. 注意 '扇動'로 씀은 대용 한자.

せんどう【船頭】图 (뱃)사공. ＝船夫(せんぷ)·かこ·ふなこ. ¶櫓(ろ)を漕(こ)ぐ～の姿(すがた) 노를 젓는 사공의 모습. 參考 본디, 일본식 배의 선장.

—多(おお)くして船(ふね)山(やま)に登(のぼ)る 사공이 많으면 배가 산으로 올라간다.

ぜんとう【前頭】图 전두; 이마. ＝額(ひたい).

—ぶ【—部】图 전두부. ↔後頭部(こうとうぶ).

ぜんとう【漸騰】图ス自 점등; 점점 오름. ¶物価(ぶっか)が～して行(ゆ)く 물가가 점점 올라가다. ↔漸落(ぜんらく).

ぜんどう【善導】图ス他 선도. ¶思想(しそう)～ 사상 선도 / 非行少年(ひこうしょうねん)を～する 비행 소년을 선도하다.

ぜんどう〔蠕動〕图ス自 연동. ¶うじ虫(むし)が～する 구더기가 꾸물거리다 / 胃腸(いちょう)が～する 위장이 연동하다.

セントラル [central] 图 센트럴; 중앙.

—ヒーティング [central heating] 图 센트럴 히팅; 중앙〔집중〕난방.

—ファイルシステム [central file system] 图〔컴〕센트럴 파일 시스템; 집중 파일 관리 방식《지점이나 공장에 있는 데이터를 본사에서 컴퓨터로 집중 관리하는 방식》.

—リーグ [Central League] 图 센트럴 리그《일본 프로 야구 연맹의 하나》. ＝セリーグ. ↔パシフィックリーグ.

ゼントルマン [gentleman] 图 젠틀맨; 신사. ＝ジェントルマン. ↔レディー.

せんな-い〖詮無い〗形 별 수 없다; 소용없다. ¶言(い)っても～ことだが 말해야 소용없지만 / 今(いま)さら悔(く)やんでも～ことだ 이제 와서 후회해야 소용 없는 일이다.

せんない【船内】图 선내. ↔船外(せんがい).

せんなり【千成り】《千生り》图 조롱조롱 열매가 열림. ¶～びょうたん 호리병박의 일종《수많은 작은 열매가 열림》.

ぜんなん【善男】图〔佛〕선남. ＝善男子(ぜんなんし). ↔善女(ぜんにょ).

—ぜんにょ【—善女】图 선남선녀.

せんにく【鮮肉】图 선육; 신선한 고기.

ぜんにち【全日】图 전일; 하루 종일. ＝ぜんじつ. ¶～スト 전일 파업.

—せい【—制】图 전일제; 낮에 수업을 하는 통상적인 학교 교육 과정. ＝ぜんじつせい. ↔定時制(ていじせい).

せんにちて【千日手】图 (장기에서) 비김수; 그 상태.

せんにゅう【潜入】图ス自 잠입. ¶敵陣(てきじん)に～する 적진에 잠입하다.

せんにゅう【先入】图 선입. **1** 미리 마음속에 들어가 있음. ¶～の偏見(へんけん)を去(さ)る 미리 품고 있는 편견을 없애다. **2** 그곳에 먼저 들어가 있음. ¶交差点(こうさてん)では～車(しゃ)優先(ゆうせん) 교차로에서는 먼저 들어가 있는 차가 우선임.

—かん【—観】图 선입관; 고정관념. ＝先入主(せんにゅうしゅ)·先入見(せんにゅうけん). ¶～にとらわれる 선입관에 사로잡히다 / ～が抜(ぬ)けない 선입관이 지워지지 않다. 注意 '先入感'으로 씀은 잘못.

せんにょ【仙女】图 선녀. ＝せんじょ.

ぜんにょ【善女】图〔佛〕선녀. ¶善男(ぜんなん)～ 선남선녀.

せんにん【仙人】图 선인. **1** 신선. **2** (세속을 초월하여) 욕심이 전혀 없는 사람. ¶あの男(おとこ)は～だ 저 사나이는 욕심이라곤 없는 사람이다.

せんにん【先任】图 선임. ¶～者(しゃ) 선임자 / ～将校(しょうこう) 선임 장교 / ～の課長(かちょう) 선임 과장. ↔後任(こうにん)·新任(しんにん).

*__せんにん__【専任】图ス他 전임. ¶～講師(こうし) 전임 강사. ↔兼任(けんにん).

せんにん【選任】图ス他 선임. ¶委員(いいん)を～する 위원을 선임하다.

ぜんにん【善人】图 **1** 선인. ¶～栄(さか)えて悪人(あくにん)滅(ほろ)ぶ 착한 사람은 흥하고 악한 사람은 망한다. ↔悪人(あくにん). **2** 호인; 호인물. ＝お人(ひと)よし. ¶底抜(そこぬ)けの～ 무골호인 / 彼(かれ)は少(すこ)し～過(す)ぎる 그는 좀 어수룩한 데가 있다 / 彼は根(ね)っからの～だ 그는 천성이 호인이다.

ぜんにん【前任】图 전임. ¶～者(しゃ)〔地(ち)〕 전임자〔지〕. ↔現任(げんにん)·後任(こうにん)·新任(しんにん).

せんにんりき【千人力】图 천 사람의 힘이 있음; 굉장히 힘셈; 또, 천 사람의 힘을 얻은 것만큼 마음이 든든함. ¶君(きみ)が

来(き)てくれれば~だ 자네가 와 준다면 더없이 마음이 든든할 것이다.

せんぬき【栓抜き】图 병따개; 마개뽑이. ＝口抜(くちぬ)き.

せんねん【先年】图 몇 해 전; 연전(年前). ＝往年(おうねん). ¶~の火事(かじ)で焼失(しょうしつ)した 지난해의 화재로 소실되었다 / ~来(き)た時(とき)も雨(あめ)でした 연전에 왔을 때도 비가 왔었습니다. 參考 '前年(ぜんねん)' 보다 먼 시점을 가리킴. ↔後年(こうねん).

*__せんねん__【専念】图ス自 전념; 전심. ＝専心(せんしん). ¶研究(けんきゅう)に~する 연구에 전념하다.

ぜんねん【前年】图 전년. **1** 작년; 지난해. ¶~の成績(せいせき) 지난해의 성적. **2** (어느 해의) 바로 전해. 參考 '先年(せんねん)' 보다 가까운 시점.

せんのう【洗脳】图ス他 세뇌. ¶~工作(こうさく) 세뇌 공작.

ぜんのう【全能】图 전능. ¶全知(ぜんち)~ 전지전능.

ぜんのう【全納】图ス他 전납. ＝完納(かんのう). ¶家賃(やちん)を一年分(いちねんぶん)~する 집세를 일 년분 전납하다. ↔分納(ぶんのう).

ぜんのう【前納】图ス他 전납; 예납(豫納). ¶会費(かいひ)を~する 회비를 전납하다. ↔後納(こうのう).

ぜんば【前場】图 (거래소에서) 전장. ↔後場(ごば).

せんばい【専売】图ス他 전매. ¶アルコールと塩(しお)は政府(せいふ)の~品(ひん)だ 알코올과 소금은 정부의 전매품이다.

—とっきょ【—特許】图 **1** 전매 특허 《'特許(とっきょ)(=특허)' 의 구칭》. **2** 〈俗〉 특기; 장기(長技). ＝おはこ. ¶それは彼(かれ)の~だ 그것은 그의 전매특허다.

*__せんぱい__【先輩】图 선배. ¶大学(だいがく)の~ 대학 선배 / ~づらをする 선배연하다. ↔後輩(こうはい)·同輩(どうはい).

ぜんぱい【全敗】图ス自 전패. ¶三戦(さんせん)~ 삼전 전패 / 今場所(こんばしょ)は~した (씨름의) 이번 대회에서는 전패했다. ↔全勝(ぜんしょう).

ぜんぱい【全廃】图ス他 전폐. ¶配給制度(はいきゅうせいど)を~する 배급 제도를 전폐하다.

せんぱく【浅薄】图ダナ 천박. ¶~な意見(いけん) 천박한 의견 / ~な知識(ちしき)をふりまわす 천박한 지식을 마구 자랑하다.

せんぱく【船舶】图 선박. ＝ふね. ¶~会社(がいしゃ) 선박 회사 / ~保険(ほけん) 선박 보험 / ~の出入(でい)りを監視(かんし)する 선박의 출입을 감시하다.

*__せんばつ__【選抜】图ス他 선발. ＝よりぬき. ¶~試験(しけん) 선발 시험 / ミス日本(にっぽん)~大会(たいかい) 미스 일본 선발 대회 / 選手(せんしゅ)を~する 선수를 선발하다.

せんぱつ【先発】图ス自 선발. **1** 먼저 출발함. ¶~隊(たい) 선발대 / ~メーカー 선발 메이커. ↔後発(こうはつ). **2**〔野〕(선수가) 경기 개시 때부터 나옴. ¶~メンバー 선발 멤버 / ~投手(とうしゅ) 선발 투수.

せんぱつ【洗髪】图ス自 세발. ＝かみあらい. ¶~料(りょう) 세발료 / シャンプーで~する 샴푸로 머리를 감다.

せんぱつ【染髪】图ス自 염발; 머리를 염색함. ¶赤(あか)く~する 머리를 붉게 염색하다.

せんばづる【千羽づる】《千羽鶴》图 종이로 접은 학을 줄줄이 이어 단 것; 또, 많은 학을 그린 무늬. 參考 병의 완쾌를 빌며 만듦.

せんぱばんぱ【千波万波】图 천파만파; 잇따라 밀려오는 물결; 많은 물결. ¶~を乗(の)り切(き)る 천파만파를 헤쳐 나가다.

せんばん【千万】图 **1**《接尾語적으로》 천만; 더할 수 없음; 격심함. ¶笑止(しょうし)~ 가소롭기 짝이 없음 / 迷惑(めいわく)~ 더없이 귀찮음 / 無礼(ぶれい)~ 무례하기 그지 없음. **2**《副詞적으로》 여러 가지[모]로. ＝いろいろ(に). ¶~かたじけない 여러 가지로 고맙다 / ~心(こころ)を砕(くだ)く 여러 가지로 궁리를 하다[머리를 짜다] / ~手(て)を尽(つ)くす 여러모로 손을 쓰다.

せんばん【千番】图 천번; 천회.

—に一番(いちばん)の兼(か)ね合(あ)い 천번에 한번 성공할까 말까 한 어려운 일.

せんばん【旋盤】图 선반. ＝レース·ダライ盤(ばん). ¶~工(こう) 선반공 / ~にかける 선반에 걸다.

せんぱん【先般】图 전번; 지난번; 일전; 요전. ＝さきごろ·このあいだ. ¶~来(らい) 전번부터 / ~申(もう)し上(あ)げた件(けん) 요전에 말씀 드린 건. ↔今般(こんぱん).

せんぱん【戦犯】图 전범《'戦争(せんそう)犯罪(はんざい)人(にん)(=전쟁 범죄인)' 의 준말》. ¶彼(かれ)を~扱(あつか)いする 그를 전범 취급하다.

ぜんはん【前半】图 전반. ¶~期(き) 전반기 / 試合(しあい)の~は優勢(ゆうせい)であった 경기 전반은 우세했다. ↔後半(こうはん). 注意 'ぜんぱん' 이라고도 함.

—せん【—戦】图 전반전. ↔後半戦(こうはんせん).

ぜんぱん【全般】图 전반. ¶日本人(にほんじん)~に見(み)られる傾向(けいこう) 일본인 전반에 볼 수 있는 경향 / ~にわたって 전반에 걸쳐 / 教育(きょういく)の~を論(ろん)ずる 교육 전반을 논하다.

—てき【—的】ダナ 전반적. ¶成績(せいせき)が~によい 성적이 전반적으로 좋다.

ぜんはんせい【前半生】图 전반생. ¶悔(く)いの多(おお)かった~ 후회 많은 전반생. ↔後半生(こうはんせい).

せんび【戦備】图 전비. ＝軍備(ぐんび). ¶~を整(ととの)える 전비를 갖추다.

せんび【船尾】图 선미; 고물. ＝とも. ¶~灯(とう) 선미등. ↔船首(せんしゅ).

せんぴ【戦費】图 전비. ¶~をまかなう 전비를 조달하다.

ぜんぴ【前非】图 전비. ＝先非(せんぴ). ¶~を悔(く)いる 전비를 뉘우치다.

せんびょう【線描】图〔美〕 선묘; 선만으로 그림. ＝せんがき·デッサン. ¶~のスケッチ 선만으로 그린 스케치.

せんぴょう【選評】图ス他 선평; 선후평(選後評). ¶応募作品(おうぼさくひん)を~する 응모 작품을 선평하다.

せんびょうしつ［腺病質］图 선병질; 체

격이 빈약하고 신경질적인 체질.

せんびん【先便】图 얼마 전에 낸 편지. ＝前便·先信. ¶～お受け取りくださいましたか 전번의 편지는 받으셨습니까. ↔後便.

せんびん【船便】图 선편; 배편. ＝ふなびん. ¶～で送る 선편으로 보내다.

ぜんびん【前便】图 ☞せんびん(先便).

せんぶ［宣撫］图ス他 선무. ¶～工作 선무 공작.

せんぷ【宣布】图ス他 선포. ¶戒厳令を～する 계엄령을 선포하다.

**ぜんぶ【全部】图 전부. ¶～使ってしまう 전부 써 버리다/～君に任せる 전부 자네에게 맡긴다/～そろう 전부 갖추어지다; 다 모이다/～できた 다 되었다/～が～良いとは限らぬ 전부가 다 좋다곤 할 수 없다. 參考 副詞적으로 씀. ↔一部.

ぜんぶ【前部】图 전부. ¶～甲板 전부 갑판. ↔後部.

せんぷう【旋風】图 선풍. ＝つむじかぜ. ¶～がふきまくる 선풍이 휘몰아치다/～的な人気 선풍적인 인기/学界に一大～を巻きおこす 학계에 일대 선풍을 일으키다.

せんぷうき【扇風機】图 선풍기. ＝ファン. ¶天井～ 천장에 달린 선풍기/～をかける〔止める〕 선풍기를 틀다〔끄다〕/～の風に当たる 선풍기 바람을 쐬다.

せんぷく【潜伏】图ス自 잠복. ¶～期 잠복기/～中の犯人 잠복 중인 범인/地下に～する 지하로 잠복하다.

せんぷく【船腹】图 선복. **1** 배의 동체(胴體) 부분. ¶～に穴をあけられる 선복에 구멍이 뚫리다. **2** 배의 내부(의 화물 적재 장소). **3** 배의 적재량.

ぜんぷく【全幅】图 전폭. ¶～の信頼をよせる 전폭적으로 신뢰하다.

せんぶん【線分】图〔數〕선분.

ぜんぶん【全文】图 전문. ¶～を掲載する 전문을 게재하다.

ぜんぶん【前文】图 전문. **1** (편지의) 첫머리의 인사말 부분. **2** (강령·규약 등의) 서문(序文). ¶憲法の～ 헌법 전문. **3** (어떤 부분보다) 앞에 쓴 문장. ¶～を削る 전문을 삭제하다.

せんべい『煎餅』图 구운 납작 과자《밀가루·쌀가루 등을 반죽해 만듦》. ＝おせん. 參考 東京 지방에선 특히 '塩せんべい(＝짭짤한 せんべい)'를 가리킴.

—ぶとん【—布団】图 솜이 적고 보잘것없는 얇은 이불. ¶綿のはみでた～にくるまる 솜이 비어져 나온 얇은 이불을 뒤집어쓰다.

せんぺい【先兵】《尖兵》图 첨병. ¶海外に進出する企業の～となる 해외로 진출하는 기업의 첨병이 되다. 注意 '先兵'로 씀은 대용 한자.

ぜんべい【全米】图 전미; 미국 전체.

せんべつ【選別】图ス他 선별. ＝よりわけ. ¶すいかを～して出荷する 수박을 선별해서 출하하다.

***せんべつ**［餞別］图ス自 전별 금품; 또, 그것을 주는 일. ＝はなむけ. ¶～を贈る 전별 금품을 증정하다.

せんべん［先鞭］图 선편; 앞지름; 선수. **—をつける** 선수를 쓰다. ¶新技術導入の～ 신기술 도입의 기선을 잡다. 參考 본래는, 남보다 먼저 말에 채찍질하여 선착의 공을 세움을 뜻함.

ぜんぺん【全編】《全篇》图 전편. ¶小説の～にみなぎる詩情 소설 전편에 넘치는 시정. 注意 본디는 '全篇'으로 썼음.

ぜんぺん【前編】《前篇》图 전편. ¶～だけ読む 전편만 읽다. 注意 본디는 '前篇'으로 썼음. ↔後編·中編.

せんぺんいちりつ【千編一律】《千篇一律》名ナ 천편일률. ¶～の内容 천편일률적인 내용.

せんぺんばんか【千変万化】图ス自 천변만화. ¶～する世相 천변만화하는 세태/～の計略 변화무쌍한 계략.

せんぼう［羨望］图ス他 선망. ¶～の的となる 선망의 대상이 되다/～に堪えないね 말할 수 없이 부럽군.

***せんぽう**【先方】图 **1** 상대편; 상대방. ＝むこう. ¶～の意思 상대방의 의사/～の出よう一つだ 상대편이 어떻게 나오느냐에 달렸다. ↔当方. **2** 저쪽; 앞쪽. ¶～に着く 행선지에 닿다.

せんぽう［先鋒］图 선봉. ＝さきて. ¶急～ 급선봉/反対運動の～ 반대 운동의 선봉. ↔殿軍.

せんぽう【戦法】图 전법. ¶積極～ 적극 전법/捨て身の～に出る 필사의 전법으로 나오다.

ぜんぼう［全貌］图 전모. ＝全容. ¶～を明らかにする 전모를 밝히다/富士山が～をあらわす 후지 산이 전모를 드러내다 / 事件の～が明るみに出た 사건의 전모가 드러났다.

ぜんぽう【前方】图 전방; 앞 방면〔방향〕. ¶はるか～に見える島 멀리 전방에 보이는 섬/～に一歩出る 앞으로 한 발짝 나아가다. ↔後方.

せんぼうきょう【潜望鏡】图 잠망경. ＝ペリスコープ. ¶～で海上を偵察する 잠망경으로 해상을 정찰하다.

せんぼつ【戦没】《戦歿》图ス自 전몰. ¶～将士 전몰 장병/～者の霊を慰める 전몰자의 넋을 위로하다. 參考 본디는 '戦歿'로 썼음.

ぜんまい『薇』图〔植〕고비.

ぜんまい『発条·撥条』图 태엽; 용수철. ＝ばね·発条·スプリング. ¶自動的に～の懸かる腕時計 자동적으로 태엽이 감기는 손목시계.

せんまいどおし【千枚通し】图 송곳의 하나《여러 겹의 종이를 뚫는 데 씀》.

ぜんまいばかり『発条秤·撥条秤』图 용수철 저울. ＝ばねばかり.

せんまいばり【千枚張り】图 **1** (종이·천

따위를) 여러 겹으로 발라서 두껍게 함; 또, 그 종이〔천〕. **2** 아주 뻔뻔스러움. ¶ 面の皮が~だ 낯가죽이 두껍다; 철면피다.

せんまん【千万】图 천만. ¶~言を費やす 수많은 말을 하다.

—むりょう【—無量】图 수없이 많음; 헤아릴 수 없음.

せんみつ【千三つ】图 **1** 거짓말쟁이; 허풍쟁이. =うそつき·ほらふき. 参考 천 마디에 믿을 말은 세 마디뿐이라는 뜻. **2** 복덕방; 거간꾼. 参考 천에 셋 정도밖에 상담(相談)이 성립되지 않는다는 뜻. 注意 1, 2 모두 '千三つ屋'라고도 함.

せんみん［賤民］图 천민.

せんみん【選民】图 선민. ¶~意識 선민의식.

せんむ【専務】图 전무. ¶~車掌 여객 전무 / 会社の~ 회사의 전무 / 外部との折衝を~とする 외부와의 절충을 도맡아 하다. 「이사. =専務.

—とりしまりやく【—取締役】图 전무

せんむは【戦無派】图 (2차 대전 후에 태어난) 전쟁을 전혀 모르는 세대.

せんめい【鮮明】图ダナ 선명. ¶~な色彩 선명한 색채 / 画像が~だ 화상이 선명하다.

せんめい［闡明］图ス他 천명; 밝힘. ¶中外に~する 중외〔세상〕에 천명하다.

せんめつ［殲滅］图ス他 섬멸; 무찌름. ¶残敵を~する 잔적을 섬멸하다.

***ぜんめつ**【全滅】图ス自他 전멸. ¶敵は~した 적은 전멸했다 / かぜで一家そろって~だ 감기로 온 집안이 앓아 누웠다 / 大水で畑の作物は~だ 홍수로 밭작물은 전멸이다.

せんめん【洗面】图ス自 세면; 세수. ¶~道具 세면도구 / 冷水で~する 냉수로 세수하다.

ぜんめん【全面】图 전면; 전체. =すべて. ¶~戦争〔広告〕 전면 전쟁〔광고〕 / ~にわたって 전면에 걸쳐서 / ~解決を図る 전면적 해결을 꾀하다.

—てき【—的】ダナ 전면적. ¶~に改訂する 전면적으로 개정하다.

ぜんめん【前面】图 전면. ¶~攻撃 전면 공격 / 要求を~に押し出す 요구를 전면에 내세우다. ↔後面.

せんもう【繊毛】图 섬모. **1** 가는 털. **2** 세포 표면에 나온 가는 털 모양의 돌기. ¶~運動 섬모 운동.

****せんもん**【専門】图 전문. ¶~医 전문의 / ~書 전문 서적 / ~ばか 자기 전문 분야 외는 상식적인 판단조차 못하는 사람 / 古代史を~に研究する 고대사를 전문으로 연구하다 / それは私の~外だ 그것은 나의 전문 밖이다.

—か【—家】图 전문가. =エキスパート. ¶~の意見を聞く 전문가 의견을 듣다.

—しょく【—職】图 전문직.

—てき【—的】ダナ 전문적. ¶~な話 전문적인 이야기.

—てん【—店】图 전문점. ¶洋書~ 양서 전문점.

ぜんもん【前門】图 전문; 앞문. =おもてもん. ↔後門.

—の虎, 後門の狼 앞문의 범, 뒷문의 늑대《재난을 피하자 또 다른 재난이 닥침; 앞뒤로 재난을 당함》.

ぜんもんどう【禅問答】图 **1**〖佛〗선문답. **2** 제삼자가 알아들을 수 없는 문답이나 알듯 모를 듯한 수작. =こんにゃく問答.

せんや【先夜】图 선야; 요전날 밤《'前夜(=전야)'보다 좀더 전의 시점의 밤》. =先晩.

せんや【戦野】图 전야; 전장(戰場); 싸움터.

ぜんや【前夜】图 전야. ¶~祭 전야제 / クリスマス~ 크리스마스 전야.

せんやいちやものがたり【千夜一夜物語】图 천일 야화; 아라비안나이트. =千一夜物語.

せんやく【先約】图 선약. ¶~があるので断る 선약이 있어서 사절하다 / ~を果たす 선약을 이행하다.

ぜんやく【全訳】图ス他 전역. ¶聖書を~する 성서를 완역하다. ↔抄訳.

せんゆう【占有】图ス他 점유. ¶~物 점유물 / 市場~率 시장 점유율 / 土地を~する 토지를 점유하다.

せんゆう【専有】图ス他 전유; 독점. =ひとりじめ. ¶~物 전유물 / 利権を~する 이권을 독점하다. ↔共有.

せんゆう【戦友】图 전우. ¶昔の~に会う 옛 전우를 만나다.

せんよう【占用】图ス他 점용. ¶道路を~して下水工事をする 도로를 점용하여 하수 공사를 하다.

せんよう【宣揚】图ス他 선양. ¶国威の~ 국위 선양.

***せんよう**【専用】图ス他 전용. ¶社長の~車 사장 전용차 / 国産品を~する 국산품을 전용하다. ↔兼用.

—かいせん【—回線】图 (전기 통신 사업자에게 빌린 회선 중 컴퓨터 이외의 기기를 접속하는) 전용 회선.

ぜんよう【善用】图ス他 선용. ¶余暇の~ 여가 선용 / ばかも~すれば役に立つ 바보도 잘만 쓰면 쓸모가 있다. ↔悪用.

ぜんよう【全容】图ス他 전용; 전모; 전 내용. ¶事件の~があきらかになる 사건의 전모가 밝혀지다.

ぜんら【全裸】图 전라; 알몸; 발가숭이. =まるはだか·すっぱだか. ¶~になる 알몸이 되다. ↔半裸.

せんらん【戦乱】图 전란. ¶~のちまたと化する 전쟁터로 변하다 / ~が起こる 전란이 일어나다.

せんり【千里】图 천리. ¶~眼 천리안 / ~を遠しとせず 천리를 멀다 않다.

—の馬 천리마. =千里のこま.

—の駒 천리구. 参考 재능이 남달리 뛰어난 사람에도 비유됨.

—の堤も, ありの一穴より ⇨せんじょう(千丈).

せんり【戦利】图 **1** 전승(戰勝). **2** 전리.
—ひん【—品】图 전리품.
せんりつ〔戦慄〕图ス自 전율. ¶～すべき犯罪 전율할 범죄 / ～を覚える 전율을 느끼다.
せんりつ【旋律】图 선율. ＝メロディー. ¶静かな～が流れる 조용한 선율이 흐르다.
ぜんりつせん〔前立腺〕图 전립선. ¶～癌 전립선암.
せんりゃく【戦略】图 전략. ＝ストラテジー. ¶～物資 전략 물자 / ～を練る〔誤る〕 전략을 짜다〔그르치다〕.
—さんぎょう【—産業】图 전략 산업.
ぜんりゃく【前略】图ス他 (편지·인용문 등에서의) 전략. ↔中略·後略.
せんりゅう【川柳】图 江戸 시대 중기에 前句付에서 독립된, 5·7·5의 3구 17음으로 된 짧은 시《풍자나 익살이 특색임; 柄井川柳가 평점(評點)을 한 데서 유래됨》.
せんりょ【千慮】图 천려; 여러 가지로 깊이 생각함; 또, 그 생각.
—の一失 천려일실.
せんりょ【浅慮】图 천려; 얕은 생각. ¶～を恥じる 천박한 생각을 부끄러워하다. ↔深慮.
せんりょう【千両】图 천냥. ¶彼女のえくぼは～ものだ 그녀의 보조개는 천냥짜리다.
—やくしゃ【—役者】图 **1** 천 냥짜리 배우; 뛰어난 배우. **2** 눈부신 활약으로 주목을 끄는 사람.
***せんりょう**【占領】图ス他 점령. ¶～地〔軍〕 점령지〔군〕/ ふたり分の席を～する 두 사람 몫의 자리를 차지하다.
***せんりょう**【染料】图 염료; 물감.
せんりょう【選良】图 선량; 특히, 국회의원을 이름. ¶～にあるまじき行為 선량으로 있을 수 없는 행위.
ぜんりょう【善良】名ナ 선량. ¶近ごろは～な市民が腰を抜かすような事件が多い 요즘은 선량한 시민이 기겁할 사건이 많다. ↔不良·悪質.
ぜんりょう【全量】图 전량.
ぜんりょう【全寮】图 전료. **1** 모든 기숙사. **2** 그 기숙사 전체. ¶～あげての催し 기숙사 전체적인 행사. **3** 입학 또는 입사한 전원이 기숙사에 들어감. ¶～制の高校 전원 기숙사 입사제(入舍制)의 고교.
せんりょく【戦力】图 **1** 전력; 전투 능력. ¶～を増強する 전력을 증강하다. **2** 일을 수행하는 능력; 또, 그 능력이 있는 사람《집단 작업에 대해 일컬음》. ¶一人や二人の加勢では～にならない 한두 사람의 가세만으로는 일의 수행 능력이 될 수 없다.
***ぜんりょく**【全力】图 전력. ¶～をつくす 전력을 다하다 / ～で戦う 전력으로 싸우다.
—とうきゅう【—投球】图ス自 전력투구. ¶新しい仕事に～する 새로 하는 일에 전력투구하다.
ぜんりん【善隣】图 선린. ¶～外交〔友好〕 선린 외교〔우호〕/ ～のよしみを結ぶ 선린의 교분을 맺다.
ぜんりん【前輪】图 전륜; 앞바퀴. ¶～駆動 전륜 구동(차). ↔後輪.
せんれい【先例】图 선례; 전례. ¶～をひらく 선례를 만들다 / ～にならう 선례에 따르다 / ～を参考にする 선례를 참고로 하다.
せんれい【洗礼】图 세례. ¶～を施す 세례를 베풀다 / 冷や水の～を浴びる 찬물 세례를 받다; 찬물을 뒤집어쓰다 / 原爆の～をうける 원폭 세례를 받다.
—めい【—名】图〘基〙세례명. ＝クリスチャンネーム.
せんれい【鮮麗】ダナ 선려; 선명하고 아름다운 모양. ¶～な色 고운 빛깔 / ～なカラー写真 선명한 컬러 사진.
ぜんれい【前例】图 전례. ¶～に従う 전례를 좇다 / ～のない事件 전례가 없는 사건 / ～にならう 전례에 따르다.
せんれき【戦歴】图 전력. ¶輝かしい～の持ち主 빛나는 전력의 소유자.
ぜんれき【前歴】图 전력. ¶～の豊富な人 전력이 풍부한 사람 / 結核の～がある 결핵을 앓은 전력이 있다.
せんれつ【戦列】图 전열. ＝戦闘体形. ¶～に加わる 전열에 참가〔가담〕하다 / ～を離れる 전열에서 이탈하다.
せんれつ【鮮烈】ダナ 선명하고 강렬한 모양. ¶～な印象〔色彩〕 선명하고 강렬한 인상〔색채〕.
***せんれん**【洗練·洗錬】《洗煉》图ス他 세련. ¶～された紳士 세련된 신사 / ～された文章 세련된 문장.
***せんろ**【線路】图 선로; 궤도. ＝レール. ¶～工事 선로〔보선〕 공사.
せんろっぽん【千六本·繊六本】图 무채; 또, 무채를 써는 일. ＝せんぎり.
ぜんわ【禅話】图〘佛〙선화; 선도(禪道)의 이야기.

そ ソ

1 五十音図 'さ行'의 다섯째 음. [so]. **2**〘字源〙'曾'의 초서체《かたかな 'ソ'는 '曾'의 윗부분》.

そ【疎】名ナ **1** 성김. ¶～なる林 소림(疎林) / 人口密度が～な地域 인구 밀도가 성긴 지역. **2** 소홀함; 등한히 함. ¶天網恢々～にして漏らさず 법망은 눈이 성긴 것 같지만 악인은 빠짐없이 걸린다. ⇔密. **3** 격조. ¶日ご

ろの～をわびる 평소의 격조함을 사과하다. ↔親(しん).

そ【祖】 图 조. **1** 선조. ¶六代(ろくだい)の～ 6대조. **2** 원조; 개조; 시조. ¶近代(きんだい)物理学(ぶつりがく)の～ 근대 물리학의 시조 / 仏教(ぶっきょう)～ 불교의 개조.

そ【租】 图 조. **1** 전세(田稅). ¶～を納(おさ)める 조를 바치다. **2** 조세; 연공(年貢).

そ【粗】 《麁·麤》 名ナ **1** 거칢; 조잡〔엉성〕함. ¶表面(ひょうめん)の～なる物体(ぶったい) 표면이 거친 물체 / ～なる作戦(さくせん) 엉성한 작전 / ～にして精(せい)ならず 조잡하여 꼼꼼하지 못하다. ↔精(せい)·密(みつ). **2** 변변치 못함. ¶～なる衣服(いふく) 변변치 못한 의복.

そ【素】 图〔數〕소수. ¶～の整数(せいすう) 소의 정수 / A(エー)とB(ビー)とは互(たが)いに～である A와 B는 서로 소수이다.

ソ ［蘇］ 图 'ソ連(れん)(=구소련)'의 준말. ¶日(にっ)～交渉(こうしょう) 일소 교섭.

ソ ［이 sol］ 图〔樂〕솔; 장음계의 제5음; 사음.

そ〚阻〛 常用 ソ はばむ けわしい | 조 험하다 | **1** 험하다; 험한 곳. ¶険阻(けんそ) 험조. **2** 막다; 방해하다. ¶阻止(そし) 저지 / 阻害(そがい) 저해(沮害) / 阻隔(そかく) 조격.

そ〚祖〛《祖》 教5 ソ おや | 조 할아버지 | **1** 할아버지. ¶祖父(そふ) 조부. **2** 조상; 선조. ¶始祖(しそ) 시조. **3** 원조; 시조. ¶医学(いがく)の祖(そ) 의학의 시조.

そ〚租〛 常用 ソ | 조 구실 | **1** 조세; 세금. ¶租税(そぜい) 조세. **2** 토지를 차용하다. ¶租借(そしゃく) 조차 / 租界(そかい) 조계.

そ〚素〛 教5 ソ ス もと | 소 희다 | **1** 물들이지 않은 깁. ¶素絹(そけん) 소견. **2** 희다. ¶素服(そふく) 소복. **3** 바탕 그대로임. ¶素地(そじ) 소지 / 素足(すあし) 맨발 / 素顔(すがお) 맨 얼굴.

そ〚措〛 常用 ソ おく | 조 놓다 | **1** 두다; 그대로 두다. ¶措置(そち) 조치. **2** 행동; 동작. ¶挙措(きょそ) 거조.

そ〚粗〛 常用 ソ あらい ほぼ | 조 거칠다 | **1** 거칠다; 치밀하지 않다. ¶粗忽(そこつ) 조홀; 경솔함. **2** 자기의 선물 따위를 낮추어 이르는 말. ¶粗品(そしな) 조품.

そ〚組〛 教2 ソ くむ くみ | 조 끈 | **1** 끈목. ¶組纓(そえい) 조영; 갓끈. **2** ㉠짜다; 조직(하다). ¶組織(そしき) 조직 / 改組(かいそ) 개조. ㉡'組合(くみあい)'의 준말. ¶労組(ろうそ) 노조.

そ〚疎〛 常用 ソ まばら おろそか うとい うとむ うとましい | 소 드물다 | **1** 성기다. ¶疎開(そかい) 소개. ↔密(みつ). **2** 친하지 않다; 멀리하다. ¶親疎(しんそ) 친소. 注意 '疏'의 속자.

そ〚訴〛 常用 ソ うったえる | 소 송사 | **1** 송사하다; 호소(하다). ¶訴因(そいん) 소인 / 訴訟(そしょう) 소송 / 上訴(じょうそ) 상소 / 告訴(こくそ) 고소. **2** 하소연하다. ¶哀訴(あいそ) 애소.

そ〚塑〛 常用 ソ | 소 흙이겨만들다 | 흙을 개서 물건의 모양을 만들다. ¶塑像(そぞう) 소상 / 塑造(そぞう) 소조 / 彫塑(ちょうそ) 조소.

そ〚礎〛 常用 ソ いしずえ | 초 주춧돌 | 주춧돌. ¶礎石(そせき) 초석 / 基礎(きそ) 기초.

ぞ ㊀終助《終止形에 붙어》**1** (스스로) 강하게 다짐하는 뜻을 나타냄. ¶あれ変(へん)だ～ 거 이상한데 / ぼくの方(ほう)が正(ただ)しい～ 내가〔내 쪽이〕옳아 / そんな事(こと)をだれが信(しん)じよう～ 그런 것을 누가 믿는단 말인가. **2** 자신의 생각을 강하게 주장함을 나타냄. ¶そら投(な)げる～ 자 던진다 / ぼくの番(ばん)だ～ 내 차례야.
㊁副助《疑問의 말과 함께 써서》부정(不定)의 사물을 가리킴. ¶たれ～に頼(たの)もう 누구에게 부탁하랴.
㊂係助〈古〉강조하여 지시하는 말. ¶これ～まさしく 이것이야말로 / 彼(かれ)～まさしく救国(きゅうこく)の英雄(えいゆう) 그 사람이야말로 바로 구국의 영웅(이다).

そあく【粗悪】 名ナ 조악. ¶～品(ひん) 조악품 / ～な作(つく)り〔製品(せいひん)〕 조악한 만듦새〔제품〕. ↔精巧(せいこう).

そい【粗衣】 图 조의; 허술한 옷.

――そしょく【――粗食】 图 조의조식. ¶～に甘(あま)んじる 조의조식에 만족하다.

=ぞい【沿い】 …에 따라서 있음; …연도〔연변〕. ¶線路(せんろ)～の家(いえ) 철길을 따라서 있는 집 / 川(かわ)～の道(みち)を歩(ある)く 강가〔냇가〕의 길을 거닐다.

そいつ〘其奴〙 代〈俗〉그놈; 그것. ¶～を捕(つか)まえてくれ 그놈을 붙잡아 주게 / ～を取(と)ってくれ 그것을 집어 주게 / ～はありがたい 그거 고맙네. 注意 'そやつ'의 변한 말. 参考 물건을 가리키는 경우는 'それ'의 좀 천한 말. ↔あいつ·こいつ·どいつ.

そいと-げる【添い遂げる】 下1自 **1** 백년해로하다. ¶五十年間(ごじゅうねんかん)～ 50년 동안 해로하다 / 仲睦(なかむつ)まじく～ 금실 좋게 해로하다. **2** 부부가 되다. ¶どんな反対(はんたい)に会(あ)っても～ 어떤 반대에 부닥쳐도 부부가 되겠다.

そいね【添い寝】 图ス自 곁잠. =そいぶし. ¶赤(あか)ん坊(ぼう)に～する 갓난아기 옆에서 곁잠을 자다 / 乳(ちち)を飲(の)ませながら～をする 젖을 빨리며 곁잠을 자다.

そいぶし【添いぶし】 《添い臥し》 图 **1** ☞そいね. **2** 옛날, 귀인의 관례(冠禮) 때 소녀가 동침하던 일.

そいん【素因】 图 소인. **1** 원인. ¶それが不良化(ふりょうか)の～をなしている 그것이 불량화의 원인이 되고 있다. **2** 그 병에 걸리기 쉬운 소질. ¶個人的(こじんてき)～に左右(さゆう)される 개인적 소인에 좌우되다.

***そ-う【沿う】** 5自 **1** 따르다. ¶川(かわ)に～·って下(くだ)る 강을 따라 내려가다 / 海岸線(かいがんせん)に～·って走(はし)る 해안선을 따라 달리다. **2** 어떤 물건의 주위에 있다. ¶湖(みずうみ)に～村(むら) 호숫가의 마을.

そ-う【添う】《副う》5自 **1** 더하다; 첨가하다. ¶趣が～ 멋이 더해지다. **2** 곁에서 떨어지지 않다. ¶影の形に～ごとく 그림자가 형체를 따르듯이. **3** 부부로서 함께 살다. ¶連れ～相手 함께 사는 상대/二人を～·わせる 두 사람을 짝지어 주다. **4** (기대에) 부응하다. ¶父の希望に～ 아버지의 희망에 따르다/期待に～ 기대에 부응하다.

そう【僧】名 승; 승려; 중. ¶禅宗の～ 선종의 승려; 선승. ↔俗.

そう【壮】名 **1** 장년; 장정. ¶～に及ぶ 장년에 이르다/～にして一家をなす 장년〔한창 나이〕에 일가를 이루다. **2** 장함; 굳세고 씩씩함. ¶何ぞ～なる 그 얼마나 장하냐.

—とする 장하게 여기다. ¶その意気を～ 그 의기를 장하게 여기다.

そう【宗】名 **1** 근본; 기초. ¶～とする 근본으로 삼다. **2** (한 유파의) 종가(宗家); 본가(本家). **3** 선조; 조상.

そう【層】名 층. **1** 켜. ¶三重の～をなす 삼중의 층을 이루다/～をなす 층이 지다. **2** 지층(地層). ¶石炭の～ 석탄층/沖積～ 충적층. **3** 계층. ¶知識～ 지식층/読者～ 독자층/選手の～が厚い 선수층이 두텁다.

そう【想】名 상; 생각; 구상. ¶～を練る 구상을 가다듬다.

そう【相】名 상; 생김새; 모습; 특히, 인상. ¶貴人の～ 귀인의 상/山の～が変わる 산의 모습이 바뀌다.

そう[箏]名〔樂〕쟁《거문고와 비슷하게 생긴 13줄의 현악기》. ＝箏の琴. 参考 오늘날 'こと(琴)'라고 부르는 것은 이 '箏'를 이름. ⇨こと(琴).

そう【装】名 몸치장; 채비. ¶～を新たにする 단장을 새로이 하다/～をこらす 몸치장하다/～を改める 매무시를 고치다.

そう【双】一名 **1** 쌍; 짝. ¶～の仏像 한 쌍의 불상. **2** 견줌; 비김; 필적. ¶～なき腕前 견줄 데 없는 솜씨.

二接尾 쌍〔짝〕을 이룬 것을 세는 말. ¶びょうぶ一～ 병풍 한 짝.

***そう** 一副 그렇게; 그리. ¶私も～思います 저도 그렇게 생각합니다/～簡単には行かない 그렇게 간단히는 안 된다/～して彼は金持ちになった 그렇게 해서 그는 부자가 되었다.

二感 상대의 말에 긍정·놀람·반신반의 등의 기분을 나타내는 말: 그래; 정말. ¶あら, ～ 어머나, 그래/～, うそじゃないだろうな 그래, 거짓말은 아니겠지? 参考 'そうです·そうでございます(＝그렇습니다)'를 격식 차릴 경우에는 'さようです·さようでございます(＝그러하옵니다'라고 함.

—は問屋が卸さない 그렇게 엿장수 마음대로는 안 된다.

そう=【総】총…. ¶～収入 총수입.

=そう《'～だ' '～な' '～に' 따위의 꼴로》**1** …모양임; …듯함; (당장에라도) …ㄹ 것 같음. ¶これでよさ～ですね 이것으로 좋을 것 같군요/怒られ～だ 야단 맞을〔꾸중 들을〕것 같다/うれし～な顔 즐거운〔기쁜〕듯한 얼굴/雨が降り～だ (곧) 비가 올 듯하다. 参考 形容詞·助動詞의 'ない', 形容詞의 'よい'는 'なさそう·よさそう'가 됨. **2** …라고 한다; …라더군. ¶あの人は行く～です 저 사람은 간다고 합니다/もういい～だよ 이젠 괜찮단다.

=そう【荘】…장《여관·아파트 따위에 붙이는 이름》. ¶若葉～ 若葉장.

=そう[艘] …척(隻). ¶小舟三～ 작은 배 세 척.

そう〖双〗《雙》常用 ソウ ふた | 쌍 쌍 | **1** 짝을 짓다; 짝; 쌍. ¶双方 쌍방. **2** 짝을 이루다. ¶双生 쌍생.

そう〖壮〗《壯》常用 ソウ さかん | 장 왕성하다 | **1** 혈기 왕성함; 장하다. ¶雄壮 웅장. **2** 굳세다; 건강하다. ¶壮丁 장정.

そう〖早〗教1 ソウ サッ はやい はやまる はやめる | 조 새벽 | **1** (이른) 아침. ¶早朝 조조/早暁 새벽. **2** 철이 빠르다. ¶早晩 조만. **3** 너무 이르다. ¶早婚 조혼.

そう〖争〗《爭》教1 ソウ あらそう | 쟁 다투다 | **1** 다투다; 싸우다. ¶戦争 전쟁/競争 경쟁. **2** 직언하다. ¶争臣 쟁신.

そう〖走〗教2 ソウ はしる | 주 달리다 | **1** 달리다; 뛰어가다. ¶走破 주파/競走 경주. **2** 도망가다. ¶逃走 도주.

そう〖宗〗教6 ソウ シュウ むね | 종 마루 | **1** 근원; 본가. ¶宗家 종가. **2** 우두머리. ¶宗匠 종장. **3** 종교 (단체). ¶宗教 종교. 参考 3은 'しゅう'로 읽음.

そう〖奏〗教6 ソウ かなでる もうす | 주 아뢰다 | **1** 아뢰다. ¶奏請 주청/上奏 상주. **2** 음악을 연주하다. ¶伴奏 반주.

そう〖相〗教3 ソウ ショウ あい たすける みる | 상 서로 | **1** 용모; 상. ¶相貌 상모. **2** 서로 작용하다. ¶相対 상대/相談 상담; 의논. **3** 대신. ¶宰相 재상. ⇨相.

そう〖草〗教1 ソウ ゾウ くさ | 초 풀 | **1** 풀. ¶草木 초목. **2** 촌스럽다. ¶草野 초야. **3** 서체의 하나; 초서. ¶草書 초서. 注意 '艸'는 옛 글자.

そう〖荘〗《莊》常用 ソウ ショウ | 장 엄하다 | **1** 장엄하다. ¶荘厳 장엄. **2** 중세에, 조세를 내지 않던 논밭; 장원. ¶荘園 장원. 注意 '庄'로 씀은 속자(俗字).

そう〖送〗《送》教3 ソウ おくる | 송 보내다 |

1 전송하다. ¶送別(そうべつ) 송별. 2 (부쳐) 보내다. ¶輸送(ゆそう) 수송.

そう〖倉〗教4 ソウ くら | 창 곳집 | 1 곳간. ¶倉庫(そうこ) 창고/穀倉(こくそう) 곡창. 2 당황하다. ¶倉卒(そうそつ) 창졸/倉皇(そうこう) 창황.

そう〖捜〗《搜》常用 ソウ さがす | 수 찾다 | 찾다. ¶捜索(そうさく) 수색/捜査(そうさ) 수사.

そう〖挿〗《插》常用 ソウ さす さしはさむ | 삽 꽂다 | 꽂다; 끼우다. ¶挿入(そうにゅう) 삽입. 注意 '挿'는 속자(俗字).

そう〖桑〗常用 ソウ くわ | 상 뽕나무 | 뽕나무. ¶桑園(そうえん) 상원/桑田(そうでん) 상전.

そう〖掃〗《掃》常用 ソウ はく はらう | 소 쓸다 | 1 비로 쓸다. ¶清掃(せいそう) 청소. 2 일소하다. ¶掃蕩(そうとう) 소탕.

そう〖曹〗常用 ソウ | 조 마을 | 1 사법 관리. ¶法曹(ほうそう) 법조. 2 관청; (궁전 안의) 방. ¶曹司(ぞうし) 궁중·관청의 방.

そう〖巣〗《巢》教4 ソウ す すくう | 소 새집 | 1 새의 보금자리. ¶営巣(えいそう) 영소. 2 도둑의 은신처. ¶巣窟(そうくつ) 소굴.

そう〖窓〗教6 ソウ まど | 창 창 | 1 창; 창문. ¶車窓(しゃそう) 차창/船窓(せんそう) 선창. 2 창문이 있는 방; (공부)방. ¶学窓(がくそう) 학창.

そう〖創〗教6 ソウ きず はじめる つくる | 창 다치다 | 1 상처가 나다; 상처를 내다. ¶創痍(そうい) 창이/創傷(そうしょう) 창상. 2 시작하다. ¶創始(そうし) 창시/創刊(そうかん) 창간.

そう〖喪〗常用 ソウ も うしなう | 상 잃다 | 1 복을 입다; 집상(執喪). ¶喪中(もちゅう) 상중/喪服(もふく) 상복. 2 장례; 조상. ¶喪礼(そうれい) 상례. 3 잃다. ¶喪神(そうしん) 상신; 기절.

そう〖装〗《裝》教6 ソウ ショウ よそおう | 장 차리다 | 1 옷을 차려입다; 몸치장하다. ¶服装(ふくそう) 복장/扮装(ふんそう) 분장. 2 장치하다. ¶装備(そうび) 장비.

そう〖葬〗常用 ソウ ほうむる | 장 장사지내다 | 장사 지내다. ¶葬儀(そうぎ) 장의; 장례.

そう〖僧〗《僧》常用 ソウ | 승 중 | 승; 중; 성직자. ¶僧侶(そうりょ) 승려/高僧(こうそう) 고승.

そう〖想〗教3 ソウ ソ おもう おもい | 상 생각하다 | 1 생각하다; 상상하다; 회상하다. ¶想起(そうき) 상기/予想(よそう) 예상. 2 착상; 문학·예술 등의 구상. ¶楽想(がくそう) 악상.

そう〖層〗《層》教6 ソウ | 층 층 | 1 층지다; 겹치다. ¶層層(そうそう) 층층. 2 건물이 층을 이루다. ¶高層(こうそう) 고층. 3 사회나 사람들의 계층. ¶中堅層(ちゅうけんそう) 중견층.

そう〖総〗《總》教5 ソウ ふさ すべる すべて | 총 합치다 | 1 술. 2 종합하다. ¶総計(そうけい) 총계/総括(そうかつ) 총괄. 3 모든; 전체의. ¶総会(そうかい) 총회.

そう〖遭〗《遭》常用 ソウ あう | 조 만나다 | 우연히 만나다. ¶遭難(そうなん) 조난.

そう〖槽〗常用 ソウ おけ | 조 구유 | 1 물통. ¶水槽(すいそう) 수조. 2 통 모양의 것. ¶歯槽(しそう) 치조.

そう〖箱〗教3 ソウ はこ | 상 상자 | 상자. ¶白葉箱(ひゃくようそう) 백엽상/箱船(はこぶね) 방주(方舟). 参考 주로 훈독함.

そう〖操〗教6 ソウ みさお あやつる とる | 조 잡다 | 1 절개. ¶貞操(ていそう) 정조. 2 조종하다; 다루다. ¶操作(そうさ) 조작/操業(そうぎょう) 조업.

そう〖燥〗常用 ソウ かわく はしゃぐ | 조 마르다 | 불에 말리다; 마르다. ¶乾燥(かんそう) 건조.

そう〖聡〗《聰》人名 ソウ さとい | 총 밝다 | 총명하다. ¶聡明(そうめい) 총명. 参考 귀가 밝다는 뜻에서 옴.

そう〖霜〗常用 ソウ しも | 상 서리 | 1 서리. ¶秋霜(しゅうそう) 추상. 2 서릿발 같음. ¶霜気(そうき) 상기.

そう〖騒〗《騷》常用 ソウ さわぐ さわがしい | 소 떠들다 | 시끄럽다; 소란하다. ¶騒動(そうどう) 소동.

そう〖繰〗常用 ソウ くる | 조 잣다 | 1 잣다; 씨아로 목화씨를 빼내다. ¶糸繰(いとく)り 실을 자음. 2 당기다. ¶繰(く)り戸(ど) 빈지(문). 3 차례로 보내다. ¶繰(く)り越(こ)し 이월(移越). 参考 주로 훈독함.

そう〖藻〗常用 ソウ も | 조 조류 | 말; 물 속에 나는 풀의 총칭. ¶藻類(そうるい) 조류/海藻(かいそう) 해조.

ぞう【像】名 상. 1 부처·사람 따위의 조각·그림. ¶孔子(こうし)の～をまつる 공자상을 모시다/マリアの～を彫(ほ)る 마리아상을 조각하다. 2〔理〕빛의 반사·굴절에 의해 비치는 물체의 형상. ¶鏡(かがみ)が～を写(うつ)す 거울이 상을 비추다.

ぞう【増】名 증; 늚; 증가. ¶利益(りえき)は五割(ごわり)の～ 이익은 5할 증가. ↔減(げん).

ぞう【蔵】一名 소장(所蔵). ¶個人(こじん)の～ 개인 소장. 二接尾 …소장. ¶国立博物館(こくりつはくぶつかん)～ 국립 박물관 소장.

ぞう【象】名〔動〕코끼리. ¶～狩(が)り 코끼리 사냥/～の鼻(はな) 코끼리 코/インド〔アフリカ〕～ 인도〔아프리카〕코끼리.

ぞう〖造〗《造》教5 ゾウ つくる いたる みやつこ | 조 짓다 | 만들다; 짓다. ¶造船(ぞうせん) 조선/偽造(ぎぞう) 위조/コンクリート造(づく)り 콘크리트로 만든 것.

ぞう〚像〛教5 ゾウ ショウ かた かたち かたどる | 상 꼴 |
1 형체; 모양을 비슷하게 만들다; 또, 그렇게 만든 형상. ¶現像 현상 / 仏像 불상. 2 이상적인 모습이나 상태. ¶教師像 교사상.

ぞう〚増〛《增》常用 ゾウ ふえる ふやす ます | 증 늘다 | 늘다; 늘리다; 더하다. ¶増進 증진 / 増大 증대. ↔減.

ぞう〚憎〛《憎》常用 ゾウ にくむ にくらしい にくい にくしみ | 증 증오하다 | 미워하다. ¶愛憎 애증 / 憎悪 증오.

ぞう〚蔵〛《藏》教6 ゾウ くら おさめる かくす | 장 감추다 | 1 창고; 곳간. ¶経蔵 경장 / 土蔵 흙으로 만든 광. 2 안에 간직하다. ¶蔵書 장서.

ぞう〚贈〛《贈》教6 ゾウ ソウ おくる | 증 주다 | 1 증여하다. ¶寄贈 기증. 2 (죽은 뒤에) 증위(贈位)하다; 또, 그 관위(官位)에 붙이는 말. ¶追贈 추증.

ぞう〚臓〛《臟》教6 ゾウ | 장 오장 | 장. ¶五臓六腑 오장육부 / 肝臓 간장.

そうあい【相愛】名ス自 상애; 서로 사랑함. ¶相思～の仲 서로 사모하고 사랑하는 사이.
そうあたり【総当たり】名ス自 1 참가자 전원과 시합을 하는 일. ＝リーグ戦. ¶～制 전원 시합제. 2 전원이 당첨하도록 되어 있음; 또, 그런 제비뽑기.
そうあん［僧庵］名 승암; 암자.
そうあん【草案】名 초안; 초고. ¶憲法の～ 헌법 초안 / ～を起草する 초안을 기초하다. ↔成案.
そうあん【創案】名ス他 창안. ¶新たに～した技法 새로이 창안한 기법 / この二重なべは彼の～したものだ 이 이중 냄비는 그가 창안한 것이다.
そうい【僧衣】名 ☞そうえ.
そうい【総意】名 총의. ¶～を反映させる 총의를 반영시키다 / 会員の～で決定する 회원의 총의로써 결정하다.
そうい【創意】名 창의. ¶～に富む 창의성이 풍부하다 / ～を生かす 창의를 살리다. ⇨創見.
*__そうい__【相違】《相異》名ス自 상위; 서로 다름. ¶意見の～ 의견의 상이 / 事実と～がある 사실과 다르다.
—**ない**《'…に～ない'의 꼴로》 틀림없이 …이다. ¶かれが犯人に～ 그가 범인임에 틀림없다.
—**てん**【—点】名 상위점.
そういう 連体 그런 (투의). ¶～話 그러한 이야기 / ～ことをしてはいけない 그런 일〔짓〕을 해서는 안 된다.
そういっそう【層一層】副 가일층; 더욱더《'いっそう'의 힘줌말》. ＝ますます・さらにさらに. ¶情勢は～不利になった 정세는 더한층 불리해졌다.
そういった〖そう云った〗連語 그러한; 그 같은. ¶まあ, ～たちの人だったそうな 말하자면 그러한 기질의 사람이었다더군.
そういれば【総入れ歯】名 총(總)의치; (자신의 이는 하나도 없는) 틀니.
そういん【僧院】名 1 승원; 절. 2〔基〕수도원. ¶パルムの～ 파르므의 수도원.
そういん【総員】名 총원; 전원. ¶～出動 전원 출동 / ～は百名にのぼる 총원은 100명에 이른다.
—**おこし**【—起こし】名 전원 기상시킴. ¶～五分前 전원 기상 5분 전.
ぞういん【増員】名ス他自 증원. ¶警察官の～ 경찰관의 증원 / 編集部員を三名～する 편집부원을 세 사람 증원하다. ↔減員.
そううつびょう［躁鬱病・躁欝病］名〔醫〕 조울병. ¶彼には～の気がある 그에게는 조울병의 기미가 있다.
そうえ［僧衣］名 승의; 법복. ＝そうい・法衣.
ぞうえい【造営】名ス他 조영《궁정・사찰 따위를 지음》. ¶神殿の～に取りかかる 신전 조영에 착수하다.
ぞうえいざい【造影剤】名〔薬〕 조영제.
そうえん【桑園】名 상원; 뽕나무밭. ＝くわばたけ.
ぞうえん【増援】名ス他 증원. ¶～部隊の到着を待つ 증원 부대의 도착을 고대하다.
ぞうえん【造園】名ス自 조원. ¶～技師 조원 기사; 정원사.
ぞうお【憎悪】名ス他 증오. ＝にくしみ. ¶～すべき行為 증오할 만한 행위 / ～の目で見る 증오의 눈으로 보다.
そうおう【相応】名ダナス自 상응; 걸맞음. ＝相当. ¶身分～のくらし 분에 맞는 살림 / 彼に～した役 그에게 맞는 역할. ↔不相応.
そうおく【草屋】名 초옥; 초가집; 전하여, 누추한 집《자기 집의 겸사말》. ¶～にお運びいただき… 누추한 집에 왕림해 주셔서….
*__そうおん__【騒音】《噪音》名 소음. ¶～のちまた 시끄러운 거리 / ～公害 소음 공해 / ～に悩まされる 소음에 시달리다. ↔楽音.
そうか【挿花】名 1 머리 등에 꽃을 꽂는 일. 2 꽃꽂이. ＝いけばな.
そうか【喪家】名 상가; 초상집.
—**の犬** 상갓집 개《풀이 죽고 초라한 사람의 비유》; 상가지구(喪家之狗).
そうか【宗家】名 ☞そうけ.
そうが【挿画】名 삽화. ＝さしえ. ¶～を描く 삽화를 그리다.
そうが【装画】名 (책의) 장정 그림.
そうが［爪牙］名 조아. 1 손톱과 엄니. 2 마수(魔手); 독아(毒牙). ¶～にかかる 마수에 걸리다 / ～をとぐ (기회를) 벼르다 / ～を脱する 마수에서 벗어나다. 3

국가에 중요한 신하; 심복 부하; 전하여, 앞잡이. ¶人の~となる 남의 심복 부하가 되다.

*ぞうか【増加】名 ス自他 증가. ¶人口が~する 인구가 증가하다 / 自然~ 자연 증가. ↔減少.

ぞうか【造化】名 조화. ¶~の妙 조화의 묘 / ~の戯れ 조물주의 장난.

—の神 조화의 신; 조물주.

ぞうか【造花】名 조화. ¶~をつくる 조화를 만들다. ↔生花.

そうかい【壮快】名 ダナ 장쾌. ¶~な試合 장쾌한 경기 / ~なコンディション 원기 왕성한 컨디션 / スキー滑降は~だ 스키 활강은 장쾌하다.

そうかい［爽快］名 ダナ 상쾌. ¶~な山頂の朝 상쾌한 산정의 아침 / 気分が~になる 기분이 상쾌해지다.

そうかい【掃海】名 ス他 〖軍〗 소해. ¶~作業 소해 작업 / ~艇 소해정 / 湾内を~する 만내를 소해하다.

そうかい［滄海·蒼海］名 창해; 푸른 바다. =あおうなばら·大海. ¶~変じて桑田となる 상전벽해(碧海).

—の一粟 창해일속.

そうかい【総会】名 총회. ¶定期~ 정기 총회 / 株主~ 주주 총회.

—や【—屋】名 〖經〗 총회꾼.

そうがい【霜害】名 상해; 서리 해. ¶~を受ける 서리 피해를 보다 / ~が大きかった 상해가 컸다.

そうがかり【総掛かり·総懸かり】名 1 전원이 달려들어 함. ¶~で大掃除をする 전원이 총동원되어 대청소를 하다. 2 총공격. 3 (필요한) 총경비.

そうかく【総画】名 총획. ¶~数順に並べる 총획 수순으로 배열하다.

—さくいん【—索引】名 총획 색인.

そうがく【奏楽】名 ス自他 주악. ¶国歌の~ 국가의 주악 / 楽隊が~を始める 악대가 주악을 시작하다.

そうがく【総額】名 총액. =全額·総高. ¶予算の~ 예산 총액.

ぞうがく【増額】名 ス他自 증액. ¶~を要求する 증액을 요구하다 / 手当を~する 수당을 증액하다. ↔減額.

そうかつ【総括】名 ス他 총괄. ¶意見を~して結論を出す 의견을 총괄하여 결론을 내다.

—しつもん【—質問】名 총괄 질문《국회·위원회에서 심의되는 의안 전반에 걸친 종합적인 질문》. ↔一般質問.

—てき【—的】ダナ 총괄적. ¶~な規定〔批評〕 총괄적인 규정〔비평〕.

そうかつ【総轄】名 ス他 총할. ¶事務を~する 사무를 총할하다.

そうがな【草仮名】名 한자 초서체를 한층 더 흘려 쓴 かな《이것이 더욱 간략화되어 平がなが 됨》.

そうがら【総柄】名 온 무늬; 옷 전체에 무늬가 있는 것. =総模様. ¶~の着物 온 무늬의 옷.

そうかん【創刊】名 ス他 창간. ¶~号 창간호 / ~以来三十年になる 창간 이래 30년이 되다. ↔廃刊.

そうかん【壮観】名 장관; 위관(偉觀). ¶山頂の日の出は実に~だ 산정의 해돋이는 실로 장관이다 / 全員そろうと~だ 전원이 모이면 장관이다.

そうかん［相姦］名 ス自 상간. ¶近親~ 근친상간.

そうかん【相関】名 ス自 상관. ¶成績と注意力は~する 성적과 주의력은 관련이 있다. ⇨相対.

—かんけい【—関係】名 상관관계. ¶知能指数と学業成績との~ 지능 지수와 학업 성적의 상관 관계.

そうかん【総監】名 총감. ¶警視~ 경시 총감《경찰청장에 해당》.

そうかん【送還】名 ス他 송환. ¶強制~ 강제 송환 / 捕虜の~ 포로 송환 / 本国に~する 본국으로 송환하다.

そうがん【双眼】名 쌍안; 양쪽 눈. =両眼. ↔隻眼.

—きょう【—鏡】名 쌍안경.

ぞうかん【増刊】名 ス他 증간. ¶臨時~ 임시 증간 / 夏季~号 하계 증간호.

ぞうがん【象眼】《象嵌》名 ス他 상감. 1 금속·도자기 등의 표면에 무늬를 파고 그 속에 금·은·적동(赤銅) 등을 채우는 기술; 또, 그런 작품. ¶~細工 상감 세공 / 黄金の花が木に~されていた 황금꽃이 나무에 상감되어 있었다. 2 〖印〗 연판 수정.

そうかんじょう【総勘定】名 〖經〗 총계정. ¶~元帳 총계정 원장.

そうかんとく【総監督】名 총감독.

そうき【想起】名 ス他 상기. ¶二次大戦を~する 2차 대전을 상기하다 / 往事を~する 지나간 일을 상기하다.

そうき【早期】名 조기. ¶~診療 조기 진료 / ~退職 조기 퇴직 / 病気の~発見 병의 조기 발견 / ~に防ぐ 조기에 방지하다.

そうき【送気】名 송기. ¶~管 송기관.

—とう【—筒】名 송기통.

*そうぎ【争議】名 1 쟁의. ¶賃あげ~ 노임 인상 쟁의. 2 '労働争議(=노동 쟁의)' 의 준말.

—けん【—権】名 (노동) 쟁의권.

—こうい【—行為】名 쟁의 행위.

そうぎ【葬儀】名 장의; 장례식《'葬式'의 격식차린 말씨》. =葬礼. ¶~に参列する 장례식에 참례〔참석〕하다 / ~をとり行う 장례식을 거행하다.

—しゃ【—社】名 장의사. =葬儀屋.

ぞうき【雑木】名 잡목. =ざつぼく.

—ばやし【—林】名 잡목림.

ぞうき【臓器】名 장기; 내장 기관. ¶~製剤 장기 제제《호르몬제》.

—いしょく【—移植】名 장기 이식.

—ていきょう【—提供】名 장기 제공.

そうきゅう【早急】名 ダナ ☞さっきゅう(早急).

そうきゅう [躁急] 名ダ 조급. ¶～な性質 조급한 성질.

そうきゅう【送球】송구. 一名ス自 1 〘野〙 공을 잡아 던져 보냄. ¶～が下手だ 송구가 서툴다/一塁に～する 일루에 송구하다. 2 (축구·농구에서) 패스(pass). ＝パス. ¶～がそれる 송구가 빗나가다. 二名 ☞ハンドボール.

そうきょ【壮挙】名 장거. ¶世界一周飛行の～ 세계 일주 비행의 장거/ヒマラヤ登頂の～につく 히말라야 등정의 장거에 오르다.

そうぎょう【創業】名ス自 창업. ¶～者 창업자/～百年を誇る 창업 100년을 자랑하다/～は易く, 守成は難し 창업은 쉬우나 이를 지키기는 어렵다. ↔守成.

*そうぎょう【操業】名ス自 조업. ¶八時間～する 여덟 시간 조업하다/～率が落ちる 조업률이 떨어지다.

—たんしゅく【—短縮】名 조업 단축. ＝操短.

そうぎょう【早暁】名 첫새벽. ＝明け方. ¶～に出発する 첫새벽에 출발하다.

*ぞうきょう【増強】名ス他 증강. ¶兵力～ 병력 증강/生産力の～を図る 생산력의 증강을 도모하다.

そうきょういく【早教育】名 조기 교육 《취학 연령이 되기 전의 교육》.

そうきょく【総局】名 총국; 몇 개의 국(局)을 총괄하는 큰 국.

そうきょくせん【双曲線】名〔數〕쌍곡선.

そうぎり【総ぎり】《総桐》名 오동나무만으로 만듦〔만든 것〕. ¶～のたんす 오동나무 장롱. ↔前まぎり·三方ぎり.

そうきん【送金】名ス自 송금. ¶～を受け取る 송금을 받다/国もとに～を絶やさない 고향에의 송금을 끊지 않다〔계속하다〕.

—かわせ【—為替】名 송금환.

*ぞうきん〖雑巾〗名 걸레. ¶ぬれ～ 물걸레/～を絞る 걸레를 짜다/床に～を掛ける 마루에 걸레질하다.

—がけ【—掛け】名ス自 걸레질.

そうく [走狗] 名 주구; 앞잡이. ¶権力の～に成り下がる 권력의 앞잡이로 전락하다/狡兎死して～煮らる 토사구팽(兔死狗烹). ⇨狡兎.

そうぐ【装具】名 장구; 장신구; 장비. ¶登山の～ 등산 장비.

そうくう [蒼空] 名 창공. ＝あおぞら.

そうぐう【遭遇】名ス自 조우; 우연히 만남. ¶敵に～する 적과 마주치다/苦難に～しても屈しない 고난을 만나도 굽히지 않다/思わぬ困難に～する 생각지도 않은 곤란과 마주치다.

—せん【—戦】名〔軍〕조우전.

そうくずれ【総崩れ】名ス自 전부 붕괴함; 완전히 패배함. ¶投手陣が～になる 투수진이 모두 무너지다.

そうくつ [巣窟] 名 소굴. ＝ねじろ. ¶悪の～ 악의 소굴/密輸団の～を急襲する 밀수단의 소굴을 급습하다.

そうぐるみ【総ぐるみ】名 전부가 달려듦. ¶家族～のつきあい (양) 가족 전원이 서로 교분이 있음.

そうけ【宗家】名 종가. 1 큰집; 본가. ＝そうか·本家. ¶～に当たる家柄 종가가 되는 가문. 2 한 유파의 정통을 전하는 중심되는 집. ＝家元. ¶観世流の～ 観世류의 종가.

ぞうげ [象牙] 名 상아. ¶～質 상아질/～彫り 상아 조각.

—の塔 상아탑. ¶～にこもる 상아탑에 틀어박히다《연구에 몰두하다》/～を出る 상아탑을 나오다.

そうけい【早計】名 조계; 경솔한 생각. ¶そんなことぐらいで死ぬのは～だ 그런 일쯤으로 죽는다는 것은 경솔한 생각이다.

*そうけい【総計】名ス他 총계. ＝トータル. ¶～を出す 총계를 내다. ⇨るいけい(累計). ↔小計.

そうげい【送迎】名ス他 송영; 보내고 맞이함. ＝送り迎え. ¶外国使節を～する 외국 사절을 송영하다/駅は～の客でにぎわっていた 역은 송영객으로 붐비고 있었다.

ぞうけい [造詣] 名 조예. ¶古典に～が深い 고전에 조예가 깊다.

ぞうけい【造形】《造型》名ス自 조형. ¶都市空間を～する 도시 공간을 조형하다.

—げいじゅつ【—芸術】名 조형 예술.

—びじゅつ【—美術】名 조형 미술.

そうげいこ【総げいこ】《総稽古》名 ☞そうざらい2.

そうけだ-つ【総毛立つ】《寒気立つ》5自 오싹 소름이 끼치다. ¶その場面を見て思わず～·った 그 장면을 보고서 나도 모르게 소름이 끼쳤다. 注意 '総毛立つ'로 씀은 취음.

ぞうけつ【造血】名ス自 조혈. ¶～作用 조혈 작용/～剤 조혈제.

—きかん【—器官】名〔醫〕조혈 기관.

ぞうけつ【増血】名ス自他 증혈. ¶～剤 증혈제.

そうけっさん【総決算】名 총결산. ¶年度末の～ 연도말의 총결산/十年間の研究の～ 10년간의 연구의 총결산.

そうけん【創建】名ス他 창건. ＝創立. ¶奈良時代に～された寺 奈良 시대에 창건된 절.

そうけん【創見】名 창견; 독창적인 견해. ¶～に富む論文だ 창의성이 풍부한 논문이다. ⇨創意.

そうけん【総見】名ス他 (연극·씨름 등을) 후원 단체 또는 관계자 전원이 구경함. ¶会社で相撲を～する 회사의 전 사원이 함께 씨름을 구경하다.

そうけん【双肩】名 쌍견; 양 어깨. ¶未来は青年の～にかかっている 미래

는 청년의 양 어깨에 달려 있다.

—に担う 책임·의무를 떠맡다. ¶国の将来を～ 나라의 장래를 양 어깨에 짊어지다.

そうけん【壮健】图ダナ 장건; 건강함. ＝たっしゃ·強健. ¶～に暮らす 건강하게 지내다 / ご～でなによりです 건강하셔서 무엇보다 다행입니다.

そうけん【送検】图ス他 송청(送廳). ¶書類～ 서류 송청 / 犯人を～する 범인을 송청하다.

そうげん【草原】图 초원. 1 풀밭. ＝くさはら. ¶広々とした～ 넓디넓은 초원. 2〘地〙 스텝. ＝ステップ.

*ぞうげん【増減】图ス自他 증감; 증가와 감소. ¶預金高の～を調べる 예금액의 증감을 조사하다.

ぞうげん【造言】图 조언; 근거 없는 말. ＝デマ. ¶～飛語 유언비어 / それは彼の～に過ぎない 그것은 그가 지어 낸 말에 지나지 않는다.

*そうこ【倉庫】图 창고. ¶～業 창고업 / ～に預ける 창고에 보관하다.

—わたし【—渡し】图 창고 인도.

*そうご【相互】图 상호. ¶～援助条約 상호 원조 조약 / ～の利益をはかる 상호간의 이익을 도모하다.

—ぎんこう【—銀行】图 상호 은행《중소기업 전문의 금융 기관》.

—しゅぎ【—主義】图〘法〙 상호주의; 타국이 자국민에 대하여 우대하는 정도에 따라 타국민을 우대하는 주의.

—に 連語 서로(서로). ¶～助け合う 서로서로 돕다 / ～協力し合う 서로서로 협력하다.

—のりいれ【—乗り入れ】图 1 경영 주체가 다른 교통 기관이 서로 상대편의 노선에 차량·항공기 등을 직통으로 연장 운행하는 일. ¶地下鉄との～ 지하철과의 상호 연장 운행. 2 서로 상대방의 설비나 조직을 이용하는 일.

—ふじょ【—扶助】图 상호 부조; 서로 도움. ¶～の精神 상호 부조의 정신.

そうご【壮語】图ス自 장언; 장담. ¶大言～ 대언장담; 흰소리 / 恐るものはなしと～する 두려울 것 없다고 장담하다.

ぞうご【造語】图ス自 조어. ¶～法 조어법 / ～成分 조어 성분.

—りょく【—力】图 조어력; 조어의 가능성. ¶日本語の～については悲観論が多い 일본어의 조어력에 관해서는 비관론이 많다.

そうこう【壮行】图 장행; 출발을 성대히 함. ¶～会 (출발에 임한) 장행회 / ～の辞 출발〔출진〕에 임한 격려사.

そうこう【走行】图ス自 (자동차 등의) 주행. ¶～距離 주행 거리.

そうこう【奏功】图ス自 1 주공; 뜻을 이룸; 일에 성공함. ¶彼の説得が～した 그의 설득이 성공했다. 2 공을 세움.

そうこう【奏効】图ス自 주효. ¶注射が～した 주사가 주효했다.

そうこう［糟糠］图 조강; 변변찮은 음식; 가난한 살림.

—のつま［—の妻］图 조강지처. ¶～は堂より下さず 조강지처 불하당(不下堂)《가난한 때 고생을 같이 한 아내는 출세한 후에도 버리지 말아야 한다》.

そうこう【草稿】图 초고; 초안; 원고. ＝下書き. ¶小説の～ 소설의 초고 / 講義の～を作る 강의의 초고를 만들다.

そうこう【送稿】图ス自 송고; 원고를 편집자 등에게 보내는 일. ¶特種を電話で本社に～する 특종을 본사에 전화로 송고하다.

そうこう〖然う斯う〗副 이것저것; 그럭저럭. ＝かれこれ·とやかく. ¶～するうちに日が暮れた 이럭저럭하는 사이에 날이 저물었다.

そうごう【相好】图 얼굴 표정. ＝かおつき.

—をくずす (엄한 표정을 풀고) 싱글벙글(하며 좋아)하다. ¶その知らせを聞いて父は相好をくずした 그 소식을 듣고 아버지는 싱글벙글했다.

**そうごう【総合】《綜合》图ス他 종합. ¶～計画 종합 계획 / みんなの話を～して考えると… 여러분의 얘기를 종합해 생각하면…. ↔分析.

—げいじゅつ【—芸術】图 종합 예술.

—だいがく【—大学】图 종합 대학. ↔単科大学.

—てき【—的】ダナ 종합적. ¶事態を～に見渡す 사태를 종합적으로 살펴보다. ↔分析的.

そうこうげき【総攻撃】图ス他 총공격. ¶最後の～を敢行する 최후의 총공격을 감행하다 / 野党の～を浴びる 야당의 총공격을 받다.

そうこく【相克】《相剋》图ス自 상극. 1 대립·모순된 것이 서로 다툼. ¶理性と感情の～に悩む 이성과 감정의 상극으로 괴로워하다. 2 서로 상대를 이기려고 다툼. ¶両家には代代宿命的な～があった 양가에는 대대로 숙명적인 상극이 있었다.

そうこん【早婚】图ス自 조혼. ¶私は～の方です 저는 조혼인 편입니다. ↔晩婚.

そうこん【草根】图 초근; 풀뿌리.

—もくひ【—木皮】图 1 초근목피. 2 한약재. 注意 ‘そうこんぼくひ’라고도 함.

そうごん【荘厳】图ダナ 장엄. ¶～な儀式 장엄한 의식.

ぞうごん【雑言】图ス自 욕지거리. ＝ぞうげん. ¶罵詈～ 온갖 욕설 / 悪口～のかぎりをつくす 갖은 욕설〔악담〕을 다하다.

*そうさ【捜査】图ス他 수사. ¶特別～ 특별 수사 / ～員 수사원 / ～機関 수사 기관 / ～を打ち切る 수사를 중단하다 / 鬼刑事が～に当たる 민완 형사가 수사를 담당하다 / ～線上に浮かぶ 수사선상에 떠오르다.

──ほんぶ【──本部】图 수사 본부. ¶殺人事件の合同～ 살인 사건의 합동 수사 본부.

***そうさ**【操作】图ス他 조작. ¶金融～ 금융 조작 / 遠隔～ 원격 조작; 리모트 컨트롤 / 機械の～がむずかしい 기계 조작이 어렵다 / 株価を～する 주가를 조작하다.

ぞうさ〖造作·雑作〗图 **1** 번거로움; 수고스러움. ¶～のないこと 손쉬운 일 / 何の～もなくやってのける 별로 힘들이지 않고 해치우다 / お～をかけました 번거로움을 끼쳤습니다. **2** 〈老〉 대접; 접대. ＝もてなし. ¶なんの～もなくて失礼 아무 대접도 못해서 미안. 注意 'ぞうさく'라고 하면 딴말임.

──な-い 形 쉽다; 문제없다. ＝たやすい. ¶あんな奴を負かすのは～ことだ 저런 놈에게 이기는 건 식은죽먹기다.

そうさい【相殺】图ス他 상쇄; 에끼기; 상계(相計). ＝帳消し. ¶～関税 상계 관세 / 貸し借りを～する 대차를 상쇄하다. 注意 'そうさつ'로 읽음은 잘못.

そうさい【総裁】图ス他 총재. ¶党の～ 「당의 총재.

そうざい【総菜】《惣菜》图 반찬; 부식물; 나물. ¶～料理 나물 반찬 / これは夕食のお～にちょうどいい 이것은 저녁 반찬으로 딱 좋다.

***そうさく**【創作】图ス他 **1** 창작. ¶～物〔劇, 集〕 창작물〔극, 집〕 / ～活動 창작 활동 / りっぱな～ 훌륭한 창작 / ～にかかる 창작을 시작하다. **2** 꾸며낸 일; 날조; 거짓. ¶苦しまぎれに～した話だ 괴로운 나머지 꾸며낸 얘기다.

そうさく【捜索】图ス他 수색. ¶家宅～ 가택 수색 / 遭難者を～する 조난자를 수색하다.

──ねがい【──願い】图 수색원. ¶～を出す 수색원을 내다.

ぞうさく【造作】一图ス他 **1** 집을 지음; 건축. ¶離れを～をする 별채를 짓다. **2** 집의 내부 장치를 하거나 선반·계단 등을 설치함; 또, 그 장치나 물건. ¶～付き貸家 내부 장치가 딸린 셋집.
二图 〈俗〉 용모; 얼굴 생김새. ¶～の整っている人 이목구비가 반듯한 사람. 注意 'ぞうさ'라고 읽으면 딴말.

ぞうさつ【増刷】图ス他 증쇄; 추가 인쇄. ＝ましずり. ¶好評につき～する 호평이므로 추가 인쇄하다.

そうざらい【総ざらい】《総浚い》图ス自他 **1** 전체적인 복습. ¶二学年の数学を～する 2학년 수학을 총 복습하다. **2** 연극에서, (공연 하루 전의) 총 예행연습. ＝総げいこ.

そうざん【早産】图ス他 조산. ¶～児 조산아 / ～した子 조산한 아기.

ぞうさん【増産】图ス他 증산. ¶～計画 증산 계획 / 食糧～にはげむ 식량 증산에 힘쓰다. ↔減産.

そうし【壮士】图 **1** 의기(義氣) 남아. ¶～ひとたび去って, また帰らず 의기 남아 한번 떠나더니 돌아오지 않도다. **2** 해결사. ¶～風の男 해결사〔폭력배〕 차림새의 사나이.

そうし【創始】图ス他 창시. ¶～者 창시자 / 一派を～する 일파를 창시하다.

そうし【草紙·草子·双紙】《冊紙·冊子》图 **1** 많은 삽화를 실은 江戸 시대의 대중 소설. **2** かな로 쓴 이야기책.

⁂そうじ【掃除】图ス他 **1** 소제; 청소. ¶ふき～ 걸레질 / 大～ 대청소 / 部屋を～する 방을 청소하다. **2** 해악을 제거함. ¶悪の温床を～する 악의 온상을 없애다.

そうじ【相似】图ス自 상사. **1** (성질·형상이) 서로 닮음. **2**〔數〕 닮음. ¶～形 상사형; 닮은꼴.

そうじ【送辞】图 송사; 송별의 말. ¶在校生を代表して～を読む 재학생을 대표하여 송사를 읽다. ↔答辞.

ぞうし【増資】图ス自 증자. ¶～を決定する 증자를 결정하다. ↔減資.

ぞうじ【雑事】图 잡사; 여러 가지 자질구레한 일.

そうしき【相識】图 상식; 안면이 있음; 또, 그 사람; 지인(知人)《한문투의 말씨》. ＝知り合い·知り人. ¶～の仲〔間柄〕 서로 아는 사이.

***そうしき**【葬式】图 장례식. ＝葬儀·葬礼·とむらい. ¶～に行く 장례식에 가다 / ～に参列する 장례식에 참례〔참석〕하다.

そうしき【総指揮】图 총지휘. ¶～官 총지휘관 / ～をとる 총지휘를 하다.

そうじしょく【総辞職】图ス自 총사직. ¶内閣～ 내각 총사직.

そうしそうあい【相思相愛】图 상사상애. ¶～の仲 서로 사모하고 사랑하는 사이.

そうした 連体 그런. ¶～事態が再度起こらないように努力します 그런 사태가 재차 발생하지 않도록 노력하겠습니다 / ～話なら聞きたくない 그런 이야기라면 듣고 싶지 않다.

そうしたら 接 **1** 그렇게 한 즉; 그랬더니. ＝そしたら. ¶本を整理した. ～千円札が出た 책을 정리했다. 그랬더니 천 엔짜리 지폐가 나왔다. **2** 그때에 가서는.

そうしつ【喪失】图ス他 상실. ¶記憶～ 기억 상실 / 自信を～する 자신을 잃다. 参考 추상적인 것에 쓰이며, 물건의 경우는 '遺失'가 쓰임. ↔獲得.

⁂そうして〖然して〗一接 **1** 그리고 (나서); 그 연후에. ＝そして·それから. ¶読んだ. ～考えた 읽었다. 그리고 생각해 보았다 / 彼はまず相手の弱点を握った. ～脅しにかかった 그는 우선 상대의 약점을 잡았다. 그리곤 협박을 시작했다. **2** 그리고 또한. ¶兄は特待生だった. ～弟も劣らず秀才だ 형은 특대생이었다. 그리고

또한 동생도 이에 못지않은 수재이다.
[二][連語] 그렇게 해서. ¶～下さい 그렇게 해 주십시오.
—みると【—見ると】[接] 그렇다면; 그러면; 그것으로 판단해 보면.

そうじて【総じて】[副] 대개; 대체로; 일반적으로; 원래. ＝概して·およそ·がんらい. ¶～言えば 일반적으로 말하면 / 近ごろの人は～礼儀作法のわきまえがない 요즘 사람은 대체로 예의 범절을 차리지 않는다 / 今年は～豊作である 금년은 대체적으로 풍작이다.

そうしは【走資派】[名]〔政〕주자파.

そうしはいにん【総支配人】[名] 총지배인.

そうじまい【総仕舞】[名][ス自他] 모두 끝냄; 몽땅 팔거나 삼. ¶年末の～ 연말 총정리 / 夏物を～する 여름철 물건을 다 처분하다.

そうじめ【総締め】《総〆》[名] 총계산; 총계.

そうしゃ【掃射】[名][ス他] 소사. ¶機銃～ 기총 소사.

そうしゃ【操車】[名][ス自] (철도·전동차·버스 등 차량의) 조차. ¶～場 조차장 / ～係 조차계(원).

そうしゃ【壮者】[名] 장자; 젊은이. ＝若者. ¶老人でも～をしのぐ元気だ 노인이지만 젊은이를 능가하는 원기를 가졌다.

そうしゃ【奏者】[名] 주자. ¶オルガン～ 오르간 (연)주자.

そうしゃ【走者】[名] 주자. ＝ランナー. ¶第一～ (릴레이의) 제일 주자 / ～一掃の二塁打 주자 일소의 2루타.

ぞうしゃ【増車】[名][ス自] 증차. ¶もっと～してやる 더 증차해 주다. ↔減車.

そうしゅ【双手】[名] 쌍수. ＝もろて. ¶～をあげて賛成する 쌍수를 들어 찬성하다. ↔隻手.

そうしゅ【宗主】[名] 종주. ¶～権 종주권 / ～国 종주국.

ぞうしゅ【造酒】[名][ス自] 주조; 양조(醸造). ＝酒造. ¶～業 양조업.

そうしゅう【早秋】[名] 조추; 초가을. ＝初秋. ¶～の澄みきった大気 초가을의 맑디맑은 공기. ↔晩秋.

***そうじゅう**【操縦】[名][ス他] 조종. ¶～桿 조종간 / ヘリ〔飛行機〕を～する 헬리콥터〔비행기〕를 조종하다 / 人の～がうまい 사람을 잘 다룬다.
—し【—士】[名] 조종사; 파일럿.

ぞうしゅう【増収】[名][ス自] 증수. ¶農作物の～をはかる 농작물의 증수를 도모하다. ↔減収.

ぞうしゅうわい【贈収賄】[名] 증수회. ¶～事件 증수회 사건.

そうじゅく【早熟】[名ナ] 조숙; 일됨; 올됨. ¶～な子供 조숙한 아이 / ～の桃 올된 복숭아.

そうしゅつ【創出】[名][ス他] 창출. ¶新たな文化を～する 새로운 문화를 창출하다.

そうじゅつ［槍術］[名] 창술; 창을 쓰는 무술. ¶彼は～の達人です 그는 창술의 달인입니다.

そうじゅわき【送受話器】[名] (전화의) 송수화기. [参考] 보통, 受話器라고 함.

そうしゅん【早春】[名] 조춘; 이른봄; 초봄. ＝初春. ¶～のにおい 이른봄의 향내. ↔晩春.

そうしょ［叢書］[名] 총서. ＝シリーズ. ¶経済学～ 경제학 총서. [注意] '双書·総書' 로 씀은 대용 한자.

そうしょ【草書】[名] 초서. ＝崩し字. ¶～で書く 초서로 쓰다. ⇨かいしょ(楷書)·ぎょうしょ(行書).

ぞうしょ【蔵書】[名] 장서. ＝蔵本. ¶～印 장서인 / 彼の～は3万冊に上る 그의 장서는 삼만 권에 이른다.
—か【—家】[名] 장서가.

そうしょう【宗匠】[名] (和歌·俳句·다도(茶道) 등 기예를 가르치는) 선생. ¶生花の～ 꽃꽂이 선생.

そうしょう【争訟】[名]〔法〕쟁송. ¶親戚どうしで～する 친척끼리 쟁송하다.

そうしょう【相承】[名][ス他] 상승; 스승으로부터 받아 전함. ¶父子～の秘法 부자 상승의 비법 / 師資～ 사자상승《스승으로부터 이어받음》/ 累代～の奥義 대대로 전해 오는 오의.

そうしょう【相称】[名] 상칭. ¶左右～ 좌우 상칭. ＝シンメトリー.

そうしょう【総称】[名][ス他] 총칭. ＝総名. ¶彫刻·絵画·建築などを～して造形美術という 조각·회화·건축 따위를 총칭해서 조형 미술이라고 한다.

そうじょう【僧正】[名]〔佛〕승정《조정에서 승려에게 내리는 벼슬의 최상급으로, 僧都의 위; 후에 大僧正·正僧正·権僧正의 세 계급으로 갈림》.

そうじょう【層状】[名] 층상. ¶～火山 층상 화산.

そうじょう【相乗】[名][ス他] 상승. ¶～効果を上げる 상승효과를 내다.
—さよう【—作用】[名] 상승 작용.

そうじょう【葬場】[名] 장의장; 장례식장. ¶～には花輪が立ち並んでいた 장례식장에는 화환이 늘어서 있었다.

そうじょう［騒擾］[名][ス自] 소요.
—ざい［—罪］[名] 소요죄. ¶～に問われる 소요죄로 문초를 받다.

ぞうしょう【増床】[名][ス自] **1** 병원의 침대수를 늘림. **2** 백화점 등의 매장(賣場)의 면적을 늘림.

ぞうしょう【蔵相】[名] 장상《'財務相(＝재무상)'의 구칭》. ＝大蔵大臣.

そうじょうたい［躁状態］[名] 기분이 고양되고 다변(多辯)·과대망상이나 때로는 공격성 등을 나타내는 상태. ＝躁. ⇨そうびょう(躁病).

そうしょうひん【装粧品】[名] 남녀의 신변 일용품. ＝小間物.

そうしょく【僧職】[名] 승직; 승려의 직무. ¶～にある身 승직에 있는 몸.

***そうしょく**【装飾】名ス他 장식. ¶室内～ 실내 장식 / 壁面を～する 벽면을 장식하다 / 新しい～を凝らす 새로운 장식을 공들여 꾸미다 / この額縁は貝殻で～されている 이 액자는 조가비로 장식되어 있다.

そうしょく【草食】名ス自 초식. ¶～性 초식성. ↔肉食. 「肉食動物.
—どうぶつ【—動物】名 초식 동물. ↔

ぞうしょく【増殖】名ス自他 증식. ¶細胞の～ 세포 증식 / 資産の～ 자산 증식 / ～を抑える 증식을 억제하다 / うなぎの～をする 장어 증식을 하다.
—ろ【—炉】名 증식로(('増殖原子炉'의 준말)). 「관.

そうしれいかん【総司令官】名 총사령

そうしん【喪心·喪神】名ス自 **1** 기절; 실신. ¶～状態 실신 상태. **2** 상심; 실심(失心); 정신이 나감. ¶～した人のように 정신이 나간 사람처럼.

そうしん[痩身]名 수신; 여윈 몸. ¶～法 살빼는 법 / 短軀～ 단구 수신((키가 작고 여윈 몸)).

そうしん【総身】名 전신; 온몸. ＝そうみ·全身. ¶～の力をふりしぼる 혼신의 힘을 다하다.

そうしん【送信】名ス自他 송신. ＝発信. ¶～所 송신소 / 定時に～する 정시에 송신하다. ↔受信.
—き【—機】名 송신기. ↔受信機.

***ぞうしん**【増進】名ス他自 증진. ¶学力～ 학력 증진 / 少量の晩酌は食欲を～させる 소량의 저녁 반주는 식욕을 증진시킨다. ↔減退.

そうしんぐ【装身具】名 장신구. ＝アクセサリー. ¶～店 장신구점 / ～を着ける 장신구를 착용하다.

そうすい【総帥】名 총수; 총대장. ¶財閥[軍]の～ 재벌[군]의 총수.

そうすい【送水】名ス自 송수; 물을 보냄. ¶～管 송수관.

ぞうすい【増水】名ス自 증수; 물이 불어남. ¶～期 증수기 / 刻々～しつつある 시시각각 증수하고 있다. ↔減水.

ぞうすい【雑炊】名 채소와 된장 따위를 넣고 끓인 죽. ＝おじや. ¶鳥～ 닭고기 잡탕죽 / ～をすする 잡탕죽을 훌훌 마시다. 注意 '雑炊'로 씀은 취음.

そうすう【総数】名 총수. ＝全数. ¶人口～ 인구 총수.

そうすかん【総すかん】名 〈俗〉 어떤 사람을 관계자 전원이 싫어함. ¶彼は皆に～を食った 그는 모든 사람한테 따돌림을 받았다. 参考 'すかん'은 방언으로 '好かん(＝싫다)'의 뜻.

そう-する【奏する】サ変他 **1** (임금에게) 아뢰다; 상주하다. **2** 연주하다. ＝かなでる. ¶舞楽を～ 무악을 연주하다. **3** 이루다; 효과가 있다. ¶効を～ 주효(奏效)하다.

そう-する【草する】サ変他 초잡다; 원고를 쓰다; 기초(起草)하다. ¶憲法を～ 헌법을 기초하다.

ぞう-する【蔵する】サ変他 간수[간직]하다; 품다; 소장하다. ¶多くの古書を～ 많은 고서를 소장하다 / なお多くの問題を～している 아직 많은 문제를 안고 있다.

そうすると 接 **1** 그렇게 하니; 그러자. ＝すると. ¶～戸が開いた 그렇게 하니 문이 열렸다. **2** 그럼; 그렇다면. ¶～君の兄はあの人だね 그렇다면 자네 형은 저 사람이구나.

そうすれば 接 그렇게 하면; 그리하면. ¶～しゃっくりが止まるよ 그렇게 하면 딸꾹질이 멎는단다.

そうせい【早世】名ス自 조세; 조사(早死); 요절. ＝若死に. ¶～した詩人 요절한 시인 / 天才はえてして～する 천재는 흔히 요절한다.

そうせい【早生】名ス自 조생. **1** 조산(早産); 달이 차기 전에 태어남. **2** ☞わせ. ¶～種 조생종. ↔晩生. 「児.
—じ【—児】名 조생[조산]아. ＝早産

そうせい【創世】名 창세. ＝開闢.
—き【—記】名 (구약 성서의) 창세기.

そうせい【創製】名ス他 창제. ¶明治初期～の銘菓 明治 초기에 창제된 명과 / 特効薬を～する 특효약을 창제하다.

そうせい【双生】名 쌍생; 쌍태 분만.
—じ【—児】名 쌍생아; 쌍둥이. ＝ふたご. ¶一卵性～ 일란성 쌍생아.

そうぜい【総勢】名 총세; 총원. ¶～八人が必死に敵の守備陣を乱そうとする 총인원 여덟 명이 필사적으로 적의 수비진을 교란시키려고 한다.

ぞうせい【造成】名ス他 조성. ¶山林の～ 산림의 조성 / 宅地を～する 택지를 조성하다.

ぞうぜい【増税】名ス自 증세. ¶政府が～を断行する[に踏み切る] 정부가 증세를 단행하다. ↔減税.

そうせき[踪跡]名 종적. ＝行くえ·あとかた. ¶～不明 종적 불명 / ～をくらます 종적을 감추다.

そうせきうん【層積雲】名 〔氣〕 층적운; 두루마리구름; 층쌘구름. ＝うね雲.

そうせつ【創設】名ス他 창설; 창립. ＝創立. ¶奥地に学校を～する 벽지에 학교를 창설하다.

そうせつ【総説】名ス他 총설. ＝総論. ¶～を読む 총설을 읽다. ↔各説.

そうぜつ【壮絶】名ナ 장절; 장렬. ¶～な攻撃 장절한 공격 / ～な最期を遂げた 장렬한 최후를 마쳤다.

ぞうせつ【増設】名ス他 증설. ¶支店を三か所～する 지점을 세 곳 증설하다 / 託児所を～する 탁아소를 증설하다.

そうぜん[蒼然]トタル 창연. **1** 색깔이 푸른 모양. ¶顔色～ 안색 창연. **2** 오래 된 모양; 예스러운 모양. ¶古色～たる器物 고색창연한 기물. **3** 저녁

때의 어둑어둑한 모양. ¶暮色~ 모색창연 / ~と暮れゆく大平原 어둑어둑 저물어 가는 대평원.

そうぜん【騒然】トタル 소연; 시끄러운 모양. =ざわざわ·がやがや. ¶場内~ 장내 소연 / ~として聞き取れない 시끄러워서 알아들을 수 없다.

ぞうせん【造船】名ス自 조선. ¶~所 조선소 / ~技術 조선 기술.

そうせんきょ【総選挙】名 총선거. ¶~に備える 총선거에 대비하다.

そうそう【葬送】名 장송. =野辺の送り. ¶~の長い列 긴 장송 행렬.

―こうしんきょく【―行進曲】名〔樂〕장송 행진곡.

そうそう【草創】名 초창. **1** 시작. =草分け. ¶~期 초창기. **2** 절이나 신사(神社) 따위를 처음으로 세움.

そうそう【草草】《匆匆》名 초초; 총총. **1** 간략한 모양. ¶~に切り上げた 총총히 끝냈다. **2** 갑작스러워 충분히 대접을 못하는 모양. =そまつ. ¶お~さまでした (총망 중에) 변변치 못했습니다. **3** 바쁜 모양. ¶~の日々を送る 바쁜 나날을 보내다. **4** 편지 끝에 바삐 썼다는 뜻을 나타내는 인삿말: (이만) 총총. ¶まずは御礼まで, ~ 우선은 인사만 드리고, 총총.

―ふいつ【―不一】名 편지 끝에 더하여, 난필(亂筆)로 자세히 쓰지 못했음을 나타내는 말.

そうそう〖早早〗名副 **1** 급히; 빨리; 서둘러; 부랴부랴. ¶~に立ち去る 부랴부랴 떠나다. **2**《새로운 상황을 가리키는 말을 받아》…(하)자마자; …하자 곧. ¶新年~ 신년 초부터 / 入学~で忙しい 입학한 지 얼마 안 되어 바쁘다 / 夜が明ける~から出掛ける 날이 새자마자 떠나다. **3** 이른 시각. ¶~から 이른 시각부터.

そうそう［匆匆·怱怱］トタル 총총; 바쁜〔분주한〕모양. ¶~として日を過ごす 바쁜 나날을 보내다.

そうそう［錚錚］トタル 쟁쟁(함). ¶~たる学者 쟁쟁한 학자.

そうそう〖然う然う〗一副《뒤에 否定이나 反語가 따라서》그렇게 언제까지나〔자주〕; 그토록. ¶~待てない 그렇게 오래 기다릴 수 없다 / ~いい顔ばかりしてはおられない 그렇게 노상 좋은 얼굴만 하고 있을 수는 없다 / ~貸してやれるものか 그렇게 노상 빌려 줄 수 있는가. 參考 'そう'를 겹친 말.

二感 그래그래; 네 네; 아, 참《긍정할 때, 또는 생각이 떠올랐을 때 하는 말》. ¶~, それは去年の今頃でした 그래그래, 그건 작년 이맘때였지요 / ~, そのとおりだ 그래그래, 바로 그렇다 / ~, おっしゃる通りです 네 네, 말씀하시는 바와 같습니다 / ~, いつかの万円を返してくれないか 아 참, 일전의 만 엔을 갚아 주지 않겠나.

***そうぞう**【創造】名ス他 창조. ¶天地~ 천지 창조. ↔模倣. 「くりぬし.

―しゅ【―主】名 창조〔조물〕주. =つ

****そうぞう**【想像】名ス他 상상. ¶~上の人物 상상의 인물 / ~をたくましゅうする 멋대로 상상하다 / ~に難くない 상상하기 어렵지 않다 / ~もつかない (너무나 엉뚱해) 상상도 못하다 / ~を超える 상상을 초월하다 / ~を絶する 상상도 할 수 없다.

―にんしん【―妊娠】名 상상 임신.

***そうぞうし‐い**【騒騒しい】形 시끄럽다; 소란하다; 어수선하다. =さわがしい. ¶~街 시끄러운 거리 / 世の中が~ 세상이 시끄럽다〔어수선하다〕/ お~ことで 얼마나 놀라셨습니까《화재에 대한 문안 인사》.

そうそく【総則】名 총칙. ¶民法~ 민법 총칙. ↔細則.

***そうぞく**【相続】名ス他 상속. ¶遺産~ 유산 상속 / 跡目~ 호주 상속.

―けん【―権】名〔法〕상속권. ¶~を主張する 상속권을 주장하다.

―にん【―人】名 상속인.

そうそつ【倉卒·草卒】《怱卒》名ナ 창졸. ¶~の間 창졸간; 미처 어찌할 수 없는 동안 / ~の客 갑작스런 손님.

そうそふ［曾祖父］名 증조부. =ひいおじいさん. 「ばあさん.

そうそぼ［曾祖母］名 증조모. =ひいお

そうそん［曾孫］名 증손. =ひいまご·ひまご·ひこ.

そうだ 連語 **1** 시인·긍정의 뜻을 나타냄: 그렇다; 그러하다. ¶それも~ 그도 그렇다 / ~, そのとおり 그래, 그대로야〔그 말이 맞다〕. **2** 생각해 내거나 생각났을 때 감탄사적으로 씀. ¶~, こうすれば解けるぞ 그렇지, 이렇게 하면 풀릴 거다.

そうだ［操舵］名ス自 조타; 배의 키를 잡음. ¶~室 조타실.

―しゅ［―手］名 조타수; 키잡이.

そうたい【早退】名ス自 조퇴《한문투의 말씨》. =早引き·早引け. ¶午後に~します 오후에 조퇴하겠습니다.

そうたい【相対】名ス自 상대. ¶~性 상대성. ↔絶対. 「성 이론.

―せいりろん【―性理論】名〔理〕상대

―てき【―的】ダナ 상대적. ¶~な関係 상대적인 관계 / 価格は~に決まる 가격은 상대적으로 결정된다. ↔絶対的. 「絶対評価.

―ひょうか【―評価】名 상대 평가. ↔

そうたい【総体】名 **1** 총체; 전체. **2**【そうたい】《副詞적으로》총체〔일반〕적으로; 대체로. ¶このクラスは~によくできる 이 반은 총체적으로 성적이 좋다.

そうだい【壮大】ダナ 장대; 웅대; 웅장. ¶~な景色 웅장한 경치 / ~な構想 웅대한 구상.

そうだい【総代】名 총대; 전체의 대표. ¶卒業生~ 졸업생 총대표.

*ぞうだい【増大】图ス自他 증대. ¶輸出(ゆしゅつ)の～ 수출의 증대 / 不安(ふあん)が～する 불안이 증대하다. ↔減少(げんしょう).

そうだか【総高】图 총액; 총계. ¶売(う)り上(あ)げ～ 매출 총액.

そうだち【総立ち】图 (모인 사람이) 전부 일어섬; 총기립. ¶～になる 모두 일어서다 / 満場(まんじょう)～の喝采(かっさい) 만장이 모두 일어서서 보내는 갈채.

そうたつ【送達】图ス他 송달; 보내 줌. ¶決定(けってい)は追(お)って～する 결정은 추후 송달한다.

そうだつ【争奪】图ス他 쟁탈. ¶政権(せいけん)を～する 정권을 쟁탈하다 / 優勝杯(ゆうしょうはい)～戦(せん) 우승배 쟁탈전.

そうたん【操短】图 '操業短縮(そうぎょうたんしゅく)(＝조업 단축)'의 준말.

**そうだん【相談】图ス他 상담; 상의; 의논. ＝談合(だんごう). ¶人生(じんせい)～ 인생 상담 / ～相手(あいて) 의논 상대 / 耳(みみ)～ 귀엣말 의논 / ～がある 상의할 일이 있다 / 兄(あに)に～する 형에게 의논하다 / ～に乗(の)る 상담에 응하다 / 物(もの)は～ 답답할 때는 의논하는 게 제일 / ～を持(も)ちかける 의논을 꺼내다.

―じょ【―所】图 상담소.

―ずく〖―尽く〗图 의논해서 (결정)함. ¶～できめる 의논해서 정하다.

―やく【―役】图 상담역; (회사 등의) 고문. ¶私(わたくし)の～になってください 제 의논 상대가 되어 주십시오.

そうだん【装弾】图ス自 장탄. ¶～装置(そうち) 장탄 장치.

ぞうたん【増反】《増段》图ス自 경작 면적을 늘림. ↔減反(げんたん).

そうち【草地】图 초지; 초원; 스텝. ¶～気候(きこう) 초지 기후.

そうち【葬地】图 장지.

*そうち【装置】图ス他 장치. ¶舞台(ぶたい)～ 무대 장치 / 冷暖房(れいだんぼう)～ 냉난방 장치 / 自然(しぜん)に発火(はっか)する～になっている 자연히 발화하는 장치로 되어 있다.

―さんぎょう【―産業】图 장치 산업.

そうち【送致】图ス他 송치. ¶犯人(はんにん)を～する 범인을 송치하다 / 検察庁(けんさつちょう)に一件書類(いっけんしょるい)を～した 검찰청에 일건 서류를 송치했다.

ぞうちく【増築】图ス他 증축. ＝建増(たてま)し. ¶～工事(こうじ) 증축 공사 / 別館(べっかん)を～する 별관을 증축하다 / 子供部屋(こどもべや)を～する 아이(들) 방을 증축하다.

そうちゃく【装着】图ス他 (옷 따위를) 몸에 걸침〔입음〕; (부속품 따위를) 본체에 부착함. ¶チェーン～の車(くるま) 체인을 단 자동차 / ライフジャケット〔救命胴衣(きゅうめいどうい)〕を～する 라이프재킷〔구명동의를〕 장착하다.

そうちょう【早朝】图 조조; 이른 아침. ¶～興行(こうぎょう) 조조 흥행 / ～割引(わりびき) 조조 할인 / ～ランニング 조조 달리기.

そうちょう【総長】图 총장. ¶参謀(さんぼう)～ 참모 총장 / 検事(けんじ)～ 검찰 총장 / 大学(だいがく)～ (사립 종합) 대학 총장《국립·공립은 '学長(がくちょう)(＝학장)'가 정식 명칭》.

そうちょう【荘重】图ダナ 장중. ¶～な音楽(おんがく)〔口調(くちょう)〕 장중한 음악〔어투〕 / 式(しき)を～に執(と)り行(おこ)なう 식을 장중하게 거행하다.

ぞうちょう【増長】图ス自 1 증장; 점점 심해짐; 특히, 좋지 못한 것이 자꾸 늚. ¶遊(あそ)び癖(ぐせ)が～する 노는 버릇이 심해지다 / ぜいたくの風(ふう)が～する 사치스런 경향이 더해 가다. 2 우쭐해서 거만하게 굶. ¶一度(いちど)ほめられたら, すぐ～する 한번 칭찬을 받으면 곧 우쭐해진다.

そうで【総出】图 총출동. ¶一家(いっか)～で 온 가족이 총출동하여 / 村民(そんみん)～の大歓迎(だいかんげい) 촌민 총출동의 대환영.

そうてい【壮丁】图 장정. ¶～を集(あつ)めて訓練(くんれん)する 장정을 모아 훈련하다.

そうてい【想定】图ス他 상정. ¶…という～のもとに …라는 상정하에 / ～敵国(てきこく) 상정〔가상〕 적국 / 大地震発生(だいじしんはっせい)を～して防災訓練(ぼうさいくんれん)を行(おこ)なう 대지진 발생을 상정하여 방재 훈련을 하다.

そうてい［漕艇］图 조정; (경기용) 보트를 저음. ¶～競技(きょうぎ) 조정 경기

そうてい【装丁】《装訂·装幀》图ス他 장정. ＝装本(そうほん). ¶内容(ないよう)にふさわしく～する 내용에 걸맞게 장정하다 / この本(ほん)は立派(りっぱ)に～されている 이 책은 깔끔하게 장정되어 있다.

そうてい【送呈】图ス他 송정; 물건을 보내어 드림. ＝進呈(しんてい). ¶案内書(あんないしょ)～ 안내서를 보내어 드림 / 恩師(おんし)に本(ほん)を～する 은사에게 책을 보내 드리다.

ぞうてい【増訂】图ス他 증정; 증보·개정함. ＝補訂(ほてい). ¶～版(ばん) 증정판 / ～して新版(しんぱん)を出(だ)す 증보 개정하여 신판을 내다.

ぞうてい【贈呈】图ス他 증정. ¶近著(きんちょ)を～する 근저를 증정하다 / 記念品(きねんひん)の～式(しき) 기념품 증정식.

そうてん［装塡］图ス他 장전. ¶弾薬(だんやく)を～する 탄약을 장전하다 / フィルムを～する 필름을 끼워 넣다.

そうてん【争点】图 쟁점. ¶法律上(ほうりつじょう)の～ 법률상의 쟁점 / ～がぼやけ気味(ぎみ)だ 쟁점이 희미해지는 경향이 있다 / ～が浮(う)き彫(ぼ)り(に)される 쟁점이 드러나게 되다.

そうでん【相伝】图ス他 상전. ¶一子(いっし)～ (학술·기예 등의) 비법을 한 자식에게만 전함 / 重代(じゅうだい)の～ 선조 대대의 상전 / 医(い)を家業(かぎょう)として～する 의술을 가업으로 전하다.

そうでん【桑田】图 상전; 뽕나무밭. ＝桑(くわ)ばたけ.

―変(へん)じて滄海(そうかい)となる 상전벽해. ＝滄桑(そうそう)の変(へん)·桑田滄海(そうかい).

そうでん【送電】图ス自 송전. ¶～線(せん) 송전선 / ～所(しょ) 송전소 / ～ロス 송전 로스〔손실〕. ↔受電(じゅでん).

そうと【壮図】图 장도; 장대한 계획. ＝雄図(ゆうと). ¶宇宙旅行(うちゅうりょこう)の～ 우주여행

의 장도 / ～を抱く 장대한 계획을 품다.

そうと【壮途】名 장도. ¶～を祝う 장도를 축복하다 / 南極探検の～につく 남극 탐험의 장도에 오르다.

そうとう【双頭】名 쌍두. ＝両頭. ¶～政治 양두 정치.

──のわし 쌍두의 독수리《두 권력자의 「비유」》.

そうとう【争闘】名ス自 쟁투; 투쟁. ¶血みどろの～ 피투성이의 싸움.

そうとう【掃討】《掃蕩》名ス他 소탕. ¶～戦 소탕전 / 残敵～ 잔적 소탕 / 野ネズミの～作戦 들쥐 소탕 작전 / ゲリラを～する 게릴라를 소탕하다.

＊そうとう【相当】一名ス自 상당; 상응; 해당; 어울림. ¶魚のえらは人の肺に～する 물고기 아가미는 사람의 폐에 해당한다 / 能力に～する給料 능력에 상응하는 급료 / 子供に～する仕事 아이에게 어울리는 일 / それ～の処置 그에 알맞은 조처 / 彼の罪は死に～する 그의 죄는 죽음에 상당한다.

二副ダナ 정도가 어지간한 모양: 상당히; 상당함. ¶～な家庭 (문벌 등이) 상당한 집안 / ～(に)苦しい 상당히 괴롭다 / ～の腕まえ 상당한 솜씨 / ～な度胸だ 상당한 담력〔배짱〕이다.

そうとう【総統】名 총통. ¶大～ 대총통 / ヒトラ～ 히틀러 총통.

＊そうどう【騒動】名ス自 소동. ¶米～ 쌀소동《쌀값 급등으로 인한 폭동》/ お家～ (大名 등의) 집안싸움 / 学校～ 학원 분쟁《학생의 스트라이크》/ 上を下への大～ 야단법석 / ～を起こす 소동을 일으키다.

ぞうとう【贈答】名ス他 증답. ¶～品 증답품; 선사품 / ～歌 두 사람 또는 몇 사람이 서로 주고받는 和歌.

そうどういん【総動員】名ス他 총동원. ¶一家～ではたらく 일가 총동원해서 일하다 / 社員を～して販売する 사원을 총동원하여 판매하다.

そうどうき［双胴機］名 쌍동기; 동체가 두 개인 비행기.

そうとく【総督】名 총독. ¶朝鮮～府 조선 총독부.

そうとも 感 그렇고말고; 정말로 그렇다. ¶～, 君の言うとおりだ 그렇고 말고, 네가 말하는 대로야.

そうな 助動《終止形에 붙어》…인 듯하다; …것 같다. ＝らしい·ようだ. ¶帰った～ 돌아간 것 같다.

そうなめ【総なめ】《総嘗め》名 **1** 모조리 (핥듯이) 휩쓺. ¶火が村を～にした 불이 온 마을을 휩쓸었다. **2** (대항하는 상대를) 모조리 이김. ¶他チームを～にする 다른 팀을 모조리 이기다.

＊そうなん【遭難】名ス自 조난. ¶～者 조난자 / ～信号 조난 신호 / 冬山で～する 겨울 등산에서 조난하다.

ぞうに【雑煮】名 (설에 먹는) 떡국. ¶～を祝う 떡국을 먹으면서 신년을 축하하다.

そうにない 連語 …할 기미가 없다. ¶雨はまだ降り～ 비는 아직 올 기미가 없다.

そうにゅう【挿入】名ス他 삽입. ¶～句〔薬〕 삽입구〔약〕/ 注を～する 주석이나 주해를 삽입하다.

そうにん【奏任】名 주임; 패전 전, 관리 임명 형식의 하나《내각의 주천(奏薦)에 의해 天皇가 임명》.

──かん【──官】名 주임관《구(舊) 관제에서, 3등 이하 9등까지의 고등관》.

そうねん【壮年】名 장년. ＝盛年. ¶～時代 장년 시절 / ～に達する 장년에 이르다. ↔少年·青年·老年.

そうねん【想念】名 상념; 생각. ＝考え. ¶とりとめもない～が次から次へと浮かんで来る 걷잡을 수 없는 상념이 자꾸자꾸 떠오르다.

そうは【争覇】名ス自 쟁패. ¶～戦 쟁패전 / 戦国群雄の～ 전국 군웅의 쟁패.

そうは【走破】名ス自 주파. ¶マラソンの全コースを～した 마라톤 전 코스를 주파했다 / 百メートルを十秒で～する 100미터를 10초에 주파하다.

そうは［搔爬］名ス他〔醫〕소파; 인공 임신 중절을 이름. ¶～手術を受ける 소파 수술을 받다.

＊そうば【相場】名 **1** 시세. ㉠시가. ＝市価·時価. ¶株式～ 주식 시세 / ～の上がり下がり 시세의 오르내림 / ～が定まらない 시세가 안정되지 않다. ㉡〈俗〉값어치. ¶通り～ 일반적인 시세나 평가 / 人間の～が下落した 사람의 시세가 떨어졌다. **2**〈俗〉일반적 통념. ¶夏は暑いものと～が決まっている 여름은 으레 덥게 마련이다 / 世間の～に合わせる 세상의 일반적인 통념에 맞추다.

──し【──師】名 투기꾼. ＝投機師.

ぞうは【増派】名ス他 증파. ¶部隊を～する 부대를 증파하다.

＝そうばい【層倍】《수를 나타내는 한자어 등의 밑에 붙여서》…배(倍); …곱. ¶薬九～ 약은 아홉 곱쟁이(의 이익이 있다) / 今投資すると何～ももうかる 지금 투자하면 몇 배나 벌 수 있다.

そうはく［蒼白］名ナ 창백. ¶～な顔色 창백한 얼굴빛.

そうはつ【双発】名 쌍발. ¶～旅客機 쌍발 여객기. ↔単発.

──き【──機】名 쌍발기.

そうはつ【総髪】名 머리털을 모두 빗어 넘겨 뒤통수에서 묶은 남자의 머리형《江戸 시대에 의사·수도승·노인 등이 매었음》. ＝そうがみ.

ぞうはつ【増発】名ス他 증발. ¶臨時列車を～する 임시 열차를 증발하다 / 紙幣を～する 지폐를 증발하다.

そうばな【総花】名 (요릿집 등에서) 손님이 종업원 모두에게 주는 팁; 전하여, 당사자 전원에게 고루 이익·혜택을 주는 일. ¶～をまく 전원에게 팁을 주다; 전원에게 고루 혜택이 돌아가게 하다.

—しき【—式】名 전원에게 혜택이 돌아가도록 하는 방식. ¶～経営 전원 수혜식(式) 경영.

—てき【—的】ダナ 전원에게 혜택이 돌아가도록 하는 모양. ¶～に予算を配分する 모두 다 고루 좋도록 예산을 배분하다.

そうばん【早晩】副 조만간(에). ¶どうせ～知れることだ 어차피 조만간 알려질 일이다 / ～犯人は捕えられる 조만간에 범인은 잡힌다.

ぞうはん【造反】名ス自 조반; 반역; 체제에 반항함. 参考 본디, 중국어.

—ゆうり【—有理】名 반역을 일으키는 편에도 도리가 있음《마오쩌둥(毛澤東)의 말》.

そうび【壮美】名 장미; 장대(壯大)하고 아름다움. ¶～な景色 장대하고 아름다운 경치.

そうび【装備】名ス他 장비. ¶安全～ 안전 장비 / 核兵器を～した戦艦 핵무기를 장비한 전함. 「ネスト.

そうひぎょう【総罷業】名 총파업. ＝ゼ

そうひょう【総評】名 총평. ¶今年の演劇界を～する 금년의 연극계를 총평하다.

そうびょう［走錨］名ス自 배가 닻을 내린 채로 강풍이나 강한 조류(潮流) 등에 의해 떠내려감.

そうびょう［躁病］名〔醫〕조병《조울병의 한 상태》. ⇨(そう)うつびょう.

ぞうひょう【雑兵】名 **1** 졸병. ＝歩卒. **2** (비유적으로) 조직에서 지위가 낮은 사람; 똘마니; 졸개. ＝陣がさ.

ぞうびん【増便】名ス他 증편; 증발(增發)《배·항공기 등의 정기편 횟수를 늘림》. ¶一日二便～する 하루 2편을 증편한다. ↔減便.

そうふ【送付·送附】名ス他 송부. ¶書類を～する 서류를 송부하다. ↔返付.

ぞうふ［臓腑］名 장부; 내장; 오장육부. ＝はらわた·内臓. ¶～をえぐるような悲報 오장육부를 에는 듯한 비보.

そうふう【送風】名ス自 송풍. ¶～機 송풍기 / ～管 송풍관.

そうふく【僧服】名 승복. ＝僧衣.

ぞうふく【増幅】名ス他 증폭. ¶高周波～ 고주파 증폭 / 噂が～して伝えられる 소문이 증폭되어 전해지다.

—き【—器】名 증폭기.

ぞうぶつ［贓物］名 장물. ＝ぞうもつ·贓品·盗品. 「죄.

—こばいざい【—故買罪】名 장물 취득

ぞうぶつ【造物】名 조물. **1** 천지간의 모든 것. **2** '造物主'의 준말.

—しゅ【—主】名 조물주.

そうへい【僧兵】名 승병; 특히, 平安 시대 말기의 延暦寺·興福寺 등 큰 절의 승병.

ぞうへい【増兵】名ス自 증(원)병. ¶～を要請する 증원병을 요청하다.

ぞうへい【造幣】名 조폐; 화폐를 만듦.

—きょく【—局】名 조폐국《財務省 부속 기관의 하나》.

そうへき［双璧］名 쌍벽. ¶二人は経済界の～だ 두 사람은 경제계의 쌍벽이다 / 日本文学の～をなす 일본 문학의 쌍벽을 이루다.

そうべつ【送別】名ス他 송별. ¶～会 송별회 / ～の辞 송별사. ↔留別.

ぞうほ【増補】名ス他 증보. ¶改訂～版 개정 증보판 / 旧版を訂正～する 구판을 정정 증보하다 / ～を重ねる 증보를 거듭하다.

ぞうぼ【増募】名ス他 증모. ¶新卒を～する 새 졸업생을 증모하다.

そうほう【双方】名 쌍방; 양쪽. ＝両方. ¶～の意見 쌍방의 의견 / ～の利益をはかる 쌍방의 이익을 꾀하다.

そうほう【奏法】名 주법; 연주법. ¶ピアノの～ 피아노 연주법.

そうほう【走法】名 (육상 경기의) 주법; 달리는 방법. ¶ピッチ～ 피치 주법 / ストライド～ 스트라이드 주법.

そうぼう【僧坊·僧房】名 승방《절에 딸린, 승려가 거처하는 집》.

そうぼう［双眸］名〈文〉쌍모; 두 눈(동자). ＝両眼. ¶涼しげな～ 시원스러운 두 눈.

そうぼう［相貌］名 **1** 상모; 얼굴 모습［생김새］; 용모. ＝顔つき. ¶死人のような～ 죽은 사람 같은 얼굴 모습 / 恐ろしい～ 무서운 인상. **2** (정상적이 아닌) 모습; 양상. ¶末期的な～ 말기적 양상 / 深刻な～を呈する 심각한 양상을 드러내다.

ぞうほう【増俸】名ス自 증봉. ＝増給. ¶二割～にする 봉급을 2할 올리다. ↔減俸.

そうほうこう【双方向】名 쌍방향. ¶～性 쌍방향성.

—つうしん【—通信】名 쌍방향 통신.

ぞうぼく【雑木】名 ☞ぞうき(雑木).

そうほん【草本】名 초본. **1**〔植〕풀. ¶一年生～ 일년생 초본. ↔木本. **2** 초고(草稿); 초안. 「帯.

—たい【—帯】名〔植〕초본대. ↔地衣

そうほん【装本】名ス他 ☞そうてい.

ぞうほん【蔵本】名 장본; 장서. ＝蔵書. ¶図書館の～ 도서관의 장서.

そうほんけ【総本家】名 대(大)종가.

そうほんざん【総本山】名 **1**〔佛〕총본산; 총본사. ¶天台宗の～ 천태종의 총본산. **2** 전하여, 사물의 중심이 되는 곳; 사물을 총괄하는 곳. ¶医学界の～ 의학계의 총본산.

そうまくり【総まくり】《総捲り》名ス自他 **1** 전부 걷어올림. **2** 비유적으로, 모조리 비평을 가함; (가십 따위를) 모두 폭로함. ¶人気スター～ 인기 배우 총평 / 政界の裏幕を～する 정계의 내막을 모조리 폭로하다. **3** 모두 기재함; 모조리 실음. ¶利殖術(りしょくじゅつ)～ 이식 방법 전재(全載).

そうまとう【走馬灯】名 주마등. ＝まわりどうろう. ¶～のように変転(へんてん)極(きわ)まりない世(よ)の中(なか) 주마등같이 변천무쌍한 세상 / 思(おも)い出(で)は～のようにつぎつぎと浮(う)かんできた 추억은 주마등처럼 꼬리를 물고 떠올랐다.

そうみ【総身】名 전신; 온몸. ＝そうしん. ¶～に傷(きず)を負(お)う 온몸에 부상하다 / 寒気(さむけ)が～にしみわたる 추위가 온몸에 스며들다.

そうむ【双務】名〖法〗쌍무. ¶～貿易(ぼうえき) 쌍무 무역. ↔片務(へんむ).

──けいやく【──契約】名 쌍무 계약. ↔「片務契約.

そうむ【総務】名 총무. ¶～課(か) 총무과 / ～部長(ぶちょう) 총무부장 / 党(とう)の～を選出(せんしゅつ)する 당의 총무를 선출하다.

──しょう【──省】名 총무성《각 성청(省廳)의 시책 및 인사·조직 등에 관하여 종합 조정을 행하는 행정 기관》.

ぞうむし〖象虫〗名〖蟲〗바구미.

そうめい[聡明]ダナ 총명. ¶～な子供(こども) 총명한 아이.

そうめいきょく【奏鳴曲】名〖樂〗주명곡; 소나타. ＝(古典(こてん))ソナタ. ¶ピアノ～ 피아노 소나타.

そうめつ【掃滅】名ス他 소멸. ¶～作戦(さくせん) 소멸 작전 / 残敵(ざんてき)を～する 잔적을 소멸하다.

そうめん〖素麵·索麵〗名 실국수. ¶冷(ひ)や～ 냉국수.

そうもく【草木】名 초목. ¶山川(さんせん)～ 산「천초목.

ぞうもつ【臓物】名 내장; 특히, 소나 돼지·생선 따위의 내장. ＝はらわた·もつ. ¶～料理(りょうり) 내장 요리.

そうもとじめ【総元締め】名 총괄자; 일이나 인원 전체를 관리하는 중심인물. ¶興行(こうぎょう)の～ 흥행의 총괄자.

そうもん【僧門】名 승문; 불문.

──に入(い)**る** 승문에 들어가다《승려가 되「다》.

そうやく【装薬】名ス自 장약; 약실(藥室)에 화약을 잼; 또, 그 화약.

そうゆ【送油】名ス自 송유. ¶～管(かん) 송「유관.

ぞうよ【贈与】名ス他 증여. ¶孫(まご)に金品(きんぴん)を～する 손자에게 금품을 증여하다 / 愛蔵(あいぞう)の書(しょ)を～する 애장하고 있는 책을 증여하다. ⇨譲渡(じょうと).

──ぜい【──税】名 증여세.

ぞうよう【雑用】名 1 잡용; 잡비. ＝雑費(ざっぴ). ¶～にあてる 잡비에 충당하다 / ～がかさんで困(こま)る 잡비가 늘어 곤란하다. 2 ☞ざつよう.

そうよく【双翼】名 쌍익. 1 양 날개. ¶とびが～を張(は)って大空(おおぞら)を旋回(せんかい)する 소리개가 양 날개를 펴고 하늘을 선회하다. 2 좌우 양쪽의 부대(部隊).

そうらん【争乱】名 쟁란; 내란으로 세상이 혼란함. ¶～の世(よ) 난세(亂世).

そうらん【総覧】《綜覧》一名ス他 총람; 전체를 훑어봄. ¶蔵書(ぞうしょ)を～する 장서를 총람하다 / 全国(ぜんこく)の道路状況(どうろじょうきょう)を～する 전국의 도로 상황을 총람하다. 二名 어떤 사물에 관계되는 것을 망라한 책. ¶大学(だいがく)～ 대학 총람.

そうらん[総攬]名ス他 총람; 한손에 잡고 통할함. ¶人心(じんしん)を～する 인심을 휘어잡다 / 国政(こくせい)〔国務(こくむ)〕を～する 국정을〔국무를〕 총람하다.

そうらん【騒乱】名 소란; 소동. ¶各地(かくち)に～が起(お)こった 각지에 소란이 일어「났다.

──ざい【──罪】名 소란죄.

そうり【総理】총리. 一名ス他 사무를 통일 관리함; 또, 그 소임. ¶国務(こくむ)を～する 국무를 총리하다. 二名 '内閣(ないかく)総理大臣(そうりだいじん)(＝내각 총리대신)'의 준말. ¶副(ふく)～ 부총리.

──だいじん【──大臣】名 총리대신. ＝「首相(しゅしょう).

──ふ【──府】名 '内閣府(ふ)'의 구칭.

*__ぞうり__【草履】名 (일본) 짚신; 샌들. ¶わら～ 짚신 / 尻切(しりき)れ～ 뒤축이 떨어져 나간 짚신 / ～をはく 짚신을 신다.

──むし〖──虫〗名〖蟲〗짚신벌레.

*__そうりつ__【創立】名ス他 창립. ＝創設(そうせつ). ¶～総会(そうかい) 창립 총회 / 会社(かいしゃ)を～する 회사를 창립하다.

そうりょ[僧侶]名 승려. ＝僧(そう). ¶～の修行(しゅぎょう)を積(つ)む 승려의 수행을 쌓다.

そうりょう【総量】名 총량; 총분량. ¶～二千貫(にせんかん) 총량 2천 관 / ～が不足(ふそく)している 총량이 부족하다.

──きせい【──規制】名 총량 규제《기업체에서 배출하는 공해 물질의 총량을 일정 수치 이하로 규제하는 일》.

そうりょう【総領】《惣領》名 한 집안의 계승자; 장남; 전하여, 맏자식. ¶～息子(むすこ) 장남; 맏아들 / ～娘(むすめ) 맏딸.

──の甚六(じんろく) 맏아들이 얌전하고 굼뜸을 욕하는 말《甚六는 '바보'란 뜻》.

そうりょう【送料】名 송료. ＝送(おく)り賃(ちん). ¶小包(こづつみ)～ 소포 송료 / ～がかかる 송료가 들다 / 代金(だいきん)は～を含(ふく)む 대금은 송료를 포함한다.

ぞうりょう【増量】名ス自他 증량. ¶有効成分(ゆうこうせいぶん)を～する 유효 성분을 증량하다. ↔減量(げんりょう).

そうりょうじ【総領事】名 총영사. ¶～館(かん) 총영사관. ⇨領事(りょうじ).

そうりょく【総力】名 총력. ＝全力(ぜんりょく). ¶～を傾(かたむ)ける 총력을 기울이다 / ～を結集(けっしゅう)する 총력을 결집하다.

──せん【──戦】名 총력전. ¶明日(あす)の試合(しあい)は～になるだろう 내일 경기는 총력전이 될 것이다.

ぞうりん【造林】名ス自 조림. ¶～業(ぎょう) 조림업 / ～対策(たいさく) 조림 대책.

ソウル[soul]名 솔. 1 영혼; 정신. 2 'ソウルミュージック(＝솔 뮤직)'의 준말.

ソウル[한 서울]名〖地〗(한국의) 서울.

そうるい【走塁】名〖野〗주루; 주자가 다음 베이스로 달림. ＝ベースランニング. ¶～がうまい選手(せんしゅ) 주루를 잘 하는 선수. ⇨盗塁(とうるい)·残塁(ざんるい).

──ぼうがい【──妨害】名〖野〗주루 방

해. ＝オブストラクション.

そうるい【藻類】名〔植〕조류. ＝藻(も). ¶海(かい)～ 해조류; 바닷말.

そうルビ【総ルビ】名 총 루비; 글 속의 한자 전부에 振(ふ)り仮名(がな)를 닮.

そうれい【壮麗】名ダナ 장려. ¶～な大建築(だいけんちく) 웅장하고 아름다운 대건축.

そうれい【葬礼】名 장례; 장의. ＝葬式(そうしき)·葬儀(そうぎ). ¶～に参列(さんれつ)する 장례에 참석〔참례〕하다.

そうれつ【壮烈】名ダナ 장렬. ¶～な白兵戦(はくへいせん) 장렬한 백병전/～な戦死(せんし)を遂(と)げる 장렬한 전사를 하다.

そうろ【走路】名 주로; 코스. ＝コース. ¶～を妨害(ぼうがい)する 주로를 방해하다.

そうろ【草露】名 초로. ¶人(ひと)の命(いのち)は～の如(ごと)し 사람의 목숨은 초로와 같다.

そうろう【早老】名 조로; 겉늙음. ¶～を防(ふせ)ぐ方法(ほうほう) 조로를 막는 방법.

そうろう【早漏】名 조루. ¶～症(しょう) 조루증. ↔遅漏(ちろう).

そうろう［蹌踉］トタル 창랑; 비틀거리는 모양. ¶～たる足(あし)どり 비틀거리는 걸음걸이/～として, さまよう 비틀거리면서 헤매다/死刑(しけい)を宣告(せんこく)されて～として法廷(ほうてい)を退出(たいしゅつ)した 사형 선고를 받고 비틀거리면서 법정을 나갔다.

そうろうぶん【候文】名 '候(そうろう)'라는 말을 사용하는 문어문(文語文)의 일종《주로, 편지에 쓰는 문어체》.

そうろん【争論】名ス自 쟁론; 논쟁. ¶～の種(たね) 논쟁의 불씨/～を展開(てんかい)する 논쟁을 벌이다.

そうろん【総論】名 총론. ＝総説(そうせつ). ¶法学(ほうがく)～ 법학 총론/これについては～で述(の)べた 이에 대해서는 총론에서 말하였다. ↔各論(かくろん).

—賛成(さんせい), 各論反対(かくろんはんたい) 총론에는 찬성, 각론에서는 반대; 취지 자체는 찬동하나, 각자 이해가 걸린 구체적인 문제에 대해서는 이의를 내세움.

そうわ【挿話】名 삽화; 일화; 에피소드. ＝エピソード. ¶本筋(ほんすじ)とは関係(かんけい)のない～を差(さ)しはさむ 줄거리와는 관계가 없는 삽화를 끼워 넣다/彼(かれ)にまつわる感動的(かんどうてき)な～ 그에게 얽힌 감동적인 일화.

そうわ【送話】名ス自 송화. ↔受話(じゅわ).

—き【—器】名 송화기. ↔受話器(じゅわき).

そうわ【総和】名ス他 총화; 총계. ＝総計(そうけい). ¶得点(とくてん)の～を出(だ)す 득점 총계를 내다.

ぞうわい【贈賄】名ス自 증회; 뇌물을 줌. ¶～罪(ざい) 증회죄. ↔収賄(しゅうわい).

そうわく【総枠】名 어떤 사항 전체의 범위. ¶支出(ししゅつ)の～がきめられている 지출의 총 범위가 정해져 있다.

ぞうわく【増枠】名ス自 할당 한도를 늘림.

そえ【添え】《副え》名 **1** 곁들임; 첨부; 첨가. ¶～物(もの) 곁들이는 것. **2** 부축; 보좌. **3** 꽃꽂이에서, 주된 가지에 곁들여 꽂는 가지. **4** 반찬; 부식.

そえがき【添え書き】名ス自 첨서. **1** (서화 등에 그 유래 따위를) 곁들여 넣음; 또, 그 글. **2** 추신; 추계(追啓). ＝追(お)って書(が)き. ¶手紙(てがみ)に～(を)する 편지에 추신을 하다.

そえぎ【添え木】《副え木》名 받침대; 덧방나무; (특히) 부목(副木). ¶植木(うえき)に～をする 정원수에 받침대를 받치다/骨(ほね)の折(お)れた腕(うで)に～をあてる 부러진 팔에 부목을 대다.

そえじょう【添え状】名 첨장(添狀); 첨부하는 편지; 사람 또는 물건을 보낼 때 곁들이는 편지. ¶品物(しなもの)に～をつけて送(おく)る 물건에 사연을 적은 편지를 붙여서 보내다.

そえぢ【添え乳】名ス自 아기의 옆에 누워서 젖을 먹임. ¶母親(ははおや)が～してやるとすぐ眠(ねむ)る 어머니가 옆에 누워서 젖을 물리면 곧 잠이 든다.

そえもの【添え物】名 **1** 첨물(添物); 곁들인 물건; 전하여, 있으나마나한 존재. ¶彼(かれ)は～に過(す)ぎない 그는 곁다리에 지나지 않는다/あの重役(じゅうやく)は～さ 저 중역은 있으나마나한 존재야. **2** 경품; 덤. ＝おまけ.

***そ-える**【添える】《副える》下1他 **1** 첨부하다; 붙이다; 딸리다. ¶手紙(てがみ)を～·えて渡(わた)す 편지를 첨부해 건네주다/看護婦(かんごふ)を～·えて散歩(さんぽ)させる 간호사를 딸려서 산책하게 하다. **2** 곁들이다. ¶…に花(はな)を～ 좋은 것을 더 좋게 하다/カツレツに野菜(やさい)を～ 커틀릿에 야채를 곁들이다. **3** 더하다. ¶おもむきを～ 정취를 더하다/美(うつく)しさを～ 아름다움을 더하다. **4** 거들다; 돕다. ¶力(ちから)を～ 거들어 주다/口(くち)を～ 말을 거들다; 조언하다/手(て)を～·えてやる 손으로 부축해 주다.

そえん【疎遠】名ナ 소원. ¶平生(へいぜい)は～な親戚(しんせき) 평소는 소원한 친척/彼(かれ)との間(あいだ)が～になる 그와의 사이가 소원해지다. ↔親密(しんみつ).

ソーイング［sewing］名 소잉; 재봉; 바느질. ¶～マシン 재봉틀/ホーム～ 가정양재.

ソーシャル 名 ☞ソシアル.

ソース［sauce］名 소스. ¶ホワイト～ 화이트 소스/ベシャメル～ 베샤멜 소스/～をかける 소스를 치다.

ソース［source］名 소스; 근원; 출처. ¶ニュースの～ 뉴스 소스.

ソーセージ［sausage］名 소시지. ＝腸詰(ちょうづ)め.

ソーダ［네 soda］名 소다. **1**〔化〕탄산소다. **2**〈俗〉나트륨 화합물의 총칭. **3** 'ソーダ水(すい)'의 준말. 注意 '曹達'로 씀은 취음.

—ガラス［네 soda glas］名 소다 유리《보통의 유리》.

—すい【—水】名 소다수. 参考 흔히, 시럽(syrup)을 타서 마시는데 시럽을 타지 않은 것은 'プレーンソーダ(＝플레인 소다)'라 함.

—ばい【—灰】名〔化〕소다회《종이·유

리·비누 등의 원료》.

ソート [sort] 名スル他 소트; 분류; 데이터를 어떤 기준《예컨대 ABC 순》에 따라 고쳐 배열하는 일. 參考 이 작업을 소팅(sorting)이라 함.

ソープ [soap] 名 소프; 비누. =シャボン.

—オペラ [soap opera] 名 소프 오페라; 라디오·TV의 짧은 연속 멜로드라마.

—ランド [일 soap+land] 名 독방식 특수 욕탕《'トルコ風呂(ぶろ)(=터키탕)'의 고친 말》.

ソーホー [SOHO] 名 소호; 회사에 나가지 않고, 자택이나 작은 사무실에서 인터넷을 이용해 근무하는 형태. ▷small office home office.

ソーラーカー [solar car] 名 솔라 카《태양 전지를 동력원으로 하는 자동차》.

ソーラーハウス [solar house] 名 솔라 하우스; 태양열 주택.

ゾーン [zone] 名 존. **1** 지역; 지대; 구역. ¶スクール～ 학교 지역/ゼブラ～ 횡단보도/デ杯(はい)東洋(とうよう)～の決勝戦(けっしょうせん) 데이비스컵 동양 지역 결승전. **2** 범위. ¶ストライク～ 《野》 스트라이크 존.

—ディフェンス [zone defense] 名 (농구 등의 구기에서) 존 디펜스; 지역 방어. ↔マンツーマンディフェンス

そか【粗菓】名 변변치 못한 과자《남에게 선물하거나 권할 때의 겸손한 말》. ¶～ですがおひとつどうぞ 변변치 못한 과자입니다만 하나 드십시오.

そかい【租界】名 조계《2차 대전 전에 중국의 개항 도시에서 외국인의 거류지로 개방되었던 치외 법권 지역》. ¶共同(きょうどう)～ 공동 조계. ⇨租借(そしゃく).

そかい【疎開】名スル自他 소개. ¶強制(きょうせい)～ 강제 소개/郷里(きょうり)に～する 고향으로 소개하다.

そかい【素懐】名 소회; 평소의 소원. =素志(そし). ¶～の一端(いったん)を述(の)べる 소회의 일단을 말하다/～を遂(と)げる 평소에 품고 있던 소원을 이루다.

そがい【疎外】名スル他 소외. ¶人間(にんげん)～ 인간 소외/仲間(なかま)から～される 동료들에게 소외당하다.

—かん【—感】名 소외감. ¶～を味(あじ)わう 소외감을 맛보다.

そがい【阻害】《阻碍》名スル他 저해; 조애(阻礙). ¶産業(さんぎょう)の発展(はってん)を～する 산업 발전을 저해하다.

そかく【疎隔】名スル自他 소격; 소원(疏遠). ¶感情(かんじょう)の～を来(き)たす 감정의 소격을 가져오다/夫婦間(ふうふかん)に～が生(しょう)じる 부부간에 소원함이 생기다.

そかく【阻隔】名スル自他 조격; 방해하여 사이를 뜨게 함; 가로막혀서 통하지 못하게 됨〔함〕. ¶中傷(ちゅうしょう)して二人(ふたり)の間(あいだ)を～する 중상을 해서 두 사람 사이를 버성기게〔소원하게〕 하다.

そかく【組閣】名スル自 조각. ¶～本部(ほんぶ) 조각 본부/～に着手(ちゃくしゅ)する 조각에 착수하다/実力者(じつりょくしゃ)をそろえて～する 실력자를 고루 갖추어 조각하다.

そが-れる〖殺がれる〗下1自 **1** 깎이다. **2** (기세 따위가) 꺾이다; 약해지다. ¶気勢(きせい)を～ 기세를 꺾이다/興味(きょうみ)を～ 흥미가 깨지다. 參考 'そぐ'의 수동태.

そがん【訴願】名スル他 《法》 소원. ¶不当(ふとう)な行政処分(ぎょうせいしょぶん)の取(と)り消(け)しを～する 부당한 행정 처분의 취소를 소원하다.

そぎおと-す【そぎ落とす】《削ぎ落とす》5他 (불필요한 부분을) 깎아 없애다. =けずり落(お)とす. ¶りんごの傷(いた)んだところを～ 사과의 상한 곳을 도려내다.

そぎと-る【そぎ取る】《削ぎ取る》5他 (칼로) 깎아 내다; 긁어 없애다. ¶かみそりで～ 면도칼로 깎아 내다.

そきゃく【阻却】名スル他 〈文〉 조각; 물리침; 방해함. ¶違法性(いほうせい)を～する 위법성을 조각하다〔물리치다〕.

そきゅう【訴求】名スル他 소구; (광고나 판매에서) 상품을 선전하고 상대방에게 사고 싶은 마음이 일도록 하는 일. ¶～効果(こうか) 소구 효과/消費者(しょうひしゃ)に～する 소비자에게 소구하다.

そきゅう [遡及·溯及] 名スル自 소급. ¶終戦(しゅうせん)の時(とき)まで～する 종전시까지 소급하다. 注意 관용음은 'さっきゅう'.

そく【即】接 즉; 곧; 바로. ¶生(せい)～死(し) 생즉사/個人(こじん)の幸福(こうふく)～社会(しゃかい)の幸福 개인의 행복이 곧 사회의 행복.

=そく【束】**1** 벼 열 단. **2** 반지(半紙) 200장. **3** …묶음; …단; …다발. ¶まき一(いっ)～ 장작 한 묶음; 장작 한 단.

=そく【足】…족; 켤레. ¶靴(くつ)一(いっ)～ 구두 한 켤레/くつした二(に)～ 양말 두 켤레.

そく〖即〗《卽》常用 ソク つく すなわち | 즉 곧

1 즉위하다. ¶即位(そくい) 즉위. **2** 곧; 즉시. ¶即刻(そっこく) 즉각/即決(そっけつ) 즉결.

そく〖束〗教4 ソク たば つかねる つか | 속 묶다 | **1** 묶다; 동여매다; 다발. ¶拘束(こうそく) 구속. **2** ㉠벼 10단. ㉡100을 단위로서 일컫는 수사(數詞). ¶二束三文(にそくさんもん) 200개에 3문《극히 값어치 없는 것》.

そく〖足〗教1 ソク あし たりる たる たす | 족 발

1 다리; 발. ¶手足(しゅそく) 수족/足跡(そくせき) 족적; 발자취. **2** 걷다; 걸음. ¶遠足(えんそく) 원족; 소풍. **3** 족하다. ¶満足(まんぞく) 만족/不足(ふそく) 부족.

そく〖促〗常用 ソク うながす | 촉 재촉하다 | 재촉하다.

¶促進(そくしん) 촉진/督促(とくそく) 독촉.

そく〖則〗教5 ソク のり のっとる すなわち | 칙 법칙

1 규정; 법; 법칙. ¶原則(げんそく) 원칙/規則(きそく) 규칙/犯則(はんそく) 범칙. **2** 조항. ¶格言(かくげん)三則(さんそく) 격언 세 조목.

そく〖息〗教3 ソク いき いきづく やすむ やむ むすこ

식 숨쉬다 | **1** 숨 (쉬다). ¶嘆息(たんそく) 탄식/喘息(ぜんそく) 천식. **2** 살다. ¶棲息(せいそく) 서

식. **3** 쉬다. ¶安息 안식.

そく〘速〙《速》常用 ソク はやい はやめる すみやか | 속 빠르다 | **1** 빠르다. ¶速力 속력 / 速達 속달. ↔遅. **2** 속도. ¶時速 시속 / 風速 풍속.

そく〘側〙教4 ソク かわ そば | 측 곁 | **1** 곁; 옆. ¶側近 측근. **2** ㉠(대립하는) 한(편)쪽. ¶左側通行 좌측통행. ㉡옆면; 측면. ¶側近 측근 / 舷側 현측; 뱃전.

そく〘測〙教5 ソク はかる | 측 재다 | **1** 재다. ¶測定 측정 / 目測 목측. **2** 헤아리다. ¶推測 추측 / 予測 예측.

そ-ぐ〘殺ぐ·削ぐ〙5他 **1** 뾰족하게 자르다; 엇베다. ¶竹を～ 대를 엇베다. **2** (머리카락의) 끝을 잘라 내다; 치다. ¶びんを～ 살쩍을 치다. **3** 깎아[베어] 내다. ¶ゴボウの皮を～ 우엉 껍질을 깎아내다. **4** 꺾다; 죽이다. ¶気勢を～ 기세를 꺾다 / 興味を～·がれる 흥미가 깨지다.

***ぞく**【俗】㊀名 **1** 풍습; 습속. ¶東国の～ 일본 동부 지방의 풍속. **2** 속인. ¶～の名 속명 / ～にかえった僧 환속한 승려. ↔僧. **3** 속세; 세속. ¶～にまじわる 속세와 어울리다. ㊁ダナ **1** 속됨; 천함. ¶～な表現 속된 표현 / 有名人ほど～である事が多い 유명인일수록 속물일 경우가 많다. ↔雅. **2** 흔함; 일반적임. ¶～にそう言うね 흔히 그렇게 말하지 / ～に'口は災いの元'というが… 흔히 '입은 재앙의 근원'이라고 하지만….

ぞく【属】名 속. **1** 뒤따름; 붙따르는 것; 부속. **2** 부하. **3** 같은 부류; 동류(同類). **4** 생물 분류상의 한 단계《과(科)와 종(種)의 중간》.

ぞく【族】㊀名 **1** 같은 뿌리에서 갈라진 것; 일족(一族). **2** 어떤 범위 안의 같은 종류의 것. ㊁接尾 족. **1** 같은 혈통의 것. ¶アパッチ～ 아파치족. **2** 한패; 동아리; 그룹. ¶ヒッピー～ 히피족 / 社用～ 사용족 / 暴走～ 폭주족.

ぞく【続】名 **1** 계속(함). **2** 속편(續編). ¶正～二巻よりなる小説 정속 2 권으로 된 소설. ↔正.

ぞく【賊】名 **1** 역적; 반역자. ¶～を討つ 역적을 치다 / 天下の～ 천하의 역적. **2** 도둑. ¶～に入られる 도둑이 들다 / ～を捕らえる 도둑을 잡다.

ぞく〘俗〙常用 ゾク | 속 풍속 | **1** 풍속; 관습. ¶古の俗 옛 풍속 / 世俗 세속. **2** 평범하다; 범속하다. ¶俗説 속설 / 低俗 저속. **3** 속세; 천하다. ¶俗物 속물.

ぞく〘族〙教3 ゾク やから | 족 겨레 | **1** 같은 피붙이. ¶民族 민족 / 遺族 유족. **2** 혈통상의 신분. ¶皇族 황족 / 貴族 귀족. **3** 한무리. ¶種族 종족 / 語族 어족.

ぞく〘属〙《屬》教5 ゾク ショク つく | 속 무리 | **1** 붙다; 따르다. ¶属国 속국 / 付属 부속. **2** ㉠무리; 붙이; 혈족. ¶金属 금속 / 尊属 존속. ㉡〔生〕속. ¶いぬ科いぬ属 갯과 개속.

ぞく〘賊〙《賊》常用 ゾク そこなう | 적 도둑 | **1** 도둑질(함); 도둑. ¶馬賊 마적 / 賊徒 적도. **2** 반역자; 역적. ¶賊臣 적신 / 逆賊 역적.

ぞく〘続〙《續》教4 ゾク ショク つぐ つづく つづける | 속 잇다 | 잇다; 계속하다. ¶接続 접속 / 連続 연속 / 続行 속행.

ぞくあく【俗悪】名ダ 속악; 저속. ¶～な趣味 속악한 취미 / ～な雑誌 저속한 잡지 / ～なテレビ番組 저질 텔레비전 프로그램.

そくい【即位】名ス自 즉위. ¶～式 즉위식 / 幼くして～する 어려서 즉위하다. ↔退位.

そぐ-う〘適う〙5自《보통, 否定형으로》 어울리다; 걸맞다. ¶君に～·わぬ発言 자네에게 걸맞지 않는 발언 / 葬儀の場には～·わない服装 장례식장에는 어울리지 않는 복장.

ぞくうけ【俗受け】名ス自 대중의 마음에 듦; 속된 인기를 얻음. ¶～を狙った映画 일반의 인기를 노린 영화 / ～する作品 대중의 마음에 드는 작품.

ぞくえい【続映】名ス他 속영; 연장 상영. ¶好評につき来月まで～する 호평이므로 다음 달까지 속영한다.

ぞくえん【俗縁】名 속연; 속인(俗人)으로서의 연고 관계; 승려가 속인이었을 때의 친척·연고자. ¶～を絶つ 속연을 끊다 / ～につながる 속연에 묶이다.

ぞくえん【続演】名ス他 속연; 상연 기간을 연장함. ¶好評により～する 호평에 따라 연장 공연하다.

そくおう【即応】名ス自 즉응. ¶事態に～して臨機の処置を取る 사태에 즉응해서 임기 조처를 취하다 / 時代の要求に～した教育 시대의 요구에 즉응한 교육.

そくおん【促音】名〔文法〕촉음; 2음 사이에 끼어, 막히는 것 같은 느낌을 주는 소리《'きって' 'ラッパ' 등의 'っ' 'ッ'로서 작게 써서 나타냄》. ＝つまる音.

そくおんびん【促音便】名〔文法〕'ち' 'ひ' 'り' 따위가 促音으로 변하는 음편《'立ちて'가 '立って', '成りて'가 '成って'가 되고, 副詞의 'やはり'가 'やっぱり', 名詞의 'とと'가 'とっと', '俗化'가 'ぞっか'로 되는 따위》. ⇨おんびん(音便).

ぞくか【俗化】名ス自 ☞ぞっか.

ぞくかい【俗界】名 ☞ぞっかい.

ぞくがく【俗楽】名 속악. **1** 민중의 음악; '三味線' '箏' 등의 음곡과 속

요(俗謠) 등의 총칭. ↔雅楽. **2** 저속한 음악·음곡.

ぞくかん【続刊】名 ☞ぞっかん.

ぞくぎいん【族議員】名 관련 업계의 이익 보호를 위해서 관계 관청에 강한 영향력을 행사하는 국회의원. 参考 분야마다 '建設族(=건설족)' '運輸族(=운수족)' 따위로 불리는 데서.

ぞくぐん【賊軍】名 적군; 반란군. ¶勝てば官軍, 負ければ~ 이기면 충신이요, 지면 역적이라. ↔官軍.

ぞくけ【俗気】名 속기; 속된 마음·기분; 속취(俗臭). ¶~が強い 속취가 많다/仏門にはいっても~が抜けない 불문에 들어가서도 속취가 가시지 않다/~が出る 속기가 난다. 注意 口語에서는 'ぞっけ' 'ぞっき' 로 발음함.

ぞくげん［俗諺］名 속언; 속담; 이언; =俚諺. ¶'貧すれば鈍する' という~がある '가난하면 우둔해진다[빈자소인(貧者小人)이라]'는 속담이 있다.

ぞくご【俗語】名 속어. **1** 구어(口語). ↔雅語. **2** 비속어; 은어. =スラング. ¶~をわざと使う 속어를 일부러 쓰다. ↔標準語·共通語.

そくざ【即座】名 즉좌; 그 자리; 즉석; (그) 당장. ¶~の応答 즉석에서의 응답/~に決定する 즉석에서 결정하다. 注意 '速座'로 씀은 잘못.

そくさい【息災】名ナ 식재; 건강함; 무사함. ¶無病~ 무병식재; 병 없이 무사함.
「속산표.

そくさん【速算】名ス他 속산. ¶~表

***そくし**【即死】名ス自 즉사. ¶高い所からおちて~した 높은 곳에서 떨어져서 즉사하였다/心臓を撃ち抜かれて~する (총알이) 심장을 관통하여 즉사하다.

そくじ【即時】名副 즉시; 즉각. ¶~払い 즉시불/~解決 즉시 해결/~渡し 즉시 인도/~手をうつ 즉시 손을 쓰다/~採用する 즉각 채용하다.

ぞくじ【俗字】名 속자; 정체(正體)가 아닌 한자. ¶常用漢字は~を母体として制定された 상용 한자는 속자를 모체로 하여 제정되었다. ↔正字.

ぞくじ【俗事】名 속사; 속되고 번거로운 세상일. =世事. ¶~に追われて 속사에 쫓겨서/~にかまける 세속사에 얽매이다.

ぞくじ【俗耳】名 속이; 속인의 귀. =俚耳. ¶彼の高邁な意見は~に入るまい 그의 고매한 의견은 일반 사람들에게는 먹혀들지 않을 게다.

そくじき【即敷】名 (거래에서) 시세 변동이 심할 때, 매매 성립과 동시에 납입하는 증거금. =即.

そくしつ【側室】名 측실; 귀인의 첩. =そばめ. ↔正室.

そくじつ【即日】名副 즉일; (바로) 그날; 당일. ¶~開票 당일 개표/~実施する 즉일로 실시한다/~結果を発表する 당일 결과를 발표한다.

そくしゃ【速射】名ス他 속사.

—ほう【—砲】名 속사포. ¶~のようにまくし立てる 속사포처럼 마구 지껄여대다.
「수. =ぞくて.

ぞくしゅ【俗手】名 (바둑·장기에서) 속

ぞくじゅ【俗儒】名 속유. **1** 속된 유생. ↔真儒. **2** 평범한 학자. ¶田舎の~に過ぎない 시골의 속유에 불과하다.

ぞくしゅう【俗臭】名 속취; 세속적인 냄새. ¶~ふんぷんたる坊主 속취를 물씬 풍기는 중/~が抜けきれない 속취가 가시지 못하다.

ぞくしゅう【俗習】名 속습; 세상 일반의 풍습. ¶日常生活では~に従わなければならぬこともある 일상생활에서는 속습을 좇지 않으면 안 될 경우도 있다.

ぞくしゅつ【続出】名ス自 속출. ¶事故の~ 사고의 속출/被害者が~する 피해자가 속출하다.

ぞくしゅつ［簇出］名ス自 족출; 비슷한 것이 여기저기서 연달아 나옴. ¶~する流行語 족출하는 유행어. 注意 바르게는 'そうしゅつ'.

そくじょ【息女】名 귀한 집 딸; 영양(令嬢); 남의 딸에 대한 경칭. ¶ご~ 따님.

ぞくしょう【俗称】名 속칭; 통칭. =通称. ¶警察官のことを~'おまわり'という 경찰관을 속칭 'おまわり'라고 한다.

***そくしん**【促進】名ス他 촉진. ¶工事の~ 공사의 촉진/販売の~を図る 판매 촉진을 꾀하다.
「탐하는 마음.

ぞくしん【俗心】名 속심; 부귀·명예를

ぞくしん【俗信】名 속신; 민간에 행해지는 미신적 신앙. ¶病気についての~ 병에 관한 속신/~に惑わされる 속신에 현혹되다.
「하. =乱臣.

ぞくしん【賊臣】名 적신; 반역하는 신

ぞくじん【俗人】名 속인. **1** 출가(出家)하지 않은 보통 사람. ↔僧. **2** 풍류를 모르는 사람; 또, 생각·취미가 속되고 천한 사람; 속물. =俗物. ¶文学とは無縁の~だ 문학과는 인연이 없는 속물이다.

ぞくじん［俗塵］名 속진. =紅塵·黄塵. ¶~を避けて山にこもる 속진을 피해 산에 틀어박히다/~にまみれる 속진에 휩쓸리다.

ぞくじん【属人】名〖法〗속인; 사람을 본위로 생각함. ↔属地.

—しゅぎ【—主義】名〖法〗(재판권의) 속인주의. ↔属地主義.

そく-する【則する】サ変他 (그것을 기준으로 하여) 따르다; 준거하다. ¶法に~·して 법에 의거하여/前例に~ 전례에 따르다.

そく-する【即する】サ変自 꼭 맞다; 입각[의거]하다. ¶実情に~ 실정에 들어맞다/事実に~·して考える 사실에 입각해서 생각하다. 注意 이 뜻일 때 '則する'로 씀은 잘못.

***ぞく-する**【属する】[サ変自] (어떤 범위 안에) 속하다; 딸리다. ¶彼は野球部に～·している 그는 야구부에 속해 있다/人間は哺乳類に～ 인간은 포유류에 속한다/旧聞に～ 구문에 속한다; 구문이 되어 버렸다.

ぞくせ【俗世】图 속세; 이 세상. ¶～を渡る 속세를 살아가다; 처세하다/～を離れる 속세를 떠나다. [注意] 'ぞくせい'라고도 함.

そくせい【促成】图[ス他] 촉성. ↔抑制.

—さいばい【—栽培】图[ス他] 촉성 재배. ↔抑制栽培.

そくせい【速成】图[ス自他] 속성. ¶～教育 속성 교육/～醤油 속성 간장/英語を～的に習う 영어를 속성으로 배우다.

そくせい【即製】图[ス他] 즉제; 즉석 제작. ¶～品 즉제품; 즉석 제작품/～の料理 즉석 요리/～で間に合わす 즉석에서 만들어 소용에 대다.

ぞくせい【俗世】图 ☞ぞくせ.

ぞくせい【属性】图 속성. ¶人間の～ 인간의 속성/いろいろの～を持っている 여러 가지 속성을 가지고 있다.

***そくせき**【即席】图 즉석; 인스턴트. ¶～料理 즉석 요리/～ラーメン 즉석 라면/指名されて～に演説する 지명을 받고 즉석에서 연설하다.

そくせき【足跡】图 족적; 발자취. **1** 발자국. ＝あしあと. ¶各地に～を印する 각지에 발자취를 남기다/未踏の地に～をしるす 미답의 땅에 발자취를 남기다. **2** 업적. ¶輝かしい～を残す 빛나는 업적을〔발자취를〕 남기다.

ぞくせけん【俗世間】图 속세간; 속세. ＝うき世. ¶～の煩わしさ 속세간의 번거로움/～ではそれは通じない 속세간에서는 그것은 통하지 않는다.

ぞくせつ【俗説】图 속설. ¶～によると 속설에 의하면/～をうのみにする 속설을 그대로 곧이듣다.

そくせん【即戦】图 즉전; 훈련을 받지 않고서도 곧장 싸움을 할 수 있음. ¶～力 즉전력.

そくせん【側線】图 측선. **1** 철도 선로의 본선 이외의 대피선(線) 따위의 선로. **2**〔動〕옆줄《어류·양서(兩棲)류의 몸 양옆에 줄져 있는 감각기(器)》.

そくせんそっけつ【速戦即決】图[ス自] 속전즉결; 즉전(卽戰) 즉결; 속전속결. ¶～主義 속전 즉결주의. [注意] '即戦即決'로 씀은 잘못.

ぞくそう【俗僧】图 속승; 속된 중. ¶近頃は～が多い 요즘은 속승이 많다.

ぞくぞく 圖 **1** 추위를 느끼는 모양: 오슬오슬; 오싹오싹. ¶背筋が～する 등골이 오싹오싹하다/熱があるのか, 背中が～する 열이 있는지 잔등이 오싹거린다. **2** 소름이 끼치는 모양: 섬뜩섬뜩; 쭈뼛쭈뼛. ¶～してくる怪談を聞きたかった 소름이 끼치는 괴담을 들어 보고 싶었다. **3** 기쁨이나 기대로 가슴이 설레는 모양. ¶～するほどうれしい 가슴이 설렐 만큼 기쁘다.

***ぞくぞく**【続続】圖 속속; 잇따라. ¶～(と)入荷する 속속 입하하다/～と見舞客が来る 문병객이 잇따라 오다/人々が～押しかけてくる 사람들이 속속 밀어닥치다〔몰려오다〕.

そくたい【束帯】图 속대《平安 시대 이후, 天皇 및 문무백관이 정무(政務)를 볼 때나 의식 때 입던 정장》. ¶衣冠～ 의관 속대; 사모관대.

ぞくたい【俗体】图 속체. **1** (승려가 아닌) 속인의 모습. ↔僧体·法体. **2** 풍류의 멋이 없는 모양; (시가 등의) 통속적인 양식. **3** (한자의) 속자(俗字)의 자체(字體).

***そくたつ**【速達】图 속달《'速達郵便'의 준말》. ¶～で送る 속달로 보내다.

—ゆうびん【—郵便】图 속달 우편.

そくだん【即断】图[ス他] 즉단; 즉석 결단. ¶～を下す 즉석에서 결단을 내리다/軽々しく～するわけにはいかない 경솔하게 즉석에서 결단을 내려서는 안 된다.

そくだん【速断】图[ス他] 속단. ¶そう思うのは～である 그렇게 생각하는 것은 속단이다/～を避ける 속단을 피하다/～は禁物だ 속단은 금물이다.

ぞくだん【俗談】图 **1** 속된 이야기; 잡담. ＝世間話. **2** 풍류가 없는 이야기. ⇔雅談.

そくち【測地】图[ス自] 측지. ¶～学 측지학/売買のために～する 매매하기 위해서 토지를 측량하다.

ぞくち【属地】图 속지. **1** 딸린 땅. **2**〔法〕그 땅을 본위로 생각함. ⇔属人.

—しゅぎ【—主義】图〔法〕(재판권의) 속지주의. ↔属人主義.

ぞくちょう【族長】图 족장; 부족장.

ぞくっぽ-い【俗っぽい】形 속되다; 통속적이다; 상스럽다. ¶～流行歌 속된 유행가/～言い方 속된 말씨.

***そくてい**【測定】图[ス他] 측정. ¶体力～ 체력 측정/～誤差 측정 오차/距離を～する 거리를 측정하다/民度を～する 민도를 측정하다.

ぞくでん【俗伝】图 속전; 세상에 널리 전해 오는 이야기. ¶この史料は～とほぼ一致する 이 사료는 속전과 거의 일치한다.

***そくど**【速度】图 속도. ¶～違反 속도 위반/制限～ 제한 속도/仕事の～が遅い 일하는 속도가 느리다/仕事が急～で進む 일이 급속도로 진행되다/～を加える 속도를 더하다/～を落とす 속도를 줄이다〔늦추다〕.

—けい【—計】图 속도계.

ぞくと【賊徒】图 적도. **1** 도둑의 패거리. ＝賊党. ¶～の首領 적도의 우두머리. **2** 역적의 무리. ¶～を討伐する

역적의 무리를 토벌하다.

そくとう【即答】名ス自 즉답. ＝直答(ちょくとう). ¶～を避(さ)ける 즉답을 피하다 / ～しかねる 즉답하기 어렵다.

ぞくとう【続投】名ス他 〔野〕 속투; 투수가 다른 투수와 교체되지 않고 계속하여 던짐. ↔継投(けいとう).

ぞくとう【続騰】名ス自 속등. ¶物価(ぶっか)が～する 물가가 속등하다. ↔続落(ぞくらく).

そくどく【速読】名ス他 속독. ¶～術(じゅつ) 속독술. ↔熟読(じゅくどく).

ぞくに【俗に】副 속되게; 흔히; 일반적으로. ¶～言(い)えば 속되게 말하면 / これが～いう鬼火(おにび)だ 이것이 흔히 말하는 도깨비불이다.

そくのう【即納】名ス他 즉납; 그 자리에서 납부〔납품〕함. ¶注文品(ちゅうもんひん)を～する 주문품을 즉시 납품하다 / 税金(ぜいきん)を～する 세금을 즉시 납부하다.

そくばい【即売】名ス他 즉매; 직매(直賣). ¶書画(しょが)展示(てんじ)～会(かい) 서화 전시 즉매회 / ～も致(いた)しております 직매도 하고 있습니다.

*そくばく【束縛】名ス他 속박. ¶時間(じかん)に～される 시간에 얽매이다 / ～を受(う)ける〔脱(だっ)する〕 속박을 받다〔벗어나다〕 / 自由(じゆう)〔行動(こうどう)〕を～する 자유를〔행동을〕 속박하다. ↔解放(かいほう).

ぞくはつ【続発】名ス自 속발; 연발. ¶事故(じこ)の～ 사고의 연발 / 肝炎(かんえん)に～する症状(しょうじょう) 간염에 속발하는 증상.

――しょう【――症】名〔醫〕 속발증.

ぞくばなれ【俗離れ】名ス自 (생각이나 행동이) 세속을 초월함; 탈속(脫俗). ＝世間離(せけんばな)れ. ¶彼(かれ)は～した人間(にんげん)だ 그는 탈속한 사람이다.

そくび【素首】名 모가지(('くび(＝목)'를 홀하게 일컫는 말)). ＝そっくび. ¶～をうち落(お)とす 목을 내려치다. 注意 '素首'로 씀은 취음.

そくひつ【速筆】名 속필. ¶彼女(かのじょ)は～家(か)として知(し)られている 그녀는 속필가로 알려져 있다. ↔遅筆(ちひつ).

ぞくぶつ【俗物】名 속물(('俗人(ぞくじん)(＝속인)'을 한층 경멸해 일컫는 말)). ¶～根性(こんじょう) 속물 근성 / あいつは全(まった)くの～だよ 저 놈은 순 속물이라네.

そくぶつてき【即物的】ダナ 즉물적. **1** 〔心〕 구체적인 대상에 직접 관련시켜 생각하는 태도 따위. ＝ザッハリッヒ. ¶～な描写(びょうしゃ)〔表現(ひょうげん)〕 즉물적인 묘사〔표현〕. **2** 물질적인 것을 중시하는 모양. ¶～な人(ひと) 즉물적인 사람.

そくぶん【側聞】((仄聞)) 名ス他 측문. ¶～するところによれば 측문한 바에 의하면. 參考 '側'나 '仄' 둘 다 어렴풋하다는 뜻.

ぞくへん【続編】((続篇)) 名 속편. ¶早(はや)くその映画(えいが)の～を観(み)たいものだ 빨리 그 영화의 속편을 보고 싶군. 注意 본디는, '続篇'. ↔正編(せいへん)·本編(ほんぺん). 「足(はやあし).

そくほ【速歩】名 속보; 빠른 걸음. ＝早

そくほう【速報】名ス他 속보. ¶ニュース～ 뉴스 속보 / 開票結果(かいひょうけっか)を～する 개표 결과를 속보하다.

――ばん【――板】名 속보판.

ぞくほう【続報】名ス他 속보; 계속하여 알림. ¶オリンピック～ 올림픽 속보 / 墜落事故(ついらくじこ)の状況(じょうきょう)を～する 추락 사고 상황을 속보하다.

そくみょう【即妙】名 임기응변; 즉석의 기지〔재치〕. ＝頓(とん)ち·頓才(とんさい). ¶当意(とうい)～ 그 자리에 알맞은 재치; 찍바른 재치 / ～の返答(へんとう) 임기응변의 대답.

ぞくみょう【俗名】名 속명. **1** 승려가 되기 전의 이름. ↔法名(ほうみょう). **2** (고인의) 살아 있을 때의 이름. ↔戒名(かいみょう).

ぞくむ【俗務】名 속무; 세속의 번잡스런 일. ＝俗用(ぞくよう). ¶～にわずらわされる 속무에 시달리다.

ぞくめい【俗名】名 속명. **1** ☞ぞくみょう. **2** (하찮은) 속된 명성. **3** (동식물 등의) 통속적인 이름((학명 등이 아닌)).

ぞくめい【賊名】名 도둑·역적이라는 이름. ¶～をこうむる 도둑〔역적〕이라는 이름을 들쓰다 / ～を着(き)せられる 역적의 누명을 쓰다.

*そくめん【側面】名 측면. ¶角柱(かくちゅう)の～ 각기둥의 측면 / 敵軍(てきぐん)の～を突(つ)く 적군의 측면을 찌르다 / 彼(かれ)にそんな～もあった 그에게 그런 측면도 있었다. ↔正面(しょうめん)·背面(はいめん).

そくや【即夜】名 즉야; (바로) 그 날 밤. ＝当夜(とうや). ¶～決行(けっこう) 그 날 밤으로 결행함 / ～帰郷(ききょう)した 그 날 밤으로 귀향하였다. 參考 보통, 副詞적으로 씀.

ぞくよう【俗用】名 속용; 속사(俗事). ¶～に追(お)われてすっかり御無沙汰(ごぶさた)しました 속사에 쫓기다 보니 오랫동안 격조했습니다.

ぞくよう【俗謡】名 속요. **1** 통속적인 노래((가요곡·유행가 따위)). ＝俗歌(ぞっか). **2** 小唄(こうた)나 민요 따위 속곡(俗曲). ¶地方(ちほう)に伝(つた)わっている～を集(あつ)める 지방에 전해지고 있는 속요를 채집하다.

ぞくらく【続落】名ス自 (물가 따위의) 속락. ¶相場(そうば)が～する 시세가 속락하다 / ドルが～する 달러 값이 속락하다. 注意 'ぞくおち'라고도 함. ↔続騰(ぞくとう).

ぞくり【俗吏】名 속리; 속된〔속물〕 관리; 무능한 관리.

ぞくり【属吏】名 속리; 하급 관리. ＝属僚(ぞくりょう)·属官(ぞっかん).

ぞくりゅう【俗流】名 속류; 속배(俗輩); 속인들. ¶～に交(まじ)わらず 속인들과 사귀지 않다 / 彼(かれ)もしょせん～たるをまぬかれない 그도 필경 속된 무리임을 면치 못한다.

ぞくりゅう〔粟粒〕名 속립; 좁쌀알. ¶～結核(けっかく) 속립 결핵 / ～大(だい)の土地(とち) (좁쌀알만한) 매우 좁은 땅.

*そくりょう【測量】名ス他 측량. ¶～技師(ぎし) 측량 기사 / 三角(さんかく)～ 삼각 측량 / 土地(とち)を～する 토지를 측량하다.

ぞくりょう【属領】名 속령. ¶オーストラリアは英国の～であった 오스트레일리아는 영국의 속령이었다.

***ぞくりょく【速力】**名 속력. =速度·スピード. ¶最大～ 최대 속력/制限～ 제한 속력/～をあげる〔落とす〕 속력을 내다〔내리다, 낮추다〕/～をゆるめる 속력을 늦추다/～を出す 속력을 내다.

そくろう【足労】名《'ご～'의 꼴로》 걷는 수고. ¶ご～をねがいます 오시기〔가시기〕 바랍니다/ご～でした (다녀)오시느라고 수고했습니다/ご～をわずらわす 일부러 오시게〔가시게〕 하다.

ぞくろん【俗論】名 속론. ¶～と闘う 속론과 싸우다/～にまどわされる 속론에 미혹되다. ↔卓見.

そぐわし-い 形《動詞 'そぐう'의 形容詞化》(잘) 어울리다; 걸맞다. =ふさわしい. ¶初夏に～服装 초여름에 어울리는 복장.

そぐわない 〖適わない〗 連語 어울리지 않다; 적합하지 않다. ¶場面に～音楽 장면에 어울리지 않는 음악/顔つきに～やさしい声だ 얼굴에 어울리지 않는 상냥한 목소리다.

そげき [狙撃] 名ス他 저격. ¶～兵 저격병/～手 저격수/要人を～する 요인을 저격하다.

ソケット [socket] 名 소켓. ¶～にはめる 소켓에 끼우다.

そ-げる 〖削げる·殺げる〗 下1自 깎이다; 닳다. ¶ほおが～ 볼이 홀쭉해지다/岩角が風雨に～·げて丸くなる 바위 모서리가 비바람에 깎이어 둥그렇게 되다.

そこ 〖其処·其所〗 代 거기. **1**《장소·위치》 그 곳. ¶～で待っていろ 거기서 기다리고 있어/～に書いてある 거기에 써 있다/～を読んで御覧 거기를 읽어 보아라/ここから～まで五メートルある 여기서 거기까지 5미터이다. ↔ここ·あそこ·かしこ. **2**《시기·상태·상황》 그 장면; 바로 그 때. ¶～へちょうどバスが来た 그때 마침 버스가 왔다/それまではよかったが～へ邪魔が入った 거기까진 좋았는데 그 때에 방해가 들〔끼〕었다. **3**《내용·요점》 그것; 그 점. ¶～が大切だ 거기가 중요하다/～が知りたい 그 점을 알고 싶다/～はアメリカだから 그 점은 아무래도 미국이니까/～へ行くと 그 점에 있어서는/～へ持って来て 거기에 더하여서; 거기에다가 또한.

****そこ【底】**名 **1** 바닥. ㉠밑(바닥). ¶海の～ 바다 밑바닥/～の厚いなべ 바닥이 두꺼운 냄비/鍋の～に穴が開く 냄비 바닥에 구멍이 뚫리다/桶の～が抜ける 통 밑이 빠지다/谷の～に落ちる 골짜기 밑으로 떨어지다. ㉡(신의) 창. ¶～を張りかえる 바닥을 갈아대다; 창갈이하다. ㉢바닥 시세(《'底値'의 준말》). ¶ここらが～だろう 이쯤이 바닥(시세)일 걸. ㉣한도. ¶不景気も～が見えた 불경기도 바닥이 보이게 됐다. **2** 속. ¶心の～ 마음속/地の～ 땅속. **3** 한도; 한계. ¶農家の供出能力は～をついた 농가의 공출 능력은 한도에 달했다/～の知れない馬鹿 가량도 할 수 없는 바보.

—が浅い 바닥이 얕다; 내용이 빈약하다; 깊이가 없다. ¶～小説 내용이 빈약한 소설.

—が割れる (본성 따위) 숨긴 것이 드러나다. ¶すぐ～ような嘘をつく 금방 탄로날 거짓말을 하다.

—知れぬ 밑〔바닥〕을 알 수 없는; 끝없는; 가량없는. ¶～やみ 끝없는 어둠/～怪力 한없는 괴력.

—を打つ (거래에서) 바닥을 치다. =底を突く.

—を叩く ☞そこをはたく. ¶米びつの～ 쌀뒤주의 바닥을 털다.

—を突く **1** 바닥이 나다. ¶倉庫の米も～ 창고의 쌀도 바닥이 나다. **2** 바닥 시세가 되다. =底を打つ. ¶株価が～ 주가가 바닥 시세에 달하다. ↔天井を打つ. **3** 점점 나쁜 상태가 되어 파탄 직전에 가까워지다. ¶不況が～ 불황이 바닥을 헤매다.

—をはたく 바닥을 털다; 속에 있는 것을 다 써 버리다. =底をたたく. ¶財布の～ 지갑을 다 털다.

—を割る **1** 마음 속을 털어놓다. ¶底を割って話す 마음을 털어놓고 이야기하다. **2** (거래에서) 바닥을 깨다《바닥 시세보다 더 내려가다》.

そご [齟齬] 名ス自 저어; 뜻이 맞지 않음; (일이) 어긋남. ¶～を生じる 차질이 생기다/内容に～をきたす 내용에 어긋남이 생기다.

そこあげ【底上げ】名ス自他 최저 수준을 끌어올림. ¶国民生活の～ 국민 생활의 향상/賃金を～する 임금의 최저 수준을 끌어올리다.

そこい【底意】名 저의; 속심; 속셈. =したごころ. ¶～があってのことではない 속셈이 있어서 한 짓은 아니다/～を見抜く 속셈을 꿰뚫어 보다.

そこいじ【底意地】名 근성; 마음보.

—わる-い【—悪い】形 마음보가 나쁘다〔고약하다〕; 심술궂다. ¶どことなく～·そうな中年の女 어딘지 모르게 심술궂어 보이는 중년 여자.

そこいら 〖其処いら〗 代〈俗〉 거기 어디; 그 근방〔근처〕. =そこら. ¶その家は～だと思う 그 집은 그 근방 어디라고 생각한다/そんなものは～にいくらでもある 그 따위 것은 아무 데나 얼마든지 있다.

そこいれ【底入れ】名ス自 〖經〗 최저〔바닥〕 시세까지 떨어짐. =ボトムアウト. ¶相場が～する 시세가 바닥세이다.

そこう【素行】名 소행; 평소의 행실〔품행〕. ¶～を調べる 소행을 조사하다/～がわるい 품행이 나쁘다.

そこう［遡行·溯行］名ス自 소행; 거슬러 올라감《배를 타거나 걸어서》. ¶川(かわ)を～する 강을 소행하다.

そこう［遡航·溯航］名ス自 소항; 배로 강을 거슬러 올라감. ¶川上(かわかみ)の湖(みずうみ)まで～する 강 위쪽의 호수까지 거슬러 올라가다.

そこうり【底売り】名 (거래에서) 바닥 시세에 팖.

そこかしこ『其処彼処』代 이곳 저곳; 여기저기. ¶河原(かわら)には～月見草(つきみそう)が咲(さ)いていた 강변에는 여기저기 달맞이꽃이 피어 있었다 / ～でうわさがたつ 여기저기서 소문이 나다.

そこがた-い【底堅い】名 (거래에서) 시세가 내릴 듯하면서도 더 이상 내려가지 않음.

そこがため【底固め】名 (주식 시세 등에서) 바닥다지기.

そこきみわる-い【底気味悪い】形 어쩐지 기분이 나쁘다. ¶～いんぎんさ 어쩐지 기분 나쁜〔징그러운〕 은근함 / ～家(いえ)だ 어쩐지 기분 나쁜 집이다.

そこく【祖国】名 조국. ¶～愛(あい) 조국애 / ～の土(つち)を踏(ふ)む 조국 땅을 밟다.

そこここ『其処此処·其所此所』代 여기저기; 그 근처〔근방〕. ＝そこやここ. ¶～に咲(さ)く野(の)の花(はな) 여기저기 피어 있는 들꽃.

そこしらず【底知らず】ダナ 밑바닥을 모름; 한도를 모름. ¶～の酒飲(さけの)み 가량없는 술꾼; 술고래.

そこしれない【底知れない】連語 (깊이를) 알 수 없는; 정체 모를. ＝底知れぬ. ¶～恐怖(きょうふ) 한없는 공포 / ～気味悪(きみわる)さ 정체 모를 기분 나쁨.

そこそこ 名 **1**《주로 接尾語적으로 씀》 될까말까; 안팎; 정도. ¶五十歳(ごじっさい)～で死(し)ぬ 쉰 살이 될까말까 해서 죽다 / 五百円(ごひゃくえん)～しか無(な)い 5백 엔 정도밖에 없다. **2**《副詞적으로》 대충대충 하고 손떼는 모양: …하는 둥 마는 둥; …할 겨를도 없이. ¶朝飯(あさはん)も～に(して)出掛(でか)けた 아침밥도 드는둥 마는 둥 총총히 나갔다 / あいさつも～に立(た)ち去(さ)る 인사도 하는 둥 마는 둥 하고 떠나다.

そこぢから【底力】名 저력. ¶～のある声(こえ) 저력 있는〔굵고 낮은〕 목소리 / ～を発揮(はっき)する 저력을 발휘하다.

そこつ『粗忽』名ダナ **1** 경솔함. ¶～者(もの) 경솔한 사람; 덜렁이 / ～な男(おとこ) 경망한 사내. **2** (부주의로 저지른) 실례; 실수; 잘못. ＝粗相(そそう). ¶～をわびる 부주의로 인한 실수를 사과하다 / とんだ～を致(いた)しました 엉뚱한 실수를 저질렀습니다; (이거) 매우 실례했습니다.

*__そこで__『其処で』接 **1**《바로 앞의 말을 받아서》 그래서. ¶わからなくて困(こま)った. ～先生(せんせい)に尋(たず)ねた 몰라서 곤란했다. 그래서 선생님께 물었다 / ひどく疲(つか)れた. ～早(はや)く寝(ね)た 몹시 지쳤다. 그래서 일찍 잤다. **2**《말을 바꿀 때》 그런데; 한데; 그러면. ＝さて. ¶～, これから本論(ほんろん)に入(はい)る 그러면, 이제부터 본론에 들어간다 / ～, 君(きみ)に尋(たず)ねる事(こと)が有(あ)る 그런데, 자네에게 물어 볼 것이 있네.

__そこな-う__【損なう】5他 **1 손상하다. ㉠ 파손하다; 깨뜨리다; 부수다. ¶器物(きぶつ)を～ 기물을 파손하다. ㉡ (건강·기분 등을) 상하게 하다; 해치다. ¶きげんを～ 기분을 상하게 하다 / 面目(めんぼく)を～ 체면을 손상하다 / 健康(けんこう)〔友好関係(ゆうこうかんけい)〕を～ 건강을〔우호 관계를〕 해치다. ㉢ 살상하다. ¶人(ひと)を～ 사람을 살상하다. 注意 '害う·傷う'로도 썼음. **2** …하지 못하다. ㉠ (그 동작에) 실패하다; 잘못하다. ¶やり～ 잘못하다; 실패하다 / 書(か)き～ 잘못 쓰다 / 聞(き)き～ 잘못 듣다; 못 듣다 / 人(ひと)を見(み)～ 사람을 잘못 보다 / 賞品(しょうひん)を取(と)り～ 상품을 놓치다. ㉡ (그 동작을 할 기회를) 놓치다; 잃다; …을 못하고 말다. ¶展覧会(てんらんかい)を見(み)～ 전람회를 못 보다 / 夕食(ゆうしょく)を食(た)べ～ 저녁 식사를 못 먹다 / 言(い)い～ 말할 기회를 놓치다. ㉢ …할 뻔하다. ¶おぼれ～ 익사할 뻔하였다 / 死(し)に～ところだった 죽을 뻔했다.

そこなし【底無し】名 **1** 바닥이 없음; 밑이 없음. ¶～の桶(おけ) 밑 없는 통 / ～の沼(ぬま) 바닥의 깊이를 알 수 없는 늪. **2** 한〔끝〕이 없음. ＝底抜(そこぬ)け. ¶～の大酒飲(おおざけの)み 밑 빠진 술독; 술고래 / 酒(さけ)を～に飲(の)む 술을 한없이 마시다 / ～のばか 가량없이 미련한 바보.

そこぬけ【底抜け】㊀名 **1** 밑바닥이 빠져서 없음. ¶～の桶(おけ) 밑 빠진 통 / バケツが～になる 양동이가 밑이 빠지다. **2** 〈俗〉 얼빠진 바보; 얼간이. ¶この～め 이 얼빠진 바보 자식아. **3** 모주꾼. ¶～上戸(じょうご) 모주망태. **4** (시세가) 바닥을 모르고 한없이 떨어짐. ¶～相場(そうば) 바닥을 뚫고 폭락하는 시세.
㊁ダナ 한이 없고 지나침; 홀게 늦음. ¶～のお人(ひと)よし 한없이 좋은 사람; 무골호인 / ～の楽天家(らくてんか) 한없는 낙천가.
—さわぎ【—騒ぎ】名 술자리 등에서, 진탕 먹고 마시고 떠들어댐.

そこね【底値】名 바닥 시세; 최저 가격. ¶～をつく 바닥 시세가 되다 / 株式(かぶしき)を～で買(か)う 바닥 시세에서 주식을 사다. ↔天井値(てんじょうね).
—ひゃくにち【—百日】名〔經〕 바닥 시세 100일. ¶天井(てんじょう)三日(みっか), ～ 천장(시세) 3일, 바닥 시세 100일《좋은 시세는 극히 짧다는 말》.

そこ-ねる【損ねる】下1他 ☞そこなう. ¶機嫌(きげん)を～ 기분을 상하게 하다. 参考 '損(そこ)なう'의 스스럼없는 말씨이지만, '살상하다'의 뜻으로는 쓰이지 않음.

そこのけ『其処退け』名《흔히 体言에 붙어서》 …에 못지않음; …도 무색할〔능가할〕 정도. ¶本職(ほんしょく)～の腕前(うでまえ) 본업으로 하는 사람〔전문가〕 못지않은 솜씨 / 学者(がくしゃ)～のものしり 학자를 빰칠 정도의 박식. 参考 '其処退(そこの)け(＝거기 비켜라·저리로 가라)'의 뜻에서.

そこばい【底ばい】《底這い》名 바닥에서 맴돌기〔기기〕. ¶景気は～の動きが長期化している 경기는 바닥에서 맴도는 움직임이 장기화하고 있다.

そこはかとなく 連語 이렇다 할 이유도 없이; 공연히; 왜 그런지〔어딘지〕 모르게. ¶～悲しみが込み上げる 공연스레 슬픔이 복받치다/花のかおりが～ただよう 꽃향기가 은은히 감돌다.

そこばく〖若干〗副 약간; 얼마큼. ＝そくばく·いくらか. ¶～の不安 약간의 불안/～の金を与える 얼마큼의 돈을 주다.

そこひ〖底翳·内障眼〗名〘醫〙내장(内障). ¶黒～ 흑내장/白～ 백내장.

そこびえ【底冷え】名ス自 뼛속까지 추위가 스며듦; 또, 그런 추위. ¶～がしてふるえる 뼛속까지 추위가 스며들어 떨리다/今夜はひどく～する 오늘 밤은 몹시 춥다.

そこびかり【底光り】名 깊은 속에서 나는 빛. ¶～のする人品 그윽한 인품.

そこびきあみ【底引き網】《底曳き網》名 저인망; 저예망(底曳網). ＝トロール. ¶～漁業 저인망 어업.

そこふか-い【底深い】形 밑바닥이 깊다. 注意 'そこぶかい'라고도 함.

そこぼん【底本】名 ☞ていほん(底本). 注意 'そこほん'이라고도 함.

そこまめ【底まめ·底豆】名 발바닥에 생긴 물집. ¶靴が小さいので～ができた 구두가 작아서 발바닥이 부르텄다.

そこら〖其処ら〗代 **1** 그 근방. ¶～にあるだろう 그 근방에 있겠지. 参考 'そこ'보다 막연한 말투. **2** 그 정도. ¶そこまで三時間か～はかかる 그 곳까지 3시간이나 그 정도는 걸린다.

—あたり【—辺り】代 그 근방〔근처〕; 거기 어디쯤. ＝そこらへん·そこいら. ¶～でお弁当を食べることにしましょう 그 근방에서 도시락을 먹도록 합시다.

そさい［蔬菜］名 채소; 야채; 푸성귀. ＝青物.

そざい【素材】名 소재. ¶小説の～ 소설의 소재/～産業 소재 산업.

そざつ【粗雑】ダナ 조잡. ＝雑. ¶～な計画 조잡한 계획/～に扱う 조잡하게 다루다. ↔精密·綿密.

そさん［粗餐］名 조찬; 소찬(素饌)《식사 초대시의 겸사말》. ＝素飯. ¶～を呈したい 조찬을 대접하고 싶다.

***そし**【阻止】《沮止》名ス他 저지. ¶法案の通過を～する 법안의 통과를 저지하다/腕ずくで～する 완력으로 저지하다.

そじ【素地】名 소지; 바탕; 기초. ＝下地. ¶既に～ができている 이미 토대〔기초〕가 되어 있다/受け入れの～を作る 받아들일 소지를 만들다.

=そじ［十路］ 나이를 헤아릴 때 10년을 일컫는 말. ＝そぢ. ¶七～ 70살/八～の老人 여든 노인/よ～を迎える 40살을 맞이하다/み～の坂を越える 30 고개를 넘다.

ソシアル [social] 名 소셜; '사회적·사교적'의 뜻. ＝ソーシャル.

—ダンス [social dance] 名 소셜 댄스; 사교춤. ↔ステージダンス.

—ダンピング [social dumping] 名 소셜 덤핑; 부당하게 생산비를 낮추어 해외 시장에 상품을 싸게 팖.

—ワーカー [social worker] 名 소셜 워커; 사회 복지사; 사회 복지 사업이나 의료 사업에 전문적으로 종사하는 사람.

****そしき**【組織】名ス他 조직. ¶～網 조직망/社会～ 사회 조직/～暴力 조직 폭력/会社の～を改める 회사의 조직을 고치다/～を挙げて取り組む 조직을 총동원하여 대처하다.

—か【—化】名ス他 조직화.

—てき【—的】ダナ 조직적. ¶～な活動 조직적인 활동.

そしたら 接 그렇게 하니까; 그러자. ＝そうしたら·すると.

***そしつ**【素質】名 소질. ¶詩人の～がある 시인의 소질이 있다/～はいいが経験が足りない 소질은 좋지마는 경험이 모자란다/恵まれた～の持ち主 타고난 소질이 있는 사람.

***そして** 接〈口〉그리고. ¶戦え, ～勝て 싸워라, 그리고 이겨라/雨がやんだ. ～青空がひろがった 비가 그쳤다. 그리고 푸른 하늘이 펼쳐졌다. 参考 'そうして'⊟의 압축된 말씨.

そしな【粗品】名 조품; 변변치 못한 물건《선물의 겸칭》. ＝そひん. ¶～贈呈 조품 증정/～でございますが… 변변치 못한 물건입니다마는….

そしゃく〖咀嚼〗名ス他 저작. **1** 씹음. ¶よく～して食べる 잘 씹어서 먹다. **2** (뜻을) 음미함. ¶意味をよく～する 뜻을 잘 음미하다.

そしゃく【租借】名ス他〘法〙조차. ¶～地 조차지/～権 조차권. ⇨租界.

***そしょう**【訴訟】名ス自 소송. ¶刑事～ 형사 소송/～代理人〔当事者〕 소송 대리인〔당사자〕/～を起こす 소송을 제기하다/～に持ち込む 소송으로 끌고 가다/～ざたが絶えない 소송 사태가 끊이지 않는다.

—てつづき【—手続】名 소송 절차.

そじょう［俎上］名 조상; 도마 위.

—に載せる 도마 위에 올리다《비평을 하기 위해 문제로 삼다》. ＝俎上に上せる. ¶話題作を～ 화제작을 비판의 대상으로 삼다.

—の魚 도마에 오른 고기; 조상육(俎上肉). ＝俎上の鯉.

そじょう【訴状】名〘法〙소장; 소송장. ¶～を差し出す 소장을 제출하다.

そしょく【粗食】名ス自 조식; 나쁜 식사. ¶粗衣～ 조의조식/～に甘んずる 조식에 만족하다. ↔美食.

そしらぬ【そ知らぬ】《素知らぬ》[連語] 시치미를 뗀; 모르는 체하는. ¶～顔で 모르는 체하고; 시치미를 떼고/～ふりをする 모른 체하다.

そしり〚謗り·誹り·譏り〛[名] 비방; 비난. ¶世間の～を受ける 세상의 비난을 받다/軽率の～を免れない 경솔하다는 비난을 면할 수 없다.

そし-る〚謗る·誹る·譏る〛[5他] 비난하다; 비방하다; 욕하다. =けなす. ¶互いに～·り合う 서로 비방하다/陰で～ 뒤에서 비방하다.

そすい【疎水】《疏水》[名] 소수; 발전·급수·운송 등을 위해 만든 수로. ¶～運河 소수 운하.

そすう【素数】[名]〔數〕소수.

そせい【粗製】[名] 조제. ¶～品 조제품. ↔精製.

そせい【組成】[名][ス他] 조성. ¶化合物の～を調べる 화합물의 조성을 조사하다/水素と酸素は水を～する 수소와 산소는 물을 조성한다.

そせい[蘇生·甦生][名][ス自] 소생. ¶～術 소생술/～した思いがする 되살아난 느낌이 들다.

そぜい【租税】[名] 조세. =税. ¶～犯 조세범/～を課する 조세를 과하다/～を納める 조세를 바치다.

そせき【礎石】[名] 초석. =いしずえ·基礎. ¶～をしっかり据える 초석을 단단히 놓다/議会政治の～を築く 의회 정치의 기초를 쌓다.

**そせん【祖先】[名] 조선; 선조; 조상. ¶～を祭る 선조를 모시다. [参考] 先祖보다 추상적인 뜻으로 쓰이는 일이 많음. ↔子孫.

—すうはい【—崇拝】[名] 조상 숭배.

—でんらい【—伝来】[名] 조상 전래. ¶～の地 조상 전래의 땅.

そそ[楚楚][トタル] 초초; 청초; 맑고 고운 모양. ¶～たる美人 청초한 미인.

そそう【阻喪】《沮喪》[名][ス自] 저상; 기운을 잃음. ¶意気～する 의기가 저상하다/元気を～する 기운을 잃다. [注意] '阻喪'로 씀은 대용 한자.

そそう【粗相】[名][ス自] 1 (덤비다가) 실수함. =そこつ. ¶～のないように注意しなさい 실수가 없도록 주의하시오. 2 대소변을 쌈[지림]. ¶犬が～する 개가 오줌을 싸다/寝床で～する 잠자리에서 오줌을 지리다.

そぞう【塑像】[名] 소상. ¶奈良時代の～ 奈良 시대의 소상/～を造る 소상을 만들다.

そそぎこ-む【注ぎ込む】[5他] 1 흘러 들어 가게 하다. ¶水を穴に～ 물을 구멍에 부어 넣다. 2 (그 일에만) 힘을 쏟다; 열중하다. ¶全力を～·んだ力作 온힘을 쏟아 부운 역작.

*__そそ-ぐ__【注ぐ】《灌ぐ》[一][5自] 1 흘러들다. ¶川の水が海に～ 강물이 바다로 흘러들다. 2 ㉠(비·눈 따위가) 쏟아지다. ¶雨が降り～ 비가 쏟아지다. ㉡(햇빛이) 쬐다. ¶光がさんさんと降り～ 햇빛이 눈부시게 내리쬐다.
[二][5他] 1 쏟다. ㉠(눈물을) 흘리다. ¶涙を～ 눈물을 흘리다. ㉡집중시키다. ¶全力を～ 전력을 다하다/愛情を～ 애정을 쏟다/注意を～ 주의를 기울이다/住民の耳目が～·がれる 주민의 이목이 집중되다. 2 (물을) 대다. ¶田に水を～ 논에 물을 대다. 3 (물 따위를) 주다; 뿌리다. ¶植木に水を～ 나무에 물을 주다. 4 (액체를) 붓다; 따르다. ¶花瓶に水を～ 화병에 물을 붓다/火に油を～ 불에 기름을 붓다; 기세 좋은 것에 더욱 기세를 가하다.

そそ-ぐ〚雪ぐ·濯ぐ〛[5他] 1 (오명을) 씻다; 설욕하다. =すすぐ. ¶恥を～ 치욕을 씻다/汚名を～ 오명을 씻다. 2 (물로) 헹구다; 씻다; 가시다. =すすぐ. ¶洗濯物を～ 세탁물을 헹구다/口を～ 입을 가시다; 양치질하다.

そそくさ[副] 총총히; 허둥지둥. ¶～した男 덤벙대는 사나이/～と着替えをして出かけて行った 허둥지둥 옷을 갈아입고 나갔다/試合に負けて～とその場を立ち去る 경기에 져서 총총히 그 자리를 떠나다.

*__そそっかし-い__[形] 경솔하다; 덜렁덜렁하다. =そそかしい. ¶～人 덜렁이/～が憎めない男 경솔하지만 밉지 않은 사나이/自分の家をまちがえるなんて～人だ 자기 집을 잘못 알다니 덜렁덜렁한 사람이다.

そそのか-す【唆す】[5他] 꼬드기다; 부추기다; 교사(教唆)하다. ¶～·されて盗みをはたらく 꾐에 빠져 도둑질을 하다/友達に～·されてタバコを吸う 친구들이 꼬드겨서 담배를 피우다. [参考] 보통, 나쁜 뜻으로 쓰임.

そそりた-つ【そそり立つ】《聳り立つ》[5自]〈雅〉우뚝 솟다. ¶～·った険しい山 우뚝 솟은 험한 산/眼前に～岩山 눈 앞에 우뚝 솟은 바위산.

そそ-る[5他] 돋우다; 자아내다. ¶食欲を～におい 식욕을 돋우는 냄새/涙を～話 눈물을 자아내는 이야기/興味を～ 흥미를 돋우다.

そぞろ〚漫ろ〛[副][ダナ] 1 까닭 없이 마음이 움직이는 모양: 어쩐지; 공연히. ¶～になつかしい 어쩐지 그립다/～涙を流す 하염없이 눈물을 흘리다. 2 마음이 가라앉지 않는 모양. ¶結婚式が迫って気も～だ 결혼식이 임박하여 마음이 들뜨다/気も～に浮かれ歩く 마음이 들떠서 종작없이 거닐다. [注意] 'すずろ'라고도 함.

そぞろあるき【そぞろ歩き】《漫ろ歩き》[名][ス自]〈雅〉만보(漫步); 산책. =すずろあるき. ¶夏の夜の～ 여름 밤의 산책/夕方の町を～する 저녁 거리를 산책하다.

そだい【粗大】名ダナ 조대; 거칠고 엉성함. ¶～なやりくち 거칠고 엉성한 수법. ↔細緻(さいち).

—ごみ 名 **1** 조대〔대형〕 쓰레기《TV·세탁기 등 내구 소비재의 폐품》. **2**〈俗〉 정년 퇴직 후 집안에서 뒹굴고 있는 쓸모없는 남편. ⇒ぬれおちば族(ぞく)·不燃(ふねん)ごみ.

そだち【育ち】名 **1** 성장. ¶～がおそい 성장이 늦다/例年(れいねん)より～がいい 예년보다 성장이 좋다. **2** 육성의 방식; 성장기의 환경·교육 따위. ¶～がよい 교육을 잘 받고 자라다. **3**《接尾語적으로》…에서〔으로〕 자랐음〔자란 사람〕. ¶山家(やまが)～ 산골에서 자람〔자란 사람〕/お嬢様(じょうさま)～ 귀한 딸로 자랐음/浜(はま)～ 해변에서 자람〔자란 사람〕.

—ざかり【—盛り】名 (어린이가) 한창 자랄 때. ＝伸(の)び盛(ざか)り. ¶～の子供(こども) 한창 자라나는 아이.

**そだ-つ【育つ】5自 자라다; 성장하다. ¶健康(けんこう)に～ 건강하게 자라다/苗(なえ)が～ 모가 자라다/一人前(いちにんまえ)の男(おとこ)に～ 한 사람 몫의 사나이로 자라다/親(おや)が無(な)くとも子(こ)は～ 부모가 없어도 아이는 자란다.

そだてあ-げる【育て上げる】下1他 길러 내다; 훌륭히 기르다. ¶女手(おんなで)一(ひと)つで子供(こども)を～ (남편 없이) 여자 혼잣손으로 자식을 길러 내다/弟子(でし)を～ 제자를 길러 내다.

そだてのおや【育ての親】名 **1** 기른 부모; 양부모. ¶生(う)みの親(おや)より～ 낳아 준 부모보다 길러 준 부모(가 낫다). ↔生(う)みの親. **2** 사물의 발전에 힘쓴 사람. ¶高校(こうこう)野球(やきゅう)の～ 고교 야구를 육성한 사람.

**そだ-てる【育てる】下1他 키우다; 기르다; 양육〔육성〕하다. ¶子供(こども)を～ 아이를〔자식을〕 기르다/ばらを～ 장미를 키우다/雛(ひな)を～ 병아리를 기르다/弟子(でし)を～ 제자를 키우다/民主主義(みんしゅしゅぎ)の芽(め)を～ 민주주의의 싹을 키우다.

*そち【措置】名ス他 조치; 조처. ¶臨機応変(りんきおうへん)の～ 임기응변의 조처/～をとる 조치를 취하다/予算(よさん)～を講(こう)ずる 예산 조치를 강구하다.

そち〖其方〗代 **1** 거기; 그 쪽. ＝そちら·そっち. **2** 너; 그대; 그쪽. ＝おまえ·なんじ. ¶～の名(な)は 그대 이름은. 参考 손아랫사람을 가리킴.

そちこち〖其方此方〗一代 여기저기. ＝あちらこちら·あちこち. ¶～にガラスの破片(はへん)が散(ち)っている 여기저기에 유리 조각이 흩어져 있다. 二副 대충; 이럭저럭; 그럭저럭. ＝おおよそ·かれこれ. ¶～しているうちに出発(しゅっぱつ)の時刻(じこく)となった 그럭저럭 하는 사이에 출발 시간이 되었다.

そちゃ【粗茶】名 좋지 못한 차《차를 권할 때의 겸칭으로도 씀》. ¶～を一(ひと)つ… 변변치 못한 차지만 한 잔 (드시죠).

そちら〖其方〗代 그 쪽. **1** 그 곳; 거기. ＝そこ·そち. ¶～にあります 거기에 있습니다/～の気候(きこう)はいかがですか 그쪽 기후는 어떻습니까/～へ伺(うかが)います 그 쪽으로 가 뵙겠습니다. **2** 그 쪽의 것. ¶～を見(み)せてください 그 쪽(것)을 보여 주십시오. **3** 상대방이나 상대방 쪽의 사람을 가리키는 말. ¶～さん 그 쪽 분/～はお変(か)わりがありませんか 그 쪽은 별고 없으십니까. 参考 1은 'そっち' 'そこ'보다 공손한 말. 또, 2는 'そっち'보다 공손한 말. ⇔あちら·こちら.

そつ 名 **1** 실수; 부주의; 잘못. ¶～のない人(ひと) 실수 없는 사람/～ない答弁(とうべん) 빈틈없는 답변/仕事(しごと)に～がない 일에 실수가 없다. **2** 낭비. ¶金(かね)の使(つか)い方(かた)に～がない 돈 쓰는 데 낭비가 없다.

そつ【卒】名 **1** 병졸; 병사. ¶上(うえ)は将(しょう)から下(した)は～に至(いた)るまで 위는 장수에서부터 아래는 병졸에 이르기까지. **2** '卒業(そつぎょう)'의 준말. ¶昨年度(さくねんど)の～ 작년도 졸업.

そつ〖卒〗教4 ソツ シュツ おわる おえる ついに
졸 하인 | **1** 하인; 종. ¶従卒(じゅうそつ) 종졸. **2** 하급 병사. ¶兵卒(へいそつ) 병졸. **3** 끝나다; 마치다. ¶卒業(そつぎょう) 졸업.

そつ〖率〗《率》教4 ソツ リツ ひきいる | 솔 거느리다
률 율 | **1** 거느리다. ¶引率(いんそつ) 인솔/率先(そっせん) 솔선. **2** 경망함. ¶軽率(けいそつ) 경솔. **3** 비율; 정도. ¶利率(りりつ) 이율/確率(かくりつ) 확률.

そつい【訴追】名ス他〘法〙 소추. **1** 공소의 제기; 기소(起訴). ¶～条件(じょうけん) 소추 조건. **2** 탄핵 발의를 하여 법관 등의 파면을 요구하는 일.

そつう【疎通】《疏通》名ス自 소통. ¶意思(いし)の～をはかる 의사소통을 꾀하다/双方(そうほう)の意見(いけん)が～する 쌍방의 의견이 소통하다.

そつえん【卒園】名ス他 유치원이나 보육원을 졸업함. ¶～式 유치원 졸업식. ↔入園(にゅうえん).

そっか【足下】一名 족하. **1** 발 아래. ¶～にふみにじる 발 아래 짓밟다/～に広(ひろ)がる風景(ふうけい) 발 밑에 펼쳐지는 풍경. **2** 편지 받을 사람 이름 밑에 쓰는 존칭. 二代 족하; 귀하《동등한 상대에 대한 경칭; 주로 편지에서 씀》. ＝あなた·貴殿(きでん). ¶～の御忠告(ごちゅうこく) 귀하의 충고.

ぞっか【俗化】名ス自 속화. ＝ぞくか. ¶古都(こと)の～を防(ふせ)ぐ 고도의 속화를 막다.

ぞっかい【俗界】名 속계; 속세. ¶～の衆生(しゅじょう) 속계의 중생/彼(かれ)は～の事(こと)について無頓着(むとんちゃく)だ 그는 속계의 일에는 무관심하다.

ぞっかい【続開】名ス他 속개. ¶競技(きょうぎ)を～する 경기를 속개하다/休憩(きゅうけい)の後(のち), 委員会(いいんかい)を～する 휴식 후에 위원회를 속개한다.

ぞっかん【続刊】名ス他 속간. ¶～が出(で)た 속간이 나왔다.

そっき【速記】속기. ㊀名ス他 속기술로 씀. ¶～者(しゃ) 속기자 / 演説(えんぜつ)を～する 연설을 속기하다. ㊁名 '速記術(そっきじゅつ)'의 준말.
—じゅつ【—術】名 속기술.
—ろく【—録】名 속기록. ¶国会(こっかい)の～ 국회 속기록.
ぞっき 名 **1** 투매(投賣); 염가 판매. **2** 모두 한 묶음으로 매매함.
—ぼん【—本】名〈俗〉덤핑 책; 싸구려 책.
—や【—屋】名 팔다 남은 묵은 잡지나 단행본을 떨이로 파는 도매상.
そっきゅう【即急】名ナ 즉급; 즉각. ¶～の返事(へんじ)に窮(きゅう)する 즉답에 궁하다.
そっきゅう【速球】名〔野〕속구. ＝スピードボール. ¶～投手(とうしゅ) 속구 투수 / ～で勝負(しょうぶ)する 속구로 승부를 걸다. ↔緩球(かんきゅう).
そっきょう【即興】名 즉흥. ¶～詩(し)〔演奏(えんそう)〕즉흥시〔연주〕/ ～で和歌(わか)を作(つく)る 즉흥으로 和歌를 짓다.
—てき【—的】ダナ 즉흥적. ¶～なやりとり (시 따위의) 즉흥적인 주고받음 / ～に歌(うた)う 즉흥적으로 노래하다.
*****そつぎょう**【卒業】名ス他 **1** 졸업. ¶～式(しき) 졸업식 / ～生(せい) 졸업생. ↔入学(にゅうがく). 参考 비유적으로 어떤 정도나 단계를 지남을 말함. ¶もう恋愛(れんあい)なんかはとっくに～した 이제 연애 같은 건 오래 전에 졸업했다. **2** 어떤 예정된 일을 끝냄. ¶ピアノの初歩(しょほ)は～した 피아노 초보는 떼었다.
—ろんぶん【—論文】名 졸업 논문. ＝卒論(そつろん).
ぞっきょく【俗曲】名 속곡《三味線(しゃみせん)에 맞추어 부르는 端歌(はうた)·都々逸(どどいつ) 등의 대중적인 가곡》.
そっきん【即金】名 즉금; 즉전(卽錢); 맞돈. ¶～で願(ねが)います 맞돈으로 부탁합니다 / ～なら割(わ)り引(び)きます 맞돈이라면 할인해 드립니다.
そっきん【側近】名 측근. ¶～筋(すじ) 측근자 / ～政治(せいじ) 측근 정치 / ～の奸(かん) 측근의 간신.
ソックス [socks] 名 속스; 양말《여성용의 경우는 짧은 양말》. ⇨ストッキング.
そっくび【素っ首】名 'そくび'의 힘줌말. ¶きゃつの～を打(う)ち落(お)としてくれる 그놈의 모가지를 쳐 버리겠다. 注意 '素っ首'로 씀은 취음.
*****そっくり** ㊀副 **1** 전부; 몽땅; 모조리; 죄다. ¶参考書(さんこうしょ)を～写(うつ)す 참고서를 몽땅 베끼다 / 遺産(いさん)を～寄付(きふ)した 유산을 몽땅 기부했다. **2** 고스란히; 그대로. ¶出(だ)された料理(りょうり)を～残(のこ)した 나온 요리를 고스란히 남겼다. ㊁ダナ 꼭 닮음. ¶父親(ちちおや)に～だ 부친을 꼭 닮았다.
—その儘(まま) 그냥 그대로. ¶五年前(ごねんまえ)と～の状態(じょうたい) 5년 전과 똑같은 상태.
そっくりかえ-る【反っくり返る】5自〈俗〉몸을 뒤로 젖뜨리다《으스대는 모양; 또, 어린아이가 떼를 쓸 때의 모양》. ¶社長(しゃちょう)のいすに～·っているやつ 사장 의자에 몸을 뒤로 젖히고 으스대며 앉아 있는 자 / ～·って歩(ある)く 으스대며 걷다 / 子供(こども)が～·って泣(な)く 아이가 앙탈을 부리며 울다. ⇨そりかえる.
そっけつ【即決】名ス他 즉결. ¶速戦(そくせん)～ 속천즉결; 속전속결 / 議案(ぎあん)を～する 의안을 즉결하다 / 採否(さいひ)を～する 채택 여부를 즉결하다.
—さいばん【—裁判】名 즉결 재판.
そっけつ【速決】名ス他 속결. ¶～を迫(せま)る 속결하도록 다그치다.
そっけな-い〖素っ気無い〗形 무정하다; 인정머리 없다; 냉담하다; 쌀쌀맞다. ＝すげない. ¶～返事(へんじ) 쌀쌀맞은 대답 / ～態度(たいど) 냉담한 태도 / ～·く断(ことわ)る 매정하게 거절하다.
そっけもない〖素っ気も無い〗連語 몰풍(沒風)스럽다; 무미건조하다. ¶何(なん)の～ 아무 맛도 없다 / 味(あじ)も～文章(ぶんしょう) 무미건조한 문장.
そっこう【即効】名 즉효. ¶～を示(しめ)す 즉효를 나타내다.
—やく【—薬】名 즉효약.
そっこう【測候】名 측후; 기상의 관측.
—じょ【—所】名 측후소.
そっこう【速効】名 속효. ↔遅効(ちこう).
—ひりょう【—肥料】名 속효성 비료. ＝速効性(せい)肥料. ↔遅効肥料.
そっこう【速攻】名ス他 속공. ¶～戦術(せんじゅつ) 속공 전술 / ～で点差(てんさ)を広(ひろ)げる 속공으로 점수 차를 벌리다.
ぞっこう【続行】名ス他 속행. ¶試合(しあい)を～する 경기를 속행하다.
そっこく【即刻】副 즉각; 곧; 즉시. ＝すぐ·ただちに·即時(そくじ). ¶～善処(ぜんしょ)します 즉각 선처하겠습니다 / ～返答(へんとう)せよ 즉각 대답하라. ↔後刻(ごこく).
ぞっこく【属国】名 속국. ＝従属国(じゅうぞくこく). ⇨しょくみんち.
ぞっこん 副ダナ〈俗〉홀딱. ¶～ほれ込(こ)む 홀딱 반해 버리다 / 彼(かれ)はその女(おんな)に～だ 그는 그 여자한테 홀딱 반했다.
そつじ [卒爾·率爾] 名〈老〉솔이; 졸지; 돌연함; 갑작스러움.
—ながら 갑작스레 죄송하오나. ¶～おたずねしたい 갑작스레 죄송하지만 여쭈어 보겠습니다.
そつじゅ【卒寿】名 90살; 또, 그 축하. 参考 '卒'의 통속체 '卆'가 '九十'처럼 보인 데서. ⇨さんじゅ.
そっせん【率先】名ス他 솔선. ¶～垂範(すいはん) 솔선수범 / ～して困難(こんなん)に当(あ)たる 솔선해서 곤란과 맞서다.
そつぜん【卒然·率然】トタル 졸연; 돌연; 갑자기. ＝突然(とつぜん). ¶～と悟(さと)る 졸연히 깨닫다 / ～(と)世(よ)を去(さ)る 갑자기 세상을 떠나다.
そっち〖其方〗代 ☞そちら. ¶～の番(ばん)だ 네 차례다 / ～はそれでいいだろうが, こっちはそうはいかない 너는 괜찮겠지만 나는 그렇게 안돼. ↔あっち·こっち·どっち.
そっちのけ〖其方退け〗名 **1** 뒷전으로

돌림; 내동댕이침; 거들떠보지 않음. ¶宿題は~で遊ぶ 숙제는 뒷전으로 돌리고 놀다. **2** 못지않음; 능가함. ¶くろうとも~の腕前 구군(舊軍) 못지않은 솜씨.

そっちゅう【卒中】图〔醫〕졸중; 뇌졸중. =脳卒中. ¶~で倒れる 졸중으로 쓰러지다.

***そっちょく**【率直】《卒直》ダナ 솔직. ¶~な態度 솔직한 태도/~に言う 솔직히 말하다.

****そっと** 副 **1** 살짝; 가만히; 몰래. ¶~忍び寄る 살짝 다가가다/~のぞく 살짝 들여다보다/~抜け出る 몰래 빠져나오다/しばらく~しておいた方がいい 잠시 그대로 가만히 놓아 두는 편이 좋다. **2** ☞ちっとやそっと. 參考 **1**의 강조형은 'そうっと'.

ぞっと 副 오싹. ¶~身にしむ夜風 오싹 몸에 스며드는 밤바람/思い出しても~する体験 생각만 해도 오싹해지는 체험.

—しない〈俗〉탐탁하지 않다. ¶~絵 신통치 않은 그림/洋食は余り~ 양식은 별로 탐탁지 않다.

そっとう【卒倒】图ス他 졸도. =昏倒. ¶その場に~してしまった 그 자리에 졸도해 버렸다.

そつなく 連語 실수 없이; 요령 있게. ¶~こなす 실수 없이 처리하다.

そっぱ【反っ歯】图 뻐드렁니; 벋니. =出っ歯. 參考 'そりは'의 음편.

ソップ[네 sop] 图〈老〉☞スープ.

—がた【—型】图 몸이 마른 씨름꾼. 參考 수프에 쓰는 닭뼈를 연상시키는 데서. ↔あんこ型.

そっぽ〖外方〗图〈俗〉다른 쪽; 딴 쪽. ¶~を見る 딴 쪽을 보다. 注意 'そっぽう'라고도 함.

—を向く 외면하다; 불응하다. ¶上司の方針に皆が~ 상사의 방침을 모두가 무시하다.

そつろん【卒論】图 '卒業論文(=졸업 논문)'의 준말.

***そで**〖袖〗图 **1** 소매. ¶ない~は振れぬ 없는 소매는 흔들지 못한다《없으니 어쩔 도리가 없다》/~を付ける 소매를 달다. **2** 책상에 달린 서랍. ¶両~の机 양 소매 책상. **3** 무대의 윙.

—にすがる 소맷자락에 매달리다《동정을 바라다; 도움을 청하다》.

—にする 소홀히 하다; 거들떠보지 않다《소매는 바꿀 수 있으므로》. ⇨くび(にする).

—の下 뇌물. ¶~を使う 뇌물을 쓰다.

—振り合うも多生〔他生〕の縁 소매가 서로 스치는 것도 전생의 인연.

—を連ねる 함께 가다; 행동을 함께 하다. ¶袖を連ねて辞職する 여럿이 함께 사직하다.

—を引く 소매를 잡아당기다《(a) 살짝 주의하다; (b) 몰래 꾀어내다》.

ソテー[프 sauté] 图 소테《버터를 발라 살짝 지진 고기》. ¶ポーク~ 포크 소테(pork sauté).

そでかんばん【そで看板】《袖看板》图 (건물에서) 쑥 나온 간판; 돌출 간판. =突き出し看板.

そでぐち【そで口】《袖口》图 소맷부리. ¶~がほころびる 소맷부리가 해어지다.

そでごい〖袖乞い〗图 거지; 구걸(함); 동냥(함). ¶~をする 구걸하다.

そでたけ【そで丈】《袖丈》图 소매 길이.

そてつ〖蘇鉄〗图〔植〕소철《상록 교목》.

そでなし〖袖無し〗图 **1** 소매 없는 옷. ¶~のワンピース 소매 없는 원피스. **2** 특히, 소매 없는 羽織.

そでみだし【そで見出し】《袖見出し》图 (신문 등의) 부제(副題). ↔本見出し.

****そと**【外】图 밖; 바깥; 겉; 외부. ¶関心の~ 관심 밖/~で遊ぶ 바깥에서 놀다/不満を~へ表わす 불만을 겉으로 드러내다/機密が~にもれる 기밀이 밖으로 새다. ↔なか·うち. ⇨ほか.

そとうみ【外海】图 외해; 외양. =がいかい. ¶漁船が~に出る 어선이 외해로 나가다. ↔内海.

そとがけ【外掛け】图 (씨름에서) 밭걸이《상대자의 오금을 밖으로 걸어서 넘어뜨리는 수》. ¶相手を~で倒す 상대를 밭걸이로 쓰러뜨리다. ↔内掛け.

そとがま【外がま】《外釜·外缶》图 욕실 밖에 설치된, 목욕물 끓이는 가마솥; 또, 그런 목욕탕. ↔内がま.

そとがまえ【外構え】图 (건물의) 겉 꾸밈새; 외부 구조; 외관; 바깥 구조〔모양〕. ¶~の立派な家 바깥 꾸밈새가 훌륭한 집.

***そとがわ**【外側】图 바깥쪽; 외면; 외측; 겉면. ¶円の~ 원의 바깥쪽 /~は全部ペンキ塗りにする 외면은 모두 페인트칠로 한다/この線から~に出たら負けだ 이 선에서 밖으로 나가면 진다. ↔内側.

そどく【素読】图ス他 소독; 글뜻은 도외시하고 글자만 소리 내어 읽음. ¶論語の~ 논어의 소독.

そとゲバ【外ゲバ】图〈俗〉학생 운동에서, 학생과 출동한 기동대와의 사이에 일어나는 폭력 저항. 參考 'ゲバ'는 'ゲバルト'의 준말. ↔うちゲバ.

そとぜい【外税】图 표시된 가격에 소비세가 포함되지 않고 별도로 과세되는 일; 또, 세금 공제 가격과 세액을 병기하는 세액 표시 방식. ↔内税.

そとづけ【外付け】图 본체 기능의 일부로서 외부에 부착된 부품. ¶~のハードディスク 본체 밖에 부착된 하드디스크.

そとづら【外面】图〈俗〉**1** 외면. =外面. ¶~だけは立派だ 외면만은 훌륭하다. **2** 남과 대하는 태도나 표정; 타인에게 주는 인상. ¶内面はいいが~の悪い人だ 집안 식구끼리 대하는 태도는 좋은데, 외부 사람과의 대인 관계는 좋지 않은 사람이다. ↔内面(うちづら).

そとで【外出】图 ス他 ☞がいしゅつ.

そとのり【外のり】《外法》图 (그릇·되 따위의) 겉으로 잰 치수; 바깥치수. ↔内(うち)のり.

そとば『卒塔婆·卒都婆·率塔婆』图〔佛〕솔도파(率堵婆). **1** 불사리(佛舍利)를 안치하는 탑. **2** 죽은 사람의 공양을 위하여 묘지에 세운, 위가 탑처럼 뾰족하고 갸름한 나무판자. =そとうば.

そとぶろ【外ぶろ】《外風呂》图 건물 밖에 따로 설치한 목욕 시설. ↔内(うち)ぶろ.

そとぼり【外堀】《外濠》图 외호; 성 바깥 둘레의 해자. ¶～を埋(う)める 바깥 해자를 메우다; 목적을 달성하기 위해서 우선 주변의 장애물을 없애다. ↔内堀(うちぼり).

そとまご【外孫】图 외손; 외손자. ↔内孫(うちまご).

そとまた【外また】图 ☞そとわ. ↔内(うち)また.

そとまわり【外回り】《外廻り》图 **1** (바깥) 주위. ¶家(いえ)の～の手入(てい)れ 집 (바깥) 주위의 손질 / 家(いえ)の～をかたづける 집 주위를 치우다. **2** 외근. ¶～の仕事(しごと) 밖에 나다니며 하는 일; 외근. **3** 바깥쪽의 길을 따라 돌기. ¶山手線(やまのてせん)の～の電車(でんしゃ) 山手線의 바깥쪽을 도는 전차. ↔内回(うちまわ)り.

そとみ【外見】图 겉보기; 외관; 외견. =がいけん. ¶～を気(き)にする 외관에 신경을 쓰다 / ～だけでは分(わ)からない 겉보기만으로는 알 수 없다.

そとめ【外目】图 **1** 남이 보았을 때의 느낌; 외견. =外見(そとみ). ¶～を気(き)にする 남의 이목에 신경 쓰다 / ～にも疲労(ひろう)がはっきりわかる 남이 보기에도 피로가 분명히 나타난다. **2** 가운데보다 약간 바깥쪽. ¶～のボールを打(う)つ 아웃 코너의 볼을 치다.

そとゆ【外湯】图 (여관 따위의) 밖에 설비한 (공동) 목욕탕. ↔内湯(うちゆ).

そとわ【外輪】图 발장다리〔걸음〕; 발끝을 밖으로 벌리고 걷는 걸음. =外(そと)また. ¶～にあるく 발장다리 걸음으로 걷다. ↔内輪(うちわ).

そとわきづけ【外わき付け】《外脇付け》图 편지에서, 봉서나 엽서의 수신인 이름 곁에 쓰는 말《親展(しんてん)·至急(しきゅう)·平信(へいしん) 따위》.

そなえ【備え】图 **1** 준비; 대비. ¶老後(ろうご)の～ 노후의 대비 / 万一(まんいち)の場合(ばあい)の～ 만일의 경우의 대비. **2** 방비; 경계. ¶外敵(がいてき)に対(たい)して～を固(かた)める 외적에 대비하여 방비를 굳게 하다 / 堂々(どうどう)の～を示(しめ)す 위세 당당한 진용을 보이다.

—あれば患(うれ)い〔憂(うれ)い〕なし 유비무환.

そなえつけ【備え付け】图 비치·고정시킨 것. ¶～の用紙(ようし) 비치한 용지 / ～の家具(かぐ) 붙박이 가구.

そなえつ-ける【備え付ける】下1他 설치〔비치〕하다. ¶消火器(しょうかき)を～ 소화기를 비치하다 / ホールにテーブルを～ 홀에 테이블을 비치하다.

そなえもの【供え物】图 제물(祭物); 공물(供物). =くもつ.

そな-える【供える】下1他 **1** 신불(神佛)에 바치다; 올리다. ¶赤飯(せきはん)を神(かみ)だなに～ 팥밥을 위패단에 올리다 / お神酒(みき)を神前(しんぜん)に～ 제주(祭酒)를 신전에 바치다. **2** 이바지하게 하다. ¶閲覧(えつらん)に～ 열람에 이용되게 하다.

****そな-える**【備える】下1自他 **1** 준비하다; 대비하다. ¶試験(しけん)に～·えて勉強(べんきょう)する 시험에 대비해서 공부하다 / 外敵(がいてき)に～ 외적에 대비하다. **2** 갖추다. ㉠구비하다; 마련하다. ¶必要品(ひつようひん)を～ 필요품을 갖추다 / 教室(きょうしつ)に辞書(じしょ)を～ 교실에 사전을 비치하다. ㉡《具える》(인격·교양 등을 몸에) 지니다. ¶資質(ししつ)を～ 자질을 갖추다 / 知識(ちしき)を十分(じゅうぶん)～·えている 지식을 충분히 갖추고 있다.

ソナタ [이 sonata] 图〔樂〕소나타; 주명곡(奏鳴曲). ¶～形式(けいしき) 소나타 형식.

そなた『其方』代〈雅〉**1** 그쪽. =そっち. **2** 너; 그대. =なんじ. ¶この刀(かたな)を～に与(あた)える 이 칼을 그대에게 주겠다.

ソナチネ [이 sonatine] 图〔樂〕소나티네; 소주명곡(小奏鳴曲).

***そなわ-る**【備わる】5自 갖춰지다. **1** 구비되다. ¶最新設備(さいしんせつび)の～·った研究室(けんきゅうしつ) 최신 설비가 갖추어진 연구실 / 内容(ないよう)と形式(けいしき)が～ 내용과 형식이 갖춰지다. **2**《具わる》(인격·교양 등이 몸에) 갖추어지다. ¶人徳(じんとく)が～ 인덕이 갖춰지다 / 判断力(はんだんりょく)が～·っていない 판단력이 갖춰져 있지 않다.

ソネット [sonnet] 图 소네트; 14행으로 된 유럽의 시(詩).

そねみ『嫉み』图 질투; 시기. ¶～から出(で)た皮肉(ひにく) 시기심에서 나온 빈정거림 / みんなの～の的(まと)になる 모든 사람의 질투의 대상이 되다.

そね-む『嫉む』5他 시기〔질투〕하다; 시새우다. =ねたむ. ¶友人(ゆうじん)の成功(せいこう)を～ 친구의 성공을 시기하다 / 成績(せいせき)の良(よ)いともだちを～ 성적이 좋은 친구를 시새우다.

その【園】《苑》图〈雅〉동산. **1** 정원; 뜰. ¶花園(はなぞの) 화원. **2** 장소; 터. ¶エデン〔桜(さくら)〕の～ 에덴〔벚꽃〕 동산 / 学(まな)びの～ 배움터.

その『其の·夫の』一 連語 그. ¶～人(ひと) 그 사람 / ～辺(あた)り 그 근처 / 花見(はなみ)に行(い)って, ～帰(かえ)りに映画(えいが)を見(み)た 꽃구경을 갔다가 돌아오는 길에 영화를 보았다. ↔あの·かの·この·どの. 二 感 말이 술술 나오지 않을 때에, 잇는 말: 저…; 에…. ¶実(じつ)は～ 실은 저….

—時(とき)はその時(とき) 그 때는 그 때 가서 보자《미리 걱정할 필요가 없다는 말》.

***そのうえ**『其の上』連語《接続詞적으로》더구나; 게다가; 또한. ¶天気(てんき)もいいし～風(かぜ)も涼(すず)しい 날씨도 좋고 게다가 바람도 시원하다 / きれいで～気立(きだ)ても

いい 아름답고 또한〔게다가〕 마음씨도 곱다.

***そのうち** 〖其の内〗 連語 《副詞적으로》 **1** 일간; 가까운 시일 안에; 때가 되면. ¶～またうかがいます 일간 또 찾아뵙겠습니다. **2** 머지않아. ＝やがて. ¶今は無理でも～(に)わかるさ 지금은 무리이나 머지않아 알게 될 것이야 / ～なんとかなるだろう 불원간 어떻게 되겠지. **3** 그럭저럭(하는 사이에). ¶～に夕飯の支度ができた 그럭저럭하는 동안에 저녁 식사 준비가 되었다.

そのかた 【そのかた·その方】 代 그분; 그 양반(('その人'의 높임말)). ¶～なら存じておりますが 그분이라면 알고 있습니다만. ↔このかた·あのかた.

そのかわり 【その代わり】《其の代わり》 連語 《副詞적으로》 그 대신. ¶ノートを貸すから, ～金を貸してくれ 노트를 빌려 줄 테니 그 대신 돈을 빌려 줘.

そのぎ 【その儀】《其の儀》 連語 〈老〉 그 일. ＝その件. ¶～ならば 그 일이라면 / ～ばかりはまかりならぬ 그 일만은 (해서는) 안돼.

そのくせ 〖其の癖〗 連語 《接続詞적으로》 그런데도; 그럼에도 불구하고. ¶金持ちだが～とてもけちだ 부자인데도 아주 인색하다 / えらそうなことを言って, ～なにもできないんだ 큰소리는 치지만, 그러면서 아무것도 못한다.

***そのご** 【その後】《其の後》 連語 그 뒤; 이후. ¶～いかがですか 그 후 안녕하십니까 / ～ご無沙汰しております 그 후 (오래) 격조했습니다 / ～彼とは会っていない 그 뒤 그와는 만나지 않았다.

そのじつ 【その実】《其の実》 連語 《副詞적으로》 기실; 사실은; 실은. ＝ほんとうは. ¶私はあやまったが～悪いことをしたとは思っていない 나는 사과는 했지만 사실 나쁜 짓을 했다고는 생각지 않는다 / ～あまり損はない 기실 별로 손해는 없다.

そのすじ 【その筋】《其の筋》 連語 **1** 그 방면〔계통〕; 그 길. ¶～の大家 그 방면의 대가. **2** 당국; 특히, 경찰. ¶～のお達し 당국의 지시 / ～のお尋ねもの 경찰의 수배를 받고 있는 자.

そのせつ 【その節】《其の節》 連語 그 때; 그 당시; 그 무렵. ¶～はお世話になりました 그 때는 신세를 많이 졌습니다 / ～は是非ともお立ち寄りください 그 때에는 꼭 들러 주십시오.

そのた 【その他】《其の他》 連語 기타; 그 밖에; 그 밖의 것. ＝そのほか. ¶～大勢 그 밖에 여러 사람 / ～もろもろの条件 기타 여러 가지 조건.

そのつど 【その都度】《其の都度》 名 그때마다; 매번. ¶～注意をする 그때마다 주의하다.

そのて 【その手】《其の手》 連語 **1** 그런 수단; 그 계략. ¶～は食わない 그 수에는 안 넘어간다. **2** 그런 종류. ¶～の品 그런 종류의 물건 / ～の事にはかかわりたくない 그런 유의 일에는 관여하고 싶지 않다.

そのでん 【その伝】《其の伝》 連語 〈俗〉 그런 식〔생각〕. ¶いつも～で行くと 늘 그런 식으로 하면〔나간다면〕.

そのば 【その場】《其の場》 連語 그 자리. **1** 그곳; 그 장면; 그때. ¶～をつくろう 그 자리를 얼버무리다 / ～になってみないと, なんとも言えない 그 상황이 돼 보지 않으면 무엇이라고 말할 수 없다. **2** 즉석; 즉시. ¶～で契約する 그 자리〔즉석〕에서 계약하다.

—かぎり 【—限り】 連語 그때뿐. ¶～の約束 그때뿐인 약속.

—しのぎ 〖—凌ぎ〗 連語 일시 모면; 임시방편〔변통〕. ＝そのば逃れ. ¶～の対策 임시방편의 대책.

—のがれ 【—逃れ】 連語 일시 모면; 어물어물 넘김; 임시변통〔방편〕. ＝一時のがれ·その場しのぎ. ¶～の答弁 임시변통의 답변 / ～にうそを言う 임시방편으로 거짓말을 하다.

そのはず 〖其の筈〗 連語 **1** 당연함. ¶ことわるのも～ 거절하는 것도 당연하다. **2** 『それも～』 그것도 그럴 것. ¶彼の歌はすばらしいが, それも～(で)彼は往年鳴らした歌手なのだ 그의 노래는 훌륭한데, 그도 그럴 것이 그는 왕년의 쟁쟁했던 가수다.

そのひ 【その日】《其の日》 連語 그 날〔당일〕. ¶～は朝から雨がふった 그날은 아침부터 비가 왔다.

—かせぎ 【—稼ぎ】 連語 **1** 날품팔이. **2** ☞そのひぐらし.

—ぐらし 【—暮らし】 連語 하루 벌어 하루 사는 생활; 여망 없는 하루살이. ¶～の生活 하루살이 같은 생활.

—そのひ 【—その日】 連語 하루하루; 그날그날; 나날. ¶～の生活に追われる 그날그날의 생활에 쫓기다.

そのひと 【その人】《其の人》 ⊟代 그 사람(('その方' 'そちら'에 비해 경의(敬意)가 약함)). ¶～の名は知りません 그 사람의 이름은 모릅니다.
⊟名 **1** (다름 아닌) 바로 그 사람; 본인. ¶私の命を救ったのはほかでもない～だった 내 목숨을 구해 준 것은 다름 아닌 바로 그 사람이었다. **2** 《'…に～あり'의 꼴로》 (그 방면의) 대표적인 인물. ¶財界に～ありと知られた人 재계에서 알아주는 사람.

そのへん 【その辺】《其の辺》 連語 **1** 그 근처; 그 근방. ¶～は大きい家が多い 그 근처에는 큰 집이 많다 / ～まで一緒に行く 그 근처까지 함께 가다. **2** 그러한 것. ¶～の事情はよく分からない 그간의 사정은 잘 모른다. **3** 그쯤; 그 정도. ¶～にして止めなさい 그쯤하고 그만두어라.

そのほか 〖其の外〗 連語 그 외; 기타; 그 밖. ¶～のことは何も知りません 그

밖의 일은 아무것도 모릅니다.

*そのまま〖其の儘〗 連語 1 (그냥) 그대로. ¶父の患者を～引き継ぐ 아버지의 환자를 그대로 인계받다/～動くな 그대로 움직이지 마라. 2 즉시. ¶外出から帰って来るなり～寝込んでしまった 외출에서 돌아오자마자 즉시 잠들어 버렸다. 3《接尾詞적으로》㉠ 꼭 닮음. ＝そっくり. ¶死んだ親父～の風貌 죽은 아버지 그대로의 풍모. ㉡ 변하지 않음. ¶明治時代～のすがた 明治 시대 그대로의 모습.

そのみち【その道】《其の道》 連語 그 방면; 그 길; 사계(斯界). ¶～の達人 사계의 대가. 参考 특히, 도박·주색 잡기의 방면을 가리키는 수가 있음. ¶～の通人 그 길에 통달한 사람/～にかけては手が速い 그 방면에 있어서는 솜씨가 비상하다.

そのむかし【その昔】《其の昔》 連語 그 옛날; 아득한 옛적. ¶昔, 昔, ～ 옛날, 옛날, 아득한 그 옛날.

そのむき【その向き】《其の向き》 連語 1 그 방향; 그 방면. 2 (그) 관계 관청〔경찰서〕. ¶～にとどけ出る 관계 관청에 신고하다.

そのもの【その物】《其の物》 連語 1 (문제가 되어 있는) 바로 그것. ＝当のもの. ¶～ずばり 바로 그것 / ～ではないが, よく似ている 바로 그것은 아니나 아주 닮았다. 2《앞의 말을 강조하여》 바로 그것; 그 자체. ¶真剣～ 몹시 진지함/金～が悪いのではない 돈 그 자체가 나쁜 것은 아니다.

⁑そば〖側·傍〗 图 1 곁; 옆. ¶テーブルの～ 테이블 옆/～から口を出す 옆에서 말참견을 하다. 2《動詞에 붙여》 …하자마자; 금방. ¶教わる～から忘れる 배우자마자 금방 잊는다/かせぐ～から使ってしまう 버는 대로 써 버리다.

*そば〖蕎麦〗 图 1 메밀국수《'そばきり'의 준말》. ⇨うどん. 2〔植〕 메밀.

ソバージュ [프 sauvage] 图 소바주. 1 야성적. 2 머리털 끝 쪽에서 가늘고 약한 파마를 하여 자연스럽게 웨이브를 살린, 야성적인 여자 머리 모양.

そばかす〖雀斑〗 图 주근깨. ¶～だらけの顔 주근깨투성이인 얼굴.

そばきり【そば切り】《蕎麦切り》 图 ☞そば1.

そばこ【そば粉】《蕎麦粉》 图 메밀가루.

そばだ-つ〖峙つ·聳つ〗 5自 높이〔우뚝〕 솟다. ¶高く～山 우뚝 솟은 산.

そばだ-てる〖欹てる·側だてる〗 下1他 (귀를) 쫑긋 세우다; 기울이다. ¶枕を～ 잠자던 사람이 귀를 기울이다/他人の話に耳を～ 남의 이야기에 귀를 기울이다〔쫑긋거리다〕.

そばづえ〖側杖·傍杖〗 图 후림불. ¶～を食う 후림불에 걸려들다; 관계 없는 일에 봉변을 당하다.

そばづかえ【そば仕え】《側仕え》 图ス他 곁에서 시중듦〔모심〕; 또, 그 사람; 근시(近侍). ＝そばづとめ. ¶お～ 근시; 측근(자).

そばみち【そば道】《側道》 图 간선 도로의 곁을 지나는 샛길.

そばめ [側女·側妻] 图 〈雅〉 첩; 소실. ＝めかけ·てかけ.

そばめ【そば目】《側目》 图 곁에서 봄. ＝はため. ¶～にも美しい 곁에서 보아도 아름답다.

そばや【そば屋】《蕎麦屋》 图 메밀국수 등 면류를 파는 음식점.

そばやく【そば役】《側役》 图 곁에서 시중드는〔모시는〕 역; 근시(近侍); 측근. ＝そばづかえ.

*そび-える〖聳える〗 下1自 우뚝 솟다; 치솟다. ＝そばだつ. ¶山が～ 산이 우뚝 솟다/雲に～峰 구름 위에 우뚝 솟은 산봉우리.

そびやか-す〖聳やかす〗 5他 우뚝 솟게 하다; 높이다. ¶肩を～ 어깨를 으쓱거리다《으스대는 모양》.

そびょう【素描】 图ス他 〔美〕 소묘; 데생. ＝デッサン.

=そび-れる《動詞 連用形에 붙어 下一段活用의 動詞를 만듦》 (…할) 기회를 놓치다; …하려다가 못하다. ¶寝～ 잠을 설치다/言い～ 말할 기회를 놓치다.

そひん【粗品】 图 ☞そしな.

*そふ【祖父】 图 조부; 할아버지. ＝おじいさん. ↔祖母.

ソファー [sofa] 图 소파; 긴의자. ⇨ベンチ.

—ベッド [sofa bed] 图 소파 베드; 등판을 뒤로 젖혀 침대로 사용하는 소파.

ソフィスト [sophist] 图 소피스트; 궤변가; 궤변학파.

そふく【粗服】 图 거칠고 값싼 의복. ¶～をまとう 허름한 옷을 입다.

ソフト [soft] 一ダナ 소프트; 부드러움. ¶～な感じ 부드러운 감촉〔느낌〕. 二图 1 'ソフトドリンク'의 준말. 2 'ソフトクリーム'의 준말. 3 'ソフトウェア'의 준말.

—ウェア [software] 图 〔컴〕 소프트웨어. ↔ハードウェア.

—クリーム [←soft icecream] 图 소프트 크림《냉동 빙결(氷結)되지 않은, 부드러운 아이스크림》.

—さんぎょう【—産業】 图 소프트 산업; 정보·지적(知的) 서비스 등의 제3차 산업. ↔ハード産業.

—タッチ [soft touch] 图 소프트 터치; 부드러운 감촉〔필치〕.

—テニス [soft tenis] 图 소프트 테니스; 정구(庭球). 参考 '軟式テニス(＝연식 테니스)'라고 부르던 것을 1992년에 명칭 변경.

—ドリンク [soft drink] 图 소프트 드링크; 알코올 성분이 없는 청량음료.

—フォーカス [soft focus] 图 〔寫〕 소프트 포커스《초점을 흐리게 해서 부드러운 느낌이 들게 찍은 사진》.

—ランディング [soft landing] 图 소프

트 랜딩; 연착륙. **1** 우주선 등이 달 따위에 충격 없이 착륙하는 일. **2** 고도성장에서 경기를 정체시키지 않고 안정 성장으로 이행시키는 경제 정책. ⇔ハードランディング.

そふぼ【祖父母】名 조부모.

ソフホーズ [러 sovkhoz] 名 소프호스《구(舊) 소련의 국영 농장》. ↔コルホーズ.

ソプラノ [이 soprano] 名〖樂〗소프라노. ¶~歌手(かしゅ) 소프라노 가수.

そぶり〖素振り〗名 거동; 기색. =けはい. ¶あやしい~ 수상스러운 거동/不満(ふまん)を~に見(み)せる 불만을 태도에 나타내 보이다/つれない~ 냉정한 태도/~も見(み)せない 내색도 않다/くやしそうな~でした 분한 듯한 기색이었습니다. [注意] 'すぶり'로 읽으면 딴말.

*__そぼ__【祖母】名 조모; 할머니. =おばあさん. ↔祖父(そふ).

そほう【粗放】名ダナ 조방; 거칠고 맺힌 데가 없는 모양. ¶~な計画(けいかく) 엉성한 계획/~な性質(せいしつ) 덜렁덜렁한 성질.

—のうぎょう【—農業】名 조방 농업. ↔集約農業(しゅうやくのうぎょう).

そぼう【粗暴】名ダナ 조포; 거칠고 난폭한 모양. ¶~なふるまい 막된 행동/~な人間(にんげん)だ 난폭한 인간이다.

そほうか【素封家】名 벼슬은 없으나 재산이 많은 사람; 재산가; 큰 부자. ¶彼(かれ)はこの辺(あた)りの~の出(で)だ 그는 이 근처의 부잣집 출신이다. [參考] '素'는 지위가 없음, '封'는 영지(領地)의 뜻.

*__そぼく__【素朴】《素樸》名ナ 소박; 또, 단순함. ¶~な人柄(ひとがら) 소박한 인품/その考(かんが)えは~で現実(げんじつ)には適(てき)しない 그 사고방식은 단순하고 비현실적이다.

そぼぬ-れる〖そぼ濡れる〗[下1自] 촉촉이 젖다. ¶霧雨(きりさめ)に~ 이슬비에 촉촉이 젖다/雨(あめ)に~·れて歩(ある)く 비에 촉촉이 젖으며 걷다.

そぼふ-る【そぼ降る】[5自] (비 따위가) 부슬부슬 내리다. ¶~小雨(こさめ)〔春雨(はるさめ)〕 촉촉이 내리는 가랑비〔봄비〕/雨(あめ)が~ 비가 부슬부슬 내리다.

そぼろ 名 **1** (실 모양의 물건이) 흩어져 엉클어지는 모양. ¶~髪(がみ) 엉클어진 머리. **2** 익힌 생선을 으깨어 말린 식품. =おぼろ. ¶たいの~ 도미 소보로.

__そまつ__〖粗末〗ダナ **1 허술하고 나쁨; 변변치 않음. ¶~な着物(きもの) 허술한 옷/~なつくり 조잡한〔엉성한〕 만듦새/お~でした (선물한 물건 따위가) 변변치 못했습니다. **2**《흔히 '…を~にする'의 꼴로》(소중히 해야 할 것을) 소홀히 다루는 모양. =ぞんざい. ¶お金(かね)を~にする 돈을 아끼지 않다/親(おや)を~にする 부모(공대)를 소홀히 하다.

*__そま-る__【染まる】[5自] 물들다. ¶手(て)が黒(くろ)く~ 손이 검게 물들다/夕日(ゆうひ)に~ 저녁놀에 붉게 물들다/あけに~·って倒(たお)れる 피투성이가 되어 쓰러지다/悪(あく)に~ 악에 물들다.

そみつ【粗密·疎密】名 소밀; 성김과 빽빽함. ¶空気(くうき)の~を計(はか)る 공기의 소밀을 재다/人口(じんこう)の~ 인구의 소밀.

そ-む【染む】[5自] **1** ☞そまる. ¶悪習(あくしゅう)に~ 악습에 물들다〔젖다〕. **2** (강하게) 마음을 끌리다; 마음에 들다. ¶気(き)に〔意(い)に〕~·まぬ結婚(けっこん)を強(し)いられる 마음에 없는 결혼을 강요당하다.

__そむ-く__【背く】[5自] **1 등지다. ㉠등을 돌리다; …을 뒤로 하다. ¶太陽(たいよう)に~·いて立(た)つ 태양을 등지고 서다. ㉡(관계하지 않고) 멀리하다. ¶世(よ)を~ 세상을 등지고 출가(出家)하다. **2** 어기다. ㉠어긋나다; 어그러지다. ¶約束(やくそく)に~ 약속을 어기다/期待(きたい)に~ 기대에 어그러지다. ㉡거역하다; 거스르다. ¶父(ちち)の教(おし)えに~ 부친의 교훈을 거역하다. **3** 배반하다. ㉠떠나다; 버리다. ¶恋人(こいびと)に~·かれる 연인에게 배신당하다. ㉡반역〔모반〕하다. ¶国(くに)に~ 나라를 배반하다/主君(しゅくん)に~ 주군에게 반역하다.

そむ-ける【背ける】[下1他] (등을) 돌리다; 외면하다. ¶顔(かお)を~ 외면하다/惨状(さんじょう)に目(め)を~ 참상에 눈을 돌리다.

ソムリエ [프 sommelier] 名 소믈리에; 레스토랑 등의 와인 전문 웨이터.

そめ【染め】名 염색. ¶セーターを~に出(だ)す 스웨터를 염색하러 보내다/~がきれいに上(あ)がった 염색이 잘 되었다.

=ぞめ【初め】《動詞 連用形에 붙여》**1** 처음으로 …하기; 새해 들어 첫번째로 하는 일. ¶逢(あ)い~ 처음 만남/書(か)き~ 그해의 첫(붓)글씨쓰기; 신년 시필(試筆). **2** 난 지 또는 생겨난 지 처음. ¶食(た)べ~ 처음 먹음/橋(はし)の渡(わた)り~ 다리를 처음 건너기. [參考] 말에 따라서는 '清音(せいおん)'인 경우도 있음《'なれそめ' 따위》.

そめあがり【染め上がり】名 염색이 다 됨; 염색된 품. ¶~がよい〔すばらしい〕 염색이 잘〔훌륭하게〕 되었다.

そめあ-げる【染め上げる】[下1他] 염색해 내다. ¶生地(きじ)を真紅(しんく)に~ 무지의 천을 진홍색으로 염색하다.

そめいろ【染め色】名 염색한 빛깔; 물빛. ↔織(お)り色(いろ).

そめかえ-す【染め返す】[5他] (퇴색한 것을) 다시 염색하다. =染め直(なお)す. ¶母(はは)の着物(きもの)を~ 어머니의 옷을 다시 염색하다.

そめか-える【染め変える】[下1他] 한번 물들인 것을 다시 염색하다. ¶別(べつ)の柄(がら)に~ 다른 무늬로 바꿔 염색하다.

そめがた【染め型】名 염색하는 무늬 본.

ぞめ-く〖騒く〗[5自] 〈雅〉 들떠들다; 들떠들며 돌아다니다. ¶花見帰(はなみがえ)りの客(きゃく)が町(まち)を~·きまわる 꽃구경하고 돌아오는 사람들이 거리를 들떠들며 돌아다니다.

そめこ【染め粉】名 가루 물감.

そめだ-す【染め出す】[5他] 염색해서 빛깔이나 무늬를 나타내다. ¶花模様(はなもよう)を~ 꽃무늬를 염색해 내다.

そめつけ【染め付け】名 **1** 염색해서 빛깔

이나 무늬를 나타내는 일; 또, 그렇게 한 물건. **2** 특히, 남빛 무늬를 물들인 천. **3** 남빛 무늬를 넣어 구운 도자기.

そめつ-ける【染め付ける】下1他 염색해서 빛깔이나 무늬를 나타내다. ¶花模様(はなもよう)を～·けた絵皿(えざら) 염색해서 꽃무늬를 나타낸 그림 접시.

そめなお-す【染め直す】5他 ☞そめかえす.

そめぬきもん【染め抜き紋】名 무늬 부분만 바탕 색깔로 남겨 놓은 문장(紋章). ⇨そめぬく2. ↔書(か)き紋(もん)·ぬい紋(もん).

そめぬ-く【染め抜く】5他 **1** 속속들이 물들이다. **2** 무늬만 바탕 빛깔로 남기고 다른 부분을 염색하다.

そめもの【染め物】名 염색; 염색물. ¶～をする 염색하다 / ～を乾(かわ)かす 염색물을 말리다.

—や【—屋】名 염색집; 물집; 또, 염색가. ＝染(そ)め屋(や).

そめもよう【染め模様】名 염색해서 만든 무늬.

****そ-める**【染める】下1他 **1** 물들이다; 염색하다. ¶髪(かみ)を黒(くろ)く～ 머리를 검게 염색하다 / 布(ぬの)を藍(あい)で～ 천을 쪽으로 물들이다. **2** (붓 따위에) 먹을 먹이다; (그림물감 따위를) 칠하다. ¶筆(ふで)を～ (a) 무엇을 쓰다; (b) 채색하다; (c) 쓰기 시작하다. **3** (부끄러워) 붉히다. ¶はずかしさにほおを～ 부끄러워서 뺨을 붉히다. **4** 마음을 쏟다. ¶科学(かがく)に心(こころ)を～ 과학에 마음을 쏟다. **5** (일에) 관계하다; 손을 대다. ¶新事業(しんじぎょう)に手(て)を～ 새 사업에 손을 대다.

=そ-める【初める】…하기 시작하다; 처음으로 …하다. ¶明(あ)け～ 날이 밝아 오다 / 見(み)～ 첫눈에 반하다 / 咲(さ)き～ (꽃이) 피기 시작하다 / 子供(こども)が歩(ある)き～ 애가 걸음마를 시작하다.

そめわけ【染め分け】名 **1** 각각 딴 색으로 염색함; 또, 그렇게 한 염색물. ¶～縞(じま)〔紙(がみ)〕 색색으로 물들인 줄무늬〔색종이〕 / ～手綱(たづな) 갖가지 색으로 물들인 고삐. **2** 꽃잎이 각색으로 피는 꽃.

そめわ-ける【染め分ける】下1他 두 가지 이상의 빛깔로 나누어 염색하다. ¶赤(あか)と黄(き)に～ 빨강과 노랑으로 나누어 염색하다.

そもう［梳毛］名 소모《양털 등을 다듬고 빗질해서 오그라든 것을 펴고 나란히 늘어놓는 작업; 또, 그렇게 한 털》. ¶～機(き) 소모기 / ～糸(し) 소모사.

—おりもの［—織物］名 소모 직물《주로 소모사를 사용한 직물》.

そもそも〖抑〗一接 도대체; 대저. ¶～人間(にんげん)というものは… 대저 인간이라는 것은…. 二副 처음; 애초. ¶それが～いけない 그것이 애초부터 잘못이다. 三名 최초; 애초; 첫째. ¶～の理由(りゆう)は 첫째 이유는 / ～は僕(ぼく)が始(はじ)めたものだ 애초에는 내가 시작한 것이다. 参考 三은 '～がなまけ者(もの)だ' 와 같이 'が'를 붙여 쓰기도 하는데, 흔히 타고난·날 때부터의 뜻이 됨.

そや【粗野】名ダナ 조야; 메부수수함. ＝がさつ. ¶～な人間(にんげん) 거칠고 촌스러운 사람 / ～な言動(げんどう) 거칠고 막된 언동. ↔優雅(ゆうが).

=そやす 부추기다; 칭찬하다. ¶ほめ～ 몹시 칭찬하다; 격찬하다.

そやつ〖其奴〗代 그놈. ＝そいつ. ¶～のせいだ 그 녀석 탓이다.

***そよう**【素養】名 소양. ＝たしなみ. ¶音楽(おんがく)の～がある 음악의 소양이 있다.

そようちょう【租庸調】名〔史〕조용조.

そよかぜ【そよ風】《微風》名 미풍; 산들바람. ¶春(はる)の～ 봄에 부는 산들바람 / ～がほおをなでる 미풍이 볼을 스치다.

そよ-ぐ〖戦ぐ〗5自 살랑거리다; 가볍게 흔들리다. ¶風(かぜ)に～あし 바람에 흔들거리는 갈대 / 樹木(じゅもく)が風(かぜ)に～·いでいた 수목이 바람에 흔들리고 있었다.

そよそよ 副 산들산들; 솔솔; 살랑살랑. ＝さやさや. ¶春風(はるかぜ)が～(と)吹(ふ)く 봄바람이 산들산들 불다.

そよふ-く【そよ吹く】5自 바람이 산들거리다. ¶～風(かぜ) 산들바람.

****そら**【そら·空】一名 **1** 하늘. ㉠공중; 허공. ¶～の旅(たび) 공중 여행 / ～を飛(と)ぶ 하늘을 날다 / ～に輝(かがや)く太陽(たいよう) 하늘에 빛나는 태양. ㉡날씨. ¶～がぐずつく 하늘이 끄무레하다 / 女心(おんなごころ)と秋(あき)の～ 여자의 마음과 가을 날씨《변하기 쉬운 것의 비유》. ㉢(생각하는 대상으로서의) …쪽; …방향. ¶故郷(こきょう)の～ 고향 하늘 / いずこの～ 어느 하늘 아래; 어느 곳. **2** (허공에 뜬) 신세; 처지. ¶ねぐら定(さだ)めぬ旅(たび)の～ 정처 없는 나그넷길 / 若(わか)い身(み)～で 젊은 처지로〔나이에〕. **3** 허공에 뜬 상태. ㉠(마음이) 들뜸. ¶心(こころ)も～に (a) 허공에 (들)뜬 기분으로; (b) 멍하니; 정신없이 / 足(あし)も～に 들뜬〔정신없는〕 발걸음으로. ㉡건성. ¶うわの～ 건성. **4** 마음; 생각; 기분. ¶その時(とき)は生(い)きた～もなかった 그때에는 산 것 같은 기분도 없었다. **5** 거짓. ¶～を言(い)う 거짓말을 하다. **6** 책 따위를 보지 않고 욈. ＝宙(ちゅう). ¶全文(ぜんぶん)を～で唱(とな)える 전문을 행하게 외다.

二接頭 **1**【そら】공연히; 어쩐지. ＝なんとなく. ¶～恐(おそ)ろしい 어쩐지 두렵다 / ～がなしい 왠지 슬프다. **2** 보람 없는; 헛된. ¶～だのみ 헛된 기대. **3** 거짓; 헛. ¶～寝(ね)〔涙(なみだ)〕 거짓 잠〔눈물〕.

—飛(と)ぶ鳥(とり)も落(お)とす 하늘에 나는 새도 떨어뜨리다《위세가 등등함을 이름》.

—吹(ふ)く風(かぜ)と聞(き)き流(なが)す 흘려듣다; 모른 체하다.

—を使(つか)う **1** 꾀병을 부리다. **2** 짐짓 딴전을 부리다; 시치미떼다.

そら 感〈俗〉주의·지시·놀람을 나타내는 말: 아; 저런; 봐라; 자. ¶～バスが来(き)た 아, 버스가 왔다 / ～またはじまった 저런, 또 시작됐군.

そらあい【空合い】名 **1** 날씨. ＝空模様(そらもよう). ¶くもった～ 흐린 날씨 / 雨(あめ)の降(ふ)

りそうな～ 비가 올 것 같은 날씨. **2** (되어 가는) 형편; 형세. ＝雲行き. ¶国会が解散になりそうな～だ 국회가 해산될 것 같은 형세다.

そらいろ【空色】[名] **1** 하늘빛; 옥색. ¶～にぬる 하늘색으로 칠하다. **2** 날씨. ¶～があやしい 날씨가 수상하다《비나 눈이 올 것 같다》.

そらうそぶ-く〖空嘯く〗[5自] **1** 하늘을 쳐다보고 콧방귀뀌다《남을 우습게 보는 건방진 태도》. ¶～·いて聞きもしない 큰소리만 치고 듣지도 않다. **2** 짐짓 시치미떼다; 모르는 체하다. ＝そらとぼける. ¶～·いて白状しない 모르쇠 잡고 자백하지 않다/そんなことはないと～ 그런 일은 없다고 딱 잡아떼다.

そらおそろし-い【そら恐ろしい】《空恐ろしい》[形] 어쩐지 두렵다. ¶～ことだ 어쩐지 두려움이 앞서는 일이다/ゆくすえの～子供 장래가 매우 걱정되는 아이.

そらおぼえ【空覚え】[名] **1**〈老〉 암기; 욈. ¶～のお経を読む 뜻도 모르고 외고 있는 경을 입으로만 줄줄 읽다. **2** 어렴풋한〔아련한〕 기억. ＝うろおぼえ. ¶～の住所 기억이 어렴풋한 주소.

そらごと【空事】[名] 진실이 아닌 일; 거짓. ¶絵～ 허황된 거짓.

そらごと〖空言·虚言〗[名] 거짓말. ＝うそ. ¶～を言う 거짓말을 하다.

***そら-す**【反らす】[5他] **1** (반대 방향으로) 휘게 하다. ¶木を～ 나무를 휘다. **2** 뒤로 젖히다. ¶体を後ろに～ 몸을 뒤로 젖히다.

***そら-す**〖逸らす〗[5他] **1** (방향을) 딴 데로 돌리다. ¶書物から目を～ 책에서 눈을 떼다/顔を～ 얼굴을 돌리다/話を～ 이야기〔화제〕를 딴 데로 돌리다. **2** 빗나가게 하다; 피하다. ¶ねらいを～ 겨냥이 빗나가게 하다/非難を巧みに～ 비난을 교묘히 피하다. **3** 놓치다. ¶好機を～ 좋은 기회를 놓치다. **4**《주로 否定을 수반하여》 남의 기분을 상하게 하다. ¶人を～·さない巧みな話術 남의 비위를 잘맞추는, 능란한 화술.

そらぞらし-い〖空空しい〗[形] **1** 알면서 모르는 체하다; 짐짓 시치미 떼다. ¶～顔つき 시치미를 떼고 있는 얼굴/～様子をする 시치미 떼다. **2** 빤히 속이 들여다보이다. ¶～うそ〔おせじ〕 빤한 거짓말〔공치사〕/～あいさつ 건성으로 하는 인사.

そらだのみ【そら頼み·空頼み】[名][ス他] 헛기대; 부질없는 기대. ¶この旱天に雨を待つなんて～だ 이 가뭄에 비를 기다리다니 헛된 기대다/結局～におわる 결국 부질없는 기대로 끝나다.

そらで【そらで·空で】[副] 암기해서. ¶～読む 횅하게 외다. ⇨そら6.

そらとぶえんばん【空飛ぶ圓盤】[名] 미확인 비행물체; 비행접시《UFO》.

そらとぼ-ける〖空惚ける〗[下1自] 짐짓 모르는 체하다; 시치미 떼다. ¶～·けてもちゃんと知っている 시치미를 떼도 빤히 알고 있다.

そらなき【そら泣き·空泣き】[名][ス他] 거짓 욺〔울음〕; 우는 시늉을 함. ＝うそ泣き. ¶～をしてだます 우는 시늉을 해서 속이다.

そらなみだ【そら涙】《空涙》[名] 상대를 속이기 위해 흘리는 눈물; 거짓 눈물. ¶～を流す 거짓 눈물을 흘리다.

そらに【空似】[名] 혈연관계가 없는 남남끼리 얼굴 생김새가 닮음. ¶他人の～ 남남끼리 우연히 닮음.

そらね【空寝】[名][ス他] 자는 체함; 거짓잠. ＝空眠り·たぬき寝入り.

そらね【そら音】《空音》[名] **1** 우는 소리의 시늉. ¶鶏の～ 닭 우는 소리 시늉/～を使う 우는 소리를 흉내내다. **2** 거짓말. ＝うそ·そらごと. ¶～を吐く 거짓말을 하다.

そらねんぶつ【そら念仏】《空念仏》[名] 공염불; 거짓 염불.

そらはずかし-い【そら恥ずかしい】《空恥ずかしい》[形] 어쩐지 부끄럽다; 생각만 하여도 부끄럽다. ＝うらはずかしい. ¶～思いがする 어쩐지 부끄러운 생각이 든다.

そらまめ〖蚕豆·空豆〗[名]〔植〕 잠두; 누에콩.

そらみみ【そら耳】《空耳》[名] **1** 헛들음; 잘못 들음; 환청. ¶～だったかな 헛들었던 것일까/君の～だよ 자네가 헛들은 것일세. **2** 짐짓 못 들은 체함. ¶具合の悪い時には～を使う 불리할 때에는 듣고도 못 들은 체하다.

そらめ【そら目】《空目》[名] **1** 본 것처럼 착각함; 잘못 봄. ＝見あやまり. ¶あれは～だったか 그것은 잘못 본 것이었나. **2** 못 본 체함. ¶～をつかう 보고도 못 본 체하다. **3** 칩떠봄.

──づかい【──遣い】[名][ス他] **1** 칩떠봄. **2** 보고도 못 본 체함.

そらもよう【空模様】[名] **1** 날씨. ¶～がおかしい 날씨가 이상하다/嵐の来そうな～だ 폭풍이 불 것 같은 날씨다. **2** (비유적으로) 사물이 되어 가는 상태; 형세. ＝形勢·雲ゆき. ¶政界の～ 정계의 형세/国会は険悪な～だ 국회는 험악한 형세이다.

そらゆめ【そら夢】《空夢》[名] **1** 헛꿈; 거짓 꿈. ¶～のような話だ 헛꿈 같은 이야기다/～に終わる 헛꿈으로 끝나다. ↔まさ夢. **2** 공상.

そらわらい【そら笑い】《空笑い》[名][ス他] 거짓 웃음; 헛웃음. ¶彼は詮方なさそうに～しつつ頭を掻いていた 그는 어쩔 수 없다는 듯이 헛웃음을 지으며 머리를 긁적거리고 있었다.

そらん-ずる〖諳んずる〗[サ変他]〈老〉 외다; 암기하다. ＝暗唱する·暗記する. ¶～まで読む 욀 때까지 읽다/詩文を～ 시문을 줄줄 외다.

そり【反り】名 **1** 휨; 휜〔뒨〕 모양. ¶～が強(つよ)い 너무 휘었다〔뒤었다〕/板(いた)に～がある 널이 뒤어 있다. **2** 칼이 활 모양으로 휜 상태. **3** 성질; 성격; 기풍.
――が合(あ)わない 칼의 휜 것이 칼집에 맞지 않다; 전하여, (두 사람이) 뜻이 맞지 않다. ¶彼(かれ)とは最初(さいしょ)からそりが合わなかった 그와는 처음부터 뜻이 맞지 않았다.

そり〖橇〗名 썰매. ¶～に乗(の)る 썰매를 타다/～で行(い)く 썰매로 가다.

そり〖剃り〗名 **1** (면도로) 깎음; 밂. ¶毎日(まいにち)～を入(い)れる 매일 면도를 하다. **2** 'かみそり(=면도칼)'의 준말.

そりおと-す【そり落とす】(〖剃り落とす〗) 5他 털을 깎아 내다. ¶ひげを～ 수염을 깎아 버리다.

そりかえ-る【反り返る】5自 **1** 뒤다('そる'의 힘줌말). ¶表紙(ひょうし)が～ 표지가 뒤다. **2** 몸을 뒤로 젖히다(거만스러운 거동). =ふんぞり返(かえ)る. ¶ソファーに～·って話(はなし)を聞(き)く 소파에 잔뜩 몸을 뒤로 젖히고 앉아 이야기를 듣다/代議士(だいぎし)になるとすぐ～·った 국회의원이 되자 금방 거만해졌다.

ソリスト[프 soliste] 名 **1**〔樂〕 솔리스트; 독창〔독주〕자. **2** (발레에서) 솔로를 추는 무용수; 제일 무용수.

ソリッドステート[solid-state] 名 솔리드 스테이트; (TV나 라디오 등에서) 진공관 대신 트랜지스터·IC 따위 반도체로 회로가 구성된 것.

そりはし【反り橋】名 홍예다리. =そりばし·太鼓橋(たいこばし).

そりみ【反り身】名 몸을 뒤로 젖힘; 또, 그 자세. ¶～になっていばる 몸을 뒤로 젖히며 뽐내다(흔히, 득의양양할 때, 으스댈 때의 자세).

そりゃ 感〈俗〉☞そら·それ.

そりゃ 一連語〈俗〉그것은; 그건. ¶～まずい 그건 좋지 않은데/～そうだ 그건 그래. 二感 주의를 환기하거나 지시할 때 쓰는 말: 자; 어. ¶～, 投(な)げるぞ 자, 던진다. 注意 'それは'의 변화.

そりゃく【粗略·疎略】名ダナ 소략; 소홀. ¶客(きゃく)を～に扱(あつか)う 손님을 소홀히 다루다. ↔丁重(ていちょう)·ていねい·入念(にゅうねん).

そりゅうし【素粒子】名〔理〕 소립자.
――ろん【――論】名 소립자론.

*__そ-る__〖剃る〗5他 박박 깎다; 면도하다. ¶頭(あたま)を～ 머리를 박박 밀다/ひげを～ 수염을 깎다; 면도하다.

そ-る【反る】5自 **1** (활 모양으로) 휘다; 젖혀지다; 뒤다. ¶表紙(ひょうし)が～ 표지가 뒤다/板(いた)が～ 판자가 뒤다. **2** 몸 따위가 뒤로 젖혀지다. =のけぞる. ¶弓(ゆみ)なりに～·って土俵際(どひょうぎわ)でこらえる 활 모양으로 몸을 젖히고 씨름판 경계에서 버티다.

ゾル[도 Sol] 名〔化〕 졸(콜로이드 용액). ↔ゲル(Gel).

ソルビンさん【ソルビン酸】名〔化〕 소르브산(식품의 방부제나 곰팡이 방지제에 씀). ▷sorbic acid.

ゾルレン[도 Sollen] 名〔哲〕 졸렌. **1** 도덕적 의무. **2** 당위. =当為(とうい). ↔ザイン.

それ〖其れ〗一代 **1** 그것. ¶あれじゃない, ～だよ 저게 아니고, 그것일세/～をいつ聞(き)いたの 그걸 언제 들었니/～はそうと 그것은 그렇고(화제를 바꿀 때의 말)/～もそうだ 그(것)도 그렇다/～はちょうど去年(きょねん)のきょうのことです 그것은 바로 작년 오늘의 일입니다. **2**《현재 화제로 되어 있는 사물을 가리켜》그; 그 때; 그런 일. ¶～以来(いらい)会(あ)っていない 그 (때) 이후로 만나지 못했다/～まではしんぼうして下(くだ)さい 그 때까지는 참아 주십시오.
二感 주의를 촉구하거나 기합을 넣을 때 내는 말: 야; 자; 봐라. =そら. ¶～行(い)け 자, 가거라/～見(み)たことか 그(것) 봐라 (내가 뭐랬어)/～っとばかりに現場(げんば)に駆(か)けつけた (소식을 듣자) 냅다 현장으로 달려갔다. 注意 흔히 'それはそれは'의 꼴로 '아이고 저런; 어쩌면' 등의 뜻의 감동을 나타냄.

それかあらぬか 連語 그 때문인지 어떤지(는 모르겠으나); 긴가민가하나.

それがし〖某〗代〈古〉**1** 모(某); 아무개. =なにがし. ¶友人(ゆうじん)～の話(はなし)では 친구 아무개의 말로는. **2** 저; 본인; 이 사람(남자가 썼음). =わたくし. ¶～はこのあたりに住(す)む僧(そう)にて候(そうろう) 본인은 이 근처에 사는 중이올시다.

__それから__ 連語 **1 그에 더하여; 그리고 (또). ¶～野球(やきゅう)をした 그리고 야구를 했다/りんごも, ～梨(なし)も好(す)きだ 사과도, 그리고 또 배도 좋아한다. **2** 그 뒤; 그 이래. ¶～気(き)が変(へん)になった 그 뒤로 정신이 이상해졌다. **3** 이야기를 재촉하는 말: 그래서. =それで. ¶～, どうなった 그래서 어떻게 됐어.

それきり〖其れ切り〗連語 **1** 그(것)뿐; 그것으로 끝. =それかぎり·それだけ. ¶品物(しなもの)は～しかない 물건은 그것밖에 없다/～の話(はなし) 그것으로 끝난 이야기. **2** 그 때 이후. ¶～姿(すがた)をあらわさない 그 뒤로 모습을 나타내지 않는다/～さたなしだ 그 후로 소식이 없다. 参考 'それっきり'는 힘줌말.

それこそ 連語 그야말로. **1** 그것이 바로. ¶～ぼくの言(い)いたいことだ 그것이야말로 내가 말하고자 하는 것이다. **2** 정말. ¶先生(せんせい)に見(み)つかったら, ～大変(たいへん)よ 선생님에게 들키면, 정말 큰일난다/～つかみかからんばかりのけんまくで詰(つ)め寄(よ)った 정말 달려들기라도 할 듯이 서슬이 퍼래서 바짝 다가왔다.

それしき〖其れ式〗連語 그 정도; 그쯤. =それくらい. ¶～のことに驚(おどろ)くな 그만한 일에 놀라지 마라/なんだ～のことが出来(でき)ないのか 뭐야, 그 정도의 일을 못 하나. ⇨しき副助.

それじゃ 接〈口〉그러면; 그렇다면; 그

럼. ＝それでは·それじゃあ. ¶ ～行って来る 그러면 갔다 오겠다 / ～困る 그러면 난처하다.

それそうおう【それ相応】連語 그에 알맞음〔상응함〕; 응분. ¶ ～の謝礼 응분의 사례 / 悪事をはたらいた者は, ～の報いを受ける 나쁜 짓을 한 사람은 그에 상응하는 응보를 받는다.

それそうとう【それ相当】連語 그에 상당함; 그에 어울림; 그 정도〔나름〕. ¶ ばかはばかなりに～の知恵が働くものだ 바보는 바보대로 그 나름의 꾀가 있기 마련이다.

***それぞれ**〖夫れ夫れ·其れ其れ〗名副 (제) 각기; 각각; 각자. ＝めいめい·おのおの. ¶ ～言い分は有るにしろ 각자 할 말이 있다손치더라도 / どの品にも～特色がある 어느 물건에나 각각 제나름의 특색이 있다.

それだから 接 그러므로; 그러니까. ¶ ～して 그러므로 해서; 그러니까 / ～私の言った通りにしなさい 그러니까 내가 말한 대로 하시오. ↔それでも.

それだけ〖其れ丈〗連語 **1** 그만큼; 그 정도; 그쯤. ¶ ～あれば十分だ 그 정도 있으면 충분하다 / 働けば～金になる 일하면 그만큼 돈이 생긴다〔벌이가 된다〕. **2** 그것뿐; 그것만. ＝それきり. ¶ ～はがまんできない 그것만은 참을 수 없다 / ～はごめんだ 그것만은 못하겠다〔안되겠다〕.

それだけに 接 그런 까닭에 (더더욱); 그런 만큼. ¶ 彼は家が貧しかった. ～人一倍苦労しなければならなかった 그는 집이 가난했다. 그런 만큼 남다른 고생을 해야만 했다.

それだのに 接〈俗〉☞それなのに.

それだま【それ弾】《逸れ弾·逸れ玉》名 빗나간 탄환; 유탄. ＝ながれだま. ¶ ～にあたる 유탄에 맞다.

それっきり〖其れっ限り〗連語 'それきり'의 힘줌말. ¶ ～顔を見せない 그 뒤로 얼굴을 보이지 않는다 / ～音さたなしです 그 후로는 소식이 없습니다.

***それで** 接 그래서. **1** 그런 까닭에. ＝それだから. ¶ 金がなかった. ～仕方なく無銭飲食をした 돈이 없었다. 그래서 하는 수 없이 무전취식을 했다. **2** 다음 이야기를 재촉하는 말. ¶ ～どうしました 그래서 어떻게 했습니까.

****それでは** soredewa 接 그러면; 그럼; 그렇다면. ¶ ～これから始めます 그러면 이제부터 시작하겠습니다 / ～しかたないだろう 그렇다면 할 수 없겠지 / ～, またお目にかかりましょう 그럼 또 만나 뵙겠습니다.

それでも 接 그런데도; 그래도; 그러나. ¶ 今日も雪だ. ～通勤の人で混んでいる 오늘도 눈이다. 그런데도 통근하는 사람들로 붐비고 있다 / 行きたいんだ. ～家で許してくれないんだ 가고 싶단 말이다. 그러나 집에서 허락해 주지 않는다. ↔それだから.

それどころか〖其れ所か〗連語 거기에 그치지 않고; 그뿐 아니라; 그렇기는커녕 (오히려). ¶ お礼もいわない. ～悪口をいう始末だ 사례도 하지 않는다. 뿐만 아니라 욕설까지 하는 형편이다.

それとなく〖其れと無く〗連語 슬며시; 넌지시; 에둘러. ＝それとはなしに. ¶ ～注意する 넌지시 주의를 주다 / ～知らせる 넌지시 알려 주다.

***それとも**〖其れとも〗接 그렇지 않으면; 아니면; 혹은. ＝あるいは·もしくは·または. ¶ 行きますか, ～やめますか 가겠습니까 아니면 그만두겠습니까 / ビールにしますか, ～お酒にしますか 맥주로 하겠습니까 아니면 청주로 하겠습니까.

それなのに 接 그런데도; 그러함에도 불구하고. ¶ 十分手当てをしました. ～この子は死んでしまいました 충분히 치료를 했습니다. 그런데도 이 아이는 죽어 버렸습니다 / いっしょけんめい働いている. ～暮らしは楽にならない 열심히 일하고 있다. 그런데도 살림살이는 펴이지 않는다.

それなら 接 그렇다면; 그러면. ＝それでは. ¶ ～お断りします 그렇다면 사양하겠습니다 / よくわかった. ～そのとおりにしよう 잘 알았다. 그렇다면 그렇게 하자. 参考 口語形は そんなら.

それなり 連語 **1** 그대로; 그것(뿐)으로. ¶ ～に済んでしまった 그것(뿐)으로 끝나 버렸다 / 話は～になった 이야기는 그뿐으로 끝났다. **2** 그나름; 그런대로. ¶ ～の努力はしたつもりだ 그런대로 노력은 했다고 생각한다 / ～におもしろい 그런대로 재미있다.

—けり 連語〈俗〉그것으로 끝나 버림; 그대로 내버려 둠; 그대로임. ¶ ～になる 그것으로 끝나 버리다 / 別れて～だ 헤어진 채 그대로이다〔종무소식이다〕.

****それに** 接 **1** 그런데도; 그러함에도. ¶ 今日は熱があります. ～主人は仕事ばかりさせます 오늘은 열이 있습니다. 그런데도 주인은 일만 시킵니다. **2** 게다가; 더욱이. ¶ 頭も痛いし～かぜ気味だ 머리도 아프고, 게다가 감기 기도 있다.

—しても 接 (그건) 그렇다 치더라도. ¶ ～来るのが遅い 그렇다 치더라도 오는 것이 늦다.

それは sorewa 連語 매우 감동하거나 놀라서 무어라 형언할 수 없는 경우의 감정 표현: 정말로; 참말로; 매우. ¶ ～, どうも恐れ入ります 이거 정말이지 송구스럽습니다 / ～～痛み入ります 이거 정말 황송합니다.

—さておき 連語 전혀 다른 화제로 바꿈을 나타내는 말: 그것은 어쨌든; 그건 그렇다 치고. ＝ところで. ¶ ～, 仕事に取りかかろう 그건 그렇다 치고, 일을 시작하자.

—そうと 連語 화제를 바꾸거나 문뜩

생각났을 때 쓰는 말: 그것은 그렇고. ¶～, 彼(かれ)は最近(さいきん)どうしている 그건 그렇고, 그는 요즈음 어떻게 지내지.

—ともあれ 連語 그것은 어쨌든; 하여간. =それはさておき·ともかく.

***それほど【それ程】** 副 그렇게; 그다지; 그만큼; 그 정도; 그쯤. =そんなに·さほど. ¶～痛(いた)くない 그다지 아프지 않다/評判(ひょうばん)は高(たか)いが～でもない 평판은 좋으나 그렇게 대단한 것은 아니다.

それまで〖其れ迄〗 ㊀連語 그 때까지. ㊁名 (어찌)할 수 없음; 그것으로 끝임. ¶では, ～ 그럼, 그만/こっけいに見(み)えるといえば, ～である 우습게 보인다 해도, 할 수 없는 일이다/ここで落(お)ちたら命(いのち)は～だ 여기서 떨어지면 목숨은 그걸로 끝이다.

それゆえ【それ故】《其れ故》接 그러므로; 그러니까; 그 때문에《'それだから'의 격식 차린 말씨》. ¶～に申請(しんせい)は却下(きゃっか)する 그러므로 신청은 각하한다.

***そ-れる〖逸れる〗** 下1自 빗(나)가다; 빗맞다; 벗어나다. ¶矢(や)が～ 화살이 빗나가다/コースを～ 코스를 벗어나다/話(はなし)がよこみち〔わき道(みち)〕に～ 이야기가 옆길로 새다.

ソロ [이 solo] 名 솔로. **1** 독주(곡); 독창(곡). ¶ピアノ～ 피아노 솔로. **2** 단독. ¶～公演(こうえん) 단독 공연

—ホーマー [일 이 solo+영 homer] 名〔野〕솔로 홈런; 단독 홈런.

そろい〖揃い〗 ㊀名 모두 갖추어짐; 갖추어진 것; 가지런함. ¶一家(いっか)がお～で出掛(でか)ける 가족이 모두 같이 외출하다/～の衣装(いしょう) (빛깔·무늬 따위가) 모두 같은 옷/全集(ぜんしゅう)を～で買(か)う 전집을 질(帙)로 사다. ㊁接尾《순수 일본말 数詞에 붙어서》…벌. ¶一(ひと)～ 한 벌. 注意 'そろえ'라고도 함.

=ぞろい〖揃い〗《名詞에 붙어서》(동류(同類)가) 가지런함; 갖추어져 있음; 모두 모여 있음. ¶傑作(けっさく)～ 걸작만 갖춰짐/美人(びじん)～の姉妹(しまい) 하나같이〔모두다〕미인인 자매.

****そろ-う〖揃う〗** 5自 **1** 갖추어지다. ¶いろいろの本(ほん)が～·っている 여러 가지 책이 갖추어져 있다/道具立(どうぐだ)てが～ 온갖 준비가 다 갖추어지다/手袋(てぶくろ)が～·わない 장갑이 짝이 맞지 않다. **2** (모두 한곳에) 모이다; (인원 등이) 차다. ¶人数(にんず)が～ 인원이 차다/顔(かお)ぶれが～ 면면이〔참가자가〕모두 모이다/役者(やくしゃ)が～ (a) 배우가 고루〔다〕모이다; (b) 인재가 고루 모이다. **3** 잘 어울리다. ¶よく～·った夫婦(ふうふ) 잘 어울리는 부부. **4** 일치하다; (모양·정도 등이) 고르게 되다. ¶足並(あしな)みが～ 보조가 맞다/長(なが)さが～ 길이가 가지런하다/つぶが～ (a) 크기가 한결같이 모두 고르다; (b) (능력·질 등이) 우열의 차가 없이 고르다.

****そろ-える〖揃える〗** 下1他 **1** 가지런히 (정돈)하다; 같게 하다. ¶はき物(もの)を～ 신을 가지런히 정돈하다/長(なが)さを～ 길이를 같게 하다. **2** 갖추다. ¶制服(せいふく)を～ 제복을 모두(가) 갖추다. **3** 채우다. ¶定足数(ていそくすう)を～ 정족수를 채우다/数(かず)を～·えて返(かえ)す 수를 채워 갚다. **4** 맞추다; 일치시키다. ¶足(あし)を～·えて歩(ある)く 발을 맞추어 걷다/口(くち)を～·えて言(い)う 입을 모아 한결같이 말하다.

***そろそろ** 副 **1** 조용히 서서히 걷거나 진행시키는 모양: 슬슬. =しずしず. ¶～(と)歩(ある)く 슬슬 걷다. **2** 시간이 다 되어 가는 모양. ㉠이제 슬슬. ¶～出掛(でか)けよう 이제 슬슬 나가 보자/～暑(あつ)くなって来(き)た 이제 점점 더워지기 시작했다. ㉡이제 곧. =まもなく·ぼつぼつ. ¶もう～晩飯(ばんめし)だ 이제 곧 저녁 먹을 시간이다/もう～帰(かえ)ってくるころだ 이제 곧 돌아올 때가 되었다.

ぞろぞろ 副 **1** 줄줄; 우르르. ¶子供(こども)が～とついてくる 애들이 줄줄 따라온다. **2** 질질. ¶裾(すそ)を～とひきずる 옷자락을 질질 끌다. **3** 꿈실꿈실. ¶毛虫(けむし)が～はっている 송충이가 꿈실꿈실 기어가고 있다.

***そろばん〖算盤〗** 名 **1** 주판. ¶～を置(お)く 주판을 놓다. **2** (주판)셈. ¶読(よ)み書(か)き～ 쓰기, 읽기와 (주판)셈. **3** 손익 계산; 수지; 이해타산. ¶～が合(あ)わない 계산이〔수지가〕맞지 않다.

—を弾(はじ)く **1** 계산하다. **2** 이해를 미리 따지다. ¶そろばんを弾(はじ)いてみる 주판을 튀겨 보다《손익 계산을 해 보다》.

—ずく〖—尽く〗 名 무엇이든 타산적으로 대하는 태도. =勘定(かんじょう)ずく·損得(そんとく)ずく. ¶～ではこんな事(こと)は出来(でき)ない 타산적으로만 생각해서는 이런 일은 못한다.

—だか-い【—高い】 形 ☞かんじょうだかい.

そろりと 副 **1** 살짝; 슬쩍; 사르르. =するりと. ¶～身(み)をかわす 슬쩍 몸을 비키다/～抜(ぬ)け出(で)る 슬쩍 빠져나오다. **2** 살살; 슬슬; 천천히. =そろそろ. ¶～と立(た)ち上(あ)がる 천천히 일어서다.

ぞろりと 副 **1** 많은 것이 하나로 잇달려 있는 모양: 주렁주렁; 주저리주저리. ¶茎(くき)をひっぱるとじゃがいもが～出(で)て来(き)た 줄기를 잡아당기니 감자가 주렁주렁 달려 나왔다. **2** 많은 것〔사람〕이 한 덩이로 되어 있는 모양. ¶みんなそろって～出(で)かける 모두 다 모여 함께 외출하다/チームには強打者(きょうだしゃ)が～そろっている 팀에는 강타자가 즐비하다.

そわ-せる【添わせる】 下1他 **1** 곁에 따르게 하다; 붙이다. ¶乳母(うば)を～ 유모를 붙이다. **2** 짝을 지어 주다; 특히, 결혼시키다. ¶良(よ)い相手(あいて)に～ 좋은 배필을 찾아 결혼시키다/あの二人(ふたり)を早(はや)く～·せてやれ 저 두 사람을 빨리 짝지어 주어라.

***そわそわ** 副ス他 침착하지 못한 기분이나 태도를 나타내는 모양; 안절부절(못하여) 들뜬〔불안한〕모양. ¶～した様子(ようす) 마음이 불안정한 모양/待(ま)ちどおし

くて, ～する 몹시 기다려져서 안절부절 못하다 / ～と(して)まわりを見る 불안한 표정으로 둘레를 돌아보다.

そわつ-く [5自] 마음이 들뜨다; 안절부절 못하다; 싱숭생숭하다. ¶～·いて失敗ばかりする 침착하지 못해 실수만 한다.

**そん【損】[名][ス他][ダナ] 손; 손해; 불리함. ¶～をする 손해를 보다 / そんなことしたら～になる 그런 짓을 하면 불리해진다 / ～を覚悟で売りに出す 손해를 각오하고 팔다 / 知っておいても～はない 알아 두어도 손해는 없다. ↔得·益·もうけ. ⇨そん(損)する.

そん【村】 [名] 촌. **1** 시골. **2** 마을; 촌락. ＝むら. **3** 지방 자치 단체의 최소 단위《우리나라의 면에 상당함》. ¶～議会 村의회.

そん〖存〗 [教6] ソン ゾン ながらえる | 존 있다 | **1** 존재하다; 살아 있다. ¶存在 존재 / 生存 생존. ↔亡. **2** 자기 생각. ¶存外 뜻밖; 의외 / 異存 이의.

そん〖村〗 [教1] ソン むら | 촌 마을 | 촌; 마을. ¶村落 촌락 / 漁村 어촌 / 村人 마을 사람.

そん〖孫〗 [教4] ソン まご | 손 손자 | 손; 손자. ¶曾孫 증손 / 王孫 왕손 / 孫娘 손녀딸.

そん〖尊〗(〖尊〗) [教6] ソン たっとい たっとぶ とうとぶ とうとい みこと | 존 높다 | **1** 존귀하다; 존경하다. ¶尊重 존중 / 自尊 자존. ↔卑. **2** 존경해야 할 사람. ¶至尊 지존.

そん〖損〗 [教5] ソン そこなう そこねる | 손 덜다 | **1** 적게 하다. ¶損耗 손모 / 減損 감손. **2** 손해보다. ¶損益 손익. ↔得·益. **3** 상처내다; 부수다. ¶損壊 손괴 / 気分を損なう 기분을 손상하다.

そんえき【損益】 [名] 손익. ＝損得. ¶～計算書 손익 계산서.

—かんじょう【—勘定】 [名] 손익 계정.

—ぶんきてん【—分岐点】 [名] 손익 분기점.

そんかい【損壊】 [名][ス自他] 손괴; 파괴. ¶家屋の～ 가옥의 손괴 / 地震のため病院が～する 지진으로 병원이 파괴되다.

*__そんがい【損害】__ [名] **1** 손해. ¶～を与える〔受ける〕 손해를 입히다〔보다〕 / 膨大な～をこうむる 방대한 손해를 입다 / あいつが敵に回ったので, こっちは大～だ 저놈이 적으로 돌았기 때문에 이쪽은 큰 손해다. **2** 파손. ＝破損.

—ばいしょう【—賠償】 [名] 손해 배상.

—ほけん【—保険】 [名] 손해 보험.

ぞんがい【存外】 [副][ダナ] 의외; 예상 밖. ¶～手ごわい相手だ 예상 외로 힘겨운 상대다 / ～うまくいった 예상외로 잘 되어 갔다.

そんがん【尊顔】 [名] 존안. ＝おかお. ¶～を拝す 존안을 뵙다.

そんき【損気】 [名] 손해 보는 성질. ¶短気は～ 성질이 급하면 손해를 본다.

そんぎり【損切り】 [名]〔經〕 손절매(損切賣); (주식 거래에서) 손해를 각오하고 팔아치우는 일.

そんきん【損金】 [名] 손해 본 돈. ¶～袋 (연회석 등에서) 화대 봉투. ↔益金.

ソング [song] [名] 송; 노래. ¶テーマ～ 주제가 / ヒット～ 히트송 / コマーシャル～ 커머셜 송; CM 송.

**そんけい【尊敬】[名][ス他] 존경. ¶～の念 존경하는 마음 / ～に値する人物 존경할 만한 인물 / ～を受ける〔払う〕 존경을 받다〔표하다〕.

—ご【—語】 [名] 존경어; 경어. ⇨敬語 [박스記事]·丁寧語.

そんげん【尊厳】 [名ナ] 존엄. ¶人間の～ 인간의 존엄 / 国体の～を保つ 국체의 존엄을 보전하다 / 法の～を傷つける 법의 존엄을 훼손하다.

—し【—死】 [名] 존엄사. ⇨あんらくし.

**そんざい【存在】[名][ス他] 존재. ＝ザイン. ¶偉大〔貴重〕な～ 위대〔귀중〕한 존재 / 彼はその小説で～を認められるようになった 그는 그 소설로 존재를 인정받게 되었다.

*__ぞんざい__ [ダナ] 일을 소홀히 함; 겉날림; 조략(粗略)함; 불친절하고 난폭함. ＝なげやり·おろそか. ¶字を～に書く 글씨를 아무렇게나 쓰다 / ～な話しぶり 난폭한 말투 / ～な工事をする 날림 공사를 하다 / お客を～に扱う 손님을 소홀히 다루다.

ぞんじ【存じ】(《存知》) [名] 알고 있음. ＝承知. ¶御～ですか 알고 계십니까 / 御～のとおり 알고 계신 바와 같이. [注意] '存知'로 씀은 취음(取音).

ぞんじあ-げる【存じ上げる】 [下1他] '知る(＝알다)' '思う(＝생각하다, 헤아리다)'의 겸사말. ¶お名前はよく～·げています 존함은 잘 알고 있습니다 / お元気のことと～·げます 건강하시리라고 믿습니다.

*__そんしつ【損失】__ [名][ス自他] 손실. ¶～補塡 손실 보전 / 帳簿上の～ 장부상의 손실 / 莫大な～を被る 막대한 손실을 입다 / 彼の夭折は国家の大きな～だ 그의 요절은 국가의 큰 손실이다. ↔利益.

そんしゃ【村社】 [名] 마을 수호신을 모신 신사(神社); 서낭당.

そんじゃ【尊者】 [名] 존자. **1** 손윗사람. **2** 덕이 높은 승려. ¶木蓮～ 목련 존자《석가의 10대 제자의 한 사람》. [注意] 'そんしゃ'라고도 함.

そんしょう【尊称】 [名] 존칭; 높임말; 경칭. ¶サーの～を授けられる 서〔경〕의 존칭이 수여되다. ↔卑称.

そんしょう【損傷】 [名][ス自他] 손상. ¶～を与える 손상을 입히다 / 船体に～を受ける 선체에 손상을 받다.

そんじょう [尊攘] 名 '尊王攘夷'의 준말; (江戸幕府 말기의) 天皇을 받들고 외국인을 배척하던 국수주의적 정치사상.

そんしょく [遜色] 名 손색. =見劣り·ひけめ. ¶外国の一流品と比べて少しも~がない 외국의 일류 제품과 비교하여 조금도 손색이 없다.

そんじょそこら 代 〈俗〉 그 근처; 근방. ¶~にいくらでもある 근처에 얼마든지 있다 / ~では見つからない品物 부근에서는 찾아볼 수 없는 물건 / ~の…とはわけが違う 아무 데나 있는…과는 사정이 다르다〔딴판이다〕. 参考 'そこら'를 강조한 말. 'そんじょ'는 'その定'의 전와(轉訛).

ぞんじより【存じ寄り】名 **1** '思いつき(=착상)' '考え(=생각)' '意見(=의견)' 따위의 겸사말. ¶~を申しあげただけです 생각을〔의견을〕 말씀드렸을 뿐입니다. **2** '知り合い(=친지)' '知っている所(=아는 데)' 따위의 겸사말. ¶私の~の家がございます 제가 아는 집이 있습니다.

そん-じる【損じる】上1他 **1** 손상하다. =そこなう. ㉠파손하다. =こわす. ¶器物を~ 기물을 파손하다. ㉡해치다. =そこねる. ¶父の機嫌を~ 아버지의 심기를 상하게 하다 / 健康を~ 건강을 해치다. **2**《動詞連用形에 붙어서》 잘못 …하다; 실수〔실패〕하다. =そこねる. ¶書き~ 잘못 쓰다 / ボールを受け~ 공을 못 받다; 공을 놓치다.

ぞん-じる【存じる】上1他 ☞ぞんずる.

そん-する【存する】㊀サ変自 있다. **1** 존재하다; 살아 있다; 남아 있다. ¶人類の~限り 인류가 존재하는 한 / なお疑問が~ 아직 의문이 (남아) 있다. **2** (…은) …에 있다〔달렸다〕. ¶幸福は満足に~ 행복은 만족에 있다.
㊁サ変他 간직하다; 보존하다; 남겨 두다. ¶おもかげを~ 옛 모습을 간직하다 / ゆとりを~ 여유를 남겨 두다.

そん-する【損する】サ変他 손해 보다. ¶百円~ 백 엔 손해 보다 / 遠回りして~·した 멀리 돌아서 손해를 보았다. ↔得する.
—·して得を取れ 한때 손해 보더라도 뒤에 이익을 얻어라. =損をして得を取れ.

そん-ずる【損ずる】サ変自他 ☞そんじる.

ぞん-ずる【存ずる】サ変他 〈老〉 **1** '知る(=알다)'의 겸사말. ¶知らぬ~·ぜぬの一点張り 끝까지 모른다, 모른다로 일관함 / お名前は~·じております 성함은 알고 있습니다 / それは~·じませんでした 그것은 알지 못했습니다. **2** '思う(=생각하다·여기다)'의 겸사말. ¶おめでとう~·じます 경사스럽게 생각합니다 / ぜひ伺いたく~·じます 꼭 찾아뵙고 싶습니다.

そんぞく【存続】名ス自他 존속. ¶~期間 존속 기간 / ふるい因習がいまだに~する 낡은 인습이 아직도 존속하고 있다.

そんぞく【尊属】名 존속. ¶~殺人 존속 살인 / 直系〔傍系〕~ 직계〔방계〕 존속. ↔卑属.

そんだい【尊大】名ダナ 거만함; 건방짐. =おうへい. ¶~にかまえる 거만하게 나오다 / ~ぶる 거드름 피우다 / ~にふるまう 거만하게 행동하다.
—ご【—語】名 待遇表現의 하나로, 말하는 자신을 상대방보다 높은 위치에 두어 거만한 태도를 나타내는 말《'おれさま(=나 어르신네)' '聞いてつかわす(=들어 주겠다; 들어 주겠노라)' 'くれてやる(=주겠다)' 등》.

そんたく [忖度] 名ス他 촌탁; 추찰(推察); 미루어 헤아림. ¶彼の心中を~する 그의 심중을 헤아리다.

そんち【存置】名ス他 존치; 없애지 않고 그대로 둠. ¶研究所の~をきめる 연구소의 존치를 결정하다 / 古代遺跡を~する 고대 유적을 그대로 보존해 두다. ↔廃止.

ぞんち【存知】名ス他 알고 있음. =承知. ¶さようなことは~しない 그런 것은 모른다. 注意 'ぞんぢ'라고도 함.

そんちょう【村長】名 村(=면)의 장. ¶~を勤める 면장으로 일하다.

***そんちょう**【尊重】名ス他 존중. ¶人権~ 인권 존중 / 少数の意見を~する 소수의 의견을 존중하다.

***そんとく**【損得】名 손득; 손익; 득실. ¶~を抜きでする仕事 손익을 도외시하고 하는 일 / ~をはなれる 손익〔이해득실〕을 떠나다.
—ずく〖—尽く〗名 이해득실을 충분히 생각한 후에 행동하는 일. ¶~で引き受ける 이해득실을 잘 따져서 맡다.

そんな ㊀連体 〈口〉 그러한; 그런; 그와 같은. =そのような. ¶~人は知らない 그런 사람은 모른다 / ~事を言ってはいけない 그런 말을 해선 안된다.
㊁連語 'そんなことはありません(=그런 일은 없습니다)'의 압축된 말씨《상대방 말에 대한 강한 否定을 나타냄》. ¶迷惑じゃないかしら. いいえ, ~ 폐를 끼치는 것은 아닌지 모르겠네요. 아니, 천만에요.

そんなこんな 連語 이것저것; 여러 가지 사정. ¶~でいそがしい 여러 가지 사정으로 바쁘다 / ~で半年は過ぎた 이럭저럭하다가 반년은 지났다.

そんなに 副 **1** 그렇게 (까지). ¶~簡単に行くかな 그렇게 간단히 될까 / ~夜遅くまで勉強したのか 그렇게 밤늦게까지 공부했나. **2** 그다지. ¶このみかんは~甘くない 이 귤은 그다지 달지 않다.

そんなら 接 〈口〉 그러면; 그렇다면. =それなら. ¶~もどろう 그렇다면 돌아가자 / ~私にも考えがある 그렇다

면 내게도 (달리) 생각이 있다.

そんのう【尊皇·尊王】图 天皇(てんのう)를 존경하고 天皇를 궁정의 중심으로 생각함.

—じょうい [—攘夷] 图 ☞ そんじょう(尊攘). ↔佐幕開国(さばくかいこく).

そんぱい【存廃】图 존폐; 보존과 폐지. ¶～について議論(ぎろん)する 존폐에 대하여 토론하다 / 赤字線(あかじせん)の～を検討(けんとう)する 적자 노선의 존폐를 검토하다.

そんぴ【存否】图 존부. **1** 존재하느냐 존재하지 않느냐 하는 것. ¶詩人(しじん)の生家(せいか)の～を問(と)い合(あ)わせる 시인의 생가가 있는지 없는지를 문의하다. **2** 생존〔건재〕 여부. ¶遭難者(そうなんしゃ)の～を尋(たず)ねる 조난자의 생존 여부를 묻다.

そんぴ【尊卑】图 존비; 신분의 귀천. ¶上下(じょうげ)～の別(べつ) 상하 귀천의 차별.

そんぷ【尊父】图 존부; 춘부장. ¶ご～様(さま) 춘부장님. 参考 보통, 'ご～'의 꼴로 편지에 씀.

そんぷうし【村夫子】图 촌부자; 시골 선비. 注意 'そんふうし'라고도 함.

—ぜん【—然】トタル 촌부자연. ¶～としている 시골 선비연하고 있다.

ソンブレロ [스 sombrero] 图 솜브레로; 멕시코 등지에서 쓰는 챙이 넓은 모자.

ぞんぶん【存分】副 뜻대로; 생각대로; 마음껏; 흡족하게. ¶～にこらしめてやった 마음껏 혼내 주었다 / 思(おも)う～食(た)べる 실컷 먹다 / ～の批判(ひはん)を受(う)ける 철저한〔가차없는〕 비판을 받다.

そんぼう【存亡】图 존망; 존속과 멸망.

—の秋(とき) 존망지추. ＝存亡の機(き). ¶危急(ききゅう)～ 위급 존망지추.

そんみん【村民】图 村(そん)의 주민; 마을 사람; 면민. ＝村人(むらびと). ¶～こぞって投票(とうひょう)する 마을 사람 모두가 투표하다.

そんめい【尊名】图 존함. ＝お名前(なまえ). ¶御(ご)～はかねがね伺(うかが)っていました 존함은 이전부터 듣고 있었습니다.

そんめい【尊命】图 존명; 분부《상대방 명령의 높임말》. ＝御(ご)命令(めいれい). ¶～を拝(はい)し 분부를 받자와.

ぞんめい【存命】图 ス他 존명; 생존해 있음. ¶父(ちち)の～中(ちゅう)は生活(せいかつ)に困(こま)らなかった 부친 생존시에는 생활에 곤란을 받지 않았다.

そんもう【損耗】图 ス自他 손모; 마모. ¶機械(きかい)の～ 기계의 손모 / ～をきたす 손모를 초래하다 / タイヤの～が激(はげ)しい 타이어의 마모가 심하다 / 体力(たいりょく)の～を防(ふせ)ぐ 체력의 손모를 막다. 注意 'そんこう'의 관용음.

そんらく【村落】图 촌락; 마을. ＝むら. ¶～共同体(きょうどうたい) 촌락 공동체 / ～が点在(てんざい)する 촌락이 점재한다. ↔都会(とかい).

そんりつ【存立】图 ス他 존립. ¶国家(こっか)の～にかかわる 국가(의) 존립에 관계되다 / ～の基盤(きばん)がゆらぐ 존립 기반이 흔들리다.

そんりょう【損料】图 손료《의복·기물 등을 빌려 주고 받는 돈》. ¶衣服(いふく)を借(か)りて～を払(はら)う 의복을 빌려 입고 손료를 내다.

—がし【—貸し】图 ス他 손료〔세〕를 받고 빌려 줌. ＝賃貸(ちんが)し.

た タ

1 五十音図 'た行'의 첫째 음. [ta] **2** 〖字源〗 '太'의 초서체《かたかな 'タ'는 '多'의 윗부분을 딴 것》.

た 助動 《撥音便, ガ行五段의 イ音便에 연결되는 경우는 'だ'로 됨》 **1** 말하고 있는 사항에 대하여 말하는 이의 확인의 뜻을 나타냄. ㉠어떤 일이 실현된다, 또는 확실히 그렇다는 뜻을 나타냄. ¶勝負あっ～ 승부가 났다 / 雨が降ったら取りやめる 비가 오면 중지한다. ㉡그 실현을 요구하는 뜻 및 가벼운 명령. ¶さあ, どい～ 자, 비켜 / さあ, 子供はあっちへ行っ～ 자, 애들은 저리 가. ㉢무엇이 완료됨의 뜻. ¶春が来～ 봄이 왔다 / 勉強したら遊びに行っていい 공부를 다 하면 놀러 가도 좋다. **2** 결의를 나타냄. ¶よし, ぼくが買っ～ 좋아, 내가 샀다〔산다〕. **3** 어떤 일의 발생·존재가 과거에 속한다든가 또는 그것을 경험하고 있다는 뜻을 나타냄. ¶若い時は美人だっ～ 젊었을 때는 미인이었다 / 新聞はもう読んだ 신문은 벌써 읽었다 / すまなかっ～ね 미안했어 / 私がやったら出来なかっ～ 내가 했더니 안 되었다 / この辺は昔は寂しかったろう 이 근처는 옛날엔 쓸쓸했을 테지. **4** 동작·작용 또는 그 결과가 어떤 상태로 존속한다는 뜻을 나타냄. ¶さび～刀 녹슨 칼 / めがねをかけ～人 안경을 낀 사람 / とがっ～山 뾰족한 산 / 壁にかけ～絵 벽에 건 그림. 参考1 1㉡은 終止形으로만 씀. 参考2 4는 連体形으로만 씀.

****た【田】** 名 논. ＝たんぼ. ¶～を耕す 논을 갈다 / ～を植える 논에 모를 심다 / 我が～に水を引く 아전인수(我田引水). ↔畑.
──を打つ 논을 갈다; 경작하다.

***た【他】** 名 **1** 다름; 딴〔남의〕 일. ＝ほか. ¶～の例 다른 예 / ～に類例を見ない事柄 달리 유례를 볼 수 없는 일. **2** 딴것. ¶～のもので間に合わす 딴것으로 임시변통하다 / ～は推して知るべしだ 다른 것은 미루어 알 수 있다. **3** 다른 사람; 남. ¶おのれを責め, ～を責めない 자신을 책하고, 남을 책하지 않는다. **4** 다른 곳. ＝よそ. ¶～を捜す 다른 곳을 찾다 / 居を～に移す 거처를 다른 곳으로 옮기다.

た【多】 一名 많음. ¶～をたのんでらんぼうする 수가 많음을 믿고 난폭한 짓을 하다. ↔少. 二接頭 다…; 많은. ¶～方面 다방면 / ～人数 많은 인원수.
──とする 중요성을 인정하다; 높이 평가하다; 감사하다. ¶好意〔その労〕を～ 호의〔그 수고〕를 고맙게 여기다.

た= 《動詞·形容詞 앞에 붙어서》 어조를 강하게 하는 말. ¶～やすい 아주 쉽다 / あられ～ばしる 눈보라가 세차게 치다.

た 〚他〛 教3 タ ほか | 타 남 | 타; 남; 다른 사람; 다른 것. ¶他生 타생 / 自他 자타. ↔自.

た 〚多〛 教2 タ おおい | 다 많다 | 많다. ¶多数 다수 / 多量 다량 / 雑多 잡다. ↔少.

だ 助動 **1** 《体言 및 그에 준하는 말에 붙어서》 긍정적으로 인정하고 단정하는 뜻을 나타냄: 다; 이다. ¶これは本～ 이것은 책이다 / あすは休み～ 내일은 휴일이다 / あとは決行するのみ～ 다음은 결행할 뿐이다. **2** 《活用語＋'のだ〔んだ〕'의 꼴로》 ㉠원인·이유·근거 등을 설명함: …는〔ㄴ〕 것이다. ¶校内暴力は教師と生徒との不信から起こるの～ 교내 폭력은 교사와 학생간의 불신에서 일어나는 것이다. ㉡상대방에게 지시하는 뜻을 나타냄: …는〔ㄴ〕 거야. ¶さあ, 早く走るん～ 자, 빨리 뛰는 거야. **3** 《間投助詞적인 용법》 한 마디 한 마디 힘주어 말하는 뜻을 나타냄: …은 말이다; …은 말씀이야. ¶これは～ね, こういうように解くんだ 이것은 말이야, 이렇게 푸는 거야 / それで～ 그래서 말씀이야 / ぼくは～ 나는 말이다. 参考 '…だろう'의 꼴로 用言에도 붙음. ⇨だろう. **4** 撥音便 및 ガ行五段의 イ音便에 연결된 경우의 'た'의 꼴. ¶読ん～ 읽었다 / 漕い～ 저었다. ⇨た 助動

だ【打】 名 〖野〗 타격. ¶～の第一人者 타격의 제1인자 / ～のチーム 타격이 강한 팀. ↔投.

だ【駄】 一名 말에 짐을 실어 보냄; 또, 그 말. ¶～を運ぶ 짐을 운반하다. 二接頭 '시시한' '변변치 않은' '엉터리' 등의 뜻을 나타냄. ¶～菓子 막과자 / ～じゃれ 어설픈 익살.

だ 〚打〛 教3 ダ チョウ うつ | 타 치다 두드리다 | **1** 두드리다; 치다. ¶打撃 타격 / 殴打 구타. **2** 'ダース'의 취음.

だ 〚妥〛(〚妥〛) 常用 ダ | 타 온당하다 | **1** 편안히 하다; 온당하다. ¶妥当 타당. **2** 서로 양보하다. ¶妥協 타협.

だ 〚堕〛(〚墮〛) 常用 ダ おちる | 타 떨어지다 | 떨어지다. ¶堕落 타락 / 堕胎 타태; 유산.

だ 〚惰〛 常用 ダ おこたる | 타 게으르다 | 게으르다; 게을리하다. ¶惰気 타기 / 勤惰 근타.

だ 〚駄〛 常用 ダ タ | 태 싣다 | 타 짐 | **1** 말 등에 짐바리를 지우

다; 싣다. ¶駄賃 태가(駄價); 운임. **2** 값어치 없는 물건. ¶駄菓子 막치 과자/駄作 태작; 졸작.

だあ 感 〈俗〉 기가 막혀 다문 입이 딱 벌어짐. ¶~となる 입이 딱 벌어지다.

ダーク [dark] ダナ 다크; 어두움; 검음. ¶~ブルー 다크 블루; 암청색/~グリーン 다크 그린; 암녹색.

—スーツ [dark suit] 名 다크 슈트; 검정, 특히 짙은 감색의 신사복 한 벌.

—ホース [dark horse] 名 다크 호스. **1** 경마에서, 실력이 얼마나 되는지 모르지만 유력하다고 지목되는 말. **2** 실력·인물은 확실치 않지만 유력시되는 경쟁자. ¶政界の~ 정계의 다크 호스.

ターゲット [target] 名 타깃; 표적; 목표. ¶~を定める 목표를 정하다.

—しちょうりつ【—視聴率】 名 타깃 시청률; 스폰서가 노리는 특정층의 시청률.

ダース [←dozen] 名 다스; 12개를 한 묶음으로 세는 단위; 타(打). ¶半~ 반 다스(6개)/鉛筆二~ 연필 두 다스. 注意 '打'로 씀은 취음.

ダーティー [dirty] ダナ 더티; 더러움; 비열함. ¶~な環境を変えたい 더러운 환경을 바꾸고 싶다.

タートル [turtle] 名 터틀; 거북.

—ネック [turtle neck] 名 터틀 넥《스웨터 따위에서, 자라목 모양의 높은 깃》; 자라목. =とっくり(えり).

—マラソン [일 turtle+marathon] 名 거북이 마라톤; 체력 단련과 건강 유지를 위한 고령자 마라톤.

ターニング [turning] 名 터닝; 선회.

—ポイント [turning point] 名 터닝 포인트; 반환점; 전기(轉機). ¶人生の~ 인생의 전환기.

ターバン [turban] 名 터번. **1** 인도인이나 회교도들이 머리에 감는 수건. **2** (여성용의) 터번 모양의 모자.

ダービー [Derby] 名 더비. **1** 런던에서 해마다 열리는, 네 살 먹은 말의 대경마《1780년 귀족 더비가 창시했음》. **2** 〈俗〉 (프로 야구에서) 우승〔수위〕 다툼. ¶ホームラン~ 홈런 더비.

タービン [turbine] 名 터빈. ¶蒸気~ 증기 터빈/ガス~ 가스 터빈.

ターミナル [terminal] 名 터미널. **1** 철도나 버스 등 노선의 종점. ¶バス~ 버스 종점. **2** 공항에서, 온갖 사무 시설이 집합된 장소. ¶~ビル 공항 종합 청사.

—ステーション [terminal station] 名 터미널 스테이션; 종착역.

—デパート [일 terminal+department store] 名 터미널 백화점.

タール [tar] 名 〔化〕 타르; 'コールタール(=콜타르)'의 준말.

ターン [turn] 名ス自 턴; 방향을 바꿈. ¶クイック~ 퀵턴/Uー~ U턴.

—テーブル [turntable] 名 턴테이블《전축의 레코드를 얹는 부분》.

—パイク [turnpike] 名 턴파이크; 유료 도로.

たい 〖度い〗 助動 《動詞와 助動詞 'せる' 'させる' 'れる' 'られる'의 連用形에 붙음. 形容詞형 활용을 함》 희망의 뜻을 나타내는 말. **1** 주어의 소망을 나타냄: …하고 싶다. ¶ぜひ行き~ 꼭 가고 싶다/酒が飲み~ 술이 먹고 싶다/外へ出**たかろう** 밖에 나가고 싶을 게다/ぼくも行き**たく**なった 나도 가고 싶어졌다/大学へ行き**たく**ても行けない人もいるのだ 대학에 가고 싶어도 못 가는 사람도 있는 것이다. 參考 終止形 또는 'たくない'의 꼴로 끝맺을 경우는 말하는 이의 원망(願望)을 나타냄. ¶食べ**たく**ない 먹기 싫다. **2** 《'れ' 'られ' '下され' 'なされ' 등에 붙을 경우》 …하여 주기 바란다; 해 주셨으면 싶습니다. ¶明日来られ~ 내일 와 주셨으면 싶습니다/至急連絡され~ 지급 연락해 주시기 바랍니다. 參考 'ございます' '存じます'에 연결될 때에는 ウ音便 형인 'とう'가 됨. ¶行き**とう**ございます 가고 싶습니다.

たい【体】 一名 **1** 몸. =からだ·み. ¶~を下げる 무릎을 살짝 낮추어 (서양식 여자) 인사를 하다. **2** 모양·형태. ¶文章の~を成さない 문장의 (제대로 된) 형태를 이루지 못하다. **3** 모습. ¶困却の~ 매우 난처한 모습. **4** 본질; 실체. ¶名は~をあらわす 이름은 그 실체를 나타낸다. ↔用.

二接尾 시체나 불상 등을 세는 말: 개; 좌(座); 구(具). ¶三~の石仏 세 개의 석불/身元不明の死体一~ 신원 불명의 시체 한 구.

—をかわす 몸을 비켜 피하다. ¶ひらりと~ 홀쩍 몸을 비키다.

—を引く (약간) 뒤로 물러서다.

たい【対】 一名 대. **1** 성질이 반대임; 또, 그것. ¶~をなす 반대가 되다/苦の~は楽 괴로움의 반대는 안락. **2** 쌍방에 우열·차별이 없음; 대등(한 자격). ¶~の実力 대등한 실력/社長と~で話す 사장과 마주하여 이야기하다. **3** 경기 등의 대전 편성을 나타내는 말. ¶赤組~白組 홍군 대 백군. **4** 비교를 나타냄. ¶三~二 3 대 2.

二接頭 대…. ¶~米輸出〔政策〕 대미(對美) 수출〔정책〕.

たい【隊】 一名 대. **1** 정렬한 일단의 사람. ¶~を組む 대오를 짓다. **2** 부대; 군대. ¶~に帰る 부대에 돌아가다.

二接尾 …대; 부대. ¶探険~ 탐험대/突撃~ 돌격대.

たい 〖鯛〗 名 〔魚〕 도미. ¶えびで~をつる 새우로 잉어를 낚다《적은 노력으로 많은 이익을 얻다》/腐っても~ 물러도 준치, 썩어도 생치.

—の尾よりいわしの頭 도미 꼬리보다는 정어리 대가리《쇠꼬리보다는 닭 대가리가 낫다》.

たい【他意】 名 타의; (숨기고 있는) 딴 생각; 다른 뜻; 이심(異心). ¶~をいだ

かない 딴마음을 품지 않다 / ～はなかったのです 타의는 없었습니다.

タイ [tie] 图 타이. **1** 'ネクタイ'의 준말. ¶ノー～ 노타이 / ～ピン 넥타이 핀 / ～を締しめる 넥타이를 매다. **2** 'タイ記録きろく'의 준말.

—アップ [tieup] 图자自 타이업; 협력함; 제휴. ¶両社りょうしゃが～する 양사가 제휴하다.

—きろく【—記録】 图 타이 기록; 경기에서의 기록이 이제까지의 최고 기록과 같음. ＝タイレコード.

—スコア [tie score] 图 타이스코어; 동「점.

たい=【耐】 내…; 견디는; 영향을 받지 않는. ¶～アルカリ性せい 내알칼리성.

=たい【帯】 …대; 대상(帯狀)의 지역. ¶火山かざん～ 화산대.

たい〖太〗 教2 タイ タ ふとい ふとる はなはだ | 태 크다 굵다 | **1** 굵다. ¶肉太にくぶと 글씨 획이 굵음 / 太足ふとあし 굵은 다리. **2** 심히; 매우. ¶太平たいへい 태평 / 太古たいこ 태고.

たい〖体〗〘體〙 教2 タイ テイ からだ | 체 몸 모양 | **1** 몸. ¶体軀たいく 체구 / 上体じょうたい 상체. **2** ㉠형체; 형태. ¶気体きたい 기체 / 字体じたい 자체. ㉡모양; 외관. ¶体裁ていさい 체재; 외관. **3** 사물의 본체. ¶主体しゅたい 주체.

たい〖対〗〘對〙 教3 タイ ツイ こたえる | 대 마주대하다 | **1** 마주보다; 서로 대하다. ¶対抗たいこう 대항 / 対峙たいじ 대치. **2** 극단; 반대. ¶反対はんたい 반대. **3** 쌍; 짝. ¶対ついになる 쌍〔짝〕이 되다 / 対句ついく 대구.

たい〖耐〗 常用 タイ たえる こらえる | 내 참다 | **1** 견디다. ¶耐久たいきゅう 내구 / 耐火たいか 내화. **2** 참다. ¶耐乏たいぼう 내핍 / 忍耐にんたい 인내.

たい〖待〗 教3 タイ まつ | 대 기다리다 | **1** 바라고 기다리다. ¶期待きたい 기대 / 待望たいぼう 대망 / 帰かえりを待まつ 돌아오기를 기다리다. **2** 대접하다. ¶優待ゆうたい 우대.

たい〖怠〗 常用 タイ おこたる なまける | 태 게으르다 | 게으르다; 게을리하다. ¶怠慢たいまん 태만 / 倦怠けんたい 권태 / 勉強べんきょうを怠おこたる 공부를 게을리하다.

たい〖胎〗 常用 タイ | 태 아이배다 | 태; 자궁. ¶母胎ぼたい 모태 / 胎盤たいばん 태반.

たい〖退〗〘退〙 教5 タイ しりぞく しりぞける のく | 퇴 물러나다 | **1** 물러나다. ¶退却たいきゃく 퇴각 / 戦線せんせんから退しりぞく 전선에서 물러나다. ↔進しん. **2** 물리치다. ¶撃退げきたい 격퇴.

たい〖帯〗〘帶〙 教4 タイ おび おびる | 대 띠 띠다 | **1** 띠. ¶衣帯いたい 의대 / 包帯ほうたい 붕대. **2** 몸에 지니다; 띠다. ¶携帯けいたい 휴대. **3** (띠 모양인) 지역. ¶一帯いったい 일대.

たい〖泰〗 常用 タイ やすい | 태 크다 | **1** 침착함; 편안하다. ¶安泰あんたい 안태 / 泰然たいぜん 태연. **2** 매우; 아주. ¶泰西たいせい 태서 / 泰初たいしょ 태초.

たい〖袋〗 常用 タイ ふくろ | 대 자루 | 부대; 주머니; 자루. ¶郵袋ゆうたい 우편낭 / 手袋てぶくろ 장갑.

たい〖逮〗〘逮〙 常用 タイ およぶ | 체 잡다 | 뒤쫓다; 뒤쫓아 붙잡다. ¶逮捕たいほ 체포.

たい〖替〗 常用 タイ かえる かわる | 체 갈마들다 | 갈마들다; 바뀌다. ¶交替こうたい 교체 / 代替だいたい 대체. ¶替かえ玉だま 바꿔친 것; 가짜.

たい〖貸〗 教5 タイ かす | 대 빌려주다 | 빌려 주다; 꾸어 주다. ¶貸与たいよ 대여 / 貸借たいしゃく 대차 / 貸付かしつけ 대부. ↔借しゃく.

たい〖隊〗〘隊〙 教4 タイ | 대 대대오 | **1** 군대 조직. ¶軍隊ぐんたい 군대 / 部隊ぶたい～ 부대 / 隊員たいいん 대원. **2** 많은 사람이 줄지어 일단이 된 무리. ¶隊伍たいご 대오 / 隊形たいけい 대형.

たい〖滞〗〘滯〙 常用 タイ とどこおる | 체 막히다 | 머무르다; 막히다. ¶滞空たいくう 체공 / 滞京たいきょう 체경 / 停滞ていたい 정체.

たい〖態〗 教5 タイ テイ わざ | 태 모양 | **1** 태; 모양. ¶態度たいど 태도 / 形態けいたい 형태. **2** 일부러; 짐짓. ¶態わざとぶつかる 일부러 부딪다.

たい〖大〗 ☞ だい〖大〗

だい【大】 ━图 대; 큼; 넓음; 많음. ¶～の大人おとな 몸이 큰 어른 / 損害そんがいはきわめて～である 손해는 지극히 크다.
━接頭 **1** ㉠큰. ¶～工場こうじょう 대공장. ㉡뛰어난; 훌륭한. ¶～学者がくしゃ 대학자. ⇔小しょう. **2** 심한; 대단한. ¶～好物こうぶつ 아주 좋아하는 음식 / ～失敗しっぱい 대실패.
━接尾 **1** …의 크기. ¶実物じつぶつ～ 실물 크

> **大だい·たい=와 大おお=의 구분**
>
> ◆한자어 앞에 올 때는 'だい'로 읽음—大往生だいおうじょう(대왕생)·大火災だいかさい(대화재)·大震災だいしんさい(대진재)·大人物だいじんぶつ(대인물) 등.
>
> ◆(일본) 고유어 앞에 올 때는 일반적으로 'おお'로 읽음—大当おおあたり(대성공)·大海原おおうなばら(드넓은 바다)·大仕掛おおじかけ(대규모)·大金持おおがねもち(큰 부자)·大博打おおばくち(대도박)·大番頭おおばんとう(총지배인)·大晦日おおみそか(섣달 그믐날) 등.
>
> ◆한자어 앞이지만 관용상 'おお'로 읽는 것도 있음—大時代おおじだい(몹시 예스러움)·大掃除おおそうじ(대청소)·大道具おおどうぐ(무대 장치) 등.
>
> ◆이밖에 읽는 음이 두 개 이상 되는 것도 있음—大地震だいじしん·おおじしん(대지진)·大規模だいきぼ·おおきぼ(대규모)·大損おおぞん·だいそん·たいそん(대손실) 등.

기 / こぶし～ 주먹 크기. **2** 대학. ¶～卒 대졸 / 女子～ 여대(女大).

—は小を兼ねる 대는 소를 겸한다《큰 것이면 작은 것 대신으로 쓸 수 있음의 비유》.

だい【代】 ⊟图 대(代). **1** 제왕·가구주·경영자 등이 그 지위에 있는 동안. ¶祖父の～に建てた家 조부 대에 지은 집 / ～がかわる 대가 바뀌다. **2** 그 사람의 일생. ¶孫子の～まで忘れない 자손 대대로 잊지 않다. **3** 대금; 값. ¶本の～ 책값 / お～はあとで払います 대금은 나중에 치르겠습니다.

⊟接尾 …대(代). **1** ㉠시대; 시기. ¶1950年～の世相 1950년대의 세태. ㉡나이의 범위. ¶三十～の男 삼십대의 남자. **2** 대금; 값. ¶洋服～ 양복값.

***だい【台】** ⊟图 물건·음식을 그 위에 얹는 것; 또, 그 위에 사람이 올라 적당한 높이를 유지하는 것. ¶電話の～ 전화를 올려놓는 대 / ～にのぼって号令を掛ける 단상에 올라 구령을 하다.

⊟接尾 …대(臺). **1** 차나 기계를 세는 말. ¶自動車十～ 자동차 10대. **2** 금액·시간 등의 범위. ¶千円～の品 천 엔대의 물건 / 九秒～の記録 9초대의 기록 / 八時～の列車 8시대의 열차. **3** 널 밑에 다리를 달아 높게 한 것. ¶手術～ 수술대.

****だい【題】** 图 제. **1** 책의 이름. **2** 제목; 표제. ¶～をつける 제목을 붙이다.

だい=【第】 제…; 순서를 나타내는 수에 붙이는 말. ¶～一号 제일호 / 韓国～一 한국 제일.

だい〖大〗教1 ダイ タイ おお おおきい おおいに | 대 크기 | 크다 | **1** (규모·형체가) 크다. ¶大小 대소 / 肥大 비대. ↔小. **2** 많다의 뜻. ¶大軍 대군. **3** 최고위를 나타내는 말. ¶大将 대장 / 大元帥 대원수. **4** 대단히. ¶大歓迎 대환영 / 大の仲よし 단짝.

だい〖代〗教3 ダイ タイ かわる かえる よ しろ | 대 대신하다 대 | 값 | **1** 대신; 대리. ¶代用 대용 / 代行 대행. **2** 대금; 대가. ¶洋服代 양복값 / 代価 대가. **3** 호주 또는 통치권의 대. ¶代がかわる 대가 바뀌다. **4** 연령의 범위를 나타내는 말. ¶十代の少年 10대 소년.

だい〖台〗(臺)教2 ダイ タイ うてな | 대 높은곳 대 | 받침 | **1** 높고 평평한 곳이나, 높은 건축물. ¶台地 대지 / 灯台 등대. **2** 받침대; 바탕. ¶宝石の台 보석의 거미발 / 土台 토대 / 台帳 대장. **3** 수량의 대략적 범위를 나타내는 말. ¶二万円台 2만 엔 대.

だい〖第〗教3 ダイ テイ | 제 차례 | **1** 순서. ¶次第 차례. **2** 제《순서를 나타내는 말》. ¶第一位 제1위 / 第三次 제3차. **3** 일반적으로, 시험. ¶及第 급제.

だい〖題〗教3 ダイ | 제 표제 | **1** 이마; 머리; 전하여, 머리말. ¶題辞 제사. **2** 표제. ¶題名 제명 / 標題 표제. **3** 문제; 과제. ¶宿題 숙제 / 出題 출제.

たいあたり【体当たり】 图⊠自 **1** 자기 몸을 힘껏 상대방에게 부딪쳐 타격을 줌. ¶～を食わせる 자기 몸을 부딪쳐서 쓰러뜨리다. **2** 기를 쓰고 덤빔. ¶～の演技 혼신의 연기 / ～で仕事をする 기를 쓰고 일하다.

だいあみ【台網】 图 규모가 큰 정치망(定置網)《다랑어·방어잡이용》.

ダイアモンド 图 ☞ダイヤモンド.

ダイアリー [diary] 图 다이어리; 일기. ¶～をつける 일기를 쓰다.

ダイアル 图 ☞ダイヤル.

ダイアローグ [dialogue] 图 다이얼로그. **1** 대화(對話); 회화. **2** 대화극; 또, 그 대사. ↔モノローグ.

たいあん【大安】 图 '大安日'의 준말《민간 신앙에서, 여행·결혼 등 만사에 좋다고 하는 길일》. =大安吉日. 注意 'だいあん'이라고도 함.

たいあん【対案】 图 대안; 상대방의 안에 대하여 내놓을 딴 안. ¶～を立てる〔出す〕 대안을 세우다〔내놓다〕 / ～を準備する 대안을 준비하다.

だいあん【代案】 图 대안. ¶～を準備する〔考える〕 대안을 마련하다〔궁리하다〕 / ～を示す 대안을 보이다.

たいい【大意】 图 대의; 대강의 뜻. ¶～をつかむ 대의를 파악하다 / 物語の～をのべる 이야기의 대의를 말하다.

たいい【体位】 图 체위; 몸의 위치; 자세. ¶～が傾いている 자세가 기울어져 있다 / ～を変える 체위를 바꾸다.

たいい【退位】 图⊠自 퇴위. ¶王様が～する 임금님이 퇴위하다. ↔即位.

***たいいく【体育】** 图 체육. ¶～大会 체육 대회 / 市営の～館 시영 체육관. ↔徳育·知育.

—のひ【—の日】 图 체육의 날《국경일의 하나; 10월 10일》. 参考 1964년의 東京 올림픽 개최일을 기념하여 제정.

****だいいち【第一】** 图 **1** 제일. ㉠첫 번째; 가장 중요한 것. ¶～の事件 첫째의 사건 / 世界～の金持ち 세계 제일의 부자 / 健康が～だ 건강이 제일이다. ㉡가장 뛰어남. ¶世界～の詩人 세계 제일의 시인. **2**【だいいち】《副詞적으로》 무엇보다도; 우선. ¶そうしたくても～金がない 그렇게 하고 싶어도 우선 돈이 없다 / 結婚しろといわれても～相手がいない 결혼하라고 하지만 우선 상대가 없다.

—いんしょう【—印象】 图 첫인상. ¶～が悪い 첫인상이 나쁘다.

—ぎ【—義】 图 제일의; 가장 중요한 근본적인 의의; 제일차적인 것. ¶～的

た

な問題 제일의적인 문제. 「산업.
—じさんぎょう【—次産業】图 제1차
—にんしゃ【—人者】图 제일인자. ¶建築界の～ 건축계의 제일인자.

だいいっせい【第一声】图 제일성; 어떤 처지나 상황에서 하는 첫 발언. ¶帰国～ 귀국 제일성/立候補の～を放つ 입후보자로서 첫 발언을 하다.

だいいっせん【第一線】图 제일선. **1** 최전선; 최전방. ¶～に立つ 최전방에 서다. **2** 최선두. ¶～を退く 제일선에서 물러나다/政界の～で活躍する 정계의 최선두에서 활약하다.

だいいっぽ【第一歩】图 제일보; 첫걸음. ¶社会人としての～を踏み出す 사회인으로서의 제일보를 내딛다/～からやり直す 첫걸음부터 다시 시작하다.

だいいっぽう【第一報】图 제일보; 첫보도. ¶～に接する 제일보에 접하다.

た

たいいん【太陰】图 태음; 달. ↔太陽.
—れき【—暦】图 (태)음력. ＝陰暦. ↔太陽暦.

*__たいいん__【退院】图ス自 퇴원. **1** 병자가 병원에서 나감. ¶全快して～する 완쾌해서 퇴원하다. ↔入院. **2** 국회의원이 국회에서 퇴원함. ↔登院.

たいいん【隊員】图 대원. ¶登山隊の～ 등산대의 대원.

ダイイン [die-in] 图 다이 인; 원폭(原爆)에 의해서 죽은 체하기《반핵 운동 시위 참가자들이 약 10분간 모두 땅바닥에 눕거나, 엎드림》. 參考 'すわりこみ(＝sit-in; 농성)'에서 나온 말.

だいうちゅう【大宇宙】图〖哲〗대우주. ＝マクロコスモス. ↔小宇宙.

たいえい [退嬰] 图ス自 퇴영; 보수(保守). ↔進取. 「↔進取的.
—てき [—的] ダナ 퇴영적; 보수적.

たいえき【体液】图〖生〗체액; 체내에 있는 모든 액체《혈액·림프액 등》.

たいえき【退役】图ス自 퇴역. ¶満期～ 만기 퇴역/～軍人 퇴역 군인.

ダイエット [diet] 图ス自 다이어트; 식이(食餌) 제한. ¶～食品 다이어트 식품/～フード 다이어트 푸드; 저칼로리 식품/彼は～中だ 그는 다이어트 중이다.

__たいおう__【対応】图ス自 대응. **1 서로 마주 봄; 상대되는 관계에 있음. ¶～する二つの角 대응하는 두 각/その日本語に～する英語はない 그 일본말에 대응하는 영어는 없다. **2** 상대의 움직임·상황 변화에 따라 대처함. ¶～策を考える 대응책을 강구하다/相手の出方に～する 상대의 나오는 태도에 따라 대처하다. **3** 균형이 잡혀 있음. ¶収入に～した支出 수입에 대응한 지출. 「(語).
—ご【—語】图 대응어. ⇨たいぎご

だいおう【大王】图 대왕. ¶えんま～ 염마[염라] 대왕.

だいおうじょう【大往生】图ス自 대왕생; 고통 없이 편안히 죽음. ¶～を遂げる 편안히 죽다.

ダイオード [diode] 图〖理〗다이오드; 2극 진공관 또는, 게르마늄 등을 사용한 정류기(整流器)의 총칭.

ダイオキシン [dioxin] 图〖化〗다이옥신《독성이 강하고 분해하기 어려운 화합물로 발암성(發癌性) 등이 있어 환경 오염 물질로 문제가 되고 있음》.

*__たいおん__【体温】图 체온. ¶～計 체온계/～調節 체온 조절/～が上がる 체온이 오르다[높아지다]/～がじかに伝わってくる 체온이 직접 느껴지다.

だいおん【大音】图 대음; 큰 (목)소리. ＝大音声.

だいおん【大恩】图 대은; 큰 은혜. ＝厚恩. ¶～を受けた主人 큰 은혜를 입은 주인.
—は報ぜず 작은 은혜는 부담을 느끼나, 너무나 큰 은혜는 오히려 깨닫지 못하고 지나쳐 버린다.

だいおんじょう【大音声】图 우렁찬 목소리. ¶～をあげる 큰 소리로 외치다/～に呼ばわる 크게 소리쳐 부르다.

たいか【大火】图 대화; 큰불; 큰 화재. ¶～になる 큰 화재가 되다/～に見舞われる 큰 화재를 만나다. ↔小火.

たいか【大家】图 대가. **1** 거장(巨匠); 중진. ¶画壇の～ 화단의 대가. ↔新進·中堅. **2** 큰 집; 또, 부잣집; 대갓집. ¶二十代つづいた～ 이십대를 이어 온 대갓집.

たいか【大過】图 대과. ¶～なく過ごす 대과 없이 지내다.

たいか【対価】图 대가. ¶労働の～としてもらう 노동의 대가로 받다.

たいか【耐火】图 내화. ¶～ガラス 내화유리/～壁 내화벽/～建築 내화 건축/～れんが 내화 벽돌.

たいか【退化】图ス自 퇴화. ¶～器官 퇴화 기관/文明の～ 문명의 퇴화/尾が～する 꼬리가 퇴화하다. ↔進化.

たいか【滞貨】图ス自 체화; 운반치 못해 밀린 화물; 또, 팔리지 않아 쌓인 상품. ＝ストック. ¶～一掃 체화 일소/～の山 산적한 체화/～が山積する 체화가 산적하다.

たいが【大河】图 대하; 큰 강.
—しょうせつ【—小説】图 대하소설. ¶三代にわたる波乱の生活を描いた～ 삼대에 걸친 파란 많은 생활을 그린 대하소설.

だいか【代価】图 대가; 값. ¶勝利の～ 승리의 대가/～を支払う 대가를 치르다/あまりにも大きな～を払う 너무나 큰 대가를 치르다.

だいか【題下】图 제하; '제목 아래'의 뜻. ¶…の～ …라는 제하에.

*__たいかい__【大会】图 대회. ¶野球～ 야구 대회/～を開催する[乗り切る] 대회를 개최하다[치러 내다].

たいかい【大海】图 대해; 큰 바다. ＝だいかい·おおうみ. ¶未知の～に乗り出す 미지의 세계에 뛰어들어 큰 사업을 시작하다.

—の一粟 창해(滄海)일속.

—は芥を選ばず 대해는 쓰레기를 가리지 않는다《도량이 커서 널리 사람을 포용함의 비유》.

たいかい【退会】图ス自 퇴회; 탈회; 탈퇴. ¶～届 탈퇴 신고/協会から～する 협회에서 탈퇴하다. ↔入会.

***たいがい**【大概】㊀图 **1** 대개; 대강; 개략. ＝あらまし·だいたい. ¶～の説明 대강의 설명/作法の～ 예법의 대강/事の～に通ずる 일의 대강을 익히 알다. **2** 대부분; 보통. ＝たいてい. ¶～の家庭 대부분의 가정/～の人なら腹を立てるところだ 보통 사람이라면 화를 낼 일이다. **3** 어지간한 정도. ＝たいてい. ¶ふざけるのも～にしろ 까부는 것도 정도껏 해라/～の事ならします 웬만한 일이라면 합니다.

㊁【たいがい】副 **1** 대충; 대강. ＝たいてい·おおかた. ¶仕事も～かたづいた 일도 대충 정리되었다. **2** 대개; 보통. ¶朝は～散歩をする 아침에는 대개 산책을 한다.

たいがい【体外】图 체외. ¶老廃物を～に排出する 노폐물을 체외에 배출하다. ↔体内.

たいがい【対外】图 대외. ¶～的問題 대외적인 문제/～交渉〔政策〕 대외 교섭〔정책〕. ↔対内.

だいかいてん【大回転】图 '大回転競技(＝대회전 경기)'의 준말; (스키의) 대회전《활강과 회전을 겸한 것》.

****たいかく**【体格】图 체격. ¶～検査 체격 검사/頑丈そうな～ 튼튼해 보이는 체격/きゃしゃな～ 가냘픈 체격.

たいかく【台閣】图 대각(臺閣). **1** 높은 누각. **2** 내각. ¶～に連なる〔列する〕 내각에 참여하다; 각료가 되다. 注意 'だいかく'로도 읽음.

たいかく【対角】图〔數〕 대각; 맞각.

—せん【—線】图 대각선; 맞모금.

たいがく【退学】图ス自 퇴학. ＝退校. ¶中途～ 중도 퇴학/～処分する 퇴학 처분하다.

***だいがく**【大学】图 대학. ¶～生 대학생/駅弁～ 지방의 신설 대학《진용이 약한 보잘것없는 대학》.

—いん【—院】图 대학원. ¶～の修士課程 대학원 석사 과정.

—にゅうがくしかくけんてい【—入学資格検定】图 대학 입학 자격 검정(시험)《통칭: 大検》.

—にゅうしセンターしけん【—入試センター試験】图 대입 수학(修學) 능력 시험《1990년부터 실시》. ▷center.

ダイカスト [←diecasting] 图 다이캐스팅; 녹인 합금을 압력으로 거푸집에 넣어 주물을 만드는 방법; 또, 그 주물. ＝ダイキャスト.

だいかぞく【大家族】图 대가족. ¶～制 대가족제. ↔核家族.

だいかつ【大喝】图ス自 대갈; 큰 소리로 꾸짖음〔외침〕; 또, 그 소리. ¶～一声 대갈 일성/～をくらわす 큰 소리로 호통치다/教師に～された 선생한테 크게 야단맞았다. 注意 'たいかつ'라고도 함.

だいかっこ【大括弧】图〔印〕 대괄호(〔[　]표〕). ＝ブラケット.

だいがっこう【大学校】图 대학교. **1** 大学의 속칭. **2** 대학 정도의 학교로서 학교 교육법에 의하지 않은 것. ¶防衛〔農業〕～ 방위〔농업〕 대학교.

たいかのかいしん【大化の改新】图〔史〕 645년, 中大兄皇子가 中臣鎌足와 함께 蘇我 일족(一族)을 멸망케 한 정변《중앙 집권제 확립의 출발점이 됨》.

だいがわり【代替わり】图ス自 (왕이나 호주·경영주 따위의) 대가 바뀜. ¶～になる 대가 바뀌다/息子に～する 아들에게 대물림하다.

だいがわり【台替わり】图 주가 따위가 다음 단위로 바뀜《90원대에서 100원대로 되는 따위》. ↔台われ.

たいかん［大旱］图 대한; 큰 가뭄.

—に雲霓を望むがごとし 7년 대한에 비 바라듯 하다.

たいかん【大官】图 대관; 고관. ＝高官. ↔小官.

たいかん【大患】图 대환. **1** 중병; 큰 병. ＝大病·重病. ¶～に倒れる 중병으로 쓰러지다/～をわずらう 중병을 앓다. **2** 큰 근심. ¶国家の～ 국가의 대환. 「악한 사람.

たいかん［大姦·大奸］图 대간; 아주 간

—は忠に似たり 대간사충; 간악한 자는 본성을 감추고 군주 마음에 드는 일만 하므로 충신처럼 보인다는 뜻.

たいかん【大観】대관. ㊀图ス他 널리 전체를 봄. ¶時局を～する 시국을 대관하다. ㊁图 광대한 경치. ¶～に目を奪われる 웅대한 경치에 넋을 잃다.

たいかん【大鑑】图 대감; 한 권으로 그 분야의 모든 것을 볼 수 있도록 모은 책. ¶美容～ 미용 대감.

たいかん【体感】图 체감. **1** 몸으로 느끼는 감각. **2** 내장 기관에 느껴지는 감각《기갈·구토·성욕 등의 유기 감각》.

—おんど【—温度】图 체감 온도.

たいかん【耐寒】图 내한. ¶～訓練 내한 훈련/～試験 내한 시험. ↔耐暑.

たいかん【退官】图ス自 퇴관; 퇴직. ¶定年で～する 정년이 되어 퇴직하다. ↔任官.

たいかん【退館】图ス自 퇴관; 도서관·박물관 등에서 나옴. ↔入館.

たいかん［戴冠］图ス自 대관.

—しき［—式］图 대관식.

たいがん【大願】图 ☞だいがん(大願).

たいがん【対岸】图 대안; 건너편 강가. ¶~の火災視する 강 건너 불 보듯 하다/船で~へ渡る 배로 건너편 기슭으로 건너가다.
—の火事 대안의 불; 강 건너 불 구경; 내게 무관한 일. =対岸の火災.
だいかん【大寒】图 대한; 24절기의 하나. ¶~の寒さ 대한 추위. ↔小寒.
だいかん【代官】图〔史〕江戸 시대에, 幕府 직할 토지를 관할하고, 그곳의 민정(民政)을 맡아 보던 지방관.
だいがん【大願】图 대원. **1** 큰 소망. **2**〔佛〕부처가 중생을 구제하려는 소원.
—じょうじゅ【—成就】图ス自 대원 성취; 큰 소원을 이룸.
だいかんみんこく［大韓民国］图〔地〕대한 민국. =韓国. ¶~臨時政府 대한 민국 임시 정부.
たいき【大気】图 대기; 공기. ¶~圧 대기압(력)/~汚染 대기오염/朝の快い~ 아침의 상쾌한 대기.
—けん【—圏】图 대기권. ¶~外の平和利用 대기권 밖의 평화적 이용.
たいき【大器】图 대기; 큰 그릇; 큰 인물. ¶未完〔希代〕の~ 미완〔희대〕의 대기. ↔小器.
—ばんせい【—晩成】图 대기만성.
たいき【待機】图ス自 대기. ¶~中の部隊 대기 중인 부대.
たいぎ【大義】图 대의. **1** 사람이 지켜야 할 도의. **2** 대강의 뜻. =大意.
—親を滅す 대의멸친《나라를 위해서는 육친도 저버린다》.
—めいぶん【—名分】图 대의명분. ¶~を通す 대의명분을 견지하다.
たいぎ『大儀』图ダナ **1** 남, 특히 아랫사람의 수고를 위로하는 말: 수고함. =ご苦労. ¶ご~ながら 수고롭지만/~であった 수고했다/ご~でした 수고했습니다. **2** 귀찮고 힘든 모양; 피곤하고 나른한 모양. ¶~な仕事 힘든 일/階段をのぼるのも~だ 계단 오르는 것도 힘이 든다/何をするにも~でしかたがない 무엇을 하건 다 귀찮기만 하다. **3** (고생할 것 같아서) …하기가 아주 싫음. =おっくう. ¶寒くて起きるのが~だ 추워서 일어나기가 아주 싫다.
だいぎ【代議】图ス他 대의. ¶~員 대의원/~政治 대의 정치.
—し【—士】图 대의사; 국회의원《특히, 일본 '衆議院議員(=중의원 의원)'의 속칭》; 선량. =選良.
たいぎご【対義語】图 대의어《뜻이 정반대거나 짝을 이루는 말; 'おとこ(=남자)·おんな(=여자)' '生(=생)·死(=사)' '広い(=넓다)·狭い(=좁다)' 따위》. =対語·対意語. ↔同義語.
だいきち【大吉】图 **1** 대길. ¶おみくじで~が出る 길흉을 점치는 제비에 대길이 나오다. ↔大凶. **2** '大吉日'의 준말.
—にち【—日】图 대길일.

だいきぼ【大規模】图ダナ 대규모. ¶~地震 대규모 지진/~な建築物 대규모의 건축물/~な計画 대규모(의) 계획. 注意 'おおきぼ'라고도 함. ↔小規模.
—しゅうせきかいろ【—集積回路】图 대규모 집적 회로(LSI).
たいきゃく【退却】图ス自 퇴각; 후퇴. ¶~に次ぐ~ 후퇴에 이은 후퇴/後方へ~する 후방으로 퇴각하다. ↔進撃.
たいぎゃく【大逆】图 대역. ¶~無道 대역무도/~事件 대역 사건. 注意 'だいぎゃく'라고도 함.
—ざい【—罪】图 대역죄.
*たいきゅう【耐久】图 내구. ¶~消費材 내구 소비재/~性 내구성/~建材 내구 건재/~力が乏しい 내구력이 부족하다.
だいきゅう【代休】图ス自 대휴; 휴일에 출근한 대신으로 휴가를 얻음; 또, 그 휴가. ¶~で休む 휴일에 일한 대신 쉬다/~をとる 대휴를 얻다.
たいきょ【大挙】图ス自 대거. **1** 여럿이 함께 행동함. =そうがかり. ¶~して事に当たる 여럿이 함께 일에 달려들다. **2**《副詞적으로》 크게; 여럿이; 대규모로. ¶一回裏で~得点する 1회말에 대거 득점하다/~来襲する 대거 내습하다.
たいきょ【退去】图ス自 퇴거. =たちのき. ¶~命令 퇴거 명령/~を命じる 퇴거를 명하다/デモ隊を~させる 데모대를 물러가게 하다.
たいぎょ【大魚】图 대어; 큰 물고기.
—を逸する 대어를 놓치다; 큰 공훈이나 이익을 놓치다.
たいきょう【体協】图 '体育協会(=체육 협회)'의 준말.
たいきょう【対共】图 대공. ¶~政策 대공 정책.
たいきょう【胎教】图 태교.
たいぎょう【大業】图 대업; 큰〔중대한〕 사업; 홍업(洪業·鴻業). ¶~を成し遂げる 대업을 이루다/国家統一の~ 국가 통일의 대업.
たいぎょう【怠業】图ス自 태업. =サボタージュ. ¶~戦術で賃上げ闘争をする 태업 전술로써 임금 인상 투쟁을 하다.
だいきょう【大凶】图 대흉. **1** 운수가 대단히 나쁨. ↔大吉. **2**《大兇》 말할 수 없이 큰 죄악; 대악인.
だいきょうこう【大恐慌】图 대공황.
たいきょく【大局】图 대국; 전체적 입장에서 본 판국; 대세. ¶~から見れば〔判断する〕 대국적으로 보면〔판단하다〕/~を誤る 대국을 그르치다/~をみとる 대세를 파악하다/世界経済の~を見通す 세계 경제의 대세를 내다보다. 参考 바둑 전체 반면의 형세의 뜻으로도 쓰임.
—かん【—観】图 대국관; 사물 전체에 대한 형세 판단. ¶~にすぐれる 대국관

이 뛰어나다.

—てき【—的】ダナ 대국적. ¶～見地に立つ 대국적 견지에 입각하다/～に見る 대국적으로 보다.

たいきょく【太極】图 (중국 철학에서) 태극; 만물이 태어나는 우주의 근원.

—けん[—拳] 图 태극권《중국 고대의 권법. 건강 체조로도 널리 보급됨》.

たいきょく【対局】图スル自 대국; 바둑이나 장기를 맞겨룸. ¶～時間 대국 시간/～の成績に依って昇段する 대국 성적에 따라 승단하다/九段どうしが～する 9단끼리 대국하다.

だいきらい【大嫌い】ダナ 몹시 싫음. ¶～な奴 아주 싫은 녀석/私は甘い物は～だ 나는 단것은 아주 질색이다.

たいきん【大金】图 대금; 큰돈. ¶～をもうける 큰돈을 벌다/～を投じてつくる 큰돈을 들여 만들다/～を注ぎ込む 큰돈을 쏟아 넣다.

たいきん【退勤】图スル自 퇴근. ¶～が早い 퇴근이 이르다/定時に～する 정시에 퇴근하다. ↔出勤.

****だいきん**【代金】图 대금. ¶～を支払う 대금을 지급하다.

—ひきかえ【—引換】图 대금 상환(相換).

たいく[体軀] 图 체구. ＝体格·からだつき. ¶堂々たる～ 당당한 체구.

***だいく**【大工】图 **1** 목수; 또, 그 일. ¶～仕事 목수 일/日曜～ 취미삼아 일요일날 집에서 목수 일을 하는 사람/たたき～ 선목수. **2** 도편수. ＝棟梁.

たいくう【対空】图 대공. ¶～ミサイル 대공 미사일/～射撃〔砲火〕 대공 사격〔포화〕. ↔対地.

たいくう【滞空】图スル自 체공. ¶～記録 체공 기록/～時間 체공 시간.

たいぐう【対偶】图 대우. **1** 둘이 서로 짝을 이룬 것《'夫婦·左右' 따위》. ＝対. **2**〔論·數〕 'A면 B다' 라는 명제에 대하여, 'B가 아니면 A가 아니다' 라고 하는 명제.

***たいぐう**【待遇】图スル他 대우. **1** 손님 대접; 서비스. ¶～の悪い旅館 서비스가 나쁜 여관/温かく～する 따뜻하게 대접하다/冷たく～される 냉대받다. **2** 직장에서의 지위·급여 따위; 처우. ¶～改善 처우 개선/課長～ 과장 대우/～がよい 대우가 좋다.

****たいくつ**〖退屈〗名ナスル自 지루함; 심심하고 따분함; 무료함; 싫증남; 주니남. ¶～な話 지루한 이야기/雨で～する 비로 따분해하다/話術が巧みで人を～させない 화술이 능란하여 사람을 지루하게 하지 않는다.

—しのぎ〖—凌ぎ〗图 심심파적. ¶～にテレビを見る 심심파적으로 TV를 보다/～に散歩に出る 무료함을 달래기 위해 산책에 나서다.

たいぐん【大軍】图 대군. ¶～を率いる 대군을 거느리다. ↔寡兵.

たいぐん【大群】图 대군; 큰 떼. ¶にしんの～ 큰 청어 떼/いなごの～ 메뚜기의 대군/雲霞のごとき～ 구름처럼 모여드는 사람의 무리.

たいけ【大家】图 대가; 대갓집; 부잣집; 세도 있는 집안. ＝大家. ¶御～ 대갓집/～の出 대갓집 출신/～の坊ちゃん 부잣집 도련님.

たいけい【大系】图 대계; 대략적인 체계. ¶科学～ 과학 대계.

たいけい【大計】图 대계. ¶国家百年の～ 국가 백년지대계.

たいけい【大慶】图 대경; 매우 경사스러움. ¶～の至りにぞんじます 지극히 경사스러운 일이라고 생각합니다.

たいけい【体刑】图 체형. **1** 직접 몸에 고통을 주는 형벌. ¶～を加える 체형을 가하다. **2** 몸의 자유를 구속하는 형《징역·금고·구류 등》. ＝自由刑. ¶～を受ける 체형을 받다. ↔財産刑.

たいけい【体形】图 체형. **1** 형태. **2** 몸의 모양. ¶～を保つ 체형을 유지하다.

***たいけい**【体系】图 체계. ＝システム. ¶学問〔哲学〕の～ 학문〔철학〕 체계/～づける 체계를 짓다〔세우다〕.

—か【—化】图スル他 체계화. ¶学問はたえざる～が必要だ 학문은 끊임없는 체계화가 필요하다.

—てき【—的】ダナ 체계적. ¶～な研究 체계적인 연구.

たいけい【体型】图 체형; 몸꼴; 몸매. ¶肥満型の～ 비만형인 체형/～に合わせる 체형에 맞추다.

たいけい【隊形】图 대형. ¶戦闘～を取る 전투 대형을 취하다/～をととのえる 대형을 정비하다.

だいけい【台形】图〔數〕 사다리꼴《'梯形'의 고친 이름》.

たいけつ【対決】图スル自 대결. ¶一対一の～ 1대 1의 대결/～が深まる 대결이 심화되다/～姿勢を打ち出す 대결 자세로 나오다/逆境と～する 역경과 맞서다/原告と被告を～させる 원고와 피고를 대질시키다.

だいけつ【代決】图スル他 대결; 대리 결재. ¶局長～ 국장 대결.

たいけん【体検】图 '身体検査'의 준말.

***たいけん**【体験】图スル他 체험. ¶～談 체험담/初～ 첫 체험/～を生かす 체험을 살리다/～してみないとわからない 체험해 보지 않으면 모른다. ⇒経験.

たいけん【帯剣】图スル自 대검; 칼을 참.

たいげん【大言】图スル自 대언; 큰소리. ¶～を吐く 큰소리치다.

—そうご【—壮語】图スル自 호언장담. ¶あいつは～する癖がある 저 친구는 호언장담하는 버릇이 있다.

たいげん【体言】图〔文法〕 체언《명사·대명사의 총칭》. 参考 副詞·接続詞를 포함하는 경우도 있음. ↔用言.

たいげん【体現】图スル他 체현; 구현. ¶キリストの理想を～する 그리스도의 이상을 체현하다.

だいけん【大検】图 '大学入学資格検定(=대학 입학 자격 검정)'의 준말.

たいこ【太古】图 태고. =おおむかし. 參考 보통, 유사 이전을 말함.

***たいこ**【太鼓】图 **1** 북. ¶大〔小〕だいこ 큰〔작은〕북 / ~のばち 북채 / ~を打つ 북을 치다. **2** '太鼓持ち'의 준말.

—をたたく 북을 치다; 전하여, 남의 말에 맞장구치며 비위를 맞추다.

—いしゃ【—医者】图 말만 잘하고 의술은 시원찮은 의사.

—ばし【—橋】图 (가운데가 반원형으로 불룩한) 홍예다리; 무지개 다리.

[太鼓橋]

—ばら【—腹】图 올챙이배; 똥배.

—ばん【—判】图 큼직한 도장; 전하여, 확실한 보증. ¶~を押す 절대로 틀림없다고 보증을 하다.

—もち【—持ち】图 **1** 연회석에 나가 자리를 흥겹게 하는 것을 업으로 하는 남자. =幇間. **2** 남에게 빌붙는 사람을 비웃어 이르는 말; 알랑쇠. ¶社長の~ 사장 앞에서 알랑대는 사람.

たいご【大悟】图区自 대오; 크게 깨달음. =だいご. ¶翻然~する 문득 크게 깨닫다.

—てってい【—徹底】图区自 대오철저《크게 깨달아 번뇌 등이 모두 없어짐》.

たいご【対語】⊟图 대어; 서로 짝을 이루는 말. =ついご·対義語. 參考 多量(=다량)와 少量(=소량), 東西(=동서)의 동과 서, 花鳥(=화조)의 꽃과 새 따위. ⊟图区自 마주 앉아 이야기함. ¶~する機会がない 마주 앉아 얘기할 기회가 없다.

たいご[隊伍]图 대오. ¶~を組んで進む 대오를 지어 나아가다 / 堂々たる~を組む 당당한 대오를 짓다 / ~を整える 대오를 정비하다.

たいこう【大功】图 대공; 큰 공로. ¶~を立てる 큰 공을 세우다.

たいこう【大行】图 큰 일; 큰 사업.

—は細謹を顧みず 큰 사업을 대성시키려는 사람은 사소한 일이나 결점 따위에 구애되지 않는다.

たいこう【大綱】图 대강. **1** 대요. =おおもと. ¶規約の~を決める 규약의 대강을 결정하다 / ~については異議なし 대강에 대해서는 이의 없음. **2** 골자; 윤곽. ¶計画の~を示す 계획의 윤곽〔대강〕을 보이다. ⇔細目.

たいこう[太閤]图 関白를 아들에게 물려 준 사람. 參考 본디, 섭정이나 太政大臣의 높임말; 특히, 豊臣秀吉를 일컬을 때가 많음.

たいこう【体高】图 체고; (동물의) 몸높이.

たいこう[体腔]图 체강; 동물의 체벽(體壁)과 내장 사이의 빈 곳. 參考 의학에서는 'たいくう'라고 함.

たいこう【対向】图区自 대향. **1** 서로 마주 봄; 마주 향함. ¶~ページ 맞대하는 페이지. **2** 반대쪽에서 달려옴.

—しゃ【—車】图 대향차; 마주 달려오는 차.

****たいこう**【対抗】图区自 대항; 서로 맞섬. ¶~意識 대항 의식 / クラス~ 클래스 대항 / 連合して強敵に~する 연합해서 강적에 대항하다.

—ば【—馬】图 대항마; (경마·경륜 등에서) 우승 후보의 말과 결승을 다투는 말·선수; 전하여, 선거 등에서 실력이 경합하는 인물. ↔本命馬.

たいこう【対校】⊟图 학교간의 대항. ¶~試合 학교 대항 경기. ⊟图区自 (원고 등과) 대조하여 교정을 봄.

たいこう【退行】图区自 퇴행. **1** 뒤로 물러남. **2** 퇴화. **3**〔天〕행성이 천구(天球) 위를 서쪽으로 운행함; 역행.

たいこう【退校】图区自 **1** 퇴교; 퇴학. =退学. ¶~処分 퇴학 처분 / 不良生徒を~させる 불량 학생을 퇴학시키다. **2** 하교(下校). ↔登校.

だいこう【代行】图区他 대행. ¶学長~ 학장 대행 / 校長の事務を~する 교장의 사무를 대행하다.

だいこう【代講】图区自 대강. ¶講義の~を頼む 강의의 대강을 부탁하다.

だいごう【題号】图 제호. ¶雑誌の~を変える 잡지의 제호를 변경하다.

たいこうぼう【太公望】图 태공망; 강태공(姜太公); 낚시꾼의 딴 이름. ¶~をきめこむ 스스로 강태공인 양하다.

たいこく【大国】图 대국; 큰 나라. ¶軍事〔経済〕~ 군사〔경제〕 대국 / ~意識 대국 의식. ↔小国.

だいこくばしら【大黒柱】图 집 중앙에 있는 특별히 굵은 기둥; 상기둥; 전하여, 한 집안·한 나라·한 단체의 기둥(이 되는 중심 인물). ¶一家の~ 한 집안의 기둥 / チームの~ 팀의 중심.

だいごみ[醍醐味]图 사물에 대한 깊은 맛; 묘미; 참다운 즐거움. ¶読書の~ 독서의 참된 맛 / 釣りの~を味わう 낚시(질)의 참맛을 즐기다.

タイゴン [tigon] 图〔動〕타이곤; 암사자와 수호랑이 사이의 잡종《번식력은 없음》. ↔ライガー. ▷tiger+lion.

だいこん【大根】图 **1**【だいこん】무. **2** '大根役者'의 준말.

—あし【—足】图 여자의 굵은 다리.

—おろし【—下ろし】《—卸し》图 **1** 무를 강판에 간 것; 무즙. =おろし大根. **2** 강판. =おろし(がね).

—やくしゃ【—役者】图 연기가 서투른 배우.

たいさ【大差】图 대차; 큰 차. ¶~ない 대차 없다 / ~で勝つ 큰 차로 이기다. ↔小差.

たいざ【対座】《対坐》图区自 대좌. ¶客と~する 손님과 마주 앉다 / ~して碁を打つ 대좌하여 바둑을 두다.

たいざ【退座】图区自 **1** 퇴석; 자리에서

물러감. ¶頃合を見はからって～する 적당한 때를 가늠해서 퇴석하다 / 講演会を中途で～する 강연회 도중에 자리를 뜨다. **2** 극단에서 탈퇴함. ＝退団.

だいざ【台座】名 **1** 받침대. ¶植木鉢を～に乗せる 화분을 받침대에 올려놓다. **2** 불상을 안치하는 대좌(臺座).

たいさい【大祭】名 대제. **1** 대규모로 치르는 제전. ↔例祭. **2** 天皇가 친히 지내는 황실의 제사.

—じつ【—日】名 대제일; 대제를 지내는 날.

たいざい【大罪】名 대죄; 큰 죄. ＝だいざい. ¶～を犯す 큰 죄를 짓다.

***たいざい**【滞在】名ス自 체재; 체류. ＝逗留. ¶～期間 체재 기간 / ～が延びる 체재가 길어지다.

だいざい【題材】名 제재; 소재(素材). ¶創作の～ 창작의 소재 / 小説の～を求める 소설의 소재를 찾다.

たいさく【大作】名 대작. **1** 뛰어난 작품. ＝傑作. **2** 큰 작품. ¶この小説は～だ 이 소설은 대작이다. ↔小品.

***たいさく**【対策】名 대책. ¶～を講ずる 대책을 강구하다 / ～を練る〔立てる〕 대책을 짜다〔세우다〕 / 抜本的な～が取られる 발본적 대책이 취해지다.

だいさく【代作】名ス他 대작; 대필. ¶卒業論文の～をたのむ 졸업 논문의 대작을 부탁하다.

たいさん【退散】名ス自 퇴산. **1** 피하여 달아남. ¶早早に～する 서둘러 달아나다 / 敵は驚いて～した 적은 놀라서 달아났다. **2** 모여 있던 사람들이 모두 되돌아감. ¶もうそろそろ～しよう 이제 슬슬 돌아가자.

たいざん【大山·太山】名 대산; 큰 산.

—鳴動してねずみ一匹 태산 명동 서일필. 注意 '泰山鳴動…'라고 쓸 때도 있음.

たいざん【泰山】名 태산. **1** 크고 높은 산. **2** 중국 산둥성(山東省)의 명산.

—の安きに置く 태산 같은 반석 위에 든든하게 올려놓다.

—ほくと【—北斗】名 태산북두; (그 방면의) 제일인자; 권위; 태두. ＝泰斗.

だいさん【代参】名ス自 대참; 본인을 대신해서 신불에 참배함; 또, 그 사람.

だいさん【第三】名 제삼. **1** 세 번째; 3회째. ¶～の事件 제 3의 사건. **2** 당사자 이외의 사람.

—ごく【—国】名 제삼국. ↔当事国.

—ごくじん【—国人】名 제삼국인《특히, 일본에 있는 한국인 및 중국인을 가리킴》.

—じさんぎょう【—次産業】名〔經〕제 3차 산업. ＝三次産業.

—しゃ【—者】名 제삼자. ¶～の助言を聞く 제삼자의 조언을 듣다 / ～を巻きこむ 제삼자를 끌어들이다. ↔当事者.

—のじんせい【—の人生】名 제3의 인생; 사업에서 은퇴후의 생활을 이르는 말《출생에서 성인까지를 제1기, 사회인으로 활동하며 자식을 키우는 시기를 제2기라고 하는 데서 온 말임》.

—のひ【—の火】名 제 3의 불; 원자력 에너지의 딴 이름.

たいし【大志】名 대지; 큰 뜻. ＝大望. ¶～を抱く 큰 뜻을 품다.

***たいし**【大使】名 대사《'特命全権大使'의 준말》.

—かん【—館】名 대사관.

たいし【太子】名 태자; 황태자.

たいし【隊士】名 그 부대에 속하는 무사〔병사〕.

たいじ［対峙］名ス自 대치; 대립. ¶二つの山が～する 두 산이 대치하다 / 両雄相～する 두 영웅이 서로 대치하다 / 両軍が川を挟んで～する 양군이 강을 사이에 두고 대치하다.

たいじ【胎児】名 태아. ¶母親は～のために栄養をとる 애어머니는 태아를 위해서 영양을 섭취한다.

***たいじ**【退治】名ス他 퇴치. ¶山賊を～する 산적을 퇴치하다 / 根こそぎ～する 모조리 퇴치하다.

だいし【大師】名 대사. **1** 부처나 보살의 존칭. **2** 나라에서 고승에게 내리는 이름. ¶～様 대사님.

だいし【台紙】名 대지(臺紙)《사진이나 그림을 붙이는 두꺼운 종이》. ¶～に絵を貼る 대지에 그림을 붙이다.

だいし【台詞】名 대사. ＝せりふ. ¶～を読む 대사를 읽다.

だいし【題詩】名 제시. **1** 어떤 제목의 시를 지음; 또, 그 시. **2** 책머리에 쓰는 시.

だいじ【大字】名 **1** 대자; 큰 글자; 대문자. ↔小字. **2** 갖은 한숫자《한자의 '一·二·三' 대신 쓰는 '壱·弐·参' 따위》.

—ほう【—報】名 대자보.

※だいじ【大事】㊀名 **1** 큰일. ㉠대사. ¶～を企てる 큰일을 계획하다. ㉡심각한 일〔사태〕. ¶～を引き起こす 큰일을 일으키다 / ～に至る 심각한 사태에 이르다. ⇔小事. **2** 지장. ㊁ダナ **1** 소중함. ＝大切. ¶～な万年筆 소중한 만년필 / からだを～にする 몸을 소중히 하다 / かぎを～にしまっておく 열쇠를 소중히 간직해 두다. **2** 중요함. ¶～な資料 중요한 자료 / そこが～な点だ 거기가 중요한 점이다.

—の前の小事 큰일 앞에 작은 일《큰일을 앞에 두고 하찮은 일에 구애받지 마라》.

—を取る 신중을 기하다; 경솔하게 행동하지 않다. ¶大事をとって見合わせる 만약을 위해 보류하다.

—な-い【—無い】形 지장〔상관〕 없다; 걱정 없다; 괜찮다.

だいじ【大慈】名 대자; (부처의) 큰 자비. ¶～大悲 대자대비.

だいじ【題字】名 제자; 책머리·비석(碑石)·화폭 위에 써 놓은 글자.

ダイジェスト［digest］名ス他 다이제스

ト; 간추림; 요약. ¶～版ばん 요약판/名作めいさくを～して紹介しょうかいする 명작을 요약해서 소개하다.

だいしきゅう【大至急】图 대지급; 몹시 급함〔서두름〕. ¶～で仕上しあげてくれ 대지급으로 완성해〔끝내〕 주게.

だいじけん【大事件】图 대사건; 중대한 사건.

だいじしん【大地震】图 대지진《진도 7 이상의 지진》.

だいしぜん【大自然】图 대자연. ¶～に抱いだかれる 대자연의 품에 안기다.

*__たいした__【大した】連体 대단한. **1** 엄청난; 굉장한. ¶～美人びじん 대단한 미인/～人出ひとでだ 엄청난 나들이 인파다. **2**《뒤에 否定을 수반하여》이렇다 할 정도의; 특별한. ¶～男おとこではない 그리 대단한 사나이는 아니다/彼かれの英語えいごは～ものではない 그의 영어는 별것 아니다/～不都合ふつごうはない 크게 잘못된〔불편할〕 것은 없다.

*__たいしつ__【体質】图 체질. **1** 타고난 몸의 성질. ¶虚弱きょじゃく～ 허약 체질/特異とくいな～ 특이한 체질/～に合あわない 체질에 맞지 않는다/何物なにものにも妥協だきょうしない～ 어떤 것에도 타협하지 않는 체질. **2** 사물 본래의 성질. ¶組織そしきの～ 조직의 체질/保守政治ほしゅせいじの～に根ねざす 보수 정치의 체질에 기인하다.

—かいぜん【—改善】图 체질 개선. ¶企業きぎょうの～を図はかる 기업의 체질 개선을 도모하다.

—てき【—的】ダナ 체질적. ¶お酒さけは～に飲のめない 술은 체질적으로 못 마신다.

たいしつ【対質】图ス自 대질. ¶～尋問じんもん 대질 신문(訊問).

たいしつ【耐湿】图 내습. ¶～性せい 내습성.

たいしつ【退室】图ス自 퇴실; 방에서 물러남. ¶面接めんせつを終おえて～する 면접을 마치고 퇴실하다. ↔入室にゅうしつ.

たいして【大して】副《뒤에 否定語가 따라서》그다지; 별로. =さほど. ¶～遠とおくない 그다지 멀지 않다/～苦くるしくはない 그다지 괴롭지는 않다/～勉強べんきょうもしない 별로 공부도 안 한다.

たいしゃ【大赦】图 대사; 일반 사면.

たいしゃ【代謝】图ス自 대사. ¶～異常いじょう 대사 이상/新陳しんちん～ 신진 대사/基礎きそ～ 기초 대사.

たいしゃ【退社】图ス自 퇴사. **1** 퇴직. ¶定年ていねんで～する 정년으로 퇴사하다. ↔入社にゅうしゃ. **2** 퇴근. ¶五時ごじに～する 5시에 퇴근한다. ↔出社しゅっしゃ.

だいじゃ【大蛇】图 대사; 큰 뱀; 구렁이. =おろち·うわばみ.

たいしゃく【対酌】图ス自 대작.

たいしゃく【貸借】图ス他 대차. =貸かし借かり. ¶～関係かんけい 대차 관계.

—たいしょうひょう【—対照表】图 대차 대조표. =バランスシート.

だいしゃりん【大車輪】图 **1** 대차륜. ㉠ 큰 수레바퀴. ㉡(기계 체조의) 대차. **2** 일심전력함. ¶～で仕上しあげる 일심전력하여 일을 끝내다.

たいしゅ【大酒】图ス自 대주; 많은 술; 많이 마시는 술. ¶～家か 대주가.

たいじゅ【大樹】图 대수; 큰 나무. ¶寄よらば～の陰かげ 이왕 의지하려면 든든한 사람에게 기대라는 뜻.

**__たいしゅう__【大衆】图 대중. =民衆みんしゅう. ¶勤労きんろう～ 근로 대중/～食堂しょくどう〔作家さっか〕 대중 식당〔작가〕/～向むきの劇げき 대중을 대상으로 한 극.

—か【—化】图ス自他 대중화. ¶～したスポーツ 대중화한 스포츠.

—せい【—性】图 대중성. ¶～のある企画きかく 대중성이 있는 기획.

—だんこう【—団交】图 대중 단체 교섭; 대중이 직접 당국과 교섭함.

—てき【—的】ダナ 대중적. ¶～な読よみ物もの 대중적인 읽을거리/～な酒場さかば 대중적인 술집.

—ぶんがく【—文学】图 대중 문학. ↔純じゅん文学.

たいしゅう【体臭】图 체취. ¶男おとこの～ 남자의 체취/彼かれの～の強つよく出でた歌うた 그의 체취가 강하게 풍기는 노래.

*__たいじゅう__【体重】图 체중. ¶～計けい 체중계/～を量はかる 몸무게를 달다.

たいしゅつ【退出】图ス自 퇴출; (귀인 앞이나 근무처 등에서) 물러남. ¶御前ごぜんを～する 어전을 물러나다/役所やくしょから～ 관청에서 물러나다.

たいしゅつ【帯出】图ス他 대출; (비치된 책 등을) 가지고 나감. ¶～禁止きんし 대출 금지.

たいしょ【大書】图ス他 대서; 크게 드러나게 씀. ¶特筆とくひつ～する 대서특필하다.

たいしょ【大暑】图 대서. **1** 혹서(酷暑). **2** 24절기의 하나《7월 24일경》.

たいしょ【太初】图 태초. =太始たいし. ¶～の昔むかし 태초의 옛날.

*__たいしょ__【対処】图ス自 대처. ¶困難こんなんな事態じたいに～する 곤란한 사태에 대처하다/危機ききに～する 위기에 대처하다.

たいしょ【退所】图ス他 퇴소; 연구소 등 '소'가 붙은 조직에서 나옴〔사퇴함〕.

だいしょ【代書】㊀图ス他 대서; 대필. =代筆だいひつ. ¶～してもらう 대필해 받다. ㊁图 '代書人にん'의 준말.

—にん【—人】图 대서인. 参考 '司法書士しほうしょし(=사법 서사)·行政書士ぎょうせいしょし(=행정 서사)'의 구칭.

たいしょう【大正】图 大正天皇たいしょうてんのう 시대의 연호《1912-26》.

*__たいしょう__【大将】图 **1** 대장. ㉠군에서 장관(將官)의 최고급. ¶陸軍りくぐん～ 육군 대장. ㉡두목; 우두머리. ¶お山やまの～ (작은 집단 중에서) 혼자 우쭐하는 사람; 독불장군/餓鬼がき大将だいしょう 골목 대장. **2** 남을 친밀하게 또는 희롱조로 일컫는 말; 이 사람; 이 친구. ¶よう, ～, 元気げんきかい 이보게, 친구, 잘 있나/おい, ～どうした 이봐, 이 사람아 어떻게 된 거야/～, 一杯いっぱいいこうよ 이봐 친구,

한잔하러 가세. 「심 인물들.
—かぶ【—株】图 그 동아리 중에서 중
たいしょう【大笑】图ス自 대소. =おおわらい. ¶呵呵(かか)~ 가가대소.
たいしょう【大勝】《大捷》图ス自 대승; 압승; 대첩. ¶試合(しあい)に~した 경기에 대승했다 / ~を博(はく)する 크게 이기다. ↔大敗(たいはい).
たいしょう【大賞】图 대상. =グランプリ. ¶ディスク~ 디스크 대상.
たいしょう【対称】图 대칭. 1 균형을 이룸. ¶左右(さゆう)~ 좌우 대칭. 2〖數〗두 개의 점·선·도형 등이 어떤 점·직선에 대해 서로 맞선 위치에 놓임. =シンメトリー. ¶線(せん)〔点(てん)〕~ 선〔점〕 대칭. 3〖文法〗제2인칭. ↔自称(じしょう)·他称(たしょう).
たいしょう【対症】图〖醫〗대증; 질병의 여러 가지 증상에 대응하는 일.
—てき【—的】ダナ 대증적. 1 표면적인 증상에 따라 치료하는 모양. ¶~な療法(りょうほう) 대증적인 요법. 2 임시방편으로 처리하는 모양. ¶~な解決法(かいけつほう) 대증적〔표면적〕인 해결법.
—りょうほう【—療法】图 대증 요법; 그때그때의 증상에 따라 하는 치료법. ↔病因(びょういん)療法.
⁑たいしょう【対象】图 대상; 목표; 상대. =オブジェクト. ¶研究(けんきゅう)の~ 연구의 대상 / 子供(こども)を~とした放送(ほうそう) 어린이를 대상으로 한 방송.
—か【—化】图ス他 대상화; 객관화.
—ご【—語】图〖文法〗대상어; '水(みず)が飲(の)みたい(=물을 마시고 싶다)' '母(はは)が恋(こい)しい(=어머니가 그립다)'의 '水' '母'처럼 술어의 대상이 되는 사항을 나타내는 말·성분.
⁑たいしょう【対照】대조. 一图ス他 딴것과 맞추어 비교함. ¶~物(ぶつ) 대조물 / 訳文(やくぶん)を原文(げんぶん)と~する 번역문을 원문과 대조하다. 二图 두 개의 성질의 차가 뚜렷함. =コントラスト. ¶好(こう)~をなす 좋은 대조를 이루다 / おもしろい~をなしている 재미있는 대조를 이루고 있다.
—てき【—的】ダナ 대조적. ¶~な性格(せいかく) 대조적인 성격 / 白(しろ)と黒(くろ)は~だ 백과 흑은 대조적이다. 「ン.
たいしょう【隊商】图 대상. =キャラバ
たいじょう【退場】图ス自 퇴장. 1 그 장소에서 나옴. ¶お静(しず)かに~下(くだ)さい 조용히 퇴장해 주십시오. ↔入場(にゅうじょう). 2 그 장면을〔무대를〕 떠남. ↔登場(とうじょう)·出場(しゅつじょう).
だいしょう【代償】图 대상; 대가(代價). ¶けがさせた~として 부상시킨 보상으로 / 高価(こうか)な~を払(はら)う 비싼 대가를 치르다.
だいしょう【代将】图〖軍〗준장(准將).
だいしょう【大小】图 1 대소. ¶~さまざまの道具(どうぐ) 대소 각종 도구 / ~さまざまとりまぜる 대소 가지가지를 뒤섞다 / 事(こと)の~を問(と)わず 일의 대소를 가리지 않고. 2 허리에 차는 큰 칼·작은 칼. ¶~をたばさむ (허리에) 큰 칼과 작은 칼을 차다. 3 장구 모양으로 생긴 大鼓(おおつづみ)와 小鼓(こつづみ). 「しょう. じょう.
だいじょう【大乗】图〖佛〗대승. ↔小乗
—てき【—的】ダナ 대승〔대국〕적. ¶~見地(けんち) 대승적 견지. ↔小乗的(しょうじょうてき).
だいじょうだん【大上段】图 1 (검도에서) 칼을 머리 위로 높이 쳐든 자세《'上段(じょうだん)'의 힘줌말》. ¶~に振(ふ)りかぶる (칼을) 머리 위로 높이 쳐들다. 2 상대방을 위압하는 태도; 고자세. ¶~の発言(はつげん) 위압적인 발언 / 規約(きやく)を~にふりかざす 규약을 위압적으로 내세우다.
だいじょうふ【大丈夫】图 대장부. =ますらお·偉丈夫(いじょうふ). ¶~ともあろう者(もの)は女々(めめ)しく泣(な)き言(ごと)をいうものじゃない 사내대장부는 계집애처럼 우는소리 하는 게 아냐.
⁑だいじょうぶ【だいじょうぶ·大丈夫】ダナ 1 괜찮음; 걱정〔관계, 문제〕 없음; 틀림없음. ¶火事(かじ)にあっても~な建物(たてもの) 불이 나도 괜찮은〔안전한〕 건물 / この水(みず)は飲(の)んでも~でしょうか 이 물은 마셔도 괜찮을까요 / 戸締(とじ)まりは~かね, ~です 문단속은 잘되었나, 잘되었습니다 / あんな体(からだ)で~かしら 저런 몸으로 잘 해낼 수 있을는지. 2《副詞적으로》틀림없이; 확실히; 꼭. ¶~, あしたは天気(てんき)だ 틀림없이 내일은 날씨가 갠다 / 彼(かれ)なら~成功(せいこう)するよ 그라면 틀림없이 성공할 걸세.
だいしょうべん【大小便】图 대소변; 똥과 오줌. 「정맥.
だいじょうみゃく【大静脈】图〖生〗대
だいしょうり【大勝利】图 대승리. ¶~を博(はく)する 대승리를 얻다.
たいしょく【大食】图ス自 대식. =おおぐい. ¶無芸(むげい)~ 아무 재주도 없이 많이 먹기만 하는 사람을 비웃는 말. ↔小食(しょうしょく). 「찍 죽는다는 말.
—は命(いのち)の取(と)り越(こ)し 대식을 하면 일
—かん【—漢】图 대식한; 대식하는 남자. =健啖家(けんたんか). 注意 'たいしょっかん'이라고도 함.
たいしょく【耐食】《耐蝕》图 내식; 부식(腐蝕)에 견딤. ¶~性(せい) 내식성 / ~金属(きんぞく) 내식 금속. 注意 본디는 '耐蝕'.
たいしょく【退色】《褪色》图ス自 퇴색. ¶あざやかな色(いろ)ほど~しやすい 선명한 색일수록 퇴색하기 쉽다. 注意 '退色'로 씀은 대용(代用) 한자.
*たいしょく【退職】图ス自 퇴직. ¶定年(ていねん)~ 정년 퇴직 / ~手当(てあて) 퇴직 수당. ↔就職(しゅうしょく).
—ねんきん【—年金】图 퇴직 연금.
たいしょこうしょ【大所高所】图 자잘한 일에 구애되지 않고 넓고 큰 시야에 섬. ¶~から考(かんが)える〔ものを見(み)る〕 대국적 시야에서 생각하다〔사물을 보다〕.
—からすれば (사소한 일에 구애되지 않고) 넓고 큰 시야에서 보면.
だいじり【台じり】《台尻》图 총의 개머

리판. ＝床尾.
たい-じる【退治る】上1他 〈俗〉 1 퇴치하다. ¶害虫を～ 해충을 퇴치하다. 2깨끗이 먹어치우다. ＝たいらげる. 参考 '退治'를 動詞化한 말.
たいしん【大震】名 대진; 큰 지진. ＝大地震.
たいしん【耐震】名 내진; 지진에 견딤. ¶～性 내진성 / ～建築 내진 건축.
たいじん【大人】名 대인. 1 어른; 성인. ＝だいにん·おとな. ¶～二千円, 小人千円 어른 2천 엔, 어린이 천 엔. ↔小人. 2 덕이 높은 훌륭한 사람. ¶～の風格がある 대인의 풍격이 있다. ↔小人.
たいじん【対人】名 대인. ¶～関係 대인 관계 / ～保険 대인 보험 / ～恐怖症 대인 공포증.
──じらい【──地雷】名 대인 지뢰.
たいじん【対陣】名ス自 대진. ¶敵味方が～する 적과 아군이 대진하다.
たいじん【退陣】名ス自 퇴진. 1 진지를 뒤로 물림. ＝退却. ¶補給路を絶たれて～する 보급로를 끊겨서 퇴각하다. 2 사퇴. ¶内閣に～を迫る 내각에 퇴진을 강요하다 / ～に追い込む 퇴진으로 몰아넣다.
だいしん【代診】名ス他 대진; 대리 진찰; 또, 그 사람. ＝代脈.
だいじん【大尽】名 1 (江戸 시대에) 큰 부자의 일컬음. 2 화류계에서 호유(豪遊)하는 사람. ¶～遊び 유흥가에서 돈을 마구 뿌리며 흥청거리고 놂.
──風を吹かす 부자티를 내며 거드럭거리다.
***だいじん**【大臣】名 대신; 장관. ¶外務～ 외무 대신 / 伴食～ 실권·실력이 없는 장관.
だいしんさい【大震災】名 대진재; 대지진의 재해. 参考 1923년 9월 1일의 関東 대지진을 가리키는 일이 많음.
だいじんぶつ【大人物】名 대인물; 위대한 인물. ↔小人物.
ダイス [dice] 名 다이스. 1 주사위(놀이). 2 도박.
だいず『大豆』名〔植〕대두; 콩. ¶～粕 대두박; 콩깻묵 / ～もやし 콩나물.
──ゆ【──油】名 대두유; 콩기름.
たいすい【大酔】名ス自 대취. ＝泥酔·酩酊. ¶～して帰宅する 대취해서 집에 돌아오다.
たいすい【耐水】名 내수; 물에 견딤. 1 물에 젖어도 수분이 속까지 스며들지 않음. ¶～紙 내수지. 2 물에 잠겨도 변질하지 않음. ¶セメントは～性がある 시멘트는 내수성이 있다.
たいすい【退水】名ス自 (강 따위의) 불었던 물이 빠짐. ↔出水.
たいすう【対数】名〔數〕로그; 로가리듬. ¶～尺〔表〕 로그자〔표〕 / ～関数 로그 함수 / 常用～ 상용 로그.
だいすう【代数】名 대수. 1 세대(世代)의 수. 2 '代数学'의 준말. ¶～学 대수학 / ～方程式 대수 방정식.
だいすう【台数】名 대수. ¶自動車の生産～ 자동차 생산 대수.
だいすき【大好き】ダナ 매우 좋아하는 모양. ¶～な食べ物 매우 좋아하는 음식 / 君の～なものはなにか 네가 가장 좋아하는 것은 무엇이냐. 参考 口語에서는 語幹만으로도 씀. ¶パパ, ～ 아빠, 참 좋아.
たい-する【体する】サ変他 명심하여 지키다. ¶命令を～ 명령을 명심하다 / 師の教えを～ 스승의 가르침을 명심하여 지키다.
****たい-する**【対する】サ変自 1 대하다. ㉠ 마주보다; 마주하다. ¶～二つの辺 마주하는 두 변 / 役場と公民館が道をはさんで相～ 관청과 공민관이 길을 사이에 두고 마주 대하다. ㉡ 짝이 되다; 대조가 되다. ¶白に～黒 백에 대한 흑 / 善に～悪 선에 대한 악. ㉢ 상대하다; 응하다. ¶親に～態度 부모에게 대하는 태도 / 政治に～関心 정치에 대한 관심. ㉣ 응대하다. ¶親切な態度で客に～ 친절한 태도로 객을 대하다. ㉤ 대항하다; 맞서다. ¶全力をあげて強敵に～ 전력을 다해 강적에 맞서다. ㉥《흔히 連体形나 '…に～·して'의 꼴로》…에 대하여. ¶質問に～·して答える 질문에 대하여 대답하다. 2 비하다. ¶品質に～·して安い値段 품질에 비해 싼 값.
たい-する【帯する】サ変他 허리에 차다; 몸에 지니다. ¶両刀を～ 쌍칼을 차다 / 弓矢を～ 활과 화살을 지니다.
だい-する【題する】サ変他 1 제목을 붙이다. ¶'現代人と健康'と～講演 '현대인과 건강'이라고 제목을 내건 강연. 2 어떤 사물을 제목으로 시를 짓다. ¶花に～ 꽃이라는 제목으로 시를 짓다.
たいせい【大成】대성. 一名ス他 1 훌륭히 이룩함. ¶近代医学の～ 근대 의학의 대성. 2 집대성함. ¶研究を～する 연구를 집대성하다. 二名ス自 전문 분야에서 업적으로 세움. ¶作家として～する 작가로 대성하다. ↔小成.
たいせい【大声】名 대성. ＝おおごえ. ¶～を発する 큰 소리를 내다.
──しっこ【──疾呼】名ス自 대성질호; 대성일갈.
たいせい【大勢】名 대세. ¶～を占める 대세를 점하다 / ～に従う〔順応する〕 대세에 따르다〔순응하다〕 / ～に押される 대세에 밀리다 / ～はすでに決まった 대세는 이미 결정되었다. 注意 'おおぜい'로 읽으면 다른 말.
たいせい【退勢】《頽勢》名 퇴세; 쇠퇴하는 형세. ＝衰勢. ¶社運の～を挽回する 사운의 퇴세를 만회하다. 注意 '退勢'로 씀은 대용 한자.
***たいせい**【態勢】名 태세. ¶防禦～ 방

어 태세 / 受け入れ～ 수용 태세 / 万全の～ 만전의 태세 / 準備～を整える 준비 태세를 갖추다.

たいせい【体勢】图 몸의 자세. ¶有利〔不利〕な～ 유리〔불리〕한 자세 / ～をたてなおす 자세를 고치다.

***たいせい**【体制】图 체제. ¶～派 체제파; 지배자측 그룹 / 戦時～ 전시 체제 / 反～運動 반체제 운동 / ～が揺らぐ 체제가 흔들리다 / ～に迎合する 체제에 영합하다 / 集団指導～を定める 집단 지도 체제를 정하다.

―がわ【―側】图 체제측〔쪽〕; 지배자측; 정부측.

たいせい【泰西】图 태서; 서양. ¶～の名画 태서의 명화. ↔泰東.

たいせい【胎生】图〔生〕태생. ¶～魚 태생어 / 哺乳類は～である 포유류는 태생이다. ↔卵生.

たいせい【耐性】图 내성. ¶～菌 내성균 / ～が出来る 내성이 생기다.

たいせいほうかん【大政奉還】图 1867년 11월, 江戸幕府가 정권을 明治天皇에게 반환한 일.

たいせいよう【大西洋】图 대서양.

たいせき【大石】图 **1** 대석; 큰 돌. **2** 바둑에서, 대마(大馬). ¶～死せず 대마불사(不死).

―で卵を砕く **1** 매우 손쉬운 일의 비유. **2** 매우 과장된 일의 비유.

たいせき【体積】图 체적; 부피. ¶温度の上昇にともなって～が膨脹する 온도 상승에 따라 부피가 팽창하다.

たいせき【退席】图ス自 퇴석. ¶会議の途中で～した 회의 도중에 퇴석하였다. ↔出席.

たいせき［堆積］图ス自他 퇴적. **1** 여러 겹으로 높이 쌓임; 또, 그렇게 쌓음. ¶落ち葉の～ 낙엽의 퇴적 / ごみの～を処分する 쓰레기 더미를 처분하다. **2** 토사(土砂)가 풍우나 물·빙하의 힘으로 운반되어 어느 장소에 쌓임. ¶～平野 퇴적 평야.

―がん［―岩］图 퇴적암; 수성암. ↔火成岩.

―さよう【―作用】图〔地〕퇴적 작용.

たいせき【滞積】图ス自 적체(積滯). ¶列車不通で貨物が～する 열차 불통으로 화물이 쌓이다.

たいせつ【大雪】图 대설. **1** 큰눈. ＝おおゆき. **2** 24절기의 하나《양력 12월 7일경》. ↔小雪.

****たいせつ**『大切』ダナ **1** 중요. ㉠귀중; 소중. ¶～な資源 귀중한 자원 / 私にとって～な人 나에게 있어 소중한 사람 / 命を～にする 목숨을 소중히 하다. ㉡필요. ¶健康には睡眠が～だ 건강에는 수면이 중요하다. **2** ㉠조심. ¶～に扱う 조심해서 다루다 / それではせっかくご～に 그럼 아무쪼록 몸조심하십시오. ㉡고비. ¶今日明日が～なところです 오늘내일이 고비입니다.

たいせん【大戦】图 대전; 특히, 세계 대전. ¶～にまで発展する (세계) 대전으로까지 발전하다.

たいせん【対戦】图ス自 대전. ¶～成績 대전 성적 / S校と～する S교와 겨루다.

たいせん【対潜】图 대잠; 대잠수함. ¶～哨戒機 대잠 초계기.

たいぜん【大全】图 대전. **1** 완전히 갖추어짐. **2** 관계 있는 저작이나 사물을 전부 수록한 책. ¶釣魚～ 조어 대전 / 料理法～ 요리법 대전.

たいぜん【泰然】トタル 태연. ¶～として事に当たる 태연히 일을 처리하다.

―じじゃく【―自若】トタル 태연자약. ¶～としている 태연자약하다.

だいぜんてい【大前提】图 대전제. ¶それを知ることが～だ 그것을 아는 것이 대전제이다 / まず罪を認めることが～だ 우선 죄를 인정하는 것이 대전제이다. ↔小前提.

***たいそう**【体操】图 체조. ¶～競技 체조 경기 / ラジオ～ 라디오 체조 / 器械〔徒手〕～ 기계〔맨손〕체조.

***たいそう**『大層』㊀副 매우; 몹시; 굉장히; 무척; 대단히. ＝たいへん. ¶～きれいだ 매우 아름답다 / ～お金のかかる事業 무척 돈이 드는 사업 / 今日は～暑い 오늘은 무척 덥다.

㊁ダナ 어마어마함; 과장함. ¶～なごちそう〔人出〕어마어마한 성찬〔인파〕/ ～な構えの邸 어마어마한 규모의 저택 / ～にいう 거창하게 말하다.

―らし・い 形〈俗〉대단한 것처럼 꾸미다; 흥감부리다. ¶かすり傷に～・く包帯をする 생채기에다 야단스럽게 붕대를 감다 / 何でもないことを～・く言う 아무것도 아닌 것을 야단스럽게〔거창하게〕말한다.

だいそう【代走】图〔野〕대주; 대주자. ＝ピンチランナー.

だいそつ【大卒】图 '大学卒業(＝대학 졸업)'의 준말. ¶～社員 대졸 사원 / ～者募集 대졸자 모집.

だいそれた『大逸れた』連体 아주 도리에 벗어난; 당찮은; 엉뚱한; 엄청난. ¶～考え 당찮은〔엉뚱한〕생각 / ～望みを抱く 엉뚱한 소원을 품다 / ～罪を犯す 엄청난 죄를 범하다. 注意 'おおそれた'로 읽음은 비표준적임.

たいだ【怠惰】名ナ 태타; 나태; 태만; 게으름. ＝おこたり·懶惰. ¶～な生活 나태한 생활 / ～になる 나태해지다. ↔勤勉.

だいだ【代打】图ス自〔野〕대타. ＝ピンチヒッター. ¶～に立つ 대타로 나가다.

だいたい【代替】图ス他 대체. ¶～品 대체품 / ～物 대체물 / ～効果 대체 효과 / ～エネルギー 대체 에너지.

だいたい［大腿］图 대퇴; 넓적다리. ＝(ふと)もも. ¶～部 대퇴부.

―こつ［―骨］图 대퇴골.

**だいたい【大体】[一][名][副] 1 대체(로); 줄거리; 대강. =おおよそ·あらまし. ¶~の見積もり 대강의 어림 / ~において意見が一致した 대체로 의견이 일치했다 / 話の~をまとめる 이야기의 줄거리를 정리하다. 2 대개; 대다수; 대략. =たいてい. ¶~五百人くらい 대략 오백명 가량 / 出席者の~は賛成した 참석자의 대다수는 찬성했다. [二][副] 도대체; 도시; 본시; 본래. ¶~おまえが悪いのだ 도시 네가 나쁘다 / ~君の考え方がまちがっている 도시 자네 생각이 틀렸네 / ~私がそんなことを言った覚えはない 도시 내가 그런 말을 한 기억은 없다.

だいだい〖橙〗[名] 1〖植〗등자(나무). 2 'だいだい色'의 준말.

—いろ【—色】[名] 오렌지[주황]색; 귤색.

だいだい【代代】[名] 대대; 역대. =よよ. ¶先祖~ 조상 대대 / ~の老舗 대대로 내려오는 노포 / 私の家は~医者です 우리집은 대대로 의사를 하고 있습니다.

だいだいてき【大大的】[ダナ] 대대적. ¶~な報道 대대적인 보도 / ~に宣伝する 대대적으로 선전하다.

だいだいと【大大と】[副]〈俗〉크게; 큰대자로. ¶部屋のまんなかに~寝そべる 방 한가운데에 큰대자로 드러눕다.

だいたすう【大多数】[名] 대다수; 또, 반수 이상. ¶~の意見 대다수의 의견.

たいだん【対談】[名][ス自] 대담. ¶~記事 대담 기사. ↔独話.

たいだん【退団】[名][ス自] 퇴단. ¶劇団を~する 극단을 퇴단하다 / 今シーズン限りで~する 이번 시즌을 끝으로 퇴단한다. ↔入団.

*だいたん【大胆】[ダナ] 대담. 1 겁없음. =豪胆. ¶~にも単身敵陣に乗り込む 대담하게도 단신 적진에 뛰어들다. 2 당돌함; 무모함. ¶一文無しで大陸横断するとは~過ぎるよ 무일푼으로 대륙 횡단을 하다니 너무 무모하네. 3 과감한 모양. ¶~なデザイン 대담한 디자인. ⇔小胆.

—ふてき【—不敵】[名ナ] 대담무쌍. ¶~なふるまい 대담무쌍한 행동.

だいだんえん【大団円】[名] 대단원; 끝. =大尾·フィナーレ. ¶~をつげる 대단원을 고하다 / その連続放送劇は~になった 그 연속 방송극은 대단원의 막을 내렸다. [参考] '団円'은 결말의 뜻; 비극의 경우에는 특히 'カタストロフィー'라고 함.

たいち【対地】[名] 대지. ¶~攻撃 대지 공격 / 航空機の~速度 항공기의 대지 속도 / 空~ミサイル 공대지 미사일. ↔対空.

たいち【対置】[名][ス他] 대치; 대조적인 위치에 둠. ¶修正案を~させる 수정안을 대치시키다.

だいち【代置】[名][ス他] 대치; 어떤 것 대신으로 둠. ¶Xのところに3を~する X의 자리에 3을 대치하다.

だいち【台地】[名] 대지; 주위보다 높은 평지. ¶溶岩~ 용암 대지.

*だいち【大地】[名] 대지; 땅. ¶~の恵み 대지가 베푸는 은택(恩澤) / 母なる~ (만물의) 어머니[근원]인 대지 / 見渡すかぎりの~ 끝없이 펼쳐진 대지 / ~を踏みしめる 대지를 힘껏 밟다 / ~を耕す 땅을 갈다.

たいちょ【大著】[名] 대저. ¶後世に残る~ 후세에 남는 대저. ↔小著.

たいちょう【退庁】[名][ス自] 퇴청. ¶~時間 퇴청 시간. ↔登庁.

たいちょう【退潮】[名] 퇴조. 1 썰물. =ひきしお. 2 쇠약해짐; 쇠퇴. ¶~のきざし 쇠퇴의 조짐 / 景気の~ 경기 퇴조.

たいちょう【隊長】[名] 대장. ¶探検~ 탐험 대장 / ~として部下を指揮する 대장으로서 부하를 지휘하다.

たいちょう【体長】[名] (동물의) 체장; 몸길이. ¶~を計る 몸길이를 재다.

たいちょう【体調】[名] (스포츠에서) 몸의 상태; 컨디션. =コンディション. ¶~を崩す (몸의) 컨디션을 해치다 / ~を整える 컨디션을 조정하다.

だいちょう【台帳】[名] 1 대장; 장부; 원부(原簿). ¶土地~ 토지 대장. 2 연극 대본; 극본. =台本.

だいちょう【大腸】[名]〖生〗대장; 큰창자. ¶~菌 대장균.

—カタル [도 Katarrh] [名]〖醫〗대장 카타르; 대장염. =大腸炎.

タイツ [tights] [名] 타이츠; 끝이 양말로 되어 있는, 몸에 착 달라붙는 좁은 바지; 또, 그런 옷.

だいつき【台付き】[名] 받침대가 붙어 있음. ¶~の鏡 받침대가 달린 거울.

たいてい【大帝】[名] 대제; 위대한 제왕. ¶ピーター~ 피터 대제.

たいてい【退廷】[名][ス自] 퇴정; 법정에서 물러감. ¶~を命ぜられる 퇴정 명령을 받다 / 裁判官が~する 재판관이 퇴정하다. ↔入廷·出廷.

**たいてい〖大底·大抵〗[副ナ] 1 ㉠대개; 대부분; 대강. =だいたい. ¶~の事は知っている 대개는 알고 있다 / あの本なら~(は)空で覚えている 그 책이라면 대부분 외고 있다. ㉡정도껏; 적당히. ¶いたずらも~にするがいい 장난도 정도껏 해야지 / そうえり好みしないで~なところでがまんするんだね 그렇게 너무 까다롭게 가리지 말고 적당히 만족해야지. 2《뒤에 否定의 말을 수반하여》보통. =ひととおり. ¶~ではない 보통이 아니다 / ~の事じゃ承知すまい 여간해서는 승낙하지 않을 걸(세) / ここまで築き上げるのは(並)~ではなかったでしょうね 여기까지 쌓아 올리기란 여간 일이 아니었을 테죠.

たいてき【大敵】[名] 대적. 1 강적; 만만치 않은 적. ¶油断~ 방심은 대적[금

物〕. **2** 수많은 적. ⇔小敵.

たいてん【大典】名 대전. **1** 나라의 큰 의식. ＝大礼. ¶御即位の～ 즉위의 대전. **2** 중대한 법전. ¶不磨の～ 불마의 대전《헌법의 일컬음》.

たいでん【帯電】名ス自〔理〕대전; (어떤 물체가) 전기를 띰. ¶～体 대전체 / 棒を絹布でこすると～する 막대기를 비단 헝겊으로 문지르면 대전한다.

—**ぼうしかこう**【—防止加工】名 (섬유 제품의) 대전 방지 가공.

たいと【泰斗】名 태두; 권위자. ¶物理学の～ 물리학의 태두. 参考 '泰山北斗(＝태산북두)'의 준말.

タイト [tight] 名ダナ 타이트. **1** 팽팽함; 몸에 꼭 맞음. ¶～なデザインの服 몸에 꼭 끼는 디자인의 옷. **2** 'タイトスカート'의 준말.

—**スカート** [tight skirt] 名 타이트 스커트.

**たいど【態度】名 태도. ¶心的～ 심적 태도; 마음의 자세 / 真剣な～ 진지한 태도 / 試験にのぞむ～ 시험에 임하는 태도 / 堂々たる～ 당당한 태도 / ～を改める 태도를 고치다.

—**が大きい** 분수를 모르는 태도다; 건방진 태도다.

たいとう【大盗】名 대도; 큰 도둑. ＝だいとう·おおどろぼう·大賊.

たいとう【大統】名 대통; 임금의 계통.

たいとう【台頭】《擡頭》名ス自 대두; 머리를 치켜 듦; 진출. ¶新人の～ 신인의 대두 / 新興勢力〔軍国主義〕が～する 신흥 세력이〔군국주의가〕대두하다.

*__たいとう__【対等】ダナ 대등. ¶～の資格〔関係〕 대등한 자격〔관계〕/ ～に扱う 대등하게 다루다 / ～の立場に立つ 대등한 입장에 서다.

たいとう【帯刀】名ス自 대도; 칼을 허리에 참; 또, 그 칼. ¶～を許す 대도를 허가하다.

—**ごめん**【—御免】名 江戸 시대에 무사 이외의 공이 있는 농민이나 평민에게 특별히 대도를 허가한 일. ¶～の町人 대도를 허락받은 상인.

たいどう【胎動】名ス自 태동. **1** 태아의 움직임. ¶四箇月ごろから～を感ずる 4개월쯤부터 태동을 느낀다. **2** 새로운 기운이 싹틈. ＝芽ばえ. ¶～期 태동기 / 新時代の～ 신시대의 태동 / 革命の気運が～する 혁명의 기운이 태동하다.

たいどう【帯同】名ス他 대동; 동반. ¶秘書を～する 비서를 대동하다.

だいとう【大刀】名 대도; 큰 칼; 긴 칼. ¶～を腰に差す 큰 칼을 허리에 차다. ⇨わきざし. ↔小刀.

だいどう【大同】대동. 一名 대체로 같음. ¶小異を捨てて～につく 약간의 차이는 있어도 여럿이 지지하는 의견에 따르다. 二名ス自 합동함.

—**しょうい**【—小異】名 대동소이. ¶～の実力 대동소이한 실력 / ～で優劣を付けがたい 대동소이해서 우열을 가리기가 어렵다.

—**だんけつ**【—団結】名ス自 대동단결. ¶各派の～を望む 각파의 대동단결을 바라다.

だいどう【大道】名 대도. **1** 큰길; 대로. ¶天下の～ 천하의 대로. **2** 거리; 길가. ¶～演説 가두 연설. **3** 사람으로서 행해야 할 바른 길. ¶正義の～ 정의의 대도 / 政治の～ 정치의 대도.

—**げいにん**【—芸人】名 거리에서 행인을 상대로 재주를 부리는 예능인.

—**むもん**【—無門】名〔佛〕대도무문《불도를 닦는 데에는 일정한 법식이 없다는 말》.

だいとうあせんそう【大東亜戦争】名 ☞たいへいようせんそう.

だいどうみゃく【大動脈】名 대동맥《비유적으로도 씀》. ¶陸上交通の～ 육상 교통의 대동맥. ↔大静脈.

だいとうりょう【大統領】名 **1** 대통령. ¶～補佐官 대통령 보좌관. **2**〈俗〉친밀감을 나타내어 부르는 말. ¶よう, ～ 야아, 대통령《연기가 훌륭한 배우에게 친밀감을 갖고 지르는 소리》.

たいとく【体得】名ス他 체득. ¶受験のこつを～する 수험의 요령을 체득하다 / 部下を統率することの辛労を～する 부하 통솔의 어려움을 체득하다.

だいどく【代読】名ス他 대독. ¶祝辞を～する 축사를 대독하다.

だいどころ【台所】名 **1 부엌. ＝だいどこ·くりや. **2** 비유적으로, 살림; 가계(家計). ¶～が苦しい 살림이 어렵다 / 一家の～を預かる 한 집안의 살림을 맡다 / 会社の～は火の車だ 회사의 재정 형편은 말이 아니다.

タイトル [title] 名 타이틀. **1** 표제; 제목. ㉠책 이름. ㉡영화의 자막. **2** 직함; (학위 등의) 칭호. ¶サーの～ 경(卿)이라는 칭호. **3** 선수권 (보유자로서의 자격). ¶～を失う〔奪還する〕 타이틀을 잃다〔탈환하다〕.

—**バック** [일 title＋back] 名 타이틀 백; 자막의 배경 화면.

—**マッチ** [title match] 名 타이틀 매치.

たいない【体内】名 체내. ↔体外.

—**じゅせい**【—受精】名 체내 수정. ↔体外受精.

たいない【対内】名 대내. ¶～政策 대내 정책 / ～問題 대내 문제. ↔対外.

たいない【胎内】名 태내. ＝胎中. ¶～に宿る 태내에 잉태하다.

だいなし『台無し』名ダナ 아주 망그러짐; 엉망이 됨; 못 쓰게 됨; 잡침. ¶雨にぬれて服が～になった 비에 젖어 옷이 엉망이 되었다 / 計画が～だ 계획을 잡쳐 버렸다 / せっかくの苦労が～だ 모처럼의 고생이 허사가 되었다.

ダイナマイト [dynamite] 名 다이너마이트. ¶～で岩をくずす 다이너마이트로

바위를 허물다.

ダイナミック [dynamic] ダナ 다이내믹; (활)동적. ¶～な走法 다이내믹한 주법/～スピーカー 음량을 크게 할 수 있는 스피커. ↔スタティック.

ダイナモ [dynamo] 图 다이너모; 발전기.

だい-なり【大なり】ナリ 크다. ¶期待は～·なるものがある 기대는 (자못) 큰 바가 있다. ↔小なり.

—小なり 크건 작건(간에); 어떻든. ＝ともかくも. ¶人は～欠点がある 사람에겐 크건 작건 결점이 있다/～似たようなものだ 크건 작건 비슷하다.

だいに【第二】图 제이; 둘째. ¶～人生 제2의 인생.

—ぎ【—義】图 제이의; 이차적. ¶～的な問題 제이의적인 문제.

—じせかいたいせん【—次世界大戦】图 제2차 세계 대전《1939-45》.

た

たいにち【滞日】图ス自 체일; 일본에 머무름. ¶一年間～する予定 1년간 체일할 예정.

たいにち【対日】連体 대일. ¶～貿易 대일 무역/～感情を害する 대일 감정을 해치다.

だいにゅう【代入】图ス他〔數〕대입.

たいにん【大任】图 대임; 막중한 임무. ¶～を果たす 대임을 완수하다.

たいにん【体認】图ス他 체험으로 확실히 인식함. ＝体得. ¶親のありがたみを～する 부모의 고마움을 체험으로 알다.

たいにん【退任】图ス自他 퇴임. ¶任期途中で～する 임기 도중에 퇴임하다/部長の職を～する 부장직을 퇴임하다. ↔就任.

だいにん【大人】图 대인; 어른. ＝おとな·たいじん. ↔小人.

だいにん【代人】图 대리인. ＝名代. ¶～を務める 대리로 임무를 수행하다.

だいにん【代任】图ス自 대임; 본인을 대신해서 임무를 맡음; 또, 그 사람.

ダイニング [dining] 图 다이닝. **1** 식사. **2** 'ダイニングルーム'의 준말.

—キッチン [일 dining＋kitchen] 图 다이닝 키친; 주방과 식당을 겸한 양실. ＝DK.

—ルーム [dining room] 图 다이닝 룸《식당으로 쓰는 방》.

たいねつ【耐熱】图 내열. **1** 높은 열에도 변질하지 않음. ¶～性 내열성/～ガラス 내열 유리/～材料 내열 재료. **2** 더위를 견딤. ¶～行軍 내열 행군.

だいねん【代燃】图 '代用燃料(＝대용 연료)'의 준말. ¶～車 가솔린 이외의 연료를 사용하는 자동차의 총칭.

だいの【大の】連語《連体詞적으로》**1** 큰. ¶～男 커다란 사나이; 또, 장부(丈夫)/それが～大人のやることか 그것이 어른으로서 할 짓이냐. **2** 매우 …한〔하는〕; 대단한. ¶～好物 매우 좋아하는 것〔물건〕/～仲よし 대단히 친한 친구.

たいのう【滞納】《怠納》图ス他 체납. ¶～者 체납자/税金〔所得税〕を～する 세금을〔소득세를〕체납하다.

だいのう【大脳】图〔生〕대뇌. ¶～皮質 대뇌 피질. ↔小脳.

—し【—死】图 대뇌사《대뇌 기능이 정지되는 일》.

だいのう【大農】图 대농. **1** 대규모 농업. ¶～式 대농식. **2** 호농(豪農); 큰 농가. ⇔小農.

—けいえい【—経営】图 대농 경영; 넓은 농지를 기계력에 의해서 경영하는 농업. ＝大農法. ↔小農経営.

だいのう【代納】图ス他 대납. **1** 본인 대신 납부함. ¶税金を～する 세금을 대납하다. **2** 금전 대신 현물로 납부함. ¶小作料の～として籾を納める 소작료의 대납으로 벼를 바치다.

だいのうかい【大納会】图 납회; 거래소에서 그 해에 마지막으로 열리는 입회(立會). ↔大発会.

だいのじ【大の字】图 큰대자; 또, 그런 모양. ¶～なり 큰대자 모양/～に(なって)寝る 큰대자로 누워 자다《네 활개를 펴고 자다》.

だいのつき【大の月】图 큰 달; 한 달의 날수가 양력으로 31일, 음력으로는 30일인 달. ↔小の月.

だいのむし【大の虫】图〈俗〉큰 것; 귀중한 것. ↔小の虫.

—を生かして小の虫を殺す 대를 살리기 위해 소를 희생하다.

たいは【大破】图ス自他 대파. ¶船が衝突して～した 배가 충돌하여 대파했다. ↔小破.

ダイバー [diver] 图 다이버. **1** 다이빙 선수. **2** 잠수부.

たいはい【大敗】图ス自 대패. ＝おおまけ. ¶～を喫する 참패를 맛보다/初戦で～する 초전에 대패하다. ↔大勝.

たいはい【退廃】《頽廃》图ス自 퇴폐. ＝頽唐·デカダンス. ¶道徳の～ 도덕의 퇴폐/風紀が～する 풍기가 퇴폐하다. 注意 '退廃'로 씀은 대용 한자.

—てき【—的】ダナ 퇴폐적. ¶～な歌謡 퇴폐적인 가요.

だいばかり【台ばかり】《台秤》图 대칭; 앉은뱅이저울. ＝かんかんばかり.

だいはちぐるま【大八車·代八車】图 두세 사람이 끌어야 할 만큼 큰 짐수레. ＝だいはち.

たいばつ【体罰】图 체벌; 신체에 고통을 주는 벌. ¶～を与える〔加える〕체벌을 주다〔가하다〕.

だいはっかい【大発会】图 발회; 거래소에서 그 해에 처음 열리는 입회(立會). ↔大納会.

たいはん【大半】图 태반; 과반; 대부분. ＝大部分·おおかた. ¶～を占める 태반을 차지하다/～を失う 대부분을 잃다/～の仕事は終わった 일의 태반은 끝났다/仕事は～かたづいた 일은 대부분 정리가 되었다. 参考 副詞적으로도 쓰임.

たいばん【胎盤】图〘生〙태반.

だいばんじゃく【大盤石】《大磐石》图 대반석《비유로도 쓰임》. ¶~の備(そな)え 반석같은 방비 / これで会社(かいしゃ)も~だ 이로써 회사도 반석처럼 튼튼하게 되었다.

たいひ [堆肥] 图 퇴비; 두엄. =つみごえ. ¶~を施(ほどこ)す 퇴비를 주다.

*たいひ【対比】图スル他 대비; 비교; 견줌. ¶二国(にこく)の生活水準(せいかつすいじゅん)を~する 두 나라의 생활 수준을 비교하다 / 二案(にあん)を~して考(かんが)える 두 안을 대비해서 생각하다.

—てき【—的】ダナ 대비적; 대조적. ¶~な性格(せいかく) 대조적인 성격 / ドイツ人(じん)とフランス人(じん)との国民性(こくみんせい)は~だ 독일 사람과 프랑스 사람의 국민성은 대조적이다.

たいひ【待避】图スル他 대피. ¶~所(じょ) 대피소 / 普通列車(ふつうれっしゃ)が特急(とっきゅう)を~する 보통 열차가 특급을 대피하다.

たいひ【退避】图スル自 퇴피; 물러나서 위험을 피함. ¶~命令(めいれい) 퇴피 명령 / ~訓練(くんれん) 퇴피 훈련 / 安全(あんぜん)な地点(ちてん)に~する 안전한 지점에 퇴피하다 / 婦女子(ふじょし)や病人(びょうにん)を~させる 부녀자와 병자를 피난시키다.

たいび【大尾】图 대미; 종국(終局); 종말; 결말. =終(お)わり. ¶その連載(れんさい)小説(しょうせつ)は今日(きょう)で~となる 그 연재소설은 오늘로 끝난다.

タイピスト [typist] 图 타이피스트; 타자수.

だいひつ【代筆】图スル他 대필(자). =代書(だいしょ). ¶手紙(てがみ)を~する 편지를 대필하다. ↔直筆(じきひつ)·自筆(じひつ)·偽筆(ぎひつ).

*たいびょう【大病】图 큰 병; 중병; 중환. =重患(じゅうかん)·大患(たいかん). ¶~をわずらう 중병을 앓다.

だいひょう【大兵】图 우람스러운 몸집; 또, 그 사람. ¶~肥満(ひまん) 몸집이 크고 뚱뚱함. ↔小兵(こひょう).

**だいひょう【代表】图スル他 대표. ¶~曲(きょく) 대표곡 / ~作(さく) 대표작 / ~社員(しゃいん) 대표 사원 / 日本(にほん)~ 일본 대표 / 親族(しんぞく)を~してあいさつする 친족을 대표하여 인사하다.

—てき【—的】ダナ 대표적. ¶現代(げんだい)日本(にほん)の~作曲家(さっきょくか) 현대 일본의 대표적 작곡가.

—とりしまりやく【—取締役】图 (주식회사·유한 회사의) 대표 이사.

タイピン [tiepin] 图 타이핀; 넥타이핀.

ダイビング [diving] 图スル自 다이빙. **1** 수영에서의 뛰어들기; 또, 장비를 갖고 잠수하는 스포츠. ¶スキン~ 스킨 다이빙. **2** 비행기의 급강하. **3** 낙하산 강하. ¶スカイ~ 스카이 다이빙.

たいぶ【大部】一 名ナ (책이나 문서의) 분량이 많음. =大冊(たいさつ). ¶全(ぜん)三十巻(さんじっかん)に及(およ)ぶ~の全集(ぜんしゅう) 전 30권에 달하는 대전집 / ~の文書(ぶんしょ) 두툼한 문서. ↔小部(しょうぶ). 二 图 대부분. =大部分(だいぶぶん)·おおかた. ¶~はできた 거의 다 되었다.

たいぶ【退部】图スル自他 퇴부; 야구부·테니스부 따위 '부'의 이름이 붙는 단체에서 물러나 그만둠. ↔入部(にゅうぶ).

*タイプ [type] 一 图 타입; 형(型). ¶学者(がくしゃ)~ 학자 타입 / 新(あたら)しい~の機械(きかい) 새로운 형의 기계.

二 图スル他 타이프; 'タイプライター'의 준말; 또, 타이프라이터를 치는 일; 타자. ¶英文(えいぶん)~ 영문 타이프 / ~を打(う)つ 타이프를 치다 / 送(おく)り状(じょう)を~する 송장을 타이핑하다.

—ライター [typewriter] 图 타이프라이터; 타자기. ¶邦文(ほうぶん)~ 일문 타자기.

**だいぶ〖大分〗副 상당히; 어지간히; 꽤. =よほど·かなり·ずいぶん. ¶成績(せいせき)は~良(よ)くなった 성적은 꽤 좋아졌다 / ~病気(びょうき)が悪(わる)い 상당히 병이 심하다. 注意 'だいぶん'이라고도 함.

*たいふう【台風】《颱風》图 태풍. =タイフーン. ¶~警報(けいほう) 태풍 경보 / ~が発生(はっせい)する 태풍이 발생하다. 注意 '台風'로 씀은 대용 한자.

—いっか【—一過】图 태풍 일과. ¶~の青空(あおぞら) 태풍이 한바탕 불고 지나간 후의 푸른 하늘.

—のめ【—の目】图 태풍의 눈. **1**〘氣〙 태풍의 중심부에 생기는 잔잔한 구역. =台風眼(がん). **2** 격동 속의 중심 (인물). ¶政界再編(せいかいさいへん)の~となる 정계 재편의 태풍의 눈이 되다.

だいふく【大福】图 **1** 대복; 큰 복. **2** 부자이며 복이 많은 사람. ¶~長者(ちょうじゃ) 복 많은 부자. **3** '大福もち'의 준말.

—ちょう【—帳】图 상가(商家)의 매매 원장(元帳)《표지에 '大福帳'라 쓰고 가로가 긺》.

—もち〖—餅〗图 팥소가 든 둥근 찹쌀떡.

たいぶつ【対物】图 대물. ¶~保険(ほけん) 대물 보험.

—レンズ [lens] 图〘理〙 대물 렌즈. ↔接眼(せつがん)レンズ.

だいぶつ【大仏】图 대불; 큰 불상. ¶奈良(なら)の~ 奈良의 東大寺(とうだいじ)에 있는 일본에서 가장 큰 금동(金銅) 불상.

*だいぶぶん【大部分】图 대부분; 거의. =大半(たいはん)·おおかた. ¶~でき上(あ)がった 거의 완성되었다 / ~の人(ひと)は知(し)っている 대부분의 사람들은 알고 있다. ↔一部分(いちぶぶん).

たいぶんすう【帯分数】图〘數〙 대분수. ↔仮(か)分数·真(しん)分数.

たいへい【太平】《泰平》名ナ **1** 태평. ¶~無事(ぶじ) 태평 무사 / 天下(てんか)~ 천하태평 / ~の世(よ)が続(つづ)く 태평한 세상이 계속되다 / ~に治(おさ)まる 태평하게 다스려지다. **2** '太平楽(たいへいらく)'의 준말.

—らく【—楽】图〈俗〉 태평스럽게 아무렇게나 제멋대로 지껄임. ¶~を並(なら)べる 제멋대로 지껄여 대다. 参考 천하태평을 축하하는 아악 곡명에서 나온 말.

たいべい【対米】連体 대미(對美). ¶~友好(ゆうこう)関係(かんけい) 대미 우호 관계.

たいへいよう【太平洋】图 태평양. ¶~

側気候（일본 열도의） 태평양 연안의 기후.

—せんそう【—戦争】图 태평양 전쟁.

たいべつ【大別】图又他 대별; 크게 나눔. ¶二つに～される 둘로 대별된다. ↔細別·小別.

*__たいへん__【大変】图 대변; 큰일; 대사건. ¶国家の～ 국가의 대변 / このたびの～ 이번의 큰 변고《나쁜 의미의》.

*__たいへん__〖大変〗副ダナ 몹시; 매우; 대단히. ¶～な男（무슨 일을 할지도 모르는） 무서운 사나이 / ～な費用 엄청난 비용 / ～勉強している 매우 열심히 공부하고 있다 / ～驚く 대단히 놀라다 / ～世話になった 대단히 신세를 많이 졌다 / ～な試合 매우 힘드는〔힘든〕 경기 / ～失礼しました 실례가 많았습니다 / ～なかっこうだね 대단한 몰골이군; 몰골이 말이 아니군 / そいつは～だ 그것 참 큰일이다.

だいへん【代返】图又他 〈學〉 출석 점호를 할 때 결석자 대신에 대답함.

*__だいべん__【大便】图 대변; 똥. ＝くそ. ¶～をする 대변을 보다. ↔小便.

だいべん【代弁】图又他 대변. **1** 대신 변상함. ¶損害を～する 손해를 대신 변상하다. **2** 사무를 대신 봄. ＝代務. ¶社長の事務を～する 사장의 사무를 대신 처리하다. 注意 1, 2는 옛 자체(字體)로 '代辨'. **3** 본인을 대신하여 의견을 말함. ¶弟に～させる 아우에게 대변케 하다. 注意 3은 옛 자체로 '代辯'.

—しゃ【—者】图 대변자; 대변인. ＝スポークスマン. ¶民衆のよき～である 민중의 좋은 대변자이다 / ～をつとめる 대변인 노릇을 하다.

たいほ【退歩】图又自 퇴보. ¶技量が～する 기량이 퇴보하다. ↔進歩.

*__たいほ__【逮捕】图又他 체포. ¶緊急～ 긴급 체포 / 誘拐犯人は～された 유괴 범인은 체포되었다.

—じょう【—状】图〔法〕 체포장; 구속영장.

*__たいほう__【大砲】图 **1** 대포. ¶～を撃つ 대포를 쏘다. **2** (야구에서) 강타자. ¶このチームの欠点は～がまったくないということだ 이 팀의 결점은 강타자가 전혀 없다는 점이다.

たいぼう【大望】图 ☞たいもう.

*__たいぼう__【待望】图又他 대망. ¶～久しい 기다린 지 오래다 / ～の雨が降る 기다리던 비가 내리다 / 再会の日を～する 재회의 날을 대망하다.

たいぼう【耐乏】图又自 내핍. ¶～生活 내핍 생활 / ～予算 내핍 예산.

たいぼうちょう【体膨張·体膨脹】图 체팽창; 체적 팽창. ↔線膨張.

たいぼく【大木】图 거목; 큰 나무. ¶松の～ 큰 소나무 / うどの～ 덩치만 크고 쓸모가 없는 사람의 비유.

—は風に折られる 큰 나무가 강풍에 부러지기 쉽듯이, 지위가 높은 자는 남의 비판을 받기 쉽다.

だいほん【台本】图 대본; 극본. ＝シナリオ. ¶～を読む 대본을 읽다.

だいほんえい【大本営】图 대본영; 전시에 天皇 밑에 두었던 육해군 최고 통수부(統帥府).

だいほんざん【大本山】图〔佛〕 대본산; 한 종파의 말사(末寺)들을 다스리는 절; 또는 총본산의 다음가는 절.

たいま【大麻】图 **1**〔植〕 대마; 삼. **2** 대마초. ＝マリファナ·ハシシュ. ¶～を吸う 대마초를 피우다.

タイマー [timer] 图 타이머. **1** 스톱 워치. **2** (경기의) 계시원(計時員). **3** 타임 스위치. ¶セルフ～ 셀프타이머.

たいまい【大枚】图 〈俗〉 대금; 큰돈; 거금; 많은 금액. ＝大金. ¶～五百万円 대금 5백만 엔 / ～を投じる 거금을 투자하다 / ～をはたいて買う 큰돈을 들여 사다.

たいまい〖瑇瑁·玳瑁〗图〔動〕 대모《바다거북의 하나; 등딱지는 공예품 재료로 쓰임》. ＝べっこうがめ.

たいまつ〖松明〗图 횃불. ＝炬火. ¶～行列 횃불 행렬 / ～をともす〔かざす〕 횃불을 켜다〔치켜들다〕.

*__たいまん__【怠慢】图ナ 태만. ¶～な学生 태만한 학생 / ～のそしりを免れない 태만하다는 비난을 면치 못하다. ↔勤勉.

だいみょう【大名】图 江戸 시대에 봉록이 1만 석 이상인 무가. ↔小名.

—ぎょうれつ【—行列】图 江戸 시대에 大名가 공식적으로 많은 사람을 거느리고 행차하던 일; 비유적으로, 많은 사람을 거느리고 다니는 일.

—げい【—芸】图 본인은 자랑하지만 실제는 대수롭지 않은 재주.

—りょこう【—旅行】图 **1** (大名의 산놀이같이) 호화로운 여행. **2** 〈俗〉 관리나 국회의원 등의 시찰을 빙자한 관광 여행.

*__タイミング__ [timing] 图 타이밍. ¶～がいい 타이밍이 좋다 / ～をはずす〔合わせる〕 타이밍을 놓치다〔맞추다〕 / ～が合わない 타이밍이 맞지 않다.

*__タイム__ [time] 图 타임. **1** 시각; 시간. ¶百メートル競走の～をはかる 백미터 경주의 타임을 재다. **2** 일시 시합 중지 (시간). ¶～にする 시합을 일시 중단하다 / ～を要求する 타임을 요구하다.

—アップ [일 time+up] 图 타임업; 규정 시간이 끝남.

—カード [time card] 图 타임 카드; 타임 리코더용(用)의 기록 카드.

—カプセル [time capsule] 图 타임캡슐; 그 시대를 대표하는 기물 등을 넣어 후세에 전하기 위해 땅에 묻는 용기.

—サービス [time service] 图 타임 서비스; 백화점·슈퍼마켓 등에서 일정한 상품을 일정 시간 동안 싸게 파는 일.

—スイッチ [time switch] 图 타임 스위치; 일정 시간이 지나면 자동적으로 전

류가 흐르거나 끊어지게 하는 장치.
—スリップ [일 time+slip] [名] 공상소설 등에서, 현실의 시간·공간을 초월하여 과거나 미래의 세계로 옮겨지는 현상.
—テーブル [timetable] [名] 타임테이블. **1** 행사 예정표. **2** 열차·항공기 따위의 발착(發着) 시각표.
—マシーン [time machine] [名] 타임 머신; 과거나 미래의 시간 속으로 마음대로 오갈 수 있다는, 상상적인 기계.
—レコーダー [time recorder] [名] 타임 리코더; (출퇴근) 시간 기록계.
タイムリー [timely] [ダナ] 타임리; 시의적절함. ¶～なくわだて 시의적절한 계획〔기도〕/ ～エラー〘野〙 타임리 에러; 가장 중대한 때에 저지르는 실책.
—ヒット [timely hit] [名]〘野〙 타임리 히트; 적시 안타(安打).
だいめ【代目】[一][名] 대가 바뀜. ＝あとめ. [二][接尾] …대째. ¶三～ 삼대째.
たいめい【待命】[名][ス自] 대명. **1** 명령을 기다림. **2** 공무원·군인 등이 무보직으로 대기함. ¶～大使 대기 대사 / ～休職 대기 휴직.
だいめい【題名】[名] 제명; 제목. ¶～のない映画 제목이 없는 영화.
だいめいし【代名詞】[名] 대명사. **1**〘文法〙 대이름씨. **2**〈俗〉 대표적·전형적인 것. ¶彼の名は泣き虫の～になった 그의 이름은 울보의 대명사가 됐다.
***たいめん**【体面】[名] 체면; 면목. ¶～にかかわる 체면에 관계되다 / ～をとりつくろう 체면을 차리다 / ～を傷つける 체면을 손상하다 / 学校の～を汚す 학교의 체면을 더럽히다 / ～上, 断れない 체면상 거절할 수 없다.
たいめん【対面】[名][ス自] 대면. ¶はからずも～する 뜻밖에 대면하다 / 十年ぶりに～する 10년 만에 대면하다 / 別れていた親子が～する 떨어져 있던 부모와 자식이 대면하다.
—こうつう【—交通】[名] 대면 교통《사람은 오른쪽, 차는 왼쪽으로 통행하는 따위의 교통》.
たいもう【大望】[名] 대망. ＝たいぼう. ¶～をいだく 대망을 품다.
たいもう【体毛】[名] 체모; 몸에 난 털.
だいもく【題目】[名] **1** 제목. ¶研究の～ 연구 제목 / ～を付ける 제목을 붙이다 / ～を読むとその本の内容がわかる 제목을 읽으면 그 책의 내용을 알 수 있다. **2**〘佛〙 日蓮 종(宗)에서 외는 南無妙法蓮華経(＝나무 묘법 연화경)의 7자. ＝お題目. ¶～を唱える 나무 묘법 연화경의 7자를 외다.
だいもんじ【大文字】[名] **1** 대문자; 큰 글자; 굵은 글자. **2** (한자의) 큰대(大)자.
タイヤ [tire] [名] 타이어. ＝タイア. ¶～の跡 타이어 자국 / パンクした～を換える 펑크난 타이어를 갈다 / ～に空気を入れる 타이어에 바람을 넣다.
—チェーン [tire chain] [名] 타이어 체인《눈길에서 미끄러지지 않도록 타이어에 감는 체인》. ＝チェーン.
ダイヤ [名] 다이아. **1** 'ダイヤモンド'의 준말. ¶～の指輪 다이아 반지. **2** 트럼프의, 빨간 마름모 무늬가 있는 카드. **3** 'ダイヤグラム(＝열차 등의 운행표)'의 준말. ¶事故で～が混乱する 사고로 다이어그램이 흐트러지다 / 猛ふぶきで列車の～が狂う 심한 눈보라로 열차 운행 계획이 틀어지다.
たいやき【たい焼き】《鯛焼き》[名] (밀가루) 붕어빵.
たいやく【大厄】[名] 대액. **1** 큰 액운. **2** 액년(厄年) 중에서 가장 중한 해《남자는 42세, 여자는 33세》.
たいやく【大役】[名] 대역. **1** 중대한 임무. ＝大任. ¶～をおおせつかる 큰 임무가 부여되다. **2** (영화·연극 등에서) 중요한 역. ¶～をこなす 대역을 무난히 (소화)해내다.
たいやく【大約】[名][副] 대략; 대강; 약. ＝ほぼ·おおよそ. ¶～百人はいる 대략 백 명은 들어간다.
たいやく【対訳】[名][ス他] 대역. ¶英和～ 영일 대역 / ～辞書 대역 사전.
だいやく【代役】[名] 대역. ¶～を立てる 대역을 세우다 / Aの～として抜擢された A의 대역으로 발탁되었다.
ダイヤグラム [diagram] [名] 다이어그램; 도표; 특히, 열차 운행표; 또, 그에 의한 열차의 운행 조직. ＝ダイヤ.
ダイヤモンド [diamond] [名] 다이아몬드. **1** 금강석. ¶模造の～ 모조 다이아몬드. **2** ☞ダイヤ2. **3**〘野〙 내야.
***ダイヤル** [dial] 다이얼. ＝ダイアル.
[一][名] 라디오 수신기의 눈금. ¶～を合わせる 다이얼을 맞추다.
[二][名][ス自] 자동 전화의 숫자판; 또, 그것을 돌려서 전화를 걺. ¶～を回す 다이얼을 돌리다 / 何度も～したのに 몇 번이나 다이얼을 돌렸는데.
—イン [일 dial+in] [名] 직통 전화.
たいよ【貸与】[名][ス他] 대여. ¶学費の～ 학비의 대여 / 育英資金を～する 육영 자금을 대여하다.
たいよう【大洋】[名] 대양; 대해. ＝おおうみ. ¶ヨットで～を渡る 요트로 대양을 건너다.
—しゅう【—州】[名]〘地〙 대양주. ＝オセアニア.
たいよう【大要】[名] 대요; 대강; 요지. ＝あらまし. ¶事件の～を話す 사건의 대요를 말하다.
****たいよう**【太陽】[名] 태양. **1** 해. ＝日輪. ¶～が昇る〔沈む〕 해가 뜨다〔지다〕/ ～光線が強い 태양 광선이 강하다. ↔太陰. **2** (비유적으로) 희망 등의 상징. ¶あなたは僕の～だ 당신은 나의 태양이다 / 心に～をもて 마음에 태양을 품어라.
—けい【—系】[名]〘天〙 태양계.
—せいさく【—政策】[名] 햇볕 정책《한국의 대북(對北) 포용 정책》.

―でんち【―電池】名 태양 전지.
―とう【―灯】名 (인공) 태양등.
―れき【―暦】名 태양력; 양력. ↔太陰暦.

たいよう【耐用】名 내용; (기계·설비 등이) 장기간 동안 사용에 견딤. ¶～年限 내용 연한/～性 내용성.
―ねんすう【―年数】名 내용 연수. =耐久年数.

*だいよう【代用】名スル他 대용. ¶～食〔品〕 대용식〔품〕/箱を踏み台に～する 상자를 발판으로 대용하다.
―かんじ【―漢字】名 대용 한자; 일본 국어 심의회가 인정하지 않은 음·훈이 포함된 말을 같은 음의 한자로 바꿔 쓰기로 한 문자의 통칭(《'輿論(=여론)'을 '世論'으로 쓰는 따위》). =代用字.

たいよく【大欲】《大慾》名 대욕. ¶～非道 대욕무도(無道); 도리에 어긋나게 욕심부림. ↔小欲.
―は無欲に似たり 1 대욕을 가진 자는 자잘한 이익 따위는 거들떠보지도 않으므로 도리어 무욕(無慾)한 것처럼 보인다. 2 대욕을 가진 자는 욕심에 눈이 어두워져 손해를 보기 쉽다.

だいよん【第四】名 제4; 넷째; 4회째. =だいし. ¶～紀 제4기.

**たいら【平ら】一ダナ 평평함; 평탄함. ¶～な道 평탄한 길/土地を～にならす 땅을 평평하게 고르다. 二名《'(お)～に'의 꼴로》(꿇어 앉지 않고) 다리를 펴서 편안한 자세를 취함. ¶どうぞお～に 어서 편히 앉으십시오.

たいらか【平らか】ダナ 1 ☞たいら一. 2 (세상이) 안정되어 평온 무사함. =穏やか. ¶～な世の中 평온 무사한 세상. 3 마음이 안정되어 평온함. ¶心中が～でない 심중이 평온치 못하다.

たいら-ぐ【平らぐ】五自 (난리나 전쟁이 그치고) 평온〔편안〕해지다; 평정되다; 가라앉다. ¶戦乱も～·ぎ… 전란도 가라앉고….

たいら-げる【平らげる】下1他 1 평정하다. ¶賊を～ 반적을 평정하다. 2〈俗〉 모조리 먹어 치우다. ¶三人前の料理を～ 3인분의 요리를 다 먹어 치우다/一度に一升飯を～ 단번에 한 되 밥을 먹어 치우다.

たいらん【大乱】名 대란; 큰 난리; 대동란. ¶～を治める 대란을 수습하다/国に～起こる 나라에 대란이 일어나다.

たいり【大利】名 1 대리; 큰 이익. =巨利. ¶～を得る 큰 이익을 얻다. ↔小利. 2 큰 승리; 대성공.

だいり【内裏】《内裡》名 1 天皇가 사는 대궐. =皇居·御所·禁裏. 2 '内裏びな'의 준말.
―びな【―雛】名 天皇·황후의 모습을 본떠서 만든 남녀 한 쌍의 인형. =だいりさま.

**だいり【代理】名スル他 대리. ¶校長～ 교장 대리/～を務める 대리를 맡아보다/学長事務を～して行う 학장 사무를 대리하여 행하다.
―てん【―店】名 대리점.

だいりき【大力】名ナ 대력; 대단히 힘이 셈; 또, 그 사람. ¶～無双の人 대력 무쌍한 사람.

**たいりく【大陸】名 대륙. 1 지구상의 광대한 육지. ¶アジア～ 아시아 대륙. 2 (영국에서) 유럽을 이르는 말. ¶～へ渡る 대륙으로 건너가다. 3 (일본에서) 중국을 이르는 말.
―だな【―棚】名 대륙붕. =陸棚. ¶～宣言 대륙붕 선언.
―てき【―的】ダナ 대륙적. 1 대륙 특유의 상태. ¶～気候 대륙성 기후. 2 잔일에 구애되지 않고 대범한 성질. ¶～な性格 대륙적인 성격. ↔島国的.

だいりせき【大理石】名 대리석. =マーブル. ¶～建築 대리석 건축.

**たいりつ【対立】名スル自 대립. ¶～感情 대립 감정/～をさらけ出す 대립을 드러내다/利害〔意見〕が～する 이해가〔의견이〕 대립하다.

たいりゃく【大略】名 대략. 1 대강. =おおよそ·あらまし. ¶～の説明 대략의 설명/～をのべる 대강을 말하다. 2《副詞적으로》 대체로; 대충. ¶～次の通りです 대략 다음과 같습니다.

たいりゅう【対流】名〔理〕 대류. ¶～作用 대류 작용.
―けん【―圏】名〔氣〕 대류권. ↔成層圏.

たいりゅう【滞留】名スル自 체류. 1 체재. =逗留·滞在. ¶～期限 체류 기한/ローマに数年～する 로마에 수년 체류하다. 2 사물이 정체함. ¶事務が～する 사무가 정체하다.

たいりょう【大量】名 대량; 다량. ¶ビタミン剤の～療法 비타민제의 대량 요법/～に消費する 대량으로 소비하다. ↔少量.
―せいさん【―生産】名スル他 대량 생산. =量産.

たいりょう【大漁】名 대어; 풍어. ¶～旗 풍어기. ↔不漁.

*たいりょく【体力】名 체력. ¶～が衰える 체력이 떨어지다/～を養う 체력을 기르다. ↔精神力.

たいりょく【耐力】名 내력; 견디는 힘.
―へき【―壁】名〔建〕 내력벽(《하중이나 외력(外力)에 견디어 낼 수 있는 벽》). =たいりょくかべ.

たいりん【大輪】名 꽃송이가 큼. =だいりん. ¶～の朝顔〔菊〕 꽃송이가 큰 나팔꽃〔국화〕. ↔小輪.

タイル [tile] 名 타일. ¶～を張る 타일을 깔다〔붙이다〕.
―ばり【―張り】名 벽이나 바닥에 타일을 붙인 것. ¶～のふろば 타일을 붙인 목욕탕.

たいれい【大礼】名 대례; (황실의) 중대한 의식; 특히, 즉위식. =大典. ¶～服 대례복/御～ 즉위의 대례.

ダイレクト [direct] 图 다이렉트; 직접. ¶～セール 다이렉트 세일; (생산자의) 직접 판매; 직판.
—メール [direct mail] 图 다이렉트 메일《우편을 이용해서 직접 상대에게 호소하는 식의 선전 광고》. ＝DM.
たいれつ【隊列】图 대열. ¶～を乱す 대열을 흩뜨리다 / ～に割り込む 대열에 끼어들다 / ～を整える〔組む〕 대열을 정비하다〔짓다〕.
たいろ【退路】图 퇴로; 도망갈 길. ¶～を断つ 퇴로를 끊다. ↔進路.
だいろっかん【第六感】图 제육감; 육감. ＝勘·インスピレーション. ¶～で当てる 육감으로 맞히다 / ～が働く 육감이 작용하다 / ～を働かす 제육감을 구사하다〔작용시키다〕.
たいろん【対論】图 ス自 대론; 서로 마주 대하여 의론함; 또, 그 의론. ¶公の場で両者を～させる 공개된 장소에서 양자를 서로 토론케 하다.
***たいわ**【対話】图 ス自 대화. ¶～体 대화체 / ～の上手な人 대화를 잘하는 사람 / 親子の～が欠けている 부모 자식간에 대화가 부족하다 / ～しようと努める 대화하려고 노력하다.
だいわく【台枠】图 테두리; 뼈대; 틀.
だいわれ【台割れ】图 (증권 따위 시세가 백 원대에서 90원대로 되는 등) 한 자리 아래로 떨어지기. ↔台がわり.
たいわん【台湾】图〔地〕 대만.
—ぼうず【—坊主】图〈俗〉 머리카락이 동그랗게 빠지는 독두병(禿頭病)의 일종. ＝台湾はげ.
たう【多雨】图 다우; 비오는 날이나 우량이 많음. ¶高温～ 고온 다우.
たうえ【田植え】图 모내기. ¶～時 모내기철 / ～をする 모내기하다 / ～で忙しい 모내기로 바쁘다.
たうち【田打ち】图 봄갈이; 춘경(春耕).
タウン [town] 图 타운; 마을; 거리; 도시. ¶ニュー～ 뉴 타운; 신도시 / ベッド～ 베드 타운; 봉급생활자가 많이 사는 교외 도시.
—ウェア [townwear] 图 타운웨어; 외출복. ↔カントリーウェア.
ダウン [down] 图 다운. 图 ス自 **1** 내림; 떨어짐. ¶コスト～ 코스트 다운; 원가절감 / 成績が～した 성적이 떨어졌다. **2** 'ノックダウン'의 준말. ¶風邪で～する 감기로 쓰러지다 / ～を奪う 다운을 빼앗다. **3**〔野〕 아웃의 수를 세는 말. ＝ダン. ¶ツー～ 투 아웃. **4** (컴퓨터 등이) 고장·사고로 작동하지 않음.
ダウン [down] 图 물새의 솜털《이불·방한복 등에 둠》. ＝羽毛. ¶～ジャケット 다운 재킷.
—タウン [downtown] 图 다운타운; 도심의 상업 지역. ＝下町.
たえい-る【絶え入る】5自 숨이 끊어지다; 죽다. ¶～ような声 숨이 끊어질 듯한 소리 / ～ばかりに泣く 숨이 넘어 갈 듯이 울다.
たえがた-い【耐え難い·堪え難い】形 참기 어렵다; 견딜 수 없다. ¶～腹痛〔暑さ〕 견디기 어려운 복통〔더위〕 / ～ほどの侮辱を受けた 참기 어려울 정도의 모욕을 당했다.
たえか-ねる【耐え兼ねる·堪え兼ねる】下1他 참을 수 없다; 견딜 수 없다. ¶寂しさ〔寒さ〕に～ 쓸쓸해서〔추워서〕 견딜 수 없다. 「き.
だえき [唾液] 图 타액; 침. ＝つば·つば
—せん [—腺] 图〔生〕 타액선; 침샘.
たえざる【絶えざる】連体 끊임없는; 부단한. ¶～研究 부단한 연구 / ～努力のたまもの 끊임없는 노력의 결과.
たえしの-ぶ【耐え忍ぶ·堪え忍ぶ】5他 (괴로움 등을) 참고 견디다. ¶痛さを～ 아픔을 참고 견디다 / 他人の嘲笑を～ 남의 조소를 참다.
***たえず**【絶えず】副 늘; 끊임없이. ＝いつも·不断. ¶～努力する 끊임없이 노력하다 / ～注意している 늘 조심하고 있다.
たえだえ【絶え絶え】ダナ **1** 숨이 곧 끊어질 듯한 모양; 끊일락말락한 모양. ¶息も～に話す 숨이 막 끊어질듯이 (헉헉거리며) 말하다. **2** 가끔 중단되는 모양. ＝とぎれとぎれ. ¶話し声が～に聞こえる 말소리가 간간이 들리다.
たえて【絶えて】副《뒤에 否定語가 와서》 조금도; 한 번도; 전혀. ＝さっぱり·全然·少しも. ¶彼の姿はこのごろ～見かけない 그의 모습은 요즈음 전혀 볼 수가 없다 / ～音さたがない 전혀 소식이 없다.
たえない【堪えない】連語 **1** (감정 등을) 억제할 수 없다. ¶憂慮に～ 우려하지 않을 수 없다. **2** (부담 따위에) 감당〔대응〕할 수 없다. ¶見るに～惨事 차마 눈뜨고 볼 수 없는 참사 / その任に～ 그 임무를 감당할 수 없다.
たえなる『妙なる』連体〈文〉(신)묘한; 절묘한. ¶～楽〔笛〕の音 신묘한 음악〔피리〕 소리.
たえは-てる【絶え果てる】下1自 **1** 아주 끊어지다; 아주 없어지다. ¶人通りが～ 사람의 왕래가 아주 끊어지다 / 便りも～·てた 소식도 아주 끊어졌다. **2** 숨이 아주 끊어지다; 죽다. ¶まもなく息が～·てた 얼마 안 가서 숨이 아주 끊어져 버렸다.
たえま【絶え間】图〈雅〉 끊긴 사이; 짬; 틈새. ＝切れ間. ¶雲の～から 구름 사이에서.
—な-い【—無い】形 끊임없다. ¶～努力 끊임없는 노력 / 雨が～·く降る 비가 끊임없이 내리다.
****た-える**【耐える·堪える】下1自 견디다. **1** (괴로움 등을) 참다. ¶痛みに〔を〕～ 아픔을 참다 / 孤独に～ 고독을 참고 견디다. **2** (외부의 힘 등에) 버티다. ¶高温に～壁 고온에 견디는 벽 / 重さ

に～ 무게에 견디다 / 弾圧だんあつに～ 탄압에 굴하지 않고 버티다.

たーえる【絶える】 下1自 끊어지다. **1** (계속되던 동작·작용·상태가) 끝나다; 다 되다; 떨어지다. ¶食糧しょくりょうが～ 식량이 떨어지다 / 子孫しそん〔家いえ〕が～ 자손이 끊어지다(대가 끊어지다) / 息いきが～ 숨이 끊어지다(죽다). **2** (계속된 것이) 없어지다; 끊기다. ¶道みちが～ 길이 끊어지다. ⇨たえず·たえて.

だえん [楕円] 名 타원. ＝長円ちょうえん. ¶～体たい 타원체 / ～形けい 타원형.

たおーす【倒す】 5他 **1** 쓰러뜨리다. ㉠넘어뜨리다. ¶足払あしばらいをかけて～ 다리후리기를 걸어 넘어뜨리다 / 立たち木きを～ 생나무를 쓰러뜨리다. ㉡(본디 斃す·殪す로도) 죽이다. ¶敵てきを～ 적을 죽이다 / 一刀いっとうのもとに～ 한칼에 베어 쓰러뜨리다. ㉢지우다. ¶強敵きょうてきを～ 강적을 쓰러뜨리다 / 力ちからで相手あいてを～ 힘으로 상대를 누르다. ㉣타도하다; 망하게 하다. ＝滅ほろぼす. ¶政府せいふを～ 정부를 쓰러뜨리다. **2** (빚을 갚지 않고) 떼어먹다; 잘라먹다. ＝踏ふみ倒たおす. ¶借金しゃっきんを～ 빚을 떼어먹다 / 始はじめから～気きで借金しゃっきんする 처음부터 떼먹을 셈으로 돈을 꾸다.

たおやか ダナ 〈雅〉 숙부드러운 모양; 단아하고 얌전한 모양. ＝しなやか. ¶～な乙女おとめ 우아한 처녀 / 踊おどり方かたが～に見みえる 춤이 우아하게 보인다.

たおやめ [手弱女] 名 〈雅〉 숙부드러운 여자; 우아하고 아름다운 여인. ＝たわやめ. ↔ますらお.

たおーる【手折る】 5他 (꽃이나 가지 등을) 손으로 꺾다. ¶枝えだを～ 가지를 꺾다 / 紅葉もみじを～ 단풍잎을 따다.

タオル [towel] 名 타월; (세수) 수건; 또, 그 천. ¶～地じ 타월 천 / バス～ 목욕 타월 / ～のパジャマ 타월 천의 잠옷 / ～で体からだをふく 타월로 몸을 닦다.

—を投なげる (권투에서) 타월을 던지다(기권하다); 전하여, 항복하다.

＝だおれ【倒れ】 **1** 쓰러져 죽음. ¶行ゆき～ (굶주림·병 따위로) 길가에 쓰러져 죽음; 또, 그 사람. **2** 지나친 사치로 돈을 말림. ¶食くい～ 재산을 먹어 없앰. 参考 動詞의 連用形에 붙음. **3** (겉보기만 그럴 듯할 뿐) 쓸모없음; 실속 없음. ¶看板かんばん～ 겉보기만 훌륭하고 실지는 그렇지 못한 것.

たおーれる【倒れる】 下1自 쓰러지다. **1** 자빠지다; 넘어지다. ¶家いえが～ 집이 쓰러지다 / つまずいて～ 발이 걸려 넘어지다. **2** 망하다. ㉠무너지다. ¶独裁政権どくさいせいけんが～ 독재 정권이 쓰러지다. ㉡도산하다. ＝つぶれる. ¶借金しゃっきん〔不況ふきょう〕で会社かいしゃが～ 빚〔불황〕으로 회사가 도산하다. **3** 몸져눕다. ¶過労かろうで～ 과로로 쓰러지다. **4** (본디 仆れる·斃れる로도) 죽다; 또, 죽음을 당하다. ¶凶弾きょうだんに～ 흉탄에 쓰러지다.

—·れて後のちやむ 죽을 때까지 (노력)하다. ＝死ししてのちやむ.

> **倒たおれる의 여러 가지 표현**
>
> 표현例 ばたりと(탁; 털썩)·ばたんと(탁; 픽)·ばったり(푹; 픽)·どっと(털썩; 벌렁)·ばたばた(픽픽)·ばったばった(픽픽; 턱턱)·へたへた(털썩)·へなへな(풀썩; 맥없이).

たか【高】 名 **1** 고; 분량. ㉠수확·수입·녹(祿)·생산물 등의 양·액수. ¶請求せいきゅうの～ 청구 금액 / 売上うりあげ高だか 매상액 / 取とれ〔収穫しゅうかく〕高だか 수확량 / 生産高せいさんだか 생산량. ㉡정도. ¶～の知しれた人間にんげん 대수롭잖은 인간. **2** (‘が’가 붙어 副詞적으로) 기껏해야; 고작. ＝たかだか. ¶～が課長かちょうぐらいで 고작 과장쯤으로 / ～が十円じゅうえんの違ちがいで 고작 10엔 차이로. **3** (接頭語적·接尾語적으로) 높음; 오름. ¶百円ひゃくえん高だか 백 엔 오름 / ～げた 굽 높은 나막신.

—が知しれている 뻔한 일이다; 대수로운 것이 아니다. ¶儲もうけは～ 벌이는〔이익은〕 별것 아니다.

—を括くくる 깔보다; 얕보다; 우습게〔하찮게〕 보다. ¶落第らくだいすることはあるまいと高を括っていた 낙제하는 일은 없을 거라고 우습게 여기고 있었다.

たか 〖鷹〗 名 매. ¶～狩がり 매사냥.

たか【多寡】 名 다과; 많고 적음; 다소. ＝多少たしょう. ¶人数にんずの～ 인원수의 다과 / 金額きんがくの～を問とわない 금액의 많고 적음을 묻지 않는다.

たが 〖箍〗 名 테. ¶～を掛かける 테를 메우다〔두르다〕 / たるの～が外はずれた 통의 테가 벗겨졌다.

—が緩ゆるむ 테가 헐거워지다(나이를 먹어 기력이 쇠하거나 긴장이 풀린다는 뜻으로도 쓰임). ¶桶おけの～ 통의 테가 헐거워지다 / 組織そしき内部ないぶの～ 조직 내부의 긴장이 풀리다.

—を締しめる **1** 테를 죄다. **2** 다잡다.

たが 〖誰が〗 連語 〈雅〉 뉘. **1** 누가. **2** 누구의. ¶～為ために鐘かねは鳴なる 누구를 위하여 종은 울리나.

だが 接 그러나; 그렇지만. ＝しかし·けれども. ¶彼かれは頭あたまはいい. ～健康けんこうがよくない 그는 머리는 좋다. 하지만 건강이 좋지 못하다 / 本ほんがほしい. ～金かねがなくて買かえない 책을 갖고 싶다. 하지만 돈이 없어 사지 못한다.

たかあがり【高上がり】 名 **1** 비용이 예상보다 많이 치임. ¶むしろ～になった 오히려 비용이 많이 들었다. ↔安上やすがり. **2** ㉠높은 곳〔지위〕에 오름. ㉡상좌에 앉음. ¶～で恐縮きょうしゅくです 상석이라 송구스럽습니다.

たかあし【高足】 名 **1** 발을 높이 들어 걸음. ¶～を踏ふむ 조심하여 걷다. **2** 다리가 길. ¶～膳ぜん 다리가 긴 상. **3** 죽마(竹馬); 대말.

**たか-い【高い】形 높다. 1 ㉠위쪽에 있다; 위로 솟다. ¶~山 높은 산/鼻が~ 코가 우뚝하다(('우쭐하다·뻐기다'의 뜻으로도 씀))/~·く飛ぶ 높이 날다. ㉡(키가) 크다. ¶背が~ 키가 크다. ㉢(자존심이) 강하다; 거만하다; 오만하다. ¶気位が~ 자존심이 강하다; 도도하다/頭が~ 거만하다; 불손하다. ㉣(지위·능력·격이) 윗길이다. ¶位が~ 지위가 높다/目が~ 안목〔안식〕이 높다. ㉤인기·명성이 높다. ¶評判が~ 평판이 높다/うわさが~ 소문이 자자하다. ㉥눈금·숫자 따위가 크다. ¶~死亡率 높은 사망율/血圧が~ 혈압이 높다. ㉦정도가 높다. ¶~文化 높은 문화/生活水準が~ 생활수준이 높다. ㉧소리·진동이 크다. ¶~声で話す 큰소리로 이야기하다/声が~. 静かにしろ 목소리가 크다. 조용히 해라. ⇔低い. 2 (값이) 비싸다. ¶~価格 높은〔비싼〕 가격/~生活費 비싼 생활비. ↔安い.
—·くつく 비싸게 치이다〔먹히다〕.

たかい【他界】名ス自〈婉曲〉타계; 죽음. =死去. ¶祖父は昨年~した 조부는 작년에 타계하셨다.

**たがい【互い】名 1《'~に'의 꼴로 副詞적으로 쓰여》서로; 교대로; 또, 서로 같이. =かわるがわる. ¶~に話し合う 서로 의논하다/~に顔を見合わせる 서로 마주 보다/~にののしりあう 서로 욕질하다. 2《흔히 'お~'의 꼴로》서로; 쌍방. ¶お~の利益 쌍방의 이익/お~が力を合わせよう 서로가 힘을 합칩시다. ⇨お互いさま.

だかい【打開】名ス他 타개. ¶~策 타개책/~の道を講ずる 타개할 방법을 강구하다/局面の~に努力する 국면 타개에 노력하다.

たがいせん【互い先】名 (바둑 등에서) 호선(互先); 맞바둑; 맞수. =相先.

たがいちがい【互い違い】ダナ 엇갈림; 번갈아 (함). ¶~に編む 엇갈리게 짜다〔엮다〕/左右の足を~に出す 좌우의 발을 번갈아 내밀다.

たかいびき【高いびき】《高鼾》名 크게 코를 곪〔고는 소리〕. ¶~をかく 드르렁 드르렁 코를 골다.

たが-う〖違う〗5自〈老〉틀리다; 어그러지다; 어긋나다. ¶ねらい~·わず 목표에〔기대에〕 어긋나지 않고/約束に~ 약속에 어긋나다; 약속과 틀리다/法に~ 법에 어긋나다.

たが-える〖違える〗下1他 1 틀리게〔다르게〕 하다. ¶洋服の色を~ 양복 색깔을 (아래위) 다르게 하다/方法を~ 방식을 다르게 하다. 2 어기다; 위반하다. ¶約束を~ 약속을 어기다/時間を~·えない 시간을 어기지 않다.

たかが〖高が〗連語《副詞적으로》☞たか(高) 2.

たかく【多角】名 다각. 1 각이 많음. ¶~形 다각형. 2 다방면. ¶~経営 다각경영/~農業 다각 농업.
—か【—化】名ス自他 다각화. ¶経営の~を図る 경영의 다각화를 도모하다.
—てき【—的】ダナ 다각적. ¶~才能 다각적인 재능/~に検討する 다각적으로 검토하다.

たがく【多額】名 다액; 고액. ¶~納税者 고액 납세자. ↔少額.

たかぐもり【高曇り】名 구름이 높게 끼고 흐림; 또, 그 하늘. ¶~の天気 구름이 높게 끼고 흐린 날씨.

たかげた【高げた】《高下駄》名 굽 높은 왜나막신. =あしだ·高あしだ.

*たかさ【高さ】名 높이. ¶背の~ 키/~をはかる 높이를 재다/~が五尺ある 높이가 5 척이다. ↔低さ.

だがし【駄菓子】名 막과자. ¶~屋 막과자 가게.

たかしお【高潮】名 고조; 해일(海溢). =暴風津波·風津波. 参考 보통, 高潮는 태풍의 경우에, 津波는 지진의 경우에 씀.

たかしまだ【高島田】名 일본 여자들의 높이 치켜올린 머리 모양((처녀들의 머리형으로, 신부의 정장(正裝)용임)). =文金高島田·たかまげ. ¶~に〔を〕結う 高島田형의 머리를 하다.

たかせ【高瀬】名 1 얕은 여울. =浅瀬. 2 '高瀬舟'의 준말.
—ぶね【—舟】名 운두가 낮고 밑이 평평한 너벅선.

たかぞら【高空】名 고공; 높은 하늘.

たかだい【高台】名 고대; 돈대. ¶~に家を建てる 돈대에 집을 짓다.

*たかだか〖高高〗副 기껏(해야); 고작. =せいぜい·たかが. ¶~百円ぐらいの品 고작 백 엔 정도의 물건/出席者は~百人だ 출석자는 기껏해야 백 명이다.

たかだかと【高高と】副 매우 높은 모양: 드높이. ¶旗を~上げる 기를 드높이 올리다/~そびえ立つ 드높이 솟다/~詩を朗読する 소리 높이 시를 낭독하다.

たかちょうし【高調子】名 목소리 따위가 들떠서 높은 것. ¶~でしゃべりまくる 새된 소리로 마구 지껄여대다.

だかつ[蛇蠍·蛇蝎]名 사갈; 뱀과 전갈((사람이 아주 싫어하는 것의 비유)). ¶~視する 사갈시하다.

だがっき【打楽器】名〔樂〕타악기. ↔弦楽器·管楽器.

たかっけい【多角形】名 다각형. =たかくけい.

たかて【高手】名 1 상박(上膊); 팔꿈치부터 어깨까지의 부분. =たかうで. ↔小手. 2 '高手小手'의 준말.
—こて【—小手】名 뒷짐결박. ¶~に縛り上げる 팔을 꺾어 뒷짐결박하다.

たかとび【高飛び】名ス自 줄행랑(침); 멀리 도망침; 고비원주(高飛遠走). ¶犯人は国外へ~した模様だ 범인은 국외로 멀리 도망친 것 같다.

たかとび【高跳び】图 1 높이 뜀. 2 육상 경기에서, 높이뛰기와 장대높이뛰기의 통칭. =ハイジャンプ. ↔はばとび.

たかとびこみ【高飛び込み】图 (수영 경기의) 하이 다이빙.

たかな〖高菜〗图〔植〕갓. =おおばがらし.

たかなみ【高波】《高浪》图 높은 파도. ¶～にさらわれる 높은 파도에 휩쓸리다.

たかな-る【高鳴る】5自 크게 울리다; 고동치다. ¶～太鼓 크게 울려 퍼지는 북소리 / 嬉しさに胸が～ 기쁨으로 가슴이 울렁거리다 / 血潮が～ 피가 용솟음치다.

*たかね【高値】图 고가. 1 값이 비쌈; 비싼 값. ¶～を呼ぶ 비싼 값을 부르다 / 最高の～をつける 최고로 비싼 값을 매기다 / ～をふっかける 터무니없이 높은 값을 부르다. 2 (거래소에서) 당일의 가장 높은 시세. ¶～摑みをする 상투 시세에 사다. ↔安値.

たかね【高根】《高嶺》图 고령; 높은 산; 높은 봉우리. ¶～下ろし 재넘이 / 富士の～ 富士산의 높은 봉우리.

—の花 높은 산의 꽃; 그림의 떡《보기만 할 뿐 손에 넣을 수 없는 것》. ¶庶民には～だ 서민에게는 그림의 떡이다.

たがね〖鏨·鐟〗图 (금속 세공용(用)의) 정; 강철끌.

たかのぞみ【高望み】图ス自他 분수나 능력에 넘치는 소원. ¶～は失敗のもと 허황된 소원은 실패의 원인 / ～すると失敗する 소망〔욕망〕이 지나치면 실패한다.

たかは【タカ派】《鷹派》图 매파; 강경파(強硬派). ↔ハト派.

たかばなし【高話】图ス他 큰 소리로 이야기 함; 또, 그 이야기. ↔ひそひそ話.

たかはり【高張り】图 '高張りちょうちん'의 준말.

—ちょうちん〖—提灯〗图 장대 끝에 높게 매다는 큰 초롱. =高ちょうちん.

[高張り提灯]

たかびしゃ【高飛車】ダナ 고압적인 태도를 취하는 모양. ¶～な言い方〔態度〕 고압적인 말투〔태도〕 / ～に出る 고자세로〔고압적으로〕 나오다. 参考 일본 장기에서 飛車를 앞세워 고압적으로 공격하는 데서.

たかぶ-る【高ぶる】《昂る》5自 1 항진(亢進)하다; 흥분하다. ¶神経が～·って寝られない 신경이 흥분되어 잠을 이룰 수 없다 / 癇が～ 부아가 끓다. 2 우쭐거리다; 뽐내다. ¶～·った態度 우쭐하는 태도 / ちょっと煽てられるとすぐ～ 좀 추어주면 이내 우쭐거린다.

たかまくら【高まくら】《高枕》图 고침; 베개를 높이하고 잠; 또, 안심하고 잠. ¶やっと～で寝られる 겨우 마음 놓고 잘 수 있다.

**たかま-る【高まる】5自 높아지다. ¶士気〔非難の声〕が～ 사기〔비난의 소리〕가 높아지다 / 女性の地位が～ 여성의 지위가 향상되다.

たかみ【高み】《高見》图 높은 곳. ¶～から見おろす 높은 곳에서 내려다보다 / ～に登る 높은 곳에 오르다. 注意 '高見'라 씀은 취음. ↔低み.

—の見物 1 높은 곳에서 구경함. 2 수수방관함; 강 건너 불 구경.

たかめ【高め】《高目》名ナ 높은〔비싼〕듯함. ¶～な机 좀 높은 듯한 책상 / やや～の直球 (야구에서) 약간 높은 듯한 직구 / 値段が～だ 값이 좀 비싼 듯싶다. ↔低め·安め.

**たか-める【高める】下1他 높이다. ¶品質を～ 품질을 높이다 / 声を～ 목소리를 높이다 / 婦人の地位を～ 여성의 지위를 높이다. ↔低める.

たかもも【高もも】《高股》图 허벅다리.

たかもり【高盛り】图 그릇 따위에 음식을 수북하게 담는 일; 또, 그 음식; 고봉(高捧). ¶～飯 고봉밥.

*たがや-す【耕す】5他 (논밭을) 갈다. ¶畑を～ 밭을 갈다. 可能 たがや-せる 下1自 「うざん.

たかやま【高山】图 고산; 높은 산. =こ

たかようじ【高ようじ】《高楊枝》图 식후에 유유히 이를 쑤시는 일. ¶～を使う 식후에 자못 잘먹었다는 듯이 이를 쑤시다 / 武士は食わねど～ 무사는 굶어도 배부른 체한다《양반은 얼어 죽어도 짚불은 안 쬔다》.

*たから【宝】《財》图 1 보물; 보배. ¶～探し 보물찾기 / 家の～ 가보 / 子供は国の～だ 어린이는 나라의 보배다 / ～とする 보배로 삼다. 2〈俗〉『お～』 돈. ¶お～がほしい 돈이 아쉽다.

—の持ち腐れ 우수한 물건이나 재능을 가지고 있으면서도 그것을 활용하지 않거나 활용할 기회가 없음의 비유.

**だから 接 그러므로; 그러니까; 그래서. =それ故. ¶彼は, うそをつく. ～, 信用できない 그는 거짓말을 한다. 그래서, 신용할 수가 없다 / ～言わないことじゃない 그러니까 내가 뭐랬어.

—と言って 그렇다고 해서; 그렇다고 하더라도.

たからか【高らか】ダナ (음성이) 높은 모양: 드높이; 소리 높이. ¶声～に歌う 목소리도 드높이 노래 부르다 / ～に読み上げる 소리 높이 읽다.

たからくじ【宝くじ】《宝籤》图 복권(福券). ¶～にあたる 복권에 당첨되다.

たからぶね【宝船】图 1 보물을 싣고 일곱 복신(福神)이 타고 있는 돛단배의 그림《정월 초이튿날 밤에 베개 밑에 깔고 자면 길몽을 꾼다 함》. 2 보물선; 전하여, 진귀한 물건을 실은 배.

たからもの【宝物】图 보물. =財宝·ほうもつ.

たかり〖集り〗图 1 꾐; 한군데로 모임. ¶人だかりがする 사람이 꾀다《웅성거리다》. 2〈俗〉등치는 일; 또, 등치기. ¶

~屋 등치기꾼 / ~の現場を押さえる 등치는 현장을 잡다.

たか-る 〘集る〙 5自 **1** 꾀(어 들)다; 모여들다. ¶ありが~ 개미가 꾀다 / ほこりが~ 먼지가 끼다 / 交番の前に人が~·っている 파출소 앞에 사람들이 모여 있다. **2** 〈俗〉 ㉠등치다; 협박하거나 울며 늘어져 금품을 우려내다. ¶不良に~·られる 불량배에게 금품을 강제로 빼앗기다. ㉡한턱 쓰게 하다. ¶後輩に~·られる 후배에게 졸리어 한턱 쓰다. 可能 たか-れる 下1自

=たが-る 《動詞나 助動詞 '(さ)せる' '(ら)れる'의 連用形에 붙어 五段活用動詞를 만듦》(제삼자가) …하고 싶어하다. ¶オートバイに乗り~ 오토바이를 타고 싶어하다 / 来~ 오고 싶어하다. 参考 'たい' + 'がる'.

たかわらい【高笑い】名ス自 큰 웃음. ¶~が聞こえる 큰 웃음소리가 들리다.

たかん【多感】名ナ 다감. ¶~な青年 다감한 청년 / 多情~ 다정다감.

だかん [兌換] 名ス他 〔經〕 태환; 지폐를 본위(本位) 화폐와 바꿈.

—しへい [—紙幣] 名 태환 지폐. =だかんけん. ↔不換紙幣.

***たき**【滝】名 폭포. =瀑布. ¶~の糸 폭포 줄기 / ~の落ち口 폭포가 떨어지는 곳 / ~のような汗 비오듯이 흐르는 땀 / ~に打たれる (수행을 위해) 폭포수를 맞다.

たき【多岐】名ナ 다기; 여러 갈래로 갈려 복잡함. ¶~亡羊 다기망양 / 複雑~な 복잡다기한 / 問題が~にわたる 문제가 여러 갈래에 걸치다.

たぎ【多義】名 다의; 여러 가지의 뜻. ¶~語 다의어 / 一語で~にわたる言葉 한 말로 여러 뜻을 가지는 말.

だき [唾棄] 名ス他 타기; 혐오하고 경멸함. ¶~すべき男 타기할 남자.

だき【惰気】名 타기; 게으른 마음; 긴장이 풀리어 느즈러진 기분. ¶~満々 타기만만《게으른 기분이 넘치는 모양》.

だきあ-う【抱き合う】5他 서로 껴안다; 얼싸안다. ¶母と子が~ 어머니와 아들이 껴안다 / 肩を~·って喜ぶ 어깨를 얼싸안고 기뻐하다.

たきあが-る【炊き上がる】5自 (밥 따위가) 다 끓다〔되다〕. ¶ごはんが~ 밥이 다 되다〔지어지다〕.

だきあ-げる【抱き上げる】下1他 안아 올리다. ¶子供を~·げて乳をかませる 아이를 안아 올려 젖을 물리다.

たきあわせ【炊き合わせ】名 따로 익힌 생선과 야채를 한 그릇에 담은 음식.

だきあわせ【抱き合わせ】名 **1** 서로 껴안게 함. **2** '抱き合わせ販売(=끼워 팔기)'의 준말.

だきあわ-せる【抱き合わせる】下1他 **1** 서로 껴안게 하다. **2** (잘 팔리는 물건에) 끼워서 팔다. ¶見切り品を~·せて売る 투매품을 끼워서 팔다.

だきおこ-す【抱き起こす】5他 안아 일으키다. ¶しっかりせよと~·してやる 힘 내라고 안아 일으켜 주다.

だきかか-える【抱き抱える】下1他 끌어안다; 껴안다. ¶子供を~ 아이를 껴안다.

たきぎ【薪】名 땔나무; 장작. =まき. ¶~取りに山へ行く 나무하러 산에 가다 / ~をくべる 장작을 지피다.

だきぐせ【抱き癖】名 젖먹이를 안아 주지 않으면 울고 보채는 버릇. ¶~がつく 늘 안아 주어 버릇이 되다.

たきぐち【たき口】《焚き口》名 아궁이.

たきこみごはん【炊き込み御飯】名 고기·생선·야채 등을 섞어 지은 밥.

たきこ-む【炊き込む】5他 쌀과 함께 고기·생선·야채 따위를 섞어 밥을 짓다. ¶山菜を~·んだ御飯 산나물을 넣고 지은 밥.

だきこ-む【抱き込む】5他 **1** 껴안다; 끌어안다; 부둥키다. =かかえこむ. ¶犯人を~ようにして護送する 범인을 끌어안 듯이 하면서 호송하다. **2** (자기 편에) 끌어 들이다; 포섭하다. ¶警備員を~·んでの窃盗事件 경비원을 끌어들인 절도 사건 / 有力者を~ 유력자를 포섭하다. **3** 말려들게 하다; 연루시키다.

タキシード [tuxedo] 名 턱시도.

だきし-める【抱き締める】下1他 꽉〔바싹〕 껴안다; 부둥켜안다. ¶わが子〔恋人〕を~ 자식〔애인〕을 부둥켜안다.

だきすく-める【抱きすくめる】《抱き竦める》下1他 꼼짝 못하게〔꽉〕 껴안다. ¶乱暴者を後ろから~ 난폭자를 뒤에서 꽉 껴안다.

たきだし【炊き出し】《焚き出し》名 (화재 따위 비상시에 사람들에게) 밥을 지어서 (나눠) 줌. ¶罹災民に~をする 이재민에게 밥을 지어 (나눠) 주다.

たきたて【炊き立て】名 갓 지은 밥; 막 다 된 요리. ¶~の飯 갓 지은 밥.

だきつ-く【抱き付く·抱き着く】5自 달려들어 안기다; 달라붙다. ¶母親に~ 어머니에게 매달리다.

たきつけ 〘焚き付け〙名 불쏘시개. ¶かんな屑を~にする 대팻밥을 불쏘시개로 하다.

たきつ-ける 〘焚き付ける〙下1他 **1** 불을 붙이다〔지피다〕. ¶ストーブに火を~ 난로에 불을 지피다. **2** 부추기다; 쏘삭거리다; 꼬드기다; 부채질하다. ¶けんかを~ 싸움을 부추기다 / 人に~·けられてする 남의 꼬드김을 받아 하다.

たきつぼ【滝つぼ】《滝壺》名 용소(龍沼); 용추(龍湫).

だきと-める【抱き留める】下1他 꽉 껴안아 움쭉 못하게 하다〔말리다〕. ¶しかと~ 꽉 껴안아 움쭉 못하게 하다.

だきと-る【抱き取る】5他 **1** 받아 안다. ¶赤ん坊を~ 아기를 받아 안다. **2** 꽉 껴안아 움쭉 못하게 하다. =だきとめ

る. ¶けんかの相手を～ 싸움 상대를 꽉 껴안아 움쭉 못하게 하다.

だきね【抱き寝】名 ス他 안고 잠; 또, 끼고 잠. ¶母が子を～する 어머니가 아이를 안고 자다.

たきのぼり【滝登り】名 폭포를 거슬러 오름. ¶こいの～ 잉어가 폭포를 거슬러 오름《입신출세의 비유》.

たきび【たき火】《焚き火》名 **1** 모닥불; 화톳불. ¶落葉をかき集めて～をする 낙엽을 그러모아 모닥불을 피우다. **2** 횃불. =かがりび.

たきもの【たき物】《焚き物》名 땔감; 장작; 연료. =たきぎ·まき. ¶～を買う 땔거리를 사다.

だきゅう【打球】名 타구; (야구·골프에서) 공을 침; 또, 친 공. ¶～がそれる 타구가 빗나가다 / 鋭い～が飛ぶ 날카로운 타구가 날아가다 / ～の伸びがよい 친 공이 쭉쭉 잘 뻗어 나가다.

たきょう【他郷】名 타향; 객지. =他国·異郷. ¶～に有ること十数年 타향살이 십 수년 / ～で苦労する 타향에서 고생하다 / ～にさすらう 타향을 〔객지를〕 떠돌다.

⁑**だきょう**【妥協】名 ス自 타협. ¶～案 타협안 / ～の余地はない 타협의 여지는 없다 / ～を図る 타협을 꾀하다.

たきょく【多極】名 다극. ¶～外交 다극 외교 / ～的な活動 다극적 활동.

—か【—化】名 ス自 다극화. ¶外交の～ 외교의 다극화.

たぎ-る〖滾る〗5自 **1** 끓다. ㉠부글부글 끓어오르다. ¶鉄びんの湯が～·っている 쇠주전자의 물이 끓고 있다. ㉡흥분해서 치밀어 오르다. ¶～闘志 끓어오르는 투지 / 感情が～ 감정이 북받치다 / 青春の血が～ 청춘의 피가 끓다. **2** (급류가 되어) 소용돌이치다; 용솟음치다. =さかまく. ¶～·り落ちる水 소용돌이치며 떨어지는 물 / 怒濤が～ 성난 파도가 용솟음치다.

***た-く**【炊く】5他 **1** (쌀 따위를 끓여) 밥을 짓다. ¶飯〔御飯〕を～ 밥을 짓다. **2** (일본 서부 지방에서) 삶다; 익히다. =煮る. 可能 た-ける 下1自

***た-く**〖焚く〗5他 **1** 불을 때다〔피우다〕. ¶火を～·いて当たる 불을 피워 쬐다 / ストーブを～ 난로에 불을 지피다 / ふろを～ (불을 때서) 목욕물을 데우다. **2** (향을) 피우다. ¶香を～ 향을 피우다. 可能 た-ける 下1自

たく【宅】一 名 **1** (사는) 집. =すまい. **2** 우리집. ¶～へもお遊びにいらしてください 저희 집에도 놀러와 주세요.
二 代 아내가 남에게 자기 남편을 일컫는 말. ¶～はるすでございます 바깥양반은 부재 중입니다 / ～に申し伝えます 남편에게 전하겠습니다.

たく【卓】名 탁자; 테이블. ¶～を囲む 탁자에 둘러앉다 / ～を叩いて論ずる 탁자를 두드리며 격론을 벌이다.

たく〖宅〗教6 タク おる | 택 댁 집 살다 | 집; 주거; 댁. =やしき. ¶宅地 택지 / 邸宅 저택.

たく〖択〗《擇》常用 タク えらぶ | 택 가리다 | 가리다; 고르다. ¶選択 선택.

たく〖沢〗《澤》常用 タク さわ | 택 가리다 | **1** 수초가 나 있는 얕은 못; 진펄. ¶沼沢 소택. **2** 윤택하다. ¶潤沢 윤택. **3** 윤기; 윤. ¶光沢 광택.

たく〖卓〗常用 タク | 탁 높다 뛰어나다 탁자 | **1** 다른 것보다 높다. ¶卓然 탁연. **2** 뛰어나다. ¶卓説 탁설 / 卓識 탁식. **3** 탁자. ¶食卓 식탁.

たく〖拓〗常用 タク ひらく | 척 탁 넓히다 박아내다 | **1** 넓히다. ¶開拓 개척. **2** 비문 등을 박아 내다. ¶拓本 탁본.

たく〖託〗常用 タク かこつける | 탁 부탁하다 | 부탁하다; 맡기다. ¶託送 탁송 / 委託 위탁.

たく〖濯〗《濯》常用 タク | 탁 빨다 | 빨다; 씻다; 헹구다. ¶洗濯 세탁.

⁑**だ-く**【抱く】5他 **1** (팔·가슴에) 안다. =かかえる. ¶子供を～ 어린애를 안다 / ～·き合って喜ぶ 서로 껴안고 기뻐하다. **2** 전하여, 마음속에 품다. ¶不穏な考えを～ 불온한 생각을 품다. 可能 だ-ける 下1自

だく〖諾〗常用 ダク うべなう | 낙 승낙하다 | **1** 응답하다. ¶応諾 응낙 / 唯々諾々 유유낙낙. **2** 선선히 맡음. ¶承諾 승낙 / 受諾 수락 / 快諾 쾌락.

だく〖濁〗常用 ダク ジョク にごる にごす | 탁 흐리다 | **1** 탁하다; 흐리다. ¶清濁 청탁 / 濁流 탁류. **2** 더럽다; 추하다. ¶濁世 탁세 / 汚濁 오탁.

たくあつかい【宅扱い】名 택배. =宅配. ¶～で送る 택배로 보내다.

たくあん〖沢庵〗名 'たくあんづけ'의 준말; 단무지. =たくわん. 参考 江戸 초기에 승려 沢庵이 만드는 법을 고안했다고 함.

たぐい〖類い·比い〗名 유(類); 같은 종류〔부류〕. ¶虫の～ 벌레 종류 / この～の品 이런 유의 물건 / よたものの～ 깡패 족속.

たくいつ【択一】名 ス自 택일. ¶二者～ 이자〔양자〕택일.

たぐいな-い〖類ない〗形 유례가 없다; 비길 데 없다. ¶～美しさ 비길 데 없는 아름다움 / ～名人 비길 데〔견줄 만한 사람이〕 없는 명인.

たぐいまれ〖類まれ〗ダナ 유례가 드묾. ¶～な事件 유례가 드문 사건 / ～な才人 유(례)가 드문 재인.

たくえつ【卓越】 名 ダナ ス自 탁월. =卓出・卓絶. ¶~な創作力 탁월한 창작력/~した学者 탁월한 학자.

だくおん【濁音】 名 탁음; かなに 점을 찍어 나타내는 음(‘タ’에 대한 ‘ダ’ 따위). ↔清音・半濁音.

—ぶ【—符】 名 탁음 부호. =濁点.

***たくさん〖沢山〗** 副 ダナ **1** (수나 분량이) 많음. ¶~の人 많은 사람/~食べる 많이 먹다/子だくさん 아이가 많음/盛りだくさんな[の]行事 다채롭게 꽉 짜여진 행사. **2** 충분함; 질색임. ¶お気持ちだけで~です 성의만으로도 충분합니다/戦争はもう~だ 전쟁은 이제 질색이다.

たくじ【託児】 名 탁아. ¶~所 탁아소/~施設 탁아 시설.

たくしあ-げる【たくし上げる】 下1他 걷어붙이다[올리다]. ¶ワイシャツのそでを~ 와이셔츠 소매를 걷어올리다.

***タクシー** [taxi] 名 택시. ¶~乗り場 택시 타는 곳[정류장]/~の運転手 택시 운전 기사/~料金[強盗] 택시 요금[강도]/~メーター 택시 미터(기)/個人~ 개인 택시/~の初乗り料金 택시 기본 요금/流しの~ 손님을 찾아 돌아다니는 택시/~を拾う[呼ぶ] 택시를 잡다[부르다]/(手を上げて)~を止める (손을 들어) 택시를 세우다/奮発して~に乗る 큰 마음 먹고 택시를 타다.

たくしき【卓識】 名 탁식; 탁견.

たくしこ-む【たくし込む】 5他 **1** (비죽이 나온 속옷 따위를) 찔러[끌어] 넣다. ¶着物をはしよって帯に~ 옷을 걷어 올려서 허리춤에 찌르다. **2** (금전 따위를) 수중에 그러모으다.

だくしゅ【濁酒】 名 탁주; 막걸리. =にごりざけ・どぶろく. ↔清酒.

たくしゅつ【卓出】 名 ス自 탁출; 뛰어남. ¶~した意見 탁출[특출]한 의견.

たくじょう【卓上】 名 탁상. ¶~カレンダー 탁상 캘린더/~版 탁상판/~電話 탁상 전화/~日記 탁상 일기.

たくしん【宅診】 名 ス自 택진. =内診. ↔往診.

たく-す【託す】《托す》 5他 ☞たく(託)する.

だくすい【濁水】 名 탁수; 흐린 물. =にごり水. ↔清水.

たく-する【託する】《托する》 サ変他 **1** (남에게) 맡기다; 부탁하다. =たのむ・ことづける. ¶後事を親友に~ 뒷일을 친한 벗에게 부탁하다/伝言を~ 전언을 부탁하다. **2** 칭탁[빙자]하다; 핑계 대다; 구실 삼다. =かこつける・ことよせる. ¶病に~・して任をのがれる 병을 칭탁하여 책임을 면하다. **3** 어떤 형식을 빌려 나타내다. ¶心情を詩歌に~ 심정을 시가에 부쳐 나타내다.

だくせい【濁世】 名〔佛〕탁세; 혼탁한 이 세상. =だくせ.

だくせい【濁声】 名 탁성; 탁한 목소리. =だみごえ. ¶~を張り上げる 탁성을 내지르다; 탁한 목소리로 외치다.

たくせつ【卓説】 名 탁설; 뛰어난 논설. ¶名論~ 명론탁설.

たくぜつ【卓絶】 名 ス自 탁절; 견줄 데 없이 뛰어남. ¶古今に~した作品 고금에 탁절한 작품.

たくせん【託宣】 名 **1** 탁선; 신탁(神託). ¶御~を受ける 신탁을 받다. **2**〈俗〉윗사람의 분부를 농으로 일컫는 말. ¶おやじの御~ 아버지의 분부.

たくそう【託送】 名 ス他 탁송. ¶荷物を~する 화물을 탁송하다.

だくだく【諾諾】 名《흔히 ‘と(して)’의 꼴로》낙낙; 남의 말에 네네하고 순순히 따르는 모양. ¶妻の言に唯々~として従う 아내의 말에 그저 네네하고 따르다.

だくだく 副 (땀이나 피가) 몹시 흐르는 모양: 줄줄. ¶汗が~(と)流れる 땀이 줄줄 흐르다.

たくち【宅地】 名 택지. ¶~を買う 택지를 사다. ↔農地・耕地.

—ぞうせい【—造成】 名 택지 조성. =宅造.

だくてん【濁点】 名 탁음을 나타내는 부호(‘ざ’ ‘だ’ 등의 ‘゛’). =濁音符・にごり. ↔半濁点.

タクト [tact] 名〔樂〕택트. **1** 박자. **2** 지휘봉. ¶~を振る 음악의 지휘를 하다.

—を取る **1** 연주를 지휘하다. **2** 지휘[지시]하다.

たくはい【宅配】 名 ス他 택배《自宅配達(=자택[가정] 배달)’의 준말》. ¶~サービス 택배 서비스/~承ります 택배를 해 드립니다.

—びん【—便】 名 택배편.

たくはつ [托鉢] 名 ス自 탁발. ¶~僧 탁발승; 동냥중/~して回る 탁발하며 돌아다니다.

たくばつ【卓抜】 名ナ ス自 탁발; 탁월. ¶~した才能 탁월한 재능/~な着想 특출난 착상.

だくひ【諾否】 名 낙부. ¶~を問う 승낙 여부를 묻다.

たくほん【拓本】 名 탁본; 탑본. =石ずり・搨本. ¶~を取る 탁본을 뜨다.

***たくまし-い〖逞しい〗** 形 **1** 몸이 억세 보이다; 늠름하다; 헌걸차다. ¶筋骨~若者 근골이 늠름한 젊은이/~第一歩をふむ 힘찬 제 일보를 내딛다. **2** 씩씩하다; 왕성하다; 어기차다. ¶~気魄 씩씩한 기백/~食欲 왕성한 식욕. **3**《‘~・くする’의 꼴로》마음대로[마음껏] …하다. =たくましゅうする. ¶想像を~・くする 마음껏[멋대로] 상상하다/推測を~・くする 제 마음대로 추측하다.

たくましゅう-する〖逞しゅうする〗 サ変他 **1** 마음껏[제마음대로] 하다. ¶想像を~ 상상을 마음껏하다; 상상의 나래를 펴다. **2** 위세를 떨치다. ¶台風が猛威を~ 태풍이 맹위를 떨치다. 注意 ‘たくましくする’의 전와(轉訛).

タグマッチ 名 ☞タッグマッチ.

***たくみ**【巧み】一名ダナ 교묘함; 솜씨가 좋음. ¶~な嘘をつく 교묘한 거짓말을 하다/~に売りつける 교묘히 팔아넘기다. 二名 기교; 정교함; 공들임. ¶~がない 기교가 없다/~を凝らす 몹시 공들이다.

たく-む 〖工む·企む·巧む〗 5他 꾸미다. **1**《흔히, 否定의 꼴로 쓰이어》 고안하다; 기교를 부리다. ¶~·まざる美しさ 꾸미지 않은 아름다움/~·まざるユーモア 자연스러운 유머. **2** 꾀하다; 특히, 흉계를 꾸미다. =たくらむ. ¶あいつめ, ~·んだな 놈이 음모를 꾸몄구나.

たくらみ 〖企み〗 名 (특히 못된) 계획; 기도(企圖); 음모; 흉계. ¶よからぬ~ 좋지 않은 계획.

***たくら-む** 〖企らむ〗 5他 계획하다; 꾀하다; 특히, 못된 일을 꾸미다. ¶陰謀を~ 음모를 꾸미다/謀反を~ 모반을 꾀하다/一もうけを~ (성실치 못한 짓으로) 한밑천 잡을 것을 꾀하다.

たくりあ-げる【たくり上げる】下1他 걷어 올리다. =たくしあげる. ¶そでを~ 소매를 걷어붙이다.

たぐりあ-げる【手操り上げる】下1他 (양손으로 번갈아) 끌어(당겨) 올리다. ¶網を~ 그물을 끌어 올리다.

たぐりこ-む【手繰り込む】5他 끌어당기다; 당겨 넣다〔들이다〕. ¶引き網を~ 후릿그물을 끌어당기다.

だくりゅう【濁流】名 탁류. ¶~が渦巻く 탁류가 소용돌이치다. ↔清流.

たぐりよ-せる【手繰り寄せる】下1他 **1** 끌어당기다. ¶網〔綱〕を~ 그물〔밧줄〕을 끌어당기다. **2** (기억을 더듬어) 되살리다. ¶記憶の糸を~ 기억의 실마리를 더듬어 되살리다.

たく-る 5他 **1** 빼앗다. =ひったくる. **2** 걷다; 걷어 올리다. ¶ズボンのすそを~ 바짓부리를 걷어 올리다/そでを~·り上げる 소매를 걷어 올리다. **3**《動詞 連用形에 붙어서》 마구 …해대다. ¶塗り~ 마구 칠하다.

***たぐ-る**【手繰る】5他 **1** (양손으로 번갈아) 끌어당기다. ¶釣り糸を~ 낚싯줄을 끌어당기다. **2** 더듬어 찾다. ¶記憶を~ 기억을 더듬다/話の糸を~ 이야기의 실마리를 찾다.

たくろん【卓論】名 탁론; 탁설. ¶~を吐く 탁론을 설파하다.

たくわえ 【蓄え】《貯え》名 **1** 여축(餘蓄); 저장; 또, 저장한 것. ¶~ができた 여축이 생겼다/食糧の~が無くなる 식량의 여축이 없어지다. **2** 저금. ¶~が尽きる 저금〔저축한 것〕이 다 떨어지다.

***たくわ-える**【蓄える】《貯える》下1他 **1** (만일을 위해) 대비해 두다; 저장〔저축·비축〕하다; 모으다. ¶金を~ 돈을 모으다/天水を~ 빗물을 모아 두다/毎月少しずつ~ 매월 조금씩 저축하다. **2** 기르다. ㉠쌓(아 두)다. ¶実力を~ 실력을 길러 두다/知識を~ 지식을 쌓다. ㉡(수염 등을) 깎지 않고 두다. =はやす. ¶鼻下のひげを~ 코밑 수염을 기르다.

たけ【丈】《長》名 **1** 키. ¶~が高い 키가 크다/身の~ 신장; 키/背の~が伸びる 키가 자라다. **2** 기장; 길이. ¶上着の~ 상의의 기장/~の短くなった着物 기장이 짧아진 옷. **3**【たけ】…의 모두; 전부. ¶ありっ~ 있는 대로 전부/心の~を尽くす 온 정성을 다하다/思いの~を打ち明ける 생각을 몽땅 털어놓다.

***たけ**【竹】名〔植〕대나무; 대. ¶~の節 대마디/~のカーテン 죽의 장막.
——を割ったよう 성미가 대쪽같이 곧은 모양.

たけ【岳】《嶽》名 높은 산.

たけ 〖茸〗名〔植〕버섯. =きのこ. ¶~狩り 버섯 따기/松~ 송이.

=たげ《動詞 連用形에 붙어 形容動詞 語幹을 만듦》…하고 싶은 듯한 모양. ¶行き~な顔 가고픈 듯한 얼굴/食べ~な顔つき 먹고 싶어하는 표정. 参考 助動詞 'たい'+接尾語 'げ'의 전와.

だけ 〖丈〗副助 **1** 정도·범위의 한계를 나타냄. ㉠…만큼; …대로. ¶いい~取りなさい 원하는 만큼 가져라/好きな~食べる 먹고 싶은 만큼 먹다. ㉡(…할 수 있는) 한; (할 수 있는) 데까지. ¶できる~努力する 될 수 있는 한 노력하다/やれる~やろう 할 수 있는 데까지 해 보자. ㉢…만; …만은. ¶君に~話す 자네에게만 이야기한다/私~知っている 나만이 알고 있다. ㉣…뿐; 따름. ¶言ってみた~だ (그저) 말해봤을 뿐〔따름〕이다. ㉤…하는 만큼; …하면 할수록. ¶書けば書く~, うまくなる 쓰면 쓸수록 잘 쓰게 된다. 参考 名詞 'たけ(丈)'의 전와(轉訛). 'なるたけ(=될 수 있는 데까지)' 'ありったけ(=있는 대로 모두)' 따위의 'たけ'도 이 'だけ'와 같음. **2**《'~に' '~(の…が)ある'의 꼴로》 행동의 대가가 충분함; 보람이 있음: …하리만큼; 했으니만큼; 역시. ¶苦労した~に経験を積んでいる 고생을 했으니만큼 경험을 쌓고 있다/わざわざ行った~のことはあった 일부러 갔던 보람은 있었다/期待していた~に失望も大きい 기대를 하고 있었던만큼 더욱 실망도 크다. **3**《否定形+'~に'의 꼴로》 '…하므로 더욱'의 뜻을 나타냄: …(한) 만큼. ¶予想しなかった~に喜びも大きい 예상하지 않았던 만큼 기쁨도 크다.

たげい【多芸】名ダナ 다예; 다능. ¶~多才 다예다재; 다재다능.
——は無芸 재주 많은 사람은, 특출한 재주가 없으므로 결국은 재주가 없는 것과 같다는 뜻.

たけうま【竹馬】名 죽마. **1** 두 개의 대막대기에 각각 발걸이를 붙인 놀이 기구.

¶～に乗(の)る 죽마를 타다. **2** 대말. ¶～にまたがる 대말에 걸터타다.
たけがき【竹垣】名 대(나무) 울타리.
たけがり【たけ狩り】《茸狩り》名ス自 버섯 따기. ＝きのことり. ¶山(やま)へ～に行(い)く 산에 버섯 따러 가다.
*__だげき__【打撃】名 타격. **1** 심적 충격. ¶～を加(くわ)える 타격을 가하다 / 決定的(けっていてき)な～を与(あた)える 결정적인 타격을 주다. **2**〘野〙 배팅. ＝バッティング. ¶～戦(せん) 타격전 / ～には自信(じしん)がある 타격에는 자신이 있다.
たけくらべ【丈比べ】名ス自 키재기. ＝せいくらべ.
たけざいく【竹細工】名 죽세공(품).
たけざお【竹ざお】《竹竿》名 (대)장대.
たけだけし-い〘猛猛しい〙形 **1** 용맹스럽다; 사납다. ¶～顔(かお)つき 사나운 얼굴. **2** 뻔뻔스럽다. ¶盗人(ぬすっと)～ 도둑이 매를 든다.
たけつ【多血】名 다혈. ¶～質(しつ)〔漢(かん)〕 다혈질〔한〕 / ～の人(ひと) 다혈질인 사람.
だけつ【妥結】名ス自 타결. ¶～にいたる 타결에 이르다 / 交渉(こうしょう)が～した 교섭이 타결되었다. 「준말.
だけど 接 'だけれども(＝그렇지만)'의
たけとんぼ【竹とんぼ】《竹蜻蛉》名 도르래《장난감의 하나》.
たけなわ〘闌·酣〙名ナ **1** (바야흐로) 한창임; 절정. ¶宴(えん)～の時(とき) 연회가 바야흐로 한창인 때 / 秋色(しゅうしょく)～なり 가을빛이 한창이다. **2** 한창때를 막 넘어선 무렵. ¶齢(よわい)～なり 나이가 이제 한창때를 막 넘어섰다.
だけに〘丈に〙副助 ☞だけ2.
*__たけのこ__【竹の子】《筍》名 죽순. ¶～飯(めし) 죽순밥 / 雨後(うご)の～ 우후죽순.
―いしゃ【―医者】名 (돌팔이만도 못한) 애송이〔풋내기〕 의사.
―せいかつ【―生活】名 곶감 꼬치에서 곶감 빼 먹듯 하는 생활. ＝売(う)り食(ぐ)い.
たけみつ[竹光]名 죽도; 대칼. 参考 잘 들지 않는 칼을 비웃는 말로도 씀.
たけやぶ【竹やぶ】《竹藪》名 대숲; 대밭. ＝竹林(たけばやし). 「대울타리.
たけやらい【竹矢来】名 대나무 바자울;
たけやり【竹やり】《竹槍》名 죽창.
たけりくる-う〘猛り狂う〙5自 미친듯이 날뛰다; 사납게 날뛰다. ¶～荒波(あらなみ) 놀치는 거센 물결.
たけりた-つ〘哮り立つ〙5自 사납게 짖다; 포효(咆哮)하다. ¶～大波(おおなみ) 사납게 울부짖는 큰 물결 / 野獣(やじゅう)が～ 야수가 포효하다.
たけりた-つ〘猛り立つ〙5自 흥분하다; 격앙〔격분〕하다; 살기를 띠다. ¶～·った群衆(ぐんしゅう) 격분한 군중.
たけ-る〘哮る〙5自 포효하다; 사납게 울부짖다. ¶ほえ～ 사납게 울부짖다 / 猛虎(もうこ)の～声(こえ) 맹호의 울부짖는 소리.
たけ-る〘猛る〙5自 **1** 사납게〔거칠게〕 날뛰다; 설치다. ¶～荒波(あらなみ) 사납고 거센 파도. **2** 흥분하다. ¶～心(こころ)を押(お)さえる 흥분하는 마음을 억누르다.
た-ける〘長ける〙下1自 (어떤 면에) 뛰어나다〔밝다〕; 원숙하다. ¶才(さい)～·けた美女(びじょ) 재주가 뛰어난 미녀 / 剣技(けんぎ)に～ 검술에 뛰어나다 / 世故(せこ)に～ 세상 물정에 밝다.
た-ける〘闌ける〙下1自 한창때가 되다; 또, 한창때를 약간 지나다. ¶年(とし)が～·けている 한창 나이이다 / 日(ひ)が～ 해가 높이 떠오르다; 한낮이 되다 / 春(はる)が～·けた 봄이 그 절정을 지났다.
だけれども 接 그러나; 그렇지만. ＝だが·だけど. ¶彼(かれ)の意見(いけん)は取(と)り上(あ)げられなかった. ～, 彼の意見は正(ただ)しい 그의 의견은 받아 들여지지 않았다. 그렇지만 그의 의견은 옳다.
たげん【他言】名ス他 ☞たごん.
たげん【多言】名ス自 다언; 말이 많음. ¶～を要(よう)しない 다언〔긴 설명〕이 필요치 않다 / ～はわざわいのもとだ 말 많은 것은 화의 근원이다.
たげん【多元】名 다원. ¶～方程式(ほうていしき) 다원 방정식. ↔一元(いちげん)·二元(にげん).
―てき【―的】ダナ 다원적. ¶～な世界(せかい) 다원적인 세계.
―ほうそう【―放送】名 다원 방송.
たこ〘凧·紙鳶〙名 연. ＝いかのぼり. ¶～糸(いと) 연줄 / ～揚(あ)げ 연날리기 / ～合戦(がっせん) 연 싸움 / ～を揚(あ)げる 연을 날리다.
たこ〘蛸·章魚〙名 **1**〘動〙 낙지; 문어. ¶まだこ 왜문어. **2** 달구. ＝たこつき·どうづき.
たこ〘胼胝〙名 (손에 생기는) 못. ¶ペンだこ 펜을 쥐는 손가락에 박이는 못 / 耳(みみ)に～ができる 귀에 못이 박이다.
たこあし【たこ足】《蛸足》名 문어발처럼 여기저기 흩어짐. ¶～大学(だいがく)〔庁舎(ちょうしゃ)〕 여러 곳에 분산되어 있는 대학〔청사〕 / ～配線(はいせん) 문어발식 배선.
たこう【他校】名 타교. ¶～生徒(せいと) 타교 학생. ↔自校(じこう).
たこう【多幸】名 다복; (행)복이 많음. ¶ご～を祈(いの)ります 행복하시기를 빕니다. ↔薄幸(はっこう).
だこう【蛇行】名ス自 사행; 꾸불꾸불 나아감. ¶～運転(うんてん) 갈짓자 운전 / ～する流(なが)れ 꾸불꾸불 (돌며) 흐르는 물.
―かせん【―河川】名 꾸불꾸불한 하천; S자형 하천.
たこがいしゃ【たこ会社】《蛸会社》名 이익이 없어도 배당을 하는 회사《자기 자본을 갉아먹는 회사》. ⇨たこ配当(はいとう).
たこく【他国】名 **1** 타국; 다른 나라; 외국. ↔自国(じこく). **2** 타향. ¶～者(もの)をいじめる 타향 사람을 괴롭히다〔구박하다〕.
だこく【打刻】名ス他 (기계 등을 통해) 글자나 숫자를 찍는 일. ¶タイムカードに出勤時刻(しゅっきんじこく)を～する 출퇴근 카드에 출근 시각을 찍다. 「다국적군.
たこくせき【多国籍】名 다국적. ¶～軍(ぐん)
―きぎょう【―企業】名 다국적 기업.

＝国際(こくさい)企業. 参考 multinational enterprise의 역어.

たごさく [田吾作·田五作·田子作] 名 〈俗·蔑〉 시골뜨기; 촌놈. 参考 'たご(＝거름통)' 에 인명으로 흔히 쓰는 '作' 를 붙여서 의인화한 말.

たこつぼ 〖蛸壺〗 名 (바다 밑에 두어) 문어나 낙지를 잡는 항아리.

たこにゅうどう【たこ入道】《蛸入道》 名 〈俗〉 **1**〔動〕 낙지; 문어. **2** 중대가리; 뭉구리. ＝たこ坊主(ぼうず)·たこにゅう.

たこはいとう【たこ配当】《蛸配当》 名 주식회사에서 배당할 이익도 없는데 (회사 신용을 유지하기 위해) 배당을 하는 일. ＝たこ配(はい). ⇨たこ会社(がいしゃ).

たこべや【たこ部屋】《蛸部屋》 名 광산 노동자나 공사 인부의 노동 조건이 열악한 합숙소《제2차 대전 전에, 北海道(ほっかいどう)와 사할린에 있었음》.

たこぼうず【たこ坊主】《蛸坊主》 名 〈俗〉 ☞たこにゅうどう2.

タコメーター [tachometer] 名 태코미터; 회전 속도계《자동차에 부착하여 주행 거리와 시간 관계를 기록함》.

たこん【多恨】 名 다한; 한 많음. ¶多情(たじょう)～ 다정다한.

たごん【他言】 名ス他 (누설해서는 안될 것을) 다른 사람에게 말함. ＝口外(こうがい)·たげん. ¶～無用(むよう) 누설 금지/みだりに～するな 함부로 다른 사람에게 말하지 마라.

たさい【多才】 名ナ 다재. ¶多芸(たげい)～の人(ひと) 다예다재〔다재다능〕한 사람.

たさい【多彩】 名ダナ 다채. ¶～な色模様(いろもよう) 다채로운 색깔 무늬/～な催(もよお)し〔顔(かお)ぶれ〕 다채로운 행사〔멤버〕.

たざい【多罪】 名 다죄. **1** 죄가 많음. **2** (편지 등에서) 비례(非禮)를 사과하는 말; 다사(多謝). ¶妄言(もうげん)～ 망언다사/乱筆(らんぴつ)～ 난필다사.

ださ-い 形 〈俗〉 촌스럽다; 멋없다. ¶～服(ふく) 촌스러운 옷/～話(はなし) 멋없는 이야기.

たさく【多作】 名ス他 다작; 작품을 많이 만듦. ¶～家(か) 다작가/精力的(せいりょくてき)に～する流行(りゅうこう)作家(さっか) 정력적으로 다작하는 유행 작가. ↔寡作(かさく).

ださく【駄作】 名 태작; 졸작. ¶どうしようもない～だ 형편없는 졸작이다. ↔名作(めいさく)·秀作(しゅうさく).

たさつ【他殺】 名 타살. ¶～体(たい) 타살체/～の疑(うたが)い 타살의 혐의. ↔自殺(じさつ).

たさん【多産】 名ス自他 다산. ¶リンゴの～地帯(ちたい) 사과의 다산 지대/～系(けい)〔種(しゅ)〕のぶた 다산계〔종〕 돼지.

ださん【打算】 名ス自他 타산. ¶～で動(うご)く人(ひと) 이해타산에 따라 움직이는 사람; 타산적인 사람/～が働(はたら)く 이해타산이 작용하다; 타산적이다.

—てき【—的】 ダナ 타산적. ¶～な考(かんが)え方(かた) 타산적인 사고방식.

たざんのいし【他山の石】 連語 타산지석. ¶友人(ゆうじん)の失敗(しっぱい)を～とする 친구의 실패를 타산지석으로 삼다/この老人(ろうじん)の苦言(くげん)を～としてくだされば幸(さいわ)いだ 이 늙은이의 고언을 타산지석으로 받아 주시면 다행이다.

たし 助動 〈文〉 ☞たい 助動. 参考 'され～' 의 꼴로 희망을 나타내어, '…싶다; …하기 바람' 의 뜻으로 씀. ¶至急(しきゅう)帰郷(ききょう)され～ 조속히 귀향하기 바람.

***たし**【足し】 名 보탬; 소용; 도움. ¶生活費(せいかつひ)の～に内職(ないしょく)をする 생활비의 보탬으로 부업을 하다/腹(はら)の～にする 요기하다/何(なん)の～にもならない 아무 보탬〔도움〕도 안 된다.

たじ【多事】 名 다사. ¶～多端(たたん) 다사다단/内外(ないがい)～ 내외 다사.

—たなん【—多難】 名ナ 다사다난. ¶～な一年(いちねん)だった 다사다난한 한 해였다.

たじ【他事】 名 타사; 남의 일; 딴 일. ＝よそごと·余事(よじ).

—ながら 당신과는 관계없는 일이지만《편지에서, 자기 일을 말할 때 씀》. ¶～ご安心(あんしん)ください (당신과는) 관계없는 일이지만 (부디) 안심하십시오.

だし 〖出し〗 名 **1** 'だし汁(じる)' 또는 '煮出(にだ)し汁(じる)' 의 준말《다시마·가다랑어포·멸치 따위를 끓여 우려낸 국물. 음식의 맛을 내는 데 쓰임》. ¶かつお節(ぶし)の～ 가다랑어포를 우린 국물. **2** (비유적으로) 자기 이익을 위해서 이용하는 미끼; 구실; 앞잡이; 방편; 수단. 注意 '出汁' 로도 씀.

—にする 자기 이익을 위해 사람·물건을 이용하다; 방편으로 삼다. ¶病気(びょうき)を出しにして欠席(けっせき)する 병을 핑계 삼아 결석하다/友人(ゆうじん)を出しにして飲(の)む 친구를 핑계 삼아 한잔 마시다.

だし【山車】 名 축제 때 끌고 다니는, 장식한 수레. ＝だんじり.

だしいれ【出し入れ】 名ス自他 출납; 내고 들임; 특히, 금전·물품의 출납. ＝出納(すいとう). ¶金(かね)の～をする 돈의 출납을 하다/商品(しょうひん)の～は倉庫係(そうこがかり)で取(と)り扱(あつか)う 상품의 출납은 창고계에서 취급한다.

だしおく-れる【出し後れる·出し遅れる】 下1他 내야 할, (좋은) 시기를 놓치다; 뒤늦게 내다. ¶返信(へんしん)を～ 뒤늦게 회신을 내다/書類(しょるい)を～·れて失格(しっかく)となった 서류를 늦게 내어 실격이 되었다.

だしおしみ【出し惜しみ】 名ス他 내기를 아까워〔싫어〕함. ¶費用(ひよう)の～ 비용 내기를 아까워함/わずかな金(かね)を～する 얼마 안되는 돈 내는 것을 아까워하다.

だしおし-む【出し惜しむ】 5他 (인색해서) 내기를 아까워〔싫어〕하다. ¶資金(しきん)を～ 자금 내기를 꺼리다.

****たしか**【確か】《慥か》 一ダナ 확실함; 틀림없음; 믿을 수 있음. ¶～な品(しな) 틀림없는 물건《진짜》/～な証拠(しょうこ) 확실한 증거/～な人(ひと) 확실한〔믿을 수 있는〕 사람/気(き)は～なのか 정신은 멀쩡한가.

二副【たしか】 확실히; 분명히; 틀림없이; 필시; 아마. ＝多分(たぶん). ¶～こんな

話でした 분명히 이런 이야기였습니다 / 彼は～大学をやめたはずですよ 그는 분명히 대학을 그만두었을 텐데요.

*たしか-める【確かめる】下1他 확실히〔분명히〕 하다; 확인하다. ¶真偽〔意向〕を～ 진위를〔의향을〕 확인하다 / 辞書で～ 사전을 보고 확인하다.

だしがら【出し殻】名 **1** 우려 낸 찌꺼기. ¶かつおの～ 우려낸 가다랑어포의 찌꺼기. **2** 차를 달여 낸 찌끼. ＝茶がら.

だしこ【だし子】《出し子》名 끓여서 국물을 우려내기 위해 쓰는 잔물고기《쪄서 말린 멸치 따위》.

だしこんぶ【出し昆布】名 국물〔맛〕을 우려 내는 데 쓰는 다시마. ＝だしこぶ.

たしざん【足し算】名 덧셈; 가산. ＝加え算·寄せ算. ↔引き算.

だししぶ-る【出し渋る】5他 (내야 할 금품 따위를) 내기를 꺼리다; 내지〔주지〕 않으려고 하다. ＝出し惜しむ. ¶寄附金を～ 기부금을 선뜻 내지 않으려고 하다.

だしじゃこ〖出し雑魚〗名 국물을 우려 내는 데 쓰는 쪄서 말린 잔물고기《대개 멸치》. ＝にぼし.　「(出し)1.

だしじる【だし汁】《出し汁》名 ☞だし

たしせいせい［多士済済］名 다사제제. ¶顔ぶれは～ 면면들은 모두가 쟁쟁한 인재들이다. 注意 '多士さいさい' 라고도 함.

たしせんたくほう【多肢選択法】名 다지 선택법. ＝マルチプルチョイス.

たじたじ トス自 상대방에게 압도되어서 비틀거리거나 쩔쩔매는 모양: 비틀비틀; 멈칫멈칫; 주춤주춤. ¶なぐられて～となる 얻어 맞아서 비틀비틀하다 / 質問ぜめに会って～になる 질문 공세에 쩔쩔매다.

たしつ【多湿】名ナ 다습. ¶高温～の地方 고온 다습한 지방.

たじつ【他日】名 타일; 훗날; 딴날. ＝いつか·ほかの日. ¶～を期す 훗날을 기약하다 / 詳細は～に譲る 상세한 것은 뒷날로 미루다.

だしっぱなし【出しっ放し】名 내놓은 채 그대로 둠. ¶水道の水を～にする 수돗물을 틀어 놓은 채 그대로 두다.

たしなみ〖嗜み〗名 **1** 소양; 기호; 특히, 예도(藝道)에 대한 취미. ¶～が上品だ 기호〔취미〕가 고상하다 / 書道の～がある 서예에 소양이 있다. **2** 조심성; 몸가짐; 행실. ¶～がない 조신하지가 않다; 조심성이 없다 / 学生としての～ 학생으로서의 몸가짐 / ～のないふるまい 조심성이 없는 행동.

たしな-む〖嗜む〗5他 **1** 즐기다; 취미를 붙이다; 소양을 쌓다. ¶酒を～ 술을 즐기다 / 芸能を～ 예능에 소양을 쌓다. **2** 조심하다; 조신하다. ＝つつしむ. ¶少しは～·んだらどうだ (a)조금쯤 배워〔소양을 쌓아〕 두는 것이 어때; (b) 좀 삼가는 것이 어때.

たしな-める〖窘める〗下1他 나무라다; (좋은 말로) 타이르다. ¶いたずらを～ 장난을 꾸짖어 타이르다 / 乱暴な言葉づかいを～ 거친 말씨를 나무라다.

だしぬ-く【出し抜く】5他 (남의 방심을 틈 타거나 또는 속이고서 자기가) 앞지르다; 빼돌리다; 꽁뒤 지르다. ¶友人を～·いてこっそり勉強する 친구를 빼돌리고 몰래 공부하다 / この記事で他紙を～·いた 이 기사로 타지를 앞질렀다.

だしぬけ〖出し抜け〗ダナ 불의; 불시; 느닷없음. ＝不意·いきなり. ¶～な通知 느닷없는 통지 / ～の来客にあわてた 느닷없는 내객에 당황했다.

たしまえ【足し前】名 벌충액〔량〕. ＝足し高. ¶いくら～を出せばいいのかね 벌충액은 얼마나 내면 되나.

だしもの【出し物】《演し物》名 상연물; 상연하는 작품(종류). ＝演目·レパートリー. ¶当劇場今月の～ 우리 극장의 이달 상연 작품.　「社.

たしゃ【他社】名 타사; 다른 회사. ↔自

たしゃ【他者】名 타자; 딴 사람.

たしゃ【多謝】名ス自 **1** 깊이 사례〔감사〕함. ¶御好意を～する 호의를 사례하다. **2** 깊이 사과함. ＝多罪. ¶乱筆～ 난필다사 / 妄評～ 망평다사.

だしゃ【打者】名〔野〕 타자. ＝バッター. ¶強～ 강타자 / 4番～ 4번 타자 / ～一巡 타자 일순.

だじゃく【惰弱】《懦弱》名ナ 타약. **1** 나약. ¶～な心 나약한 마음 / ～な若者 나약한 젊은이 / ～で困る 나약해서 곤란하다. **2** 허약. ¶～な体 허약한 몸. ⇔剛健.

だじゃれ〖駄洒落〗名 서투른〔시시한〕 익살. ¶～を飛ばす 시시한 익살을 부리다.

たしゅ【多種】名 다종; 종류가 많음.

──たよう【──多様】名ダナ 다종다양. ¶～なプラン 다종다양한 플랜〔계획〕 / 人の考えは～である 사람의 생각은 다종다양하다.　「そう.

だしゅ［舵手］名 타수; 키잡이. ↔漕手

たじゅう【多重】名 다중; 여러 겹. ¶～性 다중성 / ～処理 다중 처리.

──ほうそう【──放送】名 다중 방송; 라디오·TV 등에서, 하나의 선국(選局)에 두 종류의 음성이나 화면을 동시에 방송하는 방송 형식.

たしゅみ【多趣味】名ナ 다취미; 취미가 많음. ¶～な人 취미가 많은 사람. ↔無趣味·没趣味.

だじゅん【打順】名〔野〕 타순; 타자가 공을 치는 순서. ＝バッティングオーダー. ¶～が回ってくる 타순이 돌아오다.

たしょう【他生】名〔佛〕 타생; 전생(前生)과 내생. ↔今生.

──の縁 ☞たしょう(多生)のえん.

たしょう【他称】名〔文法〕 제3 인칭.

*たしょう【多少】다소. ━名 많음과 적

음. ¶～を問わず 다소를 불문하고; 다소에 관계없이 / ～にかかわらず配達します 다소에 관계없이 배달합니다.

二 副 좀; 약간; 얼마쯤. =いくらか·すこし. ¶英語には～自信がある 영어에는 약간 자신이 있다 / ～持ち合わせがある 다소 갖고 있는 것이 있다 / ～知っている 좀 알고 있다.

―とも 副 얼마쯤은; 약간은. ¶皆～この気味がある 모두 얼마간은 이런 기미가 있다.

たしょう【多生】 名 다생. **1**〘佛〙몇 번이고 다시 태어남. **2** 다수를 살림. ¶一殺～の剣 일살 다생지검.

―の縁 전생에서 맺어진 인연. ¶袖触れ合うも～ 지나가다 소매를 스치는 것도 전생의 인연. 參考 '他生の縁'과 혼용함.

たじょう【多情】 名ナ **1** (마음이) 변하기 쉬움; 바람기가 있음. =移り気·うわき. ¶～な男 바람둥이 사나이. **2** 다정(다감)함. ¶～な青年時代 다정다감한 청년 시절.

―たこん【―多恨】 名ナ 다정다한. ¶～の一生を送る 다정다한한 일생을 보내다.

たしょく【多色】 名 다색; 많은 빛깔.

―ずり【―刷り】 名 다색쇄; 인쇄 잉크를 세 가지 색 이상을 쓴 인쇄물.

たじろ-ぐ 5自 질리다; 쩔쩔매다; 멈칫[주춤]하다. =ひるむ. ¶相手の気勢に～ 상대의 기세에 질리다 / あごに一撃を受けて～ 턱을 한 대 맞고 휘청거리다 / 敵の猛攻に～ 적의 맹공에 쩔쩔매다.

***だしん【打診】** 名ス他 타진; (비유적으로 상대방을) 떠봄; 알아봄. ¶胸部を～する 흉부를 타진하다 / 相手の意向を～する 상대방의 의향을 타진하다.

たしんきょう【多神教】 名〘宗〙다신교. ¶～徒 다신교도. ↔一神教.

***た-す【足す】** 5他 **1** 더하다. ¶二に二を～ 둘에 둘을 더하다. ↔引く. **2** 보태다; 채우다; 더 넣다. ¶塩を～ 소금을 치다 / 不足分を～ 부족분을 채우다. **3** ㉠마치다; 끝내다. ¶用を～ (a) 일을 보다; 용무를 끝내다; (b) 용변을 보다. ㉡어떤 목적에 이용하다. ¶研究の用に～ 연구에 이용하다. 注意 3의 뜻일 때에는 '達す'로도 씀.

****だ-す【出す】** 一 5他 **1** 내다. ㉠안에서 밖으로 옮기다; 내놓다; 꺼내다. ¶冷蔵庫から牛乳を～ 냉장고에서 우유를 꺼내다 / 机を廊下に～ 책상을 복도에 내놓다. ↔入れる. ㉡대접·제공하다. ¶茶を～ 차를 내다 / 酒を～ 술을 내다. ㉢돈 따위를 주다. ¶金を～ 돈을 내다. (a) 투자하다; (b) 추렴을 내다 / 資金を～ 자금을 내다. ㉣제출[출품]하다. ¶願書を～ 원서를 내다 / 展覧会に～ 전람회에 출품하다. ㉤새로 시작하거나 열다. ¶店を～ 가게를 내다. ㉥(…에) 힘·마음을 쏟다; 또, 속엣것을 짜내다. ¶精を～ 힘껏[열심히] 일하다 / 実力を～·しきる 실력을 있는 대로 다 내다. ㉦새로 더하다. ¶速力を～ 속력을 내다. ㉧출판하다; 또, 출판물에 싣다. ¶本を～ 책을 내다 / 新聞に広告を～ 신문에 광고를 내다. ㉨발생시키다. ¶火事を～ 불을 내다 / 死傷者を～ 사상자를 내다. ㉩(전에 없던 것을) 새로이 생기게 하다. ¶赤字を～ 적자를 내다 / 新記録を～ 신기록을 내다. ㉪주체의 의향이 공적으로 반영된 것을 보이다. ¶意見を～ 의견을 내다 / 代表を～ 대표를 내다. ㉫(그곳에서) 산출하다. ¶この山は鉄を～ 이 광산에서는 철이 난다. ㉬한계를 넘다; 또, 결과[나머지]를 내다. ¶余りを三っつ～ 나머지를 세 개 내다. ㉭출발·발차·출범시키다. ¶舟を～ 배를 내다. **2** 내밀다. ㉠밖으로 나오게 하다. ¶舌を～ 혀를 내밀다. ㉡뻗(치)다; 대다. ¶ひとの女に手を～ 남의 아내[애인]에게 손을 대다《간통하다》. ㉢나타내다. ¶会場に顔を～ 회장에 얼굴을 내밀다. **3** 드러내다. ¶白い歯を～·して笑う 흰 이를 드러내고 웃다 / 真相を明るみに～ 진상을 세상에 공개하다. **4** 분명히 제시하다; 대다. ¶証拠を～ 증거를 대다. **5** 보내다; 부치다. ¶手紙を～ 편지를 부치다 / 使いに～ 심부름을 보내다. **6**『口を～』㉠말참견하다. ㉡쓸데없는 말을 지껄이다.

二 5自《動詞 連用形을 받아》**1** …하기 시작하다. ¶歩き～ 걷기 시작하다 / 泣き～ 울기 시작하다. **2** 감추어진 것, 확실치 않은 것을 뚜렷하게 하다. ¶話を聞き～ 이야기를 (캐어서) 알아내다 / 紋を染め～ 무늬를 뚜렷이 물들이다. 可能 だ-せる 下1自

―ことは舌を―のも嫌い 내는 것이라면 혀를 내미는 것도 싫다《매우 인색함의 비유》.

***たすう【多数】** 名 다수. ¶～派 다수파 / 圧倒的～ 압도적인 다수 / ～を占める 다수를 차지하다 / ～にものを言わせる 다수의 힘을 빌리다《다수의 위력을 발휘하다》. ↔少数.

―けつ【―決】 名 다수결. ¶～に従う 다수결에 따르다 / ～で押し切る[押しまくる] 다수결로 밀어붙이다.

だすう【打数】 名〘野〙타수; 타자가 된 횟수. =アットバット. ¶五～二安打 5 타수 2 안타.

***たすか-る【助かる】** 5自 **1** 살아나다; 위험·죽음·피해 따위를 면하다; 구제되다; 건지게 되다. ¶命が～ (죽을) 목숨이 살아나다; 목숨을 건지다 / 家は焼けたが貴重品は～·った 집은 불탔으나 귀중품은 건졌다. **2** (부담·노력·고통 등이 덜리어) 도움이 되다; 편해지다. ¶米の値が下がって～ 쌀값

이 내려서 도움이 되다 / 君が手伝ってくれると～のだが 자네가 도와 주면 도움이 될 텐데 / 手数が省けて～ 수고가 덜어져〔덜려서〕 편해지다.

たすき〚襷〛图 **1** 양 어깨에서 양 겨드랑이에 걸쳐 'X' 자 모양으로 엇매어 옷소매를 걷어매는 끈. ¶帯に短し～に長し 띠로는 짧고 멜빵으로는 길다; 넘고 처지다《어중되어 별로 쓸모가 없다》. **2** 어깨띠. ¶赤～のデモ隊 붉은 어깨띠를 두른 데모대 / 候補が～をかけて演説をする 후보가 어깨띠를 두르고 연설을 하다.

たすけ【助け】图 도움; 구원; 구조. ¶～を求める声 구원을 청하는 소리 / ～を頼む 도움을 청하다.

──を借りる 도움을 빌리다〔받다〕.

たすけぶね【助け船】图 **1** 구조선. **2** 조력; 도움; 또, 원조자. ¶見かねて～を出す 보다 못해 도와 주다.

⁑**たす-ける**【助ける】下1他 **1**《救ける》구조하다; 살리다. ¶命を～ 목숨을 살리다 / 危機を～ 위기에서 건져내다 / きょうの所はお～·けください 오늘 일은 눈감아〔못 본 체해〕 주십시오. **2**《佐ける·扶ける》돕다. ㉠거들다. ¶父の仕事を～ 아버지 일을 돕다 / 貧者を～ 가난한 사람을 돕다. ㉡잘못되지 않도록 인도하다; 부축하다. ¶青少年の健全な成長を～ 청소년의 건전한 성장을 돕다 / 子に～·けられて階段をのぼる 아이의 부축을 받아 계단을 오르다. ㉢촉진하다. ¶消化を～ 소화를 돕다.

たずさ-える【携える】下1他 **1** 휴대하다; 손에 들다; 지니다. ¶手みやげを～ 간단한 선물을 손에 들다 / 大金を～·えていた 큰돈을 지니고 있었다. **2** 함께 가다; 데리고 가다. ¶あい～·えて出発する 함께 출발하다 / 妻子を～·えて上京する 처자를 거느리고 상경하다. **3** 함께 손을 잡다; 제휴하다. ¶互いに手を～·えて行く 서로 손을 잡고 가다.

たずさわ-る【携わる】5自 (어떤 일에) 관계하다; 종사하다. ¶教育に～ 교육에 종사하다 / 文筆に～ 문필에 종사하다.

たずねあ-てる【尋ね当てる】下1他 찾아서 있는 곳을 알아내다. ¶移転先を～ 이사간 곳을 찾아내다 / やっと～·てて見ると 겨우 있는 곳을 찾아내고 보니.

たずねあわ-せる【尋ね合わせる】下1他 물어서 확인하다; 문의하다; 조회하다. ＝聞き合わせる. ¶電話で～ 전화로 문의하다 / 正確な情報を～ 정확한 정보를 물어서 확인하다.

たずねびと【尋ね人】图 (행방을 몰라) 찾는 사람; 심인(尋人). ¶～の名 찾는 사람의 이름 / ～の広告 심인 광고.

たずねもの【尋ね者】图『お～』수사 기관으로부터 수배받고 있는 사람〔범인, 용의자〕. ¶彼は警察のお～だ 그는 경찰의 수배자이다.

⁑**たず-ねる**【訪ねる】下1他 찾다; 방문하다. ＝おとずれる. ¶先生の家を～ 선생님 댁을 방문하다 / 古都を～ 옛 도읍을 찾다. 參考 겸손한 말씨로 'うかがう·あがる·参上する'가 있음.

⁑**たず-ねる**【尋ねる】《訊ねる》下1他 **1** 찾다. ㉠(소재·발자취를) 더듬어 찾다. ¶由来を～ 유래를 더듬(어 찾)다 / 家出した娘を～·ねて旅に出る 가출한 딸을 찾아 길을 떠나다. ㉡(사물의 선례, 이치를) 더듬어 밝히다. ¶原理を～ 원리를 찾다 / 歴史に～ (…을) 역사를 뒤져 밝히다. **2** 묻다. ¶道を～ 길을 묻다 / 先生に～ 선생님에게 질문하다 / 安否を～ 안부를 묻다.

だ-する【堕する】サ変自 (좋지 않은 상태·경향으로) 빠지다. ¶マンネリズムに～ 매너리즘에 빠지다.

たぜい【多勢】图 다세; 많은 사람. ＝おおぜい. ↔無勢·小勢·寡勢.

──に無勢 중과부적(衆寡不敵).

だせい【惰性】图 타성. **1** 지금까지의 습관. ¶～を断ち切る 타성을 끊어버리다 / ～に流される 타성에 흐르다〔빠지다〕. **2** ☞かんせい(慣性). ¶バスがとまると～で身体が前へのめる 버스가 멈추면 타성으로 몸이 앞으로 쏠린다. 注意 '堕性'로 씀은 잘못.

──てき【──的】ダナ 타성적. ¶～な生活であったと反省する 타성적인 생활이었다고 반성하다.

だせき【打席】图〔野〕타석; 배터박스(에 섬). ¶五～四打数三安打 5타석 4타수 3안타.

たせん【他薦】图ス他 타천; 남이 추천함. ¶自薦～の候補者 자천 타천의 후보자. ↔自薦.

たせん【多選】图ス他 다선. ¶～議員 다선 의원.

だせん【打線】图〔野〕타선; 타자의 진용. ¶上位～ 상위 타선 / ～が火を吹く 타선이 불을 뿜다.

たそがれ〚黄昏〛图 황혼. **1** 해질녘. ＝夕ぐれ. ¶～の街 황혼의 거리; 어둠이 깃든 거리. **2** 황혼기; 쇠퇴기. ¶人生の～ 인생의 황혼기 / 石炭産業の～ 석탄 산업의 쇠퇴기.

だそく【蛇足】图 사족; 군더더기. ¶～を加える 사족을 붙이다 / この解説は～だ 이 해설은 군더더기이다.

たた【多多】副 다다; 수가 많은 모양. ＝たくさん. ¶～ある 많이 있다.

──ますます弁ず 다다익선(多多益善).

＊**ただ**〚只〛图 무료; 공짜; 거저. ¶～でもらう 거저 얻다 / ～同様の値段 거저나 다름없는 값 / ～ではやらない 거저〔무료로〕는 안 한다 / この酒は～だ 이 술은 공짜다.

──より高いものはない 공짜보다 더 비싼 것은 없다.

⁑ただ〖只·唯〗㊀名 1 보통; 예사. ¶～の人(ひと) 보통 사람/～のからだではない 홑몸이 아니다《임신 중이다》. 2 그냥. ¶～じゃすまない 그냥 끝나지〔넘어가지〕 않는다. ⇨ただでさえ. 3 단; 단지; 다만. ¶～の百円(ひゃくえん) 단돈 백 엔/～の一度(いちど)も…しない 단 한 번도 …하지 않다. ㊁副《흔히 'だけ' 'ばかり' 'のみ' 나 'しか' 에 否定語를 수반하여》 다만; 단(지); 오직; 그저; 오로지; 괜히; 헛되이. ¶～命令(めいれい)に従(したが)うのみ 그저 명령에 따를 뿐(이다)/～君(きみ)だけが頼(たよ)りだ 그저 너만 믿는다/～泣(な)くばかり何(なに)もいわない 그저 울 뿐 아무 말도 않는다. ㊂接 단(지); 다만. ¶いい子(こ)だよ. ～わがままなのが欠点(けってん)だが 좋은 애지. 다만 멋대로 구는 것이 흠이지만. 注意 한자로는 '但' 로도 썼음.

―では置(お)かないぞ〔済(す)まないぞ〕 그냥 두지 않겠다; 무사하지 않을 게다.

*ただ〖徒〗連体 (한 일이) 헛됨; 헛…. ¶～ぼねおり 헛된 애씀; 헛수고.

だだ【駄駄】名 응석; 떼. ¶～っ子(こ) 떼쟁이/～を言(い)う 억지 소리를 하다. 注意 '駄駄' 로 씀은 취음(取音).

―を捏(こ)ねる 떼를 쓰다; 응석을 부리다. ¶～妹(いもうと)を置(お)き去(ざ)りにして一人(ひとり)で遊(あそ)びに行(い)った 떼 쓰는 누이동생을 그냥 내버려 둔 채 혼자 놀러 갔다.

ただい【多大】ダナ 다대. ＝たくさん. ¶～の〔な〕戦果(せんか)をあげた 다대한 전과를 올렸다/～な恩恵(おんけい)をこうむる 크나큰 은혜를 입다.

だたい【堕胎】名スル自 타태; 낙태. ＝妊娠中絶(にんしんちゅうぜつ). ¶～罪(ざい) 낙태죄.

ただいま〖唯今·只今〗㊀名副 1 (바로) 지금; 현재. ＝目下(もっか). ¶～上映中(じょうえいちゅう) 현재 상영 중/～のところでは 지금의 형편으로는〔상태로는〕/～の時刻(じこく)は正午(しょうご)です 현재 시각은 정오입니다. 2 방금; 이제 막. ＝たったいま. ¶～出(で)かけました 방금 나갔습니다. 3 (지금) 곧. ¶～参(まい)ります (지금) 곧 가겠습니다. ㊁感 집에 돌아왔을 때의 인사말《'～帰(かえ)りました(＝지금 돌아왔습니다)' 의 준말》.

たた-える〖称える·讃える〗下1他 칭찬〔칭송〕하다; 기리다. ＝ほめる. ¶優勝(ゆうしょう)〔健闘(けんとう)〕を～ 우승을〔건투를〕 칭찬하다/徳(とく)を～ 덕을 기리다.

たた-える〖湛える〗下1他 1 가득(히) 채우다〔담다〕. ¶池(いけ)に水(みず)を～ 못에 물을 가득히 채우다. 2 (얼굴에) 띄우다; 나타내다. ¶満面(まんめん)に笑(え)みを～ 만면에 웃음을 띄우다.

*たたかい【戦い】名 싸움. 1 전쟁; 전투. ¶はげしい～ 격렬한 전투/～を繰(く)り広(ひろ)げる 전쟁을 벌이다. 2 투기(鬪技); 경기; 승부. ¶覇権(はけん)を賭(か)けての～ 패권을 건 승부/マラソンは孤独(こどく)との～である 마라톤은 고독과의 싸움이다.

*たたかい【闘い】名 투쟁; 싸움. ¶病気(びょうき)〔自身(じしん)〕との～ 질병〔자신〕과의 싸움/～をいどむ 싸움을 걸다.

⁑たたか-う【戦う】5自 싸우다. 1 전쟁하다; 전투하다. ¶敵国(てきこく)と～ 적국과 싸우다/隣国(りんごく)と～ 이웃 나라와 싸우다 2 무기를 들고 싸우다. ¶槍(やり)〔ピストル〕で～ 창〔권총〕으로 싸우다. 3 승리를 위해 다투다; 투쟁하다. ¶反対党(はんたいとう)と～ 반대당과 싸우다/正義(せいぎ)のために～ 정의를 위해 싸우다. 4 힘과 기(技)를 겨루어 다투다. ¶好敵手(こうてきしゅ)として～ 맞수로서 싸우다/優勝(ゆうしょう)をかけて～ 우승을 걸고〔놓고〕 싸우다.

⁑たたか-う【闘う】5自 싸우다; (곤란 따위를) 극복하려고 노력하거나 맞서다. ¶寒(さむ)さと～ 추위와 싸우다/貧困(ひんこん)と～ 빈곤과 싸우다.

たたき〖叩き·敲き〗名 1 두들김; 두드림; 또, 그 사람. ¶太鼓(たいこ)～ 북잡이. 2 다진 고기; 또, 그것을 사용한 요리. ¶あじの～ 다진 전갱이.

たたき〖三和土〗名 (현관·부엌 등의) 시멘트 바닥; 회삼물(灰三物) 바닥.

たたきあ-げる【たたき上げる】《叩き上げる》下1他 잔다리밟다; 갖은 고초를 겪어 사람이 되다〔성공하다〕. ¶職工(しょっこう)から～·げた社長(しゃちょう) 직공으로부터 잔다리밟아 올라간 사장.

たたきうり【たたき売り】《叩き売り》名 (거리의 상인 등의) 싸구려 팔기; 투매. ¶梨(なし)の～ 배의 싸구려 팔기.

たたきおこ-す【たたき起こす】《叩き起こす》5他 1 문을 두드려 (자는 사람을) 깨우다. ¶真夜中(まよなか)に電報配達(でんぽうはいたつ)から～·された 한밤중에 전보 배달원이 문을 두드려서 깨었다. 2 억지로〔두드려〕 깨우다. ¶急用(きゅうよう)で～ 급한 일로 두드려 깨우다/子供(こども)を～·して学校(がっこう)にやる 아이를 두드려 깨워 억지로 학교에 보내다.

たたきおと-す【たたき落とす】《叩き落とす》5他 1 때려서 떨어뜨리다. ＝打(う)ち落(お)とす. ¶栗(くり)を枝(えだ)から～ 밤을 가지에서 쳐서 떨어뜨리다. 2 남을 어떤 지위에서 어거지로 실각시키다. ¶競争相手(きょうそうあいて)を～ 경쟁 상대를 실각시키다.

たたきこ-む【たたき込む】《叩き込む》5他 1 힘껏 때려 박다. ¶くぎを～ 못을 쳐 박다. 2 철저히 주입시켜 가르치다. ¶プロ根性(こんじょう)を～ 프로 근성을 주입하다.

たたきだい【たたき台】《叩き台》名 비판·검토를 가하여, 보다 좋게 하기 위한 원안(原案); 시안(試案). ¶私(わたし)の案(あん)を～にしてください 저의 안을 시안으로 채택해 주십시오.

たたきだいく【たたき大工】《叩き大工》名 서투른 목수.

たたきだ-す【たたき出す】《叩き出す》5他 밖으로 내쫓다; 쫓아 버리다. ＝追(お)い出(だ)す. ¶酔(よ)っぱらいを～ 술주정꾼을 밖으로 내쫓다.

たたきつ-ける【たたき付ける】《叩き付

ける》 [一][下1他] 내동댕이〔내팽개〕치다; 내던지다. ¶コップを地面(じめん)に～ 컵을 땅바닥에 내동댕이치다/上役(うわやく)に辞表(じひょう)を～ 상사에게 사표를 내던지다.
[二][下1自] 세차게 내리치다. ¶大粒(おおつぶ)の雨(あめ)が～ 굵은 빗방울이 내리치다.

たたきなお-す【たたき直す】《叩き直す》[5他] 힘을 가해 (형태를) 바로잡다; 엄한 규율로써 바로잡다. ¶腐(くさ)った根性(こんじょう)を～ 썩어빠진 근성을 바로잡다.

たたきのめ-す〖叩きのめす〗[5他] 때려 눕히다. ¶戦争(せんそう)で～·された国(くに) 전쟁으로 철저히 두들겨맞은 나라.

****たた-く**〖叩く·敲く〗[5他] **1** 치다. ㉠계속해 쳐서 소리를 내다; 두드리다. ¶老師(ろうし)の門(もん)を～ 노스승댁 문을 두드리다/手(て)〔太鼓(たいこ)〕を～ 손뼉〔북〕을 치다/パソコンのキーを～ PC의 키를 두드리다. ㉡때리다; (비유적으로) 비난〔공격〕하다. ¶スキャンダルを新聞(しんぶん)が～ 추문을 신문이 때리다. **2** ㉠묻다; 들어보다. ¶専門家(せんもんか)の意見(いけん)を～ 전문가의 의견을 묻다〔들어보다〕. ㉡반응을 보다; 떠보다. ¶相手(あいて)の意向(いこう)を～ 상대방의 의향을 떠보다. **3** 매우 싼 흥정을 하다; 특히, 값을 깎다. ＝値切(ねぎ)る. ¶～·いて買(か)う 값을 후려 깎아 사다/ひどく～·かれて利益(りえき)がない 몹시 깎이어 이익이 없다. **4** 심한 말을 함부로 해대다. ¶陰口(かげぐち)を～ 뒤에서 험담을 해대다/減(へ)らず口(ぐち)を～ (지지 않으려고) 억지 부리다; 생떼거리를 쓰다.
―·けば埃(ほこり)が出(で)る 털면 먼지가 난다《캐고 들면 결점이나 약점이 나오게 마련이다》.
―·けよさらば開(ひら)かれん 두드려라, 그러면 열리리라.

ただごと〖徒事·只事·唯事〗[名] 보통일; 예삿일. ¶～ではない 보통〔예삿〕일이 아니다《심상치 않다》. ↔変事(へんじ).

***ただし**【但し】[接] 단; 다만. ¶～付(つ)き 단서가 붙음; 조건부/入場料(にゅうじょうりょう)百円(ひゃくえん), ～子供(こども)は半額(はんがく) 입장료 백 엔, 단 어린이는 반액.

****ただし-い**【正しい】[形] 옳다; 바르다; 맞다. ¶～答(こた)え 옳은 답/～行(おこな)い 올바른 행실/心(こころ)の～人(ひと) 마음이 곧은 사람/君(きみ)の言(い)うことが～ 자네 말이 옳다〔맞다〕.

ただしがき【但し書】[名] 단서. ¶～をつける 단서를 붙이다.

ただ-す【正す】[5他] **1** 바르게 하다; 바로잡다; 고치다. ¶誤(あやま)りを～ 잘못을 바로잡다/襟(えり)を～ 옷깃을 여미다/行(おこな)いを～ 행실을 바르게 하다. **2** (시비·명분 등을) 밝히다; 가리다. ¶是非(ぜひ)を～ 시비를 가리다/筋(すじ)を～ 이치〔조리〕를 밝히다. [可能]ただ-せる[下1自]

ただ-す〖糾す·糺す〗[5他] (조사해서) 밝혀 내다; 조사〔규명〕하다. ¶もとを～·せば 근원을 밝히자면/罪(つみ)〔身元(みもと)〕を～ 죄를〔신원을〕 밝히다.

ただ-す〖質す〗[5他] (모르는 점을) 묻다; 물어 확인하다. ¶意向(いこう)を～ 의향을 묻다/真偽(しんぎ)を～ 진위를 물어 확인하다/疑問(ぎもん)を～ 의심나는 점을 묻다/師(し)に～·して知(し)る 스승에게 물어서 알다.

たたずまい〖佇まい〗[名] **1** 서 있는 모양; 전하여, 모양; 모습. ¶野山(のやま)の～ 들과 산의 모습. **2** (자연물에 의해 빚어지는) 분위기. ¶庭(にわ)の～ 정원의 풍취.

たたず-む〖佇む·彳む〗[5自] 잠시 멈춰 서다. ¶川(かわ)のほとりに～ 강변에 잠시 멈춰 서다.

ただただ〖唯唯·只只〗[副] ただ [一]를 강조하는 말. ¶～あきれるばかり 그저 어이없을 뿐/～あやまる 그저 (잘못했다고) 빌다.

***ただちに**【直ちに】[副] **1** 곧; 즉각. ＝すぐ. ¶～出発(しゅっぱつ)せよ 즉각 출발하라/～始(はじ)める 즉시 시작하다. **2** 바로; 직접. ＝じかに. ¶失敗(しっぱい)は～死(し)を意味(いみ)する 실패는 바로 죽음을 뜻한다/部屋(へや)の前(まえ)から～海(うみ)が広(ひろ)がる 방 앞에서 바로 바다가 펼쳐지다.

だだっこ【駄駄っ子】[名] 〈口〉 응석받이; 응석둥이; 떼쟁이. ¶幾(いく)つになっても～で困(こま)る 나이가 들었는데도 응석받이여서 큰일이다.

だだっぴろ-い【だだっ広い】《徒っ広い》[形] 〈俗〉 그저 넓다; 휑뎅그렁하다. ¶～家(いえ) 휑뎅그렁한 집.

ただでさえ [副] 그렇지 않아도. ¶～寒(さむ)いのに窓(まど)が開(あ)けっぱなしになっている 그렇지 않아도 추운데 창이 열린 채로 있다/～うるさいのに 그렇지 않아도 성가신데〔귀찮은데〕.

ただなか【ただ中】《直中·只中》[名] **1** 한복판; 한가운데. ＝まんなか. ¶群衆(ぐんしゅう)の～に割(わ)り込(こ)む 군중 한가운데에 끼어들다. **2** 한창 …한 때. ＝最中(さいちゅう). ¶取(と)り込(こ)みの～ 한창 혼잡한 때/戦争(せんそう)の～に結婚(けっこん)した 한창 전쟁 중인 때 결혼했다.

ただならぬ [連語] 《連体詞적으로》 심상치 않은. ¶～顔色(かおいろ) 심상치 않은 안색/～気配(けはい) 심상치 않은 낌새/～出来事(できごと) 심상치 않은 일〔사건〕/～雲行(くもゆ)き 심상치 않은 형세.

ただに〖啻に〗[副] 《흔히, 다음에 'のみならず'를 수반해서》 비단; 단지; 다만. ¶～健康(けんこう)を害(がい)するのみならず 단지 건강을 해칠 뿐만 아니라/～個人(こじん)の問題(もんだい)であるのみならず… 비단 개인의 문제일 뿐만 아니라….

ただのり【ただ乗り】《只乗り》[名][ス自] 거저 탐; 공짜로 탐; 무임 승차. ＝さつまのかみ. ¶特急(とっきゅう)を～する 특급을 거저 타다.

ただばたらき【ただ働き】《只働き》[名][ス自] **1** 일을 하고도 보수를 받지 못함; 또, 보수 없이 일함; 공일. ¶これでは～同様(どうよう)だ 이래 가지고는 공일이나 마찬가지다. **2** 헛된 수고; 도로(徒勞). ＝むだばたらき.

*たたみ【畳】[名] 다다미; 속에 짚을 넣은 돗자리. ¶～を敷く〔替える〕 다다미를 깔다〔갈다〕.
—の上で死ぬ (사고사·전사 등이 아니고) 자기 집에서 (편안히) 죽다.
—の上の水練 ☞たたみすいれん.
たたみいわし【畳いわし】《畳鰯》[名] 정어리 새끼를 얇게 널빤지 모양으로 이어 붙여서 말린 포.
たたみおもて【畳表】[名] 골풀 돗자리《다다미의 거죽에 댐》.
たたみがえ【畳替え】[名] 다다미의 겉자리를 갈아대는 일. ¶～をする 다다미(의) 겉자리를 갈다.
たたみか-ける【畳み掛ける】[下1自] (상대방에게 여유를 주지 않고) 다그쳐 말을 붙이거나 행동을 하다. ¶～·けて質問する 다그쳐 질문하다 / ～·けて攻撃する 잇따라 공격하다.
たたみこ-む【畳み込む】[5他] **1** 접어 넣다; 접치다. ¶ベッドの脚を～ 침대 다리를 접어 넣다 / 新聞にちらしを～ 신문에 광고 전단을 끼워 넣다. **2** 마음속 깊이 간직하다. ¶師の教えを胸に～ 스승의 가르침을 가슴에 새겨 두다. **3** ☞たたみかける.
たたみすいれん【畳水練】[名] 다다미 위에서 수영 연습하듯, 방법만 알 뿐 실제의 연습이 없는 일; 또, 이론만 알 뿐, 실제로는 도움이 안 됨. ＝畑水練.
たたみべり【畳べり】《畳縁》[名] 다다미의 가두리(에 두른 헝겊).
たた-む【畳む】[5他] **1 접(치)다. ㉠꺾어 접다. ¶紙を四つに～ 종이를 넷으로 접다 / かさを～ 우산을 접다. ㉡개다; 개키다. ¶ふとんを～ 이부자리를 개키다 / 着物を～ 옷을 개다. **2** 걷어치우다. ¶店を～·んで田舎へ行く 가게를 걷어치우고 시골로 가다 / 所帯を～ 살림을 걷어치우다. **3** (표면에 나타내지 않고 속에) 간직하다. ¶胸に～ 가슴속에 간직하다. **4**〈俗〉죽이다. ＝殺す. ¶～·んでしまえ 없애 버려라. [可能]たた-める[下1自]
ただもの〖徒者·只者〗[名]《否定어를 수반하여》평범한〔여느〕 사람; 범인; 보통내기; 행내기. ¶～ではない 행내기가 아니다. ↔くせ者.
*ただよ-う【漂う】[5自] 떠돌다. **1** 표류하다. ¶海に～木片 바다에 떠도는 나뭇조각 / 無人島に～·い着く 무인도에 표착하다. **2** 유랑하다. ＝さまよう. ¶～·い歩く 떠돌아 다니다. **3** 감돌다. ¶花の香が～ 꽃 향기가 감돌다 / なごやかな雰囲気が～ 따뜻한 분위기가 감돌다.
たたら〖踏鞴〗[名]〈雅〉골풀무.
—を踏む 골풀무를 밟다《골풀무를 밟아서 바람을 보내다; 전하여, …하는 여세로 몸을 못 가누고 헛발 디디다》.
たたり〖祟り〗[名] 지벌; 뒤탈; 앙화. ¶あとの～が恐ろしい 뒤탈이 무섭다 / 飲み過ぎの～で胃潰瘍になる 과음 탓으로 위궤양이 되다.
たた-る〖祟る〗[5自] 앙얼 입다; 지벌 입다; (비유적으로) 탈이〔빌미가〕 되다. ¶怨霊が～ 원귀의 앙화를 입다 / 徹夜が～·って頭が痛い 밤샘이 탈이 되어 골이 아프다 / 不況に～·られてさんざんだ 불황 때문에 죽을 지경이다.
ただれ〖爛れ〗[名] 문드러짐; 진무름; 또, 「그 부분.
ただ-れる〖爛れる〗[下1自] **1** 문드러지다; 진무르다. ¶傷が～ 상처가 진무르다 / 薬品で～·れた皮膚 약품으로 인해 진무른 피부. **2** (어떤 일에) 빠지다; 탐닉하다; 문란해지다. ¶酒に～·れた生活 술에 빠져 문란해진 생활.
たたん【多端】[名ナ] 다단; 분주함. ¶～な毎日 다단한 매일 / 公務～のため 공무 다단하여 / 多事～ 다사다단.
*たち〖質〗[名]〈口〉질(質); 성질; 체질; 품질. ¶涙もろい～ 곧잘 눈물을 흘리는 성질; 정에 약한 성질 / 飽きっぽい～ 싫증을 잘 내는 성질 / ～の悪いできもの 악성 종기.
たち【太刀】《大刀》[名]〈雅〉허리에 차는 칼《平安 시대 이후, 의식이나 전진(戰陣)에서 쓰던 길이 60cm 이상의 외날의 것》. ＝刀. ¶木だち 목도 / 打ち込む～を受け流す 내리치는 칼을 받아 넘기다. [参考] '断ち(＝끊음)'의 뜻.
たち=【たち·立ち】《動詞 또는 動詞連用形의 전성(轉成) 名詞에 붙어서》표현을 강조하기 위해 덧붙이는 말. ¶～別れ 작별; 이별 / ～騒ぐ 소란을 피우다 / ～まさる 더 좋다; 보다 낫다 / ～至る (중대한 사태에) 이르다. [参考] '立ち食い(＝서서 먹음)' 등과 같이, 선다는 뜻을 가지는 경우도 많음.
=たち〖達〗《사람을 가리키는 말에 붙어서 複数를 나타냄. 또, 동물·꽃 따위를 의인화해서 쓰기도 함》…들. ¶子供～ 아이들 / 君～ 자네들 / 虫～の音楽会 벌레들의 음악회. [注意]1 '達'는 취음. [注意]2 연탁(連濁)으로 'だち'로 되기도 함. [参考] 'ども' 'ら' 보다 공손한 말임. 또, 존경할 만한 대상에는 '先生がた(＝선생님들)' '皆さまがた(＝여러분들)' 처럼 'がた'를 씀.
たちあい【立ち合い】[名] (씨름에서) 시작하려고 마주 일어섬; 또, 그 순간.
たちあい【立ち会い】[名] 입회. **1** 입회함. ¶警察官～のもとに荷をほどく 경찰관 입회하에 짐을 풀다. **2** (거래소에서) 거래원이 행하는 매매 거래. **3** '立会人'의 준말.
—えんぜつ【—演説】[名] (선거 등의) 「합동 연설.
—にん【—人】[名] 입회인; 참관인. ¶開票の～ 개표 참관인.
*たちあ-う【立ち合う】[5自] 승부를 맞겨루다; 또, 격투하다. ¶堂々と～ 당당하게 승부를 겨루다.
*たちあ-う【立ち会う】[5自] (증인·참고

인 등으로) 입회하다. ¶参考人として～ 참고인으로 입회하다 / 手術に～ 수술에 입회하다.　「なあおい.

たちあおい〖立葵〗名〔植〕접시꽃. ＝は

たちあがり【立ち上がり】名 **1** 일어섬; 또, 그 모양. **2** 첫 동작; 첫 시작; 첫고등. ＝出ばな. ¶～が大切だ 시작이 중요하다 / ～ざま一発たたかれる 일어서자마자 한 대 얻어맞다 / ～をひしぐ 첫고등에 꺾어 누르다.

***たちあが-る**【立ち上がる】5自 일어서다. **1** 일어나다. ¶椅子から～ 의자에서 일어서다. **2** (공중으로) 오르다. ¶煙〔砂ぼこり〕が～ 연기〔모래먼지〕가 오르다. **3** 기운을 되찾다. ¶打撃から～ 타격을 딛고 다시 일어서다 / 廃虚の中から～ 폐허 속에서 다시 일어서다. **4** (행동을) 개시하다; 나서다. ¶水害救済に～ 수해 구제에 나서다 / 暴力追放に市民が～ 폭력 추방에 시민이 나서다.

たちいた-る【立ち至る】5自 (중대〔심각〕한 사태에) 이르다. ¶事ここに～・っては 일이 이에 이르러서는 / とんだ結果に～ 엉뚱한 결과에 이르다.

たちいふるまい【立ち居振る舞い・立ち居振舞】名 기거동작; 행동거지. ¶～が上品だ 행동거지가 점잖다.

たちいり【立ち入り】名 출입. ¶～自由 출입 자유 / ～禁止 출입 금지 / ～検査 입회〔현장〕 검사.

たちい-る【立ち入る】5自 **1** (안에) 들어가다; 출입하다. ¶芝生に～ 잔디밭에 들어가다. **2** 끼어들다; 관계〔간섭, 참섭〕하다. ¶～・ったふるまい 주제넘은 행동 / 私生活に～ 사생활에 개입하다. **3** 사사로운 일에 깊이 파고들다. ¶～・った話 깊이 파고든 개인적 이야기 / 少し～・った事を聞くようですが 좀 사사로운 일을 캐묻는 것 같습니다만. 可能たちい-れる 下1自

たちうお〖太刀魚〗名〔魚〕갈치.

たちうち【太刀打ち】名ス自 칼싸움; 전하여, (실력으로) 맞섬; 맞붙음; 맞겨룸. ¶とても～できない 도저히 맞겨룰 수 없다 / 優に～ができる 족히 맞겨룰 수 있다.

たちうり【立ち売り】名ス他 가게를 마련하지 않고 길가 등에 서서 물건을 팖; 또, 그 사람. ¶新聞の～ 신문의 가두판매 / ホームで駅弁を～する 플랫폼에 서서 도시락을 팔다.

たちおうじょう【立ち往生】名ス自 선 채로 가도 오도 못함. ¶汽車が～する 기차가 선 채로 꼼짝 못하다 / 雪中に～する 눈 속에 갇히어 꼼짝 못하다.

たちおくれ【立ち後れ・立ち遅れ】名 **1** 늦게 일어섬. **2** 뒤(떨어)짐. ¶福祉の～ 복지의 낙후 / 経済の～が目立つ 경제의 낙후가 두드러지다.

たちおく-れる【立ち後れる・立ち遅れる】下1自 **1** 늦게 일어서다; 첫 동작〔출발〕이 늦다. ¶準備が～ 준비가 늦다. **2** 뒤(떨어)지다. ¶近代化が～ 근대화가 뒤지다.　「(立泳).

たちおよぎ【立ち泳ぎ】名 선헤엄; 입영

たちかえ-る【立ち返る】5自 (본디의 장소·상태로) 되돌아오다〔가다〕. ＝(たち)もどる. ¶家に～ 집에 되돌아오다〔가다〕 / 原点に～・って検討する 원점으로 되돌아가 검토하다.

たちかぜ【太刀風】名 칼을 휘두를 때 이는 바람; 또, 그 기세. ¶～すさまじく切りまくる 칼 바람도 무섭게 마구 휘둘러 치다.

たちがれ【立ち枯れ】名ス自 (초목이) 선 채로 말라죽음; 또, 그 초목. ¶～の木 선 채로 말라죽은 나무.

たちき【立ち木】名 입목; 서 있는 나무. ¶～の枝 입목의 가지.

たちぎえ【立ち消え】名 일·계획 등이 흐지부지됨; (슬그머니) 중단됨. ¶本社移転の話が～になる 본사 이전 이야기가 (중도에) 흐지부지되다.

たちぎき【立ち聞き】名ス他 멈춰 서서 엿들음. ¶誰かが～している 누군가 엿듣고 있다 / ふすまの外で～する 맹장지 밖에서 엿듣다.

***たちき-る**【断ち切る】5他 끊다; 잘라버리다. ¶交際を～ 교제를 끊다 / 未練を～ 미련을 끊다 / 退路を～ 퇴로를 차단하다.

***たちき-る**【裁ち切る】5他 (종이·천 따위를) 자르다; 절단하다; (옷감 등을) 마르다. ¶紙を二つに～ 종이를 둘로 자르다.

たちぐい【立ち食い】名ス他 서서 먹음. ¶握り飯を～する 주먹밥을 서서 먹다. 参考 실제로는 카운터에서 먹는 것도 가리킴. ¶そばを～する 메밀국수를 카운터에서 먹다.

たちぐされ【立ち腐れ】名 **1** (기둥·나무 따위가) 선 채로 썩음. ¶～の稲 썩은 채로 서 있는 벼. **2** (건물 따위가) 손질을 안 하여 황폐해 가는 일. ¶住む人もないその家は～になっている 사는 사람도 없는 그 집은 황폐해 가고 있다.

たちくらみ【立ちくらみ・立ち暗み】《立ち眩み》名ス自 일어섰을 때에 느끼는 현기증. 注意 'たちぐらみ' 라고도 함.

たちこ-める【立ち込める】《立ち籠める》下1自 (안개·연기 등이) 자욱이 끼다. ¶霧が～ 안개가 자욱이 끼다 / 熱気が～ 열기가 가득하다.

たちさばき【太刀さばき】《太刀捌き》名 칼 쓰는 솜씨. ¶見事な～ 훌륭한 칼솜씨 / ～が軽い 칼 쓰는 솜씨가 가볍다〔날쌔다〕.　「는 순간〔찰나〕.

たちざま【立ちざま】《立ち様》名 일어서

たちさ-る【立ち去る】5自 떠나(가)다; 물러가다. ＝立ち退く. ¶故郷を～ 고향을 떠나다 / 人知れず～ 남몰래 떠나다.

たちさわ-ぐ【立ち騒ぐ】5自 **1** 뒤떠들

어대다; 시끄럽게 떠들다. ¶観客が～ 관객이 뒤떠들다. **2** (파도가) 거칠다. ¶波が～ 물결이 거세게 일다.

たちしょうべん【立ち小便】图区自 한데 소변《변소 이외의 장소에서 (서서) 오줌을 누는 일》. ¶塀に向かって～をする 담을 향해 오줌을 누다.

たちすく-む【立ちすくむ】《立ち竦む》5自 (두려움에) 선 채 움직이지 못하다; 그 자리에 못박히다; 무르춤하다. ¶犬にほえ立てられて～ 개가 짖어대어서 움쭉 못하다/あまりの恐ろしさにその場に～ 너무나 무서워 그 자리에 선 채 꼼짝 못하다.

たちせき【立ち席】图 입석. ¶～のみ〖게시〗 입석만 있음/～で行く (지정 좌석제의 차량 등에서) 선 채로 가다. ↔座席.

たちつく-す【立ち尽くす】5自 내내 서 있다. ＝たちとおす. ¶映画が終わるまで～·した 영화가 끝날 때까지 서 있었다.

たちづめ【立ちづめ】《立ち詰め》图 계속 서 있음; 내내 서 있음. ＝立ちん坊. ¶～にする 계속 서게 하다/朝から～で働く 아침부터 내내 서서 일하다.

たちどころに〖立ち所に〗副 당장; 곧; 즉시; 이내. ＝ただちに. ¶～痛みが消える 당장 통증이 없어지다/～百人ほどあつまった 이내 백 명쯤 모였다.

***たちどま-る**【立ち止まる】5自 멈추어 서다. ¶ぎょっとして～ 섬뜩 놀라 멈춰 서다/掲示板の前まで～ 게시판 앞에서 멈추어 서다.

たちなお-る【立ち直る】5自 다시 일어서다. **1** (기우뚱했다가) 도로 일어서다; 몸을 가누다. ¶押されてよろめいたが辛くも～·った 밀려서 비틀거렸으나 간신히 몸을 가누었다. **2** 회복하다. ¶景気が～ 경기가 회복되다/打撃から～ 타격을 딛고 다시 일어서다.

たちなら-ぶ【立ち並ぶ】5自 **1** 줄지어〔나란히〕 서다. ¶人家が～ 인가가 즐비하다/歓迎の人びとが～ 환영 인파가 줄지어 서다. **2** 어깨를 나란히 하다; 견주다; 겨루다. ＝匹敵する. ¶～ものがない 견줄〔필적할〕 만한 자가 없다/専門家に～ほどの実力 전문가와 견줄 만한 실력.

たちのき【立ち退き】图 퇴거; 떠나감; 물러감. ¶～命令を出す 퇴거 명령을 내리다 / 地主から～を迫られる 지주에게서 퇴거를 강요당하다.

***たちの-く**【立ち退く】5自 퇴거하다; 물러나다〔가다〕; 떠나다. ¶生まれ故郷を～ 태어난 고향을 떠나다/この辺り一帯は～ことになった 이 근방 일대는 퇴거하게 되었다.

たちのぼ-る【立ち上る】5自 (연기 등이) 오르다; 떠오르다. ¶煙〔湯気〕が～ 연기가〔김이〕 오르다.

たちのみ【立ち飲み】图区他 서서〔선채로〕 마심. ¶酒屋の店先で～する 술가게 앞에서 서서 마시다.

****たちば**【立場】图 입장; 처지; 조건; 형편. ¶つらい～にある 고달픈 처지에 있다/～上やむを得ない 형편상 부득이하다/～を異にする 처지를 달리하다/対等の〔有利な〕～に立つ 대등한〔유리한〕 입장에 서다/微妙な～に置かれる 미묘한 처지에 놓이다.

たちはだか-る【立ちはだかる】5自 가로막아 서다; 앞길을 가로막다; (곤란·장애 등이) 가로놓이다. ¶行く手に～壁 앞길을 가로막는 벽/人前に～ 남의 앞을 가로막아 서다.

たちはたら-く【立ち働く】5自 부지런히 일을 잘하다. ¶かいがいしく〔まめまめしく〕～ 부지런히 일하다/台所で～ 부엌에서 (바지런히) 일하다.

たちばな〖橘〗图〖植〗**1** 'こうじ·こみかん(＝홍귤나무)'의 옛이름. **2** 귤나무.

たちばなし【立ち話】图区自 서서 이야기함; 또, 그 이야기. ¶道で～をする 길에 서서 이야기하다.

たちばん【立ち番】图区自 서서 망을 봄; 또, 그 사람. ¶～の警官に尋問される 입초 경관에게 검문당하다.

たちふさが-る【立ちふさがる】《立ち塞がる》5自 가로막아 서다; 앞을 가로막다. ＝たちはだかる. ¶入り口に～ 입구에 가로막아 서다/両手を広げて～ 양손을 벌리고 가로막아 서다/困難が～ 곤란이 가로놓이다.

たちふるまい【立ち振る舞い·立ち振舞】图 행동거지. ＝たちいふるまい.

たちまさ-る【立ち勝る】5自 뛰어나다; (더) 낫다. ¶技術は他社より～·っている 기술은 다른 회사보다 우수하다.

***たちまち**〖忽ち〗副 홀연; 곧; 금세; 갑자기. ¶～のうちに燃える 깜짝할 사이에 불타다/～売り切れる 금세 다 팔리다/～雪が降り積もる 금세 눈이 내려 쌓이다.

たちまわり【立ち回り】图 **1** 돌아다님. **2** (연극·영화의) 난투 장면; 또, 그 연기; 전하여, 드잡이; 싸움; 난투. ¶～をする 싸움을 하다/大～を演ずる 격투〔난투〕를 벌이다.

—さき【—先】图 외출 중인, 특히 도망 중인 사람이 들르는 곳.

たちまわ-る【立ち回る】5自 **1** 여기저기 돌아〔뛰어〕다니다. ¶あちこち～·ってやっと金を集めた 이리저리 뛰어다녀 겨우 돈을 만들었다. **2** 유력자의 집을 드나들며 제 이익을 챙기려 들다; 약삭빠르게 굴다〔헤엄치다〕. ¶如才なく～ 약삭빠르게 굴다/よく～と早く出世する 약삭빠르게 굴면 빨리 출세한다. **3** (피해 다니다가) 들르다. ¶犯人が知人の宅に～ 범인이 아는 집에 들르다. **4** (연극에서) 난투를 벌이다.

たちみ【立ち見】图 입견; 선 채로 봄. ¶～客 서서 보는 관객.

たちむか-う【立ち向かう】[5自] **1** 마주 대해 서다; 당면〔직면〕하다. ¶難局に～政府 난국에 직면하는 정부. **2** 맞서다; 대항하다. ¶真正面から～ 정면으로 맞서다/権力に～ 권력에 맞서다. **3** (목적·목적지를) 향하다. ¶前線に～ 전선으로 향하다.

たちもど-る【立ち戻る】[5自] (다시) 되돌아오다〔가다〕. ¶本論に～ 본론으로 되돌아오다/本来の姿に～ 본래의 모습으로 되돌아가다.

たちゆ-く【立ち行く】[5自] 그럭저럭 되어(나)가다. **1** (장사가) 채산이 맞다. ¶借金がかさんで店が～·かない 빚이 늘어 가게가 되지 않는다. **2** (살림을) 꾸려 나갈 수 있다; 생활을 할 수 있다. ¶生活〔暮らし〕が～·かない 생활해 나갈 수가 없다.

だちょう〖駝鳥〗[名]〘鳥〙타조.

たちよみ【立ち読み】[名][ス他] (책방에서) 서서 읽음((책을 사지 않고)).

たちよ-る【立ち寄る】[5自] **1** 다가서다. ¶花のそばに～ 꽃 옆에 다가서다. **2** (지나는 길에) 들르다. ¶本屋に～ 서점에 들르다/帰りにお～·りください 돌아오는 길에 들르십시오.

たちわざ【立ち技】[名] (유도·레슬링 등에서) 선 자세로 상대방을 넘기는 수. ↔寝わざ.

だちん【駄賃】[名] (특히, 아이들의) 심부름 삯. ¶お～ 심부름 값.

たちんぼう【立ちん坊】[名] **1** 내처 서 있음. ＝立ちづめ. ¶(列車内で) 二時間～をした (열차 안에서) 두 시간 동안 계속 서 있었다/電車が込んで～のままで行った 전차가 붐벼서 내내 선 채로 갔다. **2**〈卑〉(사람 모으러 온 트럭을 타고 가서 토목·건축 공사장 등에 종사하는) 날품팔이. [注意] 'たちんぼ' 라고도 함.

**たつ【建つ】[5自] (건조물 따위가) 세워지다. ¶銅像が～ 동상이 서다/ビルが～ 빌딩이 세워지다/学校が～ 학교가 세워지다〔설립되다〕.

たつ【立つ】[5自] **1 일어서다; 일어나다. ¶いすから～ 의자에서 일어서다/むっくり～벌떡 일어나다/正義のために～ 정의를 위해 일어서다. **2** 서다. ㉠앉지 않다. ¶～·って映画を見る 서서 영화를 보다. ㉡곧게 나 있다; 또, 붙어 있다. ¶両側に～並木 양측에 서 있는 가로수/霜柱が～ 서릿발이 서다. ㉢어떤 위치〔입장·지위〕에 있다. ¶山上に～ 산정(山頂)에 서다/苦境に～ 곤경에 처하다/優位に～ 우위에 서다. ㉣곧추 세워지다〔서다〕. ¶耳の～·った犬 귀가 곧추 선 개. ㉤설립되다. ¶会社が～ 회사가 설립되다. ㉥열리다. ¶市が～ 장(場)이 서다. ㉦확실한 것이 되다; 정해지다. ¶計画が～ 계획이 서다/見通し〔めど〕が～ 전망이〔목표가〕 서다. ㉧조리가 닿다; 또, 명분 등이 닿다. ¶理論が～ 이론이 서다/理屈が～ 이치가 닿다. ㉨손상되지 않다; 유지되다. ¶面目が～ 면목이 서다/顔が～ 체면이 서다/男が～·たない 남자로서의 체면이 서지 않다. ㉩편에 서다〔붙다〕. ¶アメリカ側に～ 미국측에 서다. ㉪높은 곳에 뜨다. ¶にじが～ 무지개가 서다. ㉫기준·판단이 서다. ¶見分けが～ 분간이 서다. ㉬어떤 상태에 몸을 두다. ¶教壇に～ 교단에 서다((교직에 몸을 담다))/歩哨に～ 보초를 서다. **3** 나서다. ¶選挙に～ 선거에 (후보로) 나서다/案内に～ 안내를 맡아 나서다/知事選に～ 지사 선거에 나서다. **4** 쭈뼛하다; 곤두서다; 또, 흥분하다. ¶毛が～ 털이 곤두서다/気が～ 신경이 곤두서다; 흥분하다. **5** (눈에) 띄다; 두드러지다. ¶人目に～ 남의 눈에 띄다. **6** 나다. ㉠퍼지다. ¶うわさが～ 소문이 나다. ㉡감정이 치밀다. ¶腹が～ 화가 나다. ㉢발생하다. ¶煙が～ 연기가 나다. ㉣두드러지다; 원만치 못하다. ¶角が～ 모가 나다. **7** 일다; 끼다. ¶風が～ 바람이 일다/波が～ 물결이 일다; 놀치다/霧が～ 안개가 끼다. **8** 뜨다. ㉠ 자리를 떠나다. ¶席を～ 자리를 뜨다. ㉡((発つ)) 출발하다; 떠나다. ¶旅に～ 길을 떠나다/明日アメリカに～ 내일 미국으로 떠난다. **9** (위로) 오르다. ¶人気が～ 인기가 오르다/湯気が～ 김이 오르다. **10** ((沸つ)) 끓다. ¶ふろが～ 목욕물이 끓다/湯が～ 물이 끓어오르다. **11** 꽂히다; 박이다; 걸리다. ¶矢が～ 화살이 꽂히다/とげが～ 가시가 박이다. **12** 뛰어나다; 잘 쓰다. ¶弁が～ 달변이다/腕の～職人 일솜씨가 뛰어난 장색/筆が～ 글을 잘 쓰다. **13** 유지되다; 돼 나가다. ¶くらしが～ 그럭저럭 생활을 해나가다/店が～·ってゆく 가게가 (그럭저럭) 유지돼 나가다. **14** 소용에 닿다. ¶役に～ 도움이 되다; 쓸모가 있다/用に～ 소용되다. **15**《接尾語적으로, 動詞 連用形에 붙어》몹시〔심하게〕 …하다. ¶煮え～ 펄펄 끓다/いきり～ 격분하다. [可能]た-てる [下1自]

—鳥跡を濁さず 나는〔뜨는〕 새는 뒤를 어지르지 않는다((떠날 때에는 뒤처리를 깨끗이 하라는 뜻)).

*たつ【断つ】[5他] 끊다. **1** 자르다. ¶大根を二つに～·ち切る 무를 두 토막으로 자르다/雑草の根を～ 잡초의 뿌리를 자르다. **2** (술·담배 따위를) 아주 끊어 버리다. ¶酒〔たばこ〕を～ 술을〔담배를〕 아주 끊다. **3** 차단하다. ¶退路〔逃げ道〕を～ 퇴로를〔도망갈 길을〕 끊다. [可能]た-てる[下1自]

*たつ【絶つ】[5他] **1** 끊다. ¶縁を～ 인연을 끊다/交わり〔音信〕を～ 교제를〔소식을〕 끊다/命を～ 목숨을 끊다((a) 자살하다; (b) 죽이다))/あとを～

대〔후사〕를 끊다. **2** 없애다; 뿌리 뽑다. ¶悪を～ 악을 뿌리 뽑다. 可能 たーてる 下1自

たーつ【裁つ】 5他 옷감을 마르다; 재단하다. ¶服地を～ 옷감을 마르다. 可能 たーてる 下1自

***たーつ〖経つ〗** 5自 (시간·때가) 지나다; 경과하다. ¶時が～ 시간이 지나다 / 五分～·てば 5분 있으면〔지나면〕/ 年月が～ 세월이 가다.

たつ [辰] 名 진; 지지(地支)의 다섯째《시각으로는 오전 8시, 또는 오전 7시~9시까지의 사이. 방위로는 동남동》.

たつ〖達〗《達》 教4 タツ ダチ さとる | 달 이르다

1 (길이) 통하다. ¶四通八達 사통팔달 / 隣村へ達する道 이웃 마을로 통하는 길. **2** 이룩하다. ¶達成 달성.

=だーつ《名詞에 붙어 五段動詞를 만듦》…와 같이 되다; …다워지다. ¶浮き足～ 도망치려 들다; 들떠지다 / 殺気～ 살기를 띠다 / 主～ 중심이 되다.

だつ=【脱】 이제까지의 것에서 탈피함; 탈…. ¶～農業化 탈농업화 / ～サラリーマン 탈샐러리맨.

だつ〖脱〗《脱》 常用 ダツ ぬぐ ぬげる のがれる | 탈 벗다

1 벗다. ¶脱皮 탈피 / 服を脱ぐ 옷을 벗다. ↔着. **2** 벗어나다; 면하다. ¶脱退 탈퇴. **3** 빼다; 없애다. ¶脱色 탈색.

だつ〖奪〗 常用 ダツ うばう | 탈 빼앗다 | 빼앗다. ¶奪還 탈환 / 争奪 쟁탈 / おどして金を奪う 협박하여 돈을 빼앗다.

だつい【脱衣】 名ス自 탈의. ¶～場〔所〕탈의장. ↔着衣.

だつえい【脱営】 名ス自 탈영. ¶～兵 탈영병 / 集団で～する 집단으로 탈영하다.

だっかい【脱会】 名ス自 탈회. =退会. ¶～届 탈회 신고 / ～する者がふえる 탈회하는 사람이 늘어나다. ↔入会.

だっかい【奪回】 名ス他 탈회; 탈환; 되빼앗음. =奪還. ¶陣地〔ペナント〕を～する 진지〔우승기〕를 탈환하다.

たっかん【達観】 名ス他 달관. **1** 전반적인 정세를 넓은 시야에서 봄. ¶国際情勢を～する 국제 정세를 달관하다. **2** 진리를 깨달음. ¶人生を～する 인생을 달관하다.

だっかん【奪還】 名ス他 탈환. =奪回. ¶陣地を～する 진지를 탈환하다 / タイトルを～する 타이틀을 탈환하다.

だっきゃく【脱却】 名ス自他 탈각. **1** 벗어남; 빠져 나옴. ¶危機を～する 위기를 벗어나다 / 赤字財政からの～を図る 적자 재정에서 벗어나려고 노력하다. **2** 버림; 벗어 버림. ¶古い考えを～する 낡은 생각을 버리다.

たっきゅう【卓球】 名 탁구. =ピンポン·テーブルテニス.

だっきゅう [脱臼] 名ス自〔醫〕탈구; 뼈마디가 퉁겨짐. ¶肩の骨が～する 어깨뼈가 탈구하다.

たっきゅうびん【宅急便】 名 '宅配便(=택배편)'의 상표명.

ダッグアウト [미 dugout] 名〔野〕더그아웃; 야구장의 선수·감독 대기석. =ベンチ·ダグアウト.

タックス [tax] 名 택스; 세금; 조세. ¶～フリー 택스프리; 면세.

——ヘイブン [tax haven] 名〔經〕택스 헤이븐; 조세 피난처》.

タッグマッチ [tag match] 名 태그매치. =タグマッチ.

たづくり【田作り】 名〈雅〉논밭을 갊; 또, 그 사람. =たつくり.

タックル [tackle] 名ス自 (럭비·미식 축구에서) 태클.

たっけん【卓見】 名 탁견; 고견. ¶～を言う 탁견을 말하다. ↔俗論.

だっこ【抱っこ】 名〈兒〉안음; 안김.

だっこう【脱稿】 名ス他 탈고. ¶ようやく～した 겨우 탈고했다. ↔起稿.

だっこく【脱穀】 名ス自 탈곡. ¶～機 탈곡기.

だつごく【脱獄】 名ス自 탈옥. =ろう破り·脱牢·破獄. ¶～囚 탈옥수.

だつサラ【脱サラ】 名 탈샐러리맨; 봉급 생활에서 벗어나 독립함; 또, 그 사람. 參考 '脱サラリーマン'의 준말.

だっさんしん【奪三振】 名〔野〕탈삼진. ¶～五 탈삼진 다섯 개.

たっし【達し】《達示》 名 시달. =ふれ. ¶～書き 통지서 / そのすじのお～により 당국의 시달에 따라 / お～があった 시달이 있었다.

だっし【脱脂】 名ス自 탈지; 지방을 제거함.

——にゅう【—乳】 名 탈지유.

——ふんにゅう【—粉乳】 名 탈지 분유. =スキムミルク. ↔全乳.

——めん【—綿】 名 탈지면.

だつじ【脱字】 名 탈자. ¶誤字や～が多い 오자나 탈자가 많다. ↔衍字.

たっしゃ【達者】 一名 달인(達人); 명인. ¶弓の～ 활의 명수. 二ダナ **1** 능숙함; 잘함; 뛰어남. ¶～な腕 뛰어난 솜씨 / 口の～な男 말솜씨가 뛰어난〔달변인〕사나이 / 英語が～だ 영어가 능숙하다. **2** 건강함; 튼튼함. ¶～に暮らす 건강하게 지내다 / 年はとっても目は～だ 나이는 먹었어도 시력은 좋다. **3**〈俗〉빈틈없음; 오달짐; 야무짐. ¶～なやつ 오달진 녀석 / 世渡りが～だ 처세가 빈틈없다.

だっしゅ【奪取】 名ス他 탈취. ¶陣地を～する 진지를 탈취하다.

ダッシュ [dash] 대시. 一名 **1** 문장에 쓰는 '—'의 기호. **2** (수학 등에서) 로마자 오른쪽 어깨에 치는 ' ′ '의 기호. 二名ス自 돌진; 전력 질주. ¶スタート～ 스타트 대시 / ゴールを目ざして～する 골을 향해서 돌진하다.

—ボード [dashboard] [名] 대시 보드; 자동차 운전석이나 비행기 조종석 앞에 있는 계기반(盤).

だっしゅう【脱臭】[名][ス自] 탈취; 냄새를 없앰.

—ざい【—剤】[名] 탈취제.

だっしゅつ【脱出】[名][ス自] 탈출. ¶国外に~する 국외로 탈출하다.

だっしょく【脱色】[名][ス自] 탈색. =色抜き.

—ざい【—剤】[名] 탈색제.

たつじん【達人】[名] 달인; 명수. =名人. ¶剣術の~ 검술의 달인.

だっすい【脱水】[名][ス自] 탈수. ¶遠心分離式~機 원심 분리식 탈수기.

—しょうじょう【—症状】[名] 탈수 증상. ¶下痢による~ 설사로 인한 탈수 증상.

**たっ-する【達する】[一][サ変自] 달하다. 1 도달하다; 이르다. ¶山頂に~ 산정에 이르다/目的地に~ 목적지에 이르다/社長の耳に~ 사장의 귀에 들어가다. 2 (예상 한도를 넘어선) 놀라운 수량이 되다. ¶損失は一億円に~ 손실은 1억 엔에 달한다.

[二][サ変他] 달하다; 달성하다; 이루다. ¶目的を~ 목적을 달성하다/望みを~ 소망을 이루다.

だっ-する【脱する】[サ変自他] 벗어나다. 1 탈출하다. ¶窮地〔危機〕を~ 궁지〔위기〕를 벗어나다/敵地から~ 적지에서 탈출하다/束縛から~ 속박에서 벗어나다. 2 이탈하다. ¶隊列を~ 대열을 벗어나다. 3 (어떤 단계·정도를) 넘어서다. ¶素人の域を~ 아마추어 영역을 벗어나다.

たつせ【立つ瀬】[連語] 설 곳; 입장.

—がない 설 곳을 잃다; 입장이 난처해지다. ¶彼の口から大事がもれたら, 二人共~ 그의 입으로 큰일이 새어 나가면 두 사람 다 난처해진다.

*たっせい【達成】[名][ス他] 달성. ¶使命を~する 사명을 달성하다/目標~に努力する 목표 달성에 노력하다/悲願が~される 비원이 달성되다.

だつぜい【脱税】[名][ス自] 탈세. ¶~犯 탈세범/~行為 탈세 행위/~が発覚する 탈세가 발각되다.

*だっせん【脱線】[名][ス自] 탈선. 1 궤도를 벗어나다. ¶~転覆 탈선 전복/列車が~する 열차가 탈선하다. 2 (이야기 따위가) 빗나가다; 상궤를 벗어난 행동을 하다. ¶話が本筋から~する 이야기가 본줄기에서 벗어나다/酒を飲み過ぎて~する 술을 너무 많이 마셔 탈선하다.

だっそう【脱走】[名][ス自] 탈주. ¶~兵 탈주병/集団~ 집단 탈주.

だつぞく【脱俗】[名][ス自] 탈속. ¶出家~する 출가 탈속하다/彼の字は~の風がある 그의 글씨에는 탈속의 경향이 있다.

*たった〘唯〙[副] 〈口〉 겨우; 단지; 다만. =わずか·ほんの. ¶~これだけか 겨우 이것뿐이냐/~十円とはあまり安い 고작 10엔이라니 너무 싸다.

だったい【脱退】[名][ス自] 탈퇴. ¶~声明をだす 탈퇴 성명을 내다/組合を~する 조합을 탈퇴하다.

たったいま【たった今】《唯今》[副] 이제 막; 방금. =いましがた. ¶~帰ったばかりです 이제 막 돌아온 길입니다.

だったら [接]《순접(順接)을 나타냄》 그렇다면; 그러하다면. ¶'ああ, 疲れた' '~明日にしたら' '아, 피곤하다' '그렇다면 내일 하지'.

タッチ [touch] 터치. [一][名][ス自] 1 닿음; 댐. ¶ノー~ 노터치/ワン~の差 극히 경미한 차/軽く~する 가볍게 터치하다. 2 관계함. ¶一切~していない 일체 관계하지 않았다.

[二][名] 1 필치; 손놀림; 기법. ¶強烈な~の絵 강렬한 터치의 그림/あのピアニストの~は柔らかい 저 피아니스트의 터치는 부드럽다. 2 감촉. =手ざわり. ¶いい~ 기분 좋은 감촉/やわらかな~ 부드러운 감촉.

—アウト [일 touch+out] [名][ス自] 〔野〕 터치아웃. *영어로는 tag(out)라고 함.

—スクリーン [touch screen] [名] 〔컴〕 터치 스크린; 키보드를 사용하지 않고, 모니터 화면의 글자나 그림에 접촉함으로써 컴퓨터를 조작하는 장치. =タッチパネル.

—ダウン [touchdown] [名][ス自] 터치다운; (럭비에서) 볼을 적의 골 안 지면에 대어 득점하기.

—ライン [touchline] [名] 터치라인; 축구·럭비 경기장의 좌우 한계선.

ダッチ= [Dutch] 더치; 네덜란드의.

—アカウント [일 Dutch+account] [名] 각추렴; (비용의) 각자 부담. =ダッチカウント·割り勘.

だっちょう【脱腸】[名][ス自] 〔醫〕 탈장. =ヘルニア.

たって〘達て·強って〙[副] 굳이; 꼭; 무리하게. ¶~のお願いだ (억지로라도 들어주었으면 하는) 간절한 부탁이다/いやなら~というわけではない 싫다면 무리하게 강요하는 건 아니다.

たって [連語] 1 …하더라도; …(다고) 해도. =ても. ¶笑われ~いいよ 웃음거리가 된다 해도 좋다/いくら親しく~礼儀は守るべきだ 아무리 친하더라도 예의는 지켜야 한다. 2 …하려 하여도; …해 보았자. ¶逃げよう~逃がさないぞ 도망치려 해도 놓치지 않을 걸/今さら言っ~もうおそい 이제 와서 말해 보았자 이미 늦었다.

*だって [一][連語] 1 …라(해)도; 일지라도. =でも. ¶猿~木から落ちるさ 원숭이(라)도 나무에서 떨어지는 수가 있단 말야/子供に~できる 어린애라도 할 수 있다/安いの~けっこう使える 싼 것이라도 충분히 쓸 수 있다. 2 …도 또한; …도 역시. ¶私~いやです 나도 역시 싫습니다/彼~辛いんだよ 그

역시 괴롭기는 마찬가지야. **3**…에게조차. ¶そんな事(こと)は親(おや)に～話(はな)せません 그런 일은 부모에게도 말할 수 없습니다 / ぼくに～チャンスはある 내게도 기회는 있다. **4**…건 …건. ¶君(きみ)～ぼく～ 자네건 나건 / 洋服(ようふく)～くつ～ 양복이건 구두건 (모두).

㊁接 〈俗〉 하지만; 그래도; 그러나; 그런데; 하기는; 그럴 것이. ¶～いやよ 그래도 싫단 말예요 / ～それは無理(むり)だよ 하지만 그건 무리야.

だっと [脱兎] 名 탈토. ¶～の勢(いきお)い 탈토와 같은 기세《매우 빨라서 잡을 수 없는 기세》/ 始(はじ)めは～のごとく終(お)わりは処女(しょじょ)のごとし 처음의 푸르던 서슬은 어디 가고 양같이 되다.

たっと-い 【尊い·貴い】 形 ☞とうとい.

だっとう 【脱党】 名ス自 탈당. ¶～して新党(しんとう)を結成(けっせい)する 탈당해서 신당을 결성하다. ↔入党(にゅうとう).

「ぶ.

***たっと-ぶ** 【尊ぶ·貴ぶ】 5他 ☞とうと

たづな 【手綱】 名 (말)고삐. ¶～をとる〔引(ひ)く〕 고삐를 잡다〔당기다〕/ ちょっと～をゆるめるとすぐこれだ 조금만 고삐를 늦추면 곧 이 지경이다.

—を締(し)める 고삐를 죄다; 제어하다.

—さばき 〖—捌き〗 名 말을〔고삐를〕 다루는 솜씨; 또, 일반적으로 개인이나 조직을 관리하는 솜씨.

たつのおとしご 【竜の落とし子】 名 〘魚〙 해마(海馬).

だっぱん 【脱藩】 名ス自 무사가 속했던 藩(はん)을 나와 낭인이 됨.

だっぴ 【脱皮】 名ス自 탈피. ¶へびの～ 뱀의 탈피 / 旧態(きゅうたい)からの～ 구태로부터의 탈피 / 因習(いんしゅう)から～する 인습에서 탈피하다〔벗어나다〕.

たっぴつ 【達筆】 名ナ 달필. ＝能筆(のうひつ). ¶～で書(か)く 달필로 쓰다 / 余(あま)り～過(す)ぎて, よく読(よ)めない 너무 달필이어서 잘 읽을 수 없다. ↔悪筆(あくひつ).

タップダンス [tap dance] 名 탭 댄스.

タップパンツ [tap pants] 名 탭 팬츠; 스커트처럼 폭이 넉넉한 쇼트 팬츠.

***たっぷり** ㊀副 넘칠 만큼 많은 모양: 듬뿍; 푹; 많이. ¶～食(た)べる 듬뿍 먹다 / 自信(じしん)～の表情(ひょうじょう) 자신만만한 표정 / 皮肉(ひにく)～な言(い)い方(かた) 몹시 빈정거리는 말투 / あいきょう～だ 애교가 넘쳐흐른다. ㊁副ス自 충분하고 여유가 있는 모양. ¶～した服(ふく) 나낙한 옷 / ～時間(じかん)をとる 충분히 시간을 잡다.

だっぷん [脱糞] 名ス自 탈분; 똥을 눔. ¶馬(うま)が歩(ある)きながら～する 말이 걸어가면서 똥을 누다.

たつべん 【達弁】 名 달변. ＝能弁(のうべん). ¶～の人(ひと) 달변인 사람. ↔訥弁(とつべん).

だつぼう 【脱帽】 名ス自 **1** 탈모; 모자를 벗음. ¶教室(きょうしつ)にはいったら～せよ 교실에 들어서면 탈모해라. **2** 경의를 표함; 항복함. ¶君(きみ)にはとてもかなわない, ～するよ 네겐 도저히 못 당하겠다, 항복한다 / 君(きみ)のねばり強(づよ)さには～するよ 자네의 강한 끈기에는 두손들겠네.

だっぽう 【脱法】 名 탈법. ¶～(的(てき))行為(こうい) 탈법(적) 행위.

たつまき 【竜巻】 名 맹렬한 회오리《바다회오리, 모래회오리 따위》. ＝つむじかぜ. ¶～に家(いえ)が巻(ま)き上(あ)げられた 맹렬한 회오리에 집이 휘말려 올라갔다.

たつみ [辰巳·巽] 名 〈老〉 동남방쪽.

だつもう 【脱毛】 名ス自他 탈모; 털이 빠짐. ¶～症(しょう) 탈모증 / ～剤(ざい) 탈모제.

***だつらく** 【脱落】 名ス自 탈락. **1** 빠짐. ¶この本(ほん)はページの～がある 이 책은 페이지가 누락돼 있다 / 文章(ぶんしょう)が一行(いちぎょう)～している 문장이 한 줄 빠져 있다. **2** 낙오. ¶～者(しゃ) 탈락자; 낙오자 / 上位者(じょういしゃ)のグループから～する 상위자 그룹에서 탈락하다.

だつりゅう 【脱硫】 名 〘化〙 탈황; 황 성분을 제거함. ¶～装置(そうち) 탈황 장치.

だつろう 【脱漏】 名ス自 탈루; 빠짐. ＝漏(も)れ·抜(ぬ)け. ¶～部分(ぶぶん) 탈루 부분 / 重要(じゅうよう)な箇所(かしょ)が～していた 중요한 대목이 빠져 있었다.

たて 【立て】 ㊀名 **1** 주역. **2** ☞たてやくしゃ. ㊁接頭 **1** 첫째·최고위의 뜻을 나타내는 말. ¶～行司(ぎょうじ) 씨름판 최고위급 심판. **2** 세워 있음. ¶～看板(かんばん) 입간판.

たて 【盾】《楯》 名 방패. ¶～で矢(や)を防(ふせ)ぐ 방패로 화살을 막다 / ～にする 방패로 삼다.

—に取(と)る 구실〔방패〕로 삼다; 트집거리로 삼다. ¶規則(きそく)を～ 규칙을 핑계삼다〔내세우다〕/ 相手(あいて)の失言(しつげん)を盾に取って非難(ひなん)する 상대방의 실언을 트집잡고 비난하다.

—の半面(はんめん) 사물의 다른 일면.

—の両面(りょうめん) 사물의 표리〔겉과 속〕.

—を突(つ)く 반항하다; 적대하다. ¶親(おや)に～ 부모에게 대들다.

⁑たて 【縦】《竪·経》 名 **1** 세로. ¶～に書(か)く 세로로 쓰다 / ～に線(せん)を引(ひ)く 선을 내리긋다 / 首(くび)を～に振(ふ)る 고개를 끄덕이다《승낙하다》. **2** 'たていと (＝날실)' 의 준말. ⇔横(よこ).

—から見(み)ても, 横(よこ)から見ても 어느 모로 보나. ¶～非(ひ)のうちどころがない 어느 모로 보나 나무랄 데가 없다.

—の関係(かんけい) 종적 관계.

たて 〖殺陣〗 名 연극이나 영화의 난투 장면. ＝たちまわり.

=たて 〖立て〗 **1**《動詞連用形를 받아서 体言을 만듦》막〔갓〕…함. ¶焼(や)き～の魚(さかな) 갓 구운 생선 / ペンキ塗(ぬ)り～ 페인트를 갓 칠함. **2** 〈俗〉《숫자에 붙어서》 연패(連敗). ¶三(さん)～を食(く)う 3연패를 당하다. 参考 보통 かな로 씀.

たで 〖蓼〗 名 〘植〙 (버들)여뀌.

—食(く)う虫(むし)も好(す)き好(ず)き 오이를 거꾸로 먹어도 제멋(에 산다).

だて 〖伊達〗 名ナ **1** 겉멋 듦; 멋 부림. ¶～姿(すがた) 멋 부린 모습 / ～のめがね 멋으

로 쓴 안경 / ~や粋狂で言うんじゃない 멋이나 호기심으로 말하는 게 아니다. **2** 짐짓 호기〔위세〕를 부림; 협기. ＝男だて. ¶~の若い衆 짐짓 호기를 부리는 젊은 축들. 「입음.

──の薄着 멋 부리느라 추워도 얇게

=だて【立て】 **1**《動詞連用形를 받아서 名詞를 만듦》특별히〔일부러, 필요 이상으로〕…함을 나타냄. ¶とがめ~をする 대고 나무라다; 트집 잡다 / かばい~ 싸고돎 / 隠し~ 대고 숨김. **2**《数를 나타내는 말을 받아서 名詞를 만듦》우마차를 끄는 마소의 수. ¶二頭~の馬車 쌍두 마차.

=だて【建て】《물건의 수를 나타내는 말을 받아서 名詞를 만듦》건물의 양식이나 층수를 나타내는 말. ¶一戸~ 독채 / 二階~ 2층 건물 / 平屋~ 단층집 / バラック~ 가(假)건물.

たてあな【縦穴】《竪穴》名 수혈(竪穴); 곧게 내리판 굴. ¶~住居 수혈 주거《석기 시대의 움집》. ↔横穴.

たていた【立て板】 名 (벽 따위 다른 것에) 기대어 세워 놓은 판자.

──に水(を流すよう) 말을 청산유수처럼 잘하는 모양. ↔横板に雨だれ.

たていと【縦糸】《経糸》名 경사; 날실. ↔横糸·ぬき糸.

たてうり【建て売り·建売】 名 집을 지어서 팖; 또, 그 집; 집장사. ¶~の住宅 집장수 집.

だておとこ【だて男】《伊達男》名 **1** 멋쟁이 남자. ＝ダンディー. **2** 협객.

たてかえ【立て替え】 名ス他 입체; 체당(替當); 선대(先貸)(한 돈). ¶~を返す 선대한 돈을 갚다.

たてか-える【立て替える】 下1他 입체〔체당(替當), 선대(先貸)〕하다; 대신 치르다. ¶本代〔会費〕を~ 책값을〔회비를〕입체하다.

たてか-える【建て替える】 下1他 (건물을) 고쳐 짓다; 개축하다.

たてがき【縦書き】 名 종서; 세로쓰기. ¶封筒のあて名を~にする 봉투의 수신자 주소 성명을 세로로 쓰다. ↔横書き.

たてか-ける【立て掛ける】 下1他 기대어 세워 놓다. ¶傘〔看板〕を壁に~ 우산〔간판〕을 벽에 기대어 세워 놓다.

たてかぶ【建て株】 名〔經〕상장주(上場株). ¶~会社 상장 회사.

たてがみ【鬣】 名 갈기. ¶馬の~をなでる 말갈기를 쓰다듬다. 「立て看.

たてかんばん【立て看板】 名 입간판. ＝

たてき-る【立て切る】《閉て切る》5他 (문이나 장지문 따위를) 꽉 닫아 버리다. ¶障子を~ 장지를 꽉 닫다 / 戸を~·って外に出てこない 문을 꽉 닫고 밖에 나오지 않는다.

***たてぐ【建具】** 名 창호. ¶~屋 창호가게 / ~金物 창호 부속 금속 기구.

たてぐみ【縦組み】 名〔印〕활자를 세로 짜기. ↔横組み.

たてごと【たて琴】《竪琴》名 ☞ハープ.

たてこ-む【立て込む】 5自 (사람이 빽빽하거나 일이 겹쳐서) 붐비다. ¶乗客がもっとも~時 승객이 가장 붐빌 때 / 場内が~·んでいる 장내가 붐비고 있다.

たてこ-む【建て込む】 5自 건물이 빽빽이 들어서다. ¶~·んだ人家 빽빽이 들어선 인가.

たてこも-る【立てこもる】《立て籠もる·楯籠もる》5自 (외출하지 않고) 들어박히다; 특히, …안에 굳게 버티다; 농성(籠城)하다. ¶書斎に~ 서재에 틀어박히다 / 一日じゅう家に~·って勉強した 종일 집에 들어박혀서 공부했다 / 城に~·って抵抗する 성 안에서 굳게 버티며 저항하다.

たてし【たて師】《殺陣師》名 배우에게 살인이나 난투 장면의 동작을 가르치는 사람. 「軸. ↔横軸.

たてじく【縦軸】 名 종축; 세로축. ＝Y

たてじま【縦じま】《縦縞·竪縞》名 세로 줄무늬. ↔横じま.

たてしゃかい【縦社会】 名 신분의 상하 관계를 중시하는 사회; 종적 사회. ↔横社会.

だてすがた【だて姿】《伊達姿》名 멋지게 차려 입은 모습.

たてつ-く【盾突く】《楯突く》5自 반항하다; 대들다; 어기대다. ＝はむかう. ¶親に~のはよくない 부모에게 대드는 것은 좋지 않다.

たてつけ【立て付け】 名 **1**《建て付け》(장지·창·문 따위의) 여닫히는 상태. ¶戸の~が悪い 문의 여닫이가 나쁘다《문이 잘 안맞다》. **2** ☞たてつづけ.

たてつづけ【立て続け】 名 바로 계속해서 행해짐; 연이어〔잇따라〕행함. ¶二時間~の講義 두 시간 연속 강의 / ~に三杯飲む 거푸 석 잔을 마시다.

たてつぼ【建坪】 名 건평. ¶~三十坪 건평 30평. ↔地坪·延べ坪.

たてとお-す【立て通す】 5他 (어떤 태도나 입장을) 끝까지 견지(堅持)하다; 끝까지 굽히지 않다. ¶自説を~ 자설을 끝까지 견지하다〔고집하다〕/ 後家を~ (과부가) 끝까지 수절하다.

たてなおし【建て直し】 名ス他 개축; 중건(重建).

たてなお-す【立て直す】 5他 고쳐〔다시〕세우다; 다시 일으키다. ¶計画を~ 계획을 다시 세우다 / 形勢を~ 형세를 만회하다 / 陣形を~ 진형을 다시 정비하다 / 景気を~ 경기를 다시 일으키다.

たてなお-す【建て直す】 5他 고쳐〔다시〕짓다; 개축〔재건〕하다. ¶古い家を~ 낡은 집을 고쳐 짓다.

たてね【建値】 名〔經〕**1** 매매 기준 가격. ¶~の引き下げ 매매 기준 가격의 인하. **2** 환시세에서, 은행이 공표하는 표준

시세. 参考 'たてねだん'의 준말.

たてひき【立て引き】《達引き》 名 서로 고집부려 다툼; 또, (호기를 부려) 금품을 내어 줌. ¶恋の～ 서로 고집을 부리는 사랑싸움.

たてひざ【立てひざ】《立て膝》 名 한쪽 무릎을 세우고 앉음; 또, 그 자세. ¶～をつく〔する〕 한쪽 무릎을 세우고 앉다/～で新聞を読む 한쪽 무릎을 세우고 앉아서 신문을 읽다.

たてふだ【立て札】 名 팻말; 패목. ¶立入禁止の～ 출입금지의 팻말.

***たてまえ**【建て前】 名〔建〕〈俗〉 상량(上樑); 상량식. ＝むねあげ. ¶～が終わる 상량이 끝나다.

***たてまえ**『建て前·立て前』 名 (표면상의) 방침; 원칙. ¶値引きしないのを～としております 에누리 않는 것을 원칙으로 하고 있습니다/～と本音とは違う 표면상의 방침과 본심과는 다르다. ↔ほんね.

だてまき【だて巻き】《伊達巻き》 名 여성용의 폭 좁은 속띠《띠 밑에 맴》.

たてまし【建て増し】 名 ス他 증축(増築); 또, 증축한 부분. ¶～が完成した 증축이 완성됐다/勉強部屋を～する 공부방을 증축하다.

たてまつ-る【奉る】 5他 **1** 바치다; 헌상하다; 드리다. ¶神にお供えを～ 신에게 제물을 바치다/みつぎ物を～ 공물〔조공〕을 바치다. **2** (편의상) 받들다; 모시다. ＝祭り上げる. ¶社長に～ (편의상) 사장으로 받들다/彼を会長に～·っておくと便利だ 그를 회장으로 모셔 놓으면 편리하다.

⁂たてもの【建物】 名 건물; 건축물. ＝建造物. ¶洋風〔木造〕の～ 양식〔목조〕 건물/～を建てる 건물을 짓다〔세우다〕/～を壊す 건물을 부수다.

たてやくしゃ【立て役者】 名 (극단의 중심이 되는) 중요한 배우; 주역; 전하여, 중심(이 되어 활약하는) 인물. ¶チーム優勝の～ 팀 우승의 주역/～となって働く 중심 인물이 되어 일하다.

たてゆれ【縦揺れ】 名 ス自 **1** (배·비행기 등의) 뒷질. ＝ピッチング. ¶船が～する 배가 뒷질하다. **2** (지진에서) 위아래로 흔들림. ⇔横揺れ.

=だてら《신분 등을 나타내는 名詞에 붙어서》…답지 않음; 어울리지 않음; …한 주제. ¶女～に 여자인 주제에. 参考 경멸·비난의 뜻으로 쓰는 말.

⁂た-てる【立てる】 一 下1他 **1** 세우다. ㉠누운 것을 곧추 서게 하다. ¶ひざを～ 무릎을 세우다/立て札を～ 팻말을 세우다/耳を～ 귀를 세우다. ㉡지위에 앉게〔나서게〕 하다. ¶候補者を～ 후보자를 세우다/きさきに～ 왕후로 세우다. ㉢뚜렷이 드러내다; 정하다. ¶方針〔志〕を～ 방침〔뜻〕을 세우다/法を～ 법을 세우다; 입법(立法)하다. ㉣(체면 따위를) 유지하게 하다. ¶顔を～ 낯을 세우다〔세워 주다〕/面目を～ 면목〔체면〕을 세우다〔유지하다〕. ㉤날카롭게 하다. ¶のこぎりの目を～ 톱날을 세우다/角を～ 모나게 하다. ㉥가게 하다; 보내다. ¶使者を～ 사자를 보내다/人を～·てて交渉する 사람을 내세워〔보내서〕 교섭하다. ㉦해 나갈 수 있게 만들다. ¶生計〔暮らし〕を～ 생계를 세우다. ㉧드러나게 하다. ¶手柄を～ 공로를 세우다. ㉨(지켜야 할) 도리를 다하다. ¶義理を～ 의리를 지키다. **2** 내다. ㉠나게 하다. ¶泡〔湯気〕を～ 거품〔김〕을 내다/足音を～ 발소리를 내다. ㉡퍼뜨리다. ¶うわさを～ 소문을 내다/変な評判を～·てられて困っている 이상한 소문이 나돌아 난처하다. **3** 일으키다; 일게 하다. ¶砂煙を～ 모래 먼지를 일으키다/風波を～ 풍파를 일으키다. **4** (절조를) 지키다. ¶操を～ 지조〔정조〕를 지키다/後家を～ 과부가 수절하다. **5**《沸てる》 끓이다; 데우다. ¶湯を～ 물을 끓이다; 또, 목욕물을 데우다. **6** 소용이 되게 하다. ¶役に～ 도움이 되게 하다/この金はいざという時の役に～·てて下さい 이 돈은 만일의 경우에 요긴하게 써 주십시오.

二 接尾《動詞連用形를 받아서 複合動詞를 만듦》 표현을 강조하기 위해 붙이는 말: 연해〔마구〕…대다. ¶呼び～ 연해 불러대다/わめき～ 마구 떠들어 대다/せめ～ 심하게 책망하다.

⁂た-てる【建てる】 下1他 (건물·동상·나라 등을) 세우다; 짓다. ¶家を～ 집을 짓다/学校〔国〕を～ 학교〔나라〕를 세우다/銅像を～ 동상을 세우다.

た-てる『点てる』 下1他 (차를) 끓이다; 차를 타다〔대접하다〕. ＝点じる. ¶薄茶を～ 차를 엷게 타다.

た-てる『閉てる』 下1他 (미닫이·문 따위를) 닫다. ¶ふすま〔戸〕を～ 미닫이를〔문을〕 닫다/雨戸を～ 덧문을 닫다. ↔あける.

たてわり【縦割り】 名 **1** 세로로 쪼갬. **2** 조직이 상하 관계로만 운영되는 일. ¶～行政 종적 행정. ⇔横割り.

だてん【打点】 名〔野〕 타점. ¶～王 타점왕/三打数二に～ 3타수 2타점.

だでん【打電】 名 ス自 타전; 전보나 무전을 침. ¶父に～する 아버지에게 전보를 치다/特使に帰国を～する 특사에게 귀국하라고 타전하다.

⁂たとい『仮令·縦令』 副《뒤에 'とも' 'ても' 등을 수반하여》 설령; 설사; 가령; 비록 … (하더라도). ＝仮に·よしんば. ¶～雨が降っても 설사 비가 온다 할지라도/～恨まれても言う 설사 원망을 사더라도 (할) 말을 한다. 注意 'たとえ'라고도 함.

たどう【他動】 名 타동. ↔自動.

—し【—詞】 名 타동사. ↔自動詞.

—てき【—的】 ダナ 타동적. ¶～に動

く 타동적으로 움직이다. ↔自動的.

だとう【打倒】 名 ス他 타도. ¶宿敵を~する 숙적을 타도하다.

***だとう【妥当】** 名ナ ス自 타당; 적절. ¶~な意見 타당한 의견 / ~を欠く 타당하지 않다; 타당성이 없다. ↔不当.

—せい【—性】 名 타당성. ¶~を裏付ける 타당성을 뒷받침하다.

たとえ【例え】 名 예(例). ¶適切な~ではないかもしれないが 적절한 예는 아닐는지 모르지만 / 世間一般の~に漏れない 세상 일반의 예에서 벗어나지 않는다.

***たとえ〖譬え·喩え〗** 名 비유; 또, 비유한 것. ¶~に引きずられて推論を誤った 비유에 치우쳐 추론을 그르쳤다 / ~を引いて話す 비유를 들어 이야기하다.

たとえ〖仮令·縦令〗 副 ☞たとい.

***たとえば【例えば】**(《譬えば》) 副 예를 들면; 예컨대. ¶からだに害のあるもの, ~タバコなど 몸에 해로운 것, 예를 들면 담배 따위 / 命のはかなさは~かげろうのようなものだ 인명의 덧없음은 비유컨대 하루살이와 같은 것이다.

たとえばなし【たとえ話】(《譬え話·喩え話》) 名 비유 이야기; 우화(寓話).

***たと-える 【例える】**(《譬える·喩える》) 下1他 예를 들다; 비유하다. ¶美人を花に~ 미인을 꽃에 비유하다 / ウサギとカメの話に~·えて説明する 토끼와 거북이 이야기를 들어 설명하다.

たどく【多読】 名 ス他 다독. ¶精読と~ 정독과 다독.

たどたどし-い〖辿辿しい〗 形 더듬거리다; 뒤뚝거리다; 위태롭다; 불안하다. ¶老人の~足どり 노인의 불안한 걸음걸이 / ~話しぶり 더듬거리는 말투.

たどりつ-く 【たどり着く】(《辿り着く》) 5自 **1** 길을 묻고 물어〔고생 끝에〕 겨우 다다르다. ¶山頂に~ 고생해 가며 간신히 산정에 이르다 / やっと人里に~·いた 겨우 (사람 사는) 마을에 다다랐다. **2** 여러 곡절 끝에 겨우 그곳에 이르다. ¶激論の末, 結論に~ 격론 끝에 겨우 결론에 도달하다.

***たど-る〖辿る〗** 5自 **1** 더듬다. ㉠더듬어 찾다. ¶地図を~·って進む 지도를 더듬어 가며 나아가다 / 縁故を~·って就職を頼む 여기저기 연고를 찾아 취직을 부탁하다. ㉡줄거리를 더듬어 가다. ¶記憶を~ 기억을 더듬다 / 話の筋を~ 이야기의 줄거리를 더듬다. **2** (목적지까지) 가다; 걷다; (모르는 길을 고생해 가며) 다다르다. ¶数奇な運命を~ 기구한 운명을 겪다. 可能 たど-れる 下1自

たどん〖炭団〗 名 탄가루를 공처럼 뭉친 연료. ¶~に目鼻 (숯덩이에 눈코를 붙인 것처럼) 용모가 추함의 비유.

たな〖店〗 名 **1** 상점; 가게. ¶お~ (가게 종업원의 입장에서 보아) 주인댁 / ~を出す 가게를 내다. **2** 셋집. ¶~賃 집세 / ~借り 세들기; 또, 세든 사람.

****たな【棚】** 名 **1** 선반. ¶~板 선반 널 / ~をつる 선반을 달다〔매다〕. **2** 선반 모양의 것. ㉠덩굴을 올려놓는 시렁. ㉡육지의 완만한 경사가 바닷속으로 뻗은 곳. ¶大陸だな 대륙붕.

—からぼたもち 선반에서 떨어진 떡; 굴러온 호박《뜻밖에 굴러 온 행운의 비유》. =たなぼた.

—に上げる 선반에 얹다; 전하여, (자기에게 불리한 일은) 짐짓 모른 체하고 문제 삼지 않다. =たなへあげる.

たなあげ【棚上げ】 名 ス他 **1** 보류해 둠; 뒤로 미뤄 둠. ¶問題を~(に)する 문제를 뒤로 미루어 두다 / 社員増給案は~になった 사원의 급료 인상안은 보류되었다. **2** 수요 조절을 위해서 상품을 시장에 내지 않고 일시 저장해 둠. ¶商品の一部を~にする 상품의 일부를 저장해 두다. **3** 은근히 무시함. ¶会長を~にする 회장을 은근히 무시하다.

たなおろし 【棚卸し】(《店卸し》) 名 ス自他 **1** 재고 정리; 재고 조사. ¶夏物の~をする 여름 용품의 재고 조사를 하다. **2** 남의 결점을 일일이 들어 헐뜯음. ¶友人が寄ってたかって僕を~にした 친구들이 한패가 되어 나를 헐뜯었다 / 人の~ばかりしている 남의 허물만 들추고 있다.

たなこ【たな子】(《店子》) 名 (집주인의 입장에서 본) 세든 사람. 参考 江戸 시대에 흔히 쓰던 말. ↔大家·家主.

たなご〖鱮〗 名〔魚〕**1** 납자루. **2** 망성어.

たなごころ〖掌〗 名 손바닥. =てのひら.

—の中 일이 뜻대로 됨; 장중(掌中).

—を返す 손바닥을 뒤집다. **1** 일이 쉽고 간단하다. **2** (태도가) 싹 바뀌다; 돌변하다. ¶~ような返事 돌변한 대답.

—を指す 손바닥을 보듯 사물이 매우 명백함의 비유.

たなざらえ【棚ざらえ】(《棚浚え》) 名 ス自他 재고 정리를 위해 싸게 방매함; 떨이. ¶~大売り出し 재고 정리 대매출 / 冬物整理のため~をする 겨울 물건(의) 정리를 위해 염가 대매출을 하다. 注意 'たなざらい' 라고도 함.

たなざらし〖店晒し〗 名 **1** 상품이 팔리지 않아 점두(店頭)에 놓아 둔 채로 있음; 또, 그 물건. ¶~の品 팔리지 않고 남아 있는 상품. **2** 해결을 요하는 문제가 미해결인 채 방치되어 있음. ¶~になっている案件 미해결인 채 있는 안건.

たなばた【七夕·棚機】 名 **1** 칠석. =星祭り·しちせき. **2** 직녀성.

たなび-く【棚引く】 5自 (구름이나 안개 따위가) 가로 길게 뻗치다. ¶谷に霧が~·いている 산골짜기에 안개가 가로 길게 뻗쳐 있다 / 飛行機雲が~ 비행운이 길게 뻗치다.

たなぼた【棚ぼた】(《棚牡丹》) 名 〈俗〉 선

반에서 떡이 굴러 떨어짐; 굴러온 호박; 뜻밖의 행운이 옴. =たなからぼたもち. ¶~式 횡재나 기다리는 사고방식.

たなん【多難】名ナ 다난. ¶前途~ 전도 다난/多事~な一年だった 다사다난한 일년이었다.

***たに**【谷】《渓·谿》图 **1** 산골짜기. ¶~間 산골짜기. **2** 골짜기 모양을 이룬 것; 골. ¶気圧の~ 기압골/ビルの~ 빌딩의 골짜기/千尋の~ 천 길 골짜기.

だに〖壁蝨〗图 **1**〔動〕진드기. **2** (깡패 따위) 진드기같이 기생하여 남들이 싫어하는 사람. ¶町の~ 거리의 불량배.

だに 副助 〈雅〉 **1**《否定과 호응해서》…까지도; …조차. ¶微動~しない 미동조차 하지 않는다. **2** …만 해도. ¶思う~悲しい 생각만 해도 슬프다.

たにあい【谷あい】《谷間》图 골짜기. =たにま. ¶~のゆり 골짜기에 핀 백합.

たにかぜ【谷風】图 (낮에 산허리 쪽으로 치부는) 골짜기 바람. ↔山風.

たにがわ【谷川】图 골짜기를 흐르는 시내; 계류(溪流).

たにし〖田螺〗图〔貝〕우렁이.

たにそこ【谷底】图 골짜기의 밑바닥.

たにま【谷間】图 **1** (산)골짜기. =谷あい. ¶~に咲く一輪の花 골짜기에 핀 한 송이 꽃. **2** (비유적으로) 햇빛을 받지 않는 곳. ¶ビルの~ 빌딩 사이의 골짜기/福祉の~ 복지 소외 지역.

たにわたり【谷渡り】图 **1** 골짜기에서 골짜기로 건너감. **2** 휘파람새 따위가 골짜기를 여기저기 날아다니며 우는 일; 또, 그 울음소리.

****たにん**【他人】图 타인; 남. ¶赤の~ 생판 남/~の出る幕じゃない 타인이 나설 경우가 아니다/~より身内 피는 물보다 진하다.

—のせん気を頭痛に病む 남의 산증(疝症)을 걱정하다; 남이 떡 먹는데 팥고물 떨어질까 걱정한다《군걱정을 한다는 말》.

—の空似 전연 남인데도 용모가 많이 닮았음. =他人の猿似.

—の飯を食う 남의 집 밥을 먹다《부모 곁을 떠나 실사회의 경험을 쌓다》.

—あつかい【—扱い】图 남처럼 대함.

—ぎょうぎ【—行儀】图ダナ (남남처럼) 서먹서먹하게 행동함; 또, 그 행동.

たにんず【多人数】图 많은 사람. =おおぜい·たにんずう. ¶~の家族 식구 많은 가족. ↔小人数.

たぬき〖狸〗图 **1**〔動〕너구리. ¶とらぬ~の皮算用 너구리 굴 보고 피물돈 내어 쓴다; 독장수 구구. **2** 비유적으로, 간사한〔능구렁이 같은〕사람《너구리가 둔갑한다는 데서》. ¶~ばばあ 교활한 할망구/あいつは~だ 저 녀석은 간사하다. **3** 'たぬきうどん'의 준말. **4** 'たぬきねいり'의 준말. ¶~をきめこむ 자는 체하기로 작정하다.

たぬきうどん〖狸饂飩〗图 튀김 부스러기를 넣은 냄비 국수.

たぬきおやじ〖狸親父〗图 세상 물정에 밝고 교활한 남자를 욕하는 말. =たぬきじじい.

たぬきがお【たぬき顔】《狸顔》图 짐짓 모른 체하는 얼굴 표정.

たぬきじじい〖狸爺〗图 ☞たぬきおやじ.

たぬきねいり【たぬき寝入り】《狸寝入り》图자自 자는 체함; 꾀잠. =そらね. ¶~をする 자는 체하다/~をきめこむ 자는 체하기로 작정하다.

****たね**【たね·種】图 **1** 종자; 씨. ¶~のよい馬 씨가〔혈통이〕좋은 말/かきの~ 감씨/~をまく 씨를 뿌리다. 注意 자식의 뜻으로는 '胤'로도 썼음. **2** (사물의) 원인. ¶けんかの~ 싸움의 불씨/波紋の~をまく 파문의 씨를 뿌리다. **3** 거리; 재료. ¶話の~ 이야깃거리/悩みの~ 고민거리/新聞の特種 신문의 특종 기사. **4** (요술 따위의) 술법; 수. ¶~をあかす (요술의) 술수를 공개하다/~も仕掛けもない (아무런) 수도 트릭도 없다. **5** 요리의 재료〔감〕; 특히, 국거리. ¶おでんの~ 꼬치 요리의 재료/すしの~ 초밥거리《생선·조개 따위》.

—が割れる (술)수가 드러나다.

—を宿す 임신하다.

たねあかし【種明かし】图자自 **1** (요술 따위의) 술책〔트릭〕공개. ¶からくりを~する (요술의) 속임수를 밝히다. **2** (비유적으로) 사물의 (숨겨진) 내막을 밝힘; 내막 공개. ¶怪事件の~をする 괴사건의 내막을 밝히다/~すると, こういうことなんだ 내막을 밝히면 이런 것이다.

たねあぶら【種油】图 종유; 평지 씨에서 짠 기름. =菜種油. ¶~で揚げる 종유로 튀기다.

たねいも【種芋】图 씨감자; 씨고구마.

たねうし【種牛】图 종우; 씨(받이)소.

たねうま【種馬】图 종마; 씨(받이)말. ¶~牧場 종마 목장. 参考 통속적으로, 정자를 가진 남자의 뜻으로 쓰임.

たねおろし〖種下ろし〗图자自 파종(播種); 씨뿌리기. =たねまき.

たねがしま【種子が島】图 **1**〔地〕九州 남쪽의 섬. **2** (江戸 시대의) 화승(火繩)총. 参考 포르투갈인이 이 섬에 처음 전한 데서.

たねぎれ【種切れ】图 재료가 떨어짐. ¶~になる 재료가 떨어지다/話が~になる 이야깃거리가 떨어지다.

たねつけ【種付け】图자自 우량종을 얻기 위하여 우량종의 수컷을 암컷에 교배시킴. ¶~馬 씨받이 말/雌馬に~をする 암말에 씨말을 교배시키다.

たねとり【種取り】图 **1** 채종(採種); 씨를 받음. **2** 취재하러 다님; 또, 그 사람. ¶~のため歩きまわる 취재하러 돌아다니다. **3** 씨를 받기 위해서 기르는 동물; 곧, 종마(種馬)·종우(種牛) 따위.

たねなし【種無し】图 씨가 없음; 또, 그

과실. ¶～西瓜 씨 없는 수박.

たねび【種火】名 불씨.

たねほん【種本】名 저작이나 강의의 기초로 하는 남의 저작; 토대가 된 책; 대본(臺本). ¶その講義の～を見つけた 그 강의의 대본을 찾아냈다.

たねまき【種まき】《種蒔き》名 スル自 **1** 씨뿌리기; 파종(播種). ¶畑に～に行く 밭에 씨뿌리러 가다. **2** 5월 2일 전후에 볍씨를 모판에 뿌림.

たねもの【種物】名 **1** 초목의 씨; 씨앗. ¶～商 종자상. **2** ㉠고기나 튀김 따위의 건더기가 든 국수. ㉡과즙(果汁)이나 팥 따위를 얹은 빙수.

たねもみ【種もみ】《種籾》名 볍씨.

たねん【他年】名 후년; 다른 해; 장래. ¶～に期す 후년을 기약하다.

たねん【他念】名 타념; 다른 생각; 딴마음; 여념(餘念). ＝余念.

—なく 副 한결같이; 오로지. ¶～働く 오로지〔딴생각 없이〕 일하다.

たねん【多年】名 다년. ¶～の恨み 다년간의 원한 / ～にわたる研究の成果 여러 해에 걸친 연구의 성과.

—せい【—生】名〔植〕 다년생; 여러해살이. ¶～草本 다년생 초본; 여러해살이풀.

だの 助《体言, 活用動詞의 語幹, 그 밖의 活用語의 終止形에 붙어서》 사물을 열거하는 데 씀: …(이)라든가; …라거니; …다느니. ¶山～海～に出掛ける 산이라든가 바다라든가에 가다 / 行く～行かない～はっきりしない人だね 간다느니 안 간다느니 분명치 않은 사람이군.

たのう【多能】名ナ **1** 다능. ¶多芸～の人 다재다능한 사람. **2** 여러 기능. ¶～工作機械 만능 공작 기계.

＊＊たのし-い【楽しい】《愉しい》形 즐겁다. ¶家族そろっての～旅行 온가족이 함께 하는 즐거운 여행 / 狭いながらも～わが家 비좁긴 하지만 즐거운 우리 집 / ～ひとときを過ごす 즐거운 한때를 지내다. ↔苦しい.

たのしま-せる【楽しませる】下1他 즐겁게 하다. ¶目を～ 눈을 즐겁게 하다.

＊たのしみ【楽しみ】名 ダナ **1** 즐거움; 낙; 취미. ¶読書の～ 독서의 즐거움 / 老後の～ 노후의 낙 / 私の～は釣りだ 내 취미는 낚시다. **2** 기대(됨). ¶将来が～な子 장래가 기대되는 아이 / 連休が～だ 연휴가 기대된다 / 来週の続きもお～に 내주의 속편도 기대해 주십시오.

＊＊たのし-む【楽しむ】5他 **1** 즐기다; 좋아하다. ¶人生を～ 인생을 즐기다 / 盆栽を～ 분재를 좋아하다. **2** 기대를 걸고 즐기다; 낙으로 삼다. ¶孫の成長を～ 손자의 성장을 낙으로 삼다. 可能 たのし-める 下1自

たのし-める【楽しめる】下1自 즐길 수 있다; 즐거움을 주다. ¶けっこう～ 그런대로 즐길 수 있다 / この映画は～ 이 영화는 즐겁게 볼 수 있다.

だのに 接 그런데; 그런데도. ＝それだのに. ¶もう一時だ. ～眠くない 벌써 한 시다. 그런데 졸리지 않는다.

＊たのみ【頼み】名 **1** 부탁; 청. ¶せっかくの～だから 모처럼의 부탁이니까 / ～を聞き入れる 부탁을 들어주다. **2** 의지; 믿음. ＝たより. ¶～にならない 믿을 수가 없다; 의지가 안 되다 / まぐれ当たりを～にして 우연히 맞기를 바라고; 요행수를 믿고.

—の綱 믿고 의지하는 것. ¶彼の厚意を～とする 그의 후의를 믿고 의지하다 / ～が切れる 믿고 의지할 것이 없어지다.

たのみい-る【頼み入る】5他 ☞たのみこむ.

たのみがい【頼みがい】《頼み甲斐》名 부탁한 보람; 의뢰한 만큼의 보람.

たのみこ-む【頼み込む】5他 신신부탁하다; 신신당부하다. ¶就職〔融資〕を～ 취직을〔융자를〕 신신부탁하다 / 知人に～んで手に入れる 친지에게 신신부탁해서 손에 넣다.

たのみすくな-い【頼み少ない】形 믿을 수 없다; 마음이 놓이지 않다; 불안하다. ＝心細い・おぼつかない. ¶～身の上 의지할 데 없는 신세 / 先行きが～ 장래가〔앞날이〕 불안하다.

＊＊たの-む【頼む】5他 **1** 부탁하다. ㉠당부하다; 청하다; 의뢰하다. ¶借金を～ 빚을 부탁하다 / 秘密にすることを～ 비밀로 할 것을 부탁하다 / 医者を～ 의사를 (와 달라고) 부탁하다. ㉡일을 맡기다; 위임하다. ¶るすを～ 집을 봐 달라고 부탁하다 / 赤ん坊を～んでから勤めに出かける 아기를 부탁하고 직장에 나가다. **2**《본디는, 恃む》 믿다; 의지하다. ¶数を～んで押しきる 수적 우세를 믿고 강행하다 / 師と～人 스승으로 믿는 사람. 可能 たの-める 下1自

たのもう【頼もう】感 옛날에, (무사 등이) 남의 집을 방문하여 안내를 청할 때에 쓰던 말: 이리 오너라. 参考 그 소리를 듣고 안내하러 나온 사람은 'どうれ' 라고 대답했음.

たのもし [頼母子] 名 'たのもし講'의 준말.

—こう [—講] 名 계(契).

＊たのもし-い【頼もしい】形 믿음직하다; 미덥다; 기대할 만하다. ¶～青年 미더운 청년 / ～働きぶり 믿음직한 활약 / 末～ 장래가 촉망되다. ↔頼りない.

たのもしげ【頼もしげ】ダナ **1** 믿음직함. ¶～な男 믿음직스러운 남자. **2** 장래를 기대할 수 있는 모양.

＊＊たば【束】《把》名 다발; 뭉치; 단; 묶음. ¶花～ 꽃다발 / 一～ 한 단〔묶음〕 / 古雑誌を～にする 헌 잡지를 뭉치로 묶다.

—になってかかる 떼지어 (한꺼번에) 덤벼들다.

だは【打破】名 スル他 타파. ¶階級～

계급 타파/悪習を～する 악습을 타파하다.

だば【駄馬】名 **1** 핫길의 말. **2** 짐말; 복마(卜馬). ＝荷馬.

たばか-る〖謀る〗5他 (계략을 써서) 속이다. ＝たぶらかす. ¶金を～·り取る 돈을 속여 빼앗다. 参考 ‘た’는 接頭語. 可能たばか-れる下1自

***タバコ**［포 tabaco］名 담배. ¶葉～ 잎담배/巻き～ 궐련/くわえ～(손을 안 대고) 입에 문 채 담배를 피움/～を吸う〔ふかす, のむ〕 담배를 피우다/～を一服やる 담배 한 대 피우다/お～はご遠慮ください〖게시〗 담배는 삼가 주십시오.

—せん【—銭】名 담뱃값《전하여, 푼돈; 약간의 사례금》. ¶～にも事欠く 담뱃값도 넉넉지 못하다.

—や【—屋】名 담배 가게(주인).

たばさ-む【手挟む】5他 **1** 손으로 집어 들다; 겨드랑이에 끼다. ¶弓矢を～ 활과 화살을 집어 들다. **2** 허리에 차다. ¶大小を腰に～ 대소 두 개의 칼을 허리에 차다.

タバスコ［Tabasco］名〖商標名〗타바스코; 고추로 만든 매운 조미료.

***たはた**【田畑】《田畠》名 논밭; 전답; 농토; 경작지. ＝でんばた. ¶～を耕す 논밭을 갈다/～を売る 논밭을 팔다.

たはつ【多発】다발. ㊀名ス自 많이 발생함. ¶事故～地域 사고 다발 지역. ㊁名 (특히, 항공기에서) 발동기가 많이 달림《3개 이상》. ¶～式 다발식. ↔単発·双発.

たばね【束ね】名 **1** 묶음. ＝たば. ¶一～ 한 묶음. **2** 단속함; 통할함; 또, 그 소임. ¶村の～役 마을을 다스리는 소임; 촌장.

***たば-ねる**【束ねる】下1他 **1** 묶다; 한 뭉치로〔묶음으로〕 하다. ¶髪を～ 속발하다; 머리를 묶다/いねを～ 벼를 (단으로) 묶다. **2** 통솔하다; 통괄하다. ¶家を～ 집안을 통솔하다/多くの派閥を～ 많은 파벌을 통괄하다.

***たび**【度】名 **1** 때; 번; 적. ¶この～は(たいへん)お世話になりました 이번에는 (대단히) 폐를 끼쳤습니다〔신세를 졌습니다〕. **2** 때〔적〕마다. ＝時ごと. ¶会う～に思い出す 만날 적마다 생각나다/行く～に留守だ 갈 때마다 (외출하여) 집에 없다. **3** 횟수; 회; 번. ¶ひと～ 한 번/いく～か 몇 번인가/～を重ねる 횟수를 거듭하다.

***たび**【旅】名 여행. ¶汽車の～ 기차 여행/～日記 여행 일기/～に出る 여행(길)을 떠나다/かわいい子には～をさせよ 귀여운 자식일수록 (객지에 보내어) 고생을 시켜야 한다.

—の恥はかき捨て 여행지에는 아는 사람도 없고 오래 머물지도 않으므로 부끄러운 짓을 해도 상관 없다.

—は道づれ世は情け 여행에는 길동무, 세상살이에는 인정이 중요하다.

***たび**【足袋】名 일본식 버선. ¶～をはく 버선을 신다.

だび［茶毗·茶毘］名〖佛〗다비; 화장(火葬). 参考 범어의 음역(音譯).

—に付する 다비〔화장〕하다.

たびあきない【旅商い】名ス自 행상; 도붓장사. ¶～に出る 행상 나가다.

たびあきんど【旅あきんど】《旅商人》名 객상(客商); 행상인. 「(音便).

たびうど［旅人］名 ‘たびびと’의 음편

たびかさな-る【度重なる】5自 거듭되다; 되풀이 되다. ¶～失敗 거듭되는 실패/同じ事故が～ 같은 사고가 되풀이되다.

たびがらす【旅がらす】《旅烏》名 **1** 정처 없는 나그네. **2** 뜨내기; 타향인《타관 사람을 경멸조로 일컫는 말》. ¶しがない～の身 하찮은 뜨내기 몸〔신세〕.

たびげいにん【旅芸人】名 유랑〔지방 순회〕 예능인.

たびごころ【旅心】名 여심. **1** 여정(旅情); 객회(客懷). **2** 여행하고 싶은 마음. ¶秋の雲を見ていると～が湧く 가을 구름을 보고 있으면 여심이 솟는다.

たびさき【旅先】名 여행하고 있는 곳; 행선지. ¶～からの手紙 여행지에서 온 편지/～で死ぬ 여행지에서 죽다.

たびじ【旅路】名〈雅〉여로; 여행길. ＝道中. ¶死出の～ 저승길/～につく 여로에 오르다.

たびじたく【旅支度】名 **1** 여행 준비〔채비〕. ¶～に忙がしい 여행 준비에 바쁘다. **2** 여행 차림; 여장(旅装). ＝旅ごしらえ·旅装束. ¶～を揃える 여장을 갖추다.

タピスリー［프 tapisserie］名 타피스리. ☞タペストリー.

たび-する【旅する】サ変自他 여행하다. ¶ひとりアフリカの辺地を～ 혼자서 아프리카의 벽지를 여행하다.

たびだち【旅立ち】名ス自 여행길에 오름. ＝かどで. ¶早朝に～する 이른 아침에 여행길에 오르다.

たびだ-つ【旅立つ】5自 **1** 여행을 떠나다; 여로에 오르다. ¶米国へ～ 미국으로 여행을 떠나다. **2** 세상을 떠나다; 죽다. ＝死ぬ. ¶未明に～·った 날이 샐 무렵에 운명하였다.

***たびたび**〖度度〗副 여러 번; 자주. ＝しばしば·なんども. ¶～会った人 자주 만난 사람/～失敗する 여러 번 실패하다/～お手数をかけてすみません 누차 수고를 끼쳐 미안합니다.

たびづかれ【旅疲れ】名 여행에서 오는 피로. ¶～で寝こむ 여독을 못 이겨 몸져 눕다.

たびな-れる【旅慣れる】下1自 여행에 익숙해지다. ¶～·れたヒッチハイカー 여행에 익숙해진 히치하이커.

たびにん【旅人】名 떠돌이《유랑 노름꾼이나 약장수 따위》. ＝旅がらす. 注意

'たびびと'는 딴말.

たびのそら【旅の空】連語 여행지; 객지. ¶～に病む 객지에서 앓다/～で故郷を思う 타관에서 고향을 그리워하다.

たびはだし【足袋はだし】《足袋跣》图 버선발; 또, 버선발로 바깥에 나감. ¶～で逃げ出す 버선발로 도망치다/あわてて～でとび出す 허겁지겁 버선발로 뛰쳐나가다〔나오다〕.

たびびと【旅人】图 여행자; 나그네. =旅行者.

たびまわり【旅回り】图 (연예인·상인 등이) 여행하며 돌아다님. ¶～の芸人 지방을 순회하는 연예인.

たびもの【旅物】图 먼 곳에서 (기차 따위로) 수송되어 온 야채나 생선. =レールもの. ↔地物.

たびやつれ【旅やつれ】《旅窶れ》图スル自 여행에 지쳐 여윔. ¶～をした様子 여행으로 지쳐 여윈 모습.

たびょう【多病】名ダナ 다병. ¶才子～ 재자다병/～な質 병약한 체질.

ダビング [dubbing] 图スル他 더빙; (필름·테이프의) 재녹음·재녹화.

タフ [tough] ダナ 터프; 튼튼함; 완강함. ¶～な体〔男〕 터프한 몸매〔사나이〕.

―ガイ [tough guy] 图 터프가이; 강인한〔억센〕 사나이.

ダフ [duff] 图〔골프〕 더프; 공을 잘못 쳐서 공 앞의 지면을 치는 일.

タブー [taboo] 图 터부; 금기(禁忌). ¶～を犯す 금기를 어기다/彼の前でその話は～だ 그의 앞에서 그런 이야기는 터부다.

だぶだぶ 副ダナスル自 **1** 옷이 헐렁한 모양: 헐렁헐렁. ¶～のオーバー 헐렁헐렁한 오버. **2** 살쪄서 뒤룩거리는 모양. ¶～に太った中年の婦人 뒤룩뒤룩 살이 찐 중년 부인/尻が～と揺れ動く (살찐) 엉덩이가 실룩샐룩 움직이다. **3** 많이 든 액체가 흔들리는 모양: 출렁출렁. ¶～と音を立てる 출렁출렁 소리를 내다.

だぶつ-く 5自 **1** 출렁거리다. ¶水をのみすぎて腹が～ 물을 너무 마셔서 뱃속이 출렁출렁한다. **2** (옷이 커서) 헐렁거리다. ¶この着物は～·いて着づらい 이 옷은 헐렁해 입기 거북하다. **3** (금전·상품·구직자 등이) 남아돌다; 과잉되다. ¶通貨が～と貨幣価値が下がる 통화가 과잉되면 화폐 가치가 떨어진다.

だふや【だふ屋】图〈俗〉암표상(商). 參考 'だふ'는 '札(=표)'를 거꾸로 읽은 변말.

たぶらか-す〖誑かす〗5他 속이다; 홀리다; 어루꾀다. =だます. ¶人を～·して金をまきあげる 남을 속여 돈을 빼앗다.

ダブり 图〈俗〉겹침; 중복됨. ¶名簿に～がある 명부에 중복된 것이 있다. 參考 動詞 'ダブる'의 連用形.

ダフ-る 5自〈俗〉〔골프〕공을 칠 때 공 앞의 지면을 치다. ¶～·ってパーがとれなかった 더프를 하는 바람에 파를 잡지 못했다. 參考 duff의 動詞化.

ダブ-る 5自〈俗〉**1** 중복되다; 겹쳐지다. ¶日曜と祭日が～ 일요일과 축일이 겹치다/物が～·って見える 물체가 이중으로 보이다. **2**〈學〉유급〔낙제〕하다. ¶一年～ 한 해 유급하다. **3**〔野〕더블 플레이를〔병살을〕 하다. 參考 double에서 만든 動詞.

ダブル [double] 图 더블. **1** 이중; 2배; 2인용. ¶～ベッド 더블 베드; 2인용 침대. **2** 'ダブル幅'의 준말. **3** 'ダブルブレスト'의 준말. **4** 위스키를 담은 작은 잔 두 잔분. ⇔シングル.

―イーグル [double eagle] 图〔골프〕더블 이글; 표준 타수보다 3타 적은 일. =アルバトロス·ゴールデンイーグル.

―キャスト [double cast] 图 더블 캐스트; 두 배우가 한 배역을 맡아 교대로 출연함.

―スコア [double score] 图 더블 스코어.

―スチール [double steal] 图〔野〕더블 스틸; 두 명의 러너가 동시에 도루함.

―はば【―幅】图 더블 폭; (양복감의) 싱글 폭의 두 곱《약 1.42m》. =ダブル. ↔シングル幅.

―プレー [double play] 图〔野〕더블 플레이; 병살(併殺). =ゲッツー.

―ブレスト [double-breasted] 图 더블 브레스트《옷섶이 많이 겹쳐져서 단추가 두 줄로 달린 양복 저고리나 외투》. =ダブル·両前.

―ヘッダー [doubleheader] 图〔野〕더블헤더; 연속 경기《같은 팀끼리 하루에 두 번 하는 경기》.

ダブルス [doubles] 图 더블스; (탁구·테니스 등의) 복식 시합. =複試合·ダブル. ↔シングルス.

タブレット [tablet] 图 태블릿. **1** 정제(錠劑). **2** 단선 철도에서, 역장이 기관사에게 주는 통행표.

タブロイドばん【タブロイド判】图 타블로이드판《보통 신문지의 2분의 1 크기》. =タブロイド. ▷tabloid.

たぶん【他聞】图 타문; 남이 들음. ¶～をはばかる 남이 듣는 것을 꺼리다.

***たぶん**【多分】㊀图 정도나 양이 많거나 큼. ¶～の出資 많은 출자/～に軽率だ 적잖이 경솔하다. ⇨ごたぶん. ㊁【たぶん】副《뒤에 추측의 말을 수반하여》대개; 아마. =たいてい·おそらく. ¶彼は～来ないだろう 그는 아마 오지 않을 게다/明日は～晴れるだろう 내일은 아마 갤 것이다.

だぶん【駄文】图 신통치 못한 문장; 시시한 문장《자기 글의 겸칭으로도 씀》.

たべあるき【食べ歩き】图 그 고장 명물 요리 등 맛있는 음식을 찾아 여기저기 돌아다니며 먹음.

たべかす【食べかす】《食べ滓》图 먹다

남은 찌꺼기. ¶～を犬にやる 음식 찌꺼기를 개에게 주다.

たべごろ【食べごろ】《食べ頃》图 먹기에 적당함; 또, 그때; 제철. ¶～の柿 제철인 감/汁物を～の温度にして客に出す 국을 알맞게 데워서 손님에게 내다.

たべざかり【食べ盛り】图 한창 먹을 나이. ¶～の子供が3人もいる 한창 먹을 아이가 셋이나 있다.

たべすぎ【食べ過ぎ】图ス他 과식. ＝食い過ぎ.

たべずぎらい【食べず嫌い】图 ☞くわずぎらい.

タペストリー [tapestry] 图 태피스트리; 색실로 풍경 등을 짜 넣은 두꺼운 직물; 벽걸이. ＝壁掛け·タピス(ト)リー.

たべのこ-す【食べ残す】5他 먹다 남기다. ¶量が多すぎて～ 양이 너무 많아 먹다 남기다.

⁑たべもの【食べ物】图 음식물; 먹을 것. ＝しょくもつ. ¶～が豊富だ 먹을 것이 풍부하다.

たべよご-す【食べ汚す】5他 지저분하게 먹다. ＝食いちらす. ¶だらしなく～ 칠칠치 못하게 먹고 어지르다.

⁑た-べる【食べる】下1他 1 (음식을) 먹다. ¶ご飯を～ 밥을 먹다. 2 생활하다. ＝暮らす. ¶月給で～ 월급으로 생활하다/こう物価があがっては～·べていけない 이렇게 물가가 올라서는 살아갈 수 없다. 参考 현대에는 'くう(＝먹다)'보다 공손한 말씨. 또, 여성어로 쓰임.

だべ-る〘駄弁る〙5自〈俗〉쓸데없는 잡담을 하다. 参考 '駄弁'을 動詞화한 말. ¶長時間～·っている客 장시간 수다를 떨고 있는 손님

たべん【多弁】名ナ 다변; 말이 많음. ＝おしゃべり. ¶酒に酔って～になる 술에 취해 말이 많아지다/商人は～で愛想がいい 상인은 말이 많고 붙임성이 좋다. ↔寡黙·無口.

だべん【駄弁】图 쓸데없는 잡담. ＝むだぐち. ¶～を弄する 쓸데없는 잡담을 늘어놓다.

だほ〔拿捕〕图ス他 나포. ¶漁船が～された 어선이 나포되었다.

*たほう【他方】图 1 타방; 다른 방향〔쪽, 방면〕. ¶～の言い分も聞く 다른 쪽의 말도 들어 보다. 2《副詞적으로》한편; (또) 한편으로는. ¶～, こうも考えられる 한편, 이렇게도 생각할 수 있다/武骨だが, ～繊細でもある 무뚝뚝하지만 한편으로는 섬세하기도 하다.

たぼう【多忙】名ナ 다망; 매우 바쁨. ¶～をきわめる 대단히 다망하다/～な日日〔毎日〕を送る 다망한 나날〔매일〕을 보내다.

だほう【打法】图 타법; (구기에서) 치는 법. ¶一本足～ (야구에서) 외다리 타법.

だぼう【打棒】图〖野〗타봉; 타격; 배팅. ¶～大いに振るう 타격 솜씨를 크게 떨치다.

たほうめん【多方面】名ナ 다방면. ¶～にわたる学識 다방면에 걸친 학식/～に活躍する 다방면으로 활약하다.

だぼく【打撲】图ス他 타박.

—しょう【—傷】图 타박상. ＝うちみ. ¶～を受ける 타박상을 입다.

だぼら〘駄法螺〙图〈俗〉터무니없는 거짓말; 허풍. ¶～を吹く 허풍을 떨다.

⁑たま【玉】一图 1 옥. ㉠주옥; 특히, 진주. ¶～をちりばめる (왕관 따위에) 진주를 온통 박아 넣다/～を磨く 옥을 갈다. ㉡전하여, 아름다운 것; 귀중한 것; 또는, 칭찬하는 뜻을 나타내는 말. ¶～のような男の子 옥동자/～のこしに乗る 옥가마를 타다《미천한 집의 여자가 부잣집으로 출가함의 비유》. 2 구슬. ¶～なす汗 구슬 같은 땀. 3 (눈물이나 이슬의) 방울. ¶涙の～ 눈물 방울/露の～ 이슬 방울. 4 알. ㉠둥근 것; 구형의 것. ¶目の～ 눈알/百円だま 백 엔짜리 주화/あめ～ 눈깔사탕. ㉡달걀. ¶お～ 달걀/かき～じる 저어서 푼 계란을 넣어 끓인 맑은 장국. ㉢(안경 따위의) 렌즈. ¶眼鏡の～ 안경 알. 5 (국수의) 사리. ¶うどんの～を三つ 국수 사리를 세 개. 6 'きんたま'의 준말; 불. ¶～付き牛 불 안 깐 소/馬の～を抜く 말의 불을 까다. 7〈俗〉기생·창녀 등의 접대부; 또, 미녀. ＝ぎょく. ¶なかなかいい～だ 제법 미녀다.

—と砕ける 정의나 명예를 위해 미련 없이 죽다.

—にきず 옥에 티.

—磨かざれば光なし 옥도 닦고 갈지 않으면 광채가 없듯이, 사람도 배우지 않으면 훌륭히 될 수 없다.

—を転がすよう 옥〔구슬〕을 굴리듯《아름다운 목소리의 비유》.

たま【球】图 구형의 것. 1 야구·탁구 등의 공. ¶速い～を投げる 빠른 공을 던지다. 2 당구; 또, 당구·슬롯머신 등의 알. ¶～をつく 당구를 치다. 3 전구(電球). ¶～が切れた 전구가 끊어졌다.

たま【弾】图 총알; 탄알. ¶ピストルの～ 권총 알/～をこめる 총알을 재다/～にあたる 총탄에 맞다.

*たま〘偶〙名ナ 어쩌다가 일어나는 모양; 드문 모양. ¶～の機会 드문 기회/～の休み 모처럼의 휴식〔휴일〕/～に会う〔訪ねる〕 이따금 만나다〔방문하다〕/～にはいいことを言うね 때로는 좋은 말도 하는군.

だま 图 밀가루 따위를 반죽할 때 생기는 응어리.

たまあし【球足】图 야구등에서, 타구의 속도. ¶～が速い 타구의 속도가 빠르다.

たま-う【賜う】《給う》5他 주시다; 내리시다. ¶おほめのことばを～ 칭찬의 말씀을 해 주시다.

たまえ〘給え〙連語《動詞의 連用形에 붙

어》 온건하게 명령하는 뜻. ¶来~ 오게 / 読み~ 읽게 / 君たち, 静かにし~ 자네들, 조용히 하게. 参考 남자가 쓰는 말임.

だまか-す〖騙かす〗5他 〈俗〉 속이다. ＝だます. ¶狐に~·される 여우에게 홀리다 / まんまと~·された 감쪽같이 속아 넘어갔다.

たまぎ-る［魂消る］5自 ☞たまげる.

たまぐし【玉ぐし】《玉串》图 비쭈기나무 가지에 (닥나무 섬유로 만든) 베 또는 종이 오리를 달아서 신전에 바치는 것.

だまくらか-す〖騙くらかす〗5他 〈俗〉 속이다. ＝だまかす.

たま-げる〖魂消る〗下1自 〈俗〉 깜짝〔기급을 하게〕 놀라다; 혼비백산하다. ¶あんまり値が高いので(おっ)~ 너무 값이 비싸서 깜짝 놀라다. 参考 '넋이 사라지다'의 뜻.

***たまご**【卵】《玉子》图 **1** 알. ¶~を産む 알을 낳다 / ~がかえる 알이 부화하다. **2** 달걀; 계란. ¶ゆで~ 삶은 계란 / ~を焼く 계란을 부치다. **3** 아직 제 구실을 못하는 사람; 또, 아직 본격적이 못 되는 것. ¶医者の~ 햇병아리 의사 / 台風の~ 태풍의 시초.

—に目鼻 달걀에 눈 코가 박힌 것같이 희고 귀여운 얼굴.

たまごいろ【卵色】图 달걀색. **1** 달걀 껍질 같은 색. **2** 달걀 노른자위와 같은 색; 엷은 노란색; 미색.

たまごがた【卵形】图 달걀꼴 ; 갸름함. ＝たまごなり. ¶~の顔 갸름한 얼굴.

たまござけ【卵酒】《玉子酒》图 계란주 《설탕을 넣어 데운 술에 달걀 노른자를 풀어 섞은 것》.

たまごとじ【卵とじ】《玉子綴じ》图 국건더기 등에 달걀을 풀어 얹어 엉기게 한 요리.

たまごどんぶり【卵どんぶり】《卵丼》图 계란덮밥. 「란말이.

たまごまき【卵巻き】《玉子巻き》图 계

たまごやき【卵焼き】《玉子焼き》图 달걀부침; 또, 달걀을 부치는 기구.

たまさか〖偶さか〗副 **1** 드물게; 어쩌다. ＝まれに. ¶~起こる事件だ 어쩌다 일어나는 사건이다 / ~(に)故郷をおとずれることもある 때로는 고향을 방문하는 일도 있다. **2** 우연히; 뜻하지 않게. ¶~(に)中学時代の友人に出会った 우연히 중학교 시절의 친구를 만났다.

たまざん【玉算】《珠算》图 주산; 수판으로 셈을 하는 일; 수판셈. ＝しゅざん.

だまし〖騙し〗图 속임. ¶子供~ 뻔한 속임수.

***たましい**【魂】《霊》图 **1** 혼; 영혼; 넋. ¶一寸の虫にも五分の~ 한 치 벌레에도 닷 푼의 넋《지렁이도 밟으면 꿈틀한다》/ 仏つくって~入れず 불상을 만들고 혼을 집어넣지 않다《완성해 놓고도 가장 요긴한 것을 빠뜨리다》. **2** 정신; 기력; 마음; 얼. ¶武士の~ 무사의 얼; 곧, 칼 / ~のすわった人 침착〔대담〕한 사람 / ~をこめる 정성을 들이다.

—を入れ替える 마음을 바로잡다; 개심하다.

だましうち【だまし討ち】《騙し討ち》图 속여서 불시에 침; 전하여, 속여서 가혹한 짓을 함. ¶~にする 감쪽같이 속여서 치다.

だましこ-む【だまし込む】《騙し込む》5他 감쪽같이 속이다. ¶うまく~ 감쪽같이 속이다.

たまじゃり【玉砂利】图 굵은 자갈. ¶~を敷く 굵은 자갈을 깔다.

***だま-す**〖騙す〗5他 **1** 속이다. ＝あざむく. ¶~·してもうけた金 남을 속여서 번 돈 / 人を~ 사람을 속이다. **2** 달래다; (울음을) 그치게 하다. ＝なだめる. ¶泣く子を~ 우는 아이를 달래다. **3** 상태를 보면서 능숙하게 다루다. ¶古い自動車を~·し~·し動かす 털터리 자동차를 조심조심 움직이다. 可能だま-せる下1自

—に手なし **1** 속이는 수밖에 없다. **2** 교묘히 속이려 들면 막을 길이 없다.

***たまたま**〖偶偶〗副 **1** 가끔; 이따금. ＝時おり. ¶~出会う人 가끔 만나는 사람 / こういう事も~ある 이런 일도 가끔 있다. 参考 'たまに'보다 좀 정도가 잦음. **2** (마침 그때) 우연히; 때마침. ¶~その場に居合わせる 마침 그 자리에 있다 / ~その事件を目撃した 우연히 그 사건을 목격했다.

たまつき【玉突き】图 당구. ＝ビリヤード·撞球. ¶~場 당구장.

—しょうとつ【—衝突】图ス自 (자동차의) 연쇄 추돌.

たまったもんじゃない 連語 'たまらない(＝견딜 수 없다)'를 강조하여 이르는 말. ¶その上叱られては~ 게다가 꾸지람까지 들어서는 정말 견딜 수 없다.

たまてばこ【玉手箱】图 **1** 옛날에 浦島太郎라는 사람이 용궁의 선녀한테 얻었다는 상자. ¶あけてくやしい~ (기대하고) 열어 보았으나 아무것도 없어 실망이다. **2** 쉽게 열어 보일 수 없는 소중한 상자.

たまな【玉菜】图〔植〕**1** 'キャベツ(＝양배추)'의 딴 이름. **2** 모란채.

たまに〖偶に〗副 ☞たま. 「ン.

たまねぎ〖玉葱〗图〔植〕양파. ＝オニオ

たまのあせ【玉の汗】連語 구슬땀. ¶~を流す 구슬땀을 흘리다.

たまのこし【玉のこし】《玉の輿》連語 귀인이 타는 가마의 미칭; 덩.

—に乗る 덩을 타다《미천한 집의 여자가 부귀한 집안으로 시집가다》.

たまのり【玉乗り·球乗り】图 커다란 공 위에 올라서서 발로 공을 굴리는 곡예; 또, 그것을 하는 사람. ¶~娘 공을 굴려 곡예를 하는 아가씨.

たまひろい【球拾い】图 (야구나 테니스

에서) 선수가 연습한 공을 줍는 일; 또, 그런 역할만 하는 신인 등의 일컬음.

たまぶち【玉縁】图 **1** 아름다운 테두리; 또, 아름다운 테두리를 붙인 것. **2** (재봉에서) 천의 가장자리에 다른 천으로 테두리를 대는 일. ¶~のボタンホール (다른 천으로) 테두리를 두른 단춧구멍.

たまぼうき【玉ぼうき】《玉箒》图 쓸어 없애는 것의 미칭. ¶酒はうれいの~ 술은 시름을 덜어 주는 것.

たまむし〖玉虫〗图 **1**〔蟲〕 비단벌레. **2** 'たまむし色'의 준말.

—いろ【—色】图 **1** 비단벌레의 날개빛처럼 광선빛에 따라 녹색이나 자줏빛으로 변하는 빛깔. **2** 어느 쪽으로도 유리하게 해석할 수 있는 애매한 표현. ¶~の答弁 애매모호한 답변 / 今度の協定は~だ 이번 협정은 이현령비현령(耳懸鈴鼻懸鈴)식이다.

たまもの〖賜物·賜〗图 **1** 하사품; 선물; 윗사람한테서 얻은 것. =くだされ物. ¶天からの~ 하늘에서 주신 것 / 自然の~ 자연이 내린 선물. **2** (좋은) 보람; 덕택. ¶苦心の~ 고생한 보람 / 努力の~だ 노력한 덕택이다.

たまよけ【弾よけ】《弾除け》图 방탄(防彈); 또, 탄알을 막는 물건. ¶~御守り 탄환을 막는 부적.

たまよび【霊呼び】《魂呼び》图 초혼(招魂)《임종 때 혼을 불러 소생시키겠다는 뜻에서, 대개 지붕 위에 올라가 이름을 크게 부름》. =魂呼ばい·招魂.

*__たまらない__〖堪らない〗連語 **1** 참을 수 없다. ㉠견딜 수 없다; 배길 수 없다. ¶全く〔悔しくて〕~ 정말〔분해서〕 참을 수 없다 / うれしくて~ 기뻐서 어쩔 줄 모르겠다 / 暑くて~ 더워서 견딜 수 없다. ㉡견딜 재간이 없다. ¶親切にしてやって恨まれたのでは~ 친절히 해 주고도 원망을 듣는 데서야 견딜 재간이 없다. **2** 뭐라고 할 수 없을 정도로 좋다. ¶仕事のあとの一杯の酒は~ 일한 뒤의 한잔 술은 아주 그만이다.

たまらぬ〖堪らぬ〗連語 ☞たまらない.

たまり〖溜まり〗图 **1** 굄; 괸 곳. ¶水~ 웅덩이. **2** 대기실; 집합소.

たまりか-ねる〖堪り兼ねる〗下1自 더 이상 참지 못하게 되다; 견딜 수 없게 되다. ¶あまりのうるさにとうとう~·ねてどなる 너무나 귀찮아서 참다 못해 야단치다.

だまりこく-る【黙りこくる】5自 잠자코 있다; 끝내 말이 없다. ¶何を聞かれても~·っている 무엇을 물어도 잠자코만 있다.

だまりこ-む【黙り込む】5自 (이야기에 끼지 않고) 잠자코 있다; 입을 다물고 있다. ¶急に~·んで何も答えない 갑자기 입을 다물고 아무 대답도 하지 않는다.

たまりじょうゆ〖溜まり醬油〗图 **1** 거르지 않은 간장 진국 속에 용수를 박아, 그 속에 괸 간장을 조미료로 쓰는 것. **2** 콩만으로 담근 진간장.

たまりば【たまり場】《溜まり場》图 대기실; 집합소. =たまり2.

たまりみず【たまり水】《溜まり水》图 괸 물; 건수(乾水). ↔わき水.

*__たま-る__〖堪る〗5自《否定·反語가 따라서》 참다; 견디다. =こらえきれる. ¶これぐらいでへこたれて~もんか 요〔이〕 정도도 못 참고 녹초 부를 성싶으냐 / 幽霊などあって~·ったものか 유령 같은 게 있다니 말이 되는가 / 負けて~ものか 져서 되겠는가 / おれの気持ちがお前にわかって~ものか 내 마음을 네가 알 턱이 있겠나.

⁑__たま-る__〖溜まる〗5自 (한곳에) 모이다. **1** 괴다. ¶水が~ 물이 괴다. **2**《貯まる》(돈·재산 등이) 늘다; 모이다. ¶お金が~ 돈이 모이다 / 倹約したからだいぶ~·った 절약했더니 (돈이) 꽤 불었다. **3** 쌓이다; 밀리다. ¶借金が~ 빚이 쌓이다 / 宿題が~ 숙제가 밀리다 / 仕事が~一方だ 일이 (밀려) 쌓이기만 한다.

⁑__だま-る__【黙る】5自 **1** 말을 하지 않다. ¶~·って本を読む 묵묵히 책을 읽다 / こんな事をされて~·っておれない 이런 짓을 당하고 잠자코 있을 수 없다 / うるさい, ~·れ 시끄러워, 조용히 해. **2** (손을 쓰지 않고) 가만히 있다. ¶~·っていては売れない 가만히 있으면 안 팔린다 / 子供のけんかを~·って見ている 아이들 싸움을 가만히 보고 있다.

たまわりもの【賜わり物】图 내려 주신 물건; 하사하신 물건. =いただき物.

たまわ-る【賜わる】《給わる》5他 **1** 윗사람에게서 받다. =いただく·ちょうだいする. ¶おほめの言葉を~·りありがたく存じます 칭찬의 말씀을 해 주셔서 고맙게 생각합니다. **2** 내려 주시다. =くださる·くだされる. ¶陛下の~·った杯 폐하께서 내려 주신 잔 / 勲章を~ 훈장을 내려 주시다.

たみ【民】图 **1** 백성; 국민. ¶遊牧の~ 유목민 / ~の声 국민의 소리. **2** 신민. ¶~をおさめる 신민을 다스리다.

ダミー [dummy] 图 더미. **1**〔裁〕 양복점 등에 진열해 놓은, 모델이 되는 인형. =人台. **2** ☞ダミーがいしゃ. **3**〔映〕 대역(代役). =スタンドイン. **4** 영화의 트릭 촬영이나 자동차의 안정성 시험 등에 쓰이는 인형.

—がいしゃ【—会社】图 동일 기업이면서도 편의상 다른 회사처럼 꾸며 놓은 회사. =身代わり〔替え玉〕会社.

たみぐさ【民草】图 〈雅〉 민초; 백성. =青人草. ¶~の声を聞く 민성을 듣다. 注意 'たみくさ'라고도 함.

だみごえ【だみ声】《濁声》图 **1** 탁성; 탁한 목소리. ¶~を張り上げる 탁한 목소리를 지르다. **2** 사투리가 섞인 발음.

だみん【惰眠】图 타면; 게으르게 잠자고

있는 상태. ¶太平の～を破る 태평의 게으른 잠을 깨다. 「《무위도식함》.
──をむさぼる 게으름을 피워 잠만 자다

*ダム [dam] 图 댐. ＝堰堤. ¶～サイト 댐 사이트; 댐 용지.

たむけ【手向け】图 1 공물(供物)(을 바치는 일). ¶霊前に～の花を上げる 영전에 꽃을 올리다. 2 전별(餞別). ＝はなむけ. ¶卒業生一同に～の言葉を送る 졸업생 일동에게 전별의 말을 보내다.
──ぐさ【──草】图 신불에게 바치는 물건《특히, 'ぬさ'를 가리킴》.
──のかみ【──の神】图 도조신(道祖神)《길 가는 사람을 수호하는 신》.

たむ-ける【手向ける】下1他 1 신불 앞에 공물(供物)을 바치다. ¶仏前に花〔香華〕を～ 불전에 꽃〔향과 꽃〕을 바치다. 2 전별(餞別)하다. ¶送別の辞を～ 송별사를 보내다.

たむし〖田虫〗图〈俗〉백선(白癬).

たむろ〖屯〗图 사람이 모임; 모인 곳; 특히, 진영.

たむろ-する〖屯する〗サ変自 사람이 모이다. ¶学生が三々五々～·している 학생이 삼삼오오 모여 있다.

**ため〖為〗图 1 이익·행복 등 유리한 것; 위함. ¶子の～を思う 자식(의 이익·행복)을 생각하다 / ～になる本 유익한 책 / 君の～をおもって言うのだ 너를 생각해서 말하는 거다. 2 그 사항이 다음에 말하는 것의 목적임을 나타내는 말: 위함. ¶失敗しない～には 실패하지 않기 위하여서는 / 受験の～上京する 시험을 (치르기) 위해서 상경하다 / 念の～に断って置くが 다짐을 두기 위해 미리 말해 두지만. 3 그 사항이 다음에 진술하는 일의 근거〔원인·이유〕가 됨을 나타내는 말: 때문; 이유; 원인. ¶かぜの～会社を休む 감기로 (인해) 회사를 쉬다 / 君の～に損をした 너 때문에 손해를 보았다 / 天気が悪い～延期された 날씨가 나쁘기 때문에 연기되었다.
──にする 무언가 속셈이 있어 일부러 하다. ¶かれの好意は～ところがあるようだ 그의 호의는 무언가 다른 목적이 있는 것 같다.

ため〖溜め〗图 모아 둠; 그 장소; 특히, 분뇨 모으는 곳. ¶～に落ちる 거름 구덩이에 빠지다.

**だめ【駄目】㊀图 (바둑의) 공배(空排). ¶～を詰める 공배를 메우다.
㊁名ナ 1 소용없음; 효과가 없음. ＝むだ. ¶いくらやっても～だ 아무리 해도 소용없다 / ～かも知れないが頼んでみる (별로) 소용이 없을지도 모르지만 부탁해 본다. 2 바람직하지 않은 또는 부적당한 상태에 있음. ¶彼は教師としては～だ 그는 교사로서는 부적합하다. 3 불가능. ¶水泳はまるっきり～だ 수영은 전혀 안된다 / 速くやれと言われてもとても～だ 빨리 하라고 해도 도저히 불가능하다. 4 못씀. ㉠좋지 않음; 해서는 안됨. ¶芝生に入っては～ 잔디밭에 들어가면 안돼 / 遊んでいては～だ 놀고 있어서는 못쓴다. ㉡기능이 멎음; 못 쓰게 됨. ¶機械が～になる 기계가 못 쓰게 되다.
──を押す (바둑에서) 공배를 메우다; 거의 틀림없는 것을 재다짐하다. ＝念を押す. ¶もう一度～ 다시 한 번 다짐하다. ⇨だめおし.

*ためいき【ため息】《溜め息》图 한숨. ¶重なる災難に～をつく 거듭되는 재난에 한숨을 쉬다.

ためいけ【ため池】《溜め池》图 저수지; 용수지(用水池).

ダメージ [damage] 图 대미지. 1 손해; 피해. ¶円高で会社が～を受ける 엔고로 회사가 손해를 보다. 2 권투에서 선수가 받은 타격. ¶～を与える 대미지를 입히다.

ためおけ〖溜め桶〗图 1 거름통; 거름을 담아 두는〔나르는〕 통. 2 방화용수로 빗물을 받아 두는 통.

だめおし【駄目押し】图ス自 1 (틀림없는 것으로 생각되나 확실을 기하기 위해) 다짐함. ¶もう一度～(を)する 다시 한번 다짐하다. 2 (구기 등에서) 대세가 결정된 뒤에 더 득점하여 승리를 굳힘. ¶～の満塁ホームラン 승리를 확실히 굳힌 만루 홈런. 参考 1은 바둑에서 공배를 메우는 데서.

ためこ-む【ため込む】《溜め込む》5他 모아서 저축하다; 부지런히 모으다. ¶しこたま～ 듬뿍〔적잖이〕 모으다 / 彼は小金を～·んでいる 그는 약간의 돈을 저축하고 있다.

ためし〖例〗图 1 선례; 예. ¶～がない出来事 선례가 없는 일 / ドイツ語はまだ教えた～がない 독일어는 아직 가르친 예가 없다. 2 보기.

ためし【試し】《験し》图 시험; 시도. ¶ものは～だ 처음부터 단념하지 말고, 하여간 한 번 해보는 것이 좋다.

ためしぎり【試し切り】《試し斬り》图ス他 옛날에, 칼이 잘 드는지 시험하기 위해 짐승이나 사람을 베어 봄. 「算.

ためしざん【試し算】图〔數〕검산. ＝検

ためしに【試しに】副 시험삼아. ¶～着てみよう 시험삼아 입어 보자 / ～一度〔ひとつ〕やってみよう 시험삼아 한번 해보자.

**ため-す【試す】《験す》5他 시험하다; 실지로 해보다. ¶性能を～ 성능을 시험해보다 / 力量を～ 역량을 시험하다. 可能 ため-せる 下1自

ためつすがめつ【矯めつすがめつ】《矯めつ眇めつ》連語《副詞적으로》(이모저모로) 자세히 뜯어보는 모양; 꼼꼼히 보는 모양. ¶骨董屋のおやじがつぼを手に取って～している 골동품상 노인이 항아리를 손에 들고 이리저리 자세히 뜯어보고 있다.

ために 〖為に〗 連語 (ユ) 때문에; 그러므로; 그래서. ¶補給路を断たれ, ~降服した 보급로가 끊기어 그 때문에 항복했다.

だめもと【駄目元】 名 〈俗〉 '駄目でもともと(=밑져야 본전)'의 준말. ¶~で一回試してみよう 밑져야 본전이니 한번 해 보자.

ためらい 〖躊躇い〗 名 주저; 망설임. ¶~がちに答える 망설이면서 대답하다.

***ためら-う** 〖躊躇う〗 5自 주저하다; 망설이다. ¶打ち明けるのを~ 털어놓기를 망설이다/教室に入ろうか入るまいか~·っている 교실에 들어갈까 말까 망설이고 있다.

***た-める** 〖貯める·溜める〗 下1他 **1** 모으다. ㉠《貯める》 저축하다. ¶金を~ 돈을 모으다. ㉡막아 담아 두다. ¶雨水を~ 빗물을 모아 두다/目に涙を~ 눈에 눈물이 글썽이다. **2** 밀리게 하다. ¶宿題を~ 숙제를 미루어 두다/家賃をだいぶ~·めてしまった 집세를 꽤 미루고 말았다.

た-める【矯める】 下1他 바로잡다; 교정(矯正)하다. **1** 굽은 것을 곧게 하다. ¶足の湾曲を~ 다리의 굽은 것을 바로잡다/角を~·めて牛を殺す 교각살우(矯角殺牛). **2** 구부려서 모양을 보기 좋게 만들다. ¶松の枝を~ 소나무 가지를 바로잡다. **3** (나쁜 성질 등을) 고치다. ¶盗癖〔悪い癖〕を~ 도벽〔나쁜 버릇〕을 고치다.

ためん【他面】 名 **1** 타면; 다른 면〔방면〕. ¶~から考察する 다른 면에서 고찰하다. **2**《副詞적으로》 한편. =他方. ¶~, その反対にも考えられる 한편 그 반대로도 생각할 수 있다.

ためん【多面】 名 다면. **1** 많은 평면. ¶~体 다면체. **2** 여러 방면. ¶~性 다면성/~にわたって価値がある 여러 면으로 가치가 있다. ⇔一面.

—てき【—的】 ダナ 다면적. ¶~な活動 다면적인 활동.

たもうさく【多毛作】 名 〘農〙 다모작. ↔一毛作·二毛作.

たもくてき【多目的】 名ナ 다목적. ¶~ダム 다목적 댐.

***たも-つ**【保つ】 一 5他 지키다. **1** (상태를) 유지하다. ¶健康〔若さ〕を~ 건강〔젊음〕을 유지하다/秩序〔安静〕を~ 질서를〔안정을〕 유지하다. **2** 보전하다. ¶国〔身〕を~ 나라를〔몸을〕 보전하다/身代を~ 재산을 지키다/平和が~·たれる 평화가 유지되다.
二 5自 유지되다; 견디다. ¶長く~ 오래 견디다. 可能 たも-てる 下1自

たもと 〖袂〗 名 **1** 소맷자락; 소매. ¶~に入れる 소매에 넣다/~を濡らす 옷소매를 적시다; 울다. **2** 산이나 다리의 중심부·근간부(根幹部)에서 벗어난 부분. ㉠기슭. ¶山の~ 산기슭. ㉡옆; 곁. ¶橋の~ 다리 옆.

—を連ねる 동료가 되다; 행동을 같이하다. ¶袂を連ねて脱会する 줄줄이 탈퇴하다.

—を分かつ **1** 헤어지다. **2** 친구와 절교하다. ¶今日かぎり彼と~ 오늘로써 그와는 절교한다.

だもの【駄物】 名 〈俗〉 보잘것없는 시시한 물건. =だぶつ. ¶~ばかり売る店 시시한 물건만 파는 가게.

だもんだから 接 〈俗〉 그러니까; 그렇기 때문에. =だから. ¶ひどい渋滞だった. ~遅れた 굉장한 정체였다《차가 굉장히 밀렸다》. 그래서 늦었다.

だもんで 接 〈俗〉 그래서.

たや-す【絶やす】 5他 끊어지게 하다. **1** 없애다. =絶つ. ¶害虫を~ 해충을 없애다/子孫を~ 자손을 끊어지게 하다. **2** 떨어지게 하다. =きらす. ¶タバコを~ 담배가 떨어지다/火を~·さないようにする 불이 꺼지지 않게 하다/笑顔を~·したことがない 늘 웃는 얼굴을 하고 있다. 可能 たや-せる 下1自

***たやす-い** 〖容易い〗 形 **1** 쉽다; 용이하다. ¶いとも~こと 아주 쉬운 일/~·く金をもうける 쉽게 돈을 벌다/~·く出来る 손쉽게 할 수 있다. ↔むずかしい. **2** 경솔하다. ¶~·くひきうけて失敗した 경솔하게 떠맡았다가 실패했다. 参考 'た'는 接頭語.

たゆまぬ 〖弛まぬ〗 連語 끊임 없는; 꾸준한. =たゆまない. ¶~努力を続ける 꾸준한 노력을 계속하다.

たゆ-む 〖弛む〗 5自 방심하다; (마음이) 느즈러지다; 긴장이 풀어지다; 해이하다. ¶気が~ 마음이 해이해지다/うまず~·まず 한결같이; 꾸준히.

たよう【多用】 一 名 볼일이 많음. =多忙. ¶御~中, 恐縮ですが 바쁘신 중, 죄송합니다만. 二 名 ス他 다용; 많이 씀. ¶外来語を~した文章 외래어를 많이 쓴 문장.

たよう【多様】 名 ダナ 다양. =さまざま. ¶~性 다양성/多種~ 다종다양/人々の反応は~だ 사람들의 반응은 다양하다. ↔一様.

—か【—化】 名 ス自 다양화. ¶価値観が~する 가치관이 다양화하다.

***たより**【便り】 名 소식; 편지. ¶花の~ 화신; 꽃 소식/風の~ 풍문/国からの~ 고향 소식/~をよこす 소식을 보내다/~がない 소식이 없다.

—のないのは良い— 무소식이 희소식.

***たより**【頼り】 名 **1** 의지; 의지〔의뢰〕하는 사람·물건. =寄るべ. ¶まさかの時に~になる 만일의 경우에 의지가 되다/つえを~に歩く 지팡이를 의지해서 걷다. **2** 연줄; 연고; 인연; 연분. =つて·てづる·ゆかり. ¶~を求めて就職する 연줄을 찾아서 취직하다.

たよりない【頼りない】 連語 **1** 의지할 곳〔사람〕이 없다. ¶~孤児の身の上

의지가지없는 고아 신세. **2** 믿음직스럽지 못하다; 믿을〔기대할〕 수 없다. ¶～人物(じんぶつ) 미덥지 못한 인물 / ～英語(えいご) 어설픈 영어 / ～話(はなし)だ 기대할〔믿을〕 수 없는 이야기다.

⁑**たよ-る【頼る】** 5自 **1** 의지하다; 의뢰하다; 믿다. ¶つえに～・って歩(ある)く 지팡이에 의지하여 걷다 / 地図(ちず)に～・って山(やま)に登(のぼ)る 지도를 의지해서 산에 오르다 / 石油(せきゆ)は輸入(ゆにゅう)に～ 석유는 수입에 의존한다. **2** 연고를 찾아가다. ¶知人(ちじん)を～・って職(しょく)を求(もと)める 지기를 연줄로 하여 직업을 구하다. 可能 たよ-れる 下1自

たら〖鱈・大口魚〗 名 〔魚〕 대구.

たら 一 係助 **1** (가벼운 비난이나 친밀감을 담아) 남을 화제로 올릴 때 쓰는 말: (글쎄) …말야. =てば. ¶田中(たなか)さん～案外(あんがい)親切(しんせつ)なのね 田中씨는 의외로 친절하던데 / このとけいっ～もうこわれちゃった 이 시계는 벌써 망가져 버렸네. **2** 예사 정도 이상임을 나타내는 말. ¶きたないっ～話(はなし)にならない 더럽기가 말도 못할 정도야 / あの痛(いた)さっ～, 何(なん)とも言(い)いようがない 그 아픔이란, 뭐라고 말로 표현할 수 없다.

二 間助 **1** (안타까운 기분으로) 부르거나 호소할 때 쓰는 말. =てば. ¶これ買(か)って. ねえ, おとうさん～ 이것 사 달라니까, 네, 아버지 / 早(はや)くしろっ～ 빨리 하라니까. **2** 〈女〉 완곡하게 '하면 어떻냐'고 명령하거나 권고하는 말. ¶ひまなら, あなたも少(すこ)し手伝(てつだ)っ～ 할일이 없으면 당신도 좀 거들면 어때요 / 早(はや)く起(お)きなさいっ～ 빨리 일어나라니까요〔일어나세요〕. **3** 〈女〉 정나미가 떨어진 기분을 나타내는 말. ¶まあ, あなたっ～ 어머나, 당신도 참 / 私(わたし)っ～ 나 원; 나 참. 参考 'と言(い)ったら(=…라니)'의 변화.

ダラー 名 ☞ドル.

***たらい**〖盥〗 名 대야. ¶金(かな)だらい 쇠대야 / 洗濯(せんたく)だらい 빨래 대야. 参考 '手洗(てあら)い'가 줄어진 꼴.

たらいまわし【たらい回し】〖盥回し〗 名 ス他 **1** 누워서 발로 대야를 돌리는 곡예. **2** 〈俗〉 (서로 짜고서 한 사물을) 차례로 돌림; 목침 돌림. ¶政権(せいけん)の～ 정권을 차례로 돌려 가며 잡음 / 容疑者(ようぎしゃ)の～ (구류를 계속하기 위하여 구류 기간이 끝난) 용의자를 이 경찰서 저 경찰서로 돌리는 일 / 患者(かんじゃ)を～にする 환자를 이 병원 저 병원으로 옮기다.

だらかん【だら幹】 名 〈俗〉 (노동조합·정당 등의) 타락한 간부(('堕落(だらく)幹部(かんぶ)(=타락한 간부)'의 준말)).

***だらく【堕落】** 名 ス自 타락. ¶～僧(そう) 타락한 승려 / 腐敗(ふはい)～した政治(せいじ) 부패 타락한 정치 / ～した女(おんな) 타락한 여자.

=だらけ 《体言에 붙어서》 …투성이. ¶傷(きず)〔借金(しゃっきん)〕～ 상처〔빚〕투성이 / 血(ち)〔どろ〕～ 피〔흙〕투성이.

だら-ける 下1自 해이해지다. **1** 마음이 풀리다. ¶気分(きぶん)が～ 기분이 해이해지다 / 夏休(なつやす)みで生活(せいかつ)が～ 여름방학으로 생활이 느슨해지다. **2** 나른해지다. ¶暑(あつ)さでからだが～ 더위로 몸이 나른해지다. **3** 게으름 피우다. ¶～・けず勉強(べんきょう)する 열심히 공부하다 / あまり～な 너무 게으름 피우지 마라.

たらこ【たら子】〖鱈子〗 名 대구알; 또, 명란젓. 注意 'たらのこ'라고도 함.

だらし 名 《대개 '～がない' '～のない'의 꼴로》 단정함; 야무짐. =しまり・しだら. ¶～のない生活(せいかつ) 칠칠치 못한〔흘게 늦은〕 생활. ⇨だらしない.

=たらし-い 《나쁜 상태를 나타내는 名詞나 形容動詞 어간에 붙여 形容詞를 만듦》 …한 느낌이 들다; …스럽다; …룹다. ¶憎(にく)～ 밉상스럽다 / 貧乏(びんぼう)っ～ 궁상스럽다 / 長(なが)～話(はなし) (진력이 나는) 장황한 이야기.

たらしこ-む【たらし込む】〖誑し込む〗 5他 〈俗〉 달콤한 말이나 육체적 유혹으로 남을 속이다; 꾀다. ¶うぶな娘(むすめ)を～ 순진한 처녀를 꾀다.

だらしな-い 形 야무지지 못하다; 칠칠치〔깔끔하지〕 못하다; 흘게 늦다. ¶～女(おんな) 몸가짐이 헤픈 여자 / ～着(き)こなし 칠칠치 못한 옷매무새 / ～負(ま)け方(かた) 어이없는 패배 / 女(おんな)に～ 여자에게 무르다 / 酒(さけ)に～ 술에 사족을 못 쓰다.

***たら-す【垂らす】** 5他 **1** 늘어뜨리다; 드리우다. =ぶらさげる. ¶釣(つ)り糸(いと)を～ 낚싯줄을 드리우다 / 束(たば)ねた髪(かみ)を後(うし)ろへ～ 묶은 머리를 뒤로 늘어뜨리다. **2** 흘리다; 듣게 하다. ¶鼻水(はなみず)〔よだれ〕を～ 콧물〔침〕을 흘리다 / 滴(しずく)を～ 물방울을 떨어뜨리다.

たら-す〖誑す〗 5他 〈俗〉 **1** 달래다. ¶子供(こども)を～ 아이를 달래다. **2** (달콤한 말로) 속이다; 꾀다; 유혹하다. ¶女(おんな)を～ 여자를 유혹하다.

=たらず【足らず】 《名詞에 붙여 상태를 나타내는 名詞를 만듦》 **1** …(의 작용)이 충분하지 못함. ¶知恵(ちえ)～ 지혜가 모자람 / 舌(した)～の話(はな)し方(かた) 혀짤배기 말투. **2** 그 수량에 아직 이르지 못함. ¶一時間(いちじかん)～の道(みち)のり 한 시간이 채 안 걸리는 거리 / 十人(じゅうにん)～しか集(あつ)まらない 10명이 채 못 되는 사람((8, 9명))밖에 모이지 않았다.

たらたら 副 **1** 액체가 방울져 떨어지는 모양: 뚝뚝; 줄줄. ¶～(と)汗(あせ)を流(なが)す 땀을 뚝뚝 흘리다 / 血(ち)が～(と)流(なが)れる 피가 줄줄 흐르다. **2** 달갑지 않은 말을 장황하게 늘어놓는 모양. ¶文句(もんく)～ 투덜투덜 / お世辞(せじ)～ 간살이 넘치게 / 不平(ふへい)を～(と)ならべる 불평을 중절중절 늘어놓다.

だらだら 副 **1** 'たらたら1'의 힘줌말; 액체가 이어서 흐르는 모양: 줄줄. ¶血(ち)を～(と)流(なが)す 피를 줄줄 흘리다 / よだれを～流(なが)す (군)침을 질질 흘리다. **2** 완만한 경사가 길게 뻗쳐 있는 모양. ¶

~坂 길게 뻗친 완만한 비탈. **3** 진력이 나도록 길게 끄는 모양: 질질. ¶~した演説 지루하게 질질 끄는 연설; 장황한 연설 / 工期が~(と)のびる 공기가 마냥 늦추어지다. **4** 흘게 늦거나 야무지지 못한 모양. ¶~した仕事ぶり 흘게 늦은 일처리.

—おり【—降り】图 경사가 완만하고 길게 뻗쳐져 있는 내리막길. =だらだら下り·だらだら下がり.

—のぼり【—上り】图 고개 등의 경사가 완만한 비탈임; 또, 그런 오르막길.

タラップ [네 trap] 图 트랩. ¶~を降りる 트랩을 내리다 / 飛行機の~に上る 비행기의 트랩에 오르다.

たらのき 〖楤の木〗 图 〔植〕 두릅나무.

たらば 連語 만일 그렇게 되면; …하면. ¶雨が降っ~延期する 비가 오게 되면 연기한다.

たらばがに 〖鱈場蟹〗 图 〔動〕 무당게.

たらふく 〖鱈腹〗 副 〈俗〉 배불리; 배 터지게; 실컷. ¶ごちそうを~食う 맛있는 음식을 실컷 먹다. 注意 '鱈腹'로 씀은 취음.

だらり 副 **1** 물건이 힘없이 늘어진 모양: 축. ¶よだれが~とこぼれる 군침이 주르르 흐르다 / 舌を~とたらす 혀를 축 늘어뜨리다. **2** 칠칠치 못한 모양. ¶~とした生活 방종한 생활.

たらりと 副 액체가 천천히 흘러내리는 모양; 또, 방울져 떨어지는 모양. ¶油が~したたる 기름이 주르륵 떨어지다.

=たり 〖人〗 《일본 고유의 数詞에 붙어》 사람 수를 나타내는 말: 사람. ¶よっ~ 네 사람 / ふ〔み〕~ 두〔세〕 사람.

たり 接助 **1** 나열하여 서술할 때 쓰는 말: 혹은…, 혹은…; 또는…, 또는…; …고, …고. ¶見~聞い~した事 보거나 듣거나 한 일 / 暑かっ~寒かっ~の陽気 더웠다 추웠다 하는 기후 / 腕を曲げ~伸ばし~する運動 팔을 구부렸다 폈다 하는 운동. **2** 예로서 들고 그 밖에도 비슷한 것이 있음을 암시할 때 씀: …거나; …든지. ¶そんなに泣い~して悪い子だね 그렇게 울기나 하고 나쁜 애로구나 / うそをつい~などしてはいけない 거짓말을 하거나 해서는 못쓴다 / ひまな時は本を読んだりしています 틈이 있을 땐 책을 읽거나 하고 있습니다. **3** 권유·명령의 뜻을 나타냄: …거라. ¶さあ, どい~, どい~ 자 비켜라, 비켜.

だり 助動 接助 撥音便, ガ行 五段의 イ音便에 연결될 때의 'たり'의 꼴. ☞たり 接助

ダリア [dahlia] 图 〔植〕 달리아. =テンジクボタン.

たりき【他力】图 타력. **1** 남의 조력. ↔自力. **2** 〔佛〕 '他力本願'의 준말.

—ほんがん【—本願】图 〔佛〕 타력 본원; 아미타불의 기원(祈願)에 의해서 성불하는 일; 비유적으로, 남의 힘을 빌려 일을 이루려고 하는 일.

たりつ【他律】图 타율. ↔自律.

—てき【—的】ダナ 타율적. =受動的. ¶~な人間 타율적인 인간. ↔自律的.

だりつ【打率】图 〔野〕 타율; 타격률. ¶~を上げる 타율을 올리다.

たりとも 副助 …(이)라도. ¶一刻~油断ができない 잠시라도 방심할 수 없다 / 小敵~侮らず 적이 소수일지라도 업신여기지 않다.

たりない【足りない】連語 모자라다. **1** 부족하다; 충분치 않다. ¶努力が~ 노력이 부족하다 / 互いに~所をおぎなう 서로 모자라는 점을 보완하다 / 取るに~意見 하찮은 의견. **2** (머리가) 둔하다; 아둔하다. ¶~やつ 아둔한 놈 / あの男は少少~ 저 남자는 좀 모자란다.

タリフ [tariff] 图 태리프; 관세(율). ¶~クオータ制 관세 할당 제도.

たりほ【垂り穂】图 (벼 따위가 익어서) 고개 숙인 이삭(《雅語적 말씨》).

たりゅう【他流】图 타류; 다른 유파. ↔自流.

—じあい【—試合】图 다른 유파 사람과의 무술 시합.

たりょう【多量】图 ダナ 다량. ¶出血~ 출혈 다량 / ~の救援物資 다량의 구원 물자. ↔少量.

だりょく【打力】图 〔野〕 타력; 타격의 힘. ¶~にすぐれる選手を選ぶ 타력이 뛰어난 선수를 뽑다.

だりょく【惰力】图 타력. **1** 타성의 힘. ¶~で走る 타력으로 달리다. **2** 종래의 습관; 타성. ¶~で仕事をする (이제까지의) 타성으로 일을 하다.

****た-りる**【足りる】上1自 **1** 족하다. ㉠충분하다; 자라다. ¶一人で~ 혼자서 충분하다 / 昼食には二人で五千円もあれば~·ります 점심은 둘이서 5천 엔만 있으면 충분합니다. ㉡충족되다. ¶電話で~ 전화로 족하다 / スコップさえおれば用は~ (무슨 일을 하는 데) 삽만 있으면 된다 / 衣食に~ 의식에 부족함이 없다. **2** (족히)…할 만하다. ¶信頼するに~人間 신뢰할 만한 사람 / 一読するに~本 일독할 만한 책. ⇨たりない. 注意 関西 등지에서는 '足る'로 五段活用.

た-る【足る】5自 **1** 〈文·方〉 ☞たりる. ¶賞するに~ 칭찬할〔상 줄〕 만하다 / 怪しむに~·らない 의아하게 생각할 것은 없다 / 論ずるに~·らん 족히 논할 거리가 못된다 / くふうが~·らぬ 연구가 모자라다 / 頼むに~·らず 부탁할 것까지는 없다. **2** 만족하다. ¶~ことを知れ 만족할 줄을 알아라.

たる 助動 문어 조동사(助動詞) 'たり'의 連体形; 또, 그것이 구어(口語)에 남은 것: 적어도 …로서의 자격〔입장〕을 갖추고 있는; …인; …된. ¶教師~者 교사 된 자 / かりにも大学生~者のなすべきことではない 적어도

대학생 된 자로서는 할 일이 아니다.

***たる** 〖樽〗 图 (술·간장 따위를 넣어 두는 크고 둥글며 뚜껑이 있는) 나무통. ¶～酒 통술/～にたがをかける 통에 테를 메우다.

ダル [dull] 名ナ 덜. **1** 둔함. **2** 지루함; 따분함; 침체된. ¶～ゲーム 덜 게임; 맥빠진 경기/～な雰囲気 침체된 분위기/～な生活 따분한 생활.

たる-い 形 **1** ☞だるい. **2** 느슨하다; 느즈러지다. ¶縄が～ 새끼줄이 느슨하다. **3** (맛이) 진하다; 담박하지 않다.

***だる-い** 〖怠い·懈い〗 形 **1** 나른하다; 께느른하다. ¶熱があるのかからだが～ 열이 있는지 몸이 나른하다. **2** 맺힌데가 없다; 지루하다. ¶～芝居 지루하게 끄는 연극.

たるいり 【たる入り】《樽入り》 图 통에 들어 있음; 또, 그 것. ¶～のビール 통에 든 맥주.

たるき 【垂木】《棰·椽》图〔建〕서까래.

タルト [프 tarte] 图 타르트(《과일·젤리 따위를 얹은 파이의 하나》). ＝タート.

だるま [達磨] 图 **1**〔佛〕달마; 달마대사. **2**【だるま】 ㉠오뚝이. ㉡오뚝이처럼 손발이 없는 둥근 물건. ¶～ストーブ 중배가 부른 둥근 난로/火～ 불덩어리; 온몸이 불덩어리가 되어서 탐.

たるみ 〖弛み〗 图 느슨함; 느즈러짐; 늘어짐; 해이. ¶精神の～ 정신적인 해이/肌の～を防ぐ 피부의 처짐을 방지하다.

***たる-む** 〖弛む〗 5自 느슨해지다; (마음이) 느즈러지다; (밑으로) 늘어지다; 이완(弛緩)하다. ¶ひもが～ 끈이 느슨해지다/服が～ 옷이 헐렁해지다/目の皮が～ (졸리거나 피로해서) 눈가죽이 느즈러지다; 눈이 개개풀어지다/心が～ 마음의 긴장이 풀어지다/精神が～·んでいる 정신이 해이해져 있다/棚板〔つな〕が～ 선반널〔밧줄〕이 밑으로 늘어지다〔처지다〕.

たれ 【垂れ】 图 (고기·생선 등을 굽는 데 쓰는) 양념장.

=たれ 'くそたれ(＝똥싸개)' 'はなたれ(＝코흘리개)'에서 유추하여 부정적인 뜻을 강조하기 위해서 붙이는 말. ¶あほ〔ばか〕～ 바보 자식.

だれ 〖誰〗 代 누구. ¶おまえは～だ 너는 누구냐/～も彼も 누구나 모두; 너나 없이/～の目にも明らかな 누구의 눈에도 명백한(《누가 봐도 명백한》)/～知らぬ者はない 모르는 사람은 아무도 없다/どこの～というほどの人ではない 어디의 누구라고 할 정도의 (유명한) 사람은 못 된다.

――の目にも 누가 봐도. ¶～明らかだ 누가 봐도 분명하다.

だれか 〖誰か〗 連語 누군가. ¶～来たようだ 누군가 왔나 보다/～呼んでくれ 누구 좀〔누구든〕 불러다오/向こうに～いる 저기에 누군가 있다.

――さん 图 아무개씨(《놀리는 말로》). ¶～とは違うよ 누구하곤〔너와는〕 다르다.

だれかれ 〖誰彼〗 图 이 사람 저 사람. ¶～の区別なしに愛嬌をふりまく 아무에게나 애교를 부리다.

――なしに 누구누구 할 것 없이; 누구에게나. ＝だれにでも. ¶～署名を求める 누구에게나 서명〔사인〕을 청하다.

たれこ-む 【垂れ込む】 5他 〈俗〉 밀고하다. ¶警察に～ 경찰에 밀고하다.

たれこ-める 【垂れ込める】《垂れ籠める》 下1自 **1** 낮게 드리우다〔깔리다〕. ¶雲が一面に～ 구름이 온통 낮게 깔리다. **2** 집에 틀어박혀 외출하지 않다.

たれさが-る 【垂れ下がる】 5自 아래로 늘어지다; 처지다. ¶しっぽが～·った犬 꼬리가 늘어진 개/目じりが～ 눈초리가 처지다.

だれしも 〖誰しも〗 連語 누구든지; 누구라도; 누구나(《'だれも'의 힘줌말》). ¶思いは～同じことだ 생각은 누구든 매한가지다.

だれしらぬ 【だれ知らぬ】《誰知らぬ》 連語 아무도 모르는. ¶～うちにかたづける 아무도 모르는 사이에 치우다〔처리하다〕/～者とてない 아무도 모르는 사람이라곤 없다.

だれそれ 〖誰某〗 代 아무개; 모(某). ¶～の本にそんなことばがあったね 모씨의 책에 그런 말이 있었지/何の～とかいう人 무엇이라던가 하는 사람.

だれだれ 〖誰誰〗 图 **1** 누구누구. ¶～が来たか 누구누구가 왔니/今度当選したのは～ですか 이번에 당선한 사람은 누구누구입니까. **2**《代名詞적으로》 ☞だれそれ. ¶～の住まいのあと 아무개가 살던 자리.

たれながし 【垂れ流し】 图 **1** 대소변을 무의식중에 쌈; 아무데나 깔겨 놓음. ¶猫が小便を～にする 고양이가 오줌을 깔겨 놓다. **2** 폐수 등을 하천에 방류함. ¶～公害 유해물 방류 공해.

だれひとり 〖誰一人〗 連語 《뒤에 否定을 수반하여》 누구 한 사람; 누구 하나. ¶～いない 누구 한 사람 없다.

たれまく 【垂れ幕】 图 현수막; 또, 칸막이용 포장. ¶交通安全運動の～ 교통 안전 운동의 현수막.

たれめ 【垂れ目】 图 눈꼬리가 처져 있음; 또, 그 눈. ＝下がり目.

だれも 〖誰も〗 連語 **1**《흔히, 否定語를 수반하여》 아무도. ¶～来ない 아무도 안 오다. **2** 누구나; 누구라도. ＝だれでも. ¶～知る通り 누구라도 아는 바와 같이.

****た-れる** 【垂れる】 ⊟下1自 **1** 늘어지다. ㉠드리워지다. ¶雲が低く～ 구름이 낮게 드리워지다. ㉡(끝이) 처지다. ¶前髪〔天井〕が～ 앞머리가〔천장이〕 늘어지다〔처지다〕. **2** 듣다; 떨어지다. ¶しずくが～ 물방울이 듣다/水がぽたぽた～ 물이 뚝뚝 떨어지다.

⊟下1他 **1** 늘어뜨리다; 드리우다. ＝た

らす. ¶幕を～ 막을 늘어뜨리다〔내리다〕/つり糸を～ 낚싯줄을 드리우다. **2** 나타내어 보이다; 주다; 내리다. ¶人々に模範を～ 사람들에게 모범을 보이다/教えを～ 가르침을 주다; 교훈을 내리다/あわれみを～ 불쌍히〔가엾게〕 여기시다. **3** 남기다. ¶名を後世に～ 이름을 후세에 남기다. **4**《放れる》대소변을 보다; 방귀를 뀌다. ¶ふんを～ 똥을 누다/へを～ 방귀를 뀌다.

だ-れる〖堕れる·弛れる〗下1自 **1** 긴장이 풀리다; 해이해지다. ¶気分が～·れてくる 기분이 해이해지다. **2** 싫증나다. ¶長演説に聴衆が～ 긴 연설에 청중이 지루해하다.

タレント [talent] 图 탤런트. **1** 재능. ¶豊かな～の持ち主 풍부한 재능의 소유자. **2** (TV 등의) 예능인. ¶～議員 탤런트 의원.

—こうほ【—候補】图 (매스컴에 의한 지명도를 무기로 한) 탤런트 후보.

—ショップ [일 talent+shop] 图 탤런트숍; 인기 탤런트가 경영하는 가게《레스토랑이나 잡화점이 일반적임》.

たろう 連語《'たであろう'의 압축된 말씨》…겠지; …을 테지. ¶君も読んだろう 자네도 읽었을 테지/もう家に着い～ 이제는 집에 닿았을 테지.

たろう【太郎】图 맏아들에게 붙이는 이름; 또, 장남. ¶一姫二～ 첫째에 딸, 둘째에 아들의 순서로 낳는 것이 이상적이라는 뜻.

だろう 助動 **1** 말하는 사람〔쓰는 사람〕의 추측에 의해서 그 사항이 진술되고 있음을 나타냄: …겠다; …것이다. ¶雪が降る～ 눈이 오겠다/あしたはたぶん晴れる～ 내일은 아마 갤 것이다. **2**《흔히, '…から…の～'의 꼴로》진술하고 있는 사항의 인과 관계나 이유가 되는 것을 추측함에 씀: …(한 것)이겠지〔일 테지〕. ¶甘い物を食べすぎたから, 虫歯が出来たの～ 단것을 지나치게 먹어서 충치가 생긴 것이겠지.

タロットカード [tarot card] 图 타로 카드; 22장의 그림패와 56장의 숫자패 등 모두 78장 한 벌로 된 카드《주로 점을 치거나 게임하는 데 씀》. =タロー·タロット.

タワー [tower] 图 타워; 탑. ¶～クレーン 타워 크레인/東京～ 東京 탑《東京에 있는 종합 전파탑의 통칭》.

たわい〖他愛〗图《'～がない' '～もありません' 등 否定語가 따라서》**1** 제정신. ¶～なく眠る 정신없이 자다/～もなく酔う 정신없이 취하다. **2** 사려 분별. =とりとめ. ¶～のない冗談ばかり言う 실없는〔시시한〕 농담만을 한다/～のない奴で, 一向頼りない 어리석은〔어린애 같은〕 녀석이라 도무지 미덥지가 못하다/女に～もなくなっている 여자에게 홀딱 빠져 있다. **3** 반응; 절맛. ¶～もない試合 맥없는 경기/～なく負ける 너무 쉽게〔싱겁게〕 패하다/～ないことに笑う 괜한 일에 웃다. 注意 '他愛'로 씀은 취음.

たわけ〖戯け·白痴〗图 **1** 희롱; 까붊; 희롱거리는 언동. ¶～をつくす 마구 희롱거리다〔까불다〕/～もいいかげんにしろ 까부는〔희롱대는〕 짓도 좀 작작 해라. **2** 'たわけ者(=바보; 천치)'의 준말. ¶この～め 이 천치 같은 녀석.

たわ-ける〖戯ける〗下1自 〈雅〉 까불다; 희롱거리다; 특히, 음란한 언동을 하다. ¶～のも程がある 희롱거리는 것도 정도가 있다/～·けたことを言うものではない 허튼소리를 하는 게 아니다.

たわごと〖戯言·囈言〗图 농담; 시시한〔실없는〕 소리; 허튼 소리; 잠꼬대. =ばかばなし. ¶～を言う 실없는 소리를 하다/閑人の～など聞いていられない 한가한 사람의 허튼 소리 따위를 듣고 있을 수 없다. 注意 'たわこと'라고도 함.

たわし〖束子〗图 수세미.

たわ-む〖撓む〗5自 (막대·가지 따위가) 휘다. =しなう. ¶釣りざおが～ 낚싯대가 휘다/雪で木の枝が～ 눈으로 나뭇가지가 휘다.

たわむれ【戯れ】图 장난; 농(담). ¶運命の～ 운명의 장난/酔余の～ 술기운으로 한 장난/造化の～ 조화의 장난《불구(不具) 따위》.

***たわむ-れる【戯れる】**下1自 희롱〔해롱〕거리다. **1** 까불다; 놀다; 장난하다. ¶花に～ちょう 꽃에서 노는 나비/子供が～·れている 아이가 놀고 있다/遊び～ 흥겹게 놀다/ねこがまりに～ 고양이가 공을 가지고 놀다. **2** 시시덕거리다; 농(담)을 하다. ¶酒の席で～ 술자리에서 시시덕거리다. **3** 새롱거리다; 놀리다; 희롱하다. =いちゃつく. ¶女に～ 여자를 희롱하다/男に～ 사내와 새롱거리다〔희롱하다〕.

***たわら【俵】**图 (쌀·숯 등을 담는) 섬. ¶米だわら 쌀섬/～に詰める 섬에 채워 넣다.

タワリシチ [러 tovarishch] 图 타바리시치; 동료; 동지; 동무.

たわわ〖撓〗ダナ 휠 정도임. ¶りんごが枝も～に実る 사과가 가지가 휠 정도로 열리다.

たん【反】《段》图 **1** 필; 피륙을 세는 단위; '1反'은 경척(鯨尺)으로 길이 2장(丈) 6척〘약 10m〙이상, 폭 9치 5푼〘약 36cm〙이상《'1反'으로 어른의 옷 한 벌을 만들 수 있음》. **2** 단; 논밭이나 산림의 면적 단위; '1反'은 300보(步), 1정(町)의 1/10《약 10아르》. ¶～当たり 단당. 参考 원래는 '段'으로 썼음.

たん【胆】图 **1** 담; 쓸개. **2** 담력; 기력. =度胸.

—が据わる 담차다; 사물에 동(動)하지 않다.

—, かめの如し; —, 斗の如し 담력이 몹시 크다; 아주 대담하다.

—を練る 담력을 기르다〔쌓다〕.

たん【短】 ㊀名 **1** 짧음. ¶～を好む 짧은 것을 좋아하다. **2** 결점; 단점. ¶長をのばし〔とり〕～をおぎなう〔すてる〕 장점을 키우고〔취하고〕 단점을 보완하다〔버리다〕. ㊁接頭 단…; 짧은. ¶～距離 단거리 / ～時間 단시간. ⇔長.

たん【痰】 名 담; 가래. ¶～つぼ 타구 / ～がからむ 가래가 목에 걸리다 / ～を吐く 가래를 뱉다.

—を切る **1** 가래를 삭이다〔없애다〕. **2** ☞たんか(啖呵)をきる.

たん【端】 名 끝; 실마리; 시작.

—を発する 발단하다; 실마리가 되다. ¶食べ物に端を発したけんか 먹을거리에서 발단된 싸움 / 石油危機に～ 석유 위기에서 발단하다.

—を開く 어떤 일을 시작하는 계기를 만들다. ¶争いの～ 분쟁의 실마리〔계기〕를 만들다.

タン [tongue] 名 〖料〗 텅; 소 따위의 혓살. ¶～シチュー 텅 스튜.

たん〖丹〗 常用 タン あか に | 단 주사 붉다 | **1** 붉은 빛. ¶丹青 단청. **2** 꾸밈이 없음; 성심. ¶丹心 단심. **3** 환약 이름에 붙이는 말. ¶反魂丹 반혼단.

たん〖但〗 常用 タン ただし ただ | 단 다만 | 다만. ¶但し書き 단서.

たん〖担〗(擔) 教6 タン になう かつぐ | 담 메다 | 어깨에 메다. ¶担架 들것 / 米俵を担ぐ 쌀섬을 지다.

たん〖単〗(單) 教4 タン | 단 홑 | **1** 단지 하나; 홑. ¶単身 단신 / 単刀直入 단도직입. ↔複. **2** 한결같다; 복잡하지 않다. ¶単純 단순 / 簡単 간단 / 単調 단조.

たん〖炭〗(炭) 教3 タン すみ | 탄 숯 | **1** 숯. ¶薪炭 신탄 / 木炭 목탄. **2** 석탄. ¶炭田 탄전 / 炭鉱 탄광.

たん〖胆〗(膽) 常用 タン きも | 담 쓸개 | 담. **1** 쓸개. ¶胆汁 담즙 / 胆石 담석. **2** 기백. ¶胆力 담력 / 大胆 대담.

たん〖探〗 教6 タン さぐる さがす たずねる | 탐 찾다 | 더듬어 찾다; 애써 찾다. ¶探険 탐험 / 探索 탐색.

たん〖淡〗 常用 タン あわい | 담 엷다 | **1** 진하지 않다; 엷다; 꾸밈이 없다. ¶濃淡 농담 / 淡彩 담채 / 淡紅 담홍. ↔濃. **2** 집착함이 없다. ¶淡として水の如し 담담하여 물과 같다 / 淡淡 담담.

たん〖短〗 教3 タン みじかい | 단 짧다 | **1** 짧다. ¶短針 단침 / 短編 단편 / 短縮 단축. **2** 부족하다; 못하다; 나쁘다. ¶短見 단견 / 短所 단점. ⇔長.

たん〖嘆〗(嘆) 常用 タン なげく なげかわしい | 탄 한숨쉬다 | **1** 한숨쉬다; 찬탄하다. ¶嘆声 탄성 / 詠嘆 영탄. **2** 한탄하다. ¶嘆願 탄원 / 悲嘆 비탄.

たん〖端〗 常用 タン はし は はた | 단 바르다 | **1** 단정하다; 바로잡다. ¶端正 단정. **2** 끝. ¶末端 말단 / 尖端 첨단.

たん〖誕〗(誕) 教6 タン | 탄 나다 | 낳다; 태어나다. ¶誕辰 탄신 / 降誕 강탄.

たん〖鍛〗 常用 タン きたえる | 단 두드리다 | 쇠붙이를 불에 달구어 두들기다; 단련하다. ¶鍛工 단공 / 鍛錬 단련 / 鍛造 단조.

だん【団】 단. ㊀名 단체; 모임. ¶～の結成式 단(체)의 결성식 / ～の結束 단(체)의 결속. ㊁接尾 단체의 뜻. ¶青年～ 청년단 / 使節～ 사절단.

***だん【段】** 名 **1** 단. ㉠상하의 구획. ¶上の～にのせる 윗단에 얹다〔싣다〕 / 居間と食堂の境は～をつける 거실과 식당 사이에 층을 두다. ㉡계단. ¶～をのぼる〔上がる〕 계단을 오르다 / 石の～を下りる 돌 층계를 내려오다〔내려가다〕. ㉢(유도·바둑 등의) 기술의 등급. ¶～を取る 단을 따다; 유단자가 되다 / ～が違う 단수가〔격이〕 다르다. ㉣문장의 단락. ¶文章の～を切る 문장의 단락을 끊다. **2** 국면; 때; 경우; 단계. ¶いざという～になると 일단 유사시가 되면 / いよいよという～になって 막판〔마지막 순간〕에 이르러.

だん【断】 名 **1** 단행. ¶～の一字有るのみ (오로지) 단행만이 있을 뿐. **2** 결단. ¶～を下す 결단을 내리다 / ～を迫る 결단을 촉구하다.

だん【暖】 名 난; 따뜻함. ↔寒.

—を取る 몸을 녹이다. ＝あたたまる. ¶たき火で～ 모닥불로 몸을 녹이다.

だん【談】 ㊀名 말; 이야기; 담화. ¶目撃者〔見聞者〕の～によれば 목격자〔견문자〕의 말에 따르면.

㊁接尾 담; 이야기의 뜻. ¶武勇～ 무용담 / 首相～ 수상의 담화.

***だん【壇】** 名 단. ¶～を設ける (높직한) 단을 마련하다 / 受賞者が～にのぼる 수상자가 단상에 오르다.

だん〖団〗(團) 教5 ダン トン | 단 둥글다 모임 | **1** 둥글다. ¶団子 경단. **2** ㉠한데 뭉치다〔모이다〕. ¶団結 단결. ㉡조직을 가진 집단. ¶団体 단체.

だん〖男〗 教1 ダン ナン おとこ お | 남 사내 아들 | 남자; 사내. ¶男性 남성 / 男児 남아 / 男女 남녀 / 下男 하인. ↔女.

だん〖段〗 教6 ダン タン | 단 나누다 갈림 | **1** 가르다. ¶分段 분단 / 別段 별단. **2** 층계. ¶階段 계단. **3** 검도·바둑 등의 등급.

¶段位 단위 / 初段 초단.

だん〖断〗《斷》 教5 ダン たつ ことわる | 단 끊다 |
1 끊다; 자르다. ¶断絶 단절 / 断続 단속. 2 결정하다; 정하다. ¶断定 단정 / 独断 독단.

だん〖弾〗《彈》 常用 ダン ひく はずむ たま はじく | 탄 탄알 | 1 탄알. ¶弾丸 탄환 / 不発弾 불발탄. 2 퉁기다. ㉠튀다. ¶弾性 탄성. ㉡현악기의 현을 타다. ¶弾奏 탄주.

だん〖暖〗《暖》 教6 ダン あたたかい あたたまる あたためる | 난 따뜻(이)하다 | 따뜻하다; 따뜻해지다. ¶暖気 난기 / 温暖 온난 / 寒暖 한난. ↔冷.

だん〖談〗 教3 ダン かたる | 담 이야기 | 이야기. ¶閑談 한담 / 会談 회담.

だん〖壇〗 常用 ダン タン | 단 단 자리 | 단. 1 한층 높게 만든 곳. ¶花壇 화단 / 教壇 교단. 2 전문가들의 사회. ¶文壇 문단 / 画壇 화단 / 歌壇 가단.

***だんあつ**【弾圧】名 スル他 탄압. ¶言論の~ 언론의 탄압 / ~に抗する〔耐える〕 탄압에 항거하다〔견디다〕 / ~を受ける 탄압을 받다.

だんあん【断案】名 단안. ¶~を下す 단안을 내리다.

****たんい**【単位】名 단위. 1 수량을 세는 기준으로서 정한 양. ¶長さの~をきめる 길이의 단위를 정하다 / 貨幣~ 화폐 단위 / ~面積 단위 면적. 2 (고교·대학 등의) 학점. ¶卒業するには八~足りない 졸업하려면 8학점 부족하다. 3 어떤 조직의 요소로서의 한 단위. ¶防火~ 방화 팀 / クラス~で行動する 클래스〔학급〕 단위로 행동하다.

—くみあい【—組合】名 단위 (노동) 조합. =単組.

—ごかん【—互換】名 학점 호환〔인정〕; 학생이 다른 대학에서 취득한 학점을 재학 중인 대학에서 인정함.

—せいこうこう【—制高校】名 (학점) 단위제 고등학교《진급에 필요한 학점은 별도로 규정하지 않고, 일정한 학점을 취득하면 졸업을 인정함》.

だんい【段位】名 단위; (유도·바둑 등에서) 단수《'級(=급)'의 위》. ¶将棋〔碁〕の~ 장기〔바둑〕의 단수.

たんいち【単一】名 '単一型乾電池'의 준말; 원통형 소형 건전지 중 가장 큰 것.

たんいつ【単一】名ナ 단일. ¶~民族 단일 민족 / ~な成分 단일 성분 / ~行動をとる 단일 행동을 취하다.

だんう【弾雨】名 탄우; 빗발 치는 탄환. ¶砲煙~の中をくぐる 포연탄우 속을 뚫고 나가다.

たんおん【単音】名 단음. 1〔言〕 음성의 최소 단위. ¶~文字 단음 문자《로마자 따위》. 2〔樂〕 하모니카의 소리나는 구멍이 한 줄로만 된 것. ↔複音.

たんおん【短音】名 단음. ↔長音.

たんおんかい【短音階】名〔樂〕 단음계. ↔長音階.

たんか【担架】名 담가; 들것. ¶~にのせる 들것에 싣다 / 負傷者を~で運ぶ 부상자를 들것으로 나르다.

たんか【単価】名 단가. ¶せっけん三個九百円, ~三百円 비누 3개 900엔, 단가 300엔.

たんか【単科】名 (대학의) 단과.

—だいがく【—大学】名 단과 대학. =カレッジ. ↔総合大学.

たんか【炭化】名スル自〔化〕 탄화. ¶~物 탄화물 / ~水素 탄화 수소 / ~カルシウム 탄화칼슘 / 木材が~して炭になる 목재가 탄화해서 숯이 된다.

たんか〖啖呵〗名 날카롭고 위세 좋은 말《좁은 뜻으로는 야시장의 장사꾼이 외치는 소리나 浪曲의 대화》. 注意 '啖呵'로 씀은 취음.

—を切る 날카로운 기세로 시원시원하게 말하다; 날카로운 어조로 마구 몰아세우다. ¶江戸っ子が威勢のいい~ 東京 토박이가 위세 좋게 떠들어대다.

たんか【短歌】名 단가; 和歌의 한 형식《5, 7, 5, 7, 7의 5구 31음을 기준 삼음》. =みそひともじ. 参考 흔히 和歌라고 하면 이것을 가리킴. ↔長歌.

だんか[檀家]名〔佛〕 단가; 일정한 절에 속하여 시주를 하며 절의 재정을 돕는 집; 또, 그 사람; 시주. =檀越.

タンカー[tanker]名 탱커; 유조선.

だんかい【団塊】名 단괴. =かたまり.

—のせだい【—の世代】名 1948년을 전후해서 태어난 사람이 많아서 연령별 인구 구성상 두드러지게 팽대한 세대.

***だんかい**【段階】名 단계. ¶仕上げの~ 끝마무리 단계 / 準備(の)~ 준비 단계 / 五~評価 5단계 평가 / 新~を迎える 새 단계를 맞이하다 / ~をふむ 단계를 밟다 / 最悪の~に達した 최악의 단계에 이르렀다 / すでに手後れの~にきている 이미 때늦은 단계에 와 있다.

だんがい[断崖]名 단애; 벼랑; 낭떠러지. ¶~絶壁 단애 절벽 / ~からまっさかさまに落ちる 낭떠러지에서 곤두박이치다.

だんがい【弾劾】名スル他 탄핵. =糾弾. ¶~演説 탄핵 연설 / 政府を~する 정부를 탄핵하다.

—さいばんしょ【—裁判所】名 탄핵 재판소《법관을 재판하기 위하여 국회 내에 설치된 재판소》.

たんかか【単花果】名〔植〕 단화과; 하나의 꽃에서 생긴 열매《사과·복숭아 따위》.

だんカット【段カット】名 머리를 층이 지게 컷하는 기법; 또, 그 머리형. =レ

イヤードカット. ▷cut.

たんがら【炭殻】图 석탄(이 타고 남은) 찌꺼기. ＝石炭がら·たんから.

たんがん【単眼】图 단안. **1** 한쪽 눈. **2** 홑눈《절지 동물·곤충류에서 볼 수 있는 단순한 구조의 눈》. ↔複眼.

たんがん【嘆願】《歎願》图ス他 탄원. ¶ ～書 탄원서 / 死刑囚の助命を～する 사형수의 구명을 탄원하다.

***だんがん**【弾丸】图 탄환; 총알. ¶ ～列車 (총알처럼 빠른) 탄환 열차 / ～を装塡する 탄환을 재다.

──どうろ【──道路】图 탄환 도로《고속도로》.

たんき【単記】图 단기. **1** 후보자 중 한 사람만 투표지에 그 성명을 쓰는 일. ↔連記. **2** '単記投票'의 준말.

──とうひょう【──投票】图 단기 투표; 한 장의 투표 용지에 선출할 한 사람만을 기표하는 투표. ↔連記投票.

たんき【単騎】图 단기; 말을 타고 혼자 감. ＝一騎. ¶ ～で敵陣に行く 단기로 적진에 가다.

たんき【短気】图ダナ 성마름; 급한 성질. ＝気みじか·せっかち. ¶ ～な人 성질이 급한 사람 / ～を起こす 참지 못하고 성마르게 굴다.　「손해다.

──は損気 성마르게 굴면 결국 자기만

たんき【短期】图 단기. ¶ ～金利〔契約〕 단기 금리〔계약〕. ↔長期.

──だいがく【──大学】图 단기 대학《2년제 또는 3년제임》. ＝短大.

──プライムレート [prime rate] 图 단기 프라임 레이트; 단기 최우대 대출 금리. ＝短プラ. ↔長期プライムレート.

だんき【暖気】图 난기; 따뜻한 기운. ＝暖かみ. ¶ ～が感じられる 따뜻한 기운〔따스함〕을 느낄 수 있다 / 日本上空に～が流れ込む 일본 상공에 난기가 흘러 들어오다. ↔寒気.

だんぎ【談義】图ス自 **1**〖佛〗설법(說法). **2** 사리를 타이름; 또, 그 이야기; 설교. ¶長～ 장황한 설교. **3** 잔소리; 훈계.

たんきかん【短期間】图 단기간. ＝短期. ↔長期間.

たんきゅう【単級】图 단급《두메나 낙도의 분교 등에서, 전교의 학생을 한 학급으로 편성한 것》. ¶ ～学校 단급 학교.

たんきゅう【探求】图ス他 탐구. ¶生活〔幸福〕の～ 생활〔행복〕의 탐구 / 真実を～する 진실을 탐구하다.

たんきゅう【探究】图ス他 탐구. ¶真理の～ 진리의 탐구 / 芸術の本質を～する 예술의 본질을 탐구하다.

だんきゅう【段丘】图〖地〗단구. ¶海岸～ 해안 단구.

だんきょう【団協】图 '団体協約(＝단체 협약)'의 준말.

たんきょり【短距離】图 단거리. ¶ ～の旅 단거리 여행 / ～走者 단거리 주자. ↔長距離.　「주.

──きょうそう【──競走】图 단거리 경

たんく【短句】图 단구; 짧은 구《連歌 등에서 7, 7의 구》. ↔長句.

たんく【短軀】图 단구. ＝ちび. ¶ ～の貧弱な男 단구의〔키가 작고 몸집이〕 빈약한 남자. ↔長軀.

***タンク** [tank] 图 탱크. **1** 기체·액체를 담는 용기. ¶ガス～ 가스 탱크. **2** 전차(戰車). ¶ ～戦 탱크전.　「ーリー.

──しゃ【──車】图 탱크차. ☞タンクロ

──トップ [tank top] 图 탱크 톱; 여름철 젊은 여성이 입는 수영복식의 셔츠. ¶乳首が見える網の～ 젖꼭지가 보이는 망사 탱크 톱.

──ローリー [일 tank＋lorry] 图 탱크로리. ＝タンク車.

ダンクショット [dunk shot] 图 (농구에서) 덩크 슛. ＝ダンクシュート.

タングステン [tungsten] 图〖化〗텅스텐. ¶ ～鋼 텅스텐강 / ～電球 텅스텐 전구.

たんぐつ【短靴】图 단화. ＝たんか. ↔編み上げ靴·長靴.

たんげい [端倪] 图ス他 『～すべからず』 사물의 추세를 전망할 수 없다; 헤아릴 수 없다; 예측할 수 없다. ¶ ～すべからざる成り行き 예측할 수 없는 형편.

***だんけつ**【団結】图ス自 단결. ¶一致～ 일치 단결 / ～権 (근로자) 단결권 / 大同～ 대동단결 / 自衛のため～する 자위를 위해 단결하다.

***たんけん**【探検·探険】图ス他 탐험. ¶ ～家 탐험가 / ～小説 탐험 소설 / 秘境を～する 비경을 탐험하다.

たんけん【短剣】图 **1** 단검; 단도. **2** (시계의) 단침. ⇔長剣.

たんけん【短見】图 단견; 얕은 소견; 천견(淺見). ＝浅見.

たんげん【単元】图 단원. ＝ユニット. ¶ ～学習 단원 학습 / 新しい～に入る 새 단원에 들어가다.

***だんげん**【断言】图ス他 단언. ＝明言. ¶ ～できる 단언할 수 있다 / 彼は犯人でないと～してもよい 그는 범인이 아니라고 단언해도 좋다.

たんご【単語】图 단어; 낱말. ＝語. ¶ ～帳 단어장 / 英語の～を覚える 영어 단어를 외우다.　「오절.

たんご【端午】图 단오. ¶ ～の節句 단

タンゴ [tango] 图〖樂〗탱고《4분의 2박자의 춤곡》. ¶アルゼンチン～ 아르헨티나 탱고 / ～を踊る 탱고를 추다.

だんこ【断固】《断乎》副トタル 단호히; 단연코. ¶ ～たる決意〔処分〕 단호한 결의〔처분〕/ ～拒絶する 단호히 거절하다 / ～として行う 단호히 시행하다. 注意 본디는, '断乎'. 參考 힘줌말은 '断断固'.

***だんご**【団子】图 **1** 단자; 경단. ¶肉～ 고기 완자; 미트볼 / 花より～ 꽃보다 경단; 금강산도 식후경. **2** (경단처럼) 둥글게 만든 것; 또, 그런 모양. ¶大勢のランナーが～になって走る 많은

러너가 한 무리가 되어 달리다.
—ばな【—鼻】图 주먹코.
—に目鼻(めはな) (경단에 눈코가 박힌 것 같은) 둥근 얼굴의 형용.
だんご【段碁】图 (바둑에서) 단바둑.
たんこう【単行】图 단행; 단독으로 행함. ¶~犯(はん) 단독범. 注意 보통, 다른 말과 합하여 씀. 「叢書(そうしょ).
—ぼん【—本】图 단행본. ↔全集(ぜんしゅう)・
たんこう【炭坑】图 1 탄갱. ¶~浸水(しんすい) 탄갱 침수/~の出入(でい)り口(ぐち) 탄갱의 출입구. 2 ☞たんこう(炭鉱).
たんこう【炭鉱】《炭礦》图 탄광. ¶~労働者(ろうどうしゃ) 탄광 노동자.
たんこう【淡紅】图 담홍; 분홍.
—しょく【—色】图 담홍색; 분홍빛.
だんこう【団交】图ス他 '団体(だんたい)交渉(こうしょう)(=단체 교섭)'의 준말.
だんこう【断交】图ス自 단교; (특히, 국가간의) 교제를 끊음; 국교 단절. =絶交(ぜっこう)・国交断絶(こっこうだんぜつ). ¶両国(りょうこく)は今(いま)~状態(じょうたい)にある 양국은 지금 단교 상태에 있다.
だんこう【断行】图ス他 단행. =決行(けっこう). ¶値下(ねさ)げを~する 가격 인하를 단행하다/改革(かいかく)を~する 개혁을 단행하다.
だんごう【談合】图ス自 1 상의; 의논. =相談(そうだん). ¶皆(みな)で~したらよい 다 같이 상의하면 좋다. 2 담합; 입찰〔도급〕 가격을 미리 협정함. ¶~罪(ざい) 담합죄/~請負(うけおい) 담합 도급.
—ずく〖—尽く〗图 의논해서 결정함. =相談(そうだん)ずく. ¶~で決(き)める 상의해서 정하다.
たんこぶ〖たん瘤〗图〈俗〉혹. =こぶ・こぶたん. ¶目(め)の上(うえ)の~ 눈 위의 혹《눈엣가시》/~を取(と)る 혹을 떼다.
だんこん【男根】图 남근; 음경. =ペニス. ¶~崇拝(すうはい) 남근 숭배. ↔女陰(じょいん).
だんこん［弾痕］图 탄흔. ¶城壁(じょうへき)の~ 성벽의 탄흔/壁(かべ)などに短銃(たんじゅう)による~が数(すう)か所(しょ)あった 벽 따위에 단총에 의한 탄알 자국이 몇 군데 있었다.
たんさ【探査】图ス他 탐사. ¶資源(しげん)を~する 자원을 탐사하다/会社(かいしゃ)の内情(ないじょう)を~する 회사의 내정을 탐사하다.
たんざ【端座】《端坐》图ス自 단좌; 정좌. =正座(せいざ). ¶書斎(しょさい)に~して書(しょ)を習(なら)う 서재에 단좌해서 서예를 익히다.
だんさ【段差】图 1 단차; (바둑·장기 기타 승부를 겨루는 놀이에서) 단위(段位)의 차. ¶~があり過(す)ぎる 단차가 너무 난다. 2 도로간(間)이나, 지면 등의 높낮이의 차.
ダンサー［dancer］图 댄서; 무용수.
たんさい【淡彩】图 담채; 엷고 산뜻한 채색. ¶~画(が) 담채화/~の風景画(ふうけいが) 담채의 풍경화.
だんさい【断裁】《断截》图ス他 단재; 재단; 종이를 자름. ¶~機(き) 재단기. 注意 '断截'는 바르게는 'だんせつ'.
だんざい【断罪】图ス自 1 단죄; 유죄 판결을 내림. ¶企業公害(きぎょうこうがい)を~する 기업 공해를 단죄하다. 2 목을 자름. =打(う)ち首(くび). ¶~に処(しょ)せられる 참수형에 처해지다.
たんさいぼう【単細胞】图 1〔生〕단세포. ¶~生物(せいぶつ) 단세포 생물. 2〈俗〉단순한 머리〔인간〕의 뜻으로도 비유됨. ¶~の男(おとこ) 단순한 사내.
たんさく【単作】图ス他〔農〕단작; 1년에 한 종류의 곡물만을 재배함. =一毛作(いちもうさく). ¶米(こめ)の~地帯(ちたい) 벼의 단작 지대. ⇨二毛作(にもうさく)・多毛作(たもうさく).
たんさく【探索】图ス他 탐색. ¶犯人(はんにん)の~を進(すす)める 범인 탐색을 추진하다/賊(ぞく)を~する 도둑을 탐색하다.
たんざく【短冊】《短尺》图 1 글씨를 쓰거나 물건에 매다는 데 쓰는 조붓한 종이; 또, 그와 같은 꼴. 2 '短冊切(たんざくぎ)り'의 준말. ¶大根(だいこん)を~に切(き)る 무를 얇고 조붓하게 썰다. 3 '短歌(たんか)・俳句(はいく)' 등을 쓰는 두껍고 조붓한 종이《보통 세로 1자 2치〔약 36cm〕, 가로 2치〔약 6cm〕》. 注意 'たんじゃく'라고도 함.
—ぎり【—切り】图 (야채 등을) 긴 직사각형으로 자름.
たんさん【単三】图 '単三型(たんさんがた)乾電池(かんでんち)'의 준말; 원통형 소형 건전지《単一(たんいち)보다 작음》.
たんさん【炭酸】图〔化〕탄산. ¶~飲料(いんりょう) 탄산음료/~水(すい)〔ガス〕 탄산수〔가스〕/~同化作用(どうかさよう) 탄소 동화 작용.
—ナトリウム［natrium］图〔化〕탄산나트륨. =炭酸ソーダ.
たんし【短詩】图 단시; 짧은 시. ¶~型(がた)文学(ぶんがく) 단시형 문학.
たんし【短資】图 단자; 단기 대부 자금《'短期(たんき)資金(しきん)'의 준말》. =コール. ¶~会社(がいしゃ) 단자 회사. 「ル.
たんし【端子】图〔電〕단자. =ターミナ
たんし［譚詩］图 담시《자유로운 형식의 서사시》. =バラード.
*だんし【男子】图 1 사내아이; 아들. ¶~が出生(しゅっせい)した 아들이 태어났다. 2 남자; 남성. ¶~生徒(せいと) 남학생/~用(よう)トイレ 남자용 화장실/成年(せいねん)~ 성년 남자. ↔女子(じょし).
—家(いえ)を出(い)ずれば七人(しちにん)の敵(てき)あり 남자가 사회 활동을 하려면 많은 적이 있음의 비유. 「천금(重千金).
—の一言(いちげん)金鉄(きんてつ)の如(ごと)し 남아일언중
だんじ【男児】图 남아. =だんし. ¶~誕生(たんじょう) 남아 탄생/快(かい)~ 쾌남아/日本(にっぽん)~ 일본 남아. ↔女児(じょじ). 「時間.
たんじかん【短時間】图 단시간. ↔長(ちょう)
たんしき【単式】图 단식. 1 단순하고 간단한 방식. 2 '単式簿記(ぼき)'의 준말. ⇔複式(ふくしき). 「↔複式(ふくしき)火山.
—かざん【—火山】图〔地〕단식 화산.
—しあい【—試合】图 단식 경기. =単試合(たんしあい)・シングルス. 「簿記.
—ぼき【—簿記】图 단식 부기. ↔複式
だんじき【断食】图ス自 단식. ¶~の行

行 단식 수행 / ～療法 단식 요법 / ～ストをやる 단식 동맹 파업을 하다.

だんじこ-む【談じ込む】5自 (요구 사항이나 항의를 들고) 강경하게 상대와 담판하다. ¶血相を変えて～ 낯빛을 붉히고 따져들다.

たんじじつ【短時日】图 단시일. ¶～の旅 단시일의 여행 / ～で仕上げる 단시일에 완성〔마무리〕하다. ↔長年月.

だんじて【断じて】副 **1**《뒤에 否定의 말이 따라서》 결(단)코; 단연코. ¶～行かぬ 결코 가지 않는다 / ～そんな事はない 결코 그런 일은 없다 / ～許さない 결코 용서치 않는다. **2** 단호히; 꼭; 반드시. ¶～勝つ 반드시 이긴다 / ～やりとげる 꼭 해낸다 / ～行くぞ 무슨 일이 있어도 갈 테다.

たんしゃ【単車】图 엔진이 달린 2륜차 《오토바이·스쿠터 등》. ＝モーターサイクル. ↔四輪車.

たんしゃ【炭車】图 탄차; 석탄 운반차.

だんしゃく【男爵】图 남작.

だんしゅ【断酒】图ス自 단주; 금주.

たんじゅう【胆汁】图 담즙.

―しつ【―質】图〖心〗 담즙질. ↔多血質·粘液質.

たんじゅう【短銃】图 단총; 권총. ＝ピストル. ¶～をかまえる 권총을 겨누다.

***たんしゅく**【短縮】图ス他 단축. ¶～授業 단축 수업 / 操業～ 조업 단축. ↔延長.

****たんじゅん**【単純】图ダナ 단순. ¶～労働 단순 노동 / ～な男 단순한 사나이 / ～な考え〔色彩〕 단순한 생각〔색채〕. ↔複雑.

―か【―化】图ス自他 단순화. ¶体系を～する 체계를 단순화하다.

―ご【―語】图〖言〗 단순어《더 이상 작은 단위로 나눌 수 없는 단어; 山·目·犬 따위》. ↔複合語.

―せん【―泉】图 단순천《극히 소량의 염류만을 함유한 광천》.

***たんしょ**【短所】图 단처(短處); 단점; 결점. ¶～を改める〔補う〕 단점을 고치다〔보완하다〕 / 彼はおこりっぽいのが～だ 그는 화를 잘 내는 것이 단점이다. ↔長所.

たんしょ【端緒】图 단서; 실마리. ＝いとぐち·手がかり. ¶解決の～ 해결의 실마리 / ～をつかむ 단서를 잡다.

***だんじょ**【男女】图 남녀. ＝なんにょ. ¶～の別 남녀의 구별.

―七歳にして席を同じゅうせず 남녀칠세부동석.

―きょうがく【―共学】图 남녀 공학.

―どうけん【―同権】图 남녀동등권.

たんしょう【探勝】图ス自 탐승. ¶～客 탐승객 / 秋の渓谷美を～する 가을의 계곡미를 탐승하다.

たんしょう【短小】图ナ 단소. ¶軽薄～ 경박단소 / ～な鼻 단소한 코. ↔長大.

***たんじょう**【誕生】一图ス自 탄생; 출생. ¶ジュニア～も間近い 주니어〔2세〕의 출생도 가까워 온다 / 大学が～した 대학이 새로 생겼다. 二图 첫돌. ¶お～が過ぎる 첫돌이 지나다.

―いわい【―祝い】图 생일 축하 (선물).

―せき【―石】图 탄생석.

―び【―日】图 생일. ¶～の贈り物 생일 선물 / ～を迎える 생일을 맞이하다 / お～おめでとうございます 생신을 축하합니다.

だんしょう【断章】图 단장. **1** 시문의 단편. **2** 남의 시문의 일부를 따서 인용함. ¶ダンテの詩の～が引かれている 단테의 시의 단장이 인용되어 있다.

だんしょう【談笑】图ス自 담소. ¶にこやかに～する 싱글거리며 담소하다 / ～裡に両巨頭の会談は終わった 담소리에 양 거두의 회담은 끝났다.

だんじょう【壇上】图 단상. ¶～にのぼる 단상에 오르다 / ～で立ち往生する (말문이 막혀) 단상에서 쩔쩔매다.

たんしょうとう【探照灯】图 탐조등; 서치라이트. ＝サーチライト.

たんしょく【単色】图 단색; 단일한〔한 가지〕 빛. ¶～の生地 단색천 / 虹は七つの～の美しい帯だ 무지개는 일곱 가지 단색의 고운 띠이다.

だんしょく【男色】图 남색; 남자의 동성애; 비역. ＝ホモ·なんしょく.

だんしょく【暖色】图 난색; 따뜻한 감을 주는 색《빨강·노랑 따위》. ＝温色. ¶あなたには～が似合う 당신에겐 난색이 어울린다. ↔寒色.

だん-じる【弾じる】上1他 ☞だん(弾)ずる.

だん-じる【談じる】上1自 ☞だん(談)ずる.

たんしん【単身】图 단신; 혼자. ¶～像 단신상 / ～赴任 단신 부임 / ～で渡米する 단신 도미하다 / ～敵地に乗り込む 단신 적지에 뛰어들다.

たんしん【短身】图 단신; 키가 작음; 또, 그 사람. ＝短軀. ↔長身.

たんしん【短信】图 단신; 짧은 소식〔편지〕; 짧은 뉴스.

たんしん【短針】图 단침; 시침(時針). ↔長針.

***たんす**〚箪笥〛图 옷장; 장롱. ¶～の引き出し 장롱 서랍.

―よきん【―預金】图 장롱 바닥에 묻어 두는 현금을 일컫는 말.

***ダンス** [dance] 图 댄스; 춤; 특히, 사교춤. ¶ソーシャル～ 사교 댄스 / フォーク～ 포크 댄스.

―パーティー [일 dance＋party] 图 댄스 파티; 무도회. ＝舞踏会. ¶～を開く 댄스 파티를 열다. *영어로는 그냥 dance라고 함.

たんすい【炭水】图 탄수. **1** 석탄과 물. **2** 탄소와 수소.

―かぶつ【―化物】图 탄수화물《'含水炭素(＝함수 탄소)'의 고친 이름》.

たんすい【淡水】图 담수; 민물; 단물.

＝まみず. ↔鹹水·塩水.
—ぎょ【—魚】图〔魚〕담수어; 민물고기. ↔鹹水魚.
だんすい【断水】图[ス自他] 단수. ¶水道が~される 수도가 단수되다/日照り続きで~となる 가뭄이 계속되어 단수되다.
***たんすう**【単数】图 단수; 홑수. ↔複数.
だん-ずる【弾ずる】[サ変他] (현악기를) 타다; 켜다. ¶琴を~ 거문고를 타다.
だん-ずる【談ずる】[サ変自] **1** 이야기하다; 상의〔의논〕하다. ＝話す. ¶~·じ合う 서로 이야기하다/時局を~ 시국을 논의하다/社長に~·じてみよう 사장에게 이야기해 보자. **2** 담판하다. ¶隣家に~·じ込む 이웃집에 가서 담판하다.
たんせい【丹誠】图 단성; 진심; 성심; 참된 정성. ＝まごころ·赤心·丹心. ¶~を尽くす 정성을 다하다.
たんせい【丹精】图[ス他] 정성을 다함〔들임〕. ¶父が~をこめた庭 부친이 정성을 들인 뜰/~して作る〔育てる〕 정성을 다하여 만들다〔키우다〕.
たんせい【単性】图〔生〕단성. ¶~雑種 단성 잡종.
—せいしょく【—生殖】图 단성〔무성〕 생식. ＝単為生殖.
たんせい【嘆声】《歎声》图 탄성. ¶~を発する 탄성을 발하다/うち続く不運に~をもらす 계속되는 불운에 한숨을 쉬다.
たんせい【端正】图[ダナ] 단정. ¶挙止~ 거조(擧措) 단정/~な身のこなし 단정한 몸가짐/~に整理する 단정하게 정리하다.
だんせい【男声】图 (성악에서) 남성. ¶~合唱 남성 합창. ↔女声.
****だんせい**【男性】图 남성《보통, 성년 남자》. ¶~美 남성미/頼もしい~ 믿음직한 남성. ↔女性.
—てき【—的】[ダナ] 남성적. ¶~な太い声の持ち主 남성적인 굵은 목소리의 소유자. ↔女性的.
だんせい【弾性】图〔理〕탄성; 탄력성. ¶ゴムは~がある 고무는 탄성이 있다. ↔可塑性·剛性.
たんせき【胆石】图〔醫〕담석. ¶~症 담석증.
だんせつ【断切】《断截》图[ス他] 단절; 끊음. ＝切断. ¶通信線が~される 통신선이 절단당하다.
***だんぜつ**【断絶】图[ス自他] 단절. ¶国交~ 국교 단절/世代の~ 세대의 단절/家系が~する 가계가 단절되다/家は~, 身は切腹 일가(一家)는 단절되고 자신은 할복(함).
たんせん【単線】图 단선. **1** 외선; 하나의 선. ¶~を引く 단선을 긋다. **2** 단선 궤도. ¶~運転 단선 운전. ⇔複線.
たんぜん【丹前】图 솜을 두껍게 두고 소매가 넓은 일본 옷《방한용 실내복이나 잠옷으로 쓰임》. ＝どてら.
たんぜん【端然】[トタル] 단연; 바르고 단정함. ¶~とすわる 단정히 앉다.
だんせん【断線】图[ス自] 단선; 선, 특히 전선이 끊김. ¶電線が~する 전깃줄이 단선되다〔끊기다〕.
***だんぜん**【断然】단연. [一副][トタル] **1** 단호히; 결연히; 딱. ¶~たる態度 결연한 태도/~禁酒する 딱〔단호히〕 금주하다/~反対する 단연 반대하다. **2**《否定어를 수반하여》결코; 절대로. ¶~許さない 절대로 용서하지 않겠다/~そんな事はない 결코 그런 일은 없다. [二副] 현격한 차이가 나는 모양: 훨씬. ¶~優秀である 단연 우수하다/~速い 훨씬 빠르다.
たんそ[炭疽]图〔醫〕탄저《흙 속의 탄저균으로 일어나는 소·말·양 따위의 급성 패혈증(敗血症)》.
—びょう[—病]图〔醫〕탄저병.
たんそ【炭素】图〔化〕탄소《원소 기호: C》. ¶~化合物 탄소 화합물.
たんぞう【鍛造】图[ス他] 단조. ¶~機械 단조 기계/~工場 단조 공장/金属を~する 금속을 단조하다.
だんそう【男装】图[ス自] 남장. ¶~の美人 남장 미인/~して出演する 남장하고 출연하다. ↔女装.
だんそう【断想】图 단상; 단편적인 생각. ¶~を述べる 단상을 말하다.
だんそう【断層】图〔地〕단층. ¶~山地 단층 산지. [参考] 비유적으로 쓰는 경우도 많음. ¶新旧両世代の考え方に~がある 신구 양 세대의 사고방식에 단층이 있다.
—しゃしん【—写真】图 단층 사진.
だんそう【弾倉】图 탄창.
たんそく【嘆息】《歎息》图[ス自] 탄식; 한탄; 한숨. ＝ためいき. ¶~が出る 탄식이 나오다/~をもらす 탄식을 하다/天を仰いで~する 하늘을 우러러보고 탄식하다.
***だんぞく**【断続】图[ス自] 단속. ↔連続.
—てき【—的】[ダナ] 단속적. ¶~な砲声 단속적인 포성/~に歌が聞こえた 단속적으로 노래가 들렸다/~に雨が降る 단속적으로 비가 온다.
だんそんじょひ【男尊女卑】图 남존여비. ¶~の思想 남존여비의 사상. ↔女尊男卑.
たんだ【単打】图〔野〕단타. ＝シングルヒット.
たんだ【短打】图〔野〕**1** 단타. ¶~戦法 단타 전법/長~ 장단타. ↔長打. **2** 단타(單打); 싱글 히트.
たんだい【短大】图 '短期大学(＝초급 대학)'의 준말. ¶女子~ 여자 초급 대학.
****だんたい**【団体】图 단체. ¶~生活 단체생활/~旅行〔協約〕 단체 여행〔협약〕/~を組む 단체를 조직하다.
—こうしょう【—交渉】图 단체 교섭. ＝団交. ¶~権 단체 교섭권
—こうどう【—行動】图 단체 행동.

だんだら【段だら】图 얼룩덜룩한 가로무늬. ¶紅白の~の幕 홍백의 얼룩덜룩한 가로무늬 장막.
—じま〖—縞〗图 ☞だんだら.
—ぞめ【—染め】图 얼룩덜룩하게 가로무늬로 물들임; 또, 그런 무늬.
—もよう【—模様】图 가로무늬.
たんたん [坦坦] トタル 탄탄; 땅·도로 등이 평탄한 모양; 전하여, 별다른 일없이 무사히 지내는 모양. ¶~たる半生 순탄한 반생 / ~とした道を歩く 평탄한 길을 걷다 / ~たる試合が続く 변화 없는 경기가 계속되다.
たんたん [眈眈] トタル 탐탐; 날카로이 노리는 모양. ¶虎視~と首相の地位をねらう 호시탐탐 수상의 자리를 노리다.
たんたん【淡淡】トタル 담담. **1** (맛·느낌 등이) 담박한 모양; 산뜻한 모양. ¶川魚の~とした味 민물고기의 담담한 맛. **2** 미련이 없는 모양. ¶~たる態度 담담한 태도 / 心境を~と語る 심경을 담담히 이야기하다.
****だんだん**【段段】图 〈口〉 계단; 층계. =階段. ¶石の~ 돌층계 / 神社の~をのぼる 신사의 층계를 오르다.
—ばたけ【—畑】图 계단식 밭. =段畑. ¶丘の斜面をおこして~をつくる 언덕의 사면을 일구어 계단식 밭을 만들다.
だんだん〖段段〗副 차차; 점점. ¶~寒くなる 점점 추워지다 / ~と夜が明けてくる 점차 날이 밝아 오다.
だんだんこ【断断固】(《断断乎》) トタル '断固(=단호)'의 힘줌말. ¶~として戦う 단호히 싸우다.
たんち【探知】图ス他 탐지. ¶電波~機 전파 탐지기 / 不穏な動きを~する 불온한 움직임을 탐지하다.
***だんち**【団地】图 단지; 아파트같은 근대적 집단 주택이 들어선 지역(new town의 역어). ¶住宅~ 주택 단지.
—ぞく【—族】图 단지족; 단지에 사는 사람들(주로 직장인과 그 가족들).
だんち【暖地】图 난지; 따뜻한 곳. ¶稲は~を好む植物だ 벼는 난지를 좋아하는 식물이다. ↔寒地.
だんちがい【段違い】图ダナ **1** (정도·능력이) 매우 틀림; 현격한 차이. =段ち. ¶~の実力 현격한 차가 나는 실력 / ~にうまい 썩 뛰어나게 잘하다. **2** 높이가 다름. ¶~の床 높이가 다른 마루 / ~平行棒 이단 평행봉(여자 체조 경기 종목의 하나).
たんちょ【端緒】图 'たんしょ'의 관용음(慣用音).
たんちょう【丹頂】图〔鳥〕두루미(머리 위가 붉음). =タンチョウヅル. 参考 일본에서 'つる'라 하면 이것을 가리킴.
***たんちょう**【単調】图ダナ 단조. ¶~な響き 단조로운 울림 / ~な生活〔作業〕 단조로운 생활〔작업〕.
たんちょう【探鳥】图 탐조; 야생의 새를 찾아 관찰·감상함. =バードウオッチング.
たんちょう【短調】图〔樂〕단조. =モール. ↔長調.
だんちょう【団長】图 단장. ¶使節団の~ 사절단의 단장.
だんちょう【断腸】图 단장. ¶~の思い 단장의〔애끊는〕 심정.
だんつく〖旦つく〗图 〈俗〉 '旦那(=남편)'를 얕잡아 부르는 말. ¶うちの~ 우리집 영감.
たんつば〖痰唾〗图 가래침. ¶~を吐く 가래침을 뱉다.
たんつぼ〖痰壺〗图 타구(唾具).
たんてい【探偵】图ス他 탐정. ¶私立~ 사립 탐정 / 名~ 명탐정.
—しょうせつ【—小説】图 탐정 소설. ☞すいりしょうせつ.
***だんてい**【断定】图ス他 단정. ¶~を下す 단정을 내리다 / 犯人は彼だと~する 범인은 그(자)라고 단정하다.
ダンディー [dandy] 图ダナ 댄디; 멋쟁이. =だて者.
たんてき【端的】ダナ 단적. **1** 간단하고 분명함. ¶~な事実〔表現〕 단적인 사실〔표현〕 / そこに~に現れている 거기에 단적으로 나타나 있다. **2** 재빨리 핵심에 언급하는 모양. ¶~に言えばこれは失敗作だ 단적으로 말하면 이것은 실패작이다.
たんでき [耽溺] 图ス自 탐닉; 빠짐. ¶酒色に~する 주색에 빠지다.
たんでん【丹田】图 단전; 배꼽 아래; 아랫배(여기에 힘을 주면 원기와 용기가 난다고 함). ¶臍下~ 제하단전(배꼽 아래 3cm 부위) / ~に力をこめる 단전에 힘을 주다.
たんでん【炭田】图 탄전.
たんと 副 〈俗·老〉 많이; 잔뜩. =たくさん. ¶~お飲み 많이 마셔요.
***たんとう**【担当】图ス他 담당. ¶~区域 담당 구역 / ~者 담당자 / 経理を~する 경리를 담당하다.
たんとう【短刀】图 단도; 비수. =あいくち. ¶~をつきつける 단도를 들이대다 / ふところに~を含んでいる 가슴에 비수를 품고 있다. ↔長刀.
だんとう【断頭】图 단두. =首斬り. ¶~の刑 단두형.
—だい【—台】图 단두대. =ギロチン·首斬り台. ¶~の露と消える 단두대의 이슬로 사라지다.
だんとう【暖冬】图 난동; 평년보다 따뜻한 겨울.
—いへん【—異変】图 난동 이변; 이상난동.
だんとう【弾頭】图 탄두. ¶核~ 핵탄두.
だんどう【弾道】图 탄도.
—ミサイル [missile] 图 탄도 미사일. ↔巡航ミサイル.
たんとうちょくにゅう【単刀直入】图 단도직입. ¶~に言う〔たずねる〕 단도직입적으로 말하다〔묻다〕 / ~に伺いますが… 단도직입적으로 여쭈어 보겠습니다만….

*たんどく【単独】名ナ 단독. ¶～に現れる現象 단독으로 나타나는 현상/～では用いられない 단독으로는 쓰이지 않는다.

—はん【—犯】名 단독범. ↔共犯.

たんどく[耽読]名ス他 탐독. ¶小説を～する 소설을 탐독하다.

だんトツ【断トツ】名〈俗〉단연코 선두에 섬(《断然トップ(＝단연 톱)'의 준말》). ¶～の成績をあげる 단연 톱의 성적을 올리다.

だんどり【段取り】名ス他 일을 진행시키는 순서·방도; 절차. ¶～をきめる 일의 순서·방법을 정하다/～がつく 일의 준비가 다 되다/よく～する 절차·방법을 잘 정하다.

*だんな〖旦那·檀那〗名 1 주인. ㉠한 집안의 주장. ¶大家の若～ 대갓집의 젊은 주인. ㉡남편. ¶うちの～ 우리집 바깥양반. 2 나리. ㉠영감; 첩의 남편. ¶～がある 영감이 있다. ㉡손윗 남자에 대한 경칭. ㉢불량배들이 경관을 부르는 높임말. ¶～, 一度だけお許し下さい 나리, 한번만 용서해 주세요. 3 장사치가 남자 손님을 부르는 높임말. ¶～, お安くしておきます 손님 싸게 해 드리겠습니다. 4〔佛〕단나; 시주(施主); 단가(檀家).

—げい【—芸】名 부자나 큰 가게 주인 따위가 여기(餘技)로 익혀 둔 예능.

—しゅう【—衆】名 나리님네들; 부자이며 세력깨나 있는 사람.

—でら【—寺】名 조상 대대의 위패를 모신 절. ＝菩提寺.

たんなる【単なる】連体 단순한. ＝ただの. ¶～うわさにすぎない 단순한 풍문에 지나지 않는다/～勘違いとは思えない 단순한 착각이라고는 생각되지 않는다. 注意 흔히, 뒤에 否定語를 수반.

たんに【単二】名 '単二型乾電池'의 준말; 원통형 소형 건전지(《単一보다 작음》).

たんに【単に】副 단지; 다만; 그저. ＝ただ. ¶～聞いてみただけだ 그저 물어보았을 뿐이다/～笑ったまでで, あざけるつもりはない 그저 웃었을 뿐 비웃으려는 의도는 없다. 注意 'だけ' 'ばかり' 'のみ' 따위 한정의 뜻을 수반할 때가 많음.

*たんにん【担任】名ス他 담임. ＝受け持ち. ¶～の教師 담임 교사/三年生を～する 3학년생을 담임하다.

タンニン [도 Tannin] 名 타닌. ＝タンニン酸. 注意 '単寧'으로 씀은 취음.

だんねつ【断熱】名ス自 단열. ¶～材 단열재/～効果 단열 효과.

たんねん【丹念】ダナ 단념; 성심; 공들임; 정성 들여 함. ＝入念. ¶～な仕事 공이 든 일/～に作る 공들여[정성껏] 만들다/ほころびを～につくろう 터진 데를 꼼꼼히 깁다.

だんねん【断念】名ス他 단념. ¶進学を～する 진학을 단념하다/あの計画はまだ～しない 그 계획은 아직 단념하지 않았다[않고 있다].

たんのう【胆のう】(《胆嚢》) 名 담낭; 쓸개.

たんのう〖堪能〗一名ナ (그 길에) 뛰어남. ¶英語に～だ 영어를 잘한다. 二名ス自 충분함; 만족함. ¶もう～した 이제 충분하다/ごちそうに～する 진수성찬을 흡족하게 먹다.

だんのうら【壇の浦】名 1〔地〕下関 동쪽의 해안(《1185년 이곳에서 벌어진 '源氏'와 '平氏' 싸움에서 '平氏'가 망함》). 2 전하여, 비극적인 종말.

たんぱ【短波】名 단파. ¶～放送 단파방송. ↔中波·長波.

たんぱく【淡泊】(《淡白》) 名ダナ 담박. 1 느낌·맛·빛깔이 담담한 모양. ¶～な味 담박한 맛/～な境地 담박한 경지. ↔濃厚. 2 집착심이나 욕심이 없는 모양; 또, 깔끔하고 산뜻한 모양. ¶～な態度 솔직 담박한 태도/非常に～な人だ 매우 담박한 사람이다.

たんぱく〖蛋白〗名 단백. 1 'たんぱくしつ'의 준말. ¶尿に～が出る 오줌에 단백질이 (섞여) 나오다. 2 난백(卵白); 달걀의 흰자위.

—しつ【—質】名〔化〕단백질.

—にょう【—尿】名〔醫〕단백뇨.

だんばしご【段ばしご】(《段梯子》) 名 (디딤판을 단) 계단식 사닥다리; 층층다리; 층층대; 층대. ¶～を上がる 층층다리를 오르다.

たんぱつ【単発】名 단발. 1 엔진이 하나임. ¶～戦闘機 단발 전투기. ↔双発·多発. 2 한 발씩 쏨(《전하여, 후속이 없이 한 번만으로 끝난다는 뜻으로도 쓰임》). ¶～銃 단발총/～ドラマ 단막 드라마. ↔連発. 3〔野〕히트 하나로 끝나고 득점은 없음.

だんぱつ【断髪】一名ス自 단발. 二名 단발머리. ¶～娘 단발머리 처녀.

タンバリン [tambourine] 名〔樂〕탬버린. ＝タンブリン. ¶～を打ち鳴らす 탬버린을 치다.

たんパン【短パン】名 (운동용의) 짧은 팬츠; 반바지. ＝半ズボン.

だんぱん【談判】名ス自 담판; 교섭; 흥정. ＝かけあい·交渉. ¶じか[膝詰め]～ 직접 담판/値引きを～する 에누리를 흥정하다/～が決裂する 담판이 결렬되다/～して損害を賠償させる 담판해서 손해를 배상시키다.

たんび〖度〗名〈口〉☞たび. ¶見る～に思い出す 볼 적마다 생각나다.

たんび [耽美] 名 탐미; 유미(唯美).

—しゅぎ [—主義] 名 탐미주의. ＝唯美主義.

たんぴょう【短評】名 단평; 촌평. ¶～を下す 단평을 내리다.

だんびら〖段平〗名〈俗〉(도신(刀身)의) 폭이 넓은 칼; 또, 보통 칼. ¶～を振り回す 칼을 휘두르다.

たんぴん【単品】图 **1** 단일 품목〔상품〕. ¶～生産せいさん 단일 품목 생산. **2** 세트로 된 물건 중의 한 개. ¶～では販売はんばいしません 따로따로는 팔지 않습니다.

ダンピング [dumping] 图スル他 덤핑; 투매. =投なげ売うり. ¶～関税かんぜい 덤핑 (방지) 관세 / ～価格かかく 덤핑 가격.

=**たんぶ**【反歩】《段歩》《数를 나타내는 한자어 등에 붙어서》 단보(段歩)《300평》. ¶五ご～の畑はたけ 5단보의 밭. ⇨たん(反)2.

ダンプ [dump] 图 'ダンプカー'의 준말.

ダンプカー [일 dump+car] 图 덤프카; 덤프 트럭. =ダンプ(トラック). *영어로는 dump truck이라고 함.

たんプラ【短プラ】图〘經〙'短期たんきプライムレート'(=단기 프라임 레이트)'의 준말. 「☞タンバリン.

タンブリン [도 Tamburin] 图 탐부린.

タンブリング [tumbling] 图 텀블링. **1** 여러 명이 손을 잡거나 어깨에 올라 타거나 하여 여러 가지 모양을 만드는 체조. **2** 매트 위에서 하는 회전 운동.

たんぶん【単文】图 **1** 간단한 글. **2**〘文法〙 단문. ↔重文じゅうぶん·複文ふくぶん·合文ごうぶん.

たんぶん【短文】图 단문; 짧은 글. ↔長文ちょうぶん. ¶～を作つくる 짧은 글을 짓다.

たんぺいきゅう【短兵急】ダナ 갑작스러움; 느닷없음. =だしぬけ. ¶～な要求ようきゅう 성급한〔느닷없는〕 요구 / ～な催促さいそくを受うける 느닷없이 재촉을 받다 / ～に話はなせと言いわれても困こまる 느닷없이 이야기하라고 해도 곤란하다. 参考 '短兵'은 칼 따위 길이가 짧은 무기. 그것으로 갑자기 공격한다는 뜻에서.

たんべつ【反別】《段別》图 단별. **1** 논을 1단보(段步)씩으로 나눔. **2** 정(町)·단(段)·묘(畝)·보(步) 등으로 나타낸 논밭의 넓이.

—わり【—割り】图 논밭의 단별을 기준으로 할당하는 조세나 노역(勞役).

ダンベル [dumbbell] 图 덤벨; 아령.

たんぺん【短編】《短篇》图 단편. 注意 본디는 '短篇'. ↔中編ちゅうへん·長編ちょうへん.

—しょうせつ【—小説】图 단편 소설. ↔長編ちょうへん小説.

だんぺん【断片】图 단편. =切きれはし. ¶記憶きおくの～をつなぎあわせる 기억의 단편을 연결하다.

—てき【—的】ダナ 단편적. ¶～な話はなし 단편적인 이야기.

だんぺん【断編】《断篇》图 단편; 토막토막으로 된 문장. 注意 본디는 '断篇'.

***たんぼ**〖田圃〗图〈口〉논. ¶～道みち 논(두렁)길. 注意 '田圃'로 씀은 취음.

たんぽ【担保】图 담보. =抵当ていとう·かた. ¶～に入いれる 담보로 잡히다 / ～をとる 담보를 잡다 / 家いえを～にして金かねを借かりる 집을 담보로 돈을 빌리다. 「부.

—かしつけ【—貸付】图 담보(부) 대

たんぼう【探訪】图スル他 탐방. =たんぽう. ¶～記事きじ 탐방 기사.

***だんぼう**【暖房】《煖房》图スル他 난방. ¶冷れい～完備かんび 냉난방 완비 / ～のきいた部屋へや 난방이 잘 된 방 / 室内しつないを～する 실내를 덥게 하다. ↔冷房れいぼう.

だんボール【段ボール】图 **1** 골판지. **2** '段ボール箱ばこ(=골판지 상자)'의 준말. ¶～に入いれて運はこぶ 골판지 상자에 넣어 나르다. ▷board.

たんぽぽ〖蒲公英〗图〘植〙 민들레.

たんま 图〈児〉(아이들의 놀이 도중에) '잠깐 (기다려 줘)'의 뜻; 타임. =タイム. ¶～をかける 타임을〔중지를〕 요구하다 / ちょっと～ 잠깐 기다려.

たんまつ【端末】图 단말《전기 회로의 전류가 드나드는 전선의 끝》.

—き【—機】图〘컴〙 단말기.

—そうち【—装置】图 단말 장치; 보통 컴퓨터 본체와 떨어진 장소에 설치되는 입출력 장치. =端末機き·ターミナル.

だんまつま【断末魔】《断末摩》图 단말마. =死しにぎわ. ¶～の苦痛くつう〔悲鳴ひめい〕 단말마의 고통〔비명〕.

たんまり 副〈俗〉(금액·시간 등이) 듬뿍; 많이. =たくさん. ¶～チップをもらう 듬뿍 팁을 받다 / 金かねを～もうける 돈을 많이 벌다.

だんまり〖黙り〗图〈俗〉무언; 침묵; 또, 침묵을 지켜 좀처럼 말이 없는 사람. ¶～戦術せんじゅつ 침묵〔묵비권〕 전술 / ～屋や〔坊ぼう〕 과묵한 사람 / ～をきめこむ 침묵을 지키기로 작정하다.

たんめい【短命】图 단명. =わかじに·早世そうせい. ¶～の作家さっか 단명한 작가 / ～内閣ないかく 단명 내각 / ～に終おわる 단명으로 끝나다 / 両親りょうしんとも～だった 양친 모두 단명하였다. ↔長命ちょうめい.

タンメン [중 湯麵] 图 탕면; 기름에 볶은 고기와 야채를 곁들여 소금국에 만 중국 국수.

だんめん【断面】图 단면; (어느) 일면. ¶学生生活がくせいせいかつの～ 학생 생활의 단면 / 社会しゃかいの一いち～ 사회의 한 단면.

—さつえい【—撮影】图 단면 촬영.

—ず【—図】图 단면도.

たんもの【反物】图 피륙; 전하여, 옷감. ¶～屋や 포목점; 드팀전. 「고.

だんやく【弾薬】图 탄약. ¶～庫こ 탄약

だんゆう【男優】图 남우; 남자 배우. ¶主演しゅえん～ 주연 남우. ↔女優じょゆう.

たんらく【短絡】图スル自他 단락. **1**〘電〙 합선(合線). =ショート. **2** 본질을 무시하고 사물을 간단히 관련지움. ¶～的てきな発想はっそう 단락적인 발상 / 二ふたつの事件じけんを～する 두 개의 사건을 간단히 결부시키다.

だんらく【段落】图 단락. ¶～をつける 단락을 짓다 / ～にくぎる〔分わける〕 단락으로 구분하다〔나누다〕 / 仕事しごとが一いち～ついた 일이 일단락지어졌다.

だんらん〖団欒〗图スル自 단란. ¶一家いっか～ 일가 단란 / 楽たのしい～の一時ひとときを過すごす 즐거운 단란의 한때를 보내다.

たんり【単利】名〔經〕단리. ¶～計算 단리 계산. ↔複利.
—ほう【—法】名 단리법. ↔複利法.
だんりゅう【暖流】名 난류. ¶～が流れる 난류가 흐르다. ↔寒流.
たんりょ【短慮】名ナ 단려. **1** 얕은 생각; 천박한 사려. ¶～を諫める 단려를 간하다. **2**〈老〉 팍한 성질; 성급함. ＝きみじか. ¶～を起こしては損だ 성마른 짓을 하면 손해다.
たんりょく【胆力】名 담력. ＝きもっ玉·度胸. ¶～のある人 담력이 있는 사람 / 若いが～がある (나이는) 어리나 담력이 있다.
だんりょく【弾力】名 탄력. ¶～的 탄력적 / ～のある皮膚 탄력 있는 피부 / ～に富む考え方 탄력적인 사고방식 / 運動方針に～を持たせる 운동 방침에 탄력을 지니게 하다.
たんれい【端麗】名ナ 단려; 단정하고 아름다움. ¶容姿～ 용자 단려.
***たんれん**【鍛練·鍛錬】名ス他 단련. ¶心身を～する 심신을 단련하다 / 遠足は足の～になる 소풍은 다리 단련이 된다.
だんろ【暖炉】《煖炉》名 난로. ＝ストーブ. ¶～にあたる 난로를 쬐다 / ～をたく 난로를 때다.
だんろん【談論】名ス自 담론. ＝論談. ¶学友と～して深更に及ぶ 한밤중까지 학우와 담론하다.
—ふうはつ【—風発】名ス自 담론 풍발《얘기나 토론이 활발히 행해짐》. ¶～して時の過ぎるのを忘れる 담론이 활발해져서 시간 가는 것을 잊다.
だんわ【談話】名ス自 담화. ¶～体 담화체 / 総理の～ 총리의 담화 / ～がはずむ 이야기가 활기를 띠다. ↔文章.

ち チ

1 五十音図 'た行'의 둘째 음. [chi] **2**〔字源〕'知'의 초서체《かたかな 'チ'는 '千'의 전체》.

ち【乳】名 **1** 젖; 또, 유방. ＝ちち. ¶～兄弟 (같은 사람의 젖을 먹고 자란) 젖형제 / ～がよく出る 젖이 잘 나오다. **2** 종 표면에 돋은 사마귀 모양의 오톨도톨한 돌기. ＝ぼつぼつ.
ち【千】名〈雅〉 천. ＝せん. ¶もも～ 백천(百千)《많음의 형용》. ⇨ちとせ.
****ち**【地】名 **1** 땅; 지. ㉠지면; 지상; 대지. ¶天と～の差 하늘과 땅의 차; 천양지차 / ～を割って芽が出る 땅을 뚫고 싹이 나오다 / 一敗～にまみれる 일패도지(一敗塗地)하다 / 足が～に着いていない 발이 땅에 붙어 있지 않다《기초가 견고하지 못하다; 착실하지 못하다》. ↔天. ㉡토지; 지방. ¶景勝の～ 경승지. ㉢장소. ¶安住の～ 안주할 곳; 안주지. **2** 책·화물·족자의 밑부분. ¶天～無用 화물의 위아래를 거꾸로 하지 말 것.
—から湧く 갑자기 나타나다. ¶天から降ったか, 地から湧いたか 하늘에서 떨어졌느냐 땅에서 솟아났느냐.
—に落ちる 땅에 떨어지다; 스러지다. ¶つばきの花が～ 동백꽃이 땅에 떨어지다 / 彼の信望も地に落ちた 그의 신망도 땅에 떨어졌다.
ち【治】名 **1** 세상이 잘 다스려짐. ↔乱. **2** 정치; 정사. ¶名君の～ 명군의 정치.
—に居て乱を忘れず 치세에 있어 오히려 난세를 잊지 않는다《평화스러운 때에도 비상시에 대비하고 있음》.
ち【知】名 **1** 마음에 느끼어 앎; 지각. **2** 지식. **3**《본디는 智》 지혜; 이성. ¶～に働けば角が立つ 이성에 치우치면 모가 난다.
ち［智］名 **1** 지혜; 슬기. ¶～を磨く 지혜를 닦다 / ～を育てる 슬기를 기르다. **2** 계략; 지략. ¶～にたけた人 지략에 뛰어난 사람 / ～をめぐらす 이리저리 계략을 짜내다. 参考 현대 표기에서는 흔히 '知'로 대용(代用)함.
****ち**【血】名 피. **1** 혈액. ¶～にまみれる 피투성이가 되다 / ～が出る〔にじむ〕 피가 나다〔배(어나)다〕 / ～を止める 지혈하다 / ～に染まる 피로 물들다 / ～を吐く〔吸う, 流す〕 피를 토하다〔빨다, 흘리다〕. **2** 혈통; 핏줄. ¶～は争えない 피는 못 속인다. **3** 혈기. ¶～がたぎる 피가 끓다〔용솟음치다〕 / 青春の～が燃える 청춘의 피가 끓다.
—が通う 피가〔정감이〕 통하다. ¶血が通った政策 인간미 있는 정책.
—が騒ぐ 피가 끓다. ¶若い～ 젊은 피가 끓다.
—が上る 욱하다; 홍분〔상기〕하다.
—と汗 피와 땀; 피땀. ¶～の結晶 피와 땀의 결정.
—に飢える 피에 굶주리다. ¶血に飢えた狼の群れ 피에 굶주린 이리떼.
—の出るよう 피나는 고생의 비유. ¶～な努力 피나는 노력.
—は水より濃い 피는 물보다 진하다.
—も涙もない 피도 눈물도 없다《냉혹하다》. ¶～仕打ち〔男〕 피도 눈물도 없는 처사〔사나이〕.
—湧き肉躍る 피가 끓고 힘이 넘치다; 용기가 넘쳐흐르다.
—を受ける 그 핏줄〔혈통〕을 이어받다.
—をすする **1** (피로써) 맹세하다. **2** 남의 고혈을 빨다.
—を吐く思い 피를 토하는 느낌《지독한 괴로움; 말 못할 고통》.

―を引く 핏줄〔재능〕을 이어받다. ¶芸術家の～ 예술가의 혈통을 이어받다.

―を分ける 피를 나누다; 부모와 자식 또는 형제 사이다. ¶血を分けた兄弟 피를 나눈 형제.

ち〖地〗教2 チ ジ つち | 지 땅 | 1 땅. ¶地の果て 땅의 끝 / 地球 지구 / 大地 대지. 2 ㉠한정된 곳. ¶地域 지역 / 現地 현지. ㉡그 고장. ¶地元 본고장. 3 (바둑에서) 돌로 둘러싸서 점령한 곳. ¶地を囲う 집을 짓다.

ち〖池〗教2 チ いけ | 지 못 | 못; 연못. ¶貯水池 저수지 / 金城湯池 금성탕지《철통 같은 성과 해자》.

ち〖知〗教2 チ しる | 지 알다 | 1 알다; 터득하다. ¶知覚 지각 / 知悉 지실. 2 친지. ¶知友 지우 / 旧知 구지. 3 다스리다; 맡아보다. ¶知事 지사. 注意 상용 한자에서 '智' 대신으로 씀.

ち〖治〗教4 チ ジ おさめる おさまる なおす なおる | 치 다스리다 | 1 다스리다. ¶治世 치세. 2 병을 고치다. ¶治療 치료. 3 관리하다. ¶治産 치산.

ち〖値〗教6 チ ね あたい | 치 값 가치 | 값; 가치. ¶価値 가치 / 値上げ 값 인상 / 死に値する罪 죽음에 해당하는 죄.

ち〖恥〗常用 チ はじる はじ はじらう はずかしい | 치 부끄럽다 | 1 부끄러워하다; 부끄러움. ¶恥辱 치욕 / 破廉恥 파렴치. 2 가리는 곳; 음부. ¶恥部 치부.

ち〖致〗《致》常用 チ いたす | 치 이르다 | 1 초래하다. ¶招致 초치 / 誘致 유치. 2 보내다. ¶送致 송치. 3 다하다. ¶致命傷 치명상.

ち〖智〗人名 チ さとい さとり | 지 슬기(롭다) | 1 지식이 있음. ¶智能 지능. 2 슬기; 지혜; 계략. ¶智仁勇 지인용 / 智い子 머리 좋은 아이. 参考 '知'로 대용(代用)함.

ち〖遅〗《遲》常用 チ おくれる おくらす おそい | 지 늦다 | 1 늦다. ¶遅滞 지체 / 動きが遅い 움직임이 느리다. ↔速. 2 시기에 대지 못하다. ¶遅刻 지각.

ち〖痴〗《癡》常用 チ おろか しれる | 치 어리석다 | 1 어리석다. ¶痴呆 치매 / 白痴 백치. 2 특히, 색정에 대해서 말함. ¶痴漢 치한 / 痴情 치정 / 痴態 치태. 注意 바르게는 '癡'.

ち〖稚〗常用 チ わかい おさない | 치 어리다 | 어리다; 서투르다. ¶幼稚 유치 / 稚拙 치졸 / 丁稚 어린 사동 / 稚魚 치어.

ち〖置〗教4 チ おく | 치 두다 | 두다; 놓다. ¶安置 안치 / 配置 배치 / 机の上に置く 책상 위에 놓다.

チアガール [일 cheer+girl] 图 치어걸. ☞チアリーダー.

チアリーダー [cheerleader] 图 치어리더; 여자 응원단원. ＝チアガール.

ちあん【治安】图 치안. ¶～が乱れる 치안이 어지러워지다 / ～を保つ 치안을 유지하다.

⁑ちい【地位】图 지위. ＝くらい. ¶教師の～ 교사의 지위 / 高い～につく 높은 지위에 앉다 / 婦人の～を高める 여성의 지위를 높이다 / ～を奪われる 지위를 빼앗기다.

*ちいき【地域】图 지역. ¶～開発 지역 개발 / ～格差 지역 격차.

―エゴ 图 지역 이기주의. ▷egoism.

―しゃかい【―社会】图 지역 사회.

―だいひょうせい【―代表制】图 지역 대표제. ↔職能代表制.

―だんぼう【―暖房】图 지역 난방.

―てあて【―手当】图 지역 수당《지역 차를 감안한 생활 수당》.

ちいく【知育】《智育》图 지육. ⇨とくいく・たいいく.

チーク [cheek] 图 치크; 볼; 뺨.

―ダンス [일 cheek+dance] 图 치크 댄스《남녀가 뺨과 몸을 서로 바싹 붙이고 추는 춤》.

チーク [teak] 图〔植〕 티크《미얀마·타이 원산의 낙엽 교목》.

⁑ちいさ·い【小さい】形 1 작다. ㉠크지 않다. ¶～声 작은 (목)소리 / 格差を～·くする 격차를 작게 하다. ㉡규모가 작다. ¶人物が～ 인물이〔그릇이〕 작다 / ～事にこだわるな 조그만 일에 구애되지 마라. 2 적다. ¶影響が～ 영향이 적다 / 損害は～·くない 손해가 적지 않다. 3 어리다; 나이 값을 못하다. ¶～·かったころ 어렸을 때 / 妹よりまだ～子 누이동생보다 더 어린 아이. ⇔大きい.

―·くなる 작아지다. 1 (겁이 나거나 하여) 위축되다; 기가〔풀이〕 죽다; 움츠러들다. ¶しかられて～ 야단을 맞고 풀이 죽다. 2 사양하다. 3 황송해하다; 삼가다. ¶ちいさくなってあやまる 황송해하며 사죄하다.

ちいさな【小さな】連体 작은. ＝小さい. ¶～時計 작은 시계 / ～家 자그마한 집 / 声の～人 목소리가 작은 사람. ↔大きな.

ちいさめ【小さめ】图 ダナ 조금 작음. ¶肉を～に切る 고기를 좀 잘게 썰다. ↔大きめ.

チーズ [cheese] 图 치즈; 건락(乾酪).

―ケーキ [cheesecake] 图 치즈케이크《치즈를 넣어 만든 케이크의 총칭》.

チーター [cheetah] 图〔動〕 치타《포유류

중 가장 빨리 달리는 맹수》. ＝チータ.
チーフ [chief] 图 치프; 수석; 장(長).
チーム [team] 图 팀. ¶～プレー 팀 플레이 / ～を組む 팀을 짜다 / ～に入る 팀에 가입하다.
　―カラー [일 team＋color] 图 팀 컬러; 그 팀이 갖는 특색이나 분위기.
　―スピリット [Team Spirit] 图 〔軍〕 팀 스피릿; 한미 합동 군사 훈련에 대한 명칭《1976년부터 실시》.
　―ワーク [teamwork] 图 팀워크. ¶～が取れている 팀워크가 짜여 있다.
ちうみ【血うみ】《血膿》图 혈농; 피고름. ¶～が出る 피고름이 나오다.
*ちえ【知恵】《智慧》图 지혜; 꾀. ¶入れぢえ (귀띔해 준) 잔꾀 / ～を借りる 지혜를 빌리다 / ない～を絞る 없는 지혜를 짜내다.
　―の持ち腐れ 훌륭한 지혜를 갖고 있으면서도 썩힘〔활용하지 못함〕.
　―は小出しにせよ 있는 지혜를 한꺼번에 다 드러내는 것보다 때에 따라 조금씩 내놓는 게 좋다는 뜻. 「꼬드기다.
　―を付ける (남에게) 꾀를 일러주다;
　―おくれ【―遅れ】图 지능 발달이 늦음; 지적 장애가 있음.
　―くらべ【―比べ】《―競べ》图 지혜의 우열 겨루기. 「임.
　―だて【―立て】图 지혜를 자랑해 보
　―づく 5自 아이가 자람에 따라(서) 꾀가 늘다.
　―ねつ【―熱】图 유아의 젖니가 나올 무렵에 나는 열. 「おやしらず.
　―ば【―歯】图 지치; 사랑니. ＝親知
　―ぶくろ【―袋】图 1 지혜 주머니; 두뇌. ¶～を絞る 모든 지혜를 다 짜내다. 2 (동료 중에서 가장) 지혜 있는 사람; 꾀보; 꾀주머니.
　―まけ【―負け】图ス自 제 꾀에 넘어감; 꾀가 지나쳐 도리어 실패함.
チェア [chair] 图 체어; 의자. ¶アーム～ 암체어; 안락의자. 「장; 사회자.
　―マン [chairman] 图 체어맨; 의장; 회
チェーン [chain] 图 체인. 1 쇠사슬. ¶自転車の～ 자전거의 체인. 2 (영화 따위의) 흥행망; 동일 자본에 의한 직계 상점·극장. 「연쇄(상)점.
　―ストア [chain store] 图 체인 스토어;
　―スモーカー [chain smoker] 图 체인 스모커; 줄담배를 피우는 사람.
チェス [chess] 图 체스; 서양 장기.
チェック [check] 图 체크. ⊟图 1 수표. ¶～ライター 체크 라이터; 수표 금액 기입기(機). 2 바둑판 무늬. ¶～のハンカチ 바둑판 무늬의 손수건. ⊟图ス他 1 표를 함; 또, 대조해 검사함. ¶～ポイント 체크 포인트; 요주의점. 2 (상대방의 공격 등을) 견제하거나 저지함.
　―アウト [check out] 图ス自 체크아웃. 1 호텔 등에서 요금을 정산하고 방을 나옴. ¶ホテルの～を済ませる 호텔 숙박료를 정산하다. 2 그날 숙박료 계산을 마감하는 시각.
　―イン [check in] 图ス自 체크인. 1 숙박 절차를 밟음. 2 숙박료 계산을 시작하는 시각.
　―オフ [check off] 图 체크 오프; 급료에서 조합비 등을 미리 공제함. 「장.
　―ブック [checkbook] 图 체크북; 수표
チェリー [cherry] 图 〔植〕 체리; 벚나무; 버찌.
　―トマト [cherry tomato] 图 〔植〕 체리 토마토; 방울 토마토. 「연주자.
チェリスト [cellist] 图 첼리스트; 첼로
チェロ [cello] 图 첼로; 저음 현악기의 하나. ＝セロ.
ちえん【地縁】图 지연.
　―しゃかい【―社会】图 ☞ちえんしゅうだん.
　―しゅうだん【―集団】图 지연 집단; 일정 지역에서 거주하는 사회 집단. ＝地縁社会.
ちえん【遅延】图ス自 지연. ¶十分ほど～した 10분쯤 지연되었다.
チェンジ [change] 图ス自他 체인지. 1 교체; 바꿈. ¶イメージ～ 이미지를 바꿈. 2 (야구 등에서) 공격과 수비를 바꿈. 3 ☞チェンジコート.
　―アップ [change-up] 图 〔野〕 체인지업; 투수가 타자의 타이밍을 뺏기 위해 가끔 느린 공을 던지는 일; 또, 그 공.
　―オブペース [change of pace] 图 〔野〕 체인지 오브 페이스; 투수가 투구의 종류·스피드·코스에 변화를 주어 던지는 일.
　―レバー [일 change＋lever] 图 체인지 레버; 자동차 등의 변속용(用) 레버.
　*영어로는 gearshift.
ちおん【地温】图 지온. ¶～を測る 지온을 재다. ⇨水温.
*ちか【地下】图 지하. ¶～に眠る父 지하에 잠든 아버지《돌아가신 아버지》/ ～活動 지하 활동.
　―に潜る 지하에 잠입하다《비합법적인 정치 활동을 하다》.
　―がい【―街】图 지하상가.
　―けい【―茎】图 지하경; 땅속줄기.
　―けいざい【―経済】图 지하 경제. ＝アングラ経済.
　―しげん【―資源】图 지하자원.
　―しつ【―室】图 지하실.
　―すい【―水】图 지하수.
　―てつ【―鉄】图 地下鉄道(＝지하철도)'의 준말; 지하철.
　―どう【―道】图 지하도.
ちか【地価】图 지가; 땅값. ¶～があがる 땅값이 오르다.
ちか【治下】图 (통)치하. ¶占領軍の～ 점령군 치하 / 他国の～に苦しんだ時代 타국 치하에서 고생한 시대.
**ちか-い【近い】形 가깝다. 1 ㉠공간적으로 멀지 않다. ¶学校に～所 학교에 가까운 곳 / ～·くが火事だ 가까이에서 불이 났다. ㉡시간적으로 멀지 않다. ¶～うちに伺います 일간 찾아 뵙겠습니다/六十(ろくじゅう)に～ 나이 육십에 가깝다. ㉢혈연적으로 멀지 않다. ¶～親類(しんるい) 가까운 친척. 2 친하다. ¶ごく～間柄(あいだがら) 극히 가까운[친한] 사이/遠(とお)くて～·きは男女(だんじょ)の仲(なか) 멀고도 가까운 것은 남녀의 사이. 3 성질·내용이 비슷하다. ¶天才(てんさい)に～人(ひと) 천재에 가까운 사람. 4 (수량 등이) 거의 …에 육박하다. ¶万円(まんえん)に～お金(かね) 만 엔 가까운 돈. ⇔遠(とお)い.

ちかい【誓い】图 맹세. ¶～を立(た)てる 맹세하다/～を破(やぶ)る 맹세를 저버리다.

ちかい【地階】图 고층 건물의 지하층. ¶～の売店(ばいてん) 지하층의 매점. 參考 1층의 뜻으로 쓰일 때도 있음.

*ちがい【違い】图 틀림; 차이; 상이. ¶性格(せいかく)の～ 성격의 차이/三分(さんぷん)の～で汽車(きしゃ)に乗(の)り損(そこ)なう 3분 차이로 기차를 놓치다.

ちがいだな【違い棚】图 두 개의 판자를 아래 위로 어긋나게 매어 단 선반(床(とこ)の間(ま)에 흔히 설치함).

ちがいない【ちがいない·違いない】連語 1《'…に～'의 꼴로》틀림없다; 확실하다. ¶きっとそうに～ 꼭 그러함에 틀림없다(틀림없이 그럴 것이다)/この試合(しあい)は勝(か)つに～ 이 시합은 틀림없이 이긴다. 2 정말이다; 그렇다. ¶うん, ～, 僕(ぼく)が悪(わる)かった 그래 맞아, 내가 잘못했다.

ちがいほうけん【治外法権】图 치외 법권.

*ちか-う【誓う】5他 맹세하다; 서약하다. ¶神(かみ)にかけて～ 신을 두고 맹세하다/ふたりの将来(しょうらい)を～ 두 사람의 장래를 다짐하다. 可能 ちか-える 下1自

**ちが-う【違う】5自 1 다르다. ＝異(こと)なる. ¶意見(いけん)が～ 의견이 다르다/性格(せいかく)が～ 성격이 다르다/金持(かねも)ちは～·ったものだ 부자란 역시 다르군/昨日(きのう)と～·って今日(きょう)はいい天気(てんき)だ 어제와 달리 오늘은 날씨가 좋다/これ君(きみ)のと～か 이것 자네 것과 다른가; 자네 것이 아닌가/いや～ 아냐 다르다. 2 틀리다; 잘못[그릇]되다. ＝まちがう·あやまる. ¶君(きみ)の答(こた)えは～·っている 너의 답은 틀렸다/それでは話(はなし)が～じゃないか 그러면 이야기가 틀리지 않는가. 3 어긋나다; 접질리다; 퉁겨지다. ＝はずれる. ¶足(あし)の筋(すじ)が～·った 발목이 접질렸다. 4《動詞의 連用形에 붙어》교차하다; 엇갈리다. ¶行(ゆ)き～ 길이 어긋나다/すれ～ (사람·차량 따위가 서로) 스쳐 지나가다.

ちが-える【違える】下1他 1 다르게[달리] 하다. ¶表(おもて)と裏(うら)で色(いろ)を～ 겉과 안을 색을 달리하다/手(て)を～·えて書(か)く 필적을 달리해서[바꾸어] 쓰다/今(いま)までとやり方(かた)を～ 지금까지완 방식을 달리하다. 2 잘못 …하다; 틀리게 하다. ＝まちがえる·誤(あやま)る. ¶答(こた)えを～ 답을 틀리다/薬(くすり)を飲(の)み～ 약을 잘못 먹다(다른 약을 먹다). 3 어기다; 위반하다. ¶約束(やくそく)を～ 약속을 어기다. 4 어긋나게 하다; 접질리다. ¶首(くび)の筋(すじ)を～ 목을 접질리다.

*ちかく【近く】一图 1 가까운 곳; 근처. ¶～の店(みせ) 근처의 상점/学校(がっこう)の～に住(す)んでいる 학교 근처에 살고 있다. 2《接尾語적》수량이 …에 가까움. ¶六十(ろくじゅう)～の年配(ねんぱい) 60 가까운 나이.
二副 근간; 머지않아. ¶～行(おこな)われる会議(かいぎ) 머지않아 열릴 회의/～そうなる 머지않아 그렇게 된다.

ちかく【地殻】图〔地〕지각. ↔地核(ちかく).
—へんどう【—変動】图〔地〕지각 변동. ¶政界(せいかい)の～ 정계의 지각 변동.

*ちかく【知覚】图ス他 지각. ¶～神経(しんけい) 지각 신경/～のある 지각 있는.

ちがく【地学】图 지학. ¶～の研究(けんきゅう) 지학 연구.

*ちかごろ〖近頃〗图 최근; 근래; 요즈음. ¶～の若(わか)い人(ひと) 요즈음(의) 젊은이. 參考 '近ごろ'는 가까운 과거에서 현재까지의 시간. 'ひところ'는 현재와의 사이에 단절이 있는 계속된 시간. 'さきごろ'는 'ひところ'보다 현재에 더 가까움. 'せんだって'는 'さきごろ'보다 짧은 시간.

ちかし-い【近しい】《親しい》形 친하다; 친밀하다. ¶～間柄(あいだがら)だ 친한 사이이다.

ちがたな【血刀】图 피 묻은 칼. ¶～を振(ふ)りまわす 피 묻은 칼을 휘두르다.

ちかちか 副 1 반짝반짝. ¶星(ほし)が～と光(ひか)る 별이 반짝반짝 빛나다. 2 따끔따끔. ¶目(め)が～する 눈이 따끔따끔하다.

ちかぢか〖近近〗副 1 근근; 머지않아; 일간. ＝きんきん. ¶結婚式(けっこんしき)は～あげる予定(よてい)です 결혼식은 일간 올릴 예정입니다. 參考 '～のうち'와 같이도 씀. 2 붙을 정도로 가까이; 바싹. ¶～と顔(かお)を寄(よ)せる 바싹 얼굴을 갖다 대다.

ちかづき【近づき】《近付き》图 친하게 교제함; 친지. ¶～になれてうれしい 알게[사귀게] 되어 기쁘다/お～のしるしまでに 사귀게 된 정표로.

**ちかづ-く【近づく】《近付く》5自 접근하다. 1 가까이 가다; 다가오다. ¶舟(ふね)が～ 배가 접근하다/言葉巧(ことばたく)みに～ 교묘한 말로 접근하다. 2 친해지다; 가까이 사귀다. ¶あの男(おとこ)には～·かない方(ほう)がよい 저 남자와는 가까이하지 않는 것이 좋다.

ちかづ-ける【近づける】《近付ける》下1他 1 가까이 하다[대다]. ¶本(ほん)に目(め)を～ 책에 눈을 가까이 대다. ↔遠(とお)ざける. 2 비슷하게 하다. ¶本物(ほんもの)に～ 진짜에 가깝게 하다.

ちかって【誓って】副 맹세코. 1 반드시; 기어이; 꼭. ＝必(かなら)ず. ¶～成功(せいこう)してみせる 꼭 성공해 보이겠다. 2 절대로; 결코. ＝決(けっ)して. ¶～そんな事(こと)はしない 맹세코 그런 일은 안 한다.

ちかば【近場】图 가까운 곳; 근처. ＝近間(ちかま). ¶ちょっと～へ出掛(でか)ける 잠깐

근처에 나가다 / 旅行は～で間に合わせた 여행은 가까운 곳으로 때웠다.

ちかぼれ【近ぼれ】《近惚れ》 名 금세〔쉽게〕 반함. ¶～の早飽き 금세 반하는 사람은 또 금세 싫증을 냄.

ちかま【近間】 名 〈俗〉 근처; 가까운 곳; 부근. ＝近所·近く·近場. ¶すぐ～にある店 바로 가까이 있는 가게.

ちかまわり【近回り】《近廻り》 名 ス自 1 지름길로 감. ¶～(を)して先に着く 지름길로 가서 먼저 닿다. ↔遠回り. 2 근처; 가까운 곳. ＝近所. ¶～の店 근처 가게.

*__ちかみち__【近道】《近路》 名 ス自 지름길. 1 가까운 길; 샛길; 또, 그 길로 감. ¶学校へ行く～ 학교로 가는 지름길 / ～して駅へ行く 질러가는 길로 역에 가다. ↔遠道. 2 첩경; 빠른 길. ＝はやみち. ¶成功への～ 성공에 이르는 지름길 / 語学を習うのに～はない 어학을 배우는 데 지름길이란 없다.

ちかめ【近め】《近目》 名 (보통보다) 가까움; 또, 그 느낌. ¶たまを～に投げる 공을 좀 가까이 던지다. ↔遠め.

ちかめ【近目】《近眼》 名 근시안《풀어쓴 말씨》. ＝きんがん.

ちがや〖茅萱·茅草·茅〗 名〔植〕 띠.

ちかよ-せる【近寄せる】 下1他 접근시키다. 1 가까이 가져가다. ¶火のそばへ手を～ 불 옆에 손을 가까이 가져가다. 2 친해지게 하다. ¶どんな男も～·せない 어떤 남자도 부접 못하게 하다.

*__ちかよ-る__【近寄る】 5自 접근하다. 1 가까이〔다가〕 가다. ＝近付く. ¶プールに～な 풀에 접근하지 마라 / ～·ってよく見る 다가가서 자세히 보다. 2 친근히〔가까이〕 하다. ¶不良に～ 불량배와 가까이하다 / 社長に～ 사장에게 접근하다. 可能 ちかよ-れる 下1自

⁑__ちから__【力】 名 힘. 1 근육의 힘; 체력. ¶彼は～が強い 그는 힘이 세다 / 拳に～を込める 주먹에 힘을 주다. 2 (물리적인) 에너지. ¶エンジンの～が強い 엔진의 힘이 세다. 3 능력; 실력; 역량. ¶数学の～がある 수학 실력이 있다 / この一年でだいぶ～がついた 지난 1 년 동안에 꽤 실력이 늘었다. 4 의지. ¶むすこを～とする 아들을 힘으로 여기다; 아들을 의지하다. 5 효능; 효력. ¶くすりの～ 약의 힘 / お金の～で地位を得る 돈의 힘으로 지위를 얻다. 6 (…을) 하려는 기백; 끈기; 기력. ¶～のこもった演技 힘이 담긴 연기.

―及ばず 힘이 모자라다; 역부족이다. ¶～一敗地にまみれる 역부족이어서 일패도지(一敗塗地)하다.

―に余る 힘에 부치다; 힘에 겹다.

―になる 힘이 되다. 1 조력하다; 돕다. ¶困った時はいつでも力になりましょう 곤란할 때는 언제든지 도와드리겠습니다. 2 의지가 되다. ¶あの子が～ので楽になりました 저 아이를 의지할 수 있게 되어 편하게 되었습니다.

―を入れる 1 힘을 주다. ¶力を入れて言う 힘주어 말하다. 2 (하는 일에) 힘을 쏟다.

―を落とす 낙심하다; 낙담하다. ¶落選の通知に～ 낙선 통지에 접하여 낙심하다.

―を貸す 힘을 빌려 주다; 조력하다.

ちからいっぱい【力いっぱい】《力一杯》 副 힘껏. ¶～働く 힘껏 일하다.

ちからうどん【力うどん】《力饂飩》 名 떡을 넣은 우동.

ちからおとし【力落とし】 名 실망하여 기운이 빠짐; 낙담함. ¶さぞお～のことでしょう 오죽이나 낙심이 되시겠습니까. 参考 흔히 'お～'의 꼴로 문상하는 말로 쓰임.

ちからこぶ【力こぶ】《力瘤》 名 1 알통. ¶腕に大きな～が出た 팔에 큰 알통이 나왔다. 2 힘을 기울이다. ¶～を入れる 중요시하여 진력하다.

ちからしごと【力仕事】 名 힘 쓰는 일; 육체노동. ¶～には向かない体 육체노동에는 맞지 않는 몸.

ちからじまん【力自慢】 名 힘 자랑; 또, 그 사람.

ちからずく【力ずく】《力尽く》 名 1 있는 힘을 다하여 함. ¶～でがんばる 있는 힘을 다하여 버티다〔분발하다〕. 2 (폭력이나 권력 등에 의해) 우격다짐으로 함; 힘으로 함. ¶～で承諾させる 우격다짐으로 승낙하게 하다.

ちからぞえ【力添え】 名 ス自 힘을 보탬; 조력; 원조. ¶～をする 조력하다; 원조하다 / 及ばずながらお～しましょう 미흡하나마 도움이 되어 드리겠습니다.

ちからだめし【力試し】 名 (능력 등을) 시험해 봄. ¶～にやってみる 시험삼아 해보다; 실력〔능력〕을 시험해 보다.

ちからづ-く【力づく】《力付く》 5自 기운이 나다; 용기가 나다. ¶励ましの言葉に～·いて再び立ち上がる 격려의 말에 용기를 얻어 다시 일어서다.

ちからづ-ける【力付ける】 下1他 기운내도록 북돋아 주다; 또, 격려하다. ¶病人を～ 병자를 격려하다.

ちからづよ-い【力強い】 形 1 마음 든든하다. ＝気づよい. ¶彼が居るので～ 그가 있어서 마음 든든하다. 2 힘차다. ¶～行進 힘찬 행진.

ちからぬけ【力抜け】《力脱け》 名 ス自 낙담함; 힘이 빠짐; 맥이 풀림. ¶～がする 낙담하다; 맥이 풀리다.

ちからまかせ【力任せ】 ダナ 1 전력을 다하는 모양. ¶～に投げつける 힘껏 내던지다. 2 힘을 믿고 설치는 모양. ¶～にわりこむ 힘을 믿고 끼어들다.

ちからまけ【力負け】 名 ス自 1 힘을 지나치게 들여서 도리어 실패함. 2 힘이 달려짐. ¶結局～となった 결국 힘이 달려 지고 말았다.

ちからもち【力持ち】 名 힘이 셈; 또, 그 사람. ¶～の男 힘이 센 남자; 장사.

ちからわざ【力業】图 **1** 힘으로 하는 기술. ¶～では彼(かれ)にはかなわない 힘으로 하는 기술에서는 그에게 당할 수 없다. **2** 힘으로 하는 일; 중노동.

ちかん[弛緩]图 'しかん'의 관용음.

ちかん【痴漢】图 치한; 색한. ¶～が出没(しゅつぼつ)する 치한이 출몰하다.

ちかん【置換】图ス他 치환; (사물의 위치·순서를) 바꾸어 놓음. ¶一部(いちぶ)を～する 일부를 바꾸어 놓다.

ちき【知己】图 지기; 지인(知人); 친지. ¶十年来(じゅうねんらい)の～ 십년래의 지기 / ～を頼(たよ)って遊学(ゆうがく)する 친지를 의지하여 유학하다.

ちき【稚気】《穉気》图 치기; (어른에게 남아 있는) 어린애 같은 기분. ¶～満々(まんまん) 치기 만만 / 言(い)うことが～を帯(お)びている 치기 어린 말을 하다.

ちぎ【千木】图 고대 건축에서, 지붕 위의 양끝에 X자 꼴로 교차시킨 길다란 목재《현재는 신사(神社)의 지붕에만 쓰임》. ＝氷木(ひぎ). ¶神殿(しんでん)の～ 신전의 千木.

[千木]

ちきゅう【地球】图 지구. ¶～ロケット 지구 로켓 / ～環境(かんきょう) 지구 환경.
──ぎ【──儀】图 지구의; 지구본.

ちぎょ【稚魚】图 치어. ¶アユの～ 은어의 치어. ↔成魚(せいぎょ).

ちきょう【地峡】图 지협; 두 육지를 잇는 좁은 육지. ¶パナマ～ 파나마 지협.

ちきょうだい【乳兄弟】图 젖형제; 같은 사람의 젖을 먹고 자란 남남끼리. ＝ちおととい.

ちぎり【契り】图 약속; 특히, 부부의 약속[인연]을 맺음. ¶二世(にせ)の～ (내세까지도 변치 않을) 부부의 인연.
──を交(か)わす 서로 약속하다; 특히, 부부가 될 약속을 하다.
──を結(むす)ぶ **1** 서로 약속하다. **2** (부부) 「인연을 맺다.

ちぎ-る【契る】5他 장래를 굳게 약속하다; 특히, 부부로서의 인연을 맺다. ¶二世(にせ)を～ 부부가 되어 영원히 사랑할 것을 약속하다. 可能ちぎ-れる 下1自

***ちぎ-る**〖千切る〗5他 잘라 떼다. **1** 손끝으로 잘게 찢어 떼다; 잘게 찢다; 찢어발기다. ¶紙(かみ)を～ 종이를 찢다 / 米(こめ)の粉(こな)をねって親指(おやゆび)ぐらいに～ 쌀가루를 반죽해서 엄지손가락 정도로 뚝뚝 떼다. **2** 비틀어 뜯다. ¶みかんを～ 귤을 비틀어 따다. **3**《接尾語적으로》그 동작을 강조하는 말. ¶ほめ～ 몹시 칭찬하다 / 引(ひ)き～ 잡아 뜯다[떼다, 찢다]. 可能ちぎ-れる 下1自

ちぎれちぎれ〖千切れ千切れ〗图副 갈기갈기. ＝きれぎれ. ¶旗(はた)が弾雨(だんう)を浴(あ)びて～になった 깃발이 탄우를 맞아서 갈기갈기 찢어졌다.

ちぎ-れる〖千切れる〗下1自 끊기어 떨어지다; 조각조각[갈가리] 찢어지다. ¶雲(くも)が～·れて飛(と)ぶ 구름이 조각조각 흩어져 날아가다 / 寒(さむ)くて耳(みみ)が～·れそうだ 추워서 귀가 떨어져 나갈 것 같다.

チキン[chicken]图 치킨. **1** 병아리. **2** 닭고기. ＝かしわ. ¶～カツ 치킨커틀릿《닭고기에 빵가루를 입혀 기름에 튀긴 음식》.

***ちく**【地区】图 지구. ¶文教(ぶんきょう)[風致(ふうち)]～ 문교[풍치] 지구.

ちく〖竹〗教1 チク たけ | 죽 대 | 대. ¶竹馬(ちくば) 죽마 / 松竹梅(しょうちくばい) 송죽매.

ちく〖畜〗常用 チク | 축 쌓다 | **1** 가축 따위를 기르다. ¶牧畜(ぼくちく) 목축. **2** 가축. ¶畜産(ちくさん) 축산 / 人畜無害(じんちくむがい) 인축 무해.

ちく〖逐〗《逐》常用 チク おう | 축 좇다 | **1** 좇다. ¶逐鹿(ちくろく) 축록 / 駆逐(くちく) 구축. **2** 차례로 하다. ¶逐条審議(ちくじょうしんぎ) 축조 심의.

ちく〖蓄〗常用 チク たくわえる ためる | 축 쌓다 | **1** 조금씩 모아두다. ¶貯蓄(ちょちく) 저축. **2** 기르다. ¶蓄妾(ちくしょう) 축첩.

ちく〖築〗《築》教5 チク きずく つく | 축 쌓다 | 건조물을 세우다; 쌓다. ¶築城(ちくじょう) 축성 / 新築(しんちく) 신축.

ちくいち【逐一】副 축일. **1** 하나하나; 차례대로. ¶～審議(しんぎ)する 차례로 하나하나 심의하다. **2** 하나하나 자세히. ¶～報告(ほうこく)する 하나하나 자세히 보고하다.

ちぐう【知遇】图 지우; 인격이나 식견을 인정받아 후대를 받음. ¶～を受(う)ける 인정되어 후한 대접을 받다 / 師(し)の～を得(え)る 스승의 알아줌을[지우를] 받다.

ちくおんき【蓄音機】图 축음기. ¶～をかける 축음기를 틀다.

ちくご【逐語】图 축어; 글자 하나하나의 뜻을 충실히 새김. ＝逐字(ちくじ). ¶～的(てき)に解釈(かいしゃく)する 축어적으로 해석하다.
──やく【──訳】图 축어역. 「다.

ちくさ-い【血臭い】形 피비린내가 나

ちくざい【蓄財】图ス自 축재. ¶～にたける 축재에 능하다.

ちくさん【畜産】图 축산. ¶～農家(のうか) 축산 농가 / ～業(ぎょう)[物(ぶつ)] 축산업[물].

ちくじ【逐次】副 축차; 순서를 따라서; 순차(順次); 하나하나; 차차. ¶～発表(はっぴょう)される 순차적으로 발표되다 / 試合(しあい)経過(けいか)を～伝(つた)える 경기 경과를 차례로 전해 주다. 「屋(ごや).

ちくしゃ【畜舎】图 축사. ＝家畜(かちく)小

ちくしょう[蓄妾]图ス自 축첩.

ちくしょう【畜生】图 **1** 축생; 짐승. ＝けだもの. **2** 남을 욕할 때 쓰는 말: 빌어먹을; 개새끼. ＝ちきしょう. ¶こん～ 이 개새끼.

ちくじょう【築城】图ス自 축성; 성을 쌓음; 또, 진지를 만듦.

ちくじょう【逐条】图 축조. ¶～説明(せつめい)する 조목조목 설명하다 / 議案(ぎあん)を～審議(しんぎ)する 의안을 축조 심의하다.

ちくせき【蓄積】名ス他自 축적. ¶資本しほん〔努力どりょく〕の～ 자본〔노력〕의 축적 / ～された知識ちしき 축적된 지식 / 疲労ひろうが～する 피로가 쌓이다.
ちくぞう【築造】名ス他 축조. ¶要塞ようさいを～する 요새를 축조하다.
ちくちく 副 **1** 뾰족한 것으로 계속 찌르는 모양; 또, 그렇게 찔리듯이 아픈 모양: 콕콕; 쿡쿡; 따끔따끔. ¶～と針はりでさす 콕콕 바늘로 찌르다 / 腹はらが～痛いたむ 배가 쿡쿡 쑤시다 / 目めが～する 눈이 따끔거리다. **2** 촘촘히 바느질하는 모양.
ちくでん【蓄電】名ス自 축전. ¶～装置そうち 축전 장치. 「ー.
ーき【ー器】名 축전기. ＝コンデンサ
ーち【ー池】名 축전지. ＝バッテリー.
ちくでん【逐電】名ス自 도망쳐 행방을 감춤. ¶公金こうきんを横領おうりょうして～する 공금을 횡령하고 행방을 감추다. 注意 'ちくてん'이라고도 함. 參考 번개를 좇아 가듯 서둔다는 뜻. 「증.
ちくのうしょう[蓄膿症] 名〔醫〕축농
ちくば【竹馬】名 죽마. ＝たけうま.
ーの友とも 죽마지우; 소꿉동무.
ちぐはぐ ダナ **1** 짝이 맞지 않음; 짝짝이. ¶～の手袋てぶくろ 짝짝이 장갑 / この靴くつは～だ 이 구두는 짝짝이다. **2** 뒤죽박죽; 조화가 안 됨. ¶～な感かんじ 균형이 안 잡힌 느낌 / 言いうことが～だ 말의 앞뒤가 안 맞는다.
ちくび【乳首】名 젖꼭지; 유두(乳頭); 또, 이와 비슷하게 만든 것. ＝ちちくび. ¶～をふくませる 젖꼭지를 물리다.
ちくりと 副 **1** 바늘 따위로 찌르는 모양: 콕; 따끔하게. ¶はちに～刺さされる 벌한테 따끔하게 쏘이다. **2** 조금; 약간. ¶～痛いたい 조금 아프다 / ～皮肉ひにくをいう 슬쩍 비꼬다.
ちくりん【竹林】名 죽림; 대나무 숲. ＝たけやぶ·たけばやし. ¶～の七賢しちけん 죽림 칠현.
ちくわ〖竹輪〗名 'ちくわかまぼこ'의 준말; 으깬 생선살을 대꼬챙이 같은 데에 입혀 굽거나 찐 막대 모양의 음식.
チゲ [한 찌개] 名 (한국 요리의) 찌개.
ちけい【地形】名 지형. ¶～図ず 지형도 / 築城ちくじょうに適てきした～ 축성에 적합한〔알맞은〕지형.
チケット [ticket] 名 티켓; 표.
ーショップ [일 ticket＋shop] 名 티켓 할인 판매점.
ちけむり【血煙】名 피보라《내뿜는 피를 연기에 비유한 말》. ¶～をあげて倒たおれる 피를 내뿜으며 쓰러지다.
ちけん【地検】名 지검; '地方ちほう検察庁けんさつちょう(＝지방 검찰청)'의 준말.
ちけん【知見】《智見》名 지견; 식견; 보고 앎; 또, 그 내용. ¶～を広ひろめる 식견을 넓히다 / ゆたかな～ 풍부한 식견.
ちご【稚児】名 **1** 신사나 사찰의 축제 행렬에 때때옷을 입고 참가하는 어린이. **2** 남색(男色) 상대의 면; 연동(戀童).

ちこう【知行】名 지행; 지식과 행위.
ーごういつ【ー合ー】名 (왕양명의) 지행합일. ¶～説せつ 지행합일설.
ちこく【治国】名 치국. ↔乱国らんごく. 「하.
ーへいてんか【ー平天下】名 치국평천
*__ちこく__【遅刻】名ス自 지각. ¶五分ごふん～ 5분 지각 / 学校がっこう〔会議かいぎ〕に～する 학교〔회의〕에 지각하다.
ちこつ【恥骨】名〔生〕치골.
チコリー [chicory] 名 치코리; 서양 야채의 하나. ＝菊きくにがな·チコリ.
ちさい【地裁】名 '地方ちほう裁判所さいばんしょ(＝지방 법원)'의 준말; 지법(地法).
ちさん【治山】名 치산. ¶～治水ちすいは国くにの基もと 치산 치수는 나라의 근본.
ちさん【治産】名 치산. **1** 살림살이를 다스림. **2**〔法〕재산의 관리 처분. ¶禁きん～者しゃ 금치산자.
ちさん【遅参】名ス自 지참; 늦게 옴. ＝遅刻ちこく. ¶～をわびる 지각을 사과하다 / 会合かいごうに～する 회합에 지각하다.
ちさん【遅産】名 출산 예정일보다 보름 이상 늦게 출산하는 일. ↔早産そうざん.
ちし【地誌】名 지지. ¶郷土きょうどの～ 향토의 지지.
ちし【知歯】《智歯》名 지치; 사랑니. ＝ちえば·おやしらず.
ちし【致死】名 치사. ¶～量りょう 치사량 / 過失かしつ～ 과실 치사.
ちじ【知事】名 지사《都と·道どう·府ふ·県けんの 장관(長官)》.
ちしお【血潮】《血汐》名 (흘러나오는) 피. ¶～に染そまる 피로 물들다 / 若わかい～がたぎる 젊은 피가 끓다. 參考 열혈(熱血)·열정의 뜻으로도 쓰임.
**ちしき【知識】名 지식. ¶予備よび～ 예비 지식 / 生いきた～ 산 지식 / 該博がいはくな～ 해박한 지식 / ～を得える 지식을 얻다 / 電気でんきの～がある 전기에 대한 지식이 있다 / ～は力ちからなり 지식은 힘이다.
ーかいきゅう【ー階級】名 지식 계급. ＝インテリ(ゲンチア).
ーさんぎょう【ー産業】名 지식 산업.
ーじん【ー人】名 지식인.
ーよく【ー欲】名 지식욕. ¶～に燃もえる 지식욕에 불타다. 「자기.
ちじき【地磁気】名〔理〕지자기; 지구
ちじく【地軸】名 지축. ¶～を揺ゆるがす響ひびき 지축을 뒤흔드는 울림.
ちしつ【地質】名 지질. ¶～学がく 지질학 / ～調査ちょうさ 지질 조사.
ちしぶき【血しぶき】《血飛沫》名 칼에 맞거나 찔렸을 때 주위로 튀는 피.
ちしま【千島】名〔地〕쿠릴 열도. ＝千島列島ちしまれっとう.
ちしゃ〖萵苣〗名〔植〕상추. ＝ちさ.
ちしゃ【知者】《智者》名 지자. ¶～は水みずを楽たのしみ, 仁者じんしゃは山やまを楽たのしむ 지자는 요수(樂水)하고 인자는 요산(樂山)하느니라. 「디는 '智将'.
ちしょう【知将】《智将》名 지장. 注意 본
*__ちじょう__【地上】名 지상. **1** 지면의 위. ¶

~六階のビル 지상 6층의 빌딩/~に出でる 지상에 나오다/~に下りる 지상에 내려오다. ↔地下. **2** 이 세상. ¶~楽園 지상낙원. ↔天上.

ちじょう【痴情】图 치정. ¶~関係 치정 관계/~の争い 치정 싸움/~のもつれからの犯行 치정에 얽힌 범행/~がもとで傷害事件を起こす 치정으로 말미암아 상해 사건을 일으키다. 「정·의지」.

ちじょうい【知情意】图 지정의《지성·감

ちじょく【恥辱】图 치욕. =はじ·はずかしめ. ¶~感 치욕감/~をうける〔忍ぶ〕 치욕을 당하다〔참다〕.

ちじん【知人】图 지인; 지기. =知り合い. ¶~関係 지인 관계/~を頼って上京する 친지를 믿고서 상경하다.

ちしんじ【遅進児】图〔教〕 지진아. ¶~対策 지진아 대책/学業~ 학업 지진아.

****ちず**【地図】图 지도. =マップ. ¶世界~ 세계 지도/~を頼りに訪ねる 지도를 길잡이로 하여 찾아가다.

ちすい【治水】图区自 치수. ¶~工事 치수 공사. ↔治山.

ちすいかふうくう【地水火風空】图〔佛〕 지·수·화·풍·공《만물을 생성하는 다섯 가지 원소》. =五大.

ちすじ【血筋】图 핏줄. **1** 혈통; 혈연. ¶~のよい犬 혈통이 좋은 개/遠い~にあたる者 먼 친척 되는 사람/~は争えないものだ 핏줄은 속일 수 없다/~が絶える 혈통이 끊어지다/母方の~を引く 외가〔어머니〕쪽 혈통을 이어받다. **2** 혈관.

ちせい【地勢】图 지세. ¶~が険しい 지세가 험하다.

ちせい【治世】 치세. ⊟图 잘 다스려진 세상. ¶尭舜の~にならう 요순의 치세를 본받다. ↔乱世.
⊟图区自 군주로서 통치함; 또, 그 기간. ¶~三十年 치세 30년.

ちせい【知性】图 지성. ¶~人 지성인/~的な顔 지성적인 얼굴/~が低い 지성이 낮다/~に欠ける 지성이 결여되다.

ちせき【治績】图 치적. ¶~大いにあがる 치적이 크게 오르다.

ちせつ【稚拙】图ダナ 치졸; 서투름. ¶~な絵 서툰 그림/~極まりない 치졸하기 짝이 없다. ↔老巧.

ちそう【地層】图 지층; 지각(地殼)을 형성하는 암석·토사·화석 따위의 층. ¶~面 지층면/古代の~ 고대의 지층.

ちそう〖馳走〗图区他 **1** 손을 대접함. ¶酒をご~する 술을 대접하다. **2** 맛있는 요리; 성찬. ¶ご~が出る 맛난 음식이 나오다/~にあずかる (맛있는) 음식 대접을 받다. 注意 흔히 'ご~'의 꼴로 씀. ⇨ごちそう.

ちぞめ【血染め】图 피로 물듦. ¶~のハンカチ 피로 물든 손수건.

***ちたい**【地帯】图 지대. ¶工業~ 공업 지대/安全~ 안전 지대.

ちたい【痴態】图 치태; 추태. ¶~を演ずる 추태를 부리다.

ちたい【遅滞】图区自 지체. ¶これ以上の~は許されない 이 이상의 지체는 허용되지 않는다/~なく支払う 지체없이 지불하다.

ちだらけ【血だらけ】ダナ 피투성이. =血まみれ. ¶顔面が~になる 안면이 피투성이가 되다.

ちだるま【血だるま】《血達磨》图 온몸이 피투성이가 됨. =血まみれ. ¶~になって救いを求める 피투성이가 되어서 구원을 청하다.

チタン [도 Titan] 图 티탄; 티타늄《기호: Ti》. =チタニウム.
―ごうきん【―合金】图 티타늄 합금.

****ちち**【父】图 **1** 아버지. ¶~と母 아버지와 어머니/義理の~ 의붓아버지; 장인·시아버지. ↔母. **2**〖基〗 하느님; 성부(聖父). ¶~と子と聖霊の名によって 성부와 성자와 성령의 이름으로. **3** 개조(開祖); 선구자; 위대한 공헌을 한 사람. ¶独立〔近代医学〕の~ 독립〔근대 의학〕의 아버지.

> **父의 여러 가지 표현**
>
> 父는 친아버지뿐만 아니라 継父(계부)·養父(양부)에게도 씀. 또, 남의 부친에 대한 존칭은 '(お)父上(아버님)·お父様(아버님)·(ご)父君(춘부장)·ご尊父(춘부장)·厳父(엄부)·厳君(엄친)·父御(춘부장)' 등을 쓰고, 자기 부친을 남에게 말할 때는 父·父親·親父(아버지)·'老父(노부)·家父(가부; 가친)', 장인은 '岳父(악부)', 고인이 된 부친은 '亡父·先考(선고; 선친)·先代(선대)' 등이라고 함.

***ちち**【乳】图 젖; 또, 유방. ¶~を吸う〔のむ〕 젖을 빨다〔먹다〕/母の~がまだ恋しい年ごろ 아직 어머니의 젖이 그리운 나이/~がよく出る 젖이 잘 나오다/牛の~を絞る 소젖을 짜다.

ちち【遅遅】トタル 지지. **1** 사물의 진도가 더딘 모양. ¶~として進まない〔はかどらない〕 지지 부진하다. **2** 해가 긴 모양. ¶春日~ 춘일 지지; 봄날이 한가롭고 김. ↔着着.

ちぢ〖千千〗图 **1** 수가 많음. =あまた. **2** 여러 가지; 갖가지; 이것저것. ¶~の思い 만 가지 생각.
―に 圖 산산이; 여러 가지로; 갖가지 생각으로. ¶~砕ける 산산조각이 나다/心が~乱れる 마음이 천 갈래 만 갈래로 흐트러지다.

ちちいろ【乳色】图 젖빛; 유백색.

ちちうえ【父上】图 아버지의 높임말; 아버님. ↔母上.

ちちおや【父親】图 부친. ¶あなたには

～の資格なんかないわよ 당신에겐 아버지의 자격 따윈 없어요. ↔母親.

ちちかた【父方】名 아버지 쪽의 혈통; 부계. ¶～の伯母 고모. ↔母方.

ちぢか-む【縮かむ】5自 (두려움 따위로 몸이) 오그라들다; 움츠러지다; (추워서 손 따위가) 곱다. ¶寒くて指先が～ 추워서 손끝이 곱다.

ちちぎみ【父君】名 아버지의 높임말; 아버님. ↔母君.

ちちくさ-い【乳臭い】形 젖내 나다; 비유적으로, 유치[미숙]하다. ¶赤ちゃんの～におい 아기의 젖비린내/～ことを言う 유치한 말을 하다.

ちちくび【乳首】名 1 젖꼭지; 유두. 2 고무 젖꼭지. =ちくび.

ちちく-る〖乳繰る〗5自 〈俗〉(남녀가 남몰래) 불장난하다; 새롱거리다; 정교(情交)하다. 注意 '乳繰る'로 씀은 취음.

ちちご【父御】名 상대방 아버지의 높임말; 엄친; 어르신네; 춘부장. ¶～によろしく 춘부장께 말씀 잘 전해 주세요. ↔母御.

ちぢこま-る【縮こまる】5自 움츠러들다; 앙당그러지다; 오그라지다; (몸이) 오그라들다. ¶身が～思い 몸이 오그라드는 느낌/寒さでからだが～ 추위로 몸이 움츠러들다.

ちちなしご【父無し子】名 1 아비 없는 자식. 2 아버지가 확실하지 않은 아이. =ててなしご.

ちちのひ【父の日】名 아버지의 날《6월 「셋째 일요일》.

ちちばなれ【乳離れ】名 ☞ちばなれ.

*__ちぢま-る__【縮まる】5自 1 오그라[줄어]들다. ¶身が～程寒い 몸이 오그라들 정도로 춥다/服地が～ 옷감이 줄어들다. 2 시간·거리 따위가 짧아지다. ¶寿命が～ 수명이 짧아지다/先頭との距離が～ 선두와의 거리가 줄어들다. 可能ちぢま-れる下1自

ちぢみ【縮み】名 1 오그라듦. ¶伸び～ 신축. ↔伸び. 2 '縮み織り'의 준말.

ちぢみあが-る【縮み上がる】5自 1 바싹 오그라들다. ¶霜にあたって植木の葉が～ 서리를 맞아 정원수의 잎이 바싹 오그라들다. 2 (몹시 두렵거나 추워서) 바짝 움츠러들다; 오갈 들다; 주눅 들다. ¶どなられて～·った 야단을 맞고 오갈 들었다/怖くて～·ってしまった 무서워서 움츠러들고 말았다.

ちぢみおり【縮み織り】名 바탕에 오글오글 잔주름이 생기도록 짠 옷감; 또, 그렇게 짜는 법. =ちぢみ. ¶～のシャツ 잔주름이 있는 천으로 만든 셔츠.

**__ちぢ-む__【縮む】5自 1 주름이 지다; 쪼글쪼글해지다. 2 줄어들다; 오그라들다. ¶洗ったらシャツが～·んだ 빨았더니 셔츠가 줄어들었다/伸びたり～·んだりする 늘었다 줄었다 하다. 3 무서워서 움츠러지다; 위축하다. ¶すみに～·んでいる 구석에 움츠리고 있다. ⇔伸びる.

**__ちぢ-める__【縮める】下1他 줄어지도록 하다. 1 줄이다; 단축하다. ¶寿命を～ 수명을 단축시키다/長過ぎるので～ 너무 길어서 줄이다/着物のたけを～ 옷기장을 줄이다. 2 움츠리다. ¶首[身]を～ 목[몸]을 움츠리다. 3 찌푸리다. ¶眉の間を～ 양미간을 찌푸리다. ⇔伸ばす.

ちちもらい【乳もらい】《乳貰い》名 젖동냥. =ちもらい.

ちちゅう【地中】名 지중; 땅 속; 지하. =地下. ¶～からかめを掘り出す 땅속에서 항아리를 파내다.

ちぢれげ【縮れ毛】名 고수머리; 곱슬머리. =ちぢれっけ. ¶彼女の～は生まれつきです 그녀의 고수머리는 타고난 것입니다.

*__ちぢ-れる__【縮れる】下1自 1 주름이 져서 오그라지다; 주름이 지다; 곱슬곱슬해지다. ¶～·れている布を伸ばす 주름진 천을 펴다/生まれつき髪が～·れている 태어날 때부터 고수머리다/生地が～ 천이 오그라들다. 2 작아지다; 좁아지다.

ちつ〖膣〗名 질; 여자 생식기의 일부.

ちつ〖秩〗常用 チツ チチ | 질 차례 | 1 사물에 순서를 매기다. ¶秩序 질서. 2 벼슬; 녹봉. ¶秩禄 질록/官秩 관질.

ちつ〖窒〗常用 チツ | 질 막다 | 1 막다; 막히다. ¶窒息 질식. 2 '窒素(=질소)'의 준말. ¶窒化鋼 질화강.

チッキ [←check] 名 체크; 철도 여객의; 탁송 수화물; 또, 그 상환증(相換證). ¶～で送る 탁송 수화물로 보내다.

ちっきょ [蟄居] 名ス自 칩거. ¶二階に～して, 小さくなって居た 이층에 칩거하여 움츠리고 있었다.

ちっこう【築港】名ス自 축항. ¶～工事 축항 공사.

*__ちつじょ__【秩序】名 질서. ¶～を立てて話す 조리를 세워서 이야기하다/～のある社会 질서 있는 사회.

ちっそ【窒素】名 질소. ¶～工業 질소 공업/酸化～ 산화 질소.

—ひりょう【—肥料】名 질소 비료.

*__ちっそく__【窒息】名ス自 질식. ¶～死 질식사/～状態 질식 상태/～して死ぬ 질식해서 죽다.

ちっちゃ-い 形 〈俗〉 조그마하다. =ちいさい. ¶～子 조그만 애/赤ん坊の～指 아기의 앙증맞은 손가락.

ちつづき【血続き】名 혈연. ¶彼と僕とは～の間柄だ 그와 나는 혈연 관계다.

ちっと 副 〈俗〉 약간; 조금. ¶～は痛いだろう 조금은 아플 게다/～は英語を知っている 조금은 영어를 알고 있다/～おかしいのではないか 좀 이상하지 않은가.

—やそっと 連語 〈俗〉《뒤에 否定語가 따름》 조금; 어지간한 정도. ¶～では動

じない 여간해서는 동요하지 않는다 / ～のことでは驚かない 웬만한 일가지고는 놀라지 않는다.

ちっとも 副《뒤에 否定語가 따름》조금도; 전연; 잠시도. ¶～変わらない 조금도 변하지 않는다 / ～おもしろくない 조금도 재미없다 / ～分からない 전연 모르겠다 / ～じっとしていない 잠시도 가만히 있지 않다 / ～知らなかった 전혀 몰랐다.

チップ [chip] 名 칩. **1** (목재를 가늘고 잘게 자른) 나뭇조각《펄프(의) 원료가 됨》. **2** (노름에서 점수를 계산하는) 산가지. **3** 잘게 썰어서 기름에 튀긴 요리. ¶ポテト～ 감자 칩. **4**〖컴〗집적 회로를 붙이는 반도체의 작은 조각.

チップ [tip] 名 팁. 一名 **1** (여급·하인에게 주는) 행하(行下); 해웃값; 화대. ＝こころづけ. ¶～をはずむ 팁을 두둑하게 주다. **2** 볼펜 따위의 심(의 끝). 二名ス自〖野〗'ファウルチップ(＝파울팁)'의 준말.

ちっぽけ 名ナ 〈俗〉 자그맣고 보잘것없음; 사소함; 소규모. ¶～な体 자그마한 몸집 / ～な事件 사소한 사건 / ～な望み 하찮은 희망 / ～だが活気のある会社 작지만 활기 있는 회사.

ちてい【地底】名 지저; 대지(大地)의 밑바닥; 땅속. ¶～からのうめき声 땅속에서 들리는 신음 소리.

ちてき【知的】ダナ 지적. ¶～能力 지적 능력 / ～な会話〔人〕지적인 대화〔사람〕/ ～な所がない 지적인 데가 없다 / ～な顔をした少女 지적인 얼굴을 한 소녀.
—しょゆうけん【—所有権】名 지적 소유권. ＝知的財産権.

ちてん【地点】名 지점; 곳. ¶折り返し～ 반환점; 되돌아오는 지점 / 有利な～ 유리한 지점.

ちと 副 〈俗·老〉 약간; 좀; 잠깐. ＝ちっと. ¶～おこりっぽい 화를 좀 잘 낸다 / ～お遊びにおいでなさい 좀 놀러 오십시오 / ～おかしいぞ 좀 이상한데.

ちどうせつ【地動説】名〖天〗지동설. ↔天動説.

ちとく【知徳】《智徳》名 지덕; 지식과 도덕. ¶～をみがく 지덕을 닦다.

ちとせ［千年·千歳］名 천세; 천 년; 영원. ¶松は～の緑を保つ 소나무는 영원한 푸르름을 간직한다.
—あめ〖—飴〗名 세 살·다섯 살·일곱 살 난 아이들의 축하용으로 판매되는 홍백(紅白)으로 염색한 가래엿.

ちどめ【血止め】名 지혈; 또, 그 약.
—ぐすり【—薬】名 지혈제. 「새.

ちどり【千鳥】名 **1**〖鳥〗물떼새. **2** 많은
—あし【—足】名 술취해서 비틀거림; 또, 그 걸음; 갈지자걸음. ¶～の男 갈지자걸음을 하는 남자.

ちどん【遅鈍】名ナ 지둔; 느리고 둔함. ¶～な男 지둔한 남자. ↔鋭敏.

ちなまぐさ-い【血なまぐさい】《血腥い》形 피비린내 나다; 또, 피를 보는 듯한 참혹한 양상이다. ¶～事件が続く 피비린내 나는 사건이 잇따르다.

ちなみに〖因みに〗接 덧붙여서 (말하면); 이와 관련하여. ＝ついでにいえば. ¶～氏は本校の卒業生であります 덧붙여서 말하면 씨는 본교의 졸업생입니다.

ちな-む〖因む〗5自 인연〔연관〕짓다; …을 기념하기 위해서 하다. ¶生まれた土地に～·んで名をつける 태어난 곳을 관련시켜 이름을 짓다 / 五十周年に～·んだ行事 50주년을 기념하는 행사.

ちにち【知日】名 지일; (외국인으로서) 일본을 잘 앎. ¶～家〔派〕지일가〔파〕. ↔排日·侮日.

ちぬ-る【血塗る】《釁る》5自 전투·살상으로 피를 흘리다. ¶刃に～ 칼날에 피를 묻히다《사람을 죽이다》/ ～·られた革命 유혈〔피로 물들인〕혁명.

ちねつ【地熱】名 지열. ＝じねつ.
—はつでん【—発電】名 지열 발전.

ちのあせ【血の汗】連語 피땀. ¶～を流して稼ぐ〔完成させる〕피땀 흘려 벌다〔완성시키다〕.

ちのあめ【血の雨】連語 혈우; 흘러내리는 많은 피; 또, 큰 유혈 사건. ¶～が降る 대유혈 사건이 나다 / ～を降らす 대유혈 사건을 일으키다.

***ちのう**【知能】《智能》名 지능. ¶～のおくれた生徒 지능이 뒤진 학생 / ～が低い〔高い〕지능이 낮다〔높다〕. 注意 본디는 '智能'.
—けんさ【—検査】名 지능 검사. ＝メンタルテスト. 「I.Q.》.
—しすう【—指数】名 지능 지수《기호:
—はん【—犯】名 지능범. ↔強力犯.
—ロボット [robot] 名 지능 로봇; 센서에 의해 외계(外界)를 인식하고 행동하는 로봇. ▷intelligent robot.

ちのう［知嚢］名 지낭; 지혜 주머니; 지혜가 풍부한 사람. ＝ちえぶくろ. ¶～を絞る 머리를 짜내다 / ～を集めて協議する 두뇌가 좋은 사람들을 모아서 협의하다.

ちのうみ【血の海】連語 피바다. ¶一面が～になっている 온통 피바다를 이루고 있다.

ちのけ【血の気】連語 **1** 핏기. ¶顔に～が差す 얼굴에 핏기가 돌다 / ～が引く 핏기가 가시다. **2** 혈기; 원기. ¶～の多い青年 혈기 왕성한 청년.

ちのなみだ【血の涙】連語 피눈물; 혈루. ＝血涙. ¶～を流す 피눈물을 흘리다.

ちのみご【乳飲み子】《乳呑み子·乳飲み児》名 젖먹이; 유아. ＝赤ん坊·あかご. ¶～をかかえて非常に苦労した 젖먹이를 안고 무척 고생했다.

ちのめぐり【血の巡り】連語 **1** 피의 순

환. 2 두뇌 작용. ¶～のわるい人 머리가 둔한 사람/～がいい 머리가 영리하다〔좋다〕.

ちのり【血のり】《血糊》图 끈적끈적한 피. ¶～が付く 끈적끈적한 피가 묻다.

ちば【千葉】图〔地〕関東 지방에 있는 현(縣); 또, 그 현청 소재지.

ちはい【遅配】图スル他 지배. 1 배달〔배급〕이 예정 기일보다 늦음. ¶米の～ 쌀의 지배. 2 일급·월급 등의 지급이 늦음. ¶給料の～ 급료의 지배.

ちばし-る【血走る】5自 핏발이 서다; 안구(眼球)가 충혈되다. ¶目を～·らせる 눈에 핏발을 세우다/徹夜で～·った眼の受験生もある 철야해서 눈이 충혈된 수험생도 있다.

ちばなれ【乳離れ】图スル自 1 젖떼기; 이유(離乳); 또, 그 시기. ＝ちちばなれ. ¶～の遅い子 이유가 더딘 아이. 2 어버이로부터의 정신적 자립. ＝親離れ. ¶まだ～してもいない青二才 아직 젖비린내나는 풋내기.

ちはらい【遅払い】图 급여나 대금의 지급이 예정보다 늦어짐. ¶給料～になる 급료 지급이 늦어지다.

ちばん【地番】图 지번. ¶～整理 지번 정리/～変更 지번 변경.

ちび 名ナ 〈俗〉 키가 작음; 꼬마. ¶～の癖に生意気を言う 어린 주제에 건방진 말을 하다/うちの～がね 우리집 꼬마가 말일세/子供のころは～だった 어릴 적에는 키가 작았다. 注意 크기가 작은 것, 나이가 어린 사람을 일컫는 말로도 쓰임. ↔のっぽ.

ちびちび 副 〈俗〉 홀짝홀짝; 조금씩. ＝ちびりちびり. ¶～(と)酒を飲む 술을 홀짝홀짝 마시다/金を～(と)使う 돈을 찔끔찔끔 쓰다. ↔ぐいぐい.

ちびっこ【ちびっ子】图 〈俗〉 꼬마《어지간한 일로는 나무랄 수 없는 나이의 아이》. ¶～たちの夏休み 꼬마들의 여름방학.

ちびふで【ちび筆】《禿筆》图 독필; 몽당붓.

ちひょう【地表】图 지표. ¶～に亀裂が生じた 지표에 균열이 생겼다.

ちびりちびり 副 〈俗〉 ☞ちびちび. ¶～と一人で酒を楽しむ 홀짝홀짝 혼자서 술을 즐기다.

ちび-る 5他 〈俗〉 1 (오줌을) 지리다. 2 째째하게〔다랍게〕 굴다.

ち-びる〖禿びる〗上1自 끝이 무지러지다. ¶～·びた筆 몽당붓/～·びたげた 앞쪽이 무지러진 왜나막신/鉛筆が～ 연필이 뭉뚝해지다.

ちひろ〔千尋〕图 〈雅〉 천심; 천 길; 헤아릴 수 없는 깊이. ¶～の海底に沈む 천 길 바다 밑에 가라앉다.

ちぶ【恥部】图 치부; 음부; 전하여, 남에게 알리기 거북한 곳. ¶都会の～ 도회의 치부/自分の～をさらけ出す 자신의 치부를 속속들이 드러내다.

ちぶさ【乳房】图 유방; 젖통. ＝にゅうぼう·おっぱい.

チフス〔도 Typhus〕图 티푸스. ¶発疹～ 발진 티푸스/腸～ 장티푸스. 注意 'チブス' 라고도 함.

ちへい【地平】图 지평. 1 대지의 평면. 2 지평선. ¶～のかなた 지평선 너머.

—せん【—線】图 지평선. ¶太陽が～上に昇る 태양이 지평선상에 떠오르다. ↔水平線.

ちへど【血へど】《血反吐》图 위(胃)에서〔입으로〕 토하는 피. ＝吐血. ¶～を吐く 핏덩이를 토하다.

ちへん【地変】图 지변; 지이. ＝地異. ¶天災～ 천재지변.

ちほ【地歩】图 지보; 지반; 입장; 위치. ¶～を築く 지반을 쌓다/失った～を取り戻す 잃었던 지반을 되찾다.

—を固める 자기 지반을 확고히 하다. ¶実業家としての～ 실업가로서의 지반을 굳히다.

—を占める 자기 위치를 차지하다. ¶確実な～ 확실한 지반을 차지하다.

＊＊**ちほう**【地方】图 지방. 1 어느 일정한 지역. ¶関東～ 関東 지방. 2 수도 이외의 지역. ＝いなか. ¶～出身 지방 출신/～に転任する 지방으로 전임하다/山ぞいの～は今夜雪になるだろう 산간 지방은 오늘밤 눈이 내릴 것이다. ↔中央.

—けんさつちょう【—検察庁】图 지방검찰청.

—こうきょうだんたい【—公共団体】图 지방 공공 단체; 지방 자치체. ＝地方団体.

—さい【—債】图 지방채.

—さいばんしょ【—裁判所】图 지방 법원.

—し【—紙】图 지방지; 지방 신문. ↔中央紙.

—しょく【—色】图 지방색. ¶～ゆたかな祭り 지방색이 짙은 축제.

—ぶんけん【—分権】图 지방 분권. ↔中央集権.

ちほう〔痴呆〕图 치매. ¶～症 치매증/～性老人 치매성 노인.

ちぼう【知謀】《智謀》图 지모; 지혜로운 계략. ¶優れた～ 뛰어난 지모/～をめぐらす 지모를 짜내다/～に富む 지모가 많다. 注意 본디는 '智謀'.

チマ〔한 치마〕图 (한국의) 치마.

ちま-う 連語 〈俗〉 …해 버리다; …해치우다《'てしまう'의 막된 말씨》. ¶すっかり食べちまった 싹 먹어 버렸다/いやんなっ～ 싫어진다/もう少しだからやっちまおう 이제 조금 남았으니까 해치우자/そんな無理をすると死んぢまうぞ 그렇게 무리하다가는 죽는다.

ちまき〖粽〗图 띠나 대나무 잎으로 말아서 찐 떡《단옷날에 먹음》.

ちまた〖巷·衢·岐〗图 1 길이 갈리는 곳. ¶生死の～をさまよう 생사의 갈림길을 헤매다. 2 번화한 거리; 시가(市街); 항간. ¶歓楽の～ 환락의 거리/紅灯の～ 홍등가/～の声 시민〔항간〕의 소리; 여론. **3** 유혈·참사 등이 일어나는 곳. ¶戦いの～ 싸움터 / 戦乱の～と化する 전쟁터가 되다.

ちまちま [トス自] 작고 아담한 모양. ¶～(と)した家 아담한 집 / ～した暮らし方 조촐한 살림.

ちまつり【血祭り】 [名] 출전할 때, 적의 동조자 등을 죽여, 자기편의 사기를 북돋우는 일; 제물(祭物)로 사람을 죽임.

—に上げる 우선 첫 상대를 처치하여 기세를 올리다; 희생의 제물로 바치다.

ちまなこ【血眼】 [名] 혈안. **1** 충혈된 눈. ＝ちめ. **2** 광분함. ¶～になって捜す 혈안이 되어서 찾다.

ちまみれ【血まみれ】《血塗れ》 [ダナ] 피투성이가 됨. ＝血だらけ. ¶～のシャツ 피투성이가 된 셔츠.

ちまめ【血豆】 [名] 피가 섞인 물집.

ちまよ-う【血迷う】 [5自] 너무 흥분해서 이성을 잃다〔눈이 뒤집히다〕. ¶～·った犯人 눈이 뒤집힌 범인 / 何を～·ったか 무엇에 눈이 뒤집혔느냐.

ちみ【地味】 [名] 지미; 지질; 토지의 생산력; 토리(土理). ¶～の肥えた土地 기름진 땅. [注意] 'じみ'로 읽으면 딴말.

ちみち【血道】 [名] 혈맥; 혈관.

—を上げる 이성(異性)이나 도락 따위에 함빡 빠지다. ¶若い女に～ 젊은 여자에게 함빡 빠지다.

ちみつ [緻密] [ダナ] 치밀. **1** (천 따위가) 결이 촘촘함. ¶～な布目〔木目〕 촘촘한 옷감의 결〔나뭇결〕. **2** 자상하고 꼼꼼한 모양. ¶～な計画 치밀한 계획.

ちみどろ【血みどろ】 [ダナ] ☞ちまみれ. ¶～の苦闘 피투성이의 싸움; 악전고투 / ～になって戦う 피투성이가 되어 싸우다.

ちめい【地名】 [名] 지명. ¶～の由来 지명의 유래 / 地形によってつけられた～ 지형에 따라 붙여진 지명.

ちめい【知名】 [名ナ] 지명; 이름이 널리 알려짐; 또, 그런 사람. ¶～の士 저명 인사 / ～度が高い 지명도가 높다. ↔ 無名.

ちめい【知命】 [名] 〈雅〉 지명; '五十歳(＝쉰 살)'의 딴 이름.

ちめいしょう【致命傷】 [名] 치명상. ¶～を与える〔負う, 受ける〕 치명상을 입히다〔입다〕 / 不正事件が内閣の～となる 부정 사건이 내각의 치명상이 되다.

ちめいてき【致命的】 [ダナ] 치명적. ¶～な傷〔打撃〕 치명적인 상처〔타격〕.

ちもう【恥毛】 [名] 치모; 거웃.

ちもらい【乳もらい】《乳貰い》 [名] ☞ちちもらい.

ちゃ【茶】 [名] **1** 차. ¶～を点てる 차를 달이다. **2** 찻잎. ¶～を摘む 찻잎을 따다. **3** 다도. ¶～を習う 다도를 배우다. **4** 다색; 갈색. ¶えび～ 거무스름한 적갈색 / こげ～ 짙은 갈색 / ～に塗る 갈색으로 칠하다.

ちゃ [連語] **1** …이면; …하면《'ては'의 변화》. ¶いっ～いけない 가면 안 돼 / 帰らなく～だめだ 돌아가지 않으면 안 돼. **2** 'といったら'의 압축된 말씨: …(이)란. ¶おもしろいっ～ありません 재미로 말하면 더할 나위 없습니다.

ちゃ〖茶〗 [教2] チャ サ | 다 차나무 | **1** 차. ¶茶器 다기 / 茶店 끽다점. **2** 다도(茶道). ¶茶道 다도 / 茶会 다회. **3** '茶色(＝다색)'의 준말.

チャージ [charge] 차지. [一][名][ス他] **1** (럭비·축구 따위에서) 상대방 선수에 몸으로 부딪쳐 공격을 방해하는 일; 차징. **2** 〔電〕 충전. [二][名] (호텔·레스토랑 따위에서) 요금; 청구 대금. ¶テーブル～ 테이블 차지.

チャーシュー [중 叉焼] [名] 〔料〕 차사오; 돼지고기 구이; 돼지 불고기. ＝やきぶた.

—メン [중 叉焼麵] [名] 차사오멘; 구운 돼지고기와 버섯을 넣은 중국 국수.

チャージング [charging] [名] 차징; 축구나 럭비 등에서, 방어와 공격을 위해 몸으로 상대방에 부딪치는 일.

チャーター [charter] [名][ス他] 차터; 전세 비행기〔선박〕; 또, 그 계약. ¶～便 전세편 / ～船 전세 선박 / ～機 전세기.

チャート [chart] [名] 차트. **1** (지도 따위의) 도면. **2** 일람표. ¶～式 차트식.

チャーハン [중 炒飯] [名] 차오판; 중국식 볶음밥. ＝やきめし.

チャーミング [charming] [ダナ] 차밍; 매력 있음; 매혹적. ¶～な女性〔人〕 매력적인 여성〔사람〕.

チャーム [charm] [名][ス他] 참; 매력; 매혹함. ¶～ポイント 매력 포인트.

チャイナ [China] [名] **1** 차이나; 중국(풍(風)). ¶～ドレス 중국옷. **2** [china] 사기 그릇; 도자기.

—タウン [Chinatown] [名] 차이나타운; 중국인 거리.

チャイム [chime] [名] 〔樂〕 차임. **1** 5–12 개가 한 벌로 되어 있는 조율(調律)된 종(소리); 또, 그 음악. **2** 차임벨. ¶～が鳴る 차임벨이 울리다.

ちゃいれ【茶入れ】 [名] 엽차 용기(容器).

***ちゃいろ【茶色】** [名] 다색; 갈색. ¶～の服 갈색옷 / 葉が～にかわる 잎이 갈색으로 변하다. [注意] '茶色い紙'처럼 형용사로서 쓰이는 일도 있음.

ちゃ-う [連語] 〈俗〉 '…てしまう(＝…해 버리다)'의 변화. ¶行っ～ 가 버리다 / 見ちゃった 보고 말았다 / お金がなくなっ～ 돈이 없어져 버리다. [注意] 接続助詞 'て'가 撥音便 관계로 'で'로 될 경우는 'じゃう'가 됨. ¶そんなこと言うと死んじゃうから 그런 말을 하면 죽어버릴 테니까.

ちゃうけ【茶請け】 [名] 차에 곁들여 내는 과자《간단한 'つけもの(＝야채 절임)'를 곁들이기도 함》. ¶ビスケットの～で茶を飲む 비스킷을 곁들여 차를 마시다. [注意] 'お～'의 꼴로 말함.

ちゃうす【茶うす】《茶臼》图 찻잎을 가는 맷돌.

ちゃか【茶菓】图 ☞さか(茶菓).

ちゃかい【茶会】图 다화회(茶話會); 차를 마시는 모임. =さかい·茶(ちゃ)の湯(ゆ). ¶ ~を催(もよお)す 다화회를 열다.

ちゃがし【茶菓子】图 다과; 차에 곁들여 내는 과자. =お茶(ちゃ)うけ. ¶ ~を出(だ)す (차에 곁들인) 과자를 내다.

ちゃか-す〖茶化す〗5他 〈俗〉 (진실한 말도) 농으로 돌려 버리다; 얼버무리다; 얼렁뚱땅하다. ¶ うまく~·して逃(に)げる 적당히 얼버무리고 달아나다〔피하다〕/ ~·さずにまじめに聞(き)けよ 얼렁뚱땅하지 말고 진지하게 들어라. 注意 '茶化す'로 씀은 취음. 可能 ちゃか-せる 下1自

ちゃかちゃか 副 〈俗〉 (성격·행동 등이) 침착하지 못하고 어수선한 모양: 덜렁덜렁. ¶ ~した人(ひと) 덜렁거리는 사람.

ちゃかっしょく【茶褐色】图 다갈색.

ちゃがま【茶がま】《茶釜》图 (다도(茶道)에서) 물을 끓이는 솥.

ちゃがら【茶殻】图 차 찌꺼기. =茶滓(ちゃかす)·でがら.

ちゃき【茶器】图 차기. **1** 차(茶)도구. **2** 찻그릇.

ちゃきちゃき 图 정통; 적류(嫡流); 순수. =生(き)っ粋(すい). ¶ ~の江戸(えど)っ子(こ) 江戸〔동경〕 토박이. 注意 '嫡嫡(ちゃくちゃく)'의 전와(轉訛).

ちゃく【着】一图 **1** 착; 도착함. ¶ 五時(ごじ)~ 5시 착. ↔発(はつ). **2** (경주·경영(競泳) 따위에서) 입상. ¶ ~に入(はい)る 입상에 들다. 二接尾 …착. **1** 옷을 세는 말: 벌. ¶ 冬服(ふゆふく)一(いっ)~ 동복 한 벌. **2** 도착 순서를 세는 말. ¶ 第一(だいいっ)~ 제 1착.

ちゃく〖着〗教3 チャク ジャク きる きせる つく つける | 착 입다 | **1** (옷을) 입다. ¶ 着用(ちゃくよう) 착용. ↔脱(だつ). **2** 붙다. ㉠달라붙다. ¶ 付着(ふちゃく) 부착. ㉡정주함. ¶ 定着(ていちゃく) 정착. **3** 다다르다. ¶ 到着(とうちゃく) 도착. ↔発(はつ).

ちゃく〖嫡〗常用 チャク テキ | 적 아내 | **1** 본처. ¶ 嫡出(ちゃくしゅつ) 적출. ↔妾(しょう). **2** 적자. ¶ 嫡孫(ちゃくそん) 적손. ↔庶(しょ).

ちゃぐ【茶具】图 차구; 차를 달이는 도구.

ちゃくい【着衣】图ス自 착의; 입고 있는 옷; 또, 옷을 입음. ¶ ~をはぐ 입은 옷을 벗기다. ↔脱衣(だつい).

ちゃくえき【着駅】图 도착역. ¶ ~払(ばら)い 도착역에서 (운임을) 묾. ↔発駅(はつえき).

ちゃくがん【着眼】图ス自 착안. ¶ ~点(てん) 착안점 / すばらしい~ 멋있는 관찰〔아이디어〕/ よい所(ところ)に~している 좋은 점에 착안하고 있다.

ちゃくし【嫡嗣】图 적사; 적자(嫡子). =跡取(あとと)り.

*__ちゃくじつ__【着実】图ダナ 착실. ¶ ~な仕事(しごと)ぶり 착실한 근무 태도 / ~に進歩(しんぽ)する 착실히 진보하다.

ちゃくしゅ【着手】图ス自 착수. ¶ 改造(かいぞう)に~した 개조에 착수했다 / ~が遅(おく)れる 착수가 늦어지다.

ちゃくしゅつ【嫡出】图 적출; 본처 소생. ¶ ~子(し) 적출자 / ~でない子(こ) 비(非) 적출자. ↔庶出(しょしゅつ).

ちゃくしょく【着色】图ス自 착색; 채색. ¶ 人工(じんこう)~ 인공 착색 / ~した食品(しょくひん) 착색한 식품 / ~剤(ざい) 착색제.

ちゃくしん【着信】图ス自 착신; 편지 등이 닿음. ¶ ~の知(し)らせ 착신 통지 / 夜間(やかん)に~したニュース 야간에 착신한 뉴스. ↔発信(はっしん).

ちゃくすい【着水】图ス自 착수; 물 위에 내림. ¶ 湖面(こめん)に~する 호수 위에 착수하다 / 水上(すいじょう)飛行機(ひこうき)が~に成功(せいこう)する 수상 비행기가 착수에 성공하다. ↔離水(りすい).

ちゃくせき【着席】图ス自 착석. =着座(ちゃくざ). ¶ 全員(ぜんいん)が~して授業(じゅぎょう)を待(ま)っている 전원이 착석하여 수업을 기다리고 있다. ↔起立(きりつ).

ちゃくそう【着想】图 착상. =思(おも)いつき·アイデア. ¶ 奇抜(きばつ)な~ 기발한 착상 / ~がすぐれている 착상이 훌륭하다.

ちゃくだつ【着脱】图ス他 어떤 것을 붙였다 떼었다 함; 또, 의류 등을 입었다 벗었다 함. ¶ 救命胴衣(きゅうめいどうい)の~ 구명동의를 입었다 벗었다 함 / 装備(そうび)を~する 장비를 붙였다 떼었다 하다.

ちゃくだん【着弾】图ス自 착탄; 발사된 탄환이 적중함; 또, 그 탄환. ¶ ~距離(きょり) 착탄 거리.

ちゃくち【着地】图ス自 착지. **1** 착륙(장소). **2** 도착지. ¶ ~払(ばら)い 도착지에서 치름. ↔発地(はっち). **3** (체조에서) 기계 위에서의 연기를 마치고 땅으로 내려섬. ¶ ~で体勢(たいせい)がくずれた 착지에서 자세가 흐트러졌다.

ちゃくちゃく【着着】副 착착; 한걸음 한걸음. =一歩一歩(いっぽいっぽ). ¶ ~成功(せいこう)に近(ちか)づく 착착 성공에 가까워지다 / 仕事(しごと)が~と進(すす)む 일이 착착 진행되다.

ちゃくなん【嫡男】图 적남; 적자(嫡子). =あととり.

ちゃくにん【着任】图ス自 착임; 새 임지에 도착함; 새 임무를 맡음. ¶ 新(あたら)しく~した先生(せんせい)〔大使(たいし)〕 새로 부임한 선생〔대사〕/ 空路(くうろ)~した 공로로 임지에 도착했다.

ちゃくばらい【着払い】图 (우편물·배달물 요금 등의) 수취인(受取人) 지불. ¶ ~で小包(こづつみ)を送(おく)る 수취인 지불로 소포를 보내다.

ちゃくふく【着服】 착복. 一图ス自 옷을 입음; 또, 그 옷. 二图ス他 몰래 제 것으로 삼음. ¶ 会社(かいしゃ)の金(かね)を~して逃(に)げた 회사 돈을 착복하고 도망쳤다.

ちゃくぼう【着帽】图ス自 착모; 또, 공사장 등에서의 안전모 착용. ↔脱帽(だつぼう).

ちゃくメロ【着メロ】图 '着信(ちゃくしん)メロディー(=착신 멜로디)'의 준말; 휴대 전화 등의 착신을 알리는 멜로디.

ちゃくもく【着目】图ス自 착목; 주목;

착안. ＝着眼. ¶～に価する 주목할 가치가 있다 / 発想の奇抜さに～して評価する 발상의 기발함에 주목하여 평가하다.

ちゃくよう【着用】[名][ス他] 착용. ¶軍服を～する 군복을 착용하다〔입다〕/ 制服を～のこと 제복을 착용할 것.

ちゃくりく【着陸】[名][ス自] 착륙. ¶胴体～ 동체 착륙 / ～地点 착륙 지점 / 旅客機が無事に～した 여객기가 무사히 착륙했다. ↔離陸.

チャコ [←chalk] [名]〔裁〕초크; 옷감을 마를 때 표하기 위하여 쓰는 분필.

ちゃこし【茶こし】《茶漉し》[名] 차를 거르는 (눈이 촘촘한) 쇠그물 조리.

ちゃさじ【茶さじ】《茶匙》[名] **1** 찻숟가락. ＝ティースプーン. **2** ☞ちゃしゃく1.

ちゃしつ【茶室】[名] 다실; 다회(茶會)를 하는 방·건물. ＝数寄屋.

ちゃしぶ【茶渋】[名] 찻주전자나 찻잔에 붙은 앙금. ¶～がついた急須 차의 물때가 묻은 찻주전자.

ちゃしゃく【茶しゃく】《茶杓》[名] **1** 가루차를 떠내는 작은 순가락《대나무나 상아로 만듦》. **2** ☞ちゃ(茶)びしゃく.

ちゃじん【茶人】[名] 다도를 즐기는 사람; 다도에 통한 사람; 전하여, 풍류인.

ちゃせん【茶せん】《茶筅》[名] 가루차를 탈 때 차를 저어서 거품을 일게 하는 도구.

ちゃだい【茶台】[名] (차를 대접할 때) 찻잔을 얹는 상.

ちゃだい【茶代】[名] **1** 찻값. **2** 팁. ＝チップ. ¶～をやる 팁을 주다.

ちゃたく〖茶托〗[名] 찻잔을 받치는 접시.

ちゃだな【茶棚】[名] 차 도구를 얹어 놓는 선반.

ちゃだんす【茶だんす】《茶簞笥》[名] (찬장식) 찻장(茶欌).

ちゃち [名ナ] 〈俗〉 빈약한〔값싼〕 모양; 싸구려; 또, 보잘것없음. ¶木造の～な事務所 목조의 빈약한 사무실 / ～な品 값싼 물건 / ～な議論 하찮은 의론 / ～なつくり 빈약한 만듦새.

ちゃちゃ〖茶茶〗[名] 〈俗〉 헤살; 방해.

――を入れる (남의 이야기에) 헤살을 놓다. ¶まとまりかけた話に～ 거의 성사되어 가는 이야기에 헤살놓다.

ちゃっか【着荷】[名][ス自] 착하. ¶苺が大量に～した 딸기가 대량 입하했다 / ～がおくれる 짐(의 도착)이 늦어지다.

ちゃっか【着火】[名][ス自他] 착화.

――てん【――点】[名] 착화점; 발화점. ＝発火点.

ちゃっかり [副] 〈俗〉 (잇속을 바라고) 빈틈없이 행동하는 모양; 야나친 모양. ¶～(と)したやつ 약아빠진 놈; 약빠리; 깍쟁이 / ～もうける 약삭빠르게 벌다 / ～自分のものにする 약빠르게 제 것으로 만들다 / ～もとは取っている 빈틈없이 본전은 챙기고 있다.

ちゃっかん【着艦】[名][ス自] 착함. **1** 군함에 도착함. **2** 비행기가 항공모함에 내려앉음. ¶～訓練 착함 훈련.

チャック [일 Chack] [名]〔商標名〕 지퍼.

ちゃづけ【茶漬け】[名] 밥에 더운 차를 붓는 일; 또, 그 만 밥. ¶～にして食べる 찻물에 말아서 먹다 / ほんの～ですが 찬이 아무것도 없습니다만 / ～をかきこむ 찻물에 만 밥을 급히 퍼먹다.

ちゃっけん【着剣】[名][ス自] 착검; 총 끝에 칼을 꽂음.

ちゃっこう【着工】[名][ス自] 착공; 공사를 시작함. ¶～式 착공식; 기공식 / ～が遅れる 착공이 늦어지다. ↔竣工.

ちゃづつ【茶筒】[名] 차통; 차를 넣어 두는 통.

チャット [chat] [名]〔컴〕 채트; 채팅《PC 통신에서, 두 사람 이상의 상대자와 동시에 교신하는 일》. ¶パソコン通信仲間との～ PC 통신 동아리와의 채팅.

ちゃつぼ【茶つぼ】《茶壺》[名] 찻잎을 넣어 두는 단지〔그릇〕.

ちゃつみ【茶摘み】[名] 찻잎을 따는 일; 또, 그 사람.

ちゃてん【茶店】[名] 다점; 찻집; 차를 파는 가게. ＝茶みせ.

ちゃどう【茶道】[名] 다도; 차를 끓이거나 마시는 예법. ＝さどう.

ちゃどうぐ【茶道具】[名] ☞ちゃき(茶器)1.

ちゃどころ【茶所】[名] 차의 명산지. ¶静岡は～だ 静岡는 차의 명산지다.

ちゃねずみ【茶ねずみ】《茶鼠》[名] 갈색을 띤 쥐색. ＝ちゃねず.

ちゃのき【茶の木】[名]〔植〕 차나무; 후피향나뭇과에 속하는 상록 활엽 관목《어린 잎은 홍차의 원료》.

***ちゃのま**【茶の間】[名] **1** 가족이 모여 식사하거나 쉬는 방; 거실. ¶～での団欒 거실에서의 단란. **2** 다실(茶室).

ちゃのみ【茶飲み】《茶呑み》[名] **1** 차를 잘 마심; 또, 그 사람. **2** '茶飲みぢゃわん(＝찻종)'의 준말.

――ともだち【――友達】[名] **1** 허물없이 사귀는 친구. **2** 노후〔늘그막〕에 맺은 부부.

――ばなし【――話】[名] 차를 마시면서 나누는 가벼운 세상 이야기; 한담. ¶～をする 한담을 하다.

ちゃのゆ【茶の湯】[名] **1** 다도《손님을 초대하여 차를 끓여서 권하는 예의범절》. ＝茶道. **2** 차를 끓여 마시는 모임. ＝茶会.

ちゃばしら【茶柱】[名] 엽차를 찻잔에 부을 때 곧추 뜨는 차의 줄기《길조라고 함》. ¶～が立ったから, よいことがあるぞ 찻줄기가 섰으니까 좋은 일이 있겠군.

ちゃばたけ【茶畑】[名] 차나무 밭.

ちゃぱつ【茶髪】[名] 염색하거나 탈색해서 다갈색으로 두드러지게 한 머리털.

ちゃばら【茶腹】[名] 차를 많이 마신 물배; 또, 그 상태.

ちゃばん【茶番】[名] **1** 차 시중을 드는 사람. **2** '茶番狂言'의 준말. ¶与野党の攻防も結果は～にすぎなかった 여당과 야당의 공방도 결과는 빤히 속보이는 수작에 불과했다.

—きょうげん【—狂言】图 **1** 손짓·몸짓으로 좌중을 웃기는 익살극. **2** 속이 빤히 들여다보이는 짓. ¶とんだ~だ 엉뚱한 수작이군.

—げき【—劇】图 ☞ちゃばんきょうげん2. ¶政界の~ 정계의 얕은 꾀.

ちゃひき【茶ひき】《茶挽き》图 **1** 찻잎을 맷돌에 갊; 또, 그 사람. **2** 기생 등이 손님이 없어 한가함; 또, 그런 기생.

ちゃびしゃく【茶びしゃく】《茶柄杓》图 차 솥에서 차를 떠 내는 국자.

ちゃびん【茶瓶】图 **1** 차관(茶罐); 찻주전자. =やかん. **2**〈方·蔑〉대머리. ¶はげ~ 대머리《욕하는 말》. **3** 다(茶)도구 일습을 넣어 가지고 다니는 도구.

—あたま【—頭】图 대머리를 욕으로 일컫는 말. =やかん頭.

ちゃぶくろ【茶袋】图 **1** 엽차를 넣어 두는 봉지. **2** 엽차를 채워 넣고 뜨거운 물에 넣어 차를 달여내는 주머니.

ちゃぶだい【ちゃぶ台】《卓袱台》图 (접었다 폈다 할 수 있는) 다리가 낮은 밥상. 注意 'ちゃぶ'는 중국음의 전와.

チャペル [chapel] 图 채플; (학교·군대 등에 부속된) 기독교 예배당. ¶~の鐘 채플의 종.

チャボ〖矮鶏〗图〔鳥〕당닭《꿩과에 속하는 애완용 닭》.

ちゃぼうず【茶坊主】图 **1** 무가(武家)에서 다도를 맡아보던 사람. =茶屋坊主. 注意 머리를 바싹 깎고 있었으므로 '坊主(=중)'라고 함. **2** 권력자에게 빌붙어 으스대는 자를 욕하는 말.

ちやほや 副 얼러맞추는 모양; 상대를 추어올리는 모양; 알쫑거리는 모양: 알쫑알쫑. ¶~とご機嫌を取る 추어올려 비위를 맞추다 / 子供を~する 아이를 어해 주다 / ~甘やかす 어하며 응석을 받아 주다 / ~されて天狗になる 추어올리는 통에 콧대가 높아지다《天狗는 코가 높다는 데서》.

ちゃみせ【茶店】图 다점; 다과점; 찻집. =かけちゃや. ¶~で休んで行こう 찻집에서 쉬어 가세.

ちゃめ〖茶目〗图ダナ 익살맞은 장난을 하는 모양; 또, 그런 사람. ¶~な子 장난꾸러기 아이 / 小さいころはお~さんだった 어렸을 땐 장난꾸러기였다.

—っけ【—っ気】图 장난기. =ちゃめけ. ¶~のある人 장난기가 있는 사람.

ちゃめし【茶飯】图 **1** 찻물로 지어 소금으로 간을 맞춘 밥. **2** 간장과 술을 타서 지은 밥.

ちゃや【茶屋】图 **1** 재료로서의 차를 파는 가게. =葉茶屋. **2** ☞ちゃみせ. **3** 요정(料亭). =水茶屋. **4** 씨름터·극장 등에 부속되어 손님을 쉬게 하거나 안내하는 집. =引き手茶屋. **5** (다도에서) 다실.

ちゃら 图 **1** (입에서 나오는 대로) 함부로〔엉터리로〕말함; 허튼소리. =ちゃらぽこ. **2** 대차(貸借) 없음. ¶~にする 대차 없는 것으로 하다.

ちゃらちゃら 副 **1** 작고 얇은 금속제의 것이 부딪쳐 내는 소리: 짤랑짤랑《'じゃらじゃら'보다 높고 가벼운 소리》. **2** 여자가 교태를 부리는 모양. ¶~した身なり 야한 옷차림. **3** 경박한 모양.

ちゃらつか-す 5他 잘가닥거리며 어떤 의향을 넌지시 드러내다. ¶刃物を~ 칼을 내보이며 협박하다 / 金を~·せて承諾を迫る 돈을 줄 뜻을 내비치면서 승낙을 강요하다.

ちゃらんぽらん 图ダナ〈俗〉들떠서 되는대로 하는 모양; 또, 그런 말. ¶~なやり方 아무렇게나 되는대로 하는 방식 / ~な奴 무책임한 놈 / ~(と)暮らす 되는 대로 살다 / ~なことを言う 되는대로 지껄이다.

チャリティー [charity] 图 채리티; 자선; 자선 사업.

—コンサート [charity concert] 图 채리티 콘서트; 자선 음악회.

—ショー [charity show] 图 채리티쇼; 이익금을 자선 사업에 기부할 목적으로 하는 흥행.

ちゃりん 副 쇠붙이가 맞닿아 나는 소리: 짤랑. =ちゃらん. ¶銅貨が落ちて~と鳴った 동전이 떨어지며 짤랑 소리를 냈다.

ちゃりんこ 图 **1** 나이 어린 소매치기. **2**〈兒·俗〉자전거; 소형 오토바이.

チャルメラ [포 charamela] 图〔樂〕차르멜라; (메밀국수 노점상이 부는) 날라리.

チャレンジ [challenge] 图ス自 챌린지; 도전. =挑戦. ¶司法試験に~する 사법 시험에 도전하다.

チャレンジャー [challenger] 图 챌린저; 도전자.

***ちゃわん**【茶わん】《茶碗》图 찻종; 밥공기. ¶~酒 큰 잔술 / 茶飲み茶碗 찻종 / 飯茶碗 밥공기 / 夫婦茶碗 대·소 두 개로 한 쌍인 공기.

—むし【—蒸し】图〔料〕공기에 계란을 풀고 생선묵·표고·고기·국물 따위를 넣어 공기째 찐 요리.

=ちゃん《名詞에 붙여서》친근감을 주는 호칭《'さん'보다 다정한 호칭》. ¶おかあ~ 엄마 / おばあ~ 할머니 / 太郎~ 太郎야 / 花子~ 花子 양.

ちゃんこりょうり【ちゃんこ料理】图 씨름꾼들이 먹는 독특한 요리《큰 냄비에 큼직하게 토막친 생선이나 고기·채소 따위를 넣고 끓임》. =ちゃんこなべ. 注意 줄여서 'ちゃんこ'라고도 함.

チャンス [chance] 图 찬스; 기회; 호기(好機). ¶絶好の~ 절호의 찬스 / ~をつかむ 기회를 포착하다 / ~を逃す 기회를 놓치다.

—メーカー [일 chance+maker] 图 찬스 메이커《스포츠에서, 득점 기회를 만드는 선수》.

ちゃんちゃらおかし-い【ちゃんちゃら可笑しい】形〈俗〉우습기 짝이 없다; 가소롭다. ¶あの人が立候補するなんて~ 그 사람이 입후보하다니 가소롭기 짝이 없다.

ちゃんちゃんこ 图 (솜을 둔) 아이들의 소매 없는 웃옷. =じんべい·そでなし.

ちゃんちゃんばらばら 图〈俗〉**1** 칼싸움 (소리). =たちまわり. **2** 시끄러운 싸움. ¶隣とは~だ 이웃과는 앙숙이다.

ちゃんと 圖 정확하고 틀림이 없는 모양. **1 단정하게; 빈틈없이; 착실하게. =きちんと. ¶~した職業 착실한[어엿한] 직업 / 仕事を~すます 일을 여무지게 끝내다 / ~座りなさい 단정하게 앉으세요 / ~立ちなさい 똑바로 서주세요 / ~並ぶ 나란히 정렬하다. **2** 확실히; 정확하게; 충분히; 분명히. ¶~知ってるぞ 다[뻔히] 알고 있단 말이다 / 勘定は~合っている 계산은 정확하게 맞는다 / 用意は~できている 준비는 충분히 되어 있다.

チャンネル [channel] 图 **1** 채널. =チャネル. ¶~を合わせる 채널을 맞추다. **2** 선택의 폭. ¶国民の選択の~を増やす 국민의 선택의 폭을 넓히다.

ちゃんばら 图〈俗〉**1** 칼싸움; 난투. =ちゃんちゃんばらばら. ¶~映画 (사극의) 칼싸움 영화. **2** 치고받는 싸움.

チャンピオン [champion] 图 챔피언. **1** 선수권 보유자; 우승자. ¶~フラッグ 우승기 / ~ベルト 챔피언 벨트. **2** (그 분야의) 제 1 인자.

ちゃんぽん 图 짬뽕. **1** 한데 섞음. ¶日本酒とビールを~に飲む 정종과 맥주를 섞어 마시다 / 日本語と英語を~に話す 일본말과 영어를 뒤섞어서 말하다. **2**〘料〙 중국 요리의 하나.

ちゆ【治癒】图 자自 치유. ¶病気の~に専念する 병 치유에 전념하다.

ちゆう【知勇】《智勇》图 지용; 지혜와 용기. ¶~兼備 지용 겸비 / ~にたけた将軍 지용에 뛰어난 장군.

ちゆう【知友】图 지우; 친구. =知己. ¶~関係 지우 관계.

ちゅう【中】중. 一图 **1** ㉠한가운데. ¶上~下 상중하. ㉡차례·계급·정도 등이 보통임; 중간. ¶~以下に下がる 중 이하로 떨어지다 / ~の品 중치의 물건 / ~ぐらいの成績 중간쯤되는 (평범한) 성적. **2** 치우치지 않음; 중용(中庸); 중도. ¶~を取る 중용을 취하다. **3** '中学校(=중학교)'의 준말. **4** '中国(=중국)'의 준말.

二接尾 **1** 가운데; 속; 안. ¶十~八九までは 십중팔구까지는. **2** 사이. ¶今週~ 금주 중. **3** 지금 그 상태에 있음; 도중. ¶お話し~ 이야기하는 도중; 통화 중 / 授業~に 수업 중에. **4** 과녁에 맞음. ¶百発百~ 백발백중.

***ちゅう**【宙】图 **1** 하늘; 허공; 공중. **2** (글씨를 보지 않고) 외어서 말함. =そら. ¶~で言えるように, よく覚える 보지 않고도 말할 수 있도록 잘 외다.

—に浮く **1** 공중으로 뜨다. ¶足が~ 발이 허공에 뜨다. **2** 중도에서 중단 상태가 되다; 엉거주춤한 상태다. ¶計画は宙に浮いたままだ 계획은 중단[흐지부지] 된 상태이다.

—に迷う 허공을 헤매다《어찌할 줄을 모르다》; 안정되지 못하다.

—を飛ぶ **1** 하늘을 날다. **2** 발이 땅에 닿지 않을 듯이 빨리 달리다. ¶宙を飛んで帰る 공중을 날듯이[부리나케] 돌아오다[가다].

ちゅう【忠】图 **1** 충실. **2** 군주를 섬기는 정성. ¶国に~, 親に孝 나라에는 충성, 어버이에게는 효도.

ちゅう【注】《註》图 주; 풀이; 주해. ¶論語の~ 논어 주해 / ~を付ける 주석을 달다.

ちゅう〖中〗教1 チュウ なか うち あたる | 중 가운데 | **1** 한가운데. ¶中心 중심. **2** 사이; 틈. ¶中間 중간. **3** 치우치지 않음. ¶中道 중도.

ちゅう〖仲〗教4 チュウ なか | 중 버금 | **1** 사람과 사람 사이. ¶仲介 중개 / 仲を裂く 둘 사이를 가르다; 이간질하다. **2** 둘째; 다음; 가운데. ¶仲兄 중형.

ちゅう〖虫〗《蟲》教1 チュウ むし | 충 벌레 | 벌레. ¶虫害 충해 / 寄生虫 기생충 / 昆虫 곤충.

ちゅう〖沖〗常用 チュウ おき | 충 바다 | 기슭에서 멀리 떨어진 바다나 호수. ¶沖合い 먼바다 / 沖釣り 바다 낚시.

ちゅう〖宙〗教6 チュウ | 주 집 | **1** 허공. ¶宇宙 우주. **2** 암기; 욈. ¶宙で読む 암기해서 읽다.

ちゅう〖忠〗教6 チュウ | 충 충성하다 | **1** 진실; 진심. ¶忠誠 충성. **2** 충성을 다하다. ¶忠節 충절.

ちゅう〖抽〗常用 チュウ ぬく ぬきんでる ひく | 추 빼내다 | 빼내다. ¶抽斗 서랍 / 抽籤 추첨 / 抽出 추출.

ちゅう〖注〗《注》教3 チュウ そそぐ つぐ さす | 주 흐르다 | **1** 쏟다. ¶注油 주유. **2** 집중하다. ¶注目 주목. **3** 지정해 만들다. ¶注文 주문. **4** 주석하다. ¶注釈 주석. 注意 '註'와 같음.

ちゅう〖昼〗《晝》教2 チュウ ひる | 주 낮 | **1** 낮. ¶昼夜 주야 / 白昼 백주 / 昼間 주간. **2** 정오 때. ¶昼食 주식; 점심 / 昼飯 점심.

ちゅう〖柱〗《柱》教3 チュウ はしら | 주 기둥 | 기둥. ¶柱石 주석 / 電柱 전주.

ちゅう〖衷〗常用 チュウ | 충 속옷 | **1** 치우치지 않다. ¶折衷 절충. **2** 성심. ¶衷心 충심 / 苦衷 고충.

ちゅう〖鋳〗《鑄》常用 チュウ いる｜주 부어 만들다｜거푸집에 부어 만들다. ¶ 鋳造 주조 / 鋳物 주물.

ちゅう〖駐〗《駐》常用 チュウ とどまる とどめる｜주 머무르다｜머무르다. ¶ 駐車 주차 / 駐在 주재 / 駐屯 주둔.

ちゅうい【中位】图 중위; 중간 정도〔위치〕. ¶ ～の成績 중위의 성적. ↔上位·下位.

ちゅうい【中尉】图〘軍〙(구일본군의)「중위.

**ちゅうい【注意】图⊠自 주의. ¶ ～を受ける〔与える〕 주의를 받다〔주다〕 / ～を怠る 주의를 게을리하다 / 足もとに～する 발밑을 조심하다.

—じんぶつ【—人物】图 요주의 인물.

—ぶか-い【—深い】形 매우 조심스럽다; 신중하다. ¶ ～·く点検する 주의 깊게 점검하다.

—ほう【—報】图〘氣〙주의보. ¶ 大雨〔濃霧〕～ 호우〔농무〕 주의보.

—りょく【—力】图 주의력. ¶ ～が散漫だ 주의력이 산만하다.

チューインガム [chewing gum] 图 추잉검; 껌. ＝ガム. ¶ ～をかむ 껌을 씹다.

**ちゅうおう【中央】图 중앙. ¶ ～部 중앙부 / ～暖房 중앙 난방 / ～の指示に従う 중앙의 지시에 따르다 / 市のほぼ～にある駅 시의 거의〔대체로〕 중앙에 있는 역.

—かんちょう【—官庁】图 중앙 관청.

—ぎんこう【—銀行】图 중앙은행. ¶ ～券 중앙은행권. ↔市中銀行.

—し【—紙】图 중앙지. ↔地方紙.

—しゅうけん【—集権】图 중앙 집권. ↔地方分権.

—しょりそうち【—処理装置】图〘컴〙 중앙 처리 장치《central processing unit의 역어》. ＝シーピーユー(CPU). ↔端末装置.

—せいふ【—政府】图 중앙 정부.

ちゅうおし【中押し】图 (바둑에서) 승패가 분명하여 중도에 돌을 던짐. ＝なかおし. ¶ ～勝ち 불계승 / ～で勝つ〔負ける〕 불계로 이기다〔지다〕.

ちゅうか【中華】图 **1** 중화; 중국인이 자기 나라를 가장 훌륭하다고 생각함; 또, 그 호칭. ¶ ～思想 중화 사상. **2** 중국. **3** '中華そば'의 준말.

—そば〖—蕎麦〗图〘料〙☞ラーメン.

—りょうり【—料理】图 중화 요리; 중국 요리; 청요리.

ちゅうかい【仲介】图⊠他 중개. ＝なかだち·あっせん. ¶ 株の売買を～する 주식 매매를 중개하다 / ～の労を取る 중개 역할을 하다 / ～を買って出る 중개를 자청하고 나서다.

ちゅうかい【注解】《註解》图⊠他 주해; 주석. ＝注釈. ¶ ～を施す 주석을 달다 / 初学者のために丁寧に～する 초학자를 위해 친절히 주해하다.

ちゅうがい【虫害】图 충해. ¶ ～がはげしい 충해가 심하다 / リンゴは～で不作だ 사과는 충해로 흉작이다.

ちゅうがえり【宙返り】图⊠自 **1** 공중제비; 재주넘기. ＝とんぼ返り. ¶ みごとに～(を)する 멋지게 공중제비를 하다. **2** 비행기의 (수직 방향) 공중 회전. ¶ ～して敵機の追撃をかわす 공중 회전하여 적기의 추격을 피하다.

ちゅうかく【中核】图 중핵; 중심; 핵심. ¶ 組織の～ 조직의 핵심.

ちゅうがく【中学】图 중학(교)《'中学校'의 준말》.

—せい【—生】图 중학생.

ちゅうがた【中型】图 중형; 중간 정도의 형(型). ↔大型·小型.

ちゅうがた【中形】图 **1** 중형. ¶ なべも大形·～·小形といろいろある 냄비도 대형·중형·소형으로 여러 가지가 있다. **2** 중간형의 무늬 이름; 또, 그런 무늬의 'ゆかた'. ¶ 四十近いから～では派手だろう 40이 가까우니까 중간형 무늬의 옷은 너무 요란스럽겠지. ⇔大形·小形.

*ちゅうがっこう【中学校】图 중학교.

*ちゅうかん【中間】图 중간. ¶ ～搾取 중간 착취 / ～試験〔報告〕 중간 시험〔보고〕 / ～地点で引き返した 중간 지점에서 되돌아왔다 / 両方の意見の～をとる 양쪽 의견의 중간을 취하다.

—し【—子】图〘理〙중간자. ＝メソン.

—しゅくしゅ【—宿主】图〘生〙중간 숙「주.

—しょく【—色】图〘美〙중간색.

ちゅうかん【昼間】图 주간; 낮. ＝ひるま. ¶ ～部 주간부. ↔夜間.

—じんこう【—人口】图 주간 인구.

ちゅうき【中期】图 중기; 중간 시기. ¶ 平安～ 平安 중기 / 中世～ 중세 중기. ↔前期·後期·初期·末期.

ちゅうき【注記】《註記》图⊠他 주기; 주를 닮; 또, 단 것. ¶ 上欄に～する 상란에 주기하다.

ちゅうぎ【忠義】名ナ 충의; 충절; 충성. ¶ ～な家臣 충성스러운 가신 / ～を尽くす 충성을 다하다.

—だて【—立て】图⊠自 **1** 끝까지 충의를 다함. ¶ いらざる～ 쓸데없는 충성. **2** 충성스러운 듯이 행동함.

*ちゅうきゅう【中級】图 중급. ¶ ～英語 중급 영어. ↔上級·下級·初級.

ちゅうきょう【中京】图 名古屋 시의「딴 이름.

ちゅうきょり【中距離】图 중거리. ¶ ～ミサイル 중거리 미사일 / ～競走 중거리 경주. ↔長距離·短距離.

ちゅうきん【忠勤】图 충근; 충실히 근무함. ¶ ～を励む 충실하게 근무에 힘쓰다.

ちゅうくう【中空】图 중공. **1** 중천. ＝なかぞら. ¶ ～の一角をさす 중천의

일각을 가리키다 / 月(つき)が~にかかる 달이 중천에 걸리다. **2** 속이 비어 있음. ＝がらんどう. ¶~になった古木(こぼく) 속이 빈 고목.

ちゅうぐらい【中ぐらい】《中位》图 중위; 중간 정도. ¶~の背丈(せたけ) 중간 정도의 키. 注意 'ちゅうくらい' 라고도 함.

***ちゅうけい**【中継】图ス他 중계. ＝なかつぎ. ¶なま~ 생중계 / 実況(じっきょう)~ 실황 중계 / ~車(しゃ) 중계차 / ~プレー 중계 플레이 / プロ野球(やきゅう)を~する 프로 야구를 중계하다.

―ほうそう【―放送】图ス他 중계방송.

***ちゅうけん**【中堅】图 중견. **1** 중심 인물. ¶~幹部(かんぶ)〔社員(しゃいん)〕 중견 간부〔사원〕. **2**〔野〕'中堅手(しゅ)'의 준말.

―しゅ【―手】图〔野〕중견수; 센터. ＝センター.

ちゅうけん【忠犬】图 충견; 충직한 개.

ちゅうげん【中元】图 중원; 음력 7월 15일; 백중날; 백중 때의 선물. ¶お~ 백중 때의 선물.

ちゅうげん【忠言】图ス自 충언; 충고. ＝忠告(ちゅうこく). ¶人(ひと)の~をきかない 남의 충언을 듣지 않다.

―耳(みみ)に逆(さか)らう 충언은 귀에 거슬린다.

ちゅうこ【中古】图 **1** 중고. ＝ちゅうぶる. ¶~で買(か)う 중고로 사다. **2** 중고 시대《일본에서는 상고와 근고(近古) 사이의 시대로 平安(へいあん) 시대에 해당함》.

―しゃ【―車】图 중고차. ↔新車(しんしゃ).

―ひん【―品】图 중고품. ＝セコハン. ¶~を買(か)う 중고품을 사다. ↔新品(しんぴん).

ちゅうこう【中興】图ス他 중흥. ¶~の祖(そ) (쇠퇴한 가문을) 중흥시킨 조상.

ちゅうこう【忠孝】图 충효. ¶~両全(りょうぜん) 충효겸전(兼全) / ~の道(みち) 충효의 길.

ちゅうこうせい【昼行性】图〔生〕주행성《주로 주간에 섭식·생식 따위의 활동을 하는 동물의 성질》. ↔夜行性(やこうせい).

ちゅうこうねん【中高年】图 중년과 노년. ¶~層(そう) 중년층과 노년층. ↔若年(じゃくねん).

***ちゅうこく**【忠告】图ス他 충고; 충언. ＝忠言(ちゅうげん). ¶友人(ゆうじん)として~する 친구로서 충고한다 / 彼(かれ)の~を受(う)け入(い)れる 그의 충고를 받아들이다.

ちゅうごく【中国】图 **1** 일본 本州(ほんしゅう)의 山陽(さんよう)·山陰(さんいん) 지방. **2** 중국《'中華(ちゅうか)人民(じんみん)共和国(きょうわこく)(＝중화 인민 공화국)'의 준말》. ¶~文学(ぶんがく) 중국 문학 / ~春蘭(しゅんらん) 중국 춘란.

―りょうり【―料理】图 중국 요리; 청요리. ＝中華(ちゅうか)料理.

ちゅうごし【中腰】图 엉거주춤한〔반쯤 일어선〕 자세. ¶~になって作業(さぎょう)をする 엉거주춤한 자세로 작업을 하다.

ちゅうさ【中佐】图〔軍〕(구일본군의) 중좌《중령(中領)에 해당》.

ちゅうざ【中座】图ス自 (담화·집회 등의) 도중에 자리를 뜸. ¶会議(かいぎ)途中(とちゅう)で~する 회의 도중에 자리를 뜨다.

***ちゅうさい**【仲裁】图ス他 중재. ＝調停(ちょうてい). ¶~裁定(さいてい) 중재 재정《노동 위원회가 노동 쟁의의 중재를 위하여 내린 판정》/ ~に入(はい)る 중재하다 / ~の労(ろう)を執(と)る 중재 역할을 맡다.

ちゅうざい【駐在】图ス自 **1** 주재. ¶海外(かいがい)に~する 해외에 주재하다. **2** ㉠'駐在所(しょ)'의 준말. ㉡〈俗〉파출소〔지서〕 순경. ¶~さん 파출소〔지서〕 순경.

―しょ【―所】图 **1** 주재소; 임지. **2** 파출소; 지서. 注意 바르게는 '巡査(じゅんさ)駐在所'.

ちゅうさんかいきゅう【中産階級】图 중산 계급. ＝中間(ちゅうかん)階級·プチブル(ジョア). ↔有産(ゆうさん)階級·無産(むさん)階級.

＊＊ちゅうし【中止】图ス他 중지. ¶予定(よてい)が~になる 예정이 중지되다 / 雨(あめ)のため~された 비 때문에 중지되었다.

―ほう【―法】图〔文法〕중지법《連用形(れんようけい)의 한 용법》. ＝連用(れんよう)中止法.

***ちゅうし**【注視】图ス他 주시; 주목. ＝注目(ちゅうもく). ¶満場(まんじょう)の~を浴(あ)びる 만장의 주시를 받다 / 群衆(ぐんしゅう)の動(うご)きを~する 군중의 움직임을 주시하다.

ちゅうじ【中耳】图〔生〕중이; 가운뎃귀. ¶~炎(えん) 중이염.

ちゅうじく【中軸】图 중축; 사물의 중심(이 되는 사람). ¶~打者(だしゃ) 중심 타자 / 会社(かいしゃ)の~となる 회사의 중심 인물이 되다.

***ちゅうじつ**【忠実】图ダナ 충실. ¶職務(しょくむ)に~だ 직무에 충실하다 / 原文(げんぶん)を~に訳(やく)す 원문을 충실하게 번역하다 / ~に働(はたら)く 충실히 일하다. ↔不実(ふじつ).

***ちゅうしゃ**【注射】图ス他 주사. ¶~針(ばり) 주삿바늘 / ~薬(やく) 주사약 / ~器(き) 주사기 / ~液(えき) 주사액 / 予防(よぼう)~をうつ 예방 주사를 놓다.

***ちゅうしゃ**【駐車】图ス自 주차. ¶~禁止(きんし) 주차 금지 / ~違反(いはん) 주차 위반.

―じょう【―場】图 주차장.

***ちゅうしゃく**【注釈】《註釈》图ス他 주석; 주해. ＝注(ちゅう)·注解(ちゅうかい). ¶~書(しょ) 주석서 / ~付(つ)きの本(ほん) 주석이 달린 책 / ~を付(つ)ける〔加(くわ)える〕 주석을 달다 / 古典(こてん)を~する 고전을 주석하다.

ちゅうしゅう【中秋】图 중추; 음력 8월 15일. ¶~名月(めいげつ) 중추명월.

ちゅうしゅう【仲秋】图 중추. **1** 가을의 한창때; 한가을. **2** 음력 8월의 딴 이름. ↔初秋(しょしゅう)·晩秋(ばんしゅう).

ちゅうしゅつ【抽出】图ス他 추출. ＝サンプリング. ¶~調査(ちょうさ) 추출 조사 / 無作為(むさくい)に~する 무작위로 추출하다.

ちゅうしゅん【仲春】图 중춘; 음력 2월. ↔初春(しょしゅん)·晩春(ばんしゅん).

***ちゅうじゅん**【中旬】图 중순. ¶今月(こんげつ)の~ 이달 중순. ↔上旬(じょうじゅん)·下旬(げじゅん).

ちゅうしょう【中傷】图ス他 중상. ¶~を受(う)ける 중상을 당하다 / ~によって失脚(しっきゃく)する 중상으로 실각하다.

ちゅうしょう【中小】图 중소.

―きぎょう【―企業】图 중소기업.

ちゅうしょう【中称】图〔文法〕중칭《말하는 사람으로부터 그리 멀리 떨어지지 않은 사물·방향·장소를 가리키는 데 쓰는 지시 대명사의 이름. 'それ·そっち·そこ·そちら·そいつ' 따위》. ↔近称·遠称.

***ちゅうしょう**【抽象】图ス他 추상. ¶～名詞 추상 명사/～画 추상화/～性 추상성. ↔具体·具象.

—か【—化】图ス他 추상화. ¶女性の姿を～した図案 여성의 자태를 추상화한 도안.

—てき【—的】ダナ 추상적. ¶～にとらえる 추상적으로 받아들이다/話が～で分からない 이야기가 추상적이어서 모르겠다. ↔具象的·具体的.

ちゅうじょう【中将】图 (일본 구육해군의) 중장.

***ちゅうしょく**【昼食·中食】图 주식; 중식; 점심. =ひるめし·ちゅうじき. ¶～をとる〔たべる〕 점심을 먹다. ↔朝食·夕食.

****ちゅうしん**【中心】图 중심. **1** 한가운데; 한복판. =まんなか. ¶円の～ 원의 중심/～から逸れる 중심에서 벗어나다〔빗나가다〕/～に線を引く 중심에 선을 긋다/ここを～にして回す 여기를 중심으로 해서 돌린다. **2** (문제가 되어 있는) 가장 중요한 곳〔사물〕. ¶～議題 중심 의제 / 政策〔改革〕の～に据える 정책〔개혁〕의 중심으로 삼다.

—がい【—街】图 (도시의) 중심가.

—じんぶつ【—人物】图 중심인물.

—ち【—地】图 중심지. ¶学芸〔文化〕の～ 학예〔문화〕의 중심지.

ちゅうしん【中震】图〔地〕중진; 집이 심하게 흔들리고 불안정하게 놓인 물건이 쓰러질 정도의 지진《진도(震度) 4》.

ちゅうしん【忠臣】图 충신. ↔逆臣.

—は二君に事えず 충신은 불사이군(不事二君).

ちゅうしん【衷心】图 충심; 충정. ¶～から哀悼の意を表します 충심으로 애도의 뜻을 표합니다.

ちゅうしんこく【中進国】图 중진국. ¶～並みの生活水準 중진국 정도의 생활수준.

ちゅうすい【注水】图ス自 물을 부음〔따름, 뿌림〕. ¶田に～する 논에 물을 대다/消防隊が～する 소방대가 물을 뿌리다.

ちゅうすい【虫垂】图〔生〕충수; 충양돌기(蟲様突起).

—えん【—炎】图〔醫〕충수염; 〈俗〉 맹장염.

ちゅうすう【中枢】图 중추. ¶脳の～ 뇌중추/社会の～ 사회의 중추.

—しんけい【—神経】图〔生〕중추 신경. ↔末梢神経.

ちゅうせい【中世】图 중세; (일본사에서는) 鎌倉·室町 시대의 일컬음.

ちゅうせい【中性】图 중성; 중간의 성질. **1** 남자 같은 여자; 또, 여자 같은 남자. ¶乱暴で～のような女 난폭하여 중성 같은 여자. **2**〔化〕산성도 알칼리성도 아닌 성질. ¶～土壌〔洗剤〕 중성 토양〔세제〕.

—し【—子】图〔理〕중성자《양자와 함께 원자핵을 구성함》. =ニュートロン. ¶～爆弾 중성자탄.

ちゅうせい【中正】图ダナ 중정; 한쪽에 치우치지 않고 옳음; 공정(함). ¶その意見は～を欠く 그 의견은 공정하지 않다.

ちゅうせい【忠誠】图 충성. =まごころ. ¶祖国への～を誓う 조국에 대한 충성을 맹세하다/～を尽くす 충성을 다하다.

ちゅうぜい【中背】图 중키. ¶中肉～ 보통 몸집에 중키.

ちゅうせき【柱石】图 주석; 기둥. ¶国家の～ 국가의 기둥.

ちゅうせき【沖積】图〔地〕충적; 흐르는 물에 의하여 토사가 쌓임. ¶～土 충적토/～層 충적층/～平野 충적 평야; 퇴적 평야.

—せい【—世】图〔地〕충적세. =完新世.

ちゅうせつ【忠節】图 충절. ¶～をつくす 충절을 다하다.

ちゅうぜつ【中絶】图ス自他 중절; 중단. ¶妊娠～ 임신 중절/病気のため研究を～する 신병 때문에 연구를 중단하다. 注意 좁은 뜻으로는 '妊娠中絶'를 가리킴. ↔持続.

ちゅうせん【抽選】《抽籤》图ス自 추첨. =くじびき. ¶～して順番をきめる 추첨해서 순번을 정하다/～に当たる 당첨되다. 注意 '抽選'으로 씀은 대용한자.

ちゅうぞう【鋳造】图ス他 주조. ¶活字を～する 활자를 주조하다. ↔鍛造.

ちゅうそつ【中卒】图 중졸(자); '中学卒業(=중학 졸업)'의 준말.

ちゅうたい【中退】图ス自 중퇴; '中途退学(=중도 퇴학)'의 준말. ¶大学を～する 대학을 중퇴하다.

ちゅうたい【中隊】图〔軍〕중대. ¶～に編制する 중대로 편제하다. ↔大隊·小隊.

ちゅうたい【紐帯】图 유대. ¶同盟諸国との～を堅くする 여러 동맹국들과의 유대를 견고히 하다. 注意 'じゅうたい'라고도 함.

ちゅうだん【中断】图ス自他 중단. ¶仕事を～する 일을 중단하다/試合が雨で～になる 경기가 비로 중단되다. ↔継続.

ちゅうだん【中段】图 중단. **1** 중간 정도의 단(段). ¶げた箱の～ 신발장의 중간 단〔칸〕. **2** 검도 자세의 하나. ¶太刀を～に構える 칼을 중단 자세로 겨누다. ↔上段·下段.

***ちゅうちょ**【躊躇】图ス自 주저; 망설임. =ためらい. ¶～なく行う 주저 없이 행하다/土壇場に来て～する 막판

에 와서 망설이다.

ちゅうづり【宙づり】《宙釣り》 名 공중에 매달림. ¶がけから～になる 절벽에서 공중에 매달리다 / ゴンドラが～になる 곤돌라가 공중에 매달리다.

ちゅうてつ【鋳鉄】名 주철.

ちゅうてん【中点】名〔數〕중점. ¶線分(せんぶん)の～ 선분의 중점.

ちゅうてん【中天】名 중천. ＝なかぞら. ¶月(つき)が～にかかる 달이 중천에 걸리다〔뜨다〕.

ちゅうてん【沖天】《冲天》名 충천. ¶～の勢(いきお)い 충천하는 기세.

ちゅうと【中途】名 중도. ¶～で倒(たお)れる〔やめる〕 중도에서 쓰러지다〔그만두다〕/ ～まで行(い)ってひき返(かえ)して来(き)た 중도〔도중〕까지 갔다가 되돌아왔다.

—**はんぱ**【—半端】名ダナ 중동무이; 엉거주춤함. ¶～な態度(たいど) 엉거주춤한 태도 / ～な人(ひと) 반거들충이.

ちゅうとう【中東】名〔地〕중동. ¶～戦争(せんそう) 중동 전쟁. ↔近東(きんとう)·極東(きょくとう).

ちゅうとう【中等】名 중등. ¶～学校(がっこう) 중등학교 / ～教育(きょういく) 중등 교육.

ちゅうとう【柱頭】名 주두. **1**〔建〕기둥머리; 대접받침. **2**〔植〕암술머리.

ちゅうどう【中道】名 **1** 도중; 중도. ＝中途(ちゅうと)·なかば. ¶～にして倒(たお)れる 중도에서 쓰러지다. **2** 중도; 중용(中庸). ¶～派(は) 중도파 / ～を歩(あゆ)む 중도를 걷다.

***ちゅうどく**【中毒】名ス自 중독. ¶食(しょく)～ 식중독 / 自家(じか)～ 자가 중독 / ガス～ 가스 중독 / ～になる 중독되다 / ～を起(お)こす 중독을 일으키다.

ちゅうとろ【中とろ】名 참치 살의 지방분이 약간 많은 듯한 부분《복부에 가까운 살》.

ちゅうとん【駐屯】名ス自 주둔. ＝駐留(ちゅうりゅう). ¶～軍(ぐん)〔部隊(ぶたい)〕 주둔군〔부대〕.

チューナー [tuner] 名 튜너; 동조기(同調器). ¶FM(エフエム)～ 에프엠 튜너.

ちゅうにく【中肉】名 **1** 알맞게 살이 찜. **2** 중치 고기. ¶牛(うし)の～ 중치 쇠고기.

—**ちゅうぜい**【—中背】名 중키에 살이 알맞게 찜.

ちゅうにち【中日】名 **1**〔佛〕피안(彼岸)의 7 일간의 중간 날《춘분과 추분》. **2** 어떤 날수의 (한)가운뎃날; 중간날. ＝なかび. ¶芝居(しばい)の～ 연극 (공연 기간)의 가운뎃 날.

ちゅうにち【中日】名 중일; 중국과 일본. ¶～友好(ゆうこう) 중일 우호.

ちゅうにゅう【注入】名ス他 주입. ¶～教育(きょういく) 주입(식) 교육 / オイルを～する 오일〔기름〕을 주입하다.

ちゅうにん【中人】名 (입장료·승차 요금 등의 구분에서) 대인과 소인의 중간《초등학생·중학생》. ＝ちゅうじん. ↔大人(だいにん)·小人(しょうにん).

ちゅうにん【仲人·中人】名 **1** 중재인(仲裁人). **2** 중매인(仲媒人). ＝なこうど. ¶～を立(た)てる 중매인을 세우다.

ちゅうねん【中年】名 중년. ¶～層(そう) 중년층 / ～の紳士(しんし) 중년 신사 / ～太(ぶと)り 중년이 되어 살이 찌는 일.

ちゅうのう【中農】名 중농. ¶～制(せい) 중농제. ↔大農(だいのう)·小農(しょうのう).

チューバ [tuba] 名〔樂〕튜바; 대형의 나팔로, 저음을 내는 악기.

ちゅうハイ [酎ハイ] 名 '焼酎(しょうちゅう)ハイボール'의 준말《소주에 탄산수를 탄 알코올 음료》.

ちゅうばいか【虫媒花】名〔植〕충매화; 곤충에 의하여 수분(受粉)되어 결실하는 꽃. ↔風媒花(ふうばいか)·鳥媒花(ちょうばいか).

ちゅうはば【中幅】名 중폭; 피륙 나비의 대폭과 소폭의 중간 폭《45 cm 정도》.

ちゅうばん【中盤】名 중반. ¶～戦(せん) 중반전 / 選挙戦(せんきょせん)も～にはいった 선거전도 중반에 접어들었다. ↔序盤(じょばん)·終盤(しゅうばん).

ちゅうび【中火】名 뭉근한 불과 괄한 불 중간 정도의 센 불. ¶肉(にく)を～で焼(や)く 고기를 중불로 굽다. ↔強火(つよび)·とろ火(び).

ちゅうぶ【中部】名 중부.

—**ちほう**【—地方】名 **1** 중부 지방. **2**〔地〕일본에서는 本州(ほんしゅう) 중앙부의 지방. ＝中部日本(にっぽん).

チューブ [tube] 名 튜브. **1** 관(管); 통(筒). **2** 납이나 비닐, 고무로 만든 길쭉한 통 모양의 용기. ¶～入(い)りの歯(は)みがき 튜브에 든 치약 / 自転車(じてんしゃ)の～ 자전거 튜브.

ちゅうふう【中風】名〔漢醫〕중풍. ＝風疾(ふうしつ)·中気(ちゅうき). ¶～にかかる 중풍에 걸리다. 注意 'ちゅうぶ(う)' 라고도 함.

ちゅうふく【中腹】名 중복; 산 중턱. ¶山(やま)の～ 산 중턱.

ちゅうぶとり【中太り】名ダナ 약간 뚱뚱함. ¶～な身体(しんたい) 약간 뚱뚱한 몸.

ちゅうぶらりん【宙ぶらりん·中ぶらりん】名ダナ **1** 어중간함; 이도 저도 아님. ¶～の状態(じょうたい) 어중간한 상태 / 予算(よさん)がなくて工事(こうじ)が～になる 예산이 없어서 공사가 중도에 흐지부지되다. **2** 공중에 매달린 모양. ¶人形(にんぎょう)が軒(のき)に～になっている 인형이 추녀에 매달려 있다.

ちゅうぶる【中古】名 중고. ＝ちゅうこ·セコハン. ¶～の品(しな) 중고품 / ～の自転車(じてんしゃ) 중고 자전거. ↔新品(しんぴん).

ちゅうべい【中米】名〔地〕중미. **1** 중앙아메리카. ↔北米(ほくべい)·南米(なんべい). **2** 중국과 미국.

ちゅうへん【中編】《中篇》名 중편. **1** 장편과 단편의 중간 분량의 것. ¶～小説(しょうせつ) 중편 소설. ↔短編(たんぺん)·長編(ちょうへん). **2** 3편 중의 중간 편; 전편과 후편 사이의 1편. ↔前編(ぜんぺん)·後編(こうへん).

ちゅうぼう [厨房] 名 주방; 부엌; 조리실. ＝だいどころ·料理室(りょうりしつ). ¶～用品(ようひん) 주방 용품.

ちゅうぼそ【中細】名 (털실 등의) 중 정도의 굵기. ¶～の毛糸(けいと) 중간 굵기의 털실. ↔ごくぼそ·ごくぶと.

ちゅうみつ [稠密] 名ナ ス自 조밀. ＝密集みっしゅう. ¶人口じんこう～地帯ちたい 인구 조밀 지대. 注意 'ちょうみつ'는 관용음.

*ちゅうもく【注目】名ス自他 주목. ¶～の的まとになる 주목의 대상이 되다 / ～に値あたいする 주목할 만하다 / 世よの～を浴あびる 세상의 주목을 받다.

**ちゅうもん【注文】《註文》名ス他 주문. 1 맞춤. ¶～をとる 주문을 받다 / ～して作つくる 주문해서 만들다 / 洋服ようふく〔コーヒー〕を～する 양복을〔커피를〕 주문하다. 2 희망; 조건. ¶～通どおりに行いけば結構けっこうだ 희망〔주문〕대로 되면 다행이다 / ～をつける 조건을 붙이다 / むずかしい〔無理むりな〕～を出だす 어려운〔무리한〕 주문을 제시하다.

—さき【—先】名 주문처; 거래선.

—ながれ【—流れ】名 주문품을 찾아가지 않음; 또, 그 물품. ¶～の洋服ようふく 맞추고 찾아가지 않은 양복.

ちゅうや【昼夜】名 주야. 1 밤과 낮. ¶～を分わかたず働はたらく 주야를 가리지 않고 일하다. 2《副詞적으로》 주야로; 밤낮으로; 늘. ¶～仕事しごとにはげむ 밤낮으로 일에 힘쓰다 / ～心こころを砕くだく 밤낮으로〔늘〕 마음을 쓰다.

—けんこう【—兼行】名ス自 주야겸행; 밤낮으로 쉬지 않고 계속 행함. ¶～で工事こうじを仕上しあげる 주야겸행하여 공사를 완성하다.

ちゅうゆ【注油】名ス自 주유. ¶～器き 주유기 / 軸受じくうけに～する 베어링에 주유하다.

ちゅうゆう【忠勇】名ナ 충용. ¶～無双むそうの兵士へいし 충용 무쌍한 병사.

ちゅうよう【中庸】名ナ 중용; 어느 쪽에도 치우치지 않고 중도를 지킴. ＝中正ちゅうせい・中道ちゅうどう. ¶～をえた行動こうどう 중용을 지킨 행동 / ～の人物じんぶつ 중용의 인물 / ～を守まもる 중용을 지키다.

*ちゅうりつ【中立】名ス自 중립. ¶～派は 중립파 / ～の立場たちば 중립적인 입장 / ～を堅かたく守まもる 중립을 굳게 지키다.

—こく【—国】名 중립국. ¶永世えいせい～ 영세 중립국.

—てき【—的】ダナ 중립적. ¶～な考かんがえ方かた 중립적인 사고방식.

チューリップ [tulip] 名〔植〕 튤립; 울금향. ＝うっこんこう.

ちゅうりゃく【中略】名ス他 중략. ¶～して次つぎに移うつる 중략하고 다음으로 옮기다. ↔上略じょうりゃく・下略げりゃく.

*ちゅうりゅう【中流】名 중류. ¶川かわの～に船ふねをうかべる 강의 중류에 배를 띄우다 / ～の家庭かてい 중류 가정 / ～意識いしき 중류 의식. ↔上流じょうりゅう・下流かりゅう.

ちゅうりゅう【駐留】名ス自 주류; 주둔. ¶外国がいこくの軍隊ぐんたいが～する 외국 군대가 주둔하다.

ちゅうりん【駐輪】名ス自 (역 앞 등에) 자전거를 세워 둠. ¶～場じょう 자전거(를 세워) 두는 곳.

*ちゅうわ【中和】중화. 一名ス自他 (산성과 알칼리성이) 서로 융합하여 그 특성을 잃음. ¶酸さんを塩基えんきで～する 산을 염기로 중화하다. 二名 치우침이 없이 올바르고 온화함.

ちよ【千代】名〈雅〉 천년; 영구; 영원. ¶～に八千代やちよに 천세 만세; 영원히.

ちょ【著】名 저; 저술; 저서. ¶A氏エーしの～ A씨의 저서.

ちょ【緒】名 처음; 실마리. ＝はじめ・いとぐち. 注意 'しょ'의 관용음.

—に就つく 일에 착수하다. ¶工事こうじはその緒についたばかりだ 공사는 이제 막 착수했을 따름이다.

=ちょ〈俗〉《名詞・形容詞의 어간에 붙여서》 …한 사람; …인 것. ¶太ふとっ～ 뚱뚱보 / 横よこっ～ 옆댕이; 측면.

ちょ〖著〗《著》教6 チョ チャク いちじるしい きる あらわす つく | 저 나타나다 | 1 확실히 알려지다. ¶顕著けんちょ 현저. 2 저술하다; 또, 저서. ¶著者ちょしゃ 저자 / 共著きょうちょ 공저. 参考 'きる(=입다)・つく(=닿다)'의 뜻인 'チャク'로 읽을 때는 흔히 '著'의 속자인 '着'를 씀.

ちょ〖貯〗教4 チョ たくわえる | 저 쌓다 | 저축하다. ¶貯金ちょきん 저금 / 貯水池ちょすいち 저수지.

ちょいちょい 副〈俗〉 때때로; 가끔. ＝たびたび・しばしば. ¶～訪問ほうもんする 때때로 방문하다 / 彼かれは～学校がっこうを休やすむ 그는 가끔 학교를 쉰다.

ちょいと 一副〈俗〉 조금; 약간. ¶～参まいったな (이것) 좀 난처하게 됐는데 / ～感心かんしんした 조금 감탄했다 / ～寄よってみる 잠시 들러보다. 二感 여성이 친근한 사람을 부르는 말: 이봐요. ¶ねえ, ～ 저 이봐요 / ～, おまえさん 잠깐 나 좀 봐요.

ちょう【丁】一名 (주사위 눈의) 짝수(《흔히 도박에서 쓰는 말》). ¶～か, 半はんか 짝수나 홀수나. ↔半はん.

二接尾《수를 나타내는 말에 붙어서》 1 (재래식 제본법에 의한) 책의 장수를 세는 말: 장(《안팎 2 페이지》). 注意 '張'의 대용 한자. 2 두부・곤약을 세는 말: 모. ¶とうふ一いっ～ 두부 한 모. 3 요리 한 접시〔그릇〕 따위를 세는 말: 그릇; 접시. ¶一いっ～あがり 한 그릇 다 됐습니다(《요리사가 하는 말》). 4 시가지의 구분: 가(街). ¶二に～目め 2가. 5 '挺ちょう'의 대용 한자. ¶ピストル二に～ 권총 두 자루 / くわ一いっ～ 괭이 한 자루.

ちょう【町】名 지방 자치 단체의 하나(《市し와 村そん의 중간 단위》). ＝まち.

ちょう【兆】名 조. 1 1억의 1만 배. 2 수가 많음. 3 징후; 조짐. ¶低落ていらくの～ 저락할 조짐 / 不穏ふおんの～ 불온한 일이 일어날 조짐.

ちょう [寵] 名 사랑함; 총애. ¶上役うわやくの～をうける 상사의 굄을 받다.

ちょう【長】名 장. 1 우두머리. ＝かし

ら. ¶一家の～ 가장(家長) / 人の～たる器 남 위에 설 만한 그릇〔인물〕. **2** 나이가 많음; 연상임. ¶五年の～ 5년 연상임. **3** 장점. ¶一日の～がある 일일지장이 있다; 조금 낫다 / ～を採り短を捨てる 장점을 취하고 단점을 버리다. ↔短.

***ちょう【腸】**图 장; 창자. ＝はらわた. ¶～が強い 장이 튼튼하다.

ちょう〖蝶〗图〘蟲〙나비. ＝ちょうちょう·ちょうちょ.

—よ花よ 아이를 귀여워하는 모양: 금이야 옥이야《주로 여아(女兒)를 이름》. ¶～と育てる 금이야 옥이야 하고 키우다.

ちょう=【超】 초…; 뛰어난 모양. ¶～特急 초특급 / ～高速 초고속.

=ちょう【庁】 …청; 관청을 나타내는 말. ¶警察～ 경찰청 / 検察～ 검찰청 / 防衛～ 방위청.

=ちょう【張】 **1** 활·현악기 등, 줄〔현(弦)〕을 맨 것을 세는 말. ¶弓五～ 활 다섯 개. **2** 휘장·막 등 드리운 것을 세는 말. ¶かや一～ 모기장 한 장.

ちょう〖弔〗 [常用] チョウ とむらう | 조 조상하다 | 조상하다; 영혼을 위로하다. ¶慶弔 경조 / 弔意 조의.

ちょう〖庁〗⸨廳⸩ [教6] チョウ | 청 마을 | **1** 관청. ¶庁舎 청사 / 閻魔の庁 복마전. **2** 일본 국가 행정 조직법에 따른 외국(外局)의 하나. ¶水産庁 수산청 / 警視庁 경시청.

ちょう〖兆〗 [教4] チョウ きざし きざす | 조 조 | **1** 징조가 보임. ¶前兆 전조 / 吉兆 길조. **2** 수의 단위; 조. ¶一兆円の予算 1조 엔의 예산.

ちょう〖町〗 [教1] チョウ まち | 정 밭두둑 | **1** 지방 자치 단체의 하나《우리 나라의 '읍'에 해당함》. ¶市町村 시읍면 / 町長 읍장. **2** 시가지를 구획한 지역명. ¶有楽町であいましょう 有楽町에서 만납시다.

ちょう〖長〗 [教2] チョウ ながい たける おさ | 장 길다 | **1** 우두머리. ¶長官 장관 / 社長 사장. **2** 나이가 많음. ¶年長 연장 / 長者 장자. **3** 낫다. ¶長所 장점.

ちょう〖挑〗 [常用] チョウ トウ いどむ | 돋 돋우다 | **1** 싸움을 걸다. ¶挑戦 도전 / 挑発 도발. **2** 달다. ¶挑灯·挑ちん 조등; 등불을 돋움; 등불을 닮; 또, 등불.

ちょう〖帳〗 [教3] チョウ とばり | 장 휘장 | **1** 휘장. ¶蚊帳 모기장 / 帳幕 장막. **2** 장부. ¶帳簿 장부 / 通帳 통장 / 台帳 대장 / 雑記帳 잡기장.

ちょう〖張〗 [教3] チョウ はる | 장 활시위얹다 | **1** 펴다; 펴 넓히다. ¶拡張 확장 / 緊張 긴장. **2** 과장하다. ¶誇張 과장. **3** 주장하다. ¶主張 주장.

ちょう〖彫〗⸨彫⸩ [常用] チョウ ほる きざむ | 조 새기다 | 새기다; 아롱지게 새기다. ¶彫刻 조각 / 彫飾 조식.

ちょう〖眺〗 [常用] チョウ ながめる | 조 바라보다 | 바라보다. ¶眺望 조망.

ちょう〖頂〗 [教6] チョウ いただき いただく | 정 꼭대기 | **1** 머리의 맨 꼭대기. ¶頂門の一針 정문의 일침《아픈 곳을 찌른다는 뜻》. **2** 꼭대기. ¶山頂 산정 / 絶頂 절정.

ちょう〖鳥〗 [教2] チョウ とり | 조 새 | 새. ¶鳥類 조류 / 益鳥 익조.

ちょう〖塚〗⸨塚⸩ [常用] チョウ つか | 총 무덤 | **1** 무덤. ¶塚穴 묘혈. **2** 흙무더기. ¶貝塚 패총; 조개무지.

ちょう〖釣〗⸨釣⸩ [常用] チョウ つる | 조 낚시 | **1** 낚시질하다. ¶釣魚 조어 / 釣竿 조간; 낚싯대. **2** 매달다. ¶釣り鐘 조종.

ちょう〖朝〗⸨朝⸩ [教2] チョウ あさ あした | 조 아침 | **1** 아침. ¶朝夕 조석 / 朝令暮改 조령모개. ↔夕. **2** 조정. ¶朝見 조현 / 朝臣 조신 / 王朝 왕조. ↔野.

ちょう〖脹〗 [常用] チョウ ふくれる はれる | 창 배부르다 | **1** 배가 부풀어 오르다. ¶脹満 창만. **2** 팽창하다. ¶鼓脹 고창.

ちょう〖超〗 [常用] チョウ こす こえる | 초 뛰어넘다 | **1** 넘어가다. ¶超過 초과 / 入超 입초. **2** 뛰어나다; 월등. ¶超凡 초범 / 超満員 초만원.

ちょう〖腸〗 [教4] チョウ はらわた | 장 창자 | 장. **1** 창자. ¶盲腸 맹장. **2** 감정이 깃든 곳; 마음. ¶断腸の思い 단장의 느낌.

ちょう〖跳〗 [常用] チョウ はねる とぶ おどる | 도 뛰다 | **1** 기뻐 날뛰다. ¶跳舞 도무. **2** 뛰어오르다. ¶跳躍 도약 / 跳梁 도량.

ちょう〖徴〗⸨徵⸩ [常用] チョウ チ しるし めす | 징 부르다 | **1** 호출하다; 구(求)하다. ¶徴集 징집 / 増徴 증징. **2** 징조; 낌새. ¶徴候 징후.

ちょう〖澄〗 [常用] チョウ すむ すます | 징 맑다 | 물이 맑다. ¶清澄 청징.

ちょう〖潮〗⸨潮⸩ [教6] チョウ しお うしお |

조 | 조수 | **1** 바닷물; 조수. ¶潮流 조류/満潮 만조. **2** 세상 정세나 생각의 경향. ¶思潮 사조.

ちょう〘調〙《調》 教3 チョウ しらべる ととのえる

ととのう | 조 고르다 | **1** 조절되다. ¶調停 조정. **2** ㉠말의 음수(音數)에 따르는 가락. ¶七五調 7·5조. ㉡음악의 장단. ¶長調 장조. **3** 조사하다. ¶調書 조서.

ちょう〘聴〙《聽》 常用 チョウ きく ゆるす

청 | 듣다 | **1** 듣다. ¶聴講 청강. **2** 청을 들어주다. ¶聴許 청허.

ちょう〘懲〙《懲》 常用 チョウ こらす こらしめる

こりる | 징 징계하다 | 징계하다. ¶懲罰 징벌/懲役 징역.

ちょうあい [寵愛] 图 ス他 총애. ¶深く～する 매우 총애하다/皇帝の～を一身に受ける 황제의 총애를 한몸에 받다.

ちょうあい【帳合】图 ス自他 **1** (현금이나 상품과 장부를) 대조하여 계산을 확인함. **2** 장부에 기입함; 치부함. ¶この店は～が厳格だ 이 상점은 기장(記帳)을 엄격히 한다.

━を取る 장부에 기입하여 손익을 계산하다.

ちょうい【弔意】图 조의. ¶～を表わす 조의를 표하다.

ちょうい【弔慰】图 ス他 조위. ¶～金を送る 조위금을 보내다.

ちょうい【潮位】图 조위; 조수 간만에 의한 해수의 높이. ¶満潮時の～ 만조시의 조위/～が上がる 조위가 높아지다.

ちょういん【調印】图 ス他 조인. ¶～式 조인식/条約の～を終えた 조약의 조인을 마쳤다/休戦協定に～する 휴전 협정에 조인하다.

***ちょうえき**【懲役】图 징역. ¶～囚 징역수/無期～ 무기 징역/三年の～をおえる 3년(의) 징역을 마치다.

***ちょうえつ**【超越】图 ス自他 초월. ¶利害を～する 이해를 초월하다/人知を～する 인지를 초월하다/彼の識見は世人に～する 그의 식견은 세상 사람들보다 월등하다.

━てき【━的】ダナ 초월적. ¶～な存在 초월적인 존재/科学が発達しても～な心のよりどころがほしい 과학이 발달되었어도 초월적인 마음의 지주가 아쉽다.

ちょうえん【長円】图 ☞だえん. 注意 '楕円(＝타원)'의 고친 이름.

ちょうえん【腸炎】图〘醫〙장염.

━ビブリオ [도 Vibrio] 图〘醫〙장염 비브리오; 여름에, 생선이나 조개류 등으로 인한 식중독을 일으키는 병원균.

ちょうおん【長音】图 장음. ↔短音.

━ふごう【━符号】图 장음 부호; 긴소리표. ＝音引き·長音符.

ちょうおんかい【長音階】图〘樂〙장음계. ↔短音階.

ちょうおんそく【超音速】图 초음속. ¶～機〔旅客機〕 초음속기〔여객기〕.

ちょうおんぱ【超音波】图 초음파. ¶～測深機〔内視鏡〕 초음파 측심기〔내시경〕.

ちょうか【弔花】图 조화. ¶～を贈る 조화를 바치다.

ちょうか【弔歌】图 조가. ¶霊前に～を捧げる 영전에 조가를 바치다.

ちょうか【町家】图 **1** 장사꾼의 집. ¶～の出 장사꾼 출신. **2** 상가(商街)에 있는 집; 저자. ＝町家. ¶～が立て込んでいる 저자가 빽빽이 들어서 있다.

ちょうか【超過】图 ス自 초과. ¶～料金 초과 요금/予定を～する 예정을 초과하다.

━きんむてあて【━勤務手当】图 초과 근무 수당. ＝超勤手当.

ちょうか【長歌】图 **1** 和歌의 한 형식《5·7의 구를 반복하다가 맨 뒤는 7·7의 구로 맺는 시가(詩歌)》. ＝ながうた. **2** 장편의 시가. ⇔短歌.

ちょうか【釣果】图 조황(釣況); 낚시질의 성과. ¶～はゼロだ 조황은 제로다; 한 마리도 못 잡았다.

ちょうかい【懲戒】图 ス他 징계. ¶～処分 징계 처분/～免職 징계 면직.

ちょうかい【町会】图 **1** '町議会'의 구칭. **2** 町의 일을 협의·실행하는 자치회. ＝町内会.

ちょうかい【朝会】图 조회; 조례의 모임.

ちょうかく【弔客】图 조(문)객; 문상객. ＝ちょうきゃく. ¶～が訪れる 조(문)객이 찾아오다.

ちょうかく【聴覚】图〘生〙청각. ¶～が鋭い 청각이 예민하다/～を失う 청각을 잃다.

━しょうがい【━障害】图 청각 장애. ¶～者 청각 장애인.

***ちょうかん**【朝刊】图 조간. ¶～に目を通す 조간을 훑어보다. ↔夕刊.

ちょうかん【長官】图 장관; '文化庁(＝문화청)'와 같이 '庁(＝청)'가 붙은 관청의 우두머리. ¶防衛庁～ 방위청 장관.

ちょうかん [鳥瞰] 图 ス他 조감. ＝俯瞰. ¶世界情勢を～する 세계정세를 조감하다.

━ず【━図】图 조감도. ＝俯瞰図.

ちょうき [寵姫] 图 총희; 귀인의 사랑을 받는 시녀.

ちょうき【弔旗】图 조기. ¶～を掲げる 조기를 달다.

ちょうき【長期】图 장기. ¶～計画 장기 계획/～予報 장기 예보/～にわたる干魃 장기에 걸친 한발. ↔短期.

ちょうぎかい【町議会】图 町의회《지방자치 단체인 町의 의결기관》.

ちょうきゃく【弔客】图 ☞ちょうかく.

ちょうきゅう【長久】图 장구; 영구. ¶武運～を祈る 무운 장구를 빌다.

ちょうきょう【調教】名ス他 조교; 짐승을 훈련시킴. ¶ ~師(し) 조련사(調鍊師) / とらを~する 호랑이를 조교하다.

ちょうきょり【長距離】名 장거리. ¶ ~電話(でんわ)〔競走(きょうそう)〕 장거리 전화〔경주〕. ↔短距離(たんきょり)·中距離(ちゅうきょり).

ちょうきん【彫金】名ス自 조금; 끌로 금속에 조각함; 또, 그 기술. ¶ ~師(し)〔工(こう)〕 조금사〔공〕.

ちょうく【長駆】名ス自 **1** 장구; 멀리까지 말을 달림. ¶ ナポレオンの軍隊(ぐんたい)は~イタリアに侵入(しんにゅう)した 나폴레옹 군대는 멀리 말을 달려 이탈리아에 침입했다. **2** 먼 거리를 단숨에 달림. ¶ 一塁(いちるい)から~ホームインする 일루에서 단숨에 달려 홈인하다.

ちょうく[長軀]名 장구; 장신. =長身(ちょうしん). ¶ 痩身(そうしん)~ 몸이 여위고 키가 큼. ↔短軀(たんく).

ちょうぐ【釣具】名 조구; 낚시 도구.

ちょうけい【長兄】名 장형; 맏형; 큰형. ↔次兄(じけい).

ちょうけい【長径】名〔數〕 장경; (타원형에서) 긴지름. ↔短径(たんけい).

ちょうけし【帳消し】名ス他 삭침. **1** (셈이 다 끝나서) 장부의 기록을 지움; 탕침. ¶ ~になる 대차(貸借) 없이 되다; 채무가 소멸하다. **2** 상쇄하고 남음이 없음; 에낌. ¶ せっかくの名声(めいせい)が今回(こんかい)の愚行(ぐこう)で~になった 모처럼의 명성이 이번의 우행으로 에끼고 말았다.

ちょうけつ【長欠】《長缺》名ス自 '長期欠席(ちょうきけっせき)(=장기 결석)·長期欠勤(けっきん)(=장기 결근)'의 준말. ¶ 病気(びょうき)で~する 병으로 장기 결석〔결근〕하다.

ちょうけん【長剣】名 **1** 장검; 긴 칼. **2** (시계의) 장침. =分針(ふんしん). ⇔短剣(たんけん).

ちょうげんじつ【超現実】名 초현실.

──てき【──的】ダナ 초현실적. ¶ ~発想(はっそう) 비현실적 발상.

***ちょうこう**【兆候·徵候】名 징후; 징조; 조짐. =きざし·前(まえ)ぶれ. ¶ 凶作(きょうさく)の~ 흉작의 조짐 / インフレの~が見(み)られる 인플레이션 징후가 보인다.

ちょうこう【朝貢】名ス自 조공.

ちょうこう【聴講】名ス他 청강. ¶ ~生(せい) 청강생 / 一回(いっかい)も休(やす)まず~する 한번도 거르지 않고 청강하다.

ちょうこう【長考】名ス自 장고; 오래 생각함. ¶ ~にふける 오랫동안 생각에 잠기다 / むずかしい局面(きょくめん)で~する 어려운 국면에서 장고하다.

ちょうごう【調合】名ス他 조합; (약 등을) 조제함. ¶ ~香料(こうりょう) 조제〔인공〕 향료 / 薬(くすり)を~する 약을 조제하다.

ちょうこうぜつ【長広舌】名 장광설. =広長舌(こうちょうぜつ)·長舌(ちょうぜつ). ¶ ~を振(ふ)るう 장광설을 늘어놓다.

ちょうこうそう【超高層】名 초고층.

──ビル名 초고층 빌딩《일반적으로 높이는 100m 이상, 층수는 30층 이상의 빌딩을 말함》. ▷building.

ちょうこうそくど【超高速度】名 초고속도. ¶ ~撮影(さつえい) 초고속도 촬영.

***ちょうこく**【彫刻】名ス他 조각. ¶ ~刀(とう) 조각칼 / ~師(し) 조각사 / 象牙(ぞうげ)に~する 상아에 조각하다 / 仏像(ぶつぞう)を~する 불상을 조각하다.

ちょうこく【超克】名ス自他 초극; 곤란을 극복함. ¶ 苦境(くきょう)を~する 곤경을 극복하다.

ちょうさ【調査】名ス他 조사. ¶ ~資料(しりょう) 조사 자료 / 事前(じぜん)の行(ゆ)き届(とど)いた~ 사전의 철저한 조사 / ~を行(おこな)う 조사하다 / ~が進(すす)む 조사가 진척되다 / ~を進(すす)める 조사를 진행하다 / ~に乗(の)り出(だ)す 조사에 나서다.

ちょうざ【長座】《長坐》名ス自 장시간 그 자리에 있음. =長居(ながい). ¶ 思(おも)わぬ~を致(いた)しました 뜻하지 않게 오래 앉아 있었습니다.

ちょうざい【調剤】名ス自 조제. ¶ ~室(しつ) 조제실 / 薬(くすり)を~する 약을 조제하다.

──し【──師】名 조제사; 약사.

ちょうざめ〖蝶鮫〗名〔魚〕 용상어.

ちょうさんぼし【朝三暮四】名 조삼모사. **1** 눈앞의 차이에만 구애되어 그 결과가 같음을 모름. **2** 그럴듯한 말로 남을 속임. ¶ 政治(せいじ)がいわゆる~に陥(おちい)ってはならない 정치가 소위 조삼모사, 곧 그럴듯한 말로 남을 속이는 일에 빠져서는 안된다.

──てき【──的】ダナ 조삼모사적. ¶ 政府(せいふ)の~な態度(たいど)を攻撃(こうげき)する 정부의 조삼모사적인 태도를 공격하다.

ちょうし【弔詞】名 ☞ちょうじ(弔辭).

ちょうし【弔詩】名 조시.

ちょうし【聴視】名ス他 시청. ¶ ~料(りょう) 시청료 / テレビの~者(しゃ) TV 시청자.

ちょうし【調子】名 **1** 가락. ㉠곡조; 장단. ¶ ~が合(あ)っていない 가락이 맞지 않는다. ㉡상태; 기세. ¶ 機械(きかい)の~が悪(わる)い 기계 상태가 나쁘다 / ~をつける 기세를 돋우다. ㉢(사물이) 궤도에 오름. ¶ ようやく~が出(で)る 점차 가락이 나다; 점차 본궤도에 오르다. **2** (겉으로 나타내는) 기색; 태도; 말투. ¶ いつもの彼(かれ)とは~がなんとなく違(ちが)う 여느 때의 그와는 어딘가 좀 다르다 / いらいらした~で話(はな)す 초조하고 불안한 말투로 이야기하다. **3** (방)식; 요령. ¶ ~を飲(の)み込(こ)む 요령을 터득하다 / その~, その~でやれ 바로 그 식〔요령〕으로 해라. **4** 격조; 정도. ¶ ~の高(たか)い作品(さくひん) 격조 높은 작품 / ~を下(さ)げる 정도를 낮추다. **5** (그 사람의 말·문장이 갖는) 독특한 스타일; 표현; 투; 논조. ¶ 原文(げんぶん)の~を生(い)かした翻訳(ほんやく) 원문의 표현을 살린 번역.

──がいい **1** 약삭빠르다; 지나치게 요령이 좋다; 비위를 잘 맞추다. **2** 몸·기계 등의 상태가 좋다; 일이 순조롭게 진척되다. ¶ 体(からだ)の~ 몸의 컨디션이 좋다.

──に乗(の)る **1** 일이 순조로이 진행되다

〔본궤도에 오르다〕. 2 우쭐해지다; 신명이 나다. ¶調子に乗ってふざける 우쭐해져서 까불다.

──を合(あ)わせる 1 장단〔가락〕을 맞추다. 2 기계의 움직임 따위를 조정하다. 3 상대방의 태도·생각·기분에 맞추다; 맞장구치다. ¶適当(てきとう)に調子を合わせて話(はなし)を聞(き)いた 적당히 맞장구를 치며 얘기를 들었다.

──づ-く [5自] 가락이 나다; 궤도에 오르다; 전하여, 우쭐해지다. ¶おだてるとすぐ~人(ひと) 치켜세우면 금방 우쭐해지는 사람.

──はずれ【──外れ】[名ナ] 1 가락이 맞지 않음. ¶~な声(こえ)でうたう 가락이 맞지 않은 소리로 노래하다. 2 표현·행동이 보통과 달라 이상함. ¶~なことばかりいう 빗나간 소리만 하다.

ちょうし『銚子』[名] 주기(酒器)의 일종. 1 거위병; 술병. =とくり. ¶お~をつける 술을 데우다. 2 (술을 따르기 위한 긴 자루가 달린) 귀때 그릇.

ちょうじ[寵児][名] 총아. =秘蔵(ひぞう)っ子(こ)·人気者(にんきもの)·流行児(りゅうこうじ). ¶時代(じだい)〔政界(せいかい)〕の~ 시대〔정계〕의 총아.

ちょうじ【弔辞】[名] 조사. =弔詞(ちょうし). ¶~を読(よ)む 조사를 읽다.

ちょうしぜん【超自然】[名] 초자연. ¶~の現象(げんしょう) 초자연적인 현상/~的(てき) 초자연적.

ちょうじめ【帳締め】[名スル他] 결산.

ちょうしゃ【庁舎】[名] 청사. ¶合同(ごうどう)~を移(うつ)す 합동 청사를 옮기다.

ちょうじゃ【長者】[名] 장자. 1 연장자; 손윗사람. ¶氏(うじ)の~ 씨족의 장자. 2 부호; 갑부. =かねもち. ¶百万(ひゃくまん)~ 백만장자/~番付(ばんづけ) 부호 순위(표). [注意] 1은 'ちょうしゃ'라고도 함.

──の万灯(まんとう)より貧者(ひんじゃ)の一灯(いっとう) 장자의 만 등보다 빈자의 한 등; 빈자의 일등《물질의 다소보다는 정성이 중요함》.

ちょうしゅ【聴取】[名スル他] 청취. 1 (사정을 잘) 들음. ¶被害者(ひがいしゃ)から事情(じじょう)を~する 피해자로부터 사정을 청취하다. 2 라디오 방송을 들음. ¶~料(りょう) 청취료/~者(しゃ) 청취자/~率(りつ) 청취율.

ちょうじゅ【長寿】[名] 장수. =長生(ながい)き. ¶~番組(ばんぐみ) (라디오·텔레비전의) 장수 프로/不老(ふろう)~ 불로장수/~を保(たも)つ 장수를 누리다.

***ちょうしゅう**【徴収】[名スル他] 징수. ¶源泉(げんせん)~ 원천 징수/税金(ぜいきん)を~する 세금을 징수하다.

ちょうしゅう【徴集】[名スル他] 징집. ¶壮丁(そうてい)を~する 장정을 징집하다.

ちょうしゅう【聴衆】[名] 청중. ¶~が騒(さわ)ぎ出(だ)す 청중이 떠들기〔동요하기〕 시작하다.

ちょうじゅう【鳥獣】[名] 조수; 금수. ¶~でさえ親子(おやこ)の情(じょう)はある 금수조차도 어미 새끼의 정은 있다.

──ほごく【──保護区】[名] 조수 보호구.

ちょうしょ【調書】[名] 조서. ¶尋問(じんもん)~ 신문 조서/容疑者(ようぎしゃ)から~を取(と)る 용의자로부터 조서를 받다.

***ちょうしょ**【長所】[名] 장점; 미점. =美点(びてん)·メリット. ¶~を生(い)かす〔伸(の)ばす〕 장점을 살리다〔키우다〕/どんな人(ひと)にも何(なに)か~がある 어떤 사람에게도 무엇인가 장점이 있다. ↔短所(たんしょ).

ちょうじょ【長女】[名] 장녀; 맏딸.

ちょうしょう【弔鐘】[名] 조종. ¶~が鳴(な)る 조종이 울리다.

ちょうしょう[嘲笑][名スル他] 조소; 비웃음. ¶世間(せけん)の~の的(まと)となる 세상의 조소거리가 되다/人々(ひとびと)の~を買(か)う 사람들의 조소를 사다〔받다〕/あからさまに~する 드러내 놓고 비웃다.

***ちょうじょう**【頂上】[名] 정상; 절정. =てっぺん. ¶~会談(かいだん) 정상 회담/富士山(ふじさん)の~に登(のぼ)る 富士 산의 정상에 오르다/彼(かれ)の人気(にんき)も今(いま)が~だ 그의 인기도 지금이 절정이다.

***ちょうしょく**【朝食】[名] 조식; 조반. =あさめし. ¶~をとる 아침 식사를 하다. ⇨ちゅうしょく·ゆうしょく.

ちょうじり【帳じり】《帳尻》[名] 장부끝; 기재된 장부의 끝; 전하여, 결산의 결과. ¶~があう 결산이 맞다/~を合(あ)わせる 결산을 맞추다; 이야기의 앞뒤〔조리〕를 맞추다.

ちょう-じる【長じる】[上1自] ☞ちょう(長)ずる.

ちょうしん【聴診】[名スル他] 청진. ¶~器(き) 청진기/胎児(たいじ)の心音(しんおん)を~する 태아의 심장 소리를 청진하다.

ちょうしん【長身】[名] 장신. =長軀(ちょうく). ¶~の男(おとこ) 장신의 남자/~瘦軀(そうく) 장신 수구. ↔短身(たんしん).

ちょうしん【長針】[名] (시계의) 장침; 분침. ↔短針(たんしん).

ちょうじん【超人】[名] 초인. =スーパーマン.

──てき【──的】[ダナ] 초인적. ¶~な体力(たいりょく) 초인적인 체력.

ちょうず『手水』[名] 1 세숫물. ¶~を使(つか)う 손이나 얼굴을 씻다. [参考] 'てみず'의 전와(轉訛). 2 변소; 용변. ¶~に行(い)く 변소에 가다/~に立(た)つ 용변 보러 가다/お~はどちらですか 화장실은 어디 있습니까.

──ば【──場】[名] 1 변소 옆의 손 씻는 곳. 2 변소.

──ばち【──鉢】[名] 손 씻을 물을 떠놓는 푼주.

ちょう-する【徴する】[サ変他] 1 …에 비추어 보다; 증거를 구하다. ¶歴史(れきし)に~·してもあきらかである 역사에 비추어 보아도 분명하다. 2 (요)구하다. ¶各方面(かくほうめん)の意見(いけん)を~ 각 방면의 의견을 구하다. 3 불러 모으다. ¶兵(へい)を~ 군사를 징집하다. 4 (세금 등을) 거두다; 징수하다. ¶税(ぜい)を~ 세금을 거두다.

ちょう-ずる【長ずる】[サ変自] 1 성장하다; 크다. ¶~·じて実業(じつぎょう)に就(つ)く 커서 실업에 종사하다/~にしたがってますます母(はは)に似(に)てきた 장성함에 따라

더욱더 어머니를 닮아 갔다. **2** 뛰어나다. ¶技芸(ぎげい)〔一芸(いちげい)〕に～ 기예〔한 가지 재주〕에 뛰어나다. **3** 나이가 위다; 연상이다. ¶十歳(じっさい)～·じている 열 살 위다.

***ちょうせい**【調整】[名][ス他] 조정. ¶開幕(かいまく)に向(む)けて, チームを～する 개막에 즈음해 팀의 컨디션을 조절하다/税金(ぜいきん)の年末(ねんまつ)～ 세금의 연말 조정〔정산〕/ラジオの音量(おんりょう)を～する 라디오 음량을 조정하다.

ちょうせい【調製】[名][ス他] 조제. ¶当店(とうてん)の～品(ひん) 당 상점의 제품/洋服(ようふく)を～する 양복을 맞추다/注文(ちゅうもん)に応(おう)じて～する 주문에 따라서 조제하다.

ちょうぜい【徴税】[名][ス自] 징세. ↔納税(のうぜい).

ちょうせき【朝夕】[名] 조석. **1** 아침저녁. ＝あさゆう. ¶～はめっきり寒(さむ)くなりました 아침저녁으로는 자못 추워졌습니다. **2**《副詞적으로》 늘; 언제나. ＝いつも·ふだん. ¶～一緒(いっしょ)に生活(せいかつ)していた 늘 함께 생활하고 있었다.

ちょうせき【長石】[名]〔鑛〕 장석.

ちょうせき［潮汐］[名] 조석; 조수의 간만(干滿); 썰물과 밀물. ＝しお. ¶～発電(はつでん) 조력 발전.

***ちょうせつ**【調節】[名][ス他] 조절. ¶産児(さんじ)～ 산아 조절/テレビの音量(おんりょう)を～する TV의 음량을 조절하다.

***ちょうせん**【挑戦】[名][ス自] 도전. ＝チャレンジ. ¶～者(しゃ) 도전자/新記録(しんきろく)に～する 신기록에 도전하다/～を退(しりぞ)ける 도전을 물리치다.

—じょう【—状】[名] 도전장. ¶～を付(つ)き突(つ)ける 도전장을 들이대다.

—てき【—的】[ダナ] 도전적. ¶～な口調(くちょう) 도전적인 말투.

ちょうせん【朝鮮】[名] 조선; 한국(의 옛 이름).

—せんそう【—戦争】[名] 6·25 전쟁.

—そうれん【—総連】[名] '在日本(ざいにっぽん)朝鮮人(ちょうせんじん)総連合会(そうれんごうかい)(＝재일본 조선인 총연합회)'의 준말; 조총련.

—にんじん〖—人参〗[名]〔植〕 고려인삼. ＝御種(おたね)人参·地精(ちせい).

ちょうぜん【超然】[トタル] 초연. ¶時流(じりゅう)に～としている 시류에 초연하다/世評(せひょう)に～たる態度(たいど) 세평에 초연한 태도.

ちょうそ【彫塑】 조소. ㊀[名] 조각과 소상(塑像). ㊁[名][ス自] 조각의 원형인 소상; 또, 그것을 만듦.

ちょうぞう【彫像】[名] 조상; 조각한 상. ¶大理石(だいりせき)の～ 대리석 조상. ↔画像(がぞう).

ちょうそく【長足】[名] 장족.

—の進歩(しんぽ) 장족의 진보. ¶～を見(み)せる 장족의 진보를 보이다.

ちょうそん【町村】[名] **1** (지방 자치 단체로서의) 町(ちょう)와 村(そん). ¶～合併(がっぺい) 町村 합병. **2** 도시와 시골.

ちょうだ【長打】[名][ス自]〔野〕 장타《2루타 이상의 안타》. ＝ロングヒット. ¶～を放(はな)つ 장타를 치다/チャンスに～する (득점) 찬스에 장타를 치다. ↔短打(たんだ).

ちょうだ【長蛇】[名] 장사; 길고 큰 뱀; 전하여, 길고 큰 것의 형용. ¶切符(きっぷ)を求(もと)めて～の列(れつ)ができる 표를 구하려고 길게 줄을 짓다.

—の陣(じん) 장사진.

—を逸(いっ)する 아까운 인물·물건·기회를 놓치다.

ちょうだい【長大】[名ナ] 장대. ＝短小(たんしょう). ¶～な体軀(たいく) 장대한 체구.

***ちょうだい**〖頂戴〗[名][ス他] **1** (남, 특히 윗사람한테) 받음《'もらう(＝받다)·食(た)べる(＝먹다)'의 공손한 말씨》. ¶ありがたく～します 감사히 받〔먹〕겠습니다/贈(おく)り物(もの)を～する 선물을 받다/お目玉(めだま)〔お小言(こごと)〕を～する 야단을 맞다; 사살을〔꾸지람을〕 듣다. **2**《문말에 'ちょうだい' 만으로》 (…해) 주십시오; 주세요《요청하는 말》. ＝ください. ¶おやつを～ 간식을 주세요/もっと～ 더 주세요/早(はや)くして～な 빨리 해 주세요, 네/窓(まど)を閉(し)めて～ 창을 닫아 주세요. [参考] 2의 용법은 주로 여자나 아이들이 쓰는 말.

—もの【—物】[名] 얻은 것. ¶～のお菓子(かし) (선물 등으로) 받은 과자.

ちょうたつ【調達】[名][ス他] 조달. ¶注文(ちゅうもん)〔資金(しきん)〕の～ 주문〔자금〕의 조달/～して来(く)る 조달해 오다/資材(しざい)を至急(しきゅう)～する 자재를 지급 조달하다.

ちょうたん【長短】[名] 장단; 긴 것과 짧은 것; 장점과 단점. ¶～相補(あいおぎな)う 장단(점)을 서로 보완하다/～を測(はか)る 장단을 재다/人(ひと)それぞれ～有(あ)り 사람은 각기 장단점이 있다.

ちょうたんそく【長嘆息】[名][ス自] 장탄식. ¶天(てん)を仰(あお)いで～する 하늘을 우러러보며 장탄식하다.

ちょうたんぱ【超短波】[名]〔理〕 초단파.

ちょうチフス【腸チフス】[名]〔醫〕 장티푸스; 장질부사. ＝腸(ちょう)チブス. [注意] '腸窒扶斯'로 씀은 취음. ▷typhus.

ちょうちゃく［打擲］[名][ス他] 타척; 후려때림; 후려 침. ¶罪(つみ)もない子(こ)を～する 애매한 아이를 때리다/さんざんに～される 호되게 얻어맞다.

ちょうちょ〖蝶蝶〗[名] ☞ちょう(蝶).

ちょうちょう〖蝶蝶〗[名] ☞ちょう(蝶).

ちょうちょう【長調】[名]〔樂〕 장조; 장음계에 의한 악곡의 가락. ¶ハ～ 다장조. ↔短調(たんちょう).

ちょうちん〖提灯〗[名] **1** 제등; 초롱(불); 등롱. ¶～行列(ぎょうれつ) (초롱을 들고 나가는) 등불〔제등〕 행렬/～をつける 제등에 불을 켜다. **2**〈俗〉 콧물방울《초롱 같은 모양을 한 콧물》. ＝はなちょうちん. ¶鼻(はな)から～を出(だ)す 코에서 초롱 같은 콧물을 흘리다.

—に釣(つ)り鐘(がね) 모양은 비슷해도 비할 바 못됨; 전혀 어울리지 않음.

—を持(も)つ 남을 위해 선전하다; 남의 앞잡이 노릇을 하다. ¶上役(うわやく)の～ 상사의 앞잡이 노릇을 하다.

ちょうつがい〖蝶番〗[名] **1** 경첩. **2** 관절

의 이음매. ¶腰の～を痛める 허리 관절을 다치다／ひざの～がはずれた 무릎의 관절이 어긋났다.

ちょうつけ【帳つけ·帳付け】图자自 **1** 장부에 기입함; 또, 그 일을 하는 사람. ¶～をする 치부(置簿)하다／宿屋の～をする 여관의 서기 노릇을 하다. **2** 외상. ＝つけ. ¶～で飲む 외상으로 술을 마시다. 注意 'ちょうづけ'라고도 함.

ちょうづめ【腸詰め】图 ☞ソーセージ.

ちょうづら【帳づら】《帳面》图 장부에 기재된 숫자. ¶～を合わせる 장부의 숫자를 맞추다／～が合わない 장부 계산이 맞지 않는다〔틀린다〕.

ちょうてい【朝廷】图 조정. ¶～に仕える 조정에 출사하다.

ちょうてい【調停】图자他 조정; 중재(仲裁). ¶～裁判 조정〔중재〕 재판／～案 조정안／～に乗り出す 조정〔중재〕에 나서다／～に服する 조정〔중재〕에 따르다.

ちょうてき【朝敵】图 조적; 역적; 국적(國賊). ¶～を討つ 조적을 치다.

ちょうてん【頂点】图 정점. **1**〘數〙 꼭지점. ¶三角形の～ 삼각형의 정점. **2** 꼭대기; 절정. ＝いただき·てっぺん. ¶人気の～に達する 인기의 절정에 달하다／～までのぼりつめる 꼭대기까지 올라가다.

ちょうでん【弔電】图 조전. ¶～を打つ 조전을 치다.

ちょうでんどう【超伝導·超電導】图〘理〙 초전도.

ちょうと【長途】图 장도; 먼 길. ¶～の旅 장도의〔먼 길〕 여행／～につく 장도에 오르다.

ちょうど【調度】图 세간; 가장(家藏)집물. ¶家具～ 가구 집물.

――ひん【――品】图 평소 사용하는 도구류.

****ちょうど**〖丁度·恰度〗副 **1** ㉠꼭; 정확히. ＝ジャスト·きっちり. ¶～十時だ 꼭 10시다／～体に合う 꼭 몸에 맞다／～よいぐあい 꼭 알맞음／万円～になる 꼭 만 엔이 되다. ㉡마치. ¶～あつらえたようになった 흡사 맞춘 물건처럼 되었다／～絵のようだ 마치 그림같다. **2** 마침; 알맞게. ＝おりよく. ¶～よいところへ来た 마침 잘 왔다／～来あわせた 때맞춰 왔다. **3** 방금; 바로; 막. ¶～今帰ったところだ 방금 막 돌아온〔간〕 참이다／～電話しようと思っていたところだ 막 전화하려던 참이다. 注意 '丁度·恰度'로 씀은 취음.

ちょうどきゅう［超弩級］图 초(超)대형; 최대급. ¶～艦 초대형함／～傑作 최대급의 걸작. ⇨どきゅうかん. 参考 본디, 영국 전함 드레드노트호보다 큰 것을 가리켰음.

ちょうとっきゅう【超特急】图 초특급(열차). ¶～で仕上げる 초특급으로 일을 완성하다〔해치우다〕／この仕事は～でやってくれ 이 일은 초특급으로 해 주게.

ちょうない【町内】图 **1** 지방 자치 단체로서의 町의 안. **2** 시가지 안의 동네. ¶～の集まり 동네 모임.

――かい【――会】图 町 안에 조직되는 지역 주민의 자치 조직. ＝町会.

ちょうなん【長男】图 장남. ＝総領息子. ¶彼の～が家業を継いだそうだ 그의 장남이 가업을 이었다더군. ↔次男·長女.

ちょうにん【町人】图 도시에 사는 상인(商人)·장색 계급의 사람들《근세 사회 계층의 하나》. ↔武士·百姓.

ちょうネクタイ〖蝶ネクタイ〗图 나비넥타이. ＝ボータイ. ¶～をつける 나비넥타이를 매다. ▷necktie.

ちょうのうりょく【超能力】图 초능력《텔레파시·신통력·염력(念力) 등》.

ちょうは【長波】图〘理〙 장파. ↔短波·中波.

ちょうば［嘲罵］图자他 조매; 조소와 매도(罵倒); 비웃고 욕함. ¶～の的 조소와 매도의 대상／～を浴びせる 비웃고 욕을 퍼붓다.

ちょうば【帳場】图 (상점이나 여관의) 장부를 기입하고 회계를 보는 곳; 카운터. ¶～で支払いをすませる 카운터에서 지불을 마치다.

ちょうば【跳馬】图 도마; 뜀틀넘기; 뜀틀. ＝とび馬.

ちょうば【調馬】图 조마; 말을 타고 길들임.

ちょうばいか【鳥媒花】图〘植〙 조매화; 조류에 의하여 꽃가루가 매개되는 꽃. ↔虫媒花·風媒花.

ちょうはつ【徴発】图자他 징발; 징용. ¶食糧を～する 식량을 징발하다／戦争中～されて軍需工場で働かされた 전쟁 중 징용을 당해 군수 공장에서 강제 노동을 했다.

ちょうはつ【挑発】《挑撥》图자他 도발. ¶戦争～者 전쟁 도발자／敵の～にのる 적의 도발에 말려들다.

――てき【――的】ダナ 도발적. ¶～な服装 (이성의 욕정을 자극하는) 도발적인 복장／～な態度をとる 도발적인 태도를 취하다.

ちょうはつ【調髪】图자自 조발; 이발. ＝理髪. ¶～師 이발사.

ちょうはつ【長髪】图 장발; 머리를 길러 길게 함; 또, 그 머리. ¶男の～ 남자의 장발／彼は～にしている 그는 장발을 하고 있다.

***ちょうばつ**【懲罰】图자他 징벌. ¶遅刻した生徒を～する 지각한 학생을 징벌하다／～を受ける 징벌을 받다.

ちょうふ［貼付］图자他 첩부. ¶証明書には写真を～すること 증명서에는 사진을 첩부할 것. 注意 'てんぷ'는 관용음.

＝ちょうぶ【町歩】…정보. ¶二百～の田 2백 정보의 논.

ちょうふく【重複】图자自 중복. ¶説明が～する 설명이 중복되다／～を避

ける 중복을 피하다. 注意 'じゅうふく' 라고도 함. '重復'로 씀은 잘못.

ちょうぶつ【長物】图 장물; 길기만 하고 쓸모가 없는 것. ¶無用の~ 무용지장물.

ちょうぶん【弔文】图 조문; 조사. =弔辞. ¶しめやかに~を読む 구슬프게 조문을 읽다.

ちょうぶん【長文】图 장문; 긴 글〔문장〕. ¶~の手紙〔声明〕 장문의 편지〔성명〕. ↔短文.

***ちょうへい**【徴兵】图ス自 징병. ¶~検査〔制度, 忌避〕 징병 검사〔제도, 기피〕/成年に達した男子を~する 성년이 된 남자를 징병하다.

ちょうへん【長編】《長篇》图 장편. ¶~詩 장편시/~小説 장편 소설. ↔短編·中編.

***ちょうぼ**【帳簿】图 장부. ¶~をつける 장부에 기입하다/~を締め切る 기장(記帳)을 마감하다.

ちょうぼ【徴募】图ス他 징모. ¶義勇兵を~する 의용병을 징모하다.

ちょうほう【弔砲】图 조포. ¶~をうつ 조포를 쏘다.

ちょうほう［諜報］图 첩보. ¶~活動 첩보 활동/~機関 첩보 기관.

***ちょうほう**【重宝·調法】一图ダナス他 **1** 편리함; 편리하게 여김. ¶~な道具 편리한 도구/口は~なものさ 입이란 편리한 것이야/あれば~だが, なくても済む 있으면 편리하지만, 없어도 된다. **2** (희소가치가 있어) 소중이 여김; 요긴하게 잘 씀. ¶いただいたお品は大変~しています 주신 물건은 아주 긴히 쓰고 있습니다. 二图 중보(重寶); 귀중한 보물. =じゅうほう. ¶天下の~ 천하의 귀한 보물.

―が-る 5他 (편리해서) 소중히 여기다; 유용하게 잘 쓰다. ¶皆から〔に〕~·られる人 모두가 아끼는〔중히 여기는〕 사람.

ちょうぼう【眺望】图ス他 조망; 전망. =ながめ. ¶~権 조망권/~のきく高台 전망이 좋은 돈대(墩臺)/~が開ける 전망이 펼쳐지다.

ちょうほうけい【長方形】图 직사각형. =矩形. ¶~の鏡 직사각형 거울.

ちょうほん【張本】图 장본. **1** 사건의 발단〔원인〕. **2** '張本人'의 준말.

―にん【―人】图 장본인. ¶騒動の~ 소동을 일으킨 장본인.

ちょうまんいん【超満員】图 초만원. ¶~の通勤電車 초만원 통근 전차.

ちょうみ【調味】图ス自 조미. ¶塩と砂糖で~する 소금과 설탕으로 조미하다.

―りょう【―料】图 조미료. ¶化学の~ 「화학조미료.

ちょうみん【町民】图 町의 주민.

ちょうむすび【ちょう結び】《蝶結び》图 나비 매듭. ¶~のネクタイ 나비 매듭의 넥타이. ↔こま結び.

=**ちょうめ**【丁目】…가(街). ¶二~三番地 2가 3번지.

ちょうめい【長命】名ナ 장명; 장수. =ながいき. ¶彼は~の相がある 그는 장수할 상이다. ↔短命.

***ちょうめん**【帳面】图 장부; 필기장; 노트. ¶~につける 장부에 적다/~をつける 장부에 기록하다; 치부하다. 注意 'ちょうづら'로 읽으면 다른 말.

―づら〖―面〗图 장부상에 기재된 숫자. =帳づら. ¶~をあわせる 장부상의 숫자를 맞추다.

ちょうもう【長毛】图 장모; 긴 털.

ちょうもく【鳥目】图 돈《본디는 중앙에 구멍이 뚫린 주화》.

ちょうもと【帳元】图 흥행 등에서, 회계를 맡아 관리하는 사람〔곳〕; 흥행주.

ちょうもん【弔問】图ス他 조문. ¶~外交 조문 외교/~客が絶えない 조문객이 끊이지 않다.

ちょうもん【聴聞】图ス他 청문. **1** 설교나 연설 등을 들음. ¶お説教を~する 설교를 듣다. **2** 행정 기관이 특정 행정 행위를 할 경우에 이해 관계자의 의견을 들음.

―かい【―会】图 청문회; 공청회. ¶~を開く 청문회를 열다.

ちょうもん【頂門】图 정문; 정수리.

―の一針 정문의 일침; 아픈 데를 찌르는 따끔한 교훈〔충고〕.

ちょうや【朝野】图 조야; 정부 (관계자)와 민간(인); 전국민. ¶~をあげての歓迎 거국적인 환영.

ちょうやく【跳躍】图ス自 도약. ¶~競技 도약 경기《멀리뛰기·높이뛰기 등의 총칭》.

ちょうよう【徴用】图ス他 징용; 징발. ¶軍需工場の工員として~される 군수 공장의 공원으로 징용되다.

ちょうよう【重陽】图 중양(절); 음력 9월 9일. =重九·菊のせっく.

ちょうよう【長幼】图 장유; 노소. ¶~を問わず 장유〔노소〕를 가리지 않다.

―の序 장유유서(長幼有序).

ちょうらく［凋落］图ス自 조락; 이욺; 영락. ¶~の秋 조락의 가을/~の運命をたどる 조락의 운명을 걷다.

ちょうり【調理】图ス他 조리; 요리함. ¶~人〔法〕 조리사〔법〕/~場 주방/~室〔台〕 조리실〔대〕.

―し【―師】图 조리사.

ちょうりつ【調律】图ス他〔樂〕 조율; 음을 고름. ¶このピアノは~しなければならない 이 피아노는 조율해야 된다.

―し【―師】图 조율사.

ちょうりゅう【潮流】图 조류. ¶海峡は~が速い 해협은 조류가 빠르다/時代の~に乗る〔さからう〕 시대의 조류를 타다〔거스르다〕.

ちょうりょく【張力】图〖理〗 장력; 인장력(引張力). ¶表面~ 표면 장력/~試験 장력 시험.

ちょうりょく【聴力】名 청력. ¶～検査 청력 검사 / ～が鈍る〔衰える〕 청력이 둔해지다〔약해지다〕.

ちょうりょく【潮力】名 조력; 조수의 힘.

——はつでん【——発電】名 조력 발전.

ちょうるい【鳥類】名 조류.

ちょうれい【朝礼】名 조례. ¶毎朝～を行う 아침마다 조례를 하다.

ちょうれいぼかい【朝令暮改】名 ス自 조령모개. ¶政府の～に国民は困惑している 정부의 조령모개에 국민은 곤혹스러워하고 있다.

ちょうれん【調練】名 ス他 조련; 훈련. ¶新兵を～する 신병을 조련하다.

ちょうろう[嘲弄] 名 ス他 조롱. ¶皆が～する 모두가 조롱하다 / 口汚く～される 입정사나운 말투로 조롱당하다.

ちょうろう【長老】名 장로. 1 원로. ¶村の～ 마을의 장로 / 学界の～ 학계의 원로. 2 고승. 3〔基〕 목사를 보좌하고 신도를 대표하며 지도하는 직분.

——きょうかい【——教会】名 장로교회.

**ちょうわ【調和】名 ス自 조화. ¶～の美しさ 조화의 아름다움 / ～を欠く 조화가 결여되다〔안 되다〕 / ～を保つ 조화를 유지하다 / 周囲と～のとれた建造物 주위와 조화를 이룬 건조물.

チョーク [chalk] 名 초크; 백묵; 분필.

ちよがみ【千代紙】名 색무늬가 있는 수공용 종이. ¶～細工 千代紙 세공.

ちょき 名 〈兒〉 (가위바위보의) 가위. ＝はさみ. ↔ぐう·ぱあ.

ちょきちょき 副 삭둑삭둑. ¶鋏で～(と)髪の毛を切る 가위로 삭둑삭둑 머리털을 자르다.

ちょきり 副《흔히, '～と'의 꼴로》 가위로 물건을 자르는 소리: 삭둑; 싹둑. ＝ちょきん·ちょっきり. ¶ひもを～と切る 끈을 삭둑 자르다.

**ちょきん【貯金】名 ス自他 저금. ¶～通帳 저금통장 / ～を引き出す 저금을 찾다〔인출하다〕.

——ばこ【——箱】名 저금통.

ちょく〖猪口〗名 1 작은 사기잔. ＝ちょこ. ¶～に酒をつぐ 작은 사기잔에 술을 따르다. 2 회나 초친 음식을 담는 잔 모양의 작은 접시. ¶肴を～に盛る 안주를 ちょく에 담다.

ちょく【直】一 名 바름; 곧음. ¶～を重んずる 곧게 삶을 존중하다. ↔曲. 二 ダナ 1 직접적임. ¶～な言い方 직설적인 말투 / ～に言う 직접 말하다 / ～で取り引きする 직접 거래하다. 2 소탈함; 싹싹함. ¶～な人〔男〕 싹싹한 사람〔남자〕. 3 값이 쌈. ¶～な店 값싼 가게. 三 接頭 직…. ¶～輸入 직수입.

ちょく〖直〗教2 チョク ジキ なおす なおる ただちに すぐ | 직 곧다 | 1 꼿꼿함; 똑바름. ¶直立 직립 / 垂直 수직. ↔曲. 2 마음이 (올)곧음. ¶正直 정직. 3 직접. ¶直通 직통 / 直売 직매.

ちょく〖勅〗常用 チョク みことのり | 칙 신칙하다 | 임금의 명령〔말씀〕. ¶勅語 칙어 / 勅命 칙명.

ちょくあけ【直明け】名 숙직이 끝남. ＝宿明け.

ちょくえい【直営】名 ス他 직영. ¶～工場 직영 공장 / 製造元～の売店 제조원 직영 매점.

ちょくおん【直音】名 拗音·促音·撥音 이외의 仮名 한 자로 표시되는 음. ⇨ようおん·そくおん·はつおん.

ちょくげき【直撃】名 ス他〖軍〗 직격. 1 폭탄 등이 직통으로 맞음. ¶～弾 직격탄 / ～を受ける 직격을 받다. 2 곧바로 덮치다. ¶台風が本土を～する 태풍이 본토를 곧바로 엄습하다.

ちょくげん【直言】名 ス他 직언. ¶上司に～する 상사에게 직언하다.

ちょくご【勅語】名 칙어; 칙서(勅書); 조칙. ¶教育～ 교육 칙어. 参考 현재는 이 말을 쓰지 않으며 'おことば(＝말씀)'로 대용함.

ちょくご【直後】名 1 직후. ¶終戦～ 종전 직후 / 朝飯の～ 조반 직후. 2 바로 뒤. ¶自動車の～を渡るのは危険です 자동차의 바로 뒤를 건너는 것은 위험합니다. ⇔直前.

ちょくさい [直截] ダナ ☞ちょくせつ(直截)2. 注意 'ちょくせつ'의 관용음.

ちょくし【直視】名 ス他 직시. ¶前方を～する 전방을 직시하다 / 現実を～する 현실을 직시하다 / ～するに堪えない惨状 차마 눈뜨고 볼 수 없는 참상.

ちょくしゃ【直射】名 ス自他 직사. 1 정면으로 쏨; 직접 비춤. ¶～光線 직사 광선. 2 (탄알을) 직선에 가까운 탄도를 그리게 발사함. ¶～弾道 직사 탄도 / ～砲 직사포. ↔曲射.

ちょくじょう【直情】名 〈文〉 직정. ¶～を吐露する 직정을 토로하다.

——けいこう【——径行】名 직정경행; 마음먹은 그대로 행동함. ¶～型の人 직정경행형인 사람.

ちょくしん【直進】名 ス自 직진. ¶光は～する 광선은 직진한다.

ちょくせつ [直截] ダナ 1 (주저하지 않고) 곧 결재함. ¶～な処理 주저 없는 처리. 2 표현이 완곡하지 않고 솔직함. ¶～簡明 직절 간명; 간단명료 / ～な表現 거리낌 없는 표현. 注意 'ちょくさい'는 관용음.

**ちょくせつ【直接】 직접. 一 名 ス自 사이에 아무것도 끼지 않고 접함. ¶電源に～したコード 전원에 직결한 코드. 二 名 ダナ 딴 것을 거치지 않고 곧바름. ¶～取引 직접 거래 / ～の原因 직접적인 원인 / 学校から～映画館に行く 학교에서 곧장 영화관으로 가다 / ～お話しする 직접 말씀 드리다. ↔間接. 参考 二는 副詞적으로도 쓰임.

——こうどう【——行動】名 직접 행동. ¶

～に出る 직접 행동으로 나오다.
―ぜい【―税】名 직접세. ↔間接税.
―せんきょ【―選挙】名 직접 선거. ↔間接選挙.
―てき【―的】ダナ 직접적. ¶～な効果 직접적인 효과. ↔間接的.
―わほう【―話法】名〖言〗직접 화법. ↔間接話法.
ちょくせん［勅撰］名ス他 칙찬; 칙명으로 시가(詩歌)나 문장 따위를 추려서 책을 만듦. ↔私撰. 「わか집.
―わかしゅう［―和歌集］名 칙찬 和歌
*ちょくせん【直線】名 직선. ¶～コース 직선 코스. ↔曲線.
―てき【―的】ダナ 직선적. ¶～な考え方 직선적인 생각〔사고방식〕/～に行動する 직선적으로 행동하다.
ちょくぜん【直前】名 1 직전. ¶出発～に話す 출발 직전에 말하다. 2 바로 앞. ¶バスの～を横断する 버스 바로 앞을 횡단하다. ⇔直後.
ちょくそう【直送】名ス他 직송. ¶産地～の品 산지에서 직송한 물건/新鮮な果物を～する 신선한 과일을 직송하다.
ちょくぞく【直属】名ス自 직속. ¶政府～の機関 정부 직속 기관/～上官〔部下〕 직속 상관〔부하〕.
ちょくちょう【直腸】名〖生〗직장; 곧은창자. ¶～がん 직장암.
ちょくちょく 副〈俗〉이따금; 가끔. ＝ちょいちょい. ¶～来る 간간이 (찾아) 온다/この近くで～見かける人 이 근처에서 이따금 볼 수 있는 사람.
ちょくつう【直通】名ス自 직통. ¶～電話〔列車〕 직통 전화〔열차〕.
ちょくとう【直答】名ス自 직답; 즉답. ¶～を避ける 직답을 피하다.
ちょくばい【直売】名ス他 직매. ¶産地～ 산지 직매/自家製品を～する 자가 제품을 직매하다.
ちょくはん【直販】名ス他 직판. ☞ちょくばい. ¶～システム 직판 시스템.
ちょくひつ【直筆】직필. 一名ス他 구애됨이 없이 사실 그대로 씀. ↔曲筆. 二名 붓을 꼿꼿이 잡고 글씨를 씀. ¶懸腕～ 현완직필. 注意 'じきひつ'로 읽으면 다른 말. 「6면체.
ちょくほうたい【直方体】名 직방체; 직
ちょくめん【直面】名ス自 직면. ¶～の問題 직면한 문제/日の出に～して左は北 해돋이를 마주 향해 왼쪽은 북쪽/困難な事態に～する 곤란한 사태에 직면하다.
ちょくやく【直訳】名ス他 직역. ＝逐語訳. ¶生硬な～ 딱딱한 직역. ↔意訳.
ちょくゆ［直喩］名 직유(법)《수사법(修辭法)의 하나로, 'たとえば' 'ような' 따위를 씀》. ↔隠喩.
ちょくゆしゅつ【直輸出】名ス他 직수출. ¶商品を～する 상품을 직수출하다. ↔直輸入.
ちょくゆにゅう【直輸入】名ス他 직수입. ¶海外～のバッグ 해외에서 직수입한 백. ↔直輸出.
ちょくりつ【直立】名ス自 직립; 똑바로〔곧추〕 섬; 높이 솟아오름. ¶～する山々 우뚝 솟은 산들/大空に～するとけい台 하늘 높이 솟아 있는 시계탑.
―ふどう【―不動】名 직립 부동. ¶～の姿勢 직립 부동의 자세.
ちょくりゅう【直流】직류. 一名ス自 곧은 흐름; 또, 곧게 흐르는 흐름. ¶平野を～する川 평야를 직류하는 강. ↔曲流. 二名〖電〗항상 방향이 일정한 전류. ＝直流電流. ↔交流.
ちょくれつ【直列】名 직렬. 1 일직선으로 늘어선 줄. 2〖電〗전지 등의 양극과 음극을 교대로 일렬이 되게 연결시킴. ¶電池を～につなぐ 전지를 직렬로 연결하다. ↔並列.
ちょげん【緒言】名 ☞しょげん(緒言). 注意 'しょげん'의 관용음.
ちょこ［猪口］名 ☞ちょく(猪口).
チョコ 名 'チョコレート'의 준말. ¶板～ 판초코.
ちょこざい［猪口才］名ナ〈俗〉잔꾀가 있고 건방짐; 주제넘음. ¶～なやつ 약아빠진 놈; 시건방진 녀석/～なことを言う 시건방진 소리를 하다. 注意 '猪口才'는 취음.
ちょこちょこ 副〈俗〉1 종종걸음 치는 모양. ¶～ばしり 종종걸음으로 뜀/～(と)歩く 종종걸음으로 걷다. 2 좀스럽게 졸랑거리는 모양. ＝ちょこまか. ¶～した人 촐랑이; 쫄쫄이; 달랑쇠. 3 이따금; 가끔. ＝ちょいちょい. ¶～口出しする 이따금 말참견한다.
ちょこっと 副 적은 모양: 약간; 조금. ¶頭を～さげる 머리를 까닥 수그리다.
ちょこなんと 副〈俗〉오도카니; 달랑. ＝ちょこんと. ¶店番の小僧が～すわっていた 점원 아이가 오도카니 앉아 있었다/かえるが蓮の葉の上に～乗っている 개구리가 연잎 위에 달랑 앉아 있다.
ちょこまか 副ス自〈俗〉촐랑촐랑; 쫄래쫄래; 달랑달랑. ¶～と歩きまわる 촐랑촐랑 돌아다니다/～しないで少しはじっとしていろ 촐랑대지 말고 좀 가만히 있거라. 「＝チョコリ.
チョゴリ［한 저고리］名 (한복) 저고리.
チョコレート［chocolate］名 초콜릿. ＝チョコ. ¶～色 초콜릿색.
ちょこんと 副 1 가볍게 부딪치거나 치는 모양: 똑; 톡. ¶ボールを～バットにあてる 공을 배트에 톡 대다. 2 잠깐 작은 동작을 한 번 하는 모양. ＝ちょっと. ¶～おじぎをする 꾸벅 절을 하다. 3 ☞ちょこなんと.
ちょさく【著作】名ス自他 저작; 저술. ＝著述. ¶～家〔物〕 저작가〔물〕.
―けん【―権】名 저작권. ¶～使用料

しようりょう 저작권 사용료.

―しゃ【―者】名 저작자.

ちょしゃ【著者】名 저자; 작자. ¶文学史の～ 문학사의 저자.

ちょじゅつ【著述】名ス自他 저술. ＝著作. ¶～業 저술업.

ちょしょ【著書】名 저서. ¶～を出す 저서를 내다.

ちょすい【貯水】名ス自 저수. ¶～池 저수지/～量 저수량/旱魃に備えてダムに～する 한발에 대비하여 댐에 저수하다.

ちょせん【緒戦】名 ☞しょせん(緒戦). 注意 'しょせん'의 관용음.

*ちょぞう【貯蔵】名ス他 저장. ¶～庫〔品〕 저장고〔품〕/～の利く食品 저장할 수 있는 식품.

*ちょたん【貯炭】名ス自 저탄. ¶～場〔量〕 저탄장〔량〕.

*ちょちく【貯蓄】名ス他 저축; 또, 그 재화(財貨). ¶～預金 저축 예금/～に励む 저축에 힘쓰다/将来に備えて～する 장래에 대비해서 저축하다.

ちょっか【直下】직하. ㊀名 바로 아래〔밑〕. ＝ました. ¶赤道～ 적도 직하/～地震 직하 지진. ㊁名ス自 똑바로 내려감〔떨어짐〕. ¶急転～ 급전직하. ⇔直上.

ちょっかい 名〈俗〉 1 고양이 따위가 조심스럽게 앞발로 톡 끌어당기는 일. 2 쓸데없는 간섭; 또, 참견. ＝おせっかい.

―を出す 1 쓸데없이 (말)참견〔간섭〕하다. ¶他人のことに～ 남의 일에 쓸데없이 나서다/余計な～な 쓸데없는 간섭을 하지 마라. 2 여자에게 치근덕거리다. ＝ちょっかいをかける.

ちょっかく【直覚】名ス他 직각; 직관적으로 앎. ¶～的 직각적; 직관적.

*ちょっかく【直角】名ナ〔數〕 직각.

―さんかくけい【―三角形】名〔數〕 직각삼각형.

ちょっかつ【直轄】名ス他 직할. ¶～地 직할지/文部科学省～研究所 문부과학성 직할 연구소.

ちょっかっこう【直滑降】名ス自〔스키〕 직활강; 경사면을 곧장 타고 내려감.

ちょっかん【直観】名ス他 직관. ¶真理を～する 진리를 직관하다.

―てき【―的】ダナ 직관적. ¶～なひらめき 직관적인 번득임/～に感じとる 직관적으로 느껴 알다〔알아차리다〕.

*ちょっかん【直感】名ス他 직감. ¶～が当たる 직감이 들어맞다/～に頼る 직감에 의지하다/父の身に何か起こったことを～した 아버지의 신상에 무슨 일인가 일어난 것을 직감했다.

チョッキ 〔포 jaque〕名 조끼; 동의(胴衣). ＝ベスト. ¶防弾～ 방탄조끼.

ちょっきゅう【直球】名〔野〕 직구. ＝ストレート. ¶投げおろしの～ (어깨 위에서) 내리꽂는 직구. ↔曲球·変化球.

ちょっきり 副〈俗〉 1 꼭. ＝ちょうど·かっきり. ¶～三千円かかった 꼭 3천 엔 들었다/～六時に着いた 꼭 여섯 시에 도착했다. 2 가위로 자르는 모양: 싹둑; 썩둑. ¶～切る 싹둑 자르다.

ちょっくら 副〈俗〉 조금; 잠깐. ＝ちょっと·ちょいと. ¶～行って来る 잠깐 다녀오겠다/～休んでいこう 좀〔잠깐〕 쉬었다 가자/～遊んでこよう 좀〔잠깐〕 놀다 오자.

*ちょっけい【直径】名 직경; 지름. ＝さしわたし. ¶～を測る 지름을 재다.

ちょっけい【直系】名 직계. ¶～親族 직계 친족/～尊属〔卑属〕 직계 존속〔비속〕/～の弟子〔子孫〕 직계 제자〔자손〕. ↔傍系.

ちょっけつ【直結】名ス自 직결. ¶生産地～の販売ルート 생산지와 직결하는 판매 루트/生活に～する問題だ 생활에 직결되는 문제다.

ちょっこう【直行】名ス自 직행. ¶～列車 직행 열차/現場に～する 현장으로 직행하다. ↔迂回.

ちょっこう【直航】名ス自 직항. ¶アメリカへ～する 미국으로 직항하다. 参考 비행기에 대해서도 씀.

**ちょっと〖一寸〗㊀副 1 조금; 좀; 약간. ¶もう～右 좀더 오른쪽/もう～で終わる 조금만 더 있으면〔하면〕 끝난다/～も気がつかない 조금도 생각이 나지 않는다. 2 사소; 경미. ¶～の事でも 사소한 일에도/～した傷 경미한〔대단찮은〕 상처. 3 잠깐. ㉠잠시. ¶～お寄りしました (온 김에) 잠깐 들렀습니다/～お待ち下さい 잠깐 기다려 주십시오/～申しあげます 잠깐 말씀 드리겠습니다/～来い 잠깐 (이리) 와. ㉡언뜻. ¶～見る 언뜻〔잠깐〕 보다/～聞くと 언뜻 들으니. 4 상당히; 꽤; 어느 정도. ¶～重い病気 꽤 중한 병/～いける口 꽤 술을 드는 편/～名の知れた人 어느 정도 이름이 알려진 사람. 5《否定語를 수반하여》 좀처럼; 쉽사리; 여간해서는; 간단히. ¶～見当もつかない 쉽사리 예상〔짐작〕도 할 수 없다/そんな事になるとは～考えられない 일이 그렇게 되리라고는 좀처럼 생각할 수 없다. ㊁感《호칭으로》 여보세요; 이봐요; 잠깐. ¶～あなた 여보, 잠깐. 注意 '一寸'로 씀은 취음.

ちょっとした〖一寸した〗連体 1 평범한; 대수롭지 않은. ¶～事 대수롭지 않은 일〔사건〕/～かぜ 대단치 않은 감기/～お菓子〔贈り物〕 별것 아닌 과자〔선물〕. 2 어지간한; 상당한; 괜찮은; 깔끔한. ¶～料理 괜찮은 요리/～腕前 괜찮은 솜씨; 상당한 수완/どうです, ～物でしょう 어떻습니까, 괜찮은 물건이죠.

ちょっとみ【ちょっと見】《一寸見》名 언뜻 봄; 잠깐 본 느낌. ¶～はよい男だ 언뜻 보기에는 좋은 남자다/どんな

人柄(ひとがら)か～にはわからない 어떤 인품인지 언뜻 보아서는 모른다.

ちょっぴり 副 〈俗〉 조금; 약간. ＝少(すこ)し(ばかり). ¶～からい 좀 맵다 / ～寒(さむ)い 약간 춥다 / ～(と)涙(なみだ)が出(で)た 찔끔〔조끔〕 눈물이 났다.

チョップ [chop] 名 찹. **1** (소·돼지의) 갈비(구이). **2** ㉠(테니스에서 공을) 깎아 치는 일. ㉡(레슬링에서) 수도(手刀)로 내리치는 수.

ちょとつ [猪突] 名ス自 저돌. ¶～猛進(もうしん) 저돌적으로 돌진함.

ちょびひげ 〖ちょび髭〗 名 코밑에 조금 기른 수염; 또, 그런 사람.

ちょぼ 〖点〗 名 표(標)로 찍는 점. ＝ぽち. ¶字(じ)の横(よこ)に～をうつ 글자 옆에 점을 찍다.

ちょぼちょぼ 副 **1** 얼마 안 되는 것이 드문드문 널려 있는 모양. ¶～(と)生(は)えたひげ 드문드문 난 수염. **2** 〈俗〉 별로 다를 바가 없는 모양. ¶彼(かれ)はだらしがない点(てん)では兄(あに)と～だ 그는 단정하지 못한 점에서는 형과 별로 다를 바 없다.

ちょめい 【著名】 名ナ 저명; 유명. ¶～の士(し) 저명인사 / 各界(かっかい)の～な人(ひと)たち 각계의 저명한 사람들.

ちょろ-い 形 〈俗〉 **1** 쉽다; 간단하다; 별것 아니다. ¶こんな問題(もんだい)は～ 이런 문제는 식은 죽 먹기다 / ～奴(やつ)だ 별것 아닌 놈이다. **2** 미지근하다. ＝てぬるい. ¶取(と)り締(し)まりが～·すぎる 단속이 너무 미온적이다 / そんな～やり方(かた)ではだめだ 그런 미지근한 방법으로는 안 된다.

ちょろちょろ 副ス自 **1** 졸졸. ¶水(みず)が～(と)流(なが)れる 물이 졸졸 흐르다. **2** 작은 불꽃이 타오르는 모양: 훌훌. ＝ちろちろ. ¶～と燃(も)える 훌훌 타다. **3** 작은 것이 재빠르게 돌아다니는 모양: 조르르; 쪼르르. ＝うろちょろ. ¶ねずみが～(と)逃(に)げる 쥐가 쪼르르 달아나다 / 子供(こども)たちが目(め)の前(まえ)を～(と)する 아이들이 눈 앞을 쪼르르 돌아다니다.

ちょろまか-す 5他 〈俗〉 후무리다; 속이다. ＝ごまかす. ¶人(ひと)を～ 남을 속이다 / 売(う)り上(あ)げ金(きん)を～ 매상금을 후무리다. 可能 ちょろまか-せる 下1自

ちょろり 副 《흔히, 'と'를 수반하여》 **1** 약간의 물이 흐르고 있는 모양: 조르르. ¶水(みず)が～と流(なが)れる 물이 조르르 흐르다. **2** 잠깐 사이에 (남의 눈을 속여서) 재빠르게 하는 모양. ¶～(と)ごまかす 슬쩍 속이다.

ちょろん 【緒論】 名 ☞しょろん. 注意 'しょろん'의 관용음.

ちょん 一名 **1** (연극 시작할 때나 끝날 때) 치는 딱따기. **2** 일의 끝; 또, 면직; 해고. ¶～になる (a)일이 끝나다; (b)해고되다 / 事件(じけん)があっけなく～になった 사건이 어이없이 끝이 났다. **3** 지혜〔머리〕가 모자람; 또, 그 사람. ¶ばかだの～だののろまだのと 천치라느니 바보라느니 굼벵이라느니…. **4** 표지로 찍는 점. ¶～を打(う)つ (a)점을 찍다; 종지부를 찍다; (b)일을 끝내다. ↔丸(まる). 二副 싹둑. ¶首(くび)を～と切(き)りおとす 목을 댕강 자르다.

チョンガー 名 〈俗〉 총각; 독신 남자. 参考 '総角'의 한국음이며 과거에는 멸시의 뜻도 있었음. ¶あいつはまだ～です 저 친구는 아직도 독신입니다.

ちょんぎ-る 【ちょん切る】 5他 〈俗〉 싹둑 자르다; 아무렇게나 자르다; 해고하다. ¶木(き)の枝(えだ)を～ 나뭇가지를 싹둑 자르다 / 社員(しゃいん)の首(くび)を～ 사원의 목을 자르다《해고하다》.

ちょんぼ 名ス自 〈俗〉 무심코〔뜻하지 않게〕 저지른 실수. ¶マージャンで～する 마작에서 아차 실수를 하다.

ちょんまげ 〖丁髷〗 名 **1** 江戸(えど) 시대의 남자가 틀어 올린 상투의 한 가지《지금은 씨름꾼이 함》; 또, 그런 상투를 튼 사람. ¶～姿(すがた) 상투 머리를 한 모습. **2** (연극·영화의) 역사물(物). ＝まげもの·時代物(じだいもの).

〔丁髷 1〕

ちらか-す 【散らかす】 5他 **1** 흩뜨리다; 어지르다. ¶部屋中(へやじゅう)におもちゃを～ 온 방 안에 장난감을 흩뜨리다. **2** 《動詞 連用形에 붙어》 함부로〔거칠게〕 …해대다. ¶書(か)き～ 마구 갈겨쓰다 / 言(い)い～ 함부로 지껄여대다.

ちらか-る 【散らかる】 5自 흩어지다; 어지러지다. ＝散(ち)らばる. ¶ビラが～·っている 전단이 흩어져 있다 / 部屋(へや)が～ 방이 어지러지다.

ちらし 【散らし】 名 **1** 광고로 뿌리는 종이; 전단. ＝ひきふだ. ¶～広告(こうこく) 전단〔삐라〕 광고 / ～を撒(ま)く 전단을 뿌리다 / 開店披露(かいてんひろう)の～をくばる 개점 피로 광고지를 도르다. **2** 'ちらしずし'의 준말.

ちらしずし 【散らしずし】《散らし鮨·散らし寿司》 名 식초와 소금으로 간을 맞춘 밥에 생선·조개·달걀 부침·야채 등을 얹은 음식. ＝ちらし·散らし五目(ごもく).

ちら-す 【散らす】 5他 **1 흩뜨리다. ㉠어지르다; 어수선하게 하다. ¶部屋(へや)を～·してはいけない 방을 어질러 놓아서는 안된다 / 気(き)を～ 정신〔마음〕을 어수선하게 하다. ㉡분산시키다; 산개하다. ¶兵(へい)を四方(しほう)に～ 군사를〔병력을〕 사방에 흩어 놓다 / 火花(ひばな)を～ 불꽃을 튀기다. ㉢흩뿌리다; 흩어지게 하다. ¶群衆(ぐんしゅう)を～ 군중을 해산시키다 / 髪(かみ)を～ 머리를 흩뜨리다. **2** 퍼뜨리다. ¶うわさを撒(ま)き～ 소문을 퍼뜨리다. **3** 패산(敗散)〔패배〕시키다. ¶敵(てき)を～ 적을 패산시키다. **4** 사그라뜨리다; 말려 붙이다. ¶膿(うみ)を～ 고름을 수술하지 않고 삭히다. **5** 《動詞의 連用形에 붙어 接尾詞적으로》 동작이 거친 모양; 또, 함부로〔마구〕 …하는 모양을 나타냄. ¶書(か)き～ 마구 쓰다 / 読(よ)み～ 닥치는 대로 읽다 / 食(く)い

～ 지저분하게 (흘리며) 먹다. 可能 ちら-せる 下1自

ちらちら 副 **1** 작은 것이 날리는 모양: 팔랑팔랑. ¶雪が～(と)降る 눈이 조금씩 날리다. **2** 작은 빛이 약하게 깜박거리는 모양: 깜박깜박. ¶星が～(と)光る 별빛이 깜박깜박 빛나다. **3** 눈(앞)이 아물아물한 모양; 또, 어른거리는 모양: 아물아물; 가물가물; 어른어른. ¶何か目先で～するような気がする 뭔가 눈앞에서 어른거리는 것 같다. **4** 어쩌다 듣는 모양: 가끔; 이따금. ¶彼のうわさを～耳にする 그의 소문을 이따금〔가끔〕 듣는다.

ちらつ-く 5自 **1** 눈 따위가 조금씩 내리다. ¶小雪が～ 가랑눈이 희끗희끗 날리다. **2** 아물〔가물〕거리다; 어른거리다. ¶目の前にこどもの顔が～ 눈앞에 아이 얼굴이 어른거린다.

ちらっと 副 흘끗; 잠깐; 언뜻. ¶～目にした事がある 한번 언뜻 본 적이 있다/通りがかりに～見えた 지나는 길에 잠깐 보였다. 参考 'ちらと·ちらりと'의 힘줌말.

***ちらば-る** 【散らばる】 5自 흩어지다; 산재하다. ¶紙屑が～ 종이 부스러기가 흩어지다/支店が全国に～·っている 지점이 전국에 산재해 있다.

ちらほら 副 드문드문 보이는 모양: 드문드문; 여기저기; 하나둘씩. ＝ちらりほらり. ¶桜が～咲き始めた 벚꽃이 하나 둘 피기 시작하였다/うわさが～聞こえる 소문이 간간이 들리다/人影が～見える 사람 모습이 드문드문 보인다.

ちらり 副《흔히 'と'를 수반하여》 언뜻; 번뜻; 흘끗. ¶～と一瞥をくれる〔与える〕 흘끗 한 번 쳐다보다/～と見える 언뜻 보이다/～と耳にする 언뜻〔귓결에〕 듣다.

ちらりほらり 副 ☞ちらほら.

ちり 名 냄비 요리의 하나《생선·두부·야채 등을 냄비에 끓여서 초간장에 찍어 먹는 요리》. ＝ちりなべ. ¶ふぐ～ 복 냄비 요리.

***ちり** 〖塵〗 名 티끌. **1** 먼지; 쓰레기. ¶本棚の～を払う 서가의 먼지를 털다/～ひとつ落ちていない部屋 먼지 하나 없는 방/～ほどにも思わない 티끌만큼도 생각지 않다. **2** 더러움; 찌듦. ¶旅の～ 여진(旅塵). **3** 무가치한 것; 하찮은 것. ¶～の身 티끌 같은〔하찮은〕 몸. **4** (번거롭고 더러운) 속세; 티끌세상. ¶うき世の～をのがれる 속세의 티끌을 벗어나다. 参考 'ごみ'는 비교적 큰 것. 'ほこり'는 흔히 'ちり'보다 잔 것을 말하나 대기 중의 미립자를 과학적으로 말할 때는 'ちり'라 함.

—の世 티끌세상; 속세간.

—も積もれば山となる 티끌 모아 태산.

***ちり** 【地理】 名 지리. ¶～学 지리학/自然〔人文〕～ 자연〔인문〕 지리/この辺の～にとても明るい 이 근방 지리에 아주 밝다.

ちりあくた 〖塵芥〗 名 쓰레기. **1** 진개; 먼지. ¶～を捨てる 쓰레기를 버리다. **2** 무가치한 것. ¶～のように扱う 쓰레기처럼 다루다/～にも及ばぬ人間 쓰레기만도 못한 인간.

ちりかご 〖塵籠〗 名 휴지통. ＝くずかご.

ちりがみ 【ちり紙】《塵紙》 名 휴지; 화장지. ＝ちりし.

ちりし-く 【散り敷く】 5自 꽃이 떨어져 온통 깔리다. ¶落ち葉～山道 낙엽이 깔린 산길.

ちりちり 副 ス自 **1** 쪼글쪼글; 오글오글; 오글쪼글. ¶～の髪の毛 오글오글한 머리털. **2** 무서움 등으로 몸이 오그라드는 느낌을 갖는 모양: 움찔움찔. ¶叱責を恐れて～している 질책을 두려워하여 움찔움찔하고 있다.

ちりぢり 〖散り散り〗 名 뿔뿔이. ¶親子兄弟が～になる 부모 형제가 뿔뿔이 흩어지다.

—ばらばら ダナ 'ちりぢり'의 힘줌말: 뿔뿔이; 산산이. ＝ばらばら·わかれわかれ. ¶～に逃げる 뿔뿔이 흩어져 도망치다.

ちりっぱ 〖塵っ葉·塵っ端〗 名 〈東京方〉 쓰레기; 먼지. ＝ちり. ¶～一つ, 目にとまらない 먼지 하나 눈에 띄지 않는다.

ちりとり 【ちり取り】《塵取り》 名 쓰레받기. ＝ごみとり.

ちりば-める 〖鏤める〗 下1他 **1** 아로새기다; (보석 따위를) 온통 박아 넣다. ¶宝石を～·めた冠 온통 보석을 박은 왕관/金の粉を～·めたような秋の夜空 금가루를 뿌려 놓은 듯한 가을의 밤하늘. **2** (문장 등에) 아름다운 문구 등을 군데군데 넣어 꾸미다. ¶美辞麗句を～ 미사여구를 넣어 꾸미다.

ちりほこり 〖塵埃〗 名 ☞ちりあくた.

ちりめん 〖縮緬〗 名 견직물의 일종; 바탕이 오글쪼글한 비단. ¶～の着物 오글쪼글한 견직물의 옷.

—ざこ 【—雑魚】 名 ☞ちりめんじゃこ.

—じゃこ 〖—雑魚〗 名 멸치; 정어리·뱅어 등의 치어를 말린 것. ＝ちりめんざこ·しらすぼし.

ちりゃく 【知略】《智略》 名 지략; 슬기로운 계략. ＝才略. ¶～にたける 지략이 뛰어나다/武勇と～にすぐれた名将 무용과 지략이 뛰어난 명장. 注意 본디는 '智略'.

ちりょう 【治療】 名 ス他 치료. ¶～費〔代〕 치료비/目〔歯〕を～する 눈을〔이를〕 치료하다/～を施す 치료를 베풀다/～を受ける 치료를 받다.

ちりょく 【地力】 名 지력; 토지의 생산력. ¶～逓減 지력 체감《토지의 생산력이 점차로 줆》. 注意 'じりき'로 읽으면 다른 말.

ちりょく 【知力】《智力》 名 지력. ¶～と

体力 지력과 체력 / ～を働かせる仕事 머리를 쓰는 일. 注意 본디는 '智力'.

ちりんちりん 副 방울이나 작은 종 따위가 울리는 소리: 딸랑딸랑. ¶～と風鈴が鳴る 풍경이 딸랑딸랑 울리다.

**ち-る【散る】 5自 1 떨어지다; 꽃잎이 지다. ¶桜の花が～ 벚꽃이 떨어지다 / 木の葉が～ 나뭇잎이 떨어지다 / 花と～ 꽃처럼 지다; 산화하다. 2 흩어지다. ㉠산산이 흩어지다. ¶ガラスの破片が～ 유리 조각이 산산이 흩어지다 / 火花が～ 불꽃이 튀다. ㉡여기저기 흩어지다. ¶道端に紙屑が～ 길바닥에 종잇조각이 여기저기 흩어지다. ㉢뿔뿔이 흩어지다. ¶人が～·って行く 사람들이 뿔뿔이 흩어져 가다. ㉣마음이 흩어〔산란해〕지다. ¶気が～·って仕事ができない 마음이 산란해져서 일을 할 수가 없다. 3 퍼지다. ㉠소문이 퍼지다. ¶うわさが町中に～ 소문이 온 동네에 퍼지다. ㉡물이 번지다. ¶悪い紙はインキが～ 나쁜 종이는 잉크가 번진다. 4 없어지다. ㉠퍼져 없어지다; 흩어지다. ¶雲が～·り失せて青空になる 구름이 흩어져서 맑은 하늘이 되다. ㉡(독·종기 따위가) 가라앉다. ¶腫れ〔痛み〕が～ 부기가〔통증이〕 가라앉다 / 毒が～ 해독이 되다.

ちろちろ 副 빛·불꽃 따위가 약하게 깜박거리는 모양: 깜박깜박. ＝ちらちら. ¶たき火が～(と)燃える 모닥불이 깜박깜박〔훨훨〕 타다.

ちわ【痴話】 名 치화. 1 남녀간의 정담. ＝情話. 2 남녀의 정사. ＝いろごと.
——げんか 〖—喧嘩〗 名 치정(癡情) 싸움; 사랑싸움. ¶～を始める 치정 싸움을 시작하다.

チワワ [Chihuahua] 名〘動〙 치와와; 멕시코 원산 개의 한 품종《애완용》.

ちん 〖狆〗 名〘動〙 일본 개의 일종《몸집이 작고 이마가 튀어나왔으며 털이 긴 애완용 개; 방 안에서 기름》. ＝ちんころ.

ちん【賃】 ㊀名 임금; 품삯. ¶～仕事 삯일. ㊁接尾 삯; 요금. ¶汽車～ 기차요금 / 手間～ 품삯; 노임 / 船～ 뱃삯.

ちん【朕】 代 짐; 제왕·天皇의 자칭. ¶～は国家なり 짐은 국가다.

ちん 副トタル 1 침착하게 시침 떼고 있는 모양. ¶～とすましてすわる 시침 떼고 앉다. 2 코를 푸는 소리. ¶～と鼻をかむ 힝하고 코를 풀다. 3 징이나 방울을 울리는 모양: 땡땡; 징징. ¶～とかねを鳴らす 땡하고 징을 울리다.

ちん 〖沈〗 常用 チン ジン しずむ しずめる | 침 가라앉다
1 잠기다. ¶浮沈 부침 / 沈没 침몰. ↔浮. 2 침울하다. ¶沈痛 침통 / 消沈 소침. 3 침착하다. ¶沈着 침착.

ちん 〖珍〗 常用 チン めずらしい | 진 보배 | 1 진귀하다; 진기하다; 또, 그러한 것. ¶珍味 진미 / 珍重 진중. 2 보통과 다르다; 재미있다. ¶珍談 진담.

ちん 〖陳〗 常用 チン ならべる のべる | 진 늘어놓다
1 벌여놓다. ¶陳列 진열 / 品物を陳べる 물건을 늘어놓다. 2 진술하다. ¶陳情 진정.

ちん 〖賃〗 教6 チン | 임 품삯 | 1 삯을 주고 사람을 쓰다. ¶労賃 노임. 2 보수; 대가로 주는 돈. ¶運賃 운임.

ちん 〖鎮〗(〖鎭〗) 常用 チン しずめる しずまる | 진 누르다 | 1 누르다. ¶鎮痛 진통 / 鎮定 진정 / 火事が鎮まる 화재가 가라앉다. 2 눌러 두는 것. ¶文鎮 문진.

ちんあげ【賃上げ】 名ス自 임금 인상. ＝ベースアップ. ¶～要求〔闘争〕 임금 인상 요구〔투쟁〕. ↔賃下げ.

ちんあつ【鎮圧】 名ス他 진압; 소란을 진정시킴. ¶デモ隊〔反乱〕を～する 데모대를〔반란을〕 진압하다.

ちんうつ [沈鬱] 名ダナ 침울. ¶～な表情〔おももち〕 침울한 표정.

ちんか【沈下】 名ス自他 1 침하. ¶地盤がだんだん～する 지반이 점점 내려앉다. 2 물속에 가라앉음.

ちんか【鎮火】 名ス自他 진화; 소화. ¶～に努める 진화에 힘쓰다 / 無事～する 무사히 진화하다. ↔出火·発火.

ちんがいざい [鎮咳剤] 名 진해제. ¶～をのむ 진해제를 복용하다.

ちんかく【珍客】 名 ☞ちんきゃく.

ちんがし【賃貸し】 名ス他 임대함; 세를 줌. ＝ちんたい. ¶衣裳〔家〕を～する 의상〔집〕을 세주다. ↔賃借り.

ちんがり【賃借り】 名ス他 임차함; 세로〔돈을 주고〕 빌림. ¶～のピアノ 세로 빌린 피아노 / 着物を～する 옷을 돈을 내고 빌리다 / 土地を～する 토지를 임차하다. ↔賃貸し.

ちんき【珍奇】 名ナ 진기. ¶～な事件〔品〕 진기한 사건〔물건〕 / ～な男 별난 사나이 / ～を好む 진기한 것을 좋아하다.

ちんぎ【珍技】 名 진기; 진기한 연기.

ちんきゃく【珍客】 名 진객; 진귀한 손님. ＝ちんかく. ¶これは～ご入来だ 야, 진객이 오셨군.

***ちんぎん【賃金·賃銀】** 名 임금; 보수; 품삯. ＝報酬·労銀·給料. ¶～引き下げ 임금 인하 / ～格差〔形態〕 임금 격차〔형태〕 / 最低～ 최저 임금 / ～を支払う〔引き上げる〕 임금을 지급〔인상〕하다.

ちんげい【珍芸】 名 색다르고 재미있는 재주. ¶～を披露する 진기한 재주를 공개하다.

ちんこう【沈降】 名ス自 침강; 가라앉음; 침하. ¶土地が～する 땅이 침하하다 / 赤血球の～速度 적혈구의

침강 속도. ↔隆起. 「안.
—かいがん【—海岸】 名 〔地〕 침강 해
—はんのう【—反応】 名 〔醫〕 침강 반응《항원 항체(抗體) 반응의 하나》.
ちんこん【鎮魂】 名 진혼; 위령. ¶ ~歌 진혼가. 「レクイエム.
—きょく【—曲】 名 진혼곡; 위령곡. =
—さい【—祭】 名 진혼제; 위령제.
ちんざ【鎮座】 名 ス自 진좌. **1** 신령이 그 자리에 임함. ¶この宮に~まします神 이 사당에 진좌하시는 신. **2** 뜸직하게 자리 잡고 있음. ¶赤鼻がまん中に~している顔 벌건 주부코가 한복판에 자리 잡고 있는 얼굴.
ちんさげ【賃下げ】 名 ス自 임금 인하. ¶不景気で~を断行した 불경기로 임금 인하를 단행했다. ↔賃上げ.
ちんし【沈思】 名 ス自 침사; 생각에 잠김. ¶~黙考 침사 묵고; 심사묵고.
ちんじ【珍事】 名 **1** 진사; 진기한 일〔사건〕. ¶~が起きた 진기한 일이 일어났다 / 前代未聞の~ 전대미문의 진기한 일. **2**《본디 椿事》 춘사; 뜻밖의 큰 사건〔사고〕. ¶交通~が起きた 큰 교통사고가 일어났다.
ちんしごと【賃仕事】 名 삯일. ¶~に精を出す 삯일에 전심하다 / ~をして暮らす 삯일을 해서 살아가다 / ~で糊口をしのぐ 삯일로 겨우 먹고 살아가다.
ちんしゃ【陳謝】 名 ス他 진사; 사과하고 용서를 빎. ¶~を要求する 진사를 요구하다 / ~して事をおさめる 사과하고 일을 수습하다.
ちんしゃく【賃借】 名 ス他 임차. =ちんがり. ¶~地 임차지 / ~料 임차료 / ~人 임차인. ↔賃貸.
ちんじゅ【鎮守】 名 (그 고장·절·씨족 등을) 진호하는 신; 또, 그 신을 모신 사당. ¶村の~ 마을을 지켜 주는 신(을 모신 사당).
ちんじゅう〔珍什〕 名 진기한 도구나 기물(器物).
ちんじゅつ【陳述】 名 ス他 진술. ¶~書 진술서 / 弁護人の冒頭~が行われる 변호인의 모두 진술이 행해지다.
***ちんしょ【珍書】** 名 진서. ¶~を入手する 진서를 입수하다.
***ちんじょう【陳情】** 名 ス他 진정. ¶~団 진정단 / 米価引き上げを国会に~する 쌀값 인상을 국회에 진정하다. ⇨せいがん(請願).
ちん-じる【陳じる】 上1他 ☞ちんずる.
チン-する サ変他 〈俗〉 전자 레인지에 데우다《전자 레인지에서 다 데워졌을 때 나는 소리에서》.
ちん-ずる【陳ずる】 サ変他 말하다. **1** 진술하다. ¶意見を~ 의견을 말하다. **2** 주장하다; 변명하다. ¶友人のために~ 친구를 위하여 변명하다.
ちんせい【沈静】 名 ダナ ス自 침정; 차분히 가라앉고 조용함; 또, 조용해짐. ¶~な態度 차분한 태도 / 物価が~する 물가가 안정되다.
ちんせい【鎮静】 名 ス自他 진정. ¶騒動を~する 소동을 진정시키다 / 薬を与えて患者を~させる 약을 주어 환자를 진정시키다. ↔興奮.
—ざい【—剤】 名 진정제.
ちんせん【賃銭】 名 품삯; 임금. ¶僅かな~で暮らす 적은 품삯으로 살다.
ちんたい【沈滞】 名 ス自 침체. ¶~気味の景気 침체 기미의 경기 / ~した雰囲気 침체된 분위기 / ~していた社会運動に再び火をつける 침체된 사회 운동에 다시 불을 붙이다.
ちんたい【賃貸】 名 ス他 임대. =ちんがし. ¶~料〔人〕 임대료〔인〕 / ~住宅〔契約〕 임대 주택〔계약〕 / ビルを~する 빌딩을 임대하다. ↔賃借.
ちんたいしゃく【賃貸借】 名 〔法〕 임대차. ¶~契約 임대차 계약.
ちんたら 副 일을 적극적으로 하지 않고 흐리멍덩하게 하는 모양. ¶~やっているからまだ終わらない 꾸무럭거리고 있으니 아직도 끝나지 않는다.
ちんだん【珍談】 名 진담; 진귀한 이야기; 전하여, 우스꽝스러운 이야기. ¶~で笑わせる 익살로 웃기다.
ちんちくりん 名ナ **1** 땅딸보《조롱하는 말》. ¶~な男 땅딸보. **2** 기장이 짧음; 깡똥함. =つんつるてん. ¶~な着物 깡똥한 옷.
ちんちゃく【沈着】 침착. 一 名 ス自 침전하여 부착함. ¶色素が皮膚に~する 색소가 피부에 침착하다. 二 名 ダナ 들뜨지 않고 착실한 모양. ¶~な人〔行動〕 침착한 사람〔행동〕 / ~な態度を示す 침착한 태도를 보이다. ↔軽躁.
ちんちょう【珍重】 名ナ ス他 진중; 진기하고 귀중함; 귀중하게 여김. ¶~な物 진중한 물건 / ~がる 귀중히 여기다 / 舶来品として~される 외래품으로서 귀(중)하게 여겨지다.
ちんちょう【珍鳥】 名 진기한 새. 「うげ.
ちんちょうげ〘沈丁花〙 名 ☞じんちょ
ちんちん 一 名 **1** 〈兒〉 자지; 고추. **2** 질투. =やきもち. **3** (아이들의) 앙감질. =片足とび·けんけん. 二 名 ス自 개가 뒷발로 서서 몸을 듦. 三 副 **1** 부글부글. ¶鉄瓶が~(と)たぎる 쇠주전자의 물이 부글부글 끓다. **2** 땡땡. ¶鐘を~(と)鳴らす 종을 땡땡치다.
—かもかも 名 〈俗〉 남녀 사이가 아주 친밀한 모양. =ちんちんかも. ¶あいつは今~だ 저 녀석은 지금 여자하고 아주 좋아 지낸다.
—でんしゃ【—電車】 名 (시가지를 달리는) 노면 전차의 속칭.
ちんつう【沈痛】 名ナ 침통. ¶~な面持ち 침통한 얼굴〔표정〕. 「통 작용.
ちんつう【鎮痛】 名 진통. ¶~作用 진
—ざい【—剤】 名 진통제. =鎮痛薬.
ちんてい【鎮定】 名 ス他自 진정; 진압. ¶賊を~する 역적을 진압하다.

ちんでん【沈殿】《沈澱》 名 자自 침전; 액체 속의 혼합물이 밑바닥에 가라앉음. ¶ ~物(ぶつ) 침전물 / 不純物(ふじゅんぶつ)が~する 불순물이 침전하다 / 川底(かわぞこ)に~する 강바닥에 침전하다. 注意 '沈殿'으로 씀은 대용 한자.

ちんと 副 시침 떼고 있는 모양. ¶ ~座(すわ)る 침착하게 시침 떼고 앉다. ⇨ちん1.

ちんとう【珍答】 名 진답; 이상한〔엉뚱한〕 대답. ¶ ~で笑(わら)わせる 진답으로 웃기다.

ちんどんや【ちんどん屋】 名 이상한 복장을 하고 악기를 울리면서 거리를 돌아다니며 선전·광고하는 사람〔직업〕. =ひろめ屋(や)·東西屋(とうざいや).

ちんにゅう〔闖入〕 名 자自 틈입; 무단히 들어감. ¶ 泥棒(どろぼう)が裏口(うらぐち)から~した 도둑이 뒷문으로 틈입〔침입〕하였다.

ちんば〘跛〙 一 名 절름발이. =びっこ. 二 名ナ 짝이 맞지 않음; 균형이 잡혀 있지 않음. ¶ ~の靴下(くつした) 짝짝이 양말 / ~の夫婦(ふうふ) 잘 어울리지 않는 부부.

チンパンジー [chimpanzee] 名 〖動〗 침팬지. =くろしょうじょう.

ちんぴら 名 〈俗〉 **1** 어린 주제에 난 체하는 자; 꼬마놈. ¶ ~やくざ 똘마니. **2** 불량 소년·소녀; 졸때기. ¶ ~強盗(ごうとう) 졸때기 강도. **3** 졸개; (거물급이 아닌) 송사리; 피라미. =小物(こもの). ↔大物(おおもの).

ちんぴん【珍品】 名 진품. ¶ 秘蔵(ひぞう)している~ 비장하고 있는 진품.

ちんぷ【陳腐】 名ナ 진부. ¶ ~な言(い)い回(まわ)し 진부한 말투〔표현〕 / ~な考(かんが)え〔話(はなし)〕 진부한 생각〔이야기〕 / ~をきらう 진부함을 싫어하다.

ちんぷんかん 〘珍紛漢〙 名ナ 〈俗〉 종잡을 수 없음; 또, 그런 말; 횡설수설. =ちんぷんかんぷん. ¶ ~を言(い)う 횡설수설하다 / ~, 何(なに)を言(い)っているのかさっぱり分(わ)からない 횡설수설, 무슨 말을 하고 있는지 통 모르겠다.

***ちんぼつ**【沈没】 名 자自 침몰. **1** 물속에 가라앉음. ¶ ~船(せん) 침몰선 / 船(ふね)が暴風(ぼうふう)で~した 배가 폭풍으로 침몰하였다. **2** 〈俗〉 놀이에 열중하거나 술에 곤드라짐. ¶ 背広(せびろ)のまま~した 양복을 입은 채 곤드라졌다. 「ちんしょ.

ちんぽん【珍本】 名 진본; 진귀한 책. =

ちんまり 副 작고 아담한 모양. =こじんまり. ¶ ~した家(いえ) 작고 아담한 집 / ~すわっている 얌전하게 앉아 있다 / ~(と)した鼻(はな) 앙증스러운 코.

ちんみ【珍味】 名 진미. ¶ ~佳肴(かこう) 진미가효 / 山海(さんかい)の~ 산해진미.

ちんみょう【珍妙】 ダナ 진묘; 이상야릇함. ¶ ~な考(かんが)え 이상야릇한 생각 / ~な味(あじ) 희한〔기묘〕한 맛 / ~ないでたち〔しぐさ〕 묘한 차림〔몸짓〕 / ~な顔(かお)をする 묘한 얼굴을 하다.

ちんむるい【珍無類】 名 ダナ 비할데 없이 진기함. ¶ ~な恰好(かっこう) 이를 데 없이 괴상한 모양〔꼴〕 / ~の服装(ふくそう) 정말 진기한 복장.

ちんもく【沈黙】 名 자自 침묵. ¶ ~を守(まも)る 침묵을 지키다 / 重苦(おもくる)しい~が続(つづ)く 무거운 침묵이 계속되다 / ~を破(やぶ)る 침묵을 깨다 / 敵(てき)の砲台(ほうだい)を~させる 적의 포대를 제압하다. 「변은 은.

――は金(きん), 雄弁(ゆうべん)は銀(ぎん) 침묵은 금, 웅

ちんもん【珍問】 名 진문; 색다른 질문. ¶ ~珍答(ちんとう)〔奇答(きとう)〕 진문진답〔기답〕.

***ちんれつ**【陳列】 名 자他 진열. ¶ ~室(しつ) 진열실 / ~棚(だな) 진열장 / 商品(しょうひん)を~する 상품을 진열하다.

――まど【――窓】 名 진열창; 쇼윈도. =ショーウインドー.

ちんろうどう【賃労働】 名 임금 노동; 삯일. =賃金(ちんぎん)労働.

つ ツ

1 五十音図(ごじゅうおんず) 'た行(ぎょう)'의 셋째 음. [tsu] **2** 〔字源〕 '川'의 초서체《かたかな 'ツ'도 같은 자원이라 함》.

つ【津】 名 〈雅〉 나루터; 항구. =ふなつきば·わたしば·みなと.

=つ 〘箇·個〙《순 일본어 数詞 'ひと'에서 'ここの'까지에 붙여서》 수치(數値) 그 자체, 또는 개수나 연령을 나타내는 말. ¶ それをひと~だけください 그것을 한 개만 주시오 / ここの~になる子(こ) 아홉 살이 되는 아이.

つ 接助 《'…つ…つ'의 꼴로》 동작·작용이 상대와 서로 번갈아 행하여지는 것을 나타냄: …도 하고 …도 하다. ¶ 追(お)い~追(お)われ~ (서로 앞을 다툴 때) 쫓고 쫓기며 / 抜(ぬ)き~抜(ぬ)かれ~ (경주 따위에서) 앞서거니 뒤서거니 / 差(さ)し~差(さ)され~酒(さけ)を飲(の)む 권커니 잣거니 술을 마시다 / 家(いえ)の前(まえ)を行(ゆ)き~戻(もど)り~する 집 앞을 갔다 왔다 하다.

ツアー [tour] 名 투어. **1** 관광 여행. ¶ 海外(かいがい)~ 해외 관광 여행 / ヨーロッパ周遊(しゅうゆう)~ 유럽 주유 관광 여행. **2** 간단한 여행; 소풍. ¶ スキー~ 스키 투어 / サイクリング~ 사이클링 투어.

――コンダクター [일 tour+conductor] 名 투어 가이드; 단체 여행 등의 안내원〔동행자〕. =ツアーガイド·ツアコン.

ツァー [러 Tsar; Czar] 名 차르; 제정(帝政) 러시아의 황제. =ツァール.

ツァイツイェン [중 再見] 感 짜이찌엔; 안녕.

つい 〘終〙 名 〈雅〉 마지막; 끝; 최후. =最後(さいご). ¶ ~のすみか 마지막에 정착하는 곳; 유택(幽宅).

***つい**【対】㊀名 **1** 쌍; 짝; (둘로 된) 한 벌; 한 쌍. ＝そろい·ペア. ¶～の着物 한 벌로 된 옷/～の屛風 한 쌍으로 되어 있는 병풍/～の茶わん 한 쌍의 찻잔/～をなす 쌍〔짝〕을 이루다. **2**☞ついく(対句). ㊁接尾 둘로써 한 쌍〔짝〕을 이루는 것을 세는 말. ¶花立て一～ 꽃병 한 쌍.

***つい** 副 **1** (시간적·거리적으로) 조금; 바로. ＝すぐ·ほんの·ちょっと. ¶～今しがた 바로 조금 전/～そこです 바로 거기입니다. **2** 무의식중에; 그만; 무심결에. ＝思わず·うっかり. ¶腹が立って～どなってしまった 화가 나서 그만 소리를 지르고 말았다/～笑い出してしまった 그만 웃어버렸다.

つい〖追〗《追》教3 ツイ おう | 추 쫓다 | **1** 뒤를 쫓다; 쫓아내다. ¶追撃 추격/追放 추방. **2** 과거로 거슬러 올라가다. ¶追憶 추억/追想 추상.

つい〖墜〗《墜》常用 ツイ おちる おとす | 추 떨어지다 | **1** 떨어지다; 떨어뜨리다. ¶墜落 추락/撃墜 격추. **2** 잃다. ¶名誉失墜 명예 실추.

ツイード [tweed] 名 트위드; 스카치《올이 굵은 모직물》. ＝スコッチ.

ついえ【費え】名〈老〉**1** 비용. ＝かかり. **2** 낭비. ＝冗費·むだづかい. ¶時間の～ 시간의 낭비.

つい-える【費える】下1自 **1** 줄다; 적어지다. ¶財産が～ 재산이 축나다. **2** 허비되다. ¶時間が～ 시간이 허비되다.

つい-える〖潰える〗下1自 무너지다. ＝くずれる. ¶堤防が～ 제방이 무너지다/将来への夢も～·えた 장래에 대한 꿈도 무너졌다.

ついおく【追憶】名ス他 추억. ＝追懐·追想. ¶若き日の～ 젊은 날의 추억/～にふける 추억에 잠기다.

***ついか**【追加】名ス他 추가. ¶～配当 추가 배당/注文を～する 주문을 추가하다.

―よさん【―予算】名 추가 예산. ↔本予算·補正予算.

ついかい【追懐】名ス他 추회; 지난 일을 생각하며 그리워함; 추억. ＝追憶. ¶～の情にたえない 추회의 정을 금할 수 없다.

ついかんばん【つい間板】《椎間板》名〖生〗추간판; 추간 연골. ¶～ヘルニア 추간 연골 헤르니아.

ついき【追記】名ス他 추기; 덧붙여 씀; 또, 그 글. ¶但し書きを～する 단서를 덧붙여 쓰다.

***ついきゅう**【追及】名ス他 **1** 뒤쫓음. ¶逃げる敵軍を～する 달아나는 적군을 뒤쫓다. **2** (책임 등을) 추궁함. ¶責任の～ 책임 추궁.

ついきゅう【追求】名ス他 **1** 추구. ¶利潤の～ 이윤의 추구/快楽を～する 쾌락을 추구하다. **2** 추궁. ＝追及. ¶責任の～ 책임 추궁.

***ついきゅう**【追究·追窮】名ス他 추구. ¶真理の～ 진리의 추구/本質を～する 본질을 추구하다.

ついく【対句】名 대구; 어격(語格)이나 뜻이 상대되는 둘 이상의 구. ¶～をなす 대구를 이루다.

―ほう【―法】名 대구법; 대구를 사용하는 수사법(修辭法)《'山紫に, 水清し(＝산자수명)' '人生は短く芸術は長し(＝인생은 짧고 예술은 길다)' 따위》.

ついけい【追啓】名 추계; 추신. ＝追伸「ついしん」.

ついげき【追撃】名ス他 추격. ＝おいうち. ¶～戦 추격전/～をかける 적을 추격하다.

ついご【対語】名 ☞たいご(対語).

ついごう【追号】名 시호(諡號); 죽은 뒤에 내리는 칭호. ＝おくりな·諡号.

ついこつ【つい骨】《椎骨》名〖生〗추골; 척추골.

ついし【追試】名ス他 추시. **1** 다른 사람이 전에 한 실험을 확인하고 더욱 발전시킴. **2** '追試験(＝추가 시험)'의 준말. ¶～を受ける 추가 시험을 치다.

ついし〔追諡〕名ス他 추시; 죽은 후에 시호를 추증함; 또, 그 시호.

ついし【墜死】名ス自 추사; 추락사. ＝墜落死. ¶断崖から～する 낭떠러지에서 추락사하다.

ついじ〖築地〗名 토담《기둥을 세우고 널빤지로 심(心)을 댄 위에 진흙을 발라 굳히고, 그 위를 기와로 덮은 토담; 옛날에는 흙으로만 쌓아서 굳혔음》. ＝つい垣. ¶～をめぐらす 토담을 두르다.

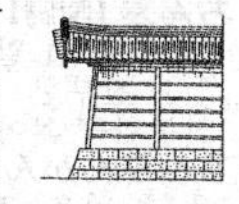
[築地]

ついしけん【追試験】名 추가 시험. ＝追試. ¶～を受ける 추가 시험을 보다.

ついじゅう【追従】名ス自 추종. ¶上役に～する 상사에게 추종하다/他社の～を許さない 타사의 추종을 불허하다. 参考 'ついしょう'는 딴말.

ついしょう【追従】名ス自 아부; 아첨; 빌붙음. ¶～笑い 아첨하는 웃음/お～を言う 아첨을 하다/上役に～して出世する 상관에 아부해서 출세하다. 参考 'ついじゅう'라고 하면 딴말.

ついしん【追伸】名 추신; 추백(追白). ＝おって書き·二伸·追啓.

ついずい【追随】名ス自 추수; 추종. ¶彼の作品は他の～を許さない 그의 작품은 타의 추종을 불허한다.

ツイスト [twist] 名 트위스트(춤). ¶～を踊る 트위스트를 추다.

ついせき【追跡】名ス他 추적. ¶犯人を～する 범인을 추적하다/～の手を逃れる 추적의 손길을 피하다.

ついぜん【追善】名ス他〖佛〗추선; 죽은 사람의 명복을 빌며 불사(佛事)를 함.

=追福. ¶~興行 추선 흥행.

ついそ【追訴】名ス他 추소; 추가 제소.

ついぞ〚終ぞ〛副《否定의 말이 뒤따라》 여태까지 한번도. ¶~見かけぬ人 한번도 본 적이 없는 사람/そんな話は~聞いたことがない 그런 말은 여태까지 한번도 들은 적이 없다.

ついそう【追想】名ス他 추상; 회고. =追憶·追懐. ¶~録 추상록/往時を~する 지난날을 회고하다.

ついぞう【追贈】名ス他 추증. ¶生前の功によって正二位を~された 생전의 공으로 정이품이 추증되었다.

ついたいけん【追体験】名ス他 남이 체험한 것을 자기의 체험으로 받아들임. ¶子供に戦時を~させる 아이에게 전시를 자기의 체험으로 받아들이게 하다.

ついたち【一日】《朔·朔日》名 초하루. ¶十月~ 시월 초하루. ↔みそか. 参考 '月立ち'의 전와(轉訛).

ついたて〚衝立て〛名 **1** '衝立て障子(=장지)'의 준말. **2** (방의) 칸막이; 가리개. ¶~を立てる 칸막이를 세우다.

ついちょう【追弔】名ス他 추도(追悼). ¶~会 추도회/先師を~する 돌아간 스승을 추도하다.

ついちょう【追徴】名ス他 추징. ¶不足額を~する 부족액을 추징하다.

—きん【—金】名 추징금. ¶~を取る 추징금을 받아내다.

ついて〚就いて〛連語 **1**《'…に~'의 꼴로》㉠…에 관〔대〕해서. ¶進学に~相談する 진학에 대해 상담하다. ㉡(매)…당. ¶ひとりに~千円 한 사람당 천 엔. **2**《'~は'의 꼴로》㉠(그 일에) 관해서(는). ¶上記の件に~は 상기의 건에 관해서는/~は申しあげたいことがある 그 일에 대해 말씀 드릴 것이 있다. ㉡그런 사정이므로; 그러므로; 그래서; 따라서. ¶近く発行します. ~はご推薦の辞をいただきたい 근일 발행합니다. 그래서 추천의 말씀을 주시기 바랍니다.

ついで〚序で〛名 (그 일에 이용하기) 좋은 기회; 계제. ¶お~の節 (그 일을 하기 좋은) 기회가 있을 때/~がない 계제가 없다.

ついで【次いで】㊀副 뒤이어; 다음으로. ¶東京に~大きい都市 東京 다음으로 큰 도시. ㊁接 그 다음에. =次に. ¶祝辞を述べ, ~乾杯をする 축사를 하고 다음에 건배하다.

ついでに〚序でに〛副 (…하는) 김에; (…하는) 기회〔계제〕에. ¶~やってしまう 하는 김에 (함께) 해버리다/買い物に出た~立ち寄る 쇼핑하러 나온 김에 들르다.

ついてまわ-る【付いて回る】5自 따라다니다; 붙어 다니다. ¶悪いうわさが~ 나쁜 소문이 따라다니다.

つい-てる 下1自 〈俗〉 행운이 따르다; 재수 좋다; 재수 있다. =ついている. ¶きょうは~な 오늘은 운수가 좋군.

ついと 副 별안간; 갑자기. ¶~立って行く 홱 일어나서 가다/~通り過ぎる 획 지나가다.

ついとう【追悼】名ス他 추도. ¶~会〔式〕 추도회〔식〕/~の辞 추도사.

ついとつ【追突】名ス自 추돌. ¶トラックに~される 트럭에 추돌당하다.

ついに〚遂に·終に·竟に〛副 **1** 드디어; 마침내; 결국. ¶~完成を見た 드디어 완성을 봤다. **2**《否定하는 말이 따라서》끝끝내; 끝까지. ¶~現われなかった 끝내 나타나지 않았다/~口をきかなかった 끝끝내 말을 하지 않았다/計画は~実現しなかった 계획은 끝내 실현되지 않았다.

ついにん【追認】名ス他 추인. ¶既成事実を~する 기성 사실을 추인하다/議会によって~される 의회에 의해서 추인되다.

ついのう【追納】名ス他 추납; 부족액을 추후 납부함. ¶代金を~する 대금을 추납하다.

ついば-む〚啄む〛5他 (새가) 쪼다; 쪼아 먹다. ¶鳥が木の実を~ 새가 나무 열매를 쪼아 먹다.

ついひ【追肥】名〔農〕추비. =おいごえ. ¶~をやる 추비를 주다. ↔基肥.

ついほ【追補】名ス他 추가 보충〔보완〕. =補遺. ¶資料を~する 자료를 추가 보충하다.

ついぼ【追慕】名ス他 추모. ¶昔日を~する 옛날을 추모하다/~の情に堪えない 추모의 정을 금할 수 없다.

ついほう【追放】名ス他 추방. ¶国外~ 국외 추방/公職から~する 공직에서 추방하다.

ついや-す【費やす】5他 **1** 쓰다; 써 없애다; 다 소비하다. ¶予算を~ 예산을 써 없애다/二年の歳月を~ 2년의 세월을 소비하다. **2** 낭비하다; 허비하다. ¶回り道して時を~·した 길을 돌아가서 시간을 허비했다/これ以上言葉を~·してもむだだ 더 이상 말해 봤자 헛일이다.

ついらく【墜落】名ス自 추락. ¶飛行機の~事故 비행기 추락 사고/谷間に~する 골짜기에 추락하다.

ついろく【追録】名ス他 추록; 나중에 덧붙여 기록함.

ツイン [twin] 名 트윈. **1** 쌍〔짝〕을 이룬 것. **2** 'ツインルーム'의 준말.

—ベッド [twin bed] 名 트윈 베드; 1인용 침대의 한 쌍. ↔シングルベッド.

—ルーム [twin room] 名 트윈 룸; 호텔 등에서 트윈 베드를 갖추어 놓은 객실《2인용 방》.

つう【通】㊀名ダナ **1** 통; 그 방면에 훤함〔정통함〕; 또, 그 사람. ¶…~である …통이다; …에 환하다/~を振り回す 그 방면의 지식〔통임〕을 과시하다. **2** 세상 물정, 특히 남녀 관계에 훤히 트임;

또, 그 사람. ¶～な男おとこ 속이 트여 멋을 아는 사나이 / ～なはからい (남녀 관계의 미묘한 사정을 참작한) 배려 깊은 조치. ↔やぼ. 二接尾 …통. 1 편지·문서를 세는 말. ¶履歴書りれきしょ二に～ 이력서 두 통. 2 그 방면에 정통한 사람. ¶消息しょうそく～ 소식통 / 芝居しばい～ 연극통.

ツー [two] 名 투; '둘 · 두 개'의 뜻.

—トップシステム [two top system] 名 (축구에서) 투 톱 시스템《두 사람이 공격을 맡고 미드필드를 두텁게 하는 전법. 비교적 자유로운 공격이 가능함》.

—トンカラー [일 two-tone+color] 名 투톤 컬러; 두 가지 빛깔의 배합(配合). ¶～のユニフォーム 두 가지 색을 배합한 유니폼.

—ピース [two-piece] 名 투피스. ¶ブルーの～ 청색 투피스. ↔ワンピース.

—ラン [two-run] 名〔野〕투런; ツーランホーマー의 준말.

—ランホーマー [two-run homer] 名〔野〕투런 호머〔홈런〕; 한 사람의 주자가 있을 때 친 홈런.

つう〖痛〗教6 ツウ いたい いたむ いためる | 통 아프다 |

1 아프다. ¶苦痛くつう 고통 / 腹はらが痛いたい 배가 아프다. 2 마음이 아프다. ¶悲痛ひつう 비통 / 心こころが痛いたむ 마음이 아프다.

つう〖通〗《通》教2 ツウ ツ とおる とおす かよう |

통 통하다 | 1 길이 통하다. ¶通行つうこう 통행. 2 다니다. ¶交通こうつう 교통 / 通運つううん 통운. 3 알리다. ¶通報つうほう 통보. 4 두루 미치다. ¶共通きょうつう 공통.

つういん【通院】名ス自 통원. ¶週しゅうに一度いちど～している 1주에 한 번 통원하고 있다.

つういん【痛飲】名ス他 통음; 술을 아주 많이 마심. ¶夜よをあかして～する 밤을 새워 통음하다.

つううん【通運】名 통운. ＝運送うんそう. ¶～会社がいしゃ 통운 회사 / ～の便べんを図はかる 통운의 편의를 도모하다.

つうか【通貨】名〔經〕통화. ¶～偽造罪ぎぞうざい 통화 위조죄.

—せいよきん【—性預金】名〔經〕통화성 예금. ＝要求払ようきゅうばらい預金.

*つうか【通過】名ス自 통과. 1 그대로 지나감. ¶台風たいふうが九州きゅうしゅう南端なんたんを～する 태풍이 九州 남단을 통과하다. 2 (관문 등을) 무사히 지남; 패스. ¶法案ほうあんが議会ぎかいを～する 법안이 의회를 통과하다.

—ぎれい【—儀礼】名 통과 의례《성인식·결혼식·환갑 따위》. ＝イニシエーション. ¶恋愛れんあいは青春せいしゅんの～だ 연애는 청춘의 통과 의례이다.

つうかあ 名〈俗〉서로 (마음이) 잘 통함《척하면 통하는 사이》. ¶～の仲なか 잘 통하는 사이 / こいつとあいつは～だ 이 녀석과 저 녀석은 잘 통한다. 參考 'つうと言いえばかあ'의 준말.

つうかい【痛快】名ダナ 통쾌. ¶～な時代劇じだいげき 통쾌한 시대극 / ～なホームランをとばす 통쾌한 홈런을 날리다.

つうかく【痛覚】名〔生〕통각; 아픔을 느끼는 감각.

*つうがく【通学】名ス自 통학. ¶～路ろ 통학로 / 汽車きしゃ～ 기차 통학 / 自転車じてんしゃ〔電車でんしゃ〕で～する 자전거〔전차〕로 통학하다.

—くいき【—区域】名 통학 구역; 학「구.

つうが-る【通がる】5自 (그 방면에) …통인 체하다; (…에 관해) 정통한 체하다. ¶彼かれは何なににでも～癖くせがある 그는 무엇에든지 정통한 체하는 버릇이 있다.

つうかん【通巻】名 통권. ¶～五十ごじゅう号ごう 통권 50호.

つうかん【通関】名ス自 통관. ¶～手続てつづき(を済すます) 통관 절차(를 마치다).

つうかん【通観】名ス他 통관; 전체를 널리 내다봄. ＝概観がいかん. ¶政界せいかいの動うごきを～する 정계의 동향을 통관하다.

つうかん【痛感】名ス他 통감. ¶運動不足うんどうぶそくを～する 운동 부족을 통감하다.

つうき【通気】名 통기; 환기; 통풍. ¶～装置そうち 환기 장치 / 室内しつないの～が悪わるい 실내 환기가 잘 안 된다.

—せい【—性】名 통기성. ¶～のいい繊維せんい 통기성이 좋은 섬유.

つうぎょう【通暁】통효. 一名ス自 정통; 환하게 앎. ¶英文学えいぶんがくに～している 영문학에 환하다. 二名 철야; 밤새움. ＝夜通よどおし.

*つうきん【通勤】名ス自 통근. ¶～圏けん 통근권 / ～列車れっしゃ〔時間じかん〕 통근 열차〔시간〕/ 歩あるいて〔自転車じてんしゃで〕～する 걸어서〔자전거로〕통근하다.

つうけい【通経】名〔醫〕통경; 월경을 나오게 함. ¶～剤ざい 통경제; 통경약.

つうけい【通計】名ス他 통계; 총계. ＝総計そうけい·通算つうさん.

つうげき【痛撃】名ス他 통격; 호된〔심한〕타격. ¶敵てきに～を加くわえる 적에 통격을 가하다.

つうげん【痛言】名ス他 통언; 신랄〔통렬〕하게 말함; 또, 그 말. ¶～をはく 통렬한 말을 해대다.

つうこう【通交】名ス自 통교; 나라끼리 친교를 맺음. ¶～条約じょうやく 통교 조약. 注意 '通好'로도 씀.

*つうこう【通行】名ス自 통행. 1 왕래. ¶～人にん〔税ぜい〕 통행인〔세〕/ 右側みぎがわ〔一方いっぽう〕～ 우측〔일방〕통행 / ～止どめ地域ちいき 통행 금지 지역 / ～を妨さまたげる 통행을 방해하다. 2 세상에서 널리 쓰임; 통용. ¶～する言いいまわし 통용되는 말씨.

つうこう【通航】名ス自 통항; 배의 통행. ¶運河うんがを～する 운하를 통항하다.

つうこく【通告】名ス他 통고; 통지. ¶科料かりょう納付のうふを～する 과료 납부를 통고하다 / ～を受うける 통고를 받다.

つうこく [痛哭] 名ス自 통곡; 큰 소리로 슬피 욺.

つうこん【通婚】图ス自 통혼; 혼인함.
つうこん【痛恨】图ス他 통한; 몹시 원통함. ¶~のエラー 통한의 에러/~の極み 원통하기 이를 데 없음/~に耐えない 통한해 마지 않다. 「찰함.
つうさつ【通察】图ス他 통찰; 전체를 관
つうさん【通産】图 '通商産業(=통상 산업)'의 준말.
つうさん【通算】图ス他 통산; 전체를 합하여 계산함. =通計. ¶~三度目の優勝 통산 세번째 우승.
つうし【通史】图 통사; 고대부터 현대까지를 통틀어 서술한 역사.
つうじ【通じ】图 소통함. 1 (타인의 의사에 대한) 납득; 이해. =わかり·さとり. ¶~が早い〔鈍い〕 이해가 빠르다〔더디다〕. 2 대소변의 배설; 통변. =便通. ¶~がつく 통변이 되다.
つうじ【通事·通辞·通詞】图 통사《江戸시대의 통역·번역의 총칭》; 통역. ¶オランダ~ 네덜란드 통사《長崎에서 네덜란드 인의 통역을 맡았던 관리》.
つうじて【通じて】㊀副 통틀어; 대체로; 일반적으로. ¶~雨の多い一年だった 대체로 비가 많이 온 1년이었다. ㊁連語 《'…を~'의 꼴로》…을 통하여. ¶四季を~観光客が絶えない 사계절 내내 관광객이 끊이지 않는다.
つうしゃく【通釈】图ス他 통석; 문장 전체의 뜻을 해석함. ↔抄釈.
つうしょう【通宵】图副 통소; 철야; 밤새(도록). =夜どおし·よもすがら.
つうしょう【通称】图 통칭. =通り名. ¶この通りは~'薬師小路'と言う 이 길은 통칭 '薬師小路(=약사여래 골목)'이라고 한다.
つうしょう【通商】图ス自 통상. ¶~権 통상권/~協定 통상 협정.
—だいひょうぶ【—代表部】图 통상 대표부. 「마찰.
—まさつ【—摩擦】图 통상 마찰; 무역
つうじょう【通常】图 통상. =普通. ¶~の礼服 보통 예복《대개 모닝코트를 말함》. 注意 副詞로도 쓰임. ¶~, そうは言わない 보통 그렇게는 말하지 않는다. ↔特別·臨時.
—こっかい【—国会】图 통상 국회《우리 나라의 정기 국회》. =常会. ↔臨時国会·特別国会. 「서.
—はがき【—葉書】图 통상〔보통〕 엽
—へいき【—兵器】图 통상 무기《핵무기 등 이외의 재래식 무기》.
**つう-じる【通じる】㊀上1自 1 통하다. ㉠연결〔연락〕되다; 이르다. ¶駅に~道 역으로 통하는 길/電話が~ 전화가 통하다. ㉡통로로 옮겨 가다. ¶電流が~ 전류가 통하다. ㉢(교통 기관이) 다니다. ¶鉄道が~ 철도가 통하다. ㉣환히〔잘〕 알다; 정통하다. ¶国際情勢に~ 국제 정세에 정통하다. ㉤(어려움에서) 헤어날 슬기가 생기다. ¶窮すれば通ず 궁하면 통한다. ㉥(상대에게) 잘 전달되다; 이해되다. ¶意味が~ 의미가 통하다/真心が~ 진심이 통하다/気心を~·じ合う 마음이 서로 통하다/英語が~·じない国 영어가 통하지 않는 나라. ㉦널리〔잘〕 알려지다. ¶世間に~·じている名前 세상에 널리 알려진 이름. ㉧내통하다; (은밀히) 관계를 맺다. ¶敵と~ 적과 내통하다/人妻と~ 유부녀와 간통하다. 2 통용하다. ¶この二つの字の意味は~·じて使われる 이 두 글자의 뜻은 통용된다.
㊁上1他 통하(게 하)다. ㉠다니게 하다. ¶鉄道を~ 철도를 통하게 하다. ㉡(상대가) 알도록 하다. ¶その旨を~ 그 뜻을〔취지를〕 알리다. ㉢중간에 세워 개재시키다. ¶友だちを~·じて依頼する 친구를 통해 부탁하다/テレビを~·じて知らせる 텔레비전을 통해 알리다. ㉣(상대와) 몰래 통하다. ¶気脈を~ 기맥을 통하다. ㉤《흔히 '…を~·じて'의 꼴로》 널리 전체에 걸쳐. ¶生涯を~·じて守りぬいた信念 평생 동안 지켜 온 신념.
つうしん【痛心】图ス自 통심; 마음 아프게 생각함. =心痛. ¶多数の犠牲者を出し~に耐えない 다수의 희생자를 내어 마음 아프기 그지없다.
**つうしん【通信】图ス自 통신. 1 상황을 알림; 소식. ¶~がとだえる 통신〔소식〕이 두절되다/~を送る 통신〔소식〕을 보내다; 송신하다. 2 전신·전화 등에 의해 정보를 전달함. ¶~網 통신망/~の秘密 통신의 비밀.
—えいせい【—衛星】图 통신 위성《장거리 통신의 중계국이 되는 인공위성》.
—しゃ【—社】图 통신사. 「매.
—はんばい【—販売】图ス他 통신 판
—ぼ【—簿】图 통신부《'通知表(=생활 통지표)'의 구칭》; 성적표.
つうじん【通人】图 1 어떤 일에 통달한 사람. =ものしり. ¶この道の~だ 이 길〔방면〕에 통달한 사람이다. 2 세상 물정에 환한 사람. 3 화류계 사정에 환하고 놀기를 잘 하는 사람. =粋人. ↔やぼてん. 「る.
つう-ずる【通ずる】サ変自他 ☞つうじ
つうせい【通性】图 통성; 공통된 성질. =通有性. ¶日本人の~ 일본인의 통성. ↔特性.
つうせき【痛惜】图ス他 통석; 매우 애석해함. ¶~の念に堪えない 몹시 애석하여 마지 않다.
つうせつ【痛切】图ダナ 통절; 뼈에 사무치도록 느낌. ¶親のありがたみを~に感じる 부모의 고마움을 통감하다/力不足を~に実感する 역부족을 뼈저리게 실감하다.
つうせつ【通説】图 통설. ¶~とされている 통설로 되어 있다/~をくつがえす 통설을 뒤엎다. ↔異説.
つうせん【通船】통선. ㊀图 강이나 바다

를 왕래하는 배. 二名ス他 배를 통과시킴. ¶~料(りょう) 통선료.

つうそく【通則】名 통칙. 1 일반에 적용되는 규칙. ¶学部(がくぶ)~第八条(だいはちじょう) 학부 통칙 제8조. ↔変則(へんそく). 2 (동일 법규 중에서) 전체에 통하는 규칙. ↔細則(さいそく).

つうぞく【通俗】名ナ 통속. ¶~小説(しょうせつ) 통속 소설/~な考(かんが)え方(かた) 통속적인 생각[사고방식].

—てき【—的】ダナ 통속적. ¶~な記事(きじ) 통속적인 기사.

つうだ【痛打】名ス他 통타. 1〔野〕통렬한 타격을 가함. ¶~を浴(あ)びる 통타를 맞다. 2 호된 타격을 상대에게 줌; 또, 그 타격. ¶顔面(がんめん)を~される 안면을 호되게 얻어맞다.

つうたつ【通達】통달. 一名ス他 통지. ¶申請(しんせい)に対(たい)する許可(きょか)の~があった 신청에 대한 허가 통지가 있었다. ⇨示達(じたつ). 二名ス自 정통. ¶二(に)か国語(こくご)に~する 2개 국어에 통달하다. ⇨熟達(じゅくたつ). 注意 'つうだつ'라고도 함.

つうたん【痛嘆】《痛歎》名ス自他 통탄. ¶~にたえない 통탄해 마지 아니하다.

**つうち【通知】名ス他 통지. =しらせ. ¶~のあり次第(しだい) 통지가 있는 대로/前(まえ)もって~する 미리 통지하다.

—ひょう【—表】名 생활 통지표. 参考 通信簿(つうしんぼ) 등의 고친 이름.

つうちょう【通帳】名 통장. =かよい·かよいちょう. ¶掛(か)け売(う)り~ 외상 장부/貯金(ちょきん)~ 저금 통장.

つうちょう[通牒]名ス他 통첩. ¶最後(さいご)~を手渡(てわた)す 최후 통첩을 수교하다.

つうつう 名副ダナ 〈俗〉 아무 방해도 받음이 없이 잘 통함; 기맥이 통함. ¶風(かぜ)が~通(つう)じる 바람이 솔솔 잘 통한다/あいつと社長(しゃちょう)は~の間柄(あいだがら)だ 저 놈과 사장은 기맥이 통하는 사이이다.

つうてん【痛点】名〔生〕통점; 피부 감각 중 아픔을 느끼는 곳.

つうとう【痛悼】名 통도; 남의 죽음을 몹시 슬퍼함; 상도(傷悼).

つうどく【通読】名ス他 통독; 처음부터 끝까지 내리읽음. ¶ひと通(とお)り~する 대강 한 번 죽 통독하다. ↔精読(せいどく).

つうねん【通年】名 연중; 일년 내내. ¶~営業(えいぎょう) 연중 무휴 영업/~で四単位(よんたんい)の講義(こうぎ) 일년에 4학점의 강의.

つうねん【通念】名 통념. ¶社会(しゃかい)~ 사회 통념.

つうば[痛罵]名ス他 통매; 통렬히 비난함. =悪口雑言(あっこうぞうごん). ¶~を浴(あ)びる 사정없이 욕을 먹다.

つうはん【通販】名 '通信販売(つうしんはんばい)(=통신 판매)'의 준말.

つうふう【通風】名ス自 통풍; 환기. =換風(かんぷう)·風(かぜ)とおし·通気(つうき). ¶~孔(こう) 통풍[바람] 구멍/~のよい部屋(へや) 환기가 잘되는 방.

つうふう【痛風】名〔醫〕통풍. ¶~を患(わずら)う 통풍을 앓다.

つうぶ-る【通ぶる】5自 ☞つうがる. ¶~·った言(い)い方(かた) 잘 아는 체하는 말투.

つうふん【痛憤】名ス他 통분. ¶~の余(あま)り 통분한 나머지.

つうぶん【通分】名ス他〔數〕통분. ¶計算(けいさん)しやすく~する 계산하기 쉽게 통분하다.

つうへい【通弊】名 통폐. =通患(つうかん). ¶試験勉強(しけんべんきょう)は今日(こんにち)における教育(きょういく)の~である 시험 공부는 오늘날의 교육의 통폐이다.

つうほう【通報】名ス他 통보. =しらせ. ¶気象(きしょう)~ 기상 통보/警察(けいさつ)に~する 경찰에 통보하다.

つうぼう【通謀】名ス自他 통모; 공모. ¶数人(すうにん)が~して罪(つみ)を犯(おか)す 몇 사람이 공모하여 죄를 범하다.

つうぼう【痛棒】名 1〔佛〕통봉; 좌선할 때 마음의 안정을 얻지 못하는 자를 때리는 막대기. 2 따끔한 질책이나 비난. ¶~をくらわす 호되게 꾸짖다.

*つうやく【通訳】名ス自他 통역. ¶同時(どうじ)~ 동시 통역/~をしてもらう (…에게) 통역을 해 달래다.

つうゆう【通有】名 통유; 공통으로 지님. ¶政治家(せいじか)に~の考(かんが)え方(かた) 정치가에게 공통된 사고방식. ↔特有(とくゆう).

つうよう[痛痒]名 통양; 아픔과 가려움. ¶~を感(かん)じない 통양을 느끼지 않다((아무렇지도 않다)).

*つうよう【通用】名ス自 통용. 1 세상에서 널리 인정되어 통함. ¶そんな考(かんが)え方(かた)では~しない 그런 사고방식으로는 통용되지 않는다. 2 일반에게 널리 쓰임. =流通(りゅうつう). ¶その貨幣(かへい)はどこでも~します 그 화폐는 어디서나 통용됩니다. 3 어느 기간을 통해서 쓸 수 있음. ¶この切符(きっぷ)の~期限(きげん)は当日(とうじつ)限(かぎ)り 이 표의 통용 기한은 당일한. 4 늘 출입함. ¶~門(もん) 통용문.

つうらん【通覧】名ス他 통람; 전부를 봄; 대충 훑어봄. ¶全巻(ぜんかん)を~する 전권을 통람하다.

つうりき【通力】名 통력; 신통력. =神通力(じんつうりき).

ツーリスト[tourist]名 투어리스트; 여행자.

—ビューロー[tourist bureau]名 투어리스트 뷰로; 관광[여행] 안내소.

ツーリング[touring]名 투어링; 오토바이·자전거 따위로 멀리 여행함. ¶日帰(ひがえ)りで~に行(ゆ)く 당일치기로 투어링에 나서다.

ツール[tool]名 툴; 공구; 도구. ¶~ボックス 툴박스; 공구 상자.

つうれい【通例】一名 통례; 관례. ¶~になっている 통례로 되어 있다/~に従(したが)う 관례에 따르다. 二副 일반적으로; 보통. ¶~土曜日(どようび)に休(やす)む 보통 토요일에 쉰다.

つうれつ【痛烈】名ダナ 통렬함; 호됨. ¶~に攻撃(こうげき)[批判(ひはん)]する 통렬하게 공격[비판]하다/~な非難(ひなん)をあびせる

통렬한 비난을 퍼붓다.

***つうろ【通路】** 名 통로. ＝とおりみち·かよいじ. ¶狭い～を自動車がふさぐ 좁은 통로를 자동차가 막다.

つうろん【痛論】 名ス他 통론; 준엄하게 논하고 비판함; 또, 그 논리. ¶社説は汚職事件について～している 사설은 독직 사건에 대해서 통론하고 있다.

つうろん【通論】 名 통론. ＝通説·定論. ¶それは天下の～だ 그것은 천하의 통론이다. ↔各論.

つうわ【通話】 名ス自 통화. ¶～料 통화료/～度数 통화 횟수/～中 통화 중/一～三分以内 한 통화 3분 이내/ただいまのは三～でした 지금 것은 세 통화였습니다/台風で～が不能になる 태풍으로 통화 불능이 되다.

***つえ〖杖〗** 名 **1** 지팡이. ＝ステッキ. ¶～をつく 지팡이를 짚다/～にすがる 지팡이에 의지하다/～をひく 어슬렁어슬렁 걷다《산책하다》. **2** 의지하는 것. ¶むすこを～と頼む 아들을 지팡이처럼 의지하다/転ばぬ先の～ 넘어지기 전의 지팡이; 유비무환(有備無患).

――とも柱とも頼む (지팡이처럼) 크게 의지하다. ¶むすこを～ 아들을 크게 의지하다.

ツェツェばえ〖ツェツェ蠅〗 名〔蟲〕체체파리《아프리카 적도 지대에 있는 파리. 인축(人畜)의 피를 빨고 기면성(嗜眠性) 뇌염을 매개함》. 注意 'ツェツェ'는 아프리카의 토착어 tsetse.

つか〖束〗 名 **1** 약간; 조금. ¶～の間 잠깐 사이. **2**〔建〕'つか柱'의 준말; 동자 기둥. **3**〔印〕숱《제본했을 때의 책 부피》. ¶～見本 가(假)제본; 부피 견본/～を出す (가제본하여) 숱〔부피 견본〕을 내다.

つか〖柄〗 名 **1** (칼이나 활의) 손잡이. ¶刀の～に手を掛ける 칼자루에 손을 대다《칼을 막 빼려고 하다》. **2** 붓대.

つか【塚】 名 총. **1** 흙 무더기; 둔덕. ¶一里塚 이정표로 삼기 위해 십 리마다 만들어 둔 둔덕. **2** 무덤; 묘. ¶～を築く 무덤을 만들다.

つかあな【塚穴】 名 시체를 묻는 구덩이. ＝墓穴(はかあな·ぼけつ).

***つかい【使い】** 名 **1** 심부름; 심부름꾼; 사자(使者). ¶～を立てる 사자를 보내다/～に出す 심부름을 보내다/お～に行く 심부름 가다. **2**《接尾詞的으로》…을 쓰는 사람의 뜻. ¶魔法～ 마법사; 마술사.

つがい〖番〗 名 **1** 한 쌍; 특히, 암수 한 쌍. ＝対. ¶～の鳥 한 쌍의 새. **2** 'つがいめ(＝관절)'의 준말; 마디.

=づかい【遣い】 名《名詞에 붙어》**1** 사용; 씀; 쓰는 법〔품〕; 쓰는〔부리는〕 사람. ¶むだ～ 헛되이 씀; 낭비/仮名～ かな 표기법/人形～ 인형 부리는 사람/筆～ 필법; 서법/金～が荒い 돈 씀씀이가 헤프다. **2** 목소리 등의 상태. ¶息～ 숨결. **3** (마음 따위를) 씀. ¶心～ 마음씀씀이; 배려; 걱정.

つかいあるき【使い歩き】 名ス自 심부름 다니는 일〔사람〕. ＝使い走り.

つかいかた【使い方】 名 사용법. ¶～がむずかしい 사용법이 까다롭다.

つかいがって【使い勝手】 名 쓰기에 편리함; 사용했을 때의 좋고 나쁨의 느낌. ¶～が良い 쓰기에 편리하다.

つかいこな-す【使いこなす】《使い熟す》5他 잘 다루다; 구사하다. ¶パソコンを～ PC를 잘 다루다.

つかいこ-む【使い込む】 5他 오래 써서 손익다; 손때나게 오래 쓰다. ＝使いなれる. ¶～·んだ万年筆 손에 익은 만년필.

つかいこ-む【遣い込む】 5他 **1** 공금 등 써서는 안 될 돈을 쓰다; 사사로이 써 버리다. ¶会社の金を～ 회사 돈을 사사로이 써 버리다. **2** 예산〔제한〕 이상으로 쓰다. ¶～·んで赤字を出す 너무(많이) 써서 적자를 내다.

つかいさき【使い先】 名 **1** 심부름 간 데. ¶～から返事をもらって帰る 심부름 간 데에서 답장을 받아 가지고 돌아오다. **2**《遣い先》돈을 쓴 곳. ¶金の～を知らない 돈 쓴 데를 모르다.

つかいすて【使い捨て】 名 한번〔잠시〕 쓰고 그대로 버리는 일. ¶～のライター 1회용 라이터/～にする 한번 쓰고 버리다.

つかいだて【使い立て】 名ス他 남에게 일을 해 달라고 함. ¶お～してすみません 일을 시켜서 미안합니다.

つかいちん【使い賃】 名 심부름을 시키고 주는 금품; 심부름 값.

つかいて【使い手】 名 **1** (연장 따위를) 사용하는 사람. ¶～が悪ければ名器もむだだ 쓰는 사람의 솜씨가 서투르면 아무리 명기라도 소용없다. **2**《遣い手로도》잘 쓰는 사람. ㉠솜씨가 능숙한 사람. ¶やりの～ 창을 잘 쓰는 사람; 창의 명수. ㉡돈을 잘 쓰는 사람.

つかいで【使いで】 名 **1** 쓸 만함; 쓸 만한 값어치가 있음. ¶今では一万円ですら～がない 지금은 1만 엔도 막상 쓸려고 하면 별로 쓸 게 없다. **2** 오래 감; 느루 씀; 마딤. ¶～のある石鹼 마딘 비누.

つかいはしり【使い走り】 名ス自 여기저기 뛰어다니며 심부름함; 또, 그런 사람. ¶～の見習い社員 심부름이나 다니는 수습 사원.

つかいはた-す【使い果たす】 5他 다 써 버리다. ¶有り金を～ 가진〔있는〕 돈을 다 써 버리다/精力を～ 정력을 다 써 버리다.

つかいふる-す【使い古す】 5他 오랫동안 써서 낡게 하다. ¶～·した辞書 오래 써서 낡은 사서/そんな～·された手にはのらない 그런 낡은 수법에는 안 속는다.

つかいみち【使い道】《使い途》名 **1** 용도. ¶～がたくさんある 용도가 많이 있다/この箱は～がない 이 상자는 쓸모가 없다. **2** 사용법; 쓰는 법. ¶金の～を知らない 돈 쓰는 법을 모르다.

つかいもの【使い物】名 **1** 소용되는 물건〔사람〕; 소용. ¶～にならない 소용이 없다; 쓸모없다. **2**《遣い物로도》《'お'가 붙어서》선물. ＝贈り物·進物. ¶お～にする 선물로 하다.

つかいりょう【使い料】名 **1** (자기가) 쓰기 위한 것; 쓸 것. ¶半分は自分の～に確保する 반은 자기의 쓸 것으로 확보하다. **2** 사용료. ¶～を払う 사용료를 치르다.

つかいわけ【使い分け】名 (일의 성질이나 조건·목적 따위에 따라) 잘 분간해서〔적절하게〕 씀; 가려 씀. ¶言葉の～ 말의 적절한 사용/道具の～がうまい 도구를 적절하게 잘 가려서 쓴다.

つかいわ-ける【使い分ける】下1他 **1** 때와 장소에 따라 구별지어 행동〔처리〕하다. ¶昼は学生, 夜はバーテンを～ 낮에는 학생, 밤에는 바텐더 노릇을 잘하다. **2** 상대방 또는 목적에 따라 각기 달리 적당히 쓰다. ¶(相手によって) 敬語を～ (상대에 따라) 경어를 가려 쓰다/英独仏三か国語を～ 영·독·불 3개국 말을 잘 구사하다.

****つか-う**【使う】5他 **1** 쓰다. ㉠(재료·도구·수단으로) 사용하다. ¶ペンを～ 펜을 사용하다/頭を～ 머리를 쓰다/袖の下〔わいろ〕を～ 뇌물을 쓰다/だしに～ 미끼로 쓰다/マイクを～·って話す 마이크를 사용하여 말하다/サッカーでは手を～·ってはいけない 축구에서는 손을 써서는 안 된다. ㉡《遣う로도》소비하다. ¶紙をむやみに～ 종이를 함부로 쓰다. ㉢부리다. ¶人を～ 사람을 부리다. **2** 써서 …하다. ¶湯を～ 목욕하다/ちょうずを～ 손을 씻다; 세수하다. **3** 먹다. ¶弁当を～ 도시락을 먹다. 可能つか-える下1自

****つか-う**【遣う】5他 **1** 보내다. ¶進物を～ 선물을 보내다. **2** 쓰다. ㉠《使う로도》사용하다; 소비하다. ¶本に金を～ 책을 사려고 돈을 쓰다. ㉡마음 등을 쓰다. ¶気を～ 마음〔신경〕을 쓰다. ㉢말하다. ¶ていねいな言葉を～·いなさい 공손한 말을 쓰도록 하시오. **3**《使う로도》(술법 따위를) 부리다. ¶人形を～ 인형을 부리다/へびを～ 뱀을 부리다. **4** 가장하다. ¶仮病を～ 꾀병을 부리다. 可能つか-える下1自

つが-う〖番う〗5自 **1** 짝이 되다; 한 쌍이 되다. **2** 교미〔짝짓기〕하다; 흘레하다. ＝つるむ. ¶往来で犬が～·っている 길에서 개가 교미하고 있다.

つかえ〖痞え〗名 가슴이 답답함〔멤〕. ¶胸の～ 가슴이 꽉 멤.

****つか-える**〖支える·閊える〗下1自 **1** 막히다; 메다. ¶返事に～ 대답이 막히다/車が～ 차가 막히다/言葉が～ 말이 막히다/どぶが～ 하수구가 막히다. **2** 받히다. ¶頭が天井に～ 머리가 천장에 받히다〔걸리다〕. **3** 밀리다; 가로막다; 정체(停滞)하다. ¶仕事が～·えている 일이 밀려 있다. **4** (사용 중이어서) 밀리다. ¶電話が～·えている 전화가 (다른 사람이 사용 중이라) 밀리다. **5** 더듬거리다. ¶～·え～·え物を言う 더듬더듬 말을 하다.

つか-える【仕える】《事える》下1自 시중들다; 섬기다. ¶夫によく～ 남편을 잘 섬기다/病床の親に～ 병상의 어버이를 시중들다.

つか-える〖痞える〗下1自 가슴이 메다. ¶胸が～ 가슴이 메다.

つが-える〖番える〗下1他 **1** 둘을 서로 맞추다. ¶はずれた関節を～ 어긋난 관절을 맞추다/雌雄を～ 암수를 짝짓다. **2** 화살을 시위에 메기다. ¶矢を～ 화살을 시위에 메기다.

つかさど-る〖司る·掌る〗5他 맡다. **1** 담당〔관장〕하다. ¶財政を～ 재정을 담당하다. **2** 관리하다; 지배하다. ¶国政を～ 국정을 주관하다.

つか-す【尽かす】5他 다 쓰다; 소진(消盡)하다. ¶あいそを～ 정나미가 떨어지다/精を～ 정력을 다 소모하다.

つかずはなれず【付かず離れず】《即かず離れず》連語 어중간함; 붙지도 않고 떨어지지도 않음. ＝不即不離. ¶～の関係 의가 (그다지) 좋지도 나쁘지도 않은 사이.

つかつか 副 성큼성큼. ¶～と社長に近づく 성큼성큼 사장에게 다가가다.

つかぬこと〖付かぬ事〗連語 엉뚱한 일. ＝つかんこと. ¶～を伺いますが (갑자기 말을 걸거나 화제를 바꿀 때) 갑자기 말씀 드려 미안합니다만.

つか-ねる〖束ねる〗下1他 **1** 다발로 묶(어두)다. ＝たばねる. ¶わらを～ 짚을 다발로 묶다/髪を～ 머리를 묶다. **2** (팔짱을) 끼다. ¶手を～ 팔짱을 끼고 있다《수수방관하다》.

つかのま〖束の間〗名 잠깐 동안; 순간. ¶～の栄華 한 순간의 영화/～の出来事 순간적으로 일어난 사건/～も忘れない 한 순간도 잊지 않다.

つかまえどころ【つかまえ所】《摑まえ所》名 ☞つかみどころ.

***つかま-える**【捕まえる】《捉まえる》下1他 붙잡다. ¶犯人〔どろぼう〕を～ 범인〔도둑〕을 붙잡다.

***つかま-える**〖摑まえる〗下1他 꽉 쥐다. ¶袖〔足〕を～·えて離さない 소매〔다리〕를 꽉 잡고 놓지 않다.

つかま-せる〖摑ませる〗下1他 **1** 쥐어주다; 뇌물을 주다. ＝つかます. ¶わいろを～ 뇌물을 쥐어 주다. **2** (속여서) 나쁜 물건을 사게 하다. ¶盗品を～·せられた 장물을 속아서 샀다.

つかまりだち【つかまり立ち】《摑まり

立ち》图 어린아이가 문·장지 따위를 붙잡고 겨우 서게 되는 일.

*つかま-る【捕まる】《捉まる》 5自 (붙)잡히다. ¶犯人はんにんが～ 범인이 붙잡히다. ↔のがれる. 可能つかま-れる下1自

*つかま-る〖摑まる〗 5自 꽉 잡다; 붙잡다. ¶枝えだに～·ってぶらさがる 가지를 꽉 잡고 매달리다. 可能つかま-れる下1自

つかみあい【つかみ合い】《摑み合い》图 맞붙잡고 싸움; 드잡이. ¶～のけんかをはじめる 드잡이를 시작하다.

つかみあ-う【つかみ合う】《摑み合う》 5自 마주〔서로〕 붙잡다; 마주 붙잡고 싸우다. ¶人前ひとまえで～ 사람들이 보는 데서 마주 잡고 싸우다.

つかみかか-る【つかみ掛かる】《摑み掛かる》 5自 붙잡으려 들다; 덤벼들다. ¶かっとなって相手あいてに～ 발끈해서 상대에게 덤벼들다.

つかみだ-す【つかみ出す】《摑み出す》 5他 1 집어내다. ¶ポケットから金かねを～ 포켓에서 돈을 꺼내다. 2 끌어내다. ¶部屋へやから～ぞ 방에서 끌어낼 테야.

つかみどころ【つかみ所】《摑み所》图 1 붙잡을 데. 2 (가치 평가를 할 경우의) 기준점. ＝つかまえどころ.

――がない 1 매달릴〔잡을 만한〕 데가 없다. 2 요령부득하다. ¶つかみ所のない話はなし 요령부득한 이야기.

つかみどり【つかみ取り】《摑み取り》图 ス他 움켜쥠. ¶ぬれ手てであわの～ 젖은 손으로 조를 움켜쥐기《힘들이지 않고 일확천금함》.

つかみと-る【つかみ取る】《摑み取る》 5他 1 움켜잡다; 움켜쥐다. ¶札束さつたばを～ 지폐 뭉치를 움켜 쥐다. 2 손에 넣다; (제 것으로) 차지하다. ¶政権せいけんを～ 정권을 잡다.

**つか-む〖摑む·攫む〗 5他 잡다. 1 붙잡다. ¶雲くもを～ような話はなし 구름을 잡는 것 같은 허황된 이야기 / 袖そでをしっかり～ 소매를 꽉 잡다 / おぼれる者ものはわらをも～ 물에 빠진 사람은 지푸라기라도 붙잡는다. 2 손에 넣다; 수중에 거두다. ¶大金たいきんを～ 큰돈을 손에 넣다. 3 포착하다. ¶機会きかい〔チャンス〕を～ 기회〔찬스〕를 잡다. 4 (내용 등을) 파악하다. ¶こつを～ 요령을 파악하다. 可能つか-める下1自

つがもない 連語 1 도리에 어긋나다; 터무니없다. 2 시시하다; 하잘것없다.

つか-る〖浸かる〗 5自 (액체 속에) 잠기다; 침수되다. ¶どろ水みずに～·った家屋かおく 흙탕물에 잠긴 가옥 / ふろに～ 목욕물에 잠기다〔몸을 담그다〕.

つか-る【漬かる】 5自 (김치 따위가) 익다. ¶たくあんが～ 단무지가 익다.

つかれ【疲れ】图 피로. ¶～がたまる 피로가 쌓이다 / ～が取とれる 피로가 가시다 / ～を取とる〔知しらない人ひと〕 피로를 풀다〔모르는 사람〕 / どっと～が出でる 갑자기 피로가 몰려오다.

*つか-れる【疲れる】下1自 1 지치다; 피로해지다. ＝くたびれる. ¶目めが～ 눈이 피로해지다 / ～·れて動うごけない 지쳐서 움직일 수 없다. 2 오래 사용해서 약해지다; 낡아지다. ＝弱よわる·いたむ. ¶～·れた洋服ようふく 낡은 양복 / ～·れた田畑たはた 지력(地力)이 약해진 논밭.

つか-れる〖憑かれる〗下1自 들리다; 씌다; 홀리다. ¶きつねに～ 여우에 홀리다 / 悪魔あくまに～ 귀신이 들리다.

つかわ-す【遣わす】 5他 1 보내다. ¶使者ししゃを～ 사자를 보내다. 2 (윗사람이) 주다. ¶ほうびを～ 상을 내리다. 3《動詞의 連用形＋'て'의 뒤에 붙여서》…해 주다《예스러운 말씨》. ＝…てやる. ¶許ゆるして～ 용서해 주다.

つき 图〈俗〉운; 행운. ¶～がない 운이 없다 / ～が回まわってくる 운이 따르다 / ～ににげられる 행운을 놓치다 / ～に見放みはなされる 운이 따르지 않다.

**つき【月】图 1 달. ＝太陰たいいん. ¶～ロケット 달로켓 / ～のかさ 달무리 / ～が出でる〔上のぼる〕 달이 뜨다. ↔日ひ. 2 달빛. ¶～が明あかるい 달〔달빛〕이 밝다 / ～がさし込こむ 달빛이 비쳐 들다. 3 (책력상의) 한 달; 월. ¶大だいの～ 큰달 / ～払ばらい 월부(月賦) / ～を越こす 달을 넘기다 / ～が変かわる 달이 바뀌다 / ～に一度いちど集あつまる 한 달에 한 번 모이다 / ～の半分はんぶんは出張しゅっちょうだ 한 달의 절반은 출장이다. 4 (약 10개월의) 임신 기간. ¶～足たらずの子こ 달이 덜 차서 나온 아이; 조산아 / ～が満みちて生うまれる 달이 차서 태어나다.

――が欠かける (보름달 뒤에) 달이 이지러지다.

――立たつ 1 달이 바뀌다; 새 달이 되다. 2 달이 뜨다.

――とすっぽん 하늘과 땅(만큼의 차이); 천양지차.

> **月つきに 대한 여러 가지 표현**
>
> 표현例 月が(달이)―― 出でる(뜨다)·照てる(비치다)·(皓々こうこうと)輝かがやく(교교히〔휘영청〕 빛나다)·光ひかる(빛나다)·冴さえる(맑다)·冴さえ渡わたる(온통 맑다)·冴さえ返かえる(매우 맑게 비치다)·満みちる(차다; 만월이 되다)·欠かける(이지러지다; 이울다)·昇のぼる(떠오르다)·沈しずむ(지다).

つき【尽き】图 (운 따위가) 다함. ＝はて·終おわり. ¶運うんの～ 운이 다함.

つき【突き】㊀图 1 찌름; 찌르기. ¶一ひと～で倒たおす 단번에 질러서 쓰러뜨리다. 2 ㉠검도에서, 목찌르기. ＝おつき. ¶～を一本いっぽん取とる 목찌르기로 한 점 따다. ㉡씨름에서, 손바닥으로 상대방의 가슴을 밀어치기. ㊁接頭《名詞 앞에 붙여서》그 동작의 기세를 강조하는 말. ¶～進すすむ 돌진하다. ⇨つっ·つん.

つき【つき·付き】《附き》图 1 붙음; 부착성(付着性). ¶おしろいの～ 분의 부착성; 분발 / ～のいいのり 잘 붙는 풀.

2 불붙음; 발화성(發火性). ¶この薪は乾いていて~がよい 이 장작은 말라서 불이 잘 붙는다. 3 배합; 어울림. ¶~の悪いネクタイ 어울리지 않는 넥타이 / この服にあの帽子は~が悪い 이 옷에 저 모자는 잘 어울리지 않는다. 4 붙임성. =人づき. ¶~が悪い 붙임성이 없다.

つき 〖付き·就き〗 接助 《'に~'의 꼴로》 1 …에 관하여. ¶その件〔この点〕に~ご相談したいことがあります 그 건〔이 점〕에 관하여 상담하고 싶은 일이 있습니다. 2 …때문에; …으로 인해. ¶雨天に~ 우천으로 인해. 3 …에 대하여; …당(當). ¶ひとりに~百円 한 사람당 백 엔.

=つき 【付き】 1 붙어〔달려〕 있음; 부속됨. ¶条件~ 조건부 / 保証~ 보증부 / 景品~ 경품부 / ガス, 水道~の貸し家 가스, 수도가 딸린 셋집. 2 【つき】 모양; 풍채. ¶顔~ 얼굴 모양; 인상 / 手~ 손놀림 / しなやかな腰~ 날씬한 허릿매.

**つぎ 【次】 名 다음; 버금. ¶~の間〔駅〕 다음 방〔역〕 / 部長の~にえらい 부장 다음으로 높다 / ~から~へと 다음에서 다음으로; 차례차례로 / ~の日曜日 다음 일요일 / ~はだれだ 다음은 누구냐.

つぎ 【継ぎ】 名 (바대를 대서) 기움; 또, 그 바대. ¶~を当てる 바대를 대다 / ~をする (바대를 대서) 깁다.

つきあい 【付き合い】 名 교제함; 교제상의 의리. ¶~のいい人 교제를 잘하는 사람 / ~が広い 교제가 넓다 / お~で酒を飲む 교제상 술을 마시다.

*つきあ-う 【付き合う】 5自 1 사귀다. ¶長年~ 여러 해 동안 사귀다. 2 (의리나 교제상) 행동을 같이 하다. ¶ゴルフに~ 함께 골프를 치다 / 一杯~·わないか 한잔 같이 안 하겠나. 可能 つきあえる 下1自

つきあかり 【月明かり】 名 달빛. ¶~で本を読む 달빛에 책을 읽다.

つきあ-げる 【突き上げる】 下1他 1 쳐올리다. ¶こぶしを~ 주먹을 번쩍 올리다. 2 하급자가 간부에게 압력을 넣어 어떤 행동을 하도록 하다. ¶組合の幹部を~ 조합 간부를 강박하다

つきあたり 【突き当たり·突当り】 名 1 마주침. 2 막다른 곳. =行き詰まり·行き止まり. ¶~の部屋 맨 끝방 / ~の店 막다른 가게.

*つきあた-る 【突き当たる】 5自 1 (맞)부딪치다; 충돌하다. ¶自転車が電信柱に~ 자전거가 전신주에 부딪치다. 2 막다른 곳에 이르다. =行きづまる. ¶路地を~·って右に曲がる 골목길의 막다른 곳에서 오른쪽으로 돌다 / 壁に~ 벽에 부딪치다《난관에 봉착하여 더 못 나아가게 되다》.

つきあ-てる 【突き当てる】 下1他 1 부딪치다. ¶壁に車を~ 벽에 자동차를 부딪치다. 2 찾아내다. ¶犯人の隠れ家を~ 범인의 은신처를 찾아내다.

つきあわ-せる 【突き合わせる】 下1他 1 맞대다. ¶ひざを~ 무릎을 맞대다《간담하다》 / 鼻を~ 대면하다《마주치다》. 2 대조하다. ¶原本と写本を~ 원본과 사본을 대조하다. 3 대질시키다. ¶共犯者を~ 공범자를 대질시키다.

つぎあわ-せる 【継ぎ合わせる】 下1他 1 맞붙이다. ¶割れたかびんを~ 깨진 꽃병을 맞붙이다. 2 잇대어 꿰매다. ¶きれを~ 헝겊을 잇대어 꿰매다.

つきうす 〖搗き臼〗 名 절구. ↔つきぎね.

つきおくれ 【月後れ·月遅れ】 名 1 (월간잡지 따위의) 발매 중인 것보다 이전에 나온 호. =バックナンバー. ¶~の雑誌 (이전에 발간된) 잡지. 2 음력으로 해오던 행사를 양력 그날로 하지 않고 한 달 늦추어 하는 일. ¶田舎は~の正月で大にぎわいだ 시골은 달 늦은 설로 크게 흥청거리고 있다.

*つきおと-す 【突き落とす】 5他 1 밀어 떨어뜨리다. ¶橋から~ 다리에서 떼밀어 떨어뜨리다. 2 궁지에 빠뜨리다. ¶絶望のふちに~ 절망의 나락으로 떨어뜨리다.

つきかえ-す 【突き返す】 5他 1 되찌르다. 2 (내놓는 것을 거절하고) 되돌리다; 퇴짜놓다. ¶わいろを~ 뇌물을 물리치다 / 辞表を~ 사표를 반려하다. 注意 'つっかえす'라고도 함.

つきかげ 【月影】 名 월영. 1 달빛. =月光. ¶~さやかな夜 달빛이 맑은 밤. ↔日影. 2 〈雅〉 (달빛에 비친) 그림자.

つきがけ 【月掛け】 名 다달이 일정한 돈을 부어 나감; 또, 그 돈. ¶~貯金 적금. ↔日掛け. 「げつうん.

つきがさ 【月がさ】《月暈》 名 달무리. =

つきかた-める 【突き固める】 下1自 세게 쳐서 굳히다. ¶地面を~ 지면을 다지다.

つきがわり 【月代わり】 名 1 달이 바뀜. ¶明日からは~で五月になる 내일부터는 달이 바뀌어 5월이 된다. 2 달마다 교체함. ¶~で当番する 한 달 교대로 당번하다.

つぎき 【接ぎ木】 名 접목. ¶かきの~をする 감나무의 접목을 하다. 「うす.

つきぎね 〖搗き杵〗 名 절굿공이. ↔つき

つきぎめ 【月決め】《月極め》 名 월정(月定); 한 달 얼마로 정함. ¶新聞を~でとる 신문을 달로 쳐서 보다.

つきぎょうじ 【月行事】 名 월중 행사.

つききり 【付き切り】 名 항상 옆에 붙어 있음. =付きっきり. ¶~で看病する 늘 붙어서 병구완하다.

つきき-る 【突き切る】 5他 1 꿰뚫다; 돌파하다. 2 가로지르다. =つっきる. ¶高速道路が荒野を~ 고속도로가 황야를 가로지르다. 「한이 끝남.

つきぎれ 【月切れ】 名 전당물·변제의 기

つきくず-す【突き崩す】5他 **1** 쌓아 올린 것 등을 밀어 무너뜨리다. ¶古い土塀を～ 낡은 토담을 밀어서 무너뜨리다〔허물다〕. **2** 적진에 뛰어들어 방비를 무너뜨리다. ¶敵陣を～ 적진을 쳐부수다. 「뿅아 바수다.

つきくだ-く【つき砕く】《搗き砕く》5他

つぎくち【注ぎ口】名 (간장·기름 따위를) 따르기 위해 붙인 부리; 귀때.

つきごし【月越し】名ス自 그 달에서 다음 달로 걸침. ¶～の勘定 달 넘긴 계산; 전 달 계산서.

つぎこ-む【つぎ込む】《注ぎ込む》5他 **1** 부어 넣다. ¶しょうゆをびんに～ 간장을 병에 부어 넣다. **2** (무엇을 하기 위하여) 많은 비용을 들이다. ¶全財産を社会事業に～ 전재산을 사회사업에 쏟아 넣다.

つきころ-す【突き殺す】5他 찔러 죽이다. ¶やりで～ 창으로 찔러 죽이다.

つきころば-す【突き転ばす】5他 밀어 넘어뜨리다. ＝つっころばす. ¶後ろから～ 뒤에서 밀어 넘어뜨리다.

***つきさ-す**【突き刺す】5他 (날카로운 것으로) 찌르다. ¶短刀でのどを～ 단도로 목을 푹 찌르다/肌を～寒風 살을 찌르듯이 매서운 찬바람.

つきじ［築地］名〈雅〉매축지(埋築地); 매립지. ＝埋め立て地. 注意 'ついじ'라고 하면 딴말.

つきしたが-う【付き従う】《附き随う》5自 **1** 뒤따라가다; 수행하다. ¶数名の部下が～ 수명의 부하가 수행하다. **2** 아래에 속하다. ¶権力者に～ 권력자에 추종하다.

つきしら-げる『搗き精げる』下1他 (보리·쌀 따위를) 쓿다; 정미하다.

つきずえ【月末】名 월말. ＝げつまつ. ↔月始め.

つきすす-む【突き進む】5自 돌진하다. ¶荒れ野を～ 황야를 돌진하다.

つきせぬ【尽きせぬ】連語〈雅〉《連体詞적으로》한〔끝〕이 없는. ¶～涙 한없이 흐르는 눈물.

つきそい【付き添い】名 곁에서 시중〔수발〕듦; 또, 그 사람. ¶～人 곁따르는 사람; 시중드는 사람/～看護婦 곁에서 시중드는 간호사; 딸린 간호사.

つきそ-う【付き添う】5自 곁에서 시중〔수발〕들다. ¶病人に～ 환자 곁에서 시중들다.

つきたお-す【突き倒す】5他 **1** 밀어서〔들이받아〕 쓰러뜨리다. ¶体当たりして～ 몸을 부딪쳐 쓰러뜨리다.

つきだし【突き出し】名 **1** 쑥 내밂; 쑥 내민 것〔곳〕. ¶～看板 돌출 간판. **2** (씨름에서) 손바닥으로 밀어내기. **3** (일본 요리에서) 처음에 내놓는 가벼운 안주; 전채(前菜). ＝お通し. ¶～を出す 전채를 내다.

***つきだ-す**【突き出す】5他 **1** 밀어내다. ¶土俵の外へ～ 씨름판 밖으로 밀어 내다. **2** (앞으로) 내밀다. ¶窓から顔を～ 창문으로 얼굴을 내밀다. **3** (경찰서 등에) 넘기다. ¶犯人を警察へ～ 범인을 경찰에 넘기다.

つぎた-す【つぎ足す】《注ぎ足す》5他 (물 따위) 모자라는 분량을 더 붓다. ¶お茶を～ 차를 더 따르다.

つぎた-す【継ぎ足す】5他 (나중에) 더 늘이다; 이어 늘이다; 덧붙이다. ¶さおを～ 장대를 이어 늘이다/二階を～ 2층을 더 드리다〔증축하다〕/話を～ 이야기를 더 보태다.

つきた-てる【突き立てる】下1他 **1** (찔러서) 꽂다. ¶山頂に旗を～ 산꼭대기에 기를 꽂아 세우다. **2** 마구 찌르다. ＝突きまくる. ¶槍を～ 창을 마구 찔러대다.

つきたらず【月足らず】名 (태아가) 조산(早産)함; 조산아; 미숙아. ＝つきぶそく·早生児. ¶～で生まれる 달이 못 차서 출생하다.

つきづき【月月】名 매달《副詞적으로도 씀》. ¶～百万の収入 매달 백만 엔의 수입/～の支出 매달의 지출.

つぎつぎ【次次】名 차례차례; 잇따름. ¶～と用事ができる 잇따라 볼일이 생기다/事故が～に起こる 사고가 연달아 일어나다. 参考 助詞 'に' 'と' 'の' 따위를 붙여서 씀.

つきっきり【付きっ切り】名 늘 곁에 있어 떠나지 않음《'付き切り'의 힘줌말》. ¶～で看病する 한시도 곁을 떠나지 않고 병구완하다.

つきつ-ける【突きつける】《突き付ける》下1他 들이대다; (거칠게) 내밀다. ¶ピストルを～ 권총을 들이대다/抗議文を～ 항의문을 내밀다.

つきつ-める【突きつめる】《突き詰める》下1他 **1** 끝까지 파고들다; 추구하다. ¶事件の真相を～ 사건의 진상을 파고들다/原理を～ 원리를 탐구하다. **2** 골똘히 생각하다. ¶～·めて考える 골똘히 생각하다.

つぎて【継ぎ手】名 **1**《接ぎ手로도》(금속·목재 등의) 이음매. ＝つぎめ·ジョイント. **2** (가업 등의) 계승자. **3** (바둑에서) 이음수.

***つき-でる**【突き出る】下1自 **1** 뚫고 나오다. ¶釘が～ 못이 뚫고 나오다. **2** 내밀다; 돌출하다. ¶海に～·出た防波堤 바다로 돌출한 방파제/ひたいが～ 이마가 내밀다.

***つきとお-す**【突き通す】5他 내뚫다; 꿰뚫다; (비유적으로) 끝까지 …하다. ¶布に針を～ 천에 바늘을 꿰다/きりで厚紙を～ 송곳으로 판지를 꿰뚫다/主張を～ 끝까지 주장하다.

つきとお-る【突き通る】5自 뚫고 나오다. ¶釘が～ 못이 뚫고 나오다.

つきとば-す【突き飛ばす】5他 냅다 밀어젖히다. ¶人を～·して電車に乗る 남을 밀어젖히고 전차에 타다.

つきと-める【突き止める】下1他 (끝내) 밝혀 내다; 알아내다. ¶原因(げんいん)を～ 원인을 밝혀 내다/隠(かく)れ家(が)を～ 숨어 있는 집을 알아내다.

つきなかば【月半ば】名 중순. ＝月中(つきなか)·中旬(ちゅうじゅん). ¶今月(こんげつ)の～ 이달 중순. ↔月初(つきはじ)め·月末(げつまつ·つきずえ).

つきなみ【月並み】《月次》 一 名ナ 평범함; (속되고) 진부함. ¶～な文句(もんく) 평범한 문구/～な事(こと)を言(い)う 진부한 말을 하다. 二 名 월례. ¶～の会(かい) 월례회.

***つぎに**【次に】副 다음에; 그러고 나서. ¶その～会(あ)った時(とき) 그 다음에 만났을 때/英語(えいご)がすんだら～国語(こくご)を予習(よしゅう)する 영어가 끝나면 다음에 국어를 예습한다.

つきぬ-く【突き抜く】一 5他 꿰뚫다. ＝貫(つらぬ)く. ¶弾丸(だんがん)が壁(かべ)を～ 탄환이 벽을 꿰뚫다. 二 下2自 〈文〉 ☞つきぬける.

つきぬ-ける【突き抜ける】下1自 관통하다; 통과하다. ¶天井(てんじょう)を～ 천장을 꿰뚫고 나가다/林(はやし)を～·けて行(い)く 숲을 지나가다.

つきの-ける【突きのける】《突き除ける》下1他 밀어젖히다. ¶人(ひと)を～·けて通(とお)る 사람을 밀어젖히고 지나가다.

つきのさわり【月の障り】名 월경. ＝月経(げっけい)·つきのもの.

つぎのま【次の間】名 곁방; 큰방 옆에 붙어 있는 작은 방. ＝ひかえの間(ま). ¶～に控(ひか)える 곁방에서 대기하다.

つきのめ-す【突きのめす】5他 (뒤에서) 앞으로 떼밀어 넘어뜨리다. ＝押(お)しころばす.

つきのわぐま〖月の輪熊〗名〔動〕반달가슴곰. ＝クロクマ.

つぎは【継ぎ端】名 이야기 따위를 이을 틈〔계제〕. ＝つぎほ. ¶話(はなし)の～に困(こま)る 계제가 없어 말을 잇기가 어렵다/話の～を失(うしな)う 말을 이을 계제를 잃다.

つぎはぎ【継ぎはぎ】《継ぎ接ぎ》名 1 (옷에 조각 따위를) 잇거나 붙여 기움. ¶～だらけのシャツ 누덕누덕 기운 셔츠. 2 독창적인 데가 없이 남의 것을 그러모아 하나의 문장을 만듦. ¶～の論文(ろんぶん) (남의 문장을) 주워 모아 쓴 논문.

つきはじめ【月初め】名 월초; 초승. ＝月初(げっしょ). ¶～に集金(しゅうきん)に来(く)る 월초에 수금하러 오다. ↔月末(つきずえ)·月中(つきなか).

つきは-てる【尽き果てる】下1自 다하다. ¶精(せい)も根(こん)も～ 기진맥진하다/あいそもこそも～ 정나미고 무어고 다 떨어지다.

つきはな-す【突き放す】5他 1 떼치다; 뿌리치다. ＝つきとばす. ¶すがる子(こ)を～ 매달리는 아이를 떼치다. 2 관계를 끊다; 돌보지 않다. ＝見捨(みす)てる·つっぱなす. ¶親(おや)からも～·される 부모한테서도 버림을 받다.

つきばらい【月払い】名 월불; 월부. ＝月賦払(げっぷばら)い. ¶～で車(くるま)を買(か)う 월부로 차를 사다. ↔年払(ねんばら)い·日払(ひばら)い.

つきばん【月番】名 월번; 한 달씩 하는 당번. ＝月行事(つきぎょうじ).

***つきひ**【月日】名 월일. 1 달과 날; 날짜. ¶～を記入(きにゅう)する 월일을〔날짜를〕 기입하다. 2 시일; 세월. ＝としつき. ¶～がたつ 시일이 지나다〔흐르다〕.

つきびと【付き人】名 따라다니며 신변을 돌보아 주는 사람. ＝付(つ)け人(びと)·付添人(つきそいにん).

つきべつ【月別】名 월별. ¶～の売(う)り上(あ)げ高(だか) 월별 매상액.

つきべり【つき減り】《搗き減り》名 ス自 (쌀 등을) 찧어서 분량이 줆; 또, 그 주는 분량. ¶～がひどい 찧어서 양이 많이 줄다.

つぎほ【接ぎ穂·継ぎ穂】名 1〔植〕접수; 접(接)나무; 접붙인 나무. ↔つぎ台(だい)·台木(だいぎ). 2 말을 이을 기회; 말을 계속할 계제. ＝継(つ)ぎ端(は). ¶話(はなし)の～が無(な)い 이야기를 이을 계제가 없다.

つきましては〖就きましては〗tsukimashitewa 接助 'ついては(＝그 일에 관해서; 그런고로)'의 공손한 말씨. ¶～出席(しゅっせき)賜(たまわ)りたく 그래서 출석하시기를 요망코자.

つきま-ぜる【つき交ぜる】《搗き交ぜる》下1他 1 빻아 섞다. ¶穀類(こくるい)を～ 곡류를 빻아 섞다. 2 (이질적인 것을) 뒤섞다. ¶カニとイカを～·ぜたような味(あじ) 게와 오징어를 뒤섞은 것 같은 맛.

つきまと-う【付きまとう】《付き纏う》5自 항상 따라다니다; 붙어 다니다. ¶不安(ふあん)が～ 불안이 떠나지 않다/変(へん)な男(おとこ)に～·われる 이상한 사나이가 따라다니다.

つきみ【月見】名 1 달구경; 완월(玩月). ＝観月(かんげつ). ¶～の宴(えん) 달맞이잔치. 2 '月見うどん·月見そば'의 준말.
—うどん 名 날계란을 깨서 얹은 냄비국수.
—そう【—草】名 달맞이꽃.
—そば 名 날계란을 깨서 얹은 메밀국수.

つきめ【尽き目】名 다할 때; 종말; 끝판. ¶運(うん)の～ 운이 다할 때.

つぎめ【継ぎ目·接ぎ目】名 1 이음매; 이은 자리. ＝つなぎめ. ¶レールの～ 레일(의) 이음매/毛糸(けいと)の～が表(おもて)に出(で)ないように編(あ)む 털실의 이음매가 겉에 나오지 않도록 짜다. 2 호주(戸主) 상속(인). ＝あとつぎ.

つきめくり【月めくり】《月捲り》名 한 달에 한 장씩 떼게 되어 있는 달력.

つきもど-す【突き戻す】5他 (내미는 것을) 받지 않고 되돌리다. ＝つきかえす. ¶お金(かね)を～ 내미는 돈을 받지 않고 되돌리다.

つきもの【付き物】名 따라〔붙어〕다니는 것. ＝付属物(ふぞくぶつ). ¶刺身(さしみ)にワサビは～ 생선회에 고추냉이는 으레 붙어 다니는 것/子供(こども)にけんかは～だ 아이들에게 싸움은 으레 따라다니기 마련이다.

つきもの〖憑き物〗名 사람에게 들린 악령이나 마귀. ＝もののけ. ¶～がつく 악

령이 씌다; 귀신이 들리다 / ~が落ちる 씌었던 귀신이 떨어져 나가다.

*つきやぶ-る【突き破る】5他 1 미어뜨리다; 찢다. ¶指で障子を~ 손가락으로 미닫이를 미어뜨리다. 2 돌파하다; 뚫다. ¶敵の重囲を~ 적이 겹겹이 둘러싼 포위를 뚫다.

つきやま【築山】名 석가산(石假山). ¶~に松を植える (석)가산에 소나무를 심다 / ~を築く (석)가산을 만들다.

つきゆび【突き指】名ス他 손가락을 세게 부딪쳐 삠. ¶ボールを受け損ねて~(を)した 공을 잘못 받아 손가락을 삐었다.

つきよ【月夜】名 월야; 달밤. ¶実にいい~だ 참으로 좋은〔아름다운〕 달밤이다. ↔やみ夜.

――にちょうちん 달밤에 초롱불《불필요「함의 비유》.

――がらす〖――烏〗名 달밤에 들떠서 우는 까마귀; 밤에 들떠서 놀러 다니는 사람의 비유. =うかれがらす.

*つ-きる【尽きる】上1自 다하다. 1 진(盡)하다; 떨어지다. ¶運〔力, 命〕が~ 운〔힘, 목숨〕이 다하다 / 食糧が~ 식량이 떨어지다. 2 끝나다. ¶話は~·きない 이야기는 끝이 없다 / 林が~·きて広い道へ出る 숲이 끝나고 넓은 길로 나오다. 3《'…に~'의 꼴로》…이외에 아무것도 없다; 그것으로 모든 할 말을 다하다. ¶かわいいの一言に~ 그저 귀엽다는 말밖에는 할 말이 없다 / 冥加に~ 더할 나위 없는 복을 누리다.

つきわり【月割り】名 1 월당(月當); 월평균. ¶市民税は~で五百円ぐらいだ 시민세는 월당 5백 엔쯤이다. 2 월부. ¶~で支払う 월부로 지불하다.

⁑つ-く【つく·付く】《附く》5自 1 붙다. ㉠달라붙다; 매달리다. ¶子供が~·いて離れない 어린애가 매달려 떨어지지 않다. ㉡묻다. ¶泥がズボンに~ 흙탕(물)이 바지에 묻다. ㉢접착하다. ¶こののりはよく~ 이 풀은 잘 붙는다. ㉣(힘 등이) 붙다; 더해지다. ¶力〔実力〕が~ 힘〔실력〕이 붙다〔나다〕. ㉤덧붙다. ¶手当が~ 수당이 붙다 / おまけまで~·いて返った 덤까지 붙어 돌아왔다. ㉥따르다. ¶護衛〔案内〕が~ 호위가〔안내원이〕 붙다 / それには条件が~·いている 거기에는 조건이 붙어 있다. ㉦딸리다. ¶病人に看護婦が~ 환자에 간호사가 딸리다. ㉧생기다. ¶利子が~ 이자가 붙다. 2 생기다. ¶跡が~ 자국이 나다; 흔적이 생기다 / 傷が~ 상처가 나다; 흠(집)이 나다 / 悪い癖が~ 나쁜 버릇이 생기다. 3 들어오다. ㉠(눈·코·귀 등의) 감각 기관에 들어오다. ¶目に~ 눈에 띄다 / 耳に~ (시끄러울 정도로) 귀에 들어오다 / 鼻に~ 냄새가 나다. ㉡가설되다. ¶電話が~ 전화가 들어오다〔가설되다〕 / 十字路に信号機が~·いた 십자로에 신호기가 가설되었다. ㉢(기계·전기 등이) 작동하다; 켜지다. ¶ラジオが~ 라디오가 들어오다〔켜지다〕 / 電気が~ 전기가 들어오다.
注意 ㉢의 일부는 '点く'로도 씀. 4 따르다. ¶父に~·いて行く 아버지를 따라가다 / 川に~·いて歩く 강변을 따라 걷다 / 彼の説に~ 그의 설에 따르다. 5 기록〔기입〕되다. ¶帳面に~·いている 장부에 기입돼 있다 / 通信簿に~ 생활 통지표에 기입되다. 6 되다; 알맞게 되다. ¶お燗が~ (술이 알맞게) 따끈히 데워지다 / 種痘が~ 우두가 잘되다. 7 (정신을) 차리다. ¶気が~ (a)알아차리다; 깨닫다; (b)제정신이 들다; 정신 나다 / 分別が~ 철이 들다. 8 매듭을 짓다; 결정되다. ¶決心が~ 결심이 서다 / かたが~ 결말이 나다; 처리되다 / 話が~ 교섭·의논이 성립되다. 9 자리 잡다; 뿌리박다. ¶根が~ 뿌리를 박다 / さし木が~ 꺾꽂이가 뿌리내리다. 10 (금이) 매겨지다; 치이다. ¶値が~ 값이 매겨지다. 11《'…に~·き'의 꼴로》…이므로; …이기 때문에. ¶日曜に~·き休業 일요일이므로 휴업. 可能 つ-ける 下1自

⁑つ-く〖即く〗5他 왕위에 오르다; 즉위하다. ¶天子の位に~ 천자의 자리에 오르다. 可能 つ-ける 下1自

⁑つ-く〖吐く〗5他 1 숨을 쉬다. ¶ため息を~ 한숨을 쉬다 / 息が~·けない 숨을 쉴 수가 없다. 2 말하다. ¶うそを~ 거짓말을 하다 / 悪態を~ 욕을 퍼붓다. 3 토하다. ¶へどを~ 게우다. 可能 つ-ける 下1自

⁑つ-く【就く】5他 1 들다. ¶床に~ 잠자리에 들다 / 巣に~ 보금자리에 들다; 깃들이다. 2 오르다. ㉠그 자리〔직위〕에 앉다. ¶社長の座に~ 사장 자리에 앉다 / 棋聖位に~ 기성위에 오르다. ㉡(일이) 본격적으로 움직이다. ¶仕事に~ 일에 붙다〔착수하다〕. 3 종사하다. ¶教職に~ 교직에 종사하다. 4 따르다; 좇다. ¶強い方に~ 강한 쪽에 붙다 / 先生に~·いて習う 선생님을 붙좇아 배우다. 5《'…に~·き' '…に~·いて'의 꼴로》…에 관하여; …에 대하여; …마다. ¶新薬に~·いての話を聞く 신약에 관한 이야기를 듣다 / 荷物一個に~·き二百円の手数料を払う 화물 한 개당 2백 엔의 수수료를 지불하다. 可能 つ-ける 下1自

⁑つ-く〖憑く〗5自 (심령이나 마귀 따위가) 들리다; 씌다. ¶キツネが~ 여우에게 홀리다.

⁑つ-く〖搗く·舂く〗5他 1 찧다; 빻다. ¶米を~ 쌀을 찧다. 2 치다. ¶もちを~ 떡을 치다.

⁑つ-く〖浸く〗5自 (물에) 잠기다. ¶大雨で屋根まで水が~·いた 큰비로 지붕까지 물에 잠겼다.

⁑つ-く〖点く〗5自 불이 켜지다; (불이) 붙다. ¶電灯(でんとう)が～ 전등불이 켜지다/火(ひ)が～ 불이 붙다.

⁑つ-く【突く】5他 **1** 찌르다. ㉠(날카로운 것으로) 찌르다. ¶針(はり)で指(ゆび)を～ 바늘로 손가락을 찌르다. ㉡내지르다. ¶ひじでわきを～ 팔꿈치로 옆구리를 쿡 찌르다. ㉢《본디 衝く》(기세 등이) 충천하다. ¶意気(いき)天(てん)を～ 의기 하늘을 찌르다〔충천하다〕. ㉣《본디 衝く》공격하다. ¶核心(かくしん)〔急所(きゅうしょ)〕を～ 핵심을〔급소를〕 찌르다/敵(てき)の背後(はいご)を～ 적의 배후를 찌르다/虚(きょ)を～·かれる 허를 찔리다. ㉤《본디 衝く》자극하다. ¶鼻(はな)を～におい 코를 찌르는 냄새. **2** (뿔로) 받다. ¶角(つの)で～ 뿔로 받다. **3** 치다. ㉠《본디 撞く》소리를 내다. ¶鐘(かね)を～ 종을 치다. ㉡찍다. ¶判(はん)を～ 도장을 찍다. ㉢《본디 撞く》(공을) 튀기다. ¶まりを～ 공을 튀기다/球(たま)を～ 당구공을 치다. **4** 밀다; 떠다밀다. ¶相手(あいて)の胸(むね)を～ 상대의 가슴을 떠밀다. **5**《본디 衝く》(장애를) 무릅쓰다. ¶ふぶきを～·いて進(すす)む 눈보라를 무릅쓰고 나아가다. **6** 짚다; 괴다. ¶杖(つえ)を～ 지팡이를 짚다/ほおづえを～ 턱을 괴다. 可能つ-ける 下1自

⁑つ-く【着く】5自 **1** 닿다. ㉠도착하다. =届(とど)く. ¶荷物(にもつ)が～ 화물〔짐〕이 도착하다/目的地(もくてきち)に～ 목적지에 닿다. ㉡접촉하다. =達(たっ)する. ¶頭(あたま)が天井(てんじょう)に～ (키가 커서) 머리가 천장에 닿다/プールの底(そこ)に足(あし)が～·かない 풀장 바닥에 발이 닿지 않다. **2** 자리를 잡다; 앉다. ¶座席(ざせき)に～ 자리에 앉다. 可能つ-ける 下1自

つく〖木兎·木菟〗名〔鳥〕부엉이.

つ-ぐ【次ぐ】《亜ぐ》5自 **1** 뒤를 잇다. ¶昨年(さくねん)に～豊作(ほうさく) 작년에 이은 풍작/地震(じしん)に～·いで津波(つなみ)が起(お)こった 지진에 뒤이어서 해일(海溢)이 일어났다. **2** 다음가다; 버금가다. ¶大統領(だいとうりょう)に～地位(ちい) 대통령에 버금가는 지위/大阪(おおさか)は東京(とうきょう)に～大(だい)都会(とかい)だ 大阪는 東京 다음가는 대도시다.

***つ-ぐ**〖注ぐ〗5他 쏟다; 붓다; 따르다. ¶酒(さけ)を～ 술을 따르다.

***つ-ぐ**【接ぐ】5他 **1** 접목하다. ¶木(き)に竹(たけ)を～ 나무에 대나무를 접목하다《질이 다른 것을 무리하게 합쳐 잘 안 됨의 비유》. **2** 이어 붙이다. ¶骨(ほね)を～ 접골하다. 可能つ-げる 下1自

***つ-ぐ**【継ぐ】5他 **1** 잇다. ㉠《본디 承ぐ·嗣ぐ로도》계승하다; 상속하다. ¶家(いえ)を～ 호주 상속을 하다/王位(おうい)を～ 왕위를 계승하다. ㉡(모자라는 것을) 이어 보태다. ¶糸(いと)を～ 실을 잇다. ㉢(끊이지 않도록) 뒤를 이어 대다. ¶ことばを～ 말을 잇다. ㉣잇대다; 연잇다. ¶夜(よ)を日(ひ)に～ 밤낮을 연잇다《밤낮을 가리지 않고 무엇을 함의 비유》. **2**《接ぐ로도》해진 곳을 깁다. ¶上着(うわぎ)のほころびを～ (양복) 윗옷의 터진 데를 깁다. 可能つ-げる 下1自

=づ-く【づく·付く】《附く》《名詞에 붙어서 五段動詞를 만듦》**1**… 경향이 생기다. ¶色気(いろけ)～ (여자에) 성적 매력이 생기다/おじけ～ 겁이 나다. **2** 한동안 열심히 …을 하다. ¶柄(がら)にも無(な)く小説(しょうせつ)～·いている 격에 맞지도 않게 소설에 열중해 있다.

⁑つくえ【机】名 책상. =デスク·ふづくえ. ¶～に向(む)かう (공부하기 위해) 책상 앞에 앉다/～で勉強(べんきょう)する 책상에서 공부하다.

—を並(なら)べる 책상을 나란히하다; 한 교실〔직장〕에서 공부〔일〕하다. ¶机を並べて共(とも)に働(はたら)く 책상을 나란히하고 같이 일하다.

=づくし【尽くし】《名詞에 붙어서》그 종류의 것을 전부 열거함. ¶宝(たから)～ 보배를 있는 대로 다 열거함.

***つく-す**【尽くす】5他 **1** 다하다. ㉠있는 대로 다하다. ¶心(こころ)を～ 마음〔정성〕을 다하다/死力(しりょく)を～·して戦(たたか)う 사력을 다하여 싸우다. ㉡(남을 위해) 애쓰다; 진력하다. ¶社会(しゃかい)に～ 사회를 위해 애쓰다/人事(じんじ)を～·して天命(てんめい)を待(ま)つ 사람이 할 수 있는 최선을 다하고 천명을 기다리다. 參考 ㉡은 自動詞적인 용법. **2**《動詞連用形에 붙어서》끝까지 …하다; 다 …하여 버리다; …해치우다. ¶書(か)き～ 다 써 버리다/まんじゅうを食(た)べ～ 찐빵을 다 먹어 치우다. 可能つく-せる 下1自

つくだに【つくだ煮】《佃煮》名〔料〕(생선·조개·해초 등의) 조림의 하나. 參考 江戸(えど) 시대에, 江戸의 佃島(つくだじま)에서 최초로 만든 데서 유래.

***つくづく**〖熟·熟熟〗副 **1** 곰곰이. =よくよく. ¶～と将来(しょうらい)のことを考(かんが)える 곰곰이 장래의 일을 생각하다. **2** 눈여겨; 뚫어지게; 지그시. =じっと. ¶～(と)見入(みい)る 지그시〔뚫어지게〕 보다. **3** 마음속 깊이 느끼는 모양; 정말; 아주; 절실히. =しみじみ·しんから. ¶～と感(かん)じた 절실히 느꼈다/～(と)いやになった 정말 싫어졌다. 注意 つくつく라고도 함.

つくつくぼうし〖つくつく法師〗名〔蟲〕애매미《우는 소리가 'つくつくほーし'로 들림》. =おうしいつくつく.

つぐない【償い】名 보상; 보답; 속죄. =弁償(べんしょう). ¶～金(きん) 보상금/罪(つみ)の～に出家(しゅっけ)する 속죄를 위해 승려가 되다.

***つぐな-う**【償う】5他 갚다. **1** 보상하다; 변상하다. ¶損失(そんしつ)を～ 손실을 보상하다. **2** 속죄하다. ¶出家(しゅっけ)して罪(つみ)を～ 출가하여 속죄하다. 注意 'つぐのう'라고도 함. 可能つぐな-える 下1自

つくねいも〖捏ね薯·仏掌薯〗名〔植〕불장서《마의 한 가지》. =とろろいも·こぶしいも·つくいも.

つく-ねる〖捏ねる〗下1他 (손으로) 빚어 둥글게 하다; 빚다. =こねあげる. ¶

ひき肉を～·ねてミートボールを作る 다진 고기를 빚어 미트볼을 만들다.

つくねんと 副 멍하니; 우두커니. ¶広い座敷に～座っている 넓은 다다밋방에 우두커니 앉아 있다.

つくば-う 〖蹲う·踞う〗 5自 웅크리다; 쭈그리다. =しゃがむ. ¶体を～ 몸을 웅크리다.

つくば-る 〖蹲る〗 5自 웅크리다; 쭈그리다. ¶はい～ 납죽 엎드리다; 설설 기다.

つぐみ 〖鶇〗 图〔鳥〕 개똥지빠귀.

つぐ-む 〖噤む〗 5他 다물다; 말하지 않다. =だまる. ¶固く口を～ 굳게 입을 다물다.

つくり 〖旁〗 图 한자(漢字) 구성상의 명칭: 방《한자의 오른쪽 부분》. ↔偏.

***つくり**【作り】图 **1** 만듦. ㉠몸매; 몸집. ¶頑丈な～の男 단단한 몸집의 사나이. ㉡만듦새; 됨됨이. ¶この品は～がいい 이 물건은 만듦새가 좋다. **2** 몸단장; 화장. ¶お～にひまがかかる 몸단장에 시간이 걸리다/～を念入りにする 화장〔몸단장〕을 공들여 하다. **3** 일부러 꾸밈; 가장; 거짓. ¶～笑い〔泣き〕 거짓 웃음〔울음〕. **4** 생선회. =さしみ. ¶たいの生け作り 도미회.

***つくり**【造り】图 집·정원·연못 등을 만듦; 또, 그 사람〔만듦새; 구조〕. ¶質素な～の家 검소하게 지은 집/～がしっかりしている家 구조가 단단한 집.

つくりあ-げる【作り上げる】下1他 만들어 내다. **1** 완성시키다. ¶二年かかって～·げた絵 2년 걸려서 완성시킨 그림/一人で～·げた 혼자서 만들어 냈다. **2** 꾸며 내다; 날조〔조작〕하다. ¶全部～·げた嘘だ 전부 꾸며 낸 거짓말이다/架空の事件を～ 가공의 사건을 조작하다.

つくりか-える【作り替える】下1他 **1** (헌것 대신으로) 다시 만들다. ¶カーテンを～ 커튼을 다시 새로 만들다. **2** (기존의 것을 이용해서) 고쳐 만들다. ¶小説を戯曲に～ 소설을 희곡으로 고쳐 만들다.

つくりがお【作り顔】图 (본 얼굴과 달리) 꾸민 얼굴 모양. ¶'お気の毒なこと'と彼女は悲しみの～をして言った '참 안됐습니다' 하고 그녀는 짐짓 슬픈 표정을 짓고 말했다.

つくりかた【作り方】图 **1** 만드는 방법. **2** 만든 양식〔구조〕; 만든 모양새.

つくりごえ【作り声】图 꾸민 목소리; 가성(假聲). ¶～であまえる 꾸민 목소리로 아양을 떨다. ↔地声.

つくりごと【作り言】图 꾸며 낸 이야기; 거짓말. =うそ·虚言. ¶～を言う 거짓말을 하다.

つくりごと【作り事】图 **1** 꾸며 낸 일; 거짓말. =いつわりごと·こしらえごと·うそ. ¶この新聞報道は全く～だ 이 신문 보도는 순전히 거짓말이다. **2** 주로 작가의 공상·상상에 의하여 만들어 낸 이야기《소설 따위》.

つくりざかや【造り酒屋】图 술을 양조하여 도매하는 가게; 양조장. =醸造元.

つくりじ【作り字】图 **1** 일본에서 한자를 본떠서 만든 글자《峠·辻 따위》. =国字. **2** 제멋대로 만들어낸 글자. =うそ字. ¶～を書くな 엉터리 글자를 쓰지 마라.

つくりだ-す【作り出す】5他 **1** 만들기 시작하다. ¶～と夢中だ 만들기 시작하면 열중한다. **2** 만들어 내다. ¶画期的な製品を～ 획기적인 제품을 만들어 내다/新型の機械を～ 신형 기계를 만들어 내다.

つくりた-てる【作り立てる·造りたてる】下1他 **1** 만들어 내다; 완성시키다. **2** 꾸미다. ¶けばけばしく～·てて出かける 요란하게 치장하고 외출하다.

つくりつけ【作り付け】图 붙박이. ¶～の家具〔本棚〕 붙박이 가구〔책장〕.

つくりなお-す【作り直す】5他 고쳐 만들다; 다시 만들다.

つくりにわ【作り庭·造り庭】图 (정원사 등이) 만든 정취 있는 정원; 인공 정원.

つくりばな【造り花】图 조화. =造花.

つくりばなし【作り話】图 만들어 낸 이야기; 꾸며 낸 이야기. ¶皆～だった 다 조작한 이야기였다/～にだまされる 꾸며낸 이야기에 속아 넘어가다.

つくりみ【作り身】图 **1** 생선 살토막. **2** 〈関西方〉 생선회. =さしみ.

つくりもの【作り物】图 **1** 모조품; 인조품; 가짜. ¶～の真珠 인조〔모조〕 진주. **2** 농작물.

つくりものがたり【作り物語】图 (사실에 의거하지 않고) 꾸며 만든 이야기. ⇨れきしものがたり.

つくりわらい【作り笑い】图スル自 거짓웃음; 억지웃음; 선웃음. =そらわらい. ¶うれしくもないのに～をする 기쁘지도 않은데 억지웃음을 짓다.

****つく-る**【作る】5他 **1** 만들다. ㉠(재료를 써서) 만들어 내다; 제작〔제조〕하다. ¶人形〔洋服〕を～ 인형〔양복〕을 만들다/木で机を～ 나무로 책상을 만들다. ㉡조직하다; 설립하다. ¶会〔グループ〕を～ 모임〔그룹〕을 만들다. ㉢마련하다. ¶口実〔きっかけ〕を～ 구실을〔계기를〕 만들다/チャンスを～ 찬스를 만들다. ㉣새로 사귀다. ¶男を～ 정부를 만들다/多くの友だちを～ 많은 친구를 사귀다. ㉤재배하다; 경작하다. ¶田を～ 논을 경작하다/野菜を～ 야채를 재배하다/稲を～ 벼농사를 짓다. ㉥기르다. ¶よい習慣を～ 좋은 습관을 기르다. ㉦(글 등을) 짓다〔쓰다〕. ¶書類〔草稿〕を～ 서류〔초고〕를 만들다/詩〔作文〕を～ 시를〔작문을〕 짓다. ㉧이룩하다; 장만하다. ¶財産を～ 재산을 만들다/書画を売って金を～ 서화를 팔아 돈을 장만하다. ㉢요리를 하다. ¶さしみに～ 회를 치다〔만들다〕/ 夕食(ゆうしょく)を～ 저녁밥을 짓다. **2** (아이를) 낳다. ¶子(こ)どもを～ 아이를 낳다〔가지다〕. **3** 꾸미다. ㉠화장하다. ¶年(とし)より若(わか)く～ 나이보다 젊게 화장하다. ㉡거짓 지어 내다. ¶笑(わら)い顔(がお)を～ 억지웃음을 짓다/話(はなし)を～ 이야기를 꾸미다. **4**『時(とき)を～』(닭이) 홰를 치다《일정한 시각에 울다》. ¶にわとりが時を～ 닭이 홰를 치다. 可能 つく-れる 下1自

つく-る【造る】 5他 만들다. **1 ㉠짓다; 꾸미다. ¶家(いえ)を～ 집을 짓다/庭(にわ)を～ 정원을 꾸미다〔만들다〕. ㉡건조하다. ¶船(ふね)を～ 배를 만들다. **2** (술을) 빚다; 양조하다. ¶米(こめ)で酒(さけ)を～ 쌀로 술을 빚다. **3** 창조하다. ¶神(かみ)天地(てんち)を～·りたもう 하느님께서 천지를 창조하시다. 可能 つく-れる 下1自

> **作(つく)る와 造(つく)る의 차이**
>
> ◆**作る**는 규모가 작은 것이나 추상적인 무형의 것을 만든다는 뜻으로, '着物(きもの)を作る(옷을 만들다)·料理(りょうり)を作る(요리를 만들다)·短歌(たんか)を作る(短歌를 짓다)·規約(きやく)を作る(규약을 만들다)' 따위로 널리 일반적으로 쓰임.
>
> ◆**造る**는 주로 규모가 큰, 공업적인 것이나, 형체가 있는 것을 만든다는 뜻으로, '客船(きゃくせん)を造る(객선을 만들다)·庭園(ていえん)を造る(정원을 만들다)·しょうゆを造る(간장을 만들다〔빚다〕)' 따위로 쓰임.
>
> 그러나 이 둘을 엄밀히 구별해 쓰기는 어렵고, '作る'를 후자의 뜻으로 사용해도 틀리는 것은 아님.

つくろい【繕い】名 **1** 고침; 수리〔수선〕함. **2** 치장함. ¶身(み)～ 몸치장.

つくろいもの【繕い物】名 수리〔수선〕해야 할 물건; 또, 그것을 고치는 일. ¶靴下(くつした)の～ 양말 기워야 할 것.

*__つくろ-う__【繕う】5他 **1** 고치다; 수선〔수리〕하다; 깁다. ¶ほころびを～ (옷의) 터진 데를 깁다/くつしたを～·わせる 양말을 깁게 하다. **2** 겉을 꾸미다. ㉠가다듬어 꾸미다; 보기 좋게 하다. ¶身(み)なりを～ 옷차림을 매만져 꾸미다. ㉡(그자리를) 겉바르다; (그럴싸하게) 얼버무리다. ¶その場(ば)を～·って言(い)いのがれる 그 자리를 얼버무려 모면하다〔발뺌하다〕. **3** (남 앞에서) 체면을 세우다. ¶人前(ひとまえ)を～ 체면을 세우다. 可能 つくろ-える 下1自

つけ【付け】《附け》名 **1** 계산서; 청구서. ＝書(か)きつけ. ¶～を会社(かいしゃ)にまわす 계산서를 회사로 돌리다/～を見(み)てお金(かね)を払(はら)う 계산서를 보고 돈을 지불하다. **2** (장부에 기입해 두고) 외상으로 구입함. ¶～にする 외상으로 하다/～で買(か)う 외상으로 사다/この店(みせ)は～がきく 이 가게는 외상이 통한다.

＝つけ【つけ·付け】《附け》《動詞의 連用形에 붙어서》늘 …하고 있음. ¶行(ゆ)き～の店(みせ) 늘 가는 상점; 단골 가게/飲(の)み～の酒(さけ) 늘 마시던 술/かかり～の医者(いしゃ) 단골 의사.

つげ【告げ】名 **1** ☞おつげ. **2** 알림. ＝知(し)らせ.

＝づけ【づけ·付け】**1** 붙임; 또, 붙인 것. ¶糊(のり)～ (a)풀로 붙임〔붙인 것〕; (b)세탁한 천에 풀을 먹임/さん～で呼(よ)ぶ 씨를 붙여 부르다. **2** '일부(日附)·날짜'의 뜻. ¶四月(しがつ)一日(いちにち)～で発令(はつれい) 4월 1일부로 발령.

＝づけ【漬け】절인〔담근〕 것; 절이. ¶奈良(なら)～ 지게미에 월과·무 따위를 절인 것《奈良에서 맨 처음에 만들었음》/塩(しお)～ 소금절이/一夜(いちや)～ 절인 지 하루 만에 먹는 절인 음식/氷(こおり)～ 얼음에 채운 것/茶(ちゃ)～ 더운 찻물에 만 밥.

つけあが-る【付け上がる】5自 기어오르다. ＝増長(ぞうちょう)する. ¶ほめると～ 칭찬하면 기어오른다/優(やさ)しくしてやればすぐ～ 다정하게 대해 주면 금방 기어오른다.

つけあわせ【付け合わせ】名 요리에 곁들이는 야채·해초 따위. ¶肉料理(にくりょうり)の～に新鮮(しんせん)な野菜(やさい)を添(そ)える 고기요리에 신선한 야채를 곁들이다.

つけあわ-せる【付け合わせる】下1他 **1** 떨어지지 않게 붙이다. **2** 곁들이다. ＝とりあわせる. ¶すのものを～ 초무침 요리를 곁들이다.

つけい-る【付け入る】5自 기회를 잘 타다; 틈타다. ＝つけこむ. ¶相手(あいて)の弱点(じゃくてん)に～ 상대방의 약점을 틈타다〔기화로 삼다〕/～すきを与(あた)えない 파고들 빈틈을 주지 않는다.

つけおち【付け落ち】名ス他 기입〔기장〕 누락. ＝つけおとし. ¶昨日(きのう)の自動車費(じどうしゃひ)5千円(ごせんえん)が～になっている 어제의 자동차비 5천 엔의 기입이 누락되어 있다.

つけか-える【付け替える】下1他 다른 것으로 갈아 붙이다. ¶ボタンを～ 단추를 바꾸어 달다.

つけかた【付け方】名 **1** 다는 법; 설치하는 방법. ¶ボタンの～ 단추 다는 법. **2** 기장(記帳)하는 법. ¶帳簿(ちょうぼ)の～ 장부 기장법.

つけぐすり【付け薬】名 피부에 바르거나 붙이는 약; 외용약. ↔飲(の)み薬(ぐすり).

つげぐち【告げ口】名ス他 고자질; 밀고. ¶～をする生徒(せいと) 고자질하는 학생/上役(うわやく)に～する 상사에게 고자질하다.

*__つけくわ-える__【付け加える】下1他 보태다; 덧붙이다; 첨가하다. ＝さし添(そ)える. ¶論文(ろんぶん)の終(お)わりに索引(さくいん)を～ 논문 끝에 색인을 덧붙이다/一言(ひとこと)～·えておきます 한 마디 첨가해 두겠습니다.

つけげいき【付け景気】名 겉보기만 경기가 좋은 것처럼 꾸밈. ＝から景気(げいき).

つけげんき【付け元気】名 허세. ¶～で

騒(さわ)ぐ 허세를 부려 (시끄럽게) 떠들다. =から元気(げんき).

つけこ-む【付け込む】5自 **1** 기회를 타다; 틈타다. =つけいる. ¶人(ひと)の弱(よわ)みに~ 남의 약점을 이용하다/相手(あいて)のミスに~ 상대의 미스〔실수〕를 이용하다. **2** (장부에 분개(分介)하지 않고) 치부하다. ¶売上高(うりあげだか)を帳簿(ちょうぼ)に~ 매출액을 장부에 기입하다.

つけこ-む【漬け込む】5他 (김치·절임 등을) 담그다; 절이다. ¶たるに~ 통에 담그다/しょうゆに~ 간장이 잘 배어 들게 담그다.

つげしら-せる【告げ知らせる】下1他 고하여 알리다; 알리다. ¶急(きゅう)を~鐘(かね) 위급한 사태를 알리는 종.

つけじる【付け汁】名 메밀국수·튀김 등에 곁들여 내는 국물. =たれ. 注意 'つけしる' 라고도 함.

つけだい【付け台】名 (초밥집에서) 초밥을 카운터에 앉은 손님에게 내어 놓는 목로(木壚).

つけだし【付け出し】名 **1** (외상 대금의) 청구서; 계산서. **2** 장부 등의 처음 부분. =起筆(きひつ)·書(か)きはじめ. **3** (씨름에서) 최하급인 序(じょ)の口(くち)로부터 차례로 오르는 게 아니라, 단숨에 대진표의 상위급에 오르는 일; 또, 그 씨름꾼. ¶幕下(まくした)~ 단숨에 幕下에 오른 씨름꾼.

つけた-す【付け足す】5他 **1** 첨가하다; 덧붙이다. =追加(ついか)する. ¶新(あたら)しいデータを~ 새로운 데이터를 첨가하다. **2** (그릇에 밥을) 좀 더 담다.

つけだ-す【付け出す】5他 **1** (외상 대금) 청구서를 써 내다. ¶残(のこ)らず一緒(いっしょ)に~·しておくれ 남김없이 함께 (청구서에) 써서 내주게. **2** 기입하기 시작하다. ¶今日(きょう)から日記(にっき)を~·した 오늘부터 일기를 쓰기 시작하였다.

つけたり【付けたり】名 **1** 덧붙인 것; 부록. =添(そ)え物(もの)·付録(ふろく). ¶最後(さいご)の注意書(ちゅういが)きは~にすぎない 끝에 있는 주의서는 곁다리에 불과하다. **2** 명목; 구실. ¶病気見舞(びょうきみま)いは~だ 병문안은 구실이다/出張(しゅっちょう)とは~で, 目的(もくてき)は観光(かんこう)だ 출장이라는 건 구실이고 목적은 관광이다.

つけぢえ【付け知恵】名 남에게서 배운 꾀; 또, 남에게 꾀를 일러 줌; 또, 그 꾀. =入(い)れ知恵(ぢえ).

つけつけ 副 〈俗〉 서슴없이 밉살스럽게 말하는 모양 : 툭툭. ¶相手(あいて)構(かま)わず~言(い)う 아무에게나 툭툭 말하다. 注意 'ずけずけ'는 이의 힘줌말.

つけっぱなし【付けっ放し】名 전기 따위를 켠 채로 그냥 둠. ¶テレビを~で寝(ね)てしまった 텔레비전을 켠 채로 자 버렸다.

つけどころ【付け所】名 특히 주의(해야)할 점〔곳〕; 착안할 점. ¶目(め)の~がいい 착안점이 좋다/そこが目(め)の~だ 그곳이 착안(해야)할 점이다.

つけとどけ【付け届け】名 물건을 선사함; 또, 그 선사품. ¶節句(せっく)の~をする 명절의 선사를 하다.

つけね【付け値】名 (살 사람이) 부르는〔매기는〕 값. ¶~で売(う)る 살 사람이 부르는 값에 팔다. ↔言(い)い値(ね).

つけね【付け根】名 물건이 붙어 있는 부분. ¶足(あし)の~ 발목 (부분)/羽(はね)の~ 날갯죽지/腕(うで)の~ 어깻죽지.

つけねら-う【付けねらう】《付け狙う》5他 늘 뒤쫓아다니며 노리다; 기회를 노리다. ¶すりに~·われる 소매치기에 쫓기다/誘拐(ゆうかい)しようと~ 유괴하려고 기회를 노리다.

つけび【付け火】名 불을 지름; 방화. =放火(ほうか). ¶昨日(きのう)の火事(かじ)は~だという 어제 화재는 방화라고 한다.

つけひげ【付けひげ】《付け髭》名 붙인 수염; 가짜 수염; 또, 가짜 수염을 닮〔붙임〕. ¶~をして変装(へんそう)する 가짜 수염을 달고 변장하다.

つけびと【付け人】名 곁에서 시중드는 사람. =付(つ)き人(びと). 参考 좁은 뜻으로는 十両(じゅうりょう)(=씨름꾼의 급수) 이상 씨름꾼의 수발을 드는 씨름꾼.

つけふだ【付け札】名 (상품 따위에 붙인) 가격표.

つけぶみ【付け文】名 ス自 연애 편지를 몰래 보냄; 또, 그 편지. ¶恋(こ)い焦(こ)がれて~をする 애타게 그리워 연애 편지를 몰래 보내다.

つけまつげ【付けまつげ】《付け睫毛》名 (만들어 붙인) 가짜 속눈썹.

つけまわ-す【付け回す】5他 악착스럽게 따라다니다. ¶女(おんな)を~ 여자 꽁무니를 쫓아다니다/しつこくあとを~ 끈질기게 뒤를 따라다니다.

つけまわ-る【付け回る】5自 집요하게 붙어〔따라〕 다니다. ¶女(おんな)の跡(あと)を~ 여자 뒤〔꽁무니〕를 따라다니다.

つけめ【付け目】名 착안점; 노리는 점〔틈〕. =めあて·ねらい·つけどころ. ¶そこが彼(かれ)らの~だ 그곳이 바로 그들이 노리는 점이다/金(かね)が~で結婚(けっこん)する 돈을 노리고서 결혼하다.

つけもの【漬物】名 소금·초·된장·지게미 등에 절인 저장 식품의 총칭; 절임. =香(こう)の物(もの)·おしんこ. ¶キュウリの~ 오이 절임/~を漬(つ)ける 야채 따위를 절이다.

つけやき【付け焼き】名 〔料〕 양념장을 발라서 구움; 또, 그 식품. =てりやき. ¶~にする 양념장을 발라서 굽다.

つけやきば【付け焼き刃】名 없는 실력을 갑작스레 만들어 내는 일; 또, 그 태도; 벼락 지식. ¶~の知識(ちしき) 임시변통의 (어설픈) 지식/~の勉強(べんきょう)では合格(ごうかく)できない 벼락공부로는 합격할 수 없다. 参考 본디, 좋지 못한 칼에 날만을 강철로 붙였던 일에서.

つ-ける【つける·付ける】《附ける》一 下1他 **1 붙이다. ㉠(바짝 갖다) 대다.

☞つ(着)ける. ㉡부착시키다; 달다. ¶胸にブローチを~ 가슴에 브로치를 달다/カメラにフィルターを~ 카메라에 필터를 붙이다. ㉢들러붙게 하다. ¶のりで~ 풀로 붙이다. ㉣따르게〔딸리게〕하다. ¶護衛〔案内〕を~ 호위를〔안내원을〕붙이다/弁護士を~ 변호사를 붙이다. ㉤덧붙이다. ¶景品を~ 경품을 붙이다/条件を~ 조건을 붙이다. ㉥《点ける》점화하다. ¶火を~ 불을 붙이다. **2** 익히다; 숙달시키다. ¶実力を~ 실력을 익혀 갖추다. **3** 묻히다. ¶手にインクを~ 손에 잉크를 묻히다. **4** 쓰다; 적다. ¶日記を~ 일기를 쓰다. **5** 뒤를 밟다; 미행하다. ¶あとを~ 뒤를 밟다/だれかに~·けられている 누구에겐가 미행당하고 있다. **6** 북돋우다; 회복시키다. ¶元気〔力〕を~ 기운〔힘〕을 북돋우다. **7**《点ける》켜다. ¶ラジオを~ 라디오를 켜다/電灯を~ 전등(불)을 켜다. **8** (신경을 집중시켜) …하다. ¶気を~ 조심하다; 정신차리다/彼に目を~·けている 그에게 주목하고 있다. **9** 끝을 내다; 매듭을 짓다. ¶けりを~ 결말을 짓다/勝負を~ 승부를 내다/話を~ 이야기를 매듭짓다. **10** 관계를 맺다. ㉠갖게 하다. ¶関係を~ 관계를 맺다; 연관시키다; 관계 지우다. ㉡끌어들이다. =引き込む. ¶味方に~ 제편에 끌어들이다. **11** (편지를) 부치다. ¶恋文を~ 연애 편지를 보내다. **12** 할당하다. ¶役を~ 역을 할당하다.

[二][接尾]《動詞의 連用形에 붙어서》**1** 늘 …해 오다. =…し慣れる. ¶あの店に行き~·けている 늘 저 가게에 다니고 있다. **2** 어세를 강조하는 말. ¶しかり~ 몹시 꾸짖다/なぐり~ 후려치다.

*つ-ける〚即ける〛[下1他] (왕위에) 앉히다. ¶位に~ 왕위에 오르게 하다.

*つ-ける【就ける】[下1他] **1** 지위〔자리〕에 앉히다; 취임시키다. ¶社長の地位に~ 사장 자리에 앉히다. **2** (일을) 하게 하다; 종사시키다. ¶任務に~ 임무에 종사케 하다. **3** 지도를 받게 하다; 사사(師事)하게 하다. ¶外人の先生に~ 외국인 선생에게 지도를 받게 하다.

*つ-ける〚浸ける〛[下1他] (액체에) 담그다. =ひたす. ¶果物を冷水に~ 과일을 냉수에 담그다.

*つ-ける【漬ける】[下1他] (채소 등을) 담그다; 절이다. ¶たくあんを~ 단무지를 담그다.

⁑つ-ける〚点ける〛[下1他] (불을) 붙이다; 스위치를 틀어 켜다. ¶タバコに火を~ 담배에 불을 붙이다/電気〔ラジオ〕を~ 전등을〔라디오를〕켜다.

つ-ける【着ける】[下1他] **1** 대다. ㉠갖다 붙이다. ¶車を玄関に~ 차를 현관에 대다. ㉡닿게 하다. ¶手を地面に~ 손을 땅에 대다. **2** (자리 등에) 앉히다. ¶席に~ 착석시키다. **3** (몸에) 걸치다; 입다. =着る. ¶洋服を~·けた人 양복을 입은 사람/首かざりを~ 목걸이를 걸치다/身に~ (a)옷을 입다; (b)장식으로 걸치다〔달다〕; (c)(학문·기술·교양 등을) 익혀서 자기 것으로 하다.

つ-げる【告げる】[下1他] 알리다. ¶暁を~鐘の音 새벽을 알리는 종소리/いとまを~ 작별 인사를 하다/時計が三時を~ 시계가 3시를 알리다.

=づ-ける【づける·付ける】《附ける》…을 부여하다; …하게〔나게〕하다. ¶意義~ 의의를 부여하다/位置~ 위치를 부여하다; 자리매김하다/勇気~ 용기를 북돋우다. [参考] 본디, サ変動詞가 되지 않는 말의 動詞化에 쓰이었으나 근래에는 '定義~(=정의를 짓다)·'結論~(=결론짓다)' 등으로도 씀.

=っこ《動詞 連用形에 붙여서 名詞를 만듦》**1** …겨루기. =…比べ. ¶にらめ~ 눈싸움/かけ~ 경주; 뜀박질. **2** 서로 …함〔하기〕. ¶なぐり~ 서로 때리기/引っ張り~する 서로 끌어당기기 하다.

=っこ【っ子】**1**《児·妓》특정 상태의 사람을 나타냄. ¶売れ〔はやり〕~ 한참 팔리는〔인기 있는〕사람/江戸~ 江戸(=東京)내기《서울내기》. **2** 아녀자를 가리킴. ¶女~ 계집애/娘~ 처녀애/ちび~ 꼬마 아이; 꼬마둥이.

=っこ-い《名詞나 성질·상태를 나타내는 말에 붙여서 形容詞를 만듦》그런 성질을 강하게 띠고 있다. ¶あぶら~ 기름기가 많다/やに~ 진이 많다; 끈적끈적하다/ひや~ 차갑다.

⁑つごう【都合】[一][名] 다른 일과의 관계; 형편; 사정. =ぐあい. ¶好~ 형편이 좋음; 안성맞춤임/不~ 형편이 좋지 못함; 난처함/~よく 마침 좋게; 때마침; 알맞게도/~が悪い 형편이〔계제가〕나쁘다/飛行機の~で出発が遅れる 비행기 사정으로 출발이 늦어지다. [二][名][ス他] 어떻게(든) 함; 변통; 융통; 둘러댐. =やりくり. ¶~をつける 이리저리 둘러대다; 변통하다/旅費を~する 여비를 마련하다/どうしても金が~できない 아무리 해도 돈을 융통할 수 없다. [三][副] 도합; 총계; 합계. =しめて. ¶~百人の参加者 도합 백 명의 참가자/~いくらですか 합계 얼마입니까.

=っこな-い《動詞 連用形에 붙여서 形容詞化함》…할 리가〔턱이〕없다; 결코 …하지 않다. ¶来~ 올 리 없다/でき~ 될 턱이 없다/そんな難しいこと, 子供にわかり~ 그렇게 어려운 일, 아이들이 알 리 없다. [参考] 힘줌말로 씀.

つごもり〚晦·晦日〛[名]〈雅〉(음력으로) 월말; 그믐. =みそか. ¶~に支払う 월말에 지급하다. ↔ついたち.

つじ〚辻〛[名] **1** 네거리. =十字路. ¶四つ~ 사거리. **2** 길가; 길거리; 가두; 노상(路上). =みちばた. ¶~商人

가두 상인 / ～便所 공중변소 / ～演説 가두 연설.

つじあきない【つじ商い】《辻商い》图 (길가의) 노점상. ＝大道商い.

つじうら〖辻占〗图 **1** 점괘가 쓰인 종이 조각. **2** 길흉의 전조〔조짐〕. ¶それはいい～だ 그것은 좋은 조짐이다. 参考 옛날, 길거리에 서서 지나가는 사람의 우연한 말에서 길흉을 점친 데서 유래.

つじぎり【つじ切り】《辻斬り》图 옛날, 무사가 칼을 시험하거나 검술을 수련하기 위해 밤거리에 나가 통행인을 베던 일; 또, 그 무사.

つじげい【つじ芸】《辻芸》图 거리에서 공연하는 곡예나 마술 따위.

—にん【—人】图 거리의 광대·마술사. ＝大道芸人.

つじごうとう【つじ強盗】《辻強盗》图 노상 강도. ＝追いはぎ. ¶～に会ってすっからかんになった 노상 강도를 만나서 빈털터리가 되었다.

つじせっぽう【つじ説法】《辻説法》图 길가에서 오가는 사람에게 하는 설법; 가두 설교.

つじつま〖辻褄〗图 맞아야 할 전후 관계나 도리; 사리; (일의) 이치; 조리(條理). ＝筋道. ¶～の合わない言い訳 앞뒤가 맞지 않는 변명 / 勘定の～を合わせる 계산의 앞뒤를 맞추다.

—が合う 조리가 서다; 동이 닿다; 이치에 닿다. ¶話のつじつまが合わない 이야기의 앞뒤가 맞지 않다.

つじどう【つじ堂】《辻堂》图 네거리나 길가에 있는 작은 불당(佛堂).

つじふだ【つじ札】《辻札》图 (금지 사항을 적어) 네거리에 세웠던 팻말.

つしま［対馬］图〘地〙대마도; 쓰시마(섬)《九州와 한국 사이에 있는 섬; 長崎県에 속함》. ＝対州.

つた〖蔦〗图〘植〙담쟁이덩굴.

=づたい【伝い】'…을 따라서 감〔가는 곳〕'의 뜻. ¶線路～の道 선로를 따라서 가는 길 / 海岸～に行く 해안을 따라서 가다.

つたいあるき【伝い歩き】图 (걸음마를 배우는 어린애가) 장롱·벽 따위를 잡고 걸음.

つた-う【伝う】5自 어떤 것을 매개로, 또는 따라서 이동하다; 타다. ¶尾根を～·って進む 산등성이를 타고 가다 / ロープを～·って下へおりた 로프를 타고 밑으로 내려왔다.

つたえ【伝え】图 **1** (말로) 전하는 일; 전언. ¶急病との～をきいて 급한 병이라는 전갈을 듣고서. **2** 구전; 전설. ¶昔からの～ 예로부터의 구전 / ～によれば 전설에 의하면.

つたえき-く【伝え聞く】5他 전하여 듣다; 소문으로 듣다. ¶人から～ところによれば 다른 사람에게서 전해 들은 바에 의하면.

つた-える【伝える】下1他 전하다. **1** (매개물을 거쳐서) 미치게 하다; 전도(傳導)하다. ¶振動を～ 진동을 전하다. **2** (사람을 통하여) 알리다; 전언하다. ¶悲報を～ 비보를 전하다 / 奥様によろしくお～·え下さい 부인께 말씀 잘 전하여 주십시오; 부인께 안부 전하여 주십시오. **3** 전파하다; 전래하다. ¶キリスト教を～ 그리스도교를 전파하다. **4** 물려주다; 전수(傳授)하다. ¶秘法を～ 비법을 전(수)하다.

つたな-い〖拙い〗形 **1** 서투르다; 졸렬하다. ¶～絵 서투른 그림 / ～字をかく 서투른 글씨를 쓰다. **2** 어리석다; 변변찮다; 무능하다. ¶～者ではございますがよろしく 변변찮은 사람입니다만 잘 부탁합니다. **3** 운수가 나쁘다; 불운하다. ¶武運～·く戦死した 무운이 나빠서 전사했다.

つたもみじ【つた紅葉】《蔦紅葉》图 단풍이 든 담쟁이덩굴의 잎.

⁑**つたわ-る**【伝わる】5自 전해지다. **1** 전도(傳導)되다. ¶銅線を熱が～ 열이 동선을 통하다 / 振動が～ 진동이 전하여지다. **2** 알려지다. ¶うわさが片いなかにまで～ 소문이 벽촌까지 퍼지다. **3** 전해 내려오다; 전래되다. ¶口から口へと～·った伝説 입에서 입으로 전래된 전설; 구전된 전설 / 仏教は中国を経て日本に～·った 불교는 중국을 거쳐 일본으로 전해졌다. **4** 어떤 것을 따라 옮겨가다. ＝伝う. ¶てすりを～·ってあるく 난간을 따라 걷다.

⁑**つち**【土】图 땅. **1** 흙; 토양. ¶～遊び 흙장난 / よく肥えた～ 기름진 땅. **2**《地》대지; 육지. ¶異国の～を踏む 이국의 땅을 밟다. **3** 지상; 지면(地面). ¶つたが～をはう 담쟁이 덩굴이 지면을 뻗어 가다. ⇔天.

——一升金一升 흙 한 되에 금이 한 되《땅값이 매우 비쌈의 비유》.

つち〖槌·鎚·椎〗图 망치; 마치. ＝ハンマー. ¶～でくぎを打つ 마치로 못을 박다.

つちいじり【土いじり】《土弄り》图 **1** 흙장난. ＝土遊び. **2** 취미로 원예나 전답의 경작 등을 함.

つちいろ【土色】图 토색; 흙빛. ＝つちけいろ. 参考 창백한 안색을 형용하는 수가 많음. ¶～の顔 흙빛〔사색〕이 된 얼굴.

つちか-う【培う】5他 **1** (초목을) 북주다; 배토(培土)하다. ¶麦に～ 보리를 북주다. **2** (힘·성질 등을) 기르다; 배양하다. ¶学力〔克己心〕を～ 학력〔극기심〕을 기르다 / 基礎が～·われる 기초가 길러지다.

つちがえる〖土蛙〗图〘動〙옴개구리. ＝いぼがえる.

つちくさ-い【土臭い】形 **1** 흙내 나다. **2** 시골티가 나다; 촌스럽다. ＝どろくさい·やぼくさい. ¶～ところがある 촌스러운 데가 있다; 촌티가 나다.

つちぐも【土ぐも】《土蜘蛛》图〘動〙땅

거미. ＝じぐも·あなぐも.

つちくれ【土くれ】《土塊》图 흙덩이.

つちけいろ【土気色】图 ☞つちいろ. ¶顔(かお)が~になる 얼굴이 흙빛〔사색(死色)〕이 되다.

つちけむり【土煙】图 흙먼지. ¶~が立(た)つ 흙먼지가 일다/~を上(あ)げて馬車(ばしゃ)が走(はし)る 흙먼지를 일으키며 마차가 달리다.

つちつかず【土付かず】图 **1** (씨름에서) 전승; 또, 그 씨름꾼. ¶~で優勝(ゆうしょう)する 전승으로 우승하다. **2**☞つちふまず.

つちならし【土ならし】《土均し》图 논·밭 따위의 흙덩이를 부수어 지면을 고르게 하는 일; 또, 그때 쓰는 도구.

つちにんぎょう【土人形】图 흙으로 만든 인형; 토우(土偶).

つちふまず【土踏まず】图 발바닥의 장심(掌心). ＝土(つち)つかず.

つちぼこり【土ぼこり】《土埃》图 흙먼지. ¶~が立(た)つ 흙먼지가 일다/~を浴(あ)びる 흙먼지를 뒤집어쓰다.

つちやき【土焼き】图 질그릇; 옹기. ＝どやき.

つちよせ【土寄せ】图ス自 (농작물에) 흙을 북줌; 북돋우기; 배토(培土).

つちろう【土ろう】《土牢》图 지하 감옥. ¶~にとじこめる 지하 감옥에 가두다.

***つつ**【筒】图 통. **1** 속이 빈 관(管). ¶竹(たけ)の~ 대롱. **2** 총신(銃身); 포신. ¶~音(おと) 총〔포〕소리/捧(ささ)げ~ 받들어총.

つつ 接助《動詞의 連用形에 붙어》**1** 두 가지 일을 동시에 하는 것을 나타내는 말: …하면서. ＝…ながら. ¶酒(さけ)を飲(の)み~談(だん)じる 술을 마시면서 담론하다. **2** …에도 불구하고; …면서도. ＝…にもかかわらず. ¶失礼(しつれい)とは知(し)り~もお願(ねが)いするのです 실례인 줄 알면서도 부탁 드리는 것입니다. **3**《'~ある'의 꼴로》동작과 작용이 진행 중임을 나타냄: …중이다; …하고 있다. ¶雨(あめ)が降(ふ)り~ある 비가 오고 있다. **4** 동작의 반복을 나타내는 말: 몇 번이고 …하면서. ¶ふりかえり~ 몇 번이고 뒤돌아 보면서.

つっ＝【突っ】〈俗〉《'つき(突)'□의 음편형(音便形)》동사 앞에 붙어서 감정을 강하게 나타내는 말: 막; 푹. ¶~つく 막 찌르다/~ぱしる 냅다 달리다/ポケットに手(て)を~込(こ)む 호주머니에 손을 푹 질러 넣다. 注意 다음에 오는 動詞의 발음이 'か行(ぎょう)·た行·は行'로 시작될 때 쓰임.

つつい【筒井】图〈雅〉관(管)우물; 통처럼 둥그렇게 판 우물; 관정(管井).

つつうらうら【津津浦浦】图 전국 도처(의 항구와 포구); 방방곡곡. ¶うわさが~にひろがる 소문이 방방곡곡에 퍼지다/~に知(し)れわたる 방방곡곡에 알려지다. 注意 'つづうらうら'라고도 함.

つっかい『突っ支い』图 버팀목을 댐; 또, 버팀목; 지주(支柱). ＝つっぱり·つっかえ. ¶戸(と)に~をして開(あ)けておく 문에 버팀목을 대고 열어 놓다.

——ぼう【——棒】图 버팀목.

つっか-う『突っ支う』5他 **1** (버팀대로) 버티다. **2** 곁에서 도와 버티다.

つっかえ-す【突っ返す】5他〈口〉되밀쳐 버리다; 퇴짜 놓다. ¶贈(おく)り物(もの)を~ 선물을 물리치다/書類(しょるい)を~ 서류를 퇴박하다. 注意 '突つき返(かえ)す'의 전와.

つっか-える 下1自〈俗〉(잘 통하지 않고) 걸리다. ＝つかえる. ¶食(た)べたものがのどに~ 먹은 것이 목에 걸리다.

つっかか-る【つっかかる·突っ掛かる】5自 **1** 달려들다; 덤벼들다. ¶いきなり~·って来(く)る 별안간에 덤벼들다/えものに~ 먹이에 달려들다. **2** 대들다; 반항하다. ¶目上(めうえ)の人(ひと)に~ 손윗사람에게 대들다. **3** 트집 잡다; 시비를 걸다. ＝くってかかる. ¶人(ひと)の言葉(ことば)じりをとらえてすぐ~ 남의 말꼬리를 잡고 곧바로 시비를 걸다. **4** 걸리다. ＝引(ひ)っかかる. ¶いすに~·ってよろめく 의자에 걸려서 비틀거리다.

つっかけ【つっかけ·突っ掛け】图 발끝에 걸쳐 신는 간편한 신.

つっか-ける【つっかける·突っ掛ける】□下1他 (신을) 아무렇게나 신다; 발끝에 걸쳐 신다. ¶下駄(げた)を~·けて散歩(さんぽ)にでる 나막신을 끌고 산책에 나서다. □下1自 세게 부딪치다. ¶自転車(じてんしゃ)に~·けられてけがをした 자전거에 받혀서 상처를 입었다.

つつがな-い『恙無い』形 탈 없다; 무사하다. ¶~·く暮(く)らす 탈 없이 지내다/~·く帰郷(ききょう)した 무사히 귀향했다.

つつがむし『恙虫』图 털진드기의 일종.

——びょう【——病】图 つつがむし에 물려서 생기는 급성 전염병《고열·전신 발진이 생김》.

***つづき**【続き】图 **1** 이음; 연결. ¶文章(ぶんしょう)の~が悪(わる)い 문장의 연결이 나쁘다. **2** 계속(하는 부분). ¶話(はなし)の~ 이야기의 계속/この~は来週(らいしゅう)放送(ほうそう)する 이 계속은 다음 주에 방송한다. **3**《名詞에 붙어서 接尾語적으로》잇따름; 연속. ¶陸(りく)~ 육지가 연속됨/雨(あめ)~の天気(てんき) 비가 계속 오는 날씨.

つづきがら【続き柄】图 친족 관계. ＝縁続(えんつづ)き. ¶あの人(ひと)とはどういう~ですか 저 사람과는 어떤 (친족) 관계이십니까. 注意 흔히, 'ぞくがら'라고도 함.

つづきもの【続き物】图 소설·영화·텔레비전·라디오 등의 연속물; 연재물.

つつぎり【筒切り】图 긴 관이나 통 따위를 가로 동강 침. ＝輪切(わぎ)り.

つっき-る【突っ切る】5他 돌파하다; 곧장 뚫고 나가다. ¶火(ひ)の中(なか)を~ 불길 속을 뚫고 나가다. 参考 'つききる'의 전와(轉訛).

***つつ-く**『突く』5他 **1** (가볍게) 쿡쿡 찌르다. ¶よそみしている人(ひと)の背中(せなか)を~ 한눈팔고 있는 사람의 등을 쿡쿡 찌르다. **2** 가볍게 여러 번 쿡쿡 쪼다; 또,

그렇게 해서 먹다. ¶鳥が粟を～ 새가 조를 쪼아 먹다. **3** (결점 따위를) 들추어 내다. ＝ほじくる. ¶人の欠点を～ 남의 결점을 들춰내다. **4** 꼬드기다; 부추기다. ＝そそのかす·けしかける. ¶友達を～·いて株を買わせる 친구를 부추기어 주식을 사게 하다. 注意 'つっつく' 라고도 함.

つづ-く【続く】5自 **1 (시간적·공간적으로) 계속하다; 계속되다. ㉠잇따르다; 연달다. ¶不幸〔事件〕が～ 불행〔사건〕이 잇따르다/気まずい沈黙がしばらく～·いた 어색한 침묵이 잠시 계속되었다. ㉡뒤를 대다. ¶金が～·かなくて事業中止だ 돈이 달려서〔모자라〕 사업 중단이다. ㉢이어지다; 연결되다. ¶五ページから十ページへ～ 5페이지에서 10페이지로 이어지다. ↔切れる. **2** (뒤)따르다. ¶彼に～同志三人 그를 따르는 동지 세 사람/あとに～者 뒤따르는 자. **3** 버금가다; 다음가다. ＝次ぐ. ¶チャンピオンに～実力の持ち主 챔피언에 버금가는 실력자.

つづけざま【続け様】 名 연달아 일어남; 또, 그 모양. ¶～のくしゃみ 연달아 하는 재채기/雨が～に降る 비가 계속해서 오다/～に質問を浴びせる 잇따라 질문을 퍼붓다.

つづ-ける【続ける】 ㊀下1他 계속하다. ¶～·けて踊る 계속해서 춤추다/仕事を～ 일을 계속하다. ㊁接尾 중단하지 않고 계속해서 …하다. ¶歌い～ 계속 노래하다.

つっけんどん〖突慳貪〗 ダナ 퉁명스러운 모양; 무뚝뚝한 모양. ＝無愛想. ¶～な返事 퉁명스러운 대답/そんなに～に言わなくてもよい 그렇게 퉁명스럽게 말하지 않아도 된다.

つっこみ【突っ込み】 名 **1** 파고듦; 철저하게 파헤침〔추구함〕; 전하여, 파고드는 열의. ¶まだまだ～が足りない 아직도 파고드는 열의가 모자란다. **2** 모개로 흥정〔매매〕함; 도거리로 다룸. ＝こみ. ¶～で買えばやすい 모개〔도거리〕로 사면 싸다/大小～で売る 대소를 가리지 않고 모개로 팔다.

***つっこ-む【突っ込む】** ㊀5自 **1** 돌입하다. ¶敵中に～ 적중에 돌입〔돌격〕하다. **2** 깊이 파고들다. ¶～·んだ話をする 속내 이야기를 하다/～·んで考える 깊이 생각하다.
㊁5他 **1** 처넣다; 처박다. ¶手をポケットに～·んで歩く 손을 호주머니에 질러 넣고 걷다/何でもひきだしに～ 무엇이나 서랍에 처넣다. **2** (잘못·문제점 등을) 날카롭게 찌르다; 추궁하다. ¶事件の核心を～ 사건의 핵심을 찌르다/手落ちを～·まれる 과실을 추궁당하다. **3** (깊이) 관계하다. ¶事件に頭を～ 사건에 깊이 관여하다.

つつさき【筒先】 名 **1** 호스 같은 대롱 모양의 물건 끝〔부리〕. ＝筒口. **2** 총부리. ¶～を向ける 총부리를 들이대다〔겨누다〕/～をそろえて発射する 일제히〔총부리를 나란히 하여〕 발사하다.

つつざき【筒咲き】 名 (나팔꽃처럼) 꽃잎이 대롱 모양으로 핌; 또, 그런 꽃; 통상화(筒狀花); 관상화(管狀花).

つつじ〖躑躅〗 名〔植〕철쭉; 진달래. ¶～色 엷은 분홍색.

つつしみ【慎み】 名 조심성; 조신함; 신중함. ＝用心. ¶～のない女 조심성 없는〔조신하지 않은〕 여자/～に欠ける 신중함이 부족하다.

つつしみぶか-い【慎み深い】 形 신중하다; 조신하다; 얌전하다. ¶～人 신중한 사람/～物言い 신중한 말씨.

***つつし-む【慎む】** 5他 삼가다; 조심하다. ¶言葉〔深酒〕を～ 말〔과음〕을 삼가다/軽挙妄動を～ 경거망동을 삼가다.

***つつし-む【謹む】** 5他 **1** 황공해하다. **2** 《흔히 '～·んで' 의 꼴로》 삼가. ¶～·んで哀悼の意を表す 삼가 애도의 뜻을 표하다/～·んでお受けします 삼가 받겠습니다/～·んでおくやみ申し上げます 삼가 조의를 표합니다.

つつそで【筒そで】〖筒袖〗 名 통소매; 또, 그런 옷. ＝筒っぽ. ¶働く時には～を着る 일할 때에는 통소매 옷을 입는다.

つった-つ【突っ立つ】 5自 **1** 우뚝 서다. ¶煙突が～·っている 굴뚝이 우뚝 서 있다/寝起きで髪の毛が～·っている 자다 일어나서 머리카락이 뻗쳐 있다. **2** 우두커니 서다. ¶～·っていないで店を手伝え 우두커니 서 있지 말고 가게 일을 거들어라. **3** 꽂히다; 박히다. ¶矢が～ 화살이 꽂히다.

つった-てる【突っ立てる】 下1他 **1** (칼 따위를) 꽂아 세우다. ¶ピッケルを山頂に～ 피켈을 산정에 꽂다. **2** 우뚝 세우다. ¶庭の真ん中に柱を～ 뜰 한가운데에 기둥을 우뚝 세우다.

つっつ-く【突っ突く】 5他 〈俗〉 ☞つつく.

つっと 副 **1** 갑자기 움직이거나 동작을 하는 모양: 척; 쑥; 불쑥; 우뚝. ¶～立ち止まる 우뚝 멈춰 서다/～立ち上がる 불쑥 일어서다. **2** 거침없이 들어가는 모양: 쭉; 훌쩍. ¶～飲み込む 쭉 들이켜다.

つつぬけ【筒抜け】 名 **1** (비밀 등이) 곧바로 누설됨. ¶秘密が先方へ～だ 비밀이 저쪽에 그냥 샌다. **2** 거침없이 지나가 버림; 마이동풍(馬耳東風); 쇠귀에 경 읽기. ¶いくら忠告したって右から左へ～だ 아무리 충고해 봤자 한 귀로 듣고 한 귀로 흘린다.

つっぱし-る【突っ走る】 5自 〈俗〉 힘차게 달리다. ¶自動車が～ 자동차가 냅다 달리다/わきめもふらず～ 한눈도 팔지 않고 열심히 달리다.

つっぱな-す【突っ放す】 5他 ☞つきはなす.

つっぱ-ねる【突っぱねる】《突っ撥ねる》 下1他 **1** 냅다 밀다. ¶手(て)で~ 손으로 냅다 밀다. **2** 딱 거절하다. ¶彼(かれ)の要求(ようきゅう)を~ 그의 요구를 거절하다 / 会社側(かいしゃがわ)の提案(ていあん)を~ 회사측의 제안을 일축하다.

つっぱり【突っ張り】名 **1** 떠받침; 버팀; 또, 받침목〔대〕. ¶杭(くい)を打(う)って~をする 말뚝을 박아 받쳐 놓다. **2** (씨름에서) 양다리를 딱 버티고 손바닥으로 상대를 씨름판 밖으로 밀어내는 수.

*__つっぱ-る__【突っ張る】 一 5他 **1** 버티다. ¶角材(かくざい)で~ 각목으로 버티다. **2** (씨름에서) 팔을 뻗어 손바닥으로 상대방을 내밀치다. ¶互(たが)いに激(はげ)しく~ 서로가 격렬하게 손바닥으로 상대방을 내밀치다. 二 5自 (발·허리 따위의) 근육이 땅기다〔켕기다〕. =つる. ¶首筋(くびすじ)が~ 목덜미가 땅기다 / 横腹(よこばら)が~·って歩(ある)けない 옆구리가 땅겨 걸을 수 없다.

つっぷ-す【突っ伏す】5自 푹 엎드리다. ¶彼女(かのじょ)は~·して泣(な)き出(だ)した 그녀는 푹 엎드려 울기 시작했다.

つつまし-い〖慎ましい〗形 **1** 조신하다; 얌전〔음전〕하다. ¶~女性(じょせい) 얌전한 여성 / ~話(はな)しぶり 조신한 말씨. **2** 검소하다. ¶~·く暮(く)らす 검소하게 살다.

つつましやか〖慎ましやか〗ダナ 음전함; 얌전함; 다소곳함. ¶~な娘(むすめ) 음전한 처녀.

つづまやか〖約まやか〗ダナ〈雅〉**1** 간단함; 간명함. ¶~な表現(ひょうげん) 간명한 표현 / ~に述(の)べる 간결하게 진술하다. **2** 《본디는 倹まやか》 검소함. =質素(しっそ). ¶~な暮(く)らし 검소한 생활.

つづま-る〖約まる〗5自 짧아지다; 간단해지다. ¶着物(きもの)の丈(たけ)が~ 옷기장이 짧아지다 / 手続(てつづ)きが~·った 절차가 간단해졌다.

つつみ【堤】名 **1** 제방; 둑. =土手(どて)·堤防(ていぼう). ¶~が切(き)れる 둑이 무너지다. **2** 저수지.

*__つつみ__【包み】名 **1** 보따리; 보퉁이. ¶おみやげの~を開(ひら)く〔解(と)く〕 선물 보따리를 끄르다. **2** 숨기는 일. ¶~も隠(かく)しもなく打(う)ち明(あ)ける 하나도 숨기지 않고 털어놓다.

つづみ【鼓】名〖楽〗**1** 장구(모양의 타악기). ¶~を打(う)つ 장구를 치다. **2** 가죽으로 싸서 만든 타악기의 총칭.

つつみかく-す【包み隠す】5他 **1** 싸 감추다. ¶袖(そで)で~ 소매로 덮어서 안 보이게 하다. **2** 비밀히 하다; 숨기다. ¶~·さずに申(もう)し上(あ)げます 숨김없이 말씀드리겠습니다 / 身元(みもと)を~ 신원을 숨기다.

つつみがね【包み金】名 종이에 싸서 주는 돈; 금일봉. =つつみきん. ¶出席者(しゅっせきしゃ)に~を渡(わた)す 출석자들에게 금일봉을 주다.

つつみがみ【包み紙】名 싸는 종이; 포장지.

つつみこ-む【包み込む】5他 싸서 안에 넣다. ¶霧(きり)がロンドンの街(まち)を~ 안개가 온통 런던 거리를 뒤덮다.

__つつ-む__【包む】5他 **1 싸다; 포장하다; 두르다. ¶ふろしきで~ 보자기로 싸다. **2** 감추다; 숨기다. ¶真相(しんそう)を~ 진상을 숨기다 / うれしさを~·みきれずに顔(かお)に出(だ)す 기쁨을 감추지 못하고 내색을 하다. **3** 에워싸다. ¶なぞに~·まれる 수수께끼에 싸이다 / 炎(ほのお)に~·まれる 불길에 휩싸이다 / 温(あたた)かい愛情(あいじょう)で~ 따뜻한 애정으로 감싸다. **4** (경축·사례 등으로) 돈을 종이에 싸서 주다. ¶謝礼(しゃれい)に万円(まんえん)を~ 사례로 만 엔을 싸서 주다.

つづ-める〖約める〗下1他 줄이다. **1** 짧게 하다. ¶背丈(せたけ)を~ 옷기장을 줄이다 / そでを五(ご)センチ~ 소매를 5센티 줄이다. **2** 간단히 하다; 요약하다. ¶文章(ぶんしょう)を~ 문장을 요약하다. **3** 절약하다. ¶~·めた生活(せいかつ) 절약〔긴축〕 생활.

つづら〖葛〗名〖植〗**1** ☞つづらふじ. **2** ☞くず.

つづら〖葛籠〗名 (옷을 넣는) 옷농(籠); 옷고리짝《예전에는 댕댕이덩굴의 덩굴로 만들었음》.

つづらおり〖葛折り·九十九折り〗名 꼬불꼬불한 산길·비탈길. ¶~の山路(やまじ)を登(のぼ)る 꾸불꾸불한 산길을 올라가다.

つづらふじ〖葛藤〗名〖植〗댕댕이덩굴. =つづら.

つづり〖綴り〗名 **1** 철(綴)함; 철한 것. ¶新聞(しんぶん)~ 신문철 / 書類(しょるい)~ 서류철. **2** 'つづり字(じ)'의 준말. ¶英語(えいご)の~ 영어의 철자 / ~を間違(まちが)える 철자를 틀리다.

つづりあわ-せる【つづり合わせる】《綴り合わせる》下1他 하나로 철하다. ¶伝票(でんぴょう)を~ 전표를 한데 모아 철하다.

つづりかた【つづり方】《綴り方》名 **1** 작문; 글짓기《초등학교에서의 作文(さくぶん)(=작문)의 구칭》. ¶~の時間(じかん) 작문 시간. **2** 철자법. ¶ローマ字(じ)の~がわからない 로마자의 철자법을 모르다.

つづりじ【つづり字】《綴り字》名 철자; 스펠링. =スペリング·スペル.

*__つづ-る__〖綴る〗5他 **1** 철하다. ¶書類(しょるい)を~ 서류를 철하다. **2** 깁다; 꿰매다; (조각을) 잇대다. ¶着物(きもの)のやぶれを~ 옷의 터진 데를 깁다. **3** (글을) 짓다. ¶文章(ぶんしょう)を~ 문장을 짓다. **4** 철자(綴字)하다. ¶各単語(かくたんご)を正確(せいかく)に~ 각 단어를 정확하게 쓰다. 可能 つづ-れる 下1自

つづれ〖綴れ〗名 **1** 잇대고 기운 옷; 누더기 옷. =ぼろ·つづれ衣(ごろも). ¶~をまとう〔着(き)ている〕 누더기를 걸치다〔입고 있다〕. **2** 'つづれおり'의 준말.

つづれおり【つづれ織り】《綴れ織り》名 여러 가지 색실로 무늬를 짜 넣은 직물. =つづれ.

つて〖伝·伝手〗名 **1** 연고; 연줄. =たより·手(て)づる·コネ. ¶就職(しゅうしょく)の~をたどる 취직의 연줄을 찾다. **2** 인편; 편. =

人づて·ことづて. ¶~に聞く 인편에 듣다 / ~があるのでとどけます 인편이 있어서 보냅니다.

って 助 **1**《인용을 가리키는 'と'에 해당되어》…라고; …냐고. ¶仲間に入れてくれ~頼まれた 동아리〔한패〕에 넣어 달라고 부탁받았다 / 彼が主役だ~言ってましたよ 그가 주역이라고 하던데요 / 知らない~言ったよ 모른다고 하던데. **2**《'という(もの)は'의 압축된 말씨로》…라는 것은; …란. ¶銀座~いい所ね 銀座란 좋은 곳이로군(요) / あなた~ひどい人だわ 당신이란, 지독한 사람이군요. **3**《'という'의 압축된 말씨로》…라고 하는. ¶日本~国は狭いね 일본이란 나라는 좁군요 / あした帰る~話だよ 내일 돌아간다는 이야기야. 注意 3은 'てえ' 'ってえ'라고도 함. **4**《'といって'의 압축된 말씨로》…(고) 하면서; …(고) 해서. ¶映画を見に行く~出かけましたよ 영화를 보러 간다면서 나가던데요 / いなか者だから~ばかにするな 시골 사람이라고 해서 우습게 보지 마라. **5**《'としても'의 압축된 말씨로》…(고) 해도; …했자. ¶よした方がいいぜ, 今行った~間にあわないよ 그만두는게 좋아. 이제 간댔자 이미 늦었어 / いくら反対した~, だめです 아무리 반대했자 소용 없습니다. **6**《'と言われても'의 압축된 말씨로》…(고) 말을 들어도; …(냐고) 물어 오더라도. ¶早く行け~, それは無理だよ 빨리 가라고 해도 그것은 무리일세. **7**《'…ということだ(=…라고(들) 해)'의 변화로》…대; …래; …라고 한다는군; …라더라. ¶妹も行きたい~ 누이동생도 가고 싶대 / あしたは雨だ~さ 내일은 비가 온다더라. **8**《상대방 말을 반문하면서 그 따위 일은 있을 수 없다는 뜻으로 써서》뭐?; 뭐라고요? ¶えっ! 死んだ~ 뭐! 죽었다고요? / 犯人がつかまった~ 범인이 잡혔다고요?.

つと〖苞·苞苴〗名 **1** 짚 따위로 싼 것; 꾸러미. =わらづと. **2**〈雅〉(집에 갖고 가는) 선물; 토산물. =家づと.

つと 副 **1** ☞じっと. **2** ☞つっと.

つど【つど·都度】名 그때마다; 할 때마다. =たびごと(に). ¶その~けんかする 그때마다 싸우다 / 上京の~私の所で泊まる 상경할 때마다 우리집에서 묵는다.

つどい【集い】名 모임; 회합. =会合·集まり. ¶同級生の~ 동급생의 모임 / 若人の~ 젊은이의 회합.

つど-う【集う】5自 모이다; 회합하다; 집회하다. =集まる. ¶全員が一堂に~ 전원이 일당〔한 자리〕에 모이다.

つとに〖夙に〗副 **1**〈雅〉아침 일찍. ¶~目覚める 일찍 깨다. **2** 일찍부터; 벌써부터. ¶~勇名をはせる 일찍부터 용명을 떨치다 / ~専門家の指摘するところだ 일찍이 전문가가 지적하던 것이다. **3**〈雅〉어렸을 때부터. ¶~志を立ててはげむ 어렸을 때부터 뜻을 세워 부지런히 힘쓰다.

つとま-る【勤まる】5自 (임무를) 수행할 수 있다; 감당해 내다. ¶とても~らない 도무지 감당할 수가 없다 / 委員長の役が~だろうか 위원장 역할을 해낼 수 있을까.

⁑**つとめ**【務め】名 할일; 의무; 임무; 책무; 본분. ¶子〔親〕としての~ 자식으로〔부모로〕서의 도리 / ~をはたす 책무를 다하다 / 納税は国民の~である 납세는 국민의 의무이다.

⁑**つとめ**【勤め】名 **1** 근무함; 또, 그 일; 근무. ¶~に出る 근무하러 나가다 / ~をなまける 근무를 게을리하다. **2** 중의 일과로서의 수행; 근행(勤行). ¶朝のお~ 아침 불공.

つとめあ-げる【勤め上げる】下1自 (임기나 연한을) 무사히 끝내다. ¶二年間大過なく~ 2년간 대과없이 임기를 마치다.

つとめぐち【勤め口】名 직장; 취직처. ¶~がない 직장이 없다 / ~を見つける〔求める〕 일자리를 찾아 내다〔찾다〕.

つとめさき【勤め先】名 근무처; 직장. =勤務先. ¶~に訪ねる 근무처로 찾아가다 / ~が変わった 근무처가 바뀌었다 / あなたの~はどこですか 당신 직장은 어디입니까.

つとめて【努めて】副 될 수 있는 대로; 애써. ¶~平気をよそおう 애써 태연한 체하다.

つとめにん【勤め人】名 월급쟁이. =サラリーマン. ¶平凡な~ 평범한 직장인 / ~暮らし 월급쟁이 생활.

つとめむき【勤め向き】名 근무에 관한 일; 공무상. ¶~の話 공무에 관한 이야기.

⁑**つと-める**【努める】《勉める》下1自 힘쓰다; 노력하다; 애쓰다. ¶研究に~ 연구에 힘쓰다 / 人前で泣くまいと~ 남 앞에서 울지 않으려고 애쓰다. ↔おこたる·なまける.

⁑**つと-める**【務める】下1他 역을〔임무를〕 맡다; 역할을 다하다. ¶案内役を~ 안내역을 맡다 / 主役を~ 주역을 맡아 하다.

⁑**つと-める**【勤める】下1他 **1** 종사하다; 근무하다. ¶会社〔役所〕に~ 회사〔관공서〕에 근무하다. **2** 불도(佛道)를 닦다; 근행하다.

⁑**つな**【綱】名 **1** 밧줄. =ロープ. ¶~をたぐる 밧줄을 당기다 / ~をかける 밧줄을 걸다. **2** 비유적으로, 의지하는 것〔줄〕. ¶命の~ 생명의 줄. **3** (씨름에서) 横綱(=씨름 챔피언). ¶~を張る〔締める〕 横綱가 되다.

ツナ〔미 tuna〕名 튜너; 다랑어; 참치. ¶~ハム〔サンド〕 참치 햄〔샌드위치〕.

つながり〖繋がり〗名 연계(連繫). **1** 이

어짐; 또, 그것; 연결. ¶文の~ 문장의 연결. **2** 관계; 유대. ¶横の~ 횡적 연계〔관계〕/親子の~ 부모 자식 간의 유대/血の~ 혈연 관계.

つなが-る 〖繫がる〗 [5自] **1** 이어지다. ㉠연결되다; 붙어 있다. ¶敗北に~失策 패배로 이어진 실책/首が~ 목이 부지하다《(a)목이 잘리지 않고 있다; (b)계속 그 직에 남다》. ㉡맺어지다. ¶心と心が~ 마음과 마음이 통하다〔맺어지다〕. ㉢핏줄이 같다. ¶血が~ 같은 핏줄이다; 혈연 관계가 있다. **2** 관계가 있다; 연루〔연계〕되다. ¶仕事の上で~ 업무상으로 연계되어 있다.

つなぎ 〖繫ぎ〗 [名] **1** 연결; 이음; 연결하는 것. ¶~目 이음매; 이은 곳. **2** (어떤 일이 끝나고 다음으로 옮길 때까지의) 사이를 메우기 위하여 하는 일; 막간. ¶時間~に 시간을 메우기 위하여/~に一曲歌う 막간을 이용해서 한 곡 부르다. **3**〔料〕 헤식은 것을 차지게 하기 위하여 넣는 재료. ¶そばの~に山芋を使う 메밀국수를 끈지게 하기 위하여 마를 쓰다.

つな-ぐ 〖繫ぐ〗 [5他] **1** (끈이나 밧줄 따위로) 매다; 묶어 놓다. ＝結びとめる. ¶船を~ 배를 매놓다. **2** 구속〔구금〕하다; 가두다. ¶獄に~ 옥에 가두다. **3** (하나로) 잇다; 연결하다. ¶手を~ 손을 (맞)잡다/電話を~ 전화를 연결하다〔대다〕. **4** 보존하다. ＝もちこたえる. ¶命を~ 목숨을 보존〔부지〕하다. [可能]つな-げる[下1自]

つな-げる 〖繫げる〗 [下1他] ☞つなぐ.

つなひき【綱引き】《綱曳き》[名] 줄다리기. ¶二組に分かれて~をやる 두 패로 나뉘어 줄다리기를 하다.

つなみ【津波】《津浪·海嘯》[名] 해소; 해일. ¶~に襲われる 해일이 덮치다.

つなわたり【綱渡り】[名][ス自] 줄타기; 비유적으로, 모험(을 함). ¶曲芸師の~ 곡예사의 줄타기/そんな~はやめたほうがよい 그런 모험은 그만두는 것이 좋다.

つね【常】[名] **1** 보통 때. ¶顔色が~と違う 안색이 평소와는 다르다. **2** 늘〔흔히〕 있음; 상사(常事). ¶人の~として, こわい物を見たがる 사람은 흔히, 무서운 것을 보고 싶어한다. **3** 평소(의 습관); 일과. ＝ふだん. ¶~日ごろの努力 평소의 노력/朝散歩するのを~とする 아침 산책을 하는 것을 일과로 삼다. **4** 평범; 보통. ¶世の~の人 세상의 평범한 사람. ↔異常.

—無し 변하기 쉬움; 덧없음.

—ならぬ **1** 무상하다; 덧없다. ¶~人の命 덧없는 사람의 목숨. **2** 보통과〔평소와〕 다르다. ¶~身 임신한 몸.

つねづね【常常】㊀[名] 평상시; 평소. ¶~の教え 평소의 가르침/偉い人は~からして違う 훌륭한 사람은 평소부터가 다르다. ㊁[副] 항상; 언제나; 늘; 평소(부터). ＝いつも. ¶私は~こう思っていた 나는 평소에 이렇게 생각하고 있었다.

つねなみ【常並み】[名][ダナ] 보통; 일반. ＝世間並み.

*__つねに__【常に】[副] 늘; 항상; 언제나. ＝ふだん·いつも. ¶君の行動は~正しい 너의 행동은 항상 올바르다.

つねひごろ【常日ごろ】《常日頃》[名][副] 늘; 평소. ¶~からの心がけが大切だ 평소부터의 마음가짐이 중요하다.

つね-る 〖抓る〗 [5他] 꼬집다. ＝つめる. ¶腕をいやというほど~ 팔을 힘껏 꼬집다.

*__つの__【角】[名] **1** 뿔. ¶牛の~ 쇠뿔/~が生える 뿔이 나다/~で突く 뿔로 받다. **2** 뿔 모양과 같은 것. ¶かたつむりの~ 달팽이의 촉각〔더듬이〕.

—を折る 뿔을 꺾다; 자기의 고집을 꺾다. ＝我を折る.

—を出す〔はやす〕 **1** 뿔을 내밀다. **2** 여자가 질투하다.

—を矯めて牛を殺す 교각살우(矯角殺牛).

つのかくし【角隠し】[名] 일본식 결혼식 때, 신부가 머리에 쓰는 흰 비단천《옛날, 절에 참배하러 갈 때 여자가 썼음》.

〔角隠し〕

つのぐ-む【角ぐむ】[5自] 〈雅〉 초목의 싹이 (뿔이 나오듯이) 돋아나다. ＝芽ぐむ. ¶あしが~·んで来た 갈대가 싹트기〔돋아나기〕 시작했다.

つのざいく【角細工】[名] 각〔뿔〕세공. ¶~の人形 뿔세공의 인형.

つのつきあい【角突き合い】[名] (사이가 나빠서) 서로 으르렁거림. ＝つのつき. ¶~の仲 티격태격하는 사이. [注意] 'つのづきあい'라고도 함.

つのつきあわ-せる【角突き合わせる】[下1他] 사이가 나빠 서로 싸우다〔충돌하다〕; 티격태격하다. ¶二人は事ごとに~ 두 사람은 매사에 티격태격한다.

つのめだ-つ【角目だつ·角目立つ】[5自] **1** 모나다. ＝かどだつ. ¶そういう言い方をすると~·ってまずい 그런 말투는 모가 나서 좋지 않다. **2** 서로 감정이 좋지 않아 충돌하다〔으르렁대다〕. ¶~·って口論する 서로 으르렁대며 말다툼하다.

つの-る【募る】㊀[5自] 점점 심해지다; 격화하다. ¶恋しさが~ 그리움이 자꾸 더해지다/風が吹き~ 바람이 점점 심해지다. ㊁[5他] 모집하다; 모으다. ¶寄付〔義捐〕金を~ 기부〔의연〕금을 모으다/希望者を~ 희망자를 모집하다.

つば 〖唾〗 [名] 〈口〉 침. ＝つばき. ¶~をはく 침을 뱉다/~をつける 침을 묻히다; 전하여, 남에게 빼앗기지 않기 위해 미리 손을 써 두다.

つば 〖鍔·鐔〗 [名] **1** 날밑. **2** (모자의) 차양. ¶~の広い帽子 차양이 넓은 모자. **3**

솔전; 솔 몸의 바깥 중턱에 둘러 댄 전.

—うち【—打ち】图 칼의 날밑을 손으로 침((칼을 뽑으려는 동작을 이름)).

—おと【—音】图 칼의 날밑으로 상대의 칼을 막을 때 나는 소리.

*__つばき__〖唾〗图ス自 침. =つば. ¶手に〜する 손에 침칠하다((a)힘쓰기 전에 손바닥에 침칠을 하다; (b)바야흐로 일에 착수하려고 하다))/天を仰いで〔天に〕〜する 하늘을 보고 침 뱉다((남을 해치려다 도리어 자기가 당함의 비유)).

つばき〖椿〗图〔植〕동백나무. ¶〜の花 동백꽃. 「백 기름.

つばきあぶら【つばき油】((椿油))图 동

*__つばさ__【翼】图 날개. **1** 새 날개((비유적으로도 씀)). =はね. ¶空想の〜を広げる 공상의 날개를 펴다. **2** 비행기 날개; 전하여, 비행기.

つば-する〖唾する〗サ変自 침을 뱉다. ¶天に〜 하늘에 대고 침을 뱉다.

つばぜりあい【つばぜり合い】((鍔迫り合い))图ス自 칼싸움에서, 상대의 칼을 날밑으로 받은 채 서로 밀치는 일; 격렬한 승부. ¶優勝を目指して両チームが〜を演ずる 우승을 목표로 양 팀이 격렬한 싸움을 벌이다.

*__つばめ__〖燕〗图 **1**〔鳥〕제비. ¶〜の巣 제비집. **2** '若いつばめ'의 준말: 제비족; 젊은 정부(情夫).

**__つぶ__【粒】图 알; 낟알. ¶米〜 쌀알/丸薬一〜 알약 한 알/大〜の雨 굵은 빗방울/〜が大きい 알이 굵다.

—がそろう **1** 크기가 모두 고르다. **2** 모두 뛰어난 사람〔물건〕들이다.

つぶさに〖具に·備に·悉に〗副 **1** 자세히; 구체적으로. =つまびらかに. ¶問題点を〜検討する 문제점을 자세히 검토하다. **2** 빠짐없이; 고루; 모두. =ことごとく. ¶〜取りそろえる 빠짐없이 구비하다; 구색을 갖추다.

つぶし〖潰し〗图 **1** 찌부러뜨림; 으깸; 또, 그렇게 한 것. ⇨つぶしあん. **2** (부수거나 녹이어) 본디 원료로 환원함; 또, 그렇게 한 것. ¶機械を〜で売る 기계를 부수어 쇠붙이로 팔다. **3** (시간 등을) 때움; 보냄. ¶ひま〜 심심풀이; 심심파적/時間〜 시간 보내기.

—が効く (재주가 좋아) 어떤 일을 그만두어도 다른 일을 할 수 있는 능력이 있다. 「こしあん.

つぶしあん〖潰し餡〗图 으깬 (팥)소. ↔

__つぶ-す__〖潰す〗5他 **1 찌부러뜨리다. ㉠ 으깨다; 부수다. ¶じゃが芋をすり〜 감자를 갈아 으깨다/マッチ箱を手で〜 성냥갑을 손으로 찌부러뜨리다. ㉡ (벌레 등을) 짓눌러 죽이다. ¶のみを〜 벼룩을 짓눌러 죽이다. ㉢못쓰게 하다; 망치다. ¶目を〜 눈이 멀게 하다/企画を〜 기획을 망치다. ㉣탕진하다. ¶食い〜 (무위도식으로) 재산을 거덜내다/身上を〜 재산을 탕진하다. **2** (체면 따위를) 잃다; 손상하다. ¶面目を〜 면목〔체면〕을 잃다. **3** 허비하다. ¶貴重な時間を〜 귀중한 시간을 허비하다. **4** 몹시 놀라다. ¶肝を〜 몹시 놀라다; 기겁을 하게 놀라다. **5** 본디 모습을 잃게 하다. ㉠(취하여) 제정신을 잃게 하다. ¶酔い〜 곤드레만드레〔억병으로〕 취하게 하다. ㉡(다른 용도에 쓰기 위해) 녹이거나 부수다. ¶金貨を〜 금화를 녹여서 금으로 쓰다. **6** (시간·틈 따위를) 메우다; 때우다. ¶穴〔すきま〕を〜 구멍을〔틈새를〕 메우다/暇を〜 시간을 보내다〔때우다〕. 可能 つぶ-せる 下1自

つぶぞろい【粒ぞろい】((粒揃い))图 **1** (우열을 가릴 수 없을 만큼) 모두가 우수함. ¶〜の選手たち 모두가 우수한 선수들. **2** 알알이 모두 고름. ¶〜のだいず 알이 모두 고른 콩.

つぶだ-つ【粒立つ】5自 알알이 솟아나다. =あわだつ. ¶それを見るとはだえが〜った 그것을 보자 전신에 소름이 끼쳤다.

つぶつぶ【粒粒】图 많은 알맹이(의 하나하나); 좁쌀 같은 것. ¶顔に〜ができる 얼굴에 좁쌀 같은 것이 돋다.

つぶつぶ〖粒粒〗副 알알이 솟아오르는 모양. ¶〜と泡立つ 방울방울 거품이 일다.

つぶて〖飛礫·礫〗图 던지는 돌멩이. ¶やみ夜の〜 캄캄한 밤에 날아오는 돌멩이((목표나 목적이 없음의 비유))/〜を打つ 돌멩이를 던지다.

つぶやき〖呟き〗图 중얼댐; 군소리. ¶〜をもらす 혼자 중얼대다.

つぶや-く〖呟く〗5自 중얼거리다; 투덜대다. ¶ぶつぶつ〜 투덜거리다.

つぶより【粒より】((粒選り))图 알짜만 골라냄; 또, 골라낸 것. =えりぬき·粒ぞろい. ¶〜の選手 엄선한 선수.

つぶら〖円ら〗图ダナ 둥근 모양; 둥글고 귀여운 모양. ¶〜なひとみ 동그랗고 귀여운 눈동자.

つぶ-る〖瞑る〗5他 눈을 감다. =つむる. ¶じっと目を〜って考える 지그시 눈을 감고 생각하다.

__つぶ-れる__〖潰れる〗下1自 **1 찌부러지다. ㉠(눌려) 찌그러지다; 무너지다. ¶箱が〜 상자가 찌부러지다/雪の重みで〜 눈의 무게로 무너지다. ㉡깨지다. ¶卵が〜 달걀이 깨지다. ㉢(눈 따위가) 멀다. ¶目が〜 눈이 멀다. ㉣(체면 따위가) 없어지다; 손상되다. ¶面目が〜 체면을 잃다; 면목이 없어지다. ㉤도산하다. ¶不景気で会社が〜 불경기로 회사가 망하다. ㉥망가지다; 못쓰게 되다. ¶のこぎりの目が〜 톱니가 무디어 망가지다/声が〜 목소리가 잠기다. **2** 엉망이 되다. ¶酔い〜 고주망태가 되다. **3** 허비〔낭비〕되다; 잃게 되다. ¶時間が〜 시간이 낭비되다. **4** 틀어지다; 망쳐지다. ¶予定〔企画〕が〜 예정〔기획〕이 틀어지다. **5** 몹시 놀

라다. ¶肝(きも)が～ 혼비백산하다; 기급을 하다 / 胸(むね)が～ (몹시 슬프거나 해서) 가슴이 미어지다.

つべこべ 副 이러쿵저러쿵 귀찮게 잔소리하는 모양 : 중언부언; 이러니저러니. ¶～言(い)う 이러니저러니〔어쩌니저쩌니〕(잔소리)하다.

ツベルクリン [도 Tuberkulin] 名 〘醫〙 투베르쿨린《결핵 감염 여부 진단 주사액》. ¶～反応(はんのう) 투베르쿨린 반응.

つぼ【坪】名 평. **1** 토지 면적의 단위. ¶十五(じゅう)～の家(いえ) 15평 집 / ～数(すう)が広(ひろ)い 평수가 넓다. **2** 인쇄 제판(製版) 등의 넓이의 단위《사방 한 치의 면적; 약 9.18 cm^2》. **3** 피혁·타일 따위의 면적의 단위《사방 한 자의 면적》.

*__つぼ__〖壺〗名 **1** 단지; 항아리. ¶～に入(い)れておく 단지에 담아 두다. **2** 보시기; 종지. **3** 단지 비슷한 것; 둥글고 제법 움푹한 것〔곳〕. ¶滝(たき)～ 용소; 용추(龍湫). **4** ㉠생각〔기대〕했던 바. ＝ずぼし. ¶～にあたる 예상이 들어맞다. ㉡급소; 요점. ＝こつ. ¶～を押(お)さえる 급소를 누르다〔잡다〕. **5** 뜸을 놓는 자리; 뜸자리. ¶きゅう～ 뜸자리.

—にはまる **1** 정곡을 찌르다. ¶壺にはまった見方(みかた) 정곡을 찌른 견해. **2** 생각대로 되다. ¶思(おも)う～ 바라던 대로 되다.

つぼあたり【坪当たり】名 평당. ¶ここの土地(とち)は～十万円(じゅうまんえん)だ 이곳 땅은 평당 10만 엔이다.

=っぽ-い《名詞나 動詞 連用形에 붙여서 形容詞를 만듦》…의 경향·성질이 있다; …스럽다; …답다. ¶俗(ぞく)～ 속되다; 통속적이다 / おこり～ 화를 잘 내다 / 水(みず)～ 물기가 많다; 싱겁다 / 色(いろ)～ 요염하다 / 忘(わす)れ～ 잘 잊다.

つぼがり【坪刈り】名 평예법(平刈法). ¶～をする (작황을 알아보기 위해) 평뜨기로 농작물을 베다.

つぼにわ【坪庭】名 안뜰. ＝内庭(うちにわ).

つぼね [局] 名 **1** 궁전 안에 따로따로 칸막이한 방. ＝曹司(ぞうし). **2** つぼね에 거처하는 궁녀《신분이 높음》.

つぼま-る〖窄まる〗5自 옴츠러들다; 오므라지다. ＝すぼまる. ¶隅(すみ)に～·って座(すわ)る 구석에 옴츠리고 앉다.

*__つぼみ__〖蕾·莟〗名 **1** 꽃봉오리. ¶桜(さくら)の～ 벚꽃 봉오리 / ～がふくらむ 꽃망울이 부풀다 / ～が出(で)る 꽃봉오리가 나오다 / 梅(うめ)の～がほころぶ 매화 꽃봉오리가 벌어지다. **2** (촉망되나 아직 성숙지 못한) 젊은이. ¶～の花(はな)を散(ち)らす 전도유망한 젊은이를 요절하게 하다.

つぼ-む〖蕾む·莟む〗5自 꽃봉오리지다. ¶まだ～·んでいる 아직 봉오리져 있다.

つぼ-む〖窄む〗5自 오므라지다; (끝이) 좁아지다. ＝すぼむ. ¶裾(すそ)が～·んだズボン 가랑이가 좁은 바지 / 朝顔(あさがお)が～ 나팔꽃이 오므라들다.

つぼ-める〖窄める〗下1他 옴츠리다; 오므리다. ＝すぼめる. ¶口(くち)を～ 입을 오므리다 / 肩(かた)を～ 어깨를 옴츠리다 / かさを～ 우산을 접다.

つぼやき【つぼ焼き】《壺焼き》名 **1** 소라를 잘게 썰어 양념을 한 다음 껍데기에 넣어 구운 것. ＝つぼいり. **2** 고구마를 항아리에 넣어 구움; 또, 그렇게 구운 고구마. ＝つぼやきいも.

⁑__つま__【妻】名 처; 아내; 마누라. ＝女房(にょうぼう)·家内(かない)·さい. ¶～をめとる 아내를 얻다; 장가들다 / ～の座(ざ)を守(まも)る 아내의 자리를 지키다. ↔夫(おっと).

⁑__つま__〖妻〗名 회(膾) 따위에 곁들이는 것《야채나 해초 따위》. ¶さしみの～ (a) 생선회에 곁들이는 야채·해초 등; (b) 남을 돋보이게 할 뿐 자신은 보잘 것 없는 것의 비유.

つま〖褄〗名 긴 옷의 아랫단 좌우 끝; 긴 옷의 섶단. ¶左褄(ひだりづま)を取(と)る 기생이 되다《여염집 부인은 오른쪽 옷자락단을 걷어 들고 걸음》.

—を取(と)る **1** 옷의 아랫단을 걷어들고 걷다. **2** 기생이 되다.

つまおと【つま音】《爪音》名 가조각(假爪角) 소리; 거문고 타는 소리. ¶澄(す)んだ～ 맑은 거문고 소리.

つまお-る【つま折る】《端折る》5他 끝을 접다. ＝はしおる. ¶着物(きもの)のすそを～ 옷자락의 끝을 접다.

つまかわ【つま皮·つま革】《爪皮·爪革》名 왜나막신 앞에 천 또는 가죽을 대서 진흙이나 물이 튀는 것을 막는 것. ＝つまがけ.

[つまかわ]

つまぐ-る〖爪繰る〗5他 손가락 끝으로 넘기다. ¶じゅずを～ 염주알을 (손가락 끝으로 하나하나) 굴리다.

つまこ【妻子】名 처자. ＝さいし. ¶喜(よろこ)ぶ～の顔(かお)を思(おも)い浮(う)かべる 기뻐하는 처자의 얼굴을 떠올리다.

つまごい【妻恋い】《夫恋い》名 별거하는 부부〔암수〕가 상대를 그리워함.

つまごと【妻琴】《爪琴》名 거문고; 또, 거문고를 탐.

つまさき【つま先】《爪先》名 발가락 끝; 발끝. ＝足先(あしさき). ¶頭(あたま)から～まで 머리에서 발끝까지 / ～で立(た)つ 발돋움하다.

—あがり【—上がり】名 차츰 오르막길이 됨; 또, 그런 길. ¶～の道(みち) 완만하게 비탈진 언덕길. ↔つま先下(さ)がり.

—だ-つ【—立つ】5自 ☞つまだつ. ¶～·って舞台(ぶたい)を見(み)る 발돋움하고 무대를 보다.

つまさ-れる 下1自 (정 따위에 끌려) 마음이 움직이다. ¶話(はなし)に～·れて涙(なみだ)が出(で)た 이야기에 감동되어 눈물이 나왔다 / 身(み)に～ 남의 불행을 (자기 처지에 비겨) 동정하다.

つまし-い〖倹しい〗形 검소하다; 알뜰하다. ¶～生活(せいかつ) 검소한 생활 / ～·く暮(く)らす 알뜰〔검소〕하게 살다.

つましらべ【つま調べ】《爪調べ》名 거문고 따위를 연주하기 전에 줄을 타며

음을 고르는 일.

つまずき〖躓き〗名 1 발이 걸려 넘어질 뻔함. 2 좌절함; 차질; 실패. ¶ちょっとした～から一生(いっしょう)を棒(ぼう)に振(ふ)った 사소한 실수로 일생을 망쳤다.

*つまず-く〖躓く〗5自 1 발이 걸려 넘어지다〔넘어질 듯 비틀거리다〕; 곱드러지다. ＝けつまずく. ¶石段(いしだん)に～ 돌계단에 걸려 비틀대다/石(いし)に～·いてころぶ 돌에 채어 넘어지다. 2 좌절하다; 실패하다. ¶事業(じぎょう)に～ 사업에 실패하다.

つまだ-つ【つま立つ】《爪立つ》5自 발돋움하다. ＝つまさきだつ. ¶～·ってのぞく 발돋움하여 들여다보다.

つまど-る〖褄取る〗5他 옷자락 단을 걷어 들다; 옷자락을 걷어 올리다.

つまはじき〖爪弾き〗名ス他 손끝으로 튀김; 배척〔혐오〕함. ¶世間(せけん)から～される 세상 사람들에게 배척당하다〔지탄받다〕. 參考 혐오 또는 배척할 때 손톱끝으로 튀기는 동작을 한 데서 유래.

つまび-く【つま弾く】《爪弾く》5他 현악기 따위를 손톱 끝으로 타다. ¶ギターを～ 기타를 타다.

つまびらか〖詳らか·審らか〗ダナ 자세함; 소상(昭詳)함. ¶～に調(しら)べる 자세히 조사하다/生死(せいし)のほどは～でない 생사 여부는 확실하지 않다.

つまみ〖摘み·撮み〗名 1 손끝으로 집음; 그 집은 분량. ¶ひと～ 한 자밤; 한 움큼. 2 (기구 등의) 손잡이. ＝とって. ¶鍋(なべ)ぶたの～ 냄비 뚜껑의 손잡이.

つまみあらい【つまみ洗い】《摘み洗い》名ス他 지르잡음. ¶よごれだけを～する 더러운 곳만을 지르잡다.

つまみぐい【つまみ食い】《摘み食い》名ス他 1 손가락으로 집어 먹음. ¶～はいけないよ 손으로 집어 먹는 짓은 못쓴다. 2 몰래 집어〔훔쳐〕 먹음. ¶～の味(あじ)は格別(かくべつ)だ (몰래) 집어 먹는 맛은 각별하다. 3〈俗〉 공금을 횡령함. ¶公金(こうきん)の～がばれる 공금횡령이 들통나다.

つまみだ-す【つまみ出す】《摘み出す》5他 1 집어내다; 골라내다. ¶米(こめ)の中(なか)からごみを～ 쌀 속에서 티를 집어내다. 2 끌어내다. ¶生意気(なまいき)を言(い)うと～ぞ 건방진 소리하면 끌어낼 테야.

つまみもの【つまみ物】《摘み物》名 (양주 따위에 곁들이는) 마른안주. ＝おつまみ.

*つま-む〖摘む·撮む〗5他 1 (손가락으로) 집다; 집어 먹다. ¶鼻(はな)を～ 코를 쥐다〔당기다〕/ピンセットで～ 핀셋으로 집다/お気(き)に召(め)したら, もっとお～·みください 마음에 드시거든 더 드세요. 2 요약〔발췌〕하다. ＝かいつまむ. ¶要点(ようてん)を～·んで説明(せつめい)する 요점을 요약해서 설명하다. 3《'～·まれる'의 꼴로》 홀리다. ＝ばかされる. ¶きつねに～·まれたような話(はなし) 여우에게 홀린 것 같은 이야기. 可能つま-める下1自

つまようじ〖爪楊枝〗名 이쑤시개. ＝こようじ. ¶～で歯(は)をせせる 이쑤시개로 이를 쑤시다.

**つまらない〖詰まらない〗連語 1 하찮다; 시시하다. ＝くだらない. ¶～事(こと)を気(き)にする 하찮은 일을 걱정하다/～話(はなし)さ 시시한 얘기야/～ものですがどうぞ召(め)し上(あ)がって下(くだ)さい 변변치 않습니다만 어서 (많이) 드십시오. 2 보람이 없다. ¶あくせく働(はたら)いても～ 뼈 빠지게 일해도 보람이 없다. 3 흥미〔재미〕가 없다. ¶あの小説(しょうせつ)は～ 저 소설은 재미없다/話(はな)し相手(あいて)がなくて～ 이야기 상대가 없어서 재미가 없다. 參考 'つまらぬ' 'つまらん'이라고도 함.

*つまり【詰まり】一名 막힘; 막다른 곳; 끝장. ＝はて·おわり. ¶とどの～ 최후; 종말. 二副 결국; 요컨대; 다시 말해. ¶～こうだ 요컨대 이렇다/～何(なに)が言(い)いたいのだ 요컨대 무슨 말을 하고 싶나.

**つま-る【詰まる】5自 1 가득 차다. ¶日程(にってい)が～·っている 일정이 꽉 차 있다/本棚(ほんだな)にその道(みち)の専門書(せんもんしょ)がぎっしり～·っている 서가에 그 방면의 전문 서적이 가득 차 있다. 2 막히다. ㉠메다. ＝ふさがる. ¶鼻(はな)が～ 코가 막히다/パイプが～ 파이프가 막히다. ㉡궁하다. ¶金(かね)に～ 돈에 궁해지다/返答(へんとう)に～ 대답이 막히다. 3 막다르다. ¶退路(たいろ)に～ 퇴로가 막히다. 4 짧아지다. ¶丈(たけ)が～ 길이가 짧아지다/日(ひ)が～ 해가 짧아지다; 또, 기일이 임박하다.

つまるところ〖詰まる所〗副 요컨대; 결국. ＝要(よう)するに. ¶～君(きみ)が悪(わる)い 결국 네가 나쁘다/～, お金(かね)の問題(もんだい)だ 요컨대 돈 문제다.

**つみ【罪】一名 죄. 1 법을 어기는 행위; 전하여, 그 죄에 대한 처벌. ¶～を犯(おか)す 죄를 범하다/～に服(ふく)する 복죄하다/～に問(と)う 죄를 묻다《(a)재판에 부치다; (b)처벌하다》. 2 도덕·종교상의 죄. ¶神(かみ)の前(まえ)に～のない人(ひと)はない 신 앞에 죄 없는 사람은 없다. 3 잘못; 책임. ¶この失敗(しっぱい)は誰(だれ)の～か 이 실패는 누구의 책임이냐. 二名ダナ 무자비함; 못할〔죄스러운〕 짓; 심함. ¶～なことをする 못할 짓을 하다.

—が無(な)い 순진하다; 천진(난만)하다. ¶子供(こども)は～ 어린이는 순진하다〔아무것도 모른다〕.

—を着(き)せる 좋지 않은 결과에 대한 책임을 넘겨씌우다. ¶他人(たにん)に～ 남에게 책임을 전가하다.

—を作(つく)る 못할〔무자비한〕 짓을 하다.

—を憎(にく)んで人(ひと)を憎(にく)まず 죄는 미워하되 사람은 미워할 것이 아니다.

つみあ-げる【積み上げる】下1他 쌓아 올리다. ¶一(ひと)つ一つ着実(ちゃくじつ)に～·げて行(ゆ)く 하나하나 착실히 쌓아 올려 가다.

つみおくり【積み送り】名 짐을 실어 보내는 일.

つみおろし【積み降ろし】名ス他 하역; 짐을 싣고 부리는 일. ¶貨物(かもつ)を～する

화물을 하역하다.

つみか-える【積み替える·積み換える】 下1他 **1** 옮겨 쌓다. ¶品物(しなもの)を店(みせ)のすみに~ 물품을 가게 구석에 옮겨 쌓다. **2** 다시 쌓다. ¶荷(に)くずれした貨物(かもつ)を~ 허물어진 화물을 다시 쌓다.

つみかさな-る【積み重なる】 5自 겹쳐 쌓이다; 겹쳐지다. ¶落葉(おちば)が~ 낙엽이 쌓이다/借金(しゃっきん)が~ 빚이 쌓이다.

つみかさ-ねる【積み重ねる】 下1他 겹겹이 (치)쌓다; 포개어 쌓다. ¶箱(はこ)を~ 상자를 포개어 쌓다/努力(どりょく)を~ 많은 노력을 쌓다.

つみき【積み木】 图 **1** 집짓기 놀이; 또, 여기에 쓰는 나무나 플라스틱 도막의 장난감; 블록(block). **2** 재목을 쌓음; 또, 그 쌓은 재목. ¶~の山(やま)が出来(でき)る 재목을 쌓아서 산더미 같이 되다.

つみきん【積み金】 图 적금; 적립금; 돈을 적립함; 또, 적립한 돈.

つみこ-む【積み込む】 5他 (배나 화차에) 화물을 싣다. ¶船(ふね)に荷(に)を~ 배에 짐을 싣다.

つみ-する【罪する】 サ変他 벌을 주다; 처벌하다. ¶重(おも)く~·せられる 중하게 처벌받다.

つみだ-す【積み出す】 5他 (물건을) 실어(보)내다. ¶石炭(せきたん)を貨車(かしゃ)で~ 석탄을 화차로 실어 내다.

つみたてきん【積立金】 图 적립금.

つみた-てる【積み立てる】 下1他 적금하다; 적립하다. ¶修学(しゅうがく)旅行(りょこう)の費用(ひよう)を~ 수학 여행 비용을 적립하다.

つみつくり【罪作り】 名ナ 죄를 지음; 못할 짓(을 함); 또, 그 사람. ¶子供(こども)をだますとは~な話(はなし)だ 아이를 속이다니 죄(가) 되는〔죄스러운〕 얘기다.

つみとが【罪とが】《罪科》 图 죄과; 죄와 과오. ¶~のない者(もの)を責(せ)めるな (아무) 죄과도 없는 사람을 책하지 마라.

つみと-る【摘み取る】 5他 **1** (열매나 싹을 손끝으로) 따다; 뜯다. ¶実(み)を~ 열매를 따다. **2** (바람직하지 않은 것이) 크게 자라기 전에 제거하다; 없애다. ¶悪(あく)の芽(め)を~ 악의 싹을 제거하다.

つみに【積み荷】 图 적하(積荷); 태짐. ¶~目録(もくろく) 적화 목록/~をする 짐을 싣다; 적하하다/~を下(お)ろす 짐을 풀다〔내리다〕.

—しょるい【—書類】 图 적화 서류; 선적 서류. =船積(ふなづ)み書類.

つみのこし【積み残し】 图 못 다 싣고 남김; 또, 싣다 남은 짐. ¶~の船荷(ふなに) 싣다 남은 선적 화물.

つみぶか-い【罪深い】 形 죄가 무겁다; 죄가 많다. ¶~人間(にんげん) 죄 많은 인간/~行(おこな)いを悔(く)いる 죄 많은 행위를 참회하다.

つみほろぼし【罪滅ぼし】 图 속죄(贖罪); 죄갚음. ¶せめてもの~に寄付(きふ)をする 작으나마 속죄하기 위해 기부를 하다/~をする 속죄하다.

つみもどし【積み戻し】 图 외국에서 온 화물을 수입 절차도 밟지 않고 그대로 환송하는 일.

つ-む【詰む】 5自 **1** 촘촘하다; 쫀쫀하다. ¶目(め)の~·んだ生地(きじ) 올이 촘촘한 (옷)감. **2** (장기에서) 궁이 움직일 수 없게 되다; 외통수에 몰리다. ¶あと一手(いって)で~ 앞으로 한 수면 외통수에 몰린다.

*__つ-む__【摘む】 5他 **1** 뜯다; 따다. ¶花(はな)を~ 꽃을 따다/茶(ちゃ)を~ 찻잎을 따다. **2** 《剪む·抓む》 (가위 따위로) 가지런히 깎다. ¶枝(えだ)を~ 나뭇가지를 가지런히 치다/髪(かみ)を短(みじか)く~ 머리를 짧게 깎다.

__つ-む__【積む】 ㊀5他 **1 쌓다. ¶経験(けいけん)〔徳(とく)〕を~ 경험〔덕〕을 쌓다/巨万(きょまん)の富(とみ)を~ 거만의 재산을 쌓다《모으다》/みかんが山(やま)と~·まれている 귤이 산더미처럼 쌓여 있다. **2** (차·배 따위에) 싣다. ¶船(ふね)に荷物(にもつ)を~ 배에 짐을 싣다.
㊁5自 ☞つもる㊀. ¶降(ふ)り~雪(ゆき) 내려 쌓이는 눈. 可能 つ-める 下1自

つむ【錘】《紡錘》 图 방추; 물레의 가락; 북. ¶~を回(まわ)す 물레를 돌리다.

つむぎ〖紬〗 图 명주(明紬). =つむぎ織(お)り. ¶~縞(じま) 줄무늬가 있는 명주.

つむぎいと【つむぎ糸】《紬糸》 图 주사; 명주실.

つむ-ぐ【紡ぐ】 5他 (목화·고치로) 실을 뽑다; 잣다. ¶糸(いと)を~ 실을 잣다/綿(わた)を~ 목화를 자아 실을 뽑다.

つむじ〖旋毛〗 图 **1** (머리의) 가마. **2** 'つむじ風(かぜ)'의 준말.

—を曲(ま)げる 일부러 어기대어 심술궂게 나오다.

つむじかぜ【つむじ風】《旋風》 图 선풍; 회오리바람. =せんぷう·つむじ. ¶~に巻(ま)き上(あ)げられる 회오리바람에 휩쓸려 올라가다.

つむじまがり【つむじ曲がり】《旋毛曲がり》 名ナ 성질이 비뚤어짐〔빙퉁그러짐〕; 또, 그런 사람. ¶~なやつだ 빙퉁그러진 녀석이다.

つむ-る〖瞑る〗 5他 ☞つぶる. ¶目(め)を~ 눈을 감다.

__つめ__〖爪〗 图 **1 손톱; 발톱. ¶~でひっかく 손톱으로 할퀴다/~を切(き)る〔つむ〕 손톱을 깎다/~をのばす 손톱을 기르다/~の手入(てい)れをする 손톱 손질을 하다/~を立(た)てる 손톱〔발톱〕을 세우다; 화를 내다. **2** '琴(こと)づめ(=거문고 탈 때의 가조각(假爪角))'의 준말. ¶~をはめる 가조각을 끼우다. **3** 《鉤》 물건을 걸어서 고정시키는 갈고랑이《서질(書帙)·왜버선의 메뚜기 따위》. **4** 근소한 것의 비유. ¶~ほどの狂(くる)いもない 눈곱만한 착오도 없다.

—で拾(ひろ)って箕(み)でこぼす 손톱으로 주워서 키로 흘린다《수입은 적은데 지출은 많다; 또, 고생해 모은 것을 헤프게 쓰다》.

—に火(ひ)をともす (초 대신 손톱에 불을 켤 정도로) 몹시 인색하다.

—のあかほど 눈꼽만큼. ¶悪気(わるぎ)は~

もなかった 악의는 눈곱만큼도 없었다.

—のあかをせんじて飲(の)む 손톱의 때를 달여서 마시다《훌륭한 사람에게 감화되도록 그의 언행을 본뜨다》.

—を研(と)ぐ 손톱을 갈다《야심을 품고 기회를 노리다》. ¶復讐(ふくしゅう)の～ 복수할 기회를 노리다.

つめ【詰め】图 **1** 잔뜩 채움〔넣음〕; 또, 그 채운 것. ＝つめもの·パッキング. **2** (틈·병 아가리 따위에 끼우거나 막는) 마개. ¶びんの～ 병마개. **3**〈関西方〉끝; 가장자리; 가. ＝はし·きわ. ¶橋(はし)の～ 다리 끝. **4** (장기에서 승부가 판가름날 듯한) 최종 판국〔국면〕; 또, 사물의 결말이 가까운 단계. ¶～が甘(あま)い 마무리가 느슨하다 / ～を急(いそ)ぐ 일의 마무리를 서두르다.

=づめ【づめ·詰め】**1** 안에 (채워) 넣음; 또, 그 넣은 물건; 들이. ¶びん～のジャム 병에 든 잼 / せっけん十個(じっこ)～ 비누 열 개들이. **2**【詰め】〈俗〉어떤 것만을 내세움. ¶規則(きそく)～ 규칙만을 내세움〔고집함〕. **3**【づめ】같은 상태가 계속됨. ¶終点(しゅうてん)まで立(た)ち～だった 종점까지 줄곧 서 있었다. **4**【詰め】일정한 장소에서 근무함. ¶支店(してん)～ 지점 근무.

つめあと『爪痕』图 손톱자국. ¶台風(たいふう)の～ 태풍이 할퀴고 지나간 자국 / 腕(うで)に～をつける 팔에 손톱자국을 내다.

つめあわせ【詰め合わせ·詰合せ】图 여러 가지 물건을 한데 섞어 담음〔넣음〕; 또, 그렇게 한 것. ¶くだものの～ 여러 가지 과일을 섞어 넣은〔담은〕것.

つめあわ-せる【詰め合わせる】下1他 여러 가지 것을 한데 섞어 담다. ¶果物(くだもの)を～·せた籠(かご) 여러 가지 과일을 한데 섞어 담은 바구니.

つめいん【つめ印】《爪印》图 손도장; 무인(拇印). ＝つめばん. ¶～を押(お)す 손도장을 찍다.

つめえり【詰め襟】图 깃닫이; 또, 그런 모양의 양복. ¶～の学生服(がくせいふく) 깃닫이의 학생복. ↔折(お)り襟(えり).

つめか-える【詰め替える】下1他 새로〔다시〕채워 넣다. ¶新(あたら)しい箱(はこ)に～ 새 상자에 다시 담다.

つめか-ける【詰め掛ける】下1自 몰려들다. ¶やじうまが～ 구경꾼이 몰려들다.

つめがた【つめ形】《爪形》图 **1** 손톱 자국. ¶～をつける 손톱 자국을 내다. **2** 손톱 모양.

つめきり【つめ切り】《爪切り》图 손톱깎이.

つめき-る【詰め切る】㊀5自 쭉〔내내〕붙어 있다〔대기하다〕. ¶病人(びょうにん)のへやに～·っている 환자 방에 쭉 붙어 있다. ㊁5他 가득〔꽉〕채우다. ¶カバンに本(ほん)を～ 가방에 책을 가득 담다.

つめご【詰め碁】图 (바둑에서, 사활 문제만을 다룬) 묘수풀이.

つめこみ【詰め込み】图 가득 처〔밀어〕넣음. ¶～教育(きょういく) 주입식 교육.

—しゅぎ【—主義】图 주입식 교육 방법.

***つめこ-む**【詰め込む】5他 가득 처넣다〔담다, 채우다〕; 밀어 넣다. ¶乗客(じょうきゃく)を～ 승객을 잔뜩 처싣다 / かばんに本(ほん)を～ 가방에 책을 잔뜩 채워 넣다 / 知識(ちしき)を頭(あたま)に～ 지식을 머리에 주입하다.

つめしょ【詰め所】图 (근무하기 위해서 나가) 모여 있는 장소; 대기소. ¶守衛(しゅえい)の～ 수위실.

つめしょうぎ【詰め将棋】图 박보(博譜)〔외통〕장기. ¶～をさす 박보〔외통〕장기를 두다.

****つめた-い**【冷たい】形 **1** 차갑다; 차다. ¶～飲(の)み物(もの) 찬 음료 / 風(かぜ)が～ 바람이 차(갑)다. ↔熱(あつ)い. **2** 냉정〔냉담〕하다; 쌀쌀하다; 매몰하다. ¶～人(ひと) 냉정한 사람 / ～目(め)で見(み)る 쌀쌀한〔차가운〕눈으로 보다 / わざと～·く当(あ)たる 일부러 냉정하게 대하다. ↔暖(あたた)かい.

つめたくなる【冷たくなる】連語 차가워지다. **1** 열이 식다; 차지다. **2** 냉담해지다; 애정이 식다. **3** 죽다.

つめばら【詰め腹】图 강요당하여 할 수 없이 하는 할복; 전하여, 강제적으로 사직〔퇴직〕을 당함. ¶～を切(き)らされる 사직을 강요당하다.

つめもの【詰め物】图 **1**〘料〙조류(鳥類)·생선 등을 통째로 요리할 때 뱃속에 집어 넣는 조리품〔소〕. ＝スタッフ. **2** (충치 따위의) 봉. ¶虫歯(むしば)に～をする 충치에 봉을 박다. **3** (포장할 때의) 패킹. ＝パッキング.

つめよ-せる【詰め寄せる】下1自 몰려〔밀려〕들다. ＝詰(つ)めかける. ¶債権者(さいけんしゃ)が～ 채권자가 몰려들다.

つめよ-る【詰め寄る】5自 **1** (바싹) 다가서다. ＝おしよせる. ¶相手(あいて)に～ 상대에 다가서다. **2** 따지고 덤비다; 대들다. ¶責任(せきにん)ある回答(かいとう)をしろと～ 책임 있는 답변을 하라고 대들다.

****つ-める**【詰める】㊀下1自他 **1** 채우다. ㉠채워 넣다; 담다. ¶箱(はこ)に商品(しょうひん)を～ 상자에 상품을 채워 넣다 / 弁当(べんとう)を～ 도시락을 담다. ㉡틀어막다. ¶穴(あな)を～ 구멍을 틀어막다. **2** (틈·간격 따위를) 죄다; 좁히다. ¶奥(おく)に～·めてください (차장이 손님에게) 안으로 바짝 들어가 주십시오. **3** 짧게 하다; 줄이다. ¶寸法(すんぽう)を～ 치수를 줄이다. **4** 꾸준히, 느즈러짐이 없이 계속하다. ¶一日中(いちにちじゅう)～·めて働(はたら)く 하루 종일 꾸준히 일하다. ㊁下1他 **1** (통하지 않게) 막다. ＝とめる. ¶息(いき)を～ 숨을 죽이다 / 耳(みみ)に栓(せん)を～ 귀에 마개를 막다. **2** 막다른 데〔궁지〕로 몰아넣다. ㉠따지고 들다; 추궁하다. ¶問(と)い～ 끝까지 따지다 / 思(おも)い～ 골똘히〔외곬으로〕생각하다. ㉡(바짝) 뒤쫓다. ¶追(お)い～ 바짝 뒤쫓다. ㉢(장기에서) 궁을 꼼짝 못하게 하다. ¶王将(おうしょう)を～ 궁을 외통으로 몰다. **3** 줄이다. ㉠(잘라서) 짧게 하다. ¶ズボンの丈(たけ)を～ 바지 길이를 줄이다. ㉡절약하다; 조리차하다. ¶暮(く)らしを～ 살림(비용)을 줄이다 / 人件費じんけんひを～ 인건비를 줄이다. **4** 분명히 하다. ¶話はなしをもう少すこし～·めておこう 이야기를 좀 더 분명히 해 두자. 三下1自 (어떤 장소에 나가 직무를 위해) 대기하다. ¶番所ばんしょに～ 대기소에서 대기하다.

***つもり**〖心算·算〗名 **1** (속)셈; 예정; 작정; 의도. ¶心こころ～ 속셈 / どういう～なのかさっぱり分わからない 어떻게 할 셈〔작정〕인지 도무지 모르겠다 / そんな～で言いったのではない 그런 의도로 말한 것은 아니다. **2** …한 셈. ¶映画えいがを見みた～で貯金ちょきんする 영화를 본 셈치고 저금하다.

***つもり**【積もり】名 **1** 쌓임. ¶雪ゆきの～具合ぐあい 눈이 쌓인〔쌓일〕 정도. **2** 어림; 견적. **3** (연회 따위에서) 마지막 잔. ＝お積つもり. ¶もう, これ一本いっぽんでお～です よ 이제 이 한 병으로 마지막입니다. **4** 기대; 예측. ¶ぼくの～がはずれた 내 기대가 어긋났다.

つもりつも-る【積もり積もる】5自 겹쳐 쌓이다; 쌓이고 쌓이다. ¶不満ふまんが～ 불만이 쌓이고 쌓이다.

***つも-る**【積もる】一5自 쌓이다. ¶雪ゆきが～ 눈이 쌓이다 / 借金しゃっきんが～ 빚이 쌓이다〔누적되다〕/ ちりも～·れば山やまとなる 티끌 모아 태산. 二5他 **1** 어림〔견적〕하다. ¶安やすく～·っても二万円にまんえんの品しな 싸게 쳐도 2만 엔은 되는 물건. **2** 헤아리다. ＝推おしはかる. ¶人ひとの心こころを～ 남의 마음을 헤아리다.

***つや**〖艶〗名 **1** 윤기; 광택. ¶～がある 윤기가 있다 / ～を出だす 광을 내다. **2** 〈俗〉 남녀의 정사에 관한 일. ¶～事ごと 정사. **3** 맛; 재미. ¶～のない話はなし 재미없는 이야기. **4** 교태; 애교. ¶～のある声こえ 애교 있는 목소리; 교성.

つや【通夜】名 **1** (죽은 사람의 유해를 지키는) 밤샘. ＝つうや·おつや. ¶なくなった友人ゆうじんの～に行ゆく 죽은 친구집에 밤샘하러 가다. **2** (불당·신사에서) 밤새 기원함. 参考 본디 '夜通よどおし(＝하룻밤 내내)'의 뜻.

つやけし【つや消し】《艶消し》一名 광택을 없앰; 윤지우기. ¶～の塗料とりょう 무광도료 / ～レンズ 불투명 렌즈. 二名ナ 흥을 깸; 또, 그런 언동. ＝色いろけし. ¶～な話はなし 흥을 깨는 얘기 / ～(な事こと)を言いうな 흥 깨는 소리 마라.

つやごと【つや事】《艶事》名 염사; 정사(情事). ＝ぬれごと·いろごと. ¶～とは縁遠えんどおい生活せいかつ 정사와는 인연이 먼 생활.

つやだね【つや種】《艶種》名 정사에 관한 화제; 염문(艶聞). ¶～の絶たえない男おとこ 염문이 끊이지 않는 사나이.

つやっぽい〖艶っぽい〗形 요염하게 아름답다; 색정적이다. ＝色いろっぽい. ¶～話題わだい 정사에 관한 화제.

つやつや〖艶艶〗副 スル自 반들반들; 반지르르. ¶～した顔かお 반들반들한 얼굴 / ～と光ひかっている 반들반들 빛나고 있다.

つやめ-く〖艶めく〗5自 **1** 반들거리다; 윤이 나다. ¶木々きぎが緑みどりに～ 나무들이 푸르게 윤이 나다. **2** 요염스럽다. ＝あだめく. ¶～·いた話はなし 선정적인〔색정적인〕 이야기

つややか〖艶やか〗ダナ 반들반들함; 윤이 나고 아름다움. ¶～な皮膚ひふ〔はだ〕 윤기 있는 피부.

つゆ〖汁·液〗名 **1** 맑은 장국; 국물《다시마·가다랑어포·멸치 따위를 삶아서 우려낸 국물에 간장을 쳐서 맛을 낸 것》. ¶そばの～ 메밀국수 국물 / お～を吸すう 장국을 마시다. **2** 즙. ¶レモンの～をしぼる 레몬즙을 짜다.

***つゆ**【露】一名 **1** 이슬. ¶朝あさ～ 아침 이슬 / 草くさの～にぬれる 풀밭의 이슬에 젖다. **2** (이슬같이) 덧없는 것; 곧 사라지는 것. ¶絞首台こうしゅだいの～と消きえる 교수대의 이슬로 사라지다. **3** 눈물. ¶そでの～ 소매를 적시는 눈물. 二副 《뒤에 否定을 수반하여》 조금도〔전혀〕 …(없다·않다). ¶そんな事こととは～知しらず 그런 줄은 조금도 모르고 / ～いささかも邪心じゃしんはない 전혀 사심은 없다.

***つゆ**【梅雨】名 장마. ＝ばいう. ¶～が明あける 장마가 걷히다 / ～に入いる 장마가 들다. ⇨入梅にゅうばい. 「梅雨入つゆり.

つゆあけ【梅雨明け】名 장마가 걷힘. ↔

つゆいり【梅雨入り】名 장마가 듦; 장마철이 됨. ＝入梅にゅうばい. ↔梅雨明つゆあけ.

つゆくさ〖露草〗名〔植〕 닭의장풀. ＝ほたるぐさ·つきくさ.

つゆざむ【梅雨寒】名 장마철의 추위. ¶～で体調たいちょうをくずす 장마추위로 몸의 컨디션이 나빠지다. 注意 'つゆさむ'라고도 함.

つゆどき【梅雨時】名 장마때; 장마철.

つゆのいのち【露の命】名 덧없는 목숨; 초로 같은 목숨. ＝露つゆの身み.

つゆばれ【梅雨晴れ】名 **1** 장마철에 이따금 개는 일. **2** 장마가 끝나서 개는 일. ＝梅雨明つゆあけ.

つゆびえ【梅雨冷え】名 장마철에 기온이 갑자기 내려가는 일.

つゆほども〖露程も〗副 《뒤에 否定을 수반하여》 조금도 (…않다). ¶～知しらなかった 조금도〔전혀〕 몰랐다.

****つよ-い**【強い】形 강하다. **1** (체력·완력적으로) 세다. ¶けんかに～ 싸움에 강하다 / ～者ものが勝かつ 강한 자가 이긴다. **2** 능력이나 실력이 좋다; 잘하다. ¶～チーム 강한 팀 / 数学すうがくに～ 수학에 강하다; 수학을 잘하다. **3** 단단하다; 튼튼하다. ¶～糸いと 튼튼한 실 / 地震じしんに～建物たてもの 지진에 강한 건물. **4** 정도가 세다. ¶～酒さけ 독한 술 / 度どの～眼鏡めがね 도수가 센〔높은〕 안경. **5** 어기차다. ¶気き〔性格せいかく〕が～ 마음〔성격〕이 강하다. **6** 세차다; 격렬하다. ¶～風かぜ 세찬 바람 / 風かぜが～·く吹ふく 바람이 세차게 불다 / ～口調くちょうで責せめる 격한 어조로 나무라

다. **7** 크다. ㉠(무시 못할 정도로) 지배적이다. ¶不信感が～ 불신감이 강하다 / 可能性が～ 가능성이 크다. ㉡강력하다. ¶～指導力 강한 지도력 / 反発が～ 반발이 강하다. **8** 느슨하지 않고 되다. ¶帯を～·く結ぶ 띠를 단단히 매다. ⇔弱い.

つよがり【強がり】名 강한 체함; 또, 그 말. ¶～を言う 강한 체하다; 허세 부리다.

つよが-る【強がる】5自 강한 것을 자랑하다; 강한 체하다. ¶ひとりで～·っている 혼자서 센 체하다.

つよき【強気】名ナ **1** 적극적이고 대담함; 또, 그 태도. ¶～な発言 강경한 발언. **2**〘經〙 강세〔오름세〕를 예상함; 또, 그 낌새. ¶市況は～に転じた 시황은 강세로 돌아섰다.

つよごし【強腰】名ダナ 태도가 강경함; 고자세. ¶政府の態度は～だ 정부의 태도는 강경하다 / ～に出る 강경하게 나오다. ↔弱腰.

つよさ【強さ】名 세기; 강한 정도. ↔弱さ.

つよざいりょう【強材料】名〘經〙 호재. ＝好材料. ↔弱材料.

つよび【強火】名 화력이 센 불. ¶～で野菜をいためる 센 불에 야채를 볶다. ↔とろ火·中火·弱火.

つよま-る【強まる】5自 강해지다; 세지다. ¶反対意見が～ 반대 의견이 강해지다. ↔弱まる.

つよみ【強み】《強味》名 **1** 세기; 강도. ¶～を増す 강도를 더하다; 더욱 강해지다. **2** 든든한 힘; 강점; 유리한 점. ＝長所. ¶語学の出来るのが～だ 어학을 잘하는 것이 강점이다.

つよ-める【強める】下1他 강하게 하다; 세게 하다. ¶警戒を～ 경계를 강화하다 / ふろの火を～ 목간통 불을 세게 하다. ↔弱める.

つら【面】名 **1**〈俗〉 얼굴; 낯짝; 상판; 상통. ＝顔. ¶～つき 상판(대기) / しかめっ～ 찌푸린 상통 / 何だその～は 뭐야, 그 낯짝은 / たまには～を見せろ 때로는 낯짝을 좀 보여라 / そんなことをいうやつの～が見たい 그런 말을 하는 놈의 낯짝을 보고 싶다. 參考 현대어에서는 '顔(＝얼굴)'에 비하여 멸시하는 뜻이 있음. **2**(물건의) 표면. ¶上っ～ 겉; 표면. ⇨つらのかわ.

──を膨らす (불만 또는 불쾌하여) 얼굴이 부어 있다; 볼멘 얼굴을 하다.

＝づら【面】〈俗〉《名詞에 붙여서》**1** (경멸조로) 얼굴; 낯. ¶馬～ 말상. **2** 모양. ¶紳士～をする 신사인 체하다.

つらあて【面当て】名 미운 사람 앞에서 일부러 빗대는 말이나 행동; (앙갚음으로) 보라는 듯이 일부러 하는 짓궂은 짓. ＝あてつけ. ¶～にこうしてやろう 앙갚음으로 이렇게 골탕을 먹이자 / ～を言う 빗대다.

つら-い〖辛い〗形 **1** 고통스럽다; 괴롭다. ¶～世のなか 괴로운 세상 / 生きるのが～ 사는 것이 괴롭다 / せきが出て～ 기침이 나서 고통스럽다. **2** 모질다; 냉혹하다; 혹독하다. ＝むごい. ¶～仕打ち 모진〔가혹한〕 처사 / ～·く当たる 심하게 대하다.

＝づらい〖辛い〗《動詞의 連用形에 붙어서》…하기가 어렵다는 뜻을 나타냄. ¶読み～ 읽기 어렵다 / 言い～ 말하기 어렵다.

つらがまえ【面構え】名 억센〔고약한〕 얼굴; 상판. ＝つらつき·顔つき. ¶ふてぶてしい～ 뻔뻔스러운 상판.

つらだましい【面魂】名 얼굴에 나타나 있는 불굴의 기백; 또, 그 얼굴. ¶不敵な～ 두려움이 없는 얼굴.

つらつき【面付き】名〈俗〉 상판《좋은 뜻으로는 안 씀》. ＝かおつき. ¶似たような～ 어디서 본 듯한 상판대기.

つらつら〖熟〗副 곰곰이; 유심히. ＝つくづく·よくよく. ¶～考えるに 곰곰이 생각하건대 / ～眺める 유심히 바라다보다.

つらな-る【連なる】《列なる》5自 **1** 나란히 줄지어〔늘어서, 연속해〕 있다. ¶山脈が南北に～ 산맥이 남북으로 연속해 있다. **2** 끝에서 하나가 되다. ¶海と空とが～ 바다와 하늘이 하나로 이어지다. **3** 열석(列席)하다; 참석하다. ¶結婚式に～ 결혼식에 참석하다. **4** 관계가 미치다. ¶国際問題に～事件 국제 문제로 이어지는 사건.

つらにく-い【面憎い】形 얄밉다; 밉살스럽다. ¶全く～やつだ 정말 밉살스러운 놈이다 / 彼は～ほど落ち着きはらっている 그는 얄미울 정도로 아주 침착하다.

つらぬきとお-す【貫き通す】5他 **1** 꿰뚫다. ¶槍で背中まで～ 창으로 등 뒤까지 꿰뚫다. **2** (신념·신조 등을) 관철하다. ¶初心を～ 초심을 관철하다.

つらぬ-く【貫く】5他 **1** 관통하다; 꿰뚫다. ¶山腹を～工事 산허리를 꿰뚫는 공사. **2** 관철하다; 일관하다. ＝はたす. ¶初志を～ 초지를 관철하다 / 一生独身を～ 평생 독신으로 지내다. 可能 つらぬ-ける 下1自

つら-ねる【連ねる】《列ねる》下1他 **1** 늘어 놓다〔세우다〕; 한 줄로 죽 잇다. ¶家が軒を～·ねている 집들이 줄지어 늘어서 있다 / 美辞巧言を～ 미사교언을 늘어놓다 / 発起人として名を～ 발기인으로서 연명(連名)하다. **2** 동반하다; 데리고 가다. ¶供を～ 일행을 거느리다.

つらのかわ【面の皮】連語 낯가죽; 낯짝. ¶いい～だ (a) 꼴좋다《욕하는 말》; (b) 내 꼴좋다《자학적인 말》 / ～は千枚張りだ 낯가죽이 철판 같다; 몹시 뻔뻔스럽다.

──が厚い 낯가죽이 두껍다; 뻔뻔스럽다.

つらはじ【面恥】名 (낯이 뜨거울 정도

의) 큰 창피. ＝赤恥あかはじ. ¶～をかく 창피를 당하다.

つらよごし【面汚し】名 망신. ＝顔汚かおよごし. ¶家いえの～だ 집안 망신이다.

つらら〖氷柱〗名 고드름. ¶軒のきから～が下さがっている 처마에 고드름이 늘어져 있다.

つら-れる【釣られる】下1自 **1** 유혹되다. ¶金かねに～ 돈에 유혹되다. **2** 끌리다. ¶人ひとの話はなしに～ 남의 말에 끌리다/好奇心こうきしんに～れてのぞく 호기심에 이끌려 들여다보다.

つり〖吊り〗名 (씨름에서) 상대의 샅바를 잡고 밖으로 들어내는 기술.

***つり**【釣り】名 **1** 낚시질. ¶～が好すきだ 낚시질을 좋아한다. **2** '釣つり銭せん'의 준말. ¶～はいらない 거스름돈은 필요없다. ⇒おつり.

***つりあい**【釣り合い】名 균형. ＝バランス. ¶～を取とる 균형을 잡다/～を保たもつ 균형을 유지하다.

***つりあ-う**【釣り合う】5自 균형이 잡히다; 어울리다. ¶上着うわぎの色いろとネクタイとがよく～ 양복 저고리 색과 넥타이가 잘 어울리다/収入しゅうにゅう支出ししゅつが～ 수입과 지출이 맞먹다.

——·わぬは不縁ふえんの基もと 신분·재산 등이 어울리지 않는 결혼은 이혼 등의 원인이 된다.

つりあが-る【つり上がる】《吊り上がる》5自 **1** 매달려 올라가다. ¶重おもいタンクがやすやすと～ 무거운 탱크가 쉽게 매달려 올라가다. **2** 치붙다; 치켜 올라가다. ¶目めじりが～ 눈초리가 치붙다.

つりあが-る【釣り上がる】5自 (물고기가) 낚이어 오르다. ¶ふなが～ 붕어가 낚이어 올라오다.

***つりあ-げる**【つり上げる】《吊り上げる》下1他 **1** 매달아 올리다. ¶鉄骨てっこつをクレーンで～ 철골을 크레인으로 매달아 올리다. **2** 치켜 올리다. ¶目めじりを～ (노해서) 눈초리를 치켜 올리다. **3** (시세를) 인위적으로 끌어올리다. ¶株価かぶかを～ 주가를 끌어올리다.

***つりあ-げる**【釣り上げる】下1他 (물고기를) 낚아 올리다. ¶こいを～ 잉어를 낚아 올리다.

ツリー [tree] 名 트리(('クリスマスツリー(＝크리스마스 트리)'의 준말)).

つりいと【釣り糸】名 낚싯줄. ¶～を垂たれる 낚싯줄을 드리우다((낚시질하다)).

つりえ【釣りえ】《釣り餌》名 낚싯밥; 미끼. ＝つりえさ.

つりおと-す【釣り落とす】5他 고기를 낚아 올리다가 놓치다.

——·した魚さかなは大おおきい 놓친 고기는 더 커 보인다. ＝逃にがした魚は大きい.

つりかご【釣りかご】《吊り籠》名 매다는 바구니; 또, 기구(氣球) 따위에 매달린 바구니. ＝ゴンドラ.

つりがね【釣り鐘】《吊り鐘》名 조종(釣鐘); 범종(梵鐘). ＝つき鐘がね. ¶～を撞つき鳴ならす 범종을 쳐서 울리다.

つりかわ【釣り革】《吊り革》名 (전차나 버스 등에 매달아 놓은) 손잡이. ¶～につかまる (차의) 손잡이를 잡다/～にぶら下さがる (차의) 손잡이에 매달리다.

つりぐ【釣り具】名 낚시 도구. ¶～店てん 낚시 가게.

つりごうし【釣り格子】名 밖으로 내밀게 댄 창살; 돌출 격자창. ＝出格子でごうし.

つりこ-む【釣り込む】5他 끌어들이다; 꾀어들이다. ¶話はなしに～·まれて時ときのたつのを忘わすれる 이야기에 끌려〔팔려서〕 시간 가는 줄 모르다.

つりざお【釣りざお】《釣り竿》名 낚싯대. ¶ガラス繊維せんい製せいの～ 유리섬유제의 낚싯대/～を担かついで 낚싯대를 메고.

つりさが-る【釣り下がる】《吊り下がる》5自 매달리다. ¶軒のきに風鈴ふうりんが～·っている 처마에 풍경이 매달려 있다.

つりさ-げる【釣り下げる】《吊り下げる》下1他 매달다. ＝ぶらさげる·つるす. ¶天井てんじょうから～·げたシャンデリア 천장에 매단 샹들리에.

つりし【釣り師】名 조사(釣師); 낚시꾼.

つりせん【釣り銭】名 거스름돈; 잔돈. ＝(お)つり. ¶～お断ことわり (게시판에서) 거스름돈 없습니다(('잔돈을 준비해 주십시오'의 뜻)).

つりだい【釣り台】《吊り台》名 물건을 얹어 놓고 둘이서 메고 가는 대(臺).

つりだ-す【釣り出す】5他 꾀어내다. ＝おびきだす. ¶甘言かんげんで～ 감언으로 꾀어내다.

つりだな【釣り棚】《吊り棚》名 달아 맨 선반.

つりだま【釣り球】名〔野〕타자의 타격을 유인하는 볼. ¶～にひっかかって三振さんしんする 유인구(誘引球)에 걸려 삼진을 당하다.

つりて【釣り手】名 낚시꾼.

つりてんぐ [釣り天狗] 名 낚시의 명수라고 자랑하는 사람. ⇒てんぐ2.

つりどこ【釣り床】《吊り床》名 **1** 밑은 다다미 방바닥과 같은 높이로 된 약식의 '床とこの間ま'. ＝かべどこ·おきどこ. **2** 달아맨 그물 침대; 해먹. ＝ハンモック.

つりばし【釣り橋】《吊り橋》名 조교(弔橋); 매단 다리. ¶谷間たにまの～を渡わたる 골짜기의 조교를 건너다/～を懸かける 조교를 놓다.

つりばしご【釣りばしご】《釣り梯子·吊り梯子》名 줄사닥다리. ＝綱つなばしご.

つりばり【釣り針】《釣り鉤》名 낚싯바늘. ¶～に餌えを付つける 낚싯바늘에 미끼를 꿰다.

つりびと【釣り人】名 낚시꾼. ＝つりて.

つりぶね【釣り舟·釣り船】名 **1** 낚싯거루; 낚싯배. ¶乗のり合あいの～ 여럿이 함께 타는 낚싯배. **2** ((본디 吊船)) 위에서 매달아서 쓰는 배 모양의 꽃꽂이 그릇.

つりぼり【釣り堀】名 물고기를 길러서 돈을 받고 낚시질하게 하는 못; 유료 낚시터.

つりめ【釣り目】《吊り目·吊り眼》图 눈초리가 위로 치켜 올라간 눈.
つりわ【つり輪】《吊り輪·吊り環》图 조환; 링 운동; 또, 그 용구.
*つ-る〖吊る〗㊀5他 1 (매)달다. ㉠(휘장 등을) 드리우다; 치다. ¶蚊帳(かや)を~ 모기장을 치다. ㉡차다. ¶腰(こし)に剣(けん)を~ 허리에 칼을 차다. ㉢매다. ¶棚(たな)を~ 선반을 매다〔달다〕. ㉣(높은 곳에) 가로질러 걸치다. ¶ハンモックを~ 해먹을 달다. 2 (씨름에서) 상대를 들어올리다. ¶いったん内掛(うちが)けをかけておいて~ 일단, 안다리걸기를 걸어 놓고 상대를 들어올리다. ㊁5自 1 (한 쪽으로) 당겨져 수축하다〔몰리다〕. ¶縫(ぬ)い目(め)が~ 꿰맨 자리가 울다. 2《본디 攣る》(근육이) 경련하다; 땅기다; 쥐가 나다. ¶ふくらはぎが~ 장딴지에 쥐가 나다. 3《본디 攣る》치켜 올라가다. ¶目(め)の~·った人(ひと) 눈초리가 치켜 올라간 사람.
*つ-る【釣る】5他 낚다. 1 (낚시·도구로) 잡다. ¶フナを~ 붕어를 낚다/トンボを~ 잠자리를 잡다. 2 꾀다; 유혹하다; 속이다. ¶甘言(かんげん)で~ 감언으로 꾀다/宣伝(せんでん)に~·られる 선전에 걸려들다. 可能つ-れる下1自
つる【弦】图 현. 1 활줄; (활)시위. =ゆみづる. ¶弓(ゆみ)に~を張(は)る 활에 시위를 메우다. 2 현악기의 줄.
*つる〖蔓〗图 1 덩굴. ¶朝顔(あさがお)の~ 나팔꽃 덩굴/~がはう 덩굴이 뻗다. 2 연줄. =つて. ¶出世(しゅっせ)の~を求(もと)める 출세의 연줄을 찾다. 3 실마리; 단서. =てづる·手(て)がかり. ¶~をたどって犯人(はんにん)を捜(さが)す 단서를 더듬어 범인을 찾다.
つる〖鶴〗图 학; 두루미.
――の一声(ひとこえ) 그의 말 한마디로 누구나 승복하는 절대 권위가 있는 말.
――は千年(せんねん), かめは万年(まんねん) 학은 천년, 거북은 만년《장수를 축하하는 말》.
つるおと【弦音】图 활시위 소리. =つるね. ¶矢(や)は~高(たか)く飛(と)んだ 화살은 시위 소리도 드높게 날았다.
つるかめ〖鶴亀〗㊀图 학과 거북. ㊁感 행운을 축하하거나 비는 말. ¶ああ~, ~ 참 좋구나; 제발 좋게 되기를.
つるぎ【剣】图 (양날) 검. =けん. 参考 날이 한 쪽뿐인 것은 '太刀(たち)(=칼)'라고 함.
つるくさ【つる草】《蔓草》图〔植〕만초; 「덩굴풀의 총칭.
つるし〖吊るし〗图 1 달아 맴; 매닮; 또, 그것. 2 (매달아 놓고 파는 데서) 기성품 또는 헌옷. ¶~の背広(せびろ) 기성품 양복.
つるしあげ【つるし上げ】《吊るし上げ》图 1 매닮; 달아 올림. ¶~の刑(けい) 매다는 형벌. 2 (많은 사람이) 특정한 사람을 규탄함. ¶~を食(く)う 여러 사람에게 곤욕을 당하다.
つるしあ-げる【つるし上げる】《吊るし上げる》下1他 1 매달아 올리다. ¶木(き)の上(うえ)に~ 나무 위에 매달아 올리다. 2 여럿이 특정한 사람을 규탄하다. ¶責任者(せきにんしゃ)を~ 책임자를 규탄하다. 「がき.
つるしがき〖吊るし柿〗图 곶감. =ほし
*つる-す〖吊るす〗5他 달아매다; 매달다. =つりさげる. ¶渋(しぶ)がきを~ 날감을 달아 매다/木(き)に~ 나무에 매달다. 可能つる-せる下1自
*つるつる 副ス自 1 매끈매끈; 반들반들. ¶~(と)した顔(かお) 반들반들한 얼굴/道(みち)が凍(こお)って~する 길바닥이 얼어서 미끈미끈하다/~になるまで磨(みが)く 반들반들하게 될 때까지 닦다. 2 미끄러지는 모양: 주르르. ¶~(と)すべる 직직 미끄러지다. 3 국수 등을 먹는 모양; 또, 그 때의 소리. ¶そばを~と食(く)う 메밀국수를 후르륵거리며 먹다.
つるにんじん〖蔓人参〗图〔植〕더덕.
つるはし〖鶴嘴〗图 곡괭이. ¶~を振(ふ)るう 곡괭이를 휘두르다.
つるばら〖蔓薔薇〗图〔植〕덩굴장미.
つるべ〖釣瓶〗图 두레박. ¶~で水(みず)をくむ 두레박으로 물을 긷다.
つるべうち【つるべ打ち】《釣瓶打ち》图 1 사수(射手)가 늘어서서 연달아 쏘는 형용. ¶~に打(う)つ 연속적으로 쏘다. 2〔野〕타자가 연이어 안타를 침; 연타. ¶長短打(ちょうたんだ)を~する 장단타를 연달아 날리다.
つるべおとし【つるべ落とし】《釣瓶落とし》图 (두레박 떨어지듯이) 급속히 떨어짐. ¶秋(あき)の日(ひ)は~ 가을해는 빨리 저문다.
つる-む〖交尾む〗5自 교미하다. =つがう. ¶犬(いぬ)が~ 개가 교미하다.
つるりと 副 1 쭈루룩; 찍. ¶バナナの皮(かわ)をふんで~すべる 바나나 껍질을 밟고 찍 미끄러지다. 2 반들반들. ¶~はげた頭(あたま) 홀렁 벗어진 머리.
つれ【連れ】图 1 동행; 동반자; 한 패. ¶~の客(きゃく) 일행인 손님/~がある 동행이 있다/旅(たび)で~になる 여행길에서 동행이 되다. 2 함께 동작함. ¶~弾(び)き (거문고나 三味線(しゃみせん) 따위의) 합주.
=づれ【連れ】《名詞나 代名詞에 붙어서》1 동행; 동반; 딸림. ¶子供(こども)~ 어린애가 딸림/ふたり~ 두 사람이 동행함. 2【づれ】…따위; …같은 것《경멸하는 말씨》. =…風情(ふぜい). ¶たかが商人(しょうにん)~が… 기껏해야 장사꾼 주제에…/職人(しょくにん)~に何(なに)がわかる 직공 따위가 무엇을 알아.
つれあい【連れ合い】图 1 배우자; 부부가 서로 상대방을 일컫는 말. ¶~に死(し)に別(わか)れる 배우자와 사별하다/~をなくす 배우자를 잃다. 2 동행자; 동반자; 한패; 일행. ¶帰(かえ)り道(みち)で~になる 귀로에 동반자가 되다.
つれあ-う【連れ合う】5自 1 행동을 같이 하다; 동반〔동행〕하다. =つれだつ. ¶~·って行(い)く 동행해서 가다. 2 부부가 되다. =つれそう. ¶長年(ながねん)~·った仲(なか) 오랜 세월 부부로서 함께 살아 온 사이/一度(いちど)~と一生(いっしょう)別(わか)れない 한

번 부부가 되면 일생 헤어지지 않는다.

つれこ【連れ子】名 (재혼한 사람이) 전 배우자와의 자식을 데리고 옴; 또, 그 자식; 덤받이. ＝連れっ子. ¶~が二人ある 의붓자식이 둘 있다/~をする 전실 자식을 데리고 들어오다.

つれこみ【連れ込み】名 여자를 데리고 여관에 들어감. ¶~宿 남녀가 동반하여 들어가는 여관; 러브 호텔.

つれこ-む【連れ込む】5他 데리고 들어가다. ¶交番に~ 파출소로 연행해 들어가다/女をホテルに~ 여자를 호텔에 데리고 들어가다.

つれしょうべん【連れ小便】名 덩달아 소변 봄; 또, 그 소변. ＝つれしょん.

つれそい【連れ添い】名 배우자. ＝つれあい.

つれそ-う【連れ添う】5自 부부가 되다; 부부로서 같이 살다. ¶末長く~ 백년해로하다/~·ってから二十年になる 부부가 된 지 20년이 된다.

つれだ-す【連れ出す】5他 데리고 나가다; 꾀어내다. ¶妹を映画に~ 누이동생을 영화 구경에 데리고 나가다.

つれだ-つ【連れ立つ】5自 같이 가다; 동행하다. ¶友人と~·って旅にでる 친구와 함께 여행을 떠나다.

つれづれ〖徒然〗名ナ 심심함; 지루함; 따분함. ¶~の余り 심심한 나머지/~を慰める 지루함을 달래다.

つれて〖連れて〗一接 이〔그〕에 따라. ¶円高となり, ~輸出もかげりはじめた 엔고가 되어, 그에 따라 수출(전망)도 어두워지기 시작했다. 二連語 …(함)에 따라. ¶日がたつに~忘れる 세월이 지남에 따라 잊혀지다.

つれな-い〖情無い〗形 **1** 무정하다; 박정하다; 냉정하다. ¶~仕打ち 매정한 처사/~ことを言う 박정한〔매몰찬〕 말을 하다/~·く断る 매정하게 거절하다. **2** 모른 체하다; 태연하다. ¶知っていながら~そぶり 알고 있으면서 모르는 체하는 기색/~·く通りすぎる 모른 체하고 지나치다.

つれゆ-く【連れ行く】5他 (같이) 데리고 가다; 동행〔동반〕하다; 연행하다.

つ-れる〖吊れる〗下1自 **1** (한쪽으로) 당겨져 수축하다; 또, 욱죄다. ¶縫い目が~ 바늘땀이 (당겨져) 한쪽으로 몰리다〔울다〕/顔の皮が~ 얼굴 가죽이 욱죄다. **2** 치켜 올라가다. ¶目が~·れている人 눈꼬리가 치켜져 올라간 사람/おこるとすぐ目が~ 성나면 금방 눈꼬리가 치켜져 올라간다. **3**《본디 攣れる》경련이 일다; 쥐가 나다; 땅기다. ¶首の筋が~ 목줄기가 땅기다/足が~ 다리에 쥐가 나다.

*__つ-れる__【連れる】一下1他 데리고 오다〔가다〕; 거느리다; 동반하다; 동행하다. ¶娘を~·れて出掛ける 딸을 데리고 나가다/~·れて行って下さい 데리고 가 주셔요. 二下1自 **1** 동반〔수반〕되다; 따르다; 함께가다. ¶伴奏に~·れて歌う 반주에 따라 노래하다. **2**〖連れる〗《'…につれ(て)'의 꼴로》그렇게 됨에 따라. ¶年がたつに~·れて悲しみが薄らぐ 해가 지남에 따라 슬픔이 덜해지다.

つ-れる【釣れる】下1自 잡히다; (낚시에서) 고기가 잘 낚이다. ¶ここではフナがよく~ 여기서는 붕어가 잘 낚인다.

つわぶき〖石蕗·橐吾〗名〔植〕털머위.

つわもの〖兵·強者〗名 **1** 무사; 군인; 특히, 용사. ¶ふる~ (a)고참병; (b)사계(斯界)의 베테랑/千軍万馬の~ 천군만마의 용사. **2** 전하여, 노련한 사람; …통. ¶彼はその道ではなかなかの~だ 그는 그 방면에 있어선 대단한 권위자다.

つわり〖悪阻〗名 입덧. ＝おそ. ¶~が始まる 입덧이 나기 시작하다.

つん= 〈俗〉《'突き'의 음편(音便)형》뜻을 세게 하는 말. ¶~出す 힘차게 내밀다/~のめる 앞으로 푹 고꾸라지다. 参考 흔히, 막된 말씨로 쓰임.

つんけん 副スル自 찌무룩하거나 무뚝뚝한 모양. ＝つんつん. ¶~した応待〔店員〕 퉁명스러운 응대〔점원〕/そんなに~するな 그렇게 뚱하지 마라/~と物を言う 퉁명스럽게 말하다.

つんざ-く〖劈く〗5他 세차게 찢다; 뚫다. ¶耳を~ばかりの砲声 귀청을 찢는 듯한 포성/やみを~閃光 어둠을 뚫고 번쩍이는 섬광.

つんつるてん 名ナ **1** 옷의 단이 짧아서 다리가 나와 있는 모양: 덜름함; 깡똥함. ¶~のズボン 덜름한 양복 바지/洋服が~になった 양복이 덜름하게 되었다. **2** 머리가 홀떡 벗어져 있음; 민머리임. ¶~の丸坊主 홀떡 벗어진 중대가리.

つんつん 副 **1** 새침하고 애교가 없는 모양; 퉁명스러운 모양. ＝つんけん·つっけんどん. ¶~(と)した女 뚱한〔퉁명스러운〕 여자. **2** 냄새가 강하게 코를 찌르는 모양: 콕콕; 콱. ＝つんと. ¶酢のにおいが~する (독한) 식초 냄새가 코를 확 찌르다/~(と)鼻をさす (냄새가) 콱 코를 찌르다. **3** 딱딱한 것이 위로 솟아나는 모양: 뾰족뾰족; 죽죽. ¶~伸びた麦の穂 뾰족뾰족 뻗어 나온 보리 이삭.

つんと 副 ☞つんつん. ¶~鼻をつく悪臭 코를 콕 찌르는 악취/~して横を向く 새치름해서 (고개를) 옆으로 돌리다/~すまして返事もしない 새치름해서 대답도 하지 않는다.

つんどく【積ん読】名〈俗〉책을 사서 읽지 않고 쌓아 두는 일. ¶~主義 책을 쌓아 모으는 취미. 参考 'つんでおく(＝쌓아 놓다)'의 뜻.

ツンドラ [러 tundra] 名〔地〕툰드라.

つんのめ-る 5自〈俗〉앞으로 푹 꼬꾸라지다. ¶石ころにつまずいて~ 돌에

채여 앞으로 푹 꼬꾸라지다. 參考 'つきのめる'의 음편(音便); 'のめる'의 힘줌말. ⇨つん.

***つんぼ** 〖聾〗 图 〈卑〉 귀머거리. ¶片かた~ 한쪽 귀가 먹은 사람 / かぜをひいて, 耳みみが~になる 감기를 앓아 귀가 안 들린다 / 騒さわがしくて~になりそうだ 시끄러워 귀청이 터지겠다. 參考 현재는 つんぼ 대신에 '耳みみの聞きこえない人ひと(=귀가 안 들리는 사람)'라고 함.

—の早耳はやみみ **1** 귀머거리의 지레짐작. **2** 자기에게 불리할 때는 잘 안 들리고 욕할 때는 잘 들림.

つんぼさじき 【つんぼ桟敷】《聾桟敷》 图 **1** 무대가 멀어서 대사가 잘 들리지 않는 좌석. ⇨天井桟敷てんじょうさじき. **2** (당사자이면서도) 소외된 처지; 국외자의 처지. ¶~に置おかれる 따돌림당하다.

て テ

1 五十音図ごじゅうおんず 'た行ぎょう'의 넷째 음. [te] **2** 〖字源〗 '天'의 초서체《かたかな 'テ'는 '天'의 생략형》.

****て** 【手】 ㊀图 **1** ㉠손. ¶~の甲こう 손등 / ~でいじる 손으로 만지작거리다 / …の~が動うごく …이 적극적으로 작용하다. ㉡손바닥. ¶~をたたく 손뼉 치다. ㉢수중. ¶~に入いれる 손에 넣다. ㉣손가락. ¶~でつまむ 손으로 집다. ㉤수고; 손질. ¶~の込こんだ仕事しごと 손 많이 가는 일 / ~ばかり掛かかる 손만 많이 간다. **2** 팔. ¶袖そでに~を通とおす 소매에 팔을 꿰다. **3** 손잡이. =取とっ手て. ¶引ひき~ 문고리 / かばんの持もち~ 가방 손잡이. **4** 가로대; 횡목(橫木); 섶. ¶アサガオに~を与あたえる 나팔꽃에 섶을 대어 주다. **5** 일손; 일꾼; 노동력. ¶~が離はなせない 일손을 놓을 수 없다 / 猫ねこの~も借かりたい 손이 열두 개라도 모자랄 지경이다. **6** 노고. ¶急いそいで五ご~ほどたぐりあげる 손으로 급히 다섯 번쯤 끌어 올리다. **7** 방법; 수단; 수법; 책략. ¶うまい~を使つかう 약은 수를 쓰다 / ~が尽つきる 모든 수단을 다하다; 어찌할 바를 모르다 / ~が出でない 써 볼 수단이 없다 / その~は食くわない 그 수법에는 안 넘어간다. **8** 솜씨; 수완. =手ての内うち. ¶~に入いったものだ 아주 잘한다[익숙하다] / お~のもの 자기의 장기[장점]; 전문 영역 / ~が落おちる 솜씨가 줄다. **9** (장기·화투에서) 수중에 있는 말이나 패; 휘하의 군대. ¶~駒ごま (장기에서) 상대로부터 따서 자기 말로 쓸 수 있는 말 / いい~がつく 좋은 패가 들다 / 一番いちばん~ 첫 공격진 / ~の者もの 수하. **10** 위치; 방향. ¶山やまの~ 산 쪽 / 左ひだり~の川かわ 왼쪽의 강 / 行ゆく~に火ひが見みえる 앞에 불이 보인다. **11** 종류. ¶この~の品物しなもの 이런 유의 물건 / この~はもう売うり切きれです 이 물건은 벌써 품절입니다. **12** 기세; 기운. ¶火ひの~が上あがる 불길이 솟아오르다 / 水みずの~が止とまる 물살이 수그러지다. **13** 필적; 저작. ¶~を変かえて[違たがえて]書かく 필적을 달리하여 쓰다 / これは疑うたがいなく彼かれの~だ 이것은 틀림없이 그의 필적이다. **14** 상처. ¶痛手いたで (a) 중상; (b)심한 타격 / ~を負おう 상처를 입다.

㊁接頭 **1** 《形容詞 앞에 붙어서》 어조를 강하게 하는 말. ¶~きびしい 호되다 / ~ぬるい (처사가) 미지근하다 / ~ごわい相手あいて 힘겨운 상대. **2** ㉠손으로 하는. ¶~編あみ 손으로 뜸 / ~車ぐるま 손수레. ㉡손수 하는. ¶~料理りょうり 자작 요리 / お~植うえの松まつ 손수 심은 솔. ㉢손에 쥘 수 있는. ¶~鏡かがみ 손거울 / ~みやげ 간단한 선물. ㉣손 가까이에 두고 쓰는. ¶~箱ばこ 장신구 등을 넣어 두는 상자.

㊂接尾 **1** 《動詞의 連用形에 붙여서》 그 동작을 하는 사람을 나타냄. ¶書かき~ 쓰는 사람 / もらい~ 받는 사람 / やり~ (a)(일을) 하는 사람; (b)주는 사람 / 引ひき受うけ~がない 맡을 사람이 없다. **2** 《주로 体言에 붙여서》 ㉠품질·종류를 나타냄. ¶古ふる~ 고물 / 若わか~ 한창 나이의 젊은 사람[축]. ㉡정도·대금(代金)의 뜻을 나타냄. ¶厚手あつで (종이·피륙·도기 등의) 두꺼운 것 / 元手もとでを出だす 밑천을 대다.

—が上あがる **1** 솜씨가 늘다. **2** 글씨가 잘 써지다. **3** 술이 늘다.

—が後うしろに回まわる 손에 쇠고랑을 차다.

—が掛かかる 손[품]이 많이 가다; 노력이 많이 들다. ¶修理しゅうりに~ 수리하는 데 손이 많이 간다.

—が切きれる 관계가 끊어지다. ¶悪わるい仲間なかまと~ 나쁜 친구와 손이[관계가] 끊어지다.

—が込こむ **1** 세공이 복잡하여 품이 들다. **2** 일이 복잡하게 얽히다.

—が付つけられない 손쓸 방도가 없다; 처리할 길이 없다. ¶わがままで~ 방자하여 손을 쓸 수가 없다.

—が届とどく 손이 미치다. **1** 세세한 데까지 손길이 미치다. ¶すみずみまで手が届いている 구석구석까지 손길이 닿아 있다. **2** 자기 것으로 할 수 있다. ¶学生がくせいにも~値段ねだん 학생도 살 수 있을 정도의 값. **3** (나이) …살을 바라보다. ¶もうすぐ四十しじゅうに~ 이제 곧 40세를 바라보게 된다.

—がない **1** 일손이 없다. **2** 방법이 없다.

—が入はいる **1** 경찰이 범인을 체포하기 위해 들어오다. **2** (문장 등을 완성하는데) 남이 손보다[수정하다]. ¶先生せんせいの

～ 선생님이 수정하다.

──が離(はな)れる 1 (사건 등이 결말지어져) 관계가 없어지다. 2 아이가 성장하여 이것저것 수고를 해야 할 일이 없어지다.

──が早(はや)い 1 손이 빠르다; 일을 척척 잘 해내다. 2 여자와 알게 되면 곧 관계를 맺는다. 3 곧 폭력을 쓴다.

──が回(まわ)る 1 세세한 데까지 손길이 미치다. 2 경찰의 손이 뻗치다. 「운 일.

──に余(あま)る 힘에 겹다. ¶～仕事(しごと) 힘겨

──に負(お)えない 어찌할 도리가 없다; 감당할 수가 없다. ＝手に余(あま)る. ¶～子(こ) 어찌할 도리가 없는 아이.

──に落(お)ちる 손에 떨어지다; …의 소유물이 되다. ¶その絵(え)は美術商(びじゅつしょう)の手に落ちた 그 그림은 미술상의 손에 넘어갔다 / 城(しろ)は敵(てき)の手におちた 성은 적의 손에 떨어졌다.

──に掛(か)ける 1 자기가 돌보다. 2 자기가 하다〔다루다〕. ¶長年(ながねん)手に掛けた仕事(しごと) 오랜 세월 동안 자기가 해 온 일. 3 제 손으로 죽이다.

──にする 1 손에 들다. ¶手にした鈴(すず)を鳴(な)らす 손에 든 방울을 울리다. 2 손에 넣다; 자기 소유로 만들다. ¶大金(たいきん)を～にする 큰돈을 손에 넣다.

──に付(つ)かない (딴 데에 마음이 쏠려) 일이 손에 잡히지 않다. ¶仕事(しごと)も～ 일도 손에 안 잡힌다.

──に──を取(と)る 손에 손을 잡다.

──に取(と)るよう 손바닥 보듯이. ¶敵軍(てきぐん)の動(うご)きが～にわかる 적군의 움직임을 훤히 알 수 있다.

──に乗(の)る 남의 꾀에 속다. ¶その手には乗らない 그 수〔꾀〕에는 넘어가지 않는다 / その～な 그 수에 넘어가지 마라.

──も足(あし)も出(で)ない 해볼 도리가 없다; 손을 쓸 엄두도 못 내다.

──を上(あ)げる 1 두손들다. 2 (때리려고) 손을 올리다. 3 숙달〔향상〕되다.

──を合(あ)わせる 1 손을 모으다. ㉠ 합장(合掌)하다. ㉡ 애원하다; 진심으로 부탁하다. 2 솜씨를 겨루다.

──を入(い)れる 손보다; 손질하다. ¶庭(にわ)に～ 정원 손질을 하다.

──を打(う)つ 1 손뼉을 치다. 2 손을 쓰다; 대책을 강구하다. ¶事前(じぜん)に～ 사전에 손을 쓰다. 3 타결〔매듭〕짓다.

──を変(か)え品(しな)を変(か)え 이 수단 저 수단을 다 써서.

──を貸(か)す 손을 빌려 주다; 돕다.

──を借(か)りる 손을 빌리다; 도움을 받다.

──を切(き)る 손을〔관계를〕 끊다. 「하다.

──を下(くだ)す 1 직접 자기가 하다. 2 착수

──を加(くわ)える 손보다. 1 가공하다. 2 수정·보정하다. ¶草稿(そうこう)に～ 초고를 보정하다. 3 수리·보수하다.

──をこまぬく〔こまねく〕 1 팔짱을 끼다. 2 수수방관하다.

──を染(そ)める ☞てをくだす.

──を出(だ)す 손을 대다. 1 새로 일을 시작하다. ¶相場(そうば)に～ 투기에 손을 대다. 2 쓸데없는 일에 관계하다. 3 때리다. ¶先(さき)に手を出した者(もの)が悪(わる)い 먼저 손을 댄 놈이 나쁘다. 4 여자와 관계하다.

──をつかねる 수수방관하다. ＝手(て)をこまぬく.

──を付(つ)ける 손을 대다. 1 착수하다; 해보다. 2 수하의 여자와 육체관계를 갖다. 3 사물의 일부를 써 버리다. ¶貯金(ちょきん)に～ 저금에 손을 대다. 「화해하다.

──を握(にぎ)る 손을 잡다. 1 동맹을 맺다. 2

──を抜(ぬ)く 일을 겉날리다. ¶工事(こうじ)の～ 공사를 겉날리다.

──を延(の)ばす 손을 뻗치다; 거래처나 일의 범위를 넓히다.

──を引(ひ)く 1 손을 잡고 이끌다. ¶子供(こども)の～ 어린이의 손을 잡아 이끌다. 2 손을 떼다. ¶その事件(じけん)から～ 그 사건에서 손을 떼다.

──を広(ひろ)げる 일을 확대하다; 규모를 넓히다. ＝手(て)を延(の)ばす.

──を回(まわ)す 1 빈틈없이 손을 쓰다. ¶事件(じけん)をもみ消(け)すように～ 사건을 무마하도록 손을 쓰다. 2 수단을 다해 찾다.

──を結(むす)ぶ 손을 잡다; 제휴하다.

──を焼(や)く 애먹다; 처치 곤란해하다. ＝もてあます. ¶いたずらっ子(こ)に～ 장난꾸러기 때문에 애먹다.

──を煩(わずら)わす 남에게 수고〔폐〕를 끼치다. ¶お手を煩らわしてすみません 수고를 끼쳐 죄송합니다.

て ㊀ [接助] 1 일련의 동작·작용이 행해짐을 나타냄. ¶起(お)き～顔(かお)を洗(あら)う 일어나서 세수하다 / 早起(はやお)きし～体操(たいそう)をした 일찍 일어나서 체조를 하였다 / 安(やす)く～おいしい 싸고도 맛있다 / 見(み)～見ぬふりをする 보고도 못 본 체하다 / 花(はな)が咲(さ)い～いる 꽃이 피어 있다 / 本(ほん)を読(よ)んで感想(かんそう)を書(か)く 책을 읽고 감상문을 쓰다. 2 그 동작·작용이 어떤 원인·이유로 행해짐을 나타냄. ¶金(かね)が無(な)く～行(い)かれない 돈이 없어서 갈 수 없다 / 母(はは)に呼(よ)ばれ～目(め)がさめた 어머니가 불러서 잠이 깼다. 3 그 동작·작용이 어떤 상태로 행해짐을 나타냄. ¶目(め)を開(ひら)い～よく見(み)る 눈을 뜨고 잘 보다 / 喜(よろこ)んで協力(きょうりょく)する 기꺼이 협력하다. [注意] 撥音便(はつおんびん) 따위의 다음에서는 'で' 가 됨.

㊁ [終助] 1 가볍게 잘라 말할 때 씀. ¶あれだから油断(ゆだん)はならぬ～ 저러니까 마음을 놓을 수 없단 말야 / ゆうべは寝(ね)そびれて困(こま)り切(き)った～ 엊저녁엔 잠을 설쳐 혼났네. 2 〈女〉 사실의 여부, 일의 가부에 대해서 상대방에게 확인할 때 씀. ¶もうごらんになっ～ 벌써 보셨어요 / この辺(へん)でうちの子(こ)を見(み)かけなくっ～ 이 근처에서 우리 집 애 못 봤어요. 3 〈女〉 자기 판단이나 의견을 상대방에게 가능한 한 강요코자 할 때 씀. ¶この色(いろ)の方(ほう)がお似合(にあ)いになっ～よ 이 쪽 빛깔이 어울려요 / 私(わたし), 知(し)らなく～よ 전 몰라요. 4 'て下(くだ)さい·てくれ(＝…

하여 주십시오, …해주게)'의 압축된 말씨. ¶ぼくにも見せ~ 내게도 보여 줘/ちょっと待っ~ 잠깐 기다려 줘.

㊂助 〈俗〉 **1** 인용의 격조사 'と(=이)라고)'의 변화. ¶なん~言った? 무엇이라고 말했나/たしか田中さん~聞いた気がする 분명히 田中씨라고 들은 것 같다. **2** 'という(=(이)라고 하는)'의 압축된 말씨. ¶人間~ものは勝手なもんだ 인간이라는 것은 이기적인 것〔동물〕이다. ⇨って.

で 助動 **1** 말을 시작하다가 중지할 때에 씀: (이)고; (으)로서. ¶外国人~日本に居る人 외국인으로서 일본에 있는 사람/あれが学校~, こちらが役場だ 저것이 학교이고, 이 쪽이 관청이다. **2** 'ある(=이다)' 'あります(=입니다)' 'ございます(=이옵니다)' 따위에 연결됨. ¶人間~ある 사람이다/よいお天気~ございます 좋은 날씨입니다.

***で【出】** 名 **1** 나감; 나옴. ㉠외출; 등장; 상품의 출회. ¶春先は人の~が多い 초봄에는 외출하는 사람이 많다/青果の~が悪い 청과의 출회가 저조하다. ㉡나오는 상태·정도. ¶ガスの~が細い 가스가 가늘게 나오다/茶の~が悪い 차가 잘 우러나지 않는다《진하지 않다》. ㉢해·달이 뜸; 또, 그 시각. ¶日の~ 일출. **2** ㉠출처. ¶どこの~だか分からない 출처가 어딘지 모른다/この絵なら~は確かでございます 이 그림이라면 출처는 분명합니다. ㉡산지. ¶インド~の米 인도산 쌀. ㉢출신. ¶大学~ 대학 출신/高校~の選手 고교 출신 선수.

で ㊀格助 **1** 동작이 행해지는 때·장소를 나타냄: …에 (있어서); …(에)서. ¶デパート~買い物をする 백화점에서 물건을 사다/今日~は, 月旅行はもはや夢ではなくなった 오늘날에 와서는 달 여행은 이제 꿈이 아니게 되었다/三時間~仕上がった 세 시간에 완성됐다/最終審査~はねられた 최종 심사에서 떨어졌다. **2** 수단·방법·재료를 나타냄: …(으)로. ¶汽車~行く 기차로 가다/ラジオ~聞いた話 라디오로 들은 이야기/ペン~書く 펜으로 쓰다/米~酒をつくる 쌀로 술을 빚다. **3** 원인·이유를 나타냄: …(으)로. ¶暑さ~苦しむ 더위로 고생하다/台風~道がくずれる 태풍으로 길이 무너지다/病気~休むかもしれない 병으로 쉴지도 모른다. **4** 사정·상태를 나타냄: …로(서); …으로서. ¶三つ~百円 세 개에 백엔/一文なし~旅に立つ 돈 한 푼 없이 길을 떠나다/みんな~やろう 다들 같이 하자/申し込みはあす~締め切る 신청은 내일로 마감한다. **5** 화제·논제가 되는 것을 나타냄: …에 대해서. =について. ¶学制改革~激論する 학제 개혁으로 격론하다. **6** 동작이 행해지는 출처를 나타냄: …에 있어서(는); …에서(는). ¶彼の説~はこうなっている 그의 설에서는 이렇게 되어 있다/気象庁~は台風警報を出した 기상대에서는 태풍 경보를 발했다/私から~いけませんか 제가 해서는 안 되겠습니까.

㊁接 그러니까; 그래서. =それで. ¶会議は九時から始まりました. ~, どんなことが決まりましたか 회의는 아홉 시부터 시작되었습니다. 그래서 무엇〔어떤 일〕이 결정되었습니까.

てあい【手合い】 名 **1** 상대; 특히, 알맞은 상대. **2** (한)패; (한)무리들《약간 낮추어 보고 하는 말》. =連中·仲間. ¶あの~とは付き合うな 저 패거리하고는 상종하지 마라. **3** (바둑·장기의) 대국(對局). =手あわせ. ¶~表 대국표/大~ 승단전.

であい【出会い·出合い】 名 **1** ㉠처음으로 만남; 마주침. =めぐりあい. ¶偶然の~ 우연한 만남/最初の~は去年の八月だった 처음 만난 것은 작년 8월이었다. ㉡남녀의 밀회. =あいびき. ¶~茶屋 남녀가 밀회하는 데 이용되는 찻집. **2** (강·골짜기 등의) 합류점.

—がしら【—頭】 名 마주치는 순간; 만나자마자; 나서자마자 마주침. ¶~でだれか分からなかった 갑자기 마주쳐 누군지 몰랐다/~に手を差し出した 만나자마자 손을 내밀었다.

***であ-う【出会う·出合う】** 5自 만나다. **1** 마주치다; 상봉하다; (남녀가) 밀회하다. ¶二人がはじめて~った所 두 사람이 처음 만난 곳/学校へ行く途中で友人に~った 학교에 가는 도중에 친구와 만났다. **2** 강줄기가 합류하다. ¶本流と支流が~ 본류와 지류가 합류하다.

てあか【手あか】《手垢》 名 손때. **1** 손에 묻은 때. **2** 자주 만져 물건에 묻은 때. ¶~で汚れた辞書 손때로 더러워진 사전/~をつける 손때를 묻히다.

てあき【手空き·手明き】 名 일거리가 떨어져 한가함; 손이 비어 있음; 또, 그 사람. =手すき. ¶~の人に頼む 손이 빈 사람에게 부탁하다.

てあし【手足】 名 수족; 손발. ¶社長の~となって働く 사장의 손발이 되어 일하다.

—が棒になる 손발이 뻣뻣해지다《몹시 지치다》.

—を伸ばす **1** 수족을 쭉 뻗다. ¶手足をのばして深呼吸をする 팔다리를 펴고 심호흡을 하다. **2** 전하여, 편히 쉬다; 푹 쉬다.

であし【出足】 名 어떤 장소에 나오는 사람의 모이는 정도〔숫자〕《관람자·입장자의 수 따위》. ¶~が悪い (a)(나온) 사람이 적다; (b)첫 스타트가 나쁘다/雨で客の~が鈍る 비 때문에 손님이 줄다.

てあそび【手遊び】名 1 손으로 가지고 놂〔노는 것〕; 장난감. =おもちゃ. 2 심심풀이로 하는 일; 특히, 노름 따위. ¶ほんの～にかいた絵(え) 그저 심심풀이로 그린 그림.

てあたり【手当たり】名 1 손에 닿음; 감촉. ¶ざらざらした～ 껄껄한 감촉. 2 실마리; 단서. =手(て)がかり. ¶何(なん)の～もない 아무런 단서도 없다.

—しだい【—次第】副 닥치는 대로. =てあたり放題(ほうだい). ¶～(に)投(な)げつける 닥치는 대로 내던지다/～に本(ほん)を読(よ)む 닥치는 대로 책을 읽다.

てあつ-い【手厚い】形 극진하다; 융숭하다. ¶～もてなし 극진〔융숭〕한 대접/遺体(いたい)を～·く葬(ほうむ)る 유해를 정중히 장사 지내다/～謝礼(しゃれい)を出(だ)す 후사(厚謝)하다.

***てあて**【手当】㊀名 1 급여; 또, 수당. ¶家族(かぞく)～ 가족 수당/月々(つきづき)のお～ 매달의 급여. 2 수단; 방법. ¶何(なに)かうまい～はないものか 무슨 좋은 방법은 없는 것일까. 3 준비; 마련. ¶欠員(けついん)の～ 결원의 대비/肥料(ひりょう)を買(か)う金(かね)の～をする 비료 살 돈을 마련하다. 4 팁; 행하(行下). ¶～をする 팁을 주다.
㊁名ス他 치료; 조처. ¶応急(おうきゅう)～ 응급조처/～を怠(おこた)る 치료를 게을리하다/～が講(こう)じられる 조처가 강구되다.

テアトル［프 théâtre］名 테아트르; 극장; 영화관. =テアトロ.

てあぶり【手あぶり】《手焙り》名 손을 쬐는 작은 화로.

てあみ【手編み】名 수편; 손으로 뜸〔뜬 것〕. ¶～のセーター 손으로 뜬 스웨터. ↔機械編(きかいあ)み.

てあら【手荒】ダナ (취급이) 거침. ¶～に扱(あつか)うな 거칠게 다루지 마라/～なまねはやめろ 난폭한 짓은 그만둬.

てあら-い【手荒い】形 (다루는 것이) 거칠다〔난폭하다〕. ¶容疑者(ようぎしゃ)を～·く取(と)り扱(あつか)う 용의자를 거칠게 다루다/ガラス器(き)は～·く扱(あつか)わないこと 유리 그릇은 거칠게 다루지 말 것.

てあらい【手洗い】名 1 손을 씻음; 손 씻는 물(그릇). 2〈婉曲〉변소; 화장실. =便所(べんじょ)·かわや. ¶～に立(た)つ 화장실에 가다. 3 손빨래.

—ば【—場】名 1 손 씻는 곳. 2 변소.

—ばち【—鉢】名 손 씻는 물을 담아 둔 그릇〔대야〕. =手水(ちょうず)ばち.

である 連語 지정의 뜻을 나타냄: …(이)다. ¶君(きみ)は学生(がくせい)～ 너는 학생이다. ⇨だ 助動. 参考 'で'+'ある'(動詞).

である-く【出歩く】5自 (집을 비우고) 나(돌아)다니다; 싸다니다. ¶年中(ねんじゅう)～·いている 일년 내내 (여기저기) 돌아다니고 있다/このところ～用事(ようじ)が多(おお)い 요즘 나다닐 볼일이 많다.

であれ 連語 …이라 해도; …(이)든; 비록 …일지라도. =であっても. ¶ニンジン～ホウレンソウ～食(た)べる 당근이든 시금치든 먹는다/たとい先生(せんせい)～悪(わる)いことは悪い 비록 선생님일지라도 나쁜 것은 나쁘다.

てあわせ【手合わせ】名ス自 상대가 되어 승부를 겨룸; 시합; 맞붙음. =試合(しあい). ¶碁(ご)の～ 바둑 대국/一度(いちど)～してみたい 한번 겨루어 보고 싶다.

てい【丁】名 정. 1 십간(十干)의 네 번째. 2 순위·구분 등의 네 번째. ¶甲(こう)乙(おつ)丙(へい)～ 갑을병정.

てい【帝】㊀名 황제; 천자. ¶～のおぼしめし 황제의 생각. ㊁接尾 …제; 특정 황제를 가리킴. ¶光武(こうぶ)～ 광무제/仁徳(にんとく)～ 仁徳天皇(てんのう).

てい【底】名《'～の'의 꼴로》그런 정도; 종류. ¶この～の品物(しなもの) 이 정도〔종류〕의 물건/利益(りえき)のためには友人(ゆうじん)を売(う)りかねぬ～の男(おとこ) 이익을 위해서는 친구라도 능히 팔아넘길 정도의 사나이.

てい【弟】名〈文〉아우. ¶兄(けい)たりがたく～たりがたし 난형난제. ↔兄(けい).

てい【艇】㊀名 작은 배; 거룻배. ¶～を走(はし)らせる 배를 달리게 하다〔띄우다〕. ㊁接尾 …정; 작은 배의 뜻. ¶水雷(すいらい)～ 수뢰정/救命(きゅうめい)～ 구명정.

てい【体】《態》名 1 겉모양; 모습《보통, 좋은 뜻으로는 안 쓰임》. ¶職人(しょくにん)～の男(おとこ) 직공 차림의 남자/ほうほうの～で逃(に)げる 허둥지둥 도망치다. 2 태도; 겉치레; 허울. ¶～のいい言葉(ことば) 허울 좋은〔그럴듯한〕 말/そしらぬ～で見(み)ている 모르는 체하며 보고 있다/～よく断(ことわ)る 완곡하게 거절하다. 3 상태. ¶計画(けいかく)は中止(ちゅうし)の～である 계획은 중지 상태다.

てい=【低】저…; 낮은. ¶～姿勢(しせい) 저자세/～気圧(きあつ) 저기압. ↔高(こう).

=てい【亭】…정. 1 여관·요정 등의 옥호에 붙이는 말. ¶ひさご～ ひさご정. 2 풍류인의 저택·정자·다실 등에 붙이는 말. ¶末広(すえひろ)～ 末広정. 3 문인·연예인 등의 호에 붙이는 말. ¶二葉(ふたば)～ 明治(めいじ)시대의 작가 長谷川辰之助(はせがわたつのすけ)의 호.

=てい【邸】저택. ¶徳川(とくがわ)～ 徳川 저택.

てい〖丁〗教3 テイ チョウ よぼろ ひのと | 정 넷째천간
정. 1 성년의 남자. ¶壮丁(そうてい) 장정. 2 천간(天干)의 넷째. ¶丁亥(ていがい) 정해. ⇨ひのと. 3 거리의 구분; 가(街). ¶一丁目(いっちょうめ)一番地(いちばんち) 1가 1번지. 参考 '町'와 같이 쓰임.

てい〖低〗教4 テイ ひくい ひくめる ひくまる | 저 낮다
낮다. ¶高低(こうてい) 고저/最低(さいてい) 최저/低賃金(ていちんぎん) 저임금. ↔高(こう).

てい〖呈〗《呈》常用 テイ あらわす あらわれる
정 드리다 | 1 드리다. ¶呈出(ていしゅつ) 제출/進呈(しんてい) 진정. 2 드러내다. ¶呈示(ていじ) 제시/露呈(ろてい) 노정.

てい〖廷〗常用 テイ | 정 조정 | 1 조정. ¶廷臣(ていしん) 정신;

조정의 신하 / 宮廷(きゅうてい) 궁정. **2** 법정. ¶ 廷丁(ていてい) 법정 경위.

てい〚弟〛教2 テイ ダイ デ おとうと おと | 제 아우 | 제. **1** 아우. ¶ 兄弟(けいてい·きょうだい) 형제 / 弟妹(ていまい) 제매. ↔兄(けい). **2** 제자. ¶ 師弟(してい) 사제.

てい〚定〛教3 テイ ジョウ さだめる さだまる さだか | 정 정하다 | **1** 정하다. ¶ 定期(ていき) 정기 / 定石(じょうせき) 정석. **2** 반드시; 틀림없다. ¶ 案(あん)の定(じょう) 아니나다를까.

てい〚底〛教4 テイ そこ | 저 밑 | **1** 밑; 바닥. ¶ 海底(かいてい) 해저 / 底流(ていりゅう) 저류. **2** 토대가 되는 것. ¶ 底本(ていほん) 초고; 대본.

てい〚抵〛常用 テイ あたる | 저 막다 | **1** 되밀다. ¶ 抵抗(ていこう) 저항. **2** 거스르다. ¶ 抵触(ていしょく) 저촉. **3** 해당하다; 상당하다. ¶ 抵当(ていとう) 저당.

てい〚邸〛常用 テイ やしき | 저 집 | 훌륭한 집. ¶ 別邸(べってい) 별저; 별장 / 邸宅(ていたく) 저택.

てい〚亭〛常用 テイ チン | 정 정자 | **1** 참(站); 주막. ¶ 亭主(ていしゅ) 집주인. **2** 정자. ¶ 池亭(ちてい) 지정. **3** 여관·요리집·찻집 따위 건물 이름에 붙이는 말. ¶ 楽々亭(らくらくてい) 楽楽정.

てい〚貞〛常用 テイ ジョウ ただしい | 정 곧다 | **1** 절개〔정조〕를 지키다. ¶ 貞烈(ていれつ) 정렬 / 貞節(ていせつ) 정절 / 貞操(ていそう) 정조. **2** 이성에 접하지 않다. ¶ 童貞(どうてい) 동정.

てい〚帝〛常用 テイ タイ みかど | 제 황제 | **1** 천자. ¶ 帝王(ていおう) 제왕 / 皇帝(こうてい) 황제. **2** '帝国主義(ていこくしゅぎ)(=제국주의)'의 준말. ¶ 反帝(はんてい) 반제.

てい〚訂〛常用 テイ ただす | 정 바로잡다 | 글자의 잘못을 고치다. ¶ 訂正(ていせい) 정정.

てい〚庭〛教3 テイ にわ | 정 뜰 | **1** 마당; 뜰. ¶ 庭園(ていえん) 정원. **2** 집안. ¶ 家庭(かてい) 가정 / 庭訓(ていきん) 가훈.

てい〚逓〛《遞》常用 テイ たがいに | 체 교체하다 | **1** 체송하다; 또, 역참. ¶ 逓信(ていしん) 체신 / 郵逓(ゆうてい) 우체. **2** 갈마들다. ¶ 逓減(ていげん) 체감.

てい〚停〛教4 テイ チョウ とまる とめる とどまる とどめる | 정 멎다 | **1** 멎다. ¶ 停電(ていでん) 정전 / 停車(ていしゃ) 정차. **2** 중도에서 그만두게 하다. ¶ 停職(ていしょく) 정직 / 調停(ちょうてい) 조정.

てい〚偵〛常用 テイ うかがう | 정 염탐하다 | 염탐하다; 탐지하다; 또, 그 사람. ¶ 偵察(ていさつ) 정찰 / 探偵(たんてい) 탐정 / 密偵(みってい) 밀정.

てい〚堤〛常用 テイ つつみ | 제 제방 | 둑. ¶ 堤防(ていぼう) 제방 / 堰堤(えんてい) 언제 / 防波堤(ぼうはてい) 방파제.

てい〚提〛教5 テイ ダイ さげる | 제 들다 | **1** 손에 들다; 갖다. ¶ 提供(ていきょう) 제공 / 提灯(ちょうちん) 제등; 초롱. **2** 들고 나오다. ¶ 提議(ていぎ) 제의. **3** 서로 돕다. ¶ 提携(ていけい) 제휴.

てい〚程〛《程》教5 テイ ほど | 정 규정 | **1** 일정한 양; 어떤 범위 내의 규정. ¶ 課程(かてい) 과정 / 日程(にってい) 일정. **2** 정도. ¶ 程度(ていど) 정도 / 音程(おんてい) 음정.

てい〚艇〛常用 テイ | 정 거룻배 | 좁고 긴 거룻배. ¶ 艦艇(かんてい) 함정 / 魚雷艇(ぎょらいてい) 어뢰정.

てい〚締〛常用 テイ しまる しめる | 체 맺다 | 약속을 맺다. ¶ 締結(ていけつ) 체결 / 締約(ていやく) 체약.

でい〚泥〛常用 デイ どろ なずむ | 니 진흙 | **1** 진흙; 진창. ¶ 雲泥(うんでい)の差(さ) 운니지차; 천양지차 / 泥土(でいど) 이토. **2** 금박이나 은박 가루를 갖풀에 갠 것. ¶ 金泥(きんでい) 금니.

ていあつ【低圧】名 저압. ¶ ～電線(でんせん) 저압 전선 / ～電流(でんりゅう)がながれる 저압 전류가 흐르다. ↔高圧(こうあつ).

***ていあん**【提案】名ス他 제안. ¶ 彼(かれ)の～を容(い)れる 그의 제안을 받아들이다 / 議事(ぎじ)の打(う)ち切(き)りを～する 의사 진행의 중단을 제안하다.

デイアンデート [←day and date] 名 데이 앤드 데이트; (문자반에) 요일과 날짜가 나오는 손목시계.

ていい【低位】名 저위; 낮은 지위·등급. ↔高位(こうい).
―かぶ【―株】名〔經〕저가주. ↔高位株(こういかぶ)·値嵩株(ねがさかぶ).

ていい【帝位】名 제위. ¶ ～を継(つ)ぐ〔継承(けいしょう)する〕 제위를 계승하다 / ～をうかがう 제위를 엿보다.

ティー [tea] 名 티; 차; 특히, 홍차. ¶ レモン～ 레몬차 / ～タイム 티타임.
―パーティー [tea party] 名 티파티; 다과회.
―バッグ [tea bag] 名 티 백.
―ポット [teapot] 名 티포트; 찻주전자.
―ルーム [tearoom] 名 티룸; 다방.

ティー [tee] 名〔골프〕**1** 티; 구좌(球座). **2** 'ティーグラウンド'의 준말.
―グラウンド [일 tee+ground] 名〔골프〕티그라운드; 각 홀의 출발 구역. *영어로는 teeing ground.
―ショット [tee shot] 名〔골프〕티 샷; 각 홀의 제 1 타.
―バッティング [tee batting] 名〔野〕티 배팅; 공을 대(臺)에 올려놓고 하는 타격 연습《골프의 티샷을 본뜬 것》.

ディーエヌエー [DNA] 名 디엔에이; 디옥시리보핵산. =デオキシリボ核酸(かくさん). ▷deoxyribonucleic acid.

ディーケー [DK] 名 조리실을 겸한 식당; 주방 겸 식당. ¶ 3～のアパート 방 3 개에 주방 겸용 식당이 딸린 아파트. ▷dining, kitchen의 머리글자에서 따온 일제 영어.

ティーケーオー [TKO] 名 티케이오. ☞テクニカルノックアウト.

ティーザーこうこく【―広告】名 티저 광고《상품 또는 상품명을 숨기거나 조금

씩 드러내어 소비자의 주의를 끌려고 하는 광고》. ▷teaser advertising.

ディージェー [DJ] 名 디제이. ☞ディスクジョッキー. ▷disk jockey.

ティーシャツ [Tシャツ] 名 티셔츠. ▷T-shirt.

ティーじょうぎ [T 定規] 名 (제도용) T자. ＝丁字(ていじ)定規·T形(がた)定規.

ディーゼル [Diesel] 名 디젤. ¶～エンジン 디젤 엔진〔기관〕.

—カー [Diesel car] 名 디젤 카.

—しゃ【—車】名 ☞ディーゼルカー.

ティーチイン [teach-in] 名 티치인; 사회·정치 문제 등에 관한 전문가 아닌 사람들의 토론 집회.

ディーディーティー [DDT] 名〔薬〕디디티《강력 살충제》. ▷dichloro-diphenyl-trichloroethane.

ディーピーイー [DPE] 名 디피이; 사진의 현상·인화·확대(를 하는 가게). ▷developing, printing, enlarging의 머리글자를 연결한 일제 영어.

ティーピーオー [TPO] 名 티피오; 옷은 때와 장소와 경우에 따라 입어야 한다는 뜻. ¶～に合(あ)った服装(ふくそう) 시의 적절한 복장 / ～に応(おう)じてネクタイを着用(ちゃくよう)する 티피오에 따라 넥타이를 착용한다. ▷time, place, occasion.

ティーブイ [TV] 名 티브이; 텔레비전. ▷television.

ティーム 名 ☞チーム.

ディーラー [dealer] 名 딜러. **1** 업자; 상인. ¶中古車(ちゅうこしゃ)～ 중고차 매매업자. **2** 특약 소매점. **3** 카드놀이에서, 카드를 나누어 주는 사람.

*__ていいん__【定員】名 정원. ¶バスの～ 버스의 정원 / ～オーバー 정원 초과 / クラスの～は四十人(よんじゅうにん)です 학급 정원은 40명입니다.

ティーンエージャー [teen-ager] 名 틴에이저; 십대의 소년·소녀.

ていえん【庭園】名 정원. ¶～灯(とう) 정원등 / ～を造(つく)る 정원을 만들다.

ていおう【帝王】名 제왕. ¶暗黒街(あんこくがい)の～ 암흑가의 제왕.

—せっかい【—切開】名 제왕 절개(술).

ていおん【低音】名 저음. ¶～歌手(かしゅ) 저음 가수. 参考 좁은 뜻으로는, 베이스를 가리킴. ↔高音(こうおん).

ていおん【低温】名 저온. ↔高温(こうおん).

—さっきん【—殺菌】名 저온 살균.

—ますい【—麻酔】名〔醫〕저온 마취.

ていおん【定温】名 정온; 일정한 온도. ¶～を保(たも)つ 일정한 온도를 유지하다.

—どうぶつ【—動物】名 정온 동물. ☞こうおんどうぶつ.

*__ていか__【低下】名ス自 저하. **1** (도수가) 내려감. ¶気温(きおん)が～する 기온이 내려가다. ↔上昇(じょうしょう). **2** 정도가 떨어짐. ¶技術(ぎじゅつ)の～ 기술의 저하 / 実力(じつりょく)〔品質(ひんしつ)〕が～する 실력이〔품질이〕 떨어지다. ↔向上(こうじょう).

ていか【低価】名 저가; 싼값; 헐값. ＝廉価(れんか). ↔高価(こうか).

*__ていか__【定価】名 정가. ¶～表(ひょう) 정가표 / ～の二割引(にわりびき) 정가의 2할 할인 / ～をつける 정가를 매기다 / ～どおりに売(う)る 정가대로 팔다.

ていかい【低回】《低徊》名ス自 저회; 사색에 잠기면서 천천히 거닒. ¶故人(こじん)を偲(しの)びながら～する 고인을 추모하며 거닐다. 参考 '低回'로 씀은 대용 한자.

—しゅみ【—趣味】名 속세의 번거로움을 피해서 여유롭게 세상을 바라보고 인생을 음미하려는 취미《夏目漱石(なつめそうせき)의 문학적 태도》.

ていかい【停会】名ス自他 정회. ¶～の宣言(せんげん) 정회 선언.

ていがく【停学】名 정학. ¶～処分(しょぶん) 정학 처분.

ていがく【低額】名 저액. ¶～所得層(しょとくそう) 저액 소득층. ↔高額(こうがく).

ていがく【定額】名 정액. ¶～貯金(ちょきん) 정액 저금 / 毎月(まいげつ)～を入金(にゅうきん)する 매달 정액을 입금하다.

ていがくねん【低学年】名 저학년《초등학교 1, 2학년》. ¶～向(む)きの童話(どうわ) 저학년을 위한 동화. ↔高学年(こうがくねん).

ていかん【停刊】名ス自 정간. ¶来月号(らいげつごう)をもって～する 내달 호로써 정간한다.

ていかん [諦観] 名ス他 체관. **1** 명확히 본질을 봄. ¶～の境地(きょうち) 체관의 경지 / 人生(じんせい)を～する 인생을 체관하다. **2** 체념하여 관망함. ¶乱世(らんせい)を～して隠遁(いんとん)する 난세를 체관하고 은둔하다.

ていかん【定款】名 정관. ¶～をきめる 정관을 정하다.

ていき【定期】名 정기. ¶～検診(けんしん) 정기 검진 / ～航路(こうろ)〔刊行物(かんこうぶつ)〕 정기 항로〔간행물〕.

—けん【—券】名 '定期乗車券(じょうしゃけん)(＝정기 승차권)'의 준말.

—せん【—船】名 정기선.

—てき【—的】ダナ 정기적. ¶～に結核(けっかく)検診(けんしん)をする 정기적으로 결핵 검진을 하다.

—びん【—便】名 정기편.

ていき【提起】名ス他 제기. ¶問題(もんだい)〔訴訟(そしょう)〕を～する 문제를〔소송을〕 제기하다.

ていぎ【提議】名ス他 제의. ¶彼(かれ)の～に同意(どうい)する 그의 제의에 동의한다.

*__ていぎ__【定義】名ス他 정의. ¶孝(こう)を～する 효를 정의하다 / 国家(こっか)という言葉(ことば)に～を下(くだ)す 국가라는 말에 정의를 내리다.

*__ていきあつ__【低気圧】名 저기압. **1**〔氣〕기압이 낮음. ¶～は東南(とうなん)にすすんでいる 저기압은 동남으로 진출하고 있다. ↔高気圧(こうきあつ). **2** 기분 따위가 언짢은 상태의 비유. ¶今朝(けさ)の社長(しゃちょう)は～だ 오늘 아침(의) 사장은 저기압이다.

ていきゅう【低級】名ナ 저급; 저속. ¶～な趣味(しゅみ)〔話題(わだい)〕 저속한 취미〔화제〕 / ～な番組(ばんぐみ)を見(み)る 저속한 프로그

램을 시청하다. ↔高級(こうきゅう).

***ていきゅう**【定休】图 정휴; 정기 휴일〔휴가〕. ¶~日(び) 정기 휴일. ↔臨休(りんきゅう).

ていきゅう【庭球】图 ☞テニス.

ていきゅう[涕泣]图ス自 체읍; 눈물을 흘리며 욺. ¶父(ちち)の死(し)に~する 아버지의 죽음에 체읍하다 / その場(ば)の者(もの)はことごとく~した 그 자리에 있던 사람들은 모두 다 울었다.

***ていきょう**【提供】图ス他 제공. ¶情報(じょうほう)の~者(しゃ) 정보 제공자 / 実費(じっぴ)~ 실비 제공 / 資料(しりょう)〔話題(わだい)〕を~する 자료〔화제〕를 제공하다.

ていきんり【低金利】图 저금리. ¶~政策(せいさく) 저금리 정책.

ていくう【低空】图 저공. ¶ヘリが~を飛(と)ぶ〔旋回(せんかい)する〕 헬리콥터가 저공을 날다〔선회하다〕. ↔高空(こうくう).

—ひこう【—飛行】图ス自 **1** 저공비행. **2**〈學〉거의 낙제에 가까운 나쁜 성적. ¶~で合格(ごうかく)する 낙제에 가까운 성적으로〔턱걸이로〕 합격하다.

ていけい【定型】图 정형; 일정한 형.

—し【—詩】图 정형시.

ていけい【定形】图 정형; 일정한 모양. ¶~を保(たも)つ 정형을 유지하다.

—ゆうびんぶつ【—郵便物】图 정형 우편물《제 1종 우편물 중 크기나 무게가 정해진 한도 내의 것》.

ていけい【提携】图ス自 제휴. =タイアップ. ¶技術(ぎじゅつ)~ 기술 제휴 / 海外企業(かいがいきぎょう)と~する 해외 기업과 제휴하다.

ていけつ【貞潔】名ナ 정결; 정조가 곧고 행실이 깨끗함. ¶~な婦人(ふじん)〔妻(つま)〕 정결한 여성〔아내〕.

ていけつ【締結】图ス他 체결. ¶漁業(ぎょぎょう)協定(きょうてい)が~された 어업 협정이 체결되었다 / 不可侵(ふかしん)条約(じょうやく)を~する 불가침 조약을 체결하다.

ていけつあつ【低血圧】图〔醫〕 저혈압. ¶~症(しょう) 저혈압증. ↔高血圧(こうけつあつ).

ていけん【定見】图 정견; 일정한 주견. ¶無(む)~ 무정견 / ~のない男(おとこ) 정견이 없는 사내 / ~を持(も)っていない 정견을 갖고 있지 않다.

ていげん【低減】图ス自他 저감. **1** 줆; 줄임. ¶生産力(せいさんりょく)〔人口(じんこう)〕が~する 생산력이〔인구가〕 줄어들다 / 罪(つみ)を~する 죄를 감하다. **2** 값이 싸짐; 값을 내림. ¶価格(かかく)を~する 값을 내리다 / 住民税(じゅうみんぜい)の~をはかる 주민세의 저감을 꾀하다.

ていげん【逓減】图ス自他 체감. ¶収穫(しゅうかく)~の法則(ほうそく) 수확 체감의 법칙 / 利益(りえき)が~する 이익이 체감하다. ↔逓増(ていぞう)·逓加(ていか).

ていげん【提言】图ス他 제언. ¶解決策(かいけつさく)を~する 해결책을 제언하다 / 僕(ぼく)の~を容(い)れなかった 나의 제언을 받아들이지 않았다.

****ていこう**【抵抗】图ス自 저항. ¶~感(かん) 저항감 / 空気(くうき)〔電気(でんき)〕~ 공기〔전기〕 저항 / 命令(めいれい)されると~を感(かん)じる 명령을 받으면 저항을 느낀다 / むだな~はやめろ 쓸데없는 저항은 그만둬라.

ていこく【定刻】图 정각. ¶~出勤(しゅっきん) 정각 출근 / ~に開会(かいかい)する 정각에 개회하다 / ~に遅(おく)れる 정각에 늦다〔지각하다〕.

ていこく【帝国】图 제국. ¶大英(だいえい)~ 대영 제국. 參考 좁은 뜻으로는, '大日本(だいにっぽん)帝国(ていこく)(=대일본 제국)'의 준말. ¶~海軍(かいぐん) 일본 제국 해군 / 第三(だいさん)~ 제삼 제국.

—しゅぎ【—主義】图 제국주의. ¶ソ連(れん)の~ 소련의 제국주의.

ていざ[鼎坐]图ス自 정좌; 세 사람이 솥발 모양으로 서로 대하고 앉음. ¶三人(さんにん)~して謀議(ぼうぎ)を謀(はか)る 셋이 마주 앉아 모의하다 / ~して語(かた)り合(あ)う 정좌하여 이야기를 나누다.

***ていさい**【体裁】图 **1** 체재. ㉠외관; 겉모양. ¶~をつくろう 겉모양을 차리다〔꾸미다〕 / ~が悪(わる)い 볼품없다; 보기에 흉하다. ㉡일정한 양식·형식. ¶論文(ろんぶん)の~をなさない 논문의 체재를 갖추지 못하다 / やっと~が整(ととの)った 겨우 체재가〔형식이〕 갖추어졌다. **2** 체면; 세상 이목. ¶ひどく~を気(き)にする 남의 이목을 몹시 꺼리다; 체면에 몹시 신경 쓰다 / ~よくことわる 체면 깎이지 않게 거절하다 / ~のいい事(こと)をいう 그럴듯하게 말하다. **3** 빈말. ¶お~ばかりいう男(おとこ) 빈말만 하는 남자.

—ぶ-る【—振る】5自 뽐내다; 거드름 피우다. ¶あんな~奴(やつ)は嫌(きら)いだ 저렇게 거드름피우는 놈은 싫다 / ~·った事(こと)をする 거드름피우다; 젠체하다.

ていさつ【偵察】图ス他 정찰. ¶~機(き) 정찰기 / 敵情(てきじょう)を~する 적정을 정찰하다.

***ていし**【停止】图ス自他 정지. ¶一時(いちじ)~ 일시 정지 / 心臓(しんぞう)が~する 심장이 멎다 / 六箇月(ろっかげつ)間(かん)免許(めんきょ)~を食(く)った 6개월간 면허 정지를 당했다.

ていじ【丁字】图 정자; 정자형.

—けい【—形】图 정자형〔꼴〕. ¶~に敵(てき)を攻撃(こうげき)する 고무래 정자형으로 적을 공격하다.

—じょうぎ【—定規】图 티(T)자.

ていじ[綴字]图 철자. =つづり字(じ)·てつじ. ¶~法(ほう) 철자법.

ていじ【定時】图 정시. **1** 정각. ¶~退庁(たいちょう) 정시 퇴청〔퇴근〕 / ~運転(うんてん) 정시 운전. **2** 정기. ¶~刊行(かんこう) 정기 간행.

ていじ【提示】图ス他 제시. ¶証拠品(しょうこひん)を~する 증거품을 제시하다 / 条件(じょうけん)を~する 조건을 제시하다.

ていじげん【低次元】名ナ 저차원. **1** 차원이 낮음. **2** 사상·취미·화제 등이 저급임. ¶~の議論(ぎろん) 저차원의 의론〔논의〕.

ていしせい【低姿勢】图 저자세. ¶~に出(で)る 저자세로 나오다 / ~でわびる 저자세로 사과하다. ↔高姿勢(こうしせい).

ディジタル [digital] 名 ☞デジタル.

ていしつ【低湿】名ナ 저습; 토지가 낮고 습기가 많음. ¶ ～地帯 저습 지대 / この地方は～で健康に悪い 이 지방은 저습해서 건강에 나쁘다. ↔高燥.

ていしつ【低質】名 저질. ¶ ～の品物 저질품 / ～炭 저질탄.

*__ていしゃ__【停車】名ス自 정차; 정거. ¶ 一時～ 일시 정차 / 無～ 무정차 / ～信号 정차 신호.

—じょう【—場】名 정거장《'駅(=역)'의 다소 예스러운 말》. =ていしゃば.

ていしゅ【亭主】名 **1** (집)주인. =あるじ. ¶ 宿屋の～ 여관 주인. **2** 남편. =おっと. ¶ ～の顔に泥を塗る 남편 얼굴에 똥칠하다. **3** 다도(茶道)에서, 손님을 대접하는 주인.

—をしりに敷く 내주장하다.

—かんぱく【—関白】名 〈俗〉 (집안에서) 폭군 같은 남편; 횃대 밑 사내. ↔かかあ天下.

—もち【—持ち】名 유부녀; 기혼 여성.

ていじゅう【定住】名ス自 정주; 정착. ¶ ～の地を求める 정착할 곳을 찾다 / 郷里に～する 향리에 정주하다.

ていしゅうは【低周波】名〘理〙저주파. ¶ ～電流 저주파 전류. ↔高周波.

ていしゅく【貞淑】名ダナ 정숙. ¶ 彼女は～の聞こえが高い 그녀는 정숙하다는 소문이 자자하다. ↔不貞.

*__ていしゅつ__【提出】名ス他 제출. ¶ 証拠を～する 증거를 제출하다 / 辞表を～する 사표를 제출하다.

ていしょうバス【低床バス】名 저상 버스; 승강구의 계단을 낮게 만들거나 없애 편히 탈 수 있게 한 버스. ▷bus.

ていしょう【定昇】名 '定期昇給(=정기 승급)'의 준말.

ていしょう【提唱】名ス他 제창. ¶ ～者 제창자 / 新学説を～する 신학설을 제창하다.

ていじょう【呈上】名ス他 정상; 바침; 드림. =進呈. ¶ 謹んで一書を～する 삼가 글월을 올리다.

ていしょく【停職】名 정직. ¶ ～される 정직당하다.

ていしょく【定職】名 정직; 일정한 직업. ¶ ～を持つ 정직을 가지다 / ～に就く 일정한 직장에 나가다 / ～が無い人々 일정한 직업이 없는 사람들.

*__ていしょく__【定食】名 정식. ¶ 和(風)～ 일식 정식 / 洋～ 양정식 / てんぷら～ 튀김 정식. ⇨いっぴんりょうり.

ていしょく【抵触】《牴触·觝触》名ス自 저촉. ¶ 法律に～する行為 법률에 저촉되는 행위.

ていしん [挺身] 名ス自 정신; 스스로 앞장서서 몸을 바쳐 일함. ¶ 社会事業に～活躍する 사회사업에 몸 바쳐 활약하다.

ていしん【艇身】名《接尾語적으로》 정신; 보트의 전장(全長). ¶ 一～ひき離して優勝する (조정에서) 배 하나의 길이만큼 사이를 두고 우승하다.

でいすい【泥酔】名ス自 이취; 곤드레만드레 취함; 만취. ¶ 深酒して～する 술을 과음해 만취하다 / ～して路上に寝てしまう 곤드레만드레 취해서 길에 누워 버리다.

ていすう【定数】名 정수. **1** 미리 정해진 일정한 (인원)수. ¶ ～に満たない 정수에 차지 않다[미달하다]. **2**〘數〙상수(常數). ↔変数.

ディスカウント [discount] 名 디스카운트; 할인. ¶ ～ショップ 할인 판매점.

—ストア [discount store] 名 디스카운트 스토어; 대형 할인점. =ディスカウントハウス.

—セール [discount sale] 名 디스카운트 세일; 할인 판매.

—レート [discount rate] 名 디스카운트 레이트; 어음 할인율.

ディスカッション [discussion] 名ス自他 디스커션; 토론; 토의. ¶ パネル～ 패널 디스커션 / 自由に～する 자유롭게 토론하다.

ディスク [disk] 名 디스크. **1** 축음기의 레코드나 CD. **2** '磁気ディスク(=자기 디스크)'의 준말.

—オペレーティングシステム [disk operating system] 名〘컴〙디스크 오퍼레이팅 시스템. =ドス.

—ジョッキー [disk jockey] 名 디스크자키.

—ドライブ [disk drive] 名〘컴〙디스크 드라이브《플로피 디스크나 하드 디스크를 작동시키는 장치》.

ディスケット [diskette] 名〘컴〙디스켓. ☞フロッピーディスク.

ディスコ [disco] 名 ☞ディスコテーク.

ディスコテーク [프 discothèque] 名 디스코테크.

ディスプレー [display] 名 디스플레이. **1** 진열; 전시; 과시. **2** ☞ディスプレーそうち.

—そうち【—装置】名〘컴〙출력 표시 장치.

ディスポーザー [disposer] 名 디스포저《부엌에서 나오는 쓰레기 따위를 잘게 부수어 하수구에 보내는 전기 기구》.

てい-する【呈する】サ変他 **1** 드리다; 바치다; 보내다. =進呈する. ¶ 自著を～ 자기 저서를 증정하다 / 苦言を～ 고언을 드리다. **2** (상태를) 나타내다; 보이다. ¶ 活気を～ 활기를 띠다 / 媚を～ 교태를 부리다 / 疑問を～する 의문을 제기하다.

ていせい【帝政】名 제정. ¶ ～ロシアは革命によって消滅した 제정 러시아는 혁명에 의해서 소멸하였다.

*__ていせい__【訂正】名ス他 정정. ¶ 誤字を～する 오자를 정정하다 / 内容の一部を～する 내용의 일부를 정정하다.

ていせつ【定説】名 정설; 확정된 설; 정론. =定論. ¶ 従来の～ 종래의 정설 / ～をくつがえす 정설을 뒤엎다.

ていせつ【貞節】名ナ 정절; 절개. ¶～を守る 정절을 지키다.
ていせん【停戦】名ス自 정전. ¶～交渉 정전 교섭/～協定が成立した 정전 협정이 성립되었다.
ていせん【停船】名ス自 정선. ¶～命令 정선 명령/検疫のために港外で～する 검역 때문에 항구 밖에서 정선하다.
ていそ【定礎】名〔建〕정초; 주춧돌을 놓음; 건축 공사를 개시함. ¶～式 정초식.
ていそ【提訴】名ス他〔法〕제소. ¶お上に～する 당국에 제소하다.
ていそう【貞操】名 정조. ¶～帯 정조대/～の堅い婦人 정조가 굳은 여자/～観念が薄い 정조 관념이 희박하다/～を破る 정조를 깨뜨리다.
ていぞう【逓増】名ス自他 체증; 점차 늚. ＝漸増. ¶鉄鋼の生産は年と共に～している 철강 생산은 해마다 늘고 있다. ↔逓減.
ていそく【低速】名 저속; 느린 속도. ¶～運転 저속 운전. ↔高速.
ていぞく【低俗】名ナ 저속. ¶～な流行歌〔番組, 趣味〕저속한 유행가〔프로, 취미〕. ↔高尚.
ていそくすう【定足数】名 정족수. ¶～に達しないので流会になる 정족수에 미달하여 유회가 되다.
ていた-い【手痛い】形 심하다; 호되다. ＝ひどい·手ごわい. ¶～損害 심한 손해/～批判 호된 비판/～打撃を受ける 심한 타격을 받다.
*__ていたい__【停滞】名ス自 정체. **1** 일이 순조롭게 진행되지 않음. ¶流れが～する 흐름이 정체되다/作業〔景気〕が～する 작업이〔경기가〕정체하다. **2** 먹은 것이 소화되지 않음. ¶食物が胃に～する 먹은 것이 위에 체하다.
ていたく【邸宅】名 저택. ＝やしき. ¶大～ 대저택/堂々たる～ 으리으리한 저택/豪壮な～をかまえている 호화로운 저택을 가지고 있다.
ていたらく〖体たらく〗名 몰골; 꼴; 꼬락서니《비난의 뜻이 포함됨》. ＝ざま·かっこう. ¶さんざんな～ 비참한 몰골/何という～だ 이게 무슨 꼴이냐.
ていだん〔鼎談〕名ス自 정담; 세 사람이 마주 앉아 이야기함; 또, 그 이야기. ¶三巨頭が経済動向について～する 세 거두가 경제 동향에 관하여 정담하다. ⇨対談.
ていち【低地】名 저지. ¶豪雨のため～が浸水した 호우로 저지(대)가 침수했다. ↔高地.
ていち【定置】名ス他 정치; 일정한 곳에 놓음. ¶漁網を湾内に～する 어망을 만내에 정치하다.
―あみ【―網】名 정치망. ¶～漁業 정치망 어업.
ていちたい【低地帯】名 저지대.
ていちゃく【定着】정착. 名ス自 **1** 어떤 곳〔것〕에 자리잡음〔고정함〕. ¶～した外来語 정착한 외래어/遊牧民が水辺に～する 유목민이 물가에 정착하다. **2** 말·사상 등이 그 사회에 뿌리 박음. ¶GNPの高い国家に共産主義は～し得ない GNP가 높은 국가에 공산주의는 정착할 수 없다.
でいちゅう【泥中】名 이중; 진흙 속.
―の蓮 진흙 속에 핀 연꽃《더러운 환경 속에서도 순결을 지킴의 비유》.
ていちょう【丁重】《鄭重》名ダナ **1** 정중; 극진함. ¶～なあいさつ 정중한 인사/～にもてなす 극진히 대접하다/～にお断りする 정중하게 거절하다. **2** 조심스럽게 소중히 다루는 일. ¶～にしまい込む 소중하게 간수하다. 注意 '丁重'로 쓰는 대용 한자.
ていちょう【低調】名ナ 저조. **1** 내용이 수준 이하임. ¶～な作品 시원찮은 작품. **2** 기대와는 달리 진척이 없는 모양. ¶～な会議 시덥지 않은 회의. **3** 기대와는 달리 활기가 없음; 시원치 않음. ¶～な試合(ぶり) 맥〔활기〕없는 경기(태도)/投票の出足が～だ 투표(참가)율이 저조하다.
ティッシュ [tissue] 名 티슈; 'ティッシュペーパー'의 준말. 「퍼; 화장지.
―ペーパー [tissue paper] 名 티슈페이
ていっぱい【手いっぱい】《手一杯》一名 힘에 부침; 힘에 겨움. ¶この品の生産だけで私の工場は～です 이 물품의 생산만으로도 우리 공장은 벅찹니다. 二副 힘껏; 힘 자라는 한. ¶～荷物を持つ 힘 자라는 데까지 짐을 들다/～値引きをした 한껏 값을 깎았다.
*__ていでん__【停電】名ス自 정전. ¶架線が切れて～する 가선이 끊어져 정전되다/～のため電車は動かない 정전으로 전차는 움직이지 않는다.
ていど【程度】名 정도. **1** 얼마 가량의 분량. ¶損害の～ 손해의 정도/どのくらい財産があるか～が知れない 재산이 얼마나 되는지 정도를 알 수 없다. **2** 수준. ¶実力の～ 실력의 정도. **3** 알맞은 한도. ¶高校生の～を越える難問 고교생의 정도를 넘는 어려운 문제/焦げない～に焼く 눋지 않을 정도로 굽다/寒いといっても～がある 춥다 해도 한도가 있다.
―もんだい【―問題】名 정도 문제. ¶酒を飲むのもよいが～だ 술을 마시는 것도 좋지만 정도 문제다.
ていとう【低頭】名ス自 저두; 머리를 조아림. ¶平身～する 엎드려 고개를 숙이다; 굽실거리다.
ていとう【抵当】名 저당; 담보. ＝かた·担保. ¶屋敷を～に入れる 집을 저당잡히다/家を～にして金を借りる 집을 저당잡히고 돈을 빌리다.
―がし【―貸し】名 저당을 잡고 금전을 대부하는 일.

—ながれ【—流れ】图 유질(流質); 또, 유질물. ¶～の公売処分 유질물의 공매 처분.

ていとく【提督】图 제독. ＝アドミラル. ¶～の任に就く 제독으로 취임하다.

ていとん[停頓] 图ス自 정돈; 정체. ¶意見衝突で会議は～状態になる 의견 충돌로 회의는 정돈 상태가 되다/交渉が～する 교섭이 제자리걸음을 하다.

ディナー[dinner] 图 디너; 정찬; 특히, 만찬〔오찬〕(회). ¶～に招かれる 디너에 초청받다.

ていねい【ていねい·丁寧】《叮嚀》 图ダナ **1** 친절함; 정중함; 공손함. ¶親切～ 친절하고 공손함/～なあいさつ〔言葉遣い〕 공손한 인사〔말씨〕/～な看護を受ける 정성스런 간호를 받다. **2** 주의 깊고 신중함; 정성스러움. ¶一字一句～に書く 한 자 한 구 정성스럽게 쓰다/何度も～に読む 몇 번씩이나 주의 깊게 읽다.

—ご【—語】图〘言〙 공손한 말. **1** (주로 문미(文尾)에 와서) 상대를 높이며 공손히 말하는 말씨《'行きます(＝가겠습니다)' '私です(＝저올시다)'의 'ます' 'です' 따위》. **2** (주로 낱말 위에 붙여서) 품위 있고 아름답게 나타내는 말씨《'お米(＝쌀)' 'お水下さい(＝물 좀 주십시오)' 따위의 'お'》. ⇒謙譲語·そんけいご. 参考 **1**,**2** 모두가 넓은 뜻에서는 경어임.

ていねん【定年·停年】图 정년. ¶～制 정년제/～退職 정년퇴직.

ていのう【低能】图ナ 저능; 정신 박약. ¶～児 저능아/～ぶりを発揮する 저능〔무능〕함을 드러내다.

ていはく【停泊】《碇泊》 图ス自 정박. ¶船が港に～する 배가 항구에 정박하다. 注意 '停泊'로 씀은 대용 한자.

ていばん【定番】图 유행을 타지 않고, 늘 잘 팔리는 상품. ＝定番商品. 参考 상품 관리용으로 붙이는 품목 번호가 항상 고정되어 있는 데서 생긴 말.

ティピカル[typical] ダナ 티피컬; 전형적; 대표적. ¶～な例 전형적인 예.

ていひょう【定評】图 정평. ¶～のある辞典 정평이 있는 사전/彼は作家として既に～がある 그는 작가로서 이미 정평이 (나) 있다.

ディブイディ[DVD] 图 디브이디; 디지털 비디오디스크. ▷Digital Videodisc.

ディフェンス [defense] 图 디펜스; 방어; 수비. ¶このバスケットのチームは～が弱い 이 농구 팀은 수비가 약하다. ↔オフェンス.

ディベート[debate] 图 디베이트; 어떤 주제에 대해 찬성과 반대로 갈려 상대를 논파하는 토론.

ディベロッパー [developer] 图 디벨로퍼. **1** 토지〔택지〕 개발업자. **2** (사진의) 현상액.

ていへん【底辺】图 **1**〘數〙 저변; 밑변. ¶三角形の～ 삼각형의 밑변. **2**〈俗〉 하층 사회. ¶社会の～ 사회의 밑바닥/～に生きる 밑바닥 생활을 하다.

ていぼう【堤防】图 제방; 둑. ＝つつみ·土手. ¶～を築く 제방을 쌓다/～が決壊する 제방이 무너지다.

ていぼく【低木】图 저목; 키가 낮은 나무; 관목. ¶～帯 관목대. 注意 '灌木(＝관목)'의 고친 이름. ↔高木.

ていほん【定本】图 **1** 정본; 고전의 이본(異本)을 교정하여 잘못을 바로잡은, 표준이 되는 책. ¶～万葉集 정본 万葉集. **2** (근대 문학에서) 저자가 정정·가필한 결정판. ↔稿本.

ていほん【底本】图 번역·교정 등의 바탕이 되는 책; 대본(臺本). 注意 넓은 뜻에서는 '種本'의 뜻으로도 쓰임. 또, '定本'과 구별해서 'そこほん'이라고도 함.

ていめい【低迷】图ス自 **1** 저미; 구름이 낮게 감돎. ¶暗雲が～する 암운이 낮게 떠돌아다니다/戦雲が～する 전운이 감돌다. **2** 향상이 여의치 않음. ¶下位を～するチーム 하위를 맴도는 팀/景気が～から抜けだす 경기가 침체 상태에서 벗어나다.

ていめん【底面】图 저면; 밑면. ¶円錐体の～ 원뿔의 밑면.

ていやく【締約】图ス自 체약; 조약·약속 등을 맺음. ¶～国 체약국/無事～の運びとなる 무사히 조약 체결 단계에 이르다.

ていよく【体よく】副 보기 좋게; 체면 깎이지 않게; 무리 없이. ＝体裁よく. ¶～追いはらう 좋은 말로 내쫓다/～断る 완곡히 거절하다/～受け流す 슬쩍 받아넘기다.

ていらく【低落】图ス自 저락; (특히, 평판·가치·물가 등이) 떨어짐. ¶人気が～した 인기가 떨어졌다/物価が～する 물가가 떨어지다.

ていらず【手入らず】图 **1** 수고나 힘이 들지 않음. ¶この子は全く～です 이 아이는 정말 속을 썩이지 않습니다. **2** 한 번도 쓰지 않음〔않은 것〕; 새 것. ＝手つかず. 参考 숫처녀를 가리키는 일도 있음. ¶彼女は～だ 그녀는 숫처녀다. **3** 한 번도 손보지 않음. ¶～にそっくりそのままにしてある 한 번도 손질 않고 그냥 그대로 놔두고 있다.

ていり【低利】图 저리. ¶銀行から資金を～で借りる 은행에서 자금을 저리로 빌리다/～の融資を受ける 저리 융자를 받다. ↔高利.

ていり【定理】图〘數〙 정리. ¶ピタゴラスの～ 피타고라스의 정리.

*__でいり__【出入り】图ス自 **1** 출입; 드나듦. ＝ではいり. ¶～口 출입구/人の～が多い家 사람의 출입이 많은 집. **2** 단골. ¶～の大工 단골 목수/御～禁止 단골 상인 안 받습니다. **3** 수지; 금전

의 출납. ¶金の～ 돈의 지출과 수입/なにかと～が多い時期 이것저것 돈의 출납이 많은 시기/～が合わない 수지가 맞지 않다. **4** 고르지 않음; 울툭불툭함. ¶～の激しい海岸線 굴곡이 심한 해안선. **5** 수량의 과부족; 증감(增減). ¶多少～はあろうが百人の予定 다소 증감은 있겠지만 백 명 예정. **6** 싸움; 시비. ＝けんか·もめごと. ¶女～ 여자에 관한 시비/なわばり争いで～があった 세력권 다툼으로 싸움이 있었다. 「집.

―さき【―先】图 (일꾼·장색의) 단골

―すじ【―筋】图 단골; 거래처.

―ば【―場】图 **1** (연극에서) 싸움하는 장면. **2** 단골집; 거래처.

ていりつ【低率】名ナ 저율. ¶～の利息 저율의 이식. ↔高率.

ていりつ［鼎立］图ス自 정립; 셋이 맞섬. ¶三候補者が～している 세 후보자가 정립하고 있다.

ていりゅう【停留】图ス自 정류; 정거.

―じょ【―所】图 정류장. ¶次の～で降ります 다음 정류장에서 내립니다.

ていりゅう【底流】图ス自 저류. ¶海の～ 바다의 저류/その会合の底には複雑ななにかが～していた 그 회합의 밑바닥에는 복잡한 무엇인가가 흐르고 있었다.

ていりょう【定量】图 정량; 일정량. ¶患者に～の牛乳を与える 환자에게 일정량의 우유를 주다.

―ぶんせき【―分析】图〔化〕정량 분석. ↔定性分析.

***ていれ**【手入れ】图ス他 **1** 고침; 손질함; 보살핌. ¶文章の～ 문장의 손질〔첨삭(添削)〕/～の届いたひげ 깨끗이 손질한 수염. **2** 범죄 수사와 범인 검거를 위하여 경찰관이 현장을 덮침; (경찰의) 단속. ¶昨夜その賭場に～があった 어젯밤 경찰이 그 도박장을 급습했다/暴力団の～をする 폭력단의 일제 단속을 하다.

ていれい【定例】图 정례. **1** 일정한 사례(事例). ¶重任しないのが～となっている 중임 않는 것이 정례가 되어 있다. **2** 상례(常例). ¶～閣議 정례 각의/～会見 정례 회견. ↔臨時.

ディレクター [director] 图 디렉터. **1** 지배인; 이사(理事). **2** 감독; 연출가. **3** 악단의 지휘자.

ていれつ【低劣】名ナ 저열; 용렬함. ＝俗悪. ¶～な趣味 저열한 취미. ↔高尚.

ていれん【低廉】名ナ 저렴. ¶～な賃金〔価格〕저렴한 임금〔가격〕.

ディンクス [DINKS] 图 딩크스(족); 아이가 없는 맞벌이 부부《여유를 가지고 생활을 즐기겠다는 자세가 특징임》. ▷double income no kid.

てうえ【手植え】图 (귀인이) 손수 심음. ¶天皇陛下お～の松 천황 폐하께서 손수 심으신 소나무.

てうす【手薄】名ナ **1** 일손이 적음; 허술함. ¶警備が～だ 경비가 허술하다/控えの選手が～だ 예비 선수가 부족하다. **2** 보유하는 상품·금품 따위가 적음. ¶所持金が～だ 소지금이 부족하다/在庫が～になる 재고가 바닥을 드러내다. **3** 불충분함. ¶この方面は研究が～だ 이 방면은 연구가 불충분하다.

てうち【手打ち】图 **1** 거래·화해가 성립된 표시로 관계자들이 박수하는 일; 홍정을 끝내고 손뼉을 침. ¶～式 (계약·화해 등의) 성립 축하식/取り引きが終わって～をする 거래가 끝난 표시로 박수를 하다. **2** (국수 따위를) 손으로 쳐서 만드는 일. ¶～(の)そば 손으로 쳐서 만든 메밀국수.

てうち【手討ち】图 무사가 부하나 서민을 손수 베어 죽인 일. ¶お～にする 손수 베어 죽이다/お～になる 베임을 당하다.

デー [day] 图 데이. **1** 어떤 행사를 치르는 날. ¶サービス～ 봉사일/はえ取り～ 파리 잡는 날. **2** 낮; 주간. ¶～ベッド 침대 겸용의 소파.

―ケア [day care] 图 데이 케어; 재활 훈련이나 노인 치료의 일환으로 행해지는 요법《낮에는 시설에서 치료를 받고, 밤에는 집으로 돌아감》.

―ゲーム [일 day＋game] 图 주간 경기《'ナイター(＝나이터; 야간 경기)'에 상대되는 말》.

テークオーバー [takeover] 图〔經〕테이크 오버; 기업을 매수하여 경영을 지배함; 경영권 취득. ＝乗っ取り.

テークオーバーゾーン [take-over zone] 图 테이크오버〔배턴〕존; 릴레이 경주에서, 배턴을 주고받는 구역《스타트 라인 전후 10m에 그어진 백선(白線) 사이를 이름》. 「なぎく.

デージー [daisy] 图〔植〕데이지. ☞ひ

テーゼ [도 These] 图 테제. **1** 정립(定立); 처음에 세워진 명제. ↔アンチテーゼ. **2** (정치 활동의) 강령(綱領).

データ [data] 图 데이터. **1** (정리한) 자료. ¶～に依れば 데이터에 의하면/～を集める 데이터를 모으다. **2** 추론(推論)의 기초가 되는 사실. ¶～不足の論文 데이터가 부족한 논문. **3**〔컴〕프로그램을 운용하기 위한 기호화·숫자화된 자료. ¶～バンク 데이터 뱅크.

―つうしん【―通信】图 데이터 통신; 데이터를 부호화해서 전기적으로 보냄. 參考 data communication의 역어.

―ベース [data base] 图〔컴〕데이터베이스.

デート [date] 图ス自 데이트. **1** 남녀가 서로 만남; 또, 그 약속. ¶～コース 데이트 코스/～の相手 데이트 상대/～を申し込む 데이트를 신청하다/昨日彼女と～した 어제 그녀와 데이

트하였다. **2** 날짜; 기일; 연대.

*テープ [tape] 图 테이프. **1** 환송·환영 때 뿌리거나 결승선에 치는 것. ¶別わかれの~ 이별의 테이프. **2** 녹음기·통신기 등에 쓰는 기록용의 것. ¶ビデオ~ 비디오 테이프/~に吹ふき込こむ 테이프에 취입〔녹음〕하다/~に取とる 테이프에 녹취〔녹음〕하다.

―を切きる 테이프를 끊다; (결승점에) 일착으로 골인하다.

―カット [일 tape+cut] 图ス自 (개통식 등에서) 가위로 테이프를 끊는 일. ¶市長しちょうが開通式かいつうしきで~をした 시장이 개통식에서 테이프를 끊었다.

―レコーダー [tape recorder] 图 테이프 리코더; 테이프식 녹음기.

*テーブル [table] 图 테이블. **1** 탁자; 식탁. ¶メーン~ 메인 테이블; 주빈석; 주빈 식탁/会議用かいぎよう~ 회의용 탁자. **2** 표(表); 목록. ¶タイム~ 시간표.

―クロース [tablecloth] 图 테이블클로스; 식탁보; 상보.

―スピーチ [일 table+speech] 图 테이블 스피치; 탁상 연설《연회 등에서 하는 짧은 연설》.

―チャージ [일 table+charge] 图 테이블 차지《레스토랑 등에서 음식값 외에 지불하는 요금》; 자릿값.

―マナー [table manner] 图 테이블 매너; 양식을 먹을 때의 예법.

テーマ [도 Thema] 图 테마; 제목; 논제; 주제. ¶~小説しょうせつ 테마 소설/小説しょうせつの~ 소설의 주제.

―ソング [일 Thema+song] 图 테마송; 주제가. ¶テレビドラマの~ 텔레비전 드라마의 주제가.

―パーク [일 Thema+park] 图 테마 파크; 테마 공원《어떤 테마 아래 구성된 오락 시설이나 경관을 갖춘 유원지》.

―ミュージック [일 Thema+music] 图 테마 뮤직〔음악〕; 영화·연극·방송 프로그램의 주제 음악.

デーモン [demon] 图 디먼. **1** 악마; 귀신. **2** 정령.

テーラー [tailor] 图 테일러; 재단사; (맞춤) 양복점.

テール [tail] 图 테일. **1** 꽁지; 꼬리. ¶オックスス~シチュー 옥스테일 스튜《요리용으로 쓰는 쇠꼬리》. **2** 자동차나 항공기 따위의 후미.

―ライト [taillight] 图 테일라이트; (자동차 따위의) 미등(尾燈). =テールランプ. ↔ヘッドライト.

ておい【手負い】图 (싸워) 상처를 입음; 또, 그 사람〔동물〕. ¶~の猛獣もうじゅう 상처 입은 맹수.

―じし〖―猪〗图 **1** 상처 입은 멧돼지. **2** 전하여, 상처 입고 궁지에 몰려 필사적인 반격을 가함의 비유.

*ておくれ【手遅れ·手後れ】图 (병의 치료나 사건의 조치 등에서) 때를 놓침; 때늦음. ¶~になる 회복할 가망이 없어지다; 때를 놓치다/今頃いまごろ気きがついても, もう~だ 이제 알았어도 이미 때는 늦었다.

でおく-れる【出遅れる】下1自 출발〔시동〕이 늦다. ¶選挙戦せんきょせんに~ 선거전에 뒤늦게 뛰어들다.

ておけ【手おけ】《手桶》图 (손잡이가 달린) 통; 들통.

ておし【手押し】图 손으로 밂〔누름〕. ¶~車ぐるま 손수레/~ポンプ 수동 펌프.

ておち【手落ち】图 실수; 부주의; 과실. =てぬかり·おちど. ¶~なくやる 실수 없이 하다/電話でんわをかけなかったのは私わたしの~です 전화를 걸지 않은 것은 저의 실수입니다.

ておも-い【手重い】形 **1** 취급이 정중하다. ¶~もてなし 정중한 대접. **2** 쉽지 않다; 중대하다. ¶~病やまい 중한 병. **3** (동작이) 굼뜨다. ¶~人ひと 굼뜬 사람. ⇔手軽てがるい.

ており【手織り】图 **1** 손으로 짬; 수직(手織); 또, 그 직물. ¶~の布ぬの 손으로 짠 천. **2** 자기 집에서 짬; 또, 그 직물.

でか 图 〈俗〉 순경; 형사. 参考 'かくそで'의 도치어(語)의 준말.

てがい【手飼い】图 손수 집에서 기름; 길들임; 길들인 짐승《새·가축 따위》. ¶~のあひる 집에서 치는 오리.

でか-い 形 〈俗〉 크다; 방대하다. =大おおきい·でっかい. ¶~口くちをきく 큰소리를 치다/~面つらをする 잘난 체하다/ばかに~帽子ぼうしだ 엄청나게 큰 모자다.

てかがみ【手鏡】图 손거울. ¶~に顔かおを映うつす 손거울에 얼굴을 비추다.

*てがかり【手掛かり·手懸かり】图 **1** 손 붙일 곳; 손으로 잡을 곳. ¶高たかい塀へいには~になるものがない 높은 담에는 손으로 붙잡을 만한 곳이 없다. **2** (수사·조사의 진행의) 단서; 실마리. ¶有力ゆうりょくな~をつかむ 유력한 단서를 잡다/~をたどって探索たんさくする 단서를 좇아 탐색하다.

てかぎ【手かぎ】《手鉤》图 (생선·쌀가마 따위를 찍어 올리는) 갈고랑이; 쇠갈고리. ¶~無用むよう 쇠갈고리 사용 금지《포장 표시》.

てがき【手書き】图ス他 수서; 글씨를 손으로 씀; 육필. ¶~の招待状しょうたいじょう 손으로 쓴 초대장. ↔印刷いんさつ.

でがけ【出掛け】图 **1** 외출하려고 할 때. =出でしな. ¶~にばったり会あった 막 나가려던 참에 딱 만났다. **2** 가는 도중. ¶~にたばこを買かっていく 길 가는 도중에 담배를 사 가지고 가다. 注意 'でかけ'라고도 함.

てが-ける【手掛ける·手懸ける】下1他 **1** 손수〔직접〕 다루다. ¶この数年すうねん~·けて来きた仕事しごと 요 몇해째 손수 다루어 온 일. **2** 보살피다; 돌보다. ¶長年ながねん~·けた部下ぶか 오랜 세월 보살펴 온 부하.

でか-ける【出掛ける】下1自 **1 외출하다; 나가다. ¶散歩さんぽ〔買かい物もの〕に~ 산

책하러〔장보러〕 나가다 / 海外かいがいへ~ 해외로 나가다. **2** 나가려고 하다. ¶~ところへ客きゃくが来きた 나가려고 하는 참에 손님이 왔다.

てかげん【手加減】□名 **1** 손어림; 손대중. ¶~では一いちキロぐらい 손대중으로는 1킬로 정도 / ~がうまい 손대중을 잘 맞춘다. **2** 요령; 비결. ¶味あじのつけ方かたに~が要いる 맛을 내는 데 요령이 필요하다 / 女学校じょがっこうは初はじめてなので~が分わからない 여학교는 처음이라서 어떻게 할 바를 모르겠다. □名ス自他 적의(適宜) 조처함; 적당히 처리함. =手てごころ. ¶子こども向むきに~する 어린이용으로 조절하다 / ~せずにしごく 사정 보지 않고 기합을 주다 / 試験しけんの採点さいてんに~を加くわえることはしない 시험 채점하는 데 봐주는 일은 없다.

てかず【手数】名 ☞てすう.

でか-す 〖出来す〗 5他 〈俗〉 **1** 잘하다; 잘 해 내다. ¶みごとに~ 훌륭히 해내다. **2** 저지르다. ¶とんだことを~·した 엉뚱한 짓을 저질렀다 / 大だい失敗しっぱいを~ 대실패를 저지르다. 参考 'できる'를 他動詞화한 말.

てかせ【手かせ】《手械·手枷》 名 **1** 쇠고랑; 수갑. **2** 자유로운 행동을 속박하는 것. ¶幼おさない子こどもが~足あしかせとなる 어린아이가 자유로운 행동을 하는 데 짐이 되다.

でかせぎ【出稼ぎ】名ス自 한때 타관에 가서 벌이를 함; 또, 그 사람. ¶~労働者ろうどうしゃ 타관에 벌이하러 나가는 노동자 / ~に行ゆく 타관에 벌이하러 가다.

てがた【手形】名 **1**〔經〕 어음. ¶為替かわせ~ 환어음 / ~を振ふり出だす 어음을 발행하다 / ~を落おとす (지급일에) 어음을 현금으로 바꾸다. **2** (손바닥에 먹을 묻혀 찍는) 수인(手印). ¶横綱よこづなの~ 横綱의 수인.

―うらがきにん【―裏書人】名〔經〕 어음 배서인.

―かしつけ【―貸付】名 어음 대출.

―ばらい【―払い】名〔經〕 어음 지급.

―ふりだしにん【―振出人】名〔經〕 어음 발행인.

―わりびき【―割引】名〔經〕 어음 할인.

でかた【出方】名 나오는 태도. =出でよう. ¶相手あいての~をみる 상대방이 어떻게 나오는지를 보다.

てがた-い【手堅い】形 견실하다. **1** 하는 일이 확실하고 위험이 없다. ¶営業えいぎょう振ぶりが~ 영업하는 품이 견실하다. **2** (거래에서) 시세가 떨어질 염려가 없다. ¶~相場そうばでかなりの取引とりひきがあった 시세가 견실하여 상당한 거래가 있었다.

デカダン [프 décadent] 名ナ 데카당. **1** 퇴폐적임. ¶~な生活せいかつ 퇴폐적(인) 생활 / ~に陥おちいる 퇴폐적인 경향에 빠져들다. **2** 퇴폐적 생활을 하는 사람; 퇴폐파(의 예술가).

デカダンス [프 décadence] 名 데카당스; 데카당의 영향.

てかてか 副ス自ダナ 반들반들; 번질번질. ¶脂あぶらぎって~とした顔かお 개기름이 흘러 번들번들한 얼굴 / 靴くつを~にみがく 구두를 반들반들하게 닦다.

でかでか 副 〈俗〉 큼직큼직; 커다랗게. ¶広告こうこくを~と出だす 광고를 커다랗게 내다 / 週刊紙しゅうかんしに~と載のる 주간지에 요란하게 실리다.

てかばん【手かばん】《手鞄》名 손가방.

てがみ【手紙】名 편지; 서한. =書簡しょかん·書状しょじょう. ¶~の返事へんじ 편지의 답장 / ~が届とどく 편지가 도착하다 / ~を出だす 편지를 내다. ⇨p.1742 박스記事

> **편지의 수신인명(名)**
>
> 편지의 수신인명으로는 일반적으로 '様さま(님; 귀하)'를 쓰며, 공용(公用)이나 사무용으로는 '殿との(귀하)'가 많이 쓰임. 단체나 조직인 경우에는 '御中おんちゅう(귀중(貴中))', 인원수가 많을 때는 '各位かくい(각위; 제위(諸位))'를 씀. 은사나 무엇을 가르치는 사람에게는 '先生せんせい(선생님)', 남성인 동료나 친구에게는 '君くん' '兄けい'를 씀.
> 또, 학문상의 선배나 동년배에게는 '学兄がっけい(학형)'를 많이 씀.

***てがら**【手柄】名 공훈; 공로; 공적. =いさお. ¶~をたてる 공을 세우다.

―がお【―顔】名 공을 자랑하는〔뽐내는〕 듯한 얼굴(표정). ¶~に報告ほうこくする (잘했다는 듯이) 자랑스러운 얼굴로 보고하다.

でがらし【出がらし】《出涸らし》名 커피·차 따위를 재탕·삼탕하여 맛·향기가 없어짐; 또, 그런 차. ¶~の茶ちゃ 재탕·삼탕하여 싱거운 차 / ~になる 여러 번 우려서 멀게지다 / ~ですが (차가) 싱겁습니다만 (드십시오).

てがる【手軽】ダナ 손쉬운 모양; 간이한 모양. ¶持もち歩あるきに~なかばん 갖고 다니기에 간편한 가방 / ~に仕上しあげる 가볍게〔손쉽게〕 해치우다〔끝내다〕.

てがる-い【手軽い】形 손쉽다; 간단하다. ¶~やり方かた 손쉬운 방법 / ~·く考かんがえる 손쉽게〔가볍게〕 생각하다. ↔手重ておもい.

てき【敵】名 적. **1** 전쟁·경쟁을 하거나 원한을 품은 상대. =かたき. ¶~の大将たいしょう 적장(敵將) / ~にまわす 적으로 돌리다 / ~に後うしろを見みせる 적에게 등을 보이다; 도망치다. **2** 해로운 것. ¶人類じんるいの~ 인류의 적 / 贅沢ぜいたくは~だ 사치는 적이다. ⇔味方みかた.

―に塩しおを送おくる (적의 약점을 틈타지 않고 오히려) 곤경에 빠진 적을 돕다. 参考 上杉謙信うえすぎけんしん이 소금이 없어 고생하는 숙적 武田信玄たけだしんげん에게 소금을 보내 도왔다는 고사에서 나온 말.

―は本能寺ほんのうじにあり 정작 노리는 것은 딴 데 있다는 말. ⇨敵本主義てきほんしゅぎ.

=てき【的】…적. **1** …에 대한; …에 관

한. ¶宗教～ 종교적 / 政治～発言 정치적 발언. **2** …같은; …의 성질을 띤. ¶病～ 병적 / 母親～な存在 어머니와 같은 존재.

てき〖的〗《的》教4 テキ まと | 적 과녁 | **1** 과녁. ¶標的 표적. **2** 잘 맞다. ¶的中 적중. **3** 확실하다. ¶的確 적확.

てき〖笛〗教3 テキ ふえ | 적 피리 | 피리. ¶汽笛 기적 / 警笛 경적 / 草笛 풀피리.

てき〖摘〗常用 テキ つむ | 적 따다 | **1** 집어 내다; 따다. ¶摘要 적요 / 芽を摘む 싹을 따다〔잘라 내다〕. **2** (남의 잘못을) 들추어내다. ¶摘発 적발.

てき〖滴〗常用 テキ しずく したたる | 적 물방울 | **1** 물방울이(되어) 떨어지다. ¶滴下 적하 / 血が滴る 피가 뚝뚝 떨어지다. **2** 물방울. ¶水滴 수적; 물방울.

てき〖適〗《適》教5 テキ かなう ゆく たまたま | 적 알맞다 | **1** 꼭 들어맞다. ¶適性 적성. **2** 알맞다. ¶適任 적임 / 不適 부적당.

てき〖敵〗教5 テキ かたき | 적 적 원수 | 적. **1** 상대가 되다. ¶敵手 적수 / 匹敵 필적. **2** 원수. ¶敵意 적의 / 敵を討つ 원수를 갚다. **3** 싸움 상대. ¶敵軍 적군. ↔味方.

***でき**【出来】名 **1** 만듦; 제품. **2** 거래(의 성립). ¶～高 거래액; 생산액〔고〕; 수확량. **3** 완성된 상태; 만듦새; 특히, (학교의) 성적; 농산물의 작황. ＝できばえ·できぐあい·みのり. ¶上～ 아주 잘됨 / 不～ 잘 안 됨 / 米の～ 벼의 작황 / ～の悪い子 성적이 나쁜 애. **4** 됨됨이; 태생. ＝なりたち·おいたち. ¶～がよくない 됨됨이가 좋지 못하다. **5** 《접두어적으로 써서》 일시적으로 생긴 일; 갑자기 출세함. ¶～心 우발적인 충동 / ～分限 벼락부자; 졸부(猝富).

でき【溺】デキ ニョウ おぼれる | 닉 빠지다 | 빠지다. **1** 물에 빠지다. ¶溺死 익사. **2** 사물에 너무 열중하다. ¶耽溺 탐닉 / 女に溺れる 여자에 빠지다.

できあい【出来合い】名 **1** 이미 되어 있는 것; 기성(품). ＝レディーメード. ¶～の洋服 기성복. ↔あつらえ. **2** 밀통; 야합. ¶～の夫婦 야합한 부부.

できあい〔溺愛〕名ス他 익애; 무턱대고 사랑함. ＝ねこかわいがり. ¶末っ子を～する 막내둥이를 맹목적으로 사랑하다.

できあがり【出来上がり】名 **1** 완성함; 다 됨. ¶～まで十日はかかる 완성되기까지 열흘은 걸린다. **2** 됨됨이; 만듦새. ＝できばえ. ¶満足のいく～ 만족스러운 됨됨이.

できあが·る【出来上がる】5自 **1** 물건이 완성되다; 이루어지다. ¶その家はまもなく～ 그 집은 근간 완성된다. **2** 태생〔천성〕이 …하다; …하게 태어나다. ¶あの人はむだ遣いは出来ないように～·っている 저 사람은 천성이 낭비를 못할 사람이다. **3**〈俗〉(거나하게) 취하다. ¶あの人はもう～·っている 저 사람은 벌써 어지간히 취해 있다 / ビール三本で～·った 맥주 세 병으로 거나하게 취했다.

てきい【敵意】名 적의. ¶～を抱く 적의를 품다 / ～をむき出しにする 적의를 노골적으로 드러내다.

***てきおう**【適応】名ス自 적응. ¶環境に～する 환경에 적응하다 / 事態に～した処置 사태에 적응한 조치.

——せい【——性】名 적응성. ¶利己的で周囲に対する～を欠く 이기적이어서 주위에 대한 적응성이 없다.

てきおん【適温】名 적온; 알맞은 온도. ¶～に暖める 알맞게 데우다.

てきがいしん〔敵愾心〕名 적개심. ＝敵対心. ¶～に燃える 적개심에 불타다 / ～を燃やす〔あおる〕 적개심을 불태우다〔부추기다〕.

てきかく【的確】ダナ 적확; 딱〔꼭〕 들어맞음. ＝てっかく. ¶～な照準〔表現〕 적확한 조준〔표현〕/ 情勢を～につかむ 정세를 적확하게 파악하다.

てきかく【適格】名ナ 적격. ¶～審査 적격 심사 / ～者 적격자 / 彼は教育者として～だ 그는 교육자로서 적격이다. 注意 'てっかく'라고도 함. ↔欠格.

てきがた【敵方】名 적의 편. ¶～の様子をさぐる 적측의 동태를 살피다 / ～に寝返る 적편으로 돌아서다《배반하다》. ↔味方.

てきかん【敵艦】名 적함. ＝てっかん. ¶～を撃沈する 적함을 격침하다.

てきき【手利き】名 수완이〔솜씨가〕 좋음; 또, 그 사람. ＝うできき. ¶名うての～ 쟁쟁한 수완가 / ～の職人がつくり上げた品物 솜씨 좋은 장색이 만들어 낸 물건.

てきぎ【適宜】副ダナ 적의; 적당. ¶～な処置を講ずる 적당한 조치를 강구하다 / 仕事を終えたら～解散してよい 일을 끝내면 (각자) 알아서 해산해도 좋다.

できぐあい【出来具合】《出来工合》名 완성된 모양; 됨됨이; 만듦새; 성과. ¶～を見る 만듦새를 보다 / ～は上上 성과는 더할 나위 없다.

てきぐん【敵軍】名 적군. ¶～に囲まれた 적군에 포위당했다 / ～を潰滅する 적군을 궤멸하다.

てきごう【適合】名ス自 적합. ¶女性に～した競技 여성에게 적합한 경기 / 条件に～する 조건에 적합하다.

てきこく【敵国】名 적국. ＝てっこく.

できごころ【出来心】图 어쩌다 잘못 가진 생각; 우발심. ¶ほんの～ 단순한 우발적인 충동/～で盗みをする 우발적인 충동으로 도둑질을 하다.

***できごと**【出来事】图 (우발적인) 사건; 일. ＝事件. ¶瞬間の～ 순간적으로 일어난 일/日日の～を報道する 그날그날의 사건을 보도하다. 参考 일상의 일까지도 포함하며 '事件(＝사건)'보다 가리키는 범위가 넓음; 또, 흔히 못된 짓을 한 변명 따위에 씀.

てきざい【適材】图 적재; 적합한 사람. ¶課長としては～である 과장으로선 제격이다.

―てきしょ【―適所】图 적재적소. ¶～に配置する 적재적소에 배치하다.

テキサスヒット[일 Texas＋hit] 图〖野〗 텍사스 히트. ☞テキサスリーガー.

テキサスリーガー [Texas leaguer] 图〖野〗 텍사스리거(《내야수와 외야수의 중간에 공이 떨어져 안타가 되는 비구(飛球)》). ＝テキサスヒット·ポテンヒット.

てきし【敵視】图ス他 적(대)시. ¶反対者を～する 반대자를 적대시하다/周囲から～される 주위로부터 적대시당하다.

てきじ【適時】图 적시; 적당한 때. ＝しおどき. ¶～に辞去する 적당한 때에 작별하고 떠나다/～に安打をうつ 적시에 안타를 치다. 「リーヒット.

―だ【―打】图〖野〗 적시타. ＝タイム

できし[溺死] 图ス自 익사. ＝おぼれじに·水死. ¶～直前に救われる 익사 직전에 구조되다/波にのまれて～した 파도에 휩쓸려 익사했다.

できしだい【出来次第】副 **1** 되자 곧; 되자마자. ¶～持って来い 되는 대로 곧 가져오너라/～お届けいたします (완성)되는 대로 보내 드리겠습니다. **2** 됨됨이에 따름.

てきしつ【敵失】图 적실; 상대 팀의 실책〔에러〕. ¶～で出塁〔得点〕する 적실로 출루〔득점〕하다. 「생존.

てきしゃせいぞん【適者生存】图 적자

てきしゅ【敵手】图 적수. **1** 적의 손. ¶城が～に落ちる 성이 적의 손에 떨어지다/～に倒れる 적의 손에 죽다. **2** 경쟁 상대. ¶好～ 호적수.

てきしゅつ【摘出】图ス他 적출. **1** (나쁜 것을) 끄집어 냄. ¶弾丸の～手術 탄환의 적출 수술/腫瘍を～する 종양을 적출하다. **2** 골라 냄; 뽑아 냄. ¶要点を～する 요점을 뽑아 내다. **3** 들추어〔밝혀〕 냄; 폭로함; 적발. ¶誤謬を～する 오류를 밝혀 내다/不正を～する 부정을 들추어 내다.

てきしょ【適所】图 적소. ¶適材～ 적재적소/～に配する 적소에 배치하다.

てきじょう【敵情·敵状】图 적정; 적의 동정. ¶～を探る 적정을 살피다.

てきしょく【適職】图 적직; 적합한 직업. ¶文筆業は彼に～だ 문필업은 그에게 꼭 맞는 직업이다.

てきじん【敵陣】图 적진. ¶～に突入する 적진에 돌입하다.

てき-す【敵す】5自 ☞てき(敵)する.

てき-す【適す】5自 ☞てき(適)する.

てきず【手傷】(《手創·手疵》) 图 싸움에서 입은 상처. ¶～を負う 싸움에서 상처를 입다.

できすぎ【出来過ぎ】ダナ **1** 작물이 필요 이상으로 남. **2** 실력 이상으로 잘함. ¶満点とは～だ 만점이라니 정말 잘했구나/子供にしては～だ 어린애치곤 정말 잘했다.

テキスト [text] 图 텍스트. **1** 교과서; 교본; 교재. **2** 원문; 원전(原典).

―ファイル [text file] 图〖컴〗 텍스트 파일; 컴퓨터의 문자 데이터만을 기록한 데이터 파일. 「서.

―ブック [textbook] 图 텍스트북; 교과

てき-する【敵する】サ変自 **1** 적대하다; 대항하다. ¶わが国に～行為 우리나라에 적대하는 행위/衆寡～せず 중과부적. **2** 필적하다; 어깨를 겨루다; 대적하다. ¶われわれに～チームはない 우리에게 대적할 팀은 없다.

***てき-する**【適する】サ変自 알맞다; 적당하다; 합당하다. ¶能力に～職業 능력에 알맞은 직업/子どもに～した本 어린이에게 적합한 책.

てきせい【敵性】图 적성. ¶～国家 적성 국가/～文学 적성 문학(《패전(敗戰)주의 문학 따위》).

てきせい【適性】图 적성. ¶～検査 적성 검사/～に欠ける 적성이 없다/医者としての～をそなえる 의사로서의 적성을 갖추다.

てきせい【適正】图ダナ 적정. ¶～価格 적정 가격/～な手段を講ずる 적정한 수단을 강구하다/評価が～を欠く 평가가 적정하지 못하다.

***てきせつ**【適切】图ダナ 적절. ¶～な処置 적절한 처치〔조치〕/～でない 적절하지 못하다/～に表現する 적절히 표현하다. 「적전 상륙.

てきぜん【敵前】图 적전. ¶～上陸

できそこない【出来損ない】图 **1** 만듦새가 불완전함; 또, 그런 것. ＝不出来. ¶～の御飯 설익은 밥. **2** 불출(不出); (팔푼) 병신. ¶～の子 병신〔못난〕 자식/この～め, 出ていけ 이 병신아 나가 버려.

てきたい【敵対】图ス自 적대. ¶～行為 적대 행위/～意識 적대 의식.

―てきティーオービー【―的TOB】图〖經〗 적대적 공개 매수(《경영자나 관련 회사 등과의 사전 동의 없이, 그들에 대항하여 행하는 주식 공개 매수》). 参考 TOB는 take-over bid의 약어.

できだか【出来高】图 **1** 생산량; 제품 생산량. ¶～払い 성과급. **2** 농작물의 총 수확량. ¶本年度米作の～ 금년도 미곡 총 수확량.

できたて【出来立て】图 (물건·음식이) 갓 나온〔된〕 상태. ¶～のほやほやなもち 갓 만든 말랑말랑한〔따끈따끈한〕 떡.

てきだん【敵弾】图 적탄. ¶～が胸を貫く 적탄이 가슴을 꿰뚫다.

てきち【敵地】图 적지; 적의 점령 지역. ¶～に乗り込む 적지에 뛰어들다 / ～に潜入する 적지에 잠입하다.

てきち【適地】图 적지; 적합한 토지. ¶～栽培 적지 재배 / 工場建設の～ 공장 건설의 적지.

てきちゅう【的中】图スル自 적중. **1** 명중. ¶矢は的の真ん中に～した 화살은 과녁 한복판에 맞았다. **2** ☞てきちゅう(適中).

てきちゅう【適中】图スル自 적중; 바르게 들어맞음. ¶僕の予想が～した 나의 예상이 적중하였다.

てきど【適度】ダナ 적당한 정도. ¶～の湿りけ 알맞은 습기 / ～に飲めば酒も薬 적당히 마시면 술도 약.

***てきとう**【適当】一图ダナ **1** 적당; 알맞은 모양. ¶病人に～な食物 병자에게 적당한 음식 / ～な大きさに刻む 적당한 크기로 잘게 썰다. **2**《'～に'의 꼴로》(요령을 부려) 적당히; 요령 있게. ¶～にあしらう 적당히 다루다 / ～にはぐらかす 적당히 따돌리다〔얼버무리다〕. 二图スル自 꼭 들어맞음; 적절함. ¶～する答えをさがす 적절한 답을 찾다.

できない〖出来ない〗 連語 할 수 없다; 불가능하다; 안 되다. ¶足ることを知るということが, 自分には～ 족함을 아는 일이 자신으로서는 안 돼.

—相談 애당초 무리한 일; 성사되지 않을 의논. ¶急に百万円出せなんて～だ 갑자기 100만 엔을 내놓으라니 무리한 이야기다.

てきにん【適任】名ナ 적임. ＝適役·はまり役. ¶英語教師に～である 영어 교사로 적임이다 / 代表には彼が～だ 대표로는 그가 적임이다.

できね【出来値】图 (거래에서) 매매가 성립된 가격.

できばえ【出来栄え·出来映え】图 만들어 낸 솜씨; 만듦새; 됨됨이; 성과(가 훌륭함). ¶この絵は～がよくない 이 그림은 솜씨가 좋지 않다 / 今日の舞台は～がよかった 오늘 무대는 성과〔연기 솜씨〕가 좋았다.

てきぱき 副 일을 척척 잘 해내는 모양: 척척; 시원시원. ¶仕事を～とかたづける 일을 척척 해치우다 / ～(と)答える 시원시원하게 대답하다.

てきはつ【摘発】图スル他 적발. ¶汚職を～する 독직(瀆職)을 적발하다 / 会社が脱税で～される 회사가 탈세로 적발되다.

てきひ【適否】图 적부; 적당함과 부적당함. ＝適不適. ¶～審査 적부 심사 / 事の～を検討する 일의 적부를 검토하다.

てきびし-い【手厳しい】形 매우 엄하다〔호되다〕. ¶～批評 준엄한 비평 / ～·くはねつける 사정없이 딱 (잘라) 거절하다 / 借金を～·く催促する 빚을 성화같이 독촉하다.

てきふてき【適不適】图 적부적; 적당함과 부적당함. ¶～を見て決める 적당한지 아닌지를 보고 정하다.

できふでき【出来不出来】图 **1** 만듦새의 좋고 나쁨; 잘된 것과 못된 것. ¶天候が農作物の～を左右する 날씨가 농작물의 풍작 여부를 좌우한다. **2** 만듦새가 고르지 못함. ¶かれの作品には～がある 그의 작품은 만듦새가 일매지지 못하다.

てきほう【適法】图 적법. ¶～行為 적법 행위 / ～性 적법성. ↔違法.

できぼし【出来星】图〈俗〉벼락출세하거나 벼락부자가 됨; 또, 그 사람. ＝成り上がり. ¶～の役人 벼락출세한 관리 / ～のタレント 갑자기 뜬〔유명해진〕 탤런트.

てきほんしゅぎ【敵本主義】图 목적이 다른 데 있는 것처럼 가장하다가 갑자기 본래의 목적을 향해 행동하는 방법. 参考 明智光秀が中国 지방의 毛利 세력을 치러 간다고 하고는, 도중에 진로를 바꾸어 'わが敵は本能寺にあり(＝우리의 적은 本能寺에 있다)'라고 말하고 京都 本能寺에 묵고 있는 주군(主君) 織田信長를 친 데서 유래한 말.

てきめん〖覿面〗ダナ 즉효가 있음. ¶この薬は～にきく 이 약은 즉효가 있다 / 効果～だ 효과가 직방이다.

できもの〖出来物〗图 종기. ＝おでき. ¶足に～ができた 발에 종기가 났다.

てきや【てき屋】《的屋》图 ☞やし(香具師). 参考 잘만 되면 한밑천 잡는 사람이라는 뜻.

てきやく【適役】图 적역; 적격; 꼭 알맞은 역할; 역할에 알맞은 사람. ＝適任. ¶彼の老人役は～だ 그의 노인역은 아주 적격이다.

てきやく【適訳】图 적역; 적절한 번역〔역어〕. ¶この語の～は見当たらない 이 말의 적절한 역어는 찾기 힘들다《잘 생각이 안 난다》.

てきよう【摘要】图 적요. ¶～欄 적요란.

てきよう【適用】图スル他 적용. ¶規則の～範囲 규칙의 적용 범위 / 法律の～をあやまる 법률을 잘못 적용하다.

てぎよう【手器用】ダナ 손재주가 있음; 솜씨가 훌륭함; 또, 그런 모양. ¶～に作り上げる 솜씨 있게 만들어 내다.

てきりょう【適量】图 적량; 적당량; 적정량. ¶薬の～を越すと害がある 약의 적정량을 넘기면 해롭다 / ビール一本が～だ 맥주 한 병이 적량이다.

***で-きる**【出来る】上1自 **1** (일·무엇이) 생기다. ¶用事が～ 볼일이 생기다 / にきびが～ 여드름이 생기다 / 新しい

橋が～ 새로운 다리가 생기다 / 初めて子が～·きた 첫아이가 생겼다. **2** 남녀가 은밀히 맺어지다. ¶～·きた仲 (남녀의) 배가 맞은 사이. **3** ㉠되다; 이루어지다. ¶サラリーマンになるように～·きた人間 월급쟁이가 되게 되어 있는 인간 / 木で～·きている机 나무로 되어 있는 책상 / 宿題が～·きた 숙제가 다 됐다. ㉡(인품이) 되다; (인격이) 뛰어나다; 잘나다. ¶～·きた人 (인품이) 된 사람. **4**(농작물이) 나다. ¶うちの畑で～·きたスイカ 우리집 밭에서 난 수박. **5** 능력이 있다; 우수하다. ¶数学が～ 수학에 능하다 / 彼はよく～ 그는 성적이 좋다.

⁂で-きる〖出来る〗[上1自] 할 수 있다; 할 줄 알다; 가능하다. ¶英語〔運転〕が～ 영어를〔운전을〕 할 줄 알다 / だれでも利用～ 누구든지 이용할 수 있다 / ～事は何でも致します 할 수 있는 일은 무엇이나 하겠습니다 / やれば～ 하면 된다. ⇨できない·できれば.

―だけ 가능한 한; 되도록. ¶～早く帰れ 되도록 빨리 돌아오너라〔돌아가거라〕 / ～の手は打った 가능한 한의 손은 썼다.

てぎれ【手切れ】[名] **1** 절연(絶緣); 인연을 끊음. ¶～話 관계를 끊고 갈라서자는 말 / あの事以来、やくざたちとは～になった 그 일 이후 깡패들과는 인연을 끊었다. **2** ☞てぎれきん.

―きん【―金】[名] 절연을 위해 상대에게 주는 돈; 위자료. ＝手切れ. ¶～目当ての女 위자료가 목적인 여자.

てきれい【適例】[名] 적례; 적절한 예. ¶今ちょっと～が思い出せない 지금 갑자기 적절한 예가 생각나지 않는다.

てきれい【適齢】[名] 적령. ¶徴兵～ 징병 적령 / ～に達する 적령에 달하다; 적령이 되다. [参考] 특히, 결혼에 관해서 씀.

―き【―期】[名] (특히, 결혼) 적령기. ¶彼女は～を過ぎている 그녀는 (결혼) 적령기를 넘기고 있다.

できれば【出来れば】[連語] 가능하면; 될 수 있으면. ¶～借金はしたくない 가능하면 빚은 지고 싶지 않다 / ～今日中に仕上げてほしい 가능하면 오늘 안으로 마무리해 주었으면 하네.

てぎわ【手際】[名] (사물을) 처리하는 수법; 솜씨. ¶あざやかな～ 멋진 솜씨 / ～よく事件を解決する 솜씨 좋게 사건을 해결하다.

てきん【手金】[名] 계약금. ＝手付け金. ¶～を渡す 계약금을 건네다.

テク [名] 테크. **1** 'テクノロジー'의 준말. ¶ハイ～ 하이테크 / 財～ 재테크. **2**〈俗〉 'テクニック'의 준말.

でく〖木偶〗[名] **1** 목우; (나무) 인형; 망석중이. ＝でくのぼう. **2** 멍청이; 등신.

テクシー [名]〈俗〉 탈것을 타지 않고 터벅터벅 걸음. [参考] 'てくてく(＝터벅터벅)'의 'テク'와 'タクシー'의 합성어.

テクスト [名] ☞テキスト.

てぐすねひーく〖手薬煉引く〗[5自] 만반의 준비를 하고 대기하다. ¶～·いて待つ 만반의 준비를 하고 기다리다. [参考] 'くすね'는 활시위에 바르는 보강약.

てくせ【手癖】[名] 손버릇; 특히, 도벽.

―が悪い 손버릇이 나쁘다. **1** 도벽(盜癖)이 있다. **2** 여자에게 지분거리는 버릇이 있다. ¶堅物に見えるが～ 착실해 보이지만 바람기가 있다.

でぐせ【出癖】[名] 나다니는 버릇; 외출벽. ¶～がつく 나돌아다니는 버릇이 생기다. [注意] 'でくせ'라고도 함.

てくだ【手管】[名] 살살 구슬려 내는 솜씨〔수법〕; 농간(부림). ¶手練～ 온갖 수단 / ～を弄する 농간을 부리다 / 巧妙な～でまるめ込む 교묘한 수법으로 구워삶다.

てぐち【手口】[名] (범죄 등의) 수법〔유형〕. ¶巧妙な～ 교묘한 수법 / 同じ～ 같은 수법 / 犯罪の～が似ている 범죄 수법이 비슷하다.

⁂でぐち【出口】[名] 출구. ¶非常～ 비상(출)구 / ～をさがす〔ふさぐ〕 출구를 찾다〔막다〕 / ～がわからない 출구를 모르겠다. ↔入り口. [参考] 넓은 뜻으로는, 수도·가스가 새는 구멍도 이름.

―ちょうさ【―調査】[名] (투표 때의) 출구 조사.

てくてく [副] 걷는 모양: 터벅터벅. ¶～と歩いて行く 터벅터벅 걸어가다.

テクニカル [technical] [ダナ] 테크니컬. **1** 기술적〔상〕. **2** 학술상의.

―ターム [technical term] [名] 테크니컬 텀; (학)술어; 전문어.

―ノックアウト [technical knockout] [名] 권투에서, 테크니컬 녹아웃《TKO》.

テクニシャン [technician] [名] 테크니션. **1** 전문가; 기술자. **2** 기교가; 기교파. ¶～で鳴らしたボクサー 기교파로 날렸던 권투 선수.

テクニック [technique] [名] 테크닉; 기교; 기술. ¶～を用いる 테크닉을 쓰다 / ～を弄する 기교를 부리다.

テクノ [techno] [名] 테크노; '과학 기술의' '기술의'의 뜻. ¶～フォビア 테크노포비아; 과학 기술 공포증 / ～マート 테크노마트; (첨단) 기술 거래 시장.

テクノクラート [technocrat] [名] 테크노크라트; (정치가에 대해) 기술 관료. ¶～の世代 기술 관료 세대.

テクノストレス [techno-stress] [名] 테크노스트레스; 직장에 고도의 정보 기기가 보급됨으로써 일어나는 여러 가지 스트레스.

でくのぼう【でくの坊】《木偶の坊》[名] **1** ☞でく. ¶～のように突っ立っている 목조 인형처럼 꼼짝 않고 서 있다. **2** 멍청이; 멍텅구리; 등신; 망석중이. ¶この～め 이 등신아!

テクノポリス [technopolis] [名] 테크노폴

리스. **1** 고도 기술 집적(集積) 도시. **2** 고도 기술 사회.

テクノマート [일 techno+mart] 名 테크노마트; (최신 기술 정보의 매매를 중개하는) 기술 거래 시장.

テクノロジー [technology] 名 테크놀로지; 기술; 과학 기술; 공업 기술.

—トランスファー [technology transfer] 名 테크놀로지 트랜스퍼; 기술 이전 《특히 선진국에서 발전도상국에 대한 기술 원조에 씀》.

てくばり【手配り】名ス自 (만단의) 준비; 수배; 배치. =てはい. ¶万全の～ 만단의 준비/救助の～をする 구조할 채비를 하다/必要な人員を～する 필요한 인원을 배치하다.

てくび【手首】《手頸》名 손목. =うでくび. ¶～が強い 손목 힘이 세다/～をくじく 손목을 삐다. ↔足首.

てくらがり【手暗がり】名 손 그늘이 져서 어두움. ¶～で手元の字が見えない 손 그늘이 져서 손 밑의 글자가 안 보인다.

てく-る 5自 〈俗〉 터벅터벅 걷다. ¶僕は駅まで～よ 나는 정거장까지 걸어가겠어. 参考 'てく'의 動詞化.

てぐるま【手車】名 **1** (기마전 등에서의) 손가마. ¶子供を～に乗せる 아이를 손가마에 태우다. **2** 손수레. ¶～で荷物をはこぶ 손수레로 짐을 나르다. **3** (흙 따위를 운반하는) 일륜차.

でくわ-す【出くわす】《出会す》5自 (우연히) 만나다; 맞닥뜨리다. =でっくわす. ¶事故に～ 사고를 당하다/友人に～ 친구를 우연히 만나다.

でげいこ【出げいこ】《出稽古》名ス自 **1** 출장 지도[레슨]. =出教授. ↔内げいこ. **2** (씨름에서) 다른 도장에 나가 지도를 받음.

てこ〖梃子·梃〗名 **1** 지렛대; 지레. ¶～で持ち上げる 지레로 들어 올리다. **2** 〔理〕 지레; 공간(槓杆). =レバー.

—でも動かない 끄떡도 않다; 요지부동이다. ¶一度言いだしたら～ 한 번 주장하기 시작하면 아무리 설득해도 요지부동이다.

てこいれ【てこ入れ】《梃入れ》名ス自 **1** (거래에서) 증권 시장의 시세 변동(특히, 하락)을 인위적으로 조작함. ¶大量に買い入れて～をする 대량으로 사들여 시세의 변동을 막다. **2** 약한 입장이나 괴로운 입장에 처한 것에 도움을 줌. ¶中小企業への～ 중소기업에 대한 특별 지원/景気の～策 경기 부양책.

てごころ【手心】名 (손)어림; (손)대중; 편의를 봐줌; 상황이나 상대에 따라서 적당히 다룸. =手加減. ¶～がわからない 대중을 못 잡겠다.

—を加える 정황이나 상대에 따라서 적절히 조처하다; …을 고려에 넣다. ¶わいろをもらって税金に～ 뇌물을 받고 세금을 적당히 봐주다.

でございます 連語 …이옵니다. ¶これは辞典～ 이것은 사전이옵니다. ⇨です **1**. 参考 'です' 보다 더 공손한 말.

てこず-る〖手古摺る·梃子摺る〗5自 어찌할 바를 모르다; 애먹다; 주체 못하다. =もてあます. ¶あの事件には～·った 그 사건에는 애먹었다/お前はずいぶん～·らせるね 너는 꽤나 애를 먹이는구나.

てごたえ【手ごたえ】《手応え·手答え》名 (때리거나 찌르거나 했을 때) 손에 받는 느낌; 또, 일반적으로 작용에 대한 반응. ¶～のある仕事 보람이 있는 일/打った瞬間にホムランの～があった 친 순간에 홈런의 손맛을 느낄 수 있었다/何度叱っても～がない 몇 번 꾸짖어도 마이동풍이다.

***でこぼこ**【凸凹】名ナ ス自 **1** 요철; 울퉁불퉁. =おうとつ. ¶道が～している 길이 울퉁불퉁하다. **2** 많거나 적어 고르지 못함; 불균형. ¶昇給の～をならす 승급의 불균형을 고르게 하다.

てごま【手ごま】《手駒》名 **1** 일본 장기에서, 잡아서 자기 말로 쓸 수 있는 말. =もちごま. **2** 수하(手下); 부하. ¶～が豊富だ 부하가[일손이] 많다/～をうまく使う 수하 사람을 잘 부리다.

てごめ【手込め】《手籠め》名 **1** 폭행. ¶不良に～にされて金を奪われた 불량자에게 폭행당하고 돈을 빼앗겼다. **2** 강간; 겁탈. ¶女を～にする 여자를 욕보이다.

デコレーション [decoration] 名 데코레이션; 장식(물); 꾸밈. =飾り. ¶～ケーキ 데코레이션 케이크.

てごろ【手ごろ】《手頃》名ナ 알맞음; 적당함. **1** (크기나 두께가) 손에 알맞음. ¶～の棒を杖にする 적당한 막대기를 지팡이로 삼다. **2** 자기 능력이나 조건에 알맞음. ¶～な値段 적당한 값/～な相手 걸맞은 상대.

てごわ-い【手ごわい】《手強い》形 (상대하기에) 힘겹다; 벅차다; 만만찮다. ¶～闘争 힘겨운 투쟁/こんどの相手は～ぞ 이번 상대는 만만찮다.

テコンドー [한 태권도] 名 태권도.

デザート [dessert] 名 디저트; 식후의 다과. ¶～コース 디저트 코스.

てざいく【手細工】名 수세공; 손으로 하는 세공. ¶～のたばこ入れ 수세공한 담배합.

デザイナー [designer] 名 디자이너; 도안가; 의장가(意匠家).

—ジーンズ [designer jeans] 名 디자이너 진스; 디자이너의 이름을 붙인 진.

—ブランド [designer brand] 名 디자이너 브랜드; 디자이너의 이름을 붙인 상표.

デザイン [design] 名ス自他 디자인; 설계; 도안; 의장(意匠). ¶自分で～した服 자기가 디자인한 옷/大胆な～ 대담한 디자인.

でさか-る【出盛る】 5自 **1** (제철의 농산물 따위가) 한창 쏟아져 나오다. ¶今いまはりんごの～時ときだ 지금은 사과가 한창 나올 때다. **2** 사람이 많이 나오다. ¶祭まつりで人ひとが～ 축제로 사람이 북적댄다.

てさき【手先】 名 **1** 손끝. ¶～がふるえる 손끝이 떨리다 / ～が不器用ぶきようだ 손재주가 없다; 손끝이 무디다. **2** 아주 가까운 곳; 바로 눈앞. ¶～が見みえない 바로 눈앞이 안 보이다. **3** 앞잡이; 부하. ＝てした. ¶～となって働はたらく 앞잡이가 되어 일하다.

でさき【出先】 名 **1** 가(있)는 곳; 출장지. ¶～を告つげずに行いく 행선지를 알리지 않고 가다 / ～に連絡れんらくする 가 있는 곳에 연락하다. **2** '出先機関きかん'의 준말.

—きかん【—機関】 名 **1** 외국에 파견된 정부 기관. **2** 중앙 관청·회사 따위가 지방이나 외국에 설치한 지부·출장소 등.

てさぐり【手探り】 名 ス他 **1** 손으로 더듬음; 더듬질. ¶～で捜さがす 손으로 더듬어서 찾다 / ポケットのなかを～する 포켓 속을 손으로 더듬다. **2** 감(感)으로 찾음〔함〕. ¶新事業しんじぎょうはまだ～の段階だんかいだ 새 사업은 아직 모색 단계다.

てさげ【手下げ·手提げ】 名 손에 들고 다니게 만든 물건. ¶～かばん 손가방 / ～袋ぶくろ 휴대용 자루〔주머니〕.

—きんこ【—金庫】 名 휴대용〔손〕 금고.

てさばき【手さばき】《手捌き》 名 손끝으로 다룸; 또, 그 모양〔솜씨〕. ¶たづなの～ (말)고삐를 잡는 솜씨 / あざやかな～で紙幣しへいを数かぞえる 익숙한 솜씨로 지폐를 세다.

てざわり【手触り】 名 손에 닿는 감촉. ＝手当てあたり. ¶ごつごつした～ 거칠거칠한 감촉 / ～のいい布地ぬのじ 촉감이 좋은 천.

***でし**【弟子】 名 제자; 문하생. ＝門弟もんてい·門人もんじん. ¶～を取とる 제자로서 받아들이다. ↔師匠ししょう.

—いり【—入り】 名 ス自 제자가 됨; 입문(함). ¶名人めいじんに～する 명인의 제자가 되다.

てしお【手塩】 名 옛날, 각자 마음대로 쓰도록 식탁에 놓았던 소금.

—に掛かける 몸소 돌보아 기르다. ¶手塩にかけて育そだてた弟子でし 손수 돌보아 기른 제자.

デジカメ 名 'デジタルカメラ(＝디지털 카메라)'의 준말.

てしごと【手仕事】 名 **1** (시계 수리·바느질·수예 등) 손끝으로 하는 일. ＝手細工てざいく. ¶生うまれつき～に器用きようだ 날 때부터 손재주가 있다. **2** (삯바느질 따위) 여성의 내직(內職).

てした【手下】 名 부하. ＝配下はいか. ¶～になる 부하가 되다 / ～を使つかう 부하를 부리다.

デジタル [digital] 名 디지털; 계수적; 숫자적; 또, 문자 표시적. ＝ディジタル. ¶～式しき 디지털식 / ～信号しんごう 디지털 신호 / ～時計どけい 디지털 시계. ↔アナログ.

—カメラ [digital camera] 名 디지털 카메라. ＝デジカメ.

—ほうそう【—放送】 名 디지털 방송.

てじな【手品】 名 **1** 요술. ＝てづま. ¶～師し 요술쟁이 / ～を使つかう 요술을 부리다. **2** 홀림수; 속임수. ¶かれの～には気きをつけろ 그의 속임수에는 조심해라.

てじめ【手締め】 名 거래·상담의 성립을 축하하며 치는 박수. ＝手打てうち.

てじゃく【手酌】 名 자작. ＝独酌どくしゃく. ¶～で飲のむ 자작으로 술을 마시다 / お互たがいに～でやろう 서로가 자작으로 마시도록 하자.

でしゃば-る〖出しゃばる〗 5自 〈俗〉 주제넘게 참견하다〔나서다〕; 중뿔나게 나서다. ＝さし出でる. ¶～な 주제넘게 나서지 마라 / 女おんなの～場所ばしょじゃない 여자가 (주제넘게) 나설 자리가 아니다.

***てじゅん**【手順】 名 수순; 순서; 절차. ＝段取だんどり. ¶～が狂くるう 순서가 잘못되다〔틀리다, 뒤바뀌다〕 / ～を踏ふむ 순서〔절차〕를 밟다.

てじょう【手錠】 名 수갑; 쇠고랑. ¶～を掛かける〔はめる〕 수갑을 채우다 / ～を外はずす 수갑을 풀다.

でしょう 助動 **1** 'だろう(＝일 것이다)'의 공손한 말씨: …겠지요; …ㄹ테지요. ¶今日きょうは来くる～ 오늘은 오겠지요 / この動物どうぶつの名なはなん～か 이 동물의 이름은 무엇일까요. **2** 상대의 말을 받아 추측·묻는 기분을 나타냄. ¶きれいだなあ. ～? 예쁜데. 그렇지요 / あの人ひと来きましたか. ～ねえ 그 사람 왔습니까. 왔겠지요. ⇨です**2**·だろう.

です 助動 《体言 및 그에 준하는 것에 붙어서》 말하는〔쓰는〕 사람의 단정을 나타냄. **1** 'だ(＝…이다)'의 공손한 말씨〔표현〕. ¶私わたしは田中たなか～ 저는 田中입니다 / これはだれの～か 이것은 누구의 것입니까 / 会議かいぎは一時いちじから～ 회의는 한 시부터입니다. ⇨だ. **2** 'だろう'의 공손한 말씨: …ㄹ테지요; …(이)겠지요. ¶すぐ来くるでしょう 곧 오겠지요 / 痛いたかったでしょう 아팠겠지요. **3** 《'お…～'의 꼴로》 가벼운 경의를 나타냄. ¶お上手じょうず～ね 잘 하시네요 / 先生せんせいがお呼よび～よ 선생님이 부르십니다 /

です보다 더 공손한 표현

'です' 보다 더 공손한 말로는 'でございます'가 있음. '…ますです' 라고는 하지 않으나 '(行いき)ますでしょう((갈) 겁니다)' '(し)ませんでした(…(하지) 않았습니다)' 라고는 함. 또, 형용사를 공손하게 표현할 때는 'うれしいです(기쁩니다)' '寒さむいです(춥습니다)' 라고 하지만 한층 더 공손하게 하려면 'うれしゅうございます(기쁘옵니다)' '(お)寒さむうございます(추사옵니다)' 처럼 나타냄.

どちらにお出掛(でか)け～か 어디(로) 외출하십니까. **4**《節과 節 사이에 삽입하여》 점잔빼는 말씨: …말입니다. ¶しかし～な 그러나 말입니다/とにかく～ね 어쨌든 말입니다.

でずいらず【出ず入らず】 名 득실·증감(增減)·과부족이 없음; 알맞음; 수수함. ¶～の状態(じょうたい) 과부족(이) 없는 상태/紺(こん)なら～でいい色(いろ)です 감색이면 수수하고 좋은 색깔입니다.

***てすう【手数】** 名ナ 수고; 잔손질; 또, 귀찮음. ＝てかず. ¶病人(びょうにん)の世話(せわ)には～がかかる 병자의 시중을 드는 데는 잔손이 많이 든다/いやに～のかかるやつだな 되게 귀찮은 녀석이군.

――りょう【――料】 名 수수료; 구전. ＝口銭(こうせん)·コミッション. ¶～を徴収(ちょうしゅう)する 수수료를 징수하다.

デスエデュケーション [death education] 名 데스 에듀케이션; 죽음에 대한 준비 교육《육친과의 사별이나 자신의 죽음에 대비해, 그 고통을 완화하기 위한 교육》.

ですが 接 'だが'의 공손한 말씨: 하지만; 그런데. ＝ですけれども.

てずから【手ずから】 副 친히; 몸소; 손수. ＝みずから. ¶～くださった品(しな) 손수 주신 물건/女王(じょおう)はお～苗木(なえぎ)を植(う)えられた 여왕은 손수 묘목을 심으셨다.

ですから 接 'だから'의 공손한 말씨: 그러니까; 그래서《'それですから'의 준말》. ¶旅(たび)が好(す)きです.～各地(かくち)に友達(ともだち)がいます 여행을 좋아합니다. 그래서 각지에 친구가 있습니다.

てすき【手透き】《手隙》 名 손이 빔〔남〕; 틈(이 남); 짬; 여가. ＝ひま. ¶お～の折(おり)に 틈나실 때에/～の人(ひと)は手伝(てつだ)ってくれ 손이 난 사람은 거들어 주게.

でずき【出好き】 名ナ 외출을 좋아함; 또, 그 사람. ¶～な奥(おく)さん 나돌아 다니기를 좋아하는 부인/やつは～で困(こま)る 녀석은 나돌아 다니길 좋아해서 탈이야. ↔出嫌(でぎら)い.

です-ぎる【出過ぎる】 上1自 **1** 너무 많이 나오다. ¶水(みず)が～ 물이 너무 많이 나오다/前(まえ)へ～ 앞으로 너무 나가다. **2** 주제넘다. ＝でしゃばる. ¶～·ぎ者(もの) 주제넘은 놈/～·ぎたまねはよせ 주제넘은 짓은 그만둬라.

デスク [desk] 名 데스크. **1** 책상. ¶～プラン 데스크 플랜; 탁상 계획. **2** 신문사의 편집·취재 책임자.

――トップ [desktop] 名 데스크톱; 탁상용; 특히, 탁상용 PC.

――ワーク [desk work] 名 데스크 워크; (사무나 집필 등) 책상에서 하는 일.

ですけれども 接 ☞ですが.

てすさび【手すさび】《手遊び》 名 심심풀이로 하는 일; 소일거리. ＝てあそび·てなぐさみ. ¶老後(ろうご)の～に絵(え)をかく 노후의 소일거리로 그림을 그리다.

てすじ【手筋】 名 **1** 손금. ¶手(て)のひらの細(こま)かな～ 손바닥의 잔금. **2** (손끝을 사용하는) 서화·기예 등의 소질. ¶ピアノの～がいい 피아노의 소질이 있다. **3** (상대의) 수; 작전; 수단; 방법. ¶～を読(よ)む 상대방의 수를〔속셈을〕 간파하다/～のこみ入(い)った碁(ご)の定石(じょうせき) 수가 복잡한 바둑의 정석. **4** (거래에서) 사는〔파는〕 사람의 종류. ¶大(おお)～ 큰 거래꾼; 큰손.

でずっぱり【出ずっぱり】 名 ☞でづっぱり.

****テスト** [test] 名スル他 테스트; 검사; 시험; 실험. ¶学期末(がっきまつ)～ 학기말 시험/～を受(う)ける 테스트를 받다/～に合格(ごうかく)する 테스트에 합격하다.

――ケース [test case] 名 테스트 케이스. **1** 선례가 될 만한 일. **2** 시험대(臺).

――パターン [test pattern] 名 테스트 패턴; 텔레비전의 영사(映寫) 시험용의 도형(圖形).

デスマッチ [일 death＋match] 名 사투(死鬪); 격투기에서, 승패가 가려질 때까지 싸우는 경기.

てすり【手すり】《手摺》 名 난간. ¶橋(はし)の～ 다리 난간.

てずり【手刷り】 名スル他 **1** 목판(木版) 따위를 하나하나 손으로 찍어 냄; 또, 그 찍은 것. ¶～の年賀状(ねんがじょう) 손으로 찍어 낸 연하장. **2** 인쇄기를 손으로 움직여서 박음; 또, 그 인쇄물.

てずれ【手擦れ】《手摩れ》 名 여러 번 손이 닿아서 쓸림〔무지러짐〕; 또, 그것. ¶～のした本(ほん) 손에 닳은 책.

てせい【手製】 名 수제; 손으로 만든 것; 손수 만듦〔만든 것〕. ＝手(て)づくり. ¶～の菓子(かし) 손수 만든 과자.

てぜい【手勢】 名 수하의 군사. ¶～を率(ひき)いて戦場(せんじょう)に急行(きゅうこう)する 수하의 군사를 이끌고 싸움터로 급히 가다.

てぜま【手狭】 名ナ 비좁음. ¶五人家族(ごにんかぞく)には～なアパート 5인 가족에게는 비좁은 아파트.

てそう【手相】 名 수상; 손금. ¶～見(み) 손금쟁이/長寿(ちょうじゅ)の～ 장수할 수상/～を見(み)てもらう (손금쟁이한테서) 손금을 보다.

でそろ-う【出そろう】《出揃う》 5自 모두 빠짐없이 나오다. ¶～·った麦(むぎ)の穂(ほ) 가지런히 나온 보리 이삭/皆(みな)～·ったようだから会(かい)を始(はじ)めよう 다 나온 모양이니 회를 시작하자.

てだし【手出し】 名スル自 **1** 손을 댐. ㉠(먼저) 싸움 따위를 걺; 손찌검을 함. ¶先(さき)に～をした方(ほう)が悪(わる)い 먼저 손찌검을 한 쪽이 나쁘다. ㉡(사업 등에의) 관여; 관계. ¶株(かぶ)に～して失敗(しっぱい)した 주식에 손을 대었다가 실패했다. **2** 참견; 참섭. ¶いらぬ～はよせ 쓸데없는 참견은 마라/～は無用(むよう)だ 참견은 필요 없다.

でだし【出出し】 名 시작; 최초; 시초. ＝ではじめ. ¶～は好調(こうちょう) 시작은 호조임/何事(なにごと)も～が大切(たいせつ)だ 무슨 일이든

시초가 중요하다. 参考 좁은 뜻으로는, 문학 작품 등의 첫머리 글을 가리킴.

てだすけ【手助け】名ス他 도움; 거듦; 조력; 또, 그 사람. =てつだい. ¶家事(かじ)の~をする 가사를 돕다/引(ひ)っ越(こ)しの~を頼(たの)んだ 이사를 거들어 달라고 부탁했다.

てだて【手だて】《手立て》名 일을 성공시키기 위한 구체적인 방법; 순서; 수단. ¶~を講(こう)じる 방도를 강구하다/貧(まず)しい人(ひと)を救(すく)う~はないだろうか 가난한 사람을 구제할 방도는 없을까.

でたとこしょうぶ【出たとこ勝負】《出た所勝負》名 (일관된 계획·예측이 없이 결과는) 운에 맡김; 우선 하고 보자는 판. =行(ゆ)き当(あ)たりばったり. ¶一(いち)か八(ばち)か~だ 흥하든 망하든 운수소관이다/~だ. 何(なん)とかなるだろう 우선 해놓고 보는 것이다. 어떻게 되겠지.

てだま【手玉】名 **1** 곡예에서 쓰는 공; 공기(놀이). =おてだま. **2** 손목에 차는 장식 구슬.
—に取(と)る 마음대로 조종〔농락〕하다.

でたらめ〖出鱈目〗名ダナ 엉터리; 아무렇게나 함; 무책임함; 되는대로임; 또 그런 언행. ¶~な話(はなし) 아무렇게나 하는 이야기/~の番地(ばんち)と~の名(な) 엉터리 번지와 엉터리 이름/~を言(い)う 아무렇게나 되는대로 말하다〔지껄이다〕. 注意 '出鱈目'는 취음.

てだれ〖手足れ·手練れ〗名 〈雅〉 무술·예능에 뛰어남; 솜씨가 뛰어남; 또, 그 사람. =腕利(うでき)き. ¶~の剣士(けんし) 노련한 검객.

デタント [프 détente] 名 데탕트; 긴장 완화. ¶米(べい)ソの~政策(せいさく) 미소의 데탕트 정책.

てぢか【手近】名ナ **1** 가까이 있음. ¶~で都合(つごう)のよい所(ところ) 가깝고 편리한 곳/~にある材料(ざいりょう)で間(ま)に合(あ)わせる 가까이〔현재 집에〕 있는 재료로 때우다. **2** 비근함. ¶~な例(れい)をあげる 비근한 예를 들다.

てちがい【手違い】名 예정·계획에 차질을 가져오는 일; 어긋남. =ゆきちがい. ¶事務上(じむじょう)の~ 사무상의 착오/綿密(めんみつ)に計画(けいかく)しないと~が生(しょう)ずる 면밀히 계획하지 않으면 차질이 생긴다.

てちょう【手帳】《手帖》名 수첩. ¶生徒(せいと)~ 학생 수첩/~に書(か)き込(こ)む 수첩에 써 넣다.

てつ〔轍〕名 수레바퀴 자국; 전하여, 선례. =わだち.
—を踏(ふ)む 전철을 밟다.

てつ【鉄】名 철; 쇠. ¶~をきたえる 쇠를 불리다/~の意志(いし) 강철 같은 의지/~の規律(きりつ) 철석 같은 규율; 철칙.
—は熱(あつ)いうちに打(う)て〔鍛(きた)えよ〕 쇠는 달았을 때 두들겨라《사람은 젊었을 때 단련시켜야 한다; 또, 시기를 놓치지 말고 조처해야 한다는 말》.

てつ〖迭〗《迭》常用 テツ かわるがわる たがいに | 질 갈마듦 | 갈마들다; 번갈아들다. ¶更迭(こうてつ) 경질.

てつ〖哲〗常用 テツ | 철 명철하다 | **1** 사리에 밝음; 재지가 뛰어나다; 또, 그런 사람. ¶哲人(てつじん) 철인/明哲(めいてつ) 명철. **2** '哲学(てつがく)'의 준말. ¶哲理(てつり) 철리.

てつ〖鉄〗《鐵》教3 テツ くろがね | 철 쇠 | 철. **1** 금속 원소의 하나; 철; 쇠. ¶鉄鉱(てっこう) 철광. **2** 날붙이; 무기. ¶寸鉄(すんてつ) 촌철. **3** 견고하고 강한 것. ¶鉄則(てっそく) 철칙.

てつ〖徹〗常用 テツ とおる とおす | 철 통하다 | **1** 통하다; 꿰뚫다. ¶徹底(てってい) 철저/貫徹(かんてつ) 관철. **2** 끝까지 하다. ¶徹夜(てつや) 철야.

てつ〖撤〗常用 テツ すてる | 철 거두다 | 제거하다; 물리다. ¶撤去(てっきょ) 철거/撤廃(てっぱい) 철폐.

てっか【鉄火】一名 **1** 새빨갛게 달군 쇠. **2** 칼과 총. ¶~のちまた 전쟁터/~をくぐる 총칼을 무릅쓰고 전투하다. **3** '鉄火打(う)ち(=노름꾼)'의 준말. =ばくち(うち). **4** 다랑어회로 만든 요리. ¶~丼(どんぶり) 다랑어회 덮밥. 二名ナ 성질이 과격함. ¶~の如(ごと)き気質(きしつ) 과격한 기질/~肌(はだ) 과격한 기질/~の姉御(あねご) 성질이 불 같은 여자 두목.
—ば【—場】名 도박장; 노름판.
—まき【—巻き】名 속에 다랑어를 넣은 김초밥.

てっかい【撤回】名ス他 철회. ¶提案(ていあん)を~する 제안을 철회하다/行政(ぎょうせい)処分(しょぶん)の~を求(もと)める 행정 처분의 철회를 요구하다.

でっかい 形 〈俗〉 ☞でかい.

てっかく【適格】名ナ ☞てきかく(適格).

てっかく【的確】ダナ ☞てきかく(的確).

てつがく【哲学】名 철학. ¶人生(じんせい)~ 인생 철학/~のない政治(せいじ) 철학이 없는 정치/彼(かれ)には彼なりの~がある 그에게는 그 나름의 철학이 있다.
—てき【—的】ダナ 철학적. ¶話(はなし)が~すぎてわかりにくかった 얘기가 너무 철학적이어서 이해하기 힘들었다.

てつかず【手付かず】名 아직 손을 안 댐; 한 번도 쓰지 않음. ¶~の金(かね) 아직 손도 안 댄 돈/宿題(しゅくだい)は~のままだ 숙제는 아직 손도 안 댄 그대로다.

てつかぶと【鉄かぶと】《鉄兜》名 철모. ¶~をかぶる 철모를 쓰다.

てづかみ【手づかみ】《手掴み》名 손으로 집음; 움켜쥠. ¶~で食(た)べる 손으로 집어 먹다/うなぎを~にする 뱀장어를 손으로 잡다/札束(さつたば)を~にして逃(に)げ出(だ)す 돈뭉치를 움켜쥐고 도망치다.

てっかん【鉄管】名 철관; 쇠 파이프. ¶水道(すいどう)の~ 수도 철관/~ビール 철관 맥주《수돗물의 익살부린 말》.

てつき【手付き】名 손 놀리는 모양·방식; 손짓. =てぶり. ¶あぶなっかしい~ 아슬아슬한〔위태로운〕 손놀림/外国人

がいこくじんが妙みょうな～で箸はしを使つかう 외국인이 묘한 손놀림으로 젓가락질을 하다.

てっき【鉄器】名 철기; 철제 기구·기계.

―じだい【―時代】名 철기 시대. ¶～の遺物いぶつ 철기 시대의 유물. 「기 내습.

てっき【敵機】名 적기. ¶～来襲らいしゅう 적

てっき【適期】名 적기. =てきき. ¶～に田植たうえをする 적기에 모를 내다.

デッキ [deck] 名 덱. 1 배의 갑판. ¶～チェア 덱 체어; 갑판 의자. 2 객차 승강구의 발판.

てっきょ【撤去】名ス他 철거. ¶都心としんの工場こうじょうを～する 도심지의 공장을 철거하다.

*てっきょう【鉄橋】名 철교. ¶～を渡わたる 철교를 건너다/～を架かける 철교를 가설하다〔놓다〕.

てっきり 副 틀림없이; 꼭. =きっと. ¶～やつのしわざだと思おもっていた 틀림없이 그놈의 짓이려니 생각하고 있었다/～来くると思おもったのに残念ざんねんだ 꼭 오리라고 생각했는데 유감스럽다.

てっきん【鉄琴】名 〖樂〗 철금.

*てっきん【鉄筋】名 철근; 또, '鉄筋コンクリート'의 준말. ¶太ふとい～を埋うめこむ 굵은 철근을 속에 넣다.

―コンクリート [concrete] 名 철근 콘크리트. ¶～の建物たてもの〔ビル〕 철근 콘크리트 건물〔빌딩〕.

テック [일 technical+center] 名 자동차나 오토바이의 운전 연습장.

でつく-す【出尽くす】5自 (나올 것이) 다 나오다. ¶意見いけんが～ (있을 수 있는) 의견이 다 나오다.

てづくり【手作り】《手造り》名 1 손수 만듦; 또, 그 만든 것. ¶～の料理りょうり 손수 만든 요리. 2 손으로 짠 피륙. ¶～のネクタイは値段ねだんが高たかい 수직(手織) 천으로 만든 넥타이는 값이 비싸다.

てつけ【手付け】名 1 계약 보증금; 계약금; 착수금. ¶～を打うつ 계약금을 내다. 2 ☞おてつき.

―きん【手付け金】名 계약금; 착수금.

てっけつ [剔抉] 名ス他 척결. ¶不正ふせいの～ 부정의 척결; 부정을 도려냄/政財界せいざいかいの癒着ゆちゃくを～する 정재계의 유착을 척결하다.

てっけつ【鉄血】名 철혈; 군비. ¶～宰相さいしょう 철혈 재상《비스마르크》.

てっけん [鉄拳] 名 철권; (무쇠) 주먹. =げんこつ. ¶～を見舞みまう 철권을 먹이다.

―せいさい [―制裁] 名 철권〔주먹〕 제재. ¶～を加くわえる 철권 제재를 가하다.

てっこう【手っ甲】名 천이나 가죽으로 손등과 팔목을 싸게 만든 토시《노동용·전투용》. 参考 '手甲てこう'의 힘줌말.

てっこう【鉄鋼】名 철강; 강철. 「광.

てっこう【鉄鉱】名 철광. ¶磁じ～ 자철

てっこく【敵国】名 적국. ¶～の避難民ひなんみんを保護ほごする 적국의 피난민을 보호하다. 注意 'てきこく'라고도 함.

てっこつ【鉄骨】名 철골. ¶～構造こうぞう 철골 구조/軽量けいりょう～造づくり 경량 철골조.

てっさく【鉄さく】《鉄柵》名 철책. ¶～をめぐらす 철책을 둘러치다.

デッサン [프 dessin] 名 데생; 스케치. =素描そびょう. ¶裸像らぞうを～する 나체상을 데생하다.

てつじ [綴字] 名 ☞ていじ(綴字).

てっしゅう【撤収】名ス他 철수. 1 철거하여 거둠. ¶テントの～ 천막을 거둠. 2 (군대의) 철퇴. =撤退てったい. ¶基地きちを～する 기지를 철수하다.

てつじょうもう【鉄条網】名 철조망. ¶～を張はる 철조망을 치다.

てつじん【哲人】名 철인; 철학자. ¶～ソクラテス 철인 소크라테스/～政治家せいじか 철인 정치가.

てつじん【鉄人】名 철인; 무쇠 같은 사람. ¶～レース 철인 경주.

てっ-する【徹する】サ変自 1 사무치다. ¶寒さむさが骨身ほねみに～ 추위가 뼈에 사무치다. 2 철저하다; 투철하다; 꿰뚫다. ¶愛国心あいこくしんに～ 애국심에 투철하다; 철저한 애국자다/金かねもうけに～ 돈벌이에 철저히 매달리다. 3『夜よを～』 밤을 (지)새우다. ¶夜よを～会議かいぎ 밤 도와 하는 회의/夜よを～·して突貫工事とっかんこうじをする 밤을 새워 공사를 강행하다.

てっせん【鉄扇】名 쇠살 부채. 参考 옛날, 무사가 (전장에서) 썼음.

てっせん【鉄線】名 철선; 철사. ¶有刺ゆうし～ 가시 철사.

てっそう【鉄窓】名 철창; 비유적으로, 유치장·감옥. ¶～につながれる 감옥에 갇히다; 감옥살이하다.

てっそく【鉄則】名 철칙. ¶議会主義ぎかいしゅぎの～ 의회주의의 철칙/～を守まもる 철칙을 지키다.

てったい【撤退】名ス自 철퇴. ¶戦運せんうん尽つきて～し始はじめた 전운이 다하여 철퇴하기 시작했다.

てつだい【手伝い】名 도와〔거들어〕 줌; 심부름(함); 또, 그 사람. ¶お～さん 가정부/家事かじの～をする 가사를 도와주다/忙いそがしいので～を頼たのむ 바빠서 거들어 줄 것을 부탁하다.

**てつだ-う【手伝う】一 5他 (남의 일을) 같이 거들다; 남을 도와서 일하다. ¶母ははを～·って洗濯せんたくをする 어머니를 거들어 빨래를 하다/家事かじを～·いながら勉強べんきょうする 가사를 거들면서 공부하다. 二 5自 한몫 거들어 영향을 주다; …이 이유의 하나가 되다. ¶若盛わかざかりに酒さけの気けも～·って無謀むぼうな事ことをする 한창 젊은 나이에 술기운도 가세하여 무모한 짓을 하다/長年ながねんの苦労くろうも～·って床とこについたきりになる 오랫동안 고생도 하고 해서 몸져누워 있게 되다.

でっち『丁稚』名 도제(徒弟); 수습생; 계시《공장·상점 등에서 기한을 정하고 수습하는 소년》. =小僧こぞう. ¶～奉公ほうこうをする 수습 점원으로 일을 배우다.

——あがり【——上がり】名 수습 점원(店員) 출신(임).

でっちあ-げる【でっち上げる】《捏ち上げる》下1他〈俗〉**1**(사실무근의 일을) 꾸며 내다; 날조·조작하다. ＝捏造する. ¶事件を～ 사건을 날조하다 / ～·げた話をすました顔で話す 조작한 이야기를 시치미떼고 말하다. **2** 모양만 갖추어 적당히 만들어 내다. ¶レポートを一日で～ 리포트를 하루에 적당히 만들어 내다.

でっちり【出っちり】《出っ尻》名〈俗〉 궁둥이가 (커서) 유난히 튀어나옴; 또, 그 궁둥이. ＝でじり. ¶～の女 궁둥이가 유난히 나온 여자 / 鳩胸～ 가슴과 궁둥이가 유난히 큰 여자.

てっつい [鉄槌·鉄鎚] 名 철퇴. **1** 쇠망치. ＝かなづち. **2** 비유적으로, 호된 훈계·제재. **3** 육상 경기의 투해머용 철퇴.

——を下す 철퇴를 내리다; 엄하게 처벌하다. ¶汚職官吏に～ 독직 관리에게 철퇴를 내리다.

＊てつづき【手続き】名 수속; 절차. ¶入学～ 입학 절차 / ～をふむ〔経る〕 절차를 밟다〔거치다〕/ 正式の～をとる 정식 절차를 밟다.

でづっぱり【出づっぱり】《出突っ張り》名〈俗〉**1** 같은 배우가 어느 장면에나 모두 나옴. ＝出つづけ. **2** 어느 기간 중 계속해서 출석 또는 외출함. ¶今日は～で疲れた 오늘은 계속 나다녀 피곤하다. 注意 'でずっぱり' 라고도 씀.

＊てってい【徹底】名ス自 철저. ¶～した平和主義者 철저한 평화주의자 / 趣旨を～させる 취지를 철저히 알리다.

——てき【——的】ダナ 철저함. ¶～な研究 철저한 연구 / ～に調査する 철저히 조사하다.

デッド＝ [dead] 데드; 죽은.

——ヒート [dead heat] 名 데드 히트; 우열을 가리기 힘듦; 전하여, 치열한 경쟁. ¶～を演じる 치열한 경쟁을 벌이다.

——ボール [일 dead＋ball] 名 **1**〔野〕 데드 볼; 사구(死球); 히트바이피치. **2** 도지 볼; 피구(避球). ＝ドッジボール.

——ライン [dead line] 名 데드라인. **1** 최후의 선. **2** 마감 시간. ¶～に間に合う 마감 시간에 대다.

——ロック [deadlock] 名 데드록; 막다른 골〔벽〕; 침체 (상태). ＝行きづまり. ¶会談が～に乗り上げる 회담이 벽에 부딪치다. 参考 위의 문맥에서는 lock(＝자물쇠)를 rock(＝암초)으로 그릇 해석하여 '乗り上げる(＝얹히다)' 라는 표현이 된 것임.

てっとう【鉄塔】名 철탑. ¶送信所の～ 송신소의 철탑.

＊てつどう【鉄道】名 철도. ¶大陸横断～ 대륙 횡단 철도 / ～路線 철도 노선 / ～踏切 철도 건널목.

——もう【——網】名 철도망.

てっとうてつび【徹頭徹尾】副 철두철미. ＝すっかり. ¶軍人精神に徹した～の軍人 철두철미하게 군인 정신이 투철한 군인 / ～調べあげる 철두철미 조사해 내다.

てっとりばや-い【手っ取り早い】形 **1** 민첩하다; 잽싸다. ＝すばやい. ¶～·く事を片付ける 잽싸게 일을 처리하다. **2** 손쉽다; 빠른 길이다. ¶～方法 손쉬운 방법 / ～·く言えば 간단히〔알기 쉽게〕 말하면.

「歯·そっ歯」.

でっぱ【出っ歯】名〈口〉 뻐드렁니. ＝出

てっぱい【撤廃】名ス他 철폐. ¶軍備の～ 군비의 철폐 / 階級差別を～する 계급 차별을 철폐하다.

でっぱ-る【出っ張る】5自〈口〉 쑥 내밀다〔나오다〕; 돌출하다. ＝出張る. ¶腹が～ 배가 불룩 나오다.

てっぱん【鉄板】名 철판. ＝鉄の板.

——やき【——焼き】名 철판〔번철〕구이.

てっぴつ【鉄筆】名 **1** 철필; 골필. ¶～版 등사판 / ～で原紙を切る 철필로 원지를 긁다. **2** 도장 새기는 작은 칼. ¶～家 도장장이. **3** 힘찬 필력.

てつびん【鉄瓶】名 쇠 주전자. ¶～がたぎる音 쇠주전자가 끓는 소리.

てっぷ【哲婦】名 철부; 현명한 여자.

——城を傾く 똑똑한 여자는 무슨 일에나 나서기 때문에 오히려 나라와 집안을 망친다《여자가 너무 똑똑하면 재앙을 불러 온다는 비유》.

でっぷり 副 뚱뚱한 모양. ¶～した人 뚱뚱보 / ～と太る 뚱뚱하게 살이 찌다. ↔ほっそり.

てつぶん【鉄分】名 철분. ＝かなけ. ¶～の多い水 철분이 많은 물.

てっぺい【撤兵】名ス自 철병; 철군(撤軍). ¶占領地から～する 점령지에서 철군하다. ↔出兵.

てっぺき【鉄壁】名 철벽. ¶金城～ 금성철벽 / ～の備え 철벽 같은 방비.

——の陣 철벽 같은 진지. ¶～を布く 철벽 같은 진을 치다.

てっぺん〖天辺〗名〈口〉 꼭대기; 정상; 극(極). ＝いただき·頂上. ¶あたまの～から足の先まで 머리꼭대기에서 발끝까지 / 山の～ 산꼭대기 / 不景気の～ 불경기의 극.

てつぼう【鉄棒】名 철봉. **1** 쇠몽치. ＝かなぼう. ¶～でなぐる 쇠몽치로 치다. **2** 철봉대; 또, 그것을 쓰는 체조 종목. ¶～で優勝する 철봉에서 우승하다.

＊てっぽう【鉄砲】名 **1** 총; 총포류; 소총. ¶～を打つ 총을 쏘다 / 人に～を向ける 사람에게 총을 겨누다. **2** 총포와 비슷한 것. ㉠목욕통에 장치된, 불을 때는 쇠통. ¶～風呂 쇠통이 달린 목욕통. ㉡가늘게 만 김밥. ＝鉄砲巻き. **3**〈俗〉 복어《'当たる(＝중독되다)' 곧, 중독되면 죽는 데서》. ¶～汁 복어국. **4**〈俗〉 큰소리; 허풍. ＝ほら.

——だま【——玉】名 **1** 총알. **2**〈俗〉 한번 가면 다시 오지 않음. ¶～の使い 함흥

차사 / 使いに出すといつも～だ 심부름을 보내면 언제나 함흥차사다.

—みず【—水】名 소나기 끝에 갑자기 밀어닥치는 홍수. ¶～が出る 홍수가 갑자기 밀어닥치다.

てづまり【手詰まり】名 **1** 돈의 변통이 안 되어 막힘. ¶経営が～になる 경영이 어려움에 빠지다. **2** 수단·방법이 다하여 꼼짝 못하게 됨. ¶戦局が～の状態に陥る 전국이 교착 상태에 빠지다 / 捜索が～になる 수색이 벽에 부딪히다.

てづめ【手詰め】名 다그침; 사정없이 몰아댐〔밀어붙임〕. ¶～の催促 다그치는 독촉; 성화같은 독촉. 「판.

—の談判 사정없이 몰아붙이는 담

てつめんぴ【鉄面皮】名ナ 철면피. ＝厚顔. ¶～なやつ 철면피한 놈 / あんな～なまねはできない 저런 철면피한 짓은 못한다.

てつや【徹夜】名ス自 철야; 밤새움. ¶～で勉強する 밤새워 공부하다.

てづよ-い【手強い】形 만만치 않다; 강하다; 호되다. ＝てごわい. ¶～相手 만만치 않은 상대 / ～反対に直面する 거센 반대에 직면하다.

てつり【哲理】名 철리. ¶人生の～を説く 인생의 철리를 설(說)하다.

てづる【手づる】《手蔓》**1** 연줄; 연고. ＝たより·コネ. ¶～を求めて就職する 연줄을 찾아 취직하다. **2** 단서; 실마리. ＝手がかり·糸口. ¶事件解決の～ 사건 해결의 실마리.

てつろ【鉄路】名 철로; 철길; 철도. ＝鉄道. ¶無人の広野をつらぬいて～が走る 무인의 광야를 가로질러 철로가 뻗어 있다.

てつわん【鉄腕】名 철완; 무쇠 (같은) 팔. ¶～投手 철완 투수.

てて［父］名〈老〉아버지. ＝ちち. ¶～御 춘부장; 어르신(네).

ててなしご【てて無し子】《父無し子》名〈俗〉아비 없는 자식. **1** 사생아. **2** 아버지를 여윈 아이.

でどころ【出所】《出処》名 **1** 출처. ¶うわさの～ 소문의 출처 / その金の～を言え 그 돈의 출처를 말해라. **2** (기회를 보다가) 나설 곳〔때〕. ¶～を間違える 나설 때를 잘못 알다 / この辺が～だ 지금쯤이 나서야 할 때다. **3** 출구. ¶あまり広い駅で～がわからない 너무 넓은 역이돼서 출구를 모르겠다.

［テトラポッド］

テトラポッド [Tetrapod] 名〔商標名〕테트라포드; 콘크리트로 만든 호안용(護岸用) 블록.

てどり【手取り】名 (세금 등을 공제한) 실수령액. ¶月給十万円といっても～は八万円ぐらいだ 월급이 10만 엔이라 하지만 실수령액은 8만 엔 정도다. ↔税込み.

—きん【手取金】名 (실제) 수령액.

てどり【手捕り】名 (장비를 쓰지 않고) (맨)손으로 잡음. ¶さかなを～にする 물고기를 (맨)손으로 잡다.

てとりあしとり【手取り足取り】名 **1** 꼼짝 못하게 손과 발을 잡음. **2** 친절히 가르치고 이끌어 주는 모양. ¶～して教える 하나하나 자상하게 가르치다.

テトロン [Tetoron] 名 테토론《폴리에스테르계(系) 섬유의 일종》.

テナー [tenor] 名〔樂〕테너. ¶～サックス 테너색스.

てないしょく【手内職】名 손으로 하는 내직〔부업〕. ¶母は～で家のくらしを助ける 어머니는 가내 부업으로 가계를 돕는다.

てなおし【手直し】名ス自他 불완전한 곳을 고침. ¶文章の～をする 문장을 고치다 / 書斎の窓を～する 서재의 창문을 고치다.

でなおし【出直し】名ス自他 처음부터 다시 함. ¶一から～する 처음부터 다시 시작하다.

でなお-す【出直す】5自 **1** 일단 되돌아갔다가 다시 나오다. ¶もう一度～·してまいります 돌아갔다가 다시 한번 오겠습니다. **2** (처음부터) 다시 하다. ＝やりなおす. ¶一から～ 처음부터 다시 시작하다 / ～·した気持ちで初めからやるぞ 다시 하는 기분으로 처음부터 할 테다.

でなおり【出直り】名〔經〕(거래에서) 바닥세에서 오름세로 돌아서는 일. ¶～相場 회복 시세.

てなが【手長】名 **1** 손이 긺. **2** 손버릇이 나쁨; 도벽이 있음; 또, 그런 사람. ¶彼は～だ 그는 도벽이 있다. 「ギボン.

—ざる〖—猿〗名〔動〕긴팔원숭이. ＝

てなぐさみ【手慰み】名 **1** 심심풀이로 하는 일. ＝てすさび. ¶～に絵をかく 심심풀이로 그림을 그리다. **2** 노름; 도박. ¶～をしているのを見つかった 노름하고 있는 것을 들켰다. 「だん.

てなげだん【手投げ弾】名 ☞てりゅう

てなず-ける【手なずける】《手懐ける》下1他 **1** 붙따르게 하다; (잘) 길들이다. ¶動物を～ 동물을 길들이다. **2** 회유(懷柔)하다; 포섭하다. ¶～·けて部下にする 회유해서 부하로 삼다 / 反対派の幹部を～ 반대파의 간부를 포섭하다. 「린 냄비.

てなべ【手なべ】《手鍋》名 손잡이가 달

—下げても 쪽박을 차더라도《좋아하는 이와 결혼만 한다면 아무리 가난해도 상관없다는 뜻》.

てなみ【手並み】名 솜씨. ＝うでまえ. ¶あっぱれなお～ 훌륭한 솜씨 / お～拝見 솜씨 좀 봅시다.

てならい【手習い】名ス自 **1** 습자. ＝習字. **2** 연습; 공부; 수업(修業); 학문. ¶六十の～ 예순 살의 수학; 만학(晩學) / ～に励む 학문에 힘쓰다.

てならし【手慣らし】《手馴らし》图 손에 익힘; 연습. ＝練習(れんしゅう). ¶～に二三枚(にさんまい)書(か)いてみる 연습으로 두세 장 써 보다.

てな-れる【手慣れる】《手馴れる》下1自 손에 익다; 익숙해지다; 숙달하다. ¶十年来(じゅうねんらい)～·れた仕事(しごと)だ 십 년 동안이나 손에 익은 일이다 / さすが～·れたもんだ 과연 익숙하군.

テニス [tennis] 图 테니스. ＝庭球(ていきゅう). ¶～ボール 테니스 공.
—コート [tennis court] 图 테니스 코트.

てにてに【手に手に】連語 손에 손에; 손마다; 제각기. ＝めいめい. ¶～旗(はた)をもって堵列(とれつ)する 손에 손에 기를 들고 도열하다.

デニム [denim] 图 데님; 튼튼한 능직(綾織)의 무명. ¶～のズボン 데님 바지.

てにもつ【手荷物】图 수화물. ＝チッキ. ¶～を預(あず)ける 수화물을 맡기다 / 駅(えき)で～を託送(たくそう)する 역에서 수화물을 탁송하다.

てにをは〖弖爾乎波·天爾遠波〗tenioha 图 **1** 한문을 훈독할 때 보독(補讀)하는 助詞를 일컫는 말《옛날에는 助動詞, 用言, 活用語尾, 接尾語 등도 포함했지만 현재는 그다지 쓰지 않음》. **2** (비유적으로) 말의 조리·앞뒤 관계. ＝つじつま. ¶話(はなし)の～がおかしい 이야기의 앞뒤가 이상하다. **3** (말의) 사용법; 어법.
—が合(あ)わない 말의 앞뒤가 맞지 않다; 동닿지 않다. ¶～文章(ぶんしょう) 어법에 맞지 않는 문장.

てぬい【手縫い】图 손으로 꿰맴; 손바느질; 또, 그렇게 만든 것. ¶～のブラウス 손바느질로 만든 블라우스.

てぬかり【手抜かり】图 실수; 잘못; 빠뜨림. ＝手落(てお)ち. ¶万事(ばんじ)～なく 만사 실수 없이 / 調査(ちょうさ)に～があった 조사에 부실한 데가 있었다.

てぬき【手抜き】图スル自他 **1** (필요한) 절차[수고]를 생략함; 수고를 덞; 손이 덜 감. ¶～工事(こうじ) 부실 공사 / 工事(こうじ)に～があった 공사에 날림으로 한 데가 있었다. **2** 짬[손]이 남; 한가함. ¶今日(きょう)はお～ですか 오늘은 한가하십니까[손이 나셨습니까].

***てぬぐい**【手ぬぐい】《手拭い》图 수건. ¶～で顔(かお)を拭(ふ)く 수건으로 얼굴을 닦다.

てぬる-い【手ぬるい】《手緩い》形 **1** 지나치게 관대하다; 뜨뜻미지근하다; 미온적이다. ¶そんな～叱(しか)り方(かた)ではだめだ 그렇게 미지근하게 꾸짖어서는 안 된다. ↔手(て)きびしい. **2** 느리다; 굼뜨다. ¶仕事(しごと)が～ 일이 굼뜨다 / 何(なに)をやらしても～ 뭘 시켜도 굼뜨다.

てのうち【手の内】图 **1** 손바닥. ＝てのひら. ¶～に汗(あせ)をにぎる 손바닥에 땀을 쥐다. **2** 솜씨. ＝腕前(うでまえ). ¶～拝見(はいけん) 솜씨 좀 봅시다 / ～を見(み)せる 솜씨를 보여 주다. **3** 세력 범위; 지배권. ¶～に握(にぎ)る 손아귀에 꽉 쥐다《지배하에 두다》. **4** 마음속(의 계획); 속셈. ¶～を見(み)すかされる 속셈을 간파당하다.
—に丸(まる)め込(こ)む 살살 구슬려 제 마음대로 다루다. ¶巧(たく)みな話術(わじゅつ)で～ 능란한 말솜씨로 회유하다.

てのうら【手の裏】图 손바닥. ＝てのひら.
—を返(かえ)すように 손바닥을 뒤집듯이《태도를 표변하는 모양》.

テノール [도 Tenor] 图 테너. ☞テナー.

てのこう【手の甲】图 손등. ¶～に接吻(せっぷん)する 손등에 키스하다. ↔てのひら.

***てのひら**【手のひら】《掌》图 손바닥. ＝てのうら·たなごころ. 參考 '手(て)の平(ひら)'의 뜻. ↔手(て)の甲(こう).
—を返(かえ)す 손바닥을 뒤집다《태도를 표변하다》. ＝手の裏(うら)を返す. ¶ぺこぺこしていた人(ひと)が～ようにいばりだした 굽신거리던 사람이 표변하여 거들먹거리기 시작했다.

デノミネーション [denomination] 图 디노미네이션; 통화 단위의 축소 변경. ＝デノミ.

てのもの【手の者】图 심복; 부하. ＝配下(はいか). ¶～をやります 부하를 보내겠습니다.

てのもの【手の物】图 수중에 든 물건; 전하여, 장기(長技); 특기. ¶それは彼(かれ)のお～だ 그것은 그의 장기다. ⇨おてのもの. 參考 '得手(えて)の物(もの)'의 준말.

ては tewa 接助 **1** 바람직하지 않은 일의 가정의 뜻: …하면; …해서는. ¶飲(の)みすぎ～いけない 너무 마셔선 안 된다 / 心配(しんぱい)かけ～いけない 걱정을 끼쳐선 안 된다. **2** …한 이상에는. ¶そんなにほめられ～やらざるをえない 그렇게 칭찬받고서는 안 할 수가 없다. **3** 반복을 나타내는 뜻: …하고는; …했다가는. ¶食(た)べ～飲(の)み, 飲んでは食べ 먹고는 마시고, 마시고는 먹고. 參考 撥音便(はつおんびん)에 붙을 때는 'では'. ¶降(ふ)っ～やみ, やんでは降り (비·눈이) 내리다가는 그치고 그쳤다가는 내리고.

では dewa 連語 **1** 'で' 1, 2의 힘줌말; 장소·시기·수단·방법 등을 나타냄: …에서는; …(으)로는. ¶家(うち)～おとなしい 집에선 얌전하다 / ナイフ～切(き)れない 나이프로는 자를 수 없다. **2** …에 (있어)서는; …로는; …에 관해서는. ¶けんか～だれにも負(ま)けない 싸움에는 누구에게도 지지 않는다. **3** …(이)면; …이라면. ¶これ～こまる 이러면 곤란하다 / それだけ～いやだ 그것뿐이라면 싫다. **4** 상황·판단의 기준을 나타냄: …로는; …에 의하면. ¶私(わたし)の知(し)っているところ～ 내가 알고 있는 바로는. **5** 지정의 뜻과 가정의 뜻을 나타냄: …은. ¶安全(あんぜん)な事(こと)～ないのだ 안전한 일은 아니란다. **6** 音便(おんびん) 다음에 왔을 때의 'ては'의 꼴. ¶こんなに込(こ)ん～乗(の)れない 이렇게 붐벼서는 탈 수 없다.

では dewa 感 그러면; 그렇다면; 그럼《'それでは'의 준말》. ＝それなら. ¶～,

始めましょう 그러면, 시작합시다 / ~, また明日お目に掛かりましょう 그럼, 내일 또 뵙겠습니다.

でば【出刃】图 ☞でばぼうちょう.

でば【出場】图 ☞でばしょ.

でば【出歯】图 뻐드렁니; 뻐드렁이. =でっぱ·そっぱ.

*デパート 图 'デパートメントストア'의 준말.

——ガール [일 depart+girl] 图 백화점의 「여점원.

デパートメントストア [department store] 图 디파트먼트 스토어; 백화점. =デパート.

*てはい【手配】图ス自 1 준비; 절차. =手くばり. ¶式の~はすっかりできた 식 준비는 다 되었다. 2 수배; 범인 체포를 위한 지령. ¶~写真 수배 사진 / 指名~する 지명 수배하다.

デはい【デ杯】图 ☞デビスカップ.

ではいり【出入り】一图ス自 1 출입; 드나듦. ¶人の~が激しい 사람의 출입이 빈번하다 / 無用の者は~を禁ず 무용자는 출입을 금함. 2 (수량의) 과부족. ¶二三名の~がある 2,3명의 과부족이 있다. 二图 수입 지출.

てばこ【手箱】图 신변의 자질구레한 것을 넣어 두는 상자; 손궤. ¶首飾りを~にしまう 목걸이를 손궤에 넣어 두다.

てばしこ-い【手ばしこい】《手捷い》形 재빠르다; 잽싸다. =てばやい. ¶~·く片付ける 잽싸게 처리하다.

てはじめ【手始め】《手初め》图 일의 첫 시작; 시초. =しはじめ. ¶~にこの仕事をやってもらおう 우선 이 일을 부탁한다 / それを~に彼はかずかずの悪事を働いた 그것을 시작으로 그는 갖가지 나쁜 짓을 하였다.

でばしょ【出場所】图 1 나갈 장소·장면. ¶私の~がない 내가 나설 자리가 없다. 2 나는 곳; 산지(産地).

てはず【手はず】《手筈》图 준비; 계획; 또, 그 순서. ¶出発の~が整った 출발 준비가 갖추어졌다 / ~が狂う 예정이〔순서가〕 어긋나다〔뒤틀리다〕.

ではず-れる【出外れる】下1自 변두리로 나가다. ¶町を~·れて自然を楽しむ 교외로 나가 자연을 즐기다.

てばた【手旗】图 수기; 손에 드는 작은 기; 특히, 신호용의 홍백의 작은 기. ¶~信号 수기 신호 / ~を振って歓迎する 수기를 흔들어 환영하다.

デバッグ [debug] 图ス他 디버그; 컴퓨터에서, 프로그램상의 잘못을 찾아 수정하는 일. =虫取り.

てばな【手鼻】图 손으로 코를 푸는 일. ¶~をかむ 손으로 코를 풀다.

ではな【出はな】《出端》图 나오는 순간; 하려는 찰나. =でばな(出鼻)·でっぱな. ¶~に客とばったり会って又家へ引き返した 나가다가 손님과 마주쳐 다시 집에 되돌아왔다 / ~にやり損じる 첫고등에 그르치다.

——を挫く〔折る〕 초장〔첫고등〕에 꺾어버리다; 기선을 제압하다.

でばな【出鼻】图 1 산이나 곶(串) 따위의, 돌출한 곳; 산부리; 곶부리. ¶半島の~ 반도의 돌출부. 2 ☞ではな.

でばな【出花】图 1 갓 달인 향기로운 차. 2 한창때. ¶番茶も~という年ごろ 이팔청춘 꽃다운 나이 / 鬼も十八, 番茶も~ 못생긴 처녀도 한창때엔 예뻐 보인다.

てばなし【手放し】图 1 손을 뗌. ¶~で自転車に乗る 손을 놓고 자전거를 타다. 2 노골적임; 드러내 놓고 함. =むきだし. ¶~で泣く 남의 이목을 꺼리지 않고 울다 / ~でのろける 애인과〔부부간〕의 일 따위를 노골적으로 이야기하다. 3 무조건. ¶~の支持 무조건적 지지 / ~でほめる 무조건 칭찬하다.

*てばな-す【手放す】5他 1 손을 놓다〔떼다〕; 손에서 놓(치)다〔떼다〕; 내놓다. ¶たづなを~ 고삐를 놓다 / 株を~ 주를 팔아넘기다 / 家屋敷を~ 집과 대지를 처분하다 / ~·しかねる用事がある 손떼지 못할 일이 있다. 2 (자식 따위를) 떼어 놓다. ¶一人娘を~ 외딸을 시집보내다. 3 내버려 두다.

てばなれ【手離れ】图ス自 1 젖먹이가 어머니 곁을 떨어질 만큼 성장함. ¶この子は~が早い 이 아이는 성장이 빠르다. 2 일 따위가 완성되어 더 손댈 필요가 없게 됨. ¶その仕事はやっと~した 그 일은 겨우 완성되었다.

でばぼうちょう【出刃包丁】《出刃庖丁》图 날이 두껍고 폭이 넓으며 끝이 뾰족한 식칼. =でば.

てばや-い【手早い】形 재빠르다; 잽싸다. ¶~·く着がえる 재빠르게 갈아입다 / ~·く後片付けをする 잽싸게 뒤처리를 하다.

ではら-う【出払う】5自 다 나가고 없다. ¶家じゅう~ 식구들이 다 나가다 / 在庫品が~ 재고품이 다 나가다.

でば-る【出張る】5自 1 튀어나오다; 내밀다. =でっぱる. ¶あごの~·った人 턱이 튀어나온 사람 / 岩が~·って歩きにくい 바위가 튀어나와서 걷기 힘들다. 2 (일하러) 다른 곳에 나가다; 출장하다. ¶現場に~·って監督する 현장에 나가서 감독하다 / 本社から~·ってくる 본사에서 출장을 나오다.

でばん【出番】图 (근무·일·무대 등에) 나갈 차례; 든번. ¶~を待つ 나갈 차례를 기다리다 / 今日から夜の~だ 오늘부터 야근 차례다.

てびかえ【手控え】图ス他 1 (잊지 않도록) 적어 둠; 메모; 비망록. ¶帳面に~をする 장부에 기록해 두다. 2 예비(로서 떼어 둠). ¶~を残す 여벌을 남기다. 3 삼감; 보류함. ¶不景気による採用の~ 불경기에 따른 채용 보류.

てびか-える【手控える】下1他 1 (잊지 않도록) 적어 두다. ¶要点を~ 요점

을 적어 놓다 / 手帳に日時を～·えておく 수첩에 일시를 적어 두다. **2** 예비로 남겨 두다. ¶一セット～·えておく 한 세트를 예비로 남겨 두다. **3** 삼가다; 유보하다. ¶口を出すのを～ 말(참견)하기를 삼가다.

***てびき**【手引き】㊀名ス他 (손을 잡고) 인도함; 안내함. ¶子供が母の～で学校へ行く 어린이가 어머니에게 이끌리어 학교에 가다 / 内部の者の～を受ける 내부 사람의 안내를 받다. ㊁名 **1** 입문함; 첫걸음; 초보; 또, 그런 책. ¶～書 입문서 / ドイツ語の～ 독일어 입문. **2** 연줄; 주선. ＝手づる·つて. ¶おじの～で入社する 아저씨의 주선으로 입사하다.

デビスカップ [Davis cup] 名 데이비스컵. ＝デ杯.

てひど-い【手ひどい】《手酷い》形 몹시 심하다; 호되다; 매섭다. ＝手きびしい. ¶～攻撃 맹렬한 공격 / ～·く叱る 호되게 꾸짖다 / ～打撃をこうむる 혹심한 타격을 입다.

デビュー [프 début] 名ス自 데뷔; 첫 무대; 첫 출연. ＝お目見え. ¶～作 데뷔 작 / 銀幕に～する 은막에 데뷔하다. 参考 제품이 처음으로 소개되는 경우에도 이름. ¶新車が～する 신차가 등장하다.

てびょうし【手拍子】名 손장단. ¶～を取る 손장단을 맞추다 / ～に合わせて踊る 손장단에 맞추어 춤을 추다.

てびろ-い【手広い】形 (장소·규모가) 넓다; 또, 광범위하다. ¶～住まい 넓은 주거 / ～·く交際している 폭넓게 교제하고 있다 / ～·く商売をする 규모가 크게 장사를 하다.

でぶ 名ナ 〈俗〉 뚱뚱함; 뚱뚱보.

デフォルト [default] 名〔經〕 디폴트; 채무 불이행.

てふき【手ふき】《手拭き》名 (손)수건; 손을 닦음. ¶手洗いに～を備える 화장실에 수건을 비치하다.

***てぶくろ**【手袋】名 장갑. ¶ゴム～ 고무장갑 / 革～ 가죽 장갑 / ～をはめる〔とる〕 장갑을 끼다〔벗다〕.

でぶしょう【出不精·出無精】名ダナ 외출을 싫어함; 또, 그런 성질의 사람. ＝外出ぎらい. ¶年をとって～になった 나이를 먹어 나돌아다니기 싫어하게 되었다.

てぶそく【手不足】名ナ 일손이 모자람. ¶～で仕事が間に合わない 일손 부족으로 일이 늦어지다 / ～の農繁期 일손이 달리는 농번기.

てふだ【手札】名 **1** 명함; 명찰. **2** '手札型'의 준말. **3** (카드놀이 따위에서) 손에 들고 있는 패. ¶～を見やすいようにそろえる 손에 든 패를 보기 쉽게 펴들다.

—がた【—型】名〔寫〕 명함판의 배판《세로 약 11cm, 가로 약 8cm》.

でぶでぶ 副ス自ダナ 몹시 뚱뚱한 모양: 뒤룩뒤룩. ¶～に太る 뒤룩뒤룩 살다 / ～した女 뒤룩뒤룩 살찐 여자.

でふね【出船】名 (배의) 출범; 또, 그 배. ¶～の時刻 출범 시각 / ～入り船でにぎわう港 나가는 배, 들어오는 배로 북적거리는 항구. ↔入り船.

てぶら【手ぶら】名ナ 빈손; 맨손. ＝からて. ¶～で帰る 빈손으로 돌아오다 / ～で旅行する 맨손으로 여행하다.

てぶり【手振り】名 손짓. ＝てつき. ¶身振り～ 몸짓 손짓 / ～を混ぜて話す 손짓을 섞어 가며 말하다.

デブリ [프 débris] 名〔登山〕 데브리; 눈사태로 쌓인 눈더미나 얼음덩이.

デフレ 名 디플레《'デフレーション'의 준말》. ↔インフレ.

デフレーション [deflation] 名 디플레이션; 통화 수축. ↔インフレーション.

てぶんこ【手文庫】名 문갑; 손궤.

デベロッパー [developer] 名 ☞ディベロッパー.

てべんとう【手弁当】名 도시락을 가지고 일하러 나감; 전하여, 남을 위해 보수 없이 일함. ¶～で手伝う 무보수로 도와 주다 / 候補者を～で応援する 후보자를 도시락 싸 가지고 다니면서〔무보수로〕 응원하다.

でほうだい【出ほうだい】《出放題》名ダナ 입에서 나오는 대로 아무렇게나 지껄여 댐. ¶～な大うそ 아무렇게나 내뱉는 터무니없는 거짓말 / やつは口から～にしゃべる 놈은 되는 대로 마구 지껄인다.

てほどき【手ほどき】《手解き》名ス他 (학문·기술의) 초보(를 가르침); 첫걸음; 또, 초보서. ¶踊りの～をする 춤의 초보를 가르치다.

****てほん**【手本】名 **1** 글씨〔그림〕본. ¶習字の～ 습자본 / ～を見て書く 본을 보고 쓰다. **2** 본보기. ㉠모범. ¶皆のよい～になる行ない 모든 사람의 좋은 본보기가 되는 행실. ㉡표준 양식; 또, 상품 등의 견본.

****てま**【手間】名 **1** (일하는 데 드는) 품; 수고; 시간. ¶～がかかる 품이 들다 / ～を取る 시간이 걸리다 / ～をとらせる 수고를 끼치게 하다. **2** '手間賃'의 준말. ¶～を払う 품삯을 치르다. **3** '手間仕事'의 준말. **4** 품삯을 주고 고용하는 사람; 품꾼. ¶～を雇う 품꾼을 들이다.

—しごと【—仕事】名 **1** 삯일. **2** 품이 드는 일.

—だい【—代】名 품삯. ¶～を払う 품삯을 치르다.

—ちん【—賃】名 ☞てまだい.

—とり【—取り】名 품팔이(꾼).

—ど-る【—取る】5自 (…하는 데) 시간이 걸리다; 품이 들다. ¶案外仕事が～·った 의외로 일에 시간이 걸렸다 / ～·らないようにしなさい 시간이 걸리지 않도록 하시오.

──ひま【──暇】图 품과 시간. ¶～かけてようやく完成した 품과 시간을 들여 겨우 완성했다.

デマ [←도 Demagogie] 图 데마; 선동적인 악선전; 유언비어; 헛소문. ＝デマゴギー. ¶～をとばす〔流す, まきちらす〕유언비어를 퍼뜨리다 / とんでもない～だ 당찮은 헛소문이다.

*てまえ【手前】图 1 자기 앞; 자기에게 가까운 쪽. ＝こちら. ¶～の箸を取る 자기 앞의 젓가락을 집다 / ふみきりの～でとまる 건널목 바로 앞에서 서다. 2 체면. ＝体裁. ¶世間の～, そうはいかない 체면상 그렇게는 안된다 / そう言った～引っこみが付かなくなった 그렇게 말한 체면상 물러설 수 없게 되었다. 3 솜씨. ＝うでまえ. ¶お～拝見 솜씨 좀 봅시다 / お～を見たまえ 솜씨를 좀 보게나.

*てまえ〖手前〗代 1 저. ＝わたくし. ¶～どもの店 저희 가게 / ～が当家の主人でございます 제가 이 집 주인입니다. 2 너. ＝お前·そち·てめえ. ¶～の名は? 임자의 이름은? / ～の知った事じゃない 네 알 바가 아니다. 參考 'おてまえ'는 대등한 경우에 씀.

──がって〖──勝手〗图ダナ 제멋대로〔좋을 대로〕함. ＝自分勝手. ¶～な事をする 제멋대로 하다.

──みそ〖──味噌〗图 자화자찬. ¶～を並べる 자화자찬을 늘어놓다.

でまえ【出前】图 주문받은 요리를 배달하는 일〔사람〕; 또, 그 요리. ＝仕出し. ¶～をとる 요리를 주문하고 배달시켜 먹다 / ～致します 요리를 배달해 드립니다 / ～はしません 요리를 배달은 하지 않습니다.

──もち【──持ち】图 요리 배달부.

でまかせ【出任せ】图ダナ 입에서 나오는 대로 아무렇게나 말하는 모양. ¶口から～にほらを吹く 입에서 나오는 대로 허풍을 떨다 / ～にしゃべる 멋대로 지껄이다.

てまくら【手まくら】《手枕》图 팔베개. ＝ひじまくら. ¶～のうたた寝 팔베개를 하고 자는 겉잠.

てまさぐり【手まさぐり】《手弄り》图 ス他 1 손끝으로 더듬어 찾음. 2 손끝으로 무엇인가 만지작거림. ¶ハンカチを～する 손수건을 만지작거리다.

でまど【出窓】图 출창; 퇴창; 바람벽 밖으로 내민 창. ＝はりだし窓.

てまね【手まね】《手真似》图 손짓; 손으로 흉내를 냄. ¶～足まね 손짓 발짓 / ～で伝える 손짓으로 전하다.

てまねき【手招き】图ス他 손짓으로 부름. ¶～で呼び寄せる 손짓해서 가까이 불러들이다 / あやしげな女が～(を)する 수상한 여자가 손짓을 하여 부르다.

てまめ【手まめ】《手忠実》一ダナ 부지런함. ¶～に家の中を片付ける 부지런히 집 안을 치우다 / ～に手入れをする 꼼꼼하게〔부지런히〕 손질하다.
二名ナ 손재주가 있음. ¶～な人 손재주가 있는 사람 / ～に細工する 솜씨 있게 세공하다. 參考 'まめ'는 충실 또는 능숙함의 뜻.

てまり【手まり】《手鞠·手毬》图 손으로 치면서 노는 공; 또, 그 공놀이. ¶～をして遊ぶ 손으로 공을 치면서 놀다.

てまわし【手回し】《手廻し》图ス自 1 손으로 돌림. ¶～計算器 수동 계산기 / ～ミキサー 수동식 믹서. 2 준비; 채비; 수배. ¶随分～がいいね 매우 준비가 잘 되었군 / ～をして犯人を捕える 수배해서 범인을 체포하다. 3 수중에 있는 돈의 변통. ¶彼女には～の金がある 그녀에게는 수중에 노는 돈이 있다.

てまわり【手回り】《手廻り》图 수중; 바로 곁; 신변(가까이에 두는 소지품). ¶～の荷物 휴대하고 있는 짐 / ～に置く 신변에 두다.

*でまわ-る【出回る】《出廻る》5自 출회하다; (시장에) 나돌다. ¶野菜が～ 야채가 출회하다〔시장에 나오다〕 / にせ物が～ 가짜가 나돌다.

デマンド [demand] 图 디맨드; 수요; 요구; 요청. ＝ディマンド. ↔サプライ.

──バス [demand bus] 图 디맨드 버스; 호출 버스《이용자가 무선으로 호출하는 소형 버스》. ＝呼び出しバス.

てみじか【手短】ダナ (문장이나 이야기가) 간략함; 간단함. ¶～にまとめる 간략하게 간추리다 / 要点だけ～に述べる 요점만 간략히 말하다.

でみず【出水】图 출수; 하천 따위의 물이 넘침; 홍수. ＝しゅっすい. ¶家屋が～で押し流された 가옥이 홍수로 떠내려갔다.

でみせ【出店】图 1 지점; 분점. ¶各地に～を設ける 각지에 지점을 설치하다. 2 노점. ＝露店. ¶～が並ぶ 노점이 즐비하다 / 大通りに～を出す 한길에 노점을 내다.

てみやげ【手土産】图 (방문할 때) 들고 가는 간단한 선물. ¶～を持って行く 간단한 선물을 가지고 가다.

てむかい【手向かい】图 반항; 대항. ¶～はよせ 반항은 그만둬라 / 無駄な～はするな 쓸데없는 반항은 하지 마라.

*てむか-う【手向かう】5自 맞서다; 대항〔반항〕하다. ¶主人に～ 주인에게 대들다 / おれに～気か 나에게 대항할 생각이냐.

*でむかえ【出迎え】图 출영; 마중; 나가 영접함. ¶～の人 마중 나온 사람; 출영객 / ～の車 마중 나간〔나온〕 차 / ～を受ける 출영을 받다.

でむか-える【出迎える】下1自 출영하다; 마중 나가다. ¶玄関で～ 현관에서 마중하다 / 駅〔空港〕まで～ 역〔공항〕까지 마중 나가다.

でむ-く【出向く】 5自 (목적한 장소로) 나가다. ¶指定の場所に～ 지정된 장소에 가다/わざわざ～ことはない 일부러 나갈 필요는 없다.　「이.

でめ【出目】 名 툭 튀어나온 눈; 퉁방울

てめえ〖手前〗 代 〈俗〉 **1** 저. ¶～の不注意で 소인의 부주의로. **2** てまえ2의 막된 말씨. ¶～の知った事でない 네 알 바가 아니다. 注意 'てまえ'의 와음(訛音).

デメリット [demerit] 名 디메리트; 불이익; 결점; 단점. ↔メリット.

でも 接助 **1** 조건을 나타내는 부분에 붙여, 뒤에 말하는 사항이 그 조건에 구속되지 않는 뜻을 나타냄: …(하)더라도; …(해)도. ¶雨が降っ～出発する 비가 오더라도 출발한다/話し～むだだ 말해도 소용 없다/何度読ん**でも**分からない 몇 번 읽어도 모르겠다/眼をとじ～まぶたに浮かぶ 눈을 감아도 눈에 선하다. **2**《흔히 '…～いい' '…～かまわない' 등의 꼴로》허용을 나타냄: …(해)도. ¶白身の魚なら食べ～いいですよ 흰 살 생선이라면 먹어도 좋아요/明晩なら来～かまいません 내일 밤이면 와도 괜찮습니다. 参考 撥音便·イ音便의 뒤에서는 'でも'가 됨. 또, 形容詞를 받는 경우에는 'っても'로도 되고, 'ない'를 받는 경우에는 'なく(っ)ても·ないでも'로 됨.

でも 一係助 **1**《의지·허용·희망 등을 나타내는 말씨가 따름》엄격히 제한하지 않고 대체로 (무엇을 들어서) 말할 때 쓰임: …(이)라도. ¶りんご～みかん～, 好きなほうを食べなさい 사과든 귤이든 좋아하는 것을 드세요/こんな時, 君～居てくれたらなあ 이럴 때 자네라도 있어 줬으면 싶구나/あすに～来てもらおう 내일이라도 와 주게. **2**《흔히는 'だけ～'의 꼴로》일부분을 들어서 다른 부분까지도 암시함: …(이)라도. ¶この仕事だけ～早く済ませたい 이 일만이라도 빨리 끝내고 싶다/子どもに～できる 아이라도 할 수 있다/今から～おそくない 지금부터라도 늦지 않다. **3**《의문을 나타내는 말에 붙여서》전면 긍정을 나타냄: …(이)라도; …(이)나; …(든)지. ¶誰～知っている 누구나 알고 있다/いつ～結構です〔かまいません〕 언제라도 좋습니다〔상관 없습니다〕.

二連語 …(이)라도; …(일)지라도. ＝であっても. ¶うそ～本当～ 거짓말이든 참말이든/どんなばか者～それくらいは知っている 어떤 바보라도 그 정도는 알고 있다.

三接 《글의 첫머리에 와서》그럴지라도; 그렇더라도; 그래도. ¶～私に話してくれればよかったのに 그렇더라도 내게 말해 줬으면 좋았을 텐데/～昇進は悪くない 그래도 승진은 나쁘지 않다.

デモ 名 데모; 'デモンストレーション'의 준말. ¶～行進 데모〔시위〕 행진/～隊 데모대/～に加わる 데모에 가담하다.

でも= 〈俗〉미숙한; 엉터리…. ＝えせ. ¶～医者 돌팔이 의사/～学者 얼치기 학자/～紳士 사이비 신사. 参考 'あれでも…か(＝저것도〔저래도〕 …이냐)'하는 기분으로 쓰는 말.

てもち【手持ち】 名 현재 수중에 가지고 있음; 또, 그 물건. ¶～外貨 수중에 있는 외화/～の材料 (현재) 가지고 있는 재료.

—ひん【—品】 名 현품; 수중에 있는 물건. ¶～がない 현품이 없다.

—ぶさた〖—無沙汰〗 名ナ 할 일이 없어 따분함; 무료함. ¶～の様子だね 할 일이 없어서 심심한 모양이군/客が来なくて～だ 손님이 오지 않아 따분하다.

***てもと【手もと·手元】〖手許〗** 名 **1** 손〔감독〕이 미치는 범위; 자기 주위; 바로 옆; 수중. ¶～が暗い 주변이 어둡다/～に資料がない 수중에 자료가 없다. **2** 평소의 솜씨; 또, 살림; 생계. ¶～不如意 살림이 어려움/～が狂う 평소의 솜씨가 안 나오다; 손어림이 빗나가다. **3** (미장이·목수 등의) 조수. ¶～に入る (미장이 등의) 조수로 들어가다. **4** 그 사람의 처소. ¶～にお届けします 댁으로〔계신 곳으로〕 보내 드리겠습니다.

—きん【—金】 名 소지한 돈; 용돈. ＝小遣い銭. 参考 줄여서 'てもと'라고도 함.

でもどり【出戻り】 名 이혼하고 친정에 돌아와 있음; 또, 그 여자; 소박데기. ¶～の娘 이혼하고 친정에 와 있는 딸.

てもなく〖手も無く〗 連語 〈俗〉 조금도 손을 쓰지 않고; 손쉽게; 간단히; 어이없게. ＝たやすく. ¶～できる 손쉽게 할 수 있다/～降参した 어이없게 항복했다/～やられる 맥도 못 쓰고 지다; 어이없이 당하다.

でもの【出物】 名 **1** (부동산이나 중고품 등의 싸게 내놓은) 매물(賣物). ¶～の書画 매물로 나온 서화/格安の～ (품질에 비해) 값이 싼 매물. **2** 부스럼; 종기. ＝できもの·腫れ物. **3** 〈俗〉 방귀. ＝おなら.

—腫れ物所嫌わず 방귀나 부스럼은 장소를 가리지 않는다《염치 없음의 비유》.

てもり【手盛り】 名 **1** 손수 음식을 그릇에 담음. ¶～で飯を食う 손수 밥을 퍼서 먹다. **2**《'お～'의 꼴로》제멋대로 사리사욕을 꾀함; 제 마음대로 정함. ¶お～予算 자기에게 유리하게 제멋대로 짠 예산.

デモ-る 5自 〈俗〉 데모를 하다. ¶目抜き通りを～·って歩く 번화가를 시위하며 걸어가다. 参考 デモ를 동사화한 말.

デモンストレーション [demonstration] 图 데먼스트레이션. **1** ☞デモ. **2** 선전 등을 위해 벌이는 실연(實演).

てやく【手役】图 화투에서, 나누어 준 패만으로 저절로 된 약. ↔出来役.

デューティーフリー [duty-free] 图 듀티프리; 면세. 「프리 숍; 면세점.

——ショップ [duty-free shop] 图 듀티

デュエット [duet] 图〘樂〙듀엣.

てよ 連語《문장 끝에 씀》**1**〈兒·女〉명령·요구를 나타냄: …(해)주세요. ¶あれ買っ～ 저것 사 줘요 / 早く読んでよ 빨리 읽어 줘요. **2**〈女〉감탄을 나타냄: …여요; …셔요. ¶本当によく見え～ 정말 잘 보이네요 / それはそれはお美しくっ～ 정말, 정말 예뻐요.

でよう【出よう】《出様》图 (나오는) 태도; 하는 짓. =しかた·でかた. ¶相手の～いかんによる 상대의 나오는 태도 여하에 달렸다.

＊＊てら【寺】图 **1** 절. ¶～に参る 절에 참배하다〔가다〕. **2** '寺銭·寺子屋'의 준말.

てら-う〖衒う〗5他 (학문·재능 따위를) 자랑하여 드러내 보이다. ¶～·った文章 현학적인 문장 / 少しも～ところがない 조금도 뽐내는 데가 없다.

てらおとこ【寺男】图 절에서 잡일을 하는 남자; 불목하니.

てらこ【寺子】图 서당에 다니는 아이.

テラコッタ [이 terra cotta] 图〘建〙테라코타《점토를 구워 만든 건축용 도기》.

てらこや【寺子屋】图 (江戸 시대에 보급된) 서당. ¶～式の教育 서당식 교육. 注意 '寺小屋'로 씀은 잘못.

てらしあわ-せる【照らし合わせる】下1他 대조하다; 비교해 보다; 조회하다. ¶現金と帳簿を～ 현금과 장부를 대조하다 / 彼らの陳述を～と全く符合している 그들의 진술을 대조하니까 완전히 부합한다.

＊＊てら-す【照らす】5他 **1** 빛을 비추다; 비추어 밝히다. ¶月が夜道を～ 달이 밤길을 비추다 / 闇を～灯台 어둠을 비추는 등대 / 肝胆相～ 간담상조하다. **2** 비추어 보다; 대조〔참조〕하다. ¶古い例に～·して考える 예전의 예〔전례〕에 비추어 생각하다.

テラス [terrace] 图〘建〙테라스; 양옥집에 붙은 노대(露臺). =露台.

——ハウス [일 terrace＋house] 图 테라스 하우스; 주택 단지 등에서 볼 수 있는, 마당이 딸린 2층 건물의 연립 주택.

てらせん【寺銭】图 (도박 따위에서) 자릿세로 판돈에서 내는 돈. =てら.

デラックス [프 de luxe] ダナ 딜럭스; 고급; 호화판. ¶～なホテル 호화로운 호텔 / ～な車 딜럭스한 자동차. 參考 프랑스어의 영어식 발음 표기.

てらてら 副 ダナ 기름기가 있거나 해서 빛나는 모양: 번질번질; 번들번들. ¶～(と)した顔 번질번질한 얼굴.

てらまいり【寺参り】图 ス自 절에 참배함. =寺もうで.

てり【照り】图 **1** 일조(日照); 볕이 쬠; 맑은 날씨. ¶夏の～は強い 여름볕은 따갑다 / ～が続く 맑은 날이 계속되다. ↔降り. **2** 윤; 광택. ¶～をつける 윤을 내다 / ～が出る 윤〔광택〕이 나다. **3** 요리에 윤을 내기 위해서 바르는 양념장. ¶魚に～をつける 생선에 양념장을 바르다.

てりかえし【照り返し】图 **1** 반사; (빛이나 열을) 되비침; 반조(返照). ¶～が強い 반사가 강하다. **2** 반사경. ¶電灯に～を付ける 전등에 반사경을 붙이다.

てりかえ-す【照り返す】5自他 반사(反射)하다; 되비치다. ¶～·して暑い (햇빛을) 반사하여 덥다 / 路面が日差しを～ 노면이 햇살을 반사하다.

てりかがや-く【照り輝く】5自 아름답게 빛나다. ¶雲の間に間に夕日が～ 구름 사이사이로 저녁 해가 빛난다 / 広間のシャンデリアが～ 넓은 홀의 샹들리에가 휘황찬란하게 빛나다.

デリカシー [delicacy] 图 델리커시; 섬세; 미묘. ¶～に欠ける 섬세함이 없다.

デリケート [delicate] ダナ 델리킷. **1** 섬세함. ¶～な神経〔心〕 섬세한 신경〔마음〕. **2** 미묘함. ¶～な問題〔事柄〕 미묘한 문제〔사항〕.

てりつ-ける【照り付ける】下1自 햇볕 따위가 내리쬐다. ¶真昼の日差しが～ 한낮의 햇볕이 내리쬐다.

てりは-える【照り映える】下1自 빛을 받아 아름답게 빛나다〔보이다〕. ¶秋の日に～紅葉 가을 햇빛에 아름답게 빛나는 단풍 / 雪の山が夕日に～ 눈 덮인 산이 석양을 받아 아름답게 빛나다〔보이다〕.

てりやき【照り焼き】图 생선에 양념장을 발라서 윤이 나게 구움; 또, 그렇게 구운 생선. ¶ぶりの～ 방어 양념구이.

てりゅうだん【手榴弾】图 수류탄. =しゅりゅうだん·手投げ弾. ¶～を投げる 수류탄을 던지다.

てりょうり【手料理】图 집에서 만든 요리. ¶母の～ 어머니가 손수 만든 요리.

＊＊て-る【照る】5自 **1** 비치다; 아름답게 빛나다. ¶月が～ 달빛이 비치다 / 日が燦々と～ 해가 찬란하게 비치다. **2** (날이) 개다. ¶～日も降る日も 갠 날도 궂은 날도 / ～日もあれば曇る日もある 갠 날이〔좋은 때가〕 있으면 흐린 날〔나쁜 때〕도 있다.

てる 連語 'ている(=…하고 있다)'의 압축된 말씨. ¶笑っ～ 웃고 있다 / 読んでる 읽고 있다.

＊＊でる【出る】下1自 **1** 나가다. ¶よく～品 잘 나가는〔팔리는〕 물건 / 庭に～ 뜰에 나가다 / 汽車〔船〕がでて行く 기차〔배〕가 출발하다 / 会社に～ 회사에 나가다〔출근하다〕/ 運動競技に～ 운동 경기에 나가다 / 旅に～ 여행을

떠나다. ↔はいる·入いる. **2** 나아가다; 전진하다; 진출하다. ¶三歩前さんぽまえに～ 3보 앞으로 나아가다/実業界じつぎょうかいに～ 실업계로 진출하다. **3** 나오다. ¶くぎがでた靴くつ 못이 (튀어)나온 구두/韓国語かんこくごからでた語彙ごい 한국어에서 나온 어휘/ふろから～ 목욕탕에서〔목욕하고〕 나오다/日ひが～ 해가 나오다〔돋다〕/涙なみだが～ 눈물이 나오다/悪わるい癖くせが～ 나쁜 버릇이 나오다/五月号ごがつごうが～ 5월호가 나오다/ボーナスが～ 보너스가 나오다/家いえを～ 집을 나오다〔가출하다〕/会社かいしゃを～ 회사를 나오다〔그만두다〕/お暇ひまが～ (a) 휴가를 얻다; (b) (직장에서) 해고당하다/蛇口じゃぐちをひねれば水みずが～ 수도꼭지를 틀면 물이 나온다/学校がっこうを～ 학교를 나오다〔졸업하다〕/腹はらがだいぶでてきた 배가 상당히 나왔다/彼かれがどう～か見みものだ 그가 어떻게 나올지 두고 볼 일이다. **4** 나다. ¶鉄てつが～山やま 철이 나는 광산/火ひが～ 불이 나다/芽めが～ (a)싹이 나다; (b)행운이 싹트다/温泉おんせんが～ 온천물이 (솟아)나다/彼かれはこの小説しょうせつで世よにでた 그는 이 소설로 출세했다/やる気きが～ 할 마음이 나다; 마음이 내키다/味あじ〔食欲しょくよく〕が～ 맛〔식욕〕이 나다/新聞しんぶんに～ 신문에 나다/判決はんけつが～ 판결이 나다/スピードが～ 스피드가 나다〔붙다〕/赤字あかじが～ 적자가 나다. **5** 나서다. ¶選挙せんきょに～ 선거에 나서다〔출마하다〕/私わたしなどの～幕まくじゃない 나 따위가 나설 자리가 아니다. **6** 나타나다. ¶不平ふへいが顔かおに～ 불평(의 빛)이 얼굴에 나타나다. **7** (한계를) 넘다. ¶五人ごにんを～かもしれない 다섯 사람을 넘을지 모른다/素人しろうとの域いきをでない作品さくひん 아마추어 단계를 벗어나지 못한 작품. **8** 가다; 빠지다. ¶どこへ～道みちかしら? 어디로 빠지는 길일까. **9** (명령 따위가) 내려지다; 내려오다. ¶本社ほんしゃから指令しれいが～ 본사에서 지령이 내려오다. 參考 가능(可能)의 말씨를 구어(口語)에서는 '出でれる'라고 하는 수가 있으나 '出でられる'가 옳음.

—杭くいは打うたれる 튀어나온 말뚝은 얻어맞는다; 잘난 놈〔중뿔나게 굴면〕 남에게 미움받는다.

デルタ [delta] 图 델타; 삼각주(三角洲). ¶～地帯ちたい 삼각 지대.

—フォース [Delta Force] 图 델타 포스; 미육군의 대(對)테러 특수 부대.

てるてるぼうず【てるてる坊主】《照る照る坊主》图 날이 들기를 기원하여 추녀 끝에 달아 두는, 종이로 만든 인형. ＝てりてりぼうず.

テレカ 图 'テレフォンカード'의 준말.

てれかくし【照れ隠し】图 멋쩍음〔겸연쩍음; 쑥스러움〕을 감추려는 태도·동작. ¶～に大声おおごえで笑わらう 멋쩍음을 감추려고 큰 소리로 웃다.

てれくさ-い【照れ臭い】形 열없다; 멋쩍다; 겸연쩍다. ¶～羽目はめに陥おちいる 멋쩍게 되다; 거북한 입장에 빠지다/～·くて顔かおがあげられない 겸연쩍어 얼굴을 들 수 없다/ほめられて～ 칭찬을 받아 멋쩍다.

テレクラ [일 telephone＋club] 图 회원인 남성이 전화가 있는 밀실에 들어가 그리로 걸려 온 여성과 대화를 나누는 신종 유흥업소; 전화방.

テレコ 图〈俗〉'テープレコーダー(＝테이프 리코더)'의 준말.

テレコム [telecom] 图 텔레컴; TV·라디오·전화 등에 의한 원격 통신. ＝電気通信でんきつうしん·テレコミュニケーション.

テレコントロールシステム [telecontrol system] 图 텔레컨트롤 시스템; 외부에서 전화로 보낸 통신 신호에 따라 집 안의 기기(機器)를 제어하는 시스템.

テレコンピューティング [telecomputing] 图 텔레컴퓨팅; 통신 기능을 살린 PC의 새로운 이용 형태《전화 회선과 PC를 결합한 것으로, PC끼리 또는 PC와 대형 컴퓨터 사이에 자유로운 정보 교환이 가능함》.

テレコンファレンス [teleconference] 图 텔레컨퍼런스; 영상 회의; 원격 화상 회의. ＝テレビ会議かいぎ.

テレショップ [일 tele＋shop] 图 TV 쇼핑; TV로 상품을 소개하고 전화·우편 등으로 주문을 받아 직접 배송하는 통신 판매 방식. ＝テレビショッピング.

てれしょう【照れ性】图 곧잘 수줍어〔쑥스러워〕하는 성격.

でれすけ【でれ助】图〈俗〉**1** 여자에게 사족을 못 쓰는 사람. ＝すけべえ. **2** 흘게 늦은 사람; 동작이 굼뜬 사람.

テレックス [Telex] 图〘商標名〙텔렉스; 가입자 전신. ＝加入者かにゅうしゃ電信でんしん.

でれっと 副〈俗〉올찬 데가 없어 (늘 여자에게) 개절찮게 구는 모양. ＝でれり. ¶～した態度たいど 흘게 늦은 태도/あいつ, いつも～してやがる 저녀석, 늘 (여자에게) 치근거린다.

でれでれ トス自〈俗〉흘게 늦게 구는 모양; (특히, 여자에게) 촐촐하게 구는 모양; 는실난실. ¶女おんなに～する 여자에게 쪽을 못 쓰다/～しないでもっとはきはき仕事しごとをしろ 어물대지 말고 좀더 오달지게 일을 해라. 「신 감응.

テレパシー [telepathy] 图 텔레파시; 정

テレビ 图 'テレビジョン'의 준말. ¶～番組ばんぐみ TV 프로그램/～電話でんわ 텔레비전 전화/白黒しろくろ～ 흑백 TV/～をつける〔消けす〕 텔레비전을 켜다〔끄다〕.

—かいぎ【—会議】图 ☞テレコンファレンス.

—ゲーム [일 television＋game] 图 텔레비전〔비디오〕 게임. ＝ビデオゲーム.

—ショッピング [일 television＋shopping] 图 텔레비전 쇼핑. ＝テレショップ.

テレビジョン [television] 图 텔레비전; 티브이《TV》. ＝テレビ.

テレビンゆ【テレビン油】图 테레빈유. ▷terebene.

テレフォン [telephone] 图 텔레폰; 전화. =テレホン.

―カード [일 telephone+card] 图 텔레폰 카드; 공중전화 카드. =テレカ·テレカード.

―サービス [일 telephone+service] 图 전화 서비스《전화로 정보를 제공》.

テレマーケティング [telemarketing] 图 텔레마케팅; 전화 따위의 정보 시스템을 활용한 마케팅.

てれや【照れ屋】图 수줍음을 잘 타는 사람.

て-れる【照れる】下1自 〈俗〉 수줍어하다; 거북해하다. =はにかむ. ¶改(あらた)まった挨拶(あいさつ)をして~·れている 격식 차린 인사를 하고 쑥스러워하고 있다.

てれわらい【照れ笑い】图ス自 열없이 웃는 웃음.

てれん【手練】图 농간; 사람을 속이는 수단. =てくだ.

―てくだ【―手管】图 '手練'의 강조어. ¶~で人(ひと)を丸(まる)め込(こ)む 그럴듯한 수단으로 남을 구슬려 삶다/~にひっかかる 농간에 걸려들다.

テロ 图 'テロリズム'의 준말. ¶~行為(こうい) 테러 행위/爆弾(ばくだん)~ 폭탄 테러.

テロップ [telop] 图 텔롭; 텔레비전 방영 중에 글자나 사진을 투사·삽입하는 장치; 또, 그로 인한 자막이나 그림《본디, 商標名》. ¶~カード 텔레비전 투사 카드/~を流(なが)す 텔롭을 삽입하다. ▷television opaque projector.

テロリスト [terrorist] 图 테러리스트; 폭력을 쓰는 사람; 암살자.

テロリズム [terrorism] 图 테러리즘; 폭력; 폭력주의; 공포 정치.

てわけ【手分け】图ス自 분담. ¶いなくなった犬(いぬ)を~して探(さが)す 없어진 개를 분담해서 찾다/~(を)して仕事(しごと)を片(かた)づける 분담해서 일을 처리하다.

てわざ【手業】图 손(으로 하는) 일. ¶~にかけてはおれにかなうまい 손으로 하는 일이라면 나를 따를 수 없을 게다.

てわたし【手渡し】图ス他 **1** 손수〔직접〕 전함; 수교(手交). ¶賞与金(しょうよきん)を社長(しゃちょう)が~する 상여금을 사장이 손수 전하다. **2** 손에서 손으로 전함. ¶こわれものにつき, ~希望(きぼう) 파손되기 쉬운 물건이오니, 직접 전해 주시기 바람.

てわた-す【手渡す】5他 (직접) 건네다; 수교(手交)하다. ¶書類(しょるい)を~ 서류를 건네다/抗議文(こうぎぶん)が~·された 항의문이 수교되었다.

*__てん__【天】图 천. **1** 하늘. ㉠공중. ¶~を仰(あお)ぐ 하늘을 우러러보다. ↔地(ち). ㉡천지 만물의 지배자; 조물주. ¶~の助(たす)け 하늘의 도움/~の声(こえ) 천성; 하늘〔신〕의 소리. ㉢천명. ¶運(うん)を~にまかせる 운을 하늘에 맡기다. ㉣〖基〗 하늘 나라; 천국. ¶~にまします神(かみ) 하늘에 계신 하느님. **2** 물건의 위쪽. ¶~地(ち)無用(むよう) (이 물건을) 거꾸로 하지 말 것. ↔地(ち). **3**【てん】처음; 머리; 초장. ¶~からだめだ 시초부터 글렀다/~からばかにしている 숫제 바보로 여기고 있다/レースで~に立(た)つ 경주에서 선두에 서다. ⇨てんから.

―知(し)る, 地(ち)知る, 我(われ)知る, 人(ひと)知る (아무도 모를 것 같으나) 하늘과 땅이, 그리고 나와 당신이 알고 있다.

―高(たか)く馬(うま)肥(こ)ゆる 천고마비.

―につばする 하늘에 침 뱉다.

―は自(みずか)ら助(たす)くる者(もの)を助(たす)く 하늘은 스스로 돕는 자를 돕는다.

―を突(つ)く 하늘을 찌르다; 기세가 대단하다. ¶~ような大木(たいぼく) 하늘을 찌를 듯한 거목/意気(いき)~ 의기충천하다.

てん【点】一图 점. **1 작은 표시. ¶地図(ちず)に~をうつ 지도에 점을 찍다. **2** ㉠답안 등의 평점·점수. ¶~がからい 점수가 짜다/~をつける 점수를 매기다/よい~をもらう 좋은 점수를 받다. ㉡사물의 평가. ¶~のうちどころがない 흠잡을 데가 전혀 없다. **3** 경기의 득점. ¶~がはいらない 득점하지 못하다/~を取(と)る 점수를 따다; 득점하다. **4** 특정한 장소·사항. ¶その~が問題(もんだい)だ 그 점이 문제다/どの~から見(み)ても 어떤 점으로 보아도. 二接尾 …점. **1** 점수. ¶百(ひゃく)~ 100점. **2** 물품의 개수. ¶名画(めいが)数十(すうじっ)~ 명화 수십 점. **3** 장소·사항을 나타냄. ¶出発(しゅっぱつ)~ 출발점.

―を打(う)つ 비평하다; 비난하다; 트집잡다.

てん【典】图 **1** 의식; 식전. ¶華燭(かしょく)の~ 화촉지전. **2** 규칙. **3** 책; 서책.

てん〖貂〗图〔動〕 담비.

=てん【店】…점; 가게. ¶食料品(しょくりょうひん)~ 식료품점〔가게〕/洋品(ようひん)~ 양품점.

=てん【展】…전; 전람회. ¶美術(びじゅつ)~ 미술전/作品(さくひん)~ 작품전.

てん〖天〗 教1 テン あめ あま そら | 천 하늘 | **1** 하늘. ¶天下(てんか) 천하/九天(きゅうてん) 구천. ↔地(ち). **2** 대자연의 힘. ¶天災(てんさい) 천재. **3** 자연의; 타고난. ¶天職(てんしょく) 천직/天才(てんさい) 천재.

てん〖典〗 教4 テン ふみ のり つかさどる | 전 법 | **1** 사람이 행할 바를 적은 책. ¶典籍(てんせき) 전적; 책/経典(けいてん) 경전. **2** 근거가 있다. ¶典故(てんこ) 전고/出典(しゅってん) 출전. **3** 기준. ¶典例(てんれい) 전례/典型(てんけい) 전형.

てん〖店〗 教2 テン みせ たな | 점 가게 | 전방; 가게. ¶店舗(てんぽ) 점포/売店(ばいてん) 매점.

てん〖点〗〖點〗 教2 テン ともす たてる | 점 점 | 점. **1** 답안의 평가. ¶点数(てんすう) 점수. **2** 물건의 수를 세는 말. ¶衣類(いるい)数点(すうてん) 의류 수 점. **3** ㉠곳. ¶発火点(はっかてん) 발화점. ㉡사항; 일. ¶問題点(もんだいてん) 문제점. **4** 불을 켜다. ¶点灯(てんとう) 점등.

てん〖展〗 教6 テン のべる ひろげる | 전 펴다 | **1** 늘

어놓다. ¶展示(てんじ) 전시. **2** 펴다. ¶展開(てんかい) 전개. **3** 성해지다. ¶発展(はってん) 발전 / 進展(しんてん) 진전.

てん〖添〗《添》常用 テン そう そえる | 첨 더하다 | 더하다; 보태다; 덧붙이다. ¶添削(てんさく) 첨삭 / 加添(かてん) 가첨.

てん〖転〗《轉》教3 テン ころがる ころがす ころぶ ころげる うたた | 전 구르다 | **1** 구르다; 돌다. ¶運転(うんてん) 운전 / 回転(かいてん) 회전. **2** 뒤집히다; 넘어지다. ¶逆転(ぎゃくてん) 역전 / 転落(てんらく) 전락.

でん【伝】㊀名 **1** 전기. ¶偉人(いじん)の～を読(よ)む 위인 전기를 읽다. **2** (익숙한) 방법; 수단. ¶いつもの～でいこう 언제나 하는 방식으로 해 나가자. ㊁接尾 …전. **1** 전기. ¶自叙(じじょ)～ 자서전. **2** 경서의 주석. ¶春秋左氏(しゅんじゅうさし)～ 춘추좌씨전.

=でん【殿】…전. **1** 큰 건물 이름에 붙이는 말. ¶大仏(だいぶつ)～ 대불전. **2** 귀인의 성씨나 법명(法名) 등에 붙이는 경칭.

でん〖田〗教1 デン た | 전 논 | **1** 논; 논밭. ¶田地(でんち) 전지. **2** 전답처럼 무엇이 나는 땅. ¶炭田(たんでん) 탄전 / 油田(ゆでん) 유전.

でん〖伝〗《傳》教4 デン テン つたわる つたえる つたう | 전 전하다 | **1** 전하다. ¶伝達(でんたつ) 전달 / 口伝(くでん) 구전. **2** 세상에 펴다. ¶伝道(でんどう) 전도 / 宣伝(せんでん) 선전. **3** 전해 오는 말. ¶伝説(でんせつ) 전설 / 伝記(でんき) 전기.

でん〖殿〗常用 デン テン との どの しんがり | 전 큰집 | **1** 전각. ¶殿堂(でんどう) 전당 / 宮殿(きゅうでん) 궁전. **2** 사람의 경칭. ¶貴殿(きでん) 귀하.

でん〖電〗教2 デン いなずま | 전 전기 | **1** 번갯불. ¶電光(でんこう) 전광 / 雷電(らいでん) 뇌전. **2** 전기. ¶電力(でんりょく) 전력. **3** '電信(でんしん)·電報(でんぽう)·電話(でんわ)'의 준말. ¶打電(だでん) 타전 / 来電(らいでん) 내전.

でんあつ【電圧】名 전압. ¶～計(けい) 전압계 / ～が低(ひく)い 전압이 낮다 / ～がさがる 전압이 내려가다.

てんい【天意】名 천의; 하늘의 뜻; 자연의 도리. ¶～に従(したが)う 천의에 따르다 / ～にそむく 천의를 거역하다.

てんい【転位】名ス自 전위; 위치가 바뀜; 위치를 옮김.

てんい【転移】名ス自他〔醫〕전이; 암 따위 병의 환부가 옮아감. ¶癌(がん)が～する 암이 전이하다.

てんいむほう【天衣無縫】名 **1** 천의무봉; (시가(詩歌) 등이) 기교를 부린 흔적이 없이 자연스럽고 완전무결함. ¶～の傑作(けっさく) 천의무봉의 걸작. **2** 〈俗〉 천진난만함. ¶～の人柄(ひとがら) 천진난만한 인품.

てんいん【店員】名 점원. ¶～を勤(つと)める 점원살이를 하다.

てんうん【天運】名 천운; 천명. ¶～とあきらめる 천명이라고 체념하다 / ～尽(つ)きる 천운이 다하다.

でんえん【田園】名 전원. **1** 논과 밭. ¶～まさに荒(あ)れんとす 논밭이 바야흐로 황폐해 가고 있다. **2** 교외; 시골. ¶～生活(せいかつ) 전원생활 / 美(うつく)しい～風景(ふうけい) 아름다운 전원 풍경.

—とし【—都市】名 전원도시.

てんおん【転音】名 전음; 복합어의 윗부분이 본래의 음과 달라짐《雨(あめ)+雲(くも)=あまぐも; 酒(さけ)+たる=さかだる로 되는 따위》.

てんか【天下】名 천하; (온)세상. ¶～無双(むそう) 천하무쌍 / ～を治(おさ)める〔狙(ねら)う〕천하를 다스리다〔노리다〕/ ～の笑(わら)い者(もの)となる 온 세상의 웃음거리가 되다 / 今日(きょう)からおれたちの～だ 오늘부터 우리들 세상이다〔멋대로다〕.

—晴(は)れて 천하에 거리낄 것 없이; 떳떳이; 공공연히. ¶～結婚(けっこん)する 떳떳하게 결혼하다.

—を取(と)る 천하를 잡다. **1** 정권을 잡다. **2** 전권을 쥐다. ¶社長(しゃちょう)一派(いっぱ)が～ 사장 일파가 전권을 쥐다.

—いっぴん【—一品】名 천하일품. ¶～の腕前(うでまえ) 천하일품의 솜씨 / まさに～だ 실로 천하일품이다.

—ごめん【—御免】名 공공연히 허락됨; 천하 공인. ¶ここでは～で酒(さけ)が飲(の)める 여기서는 공공연히 술을 마실 수가 있다.

—わけめ【—分け目】名 천하를 겨루는 판국; 승패의 갈림길. ¶～の関(せき)が原(はら) 천하를 겨루는 대결전.

てんか【添加】名ス他自 첨가. ¶ビタミンC(シー)を～する 비타민 C를 첨가하다.

—ぶつ【—物】名 첨가물. ¶食品(しょくひん)～ 식품 첨가물.

てんか【転化】名ス自 전화; 다른 상태로 바뀜. ¶戦争(せんそう)が長期戦(ちょうきせん)に～する 전쟁이 장기전으로 바뀌다 / 愛情(あいじょう)が憎悪(ぞうお)に～する 애정이 증오로 바뀌다.

てんか【転嫁】名ス他 전가. ¶責任(せきにん)を～する 책임을 전가하다.

てんか［転訛］名ス自 전와; 말의 본래 음이 발음 편의상 다른 음으로 바뀜. ¶動物(どうぶつ)のコウモリはカワボリの～ 동물 코우모리는 카와보리의 전와.

てんか【転科】名ス自 전과. ¶法科(ほうか)から文科(ぶんか)へ～する 법과에서 문과로 전과하다.

てんか【点火】名ス自 점화. ¶聖火(せいか)に～する 성화에 점화하다 / 導火線(どうかせん)に～する 도화선에 점화하다.

てんが【典雅】名ダナ 전아; 바르고 우아함. ¶～な調(しら)べ 우아한 가락 / ～な文章(ぶんしょう)〔儀式(ぎしき)〕전아한 문장〔의식〕.

でんか【伝家】名 전가; 대대로 그 집에 전해 내려옴.

—の宝刀(ほうとう) 전가의 보도《함부로 쓰지 않는 비법에 비유됨》. ¶いよいよ～を抜(ぬ)く時(とき)だ 마침내 전가의 보도를 뽑을 때다〔비장의 수단을 쓸 때다〕.

でんか【殿下】名 전하; 폐하(陛下)라고

불리는 이외의 황족에 대한 존칭. ¶皇太子~ 황태자 전하.

でんか【電化】名 ス他自 전화; 전력화. ¶~事業〔製品〕 전화 사업〔제품〕/鉄道の~ 철도의 전화.

てんかい【天界】名 천계; 천상의 세계; 하늘. ¶~の神秘 하늘〔우주〕의 신비.

*__てんかい__【展開】名 ス他自 **1** 전개. ¶目の前に~する大パノラマ 눈앞에 전개되는 대파노라마/試合の~次第では 경기의 전개에 따라서는/多様な外交を~する 다양한 외교를 전개하다. **2** 타개. ¶行き詰まった局面が~する 막다른 국면이 타개되다.

てんかい【転回】《転廻》名 ス自他 전회; 회전. ¶方向を~する 방향을 바꾸다/船の進路を北に~する 배의 진로를 북으로 바꾸다.

てんがい【天涯】名 천애; 하늘 끝; 고향으로부터 멀리 떨어진 땅; 머나먼 타향. ¶~の孤児 천애의 고아.

—こどく【—孤独】名 천애 고독; 넓은 세상에 피붙이가 하나도 없음.

でんかい【電解】名 ス他〘理〙 전해; '電気分解(=전기 분해)'의 준말. ¶~質 전해질/食塩水を~する 식염수를 전해하다.

てんかく【点画】名 점획; 한자(漢字)를 구성하는 점과 획.

てんがく【転学】名 ス自 전학. ¶他校に~する 타교로 전학하다.

でんかく【殿閣】名 전각.

でんがく【田楽】名 **1** '田楽豆腐·田楽焼き'의 준말. **2** 농악에서 발달한 무용의 하나.

—どうふ【—豆腐】名 두부 산적.

—やき【—焼き】名 (야채·생선 따위의) 산적.

てんから『天から』副 **1** 처음부터. =はじめから. ¶~間違っている 처음부터 잘못돼 있다/~あきらめている 처음부터 체념하고 있다. **2**《뒤에 否定을 수반하여》 아예; 전혀. =てんで. ¶~相手にしない 아예 상대하지 않는다/~なっていない 전혀 돼먹지 않았다.

てんかん『癲癇』名〘醫〙 전간; 간질. ¶~を起こす 간질을 일으키다.

てんかん【転換】名 ス他自 전환. ¶~期 전환기/性の~ 성전환/気分~ 기분 전환/方向を~する 방향을 전환하다.

—しゃさい【—社債】名〘經〙 전환 사채《CB》.

てんがん【点眼】名 ス他自 점안; 눈에 안약을 넣음. ¶眼が疲れると目薬を~する 눈이 피로하면 안약을 넣는다.

__てんき__【天気】名 **1 날씨. ㉠일기. ¶定まらない~ 변덕스러운 날씨/~がくずれる 날씨가 나빠지다. ㉡쾌청한 날씨. ¶あすは~になるかな? 내일은 날이 들는지/今日はお~ですね 오늘은 날씨가 좋군요. **2** 기분. ¶社長のお~がわるい 사장이 저기압이다/かれはお~屋だ 그는 변덕쟁이다.

—あめ【—雨】名 여우비.

—ず【—図】名 천기도; 일기도.

—よほう【—予報】名 일기 예보.

てんき【天機】名 **1** 천기. ㉠천지조화의 비밀; 중대한 비밀. ㉡천부(天賦)의 재능. ¶~を現わす 타고난 재능을 발휘하다. **2** 천자의 기분. ¶~を伺う 천자를 문후하다.

—漏らすべからず 천기를 누설해서는 안된다.

てんき【転機】名 전기; 전환기; 계기. ¶人生の~ 인생의 전(환)기/政局に一~を画する 정국에 하나의 전기를 긋다/ふとしたことが~となる 우연한 일이 전기가 되다.

でんき【伝奇】名 전기; 괴기하고 환상적인 이야기. ¶~小説 전기 소설.

*__でんき__【伝記】名 전기. ¶~作家 전기 작가/英雄の~ 영웅의 전기.

でんき【電器】名 전기 기구. ¶~店 전기 기구점.

でんき【電機】名 전기; 전기 기계.

__でんき__【電気】名 **1 전기. ¶静~ 정전기/~工学〔かみそり〕 전기 공학〔면도기〕/摩擦で~が起きる 마찰로 전기가 발생하다. **2**〈俗〉 전등. ¶~スタンド 전기스탠드/~をつける〔消す〕 전등을 켜다〔끄다〕.

—いす『—椅子』名 (사형용의) 전기의자.

—うなぎ『—鰻』名 전기뱀장어. =しびれうなぎ.

—かいろ【—回路】名 전기 회로.

—がま『—釜』名 전기밥솥.

—そうじき【—掃除機】名 전기 청소기.

—ぶんかい【—分解】名 ス他 전기 분해.

—メス [네 mes] 名 전기 메스.

—ようせつ【—溶接】名 전기 용접.

—りょうほう【—療法】名 전기 요법.

—ろ【—炉】名 전기로.

てんきゅう【天球】名〘天〙 천구.

—ぎ【—儀】名 천구의; 천구본.

でんきゅう【電球】名 전구. ¶~を取り換える 전구를 갈아 끼우다.

てんきょ【典拠】名 전거. ¶~を示す 전거를 제시하다/…を~とする …을 전거로 삼다/~があって信ずる 전거가 있어 믿는다.

てんきょ【転居】名 ス自 전거; 이사. =ひっこし·宿がえ. ¶~先 이사간 곳/今般左記へ~しました 금번 좌기 장소로 이전했습니다.

てんぎょう【転業】名 ス自 전업. ¶~を勧める 전업을 권하다/飲食業に~した 음식업으로 전업했다.

でんきょく【電極】名〘理〙 전극.

てんきん【転勤】名 ス自 전근. ¶支社へ~になる 지사로 전근하게 되다.

てんぐ『天狗』名 **1** 심산(深山)에 산다는 상상의 괴물《얼굴이 붉고 코가 높으며 신통력이 있어 하늘을 자유로이 날아다닌다고 함》. ¶~礫 어디선지 모르게 (도깨비처럼) 날아오는 돌팔매. **2** 자랑하고 우쭐해함; 또, 그 사람. ¶褒(ほ)められて～になる 칭찬을 받고 우쭐해하다. 参考 자만함을 '鼻(はな)が高(たか)い(=코가 높다)' 라고 하는 데서.

—ばな【—鼻】 名 **1** 높은 코. **2** 우쭐해서 자랑하는 사람.

てんくう【天空】 名 천공; 하늘. ¶～に聳(そび)える 하늘에 우뚝 솟다 / ～に虹(にじ)がかかる 하늘에 무지개가 뜨다.

てんぐさ〖天草〗 名〔植〕 우뭇가사리.

デングねつ【デング熱】 名 뎅기열《모기에 의해서 전염되는 바이러스성 열대 전염병》. ▷도 Denguefieber.

でんぐりがえし【でんぐり返し】 名 공중제비; 재주넘기《사물의 위치·상태를 뒤집는 일에도 비유됨》. ¶体操(たいそう)で, ～をする 체조에서, 공중제비를 하다.

でんぐりがえ-る【でんぐり返る】 5自 **1** 공중제비하다. ¶マットの上(うえ)で～ 매트 위에서 공중제비하다. **2** 뒤집히다. ¶心臓(しんぞう)が～思(おも)い 심장이 뒤집히는 기분 / どたん場(ば)で事態(じたい)が～ 막판에 가서 사태가 뒤집히다 / 車(くるま)が衝突(しょうとつ)して～ 차가 충돌하여 뒤집히다.

***てんけい【典型】** 名 전형. ¶美(び)の～ 미의 전형 / 政治家(せいじか)の一(いち)～ 정치가의 한 전형.

—てき【—的】 ダナ 전형적. ¶～なサラリーマン 전형적인 샐러리맨 / ～な例(れい)を挙(あ)げる 전형적인 예를 들다.

てんけい【天刑】 名 천형; 천벌.

—びょう【—病】 名 천형병; 나병.

てんけい【天恵】 名 천혜; 하늘의 혜택. ¶～に浴(よく)する 천혜를 입다.

てんけい【点景】《添景》 名 점경; (정취를 더하기 위해) 풍경화 등에 그려 넣는 인물·동물 따위. ¶～人物(じんぶつ) 점경 인물.

でんげき【電撃】 名 전격. ¶～療法(りょうほう) 전격 요법; 쇼크 요법 / ～作戦(さくせん)〔結婚(けっこん)〕 전격 작전〔결혼〕.

てんけん【天険】《天嶮》 名 천험; 산세가 천연적으로 험한 곳. ¶～の地(ち) 천험지지 / ～の利(り)を生(い)かす 천험의 이를 살리다 / ～に立(た)て籠(こ)もる 천험〔자연〕의 요새에서 농성(籠城)하다.

***てんけん【点検】** 名スル他 점검. ¶人員(じんいん)～ 인원 점검 / エンジンを～する 엔진을 점검하다.

でんげん【電源】 名 전원. ¶～開発(かいはつ) 전원 개발 / 電池(でんち)を～とする 전지를 전원으로 하다 / ～を切(き)る 전원을 끊다.

てんこ【典故】 名 전고; 전거(典據)가 되는 고사(故事). =故実(こじつ).

てんこ【点呼】 名スル他 점호. ¶～を取(と)る 점호하다 / ～を受(う)ける 점호를 받다.

てんご【転語】 名 다른 말에서 전와(轉訛)하여 된 말.

てんこう【天候】 名 천후; 기후; 날씨. =空模様(そらもよう). ¶不順(ふじゅん)な～ 불순한 날씨 / 悪(あく)～をついて登山(とざん)する 악천후를 무릅쓰고 등산하다.

てんこう【転向】 名スル自 전향; 방향이나 입장·취미 등을 바꿈; 특히, 좌익 사상을 버림. ¶～作家(さっか) 전향 작가 / 釣(つ)りからゴルフに～する 낚시에서 골프로 취미를 바꾸다.

—ぶんがく【—文学】 名 전향 문학.

てんこう【転校】 名スル自 전교; 전학. ¶～してきた生徒(せいと) 전학해 온 학생 / 地方(ちほう)の高校(こうこう)に～する 지방 고교로 전학하다.

でんこう【電工】 名 전공. **1** '전기공' 의 준말. **2** '電気工業(でんきこうぎょう)(=전기 공업)' 의 준말.

でんこう【電光】 名 전광. **1** 번개. =いなびかり. ¶夜空(よぞら)に～がひらめく 밤하늘에 번개가 번쩍이다. **2** 전등빛. 「판.

—けいじばん【—掲示板】 名 전광 게시

—せっか【—石火】 名 전광석화. ¶～のごとく 전광석화처럼 / ～の早業(はやわざ) 전광석화〔번개〕와 같은 빠른 솜씨.

てんこく〔篆刻〕 名スル他 전각; (전서체(篆書體)의) 도장을 새김; 인각(印刻). ¶～家(か) 전각가.

てんごく【天国】 名 천국; 낙원. ¶地上(ちじょう)の～ 지상의 낙원 / 歩行者(ほこうしゃ)～ 보행자 천국《차 없는 거리》/ ～にはいる 천국에 가다《죽다》/ ～に召(め)される 천국의 부름을 받다《죽다》.

てんこもり【てんこ盛り】 名 〈俗〉 밥을 수북이 담음; 또, 그것. ¶ひもじいから～に下(くだ)さい 시장하니 밥을 수북이 담아 주시오.

でんごん【伝言】 名スル他 전언. =ことづけ. ¶～を頼(たの)む 전언을 부탁하다 / 同僚(どうりょう)に～してもらう 동료에게 전언을 부탁하다.

—ダイヤル [dial] 名 전화 자동 응답기.

てんさ【点差】 名 점차; 점수 차. ¶～がひろがる 점수 차가 벌어지다.

てんさい【天才】 名 천재. ¶～児(じ) 천재아 / 語学(ごがく)の～ 어학의 천재 / ～肌(はだ)である 천재적인 자질을 갖고 있다.

—てき【—的】 ダナ 천재적. ¶～なピアニスト 천재적인 피아니스트.

てんさい【天災】 名 천재. ¶～を蒙(こうむ)った人(ひと) 천재를 입은 사람 / ～は忘(わす)れたころにやってくる 천재는 잊어버릴 무렵에 (다시) 찾아온다. ↔人災(じんさい).

—ちへん【—地変】 名 천재지변.

てんさい〖甜菜〗 名〔植〕 첨채; 사탕무. =さとうだいこん·ビート.

てんさい【転載】 名スル他 전재; 옮겨 실음. ¶～を禁(きん)ずる 전재를 금함 / 新聞(しんぶん)から～した 신문에서 전재했다.

てんざい【点在】 名スル自 점재; 여기저기 흩어져 있음. =散在(さんざい). ¶島々(しまじま)の～している海(うみ) 섬들이 점재하는 바다 / 星(ほし)が～する 별이 점점이 보이다.

てんさく【添削】 名スル他 첨삭; 첨가와 삭제. ¶作文(さくぶん)を～して返(かえ)す 작문을 첨삭〔가필〕하여 돌려주다.

でんさんき【電算機】 名 전산기; '電子(でんし)計算機(けいさんき)(=전자계산기)' 의 준말.

てんし【天使】图 천사. **1**〔基〕신의 사자(使者). **2** 비유적으로 상냥하게 돌보아 주는 여성. ＝エンゼル. ¶白衣(びゃくえ)の～ 백의의 천사; 간호사. ⇔悪魔(あくま).

てんし【天子】图 천자; 임금. ¶～様(さま) 임금님 / ～の位(くらい)に即(つ)く 천자의 자리에 오르다.

*てんじ【展示】图ス他 전시. ¶～会(かい) 전시회 / ～品(ひん) 전시품 / 新車(しんしゃ)の～ 신차의 전시 / 生徒(せいと)の絵(え)を～する 학생의 그림을 전시하다.

てんじ【点字】图 점자. ¶～新聞(しんぶん) 점자 신문 / ～を打(う)つ 점자를 치다.

—ブロック [block] 图 점자 블록《시각 장애인의 보행을 돕기 위해 까는, 표면이 우둘투둘한 보도 블록》.

*でんし【電子】图 전자. ＝エレクトロン. ¶～音楽(おんがく)〔顕微鏡(けんびきょう)〕 전자 음악〔현미경〕/ ～辞書(じしょ) 전자 사전 / ～頭脳(ずのう) 전자두뇌《컴퓨터의 속칭》; 인공 두뇌.

—オルガン [organ] 图 전자 오르간.

—けいさんき【—計算機】图 전자계산기; 컴퓨터. ＝電算機(でんさんき)·コンピューター.

—けっさい【—決済】图〔經〕전자 결제; 물품이나 서비스 등에 대한 대금 결제를 네트워크를 통한 전자 데이터의 수불(受拂)로 하는 일《전자 화폐로 요금을 지불하는 따위》.

—こうがく【—工学】图〔理〕전자 공학. ＝エレクトロニクス.

—しゅっぱん【—出版】图 전자 출판; 종래의 편집·인쇄 과정을 컴퓨터화(化)한 출판.

—しょうとりひき【—商取引】图〔經〕전자 상거래《(개인이나 기업이) 상품 구입에서 결제까지의 상거래를 네트워크를 통해서 하는 일; 略: EC》. ＝e-コーマス·エレクトロニックコーマス.

—せいふ【—政府】图 전자 정부; 인허가(認許可) 등의 행정 절차를 인터넷을 통해서 할 수 있도록 한 시스템; 또, 그 시스템을 채용하는 행정 기관; 전자화(電子化) 정부.

—てちょう【—手帳】图 전자수첩. ＝電子ノート.

—ブック [book] 图 전자 북; 종래의 책에 인쇄한 것과 같은 내용을 전자 기기를 써서 읽게 한 것.

—マネー [money] 图 전자 화폐.

—メール [mail] 图 전자 메일; 전자 우편. ＝イーメール(E-mail). 参考 electronic mail의 역어.

—ゆうびん【—郵便】图 전자 우편; 편지(의) 팩스; 우체국이 배달하는 팩스 통신문. ＝レタックス.

—レンジ [range] 图 전자레인지.

でんじ【電磁】图〔理〕전자; 전자기. ¶～誘導(ゆうどう) 전자기 유도.

—は【—波】图 전자파; 전자기파.

—ば【—場】图〔理〕전자장; 전자기장; 전자기 마당.

てんじく [天竺] 图 천축. **1** 인도《예스러운 말씨》. **2** 먼 곳·외국·외래(外來)의 뜻. ¶唐(から)～の果(は)てまで 멀고 먼 저 끝까지.

—ぼたん〚—牡丹〛图〔植〕'달리아'의 딴 이름.

—ろうにん [—浪人] 图 주소 부정의 떠돌이. ＝やどなし.

でんじしゃく【電磁石】图〔理〕전자석.

てんじつ【天日】图 천일; 태양. ¶～塩(えん) 천일염. ＝てんぴじお.

てんしゃ【転写】图ス他 전사; 문장이나 그림 등을 옮겨 뜨거나 옮겨 쓰는 일. ¶原本(げんぽん)から一部(いちぶ)～する 원본에서 일부 전사하다.

でんしゃ【伝写】图ス他 전사; 책을 베껴 전하는 일. ¶この本(ほん)には～の誤(あやま)りがある 이 책에는 전사 때의 오류가 있다.

**でんしゃ【電車】图 전차. ¶～賃(ちん) 전찻삯; 전차 요금 / ～道(みち) 전찻길 / 終(しゅう)～ 마지막 전차 / ～に乗(の)る 전차를 타다 / ～で通(かよ)う 전차로 다니다.

てんしゅ【天主】图 천주; 하느님. ¶～堂(どう) 천주당; 성당.

—きょう【—教】图 천주교; 가톨릭교. ¶～徒(と) 천주교도; 가톨릭교도.

てんしゅ【天守】图 '天守閣(かく)'의 준말.

—かく【—閣】图 성의 중심부인 아성(牙城)의 중앙에, 3층 또는 5층으로 가장 높게 만든 망루(望樓). ＝天守(てんしゅ). 参考 '天主閣' 라고도 썼으나, 이는 잘못임.

[天守閣]

—だい【—台】图 天守閣의 토대; 또, 天守閣.

てんしゅ【店主】图 점주; 가겟주인.

てんじゅ【天寿】图 천수; 수명. ¶～を全(まっと)うする 천수를 다 누리다.

でんじゅ【伝授】图ス他 전수; 전하여 가르침. ¶奥義(おうぎ)を～する 오의를〔비법(祕法)을〕 전수하다 / 初心者(しょしんしゃ)に鮎釣(あゆつ)りのこつを～する 초심자에게 은어 낚시의 요령을 전수하다.

てんしゅつ【転出】图ス自 전출. **1** 주소를 옮김. ¶～届(とどけ) 전출 신고. ↔転入(てんにゅう). **2** 전임(함). ¶支店(してん)に～する 지점으로 전출하다.

てんしょ【添書】图ス自 **1** 심부름꾼을 보내거나 선물을 할 때 곁들여 써 보내는 편지. ＝添(そ)え状(じょう). ¶～をつけて贈(おく)り物(もの)を持(も)たせてやる (선물의 취지나 사연을 적은) 편지와 함께 선물을 들려 보내다. **2** 소개장.

てんしょ [篆書] 图 전서《한자 서체의 하나》.

でんしょ【伝書】图 전서. **1** 비방(祕方)을 쓴 책. **2** 대대로 전래하는 책. **3** 서류·편지 따위를 전함.

—ばと〚—鳩〛图 전서구.

てんじょう【天上】一图 천상; 하늘. ¶～に舞(ま)い上(あ)がる 하늘로 날아 올라가다. ↔地上(ちじょう). 二图ス自 하늘에 올라감; 승천; 죽음. ¶～する魂(たましい) 하늘로

올라가는 영혼.　「독존.
—天下唯我独尊 천상천하 유아
—かい【—界】 图 천상계; 하늘에 있는 세계. ↔下界.
***てんじょう【天井】** 图 **1** 천정. ㉠천장. ¶～板 반자널／～が高い 천장이 높다. ㉡'天井値'의 준말. ¶～を打つ〔突く〕 상투에 달하다／底で買って～で売る 바닥 시세에 사서 가장 비싸게 팔다. ↔底. **2** 물건 내부의 가장 높은 곳. ¶箱の～に穴をあける 상자의 천장에 구멍을 뚫다.
—知らず (시세 등이) 어디까지 오를지를 모름. ¶～の値上がり 천정부지의 오름세／～に物価が上がる 천정부지로 물가가 오르다.
—掴み底たたき 상투에 사서 바닥 시세에 털고 나옴《아주 서투른 매매의
—が【—画】 图〔美〕천장화.　⌊비유》.
—がわ【—川】 图〔地〕천정천; 토사가 둑 안에 차서 하상(河床)이 주변의 지면보다 높아진 강.
—さじき【—桟敷】 图 무대에서 먼, 맨 위층의 값싼 관람석.　「↔底値.
—ね【—値】 图 물가·시세의 최고가.
てんじょう【天壌】 图 천양; 하늘과 땅. ＝天地. ¶～の隔たり 천양지차
—むきゅう【—無窮】 图 천양무궁; 영원토록 계속됨.
てんじょう【添乗】 图[ス自] 함께 타고 따라다님《여행사에서 단체 여행객을 수행·안내함》.
—いん【—員】 图 단체 여행객을 수행·안내하는 여행사 직원.
でんしょう【伝承】 图[ス他] 전승. ¶～文学 전승 문학／民間～ 민간 전승.
てんしょく【天職】 图 천직. **1** 신성한 직무. ¶教師を～とする 교사를 천직으로 삼다. **2** 자기 천성에 맞는 직업. ¶～に殉じる 천직에 몸을 바치다／自分の～を見いだした 자기의 천직을 찾아냈다.
てんしょく【転職】 图[ス自] 전직. ¶～者を募る 전직자를 모집하다／～を希望する 전직을 희망하다.
でんしょく【電飾】 图 전식; 네온·전구 따위 전광(電光)을 이용한 장식. ＝イルミネーション.
テンション [tension] 图 텐션; 긴장; 불안. ¶議論しているうちに相手の～が上がってきた 토론하고 있는 사이에 상대의 긴장 상태가 고조되어 갔다.
てん-じる【転じる】 [上1自他] ☞てん(転)ずる.　「ずる.
てん-じる【点じる】 [上1他] ☞てん(点)
てんしん【天真】 [名ナ] 천진(함).
—らんまん〖—爛漫〗 [名ナ] 천진난만. ¶～な子供 천진난만한 아이.
てんしん【転身】 图[ス自] 전신. **1** 몸을 돌려 비킴. **2** 전향. ¶実業家に～をはかる 실업가로 전신을 꾀하다／勤めから商人に～する 월급쟁이에서 상인으로 전신하다.
てんしん【転進】 图[ス自] 전진. **1** 침로(針路)를 바꾸는 일. **2**〈婉曲〉철수; 퇴각. ＝退却. ¶～命令 철수 명령／南方に～する 남방으로 철수하다.
てんしん【点心】 图〔料〕**1** 차에 곁들이는 것《과자·절임 따위》. **2** 중국 요리의 마지막에 나오는 과자. **3** 간식(間食).
***でんしん【電信】** 图 전신. ¶～機 전신기／無線～ 무선 전신.
—かわせ【—為替】 图 전신환(換).
—ばしら【—柱】 图〈口〉전봇대. **1** 전신주; 전주. ＝電柱. **2** 키다리; 꺽다리. ＝のっぽ.
テンス [tense] 图〔文法〕텐스; 시제.
てんすい【天水】 图 천수; 빗물. ＝あまみず. ¶～田 천수답; 천둥지기.
—おけ〖—桶〗 图 (방화용) 빗물통.
てんすう【点数】 图 점수. **1** 득점수. ¶答案の～ 답안의 점수／よい～を取る 좋은 점수를 따다. **2** 물건의 (가짓)수. ＝しなかず. ¶展示会の出品～ 전시회의 출품 점수／商品の～をそろえる 상품의 가짓수를 갖추다〔구색을 맞추다〕.
—を稼ぐ 점수를 따다; 남의 마음에 들다. ¶昇進のため～のに汲々としている 승진하기 위해 점수 따기에 급급하고 있다.
てん-ずる【転ずる】 [サ変自他] **1** 변(이)하다; 바꾸다; 바뀌다. ¶災いを～·じて福となす 전화위복／方向を～ 방향을 바꾸다／攻勢に～ 공세로 전환하다. **2** 돌다; 돌리다. ¶気〔目〕を～ 마음〔눈〕을 돌리다／話題を～ 화제를 돌리다. **3** 옮기다; 이전하다. ¶経済界から政界に～ 경제계에서 정계로 옮기다.
てん-ずる【点ずる】 [サ変他] **1** 불을 켜다. ＝ともす. ¶街灯を～ 가로등을 켜다. **2** 차를 끓이다. ＝たてる. ¶一服の茶を～ 차 한 잔을 끓이다. **3** (한 방울씩) 떨어뜨리다. ¶目薬を～ 점안(點眼)하다; 안약을 넣다.
てんせい【展性】 图〔理〕전성《금속의 속성의 하나》. ¶金は～が著しい 금은 전성이 풍부하다. ⇨延性.
てんせい【天性】 图 천성《副詞적으로도 씀》. ＝うまれつき. ¶～の才 타고난 재능／～情け深い人 천성이 인정 많은 사람／～のんびりしている 천성이 느긋하다〔태평꾼이다〕.
てんせい【天成】 图 천성. **1** 자연히 이루어짐. ¶～の要害 천연의 요해. **2** 타고남. ¶～の詩人 타고난 시인／～のからだのばね 타고난 몸의 탄력.
てんせい【転成】 图[ス自] 전성; 성질이 다른 것으로 변함. ¶～名詞 전성 명사／品詞の～ 품사의 전성.
てんせき【典籍】 图 전적. ＝書物.
てんせき【転籍】 图[ス自] 전적. ¶～地 전적지／～手続き 전적 수속〔절차〕／

戸籍(こせき)を～した 호적을 옮겼다.

*__でんせつ__【伝説】图 전설. ¶～上(じょう)の人物(じんぶつ) 전설상의 인물 / ～的(てき)英雄(えいゆう) 전설적 영웅 / 浦島(うらしま)～ (거북의 안내로 용궁에 다녀온) 어부 浦島의 전설.

__てんせん__【転戦】图ス自 전전; 장소를 옮겨 가며 싸움. ¶各地(かくち)に～する 각지로 전전하다 / 敵(てき)を求(もと)めて～する 적을 찾아 전전하다.

__てんせん__【点線】图 점선. ¶～で描(えが)く 점선으로 그리다. ↔実線(じっせん).

__てんぜん__[恬然] トタル 염연; 수치나 죄의식을 느끼지 않는 태연한 모양. ¶～とした態度(たいど) 태연한 태도 / ～として恥(は)じない 태연하여 부끄러워하지 않다.

**__でんせん__【伝染】图ス自 전염. ¶～の憂(うれ)いがある 전염할 우려가 있다 / はしかが～するそうだ 홍역이 전염한다네.

__—びょう__【—病】图 전염병. ¶～がはやる 전염병이 돌다.

__でんせん__【伝線】图ス自 (털실옷·스타킹 따위의) 올이 줄줄이 풀림. ¶～したストッキング 올이 풀린 스타킹.

__—びょう__【—病】图 〈俗〉 여자 스타킹 따위의 올이 줄줄이 풀리는 일. 参考 '伝染病(でんせんびょう)'를 본뜬 말.

__でんせん__【電線】图 전선; 전깃줄. ¶海底(かいてい)～ 해저 전선.

__てんそう__【転送】图ス他 전송; 보내 온 것을 다시 다른 곳으로 보냄. ¶郵便物(ゆうびんぶつ)を転居先(てんきょさき)に～する 우편물을 이사한 곳으로 전송하다.

__でんそう__【伝送】图ス他 전송; 차례로 전하여 보냄. ¶端末装置(たんまつそうち)にデータを～する 단말 장치에 데이터를 전송하다.

__でんそう__【電送】图ス他 전송. ¶～写真(しゃしん) 전송 사진 / 本社(ほんしゃ)あてに写真(しゃしん)を～する 본사 앞으로 사진을 전송하다.

__てんそく__[纏足] 图 전족. ¶中国(ちゅうごく)では～の習慣(しゅうかん)があった 중국에서는 전족의 습관이 있었다.

__てんぞく__【転属】图ス他自 전속. ¶他(た)の課(か)に～する 다른 과에 전속되다.

__てんたい__【天体】图 천체. ¶～望遠鏡(ぼうえんきょう) 천체 망원경 / ～を観測(かんそく)する 천체를 관측하다.

__てんたい__【転貸】图ス他 전대; 남에게 빌린 것을 다시 빌려줌. ＝またがし. ¶借家(しゃくや)を～する 셋집을 전대하다 / 家(いえ)の～は許(ゆる)されない 집의 전대는 허용되지 않는다. ↔転借(てんしゃく).

__てんたく__【転宅】图ス自 전택; 이사. ＝引(ひ)っ越(こ)し. ¶郊外(こうがい)に～する 교외로 이사하다 / この度(たび)左記(さき)へ～しました 이번에 좌기 장소로 이사했습니다.

__でんたく__【電卓】图 '電子式(でんししき)卓上(たくじょう)計算機(けいさんき)(＝전자식 탁상 계산기)'의 준말.

*__でんたつ__【伝達】图ス他 전달. ¶～事項(じこう) 전달 사항 / 命令(めいれい)を～する 명령을 전달하다.

__てんたん__[恬淡·恬澹] トタル 염담; 담박하여 돈·지위에 집착하지 않는 모양. ¶無欲(むよく)～ 무욕 염담. 参考 '～な'의 꼴로도 씀. ¶俗事(ぞくじ)に～な性質(せいしつ) 속사에 담담한 성질. ↔どんよく.

__てんち__【天地】图 천지. **1** 하늘과 땅. ¶実力(じつりょく)は～ほどの差(さ)がある 실력은 하늘과 땅만큼의 차가 있다. **2** 우주; 세계. ¶自由(じゆう)の～ 자유 천지 / ～の創造(そうぞう) 천지창조. **3** (책·물건의) 상하. ¶本(ほん)の～ 책의 위아래 / ～をそろえる 위아래를 가지런히 하다 / ～が逆(ぎゃく)になる 위아래가 뒤바뀌다[거꾸로 되다].

__—かいびゃく__[—開闢] 图 천지개벽. ¶～以来(いらい) 천지개벽 이래.

__—しんめい__【—神明】图 천지신명. ¶～に誓(ちか)う 천지신명께 맹세하다.

__—むよう__【—無用】图 '화물의 위아래를 거꾸로 하지 말라'는 뜻《화물의 겉포장에 표시하는 말》.

__てんち__【転地】图ス自 전지. ¶～療養(りょうよう) 전지 요양; 비접 / 高原(こうげん)に～する 고원으로 전지하다.

__でんち__【田地】图 전지; 논밭으로 되어 있는 땅.

__—でんぱた__【—田畑】图 논밭.

__でんち__【電池】图 전지. ¶乾(かん)～を入(い)れかえる 건전지를 갈아 넣다 / ～が切(き)れる 전지가 다 떨어지다.

__でんちく__【電蓄】图 전축; '電気(でんき)蓄音機(ちくおんき)(＝전기 축음기)'의 준말.

__てんちゅう__[天誅] 图 천주. **1** 천벌. ¶～が下(くだ)る 천벌이 내리다. **2** 하늘을 대신하여 벌을 줌. ¶逆賊(ぎゃくぞく)に～を下(くだ)す[加(くわ)える] 역적에게 하늘을 대신해 벌을 주다.

__てんちゅう__【転注】图 전주; 한자 육서(六書)의 하나로, 어떤 뜻을 갖는 한자를 다른 뜻으로 전용하는 일《이때 뜻의 전용에 따라서 음이 변하는 수도 있음. '悪(あく)(＝나쁘다)'를 'にくむ(＝미워하다)'의 뜻으로 바꾸어 '憎悪(ぞうお)(＝증오)'로 쓰는 따위》.

__でんちゅう__【電柱】图 전주; 전신주.

__てんちょう__【天頂】图 천정. **1** 맨 꼭대기. ＝てっぺん·いただき. **2**〔天〕☞てんちょうてん.

__—てん__【—点】图〔天〕천정점.

__てんちょう__【店長】图 점장; 그 가게의 책임자.

__てんちょうせつ__【天長節】图 '天皇(てんのう)誕生日(たんじょうび)(＝天皇(てんのう) 탄생일)'의 구칭. ↔地久節(ちきゅうせつ).

__てんで__ 副 **1**《뒤에 否定이 따라서》 처음부터; 전혀; 아예. ¶～だめだ 아예 틀렸다 / 彼(かれ)のやり方(かた)は～なっていない 그가 하는 짓은 도무지 돼먹지 않았다. **2** 〈俗〉《否定을 수반하지 않고》 아주; 대단히. ＝とても. ¶～おもしろい 아주 재미있다 / ～いいぞ 썩 좋구나.

__てんてい__【天帝】图 천제. **1** 조물주. **2**〔基〕하느님. **3**〔佛〕제석천(帝釋天).

__てんてい__[点綴] 图ス他 점철. ＝てんてつ. ¶材料(ざいりょう)を巧(たく)みに～する 재료를

교묘히 점철하다 / 人家が～している 인가가 점점이 이어져 있다 / 名文を～した文集 명문을 모아 엮은 문집.

てんてき【天敵】 图〖生〗천적. ¶～は人間の味方である 천적은 인간의 편이다 / 蛇は野ねずみの～である 뱀은 들쥐의 천적이다.

てんてき【点滴】 图 **1** 점적; 물방울; 특히, 낙숫물. ＝しずく·したたり·雨だれ. **2** '点滴注射'의 준말. 「다.

——石をうがつ 낙숫물이 댓돌을 뚫는

——ちゅうしゃ【——注射】 图 점적 주사.

てんてこまい【てんてこ舞い】《天手古舞い》图ス自 (몹시 바빠서) 이리 뛰고 저리 뜀; 야단법석. ¶～のいそがしさだ 눈코 뜰 새 없이 바쁘다 / 注文が殺到して～(を)する 주문이 쇄도해서 정신 못 차리다.

てんてつ [点綴] 图ス他 'てんてい'의 통속적 발음.

でんてつ【電鉄】 图 전철《'電気鉄道(＝전기 철도)'의 준말》. 參考 보통, 민영(民營) 철도를 가리킴.

てんてつき [転轍機] 图 전철기. ＝ポイント. ¶貨車入れ換えのため～を切り換える 화차의 입환을 위해서 전철기를 젖히다.

てんでに 〖手ん手に〗 副 제각기; 각자; 각자의 생각대로. ¶～旗を振る 제각기 깃대를 흔들다 / ～別なことを言う 제각기 딴말을 하다. 注意 口語형은 'てんでんに'. 參考 '手に手に(＝손에 손에)'의 전와(轉訛).

てんてん【転転】 图ス自 전전. **1** 여기저기 옮겨 다님. ¶各地を～とする 각지를 전전하다 / 住居を～として変える 이리저리 주거를 바꾸다. **2** (공 따위가) 굴러감. ¶打球が外野に～とする 타구가 외야로 굴러가다.

てんてん【点点】 一图 **1** 몇 개의 점. **2** 얼룩; 반점. **3** 점선. ¶細い道は～で表す 좁은 길은 점선으로 나타낸다.

二トタル **1** 여기저기 흩어져 있는 모양. ¶民家が～と建っている 민가가 띄엄띄엄 서 있다. **2** 물방울이 떨어지는 모양. ¶傷口から血が～としたたる 상처에서 피가 똑똑 떨어지다.

てんでん 图 각자; (제)각기; 각각. ＝めいめい·それぞれ. ¶～がやりたいことをやっている 각기 자기가 하고 싶은 일〔짓〕을 하고 있다.

——に 副 ☞てんでに.

——ばらばら ダナ 뿔뿔이 자유행동을 하는〔흩어지는〕 모양. ¶～な意見〔服装〕 각양각색의 의견〔복장〕 / ～に勝手な行動をとる 뿔뿔이 제멋대로 행동하다 / ～に散らばる 뿔뿔이 흩어지다. 「かたつむり.

でんでんむし【でんでん虫】 图〈兒〉☞

テント [tent] 图 텐트; 천막. ¶～を張る 천막을 치다 / ～をはずす〔たたむ〕 천막을 걷다.

でんと 副〈俗〉의젓하게. ¶校長が上座に～座っている 교장이 상좌에 의젓하게 앉아 있다 / ～かまえる〔控える〕 의젓한 자세를 취하다; 떡 버티다 / 大きな石が～すえてある 커다란 돌이 떡 자리잡고 있다.

てんとう【天道】 图 **1** 천지를 지배하는 신(神). **2**【てんとう】태양. ¶お～さま 해님.

てんとう【店頭】 图 점두; 점포 앞. ＝店さき. ¶～取引〔売買〕 점두 거래〔매매〕 / ～に並ぶ 가게 앞에 늘어서다.

てんとう【転倒】《顛倒》전도. 一图ス自他 거꾸로 됨〔함〕. ¶本末～ 본말 전도 / すべって～する 미끄러져 자빠지다.

二图ス自 마음이 산란해짐. ＝動転. ¶変事に心が～する 변을 당해 갈피를 못 잡다 / 気も～するばかりに驚く 기급을 할 정도로 놀라다.

てんとう【点灯】 图ス自 점등; 불을 켬. ¶ライトを～する 라이트를 켜다 / 夕暮れになって家ごとに～した 저녁때가 되어 집집마다 불을 켰다. ↔消灯.

てんどう【天道】 图 천도; 천지 자연의 법칙. ¶～に背く〔のっとる〕 천도에 어긋나다〔따르다〕 / ～人を殺さず 하늘은 사람을 죽이지〔저버리지〕 않는다.

***でんとう【電灯】** 图 전등. ＝電気灯. ¶懐中～ 회중전등 / ～を消す〔つける〕 전등을 끄다〔켜다〕 / ～がともる 전등이 켜지다.

***でんとう【伝統】** 图 전통. ¶民族の～ 민족의 전통 / ～芸能 전통 예능 / ～が薄れる 전통이 흐려지다 / 古来の～を守る 고래의 전통을 지키다.

——てき【——的】 ダナ 전통적. ¶～に野球が強い 전통적으로 야구가 세다 / ～に園芸が盛んだ 전통적으로 원예가 성하다.

でんどう【殿堂】 图 전당. **1** 크고 화려한 건물《좁은 뜻으로는 공공 건물 따위를 가리킴》. ¶白堊〔学問〕の～ 백악〔학문〕의 전당 / 美の～ 미의 전당《미술관》. **2** 신불을 모신 집.

でんどう【伝導】 图ス自他 전도. ¶～体〔率〕 전도체〔율〕 / 金属は熱をはやく～する 금속은 열을 빨리 전도한다.

でんどう【伝道】 图ス自〔宗〕전도. ＝宣教. ¶～師 전도사.

でんどう【伝動】 图ス他 전동; 동력을 기계의 다른 부분, 또는 다른 기계로 전하는 일. ¶～装置 전동 장치 / ～機 전동기.

でんどう【電動】 图 전동; 전기를 동력으로 해서 움직이는 일. ¶～式 전동식 / ～車 전동차.

——き【——機】 图 전동기; 모터.

てんどうせつ【天動説】 图 천동설. ↔地動説. 「당벌레

てんとうむし 〖天道虫·瓢虫〗 图〔蟲〕무

てんとして [恬として] 副《흔히, 뒤에 否定이 따라서》부끄러운 줄 모르고 예

사로운 모양; 태연히. =けろっとして. ¶~恥じない 태연하여 조금도 부끄러워하지 않다.

てんとり【点取り】名 득점을 다툼; 점수따기. ¶この遊びは~ゲームです 이 놀이는 점수따기 게임입니다.

—むし【—虫】名 점수벌레《점수에만 급급하는 학생을 경멸하는 말》.

てんどん〖天丼〗名〔料〕튀김덮밥《'てんぷらどんぶり'의 준말》.

てんにゅう【転入】名ス自 전입. ¶~生 전입생/東京都内に~する 東京都 내로 전입하다. ↔転出.

てんにょ【天女】名 천녀; 선녀. ¶~のような美女 선녀 같은 미녀. 参考 흔히, 아름다운 여자로 비유됨.

てんにん【天人】名〔佛〕천인; 천상계에 산다는 존재《인간보다 우월하나 윤회전생(輪廻轉生)을 면치 못한다 함》. 注意 'てんじん'으로 읽으면 딴말.

てんにん【転任】名ス自 전임. =転勤. ¶支社長となって~する 지사장이 되어 전임하다.

でんねつ【電熱】名〔理〕전열.

—き【—器】名 전열기.

***てんねん**【天然】名 천연. **1** 인공을 가하지 않은 자연 그대로의 상태. ¶~美 자연미/~港 천연항/~ガス〔造林〕천연가스〔조림〕. ↔人工. **2** 인력으로는 어떻게 할 수 없는 상태. ↔人為.

—きねんぶつ【—記念物】名 천연기념물. ¶特別~ 특별 천연기념물《뇌조·따오기 등》.

—しょく【—色】名 천연색. ¶~映画 천연색 영화/~写真 천연색 사진.

—とう【—痘】名〔醫〕천연두; 마마.

***てんのう**【天皇】名 천황《일본 국왕》. ¶~制 天皇제/~陛下 천황 폐하. 参考 통속적으로, 그 세계에서 절대적인 권력을 가진 사람에 비유됨. ¶財界の~ 재계의 권력자.

—たんじょうび【—誕生日】名 天皇 생일《국경일의 하나; 12월 23일》.

てんのうざん【天王山】名 승패를 판가름하는 기회. ¶天下分け目の~ 천하를 건 승패의 갈림길. 参考 京都와 大阪의 경계에 있는 산으로, 1582년 豊臣秀吉와 明智光秀가 이 산에서 싸웠는데, 秀吉가 먼저 점령함으로써 승패가 결정난 데서. ⇨せきがはら.

てんのうせい【天王星】名 천왕성.

てんば【天馬】名 천마. **1** 하늘에 있다는 말; 뛰어난 명마. **2** 그리스 신화에서, 하늘을 나는 말. =ペガサス.

—空を行く 천마가 하늘을 가다《거침없이 힘차게 나아감의 비유》. ¶~勢い 천마가 하늘을 나는 기세.

でんば【電場】名〔理〕전기장.

でんぱ［伝播］名ス自 전파. ¶思想の~ 사상의 전파/稲作の~ 벼농사의 전파/デマが国中に~する 유언비어가 온 나라에 퍼지다/文化が中国から~する 문화가 중국에서 전파되다. 「파를 보내다.

***でんぱ**【電波】名 전파. ¶~を送る 전

—どけい【—時計】名 전파 시계《원자(原子) 시계의 정보를 바탕으로 하기 때문에 오차는 10만년에 1초 정도임》.

—たんちき【—探知機】名 전파 탐지기. =電探·レーダー.

てんばい【転売】名ス他 전매. ¶土地を~する 토지를 전매하다.

でんぱた【田畑】名〈口〉전답(田畓). =たはた. ¶田地~ 전답.

てんばつ【天罰】名 천벌; 벌력. ¶~を下す 천벌을 내리다/~が下る 천벌이 내리다.

—てきめん〖—覿面〗名 천벌이 당장에 내림. ¶医者のいうことを聞かなかったら~, その晩からまた熱が出た 의사의 말을 듣지 않았더니 당장 천벌이 내려 그 날 밤부터 또 열이 났다.

てんぴ【天日】名 천일; 햇볕. ¶~に干す〔さらす〕햇볕에 말리다〔쬐다〕.

—せいえん【—製塩】名 천일 제염.

てんぴ【天火】名 (서양 요리에 쓰는) 오븐. =オーブン. ¶~でローストビーフを焼く 오븐으로 로스트비프를 굽다.

てんびき【天引き】名ス他 (급료 따위에서) 미리 뗌; 공제. ¶税金を~する 세금을 공제하다/給料から~する 급료에서 공제하다/利子~で貸す 이자를 미리 떼고 빌려 주다.

てんびょう【点描】名ス他 점묘. **1** 점만으로 그림을 그리는 방법. ¶~画 점묘화. **2** 스케치. ¶人物~ 인물 점묘/日常生活の~ 일상생활의 점묘.

***でんぴょう**【伝票】名 전표. ¶納品~ 납품 전표/~をきる 전표를 끊다.

てんびん〖天秤〗名 **1** 천평; 천칭; 천평칭. ¶~にする 양 끝에 걸다. **2** '天秤棒'의 준말. ¶~を肩に商いに出る 멜대를 어깨에 메고 장사하러 나가다.

—に掛ける 천칭에 달다. **1** 저울질하다; 우열을 비교해 보다. ¶利害を~にかける 이해를 저울질해 보다/出世と恋とを~ 출세와 사랑을 저울질하다. **2** 양다리 걸치다; 두 길마 보다. =ふたまたかける·両てんびんを〔に〕かける.

—ぼう【—棒】名 멜대. =天秤. ¶~で担ぐ 멜대로 매다.

てんぴん［天稟］名 천품; 천성; 타고남. ¶~の歌手 타고난 가수/~とも言うべき鋭い言語感覚 천품이라고도 할 수 있는 날카로운 언어 감각.

てんぷ【天賦】名 천부; 하늘이 줌; 타고남. ¶~の才 천부의 재능/~の素質 천부의 소질.

てんぷ【添付】名ス他 첨부. ¶~書類 첨부 서류/入学願書に成績証明書を~する 입학 원서에 성적 증명서를 첨부하다.

てんぷ［貼付］名ス他 첨부; 붙임. ¶写真

しゃしんを～する 사진을 붙이다. 注意 바르게는 'ちょうふ'.

でんぶ [臀部] 图 둔부; 궁둥이. ＝しり.

てんぷく【転覆】(顚覆) 图ス自他 전복. ¶国家～をはかる 국가 전복을 도모하다 / 列車が脱線して～した 열차가 탈선해서 전복했다.

てんぶくろ【天袋】图 반침 위나 違い棚 위에 드리는 작은 벽장. ↔地袋.

てんぷら〘天麩羅〙图 **1**〔料〕튀김. ¶～そば 튀김 메밀국수 / えび～ 새우튀김 / ～を揚げる 기름에 튀기다. **2**〈俗〉겉만 그럴듯하게 보이는 것; 엉터리. ㉠도금한 것. ¶～(の)時計 고물딱지에 도금한 시계. ㉡가짜. ¶～大学生 가짜〔엉터리〕대학생. ▷포 tempero.

てんぶん【天分】图 천분; 타고난 재능. ¶すぐれた～ 뛰어난 천분 / ～に恵まれる 천분을 타고나다 / ～を発揮する 천분을 발휘하다.

でんぶん【伝聞】图ス他 전문. ＝またぎき. ¶～するに病状はよくないらしい 듣자하니 병세는 좋지 않은 것 같다.

──ひょうげん【──表現】图 전문 표현; 남에게서 들은 것임을 나타내는 표현(('聞けば…(＝들은 즉…)' '…とか(＝…이라든가)' '…そうだ(＝…라더라)' 등의 형식을 씀)).

でんぶん【電文】图 전문. ¶～を解読する 전문을 해독하다.

でんぷん〘澱粉〙图 전분; 녹말. ¶～質 전분질 / さつまいもの～ 고구마 녹말.

テンペラ [이 tempera] 图〔美〕템페라. ¶～画 템페라화. 「천재지변.

てんぺんちい【天変地異】图 천변지이;

てんぽ【店舗】图 점포; 가게. ＝みせ. ¶～が並んでいる 점포가 늘비하다 / ～を構える 가게를 차리다.

テンポ [이 tempo] 图 템포. **1**〔樂〕악곡의 속도. ¶～がおそい 템포가 느리다. **2** 사물의 진행 속도. ¶急～ 급템포 / ～を上げる 템포를 올리다 / 早い～で進行する 빠른 템포로 진행하다.

*てんぼう【展望】图ス他 전망. ＝ビジョン. ¶～台〔車〕전망대〔차〕/ ～がきく 전망이 좋다 / 将来を～する 장래를 내다보다 / ～が開ける 전망이 열리다〔밝다〕/ 長期的な～を欠く 장기적인 전망이 부족하다.

*でんぽう【電報】图 전보. ¶慶弔～ 경조 전보 / ～を打つ 전보를 치다.

てんまく【天幕】图 천막; 텐트. ＝テント. ¶～を張る 천막을 치다. 「배.

てんません【伝馬船】图 짐 나르는 거룻

てんまつ [顛末] 图 전말. ¶事件の～ 사건의 전말 / 事の～を語る 일의 전말을 이야기하다 / ～を逐一報告する 전말을 하나하나 자세히 보고하다.

てんまど【天窓】图 천창; 천장을 뚫어 만든 채광창.

てんめい【天命】图 천명. **1** 천운. ¶これが～だと諦める 이것이 천명이라고 체념하다 / 人事を尽くして～を待つ 진인사 대천명. **2** 타고난 수명. ＝天寿. ¶～が尽きる 천수가 다하다 / ～を全うする 천명을 다하다.

てんめつ【点滅】图ス自他 점멸; 등불이 켜졌다 꺼졌다 함; 또, 켰다 껐다 하는 일. ¶遠く～する漁り火 멀리 점멸하는 어화(漁火) / 懐中電灯を～して合図をする 회중전등을 켰다 껐다 하며 신호하다.

てんめん [纏綿] 전면. 一图ス自 달라붙어 떨어지지 않음; 복잡하게 뒤얽힘. ¶～する不安 가시지 않는 불안 / さまざまな情実が～する 복잡한 정실이 뒤얽히다. 二トタル 애정이 깊고 치밀한 모양. ¶情緒～ 정서 전면; 끈끈한〔깊은〕정이 두 사람을 떼지 못함.

てんもう【天網】图 천망; 하늘의 법망.

──恢恢疎にして漏らさず 하늘의 법망은 눈이 성긴 것 같지만, 악인은 빠짐없이 걸린다((하늘은 엄정하여 악행에는 악보(惡報)가 있음의 비유)).

テンモードねんぴ【テンモード燃費】图 텐 모드 연비; 자동차에서 아이들링·가속·감속 등 10종의 주행 모드 시험에서 배출된 가스 성분을 분석해서 산출한 연료 소비율. ▷일 ten＋mode.

てんもくざん【天目山】图 승부의 갈림길; 최후의 결전. ¶今日の競技が～だ 오늘의 경기가 최후의 결전이다 / 今夜が闘争の～だ 오늘 밤 투쟁이 승패의 갈림길이다.

てんもん【天文】图 천문. ¶～台 천문대 / ～時計 천문 시계.

──がく【──学】图 천문학. ＝天文. ¶～的数字 천문학적 숫자.

てんや【店屋】图 가게; 특히, 음식점.

──もの【──物】图 음식점에서 시켜 오는 음식. ¶～でまにあわせよう 시켜 먹는 요리로 때우자.

てんやわんや 副〈俗〉각자가 제멋대로 법석을 떠는 모양; 와글와글. ¶町じゅう～の大騒ぎだ 온 거리가 온통 야단법석이다. 「천우신조.

てんゆう [天祐·天佑] 图 천우. ¶～神助

てんよ【天与】图 천여; 천부. ¶～の才 천부의 재능 / ～の美貌 타고난 미모.

てんよう【転用】图ス他 전용; 유용(流用). ¶遊休施設の～ 유휴 시설의 전용 / 本箱を食器棚に～する 책장을 찬장으로 전용하다.

でんらい【伝来】图ス自 전래. ¶仏教の～ 불교의 전래 / 鉄砲～の地 총포의 전래지 / 祖先～の宝物 조상 전래의 보물.

てんらく【転落】(顚落) 图ス自 전락. **1** 굴러 떨어짐. ¶～事故 전락 사고 / 崖下に～する 낭떠러지 아래로 전락하다. **2** 타락함. ¶～の道をたどる 타락의 길을 걷다 / 夜の女に～する 밤거리의 여자로 전락하다.

てんらん【天覧】图 천람; 어람(御覽).

＝叡覧. ¶～試合 어전 경기.

てんらん【展覧】[名][ス他] 전람. ¶～会 전람회 / 作品を～する 작품을 전람하다 / ～に供する 전람케 하다.

てんり【天理】[名] 천리; 만물에 통하는 자연의 도리. ¶～に背く 천리에 어긋나다 / ～に従う 천리를 따르다.

でんり【電離】[名][ス自]〖化〗전리; '電気解離(＝전기 해리)'의 준말.

―そう【―層】[名]〖地〗전리층.

***でんりゅう**【電流】[名] 전류. ¶～計 전류계 / ～が通じる 전류가 통하다.

でんりょく【電力】[名] 전력. ¶～量 전력량 / この機械は～を食う 이 기계는 전력이 많이 든다.

てんれい【典礼】[名] 전례; 일정한 의식. ¶立太子の～が行われる (왕)태자 책봉의 전례가 거행되다.

でんれい【伝令】[名] 전령. ¶～が飛ぶ 전령이 뛰어가다 / 前線に～を出す 전선에 전령을 보내다.

***でんわ**【電話】[名][ス自] 전화. **1** 전화에 의한 통화. ¶～番号 전화번호 / ～交換手 전화 교환원 / 有線〔無線〕～ 유선〔무선〕 전화 / 間違い～ 잘못 걸린 전화 / ～がかかって来る 전화가 걸려 오다 / ～をかける〔切る〕 전화를 걸다〔끊다〕 / ～が遠い〔切れる〕 전화가 멀다〔끊어지다〕 / ～を入れる 전화를 넣다〔걸다〕 / ～して問い合わせる 전화하여 문의하다. **2** '電話機'의 준말. ¶赤～ 공중 전화 / ～が鳴る 전화가 울리다 / ～を引く 전화선을 끌다 / ～を取る 전화기를 들다 / ～が故障している 전화가 고장났다.

―き【―機】[名] 전화기.

―ぐち【―口】[名] 전화기의 송화 장치 부분; (통화 중인) 전화기의 곁. ¶～に出る 걸려 온 전화를 받다 / ～に呼び出す 전화기 앞으로 불러내다.

―ちょう【―帳】[名] 전화번호부.

―ボックス [box] [名] (공중) 전화 박스.

と ト

1 五十音図 'た行'의 다섯째 음. [to] **2**〖字源〗'止'의 초서체《かたかな 'ト'는 '止'의 생략형》.

****と**【戸】《門》[名] **1** 문짝; (창)문. ¶部屋の～ 방문 / 雨戸 덧문 / ガラス戸 유리문 / ～を開ける〔締める, 閉てる〕 문을 열다〔닫다〕 / 人の口に～は立てられぬ 남의 입에 문을 달 수는 없다《자기에게 불리한 말을 한다고 남의 입을 봉할 수는 없다》. **2** 대문; 집의 출입구. ¶～口 출입구.

と【斗】[名] **1** 척관법의 용적 단위의 하나; 말. ¶胆, ～の如し 담 크기가 말만하다; 아주 대담하다. **2** 이십팔수(二十八宿)의 하나; 북두성.

と【徒】[名] 도; 무리; 사람(들). ¶学門の～ 학문하는 사람(들); 학도 / 忘恩の～ 망은지도 / 無頼の～ 무뢰한.

と【途】[名] 길. ¶帰国の～につく 귀국길에 오르다.

と【都】도. ㊀[名] 東京都. ¶～の財政 東京都의 재정. ㊁[接尾] 도시. ¶水～ベニス 수도〔물의 도시〕 베니스.

と ㊀[格助] **1** 어떤 사항에 대하여 공존하는 것을 가리키는 데 씀: …와〔과〕. ㉠비교의 대상이나 동작의 상대를 나타내는 말. ¶友〔子供〕～遊ぶ 친구〔어린이〕와 놀다 / 先生～話す 선생님과 이야기하다 / 道で彼女～出会う 길에서 그녀와 만나다 / 私のはあなたの～同じだ 내 것은 당신 것과 같다 / 彼～は比べ物にならない 그와는 비교도 되지 않는다. ㉡여럿을 열거할 때 씀《口語에서는 뜻의 혼동을 가져오지 않는 한, 마지막 'と'는 생략되는 경우가 많음》. ¶兄～妹 형과〔오빠와〕 누이동생 / 見る～聞く～は大違い 보는 것과 듣는 것과는 크게 다르다 / 君～ぼく～が選ばれた 너와 내가 뽑혔다. **2** 다음에 오는 動詞가 나타내는 동작·작용의 상태나 내용·명칭을 가리키는 데 씀. ㉠무엇이 변하여 그것으로 됨을 나타냄: …(으)로; …이〔가〕. ¶社長～なる 사장이 되다 / 秋も半ば～なった 가을도 중반에 들어섰다 / 発言が問題～なる 발언이 문제가 되다 / 彼は～来たらいつもほらばかり吹いている (그런데) 그로 말하면 늘 뻥만 까고 있다. ㉡동작·상태 따위를 나타내는 데 씀. ¶にこにこ～笑う 생글생글 웃다 / 堂々～進む 당당히 나아가다 / しっかり～結ぶ 단단히 매다 / 山～積まれる 산더미처럼 쌓이다 / ころころ～ころがる 데굴데굴 구르다 / いろいろ～問題は絶えなかった 여러 가지로 문제는 끊이지 않았다. ㉢내용을 가리키는 데 씀: …(으)로; …(라)고; …하고. ¶いい～思う 좋다고 생각하다 / ごまかし～見る 속임수라고 보다 / 助けて～叫んだ 사람 살리라고 소리를 질렀다 / 何～想像しようと君の自由だ 뭐라 상상하든 네 자유다 / 日取りは来月二日～決定した 날짜는 내달 2일로 결정했다 / もうだめだ～思う 이젠 글렀다고 생각한다 / 合格おめでとう～祝う 합격 축하한다고 치하하다 / 習った～はいうものの何にも覚えていない 배웠다곤 하나 아무것도 기억하고 있지 않다 / 貧乏～はいえ結構庭付きの家に住んでいる 가난하다곤 하지만 제법 정원이 있는 집에 살고

있다. 参考 2 ㉢은 動詞를 생략할 때도 있음. ¶それ火事(かじ)だ～, 駆(か)け出(だ)した 야, 불이야 하고 (소리 지르면서) 뛰쳐 나갔다. ㉣그 범위 이상 초과하지 않음을 나타냄; …(까지)도. ¶三時間(さんじかん)～寝(ね)なかった 3시간도 자지 못했다 / 二度(にど)～すまいと心(こころ)に誓(ちか)う 두 번 다시 않겠다고 마음속으로 맹세하다. ㉤《…を…～いう〔呼(よ)ぶ·名(な)づける〕 따위의 꼴로》 명칭을 표시하는 데 씀: …(이)라고. ¶長男(ちょうなん)を太郎(たろう)～名(な)づける 장남을 太郎라고 이름 짓다.

㊁接助《終止形에 붙어》 **1** 어떤 사항에 이어 다른 사항이 나타남을 보이는 말. ㉠…면. ¶君(きみ)が行(ゆ)く～喜(よろこ)ばれるぜ 네가 가면 반가워할 거다 / 酒(さけ)を過(す)ごす～けんかを始(はじ)める 술이 지나치면(으레) 싸움을 시작한다 / その角(かど)を曲(ま)がる～橋(はし)がある 그 모퉁이를 돌면 다리가 있다 / 英語(えいご)で言(い)う～どうなるだろう 영어로는 어떻게 표현할까. ㉡…하자(마자). ¶彼女(かのじょ)は私(わたし)の顔(かお)を見(み)る～わっと泣(な)きだした 그녀는 내 얼굴을 보자마자 엉엉 울기 시작했다. **2** 《가벼운 역접(逆接)》 어떤 사항에도 불구하고 다른 사항이 성립되는 뜻을 나타냄: …든(지); …라도. ¶君(きみ)が弁解(べんかい)しよう～しまい～, 悪(わる)い事(こと)は悪(わる)い 네가 변명하든 안 하든 나쁜 것은 나쁘다 / 何(なん)といおう～ 뭐라 말하든 / どこへ行(い)こう～, 私(わたし)のかってだ 어디를 가든 내 마음대로다.

ト 图〔樂〕 사《장음계의 다조(調)에서 '솔'에 해당하는 음명의 하나》; G음. ¶～調(ちょう) 사조.

と〖斗〗常用 トトウ ます | 두 말 | **1** 곡물 따위를 되는 단위: 말. ¶斗酒(としゅ) 두주. **2** 별 이름; 큰곰자리. ¶北斗七星(ほくとしちせい) 북두칠성. 参考 관용상, '鬪'의 약자로 쓰기도 함《斗争(とうそう)(=투쟁) 등》.

と〖吐〗常用 ト はく ぬかす | 토 토하다 | 토하다. ¶吐血(とけつ) 토혈 / 嘔吐(おうと) 구토.

と〖徒〗教4 トズ かち いたずら | 도 무리 | **1** ㉠걷다. ¶徒歩(とほ) 도보. ㉡맨손. ¶徒手(としゅ) 도수. ㉢아무것도 하지 않다; 쓸모없다. ¶徒食(としょく) 도식. **2** 추종자; 제자. ¶門徒(もんと) 문도 / 使徒(しと) 사도. **3** 무리; 동류. ¶学徒(がくと) 학도 / 暴徒(ぼうと) 폭도.

と〖途〗《途》常用 トズ みち | 도 길 | 길. ¶帰途(きと) 귀도; 귀로 / 途中(とちゅう) 도중 / 前途(ぜんと) 전도.

と〖都〗《都》教3 トツ みやこ すべて | 도 도읍 | **1** 서울. ¶都城(とじょう) 도성 / 東京都(とうきょうと) 東京도. **2** 도시. ¶都会(とかい) 도회. **3** 모두. ¶都合(つごう) 도합.

と〖渡〗常用 ト わたる わたす | 도 건너다 | **1** 강·바다 등을 건너다. ¶渡航(とこう) 도항 / 渡米(とべい) 도미. **2** 물건을 남의 손에 건네다; 넘겨주다. ¶譲渡(じょうと) 양도. **3** 지내다. ¶渡世(とせい) 처세 / 世(よ)を渡(わた)る 세상을 살아가다.

と〖塗〗常用 ト ぬる みち まみれる | 도 칠하다 | **1** 칠하다; 바르다. ¶塗料(とりょう) 도료 / 糊塗(こと) 호도. **2** 흙투성이가 되다. ¶塗炭(とたん)の苦(くる)しみ 도탄의 고통.

ど【度】 도. ㊀图 **1** 정도. ¶～はずれ 지나침 / ～を過(す)ごす 도를 지나치다 / 緊張(きんちょう)の～を強(つよ)める 긴장의 도를 더하다. **2** 횟수. ¶～を重(かさ)ねる 횟수를 거듭하다. **3** 눈금. ¶～を読(よ)む 눈금을 읽다 / はかりに～を刻(きざ)む 저울에 눈금을 새기다. **4** (안경의) 도수. ¶～のきつい〔強(つよ)い〕眼鏡(めがね) 도수가 높은〔센〕 안경.
㊁接尾 **1** 온도·습도·각도·안경 등의 세기를 나타내는 말. ¶氷点下(ひょうてんか)五(ご)～ 빙점하 5도. **2** 경도·위도를 나타내는 말. ¶北緯(ほくい)五十(ごじゅう)～ 북위 50도. **3** 횟수. ¶一(いち)～も行(い)かない 한 번도 안 가다 / 二(に)～あることは三(さん)～ある 두 번 있는 일은 세 번 있다.
—が過(す)ぎる 도가 지나치다. ¶冗談(じょうだん)にしては度が過ぎている 농담 치고는 도가 지나치다.
—を失(うしな)う (몹시 놀라거나 하여) 허둥거리다; 당황하다. ¶突然(とつぜん)のことに～ 갑작스런 일에 당황하다.

ド [이 do] 图〔樂〕 도. **1** 장음계의 으뜸음. **2** 음명(音名)으로 다[C]의 음.

ど=《動詞·形容詞에 씌워서》 **1** …인 정도가 강함을 나타내는 말: 몹시; 아주; 한…. ¶～えらい 퍽 훌륭한; 굉장한 / ～まんなか 한복판; 한가운데. **2** 상대를 능멸하는 말. ¶～百姓(ひゃくしょう) 순 농사꾼〔촌놈〕 / ～けち 구두쇠; 치사한 놈.

ど 接助〈雅〉《已然形에 붙어서》 **1** 예측·기대에 어긋나는 일이 일어남을 나타냄: 그러나; 그럼에도 불구하고. ¶働(はたら)け～働け～(わが暮(く)らし楽(らく)にならざり) 아무리 일하고 또 일해도 내 생활은 편해지지 않는다. **2** (어떤 사항을 가정 또는 예상하고) …라고 하더라도; …하지만. ¶暑(あつ)いといえ～, 我慢(がまん)できないことはない 덥다고는 하지만, 못 참을 것은 없다.

ど〖土〗教1 ドト つち | 토 흙 | **1** 땅. ¶土地(とち) 토지. **2** 나라; 고장. ¶かの土(ど) 그 나라〔지방〕 / 国土(こくど) 국토. **3** 흙; 진흙. ¶土質(どしつ) 토질 / 沃土(よくど) 옥토.

ど〖奴〗常用 ド ヌ やっこ やつ | 노 종 | **1** 종; 노예. ¶奴僕(どぼく·ぬぼく) 노복. **2** 놈. ¶売国奴(ばいこくど) 매국노 / 悪(わる)い奴(やつ) 나쁜 놈.

ど〖努〗教4 ド つとめる ゆめ | 노 힘쓰다 | **1** 열심히 하다; 일하다. ¶努力(どりょく) 노력. **2** 결코; 반드시.

ど〖度〗教3 ドト タク たび はかる わたる たい | 도 법도 | **1** ㉠

자. ¶度量衡(どりょうこう) 도량형. ㉡자로 재다; 헤아리다. ¶忖度(そんたく) 촌탁. **2** 정도. ¶度合(どあい) 정도/限度(げんど) 한도. **3** 눈금. ¶温度(おんど) 온도/度数(どすう) 도수.

ど 〘怒〙 常用 ドヌ いかる おこる | 노 성내다 | **1** 성〔화〕내다; 분개하다. ¶怒気(どき) 노기/忿怒(ふんど·ふんぬ) 분노. **2** 기세가 당당하다. ¶怒濤(どとう) 노도.

*__ドア__ [door] 图 도어; (서양식) 문. ¶回転(かいてん)~ 회전문/自動(じどう)~ 자동문/~ボーイ 문을 열고 닫고 하는 종업원.

―チェーン [door chain] 图 도어 체인; 문이 조금만 열리게 하는 방범용 쇠사슬.

―ミラー [일 door+mirror] 图 도어 미러; 자동차 앞쪽 도어에 달아 놓은 백 미러. *영어로는 side mirror.

どあい【度合い】图 정도. =ほどあい. ¶強弱(きょうじゃく)の~ 강약의 정도/親密(しんみつ)さの~ 친밀한 정도/濃淡(のうたん)の~がよく出(で)ている 농담의 정도가 잘 나타나 있다.

とあみ【投網】图 투망; 좽이. ¶~を投(な)げる 투망을 던지다/~を打(う)ちに行(ゆ)く 투망질하러 가다.

とある 連体 어떤; 어느. =ある. ¶~所(ところ) 어느 곳; 어떤 곳/下町(したまち)の~店(みせ)に立(た)ち寄(よ)る 시내〔번화가〕의 어떤 가게에 들르다/~山寺(やまでら)に行(い)きついた 어느 산사에 당도하였다.

とい【問い】图 물음; 질문; 문제; 설문. ¶客(きゃく)の~に応答(おうとう)する 손님(의) 질문에 응답하다/次(つぎ)の~に答(こた)えよ 다음 물음에 답하여라. ↔答(こた)え.

とい 〘樋〙 图 홈통. **1** 물받이. ¶雨(あま)どい 빗물받이. **2** 물 등을 다른 곳으로 보내는 장치. =樋(ひ). ¶~で水(みず)を引(ひ)く 홈통으로 물을 끌다.

といあわせ【問い合わせ·問合せ】图 문의. ¶電話(でんわ)での~に応(おう)じる 전화 문의에 응답하다/~に答(こた)える 문의에 답하다.

*__といあわ-せる__【問い合わせる·問合せる】下1他 문의〔조회〕하다; 물어서 확인하다. ¶疑問点(ぎもんてん)を~ 의문점을 문의하다/正確(せいかく)な日時(にちじ)を電話(でんわ)で~ 정확한 일시를 전화로 문의하다.

といい 〘と言い〙 連語 《'…といい, …といい'의 꼴로》 …로 말하더라도; …의 점에서도; …이든. ¶値段(ねだん)~内容(ないよう)~手(て)ごろだ 값으로 보나 내용으로 보나 적당하다.

という 〘と言う〙 連語 **1** …라고 말하는〔불리는〕. ¶銀座(ぎんざ)~所(ところ) 銀座라고 하는 곳/田中(たなか)~人(ひと) 田中라는 사람. **2** 속하는 모든. =あらゆる. ¶会社(かいしゃ)~会社は, みな… 회사라는 회사는 모두…. **3** …에 상당하는〔이르는〕. ¶何万(なんまん)~人(ひと) 몇 만을 헤아리는 사람. **4** 어떤 일을 특히 초들어 말할 때. ¶知(し)らない~わけはない 모른다고 할 리가 없다.

というと 〘と言うと〙 一 連語 **1** …이라면; 이른바. =つまり. ¶相談(そうだん)~, 進学(しんがく)のことですか 상담이라면, 진학에 관한 일입니까. **2** …라고 하면 반드시. ¶遠足(えんそく)~あの時(とき)を思(おも)い出(だ)す 소풍이라 하면 꼭 그때가 생각난다. 二 接 그렇다면. ¶~, 僕(ぼく)ばかりが悪者(わるもの)のように聞(き)こえるが 그렇다면, 나만 나쁜 사람인 것처럼 들리는데.

といえども 〘と雖も〙 連語 …라 할지라도; …일망정. ¶日曜(にちよう)~休(やす)まない 일요일이라 해도 쉬지 않는다.

といかえ-す【問い返す】5他 되묻다; 다시 묻다; 반문하다. ¶こちらから~ 이쪽에서 반문하다/わからない点(てん)を二度(にど)も~·した 모르는 점을 두 번씩이나 되물었다.

といか-ける【問い掛ける】下1他 묻다. **1** 질문을 걸다. ¶隣(となり)の人(ひと)が~·けてきた 이웃〔옆〕 사람이 물어 왔다. **2** 물어보기 시작하다. ¶~·けて急(きゅう)にだまってしまった 물어보려다가 갑자기 입을 다물고 말았다.

といき【吐息】图 한숨. =ためいき. ¶青息(あおいき)~ 몹시 근심하여 쉬는 한숨/~をもらす 한숨 쉬다/ほっと~をつく 후유하고 한숨을 쉬다.

といし 〘砥石〙 图 숫돌. ¶~で包丁(ほうちょう)を研(と)ぐ 숫돌에 식칼을 갈다.

といた【戸板】图 덧문짝. ¶負傷(ふしょう)した人(ひと)を~で運(はこ)ぶ 부상한 사람을 덧문짝으로 나르다. 参考 특히, (문짝을) 떼어서 사람이나 물건을 운반할 때에 말함.

といただ-す【問いただす】《問い質す》5他 물어 밝히다; 따지다; 추궁하다. ¶資金(しきん)の出所(しゅっしょ)を~ 자금 출처를 추궁하다/昨日(きのう)の足(あし)どりを~ 어제의 행적을 추궁하다.

ドイツ [네 Duits; 도 Deutschland] 图 〔地〕 도이칠란트; 독일. 注意 '独逸·独乙'로 씀은 취음.

―ご【―語】图 독일어. =独語(どくご).

どいつ 〘何奴〙 代 어느 놈; 어느 것《'だれ' 'どれ'의 막된 말씨》. ¶どこの~だ 어디의 어떤 놈이야/~を買(か)おうか 어느 것을 살까. ↔こいつ·そいつ·あいつ.

―こいつ 〘―此奴〙 代 이놈 저놈. ¶~の区別(くべつ)なく 이놈 저놈할 것 없이; 어느 누구 할 것 없이 모두.

といって【と言って】連語 그렇다고 해서. ¶居(い)たたまらず往来(おうらい)へ飛(と)び出(だ)した. ~散歩(さんぽ)すべき所(ところ)もない 더 이상 배겨 앉아 있을 수 없어서 거리로 뛰쳐 나왔다. 그렇다고 해서 산책할 만한 곳도 없다.

といつ-める【問い詰める】下1他 힐문하다; 캐묻다; 추궁하다. ¶きびしく~ 준엄하게 캐묻다/理由(りゆう)を~ 이유를 캐묻다/どこへ行(い)っていたのかと~ 어디에 가 있었느냐고 추궁하다.

ドイモイ [베트남 Doi Moi] 图 '쇄신(刷新)'이라는 뜻으로, 베트남의 경제 개혁 정책.

トイレ 图 'トイレット'의 준말. ¶バス

～付きの部屋 욕실·화장실이 딸린 방.

トイレット [toilet] 名 토일릿. **1** 화장(도구); 화장대. **2** 화장실; 변소. ＝トイレ. ¶ちょっと～に立つ 잠깐 변소에 가다.

──ペーパー [toilet paper] 名 토일릿 페이퍼; 화장지. ＝落とし紙.

といわず【といわず·と言わず】連語 **1** …랄 것 없이. ¶午後～今すぐ 오후랄 것 없이 지금 곧. **2** …이건; …이며(('や'·'も'의 힘줌말)). ¶顔～手～ひっかかれた 얼굴이며 손이며 온통 할퀴었다.

***と-う**【問う】5他 묻다. **1** 물어보다; 질문하다. ¶安否〔賛否〕を～ 안부〔찬부〕를 묻다 / 予定を～·われた 예정을 질문받았다. **2** (책임·잘못 따위를) 밝혀 따지다; 캐다; 문초하다. ¶責任を～ 책임을 묻다 / 殺人罪に～·われる 살인죄로 문초당하다. **3** 문제 삼다. ¶学歴·性別を～·わない 학력·성별을 묻지 않다. 可能 と-える 下1自

──に落ちず, 語るに落ちる 남이 물을 때는 (조심하기 때문에) 불지 않다가, 자기가 말할 때는 무심결에 스스로 실토한다.

とう【刀】名 칼. ＝かたな. ¶～を構える 칼을 들고 칠 자세를 취하다 / ～を執る 칼을 들다; 집도하다.

とう【当】一名 **1** 도리에 맞음. ¶～をえた答え 적절한 대답 / ～を欠く 도리에 어긋나다; 정당〔합당〕하지 않다. **2** 그 일에 해당함. ¶～の人〔相手〕 (문제의) 그 사람〔상대〕. 二接頭 당…; 그…; 이…. ¶～研究所 당 연구소.

とう【党】당. 一名 **1** 동아리; 무리. ¶～を組む 패를 짜다; 작당하다. **2** 정치 단체; 정당. ¶～の路線 당의 노선. 二接尾 …당; 정당. ¶革新～ 혁신당.

***とう**【塔】名 탑. ¶五重の～ 오층탑.

とう【等】등. 一名 등급; 품등. ¶～をわける 등급을 나누다. 二接尾 …등. **1** 등급. ¶特～ 특등 / 三～ 3등. **2** 따위. ¶新聞雑誌～を買う 신문, 잡지 따위를 사다.

とう【糖】名 당; 당분. ¶～のとり過ぎ 당의 과다 섭취 / 尿に～が出る 오줌에 당이 나오다. 参考 接尾語적으로도 씀. ¶ぶどう～ 포도당 / 麦芽～ 맥아당; 엿당.

とう【薹】名〘植〙대; 꽃대. ¶ふきの～ 머윗대.

──が立つ **1** 대〔꽃대〕가 너무 자라 못 먹게 되다. **2** 한창때가 지나다. ¶二枚目をやるにはちょっと薹が立っている 미남 역을 맡기엔 좀 한물갔다〔나이가 많다〕.

とう〚疾う〛名 훨씬 이전; 이름. ＝とっく·とく. ¶～の昔の話 아주 옛날 이야기 / ～に帰った 벌써 돌아왔다 / ～(の昔)から知っていた 훨씬 이전부터 알고 있었다.

=とう【棟】건물을 세는 말: …동. ¶第三～の二号室 제3동 2호실 / アパート五～ 아파트 5동.

=とう【頭】동물을 세는 말: 두; 필(匹). ¶馬二～ 말 두 필 / 牛三～ 소 세 마리.

とう〘刀〙教2 トウ かたな | 도 칼 | **1** 칼; 검. ¶刀槍 도창 / 短刀 단도. **2** 칼 모양의 옛날 돈. ¶刀貨 도화.

とう〘冬〙(冬) 教2 トウ ふゆ | 동 겨울 | 겨울. ¶厳冬 엄동 / 冬至 동지.

とう〘灯〙(燈) 教4 トウ ひ ともしび | 등 등잔 | 등. **1** 등불; 등. ¶灯火 등화 / 船尾灯 선미등. **2** 세상을 비추는 것. ¶法灯 법등. 参考 등화를 셀 때의 단위로도 쓰임. ¶二灯 두 등.

とう〘当〙(當) 教2 トウ まさに あたる あてる | 당 마땅하다 | **1** ㉠마주치다; 맞부딪치다. ¶当面 당면 / 当惑 당혹. ㉡맞다; 맞히다. ¶当選 당선. **2** 당연; 마땅함. ¶適当 적당. **3** 이; 그; 현재의. ¶当時 당시 / 当代 당대.

とう〘投〙教3 トウ なげる | 투 던지다 | **1** (물건을) 던지다; 던져 넣다. ¶投石 투석 / 投資 투자. **2** 머무르다. ¶投宿 투숙.

とう〘豆〙教3 トウ ズ まめ | 두 콩 | 콩. ¶豆腐 두부 / 豌豆 완두.

とう〘東〙教2 トウ ひがし あずま | 동 동녘 | 동. **1** 동쪽. ¶東経 동경 / 極東 극동. ↔西. **2** '東京'의 준말. ¶東大 東京 대학.

とう〘到〙常用 トウ いたる | 도 이르다 | **1** 목적지에 다다르다; 이르다. ¶到着 도착. **2** 골고루 미치다. ¶周到 주도.

とう〘逃〙(逃) 常用 トウ にげる にがす のがれる のがす | 도 달아나다 | 달아나다; 피하다. ¶逃避 도피 / 逃走 도주 / 逃亡 도망.

とう〘倒〙常用 トウ たおれる たおす さかさま | 도 넘어지다 | **1** 거꾸로 되다. ¶転倒 전도. **2** 거꾸러지다; 넘어뜨리다. ¶倒潰 도궤 / 卒倒 졸도.

とう〘党〙(黨) 教6 トウ | 당 무리 | 당. **1** 마을; 고향; 마을의 무리. ¶郷党 향당. **2** ㉠무리; 집단. ¶徒党 도당 / 党派 당파. ㉡정당. ¶党籍 당적 / 公党 공당.

とう〘凍〙常用 トウ こおる こごえる いてる | 동 얼다 | **1** (얼음이) 얼다. ¶凍結 동결. **2** 동상(凍傷)이 생기다. ¶凍死 동사.

とう〘唐〙(唐) 常用 トウ から もろこし | 당 당나라 |

당. **1** 넓다; 허하다; 큰 거짓말. ¶荒唐(こうとう) 황당. **2** 중국; 또, 외국의 뜻으로 씀. ¶唐人(とうじん) 당인 / 毛唐(けとう) 서양인.

とう〖島〗教3 トウ しま | 도 섬 | 섬. ¶島嶼(とうしょ) 도서 / 半島(はんとう) 반도 / 列島(れっとう) 열도.

とう〖桃〗常用 トウ もも | 도 복숭아나무 | 복숭아(나무). ¶桃李(とうり) 도리 / 白桃(はくとう) 백도.

とう〖討〗教6 トウ うつ | 토 치다 | **1** 따져 묻다. ¶討議(とうぎ) 토의 / 検討(けんとう) 검토. **2** 공격하다. ¶討伐(とうばつ) 토벌 / 征討(せいとう) 정토.

とう〖透〗(透) 常用 トウ すく すかす すける とおる | 투 환하다 | 꿰뚫다; 빛이 통하다; 투명하다. ¶透視(とうし) 투시.

とう〖悼〗常用 トウ いたむ | 도 슬퍼하다 | **1** 슬퍼 상심하다. ¶痛悼(つうとう) 통도. **2** 죽은 사람을 불쌍히 여기다. ¶哀悼(あいとう) 애도.

とう〖盗〗(盜) 常用 トウ ぬすむ | 도 도둑 | 훔치다; 도둑. ¶盗難(とうなん) 도난 / 盗伐(とうばつ) 도벌 / 強盗(ごうとう) 강도.

とう〖陶〗常用 トウ すえ | 도 질그릇 | **1** 오지 그릇. ¶陶器(とうき) 도기 / 陶窯(とうよう) 도요. **2** 교도하여 인간성을 형성시키다. ¶陶冶(とうや) 도야. **3** 황홀해하다. ¶陶酔(とうすい) 도취.

とう〖塔〗常用 トウ | 탑 탑 | 탑. **1** 범어(梵語)인 '卒塔婆(そとば)'의 준말. ¶石塔(せきとう) 석탑. **2** 높이 솟은 건조물. ¶テレビ塔(とう) 텔레비전탑.

とう〖搭〗常用 トウ | 탑 타다 | (배·비행기·차 따위에) 타다; 싣다. ¶搭乗(とうじょう) 탑승.

とう〖棟〗常用 トウ むね むな | 동 마룻대 | **1** 용마루; 마룻대. ¶棟樑(とうりょう) 동량 / 上棟(じょうとう) 상량(上樑). **2** 긴 용마루를 가진 건물. ¶病棟(びょうとう) 병동.

とう〖湯〗教3 トウ ゆ | 탕 끓이다 | 탕; 더운 물. ¶熱湯(ねっとう) 열탕 / 湯治(とうじ) 탕치.

とう〖痘〗常用 トウ もがさ | 두 마마 | 마마. ¶水痘(すいとう) 수두 / 痘瘡(とうそう) 두창 / 天然痘(てんねんとう) 천연두.

とう〖登〗教3 トウ ト のぼる | 등 오르다 | **1** 위로 올라가다. ¶登山(とざん) 등산 / 登場(とうじょう) 등장. **2** 높은 지위에 오르다. ¶登用(とうよう) 등용. **3** 기록하다. ¶登記(とうき) 등기 / 登録(とうろく) 등록.

とう〖答〗教2 トウ こたえる こたえ | 답 대답하다 | 답; 대답하다. ¶答弁(とうべん) 답변 / 名答(めいとう) 명답 / 問答(もんどう) 문답. ↔問(もん).

とう〖等〗教3 トウ ひとしい ら など | 등 무리 | **1** 균일하다; 차가 없다. ¶平等(びょうどう) 평등 / 均等(きんとう) 균등. **2** 계급; 순위. ¶上等(じょうとう) 상등 / 等級(とうきゅう) 등급.

とう〖筒〗常用 トウ つつ | 통 통 | **1** 통; 대롱. ¶円筒(えんとう) 원통. **2** 총포. ¶筒音(つつおと) 총포 소리.

とう〖統〗教5 トウ すべる | 통 거느리다 | **1** 계통. ¶正統(せいとう) 정통. **2** 하나로 합하여 다스리다. ¶統制(とうせい) 통제.

とう〖稲〗(稻) 常用 トウ いね いな | 도 벼 | 벼. ¶陸稲(りくとう·おかぼ) 육도 / 晩稲(ばんとう·おくて) 만도.

とう〖踏〗(蹈) 常用 トウ ふむ ふまえる | 답 밟다 | 답보하다; 밟다; 짓밟다. ¶踏破(とうは) 답파 / 未踏(みとう) 미답 / 踏査(とうさ) 답사.

とう〖糖〗(糖) 教6 トウ | 당 엿 | 당. **1** 엿; 설탕. ¶製糖(せいとう) 제당 / 糖蜜(とうみつ) 당밀. **2** 당분. ¶葡萄糖(ぶどうとう) 포도당.

とう〖頭〗教2 トウ ズ ト あたま かしら こうべ かみ | 두 머리 | **1** 머리. ¶頭骨(とうこつ) 두골 / 頭巾(ずきん) 두건 / 頭(ず)が高(たか)い 오만하다. **2** 우두머리. ¶頭目(とうもく) 두목.

とう〖謄〗(謄) 常用 トウ うつす | 등 베끼다 | 원본을 베껴 쓰다. ¶謄写(とうしゃ) 등사.

とう〖闘〗(鬪) 常用 トウ たたかう | 투 싸우다 | 싸우다; 겨루어 승부나 우열을 다투다. ¶力闘(りきとう) 역투 / 闘牛(とうぎゅう) 투우.

とう〖藤〗(藤) 人名 トウ ふじ | 등 등 | **1** 덩굴 식물의 총칭. ¶葛藤(かっとう) 갈등. **2** 등나무. ¶紫藤(しとう) 자등 / 藤花(とうか) 등화.

とう〖騰〗(騰) 常用 トウ あがる のぼる | 등 오르다 | 오르다; 높아지다. ¶騰貴(とうき) 등귀 / 高騰(こうとう) 고등.

どう【同】동. ㊀名 같음. ¶~不同(ふどう)を調(しら)べる 같음과 같지 않음을 조사하다. ↔不同(ふどう). ㊁接頭 **1** 같은. ¶~形式(けいしき) 동형식 / ~問題(もんだい) 같은 문제. **2** (앞에 말한) 그. ¶~提案(ていあん) 동 제안 / ~商会(しょうかい) 동 상회 / 平成五年(へいせいごねん)入学(にゅうがく), ~八年(はちねん)卒業(そつぎょう) 平成 5년〔1993년〕 입학, 동 8년 졸업.

どう【堂】당. ㊀名 **1** 큰 건물. ¶~にあふれる聴衆(ちょうしゅう) 만당한 청중 / ~に満(み)つ 만당하다. **2** 신불을 모시는 곳. ¶~を建(た)てる 당(집)을 짓다.
㊁接尾 사람이 많이 모이는 건물. ¶公会(こうかい)~ 공회당 / 議事(ぎじ)~ 의사당.
—に入(い)る (학문·기예가) 심오한 경지에 이르다; 전하여, 익숙하다; 몸에 배다. ¶堂に入った司会(しかい)ぶり 익숙한 사회 솜씨.

*__どう__【胴】名 동. **1** 몸의 중앙부; 몸통; 몸체. ¶~回(まわ)り 몸통 둘레 / ~が長(なが)い 몸통이 길다. **2** (검도에서) 상대의 옆구리를 치는 일. ¶お~ 허리치기. **3** 물건의 중앙부. ㉠악기의 향동(響胴). ¶大鼓(たいこ)の~ 북의 향동. ㉡배의 중배. ¶~の

間 (재래식 배의) 중앙 선실(船室).

どう【道】名 '北海道'의 준말; 도. ¶～の財政 北海道의 재정.

***どう**【銅】名 동; 구리《기호: Cu》. ¶～の鉱山 동광; 구리 광산 / ～は湿気によって緑青を生ずる 구리는 습기에 의해 동록(銅綠)이 슨다.

****どう**〖如何〗副 **1** 어떻게. ¶～したらいいか 어떻게 하면 좋을까 / ～作ればいいの 어떻게 만들어야 되지 / ～いうわけで 어떠한 이유로 / 君なら～する 너라면 어떻게 하겠나. ↔こう·そう·ああ. **2** 아무리 (…해도). ¶～見ても 아무리 보아도 / ～やってもうまくいかない 아무리해도 잘 안 된다. **3** 어떻습니까. ¶一杯～ですか 한잔 어떻습니까.

どう〖同〗教2 ドウ おなじ | 동 한가지 | 동. **1** 같다. ¶同時 동시. ↔異. **2** 같은 마음이 되다; 일을 같이 하다. ¶同情 동정 / 協同 협동.

どう〖洞〗常用 ドウ トウ ほら | 동 굴 | **1** 동굴; 구멍. ¶洞穴 동혈 / 空洞 공동. **2** 관통하다; 꿰뚫어 보다. ¶洞察 통찰 / 洞徹 통철.

どう〖胴〗常用 ドウ | 동 구간 | **1** 몸통. ¶胴体 동체 / 胴巻 전대. **2** 물건의 가운데 부분.

どう〖動〗教3 ドウ うごく うごかす | 동 움직이다 | **1** 움직이다. ¶活動 활동 / 静中動 정중동. ↔静. **2** 행동; 거동. ¶言動 언동 / 動作 동작.

どう〖堂〗教4 ドウ | 당 집 | **1** ㉠토대 위에 높이 지은 집. ¶殿堂 전당. ㉡조정(朝廷). ¶堂上 당상. **2** 신불을 모신 건물; 당집. ¶聖堂 성당. **3** 많은 사람을 수용하는 건물. ¶講堂 강당.

どう〖童〗教3 ドウ わらべ わらわ | 동 아이 | 아이; 아동. ¶童心 동심 / 児童 아동 / 童男童女 동남동녀.

どう〖道〗《道》教2 ドウ トウ みち いう | 도 길 | **1** 길. ¶道程 도정 / 鉄道 철도. **2** 도리; 가르침. ¶道徳 도덕. **3** 방법; 방식; 전문적 학문이나 기예. ¶道楽 도락 / 柔道 유도.

どう〖働〗教4 ドウ はたらく | 일하다; 노동하다. ¶稼働 가동 / 労働 노동 / 実働 실동. 参考 일본에서 만든 글자.

どう〖銅〗教5 ドウ あかがね | 동 구리 | 금속 원소의 하나; 동; 구리. ¶銅線 동선 / 赤銅 적동 / 銅器 동기.

どう〖導〗《導》教5 ドウ みちびく | 도 이끌다 | **1** 이끌다; 가르치다. ¶導入 도입 / 指導 지도. **2** 불이나 전기를 통하다〔전하다〕. ¶導体 도체.

とうあ【東亜】名 동아; 동부 아시아. ＝東アジア.

どうあげ【胴上げ】《胴揚げ》名スル他 헹가래. ¶主将を～する 주장을 헹가래 치다.

とうあつせん【等圧線】名〔氣〕 등압선.

とうあん【答案】名 답안(지). ¶試験～ 시험 답안 / ～用紙 답안 용지 / ～を出す 답안지를 내다.

とうい【当為】名〔哲〕 당위; 졸렌. ＝ゾルレン. ¶～性 당위성.

とうい【糖衣】名 (정제의) 당의.

―じょう【―錠】名 당의정.

どうい【同位】名 동위; 같은 위치; 동일한 지위. ¶～で入賞する 같은 등수로 입상하다.

―げんそ【―元素】名 동위 원소. ⇨アイソトープ.

***どうい**【同意】동의. ㊀名スル自 의견 등에 찬성·승낙함. ¶不～ 동의하지 않음 / ～を得る 동의를 얻다 / ～を求める 동의를 구하다. ㊁名 같은 의미〔뜻〕.

―ご【―語】名 동의어. ＝同義語. ↔反意語.

どうい【胴衣】名 동의; 조끼. **1** 몸에 두르는 것. ¶防弾～ 방탄 조끼 / 救命～ 구명 동의. **2** ☞どうぎ(胴着).

どういう 連体 어떤. ＝どんな. ¶～人が好きか 어떤 사람이 좋은가 / ～訳であんなばかな事をしたんだ 어떤〔무슨〕 이유로 그런 어리석은 짓을 했느냐.

―風の吹き回しか 어인 일인가《일이 되어가는 것이 뜻밖일 때 하는 말》.

とういす〖籐椅子〗名 등의자.

とういそくみょう【当意即妙】ダナ 임기 응변의 묘. ¶～に答える 임기 응변으로 척척 대답하다.

どういたしまして【どう致しまして】連語 천만의 말씀(입니다); 별말씀을 다 하십니다. ¶～, こちらこそ失礼いたしました 천만의 말씀입니다. 저야말로 실례했습니다.

****とういつ**【統一】名スル他 통일. ¶～を欠く 통일성이 없다 / …に対して～戦線を張る …에 대해 통일〔공동〕 전선을 펴다. ↔分裂.

―てき【―的】ダナ 통일적. ¶～な行動 통일적인 행동.

どういつ【同一】名ナ 동일. **1** 같음. ¶～(の)人物 동일 인물. **2** 차이가 없음; 동등. ¶実子と～に取り扱う 친자식과 똑같이 취급하다.

―し【―視】名スル他 동일시. ¶連中と～して欲しくない 그 패들과 동일시하지 않기를 바란다.

とういん【当院】名 당원; (병원·사원·의원(議院) 등의) 이 원.

とういん【党員】名 당원.

とういん【登院】名スル自 등원. ¶～停止 등원 정지 / 議員の初～ 의원의 첫 등원 / 議員が～する 의원이 등원하다 / ～拒否も辞さない覚悟で臨

む 등원 거부도 불사한다는 각오로 임하다. ↔退院.

とういん【頭韻】图 두운; 글귀의 첫머리에 같은 음운을 되풀이해 글을 짓는 일(('奈良七重'의 'な' 따위)). ¶～を踏む 두운을 달다. ↔脚韻.

どういん【動因】图 동인; 직접적인 원인; 동기. ¶その暗殺が～となって暴動がおこった 그 암살이 동인이 되어 폭동이 일어났다.

どういん【動員】图ス他 동원. ¶国家総～ 국가 총동원/軍隊を～する 군대를 동원하다.

どうう【堂宇】图 당우; 전당. ¶宏壮な～ 굉장한 당우.

とうえい【灯影】图 등영; 등불 빛. ＝ほかげ·ともしび.

とうえい【投影】图ス他 투영; (사물의) 비친 그림자; 반영. ¶作者の屈折した心情を～した作品 작자의 굴절된 심정을 투영한 작품/文学は時代精神の～だ 문학은 시대 정신의 반영이다.

—ず【—図】图 투영도.

とうおう【東欧】图 동구; 동유럽. ¶～諸国 동유럽 여러 나라. ↔西欧.

どうおや【胴親】((筒親)) 图 노름판을 빌려 주고 판돈을 떼는 사람; 노름판의 중심 인물. ＝胴元·胴取り. 注意 '胴親'로 씀은 취음.

とうおん【唐音】图 당음((한자음의 하나로, 중국의 당말(唐末)부터 송·원·청까지 사이에 일본에 전해졌음; '饅頭(＝만두)' 따위)). ＝宋音. ⇨漢音.

とうおん【等温】图 등온; 온도가 같음; 또, 그 온도. ¶～線 등온선.

どうおん【同音】图 동음. **1** 발음이 같음. **2** 여럿이 일제히 말함. ¶異口～に言う 이구동성으로 말하다.

とうか【灯火】图 등화. ＝あかり·ともしび. ¶～管制 등화 관제.

—親しむべき候 등화가친의 계절.

とうか【投下】图ス他 투하. **1** 떨어뜨림. ¶爆弾～ 폭탄 투하. **2** 투자; 투입. ¶膨大な資本を～する 방대[막대]한 자본을 투입하다.

とうか【桃花】图 도화; 복숭아꽃.

—の節 3월 3일의 '桃の節句'.

とうか【透過】图ス自 투과. **1** 뚫고 지나감. **2**〔理〕빛이나 방사능 따위가 물체의 내부를 통과함. ¶～性 투과성/～光線 투과 광선/光が～する 빛이 투과하다.

とうか【等価】图 등가. ＝等値. ¶～の商品 등가 상품.

—こうかん【—交換】图〔經〕등가 교환.

どうか【同化】图ス自他 동화. ¶～力 동화력/知識を完全に～する 지식을 완전히 동화[소화]하다. ↔異化.

—さよう【—作用】图〔生〕동화 작용. ¶炭素～ 탄소 동화 작용.

どうか【銅貨】图 동화; 동전.

*どうか〖如何か〗副 **1** 남에게 공손히 부탁하는 마음을 나타내는 말: 제발; 부디; 아무쪼록. ＝なにとぞ. ¶～よろしくお願いします 아무쪼록 잘 부탁합니다/～助けて下さい 제발 도와[살려] 주십시오. **2** 막연히 기대하는 마음을 나타내는 말: 어떻게; 어떻게든. ＝どうにか·なんとか. ¶学費だけは～してやりたい 학비만큼은 어떻게든 해주고 싶다. **3** 보통이 아닌 모양: 어떻게. ¶頭が～なってしまいそうだ 머리가 어떻게 되어 버릴 것 같다. **4** 어떨는지. ¶さあ, ～ね 글쎄 어떨는지. **5** 어떤지. ¶それは～わからない 그건 어떤지 모르겠다.

—と思う 어떨까 싶다; 별로 좋을 것 같지 않다. ¶出席しないのは～ 출석하지 않는 것은 어떨까 싶다[별로 좋지 않을 성싶다].

—こうか 連語 이럭저럭; 가까스로; 겨우. ¶～やり終えた 이럭저럭 끝냈다.

—した 連語 사소한; 어쩌다가. ¶～はずみでけんかになる 어쩌다가 그만 싸움이 되다.

—して 連語 **1** 어떻게라도 하여; 꼭. ¶～試合に勝ちたい 어떻게라도 해서 시합에 이기고 싶다. **2** 어쩌다가; 형편[사정]에 의해. ¶～遅れたりすると大騒ぎだ 어쩌다가 늦기라도 하면 야단이다.

—すると 連語 **1** 어쩌면; 자칫 잘못하면. ¶この件は～大問題になるかも知れない 이 사건은 어쩌면 큰 문제가 될지도 모른다. **2** 때때로; 툭하면. ¶この戸は～はずれる 이 문은 걸핏하면 떨어진다.

どうが【動画】图 동화. ＝アニメーション.

とうかい【東海】图 **1** 동해. ¶～にある島 동해에 있는 섬/～の君子国 동해의 군자국((일본의 미칭)). **2** '東海道'의 준말.

—どう【—道】图〔地〕**1** 東京에서 京都까지의 해안선을 따라 나 있는 가도(街道). **2** 東京로부터 静岡·名古屋를 경유, 京都·大阪·神戸에 이르는 간선 도로.

とうかい【倒壊】((倒潰)) 图ス自 도괴; 무너짐. ¶地震で～した家屋 지진으로 도괴된[무너진] 가옥.

とうがい【当該】連体 당해; 해당. ¶～官庁[事項] 해당 관청[사항].

とうがい【凍害】图 동해; 추위로 인한 농작물의 피해. ＝霜害. ¶大雪で農作物が～を蒙った 큰눈으로 농작물이 동해를 입었다.

とうがい【等外】图 등외. ¶～当選 등외 당선/～品 등외품/～に落ちる 등외로 떨어지다.

とうかく【当確】图 (신문 기사에서) '当選確実(＝당선 확실)'의 준말.

とうかく【頭角】图 두각.

—を現す 두각을 나타내다. ¶詩人として～ 시인으로서 두각을 나타내다.

どうかく【同格】图 동격; 똑같은 자격〔격식〕. ¶主語と~の言葉 주어와 동격인 말 / 部長と~に扱う 부장과 동격으로 대우하다.

どうがく【同学】图 동학; 동문; 동창. ¶~の友 동창(생) / ~のよしみ 동문의 정의(情誼).

どうがく【同額】图 동액; 같은 액수. ¶毎月~の貯金をする 매달 동액의 저금을 하다.

どうかせん【導火線】图 도화선. ¶戦争〔開戦〕の~となった事件 전쟁〔개전〕의 도화선이 된 사건 / ~に火をつける 도화선에 불을 당기다.

とうがたクレーン【塔形クレーン】图 타워 크레인. ▷crane.

とうかつ【統括】图ス他 통괄. ¶~作用 통괄 작용 / 全体を~する結論 전체를 통괄하는 결론.

とうかつ【統轄】图ス他 통할. ¶学校教育は文部科学省が~する 학교 교육은 문부과학성이 통할한다. 参考 법령에서는 '統括'로 통일됨.

どうかつ〔恫喝〕图ス他 동갈; 공갈. ¶~して金を奪う 동갈〔공갈〕하여 돈을 빼앗다.

とうから『疾うから』副 일찍부터. ¶~知っていた 벌써 알고 있었다.

とうがらし【唐辛子】《唐芥子·蕃椒》图〘植〙고추.

とうかん〔投函〕图ス他 투함. ¶郵便物の~ 우편물의 투함.

とうかん【等閑】图 등한. =なおざり. ¶~にする 등한히 하다.

—に付する 등한히 하다. ¶それは等閑に付すべきではない 그것은 등한히 할 일이 아니다.

—し【—視】图ス他 등한시. ¶~されてきた問題 등한시되어 온 문제.

とうがん『冬瓜』图〘植〙동아. =カモウリ·トウガ. 注意 '冬瓜'의 전와.

どうかん【同感】图ス自 동감. ¶~の意を表わす 동감의 뜻을 표하다 / 全く~です 전적으로 동감입니다.

どうかん【動感】图 생동감. ¶~にあふれた絵 생동감이 넘치는 그림.

どうがん【童顔】图 동안. **1** 어린이 얼굴. **2** 어린이와 같은 얼굴 생김. ¶いまだ~が残っている 아직도 동안이 남아 있다 / 彼の笑顔は全く~だ 그의 웃는 얼굴은 정말 동안 그대로다.

とうき【冬季】图 동계. ¶~大会〔休暇〕동계 대회〔휴가〕. ↔夏季.

—オリンピック[Olympic] 图 동계 올림픽. ¶~競技 동계 올림픽 경기.

とうき【冬期】图 동기. ¶~講習 동기 강습 / ~休業 동기 휴업 / ~運休 동기 운휴. ↔夏期.

とうき【当期】图 당기; 이 기간. ¶~の利益〔決算〕당기 이익〔결산〕.

とうき【投棄】图ス他 투기; 던져 버림. ¶~処分 투기〔폐기〕처분 / ごみの不法~ 쓰레기 불법 투기.

とうき【投機】图 투기. ¶~心〔株〕투기심〔주〕/ ~市場 투기 시장 / ~買い 투기 구매 / ~熱 투기열 / ~に手を出して大損をする 투기에 손을 대어 큰 손해를 보다.

—てき【—的】ダナ 투기적. =山師的. ¶~な色合いの濃い事業 투기적인 색채가 짙은 사업.

—とりひき【—取引】图 투기 거래.

とうき【党紀】图 당기; 당의 규율·풍기. ¶~粛清 당기 숙청 / ~を乱す 당기를 어지럽히다.

とうき【登記】图ス他 등기. ¶不動産~ 부동산 등기 / ~を済ます 등기를 필하다 / 土地家屋の~をする 토지 가옥의 등기를 하다.

—しょ【—所】图 등기소.

—ずみしょう【—済み証】图 등기필증; 권리증.

—ぼ【—簿】图 등기부. ¶~閲覧 등기부 열람.

***とうき**【陶器】图 도기; 도자기. ¶硬質~ 경질 도기. ⇨じき(磁器).

とうき【騰貴】图ス自 등귀. ¶物価が~する 물가가 등귀하다. ↔下落.

とうぎ【討議】图ス自他 토의; 토론. =ディスカッション. ¶対策を~する 대책을 토의하다 / ~を重ねる 토의를 거듭하다.

とうぎ【闘技】图 투기. **1** 솜씨를 겨룸. **2** 고대 그리스·이집트에서 행해진 격투 경기. ¶~場 투기장.

どうき【同期】图 동기. **1** 같은 시기. ¶ほぼ~の作品 거의 동기의 작품 / 前年~比で十五パーセント減少した 전년 동기에 비해 15% 감소했다. **2** 입학이나 졸업의 연도가 같음. ¶~生 동기생 / あのふたりは大学も~だそうだ 저 두 사람은 대학도 동기라고 한다. ⇨どうそう(同窓).

どうき〔動悸〕《動気》图〘生〙동계《평상시보다 심한 심장의 고동》. ¶~がする〔打つ〕심장이 두근거리다 / ~が激しい 가슴이 몹시 두근거리다.

***どうき**【動機】图 동기. ¶犯行〔犯罪〕の~ 범행〔범죄〕동기 / ~が不純だ 동기가 불순하다.

—づけ【—付け】图 동기 부여.

どうぎ【同義】图 동의; 같은 뜻. =同意. ↔異義. ↔反義語.

—ご【—語】图 동의어. =同意語.

どうぎ【胴着】《胴衣》图 (소매 없는) 방한용 속옷. =胴衣.

どうぎ【動議】图 동의. ¶緊急~ 긴급 동의 / ~を可決する 동의를 가결하다.

どうぎ【道義】图 도의. ¶~心 도의심 / ~に背く 도의에 어긋나다 / ~上の問題 도의상의 문제 / ~をおもんじる 도의를 중시하다.

—てき【—的】ダナ 도의적. ¶~な責任 도의적(인) 책임.

とうきび 〖唐黍〗 图 〔植〕〈方〉 1 옥수수. ＝トウモロコシ. 2 수수. ＝モロコシ.

とうきゅう【投球】图ス自 〔野〕 투구. ¶全力(ぜんりょく)～ 전력 투구 / ～モーションをする 투구 동작을 하다.

*とうきゅう【等級】图 등급. ＝しな·くらい. ¶～を付(つ)ける 등급을 매기다.

とうぎゅう【闘牛】图 투우. 1 소와 사람의 투기. ¶～はスペインの国技(こくぎ)だ 투우는 스페인의 국기이다. 2 소끼리의 싸움. ＝牛合(うしあ)わせ.

—し【—士】图 투우사.

どうきゅう【同級】图 동급. 1 같은 등급. ¶～の品物(しなもの) 동급의 물품. 2 같은 학급. ¶～生(せい) 동급생.

どうきゅう [撞球] 图 당구. ＝ビリヤード·たまつき.

とうぎょ【統御】图ス他 통어; 전체를 거느리고 지배함. ¶～の才(さい) 통어지재 / 国(くに)を～する 나라를 통어하다 / ～よろしきを得(う)る 통어가 잘되어 있다.

どうきょ【同居】图ス自 동거. 1 같은 집에 같이 삶. ¶夫婦(ふうふ)が～する 부부가 함께 살다. ↔別居(べっきょ). 2 가족 아닌 사람이 같이 삶. ¶～人(にん) 동거인 / ～世帯(せたい) 동거 세대.

とうきょう【東京】图 도쿄《일본 수도》.

—ご【—語】图 東京어; 東京에서 쓰이는 언어.

—わん【—湾】图 〔地〕 도쿄 만.

東京의 23개 特別区(とくべつく)	
葛飾区(かつしかく)	世田谷区(せたがやく)
江東区(こうとうく)	新宿区(しんじゅくく)
江戸川区(えどがわく)	足立区(あだちく)
台東区(たいとうく)	中央区(ちゅうおうく)
大田区(おおたく)	中野区(なかのく)
練馬区(ねりまく)	千代田区(ちよだく)
目黒区(めぐろく)	板橋区(いたばしく)
墨田区(すみだく)	品川区(しながわく)
文京区(ぶんきょうく)	豊島区(としまく)
北区(きたく)	港区(みなとく)
杉並区(すぎなみく)	荒川区(あらかわく)
渋谷区(しぶやく)	※ 가나다 音讀順

どうきょう【同郷】图 동향. ¶～の人(ひと) 동향 사람 / ～のよしみ 동향의 정분.

どうきょう【道教】图 도교《노자(老子)를 교조로 하는 중국의 종교》.

どうぎょう【同行】图 동행. 1〔佛〕 순례·사찰 참예에의 길동무. ⇨どうこう(同行). 2 五十音図(ごじゅうおんず)의 같은 행.

どうぎょう【同業】图 동업. ¶～者(しゃ) 동업자 / ～組合(くみあい) 동업 조합.

とうきょく【当局】图 당국. ¶警察(けいさつ)～ 경찰 당국 / ～の発表(はっぴょう) 당국의 발표 / 取(と)り締(し)まり～ 단속 당국〔기관〕.

—しゃ【—者】图 당국자.

とうきょり【等距離】图 등거리. ¶～外交(がいこう) 등거리 외교 / 米(べい)中(ちゅう)から～を保(たも)つ 미·중으로부터 등거리를 유지하다.

どうぎり【胴切り】图ス他 몸통을 동강 냄; 통째 썰기. ＝わぎり·つつぎり.

**どうぐ【道具】图 1 도구. ㉠기구(器具)의 총칭. ¶家財(かざい)～ 가재 도구 / 大工(だいく)～ 목수의 연장. ㉡방편; 이용물. ¶出世(しゅっせ)の～に使(つか)われる 출세의 도구로 이용되다 / 他人(たにん)を～に使(つか)う 남을 (어떤 목적을 위한) 도구로 삼다. 2 얼굴이나 몸의 각 부분; 생김새. ¶顔(かお)の～ 얼굴의 생김새《눈·코 따위》.

—かた【—方】图〔劇〕 무대 장치 취급자《넓게는, 소품 담당자도 가리킴》.

—だて【—立て】图 1 필요한 도구를 갖추어 두는 일; 온갖 준비. ¶～がうまく行(い)かない 준비가 잘 안 되다. 2〈俗〉 갖추어져 있는 것의 모양. ¶顔(かお)の～ 이목구비가 붙어 있는 모양새.

—や【—屋】图 고물상; 골동품상. ＝古道具屋(ふるどうぐや)·骨董屋(こっとうや).

とうくつ【盗掘】图ス他 도굴. ¶～品(ひん) 도굴품 / 墳墓(ふんぼ)は～されていた 분묘는 도굴당해 있었다.

どうくつ [洞窟] 图 동굴. ＝ほらあな. ¶～遺跡(いせき) 동굴 유적 / ～奥(おく)に宝(たから)をかくす 동굴 깊숙이 보물을 감추다.

とうけ【当家】图 1 당가; 이 집; 우리 집. ¶～の書生(しょせい) 당가의 서생 / ～のだんな 이 집 주인. ↔他家(たけ). 2《'ご'를 붙여》 당신 집; 댁. ¶ご～の婿(むこ)どの 댁의 사위님. 參考 '家'는 건물을 가리키는 것이 아니고 추상적인 뜻.

*とうげ【峠】图 1 산마루; 고개. ¶～の茶屋(ちゃや) 마루턱의 찻집 / ～に差(さ)し掛(か)かる 고개에 다다르다. 2 절정기; 고비. ¶彼(かれ)も今(いま)が～だ 그도 지금이 전성기〔고비〕다 / 暑(あつ)さもここ二三日(にさんにち)が～だ 더위도 요 이삼일이 고비다.

—を越(こ)す 고비를 넘다〔넘기다〕. ¶病状(びょうじょう)も峠を越した 병세도 고비를 넘겼다. 注意 '峠'는 일본 한자.

どうけ【道化】图 익살스러운 말이나 동작; 또, 익살꾼; 어릿광대. ¶～もの 익살꾼; 광대.

—し【—師】图 익살꾼; 피에로; 광대.

とうけい【東経】图 동경. ↔西経(せいけい).

*とうけい【統計】图ス他 통계. ¶～表(ひょう) 통계표 / ～資料(しりょう) 통계 자료 / ～を取(と)る 통계를 잡다〔내다〕.

とうけい【闘鶏】图 투계. 1 닭싸움. ＝けあい·とり合(あ)わせ. ¶～を見物(けんぶつ)する 닭싸움을 구경하다. 2 싸움닭.

とうげい【陶芸】图 도예; 도자기 공예. ¶～家(か) 도예가 / ～品(ひん) 도예품.

どうけい【同系】图 동계; 같은 계열. ¶三社(さんしゃ)とも～の資本(しほん)だ 3사가 모두 같은 계열의 자본이다. ↔異系(いけい).

どうけい【同形】图 동형; 모양이 같음. ¶～の図形(ずけい) 모양이 같은 도형.

どうけい【同型】图 동형; 형식〔타입〕이 같음. ¶～の船(ふね) 동형의 배.

どうけい【同慶】图 (함께) 자기 일처럼 기뻐함. ¶ご～の至(いた)りです 경하스럽기 그지 없습니다.

どうけい [憧憬] 图 ス自他 동경. ＝あこがれ. ¶～の的(まと) 동경의 대상 / 都会(とかい)の生活(せいかつ)を～する 도회 생활을 동경하다. 注意 'しょうけい'의 관용음.

とうけつ【凍結】동결. 一图 ス自 얾. ＝氷結(ひょうけつ). ¶川(かわ)が～する 강이 얼어붙다. 二图 ス他 1 (자산 등이) 묶임. ¶資金(しきん)[賃金(ちんぎん)]～ 자금[임금] 동결 / 海外資産(かいがいしさん)を～する 해외 자산을 동결하다. 2 처리를 일시 보류함. ¶その論議(ろんぎ)は一時(いちじ)～する 그 논의는 일시 보류한다. 「こんけつ.

とうげつ【当月】图 당월; 이 달. ＝今月

どうけつ【洞穴】图 동혈; (비교적 깊지 않은) 동굴. ＝ほらあな.

どう-ける【道化る】下1自 익살부리다; 괘사부리다. ＝ふざける·おどける. ¶わざと～·けてみせる 일부러 익살을 떨어 보이다. 参考 '道化'의 動詞꼴.

とうけん【刀剣】图 도검; 칼과 검. ¶～不法所持(ふほうしょじ) 도검 불법 소지.

とうけん【闘犬】图 투견. ＝犬合(いぬあ)わせ.

とうげん【桃源】图 도원; 선경(仙境); 별천지. ¶～郷(きょう) 도원향; 이상향.

どうけん【同権】图 동권; 동등권. ¶男女(だんじょ)～ 남녀 동(등)권.

とうご【倒語】图 도어; 발음·말의 순서를 거꾸로 한 말《これ→れこ; ばしょ→しょば 따위》.

とうこう【刀工】图 도공; 도장(刀匠). ＝かたなかじ.

とうこう【投光】图 투광. ¶～器(き) 투광기 / ～装置(そうち) 투광 장치.

とうこう【投降】图 ス自 투항. ¶～兵(へい) 투항병 / ～を勧告(かんこく)する 투항을 권고하다 / 白旗(はっき)をかかげて～する 백기를 들고 투항하다.

とうこう【投稿】图 ス自他 투고. ¶～欄(らん) 투고란 / 新聞(しんぶん)に俳句(はいく)を～する 신문에 俳句를 투고하다.

とうこう【陶工】图 도공; 도자기 만드는 사람. ＝焼(や)き物(もの)師(し).

とうこう【登校】图 ス自 등교. ¶～時間(じかん) 등교 시간 / グループで～する 그룹을 지어 등교하다. ↔下校(げこう).

—きょひ【—拒否】图 등교 거부.

とうごう【投合】图 ス自 투합; (마음 따위가) 서로 딱 맞음. ¶意気(いき)～する 의기 투합하다.

とうごう【等号】图〖數〗등호; 이퀄《＝》. ＝イコール. ↔不等号(ふとうごう).

*__とうごう__【統合】图 ス他 통합. ¶三軍(さんぐん)～ 삼군 통합 / 企業(きぎょう)～ 기업 통합 / ～幕僚会議(ばくりょうかいぎ) 통합 막료 회의《우리나라의 합동 참모 회의에 상당》.

どうこう【同行】图 ス自 동행; 함께 감; 또, 그 사람. ＝みちづれ. ¶～者(しゃ) 동행자 / ～を求(もと)める 동행을 요구하다. ⇨ どうぎょう(同行).

どうこう【同好】图 동호; 취미 따위가 같음. ¶～者(しゃ) 동호인 / ～会(かい) 동호회 / ～の士(し)を求(もと)む 동호인을 찾다.

どうこう【動向】图 동향. ¶～を探(さぐ)る 동향을 살피다 / 経済(けいざい)の～を注視(ちゅうし)する 경제 동향을 주시하다 / 世論(せろん)の～をつかむ 여론의 동향을 파악하다.

どうこう [瞳孔] 图 동공; 눈동자. ＝ひとみ. ¶～が開(ひら)く 눈동자가 커지다.

どうこう〖どう斯う〗副 이러니저러니; 이러쿵저러쿵. ＝どうのこうの·とやかく. ¶～言(い)うべき筋合(すじあい)ではない 이러니저러니 말할 계제가 아니다 / いまさら～言(い)ってもはじまらない 이제 와서 이러쿵저러쿵해봤자 소용없다.

どうこういきょく【同工異曲】图 동공이곡; 솜씨는 같으나 그 내용이나 풍치가 다름; 또, 다른 듯하나 대체로 같음. ¶～の作品(さくひん) 어슷비슷한 작품.

とうこうせいていがた【東高西低型】图〖氣〗동고서저형; (일본) 동쪽 바다의 기압이 높고 서쪽 내륙의 기압이 낮은 여름의 기압 배치. ↔西高東低型(せいこうとうていがた).

とうこうせん【等高線】图〖地〗등고선. ＝等高曲線(きょくせん). ¶～地図(ちず) 등고선 지도.

とうごく【投獄】图 ス他 투옥. ¶無実(むじつ)の罪(つみ)[殺人(さつじん)のうたがい]で～される 무고한 죄[살인 혐의]로 투옥되다.

どうこく [慟哭] 图 ス自 통곡. ¶遺体(いたい)の前(まえ)で～する 유해 앞에서 통곡하다.

とうこん [刀痕] 图 도흔; 칼자국. ¶～のある顔(かお) 칼자국이 있는 얼굴.

とうこん【当今】图 당금; 이제; 요즈음. ＝近(ちか)ごろ·このごろ. ¶～の社会情勢(しゃかいじょうせい) 요즈음의 사회 정세 / ～の若(わか)い人(ひと) 요즘 젊은이.

とうこん【闘魂】图 투혼; 투지. ＝闘志(とうし)·ファイト. ¶不屈(ふくつ)の～ 불굴의 투혼 / ～を燃(も)やす 투지를 불태우다.

どうこんしき【銅婚式】图 동혼식《결혼 7주년 또는 15주년 기념식》.

とうさ【踏査】图 ス他 답사; 현지에 가서 조사함. ¶～隊(たい) 답사대 / 海外(かいがい)を実地(じっち)～してみる 해외를 실지 답사해 보다.

とうざ【当座】图 1 그 자리; 그 석상. ＝その座(ざ)·その場(ば). ¶～のまにあわせ 그 자리에서의 변통; 임시변통 / うそをついて～はごまかした 거짓말을 해서 그 자리는 모면했다. 2 그 당장; 당분간; 잠시. ＝さしあたり·しばらく. ¶～の小遣(こづかい) 당분간의 용돈 / 来(き)た～はおとなしかった 온 그 당장은 얌전했다. 3 '当座(とうざ)預金(よきん)'의 준말.

—しのぎ〖—凌ぎ〗图 임시변통; 한때의 방편. ＝一時(いちじ)しのぎ. ¶～に出(で)まかせを言(い)う 임시방편으로 아무렇게나 (입에서 나오는 대로) 말하다.

—のがれ【—逃れ】图 임시 모면. ¶～の借金(しゃっきん) 임시 모면을 위한 빚돈.

—よきん【—預金】图〖經〗당좌 예금.

**__どうさ__【動作】图 동작. ¶基本(きほん)～ 기본 동작 / ぎこちない～ 어색한 동작 / きびきびした～ 분명하고 활발한 동작 / すばやい～ 재빠른 동작.

とうさい【搭載】图 ス他 탑재. ¶～機(き)

탑재기 / 核(かく)を～した軍艦(ぐんかん) 핵을 탑재한 군함.

とうさい【登載】名ス他 등재; 게재; 기재. ¶雑誌(ざっし)に～した小説(しょうせつ) 잡지에 실은 소설.

とうざい【東西】名 **1** 동서. ㉠동쪽과 서쪽. ¶～に長(なが)い 동서로 길다 / ～に走(はし)る道路(どうろ) 동서로 뻗은 도로. ↔南北(なんぼく). ㉡방향. ¶～もわからない 동서도 모르다[분간 못하다]. ㉢동쪽 지방과 서쪽 지방; 동양과 서양. ¶～文化(ぶんか)の交流(こうりゅう) 동서 문화의 교류. **2** ☞とうざいとうざい.

—とうざい【—東西】名 흥행장에서 관객을 진정시키거나 흥행물의 설명·인사말 등을 할 때 쓰는 허두의 말: 여러분, 조용히 들어[해]주십시오. 注意 실제 발음은 'とざいとうざい'.

—なんぼく【—南北】名 동서남북. **1** 사방(팔방). ¶道路(どうろ)が～に四達(したつ)している 도로가 사방으로 나 있다. **2** 방향.

どうざい【同罪】名 동죄; 같은 죄; 또, 같은 책임. ¶～と見(み)る 동죄로 보다 / 我々(われわれ)みんな～だ 우리 모두 동죄이다.

とうさく【倒錯】名ス自他 도착. **1** 전도되어 어긋남. ¶事(こと)が～している 일이 도착되어 있다. **2** 정신·본능 따위가 비정상적·반사회적·비도덕적 상태로 나타나는 일. ¶性的(せいてき)～ 성적 도착.

とうさく【盗作】名ス他 도작; 표절. ＝剽窃(ひょうせつ). ¶～した作品(さくひん) 도작[표절]한 작품.

どうさつ【洞察】名ス他 통찰. ＝洞見(どうけん). ¶～力(りょく) 통찰력 / 人心(じんしん)を～する 민심을 통찰하다.

とうさん【父さん】名 아버지《부친을 친근하게 부르는 말》. ＝おとうさん. 注意 'とうちゃん'은 속된 말씨. 参考 자기 남편을 가리킬 때도 있음. ↔母(かあ)さん.

とうさん【倒産】名ス自 도산. **1** 파산. ¶不景気(ふけいき)で～する 불경기로 도산하다. **2** 역산(逆産). ＝さか子(ご).

どうさん【動産】名 동산《현금 따위》. ¶～信託(しんたく) 동산 신탁. ↔不動産(ふどうさん).

*__とうし__【投資】名ス自 투자; 출자. ¶設備(せつび)～ 설비 투자 / ～家(か) 투자가 / ～熱(ねつ)をあおる 투자열을 부추기다 / 息子(むすこ)に～する 자식에게 투자하다.

—ぎんこう【—銀行】名 투자 은행.

—しんたく【—信託】名 투자 신탁.

とうし【凍死】名ス自 동사. ＝こごえじに. ¶～者(しゃ) 동사자 / このまま眠(ねむ)ったら～する 이대로 자면 동사한다.

とうし【唐詩】名 당시. **1** 당나라 시대의 한시. **2** 중국 고전(古典) 시.

とうし【透視】名ス他 투시. ¶～力(りょく) 투시력 / レントゲン～ 뢴트겐 투시.

—ず【—図】名 투시도.

とうし【闘士】名 투사. **1** 전사(戰士)·병사의 미칭. ＝兵士(へいし). **2** 투지가 강한 사람. ¶～型(がた) 투사형 / 組合運動(くみあいうんどう)の～ 조합 운동의 투사.

とうし【闘志】名 투지. ＝闘魂(とうこん)·ファイト. ¶～満々(まんまん) 투지 만만 / ～を燃(も)やす[失(うしな)う] 투지를 불태우다[잃다] / ～に燃(も)える 투지에 불타다 / ～がみなぎる 투지가 넘치다.

とうじ【冬至】名 동지. ¶～粥(がゆ) 동지 팥죽. ↔夏至(げし).

—せん【—線】名〔天〕 동지선; 남(南)회귀선의 딴 이름.

—てん【—点】名〔天〕 동지점. ↔夏至点(げしてん).

とうじ【当事】名 당사; 직접 그 일에 관계함. ¶～国(こく) 당사국.

—しゃ【—者】名 당사자. ¶～どうし 당사자끼리 / ～に確認(かくにん)する 당사자에게 확인하다 / ～から事情(じじょう)を聞(き)く 당사자로부터 사정을 듣다. ↔第三者(だいさんしゃ)·局外者(きょくがいしゃ).

*__とうじ__【当時】名 당시; 그 무렵; 그때. ¶敗戦(はいせん)～ 패전 당시 / その～ 그 당시 / ～の流行(りゅうこう) 당시의 유행.

とうじ [杜氏] 名 술을 만드는 기술자; 또, 그 우두머리. ＝さかとうじ·とじ. 参考 간장·식초·된장 등을 만드는 기술자를 가리키기도 함.

とうじ【湯治】名ス自 탕치; 온천이나 약초를 넣은 목욕탕에서 치료함. ¶～療法(りょうほう) 탕치 요법 / ～客(きゃく) 탕치객 / ～に行(い)く 온천에 요양하러 가다.

—ば【—場】名 탕치장. ＝温泉場(おんせんば).

とうじ【答辞】名 답사. ¶～を読(よ)む 답사를 읽다. ↔送辞(そうじ).

とうじ [蕩児] 名 탕아. ¶一代(いちだい)の～ 일대의 탕아.

*__どうし__【同士】名 **1** 같은 동아리·종류. **2**《接尾語적으로》끼리. ¶男(おとこ)[女(おんな)]～ 남자[여자]끼리 / いとこ～ 사촌끼리 / かたき～ 원수끼리 / 弱(よわ)い[好(す)いた]者(もの)～ 약한 자[좋아하는 사람]끼리.

—うち【—討ち】名ス自 같은 패끼리의 싸움. ＝なかま争(あらそ)い. ¶～だけは避(さ)けたい 우리끼리의 싸움만은 피하고 싶다.

どうし【同志】名 동지. ¶～をつのる[糾合(きゅうごう)する] 동지를 모으다[규합하다].

どうし【動詞】名〔文法〕 동사. ¶自(じ)～ 자동사 / 規則(きそく)～ 규칙 동사.

*__どうじ__【同時】名 동시; 같은 때[시각]; 같은 시대. ¶～性(せい) 동시성 / ～録音(ろくおん) 동시 녹음 / 着(つ)いたのはほとんど～だった 도착한 것은 거의 동시였다.

—つうやく【—通訳】名 동시 통역.

—に 副 동시에. **1** 한꺼번에; 일시에. ¶～スタートする 동시에 스타트하다. **2**《'…と～'의 꼴로》㉠바로 그때에. ¶雷鳴(らいめい)と～停電(ていでん)した 천둥 소리와 함께 정전이 되었다 / 励(はげ)ますと～忠告(ちゅうこく)する 격려함과 동시에 충고하다 / 安(やす)いと～良質(りょうしつ)だ 싸기도 하고 질도 좋다. ㉡《接続詞적으로》(그와) 동시에; 한편. ¶登山(とざん)は愉快(ゆかい)である. (と)～危険(きけん)も伴(ともな)う 등산은 유쾌하다. 동시에[한편] 위험도 따른다 / ～これもたのむ 동시에 이것도 부탁한다.

とうしき【等式】图〔數〕등식. ↔不等式(ふとうしき).

とうじき【陶磁器】图 도자기. ＝焼(や)き物(もの).

どうじくケーブル【同軸─】图 동축 케이블; 공동 시청 안테나 텔레비전용의 케이블. ▷cable.

どうした〖如何した〗連体 어떤; 무슨; 어떻게 된. ¶～わけか熱(ねつ)が出(で)てきた 무슨 까닭인지 열이 나기 시작했다 / 無断(むだん)で欠席(けっせき)するとは～ことか 무단으로 결석하다니 어찌된 일인가 / ～風(かぜ)の吹(ふ)きまわしか 무슨 바람이 불었는지.

とうしつ【等質】图ナ 등질; 균질; 동질. ¶～的(てき) 등질적 / 色(いろ)は違(ちが)うが～の製品(せいひん)だ 빛깔은 다르나 등질의 제품이다.

とうしつ【糖質】图 당질《'でんぷん質(しつ)(＝전분질)'의 고친 이름》.

とうじつ【当日】图 당일. ¶試験(しけん)の～ 시험 당일 / ～雨天(うてん)の際(さい)は中止(ちゅうし)する 당일 우천일 때는 중지한다.

どうしつ【同質】图 동질. ¶～のせっけん 동질의 비누. ↔異質(いしつ).

どうじつ【同日】图 동일. **1** 그날. ¶～は講演(こうえん)も行(おこな)われます 그날은 강연도 있습니다. **2** 같은 날.

＊＊どうして〖如何して〗連語 **1** 어떻게. ¶～暮(く)らすか 어떻게 지내는가 / ～よいのかわからなかった 어떻게 해야 좋을지 몰랐다. **2** 어째서; 왜. ¶～来(こ)ないのだ 왜 오지 않느냐 / ～かしら 왜 그럴까. **3**《反語的으로 쓰이어》웬걸; 오히려. ＝かえって. ¶やさしそうに見(み)えるが, ～なかなか気(き)が強(つよ)い 온순해 보이지만, 웬걸 아주 깡다구가 세다. **4** 판단이 빗나가 놀라는 말: 허, 참; 아이쿠. ＝いやはや. ¶～大変(たいへん)な人気(にんき)ですよ 허, 참 대단한 인기랍니다. **5**《感動詞적으로, 흔히 되풀이하여 쓰임》상대방의 말을 강하게 부정하는 말: 천만의 말씀을. ¶～, ～, からきしだめです 천만의 말씀, 전혀 형편없습니다〔못합니다〕.

どうしても〖如何しても〗連語 **1**《否定語를 수반하여》아무리 하여도. ¶～出来(でき)ない〔わからない〕 아무리 해도 할 수 없다〔알 수 없다〕. **2** 무슨 일이 있어도; 꼭. ¶～やりとげる〔行(い)く〕 꼭 해낸다〔간다〕/ ～やりぬきたい 어떻게 해서라도 해내고 싶다.

とうしゃ【当社】图 당사. **1** 이〔우리〕 신사(神社). **2** 이〔우리〕 회사. ¶～の製品(せいひん) 당사 제품. 參考 편지에서, 자기 회사나 점포를 가리키는 말에 当社(とうしゃ)·本社(ほんしゃ)·弊社(へいしゃ)·当店(とうてん)·本店(ほんてん)·弊店(へいてん)·小店(しょうてん) 등이 있는데, '弊…' '小…'는 겸손의 뜻이 강함.

とうしゃ【投射】图ス他 투사; 투영(投影). ¶～角(かく) 투사각 / ～図法(ずほう) 투사 도법 / 光(ひかり)が水面(すいめん)に～されている 광선이 수면에 투사되어 있다.

とうしゃ【透写】图ス他 투사. ＝トレース. ¶～紙(し) 투사지; 트레이싱 페이퍼 / 絵(え)を～する 그림을 투사하다.

とうしゃ【謄写】图ス他 등사. **1** 베껴 씀. ＝書写(しょしゃ). **2** 등사판으로 인쇄함. ¶～刷(ず)り〔印刷(いんさつ)〕 등사(판) 인쇄.

──ばん【──版】图 등사판. ＝がり版(ばん).

とうしゅ【当主】图 당주; 그 집의 현재 주인. ↔先代(せんだい).

とうしゅ【投手】图〔野〕투수. ＝ピッチャー. ¶勝利(しょうり)～ 승리 투수 / 敗戦(はいせん)～ 패전 투수 / ～交代(こうたい) 투수 교체. ↔捕手(ほしゅ).

──せん【──戦】图 투수전.

──ばん【──板】图 투수판; 마운드. ＝ピッチャーズプレート.

とうしゅ【党首】图 당수. ¶～会談(かいだん) 당수 회담.

どうしゅ【同種】图 동종. ↔異種(いしゅ).

とうしゅう【踏襲】《蹈襲》图ス他 답습. ¶前例(ぜんれい)を～する 전례를 답습하다 / 前任者(ぜんにんしゃ)の経営(けいえい)方針(ほうしん)を～する 전임자의 경영 방침을 답습하다.

とうしゅく【投宿】图ス自 투숙. ¶駅前(えきまえ)の旅館(りょかん)に～する 역전에 있는 여관에 투숙하다.

どうしゅく【同宿】동숙. ㊀图 같은 여관〔하숙〕. ㊁图ス自 같은 여관〔하숙〕에 듦; 또, 그 사람. ＝あいやど. ¶～のよしみ 동숙의 정의(情誼).

どうしゅつ【導出】图ス他 도출. ¶データから結論(けつろん)を～する 데이터에서 결론을 도출하다. ↔導入(どうにゅう).

とうしょ【当初】图 당초; 최초. ¶開業(かいぎょう)の～は 개업 당초에는 / ～の予定(よてい)を変(か)える 당초의 예정을 바꾸다.

＊とうしょ【投書】图ス自他 **1** 투서. ¶国会(こっかい)に～する 국회에 투서하다. **2** 투고. ¶～家(か)〔マニア〕 투고가〔광〕.

──らん【──欄】图 투서〔투고〕란.

とうしょ［島嶼］图 도서; 크고 작은 섬들. ¶七千余(ななせんよ)の～から成(な)る島国(しまぐに) 7천여 개의 도서로 이루어진 섬나라.

とうしょ【頭書】두서. ㊀图ス他 본문의 상란에 써넣음; 또, 써넣은 것. ＝かしらがき. ㊁图 문서의 첫머리에 쓴 것. ¶～の通(とお)り 두서와 같이〔같음〕/ ～の成績(せいせき)をおさめたので, これを賞(しょう)する 두서의 성적을 거두었으므로 이에 상(장)을 줌.

とうしょう【東証】图 '東京(とうきょう)証券(しょうけん)取引所(とりひきじょ)(＝도쿄 증권 거래소)'의 준말. ¶～株価指数(かぶかしすう) 도쿄 증권 거래소 주가 지수.

とうしょう【凍傷】图〔醫〕동상. ¶～にかかった 동상에 걸렸다 / 彼(かれ)は顔(かお)をひどい～にやられていた 그는 얼굴에 심한 동상을 입고 있었다. ⇨しもやけ.

とうじょう【東上】图ス自 상경; (서쪽 지방에서) 東京(とうきょう)로 감. ¶近日中(きんじつちゅう)に～する予定(よてい)である 근일 중에 상경할 예정이다. ↔西下(さいか).

とうじょう【搭乗】图ス自 탑승. ¶～橋(きょう) 탑승교; 보딩 브리지 / ～員(いん) 탑승원 / 飛行機(ひこうき)に～する 비행기에 탑승하다.

──けん【──券】图 탑승권.

とうじょう【登場】图ス自 등장. ¶～人

物 등장인물 / 相次いで～する 잇따라 등장하다 / 紛争解決にA氏が～した 분쟁 해결에 A씨가 등장했다. ↔退場.

どうしょう【銅賞】图 동상. ↔金賞·銀賞.

どうじょう【同上】图 동상; 위와 같음; 위〔앞〕에 기술한 바와 같음. ¶～の理由により… 위와 같은 이유로….

どうじょう【同乗】图ス自 동승; 같이 탐. ¶～者 동승자 / トラックに～する 트럭에 동승하다 / 医師に～で病院に急行する 의사와 동승하여 병원으로 급히 가다.

**どうじょう【同情】图ス自 동정. ＝あわれみ. ¶～心〔票〕 동정심〔표〕/ ～罷業 동정 파업 / ～のこもった手紙 동정이 깃든 편지 / 心から～を寄せる 진심으로 동정을 보내다 / ～を禁じ得ない 동정을 금할 수 없다.

どうじょう【道場】图 1〔佛〕 도량; 불도를 닦는 곳. ¶禅宗の～ 선종의 도량. 2 도장; 무예를 수련하는 곳. ¶柔道の～ 유도 도장.

—やぶり【—破り】图 1 다른 유파의 무예 도장을 찾아가 시합하여 이기고 옴; 또, 그 사람. 2 다른 도장에 몰려가서 무리하게 시합을 청하고 이기면 금전 등을 강요하는 일; 또, 그 사람. ＝道場あらし.

どうしょういむ【同床異夢】图 동상이몽.

どうしょく【同色】图 동색; 같은 색. ¶上下～の服 상하 동색의 의복.

どうしょくぶつ【動植物】图 동식물. ¶～名 동식물명.

とう-じる【投じる】上1自他 ☞とう(投)ずる.

どう-じる【同じる】上1自 ☞どう(同)ずる.

どう-じる【動じる】上1自 ☞どう(動)ずる.

とうしん【刀身】图 도신; (칼집에 들어가는) 칼의 몸체 부분.

とうしん【灯心】图 등심; (남포의) 심지. ＝とうしみ. ¶～を上げる〔かき立てる〕 (등의) 심지를 돋우다.

とうしん【投身】图ス自 투신. ＝みなげ. ¶～自殺 투신자살 / がけから海に～する 벼랑에서 바다로 투신하다.

とうしん【投信】图〔經〕'投資信託(＝투자 신탁)'의 준말.

とうしん【答申】图ス他 답신; 상급 관청이나 상사의 자문에 대해 의견을 진술함; 또, 그 의견. ¶～書 답신서 / 審議会の～ 심의회 답신.

とうしん【答信】图 답신. ＝返信.

とうしん【等身】图 등신. ¶～仏 등신불 / ～像 등신상.

—だい【—大】图 등신대. ¶～の人形〔立像〕 등신대의 인형〔입상〕.

とうしん【等親】图 촌(수)《'親等'의 관용적인 표현》.

=とうしん【頭身】 두신《머리의 길이와 키의 비율》. ¶八～の美人 팔등신의 미인.

どうしん【同心】 ⊟图 동심; 일심. ¶～一体 일심동체(一心同體).
⊟图ス自 의견이 같음; 마음을 합함. ¶～協力する 동심 협력하다.

—えん【—円】图〔數〕 동심원.

どうしん【童心】图 동심. ¶～にかえる 동심으로 돌아가다 / ～を傷つける 동심에 상처를 주다.

どうじん【同人】图 동인. 1 동지; 동호인. ＝なかま. 2 같은 사람; 그 사람. ¶～は旅行中 그 사람은 여행 중. 注意 'どうにん'이라고도 함.

—ざっし【—雑誌】图 동인(잡)지.

とうすい【陶酔】图ス自 도취. ¶～境 도취경 / 美〔音楽〕に～する 미〔음악〕에 도취하다.

とうすい【統帥】图ス他 통수. ¶三軍を～する 삼군을 통수하다. ⇨統率.

—けん【—権】图 통수권.

とうすう【頭数】图 두수; 마리수. ¶牛の飼育～ 소의 사육 두수. 参考 'あたまかず'라고 읽으면 다른 뜻.

どうすう【同数】图 동수. ¶賛否～ 찬부〔찬반〕 동수.

とう-ずる【投ずる】⊟サ変他 1 던지다. ＝なげる. ¶筆を～ 붓을 던지다; 붓을 놓다. 2 집어넣다. ＝なげこむ. ¶獄に～ 투옥하다. 3 주다. ¶えさを～ 먹이를 주다. 4 투표하다. ¶清き一票を～ 깨끗한 한 표를 던지다. 5 비용을 들이다. ¶巨額の資本を～ 거액의 자본을 투입하다. ⊟サ変自 1 그 속에 들어가다; 투숙하다; 참가하다. ¶旅館に～ 여관에 투숙하다 / 戦いに～ 전쟁에 참가하다. 2 (기회를) 타다; 편승하다. ＝つけいる·乗ずる. ¶人気に～ 인기에 편승하다. 3 투항하다. ＝降参する. ¶敵軍に～ 적군에게 투항하다. 4 투신하다. ＝身投げする. ¶水〔流れ〕に～ 물에 투신하다.

どう-ずる【同ずる】サ変自 동의하다; 찬성하다; 한패가 되다. ＝同意する·賛成する. ¶直ちに～わけにはいかない 즉시 찬성할 수는 없다 / その意見に～者が多い 그 의견에 찬동하는 사람이 많다.

どう-ずる【動ずる】サ変自 동하다; 동요하다. ¶物に～·じない 일을 당하여 동요하지 않다 / ～に足らない 동요할 것이 못되다.

どうすん【同寸】图 같은 치수〔크기〕. ¶縦横～ 가로세로 같은 치수.

とうぜ【党是】图 당시; 당의 기본 방침. ¶～に反する行い 당시에 반하는 행위.

*どうせ 『何うせ』圖 1 어차피; 어떻든; 하여간《'どう(にも)せよ'의 압축된 말씨》. ¶～行くなら早い方がいい 어차피 갈 바에야 일찍 가는 편이 좋다 / ～人間は死ぬのだ 어차피 사람은 죽는 거다 / ～まにあわないのだからゆっくり行こう 어차피 늦었으니 천천히 가자. 2 내친 김에; 이왕(에). ¶～作るな

らいいものを作ろう 이왕 만들 바에는 좋은 것을 만들자 / ～なら三人分作ろう 이왕이면〔만드는 김에〕 3인분을 만들자. 参考 선택의 여지가 없거나, 자포자기가 된 기분으로 많이 쓰임.

とうせい【当世】图 **1** 당세; 현대; 현금(現今); 요새. ＝今時. ¶～の若者 요즘 젊은이 / ～はやりの靴 요새 유행하는 구두. **2** ☞とうせいふう.

—ふう【—風】图ダナ 당세풍; 현대 풍조. ＝いまふう·いまよう. ¶～の服装 당세풍의 옷차림.

—むき【—向き】图ダナ 현대 취향·유행에 맞음. ¶～なこしらえ 현대 취향의 만듦새.

とうせい【党勢】图 당세. ¶～拡張の運動 당세 확장 운동 / ～が衰える 당세가 쇠퇴하다.

とうせい【陶製】图 도자기로 됨; 또, 그 제품. ¶～品 도자기 제품.

とうせい【統制】图スル他 통제. ¶～力 통제력 / ～のとれた組織 잘 통제된 조직 / ～をはずす 통제를 풀다 / 物価を～する 물가를 통제하다.

—けいざい【—経済】图 통제 경제. ↔自由経済.

とうせい【騰勢】图 등세; (물가·주가 등의) 오름세. ¶～が鈍る 오름세가 둔화하다 / 株価は今～にある 주가는 지금 오름세에 있다. ↔落勢.

どうせい【同姓】图 동성. ↔異姓.

—どうめい【—同名】图 동성동명.

どうせい【同性】图 동성. ↔異性.

—あい【—愛】图 동성애.

どうせい［同棲］图スル自 동서; 동거. ¶ダンサーと～する 댄서와 동거하다.

どうせい【動静】图 동정. ¶学界の～ 학계의 동정〔소식〕 / 敵軍の～をさぐる〔見守る〕 적군의 동정을 살피다〔지켜보다〕.

とうせき【投石】图スル自 투석. ¶～事件 투석 사건.

とうせき【党籍】图 당적. ¶～離脱 당적 이탈.

とうせき【透析】图スル他〔理·醫〕 투석.

どうせき【同席】一图スル自 동석함. ¶祝賀会で彼と～した 축하회에서 그와 동석하였다. 二图 같은 석차〔좌석〕.

とうせつ【当節】图 이 즈음. ＝当今·このごろ. ¶～の若い者は礼儀をしらぬ 요새 젊은이는 예의를 모른다.

*__とうせん__【当選】图スル自 당선. ¶～者 당선자 / 懸賞小説〔国会議員〕に～する 현상 소설〔국회의원〕에 당선되다. ↔落選.

—かくじつ【—確実】图 당선 확실. ＝当確.

*__とうせん__［当籤］图スル自 당첨. ¶～者 당첨자 / ～率〔番号〕 당첨률〔번호〕. 注意 대용 한자 '当選'으로도 쓸 수 있으나 혼동되므로 피함이 좋음.

とうぜん【陶然】トタル 도연. ¶一合の酒に～となる 한 홉〔잔〕 술에 얼근해지다 / 名曲に～と聞きほれる 명곡에 도취되어 넋을 잃고 듣다.

**__とうぜん__【当然】副ナ 당연. ＝あたりまえ. ¶～の結果 당연한 결과 / ～そうするべきだ 당연히 그렇게 해야 한다 / それは～私の金だ 그것은 당연히 내 돈이다 / 叱られて～だ 꾸중을 들어 싸다 / 君のおこるのも～だ 네가 골을 내는 것도 당연하다.

どうせん【動線】图 동선; 사람이 움직이는 경로를 선으로 나타낸 것. ¶～を考えて設計する 동선을 고려하여 설계하다.

どうせん【銅線】图 동선; 구리 철사.

どうせん【導線】图〔理〕 도선; 전류를 통하는 금속선.

どうぜん【同然】名ナ 동연; 서로 같음; 다름없음. ＝同様. ¶紙くず～の証券 휴지나 다름없는 증권 / ただ(も)～の値段 거저나 다를 바 없는 가격 / 死んだ〔終わった〕も～だ 죽은〔끝난〕 거나 다름없다.

__どうぞ__〖何卒〗副 **1 아무쪼록; 부디; 어서. ＝なにとぞ·どうか. ¶～よろしく 아무쪼록 잘 부탁합니다 / ～お入りください 어서 들어 오십시오 / ～お当てください (어서) 방석을 깔고 앉으십시오. **2** 승낙을〔허가를〕 나타내는 공손한 말씨. ¶はい, ～ 예, 좋습니다; 예, 그렇게 하십시오 / ～お使いください 상관 마시고 쓰십시오 / ～お先に 어서 먼저 가〔하〕시지요. **3** 어떻게든. ¶～合格しますように 부디 합격하기를.

とうそう【逃走】图スル自 도주. ¶犯人が～する 범인이 도주하다 / 囚人が～を企てる 죄수가 도주를 기도하다.

とうそう【党争】图 당쟁. ¶～を事とする 당쟁을 일삼다.

とうそう［痘瘡］图 두창. ＝ほうそう·天然痘.

*__とうそう__【闘争】图スル自 투쟁. ¶～心 투쟁심 / 賃上げ～ 임금 인상 투쟁 / ～を繰り返す 투쟁을 되풀이하다.

どうそう【同窓】图 동창. ¶～会 동창회 / ～生 동창생 / ～のよしみ 동창으로서의 정의.

どうぞう【銅像】图 동상. ¶～を建てる 동상을 세우다.

とうぞく【盗賊】图 도적; 도둑. ＝どろぼう·ぬすびと. ¶～におそわれる 도둑을 맞다.

どうぞく【同族】图 동족; 겨레붙이.

—がいしゃ【—会社】图〔經〕 동족 회사; 집안(끼리의) 회사.

どうそじん【道祖神】图 행신(行神). ＝たむけの神·さいの神·ちまたの神·くなどの神.

*__とうそつ__【統率】图スル他 통솔. ¶～者 통솔자 / ～力 통솔력 / 一軍を～する 일군을 통솔하다.

とうた［淘汰］图スル他 **1** 도태. ¶生存に適しないものは～される 생존에 적응 못하는 것은 도태된다. **2**〔生〕 선택. ¶自

然(しぜん)～ 자연 선택.

とうだ【投打】图〔野〕투타; 투구와 타격; 또, 투수력과 타격력. ¶～にわたる活躍(かつやく) 투타에 걸친 활약.

*__とうだい__【灯台】图 **1** 등대. **2** 등잔 받침대; 등경걸이. **3** 촛대.

—もと暗(くら)し 등잔 밑이 어둡다.

—せん【—船】图 등대선. ＝灯船(とうせん).

—もり【—守】图 등대지기.

とうだい【当代】图 **1** 당대. ㉠지금 시대; 현대. ¶～切(き)っての名優(めいゆう) 당대 최고의 명배우. ㉡그 시대. ¶～の慣習(かんしゅう) 그 시대의 관습. **2** 현재의 주인. ＝当主(とうしゅ).

どうたい【同体】图 **1** 동체; 일체. ¶一心(いっしん)～ 일심 동체. **2** (씨름에서) 두 사람이 동시에 쓰러지거나 씨름판 밖으로 나가는 일《무승부로 다시 함》. ¶～に土俵(どひょう)に落(お)ちる 두 사람이 동시에 씨름판에 나가떨어지다.

どうたい【胴体】图 동체; 몸통. ＝胴(どう). ¶～着陸(ちゃくりく) 동체 착륙.

どうたい【動態】图 동태. ¶～調査(ちょうさ) 동태 조사 / 人口(じんこう)～の統計(とうけい) 인구 동태 통계. ↔静態(せいたい).

どうたい【導体】图〔理〕도체; 양(良)도체. ＝伝導体(でんどうたい). ↔不導体(ふどうたい)·絶縁体(ぜつえんたい).

どうたく[銅鐸]图 동탁; 종(鐘) 모양의 청동기《제사(祭祀) 때 악기로 사용되었다고 함》.

*__とうたつ__【到達】图ス自 도달. ¶目標(もくひょう)に～する 목표에 도달하다 / 同(おな)じ結論(けつろん)に～する 같은 결론에 도달하다.

とうだん【登壇】图ス自 등단. ¶弁士(べんし)が～する 변사가 등단하다. ↔降壇(こうだん).

どうだん【同断】图ダナ 같음; 전과 같음. ¶以下(いか)～ 이하 같음 / これも前(まえ)と～の事柄(ことがら)だ 이것도 전과 같은 사항이다 / これと～だ 이것과 똑같다.

とうち【当地】图 당지; 이 지방. ¶～は冬(ふゆ)でも暖(あたた)かい 이곳은 겨울에도 따뜻하다.

とうち【倒置】图ス他 도치; (위치·순서·어순 등을) 거꾸로 뒤바꾸어 둠.

—ほう【—法】图 (문장에서) 도치법.

とうち【統治】图ス他 통치. ¶～者(しゃ) 통치자 / ～行為(こうい) 통치 행위 / 英国(えいこく)の～下(か)にある 영국 통치하에 있다.

—けん【—権】图 통치권.

*__とうちゃく__【到着】图ス自 도착. ¶終点(しゅうてん)に～する 종점에 도착하다 / 荷物(にもつ)〔小包(こづつみ)〕が～した 짐이〔소포가〕 도착하였다.

どうちゃく【同着】图 동시착; (결승점에) 동시에 도착함. ¶二人(ふたり)は～で二位(にい)だ 두 사람은 동시착해서 2위다.

どうちゃく[撞着]图ス自 당착. ¶自家(じか)～ 자가당착 / 矛盾(むじゅん)～ 모순당착.

とうちゃん【父ちゃん】图 **1**〈俗·兒〉아빠《흔히, 'お～'의 꼴로 씀》. **2** 친근한 사이에서 자기나 남의 남편을 이르는 말.

とうちゅう【頭注】《頭註》图 두주; 본문 위쪽에 주석을 닮; 또, 그 주석. ¶～をつける 두주를 달다. ↔脚注(きゃくちゅう).

どうちゅう【道中】图〈老〉도중; 여행 도중; 여로; 여행. ¶～御無事(ごぶじ)で 여행 도중 무사하시기를.

とうちょう【盗聴】图ス他 도청. ¶～器(き) 도청기 / ～装置(そうち) 도청 장치 / 電話(でんわ)を～する 전화를 도청하다.

とうちょう【登庁】图ス自 등청. ¶～時間(じかん) 등청 시간 / 新市長(しんしちょう)の初(はつ)～ 새 시장의 첫 출근. ↔退庁(たいちょう).

とうちょう【登頂】图ス自 등정. ¶初(はつ)～ 첫 등정 / エベレスト～ 에베레스트 등정 / 単独(たんどく)で～する 단독으로 등정하다. 注意 'とちょう'라고도 함.

どうちょう【同調】图 동조. 一图ス自 다른 사람과 태도·의견 따위를 같이 함. ¶～者(しゃ) 동조자 / 彼(かれ)の意見(いけん)に～する 그의 의견에 동조하다. 二图ス他〔理〕외부로부터 들어오는 전기 진동에 공명하도록 주파수를 맞춤. ¶FM波(は)に～させる FM파에 주파수를 맞추다.

とうちょく【当直】图ス自 당직. ¶～者(しゃ)〔医(い)〕 당직자〔의사〕.

とうつう[疼痛]图 동통. ¶～を感(かん)ずる 동통을 느끼다.

*__とうてい__〖到底〗副 **1**《否定어가 뒤따라서》도저히; 아무리 하여도. ¶～行(ゆ)けない 도저히 갈 수 없다〔못 가겠다〕/ ～有(あ)り得(え)ない 도저히 있을 수 없다 / 今(いま)からじゃ～間(ま)にあわない 이제부터라면 도저히 시간에 대지 못한다. **2** 결국; 드디어. ¶～死(し)んだこととあきらめる 결국 죽은 것으로 체념하다.

どうてい【童貞】图 동정. ¶～を失(うしな)う 동정을 잃다. ↔処女(しょじょ).

どうてい【道程】图 도정. ＝みちのり. **1** 노정; 길의 거리. ¶東京(とうきょう)から大阪(おおさか)までの～ 東京에서 大阪까지의 도정〔노정〕. **2** 과정. ¶学問(がくもん)研究(けんきゅう)の～は長(なが)く, かつ苦(くる)しい 학문 연구의 과정은 길고 또한 고생스럽다.

とうてき[投擲]图ス他 투척; 던짐. ¶～競技(きょうぎ) 투척 경기 / 石(いし)を～する 돌을 던지다.

どうてき【動的】ダナ 동적. ¶～な絵(え) 동적인 그림 / ～な描写(びょうしゃ)〔表現(ひょうげん)〕 동적인 묘사〔표현〕/ 実態(じったい)を～にとらえる 실태를 동적으로 파악하다. ↔静的(せいてき).

とうてつ【透徹】图ス自 투철; 투명. ¶～した論理(ろんり) 투철한 논리 / ～した秋(あき)の空(そら) 투명한 가을 하늘.

どうでも 連語 어떻든; 아무렇든; 아무튼. **1** 초들어 문제 삼지 않을 뜻을 나타냄: 아무려나. ＝どんなでも. ¶服装(ふくそう)なんか～よい 복장 따위는 아무렇든 상관없다 / ～するがいい 아무튼 하는 게 좋다. **2** 자기 의사를 관철할 뜻을 나타냄: 어떤 일이 있어도; 꼭. ¶～行(い)くと言(い)う 기어코 간다고 한다 / ～やらなければ気(き)がすまない 어떻게 해서든지 하지 않으면 마음이 편치 않다.

—こうでも 連語 'どうでも'를 강조한 말: 아무렇든지; 무슨 일이 있어도; 기어코. ¶ ~来てほしい 어떤 일이 있어도 와 주기를 바란다.

とうてん【当店】 图 당점; 이 가게. ¶ ~自慢の品でございます 우리 가게가 자랑하는 물건입니다.

とうてん【読点】 图 구두점의 하나: 쉼표; 모점(《'、'표》). =てん. ¶ ~を打つ 모점을 찍다. ⇒くてん.

どうてん【同点】 图 동점. ¶ ~決勝 동점 결승/~打 동점타/~になる 동점이 되다.

どうてん【動転】《動顛》 图ス自 깜짝 놀라서 어떻게 할 바를 몰라함. =仰天. ¶気が~する 놀라서 어떻게 할 바를 모르다.

とうど【凍土】 图 동토; 언 땅. ¶ ~帯 툰드라.

とうど【糖度】 图 당도; 당분의 비율.

どうと 副 **1** 꽈당; 쿵. ¶馬から~落ちる 말에서 쿵 떨어지다/波が防波堤に~あたる 파도가 방파제에 쿵 부딪치다. **2** 병으로 자리보전하는 모양: 덜컥. ¶ ~病勢がつのって床にふす 덜컥 병세가 심해져 자리에 눕다.

とうと-い【尊い·貴い】 形 **1** 귀중〔소중〕하다. ¶ ~生命 귀중한 생명/~体験 소중한 체험. **2** (신분이) 고귀하다; 귀하다. ¶ ~お方 귀하신 분.

とうとう〖滔滔〗 トタル 도도. **1** 물이 가득히 흐르는 모양. ¶ ~と流れる大河 도도히 흐르는 대하/濁流が~と流れる 탁류가 도도히 흐르다. **2** 말하는 품이 거침없는 모양. ¶ ~とまくしたてる 거침없이〔도도히〕 기염을 토하다. **3** 세상 풍조가 세차게 한쪽으로 향하는 모양. ¶ ~たる非難の声 도도한 비난의 소리/~たる時代の流れ 도도한 시대의 흐름.

⁑とうとう〖到頭〗 副 드디어; 결국; 마침내. ¶彼は~成功した 그는 드디어 성공했다/余り気にし過ぎて~気が狂った 너무 신경을 써서 결국 돌아버렸다/~酒で死んだ 결국 술로 죽었다/~雨になった 드디어 비가 오기 시작했다.

=とうとう【等等】 등등. =等等. ¶英·米·独·仏~の欧米各国 영·미·독·불 등 구미 각국.

どうとう【同等】 名ナ 동등. ¶ ~の資格 동등한 자격/全員を~に扱う 전원을 동등하게 대우하다.

***どうどう【堂堂】** トタル 당당. **1** 위엄 있고 훌륭한 모양. ¶威風~ 위풍당당/~たる風格〔体格〕 당당한 풍격〔체격〕/~とした論陣を張る 당당한 논진을 펴다. **2** 버젓한 모양. ¶白昼~と盗みを働く 대낮에 버젓이 도둑질을 하다.

どうどう 一副 물이 다량으로 흐르거나 떨어지거나 물결치는 소리; 콸콸; 쏼쏼. ¶ ~と流れ落ちる滝 쏼쏼 흘러 떨어지는 폭포. 二感 말을 진정시키거나 다룰 때 지르는 소리: 워워.

どうどうめぐり【堂堂巡り】《堂堂回り》 图ス自 **1** 소원을 이루기 위해 신사나 불당의 주위를 돎. **2** (의론 따위가) 공전되기만 하고 진전이 없음. ¶議論は~になった 의론은 개미 쳇바퀴 돌듯 진전이 없었다/話し合い〔会議〕は~するばかりだ 교섭은〔회의는〕 논의만 거듭할 뿐 진전이 없다.

⁑どうとく【道徳】 图 도덕. ¶ ~心〔律〕 도덕심〔률〕/商業~ 상도덕/交通〔公衆〕~ 교통〔공중〕 도덕.

—せい【—性】 图 도덕성. ¶企業の~を問う 기업의 도덕성을 따지다.

—てき【—的】 ダナ 도덕적. ¶ ~判断 도덕적 판단/~な見地 도덕적인 견지/~に許されないこともある 도덕적으로 용납되지 않는 것도 있다.

とうとつ【唐突】 ダナ 뜻밖; 돌연. =ふい·だしぬけ. ¶ ~な質問〔発言〕 뜻밖의 질문〔발언〕/~の感は否めない 뜻밖이라는 느낌은 부인할 수 없다.

とうと-ぶ【尊ぶ·貴ぶ】 5他 공경하다; 존경하다; 존중하다. =たっとぶ. ¶年長者を~ 연장자를 존경하다/少数の意見も~ 소수 의견도 존중하다.

とうどり【頭取】 图 **1** 우두머리. **2** (은행 따위의) 대표자; 장; 총재. ¶銀行の~ 은행장. **3** 배우 분장실이나 씨름판의 감독자.

とうなす〖唐茄子〗 图〘植〙 'かぼちゃ(=호박)'의 딴 이름.

どうなりと 副 어떻게든; 아무렇게든. ¶あとは~してくれ 다음은 어떻게든 해 주게/~好きなようにしろ 아무렇게든 좋을 대로 해(라).

とうなん【東南】 图 동남. =たつみ·南東. ¶ ~アジア 동남아시아.

***とうなん【盗難】** 图 도난. ¶ ~に遭う 도난당하다.

とうに〖疾うに〗 連語 벌써; 이미. =すでに·とっくに. ¶ ~出かけましたよ 벌써 나갔는데요/それは~分かっていたことだ 그것은 벌써〔진작〕부터 알고 있었던 일이다/用意は~できている 준비는 이미 되어 있다.

***どうにか** 連語 **1** 이럭저럭; 그런대로; 겨우겨우. ¶ ~完成した 그럭저럭 완성되었다/おかげ様で~やっています 덕택에 그럭저럭 지내고〔꾸려 나가고〕 있습니다. **2** 어떻게. =なんとか. ¶ ~工面がつくかもしれない 어떻게 마련될지도 모르겠다/~解決できないものか 어떻게 해결할 수 없을까.

—こうにか 副 'どうにか'를 강조한 말. ¶ ~期日に間にあった 그럭저럭〔겨우겨우〕 기일에 대었다.

—して 連語 어떻게든 해서. ¶ ~やります 어떻게든 하겠습니다.

どうにも 連語 **1**《다음에 否定하는 말을

수반하여》 어떻게 해 보아도; 아무리 해도. ¶～やりきれない 도저히 못 해내겠다; 정말 견딜 수 없다 / 人間(にんげん)の力(ちから)では～ならない 인간의 힘으로는 어찌할 도리가 없다. **2** 참으로; 정말. ¶～苦(くる)しい仕事(しごと)だ 참으로 괴로운 일이다 / ～困(こま)ったものだ 참 곤란한 일이야.

——こうにも 連語 'どうにも'의 힘줌말; 아무리 해도; 도무지. ¶～話(はなし)にならない 도무지 말이 안 된다.

とうにゅう【投入】 图 ス他 투입. ¶資本(しほん)を～する 자본을 투입하다 / 全軍(ぜんぐん)を～する 전군을 투입하다.

とうにゅう【豆乳】 图 두유. ＝まめのご. ¶～を飲(の)む 두유를 마시다.

どうにゅう【導入】 图 ス他 도입. ¶～部(ぶ) 도입부 / 外資(がいし)～ 외자 도입 / 新技術(しんぎじゅつ)を～する 신기술을 도입하다. ↔導出(どうしゅつ).

とうにょうびょう【糖尿病】 图〔醫〕당뇨병. ¶～にかかる 당뇨병에 걸리다.

とうにん【当人】 图 당(사)자; 본인. ¶～の意見(いけん) 본인의 의견 / 私(わたし)がその～です 제가 그 당사자입니다.

どうにん【同人】 图 동인. **1** 같은 사람. ¶異名(いめい)～ 이명 동인. **2** 동호인; 동지(同志). 注意 'どうじん'이라고도 함.

——ざっし【—雑誌】 图 동인잡지.

とうねん【当年】 图 당년. **1** 금년; 올해. ¶～とって六十歳(ろくじっさい) 올해 들어 60세. **2** 그 해; 그 당시. ¶～の彼(かれ)の傾向(けいこう) 그 당시의 그의 경향 / ～をしのぶ 그 당시를 회상하다.

どうねん【同年】 图 동년. **1** 같은 해; 그 해. **2** 같은 나이. ¶～の子(こ)どもたち 같은 또래의 아이들.

——ぱい【—輩】 图 동년배. ¶～の人(ひと) 동년배의 사람.

とうの【当の】 連体 (지금 문제가 되고 있는) 바로 그. ¶～本人(ほんにん) 바로 그 당사자 / ～問題(もんだい) 바로 그 문제.

どうのこうの〖如何の斯うの〗連語 이러쿵저러쿵; 이러니저러니. ¶今更(いまさら)～と言(い)ってもしようがない 이제 와서 이러니저러니 말해 보아도 소용없다 / ～と講釈(こうしゃく)を言(い)う 이러니저러니 시건방진 소리를 하다.

とうのむかし【とうの昔】《疾うの昔》連語 훨씬 전; 오랜 옛날. ¶～になくなった 오래 전에 없어졌다.

とうは【党派】 图 당파. ¶～心(しん) 당파심 / ～をこえて 당파를 초월하여 / ～を異(こと)にする 당파를 달리하다.

とうは【踏破】《蹈破》图 ス自 답파. ¶アルプス〔砂漠(さばく)〕を～する 알프스를〔사막을〕답파하다.

どうはい【同輩】 图 동배; 동년배; 동아리. ¶～と酒(さけ)を飲(の)む 동배와 술을 마시다 / ～の受(う)けがいい 동료들 간에 평이 좋다. ↔先輩(せんぱい)·後輩(こうはい).

とうはいごう【統廃合】 图 ス他 통폐합. ¶官公庁(かんこうちょう)の～ 관공청의 통폐합.

とうばく【討幕】 图 ス自 (특히 江戸(えど)) 幕府(ばくふ)를 침. ¶尊皇(そんのう)～ 天皇(てんのう)을 받들고 幕府를 침.

とうはつ【頭髪】 图 두발. ¶～を刈(か)る〔のばす〕 머리를 깎다〔기르다〕 / ～がぬける 머리카락이 빠지다.

とうばつ【討伐】 图 ス他 토벌. ¶～隊(たい) 토벌대 / 反乱軍(はんらんぐん)〔ゲリラ〕を～する 반란군을〔게릴라를〕 토벌하다.

とうばつ【盗伐】 图 ス他 도벌. ¶国有林(こくゆうりん)で～する者(もの)が少(すく)なくない 국유림에서 도벌하는 자가 적지 않다.

とうはん【登坂】 图 ス自 등판; 차량이 언덕길을 오름. ＝とはん. ¶～力(りょく) 등판능력《자동차가 치받이길을 올라갈 때의 속력》/ 重量車(じゅうりょうしゃ)～車線(しゃせん) 중량차 등판 차선. 注意 전문 용어로는 'とはん'이라고 할 때가 많음.

とうはん [登攀] 图 ス自 등반. ¶～隊(たい) 등반대 / ～に成功(せいこう)する 등반에 성공하다 / 岩壁(がんぺき)を～する 암벽을 등반하다.

***とうばん【当番】** 图 당번. ¶～医(い) 당번 의사 / 掃除(そうじ)〔炊事(すいじ)〕の～をする 청소〔취사〕 당번을 하다. ↔非番(ひばん).

とうばん【登板】 图 ス自〔野〕등판; 투수가 공을 던지기 위해 마운드에 섬. ¶エースが～する 주전 투수가 등판〔출장(出場)〕하다. ↔降板(こうばん).

どうはん【同伴】 图 ス他自 동반. ¶夫人(ふじん)～で列席(れっせき)する 동부인하여 참석하다 / 奥様(おくさま)ご～でおでかけください 동부인해서 와 주십시오.

——しゃ【—者】 图 **1** 동반자. **2** 동조자. ¶思想(しそう)の～ 사상의 동조자 / ～的(てき)な存在(そんざい) 동반자적인 존재.

どうばん【銅板】 图 동판.

どうばん【銅版】 图〔印〕동판. ¶～画(が) 동판화 / 写真(しゃしん)を～印刷(いんさつ)する 사진을 동판 인쇄하다.

とうひ【当否】 图 당부; 적부. **1** 맞고 안 맞음. **2** 옳고 그름. ¶～はさておき 당부는 차치하고 / 事(こと)の～を問(と)わず 사건〔문제〕의 당부를 불문하다.

とうひ【逃避】 图 ス自 도피. ¶現実(げんじつ)からの～ 현실로부터의 도피 / 実社会(じっしゃかい)から～する 현실 사회로부터 도피하다.

——こう【—行】 图 도피행. ¶恋(こい)の～ 사랑의 도피행.

——てき【—的】 ダナ 도피적. ¶～な人生(じんせい)をおくる 도피적인 인생을 보내다.

とうび [掉尾] 图 'ちょうび'의 관용음.

***とうひょう【投票】** 图 ス自 투표. ¶～日(び) 투표일 / ～箱(ばこ) 투표함 / ～区(く) 투표구 / ～用紙(ようし) 투표 용지 / 不在(ふざい)～ 부재 투표 / ～で決(き)める 투표로 결정하다.

——りつ【—率】 图 투표율. ¶～の低下(ていか) 투표율의 저하.

とうびょう [投錨] 图 ス自 투묘; 정박. ¶港(みなと)〔湾内(わんない)〕に～する 항구〔만내〕에 정박하다. ↔抜錨(ばつびょう).

とうびょう【闘病】 图 ス自 투병. ¶～生活(せいかつ) 투병 생활 / 結核(けっかく)との～に数年(すうねん)

を過(す)ごす 결핵과의 투병에 수년을 보내다.

どうひょう【道標】图 도표; 길잡이. ＝みちしるべ.

どうびょう【同病】图 동병; 같은 병.

—相憐(あいあわ)れむ 동병상련.

とうひん【盗品】图 도품; 훔친 물건; 장물(贓物). ＝贓品(ぞうひん).

—こばい【—故買】图 장물 취득. ＝けいずかい.

とうふ【豆腐】图 두부. ¶～汁(じる) 두붓국/～屋(や) 두부 장수/湯(ゆ)どうふ 물두부.

—にかすがい 두부에 꺾쇠박기《호박에 침주기와 같이 효과가 없음의 비유》. ¶いくら注意(ちゅうい)しても～だ 아무리 주의를 줘도 소용없다.

—がら【—殼】图 비지. ＝おから·うのはな.

とうぶ【東部】图 동부. ↔西部(せいぶ).

とうぶ【頭部】图 두부. ¶～に負傷(ふしょう)する 두부에 부상을 입다.

とうふう【東風】图 1 동풍; 샛바람; 동부새. ＝こち. 2 봄바람.

どうふう【同封】图[ス他] 동봉. ¶写真(しゃしん)を～する 사진을 동봉하다.

**どうぶつ【動物】图 동물. ¶～体(たい) 동물체/～崇拝(すうはい) 동물 숭배. ↔植物(しょくぶつ).

—えん【—園】图 동물원.

—しつ【—質】图 동물질.

—せい【—性】图 동물성. ¶～の油(あぶら) 동물성 기름.

—てき【—的】[ダナ] 동물적. ¶～な欲望(よくぼう) 동물적인 욕망.

どうぶるい【胴震い】图[ス自] (추위나 무서움으로) 온몸이 떨림; 진저리침. ¶急(きゅう)に冷(ひ)え込(こ)んで～がした 갑자기 추워져서 온몸이 떨렸다.

*とうぶん【当分】图副 당분간; 잠시. ¶～の間(あいだ) 당분간/～休(やす)みます 당분간 쉬겠습니다/～はお目(め)にかかれませんね 당분간은 못 뵙겠군요/雨(あめ)は～やまない 비는 당분간 그치지 않는다.

とうぶん【等分】图[ス他] 등분. ¶三(さん)～ 3등분/～に分(わ)ける 똑같이 나누다/四(よっ)つに～する 넷으로 등분하다.

とうぶん【糖分】图 당분. ¶～の摂取(せっしゅ)を控(ひか)える 당분 섭취를 삼가다.

どうぶん【同文】图 동문. 1 쓰는 글자가 같음. ¶～同種(どうしゅ) 동문동종; 사용하는 문자와 인종이 같음. 2 동일 문장. ¶以下(いか)～ 이하 동문.

とうへき【盗癖】图 도벽. ¶～のある子(こ) 도벽이 있는 아이.

とうべん【答弁】图[ス自] 답변. ¶～を避(さ)ける 답변을 피하다/～に立(た)つ 답변에 나서다/条約改正(じょうやくかいせい)について大臣(だいじん)が～する 조약 개정에 대해 대신이 답변하다.

とうへんぼく【唐変木】图 〈俗〉 벽창호; 또, 편의상 일부러 그런 체하는 사람. ¶この～めが 이 벽창호 같으니.

とうほう【当方】图 당방; 이쪽; 우리쪽. ＝こちら. ¶～の責任(せきにん) 이쪽 책임/～はいつでも差(さ)し支(つか)えございません 이쪽은 언제라도 상관없습니다/～の手落(てお)ちです 이쪽의 실수입니다/～から伺(うかが)います 이쪽에서 찾아뵙겠습니다. ↔先方(せんぽう).

とうほう【東方】图 동방; 동쪽. ¶～文化(ぶんか) 동방 문화. ↔西方(さいほう·せいほう).

とうほう【答訪】图 답방; 답례 방문. ¶～として行(ゆ)く 답례로서 방문하다.

とうぼう【逃亡】图[ス自] 도망. ¶～者(しゃ) 도망자/囚人(しゅうじん)が～する 죄수가 도망치다.

どうほう【同胞】图 동포. ¶海外(かいがい)～ 해외 동포. [注意] 'どうぼう'라고도 함.

とうほく【東北】图 동북. 1 동북쪽. [参考] 풍향(風向)일 경우에는 '北東(ほくとう)'로 씀. 2 동북 지방; 일본의 奥羽(おう) 지방. ¶～弁(べん) 東北 사투리.

とうぼく【倒木】图 쓰러진 나무. ¶風(ふう)～ 바람에 쓰러진 나무.

とうほくとう【東北東】图 동북동. ↔西南西(せいなんせい).

とうほん【謄本】图 등본. ¶戸籍(こせき)～ 호적 등본/～を取(と)り寄(よ)せる 등본을 가져오게 하다. ↔抄本(しょうほん).

とうほんせいそう【東奔西走】图[ス自] 동분서주. ¶～して資金(しきん)を集(あつ)める 동분서주해서 자금을 모으다.

どうまき【胴巻き】图 (허리에 두르는) 전대. ¶～に金(かね)を入(い)れる 전대에 돈을 넣다.

どうまごえ【胴間声】图 굵고 탁한〔거친〕 목소리. ＝どうごえ. ¶～を張(は)り上(あ)げる 뚝배기 깨지는 소리를 내지르다.

どうまわり【胴回り】《胴廻り》图 허리 둘레. ＝ウエスト. ¶～をはかる 허리 둘레를 재다/～が細(ほそ)い 허리가 가늘다.

とうみつ【糖みつ】《糖蜜》图 당밀.

どうみゃく【動脈】图 동맥. 1〖生〗 동맥. ¶～栓塞(せんそく) 동맥 전색. ↔静脈(じょうみゃく). 2 중요한 교통로. ¶東海道線(とうかいどうせん)は日本(にほん)の～だ 東海道선은 일본의 동맥이다.

—こうか【—硬化】图 동맥 경화. ¶～症(しょう) 동맥 경화증/思考(しこう)に～を来(きた)す 사고에 동맥 경화를 일으키다《사고방식이 굳어져 유연성이 없다》.

とうみょう【灯明】图 등명; 신불(神佛)에게 올리는 등불. ＝みあかし. ¶お～をあげる (신불에게) 등불을 올리다.

とうみん【冬眠】图[ス自] 동면. ¶～動物(どうぶつ) 동면 동물/事業(じぎょう)は～状態(じょうたい)だ 사업은 동면 상태다/～からさめる 겨울잠에서 깨다. ↔夏眠(かみん).

とうむ【党務】图 당무; 정당의 사무.

**とうめい【透明】[名ナ] 투명. ¶無色(むしょく)～ 무색 투명/～なガラス 투명한 유리/～体(たい)〔度(ど)〕 투명체〔도〕.

どうめい【同名】图 동명. ¶同姓(どうせい)～ 동성 동명.

—いじん【—異人】图 동명이인.

*どうめい【同盟】图[ス自] 동맹. ¶～国(こく) 동맹국/～を結(むす)ぶ 동맹을 맺다.

—ひぎょう【—罷業】图 동맹 파업. ＝

ストライキ.
*とうめん【当面】㊀名ス自 당면; 현재 직면함. ¶~の目標もくひょう 당면 목표 / 難局なんきょくに~する 난국에 직면하다. ㊁名副 당분간; 우선; 현재로선. =今いまのところ. ¶~人員じんいんをふやすつもりはない 현재로선 인원을 늘릴 생각은 없다.
*どうも 副 1 의문·불확실성을 나타내는 말: 아무래도; 어딘가; 어쩐지. ¶~よくわからない 아무리 생각해도 잘 모르겠다 / ~様子ようすが変へんだ 어쩐지 눈치〔모양, 기색, 상태〕가 이상하다 / ちょっと, ~ね 글쎄 아무래도 좀. 2 도무지. ¶~うまくいかない 도무지 잘 안 된다. 3 놀람·당혹감을 나타내는 말: 정말(로); 참으로. =なんとも·いやはや. ¶~困こまったやつらだ 거 참, 한심한 녀석들이군.
*どうも 感 'どうもすみません(=정말 미안합니다)' 'どうもありがとうございます(=참으로 고맙습니다)' 'どうも失礼しつれいしました(=정말 실례했습니다)'의 압축된 말씨 : 정말; 참; 매우. ¶や, ~ 이거 참 (미안해서) / この間あいだは~ 요전번에는 정말 (실례했습니다).
どうもう［獰猛］名ダナ 사나움. ¶~な動物どうぶつ 사나운 동물. 參考 'ねいもう'는 잘못.
とうもく【頭目】名 두목; 우두머리. =かしら. ¶盗賊とうぞくの~ 도적의 두목.
どうもと【胴元】《筒元》名 1 노름방 주인. =どうおや. 2 전체를 총괄하며 돌보는 사람. =もとじめ.
とうもろこし［玉蜀黍］名〔植〕옥수수. =とうきび·コーン.
どうもん【同門】名 동문. =あいでし. ¶~のよしみ 동문의 정의 / ~に学まなんだ間柄あいだがら 동문에서 배운 사이.
とうや［陶冶］名ス他 도야; 육성. ¶人格じんかくを~する 인격을 도야하다.
とうやく【投薬】名ス自 투약. ¶患者かんじゃに~する 환자에게 투약하다.
*どうやら 副 1 그럭〔이럭〕저럭; 간신히. =どうにか·やっと. ¶~仕事しごとも終おわりに近ちかづいた 그럭저럭 일도 거의 끝나간다. 2 어쩐지 ; 어딘지 ; 아무래도; 아마. ¶~風邪かぜを引ひいたようだ 아무래도〔아마〕감기가 든 모양이다.
—こうやら 連語 이럭저럭; 그럭저럭; 겨우《'どうやら'의 힘줌말》. ¶~片かたがついた 겨우 결말이 났다 / お陰かげで~出来上できあがりました 덕택에 그럭저럭 다 되었습니다.
とうゆ【灯油】名 등유. ↔燃油ねんゆ.
とうよ【投与】名ス他 투여; 약을 줌. =投薬とうやく. ¶経口けいこう~ 경구 투약/患者かんじゃに薬くすりを~する 환자에게 투약하다.
とうよう【灯用】名 등용; 등화용. ¶~アルコール 등화용 알코올.
とうよう【当用】名 당용; 당장 씀; 또, 그 물건. ¶~日記にっき 당용 일기.
—かんじ【—漢字】名 당용 한자《일본에서 1946년에 제정한 1850자의 한자; 1981년에 '常用じょうよう漢字'로 대체됨》. ⇨じょうよう(常用)かんじ.
*とうよう【東洋】名 동양. ¶~画が 동양화 / ~医学いがく 동양 의학 / ~の文化ぶんか 동양 문화 / ~人じん 동양인. ↔西洋せいよう.
とうよう【盗用】名ス他 도용. ¶デザイン~ 디자인 도용 / 商標しょうひょうを~する 상표를 도용하다. 「마.
とうよう【陶窯】名 도요; 도기 굽는 가
とうよう【登用·登庸】名ス他 등용. ¶人材じんざいを~する 인재를 등용하다 / 新人しんじんを~する 신인을 등용하다.
*どうよう【動揺】名ス自 동요. ¶人心じんしんの~ 인심의 동요 / ~が起おきる 동요가 일어나다 / その知しらせに彼かれの心こころは~した 그 소식에 그의 마음은 동요했다.
どうよう【童謡】名 동요. ¶~集しゅう 동요집 / ~歌手かしゅ 동요 가수.
*どうよう【同様】ダナ 같은 모양; 같음. ¶母ははも父ちち(と)~(に)きびしい 어머니도 아버지와 마찬가지로 엄하다 / ただ~の値段ねだん 거저나 다름 없는 가격.
とうらい【到来】名ス自 도래. 1 때가 옴. ¶好機こうき~ 호기 도래 / 危機ききが~する 위기가 도래하다. 2 선물 따위가 도착함. ¶~の品しな 보내 온 물건.
—もの【—物】名 선사받은 물건.
とうらく【当落】名 당락. ¶~の境目さかいめ 당락의 갈림길 / ~は明日あすの朝あさ判明はんめいする 당락은 내일 아침 판명된다.
とうらく【騰落】名 등락. ¶物価ぶっかの~ 물가의 등락.
どうらく【道楽】名ス自 도락. 1〈老〉취미. ¶食くい~ 식도락 / ~で絵えを画かく 취미로 그림을 그리다. 2 난봉; 도박·주색에 빠짐. =遊蕩ゆうとう. ¶~むすこ 방탕한 자식 / ~の限かぎりを尽つくす 온갖 난봉을 다 부리다.
どうらん【胴乱】名 1 (양철로 된) 식물채집통. 2 약·도장 따위를 넣어 허리에 차는 사각형의 가죽 주머니.
とうり【党利】名 당리. ¶~に偏かたよる 당리에 치우치다.
—とうりゃく【—党略】名 당리당략. ¶~に溺おぼれる 당리당략에 빠지다.
*＊どうり【道理】名 도리; 이치. ¶~が立たたない 이치에 닿지 않다 / ~にかなった行為こうい 도리에 맞는 행위 / ~を尽つくして説明せつめいする 도리를 다해 설명하다.
—で 連語 그 때문에; 어쩐지; 과연; 그도 그럴 테지. ¶彼かれは病気びょうきだったのか. ~元気げんきがなかった 그는 병이었단 말인가. 어쩐지 기운이 없더라니.
とうりつ【倒立】名ス自 도립; 물구나무서기. =さか立だち. ¶片手かたてで~する 한 손으로 물구나무서다.
どうりつ【同率】名 동률; 똑같은 비율. ¶~首位しゅい 동률 일위.
とうりゃく【党略】名 당략. ¶党利とうり~ 당리당략.
とうりゅう［逗留］名ス自 두류; 머묾. =滞留たいりゅう. ¶長なが~ 장기 체류 / しばら

く~する予定(よてい)だ 잠시 머물 예정이다.

とうりゅうもん【登龍門】名 등용문. ¶文壇(ぶんだん)への~ 문단에 이르는 등용문.

とうりょう【投了】名ス自 투료; (장기나 바둑에서 진 것을 자인하고) 던짐. ¶対局(たいきょく)は午後(ごご)八時(はち じ)に~した 대국은 오후 8시에 투료했다.

とうりょう[棟梁] 名 **1** (목수의) 우두머리; 도편수. **2** 동량; 동량지재(棟梁之材). ¶一国(いっこく)の~ 일국의 동량. 参考 본디, 마룻대와 들보.

とうりょう【等量】名 등량. =同量(どうりょう).

とうりょう【頭領】名 두령; 우두머리; 두목. =かしら. ¶賊(ぞく)の~ 도적의 두령.

どうりょう【同量】名 동량; 같은 분량. =等量(とうりょう).

どうりょう【同僚】名 동료. =同役(どうやく)·同職(どうしょく). ¶職場(しょくば)の~ 직장 동료/~の教師(きょうし) 동료 교사/~と話(はな)し合(あ)う 동료와 상의〔이야기〕하다.

*__どうりょく__【動力】名 동력; 원동력. ¶~計(けい) 동력계/~資源(しげん) 동력 자원/~車(しゃ)〔源(げん)〕 동력차〔원〕.

どうりん【動輪】名 동륜《기관차 따위에서, 주행용(走行用) 동력을 직접 받아서 차를 달리게 하는 차바퀴》.

とうるい【盗塁】名ス自 〖野〗 도루. =スチール. ¶~王(おう) 도루왕/二塁(にるい)に~する 2루로 도루하다/~に成功(せいこう)する 도루에 성공하다. ⇨走塁(そうるい)·ざんるい.

とうるい【糖類】名 당류.

どうるい【同類】名 동류. **1** 같은 종류. **2** 한패. ¶彼(かれ)らと~とみなす 그들과 한패로 간주하다.

とうれい【答礼】名ス自 답례. =返礼(へんれい). ¶先生(せんせい)が~する 선생이 답례하다/丁重(ていちょう)に~する 정중하게 답례하다.

どうれつ【同列】名 동렬. **1** 같은 줄〔동아리〕. **2** 같은 정도·지위·대우. ¶~に扱(あつか)う 동렬로〔다른 사람〔것〕과 같이〕 다루다/~には論(ろん)じられない 동렬로 논할 수는 없다.

**__どうろ__【道路】名 도로. ¶~工事(こうじ) 도로 공사 / 高速(こうそく)~ 고속도로 / 有料(ゆうりょう)~ 유료 도로.

—ひょうしき【—標識】名 도로 표지. ¶~板(ばん) 도로 표지판.

とうろう〖灯籠〗名 등롱. ¶石(いし)どうろう 석등롱; 장명등/釣(つ)りどうろう 매다는 등롱/回(まわ)りどうろう 회전 등롱; 주마등(走馬燈).

—ながし【—流し】名 우란분재(盂蘭盆齋)의 끝날에 대로 만든 등롱에 불을 켜 강에 띄우는 일〔행사〕.

*__とうろく__【登録】名ス他 등록. ¶~税(ぜい) 등록세/~ミス 등록 오류/~商標(しょうひょう) 등록 상표/住民(じゅうみん)~ 주민 등록/台帳(だいちょう)に~する 대장에 등록하다.

*__とうろん__【討論】名ス自他 토론. =ディスカッション. ¶~会(かい) 토론회/公害問題(こうがいもんだい)について~する 공해 문제에 관해 토론하다.

どうわ【童話】名 동화. ¶~劇(げき) 동화극/~作家(さっか) 동화 작가.

とうわく【当惑】名ス自 당혹. ¶~顔(がお) 당혹한 표정/はたと~した 순간 어찌할 바를 몰라 당황하였다.

どうわすれ【どう忘れ】《胴忘れ》名ス他 깜박〔까맣게〕 잊음. ¶何(なん)という名前(なまえ)だったか~してしまった 이름이 무엇이었는지 까맣게 잊어버렸다. 注意 'どわすれ'라고도 함.

とえい【都営】名 東京都(とうきょうと)가 경영함. ¶~バス〔地下鉄(ちかてつ)〕 東京都에서 경영하는 버스〔지하철〕.

とえはたえ【十重二十重】名 열 겹 스무 겹; 겹겹. ¶~に取(と)り囲(かこ)む 겹겹이 에워싸다.

どえら-い〖ど偉い〗形〈俗〉 **1** 매우 훌륭하다. ¶~人物(じんぶつ)だ 아주 훌륭한 인물이다. **2** 엄청나다; 엉뚱하다. ¶~人出(ひとで) 엄청난 인파/~事(こと)をしでかす 엉뚱한 짓을 저지르다. 参考 'ど'는 접두어.

**__とお__【十】名 열; 10; 열 살. ¶~やそこらで親(おや)と別(わか)れるなんて, かわいそうな事(こと)だ 열 살 될락말락 해서 부모와 헤어지다니 가엾은 일이다.

トー [toe] 名 토; 발끝.

—シューズ [toe shoes] 名 토슈즈; 발레화. ¶~をはく 토슈즈를 신다.

とおあさ【遠浅】名 바닷가 또는 강가에서 멀리까지 물이 얕음; 또, 그런 곳.

__とお-い__【遠い】形 **1 멀다. ㉠(거리가) 멀다. ¶~·く離(はな)れている友(とも) 멀리 떨어져 있는 친구/山頂(さんちょう)まではまだまだ~ 산정까지는 아직도 멀다. ㉡(시간의 간격이) 멀다. ¶~将来(しょうらい) 먼 장래/完成(かんせい)には~ 완성되기는 멀었다. ㉢(혈연이) 멀다. ¶~親類(しんるい) 먼 친척. ㉣친하지 않다; 소원(疏遠)하다; 관계가 얕다. ¶~·くて近(ちか)いは男女(だんじょ)の仲(なか) 멀고도 가까운 것은 남녀 사이. ⇔近(ちか)い. ㉤성질·내용이 닮지 않다. ¶秀才(しゅうさい)と言(い)うには~ 수재라고 하기에는 거리가 멀다. **2** 의식·감각이 흐릿하다; 둔하다. ¶耳(みみ)が~ 귀가 먹다/気(き)が~·くなる 정신이 멍해지다〔아찔해지다〕; 정신을 잃다. **3**『目(め)が~』 노안이다; 원시다. ¶目(め)が~·くなって本(ほん)がよく読(よ)めない 노안이 되어 책을 잘 볼 수 없다.

—一家(いっか)より近(ちか)い隣(となり) 먼 데 사는 친척보다 가까운 이웃《이웃사촌》. =遠(とお)くの親類(しんるい)より近(ちか)くの他人(たにん).

トーイック [TOEIC] 名 토익; 국제 커뮤니케이션을 위한 영어 테스트. ▷Test of English of International Communication.

とおえん【遠縁】名 먼 혈연; 먼 일가〔친척〕. ¶~に当(あ)たる 먼 친척이 되다.

**__とおか__【十日】名 10일; 열흘(날); 또, 10일간. ¶来月(らいげつ)の~ 다음 달 10일.

—の菊(きく) 9월 9일 중양절(重陽節) 다음 날의 국화《시기를 놓쳐 쓸모가 없음의 비유》. =のちのきく.

とおからず【遠からず】副 머지않아;

곧; 불원간. ¶彼(かれ)の夢(ゆめ)は~実現(じつげん)するだろう 그의 꿈은 머지않아 실현될 것이다/作品(さくひん)は~完成(かんせい)する 작품은 머지않아 완성된다.

トーキー [talkie] 名 토키; 발성 영화. ↔サイレント.

とおく【遠く】 ㊀名 먼 곳. ¶~へ行(ゆ)く 먼 곳으로 가다/~から来(く)る 먼곳에서〔멀리서〕 오다. ㊁副 **1** (시간·공간적으로) 아득하게 먼 모양: 멀리. ¶~はなれている地(ち) 멀리 떨어진 땅. **2** 차이가 큰 모양: 훨씬; 매우. ¶彼(かれ)には~及(およ)ばない 그에겐 크게 못 미친다〔뒤진다〕.

トーク [talk] 名 토크; (TV 프로 등에서) 이야기. ¶~番組(ばんぐみ) 이야기 프로.

—ショー [talk show] 名 토크 쇼; 대담이나 좌담회·인터뷰 등의 TV 프로.

とおざか-る【遠ざかる】 5自 멀어지다. **1** 사라지다; 물러가다. ¶危機(きき)が~ 위기가 사라지다/足音(あしおと)が~ 발자국 소리가 멀어지다. **2** 소원해지다. ¶文壇(ぶんだん)から~ 문단에서 멀어지다. ⇔近(ちか)づく.

とおざ-ける【遠ざける】 下1他 멀리하다. **1** 멀리 떼어놓다; 물리치다. ¶召使(めしつかい)を~·けて密談(みつだん)する 하인을 멀리하고 밀담하다. **2** 절도를 지키다. ¶酒(さけ)を~ 술을 멀리하다. **3** 소외하다. ¶悪友(あくゆう)を~ 나쁜 친구를 멀리하다.

とおし【通し】 名 **1** 안내. ¶お~する 안내하다. **2** 처음부터 끝까지 이어짐. ¶~番号(ばんごう)をつける 일련번호를 매기다/宝(たから)くじを~で六枚(ろくまい)買(か)う 복권을 일련번호로 6장 사다. **3** (요릿집에서 주방에 주문이 알려진 표시로) 요리가 시작되기 전에 나오는 간단한 음식. =おとおし·つきだし.

=どおし【通し】《動詞型活用의 連用形에 붙어》 그 동작·상태가 계속됨: 줄곧; 내내. ¶笑(わら)い~ 줄곧〔내내〕 웃음/立(た)ち~だったので疲(つか)れた 줄곧 서 있었기 때문에 피곤하다/なぐられ~だった 줄곧 매를 맞았다.

とおしきっぷ【通し切符】 名 **1** 한 장으로 여러 교통 기관을 갈아타며 목적지까지 갈 수 있는 표. **2** 통용표《연극이나 스포츠 등에서, 낮과 밤 또는 일정 흥행 기간 중 계속 사용할 수 있는 표》.

とおしばしら【通し柱】 名 이층 건물의 기둥 가운데서, 도중에서 이어붙이지 않고 일층에서 이층까지 하나로 된 기둥.

⁑**とお-す【通す】** 5他 **1** 통하게 하다. ㉠ (길 따위를) 내다. ¶海岸(かいがん)沿(ぞ)いに国道(こくどう)を~ 해안을 따라 국도를 내다. ㉡ 뚫다. ¶土管(どかん)の詰(つ)まりを~ 멘 노깡을 뚫다. **2** 통과시키다. ㉠ 지나게 (허락)하다; 패스시키다. ¶関所(せきしょ)を~ 관문을 통과시키다. ㉡ (법안 따위를) 가결시키다. ¶議案(ぎあん)を~ 의안을 통과시키다. ㉢ 안내하다. ¶客(きゃく)を応接間(おうせつま)に~ 손님을 응접실에 안내하다. ㉣《透す》 투과시키다. ¶ガラスは光(ひかり)を~ 유리는 빛을 투과〔통과〕시킨다. **3** 꿰다. ¶糸(いと)を針(はり)に~ 실을 바늘에 꿰다. **4** (주장·고집 등을) 끝까지 꺾지 않다; 관철하다. ¶我(が)を~ 고집을 부리다/無理(むり)を~ 억지(를) 부리다. **5** 동닿다; 앞뒤가 맞다. ¶筋(すじ)を~·して話(はな)せ 조리가 닿도록 말을 해라. **6** (음식점에서 손님의 주문을 주방에) 알리다. **7**《徹す》 꿰뚫다; 스며들다. ¶肌(はだ)まで~大雨(おおあめ) 살 속까지 스며드는 큰비. **8**《흔히 '…を通して'의 꼴로》 …을 통하여. ¶仲人(なこうど)を~·して縁談(えんだん)をすすめる 중매인을 통하여 혼담을 진행시키다. **9**《徹す》 대충 훑어보다. ¶書類(しょるい)にざっと目(め)を~ 서류를 대충 훑어보다. **10**《接尾語적으로》 (끝까지) 계속해서 하다. ¶やり~ (끝까지) 해내다/ゴールまで走(はし)り~ 골까지 계속해서 달리다. 可能 とお-せる 下1自

トースター [toaster] 名 토스터. ¶~で食(しょく)パンを焼(や)く 토스터로 식빵을 굽다.

トースト [toast] 名 토스트; 식빵을 얇게 썰어 구운 것.

とおせんぼう【通せん坊】 名 양 팔을 벌려 지나가지 못하게 하는 놀이; 전하여, 통행 금지. ¶道路工事(どうろこうじ)で~になって通(とお)れない 도로 공사로 통행 금지가 되어 지나갈 수 없다. 注意 'とおせんぼ'라고도 함.

トータル [total] ㊀名 토털; 합계; 총액. ¶得点(とくてん)の~ 득점 총계/~を出(だ)す 합계를 내다. ㊁名ス他 합계함.

トーチ [torch] 名 토치. **1** 횃불《좁은 뜻으로는 올림픽의 성화를 가리킴》. ¶~リレー 성화 릴레이/~ランプ 토치 램프. **2** 회중 전등.

トーチカ [러 tochka] 名《軍》 토치카. ¶敵(てき)の~を爆破(ばくは)する 적의 토치카를 폭파하다.

とおで【遠出】 名ス自 원행; 멀리 나감〔여행함〕. ¶車(くるま)で~する 차를 타고 멀리 나가다/~してもかまわない 멀리 나가도 괜찮다.

トーテミズム [totemism] 名 토테미즘.

トーテム [totem] 名 토템《어떤 집단과 특별한 관계가 있다고 신성시되고 있는 특정 동식물이나 자연 현상》.

—ポール [totem pole] 名 토템 폴《토템을 상징하는 도안을 새긴 기둥》.

ドーナツ [doughnut] 名 도넛. 注意 'ドーナッツ'라고도 함.

トーナメント [tournament] 名 토너먼트. ↔リーグ戦(せん).

とおの-く【遠のく】《遠退く》 5自 **1** 멀어지다. ㉠ (거리가) 멀리 떨어지다; 물러가다. =遠(とお)ざかる. ¶姿(すがた)がだんだん~ 모습이 점점 멀어지다. ㉡ 뜸해지다. ¶足(あし)が~ 발길이 멀어지다〔뜸해지다〕/砲声(ほうせい)が~ 포성이 뜸해지다. ㉢ (관계가) 소원해지다. ¶それ以来(いらい)彼(かれ)とも~·いてしまった 그 이후로 그와도 멀어져 버렸다. **2** 물러나다. ¶争(あらそ)いから~ 싸움〔분쟁〕에서 물러나다.

とおの-ける 【遠のける】《遠退ける》

下1他 멀리하다. ＝遠ざける. ¶人を~·けて話す 남을 멀리하고 이야기하다/~ようにさける 멀리하듯 피하다.

とおのり【遠乗り】名ス自 멀리 타고 가서 놂; 승차〔승마〕하고 원행함. ¶友人と~する 친구와 차를〔말을〕 타고 원행하다.

とおび【遠火】名 원화. **1**〈雅〉 멀리서 때는 불. **2**불기를 멀리함; 먼불. ¶~でパン〔肉〕を焼く 먼 불에 빵을〔고기를〕 굽다. ↔近火.

ドーピング [doping] 名 도핑; 운동선수가 경기 성적의 향상을 위해 흥분제 따위 약물을 복용함.

―テスト [doping test] 名 도핑 테스트; 운동선수의 흥분제 등 사용 여부를 확인하기 위한 검사.

とおぼえ【遠ぼえ】《遠吠え》名 **1**(개·늑대 따위가) 멀리서 짖음; 또, 그 소리. ¶犬の~がする 멀리서 개 짖는 소리가 들린다. **2**강한 자에게 멀리서 비난함; 뒤에서 욕함. ¶負け犬の~ 패배자의 허장성세(虚張聲勢)/反対派の~など無視しろ 반대파가 뒷전에서 하는 비난 따위는 무시해라.

とおまき【遠巻き】名 멀리서 포위함. ¶城を~にする 성을 멀리서 에워싸다/~にして見物する 멀찍이 둘러싸고 구경하다.

とおまわし【遠回し】《遠廻し》名ナ 에두름. ¶~な表現 간접적인 표현/~に非難する〔悪口を言う〕 에둘러〔빗대어〕 비난하다〔욕하다〕.

*__とおまわり__【遠回り】《遠廻り》名ナス自 **1**(일부러) 멀리 돌아감; 우회함. ＝回り道. ¶その道は~になる 그 길은 돌게 된다/わざわざ~して行く 일부러 멀리 돌아서 가다. ↔近回り. **2**번거롭고 답답함; 우회적임. ¶~な考え方 번거롭고 답답한 사고방식.

とおみ【遠見】名 **1**멀리 바라봄; 특히, 멀리 정찰함; 또, 그 임무. ¶~がきく屋上 멀리 바라볼 수 있는 옥상. **2**멀리서 봄〔보는 눈〕. ＝遠目. ¶~にはよく見える 멀리서 보면 잘 보인다.

ドーム [프 dome] 名 돔; 둥근 지붕〔천장〕. ¶~球場 돔 구장.

とおめ【遠め】名 (보통보다) 좀 멂; 또, 그 곳; 멀찍함. ¶~の球を投げる〔투수가 스트라이크 존에서〕 좀 멀찍한 공을 던지다/~に置いて眺める 멀찍이 두고 바라보다. ↔近め.

とおめ【遠目】名 **1**원시; 원시안. ＝遠視. ↔近目. **2**멀리서 봄. ＝遠見. ¶~にはよく分からない 멀리서 봐서는 잘 모른다/夜目~ 밤눈 먼눈《밤눈 먼눈에는 여자가 아름답게 보인다》. **3**먼 곳이 잘 보임; 또, 그런 눈. ¶彼は~がきく 그는 먼 곳을 잘 볼 수 있다.

とおめがね【遠眼鏡】名 '望遠鏡(＝망원경)'의 예스러운 말씨.

ドーラン [도 Dohran] 名 도란《배우 화장용 유성(油性)의 분》. ¶~を落とす 도란을 지우다.

***とおり**【通り】㊀名 **1**길. ¶~道 통로; 지나는 길/広い~ 넓은 길. **2**통함. ㉠(바람 등이) 잘 드나듦. ¶風の~が悪い 바람이 잘 안 통하다. ㉡(물 따위가) 빠짐. ¶~の悪い下水 잘 빠지지 않는 하수도. ㉢통행; 내왕. ¶人の~が多い 사람의 내왕이 잦다. ㉣통용; 이해. ¶~がいい名 (세상에) 잘 통하는 이름. **3**평; 신용. ¶先生の~がいい 선생의 평이 좋다. **4**잘 통함. ㉠소리·목소리가 잘 들림. ¶~のいい声 잘 들리는 목소리. ㉡이해하기 쉬움. ¶~のいい講義 잘 통하는〔알기 쉬운〕 강의. **5**【とおり】《形式名詞적으로》 같은 방법·상태대로임; …대로〔듯이, 같이〕. ¶その~ (a)그대로; 그와 같이; (b)그렇소; 옳소《동의의 표시》/定石どおりの打ち方 정석대로 두기〔둠〕/言われた~にする 말한〔들은〕 대로 하다/元どおりにしてくれ 원래대로〔전과 같이〕 해 다오/時間どおりに始める (정해진) 시간대로 시작하다/この~丈夫になった 이처럼 건강해졌다.
㊁接尾 종류·방법. ¶幾~ 몇 가지 종류〔방법〕; 여러 가지/問題の解き方は三~がある 문제를 푸는 방법은 세 가지가 있다. ⇨ひととおり.

=どおり【通り】**1**가로(街路)의 이름. ¶千代田~ 東京都 중심부에 있는 거리 이름. **2**정도. ¶九分~完成した 9할 정도 완성됐다.

とおりあめ【通り雨】名 소나기.

とおりいっぺん【通り一ぺん·通り一遍】名ナ 형식·겉치레뿐인 모양. ¶~のあいさつ 외면치레의 인사.

とおりがかり【通りがかり】《通り掛かり》名 지나는 길; 지나는 도중임. ＝通りがけ. ¶~の人に道を聞く 지나가는 사람에게 길을 묻다/~にお寄りしました 지나는 길에 들렀습니다.

とおりかか-る【通りかかる】《通り掛かる》5自 (우연히 그곳을) 지나가다; 마침 지나가다. ¶そこを~·った時 마침 거기를 지나갈 때.

とおりがけ【通りがけ】《通り掛け》名 지나는 길. ＝とおりがかり. ¶~に寄りました 지나는 길에 들렀습니다.

とおりすがり【通りすがり】名 지나는 길. ＝とおりがけ. ¶~に古本屋をのぞく 지나가는 길에 고서점을 들여다보다/~の人に道をきく 지나가는 사람에게 길을 묻다.

とおりす-ぎる【通り過ぎる】上1自 지나가다; 통과하다. ＝通りこす. ¶台風が~·ぎた 태풍이 지나갔다.

とおりな【通り名】名 통칭. ¶~で呼ぶ 통칭으로 부르다.

とおりぬ-ける【通り抜ける】下1自 (한 쪽에서 다른 쪽으로) 빠져 나가다. ¶トンネルを~ 터널을 빠져나가다/公園

を～と近道だ 공원을 빠져나가면 지름길이 된다.

とおりま【通り魔】图 순식간에 지나치면서 만난 사람에게 해를 끼친다는 마물(魔物); 또, 그와 같은 나쁜 사람. ¶～に襲われる 갑자기 나타난 악한에게 습격당하다.

とお-る【通る】5自 **1** 통하다. ㉠뚫리다. ¶詰まっていた鼻が～ 멘 코가 뚫리다. ㉡동닿다. ¶筋の～·った発言 조리 있는 발언. ㉢개통하다. ¶汽車が～ 기차가 통하다((a)기차가 개통되다; (b)기차가 운행되다). ㉣《본디 透る로도》 잘 들리다; 쩌렁쩌렁하다. ¶よく～声 쩌렁쩌렁 잘 들리는 목소리. ㉤알려지다. ¶世間に名が～ 세상에 이름이 알려지다〔인정되다〕. ㉥(뜻 따위가) 통하다. ¶今時そんな事を言っても～·らない 요즈음 그런 말을 해도 통하지 않는다/無理が～ 억지가 통하다. **2** 방에 들어가다. ¶客が奥へ～ 손님이 안내되어 방으로 들어가다. **3** (음식점에서, 주방에) 알리다. ¶カレー一丁～·っているか 카레(라이스) 한 그릇 알렸느냐. **4** 통과하다. ㉠지나다. ¶横町を～ 옆골목을 지나다/学校の前を～ 학교 앞을 지나다. ㉡합격하다. ¶試験に～·った喜び 시험에 합격한 기쁨. ㉢(안건 따위가) 가결되다. ¶予算案が国会を～ 예산안이 국회를 통과하다. **5**《본디 徹る로도》 들어가다. ¶つかまで～·れと突き刺す 칼자루까지 들어가라고 푹 찌르다. **6** 꿰어지다. ¶糸が針穴に～ 실이 바늘귀에 꿰이다. 可能 とお-れる 下1自

とお-る〖透る〗5自 비쳐 보이다; 투명하다; 투과(透過)하다. ¶雨が下着まで～ 비가 속옷까지 배어들다/水の底まで～ 물 밑까지 들여다보이다.

トールゲート [tollgate] 图 톨게이트; 유료도로의 요금 징수소.

トーン [tone] 图 톤; 음조; 색조. ¶明るい～の絵 밝은 색조의 그림.

とか【渡河】图ス自 도하; 도강. ¶～作戦 도하 작전/敵前～ 적전 도강.

とか ㊀副助 …라든가; …든지. ¶インド～ミャンマー～の国国 인도라든가 미얀마라든가 하는 나라들/こづかいは交通費～昼食代～で無くなってしまう 용돈은 교통비라든가, 점심값으로 없어진다. ㊁連語 다음에 '言う' '聞く' 등이 와서, 내용이 불확실함을 나타냄: …라던가. ¶山田～いう人 山田라던가 하는 사람/そろそろ退院～いう話です 이제 슬슬 퇴원한다던가 그럽디다.

とが〖科·咎〗图 허물. **1** 잘못; 과오. ＝あやまち. ¶だれの～でもない 누구의 잘못도〔허물도〕 아니다(모두 내 잘못이다). **2** 죄; 죄가 되는 행위. ¶～をかぶせる 죄를 뒤집어 씌우다. **3** 결점. ¶～のない人はない 허물이 없는 사람은 없다.

> **科·咎와 かな書き**
>
> '科'는 법률 등을 범한 죄라는 뜻으로, '盗みの科で罰せられる(홈친 죄로 벌을 받다)'와 같이 사용됨.
> '咎'의 본뜻은 하늘에서 내려진 재화(災禍)라는 뜻으로, 도리·약속 등을 어긴 잘못이라는 뜻을 가지고 있으며, '電車の事故で遅刻したのなら, それは君の咎にはならない(전동차 사고로 지각한 것이라면 그건 자네 잘못은 아니다)' 따위와 같이 쓰임. 그러나, 이와 같은 경우 굳이 어려운 한자를 쓰느니, 보다 알기 쉽게 かな로 쓰는 것이 바람직함.

とかい【都会】图 도회지; 도시. ¶大～ 대도시/～人〔生活〕 도시인〔생활〕/～へ出て働く 도회지에 나가 일하다. ↔村落·いなか.

とかい【渡海】图ス自 도해; 항해. ＝渡航·航海.

どがいし【度外視】图ス他 도외시. ¶利益を～する 이익을 도외시하다.

とがき【ト書き】图〘劇〙 각본에서, 배우의 동작 따위를 지시한 부분. 参考 歌舞伎 극본에서, 대사의 뒤에 'ト無念の思い入れ(＝…하고, 원통하고 분하다는 듯한 표정(을 나타낼 것))'와 같이 쓴 데서 비롯됨.

とかく〖兎角〗副 **1** 이것저것; 이럭저럭. ＝あれやこれや. ¶～するうちに (a)이것저것 하는 사이에; (b)이럭저럭하는 사이에/他人のことを～言う前に 남의 일을 이러쿵저러쿵 말하기 전에. **2** 자칫(하면). ＝ややもすると. ¶～失敗しがちだ 자칫하면 실패하기 쉽다. **3** 어쨌든; 하여튼; 아무튼. ＝とにかく. ¶～世間はうるさいものだ 아무튼 세상은 시끄러운 것〔법〕이다. **4**《'～の'의 꼴로》 이러저러하여 좋지 않음. ¶～のうわさがある 이런저런 좋지 않은 소문이 있다. 注意 '兎角'로 씀은 취음.

とかげ〖蜥蜴·石竜子〗图〘動〙 도마뱀.

とか-す【解かす】5他 **1**《본디 融かす로도》 눈 따위를 녹이다. **2**《본디 梳かす로도》(머리 따위를) 빗다. ¶丁寧に髪を～ 정성스레 머리를 빗다.

とか-す【溶かす】5他 녹이다. **1** (물 따위에) 녹이다; 풀다. ¶氷を～ 얼음을 녹이다/絵具を油で～ 그림물감을 기름에 녹여 개다. **2**《본디는 熔かす·鎔かす》 금속을 가열하여 녹이다. ¶鉄を～ 쇠를 녹이다. 可能 とか-せる 下1自

どか-す〖退かす〗5他 퇴거시키다; 물리치다; (물건을) 치우다. ＝どかせる·どける. ¶荷物を～ 짐을 치우다/道の上の石を～ 길에 있는 돌을 치우다.

どかた【土方】图〈卑〉 노가다; 공사판의 막벌이꾼. ＝土工.

どかっと 副 **1** 무거운 것을 힘차게 내려놓는 모양: 털썩. ¶～腰を下ろす 털

썩 주저앉다. **2** 사물이 일시에 많이 집중하는 모양: 왕창. ¶仕事が~回ってきた 일이 왕창 몰려왔다. 参考 'どかりと'의 힘줌말.

とがめ〖咎め〗图 문책; 비난; 책망. ¶神の(お)~ 천벌 / 世間の~を受ける 세간의 비난을 받다.

とがめだて【とがめ立て】《咎め立て》图 ス他 강하게 책망함. ¶あまり~(を)するな 너무 책망하지 말아라.

***とが-める**〖咎める〗下1他 **1** 책망하다; 타박하다; 비난하다. ¶良心が~ 양심의 가책을 받다 / 気が~のでこれ以上続けられない 마음에 꺼림해서 이 이상 더 계속 못하겠다. **2** 수하(誰何)하다. ¶交番で~·められた 파출소에서 검문당하였다. 注意 **1**은 自動詞로도 쓰임.

どかゆき【どか雪】图〈俗〉한꺼번에 많이 내리는 눈.

とがらか-す〖尖らかす〗5他 ☞とがらす.

とがら-す〖尖らす〗5他 뾰족하게 하다; 날카롭게 하다. ¶口を~·して口答えをする 입을 삐물고 말대꾸하다 / 鉛筆を~ 연필을 뾰족하게 하다 / 神経を~ 신경을 날카롭게 하다 / 声を~ 언성을 날카롭게 하다.

どかり 副 무거운 것이 힘 있게 떨어지는 모양: 털썩. ¶~と椅子にすわる 털썩 의자에 앉다.

とがりごえ【とがり声】《尖り声》图 성난 목소리; 날카로운 목소리. ¶~で言い返す 성난 목소리로 대꾸하다. 注意 'とんがりごえ'라고도 함.

***とが-る**〖尖る〗5自 **1** (끝이) 뾰족해지다. ¶~·った針〔鉛筆〕 뾰족한 바늘〔연필〕. **2** 예민해지다. ¶神経が~ 신경이 날카로워지다. **3** 골내다. ¶声が~ 목소리가 거칠어지다 / あの人はこのごろすぐ~ 저 사람은 요즘 걸핏하면 골을 낸다. 注意 'とんがる'라고도 함.

どかん【土管】图 토관; 노깡. ¶~を埋める 토관을 묻다.

どかん 副 총·포 따위의 큰 소리: 쾅; 쿵. ¶大砲を~とうつ 대포를 쾅하고 쏘다 / 車が電柱に~とぶつかる 자동차가 전주에 쾅 부딪치다.

****とき【時】**图 **1** 시간. ¶~は金では買えぬ 시간은 돈으로 살 수 없다 / ~の流れ 시간의 흐름《시대의 변천》. **2** (일주야의 구분인) 시; 시각. ¶ひけ時 퇴근〔퇴거〕시(간) / はね時 끝마감 시간. **3** 때. ㉠어떤 일이 행해진, 또는 어떤 상태에 있었던 때. ¶ころんだ~ 넘어졌을 때 / 家を出た~はお天気だった 집을 나섰을 때는 좋은 날씨였다. ㉡계절; 시대; 시절; 시기. ¶若葉の~ 신록의 계절〔무렵〕/ 花見時 꽃놀이 철; 꽃철 / 私の若い~はよく歩いたもんだ 내가 젊은 시절에는 곧잘 걸었었다 / ~が~だから大変だ 때가 때니만큼 큰일이다. ㉢시기. ¶~を待つ 때를 기다리다 / ~を見て話をつけよう 때〔기회〕를 보아 이야기의 결말을 짓자 / ~には勝つこともある 때로는 이길 때도 있다. ㉣《본디 秋로도》 중요한 시기. ¶国家存亡の~ 국가 존망의 때《위기》. ㊁《'の'가 뒤따라》 그〔이〕 때. ¶~の話題 그 시절의 화제 / ~の首相伊藤は… 당시의 수상 伊藤는…. ㊂【とき】…인〔…한〕 경우. ¶非常の~にはこの限りに非ず 비상시에는 차한에 부재함《비상시에는 예외도 있음》/ いざという~の用意は出来ている 일단 유사시의 준비는 되어 있다.

—と場合 때와 상황; 그때그때의 형편. ¶~を選ぶ 때와 상황을 가리다 / ~による 당시의 형편에 따르다.

—は金なり 시간은 돈이다.

—を移さず 때를 놓치지 않고; 곧.

—を得る 때를 만나다. ¶時を得た新製品 때를 만난 신제품.

—を稼ぐ 시간을 벌다.

とき〖鴇·朱鷺〗图〖鳥〗따오기《특별 천연기념물로 지정되어 있음》.

どき【土器】图 토기. =かわらけ. ¶弥生式~ 弥生 시대의 토기.

どき【怒気】图 노기. ¶~を含んだ声 노기를 띤 목소리 / ~を帯びた目 노기를 띤 눈초리.

ときあか-す【解き明かす】5他 해명하다. ¶事件の謎を~ 사건의 의문점을 해명하다.

ときあか-す【説き明かす】5他 설명하다. ¶内容を~ 내용을 설명하다.

ときおこ-す【説き起こす】5自 처음부터 설명하기 시작하다. ¶原因から~ 원인부터 설명하기 시작하다.

ときおよ-ぶ【説き及ぶ】5自 언급하다; …에 대해서 말하다. ¶日本の将来に~ 일본의 장래에 언급하다 / 過去の事例にまで~ 과거의 사례에까지 논급하다.

ときおり【時折】副 때때로; 가끔. =時時·時たま. ¶~小雨がばらつく 때때로 가랑비가 뿌리다 / ~日が射す 가끔 햇빛이 비치다〔들어오다〕.

とぎかい【都議会】图 ('東京都議会(=東京都 의회)'의 준말.

とぎし【研ぎ師】图 칼·거울 등을 갈거나 닦는 사람.

とぎすま-す【研ぎ澄ます】5他 **1** (칼·거울 등을) 충분히 갈다; 잘 갈다. ¶~·された刀 시퍼렇게 날이 선 칼. **2** 신경·감각을 예민하게 하다. ¶~·した神経 날카로워진 신경.

とぎだし【研ぎ出し】图 (돌 따위를) 갈아서 윤을 내거나 무늬를 나타냄; 또, 그렇게 한 것. ¶みかげ石の~ 화강석을 윤나게 갊.

ときたま【時たま】《時偶》副 때때로; 가끔; 이따금. =たまに·ときおり·ときどき. ¶~彼と会う 이따금 그와 만난다 / ~にしか彼に会えない 이따금씩

밖에 그를 만나지 못한다.

どぎつ-い 形 몹시 강렬하다; 칙칙하다. ¶～化粧 몹시 칙칙한〔짙은〕 화장/～広告 매우 자극적인 광고. 参考 'ど'는 강조의 接頭語.

どきつ-く 5自 두근거리다; 설레다. ¶～胸を押し静めて 두근거리는 가슴을 억지로 가라앉히고.

ときつ-ける【説き付ける】下1他 설복(說服)하다. ¶入会するように～ 입회하도록 설복하다.

どきっと 副ス自 놀람·기대 등으로 두근거리는 모양: 두근두근; 뜨끔함. ¶名ざしされて～した 지명당하여 뜨끔하고 놀랐다.

***ときどき**〖時時〗一副 가끔; 때때로. =ときおり. ¶～訪ねる 때때로 방문하다/～見回ってくれ 가끔 돌아봐 다오. 二名 그때그때. ¶～のくだもの 그때그때〔제철〕의 과일/～の流行 그때그때의 유행.

どきどき 副ス自 두근두근; 울렁울렁. ¶胸が～する 가슴이 두근거리다/心臓が～(と)打つ 심장이 두근두근 고동치다.

ときとして【時として】連語 때〔경우〕에 따라서는; 어떤 때에는; 때로는. =たまに. ¶～病気になる 때로는 병이 난다/人は～あやまりを犯す 사람은 때로는 과오를 범한다.

ときならぬ【時ならぬ】連語 때 아닌; 철 아닌; 뜻밖의. ¶～風邪 때 아닌 감기/～大雪 때 아닌 큰눈.

ときに【ときに·時に】連語 **1**《副詞적으로》 때때로; 때로는; 가끔; 어쩌다; 어떤 때는. ¶～(は)いい作品を書く 때로는 좋은 작품을 쓴다. **2** 그때; 때마침. ¶～彼が五歳のことであった 그때 그가 다섯 살 때 일이었다. **3**《接続詞적으로》 화제를 바꾸는 데 씀: 그런데. =ところで·さて. ¶～あの件はどうなっていますか 그런데 그 건은 어떻게 되어 있습니까.

ときには【時には】tokiniwa 連語《副詞적으로》 때로는; 가끔은; 경우에 따라서는. =たまには. ¶～そういうこともあろう 때로는 그런 일도 있겠지/～春になってから雪が降ることもある 때로는 봄이 되어서 눈이 오는 일도 있다.

ときのうじがみ【時の氏神】名 **1** 때맞게 나타난 중재인. **2** 바로 그때의 고마운 사람.

ときのうん【時の運】名 그때그때의 운. ¶勝敗は～ 승패는 그때의 운.

ときのこえ【ときの声】〖鬨の声·鯨波の声〗名 함성; 고함 소리. ¶～をあげる 함성을 지르다.

ときのひと【時の人】名 **1** 그 시대의 사람. **2** 시세를 타고 들날리는 사람. **3** 그때의 화제 인물. ¶～として脚光を浴びる 화제의 인물로 각광을 받다.

ときのま【時の間】名 잠깐. ¶～の命 짧은 인생〔목숨〕/～も休まない 잠시도 쉬지 않는다.

ときはな-す【解き放す·解き離す】5他 해방하다; 풀어놓다. ¶犬を～ 개를 풀어놓다. 「なす.

ときはな-つ【解き放つ】5他 ☞ときは

ときふ-せる【説き伏せる】下1他 설복하다. =説きつける. ¶承諾するよう～ 승낙하도록 설복하다/父から～せられた 아버지에게 설복당하였다.

ときほぐ-す【解きほぐす】5他 **1** (복잡하게 얽힌 것을) 풀(어헤치)다. =ときほごす. ¶髪を～ 머리를 풀어 헤치다. **2** 응어리진 것을 풀다. ¶相手の心を～ 상대편의 마음을 누그러뜨리다/肩のこりを～ 어깨의 뻐근함을 풀다.

どぎまぎ トス自 뜻밖의 일을 당하거나 압도되어 당황하는 모양: 허둥지둥; 갈팡질팡. ¶急に答えも出ず～した 갑자기 대답도 나오지 않아 당황했다.

ときめか-す 5他 (기쁨이나 기대 따위로 가슴이) 설레다. ¶胸を～·して開幕を待つ 가슴을 설레면서 개막을 기다리다.

ときめき【ときめき】名 두근거림. ¶心の～を覚える 심장의 두근거림을 느끼다.

ときめ-く 5自 (기쁨〔기대〕 따위로) 가슴이 두근거리다; 설레다. ¶期待に胸が～ 기대에 가슴이 설레다.

ときめ-く【時めく】5自 때를 만나 드날리다. ¶今を～人気者 때를 주름잡는 인기인.

どぎも〖度肝·度胆〗名 간; 간덩이.
—を抜く 간 떨어지게〔깜짝 놀라게〕 하다. ¶～ような離れ技 깜짝 놀랄 만한 아슬아슬한 묘기/どぎもを抜かれる 깜짝 놀라다. 参考 'ど'는 강조의 接頭語이며, 이를 '度'로 씀은 취음.

ドキュメンタリー [documentary] 名 다큐멘터리; 기록(물). ¶～小説 도큐멘터리 소설/～映画 기록 영화.

ドキュメント [document] 名 도큐먼트; 기록; 문헌; 문서.

***どきょう**【度胸】名 담력; 배짱. =胆力. ¶女は愛嬌, 男は～ 여자는 애교, 남자는 배짱/～がない〔ある〕 배짱이 없다〔있다〕.
—が据わる 배짱이 있다. 「기」.
—だめし【—試し】名 담력 시험〔떠보

どきょう【読経】名ス自 독경. =どっきょう·誦経. ¶～の声 경을 읽는 소리. ↔看経.

ときょうそう【徒競走】名ス自 뜀박질 경주. =かけくらべ.

どきりと 副 놀라서 가슴이 뛰는 모양: 덜컥. =どきんと. ¶図星をさされて～する 정곡을 찔려 가슴이 덜컥하다.

とぎれとぎれ〖途切れ途切れ·跡切れ跡切れ〗ダナ 띄엄띄엄 이어지는 모양; 헐레벌떡거리는 모양. ¶～に言う 띄엄띄엄 말하다/息も～になって駆けつけ

る 헐레벌떡거리며 달려가다.

とぎ-れる〖途切れる·跡切れる〗下1自 중단되다; 도중에 끊어지다. ¶話〔文通〕が～ 이야기〔서신 왕래〕가 중도에 끊어지다 / 往来の足音が～ 왕래하는 (사람의) 발소리가 끊어지다. 参考 본디, 왕래가 끊어짐.

ときわぎ【ときわ木】《常磐木》图 상반목; 상록수.

とぎん【都銀】图 '都市銀行(＝시중 은행)'의 준말. ↔地銀.

⁂**と-く**【解く】5他 **1** 풀다. ㉠매듭·엉클어짐 따위를 풀다. ＝ほどく. ¶こんぐらかった糸を～ 엉클어진 실을 풀다. ↔結ぶ. ㉡답을 내다. ¶問題を～ 문제를 풀다 / なぞを～ 수수께끼를 풀다. ㉢임무·직무를 그만두게 하다. ¶任を～ 해임하다. ㉣(옷을) 벗다. ¶旅装を～ 여장을 풀다. ㉤해제하다. ¶警戒を～ 경계를 풀다 / 武装を～ 무장을 해제하다 / 外出禁止令が～·かれる 외출 금지령이 풀리다. ㉥물러서다. ¶包囲を～ 포위를 풀다. ㉦감정을 제거하다. ¶疑い〔怒り〕を～ 의심〔노여움〕을 풀다 / 緊張を～ 긴장을 풀다. ㉧정했던 것을 그만두다. ¶契約を～ 해약하다. **2**《본디 融く로도》 물에 풀다. **3**《본디 梳く로도》 흐트러진 머리를 빗다. 可能 と-ける 下1自

と-く【溶く】5他 **1** (액체 따위에 섞어서) 풀다; 개다. ¶小麦粉を水に～ 밀가루를 물에 개다 / 絵具を油で～ 그림물감을 기름으로 개다 / 卵を～ 달걀을 풀다. **2**《본디는 熔く·鎔く》(금속을) 녹이다.

と-く【説く】5他 **1** 말하다; 설득하다. ¶倹約を～ 검약하도록 설득하다. **2** 설하다; 설명하다. ¶道を～ 설도하다 / 論語を～ 논어를 강설하다 / 世間の道理を～ 세상의 도리〔이치〕를 설명하다. **3**《解く로도》 해석하다. ¶この語の意味を～ 이 말의 뜻을 해석하다. 可能 と-ける 下1自

⁂**とく**【得】一图 이익; 이득. ¶交換で～をする 교환하여 이득을 보다 / 害になっても～にはならない 해로울지언정 이롭지는 않다. ↔損. 二ダナ 유리함. ¶～な地位 이로운 지위 / 覚えただけ～だ 배운 만큼 득이다 / ～な方を選ぶ 유리한 쪽을 택하다.

***とく**【徳】图 **1** 덕. ¶～の高い人 덕이 높은 사람 / 故人の～をしたう 고인의 덕을 흠모하다 / ～を仰ぐ 덕망을 우러르다 / ～を積む 덕을 쌓다 / ～が備わる 덕이 갖추어지다; 덕을 지니게 되다. **2** 은혜. ¶～を施す 은혜를 베풀다 / 好意を～とする 호의를 고맙게 여기다. **3** 이득. ＝もうけ·得. ¶朝起きは三文の～ 일찍 일어나면〔부지런하면〕 어떻든 이득이 있다.

——孤ならず必ず隣あり 덕불고필유린(德不孤必有隣).

とく〖匿〗常用 トク かくれる かくす | 닉 숨다 | 남의 눈을 피하여 숨다; 숨기다; 감추다. ¶匿名 익명 / 隠匿 은닉.

とく〖特〗教4 トク ドク | 특 유다르다 | 유다름; 뛰어남; 다른 것을 물리치고 취택됨. ¶特注 특별 주문 / 奇特 기특.

とく〖得〗教4 トク える うる | 득 얻다 | **1** 입수함; 자기 것으로 함. ¶得点 득점. ↔失. **2** 이득을 얻음. ¶得失 득실 / 一挙両得 일거양득. ↔損.

とく〖督〗常用 トク | 독 살피다 | **1** 지켜보다; 단속하다. ¶総督 총독 / 監督 감독. **2** 지켜보며 독촉하다. ¶督励 독려.

とく〖徳〗《德》教5 トク | 덕 덕 | 덕. **1** 수양에 의해 몸에 지닌 품성. ¶徳行 덕행 / 徳望 덕망 / 人徳 인덕. **2** 널리 영향을 미치는 바람직한 태도; 가르침; 베풂. ¶徳化 덕화 / 恩徳 은덕.

とく〖篤〗常用 トク あつい | 독 도탑다 | **1** 도탑다; 성실하다. ¶篤信 독신 / 懇篤 간독. **2** 병이 중하다. ¶危篤 위독.

***と-ぐ**【研ぐ】《磨ぐ》5他 **1** (칼 따위를) 갈다. ¶ナイフ〔包丁〕を～ 나이프를〔식칼을〕 갈다. **2** 닦아서 윤을 내다. ¶鏡を～ 거울을 닦다. **3** (물에 비비어) 씻다. ¶米を～ 쌀을 씻다.

***ど-く**〖退く〗5自 물러나다; 비키다. ¶そこを～·いてくれ 거기를 비켜 다오. 注意 'のく'의 전와(轉訛).

⁂**どく**【毒】图 독. **1** 생물의 목숨이나 기능을 해치는 것. ¶目の～ 안 보는 것이 약; 보는 것이 병 / たばこは体に～だ 담배는 몸에 해롭다 / 神経が～される 신경을 해치다. **2** 독약. ¶～を盛る 독약을 타다 / ～を仰ぐ 독약을 마시다. **3** 사람의 마음을 해치는 것; 악의. ＝とげ. ¶彼女の言葉には～がある 그녀의 말에는 독이 있다. **4** 해악·재앙을 가져오는 것. ¶社会の～を排除する 사회의 독을 배제하다.

——にも薬にもならない 독〔해〕도 되지 않지만 약〔이익〕도 되지 않는다.

——を食らわば皿まで 한번 나쁜 짓을 시작한 바에는 끝장을 본다.

どく〖毒〗教4 ドク | 독 독 | 독. **1** 독; 특히, 독약. ¶毒牙 독아 / 毒殺 독살. **2** 사람의 마음이나 생활을 해치는 것. ¶毒婦 독부 / 毒舌 독설.

どく〖独〗《獨》教5 ドク ひとり | 독 홀로 | **1** 독신. ¶鰥寡孤独 환과고독. **2** 혼자. ¶独占 독점 / 独唱 독창. **3** '独逸'의 준말. ¶独語 독어.

どく〖読〗《讀》教2 ドク トク トウ よむ | 독 읽다 |

1 읽음. ¶読破 독파. **2** 문장 중의 끊임. ¶句読点 구두점.

どくあたり【毒あたり】《毒中り》 图 ス自 중독(中毒).

とくい【特異】 名ナ 특이. ¶～体質 특이 체질 / ～な才能 특이한 재능.

とくい【得意】 名ナ **1 득의. ¶～の絶頂 득의〔만족〕의 절정. ↔失意. **2** 득의양양. ¶～な顔 득의양양한 얼굴 / ～になる 득의양양해지다. ↔不得意. **3** 가장 숙련되어 있음. ¶～のわざ 가장 자신 있는 기술〔솜씨〕/ 最も～とする所 가장 자신 있는 것〔바〕/ また彼のお～が始まった 또 그의 자랑이 시작되었다. **4** 단골; 또, 그 손님. ¶お～さん 단골손님 / お～が減る 고객이 줄다.

—がお【—顔】 图 자랑스러워하는〔득의양양한〕 얼굴.

—さき【—先】 图 단골 손님〔거래처〕.

—まわり【—回り】 图 (인사차, 또는 주문을 받기 위한) 단골 거래처 순방.

とくいく【徳育】 图 덕육; 도덕면의 교육. ¶～を重んじる 덕육을 중히 여기다. 参考 '知育(=지육)·体育(=체육)'와 더불어 교육의 3대 요소.

とくいんがい【特飲街】 图 特殊飲食店(=색주가(色酒家)) 거리.

どぐう【土偶】 图 토우. =土人形. ¶遺跡から～が出土する 유적에서 토우가 출토되다.

どくえん【独演】 图 ス自他 독연; 혼자 출연〔연기·연주〕함.

どくが［毒牙］ 图 독아; 독사의 이빨; 전하여, 독수(毒手). ¶～にかかる 독수에 걸리다.

どくが［毒蛾］ 图〔蟲〕 독나방.

どくがく【独学】 图 ス自他 독학. ¶～で数学を研究する 독학으로 수학을 연구하다 / 中国語を～する 중국어를 독학하다.

どくガス【毒ガス】 图 독가스. ▷gas.

とくがわばくふ【徳川幕府】 图 ☞えど(江戸)ばくふ.

とくぎ【特技】 图 특기. ¶変わった～の持ち主 색다른 특기를 가진 사람 / ～を生かす 특기를 살리다 / 彼の～は相撲だ 그의 특기는 씨름이다.

どくけ【毒気】 图 ☞どっき.

どくけし【毒消し】 图 해독(解毒); 해독제. 参考 'どっけし'라고도 함.

どくご【独語】 독어. 一 图 ス自 혼잣말. =ひとりごと·独言·独話. ¶ぶつぶつ～する 혼잣말로 투덜거리다.
二 图 독일어. =ドイツ語. ¶～文法 독일어 문법.

どくご【読後】 图 독후. ¶～感 독후감 / ～の印象 독후의 인상.

*__どくさい__【独裁】 图 ス自 독재. ¶～者 독재자 / 社長の～で決定する 사장의 독재로 결정하다.

—せいじ【—政治】 图 독재 정치. ↔民主政治.

とくさく【得策】 图 득책; 유리한 계책. ¶その方法が～と思う 그 방법이 득책인 줄로 생각한다.

とくさつ【特撮】 图 특촬; '特殊撮影'의 준말. ¶～場面 특수 촬영 장면.

どくさつ【毒殺】 图 ス他 독살. =毒害. ¶～事件 독살 사건 / 奸臣に～される 간신에게 독살당하다.

とくさん【特産】 图 특산. ¶～物 특산물 / ～品 특산품 / 京都の～ 京都의 특산.

とくし【特使】 图 특사. ¶外国に～を派遣する 외국에 특사를 파견하다.

とくし【篤志】 图 독지; 마음씨가 도타움. ¶～家 독지가 / ～の人の寄付を仰ぐ 독지가의 기부를 앙청하다.

*__どくじ__【独自】 ダナ 독자. ¶～の見解〔立場〕 독자적인 견해〔입장〕 / ～の文体 독특한 문체 / ～に発見する 독자적으로 발견하다.

—せい【—性】 图 독자성. ↔一般性.

とくしつ【特質】 图 특질; 특성. ¶日本文化の～を研究する 일본 문화의 특질을 연구하다.

とくしつ【得失】 图 득실. ¶利害～ 이해 득실 / ～を論じる 득실을 논하다 / ～相半ばする 득실이 반반이다.

とくじつ【篤実】 名ナ 독실; 정이 두텁고 성실함. ¶～な青年 독실한 청년 / 温厚～な人 온후 독실한 사람.

とくしま【徳島】 图〔地〕 四国 동부의 현; 또, 그 현의 현청 소재지.

とくしゃ【特赦】 图 ス他 특사. ⇒大赦.

どくしゃ【読者】 图 독자. =読み手. ¶～層〔欄〕 독자층〔란〕 / ～からの投書 독자로부터의 투서.

どくじゃ【毒蛇】 图 독사. =どくへび.

どくしゃく【独酌】 图 ス自 독작. ¶～で酒を飲む 혼자 술을 마시다.

*__とくしゅ__【特殊】 图 ダナ 특수. ¶～鋼 특수강 / ～印刷 특수 인쇄 / ～な才能 특수한 재능 / この場合は事情が～だ 이 경우는 사정이 특수하다. ↔一般·普通.

—がっきゅう【—学級】 图 (심신 장애자를 위한) 특수 학급.

—さつえい【—撮影】 图 특수 촬영. =特撮.

とくじゅ【特需】 图 특수; '特別需要(=특별 수요)'의 준말. ¶～産業 특수 산업 / ～景気 특수 경기.

どくしゅ【毒手】 图 독수. ¶～にかかって死ぬ 독수에 걸려 죽다.

どくしゅ【毒酒】 图 독주. ¶～を飲ます 독주를 먹이다.

とくしゅう【特集】《特輯》 图 ス他 특집. ¶～号〔記事〕 특집호〔기사〕.

どくしゅう【独習】 图 ス他 독습; 혼자서 공부하거나 연습함. ¶～書 독습서 / ピアノを～する 피아노를 독습하다.

*__どくしょ__【読書】 图 ス自 독서. ¶～家 독서가 / ～週間 독서 주간 / ～が趣味である 독서가 취미다 / 小さいころから～する習慣をつける 어릴 때

부터 독서하는 습관을 들이다.
—百遍義〔意〕自ずから通ず 독서백편의자통; 많이 읽으면 뜻이 절로 통한다.
—ざんまい [—三昧] 图 독서 삼매.
とくしょう【特賞】图 특상. ¶~を与える 특상을 주다.
どくしょう【独唱】图ス他 독창. =ソロ. ¶~曲 독창곡/~会 독창회/発表会で~する 발표회에서 독창하다. ↔合唱·斉唱.
*とくしょく【特色】图 특색. ¶それぞれの~を出す 각기 특색을 내다/~づける 특색 있게 하다; 특징짓다/~を生かす〔ほこる〕 특색을 살리다〔자랑하다〕.
とくしょく [瀆職] 图ス自 독직; 직책을 더럽힘. =汚職. ¶~事件 독직 사건. 参考 '汚職'가 새로운 말씨.
とくしん【特進】图ス自 특진; 특별 진급. ¶二階級~ 2계급 특진.
とくしん【得心】图ス自 납득함; 충분히 이해함. =納得. ¶~が行く 납득이 가다/説明を受けてやっと~した 설명을 듣고 겨우 이해했다/なかなか~しない 좀처럼 납득하지 않다.
*どくしん【独身】图 독신; 단신. =ひとり者. ¶~者 독신자/~生活 독신 생활/~寮 독신자(용) 기숙사/~で暮らす 독신으로 살다.
どくしんじゅつ【読心術】图 독심술. ¶~を学ぶ 독심술을 배우다.
どくしんじゅつ【読唇術】图 독순술; 구화법.
どくず【読図】图ス自 독도. ¶~法 독도법/~力 독도 능력.
とく-する【得する】サ変自 득보다; 이익〔이득〕을 얻다. ¶彼ばかりが~ 그 사람만이 이득을 본다/三万円~ 3만 엔 득을 보다. ↔損する.
どく-する【毒する】サ変他 해롭게 하다; 해치다. ¶青少年を~書 청소년을 해치는 책. ↔益する.
とくせい【特性】图 특성; 특질. ¶従来の製品には見られない~ 종래의 제품에서는 볼 수 없는 특성/~を生かす 특성을 살리다.
とくせい【特製】图ス他 특제. ¶~品 특제품/~した記念品 특제한 기념품. ↔並製.
とくせい【徳性】图 덕성. ¶~を養う〔磨く〕 덕성을 함양하다〔닦다〕.
どくせい【毒性】图 독성. =毒質. ¶~のある物質 독성이 있는 물질/~が強い 독성이 강하다.
とくせつ【特設】图ス他 특설. ¶~スタンド 특설 스탠드/~売場 특설 매장.
どくぜつ【毒舌】图 독설. ¶~家 독설가/~をふるう 독설을 퍼붓다.
とくせん [特撰] 图ス他 1 특별히 공들여 만듦. ¶~服地 특제 복지. 2 좋은 상품으로서 특별히 추천함; 또, 그 물품.
とくせん【特選】图ス他 특선. 1 (미술전 등에서) 심사 결과 특별히 우수하다고 인정됨; 또, 그것. 2 ☞とくせん(特撰).
*どくせん【独占】图ス他 독점. 1 독차지. =ひとりじめ. ¶一部屋を~している 방 하나를 독차지하고 있다. 2〖經〗 특정 자본이 시장을 지배함; 또, 그와 같은 자본. ¶~価格 독점 가격.
—きんしほう【—禁止法】图 독점 금지법. =独禁法.
どくぜん【独善】图 독선. =ひとりよがり. ¶~主義 독선주의/~的な行動 독선적인 행동/~におちいる 독선에 빠지다.
どくせんじょう [独擅場] 图 ☞どくだんじょう.
どくそ【毒素】图 독소. ¶~を出す 독소를 내뿜다/~のある植物 독소가 있는 식물.
とくそう【特捜】图 특수; '特別捜査(=특별 수사)'의 준말. ¶事件は~班にあてられた 사건은 특수반에 배당되었다.
とくそう【特装】图 특장. 1 특별한 장정. ¶~版 특장판. 2 특별한 장비. ¶~車 특장차《소방차 따위》.
どくそう【毒草】图 독초. ↔薬草.
どくそう【独走】图ス自 독주. 1 혼자서 달림; 특히, 남을 훨씬 앞지르고 달림. ¶百メートルも~する 100미터나 뚝 떼어 놓고 달리다. 2 혼자서 멋대로 활동함. ¶君だけ~しては困る 너만 독주해선 곤란하다.
どくそう【独奏】图ス他 독주. =ソロ. ¶ピアノ~ 피아노 독주/チェロが~するパート 첼로가 독주하는 파트. ↔合奏.
どくそう【独創】图ス他 독창. ¶~性 독창성/彼が~した技法 그가 독창적으로 만든 기법. ↔模倣.
—てき【—的】ダナ 독창적. ¶~な作品 독창적인 작품.
*とくそく【督促】图ス他 독촉; 재촉. =催促. ¶借金の返済を~する 빚(을) 갚으라고 독촉하다.
—じょう【—状】图 독촉장.
ドクター [doctor] 图 닥터. 1 박사. 2 의사. ⇔ドクトル. ¶ラジオ~ 라디오 닥터《라디오에 출연하여 건강 상담·해설을 담당하는 의사》.
—ストップ [일 doctor+stop] 图 닥터 스톱《권투 경기 중 부상으로 의사가 경기 계속 불가능이라 인정할 때 상대편 선수의 승리를 선언하는 일》.
とくだい【特大】图 특대. ¶~号 특대호/~サイズ 특대 사이즈/~のズボン 특대의 양복 바지. ↔特小.
*とくたく【徳沢】图 덕택; 은택. =おかげ·恵み. ¶天の~ 하느님의 은택.
とくだね【特種】图 (신문 기사의) 특종; 스쿠프. =スクープ·ビッグニュース. ¶~を取って他紙を出し抜く 특종을 얻어〔입수하여〕 타지를 앞지르다. 注意 'とくしゅ'로 읽으면 딴말.
とくだん【特段】图 〈老〉 특단; 특별. =特別·格段. ¶~のお計らい 특별

한 배려 / ～の措置 특단의 조치.

*どくだん【独断】名 ス他 독단. ¶～と偏見 독단과 편견 / ～で行う 독단으로 하다 / ～にすぎる意見 독단에 치우친 의견.

—せんこう【—専行】名 ス自 독단 전행《자기 판단만으로 행함》.

—てき【—的】ダナ 독단적. ¶～な態度 독단적인 태도.

どくだんじょう【独壇場】名 독무대; 독판. 参考 '独擅場'의 오독에서, 관용적으로 쓰이어 굳어진 말.

とぐち【戸口】名 (건물의) 출입구.

とくちゅう【特注】名 ス他 '特別注文(=특별 주문)'의 준말. ¶～品 특별 주문품 / 専門の業者に～する 전문 업자에게 특별 주문하다.

*とくちょう【特長】名 특장; 특색; 특별한 장점.

*とくちょう【特徴】名 특징. ¶～の有る歩き方〔話し方〕 특징 있는 걸음걸이〔말씨〕/ 目元に～がある顔 눈매에 특징이 있는 얼굴.

—づ-ける 下1他 특징짓다.

—てき【—的】ダナ 특징적. ¶現代の若者に～な考え方 현대의 젊은이들에게 특징적인 사고방식.

> **特長와 特徴의 차이**
>
> 特長는 특별히 뛰어난 점이란 뜻으로, 주로 좋은 의미로 쓰이며, 各人の特長を生かす(각자의 특색을 살리다), 本書の特長(본서의 특장), 彼の特長は統率力だ (그의 장점은 통솔력이다) 등과 같이 쓰임.
>
> 特徴는 다른 것과 비교했을 때 특히 눈에 띄는 점이란 뜻으로, 좋은 의미로도 나쁜 의미로도 쓰이며 特徴のない顔(특징 없는 얼굴), 犯人の特徴(범인의 특징) 등으로 쓰임. 다만, 一大とくちょう(일대 특장〔특징〕)와 같은 경우는 양쪽 다 쓰임.

どくづ-く【毒づく】《毒突く》5他 마구 욕설을 퍼붓다; 악담을 하다. ¶借金取りが～いて帰って行った 빚쟁이가 욕설을 퍼붓고 돌아갔다 / さんざん～かれた 호되게 욕을 먹었다.

とくてい【特定】名 ス他 특정. ¶～の人〔個人〕 특정한 사람〔개인〕/ ～の目じるし 특정한 표지 / 犯人を～することができない 범인을 특정할 수가 없다. ＝不特定.

とくてん【特典】名 특전; 은전. ¶会員の～ 회원의 특전 / 授爵の～に浴した 작위를 받는 특전을 입었다.

とくてん【得点】名 ス自 득점. ¶大量～ 대량 득점 / 無～ 무득점 / ～のチャンス 득점 찬스 / ～を重ねる 득점을 거듭하다. ↔失点.

とくと【篤と】副 신중히; 잘; 차분히. ¶～考える 신중히 생각하다 / ～調べる 자세히 조사하다 / ～御覧下さい 자세히 봐 주십시오.

とくど【得度】名 ス自〔佛〕 득도. **1** 득오(得悟). **2** 출가하여 수계(受戒)함. ¶～式 득도식 / 彼は若くして～した 그는 젊어서 불문에 들었다.

とくとう［禿頭］名 독두; 대머리. ＝はげあたま. ¶～病 독두병.

とくとう【特等】名 특등. ¶～賞 특등상 / ～に選ばれる 특등으로 뽑히다.

とくとく【得得】トタル 득의양양한 모양. ¶～として語る 득의양양해서 말하다.

*どくとく【独特】ダナ 독특. ¶～な味 독특한 맛 / 彼～の文体 그만의 독특한〔특유한〕 문체.

どくどく 副 액체가 쏟아지는 모양: 콸콸; 철철. ¶血が～(と)流れ出る 피가 콸콸 흘러〔쏟아져〕 나오다.

どくどくし-い【毒毒しい】形 **1** 몹시 독이 있는 듯이 보이다. ¶～茸 몹시 독기가 있어 보이는 버섯. **2** 독살스럽다. ＝にくにくしい. ¶～言葉 독살스러운 말 / 悪魔の～顔つき 악마의 독살스러운 표정. **3** 색이 지나치게 진하다〔칙칙하다〕. ¶～色 칙칙한 빛깔 / ～化粧 너무 짙은 화장.

**とくに【特に】副 특히; 특별히. ＝とりわけ·ことさら. ¶～心ひかれる作品 특히 마음 끌리는 작품 / ～注意をはらう 특(별)히 주의를 기울이다 / この夏は～暑い 올여름은 특히 덥다 / ～君のために注文したんだ 특별히 자네를 위해 주문한 거야.

とくのう【篤農】名 독농. ¶～家 독농가.

とくは【特派】名 ス他 특파; 특별히 파견함. ¶～員 특파원 / 取材記者を～する 취재 기자를 특파하다.

どくは【読破】名 ス他 독파. ＝読了. ¶フランス革命史を～する 프랑스 혁명사를 독파하다.

とくはい【特配】名 ス他 특배. **1** 물품의 특별 배급. **2** (주식의) 특별 배당.

とくばい【特売】名 ス他 특매. ¶～品 특매품 / ～場 특매장.

どくはく【独白】名 ス自 독백. ＝モノローグ. ¶ハムレットの～ 햄릿의 독백 / 心境を～する 심경을 혼자서 중얼거리다.

とくばん【特番】名 특집 프로; 큰 사건 등이 났을 때 TV·라디오에서 특별히 제작한 방송 프로《'特別番組'의 준말》. ¶日曜～ 일요 특집 프로.

とくひつ【特筆】名 ス他 특필. ¶～すべき出来事 특필할 만한 사건 / ～に値する 특필할 가치가 있다.

—たいしょ【—大書】名 ス他 대서특필.

とくひょう【得票】名 ス自 득표. ¶～率 득표율 / 法定～数 법정 득표수 / 大量に～する 대량 득표하다.

どくぶつ【毒物】名 독물; 독성이 있는 물질. ¶酒に～を混ぜて毒殺を企ら

む 술에 독을 타서 독살을 꾀하다.

**とくべつ【特別】副ダナ 1 특별(히). ＝格別·とりわけ. ¶～待遇 특별 대우/～の処置 특별한 조치/あの人は～だ 저 사람은 특별하다〔예외이다〕/～に安くする 특별히 싸게 하다. 2《뒤에 否定語가 따라서》 별로; 그다지. ＝大して. ¶～高価ではない 그다지 비싸진 않다/～変わったことはない 별로 바뀐〔변한〕 것은 없다.

—く【—区】名 특별구《東京都의 23개 구로서 시 취급을 받는 특별 지방자치 단체》. ⇨東京 박스記事

どくへび【毒蛇】名 ☞どくじゃ.

とくほう【特報】名ス他 특보. ¶選挙～ 선거 특보.

とくぼう【徳望】名 덕망. ¶～が高い 덕망이 높다.

どくぼう【独房】名 (감방의) 독방. ＝独居監房. ¶政治犯を～に入れる 정치범을 독방에 넣다.

とくほん【読本】名 독본. 1 '国語教科書(＝국어 교과서)'의 예스러운 말. ¶副～ 부독본. 2 입문서; 해설서. ¶文章～ 문장 독본/人生～ 인생 독본.

ドグマ [dogma] 名 도그마. 1 (종교상의) 교리. 2 독단(적인 설). ¶～に陥る 도그마〔독단〕에 빠지다.

どくみ【毒味·毒見】名ス自他 1 (남에게 권하기 전에) 자기가 맛보아 독의 유무를 확인함. ¶前もって～する 사전에 독의 유무를 확인하다. 2 요리의 맛을 봄. ¶ちょっと～する 좀 맛을 보다.

とくむ【特務】名 특무; 특별한 임무. ¶～を帯びる 특별 임무를 띠다.

—きかん【—機関】名 특무 기관.

とくめい【匿名】名 익명. ¶～の手紙 익명의 편지.

とくめい【特命】名 특명. ¶首相の～を受ける 수상의 특명을 받다.

—ぜんけんこうし【—全権公使】名 특명 전권 공사.

—ぜんけんたいし【—全権大使】名 특명 전권 대사.

どくや【毒矢】名 독시; 독화살. ¶～を射る 독화살을 쏘다.

とくやく【特約】名ス自 특약. ¶～店 특약점/会社が～している旅館 회사가 특약하고 있는 여관.

どくやく【毒薬】名 독약. ¶～を飲んで自殺する 독약을 먹고 자살하다.

とくゆう【特有】名ダナ 특유. ¶この地方～の風俗 이 지방 특유의 풍속/新茶～のかおり 햇차 특유의 향기. ↔通有.

とくよう【徳用】《得用》名ダ 덕용; 써서 이익이 많음; 값이 싼 데 비해 비교적 쓸모가 있음. ¶～品 덕용품/石の家は～だ 돌로 지은 집은 쓸모가 있다.

どくよけ【毒よけ】《毒除け》名 중독을 예방하는 일; 또, 그런 효능이 있는 것; 해독제. ＝毒けし. ¶～に薬をのむ 해독을 위해 약을 먹다.

とくり〖徳利〗名 1 (아가리가 잘쏙한) 술병. ＝銚子. 2 비유적으로, 헤엄을 못 치는 사람. ¶僕は～だ 나는 맥주병이다. 注意1 'とっくり'라고도 함. 注意2 '徳利'로 씀은 취음.

**どくりつ【独立】名ス自 독립. ＝ひとりだち. ¶～運動〔戦争〕 독립 운동〔전쟁〕/～の歩み (도움없이) 혼자 걸음/～した部屋 독립된 방/家を出て〔店を出して〕親から～した 집을 나와〔가게를 내어〕 부모로부터 독립했다. ↔従属.

—かおく【—家屋】名 독립 가옥; 단독주택. ＝一軒家·一戸建て住宅.

—ご【—語】名 독립어.

—こく【—国】名 독립국.

—さいさんせい【—採算制】名 독립 채산제.

—じそん【—自尊】名 독립자존.

—どっぽ【—独歩】名ス自 독립독보. ＝独立独行. ¶～で行く 독립독보로 나아가다.

—ふき〔—不羈〕名 독립불기; 독립하여 어떤 제약도 받지 않음.

どくりょう【読了】名ス他 다 읽음; 독파. ¶息もつかずに～した 단숨에 독파했다.

どくりょく【独力】名 독력; 혼자의 힘; 자력(自力). ¶～でなしとげる 자력으로 해내다/～で事業を起こす 혼자 힘으로 사업을 일으키다.

とぐるま【戸車】名 호차《문짝의 여닫이를 쉽게 하기 위해 다는 작은 쇠바퀴》. ¶～をつけかえる 호차를 바꿔 달다.

とくれい【特例】名 특례. ¶～を設ける 특례를 만들다〔마련하다〕/～は認めない 특례는 인정하지 않는다.

とくれい【督励】名ス他 독려. ¶部下を～する 부하를 독려하다/税金の取り立てを～する 세금 징수를 독려하다.

とぐろ 名 뱀 따위가 몸을 서림; 또, 그 서린 모양. ¶縄を～にまく 새끼를 사리다.

—を巻く 1 뱀이 몸을 서리다. 2 불량배들이 별 볼일도 없이 한곳에 장시간 죽치고 있다. ¶朝から酒屋でとぐろを巻いている 아침부터 술집에 죽치고 앉아 있다.

どくろ〖髑髏〗名 촉루; 해골. ＝されこうべ.

*とげ〖刺·棘〗名 가시; 비유적으로, 감정을 자극하는 것. ¶バラの～ 장미 가시/～のある言葉 가시 돋친 말/指に～がささる 손가락에 가시가 박히다.

とけあ-う【溶け合う】5自 용합(溶合)하다; 녹아서 하나로 섞이다. ¶薬物が～ 약물이 용합하다.

とけあ-う【解け合う】5自 1 마음을 터놓아 격의없이 어울리다; 융화하다. ¶転校して来た子も今はすっかり～っている 전학해 온 아이도 이제는 완전히 융화되었다. 2 (서로 협의하여 거래 등의) 계약을 해소하다.

**とけい【時計】[名] 시계. ¶~屋(や) 시계포(주인)/置(お)き時計(どけい) 탁상 시계/柱時計(はしらどけい) 벽시계; 괘종/目覚(めざ)まし時計(どけい) 자명종/~を巻(ま)く 태엽을 감다/~をラジオの時報(じほう)に合(あ)わせる 시계를 라디오 시보에 맞추다/~が三分(さんぷん)進(すす)んで〔遅(おく)れて〕いる 시계가 3분 빠르다〔늦다〕/~が止(と)まった 시계가 섰다.

—じかけ【—仕掛け】[名] 시계 장치. ¶~爆弾(ばくだん) 시한 장치 폭탄.

—だい【—台】[名] 시계탑. ¶大学(だいがく)の~ 대학의 시계탑.

—まわり【—回り】[名] 시계(바늘) 방향으로 돌기. =右回(みぎまわ)り.

とけこ-む【溶け込む】[5自] **1** 녹아서 완전히 섞이다; 용해하다. ¶塩分(えんぶん)が~·んだ水(みず) 염분이 용해된 물. **2** 융화하다; 동화하다. ¶チームに~ 팀에 융화되다. [可能]とけこ-める[下1自]

どげざ【土下座】[名][ス自] (옛날, 귀인의 행차 때) 땅에 엎드려 조아림. ¶~してあやまる (머리를) 조아려 사죄하다.

とけつ【吐血】[名][ス自] 토혈. ¶胃病(いびょう)が悪化(あっか)して~した 위병이 악화해서 토혈했다. ⇨かっけつ.

とげとげし-い〖刺刺しい〗[形] 가시 돋치다; 심술궂고 모나다; 표독스럽다; 험악하다. ¶~声(こえ) 가시 돋친 소리/~雰囲気(ふんいき) 험악한 분위기.

と-ける【溶ける·解ける】《融ける》[下1自] 녹다. **1 (액체에) 녹다; 풀리다. ¶氷(こおり)が~ 얼음이 녹다/看板(かんばん)の絵(え)の具(ぐ)が雨(あめ)で~ 간판의 그림물감이 비에 씻기다. **2**《鎔ける·熔ける》(금속이) 용해하다. ¶炉(ろ)の中(なか)で鉄(てつ)が~ 용광로 속에서 쇠가 녹다.

*と-ける【解ける】[下1自] 풀리다. **1** (맨 것이) 끌러지다. ¶靴(くつ)のひもが~ 구두 끈이 풀리다. **2** 해제되다. ㉠(속박 등이 없어져) 자유스러워지다. ¶旅行禁止(りょこうきんし)が~ 여행 금지가 해제되다. ㉡(직위·임무 등에서) 해임되다. ¶役目(やくめ)が~ 직책이 해제되다. **3** 없어지다. ㉠(맺힌 감정이) 스러지다; 해소되다. ¶怒(いか)りが~ 노여움이 풀리다/不和(ふわ)が~ 불화가 해소되다. ㉡의문 따위가 풀어지다. ¶なぞ〔うたがい〕が~ 수수께끼가〔의심이〕 풀리다/依然(いぜん)として~·けぬなぞ 여전히 풀리지 않는 수수께끼. **4** 가슴을 터놓아 격의가 없어지다. ¶たがいに~·けて話(はな)しあう 서로 격의없이 이야기하다. **5** (문제를) 풀 수가 있다. ¶その問題(もんだい)ならぼくに~よ 그 문제라면 내가 풀 수 있어.

*と-げる【遂げる】[下1他] **1** 이루다. ㉠얻다; 성취〔달성〕하다. ¶優勝(ゆうしょう)を~ 우승을 하다/名(な)を~ 이름〔명성〕을 얻다/本望(ほんもう)を~ 소망을 이루다/思(おも)いを~ (a)뜻을 이루다; (b)사랑을 이루다. ㉡끝내다. ¶研究(けんきゅう)を~ 연구를 완성하다. **2** 마치다; 죽다. ¶悲壮(ひそう)な最期(さいご)を~ 비장한 최후를 마치다.

*ど-ける〖退ける〗[下1他] 치우다; 비키다; 물리치다. ¶石(いし)を~·けてすわる 돌을 치우고 앉다/通(とお)れないからその椅子(いす)を~·けてください 지나갈 수 없으니 그 의자를 치워 주세요.

どけん【土建】[名] 토건《'土木建築(どぼくけんちく)'의 준말》. ¶~業(ぎょう)〔屋(や)〕 토건업〔업자〕.

とこ【床】[名] **1** 잠자리. =ねどこ. ¶~を延(の)べる 이부자리를 펴다. **2** 마루. **3** たたみの 심〔속〕. ¶古床(ふるどこ) 낡은 たたみ 심. **4** 모판; 못자리. =なえどこ. **5** 강의 밑바닥; 하상(河床). =かわどこ. **6** '床(とこ)の間(ま)'의 준말. ¶~の置物(おきもの) 床の間에 놓아두는 장식품.

—に就(つ)く **1** 잠자리에 들다. **2** 병들어 눕다. ¶もう長(なが)く床についている 벌써 오래전부터 병으로 누워 있다.

とこ〖所〗[名]〈口〉 **1** 곳; 점. =ところ. ¶そこん~がわからない 그 점을 모르겠다/いい~もある 좋은 점도 있다/今(いま)着(つ)いた~だ 지금 막 도착했어. **2** 쯤; 정도. =ぐらい. ¶百円(ひゃくえん)が~ください 백 엔어치쯤 주시오/もうちょっとの~だ 이제 조금만 더; 이제 거의 다 됐어/早(はや)い~頼(たの)む 빨리 (좀) 부탁한다.

どこ〖何処·何所〗[代] 어디; 어느 곳. ¶~から来(き)たのか 어디서 왔느냐/~にでもある品(しな) 어디나 있는 물건/~にお勤(つと)めですか 어디에 근무하고 계십니까.

—の馬(うま)の骨(ほね) 어디서 굴러먹던 개뼈다귀《신원이 불확실한 자에 대한 욕》.

—吹(ふ)く風(かぜ) 뉘 집 개가 짖어대는 소리냐는 식임. ¶親(おや)の意見(いけん)も~と… 부모의 타이름도 아랑곳하지 않고….

とこあげ【床上げ】[名][ス自] 오랜 병이나 산후가 완쾌되어 이부자리를 걷어치움; 또, 그 축하. =床払(とこばら)い.

どこいら〖何処いら〗[代]〈口〉 어디; 어디쯤. =どこら. ¶~に置(お)こうか 어디쯤에 둘까.

とこいり【床入り】[名][ス自] **1** 잠자리에 듦. **2** 신혼 부부의 첫 동침(同寝). ¶~する 첫날밤을 맞다.

とこう【渡航】[名][ス自] 도항. ¶海外(かいがい)に~する 해외에 도항하다.

とこう〖兎角·左右〗[副] 이럭저럭; 이러니저러니; =と(や)かく. ¶~するうちに夜(よ)が明(あ)けた 이럭저럭하는 사이에 날이 샜다.

どごう【土豪】[名] 토호; 그 지방의 호족.

どごう【怒号】[名][ス自] 노호; 성이 나서 고함침. ¶群衆(ぐんしゅう)が~している 군중이 노호하고 있다.

どこか〖何処か〗[連語] 어딘가; 어딘지. ¶彼(かれ)は~に出掛(でか)けた 그는 어딘가에 나갔다/~に良(よ)い口(くち)が無(な)いか 어딘가에 좋은 일자리〔수〕가 없을까/彼(かれ)は~死(し)んだおやじに似(に)ている 그는 어딘가 죽은 아버지를 닮았다/~変(へん)だ 어딘지 이상하다/~おかしい所(ところ)がある 어딘가 이상한 데가 있다.

とこしえ〖常しえ·長しえ·永久〗[名ナ] 영

원; 영구. ＝とこしなえ. ¶～の眠りにつく 영면(永眠)하다; 죽다 / ～に変わらぬ心 영원히 변치 않는 마음.

とこずれ【床擦れ】图ス自 욕창(蓐瘡). ＝じょくそう. ¶～したところが痛々しい 욕창이 난 데가 보기에 딱하다.

どこそこ〖何処其処〗代 (특히, 밝히지 않는) 어디어디. ¶～とはっきり決めたわけではない 어디어디라고 확실히 정한 것은 아니니다.

とこつち【床土】图 상토; 모판의 흙.

とことこ副 종종걸음 치는 모양. ¶子供が～(と)ついて行く 어린 아이가 종종걸음으로 따라가다.

どことなく〖何処と無く〗連語 **1** 어딘지 (모르게); 어쩐지. ＝なんとなく. ¶～悲しそうだ〔似ている〕 어딘지 모르게 슬픈 듯하다〔닮았다〕/ ～おかしい 어쩐지 이상하다. **2** 어디론지. ¶～立ち去った 어디론가 가버렸다.

とことん 图副 〈俗〉 최후; 막다른 곳; 끝; 철저하게. ¶～まで追求する 끝까지〔철저히〕 추구하다 / ～やってみる 끝까지 해보다.

とこなつ【常夏】图 상하; 늘 여름임. ¶～の国 상하의 나라.

とこのま【床の間】图 일본식 방의 상좌에 바닥을 한층 높게 만든 곳《벽에는 족자를 걸고, 바닥에는 꽃이나 장식물을 꾸며 놓음; 보통 객실에 꾸밈》.

とこばしら【床柱】图 床の間의 한쪽 편의 장식 기둥.

とこはる【常春】图 상춘. ¶～の国 상춘의 나라.

どこまでも〖何処迄も·何所迄も〗連語 **1** 끝〔한〕없이. ¶～草原が続く 끝없이 초원이 이어지다. **2** 어디까지나; 끝까지. ¶～真理を究める 끝까지 진리를 탐구하다 / ～しらを切る 끝까지 시치미를 떼다.

どこもかしこも〖何処も彼処も〗連語 여기도 저기도; 모두. ＝どこもかも. ¶～雪におおわれている 어디나 온통 눈으로 덮여 있다.

とこや【床屋】图 이발소; 또, 이발사. ＝理髪店.

どこやら〖何処やら·何所やら〗副 **1** 어딘지 모르게. ＝どことなく. ¶～君に似た人 어딘지 모르게 너를 닮은 사람. **2** 어딘지. ＝どこか. ¶～で虫が鳴く 어디선가 벌레가 운다.

どこら〖何処ら〗代 어디쯤. ¶今～あたりにいるだろう 지금 어디쯤 있을까 / ～まで行っただろう 어디쯤까지 갔을까.

****ところ**【所】《処》图 **1** 곳. ㉠장소. ¶明るい～ 밝은 곳 / 昔ある～に 옛날 어느 곳에 / 置き所がない 둘 곳이 없다 / 一～に集める 한곳에 모으다. ㉡데. ¶女らしい～ 여자다운 데 / 打ち所が悪い 얻어맞은 데가 (공교롭게도) 나쁘다. **2** 고장. ¶～の豪族 고장의 호족 / ～の古老に聞く 그 고장 노인에게 묻다. **3** 주소. ¶～を尋ねる 주소를 묻다 / ～書き (써〔적어〕 놓은) 주소. **4**…네(집). ¶兄の～にとまる 형네(집)에서 묵다 / 君の～に遊びに行くよ 자네네 집에 놀러 갈게. **5** 제자리; 알맞은 지위. **6** 부분. ¶この小説は初めの～が特におもしろい 이 소설은 첫 부분이 특히 재미있다. **7** 정도. ¶まあ, そんな～だ 그저, 그런 정도다 / これくらいの～でがまんしよう 이쯤 하고〔이 정도로〕 참자. **8** 것. ¶来ない～を見ると 오지 않는 것을 보면. **9** (안성맞춤의) 때. ¶いい～に来てくれた 좋은 때에 와 주었다. **10** 경우; 형편. ¶今の～ 지금 형편으로는; 지금은. **11** 즈음. ¶ここの～しばらく会っていない 요즈음《(a)요 며칠; (b)요 한두 주일; (c)요 한두 달》 얼마 동안 만나지 못하였다 / 早い～頼む 빨리 (좀) 부탁한다. **12** 장면; 현장. ¶盗む～を見る 훔치는 현장을 보다 / とんだ～を見つかった 난처한 장면을 들켰다. **13**《'～だ'의 꼴로; 또는 '～に' '～へ'의 꼴로 구 첫머리에 와서》 막 …하(려)는 판; 마침 그때. ¶今読んでいる～だ 지금 읽고 있는 중이다 / 今帰って来た～だ 지금 막 돌아온 길이다. **14** 바. ㉠사물의 문제가 되는 어느 점. ¶私の知る～では 내가 아는 바로는 / 見聞した～を述べる 듣고 본 바를 말하다 / 君の関与する～ではない 네가 관여할 바가 아니다. ㉡《'Aの…する～となる'의 꼴로》 A의 …하는 바가 되다; A에게 …당하다. ¶Aの憎む～となる A의 미워하는 바가 되다; A에게 미움을 사다. ㉢《'Aの～のB'의 꼴로, A의 끝은 連体形, B는 体言》 A가 B의 連体修飾語임을 명시하는 데 쓰임. ¶その規定が及ぶ～の対象 그 규정이 미치는 (바의) 대상 / 見る～の物 보는 (바) 물건. **15**《接続助詞적으로》 ㉠《口語에서는 'た～(が)'의 꼴로》 …었던 바; …었더니. ¶彼に話した～(が), 喜んで引き受けた 그에게 이야기를 하였더니 기꺼이 떠맡았다 / わざわざ行った～(が), あいにく留守でした 모처럼 갔더니, 공교롭게 출타 중이었습니다. ㉡《'…た～が' '…た～で'의 꼴로》 …댔자; …(해 보)았자. ¶あやまった～で許してはくれまい 사과해보았댔자 용서해 주지는 않을 게다 / 私が何か言った～で聞きはしまい 내가 뭐라 말한댔자 듣지는 않을 게다 / 安いといった～で五万円は下るまい 싸다고 해보았자 5만 엔 이하는 안될 거다. **16**《'どころか' 'どころの' 'どころで'의 꼴로》 …은 커녕; …라 할 정도의. ¶筆どころか鉛筆もない 붓은 커녕 연필도 없다 / 困るどころの騒ぎではない 곤란하다〔난처하다〕 할 정도의 소동이 아니다.

——変われば品変わる 고장이 바뀌면 풍속·습관·말 따위도 다른 법이다.

―を得る **1** 제자리를 얻다《그 사람에게 어울리는 지위나 일을 얻다》. **2** 좋은 때를 만나 뜻대로 되다.

=どころ【所】**1** …해야 할〔…할 만한〕곳. ¶見～ 봐야 할〔볼 만한〕곳 / つかみ～ 잡을(만한) 곳; 중점; 요점 / うまいもの～ 음식 맛이 좋은 데. **2**(생산의) 중심지. ¶茶～ 차의 고장 / 米～ 쌀의 고장.

ところえがお【所得顔】名 그 자리·지위 따위에 만족하여 득의양양한 모양〔얼굴〕. ＝したりがお. ¶～にふるまう 득의양양하게 굴다 / 新任の大臣が～で登庁する 신임 장관이 득의양양하게 등청하다.

ところが 一接 그랬더니; 그런데; 그러나. ¶新聞は軽く扱っていたようだね. ～これは大事件なんだ 신문에서는 가볍게 취급하고 있었던 것 같더군. 그러나 이것은 대사건이란 말일세. 二接助 **1** …(했)던 바; …더니. ＝ところ. ¶行った～, 済んでいた 갔더니 이미 끝나 있었다. **2** …했댔자; …해보았자. ¶急いで行った～, まにあうまい 서둘러 가보았자 시간에 대지 못할걸.

どころか 接助 ☞ところ16.

ところがき【所書き】名 주소를 적음; 또, 그 주소. ¶～が間違っている 주소가 잘못 쓰여 있다.

ところがら【所柄】名 장소의 성질〔형편〕(상); 장소가 장소임. ¶～それはだめだ 장소가 장소이니만큼 그것은 안 된다 / ～をわきまえてものを言え 장소를 가려서 말을 하라.

ところきらわず【所嫌わず】連語《副詞적으로》장소를 가리지 않고; 아무데나. ＝所構わず. ¶～わめく 장소를 가리지 않고 함부로 떠들다 / ～ポスターを張りつける (장소를 안 가리고) 아무데나 포스터를 붙이다.

ところせま-い【所狭い】形 장소가 좁다; 비좁다. ¶本などが～までに積まれている 책 등이 장소가 비좁다고 할 정도로 (가득) 쌓여 있다.

ところで 一接 그런데; 그것은 그렇다 하고. ¶～あの件はどうなりましたか 그런데 그 건은 어떻게 되었습니까. ⇨さて. 二接助 ☞ところ15㉡.

ところてん〖心太〗名 우무. ¶～突き통 속에 우무를 넣고 막대기로 밀어서 가늘게 뽑아 내는 틀.

―しき【―式】名 **1** 뒤에서 밀려 저절로 앞으로 나아감. **2** 아무런 수고없이 다음 단계로 나감. ¶～に大学を卒業する (햇수가 차서) 힘 안 들이고 대학을 졸업하다.

ところどころ【所所】名 여기저기. ＝あちこち·ここかしこ. ¶店屋が～に散らばっている 점포가 여기저기 흩어져 있다 / ～汚れが目立つ 여기저기 더러운 데가 눈에 띈다.

ところばんち【所番地】名 (집·건물의) 소재지와 번지; 주소. ¶会社の～ 회사의 주소 / 氏名と～ 성함과 주소.

どこんじょう【ど根性】名 끈질긴 근성; 억척스러운 근성. ¶男の～を見せる 남자의 끈질긴 근성을 보여 주다. 参考 'ど'는 강조의 接頭語.

とさ【土佐】名〔地〕옛 지방 이름; 지금의 高知県의 일부《土佐犬의 산지로서 유명》.

―いぬ【―犬】名 土佐견《土佐 원산; 일본개와 서양개의 잡종인 맹견》.

とさ 終助《終止形·命令形에 붙음》…(했〔었〕)더란다〔다더라〕; …(했〔었〕)대; …(했〔었〕)단다. ¶おもしろかった～ 재미있었더란다 / 昔おじいさんとおばあさんがあった～ 옛날에 할아버지와 할머니가 있었더란다.

どざえもん［土左衛門］名〈俗〉익사자; 물에 퉁퉁 부은 익사체. ¶岸に～が上がる 강가에 익사체가 떠오르다.

とさか〖鶏冠〗名 볏; 계관.

どさくさ 名ス自〈俗〉혼잡〔혼란〕한 상태. ＝ごたごた. ¶引っ越しの～の最中に 이사로 한창 혼잡한 때에. 参考 副詞적으로도 씀.

―まぎれ【―紛れ】名 혼잡한 틈을 탐. ¶火事場の～に悪事を働く 화재현장의 혼란을 틈타서 나쁜 짓을 하다.

とざ-す【閉ざす】《鎖す》五他 **1** (문을) 닫다; 잠그다. **2** 길·통행을 막다; 폐쇄하다. ¶道を～ 길을 막다. **3** 가두다; 갇히게 하다. ¶雪に～·された山村 눈에 갇힌 산촌. **4**《受動形으로》답답한 마음에 싸이다. ¶憂いに～·される 근심에 싸이다.

とさつ［屠殺］名ス他 도살; 도축.

―じょう［―場］名 도살장.

どさどさ 副ス自 **1** 털썩털썩. ¶砂袋を～(と)おろす 모래주머니를 털썩털썩 내려 놓다. **2** 우르르. ¶～(と)来る 우르르 몰려오다.

とざま［外様］名 **1** 무가(武家) 시대에, 将軍의 일가나 세록지신(世祿之臣)이 아닌 大名나 무사. ↔親藩·譜代. **2** 직계가 아님; 방계. ¶～だから出世がおそい (직계가 아니고) 방계이기 때문에 출세가 더디다.

―だいみょう［―大名］名 江戸 시대, 특히 関が原 싸움 후 徳川 가(家)를 섬긴 大名. ↔譜代大名.

どさまわり【どさ回り】名 **1** (극단 따위의) 지방 순회; 또, 그 단체《극단·곡마단 따위》. **2** 번화한 거리를 배회하는 건달패. ＝地回り.

どさりと 副 털썩. ¶棚から～つつみが落ちてきた 선반에서 보따리가 털썩 떨어졌다.

***とざん**【登山】名ス自 등산. ＝山登り. ¶～客〔道〕등산객〔로〕/ ～靴〔帽〕등산화〔모〕/ ～口 등산로 입구 / 冬山～ 겨울철 등산. ↔下山.

どさんこ［道産子］名〈方〉北海道

에서 태어난 사람〔말〕.

とし【年】《歳》图 **1 해. ¶～の始め〔暮れ〕 연초〔연말〕/ 行く～来る～ 가는 해 오는 해 / ～をへる 해를 경과하다; 해가 가다 / ～が改まる〔変わる〕 해가 바뀌다《새해가 되다》/ ～が明ける 새해가 되다 / ～が暮れる 해가 저물다. **2** 나이; 연령. ¶～が寄る 나이가 들다 / ～の割に若い 나이에 비해 젊다. **3** 노령; 노년; 고령. ¶いい～をして恥ずかしい 나잇값을 못해 부끄럽다 / このくらいでつかれるとは, 彼も～だなあ 이 정도로 지치다니, 그도 나이를 먹었구나.

—が年 나이가 나이; 꽤 든 나이. ¶～だから無理は利かない 나이가 나이니 만큼 무리할 수는 없다.

—に似合わぬ 나이에 비해 뛰어나다. ¶～しっかり者 나이에 걸맞지 않게 견실한 자.

—には勝てぬ 나이에는 어쩔 수 없다《나이가 들면, 아무리 기운〔용〕을 써 봐도 몸이 말을 안 듣는다》.

—は争えない 나이는 못 속인다.

—を食う 나이를 먹다. ¶彼は意外に年を食っている 그는 의외로 (보기보다) 나이가 많다.

*とし【都市】图 도시. ＝都会. ¶～の生活 도시 생활 / ～公園 도시 공원 / ～ガス 도시 가스.

—か【—化】图ス自他 도시화.

—ぎんこう【—銀行】图 시중 은행. ＝市銀. ↔地方銀行.

—けいかく【—計画】图 도시 계획.

とじ〖綴じ〗图 철(綴); 철하는〔책 매는〕 일〔방법〕. ¶仮～ 가철; 가제본 / ～が悪い 잘못 철해 있다 / ～がゆるむ 철한 데가 느슨해지다.

どじ 名ナ 〈俗〉 얼빠진 짓; 바보 짓; 실수. ＝へま. ¶～なやつだ 얼빠진 녀석이다 / ～を仕出かす 얼빠진 짓을 하다.

—を踏む 실수를 하다; 얼빠진 짓을 하다. ¶取り引きで～ 거래를 하다가 실수를 저지르다.

としうえ【年上】图 연상; 연장. ¶～の友人 연상의 친구. ↔年下.

としお-いる【年老いる】上1自 나이를 먹다. ¶～いた両親 연로한 부모님.

としおとこ【年男】图 '節分の豆まき(＝입춘 전야에 액막이로 콩을 뿌리는 일)'를 맡은 남자《그해의 간지(干支)에 태어난 남자가 함. 근년에는 여성도 하는데, '年女'라고 함》.

としがい【年がい】《年甲斐》图 나이에 걸맞은 사려 분별; 나잇값.

—もない 나잇값도 못한다. ¶年がいもなくけんかする 나잇값도 못하고 싸움질하다.

としかさ【年かさ】《年嵩》图 **1** (남보다) 나이가(훨씬) 위임; 또, 그 사람; 연상(年上). ¶二つ～の兄 두 살 위인 형. **2** 고령. ¶よほどのお～に見えます 상당히 고령으로 보이십니다.

どしがた-い【度し難い】形 타일러 이해시킬 도리가 없다; 구제할 길이 없다. ¶～悪人だ 구제할 길 없는 악인이다 / 彼は～頑固者だ 그는 구제 불능의 고집통이다

としかっこう【年格好】《年恰好》图 겉으로 본 나이; 보아서 짐작한 나이; 연령의 정도. ¶四十才ぐらいの～の男だ 40세쯤 되어 보이는 남자다 / 父親ぐらいの～の男と席を並べる 아버지 연배쯤 되어 보이는 남자와 자리를 나란히 하다〔이웃해서 앉다〕.

としご【年子】图 연년생. ¶～を育てる 연년생을 키우다 / あの姉妹は～だ 저 자매는 연년생이다.

としこし【年越し】㊀图ス自 묵은해를 보내고 새해를 맞음. ¶旅先で～する 타관에서 송구영신하다. ㊁图 섣달 그믐날 밤 또는 입춘 전날 밤(의 행사).

—そば〖—蕎麦〗图 섣달 그믐날 또는 입춘 전날 밤에 먹는 메밀 국수. ＝みそかそば.

としごと【年ごと】《年毎》图 매년; 연년세세. ¶～に物価があがる 해마다 물가가 오르다.

とじこみ【とじ込み】《綴じ込み》图 철하는 일; 철한 것. ¶新聞の～ 신문철.

とじこ-む【とじ込む】《綴じ込む》5他 철하다; 철한 것 뒤에 덧붙여서 철하다. ¶関係書類を～ 관계 서류를 같이 철하다. 可能 とじこ-める 下1自

とじこ-める【閉じ込める】下1他 가두다; 감금하다. ＝おしこめる. ¶牢に～ 감옥에 가두다 / 吹雪で山小屋に～・められる 눈보라로 산막에 갇히다.

とじこも-る【閉じこもる】《閉じ籠る》5自 틀어박혀 나오지 않다; 두문불출하다. ¶家〔へや〕に～ 집〔방〕에 틀어박히다.

としごろ【年ごろ】《年頃》图 **1** 알맞은 나이; 적령기; 특히, 여자의 혼기. ¶～の娘 혼기의 딸〔처녀〕 / ～になった娘 적령기가 된 딸〔처녀〕 / そろそろ～だ 그럭저럭 시집갈 나이다. **2** (대체로 본) 나이의 정도. ¶遊びたい～ 한창 놀고 싶은 나이 / 二人は同じ～だ 두 사람은 같은 또래다.

としした【年下】图 연하. ¶～の者 손아랫사람 / 私より三つ～です 나보다 세 살 아래입니다. ↔年上.

とじしろ【とじ代】《綴代》图 철하기 위해서 남겨 둔 종이의 여백; 꿰맬 몫.

としつき【年月】《歳月》图 **1** 연월; 해와 달. **2** 세월; 광음. ＝ねんげつ・さいげつ. ¶～の流れ 세월의 흐름 / ～がたつ 세월이 지나다.

として 連語 **1** …의 자격으로서; …(으)로서; …의 입장에서. ¶教授～採用する 교수로서 채용하다 / 代表～出席する 대표로서 참석하다 / 日本人～は背が高い方だ 일본인으

로서는 키가 큰 편이다. **2** 그대로 해두고; 그렇다 치고. ¶それはそれ~, 本題(ほんだい)に入(はい)ろう 그것은 그렇다 치고 본주제로 들어가자. **3**《뒤에 否定이 따라》 하나도 예외 없이; …(라)도. ¶一時(いっとき)~気(き)の休(やす)まる時(とき)はない 한시도 마음 편할 때가 없다/望(のぞ)むところ~かなわぬことはない 바라는 것마다 성취 안 되는 것이 없다. **4** …ㄹ까 하고; 막 …하려고(해도). ¶行(い)こう~行けない 가려 해도 못 간다/帰(かえ)ろう~立(た)ち上(あ)がる 돌아가려고 일어나다.

としどし【年年】图 연년; 해마다; 매년. =としごと·ねんねん. ¶~増(ふ)える 연년 불어나다/~減(へ)って行(ゆ)く 해마다 줄어들다.

どしどし 副 **1** 쉴 사이 없이 (활기 있게) 계속되는 모양: 척척; 죽죽; 줄줄. ¶仕事(しごと)を~やる 일을 척척 하다. **2** 거리낌 없는 모양: 기탄없이. ¶~質問(しつもん)してください 기탄없이 질문해 주십시오. **3** 소리를 내어 걷는 모양: 쿵쿵. ¶二階(にかい)の廊下(ろうか)を~と歩(ある)く 2층 복도를 쿵쿵거리며 걷다.

としと-る【年取る】5自 **1** 나이를 먹다. **2** 늙다. ¶僕(ぼく)も~·ったものだ 나도 (이제) 늙었어.

としなみ【年並み】《年次》图 매년; 예년. ¶~の行事(ぎょうじ) 예년의 행사.

としなみ【年波】图《'寄(よ)る~'의 꼴로》 나이드는 일. ¶寄る~には勝(か)てない 드는 나이는 어쩔 수 없다.

としのいち【年の市】《歳の市》图 (연말의) 대목장《새해의 장식물 등의 물품을 팖》. ¶~が立(た)つ 연말 대목장이 서다/街(まち)は~で混雑(こんざつ)している 거리는 대목장으로 혼잡을 이루고 있다.

としのくれ【年の暮れ】图 연말; 세모. ¶~の大売(おおう)り出(だ)し 연말 대매출/~には忙(いそが)しい 연말에는 바쁘다.

としのこう【年の功】連語 연공; 나이가 들어 경험을 쌓음; 또, 그 경험의 힘. =年功(ねんこう). ¶亀(かめ)の甲(こう)より~ 귀갑(龜甲)보다는 연공《무엇보다도 귀중한 것은 경험이다》/さすがに~だ 과연 나이를 헛먹지 않았다.

としのころ【年のころ】《年の頃》連語 〈老〉 대강의 나이. ¶~五十(ごじゅう)の男(おとこ) 나이 50세 가량의 사나이.

としのせ【年の瀬】图 세모(歳暮); 세밑; 연말. =年末(ねんまつ). ¶~を越(こ)す 세모를 넘기다/~も押(お)し迫(せま)ったある日(ひ) 세밑도 가까이 다가온 어느날.

としは【年端·年歯】图 (어린아이의) 연령 정도; 나이.
—も[の]行(ゆ)かぬ 나이도 차지 않은; 아직 어린. ¶~少年(しょうねん) 나이 어린 소년.

とじひも〖綴じ紐〗图 철(綴)끈.

としま〖年増〗图 처녀다운 때를 지난 여자《江戸(えど) 시대에는 20세 전후, 현대에는 30대를 가리킴》. =年増女(としまおんな). ¶大(おお)どしま 40대 여자/~のあだっぽい色気(いろけ) 중년 여인의 요염한 성적 매력.

とじまり【戸締まり】图 문단속. ¶~をして外出(がいしゅつ)する 문단속을 하고 외출하다/~を厳重(げんじゅう)にする 문단속을 엄중히 하다.

としまわり【年回り】图 **1** 나이에 따른 연운(年運)《남자 42세, 여자 33세는 가장 흉하다고 하는 따위》. ¶~がいい 연운이 좋다/今年(ことし)は~が悪(わる)い 올해는 연운이 나쁘다. **2** 대체로 본 나이. =としごろ. ¶二人(ふたり)は~が似(に)ている 두 사람은 나이가 비슷하다.

としゃ [吐瀉] 图ス自 토사. =はきくだし. ¶~剤(ざい) 토사제/~物(ぶつ) 토사물.

どしゃ【土砂】图 토사. ¶~崩(くず)れ 토사가 무너짐; (산)사태.

どしゃぶり【どしゃ降り】《土砂降り》图 억수; 악수. ¶~になりそうだ (비가) 억수같이 쏟아질 것 같다.

としゅ【徒手】图 도수; 맨손.
—くうけん [—空拳] 图 도수공권; 맨주먹. ¶~で敵(てき)にむかう 맨주먹으로 대적하다/~で事業(じぎょう)を始(はじ)める 맨주먹으로 사업을 시작하다.
—たいそう【—体操】图 도수〔맨손〕 체조. ↔器械(きかい)体操.

としゅ【斗酒】图 두주; 말술.
—なお辞(じ)せず 두주불사하다.

*__としょ__【図書】图 도서; 책. =書物(しょもつ). ¶~費(ひ) 도서비/優良(ゆうりょう)~ 우량 도서/参考(さんこう)〔推薦(すいせん)〕~ 참고〔추천〕 도서/~を出版(しゅっぱん)する 도서를 출판하다.
—かん【—館】图 도서관. ¶国会(こっかい)~ 국회 도서관/公共(こうきょう)〔巡回(じゅんかい)〕~ 공공〔순회〕 도서관.

としょ [屠所] 图 도살장. =屠殺場(とさつじょう)·屠場(とじょう). ¶~に引(ひ)かれる牛(うし) 도살장에 끌려가는 소.
—の羊(ひつじ) 도소지양《기가 푹 죽어 있거나 죽음이 목전에 있음의 비유》.

とじょう【途上】图 도상. **1** 도중. ¶上京(じょうきょう)の~にある 상경하는 도상에 있다/発展(はってん)の~にある国家(こっか) 발전 도상에 있는 국가. **2** 노상; 길 위.

どじょう〖泥鰌〗图〔魚〕 미꾸라지. ¶~汁(じる) 미꾸라지탕; 추어탕/~ひげ(미꾸라지의 수염처럼) 듬성듬성 난 콧수염.

どじょう【土壌】图 토양. **1** 흙; 땅. ¶~浸食(しんしょく) 토양 침식/~改良剤(かいりょうざい) 토양 개량제/~が肥(こ)えている 토양이 기름지다. **2** 사물이 발생·발전하는 기반. ¶悪(あく)の温床(おんしょう)となりやすい~ 악의 온상이 되기 쉬운 토양〔환경〕.

どしょうぼね【土性骨】图 타고난 성질; 근성. ¶~をたたきなおす 근성을 뜯어고치다. 注意 'ど'는 接頭語.

としょく【徒食】图ス自 도식; 놀고먹음. =坐食(ざしょく). ¶無為(むい)~ 무위도식.

*__としより__【年寄り】图 **1** 늙은이; 노인. ¶~扱(あつか)いする 늙은이 취급하다/~の面倒(めんどう)を見(み)る 노인을 돌보다. **2** 은퇴한 씨름꾼으로서 씨름 협회의 임원이 된 사

람《홍행에 참여하고, 씨름꾼의 단속, 제자 양성 등을 맡음》.

—の冷や水 늙은이가 젊은이에 지지 않고 무리하게 무엇인가 하려 함을 경고하거나 비웃는 말.

—じ-みる【—染みる】[上1自] 늙은 티를 내거나 그런 사고방식을 갖게 되다. ¶～·みたことを言う 늙은이 같은 말을 하다.

*と-じる〖綴じる〗[上1他] 철하다. ¶新聞を～ 신문을 철하다.

**と-じる【閉じる】㊀[上1自] 1 닫히다. ¶水門が～ 수문이 닫히다. 2 (회의 따위가) 끝나다. ¶会が～ 폐회되다.

㊁[上1他] 1 닫다. ¶店を～ 가게를 닫다. 2 (눈을) 감다. ¶目を～ 눈을 감다. 3 덮다. ¶本を～ 책을 덮다/ふたを～ 뚜껑을 덮다. 4 끝내다. ¶会を～ 회를 끝내다. 5 (입을) 다물다. ¶口を～ 입을 다물다. 6 (펼친 것을) 접다. ¶傘を～ 우산을 접다.

どじ-る [5自] 图 〈俗〉 실수를 저지르다; 얼빠진 짓을 하다. ＝しくじる. ¶面接試験で～ 면접시험에서 실수를 하다/酒に酔って～·ってしまった 술 취해서 실수를 저질렀다. ⇨どじ.

としわすれ【年忘れ】图 망년; 망년회. ¶～に飲んで騒ぐ 1년의 노고를 잊기 위해 마시고 떠들다.

としん【都心】图 도심(지). ¶～地帯 도심 지대. 「양의 토인.

どじん【土人】图 토인. ¶南洋の～ 남

どしんと 副 무거운 것이 떨어지는 소리; 또, 힘 있게 앉는 모양: 쿵; 털썩. ＝どすんと. ¶～すわる 털썩 앉다.

トス [toss] 图ス自 토스. 1〖野〗 가까운 데 있는 자기 편에게 공을 가볍게 아래서부터 던져 주는 일. 2 (배구에서) 공격하기 좋게 공을 띄워 올리는 일. 3 동전을 던져 그 나타난 면(面)에 따라 일을 결정함.

—バッティング [toss batting] 图〖野〗 토스 배팅; 공을 가볍게 던지게 하여 정확하게 맞히는 타격 연습.

どす 图 〈俗〉 1 단도; 비수. ＝あいくち. 2 무시무시함. ＝凄味. ¶～のきいた声 위협적인 목소리. 「다.

—を利かす (깡패 등이) 으름장을 놓

—をのむ 단도를 품고 있다.

どすう【度数】图 도수; 횟수. ¶電話の～制度 전화의 도수 제도/欠席の～を数える 결석 횟수를 세다/各々の角の～を測る 각 각(角)의 도수를 재다.

どすぐろ-い【どす黒い】形 거무칙칙하다. ¶～血 거무칙칙한 피.

どすごえ【どす声】图 1 위협적인 목소리. 2 탁한 음성.

と-する【賭する】[サ変他] 걸다. ¶国運を～ 국운을 걸다/身命を～·して戦う 신명을 걸고 싸우다.

とする [連語] 1 …라 가정하다. ¶君がそこに居合わせた～ 자네가 거기에 마침 있었다고 하자. 2 …라고 생각하다〔판단하다〕. ¶この案を可～者 이 안을 좋다고 생각하는 자; 이 안에 찬성하는 자. 3 막 …하는 상태가 되다. ¶出かけよう～ところだった 막 나가려든 참이었다.

とすれば 接 그렇다고 하면. ¶～, しかたないね 그렇다면 어쩔 수 없지/～, 当選は確実だ 그렇다면 당선은 확실하다.

どすんと 副 무거운 것이 떨어지는 소리; 또, 앉거나 부딪는 소리: 쿵; 털썩; 꽝. ＝どしんと. ¶～落とす 쿵 하고 떨어뜨리다.

とせい【渡世】图 세상살이; 생업. ¶大工〔板前〕を～にする 목수〔조리사〕를 생업으로 하다.

—にん【—人】图 도박꾼; 건달.

どせい【土星】图〖天〗 토성. ¶～の環 토성의 고리.

どせい【怒声】图 노성. ¶～を発する 노성을 지르다.

どせき【土石】图 1 토석; 흙과 돌. 2 시멘트《업자들간의 용어》.

—りゅう【—流】图 토석류; 사태로 흙이나 돌이 탁류에 섞여 흘러 내려옴; 또, 그 내려온 것. ＝山津波.

とぜつ【途絶】《杜絶》图ス自 두절. ¶通信の～ 통신 두절/交通が～する 교통이 두절되다. [注意] '途絶'로 씀은 대용한자. 「舟.

とせん【渡船】图 도선; 나룻배. ＝渡し

—ば【—場】图 도선장; 나루터.

とそ〖屠蘇〗图 도소; 도소주. ¶～機嫌 설날에 도소주를 마신 거나한 기분.

とそう【塗装】图ス他 도장. ¶～工事 도장 공사/～材料 도장 재료.

どそう【土葬】图ス他 토장; 매장(埋葬). ↔火葬·水葬. 「つちぐら.

どぞう【土蔵】图 흙벽으로 만든 광. ＝

どそく【土足】图 토족. 1 신발을 신은 그대로의 발. ¶～厳禁 토족 엄금; 신발을 벗으시오/～で上がりこむ (남의 집에) 신발을 신은 채 들어가 앉다. 2 흙 묻은 발. ＝どろあし.

どぞく【土俗】图 토속; 그 지방의 풍속.

*どだい【土台】图 토대; 기초. ¶～石 토대석《건물의 토대 밑에 밀착시켜 깐 돌을 '布石', 기둥 밑 주춧돌 위에 놓은 돌을 '沓石'라 함》/～を固める 토대를 굳히다/～から揺るがす 근본부터 흔들어 놓다.

どだい〖土台〗副 〈俗〉 1 본시; 원래; 근본적으로. ¶～無理な注文だ 애당초 무리한 주문이다. 2《뒤에 否定의 말이 와서》 전혀. ＝てんで. ¶～なっていない 도시 돼먹지 않았다.

とだ-える〖跡絶える·杜絶える·途絶える〗[下1自] 끊어지다; 두절되다. ¶人通りが～ 사람의 왕래가 끊어지다/たよりが～ 소식이 끊어지다.

どたぐつ【どた靴】名 〈俗〉 (발에 안 맞는) 털럭거리는 구두. ¶～をはいて歩(ある)きまわる 털럭거리는 구두를 신고 돌아다니다.

*__どたどた__ 副スル自 《흔히, '～と'의 꼴로 씀》 쿵쾅쿵쾅; 우당탕. ＝どたばた. ¶～と駆(か)けこむ 우당탕 뛰어들다／～(と)とっ組(く)んでけんかする 우당탕 맞붙어 싸우다.

とだな【戸棚】名 찬장. ¶作(つく)り付(つ)けの～ 붙박이장／食器(しょっき)～ 식기장.

どたばた 副 집 안에서 소란을 피우거나 발소리를 요란스럽게 내는 모양: 우당탕. ¶どろぐつで廊下(ろうか)を～走(はし)る 흙 묻은 구둣발로 낭하를 우당탕거리며 달리다／部屋(へや)の中(なか)で～するな 방 안에서 소란 피우지 마라.

—きげき【—喜劇】名 공연히 부산을 떨며 웃기려 드는 저질 희극.

とたん【塗炭】名 도탄. ¶～の苦(くる)しみ 도탄지고(참혹한 고생)).

とたん〖途端〗名 찰나; 막〔바로〕 그 순간. ¶駆(か)け出(だ)した～石(いし)につまずいた 달리기 시작한 순간 돌부리에 걸려 넘어질 뻔하였다.

—に 副 하자마자; 바로 그때. ¶家(いえ)を出(で)た～雨(あめ)が降(ふ)り出(だ)した 집을 나서는 순간 비가 내리기 시작하였다.

トタン [←포 tutanaga] 名 함석. ¶～板(いた) 함석판／～屋根(やね) 함석지붕.

—ぶき〖—葺き〗名 함석으로 지붕을 임; 또, 그 지붕.

どたんば【土壇場】名 목을 베는 형장; 전하여, (거의 절망적인) 막다른 판; 마지막 순간; 고빗사위. ＝どんづまり. ¶～になってあわてふためく 막판에 와서 당황하다／～に追(お)いこまれる 막다른 곳에 몰리다.

__とち__【土地】名 **1 토지; 땅. ¶～割譲(かつじょう) 토지〔영토〕 할양／～収用(しゅうよう) 토지 수용／肥(こ)えた〔やせた〕～ 비옥〔토박〕한 토지. **2** 그 지방〔고장〕. ¶～の人(ひと) 그 지방 사람／～ことば 사투리.

—がら【—がら·—柄】名 그 지방의 풍속·상태. ＝ところがら. ¶～で 그 지방 풍습으로 해서.

—かん【—鑑·—勘】名 그 고장 지리·지형에 대한 지식. ¶～がある 그 고장 사정에 밝다.

—っこ【—っ子】名 〈俗〉 토박이.

—なまり 名 그 지방 사투리〔말투〕.

とちぎ [栃木] 名 〔地〕 関東(かんとう) 지방 북부의 현(현청 소재지는 宇都宮(うつのみや))).

とちじ【都知事】名 東京都(とうきょうと) 지사.

とちのき〖栃の木·橡の木〗名 〔植〕 칠엽수(일본 특산의 낙엽 교목)). ＝とち.

どちゃく【土着】名スル自 토착. ¶～民(みん) 토착민／～の文化(ぶんか) 토착 문화.

**__とちゅう__【途中】名 도중. ¶～下車(げしゃ) 도중 하차／話(はなし)の～で打(う)ち切(き)る 이야기 도중에 중단하다／～で止(や)める 도중〔중도〕에 그만두다／～で, 雨(あめ)に降(ふ)られた (길을 가는) 도중에 비를 맞았다.

どちゅう【土中】名 흙 속; 땅속. ¶～の虫(むし) 땅속의 벌레／～に埋(う)める 땅속에 묻다.

とちょう【都庁】名 도청; 東京都(とうきょうと)의 행정 사무를 취급하는 관청.

どちら〖何方〗代 **1** 어느 쪽; 어느 것(('どれ' 보다 공손한 말씨)). ¶～でもご自由(じゆう)に 어느 것이든 마음대로／～になさいますか. ～でも結構(けっこう)です 어느 것으로 하시겠습니까. 어느 것이든 좋습니다. **2** 어디(('どこ' 보다 공손한 말씨)). ¶～へおいでですか 어디를 가십니까／～にお住(す)まいですか 어디 사십니까. **3** 어느 분; 누구(('だれ' 보다 공손한 말씨)). ¶失礼(しつれい)ですが, ～様(さま)でいらっしゃいますか 실례입니다만 누구십니까.

—かと言(い)えば 어느 쪽이냐 하면. ¶～いなかに住(す)みたい 어느 쪽인가 하면 시골에 살고 싶다.

とちる 5自 〈俗〉 배우가 대사·연기를 틀리다; 전하여, 당황해 실수하다. ＝まごつく. ¶台詞(せりふ)を～ 대사를 틀리다／期末試験(きまつしけん)を～ 기말 시험을 망치다.

とつ〖凸〗常用 トツ | 철 볼록하다 | 볼록함. ¶凸面鏡(とつめんきょう) 철면경; 볼록 거울／凹凸(おうとつ) 요철／凸版(とっぱん) 철판. ↔凹(おう).

とつ〖突〗(突) 常用 トツ つく | 돌 부딪히다 | **1** 부딪치다; 찌르다. ¶衝突(しょうとつ) 충돌／激突(げきとつ) 격돌. **2** 세차게 나오다; 쑥 나오다. ¶突進(とっしん) 돌진／猪突(ちょとつ) 저돌.

とっ＝【とっ·取っ】〈口〉 ☞と(取)り=. ¶～つかまえる 붙잡다.

とつおいつ 副スル自 (갈피를 못 잡고) 망설이는 모양. ¶～思案(しあん)する 이리저리 궁리하다／～しているうちに 이럴까 저럴까 망설이는 동안에.

とっか【特価】名 특가. ¶～品(ひん) 특가품／～販売(はんばい) 특가 판매.

どっかい【読解】名スル他 독해; 읽고 뜻을 이해함. ¶～力(りょく) 독해력／古典(こてん)を～する 고전을 독해하다.

とっかかり【取っ掛かり】名 **1** 손잡을 것〔곳〕; 단서; 실마리. ＝とりつき. ¶話(はなし)の～が無(な)い 말을 꺼낼 실마리가 없다／何(なに)か～がないと 무엇인가 단서가 없으면. **2** 시작; 착수. ¶～が遅(おそ)い 착수가 늦다.

どっかと 副 ☞どっかり.

どっかり 副 **1** 털썩. ㉠무거운 물건을 놓는 모양. ¶荷物(にもつ)を～とおろす 짐을 털썩 내려놓다. ㉡의젓하게 자리 잡고 앉는 모양. ¶～(と)腰(こし)をおろす 털썩 앉다. **2** 사물이 갑자기 변화하는 모양: 푹; 뻥. ¶～目方(めかた)が減(へ)る 갑자기 체중이 푹 줄다／～大(おお)きな穴(あな)があいた 큰 구멍이 뻥 뚫렸다.

とっかん【突貫】名スル自他 돌관. **1** 단숨에 해냄; 강행. ¶～工事(こうじ) 강행 공사. **2** (吶喊) 함성을 지르면서 적진에 돌격함.

¶敵陣に～する 적진에 돌격하다.

とっき【突起】图ス自 돌기. ¶虫様～ 충양 돌기 / 表面に～がある 표면에 돌기가 있다.

とっき【特記】图ス他 특기. ¶～事項 특기 사항 / ～すべき傑作 특기할 만한 걸작 / ～するに足る 특기할 만하다.

どっき【毒気】图 독기. **1** 독한 가스. ¶メタンガスの～に当たる 메탄 가스 독기에 중독되다. **2** 악의. ¶～を含んだ言葉 독기 품은〔악의에 찬〕 말. 注意 'どくけ' 'どっけ' 라고도 함.

—を抜かれる (상대의 뜻밖의 말이나 태도에) 몹시 놀라다; 질려 아연해지다.

***とっきゅう**【特急】图 특급. **1** '特別急行(列車)(=특별 급행(열차))'의 준말. ¶～に乗る 특급을 타다. **2** 특히, 서두름; 특히, 급하게 함. ¶～でやる 특급〔지급〕으로 (일을) 하다 / ～で送ってくれ 대지급으로 보내 주게.

とっきゅう【特級】图 특급. ¶～酒〔品〕 특급주〔품〕.

***とっきょ**【特許】图 특허. ¶～品 특허품 / 専売～ 전매 특허 / ～会社 특허 회사 / ～を取る〔申請する〕 특허를 얻다〔신청하다〕.

—けん【—権】图 특허권; 특허.

どっきょ【独居】图ス自 독거; 독신 생활. =ひとりずまい·ひとりぐらし. ¶～老人 독거 노인; 혼자 사는 노인 / 山中に～する 산중에 독거하다.

ドッキング [docking] 图ス自 도킹; 우주 공간에서 인공 위성·우주선끼리 결합하는 일.

とっく〖疾っく〗图 아주 이전; 훨씬 전. =とう. ¶～の昔 오랜 옛날.

—に 副 훨씬 전에; 벌써. =とうに. ¶～帰った 벌써〔훨씬 전에〕 돌아갔다 / ～知っている 벌써 알고 있다.

とつ-ぐ【嫁ぐ】5自 시집가다; 출가하다. ¶～日 시집가는 날 / 娘を～·がせる 딸을 시집보내다.

ドック [dock] 图 독; 선거. =船渠. ¶浮き～ 부양식 독 / 人間～ 인간 독《단기간에 종합 정밀 건강 진단을 받기 위한 시설》.

ドッグ [dog] 图 도그; 개. ¶～フード 도그 푸드; 개먹이; 개밥 / ～ショー 도그쇼; 개 품평회·전시회.

とっくみあい【取っ組み合い】图〈俗〉 맞붙음. =つかみあい·くみうち. ¶～のけんか 맞붙어 하는 싸움.

とっく-む【取っ組む】5自 ☞とりくむ.

とっくり〖徳利〗图〈口〉 **1** ☞とくり. **2** 자라목 모양을 한 옷깃. ¶～シャツ 자라목 셔쓰.

とっくり 副 차분히; 신중히; 곰곰. =とくと. ¶～(と)考えてみる 곰곰 생각해 보다.

とっくん【特訓】图 '特別訓練(=특별 훈련)'의 준말.

どっけ【毒気】图 ☞どっき.

とっけい【特恵】图 특혜; 특별한 혜택. ¶～関税 특혜 관세 / ～国待遇 특혜국 대우.

とつげき【突撃】图ス自 돌격. ¶～隊 돌격대 / 敵に向かって～する 적을 향하여 돌격하다.

とっけん【特権】图 특권. ¶～意識 특권 의식 / ～を失う 특권을 잃다.

—かいきゅう【—階級】图 특권 계급.

どっこい 感 **1** 힘들여 무거운 물건을 들 때 등에 내는 소리: 끙; 이영차. =どっこいしょ. ¶うんとこ～ 이영차 이영차. **2** 상대방의 행동 따위를 가로막을 때에 내는 소리: 어딜. ¶～そうはさせない 어딜, 그렇게는 안 되지.

—どっこい 图〈俗〉 양쪽의 힘이나 세력이 거의 비슷한 모양. =とんとん. ¶～の実力 비슷비슷한 실력.

とっこう【特効】图 특효. ¶～薬 특효약 / ～のある薬 특효가 있는 약.

とっこう【特高】图 특별 고등 경찰《'特別高等警察'의 준말; 일본 구경찰 제도에서, 정치·사상 관계를 담당했음》.

とっこう【特攻】图 특공; '特別攻撃'의 준말. ¶～操業 특공 조업.

—たい【—隊】图 특공대《2차 대전 말기에, 비행기 따위로 자폭 공격을 한 일본군 부대》. ¶～の生き残り 특공대의 생존자.

とっこう【徳行】图 덕행. ¶～の士 덕행을 쌓은 사람 / ～をもって知られる 덕행으로써 (이름이) 알려지다.

***とっさ**〖咄嗟〗图 **1** 순간; 눈 깜짝할 사이. ¶～の間 눈 깜짝할 사이 / ～の機転 순간적인 기지. **2** 돌연. ¶～のことで困った 돌연한 일로 난처했다.

—に 副 아차하는 순간에. ¶～身をかわした 순간적으로 몸을 피했다.

どっさり 副 **1** 무거운 물건을 내려 놓는 모양: 털썩. ¶金貨の袋を～と地面に置く 금화가 든 주머니를 털썩 땅바닥에 놓다. **2** 엄청나게 많은 모양: 듬뿍; 잔뜩. ¶～お土産をもらった 잔뜩 선물을 받았다 / 米が～とれる 쌀이 무척 많이 나다.

ドッジボール [dodge ball] 图 도지 볼; 피구(避球). =デッド〔ドッチ〕ボール.

とっしゅつ【突出】图ス自 **1** 돌출. ¶～した岩角 돌출한 바위 모서리. **2** 특출함. ¶彼の成績は～している 그의 성적은 특출나다. **3** 갑자기 나옴. ¶ガスが～する 가스가 갑자기 뿜어나오다.

とつじょ【突如】副 돌여; 갑자기; 별안간; 돌연. ¶～(として)起こった大事件 갑자기 일어난 대사건 / 東の空に～として現われる 동쪽 하늘에 돌연히 나타나다.

***どっしり** 副 **1** 묵직한 모양: 묵직이. =ずっしり. ¶～(と)重い袋 묵직한 자루 / ～したさいふ 묵직한 지갑. **2** 침착하고 드레진 모양. ¶～した人〔態度

たいど] 뜸직한〔드레진〕 사람〔태도〕.

とっしん【突進】名ス自 돌진. ¶敵に向かって~する 적을 향하여 돌진하다.

＊＊とつぜん【突然】副 돌연; 갑자기. =だしぬけに·不意に. ¶~笑い出す 갑자기 웃기 시작하다 / ~聞かれて返答に窮した 갑자기 질문을 받고 대답에 궁했다.

—へんい【—変異】名〘生〙 돌연변이.

とったん【突端】名 쑥 내민 끝. ¶半島の~ 반도의 쑥 내민 끄트머리.

どっち〘何方〙代 ‘どちら(=어디; 어느 쪽)’의 막된 말씨. ¶りんごとみかんの~を食べますか 사과와 귤의 어느 쪽을 먹겠습니까. 参考 ‘どっち’는 ‘どちら’에 비해 두 개 중의 하나를 선택하는 의미가 강함. ‘どっち’는 격식을 차릴 장면에서는 적절치 못한 경우도 있음.

—もどっち 둘 다〔양쪽이〕 똑같이 나쁨. ¶あの男も悪い奴だが, まあ, ~だね 저 사내도 나쁜 놈이지만, 뭐 둘 다 똑같은 놈일세.

どっちつかず 〘何方付かず〙 名ナ 애매함; 모호함. ¶~の態度 이도 저도 아닌〔엉거주춤한〕 태도 / ~な返事 애매한 대답.

どっちみち 〘何方道〙 副 어떻든; 결국은; 어차피. =どのみち·いずれにしても. ¶~同じことだ 결국은〔어차피〕 같은 일이다 / ~分かることだ 어차피 알게 될 일이다.

とっち-める 〘取っ締める〙 下1他 〈俗〉 혼내다; 몰아세우다; 호통치다(‘取り締める’의 힘줌말). =やりこめる. ¶あいつ生意気だから~·めてやろう 저놈 건방지니까 혼내 주자.

とっつかま-える【取っ捕まえる】下1他 (범인 따위를) 붙잡다(‘捕まえる’의 힘줌말). ¶~·えたらただではお置かない 잡기만 하면 그냥 두지 않겠다.

とっつかま-える 〘取っ摑まえる〙 下1他 꽉 잡다; 붙들다(‘摑まえる’의 힘줌말).

とっつかま-る【取っ捕まる】5自 (범인 등이) 붙잡히다(‘捕まる’의 힘줌말). ¶逃げそこねて~ 미처 도망가지 못하고 붙잡히다.

とっつかま-る 〘取っ摑まる〙 5自 꽉 잡히다; 꽉 쥐이다(‘摑まる’의 힘줌말).

とっつき 〘取っ付き〙 名 **1** 첫인상. ¶~のよい人 첫인상이 좋은 사람. **2** 일의 시초〔처음〕; 댓바람; 첫고등. ¶~からしくじる 댓바람부터 실수하다 / ~がだいじだ 첫고등이 중요하다. **3** 맨 첫째. ¶~の部屋 맨 첫째 방. 「つく.

とっつ-く 〘取っ付く〙 5自 〈俗〉 ☞とり

とって【取っ手】〘把っ手〙名 손잡이. =つまみ·把手. ¶ドアの~ 문의 손잡이 / 鍋の~が取れた 냄비의 족자리가 떨어졌다.

とって【とって·取って】連語 **1** 나이를 셀 때 쓰는 말; 금년까지 쳐서; 금년 들어서. ¶当年~十八歳 금년 들어서 18세. **2**《‘…に~’의 꼴로》…로서; …에 있어서; …의 관계로 보아. ¶わが国に~重大な問題 우리 나라로서는 중대한 문제.

とってい【突堤】名 돌제; 뭍에서 물 쪽으로 쑥 내민 제방. ¶~で釣りをする 돌제에서 낚시질하다.

とっておき【取って置き】名 (만일의 경우에 대비해) 소중히〔따로, 가외로〕 간직해 둠; 또, 그 물건. ¶~の品 따로 간직해 두었던 소중한 물건 / ~の着物を着て出掛ける 가장 좋은 옷을 입고 나가다. 参考 口語形은 ‘とっとき’.

とってかえ-す【取って返す】5自 (도중에서) 되돌아오다〔가다〕. ¶忘れ物に気がつき宿屋に~ 잊은 물건이 생각나서 여관으로 되돌아가다.

とってかわ-る【取って代わる】5自 대신하다. =入れ替わる. ¶ロボットが人に~ 로봇이 사람을 대신하다.

とってつけたよう【取って付けた様】連語 (언행이 억지로 갖다 붙인 것같이) 어색함; 부자연스러움; 앞뒤가 맞지 않음. ¶~な態度〔ほほ笑み〕 어색한 태도〔미소〕 / ~に言う 앞뒤가 맞지 않는 말을 하다 / ~なおせじ 어색하게 간살 부리는 말.

とっても 副 〈女〉 무척; 대단히; 매우(‘とても’의 힘줌말). ¶~しあわせよ 매우 행복해요.

どっと 副 **1** 여럿이 한꺼번에 내는 소리가 울려 퍼지는 모양: 와. ¶みんなが~笑う 모두가 와하고 웃다. **2** 한곳에 사람이나 물건이 한꺼번에 밀어닥치는 모양: 와; 우르르; 왈칵; 왕창. ¶会場へ~押し寄せる 회장으로 와〔우르르〕 몰려오다 / 注文が~おしよせて来る 주문이 왕창 밀려 오다. **3** 갑자기 쓰러지는 모양: 벌렁; 털썩; 푹. ¶~倒れる 털썩 쓰러지다. **4** (병 따위가) 갑자기 더치는 모양: 갑자기; 덜컥. ¶~疲れが出る 갑자기 피로가 몰려오다 / ~床につく 덜컥 몸져눕다.

とつとつ [訥訥·吶吶] トタル 말을 더듬는 모양: 더듬더듬. ¶~たる口調 더듬거리는 어조 / ~と話す〔語る〕 더듬더듬 말하다.

とっとと 副 냉큼; 빠른 걸음으로. =はやく·さっさと. ¶~出て行け 냉큼 나가라 / ~歩く 빨리 걷다 / ~急ぐ 급히〔빨리〕 가다.

とっとり [鳥取] 名〘地〙 中国 지방 동북부에 있는 현; 또, 그 현청 소재지.

とつにゅう【突入】名ス自 돌입. ¶敵陣に~する 적진에 돌입하다 / ストに~する 파업에 돌입하다.

＊とっぱ【突破】名ス他 돌파. ¶敵陣〔難関〕を~する 적진〔난관〕을 돌파하다.

—こう【—口】名 돌파구. ¶~を開く 돌파구를 열다.

トッパー [topper] 名 토퍼; 짧고 좀 헐렁한 여성용 반코트. =トップコート.

とっぱずれ【突外れ】名 〈俗〉 맨 끄트머리; 맨 끝. ¶道(みち)の～ 길의 맨 끝.

とっぱつ【突発】名ス自 돌발. ¶～事故(じこ) 돌발 사고 / ～的(てき)な症状(しょうじょう) 돌발적인 증상.

とっぱな〖突端〗名 〈俗〉 쑥 내민 끝; 전하여, 사물의 시초. ＝とったん. ¶話(はなし)の～ 이야기의 시초 / ～にやらされる 맨 먼저 하게 되다.

とっぱら-う【取っ払う】5他 〈俗〉 ☞とりはらう.

とっぱん【凸版】名 철판; 볼록판《잉크를 묻히는 부분이 불룩하게 튀어나온 인쇄판》. ↔凹版(おうはん)·平版(へいはん).

―いんさつ【―印刷】名〔印〕 철판 인쇄; 볼록판 인쇄.

とっぴ〖突飛〗名ナ 뜻밖임; 엉뚱함; (이상) 야릇함. ¶～な服装(ふくそう) 별난 복장 / ～な行動(こうどう) 엉뚱한 행동 / ～なことをする 엉뚱한 짓을 하다.

とっぴょうし【突拍子】名 엉뚱함.

―もない 엉뚱하다; 당찮다; 유별나다. ¶～事(こと) 엉뚱한 짓 / ～声(こえ)を出(だ)す 이상야릇한 큰 소리를 내다.

トッピング [topping] 名〔料〕 토핑; 요리나 케이크 따위 위에 얹어 맛을 더하거나 장식으로 삼는 것; 또, 그것을 하는 일. ¶ピザの～ 피자 토핑.

トップ [top] 名 톱. **1** 첫째; 선두; 수위; 수뇌; 정상. ¶～グループ 톱[선두] 그룹 / ～会談(かいだん) 정상 회담 / ～記事(きじ) 톱 기사 / ～コンディション 톱[최고] 컨디션 / ～バッター〔野〕 톱 타자; 1번 타자 / ～を走(はし)る 선두를 달리다 / ～を争(あらそ)う 수위[선두]를 다투다. **2** 'トップニュース(＝톱 뉴스)'의 준말. ¶社会面(しゃかいめん)の～ 사회면의 톱 뉴스.

―を切(き)る 톱을 끊다; 수위를 차지하다.

―クラス [일 top+class] 名 톱 클래스; 최상위; 최고급.

―ダウン [top-down] 名 톱다운; 조직의 상부에서 하부로 방침이나 명령이 전달되는 관리 시스템. ↔ボトムアップ.

―モード [일 top+mode] 名 톱 모드; 최신 유행; 유행의 최첨단.

―レディー [일 top+lady] 名 톱 레이디. **1** 사회 일선에서 활약하는 여성. **2** 그 나라의 원수나 수상의 부인.

とっぷう【突風】名 돌풍. ＝ガスト. ¶～が吹(ふ)く 돌풍이 불다.

とっぷり 副 **1** 해가 완전히 저문 모양. ¶～(と)暮(く)れる 해가 완전히 저물다. **2** (…에) 완전히 잠기는 모양; 푹. ＝どっぷり. ¶湯(ゆ)に～(と)つかる 목욕 물에 푹 잠기다.

どっぷり 副 **1** (붓에) 물이나 먹물을 듬뿍 묻히는 모양; 듬뿍; 담뿍. ¶筆(ふで)に墨(すみ)を～(と)つけて書(か)く 붓에 먹을 듬뿍 묻혀 쓰다. **2** 목욕탕 등에 완전히 잠기는 모양; 푹. ¶首(くび)まで～(と)つかる 목까지 푹 잠기다.

トップレス [topless] 名 토플리스; 가슴을 가리는 부분이 없는 여성 수영복.

とつべん【とつ弁】《訥弁》 名ナ 눌변. ¶～だが, 心(こころ)のこもったスピーチ 눌변이지만, 진심이 담긴 연설. ↔能弁(のうべん)·達弁(たつべん).

どっぽ【独歩】名ス自 독보. ¶独立(どくりつ)～ 독립독보 / 古今(ここん)～の事業家(じぎょうか) 고금 독보의 사업가.

とつめんきょう【凸面鏡】名〔理〕 철면경; 볼록 거울. ↔凹面鏡(おうめんきょう).

とつレンズ【凸レンズ】名〔理〕 볼록 렌즈. ↔凹(おう)レンズ. ▷lens.

とて 連語 **1** ㉠…라고 말하고; …한다면서. ¶奈良(なら)へ～旅立(たびだ)った 奈良에 간다면서 여행을 떠났다 / 写真(しゃしん)をとる～高(たか)い所(ところ)へ上(のぼ)った 사진을 찍겠다며 높은 곳에 올라갔다. ㉡…하려고. ¶本(ほん)を読(よ)もう～机(つくえ)に向(む)かう 책을 읽으려고 책상 앞에 앉다. **2** …다[라]고 해서; …더라도; …다손 치더라도. ¶泣(な)いた～同情(どうじょう)はされない 운다고 해서 동정은 받지 못한다 / いくら不人情(ふにんじょう)だ～そんな仕打(しう)ちはあるまい 아무리 몰인정하다 하더라도 그런 처사는 있을 수 없겠지 / 今(いま)から勉強(べんきょう)した～まにあわない 이제부터 공부한다 하더라도 이미 늦다. **3**《体言, 특히 'こと'에 붙어서》 …때문에; …이므로; …이라서. ¶初(はじ)めての仕事(しごと)～緊張(きんちょう)したのだろう 처음 일이라서 긴장한 것이겠지 / なれぬこと～どうもうまくいかない 익숙하지 못해서 영 잘 안 된다. **4**《体言에 붙어서》 그것이 예외가 아님을 나타내는 말: …도 역시; …라도. ¶君(きみ)～そう思(おも)うはずだ 너라도 그렇게 생각할 것이다 / 私(わたし)～それを考(かんが)えない訳(わけ)ではない (물론) 나도 그것을 생각하지 않은 것은 아니다. **5** 그것을 대상으로 삼아 언급함을 나타내는 말: …이랄 것은; …라할 만한 것은. ¶恋愛(れんあい)～特(とく)に経験(けいけん)したことは無(な)い 연애라고 특별히 경험한 일은 없다. 参考 格助詞 'と'+接続助詞 'て'.

***どて**【土手】名 **1** 둑; 제방. ¶～を築(きず)く 제방을 쌓다. **2** (가다랑어·다랑어 등 큰 생선의) 등살덩이《횟감으로 씀》. **3** (노인의) 이 빠진 잇몸.

とてい【徒弟】名 도제; 계시; 제자. ＝門弟(もんてい). ¶～制度(せいど) 도제[계시] 제도.

どでか-い 形 〈俗〉 엄청 크다; 유달리 크다. ¶～ビルがおっ立(た)ったものだ 아주 큰 빌딩이 세워졌군.

とてつ〖途轍〗名 일의 사리; 조리. ＝すじみち.

―もない 터무니없다. ¶～事(こと)を考(かんが)える 터무니없는 일을 생각하다 / とてつもなく大(おお)きいスイカだ 엄청나게 큰 수박이다.

どてっぱら【どてっ腹】《土手っ腹》 名 〈俗〉 **1** 둑처럼 불거진 부분[곳]. **2** (미운 놈의) 배때기. ¶～に風穴(かざあな)をあけてやるぞ (네놈의) 배때기에 바람구멍을 내줄 테다.

とても〖迚も〗副 **1**《뒤에 否定語가 따라서》 아무리 해도; 도저히. =とうてい. ¶～出来ない 도저히 못하겠다 / ～だめだ 아무리 해도 안된다. **2** 대단히; 매우; 몹시. =大変. ¶～いい 대단히 좋다 / ～きれいだ 아주 예쁘다.

どてら〖縕袍〗名〈方〉 **1** ☞かいまき. **2** ☞たんぜん(丹前).

とでん【都電】名 東京都에서 운영하는 전차.

とど 名〔魚〕 성장한 숭어. 参考 어린 숭어는 'ぼら'라고 함.

ととう【徒党】名 도당. ¶一味～ 한패거리 / ～を結ぶ 작당하다.

—を組む 도당을 짜다; 작당하다. ¶徒党を組んで悪事を働く 작당하여 못된 짓을 하다.

どとう［怒濤］名 노도. ¶～さかまく大海 성난 파도가 놀치는 넓은 바다 / ～の如く押し寄せる 노도와 같이 밀어닥치다.

とどうふけん【都道府県】名 (일본의 행정 구역인) 도(都)·도(道)·부·현.

都道府県의 구성
1都 — 東京都 1道 — 北海道 2府 — 大阪府·京都府
43県 — 1) 関東地方(6県) — 茨木·栃木·群馬·埼玉·千葉·神奈川. 2) 九州地方(8県) — 福岡·佐賀·長崎·熊本·大分·宮崎·鹿児島·沖縄. 3) 近畿地方(5県) — 三重·滋賀·兵庫·奈良·和歌山. 4) 東北地方(6県) — 青森·岩手·宮城·秋田·山形·福島. 5) 四国地方(4県) — 徳島·香川·愛媛·高知. 6) 中国地方(5県) — 岡山·広島·山口·島根·鳥取. 7) 中部地方(9県) — 新潟·富山·石川·福井·山梨·長野·岐阜·静岡·愛知. 8) 北海道地方 — 県은 없으며, 道庁 소재지는 札幌 시.

トトカルチョ［이 totocalcio］名 토토칼초; 프로 축구 경기의 승부에 거는 도박의 하나.

とど-く【届く】⊟5自 **1** (보낸 것·뻗친 것이) 닿다; (도)달하다; 미치다. ¶手が～ 손이 미치다〔닿다〕/ 手紙が～ 편지가 오다 / 小荷物が～ 소화물이 도착하다. **2** (소원 따위가) 이루어지다. ¶願いが～ 소원이 이루어지다. **3** (상대를 위하는 마음이) 세세한 데까지 미치다; 골고루 미치다. ¶世話が～ 보살핌이 세세한 데까지 미치다.

とどけ【届け】名 신고(서). ¶～済み 신고필 / 結婚～ 결혼 신고 / ～を済ます 신고를 마치다 / 欠勤～を出す 결근계를 내다.

とどけさき【届け先】名 보낼 곳; 송달처. ¶～がわからない 보낼 곳을 모르다.

とどけで【届け出】名 신고. 注意 'とどけいで'라고도 함.

とどけで-る【届け出る】下1他 (관청 등에) 신고하다; 신청하다. ¶子供の出生を～ 아이의 출생을 신고하다 / 休暇を～ 휴가를 신청하다.

とど-ける【届ける】下1他 **1** 가 닿게 하다; 보내어 주다. ¶荷物を～ 짐을 보내다. **2** (관청 등에) 신고하다. ¶被害額を市役所に～ 피해액을 시청에 신고하다.

とどこおり【滞り】名 정체함; 막힘; 밀림. ¶式が～なく済む 식이 순조롭게 끝나다 / 家賃の～分を払う 밀린 집세를 치르다.

とどこお-る【滞る】5自 정체하다; 막히다; 밀리다. ¶仕事が～ 일이 밀리다 / 家賃が～ 집세가 밀리다 / 交渉が～って進まない 교섭이 정체되어 진전이 없다.

ととの-う【整う】《斉う》5自 **1** 가락이 나다; 컨디션이 좋아지다. ¶機械のぐあいが～ 기계의 가락이 궤도에 오르다. **2** 가지런해지다. ¶足なみが～ 보조가 맞다. **3** 형태가 갖추어지다; 정돈되다. ¶～った顔 반듯한 얼굴 / ～った文章 잘 다듬어진 문장 / 隊形が～ 대형이 정돈되다.

ととの-う【調う】5自 **1** 성립되다. ¶縁談が～ 혼담이 성립되다. **2** 빠짐없이 준비되다; 마련되다. ¶資金が～ 자금이 마련되다. **3** 갖추어지다. ¶準備が～ 준비가 갖추어지다.

ととの-える【整える】《斉える》下1他 **1** 조정하다; 조절하다. ¶コンディションを～ 컨디션을 조절하다. **2** 정돈하다; 단정히 하다. ¶服装を～ 복장을 단정히 하다. **3** 가지런히〔나란히〕하다. ¶足なみを～ 보조를 맞추다.

ととの-える【調える】下1他 **1** 갖추다; 마련하다; 준비하다. ¶旅装を～ 여장을 갖추다 / 夕食を～ 저녁상을 차리다. **2** 성립시키다; 마무리 짓다. ¶交渉〔縁談〕を～ 교섭〔혼담〕을 성립시키다 / 話を～ 이야기를 마무리짓다. **3** 사서 갖추다. ¶酒を～ 술을 마련하여 내놓다.

とどのつまり 副 결국; 필경. =結局(のところ). ¶～はお金だ 결국은 돈이다 / すったもんだして, ～は離婚した 옥신각신하다 결국은 이혼하였다. 参考 흔히, 좋지 못한 경우에 씀.

とどまつ〖椴松〗名〔植〕 분비나무.

とどま-る〖止まる·留まる·停まる〗5自 **1** (한곳에서) 움직이지 않다; 머물다. ¶国に～ 고국〔고향〕에 머물다 / 時間は～ことなく進む 시간은 멈추지 않고

지나간다. **2** 체재하다; 머무르다. ¶海外(かいがい)に～ 해외에 머무르다. **3** 뒤에 남다. ¶現地(げんち)に～ 현지에 남다〔묵다〕.

とどめ〖止め〗名 (마지막) 숨통을 끊음; 마지막 일격; 결정타. ¶～の一撃(いちげき)を加(く)わえる 결정적인 일격을 가하다.

—を刺(さ)す **1** 숨통을 끊다. **2** 다짐을 하다; 못박다. ¶必(かなら)ず現金(げんきん)でお払(はら)いくださいと～ 반드시 현금으로 지급해 주십사 하고 다짐하다. **3** 최후의 일격을 가하다. ¶悪事(あくじ)に～ 나쁜 일에 최후의 일격을 가하다. **4**《'…は…に～'의 꼴로》…은 …이 최고다; 제일이다. ¶夏(なつ)はビールに～ 여름엔 뭐니뭐니해도 맥주가 그만이다. 「＝つちどめ.

どどめ【土留め·土止め】名 방토(防土).

とど-める〖止める·留める〗下1他 **1** 멈추다; 세우다. ¶足(あし)を～ 발을 멈추다 / 車(くるま)を～ 차를 세우다. **2** 말리다; 만류하다. ¶来(こ)ようとするのを～ 오려는 것을 만류하다 / 席(せき)を立(た)とうとするのを～ 자리에서 일어나려고 하는 것을 말리다. **3** (뒤에) 남기다. ¶妻子(さいし)を郷里(きょうり)に～ 처자를 고향에 남기다 / 足跡(あしあと)を～ 발자취를 남기다. **4** 그치다; 한정시키다. ¶問題点(もんだいてん)をあげるに～ 문제점을 제기하는 데에 그치다.

とどろか-す〖轟かす〗5他 울리다; 떨치다. ¶爆音(ばくおん)を～ 폭음을 울리다 / 名声(めいせい)を～ 명성을 떨치다.

とどろ-く〖轟く〗5自 **1** (소리가) 울려 퍼지다. ¶雷鳴(らいめい)が～ 뇌성이 울려 퍼지다. **2** 널리 알려지다; 유명해지다. ¶勇名(ゆうめい)が～ 용명이 떨치다. **3** (가슴의) 고동이 심해지다; (가슴이) 뛰다. ¶胸(むね)が～ 가슴이 뛰다.

とない【都内】名 東京都(とうきょうと)의 중심 지역《23개의 구(區)로 나뉨》; 또, 東京都 안. ＝都区内(とくない). ¶～に住(す)む 都 안에 살다. ↔都下(とか).

とな-える【唱える】下1他 **1** 소리 내어 읽다〔외다〕. ¶念仏(ねんぶつ)を～ 염불을 외다. **2** (큰 소리로) 외치다; 소리 높이 부르다. ¶万歳(ばんざい)を～ 만세를 부르다. **3** 주창하다. ¶色素(しきそ)有害説(ゆうがいせつ)を～ 색소 유해설을 주장하다.

とな-える〖称える〗下1他 칭하다; 일컫다. ＝称(しょう)する·名(な)づける. ¶芸名(げいめい)を～ 예명을 칭하다 / 国名(こくめい)を清(しん)と～ 국명을 청이라고 칭하다.

トナカイ [아이누 tonakai] 名〔動〕 토나카이; 순록. 注意 '馴鹿'로 씀은 의역.

となく 連語 **1** 확실히 …라는 것은 아니고. ¶それ～ 넌지시 / どこ～ 어딘지 (모르게). **2** …을 불문하고. ¶あれこれ～ 이것저것 가리지 않고 / だれかれ～ 누구누구 할 것 없이; 누구든지.

どなた〖何方〗代 어느 분; 누구《'だれ(＝누구)'의 공손한 말씨》. ¶～様(さま)ですか 누구십니까 / あなた, ～ 당신, 누구시죠. 参考 'だれ'의 공손한 말씨로는 'どなた'가 일반적이며, 'どちら' 'どのかた'와 거의 경의(敬意)의 정도가 비슷함. 'どなたさま' 'どちらさま'는 경의의 정도가 특히 높음.

どなべ【土なべ】《土鍋》名 질냄비.

となり【隣】名 **1 이웃; 옆. ¶～村(むら) 이웃 마을 / ～の国(くに) 이웃 나라 / ～付(づ)き合(あ)い 이웃과의 교제 / ～の席(せき)に座(すわ)る 옆자리에 앉다. **2** 이웃집. ＝隣家(りんか). ¶お～ 이웃집 / お～さん 이웃 사람.

—の花(はな)は赤(あか)い 남의 것은 무엇이나 좋아 보인다.

—の貧乏(びんぼう)は鴨(かも)の味(あじ) 옆집〔이웃〕이 가난해지는 것은 오리 고기 맛보는 것처럼 고소하다.

となりあ-う【隣り合う】5自 서로 이웃이 되다. ＝となりあわせる.

となりあわせ【隣り合わせ】名 서로 이웃 관계에 있음. ¶～に住(す)む 서로 이웃해서 살다 / このあたりの人(ひと)たちはいつも放射能(ほうしゃのう)の危険(きけん)と～に暮(く)らしている 이 근처 사람들은 항상 방사능의 위험과 더불어 살고 있다〔위험 앞에 그대로 노출되어 있다〕.

となりきんじょ【隣近所】名 이웃집이나 가까운 곳〔집〕.

どなりこ-む【どなり込む】《怒鳴り込む》5自 (화나거나 불평이 있어) 호통치며 들어가다. ¶駅長室(えきちょうしつ)へ～ 역장실에 들어가 따지다 / 隣(となり)の家(いえ)から～·まれる 이웃의 거센 항의를 받다.

どなりつ-ける【どなり付ける】《怒鳴り付ける》下1他 호통치다; 큰 소리로 꾸짖다. ¶子供(こども)を～ 아이를 큰 소리로 꾸짖다.

*__どな-る__〖怒鳴る〗一 5自 큰 소리로 부르다; 고함치다. ＝さけぶ. ¶そんなに～·らなくてもよく聞(き)こえる 그렇게 고함을 지르지 않아도 잘 들린다.

二 5自他 호통치다; 야단치다. ¶いたずらをして父(ちち)に～·られた 장난을 치고 아버지한테 야단맞았다.

**とにかく〖兎に角〗副 하여간; 어쨌든; 좌우간. ＝ともかく. ¶～まちがいない 하여간 틀림없다 / ～やってみよう 여하튼 해보자 / ぼくは～, 君(きみ)まで行(ゆ)くことはない 나는 여하간에〔몰라도〕 자네까지 갈 것은 없다. 「너 감.

とにち【渡日】名 ス自 도일; 일본으로 건

トニック [tonic] 名 토닉. **1** 강장제. **2** 'ヘアトニック(＝양모제)'의 준말. **3** 'トニックウオーター'의 준말.

—ウオーター [tonic water] 名 토닉 워터; 탄산 음료의 하나.

とにもかくにも〖兎にも角にも〗副 하여간; 어쨌든《'ともかく'의 힘줌말》. ¶～健康(けんこう)が第一(だいいち)だ 하여간 건강이 제일이다.

との【殿】名 〈雅〉 **1** 〈女〉 남자를 가리키는 높임말; 남자분. ¶～方(がた) 남자분; 남자 양반. **2** 영주·귀인에 대한 높임말. ¶お～様(さま) 영주님.

との 連語 **1** …라는; …(고 하)는. ¶八時

はちじにつく～電報がありました 여덟 시에 도착한다는 전보가 있었습니다. **2** 운동·동작 등의 상대·대상을 나타내는 말: …와〔과〕의. ¶彼女と～交際 그녀와의 교제.

どの 〖何の〗 連体 **1** 불명한 것을 가리키는 말: 어느; 어떤; 무슨. ¶免許をとるのに～くらい勉強したかしれない 면허를 따는 데 얼마나 공부했는지 모르겠다. **2**《'～…も'의 꼴로》어느 것이나 가리지 않고; 전부. ¶～人も賛成する 모든 사람이〔누구나〕 찬성한다.

=どの【殿】《인명·신분 따위를 나타내는 말에 붙어서》그것에 대한 높임말: …님; 씨; 귀하. ¶隊長～ 대장님/山田～ 山田씨. 参考 오늘날, 성명에 붙이는 경우는 'さま'보다 약간 공식적인 느낌이 있으며 노인들이 많이 씀.

どのう 〔土嚢〕 图 흙부대. ¶～を積む 흙부대를 쌓다.

どのかた 〖何の方〗 代 어느 분.

とのがた【殿方】图〈女〉남자분. ¶～用 남자용; 신사용/～はご遠慮ください 남자분은 사양해 주십시오.

どのくらい 〖何の位〗 連語 어느 정도; 얼마쯤〔만큼〕. ¶～のお金が要るか 어느 정도의 돈이 필요하나.

とのさま【殿様】图 **1** 영주·귀인에 대한 존칭. **2** 江戸 시대 大名·旗本에 대한 존칭. **3** 유복하고 세상 물정에 어두운 사람의 비유. ¶～暮らし 호화로운〔팔자 좋은〕 생활/～商売 배부른〔양반〕 장사《경멸조의 말》.

—がえる 〖—蛙〗 图 〔動〕 참개구리.

—げい【—芸】图 귀인·부자들이 심심소일로 하는 기예. =だんな芸.

どのみち 〖何の道〗 副 어쨌든; 결국; 어차피. =どっちみち·どうせ. ¶～支払う金だ 어차피 치러야 할 돈이다/～行かなければならないのなら, 早い方がいい 어차피 가야 한다면 빨리 가는 편이 좋다.

とは towa 連語 **1** …라는 것은; …란. ¶人間～何であるか 인간이란 무엇인가. **2** '뜻밖이다'란 기분을 강조함: …라고는; …하다니. ¶こともあろうに彼が犯人だ～ 하필이면 그가 범인이라니. **3** …와는《'と'의 힘줌말》. ¶君～もう絶交だ 자네와는 이제 절교다.

とば 〔賭場〕 图 도박장; 노름판. =ばくちば. ¶～荒らし 노름판 털기.

どば 〔駑馬〕 图 노마; 느린 말; 재능이 둔한 사람《자기의 겸칭으로 씀》.

—にむちうつ 노마에 채찍질하다; (능력은 없지만) 있는 힘을 다하다.

トパーズ [topaz] 图 토파즈; 황옥(黃玉). 注意 'トッパーズ'라고도 함.

とはい【徒輩】图 도배; 패거리; 동아리. =ともがら·やから·やつら·連中.

とはいうものの【とは言うものの】towayūmonono 一 連語 …라고는 하나; …라고 하지만. =とはいえ·とはいいながら. ¶習った～なんにも覚えていない 배웠다고는 하나 무엇 하나 기억하고 있지 않다. 二 接 그렇다 하더라도. =とはいえ·とはいいながら. ¶相手は強い, ～まったく勝機がないわけではない 상대는 강하다. 그렇다 하더라도 전혀 승기가 없는 것은 아니다.

とはいえ 〖とは言え〗 towaie 一 連語 …라고〔다고〕 하지만. =とはいうものの. ¶貧乏～結構庭付きの家に住んでいる 가난하다지만 제법 정원이 딸린 집에 살고 있다. 二 接 그렇다고 하더라도. =とはいうものの. ¶彼は不満らしい, ～全く反対でもない 그는 불만인 것 같다. 그렇다고 아주 반대하는 것도 아니다.

とばく 〔賭博〕 图 도박. =ばくち. ¶～師〔罪〕 도박사〔죄〕/～場開帳罪 도박 개장(開場)죄.

とばし【飛ばし】图 **1** 날림. **2** 〔經〕 결산 대책을 위해 평가 손실을 본 유가 증권을 일시 다른 회사에 전매하는 일.

どばし【土橋】图 토교; 흙다리. =つちばし.

***とば-す**【飛ばす】五他 **1** 날리다; 날게 하다. ¶凧を～·してあそぶ 연을 날리며 놀다. **2** (바람 따위가) 날려 버리다. ¶風船が風に～·される 풍선이 바람에 날리다. **3** (물을) 튀기다. ¶自動車が泥水を～ 자동차가 흙탕물을 튀기다/口角, 泡を～ 입아귀에 침방울을 튀기다《맹렬히 논쟁하다》. **4** (중간을) 빼놓다; 건너뛰다. ¶第二章を～·して読む 제2장을 빼놓고〔거르고〕 읽다. **5** 쏘다. ¶矢を～ 활을 쏘다. **6** 띄우다; 급히 파견하다. ¶檄を～ 격문을 띄우다/記者を事故現場に～ 기자를 사고 현장으로 급히 보내다. **7** (말이나 차 따위를) 달리다. ¶馬を～ 말을 달리다/自動車を～ 자동차를 급히 몰다. **8** (무책임한 말을) 내뱉다. ¶冗談を～ 농담을 하다. **9** 좌천시키다. ¶支店〔地方〕に～·される 지점〔지방〕으로 좌천당하다. **10**《動詞 連用形에 붙어서》그 動詞의 동작을 강조하는 말. ¶け～ 걷어차다/ぶっ～ 냅다 던지다/突き～ 들이받다; 냅다 밀치다/叱り～ 호되게 꾸짖다. 可能 とば-せる 下1自

どはずれ【度外れ】名ナ 엄청남; 지나침. ¶～に大きな体 엄청나게 큰 몸집/～のいたずら 지나친 장난/～な大声 엄청나게 큰 목소리.

とばっちり 〖迸り〗 图 **1** 날아 흩어지는 물방울. =しぶき·とばしり. **2** 언걸; 후림불. =まきぞえ·そばづえ ¶～を受ける 언걸을 먹다; (사건에) 말려들다/～がかかる (a)물똥이 튀다; 물벼락을 맞다; (b)말려들다/事件の～を食って調べられた 사건의 언걸을 입어 조사를 받았다.

とばり 〖帳·帷〗 图 장막. **1** 방장(房帳). =たれぎぬ. ¶窓の～を下ろす 창문의 방장을 내리다. **2** 뒤덮는 것이나 사이

를 떼어 가르는 것의 비유. ¶夜の～が おりた 밤의 장막이 내렸다《어두워졌다》.

とび〖鳶〗图 1〔鳥〕소리개. ＝とんび. 2 '鳶口·鳶職'의 준말.

―がたかを生む 소리개가 매를 낳다《개천에서 용 난다》.

―に油揚を取られたよう 소리개에게 유부를 빼앗긴듯《애써 얻은 물건을 불의에 빼앗김의 비유》.

とび【飛び·跳び】图 1 뜀; 도약; 또, 뛰는 횟수. ¶そこまでならひとっ～だ 거기까지라면 단걸음에 간다. 2 (바둑에서) 뜀. ¶一間～ 한 칸 뜀.

とびあが-る【跳び上がる】5自 뛰어오르다; (놀라거나 기뻐서) 펄쩍 뛰다. ¶～ってよろこぶ 펄쩍 뛰며 기뻐하다.

*とびあが-る【飛び上がる】5自 1 (높이) 날아오르다. ¶飛行機が～ 비행기가 날아오르다. 2 단계〔순서〕를 뛰어넘다. ¶功績によって二階級～·って大尉に進級した 공적에 의해 두 계급 뛰어서 대위로 진급하였다. ↔飛び下りる.

とびある-く【飛び歩く】5自 뛰어다니다. ¶忙しそうに毎日～ 바쁜 듯이 매일 뛰어다니다.

とびいし【飛び石】图 (특히, 정원의) 징검돌. ¶～伝いに庭に出る 징검돌을 밟고 뜰에 나가다.

―れんきゅう【―連休】图 징검다리 연휴.

とびいた【飛び板·跳び板】图 도약판; 구름판. ＝スプリングボード. ¶～飛び込み(수영에서) 스프링보드 다이빙.

とびいり【飛び入り】图スル自 1 다른 것이 섞여 듦; 또, 그 섞인 것. 2 (가욋 사람이 불쑥) 뛰어들어 참가함; 또, 그 사람.

とびいろ【とび色】《鳶色》图 다갈색. ＝とび. ¶くすんだ～ 충충한 다갈색.

とびうお〖飛び魚〗图〔魚〕비어; 날치.

とびお-きる【飛び起きる】上1自 (자리에서) 벌떡 일어나다. ＝はねおきる. ¶地震におどろいて～·きた 지진에 놀라 벌떡 일어났다.

とびお-りる【飛び降りる·飛び下りる】上1自 뛰어내리다. ¶～·り自殺 투신자살 / 崖から～ 낭떠러지에서 뛰어내리다 / 走る列車から～ 달리는 열차에서 뛰어내리다.

とびか-う【飛び交う】5自 난비(亂飛)하다. ＝飛び違う. ¶蛍が～ 반딧불이가 어지러이 날다 / うわさが～ 소문이 이리저리 퍼지다.

とびかか-る【飛び掛かる】5自 대들다; 덤벼들다. ¶いきなり～ 느닷없이 덤벼들다.

とびきゅう【飛び級】图スル自 월반(越班). ¶アメリカでは才能があれば～ができる 미국에서는 재능이 있으면 월반할 수 있다.

とびきり〖飛び切り〗副 특출하게; 월등히. ¶～安い 월등히 싸다 / ～上等の品 특상품; 월등히 좋은 물건 / ～にうまい料理 뛰어나게 맛있는 요리.

とびぐち【とび口】《鳶口》图 막대 끝에 쇠갈고리가 달린 소방 용구. ＝とび.

とびこ-える【飛び越える·跳び越える】下1他 (장애물·단계를) 뛰어넘다. ¶垣根を～ 울타리를 뛰어넘다 / 一段階～ 한 단계 건너뛰다.

とびこ-す【飛び越す·跳び越す】5他 1 뛰어넘다. 2 (차례를) 건너뛰다. ¶先輩を～·して昇進する 선배를 앞질러서 승진하다.

とびこみ【飛び込み·跳び込み】图 1 뛰어듦. 2 다이빙. ¶高～ 하이 다이빙 / 飛び板～ 스프링보드 다이빙. 3 예약이나 예고 없이 찾아옴. ¶～のセールス 예고 없이 찾아온 외판원 / ～の仕事 갑자기 맡은 일 / ～で宿をとる 예약없이 숙소를 잡다.

―じさつ【―自殺】图 (달리는 기차·전차 등에 뛰어드는) 투신자살.

―だい【―台】图 다이빙대(臺).

*とびこ-む【飛び込む·跳び込む】5自 1 뛰어들(어가)다. ㉠몸을 날려 안으로 들어가다. ¶海に～ 바다에 뛰어들다 / にわか雨を避けて喫茶店に～ 소나기를 피해 다방으로 뛰어들어가다. ㉡자진해서 참가하다; 투신하다. ¶平和運動に～ 평화 운동에 뛰어들다. 2 (뜻밖의 일이) 날아들다. ¶悲報が～·んできた 비보가 날아들어 왔다. 可能 とびこ-める 下1自

とびさ-る【飛び去る】5自 1 날아서 그곳을 떠나다. ¶敵機が～ 적기가 날아가 버리다. 2 몸을 휙 돌려 비키다〔피하다〕. ＝とびさがる·とびのく. ¶すばやく～ 재빨리 몸을 피하다.

とびしょく【とび職】《鳶職》图 토목·건축공사의 노무자; 특히, 비계공(工). ＝とび人足·とびの者. 参考 江戸 시대에는 대개 소방수를 겸했음.

とびだい【飛び台】图 1 ☞とびこみだい. 2 중간에 영(零)이 끼어 있는 일련의 수《5101-5109 따위》. 参考 5101을 五千百トビー로도 읽음.

**とびだ-す【飛び出す】5自 1 뛰어나가다〔나오다〕. ¶地震でそとに～ 지진으로 밖으로 뛰어나가다. 2 튀어나오다; 비어지다. ¶～絵本 튀어나오는 그림책 / ～·した目 튀어나온 눈 / 書棚から本が一冊～·している 책장에서 책이 한 권 삐주룩이 나와 있다. 3 별안간 나타나다; 튀어〔뛰어〕나오다. ¶子供が路地から～ 아이가 골목에서 톡 뛰어나오다 / 折あしくじゃまものが～·した 공교롭게도 방해물이 튀어 나왔다. 4 (인연을 끊고) 뛰쳐 나오다. ¶家〔会社〕を～ 집〔회사〕에서 뛰쳐나오다. 可能 とびだ-せる 下1自

とびた-つ【飛び立つ】5自 1 날아가다; 하늘로 날아오르다. ¶屋根からはとが～ 지붕에서 비둘기가 날아오르다 / 飛行機が～ 비행기가 떠오르다. 2

《'~ばかり'의 꼴로》 뛰어오르다; 작약(雀躍)하다. ¶~ばかりの思(おも)い 날 듯한〔뛸 듯한〕 기분 / ~ばかりにうれしい 뛰어오를 듯이 기쁘다.

とびち【飛び地】图 본토에서 떨어진 영토; 어떤 행정 구획의 주지역으로부터 떨어져서 다른 구획 안에 있는 지역.

とびち-る【飛び散る】5自 사방에 흩날리다; 비산하다; 튀다. ¶火花(ひばな)が~ 불똥이 흩날리다〔튀다〕/ 花(はな)が風(かぜ)に~ 꽃이 바람에 흩날리다.

*とびつ-く【飛び付く·跳び付く】5自 달려들다. 1 덤벼들다. ¶犬(いぬ)が~ 개가 덤벼들다. 2 발바투 덤비다; 또, 따르다. ¶流行(りゅうこう)に~ 유행에 따르다 / すばらしい計画(けいかく)にみんなが~·いた 멋진 계획에 모두가 발바투 덤볐다.

トピック [topic] 图 토픽; 화제. ¶今週(こんしゅう)の~ 금주의 토픽 / これはいい~だ 이것은 좋은 화젯거리다.

*とび-でる【飛び出る】下1自 ☞とびだす. ¶目玉(めだま)が~ような値段(ねだん) 눈알이 튀어나올 정도의 (비싼) 값.

とびどうぐ【飛び道具】图 멀리서 적을 공격하는 무기《총포·활 따위》. ¶~を持(も)っている 총〔활〕을 가지고 있다. 参考 예스러운 말.

とびとび〖飛び飛び〗副ナ 1 흩어져 있는 모양: 점점이; 띄엄띄엄. ¶~の記憶(きおく) 아물거리는 기억 / ~に家(いえ)がある 띄엄띄엄 집이 있다. 2 중간을 빼먹고 나가는 모양: 건너뛰어. ¶本(ほん)を~に読(よ)む 책을 건너뛰며 읽다 / 講義(こうぎ)を~に聞(き)く 강의를 건너뛰며〔드문드문〕 듣다.

とびにゅうがく【飛び入学】图 월반 입학; 성적이 우수한 초·중·고생이 월반해서 상급 학교에 입학하는 일.

とびぬ-ける【飛び抜ける】下1自 크게 차이지다; 뛰어나다. =ずば抜ける. ¶~·けて値段(ねだん)が高(たか)い 엄청나게 값이 비싸다 / この絵(え)は~·けてよい 이 그림은 뛰어나게 좋다.

とびの-く【飛びのく】《飛び退く》5自 홱 비켜서다; 갑자기 물러서다. ¶あわてて~ 당황해서 홱 물러서다.

とびの-る【飛び乗る】5自 (움직이는 것에) 뛰어올라 타다. ¶電車(でんしゃ)に~ 전차에 뛰어오르다 / 馬(うま)に~ 말에 뛰어올라 타다 / オートバイに~·って逃(に)げる 오토바이에 뛰어올라 타고 달아나다. ↔飛(と)び降(お)りる.

とびばこ【飛び箱·跳び箱】图 (체조 기구의) 뜀틀. ⇨あんば(鞍馬).

とびはな-れる【飛び離れる】下1自 1 펄쩍 뛰어서 떨어지다. ¶驚(おどろ)いて~ 놀라서 펄쩍 뛰어 떨어지다. 2 멀리 떨어지다; 큰 차이가 나다; 현격하다. ¶成績(せいせき)が~ 성적이 크게 차이가 나다.

とびは-ねる【飛び跳ねる】下1自 1 날 듯이 〔발로 차면서〕 뛰어오르다. ¶馬(うま)が~ 말이 뛰어오르다. 2 기뻐하며 날뛰다. =おどりはねる. ¶それを聞(き)いて~·ねて喜(よろこ)んだ 그 말을 듣고 껑충껑충 뛰며 기뻐했다.

とびひ【飛び火】图ス自 비화; 후림불. 1 불똥(이 튀어 일어난 화재). ¶~を防(ふせ)ぐ 비화를 막다. 2 비유적으로, 사건이 (엉뚱한 곳으로) 번짐. ¶事件(じけん)は意外(いがい)な方面(ほうめん)に~した 사건은 의외의 방면으로 비화했다.

*とびまわ-る【飛び回る·跳び回る】5自 날아다니다; 뛰어다니다; 돌아다니다. ¶大空(おおぞら)を~ 창공을 날아다니다 / しかが山(やま)を~ 사슴이 산을 뛰어다니다.

どひょう【土俵】图 1 흙을 담은 멱서리. =たわら·土嚢(どのう). ¶~を積(つ)んで堤(つつみ)を築(きず)く 흙부대를 쌓아서 둑을 만들다. 2 씨름판《둘레를 흙섬으로 둘렀음》. =どひょうば.

—いり【—入り】图ス自 상급 씨름꾼이 化粧(けしょう)まわし를 두르고 씨름판에 등장하는 의식.

—ぎわ【—際】图 1 씨름판의 경계. ¶~でうっちゃる 씨름판 경계에서 되치기하다. 2 막판; 고빗사위. =どたんば. ¶~に立(た)たされる 막판에 몰리다.

とびら【扉】图 1 문짝. =ドア. ¶~をあける 문짝을 열다. 2 (책의) 속표지; (잡지의) 본문 앞의 첫 페이지.

どびん【土瓶】图 질주전자. ¶~蒸(む)し 질주전자에 송이버섯·생선·닭고기·채소 따위를 넣어서 익힌 요리.

とふ【塗布】图ス他 도포; 칠함; 바름. ¶~剤(ざい) 도포제 / 薬(くすり)を傷口(きずぐち)に~する 상처에 약을 바르다.

**と-ぶ【跳ぶ】5自 뛰다; 도약하다; 뛰어넘다. ¶ぴょんと~ 깡총 뛰다 / みぞを~ 도랑을 뛰어 건너다 / 階段(かいだん)を~·んでおりる 계단을 뛰어내리다 / 価(あたい)が~ 값이 뛰다《크게 오르다》.

**と-ぶ【飛ぶ】5自 1 (하늘을) 날다. ¶鳥(とり)が空(そら)を~ 새가 하늘을 날다 / あらしをついて~ (비행기가) 폭풍우를 무릅쓰고 날다 / ~ように帰(かえ)って来(く)る 나는 듯이 돌아오다. 2 날아가다〔오다〕. ¶ボールが~ 공이 날아가다〔오다〕/ ハワイに~ 하와이로 날아가다 / 首(くび)が~ 목이 날아가다《(a) 잘리어 죽다; (b) 해고되다》. 3 흩날리다. ¶木(こ)の葉(は)が~ 나뭇잎이 흩날리다 / 風(かぜ)で花粉(かふん)が~ 바람에 꽃가루가 흩날리다. 4 (나는 듯이) 급히 달려가다. ¶~·んで帰(かえ)る 급히 돌아오다〔가다〕/ 急報(きゅうほう)を受(う)けて~·んで来(く)る 급보를 받고 달려오다. 5 (소문 따위가) 퍼지다. ¶デマが~ 데마가 퍼지다〔나돌다〕. 6 건너뛰다; 빠지다. ¶ページが~ 페이지가 빠지다. 7 튀다. ¶どろが~ 흙탕물이 튀다 / ヒューズが~ 퓨즈가 튀다《끊어지다》/ 犯人(はんにん)が大阪(おおさか)に~ 범인이 大阪로 튀다《도망치다》. 可能 と-べる 下1自

—鳥(とり)を落(お)とす勢(いきお)い 나는 새도 떨어뜨릴 권세《대단한 권세의 비유》.

—ように売(う)れる 날개 돋친 듯 팔리다.

—·んで火に入る夏の虫 스스로 위험이나 재앙 속에 뛰어들어 몸을 망침을 비웃는 말.

どぶ 〚溝〛 图 **1** 도랑; 시궁창; 하수구. ¶～川 개골창 / ～が詰まる 하수구가 메다 / ～をさらう 하수구를 치다. **2** 낚시에서, 늪; 깊은 못. =淵.

とぶくろ【戸袋】图 (덧문이나 빈지의) 두껍닫이.

どぶねずみ〚溝鼠〛图 **1**〘動〙시궁쥐. =しちろうねずみ. **2** 주인 눈을 속여 못된 짓을 하는 고용인《욕으로 하는 말》. ¶この店には～がいる 이 가게에는 인쥐가 있다. ↔白ねずみ.

どぶろく〚濁酒·濁醪〛图 탁주; 막걸리. =にごり酒·白馬. ¶～を飲む 막걸리를 마시다.

とべい【渡米】图ス自 도미(渡美).

どべい【土塀】图 토담. ¶～をめぐらした家 토담집.

とほ【徒歩】图 도보. ¶～旅行 도보 여행 / ～で行く 도보로 가다.

とほう【途方】图 **1** 수단; 방도; 할 바. **2** 조리; 도리. =すじみち.

—に暮れる 어찌할 바를 모르다; 망연자실하다. ¶道に迷って～ 길을 잃어 어찌할 바를 모르다.

—もない **1** 사리가 맞지 않다; 엉망이다. **2** 터무니없다. ¶～計画 터무니없는 계획 / ～事を言うな 터무니없는 소리 하지 마라.

どぼく【土木】图 토목. ¶～工事 토목 공사 / ～事業 토목 사업 / ～建築〔工学〕 토목 건축〔공학〕.

とぼけ〚惚け·恍け〛图 얼빠짐; 또, 그런 사람. ¶～者 얼빠진〔멍청한〕 사람.

—がお【—顔】图 얼빠진 얼굴·표정. =とぼけづら.

とぼ-ける〚惚ける·恍ける〛下1自 **1** 얼빠지다; 정신 나가다; 어릿거리다. ¶～·けたことを言う 얼빠진 소리를 하다 / 年のせいで～·けてしまう 나이 탓으로 어릿거린다. **2** 짐짓 시치미 떼다; 뭉때리다. =しらばくれる. ¶～な 의뭉 떨지 마라 / ～·けたやつ 의뭉스러운 놈; 능구렁이 / ～·けたってだめだ. お前がやったんだろう 시치미 떼도 소용없어. 네가 했지. **3** 얼빠진 모양의 우스운 짓을 하다. ¶～·けたコメディアン 얼빠진 짓을 하여 웃기는 코미디언.

*__とぼし-い__【乏しい】形 **1** 모자라다; 부족하다; 적다. ¶金が～ 돈이 부족하다 / 若くて経験に～ 젊어서 경험이 부족하다 / ～·きを分かつ 부족하면 부족한 대로 서로 나누다. **2** 결핍하다; 없다; 가난하다. ¶～生活 가난한 생활 / 元気に～ 기운이 없다. ↔富む.

とぼとぼ 副 힘없이 걷는 모양: 타달타달; 터벅터벅; 타닥타닥. ¶～と家路をたどる 터벅터벅 집으로 돌아가다 / 夕暮れのいなか道をひとりで～(と)歩いていく 해질녘의 시골 길을 혼자서 터벅터벅〔타닥타닥〕 걸어가다.

*__どま__【土間】图 봉당; 토방.

トマト [tomato] 图 토마토. =赤なす. ¶～ソース〔ジュース〕 토마토소스〔주스〕 / ～ケチャップ 토마토케첩.

とまどい【とまどい·戸惑い】《途惑い》图ス自 수단이나 방법을 몰라서 갈피를 잡지 못함; 사정을 몰라 망설임. ¶～を覚える 어리둥절해지다.

とまど-う【とまどう·戸惑う】《途惑う》5自 **1** 어리둥절해하다; 망설거리다; 당황하다. ¶どう話していいか～ 어떻게 말해야 좋을지 망설이다 / 公園があまり広過ぎて～ 공원이 너무 넓어서 얼떨떨하다. **2** (깨었으나) 아직 잠에 취하여 방향을 모르다. ¶夜中に目を覚まして～ 밤중에 깨어나니 (방향을 몰라) 얼떨떨하다.

とまり【止まり】图 멈춤; 그침. **1** 정지. ¶～場所 (a)멈추는 곳; (b)(열차의) 종점. **2** 막다름; 막힘; 또, 그곳. ¶この道は先が～になっている 이 길은 끝이 막다른 골목이다.

—ぎ【—木】图 **1** (닭장·새장 속의) 홰. ¶鶏が～にとまって鳴く 닭이 홰에 앉아서 울다. **2** (술집 등의) 카운터 앞에 있는 높은 의자.

とまり【泊まり】图 **1** 묵음. ㉠숙박. =やどり. ¶～客 숙박객 / 一晩泊まりで温泉へ行く 하룻밤 묵기로 하고 온천에 가다. ㉡숙직. ¶今日は～で学校にいます 오늘은 숙직으로 학교에 있습니다. **2** 묵는 곳; 머무는 곳. ㉠숙박지; 숙소. ¶～を変える 숙소를 바꾸다 / お～はどちらですか 숙소는 어디십니까. ㉡정박지; 항구. =港.

—がけ【—掛け】图 묵을〔숙박할〕 예정으로 떠남. ¶～でおいで下さい 묵으실 작정으로 오십시오.

=どまり【止まり】 고작(…임). ¶高いといっても五千円～だ 비싸다 해도 고작 오천 엔이다 / 部長～で重役にはなれない (기껏) 부장까지가 고작이지 중역은 되지 못한다.

とまりこ-む【泊まり込む】5自 (사정이 있어 그대로 그 자리에) 머무르다; 묵다. ¶友人の家に～ 친구 집에 묵다 / 旅館に～·んで仕事をする 여관에 묵으며 일을 하다.

__とま-る__【止まる】《停まる》5自 **1 멈추다. ㉠멎다; 그치다. ¶血が～ 피가 멎다 / 笑いが～·らない 웃음이 멎지 않다. ㉡정지하다; 서다; 죽다. ¶時計が～ 시계가 서다 / 赤信号で行進が～ 빨간 신호로 행진이 멈추다. **2** (통하던 것이) 끊어지다. ¶電気が～ 전기가 나가다 / 地震でガスも水道も～·ってしまった 지진으로 가스도 수도도 끊어져 버렸다.

*__とま-る__【泊まる】5自 **1** 묵다. ㉠숙박하다. ¶宿屋に～ 여인숙에 묵다 / もう遅いから～·っていきなさい 인제 늦

었으니 묵고 가세요. ㉡숙직하다. ¶宿直室に～ 숙직실에 묵다. **2** 정박하다; 머무르다. ¶港に～ 항구에 정박하다.

とま-る【留まる】5自 **1** 머물다. ¶ハワイに一週間～ 하와이에 일주간 머물다. **2** 붙박이다; 고정되다. ¶鉄板はボルトで～·っている 철판은 볼트로 고정되어 있다. **3** (새 따위가) 앉다; 쉬다. ¶鳥が木の枝に～ 새가 나뭇가지에 앉다. **4** (눈·귀에) 띄다; 들어오다. ¶目に～ 눈에 띄다. **5** (인상·감각 등이) 뒤에까지 남다. ¶いつまでも心に～ 언제까지나 마음에 남다. **6**『お高く～』도도하게 굴다; 거드럭거리다. 可能 とま-れる 下1自

どまんじゅう【土まんじゅう】《土饅頭》 名 봉분을 한 무덤; 뫼. ＝つか.

どまんなか【ど真ん中】名 〈俗〉 한복판; 중앙; 중심(부). ¶銀座の～ 銀座의 한복판 / ～の直球 (야구에서) 한복판 직구.

とみ【富】名 **1** 부(富); 재산; 재화; 자원. ¶海の～ 바다 자원; 수산 자원 / ～を作る 재산을 만들다〔모으다〕/ 地下に眠っている～を探りあてる 지하에 잠자고 있는〔땅에 묻힌〕 자원을 찾아내다. **2** 복권. ＝とみくじ.

とみこうみ〖左見右見〗名 ス他 좌고우면(左顧右眄); 두리번거림. ¶状況を～して決断できない 상황을 이리저리 살피며 결단하지 못하다.

とみに〖頓に〗副 갑자기. ＝にわかに. ¶～活気づく 갑자기 활기를 띠다 / 人口が～増加している 인구가 갑자기 증가하고 있다.

ドミノ［이 domino］名 도미노; 서양 골패. ¶～理論 도미노 이론.

―たおし【―倒し】名 도미노를 나란히 세우고 앞의 하나를 쓰러뜨리면 연속해서 전부가 쓰러지는 일.

とみん【都民】名 東京都의 주민.

と-む【富む】5自 **1** 부(富)하다; 재산이 많다. ¶～·んだ家 부유한 집; 부잣집. ↔まずしい. **2** 많다; 풍부하다. ¶経験に～ 경험이 많다 / 変化に～ 변화가 많다; 다양하다. ↔とぼしい.

とむらい【弔い】名 **1** 조상(弔喪); 애도(함). ＝とぶらい. ¶～の言葉を述べる 문상하다; 조의를 표하다. **2** 장례식. ¶～を出す 장례를 지내다 / お～に参列する 장례에 참석하다. **3** 추선(追善); 법사(法事).

―がっせん【―合戦】名 죽은 자의 영혼을 위로하기 위한 복수전.

とむら-う【弔う】5他 **1** 조상〔조문〕하다; 애도하다. ¶遺族を～ 유족을 조문하다. **2** 추선(追善)하다; 추선 공양하다; 명복을 빌다. ¶祖先の霊を～ 조상의 영혼을 추선하다 / 後を～ (사후(死後)의) 명복을 빌다.

ドメインめい【ドメイン名】名 도메인명; 인터넷에 접속되어 있는 컴퓨터를 계층 구조의 도메인으로 구분할 때 쓰는 명칭(국가별 코드(일본은 jp), 조직의 종별(種別) 코드(대학은 ac, 정부 기관은 go, 기업은 co 등), 그리고 호스트명(名)으로 구성됨). ▷domain.

とめおきゆうびん【留置郵便】名 유치우편. ＝局留め.

とめお-く【留め置く】5他 **1** 유치하다. ㉠돌려보내지 않고 잡아 두다. ¶警察に～·かれる 경찰에 유치되다. ㉡그대로 보관해 두다. ¶電報を～ 전보를 보관해 두다. **2** 기록해 두다. **3** 일단 끝맺다; 끝내다. ¶手帳に要点を～ 수첩에 요점을 기록해 두다.

とめがね【留め金·止め金】名 연결〔결합〕용 금속(멈춤쇠·잠그개·물림쇠 등).

とめぐ【留め具】名 떨어지지 않도록 붙이는 작은 쇠붙이(멈추개; 물림쇠; 잠그개). ¶バッグの～ 백의 잠금 장식.

とめだて【留め立て·止め立て】名 ス他 제지; 말림. ＝制止. ¶いらぬ～をするな 쓸데없이 말리지〔간섭〕 마라.

とめど【留めど·止めど】《留め処·止め処》名 한(限); 끝. ＝かぎり. ¶涙が～(も)なく流れる 눈물이 한없이 흐르다 / しゃべり出したら～がない 지껄이기 시작하면 끝이 없다.

と-める【止める】《停める》下1他 **1** 멈추다. ㉠세우다; 정지하다. ¶車を～ 차를 멈추다 / 足を～ 발(걸음)을 멈추다. ㉡끊다; 잠그다; 끄다. ¶息の根を～ 숨통을 끊다 / ガス·水道を～ (a)가스·수도의 공급을 끊다; (b)가스·수도를 잠그다 / 電気を～ (a)전기 공급을 멈추다; (b)전기를 끄다. **2** 못하게 하다. ㉠막다; 말리다. ¶外出を～ 외출을 못하게 하다 / けんかを～ 싸움을 말리다. ㉡단념시키다. ¶受験を～ 시험을 못 치르게 하다.

と-める【泊める】下1他 **1** 숙박시키다; 묵게 하다. ¶旅行者を～ 여행자를 재우다 / 知人の家に～·めてもらう 친지의 집에서 묵다. **2** 정박시키다. ¶船を港に～ 배를 부두에 정박시키다.

と-める【留める】下1他 **1** 만류하다. ¶出発をむりに～ 출발을 무리하게 막다. **2** 고정시키다. ㉠붙박아 움직이지 않게 하다. ¶くぎで～ 못을 박아 고정시키다. ㉡잠그다; 채우다. ¶ボタンを～ 단추를 채우다. ㉢꽂다; 지르다. ¶髪をピンで～ 머리에 핀을 지르다. **3** (마음에) 두다; 새기다; 주목하다. ¶心に～ 마음에 새기다 / 美しい花に目を～ 아름다운 꽃에 시선을 멈추다.

とも【とも·共】名 **1**《'～に'의 꼴로 副詞的으로》 함께; 같이; 동시에. ¶～に行く 같이 가다. ⇨ともに. **2**《다른 名詞 위에 붙어서》 함께; 같이; 서로. ¶～かせぎ 맞벌이 / ～食い 서로 잡아 먹음 / ～寝 같이 잠. **3**《다른 名詞의 아래에 붙어서》 ㉠그(것)들 모두(다); 다 같이.

¶三人~来ない 세 사람 다 오지 않는다 / 新郎新婦~めぐまれた家庭にそだった 신랑 신부 모두 부유한 가정에서 자랐다. ㉡그를 포함해서; 모두 합쳐. ¶通用発売日~二日 통용 발매일을 포함해서 2일간 / 運賃~千円 운임까지 합쳐서 천 엔.

とも【友】《朋》 名 **1** 친구; 벗; 동무; 동료. ¶~と遊ぶ 친구와 놀다 / 昨日の敵は今日の~ 어제의 적은 오늘의 친구 / ~をつれて行く 벗을 데리고 가다. **2** 동행; 길벗.

とも【供】《伴》 名 ス自 귀인이나 윗사람을 따라감; 또, 그 사람; 종자(從者). ¶~人 종자 / 社長のお~ 사장의 수행원 / お~しましょう 수행(하여 안내)하겠습니다.

とも〖艫〗 名 〈雅〉 선미(船尾); 고물. ＝船尾. ¶~の方に行く 고물쪽으로 가다. ↔へさき·みよし.

とも ㊀接助 …(라 하)더라도; …(라) 하든; …할〔일〕지라도. ＝ても. ¶つらく~がまんしよう 괴롭더라도 참자 / 何は無く~楽しい我が家 아무것도 없으나 즐거운 우리 집 / 行かなく~よい 가지 않아도 된다 / 遅く~十時までには帰る 늦어도 열 시까지는 돌아온다. ㊁格助 《終止形에 붙어》 의심이나 반대의 여지가 전혀 없음을 나타냄; (아무렴) …고말고. ¶もちろん, 行きます~ 물론 가고말고요 / ああ, そうだ~ 암, 그렇고말고 / いい~いい~ 괜찮아 괜찮아; 좋아요 좋아요. 参考 보통, 대답하는 경우에 씀. ㊂連語 **1** 'と'의 힘줌말. ¶もう お前~別れだね 이제 너하고도 이별이구나. **2** 같은 말을 되풀이하여 강조할 때 쓰는 말. ¶うん~すん~言わない 달다 쓰다〔일언반구〕 말이 없다 / 大臣~あろうものが (명색이) 장관이라는 자가.

=ども〖共〗 **1** 《名詞에 붙음》 …들. ¶者~ 너희들; 이놈들 / 女~ 여자들. 参考 사람을 가리키는 말에 붙을 때는 수하(手下) 또는 얕보는 뜻을 나타냄. **2** 《특정의 1인칭에 붙어서》 겸양의 뜻을 나타냄. ¶てまえ~では 저희 집에서는; 저희로서는. **3** 《비유하는 말 따위에 붙어서》 경멸·복수의 뜻을 나타냄. ¶虫けら~ 벌레 같은 놈들.

ども 接助 ☞ど 接助 参考 口語에서는 '行け~行け~山ばかり'와 같이 慣用語로 밖에는 사용하지 않음.

ともあれ〖兎も有れ〗 連語 어찌 되었든; 하여간; 여하튼. ＝とにかく·とまれ. ¶何は~ 어찌 되었든 / 能力は~もうあの年では勤まらない 능력이야 여하튼 이제 저 나이로는 일을 감당할 수 없다.

ともあろうものが 連語 《사람을 지칭하는 말을 받아 부정적인 입장을 나타냄》 그러한 사람이. ¶学生~, 辞書を持たないとは (명색이) 학생이라는 자가 사전을 가지고 있지 않다니.

ともえ〖巴〗 名 **1** 밖으로 소용돌이치는 모양. ¶卍どもえと入り乱れて戦う 서로 뒤범벅이 되어 싸우다 / 三つどもえの争い 삼파전. **2** 물건이 원형을 그리며 도는 모양.

***ともかく**〖兎も角〗 副 하여간; 어쨌든; 여하튼. ＝とにかく. ¶~やって見ましょう 하여튼 해 보죠 / 成績は~人柄がいい 성적은 어쨌든 사람〔인품〕이 좋다 / 留守かもしれないが, ~行ってみましょう 외출 중일는지는 모르지만 여하튼 가 봅시다.

—も 副 어찌 되었든(간에). ¶金は~, 書類はなくされては困る 돈은 어찌됐든, 서류를 잃어버리면 곤란하다.

ともかせぎ【共稼ぎ】 名 ス自 맞벌이. ＝ともばたらき. ¶~の若い夫婦 맞벌이하는 젊은 부부.

ともがら〖輩〗 名 한패; 패거리. ＝仲間·やから. ¶かかる~を相手に 그런 패거리를 상대로.

ともぎれ【共切れ】《共布》 名 만든 옷과 같은 천(조각). ＝ともぬの. ¶~をあてる 같은 천 조각을 대다.

ともぐい【共食い】 名 ス自 **1** (동물 사회에서) 같은 무리끼리 서로 잡아먹음; 동족상잔. ¶~の動物 서로 잡아먹는 짐승 / かまきりが~している 사마귀가 서로 잡아먹고 있다. **2** 동업자끼리 서로 다투다가 다 같이 망함. ¶~になる (서로 다투다가) 다 같이 망하게 되다.

ともし〖灯〗 名 (등)불. ＝ともしび.

ともしび〖灯火·灯〗 名 등불. ＝あかり. ¶風前の~ 풍전등화 / 家の~が見える 집의 등불이 보인다.

ともしらが【共白髪】 名 백년해로. ¶~まで添いとげる 백년해로하다.

とも-す〖点す·灯す〗 5他 불을 켜다. ＝とぼす. ¶火を~ 불을 켜다 / ろうそく〔ランプ〕を~ 촛불을〔램프를〕 켜다.

ともすると 連語 〈口〉 자칫하면; 툭하면; 걸핏하면. ＝ともすれば. ¶~計算をまちがえる 툭하면 계산을 틀리게 하다 / ~人を頼ろうとする 걸핏하면 남에게 의존하려고 한다.

ともすれば 連語 ☞ともすると.

ともだおれ【共倒れ】 名 ス自 (쌍방이) 함께 쓰러짐〔망함〕. ¶安売り合戦で~になる 서로 염가 판매로 다투다가 (양쪽이) 다 망하게 되다.

****ともだち**【友達】 名 친구; 동무; 벗. ＝友人. ¶幼な~ 소꿉친구 / 学校の~ 학교 친구 / 釣り〔飲み, マージャン〕~ 낚시〔술, 마작〕 친구 / 男〔女〕~ 남자〔여자〕 친구 / ~ができる 친구가 생기다 / ~になる 친구가 되다 / ~がいがない 친구로 사귄 보람이 없다 / ~を連れて来る 친구를 데리고 오다.

ともつかない 連語 어느 쪽인지 잘 모르다. ¶賛成とも反対~態度 찬성인지 반대인지 잘 모를 애매한 태도 / う

そとも本当～話 거짓말인지 정말 인지 분명하지 않은 이야기.

ともづな〖艫綱·纜〗图 배 매는 밧줄.

—を解く 밧줄을 풀다; 출항하다.

ともづり【友釣り】图 놀림낚시(질)《낚시에 산 은어를 꿰어 물 속에 놓아, 딴 은어를 꾀어들여 낚는 낚시질》.

ともども〖共共〗副 다 같이; 함께; 서로. ¶～に励まし合う 서로서로 격려하다 / 夫婦～働きに出る 부부가 함께 벌이를 나가다.

*__ともな-う__【伴う】㊀⑤自他 함께 가다; 따라〔데리고〕가다; 동반하다. ¶生徒を～·って出かける 학생을 데리고 나서다 / 先生に～·って行く 선생님을 따라가다 / 雷と稲妻を～大雨 천둥 번개를 동반한 큰비. ㊁⑤自 상반(相伴)하다. **1** 어울리다; 맞다. ¶収入に～·わない生活 수입에 어울리지 않는 살림. **2** 따르다; 수반하다. ¶この仕事は危険を～ 이 일은 위험이 따른다 / 自由と責任はあい～ 자유와 책임은 서로 따라다닌다.

*__ともに__【共に】《倶に》副 **1** 함께; 같이. ¶運命を～する 운명을 함께 하다. **2** 동시에; 또. ¶喜びであると～ 즐거움인 동시에 / 卒業はうれしいと～さびしさも伴う 졸업은 기쁜 동시에 쓸쓸함도 따른다.

—天を頂かず 불구대천(不俱戴天).

ともね【共寝】图ス自 동침. ＝同衾. ¶一夜を～する 하룻밤 동침하다.

ともばたらき【共働き】图ス自 맞벌이. ＝共かせぎ. ¶～の家庭〔夫婦〕 맞벌이 가정〔부부〕/ 私たちは～で月収40万円です 우리는 맞벌이로 월수 40만 엔입니다.

ともびき【友引】图 '友引日'의 준말; (음양도에서) 사물의 승패가 없다고 하는 날《흔히, 이날 장사를 지내면 친구의 죽음을 부른다고 하여 꺼림》.

どもり〖吃り〗图〈卑〉 말을 더듬음; 또, 말더듬이.

どもり【土盛り】图ス自 (공사 따위에서) 흙을 쌓아 올림; 성토(盛土). ＝つちもり. ¶路盤の～ 노반의 성토.

とも-る〖点る·灯る〗⑤自 불이 켜지다; 점화되다. ＝とぼる. ¶電灯が～ 전등이 켜지다.

ども-る〖吃る〗⑤自 말을 더듬(거리)다. ¶緊張のあまり～ 너무 긴장한 나머지 말을 더듬다.

とや〖鳥屋·塒〗图 새장; 닭장. ＝鳥小屋.

—に就く 알을 낳기 위해 둥지에 들다.

どや 图〈俗〉 여인숙; 간이 숙박소. ＝宿屋. ¶～住まい 여인숙살이 / ～街 날품팔이 등이 묵는 간이 숙박소가 많이 모여 있는 지역. 参考 'やど'를 거꾸로 한 은어.

とやかく〖兎や角〗副 이러니저러니; 이러쿵저러쿵. ＝かれこれ. ¶～理屈を言う 이러니저러니 핑계를 대다 / 他人のことを～言うな 남의 일을 이러쿵저러쿵 말하지 마라.

どやしつ-ける 下1他 **1** 세게 치다; 세게 때리다. ¶背中を～ 등을 세게 때리다. **2** 몹시 야단〔호통〕치다. ⇨どやす.

どや-す ⑤他〈俗〉**1** (엄포로 가볍게) 치다; 때리다. ¶背中を～ 등을 툭 치다. **2** (겁을 주려고) 꾸짖다; 호통치다. ¶おやじに～·された 아버지한테서 야단맞았다.

どやどや 副 여럿이 떼 지어서 들어오는 모양; 우; 우르르. ¶人々が～とへやにはいってくる 여럿이 우르르 방으로 몰려 들어오다.

とやま【富山】图〔地〕本州 중부 북쪽 연안의 현; 또, 그 현청 소재지.

とやら 連語 분명하지 않고 얼버무릴 때 쓰는 말. ＝とか. ¶町のお偉方～がやって来た 町(＝읍)의 높으신 분이라든가 뭔가 하는 사람이 찾아왔다.

**__どよう__【土曜】图 토요일. ¶～の夜 토요일 밤.

—び【—日】图 토요일. ＝土曜.

どよう【土用】图 토왕(土旺)《입하·입추·입동·입춘 전의 18일간; 흔히, 여름 토왕인 삼복 무렵》.

どよ-む ⑤自 소리가 울려 퍼지다. ¶雷が鳴り～ 천둥이 울리다. 注意 예전에는 'とよむ'라고 했음.

どよめき 图 **1** 소리가 울려 퍼짐; 또, 그 소리. ¶万歳の～ 우렁찬 만세 소리. **2** 떠들썩함; 또, 떠드는 소리.

どよめ-く ⑤自 **1** (소리가) 울려 퍼지다; 울리다. ¶歓声が空に～ (떠나갈 듯한) 환성이 하늘에 울려 퍼지다. **2** 와글와글 떠들어대다; 술렁거리다; 수런거리다. ¶聴衆〔観衆〕が～ 청중〔관중〕이 술렁거리다.

どよも-す ⑤他 울려 퍼지게 하다. ¶野山を～歓呼の声 들과 산이 떠나갈 듯한 환호 소리 / 砲声が空を～ 포성이 하늘을 울리다.

とら〔寅〕图 인; 지지(地支)의 셋째《방위로는 동북동; 시각으로는 오전 3시부터 5시 사이》. ⇨じゅうにし.

とら〖虎〗图 **1**〔動〕호랑이; 범. ¶～狩り 범 사냥. **2**〈俗〉 취한(醉漢); 취객; 주정뱅이. ¶～になる 엉망으로 취하다.

—に翼 범에 날개; 범 탄 장수 같다. ＝鬼に金棒.

—の威を借る狐 호가호위(狐假虎威); 힘이 없는 자가 남의 권세를 빌려 위세를 부림.

—の尾を踏む 범의 꼬리를 밟다《극히 위험한 짓을 함의 비유》.

—は死して皮を留め, 人は死して名を残す 호사유피(虎死留皮), 인사유명(人死留名)《사람은 죽어서 명예를 남겨야 한다는 비유》.

どら〖銅鑼〗图 동라; 징. ¶出帆の～が鳴る 출범의 징이 울리다.

とらい【渡来】名 ス自 도래; 외국에서 건너옴. ¶南蛮(なんばん)～の品(しな) 수입품.

—じん【—人】名〖史〗다른 나라에서 건너온 사람; 특히, 고대에 일본에 들어온 한국·중국 사람들《선진 기술을 들여와 문화 발전에 크게 기여함》.

トライ [try] 名 ス自 트라이. **1** (럭비에서) 상대편 골라인 안에 공을 대기. ¶～をあげる 트라이를 성공시키다. **2** 시도함; 시험해 봄.

—アウト [tryout] 名 트라이아웃. **1** 연기·스포츠 등의 실력〔적격〕 시험. **2**〖劇〗본격 공연을 하기 전에 하는 실험 공연.

ドライ [dry] ダナ 드라이. **1** (생활 감정·인정 따위에 끌리지 않고) 일을 딱딱 잘라 하는 모양. ¶～な性格(せいかく) 매몰찬 성격. ↔ウエット. **2** 무미건조; 재미없는 모양. **3** 모임 따위에 술이 안 나오는 일. **4** 감미(甘味)를 가하지 않은 양주의 일컬음. ¶～ジン 드라이진.

—アイス [dry ice] 名 드라이아이스《탄산가스를 냉각 압축하여 고체로 한 것》.

—カレー [일 dry+curry] 名 드라이카레; 카레 가루를 가한 양식 쌀밥 요리.

—クリーニング [dry cleaning] 名 드라이클리닝《벤진 등으로 하는 세탁》.

—フラワー [←dried flower] 名 드라이플라워《자연의 꽃을 건조시킨 것; 장식용임》.

トライアスロン [triathlon] 名 트라이어슬론; 3종 경기《혼자서 하루에 장거리 수영·자전거·마라톤의 세 종목을 뛰는 경기》. ＝鉄人(てつじん)レース.

トライアングル [triangle] 名 트라이앵글. **1** 삼각형. ¶～ラブ 삼각관계. **2**〖樂〗타악기의 하나《강철봉(棒)을 삼각형으로 꾸부려 만든 타악기》.

ドライバー [driver] 名 드라이버. **1** 나사돌리개. ＝ねじ回(まわ)し. ▷screw driver. **2** 자동차 따위의 운전사. ¶オーナー～ 손수 운전자. **3** 원거리용 골프채.

ドライブ [drive] 名 ス自 드라이브. **1** 자동차를 몰고 멀리 달림. ¶～マップ 운전용 도로 지도/彼(かれ)と～する 그와 드라이브하다. **2** (탁구·테니스 등에서) 공을 전면으로 회전시키는 강타. ¶～をかける 공을 깎아 치다.

—イン [drive-in] 名 드라이브인; 차에 탄채로 들어갈 수 있는 식당·상점·영화관 등.

—ウエー [driveway] 名 드라이브웨이.

ドライヤー [drier; dryer] 名 드라이어; 건조기(器). ¶ヘア～ 헤어드라이어.

トラウマ [trauma] 名〖心〗트라우마; (그 영향이 오래도록 남는) 심리적 충격; 정신적〔심리적〕 외상. 「ころ.

とらえどころ [捉え所] 名 ☞つかみど

***とら-える**【捕らえる】《捉える》下1他 **1** 잡다; 붙잡다; 붙들다. ¶腕(うで)を～ 팔을 잡다/言葉(ことば)じりを～ 말꼬리를 잡다/犯人(はんにん)を～ 범인을 잡다/レーダーが敵機(てっき)を～ 레이더가 적기를 포착하다. **2** 인식·파악하다; 받아들이다. ¶～え方(かた)の違(ちが)いで同(おな)じものが違(ちが)って解釈(かいしゃく)される 받아들이는 방식의 차이로 같은 것이 다르게 해석된다/文章(ぶんしょう)の要点(ようてん)を～ 문장의 요점을 파악하다.

トラクター [tractor] 名 트랙터; 견인차.

どらごえ【どら声】《銅鑼声》名 굵고 탁한 목소리. ＝胴間声(どうまごえ). ¶～を張(は)り上(あ)げる 뚝배기 깨지는 소리를 지르다.

トラコーマ [trachoma] 名 트라코마. ＝トラホーム. 「竜(りゅう).

ドラゴン [dragon] 名 드래건; 용. ＝

トラスト [trust] 名〖經〗트러스트; 기업합동. ＝企業合同(きぎょうごうどう).

トラック [track] 名 트랙. **1** (육상 경기장 등의) 경주로. ¶四百(よんひゃく)メートルの～ 4백 미터 트랙/～を一周(いっしゅう)する 트랙을 한 바퀴 돌다. **2** 'トラック競技(きょうぎ)(＝트랙 경기)'의 준말. ⇔フィールド. **3** (녹음 테이프 등의) 띠모양의 녹음 부분. ¶サウンド～ 사운드 트랙.

***トラック** [truck] 名 트럭; 화물 자동차. ¶～三台分(さんだいぶん)の荷物(にもつ) 트럭 석 대분의 짐.

—ターミナル [일 truck+terminal] 名 장거리 화물 수송 트럭 주차장.

ドラッグ [drag] 名〖컴〗드랙; 마우스의 버튼을 누른 채로 끌며 화면의 아이콘을 이동하는 조작.

トラッド [trad] 名 ダナ 트래드; 전통적인 모양; 특히, 유행에 좌우되지 않는 정통적인 복장. 參考 'traditional'의 준말.

どらねこ【どら猫】名 〈俗〉 도둑고양이.

とらのこ【とらの子】《虎の子》名 〈俗〉 끔찍이 아끼는 것; 애지중지하는 것; 비장의 금품. ¶～の百万円(ひゃくまんえん) 고이 간직해 두었던 백만 엔/～にしていたカメラを盗(ぬす)まれた 몹시 아끼던 카메라를 도둑맞았다.

とらのまき【とらの巻】《虎の巻》名 **1** 병법의 비전서(祕傳書); 육도 삼략. **2** 강의 따위의 기초 자료가 되는 책. **3** 교과서를 해석·주석한 참고서. ＝あんちょこ·虎巻(とらかん).

トラバーユ [프 travail] 名 트라바유; 노동; 일; 노작. ＝トラバイユ.

ドラフト [draft] 名 드래프트; 선발. ¶～会議(かいぎ) 선발 회의. 「도.

—せい【—制】名 드래프트〔선발〕 제

トラブル [trouble] 名 트러블. **1** 옥신각신; 분쟁; 말썽. ＝もめごと. ¶～メーカー 말썽꾼/～が起(お)きる 말썽이 생기다. **2** 고장. ¶エンジンに～が発生(はっせい)する 엔진에 고장이 발생하다.

トラブ-る 5自 〈俗〉 문제·지장이 생기다; (기계가) 고장나다; 말썽이 생기다. 參考 'トラブル'를 동사화한 말. 「자.

トラベラー [traveler] 名 트래블러; 여행

トラホーム [도 Trachom] 名〖醫〗트라홈; 트라코마. ＝トラコーマ. ¶～にかかる 트라코마에 걸리다.

ドラマ [drama] 名 드라마. **1** 연극; 극. ¶

ホーム～ 홈드라마; 일상 가정극 / さながら,一編の～だ 마치 한편의 드라마 같다. **2** 극본; 희곡. ¶～の作者 드라마 작자 / ～を書く 각본을 쓰다. **3** (인간의) 극적인 갈등. ¶人生の～ 인생 드라마.

ドラマチック [dramatic] ダナ 드라마틱; 극적. ¶～な再会 극적인 재회 / ～な場面 극적인 장면.

ドラム [drum] 名 드럼. **1** 〔樂〕 북. **2** 원통 모양의 기계 부품. **3** 'ドラム缶(=드럼통)'의 준말.

どらむすこ【どら息子】名 〈俗〉 방탕한 자식; 건달 자식. ¶金持ちの～ 부잣집의 방탕아. ⇨のらむすこ.

どらやき【どら焼き】《銅鑼焼き》名 물에 갠 밀가루를 원형으로 구워서 두 장을 겹쳐 그 사이에 팥소를 넣은 일본 과자.

とら-れる【取られる】下1自 **1** 빼앗기다. ¶財布を～ 지갑을 빼앗기다. **2** 통제 불능이 되다. ¶ハンドルを～ 핸들을 놓치다.

とらわれ【捕らわれ】《囚われ》名 (붙)잡힘; 포로가 됨. =とりこ. ¶～の身 포로의 몸; 포로의 신세.

とらわ-れる〖捉われる〗下1自 (선입관·생각에) 사로잡히다; 구애되다; 얽매이다. ¶因襲〔先入観〕に～ 인습〔선입관〕에 얽매이다.

とらわ-れる【捕らわれる】《囚われる》下1自 (붙)잡히다; 붙들리다; 사로잡히다. =とらえられる. ¶敵兵に～ 적병에게 사로잡히다 / 官憲の手に～ 관헌의 손에 잡히다.

トランク [trunk] 名 트렁크. **1** 큰 여행가방. **2** 승용차 뒤의 짐 싣는 곳.

トランクス [trunks] 名 트렁크스《권투 선수 등이 입는 팬츠》.

トランシーバー [transceiver] 名 트랜시버; 휴대용 소형 무전기《근거리용》.

トランジスター [transistor] 名 트랜지스터. **1** 전극이 3개 이상 있는 반도체 증폭 소자. **2** 트랜지스터 라디오. **3** 〈俗〉 작은 것; 소형. ¶～美人 아리잠직한 미인.

トランス [←transformer] 名 트랜스; 변압기.

トランプ [trump] 名 트럼프; 카드. ¶～で占う 트럼프로 점치다.

トランペット [trumpet] 名 트럼펫. ¶～で吹く 트럼펫을 불다.

トランポリン [trampoline] 名 〖商標名〗 트램펄린《탄력 있는 매트를 이용해 도약 따위를 하는 운동; 또, 그 기구》.

とり [酉] 名 유; 지지(地支)의 열째《방위로는 서(西), 시각으로는 오후 5시부터 7시까지의 사이》. ⇨じゅうにし.

⁑**とり**【鳥】名 새; 조류(鳥類). ¶～の声 새소리 / ～を飼う 새를 기르다.

—なき里のこうもり 잘난 사람이 없는 곳에서 하찮은 자가 뽐낸다는 비유.

⁑**とり**〖鶏〗名 **1** 닭. =にわとり. ¶～のがらでスープをこしらえる 닭뼈로 수프를 만들다. **2** 닭고기. =かしわ. ¶～のささ身 닭가슴의 연한 살.

とり【取り】名 **1** 얻음; 취득함; 또, 그 사람. ¶月給～ 월급쟁이 / 借金～ 빚쟁이. **2** (연예 따위) 인기물에서 마지막 프로(에 나오는 사람)《'真打ち'의 딴 이름》.

とり=【取り】《動詞 앞에 붙어》 어세(語勢)를 세게 하는 말. ¶～決める 결정하다 / ～調べる 문초하다 / ～急ぐ 급히 서두르다.

とりあ-う【取り合う】㊀5他 **1** 서로 붙잡다; 맞잡다. ¶手を～·って喜ぶ 손을 마주 잡고 기뻐하다. **2** 서로 다투어 빼앗다; 쟁탈하다. ¶陣地を～ 진지를 쟁탈하다. ㊁5自 **1** 《흔히, 否定語가 따라서》 상대하다; 상관하다. ¶笑って～·わない 웃으며 상대하지 않다. **2** 조화되다; 어울리다.

***とりあえず**〖取り敢えず〗副 **1** 부랴부랴; 급히; 즉각. =すぐに. ¶～連絡をする 부랴부랴 연락을 취하다 / 取るものも～かけつける 만사 제쳐 놓고 달려가다. **2** 우선. =一応. ¶右～お礼まで 이상으로 우선 인사드립니다《서간문의 맺음말》/ ～これだけはしておかなければならない 우선 이것만은 해두지 않으면 안 된다.

***とりあ-げる**【取り上げる】下1他 **1** 집어들다; 들어 올리다. ¶はしを～ 젓가락을 집어들다. **2** 빼앗다. ㉠거둬들이다. ¶税を～ 세금을 거둬들이다. ㉡몰수하다; 박탈하다. ¶財産を～·げられる 재산을 몰수당하다. **3** 해산을 돕다. ¶この子はあの産婆さんに～·げてもらった 이 아이는 저 조산원이 받아 주었다. **4** (신청·의견 등을) 받아들이다; 들어주다. ¶辞表を～ 사표를 받아들이다 / その案は～·げられなかった 그 안은 채택되지 않았다. **5** (이렇다 하게) 문제삼다; 초들다. ¶～に足りない 족히 문제삼을 것이 못 되다.

とりあ-げる【採り上げる】下1他 ☞とりあげる4·5.

とりあつかい【取り扱い·取扱】名 **1** 취급; 다룸; 또, 다루는 법; 처리. ¶～に困る 다루기 힘들다 / ～を知っている 취급법을 알고 있다. **2** 보살핌; 접대; 대우. ¶丁重な～ 정중한 대우.

—じょ【取扱所】名 취급소. ¶小荷物～ 소화물 취급소.

—ちゅうい【取扱注意】名 취급 주의.

⁑**とりあつか-う**【取り扱う】5他 다루다; 보살피다; 처리하다. ¶危険物を～ 위험물을 다루다 / 少年犯罪の問題を～·った小説 소년 범죄 문제를 다룬 소설 / 親切に～ 친절하게 응대하다 / 郵便局で～ 우체국에서 취급하다. 可能 とりあつか-える 下1自

とりあつ-める【取り集める】下1他 (여러 가지를) 그러〔한데〕모으다; 모으다. ¶会費〔資料〕を～ 회비〔자료〕를

모으다 / 各界(かっかい)の意見(いけん)を～ 각계의 의견을 모으다.

とりあわ-せる【取り合わせる】下1他 (적절히) 배합〔배열〕하다; 맞추다; (이것저것) 그러모으다; 섞다. ¶～·せた作品(さくひん) 이것저것 그러모은 작품 / 野菜(やさい)を～·せて作(つく)る 야채를 이것저것 섞어〔배합하여〕 만들다.

とりい【鳥居】名 신사(神社) 입구에 세운 기둥문. ¶～をくぐる 鳥居 밑을 지나다.

[鳥居]

とりいそぎ【取り急ぎ】副 급히(('실례를 무릅쓰고 급히 말씀드립니다만'의 뜻으로, 서간문에 쓰는 인사말)). ¶～お知(し)らせいたします 우선 급한 대로 알려드립니다 / ～御礼(おれい)まで 우선 급한 대로 감사의 말씀을 드립니다.

とりいそ-ぐ【取り急ぐ】5自 '急(いそ)ぐ(=서두르다)'의 힘줌말. ¶工事(こうじ)を～ 공사를 서두르다. 注意 'とり'는 接頭語.

トリートメント [treatment] 名ス他 트리트먼트; 손질; 특히, 머리 손질.

ドリーム [dream] 名 드림; 꿈. ¶～ランド 드림랜드.

とりい-る【取り入る】5自 환심(을) 사다; 비위 맞추다; 빌붙다; 아첨하다. ¶社長(しゃちょう)に～ 사장에게 아첨하다.

とりいれ【取り入れ】名 **1** 들여옴; 받아들임; 도입. ¶～口(ぐち) 취수구 / 技術(ぎじゅつ)の～ 기술 도입. **2** (농산물을) 거두어들임; 수확. ¶秋(あき)の～ 가을 추수; 가을걷이 / 稲(いね)の～で忙(いそが)しい 벼를 거두어들이느라고 바쁘다.

***とりい-れる**【取り入れる】下1他 **1** 안에 〔집어〕 넣다. ¶洗濯物(せんたくもの)を～ 세탁물을 걷어들이다. **2** (곡식 따위를) 거두어들이다. ¶稲(いね)を～ 벼를 수확하다. **3** 받아들이다; 도입〔섭취〕하다. ¶新(あたら)しい技術(ぎじゅつ)を～ 새로운 기술을 도입하다.

とりうち【鳥打ち】名 **1** (총으로) 새를 쏨; 또, 그 사람. **2** '鳥打ち帽(ぼう)'의 준말.

——ぼう【——帽】名 헌팅캡; 사냥 모자. =ハンチング·鳥打ち帽子(ぼうし).

トリウム [도 Thorium] 名〘化〙토륨; 방사성 원소의 하나((기호: Th.)).

とりえ【取り柄·取り得】名 취할 점; 좋은 점; 쓸모; 장점. =長所(ちょうしょ)·えて. ¶何(なん)の～もない 아무 쓸모도 없다 / 人間(にんげん)どこかに～があるものだ 사람은 어딘가에 장점이 있는 법이다.

トリオ [이 trio] 名 트리오. **1**〘樂〙삼중주; 삼중창. **2** (뛰어난) 3인조. ¶～で活躍(かつやく)する 트리오로 활약하다 / クリーンアップ～〘野〙클린업 트리오((타순 3·4·5번의 강타자)).

とりおこな-う【執り行なう】5他 (식·제사 등을) 지내다; 거행〔집행〕하다. ¶記念式(きねんしき)を～ 기념식을 거행하다.

とりおさ-える【取り押さえる·取り抑える】下1他 **1** 억누르다; 움쭉 못하게 하다. ¶暴(あば)れ馬(うま)を～ 날뛰는 말을 움쭉 못하게 하다. **2** 붙잡다; 붙들다. =からめとる. ¶犯人(はんにん)を～ 범인을 붙잡다.

とりおと-す【取り落とす】5他 **1** (손에서) 떨어뜨리다; 놓치다. ¶食器(しょっき)を～·して割(わ)る 그릇을 떨어뜨려 깨뜨리다. **2** (잊고) 빠뜨리다. ¶名簿(めいぼ)から～ 명단에서 빠뜨리다. ¶あたらしいデータを～·して集計(しゅうけい)する 새 데이터를 빠뜨리고 집계하다.

とりかえし【取り返し】名 되찾음; 돌이킴; 만회; 복원. ¶～がつかない失敗(しっぱい) 돌이킬 수 없는 실수 / ～のつかぬことをしでかした 돌이킬 수 없는 일을 저질렀다.

とりかえ-す【取り返す】5他 **1** 되찾다. =とりもどす. ¶領地(りょうち)を～ 영지를 되찾다 / 貸(か)したノートを～ 빌려준 노트를 도로 찾다. **2** 본래〔원상〕대로 하다; 복원〔회복, 복구〕하다; 돌이키다. ¶～ことのできない失敗(しっぱい) 돌이킬 수 없는 실수 / 昔(むかし)の自分(じぶん)を～·した 옛날의 자기를 되찾았다.

***とりか-える**【取り替える·取り換える】下1他 바꾸다; 교환하다; 갈다. ¶材料(ざいりょう)を～ 재료를 바꾸다 / 友(とも)と本(ほん)を～ 친구와 책을 바꾸다 / かさの柄(え)を～ 우산대를 갈다 / くつの底(そこ)〔ひも〕を～ 구두창〔끈〕을 갈다.

とりかか-る【取り掛かる】5自 착수하다; 시작하다. ¶今(いま)～·っている事件(じけん) 현재 취급하고 있는 사건 / 新(あたら)しい工事(こうじ)に～ 새로운 공사에 착수하다.

とりかご【鳥かご】((鳥籠)) 名 새장; 조롱.

とりかこ-む【取り囲む】5他 둘러싸다; 에워싸다; 포위하다. ¶城(しろ)を～ 성을 에워싸다 / ～·まれている 둘러싸여〔포위되어〕 있다.

とりかじ【取りかじ】((取り舵)) 名 **1** 뱃머리를 왼쪽으로 돌리기 위한 키 꺾기. ¶船(ふね)は～一杯(いっぱい)で旋回(せんかい)を始(はじ)めた 배는 키를 잔뜩 왼편으로 꺾고 선회하기 시작했다. ↔面(おも)かじ. **2** 좌현(左舷).

とりかたづ-ける【取り片付ける】下1他 치우다; 정돈하다; 정리하다. =かたづける. ¶机(つくえ)の上(うえ)を～ 책상 위를 정리〔정돈〕하다.

とりかわ-す【取り交わす】5他 주고받다; 교환하다. ¶契約書(けいやくしょ)を～ 계약서를 교환하다 / 手紙(てがみ)を～ 편지를 주고받다.

とりきめ【取り決め】((取り極め)) 名 결정; 약정; 약속; 계약. ¶～を結(むす)ぶ 계약을 맺다 / ～に従(したが)って支払(しはら)う 계약에 따라 지급하다.

とりき-める【取り決める】((取り極める)) 下1他 **1** (결)정하다. ¶式(しき)の日取(ひど)りを～ 식을 올릴 날짜를 정하다. **2** 약속하다; 계약하다. ¶取引(とりひき)を～ 거래를 계약〔약속〕하다.

とりくず-す【取り崩す】5他 **1** 헐다; 무너뜨리다; 철거하다. ¶垣根(かきね)を～ 울타리를 헐다. **2** 야금야금 없애다. ¶預金(よきん)

を～ 예금을 조금씩 찾다〔헐다〕.

とりくち【取り口】图 씨름하는 솜씨〔수법·품〕. ¶うまい～ 능숙한 씨름 솜씨.

とりくみ【取り組み】图 **1** 맞붙음. ¶～が下手(へた)だ 맞붙는 품이 서투르다. **2**【取組】씨름에서, 대전(對戰); 대진(표)《넓은 뜻으로는 맞(적)수를 가리킬 때도 있음》. ¶～表(ひょう) 대전표 / あの二人(ふたり)はいい～だ 저 두 사람은 호적수이다. **3** 대처. ¶流通問題(りゅうつうもんだい)への～が弱(よわ)い 유통 문제에 대한 대처가 약하다.

*__とりく-む__【取り組む】5自 **1** 맞붙다. ¶二人(ふたり)が～ 둘이 맞붙다 / 四(よ)っつに～·んで動(うご)かない 서로 양팔을 지르고 맞붙은 다음 움직이지 않다. **2** 대전〔대진〕하다; 싸우다. ¶強敵(きょうてき)と～ことになった 강적과 맞붙게 되었다. **3** (비유적으로) …과 씨름하다; …에 몰두하다. ¶難問題(なんもんだい)と～ 난문제와 씨름하다 / 研究(けんきゅう)に～ 연구에 몰두하다. 可能 とりく-める 下1自

とりけし【取り消し】图 취소. ¶契約(けいやく)～ 계약 취소 / 免許(めんきょ)〔予約(よやく)〕の～ 면허〔예약〕 취소 / ～を求(もと)める 취소를 요구하다 / ～になる 취소되다.

*__とりけ-す__【取り消す】5他 취소하다. ¶発言(はつげん)を～ 발언을 취소하다 / 予約(よやく)を～ 예약을 취소하다. 可能 とりけ-せる 下1自

とりこ〖虜·擒〗图 사로잡힌 사람; 포로. ¶～になる 사로잡히다; 포로가 되다 / ～にする 사로잡다; 포로로 하다 / 恋(こい)の～になる 사랑의 포로가 되다 / 美貌(びぼう)の～になる 미모에 사로잡히다〔홀리다〕.

とりこしぐろう【取り越し苦労·取越苦労】图ス自 쓸데없는 근심; 군걱정; 기우. ＝杞憂(きゆう). ¶余計(よけい)な～ 부질없는 걱정 / そりゃ～だ 그건 쓸데없는 걱정이다. 注意 'とりこしくろう'라고도 함.

とりこぼ-す【取りこぼす】《取り零す》5他 (씨름 따위에서) 예상 밖의 상대에게 지다; 어이없이 패하다. ¶勝(か)てる一番(いちばん)を～ 이길 수 있는 한 판을 놓치다 / 下位(かい)に～·したのが痛(いた)い 하수에게 뜻밖에 진 것이 뼈아프다.

とりこみ【取り込み·取込】图 **1** 거두어들임. ¶洗濯物(せんたくもの)の～ 빨래 거두어들이기. **2** 어수선함; 혼잡; 복잡; 다망(함). ¶お～中(ちゅう)失礼(しつれい)ですが 경황없으신 중에 실례입니다만 / ～があって学校(がっこう)を休(やす)む 복잡한 일이 있어서 학교를 쉬다. **3** '取り込み詐欺(さぎ)'의 준말.

—さぎ【—詐欺】图 대금을 치르지 않고 물건을 떼먹는 사기.

とりこ-む【取り込む】一5自 어수선〔뒤숭숭〕하다; 혼잡〔복잡〕하다. ¶親類(しんるい)に不幸(ふこう)があって～·んでいる 친척집에 초상이 나서 어수선하다. 二5他 **1** 거두어들이다. ¶洗濯物(せんたくもの)を～ 빨래를 거두어들이다. **2** (부정하게) 수중에 넣다; 집어먹다. ¶主人(しゅじん)の金(かね)を～ 주인의 돈을 집어먹다. **3** 제것으로 하다. ¶ゴッホの画風(がふう)を～ 고흐의 화풍을 받아들이다〔구사하다〕. **4** 구슬리다; 구워삶다. ¶先生(せんせい)を～·んで味方(みかた)にする 선생님을 구워삶아 제편으로 만들다. 可能 とりこ-める 下1自 「＝とや.

とりごや【鳥小屋】图 새장; 특히, 닭장.

とりころ-す【取り殺す】5他 앙얼을 입어서 죽게 하다. ＝たたり殺(ころ)す. ¶怨霊(おんりょう)に～·される 원귀의 앙얼을 입어서 죽다.

とりこわし【取り壊し】《取り毀し》图 해체; 철거.

とりこわ-す【取り壊す】《取り毀す》5他 (건물 따위를) 헐다; 해체하다. ¶古(ふる)い家(いえ)を～ 낡은 집을 헐다.

とりさ-げる【取り下げる】下1他 (소송·청원 따위를) 취하하다; 철회하다. ¶請願(せいがん)を～ 청원을 철회하다 / 辞表(じひょう)を～ 사표를 철회하다.

とりざた【取りざた】《取り沙汰》图ス自 (항간의) 평판; 소문; 세평. ＝うわさ. ¶世人(せじん)の～を気(き)にする 세인의 평판을 꺼리다 / あれこれ～する 이러쿵저러쿵 쑤군거리다.

とりさば-く【取りさばく】《取り捌く》5他 (분쟁·소송 등을) 처리하다; 가리다; 판가름하다. ＝さばく. ¶年寄(としより)に～·いてもらう 노인에게 부탁하여 판가름하도록 하다 / もめごとを～ 분쟁을 (적절히) 처리하다.

とりざら【取り皿】图 큰 접시에 담은 요리를 덜어 담는 작은 접시.

とりさ-る【取り去る】5他 없애다; 제거하다. ¶注射(ちゅうしゃ)で痛(いた)みを～ 주사로 아픔을 제거하다 / 米(こめ)から籾米(もみごめ)を～ 쌀에서 뉘를 골라내다. 可能 とりさ-れる 下1自

とりしき-る【取り仕切る】5他 혼자 도맡아 하다; 책임지고 관리하다. ¶父(ちち)に代(か)わって店(みせ)を～ 아버지를 대신하여 가게 일을 맡아보다.

とりしず-める【取り鎮める·取り静める】下1他 (소동·난동 등을) 가라앉히다; 진정시키다. ¶暴動(ぼうどう)を～ 폭동을 진압하다.

*__とりしまり__【取り締まり·取締】图 **1** 다잡음; 단속함; 또, 그 사람. ¶交通違反(こうつういはん)の～ 교통 위반 단속 / 厳重(げんじゅう)な～をする 엄중한 단속을 하다. **2** '取締役(とりしまりやく)'의 준말.

—きてい【—規定】图 단속 규정.

—やく【取締役】图 중역; 이사. ¶～会(かい) 이사회 / 代表(だいひょう)～ 대표 이사.

*__とりしま-る__【取り締まる】5他 다잡다; 잡죄다; 단속하다; 관리〔감독〕하다. ¶会社(かいしゃ)の業務(ぎょうむ)を～ 회사 업무를 다잡다 / 容赦(ようしゃ)なく～ 가차없이 단속하다.

とりしらべ【取り調べ】图 조사; 수사; 문초; 신문. ¶～を受(う)ける 조사를 받다 / 容疑者(ようぎしゃ)の～ 용의자의 문초 / 原因(げんいん)の～に当(あ)たる 원인의 조사를 맡다.

とりしら-べる【取り調べる】下1他 **1**

(자세히) 조사하다. **2** (용의자를) 문초하다; 신문하다. ¶被疑者(ひぎしゃ)を～ 피의자를 신문하다.

とりすが-る【取りすがる】《取り縋る》 5自 매달리다; 다랑귀뛰다. ¶首(くび)に～ 목에 매달리다/母(はは)のそでに～·って泣(な)く 어머니의 소매에 매달려서 울다.

とりすま-す【取り澄ます】 5自 (짐짓) 점잔〔얌전〕빼다; 새침 떨다; 시치미 떼다. ¶～·した顔(かお) 짐짓 점잔〔얌전〕 빼는 얼굴; 새침 떠는 얼굴/彼女(かのじょ)は～·してあいさつもしなかった 그녀는 새침떨며 인사도 하지 않았다.

とりそろ-える【取りそろえる】《取り揃える》 下1他 모두〔골고루〕 갖추다; (빠짐없이) 한데 모으다. ¶参考(さんこう)資料(しりょう)を～ 참고 자료를 모두 갖추다.

とりだか【取り高】 名 **1** 수확량; 수입액. **2** 소득; 몫; 배당액.

*とりだ-す【取り出す】 5他 **1** 꺼내다; (끄)집어내다; 빼내다. ¶ポケットからさいふを～ 호주머니에서 지갑을 꺼내다/袋(ふくろ)から菓子(かし)を～ 봉지에서 과자를 꺼내다. **2** 골라내다; 추려 내다. ¶リストから該当者(がいとうしゃ)を～ 리스트에서 해당자를 골라〔추려〕 내다.

とりたて【取り立て】 名 **1** 거둠; 징수. ¶税金(ぜいきん)の～ 세금 징수/～手形(てがた) 추심어음/借金(しゃっきん)の～に行(ゆ)く 빚을 받으러 가다. **2** 갓 잡음; 갓 땀. ¶～の魚(さかな) 갓 잡은 생선/～のくだもの 갓 딴 과일. **3** 등용; 애호; 발탁. ¶～に与(あずか)る (a)등용되다; (b)(특별한) 사랑을 받다/社長(しゃちょう)の～で昇進(しょうしん)する 사장의 발탁으로 승진하다.

とりた-てる【取り立てる】 下1他 **1** 거두다; 징수하다. ¶税金(ぜいきん)を～ 세금을 징수하다. **2** 초들(어 말하)다; 특별히 내세우다. ¶～·てて言(い)うほどの事(こと)もない 이렇다 하게 초들 만한 것도 없다. **3** 발탁하다; 등용하다. ¶有能者(ゆうのうしゃ)を～ 유능한 자를 등용하다/課長(かちょう)に～·てられる 과장으로 발탁되다.

とりちが-える【取り違える】 下1他 **1** 잘못 잡다. ㉠잘못해서 딴 것과 바꾸다. ¶弟(おとうと)のかばんと～·えて持(も)ってきてしまった 아우의 가방을 잘못 가지고 와 버렸다. ㉡잘못 타다. ¶列車(れっしゃ)を～ 열차를 잘못 타다. **2** 잘못 알다〔듣다〕; 잘못 이해〔해석〕하다; 틀리다. ¶意味(いみ)を～ 의미를 잘못 이해하다.

とりちらか-す【取り散らかす】 5他 ☞ とりちらす.

とりちら-す【取り散らす】 5他 (어수선하게) 흩뜨리다; 어지르다. ＝とりちらかす. ¶～·したへや 어지른 방/へやの中(なか)を～ 방을 어지르다.

とりつ【都立】 名 도립; 東京都(とうきょうと)의 설립. ¶～高校(こうこう) 도립 고교.

とりつぎ【取り次ぎ·取次】 名ス他 **1** 중개; 중개인. ¶～営業(えいぎょう) 중개업. **2** (손님을) 맞는 일; (손님의 말을) 주인에게 전하는 일; 또, 그 사람. ¶女中(じょちゅう)が～に出(で)る 하녀가 (손님을) 맞이하러 나가다〔나오다〕/社長(しゃちょう)に～を頼(たの)む 사장에게 전해 주기를 부탁하다.

――てん【取次店】 名 중개점; 대리점.

とりつ-く【取り付く】 5自 **1** 매달리다; 붙들다; 발붙이다. ¶母(はは)に～ 어머니에게 매달리다. **2** 착수하다. ¶仕事(しごと)に～ 일에 착수하다. **3** 《取り憑く》 (귀신이) 씌다; 들리다; 홀리다. ¶ものに～·かれたように 마치 무엇에 홀린〔씐〕 것처럼/狐(きつね)に～·かれる 여우에 홀리다.

――島(しま)もない **1** 의지할〔기댈, 발붙일〕 데도 없다; 어찌할 수가 없다. **2** (상대가 쌀쌀맞아) 말붙일 염도 못 내다. ¶そう言(い)われては～ 그렇게 말하면 말붙일 생각도 못한다.

トリック [trick] 名 트릭. **1** 책략; 속임수. ¶～を用(もち)いる 속임수를 쓰다/～にかかる 트릭〔계략〕에 걸리다; 속다. **2** (영화에서) 특수 촬영 기법으로 화면에 표현하는 기술. ¶～撮影(さつえい) 트릭 촬영. ▷trick work.

とりつ-ぐ【取り次ぐ】 5他 **1** (양자 사이에서) 한쪽의 의사를 다른 편에 전하다. ¶伝言(でんごん)がありますなら～·ぎ致(いた)します 전하실 말씀이 있으시면 제가 전해 올리죠. **2** (손님 등을) 맞다; 손님이 왔음〔손님의 말〕을 주인에게 전하다. **3** (매매 등을) 중개하다. ¶注文(ちゅうもん)の品(しな)を～ 주문한 물품을 받아서 되넘기다.

とりつくろ-う【取り繕う】 5他 **1** 수선하다; (매만져서) 고치다. ¶着物(きもの)の破(やぶ)れを～ 옷의 해어진 곳을 깁다. **2** 겉바르다. ㉠겉꾸리다; 겉꾸미다. ¶人前(ひとまえ)を～だけではだめだ 남의 앞에서만 잘 보이려고 겉꾸며서는 안 된다. ㉡(일시적으로) 잘못을 어름어름 숨겨 넘기다; 감싸 주다. ¶その場(ば)を～ 그 자리를 얼버무려 넘기다.

とりつけ【取りつけ】 名 단골임; 단골 가게. ＝買(か)いつけ. ¶～の店(みせ) 대놓고 사는 가게; 단골 가게.

とりつけ【取り付け】 名 **1** 장치; 설치함. ¶機械(きかい)〔アンテナ〕の～ 기계〔안테나〕의 설치. **2** 신용을 잃은 은행에 예금주들이 돈을 찾으려고 몰려듦. ¶～(の)騒(さわ)ぎ 예금 인출 소동.

*とりつ-ける【取りつける】 下1他 (어떤 가게에서) 대놓고 사다; 단골로 사다. ¶～·けている店(みせ) (단골로) 대놓고 사는 가게.

*とりつ-ける【取り付ける】 下1他 **1** (기계 등을) 달다; 장치〔설비〕하다. ¶電灯(でんとう)を～ 전등을 달다/事務所(じむしょ)にファックスを～ 사무실에 팩스를 설치하다. **2** (계약 등을) 성립시키다; 얻어내다; 획득하다. ¶契約(けいやく)を～ 계약을 성립시키다/了解(りょうかい)を～ 양해를 얻어내다. **3** (은행 예금 등을 찾아서) 수중에 확보하다.

ドリップコーヒー [drip coffee] 名 드립커피; 잘게 간 커피 원두에 뜨거운 물을

부어 필터로 걸러 낸 커피.

とりて【取り手】名 **1** 받는 사람. ¶遺産の~がない 유산을 받을 사람이 없다. **2** ('歌がるた' 놀이에서) 딱지〔패〕를 잡는 사람. ↔読み手. **3** (씨름·유도 등에서) 기술이 좋은 사람.

とりで〖砦〗名 성채(城砦)《본성(本城)에서 떨어진 요소에 쌓은 소규모의 성》; 보루(堡壘); 요새. ¶山の頂上に~を築く 산정에 성채를 쌓다.

とりどころ【取り所】名 취할 점〔데〕; 장점. =とり柄. ¶何の~もない男 아무 취할 점도 없는 사내.

とりとめ【取り留め·取り止め】名 **1** (잡아) 멈춤; 붙듦; 말림. **2** 끝. ¶~もなく続く 끝없이 계속되다. **3** 요점; 두서; 동닿음. ¶~の無い話 두서〔종잡을 수〕 없는 말.

とりと-める【取り留める·取り止める】下1他 **1** (잡아) 멈추다〔붙들다〕; 말리다. **2** (잃을 뻔한) 목숨을 건지다. ¶一命を~ 목숨을 건지다. **3** 명확히 하다; 확인하다. ¶~·めた説はない 명확한〔일정한〕 설은 없다.

とりどり〖取り取り〗ダナ 제각각; 갖가지; 가지각색; 각양각색. ¶~の意見 갖가지 의견 / 色~の帽子 가지각색의 모자.

とりなお-す【取り直す】5他 **1** 고치다; 새로이 하다. ¶気を~ 기분을 새로이 하다. **2** (씨름에서) 다시 맞붙다; 다시 하다. ¶物言いがついて~ 이의가 있어 다시 하다. **3** 고쳐 잡다〔쥐다〕. ¶刀を~ 칼을 고쳐 잡다.

とりなお-す【撮り直す】5他 재촬영하다; 다시 찍다; 재복사하다. ¶写真を~ 사진을 다시 찍다.

とりなし【とりなし·執り成し·取り成し】名 중재; 조정; 주선. ¶~の上手な人 중재〔조정〕의 명수 / それがしの~で 아무의 주선으로 / ~を頼む 주선을 부탁하다.

とりな-す【とりなす·執り成す·取り成す】5他 **1** (그 당장을) 잘 꾸리다; 수습하다. ¶その場をうまく~ 그 당장을 잘 꾸리다〔수습하다〕. **2** (둘 사이를) 중재하다; 조정하다; 화해붙이다. ¶仲たがいを~ (두사람 사이의) 불화를 화해시키다. **3** 주선하다; 천거하다; 변명하다. **4** 달래다.

とりにが-す【取り逃がす】5他 놓치다. ¶機会を~ 기회를 놓치다 / 逮捕寸前に~·してしまった 체포 직전에 놓치고 말았다.

とりにく【鳥肉】名 새고기; 특히, 닭고기.

とりの-ける【取りのける】《取り除ける》下1他 **1** 없애다; 치우다; 제거하다. ¶覆いを~ 덮개를 치워 버리다 / 魚の小骨を~ 생선의 잔가시를 발라내다. **2** 따로 남겨〔떼어〕 두다. ¶気にいった物だけ~·けて置いた 마음에 드는 물건만 따로 남겨 두었다.

とりのこし【取り残し】名 (일부를) 남겨〔떼어〕 둠; 또, 그것. ¶~のごみ 치우다 남은 쓰레기.

とりのこ-す【取り残す】5他 (일부를) 남겨 두다; 떼 놓다; 처지게 하다. ¶時代に~·される 시대에 뒤처지다 / ひとり寂しく~·される 혼자 쓸쓸히 남겨지다.

とりのぞ-く【取り除く】5他 없애다; 제거하다. =取りのける. ¶不安の原因を~ 불안의 원인을 제거하다.

とりのぼ-せる【取り上せる】《取り逆上せる》下1自 울컥하다; 흥분하다; 상기(上氣)하다. =逆上する. ¶大いに~·せている 몹시 흥분해 있다 / ~·せてわけが分からなくなる 흥분해서 뭐가 뭔지 모르게 되다 / すっかり~·せて騒ぎ回る 몹시 흥분해서 소란 피우며 돌아다니다.

とりはからい【取り計らい·取計い】名 **1** 조처; 처리; 배려. =はからい. ¶特別の~ 특별한 배려〔조처〕/ 好意ある~をうける 호의적인 배려를 받다 / お~感謝します 배려해 주셔서 감사드립니다. **2** 재량; 처분. ¶万事お~に任せます 만사를 처분〔재량〕에 맡기겠습니다.

とりはから-う【取り計らう】5他 처리〔선처〕하다; 조처하다; 배려하다. ¶適当に~ 적당히 처리하다 / しかるべく~ 적절히 조처하다; 선처하다 / 早く許可のおりるように~·って下さい 빨리 허가가 나오도록 조처해 주십시오.

とりはこ-ぶ【取り運ぶ】一 5他 막힘이 없이 진행시키다; 진척시키다. ¶会議をうまく~ 회의를 잘 진행시키다. 二 5自 진행하다; 진척되다. ¶万事うまく~ 만사가 잘 진척되다.

とりばし【取りばし】《取り箸》名 반찬이나 과자 따위를 분배할 때 쓰는 젓가락.

とりはずし【取り外し】名 (맞추어 붙인 것을) 떼어냄; 또, 그 장치. ¶~がきく 맞췄다 뗐다〔끼었다 뺐다〕 할 수 있다 / 作り付け家具なので~がきかない 붙박이 가구〔장〕이기 때문에 뗐다 붙였다 할 수 없다.

とりはず-す【取り外す】5他 **1** (맞춘것·장치한 것을) 떼다; (낀 것을) 빼다; 벗기다; 분해〔해체〕하다. ¶窓を~ 창을 (창틀에서) 떼내다 / ~·して運搬する 해체해서 운반하다. **2** 놓치다; 못 잡다; 떨어뜨리다. ¶機会を~ 기회를 놓치다. **3** 〈俗〉 (그만) 오줌을 싸다.

とりはだ【鳥肌】《鳥膚》名 **1** 소름. ¶~が立つ 소름이 끼치다〔돋다〕. **2** (상어 같이) 깔깔한 살갗. =さめはだ.

とりはら-う【取り払う】5他 걷어치우다; (모조리) 치우다; 헐다; 철거하다. =とっぱらう. ¶建造物を~ 건조물을 철거하다 / 壁が~·われる 벽이 헐리다.

***とりひき**【取り引き·取引】名ス自 **1** 거

래; 홍정. ¶ ~銀行[ぎんこう]〔関係[かんけい]〕 거래 은행〔관계〕 / 政党間[せいとうかん]の~ 정당 간의 홍정 / あの会社[かいしゃ]とは~がない 저 회사와는 거래가 없다. **2** 상행위. ¶ 代金[だいきん]の受[う]け渡[わた]しをすれば~と認[みと]める 대금을 주고받으면 상행위로 인정한다.

—さき【取引先】图 거래처; 거래선.

—じょ【取引所】图 〖商〗 거래소. ¶ 証券[しょうけん]~ 증권 거래소.

とりひし-ぐ【取りひしぐ】《取り拉ぐ》 5他 (짓눌러) 찌부러〔으스러〕뜨리다. ¶ 鬼[おに]をも~勢[いきお]い 귀신이라도 꺾어 누를 기세.

トリプル [triple] 图 트리플; 3개; 3중.

—やす【—安】图 〖經〗 트리플 디메릿(demerit); 3중 연쇄 하락《채권·주가·엔(円)화 시세의 일제 하락》.

ドリブル [dribble] 图 ス他 드리블; (축구나 농구 등에서) 공을 몰고 감.

とりぶん【取り分】图 몫. =とりまえ·わけまえ·わりまえ. ¶ ~が多[おお]い 몫이 많다 / 利益[りえき]のいく分[ぶん]は君[きみ]の~になる 이익의 얼마간은 자네 몫일세.

とりほうだい【取りほうだい】《取り放題》 图 ダナ 갖고 싶은 만큼 얼마든지 가짐; 마음대로 갖게 함. ¶ ~に提供[ていきょう]する 갖고 싶은 만큼 제공하다.

とりまえ【取り前】图 ☞とりぶん.

とりまき【取り巻き】图 **1** 둘러〔에워〕쌈. **2** (권력가의) 추종자; 측근자; 주변 인물. ¶ ~連[れん]〔連中[れんじゅう]〕 추종자들 / 社長[しゃちょう]の~ 사장의 측근자.

とりまぎ-れる【取り紛れる】 下1自 **1** 뒤섞이다; 혼입(混入)하다. =まぎれる·まぎれこむ. ¶ 書類[しょるい]がどこかに~·れてしまった 서류가 어딘가에 섞여 들어가 버렸다. **2** (바쁜 일 따위에) 쫓기다; 정신이 없다〔팔리다〕. ¶ 忙[いそが]しさに~·れてついごぶさたしました 바쁜 일에 쫓겨 그만 문안드리지〔소식 전하지〕 못했습니다.

***とりま-く**【取り巻く】 5他 **1** 둘러〔에워〕싸다. ¶ ファンに~·かれる 팬들에게 둘러싸이다. **2** (이익이 있을 만한 사람에게) 들러붙어 그 비위를 맞추다; 빌붙다. ¶ 社長[しゃちょう]を~·いている連中[れんじゅう] 사장을 둘러싸고 있는 아첨배.

とりま-ぜる【取り混ぜる】 下1他 한데 섞다〔합치다〕; 뒤섞다. ¶ 各種[かくしゅ]の見本[みほん]を~·ぜて送[おく]る 각종 견본〔겨냥〕을 한데 합쳐 보내다 / 適当[てきとう]に~·ぜて買[か]ってきた 적당히 섞어서 사 왔다.

とりまと-める【取りまとめる】《取り纏める》 下1他 **1** 정리하다. ㉠한데 모으다. ¶ 辞表[じひょう]を~·めて提出[ていしゅつ]する 사표를 한데 모아 제출하다 / 以上[いじょう]を~·めて申[もう]しますと 이상을 정리해서 말씀 드리면. ㉡챙기다; 뭉뚱그리다. ¶ 荷物[にもつ]を~·めて上京[じょうきょう]する 짐을 챙겨 상경하다. **2** 매듭짓다; 결말〔해결〕짓다. ¶ 双方[そうほう]が満足[まんぞく]するように~ 쌍방이 만족할 수 있도록 해결짓다.

とりまわ-す【取り回す】 5他 **1** 집어서(다음으로) 돌리다. **2** (일·사람을) 잘 다루다; 잘 처리하다. =とりなす. ¶ 客[きゃく]をうまく~ 손님을 잘 응대하다 / 仕事[しごと]をうまく~ 일을 잘 처리하다. **3** 둘러〔에워〕싸다. =とりまく. ¶ 家[いえ]を~·した垣根[かきね] 집을 둘러싼 울타리.

とりみだ-す【取り乱す】 ㊀5他 어지르다; 흩뜨리다. =とりちらかす. ¶ 部屋[へや]を~ 방을 어지르다. ㊁5自 이성을 잃고 흐트러진 모습을 보이다; 자제를〔평정을〕 잃다; 당황하다. ¶ 夫[おっと]の死[し]を聞[き]いて~ 남편의 사망 소식을 듣고 (자제를 잃어) 태도가 흐트러지다.

トリミング [trimming] 图 ス他 트리밍; (사진에서) 화면의 불필요한 부분을 제거하고 구도(構圖)를 조정하는 일. ¶ 口絵[くちえ]の写真[しゃしん]を~する 책 첫머리의 사진을 트리밍〔조정〕하다.

とりむす-ぶ【取り結ぶ】 5他 **1** (약속 따위를) 굳게 맺다. ¶ 契約[けいやく]を~ 계약을 맺다. **2** 매개〔주선〕하다; 중매하다; 중재하다. ¶ 縁[えん]を~ 인연을 맺다 / 二人[ふたり]の間[あいだ]を~ 두 사람 사이를 중재하다. **3** 비위를 맞추어 기분을 풀게 하다. ¶ ご機嫌[きげん]を~ 기분을 맞추다; 비위를 맞춰 기분을 돌이키게 하다.

とりめ【鳥目】图 밤소경; 야맹증.

とりもち【取り持ち】图 ス他 **1** 손에 쥠〔가짐〕. **2** 주선; 알선; 매개; 중개. ¶ ~役[やく] 중개역; 알선역 / 女[おんな]〔色[いろ]〕の~をする 뚜쟁이 노릇을 하다 / 恋人[こいびと]の~をする 애인을 맺어 주다. **3** (손님 등을) 다룸; 접대; 응대. ¶ 酒席[しゅせき]の~のうまい人[ひと] 술자리의 접대를 잘하는 사람 / 客[きゃく]の~をする 손님 접대를 하다.

とりもち【鳥もち】《鳥黐》图 (새나 곤충을 잡는) 끈끈이.

とりも-つ【取り持つ】 5他 **1** 손에 쥐다〔잡다, 가지다〕. **2** 중개〔주선, 알선, 중재〕하다. ¶ スキーが~縁[えん]で結[むす]ばれる 스키가 인연이 되어 맺어지다 / 二人[ふたり]の間[あいだ]を~ 두 사람 사이를 주선하다. **3** 접대하다; 응대하다. ¶ 座[ざ]を~ 좌석의 분위기를 돋우다. **4** 떠맡다; 맡아 처리하다. ¶ 会議[かいぎ]を~ 회의를 주재하다.

とりもど-す【取り戻す】 5他 되찾다; 회복〔만회〕하다. ¶ 健康[けんこう]を~ 건강을 회복하다 / 人気[にんき]を~ 인기를 만회하다 / 落[お]ち着[つ]きを~ 평정을 되찾다.

とりもなおさず〖取りも直さず〗 連語 곧; 즉; 바꿔 말하면; 단적으로 말해서. ¶ それは~次[つぎ]のことと同[おな]じである 그것은 곧 다음 경우와 같다 / 彼[かれ]を怒[おこ]らせば~こっちの破滅[はめつ]だ 그를 화나게 하면 그것은 곧 이쪽의 파멸이다.

とりや【鳥屋】图 **1** 여러 가지 새를 파는 가게. **2** 주로 닭고기를 파는 가게〔사람〕. **3** 새장; 특히, 닭장. =とりごや.

***とりや-める**〖取り止める〗 下1他 《'取り'는 接頭語》 (예정했던 일을) 그만두다; 중지하다; 취소하다. ¶ 雨天[うてん]のた

め～ 우천으로 중지하다 / 会議〔旅行〕を～ 회의를〔여행을〕 그만두다.

とりょう【塗料】图 도료. ¶～噴霧器 도료 분무기 / ～を塗る 도료를 칠하다 / ～を剝がす 도료를 벗기다.

どりょう【度量】图 도량. **1** 아량. ¶～の広い 도량이 넓은〔큰〕; 너그러운 / ～の狭い 도량이 좁은 / ～が大きい 도량이 크다. **2** 길이와 부피; 자와 말.

どりょうこう【度量衡】图 도량형.

──き【──器】图 도량형기.

⁂**どりょく**【努力】图ス自 노력; 애씀. ¶～家 노력가 / ～の結晶 노력의 결정 / ～のたまものだ 노력한 덕택이다 / ～の甲斐もない 노력한 보람도 없다 / 長年の～がみのる 다년간의 노력이 열매를 맺다 / 前向きに〔目標に向かって〕～する 전향적으로〔목표를 향해〕 노력하다 / 成績を上げようと～する 성적을 올리려고 노력하다.

*__とりよ-せる__【取り寄せる】下1他《'取り'는 接頭語》 **1** 가까이 끌어당기다. ¶手を伸ばして箱を～ 손을 뻗어 상자를 끌어당기다. **2** (주문하거나 말하여) 가져오게 하다. ¶料理を～ 요리를 시키다〔가져오게 하다〕 / 給仕を呼んで書類を～ 사환을 불러 서류를 가져오게 하다.

ドリル [drill] 图 드릴. **1** 나사 송곳; 천공기(穿孔機); 착암기. ¶～で穴をあける 드릴로 구멍을 뚫다. **2** 반복 연습; 또, 그 과정. ¶～学習 드릴 학습 / 漢字の～ 한자의 반복 학습.

とりわけ【取り分け】图 **1** 구별해 놓음; 갈라 놓음. **2** 씨름에서, 비김; 무승부. ＝ひきわけ.

*__とりわけ__〖取り分け〗圖 특히; 유난히; 그중에서도. ＝ことに·とりわけて. ¶兄弟みな字がうまいが, ～次男はすぐれている 형제가 모두 글씨를 잘 쓰지만 특히 차남은 특출하다 / 今日は～涼しい 오늘은 유난히 선선하다.

とりわ-ける【取り分ける】下1他 **1** 따로따로 나누다; 갈라놓다〔내다〕. ¶このなかから不良品を～·けてくれ 이 중에서 불량품을 가려 주게. **2** 각자에게 나누어주다; 벼르다. ¶果物を皿に～ 과일을 접시에 벼르다.

ドリンク [drink] 图 드링크제; 청량음료.

──ざい【──剤】图 드링크제.

⁂**と-る**【取る】五他 **1** 잡다. ㉠《把る》 들다; 쥐다. ¶手に～·って見る 손에 들고 보다 / 手を～·って教える 친절히〔친히〕 가르치다 / 手に手を～·って 손에 손을 잡고. ㉡(손에 잡고) 다루다. ¶くわを～ 괭이를 들다 / ハンドルを～ 핸들을 잡다. ㉢(여관 따위에) 들다; 묵다. ¶宿を～ 여관을 잡다; 여관에 들다. ㉣예약하다. ¶明日の席を～ 내일의 좌석을 예약하다. ㉤(공간을) 차지하다; (시간이) 걸리다. ¶場所を～ 장소를 차지하다 / 手間を～ (a)시간을 잡다; 지체하다; (b)품삯을 받다. ㉥간격을 두다. ¶車間距離を十分に～ 차간 거리를 충분히 잡다. ㉦(자기 것으로) 차지하다; 영유하다. ¶天下を～ 천하를 잡다〔차지하다〕. **2** 나누다; 옮기다. ¶おかずを小皿に～ 반찬을 접시에 나누다. **3** 가져〔집어〕 오다. ¶たなの上の本を～·ってくる 선반 위의 책을 집어 오다. **4** 취하다. ㉠해석하다; 받아들이다. ¶いい意味に～ 좋은 뜻으로 받아들이다 / 文字通りに～ 글자 그대로 해석하다. ㉡(태도를) 보이다. ¶強硬な態度を～ 강경한 태도를 취하다. ㉢강구하다. ¶手段〔処置〕を～ 수단을〔조처를〕 취하다 / ～べき道はただ一つだけだ 취할 길은 오직 하나뿐이다. **5** 먹다. ㉠《摂る》 섭취하다. ¶食事を～ 식사를 하다 / ビタミンを～ 비타민을 먹다. ㉡나이를 더하다. ¶年を～ 나이를 먹다. **6** 놀이·경기 등을 하다. ¶カルタを～ 카드놀이를 하다 / すもうを～ 씨름을 하다. **7** 떼다. ㉠공제하다. ¶人件費を～·った残額 인건비를 뺀 잔액. ㉡따로 떼어〔남겨〕 두다. ¶種を～·っておく 씨를 따로 떼어 두다. **8** 벗다; 풀다. ¶帽子〔めがね〕を～ 모자를〔안경을〕 벗다 / ネクタイを～ 넥타이를 풀다. **9** 빼앗다. ㉠탈취하다. ¶城を～ 성을 빼앗다 / 人の妻を～ 남의 아내를 가로채다 / 大手のスーパーに客を～·られる 대형 슈퍼에 손님을 빼앗기다. ㉡몰수하다. ¶所領を～ 영지를 몰수하다. ㉢죽이다; 복수하다. ¶命を～ 목숨을 빼앗다 / 敵を～ 원수를 갚다. **10** 없애다. ㉠뽑다. ¶雑草を～ 잡초를 뽑다. ㉡제거하다; 풀다. ¶痛みを～薬 통증을 가시게 하는 약 / ごみ〔よごれ〕を～ 먼지를〔더러움을〕 제거하다 / 腐った所を～ 썩은 부분을 도려내다 / ふろに入って一日の疲れを～·ろう 목욕을 하여 하루의 피로를 풀자. **11** 따다; 얻다. ¶学位〔百点〕を～ 학위를〔100점을〕 따다. **12** 받다. ㉠거두다. ¶使用料を～ 사용료를 받다 / 罰金を～ 벌금을 징수하다. ㉡타다. ¶月給を～ 월급을 타다〔받다〕 / 賞品を～ 상품을 타다. ㉢(주문을) 맡다. ¶注文を～ 주문을 맡다. **13** 얻다. ㉠말미 따위를 받다. ¶休暇を～ 휴가를 얻다. ㉡맞다; 두다. ¶むこを～ 사위를 보다 / 嫁を～ 아내를 맞다; 장가들다 / 弟子を～ 제자를 두다. **14** (신문 등을) 구독하다; 보다. ¶新聞を～ 신문을 구독하다. **15** 찍다; 뜨다. ¶型を～ 형을 뜨다〔찍다〕 / コピーを～ 카피를 뜨다; 복사하다. **16** 필기〔기입〕하다. ¶メモを～ 메모하다 / ノートを～ 노트에 쓰다; 필기하다. **17** 맞추다. ¶きげんを～ 기분을〔비위를〕 맞추다 / 拍子を～ 박자를〔장단을〕 맞추다. **18** 맡다; 지다. ¶責任を～ 책임을 지다〔맡다〕. **19** 사다; 대

놓고 사다. ¶野菜(やさい)は角(かど)の八百屋(やおや)から～ 푸성귀는 모퉁이 채소 가게에서 대먹는다. **20** 택하다. ¶名(な)を捨(す)てて実(じつ)を～ 명예를 버리고 실리를 택하다. **21** (주문해서) 가져오게 하다; 시키다. ¶そばを二(ふた)つ～ 메밀국수 두 그릇을 시키다. **22** ⦅盗る⦆ 훔치다. ¶人(ひと)の物(もの)を～ 남의 물건을 훔치다. **23** (이부자리 따위를) 펴다; 깔다. ¶床(とこ)を～ 자리를 펴다. **24** ⦅録る⦆ (소리나 영상을) 녹음하다; 녹화하다. ¶野鳥(やちょう)の鳴(な)き声(ごえ)をテープに～ 들새의 울음소리를 테이프에 녹음하다 / ビデオに～·っておいた映画(えいが)を楽(たの)しむ 비디오에 녹화해 둔 영화를 보고 즐기다. **25** 모시다; 사사하다. ¶師匠(ししょう)を～ 스승을 모시다. **26** 세다; 재다. ¶数(かず)を～ 수를 세다 / 寸法(すんぽう)を～ 치수를 재다. **27** (맥을) 짚다; 헤아리다. ¶脈(みゃく)を～ 맥을 짚다. **28** (보기 따위를) 들다. ¶例(れい)に～ 예로 들다. **29** (불명예 따위를) 초래하다; 쓰다. ¶不覚(ふかく)を～ 실수〔실패〕하다; 잘못하다 / ひけを～ 남만 못하다; 뒤지다. **30** ≪'とり…'의 꼴로 다른 動詞 앞에서≫ 어조(語調)를 고르거나 세게 할 때 씀. ¶式(しき)を～·り行(おこな)う 식을 거행하다 / ～·り急(いそ)ぎ申(もう)し上(あ)げます 급히 아룁니다. 可能 と-れる 下1自

—·らぬ狸(たぬき)の皮算用(かわざんよう) 너구리 굴 보고 피물(皮物)돈 내어 쓴다.

—に足(た)りない〔足(た)らない〕 하찮다; 하잘것없다. ¶～意見(いけん) 하찮은 의견.

—ものも取(と)り敢(あ)えず 급히 서둘러; 부랴부랴. ¶～駆(か)けつける 부랴부랴 달려오다.

⁑と-る【執る】 5他 **1** (직무로서) 취급하다; 맡다. ¶事務(じむ)を～ 집무하다; 사무를 보다. **2**『筆(ふで)を～』 붓을 잡다〔들다〕 ⦅쓰다⦆.

⁑と-る【捕る】 5他 잡다. ¶ネズミを～ 쥐를 잡다 / 蝶(ちょう)を～ 나비를 잡다.

⁑と-る【採る】 5他 **1** 뽑다. ㉠채집하다; 따다. ¶血(ち)を～ 피를 뽑다 / キノコを～ 버섯을 따다 / 標本(ひょうほん)にするハチを～ 표본으로 만들 벌을 채집하다. ㉡채용하다. ¶三名(さんめい)を～ 3명을 뽑다 / 新卒者(しんそつしゃ)を～ 새 졸업자를 뽑다. **2** 채택하다; 정하다. ¶決(けつ)を～ 채결하다. **3** (원료나 재료로) 만들어 내다. ¶ブドウから酒(さけ)を～ 포도에서 술을 만들어내다. 可能 と-れる 下1自

⁑と-る【撮る】 5他 (사진을) 찍다. ¶映画(えいが)〔ラブシーン〕を～ 영화를〔러브신을〕 찍다 / スナップを～ 스냅 사진을 찍다.

ドル [dollar] 名 달러; 불⦅미국의 기본 통화 단위⦆; 전하여, 돈. =ダラー. ¶～入(い)れ 돈지갑 / ～相場(そうば) 달러 시세 / ～固定相場制(こていそうばせい) 달러 고정 환율제 / ～高(だか)〔安(やす)〕 달러화 강세〔약세〕. 参考 한자 '弗'은 '$'와 비슷한 한자로 표시한 것.

—かい【—買い】 名 달러 매입; 또, 달러상(商).

—ショップ [dollar shop] 名 달러 숍; 달러로 물건 값을 치르는 가게.

—ばこ【—箱】 名 **1** 돈을 벌어 주는 물건; 또, 그 사람; 달러 박스. ¶この路線(ろせん)はわが社(しゃ)の～だ 이 노선은 우리 회사의 달러 박스이다. **2** (소실·기생 따위에) 돈을 대는 사람; 돈줄. =かねばこ. **3** 금고.

トルコ [포 Turco] 名 〖地〗 터키. 注意 '土耳古·土耳其'로 씀은 취음.

—だま【—玉】 名 터키옥〔석〕. =トルコ石(いし).

—ぶろ〖—風呂〗 名 증기탕.

トルソー [이 torso] 名 토르소; (머리·수족이 없는) 동체만의 조상(彫像).

トルネード [tornado] 名 〖氣〗 토네이도 ⦅미국 중남부 지역에서 볼 수 있는 대규모 용(龍)오름⦆.

どれ〖何れ〗 一代 어느 것〔쪽〕; 어떤 것〔쪽〕; 무엇. ¶このなかで～が気(き)に入(い)るか 이 중에서 어느 것이 마음에 드는가 / ～もこれも似(に)たり寄(よ)ったりだ 어느 것이나 비슷비슷하다 / ～にしたって同(おな)じことだ 어느 것으로 하든 결국 마찬가지야 / ～が～だか分(わ)からない 무엇이 무엇인지 알 수가 없다 / ～か一(ひと)つ下(くだ)さい 어느 것이든 하나 주시오. 参考1 'みかんとぶどうはどちらが甘(あま)いか(=귤과 포도는 어느 쪽이 단가)'처럼 둘 중 하나를 선택하는 경우에는 'どれ'는 쓸 수 없음. 'どちら' 'どっち' 'いずれ' 따위를 씀. 参考2 사람에는 'だれ', 시간에는 'いつ', 장소에는 'どこ', 수량에는 보통 '幾(いく)つ' '幾(いく)ら'를 씀. 그러나 'どれほど' 등은 수량도 나타낼 수 있음. 또, '何(なに)'와는 달리 그것이 속하는 범위만은 알고 있는 것이 보통임.

二感 동작·행동을 일으킬 때 쓰는 말: 어디; 이제; 자. ¶～, 一(ひと)つ見(み)せて 어디 좀 보자 / ～, 始(はじ)めてみようか 어디, 시작해 볼까! / ～, 寝(ね)るとしようか 자, (이제) 자 볼까.

***どれい【奴隷】** 名 노예. ¶～解放(かいほう) 노예 해방 / 金銭(きんせん)〔恋(こい)〕の～ 돈〔사랑〕의 노예 / ～にする 노예로 삼다 / 人(ひと)は境遇(きょうぐう)の～である 사람은 환경의 노예이다.

トレー [tray] 名 트레이; 쟁반. ¶デスク～ 서류 상자; 결재함.

トレーシング ペーパー [tracing paper] 名 트레이싱 페이퍼; 투사〔복사〕지.

トレース [trace] 名ス他 트레이스. **1** 도면·도형을 그림; 또, 그 그림. ¶～工(こう) 화공(畫工). **2** 복사함; 원도(原圖)를 깔고 베낌.

トレード [trade] 名ス他 트레이드. **1** 상거래; 무역. **2** (프로 야구에서) 선수의 구단(球團)간 이적(移籍)·교환.

—マーク [trademark] 名 트레이드마크. **1** 등록 상표. **2** (사람의) 특징. ¶えくぼが彼女(かのじょ)の～だ 보조개가 그녀의 트레이드마크다.

トレーナー [trainer] 名 트레이너. **1** 운동 선수의 훈련 등을 지도하는 사람. **2**

경기자용 연습복. *2는, 영어로는 sweat shirt라고 함.

トレーニング [training] 图 트레이닝; 훈련; 연습.

—ウエア [일 training+wear] 图 운동복. =スウェット スーツ.

—パンツ [일 training+pants] 图 트레이닝 팬츠; 운동 연습 때에 입는 긴 바지〔팬츠〕. =トレパン.

トレーラー [trailer] 图 트레일러; 부수차(附隨車). ¶~バス 트레일러 버스.

ドレス [dress] 图 드레스; 여성의 양복.

—アップ [dress up] 图スル自 드레스업; 정장〔성장(盛裝)〕함. ↔ドレスダウン.

—メーカー [dressmaker] 图 드레스 메이커; (양장점의) 양재사(師).

とれだか【取れ高】图 (곡식·어물(魚物) 따위의) 수확량; 어획량.

どれだけ〖何れ丈〗副 ☞どれほど.

とれたて【取れ立て】图 (생선·야채·과일 등이) 갓 잡은〔딴〕 것임; 또, 그 물건. =とりたて. ¶~のトマト 갓 딴 토마토.

ドレッサー [dresser] 图 드레서. **1** 양복을 멋있게 입는 사람. ¶ベスト~ 베스트 드레서. **2** (큰 거울이 달린) 화장대.

ドレッシー [dressy] ダナ 드레시; (양장에서) 선(線)이나 형(型)이 우미(優美)한 모양. ¶~なブラウス 드레시한〔우아한〕 블라우스. ↔スポーティー.

ドレッシング [dressing] 图 드레싱. **1** 옷을 차려입음; 옷차림을 함. ¶~ルーム 드레싱 룸; 경의실(更衣室). **2** 'フレンチドレッシング'의 준말.

どれどれ〖何れ何れ〗代感 'どれ'의 겹친 말. ¶~, お父さんがやってみよう 어디, 아버지가 해볼게.

トレパン 图 'トレーニングパンツ'의 준말.

どれほど〖何れ程〗副 얼마만큼; 얼마나. =どのくらい·いくらほど. ¶金が~あるか 돈이 얼마나 있는가 / ~待ったか知れない 얼마나 기다렸는지 모른다 / 値段は~ですか 값은 얼마나 합니까.

ドレミファ [이 do re mi fa] 图〔樂〕도레미파; 음계(音階).

トレモロ [이 tremolo] 图〔樂〕트레몰로; 동일음(同一音)의 급속한 반복에 의한 장식적인 소리. =震音.

***と-れる**【取れる】下1自 **1** (붙어 있던 것이) 떨어지다; 빠지다. =もげる. ¶ボタンが~ 단추가 떨어지다 / 取っ手が~ 손잡이가 빠지다. **2** 취할 수 있다. ㉠ 해석되다. ¶皮肉に~表現 빈정거리는 것으로 해석될 수 있는 표현 / この文章は二通りの意味に~ 이 문장은 두 가지 뜻으로 해석할 수 있다. ㉡ 받아들이다. ¶窓を開ければ光が~ 창문을 열면 빛이 들어온다. **3** 없어지다; 가시다. ¶癖が~ 버릇이 없어지다 / 痛み〔熱〕が~ 통증이〔열이〕 가시다. **4** 잡히다. ㉠【捕れる】(사냥감·물고기 등이) 잡히다. ¶魚が~ 물고기가 잡히다. ㉡(어떤 상태가) 유지되다. ¶つり合いが~ 균형이 잡히다. **5** 손에 잡을〔쥘〕 수 있다. ¶手に~·れないほど大きい 손에 쥘 수 없을 정도로 크다. **6** 산출되다; 나다. ¶この山から金が~ 이 산에서 금이 난다. **7** 얻다. ㉠【採れる】 채취하다. ¶コールタールから~薬品 콜타르에서 얻는〔채취하는〕 약품. ㉡따다. ¶免状が~ 면허장을 따다〔얻을 수 있다〕. ㉢(휴가 등을) 받게 되다. ¶休暇が~ 휴가를 얻을 수 있다. **8** 살〔사먹을〕 수 있다. ¶つけで酒が~ 외상으로 술을 마실 수 있다. **9** 받다. ㉠(돈 따위를) 타다. ¶よい俸給が~ 많은 봉급을 받을 수 있다. ㉡회수되다; 걷히다. ¶掛け金が~·れない 외상(돈)이 걷히지 않다. **10** (시간이) 걸리다. ¶手間が~ 시간이 걸리다; 지체되다. **11**【撮れる】(사진이) 찍히다; 받다. ¶写真はよく~·れた 사진은 잘 찍혔다 / 君の顔はよく~ 자네 얼굴은 사진이 잘받는다. **12** (좋은 기록이) 나다. ¶いい記録が~·れない 좋은 기록이 나지 않는다. **13**《盜れる》 훔칠 수 있다. ¶人の物は~·れない 남의 물건은 훔칠 수 없다.

トレンディ [trendy] ダナ 트렌디; 유행의 첨단을 걷는 모양; 최신 유행임. ¶~な店 최신 유행하는 물건을 파는 가게.

とろ 图 **1** 다랑어 살의 지방이 많은 부분. ↔ずけ. **2** 'とろろ汁'의 준말.

とろ〖瀞〗图 강물이 깊어서 흐름이 완만한 곳.

とろ【吐露】图スル他 토로. ¶心情を~する 심정을 토로하다.

***どろ**【泥】图 **1** 진흙; 흙; 흙탕(물). ¶~壁 흙벽 / ~塀 토담 / ~靴 흙 묻은 구두 / ~だらけになる 진흙투성이가 되다 / ~にまみれる 흙(탕) 뒤발을 하다. **2**〈俗〉'どろぼう'의 준말. ¶こそ~ 좀도둑 / 自転車~ 자전거 도둑.

—のように 정신을 잃을 정도로 몹시 취하거나 또는 정신없이 잠을 이르는 말. ¶~眠る 정신없이 자다.

—を塗る 욕을 보이다; 면목을 잃게 하다. ¶人の顔に~ 남의 얼굴에 먹〔똥〕칠하다.

—を吐く (죄상을) 자백하다; 불다.

とろ-い 形 **1** 화력 따위가 약하다; 뭉근하다. ¶火が~ 불이 뭉근하다. **2**〈俗〉 멍청하다; 투미하다. ¶~やつ 얼빠진〔멍청한〕 녀석.

トロイカ [러 troika] 图 트로이카; 러시아의 삼두(三頭) 마차. ¶~方式 트로이카 방식; 3인제 방식.

とろう【徒労】图 도로; 헛수고. ¶~に終わる 도로에 그치다 / ~に帰す 헛수고로 돌아가다.

トローリング [trawling] 图 트롤링; 트롤선을 이용한 저인망(底引網) 어업.

トロール [trawl] 图 트롤. **1** 'トロール網(=트롤망); 저인망(底引網)'의 준말.

2 'トロール漁業ぎょぎょう(=트롤〔저인망〕 어업)'의 준말. 3 'トロール船せん(=트롤〔저인망〕선)'의 준말.

とろか-す 〘蕩かす〙 5他 1 (금속 등을) 녹이다. =とかす. ¶鉛なまりを～ 납을 녹이다. 2 황홀〔도취〕하게 하다; 넋을 빼앗다. ¶男おとこの心こころを～ 남자의 마음을 녹이다〔사로잡다〕/ 人ひとの心こころを～ようなメロディー 사람의 마음을 녹일 듯한 멜로디.

どろくさ-い【泥臭い】形 1 흙내가 나다. ¶このドジョウはまだ～においがする 이 미꾸라지는 아직 흙내가 난다. 2 촌〔상〕스럽다; 세련되지 않다. =やぼったい. ¶～姿すがた 촌스러운 모습 / ～が誠実せいじつな男おとこ 촌스럽지만 성실한 사나이.

とろ-ける 〘蕩ける·盪ける〙 下1自 녹다; 황홀해지다; 넋을 빼앗기다. ¶ろうそく〔あめ〕が～ 초가〔엿이〕 녹다 / ～ような甘あまさ 녹아들 것 같은 단맛 / 甘あまい言葉ことばに心こころが～ 달콤한 말에 마음이 황홀해지다.

どろじあい【泥仕合】名 (서로 상대방의 비밀·약점 등을 들추는) 추잡한 싸움; 이전투구(泥田鬪狗). ¶～の様相ようそうを呈ていする 추잡한 싸움의 양상을 보이다 / 両政党りょうせいとうは～を続つづけている 양 정당은 이전투구를 계속하고 있다. 注意 '泥試合'는 잘못.

トロッコ [←truck] 名 광차(鑛車)《광산용 등의 소형 무개화차》. =トロ.

トロット [trot] 名 트롯. 1 말의 빠른 걸음거리; 속보(速步). 2 'フォックストロット'의 준말. ¶～を踊おどる 트롯을 추다.

ドロップ [drop] 드롭. 一名 드롭스《서양식 사탕》. 二名ス自 1〘野〙 투수가 던진 공이 타자 가까이에서 뚝 떨어짐; 또, 그 공. 2〈學〉 낙제. 3 탈락.

—アウト [dropout] 名ス自 드롭아웃; (사회·조직에서) 탈락함; 또, 중도 퇴학함. ¶エリートコースから～する 엘리트 코스에서 탈락하다.

—キック [drop kick] 名 드롭킥; 럭비에서, 공을 땅에 튕겨서 차는 일.

—ハンドル [일 drop+handle] 名 드롭 핸들; 자전거의, 둥글고 아래쪽으로 굽은 핸들《경주용이나 장거리용》.

とろとろ 副ナス自 1 녹아서 눅눅해진 모양: 눅진눅진; 끈적끈적; 지르르. ¶～の飴あめ 눅진눅진〔지르르〕한 엿 / ～にとける 지르르 녹다. 2 화력이 약한 모양. ¶～と煮にる 뭉근한 불에 끓이다〔익히다〕. 3 겉잠이 오는〔졸음이 쏟아지는〕 모양. ¶つい～とした 그만 깜빡 졸았다.

どろどろ 副ナス自 1 질척하게 녹은 모양: 질척질척; 걸쭉걸쭉; 흐물흐물; 곤죽같이. ¶～汁じる 걸쭉한 국물 / ～のぬかるみ 질퍽질퍽한 진창 / 道みちが～になる 길이 곤죽이 되다 / ～に煮にる 흐물흐물하게 삶다. 2 진흙투성이가 된 모양. ¶靴くつが～になった 구두가 온통 진흙투성이가 되었다. 3 멀리서 북소리·천둥 소리·포성 따위가 계속 울려오는 모양: 우르르; 쿵쿵. ¶遠雷えんらいが～と鳴なる 멀리서 천둥 소리가 우르르 울린다.

どろなわ【泥縄】名 일을 당해서야 허둥지둥 그 대책을 세움을 비웃는 말. ¶～式しきの勉強べんきょう 벼락치기 공부 / この戦闘せんとうは, 無謀むぼう, 独善どくぜんそして～的てきでありすぎた 이 전투는 너무나 무모하고, 독선적이고, 또한 무계획적이었다.
参考 '泥棒どろぼうを捕とらえてから縄なわをなう(=도둑을 잡고서야 오라를 꼰다)'는 뜻에서.

どろぬま【泥沼】名 수렁; 진구렁; 비유적으로, 한 번 발을 디디면 좀처럼 헤어날 수 없는 곤경. ¶～にはまりこむ 수렁〔진구렁〕에 빠져들다; 곤경에 빠져 움쭉 못하게 되다.

とろび【とろ火】《弱火》 名 뭉근한 불; (화력이) 약한 불. =よわび. ¶～で煮詰につめる 약한 불에 조리다. ↔強火つよび.

トロフィー [trophy] 名 트로피; 우승배.

*どろぼう【泥棒·泥坊】名ス他 도둑질; 또, 도둑(놈). ¶～猫ねこ 도둑고양이 / ～根性こんじょう 도둑(놈) 근성 / ～が入はいる 도둑이 들다 / ～を働はたらく 도둑질하다 / ～に入はいる 도둑질하러 들어가다 / 人ひとの物ものを～してはいけない 남의 물건을 훔쳐서는 안 된다.

—に追おい銭せん ☞ぬすびとにおいせん.

—を見みてなわをなう 도둑을 보고서야 새끼를 꼬다《일을 당해서야 서두름의 비유》. ⇨どろなわ.

どろまみれ【泥まみれ】《泥塗れ》 名ナ (진)흙투성이; 흙탕; 뒤발. =泥だらけ. ¶～な服装ふくそう 흙투성이가 된 복장 / ～になる (진)흙투성이가 되다.

とろみ 名 약간의 걸쭉함〔끈기〕. ¶～を付つける 약간 걸쭉〔되직〕하게 하다.

どろみず【泥水】名 1 흙탕물; 탁한〔더러운〕 물. 2 (비유적으로) 기생·창녀 등의 신세〔사회〕. =苦界くがい.

—かぎょう【—稼業】名 화류계 생활《좀처럼 헤어날 수 없는 진구렁 생활이란 뜻에서》. =泥水渡世とせい〔商売しょうばい〕.

どろみち【泥道】名 수렁길; 진창길. ¶雨あめ上あがりの～ 비 갠 뒤의 수렁길.

どろよけ【泥よけ】《泥除け》 名 흙받기. ¶～を車輪しゃりんにつける 흙받기를 차바퀴에 달다.

トロリーバス [trolley bus] 名 트롤리 버스; 무궤도 전차.

とろりと 副 1 졸음이 오는 모양. ¶～した目め 개개풀어진 눈. 2 깜박깜박 조는 모양. ¶しばらくの間あいだ～した 잠깐 동안 조리쳤다; 깜박 졸았다. 3 걸쭉한 모양; 찐득거리는 모양. ¶～した液体えきたい 걸쭉한 액체.

とろろ 〘薯蕷〙 名 1 'とろろいも'의 준말. 2 'とろろじる'의 준말.

とろろいも【とろろ芋】《薯蕷芋》 名 갈아서 'とろろじる'를 만드는 마《마·참마 따위》. =つくね芋いも·やま芋.

とろろじる【とろろ汁】《薯蕷汁》图 참마 따위를 갈아서 멀건 장국 따위로 묽게 한 요리. ＝とろ.

どろん 图ス自 갑자기 자취가 사라지는 모양. ¶公金を横領して～をきめこむ 공금을 횡령하고 행방을 감추다.

どろんこ【泥んこ】名ナ〈俗〉흙투성이; 흙탕; 진창. ＝泥まみれ. ¶～の道 진창길/～遊びをする 흙장난을 하다/～になって遊ぶ 흙탕 뒤발이 되어 놀다.

とろんと 副 눈이 개개풀려 흐리멍덩하거나 충혈된 모양. ¶～した目 (a)개개풀린 눈; (b)충혈된 눈. 参考 'どろんと'는 힘줌말.

トロンボーン [trombone] 图〔樂〕트롬본; 저음을 내는 금관 악기의 하나.

とわ〖永久〗图〈雅〉영구; 영원. ＝永遠·永久. ¶～の眠り 영면(永眠)/～に栄える 영원히 번영하다/～の愛を誓う 영원한 사랑을 맹세하다.

とわずがたり【問わず語り】图 묻지도 않은 말을 함. ¶～に身の上話をする 묻지도 않는데 신상 이야기를 하다.

どわすれ【度忘れ】图ス他 깜빡 잊어버림; 까맣게 잊음. ＝どうわすれ. ¶このごろはよく～をする 요즘은 깜빡 잊기를 잘한다/相手の名前を～する 상대방의 이름을 깜빡 잊어버리다.

トン [ton] 图 톤; 돈(噸). **1** 무게의 단위《기호: t》. **2** (선박의) 용적의 단위. 注意 '屯·噸·瓲'으로 쓰는 취음.

とん〖屯〗常用 トン たむろ | 둔 진치다 | 많은 사람이 모여 머묾. ¶駐屯 주둔/屯営 둔영/屯所 둔소.

とん〖豚〗常用 トン ぶた | 돈 돼지 | **1** 돼지. ¶豚肉 돈육; 돼지고기/養豚 양돈. **2** 자기 자식의 겸칭. ¶豚児 돈아.

どん【鈍】图ダナ 둔함. ＝のろま. ¶～な奴 투미한 녀석. ↔敏.

ドン 图 보스적(boss的)인 중요 인물; 수령; 두목; 실력자. ¶財界の～ 재계의 실력자. 参考 스페인말의 남자의 경칭 don에서 온 말.

どん= 접두어 'ど'의 힘줌말. ¶～じり 맨 끝/～底 맨 밑바닥/～詰まり 막다름; 막다른 끝〔곳〕.

=どん〖丼〗'どんぶり'의 준말. ¶カツ～ 고기덮밥/天～ 튀김 덮밥.

=どん《인명·신분을 나타내는 말에 붙음》아랫사람 특히, 하인 등을 부를 때 씀. ¶お竹～ お竹야/これ番頭～や 이봐 지배인. 参考 '殿'에서 나온 말.

どん〖鈍〗常用 ドン にぶい にぶる のろい | 둔 무디다 | 둔하다; 무디다. ¶鈍才 둔재/鈍刀 둔도/遅鈍 지둔/魯鈍 노둔/鈍った刀 무딘 칼. ↔利.

どん〖曇〗常用 ドン タン くもる | 담 구름끼다 | 구름이 끼다; 흐리다. ¶曇天 담천/晴曇 청담/曇り勝ち 흐릴 때가 많음.

どんか【鈍化】图ス自他 둔화; 둔해짐. ¶才能が～する 재능이 둔해지다/経済成長の勢いが～する 경제 성장 세가 둔화되다.

どんかく【鈍角】图〔數〕둔각. ↔鋭角.

—さんかくけい【—三角形】图 둔각 삼각형. ↔鋭角三角形.

とんかち 图〈俗〉☞かなづち.

とんカツ【豚カツ】图 포크 커틀렛; 돼지고기 커틀렛. ＝ポークカツ(レツ). 参考 'カツ'는 'カツレツ'의 준말.

とんがらか-す〖尖らかす〗5他〈口〉☞とがらす. ¶鉛筆のしんを～ 연필심을 뾰족하게 깎다.

とんがらか-る〖尖らかる〗5自〈俗〉☞「とがる.

とんが-る〖尖る〗5自〈俗〉지르퉁하다; 부루퉁하다; 뾰족하다《'とがる'의 구어적 말씨》. ¶鉛筆の芯が～ 연필 심이 뾰족하다.

どんかん【鈍感】名ナ 둔감; 감각·느낌이 둔함. ¶～な人 둔감한 사람/味覚が～になる 미각이 둔해지다. ↔敏感.

どんき【鈍器】图 둔기. **1** 무딘 날붙이. ↔利器. **2** 육중하고 단단한 흉기. ¶～で頭をなぐられる 둔기로 머리를 얻어맞다/死体に～で殴った跡がある 시체에 둔기로 때린 흔적이 있다.

ドンキホーテがた【ドンキホーテ型】图 돈키호테형《무분별하고 정의감이 강한 저돌적인 성격의 인물형》. ↔ハムレット型. ▷Don Quixote.

とんきょう〖頓狂〗ダナ 느닷없이 얄망궂은〔얼빠진 짓을 하는〕모양. ¶～な声を出す 괴상한〔새된 비명〕소리를 내다. ⇨すっとんきょう.

どんぐり〖団栗〗图 도토리; 상수리.

—の背比べ 도토리 키 재기《비슷비슷하여 모두 대단치 않음의 비유》. ¶今回の作品はどれもこれも～だった 이번 작품은 모두 도토리 키 재기였다.

どんぐりまなこ【どんぐり眼】图 퉁방울눈; 왕눈; 부리부리한 눈. ＝どんぐり目.

どんけつ 图〈俗〉**1** 궁둥이. **2** 꼴찌. ＝どんじり·びりっけつ.

どんこう【鈍行】图〈俗〉완행 열차. ＝緩行. ↔急行·快速.

とんざ [頓挫] 图ス自 돈좌; 좌절. ¶一～を来たす 좌절을 가져오다; 좌절되다/不況のあおりで事業が～する 불황의 여파로 사업이 틀어지다/我々の計画を～させた 우리의 계획을 좌절시켰다.

どんさい【鈍才】图 둔재; 또, 재능이 둔한 사람. ¶自分の～を悲観する 자기의 둔재를 비관하다. ↔英才·鋭才·秀才.

とんし [頓死] 图ス自 돈사; 어처구니없는 급사; 전하여, (장기에서) 궁이 외통수에 몰림. ¶旅先で～する 외지(外地)에서 급사하다.

とんじ【豚児】名 돈아; (남에게) 자기의 아들을 낮추어 부르는 말. =愚息.

とんじゃく〖頓着〗名ス自 개의; 괘념; 신경을 씀. ¶つまらぬことに~せずに 부질없는 일에 신경 쓰지 말고 / 物事に~しない性質 사물에 개의치 않는 성질. 注意 'とんちゃく'라고도 함.

とんしゅ[頓首] 名 돈수; 계수(稽首) ((편지의 끝맺음말)). 参考 본디, 중국에서 머리를 조아려 경의를 나타낸 데서. ⇨けいぐ(敬具). ↔謹啓.

どんじゅう【鈍重】名ダナ 둔중; 둔하고 느림; 신경이 무딤. ¶~な男 둔팍한〔둔감한〕 사나이 / ~な動き 둔하고 느린 움직임. ↔敏捷.

どんじり〖どん尻〗名〈俗〉맨 끝; 최후; 꼴찌. =びり·どんけつ. ¶~に大物が控えている 맨 끝에 거물이 대기하고 있다 / 競走で~になる 경주에서 꼴찌가 되다 / かけっこではいつも~だった 달리기에선 늘 꼴찌였다.

どんす〖緞子〗名 단자. ¶金襴~ 금란단자.

とんずら 名ス自〈俗〉달아남; 도망침. ¶風をくらって~する 재빨리 달아나다.

どん-する【鈍する】サ変自 둔해지다; 멍청해지다. =ぼける. ¶貧すれば~ 가난하면 사리 판단도 흐려진다; 빈자소인(貧者小人).

とんそう[遁走] 名ス自 둔주; 도주. ¶敵は~した 적은 도주하였다.

どんぞこ【どん底】名 (맨) 밑바닥; 사물의 최악 상태; 구렁텅이. ¶~の生活 밑바닥 생활 / ~からはい上がる 밑바닥에서 기어오르다〔빠져나오다〕/ 不幸の~に落ちている 불행의 구렁텅이에 빠져 있다.

とんだ 連体 **1** 뜻하지 않은; 돌이킬 수 없는; 엄청난; 엉뚱한. ¶~目に合う 뜻하지 않은 변을 당하다; 혼나다 / ~災難にあった 뜻밖의 재난을 당했다 / ~事をしてくれた 엄청난 짓을 저질러 놓았구나. **2** (역설적으로) 굉장한; 대단한. ¶~美人だ 굉장한 미인이다.

ドンタク[←네 zondag] 名 존다그; 일요일; 전하여, 휴일; 축제(일). ¶博多の~ 博多 시의 개항 축제.

とんち〖頓智·頓知〗名 돈지; 기지; 재치. =機転·ウイット. ¶~の有る〔利く〕人 재치 있는 사람 / ~を働かせる 기지를 발휘하다 / ~で人を笑わせる 재치있는 말로 사람을 웃기다.

とんちゃく〖頓着〗名ス自 ☞とんじゃく.

どんちゃんさわぎ【どんちゃん騒ぎ】名 술을 마시며 장구치고 노래하는 등 크게 떠듦; 또, 그 소리; (야단)법석. ¶酒を飲んで~(を)する 술을 마시며 법석을 떨다.

どんちょう[緞帳] 名 **1** (극장의) 말아서 올리고 내리고 하는 무대막. **2** 두터운 천의 무늬가 들어 있는 막(幕).

とんちんかん〖頓珍漢〗名ダナ **1** (언행이) 조리가 닿지 않아 종잡을 수 없음; 대중없음; 엉뚱함; 빗나감. ¶~な答え 엉뚱한 대답 / ~な会話 종잡을 수 없는 대화. **2** 엉뚱한 사람; 얼뜨기. ¶このへめ 이 얼뜨기 같은 놈아.

どんつう【鈍痛】名 둔통; 무지근하게 아픔. ¶下腹部に~を覚える 하복부에 둔통을 느끼다. ↔激痛.

どんづまり【どん詰まり】名〈俗〉**1** 막판; 종국. ¶選挙も~になった 선거도 막판에 접어들었다. **2** 막다름; 막다른 골〔곳〕; 막바지. ¶路地の~の家 골목길의 막다른 집 / ~に突き当たる 막다른 곳에 이르다; 벽에 부딪치다.

とんで【飛んで】連語 숫자를 부를 때 사이에 영(零)이 있음을 나타내는 말: 공. =とび. ¶三千~五十一円なり 3천 공 5십 1엔이요.

***とんでもな-い** 形 **1** 터무니없다; 당치도 않다; 엄청나다; 어처구니 없다. ¶~値段 터무니없는 값 / ~間違い 엄청난 실수〔잘못〕/ 彼が学者だなんて~話だ 그가 학자라니 당치도 않는 이야기다. **2** 뜻하지 않다; 뜻밖이다. ¶~時に 뜻하지 않은 때에. **3** 천만에(요). ¶何とお礼を申し上げてよいか分かりません—いや, ~ 무어라 감사의 말씀을 드려야 좋을지 모르겠습니다—아니, 천만에요.

とんでる〖翔んでる〗連語〈俗〉기성 도덕에 구애되지 않고 자유로운 활약을 하고 있는 모양. ¶~女〔おじいちゃん〕 자유분방한 여자〔영감님〕.

どんてん【曇天】名 담천; 흐린 날씨. ↔晴天.

どんでんがえし【どんでん返し】名 **1** 〖劇〗무대 장치를 급히 뒤집어 다음 차례의 것과 바꾸는 일; 또, 그런 장치. =がんどう返し. ¶舞台が~になっている 무대가 거꾸로 뒤집히는 장치로 되어 있다. **2** 일이 거꾸로 뒤집힘; 역전됨. ¶~の結末 역전되는 결말 / ~を食う 역전을 당하다.

とんと〖頓と〗副 **1** ((否定의 말을 수반하여)) 조금도; 전혀; 도무지. ¶~おいしくない 조금도〔도무지〕 맛이 없다 / ~存じません 전혀 모릅니다 / ~覚えがない 통 기억이 안난다 / ~おかまいなし 전혀 상관없음. **2** 완전히; 깨끗이. ¶~忘れた 까맣게〔깨끗이〕 잊어버렸다.

とんとん ⊟名ダナ **1** (둘이) 어상반함; 엇비슷함. =五分五分. ¶ふたりの成績は~だ 두 사람의 성적은 엇비슷하다. **2** 수지가 균형 잡힘; 팽팽함. ¶収支が~になる 수지가 엇비슷하게 되다. ⊟副 **1** 일이 순조롭게 진행되는 모양: 척척; 순조로이. ¶仕事が~(と)運ぶ 일이 척척 되어가다. **2** 가볍게 두드리는〔치는〕 소리: 똑똑; 톡톡; 쿵쿵. ¶~とノックする 똑똑하고 노크하다 / 階段を~(と)上る 계단을 쿵쿵거리며 올라가다.

—びょうし【—拍子】名ナ 일이 순조롭

게〔빨리〕 진척됨; 일이 손쉽게 이루어짐; 또, 그 모양. ¶~に出世する 순조롭게 출세하다.

*どんどん 副 1 잇따르는 모양: 자꾸(자꾸); 계속. ¶水が~増していく 물이 자꾸 불어난다 / 質問が~(と)出た 질문이 잇따라 쏟아져 나왔다. 2 일이 순조롭게 진척되는 모양; 또, 일을 지체 없이 처리하는 모양: 부쩍부쩍; 척척; 일사천리로. ¶~家がふえる 부쩍부쩍 집이 늘어간다 / 仕事を~かたづける 일을 척척 해치우다. 3 대포·북·불꽃 따위가 잇따라서 울리는 소리: 쾅쾅; 둥둥; 쿵쿵. ¶太鼓を~鳴らす 북을 둥둥 울리다.

どんな 〘何様な〙 連体 1 어떠한; 어떤. =どのような. ¶~本 어떠한 책 / ~人でも 어떠한 사람이라도 / ~人が来たの 어떤 사람이 왔지 / 借金の味が~ものか知っている 빚을 진다는 게 어떠한가를 알고 있다 / 百万長者になったら~だろう 백만 장자가 된다면 (기분이) 어떨까 / ~タバコも一切のまない 어떤 담배도 일절 피우지 않는다. 2《'~に'의 꼴로》 얼마나; 아무리. ¶~にかめが急いでも 아무리 거북이가 서둘러도 / ~に悲しかったでしょう 얼마나 슬펐을까요.

**トンネル [tunnel] 터널. 一名 굴. =隧道. ¶~を抜ける 터널을 빠져나가다. 二名ス他 〈俗〉〔野〕 야수가 땅볼을 가랑이 사이로 놓침. ¶外野手がゴロを~する 외야수가 땅볼을 놓치다.

とんび 〘鳶〙 名 〔鳥〕 ☞とび1.

—が鷹を生む ☞とびがたかをうむ.

どんぴしゃり 名 〈俗〉 딱 들어맞음; 적중함. =どんぴしゃ. ¶お答えは~です 답은 딱 들어맞았습니다 / 予想通り~だった 예상대로 딱 들어맞았다.

ドンファン [ス Don Juan] 名 돈 후안; 엽색꾼; 난봉꾼; 탕아. =ドンジュアン.

とんぷく [頓服] 名ス他 돈복; 여러 번에 벼르지 않고 한꺼번에 복용함; 또, 그 약. ¶~薬 돈복약.

どんぶつ 【鈍物】 名 둔한 사람; 어리보기; 멍청이. =のろま. ↔才物.

*どんぶり 〘丼〙 名 1 'どんぶりばち'의 준말. ¶~に飯を盛る 사발에 밥을 담다. 2 'どんぶりめし'의 준말. ¶うなぎ~ 장어 덮밥 / 親子~ 닭고기에 계란을 푼 덮밥. 3 장색(匠色)들이 두르는 앞두르개에 달린 주머니.

—かんじょう 【—勘定】 名 수중에 있는 돈을 장부에도 기입하지 않고 마음대로 쓰는 일; 주먹구구(식). ¶~の経営ぶり 주먹구구식의 경영 방식. 參考 본디, 장색들이 앞 두르개의 주머니에 돈을 넣고 꺼내 쓴 데서.

—ばち 【—鉢】 名 사발; 밥그릇. =どんぶり. 「덮밥.

—めし 【—飯】 名 どんぶり에 담은 밥;

とんぼ 〘蜻蛉·蜻蜓〙 名 1〘蟲〙 잠자리. ¶赤~ 고추잠자리 / ~捕り 잠자리 잡기 / ~釣り 막대 끝에 잠자리를 미끼로 매달아 다른 잠자리를 꾀어 잡는 일《넓은 뜻으로는 잠자리채로 잡는 것도 가리킴》. 2 'とんぼがえり'의 준말.

—を切る 1 재주넘다; 공중제비하다. 2 (목적지에 닿은) 발길을 홱 돌이키다; 곧 되돌아오다〔가다〕.

とんぼがえり 【とんぼ返り】《蜻蛉返り》 名ス自 1 재주넘기; 공중제비. =とんぼ. ¶~をする〔うつ〕 공중제비를 넘다. 2 (발길을) 곧 돌이킴; 곧 되돌아옴〔감〕. ¶~運転〔(の)出張〕 목적지에 가자마자 되돌아오는 운전〔출장〕 / 大阪から~で帰って来た 大阪에 가자마자 곧바로 돌아왔다.

とんま 〘頓馬〙 名ナ (언행이) 어딘지 모자람; 얼뜸; 또, 얼뜨기; 얼간이. ¶~な奴 얼간이 녀석 / ~に見える 얼빠져 보이다; 바보스러워 보이다 / 毎度~をやっては叱られる 매번 얼뜨기 짓을 하고서는 꾸중을 듣는다.

—やろう 【—野郎】 名 〈俗〉 바보 자식《욕하는 말》.

ドンマイ [←don't mind] 感 걱정 마라; 염려 없다《운동 경기 등에서, 실수하여 낙심한 자를 격려할 때에 씀》.

*とんや 【問屋】 名 도매상. =卸売商·といや. ¶呉服~ 포목 도매상 / ~で商品を仕入れる 도매집에서 상품을 사들이다 / そうは~がおろさない 그렇게는 도매상이 팔아 주지 않는다《자기의 뜻대로 잘 되지 않는다》.

どんよく [貪欲] 名ダナ 탐욕; 욕심이 많음. =強欲. ¶~な考え〔人〕 탐욕스러운 생각〔사람〕 / 彼は何事にも~で, 研究熱心だ 그는 무슨 일에나 욕심이 많아서, 연구에 열심이다.

どんより 副 1 날씨가 잔뜩 흐린 모양; 어둠 침침한 모양. ¶~(と)した空 잔뜩 찌푸린 하늘〔날씨〕. 2 눈이나 색조가 흐린 모양. ¶~(と)した目 흐리멍덩한 눈; 생기가 없는 눈.

どんらん [貪婪] 名ダナ 탐람; 너무 탐함; 몹시 욕심을 부림. =貪欲. ¶~な人 욕심이 많은 사람.

なナ

1 五十音図(ごじゅうおんず) 'な行(ぎょう)' 의 첫째 음. [na] 2〖字源〗 '奈'의 초서체《かたかな 'ナ'는 '奈'의 윗부분》.

⁑な【名】 [名] 이름. 1 성명; 명칭《'名前(なまえ)'의 격식 차린 말씨》. ¶生(う)まれた子(こ)に～を付(つ)ける 태어난 아이에게 이름을 지어 주다. 2 평판; 명성; 세평. ¶～の聞(き)こえた人(ひと) 이름이 알려진 사람 / ～を広(ひろ)める 이름을 떨치다 / 歴史上(れきしじょう)に～を留(とど)める 역사상에 이름을 남기다 / ～を盗(ぬす)む 이름을 훔치다《실력이 없는데 명성을 얻다》/ 蔵書家(ぞうしょか)として～が高(たか)い 장서가로서 이름이 높다. 3 명예. ¶学校(がっこう)の～を傷(きず)つける 학교의 이름을〔명예를〕 손상시키다. 4 구실; 명분. ¶公益(こうえき)を～として事業(じぎょう)をもくろむ 공익을 구실로 (개인) 사업을 꾀하다 / ～を正(ただ)す 명분을 세우다; 옳고 그름을 판단하다.

——有(あ)りて実(じつ)なし 유명무실하다.

——が通(とお)る 이름이 통하다; 세상에 잘 알려져 있다.

——にし負(お)う '名に負う'의 힘줌말. ¶～悪童(あくどう)ども 이름 그대로인 악동들; 유명한 악동들.

——に立(た)つ 세상에 알려지다; 소문이 나다.

——に恥(は)じない 이름을 욕되게 하지 않다. ¶名人(めいじん)の～戦(たたか)いぶり 명인의 칭호를 욕되게 하지 않는〔명인다운〕 대전(對戰) 모습.

——もない 유명하지 않은; 무명의. ¶～花(はな) 이름도 없는 꽃.

——をあげる 이름을 날리다《유명해지다; 명성을 떨치다》.

——を売(う)る 이름이 널리 알려지게 하다. ＝売名(ばいめい)する. ¶この界隈(かいわい)で少(すこ)しは名(な)を売った男(おとこ)だ 이 일대에서 조금은 알려진 사나이다.

——を得(え)る 유명해지다; 명성을 얻다.

——を惜(お)しむ 이름을 아끼다; 이름·명성이 더렵혀짐을 애석해하다.

——を借(か)りる 1 남의 명의를 빌려 일을 하다. 2 구실 삼다. ¶政界革新(せいかいかくしん)に～ 정계 혁신을 핑계 삼다.

——を雪(すす)ぐ 오명을 씻다; 명예를 회복하다.

——を遂(と)げる 명성을 얻다.

——を取(と)る 1 명성을 얻다. 2 예명(藝名)을 받다.

——を成(な)す 유명해지다. ¶作家(さっか)として～ 작가로서 유명해지다.

——を残(のこ)す 이름〔명성〕을 후세에 남기다.

な【菜】 [名] 1 야채; 푸성귀. ＝なっぱ·あおな. ¶～をつくる 채소를 가꾸다 / ～を漬(つ)ける 채소를 절이다. 2〖植〗 평지; 유채. ＝アブラナ. ¶～の花(はな) 평지〔유채〕꽃.

な [一][助] 1 [終助] ㉠《動詞 및 '(ら)れる' '(さ)せる'의 終止形에 붙어서》 금지를 나타냄: …마라. ¶芝生(しばふ)にはいる～ 잔디밭에 들어가지 마라 / 騒(さわ)ぐ～ 떠들지 마라 / 二度(にど)とする～よ 두 번 다시 하지 마라. ㉡《動詞 및 '(ら)れる' '(さ)せる'의 連用形에 붙어서》 (부드러운 말투의) 명령을 나타냄. ¶早(はや)くし～ 빨리 해 / あっちへ行(い)き～ 저쪽으로 가거라. 2 [間助] (약간 다짐하면서) 영탄(詠嘆)을 나타냄. ㉠자기의 주장·판단 따위를 상대방에게 납득시키거나 스스로 확인하는 마음을 나타냄. ¶私(わたし)はそうは思(おも)わない～ 나는 그렇게는 생각지 않는데 / まちがいない～ 틀림없을 테지 / 遅(おく)れないで来(こ)いよ～ 늦지 말고 오게나. ㉡어떤 일의 실현을 진정으로 원하는 마음을 나타냄. ¶待(ま)っててくれるか～ 기다려 줄까〔주면 좋겠는데〕/ 晴(は)れるといい(が)～ 날이 개면 좋겠는데. ㉢직접적인 감동을 나타냄. ¶うれしい～ (정말) 기쁘구나 / ほんとにきれいだ～ 참으로 아름답군 / よく出来(でき)た～ 잘 만들었군; 참 잘됐구나. ㉣자기의 말을 상대에게 납득시키려는 마음을 나타냄《주로 남자들이 씀》. ¶あれは～, 鳥(とり)の声(こえ)だよ 저것은 말야, 새소리야 / おまえは～あわてん坊(ぼう)だから～ 너는 말야, 덤벙대는 아이니깐 말야 / それから～, 二軒(にけん)ほど立(た)ち寄(よ)っただけだよ 그리고 나서 말야, 두 집 정도 들렀을 뿐이야. [参考] 'なあ'로도 됨.

[二][感] 상대의 관심을 자기에게 돌리거나 자기의 말을 상대에게 납득시키려는 마음을 나타냄; 또, 사람을 부르는 데 씀: 응; 여보게. ¶～, そうだろう 응, 그렇지(않아) / ～, 君(きみ)もそう思(おも)うだろう 이봐, 자네도 그렇게 생각하지. [注意] 'なあ'로도 됨.

なあ [一][間助] ☞な [一][助]2. [参考] 문장 끝에서 '…ないかなあ'가 되었을 때는 '…てもらいたいなあ(＝…해주었으면 싶은데)'의 뜻도 됨. [二][感] ☞な [二][感].

ナース [nurse] [名] 너스; 간호사.

——ステーション [일 nurse＋station] [名] (병원에서) 간호사 대기실.

なあて【名あて】《名宛》 [名] (편지·서류·소포 따위의) 수신인〔받을 사람〕의 주소·성명. ＝あて名(な). ¶～人(にん) 수신인; 수취인.

なあなあ [名]〈俗〉 서로 적당히 말로써 해결함; 타협. ＝なれあい. ¶～主義(しゅぎ) 적당주의 / ～で済(す)ませる 서로 (짜고) 알아서 적당히 일을 끝내다.

なあに [感] 1 ☞なに [三]2. ¶～大丈夫(だいじょうぶ)ですよ 아니, 괜찮습니다. 2〈女·兒〉 대답에 응하거나 되묻는 말: 뭐; 뭐요. ¶～, どうしたの 뭐, 어떻게 됐니.

ナーバス [nervous] ダナ 너버스; 신경질적인 모양. ¶図太そうだが意外に～な面がある 유들유들해 보이지만 의외로 신경질적인 데가 있다.

****な-い**【ない·無い】形 **1** 없다. ㉠(인간이나 물건이) 존재하지 않다. ¶何も～ 아무것도 없다 / ここに置いておいた消しゴムが～ 여기에 놓아 두었던 지우개가 없다. ㉡(사항이) 일어나지 않다. ¶今日は授業が～ 오늘은 수업이 없다. ㉢(사람이나 사물을) 가지고 있지 않다. ¶家も～し, 妻も～ 집도 없고 아내도 없다. ㉣사람이나 물건이 지니고 있어야 할 속성을 안 가지고 있다. ¶風格が～ 풍격이 없다 / このパンはひからびて味が～ 이 빵은 말라버려 맛이 없다. ㉤(사람이) 어떤 능력·경험·감각 등을 갖추고 있지 않다. ¶学力が～ 학력이 없다 / 知恵も～し, 度胸も～ 지혜도 없고 배짱도 없다. ㉥수량·시간 등을 나타내는 말을 받아, 그 수량이나 시간에 미치지 않는다는 뜻을 나타냄. ¶駅まで一キロも～ 역까지 1킬로도 안 된다 / 試験まで一週間も～ 시험까지 1 주일도 안 남아 있다. **2**(‘…こと’를 받아서) ㉠否定을 나타냄. ¶欲しくないことも～がわざわざ買う気はしない 갖고 싶지 않은 것도 아니지만, 일부러 살 마음은 안 난다. ㉡미경험을 나타냄. ¶まだ食べたことが～ 아직 먹어 본 일이 없다 / こんなみじめな思いをしたことは～ 이런 비참한 생각을 해본 적은 없다. ㉢가능성이 없음을 나타냄. ¶まさか死ぬことも～だろう 설마 죽는 일은 없겠지. ⇔有る. **3** ㉠形容詞·形容動詞의 連用形 및 일부의 助動詞 ‘だ’‘たい’‘らしい’ 등의 連用形 밑에 붙어서 그 상태의 否定을 나타냄: …않다. ¶顔を見たくも～ 얼굴을 보고 싶지도 않다 / 学生らしく～ 학생답지 않다. ㉡動詞의 連用形에 助詞 ‘て’가 붙은 것에 딸리어, ‘…ている(=…고 있다)’ ‘…てある(=…되어 있다)’의 상태의 否定을 나타냄. ¶電車が動いて～ 전차가 움직이지 않고 있다 / 彼は死んで～ 그는 죽지 않았다.

──そでは振れぬ 없는 소매는 흔들지 못한다《없으니 어쩔 도리가 없다》.

──くて七癖 없다 해도 일곱 가지 버릇은 있다; 사람마다 버릇이 있다.

な-い【亡い】形 죽었다; 죽고 없다. ¶彼も今は～ 그도 지금은 죽고 없다 / 今は～き人 지금은 죽고 없는 사람.

ない 助動《形容詞型活用; 動詞 및 ‘(さ)せる’ ‘(ら)れる’의 未然形에 붙음》**1** 말하는 사람이 그 말하고 있는 사항이 否定적인 것임을 단정하는 데 씀: …지 아니하다. ¶雨が降ら～ 비가 안 온다 / タバコは吸わ～ 담배는 피우지 않는다. 参考 文語의 ‘ず’에 해당함. ⇒ない(無). **2**《助詞 ‘か’와 함께 또는 ‘か’ 없이 말끝을 올려서》㉠권유·바람·의뢰의 뜻을 나타냄: …지 아니하겠니. ¶眠ら～ 자지 않겠니 / 一緒に行か～ 함께 안 가겠어 / 貸してくれ～か 빌려 주지 않겠나. 参考 의문을 나타내는 말투의 전와(轉訛). ㉡의문을 나타냄: 않니. ¶眠く～の 졸리지 않니 / お前あしたはうちにい～ 너 내일은 집에 있지 않니. **3** 인정하기가 좀 곤란하다는 뜻을 나타냄. ¶ぼくはそんな事はしら～よ 난 그런 것은 몰라요 / こんなものは食べなかろう 이런 것은 못 먹겠지 / 行けなくて残念だ 가지 못해서 유감스럽다 / 出来もし～ことはするな 하지도 못할 일은 하지 마라. 注意1 連用形 ‘なく’에 接続助詞 ‘て’가 붙은 ‘なくて’는 때로 促音이 첨가되어 ‘なくって’가 되기도 함. ¶なかなか話が終わらなくってじりじりした 좀처럼 이야기가 끝나지 않아 조바심했다. 注意2 連用形 ‘なく’에 助詞 ‘ては’가 붙은 ‘なくては’는 구어로 ‘なくちゃ’가 되기도 함. ¶返事を早く出さなくちゃならない 답장을 빨리 내지 않으면 안 된다. 注意3 仮定形 ‘なけれ’에 接続助詞 ‘ば’가 붙은 ‘なければ’는 구어로 ‘なけりゃ’ ‘なきゃ’가 되기도 함. ¶すぐ出かけなけりゃならない 곧 떠나지 않으면 안 된다 / 早く行かなきゃ間に合わない 빨리 가지 않으면 시간에 대지 못한다.

ない【内】㊀接頭 내밀히; 몰래; 비공식적. ¶～祝言 집안끼리만 모여서 하는 혼례. ㊁接尾 안; 내; 내부. ¶教室～では静かに 교실 안에서는 조용히(하도록).

ない 〖内〗《內》 教2 ナイ ダイ うち | 내 안

1 안; 속. ¶内外 내외 / 国内 국내. ↔外. **2** 내분; 자기네들끼리의 싸움. ¶内乱 내란 / 内訌 내홍. **3** 내부적; 내막적; 공표되지 않은. ¶内密 내밀 / 内申 내신. **4** (몸속에) 넣다. ¶内服 내복.

ないあつ【内圧】名 내압; 어떤 물체의 안으로부터의 압력. ↔外圧.

ないい【内意】名 내의; 속마음; 의중. ¶～をきいて見る 속마음을 물어보다.

ナイーブ [naive] ダナ 나이브; 순진한 모양; 소박하거나 천진난만한 모양. ¶～な性格 나이브한 성격.

ないいん【内因】名 내인; 내부 원인. ¶～を究明する 내인을 규명하다 / 紛争の～ 분쟁의 내인. ↔外因.

ないえつ【内閲】名 ス他 내열; 비공개로〔비공식적으로〕 열람하거나 검열함. ¶発表前に文書を～する 발표 전에 문서를 비공식 열람하다.

ないえん【内縁】名 내연. ¶～の妻〔夫〕 내연의 처〔남편〕.

ないおう【内応】名 ス自 내응; 내통; 배반. =内通. ¶敵に～する 적에 내응하다; 적과 내통하다. 「↔外科.

***ないか**【内科】名 내과. ¶～医 내과의.

ないかい【内海】图 내해. =うちうみ. ¶瀬戸~ 세토나이카이《일본 四国와 本州 사이에 있는 내해》. ↔外海·外洋.

ないかい【内界】图 내계; 인간의 내면 세계; 정신계. ↔外界.

ないがい【内外】图 내외. **1** 안팎. ¶~人 내외인; 자국인과 외국인 / 建物の~ 건물의 안팎 / ~の注目を浴びる 내외의 주목을 받다. **2**《수량을 나타내는 말에 붙어서》…정도〔전후〕. ¶百人~ 백 명 내외 / 千円~の費用〔品物〕 천 엔 내외의 비용〔물건〕.

ないかく【内角】图 내각. **1**〖數〗 안쪽의 각. ¶三角形の~の和 삼각형의 내각의 합. **2**〖野〗 홈 플레이트의 타자(打者)에 가까운 쪽. =インコーナー. ¶~をつく 내각을 찌르다. ⇔外角.

***ないかく**【内閣】图 내각. ¶~が倒れる 내각이 무너지다.

—そうりだいじん【—総理大臣】图 내각 총리대신; 수상. =総理·首相.

—ふ【—府】图 중앙 행정 기관의 하나; 다른 '省庁(=부처)'의 상부에 위치하며, 정부 전체의 입장에서 중요 정책의 종합 조정과 재정 운영의 기본 및 예산 편성의 기획 입안을 위한 필요 사항 등을 관장함《총리를 장(長)으로 하고 관방(官房) 장관이 사무를 관장함; 2001년 1월에 신설》.

—ふしんにんあん【—不信任案】图 내각 불신임안.

ないがしろ〖蔑ろ〗ダナ 소홀히 함; 업신여김. ¶親〔職務〕を~にする 부모〔직무〕를 소홀히 하다.

ないかん【内患】图 내환; 집안〔나라 안〕의 근심; 내우. =内憂. ¶~外憂 내우외환. ↔外患.

ないき【内規】图 내규. ¶それは会社の~で定められている 그것은 회사 내규로 정해져 있다.

ないきょく【内局】图 내국; 중앙 관청에서, 대신(大臣)·차관의 직접 감독을 받는 국; 본청의 각 국. ↔外局.

ないきん【内勤】图ス自 내근. ¶~の記者 내근 기자. ↔外勤.

ないけい【内径】图 내경; (기물(器物)의) 안쪽 치수; (총포 따위의) 구경. ↔外径.

ないけん【内見】图ス他 내람; 비공개로 봄. =内覧.

ないげんかん【内玄関】图 현관 외에 가족·하인이 드나드는 출입문. =うちげんかん.

ないこう【内向】图ス自 내향. ↔外向.

—てき【—的】ダナ 내향적. ¶~(な)性格 내향적(인) 성격. ↔外向的.

ないこう【内攻】图ス自 내공. ¶病気が~する 병이 내공하다 / 不平不満が~する 불평불만이 내공하다.

ないこう【内航】图 내항; 국내를 항행함. ¶~船 내항선. ↔外航.

ないこう【内港】图 내항. ↔外港.

ないこう〔内訌〕图ス自 내홍; 내분. =うちわもめ. ¶~が起こる 내분이 일어나다 / 組合の~がようやくおさまった 조합의 내분이 겨우 수습되었다.

ないこう【内項】图〖數〗내항. ↔外項.

ないごうがいじゅう【内剛外柔】图 내강외유. =外柔内剛. ¶彼は~の人です 그는 내강외유한 사람입니다. ↔内柔外剛.

ないこうしょう【内交渉】图 내교섭; 사전〔예비〕교섭. =下交渉. ¶~をする 사전 교섭을 하다.

ないこく【内国】图 내국; 나라 안; 국내. =国内. ¶~航路 국내 항로 / ~為替 내국환(換). ↔外国.

ないさい【内妻】图 내연의 아내. ↔本妻·正妻.

ないさい【内済】图ス他 내막적으로 처리함; 은밀히 끝냄. ¶事件を~に処す 사건을 은밀히 처리하다.

ないさい【内債】图 내채; 내국채. ↔外債.

ないざい【内在】图ス自 내재; 그 내부에 본래 있음. ¶そのものに~する価値 그것에 내재하는 가치 / 神は各人の心に~する 신은 각자의 마음속에 내재한다. ↔外在.

ないし〖乃至〗接 내지. **1**(수량·정도·범위의) …서 …까지. ¶五百人~六百人 5백 명 내지 6백 명 / 北~北東の風 북 내지 북동풍. **2** 또는; 혹은. ¶教授~助教授 교수 또는 조교수 / 本人~代理人の署名 본인 또는 대리인의 서명.

—は -wa 接 'ないし'의 힘줌말. ¶保護者~それに準ずるもの 보호자 내지는 그에 준하는 자.

ないじ【内事】图 내사; 내부에 관한 일. ↔外事.

ないじ【内示】图ス他 내시; (공표하기 전에) 비공식적으로 보여 줌〔알림〕. ¶予算の~ 예산의 내시 / 転勤の~を受ける 전근의 내시를 받다. 参考 'ないし'라고도 함. ↔公示.

ないじ【内耳】图〖生〗내이; 속귀. ¶~炎 내이염. ↔中耳·外耳.

ないしきょう【内視鏡】图〖醫〗내시경.

ないしつ【内室】图〈老〉내실; 남의 아내의 높임말. =おくがた·内儀. 参考 본디, 귀인의 처의 뜻.

ないじつ【内実】图 **1** 내실; 내부의 실정(實情); 내막. =うちまく. ¶会社の~ 회사의 내막. **2**《副詞적으로》사실; 기실(其實). ¶平気を装っているが~困っている 태연한 체하고 있지만 사실은 난처하다.

ないしゃく【内借】图ス他 내차. **1** 몰래 돈을 빌림. **2** 가불; 전차(前借). =うち借り. ¶給料の~ 급료 가불.

ないじゅ【内需】图 내수; 국내의 수요. ¶~産業 내수 산업 / ~を拡大する 내수를 확대하다. ↔外需.

——けいき【—景気】名 내수 경기.

ないしゅう【内周】名 내주. **1** 안쪽에서 잰 둘레. **2** 이중으로 둘러싼 선 따위의 안쪽 부분. ↔外周.

ないじゅうがいごう【内柔外剛】名 내유외강. =外剛内柔. ↔外柔内剛·内剛外柔.

ないしゅうげん【内祝言】名 집안끼리만 모여서 혼례를 치름; 집안끼리의 잔치. ¶取り敢えず~を済ませる 우선 집안끼리만 모여 혼례를 치르다.

ないしゅっけつ【内出血】名ス自〔醫〕내출혈. ↔外出血.

***ないしょ**〖内所·内緒·内証〗名 **1** 내막적으로〔몰래〕함; 내밀; 은밀; 비밀. ¶親に~のはなし 부모에게 숨기는 이야기/これは絶対に~ですよ 이것은 절대 비밀입니다. **2** 전하여, 부엌; 살림살이; 가계. ¶~が苦しい 살림살이가 어렵다. 注意 '内所·内緒'로 씀은 취음. 參考 '内証'의 전와(轉訛).

——ばなし【—話】名 **1** 내밀한 이야기. **2** 살림살이〔가정 형편〕이야기.

ないじょ【内助】名ス他 내조.

——の功 내조의 공.

ないじょう【内情】名 내정; 내부의 사정. ¶~を探る 내정을 살피다/~に明るい 내부 사정에 밝다/~にくわしい者の犯行 내부 사정을 잘 아는 자의 범행.

***ないしょく**【内職】名ス自 내직. **1** 본직 이외의 돈벌이; 부업. ¶~に翻訳をしている 부업으로 번역을 하고 있다. **2** 주부가 가계를 돕기 위해 하는 일. =アルバイト. ¶~に編物をする 내직으로 편물을 하다. 參考 흔히, 수업이나 회의 중에 이야기를 듣는 체하면서 딴 일을 할 경우에도 쓰임. ¶こら, 数学の時間にほかの教科の~をするやつはだれだ 야, 수학 시간에 다른 교과 공부를 하는 놈이 누구냐.

ないしん【内心】名 내심. **1** 마음속; 내심(으로). ¶~を打ち明ける 내심을 털어놓다/~穏やかでない 내심 평온치 않다. 參考 副詞적으로도 씀. ¶~ひやひや〔どきどき〕した 내심 조마조마〔두근두근〕했다. **2**〔數〕다각형에 내접하는 원의 중심.

ないしん【内申】名ス他 내신. ¶昇給を~する 승급을 내신하다.

——しょ【—書】名 내신서. ¶出身学校の~ 출신 학교의 내신서.

ないしん【内診】名ス他 내진. **1** 여자 생식기 또는 직장(直腸) 내부의 진찰. **2** (의사가) 자택에서 진찰함; 택진(宅診). ↔往診.

ないしんのう【内親王】名 적출(嫡出) 황녀(皇女) 및 적남계(嫡男系) 적출 황손인 여자; 공주. ↔親王.

ナイス[nice]名 나이스; 훌륭함; 근사함; 멋짐. ¶~ボール 나이스 볼/~ピッチング 나이스 피칭; 좋은 투구.

——ミドル [일 nice+middle] 名 나이스미들; 매력적인 중년(中年).

ないすい【内水】名 내수《연해(沿海)를 제외한 나라 안의 항만·내해·하천·호소(湖沼) 등》. ¶~氾濫 내수 범람.

ないせい【内政】名 내정. ↔外交.

——かんしょう【—干渉】名 내정 간섭. ↔内政不干渉.

ないせい【内省】名ス他 내성; 반성. ¶一日の行いを~する 하루의 행실을 반성하다.

ないせん【内戦】名 내전. ¶~の絶え間ない国 내전이 끊이지 않는 나라.

ないせん【内線】名 내선. **1** 옥내 전선. **2** 구내 전화선. =インターホン. ¶~番号 내선 번호/電話の~をひく 전화의 내선을 끌다. ⇔外線.

ないそう【内争】名 내쟁; 내분(內紛); 집안싸움. =うちわもめ·内訌. ¶家庭の~ 집안싸움.

ないそう【内装】名 내장; (건물 등의) 내부 설비·장식; 또, 그 공사. =インテリア. ¶~工事 내장 공사. ↔外装.

ないぞう【内蔵】名ス他 내장. **1** 내부에 가지고 있음. ¶露出計~のカメラ 노출계가 내장된 카메라/マイクを~している 마이크를 내장하고 있다. **2** 내포. ¶さまざまな問題を~している 여러 가지 문제를 안고 있다.

***ないぞう**【内臓】名〔生〕내장《호흡기·소화기·비뇨 생식기 따위》. ¶~疾患 내장 질환.

ないそく【内則】名 내칙; 내규. =内規.

ないそん【内孫】名 친손자. =うちまご. ↔外孫.

ナイター[일 nighter] 名 나이터; 야간 경기. =ナイトゲーム. 參考 영어로는 night game이라고 함. 다만, 야구에서는 미국을 중심으로 nighter도 씀.

ないだく【内諾】名ス他 내락; 비공식적인 승낙. ¶~を得る 내락을 얻다/就任を~する 취임을 내락하다.

ないたつ【内達】名ス他 내달; 내시(內示). ¶昇進の~を受ける 승진의 내시를 받다.

ないだん【内談】名ス自 내담; 비밀히〔내밀히〕이야기함. ¶商売上の~をする 사업상의 밀담을 하다.

ないち【内地】名 내지. **1** (속령(屬領)·식민지가 아닌) 본토·본국. ↔外地. **2** 北海道·沖縄 등지의 사람들이 本州를 일컫는 말. **3** 국내. ¶~留学 국내 유학. **4** 내륙. ¶中国~を旅行する 중국 내륙을 여행하다.

——まい【—米】名 일본 자국(산)미. ↔外米.

ないち【内治】名 내치; 국내 정치. ↔外交.

ナイチンゲール[nightingale] 名 나이팅게일. **1**〔鳥〕밤꾀꼬리. **2** 간호사의 미칭. 參考 크림 전쟁 때, 부상병을 간호한 간호사 나이팅게일(Nightingale, F.)의 이름에서 유래.

ないつう【内通】名ス自 내통. **1** 은밀히 적과 통함. ＝内応(ないおう). ¶敵(てき)と～している 적과 내통하고 있다. **2** (남녀의) 밀통; 사통. ＝密通(みっつう)·私通(しつう).

ないで 連語 **1** 否定의 뜻을 나타냄: …말고; …않고. ¶遊(あそ)んでばかりい～時(とき)にはちょっと勉強(べんきょう)もせよ 놀기만 하지 말고 때로는 좀 공부도 해라/これは錆(さ)び～いい 이것은 녹슬지 않아 좋다. **2** 문말(文末) 또는 'くれ' 'ほしい' 'ね' 따위의 앞에서, 완곡한 금지를 바라는 뜻을 나타냄: …(하)지 말아요〔마세요〕; …지 말아 다오〔주오〕. ¶もうどこにも行(い)か～ 이제〔다시는〕 아무데도 가지 말아요/それを食(た)べ～おくれ 그것을 먹지 말아 주게/もうそんな所(ところ)へは行(い)か～ほしい 이제 다시는 그런 곳에는 가지 말기를 바란다.

ないてい【内偵】名ス他 내탐. ¶敵情(てきじょう)を～する 적정을 내탐하다.

ないてい【内定】名ス自他 내정. ¶採用(さいよう)が～する 채용이 내정되다.

ないてき【内敵】名 내적; 국내 또는 같은 한패 안에 있는 적. ↔外敵(がいてき).

ないてき【内的】ダナ 내적; 내부〔정신〕적. ¶経営(けいえい)不振(ふしん)の～要因(よういん) 경영 부진의 내적인 요인. ↔外的(がいてき).

—びょうしゃ【—描写】名 내적 묘사; 내면적 묘사; 심리 묘사. ¶～にすぐれた小説(しょうせつ) 내적 묘사가 훌륭한 소설. ↔外面(がいめん)描写.

ナイト [knight] 名 나이트. **1** (중세기의) 기사(騎士). **2** 영국에서, 서(Sir)의 칭호를 받은 사람.

ナイト [night] 名 나이트; 밤; 야간. ¶～ガウン 나이트가운/～ウエア 나이트웨어; 잠옷.

—キャップ [nightcap] 名 나이트캡; 잘 때 머리털이 흐트러지는 것을 방지하기 위하여 쓰는, 챙 없는 모자.

—クラブ [nightclub] 名 나이트클럽; 야간 사교 클럽.

—ゲーム [night game] 名 나이트 게임; 야간 경기. ＝ナイター.

ないない【内内】副ダナ **1** '내심으로; 마음속으로'의 뜻. ¶～心配(しんぱい)する 마음속으로 근심하다. **2** '몰래; 은밀히; 내밀히'의 뜻. ¶～(に)お知(し)らせする 몰래 알려 드리다/～に打診(だしん)する 내밀히 타진하다〔알아보다〕. **3** '(가까운) …끼리'의 뜻. ¶これは～の話(はなし)だが 이건 비밀 이야기지만; 이것은 우리끼리의 (비밀) 이야긴데.

ないないづくし【無い無い尽くし】名 아무것도 없음. ¶～の貧乏(びんぼう)所帯(じょたい) 정말 아무것도 없는 가난한 살림. 「관.

ないねんきかん【内燃機関】名 내연 기

ないはつ【内発】名ス自 내발《외부로부터의 자극이 없어도 내부에서 자연히 일어남》. ¶～するエネルギー 내발하는 에너지.

ないはんそく【内反足】名 내반슬; 안짱다리. 注意 '内翻足(ないほんそく)'의 고친 이름.

***ナイフ** [knife] 名 나이프. ¶ジャック～ 잭나이프/～とフォーク 나이프와 포크.

***ないぶ**【内部】名 내부. ¶～告発(こくはつ) 내부 고발/箱(はこ)の～ 상자 내부/～の者(もの)の犯行(はんこう) 내부 사람의 범행/～の事情(じじょう)をよく知(し)っている 내부 사정을 잘 알고 있다. ↔外部(がいぶ).

ないふく【内服】名ス他 내복. ¶風邪薬(かぜぐすり)を～する 감기약을 내복하다.

—やく【—薬】名 내복약.

ないふく【内福】ダナ 내복함; 보기보다 실속이 있음. ¶～に暮(く)らす 알차게 살다/彼(かれ)は～な人(ひと)だ 그는 알부자다.

ないふん【内紛】名 내분. ¶～に巻(ま)きこまれる 내분에 휩쓸리다〔말려들다〕.

ないぶん【内分】一名 (사건 따위를) 표면화시키지 않음; 내밀. ＝内聞(ないぶん). ¶～にする 비밀로〔쉬쉬〕 하다. 二名ス他〖數〗내분. ¶線分(せんぶん)AB(エービー)を点(てん)P(ピー)にて～する 선분 AB를 점 P로 내분하다. ↔外分(がいぶん).

ないぶん【内聞】一名ス他 **1** 비공식으로 들음. ¶～するところによれば 내밀히 들은 바에 의하면. 二名 **1** 높은 사람의 귀에 들어감. ¶～に達(たっ)する 높은 사람에게 알려지다. **2** 내밀히 함. ＝内分(ないぶん). ¶～に済(す)ます 내밀히 끝내다/ご～に願(ねが)います 비밀로 해 주십시오. 「つ.

ないぶんぴ【内分泌】名 ☞ないぶんぴ

ないぶんぴつ【内分泌】名〖生〗내분비. ＝ないぶんぴ. ¶～腺(せん) 내분비선. ↔外分泌(がいぶんぴつ).

ないへき【内壁】名 내벽; 안쪽 벽. ¶胃(い)の～ 위내벽/～に土(つち)を塗(ぬ)る 내벽에 흙을 바르다. ↔外壁(がいへき).

ないほう【内包】名 내포. 二名〖論〗한 개념에 포함되는 사물의 공통된 속성. ↔外延(がいえん). 三名ス他 내부에 지님. ¶可能性(かのうせい)を～する 가능성을 내포하다.

ないほう【内報】名ス他 내보; 비공식적으로 알림. ¶～を受(う)ける 내보를 받다/監督官庁(かんとくかんちょう)に～する 감독 관청에 비공식적으로 알리다.

ないまく【内幕】名 내막. ＝うちまく.

ないまぜ〖綯い交ぜ〗名 **1** 여러 가지 색실을 섞어 끈을 꼼. ¶～の紐(ひも) 여러 가지 색실을 섞어 꼰 끈. **2** 여러 가지를 섞어 하나로 만듦. ¶聞(き)いた話(はなし)と想像(そうぞう)を～にして話(はな)す 들은 이야기와 상상을 뒤섞어서 이야기하다.

ないま-ぜる〖綯い交ぜる〗下1他 **1** 여러 색실을 섞어서 꼬다. **2** 여러 가지를 섞어 하나로 만들다. ¶虚実(きょじつ)を～ 허구와 진실을 뒤섞어 꾸미다〔말하다〕.

ないみつ【内密】名ダナ 내밀. ＝内緒(ないしょ)·内内(ないない). ¶～の話(はなし) 내밀한 이야기/～にする 비밀로 하다/～に話(はな)し合(あ)う 내밀히 논의하다.

ないむ【内務】名 내무. **1** 국내 행정. ↔外務(がいむ). **2** (군대에서) 실내에서의 일상 생활의 일. ¶～班(はん) 내무반.

ないめい【内命】图スル他 내명; 비밀 명령; 비공식 명령. ¶社長の～を帯びて出発する 사장의 내명을 띠고 출발하다.

*__ないめん__【内面】图 내면. **1** 안쪽; 내부. ¶～に紙を貼る 안쪽에 종이를 바르다. **2** 사람의 정신·심리 (방면). ¶～の苦悩 내면의 고뇌. ⇔外面·表面.

—**てき**【—的】ダナ 내면적. ¶～な変化 내면적인 변화. ↔外面的.

ないものねだり【無い物ねだり】图 없는〔불가능한〕것을 무리하게 졸라 댐〔갖고 싶어함〕; 생떼(를 씀). ¶～をして困ります 없는 것을 달라고 생떼를 써서 애먹습니다.

ないや【内野】图〘野〙**1** 내야. ＝インフィールド. ¶～安打 내야 안타. **2** '内野手(＝내야수)'의 준말. ⇔外野.

ないやく【内約】图スル他 내약; 내밀〔은밀〕한 약속; 비공식적인 결정. ¶～を結ぶ 내약을 맺다 / 両社の提携を～する 양사의 제휴를 내약하다.

ないゆう【内憂】图 내우. ↔外憂.

—**がいかん**【—外患】图 내우외환. ¶～こもごも至る 내우외환이 번갈아 닥치다.

**__ないよう__【内容】图 내용; 알맹이. ¶～物 내용물 / 話の～ 이야기의 내용 / ～の無い話 내용이 없는 이야기 / ～証明郵便 내용 증명 우편 / ～に乏しい議論 내용이 없는〔빈약한〕논의. ↔形式.

ないよう【内用】图スル他 내용; 내복(함). ＝内服. ¶もっぱら～する薬 내복만 하는 약. ↔外用.

—**やく**【—薬】图 내복약. ↔外用薬.

ないよう【内洋】图 내양; 내해. ＝うちうみ. ↔外洋.

ないらん【内乱】图 내란. ¶～罪 내란죄 / ～が起きる 내란이 일어나다 / ～を鎮圧する 내란을 진압하다.

ないらん【内覧】图スル他 내람; 내밀히〔비공식적으로〕봄. ¶書類を～する 서류를 내람하다.

ないり【名入り】图 물건에 이름이 씌어 있거나 염색되어 있음. ¶～の手ぬぐい 이름이 들어 있는 수건.

ないりく【内陸】图 내륙. ¶～河川 내륙 하천.

—**こく**【—国】图 내륙국. ↔海洋国.

ないりん【内輪】图 내륜; 안쪽 바퀴; 특히, 자동차가 커브를 돌 때의 안쪽 차바퀴. ↔外輪.

ないりんざん【内輪山】图〘地〙내륜산; 칼데라 안에 새로 생긴 원뿔 모양의 작은 화산. ↔外輪山.

ないれ【名入れ】图 선물 등에 회사나 개인의 이름을 넣음. ¶～辞書 (보내는 사람의) 이름이 적혀〔찍혀〕있는 사전.

ナイロン [nylon] 图 나일론. ¶～製長靴下 나일론제 긴 양말. 参考 본디는 상표명.

ないわん【内湾】图〘地〙내만; 후미진 만.

ナイン [nine] 图 나인. **1** 아홉; 구. **2** (아홉 사람 한 팀인 데서) 야구 팀(선수).

な-う〖綯う〗5他 (새끼 등을) 꼬다. ＝あざなう. ¶縄を～ 새끼를 꼬다.

ナウ [now] ダナ 〈俗〉 현대적임. ¶～な感じ〔服装, ファッション〕현대적인 느낌〔복장, 패션〕.

なうて【名うて】图『～の』유명한; 쟁쟁한. ¶～の悪党〔遊び人〕소문난 악당〔난봉꾼〕.

*__なえ__【苗】图 **1** 모종. ＝なえくさ. ¶トマトの～ 토마토 모종. **2** 특히, 볏모. ¶稲の～を植えつける 모를 심다 / ～半作 볏모의 됨됨이가 그해 농사를 좌우한다는 비유.

なえぎ【苗木】图 묘목; 모종 나무. ¶松の～を植える 소나무 묘목을 심다.

なえどこ【苗床】图 모판; 모종판.

な-える〖萎える〗下1自 **1** 시들다. ㉠감각이 마비되다. ¶足が～ 다리가 저려오다. ㉡기력이 빠지다; 쇠약해지다. ＝ぐったりする. ¶気力が～ 기력이 쇠약해지다. ㉢(풀 따위가) 이울다. ＝しおれる. ¶草木が～ 초목이 시들다. **2** 옷이 낡아서 후줄근해지다.

__なお__〖尚·猶〗㊀副 **1 역시; 여전히; 아직. ＝やはり. ¶今でも～貧乏だ 지금도 여전히 가난하다 / 今～行方が知れない 여전히〔아직도〕행방을 모르다 / 老いても～意気盛んなものだ 늙었어도 여전히 원기 왕성하다. **2** 더구나; 오히려; 한층; 더욱. ¶この方が～良い 이쪽이 더욱 좋다 / 手術をして～悪くなった 수술을 해서 오히려 더 나빠졌다. **3**《'なお…ごとし'의 꼴로》㉠마치 …(과 같다). ¶～生けるがごとき面持ち 마치 살아 있는 것 같은 모습. ㉡결국. ¶過ぎたるは～及ばざるがごとし 도를 지나침은 결국 모자람과 같다. **4**『～のこと』더한층; 더군다나. ¶天気がよければ, ～のこと旅は楽しい 날씨가 좋으면 여행은 더한층 즐겁다. 参考 3은 한문 훈독에서 나온 말씨.

㊁接 부언할 때 쓰는 말: 더욱이; 더구나; 또한. ¶～, 詳細は改めてお知らせいたします 또한, 상세한 점은 다음 기회에 알려 드리겠습니다.

なおかつ〖尚且つ〗連語《副詞적으로》**1** 그 위에 또; 게다가. ¶早くて～丁寧だ 빠르고 게다가 친절하다. **2** 그래도 아직; 역시. ¶精一杯にこにこしているのに, ～恐れられている 한껏 싱글거리고 있는데도 역시 두려움의 대상이 되고 있다.

*__なおさら__〖尚更〗副 그 위에; 더욱(더); 더한층. ¶それならば～よい 그렇다면 더욱 좋다 / それなら～のこと早く出かけるべきだ 그렇다면 더더욱 일찍 떠나야 한다.

なおざり〖等閑〗ダナ 등한; 소홀. ＝おろそか. ¶～な返事 소홀한 대답 / 規則を～にする 규칙을 등한히 하다 /

勉強を～にして遊んでばかりいる 공부를 소홀히 하고 놀기만 하다.

なおし【直し】图 1 고침. ㉠바로잡음; 정정함. ¶～の多い原稿 고친 데가 많은 원고/～だらけの草稿 많이 고친〔수정투성이의〕 초고. ㉡수선; 수리; 또, 그 사람. ¶くつ～ 구두 수선(공)/～に出す 고치러 보내다/時計を～にやる 시계를 고치러 보내다/～がきかない故障 수리할 수 없는 고장. 2 혼례 때 신부가 옷을 갈아입음. =色直し. 3 '直しみりん'의 준말.

なおしみりん【直しみりん】《直し味醂》图 소주에 미림을 섞은 술. =直し.

なおしもの【直し物】图 1 고칠 것; 수선물. 2 옷 따위를 고쳐 만듦; 또, 그 옷.

なお-す【直す】5他 1 고치다. ㉠정정(訂正)하다. ¶誤り〔文章〕を～ 잘못〔문장〕을 고치다. ㉡바로잡다. ¶ゆがみを～ 비뚤어진 것을 바로잡다. ㉢치료하다. ¶病気を～ 병을 고치다/傷を～ 상처를 치료하다. 注意 '治す'로도 씀. ㉣수선하다. ¶故障を～ 고장난 곳을 고치다. ㉤번역하다. ¶日本語を英語に～ 일본어를 영어로 고치다〔번역하다〕. ㉥변경〔개정〕하다; 바꾸다. ¶規約を～ 규약을 고치다. ㉦돌이키다. ¶機嫌を～ 기분을 고치다〔돌이키다〕. 2 앉히다. ¶客を上座に～ 손님을 상좌에 앉히다/めかけを本妻に～ 첩을 본처 자리에 앉히다. 3 《動詞連用形를 받아서》 고쳐 …하다; 다시 …하다. ¶やり～ 다시 하다/書き～ 다시 쓰다/読み～ 고쳐〔다시〕 읽다/着物を仕立て～ 옷을 고쳐 짓다. 可能 なお-せる 下1自

なおなお〖尚尚·猶猶〗副 1 더욱(더); 더(한층); 점점; 더군다나. =なおさら·ますます. ¶～勉学にはげめ 더한층 면학에 힘써라. 2 역시; 아직도. =まだまだ·やはり. ¶事件の解決には～時間がかかろう 사건 해결에는 아직도 더 많은 시간이 걸릴 것이다. 3 첨가해서. ¶～言いたいことは多々ある 덧붙여서 말하고 싶은 것은 많다.

なおまた〖尚又〗副 그리고 또. =そのほかに·さらに. ¶～, これには… 그리고 또, 이것에는…/～, 付け加えれば… 그리고 또 덧붙이자면….

なおも〖尚も〗副 더욱더; 아직도. =さらに. ¶～いいつのる 더욱더 기가 나서 주장하다.

なおもって〖尚以て〗連語 《副詞적으로》 더욱더. =なおさら. ¶そんな事をされては～困る 그런 일을 당하면〔하면〕 더욱더 난처하다.

なお-る【直る】5自 1 고쳐지다. ㉠바로잡히다. ¶ゆがみが～ 비뚤어진 것이 바로잡혀지다/悪癖が～ 나쁜 버릇이 고쳐지다. ㉡치료〔치유〕되다; 낫다. ¶病気が～ 병이 낫다. 注意 병의 경우에는 '治る'로도 씀. ㉢수리〔수선〕되다. ¶とけいが～った 시계가 고쳐졌다. 2 복구되다; 회복되다. ¶相場が～ 시세가 회복되다/天気はやがて～だろう 날씨는 곧 회복될 것이다. 3 (자리에) 앉다; 바꾸어〔옮겨〕 앉다. ¶上座に～ 상좌에 (옮겨) 앉다/本妻に～ 본처로 들어앉다《정실이 되다》.

なおれ【名折れ】图 불명예. ¶一家の～ 한 집안의 불명예.

なおれ【直れ】感 바로《구령》. ¶礼. ～ 경례. 바로/前へならえ. ～ 앞으로 나란히. 바로.

なか【中】图 가운데. 1 중. ¶男の～の男 사나이 중의 사나이. 2 안; 속. ¶バッグの～へ入れる 백 속에 넣다/心の～を打ちあける 마음속을 털어놓다/順に～へつめてください 차례로 안쪽으로 죄어 주세요. ↔外. 3 사이; 틈. ¶人込みの～を急ぐ 붐비는 사람들 사이를 급히 가다. 4 중간; 삼형제 중의 둘째. ¶～の兄 가운데 형/～の指 가운뎃손가락. 5 중순. ¶三月～の七日 3월 중순의 17일.

—を取る 중간을 취하다; 절충하다. ¶両者の中を取って決める 양자의 중간을 취하여 정하다.

*なか【仲】图 사이. ¶生さぬ～ 친부모 친자식이 아닌 사이/～を裂く 사이를 갈라놓다/～を取り持つ 사이가 좋아지도록 주선하다/夫婦～がいい 부부 금실이 좋다.

ながあめ【長雨】图 장마.

なかい【仲居】图 요릿집 등에서 손님을 응대하는 하녀.

なが-い【長い】形 1 길다. ㉠(공간적으로) 길다. ¶～髪 긴 머리/馬の顔は～ 말의 얼굴은 길다/～·くのびた道 길게 이어진 길. ㉡(세월·시간이) 오래다. ¶～年月を経る 오랜 세월이 지나다/人生は短く芸術は～ 인생은 짧고 예술은 길다. ㉢(길이) 멀다; 장차다. ¶～旅路 머나먼 여로〔여행길〕/道のりが～ 여정〔갈 길〕이 멀다. 2 (마음이) 늘쩡하다. ¶気が～ 마음이 늘쩡하다/尻が～人 밑 질긴 사람. 注意 1㉡은 '永い'로도 씀. ⇔短い.

—目で見る 긴 안목으로 보다.

—物には巻かれろ 힘 앞에는 굴복해라《힘 센 자에게는 당하지 못하니 잠자코 따르라는 뜻》.

なが-い【永い】形 (세월·시간이) 아주 오래다; 영원하다. =ひさしい. ¶～別れ 영원한 이별.

—眠りにつく 영면(永眠)하다.

ながい【長居】图ス自 밑 질김; 궁둥이가 무거움. =長座. ¶～して人にきらわれる 밑이 질겨서 남이 싫어하다/～(を)しないで早くお帰り 오래 있지 말고 빨리 돌아오너라.

ながいき【長生き】图ス自 장수. ¶彼はかなり～した 그는 꽤 장수했다. ↔早死に·若死に.

ながいす【長いす】《長椅子》图 긴 의자; 소파. =ソファー.

ながいも【ながいも·長芋】《長薯》图〔植〕참마.

なかいり【中入り】图 (씨름·연극 등에서) 중간 휴식 (시간). ¶~後(ご)の取(と)り組(く)み 휴식 후의 대전/~になる 휴식 시간이 되다.

ながうた [長唄] 图 江戸(えど) 시대에 유행한 긴 속요(俗謡)《三味線(しゃみせん)·피리를 반주로 함》.

なかうり【中売り】图 흥행장 안에서 객석을 돌며 먹을 것을 팔고 다님; 또, 그 판매원. ¶~の弁当(べんとう) 목판 장수가 파는 도시락.

ながえ【長柄】图 자루가 긺; 또, 자루가 긴 도구·무기. ¶~のキセル 장죽/~の槍(やり) 자루가 긴 창; 장창.

ながえ〖轅〗图 (수레·인력거 등의) 채; 나릇.

ながおどり【長尾どり】《長尾鶏》图 장미계; 긴꼬리닭. =ちょうびけい·おながどり.

なかおれ【中折れ】图ス自 **1** 중앙이 꺾이거나 우묵함. **2** '中折れ帽子(ぼうし)(=중절모자)'의 준말. =ソフト(帽(ぼう)).

なかがい【仲買】图ス他 중매; 중개인; 거간(꾼); 브로커. =ブローカー. ¶~人(にん) 중개인/~手数料(てすうりょう) 중개 수수료/魚(さかな)の~ 생선 중간 상인.

ながかみしも【長がみしも】《長上下·長裃》图 江戸(えど) 시대의 무사의 예복인 上下(かみしも)의 일종《半(はん)ばかま 대신 長(なが)ばかまを 입음》.

かたぎぬ
長ばかま
[長上下]

なかがわ【中側】图 안쪽; 내측. =内側(うちがわ). ↔外側(そとがわ).

ながき【長き·永き】图《文語 形容詞 '長(なが)し'의 連体形에서》 긺; 오램; 오랜 세월. ¶二十年(にじゅうねん)の~にわたる裁判(さいばん) 20년의 오랜 세월에 걸친 재판.

なかぎり【中ぎり】《中限》图〔經〕중한; 다음 달 말에 주고받는 계약의 장기 청산 거래. =ちゅうぎり. ¶~取引(とりひき) 중한 거래. ↔先限(さきぎり)·当限(とうぎり).

ながぐつ【長靴】图 장화. ¶ゴム製(せい)の~ 고무로 만든 장화. ↔短靴(たんぐつ).

なかぐろ【中黒】图 가운뎃점; 중점(中點)《·》. =なか点(てん).

ながこうじょう【長口上】图 장광설.

なかごろ【中ごろ】《中頃》图 중간쯤 되는 때·곳·부분. ¶八月(はちがつ)の~ 8월 중순경/坂(さか)の~ 고개 중턱.

ながさ【長さ】图 **1** 길이. ¶~が足(た)りない 길이가 모자라다/巻尺(まきじゃく)で~を測(はか)る 줄자로 길이를 재다. **2**〔數〕2 점간의 거리.

ながざ【長座】图ス自〈老〉오래 앉아 있음; 오래 머묾. =長居(ながい)·ちょうざ. ¶~をしてしまいました 너무 오래 앉아 폐를 끼쳤습니다.

ながさき【長崎】图〔地〕九州(きゅうしゅう) 서북부에 있는 현; 또, 그 현청 소재지.

なかされる【泣かされる】連語 **1** 괴로움을 당하다; 시달리다. ¶悪友(あくゆう)のために~ 나쁜 벗 때문에 시달리다. **2** 몹시 감격〔동정〕하다; 눈물겹다. ¶~話(はなし)だね 눈물겨운 이야기로군.

なかし【仲仕】图 짐을 져 나르는 인부; 짐꾼. ¶沖(おき)~ 본선과 거룻배 사이에서 짐을 싣거나 내리는 일을 하는 짐꾼.

ながし【流し】图 **1** 흘림; 또, 그것. ¶灯籠(とうろう)~ 등롱에 불을 켜 강물에 띄우는 불교 행사. **2** ㉠부엌이나 우물가에 만들어, 식기 따위를 씻는 곳; 수채. ¶~で食器(しょっき)を洗(あら)う 수채에서 식기를 씻다. ㉡목욕통 밖의 몸 씻는 곳. **3** (목욕탕에서) 때를 밀게 함; 또, 때를 밀어 주는 사람; 때밀이. =三助(さんすけ). ¶~を取(と)る 때밀이에게 때를 밀게 하다. **4** (안마사·택시 등이) 손님을 찾아 돌아다님; 또, 그 사람. ¶~のタクシー 손님을 찾아 돌아다니는 택시. **5**〈俗〉떠돌아다님. ¶~の者(もの)の犯行(はんこう) 뜨내기의 범행.

ながしあみ【流し網】图 유자망(流刺網); 흘림걸그물. ¶~漁船(ぎょせん) 유자망 어선.

ながしいた【流し板】图 **1** 개수대에 깐 판자. **2** 목욕탕 등에서, 앉아 씻게끔 판자를 깐 곳.

ながしかく【長四角】图ダナ 직사각형. ¶~なお盆(ぼん) 직사각형 쟁반.

なかじきり【中仕切り】图 **1** 집 안이나 방 안의 칸막이; 어간 장지. **2** 상자 따위의 속에 칸을 지르는 것.

ながしこ-む【流し込む】5他 흘려 넣다. ¶鋳型(いがた)に~ 거푸집에 부어 넣다.

ながしだい【流し台】图 개수대; 싱크대.

ながしどり【流し撮り】图ス他 움직이는 피사체에 맞추어 카메라를 이동시키면서 촬영하는 방법. ¶走(はし)っているライオンを~する 달리고 있는 사자를 이동 촬영하다.

ながしば【流し場】图 욕조(浴槽) 밖의 몸 씻는 곳.

ながしめ【流し目】图 곁눈질. **1** 스쳐 봄; 또, 그 눈. **2** 추파; 곁눈 줌. ¶~を送(おく)る 추파를 보내다/~をつかう 곁눈질을 하다.

なかじゃく【仲酌】图ス他 **1** 중매함; 또, 그 사람. **2** 중재함.

ながジュバン【長ジュバン】图 긴 속옷. =ながジバン. ¶色物(いろもの)の~ 화려한 빛깔의 긴 속옷. 注意 '長襦袢'으로 씀은 취음. ▷포 gibão.

なかしょく【中食】图 (외식(外食)에 상대되는 말로) 부식물이나 도시락 등을 사서 집에서 식사하는 일; 또, 그 식품. =ちゅうしょく·カジュアルダイニング.

ながじり【長じり】《長尻》名ナ 밑 질김; 오래 눌어붙음; 또, 그런 사람. =ながっちり·長居(ながい)·長座(ながざ). ¶~の客(きゃく) 오래 눌어붙어 앉아 있는 손님/~をするな 남의 집에 오래 앉아 있지 마라.

ながじん【長陣】图 (싸움이〔전투가〕오

래 끌어) 한 곳에 오랫동안 진을 침.

なか-す【泣かす】5他 울리다. =泣(な)かせる. **1** 울게 하다. ¶子供(こども)を～ 아이를 울리다/持病(じびょう)に～·される 지병에 시달리다. **2**〈俗〉《自動詞적으로》울 정도의 감동을 주다; 눈물나게 하다. ¶本当(ほんとう)にくれるのか, ～なあ 정말로 주는 건가, 눈물나게 고맙군/あの映画(えいが)は～ね 그 영화 눈물나게 하는군. 「하다.

なか-す【鳴かす】5他 (새 따위를) 울게

なかす【中州】《中洲》名 강 가운데의 모래톱. 注意 '中州'로 씀은 대용 한자.

なが-す【流す】5他 **1** 흘리다. ㉠흐르게 하다. ¶汗(あせ)〔涙(なみだ)〕を～ 땀〔눈물〕을 흘리다. ㉡(없었던 것으로) 잊어버리다. ¶水(みず)に～ (어떤 일을) 흘려 버리다〔없었던 일로 해버리다〕. ㉢뿌리다. ¶地面(じめん)に水(みず)を～ 땅에 물을 뿌리다. ㉣전기가 흐르게 하다; 또 흘러나오게 하다; 틀다. ¶電流(でんりゅう)を～ 전류를 흐르게 하다/校内放送(こうないほうそう)を～ 교내 방송을 내보내다. ㉤《動詞連用形를 받아》…에 정신을 쏟지 않다. ¶聞(き)き～ 흘려듣다. 參考 接尾語적으로 쓰지 않는 경우도 있음. ¶いい加減(かげん)に～ 적당히 넘기다. **2** (물로) 씻어 내다. ¶一(ひと)ふろ浴(あ)びて汗(あせ)を～ 한바탕 목욕을 해 땀을 씻어내다. **3** 떠내려 보내다. ㉠띄워 보내다. ¶いかだを～ 뗏목을 띄워 보내다. ㉡유실시키다. ¶洪水(こうずい)が橋(はし)を～·した 홍수가 다리를 떠내려 보냈다. **4** (소문 따위를) 퍼뜨리다. ¶デマを～ 유언비어를 퍼뜨리다. **5** 알리다. ¶情報(じょうほう)を～ 정보를 흘리다. **6**《自動詞적으로》(안마사나 악사·택시 따위가) 손님을 찾아 거리를 돌아다니다. ¶ギターをひいて盛(さか)り場(ば)を～·していた 기타를 치면서 번화가를 돌아다니고 있었다. **7** (아이·계획 등을) 유산시키다. ¶胎児(たいじ)を～ 태아를 유산시키다. **8** (회합 따위를) 유회시키다. ¶総会(そうかい)を～ 총회를 유회시키다. **9** 유질(流質)시키다. ¶質草(しちぐさ)を～ 전당물을 유질시키다. **10** (야구에서) 밀어치다. ¶レフト前(まえ)に～ 좌전으로 밀어치다. 可能 なが-せる 下1自 「큰고래.

ながすくじら【長須鯨】名〔動〕장수경;

なかずとばず【鳴かず飛ばず】連語 울지도 않고 날지도 않고《오랫동안 활약하는 일도 없이 남한테서 거의 잊혀진 상태에 있는 모양》. 參考 본래의 뜻은 활약할 날을 기약하고 기회를 기다리는 모양.

ながズボン [長ズボン] 名 길이가 발목까지 오는 보통 바지. ↔半(はん)ズボン.

=なかせ【泣かせ】《名詞에 붙여서》…을 몹시 괴롭힘〔애먹임, 울림〕; 또, 그런 사람. ¶親(おや)～の子供(こども) 부모 속을 몹시 썩이는 아이/医者(いしゃ)～の病気(びょうき) 의사를 애먹이는 병.

なか-せる【泣かせる】下1他 **1** 울리다; 울게 하다. ¶泣(な)き止(や)むまで～·せておく 울다가 말 때까지 울게 놔두다. **2** (못된 짓·말썽 따위로) 속을 썩이다; 애먹이다. ¶親(おや)を～ 부모를 속썩이다. **3** 감동케 하다. ¶～話(はなし) 감동케 하는 이야기/～じゃないか 눈물 나게 하는데.

なかせんどう [中山道·中仙道] 名 京都(きょうと)에서 중부 지방의 산악부를 거쳐 江戸(えど)에 이르는 길.

ながそで【長そで】《長袖》名 긴 소매; 그런 옷. ¶～の服(ふく) 긴 소매의 옷. ↔半(はん)そで.

なかぞら【中空】名 중천; 공중. ¶～にかかる月(つき) 중천에 걸린 달.

なかだか【中高】名ナ 가운데가 높음. ¶～の顔(かお) 콧날이 오똑한 얼굴.

なかたがい【仲たがい】《仲違い》名ス自 사이가 틀어짐; 티격남. ¶～の間柄(あいだがら) 티격난 사이/彼(かれ)とは～した 그와는 틀어졌다.

なかだち【なかだち·仲立ち】《媒》名 거간; 중개; 중매; 또, 그 사람. =橋渡(はしわた)し. ¶～人(にん) 중개인/結婚(けっこん)の～をする 결혼 중매를 하다. 參考 인간관계 이외에도 씀.

ながたび【長旅】名 오랜〔긴〕 여행. ¶～で疲(つか)れた 오랜 여행으로 지쳤다.

ながたらし-い【長たらしい】形 장황하다. =長(なが)ったらしい. ¶～演説(えんぜつ) 장황한 연설/文章(ぶんしょう)が～ 문장이 따분하도록 길다.

なかだるみ【中だるみ】《中弛み》名ス自 중간이 느즈러짐〔처짐〕; 중도에서 해이해짐. ¶長(なが)い試合(しあい)で～した 시합이 길어서 중도에서 지쳤다.

ながだんぎ【長談義】名 장황한 연설이나 이야기. ¶へたの～ 서투른 사람의 지루하게 긴 연설.

ながちょうば【長丁場·長町場】名 (사물 등이) 오래 계속됨; 긴 단락; 먼 거리〔구간〕. ¶～の工事(こうじ) 오래 걸리는 공사/～のペナントレースを乗(の)り切(き)る 페넌트레이스의 장기전을 이겨내다.

なかつぎ【中次ぎ·仲次ぎ】名ス他 (손님을) 맞아 중간에서 전함; 중개; 또 그 사람. =取(と)り次(つ)ぎ.

なかつぎ【中継ぎ】名ス他 **1** 중계. ¶放送(ほうそう)の～ 방송 중계/～の投手(とうしゅ) 중간 계투하는 투수. **2** 중개(인). ¶～商(しょう) 중개상. **3** 담뱃대나 尺八(しゃくはち) 등 중간을 이어 맞춤; 또, 그 잇는 부분.

—ぼうえき【—貿易】名 중계 무역.

ながつき【長月】名〈雅〉음력 9월.

ながっちり【長っちり】《長っ尻》名〈口〉☞ながじり.

ながつづき【長続き·永続き】名ス自 오래 계속함; 오래 감. ¶何(なに)をやらせても～しない 무엇을 시켜도 오래 계속하지 못한다.

ながて【長手】名 긴 쪽(의 것); 기름함. =長(なが)め. ¶～盆(ぼん) 기름한 쟁반/～の火鉢(ひばち) 기름한 화로.

なかでも【中でも】副 그 중에서도; 특히. =とりわけ. ¶このクラスは成績(せいせき)が悪(わる)い, ～数学(すうがく)がひどい 이 학급은

성적이 나쁘다. 그 중에서도 수학이 더 심하다.

ながとうりゅう 【長逗留】 图ス自 장기 체류. ¶息子の家に～する 아들네 집에 오래 머무르다.

*__なかなおり__【仲直り】图ス自 화해. ＝和解. ¶けんか相手と～する 싸움 상대와 화해하다 / 夫婦の～をさせる 부부를 화해시키다.

⁑__なかなか__〖中中〗副 **1** 상당히; 꽤; 어지간히. ＝ずいぶん. ¶～面白い 상당히 재미있다 / ～大変だ (생각보다는) 매우 큰 일이다 / ～勉強になる 상당히 공부가 된다《몹시 유익하다》/ 敵も～やるね 적도 어지간히〔제법〕하는데. **2** 《흔히 否定을 수반하여》 좀체; 그리 간단히는. ¶～できない 좀처럼〔쉽사리〕 잘 안 된다 / 興奮して～寝つかれない 흥분하여 좀체 잠이 오지 않는다 / バスは～来なかった 버스는 좀처럼 오지 않았다. **3** 일이 달성되기까지 시간이 걸리는 모양. ¶完成まではまだ～だ 완성되려면 아직 멀었다 / まだ～? 아직 멀었나요; 아직도 시간이 걸릴까요.

ながなが【長長】副 **1** 오랫동안. ¶～お世話になりました 오랫동안 폐를 끼쳤습니다〔신세를 졌습니다〕. **2** 길게; 기다랗게; 장황하게. ¶～(と)横たわる 쭉 뻗고 눕다 / ～としゃべる 장황하게 지껄이다〔늘어놓다〕.

ながながし-い【長長しい】形 (싫증이 나도록) 아주 길다. ¶～あいさつ〔お説教〕 장황한 인사말〔설교〕.

なかには【中には】**nakaniwa** 副 (그) 중에는. ¶君たちの～そんな人はあるまい 너희들 중에는 그런 사람은 없겠지 / 殆ど若い人ばかりだが, ～年よりもいる 거의 젊은이들뿐이지만 그 중에는 노인도 있다.

なかにわ【中庭】图 가운뎃뜰; 내정(內庭); 안뜰. ＝うちにわ.

なかね【中値】图〘商〙 (비싼 시세와 싼 시세 또는 파는 시세와 사는 시세의) 중간값. ¶～相場 중간 시세.

ながねぎ【長ねぎ】《長葱》图 (양파에 대하여) 보통 파의 일컬음.

ながねん【長年·永年】图 긴〔오랜〕 세월; 여러 해. ¶～のつきあい〔経験〕 오랜 교제〔경험〕 / ～連れそった夫婦 긴 세월을 함께 지낸 부부.

ながの【長野】图〘地〙 本州 중부에 있는 현; 또, 그 현의 현청 소재지.

ながの【永の·長の】連語 긴; 오랜; 오랫동안의; 영구적; 영원한. ¶～旅 오랜 여행 / ～いとま 마지막 하직〔이별〕 / これが～別れとなるかも知れません 이것이 영이별이 될지도 모르겠습니다.

なかのま【中の間】图 가운뎃방; 집 중앙에 있는 방; 또, (일본 재래식) 목선(木船)의 중앙 부분.

*__なかば__【半ば】图 **1** 절반; 반 (정도). ¶集まった人の～は子供だった 모인 사람의 절반은 어린이었다. **2** 복판; 중앙; 중간. ¶三十代～の女性 30대 중반의 여성 / 道の～に至る 길 중간쯤에 이르다. **3** 중순. ¶四月～のころ 4월 중순경. **4** 중도; 한창일 때. ¶業～で倒れる 일〔사업, 학업〕 중도에 쓰러지다 / 宴会の～でひきあげる 연회가 한창일 무렵에 자리를 뜨다. **5** 《副詞적으로》 반(쯤); 거의; 거지반. ¶～信じ, ～疑う 반신반의하다 / ～無意識の状態だった 거의 무의식 상태였다.

ながばなし【長話】图ス自 긴 시간 이야기함; 또, 그 긴 이야기. ¶電話で～するのは困る 전화로 오래 통화하는 것은 곤란하다.

なかび【中日】图 **1** 일정 기간의 꼭 중간 날. ＝ちゅうにち. **2** (씨름·연극 등에서) 흥행 기간의 꼭 중간 날. ¶夏場所の～ 하계 씨름 대회의 중간 (되는) 날.

*__ながび-く__【長引く】5自 오래〔질질〕 끌다; 지연되다. ¶病気〔交渉〕が～ 병〔교섭〕이 오래〔질질〕 끌다.

ながびつ【長びつ】《長櫃》图 (옷·일상생활 용구 따위를 넣는) 길다란 궤.

ながひばち【長火鉢】图 직사각형의 목제 화로《서랍 따위가 있음》.

なかほど【中程】图 중간 (정도); 절반(쯤); 도중. ＝なかば. ¶～の成績 중간 정도의 성적 / 話の～に席を立つ 이야기 도중에 자리를 뜨다 / 月の～までに仕上げます 이달 중순까지 끝내겠습니다.

⁑__なかま__【仲間】图 **1** 한패; 동아리; 동료. ¶～意識 동료 의식 / 飲み～ 술친구 / ～を裏切る 동료를 배반하다. **2** 동류; 한무리. ¶猫は虎の～だ 고양이는 호랑이와 동류이다.

—**いり**【—入り】图ス自 한패가 됨; 한무리에 들어감. ¶大人の～をする 어른 대열에 끼다.

—**うけ**【—受け】图 동료 사이의 평판·인기. ¶彼は～がいい 그는 동료 사이에 평이 좋다. 「＝内輪喧嘩.

—**げんか**〖—喧嘩〗图 한패끼리 싸움.

—**はずれ**【—外れ】图 동료들한테 따돌림을 받음; 또, 그 사람. ¶～にされる 따돌림당하다 / ～になる 왕따가 되다.

—**われ**【—割れ】图ス自 한패끼리 싸움이 일어나 분열함. ＝うちわれ. ¶～して会は解散した 한패끼리 갈라져서 모임은 해산했다.

*__なかみ__【中身·中味】图 **1** 속(에 든 것); 알맹이; 실속; 내용. ¶～のない人 실속이 없는 사람 / ～が違う 내용이 다르다 / 箱の～をからにする 상자(의) 속을 비우다 / 彼の演説は～が豊富だ 그의 연설은 내용이 풍부하다. **2** 칼의 몸통; 특히, 칼날 부분. ＝刀身.

なかみせ【仲店】《仲見世》图 신사·절의 경내에 있는 상점가. ¶浅草の～ 浅草(＝浅草寺의 경내)의 상점가.

ながむし【長虫】图〈俗〉뱀.

ながめ【長め】《長目》图ダナ 약간 긴 듯함. ¶～のスカートをはく 약간 기름한 스커트를 입다/バットを～に持つ 배트를 약간 길게 잡다/髪を～に刈る 머리를 좀 길게 깎다. ↔短め.

*__ながめ__【眺め】图 바라봄; 또, 그 경치; 풍경. ＝けしき. ¶～が開ける 조망이 트이다 / 山頂からの～ 산꼭대기에서의 조망/海に面した～のよいへや 바다에 면한, 전망이 좋은 방.

ながめいーる【眺め入る】5他 찬찬히〔오래도록〕(계속해서) 바라보다; 골똘히 바라보다. ¶娘の花嫁姿に～ 딸의 신부 차림을 찬찬히 바라보다.

ながめやーる【眺めやる】《眺め遣る》5他 (이쪽에서 저쪽을) 바라다보다. ＝見やる. ¶はるかなる山並みを～ 아득히 먼 산줄기를 바라다보다.

*__ながーめる__【眺める】下1他 바라보다. **1** 전망〔조망〕하다; 멀리 보다. ¶窓から～ 창문에서 바라보다. **2** 응시하다. ¶庭の花を～ 마당의 꽃을 바라보다/相手の顔をしげしげと～ 상대의 얼굴을 유심히 바라보다. **3** 방관하다. ¶～·めてばかりいないで, 少しは手伝え 보고만 있지 말고 좀 거들어라.

ながもち ㊀【長持ち】图ス自 오래 감; 오래 씀; 마딤. ¶この靴は安くて～する 이 구두는 싸고 오래 간다〔신는다〕/ 今の内閣は～すまい 지금의 내각은 오래 가지 못할 것이다.
㊁【長持】图 (옷·일용품 따위를 넣어 두는) 뚜껑이 있는 직사각형의 궤; 함《흔히, 운반할 때 썼음》.

ながや【長屋】图 칸을 막아서 여러 가구가 살 수 있도록 길게 만든 집; 연립〔공동〕주택. ＝むねわり長屋. ¶浪人して～で住む 실직하여 長屋에서 살다.
——もん【——門】图 좌우 양쪽에 長屋가 붙어 있는 문《옛날, 大名 등 상급 무사 저택의 대문》.

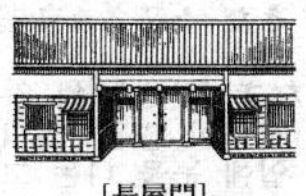
[長屋門]

なかやすみ【中休み】图ス自 작업 도중에 쉼; 중간 휴식. ¶行進中の～ 행진 중의 중간 휴식/～してお茶を飲む 중간에 잠시 쉬며 차를 마시다.

ながやみ【長病み】图ス自 장병; 긴병(을 앓음); 숙환. ＝ながわずらい.

ながゆ【長湯】图ス自 목욕 시간이 긺; 목욕을 남보다 오래 함. ¶～してのぼせる 목욕을 오래 해서 현기증이 나다.

ながゆ【菜がゆ】《菜粥》图 (산)나물죽.

なかゆび【中指】图 중지; 가운뎃손가락.

なかゆるし【中許し】图 (다도·거문고·꽃꽂이 등에서) 스승으로부터 받는 중급의 면허장《初許し의 한 단위, 奥許し의 아래》; 중간 면허.

なかよし【仲よし·仲良し】《仲好し》图 (주로 어린이) 사이가 좋음; 또, 그런 친구. ¶～の夫婦 의좋은 부부/隣の子供と～になる 이웃집 아이와 단짝이 되다 / 彼とは大の～だ 그와는 아주 친한 사이이다.
——こよし【——小よし】《——小好し》图 아주 친한 사이; 단짝.

ながら『乍ら』㊀副助 동작 따위가 공존하는 뜻을 나타낼 때에 씀. **1**《動詞型 活用의 連用形에 붙어서》두 동작 A, B가 동시에 행해짐을 가리키는 데 씀: …면서(도). ＝つつ. ¶笑い〔一杯やり〕～話す 웃으며〔한잔하면서〕이야기하다/皮肉を言われ～も, よく働いた 빈정거리는 말을 들으면서도 열심히 일했다. **2** 상응하지 않는 사항이 공존하는 뜻을 나타냄: …면서; …하지만. ¶知ってい～知らない素振り 알면서도 모르는 체하는 태도/狭い～も楽しいわが家 (비록) 좁기는 하지만 즐거운 우리집 / お金があり～買おうとしない 돈이 있으면서 사려고 하지 않는다/注意してい～まちがえた 주의하고 있으면서도 틀렸다.
㊁接尾《体言에 붙어서》**1** 그대로. ¶昔～のしきたり 옛날 그대로의 관습/涙～に物語る 눈물을 흘리면서 이야기하다. **2** 모두 다; 온통 그대로. ¶二つ～失敗した 둘 다 실패했다/りんごを皮～食う 사과를 껍질째 먹다.

ながらーえる【長らえる·永らえる】《存える》下1自 오래 살다. ¶なすこともなく～ 하는 일도 없이 오래 살다.

ながらく【長らく·永らく】副 오랫동안; 오래. ＝久しく. ¶～お待たせしてすみません 오랫동안 기다리시게 해서 미안합니다.

なからしめる【無からしめる】連語 …이 없도록 하다. ¶遺漏～ 유루 없도록 하다/面目～ 면목 없게 하다.

ながらぞく【ながら族】《乍ら族》图〈俗〉어떤 일을 하면서 다른 동작을 (습관적으로) 하는 사람《라디오를 듣거나 TV를 보면서 식사·공부를 하는 따위》.

なかれ『勿れ·莫れ』連語《'なくあれ'의 축소형》동작의 금지에 쓰는 말: 마라; 말지어다. ¶嘆く～ 한탄하지 마라/騒ぐこと～ 떠들지 말지어다.

*__ながれ__【流れ】㊀图 **1** 흐름. ㉠흐르는 물; 시내; 강. ¶清き～ 맑은 시내/～が速い 물살이 빠르다/～を渡る 냇물을 건너다. ㉡물결. ¶自動車の～ 자동차의 물결/人の～ 사람의 물결; 인파/～のままに漂う 물결치는 대로 떠돌다. ㉢추이; 추세; 경향. ¶時の～ 시류/歴史の～ 역사의 흐름/物資の～ 물자의 흐름〔유통〕/試合の～が変わる 경기의 흐름이 달라지다. **2** 계통; 혈통; 유파. ¶名門の～ 명문의 혈통/芭蕉の～ 芭蕉(＝江戸 시대의 뛰어난 俳人)의 유파. **3** (모임이 끝난 후의) 군중의 발길; 또, 그 무리; 또, 연회가 끝난 뒤의 2차회. ¶宴会

の～ 연회가 끝나고 돌아가는 무리. **4** 지붕의 물매. ¶屋根の～ぐあい 지붕의 경사 정도. **5** 무효가 됨; 또, 그것. ㉠(회의 따위의) 유회. ¶お～になる (a) 유회가 되다; (b) (계획이) 허사가 되다. ㉡(전당물 따위의) 유질(流質); 소유권이 없어짐. ¶質～になる 유질이 되다.
□[接尾] 기(旗) 따위를 세는 말: 폭(幅). ¶旗ひと～ 한 폭의 깃발.
—に棹さす 시류에 편승하다; 대세에 따르다; 일이 순조롭게 진척되다.

ながれある-く【流れ歩く】[5自] 헤매다; 떠돌(아 다니)다. ¶夜の盛り場を～ 밤의 환락가를 헤매고 다니다.

ながれこ-む【流れ込む】[5自] **1** 흘러들다. ¶どろ水が～ 흙탕물이 흘러들어가다. **2** 많은 사람이 몰려오다. ¶避難民が～ 피난민이 몰려들다.

ながれさぎょう【流れ作業】[名] 전송대(傳送帶) 작업; 컨베이어 시스템. ¶～による生産 컨베이어 시스템에 의한 생산.

ながれだ-す【流れ出す】[5自] **1** 흘러나가다. ¶水があふれて～ 물이 넘쳐서 흘러나오다. **2** 흐르기 시작하다.

ながれだま【流れ弾】[名] 유탄. ＝それだま. ¶～に当たって死ぬ 유탄에 맞아서 죽다.

ながれつ-く【流れ着く】[5自] 떠돌다가 (어떤 곳에) 다다르다; 표착(漂着)하다. ¶椰子の実が岸に～ 야자 열매가 물가에 표착하다.

ながれ-でる【流れ出る】[下1自] 흘러나오다. ¶蛇口から水が～ 수도꼭지에서 물이 흘러나오다.

ながれぼし【流れ星】[名] **1** 유성; 별똥별. ＝流星. **2** 말의 이마에서 코로 내려온 흰털의 반점.

ながれもの【流れ者】[名] 떠돌이; 방랑자; 뜨내기. ＝渡り者.

ながれや【流れ矢】[名] 유시(流矢); 빗나간 화살. ＝それ矢.

***なが-れる**【流れる】[下1自] **1** 흐르다. ㉠흘러내리다. ¶川が～ 강이 흐르다/氷が溶けて～ 얼음이 녹아 흐르다. ㉡흘러가다. ¶雲が～ 구름이 흐르다/電気が～ 전기가 흐르다/時〔歳月〕が～ 때가〔세월이〕 흐르다. ㉢(좋지 않은 방향으로) 쏠리다. ¶怠惰に～ 나태에 흐르다/形式〔感情〕に～ 형식〔감정〕에 흐르다. ㉣(방향이) 빗나가다; 벗어나다. ¶風でボールが右に～ 바람 때문에 공이 오른쪽으로 벗어나다. ㉤흘러나오다; 들려오다. ¶隣からピアノの音が～·れて来る 이웃에서 피아노 소리가 들려오다〔흘러나오다〕. **2** 떠내려 가다〔오다〕. ¶氷山が～·れて来る 빙산이 떠내려 오다. **3** 유창하다. ¶～ような弁舌 물흐르듯 유창한 말솜씨. **4** 떠돌다. ㉠퍼지다. ¶うわさが～ 소문이 퍼지다/町には白い霧が～·れていた 마을에는 흰 안개가 떠돌고 있었다. ㉡유랑〔방랑〕하다. ¶田舎町に～·れてきた女 시골 읍으로 흘러들어온 여자/諸国を～·れ歩く 여러 지방을 떠돌다. **5** 이루어지지 않다; 허사가 되다. ¶総会が～ 총회가 유회되다/計画が～ 계획이 허사가 되다〔중지되다〕/おなかの子が～ 배 속의 아이가 유산되다. **6** (화살·탄알이) 빗나가다. ¶～·れた弾 빗나간 탄환; 유탄.

流れる의 여러 가지 표현
◆水が — さらさら(졸졸)·ちょろちょろ(졸졸)·じゃあじゃあ(콸콸; 좍좍)·ざあざあ(콸콸; 쏴쏴)·潺潺と(졸졸; 잔잔히)·淙淙と(졸졸; 콸콸)·滔滔と(도도히)·悠悠と(유유히).
◆汗が — だらだら(줄줄)·だくだく(줄줄)·滝のように(비 오듯이).
◆涙が — はらはら(주르르; 뚝뚝).
◆血が — だくだく(줄줄).
◆人や車が—すいすい(휙휙; 쑥쑥).

ながれわた-る【流れ渡る】[5他] 여기저기 떠돌아다니다. ¶そこここと～·って来た 여기저기 떠돌아다니다가 왔다.

ながわずらい【長患い·長煩い】[名][ス自] 오랜 병(을 앓음); 숙환. ＝長病み. ¶～で床ずれができる 오랜 병을 앓아누어 욕창이 생기다/～の後で死んだ 장병을 앓다가 죽었다.

なかわた【中綿】[名] (이불이나 옷 속에 넣는) 안솜. ¶～を入れる 안솜을 넣다.

なかんずく〖就中〗[副] 그 중에서도; 특히. ＝なかでも·とりわけ. ¶～これが一番美しい 그 중에서도 이것이 가장 아름답다 / スポーツ, ～野球が好きだ 스포츠, 그 중에서도 야구를 좋아한다.

なき【泣き】[名] 울음; 탄식함. ¶男～ 사나이 울음/芸に～がはいる 예능 수업에 눈물 나는 고생을 하다/～の涙で別れる 쓰라린 마음으로 헤어지다.
—を入れる **1** 눈물로 사죄하다. **2** 눈물로 호소〔애원, 부탁〕하다.
—を見る 쓰라림을 맛보다《쓰라린 경험을 하다》. ¶怠けていると, あとで～ようなことになるよ 게으름 피우다간 나중에 눈물 나는 꼴을 당하게 된다.

なき【無き】[連語]《'無し(=없다)'의 連体形》 없는 것; 없음. ¶～に等しい 없는 것과 같다/有って～が如し 있어도 없는 것과 같다; 있으나마나 하다.

なき【亡き】[連体] 죽고 없는; 살아 있지 않은; 고(故). ¶今はもう～人 지금은 벌써 고인이 된 사람/～母を偲ぶ 돌아가신 어머니를 그리다. ⇨亡き者.

なぎ〖凪〗[名] 바람이 멎고 물결이 잔잔해짐. ¶夕～ 해질 무렵 바다가 잔잔함. ↔しけ.

なきあか-す【泣き明かす】[5他] 울며 지새우다. ¶泣(な)いて泣(な)いて~ 울고 또 울어 밤을 지새우다.

なきおとし【泣き落とし】[名] 눈물로 애원해서 승낙을 얻음. ¶~戦術(せんじゅつ) 눈물〔읍소〕 작전.

なきおと-す【泣き落とす】[5自] 읍소하여 상대의 승낙을 받아내다. ¶もう~しかない 이젠 눈물로 호소해 허락을 받아내는 수밖에 없다.

なきがお【泣き顔】[名] 울상; 우는 얼굴. ¶~をする 울상을 짓다/いじめるとすぐ~になる 놀리면 금방 울상이 된다.

なきがら[亡骸][名] 시체; 유해. =しかばね. ¶~にすがりついて泣(な)く 시체를 부여잡고 울다.

なきくず-れる【泣き崩れる】[下1自] 쓰러져 울다; 쓰러져 정신없이 울다〔울어대다〕. ¶よよと~ 흑흑 흐느끼며 쓰러져 울다.

なきくら-す【泣き暮らす】[5自] 울며 지내다. ¶不幸(ふこう)な日々(ひび)を~ 불행한 나날을 울며 지내다.

なきごえ【泣き声】[名] **1** 울음 섞인 목소리. =涙声(なみだごえ). **2** 울음소리; 우는 소리. ¶赤(あか)ん坊(ぼう)の~ 갓난아기의 울음소리/~を出(だ)す 우는 소리를 내다.

なきごえ【鳴き声】《啼声》[名] (새·벌레·짐승 등의) 울음소리. ¶虫(むし)の~がうつくしい 벌레 울음소리가 곱다.

なきごと【泣き言】[名] 우는 소리; 푸념; 넋두리. =ぐち. ¶~を並(なら)べる 푸념을 늘어놓다.

なきこ-む【泣き込む】[5自] **1** 울며 뛰어들다. **2** 울며 매달리다〔애원하다〕. ¶今(いま)さら~·まれても困(こま)る 이제 와서 울고불고 애원해도 소용없다.

なぎさ〖渚·汀〗[名] (물결이 밀려오는) 물가; 둔치. =みぎわ. ¶~で貝(かい)をひろう 바닷가에서 조개를 줍다.

なきさけ-ぶ【泣き叫ぶ】[5自] 울부짖다. ¶~遺族(いぞく) 울부짖는 유족.

なきしき-る【鳴きしきる】《鳴き頻る》[5自] (새·벌레 등이) 요란하게 울어대다. ¶小鳥(ことり)が~ 새가 요란하게 지저귀다.

なきしず-む【泣き沈む】[5自] 쓰러져 슬피 울다; 슬픔에 잠겨 마냥 울다.

なきじゃく-る【泣きじゃくる】《泣き噦る》[5自] 흐느껴 울다. ¶いつまでも~ 언제까지나 흐느껴 울다.

なきじょうご【泣き上戸】[名] **1** 술이 취하면 우는 버릇이 있는 사람; 또, 그 버릇. ¶彼(かれ)は~だ 그는 술만 취하면 운다. ↔わらい上戸·おこり上戸. **2** 울보. =なきみそ.

なきすが-る【泣きすがる】《泣き縋る》[5自] 울며 매달리다. ¶~子供(こども)を振(ふ)り切(き)る 울며 매달리는 아이를 뿌리치다.

なぎたお-す【なぎ倒す】《薙ぎ倒す》[5他] **1** 옆으로 후려쳐 쓰러뜨리다. ¶暴風(ぼうふう)が稲(いね)を~ 폭풍이 벼를 쓰러뜨리다. **2** 많은 상대를 차례로 쓰러뜨리다. ¶強敵(きょうてき)を次々(つぎつぎ)と~ 강적을 차례차례 쓰러뜨리다.

なきだ-す【泣き出す】[5自] 울기 시작하다.
——·しそうな空模様(そらもよう) 잔뜩 찌푸린〔곧 비가 올 것 같은〕 날씨.

なきた-てる【鳴き立てる】[下1自] (새나 벌레·짐승 등이) 시끄럽게 울어대다.

なきつ-く【泣きつく·泣き付く】[5自] **1** 울며 매달리다. ¶~子供(こども) 울며 매달리는 아이. **2** 울듯이 애원〔부탁〕하다. ¶友(とも)に~·いて金(かね)を借(か)りる 친구에게 애원하여 돈을 꾸다.

なきつく-す【泣き尽くす】[5自] 실컷〔울고 싶은 만큼〕 울다; 더 울 수 없을 때까지 울다.

なきつら【泣き面】[名] 우는 얼굴; 울상. [参考] 힘줌말은 'なきっつら'.
——に蜂(はち) 우는 얼굴에 벌(침)《엎친 데 덮치기; 설상가상》.

なきどころ【泣き所】[名] 약점; 급소. ¶~を握(にぎ)る 약점을 쥐다/~をつく 약점을 찌르다.

なきなき【泣き泣き】[副] '泣く泣く(=울며불며)'의 새로운 말씨. ¶~窮状(きゅうじょう)を訴(うった)える 울며불며 궁상을 호소하다.

なぎなた〖薙刀·長刀〗[名] 칼날보다 자루가 긴 왜장도(倭長刀).

なきにしもあらず【無きにしもあらず】《無きにしも非ず》[連語] 전혀 없는 것도 아니다; 없지도 않다. ¶望(のぞ)み~ 희망이 전혀 없는 것도 아니다.

なきぬ-れる【泣きぬれる】《泣き濡れる》[下1自] 울어서 눈물에 젖다. ¶~·れた顔(かお) 눈물에 젖은 얼굴.

なきねいり【泣き寝入り】[名][ス自] **1** 울다가 잠듦. **2** 불만이지만 할 수 없이 단념함. ¶~する被害者(ひがいしゃ) 울며 겨자 먹기로 참는 피해자/仕返(しかえ)しを恐(おそ)れて~する 보복이 두려워 별수 없이 참다.

なきのなみだ【泣きの涙】[連語] 눈물을 흘리며 욺; 몹시 울며 슬퍼함. ¶~で訴(うった)える〔暮(く)らす〕 눈물로 호소하다〔세월을 보내다〕.

なぎはら-う【なぎ払う】《薙ぎ払う》[5他] (칼로) 옆으로 쳐 쓰러뜨리다; 후려쳐〔베어〕 넘기다. ¶草(くさ)を~ 풀을 후려쳐 넘기다.

なきはら-す【泣きはらす】《泣き腫らす》[5他] 몹시 울어서 눈이 붓다. ¶彼(かれ)は両眼(りょうがん)を~·していた 그는 울어서 눈이 퉁퉁 부어 있었다.

なきひと【亡き人】[連語] 죽은 사람; 고인. ¶~の霊(れい)を弔(とむら)う 고인의 넋을 애도하다.

なきふ-す【泣き伏す】[5自] (슬픈 나머지) 엎드려 울다. ¶悲報(ひほう)を聞(き)いて彼女(かのじょ)はよよと~·した 비보를 듣고 그녀는 엎드려 흑흑 흐느꼈다.

なきべそ【泣きべそ】[名] **1** 울상. =べそ. ¶~をかく 울상을 짓다. **2** 울보. =泣き虫(むし)·泣きみそ.

なきまね【泣きまね】《泣き真似》[名][ス自]

우는 흉내; 우는 시늉. ¶～が上手だ 우는 시늉을 잘한다.

なきみそ【泣きみそ】《泣き味噌》 图 울보. =泣き虫. ¶～の子 울보 아이.

なきむし【泣き虫】图 울보; 우지; 또, 그 성질. =泣きみそ. ¶あいつは～だ 저 자식은 울보다.

なきもの【亡き者·無き者】图 〈文〉 죽은 사람; 망자. ¶もはや～とあきらめる 이미 죽은 사람으로 여기고 체념하다.

—にする 없애버리다; 죽이다.

なきより【泣き寄り】图 초상 등이 났을 때, 친지들이 모여서 돌봐 줌. ¶親は～ 궂은일에는 일가만 한 이가 없다. ⇨親.

なきりぼうちょう【菜切り包丁】《菜切り庖丁》图 야채를 써는, 날이 얇고 넓은 식칼. =なっきりぼうちょう.

なきわかれ【泣き別れ】图자自 울며 헤어짐; 울며 이별함. ¶親子の～ 부모와 자식의 눈물의 이별.

なきわめ-く【泣きわめく】《泣き喚く》 5自 (큰 소리로) 울부짖다. ¶大声で～ 큰 소리로 울부짖다.

なきわらい【泣き笑い】图자自 울고 웃음. **1** 울면서 웃음《울고 있을 때 우스운 말을 듣고 그만 웃어 버리는 따위에 쓰임》. ¶～の親子再会 울며 웃는 부모 자식의 상봉. **2** 울고 웃고 함; 울었다 웃었다 함. ¶～の人生 희비가 엇갈리는 인생.

なー

***なーく**【泣く】5自 **1** 울다. ¶悲しんで～ 슬퍼서 울다/うれし泣きに～ 너무 기뻐서 울다/～子は育つ 아이는 울어야 자란다/人前で～ 사람들 보는 앞에서 울다. **2** 호된 변을 겪다; 고생하다. ¶あの件には～·いたよ 그 건으로 혼이 났다네/一円を笑う者は一円に～ 1엔을 우습게 보는 사람은 1엔에 운다〔쓰라린 경험을 하게 된다〕. **3** (무리나 손해를) 참다; (손해를 각오하고) 값을 할인하다; 또, 해약하다. ¶ここは一つ～·いてもらおう 이번에는 한번 (손해 본 셈치고) 참아 주게/もう千円～·いて下さいよ (손해 볼 셈치고) 천 엔만 더 깎아 주시오. 可能な-ける 下1自

—·いて馬謖を斬る 읍참마속《인정으로는 안 되었지만 큰일을 위해서는 아까운 인물이라도 처벌한다는 말》.

—·いても笑っても 울어도 웃어도; 아무리 발버둥을 쳐도; 어쨌든. ¶～これが最後のチャンスだ 어쨌든 이것이 마지막 기회다.

—子と地頭には勝てぬ 우는 아이와 마름에게는 못 당한다《도리를 모르는 사람이나 권력자와는 다투어도 소용이 없는 법》.

—子も黙る 우는 아이도 울음을 그친다. ¶～といわれた男 우는 아이도 울음을 그쳤다는 사나이.

なーく【鳴く】《啼く》5自 (새·벌레·짐승 등이) 소리를 내다; 울다. ¶小鳥が～ 작은 새가 울다〔지저귀다〕/秋の虫が～ 가을 벌레가 울다.

—猫は鼠を捕らぬ 우는 고양이는 쥐를 잡지 않는다《말이 많은 사람은 오히려 실행하지 않음의 비유》.

—まで待とう時鳥 두견새가 울 때까지 기다리자; 때가 무르익을 때까지 참고 기다리자《徳川家康의 성격을 나타낸 구(句)》.

> **泣く의 여러 가지 표현**
>
> 표현例 ぎゃあぎゃあ(앵앵; 짹짹)·わあわあ(앙앙; 엉엉)·わんわん(으앙으앙; 엉엉)·さめざめ(하염없이)·しくしく(훌쩍훌쩍)·めそめそ(훌짝훌짝)·おいおい(엉엉)·よよと(흑흑)·おぎゃあと(응애).

なーぐ〖凪ぐ〗5自 바람이나 파도가 잔잔해지다. ¶海が～ 바다가 잔잔해지다. ↔しける.

なーぐ〖薙ぐ〗5他 (칼이나 낫으로 풀 따위를) 옆으로 후려쳐 쓰러뜨리다. ¶草を～ 풀을 가로 쳐서 베다.

なぐさみ【慰み】图 위로; 위안. =気晴らし. **1** 기분 전환; 즐거움; 심심풀이. ¶～に釣りをする 심심풀이로 낚시질하다/うまくいったらお～ 잘되면 다행이다. **2** 장난; 농락.

—もの【—物】图 노리개; 장난감. =おもちゃ. ¶暇つぶしには格好の～ 심심풀이로는 안성맞춤인 노리개.

—もの【—者】图 일시적인 위안거리로 농락당하는 사람; 노리개《좁은 뜻으로는, 일시적인 성적(性的) 교섭의 상대가 되는 여자를 가리킴》. =なぶりもの. ¶男たちの～になる 남자들의 노리갯감이 되다.

なぐさ-む【慰む】⊟5自 마음이 풀리다; 위안이 되다. ¶海を見ていると心が～ 바다를 보고 있노라면 마음이 편안해진다. ⊟5他 노리개로 삼다; 농락하다. ¶～·んだあげく捨てる (여자를) 농락한 끝에 차 버리다.

なぐさめ【慰め】图 위로; 위안. ¶～の声をかける 위로의 말을 건네다/音楽に～を求める 음악에서 위안을 구하다/どんな～の言葉も役立たない 어떠한 위로의 말도 도움이 되지 않는다.

なぐさめがお【慰め顔】图 위로하는 듯한 표정. ¶～で話す 위로하는 표정으로 이야기하다.

***なぐさ-める**【慰める】下1他 위로하다; 달래다. =いたわる·ねぎらう. ¶絵で心を～ 그림으로 마음을 달래다/病人〔遺族〕を～ 병자를〔유족을〕 위로하다/新緑が目を～ 신록이 눈을 즐겁게 하다.

なくしもの【無くし物】图 유실물.

***なく-す**【亡くす】5他 잃다; 여의다; 사별하다. =死なせる. ¶両親を～ 양친을 여의다/子を～ 아이를 잃다〔여의다〕; 아이가 죽다.

⁑**なく-す** 『無くす』 [5他] 없애다; 잃다. ¶交通事故(こうつうじこ)を～ 교통사고를 없애다/道(みち)で財布(さいふ)を～ 길에서 지갑을 잃어버리다.

なくてはならない nakutewa… [連語] 없어서는 안 되다; …않으면 안 되다. =なくてはいけない. ¶～物(もの) 없어서는 안 될 물건/行(ゆ)か～ 가지 않으면 안 된다.

なくなく【泣く泣く】[副] 울면서; 울며불며. =なきなき. ¶～別(わか)れる 울며불며 헤어지다/～遺体(いたい)をほうむる 울면서 유해를 매장하다.

⁑**なくな-る**【亡くなる】[5自] 〈婉曲〉 돌아가다. =死(し)ぬ. ¶お祖父(じい)さんは昨年(さくねん)～·りました 할아버지는 작년에 돌아가셨습니다/～·って三年(さんねん)になる 돌아가신 지 3년이 된다.

⁑**なくな-る** 『無くなる』 [5自] **1** 없어지다. ¶帽子(ぼうし)が～ 모자가 없어지다. **2** 다 떨어지다; 다하다. ¶財布(さいふ)の金(かね)が～ 지갑의 돈이 다 떨어지다/時間(じかん)が～ 시간이 다하다/人気(にんき)が～ 인기가 없어지다.

なくもがな 『無くもがな』 [連語] 〈雅〉 차라리 없는 게 나음; 없느니만 못함. =あらずもがな. ¶～の発言(はつげん) 안 하느니만 못한 발언/～の飾(かざ)り 없느니만 못한 장식물.

なぐりあい【殴り合い】《撲り合い·擲り合い》[名] 서로 치고받음; 싸움을 함. ¶～のけんか 치고받는 싸움.

なぐりかか-る【殴り掛かる】[5自] 때리려고 덤비다.

なぐりがき【殴り書き】[名][ス他] 갈겨씀; 또, 그렇게 쓴 것. ¶急(いそ)いで～(に)する 급히 갈겨쓰다.

なぐりこみ【殴り込み】[名] 남의 집으로 몰려감; 몰려가서 행패부림. ¶～をかける 작당 난입하다.

なぐりこ-む【殴り込む】[5自] 남의 집에 뛰어들어 행패를 부리다.

なぐりつ-ける【殴り付ける】[下1自] 후려갈기다(('なぐる'의 힘줌말)). ¶頭(あたま)を～ 머리를 후려갈기다.

なぐりとば-す【殴り飛ばす】[5他] 힘껏 후려치다(('なぐる'의 힘줌말)). =張(は)りとばす. ¶思(おも)いきり～ 힘껏 후려갈기다.

*__なぐ-る__【殴る】《撲る·擲る》[5他] 세게 때리다; 세게 치다. ¶横(よこ)つらを～ 따귀를 갈기다/ぽかぽか～ 마구 때리다/あざができるほど～·られる 멍이 들도록 얻어맞다. [可能]なぐ-れる[下1自]

なげ【投げ】[名] **1** 던지기. ¶まり～ 공던지기; 캐치볼/槍(やり)～ 창던지기. **2** (유도·씨름에서) 메치기. ¶背負(せお)い～ 업어치기/～を打(う)つ 메치기하다. **3** (바둑·장기에서) 승부를 포기함; 던짐. **4** (거래소에서의) 덤핑; 투매(품). =なげもの.

なげ 『無げ』 [ダナ] 없는 듯. ¶事(こと)も～に立(た)ち去(さ)る 아무렇지도 않은 듯이 떠나가다/人(ひと)も～なふるまい 방약무인한 행동/所在(しょざい)～だ 무료〔따분〕한 듯하다/たより～な顔(かお) 못미덥다는 듯한 얼굴.

なげあ-う【投げ合う】[5他] 서로 던지다; 다투어 던지다.

なげいれ【投げ入れ】[名] 꽃꽂이의 한 형식((아무렇게나 던지듯이 꽂음)). =投(な)げこみ.

なげい-れる【投げ入れる】[下1他] (아무렇게나) 던져 넣다; 처넣다. ¶かごにボールを～ 바구니에 공을 던져 넣다.

なげう-つ 『擲つ·抛つ』 [5他] 내던지다. **1** 팽개치다. ¶石(いし)を～ 돌을 내던지다/手紙(てがみ)を机(つくえ)の上(うえ)に～ 편지를 책상 위에 팽개치다. **2** 아낌없이 내놓다; 쾌척(快擲)하다. ¶全財産(ぜんざいさん)を～ 전 재산을 쾌척하다.

なげうり【投げ売り】[名][ス自他] 투매; 덤핑. =捨(す)て売(う)り. ¶～市場(いちば) 투매 시장/夏物(なつもの)を～する 여름 용품을 덤핑하다.

なげかえ-す【投げ返す】[5他] 던져서 되돌려 보내다. ¶ボールを投手(とうしゅ)に～ 공을 투수에게 되던지다.

なげか-ける【投げ掛ける】[下1他] **1** 던지다. ¶光(ひかり)〔視線(しせん)〕を～ 빛〔시선〕을 던지다/疑問(ぎもん)を～ 의문을 던지다〔제기하다〕. **2** 아무렇게나 걸치다; 걸쳐 입다. ¶コートを～ 코트를 척 걸치다.

なげかわし-い【嘆かわしい】[形] 한심〔통탄〕스럽다. ¶～世(よ)のさま 한심한 세태〔세상 되어가는 꼴〕.

なげき【嘆き】《歎き》[名] **1** 한탄; 비탄; 슬픔. ¶～に沈(しず)む 비탄에 잠기다/～の余(あま)り 비탄한 나머지/お～はもっともながら 비탄하심은 당연하지만. **2** 분격; 분개. ¶世(よ)のさまに～をおぼえる 세태에 분개하다.

なげきあか-す【嘆き明かす】[5他] 비탄〔슬픔〕으로 밤을 지새우다. ¶一夜(いちや)を～ 하룻밤을 비탄으로 지새우다.

なげ キッス【投げキッス】[名][ス自] 자기 입술에 손을 대었다가 상대방에게 던지는 시늉을 하는 키스((헤어질 때 함)). =投(な)げキス. ¶～を送(おく)る 손으로 키스를 보내다. ▷kiss.

*__なげ-く__【嘆く】《歎く》[5自他] **1** 한탄하다; 슬퍼하다. ¶友(とも)の死(し)を～ 친구의 죽음을 슬퍼하다. **2** 분개하다; 개탄〔탄식〕하다. ¶政界(せいかい)の腐敗(ふはい)を～ 정계의 부패를 개탄하다.

なげくび【投げ首】[名][ス自] 머리를 숙이고 생각에 잠김. ¶思案(しあん)～する 고개를 숙이고 생각에 잠기다.

なげこみ【投げ込み】[名] **1** (아무렇게나) 처넣음; 던져 넣음. **2** ☞なげいれ. **3** 책이나 신문에 끼어 넣는 인쇄물〔광고〕.

なげこ-む【投げ込む】[5他] **1** (아무렇게나) 처넣다. ¶牢(ろう)に～ 감옥에 처넣다/紙(かみ)くずを堀(ほり)に～ 종잇조각을 도랑에 내버리다/リュックサックにあれこれ～ 륙색에 이것저것 처넣다. **2** 야구에서, 투수가 컨디션 조절을 위해 투구 연습을 많이 함. ¶春季(しゅんき)キャンプで～ 춘계 캠프에서 투구 연습을 많이 하다.

なげし〖長押〗图〔建〕중인방(中引枋).

なげす-てる【投げ捨てる】下1他 내던지다. **1** 내버리다. ¶吸い殻を～ 담배꽁초를 아무렇게나 버리다. **2** (일 따위를) 팽개치다; 방치하다. ¶職務を～·てて遊びまわる 직무를 내팽개치고 놀러 다니다.

なげたお-す【投げ倒す】5他 내던져 쓰러뜨리다. ¶土俵中央で～·した 씨름판 한복판에서 메어꽂았다.

*__なげだ-す__【投げ出す】5他 내던지다; 팽개치다; 포기하다; 내놓다. ¶足を～ 다리를 아무렇게나 뻗다/仕事を中途で～ 일을 중도에서 팽개치다〔포기하다〕/全財産を～ 전 재산을 내놓다. 可能なげだ-せる 下1自

なげつ-ける【投げ付ける】下1他 **1** (겨냥하여) 냅다 던지다. ¶犬に石を～ 개한테 돌을 던지다. **2** 메어치다. ¶相手を床に～ 상대방을 마룻바닥에 메어치다. **3** (말·욕 따위를) 쏘아붙이다. ¶荒い言葉を～ 폭언을 퍼붓다.

なげづり【投げ釣り】图 던질낚시.

なげとば-す【投げ飛ばす】5他 냅다 던지다; 획 내던지다. ¶大の男を～ 덩치 큰 사내를 메치다.

なけなし 图 아주 조금밖에 없음; 있을까 말까 할 정도; 거의 없음. ¶～の金をはたく 없는 돈을 몽땅 털다.

なげぶみ【投げ文】图 밖에서 (남의) 집 안으로 던져 넣는 편지.

なげもの【投げ物】图 (거래에서) 투매품; 떨이. ＝投げ.

なげやり【投げやり】《投げ遣り》图ダナ 일을 중도에서 팽개쳐 둠; 일을 아무렇게나 함; 만경타령. ¶～な態度 될 대로 되라는 태도/物事を～にする (a) 일을 중도에서 팽개쳐 두다; (b) 일을 아무렇게나〔되는대로〕하다.

なげや-る【投げやる】《投げ遣る》5他 **1** 던져 주다. **2** (일을) 아무렇게나 하다.

な-ける【泣ける】下1自 **1** (매우 감동하여) 자꾸 눈물이 나오다. ¶～·けて～·けてしようがなかった 눈물이 자꾸 나와 어쩔 수가 없었다. **2** (눈물이 날 정도로) 감격하다. ¶わざわざ遠くから見舞いに来てくれるとは～なあ 멀리서 일부러 문병을 와 주다니 정말 (눈물겹도록) 고맙군.

__な-げる__【投げる】下1他 **1 던지다. ㉠멀리 보내다. ¶ボールを～ 볼을 던지다. ㉡(빛을) 비추다. ¶淡い光を～ 희미한 빛을 던지다. ㉢(씨름·유도 등에서) 메치다; 쓰러뜨리다. ¶腕をつかんで～ 팔을 잡고 던지다〔메치다〕. ㉣(이야기 따위를) 제공하다. ¶話題を～ 화제를 던지다. ㉤뛰어들다; 투신하다. ¶川に身を～ 강에 몸을 던지다/政界に身を～ 정계에 투신하다. ㉥버리다. ¶ごみを川に～と罰せられる 쓰레기를 강에 버리면 처벌받는다. ㉦투표하다. ¶A候補に～ A 후보에게 표를 던지다. **2** 단념하다; 포기하다. ¶さじを～ (의사가) 가망 없다고 단념하다/試験〔試合〕を～ 시험을〔경기를〕 포기하다. **3** (주식 따위를) 투매하다.

なげわざ【投げ技】图 (씨름·유도 등에서) 상대방을 메치는 기술.

なこうど【仲人】图 (특히 결혼) 중매인; 중매쟁이. ＝媒酌人. ¶～をする〔立てる〕 중매를 서다〔세우다〕.

—ぐち【—口】图 중매쟁이 말《믿음성이 없는 말》. ¶～はあてにならない 중매쟁이 말은 믿을 것이 못 된다/～は半分に聞け 중매쟁이 말은 반쯤 에누리해서 들어라.

なごみ【和み】图 온화함; 누그러짐; 아늑함.

なご-む【和む】5自 누그러지다; 온화해지다. ¶この音楽を聞くと心が～ 이 음악을 들으면 마음이 차분해진다/寒さが～ 추위가 누그러지다.

なご-める【和める】下1他 누그러지게 하다; 부드럽게 하다; 달래다.

*__なごやか__【和やか】ダナ (기색·공기가) 부드러움; 온화함. ¶～な雰囲気 따듯한〔부드러운〕 분위기/～な家庭 화목한 가정.

なごり〖余波〗图 바람이 그쳐도 자지 않는 파도. ¶台風の～ 태풍의 여파.

*__なごり__【名残】图 **1** 자취; 흔적. ¶冬の～の雪 겨울을 생각게 하는 눈《늦게까지 남은 눈》/古代文明の～をとどめている 고대 문명의 자취를 남기고 있다. **2** 추억; 기념; 또, 그것. ¶お～にこれをあげます 기념으로 이것을 드리죠. **3** 잊혀지지 않음; 또, 그 모습〔인상〕. ¶～の夢 잊혀지지 않는 꿈/君の～が忘れかねる 자네 모습이 잊혀지지 않네. **4** 석별; 이별; 마지막. ¶～の涙〔杯〕 이별의 눈물〔술잔〕/～の宴 석별의 주연/～が尽きない 석별의 정이 한없다; 한없이 서운하다 / これがこの世の～だ 이것이 이승의 마지막이다. **5** 미련; 아쉬움. ¶～なく 미련〔아쉬움〕 없이.

なごりおし-い【名残惜しい】形 (이별하기) 서운〔섭섭〕하다; (이별이) 아쉽다. ¶(お)～ことですが, これでお別れいたします 섭섭하지만, 이것으로 작별하겠습니다.

なごりのつき【名残の月】連語 잔월; 새벽〔지새는〕달. ＝有明けの月.

なさ〖無さ〗图 **1** 없음. ¶いくじの～ 용기가 없음; 변변치 않음; 나약함/力の～を悲しむ 힘이 없음을 슬퍼하다. **2**《接尾語적으로》…하지 않음; …없음. ¶頼り～ 믿음성이 없음/己が身の情け～を感ずる 자신의 한심스러움을 느끼다.

ナサ [NASA] 图 나사; 미국 항공 우주국. ▷National Aeronautics and Space Administration.

なさい〖為さい〗連語 …하시오. ¶お休

み～ 편히 쉬어요; 잘 자요 / 読み～ 읽으세요 / 売り切れないうちに早く求め～ 매진되기 전에 속히 구입하십시오. 参考 윗사람에게는 쓸 수 없으며, 공대말은 'なさいませ'.

***なさけ**【情け】图 정(情). **1** 인정; 자비; 동정. ¶～ある処置 관대한 조처 / ～にすがる 동정심에 매달리다 / ～を知らない 인정이 없다; 무자비하다 / お～をこう 자비를 바라다. **2** (남녀의) (애)정; 연정; 사랑. ¶(一夜の)～を交わす (남녀가 하룻밤) 정을 통하다.

—があだ 호의가 오히려 상대에게 불이익을 가져오는 일.

—は人のためならず 남에게 인정을 베풀면 반드시 내게 돌아온다는 말.

なさけごころ【情け心】图 동정심; 자애로운 마음.

なさけしらず【情け知らず】图 인정이 없음; 몰인정함; 또, 그런 사람. ¶～の人 몰인정한 사람.

なさけな-い【情けない】形 **1** 한심하다; 비참하다; 정떨어지다. ¶～成績 한심스러운 성적 / ～姿をさらす 비참한 꼴을 드러내다 / ～事になった 일이 한심하게 되었다 / 我ながら～ 스스로 생각해도 한심하다. **2** 인정을 모르다; 무정[박정]하다. ＝つれない. ¶～人 무정한 사람 / ～しうち 매정한 처사.

なさけぶか-い【情け深い】形 동정심이 많다; 인정이 많다. ¶～処置 관대한 조처.

なさけようしゃ【情け容赦】图 인정사정. ¶～もなく税金をとる 인정사정 없이 세금을 걷다.

なざし【名指し】图ス他 지명. ¶～で呼ぶ 지명해서 부르다 / ～を受ける 지명을 받다.

なざ-す【名指す】5他 지명하다. ¶はっきりと～·していって下さい 명확히 지명해서 말씀해 주십시오.

なさぬなか【なさぬ仲】《生さぬ仲》連語 친부모 친자식이 아닌 사이; 계부모와 의붓자식과의 사이. ¶～の親子 피가 다른 어버이와 자식.

なさ-る〖為さる〗5他 하시다(《'なす'·'する'의 높임말》). ¶テニス[学問]を～ 테니스를[학문을] 하시다 / それをどう～お積もりですか 그것을 어떻게 하실 작정이십니까. 参考1 動詞의 連用形이나 한자말 계통의 サ変動詞의 어간에 붙여서도 씀. ¶お休み～ 쉬시다; 주무시다 / ご心配～ 걱정하시다. 参考2 명령형 'なさい'는 윗사람에게는 쓸 수 없으며, 공대말은 'なさいませ'. ¶そんなことぐらい自分で～·い 그런 것쯤 (자기) 자신이 해라.

なし【無し】图 없음. ¶休み～で頑張る 쉬지 않고 버티다 / この話は～にしよう 이 이야기는 없던 것으로 하자 / 一言のあいさつも～に別れた 한마디 인사도 없이 헤어졌다.

なし〖梨〗图 배(나무).

—のつぶて 편지를 내도 회답이 없음; 감감(무)소식(《'梨'를 '無し'에 엇걸어서 쓴 말》). ¶それっきり彼からは～だ 그 후로 그로부터는 감감무소식이다.

なしくずし〖済し崩し〗图 (일을) 조금씩 처리함. ¶貯金を～に使う 저금을 야금야금 쓰다 / 事業計画を～に消化していく 사업 계획을 조금씩 소화해 가다.

なしと-げる【成し遂げる】下1他 끝까지 해내다; 완수하다. ＝やりとげる·完成する. ¶一度決心したことは必ず～ 한번 결심한 것은 반드시 완수한다[이룬다].

なじみ〖馴染み〗图 친숙함. **1** 친한[낯익은, 정든] 사이; 잘 아는 사람. ¶顔～ 익히 아는 사이; 낯익은 사람 / ～の店 단골 가게 / ～になる 친해지다 / ～が薄い 친분이 얕다. **2** 남녀가 서로 친밀함; 또; 정교(情交); 정교 관계가 있는 상대. ¶～を重ねる 정교를 거듭하다.

なじみぶか-い【なじみ深い】《馴染み深い》形 친숙하다; 익숙하다; 정들어 있다. ¶～土地 정든 땅[곳].

なじ-む〖馴染む〗5自 **1** 친숙해지다; 정들다; 따르다. ¶環境[雰囲気]に～ 환경[분위기]에 익숙[친숙]해지다 / この子は誰にでもすぐ～ 이 아이는 누구에게나 곧 따른다. **2** 한데 잘 융합하다[어울리다]. ¶部屋によく～家具 방에 잘 조화되는 가구 / せっけんが水に～ 비누가 물에 잘 풀리다 / 絵と額ぶちがよく～ 그림과 액자가 잘 어울린다 / 靴が足に～ 구두가 발에 길이 나다. **3**(맛 등이) 잘 배다; 골고루 맛들다. ¶ぬかみそが～ 겨된장이 맛들다. 可能 なじ-める 下1自

ナショナリスト [nationalist] 图 내셔널리스트; 국가[국수]주의자; 민족주의자. ↔コスモポリタン.

ナショナリズム [nationalism] 图 내셔널리즘; 국가[민족]주의; 국수주의. ↔コスモポリタニズム.

ナショナル [national] ダナ 내셔널. **1** 국가적; 국민적. ¶～チーム 국가 대표 선수단 / ～インタレスト(の優先) 국가 이익 (우선). **2** 국립의. ¶～ギャラリー 내셔널 갤러리; 국립 미술관.

—コンセンサス [national consensus] 图 내셔널 콘센서스; 국민적 합의. ¶憲法改正には～が必要だ 헌법 개정에는 국민적 합의가 필요하다.

なじ-る〖詰る〗5他 힐책[힐문]하다; 따지다. ¶不正行為を～ 부정행위를 힐난하다 / 違約を～ 위약을 따지다.

な-す〖生す〗5他 (자식을) 낳다. ¶子まで～·した仲 자식까지 낳은 사이. ⇨なさぬなか.

な-す【成す】5他 **1** 이루다. ㉠이룩하다; 만들다. ¶円を～ 원을 이루다 / 社会を～ 사회를 이루다 / すずめが群れを

~·している 참새가 떼〔무리〕를 이루고 있다. ㉡(뜻한 바를) 달성하다. ¶名なを~ 이름을 이루다〔얻다〕《성공하다》/志こころざしを~ 뜻을 이루다. **2** (다른 형태로) 변화시키다; …(되게) 하다. ¶災わざわいを転てんじて福ふくと~ 전화위복이 되다. 可能 な-せる 下1自

な-す〖為す〗5他 하다; 행하다. ¶天てんの~·せるわざ 하늘의 조화/すること~·こと 하는 일 (모두)/大事だいじを~ 큰일을 하다/~術すべもない 어찌할 도리가 없다/~·せば成なる 하면 된다/相手あいての~がままにまかせる 상대가 하는 대로 맡겨 두다. 可能 な-せる 下1自

な-す〖済す〗5他 빌린 것을 갚다; 반환하다. ¶借金しゃっきんを~ 빚을 갚다. 可能 な-せる 下1自

なす〖茄子·茄〗名〔植〕가지. =なすび.

=なす《名詞에 붙여 連体修飾語를 만듦》…와 같은. ¶山やま~大波おおなみ 산더미 같은 큰 파도/玉たま~汗あせ 구슬 (같은) 땀.

ナスダック [NASDAQ] 名 나스닥《전미(全美) 증권업 협회(NASD)가 개발한, 장외(場外) 거래 주식 시세를 알리는 경기 동향 정보 시스템》. ▷National Association of Securities Dealers Automated Quotations.

なずな〖薺〗名〔植〕냉이. 参考 '三味線草しゃみせんぐさ·ぺんぺん草ぐさ' 라고도 함.

なすび〖茄子·茄〗名 ☞なす(茄子).

なず-む〖泥む·滞む〗5自 **1** 잘 나아가지 못하다; 순조롭게 진행되지 않다. ¶行ゆき~ 꾸물거리며 잘 나아가지 못하다. **2** 변할 듯 변할 듯하면서 안 변하는 상태이다. ¶降ふり~空そら 비가 올 듯하면서 안 오는 하늘. **3** 집착하다. ¶旧習きゅうしゅうに~ 구습에 집착하다. **4** 친숙해지다. =なじむ. ¶都会とかいの悪習あくしゅうに~·まぬよう 도시의 악습에 물들지 않도록.

なすりあい【なすり合い】《擦り合い》名 (책임·죄 등을) 서로 전가시킴. ¶責任せきにんの~ 책임의 상호 전가.

なすりつ-ける〖擦り付ける〗下1他 **1** 칠하다; 문질러 바르다. ¶泥どろを壁かべに~ 진흙을 벽에 처바르다. **2** (죄·책임 등을) 남에게 덮어〔넘겨, 들〕씌우다; 전가하다. ¶人ひとに罪つみを~ 남에게 죄를 덮어씌우다.

なす-る〖擦る〗5他 **1** 문질러 바르다; 칠하다. ¶膏薬こうやくを~·り込こむ 고약을 문질러 바르다. **2** (죄·책임을) 남에게 덮어씌우다; 전가하다. ¶責任せきにんを~ 책임을 전가하다.

****なぜ**〖何故〗副 왜; 어째서. =なにゆえ. ¶~だろうか 왜 그럴까/~泣なくのか 어째서 우느냐.

なぜか〖何故か〗副 웬일인지; 어쩐지. =なんとなく. ¶~行ゆきたくない 어쩐지 가고 싶지 않다/~体からだがだるい 어쩐지 몸이 나른하다.

なぜならば〖何故ならば〗接 왜냐하면. =なぜなら. ¶~あまりにも無理むりだから 왜냐하면 너무나 무리이니까.

***なぞ**〖謎〗名 **1** 수수께끼; 불가사의. ¶~の女おんな 수수께끼〔정체불명〕의 여자/~を出だす〔解とく〕 수수께끼를 내다〔풀다〕/彼かれの生活せいかつは~に包つつまれている 그의 생활은 수수께끼에 싸여 있다. **2** 넌지시〔에둘러〕 말함; 또, 그 말·짓거리. ¶~を掛かけて気きを引ひいてみる 넌지시 비추어 마음을 떠보다.

なぞ 副助 따위; 등《'なにぞ'의 전와(轉訛)》. =など. ¶犬いぬ~を飼かう 개 따위를 기르다/そんな甘言かんげん~に乗のせられはしない 그런 달콤한 말 따위에 넘어가진 않는다.

なぞとき【なぞ解き】《謎解き》名 수수께끼 풀이.

なぞなぞ〖謎謎〗名 수수께끼(놀이). =なぞ. ¶~遊あそび 수수께끼놀이.

なぞめ-く〖謎めく〗5自 수수께끼 같아서 잘 모르다. ¶~·いた事件じけん 수수께끼 같은 이해할 수 없는 사건.

なぞら-える〖準える·准える·擬える〗下1他 **1** 비(교)하다; 비기다. ¶人生じんせいを旅たびに~ 인생을 나그넷길에 비기다. **2** 본뜨다. ¶~·えて作つくった品しな 본떠 만든 물품.

なぞ-る 5他 **1** (기존의 글씨·그림 따위의 위에 대고) 그대로 덧쓰다〔덧그리다〕. ¶手本てほんを~·って書かく 그림〔글씨〕 본을 따라 덧그리다〔쓰다〕. **2** (남의 시·문장 따위를) 모방하다. ¶他人たにんの論文ろんぶんを~·っただけの文章ぶんしょうだ 남의 논문을 그대로 옮겼을 따름인 문장이다. 可能 なぞ-れる 下1自

なた〖鉈〗名 일종의 손도끼.

―を振ふるう 손도끼를 휘두르다《과감하게 손질하다》. ¶予算よさんになたを振ふるって緊縮財政きんしゅくざいせいをとる 예산을 대폭 삭감하여 긴축 재정을 시행하다.

なだ〖灘〗名 육지에서 멀고 파도가 센 바다; 여울. ¶玄界げんかい~ 현해탄.

なだい【名代】名 **1** 유명함. ¶当地とうち~の菓子かし 당지의 유명한 과자. **2** 명의; 명목. ¶父ちちの~で行ゆく 부친 명의로 가다.

なだか-い【名高い】形 유명하다. ¶~学者がくしゃ 유명한 학자/りんごの産地さんちとして~ 사과 산지로 유명하다.

なだたる【名だたる】連体 유명한; 평판이 높은. ¶~作家さっか 유명한 작가. 参考 '名なが立たっている' 의 뜻.

なだて【名立て】名 소문이 나게 함; 헛소문을 퍼뜨림.

なたね【菜種】名 평지〔유채(油菜)〕의 씨. ¶~油あぶら 유채 기름.

―づゆ【―梅雨】名 (평지꽃이 필 무렵의) 봄장마; 이른 봄의 불순한 날씨.

なだめすか-す〖宥め賺す〗5他 어르고 달래다. ¶泣なく子こを~ 우는 아이를 어르고 달래다.

なだ-める〖宥める〗下1他 달래다. ¶泣なく子こを~ 우는 아이를 달래다/双方そうほうを~·めて仲直なかなおりさせる 쌍방을 달래서 화해시키다.

*なだらか ダナ 1 완만한 모양. ¶～な丘(おか) 완만하게 이어진 야산. 2 원활한 모양. ¶～な調子(ちょうし) 원활한 상태/交渉(こうしょう)が～に進(すす)む 교섭이 원활히 진행되다.

なだれ【雪崩】图 (눈)사태《비유적으로도 씀》. ¶人(ひと)の～ 사람 사태.

—を打(う)つ 일시에 많은 사람이 이동하다. ¶なだれを打って押(お)し寄(よ)せる 많은 사람이 우르르 밀어닥치다.

なだれこ-む【雪崩れ込む】5自 많은 사람이 일시에 우르르 밀려들다〔밀어닥치다〕. ¶会場(かいじょう)に～ 회장에 우르르 들이닥치다.

なだ-れる【雪崩れる】下1自 1 (눈이나 토사 등이) 갑자기 무너져 내리다. ¶雪(ゆき)が山(やま)の斜面(しゃめん)を～ 눈이 산비탈을 무너져내리다. 2 한꺼번에 밀어닥치다. ¶車内(しゃない)から乗客(じょうきゃく)が～·れ出(で)る 차 안에서 승객들이 우르르 밀려 나오다.

ナチス [도 Nazis] 图 나치스《독일의 파시스트 정당》.

ナチズム [도 Nazism] 图 나치즘.

ナチュラル [natural] 一图ダナ 내추럴; 자연스러움. ¶～フーズ 내추럴 푸드; 자연 식품. ↔アーティフィシアル. 二图〔樂〕샤프나 플랫으로 바꾼 음을 본디 음으로 돌아가게 하는 기호(♮); 제자리표.

—チャイルド [natural child] 图 내추럴 차일드; 사생아.

**なつ【夏】图 여름. ¶～かぜ 여름 감기/～の盛(さか)り 여름의 한창 더위/飛(と)んで灯(ひ)に入(い)る～の虫(むし) 등불에 날아드는 여름 벌레《자청해서 위험에 뛰어듦의 비유》. ↔冬(ふゆ).

—歌(うた)う者(もの)は冬(ふゆ)泣(な)く 여름에 놀고 지낸 사람은, 겨울에 고생한다.

—も小袖(こそで) 여름에도 솜옷《공짜라면 아무거나 좋다는 뜻으로 탐욕스러움의 비유》. ＝頂(いただ)く物(もの)は夏も小袖.

なついん [捺印] 图ス自 날인. ＝押印(おういん). ¶記名(きめい)～する 기명 날인하다.

なつおび【夏帯】图 여름철에 여성이 매는 얇은 띠.

なつがけ【夏掛け】图 여름에 덮는 얇은 홑이불이나 담요 따위.

**なつかし-い【懐かしい】形 그립다. ¶～故郷(こきょう)の景色(けしき) 그리운 고향의 경치/～旧友(きゅうゆう) 그리운 옛 친구/ふるさとが～ 고향이 그립다.

なつかし-む【懐かしむ】5他 그리워하다. ＝なつかしがる. ¶昔(むかし)を～ 지나간 옛날을 그리워하다.

なつがれ【夏枯れ】图 여름철 불경기. ¶～時(どき) 여름 불경기 철. ↔冬枯(ふゆが)れ.

なつぎ【夏着】图 여름옷. ↔冬着(ふゆぎ).

なつ-く【懐く】5自 따르다. ＝なじむ·なずく. ¶子供(こども)がよく～ 어린애가 잘 따르다/親(おや)に～·かぬ子(こ) 부모를 안 따르는 아이.

ナックルボール [knuckle ball] 图〔野〕너클 볼《타자 가까이 와서 불규칙하게 커브하며 스피드가 떨어짐》.

なつげ【夏毛】图 1 여름철에 나는 짐승 털. ↔冬毛(ふゆげ). 2 한여름이 지난 다음 노란색에 흰 반점이 들기 시작한 사슴의 털《모피나 붓털로 씀》.

なづけ【名付け】图 이름을 지어 줌.

—おや【—親】图 아이에게 이름을 지어 주는〔준〕 사람.

なつ-ける【懐ける】下1他 따르게 하다; 길들이다. ＝なつかせる. ¶猫(ねこ)を～ 고양이를 길들이다.

**なづ-ける【名付ける】下1他 명명하다; 이름을 짓다. ¶犬(いぬ)の名(な)をメリーと～·けた 개 이름을 메리라고 지었다.

なつご【夏ご】《夏蚕》图 여름누에; 하잠.

なつこ-い【懐こい】形 붙임성이 있다; 사람을 잘 따르다. ＝ひとなつこい. ¶～子供(こども) 붙임성 있는 아이.

なつこだち【夏木立ち】图 여름철의 무성한 나무숲.

なつじかん【夏時間】图 여름 시간; 하계 일광 절약 시간. ＝サマータイム.

ナッシング [nothing] 图 너싱. 1 (아무것도) 없음. ¶オール, オア～ 올 오어 너싱. 2〔野〕(볼 카운트가) 제로임. ¶ワン～ 원 너싱; 원 스트라이크 노 볼.

なっせん [捺染] 图ス他 날염; 프린트. ¶～のネクタイ 날염한 넥타이.

なつっこ-い【懐っこい】形 붙임성이 있다; 상냥하다; 낯가림을 안 하다. ＝なつこい. ¶～娘(むすめ) 상냥한 처녀.

なつだより【夏便り】图 여름 문안 편지.

なっていない 連語〈俗〉돼먹지 않았다; 형편없다. ＝なってない. ¶彼(かれ)のやり方(かた)は～ 그의 하는 짓은 돼먹지 않았다.

ナット [nut] 图 너트; 암나사. ¶ボルトを～で締(し)める 볼트를 너트로 죄다.

なっとう【納豆】图 1 푹 삶은 메주콩을 볏짚 꾸러미·보자기 따위에 싸서 더운 방에서 띄운 것. ＝なっと. 参考 끈적끈적하여 실처럼 늘어지므로 '糸引(いとひ)き納豆' 라고도 함. 2 발효한 콩에다 간을 해서 말린 것《浜(はま)納豆·甘(あま)納豆 따위》.

*なっとく【納得】图ス他 납득; 이해. ¶～が行(ゆ)く〔行(ゆ)かない〕 납득이 가다〔가지 않다〕/～し難(がた)い 납득하기 어렵다.

—ずく『—尽く』图 (서로) 충분히 납득함. ¶～で離婚(りこん)した 서로 충분히 납득하고 이혼했다.

なつどり【夏鳥】图 여름새. ↔冬鳥(ふゆどり).

なつば【夏場】图 여름철. ¶～だけの商売(しょうばい) 여름 한철 바라보는 장사/～は観光客(かんこうきゃく)でこむ 여름철은 관광객으로 혼잡하다.

なっぱ【菜っ葉】图 푸성귀 잎; 잎을 먹는 푸성귀〔야채〕. ¶～を漬(つ)ける 푸성귀 잎을 절이다.

—ふく【—服】图 청색 작업복; 또, 그것을 입은 공장 노동자. ＝青服(あおふく).

なつばしょ【夏場所】图 매년 5월에 열리는 정규(의) 프로 씨름 대회. ＝五月場所(ごがつばしょ).

なつばて【夏ばて】图ス自 ☞なつまけ.

なつび【夏日】图 강렬한 여름의 태양; 여름철 뙤약볕. ↔冬日(ふゆび).

なつふく【夏服】图 하복. ↔冬服(ふゆふく).

ナップザック [knapsack] 图 냅색《사용 후에는 접어서 호주머니에 넣을 정도로 간편한 휴대용 룩색》.

なつぼし【夏干し】图 1 겨울옷 따위를 여름에 말리는 일; 또, 말린 것. 2 ☞むし(虫)ぼし.

なつまけ【夏負け】图ス自 여름을 탐. ＝夏(なつ)ばて. ¶～で食欲(しょくよく)がへる 여름을 타서 식욕이 줄다.

なつみかん〖夏蜜柑〗图〔植〕여름밀감.

なつむき【夏向き】图 여름철에 적합함; 여름용. ¶～の着物(きもの) 여름옷.

なつめ〖棗〗图〔植〕대추(나무).

なつメロ 图 '懐(なつ)かしのメロディー(＝그리운〔흘러간〕 옛 노래)'의 준말. ¶～番組(ばんぐみ)〔歌手(かしゅ)〕 흘러간 옛 노래 프로〔가수〕.

なつもの【夏物】图 1 여름용 물품. 2 여름옷. ⇔冬物(ふゆもの).

*なつやすみ【夏休み】图 여름 방학; 여름휴가. ↔冬休(ふゆやす)み.

なつやせ【夏やせ】《夏痩せ》图ス自 여름을 타 몸이 야윔. ¶～する体質(たいしつ) 여름을 타는 체질.

なつやま【夏山】图 (등산의 대상이 되는) 여름철의 산; 여름 산. ¶～の魅力(みりょく) 여름 산의 매력. ↔冬山(ふゆやま).

なであ-げる〖撫で上げる〗下1他 (머리 따위를) 매만져 위로 올리다. ¶額(ひたい)の髪(かみ)を～ 이마의 머리를 쓸어 올리다.

なでおろ-す〖撫で下ろす〗5他《'胸(むね)を～'의 꼴로》(가슴을) 쓸어내리다; (후유하고) 안심하다. ¶無事(ぶじ)と聞(き)いて胸(むね)を～·した 무사하다는 소식을 듣고 가슴을 쓸어 내렸다.

なでがた【なで肩】《撫で肩》图 민툿하게 내려온 어깨. ↔怒(いか)り肩(がた). ¶～の美人(びじん) 부드러운 어깨의 미인.

なでぎり【なで切り】《撫で斬り·撫で切り》图ス他 1 날붙이를 옆으로 휘둘러서 벰. 2 닥치는 대로 모조리 벰〔무찌름〕. ¶片(かた)っ端(ぱし)から～にする 닥치는 대로 모조리 베다.

なでさす-る〖撫で摩る〗5他 쓰다듬다; 어루만지다.

なでしこ〖撫子·瞿麦〗图〔植〕패랭이꽃《'秋(あき)の七草(ななくさ)(＝가을철에 피는 대표적인 일곱 가지 식물)'의 하나》.

なでつ-ける〖撫で付ける〗下1他 쓰다듬어 붙이다; 특히, 흩어진 머리를 빗질하여 곱게 매만지다. ¶髪(かみ)を～ 머리를 빗질하여 곱게 매만지다.

*な-でる〖撫でる〗下1他 1 어루만지다; 쓰다듬다; 비유적으로, 귀여워하다. ¶子供(こども)の頭(あたま)を～ 어린아이의 머리를 쓰다듬다 / あごを～·でて思案(しあん)する 턱을 쓰다듬으며 생각하다. 2 빗질하다. ¶髪(かみ)を～ 머리를 빗질하다.

なと 副助 …이든; …라도. ＝なりと·でも. ¶お茶(ちゃ)～召(め)しあがれ 차라도 드시죠 / 何(なん)～お申(もう)しつけください 뭣이든 분부해 주십시오.

など〖等〗副助 예시하는 데 쓰는 말: 따위; 등; 등속. ¶菓子(かし)や茶(ちゃ)～を売(う)る店(みせ) 과자며 차 등속을 파는 가게 / 雑誌(ざっし)～を読(よ)む 잡지 따위를 읽다 / 金(かね)～いらない 돈 같은 건 필요 없다 / お前(まえ)～の出(で)る幕(まく)ではない 너 따위가 나설 자리가 아니다.

などころ【名どころ】《名所》图 1 명소; 명승. ＝名所(めいしょ). ¶古跡(こせき)～ 명승고적 / 梅(うめ)〔紅葉(もみじ)〕の～ 매화꽃〔단풍〕으로 이름난 곳. 2 성명과 주소. 3 기물(器物) 따위의 각 부분의 명칭. ¶琴(こと)の～ 거문고의 각 부분의 명칭.

なとり【名取り】图 예도(藝道)에서, 솜씨가 능숙해져서 스승으로부터 예명의 사용을 허가받음; 또, 그 사람. ¶踊(おど)りの～ (일정 수준에 올라 제자를 받을 자격을 갖춘) 무용가.

ナトリウム [도 Natrium] 图〔化〕나트륨《금속 원소의 하나; 기호: Na》.

なな【七】图 일곱. ＝七(なな)つ·しち. ¶いつ, む, ～, や 다섯, 여섯, 일곱, 여덟 / ～番目(ばんめ) 일곱 번째 / ～月(つき) 7개월.
参考 'しち'라고 하면 발음상 'いち'와 혼동하기 쉽기 때문에 흔히 이 형을 씀.

なないろ【七色】图 칠색. 1 일곱 가지 빛깔. ¶～の虹(にじ) 일곱 가지 빛깔의 무지개. 2 일곱 가지; 또, 여러 가지. ¶～の声(こえ)〔変化球(へんかきゅう)〕 여러 가지 목소리〔변화구〕.

ななえ【七重】图 일곱 겹; 여러 겹.
―のひざを八重(やえ)に折(お)る 일곱 겹의 무릎을 여덟 겹으로 꺾다《공손한 위에도 더욱 공손히 부탁하다〔빌다〕》.

ななくさ【七草】《七種》图 1 일곱 가지. ＝なないろ. 2 '春(はる)の七草'의 준말; 봄의 대표적인 일곱 가지 푸성귀《미나리·냉이·떡쑥·별꽃·광대나물·순무·무》. 3 '秋(あき)の七草'의 준말; 가을의 대표적인 일곱 가지 화초《싸리·나팔꽃·참억새·마타리·패랭이꽃·칡·향등골나무》.
―の節句(せっく) '七草がゆ'를 먹고 축복하는 명절《음력 1월 7일》. ＝人日(じんじつ).
―がゆ〖―粥〗图 음력 1월 7일에 '春の七草(ななくさ)'를 넣어서 쑨 죽.

ななくせ【七癖】图 사람이 지닌 여러 가지 버릇. ¶無(な)くて～ 누구나 적어도 일곱 가지 버릇은 가지고 있다.

ななころびやおき【七転び八起き】連語 칠전팔기. ¶～の努力(どりょく) 칠전팔기의 노력 / ～の生涯(しょうがい) 파란 많은 생애.

ななし【名無し】图 이름이 없음; 또, 그것. ¶～草(ぐさ) 무명초.
―ゆび【―指】图 무명지; 약손가락.

ななそじ [七十·七十路] 图〈雅〉1 일흔. ＝七十(ななそ). 2 일흔 살; 칠십 년.

**ななつ【七つ】图 1 일곱; 일곱 살. ¶今年(ことし)～になる子(こ)がある 금년에 일곱 살 되는 아이가 있다. 2 옛 시간의 이름; 지금의 오전·오후 4시경. ＝七つ時(どき). 3〈俗〉

전당포. ⇨ななつや.

ななつさがり【七つ下がり】图 **1** 오후 4시가 지난 무렵. **2** 한창때가 지남; 결핍함; 배가 고픔. **3**(오래 입어) 옷이 퇴색함; 또, 그 옷. ¶～のきもの 헌 옷.

—の雨(오후 4시가 지나 내리기 시작한 비는 좀처럼 그치지 않는 데서) 그치지 않고 계속되는 일의 비유. ¶中年男の浮気と～はやまぬ 중년 남자의 바람기와 저녁때 내리기 시작한 비는 오래간다.

ななつどうぐ【七つ道具】图 **1** 무사가 지니던 일곱 가지 무구. **2** 일습으로 지니고 다니는 연장. ¶大工の～ 목수의 연장 일습 / お化粧の～ 화장에 필요한 물건들.

ななつのうみ【七つの海】連語 7대양; 온 세계의 바다. ¶～を制覇する 온 세계의 바다를 제패하다.

ななつや【七つ屋】图 전당포. ＝質屋. 参考 '質(＝전당)'를 '七'로 엇먹음.

なななぬか【七七日】图〖佛〗칠칠일; 49일(재(齋)). ＝なななのか·しちしちにち. ¶今日は～に当たる 오늘은 49일재가 된다.

ななひかり【七光】图 부모나 군주의 위광; 여덕. ¶親の光は～ 부모님의 여덕은 가없음.

ななふしぎ【七不思議】图 일곱 가지 불가사의(한 일). ¶世界の～ 세계의 7대 불가사의.

ななまがり【七曲がり】图 ス自 (길 따위가) 꼬불꼬불함; 또, 그런 길. ＝つづらおり. ¶～の道 꼬불꼬불한 길.

***ななめ**【斜め】图 ダナ **1** 기욺; 경사짐; 비낌; 비스듬함. ¶～うしろ 비스듬히 뒤 / 帽子を～にかぶる 모자를 비스듬히 쓰다 / 日が～になる 해가 기울다 / 会社が～になる 회사가 기울어지다. **2** 바르지 않음. ¶～に世を渡る 부정하게 세상을 살아가다 / 世間を～に見る 세상을 삐딱하게 보다. **3**『御機嫌が～だ』기분이 상해 있다; 저기압이다. 参考 '斜めならず'를 반대 뜻으로 한 말.

—ならず 連語 (기분·기쁨 따위가) 보통이 아니다; 이만저만이 아니다; 대단하다. ¶～喜んだ 대단히 기뻐했다. 参考 현재는 副詞적으로 씀.

なに【なに·何】一代 일정하지 않은 것을 가리키는 말: 무엇. **1** 이름을 알 수 없는 또는 무엇인지 알 수 없는 사물을 가리킴. ¶これは～か 이것은 무엇이지 / ～を買うの 무엇을 사려고 하지 / 愛とは～か 사랑이란 뭐냐 / ～を笑うの 왜[뭘] 웃니; 뭐가 우스우냐 / ～が欲しいの 무엇이 필요하니; 뭘 갖고 싶으냐 / ～をさしあげましょうか 무엇을 드릴까요. **2** 갑자기 이름을 댈 수 없거나 얼버무릴 필요가 있는 사물을 가리킴: 무엇인가. ¶例の～を頼む 예의 그 무언가를 부탁하다. **3** 한 예를 들고 그 밖의 것을 통틀어 가리킴: 무엇이고 (모두). ¶家も～も全部焼けた 집이고 뭐고 다 불탔다. 二副《뒤에 否定의 말이 따름》무엇 하나; 전혀; 조금도; 어떤. ＝何一つ·全く·少しも·何の. ¶～不自由ない生活 무엇 하나 불편 없는 생활. 三感 **1** 반문할 때 쓰는 말: 뭐. ¶～, 自殺したって 뭐, 자살했다고 / ～, 本当に行くのか 뭐, 정말 가는 거냐. **2** 상대의 말을 부정하는 내용을 말할 때 씀: 아니. ¶～, それでいいんだ 아니, 그것으로 됐어 / ～, 構うものか 아니, (그까짓 것) 상관없다.

なにおう【名に負う】連語 **1** 유명한; 이름 그대로의. ＝名にしおう. ¶ここは～難所 여기는 험하기로 이름난 곳. 参考 현재는 連体詞적으로 씀. **2**〈古〉명실상부한; 이름에 어울리는.

なにか〖何か〗連語 뭔가. **1**《代名詞적으로》일정하지 않은 사물을 가리킴: 무엇인가. ¶～頂戴 뭔가 줘요 / ～悪い事をしましたか 뭔가 나쁜 일을 했습니까 / ～の理由でやめになった 무언가의 이유로 중지되었다 / ～起こったか 뭔가 일어났느냐 / ～がある 뭔가가 있다. **2**《副詞적으로》왜 그런지; 어쩐지. ＝どうしてか·なぜか. ¶～元気のない顔だ 왜 그런지 기운이 없는 얼굴을 하고 있다.

—と言えば 기회만 있으면; 늘. ＝何か言うと. ¶～こごとだ 툭하면 잔소리다 / ～酒を飲む 무슨 핑계만 있으면 술을 마신다.

なにが〖何が〗副 어째서; 왜. ＝どうして. ¶～愉快なものか 유쾌하긴 뭐가 유쾌해《조금도 유쾌하지 않다》/ ～いそがしいものか 바쁘긴 뭣이 바빠《조금도 바쁘지 않다》.

なにがさて〖何がさて〗連語 하여간; 어쨌든; 우선 먼저. ＝何はともあれ·とにかく·何はさておき. ¶～この仕事をかたづけてしまおう 어쨌든 이 일을 끝내버리자.

なにがし〖某·何某〗代 **1** 모(某); 아무개. ¶山下～の家 山下 아무개라는 사람의 집 / ～とかいう村 뭐라든가 하는 마을. **2** 얼마간; 약간. ¶千円～ 돈 천 엔; 천 얼마간의 돈 / ～かの金を出す 얼마간의 돈을 내다.

なにかしら〖何かしら〗副 무엇인지《'何か'의 힘줌말》; 어쩐지; 왜 그런지. ¶彼はいつも～考え事をしている 그는 언제나 뭔가 생각을[궁리를] 하고 있다 / ～花が咲いている (이름이) 무엇인지 모르지만 꽃이 피어 있다.

なにかと〖何彼と〗副 이것저것; 이래저래; 여러 가지로. ＝あれこれと·あれやこれやと·いろいろと. ¶～忙しい 이래저래 바쁘다 / ～ご心配かけました 여러 가지로 심려를 끼쳤습니다.

なにがなし〖何が無し〗副 **1** 어쩐지. ＝なんとなく. ¶～(に)悲しい 어쩐지 슬

프다. 2무심코; 아무 생각 없이. ＝なんとなく. ¶～(に)窓外を見ると 무심코 창 밖을 보니까/～目に入ったのは 무심코 눈에 띈 것은.

なにがなんでも〖何が何でも〗連語 1누가 뭐래도; 아무래도; 그렇다 하더라도. ¶～それは無理だ 아무래도 그것은 무리다. 2어떤 일이 있어도. ¶～合格したい 꼭 합격하고 싶다.

なにかにつけ〖何かに付け〗連語 기회 있을 때마다; 여러 가지 점에서. ¶～(て)便利だ 여러 가지로 편리하다/～(て)サボる 핑계만 있으면 농땡이 친다/～(て)世話をする 무슨 일이 있을 때마다 보살펴 주다.

なにからなにまで〖何から何まで〗連語 이것저것 모두; 죄다. ＝何もかも・すべて. ¶～他人まかせ 하나에서 열까지 모두 남에게 맡김〔의지함〕/～めんどうを見る 이것저것 다 돌보다/～お世話になりました 이것저것 폐를 많이 끼쳤습니다.

なにくそ〖何糞〗感〈俗〉분발할 때 쓰는 말: 요까짓 것. ¶～っ, 負けるもんか 까짓것 질 게 뭐냐/～と頑張る 요까짓 게 뭐냐 하고 분발하다〔버티다〕.

なにくれ〖何くれ〗一代 이것저것. ＝あれこれ. 二副 이것저것; 여러 가지로. ¶～と人の面倒を見る 이것저것 남(의 어려운 일)을 돌봐 주다.

—となく 連語 여러 가지로; 이것저것. ＝あれこれ(と); いろいろ. ¶～世話をする 여러 가지로 돌보아 주다.

なにくわぬかお【何食わぬ顔】連語 모르는 체하는 모양; 시치미를 떼는 모양〔얼굴〕. ¶～をしている 시치미를 떼고 있다/～でうそをつく 시치미 떼고 거짓말을 하다.

***なにげな-い**〖何気無い〗形 (마음이) 아무렇지도 않다; 무심하다; 별 관심도 없다. ＝さりげない. ¶～さまを装う 아무렇지도 않은 체하다/～言葉のうちに毒を含む 아무렇지도 않은 듯한 말속에 독기를 품다.

なにごと【何事】名 1어떤 일; 무슨 일. ＝どんなこと. ¶～もない 아무 일도 없다/～にも干渉する 무슨 일에나 간섭한다/～もなく会は終わった 아무 일도 없이 모임은 끝났다/精神一到～か成らざらん 정신일도 하사불성(何事不成). 2모든 일; 만사. ¶～も我慢が大切だ 무슨 일이고 참는 것이 중요하다. 3《'…とは～だ' 따위의 꼴로》(책망하는 뜻으로) 어찌된 일. ¶うそをつくとは～だ 거짓말을 하다니 웬일이냐.

なにさま【何様】名 (신분이 높은) 어떤 이〔분〕. ¶～のお通りか 어떤 분의 행차인가/いったい, ～ですか 도대체 어떤 분이십니까 /自分を～だと思っているのか 자기가 무슨 대단한 사람이라고 생각하는 거냐.

なにさま〖何様〗副 정말. ＝全く・なるほど. ¶～かなわぬ 정말 못 당하겠다/～困ったな 정말 야단났구나.

なにしに【何しに】連語 무엇 하러; 무슨 목적으로. ＝どうして・なぜ. ¶～行ったか 무엇 하러 갔느냐.

***なにしろ**〖何しろ〗副 어쨌든; 여하튼; 아무튼. ＝とにかく. ¶～おもしろい 아무튼 재미있다/～やってみたまえ 여하튼 해 보게/～勉強が大切だ 여하튼 공부가 중요하다. 参考 'しろ'는 'する'의 命令形.

なに-する【何する】サ変自他 1어떤 동작을 막연히 나타낼 때의 말투: 뭣하다. ¶早く～・してくれ 빨리 어떻게 좀 해다오/いきなり～んだ 느닷없이 뭘 하는 거냐. 2『～ものぞ』무엇을 할 수 있겠는가, 별수 없지; 대단한 것이 아니다. ¶多数党～ものぞ 다수당이 어쨌단 말이냐《나는 놀라지 않는다는 기분을 나타냄》.

なにせ〖何せ〗副 여하튼. ＝なにしろ・ともかく. ¶～えらい人ごみで 여하튼 굉장히 혼잡해서/品質は少し落ちるが～安い 품질은 조금 떨어지지만 아무튼 싸다.

なにとぞ〖何卒〗副 제발; 부디; 아무쪼록. ＝どうぞ・どうか. ¶～ご出席願います 부디 출석해 주시기 바랍니다. 参考 'どうか' 'どうぞ' 보다 정중한 말씨.

なになに【何何】代 무엇무엇; 운운(云云). ¶必要なものは～か 필요한 것은 뭣뭣이냐.

なになに〖何何〗感 뭐뭐; 무엇이라고. ＝なんだなんだ. ¶～, それは本当か 뭐뭐, 그게 참말이냐/～, よく聞こえないぞ 뭐야 뭐, 잘 안 들린다.

なににしても【何にしても】連語 어쨌든; 여하튼. ＝とにかく. ¶～靴は必需品だ 어쨌든 구두는 필수품이다.

なにはさておき【何はさておき】《何は扨措き》naniwa… 連語 다른 것은 차치하고; 우선; 먼저. ¶～勉強だ 무엇보다 우선 공부다/～ひと休みしよう 만사 제쳐놓고 (우선) 잠깐 쉬자.

なにはともあれ【何はともあれ】naniwa… 連語 무엇이 어떻든 간에; 여하튼. ＝とにかく. ¶～, 無事でよかった 어쨌든 무사해서 다행이다.

なにはなくとも【何はなくとも】《何は無くとも》naniwa… 連語 무엇은 없어도. 1특별한 것은 없지만. ¶～家での食事が一番よい 별것은 없어도 집에서 하는 식사가 제일 좋다. 2다른 것은 차치하고라도. ¶～健康が一番です 다른 것은 차치하고라도 건강이 제일입니다.

なにびと【何人】名 하인(何人); 어떠한 사람; 누구. ＝なんぴと. ¶～であろうと 어떤 사람이든(간에); 누구를 막론하고/～といえども入ってはいけない 누구라도 들어가서는 안된다.

なにひとつ〖何一つ〗 連語 무엇하나; 아무것도; 하나도. ＝何も·ひとつも. ¶～不自由なものはない 무엇 하나 부족한〔부자유한〕 것이 없다. 參考 뒤에 否定語가 따름.

なにぶん〖何分〗 一图 1 다소간. ＝いくらか. ¶～の援助が必要だ 얼마간의 원조가 필요하다. 2 어떤; 무엇인가. ＝なんらか. ¶～の沙汰があるまで待て 무슨 지시가 있을 때까지 기다려라.
二副 1 부디; 아무쪼록. ＝何とぞ·どうか. ¶～よろしく 아무쪼록 잘 부탁합니다. 2 아무래도; 여하튼. ＝とにかく. ¶～若いので失敗も多い 아무래도 젊으니까 실패도 많다.

なにぼう【何某】图 모씨; 어떤 사람; 아무개. ＝だれそれ. ¶～の話によれば 아무개의 이야기에 따르면.

なにほど【何程】副 어느만큼; 얼마나. ＝どのくらい·どれだけ. ¶～御入用ですか 얼마나 필요하십니까/～頼まれても引き受けられない 아무리 부탁해도 맡을 수 없다.

なにも〖何も〗 連語 아무것도. ＝なんにも. 1《否定을 수반하여 또는 '…も～も'의 꼴로》 어떠한 일도; 무엇이나; 모두; 전연. ¶～ない 아무것도〔하나도〕 없다/～痛くない 전연 아프지 않다. 2《副詞적으로》 별로; 일부러. ¶～そうまでする必要はない 뭐 그렇게까지 할 필요는 없다.
—かも〖—彼も〗 連語 무엇이든; 일체; 모두. ＝すべて. ¶～さらけ出す 무엇이든 모두 털어놓다/～焼けてしまった 모든 것이 다 타 버렸다.

なにもの【何物】图 어떠한 물건; 무엇. ＝なに. ¶屈辱以外の～でもない 굴욕 이외의 아무것도 아니다/人生の～なるかがやっと分かって来た 인생이 무엇인가를 겨우 알게 됐다.

なにもの【何者】图 어떤 사람; 누구; 어떤 자. ＝だれ. ¶～の仕業だろうか 어떤 자의 소행일까/～だ, 名乗れ 누구냐. 이름을 대라.

なにやかや〖何や彼や〗 連語 이것저것; 여러 가지로. ＝いろいろと. ¶～で忙しい 이런저런 일로 바쁘다/～と文句をつける 이러니저러니하고 시비를 걸다〔트집을 잡다〕.

なにやつ【何やつ】《何奴》图 어떤 녀석; 어떤 놈. ＝何者. ¶～がこんな事をしたのか 어떤 놈이 이런 짓을 했느냐.

なにやら〖何やら〗 副 1 무엇인지; 무엇인가. ¶～おかしい 뭔가 이상하다/～考えているらしい 무엇인가 생각하고 있는 모양이다. 2《'…やら～'의 꼴로》 뭐다. ¶引っ越しやら～で忙しい 이사다 뭐다 해서 바쁘다.

なにゆえ【何故】副 왜; 어째서. ¶～の変更か不明だ 어째서 변경했는지 분명치 않다.

なにより〖何より〗 連語 무엇보다도〔가장〕 (좋은); 최상의. ¶元気で～(のこと)だ 건강해서 무엇보다도 다행(한 일)이다/～まずい事には 무엇보다도 곤란한 일로는/映画が～好きだ 영화를 무엇보다 좋아한다.

なにわぶし [浪花節] 图 三味線 반주로, 주로 의리나 인정을 노래하는 대중적인 창(唱). ＝浪曲. ¶～的な言動 의리와 인정을 앞세우는 통속적이고 예스러운 언동.

なにを〖何を〗 感 지지 않고 정면으로 경쟁하려는 기분을 나타내는 말: 뭐; 뭐야 《강조형은 '何をっ'》. ¶～, 生意気な 뭐야, 건방지게.

なにをかいわんや 【何をか言わんや】 連語 (이제 와서) 무엇을 말하리오《더 할 말이 없다》; 말해도 소용없다. ¶この事件には～だ 이 사건에 대해서는 더 말하고 싶지 않다/親が子の行動を知らないようでは～だ 부모가 자식의 행동을 모르고 있으니 무슨 말을 더 하겠는가. 參考 反語를 나타냄.

なぬか【七日】图〈雅·方〉☞なのか.

なぬし【名主】图 江戸 시대에, 幕府 직할지인 町村의 장(長)《신분은 町人·百姓》.

ナノ= [nano] 나노…; 미터법의 여러 단위의 이름에 붙어 10억분의 1이라는 뜻을 나타냄. ¶～セカンド〔メーター〕 나노세컨드〔미터〕; 10억분의 1초〔미터〕.

⁑**なのか**【七日】图 1 초이렛날. ¶～の夜 초이렛날 밤, 특히 칠석; 첫이렛날 밤. 2 7일간. ¶～の苦労がみのる 이렛 동안의 (절·신사 참배) 고생이 빛을 보다. 3 사람이 죽은 뒤 이레째 되는 날. 參考 'なぬか'의 전와(轉訛).

なのだ 連語《体言 및 이에 준하는 말에 붙어서》 'だ(＝이다)' 보다도 강한 단정(斷定)을 나타냄: …인 것이다; …이란 말이다. ¶これが結論～ 이것이 결론인 것이다/明日からは社会人～ 내일부터는 사회인인 것이다. 參考 'なんだ' 라고도 함.

ナノテクノロジー [nanotechnology] 图 나노테크놀로지; 나노〖10억분의 1〗 미터의 초정밀도를 다루는 기술《반도체나 극미소(極微小) 가공, 계측 기술, 생물·의학 분야 등 응용 범위가 넓음》.

なのに 接 그런데도《'それなのに'의 준말》. ¶よく寝た. ～眠い 잘 잤다. 그런데도 졸린다.

なのはな【菜の花】图 평지(꽃); 유채(油菜)(꽃). ＝アブラナ. ¶～畑 유채밭/～漬け 유채 절임.

なのり【名乗り】图 1 자기 이름을 댐《특히, 무사들이 싸움터에서 적에게 자기의 가계(家系)와 이름을 큰 소리로 고하던 일》; 또, 그 외침 소리. 2 公家·무가(武家)의 남자가 관례(冠禮) 뒤에, 통칭 이외에 붙이던 실명.
—をあげる 1 자기 이름을 대다. 2 자기 존재를 밝히다; 입후보하다. ¶知事選

に～ 지사 선거에 입후보하다.

なのり-でる【名乗り出る】下1自 자기 이름을 대며 나서다. ¶犯人(はんにん)と～ 범인이라고 자칭해 나서다.

なの-る【名乗る】《名告る》5自他 **1** 자기 이름을 대다. ¶受付(うけつけ)で～ 접수처에서 이름을 대다/～程(ほど)の者(もの)ではない 이름을 내세울 만한 자는 아니다. **2** 이름을 붙이다; 칭하다. ¶六代目(ろくだいめ)菊五郎(きくごろう)を～ 제6대 菊五郎라고 칭하다.

ナノロボット [nanorobot] 名 나노로봇; 극미소(極微小) 로봇. ¶医療用(いりょうよう)～ 의료용 나노로봇.

なばかり【名ばかり】名 이름뿐; 명목뿐. ¶～の社長(しゃちょう) 명목뿐인 사장/大学(だいがく)とは～で 대학이라지만 허울뿐이고.

なばたけ【菜畑】名 **1** 유채 밭. **2** 남새 밭.

なびか-す〖靡かす〗5他 **1** (바람이나 물에 휩쓸려) 옆으로 휘어지게 하다. ¶長髪(ちょうはつ)を～ 장발을 나부끼다. **2** 복종하도록 하다. ¶全土(ぜんど)の人(ひと)を～ 전국의 사람을 복종시켜 붙좇게 하다.

***なび-く**〖靡く〗5自 **1** 나부끼다. ¶旗(はた)が風(かぜ)に～ 깃발이 바람에 나부끼다. **2** 위력·명령 따위에 복종하다. ¶徳(とく)に～ 덕화(德化)되다/金(かね)の力(ちから)に～ 돈의 힘에 굴복하다. **3** 여자 마음이 남자에게 쏠리다; 남자를 좋아하게 되다. ¶彼女(かのじょ)は簡単(かんたん)には～·かない 그녀는 간단히는 따르지 않는다.

ナビゲーター [navigator] 名 내비게이터. **1** 항해사; 항법사. **2** 자동차 경주에서 속도나 방향을 지시하는 동승자.

ナプキン [napkin] 名 냅킨. **1** 식사 때에 가슴이나 무릎에 대는 수건. ¶紙(かみ)～ 종이 냅킨. **2** 생리 용품의 이름. 注意 'ナフキン'이라고도 했음.

ナフサ [naphtha] 名 나프타; 조제(粗製)의 가솔린《석유 화학 공업의 원료》.

なふだ【名札】名 명찰; 명패; 문패. ¶～を付(つ)ける 명찰을 붙이다/～を打(う)ちつける 문패[명패]를 (못 박아) 붙이다.

ナフタリン [도 Naphthalin] 名 나프탈린; 좀약; 방충제. ¶たんすの中(なか)に～を入(い)れる 농 속에 나프탈린을 넣다.

なぶりごろし【なぶり殺し】《嬲り殺し》名 당장에 죽이지 않고 갖은 고통을 주고 희롱하다가 죽임; 질질 끌다가 죽임. ¶猫(ねこ)がねずみを～にする 고양이가 쥐를 곯리다가 죽이다.

なぶりもの【なぶり物】《嬲り物》名 놀림감; 희롱감. =なぐさみもの. ¶～になる 놀림감이 되다/娘(むすめ)を～にされる 딸이 남자에게 농락당하다/おれを～にするな 나를 놀리지 마라.

なぶ-る〖嬲る〗5他 **1** 놀리다; 희롱하다. **2** 남을 괴롭히고 재미있어 하다; 괴롭히다. =いじめる. ¶弱(よわ)い者(もの)を～ 약한 자를 괴롭히다. **3** 놀리고 업신여기다.

***なべ**〖鍋〗名 **1** 냄비. ¶～釜(かま) 냄비와 솥《살림에 필요한 최소한의 도구》/～ぶた 냄비 뚜껑/～で煮(に)る 냄비로 끓이다/～を火(ひ)にかける 냄비를 불에 올려 놓다. **2** 냄비 요리. =なべ物(もの)·なべ料理(りょうり). ¶はま～ 대합 찌개/牛(ぎゅう)～ 쇠고기 전골/今夜(こんや)は～にしよう 오늘밤은 냄비 요리로 하자.

なべずみ【なべ墨】《鍋墨》名 **1** 냄비 밑바닥의 검댕. **2** 새까만 것의 형용.

なべぞこ【なべ底】《鍋底》名 **1** 냄비 밑바닥. **2** 최저 상태가 계속됨.

──けいき【──景気】名 계속되는 불경기; 바닥 경기. ↔高原(こうげん)景気.

なべづる〖鍋鶴〗名〔鳥〕흑두루미.

なべて〖並べて〗副〈雅〉모두; 통틀어; 일반적으로; 대개. =おしなべて·概(がい)して. ¶～の人(ひと) 보통 사람; 일반인/～この世(よ)は世知辛(せちがら)い 대체로 이 세상은 살아가기가 힘들다.

なべもの【なべ物】《鍋物》名 냄비 요리; (식탁에서) 냄비에 끓이면서 먹는 요리의 총칭《寄(よ)せなべ·ちりなべ 따위》. =なべ料理(りょうり).

なべやき【なべ焼き】《鍋焼き》名 **1** 생선이나 닭고기·쇠고기 등을 야채와 함께 질냄비에 넣어 익힌 요리. **2** 'なべ焼きうどん'의 준말.

──うどん〖──饂飩〗名 냄비 우동〔가락국수〕.

****なま**【生】一名 **1** 가공하지 않음; 자연〔본래〕 그대로임. ¶～野菜(やさい) 생야채/～原稿(げんこう) 육필 원고/～の魚(さかな) 날생선/～の声(こえ) 육성; 생생한 목소리/～で食(た)べる 날로 먹다. **2** 불충분함; 불완전함. ¶～煮(に) 설익음; 설익은 것/腕(うで)が～だ 기량이 미숙하다. **3** ㉠'生酔(なまよ)い(=설취함)'의 준말. ㉡'生意気(なまいき)(=건방짐)'의 준말. ¶～を言(い)うな 건방진 소리 마라. ㉢'生(なま)ビール(=생맥주)'의 준말. ¶～一丁(いっちょう) (식당에서) 생맥주 하나. ㉣'げんなま(=현금)'의 준말.

二接頭 **1**《名詞에 붙어서》㉠미숙·불충분의 뜻을 나타냄: 선; 서투른. ¶～学問(がくもん) 어설픈 학문/～物知(ものし)り 데알기; 서투른 박식; 어설픈 지식; 또, 그 사람. ㉡세상일에 익숙하지 못함을 나타냄: 풋내기의; 미숙한. ¶お～さん 풋내기. **2**《形容詞에 붙어서》조금의 뜻을 나타냄: 약간; 조금; 어딘지 모르게. =なん〔どこ〕となく. ¶～白(じろ)い 좀 희다; 전하여, 창백하다/～あたたかい 뜨뜻미지근하다/～ぬるい水(みず) 미지근한 물/～賢(ざか)しい 깜찍하다.

なまあくび【生あくび】《生欠伸》名 선하품. ¶～をかみ殺(ころ)す 선하품을 (억지로) 참다.

なまあげ【生揚げ】名 **1** 설튀김; 설튀긴 것. **2** 두부를 두껍게 썰어서 살짝 튀긴 것. =あつあげ.

なまあせ【生汗】名 진땀.

なまあたたか-い【生暖かい】形 뜨뜻미지근하다. ¶～風(かぜ) 후텁지근한 바람. 注意 口語形은 'なまあったかい'.

なまあたらし-い【生新しい】形 (아직 시간이 얼마 안 지나) 생생하다. ¶記憶

(きおく)に～事件(じけん) 기억에 생생한 사건.

***なまいき**【生意気】名ダナ 건방짐; 주제넘음. ¶～盛(ざか)り 한창 건방질 때/～いうな 건방진 소리 마라/子供(こども)のくせに～だ 아이인 주제에 건방지다/～な口(くち)をきく 주제넘은 소리를 하다.

なまえ【名前】名 이름; 성명. ¶～を明(あ)かす 이름을 밝히다/犬(いぬ)に～をつける 개에 이름을 붙이다; 개 이름을 짓다/お～は何(なん)とおっしゃいますか 존함은 어떻게 되십니까.

―まけ【―負け】名ス自 이름이 너무나 훌륭해서 실물〔인물〕이 뒤져 보임.

なまえんそう【生演奏】名 생연주; 라이브 콘서트.

なまがき【生がき】《生牡蠣》名 생굴.

なまがし【生菓子】名 생과자. **1** 주로 팥소를 넣어 만든 찹쌀떡·단팥묵 등 일본식 과자류. ↔干菓子(ひがし). **2** 크림 따위를 넣어 수분이 많고 부드러운 양과자.

なまかじり【生かじり】《生齧り》名 수박 겉 핥기; (지식·기능이) 어설픔. ¶～の知識(ちしき)をひけらかす 어설픈 지식을 과시하다. 注意 口語形은 'なまっかじり'. 參考 본디, 설씹는다는 뜻.

なまかべ【生壁】名 날벽; (갓 칠하여) 마르지 않은 벽.

なまかわ【生皮】名 **1** 생가죽. **2** 살갗; 피부; 껍질. ¶～をはがす 생살을 벗기다.

なまがわき【生乾き】名 덜 마름. =半乾(はんかわ)き. ¶～のシャツ〔ペンキ〕 덜 마른 셔츠〔페인트칠〕. 注意 'なまかわき' 라고도 함.

なまき【生木】名 생나무. **1** 살아 있는 나무. **2** 갓 벤 나무. ¶～を焚(た)く 생나무를 때다.

―を裂(さ)く 의 좋은 부부나 애인을 억지로 갈라놓다.

なまきず【生傷】《生疵》名 새 상처; 입은 지 얼마 안 된 상처. ¶～が絶(た)えない 상처가 아물 사이 없다. ↔古傷(ふるきず).

なまぐさ【生臭】名ナ 비린내가 남; 또, 비린내 나는 것.

―ぼうず【―坊主】名 (비린내 나는 음식을 먹는 등) 파계를 예사로 하는 못된 중; 속기(俗氣)가 있는 중.

なまぐさ-い【生臭い】《腥い》形 **1** (피나 생선 등의) 비린내가 나다. ¶冷蔵庫(れいぞうこ)が～ 냉장고에서 비린내가 난다/～においがする 비린내가 나다/戦場(せんじょう)に～風(かぜ)がふく 전장에 피비린내 나는 바람이 분다. **2** 승려가 파계해 속기(俗氣)가 있다.

なまくび【生首】名 방금 자른 (사람의) 머리. ¶～を晒(さら)す (많은 사람이 보도록) 자른 머리를 내걸다. ↔どくろ.

なまくら〖鈍〗名ナ **1** (칼 따위가) 잘 안 듦〔무딤〕; 또, 그런 날. ¶～な包丁(ほうちょう) 무딘 식칼. **2** 기개가 없음; 게으름을 핌; 또, 그런 사람〔무골충〕. ¶～な亭主(ていしゅ) 무기력한 남편/～武士(ぶし) 기개 없는 무사.

なまクリーム【生クリーム】名 생크림; 우유에서 빼낸 지방분. ▷cream.

なまけぐせ【怠け癖】名 게으른 버릇. ¶～がつく 게으른 버릇이 들다.

なまけもの【怠け者】名 게으름뱅이. ¶～は, えてして口(くち)がうるさい 게으름뱅이는 대개 말이 많다. ↔働(はたら)き者(もの).

―の節句(せっく)働(ばたら)き 게으른 놈 설날에 짚신 삼기.

なまけもの〖樹懶〗名〔動〕 나무늘보.

****なま-ける**【怠ける】《懶ける》下1自他 게으름 피우다. =さぼる·おこたる. ¶勉強(べんきょう)を～ 공부를 게을리하다/～·けてはならない 게으름 피우면 안 된다/～癖(くせ)がつく 게으름 피는 버릇이 들다. ↔努(つと)める.

なまこ〖海鼠·生子〗名 **1**〔動〕 해삼. **2** 거푸집에 부은 선철(銑鐵)·동(銅).

なまごみ【生ごみ】名 부엌 쓰레기. ¶～は別(べつ)にして捨(す)てる 부엌 쓰레기는 따로 버린다.

なまゴム【生ゴム】名 생고무.

なまごめ【生米】名 생쌀; 날쌀.

なまごろし【なま殺し·生殺し】名 **1** 반죽임. =半殺(はんごろ)し. ¶～にする 반 죽여 놓다. **2** (상대방이 이러지도 저러지도 못하게) 결말을 짓지 않고 내버려 둠. ¶～にしておく 중단 상태로 팽개쳐 두다.

なまコン【生コン】名 '生(なま)コンクリート'의 준말; 생콘크리트.

なまざかな【生魚】名 **1** 날생선. =なまうお. **2** 갓 잡은 물고기.

なまざけ【生酒】名 맑은술; 청주.

なまじ〖憖〗副 **1** 할 수도 없으면서 억지로; 그렇게 하지 않아도 좋은데. ¶～女(おんな)が柔道(じゅうどう)など習(なら)ってもしようがない 공연히 여자가 유도 따위를 배워 봤자 무엇하나. **2** 선불리; 어설피; 오히려. ¶～知(し)っているから困(こま)る 어설피 알고 있기 때문에 곤란하다/～口(くち)を出(だ)したのがいけなかった 선불리 참견한 것이 잘못이었다/～会(あ)わなければよかった 차라리 만나지 않았으면 좋았다. **3**《'～の'의 꼴로》 어중간한. ¶～の玄人(くろうと)よりは腕(うで)がたつ 어중간한 익수보다는 솜씨가 낫다.

なまじい〖憖じい〗副 ☞なまじ. 參考 지금은 'なまじ' 'なまじっか'가 보통.

なまじっか〖憖じっか〗副ナ ☞なまじ. ¶～な勉強(べんきょう) 어설픈 공부/～な金(かね)では家(いえ)が買(か)えない 어중간한〔이만저만한〕 돈으로는 집을 못 산다. 注意 'なまじ'의 口語적 말씨.

なまじろ-い【生白い】形 희멀겋다; 창백하다; 핼쑥하다. ¶～·くひ弱(よわ)な体(からだ) 희멀겋고 가냘픈 몸. 參考 비유적으로, 미숙함·허약함의 형용. 注意 口語形은 'なまっちろい'.

なま-す〖焠す〗5他 단쇠를 물에 넣어 불리다. ¶鉄(てつ)を～ 쇠를 불리다.

なます〖膾·鱠〗名 회; 생선회; 또, 무·당근 따위를 썰어 초에 무친 것.

なまず〖鯰〗名 **1**〔魚〗 메기. 參考 '鯰'는 일본에서 만든 글자임. **2**☞なまずひげ.

なまずひげ〖鯰髭〗名 메기 수염처럼 가늘고 긴 콧수염; 또, 그것을 기른 사람.
なまたまご【生卵】名 날달걀; 생계란.
なまちゅうけい【生中継】名⁄ス他 생중계. ¶衛星(えいせい)～ 위성 생중계 / 事故現場(じこげんば)から～する 사고 현장으로부터 생중계하다.
なまっちょろ-い 形 〈俗〉 태도·방법이 숫되고 무르다; 세상살이에 어수룩하다. ¶そんな～やり方(かた)ではだめだ 그런 어수룩한 방법으로는 안 된다.
なまっちろ-い〖生っ白い〗形 ☞なまじろい.
なまつば〖生唾〗名 군침.
――を飲(の)みこむ 군침을 삼키다《몹시 탐내다》.
なまづめ〖生爪〗名 생손톱. ¶～を剝(は)がす 생손톱을 벗기다〔뜯어내다〕.
なまなか〖生半〗副⁄ナ 어설픈 모양; 엉거주춤한 모양. ＝中途(ちゅうと)はんぱ. ¶～なやり方(かた) 미온적인 방식 / ～のことはするな 섣부른 짓은 하지 마라 / ～の決心(けっしん)ではできないことだ 여간한 결심으로는 안 되는 일이다.
なまなまし-い〖生生しい〗形 생생하다; 새롭다. ¶～記憶(きおく)〔体験(たいけん)〕 생생한 기억〔체험〕/ 記憶(きおく)に～ 기억에 새롭다.
なまにえ【生煮え】名⁄ナ **1** 덜 삶아짐; 설〔데〕익음; 또, 그런 것. ¶～の芋(いも)〔肉(にく)〕 설익은 감자〔고기〕. **2** (대답·태도가) 분명치 않음. ¶～な態度(たいど) 모호한 태도/～の返事(へんじ)をする 선대답을 하다.
なまにく【生肉】名 생육; 생〔날〕고기.
なまぬる-い〖生温い〗形 **1** 미적지근하다. ＝なまあたたかい. ¶～水(みず) 미적지근한 물. **2** 미온적이다. ＝手(て)ぬるい. ¶～処置(しょち) 미온적인 조처 / 取(と)り締(し)まりが～ 단속이 미온적이다.
なまのみこみ【生のみこみ】《生呑み込み》名 충분히 이해하지 못함; 적당히 알아들음. ＝生(なま)がてん.
なまはんか〖生半可〗名⁄ダナ 어중간함; 어설픔. ＝生半尺(なまはんじゃく). ¶～な知識(ちしき) 어설픈 지식.
なまビール【生ビール】《生麦酒》名 생맥주. ¶おい, 君(きみ)! ～を一杯(いっぱい)くれないか 여보게, 생맥주 한 잔 주게. ▷beer.
なまびょうほう【生兵法】名 섣부른 검술〔기술〕; 어설픈 지식.
――は大(おお)けがのもと 선무당이 사람 죽인다.
なまへんじ【生返事】名 건성으로 대답함; 선대답. ¶～をする 건성으로 대답을 하다.
なまほうそう【生放送】名 생방송. ¶交通事故(こうつうじこ)現場(げんば)で～をする 교통사고 현장에서 생방송을 하다.
なまぼし【生干し】《生乾し》名 설말림; 또, 그렇게 말린 것. ¶～の魚(さかな) 설말린 생선.
なまみ【生身】名 살아 있는 (인간의) 몸뚱이. ＝いきみ. ¶～をけずる思(おも)い 살을 깎는 느낌 / ～の人間(にんげん)として耐(た)えられない 살아 있는 인간으로서 견뎌 낼 수 없다.
なまみず【生水】名 생수; 끓이지 않은 물. ¶～を飲(の)むな (끓이지 않은) 냉수를 마시지 마라.
なまめかし-い〖艶かしい〗形 요염하다. ＝いろっぽい·あだっぽい. ¶～目(め)つき〔表情(ひょうじょう)〕 요염한 눈매〔표정〕/ ～湯上(ゆあ)がり姿(すがた) 목욕탕에서 막 나온 요염한 모습. 参考 'なまめく'의 파생어.
なまめ-く〖艶く〗5自 요염하다. ＝あだめく. ¶～·いた女(おんな)の態度(たいど) 요염한 여자의 태도.
なまもの【生物】名 날것; 특히, 생선류. ¶～は腐(くさ)りやすい 날것은 썩기 쉽다.
注意 'せいぶつ'로 읽으면 딴 뜻.
なまやけ【生焼け】名 설구워짐; 또, 설구워진 것. ¶～の肉(にく) 설구워진 고기.
なまやさし-い【生易しい】形《흔히, 뒤에 否定語가 따름》손쉽다; 간단하다. ＝たやすい. ¶この仕事(しごと)は～努力(どりょく)ではできない 이 일은 보통 노력으로는 못한다.
なまゆで【生ゆで】《生茹で》名 데삶음; 설데침. ¶～の卵(たまご) 반숙난.
なまよい【生酔い】名 얼근함; 약간 취함; 또, 그렇게 취한 사람. ＝なまえい.
――本性(ほんしょう)たがわず 술에 취해도 그 본래의 성질은 변하지 않는다.
なまり〖訛り〗名 사투리.
――は国(くに)の手形(てがた) 사투리는 출생지 증명서《사투리로 출생지를 알 수 있음》.
なまり【鉛】名 납《기호: Pb》. ¶～色(いろ) 납빛 / ～中毒(ちゅうどく) 납중독 / 頭(あたま)が～のように重(おも)い 머리가 납덩이처럼 무겁다.
なま-る〖訛る〗5自他 사투리 발음을 하다. ¶シャボンはフランス語(ご)サボンの～·った語(ご)だ 샤본은 프랑스어 사본의 와음(訛音)이다.
なま-る〖鈍る〗5自 무디어지다. ＝にぶる. ¶刀(かたな)が～ 칼이 무뎌지다 / 腕(うで)が～ 솜씨가 무뎌지다.
なまワクチン【生ワクチン】名〘醫〙생백신. ▷도 Vakzin.
***なみ**【波】名 **1** 파도; 물결. ¶人(ひと)の～ 인파 / 時代(じだい)の～ 시대의 물결 / ～が立(た)つ 물결이 일다 / ～が高(たか)い〔荒(あら)い〕 파도가 높다〔거칠다〕/ ～が寄(よ)せる〔砕(くだ)ける〕 파도가 밀려오다〔부서지다〕. **2**〘理〙 파동; 진동(振動)하는 현상. ¶地震(じしん)の～ 지진파. **3** 굴곡; 기복. ¶感情(かんじょう)の～ 감정의 기복 / 連(つら)なる山(やま)の～ 물결 같은 연산의 기복 / 作品(さくひん)〔成績(せいせき)〕に～がある 작품〔성적〕에 기복이 있다.
――に乗(の)る 때의 흐름·시세를 잘 타다. ¶時代(じだい)〔好況(こうきょう)〕の～ 시대〔호황〕의 물결을 타다.
なみ【並み】一名 보통; 중간. ＝中(なか)ぐらい. ¶～の牛肉(ぎゅうにく) 중간치의 쇠고기 / ～製(せい) 보통제《하품(下品)의 완곡한 말씨로도 쓰임》/ ～幅(はば) 보통 폭 / ～以上(いじょう)の能力(のうりょく) 보통 이상의 능력.
二接尾《名詞에 붙어서》**1** …과 같은 정도; 동등함. ¶十人(じゅうにん)～ 보통 정도; 평

범함/自転車～の速さ 자전거 정도의 속도/課長～の待遇 과장급〔정도〕의 대우/客～に扱う 손님과 같이 다루다. **2**…마다. ¶軒～に 집집마다/月～の会 달마다〔다달이〕 열리는 회합.

なみあし【並足】图 **1** 보통 속도의 발걸음. ¶～で歩く 보통 걸음으로 걷다. **2** (마술(馬術)에서) 속도가 가장 느린 걸음. ⇔かけあし·はやあし.

なみ-いる【並み居る】上1自 한자리에 같이 나란히〔앉아〕 있다; 열석하다. =いならぶ. ¶～人々は彼の話に耳をかたむけた 한자리에 앉은 사람들은 그의 말에 귀를 기울였다.

なみうちぎわ【波打ち際】图 파도가 밀어닥치는 곳; 물가. =なぎさ·みぎわ. ¶～を散歩する 물가를 산책하다.

なみう-つ【波打つ】5自 **1** 물결치다. ¶強風に～湖 강풍으로 물결치는 호수. **2** 물결처럼 굽이치다; 울렁거리다. ¶～胸 울렁거리는 가슴.

なみがしら【波頭】图 물마루. ¶白い～が砕ける 흰 물마루가 부서지다.

なみかぜ【波風】图 풍파(風波). **1** 바람과 파도. ¶～が高くなる 풍파가 높아지다. **2** 분쟁; 불화. =もめごと. ¶家庭に～が絶えない 가정에 풍파가 끊이지 않다. **3** 고생스러운 일들. ¶世の～にもまれる 세상 풍파에 시달리다.

*__なみき__【並木】图 가로수. ¶松～ 소나무 가로수.

なみじ【波路】图〈雅〉 뱃길; 항로. =ふなじ. ¶千里の～を越えて行く 천리 뱃길을 건너서 가다.

なみ-する〖蔑する〗サ変他 경멸하다; 무시하다; 모멸하다; 업신여기다. ¶師を～やから 스승을 업신여기는 떨거지.

なみせい【並製】图 보통제《실은 가장 하치 것을 이르는 경우가 많음》. ¶～品 보통 제품. ↔上製·特製.

**__なみだ__【涙】《泪·涕》图 눈물. ¶うれし～ 너무 기뻐서 흘리는 눈물/血も～もない 피도 눈물도 없다/～が宿る 눈물이 맺히다.
—**に暮れる** **1** 울며 지내다. **2** 넋을 잃고 슬퍼하다.
—**に沈む** 슬픔에 겨워 마냥 울다.
—**にむせぶ** 목메어 (느껴) 울다.
—**に迷う** 슬퍼서 마음의 갈피를 잡지 못하다.
—**を誘う** 눈물을 자아내다; 울리다.
—**をのむ** **1** 눈물을 삼키다〔참다〕. ¶涙をのんであきらめる 눈물을 삼키고 단념하다. **2** 분한 마음을 억누르다.

なみたいてい【並たいてい】《並大抵》图《흔히 否定이 따라서》 보통 정도; 이만저만. =ちょっとやそっと·ひととおり·なみなみ. ¶～の努力ではできない 이만저만한 노력으로는 할 수 없다/苦労は～ではない 고생은 이만저만이 아니다.

なみだきん【涙金】图 위로금; 특히, 관계를 끊을 때에 주는 약간의 돈. ¶～で縁を切る 약간의 위로금을 주고 인연을 끊다.

なみだぐまし-い【涙ぐましい】形 눈물겹다. ¶～努力 눈물겨운 노력.

なみだぐ-む【涙ぐむ】5自 눈물짓다; 눈물이 글썽하다. ¶～·んだ目 눈물지은 눈/叱られるとすぐ～ 야단을 맞으면 금세 눈물을 짓는다.

なみだごえ【涙声】图 울먹이는 목소리. ¶～で話す 울먹이는 목소리로 이야기하다/～になって抗議する 울먹이는 목소리로 항의하다.

なみだ-する【涙する】サ変自 울다; 눈물짓다. =泣く. ¶不遇に～ 불우한 처지에 울다/その話を聞いて～·しない者はなかった 그 얘기를 듣고 울지 않는 사람은 없었다.

なみだ-つ【波立つ】5自 **1** 물결치다. ¶～海 물결치는 바다. **2** 두근거리다; 울렁거리다. ¶胸が～ 가슴이 울렁거리다. **3** 분쟁이 일어나다; 시끄러워지다. ¶政界が～ 정계가 시끄러워지다.

なみだながら【涙ながら】連語 눈물을 흘리면서; 울면서. =泣きながら. ¶～に語る 울면서 이야기하다.

なみだもろ-い【涙もろい】《涙脆い》形 눈물을 잘 흘리다; 잘 감동하다. ¶～人 정에 무른 사람/年をとると～·くなる 나이를 먹으면 눈물이 많아진다.

なみなみ【並並】图 보통 정도. ¶～ならぬ苦労 이만저만이 아닌 고생/～の努力では成功するものか 웬만한 노력 가지고 성공할 수 있겠나. 注意 否定·反語의 꼴로 씀.

なみなみ 副 찰랑찰랑. ¶～(と)酒を注ぐ 찰랑찰랑하게 술을 따르다.

なみのはな【波の花】图 **1** 물보라를 꽃으로 비유한 말. **2** (상가(商家)·씨름 따위에서) 소금. =塩. ¶～をまく 소금을 뿌리다.

なみのり【波乗り】图 파도타기. =サーフィン. ¶～をやる 파도타기를 하다.

なみはずれ【並外れ】名ナ 보통 이상임; 유별남; 뛰어남. ¶～の成績〔才能〕 뛰어난 성적〔재능〕/～に背が高い 유별나게 키가 크다.

なみはず-れる【並外れる】下1自 보통 이상이다; 유별나다; 뛰어나다. ¶～·れた食欲 유달리 왕성한 식욕/英語が～·れてできた生徒 영어를 뛰어나게 잘하던 학생.

なみはば【並幅】《並巾》图 (피륙의) 보통 폭《36cm 내외》. ¶～の生地 보통 폭의 옷감. ↔広幅·大幅.

なみひととおり【並一通り】名ナ 보통; 엔간함. =通りいっぺん. ¶～の苦労ではない 엔간한 고생이 아니다.

なみま【波間】图 **1** 파도와 파도 사이; 물결 이랑. ¶～をかいくぐる 물결 사이를 교묘하게 잘 비켜 나가다/～に見え隠れする 파도 사이로 보였다 안 보였다

하다. **2** 파도가 잔잔해졌을 때. ¶～を見(み)てボートを出(だ)す 파도가 일지 않는 때를 보아 보트를 내다.

なみまくら【波まくら】《波枕》图 **1**〈雅〉뱃길 여행. ＝船旅(ふなたび). ¶～を重(かさ)ねる 뱃길 여행을 거듭하다. **2** 파도 소리가 베갯머리에 들려옴.

なみよけ【波よけ】《波除け》图 **1** 파도를 막음; 파도를 막는 것. **2** 방파제.

なむあみだぶつ［南無阿弥陀仏］图〔佛〕나무아미타불《'六字(ろくじ)の名号(みょうごう)(＝여섯 글자의 명호)'라고 함》.

なむさん【南無三】感 '南無三宝(なむさんぼう)' ㊀의 준말.

なむさんぼう【南無三宝】㊀图〔佛〕나무삼보; 불·법·승의 삼보에 귀의(歸依)함. ㊁感 놀라거나 실패한 때 내는 말: 아차; 아뿔싸. ＝しまった·大変(たいへん)だ·南無三(なむさん). ¶～, 逃(に)がしたか 아뿔싸, 놓쳤구나/～, こいつは困(こま)った 아뿔싸, 이거 난처하게 됐군.

なめくじ［蛞蝓］图〔蟲〕활유; 괄태충; 민달팽이. ＝なめくじら·なめくじり. ──に塩(しお) 괄태충에 소금《거북한 상대를 만나 몹시 위축됨의 비유》.

なめこ［滑子］图〔植〕담자균(擔子菌)류에 속하는 버섯《다갈색이며 미끈미끈함》. ¶～わん 버섯 요리.

なめしがわ【なめし皮·なめし革】《鞣革》图 유피; 무두질한 가죽. ¶子羊(こひつじ)の～ 새끼양의 유피. ↔いため革(がわ).

なめ-す［鞣す］5他 (가죽 따위를) 다루다; 무두질하다. ¶鹿(しか)の皮(かわ)を～ 사슴 가죽을 무두질하다. 可能 なめ-せる 下1自

なめず-る［舐めずる］5他 (혀로) 입술을 핥다.

なめみそ［嘗め味噌］图 그냥 반찬으로 먹을 수 있도록 조리한 된장《ひしお·たいみそ·ゆずみそ·きんざんじみそ 따위》. 參考 조미용 된장에 대한 말.

***なめらか**【滑らか】ダナ 매끄러운 모양. **1** 반들반들한 모양. ¶～な肌(はだ) 매끄러운〔반들반들한〕 피부/表面(ひょうめん)を～に削(けず)る 표면을 반들반들하게 깎다. **2** 거침이 없음; 순조로움; 막히지 않음; 원활함. ＝スムース. ¶議事(ぎじ)が～に運(はこ)ぶ 의사 진행이 순조로이 되어 가다.

****な-める**［嘗める·舐める］下1他 **1** 핥다. ＝ねぶる. ¶くちびるを～ (혀로) 입술을 핥다/あめを～ 엿을 빨다. **2** (불길이 혀로 핥듯이) 불태우다. ＝燃(も)やす. ¶火(ひ)は村(むら)を～·め尽(つ)くした 불은 동네를 모조리 다 태워 버렸다. **3** 맛보다. ㉠(핥듯이) 맛보다. ¶杯(さかずき)を～ 술잔의 술을 핥듯이 마시다. ㉡(쓰라림을) 겪다; 체험〔경험〕하다. ¶苦杯(くはい)を～ 고배를 마시다. **4** 우습게 보다; 깔보다; 얕보다. ¶相手(あいて)を～·めてかかる 상대를 얕보고 덤비다.

なや【納屋】图 헛간. ＝ものおき. ¶～にしまう 헛간에 간수하다.

なや-す［萎す］5他 위축시키다; 느른하게 하다.

なやまし-い【悩ましい】形 **1** 괴롭다; 고통스럽다. ¶～日々(ひび) 괴로운 나날. **2** 관능(官能)이 자극을 받아서 마음이 흐트러지다. ¶～目(め)つき 관능적인 눈매.

なやま-す【悩ます】5他 괴롭히다; 시달리게 하다. ＝苦(くる)しめる. ¶物価高(ぶっかだか)で頭(あたま)を～ 물가고로 골치를 앓다/騒音(そうおん)に～·される 소음에 시달리다.

***なやみ**【悩み】图 괴로움; 고민; 번민; 걱정. ¶～ごと 걱정거리/～の種(たね) 고민거리/持(も)てる者(もの)の～ 부자의 걱정/～を打(う)ち明(あ)ける 고민을 털어놓다.

****なや-む**【悩む】5自 괴로워하다. ＝わずらう. **1** 고민〔번민〕하다. ¶恋(こい)に～ 사랑 때문에 번민하다. **2** (아파서) 고생하다; 앓다. ＝病(や)む. ¶神経痛(しんけいつう)に～ 신경통으로 고생하다. **3** 動詞의 連用形에 붙어서, 그 동작이 순조롭게 되지 않는 뜻을 나타냄. ¶行(ゆ)き～ 잘 나아가지 못하다/伸(の)び～ 잘 뻗어 나가지 못하다.

なよたけ【なよ竹】《弱竹》图 가냘픈 대; 어린 대. ＝若竹(わかたけ)·女竹(めだけ).

なよなよ［弱弱］副 ス自 연약한 모양; 나긋나긋한 모양. ¶～(と)した女(おんな) 나긋나긋한 여자/見掛(みか)けは～しているが芯(しん)は強(つよ)い 겉으로 보기엔 연약해 보이지만 심지는 꿋꿋하다.

なよやか ダナ (태도·동작이) 보드랍고 가냘픈 모양. ¶～な姿態(したい)〔肩(かた)の線(せん)〕 가냘픈 자태〔어깨의 선〕.

なら［楢］图〔植〕졸참나무.

なら［奈良］图〔地〕近畿(きんき) 지방 중앙부에 있는 현; 또, 그 현청 소재지.
──じだい［──時代］图 奈良에 도읍한 시대《710-784년. 古事記(こじき)·日本書紀(にほんしょき)·万葉集(まんようしゅう) 등이 만들어졌으며, 불교 미술이 성했음》.
──づけ［──漬け］图 재강에 월과(越瓜)나 무를 절인 식품.

なら ㊀接 그러면; 그렇다면《'それなら'의 구어(口語)에서의 압축된 말씨》. ¶～いいけど 그렇다면 좋으련만/軽(かる)い打撲(だぼく)だって. ～, 大丈夫(だいじょうぶ)だ 가벼운 타박이라고, 그렇다면 괜찮다.
㊁助動《口語 助動詞 'だ'의 仮定形》**1** 그 일의 실현을 가정함: …이면. ¶君(きみ)が行(い)く～ぼくも行(い)こう 자네가 간다면 나도 가지/読(よ)みたい～貸(か)してあげよう 읽고 싶으면 빌려 주겠네. **2** …같으면; …이라면. ¶僕(ぼく)～海(うみ)へ行(い)く 나 같으면 바다로 가겠다. 參考 ㊀㊁ 모두 口語에서 'ならば'의 꼴로 쓸 때가 있음.

ならい【習い】图 **1** ㉠습관; 관습; 관례. ＝ならわし. ¶土地(とち)の～として 고장의 관례로서. ㉡흔히 있는 일; 상사(常事). ＝つね. ¶世(よ)の～ 세상사(世上事). **2** 학습; 배움.
──性(せい)となる 습관이 마침내 본성처럼 된다.

ならいごと【習い事】图 배우는〔익히는〕 일; 예능 등 소양으로 익혀야 할 일. ¶～に通(かよ)う (꽃꽂이·붓글씨 등을) 배우러 다니다.

ならーう【習う】 [5他] **1 연습하다; 익히다. ¶テープで歌を～ 테이프로 노래를 익히다. **2** 배우다. ¶お花〔運転〕を～ 꽃꽂이를〔운전을〕 배우다 / 先生に～ 선생에게 배우다. [可能]ならーえる[下1自]
——より慣れろ (남에게) 배우기보다 스스로 익혀라.

**ならーう【倣う】 [5他] 모방하다; 따르다. ＝まねる. ¶前例に～ 전례를 따르다.

ならく [奈落] [名] **1**《佛》 나락; 지옥. ¶～に落ちる 나락〔지옥〕에 떨어지다. **2** 밑바닥. ＝どん底. ¶～に沈む 밑바닥에 빠지다. **3** 극장의 무대나 花道(＝배우가 무대를 출입하도록 관람석 사이에 높게 만든 통로) 밑의 지하실. [注意] '奈落'로 씀은 범어(梵語)에서 온 취음.
——の底 **1** 끝없는 구렁텅이. **2** 두 번 다시 헤어나지 못할 지경. ¶～から再起する 절망의 수렁에서 재기하다.

ならし【慣らし】《馴らし》[名] 길들임; 익숙해짐; 연습. ¶～運転 연습 운전.

ならーす『均す』 [5他] 고르게 하다. **1** 고르다. ¶土地を～ 땅을 고르다. **2** 평균화하다. ¶配分〔負担〕を～ 배분〔부담〕을 고르게 하다. [可能]ならーせる[下1自]

***ならーす【慣らす】** [5他] **1** 환경에 익도록 하다; 순응시키다. ¶からだを寒さに～ 몸을 추위에 익도록 하다. **2**《馴らす》(동물 따위를) 길들이다. ¶乗り～ 타고 다니며 길들이다 / 野獣を～ 야수를 길들이다.

ならーす『生らす』 [5他] (열매를) 맺게 하다; 열리도록 하다. ¶今年はりんごをたくさん～·したいものだ 금년에는 사과가 많이 열렸으면 좋겠다.

***ならーす【鳴らす】** [5他] **1** 소리를 내다; 울리다. ¶鐘を～ 종을 울리다. **2** (명성을) 떨치다; 날리다. ¶名を天下に～ 이름을 천하에 떨치다. **3** 초들어 말하다. ¶人の非を～ 남의 잘못을 초들어 책하다 / 不平を～ 투덜거리다. [可能]ならーせる[下1自]

ならずもの【ならず者】 [名] 파락호; 불량배; 무뢰한. ＝ごろつき·わるもの. ¶街の～ 거리의 불량배.

ナラタージュ [프 narratage] [名] 나라타주; (영화 등에서) 주인공이 과거를 회상하는 형식으로 줄거리를 전개시키는 수법. ▷narration과 montage의 합성어.

ならでは …dewa [連語] …이 아니고는. ¶あの人～のできばえ 그 사람이 아니고는 할 수 없는 훌륭한 솜씨 / 日本～の風習 일본이 아니고선 볼 수 없는 풍습.

ならない [連語] **1**《動詞連用形＋'ては'를 받은 용법》 안된다. ¶酒を飲んでは～ 술을 마셔서는 안된다 / 見ては～ 보아서는 안된다. **2**《否定의 助動詞를 받아 'なければ～' 'なくては～' 따위의 꼴로》 ㉠해야 한다. ¶すぐ行かなくては～ 곧 가야 한다. ㉡…이어야 한다. ¶雨の中を歩いたのだからぬれていなければ～ 빗속을 걸었으니까 (당연히) 젖을 수밖에 없다. **3** ㉠…할 수 없다. ¶油断～ 방심할 수 없다 / がまんが～ 참을 수 없다. ㉡어쩔 수 없다; 못 견디다. ¶心配で～ 걱정이 되어 못 견디겠다 / そう思えて～ 자꾸 그렇게만 생각된다 / この石は重くてどうにも～ 이 돌은 무거워서 어찌 할 수 없다. [参考] 'なりません'은 이 말의 공손한 말씨.

ならぬ [連語] **1** ☞ならない. **2**〈文〉…이 아닌. ¶神～身 신이 아닌 몸 / 道～恋 도리가 아닌 (불륜의) 사랑.

ならば [一][接] 될 수 있다면. ¶可能性は少ないが, ～合格したいものだ 가능성은 적지만, 될 수 있으면 합격하고 싶다. [二][連語] **1**《形容動詞 'だ'의 仮定形＋'ば'》…하다면. ¶静か～ 조용하다면. **2**《단정(断定)의 助動詞 'だ'의 仮定形＋'ば'》…라면. ¶辞書～書斎にある 사전이라면 서재에 있다.

ならび【並び】 [名] **1** 늘어선 것; 줄. ¶この～の角から三軒目 이 줄의 모퉁이로부터 셋째 집 / 歯の～がきれいだ 치열이 곱다. **2** 유례(類例); 비교. ＝たぐい·比類. ¶天下に～もない名人 천하에 견줄 이가 없는 명인.

ならびなーい【並びない】 [形] 비할 바가 없다; 다시 없다; 무비(無比)하다. ＝たぐいない. ¶天下に～力持ち 천하에 둘도 없는 장사.

ならびに【並びに】 [接] 및; 또. ＝および·また. ¶姓名～職業 성명 및 직업.

ならーぶ【並ぶ】 [5自] **1** 한 줄로 서다. ㉠늘어서다. ¶店が～ 가게가 늘어서다 / 一列縦隊に～ 일렬종대로 늘어서다. ㉡병행하다. ¶～·んで走る 나란히 달리다. **2** 견주다; 필적하다. ¶彼に～者がない 그 사람에 비견할〔견줄〕 자가 없다. **3** (두 개의 뛰어난 것이) 함께 존재하다. ¶才色～·び備わる 재색을 겸비하다〔아울러 갖추다〕.

ならべたーてる【並べ立てる】 [下1他] (하나하나) 늘어놓다. ¶理由を一つ一つ～ 이유를 하나하나 늘어놓다.

ならーべる【並べる】 [下1他] **1** (일렬로) 늘어놓다; 나란히 하다〔세우다〕. ¶一列に～ 한 줄로 늘어놓다〔세우다〕 / 席を～ 자리를 나란히 하다《이웃해서 앉다》. **2** 견주다; 비교하다; 필적하다. ¶肩を～ 어깨를 나란히 하다; 필적하다. **3** 열거하다. ¶証拠を～ 증거를 열거하다 / 不平を～ 불평을 늘어놓다.

ならわし【習わし】《慣わし》[名] 습관; 풍습; 관례. ＝しきたり. ¶土地の～ 그 고장의 풍습 / 毎月一回集まるのが～だ 매달 한 번 모이는 것이 관례다.

ならわーす【習わす】 [5他] **1** 배우게 하다; 가르치다. ＝習わせる. ¶笛を～ 피리를 가르치다 / パソコンを～ PC를 배우게 하다. **2**《慣わす》《흔히 動詞의 連用形에 붙어》 항상 …하다; …하는 버릇이 있다. ¶言い～·した言葉 늘 사용해

온 말 / 新参の名を呼び～ 신참자의 이름을 불러서 입에 익히다.

なり 〖也〗 助動 〈雅〉《'にあり'의 전와(轉訛)》 구어(口語) 'だ(=이다)' 'である(=이다)'에 해당하는 문어(文語). ¶われらは人～ 우리는 사람이다 / 本日は晴天～ 오늘은 맑은 날씨다 / 金弐万円～ 금 2만 엔정. ⇨だ1.

なり 〖形·態〗 ㊀名 **1** 모양; 꼴; 형상. =かっこう·様子. ¶～のよいつぼ 모양이 좋은 단지. **2** 몸매. =からだつき. ¶年のわりに大きな～をしている 나이에 비해 큰 몸집을 하고 있다. **3** 옷차림; 복장. ¶はでな～ 화려한 옷차림 / ～にかまわない 옷차림에 신경 쓰지 않다.
㊁接尾 **1** …같은 모양. ¶土俵ぎわで弓～になる 씨름판의 경계선에서 (몸이) 활처럼 휘우뚱해지다. **2** …나름. ¶きみはきみ～にやれ 넌 너 나름으로 해라. **3** 《動詞의 連用形에 붙어》 …하는〔그런〕 대로. ¶他人の言い～になる人 남이 하라는 대로 하는 사람 / 曲がり～にも完成した 그럭저럭 완성했다.

なり 【鳴り】 名 **1** 울림; 또, 그 소리. ¶～のいい楽器 소리가 잘 울리는 악기 / この鐘は～がわるい 이 종은 잘 울리지 않는다. **2** 떠드는 소리.
―を潜める 조용해지다《활동을 멈추어 잠잠하다는 뜻에도 비유됨》. ¶一同鳴りを潜めて見守る 모두 소리를 죽이고 지켜보다 / 反対派はこのところ鳴りを潜めている 반대파는 요즘 활동을 멈추고 잠잠하다.

なり 〖生り〗 名 (과실 따위가) 엶; 결실. ¶今年は栗の～がいい 올해는 밤의 결실이 좋다.

なり 副助 **1** ㉠…든; …든지. ¶飯～酒～出せ 밥이든 술이든 내놔라 / 困ったときには父に～母に～相談する 어려울 때는 아버지하고든 어머니하고든 상의한다. ㉡…에게라도. ¶医者に～相談したらどう 의사에게라도 상의해 보면 어때. **2** ㉠《助動詞 'た'에 붙어 'たなり'의 꼴로》 그대로; …채로. ¶着た～(で)ねる 입은 채로 자다 / 行った～帰らない 간 채로 돌아오지 않다. ㉡《動詞나 助動詞의 'せる·させる·れる·られる'의 連体形에 붙음》 …하자마자. ¶顔を見る～泣きくずれた 얼굴을 보자마자 쓰러져 울었다.

なりあがり 【成り上がり】 名 갑자기 출세함; 또, 그 사람; 벼락부자(가 됨). ¶～者 벼락출세한 사람; 벼락부자 / ～だからエチケットを知らない 벼락출세한 사람이라 에티켓을 모른다. 参考 멸시하거나 부러워서 하는 말.

なりあが-る 【成り上がる】 5自 (미천한 자가) 갑자기 출세하다〔부자가 되다〕. ¶運転手から社長に～ 운전기사에서 사장으로 출세하다. 参考 멸시하는 말씨. ↔成り下がる.

なりかたち 〖形姿〗 名 몸차림; 복장; 몸맵시. =なりふり·身なり. ¶～かまわず 옷차림에 상관없이 / ～を整える 옷차림을 가다듬다.

なりかわ-る 【成り代わる】 5自 대리하다; 대신하다. =代わる. ¶本人に～って 본인을 대리해서 / 会長に～りまして, 御礼申し上げます 회장을 대신하여 감사의 말씀을 드립니다.

なりかわ-る 【成り変わる】 5自 변하다; 변화하다. ¶淵は瀬に～ (어제의) 웅덩이는 (오늘의) 여울로 변한다.

なりきん 【成金】 名 **1** (일본 장기에서) 적진에 들어가서 金将의 자격을 얻은 말. **2** 벼락부자. ¶～趣味 졸부(의 저속한) 취미 / ～風を吹かせる 벼락부자 티를 내다. 参考 멸시하는 말씨.

なりさがり 【成り下がり】 名 영락함; 또, 그 사람. =零落·おちぶれ. ↔成り上がり.

なりさが-る 【成り下がる】 5自 영락하다; 전락하다. =おちぶれる. ¶こじきに～ 거지로 전락하다. ↔成り上がる.

ナリシングクリーム [nourishing cream] 名 나리싱 크림; 영양 크림.

なりすま-す 【成り済ます】 5自 **1** 아주 …이 되다. **2** …인 양 행세하다; …연하다. ¶警官に～ 경찰 행세를 하다 / 画家に～ 화가인 체하다 / 狼がおばあさんに～ 늑대가 할머니 행세를 하다.

なりた 【成田】 名 〖地〗 千葉県 북부에 있는 시《新東京 국제공항이 있음》.

なりたち 【なりたち·成り立ち】 名 **1** 이룩된 과정; 경과; 내력. =できかた. ¶これまでの～を説明する 지금까지의 경과를 설명하다. **2** 구성 요소; 성분. ¶文の～ 글의 성분.

***なりた-つ** 【なりたつ·成り立つ】 5自 **1** 성립하다; 이루어지다. ¶商談〔縁談〕が～ 상담〔혼담〕이 이루어지다 / 契約が～ 계약이 성사되다. **2** 구성되다. ¶この大学は四学部から～ 이 대학은 4학부로 구성되어 있다 / 日本は大小無数の島から～ 일본은 크고 작은 무수한 섬으로 이루어진다.

なりたて 〖成り立て〗 名 갓 되어 얼마 안 됨. ¶～のほやほやの社会人 막 첫발을 내디딘 애송이 사회인.

なりて 【なり手】《為り手》 名 될〔되고자 하는〕 사람. ¶委員の～がない 위원이 될〔되고자 하는〕 사람이 없다 / 嫁に～がない 며느릿감이 없다 / 悪役に～がない 악역을 맡을 사람이 없다.

なりどし 【なり年】《生り年》 名 과일이 잘되는 해. ¶今年はももの～だ 올해는 복숭아가 잘되는 해이다. ↔裏年.

なりとも 副助 **1** …(이)나마; …(이)라도. ¶電話～かけてくれればいいのに 전화라도 걸어 주었으면 좋으련만 / 母親に一目～会いたい 잠시나마 모친을 만나고 싶다. **2** …든지. =なり. ¶どこ(へ)～行ってしまえ 어디든지 가 버려라.

なりはため-く【鳴りはためく】5自 울려 퍼지다; 명동(鳴動)하다.
なりは-てる【成り果てる】下1自 전락(轉落)하다. ¶こじきに～ 거지 신세가 되다.
なりひび-く【鳴り響く】5自 **1** (사방에) 울리다; 울려 퍼지다. ¶ベルが～ 벨이 울리다 / 鐘の音が～ 종소리가 울려 퍼지다. **2** (명성이) 널리 떨치다. ¶文名が～ 문명이 널리 떨치다.
なりふり〖形振り〗名 옷차림; 외양. ＝身なり·様子. ¶～かまわず働く 외양 따위는 개의치 않고 일하다.
なりもの【なり物】《生り物》名 **1** 논밭의 수확; 소출. ＝とりいれ. **2** 과수; 또, 그 과일. ＝くだもの. ¶庭木としては～がいい 정원수로는 과일나무가 좋다.
なりもの【鳴り物】名 **1** 악기. ¶歌と踊りに～が加わる 노래와 춤에 악기가 끼다. **2** 박자를 맞추거나 흥을 돋우기 위한 음악. ＝はやし.
—いり【—入り】名 악기의 반주를 넣어 흥을 돋움; 전하여, 대대적인 선전. ¶～の応援 대대적인 응원 / ～で入団した選手 요란한 선전과 함께 입단한 선수 / ～で郷土入り 요란을 떨며 귀향함.
***なりゆき**【成り行き】名 **1** 되어 가는 형편; 경과. ¶今後の～ 금후의 형편 / ～にまかせる 되어 가는 형편에 맡겨 두다 / ～を見守る 경과를 지켜보다. **2** 〘經〙 ☞なりゆきちゅうもん.
—ちゅうもん【—注文】名 (증권 거래에서) 성립가(價) 주문《종목과 수량만 지정하고 값은 시세에 따라 매매하도록 주문하는 일》. ↔指し値注文.
なりわい〖生業〗名 **1** 생업; 직업. ¶酒の販売を～とする 술 판매를 생업으로 하다. **2** 경작; 농업. ¶～は天下の大いなる基なり 농업은 천하의 대본이라.
なりわた-る【鳴り渡る】5自 울려 퍼지다. ＝なりひびく. ¶鐘が～ 종소리가 울려 퍼지다 / 勇名天下に～ 용명이 천하에 떨치다.
⁂な-る〖生る〗5自 열리다; 맺다. ¶柿が～ 감이 열리다 / 花だけで実は～·らない 꽃뿐이고 열매는 맺지 않는다.
⁂な-る【成る】5自 **1** (행위의 결과) 되다; 이루어지다; 완성되다. ¶なせば～ 하면 된다 / 鉄橋架設～ 철교 가설 완공되다 / 新装～·った市民ホール 신장이 끝난 시민 회관 / 功～·り名遂ぐ 공을 이루고 명성도 얻다 / ローマは一日にして～·らず 로마는 하루아침에 이루어진 것이 아니다 / 態度が～·ってない 태도가 못돼먹었다 / 近頃の学生は～·っちょらん 요즘 학생은 돼먹지 않았다. 參考 'なってない·なっちょらん'은 막된 말씨. **2** (조직이) …로 되다〔이루어지다〕; …로 구성되다. ¶国会は二院より～ 국회는 (상하) 양원으로 되어 있다. **3** 성취되다. ¶ねがいが～ 소원이 이루어지다 / 宿願～·って帰郷する 숙원이 이루어져 귀향하다. **4**【なる】《'お〔ご〕…に～'의 꼴로 動詞連用形나 동작을 나타내는 漢語名詞를 사이에 끼어서》…하시다. ¶お休みに～ 주무시다 / ご覧に～·りますか 보시겠습니까.
—·らぬ堪忍するが堪忍 참을 수 없는 것을 참는 것이 참다운 인내라는 말.
—か—·らずに 될까말까 해서. 「면.
—·ろう事なら 될 수 있으면; 가능하다
⁂な-る〖為る〗5自 …이〔가〕 되다. **1** 다른 것으로〔상태가〕 되다. ¶学者に～ 학자가 되다 / 赤く～ 벌게지다 / かわいく～ 귀여워지다 / 氷がとけて水に～ 얼음이 녹아서 물이 되다. **2** 어느 때가 되다. ¶もう三時に～ 벌써 세 시가 되다 / 冬に～ 겨울이 되다. **3** 소용닿다; 작용하다. ¶ために～ 도움이 되다 / 名誉と～ 명예가 되다. **4** 용납되다. ¶酒を飲んでは～·らない 술을 마시면 안 된다. **5** 괜찮다; 참을 수 있다. ¶負けて～ものか 져서야 되겠는가.
***な-る**【鳴る】5自 **1** 울리다. ㉠소리가 나다. ¶鐘が～ 종이 울리다. ㉡떨치다; 드날리다. ¶名声天下に～ 명성이 천하에 떨치다. **2** 널리 알려지다. ¶厳格をもって～教授 엄격하기로 널리 알려진 교수.
なる 助動 **1**《文語 助動詞 'なり'의 連体形》…한; …인. ＝な. ¶偉大～人物 위대한 인물. **2**《固有名詞에 붙어서》…(이)라는. ＝と言う. ¶顔回～者がいた 안회라는 사람이 있었다.
なるこ【鳴子】名 논·밭 등에서 새를 쫓기 위한 장치; 딸랑이《줄을 당겨서 소리를 냄》. ¶～なわ 딸랑이 줄.
ナルシシスト [narcissist] 名 나르시시스트; 자기도취형의 사람; 잘난 체하는 사람. ＝うぬぼれや·ナルシスト.
ナルシシズム [narcissism] 名 나르시시즘; 자기의 신체에 색정(色情)을 느끼는 일; 전하여, 자만심; 자기도취. ＝うぬぼれ·ナルシズム.
なるたけ〖成る丈〗副 되도록. ＝できるだけ·なるべく. ¶～早く 되도록 빨리 / ～全員参加のこと 될 수 있는 대로 전원 참가할 것.
***なるべく**〖成る可く〗副 될 수 있는 한; 가능한 한; 되도록. ＝できるかぎり·なるたけ. ¶～人に迷惑をかけないようにせよ 될 수 있는 대로 남에게 폐를 끼치지 않도록 해라.
***なるほど**〖成る程〗副感 (남의 주장을 긍정할 때나 상대방 말에 맞장구치며) 정말; 과연. ¶～ごもっとも 과연 지당한 말이오 / ～, 君の言う通りだ 과연, 자네 말대로다.
なれ【慣れ】《馴れ》名 습관; 익숙해짐. ¶～というものは恐ろしいものだ 습관이란 무서운 것이다.

なれあい 〖馴れ合い〗 名 서로 친함; 남녀가 밀통함; 공모함; 짬짜미. ¶~の試合 짜고 하는 시합/~の夫婦 내연의 부부/~相場 담합 시세.
なれあ-う 〖馴れ合う〗 5自 **1** 서로 친해지다. ¶子供のときから~·った仲 어릴 적부터 친했던 사이. **2** 공모하다; 한패가 되다. ¶~·って人をだます 공모해서 남을 속이다. **3** (남녀가) 밀통하다. ¶~·ってできた夫婦 눈이 맞아 짝이 된 부부.
ナレーション [narration] 名 내레이션; 영화나 방송 따위에서 줄거리나 진행 따위의 해설 또는 이야기.
ナレーター [narrator] 名 내레이터; (연극이나 방송에서) 극의 흐름을 설명하는 해설자.
なれそめ【なれ初め】《馴れ初め》 名 연애 관계가 시작된 계기; 친해진 시초. ¶そもそもの~はハイキングであった 처음 친해진 계기는 하이킹이었다.
なれそ-める【なれ初める】《馴れ初める》 下1自 (남녀가) 친해지기 시작하다.
なれっこ【慣れっこ】 名 〈俗〉 아주 익숙해져서 태연함; 이골이 남. ¶母の愚痴には~になっている 어머니의 넋두리에는 이골이 나서 아무렇지도 않다.
ナレッジインダストリー [knowledge industry] 名 날리지 인더스트리; 지식·정보 산업《신문·통신·방송·영화 등 여러 산업의 총칭》.
なれども 一接 〈雅〉 그러나. =けれども. ¶~回復は望みなし 그러나 회복은 무망하다. 二連語 …이지만. =なれど. ¶小兵~怪力の男 체격은 작지만 괴력이 있는 사나이.
***なれなれし-い** 〖馴れ馴れしい〗 形 친압(親狎)하다; 허물〔버릇〕없다. ¶~口をきく 허물없이 말하다.
なれのはて 【成れの果て】 連語 영락한 결과; 또, 그 비참한 몰골〔말로〕. ¶金持ちの~ 영락한 부호의 말로.
なれる 〖馴れる〗 下1自 **1** 친숙해지다. ¶子供が先生に~ 어린이가 선생님과 친해지다. **2** 따르다. ¶その猫は私によく~·れている 그 고양이는 나를 잘 따르고 있다. **3**《狎れる》 버릇없이 너무 친하게 굴다. ¶寵愛に~ 총애를 받아 버릇없이 되다.
なれる【慣れる】 下1自 익숙해지다; 익다. **1** 늘 겪어서 예사로워지다. ¶一週間で~ 일주일 만에 익숙해지다/貧乏には~·れている 가난에는 익숙해져 있다. **2** 길들다. ¶使い~·れた万年筆 길든 만년필. **3** 습관이 되다. ¶パン食に~ 빵 식사가 습관이 되다.
***なれる** 〖熟れる〗 下1自 익다; 숙성하다. ¶鮨〔漬物〕が~ 식해가〔절인 음식이〕 먹기 알맞게 익다.
***なわ**【縄】 名 **1** 새끼; 줄. ¶~を綯う 새끼를 꼬다/~でゆわえる 새끼로 동이다. **2** 포승; 오랏줄. =捕り縄. ¶お~にする 체포하다/神妙にお~を頂戴しろ 순순히 포승을 받아라.
—に掛かる 오랏줄에 묶이다; 체포되다.
—を打つ **1** 오라로 묶다. **2** 논밭을 측량하다.
なわしろ【苗代】 名 못자리. =なわしろだ. ↔本田.
なわつき【縄付き】 名 포승에 묶임; 또, 그 사람; 죄인. ¶家から~を出す 집안에서 죄인을 내다.
なわて【縄手】《畷》 名 논(두렁)길. =あぜ道·たんぼ道·なわて道.
なわとび【縄飛び·縄跳び】 名 줄넘기. ¶~をして遊ぶ 줄넘기를 하며 놀다.
なわのれん【縄のれん】《縄暖簾》 名 **1** 여러 가닥의 새끼줄을 드리워서 'のれん'의 대용으로 한 것. =縄すだれ. **2** 선술집; 밥집. ¶~をくぐる 선술집〔음식점〕에 들어가다. 参考 출입구에 새끼 발을 친 데서.
なわばしご 【縄ばしご】《縄梯子》 名 줄사닥다리. ¶~を使ってにげる 줄사닥다리를 사용해서 도망치다.
なわばり【縄張り】 名 **1** 새끼줄을 쳐서 경계를 정함. ¶土地に~(を)する 토지에 새끼를 치다. **2** (폭력단 등의) 세력 범위; 세력권. ¶~の争い 세력권 다툼/他人の~を荒らす 남의 세력권을 침범하다.
なわめ【縄目】 名 **1** 새끼줄의 매듭. ¶~をほどく 새끼의 매듭을 풀다; 포박을 풀다. **2** (죄인으로) 포박당함. ¶~の恥辱 (죄인으로) 포박당하는 치욕/~に掛かる 포박당하다.
なん【難】 一名 **1** 어려움. ¶~を嫌い易を求める 어려움을 싫어하고 쉬운 것을 찾다. ↔易. **2** 화; 재난. ¶水火の~ 물과 불로 말미암은 재난/不慮の~にあう 뜻하지 않은 재난을 만나다. **3** 곤란; 고난. ¶団結して~に当たる 단결하여 고난에 맞서다. **4** 흠; 결점. ¶人の~をさがす 남의 결점을 찾다/~のないできばえ 나무랄 데 없는 솜씨.
二接頭 어려운; 난…. ¶~事件 어려운 사건/~問題 난문제.
三接尾 곤란; …난. ¶食糧~ 식량난/求人~ 구인난.
—を付ける 트집을 잡다; 결점을 들추다.
なん【何】 一代 'なに'의 음편(音便): 무엇. ¶~でもよい 무엇이나 좋다/これは~だ 이것은 무어냐/~と言ったらいいかな 뭐라고 말하면 좋을까/なにが~でも明日は行くぞ 무슨 일이 있어도 내일은 간다. 参考 何が 'だ·で·と·の'에 이어질 때 'なん'이 됨. 그 외에 'に·か' 따위에 이어질 때에 'なん'이 되는 수도 있음. 二接頭 몇…. ¶~本 몇 자루〔개비〕/~百 몇 백.
—であれ 어떤 것이라도; 무엇이라도. ¶理由が~けんかはよくない 이유야 어떻든간에 싸움은 좋지 않다.
=なん【男】 名《숫자를 나타내는 말에 붙

어》…남. ¶二に～一女いちじょ 2남 1녀.

なん 〘南〙 教2 ナン ナ みなみ | 남 남쪽 | 남쪽. ¶南極なんきょく 남극 / 南方なんぽう 남방.

なん 〘軟〙 常用 ナン やわらか やわらかい | 연 부드럽다 | 부드럽고 연하다. ¶軟弱なんじゃく 연약 / 柔軟じゅうなん 유연. ↔硬こう.

なん 〘難〙《難》 教6 ナン かたい むずかしい にくい | 난 어렵다 | **1** 어렵다. ¶難問なんもん 난문 / 無難ぶなん 무난. ↔易い. **2** 고초; 재난; 난리. ¶苦難くなん 고난 / 難民なんみん 난민 / 災難さいなん 재난.

なんい【南緯】图 남위. ¶～十五度じゅうごど二十分にじっぷん 남위 15도 20분. ↔北緯ほくい.

なんい【難易】图 난이. ¶～度ど 난이도 / 報酬ほうしゅうは仕事しごとの～による 보수는 일의 난이에 따른다.

なんおう【南欧】图〘地〙남구; 남유럽. ＝南みなヨーロッパ. ↔北欧ほくおう.

なんか【南下】图ス自 남하. ¶高気圧こうきあつが～する 고기압이 남하하다. ↔北上ほくじょう.

なんか【軟化】图ス自他 연화. **1** 물질이 부드러워짐. ¶ビニールが熱ねつで～する 비닐이 열로 연화하다. **2** (태도가) 부드러워짐. ¶当局とうきょくの態度たいどが～する 당국의 태도가 누그러지다. ⇔硬化こうか.

なんか〘何か〙連語〈口〉'なにか'의 음편(音便): 무언가; 무엇인가. ¶～食たべたい 무언가 먹고 싶다 / ～あったのか 무슨 일이 있었나 / ～欲ほしい物ものを言いってごらん 무엇인가 갖고 싶은 것을 말해 봐라.

なんか 副助〈口〉등; 따위; 같은 것. ＝など. ¶ぼく～にはわからない 나 같은 사람은 알 수 없다 / 雨あめ～降ふらない 비 같은 것은 안 온다.

なんが【南画】图 남화(('南宗画なんしゅうが(＝남종화)'의 준말)). ＝文人画ぶんじんが. 参考 일본에는 室町むろまち 시대에 전해졌음. ↔北画ほくが.

なんかい【何回】图 몇 회; 몇 번; 여러 번. ¶～見みてもおもしろい 몇 번을 보아도 재미있다.

なんかい【難解】名ナ 난해. ¶～な文章ぶんしょう 난해한 문장. ↔平易へいい.

なんかん【難関】图 난관. ¶～を突破とっぱする 난관을 돌파하다 / ～にいどむ 어려움에 도전하다.

なんぎ【難儀】㊀名ナ 괴롭고 어려움; 곤란; 고생스러움; 귀찮음; 성가신 일. ¶～な仕事しごと 어려운〔성가신〕일 / ～をかける 폐를 끼치다 / ～にあう 곤란을 겪다; 성가신 일을 당하다.
㊁图ス自 (빈곤·어려움 따위로 인한) 고생; 고뇌. ＝苦くるしみ. ¶大雪おおゆきで～した 대설로 고생했다.

なんきつ【難詰】图ス他 힐난. ¶不親切ふしんせつを～する 불친절을 힐난하다.

なんきゅう【軟球】图 연구. ↔硬球こうきゅう.

なんぎょう【難行】图ス自 난행; 힘든 수행. ¶～を積つむ 힘든 수행을 쌓다.
――くぎょう【――苦行】图ス自 난행고행.

なんきょく【南極】图 남극. ¶～圏けん 남극권 / ～探険たんけん 남극 탐험. ↔北極ほっきょく.
――かい【――海】图 남극해. 参考 '南氷洋なんぴょうよう'의 고친 이름.

なんきょく【難局】图 난국. ¶～に処しょする 난국에 처하다 / ～を打開だかいする 난국을 타개하다 / ～を乗のり切きる 난국을 극복하다.

なんきょく【難曲】图 난곡; 어려운 곡. ¶巧たくみに～をひきこなす 어려운 곡을 능란하게 연주해내다.

なんきんじょう [南京錠] 图 맹꽁이자물쇠. ¶～をおろす 맹꽁이자물쇠를 채우다.

なんきんまめ〘南京豆〙图〘植〙땅콩. ＝「らっかせい.

なんきんむし〘南京虫〙图 **1** 빈대. **2**〈俗〉극히 작은 여성용 금딱지 손목시계.

なんきん【軟禁】图ス他 연금. ¶～状態じょうたい 연금 상태 / 自宅じたくに～される 자택에 연금당하다.

なんくせ【難癖】图 비난할 결점; 트집.
――をつける 트집을 잡다. ¶難癖をつけて金品きんぴんをゆする 트집을 잡아 금품을 강탈하다.

なんくん【難訓】图 한자의 '訓読くんよみ(＝훈독)'가 어려움; 또, 그 글자.

なんご [喃語] 图ス自 **1** 남녀가 의좋게 속삭임; 또, 그 말. **2** (젖먹이의) 옹알이. ¶～期き 유아의 옹알이 시기.

なんこう [軟膏] 图 연고. ¶ペニシリン～ 페니실린 연고 / 出来物できものに～をつける 부스럼에 연고를 바르다. ↔硬膏こうこう.

なんこう【難行】图ス自 난행; 일이 잘 진척되지 않음. ¶行軍こうぐんが～する 행군이 잘 나아가지 못한다.

なんこう【難航】图ス自 난항. ¶舟ふねが～する 배가 난항하다 / 捜査そうさが～する 수사가 난항을 겪다.

なんこうがい [軟口蓋] 图〘生〙연구개. ¶～音おん 연구개음. ↔硬口蓋こうこうがい.

なんこうふらく【難攻不落】图 난공불락. ¶～の要塞ようさい 난공불락의 요새.

なんごく【南国】图 남국. ¶～情緒じょうちょ 남국 정서. ↔北国ほっこく.

なんこつ【軟骨】图 연골; 물렁뼈. ¶～魚ぎょ 연골어 / ～組織そしき 연골 조직. ↔硬骨こうこつ.

なんざん【難産】图ス自 난산. ¶お産さんは～であった 해산은 난산이었다 / ～の末すえ、法案ほうあんが成立せいりつする 난산 끝에 법안이 성립하다. ↔安産あんざん.

なんじ【何時】图 하시; 몇 시((시간을 묻는 말)). ＝いくじ·いくどき. ¶～ですか 몇 시입니까 / 今いま～ごろだろう 지금 몇 시쯤 됐을까.

なんじ【難事】图 난사; 처리·해결이 어려운 일. ¶～中ちゅうの～ 난사 중의 난사 / 進すすんで～に当あたる 자진하여 어려운 일에 임하다.

なんじ【難治】图 난치; 병이 낫기 어려

움. ＝なんち. ¶ ~の病(やまい) 난치병.

なんじ【爾·汝】代〈雅〉너; 그대《동년배 이하에게 씀》. ¶ ~みずからを知(し)れ 너 자신을 알라 / ~の隣人(りんじん)を愛(あい)せよ 네 이웃을 사랑하라.

なんしき【軟式】名 연식. ¶ ~テニス 정구. ↔硬式(こうしき).

なんしつ【軟質】名 연질. ¶ ~米(まい) 연질미 / ~ビニール 연질 비닐. ↔硬質(こうしつ).

なんじゃく【軟弱】名ダナ 연약. **1** 무르고 약함. ¶ ~な体質(たいしつ) 연약한 체질. **2** 의지·태도가 약함. ＝弱腰(よわごし). ¶ ~外交(がいこう) 저자세 외교. ↔強硬(きょうこう).

なんじゅう【難渋】名ナ スル自 난삽; 일이 술술 나가지 못함. ¶ ~な文章(ぶんしょう) 난삽한 문장 / 交渉(こうしょう)は~している 교섭은 어려움을 겪고 있다.

なんしょ【難所】名 험한 곳. ¶ ~に差(さ)しかかる 험한 길로 접어들다.

なんしょく【難色】名 난색. ¶ ~をしめす 난색을 보이다.

なんしん【南進】名スル自 남진; 남하. ¶探険隊(たんけんたい)は一路(いちろ)~した 탐험대는 일로 남진했다. ↔北進(ほくしん).

なんすい【軟水】名〔化〕연수; 단물. ↔硬水(こうすい).

なん-ずる【難ずる】サ変他 힐난하다; 나무라다; 비난〔비방〕하다. ¶怠慢(たいまん)を~ 태만을 꾸짖다.

なんせい【南西】名 남서. ¶ ~側(がわ) 남서쪽 / ~に針路(しんろ)をとる 남서로 침로를 잡다. ↔北東(ほくとう).

なんせん【難船】名スル自 난선; 난파(선). ¶ ~を救(すく)う 난파선을 구조하다.

ナンセンス [nonsense] 名ダナ 난센스. ＝ノンセンス. ¶ ~な話(はなし) 난센스 같은 얘기 / ~ギャグ 난센스 개그 / そりゃ~だよ君(きみ) 그건 난센스일세, 자네.

なんせんほくば【南船北馬】名スル自 남선북마; 늘 사방으로 여행함. ¶東奔西走(とうほんせいそう)~ 동분서주 남선북마. 参考 중국의 남부는 강이 많아서 배가, 북부는 육지가 많아서 말이 첫째가는 교통수단이었던 데서.

なんぞ〖何ぞ〗《'なにぞ'의 전와(転訛)》 一 連語 **1** 어째서; 어찌; 왜. ¶ ~知(し)らん 어찌 알았으랴《반어(反語)》. **2**〈方〉무엇인가. ¶ ~面白(おもしろ)いものはないか 뭔가 재미있는 일은 없을까. **3** 무슨 일인가; 뭐냐. ¶人生(じんせい)とは~や 인생이란 뭐냐. 二 副助〈俗·老〉따위; 등. ＝など. ¶彼(かれ)~人間(にんげん)のくずだ 그 같은 자는 인간 쓰레기다 / そんな事(こと)~知(し)らない 그런 일 따윈 모른다.

なんだ〖何だ〗一 連語〈口〉**1** 뭐냐. ¶あの騒(さわ)ぎは一体(いったい)~ 저 소동은 대체 뭐냐. **2** 뭣하다. ¶もし~ったら肩(かた)がわりしてもいいんですよ 혹 뭣하면 대신 맡아 해도 좋아요. 二 感 **1** 뭐야. ¶ ~, また雨(あめ)か? 뭐야, 또 비야 / ~, こんなこともわからないのか 뭐야, 이런 것도 몰라. **2** 뭐. ¶ ~, これくらいの傷(きず) 뭐 이까짓 상처.

なんだ 連語〈口〉☞なのだ. ¶室内(しつない)でタバコを吸(す)ってはだめ~よ 실내에서 담배를 피우면 안 돼요.

なんだい【難題】名 **1** 난제; 어려운 문제나 과제. ¶ ~を出(だ)す 어려운 문제〔시제〕를 내다 / ~と取(と)り組(く)む 어려운 문제와 씨름하다 / ~に頭(あたま)を抱(かか)える 난제에 머리를 싸매다. **2** 무리한 주문; 생트집. ¶無理(むり)~を吹(ふ)っかける 생트집을 잡다.

なんたいどうぶつ【軟体動物】名〔動〕연체동물.

*__なんだか__〖何だか〗連語 **1**《副詞적으로》왜 그런지; 어쩐지. ＝なんとなく. ¶ ~悲(かな)しい 왠지 (모르게) 슬프다 / ~変(へん)だ 왠지 이상하다 / ~気(き)にかかる 어쩐지 마음에 걸린다. **2** 무엇인지. ¶何(なに)が~分(わ)からない 뭐가 뭔지 모르겠다.

なんたって〖何たって〗連語〈俗〉무어라고〔뭐니뭐니〕해도; 아무튼. ¶ ~足(あし)が速(はや)いからかなわない 어쨌든 걸음이 빠르니 당할 수 없다. 参考 '何(なん)と言(い)ったって'의 압축된 말씨.

なんだって〖何だって〗一 連語 **1** 왜; 어째서. ¶ ~隠(かく)すんだ 어째서 숨기느냐 / ~泣(な)くんだ 왜 우는 거냐. **2** 무엇이든; 뭐든지. ¶ ~いいよ 무엇이든 좋아요. 二 感 뭐; 무엇이. ¶ ~, あいつが死(し)んだと 뭐, 그 녀석이 죽었다고 / ~, 居(い)ないって? 뭣이, 없다고.

なんたる〖何たる〗一 連語 무엇인가; 뭐라는. ¶人生(じんせい)の~かを語(かた)る 인생이 무엇인가를 이야기하다. 二 連体 몹시 놀라거나 개탄함을 나타냄: (이) 무슨; (이) 어찌 된. ¶ ~ざまだ 무슨 꼴이냐 / ~醜態(しゅうたい)だ 이 무슨 추태냐 / ~ことだ 이게 어찌 된 일이냐.

なんたん【南端】名 남단. ¶日本(にほん)の最(さい)~ 일본의 최남단. ↔北端(ほくたん).

なんちゃくりく【軟着陸】名スル自 연착륙. ＝ソフトランディング.

なんちゅう【南中】名スル自〔天〕남중. ¶太陽(たいよう)が~する時(とき) 태양이 남중할 때.

なんちょう【軟調】名ナ 연조. **1**〔經〕시세의 내릴 기미. ¶株(かぶ)が~を示(しめ)す 주식 시세가 연조를 보이다. **2** 사진에서, 흑백의 콘트라스트가 약함. ⇔硬調(こうちょう).

なんちょう【難聴】名 난청. ¶ ~地域(ちいき) 난청 지역 / 老人性(ろうじんせい)~ 노인성 난청.

*__なんて__〖何て〗連語〈口〉**1** ☞なん(何)と 2. ¶ ~親切(しんせつ)な人(ひと)だろう 이 얼마나 친절한 사람인가. **2** ☞なんという. ¶ ~名前(なまえ)だったかな 뭐라는 이름이었더라.

なんて〖何て〗副助〈俗〉**1** …라고는; …라는. ¶いやだ~言(い)えないよ 싫다고는 할 수 없어요 / 田中(たなか)~いう人(ひと)は知(し)らない 田中라는 사람은 모른다. **2** …이라니. ¶彼(かれ)が病気(びょうき)だ~うそだ 그가 병에 걸리다니 거짓말이다. **3** …따위. ¶勉強(べんきょう)~いやだ 공부 따위는 싫다 / 野球(やきゅう)~つまらない 야구 따위는 시시하다. **4** …이라니; …하다니; …있다니. ¶彼(かれ)が医者(いしゃ)だ~信(しん)じられない 그가

의사라니 믿기지 않는다. 参考 1은 'などと', 2는 'などとは', 3은 'など'의 전와(轉訛).

なんで〖何で〗副 어째서; 왜. =どうして·なぜ. ¶~そんなことをするのか 어째서 그런 일을 하느냐/~いけないんだ 왜 안되는 거야/~忘れられよう 어찌 잊을 수 있겠는가. 参考 반어(反語)를 수반하는 일이 많음.

なんてき【難敵】名 난적; 힘겨운 적·상대. ¶~を倒す 난적을 쓰러뜨리다.

*なんでも〖何でも〗副 1 무엇이든지; 모두. ¶~食う 무엇이나 먹다/~やる 무슨 일이나 한다/~そろっている 무엇이든 갖춰져 있다. 2 기어코; 어떻든지; 여하튼. ¶~行くと言ってきかない 기어코 가겠다고 고집을 부린다/なにが~勝つ 어떤 일이 있어도 이긴다. 3 확실히는 모르나; 어쩌면. ¶~彼は大分儲けたそうだ 잘은 모르나 그는 꽤 돈을 벌었다고들 한다.

――かでも〖――彼でも〗副 1 이것저것 모두; 모조리. =なにもかも. 2 어떤 일이 있어도; 반드시; 기어코. ¶~,とにかくやるんだ 무슨 일이 있어도 하고 볼 거야. 参考 口語形은 'なんでもかんでも'.

――ない 連語 아무것도 아니다. ¶風邪ぐらい~ 감기쯤 아무것도 아니다/それくらいのご用は~事です 그 정도 용건은 간단한 일입니다.

なんでもや【なんでも屋】《何でも屋》名 1 무엇에나 손대기를 좋아하는 사람. 2 무엇이나 두루 할 수 있는 사람; 만능꾼. 3 ☞よろずや.

なんてん【南天】名 남천. 1 남쪽 하늘. 2【なんてん】〔植〕남천촉.

なんてん【難点】名 난점. 1 곤란한 점. ¶~を克服する 난점을 극복하다. 2 비난할 점; 결점. ¶~を見出せない 결점을 찾을 수 없다/高いのが~だ 비싼 것이 결점이다.

なんと【南都】名 (京都를 '北都'라 하는 데 대해) 平城京가 있었던 '奈良'의 딴 이름.

なんと〖何と〗連語 'なにと'의 음편(音便). 1 어떻게. ¶~しよう 어떻게 할까/~したものだろう 어떻게 된 일일까. 2 얼마나; 대단히; 참. ¶~美しい人だろう 얼마나 아름다운 사람인가. 参考 口語形은 'なんて'.

なんと 副助 …라고; …따위. ¶寂しい~いうことはありません 쓸쓸하달 것은 없습니다.

なんど【何度】名 몇 번; 여러 번. =何べん. ¶~も言った通り 몇 번이나 말했듯이/~いってもわからない 몇 번 말해도 알아듣지 못한다/あの山には~も登った 저 산은 여러 번 올라갔었다.

なんど【納戸】名 1 (옷·가구 따위를) 간수해 두는 방; 헛방(房). =お納戸. 2 '納戸色'의 준말. 「お納戸色.

――いろ【――色】名 쥐색을 띤 남빛. =

なんど【難度】名 난도; 어려운 정도. ¶~が高いわざ 고난도의 기술.

なんど 副助 …따위. ¶おまえ~の知ったことか 너 따위가 알 바 아니다.

なんという〖何と言う〗連語 1 뭐라고 하는; 뭐라는. ¶~人か 뭐라는 사람인가/~病気か知らない 뭐라는 병인지 모른다. 2 뭐라고 꼬집어 말할 수 없는; 어쩌면. ¶~いくじの無い奴か 어쩌면 (그토록) 변변치 못한 녀석일까. 3 이렇다 할; 특별한. ¶~事は無い 이렇다 할 일은 없다. 注意 1의 口語形은'なんていう'.

なんといっても〖何と言っても〗連語 뭐니 뭐니 해도. ¶~これが一番いい 뭐니 뭐니 해도 이게 제일 좋다/~あいつは秀才だよ 뭐니 뭐니 해도 그 녀석은 수재야.

なんとう【南東】名 남동; 동남쪽. ¶~の風 남동풍. ↔北西.

なんとう【軟投】名〔野〕연투; 투수가 느린 공이나 변화구를 많이 던짐. ¶~型の投手 연투형의 피처.

*なんとか〖何とか〗連語 1 ㉠뭐라고. ¶~言う会社 뭐라든가 하는 회사/~言って行け 뭐라고 한마디 하고 가게. ㉡무엇(('ばか(=바보)'의 완곡한 말씨)). ¶~とはさみは使いよう 뭣〔바보〕하고 가위는 다루기 나름이다. 2 어떻게(든); 그럭저럭; 간신히. ¶~しよう 어떻게든 해 보겠다/~入学できた 그럭저럭〔가까스로〕입학했다/~なるさ 어떻게(든) 되겠지/~工面してくれ 어떻게든 좀 마련 해주게. 参考 힘줌말은 'なんとかかんとか'.

――かとか〖――彼とか〗連語 이것저것; 그럭〔이럭〕저럭; 이렇게 저렇게. =なんとかかんとか.

なんどき〖何時〗名 1 하시; 몇 시; 어떤 시각. =なんじ. ¶今,~か 지금 몇 시냐. 2 언제; 어느 때. =いつ. ¶いつ~でも 언제 어느 때라도/いつ~事故に遭うかわからない 언제 어느 때 사고를 당할지 알 수 없다.

なんどく【難読】名 난독. ¶~字〔人名〕읽기 어려운 글자〔인명〕.

なんとしても〖何としても〗連語 1 어떻게 하든; 어떻게든(지). =どうしても. ¶~勝ちたい 어떻게든 이기고 싶다. 2 아무리 해도. =どうしても. ¶~勝てない 아무리 해도 못 이긴다.

*なんとなく〖何と無く〗連語 1 왠지 모르게; 어쩐지. =どことなく. ¶~気分が悪い 어쩐지 기분이 나쁘다/~気にかかる 어쩐지 걱정이 된다. 2 무심히; 아무 생각 없이. ¶~口をすべらしてしまった 무심히 입 밖에 내고 말았다. 3 이렇다 할 것도 없이; 평범하게. ¶~一生を送ってしまった 특별한 일도 없이 일생을 보내 버렸다. 参考 'なんとはなしに' 라고도 함.

なんとはなしに〖何とは無しに〗nantowanashini 連語 왠지 모르게; 왜 그런지. =なんとなく. ¶~いや気(き)がさした 왠지 모르게 싫증이 났다/~そうする気(き)になった 왠지 모르게 그렇게 할 마음이 생겼다.

***なんとも** 〖何とも〗 副 **1**《感動詞적으로》 정말; 참으로; 아무튼. ¶~大変(たいへん)な〔困(こま)った〕事(こと)になった 정말 큰일났다〔곤란하게 되었다〕/~見事(みごと)な事(こと)でした 참으로 훌륭한 일이었습니다/~申(もう)しわけない 정말 미안하다. **2**《否定이 따라서》 ㉠뭐라고; 무엇인지. ¶~言(い)えない美(うつく)しさ 뭐라 말할 수 없는 아름다움/~説明(せつめい)がつかない 뭐라고 설명을 할 수 없다. ㉡대단한 것은 아니다의 뜻을 나타냄. ¶~思(おも)わない 아무렇게도 생각지 않는다/ころんだが, ~なかった 넘어졌지만, 아무렇지도 않았다.

なんとやら 〖何とやら〗 連語 뭐라든가; 뭐라고. =なんとか. ¶~言(い)う人(ひと)が来(き)ました (이름이) 뭐라든가 하는 사람이 왔습니다/彼(かれ)は~言って去(さ)った 그는 뭐라고 말하고 가 버렸다.

なんなく 【難なく·難無く】 副 무난히; 쉽게; 쉽사리. =たやすく. ¶~合格(ごうかく)した 무난히 합격했다.

なんなら 〖何なら〗 副 뭣하면; 괜찮다면. ¶~私(わたし)が行(ゆ)きます 뭣하면 제가 가겠습니다/ビールが~, ジュースにしますか 맥주가 뭣하면 주스로 하시겠습니까.

なんなりと 〖何なりと〗 連語 무엇이든; 무엇이건. ¶~おっしゃってください 무슨 말씀이든 해 주십시오/~お手伝(てつだ)いしましょう 무엇이든 도와 드리겠습니다.

なんなん 〖喃喃〗 名 トタル 남남; 재잘거리는 모양; 재잘재잘. ¶喋喋(ちょうちょう)~ 남남첩첩《수다스럽게 재잘거림》.

なんなんせい 【南南西】 名 남남서. ↔北北東(ほくほくとう).

なんなんとう 【南南東】 名 남남동. ↔北北西(ほくほくせい).

なんなん と-する 〖垂んとする〗 サ変自 (막) 되려고 하다; 거의 …에 이르다〔가깝다〕. ¶三時間(さんじかん)に~熱戦(ねっせん) 거의 세 시간에 이르는 열전.

なんにち 【何日】 名 며칠; 며칟날. ¶~かかりますか 며칠 걸립니까/今日(きょう)は~ですか 오늘은 며칠입니까.

***なんにも** 〖何にも〗 副《다음에 否定語가 따름》 아무것도. **1** 아무 결과도. ¶それでは~ならない 그래서는 아무것도 안 된다. **2** 어떤 …도; 조금도; 전혀. ¶~聞(き)いていない 아무 말도 듣지 못했다/~しない 아무 것도 안 하다. 參考 '何(なに)も'의 힘줌말.

なんにょ 【男女】 名 남녀. =だんじょ. ¶老若(ろうにゃく)~ 남녀노소.

なんにん 【何人】 名 몇 사람. ¶~ぐらい集(あつ)まったか 몇 사람쯤 모였는가.

なんねん 【何年】 名 몇 년; 몇 해; 몇 살. =いく年(ねん). ¶完成(かんせい)に~かかりましたか 완성하는 데 몇 년 걸렸습니까/いま中学校(ちゅうがっこう)の~ですか 지금 중학교 몇 학년입니까.

なんねん 【難燃】 名 난연; 잘 타지 않음. ¶~性(せい) 난연성/~処理(しょり) 난연 처리.

なんの 〖何の〗 ㊀連語 **1** 무슨; 어떤; 무엇(을 위한). ¶庭(にわ)には~木(き)を植(う)えようか 마당에는 무슨 나무를 심을까/それ~本(ほん)だい 그거 무슨 책인가. **2** 별다른; 별로; 아무런. ¶~飾(かざ)りもない 아무런 꾸밈도 없다/~苦労(くろう)もなくやってのけた 별로 힘들이지 않고 해치웠다. ㊁副 **1**《'…の~'의 꼴로》 이것저것; 어쩌니 저쩌니. ¶つらいの~と泣(な)き言(ごと)を並(なら)べる 힘들다느니 어쩌니 하고 우는소리를 늘어놓다. **2**《형용할 수 없는 마음을 나타냄》 …이란 정말이지. ¶痛(いた)いの~, 声(こえ)も出(で)なかった 아프고 뭐고, 목소리도 안 나왔다. 參考 두 개의 'の'는 병렬(竝列)의 뜻의 助詞. ㊂感 뭘. ¶~, それしきの事(こと)で 뭘 그까짓 일로〔일쯤 가지고〕.

なんのかのと 〖何の彼のと〗 連語 이러니 저러니; 이러쿵저러쿵. ¶~言(い)ってはこづかいをせびる 이러니저러니 하면서 용돈을 조르다.

なんのことはない 〖何の事は無い〗 連語 **1** 대단치 않다; 별일 없다; 아무 일도 없다. ¶慣(な)れてしまえば~ 익숙해지고 보면 별것 아니다. **2** 예상이 어긋나다; 생각과 다르다. ¶~, 日本記録(にほんきろく)に遠(とお)く及(およ)ばなかった 생각과는 달리 일본 기록에 훨씬 못 미쳤다.

なんのその 〖何のその〗 連語 상관〔걱정〕 없다; 아무것도 아니다. ¶試験(しけん)なんて~ 시험 따윈 아무것도 아니다.

なんば 【難場】 名 어려운 고비〔장면, 경우, 곳〕; 난관. =難所(なんしょ). ¶~を切(き)り抜(ぬ)ける 어려운 고비를 넘기다.

なんぱ 【軟派】 名 연파. **1** 온건파. =ハト派(は). ¶~議員(ぎいん) 온건파 의원. **2** ㉠연(軟)문학 (애호자). ㉡이성과의 교제나 화려한 옷차림을 즐기는 청소년. ¶~学生(がくせい) 연파 학생. ㉢신문에서 사회·문화면을 담당하는 기자.

なんぱ 【難破】 名 ス自 난파. ¶~船(せん) 난파선/台風(たいふう)で船(ふね)が~する 태풍으로 배가 난파하다.

ナンバー [number] 名 넘버. **1** 번호. ¶自動車(じどうしゃ)の~ 자동차(의) 넘버/~を打(う)つ 넘버를 찍다〔매기다〕. **2** (잡지 따위의) 호수. ¶バック~ (잡지의) 지난 호수. **3** (재즈 따위의) 곡목. ¶ジャズ~ 재즈 곡목.

ナンバーワン [number one] 名 넘버 원; 제일인자; 제일호. ¶実力(じつりょく)~の投手(とうしゅ) 실력 넘버 원의 투수.

なんばん 【何番】 名 몇 번; 몇 째.

なんばん 【南蛮】 名 **1** 남만; 남쪽 야만인. 參考 옛날 중국에서 인도차이나 등지의 여러 민족을 가리킨 이름. ⇨北狄(ほくてき). **2** (室町(むろまち) 시대에서 江戸(えど) 시대에

이르기까지) 해외 무역의 대상이 된 동남아시아(에 식민지를 가진 포르투갈·스페인)의 일컬음.

―せん【―船】图 남쪽에서 온, 서양인이 탄 외국선.

なんぴと【何人】图 어떤 사람; 누구. ＝だれ. ¶～たりとも口出(くちだ)しを許(ゆる)さない 어느 누구도 말참견하는 것을 용납지 않는다. 注意 'なんびと' 라고도 함.

なんびょう【難病】图 난치병. ¶～を克服(こくふく)する 난치병을 극복하다.

なんぴょうよう【南氷洋】图〘地〙남빙양(《'南極海(なんきょくかい)'의 구칭》). ¶～の捕鯨(ほげい) 남빙양의 고래잡이. ↔北氷洋(ほっぴょうよう).

なんぶ【南部】图 남부. ¶島(しま)の～ 섬의 남부. ↔北部(ほくぶ).

なんぷう【南風】图 **1** 남풍. ＝はえ. ↔北風(ほくふう). **2** 여름 바람.

なんぶつ【難物】图 난물; 다루기 어려운 물건·사람. ¶叔父(おじ)はなかなかの～だから, 説得(せっとく)は容易(ようい)でない 숙부는 아주 까다로운 분이라 설득은 쉽지 않다.

なんぶん【難文】图 난문; 어려운 문장.

なんぶんがく【軟文学】图 연문학; 남녀의 애정을 다룬 문학; 연애 소설.

なんべい【南米】图 남미; 남아메리카. ↔北米(ほくべい)·中米(ちゅうべい).

なんべん【軟便】图 연변; 무른 대변.

なんぼ 副〈俗〉**1** 얼마; 얼마나. ＝いくら. ¶一(ひと)つ～か 하나에 얼마냐 / この本(ほん)～するか 이 책은 얼마냐 / ひとりぼっちは～寂(さび)しかろう 외돌토리는 얼마나 쓸쓸할까. **2** 얼마든지. ¶ほしければ～でも持(も)って行(い)け 갖고 싶으면 얼마든지 가지고 가거라. **3** 아무리. ¶～やってもだめだ 아무리 해도 허사다 / ～教(おし)えても分(わ)からない 아무리 가르쳐도 모른다. 注意 'なにほど' 의 전와.

―なんでも 아무리 그렇다 하더라도. ¶～これはひどい 아무리 그렇다 해도 이건 너무하다.

なんぽう【南方】图 **1** 남방. ↔北方(ほっぽう). **2** 남양; 동남아시아 지역. ¶～で終戦(しゅうせん)を迎(むか)えた 남양에서 종전을 맞았다.

なんぼく【南北】图 남북. ¶東西(とうざい)～ 동서남북 / 国(くに)が～に分(わ)かれる 나라가 남북으로 갈라지다. ↔東西(とうざい).

―ちょうじだい【―朝時代】图〘史〙남북조 시대. **1** 중국에서, 송나라가 일어나서부터 진(陳)나라가 수(隋)나라에 망할 때까지의 시대(《420-589》). **2** 일본에서, 後醍醐天皇(ごだいごてんのう)가 吉野(よしの)에 세운 남조와 足利尊氏(あしかがたかうじ)가 京都(きょうと)에 세운 북조의 두 조정이 대립하던 시대(《1336-92》). ＝吉野朝(よしのちょう)時代.

なんみん【難民】图 난민. ¶～救済(きゅうさい) 난민 구제 / ～キャンプ 난민 캠프.

なんめん【南面】图区自 남면; 또, 남쪽으로 향해 있음. ¶山(やま)の～から雪(ゆき)が消(き)えた 산의 남면에서부터 눈이 녹아 없어졌다. ↔北面(ほくめん).

なんもん【難問】图 난문. ¶～難題(なんだい) 난문난제; 어려운 문제 / ～をかかえる 난문제를 떠안다 / ～にぶつかる 난문에 부딪히다 / ～に取(と)り組(く)む 어려운 문제와 씨름하다.

なんやく【難役】图 난역. ¶～をこなす 어려운 역할을 잘 해내다.

なんよう【南洋】图〘地〙남양. **1** 말레이 군도·필리핀 군도 따위의 총칭. ¶～貿易(ぼうえき) 남양 무역. **2** (태평양에서) 적도 주변의 해역. ↔北洋(ほくよう).

なんら〖何等〗副《뒤에 否定이 따름》하등; 아무런; 조금도. ¶～の困難(こんなん)〔効果(こうか)〕もない 아무런 곤란〔효과〕도 없다 / ～の処置(しょち)もとらない 아무런 조처도 취하지 않다 / ～得(う)るところがない 조금도 얻는 바가 없다.

―か 連語 무엇인가 좀; 조금은; 얼마간; 어떠한. ¶～の報酬(ほうしゅう) 얼마간의 보수 / ～の形(かたち)で実現(じつげん)したい 어떤 형태로든 실현시키고 싶다.

なんろ【難路】图 험한 길; 험로. ¶～に差(さ)しかかる 험난한 길에 접어들다.

に ニ

1 五十音図(ごじゅうおんず) 'な行(ぎょう)' 의 둘째 음. [ni] **2**〘字源〙'仁' 의 초서체(《かたかな 'ニ' 는 한자의 '二'》).

****に【二】**图 **1** 둘. ¶一(いち)足(た)す一(いち)は～ 하나 더하기 하나는 둘. **2** 두 번째. ¶～の矢(や) 두 번째 (쏘는) 화살 / ～の膳(ぜん) 곁상. ⇨ にのあし·にのく(句).

に【荷】图 짐. ＝にもつ. ¶～を積(つ)む 짐을 싣다 / 両手(りょうて)に～を下(さ)げる 양손에 짐을 들다 / 肩(かた)の～をおろす 어깨의 짐을 내리다(《부담·책임을 벗다》).

―が下(お)りる 책임이나 부담이 없어지다. ¶借金(しゃっきん)を返(かえ)して荷が下りた 빚을 갚아 홀가분하다.

―が勝(か)つ 짐〔책임〕이 힘에 겹다.

―になる 짐〔부담〕이 되다. ¶とんだ～ 엉뚱한〔큰〕부담이 되다.

に【煮】图 **1** 익은〔끓은, 삶은〕정도. ¶まだ～が足(た)りない 아직 덜 익었다〔끓었다〕. **2**《接尾語적으로》삶은〔끓인, 익힌〕요리. ¶水(みず)～ 백숙 / いとこ～ 된장찌개의 일종. 「조.

ニ 图〘樂〙라; D음. ¶～長調(ちょうちょう) 라장

=に【似】 '닮음' 의 뜻을 나타냄. ¶母親(ははおや)～の子(こ) 어머니를 닮은 아이 / 他人(たにん)の空(そら)～ 남남인데 우연히 닮음.

に 一終助 **1** 동작·작용이 행해져 나타나는 또는 미치는 (시간적·공간적·심리적인) 위치나 그곳을 차지하는 사물을 정

적(静的)으로 나타낼 때 씀. ㉠때를 가리킴: …에. ¶卒業～際して 졸업에 즈음하여 / 暗いうち～起きる 아직 어두울 때 일어나다. ㉡장소·방향을 가리킴: …에; …으로〔로〕. ¶都〔アパート〕～住む 서울〔아파트〕에 살다 / 右～まがる 오른쪽으로 돌다 / 空～星がまたたく 하늘에 별이 깜빡이다. ㉢동작·작용이 미치는 곳 특히, 귀착점이나 그 동작의 대상을 나타냄: …에게; …에; …을〔를〕. ¶父～手紙を出す 아버지에게 편지를 내다 / 君～だけ話す 자네에게만 말한다 / 汽車～乗る 기차를 타다 / ソウル～着く 서울에 도착하다. ㉣목적을 가리킴: …에; …하기 위해서; …하러. ¶気休め～言う 안심시키기 위해서 말하다 / 釣り～行く 낚시질하러 가다 / 頭痛～効く 두통에 듣다. ㉤그 동작·작용이 일어나는 근원을 가리킴: …에서. ¶母親が子～泣かれる 어머니가 아들에게 졸리다 / 先生～褒められる 선생님한테 칭찬받다. ㉥비교의 기준이 됨을 나타냄: …에; …과〔와〕. ¶一日～一度 하루에 한 번 / 兄は父～似ている 형은 부친을 닮았다 / 海～近い町 바다에 가까운 읍. ㉦원인·계기가 됨을 가리킴: …으로〔로〕. ¶あまりのうれしさ～泣き出した 너무 기뻐서 울음을 터뜨렸다 / 虫の音～故郷をしのぶ 벌레소리에 고향을 그리다. **2** 어느 상태·자격 따위를 나타내는 데 씀. ㉠어느 자격으로서의 뜻을 가리킴: …으로. ¶お年玉～百円くれた 세뱃돈으로 백엔을 주었다. ㉡전화(轉化)의 결과를 나타냄: …이; …이〔가〕 되어. ¶星～なりたい 별이 되고 싶다 / 信号が赤～変わる 신호가 빨강으로 바뀌다. 參考 'と'로 나타내는 일이 많으나, 그 전화(轉化)를 자연스럽게 받아들이는 경우에는 'に'를 쓰는 경향이 있음. ㉢상태를 나타냄. ¶ぴかぴか～光る 번쩍번쩍 빛나다. ㉣『…ず～』 …하지 않고서. ¶食べず～おく 먹지 않고 두다 / 会わず～帰る 만나지 않고 돌아오〔가〕다. **3** 《반복된 같은 말 사이에서》 동작 등의 계속·반복을 나타내어 강조하는 말투로 쓰임. ¶考え～考えた末 생각하고 생각한 끝에 / 泣く～泣けぬ思い 울려야 울 수 없는 심정 / 言う～言われぬ苦しみ 말하려야 말할 수 없는 고통《말로 다할 수 없는 고통》 / 泣き～泣く 울고 (또) 울다 / 待ち～待った 기다리고 기다렸다 / 行く～は行くが少し遅れる 가긴 가지만 좀 늦는다. **4** 《体言과 体言을 이어》 ㉠첨가됨을 나타냄: …에. ¶かかあ天下～からっ風 엄처시하에 강바람《설상가상》 / 鬼～金棒 범에 날개. ㉡열거나 병기를 나타냄. ¶パン～ミルク～卵 빵에 밀크에 달걀 / ビール～サイダー～ 맥주며 사이다며. 三 終助 그대로 되지 않은 일에 대하여, 그것이 실현되었을 경우를 상정(想定)해서 말할 때 씀: …하〔했으〕면 좋겠다; …(했으)면 …텐데. ¶ああしておけばよかったろう～ 그렇게 해 두었더라면 좋았을 것을 / もしもあの車両に乗っていたら, 死んでいたであろう～ 만일 저 차량에 타고 있었더라면 죽었을 것을.

に〖二〗教1 ニ ジ / ふた ふたつ |이 둘| **1** 이; 둘. ¶二人 두 사람 / 一日二食 하루 두 끼. 參考 금전에 관한 문서 등에서 '弐'를 쓸 때가 있음. **2** 둘로 하다; 양분하다. ¶二分 이분; 둘로 나눔 / 二心 이심; 두〔딴〕 마음.

に〖尼〗常用 ニ ジ / あま |니 중| 출가(出家)한 여자; 여승; '比丘尼(=비구니)'의 준말. ¶尼僧 여승 / 僧尼 중과 여승.

に〖弐〗(貳) 常用 ニ / ふたつ |이 둘| '二'의 갖은자《금액 등의 기재(記載)에 쓰임》.

にあい【似合い】图 걸맞음; 어울림; 조화(調和)함. ¶～の夫婦〔カップル〕 잘 어울리는 부부〔한 쌍〕.

***にあ-う**【似合う】5自 걸맞다; 어울리다; 조화되다. ¶帽子がよく～ 모자가 잘 어울린다 / 君にも～·わない事をいうね 자네답지도 않은 말을 하는군.

にあが-る【煮上がる】5自 푹 끓다; 충분히 익다. =煮え上がる. ¶豆が～ 콩이 다〔잘〕 익다.

にあげ【荷揚げ】图ス自他 뱃짐을 부림; 또, 그 노동자. ¶貨物を～する 뱃짐을 부리다 / ～を完了する 짐 부리는 일을 끝내다.

にあつかい【荷扱い】图 **1** 화물 취급. ¶～人 (항구 등의) 화물 취급인. ↔客扱い. **2** (노동자의) 화물〔짐〕 다루기. ¶ていねいな～ 조심스러운 화물 다루기 / ～が荒い 화물 다루는 것이 거칠다.

ニアミス [near miss] 图 니어 미스; 이상(異常) 접근《항공기가 공중에서 위험할 정도로 서로 접근하는 일》.

にあわし-い【似合わしい】形 잘 어울리다; 알맞다; 걸맞다. =ふさわしい. ¶服装が～ 복장이 잘 어울리다 / 君には～·くないおこない 너에게는 어울리지 않는 행동.

にい=【新】《名詞 앞에 와서》 새…. ¶～妻 새댁; 갓 맞은 아내.

にいがた【新潟】图〔地〕本州 중부지방 동북부의 동해에 면한 현; 또, 그 현청 소재지.

にいさま [兄様] 图 형님. 參考 'にいさん'보다 더 격식차린 말.

にいさん【兄さん】图 형님. 參考 젊은 남자를 부를 때에도 씀. ¶ちょいと～ 이봐요, 젊은이. ⇒ねえさん.

ニーズ [needs] 图 니즈; 필요성; 요구; 요망. ¶消費者の～にこたえる 소비자의 요망에 부응하다 / 国民の～に

応(おう)じる 국민의 요망에 부응하다.

にいづま【新妻】 名 새댁; 갓 결혼한 아내. ¶初々(うい うい)しい～ 앳되고 청순한 새색시.

ニーハオ [중 你好] 感 니하오; 안녕하세요.

にいぼん【新盆】 名 그 사람의 사후(死後) 처음 맞는 우란분(盂蘭盆). ＝あらぼん·はつぼん·しんぼん.

にいん【二院】 名 이원; 상·하원《일본서는 衆議院(しゅうぎいん)과 参議院(さんぎいん)》.

—せい【—制】 名 이원〔양원〕제. ＝両院(りょういん)制. ↔一院(いちいん)制.

にうけ【荷受け】 名スル自他 수화(受貨); 보내온 짐을 찾아 받음. ↔荷送(におく)り.

—にん【荷受人】 名 수화인.

にうごき【荷動き】 名 (상거래에 따른) 화물의 이동; 물류(物流). ¶～が活発(かっぱつ)だ〔鈍化(どんか)する〕 물류가 활발하다〔둔화되다〕.

にうま【荷馬】 名 짐말. ＝駄馬(だば).

にえかえ-る【煮え返る】 5自 부글부글 끓다. 1 끓어오르다. ¶湯(ゆ)が～ 물이 부글부글 끓다／～ような騒(さわ)ぎである 뒤끓듯한 소동이다. 2 몹시 화가 나다. ¶くやしさで腹(はら)の中(なか)が～ 분해서 속이 부글부글 끓다. 参考 힘줌말은 '煮えくり返る'.

にえきらない【煮え切らない】 連語 (생각이나 태도가) 분명치 않다; 애매하다; 미적지근하다. ¶～性格(せいかく)〔態度(たいど)〕 미적지근한 성격〔태도〕／～返事(へんじ) 애매한 대답.

にえくりかえ-る【煮え繰り返る】 5自 ☞にえかえる.

にえたぎ-る【煮えたぎる】《煮え滾る》 5自 부글부글〔펄펄〕 끓어오르다. ＝にえかえる. ¶～·った湯(ゆ) 펄펄 끓은 물.

にえた-つ【煮え立つ】 5自 끓어오르다. ＝にえかえる. ¶～湯(ゆ)に入(い)れる 끓어오르는 물에 넣다／汁(しる)が～·っている 국이 부글부글 끓고 있다.

にえゆ【煮え湯】 名 열탕; 끓는 물.

—を飲(の)まされる (믿던 사람에게) 배반당하여 호되게 당하다. ¶力(ちから)を貸(か)してやったのにあとで煮え湯を飲まされた 도와주었는데 훗날 호되게 배신당했다.

*に-える【煮える】 下1自 1 삶아지다; 익다. ¶魚(さかな)がほどよく～ 생선이 알맞게 익다／～·え過(す)ぎる 너무 삶아지다. 2 물이 끓다. ¶湯(ゆ)が～ 물이 끓다. 3 화가 나다. ¶心(こころ)〔胸(むね)·腹(はら)〕が～ 몹시 화가 나다; 분통 터지다.

⁑におい〖匂い〗 名 1 (향긋한) 냄새; 향내; 향기. ＝香(かお)り. ¶菊(きく)のかんばしい～ 국화의 향긋한 냄새／花(はな)の～をかぐ 꽃 냄새를 맡다. ⇨にお(臭)い. 2 정취; 기운(氣韻); 분위기. ¶この小説(しょうせつ)には下町(したまち)の～がない 이 소설에는 서민 생활의 정취가 풍기지 않는다／パリの～のする雑誌(ざっし) 파리의 분위기를 느끼게 하는 잡지.

⁑におい〖臭い〗 名 냄새. 1 나쁜 냄새; 악취. ＝くさみ. ¶腐(くさ)った魚(さかな)の～ 썩은 생선 냄새. 2 나쁜 일을 저지른 듯한 기미; 낌새. ¶犯罪(はんざい)の～のする事件(じけん) 범죄 냄새가 나는 사건.

において〖に於いて〗 連語 1 동작·작용이 행해지는 곳이나 때를 나타냄; …에서; …(때)에. ¶総会(そうかい)は東京(とうきょう)～行(おこな)う 총회는 東京에서 한다. 2 …에 대해서; …에 관해서. ¶学問(がくもん)～, 彼(かれ)にかなう者(もの)はない 학문에 관해 그에 필적할 사람은 없다.

⁑にお-う〖匂う〗 5自 1 (좋은) 냄새가 나다; 향기가 나다. ¶梅(うめ)の香(か)が～ 매화 향기가 풍기다／肉(にく)〔さかな〕を焼(や)くにおいが～·ってくる 고기〔생선〕 굽는 냄새가 풍겨 오다. 2 〈雅〉 색이 아름답게 빛나다. ¶朝日(あさひ)に～やまざくら 아침 해에 빛나는 벚꽃. 3 운치〔정취〕가 있다.

⁑にお-う〖臭う〗 5自 냄새가 나다. 1 악취가 나다. ¶ガス〔くつ下(した)〕が～ 가스〔양말〕 냄새가 나다／君(きみ)は酒(さけ)を飲(の)んだね, ～よ 너 술 마셨구나, 냄새가 나는구먼. 2 〈俗〉 (범죄의) 낌새가 풍기다.

におう【二王·仁王】 名〘佛〙 인왕. ¶～力(りき) 인왕과 같은 큰 힘; 금강력(金剛力).

—だち【—立ち】 名 장승처럼 우뚝 버티어 섬. ¶～になって立(た)ちふさぐ 장승처럼 우뚝 버티어 막아서다.

におくり【荷送り】 名スル自 화물 발송. ¶～人(にん) 하송인; 짐을 보내는 사람. ↔荷受(にう)け.

における〖に於ける〗 連語 동작·작용이 행해지는 곳·때를 나타냄: …(에서)의; …의 경우의. ¶在学中(ざいがくちゅう)～成績(せいせき) 재학 중의 성적／わが国(くに)～教育問題(きょういくもんだい) 우리 나라(에서)의 교육 문제.

におも【荷重】 名ナ 짐〔부담〕이 너무 무거움; 과중함. ¶彼(かれ)には～な役目(やくめ)だ 그에게는 과중한 임무다.

におやか〖匂やか〗 ダナ 1 향기로움. ¶～な花(はな)ばたけ 향기로운 꽃밭. 2 〈雅〉 광택이 있어 아름다운 모양. ¶～な色(いろ) 산뜻하고 아름다운 빛깔.

におわ-す〖匂わす〗 5他 1 향기를 풍기다. ¶香水(こうすい)を～·した晴(は)れ着(ぎ)の女(おんな) 향수 냄새를 풍기는 성장한 여자. 2 아름답게 하다. ¶あたりの空気(くうき)を～一輪(いちりん)の花(はな) 주위의 분위기를 아름답게 하는 한 떨기 꽃. 3 넌지시 비추다; 암시하다. ＝ほのめかす. ¶採用(さいよう)が内定(ないてい)した事(こと)を～ 채용이 내정된 것을 넌지시 비추다.

におわ-す〖臭わす〗 5自 (나쁜) 냄새를 피우다〔풍기다〕. ¶安物(やすもの)の香水(こうすい)をぷんぷん～ 싸구려 향수의 역한 냄새를 마구 풍기다.

におわ-せる〖匂わせる·臭わせる〗 下1他 ☞におわす(匂·臭).

にかい【二階】 名 1 '二階建(だ)て'의 준말. 2 이층. ¶～屋(や) 이층집／～へ上(あ)がる 2층에 올라가다.

—から目薬(めぐすり) 이층에서 안약 넣기《뜻대로 안 됨; 효과가 없음》.
—だて【—建て】图 이층 구조〔건물〕.
⁑にが-い【苦い】形 씁쓸하다. 1 쓰다. ¶~薬(くすり) 쓴 약 / 良薬(りょうやく)は口(くち)に~·し 좋은 약은 입에 쓰다. 2 싫다; 기분이 언짢다. ¶~顔(かお)をする 씁쓸한 표정을 짓다; 찌푸린〔불쾌한〕 얼굴을 하다. 3 괴롭다; 쓰라리다. =つらい. ¶~経験(けいけん) 쓰라린 경험 / ~思(おも)い 괴로운〔씁쓸한〕 생각. 參考 2, 3은 주로 連体形로 쓰임.
にがお【似顔】图 닮은 얼굴; 또, '似顔絵(え)'의 준말.
—え【—絵】图 초상화; 어떤 사람 얼굴을 비슷하게 그린 것. ¶~を描(えが)く 초상화를 그리다.
*にが-す【逃がす】5他 1 놓아주다. ¶かごの鳥(とり)〔釣(つ)った魚(さかな)〕を~ 새장의 새〔낚은 물고기〕를 놓아 주다. 2 놓치다. =のがす·とりそこねる. ¶チャンス〔好機(こうき)〕を~ 찬스〔호기〕를 놓치다 / 惜(お)しくも犯人(はんにん)を~·した 분하게도 범인을 놓쳤다.
—·した魚(さかな)は大(おお)きい 놓친 고기가 더 크다《놓친 것은 무엇이든 더 훌륭하게 생각되게 마련이다》.
⁑にがつ【二月】图 2월. ⇨きさらぎ.
*にがて【苦手】名ナ 1 다루기 어렵고〔거북하고〕 싫은 상대. ¶あのピッチャーは~だ 저 투수는 상대하기 어렵다 / ~どうしの対戦(たいせん) 서로 거북한 상대끼리의 대전. 2 잘하지 못함; 서투름; 또, 그것. =不得手(ふえて). ¶~な科目(かもく) 잘못하는 과목 / 泳(およ)ぎは~だ 수영은 잘 못한다. ↔得手(えて).
にがな〚苦菜〛图〔植〕씀바귀.
にがにがし-い【苦苦しい】形 대단히 불쾌하다; 몹시 싫다; 쓰디쓰다. ¶~経験(けいけん) 쓰디쓴 경험 / ~思(おも)い出(で) 몹시 불쾌한 추억.
にがみ【苦み】《苦味》图 1 씀; 쓴맛. ¶~のある薬(くすり) 쓴맛이 나는 약 / それで~がとれます 그것으로 쓴맛이 없어집니다 / ちょっと~のあるところがよい 약간 쓴맛이 있는 점이 좋다. 2 용모가 옹골차고 야무짐. ¶~のきいた顔(かお) 옹골차고 야무진 얼굴.
にがみばし-る【苦み走る】《苦味走る》5自 (사나이의) 용모가 옹골차고 야무지다. ¶~·ったいい男(おとこ) 야무지고 사나이답게 생긴 호남아.
にがむし【苦虫】图 1 씹으면 쓴맛이 날 것 같은 벌레. 2 불쾌한 느낌을 주는 사람.
—をかみつぶしたよう 벌레라도 씹은 것 같다《몹시 못마땅하여 오만상을 짓는 모양》. ¶~な顔(かお) 못마땅하여 오만상을 찌푸린 얼굴.
にかよ-う【似通う】5自 서로 잘 닮다; 서로 비슷하다. ¶性格(せいかく)が父(ちち)に~·っている 성격이 아버지를 닮았다 / これら二(ふた)つには~·った点(てん)がある 이들 둘 사이에는 서로 비슷한 점이 있다.

にがり〚苦塩·苦汁〛图 간수《두부 만드는 데 쓰임》. =にがしお.
にがりき-る【苦り切る】5自 몹시 불쾌한 표정을 하다; 아주 못마땅한 표정을 짓다. ¶~·った顔(かお) 잔뜩 찌푸린〔못마땅한〕 얼굴; 우거지상 / 仕事(しごと)がうまく行(い)かないので~·っている 일이 잘 안 되어 몹시 찌무룩해 있다.
にかわ〚膠〛图 아교; 갖풀. ¶~質(しつ) 아교질 / ~を煮(に)る 아교를 끓이다 / ~で付(つ)ける 아교로 붙이다.
にがわらい【苦笑い】图ス自 고소; 쓴웃음. =苦笑(くしょう). ¶息子(むすこ)に意見(いけん)されて~する 아들한테 충고를 듣고 쓴웃음을 짓다.
にきさく【二期作】图 이기작《일년에 같은 작물, 주로 벼를 두 번 재배·수확하는 일》. ⇨にもうさく.
にぎにぎし-い〚賑賑しい〛形 매우 번성〔번화〕하다; (들떠) 떠들썩〔명랑〕하다; 북적북적하다. ¶太鼓(たいこ)の音(おと)が~·く聞(き)こえて来(き)た 북소리가 요란스레 들려왔다 / ~·くご来場(らいじょう)のほど, お待(ま)ち申(もう)します 많이 오셔서 성황을 이루어 주시기를 기다리겠습니다.
にきび〚面皰〛图 여드름. ¶~だらけの顔(かお) 여드름투성이의 얼굴 / ~をつぶす 여드름을 짜다 / 額(ひたい)に~ができた 이마에 여드름이 생겼다.
⁑にぎやか〚賑やか〛ダナ 활기참. 1 흥청거림; 번화함; 북적임. ¶~な祭(まつ)り 흥청거리는 축제 / ~な町(まち) 번화한〔북적이는〕 거리 / この辺(へん)も~になった 이 일대도 번화해졌다. 2 명랑하게 떠드는 모양. ¶~な人(ひと) 신나게 잘 떠드는 사람 / ~な会合(かいごう) 활기찬 회합 / ~な笑(わら)い声(ごえ) 명랑한〔떠들썩한〕 웃음소리.
にきょく【二極】图〔理〕2극; 양극.
—か【—化】图ス自 양극화.
にぎら-せる【握らせる】下1他 (뇌물·금품을) 쥐어 주다. =にぎらす·つかませる. ¶いくらか~ 얼마간 쥐어 주다 / 大金(たいきん)を~ (뇌물로) 큰돈을 쥐어 주다 / もみ消(け)し料(りょう)を~ 적당히 무마해 달라고 돈을 쥐어 주다.
にぎり【握り】图 1 움켜쥠. 2 줌《길이·굵기·양》. ¶ふた~半(はん) 두 줌 반《길이》/ 一(ひと)~の米(こめ) 한 줌의 쌀 / バットをひと~あまして握(にぎ)る 배트를 한 줌 정도 (밑으로) 남기고 쥐다. 3 (기물 등의) 쥐는 곳; 손잡이. 4 '握りずし·握り飯(めし)'의 준말. 5 (바둑에서) 돌을 쥠.
にぎりこぶし【握りこぶし】《握り拳》图 1 주먹. =げんこつ·こぶし. ¶~をつくる 주먹을 쥐다. 2 맨주먹; 무일푼. =てぶら. ¶~だけだ 무일푼이다.
にぎりし-める【握り締める】下1他 꽉 쥐다. ¶手首(てくび)〔こぶし〕を~ 손목〔주먹〕을 꽉 쥐다 / 母(はは)の手(て)をかたく~ 어머니의 손을 꽉 쥐다.
にぎりずし【握りずし】《握り鮨·握り寿司》图 손으로 쥐어 뭉친 초밥. =にぎ

り. ↔押しずし·ちらしずし.

にぎりつぶ-す【握りつぶす】《握り潰す》5他 **1** 꽉 쥐어 으스러뜨리다. ¶卵を～ 달걀을 꽉 쥐어 으스러뜨리다. **2** 묵살하다; 깔아뭉개다. ¶議案を～ 의안을 묵살하다 / 僕の意見は～·された 내 의견은 묵살당하였다.

にぎりめし【握り飯】名 주먹밥. =(お)にぎり·(お)むすび. ¶～をつくる 주먹밥을 만들다.

にぎりや【握り屋】名 〈俗〉구두쇠. =けち(ん坊).

にぎ-る【握る】5他 **1 쥐다. ㉠잡다. ¶こぶしを～ 주먹을 쥐다 / 手を～ 손을 잡다《(a)주먹을 쥐다; (b)악수하다; (c)결탁〔협력〕하다》/ 絵筆を～ 화필을 잡다 / ハンドルを～ 핸들을 잡다 / 彼と手を～·って事業に乗り出す 그와 손을 잡고 사업에 나서다. ㉡자기 것으로〔뜻대로〕하다; 장악하다. ¶権力を～ 권력을 장악하다 / 財布を～ 경제의 실권을 쥐다 / 証拠を～ 증거를 잡다 / 弱みを～·られている 약점이 잡혀 있다. **2** 초밥이나 주먹밥 등을 만들다. ¶すしを～ 초밥을 만들다.

にぎわい〖賑わい〗名 흥청거림; 와실거림; 번화함. ¶大変な～だ 대단한 성황이다 / 枯れ木も山の～ 마른 나무도 산의 흥취를 더함《하찮은 것도 없는 것보다는 낫다》.

にぎわ-う〖賑わう〗5自 **1** 활기차다. ㉠번성하다. ¶店が～ 가게가 번창하다 / 一族が～ 일족이 번성하다. ㉡붐비다; 흥청거리다. ¶花見の人で～ 꽃구경하는 사람들로 북적이다. **2** 풍성해지다; 풍요로워지다. ¶食卓が～ 식탁이 푸짐해지다.

にぎわし-い〖賑わしい〗形 떠들썩하다; 활기차다; 번성하다. ¶～商店街 번성한 상점가 / 人の往来が～ 사람의 왕래가 많다.

にぎわ-す〖賑わす〗5他 흥청거리게 하다; 떠들썩하게 하다; 활기차게 하다; 번성하게 하다. =にぎわせる. ¶話題を～ 화제를 풍성하게 하다 / 海の幸山の幸で食膳を～ 산해진미로 밥상을 푸짐하게 하다. 注意 힘줌말은 'にぎわわす'.

にく【肉】名 **1 살. ㉠동물의 근육. ¶～が付く 살이 붙다〔찌다〕/ ～が落ちる 몸이 까다; 살이 빠지다. ㉡고기. ¶～料理 고기 요리 / ～を焼く 고기를 굽다. ㉢과일의 살. ¶～のやわらかいオレンジ 살이 부드러운 오렌지 / 梅の～ 매실의 살. **2** 부피; 두께. ¶～の厚い葉 두꺼운 잎새 / ～の薄い板 두께가 얇은 널 / ～の太い字 굵은 글자. **3** 덧붙여 풍요롭게 하는 것; 살. ¶構想に～をつける 구상에 살을 붙이다.

にく〚肉〛《肉》教2 ニク 육 / しし 고기 | **1** 살. ¶肉質 육질 / 筋肉 근육. **2** 고기. ¶牛肉 쇠고기. **3** 육체. ¶肉弾 육탄. **4** 혈연. ¶肉親 육친.

にくあつ【肉厚】ダナ 살이〔두께가〕두꺼움. ¶～の唇 두툼한 입술.

にく-い【憎い】《悪い》形 **1 밉다. ¶～奴 미운 놈 / 坊主～·けりゃ袈裟まで～ 중이 미우면 가사(袈裟)까지 밉다《며느리가 미우면 발뒤축이 달걀 같다고 나무란다》. **2**《反語적으로》얄밉도록 훌륭하다. ¶おや, ～ことを言うね 어머, 깜찍한 소리를 다 하네 / 私の心を奪った～人 내 마음을 빼앗은 얄미운 분. 注意 'にっくい'라고도 함.

=にくい〖難い〗《動詞 連用形에 붙어 形容詞를 만듦》…하기 어렵다. ¶歩き～道 걷기 힘든 길 / 読み～ 읽기 어렵다 / それはどうも言い出し～ 그것은 어쩐지 말 꺼내기 어렵다. ↔=やすい.

にくいろ【肉色】名 **1** 살빛《누르스름한 연분홍》. **2** 고기 빛깔. ¶味も～も違う 맛도 고기 빛깔도 다르다.

にくかん【肉感】名 ☞にっかん.

*__にくがん__【肉眼】名 육안. ¶～で見られる星 육안으로 볼 수 있는 별.

にくぎゅう【肉牛】名 육우. ↔役牛·乳牛.

にくさ【憎さ】名 미움. ¶かわいさ余って～百倍 사랑이 지나쳐 미움이 백배《사랑이 미움으로 변하면 더 미워진다는 말》.

にくじき【肉食】名ス自 ☞にくしょく1.

—さいたい【—妻帯】名ス自 육식 대처《승려가 육식을 하며 아내를 둠》.

にくしつ【肉質】名 육질. ¶～の葉 살이 두꺼운 잎사귀 / ～の人 살이 많은 사람 / ～が悪い 고기 질이 나쁘다.

にくしみ【憎しみ】名 미움; 증오. =にくみ·にくさ. ¶愛と～ 사랑과 미움; 애증 / ～に満ちた目 증오에 찬 눈 / ～をおぼえる 미운 생각이 들다 / ～の目を向ける 증오의 눈으로 보다 / 人の～を買う 남의 미움을 사다.

にくしゅ［肉腫］名 육종; 악성 종양.

にくしょく【肉色】名 ☞にくいろ.

にくしょく【肉食】名ス自 육식. **1** 사람이 새·짐승의 고기를 먹음. =にくじき. ¶～を禁止する宗教も多い 육식을 금지하는 종교도 많다. ↔菜食. **2** 짐승이 다른 짐승의 고기를 먹음. ↔草食·穀食.

—どうぶつ【—動物】名 육식 동물. ¶草食動物は～のえじきになる 초식동물은 육식 동물의 먹이가 된다. ↔草食動物.

にくしん【肉身】名 육신; 육체. =肉体.

にくしん【肉親】名 육친. ¶～の情 육친의 정.

にくずれ【煮崩れ】名ス自 생선이나 야채가 너무 익어〔삶아져〕 뭉크러짐〔흐물흐물해짐〕. ¶芋が～する 감자〔고구마〕가 너무 익어서 뭉크러지다.

にくずれ【荷崩れ】名ス自 운반 중에 쌓은 짐이 허물어짐. ¶貨物が～する 운

반 도중 화물이 허물어지다.

にくせい【肉声】图 육성. ¶電波にのせた声と～とは大分感じがちがう 전파에 실린 목소리와 육성과는 느낌이 상당히 다르다.

*__にくたい__【肉体】图 육체. ＝からだ. ¶～美 육체미 / ～関係 육체관계. ↔精神·霊魂.

—てき【—的】ダナ 육체적. ¶～苦痛 육체적 고통 / ～にたえられない 육체적으로 견딜 수 없다. ↔精神的.

—ろうどう【—労働】图 육체노동. ¶～者 육체노동자. ↔精神労働.

にくたらし-い【憎たらしい】形 밉살스럽다. ＝にくらしい. ¶～顔つき 밉살스러운 얼굴 / なんて～奴だ 어쩌면 그렇게 밉살스러운 놈일까. 「전.

にくだん【肉弾】图 육탄. ¶～戦 육탄

にくづき【肉付き】图 살집; 육기(肉氣); 살이 찐 정도. ¶～のよい人 살집이 좋은 사람. 「찌다.

にくづ-く【肉付く】5自 살이 붙다; 살

にくづけ【肉付け】图ス自 살을 붙임; (잔손질하여) 내용을 충실히 보충함. ¶文章に～する 문장에 살을 붙이다 / あとは～(を)するだけだ 이제는 살만 붙이면 된다.

にくにくし-い【憎憎しい】形 몹시 밉살스럽다; 밉디밉다; 미워 못 견디겠다. ¶～つらがまえ 밉살스러운 상판대기 / ～口の利き方 밉살스러운 말투 / ～目つきで睨みつける 밉살스러운 눈초리로 노려보다.

にくはく【肉薄】《肉迫》图ス自 육박. **1** 바짝 다가섬. ¶～戦 육박전 / 敵陣に～する 적진에 육박하다 / 一点差に～する 1점차로 육박하다. **2** 힐문함; 따지고 듦. ¶論法鋭く～する 논법도 날카롭게 따지고 들다.

にくばなれ【肉離れ】图 근육 또는 근섬유가 급격히 수축되어 끊어지는 일. ¶～をおこす 심줄이 끊어지다.

にくひつ【肉筆】图 육필. ¶～の原稿 육필 원고.

にくぶと【肉太】图ダナ 글씨 획이 굵음. ¶～の書体 획이 굵은 서체 / ～に書く 굵게 쓰다. ↔肉細.

にくぶとん【肉布団】《肉蒲団》图 동침하는 여인을 이부자리에 비유한 말; 전하여, 여성의 육체.

にくへん【肉片】图 고깃점〔조각〕; 살점.

にくぼそ【肉細】图ダナ 글씨 획이 가늚. ¶～の字 획이 가는 글자 / ～に書く 가늘게 쓰다. ↔肉太.

にくまれぐち【憎まれ口】图 미움을 살 말(투); 욕; 독설. ¶～をきく 미움 받을 말을 하다 / ～をたたく 미움 받을 말을 지껄이다; 욕설을 퍼붓다.

にくまれっこ【憎まれっ子】图 미움 받는 아이〔사람〕; 밉살스러운 아이.

—世にはばかる 미움 받는 사람이 세상에 나가서는 오히려 행세한다.

にくまれやく【憎まれ役】图 미움 받는 역(할). ¶～を買って出る 미움 받는 일을 자진해서 맡아 하다 / 私はいつも～です 나는 늘 미움 받는 역입니다.

にくま-れる【憎まれる】下1自 미움 받다. ¶課長に～·れている 과장에게 미움을 받고 있다.

にくまんじゅう【肉まんじゅう】《肉饅頭》图 고기 만두. ＝にくまん·豚饅.

__にく-む【憎む】5他 미워하다; 증오하다. ¶～べき犯罪 가증스러운 범죄 / ～·んでもあまりある殺人犯 밉고도 미운 살인범 / 戦争を～ 전쟁을 증오하다 / 罪を～·んで人を～·まず 죄를 미워하되 사람을 미워하지 않는다.

にくめな-い【憎めない】形 미워할 수 없다. ¶～いたずら 미워할 수 없는 장난.

にくや【肉屋】图 고깃간; 푸줏간.

にくよう【肉用】图 육용.

—しゅ【—種】图 육용종. ¶～の牛 육용종의 소.

にくよく【肉欲】《肉慾》图 육욕. ¶～に駆られる 육욕의 충동을 받다 / ～におぼれる 육욕에 빠지다 / ～を満たす 육욕을 채우다.

*__にくらし-い__【憎らしい】形 밉살스럽다; 얄밉다. ¶～ほどの美人 샘이 날 정도의 미인 / ～ことを言う 얄미운 소리를 하다 / あいつは～ほど落ちついている 저 놈은 얄미울 정도로 침착하다. 参考 '憎い' 보다 미운 정도가 덜할 때 씀.

にぐるま【荷車】图 짐수레. ¶～をひく 짐수레를 끌다.

ニグロ [Negro] 图 니그로; 흑인. ＝ネグロ·黒人.

ニクロム [nichrome] 图〘化〙니크롬. ¶～線 니크롬선.

にぐん【二軍】图 (스포츠에서) 이군; 예비팀. ↔一軍.

にげ【逃げ】图 **1** 도망침. ¶～も隠れもしない 달아나지도 숨지도 않는다 / ～の一手しかない 도망치는 수밖에 없다. **2** '逃げ口上'의 준말. ¶～を言う 핑계를 대다.

—を打つ〔張る〕**1** 도망칠 궁리를 하다. **2** 책임.회피를 하다.

にげあし【逃げ足】图 **1** 도망치는 일〔발걸음〕. ¶～が速い 도망치는 발걸음이 빠르다. **2** 달아나려 함; 달아나려는 자세. ＝逃げ腰. ¶～になる 달아나려 하다 / ～を踏む 달아나려 하다.

にげう-せる【逃げうせる】《逃げ失せる》下1自 도망쳐 행방을 감추다; 도망쳐 종적을 모르게 하다. ¶まんまと～ 감쪽같이 행방을 감추다 / 山深く～ 산속 깊이 도망쳐 숨다.

にげおく-れる【逃げ遅れる】下1自 도망칠 기회를 잃다; 기회를 놓쳐 도망치지 못하다. ¶～·れて捕まる 미처 도망치지 못하고 붙잡히다.

にげかくれ【逃げ隠れ】图ス自 도망쳐 숨음. ¶もう～は致しません 이제는 도

망쳐 숨지는 않겠습니다.

にげき-る【逃げ切る】[5自] **1** 따라붙을 수 없게 달아나 버리다. **2** (스포츠에서) 따라잡히기 전에 아슬아슬하게 이기다. ¶一点差〔僅差〕で~ 1점〔근소한〕 차로 아슬아슬하게 이기다.

にげぐち【逃げ口】[名] **1** 도망칠 구멍〔길〕. ¶どこにも~がない 어디고 도망칠 곳이 없다 / ~をふさぐ 도망갈 구멍을〔출구를〕 막다. **2** 핑계; 발뺌. ¶~を言う 핑계를 대다.

にげこうじょう【逃げ口上】[名] 핑계; 발뺌. =逃げことば. ¶おきまりの~ 상투적인 핑계 / ~を使う 핑계를 대다; 발뺌을 하다 / ~を封じる 핑곗구멍을 막다.

にげごし【逃げ腰】[名] **1** 도망치려는 태도〔모양〕. ¶強い相手と知って~になる 강한 상대임을 알고 도망치려고 하다 / 思わず~になる 자기도 모르게 도망치려고 하다. **2** 발뺌하려는 태도. ¶~の答弁 발뺌하는 답변.

にげことば【逃げ言葉】[名] ☞にげこうじょう.

にげこ-む【逃げ込む】[5自] **1** 도망쳐 안전한 곳으로 들어가다〔오다〕. ¶人の家に~ 남의 집에 도망쳐 들어가다. **2** ☞にげ切る. ¶一目差で~ 한 집 차로 아슬아슬하게 이기다.

にげじたく【逃げ支度】[名] 도망칠 차비. ¶慌てて~をしている 허둥거리며 도망칠 차비를 하고 있다.

にげだ-す【逃げ出す】[5自] **1** 도망가다. ¶こそこそ~ 슬금슬금 도망가다 / 一目散に~ 냅다 도망치다. **2** 도망치기 시작하다. ¶猛攻にあって敵は~·した 맹공을 당하자 적은 도망치기 시작했다 / 退屈な話に聴衆は少しずつ~·した 지루한 이야기에 청중은 조금씩 빠져나가기 시작했다.

にげち-る【逃げ散る】[5自] 도망쳐 흩어지다; 뿔뿔이 흩어져 도망치다.

にげな-い【似気無い】[形] 걸맞지 않다; 어울리지 않다. ¶~ふるまい 어울리지 않는 행동 / 子供には~大胆な行動 아이답지 않은 대담한 행동.

にげの-びる【逃げ延びる】[上1自] 잡히지 않고 (멀리) 도망치다; 무사히 도망쳐 피하다. ¶国外に~ 무사히 국외로 내빼다 / やっとここまで~·びて来た 간신히 여기까지 도망쳐 왔다.

にげば【逃げ場】[名] **1** 도피처; 도망갈 (안전한) 장소〔길〕. ¶~を失う 도망갈 곳을 잃다. **2** 변명의 여지〔구실〕.

にげまど-う【逃げ惑う】[5自] 도망치려고 우왕좌왕하다. =逃げ迷う. ¶突然の火事に, みんな~ 돌연한 화재로 모두 빠져 나갈 길을 찾아 허둥대다.

にげまわ-る【逃げ回る】《逃げ廻る》[5自] 여기저기 도망쳐 다니다. ¶方々を~ 여기저기를 도망쳐 다니다 / 借金取りから~ 빚쟁이를 피해 여기저기 도망 다니다.

にげみず【逃げ水】[名] 신기루(蜃氣樓)의 일종《초원이나 아스팔트 길 같은 데서 멀리 물이 있는 것같이 보이다가, 가까이 가 보면 또 멀어져 가는 대기 현상》.

にげみち【逃げ道】《逃げ路》[名] **1** 도망갈 길; 퇴로. ¶~を断つ 퇴로를 끊다〔막다〕. **2** (책임 따위를) 피할 길. =ぬけみち. ¶うまい~がある 피할 좋은 방법이 있다 / あらかじめ~を考えて話す 미리 발뺌할 길을 생각하고 말하다.

※にーげる【逃げる】《遁げる·迯げる》[下1自] **1** 도망치다; 달아나다. ¶あわてて~ 당황하며 도망치다 / ~犯人を追いかける 달아나는 범인을 뒤쫓다. **2** 회피하다; (귀찮은 일 등을) 거절하다. ¶責任から~ 책임을 회피하다 / いやな仕事から~ 싫은 일을 거절하다〔피하다〕. **3** (경마·경기 등에서) 따라잡히지 않고 이기다. ¶二点リードしたまま~ 2점 리드한 채 이기다.

―が勝ち 도망치는〔피하는〕 것이 득이다. ⇨負けるが勝ち.

> **逃げるの 여러 가지 표현**
>
> **관용 표현** 一目散に(쏜살같이)·命からがら(간신히)·蜘蛛の子を散らすように(거미 새끼가 사방으로 흩어지듯이)·雲をかすみと(뒷모습이 발각되지 않게 재빨리)·尻尾を巻いて((개가) 겁에 질려 꼬리를 사리고)·尻に帆を掛けて(꽁무니가 빠지게)·ほうほうの体で(허둥지둥)·風を食らって(낌새를 채고 허둥지둥)·泡を食って(겁을 집어먹고 허겁지겁).

にげん【二元】[名] 이원. ¶~放送 이원 방송 / ~一次方程式 이원 일차 방정식. ↔一元·多元.

―てき【―的】[ダナ] 이원적. ↔一元的·多元的.

―ろん【―論】[名] 이원론. ¶物心~ 물심 이원론. ↔一元論·多元論.

にごう【二号】[名] 2호. **1** 둘째 것; (책·잡지 따위의) 둘째 호. ¶~車 2호차; 두 번째 차량. **2** 호수 활자 크기에서, 초호(初號)의 다음. **3** 〈俗〉 첩《완곡한 말씨》. =めかけ. ¶~の家 첩의 집.

にこげ【にこ毛】《和毛》[名] 부드러운 털; 솜털. =うぶげ·わたげ.

にこごり【煮こごり】《煮凝り》[名] **1** 생선을 조린 국물이 엉겨 굳어진 것. **2** 상어나 넙치 따위의 아교질이 풍부한 물고기를 조려 굳힌 식품.

にごしらえ【荷ごしらえ】《荷拵え》[名] [ス自] 짐을 쌈〔꾸림〕. =荷づくり. ¶~が終わる 짐꾸리기가 끝나다 / 厳重に~する 단단히 짐을 꾸리다.

にご-す【濁す】[5他] 흐리다. **1** 흐리게 하다; 탁하게 하다. =にごらす. ¶川の水を~ 강물을 흐리게 하다 / 空気を

~ 공기를 탁하게 하다. **2** (말을) 애매하게 하다; 얼버무리다. ¶返事を~ 대답을 얼버무리다/ことばを~ 확실하게 말하지 않다/お茶を~ 아무렇게나 적당히 말하거나 행동해서 그 장면을 얼버무리다. ↔すます.

ニコちゅう【ニコ中】名 'ニコチン中毒'의 준말.

ニコチン [nicotine] 名 니코틴.

—ちゅうどく【—中毒】名 니코틴 중독.

***にこにこ** 副ス自 생긋생긋; 싱글벙글. ＝にっこり. ¶~顔 싱글벙글 웃는 얼굴/~しながらあいさつする 생글생글 웃으면서 인사하다.

にこぼ-れる【煮こぼれる】《煮零れる》下1自 (국 등이) 끓어올라 넘쳐흐르다.

にこみ【煮込み】名 여러 가지 재료를 넣어서 푹 끓임; 또, 그 요리. ¶~おでん 푹 끓인 꼬치(안주)/~が足りない 덜 끓였다.

にこ-む【煮込む】5他 **1** 여러 가지 재료를 넣어서 끓이다. **2** 푹 끓이다; 푹 삶다. ¶豆を~ 콩을 푹 삶다/野菜と肉とを~ 야채와 고기를 푹 끓이다.

にこやか ダナ 상냥한 모양; 생글생글하는 모양; (마음속으로부터) 기뻐하는 모양. ¶~な顔 생글거리는 얼굴/~に応待する 상냥하게 응대하다.

にこり 副《흔히, 'と'를 수반하여》조금 웃는 모양: 벙긋; 생긋; 빙긋; 씽긋. ¶~と笑う 벙긋 웃다/~ともしない 조금도 웃지 않다.

にごり【濁り】名 **1** 탁함; 흐림; 불투명함; 더러움. ¶水〔川〕の~ 물〔강물〕의 흐림/~のない心 깨끗한 마음/世の~を正す 세상의 부정을 바로잡다. **2** 탁음 부호; 탁음점《'が' 따위의 '゛'》. ¶~をうつ 탁음 부호를 찍다.

にごりざけ【濁り酒】名 탁주. ＝どぶろく·だくしゅ.

****にご-る**【濁る】一5自 탁하게 되다; 흐려지다. ¶心が~·っている人 마음이 흐린 사람/~·り切った世相 혼탁해질 대로 혼탁해진 세태/~·った声でわめく 탁한 목소리로 크게 떠들다/雨のため川が~·った 비 때문에 강물이 흐려졌다. 二5自他 탁음이 되다; 탁음 부호를 찍다. ⇔澄む.

にごん【二言】名 이언; 두말. ¶~を吐く 두 말을 하다; 약속을 깨다/武士に~はない 무사에게 이언은 없다.

にざかな【煮魚】《煮肴》名 조린 생선. ↔焼き魚.

にさん【二三】名 이삼; 두서넛; 약간. ¶~の質問 두세 가지 질문/注文が~ある 주문이 두세 가지 있다.

にさんか【二酸化】名〔化〕이산화.

—いおう【—硫黄】名 이산화황(黃).

—たんそ【—炭素】名 이산화탄소; 탄산가스.

****にし**【西】名 **1** 서쪽. ¶日が~に沈む 해가 서쪽으로 지다/~に旅立つ 서쪽으로 여행을 떠나다. **2** 서풍. ¶~が吹く 서풍이 불다. **3** 関西 지방. **4** ☞にしがわ2. ⇔東.

—も東も分からない 동서를 분간하지 못하다. **1** 지리에 어두워 방향을 모르다. **2** 사물을 이해하는 능력이 없다. ¶~新人 아무것도 모르는 신인/幼くて~ 어려서 사리를 판단하지 못한다.

***にじ**〚虹·霓〛名 무지개. ¶~が出る〔掛かる, 消える〕 무지개가 나타나다〔걸리다, 사라지다〕/~の新婚旅行 꿈같은 신혼 여행/~のような気炎を吐く 무지개 같은 기염을 토하다; 허황된 소리를 하다.

にじ【二次】名 이차. ¶~製品〔試験〕 이차 제품〔시험〕.

—かい【—会】名 (연회 등의) 이차회.

—さんぎょう【—産業】名 이차 산업.

—てき【—的】ダナ 이차적. ¶~(な)問題 이차적(인) 문제.

—ほうていしき【—方程式】名〔數〕2차 방정식.

にしかぜ【西風】名 서풍. ↔東風.

にしがわ【西側】名 **1** 서쪽. **2** 서방측《서유럽 여러 나라》. ↔東側.

にしき〚錦〛名 비단; 비유적으로, 아름답고 훌륭한 것. ¶もみじの~ 아름다운 단풍/~をまとう 비단옷을 입다.

—を飾る **1** 비단옷으로 차려입다. **2** 금의환향하다.

にしきえ【にしき絵】《錦絵》名 풍속화를 색도 인쇄한 목판화.

にしきごい〚錦鯉〛名〔魚〕비단잉어.

にしきのみはた [錦の御旗] 名 **1** 조정의 적을 칠 때 관군의 표지로서 해와 달을 금은으로 수놓은 붉은 비단 기. **2** 〈俗〉 아무도 반대할 수 없는 대의명분. ¶世界平和を~にする 세계 평화를 명분으로 내걸다/平和のためという~を掲げる 평화를 위한 것이라는 명분을 내걸다.

にしきへび〚錦蛇〛名〔動〕**1** 비단뱀. **2** 율모기. ＝やまかがし.

にじげん【二次元】名 이차원. ¶~の世界 이차원의 세계. ⇨三〔四〕次元.

にしじん【西陣】名 '西陣織'의 준말.

—おり【—織】名 京都 西陣에서 산출되는 비단의 총칭《일본의 대표적 고급 직물》.

にじっせいき【二十世紀】名 20세기. 参考 'にじゅっせいき'라고도 함.

にして 連語 **1** …이면서; …이자. ¶学者~詩人 학자이자 시인/人~人にあらず 인두겁만 썼지 사람이 아니다. **2** …하고도〔하면서도〕. ¶簡~要を得る 간단하고도 요령이 있다. **3** …에게. ¶この父~この子あり 그 아비에 그 아들. **4** …로써; …에. ¶一日~は出来ない 하루로는 할 수 없다/三十余り~ 삼십여 세로. **5** …하게도. ¶不幸~ 불행하게도. **6** …의 경우에도. ¶この人~この欠点がある 이 사람의

경우에도 이 결점이 있다. **7** …이 되어서; …에 와서. ¶今(いま)～思(おも)えば 지금에 와서 생각하니 / 三十歳(さんじっさい)～人生(じんせい)を悟(さと)る 30세가 되어서 인생을 알다.

にしにほん【西日本】名〖地〗서일본《静岡県(しずおかけん)의 浜名(はまな) 호(湖)에서 新潟県(にいがたけん)의 親不知(おやしらず) 부근을 잇는 선의 서쪽 지역》. 參考 좁은 뜻으로는, 九州(きゅうしゅう)를 이름. ↔東日本(ひがしにほん).

にしはんきゅう【西半球】名 서반구. ↔東(ひがし)半球.

にしび【西日】《西陽》名 석양; 저녁해. ＝夕日(ゆうひ)・入(い)り日(ひ). ¶強(つよ)い～が差(さ)し込(こ)む 강한 저녁 햇빛이 들어오다.

にじみ-でる【にじみ出る】《滲み出る》下1自 **1** 스며나오다; 배어 나오다. ¶額(ひたい)に汗(あせ)が～ 이마에 땀이 배어 나오다. **2** 자연히 드러나다. ¶著者(ちょしゃ)の人柄(ひとがら)が～・でている 저자의 인품이 드러나 있다 / 行間(ぎょうかん)に～ 행간에 글 속의 참뜻이 엿보이다.

***にじ-む**〚滲む〛5自 **1** 번지다; 스미다. ¶インクが～ 잉크가 번지다 / 血(ち)の～(ような)努力(どりょく) 피나는 노력 / 雨(あめ)で外灯(がいとう)が～・んで見(み)える 비로 외등이 흐리게 보이다. **2** 배다. ¶涙(なみだ)が～ 눈물이 글썽이다 / 感激(かんげき)に目(め)が～ 감격으로 눈물이 글썽하다 / 開拓者(かいたくしゃ)の苦労(くろう)の～耕作地(こうさくち) 개척자의 고생이 밴 경작지. **3** 드러나다; 나타나다; 엿보이다. ¶苦悩(くのう)の色(いろ)が～・んでいる 고뇌의 빛이 나타나 있다 / 政治色(せいじしょく)が～ 정치색을 띠다.

にしめ【煮しめ】《煮染め》名 (야채・고기의) 조림.

にし-める【煮しめる】《煮染める》下1他 (간장이 배도록) 푹 조리다. ¶里芋(さといも)を～ 토란을 푹 조리다 / ～・めたような古(ふる)手(て)ぬぐい 찌든 낡은 수건.

にしゃ【二者】名 이자; 양자(兩者). ¶～会談(かいだん) 양자 회담.

―たくいつ【―択一】名 양자택일. ¶～を迫(せま)る〔迫(せま)られる〕 양자택일을 강요하다〔강요받다〕.

****にじゅう**【二重】名 이중. ¶～衝突(しょうとつ) 이중 충돌 / ～取(ど)り 이중 징수 / ～顎(あご)〔底(ぞこ)〕 이중 턱〔바닥〕 / ～窓(まど) 이중창 / ～に包(つつ)む 이중으로 싸다 / ～の苦(くる)しみ 이중고 / ～の役(やく)をする 이중 역할을 하다 / 代金(だいきん)を～に払(はら)う 대금을 이중으로 치르다.

―うつし【―写し】名ス他 **1**〖寫〗이중 노출〔촬영〕; 겹쳐 찍음. **2**〖映〗오버랩.

―こくせき【―国籍】名 이중 국적.

―しょう【―唱】名〖樂〗이중창; 듀엣. ＝デュエット(duet).

―じんかく【―人格】名 이중 인격.

―せいかつ【―生活】名 이중 생활. ¶勤務地(きんむち)との～ 근무지와의 이중 생활.

―そう【―奏】名〖樂〗이중주. ＝デュエット.

―ひてい【―否定】名 이중 부정.

―まわし【―回し】名 일본 옷 위에 입는 남자용 외투; 인버네스. ＝とんび.

にじゅうしき【二十四気】名 24절기.

にじゅうしせっき【二十四節気】名 이십사절기. ⇒下段 박스記事

にじゅうはっしゅく【二十八宿】名〖天〗이십팔수.

にじゅうよじかん【二十四時間】名 24시간. ¶～勤務(きんむ) 24시간 근무.

にじょう【二乗】名ス他〖數〗제곱; 자승. ＝自乗(じじょう). ↔一乗(いちじょう)・三乗(さんじょう).

―こん【―根】名〖數〗제곱근; 평방근. ＝平方根(へいほうこん).

にじりぐち【にじり口】《躙り口》名 (무릎걸음으로 드나드는) 다실(茶室) 특유의 작은 출입구.

にじりよ-る【にじり寄る】《躙り寄る》5自 **1** 무릎〔앉은〕걸음으로 다가가다. ¶障子(しょうじ)のそばへ～ 미닫이문 곁으로 다가가다. **2** 조금씩 다가붙다. ¶蛇(へび)がねずみをめがけて～ 뱀이 쥐를 노리고 바싹바싹 다가가다.

にしる【煮汁】名 (생선・야채 등을) 끓인〔조린〕 국물. ＝にじる. ¶魚(さかな)の～ 생선 끓인 국물.

にじ-る〚躙る・躪る〛一5他 뭉그대다; 짓이기다. ¶げたの歯(は)で～ 나막신굽으

二十四節気(にじゅうしせっき)(이십사절기)

節気(せっき)(절기)		날 짜	節気(せっき)(절기)		날 짜
春(はる)(봄)	立春(りっしゅん) (입춘)	2월 4일경	秋(あき)(가을)	立秋(りっしゅう) (입추)	8월 8일경
	雨水(うすい) (우수)	2월 19일경		処暑(しょしょ) (처서)	8월 23일경
	啓蟄(けいちつ) (경칩)	3월 6일경		白露(はくろ) (백로)	9월 8일경
	春分(しゅんぶん) (춘분)	3월 21일경		秋分(しゅうぶん) (추분)	9월 23일경
	清明(せいめい) (청명)	4월 5일경		寒露(かんろ) (한로)	10월 8일경
	穀雨(こくう) (곡우)	4월 20일경		霜降(そうこう) (상강)	10월 23일경
夏(なつ)(여름)	立夏(りっか) (입하)	5월 6일경	冬(ふゆ)(겨울)	立冬(りっとう) (입동)	11월 8일경
	小満(しょうまん) (소만)	5월 21일경		小雪(しょうせつ) (소설)	11월 23일경
	芒種(ぼうしゅ) (망종)	6월 6일경		大雪(たいせつ) (대설)	12월 7일경
	夏至(げし) (하지)	6월 21일경		冬至(とうじ) (동지)	12월 22일경
	小暑(しょうしょ) (소서)	7월 7일경		小寒(しょうかん) (소한)	1월 6일경
	大暑(たいしょ) (대서)	7월 23일경		大寒(だいかん) (대한)	1월 20일경

로 뭉개다 / ふみ～ 짓밟아 뭉개다.
[二][5自] 무릎걸음으로 조금씩 움직이다; 앉아 뭉그대다. ¶膝で～·り出る 무릎걸음으로 조금씩 나아가다.

にしろ [連語] 〈口〉…라 하더라도. ＝にせよ. ¶本当～, うそ～ 정말이든 거짓말이든 / いずれ～こちらの勝ちだ 어쨌든 이쪽의 승리다.

にしん 『鯡·鰊』 [名]〔魚〕 청어; 비웃. ＝かど. [參考] 말린 알은 '数の子'.

にしんほう【二進法】[名]〔數〕 이진법.

ニス [名] 니스(('ワニス(＝와니스)'의 준말)). ¶～を塗る 니스를 칠하다.

*にせ【偽】《贋》[名] 가짜; 모조. ¶～の真珠 모조 진주 / ～刑事 가짜 형사 / ～米ドル札 위조 미 달러 지폐. [參考] '似せ(＝비슷함)'의 뜻.

にせい【二世】[名] 이세. ¶ジョージ～ 조지 2세 / 日系アメリカ～ 일본계 미국인 2세 / 最近～が生まれた 최근에 2세가〔아들이〕 태어났다.

にせがね【偽金】《贋金》[名] 가짜 돈; 위폐((특히, 경화(硬貨))). ¶～つくり 가짜 돈을 만듦; 위폐범; 사전(私錢)꾼.

にせさつ【偽札】《贋札》[名] 위조 지폐. ¶～が出回る 위조지폐가 나돌다.

にせもの【偽物】《贋物》[名] 가짜 (물건); 위조품. ＝贋造物. ¶～をつかませられる 가짜를 속아 사다 / このサインは～だ 이 서명은 가짜다 / 似ても似つかぬ～ 전혀 비슷하지도〔같지〕 않은 가짜. ↔本物.

にせもの【偽者】《贋者》[名] 거짓으로 신분이나 직업 등을 속이는 사람; 가짜. ¶～の警官 가짜 경관 / ～が大手を振ってまかり通る世のなか 가짜가 활개를 치고 다니는 세상.

にせよ [連語] 특히, 예외로서 그것만 들 이유가 없음을 나타냄: …(한다) 해도; …하든 말든. ¶どちら～やる気はないんだろう 어쨌든 할 마음은 없겠지 / 買う～買わない～一度見ておくといいですよ 사든 안 사든 한 번 봐 두면 좋습니다.

**に-せる【似せる】[下1他] 비슷하게 하다; 진짜처럼 보이게 하다; 모조하다. ¶真珠に～ 진주처럼 보이게 만들다 / カニは甲らに～·せて穴をほる 게는 구멍을 파도 등딱지처럼 판다.

にそう【尼僧】[名] **1** 여승; 비구니; 신중. ＝尼·比丘尼. ¶～院 여승방(房). ↔僧. **2** 수녀.

にそくさんもん【二束三文】[名] 수는 많아도 값이 아주 쌈; 또, 그러한 물건; 싸구려. ¶～の品ばかり 싸구려 물건뿐(임) / ～で売り払う 헐값으로 팔아치우다 / 蔵書を～にたたき売る 장서를 헐값으로 팔아치우다.

にそくのわらじ【二足のわらじ】《二足の草鞋》[連語] 한 사람이 양립될 수 없을 것 같은 두 직업을 겸하는 일. [參考] 본디, 도박꾼이면서 포리(捕吏)를 겸한 사람을 가리켰음.
—を履く 혼자서 두 가지 일·임무를 겸하다. ¶銀行員と音楽家の～ 은행원과 음악가를 겸하다.

にだい【荷台】[名] 짐받이; (트럭이나 자전거 등의) 짐을 싣는 곳.

にたき【煮炊き】[名][ス自他] 밥을 짓고 반찬을 만듦; 취사(炊事). ¶～もできない 취사도 못하다.

にだし【煮出し】[名] **1** 삶아서〔끓여서〕 맛을 냄. **2** 가다랑어포나 다시마를 끓여서 우려낸 국물(('煮出し汁'의 준말)). ＝だしじる·だし.

にだ-す【煮出す】[5他] **1** 끓여서 맛을 (우려)내다. ¶昆布を～ 다시마를 끓여 맛을 (우려)내다. **2** 끓이기 시작하다.

にた-つ【煮立つ】[5自] 부글부글 끓다. ＝にえたつ. ¶～·ったら火を消す 끓으면 불을 끈다.

にた-てる【煮立てる】[下1他] 부글부글 끓게 하다; 펄펄 끓이다; 잘 삶다. ¶みそ汁を～ 된장국을 펄펄 끓이다.

にたにた [副] 조금 징그러운 웃음을 띠는 모양: 히죽히죽. ¶～と笑う 히죽히죽 웃다.

にたもの【似た者】[名] (성격 등이) 서로 닮은〔비슷한〕 사람. ¶～同士 서로 닮은 사람끼리.
—ふうふ【—夫婦】[連語] 부부는 서로 성질·취미 따위가 닮게 된다는 말; 또, 성질·취미가 비슷한 부부. ¶～とはよく言ったものだ 부부는 서로 닮는다고 한 말은 잘한 말이다.

にたりと [副] 조금 기분 나쁘게 살짝 웃는 모양: 히쭉. ¶～笑う 히쭉 웃다.

にたりよったり【似たり寄ったり】[連語] 비슷비슷함; 어슷비슷함. ＝大同小異·五十歩百歩. ¶～のできばえ 비슷비슷한 됨됨이 / ～の品 어슷비슷한 물건 / どれもこれも～だ 어느 것이나 다 비슷비슷하다 / どちらにしても～だ 어쨌거나 마찬가지다.

にだん【二段】[名] 이단. **1** 두 단. **2** 두 번째 단위(單位).
—がまえ【—構え】[名] 어떤 방법이 실패할 때에 대비해서 또다른 방법을 준비해 두는 일.
—ぬき【—抜き】[名] (신문·잡지에서) 2단 기사.

にち【日】[一][名] 일. **1** 일요일. ¶土、～はひまだ 토요일과 일요일은 한가하다. **2** 일본. ¶～米 일본과 미국.
[二][接尾] …일. ¶五十～ 오십 일 / まる一～待つ 온종일 기다리다.

にち 〖日〗 [教1] ニチ ジツ ひ か | 일 해 날 | **1** 해; 태양. ¶日光 일광 / 落日 낙일. **2** 날; 하루; 낮. ¶日記 일기 / 祭日 제일. **3** '日曜日'의 준말. **4** '日本'의 준말. ¶日韓 일한.

にちかくさ【日較差】[名]〔氣〕 일교차.

にちぎん【日銀】[名] '日本銀行(＝일본 은행)'의 준말. ¶～券 일본 은행

권 / ～総裁 일본 은행 총재.

にちげん【日限】图 기한날; 기일. ¶ ～をきめる 기일을 정하다 / ～が尽きる〔切れる〕 기한이 다 되다〔끝나다〕.

にちご【日語】图 일어; 일본어. ＝日本語. ¶ ～講習 일어 강습. 參考 한국·중국에서 쓰는 말.

にちじ【日時】图 일시; 시일. ¶ 集会の～ 집회 일시 / 仕事に要する～ 작업에 필요한 날수와 시간 / ～がかかる 시일이 걸리다.

***にちじょう**【日常】图 일상. ＝つねひごろ·ふだん. ¶ ～生活 일상 생활 / ～を送る 나날을 보내다 / ～言うことだが 늘 하는 말이지만.

──さはん【──茶飯】图 일상 다반; 항용 있는 평범한 일. ¶ ～事 일상 있는 보통 일; 항다반사.

にちにち【日日】图 매일; 나날. ＝ひび. ¶ ～の進歩 나날의 진보 / ～の出来事 그날그날의 생긴 일.

にちぶ【日舞】图 '日本舞踊(＝일본 무용)'의 준말. ＝邦舞. ↔洋舞.

にちべい【日米】图 일미; 일본과 미국. ¶ ～関係 미·일 관계.

──あんぜんほしょうじょうやく【──安全保障条約】图 미일 안전 보장 조약《1951년 조인; 1960년 개정》.

にちぼつ【日没】图 일몰; 해넘이. ＝日の入り. ¶ ～前に到着した 일몰 전에 도착했다. ↔日出.

にちや【日夜】⊟图 주야; 밤낮. ＝よるひる. ¶ ～をわかたぬ努力 밤낮을 가리지 않는 노력. ⊟副 늘; 언제나. ＝いつも. ¶ ～案ずる 늘 생각〔걱정〕하다.

にちよう【日用】图 일용; 날마다 씀. ¶ ～品 일용품.

にちよう【日曜】图 일요; 일요일. ¶ ～日 일요일 / ～画家〔作家〕 일요 화가〔작가〕《아마추어》.

──がっこう【──学校】图 주일 학교.

──だいく【──大工】图 (직장인이) 일요일〔쉬는 날〕에 자기 집에서 하는 목수일; 또, 그 사람.

にちりん【日輪】图 일륜; 태양《한문투의 말씨》. ↔月輪.

にちれんしゅう〔日蓮宗〕图 鎌倉 시대에, 日蓮 대사가 창시한 일본 불교 종파의 하나《'法華経(＝법화경)'을 종지(宗旨)로 함》. ＝法華宗.

にちろ【日露】图 일로; 일본과 러시아.

──せんそう【──戦争】图〔史〕러일 전쟁《1904-05》.

にっか【日華】图 일화; 일본과 중국.

──じへん【──事変】图〔史〕중일(中日) 전쟁《1937-1945》.

にっか【日課】图 일과. ¶ ～表 일과표 / 朝の散歩を～とする 아침 산책을 일과로 삼다.

につかわし-い【似つかわしい】形 (딱) 알맞다; (썩 잘) 어울리다; 적합하다. ＝ふさわしい·似合わしい. ¶ ～職業 아주 적합한 직업 / 厳粛な式には～くない身なり 엄숙한 식에는 어울리지 않는 옷차림.

にっかん【日刊】图 일간. ¶ ～新聞 일간 신문. ↔週刊·月刊·季刊.

──し【──紙】图 일간지; 일간 신문.

にっかん【日韓】图 일한; 일본과 한국. ¶ ～辞典 일한 사전 / ～の経済関係 한일의 경제 관계.

にっかん【肉感】图 육감. ＝にくかん. ¶ ～をそそるような描写 육감을 자극하는 듯한 묘사.

──てき【──的】ダナ 육감적. ¶ ～な女優 육감적인 여배우.

***にっき**【日記】图 일기. **1** 나날의 기록. ¶ 兄は毎日欠かさず～をつける 형은 매일 거르지 않고 일기를 쓴다. **2** '日記帳'의 준말. ¶ 当用～ 당용 일기 / 絵～ 그림 일기(책).

──ちょう【──帳】图 일기장. **1** 일기책. ＝ダイアリー. **2**〔商〕거래 내용을 일어난 차례대로 적는 장부.

にっきゅう【日給】图 일급. ＝日当. ¶ ～をもらう 일급을 받다 / ～月給 일급을 달마다 지불하는 방법 / ～で働く 일급으로 일하다. ↔週給·月給·年俸.

にっきょうそ【日教組】图 '日本教職員組合(＝일본 교직원 조합)'의 준말.

につ-く【似付く】五自 잘 어울리다; 알맞다; 아주 잘 닮다. ¶ 親に似ても～·かない子 부모를 조금도 닮지 않은 자식 / からだに～·いた着物 몸에 잘 어울리는 옷.

ニックネーム [nickname] 图 닉네임; 별명; 애칭. ＝あだな·愛称. ¶ ～をつける 별명을 붙이다.

にづくり【荷造り·荷作り】图ス自他 짐을 쌈; 짐 꾸리기. ¶ ～人 짐 꾸리는 인부 / 引っ越しの～ 이삿짐 꾸리기.

につけ【煮付け】图 조린 요리. ¶ 野菜の～ 야채 조림 / さかな〔さば〕の～ 생선〔고등어〕 조림.

にっけい【日系】图 일계; 일본인 계통. ¶ ～米人 일본계 미국인 / ～資本 일본계 자본.

にっけい【日計】图 일계; 하루하루의 계산; 또, 그 날의 총계. ¶ 売り上げ～ 매출액의 일계.

ニッケル [nickel] 图〔化〕니켈《원소 기호: Ni》.

──こう【──鋼】图 니켈강.

***にっこう**【日光】图 일광; 햇볕. ¶ ～浴 일광욕 / ～消毒 일광 소독 / 強い～にさらす 강한 햇볕에 쬐다.

にっこり 副ス自 생긋; 방긋. ¶ ～(と)笑う 생긋 웃다 / 彼女は思わず～した 그 여자는 무심코 방긋 웃었다.

にっさん【日参】图ス自 **1** (신사나 절에) 매일 참배함. ＝日参り. **2** (바라는 바 있어서) 매일 찾아감. ¶ 陳情のため市庁に～する 진정하기 위해 시청에

매일 찾아가다.

にっさん【日産】图 일산; 1일의 생산량. ¶～一万台いちまんだい 일산 1만 대. ↔月産げっさん·年産ねんさん.

にっし【日誌】图 일지. ¶航海こうかい～ 항해 일지 / 学級がっきゅう～ 학급 일지.

にっしゃ【日射】图 일사; 햇살. ＝日ひざし. ¶～量りょう 일사량 / (真夏まなつの)強つよい～をさける (한여름의) 강렬한 햇살을 피하다.

―びょう【―病】图 일사병. ¶～にかかる 일사병에 걸리다.

にっしゅう【日収】图 일수; 하루 수입. ↔月収げっしゅう·年収ねんしゅう.

にっしゅつ【日出】图 일출; 해돋이. ＝日ひの出で. ¶～時じ 일출시. ↔日没にちぼつ.

にっしょう【日照】图 일조; 햇빛이 내리쬠. ¶～時間じかん 일조 시간.

―けん【―権】图〖法〗일조권.

にっしょうき【日章旗】图 일장기《일본의 국기》. ＝日ひの丸まる(の旗はた).

にっしょく【日食】《日蝕》图〖天〗일식. ¶～を観測かんそくする 일식을 관측하다. 注意 본디 글자는 '日蝕'. ↔月食げっしょく.

にっしんげっぽ【日進月歩】图ス自 일진월보. ¶～の発展はってん 일진월보하는 발전 / ～する世よの中なか 일진월보하는 세상.

にっしんせんそう［日清戦争］图〖史〗청일 전쟁《1894-95》.

にっすう【日数】图 일수; 날수. ＝ひかず. ¶欠席けっせき～ 결석 일수 / ～がかかる〔をかける〕일수가 걸리다.

にっせき【日赤】图 '日本にほん赤十字社せきじゅうじしゃ(＝일본 적십자사)'의 준말.

ニッチせんりゃく【ニッチ戦略】图〖經〗틈새 시장 전략; 다른 기업이 진출하지 않은, 한정된 일부분을 집중적으로 공략하는 마케팅 전략. ▷niche strategy.

にっちもさっちも〖二進も三進も〗副《뒤에 否定을 수반하여》이러지도 저러지도; 이렇게도 저렇게도. ＝どうにもこうにも. ¶～行いかない 이러지도 저러지도〔빼도박도〕못하다 / 霧きりに囲かこまれて～ならない 안개에 갇혀 이러지도 저러지도 못하다.

にっちゅう【日中】图 주간(晝間); 낮 동안. ＝ひるま. ¶～の気温きおん 낮의 기온 / ～は暖あたたかい 낮에는 따뜻하다.

にっちゅう【日中】图 일중; 일본과 중국. ¶～貿易ぼうえき 중일 무역. ⇨日華にっか.

―せんそう【―戦争】图〖史〗☞にっかじへん.

にっちょく【日直】图 일직. ¶～を交代こうたいする 일직을 교대하다. ↔夜直やちょく·宿直しゅくちょく.

にってい【日帝】图 일제; '日本にっぽん帝国主義ていこくしゅぎ(＝일본 제국주의)'의 준말.

にってい【日程】图 일정. ＝スケジュール. ¶～表ひょう 일정표 / ～がきつい〔狂くるう〕일정이 빡빡하다〔어긋나다〕/ ～がつまっている 일정이 꽉 차 있다.

にってん【日展】图 '日本にほん美術びじゅつ展覧会てんらんかい(＝일본 미술 전람회)'의 준말.

ニット［knit］图 니트; 편물; 뜨개질. ＝あみもの. ¶～ウエア 니트웨어 / ～スーツ 니트 슈트; 편물옷.

にっと 副 히죽; 씩. ¶白しろい歯はを見みせて～笑わらう 흰 이를 드러내고 씩 웃다.

にっとう【日当】图 일당. ＝日給にっきゅう. ¶～万円まんえんの仕事しごと 일당 만 엔의 일 / 三千円さんぜんえんの～をもらう 3000엔의 일당을 받다.

にっぱち【二八】图〈俗〉(상업·흥행 등의) 경기가 없는 2월과 8월.

にっぽう【日報】图 일보. ¶営業えいぎょう〔セールス〕～ 영업〔세일즈〕일보. ↔週報しゅうほう·旬報じゅんぽう·月報げっぽう·年報ねんぽう.

にっぽん【日本】图 일본. ＝にほん. ¶～男児だんじ 일본 남아.

―いち【――】图 ☞にほんいち.

―ぎんこう【―銀行】图 ☞にほんぎんこう.

につま-る【煮詰まる】5自 바짝 졸아들다. ¶味噌汁みそしるが～ 된장국이 바짝 졸아들다. 參考 회의에서, 충분히 논의가 되어 논점이 좁아지고 문제 해결에 접근함에 비유되기도 함. ¶交渉こうしょうが～ 교섭이 타결 단계에 이르다.

にづみ【荷積み】图 짐싣기〔쌓기〕.

につ-める【煮詰める】下1他 바짝 조리다. ¶砂糖さとうを～·めて飴あめをつくる 설탕을 고아서 엿을 만들다. 參考 의론(議論)·교섭 따위를 막바지에 이르게 하다의 뜻으로도 씀. ¶議論ぎろんを～ 논의를 마무르다.

にて 格助〈雅〉**1** 동작의 수단·재료를 나타냄: …로. ¶舟ふね～渡わたる 배로 건너다 / 竹たけ～作つくる 대로 만들다. **2** 동작이 행해지는 때·장소·상태를 나타냄: …에(서). ¶式しきは講堂こうどう～挙行きょこうする 식은 강당에서 거행한다 / 私わたしはこれ～失礼しつれいする 나는 이만 실례하네. **3** 원인·이유를 나타냄: …므로. ¶病気びょうき～欠勤けっきん 병으로 결근. 參考 口語의 'で'에 해당함.

にてひなる【似て非なる】《似而非なる》連語《連体詞적으로》언뜻 보아 비슷하나 다른; 사이비(似而非). ＝似非えせ. ¶民主主義みんしゅしゅぎに～体制たいせい 사이비 민주주의 체제 / けちと倹約けんやくは～ものだ 인색함과 검약은 비슷하나 다른 것이다.

にてもにつかぬ【似ても似つかぬ】連語 조금도 닮지 않은; 전혀 비슷하지도 않은. ＝にてもつかない. ¶～顔かお 전혀 닮지 않은 얼굴 / 本物ほんものとは～偽物にせもの 진짜와는 전혀 비슷하지도 않은 가짜.

にと［二兎］图 두 마리의 토끼.

―を追おう者ものは一兎いっとをも得えず 토끼 둘을 잡으려다 하나도 못 잡는다.

にど【二度】图 두 번; 재차. ¶～目めの優勝ゆうしょう 두 번째의 우승 / 同おなじことを～言いわせるな 같은 말을 두 번 하게 하지 마라.

―あることは三度さんどある 두 번 있었던 일은 또 다시 일어난다《조건이 달라지지

않는 한, 사물은 되풀이되게 마련이다》.

—さんど【—三度】名 재삼재차; 두 번 세 번; 여러 번.

—でま【—手間】名 두벌일; 한 번으로 족한 일을 두 번 손질하는 일.

—と 副 (결코) 다시는; 두 번 다시. ¶～ない機会 두 번 다시 없는 기회 / ～行くべき所じゃない 두 번 다시 갈 곳이 못된다.

—とふたたび【—と再び】連語 두 번 다시(는). ¶～しません 두 번 다시는 하지 않겠습니다 / ～ここへ来るな 두 번 다시 이 곳에 오지 마라. 参考 '再び'의 힘줌말.

にとうぶん【二等分】名スル他 이등분. ¶～線 이등분선 / もうけを～する 이익을 이등분하다

にとうへんさんかくけい【二等辺三角形】名 이등변 삼각형.

にとうりゅう【二刀流】名 **1** 쌍수검의 유파. ＝両刀遣い. ¶～の使い手 쌍수검의 명수. **2**〈俗〉술과 단것을 모두 좋아함. ¶あなたは～ですね 당신은 술도 잘하고 단것도 좋아하는군요.

にとって 連語 …에게는; …의 경우에는. ¶山登りは, ぼく～かけがえのない楽しみだ 등산은 나에게 둘도 없는 즐거움이다.

ニトログリセリン [nitroglycerine] 名〔化〕니트로글리세린.

にないて【担い手】名 **1** 짐을 메는 사람. **2** 떠맡는 사람; 담당자. ¶新事業の～ 새 사업을 이끌어 가는 사람 / 生計の～ 생계를 떠맡은 사람.

***にな-う**【担う】5他 짊어지다. **1** 메다. ＝かつぐ. ¶荷物を二人で～ 짐을 둘이서 메다 / 天秤棒で荷を～ 짐을 멜대로 메다. **2** (책임 따위를) 떠맡다; 지다. ¶責任を～ 책임을 지다 / 将来の韓国を～ 장래의 한국을 짊어지다 / 一身に衆望を～ 한몸에 중망을 짊어지다.

ににんさんきゃく【二人三脚】名 **1** 이인삼각. **2** 둘이 마음과 힘을 합쳐 목적을 향해 나아감. ¶夫婦は～だ 부부는 일심 동체다 / 友人と～で事業を興す 친구와 둘이서 합심하여 사업을 일으키다.

ににんしょう【二人称】名 2인칭. ⇒にんしょう. ↔一人称·三人称.

にぬし【荷主】名 하주; 화주. ¶～不明の貨物 화주 불명의 화물.

にぬり [丹塗り] 名 붉은 칠을 함; 또, 칠한 것. ¶～の橋〔鳥居〕 붉은 칠을 한 다리〔鳥居〕.

にのあし【二の足】名 첫발 다음에 내미는 발.

—をふむ 주저하다; 망설이다. ＝ためらう. ¶正札を見て～ 정가표를 보고 망설이다 / この急流にはどんなに泳ぎが達者でも～ことだろう 이 급류에는 아무리 헤엄을 잘 친다 해도 망설이게 될 것이다.

にのうで【二の腕】名 위팔. ¶袖を～までたくし上げる 소매를 위팔까지 걷어붙이다.

にのく【二の句】名 다음 말.

—が継げない (어이가 없어서) 다음 말이 안 나오다. ¶あっけにとられて～ 어안이 벙벙해서 다음 말이 안 나온다 / 彼は鼻を折られて二の句が継げなかった 그는 코가 납작해져서 입을 다물어 버렸다.

にのぜん【二のぜん】《二の膳》名 곁상; (일본 요리에서) 一のぜん에 뒤따라 나오는 상. ¶～つきのごちそう 곁상이 따라 나오는 진수성찬. ↔一のぜん·三のぜん.

にのつぎ【二の次】名 두 번째; 뒤로 돌림. ＝あとまわし. ¶容貌は～だ 용모는 둘째 문제다 / そんなことは～だ 그런 일은 나중 문제다 / 勉強は～にして遊び回っている 공부는 제쳐놓고 놀러 다니고 있다.

にのまい【二の舞】名 같은 실패를 되풀이함; 전철(前轍)을 밟음. ¶～を演ずる 전철을 밟다 / 彼の～を踏むな 그의 전철을 밟지 마라.

にのや【二の矢】名 두 번째 쏘는 화살. ¶～をつがえる 두 번째 화살을 메기다 / ～が継げない 두 번째 활을 잇달아 쏘지 못하다《첫번 시도한 일이 완전히 빗나가 두 번 다시 …해 볼 수가 없다》.

には niwa 連語 **1** 主語가 가리키는 것을 존경하고 있음을 나타냄: …에서는; …께서는. ¶先生～ご健勝でいらっしゃいますか 선생님께서는 안녕하시옵니까. **2** 'に'의 뜻을 강조하는 말: …에는. ¶空～星が輝いている 하늘에는 별이 반짝이고 있다. **3**《'…～…が'의 꼴로》…(하)기는 (하)지만. ¶行く～行くが 가기는 가(겠)지만. **4** …한 때는; …하(려)면. ¶始発に乗る～五時に起きなくてはならない 첫차를 타려면 5시에 일어나야만 한다. **5** …에게(있어서)는. ¶君～かなわないね 자네에겐 못 당하겠는 걸.

にはいず【二杯酢】名 초간장. ⇒さんばいず.

にばしゃ【荷馬車】名 짐마차.

にばん【二番】名 이번; 두 번째; 이등. ¶～で卒業する 이등으로 졸업하다 / 末から～目の弟 끝에서 두번째의 아우.

—かん【—館】名 재개봉관.

—せんじ〖—煎じ〗名 재탕한 약〔차〕; 전하여, 새로운 맛이 없는 두 번째의 것; 앞의 것을 되풀이함. ¶昨年の～では客を引けない 작년 것의 재탕으로는 손님을 끌지 못한다.

にびいろ [鈍色] 名 엷은 먹색; 진한 쥐색《옛날에, 상복에 썼음》.

にひゃくとおか【二百十日】名 입춘에서 210일째 되는 날《9월 1일경; 이 날을 전후해서 태풍이 부는 일이 많음》.

ニヒリスト [nihilist] 名 니힐리스트; 허무주의자.

ニヒリズム [nihilism] 图 니힐리즘; 허무주의.

ニヒル [라 nihil] 图ダナ 니힐; 허무; 허무적인 것. ¶ ~な笑(わら)い 니힐한 웃음 / ~な思想(しそう) 허무적인 사상 / ~を感(かん)じさせる 허무를 느끼게 하다.

にぶ【二部】图 이부. **1** 두 부분; 제2의 부분. **2** (대학 등에서) 야간부. ¶ ~の学生(がくせい) 야간부 학생.

—がっしょう【—合唱】图 이부 합창.

—さく【—作】图 이부작. ¶ ~の小説(しょうせつ) 이부작 소설.

***にぶ-い**【鈍い】形 둔하다. **1** 무디다. ¶ 頭(あたま)が~ 머리가 둔하다 / ~刀(かたな) 무딘 칼. **2** 굼뜨다; 느리다. ¶ 動作(どうさ)が~ 동작이 둔하다 / 病(や)み上(あ)がりで体(からだ)の動(うご)きが~ 병이 나은 지 얼마 안 돼 몸의 움직임이 둔하다. **3** 희미하다; 탁하다. ¶ ~光(ひかり) 희미한 빛 / ~音(おと) 둔탁한 소리. ⇔鋭(するど)い.

にふだ【荷札】图 꼬리표. ¶ ~を付(つ)ける 꼬리표를 달다.

にぶ-る【鈍る】5自 둔해지다; 무디어지다. ¶ 勘(かん)が~ 직감력이 둔해지다 / スピードが~ 스피드가 떨어지다 / 精神力(せいしんりょく)〔腕(うで), 切(き)れ味(あじ)〕が~ 정신력〔솜씨가, 칼〕이 무디어지다.

にぶん【二分】图区他 이분; 둘로 나눔. ¶ ~の一(いち) 이분의 일 / 勢力(せいりょく)が~する 세력이 둘로 나뉘다 / 天下(てんか)〔利益(りえき)〕を~する 천하를〔이익을〕 양분하다.

—おんぷ【—音符】图〔樂〕2분 음표.

にべ〖膠·鰾膠·鮸膠〗图 **1** 민어 부레로 만든 아교. **2** 붙임성(性).

—もない 푸접없다; 쌀쌀하다; 정떨어지다. ¶ ~返事(へんじ) 쌀쌀한 대답 / にべもなく断(ことわ)られた 쌀쌀하게 거절당했다.

にぼし【煮干し】图 쪄서 말림; 특히, 잔물고기〔멸치〕를 쪄서 말린 식품.

にほん【日本】图 일본. =にっぽん. ¶ ~料理(りょうり) 일본 요리. 參考 단독 명칭으로서는 흔히 'にっぽん'이라 하지만, 관용으로서는 양자가 병용됨.

にほんアルプス【日本アルプス】图〔地〕일본 알프스《本州(ほんしゅう) 중부 지방에 세로로 뻗은 큰 산맥의 총칭》. ▷Alps.

にほんいち【日本一】图 일본 제일. ¶ ~の名人(めいじん) 일본 제일의 명인.

にほんが【日本画】图 일본화; 동양화의 하나. ↔洋画(ようが).

にほんかい【日本海】图 일본해; 동해.

にほんがみ【日本髪】图 일본 고유의 여성 머리형《丸(まる)まげ·島田(しまだ)·桃(もも)われ·いちょう返(がえ)し 등이 있음》. ↔洋髪(ようはつ).

にほんぎんこう【日本銀行】图 일본 은행《일본의 중앙은행》. =日銀(にちぎん). 注意 'にっぽんぎんこう'라고도 함.

にほんご【日本語】图 일본어〔말〕.

にほんこく【日本国】图 일본국《일본 국명으로서의 정칭》.

にほんざし【二本差し】图 **1** 〈俗〉 무사. 參考 대소(大小) 두 자루의 칼을 허리에 찬 데서. **2** ☞もろざし.

にほんざる【日本猿】图 일본원숭이.

にほんさんけい【日本三景】图 일본 삼경《京都(きょうと)의 天(あま)の橋立(はしだて), 広島(ひろしま)의 厳島(いつくしま), 宮城県(みやぎけん)의 松島(まつしま)》.

にほんし【日本史】图 일본사; 일본 역사.

日本史(にほんし) 시대 구분

시대 구분	기 간	햇 수
大和(やまと) 시대	4-6세기경	약 200년간
飛鳥(あすか)	593-710	118년간
奈良(なら)	710-784	75년간
平安(へいあん)	794-1185	약 400년간
鎌倉(かまくら)	1185-1333	약 150년간
南北朝(なんぼくちょう)	1336-1392	57년간
室町(むろまち)	1392-1573	182년간
安土桃山(あづちももやま)	1568-1598	약 30년간
江戸(えど)	1603-1867	265년간
明治(めいじ)	1868-1912	45년간

にほんしゅ【日本酒】图 일본술; 정종. =和酒(わしゅ). ↔洋酒(ようしゅ).

にほんしょき【日本書紀】图 일본 최고(最古)의 칙찬(勅撰) 역사서《720년 성립; 문체는 한문》.

にほんシリーズ【日本シリーズ】图〔野〕일본 시리즈; 일본 프로 야구 선수권 시합. ▷series.

にほんじん【日本人】图 일본인; 일본 사람.

にほんだて【二本立て】图 **1** (영화관에서) 두 편 동시 상영. ¶ ~の映画(えいが)を見(み)に行(い)く 동시 상영 영화를 보러 가다. **2** 두 가지 일을 동시에 함. ¶ これからは製品(せいひん)の販売(はんばい)と修理(しゅうり)という~でいく 이제부터는 제품의 판매와 수리라는 두 가지 일을 함께 해나가겠다.

にほんちゃ【日本茶】图 (홍차·재스민차(茶) 등에 대하여) 녹차.

にほんとう【日本刀】图 일본도. =にっぽんとう. ¶ 敵陣(てきじん)で~を振(ふ)り回(まわ)す 적진에서 일본도를 휘두르다.

にほんのうえん【日本脳炎】图 일본 뇌염. ¶ ~がはやる 일본 뇌염이 유행하다.

にほんばれ【日本晴れ】图 한 점의 구름도 없이 쾌청함; 비유적으로, 의혹 등이 깨끗이 씻어짐. =にっぽんばれ. ¶ ~の日曜日(にちようび) 구름 한 점 없이 쾌청한 일요일 / 心(こころ)はすっきり~だ 마음은 아주 맑고 상쾌하다.

にほんま【日本間】图 일본식 방. =和室(わしつ). ¶ 客(きゃく)を~に案内(あんない)する 손님을 일본식 방에 안내하다. ↔洋間(ようま).

にまい【二枚】图 **1** 두 장. ¶ ~びょうぶ 두 폭 병풍 / 半紙(はんし)~ 반지 두 장 / ~開(びら)きの戸(と) 쌍바라지문. **2** 두 개; 두 부분. ¶ ざる~ 대발(에 담은 국수) 두 사리 / 魚(さかな)を~に開(ひら)く 생선의 배를 두 쪽으로 벌려 가르다.

—がい【—貝】图〔貝〕쌍각류(雙殼類)의 조개《대합·바지락조개 따위》.

—じた【—舌】图 전후 모순된 말을

함; 거짓말을 함; 일구이언. ¶～を使う 일구이언하다; 두말을 하다.

—め【—目】名 1 미남. ＝やさおとこ. ¶新しい先生はなかなかの～だ 새로 온 선생님은 꽤 미남이다. 2 (歌舞伎에서) 출연 배우 일람표에 두 번째로 이름이 쓰여진, 미남역의 배우《단장 다음 가는 배우》. ¶～を演じる 미남자역을 맡아 연기하다.

—めはん【—目半】名 (二枚目와 三枚目의 중간의 뜻으로) 미남이고 유머도 있어 친밀감을 갖게 하는 사람.

にまめ【煮豆】名 콩자반. ¶～のおかず 콩자반 반찬.

にも 連語 1 (일이 진척되어) 그때에 가서 실현한다는 예상하에 때를 나타내는데 쓰임. ¶来月末～完成の見込み 내달 말에나 완성될 전망 / 雨が今～降りそうだ 비가 당장이라도 올 것 같다. 2 …에(서)도; …에게도; …(이)라도. ¶親～できないこと 부모라도 못할 일 / 田舎～住んだことがある 시골에서도 산 적이 있다.

にもうさく【二毛作】名 이모작. ¶この地方では～ができる 이 지방에서는 이모작을 할 수 있다. ⇨にきさく. ↔一毛作·三毛作.

にもかかわらず『にも拘らず』連語 1 …인데도〔임에도〕 (불구하고). ＝なのに. ¶雨天～外出する 우천임에도 불구하고 외출하다 / 病気～よくここまでがんばった 아픈 몸인데도 지금까지 잘도 버티어 냈다. 2《接続詞적으로》 그럼에도 불구하고; 그런데도. ¶雨があがった. ～彼は傘をさして歩いている 비가 갰다. 그런데도 그는 우산을 받고 걷고 있다.

にもせよ 連語 …(고) 하더라도; …(고) 하지만, 그렇지만. ¶弊害は有る～その仕事を中止することはできない 폐해가 있다고 하더라도 그 일을 중지할 수는 없다.

**にもつ【荷物】名 화물; 짐. ¶～を持って来る 짐을 가져 오다 / 他人のお～になる 다른 사람의 짐〔부담〕이 되다.

にもの【煮物】名 (간장·설탕 등을 넣고) 음식을 끓임〔익힘〕; 또, 그 음식. ¶～をする 끓여서 조리하다.

にゃ 連語 1〈方〉 'ねば(＝않으면)'의 전와. ¶帰ら～ならん 돌아가지 않으면 안 된다. 2〈俗〉 'には(＝에게는)'의 압축된 말씨. ¶お前～かなわない 너한텐 못 당하겠다.

にやく【荷役】名 하역; 뱃짐 다루기. ¶～作業 하역 작업.

にや-ける『若気る』下1自 남자가 여자처럼 모양을 내거나 간들거리며 교태를 부리다. ¶～·けた顔 (여자 같은) 해사한 얼굴 / ～·けていないで男らしくしろ 기생오라비처럼 굴지 말고 사내답게 굴어라.

にやっかい【荷厄介】名ナ 짐이 되어 귀찮음〔거추장스러움〕. ¶～な子供 짐이 되어 귀찮은 아이 / ～な仕事をたのまれる 귀찮은 일을 부탁받다.

にやにや 副 히쭉히쭉; 싱글싱글. ¶～している 싱글거린다 / ～と笑う 싱글싱글〔히쭉히쭉〕 웃다.

にやりと 副 히쭉; 힐쭉; 빙긋. ¶新聞を見て～笑う 신문을 보고 히쭉 웃다.

ニュアンス [프 nuance] 名 뉘앙스; 미묘한 차이. ¶ことばの～ 말의 뉘앙스 / ～に富む表情 뉘앙스가 풍부한 표정 / 詩的表現の微妙な～ 시적 표현의 미묘한 뉘앙스 / ちょっと～が違う 약간 뉘앙스가 다르다.

ニュー [new] 名 뉴; 새로움; 새것. ¶～ライフ 신생활 / ～ファッション 뉴 패션. ↔オールド.

—ファミリー [일 new+family] 名 뉴 패밀리; 일본 패전 후에 태어난, 종래와는 다른 가치관·생활양식의 가정《집안일을 돕는 남편, 정치에 관심이 없는 사람들이 과반수를 차지한다고 함》.

—フェース [일 new+face] 名 뉴페이스; (영화 배우 등의) 신인; 새 얼굴.

—メディア [new media] 名 뉴미디어; 신문·TV 등의 기존 매체에 대하여, 새롭게 등장한 정보 전달 매체의 총칭《비디오텍스를 비롯한 인터넷·케이블 TV·고속 팩시밀리·E메일 등이 있음》.

—ルック [new look] 名 뉴 룩; (복장 등의) 최신형.

にゅう〖入〗教1 ニュウ ジュ いる いれる はいる | 입 들다 | 1 들(어가)다. ¶入院 입원 / 侵入 침입. ↔出. 2 넣다; 들이다. ¶入籍 입적 / 導入 도입. 3 '入学(＝입학)'의 준말.

にゅう〖乳〗《乳》教6 ニュウ ちち ち | 유 젖 | 1 젖. ¶牛乳 우유 / 乳飲み子 젖먹이. 2 젖 모양의 액체. ¶乳剤 유제 / 豆乳 두유.

*にゅういん【入院】名ス自 입원. ¶～患者 입원 환자 / 病院に～する 병원에 입원하다. ↔退院.

にゅうえい【入営】名ス自 입영; 입대. ＝入隊. ¶～を送る 입영을 환송하다 / 志願兵として～する 지원병으로 입영하다. ↔除隊.

にゅうえき【乳液】名 유액. 1 젖빛 액체. 2 유액 모양의 화장 크림.

にゅうえん【入園】名ス自 입원. 1 동·식물원·공원 등에 입장함. ¶～料 입장료. ↔退園. 2 유치원·보육원 등에 들어감. ¶～式 입원식. ↔卒園.

にゅうか【入荷】名ス自他 입하. ¶大量～ 대량 입하 / 初荷が～する 새해 들어 첫 상품이 입하하다. ↔出荷.

にゅうかい【入会】名ス自 입회. ¶～金 입회금 / 学会に～する 학회에 입회하다. ↔退会·脱会.

にゅうかく【入閣】名ス自 입각. ¶新内

閣に~する 신내각에 입각하다/財務大臣として~する 재무 장관으로 입각하다.

*にゅうがく【入学】名ス自 입학. ¶~式 입학식/越境~ 월경 입학(해당 학구 밖의 학교에 입학함). ↔卒業.

—きん【—金】名 입학금. ¶~をおさめる 입학금을 납부하다.

—しけん【—試験】名 입학시험. ¶~を受ける 입학시험을 치르다.

にゅうがん【乳がん】(乳癌) 名〔醫〕유암; 유방암.

にゅうぎゅう【乳牛】名 유우; 젖소. ↔役牛·肉牛.

にゅうきょ【入居】名ス自 입거; 입주. ¶~者 입주자/アパートに~する 아파트에 입주하다.

にゅうぎょ【入漁】名ス自 입어; 특정한 어업권내에 들어가 어업을 함. =にゅうりょう.

—りょう【—料】名 입어료. =出漁料

にゅうぎょう【乳業】名 유업; 유제품을 만드는 사업.

にゅうきん【入金】名ス自 입금. ¶~伝票 입금 전표/残金は来月~します 잔금은 다음달 입금하겠습니다. ↔出金.

ニュークリアウインター [nuclear winter] 名 뉴클리어 윈터; 핵(核)겨울(전면 핵전쟁이 일어난 후에 지구를 엄습한다는 극한(極寒) 상태).

にゅうこ【入庫】名ス自他 입고. ¶新酒が今日~した 새 술이 오늘 입고되었다/この車は~しますから後ろの車にお乗り換えください 이 차는 차고로 들어가니 뒤차로 갈아 타 주십시오. ↔出庫.

にゅうこう【入港】名ス自 입항. ¶~が二日·遅れる 입항이 이틀 늦어지다. ↔出港.

にゅうこう【入校】名ス自 입교. ¶中学校に~する 중학교에 입교하다.

にゅうこく【入国】名ス自 입국. ¶不法に~する 불법으로 입국하다/~の手続きを済ませる 입국 절차를 마치다. ↔出国.

—さしょう【—査証】名 입국 사증; 비자(visa).

にゅうごく【入獄】名ス自 입옥; 교도소에 들어감. =入牢. ¶盗みをして三度~する 도둑질을 하고 세 번 감옥살이하다. ↔出獄.

にゅうこん【入魂】名 1 정성을 기울임; 심혈을 쏟음. ¶~の作品 심혈을 기울인 작품. 2 어떤 작품 등에 혼을 불어 넣음. ¶彫りあげた仏像に~する 조각한 불상에 혼을 불어넣다.

にゅうさつ【入札】名ス自 입찰. =いれふだ. ¶指名~ 지명 입찰/~に付する 입찰에 부치다/橋梁工事を~で落とした 교량 공사를 입찰에서 낙찰하였다. ↔落札.

にゅうさん【乳酸】名〔化〕유산; 젖산. ¶~飲料 유산〔젖산균〕음료.

—きん【—菌】名 유산균; 젖산균.

—はっこう【—発酵】名〔化〕유산 발효; 젖산 발효.

にゅうざん【入山】名ス自 입산. 1 산에 들어감. ¶~禁止 입산 금지. 2 승려가 수도하기 위해서 절에 들어감.

にゅうし【入試】名 입시('入学試験'의 준말). ¶大学~を受ける 대학 입시를 치르다/~の準備をする 입시 준비를 하다.

にゅうし【乳歯】名 유치; 젖니; 배냇니. ¶~が抜け替わる 젖니를 갈다. ↔永久歯.

にゅうじ【乳児】名 유아; 젖먹이. =ちのみご·嬰児. ¶~院 유아원(생후 1년까지의 고아를 기르는 곳).

にゅうしち【入質】名ス他 입질; 전당잡힘. =質入れ.

にゅうしつ【入室】名ス自 입실. ¶係員以外は~してはいけない 담당자 이외는 입실해서는 안 된다. ↔退室.

*にゅうしゃ【入社】名ス自 입사. ¶~試験 입사 시험. ↔退社.

にゅうじゃく【入寂】名ス自 입적; 승려가 죽음. =入滅·入定.

にゅうじゃく【柔弱】名ダナ 유약. ¶~な精神 유약한 정신/~なことばかり言っている 나약한 소리만 하고 있다. ↔剛健·剛強.

にゅうしゅ【入手】名ス他 입수. ¶~困難の品 입수하기 곤란한 물품/めずらしい品を~した 진귀한 물건을 입수했다.

にゅうしょ【入所】名ス自 입소. 1 훈련소 등에 들어감. 2 교도소에 들어가 복역함. ⇔退所·出所.

にゅうしょう【入賞】名ス自 입상. ¶~作品 입상 작품.

にゅうじょう【入城】名ス自 입성; (승전하여 적의) 성에 들어감. ¶堂堂と~する 당당히 입성하다.

*にゅうじょう【入場】名ス自 입장. ¶~料 입장료/~券〔税〕입장권〔세〕/子供の~はお断り 아동 입장 사절(게시). ↔退場·出場.

にゅうしょく【入植】名ス自 입식; 개척지나 식민지에 들어가 생활하는 일. ¶南米への~者を募る 남미에의 입식자를 모집하다.

にゅうしん【入神】名 입신. ¶~のわざ 신기에 가까운 기술/~の域に達する 입신의 경지에 달하다.

**ニュース [news] 名 뉴스. ¶ビッグ~ 빅 뉴스/~が入る 뉴스가 들어오다.

—キャスター [newscaster] 名 뉴스캐스터; 뉴스의 보도·해설자.

—ショー [일 news+show] 名 뉴스 쇼.

—ソース [news source] 名 뉴스 소스; 정보원(源); 소식통; 뉴스 제공자. ¶~に依れば 소식통에 의하면.

—バリュー [news value] 名 뉴스 밸류;

보도 가치. ¶この記事(きじ)は～がない 이 기사는 보도 가치가 없다.

にゅうすい【入水】名ス自 **1** (수영에서) 다이빙하는 일. **2**☞じゅすい. 注意 2는 'じゅすい'로 읽음이 옳음.

にゅうせいひん【乳製品】名 유제품((버터·치즈 등)).

にゅうせき【入籍】名ス他自 입적. ¶～の手続(てつづ)きをとる 입적 절차를 밟다. ↔除籍(じょせき)·離籍(りせき).

にゅうせん【入選】名ス自 입선. ¶～作(さく) 입선작/二度目(にどめ)の応募(おうぼ)で～する 두 번째 응모에서 입선하다. ↔落選(らくせん).

にゅうたい【入隊】名ス自 입대. ＝入営(にゅうえい). ¶～を祝(しゅく)す 입대를 축하함/志願(しがん)して～する 지원해서 입대하다. ↔除隊(じょたい).

にゅうだん【入団】名ス自 입단. ¶少年団(しょうねんだん)に～する 소년단에 입단하다. ↔退団(たいだん).

にゅうだん【入段】名ス自 입단; 유단자가 됨.

にゅうちょう【入超】名 입초(('輸入(ゆにゅう)超過(ちょうか)(＝수입 초과)'의 준말)). ¶下半期(しもはんき)の貿易(ぼうえき)は～だ 하반기(의) 무역은 수입 초과다. ↔出超(しゅっちょう).

にゅうっと 副 불쑥 나타나는 모양; 쑥. ＝にゅっと. ¶～首(くび)を出(だ)す 불쑥 머리를 내밀다.

にゅうてい【入廷】名ス自 입정; (재판을 받기 위해) 법정에 들어섬. ¶被告(ひこく)が～した 피고가 입정하였다. ↔退廷(たいてい).

にゅうでん【入電】名ス自 입전; 내전. ¶総理(そうり)死亡(しぼう)のニュースが～する 총리의 사망 뉴스가 입전되다/出張社員(しゅっちょうしゃいん)から～があった 출장 사원으로부터 입전이 있었다.

にゅうとう【入党】名ス自 입당. ¶彼(かれ)は民主党(みんしゅとう)に～した 그는 민주당에 입당했다. ↔脱党(だっとう)·離党(りとう).

にゅうとう【入湯】名ス自 입탕; (특히, 온천의) 목욕탕에 들어감. ¶温泉(おんせん)に～する 온천에 들어가다.

にゅうとう【乳糖】名 유당; 젖당; 락토오스. ＝ラクトース.

にゅうとう【乳頭】名〔生〕유두; 젖꼭지. ＝ちくび. ¶～癌(がん) 유두암.

にゅうどう【入道】㊀名ス自〔佛〕입도; 불문에 들어감; 또, 그 사람. ㊁名 **1** 중대가리; 몽구리. **2** 중대가리의 괴물.

—ぐも【—雲】名〔氣〕적란운; 소나기구름; 쌘비구름.

ニュートラル [neutral] 名ダナ 뉴트럴. **1** 중립적; 중성적. ¶～な立場(たちば)を保(たも)つ 중립적인 입장을 지키다. **2** 자동차 기어에서, 엔진의 회전이 바퀴에 전달되지 않는 상태.

にゅうねん【入念】ダナ 공을 들임; 꼼꼼히 함; 정성들임. ＝念入(ねんい)り. ¶～な細工(さいく)〔仕上(しあ)げ〕 정성들인 세공〔마무리〕/荷造(にづく)りは～に願(ねが)います 짐꾸리기는 꼼꼼히 해 주십시오. ↔疎略(そりゃく).

にゅうばい【入梅】名 **1** 장마철에 접어듦((6월 12일경)). ＝つゆ入(い)り. **2**〈俗〉(関東(かんとう)·東北(とうほく) 지방에서) 장마철. ¶～の頃(ころ) 장마철.

にゅうはくしょく【乳白色】名 유백색; 젖빛.

にゅうばち【乳鉢】名 유발; 막자 사발. ＝にゅうはち.

にゅうひ【入費】名 드는 비용. ¶～がかさむ 비용이 많이 들다/～は安(やす)く上(あ)がった 비용은 싸게 먹혔다. ↔出費(しゅっぴ).

にゅうめつ【入滅】名ス自〔佛〕입멸. ＝入寂(にゅうじゃく).

***にゅうもん**【入門】입문. ㊀名ス自 **1** 문 안으로 들어감. ¶～禁止(きんし) 입문 금지. **2** (스승을 찾아) 제자가 됨. ¶～者(しゃ) 입문자; 초심자/学徳(がくとく)を慕(した)って～する 학덕을 우러러 입문하다.
㊁名 '入門書(しょ)(＝입문서)'의 준말. ¶哲学(てつがく)～ 철학 입문.

にゅうよう【入用】㊀名ナ 소용됨; 필요함. ＝所用(しょよう)·いりよう. ¶～な費用(ひよう) 소용되는 비용/お手伝(てつだ)いさん～ 가정부 구함((광고))/今(いま)～なのは金(かね)だ 지금 필요한 것은 돈이다. ↔不用(ふよう).
㊁名 비용. ＝入費(にゅうひ). ¶～がかさむ (소요) 비용이 많아지다/～の足(た)しとする 비용에 보태 쓰다.

にゅうようじ【乳幼児】名 유유아; 유(乳)아와 유(幼)아; 젖먹이와 어린이.

***にゅうよく**【入浴】名ス自 입욕. ＝ゆあみ. ¶～のすきな人(ひと) 목욕을 좋아하는 사람.

にゅうりょう【入漁】名ス自 ☞にゅうぎょ.

にゅうりょう【入寮】名ス自 기숙사에 들어감. ¶学生寮(がくせいりょう)に～する 학생 기숙사에 들어가다. ↔退寮(たいりょう).

にゅうりょく【入力】名 입력; 인풋. ＝インプット. ¶～装置(そうち) 입력 장치/コンピューターに情報(じょうほう)を～する 컴퓨터에 정보를 입력하다. ↔出力(しゅつりょく).

ニューロ [neuro] 名 뉴로; '신경(조직)의'란 뜻의 복합어를 만드는 말.

—コンピューター [neuro computer] 名 뉴로 컴퓨터; 인간의 뇌신경 작용을 모방해서 만든 컴퓨터.

にゅうわ【柔和】名ダナ 유화; 온화. ＝温和(おんわ). ¶～な目(め) 온화한 눈/表面(ひょうめん)は～に見(み)える 표면은 유화하게 보인다.

にゅっと 副 쑥; 불쑥. ＝にゅうっと. ¶横合(よこあ)いから～手(て)を出(だ)す 옆쪽에서 불쑥 손을 내밀다/穴(あな)から～首(くび)を出(だ)す 구멍에서 머리를 쑥 내밀다.

にょう【尿】名 소변; 오줌. ＝小水(しょうすい). ¶～の検査(けんさ) 소변 검사.

にょう〖尿〗常用 ニョウ いばり | 뇨 오줌 | 오줌; 소변. ¶尿道(にょうどう) 요도/糞尿(ふんにょう) 분뇨.

にょうい【尿意】名 요의; 오줌이 마려운 느낌. ¶～を催(もよお)す 오줌이 마렵다. ↔便意(べんい).

にょうけっせき【尿結石】名〔醫〕요결석. ＝尿路(にょうろ)結石.

にょうしっきん【尿失禁】名〔醫〕요실

금; 오줌을 무의식적으로 싸는 일.

にょうそ【尿素】名〔化〕요소.

—じゅし【—樹脂】名 요소 수지.

にょうどう【尿道】名 요도. ¶~炎(えん) 요도염 / ~疾患(しっかん) 요도 질환.

*__にょうぼう__【女房】名 처; 마누라; 아내《口語로는 'にょうぼ'》. ＝妻(つま)·家内(かない). ¶うちの~ 우리집 마누라 / ~の尻(しり)にしかれる 마누라에게 쥐어 살다.

—と畳(たたみ)は新(あたら)しい方(ほう)が良(よ)い 마누라와 다다미는 새것이 좋다.

—の妬(や)く程(ほど)亭主(ていしゅ)持(も)てもせず 아내는 남편이 잘난 줄 알고 다른 여자에게도 인기가 있을 것으로 여겨 질투하지만, 실제는 그렇지 않다는 말.

—の悪(わる)いは一生(いっしょう)の不作(ふさく) 아내 나쁜 것은 평생의 흉작〔백년 원수〕. ＝悪妻(あくさい)は百年(ひゃくねん)の不作.

—もち【—持ち】名 아내가 있는 사람.

—やく【—役】名 보좌역; 또, 그 사람. ¶~をつとめる 보좌하는 역할을 하다. ＝番頭役(ばんとうやく).

にょうろ【尿路】名〔生〕요로.

—けっせき【—結石】名 요로 결석; 요석(尿石). ＝尿結石(にょうけっせき).

にょきにょき 副 가늘고 긴 것이 연이어 나타나서 높게 뻗어 올라가는 모양: 쑥쑥; 쭉쭉; 비죽비죽. ¶竹(たけ)の子(こ)が~(と)はえる 죽순이 쑥쑥 돋아나다.

にょじつ【如実】名 여실; 있는 그대로임; 실제대로 임.

—に 副 여실히. ¶性格(せいかく)を~示(しめ)す 성격을 여실히 나타내다 / 戦争(せんそう)の悲惨(ひさん)さが~描(えが)かれている 전쟁의 참상이 여실히 묘사되어 있다.

にょっきり 名 하나가 높이 튀어나온 모양: 쑥; 비죽; 우뚝. ＝にょっこり. ¶高層(こうそう)ビルが~(と)建(た)つ 고층 빌딩이 우뚝 서다.

にょらい【如来】名 여래; 부처의 존칭. ¶阿弥陀(あみだ)~ 아미타여래.

により【似寄り】名 아주 비슷함; 매우 닮음. ¶~の柄(がら) 아주 비슷한 색깔〔무늬〕/ ~の夫婦(ふうふ) 매우〔썩〕닮은 부부.

にょろにょろ 副 뱀 같은 긴 것이 꾸불거리는 모양: 꿈틀꿈틀. ¶蛇(へび)〔ミミズ〕が~(と)這(は)う 뱀이〔지렁이가〕꿈틀꿈틀 기다.

にら〖韮〗名〔植〕부추.

にらみ〖睨み〗名 **1** 노려봄; 또, 그 눈. ¶やぶ~ 사팔뜨기; 사시(斜視). **2** (전하여) 남을 위압하는 힘; 권위; 위엄. ＝おし. ¶~が利(き)く 위엄이〔권위가〕서다; 영향력이 있다. **3** 짐작. ¶~がはずれる 짐작이 빗나가다.

—を利(き)かせる 상대가 움츠러들도록 무언의 압력을 가하다.

にらみあい【にらみ合い】《睨み合い》名 서로 노려봄; 대립; 적대(敵對).

にらみあ-う【にらみ合う】《睨み合う》5自 서로 노려보다; 적대시하다. ¶口(くち)もきかずに~ 말도 하지 않고 서로 노려보다 / 二派(には)に分(わ)かれて~ 두 파로 갈라져 적대시하다.

にらみあわ-せる【にらみ合わせる】《睨み合わせる》下1他 대조(해서 생각)하다; 견주어 보다. ¶いろいろの条件(じょうけん)を~ 여러 가지 조건을 견주어보다 / 物価(ぶっか)の変動(へんどう)と~·せて予算(よさん)を組(く)む 물가 변동을 감안하여 예산을 짜다.

にらみす-える【にらみ据える】《睨み据える》下1他 매섭게 노려보다. ¶相手(あいて)の目(め)を~ 상대방의 눈을 째려보다.

にらみだい〖睨み鯛〗下1他 설·결혼식 등의 요리에 길조를 비는 뜻에서 장식용으로 올려놓는 도미《그 자리에서는 먹지 못하므로 붙여진 이름》.

にらみつ-ける〖睨み付ける〗下1他 째리다; 매섭게 쏘아〔노려〕보다; 눈을 부라리다. ¶怒(いか)りをこめて~ 화난 얼굴로 매섭게 노려보다 / 彼女(かのじょ)はひどく私(わたし)を~·けた 그 여자는 매섭게 나를 쏘아보았다.

*__にら-む__〖睨む〗5他 **1** 쏘아보다; 노려보다. ¶凄(すご)い目(め)で~ 무서운 눈초리로 노려보다 / 彼(かれ)に一目(ひとめ)ぐっと~·まれると皆(みんな)縮(ちぢ)み上(あ)がる 그가 한 번 쏘아보면 모두 무서워 움츠려 든다. **2** 감시하다; 의심을〔혐의를〕두다; 주시〔주목〕하다. ¶先生(せんせい)に~·まれている 선생에게 주목을 받고 있다 / 情勢(じょうせい)を~ 정세를 주시하다. **3** 짐작하다; 점찍다. ¶怪(あや)しいと~ 수상쩍게 보다 / 彼(かれ)を悪人(あくにん)だと~·んでいる 그를 악인으로 점찍고 있다 / 入場者(にゅうじょうしゃ)は日(ひ)に八千(はっせん)と~·んだ 입장자는 하루 8,000명으로 어림했다.

にらめっこ〖睨めっこ〗名 **1** (아이들의) 눈싸움. ＝にらみくら. ¶~しましょう 눈싸움합시다. **2** 두 사람이 서로 상대를 노려보며 대치하고 있는 상태(를 제3자가 놀려서 하는 말). ¶兄弟(きょうだい)が~している 형제가 서로 으르렁대고 있다.

にら-める〖睨める〗下1他 노려보다. ＝にらむ. ¶まだおれの顔(かお)を~·めて居(お)る 아직도 내 얼굴을 노려보고 있다.

にりつはいはん【二律背反】名 이율배반《antinomy의 역어》. ＝アンチノミー.

にりゅう【二流】名 **1** 이류. ¶~品(ひん) 이류품 / ~の役者(やくしゃ) 이류 배우. ↔一流(いちりゅう)·三流(さんりゅう). **2** 두 유파(流派).

にりん【二輪】名 이륜. **1** 두 개의 바퀴; 또, '二輪車(にりんしゃ)'의 준말. **2** 두 송이의 꽃. ¶紅白(こうはく)~のバラ 홍백 두 송이의 장미꽃.

—しゃ【—車】名 이륜차《자전거·오토바이 따위》.

**__にる__【似る】《肖る》上1自 닮다; 비슷하다. ¶親(おや)に似ない鬼(おに)っ子(こ) 부모를 닮지 않은 못된 아이 / 二人(ふたり)の生涯(しょうがい)には相(あい)~ところがある 두 사람의 생애에는 서로 닮은 데가 있다.

**__にる__【煮る】《烹る》上1他 익히다; 삶다; 끓이다; 조리다. ¶ぐつぐつ~ 보글보글 끓이다 / 自分(じぶん)の物(もの)は煮て食(く)おうと焼(や)いて食おうと勝手(かって)だ 제 것은 삶아

먹든 구워 먹든 마음대로다.

煮ても焼いても食えない 어찌할 수 없다; 이러지도 저러지도 못하다; 힘겹다; 처치 곤란하다. ¶～やつ 처치 곤란한〔상종 못할〕 놈.

にるい【二塁】图〔野〕2루. ＝セカンドベース. ¶～打 2루타.

―しゅ【―手】图 2루수. ＝セカンドベースマン.

にれ〘楡〙图〔植〕느릅나무. ＝はるにれ.

**にわ【庭】图 1 정원; 뜰; 마당. ¶裏～ 뒤뜰/中～ 안뜰/農家の～ 농가의 마당. 2〈雅〉(특정한 일을 하는) 장소. ¶いくさの～ 싸움터; 전장(戰場)/学びの～ 배움터; 학원/裁きの～ 법정/法の～ 불교의 도량(道場).

にわいし【庭石】图 1 정원석. 2 뜰의 징검돌. ＝飛び石.

にわいじり【庭いじり】《庭弄り》图 취미로 정원을 가꿈.

*にわか〘俄か〙ダナ 갑작스러운 모양; 졸지; 돌연(함). ＝だしぬけ. ¶～成金 벼락부자/～時雨 갑자기 쏟아졌다 그치는 가을 소나기/～勉強 벼락(치기) 공부/～の事で驚いた 느닷없는 일로 놀랐다.

にわかあめ【にわか雨】《俄か雨》图 소나기. ＝驟雨. ¶～に会う 소나기를 만나다.

にわかじこみ【にわか仕込み】《俄か仕込み》图 1 (필요해서) 급히 물건을 사들임; 또, 그 상품. 2 임시방편으로 서둘러 배우기; 벼락 공부. ¶～の知識 임시 방편으로 갑자기 배운 지식/～の英会話 벼락치기로 배운 영어 회화.

にわかづくり【にわか造り】《俄か造り》图 급히 만듦; 급조. ＝急ごしらえ. ¶～のチーム 벼락치기로 구성한 팀.

にわかびより【にわか日和】《俄か日和》图 갑자기 비가 멎고 날이 갬.

にわかぶげん【にわか分限】《俄か分限》图 갑자기 부자가 됨; 벼락부자. ＝にわか長者. ↔次第ぶげん.

にわき【庭木】图 정원수. ¶～の手入れをする 정원수를 손질하다.

にわきど【庭木戸】图 뜰로 드나드는 문.

にわさき【庭先】图 1 뜰의, 툇마루 쪽에 가까운 부분. ¶お～で失礼する 마루에 오르지 않고 마당에서 인사하고 돌아가다. 2 (툇마루에서 보아) 뜰의 저쪽 끝. ¶～の梅 뜰 저쪽의 매화나무. 3 농가의 앞마당.

―そうば【―相場】图 농산물의 생산지 시세.

にわし【庭師】图 정원사; 원정(園丁). ＝にわつくり.

にわつくり【庭造り·庭作り】图 1 정원을 꾸밈. 2 정원사. ＝庭師.

にわづたい【庭伝い】图 어떤 뜰에서 다른 뜰로 가는 일; 또, 뜰을 통해서〔지나서〕 감. ¶～に隣家を訪ねる 뜰을 통해서 이웃집을 방문하다.

にわつづき【庭続き】图 뜰에 경계나 구획이 없고, 다른 곳으로 이어짐. ¶～の隣家 뜰이 이어져 있는 이웃집.

*にわとり【鶏】图 닭. ¶～小屋 닭장/～合わせ 닭싸움/～を飼う 닭을 치다/～が先か卵が先かという問題 닭이 먼저냐 계란이 먼저냐 하는 문제.

―を割くに牛刀を用いる 우도할계(牛刀割鷄). ＝鶏を割くにいずくんぞ牛刀を用いん.

にわばん【庭番】图 1 정원지기. 2 江戸幕府에서, 将軍의 밀정.

にわやま【庭山】图 석가산(石假山). ＝築山.

にん【任】图 1 소임; 책임. ¶～に当たる 소임을 맡다/～を果たす〔全うする〕 소임을 다하다. 2 임지. ¶～におもむく 부임하다. 3 임기. ¶～を終える 임기를 마치다. 4 어떤 임무에 적합함. ¶自分はその～でない 본인은 그 소임에 합당하지 않다.

にん〘任〙教5 ニン まかす まかせる | 임 맡기다 | 1 역을 맡기다. ¶任命 임명/信任 신임. 2 맡겨진 임무. ¶就任 취임.

にん〘妊〙常用 ニン はらむ | 임 아이배다 | (아이를) 배다. ¶妊娠 임신/妊婦 임부/避妊 피임. 注意 '姙'은 같은 글자.

にん〘忍〙《忍》常用 ニン しのぶ しのばせる | 인 참다 | 1 견디다; 참다. ¶忍耐 인내/忍の一字 인이라는 한 글자《참는 게 제일》. 2 남의 눈을 속여 몰래 행동하다. ¶忍術 둔갑술.

にん〘認〙《認》教6 ニン みとめる したためる | 인 알다 | 1 허락〔용서〕하다; 인정하다. ¶黙認 묵인/認定 인정. 2 확실히 분별하여 알다. ¶認識 인식.

にんい【任意】ダナ 임의. ¶～に選ぶ 임의로 고르다/～に処分してよろしい 임의로 처분해도 좋다.

―しゅっとう【―出頭】图ス自 임의 출두〔출석〕. ¶～を求める 임의 출석을 요구하다.

―そうさ【―捜査】图 임의 수사. ↔強制捜査.

にんか【認可】图ス他 인가. ¶～申請 인가 신청/～を受ける 인가를 받다/～が下りる 인가가 나오다.

にんかん【任官】图ス自 임관. ¶～試験 임관 시험/少尉に～する 소위로 임관하다. ↔退官.

*にんき【人気】图 1 인기. ¶～投票 인기 투표/～盛りの俳優 한창 인기 있는 배우/テレビの～番組 텔레비전의 인기 프로/ヤングに～がある 젊은 층에게 인기가 있다/～を博する〔さらう〕 인기를 얻다〔독차지하다〕/～が上がる〔落ちる〕 인기가 올라가다〔떨어지다〕. 2 그 지방 사람들의 성질이나 기풍; 인심. ＝じんき. ¶おだやかな～ 온건한 기풍/この村は～が悪い 이 마을은 인심이 나쁘다.

―かぶ【―株】名 인기주. ＝花形株.

―しょうばい【―商売】名 인기 직업. ＝人気稼業.

―とり【―取り】名 인기를 얻으려는 행동; 또, 그런 행동을 잘하는 사람. ¶～の政策 인기를 얻으려는 정책.

―もの【―者】名 인기인. ¶学校での～ 학교에서 인기가 좋은 사람.

にんき【任期】名 임기. ¶～が切れる 임기가 다 되다/～をはたす 임기를 마치다.

にんぎょ【人魚】名 인어. ＝マーメード. ¶～姫 인어 공주.

にんきょう［任俠·仁侠］名 임협; 남자답고 용감함; 협기가 있음. ＝義俠·男だて. ¶～の徒 협기 있는 사람〔무리〕/～をもって鳴る男 협기로써 알려진 사나이.

*__にんぎょう__【人形】名 인형; 꼭두각시. ¶あやつり～ 꼭두각시 (인형)/生き～ (a)등신대(等身大)의 인형; (b)살결이 흰 미인/菊～ 국화꽃으로 꾸민 인형/着せ替え～ 옷을 갈아입힐 수 있는 인형.

―げき【―劇】名 인형극. ＝人形芝居.

―つかい【―遣い】名 (인형극에서) 인형을 놀리는 사람. ＝人形まわし.

にんく【忍苦】名ス自 인고. ¶～の生活 인고의 생활/～の甲斐があった 괴로움을 참고 견딘 보람이 있었다.

**__にんげん__【人間】名 인간; 사람. ¶～の屑 인간 쓰레기/～がいい 사람〔인간성〕이 좋다/よくできた～だ 훌륭한〔제대로 된〕 사람이다/～がしっかりしている 인간〔사람됨〕이 견실하다/一人前の～にしてあげよう 제구실을 할 수 있는 인간으로 키워 주겠다.

―到る所青山あり 인간 도처 유청산(到處有青山).

―万事塞翁が馬 인간 만사 새옹지마.

―ぎらい【―嫌い】名 남과 어울리기 싫어하는 성질.

―くさ-い【―臭い】形 인간다운 면이 있다.

―こうがく【―工学】名 인간 공학. 參考 human engineering의 역어.

―こくほう【―国宝】名 '重要無形文化財保持者(=중요 무형 문화재 보유자)'의 통칭; 인간문화재.

―せい【―性】名 인간성. ＝ヒューマニズム. ¶かれの～が人を引きつけるのだ 그의 인간성이 사람을 매혹시키는 것이다. ↔神性·動物性.

―ぞう【―像】名 인간상. ¶期待される～ 기대되는 인간상.

―てき【―的】ダナ 인간적. ＝ヒューマニスティック. ¶～な生活 인간적인 생활/彼の～な気のつかいようには泣かされる 그의 인간적인 마음씀에는 감동하지 않을 수 없다.

―ドック [dock] 名〔醫〕인간 독; 단기 종합 정밀 건강 진단. ¶一日～ 하루 동안 입원하여 종합 검사를 받는 일.

―なみ【―並み】ダナ **1** 보통 사람과 같은 정도·상태. ＝ひとなみ·世間なみ. ¶～の暮らし 보통 수준의 생활/～の取り扱いを受ける 여느〔일반〕 사람과 같은 대접을 받다. **2** (동물 따위가) 인간과 같은 정도·상태에 있는 모양. ¶～に扱われている犬 사람과 같은 대접을 받고 있는 개.

―み【―味】名 인간미. ＝人情味. ¶～あふれる別れのことば 인간미 넘치는 이별의 말.

―わざ【―業】名 사람의 능력으로 할 수 있는 일〔재주〕. ¶～とは思われない 사람의 소위(所爲)라고는 생각되지 않는다. ↔神業.

にんさんぷ【妊産婦】名 임산부. ¶～に栄養食を与える 임산부에게 영양식을 주다.

*__にんしき__【認識】名ス他 인식. ¶～を新たにする 인식을 새로이 하다.

―ひょう【―票】名〔軍〕인식표.

―ぶそく【―不足】名ナ 인식 부족. ¶～を大いに恥じる 인식 부족을 크게 부끄러워하다.

にんじゃ【忍者】名 (둔갑술에 능한) 밀정. ＝忍術使い·忍びの者.

にんじゅう【忍従】名ス自 인종; 꾹 참고 따름. ¶～を強いる〔強いられる〕 인종을 강요하다〔강요당하다〕/しゅうとめに～して来た妻 시어머니에게 인종해 온 아내.

にんじゅつ【忍術】名 둔갑술《무가 시대에 밀정들이 익힌 무예의 하나. 甲賀流·伊賀流가 특히 유명함》. ＝忍びの術. ¶～使い 둔갑〔은신〕술을 쓰는 사람/～を使う 둔갑술을 쓰다.

にんしょう【人称】名〔文法〕인칭. ¶～によって動詞が変化する言語もある 인칭에 따라 동사가 변화하는 언어도 있다.

―だいめいし【―代名詞】名〔文法〕인칭 대명사. ↔指示代名詞.

にんしょう【認証】名ス他 인증. **1** 어떤 행위·문서 따위가 정당한 절차에 따라 행해졌음을 공적 기관이 증명함. **2** 내각의 권한에 속하는 행위에 대해 天皇가 그 사실을 공적으로 증명함. ¶天皇が国務大臣就任を～する 天皇가 국무 대신의 취임을 인증하다.

*__にんじょう__【人情】名 **1** 인정. ¶暖かい～ 따뜻한 인정/～に厚い土地柄 인정이 두터운 그 고장 풍습/昔も今も～に変わりはない 예나 지금이나 인정에 변함이 없다. **2** 애정. ¶まだ～を解しない 아직 남녀간의 애정을 알지 못하다.

―ばなし【―話】《―噺》名 인정을 제재(題材)로 한 소설이나 만담.

―み【―味】名 인정미. ¶～のあふれる人 인정미가 넘치는 사람/彼は～など薬にしたくもない 그는 인정미라고는 눈꼽 만큼도 없다.

にんじょう [刃傷] 名ス他 〈老〉 인상; 칼로 남을 다치게 함; 칼부림. ¶～のある顔(かお) 칼자국이 있는 얼굴/～に及(およ)ぶ 칼부림하기에 이르다.

──ざた【──沙汰】名 칼부림 사태. ¶～に及(およ)ぶ 칼부림 사태에 이르다.

にん-じる【任じる】上1自他 ☞にんずる.

***にんしん**【妊娠】名ス自 임신. ＝懐胎(かいたい)·懐妊(かいにん). ¶結婚(けっこん)して五年目(ごねんめ)に～する 결혼해서 5년 만에 임신하다.

──おそ【──悪阻】名 임신오조; 입덧.

──ちゅうぜつ【──中絶】名 ☞だたい.

にんじん〖人参〗名〔植〕**1** 당근. **2** 인삼; 'ちょうせんにんじん(＝고려인삼)'의 준말. ¶～エキス 인삼 진액.

にんず【人数】名 ☞にんずう.

にんずう【人数】名 **1** 인수; 인원수. ¶～が足(た)りない〔余(あま)る〕 인원수가 모자라다〔남다〕/～を数(かぞ)える〔そろえる〕 인원수를 세다〔채우다〕. **2** 여러 사람; 많은 사람. ＝おおぜい. ¶～を繰(く)り出(だ)す 많은 사람을 차례로 내보내다. 注意 'にんず'라고도 함.

にん-ずる【任ずる】一サ変他 **1** 임명하다; 맡게 하다. ¶課長(かちょう)に～ 과장에 임명하다. **2** 맡기다; 담당시키다. ¶調査(ちょうさ)を～ 조사를 맡기다/私(わたし)に～·じておきなさい 내게 맡겨 두시오. 二サ変自 **1** 취임하다; (책임 등을) 맡다. ¶国政(こくせい)に～ 국정에 임하다/倒産(とうさん)の責(せ)めに～ 도산의 책임을 지다. **2** 자처〔자임〕하다; (…이 된 것처럼) 행세하다. ¶芸術家(げいじゅつか)をもって～ 예술가로 자처하다/みずから大臣(だいじん)に～·じている 스스로 대신이나 된 것처럼 행세하다.

にんそう【人相】名 인상. ¶～が悪(わる)い 인상이 나쁘다/～を見(み)る 인상〔관상〕을 보다.

──がき【──書き】名 인상서; 용모파기(疤記). ¶～を作(つく)る 용모 파기를 작성하다.

──み【──見】名 관상가〔쟁이〕.

にんそく【人足】名 〈卑〉 **1** 막일을 하는 노동자; 인부. ¶荷揚(にあ)げ～ 하역 인부/引(ひ)っ越(こ)しに～を頼(たの)む 이사하는 데 인부를 부탁하다/村(むら)～に出(で)る 인부로서 마을 일을 하기 위해 나가다. **2** 사람을 업신여기는 말. ¶半(はん)～ 반 몫밖에 못하는 사람.

***にんたい**【忍耐】名ス他 인내. ¶～がつきる 인내력이 다하다/～も限度(げんど)に達(たっ)した 인내도 한도에 달했다.

──づよい【──強い】形 인내심이 강하다. ¶～性質(せいしつ) 참을성이 강한 성질.

──りょく【──力】名 인내력. ¶～を養(やしな)う 인내력을 기르다.

にんち【任地】名 임지. ¶～におもむく 임지로 가다/～に家族(かぞく)を連(つ)れて行(い)く 임지에 가족을 데리고 가다.

にんち【認知】名ス他 인지. ¶現状(げんじょう)を～する 현상을 인지하다/自分(じぶん)の息子(むすこ)であると～する 자기 아들이라고 인지하다.

にんちくしょう【人畜生】名 짐승 같은〔잔인무도한〕 인간. ＝人畜(にんちく)·人(ひと)でなし·人非人(にんぴにん). ¶恩(おん)を知(し)らぬ～ 은혜를 모르는 짐승 같은 인간/彼(かれ)のやったことは～のやることだ 그가 한 일은 짐승 같은 인간이나 할 짓이다.

にんてい【人体】名 **1** 사람의 외양; 풍채. ¶怪(あや)しい～の男(おとこ) 수상한 모습의 남자. **2** 사람의 인품; 품격. ＝じんてい. ¶いやしからぬ～ 천하지 않은 인품.

にんてい【認定】名ス他 인정. ¶事実(じじつ)の～は証拠(しょうこ)による 사실(의) 인정은 증거에 의한다/労働災害(ろうどうさいがい)と～する 노동 재해라고 인정하다.

にんにく〖大蒜〗名〔植〕마늘. ＝ひる.

にんぴ【認否】名 인정과 부인; 인정 여부. ¶～を問(と)う〔ただす〕 인정 여부를 묻다.

にんぴにん【人非人】名 비인간; 인도에 벗어난 사람. ＝ひとでなし. ¶血(ち)も涙(なみだ)もない～ 피도 눈물도 없는 비인간.

ニンフ [nymph] 名 (그리스 신화의) 님프; 정령(精靈); 요정.

にんぷ【人夫】名 〈卑〉 막일을 하는 노동자; 인부. ＝人足(にんそく).

にんぷ【妊婦】名 임부; 임신부. ＝はらみ女(おんな). ¶～服(ふく) 임신부복.

にんべつ【人別】名 개인별. ¶～の割(わ)り当(あ)て 개인별 할당.

にんまり 副ス自 빙긋이; 빙그레. ¶ことがうまく運(はこ)び一人(ひとり)～(と)笑(わら)う 일이 잘되어 혼자서 빙긋이 웃다.

***にんむ**【任務】名 임무. ＝つとめ·役目(やくめ). ¶～を果(は)たす〔全(まっと)うする〕 임무를 다하다/重要(じゅうよう)な～につく 중요한 임무를 맡다.

***にんめい**【任命】名ス他 임명. ¶駐米(ちゅうべい)大使(たいし)に～される 주미 대사에 임명되다.

にんめん【任免】名ス他 임면; 임명과 면직. ¶～する権限(けんげん)を持(も)つ 임면하는 권한을 갖다.

にんよう【任用】名ス他 임용. ¶～試験(しけん) 임용 시험/若手(わかて)を～する 젊은 사람을 임용하다.

ぬ ヌ

1 五十音図(ごじゅうおんず) 'な行(ぎょう)'의 셋째 음. [nu] **2**〔字源〕'奴'의 초서체《かたかな 'ヌ'는 '奴'의 오른쪽 부분》.

ぬ 助動 …아니다; …않다. ＝…ない. ¶何(なに)も知(し)ら～ 아무것도 모른다/知(し)ら～が仏(ほとけ) 모르는 게 약/なければならない～ 없으면 안 된다/許(ゆる)され～事(こと)だ 용

서할 수 없는 일이다. [注意] 口語에서는 전하여 'ん'이라고도 함. ¶何(なに)も知(し)らん顔(かお) 아무것도 모르는 체하는 얼굴. ⇨ず[助動]

ぬ [助動]〈雅〉**1** 진술되는 동작·작용이 완료했다는 뜻을 나타냄: …었다; …(해) 버렸다. ¶夏(なつ)は来(き)～ 여름은 왔도다/早(はや)船(ふね)に乗(の)れ, 日(ひ)も暮(く)れ～ 빨리 배를 타라. 날이 저물었다. **2**《대부분 'べし' 'む' 'らむ' 등과 합해서》 진술에 대한 확인을 나타냄: 꼭 …하다. ¶さり～べからむ折(おり)に 꼭 그렇게 되리라고 생각하던 차에.

ぬい【縫い】[名] **1** 꿰맴; 꿰매는 방식. ¶ミシン～ 미싱 재봉/ぐし～ 홈질/しっかりした～ 야무진 바느질. **2**《繡》 자수. **3** 솔기; 꿰맨 자리.

ぬいあげ【縫い上げ·縫い揚げ】[名][ス他] (어린이의 성장에 대비해) 옷의 어깨나 허리를 징금; 또, 그 부분. ＝あげ. ¶少(すこ)し長(なが)めのズボンの裾(すそ)を～する 조금 기름한 양복바지 자락을 접어 꿰매다.

ぬいあわ-せる【縫い合わせる】[下1他] (천이나 가죽을) 꿰매 맞추다〔잇다〕. ¶傷口(きずぐち)を～ 상처를 봉합하다.

ぬいいと【縫い糸】[名] 재봉실.

ぬいかえ-す【縫い返す】[5他] **1** 곱쳐서 한 번 더 꿰매다. **2** 고쳐 꿰매다. ＝縫(ぬ)い直(なお)す.

ぬいぐるみ【縫いぐるみ】《縫い包》[名] **1** (속에 든 것을) 싸듯이 꿰매는 일; 또, 그렇게 꿰맨 물건《특히, 안에 솜을 넣고 꿰맨 봉제 인형》. ¶パンダの～ 팬더(의 봉제) 인형. **2** 연극에서 배우가 동물로 분장할 때 입는 동물 모양의 의상. ¶くまの～を着(き)ている 곰 형상을 한 동물 의상을 입고 있다.

ぬいこ【縫い子】[名] 바느질집에서 바느질을 하는 여자. ＝針子(はりこ).

ぬいこ-む【縫い込む】[5他] **1** 물건을 안에 넣고 꿰매다. **2** 시접이 안쪽으로 들어가도록 꿰매다.

ぬいし【縫い師】[名] 재봉사.

ぬいしろ【縫い代】[名] 시접; 두 천을 꿰매어 합칠 때에 안으로 접어 넣는 부분. ¶二(に)センチの～ 2cm의 시접.

ぬいとり【縫い取り】[名] 자수; 수놓음; 수놓은 무늬. ＝ししゅう. ¶金糸(きんし)の～ 금실 자수/ハンカチに～をする 손수건에 수를 놓다.

ぬいと-る【縫い取る】[5他] 수놓다. ¶鳥(とり)を～ 새를 수놓다.

ぬいなお-す【縫い直す】[5他] 꿰맨 것을 뜯어서 다시 꿰매다. ¶浴衣(ゆかた)を～ 浴衣를 뜯어서 다시 꿰매다.

ぬいはり【縫い針】[名] 바느질; 재봉. ＝針仕事(はりしごと). ¶～ができない 바느질을 못한다.

ぬいばり【縫い針】[名] 바느질 바늘; 재봉 바늘. ↔留(と)め針(ばり)·待(ま)ち針(ばり).

ぬいめ【縫いめ·縫い目】[名] **1** 꿰맨 줄; 솔기. ¶～がほつれる 솔기가 터지다. **2** 바느질 자리〔눈〕; 땀. ＝針目(はりめ). ¶こまかい～ 촘촘한 땀/～があらい 땀이 성기다.

ぬいもの【縫い物】[名] **1** 재봉; 바느질; 재봉한 것; 바느질감. ¶～をする 바느질을 하다/～ができない 바느질을 못한다/～が仕上(しあ)がった 바느질이 다 되었다/～がたまった 바느질거리가 밀렸다. **2** 자수. ＝縫(ぬ)い取(と)り.

ぬいもん【縫い紋】[名] 수를 놓아 나타낸 가문(家紋). ↔染(そ)め抜(ぬ)き紋(もん)·書(か)き紋(もん)·染(そ)め紋(もん).

⁑ぬ-う【縫う】[5他] **1** ㉠꿰매다; 바느질하다. ¶傷口(きずぐち)〔着物(きもの)〕を～ 상처를〔옷을〕 꿰매다. ㉡자수하다. ¶模様(もよう)を～ 무늬를 수놓다. **2** ㉠누비고 나아가다. ¶人波(ひとなみ)を～·って行(ゆ)く 인파를 누비고 가다. ㉡(창·화살이 갑옷을) 뚫고 나가다. ¶矢(や)が鎧(よろい)を～ 화살이 갑옷을 꿰뚫다. [可能]ぬ-える[下1自]

ヌー [gnu] [名]〔動〕 누; 아프리카산의 대형 영양(羚羊). ＝牛(うし)かもしか.

ぬうっと [副] **1** 눈앞에 뻗쳐 나오는 모양: 쭉; 쑥. ¶～手(て)がのびてきた 손이 쭉 뻗쳐 왔다. ⇨ぬっと. **2** 기분 나쁘게 나타나는 모양: 불쑥. ¶人(ひと)が物(もの)かげから～現(あら)われた 사람이 그늘에서 불쑥 나타났다. **3** 사람이 희미〔멍청〕한 모양. ¶～した風貌(ふうぼう) 희미〔멍청〕한 풍모.

ヌーディスト [nudist] [名] 누디스트; 나체주의자.

ヌード [nude] [名] 누드; 알몸; 나체상. ＝はだか. ¶～写真(しゃしん) 누드 사진/～モデル 누드 모델/～ショー 누드 쇼.

ヌードル [noodle] [名]〔料〕 누들; 달걀과 밀가루로 만든 서양식 국수.

ぬえ〖鵺·鵼〗[名] **1** ㉠전설상의 괴물《머리는 원숭이, 수족은 호랑이, 몸은 너구리, 꼬리는 뱀, 소리는 호랑지빠귀와 비슷하다는 짐승》. ㉡'トラツグミ(＝호랑지빠귀)'의 딴 이름. ＝鵺鳥(ぬえどり). **2** 정체불명의 사물·사람. ¶～的(てき)人物(じんぶつ)〔存在(そんざい)〕 정체불명의 인물〔존재〕.

ぬか〖糠〗[名] (속)겨; 쌀겨. ＝こぬか. **──に釘(くぎ)** 겨에 못박기《호박에 침주기; 반응이 없음의 비유》.

ぬかあぶら【ぬか油】《糠油》[名] 쌀겨 기름; 미강유. ＝ぬかゆ.

ぬかあめ【ぬか雨】《糠雨》[名] 이슬비; 보슬비; 가랑비. ＝きりさめ.

ぬかえび〖糠蝦〗[名]〔動〕 생이.

ぬかくぎ〖糠釘〗[名] **1** 아주 작은 못. **2** 겨에 못을 박듯이 아무 반응이 없는 일《'糠(ぬか)に釘(くぎ)'의 준말》.

ぬか-す〖吐かす〗[5他]〈俗〉 말하다; 지껄이다. ¶何(なに)を～か 뭐라고 지껄이는 거야/生意気(なまいき)なことを～な 주제넘은 소리 마라.

＊ぬか-す【抜かす】[5他] **1** 빠뜨리다; 빼다; (사이를) 거르다. ＝もらす. ¶昼飯(ひるめし)を～ 점심 식사를 거르다/この章(しょう)を～·して先(さき)を読(よ)もう 이 장을 거르고 그

다음을 읽자/一字~·して写す 한 자 빼고 베끼다/うつつを~ 제정신을 잃다; 미치다; 몰두하다. **2**『腰を~』(a)기겁을 하다; 깜짝 놀라다; (b)허리 힘이 빠져 일어설 기력이 없다. ¶驚いて腰を~ 놀란 나머지 털썩 주저앉다. 可能 ぬか-せる 下1自

ぬが-す【脱がす】 5他 남이 입고 있는 옷을 빼앗다; 또, 옷을 벗기다. =脱がせる.

ぬかず-く〖額突く〗 5自 부복하다; 조아리다; 공손히 절하다. ¶仏前に~ 불전에 공손히 절하다.

ぬかづけ【ぬか漬け】《糠漬け》 图 (야채 따위를) 소금겨〔겨된장〕에 절임; 또, 그 절인 것. =ぬかみそづけ. ¶茄子を~にする 가지를 소금겨에 절이다.

ぬかぶくろ【ぬか袋】《糠袋》 图 (목욕할 때 몸을 닦기 위한) 겨를 넣은 주머니.

ぬかみそ〖糠味噌〗 图 (장아찌·짠지를 담그는 밑절미로 쓰기 위해서) 겨에 소금을 섞어 물로 반죽하여 발효시킨 겨된장.

—が腐る 목소리가 나쁘거나 노래가 서투른 것을 헐뜯는 말. ¶~よ 듣기 싫은 노래 집어치워.

—くさ-い【—臭い】 形 **1** 겨된장 냄새가 나다. **2** 여자가 살림에 찌들다; 살림때가 묻어 볼품이 없다. ¶結婚したら急に~·くなった 결혼하자 금방 살림에 찌든 듯 볼품없이 됐다.

—にょうぼう【—女房】 图 살림때가 묻은 마누라; 살림에 시달리고 고생하는 아내.

ぬかよろこび【ぬか喜び】《糠喜び》 图 スル自 헛된 기쁨; 기쁨이 보람없이 됨. ¶昇進が取り消されて~に終わった 승진이 취소되어 좋다가 말았다.

ぬかり【抜かり】 图 빠뜨림; 빈틈; 허술함; 실수. =手抜かり·手落ち. ¶~なく捜査する 빈틈없이 수사하다/準備に~はない 준비에 허술함이 없다/商売にかけては~ない 장사에는 빈틈이 없다/~なくやれ 실수 없이 해라.

ぬか-る【抜かる】 5自 (방심하다가) 실수하다; (소중한 일에) 실패하다. ¶気をつけて~なよ 정신 차려 실수하지 마라/それを知らなかったのは確かに~·っていた 그걸 몰랐던 것은 확실히 실수였다.

ぬか-る〖泥濘る〗 5自 땅이 질퍽거리다. ¶道が~ 길이 질퍽거리다/~·って歩けない 질퍽거려 걸을 수 없다.

ぬかるみ〖泥濘〗 图 **1** 진창; 질퍽거리는 곳. ¶雪どけの~道 눈 녹은 진창 길/~に足を踏み込む 수렁에 빠지다《곤란한 사태에 빠졌다는 뜻으로도 쓰임》. **2** 빠져나올 수 없는 나쁜 환경〔곤란한 상태〕.

ぬき【抜き】 一图 **1** 뺌; 제외함. ¶しみ~ 얼룩〔때〕 빼기/冗談は~にして 농담은 빼고서/朝飯はいつも~だ 조반은 늘 안 먹는다. **2** 'せん抜き(=마개뽑이)'의 준말. 二接尾 **1**《体言에 붙어서》…없이; 거름. ¶わさび~のすし 고추냉이를 뺀 초밥/昼飯~で働く 점심을 거르고 일하다/商売〔損得〕~で話そう 장삿속을 떠나〔손익을 따지지 말고〕 얘기하자. **2**《인원수를 나타내는 한자어에 붙여서》 그 수만큼 이김. ¶五人~ 다섯 사람을 이겨 냄.

ぬき〖貫〗 图 기둥과 기둥 사이에 가로 대는 나무; 인방. =ぬきぎ.

ぬきあし【抜き足】 图 살금살금 걸음. ¶~で近寄る 살금살금 다가오〔가〕다. ↔差し足.

—さしあし【—差し足】 連語 발소리 안 나게 살그머니 걷는 모양; 살금살금. ¶~忍び足 (발소리 안 나게) 몰래 살금살금 걷는 걸음.

ぬきいと【ぬき糸】《緯糸》 图 씨실. =ぬき. ↔たて糸.

ぬきうち【抜き打ち】 图 칼을 뺌과 동시에 벰; 전하여, 예고 없이 실시함. ¶~スト〔検査〕 불시 파업〔검사〕/~試験 예고 없이 보는 시험/~に切りつける 칼을 뽑자마자 내리치다.

—かいさん【—解散】 图 불시 해산《의원 내각제에서, 정부가 돌연 의회를 해산하는 일》.

ぬきえもん【抜きえもん】《抜き衣紋》 图 일본 옷의 앞깃을 올리고 뒤로 젖혀서 목덜미가 나오게 입는 방식. =抜きえり.

ぬきがき【抜き書き】 图スル他 **1** 발초(拔抄); 필요한 곳만 뽑아 씀; 또, 그 초록(抄錄). =書き抜き. ¶要点を~する 요점을 발췌하다. **2** 한 사람의 배우가 담당한 부분만을 적은 약식 대본.

ぬきがた-い【抜き難い】 形 **1** 없애 버리기 어렵다; 제거하기 어렵다. ¶~不信感 씻기 어려운 (뿌리깊은) 불신감. **2** (성 따위를) 함락하기 어렵다.

ぬきさし【抜き差し】 图 **1** 빼고 꽂음. ¶プラグの~ 플러그를 빼고 꽂음/一字の~もできない 한 자라도 빼고 넣을 수 없다. **2** 몸을 움직이는 일; 몸을 움직거림; 변통해 봄.

—ならない 빼도 박도 못하다; 꼼짝 못하다. ¶~羽目におちいる 빼도 박도 못할 처지에 이르다.

ぬきさ-る【抜き去る】 5他 **1** 뽑아서 제거하다. ¶小骨を~ 잔가시를 발라내다. **2** 앞지르다. ¶一気に~ 단숨에 앞지르다.

ぬきし【抜き師】 图 'すり(=소매치기)'의 딴 이름.

ぬぎす-てる【脱ぎ捨てる】 下1他 벗은 채로 두다; 벗어던지다. ¶衣服を~ 옷을 벗어던지다/封建思想を~ 봉건사상을 벗어던지다.

ぬきずり【抜き刷り】 图スル自他 책이나 잡지의 어떤 부분을 뽑아서 가외로 더 인쇄함; 또, 그렇게 한 것. =別刷り. ¶論文の~ 논문의 발췌 인쇄물.

ぬきだ-す【抜き出す】 5他 뽑아내다; 골

라내다; 가려내다. ¶優秀なものを～ 우수한 자를〔것을〕 뽑아내다〔골라내다〕/要点を～ 요점을 가려내다. [参考] 요점이나 성분을 가려낼 때는 '抽き出す'로도 씀.

ぬぎちら-す【脱ぎ散らす】[5他] (옷을) 아무렇게나 벗어 던지다. ＝脱ぎ散らかす.

ぬきて【抜き手】[名] 일본 고래의 수영법의 하나《물을 헤친 손을 번갈아 물 위로 빼내면서 빨리 헤엄치는 법》. ＝ぬきで.
――を切る 1 抜き手로 헤엄쳐 나아가다. 2 난관을 헤치고 나아가다.

ぬきとり【抜き取り】[名] 1 짐 속의 것을 빼내 훔침. 2 ☞ぬきとりけんさ.
――けんさ【――検査】[名] 임의 추출(抽出)법. ＝ランダム サンプリング.

ぬきと-る【抜き取る】[5他] 1 빼내다; 골라내다; 뽑아내다. ¶とげを～ 가시를 빼내다/検査のサンプルを～ 검사용 샘플을 골라내다/白髪を～ 흰 머리카락을 뽑다. 2 (화물·우편물의 알맹이를) 빼내다; 훔치다. ¶荷物から～ 화물에서 빼내다〔훔쳐 내다〕.

ぬきはな-つ【抜き放つ】[5他] 단숨에 칼을 뽑다; 힘차게 빼어 들다. ¶腰の大刀を～ 허리에 찬 검을 쑥 뽑아들다.

ぬきみ【抜き身】[名] 칼집에서 빼낸 칼. ＝白刃. ¶～を持った強盗 맨 칼을 든 강도.

ぬきよみ【抜き読み】[名][ス他] (어떤 부분만을) 뽑아내서〔발췌해서〕 읽음. ¶参考書を～する 참고서를 어떤 부분만을 뽑아 내어〔가려내어〕 읽다.

ぬきん-でる【抜きんでる】《擢んでる·抽んでる》[下1自] 뛰어나게 우수하다; 뛰어나다. ¶衆に～·でた才能 여러 사람보다 뛰어난〔출중한〕 재능.

⁑**ぬ-く**【抜く】[一][5他] 1 뽑다; 빼내다. ㉠(속에 들어 있는 것을) 뽑아내다. ¶刀を～ 칼을 뽑다/人の財布を～ 남의 지갑을 빼내다〔훔치다〕/要旨を～ 요지를 뽑아내다/足を～ 발을 빼다; 나쁜 일에서 손을 떼다. ㉡선발하다; 골라 뽑다. ¶優秀選手を～ (a)우수한 선수를 뽑다; (b)우수 선수를 빼내다/悪い製品を～ 나쁜 제품을 골라 내다. ㉢(필요하지 않은 것을) 없애다; 제거하다. ¶雑草〔歯〕を～ 잡초〔이〕를 뽑다/しみを～ 얼룩을 빼다/ふろの湯を～ 목욕물을 빼내다. ㉣따(내)다. ¶ビールの栓〔口〕を～ 맥주 병마개를 뽑다. 2 덜다; 줄이다; 거르다; 생략하다. ¶仕事の手を～ 일손을 덜다/朝食を～ 조반을 거르다/説明を～ 설명을 생략하다. 3 함락하다. ¶城を～ 성을 함락시키다. 4 앞지르다; 제치다; 능가하다. ¶前の車を～ 앞차를 앞지르다/先輩を～·いて昇進する 선배를 제치고 승진하다/実力は彼を～ 실력은 그를 능가한다/水準を～ 수준을 넘다. 5《다른 動詞의 連用形에 붙여서》 ㉠끝까지 해내다; 해치우다. ¶読み～ 독파하다/やり～ (끝까지) 해내다. ㉡몹시 …하다. ¶困り～ 몹시 난처하다/苦労し～ 몹시 고생하다. [可能]ぬ-ける[下1自]
――·きつ抜かれつ 앞서거니 뒤서거니. ＝追いつ追われつ. ¶レースは～の接戦だった 레이스는 앞서거니 뒤서거니 하는 접전이었다.

⁑**ぬ-ぐ**【脱ぐ】[5他] 벗다. ¶服〔ベール〕を～ 옷〔베일〕을 벗다/帽子を～ 모자를 벗다/へびが皮を～ 뱀이 허물을 벗다/一肌～ (남을 위해) 발벗고 나서다/靴は～·がなくてもけっこうです 구두는 벗지 않아도 됩니다. [参考]1 'めがね(＝안경)·手ぶくろ(＝장갑)' 등을 벗거나 腕時計(＝손목시계)를 푸는 것은 'はずす'라고 하며, 'えりまき(＝목도리)'나 'マフラー(＝머플러)'는 'とる'라고 함. [参考]2 좁은 뜻으로는 여배우 등이 나체로 연기함을 가리킴. ↔着る. [可能]ぬげ-る[下1自]

ぬく-い〖温い〗[形]〈関西方〉 따뜻하다; 따스하다. ＝あたたかい·ぬくとい. ¶～水 따뜻한 물/今日は大分～ 오늘은 꽤 따뜻하다.

ぬぐいと-る【ぬぐい取る】《拭い取る》[5他] 닦아 없애다. ＝ふきとる. ¶汗を～ 땀을 닦아 내다.

*__ぬぐ-う__〖拭う〗[5他] 닦다; 씻다. ¶涙〔汗〕を～ 눈물〔땀〕을 닦다 / 身を～ 몸을 씻다/口を～ 시치미를 떼다; 모른 체하다/汚名〔恥〕を～ 오명〔치욕〕을 씻다/疑問を～·いきれない 의문을 지울 수 없다.

ヌクテー [한 늑대] [名]〖動〗 늑대. [注意] '勒犬'로 쓴 차자(借字).

ぬくぬく [副] 1 편하게; 안락하게. ¶老後は田舎で～(と)過ごす 노후는 시골에서 편하게 지내다. 2 따끈따끈. ¶たきたてで～の飯 갓 지어서 따끈따끈한 밥. [参考] 'ぬくい'의 語幹을 겹친 말. 3 뻔뻔스럽게. ＝ぬけぬけ. ¶～(と)のさばっている 뻔뻔스럽게 거들먹거리고 있다.

ぬくま-る〖温まる〗[5自] 따뜻해지다. ＝あたたまる·ぬくもる. ¶水が～ 물이 따뜻해지다/火鉢で～ 화로로 몸이 따뜻해지다〔몸을 녹이다〕. ↔冷える.

ぬくみ〖温み〗[名] 온기(溫氣). ＝あたたかみ·ぬくもり·あたたかさ. ¶肌の～ 몸의 온기/布団に～が残っている 이부자리에 온기가 남아 있다.

ぬく-める〖温める〗[下1他] 데우다; 녹이다. ＝あたためる. ¶足を～ 발을 녹이다/おかずを～ 반찬을 데우다/小鳥を手で～ 작은 새를 손으로 따뜻하게 하다. ↔冷やす.

ぬくもり〖温もり〗[名] 1 온기; 따스함. ＝ぬくみ·あたたかさ. ¶生みたての卵の～ 갓 낳은 달걀의 온기. 2 따뜻한 인정; 온정. ¶～のある判決に感泣

する 온정 있는 판결에 감읍하다.

ぬくも-る〚温もる〛5自 ☞ぬくまる.

ぬけ【抜け】名 빠짐; 누락. =もれ·ぬけおち. ¶記入に～がある 기입에 누락이 있다.

ぬけあが-る【抜け上がる】5自 〈俗〉 머리털이 치벗어지다. =はげあがる. ¶額が～ 이마가 벗어지다.

ぬけあな【抜け穴】名 빠져나갈 구멍. **1** 빠져나갈 수 있는 구멍. ¶煙の～ 연기가 빠져나갈 구멍. **2** 몰래 도망쳐 나갈 구멍. ¶城の～ 성의 비밀 통로/～を見つける 도망쳐 나갈 구멍을 발견하다. **3** 빠져나갈 수단·방법. =ぬけみち. ¶どの法律にも～がある 어떤 법률에도 빠져나갈 구멍이 있다.

ぬけうら【抜け裏】名 막다르지 않은 뒷골목.

ぬけがけ【抜け駆け】名 자自 남을 속이거나 모르게 앞질러 행함. ¶命にそむいて～する 명령을 어기고 적진에 먼저 쳐들어가다/～して特許を申請する 남을 따돌리고 특허를 신청하다.

—の功名 남을 속이거나 따돌리고 세운 공.

ぬけがら【抜け殻】《脱け殻》名 빈 껍질. **1** (뱀·매미 등의) 허물. ¶せみの～ 매미의 허물. **2** 얼빠진 사람이나 힘과 의욕을 잃은 사람. ¶重なる不幸に～同然になる 거듭되는 불행으로 얼빠진 허수아비처럼 되다.

ぬけかわ-る【抜け替わる】5自 (털·뿔·이 따위) 이전 것이 빠지고 새로 나다. =はえかわる. ¶羽毛〔歯〕が～ 깃털이〔이가〕 새로 나다.

ぬけげ【抜け毛】《脱け毛》名 빠진 머리털; 빠진 털. ¶最近～がひどくなった 최근 탈모가 심해졌다.

ぬけさく【抜け作】名 〈俗〉 얼간이; 바보; 등신(('作'를 달아서 인명화한 것)). =のろま·抜け.

ぬけじ【抜け字】《脱け字》名 빠진 글자; 탈자. =脱字. ↔衍字.

***ぬけだ-す【抜け出す】**5自 **1** 빠져나가다; 살짝 도망치다; 벗어나다. ¶城を～ 성을 몰래 빠져나가다/不況から～ 불황에서 벗어나다. **2** (머리털·이빨 등이) 빠지기 시작하다. ¶髪の毛が～ 머리털이 빠지기 시작하다.

ぬけ-でる【抜け出る】下1自 **1** 빠져나오다; 떨어져 나오다. ¶包囲から～ 포위에서 빠져나오다/スタイルブックから～でたような人 스타일북에서 빠져나온 듯한 사람((멋진 사람)). **2** 우뚝 솟아나다; 뛰어나다. =ぬきんでる. ¶ひときわ～ 한층 더 뛰어나다.

ぬけぬけ 副 뻔뻔스럽고 태연한 모양. ¶～とうそを言う 뻔뻔스럽게 거짓말하다/～としらをきる 뻔뻔스럽게 태연히 시치미를 떼다〔잡아떼다〕.

ぬけみち【抜け道】名 **1** 샛길. =間道. ¶やぶの～ 숲 속의 샛길/～を通る 샛길로 지나가다. **2** 도망칠 길; 전하여, 책임 등을 교묘히 벗어날 수단. =逃げ道. ¶法の～をさがす 법망을 빠져나갈 길을 찾다.

ぬけめ【抜けめ·抜け目】名 빈틈; 허술한 점. =漏れ·手抜かり. ¶～のない人 빈틈없는 사람/～なく立ち回る 빈틈없이 굴다〔처신하다〕/彼は万事に～がない 그는 만사에 허술한 점이 없다.

****ぬ-ける【抜ける】**下1自 **1** 빠지다. ㉠없어지다. ¶力が～ 힘이 빠지다/気が～ 김이〔기운이〕 빠지다; 맥이 빠지다. ㉡뽑히다. ¶歯が～ 이가 빠지다/毛が～ 털이 빠지다. ㉢밑이 두려빠지다. ¶底〔床〕が～ 밑〔마룻바닥〕이 두려빠지다. ㉣누락하다. ¶名簿から～ 명부에서 빠지다/二ページ～·けている 두 페이지가 빠져 있다. ㉤물러나다; 이탈하다. ¶列を～ 열에서 이탈하다/仲間から～ 한패에서 빠지다. ㉥(저쪽으로) 통하다. ¶目から鼻へ～ 눈에서 코로 빠지다((약삭빠르고 빈틈없다)). ㉦지나다; 빠져나가다. ¶裏道〔トンネル〕を～ 뒷길〔터널〕을 빠져나가다. **2** 떨어지다. ㉠함락되다. ¶城が～ 성이 함락되다. ㉡병이 낫다. ¶かぜが～ 고뿔이 떨어지다. ㉢헐어서 떨어지다. ¶ひざが～ 바지 따위의 무릎 언저리가 낡아서 해어지다. **3** (구멍이) 뚫리다. ¶トンネルが～ 터널이 뚫리다. **4** 모자라다; 얼빠지다. ¶彼は少し～·けている 그는 좀 멍청하다. **5** 뛰어나다. ¶～·けたる器量の人となり 기량이 뛰어난 사람이다. **6** 몰래 도망치다. ¶島を～ 유형된 죄인이 섬에서 몰래 도망치다. 注意 1㉣㉤은 '脱ける'로도 씀.

ぬ-げる【脱げる】下1自 (모자 등이) 벗겨지다. ¶くつ〔帽子〕が～ 구두〔모자〕가 벗겨지다.

***ぬし【主】**㊀名 **1** 주인; 남편; 임자. ¶家の～ 집주인/手紙の～ 편지의 임자; 편지를 쓴 사람/～ある女 남편 있는 여자 / 話題の～が現れる 화제의 주인공이 나타나다/この車の～は誰だ 이 차의 주인은 누구냐. **2** 산·못·큰나무 등에서 살며 신령이 붙어 있다는 동물; 업; 터주; 신령((비유적으로 씀)). ¶あの先生はこの学校の～だ 저 선생은 이 학교의 터줏대감이다.

㊁代 ((단독 또는 'お～''～さん' 등의 꼴로)) **1** 〈方〉 당신; 너. **2** 임자; 당신((옛날, 여자가 남자 특히, 남편이나 애인을 가리킬 때 썼음)). ㊂接尾 어떤 동작의 주체의 뜻: …한 사람. ¶持ち～ 소유주; 임자/拾い～ 주운 사람.

ぬすっと［盗人］名 〈口〉 ☞ぬすびと.

—ねこ【—猫】名 도둑고양이. =どろぼう猫.

ぬすびと【盗人】名 도둑. =どろぼう. ¶花～ (꽃놀이를 즐기고 돌아가는 길에 벚꽃가지 등을 꺾어 가는) 꽃도둑.

—猛猛しい 적반하장. ¶～とはこの〔お前の〕事だ 적반하장이라더니 바

로 이〔너〕를 두고 하는 말이구나.
―に追(お)い銭(せん) 도둑에게 돈을 주어 내보내다《거듭 손해 봄》.
―にも三分(さんぶ)の理(り)あり 도둑에게도 할 말은 있다《처녀가 애를 낳아도 할 말은 있다》.
―を捕(とら)えて見(み)れば我(わ)が子(こ)なり 도둑을 잡고 보니 내 자식놈이라《뜻밖의 일이라서 처리하기가 난처함의 비유; 또, 가까운 사람이라도 방심할 수 없음의 비유》.

*ぬすみ【盗み】图 훔침; 도둑질. ¶～をした罪(つみ) 도둑질한 죄/～に入(はい)る 도둑질하러 들어가다/～を働(はたら)く 도둑질하다.

ぬすみぎき【盗み聞き】图スル他 몰래 엿들음; 도청. ¶電話(でんわ)を～する 전화를 도청하다.

ぬすみぐい【盗み食い】图スル他 **1** (몰래) 훔쳐 먹음. ¶～する野良猫(のらねこ) 훔쳐 먹는 도둑고양이. **2** 숨어서 몰래 먹음. =つまみ食(ぐ)い.

ぬすみだ-す【盗み出す】5他 훔쳐 내오다. ¶設計図(せっけいず)を～ 설계도를 훔쳐 내다.

ぬすみと-る【盗み取る】5他 훔치다; 훔쳐서 제것으로 만들다. ¶技術(ぎじゅつ)を～ 기술을 훔치다.

ぬすみみ【盗み見】图スル他 몰래 엿봄; 훔쳐봄. ¶人(ひと)の答案(とうあん)を～する 남의 답안을 훔쳐보다.

ぬすみよみ【盗み読み】图スル他 **1** 옆에서 슬쩍 훔쳐 읽음. ¶わきから新聞(しんぶん)を～する 곁에서 신문을 훔쳐 읽다. **2** 남의 편지를 몰래 읽음.

ぬす-む【盗む】5他 **1 훔치다; 속이다. ¶財布(さいふ)を～ 지갑을 훔치다/先生(せんせい)の目(め)を～·んでカンニングをする 선생의 눈을 속이고 커닝을 하다/目方(めかた)を～ 저울(눈)을 속이다/現金(げんきん)だけ～·まれた 현금만 도둑맞았다. **2** 표절하다. ¶人(ひと)の論文(ろんぶん)を～ 남의 논문을 표절하다. **3** (야구에서) 도루(盜壘)하다. 可能ぬす-める 下1自

ぬた〖饅〗图 잘게 썬 생선·조개·야채를 초된장에 무친 음식. =ぬたあえ.

ぬたく-る 一5自 굼틀거리다; 바르작거리다. =のたくる. ¶みみずが～ 지렁이가 굼틀거리다. 二5他 **1** 서투른 글씨 따위를 직직 갈겨쓰다. ¶色紙(いろがみ)にへたな俳句(はいく)を～ 색종이에 서투른 俳句를 직직 갈겨 쓰다. **2** (물감 따위를) 보기 흉하게 더덕더덕 칠하다. =ぬったくる. ¶おしろいを～ 분을 처바르다.

ぬっと 副 **1** (불)쑥. =のっと. ¶横(よこ)から～手(て)を出(だ)す 옆에서 불쑥 손을 내밀다. 参考 출현하는 동작에 시간이 걸리는 경우는 'ぬうっと'라고 함. **2** 우두커니. ¶～突(つ)っ立(た)ってばかりいないで少(すこ)しは働(はたら)けよ 우두커니 서 있지만 말고 일도 좀 하렴.

ぬの【布】图 **1 직물의 총칭; 천. ¶～を織(お)る〔裁(た)つ〕 천을 짜다〔재단하다〕. **2** 포목; 삼베와 무명. ↔絹(きぬ).

ぬのぎれ【布切れ】图 천 조각; 헝겊. =ぬのきれ.

ぬのこ【布子】图 솜을 넣은 무명옷. ↔小袖(こそで).

ぬのじ【布地】图 천; 피륙. =たんもの·切(き)れ地(じ).

ぬのそう【布装】图 천〔클로스〕 장정(裝幀).

ぬのめ【布目】图 천의 발; 옷감의 결. ¶～が粗(あら)い〔細(こま)かい〕 올이 굵다〔곱다〕.

ぬひ〔奴婢〕图 노비. =どひ. **1** 하인; 사내종과 계집종. =しもべ. ¶～制度(せいど) 노비 제도. **2** 奈良(なら)·平安(へいあん) 시대의 천민(賤民) 계급.

*ぬま【沼】图 늪. ¶～にすむどじょう 늪에 사는 미꾸라지.

ぬまち【沼地】图 늪지대; 수렁 땅; 질척하고 쑥쑥 빠지는 땅.

ぬめ〖絖〗图 바탕이 얇고 매끄러운 윤이 나는 명주《그림을 그리거나 조화(造花) 등의 재료로 쓰임》.

ぬめがわ【ぬめ革】《滑革》图 타닌산(酸)으로 부드럽게 다룬 가죽《구두·가방의 재료로 씀》. 注意 'ぬめかわ'라고도 함.

ぬめぬめ 副スル自 번들번들; 미끈미끈. ¶～したナメクジ 미끈미끈한 민달팽이/～と光(ひか)る 번들번들 빛나다.

ぬめやか ダナ 촉촉하고 윤기가 나는 모양. ¶～な肌(はだ) 윤기가 나는 피부.

ぬめり〖滑り〗图 매끄러움; 미끈미끈한 점액. ¶里芋(さといも)〔魚(さかな)〕の～をとる 토란〔생선〕의 미끈거리는 점액을 없애다.

ぬめ-る〖滑る〗5自 **1** 미끈미끈하다; 미끄럽다. ¶うなぎは～·って捕(とら)えにくい 장어는 미끄러워서 잡기 어렵다. **2** 요염하다; 모양내다. =なまめく·めかす.

ぬらくら 副スル自 **1** 미끈미끈. ¶うなぎが～する 장어가 미끈둥거리다. =ぬらぬら. **2** 빈둥빈둥. =のらくら. ¶～息子(むすこ) 빈둥빈둥 놀기만 하는 자식/一日中(いちにちじゅう)～している 하루 종일 빈둥거리고 있다. **3** 태도가 확실하지 않은 모양. ¶～と言(い)いわけする 우물우물 변명하다.

*ぬら-す〖濡らす〗5他 적시다. ¶雨(あめ)で服(ふく)を～ 비로 의복을 적시다/手(て)を水(みず)に～ 손을 물에 적시다.

ぬらぬら 副 끈적거리면서 미끈미끈한 모양. ¶皿(さら)が油(あぶら)で～している 접시가 기름으로 끈적끈적하다/～して気持(きも)ちの悪(わる)い魚(さかな) 끈적거리고 미끈미끈하여 징그러운 물고기. 参考 'ぬるぬる'와 어원이 같음.

ぬらりくらり 副スル自 종잡을 수 없는 모양; 뺀들뺀들. =ぬらくら. ¶～と言(い)いのがれる 이리저리 둘러대며 발뺌하다/いくら質問(しつもん)しても～していて話(はなし)にならない 아무리 물어 보아도 뺀들뺀들하기만 하고 얘기가 되지 않는다.

ぬり【塗り】图 칠; 칠하는 일〔방식〕; 칠한 모양〔물건〕. ¶～がはげる 칠이 벗겨지다/～がよい 칠한 모양이 좋다/輪島(わじま)～ 石川県(いしかわけん) 輪島에서 나는 칠기. 参考 '輪島塗'와 같이 공예품 이름에 쓰일 때는 送(おく)り仮名(がな)를 안 씀.

ぬりえ【塗り絵】名 그 안에 색칠을 하도록 윤곽만 그려놓은 그림《어린이의 놀이·학습용으로 쓰임》.

ぬりかえ【塗り替え】名 (칠한 위에) 다시 칠함; 재칠.

ぬりか-える【塗り替える】下1他 **1** 새로이 다시 칠하다. ¶壁(かべ)を～ 벽을 다시 칠하다. **2** 갱신하다. ¶大会(たいかい)新記録(しんきろく)を～ 대회 신기록을 갱신하다.

ぬりぐすり【塗り薬】名 (피부에) 바르는 약; 도포제(塗布劑). ⇨のみぐすり·つけぐすり.

ぬりげた【塗りげた】《塗り下駄》名 옻칠한 왜나막신.

ぬりたく-る【塗りたくる】5他 마구잡이로 마구 칠하다; 뒤바르다. ¶白粉(おしろい)を～ 분을 처바르다.

ぬりたて【塗りたて】《塗り立て》名 칠한지 얼마 되지 않음; 갓 칠했음. ¶ペンキ～につき注意(ちゅうい) 갓 칠한 페인트에 주의할 것《게시》.

ぬりた-てる【塗り立てる】下1他 **1** (분 따위를) 지나치게 바르다; 화장을 짙게 하다. ¶おしろいを顔(かお)に～ 얼굴에 분을 (마구) 처바르다. **2** 예쁘게 칠하여 장식하다. ¶店(みせ)の前(まえ)を美(うつく)しく～ 가게 앞을 아름답게 칠하여 단장하다.

ぬりつ-ける【塗り付ける】下1他 **1** 처바르다; 매대기치다. ¶油(あぶら)を髪(かみ)に～ 기름을 머리에 처바르다/顔(かお)におしろいを～ 얼굴에 분을 뒤바르다. **2** (죄·책임을) 덮어씌우다. =なすりつける. ¶責任(せきにん)〔罪(つみ)〕を人(ひと)に～ 책임을〔죄를〕 남에게 덮어씌우다.

ぬりつぶ-す【塗りつぶす】《塗り潰す》5他 빈틈없이 모두 칠하다. ¶壁(かべ)を新(あたら)しく～ 벽을 새로 전부 칠하다.

ぬりばし【塗りばし】《塗り箸》名 옻칠한 젓가락.

ぬりふで【塗り筆】名 채색(彩色)용 붓.

ぬりもの【塗り物】名 칠물; 칠기. =漆器(しっき). ¶～師(し) 칠기 만드는 사람.

ぬりわん【塗りわん】《塗り椀》名 옻칠한 공기.

ぬ-る【塗る】5他 **1** 바르다. ㉠칠하다. ¶パンにバターを～ 빵에 버터를 바르다/壁(かべ)にペンキを～ 벽에 페인트를 칠하다/傷口(きずぐち)に薬(くすり)を～ 상처에 약을 바르다. ㉡화장하다. ¶おしろいを～ 분을 바르다. **2** (죄·책임 등을) 덮어씌우다. ¶人(ひと)に罪(つみ)を～ 남에게 죄를 덮어씌우다/人の顔(かお)にどろを～ 남의 얼굴에 먹칠을 하다. 可能 ぬ-れる 下1自

ぬる-い〖温い〗形 미지근하다; 미적지근하다. ¶お茶(ちゃ)が～ 차가 미지근하다/風呂(ふろ)が～ 목욕물이 미지근하다.

ぬる-い〖緩い〗形 **1** 완만하다. **2** 엄하지 않다; 미지근하다. ¶処分(しょぶん)が～ 처분이 미지근하다.

ぬるぬる 副スル自 미끄러운 모양: 미끈미끈; 번드르르. =ぬらぬら. ¶汗(あせ)で～した顔(かお) 땀으로 번드르르한 얼굴/油(あぶら)がついて～する 기름이 묻어 미끈미끈하다/どじょうは～してなかなかつかめない 미꾸라지는 미끈미끈하여 잘 잡히지 않는다.

ぬるび【ぬる火】《緩火》名 화력이 약한 불. =とろ火(び).

ぬるまゆ【ぬるま湯】《微温湯》名 미지근한 (목욕)물. =ぬる湯(ゆ). ¶～で薬(くすり)をのむ 미지근한 물로 약을 먹다.

—に浸(ひた)る〔浸(つ)かる〕 미지근한 물에 몸을 담그다《외부로부터의 자극이 없어 안일하게 현상(現狀)에 만족함의 비유》.

ぬる-む〖温む〗5自 미지근해지다; 조금 따뜻해지다; (날씨가) 풀리다; 누그러지다. ¶水(みず)～季節(きせつ)となる 물이 뜨뜻해질 계절이 되다. ↔冷(ひ)える.

ぬるゆ【ぬる湯】《微温湯》名 ☞ぬるまゆ. ¶～好(ず)き 미지근한 목욕물을 좋아함; 또, 그런 사람. ↔熱湯(あつゆ).

ぬるりと 副 미끈미끈. ¶手(て)にさわると～する 손으로 만지면 미끈거린다.

ぬれえん【ぬれ縁】《濡れ縁》名 (눈·비를 직접 맞는) 덧문 밖의 툇마루.

ぬれおちばぞく【ぬれ落ち葉族】《濡れ落ち葉族》名 물에 젖은 낙엽족; 정년 퇴직하여 축 처진 채 마누라 꽁무니에 붙어다니는 남편 족속. 參考 젖은 낙엽은 쓰레받기에 들러붙어서 잘 떨어지지 않는 데서. ⇨粗大(そだい)ゴミ2.

ぬれがみ【ぬれ紙】《濡れ紙》名 물에 젖은 종이.

—を剝(は)がすよう **1** (젖은 종이를 벗겨내듯이) 몹시 조심스럽게 다루는 모양. **2** 병이나 상처가 차츰 나아가는 모양.

ぬれがみ【ぬれ髪】《濡れ髪》名 감아서 젖은 머리; 금방 감은 머리.

ぬれぎぬ〖濡れ衣〗名 억울한 죄; 누명. ¶～を着(き)せる〔晴(は)らす〕 누명을 씌우다〔씻다〕/とんだ～だ 얼토당토 않은 누명이다. 參考 '젖은 옷'의 뜻.

—を着(き)せられる〔着(き)る〕 무고한 죄를 들쓰다; 누명을 쓰다.

ぬれごと【ぬれ事】《濡れ事》名 **1** 연극에서 연기로 하는 정사(情事)의 시늉. **2** 정사(情事). =いろごと.

—し【—師】名 정사의 연기를 하는 배우; 전하여, 정사에 능한 사람; 여자를 잘 농락하는 남자; 호색가.

ぬれしょぼた-れる〖濡れしょぼ垂れる〗下1自 흠뻑 젖다. =ぬれそぼつ.

ぬれそぼ-つ〖濡れそぼつ〗5自 〈雅〉 물방울이 떨어지도록 흠뻑 젖다. =ぬれしょぼたれる. ¶ズボンが露(つゆ)に～ 바지가 이슬에 흠뻑 젖다.

ぬれて【ぬれ手】《濡れ手》名 젖은 손.

—で粟(あわ)(のつかみ取(ど)り) 젖은 손으로 좁쌀 움켜쥐기《불로 소득의 비유》.

ぬれねずみ〖濡れ鼠〗名 (물에 빠진 생쥐처럼) 옷을 입은 채 흠뻑 젖은 모양. =ずぶぬれ. ¶大雨(おおあめ)に会(あ)って～になる 큰비를 만나서 흠뻑 젖다.

ぬれば【ぬれ場】《濡れ場》名 **1** 연극에서,

정사(情事)를 연기하는 장면. ＝ぬれ幕まく. ¶濃厚のうこうな～を演えんずる 짙은 정사 장면을 연기하다. **2** 정사 장면.

ぬれぼとけ【ぬれ仏】《濡れ仏》图 옥외(屋外)에 안치된 불상《비에 젖은 채 있으므로》. ＝露仏ろぶつ.

ぬ-れる〖濡れる〗下1自 **1** 젖다. ¶涙なみだに～·れた目め 눈물에 젖은 눈/雨あめに～ 비에 젖다. **2**〈俗〉(남녀가) 정을 통하다; 정사를 하다. ¶しっぽりと～ 정답게 사랑을 나누다.

> **濡ぬれるの 여러 가지 표현**
>
> 표현例 じめじめ(축축히)·じとじと(눅눅히)·じくじく(질척질척)·しっぽり(촉촉히)·しっとり(촉촉히·함초롬히)·じっとり(홍건히)·ずっぷり(푹; 흠뻑)·ぐしょぐしょ(함빡; 속속들이)·ぐっしょり(흠뻑; 함빡)·びちゃびちゃ(흠뻑)·びしょびしょ(후줄근히)·びっしょり(흠뻑).

ね ネ

1 五十音図ごじゅうおんず 'な行ぎょう'의 넷째 음. [ne] **2**〖字源〗'祢'의 초서체《かたかな 'ネ'는 '祢'의 왼쪽》.

ね【値】图 **1** (팔고 사는) 값. ＝値段ねだん. ¶～が高たかい 값이 비싸다/いい～だ 비싼[알맞은] 값이다/～があがる 값이 오르다. **2** 가치; 값어치. ＝ねうち. ¶この作さくで彼かれも～があがった 이 작품으로 그도 평가가 높아졌다.

―が張はる 값이 비싸다. ¶本物ほんものだと～ 진짜면 값이 비싸다.

ね[子] 图 자; 쥐; 지지(地支)의 첫째《방위로는 북쪽; 시각으로는 영시(零時) 또는 밤 11시부터 오전 1시까지》. ⇨じゅうにし.

ね【寝】图 잠; 자는 일. ＝眠ねむり. ¶～が足たりない 잠이 모자라다/～につく 잠자리에 들다.

ね【根】图 **1** 뿌리. ㉠나무 뿌리. ¶～を張はる 뿌리를 뻗다/～を切きる 뿌리를 자르다; 근절하다. ㉡종기 따위의 딱딱한 부분; 근. ¶はれもの[おでき]の～ 부스럼[종기]의 근/～がふっ切きれた (부스럼의) 근이 빠졌다. ㉢바탕이 되는 것. ¶歯はの～ 치근; 이뿌리/岩いわ～ 바위 밑동. ㉣원인; 근거. ¶～も無ないうわさ 근거 없는 소문. ㉤근원. ¶対立たいりつの～は深ふかい 대립의 뿌리가 깊다. **2** 타고남; 천성; 본성. ¶～からの商人しょうにん 타고난 상인/～がいやしい 천성이 천하다/～はいい人ひとだ 천성은 좋은 사람이다.

―に持もつ 앙심을 품다.

―も葉はもない 뿌리도 잎도 없다《아무 근거도 없다》. ¶～デマにおどらされる 아무런 근거도 없는 헛소문에 놀아나다.

―を下おろす 뿌리를 내리다; 정착하다. ¶民主主義みんしゅしゅぎが～ 민주주의가 뿌리를 내리다.

―を絶たつ 악폐 등을 근절하다. ¶悪あくの～ 악의 뿌리를 뽑다.

―を生はやす 자리를 굳히다; 뿌리를 박다.

ね【音】图 소리; 음성. ＝おと·こえ. ¶鈴すず[鐘かね]の～ 방울[종] 소리/虫むし[笛ふえ]の～ 벌레[피리] 소리. 参考 현재에는 아름다움을 느낄 때 씀.

―を上あげる〈俗〉 약한[죽는] 소리를 하다; 항복하다. ¶きつい訓練くんれんに～ 호된 훈련에 죽는소리를 하다.

ね ㊀間助《文中·文末의 文節 끝에 와서》 가벼운 감동을 나타내거나, 상대에게 동의(同意)를 구하거나, 다짐하는 데 쓰임: …요; …군요; …로군. ¶そうです～ 글쎄요; 그렇군요/これ, りっぱ～ 이거, 훌륭하군요/すごい～ 굉장하군/分わかった～ 알았지/どうだ～, やっぱりだめか 어때, 역시 틀렸나[글렀나]/いい天気てんきです～ 좋은 날씨군요/おもしろい～ 재미있군/そうは思おもわない～ 그렇게는 생각지 않아/これがいい～ 이것이 좋군/あの店みせは～, なんでも安やすくて～, それでいてうまいんだ 저 음식점은 말이야, 무엇이든지 싸고도 맛이 있어. ㊁感 부르거나, 다짐하거나, 친밀감을 나타낼 때에 내는 말: 응. ¶～, そうでしょう 응, 그렇지요/あの～ 저, 말이죠《말을 꺼낼 때 쓰는 말》/それで～ 그래서 말이야/～, 分わかった? 응, 알았니. 参考 'ねえ' 라고도 함.

ねあがり【値上がり】图ス自 값이 오름. ¶～気味ぎみだ 값이 오를 기색이다/ガソリンが～する 휘발유값이 오르다. ↔値下ねさがり.

ねあがり【根上がり】图 나무 뿌리가 땅위에 드러남. ¶～の松まつ 뿌리가 지상에 드러난 소나무.

ねあげ【値上げ】图ス他 가격 인상. ¶～反対はんたい 가격 인상 반대/運賃うんちんを～する 운임을 인상하다. ↔値下ねさげ.

ねあせ【寝汗】《盗汗》图 (잠잘 때의) 식은땀. ¶～をかく 식은땀을 흘리다.

ねい〖寧〗《寧》常用 ネイ やすい むしろ

녕 편안하다 | **1** 편안하다. ¶安寧あんねい 안녕/寧日ねいじつ 영일. **2** 정중히 하다. ¶丁寧ていねい 공손.

ねいかん [佞奸·佞姦] 图ナ 영간; 간사함; 또, 그 사람. ¶～邪知じゃち 영간 사지; 마음이 더럽고 지혜가 간사함.

ねいき【寝息】图 (잘 때의) 숨소리. ¶～を立たてる 자면서 숨소리를 내다.

―をうかがう **1** (정말 자고 있는지 확

인하기 위해) 숨소리에 귀를 기울이다. **2** (나쁜 일을 하기 위해) 남이 잠든 때를 노리다. ¶両親の寝息をうかがってそっと家を出た 양친이 잠든 때를 틈타 살짝 집을 나왔다.

ねいじつ【寧日】图 영일; 평온 무사한 날. ¶仕事に追われて～無し 일에 쫓겨 편안한 날이 없다. 注意 대개 否定의 꼴로 쓰임.

ねいじん[佞人]图 영인; 간사한 사람; 「아첨꾼.

ネイティブ图 ☞ネーティブスピーカー.

ねいりばな【寝入りばな】《寝入り端》图 갓 잠이 들었을 때; (풋)잠들 즈음. ¶～を起こされる 막 잠들려던 참에 깨워서 일어나다 / ～を襲う 막 잠이 들었을 때 덮치다.

ねい-る【寝入る】5自 자기 시작하다; 잠들다; 또, 깊이 잠들다. ¶いつのまにか～ 어느 사이엔가 잠들다 / ぐっすり～ 푹 잠들다 / 横になってすぐに～ 눕자마자 금방 잠들다 / 子供がやっと～·った 아이가 겨우 잠들었다.

ねいろ【音色】图 음색. ¶よい～ 좋은 음색 / 笛の～ 피리의 음색.

ねうごき【値動き】图ス自〔經〕 시세 변동. ¶～の少ない株 시세 변동(폭)이 적은 주식 / ～がはげしい 시세 변동이 심하다.

*__ねうち__【値打ち】图 **1** 가치; 값어치. ¶人の～ 사람의 가치 / 一読の～のある本 일독의 가치가 있는 책 / なんの～もない 아무런 값어치도 없다 / やってみる～がある 해 볼 만한 가치가 있다. **2** (사고 파는) 값; 가격. ¶この品は～だけのものはある 이 물건은 가격만큼의 가치는 있다. 「으로 팖.

ねうり【値売り】图 (산 값보다) 비싼 값

ねえ ⊟間助 ☞ね間助 ⊟終助 상대에게 무엇을 권하거나 부탁함을 나타냄(('なさい(=하세요)'의 막된 말씨 'ない'의 전와)). ¶済まねえが, 万円貸してくん～ 미안하지만 만 엔 빌려 주게. ⊟感〈女〉☞ね 感

ねえさん【姉さん】图 **1** 누님; 언니(('姉'의 높임말)). ↔兄さん. **2** (모르는) 젊은 여성을 부를 때 쓰는 말: 아주머니; 아가씨. **3**《姐さん》㉠여관·요릿집 등에서 심부름하는 여자를 부를 때 쓰는 말: 아가씨; 아줌마. ¶～, お勘定! 아가씨, 계산이 얼마죠 / ～, ビールをもう一本 아가씨, 맥주 한 병 더 (줘요). ㉡기생·접대부 등이 선배를 부르는 말: 언니. ¶～株 언니 격의 접대부. 「리.

—かぶり〖—被り〗图 ☞あねさんかぶ

ネーティブスピーカー[native speaker] 图 네이티브 스피커; 어떤 한 언어를 모국어로 쓰는 사람. =ネイティブ.

ネーミング[naming]图 네이밍; (상품 따위의) 명명(命名); 이름을 붙임.

ネーム[name]图 네임. **1** 이름; 명칭. **2** 이름을 쓴 것. ㉠'ネームプレート'의 준말. ㉡양복 따위에 수놓은 이름. ¶背広の上着に～を入れる 양복 저고리에 이름을 수놓다.

—バリュー[일 name+value]图 네임 밸류; 명성; 지명도. ¶～のある人 네임 밸류가 있는 사람.

—プレート[name plate]图 네임플레이트; 명찰; 이름표; 표찰(標札).

ネール[nail]图 네일; 손톱. =つめ.

—エナメル[nail enamel]图 네일 에나멜; 매니큐어용 에나멜.

ネオ=[neo-] 네오…; 새로운; 신…. ¶～ロマンチシズム 네오로맨티시즘; 신낭만주의.

ねおき【寝起き】⊟图ス自 자고 일어남; 일상생활. =起きふし. ¶兄とひとつ部屋で～する 형과 한방에서 기거하다. ⊟图 잠에서 깨어남; 또, 그때의 기분〔상태〕. =目ざめ. ¶～のいい子 (잠에서 깰 때) 잠투정을 하지 않는 아이 / ～が悪い 잠투정을 하다. ↔寝つき.

ねおし【寝押し】图ス他 (바지·스커트 따위를) 요 밑에 깔고 자서 주름을 잡음. =寝敷き. ¶スカートを～する 스커트를 요 밑에 깔고 자 주름을 잡다.

ネオン[neon]图 네온. **1** 'ネオンサイン'의 준말. **2**〔化〕비(非)활성 기체 원소의 하나((기호: Ne)).

—サイン[neon sign]图 네온사인.

ネガ图 네가. ☞ネガティブ⊟. ↔ポジ.

ねがい【願い】图 **1** 원함; 소원. ㉠(신불이나 남에게) 바라는 바. ¶一生のお～ 평생 소원 / ～を聞き入れる 소원〔부탁〕을 들어주다 / ～がかなう 소원을 이루다; 바라는 대로 되다 / 神仏に～をかける 신불에 소원을 빌다. ㉡(남에게) 부탁함. ¶今日はお～があってうかがいました 오늘은 부탁이 있어서 방문했습니다. **2** 청원을 쓴 것; …원(願). ¶休学～ 휴학원 / 退職～ 퇴직원. 注意 서식에서는 '…願'라고 씀.

ねがいいで【願いいで】《願い出》图 원서를 제출함; 출원. =ねがいで.

ねがいごと【願い事】图 원하는〔바라는〕일; (신불에) 비는 일. ¶～がかなう 소원이 이루어지다.

ねがいさげ【願い下げ】图 **1** 소원〔출원〕의 취하. ¶告訴の～ 고소 취하. **2** 부탁을 받아도 받아들이지 않음; 사절. ¶その件は～だ 그 건은 사절한다.

ねがいで【願い出】图 ☞ねがいいで.

ねがい-でる【願い出る】下1他 출원〔신청〕하다; 청원하다. ¶辞職を～ 사직원을 내다 / 休暇を～ 휴가를 청원하다.

ねが-う【願う】5他 **1 원하다; 바라다; 기원하다. ¶しあわせを～ 행복을 바라다 / 無事を～ 무사하기를 바라다〔빌다〕. **2** (관청 등에) 출원(出願)〔청원〕하다. ¶許可を～ 허가를 청원하다. **3** 《흔히, 'お願いします' 'お願いする'의 꼴로》 남에게 도움이나 배려 등을 부탁하다. ¶係の方をお～·いします

담당하시는 분을 부탁합니다. 4《動詞連用形에 'お'를, 한자말 語幹에 '御'를 붙여서》…하시기 바라다. ¶どうぞ御安心あんしん～·います 아무쪼록 안심하시기 바랍니다. 5 (상점 등에서) 드리다《팔다의 공손한 말씨》. ¶お安やすく～·っております 싸게 드리고 있습니다.

—·ったりかなったり (일의 조건이나 상대방의 희망 따위가) 자기가 바라던 대로임; 더 바랄 것이 없음. ¶そうしていただければ, こちらとしては～です 그렇게 해 주신다면 이쪽으로서는 더 이상 바랄 것이 없습니다.

—·ってもない 불감청이언정 고(固)소원; 바라지도 못할 만큼 좋다. ¶～チャンス 뜻밖의, 더없이 좋은 찬스.

ねがえり【寝返り】名スル自 1 자다가 몸을 뒤침. 2 (자기 편을 배반하고) 적에 붙음. ¶配下はいかの～によって敗やぶれる 부하의 배반으로 패배하다.

—をうつ 1 자다가 몸을 뒤치다. ¶寝ねつけず～ 잠이 오지 않아 몸을 뒤치다. 2 (자기 편을) 배반하다. =寝返ねがえる.

ねがえ-る【寝返る】5自 1 (자다가) 돌아눕다; 몸을 뒤치다. 2 (자기 편을 배반하고) 적에게 붙다. ¶敵てきに～ 자기 편을 배반하고 적에게 붙다.

ねがお【寝顔】名 잠자고 있는 얼굴. ¶～に見みとれる 자고 있는 얼굴을 넋을 잃고 바라보다.

ねかしつ-ける【寝かし付ける】下1他 (어린애 등을 달래어) 잠들게 하다; 재우다.

ねか-す【寝かす】5他 1 누이다. ㉠재우다. ¶赤あかん坊ぼうを～ 아기를 재우다. ↔起おこす. ㉡눕히다. ¶病人びょうにんをベッドに～ 병자를 침대에 누이다. 2 (팔리지 않아) 묵히다. ¶新製品しんせいひんを倉庫そうこに～ 신제품을 창고에 묵혀 두다. 3 (활용 못하고) 놀리다. ¶資本しほんを～ 자본을 놀리다. 4 (누룩 등을) 발효시키다; 뜨게 하다. ¶パンの種たねを～ 빵 만들 효모균을 띄우다. 注意 'ねかせる' 라고도 함.

ねか-せる【寝かせる】下1他 ☞ねかす.

ねかた【根方】名 (나무의) 밑동. =ねがた·ねもと. ¶電信柱でんしんばしらの～が腐くさる 전신주의 밑동이 썩다.

ネガティブ [negative] 네가티브. 一ダナ 부정적; 소극적. ¶～な評価ひょうか 부정적인 평가/～な姿勢しせい 소극적인 자세. 二名〔寫〕음화(陰畫). =ネガ. 注意 'ネガチブ' 라고도 함. ⇔ポジティブ.

ねかぶ【根株】名 1 나무그루; (뿌리가 드러난) 그루터기. 2 말뚝. =杭くい.

ねから〖根から〗副 1 애초부터; 나면서부터. =生うまれつき·もともと. ¶～の商人しょうにん 타고난 장사꾼/～きらいだ 애초부터 싫다. 2《흔히 否定을 수반해서》도무지; 전혀. =まったく·少すこしも·さっぱり. ¶～見込みこみがない 전혀 가망이 없다. 注意 'ねっから' 라고도 함.

ねがわくは【願わくは】negawakuwa 副 원컨대; 바라건대; 아무쪼록. =どうか. ¶～無事ぶじであらんことを 아무쪼록 무사하기를. 注意 口語에서는 '願ねがわくば' 라고도 함.

ねがわし-い【願わしい】形 바라는 바다; 바람직하다. =望のぞましい. ¶全員ぜんいん参加さんかが～ 전원 참가 요망/諸君しょくんの理解りかいが～ 제군의 이해를 바라는 바이다.

ねぎ〖葱〗名 파. =ねぶか·ながねぎ.

ねぎぼうず【ねぎ坊主】《葱坊主》名 파의 둥근 꽃. 参考 중머리 같은 데서.

ねぎらい〖労い·犒い〗名 (노고에 대해) 치하하고 위로함. ¶～の言葉ことばをかける 위로의 말을 하다.

***ねぎら-う**〖労う·犒う〗5他 (노고에 대해) 치하하고 위로하다. =いたわる. ¶労ろうを～ 노고를 위로하다.

ねぎ-る【値切る】5他 값을 깎다. ¶品物しなものを〔千円せんえん〕～·って買かう 물건을 에누리해서〔천 엔 깎아서〕사다. 可能ねぎ-れる 下1自

ねぎわ【寝際】名 막 자려고 할 때. =寝ねしな. ¶～に起おこされる 막 자려는 데 깨워서 일어나다.

ねくずれ【値崩れ】名スル自 공급이 수요를 웃돌아 값이 갑자기 내리는 일. ¶入荷増にゅうかぞうでミカンが～する 입하 증가로 귤의 가격이 폭락하다.

ねぐせ【寝癖】名 1 잠버릇. ㉠험한 잠을 자서 머리가 흐트러지거나 시트 따위가 구겨지는 일. ¶～が悪わるい 잠버릇이 나쁘다. ㉡어린아이가 잠들기 전에 부리는 잠투정. ¶この子こは～があって困こまる 이 애는 잠투정하는 버릇이 있어서 애먹는다. 2 (할 일이 많은데도) 잠만 자는 못된 버릇.

ネクター [nectar] 名 넥타; 과일을 으깨어 만든 진한 주스. =ネクタル.

***ネクタイ** [necktie] 名 넥타이. ¶蝶ちょう～ 나비 넥타이/～を締しめる〔解とく〕넥타이를 매다〔풀다〕. 「タイピン.

—どめ【—留め】名 넥타이핀. =ネク

ねくび【寝首】名 잠자는 사람의 목.

—を掻かく 1 자는 사람의 목을 베다. 2 방심한 틈을 노려서 궁지에 빠뜨리다.

ねぐら〖塒〗名 1 (새의) 둥지; 보금자리. 2〈俗〉잠자리; 자기 집. ¶～に帰かえる 보금자리〔자기 집〕에 돌아가다〔오다〕. 参考 '寝座ねぐら(=잠자리)'의 뜻.

ネグリジェ [프 négligé] 名 네글리제; 원피스 모양의 헐렁한 여성용 잠옷.

ネグ-る 5他〈學〉무시하다; 소홀히 하다. ¶レポート提出ていしゅつを～ 리포트 제출을 태만히 하다. 参考 'neglect' 를 動詞化한 것임.

ねぐるし-い【寝苦しい】形 (고통·더위 따위로) 잠들기 어렵다. ¶暑あつくて～夜よる 더워서 잠을 이룰 수 없는 밤/熱ねつが高たかくて～ 열이 높아서 잠을 이루지 못하다.

ねげしょう【寝化粧】名 잠자기 전에 하는 엷은 화장.

*ねこ【猫】名 1〔動〕고양이. ¶黒くろ～ 검은 고양이/三毛みけ～ 삼색〔얼룩〕 고양이. 2 〈俗〉 ㉠'三味線しゃみせん'의 별칭《동체(胴體)를 고양이 가죽으로 메우므로》. ㉡芸者げいしゃ의 별칭《三味線을 타기 때문》. 3 'ねこぐるま·ねこやなぎ'의 준말.
—にかつおぶし 고양이한테 생선《방심할 수 없음》. 「지에 진주》.
—に小判こばん 고양이한테 금화(金貨)《돼
—の首くびに鈴すずを付つける (쥐가) 고양이 목에 방울 달기《불가능한 일의 비유》.
—の手ても借かりたい 고양이 손이라도 빌리고 싶다《몹시 바쁨의 비유》.
—の額ひたい 토지·장소 따위가 지극히 협소함을 나타내는 말. ¶～ほどの庭にわ 손바닥만한 마당.
—の目め 1 (명암에 따라 변하는 고양이 눈처럼) 사물이 어지럽게 변함의 비유. 2 눈꼬리를 치올린 화장.
—も杓子しゃくしも 어중이떠중이 모두 다. ¶～花見はなみに繰くり出だす 어중이떠중이 모두 꽃구경하러 몰려 나가다. 「기다.
—をかぶる 양의 탈을 쓰다; 본성을 숨
ねこあし【猫足】名 1 고양이 다리같이 생긴, 책상이나 상(床) 따위의 다리. 2 고양이처럼 소리 내지 않고 걸음; 또, 그런 걸음걸이. ¶～に歩あるく 고양이가 걷듯이 소리 내지 않고 걷다.

[猫足 1]

ねこいらず【猫いらず】《猫要らず》名 쥐약. 参考 본디 상표명.
ねこかぶり【猫かぶり】《猫被り》名ス自 양의 탈을 씀; 본성을 숨김; 아비다리침; 또, 그 사람. ¶～の男おとこ 본성을 감추고 얌전한 체하는 남자. 注意 'ねこっかぶり'라고도 함.
ねこかわいがり【猫かわいがり】《猫可愛がり》名ス他 〈俗〉 분별 없이 귀여워함. ¶子供こどもを～にかわいがる 자식을 맹목적으로 귀여워하다.
ねこぎ【根こぎ】《根扱ぎ》名 (나무나 풀 따위를) 뿌리째 뽑음. ＝根引ねびき. ¶大木たいぼくを～にする 큰 나무를 뿌리째 뽑다.
ねこぐるま【猫車】名 채를 뒤에서 밀어 흙이나 돌 따위를 나르는 일륜차(一輪車)《공사용》.

[猫車]

ねごこち【寝心地】名 잠자리 기분. ¶～がよい〔悪わるい〕 잠자리 기분이 편하다〔언짢다〕.
ねこじた【猫舌】名 뜨거운 음식을 잘 먹지 못하는 일; 또, 그런 사람.
ねこぜ【猫背】名 새우등; 또, 그런 사람. ¶いつも姿勢しせいをよくしていないと～になる 항상 자세를 바르게 하지 않으면 새우등이 된다.
ねこそぎ【ねこそぎ·根こそぎ】《根刮ぎ》 ㊀名 뿌리째 뽑음. ¶庭木にわきを～にする 뜰의 나무를 뿌리째 뽑다. ㊁副 전부; 몽땅; 모조리. ＝すっかり·ねこそげ. ¶計画けいかくが～だめになる 계획이 모조리 틀어지다/火災かさいで財産ざいさんを～失うしなった 화재로 재산을 몽땅 잃었다.
ねごと【寝言】名 잠꼬대. ¶～を言いう 잠꼬대를 하다/唐人とうじんの～ 되놈의 잠꼬대《통 뜻을 알 수 없는 말》/それは～にすぎない 그것은 잠꼬대〔헛소리〕에 지나지 않는다.
ねこなでごえ【猫なで声】《猫撫で声》名 본성을 숨긴 부드러운 목소리; (남의 비위를 맞추기 위한) 간사한 목소리. ¶～で誘さそいかける 달콤한 목소리로 꾀다.
ねこばば〖猫糞〗名ス他 (자기가 저지른) 나쁜 짓을 숨기고 시치미 뗌; 또, 주운 물건을 슬쩍 자기 것으로 삼음. ¶～をきめこむ 주운 물건을 슬쩍 감추고 모르는 체하다/拾ひろった財布さいふを～した 주운 지갑을 슬쩍 챙겼다.
ねこまたぎ【猫またぎ】《猫跨ぎ》名 〈俗〉 소금에 절인 맛없는 자반《생선을 좋아하는 고양이조차도 가랑이를 벌리고 뛰어 넘는다는 데서》. 注意 口語로는 'ねこまた'라고도 함.
ねこみ【寝込み】名 한창 자고 있는 동안; 자고 있을 때. ＝ねごみ. ¶～を襲おそう 깊이 잠든 때를 노려서 습격하다.
ねこ-む【寝込む】5自 1 깊은 잠이 들다. ＝寝ねいる. ¶酔よって～ 취해 곯아떨어지다/ぐっすり～ 깊이 잠들다. 2 (병으로) 오래 자리에 눕다. ¶風邪かぜで一週間いっしゅうかんも～ 일주일이나 감기로 병석에 눕다〔몸져눕다〕.
ねこめいし【猫目石】名 묘안석(猫眼石)《보석의 일종》. ＝キャッツアイ.
ねこやなぎ〖猫柳〗名〔植〕갯버들.
ねごろ【値ごろ】《値頃》名ナ (사기에) 알맞은 금; 합당한 값. ¶～の品しなを探さがす 적당한 가격의 물품을 찾다.
ねころが-る【寝転がる】5他 (누워) 뒹굴다. ＝寝転ねころぶ. ¶芝生しばふに～ 잔디에 누워 뒹굴다. 参考 口語形으로는 'ねっころがる'.
*ねころ-ぶ【寝転ぶ】5自 아무렇게나 드러눕다; (누워) 뒹굴다. ＝ねころがる. ¶～·んで本ほんを読よむ 아무렇게나 누워서 책을 읽다.
ねさがり【値下がり】名ス自 값이 내림. ¶～を待まつ 값이 내리기를 기다리다/野菜やさいが～している 채소값이 내리고 있다. ↔値上ねあがり.
*ねさげ【値下げ】名ス他 가격 인하. ¶量産りょうさんして～する 양산해서 가격을 내리다. ↔値上ねあげ. 参考 '値下げ'는 정가(定價)를 내림을 말하며, '値引ねびき'는 값을 깎음을 말함.
ねざけ【寝酒】名 (잠을 청하기 위해) 자기 전에 마시는 술. ¶～を飲のむ 잠을 청하기 위해 술을 마시다.
ねざ-す【根差す】5自 1 뿌리가 내리다; 뿌리박다. ¶砂浜すなはまに～·した松まつの木き 모래밭에 뿌리내린 소나무. 2 기인(基因)하다. ＝もとづく. ¶風土ふうどに～·し

た文学(ぶんがく) 풍토에 바탕을 둔 문학.

ねざま【寝ざま】《寝様》图 잠자는 모습; 잠버릇. =寝相(ねぞう). ¶~の悪(わる)い女(おんな) 잠버릇이 나쁜 여자.

ねざめ【寝覚め】图 잠에서 깨어남. =めざめ. ↔寝(ね)つき.

—が悪(わる)い **1** 자고 난 뒤의 기분이 개운치 않다. **2** 양심의 가책으로 뒷맛이 개운치 않다.

ねざや【値ざや】《値鞘》图〔商〕두 시세의 차(差); 시세〔가격〕폭. =さや.

ねじ〘捻子·捩子·螺子〙图 **1** 나사. ¶雄(お)〔雌(め)〕~ 수〔암〕나사 / ~がゆるむ 나사가 헐거워지다; 긴장이 풀려 해이해지다. **2** 태엽 감는 장치; 또, 태엽.

—を巻(ま)く **1** 태엽을 감다. **2** (꾸짖거나 해서) 정신(을) 차리게 하다.

ねじあ-ける【ねじ開ける】《捩じ開ける》下1他 비틀어 열다. ¶錠(じょう)を~ 자물쇠를 비틀어 열다.

ねじあ-げる【ねじ上げる】《捩じ上げる》下1他 비틀어 올리다. ¶腕(うで)を~ 팔을 비틀어 올리다.

ねじきり【ねじ切り】《螺子切り》图 볼트나 너트에 나사골을 내는 일; 또, 나사골을 내는 공구(工具).

ねじき-る【ねじ切る】《捩じ切る》5他 비틀어 끊다. ¶針金(はりがね)を~ 철사를 비틀어 끊다. 可能ねじき-れる下1自

ねじくぎ〘螺子釘〙图 나사못. ¶~でとめる 나사못으로 고정시키다.

ねじく-れる〘拗くれる·捩じくれる〙下1自 **1** 비틀리다; 비꼬이다; 뒤틀리다. ¶~·れた針金(はりがね) 비틀린 철사. **2** ☞ねじける.

ねじ-ける〘拗ける〙下1自 (마음이나 성질이) 비뚤어지다; 빙퉁그러지다. =ひねくれる. ¶彼(かれ)は性格(せいかく)が~·けている 그는 성격이 비뚤어져 있다.

ねじこ-む【ねじ込む】《捩じ込む》⊟5他 **1** 비틀어 박다〔넣다〕. ¶ねじを~ 나사를 비틀어 박다. **2** 억지로 밀어넣다. ¶ポケットにお札(さつ)を~ 호주머니에 지폐를 쑤셔 넣다. ⊟5自 오금 박다; (남의 실언·실책을 꼬투리 잡아) 공박하다; 항의하러 몰려가다. ¶公害問題(こうがいもんだい)で役所(やくしょ)に~ 공해 문제로 관청에 몰려가서 항의하다.

ねしずま-る【寝静まる】5自 모두 잠들어 고요해지다. ¶~·ってから勉強(べんきょう)を始(はじ)める 모두 잠들어 고요해진 뒤에 공부를 시작하다.

ねじたく【寝支度】图 잘〔잠자리〕준비.

ねしな【寝しな】图 자려고 할 때; 잠자리에 들 때. =ねぎわ. ¶~に薬(くすり)を飲(の)む 자기 전에 약을 먹다. 参考 'しな'는 때의 뜻. ↔起(お)きしな.

ねじふ-せる【ねじ伏せる】《捩じ伏せる》下1他 **1** 팔을 비틀어 엎어누르다. ¶どろぼうを~ 도둑의 팔을 비틀어 엎어누르다. **2** 힘으로 상대를 누르다.

ねじま-げる【ねじ曲げる】《捩じ曲げる》下1他 **1** 비틀어 구부리다. ¶針金(はりがね)を~ 철사를 구부리다. **2** 왜곡하다. ¶事実(じじつ)を~ 사실을 왜곡하다.

ねじまわし【ねじ回し】《螺子回し》图 나사 돌리개. =ドライバー.

ねじむ-ける【ねじ向ける】《捩じ向ける》下1他 비틀어 (어떤 방향으로) 향하게 하다. ¶ぐいと顔(かお)を~ 얼굴을 홱 (그쪽으로) 돌리다.

ねじめ【音締め】图 (三味線(しゃみせん)·거문고의) 줄을 죄어 음을 고름; 또, 그 맑은 소리. ¶いきな~ 멋진 가락 / 三味線の~をする 三味線을 조율하다.

ねじやま【ねじやま·ねじ山】《螺子山》图 나사산; 나삿니. ¶~がすりへる 나삿니가 닳다.

ねしょうがつ【寝正月】图 (게으르거나 병으로) 설을 누워서 지냄.

ねしょうべん【寝小便】图 자면서 무심코 오줌을 싸는 일; 야뇨(夜尿). =おねしょ. ¶うちの子(こ)は学校(がっこう)にあがっても~をした 우리 애는 학교에 들어가서도 밤에 잠자리에서 오줌을 쌌다.

ねじりはちまき【ねじり鉢巻き】《捩り鉢巻》图 수건을 비틀어서 이마에 질끈 동여맨 머리띠. =ねじはちまき. ¶~でがんばる〔勉強(べんきょう)する〕 머리띠를 질끈 동여매고 분발〔공부〕하다.

ねじ-る〘捩る·捻る〙5他 비틀다. **1** 뒤틀다; 쥐어짜다. ¶手首(てくび)を~ 손목을 비틀다 / 手(て)ぬぐいを~ 수건을 쥐어짜다 / からだを~·って恥(は)ずかしがる 몸을 비비 꼬면서 부끄러워하다. **2** 틀다; 죄다. ¶水道(すいどう)の栓(せん)を~ 수도 고동을 틀다 / ドライバーで~·ってとめる 드라이버로 죄어 고정시키다.

ねじ-れる〘捩れる·捻れる〙下1自 **1** 비틀어지다; 뒤틀리다. **2** 빙퉁그러지다. =ひねくれる. ¶~·れた根性(こんじょう) 비뚤어진 마음보.

ねじろ【根城】图 **1** 본거로 삼는 성; 아성. ↔出城(でじろ). **2** (활동의) 근거지. ¶~を襲(おそ)う 근거지를 습격하다.

ねすがた【寝姿】图 잠자는 모습. =寝(ね)ざま·寝相(ねぞう).

ねす-ぎる【寝過ぎる】上1自 **1** 지나치게 자다. ¶~こともよくない 너무 자는 것도 좋지 않다. **2** 시간이 지나도록 자다; 늦잠 자다. =寝過(ねす)ごす. ¶~と遅刻(ちこく)する 늦잠 자면 지각한다.

ねすご-す【寝過ごす】5自 ☞ねすぎる 2. ¶うっかり~·してしまった 깜박 늦잠 자고 말았다.

ねずの【寝ずの】連体 밤을 새우는; 자지 않고 하는. ¶~看病(かんびょう) 밤을 새워 하는 병구완.

—ばん【—番】图 불침번. =寝ず番(ばん)·不寝番(ふしんばん). ¶~をする 불침번을 서다.

ねずみ〘鼠〙图 쥐. ¶~穴(あな) 쥐구멍 / 猫(ねこ)の前(まえ)の~ 고양이 앞의 쥐.

ねずみいろ【ねずみ色】《鼠色》图 쥐색. =グレー·グレイ·灰色(はいいろ)·にびいろ. ¶~

の服地(ふくじ) 쥐색의 옷감.

ねずみおとし【ねずみ落とし】《鼠落とし》 图 쥐덫. ¶倉庫(そうこ)に～をしかける 창고에 쥐덫을 놓다.

ねずみざん【ねずみ算】《鼠算》 图 (쥐가 번식하듯) 기하급수적으로 급속히 불어남. ¶～式(しき)にふえる 기하급수적으로 불어나다.

ねずみとり【ねずみ取り】《鼠取り》 图 **1** 쥐잡기; 또, 쥐잡기에 쓰는 도구. **2**〈俗〉 경찰의 속도위반 단속.

ねずみはなび【ねずみ花火】《鼠花火》 图 화약을 잰 지노로 만든 화포(花砲).

ね-せる【寝せる】 下1他 재우다; 자게 하다. ＝寝(ね)かす·寝(ね)かせる. ¶子供(こども)を～ 아이를 재우다.

ねぞう【寝相】 图 잠자는 모습·모양. ＝寝姿(ねすがた). ¶～が悪(わる)い 험하게 자다.

ねそび-れる【寝そびれる】 下1自 잠을 설치다. ＝寝(ね)はぐれる. ¶客(きゃく)が来(き)て～·れた 손님이 와서 잠을 설쳤다.

ねそべ-る【寝そべる】 5自 배를 깔고 엎드려 자다; 아무렇게나 드러눕다. ¶～·って本(ほん)を読(よ)む 아무렇게나 드러누워 책을 읽다.

ねた 图〈俗〉 **1** (신문 기사 등의) 자료; 기삿거리. ¶いい～がないか 좋은 기삿거리 없나. **2** (요술의) 속임수; 트릭. ¶～を割(わ)る 술수를 밝히다. **3** 증거. ¶～があがる 증거가 드러나다. 参考 'たね(＝씨)'를 거꾸로 읽은 말.

ねだ【根太】 图 장선; 동귀틀. 注意 'ねぶと'로 읽으면 딴말.

—いた【—板】 图 마루청. ＝ゆか板(いた).

ねたきり【寝たきり】 图 노쇠하거나 병들어 누워만 있는 상태. ¶～老人(ろうじん) 자리보전하고 있는 노인 / 脳出血(のうしゅっけつ)で～になる 뇌출혈로 자리보전하다.

ねたこ【寝た子】 图 자고 있는 아이.

—を起(お)こす 긁어 부스럼을 만들다.

ねたば〖寝刃〗 图 무뎌진 칼날.

—を合(あ)わせる **1** 칼을 갈다. **2** 몰래 좋지 않은 일을 꾸미다.

ねたばこ【寝たばこ】《寝煙草》 图 잠자리에서 담배를 피움; 또, 그 담배.

ねたまし-い〖妬ましい·嫉ましい〗 形 질투심〔시기심, 샘〕이 나다. ¶人(ひと)の幸福(こうふく)が～ 남의 행복이 샘난다.

ねたみ〖妬み·嫉み〗 图 시샘; 질투; 시기(심). ¶～ごころ 질투하는 마음.

*__ねた-む__〖妬む·嫉む〗 5他 샘하다; 질투〔시기〕하다; 시새우다. ¶仲間(なかま)の出世(しゅっせ)を～ 동료의 출세를 시샘하다.

ねだめ【寝だめ】《寝溜め》 图 미리 많이 자서 활력을 축적해 둠. ¶日曜(にちよう)には～をする 일요일에는 미리 많이 자 둔다.

ねだやし【根絶やし】 图 근절; 뿌리째 뽑음. ¶雑草(ざっそう)を～にする 잡초를 뿌리째 뽑아 없애다 / 暴力団(ぼうりょくだん)を～にする 폭력단을 근절하다.

ねだり〖強請〗 图 조름; 보챔. ¶お～をする (무엇을 해 달라고) 조르다.

*__ねだ-る__〖強請る〗 5他 **1** 조르다; 보채다. ＝せびる·せがむ. ¶チップ〔小遣(こづか)い〕を～ 팁〔용돈〕을 (달라고) 조르다 / 洋服(ようふく)をつくってくれと～ 양복을 맞춰 달라고 조르다. **2** 위협하여 금품을 요구하다. ＝ゆする.

⁑__ねだん__【値段】 图 값; 가격. ¶～表(ひょう) 가격표 / おろし～ 도매 가격 / ～の張(は)る品(しな) 값이 비싼 물건 / ～が上(あ)がる 가격이 오르다 / ～を踏(ふ)む 값을 치다 / ～を掛(か)け合(あ)う 값을 흥정하다 / ～と相談(そうだん)する (물건을 사기에 앞서) 값이 어떤지 생각〔참작〕하다 / 法外(ほうがい)な～をつける 터무니없는 값을 매기다.

ねちが-える【寝違える】 下1自 잠을 잘못 자서 목이나 어깻죽지 따위가 접질려 통증이 생기다. ¶首(くび)を～ 잠을 잘못 자 목을 접질리다.

ネチケット [netiquette] 图〖컴〗 네티켓; 인터넷 등의 네트워크상에서 지켜야 할 에티켓. 参考 'ネットワーク'와 'エチケット'의 합성어.

ネチズン [netizen] 图 네티즌; 인터넷 등의 컴퓨터 통신에 참여하는 사람. 参考 'network(＝통신망)'와 'citizen(＝시민)'의 합성어.

ねちっこ-い 形〈俗〉 끈질기다('ねちこい'의 힘줌말). ¶～·く攻撃(こうげき)する 끈질기게 공격하다. ⇨ねつこい.

ねちねち 副 **1** 끈적끈적. ¶汗(あせ)でからだ中(じゅう)が～してたまらない 땀으로 온몸이 끈적끈적해서 못 견디겠다. **2** 지근덕지근덕; 추근추근; 깐죽깐죽. ¶～とした言(い)い方(かた) 지근덕지근덕 약을 올리는 말투 / ～(と)いやみを言(い)う 깐죽깐죽 약을 올리다 / ～と食(く)い下(さ)がる 추근추근 물고 늘어지다. ↔さばさば.

⁑__ねつ__【熱】 图 열. **1**〖理〗 에너지의 다른 한 형태. ¶～を加(くわ)える 열을 가하다 / ～が生(しょう)じる 열이 생기다. **2** 신열. ¶～が取(と)れる〔下(さ)がる〕 열이 내리다 / 風邪(かぜ)を引(ひ)いて～が出(で)る 감기에 걸려 열이 나다. **3** 열중; 열의. ¶仕事(しごと)に～を入(い)れる 일에 열의를 쏟다. **4**《接尾語적으로》 ㉠열중함의 뜻. ¶教育(きょういく)～ 교육열. ㉡에너지의 뜻. ¶輻射(ふくしゃ)～ 복사열. ㉢열이 나는 병의 뜻. ¶回帰(かいき)～ 회귀열.

—に浮(う)かされる **1** 어떤 일에 열중하여 정신없다. **2** 고열 때문에 의식이 흐릿해지다. ¶熱に浮かされてうわ言(ごと)を言(い)う 고열로 헛소리를 하다.

—を上(あ)げる 열을 올리다; 흥분〔열중〕하다.

ねつ〖熱〗 教4 ネツ あつい | 열 열 | **1** 뜨겁다. ¶熱気(ねっき) 열기 / 耐熱(たいねつ) 내열. **2** 열중하다. ¶マージャン熱(ねつ) 마작열 / 熱狂(ねっきょう) 열광. **3** 열기. ¶熱量(ねつりょう) 열량.

ねつあい【熱愛】 图 スル他 열애. ¶夫(おっと)を～する 남편을 열애하다.

*__ねつい__【熱意】 图 열의; 열성. ¶～が欠(か)けている 열의가 없다〔부족하다〕 / ～に打(う)たれる 열의에 감동받다.

ねつえん【熱演】图ス他 열연. ¶芝居(しばい)で～する 연극에서 열연하다. 「프.
ネッカチーフ [neckerchief] 图 네커치
ねっから〖根っから〗副〈俗〉☞ねから.
ねつがん【熱願】图ス他 열원; 열망. ¶成功(せいこう)を～する 성공을 열망하다.
ねつき【値付き】图 (거래소에서) 값이 맞아 거래가 이루어짐. ¶～が悪(わる)い 값이 안 맞아 거래가 잘 이루어지지 않다.
ねつき【根付き】图 뿌리내림〔박음〕. ¶～のよい木(き) 뿌리가 잘 내리는 나무.
ねつき【寝付き】图 잠듦. ¶～が悪(わる)い 잠이 잘 안 온다/～のいい子(こ) 쉽게 잠드는 아이. ↔寝ざめ·寝起(ねお)き.
ねっき【熱気】图 열기. **1**온도가 높은 기체〔공기〕. ¶炎天(えんてん)で～に当(あ)てられる 뜨거운 햇볕 아래서 더위를 먹다. ↔冷気(れいき). **2**신열. ＝ねつけ. ¶病人(びょうにん)の～でむんむんする 환자의 열기로 후끈후끈하다. **3**고조된 기세; 열띤 기분. ¶場内(じょうない)にたちこめる～ 장내에 그득 찬 열기〔흥분〕/～を帯(お)びて語(かた)る 열띤 기분으로 말하다.
ねつぎ【根接ぎ】图 뿌리접(椄); 뿌리에 다른 식물의 가지를 접붙이기.
ねつぎ【根継ぎ】图 기둥 밑동의 썩은 부분을 갈아 댐. ¶柱(はしら)の～をする 기둥 밑동의 썩은 부분을 갈아 보강하다.
ねつききゅう【熱気球】图 열기구.
ねっきょう【熱狂】图ス自 열광. ¶観衆(かんしゅう)は試合(しあい)に～した 관중은 경기에 열광하였다.
ネッキング [미 necking] 图 네킹; 남녀가 목 위의 범위 안에서 애무하는 일.
ねつ-く【寝付く】5自 **1** 잠들다. ＝寝入(ねい)る. ¶やっと～ 겨우 잠들다. **2**(병으로) 앓아 눕다; 몸져눕다.
ネック [neck] 图 넥. **1**목. ＝くび. **2**목둘레를 판 의복의 선. ＝えりぐり. ¶～ライン 네크라인; (옷의) 목둘레선. **3**애로; 장애. ＝すぼまり. ¶生産(せいさん)の～ 생산의 애로.
—レス [necklace] 图 네클리스; 목걸이. ＝首飾(くびかざ)り·ネックレース. ¶真珠(しんじゅ)の～ 진주 목걸이.
ねづ-く【根付く】5自 뿌리내리다; 뿌리박다. ¶苗木(なえぎ)が～ 묘목이 뿌리내리다/民主主義(みんしゅしゅぎ)がやっと～いた 민주주의가 겨우 뿌리내렸다〔정착했다〕.
ねつけ【熱け】《熱気》图 (몸의) 열기; 신열. ¶～がある (몸에) 열이 있다.
ねつけ【根付け】图 담배쌈지나 지갑의 끈 끝에 매달아, 허리띠에 질러서 빠지지 않게 하는 세공품《산호·뿔·마노·상아 따위로 만듦》.
ねっけつ【熱血】图 열혈. ¶～漢(かん) 열혈한/～男児(だんじ) 열혈 남아.
ねつげん【熱源】图 열원; 열의 공급원. ¶原子力(げんしりょく)を～とする発電所(はつでんしょ) 원자력을 열원으로 하는 발전소.
ねっこ【根っこ·根っ子】图〈俗〉**1**뿌리. ¶松(まつ)の～ 소나무 뿌리. **2**그루터기. ¶～に腰(こし)をおろす 그루터기에 걸터앉다. **3**밑바탕; 근본. ¶政治(せいじ)を～から変(か)える 정치를 근본적으로 개혁하다.
ねつこ-い 形〈俗〉끈질기다; 끈덕지다. ＝ねつい·しつこい. 注意 口語형은 'ねっこい'.
ねっさ【熱砂】《熱沙》图 열사. **1**뜨거운 모래. ¶～の海岸(かいがん)をかけまわる 해안의 뜨거운 모래사장을 뛰어다니다. **2**뜨거운 사막. ＝ねっしゃ. ¶～地帯(ちたい) 열사 지대; 뜨거운 사막 지대.
ねつさまし【熱さまし·熱冷まし】图 해열제. ＝解熱剤(げねつざい).
ねっしゃびょう【熱射病】图 열사병.
ねっしょう【熱唱】图ス他 열창; 열렬히 노래함.
ねつじょう【熱情】图 열정. ¶～あふれる演説(えんぜつ) 열정이 넘치는 연설.
ねつしょり【熱処理】图 열처리《금속을 가열·냉각함으로써 그 성질을 바꾸는 일》. ¶～炉(ろ) 열처리로.
***ねっしん**【熱心】图ダナ 열심. ¶仕事(しごと)に～な人(ひと) 일에 열심인 사람/～に勉強(べんきょう)する 열심히 공부하다. ↔冷淡(れいたん).
ねっ-する【熱する】一 サ変他 뜨겁게 하다; (가)열하다. ¶鉄(てつ)を～ 쇠를 달구다. ↔冷(ひ)やす. 二 サ変自 **1**뜨거워지다. ¶～しやすい金属(きんぞく) 쉽게 달구어지는 금속. **2** 열중하다; 흥분하다. ¶討論(とうろん)が～ 토론이 열기를 띠다.
ねっせい【熱誠】图ダナ 열성; 뜨거운 정성. ¶～溢(あふ)れる支援(しえん) 열성이 넘치는 지원/～なる青年(せいねん) 열성적인 청년/～をこめて歓迎(かんげい)する 열성껏 환영하다.
ねっせん【熱戦】图 열전. **1**열띤 경기·싸움. ¶～を繰(く)り広(ひろ)げる 열전을 펼치다. **2**무력에 의한 전쟁. ↔冷戦(れいせん).
ねっせん【熱線】图 열선; 적외선.
ねつぞう [捏造] 图ス他 날조. ＝でっち上(あ)げ. ¶事件(じけん)を～する 사건을 날조하다. 注意 'でつぞう'의 관용음.
ねったい【熱帯】图 열대. ¶～魚(ぎょ) 열대어. ↔温帯(おんたい)·寒帯(かんたい).
—うりん【—雨林】图〖地〗열대 우림. ¶～気候(きこう) 열대 우림 기후.
—ていきあつ【—低気圧】图 열대(성) 저기압. ＝熱帯性(せい)低気圧. 「いよ.
—や【—夜】图〖氣〗열대야. ＝ねった
***ねっちゅう**【熱中】图ス自 열중. ¶仕事(しごと)に～する 일에 열중하다.
ねっちり 副ス自 추근추근; 깐족깐족; 찐득찐득. ¶～(と)いやみを言(い)う 깐족깐족 듣기 싫은 소리를 하다/～食(く)いさがる 찐득찐득 물고 늘어지다.
ねつっぽ-い【熱っぽい】形 열이 있는 듯하다; 열정적이다. ¶～話(はな)し方(かた)〔口調(くちょう)〕 열정적인〔열띤〕 말투/風邪(かぜ)のためか～ 감기 때문인지 열이 있는 듯하다/～目(め)を向(む)ける 열정적인 눈길을 보내다.
ねってつ【熱鉄】图 열에 녹은 뜨거운 철. ¶～の涙(なみだ) 뜨거운 눈물.

—を飲のむ思おもい 뜨거운 쇳물을 마시는 듯한 심히 아픈 마음.
ねつでんどう【熱伝導】图〔理〕열전도. ¶～率りつ 열전도율.
ネット [net] 图 네트. **1** 그물. ㉠헤어네트《여자의 머리에 쓰는 그물》. ㉡배구·테니스·탁구 등에서 쓰는 네트. **2** 정미; 알속. ¶～一いちポンド 정미 1 파운드.
—イン [일 net+in] 图スル自 네트인; (테니스·탁구 등에서) 공이 네트에 닿고 상대편 코트로 들어감.
—タッチ [일 net+touch] 图 네트 터치; (배구·테니스 등에서) 몸이나 라켓이 네트에 닿음.
—ワーク [net work] 图 네트워크. **1** 방송망. **2** 그물망처럼 쳐 놓은 연락 조직. ¶情報じょうほう～ 정보 네트워크.
ねつど【熱度】图 열도. **1** 열의 정도. ¶～を測はかる 열도를 재다. **2** 열심의 정도. ¶学習がくしゅうの～が下さがる 학습 열도가 떨어지다.
ねっとう【熱湯】图 열탕. =煮にえ湯ゆ. ¶～消毒しょうどく 열탕 소독 / ～でやけどする 열탕에 데다.
ねっとう【熱闘】图 열투; 열띤 시합. ¶～をくりひろげる 열전을 전개하다.
ねっとり 副スル自 끈적끈적《'ねとり'의 힘줌말》. =ねばねば. ¶～と汗あせばむ 끈적끈적하게 땀이 배다.
ねっぱ【熱波】图〔氣〕열파《멕시코 등지에서 기온이 40℃ 전후로 오르는 무더운 현상》. ¶～が週期的しゅうきてきに押おしよせる 열파가 주기적으로 밀어닥치다. 参考 heat wave의 역어. ↔寒波かんぱ.
ねつびょう【熱病】图 열병. ¶～にかかる 열병에 걸리다.
ねっぷう【熱風】图 열풍; 뜨거운 바람. ¶～乾燥機かんそうき 열풍 건조기 / ～が吹ふく 열풍이 불다.
ねつべん【熱弁】《熱辯》图 열변. ¶～を吐はく〔ふるう〕 열변을 토하다.
ねつぼう【熱望】图スル他 열망. ¶平和へいわを～する 평화를 열망하다 / ファンの～にこたえる 팬의 열망에 부응하다.
ねづもり【値積もり】图スル他 값을 매김. =値ねぶみ.
ねづよ-い【根強い】形 뿌리 깊다; 꿋꿋하다; (뿌리가 튼튼하여) 쉽사리 움직여지지〔바뀌지〕 않다. ¶～性格せいかく 꿋꿋한 성격 / ～支持しじ〔人気にんき〕 흔들림 없는〔탄탄한〕 지지〔인기〕 / 彼等かれらの偏見へんけんはなかなか～·く残のこっている 그들의 편견은 매우 뿌리 깊게 남아 있다.
ねつらい【熱雷】图 열뢰《여름철에, 지면의 과열로 생기는 상승 기류로 말미암은 우레》. =熱的界雷ねってきかいらい.
*ねつりょう【熱量】图〔理〕열량. ¶～の多おおい食品しょくひん 열량이 많은 식품.
ねつるい【熱涙】图 열루; 뜨거운 눈물. ¶～を流ながす 뜨거운 눈물을 흘리다.
ねつれつ【熱烈】ダナ 열렬. ¶～な恋愛れんあい 열렬한 연애 / 堵列とれつして～に歓迎かんげいする 도열하여 열렬히 환영하다.
ねつろん【熱論】图 열렬한 의론. ¶～をたたかわす 열띤 토론을 하다.
ねてもさめても【寝ても覚めても】連語 자나깨나; 늘; 항상; 언제나. =いつも. ¶～仕事しごとのことが頭あたまからはなれない 지나깨나 일에 대한 생각이 머리에서 떠나지 않는다.
ねどい【根問い】图スル自他 꼬치꼬치 캐어물음. ¶物好ものずき半分はんぶんに～をしてみた 반은 호기심으로 캐물어 보았다.
—はどい【—葉問い】連語 미주알고주알 캠. =根掘ねほり葉掘はほり.
*ねどこ【寝床】图 침상; 잠자리; 또, (잠을 자기 위한) 이부자리. ¶～を敷しく〔のべる〕 이부자리를 깔다〔펴다〕.
ねとねと 副スル自 끈적끈적. ¶～とねばりつく 끈적끈적 달라붙다 / 飴あめがとけて～する 엿이 녹아서 끈적끈적하다.
ねとぼ-ける【寝とぼける】《寝惚ける》下1自 잠이 덜 깨어〔잠에 취해서〕 멍청하게 굴다〔어릿어릿하다〕. =ねぼける. ¶～·けたことを言いうな 잠꼬대 같은 소리 하지 마라.
ねとまり【寝泊まり】图スル自 숙박; 그곳에 머묾. ¶病院びょういんに～して看病かんびょうする 병원에서 묵으며 간병하다.
ねと-る【寝取る】5他 〈俗〉 남의 배우자나 애인과 정을 통하여 가로채다. ¶女房にょうぼうを～·られる 아내를 정부에게 빼앗기다; 아내가 서방질하다; 오쟁이지다.
ねなし【根無し】图 **1** 뿌리가 없음〔내리지 않음〕; 정처가 없음. ¶あいつは～だね 저 녀석은 어디 한군데 붙박여 있지를 못하는 사람일세그려. **2** 근거가 없음. ¶～のうわさ 근거 없는 소문.
—ぐさ【—草】图 뿌리가 땅속에 내리지 않는 풀; 또, 부동(浮動)하여 자리를 잡지 못하는 사물〔사람〕. ¶～の生活せいかつ (정처 없는) 떠돌이 생활.
—ごと【—言】图 근거 없는 말. =でたらめ. ¶そんな～をいうな 그런 근거 없는 말을 마라.
ネバーマインド [never mind] 感 네버마인드《'염려 마라, 걱정 마라, 상관 마라' 의 뜻》. =ドンマイ.
ねばつ-く【粘つく】5自 끈기가 있다; 끈적거리다. ¶糊のりが～ 풀이 끈적거리다 / 御飯ごはんが～ 밥이 차지다.
ねばっこ-い【粘っこい】形 **1** 끈적끈적하다; 차지다. ¶～液体えきたい 끈적끈적한 액체 / 土つちが～ 흙이 차지다. **2** 진득진득하다; 끈질기다. =しつっこい. ¶～性質せいしつ 끈덕진 성질 / ～·く追及ついきゅう〔攻撃こうげき〕する 끈질기게 추궁〔공격〕하다.
ねばつち【粘土】图 점토; 찰흙. =ねんど·ねば. ¶～で塗ぬる 찰흙으로 바르다.
ねばならぬ 連語 …하지 않으면 안 되다. =ねばならない. ¶もう行いか～ 이제 가지 않으면 안 된다 / それは断念だんねんせ～ 그것은 단념하지 않으면 안 된다.
ねばねば 〖粘粘〗 一トスル自 끈적끈적. ¶～

した土 끈적끈적한 흙. 囯图 끈기. ¶御飯の～ 밥의 끈기/手の～を取る 손의 끈기를 없애다.

ねはば【値幅】图 두 시세의 차이; (거래에서) 그 날의 가장 높은 시세와 낮은 시세의 차이; 시세폭. ¶～が大きい 시세[가격] 폭이 크다.

ねばり【粘り】图 끈기; 찰기. ¶～が有る 끈기가 있다/勝負どころで～を見せる 승부처에서 끈기를 보이다. ⇨ねばる.

ねばりけ【粘り気】图 끈기. ¶～の強いとりもち 아주 끈끈한 끈끈이.

ねばりごし【粘り腰】图 **1** 씨름에서, 허릿심이 강해서 잘 넘어지지 않음. **2** 승부·교섭 따위에서 끈질기게 버팀. ¶交渉に～を見せる 교섭에서 끈질긴 면을 보이다.

ねばりつ-く【粘り着く】5自 척척 들러붙다; 붙어서 떨어지지 않다. ¶汗で下着が～ 땀으로 속옷이 들러붙다.

ねばりづよ-い【粘り強い】形 **1** 차지다. ¶～餅 차진 떡. **2** 끈기 있다; 끈질기다; 끈덕지다. ¶～人[性格] 끈덕진 사람[성격]/～·く説得する 끈기 있게 설득하다.

ねばりぬ-く【粘り抜く】5自 끈기 있게 끝까지 해내다.

***ねば-る**【粘る】5自 **1** (물건이) 잘 달라붙다; 차지게 붙다. ¶よく～ 차지게 잘 달라붙다. **2** 끈기 있게 견뎌 내다; 끈덕지게 버티다. ¶最後まで～ 끝까지 끈덕지게 버티다. 可能ねば-れる下1自

ねはん[涅槃]图〖佛〗열반. **1** 모든 번뇌를 벗어난 불생불멸(不生不滅)의 높은 경지; 적멸(寂滅). **2** 죽음; 특히, 석가모니의 죽음.

—え[—会]图 열반회((석가의 기일(忌日)인 2월 15일에 행하는 법회)).

ねびえ【寝冷え】图ス自 (특히, 여름에) 차게 자서 배탈이나 감기에 걸리는 일. ¶～で風邪をひく 차게 자서 감기에 걸리다.

ねびき【値引き】图ス他 값을 깎음; 깎아 줌. ¶千円の～ 천 엔을 깎아 줌/～は一切致しません 일절 에누리는 하지 않습니다/少し～しましょう 값을 좀 깎아 드리죠; 에누리 좀 해드리죠. ⇨ねさげ.

ねびき【根引き】图ス他 (초목 따위를) 뿌리째 뽑음. ＝ねこぎ.

ねびらき【値開き】图 가격의 차이.

ねぶか-い【根深い】形 뿌리(가) 깊다((비유적으로도 씀)). ¶～恨み 뿌리 깊은 원한/雑草が～·くはびこる 잡초가 뿌리 깊이 무성하게 자라다.

ねぶくろ【寝袋】图 침낭(寢囊); 슬리핑 백. ＝シュラーフザック·スリーピングバッグ.

ねぶそく【寝不足】名ナ 수면 부족; 잠이 모자람. ¶～で頭が重い 수면 부족으로 머리가 무겁다.

ねふだ【値札】图 값을 적어 상품에 붙인 표; 정가표; 정찰. ¶～もつけていない 가격표도 붙어 있지 않다.

ねぶみ【値踏み】图ス他 어림잡아 값을 매김; 평가(評價). ＝値づもり. ¶～を頼む 평가를 부탁하다.

ねぶ-る〖舐る〗5他 〈方·雅〉 핥다; 빨다. ＝なめる·しゃぶる. ¶手を～ 손을 핥다.

ネフローゼ[도 Nephrose]图〖醫〗네프로제; 신장증(腎臟症)((열병·중독·결핵 따위로 일어나는 콩팥의 세뇨관의 병)).

***ねぼう**【寝坊】名ナス自 늦잠을 잠; 잠꾸러기. ¶朝～ 아침 늦도록 잠; 잠꾸러기/うっかり～して遅刻した 깜박 늦잠자다 지각했다. ↔早起き.

ねぼけ【寝ぼけ】((寝惚け)) 图 잠에 취한 것같이 멍청함; 또, 그 사람. ¶～眼 잠에 취한 듯한 멍청한 눈.

—ごえ【—声】图 잠에서 덜 깬 목소리; (잠꼬대 같은) 멍청한 소리.

***ねぼ-ける**【寝ぼける】((寝惚ける)) 下1自 **1** 잠이 덜 깨어 어리둥절하다; 잠에 취해 멍하다. ＝寝とぼける. ¶～·けて起きあがる 잠에 취한 채 일어나다/何を～·けたことを言っているのだ 무슨 잠꼬대 같은 말을 하고 있는 거야. **2** 색깔이 바래서 선명하지 않다. ¶～·けた中間色 빛바랜 중간색.

ねぼすけ【寝ぼ助】((寝坊助)) 图 〈俗〉 잠꾸러기. ¶うちの～ 우리 집 잠꾸러기. 參考 'すけ'는 의인법에 따른 接辞.

ねほりはほり【根掘り葉掘り】副 미주알고주알; 꼬치꼬치. ＝根問い葉問い. ¶～尋ねる 꼬치꼬치 캐어묻다.

ねぼれ【値ぼれ】((値惚れ)) 图 값이 싸서 마음이 끌림; 싼 맛에 홀림. ¶～の買い物 싼 맛에 하는 쇼핑.

ねま【寝間】图 침실. ＝ねや. ¶～に引き下がる 침실로 물러가다.

—ぎ【—着】图 ☞ねまき.

***ねまき**【寝巻き·寝間着】图 잠옷. ＝ねまぎ·寝衣. ¶～に着替える 잠옷으로 갈아입다.

ねまちづき【寝待ち月】图 음력 19일 밤의 달. ＝ふしまちの月. 參考 달이 떠오르는 것이 늦어 누워서 기다림의 뜻.

ねまわし【根回し】图 **1** (이식(移植)할 때 또는 과수의 좋은 결실을 위한) 뿌리돌리기. **2** 전하여, 사전 준비. ¶会議の～をする 회의의 사전 준비를 하다.

ねまわり【根回り】图 나무뿌리의 둘레; 또 거기에 심는 초목. ¶～三尺の木 뿌리 둘레 약 1m의 나무.

ねみだれがみ【寝乱れ髪】图 자고 나서 흐트러진 머리. ＝ねくたれがみ. ¶～を直す 흐트러진 머리를 매만지다.

ねみだ-れる【寝乱れる】下1自 입은 채로 자서 복장 따위가 흐트러지다.

ねみみ【寝耳】图 잠결; 잠귀. ¶～に聞いたので… 잠결에 들어서….

—に水 아닌 밤중에 홍두깨((뜻밖의 돌

발 사건으로 놀람》.

**ねむ-い【眠い】形 졸리다. =ねむたい. ¶~のをこらえる 졸음을 참다/~目をこする 졸린 눈을 비비다.

ねむけ【眠気】名 졸음; 자고 싶은 느낌. ¶~まなこ 졸음이 오는 눈/食後の~ 식후의 졸음; 식곤증/~を払う 졸음을 쫓다/~をもよおす〔がさす〕 졸음이 오다.

—ざまし【—覚まし】名 졸음을 쫓음; 또, 그 수단. ¶~にコーヒーを飲む 졸음을 쫓기 위해 커피를 마시다.

ねむた-い【眠たい】形 졸리다. ¶~目をこする 졸린 눈을 비비다/~·くて仕方がない 졸려서 못견디겠다.

ねむら-す【眠らす】5他 ☞ねむらせる.

ねむら-せる【眠らせる】下1他 1 잠들게 하다; 재우다. ¶子供を~ 아이를 재우다. 2 활용하지 않고 방치하다. ¶倉庫に~·せておくのは惜しい品物 창고에서 썩게 놔두기에는 아까운 물건. 3 〈俗〉 없애다; 죽이다. ¶抵抗するやつは~·せてしまえ 저항하는 놈은 없애 버려라.

ねむり【眠り】名 잠; 수면. ¶~を覚ます 잠을 깨우다/深い~に落ちる 깊은 잠에 빠지다/~が浅い〔深い〕 잠이 설다〔깊이 들다〕/永い〔永遠の〕~につく 영원히 잠들다; 죽다.

ねむりぐすり【眠り薬】名 수면제; 마취제. ¶~を飲む 수면제를 먹다.

ねむりこ-ける【眠りこける】下1自 정신없이 자다. ¶朝遅くまで~ 아침 늦게까지 정신 없이 자다.

**ねむ-る【眠る】5自 자다. 1 잠자다. ¶正体もなく~ 정신 없이 자다/~が如く死ぬ 잠자는 듯이 죽다. ↔覚める. 2 활용되지 않다. ¶金が金庫に~ 돈이 금고에서 잠자다〔놀다〕/土地が~·っている 땅이 놀고 있다/才能が~·っている 재능이 썩고 있다. 3 죽다. ¶地下に~友 지하에 잠든 친구/永久に~ 영원히 자다; 죽다. 可能 ねむ-れる 下1自

ねむれる【眠れる】連語 잠자는; 자고 있는. ¶~森の美女 잠자는 숲 속의 미녀/~獅子を起こす 잠자는 사자를 깨우다.

ねめつ-ける〖睨め付ける〗下1他 쏘아〔노려〕보다. =にらみつける. ¶鋭い目で~ 날카로운 눈으로 노려보다.

*ねもと【根本·根元】名 1 뿌리; 밑동. ¶木を~から切る 나무를 밑동에서 자르다/耳の~まで真っ赤になる 귀밑까지 빨개지다. 2 근본; 근원.

ねものがたり【寝物語】名 (남녀가) 잠자리에서 하는 이야기. ¶~に聞く 잠자리에서 이야기를 듣다.

ねや〖閨〗名 〈雅〉 침실. =ねま. ¶~の睦言 침실에서 주고받는 정담. 注意 좁은 뜻으로는 부부의 침실을 가리킴.

ねやす【値安】名ダナ 값이 쌈. ¶~な借家 저렴한 셋집/~株 저가주.

ねゆき【根雪】名 밑에 깔려 봄의 해빙 때까지 녹지 않고 남는 눈.

*ねらい〖狙い〗名 1 겨눔; 겨냥. ¶~をつける 겨냥하다/~がはずれる 겨냥이 빗나가다. 2 표적; 목적; 목표; 노리는 바. ¶この論文の~は 이 논문이 노리는 바는/~は別にある 목적은 따로 있다/出題の~をよく考える 출제가 노리는 바를 잘 생각하다.

ねらいうち【ねらい撃ち】《狙い撃ち》名 ス他 저격; (총 따위로) 겨누어 쏨. =狙撃. ¶~にされた 저격당했다.

ねらいさだ-める【ねらい定める】《狙い定める》下1他 정확하게 겨냥하다. ¶~·めて撃つ 잘 겨누어 쏘다.

ねらいどころ【ねらい所】《狙い所》名 노리는〔가장 중요한〕 목표. ¶~のいい新製品 (대상을) 잘 겨냥한 신제품.

**ねら-う〖狙う〗5他 1 겨누다; 겨냥하다. ¶まとを~ 목표를 겨냥하다/鉄砲で~ 총으로 겨냥하다/敵陣を~·って撃つ 적진을 겨누고 쏘다. 2 노리다. ㉠엿보다. ¶隙を~ 틈을 노리다/留守を~·って忍び込む 집이 빈 틈을 타서 숨어들다. ㉡목표로 하다. ¶優勝を~ 우승을 노리다/効果を~ 효과를 노리다.

ねりあ-げる【練り上げる】下1他 충분히 이겨서〔반죽하여, 단련하여, 잘 손질하여〕 마무르다. ¶餡を~ 팥소를 잘 이기다〔개다〕/十分~·げた文章 충분히 다듬은 문장.

ねりある-く【練り歩く】《邌り歩く》5自 대열을 지어 천천히 걸어다니다. ¶デモ隊が町を~ 데모대가 천천히 거리를 행진하다〔누비고 다니다〕.

ねりあわ-せる【練り合わせる】《煉り合わせる》下1他 여러가지를 불에 데우거나 이겨서〔개어서〕 하나로 만들다. ¶砂とセメントを~ 모래와 시멘트를 고루 섞어 개다.

ねりあん【練りあん】《練り餡·煉り餡》名 꿀팥《삶은 팥을 짓이기거나 걸러 설탕을 섞은 다음 가열하여 갠 팥소》.

ねりいと【練り糸】名 숙사(熟絲); 누인 명주실《희고 광택이 남》. ⇨生糸.

ねりえ【練りえ】《練り餌·煉り餌》名 1 떡밥. 2 곡물 가루를 이겨 만든 새 모이.

ねりおしろい【練りおしろい】《練り白粉》名 개어서 만든 분; 물분; 크림분.

ねりかた-める【練り固める】《煉り固める》下1他 개어서 굳히다.

ねりぎぬ【練り絹】名 누인 명주실로 짠 비단; 누인 명주〔비단〕. ⇨きぎぬ.

ねりせいひん【練り製品】名 생선 살을 으깨어 가공한 식품《생선묵 따위》.

ねりなおし【練り直し】名ス自他 1 다시 잘 갬〔이김〕; 또, 갠〔이긴〕 것. 2 재검토. ¶プランの~を命じられる 플랜의 재검토를 명령받다.

ねりなお-す【練り直す】5他 1 다시 잘

개다. ¶あんを～ 팥소를 다시 잘 개다. **2** 다시 잘 생각하다; 재검토하다. ¶原案(げんあん)を～ 원안을 재검토하다 / 計画(けいかく)を～ 계획을 다시 검토하다.

ねりはみがき【練り歯磨き】《煉り歯磨き》图 크림 치약; 튜브 치약.

ねりまだいこん〖練馬大根〗图 **1** 무의 한 품종《굵고 긺. 東京(とうきょう) 練馬 원산》. **2**〈俗〉여자의 굵은 다리; 무 다리.

ねりもの【練り物】图 **1**《煉り物》이기거나 개어서 굳힌 것《꿀팥 과자·생선묵·누인 명주 따위》. **2**《邌り物》축제 때 대열을 지어 돌아다니는 가마나 행렬.

*__ね-る__【練る】㊀5他 **1** (명주·실 따위를) 누이다. ¶絹(きぬ)を～ 명주를 누이다. **2**《煉る》반죽하다; 이기다. ¶うどん粉(こ)を～ 밀가루를 반죽하다〔개다〕/ あん〔粉(こな)〕を～ 팥소〔가루〕를 개다. **3**《錬る》(쇠붙이를) 불리다. ¶刀(かたな)を～ 칼을 불리다〔벼리다〕. **4**《錬る》단련하다. ¶からだを～ 몸을 단련하다. **5** (정신·기술·문장 따위를) 다듬다; 기르다; 연마하다; 수련하다. ¶腕(うで)を～ 솜씨를 연마하다 / 人格(じんかく)を～ 인격을 수련하다 / 文章(ぶんしょう)を～ 문장을 다듬다 / 案(あん)を～ 구상〔안〕을 가다듬다 / 胆力(たんりょく)を～ 담력을 기르다.
㊁5自《邌る》대오를 지어 거리를 이리저리 누비고 다니다.

__ねる__【寝る】下1自 **1 자다. ㉠잠을 자다. ¶八時間(はちじかん)～ 8시간 자다 / よく～子(こ)はよく育(そだ)つ 잘 자는 아이는 잘 큰다. ↔起(お)きる. ㉡잠자리를 같이 하다; 동침하다. ¶女(おんな)と～ 여자하고 자다. **2** 눕다. ¶かぜを引(ひ)いて～ 감기에 걸려 눕다 / ねて本(ほん)を読(よ)む 누워서 책을 읽다. **3** ㉠(자본·상품 등이) 놀다; 묵다. ¶金(かね)がねているとはもったいない 돈이 놀고 있다니 아깝다. ㉡놀고먹다. ¶ねていて食(た)べられる 놀고먹을 수 있다.
寝(ね)た子(こ)を起(お)こす **1** 긁어 부스럼을 만들다. **2** (쓰라린 과거 등) 잊어버려 가는 것을 다시 생각나게 하다.
寝(ね)ても覚(さ)めても 자나 깨나; 늘; 언제나. ¶～そればかり考(かんが)えている 자나 깨나 늘 그것만 생각하고 있다.

ね-れる【練れる】下1自 **1** (수양·경험 등을 쌓아서) 인품이 원숙〔원만〕해지다. ¶心(こころ)が～ 마음이 원숙해지다 / 彼(かれ)は～·れた人物(じんぶつ)だ 그는 원숙한 인물이다. **2** 숙련되다. ¶技術(ぎじゅつ)が～ 기술이 숙련되다.

ねわけ【根分け】图 ス他 분근(分根); 뿌리나눔. ＝株分(かぶわ)け.

ねわざ【寝技】图 (유도·레슬링에서) 드러누운 자세로 상대방에 거는 수의 총칭. ↔立(た)ち技(わざ).

ねわざ【寝業】图〈俗〉(정치 등에서) 이면공작. ¶～のうまい政治家(せいじか) 이면〔막후〕공작을 잘하는 정치가.
—し【—師】图 이면공작을 잘하는 사람. ¶政界(せいかい)の～ 정계의 모사(꾼).

ねん【年】㊀图 **1** 연; 한 해; 1년. ¶～に一度(いちど)の祭(まつ)り 한 해에 한 번 있는 축제. **2** ☞ねんき(年季). ¶～が明(あ)ける 고용살이 기한이 끝나다.
㊁接尾 …년; 연수·연령을 나타내는 말. ¶生後(せいご)三(さん)～半(はん) 생후 3년 반 / 小学(しょうがく)六(ろく)～ 초등학교 6학년.

ねん【念】图 **1** 주의함. ¶御(ご)～には及(およ)びません 염려하실 것은 없습니다. **2** 오래 전부터의 희망; 염원. ¶～がかなう〔届(とど)く〕 소원이 이루어지다 / 幸福(こうふく)を～とする 행복을 염원으로 삼다. **3** 기분; 생각. ¶不安(ふあん)の～が強(つよ)い 불안한 마음이 강하다. ⇨念(ねん)のため.
—には—を入(い)れる 주의에 주의를 기울이다.
—を入(い)れる 십분 신경을 쓰다〔정성을 들이다〕.
—を押(お)す 잘못이 없도록 거듭 주의하다〔다짐하다〕; 몇 번이고 확인하다.

ねん〖年〗教1 ネン とし | 년 해 나이 | **1** 한 해 동안. ¶年始(ねんし) 연시 / 今年(ことし·こんねん) 금년. **2** 시대 또는 기간. ¶年代(ねんだい) 연대 / 永年(ながねん) 여러 해. **3** 연대; 특히, 연령. ¶年輪(ねんりん) 연륜 / 老年(ろうねん) 노년.

ねん〖念〗教4 ネン おもう | 념 생각 | **1** 생각. ¶念頭(ねんとう) 염두. **2** 항상 마음에서 떠나지 않다. ¶念願(ねんがん) 염원 / 専念(せんねん) 전념.

ねん〖粘〗常用 ネン デン ねばる | 점 끈끈하다 | **1** 끈적끈적하다. ¶粘性(ねんせい) 점성 / 粘土(ねんど) 점토. **2** 끈적끈적 붙다. ¶粘着(ねんちゃく) 점착.

ねん〖燃〗教5 ネン もえる もやす もす | 연 타다 | 불이 타다; 태우다. ¶燃料(ねんりょう) 연료 / 燃焼(ねんしょう) 연소 / 再燃(さいねん) 재연.

ねんいちねん【年一年】連語 해마다 더욱; 해가 갈수록. ¶～と発展(はってん)する 해마다 더욱 발전하다.

*__ねんいり__【念入り】ダナ 정성들임; 공들임. ＝入念(にゅうねん). ¶～な描写(びょうしゃ) 세밀하게 공들인 묘사 / ～に仕上(しあ)げる 정성들여 마무리하다.

ねんえき【粘液】图 점액. ↔漿液(しょうえき).
—しつ【—質】图〔心〕점액질. ↔多血質(たけつしつ)·胆汁質(たんじゅうしつ).

ねんが【年賀】图 연하; 신년 축하; 새해 인사. ＝年始(ねんし). ¶～の客(きゃく) 신년 하객 / ～はがき〔郵便(ゆうびん)〕 연하 엽서〔우편〕/ ～に行(い)く 새해 인사차 가다 / ～のあいさつを交(か)わす 새해 인사를 나누다.
—じょう【—状】图 연하장. ¶～を出(だ)す 연하장을 보내다.

ねんがく【年額】图 연액. ¶～十億円(じゅうおくえん)の輸出(ゆしゅつ) 연액 10억 엔의 수출.

ねんかくさ【年較差】图〔氣〕연교차; 1년 중 기온 등의 최고치와 최저치의 차(差). ＝ねんこうさ.

ねんがけ【年掛け】图 (할부 등에서) 매년 일정한 금액을 붓는 방식.

*__ねんがっぴ__【年月日】图 연월일. ¶免許(めんきょ)取得(しゅとく)の～ 면허 취득 연월일.

ねんがらねんじゅう【年がら年じゅう】《年がら年中》副 1년 내내; 언제나. ＝年が年じゅう. ¶～机に向かっている 언제나 책상 앞에 앉아 있다.

ねんかん【年刊】图 연간. ¶～の学術雑誌 연간 학술 잡지. ↔季刊·月刊·旬刊·週刊·日刊.

ねんかん【年間】图 연간. **1** 한 해 동안. ¶～プラン 연간 계획/～所得 연간 소득. **2** 어떤 연대의 동안. ¶大正～ 大正 연간.

ねんかん【年鑑】图 연감. ＝イヤーブック. ¶出版～ 출판 연감.

ねんがん【念願】图ス他 염원; 소원. ¶多年の～ 오랜 염원/～がかなう 소원이 이루어지다.

ねんき【年季】图 **1** 고용살이의 약속 기간. ＝年切り. ¶～が明ける 고용살이 기간이 끝나다. **2** '年季奉公'의 준말. **3** 오랜 동안 노력하여 얻은 숙련. ¶～のはいった確かな腕前 오랜 세월에 걸쳐 닦은 확실한 솜씨.

—を入れる 여러 해 동안 수련을 쌓다〔쌓아 그 일에 익숙해지다〕.

—ぼうこう【—奉公】图 미리 햇수를 정하고 하는 고용살이.

=**ねんき**【年忌】☞かいき(回忌).

ねんきゅう【年休】图 '年次有給休暇(＝연차 유급 휴가)'의 준말.

ねんきゅう【年給】图 연급; 연봉. ¶～十五万ドル 연봉 15만 달러. ↔月給·週給.

ねんきん【年金】图 연금. ¶～生活者 연금 생활자/厚生～ 후생 연금/～が付く 연금이 붙다.

ねんぐ【年貢】图 연공. **1** 소작료; 도조. **2** 논·밭·가옥에 부과된 세; 조세.

—の納め時(체납(滞納)을 청산해야 할 때라는 뜻에서) **1** 오랫동안 나쁜 일을 한 자가 드디어 처벌을 받아야 할 때. **2**(어떤 일을) 포기하고 단념해야 할 때. ¶独身生活もここらが～だ 독신 생활도 이쯤해서 청산할 때가 되었다.

***ねんげつ**【年月】图 연월; 세월. ＝としつき. ¶～を経る 세월이 지나다/長い～がかかる 긴 세월이 걸리다.

ねんげん【年限】图 연한; 햇수로 정한 기한. ¶修業～ 수업 연한/～が切れる 연한이 끝나다.

ねんこう【年功】图 연공. **1** 여러 해 근무한 공로. ¶～にむくいる 연공에 보답하다. **2** 여러 해 동안 쌓은 숙련·경험. ¶～がものをいう 오랜 경험이 효력을 발하다/～を積む 연공을 쌓다.

—じょれつ【—序列】图 연공서열. ¶～型賃金 연공서열형 임금.

ねんごう【年号】图 연호; 다년호(大年號). ＝元号. ¶～が改まる 연호가 바뀌다. 参考 일본에서는 645년 '大化'라 칭한 것이 최초.

ねんごろ【懇ろ】ダナ **1** 친절하고 공손한 모양. ¶～な取り扱い〔もてなし〕 정중한 대우〔대접〕/～な看護 정성어린 간호. **2** 친밀한〔정다운〕 모양. ¶～な交際〔つきあい〕 친밀한 교제. **3** 남녀가 몰래 정을 통하는 모양. ¶～になる 남녀가 몰래정을 통하는 사이가 되다.

ねんざ［捻挫］图ス他 염좌; 관절을 삠. ¶足くびを～する 발목을 삐다.

ねんさい【年祭】图 기제(忌祭).

ねんさん【年産】图 연산. ¶～百万台 연산 백만 대. ↔月産·日産.

ねんし【年始】图 **1** 연시; 연초; 연두. ＝年頭. ¶年末～の休暇 연말 연시의 휴가. ↔年末. **2** 연하(年賀); 새해 인사. ¶お～ 연하/～に行く 세배하러 가다.

—まわり【—回り】图 세배하러 다님. ¶～をする 새배하러 다니다.

ねんし［撚糸］图ス自 연사; 꼰 실; 또, 실로 꼼. ↔単糸.

ねんじ【年次】图 연차. **1** 매년; 1년마다. ＝毎年. ¶～計画〔総会〕 연차 계획〔총회〕/～有給休暇 연차 유급 휴가. **2** 해의 순서; 연도. ＝年度. ¶卒業～ 졸업 연도.

ねんしき【年式】图 연식《자동차 등의 그 해에 개발한 형(型)》. ¶二千～フォード 2000년식 포드(자동차).

ねんじゅ【念珠】图 염주. ＝じゅず·ずず. ¶～をつまぐる 염주알을 굴리다.

ねんじゅ［念誦］图ス他〘佛〙염송; 염불 송경. ＝ねんず. ¶経文を～する 경문을 염송하다.

ねんしゅう【年収】图 연수; 연간 수입. ¶～二千万円 연수 2천만 엔. ↔月収·日収.

***ねんじゅう**【年中】图 연중. ＝ねんちゅう. ¶～無休 연중무휴.

—ぎょうじ【—行事】图 연중행사. ＝ねんちゅうぎょうじ.

ねんじゅう【年じゅう】《年中》副 항상; 늘. ¶～忙しい 늘 바쁘다/～かぜぎみだ 늘 감기 기운이 있다.

ねんしゅつ［捻出·拈出］图ス他 염출. **1** 변통함. ¶費用を～する 비용을 염출하다. **2** 생각해 냄; 짜냄. ¶妙案を～する 묘안을 짜내다.

ねんしょ【年初】图 연초. ¶～来の相場 연초 이래의 시세. ↔年末.

ねんしょ【念書】图 후일의 증거가 되도록 적어 두는 문서; 다짐장; 각서. ¶～を取る 다짐장을 받다/～を取り交わす 각서를 교환하다.

ねんしょう【年少】名ナ 연소. ¶～組 나이 어린 패/未就学の～者 미취학 연소자/まだ～なので 아직 연소해서/～の故をもって拒絶する 연소하다는 이유로 거절하다. ↔年長.

ねんしょう【年商】图 (상점 따위의) 1년간의 매출액. ↔日商·月商.

***ねんしょう**【燃焼】图ス自 연소. **1** 불에 탐. ¶～効率 연소 효율/不完全～ 불완전 연소. **2**(정열 등을) 불사름.

¶青春(せいしゅん)を～しつくす 청춘을 다 불사르다〔바치다〕.
ねん-じる【念じる】上1他 ☞ねんずる.
ねんすう【年数】图 연수; 햇수. ¶勤続(きんぞく)～ 근속 연수 / ～をかけて研究(けんきゅう)する 여러 해 걸려 연구하다.
ねん-ずる【念ずる】サ変他 **1** 늘 마음속에 두고 생각하다. ¶一途(いちず)に子(こ)の身(み)の上(うえ)を～親心(おやごころ) 오로지 자식의 신상을 걱정하는 부모의 마음. **2** 마음속으로 빌다; 염원하다; 염불하다. ¶無事(ぶじ)を～ 무사하기를 빌다 / 合格(ごうかく)するようにと～ 합격되기를 염원하다.
ねんせい【粘性】图 점성; 끈기; 찰기. ＝ねばりけ. ¶～率(りつ) 점성률 / ～に富(と)む 끈기가 많다.
***ねんだい**【年代】图 연대. **1** 경과한 시대. ¶～順(じゅん)にしるす 연대순으로 적다. **2** 시대. ¶大正(たいしょう)～ 大正 연대. **3** 특정한 기간. ¶二千(にせん)～ 2000년대.
—き【—記】图 연대기. ＝クロニクル.
—もの【—物】图 오래되어 가치가 있는 물건. ＝時代物(じだいもの). ¶～の茶碗(ちゃわん)〔ウイスキー〕 오래 묵은 찻종〔위스키〕.
ねんちゃく【粘着】图ス自 점착. ¶～性(せい) 점착성 / ～テープ 점착 테이프.
—りょく【—力】图 점착력. ¶～が強(つよ)い 점착력이 강하다.
ねんちょう【年長】图 연장; 연상. ＝としうえ. ¶～者(しゃ) 연장자 / ～組(ぐみ) 나이 많은 패. ↔年少(ねんしょう).
ねんてん〔捻転〕图ス自他 염전; 비틀려 방향이 바뀜; 뒤틀림; 뒤틂. ¶腸(ちょう)～ 장염전(증) / 体(からだ)を右(みぎ)に～する 몸을 오른쪽으로 뒤틀다.
ねんど【年度】图 연도. ¶～末(まつ) 연도말 / 会計(かいけい)～ 회계 연도.
—がわり【—替わり】图 연도가 바뀜; 「또, 그때.
—はじめ【—始め】图 연도초.
ねんど【粘土】图 점토; 찰흙. ＝ねばつち. ¶～質(しつ) 점토질 / ～細工(ざいく) 점토 세공 / 紙(かみ)～ 지점토; 종이 찰흙.
ねんど【粘度】图 점도; 점성률. ＝粘性率(ねんせいりつ). ¶～計(けい) 점도계.
ねんとう【年頭】图 연두. ＝年始(ねんし). ¶～のあいさつ 새해 인사.
—きょうしょ【—教書】图 연두 교서. ＝一般教書(いっぱんきょうしょ).
ねんとう【念頭】图 염두; 마음속. ¶さらさら～に無(な)い 조금도 염두에 없다 / 社会的(しゃかいてき)立場(たちば)を～に置(お)く 사회적 처지〔위치〕를 염두에 두다.
ねんない【年内】图 연내. ¶～に完成(かんせい)する〔仕上(しあ)げる〕 연내에 완성하다.
ねんね 一图ス自 〈兒〉 잠을 잠. ¶～しな 자장자장 하자; 코하자.
二图 어린애; 철부지《특히, 나이에 비해 세상 물정을 모르는 처녀》. ¶高校(こうこう)を出(で)たのにまだ～だ 고등학교를 나왔는데도 아직 어린애다.
ねんねこ 图 **1** 〈兒〉 잠을 잠. **2** 'ねんねこばんてん'의 준말.
—ばんてん〖—半纏〗图 아기를 업을 때에 쓰는 처네. ＝ねんねこ.
ねんねん【年年】副 연년; 해마다. ＝としどし. ¶～しらがが ふえる 해마다 흰머리가 불어나다 / 人口(じんこう)が～ふえる 인구가 해마다 불어나다.
—さいさい【—歳歳】副 연년세세; 매년; 돌아오는 해마다. ＝歳歳(さいさい)年年. ¶～進歩(しんぽ)する 매년 진보하다.
ねんのため【念のため】《念の為》連語 만약을 위해; 확실히 다짐해 두기 위해. ¶～に調(しら)べる 만일을 위해서 조사하다 / ～(に)繰(く)り返(かえ)し申(もう)します 다짐하기 위해 되풀이해서 말씀드립니다.
ねんぱい【年配·年輩】图 연배. **1** 연갑; 나이의 정도. ＝としごろ. ¶同(おな)じ～の人(ひと) 같은 연배의 사람. **2** 분수를 아는 지긋한 나이; 중년. ¶～の紳士(しんし) 중년 신사. **3** 연상. ＝年上(としうえ). ¶彼(かれ)より七(なな)つ～だ 그보다 일곱 살 위다.
ねんばらい【年払い】图 연불(年拂). ¶三(さん)～の借款(しゃっかん) 3년불의 차관. ↔月払(つきばら)い·日払(ひばら)い.
ねんばんがん【粘板岩】图〘鑛〙 점판암《벼룻돌로 쓰임》.
ねんぴ【燃費】图 **1** 연비(燃比); 연료 소비(효)율. ¶～を伸(の)ばす 연비를 늘리다. **2** 연료비. ¶～がかさむ 연료비가 많이 들다.
ねんぴょう【年表】图 연표; 연대표. ¶歴史(れきし)～ 역사 연표.
ねんぷ【年譜】图 연보. ¶作家(さっか)の～を調(しら)べる 작가의 연보를 조사하다.
ねんぷ【年賦】图 연부; 연불. ＝年払(ねんばら)い. ¶～金(きん) 연부금. ↔月賦(げっぷ).
ねんぶつ【念仏】图ス自〘佛〙 염불; (특히) 나무아미타불(南無阿彌陀佛)을 욈. ¶～を唱(とな)える 염불을 외다.
—ざんまい〔—三昧〕图 염불 삼매《염불에 열중하는 일》.
ねんべつ【年別】图 연별. ¶～に分(わ)ける 연별로 구분하다.
ねんぽう【年俸】图 연봉. ＝年給(ねんきゅう). ¶～五千万円(ごせんまんえん) 연봉 5천만 엔.
ねんぽう【年報】图 연보. ¶学会(がっかい)の～ 학회의 연보. ↔週報(しゅうほう)·旬報(じゅんぽう)·月報(げっぽう)·日報(にっぽう).
***ねんまく**【粘膜】图〘生〙 점막. ¶鼻(はな)の～に炎症(えんしょう)を起(お)こす 코의 점막에 염증이 생기다.
ねんまつ【年末】图 연말. ¶～手当(てあて) 연말 수당 / ～大売(おおう)り出(だ)し 연말 대매출. ↔年始(ねんし)·年初(ねんしょ).
—ちょうせい【—調整】图 (원천 징수된 소득세 납세액의) 연말 정산.
ねんよ【年余】图 연여; 1년 남짓. ¶～にわたる交渉(こうしょう) 1년여에 걸친 교섭.
ねんらい【年来】图 연래; 몇 해 전부터의 일임. ¶～の望(のぞ)み 연래의 소망 / 二十(にじゅう)～の大雪(おおゆき) 20년래의 큰눈.
ねんり【年利】图 연리; 연변(年邊). ¶～五分(ごぶ) 연리 오푼. ↔月利(げつり)·日歩(ひぶ).

ねんりき【念力】图 염력; 의지의 힘. ¶思う～岩をも通す 반드시 하겠다는 의지의 힘은 바위라도 뚫는다.

ねんりつ【年率】图 연율. ¶～3.5パーセントの経済成長率 연(율) 3.5%의 경제 성장률.

ねんりょ【念慮】图 사려. ＝おもんぱかり.

*__ねんりょう__【燃料】图 연료; 땔감. ¶～を補給する 연료를 보급하다 / ～が切れる 연료가 떨어지다.

ねんりん【年輪】图 연륜. **1** 나무의 나이테. ¶～を数える 연륜을 세다. **2** 해가 지날수록 성장·변화한 역사; 나이. ¶～をつむ 연륜을 쌓다 / いたずらに～を重ねる 헛되이 나이만 먹다.

**__ねんれい__【年齢】图 연령; 나이. ＝よわい·とし. ¶結婚～ 결혼 연령 / ～制限 연령 제한 / ～の開き 나이 차 / ～不詳 연령 미상 / ～順に 연령순으로 / ～を重ねる 나이를 먹다.

—そう【—層】图 연령층. ＝年代.

—ふもん【—不問】图 연령 불문.

の ノ

1 五十音図 'な行'의 다섯째 음. [no] **2**〖字源〗'乃'의 초서체《かたかな 'ノ'는 '乃'의 첫 획(畫)》.

*__の__【野】图 **1** 들. ＝のはら. ¶～を越え山を越え 들을 건너 산을 넘어 / あとは～となれ山となれ 나중은 어떻게 되든지 될 대로 되어라. ↔山. **2** 논밭. ＝のら. ¶～を耕す 논밭을 갈다 / ～に出て働く 논밭에 나가 일하다. **3**《다른 名詞에 붙어서》야생임. ¶～うさぎ 야생 토끼; 산토끼 / ～いちご 산딸기 / ～ばら 들장미.

—に置く 자연 그대로 놔두다.

の ㊀格助 **1**《'AのB'의 꼴로; A는 体言 또는 形容詞 語幹 등 体言에 준하는 것, B는 体言》㉠A가 B의 내용·상태·성질 등에 한정을 가함을 나타냄: …의; …에 있는〔관한〕; …으로 된. ¶川～柳 냇가의 버들 / 父～財産 부친의 재산 / 革～かばん 가죽 가방 / 秋～雨 가을비 / 紫～糸 자색실 / 帰り～切符 돌아올 때의 차표 / 東京で～生活 東京에서의 생활. 参考 '花～都(＝꽃의 서울)' 등과 같이 A가 비유적으로 B의 속성으로 인정되는 경우도 있음. ㉡B가 形式名詞(또는 그것에서 유래하는 'ようだ, ごとし' 등)인 때, A는 실질 및 내용을 가리킴: …한; …처럼; …과(같은). ¶リンゴ～ように赤い 사과처럼 빨갛다 / 御相談～上で決めましょう 상의한 뒤에 결정합시다. **2**《하나의 문장의 성분을 이루는 구(句) 'AのB'로》㉠A가 主語임을 가리킴: …인〔하는〕것. ¶来る～が遅い 오는 것이 늦다 / 安い～がいい 싼 것이 좋다 / きれいな～をくれ 예쁜〔깨끗한〕것을 주게. ㉡《B의 끝이 連体形이 되어》B와 같은 A라는 뜻. ¶映画～おもしろいのを見よう 재미있는 영화를 보자 / お茶～濃いのを飲む 진한 차를 마시다. ㉢述語가 連用形으로 아래에 계속될 때의 主語 또는 대상의 말을 가리킴: …가; …이. ¶わたし～書いた手紙 내가 쓴 편지 / 水～飲みたい人 물을 마시고 싶은 사람. **3** ㉠《대상화(對象化)하는 데 쓰임》…의 것. ¶こっち～がいいよ 이 쪽 것이 좋다 / これは私～だ 이것은 내 것이다. ㉡《指定의 助動詞 'だ' 'です' 따위를 수반하여》이유·근거·주체의 입장 따위를 설득적 또는 단정적으로 말함을 나타냄. ¶彼は病気な～だ 그는 앓고 있는 것이다 / その事で彼が苦しんだ～です 그 일 때문에 그가 괴로워했던 것입니다 / もはや手おくれな～だ 이미 때는 늦었다. 参考 구어형(口語形)은 'の'가 'ん'의 꼴로도 됨. **4** 사물을 늘어놓을 때에 씀. ¶なん～か～と煩わしい 이러니저러니 번거롭다 / 狭い～きたない～と文句ばかり言う 좁다느니 더럽다느니 투정만 한다 / 行く～行かない～ってはっきりしない 가느니 안 가느니 해서 분명치 않다.

㊁終助 〈주로 女·兒〉문말(文末)에서 감동 또는 물음을 나타냄. **1** 물음을 나타냄. ¶何をしている～ 무엇을 하고 있니 / どこへ行く～ 어디 가니 / 君も行く～ 너도 가려느냐 / またあした雨が降る～ 내일도 또 비가 온단 말이니. **2** 가벼운 단정을 나타냄. ¶いいえ, 違う～ 아닙니다 틀려요 / ええ, そうな～ 예, 그래요 / これです～ 이것이에요 / とてもいやな～ 여간 싫지 않아요 / もういい～ 이제 됐어요. **3**《강하게 발음해서》상대를 설득하려는 뜻을 나타냄. ¶さあ, 早く寝る～ 자, 빨리 자요 / だまって食べる～ 잠자코 먹는 거예요.

㊂間助 말이야. ＝ね·な. ¶川へ行って～, よく魚を取ったものじゃ 강에 가서 말이야, 곧잘 물고기를 잡곤 했었지. 参考 'のう'라고도 함.

のあそび【野遊び】图 들놀이; 또, (옛날 귀족 등이) 들에 나가 사냥을 한 일.

ノアのはこぶね【ノアの箱舟】《ノアの方舟》图〔基〕노아의 방주. ▷Noah.

ノイズ [noise] 图 노이즈; 소음; 잡음. ¶～が入る 잡음이 들어오다.

のいばら〖野茨·野薔薇〗图〔植〕찔레나무. ＝のばら.

ノイローゼ [도 Neurose] 图 노이로제; 신경증. ¶いささか～気味だ 약간 노이

로제 기미가 있다.

のう【能】图 **1** 능함; 재능. ¶～のない人(ひと) 능력〔재능〕이 없는 사람/理数(りすう)の～がない 이과와 수학에 밝지 못하다/～もなければ芸(げい)もない 능력도 없거니와 재주도 없다. 参考 接尾語적으로도 씀. ¶放射(ほうしゃ)～ 방사능. **2** 능사. ¶…するばかり〔だけ〕が～ではない …하는 것만이 능사는 아니다/金(かね)をためるだけが～ではない 돈을 모으는 것만이 능사가 아니다. **3** 효능. ¶くすりの～書(がき) 약의 효능서. **4** ☞のうがく(能楽). ¶～を楽(たの)しむ 能楽를 즐기다.

—ある鷹(たか)は爪(つめ)を隠(かく)す 능력 있는 매는 발톱을 숨긴다《실력 있는 자는 함부로 그것을 드러내지 않는다는 말》.

*__のう__【脳】图 뇌. **1** 뇌수. ¶～をわずらう 뇌를 앓다. **2** 머리(의 작용)《판단력·기억력 따위》; 두뇌. ＝頭脳(ずのう). ¶～が悪(わる)い 머리가 나쁘다/近頃(ちかごろ), ～がめっきり弱(よわ)くなった 요즈음, 판단력〔기억력〕이 부쩍 약해졌다.

のう【農】图 농; 농가; 농민; 농사. ¶～は国(くに)の本(もと) 농업은 나라의 대본. 参考 接尾語적으로도 씀. ¶小作(こさく)～ 소작농.

のう〔膿〕图〔醫〕☞うみ(膿).

のう〖悩〗《惱》常用 ノウ なやむ なやます | 뇌 괴로움 | 고민하다; 괴롭게 하다. ¶悩殺(のうさつ) 뇌쇄/苦悩(くのう) 고뇌.

のう〖納〗《納》教6 ノウ トウ ナッ ナ ナン おさめる おさまる いれる | 납 들이다 | **1** 받아들이다. ¶納得(なっとく) 납득/出納(すいとう) 출납. **2** 거두어 넣다. ¶収納(しゅうのう) 수납. **3** (관청 등에) 바치다. ¶納税(のうぜい) 납세.

のう〖能〗教5 ノウ あたう よく よくする | 능 능하다 | **1** ㉠능력. ¶能力(のうりょく) 능력/無能(むのう) 무능. ㉡효력. ¶効能(こうのう) 효능. **2** 능력이 있다. ¶能弁(のうべん) 능변/全能(ぜんのう) 전능.

のう〖脳〗《腦》教6 ノウ | 뇌 머릿골 | **1** 뇌; 뇌수. ¶脳震盪(のうしんとう) 뇌진탕/大脳(だいのう) 대뇌. **2** 정신의 작용. ¶頭脳(ずのう) 두뇌/脳裏(のうり) 뇌리.

のう〖農〗教3 ノウ | 농 농사 | **1** 농사 지음. ¶農事(のうじ) 농사/農繁期(のうはんき) 농번기. **2** 농부; 농가. ¶篤農(とくのう) 독농/自作農(じさくのう) 자작농.

のう〖濃〗常用 ノウ こい こまやか | 농 짙다 | 담박하지 않다. ¶濃厚(のうこう) 농후/濃度(のうど) 농도. ↔淡(たん).

のういっけつ〔脳溢血〕图 ☞のうしゅっけつ(脳出血).

のうえん【脳炎】图〔醫〕뇌염. ¶日本(にほん)～にかかる 일본뇌염에 걸리다.

のうえん【農園】图 농원. ¶学校(がっこう)～ 학교 농원/～を経営(けいえい)する 농원을 경영하다.

のうえん〔濃艶〕ダナ 농염; 요염하고 아름다움. ¶～な姿(すがた) 요염한 자태/～に笑(わら)う 요염하게 웃다.

のうか【農科】图 농과; 농업에 관한 학과; 또, 대학의 농학부.

のうか【農家】图 농가; 농사짓는 집. ¶専業(せんぎょう)～ 전업 농가/わらぶきの～ 짚으로 지붕을 인 농가.

のうかい【納会】图 납회. **1** 그해 마지막 회합. ＝おさめかい. ¶シーズンを締(し)めくくる～が催(もよお)された 시즌을 결산하는 납회가 개최되었다. **2** (거래소에서) 그 달의 마지막 입회. ↔発会(はっかい).

のうがき【能書き】图 (약 따위의) 효능서; 전하여, 자기 선전. ¶勝手(かって)な～ばかり並(なら)べ立(た)てる 제멋대로 자기 선전만 늘어놓다.

のうがく【能楽】图 일본의 대표적인 (가면) 음악극. ＝能(のう). ⇨ようきょく.

のうがく【農学】图 농학. ¶～博士(はくし) 농학 박사/～を修(おさ)める 농학을 배우다.

のうがく【農楽】图 (한국의) 농악.

のうかすいたい【脳下垂体】图〔生〕뇌하수체. ¶～前葉(ぜんよう)ホルモン 뇌하수체 전엽 호르몬.

のうかん【納棺】图ス他 납관; 입관; 시체를 관에 넣음. ＝入棺(じゅかん·にゅうかん). ¶～を済(す)ませる 입관을 끝내다.

のうかんき【農閑期】图 농한기. ¶～利用(りよう)の手仕事(てしごと) 농한기를 이용한 수공업/～には出(で)かせぎに行(ゆ)く 농한기에는 타관으로 벌이하러 나간다. ↔農繁期(のうはんき).

のうき【納期】图 납기. ¶～が迫(せま)る 납기가 다가오다/きちんと～を守(まも)る 제대로〔정확히〕납기를 지키다.

のうきぐ【農機具】图 농기구. ¶～を買(か)う 농기구를 사다.

のうきゅうび【農休日】图 농사일을 쉬는 날.

のうきょう【農協】图 농협; '農業協同組合(のうぎょうきょうどうくみあい)'의 준말.

⁑**のうぎょう**【農業】图 농업. ¶～用水(ようすい) 농업 용수/～に従事(じゅうじ)する 농업에 종사하다. ↔工業(こうぎょう)·商業(しょうぎょう).

—きょうどうくみあい【—協同組合】图 농업 협동 조합; 농협.

のうきょうげん【能狂言】图 **1** 能楽(のうがく)의 막간에 상연하는 희극. ＝狂言(きょうげん). **2** 能楽(のうがく)와 狂言(きょうげん).

のうきん【納金】图ス自 납금; 금전을 납부함; 또, 그 금액. ¶～を済(す)ませる 납금을 마치다. ↔出金(しゅっきん).

のうぐ【農具】图 농구; 농기구.

のうげい【農芸】图 농예. ¶～化学(かがく) 농예 화학.

のうけっせん【脳血栓】图〔醫〕뇌혈전. ¶～で倒(たお)れる 뇌혈전으로 쓰러지다.

のうこう【農耕】图 농경; 논밭을 갈아 농작물을 가꾸는 일. ＝農作(のうさく)·耕作(こうさく). ¶～生活(せいかつ) 농경 생활/～に適地(てきち)である 경작하기에 적합한 땅이다.

*__のうこう__【濃厚】ダナ 농후. **1** 색·맛 등이 진한 모양. ¶～な味(あじ) 진한〔짙은〕맛/～

な化粧 짙은 화장 / 色合いが～である 색조가 짙다. **2** 강렬한 인상·자극을 주는 모양. ¶～なラブシーン 농후한 러브신. ↔淡泊. **3** 경향이 강해지는 모양. ¶敗色が～だ 패색이 짙다 / 嫌疑〔疑い〕が～になる 혐의가 짙어지다. ↔希薄.

のうこうそく [脳梗塞] 名〔醫〕 뇌경색. ＝脳軟化症.

のうこつ【納骨】名 ス自 납골. ¶～式 납골식 / ～堂 납골당 / 初七日に～する 죽은 후 이렛날에 납골하다.

のうこん【濃紺】名 짙은 감색. ¶～の制服 짙은 감색 제복.

のうさぎ【野うさぎ】《野兎》名 산토끼.

のうさぎょう【農作業】名 농가일; 농사일. ¶～に出かける 농사일을 하러 나가다.

のうさくぶつ【農作物】名 농작물. ＝のうさくもつ. ¶台風による～の被害 태풍으로 인한 농작물 피해.

のうさつ【悩殺】名 ス他 뇌쇄. ¶～的なポーズ 뇌쇄적인 포즈 / 男を～する 남자를 뇌쇄하다 / ～するような目つき 뇌쇄시킬 것 같은 눈.

のうさんぶつ【農産物】名 농산물. ¶～加工〔価格〕 농산물 가공〔가격〕 / ～の集散地 농산물의 집산지.

のうし【脳死】名〔醫〕 뇌사. ¶～問題にはさまざまな議論がある 뇌사 문제에는 의론이 분분하다.

のうじ【農事】名 농사. ¶～番組 농사 프로 / ～にいそしむ 농사에 힘쓰다.

のうしゃ【納車】名 ス他 자동차·자전거 등을 구입자에게 납품함.

のうじゅ【納受】名 ス他 **1** 수납. ＝受納. ¶物品を～する 물품을 수납하다. **2** (신불이) 소원 따위를 들어줌. ¶神が～を垂れる 신이 소원을 들어주다.

のうしゅく【濃縮】名 ス他 농축. ¶～ジュース 농축 주스.

―ウラン [도 Uran] 名〔化〕 농축 우라늄《원자로의 연료》.

のうしゅっけつ【脳出血】名〔醫〕 뇌출혈. 參考 본디 '脳溢血'라고 하였으나 지금의 의학 용어로는 '脳出血'.

のうしゅよう [脳腫瘍] 名〔醫〕 뇌종양.

のうしょ【能書】名 능서; 달필. ＝能筆. ¶～の評判が高い 달필이라는 평판이 자자하다. ↔悪筆.

―筆を択ばず 글씨 잘 쓰는 사람은 붓을 가리지 않는다.

のうしょう [脳漿] 名〔生〕 뇌장; 뇌의 점액.

のうじょう【農場】名 농장; 농원. ¶集団～ 집단 농장.

のうしんとう [脳震盪·脳震蕩] 名〔醫〕 뇌진탕. ＝脳.

のうずい【脳髄】名〔醫〕 뇌수; 머릿골.

のうせい【脳性】名〔醫〕 뇌성.

―しょうにまひ【―小児まひ】《―小児麻痺》名〔醫〕 뇌성 소아마비.

のうせい【農政】名 농정; 농업에 관한 행정·정책. ¶～学 농정학.

***のうぜい**【納税】名 ス自 납세. ¶～申告 납세 신고 / ～の義務 납세의 의무. ↔徴税·収税.

のうそくせん [脳塞栓] 名〔醫〕 뇌전색(脳栓塞).

のうそっちゅう【脳卒中】名〔醫〕 뇌졸중. ＝卒中. ¶～で倒れる 뇌졸중으로 쓰러지다.

のうそん【農村】名 농촌. ¶～文学 농촌 문학 / ～問題 농촌 문제 / ～地帯 농촌 지대. ↔山村·漁村.

のうたん【濃淡】名 농담; (색·맛 등의) 짙음과 옅음. ¶～のぼかし模様 짙은 색과 옅은 색으로 바림한 무늬.

のうち【農地】名 농지; 농토. ¶～が狭い 농지가 좁다.

―かいかく【―改革】名 농지 개혁. ＝「農地解放.

のうちゅう [囊中] 名 낭중; 주머니 속; 지갑 속; 소지금. ＝懐中. ¶～に一文なしだ 낭중 무일푼이다; 주머니 속이 텅 비었다.

―の錐 낭중지추《재능 있는 사람은 그것을 감추어도 반드시 드러난다》.

のうてん【脳天】名〔生〕 뇌천; 정수리. ¶～を殴りつける 정수리를 후려치다.

のうてんき【脳天気】名ナ 〈俗〉 경박한 모양; 또, 그런 사람; 덜렁쇠; 촐랑이. ¶～な奴だ 덜렁쇠 같은 놈이다. 注意 본디, '能天気·能転気'로 썼음.

のうど【農奴】名〔史〕 농노.

―かいほう【―解放】名 농노 해방.

のうど【濃度】名 농도. ¶薬品の～ 약품의 농도 / ～が高い 농도가 높다 / ～を増す 농도를 더 짙게 하다.

のうどう【能動】名 능동. ↔受動.

―てき【―的】ダナ 능동적; 적극적. ¶～に振る舞う 능동적으로 행동하다. ↔受動的.

のうない【脳内】名 뇌내; 뇌 속. ¶～出血 뇌내 출혈.

のうなし【能無し】名ナ 쓸모없음; 무능함; 또, 그런 사람. ¶あんな～になにができるか 저런 무능한 것이 무엇을 하겠는가.

のうなんかしょう【脳軟化症】名〔醫〕 뇌연화증. ＝脳梗塞.

のうにゅう【納入】名 ス他 납입. ＝納付. ¶～金 납입금 / 授業料を～する 수업료를 납입하다.

のうのう 副 걱정이 없이 태평한 모양. ¶親の遺産で～(と)暮らす 부모 유산으로 걱정 없이 편안히 지내다.

のうは【脳波】名〔生〕 뇌파. ＝EEG. ¶～計 뇌파계 / 正常～ 정상 뇌파.

ノウハウ [know-how] 名 ☞ノーハウ.

のうはんき【農繁期】名 농번기. ＝農期. ¶～には猫の手も借りたいほどだ 농번기에는 고양이 손이라도 빌리고 싶을 정도로 일손이 부족하다《매우 바쁘다》. ↔農閑期.

のうひつ【能筆】名 능필; 달필. ＝能書

のうしょ. ¶～家か 달필가. ↔悪筆あくひつ.
のうびょう【脳病】图〔醫〕뇌병((넓게는 신경병 및 정신병도 포함함)). ¶～をわずらった 뇌병을 앓았다.
のうひん【納品】图区自他 납품. ¶～書しょ 납품서 / 期日きじつどおりに～する 기일대로 납품하다.
のうひんけつ【脳貧血】图〔醫〕뇌빈혈. ¶～を起おこす 뇌빈혈을 일으키다.
のうふ【納付】图区他 납부. ＝納入のうにゅう. ¶税金ぜいきんを～する 세금을 납부하다.
のうふ【農夫】图 농부. **1** 농사꾼. **2** 농사품팔이꾼.
のうぶたい【能舞台】图 能楽のうがくを 상연하는 무대.
のうべん【能弁】((能辯)) 图ナ 능변. ＝達弁たつべん. ¶～家か 능변가. ↔訥弁とつべん.
のうほう [膿疱] 图〔醫〕농포; 수포(水疱)가 곪아 고름이 차 있는 것.
—**しん** [—疹] 图〔醫〕농포진. ＝とびひ.
のうほん【納本】图区自 납본. ¶当局とうきょくに～する 당국에 납본하다.
のうほんしゅぎ【農本主義】图 농본주의. ＝農本思想しそう.
のうまく【脳膜】图〔生〕뇌막. ¶～炎えん 뇌막염.
のうみそ【脳みそ】((脳味噌)) 图 **1** 〈俗〉뇌; 뇌수(腦髓). ＝脳のう. **2** 지력(知力); 지혜. ¶～を絞しぼる 머리를 짜내다.
—**が足たりない** 지능이 모자라다.
のうみつ【濃密】ダナ **1** 농밀; (색조·맛 따위가) 진함. ¶～な味あじ 진한 맛 / ～な色彩しきさい 농밀한 색채. ↔希薄きはく. **2** 밀도가 높음((비유적으로도 씀)). ¶～な関係かんけい 아주 가까운 관계.
のうみん【農民】图 농민. ＝ひゃくしょう. ¶～生活せいかつ〔文学ぶんがく〕 농민 생활〔문학〕. ↔漁民ぎょみん.
のうむ【農務】图 농무. **1** 농업에 대한 행정 사무. **2** 농사일. ＝農事のうじ.
のうむ【濃霧】图 농무; 짙은 안개. ¶～注意報ちゅういほう 농무 주의보 / ～に包つつまれて船ふねが難航なんこうする 농무에 싸여서 배가 난항하다.
のうめん【能面】图 能楽のうがくに 쓰는 탈. ＝おもて.
—**のような顔かお** 무표정한 얼굴; 또, 단아한 얼굴의 비유.
のうやく【農薬】图 농약. ¶～汚染おせん 농약 오염 / 無む～野菜やさい 무농약 야채.
—**か**【—禍】图 농약화; 농약 사용으로 입는 피해.
のうよう [膿瘍] 图〔醫〕농양; 신체의 조직 내에 고름이 생기는 병. ¶肺はい～ 폐농양.
のうらん【悩乱】图区自 고뇌로 마음이 혼란해짐. ¶辛苦しんく～する 고생하고 괴로워하여 마음이 혼란해지다.
のうり【能吏】图 능리; 유능한 관리.
のうり【脳裏】((脳裡)) 图 뇌리; 머릿속. ¶～をかすめる 뇌리를 스치다 / ～にひらめく 머릿속에 번뜩 생각이 떠오르다 / ～を去さらない 머리에서 사라지지 않다 / ～を去来きょらいする 뇌리에 오가다 / ～にきざむ 머릿속에 새기다.
—**に焼やき付つく** 뇌리에 새겨지다.
⁑**のうりつ**【能率】图 **1** 능률. ¶～増進ぞうしん 능률 증진 / ～を上あげる〔落おとす〕 능률을 올리다〔떨어뜨리다〕 / ～が良よい〔悪わるい〕 능률이 좋다〔나쁘다〕. **2**〔理〕☞ モーメント.
—**てき**【—的】ダナ 능률적. ¶～に仕事しごとを進すすめる〔処理しょりする〕 능률적으로 일을 추진하다〔처리하다〕.
のうりょう【納涼】图区自 납량. ＝すずみ. ¶～花火はなび大会たいかい 납량 불꽃 대회 / ～に出でかける 바람 쐬러 나가다.
⁑**のうりょく**【能力】图 능력. **1** 특정한 일을 할 수 있는 개인의 역량. ¶生産せいさん～ 생산 능력 / ～に応おうじた教育きょういく 능력에 따른 교육 / ～を生いかす 능력을 살리다 / ～に欠かける 능력이 모자라다. **2**〔法〕사권(私權)을 행사할 수 있는 자격. ¶権利けんり～ 권리 능력.
のうりょく【濃緑】图 농록; 짙은 녹색.
のうりん【農林】图 농림; 농업과 임업. ¶～行政ぎょうせい 농림 행정.
ノエル [프 Noël] 图〔宗〕노엘; 크리스마스. ＝クリスマス.
ノー [no] 노. ⊟图 **1** 부정; 부인. ¶答こたえは～だ 답은 노다 / さあどうだ, イエスか～か 자, 어때. 예스냐 노냐. **2** 금지. ¶～スモーキング 노스모킹; 금연. **3** …이〔가〕없음. ¶～スリーブ 노 슬리브. ⊟感 아니; 아니요. ↔イエス.
—**カウント** [일 no+count] 图 (경기에서) 노 카운트; 득점〔실점〕으로 치지 않음. ＝ノーカン. ¶アンパイアは～の判定はんていをくだした 심판은 노 카운트 판정을 내렸다.
—**ゲーム** [일 no+game] 图〔野〕노 게임; 경기가 무효로 되는 일. ¶雨あめで試合しあいは～になった 비로 경기는 노 게임이 되었다.
—**コメント** [no comment] 图 노 코멘트; 설명할 필요가〔생각이〕 없음. ¶その問題もんだいについては～だ 그 문제에 대해서는 노 코멘트다.
—**タッチ** [일 no+touch] 图 노터치. **1** (사건 따위에) 관계하지 않음. ¶運営うんえいは人ひとまかせで一切いっさい～だ 운영은 남에게 맡기고 일절 관여하지 않는다. **2**〔野〕공이 러너에 닿지 않음.
—**ブラ** [일 no+brassiere] 图 노 브라; 브래지어를 하지 않음. ¶彼女かのじょは～だ 그녀는 브래지어를 하지 않았다.
—**プレー** [일 no+play] 图 (야구 등에서) 경기 정지 중에 이루어진 플레이((정규 플레이로 인정하지 않음)).
—**マーク** [일 no+mark] 图 주의·경계를 하지 않음; 또, 그 대상이 되는 사람·일. ¶～の選手せんしゅ 경계의 대상이 되지 않는 선수.
—**モア** [no more] 图 노 모어; 이 이상은 싫다; 인제 그만. ¶～ヒロシマ 広島ひろしま(에서 당한 것) 같은 일은 인제 그만((핵무기 금지 운동 구호)).

―ワークノーペイ [no work, no pay] 图 노 워크 노 페이; 무노동 무임금.

****ノート** [note] 노트. ㊀图ス他 필기해 둠. ¶~をとる 노트를 하다; 적바림하다 / 要点(ようてん)を~する 요점을 적어 두다. ㊁图 **1** 주(註); 주석. ¶フット~ 각주(脚註). **2** 'ノートブック'의 준말.

―パソコン [일 note+personal+computer] 图 노트북 컴퓨터.

―ブック [notebook] 图 노트북; 공책; 수첩; 필기장. =ノート.

ノーハウ [know-how] 图 노하우. **1** 기술 정보; 기술적 비법. ¶製造(せいぞう)の~をまなぶ 제조 비법을 배우다. **2** 특허 사용료. 注意 'ノウハウ'라고도 함.

ノーペーパーソサエティー [no-paper society] 图 노페이퍼 소사이어티; 컴퓨터의 기억 장치를 활용함으로써 종이가 필요 없는 비즈니스 사회.

ノーベルしょう【ノーベル賞】图 노벨상. ¶~を受(う)ける 노벨상을 타다. ▷Nobel.

(일본) 노벨상 수상자		
인　명	受賞연도	대상(對象)
湯川秀樹(ゆかわひでき)	1949년	물리학상
朝永振一郎(ともながしんいちろう)	1965년	물리학상
川端康成(かわばたやすなり)	1968년	문학상
江崎玲於奈(えさきれおな)	1973년	물리학상
佐藤栄作(さとうえいさく)	1974년	평화상
福井謙一(ふくいけんいち)	1981년	화학상
利根川進(とねがわすすむ)	1987년	의학·생리학상
大江健三郎(おおえけんざぶろう)	1994년	문학상
白川英樹(しらかわひでき)	2000년	화학상
野依良治(のよりりょうじ)	2001년	화학상

ノーマル [normal] ダナ 노멀; 정상; 정규; 표준적. =ノルマル. ¶~な社会人(しゃかいじん) 정상적인 사회인 / ~な感性(かんせい)の持(も)ち主(ぬし) 정상적인 감성의 소유자. ↔アブノーマル.

のがい【野飼い】图 (들에) 놓아기름; 방목. =放(はな)し飼(が)い. ¶~の家鴨(あひる) 놓아기르는 집오리.

のが-す【逃す】5他 **1** 놓치다. ¶敵(てき)を~ 적을 놓치다 / せっかくの機会(きかい)を~ 모처럼의 기회를 놓치다. **2**《接尾語적으로》…할 기회가 있었는데 결과적으로 …하지 않고[못하고] 말다. ¶見(み)~ 못 보고 말다; 보고도 못 본 체하다 / 聞(き)き~ 못 듣고 말다.

のが-れる【逃れる】下1自 **1** 달아나다; 도망치다. =にげる. ¶敵(てき)の手(て)を~ 적군으로부터 도망치다 / 追(お)っ手(て)から~ 추격자로부터 도망치다. ↔つかまる. **2** 면[피]하다; 벗어나다. ¶難(なん)[虎口(ここう)]を~ 재난을[호구를] 벗어나다 / 重囲(じゅうい)を~ 엄중한 포위를 벗어나다 / 責任(せきにん)を~ 책임을 면하다[피하다].

のき【軒】图 처마. ¶~をつらねる[並(なら)べる] 처마를 잇대고 있다《집이 많이 늘어서 있다》/ ~をあらそう 집이 빽빽이 들어차 있다.

のぎ〖芒〗图 (벼·보리 따위의) 까(끄)라기. =のげ.

のぎく【野菊】图〔植〕**1** 들국화. **2** ☞よめな.

のきさき【軒先】图 **1** 처마끝. ¶~につばめが巣(す)を作(つく)る 처마끝에 제비가 둥지를 틀다. **2** 집 앞. ¶~に露店(ろてん)を出(だ)す 집 앞에 노점을 내다.

のきした【軒下】图 처마 밑. ¶~で雨宿(あまやど)りする 처마 밑에서 비를 긋다 / つばめが~に巣(す)をつくる 제비가 처마 밑에 집을 짓다.

のきなみ【軒並】图 **1** 처마가[집이] 잇따라 늘어서 있음; 또, 늘어선 집. ¶古(ふる)い~の続(つづ)く通(とお)り 오래 된 집들이 잇따라 늘어선 거리. **2** 집집마다. =かどなみ. ¶~に国旗(こっき)を立(た)てる 집집마다 국기를 달다. **3**《副詞적으로》(같은 종류의 것이) 모두; 다 함께. ¶~赤字(あかじ)に悩(なや)む 모두 적자로 고생하다.

のきば【軒端】图〈雅〉처마 끝; 처마 근처. =のきさき. ¶~のふうりん 처마 끝의 풍경.

のきみせ【軒店】图 처마 밑 구멍가게.

の-く〖退く〗5自 물러서다; 비키다; 떠나다; 탈퇴하다. ¶会(かい)を~ 회에서 탈퇴하다 / そこを~·いてくれ 거기를 비켜다오 / 大学教授(だいがくきょうじゅ)を~ 대학교수를 그만두다.

ノクターン [nocturne] 图〔樂〕녹턴; 야곡; 야상곡(夜想曲). =ノクチュルヌ. ¶ショパンの~ 쇼팽의 녹턴.

のけざまに〖仰け様に〗副 뒤로 자빠지는 모양: 벌렁. ¶~倒(たお)れる 뒤로 벌렁(나)자빠지다.

のけぞ-る〖仰け反る〗5自 (뒤로) 몸을 젖히다. ¶後(うし)ろへ~ 뒤로 몸을 젖히다. ↔のめる.

のけもの【のけ者】〖除け者〗图 **1** 예외 취급받는 사람. **2** 특히, 따돌림을 당하는 사람. =仲間(なかま)はずれ. ¶~にする 따돌리다 / 家族(かぞく)から~にされる 가족으로부터 따돌림을 당하다.

の-ける〖退ける〗下1他 **1** 어느 장소에서 딴 곳으로 옮기다; 치우다. =どかす. ¶邪魔物(じゃまもの)を~ 방해물을 치우다. **2**《動詞連用形+'て'를 받아서》거리낌 없이 …하다; 해치우다. ¶即座(そくざ)にやって~ 즉석에서 해치우다.

の-ける〖除ける〗下1他 제외하다; 빼다. =はぶく. ¶その問題(もんだい)は~·けて考(かんが)える 그 문제는 제외하고 생각하다 / 反対者(はんたいしゃ)を仲間(なかま)から~ 반대자를 한패에서 제외하다.

のこ〖鋸〗图 'のこぎり'의 준말. ¶~くず 톱밥 / ~を挽(ひ)く 톱질하다.

***のこぎり**〖鋸〗图 톱. =のこ. ¶~歯(ば) 톱니 / ~くず 톱밥 / 電気(でんき)~ 전기톱 / ~盤(ばん) 기계톱 / ~挽(び)き 톱질 / ~で引(ひ)く 톱으로 켜다; 톱질하다.

****のこ-す【残す】** 5他 **1** 남기다. ㉠남겨 두다. ¶ごはんを～ 밥을 남기다/食べ～ 먹다가 남기다/留守番を～ 집 지키는 사람을 남겨 두다/子に財産を～ 자식에게 재산을 남기다/家族を～·して旅立つ 가족을 남겨 놓고 여행을 떠나다. ㉡《遺す》 후세에 전하다. ¶名を～ 이름을 남기다. **2** (씨름에서) 씨름꾼이 위태로운 태세를 겨우 견디다. ¶ねばり腰で～ 허릿심으로 위태로운 지경을 버티다. 可能 のこ-せる 下1自

のこのこ 副 어슬렁어슬렁; 뻔뻔스럽게. ¶会議が終わったころ～現れる 회의가 끝난 무렵에 어슬렁어슬렁 나타나다.

***のこらず【残らず】** 副 남김없이; 전부; 모두. ¶～売れる 죄다 팔리다/一滴～ 한 방울 남기지 않고/ごちそうを～たいらげる 음식을 남김없이 다 먹어치우다.

***のこり【残り】** 名 **1** 남은 것[분량]; 나머지. ¶～が二つ出る 둘이 남다. 参考 '余り'가 어느 기준을 넘는 것을 말함에 대하여, '残り'는 쓴 것을 제한 나머지 분량을 말함. **2** (사람이) 뒤에 남음. ¶居～ 남들이 간 뒤에도 남음.

のこりおお-い【残り多い】 形 **1** 분하다; 유감이다. ¶実に～気がする 참으로 유감이다. **2** 미련이 남다; 섭섭하다. ＝なごり惜しい. ¶このまま別れるのは～ 이대로 헤어지기는 섭섭하다/～が, ここで別れよう 섭섭하지만 여기서 헤어지자.

のこりおし-い【残り惜しい】 形 ☞なごりおしい.

のこりか【残り香】 名 잔향. 注意 'のこりが'라고도 함.

のこりすくな-い【残り少ない】 形 (물건·시간 등) 남은 것이 적다; 얼마 남지 않았다. ¶～人生を有意義に過ごす 얼마 남지 않은 인생을 의의 있게 지내다/今年も～·くなった 올해도 얼마 남지 않았다.

のこりび【残り火】 名 타다 남은 불. ¶こたつの～に灰をかける 고타쓰의 남은 불에 재를 덮다.

のこりもの【残り物】 名 남은 것; 특히, 남은 음식. ¶～を始末する 남은 것을 처리[정리]하다.

—には福がある (남들이 고르고 난) 마지막 남은 것에 뜻밖의 이득이 있다.

****のこ-る【残る】** 5自 **1** 남다. ㉠(뒤에) 남아 있다. ¶会社に～ 회사에 남다/傷あと[悔い]が～ 흉터[후회]가 남다/金が～ 돈이 여분이 생기다. ㉡《遺る》 후세에 전해지다. ¶名が～ 이름이 남다/古い風習が～·っている 옛 풍습이 남아 있다. **2** (씨름에서) 위험한 상태이긴 하나 아직은 승부의 여지가 있다. ¶土俵際でよく～·った 씨름판의 경계에서 위태로운 지경을 잘 버티어 냈다. 可能 のこ-れる 下1自

のさば-る 5自 **1** 마구 자라다. ¶雑草が～ 잡초가 제멋대로 자라 퍼지다. **2** 제멋대로 날뛰다[굴다]. ¶不良が～ 불량배가 설치다.

のざらし【野ざらし】《野晒し》 名 **1** 들판에 내버려 두어 비바람을 맞음; 또, 그 물건. ¶～の石仏 들판에 방치된 돌부처. **2** (들판에 뒹구는) 해골. ＝されこうべ·どくろ.

のし〖熨斗〗 名 **1** 숯다리미. ＝ひのし. **2** 축하의 선물에 덧붙이는 것《색종이를 접어 위가 넓고 길쭉한 6각형으로 만들고, 그 속에 엷게 저며 말린 전복을 붙여 선물 위에 얹어 보내는 것》. **3** 'のしあわび'의 준말.

—を付ける; —をつけてあげる 기꺼이 진정(進呈)하다. ¶のしをつけてくれてやる 기꺼이 남에게 주다.

のしあが-る【のし上がる】《伸し上がる》 5自 뻗어 오르다; 지위·순위가 두드러지게[급속히] 높아지다. ¶重役に～ 중역으로 껑충 뛰어오르다.

のしある-く【のし歩く】《伸し歩く》 5自 건방진 태도로 걷다; 으스대며 제멋대로 굴다. ¶世の中を～ 세상을 으스대며 설치고 다니다/子分を引き連れて～ 부하를 거느리고 으스대며 다니다.

のしあわび〖熨斗鮑〗 名 엷게 저며 말린 전복《축의를 표하기 위해 선물에 곁들임》. ＝のし.

のしかか-る〖伸し掛かる〗 5自 **1** (위에서 무겁게) 덮치다; (몸으로) 덮쳐누르듯하다. ¶相手に～ 상대를 덮쳐누르다. **2** (불쾌한 감각·상태가) 짓누르다. ¶貧乏の重みが～ 가난의 중압감이 짓누르다.

のしがみ【のし紙】《熨斗紙》 名 선물을 싸는 종이《'のし·水引'가 인쇄되어 있음》.

のしぶくろ【のし袋】《熨斗袋》 名 축의금 따위를 넣는, 색줄 친 종이 봉투《'のし·水引'가 인쇄되어 있음》.

のしもち〖伸し餅〗 名 직사각형으로 납작하게 만든 떡《썰어서 구워 먹음》.

のじゅく【野宿】 名 ス自 노숙; 들에서 잠. ¶道に迷って一夜～をする 길을 잃고 하룻밤을 노숙하다.

の-す〖伸す〗 ㊀ 5他 **1** 눌러 펴다. ¶～·したいか (납작하게) 눌러 편 오징어/めんぼうで～ 밀방망이로 눌러 펴다. **2** 〈俗〉 때려눕히다. ¶生意気言うと～ぞ 건방진 소리 하면 때려눕힐 테다. **3** 《熨す》 (다리미 따위로) 주름을 펴다; 다리다. ¶しわを～ 주름을 펴다/布を～ 천을 다리다. **4** 신장시키다; 넓히다. ¶勢力を～ 세력을 넓히다.

㊁ 5自 〈俗〉 **1** (지위·재산·세력·성적 따위가) 뻗어나다; 늘어나다. ¶売れ行きがぐんぐん～ 판매가 부쩍 늘어나다/業界のトップクラスにまで～·した 업계의 톱 클래스까지 올라섰다. **2** (무엇인가를 하던 여세로) 더욱 내뻗다; 더

멀리까지 가다. ¶遊び足りずに銀座まで～ 유흥이 흡족하지 않아 다시 銀座까지 가다.

のずえ【野末】 图 〈雅〉 들판 끝〔가〕; 들가. ¶～の露と消える 들가의 이슬로 사라지다.

ノスタルジア [nostalgia] 图 노스탤지어; 향수. ＝ホームシック.

ノズル [nozzle] 图 노즐. ¶～から勢いよく水をふきだす 노즐에서 힘차게 물을 뿜어 내다.

⁑**の-せる【乗せる】** 下1他 **1** 운반하는 도구 위에 두다. ㉠태우다. ¶汽車に(客を)～ 기차에 (손님을) 태우다. ㉡싣다; 실리다. ¶音楽を電波に～ 음악을 전파에 실리다; 음악을 방송하다. **2** 동작·가락에 끌어넣다. ㉠계략을 쓰다. ¶口車に～ 달콤한 말로 속이다/うかと～·せられた 얼떨결에 속았다/そんな話に～·せられるものか 그 따위 말에 속을 줄 아느냐. ㉡가락에 맞추다. ¶ピアノに～·せて歌う 피아노에 맞춰 노래 부르다. ㉢(한패에) 참가시키다. ¶うまい話があったら一口～·せてくれ 좋은 일이 있거든 한몫 끼워 주게. ㉣올리다. ¶舞台に～ 무대에 올리다; 상연하다.

⁑**の-せる【載せる】** 下1他 **1** 위에 놓다; 얹다. ¶本を棚に～ 책을 선반에 얹다. ↔おろす. **2** (짐을) 싣다. ¶車に荷物を～ 차에 짐을 싣다. ↔おろす. **3** 게재〔기재〕하다; 올리다; 싣다. ¶論文を雑誌に～ 논문을 잡지에 싣다/地図に～ 지도에 올리다.

のぞか-せる〖覗かせる〗 下1他 엿보이게 하다; 슬쩍 비치다. ¶懐からあいくちを～ 품에서 비수를 슬쩍 비치다/下心を～ 속마음을 슬쩍 비치다.

のぞき〖覗き〗 图 **1** 엿봄; 들여다봄. **2** ☞のぞきからくり.

のぞきからくり〖覗き機関〗 图 요지경. ＝のぞきめがね.

のぞきこ-む【のぞき込む】《覗き込む》 5他 (얼굴을 내밀면서) 들여다보다. ¶部屋の中を～ 방 안을 들여다보다.

のぞきまど【のぞき窓】《覗き窓》 图 바깥 동태를 보기 위해 낸 창문.

のぞきみ【のぞき見】《覗き見》 图 **1** 들여다봄; 엿봄. **2** 남의 사생활 따위를 알려고 함.

のぞきめがね【のぞき眼鏡】《覗き眼鏡》 图 ☞のぞきからくり.

⁑**のぞ-く【除く】** 5他 **1** 제거하다; 없애다. ¶不安を～ 불안감을 없애다/雑草を～ 잡초를 제거하다. **2** 빼다; 제외하다. ¶名簿から～ 명부에서 빼다/沖縄を～各地に雪が降った 沖縄를 제외한 각지에 눈이 왔다. **3** 죽이다. ¶邪魔者を～ 방해자를 죽이다.

***のぞ-く〖覗く·覘く〗** ㊀5他 **1** (좁은 틈·구멍으로) 엿보다; 들여다보다. ¶窓から～ 창문에서 엿보다/望遠鏡を～ 망원경을 들여다보다. **2** 굽어보다; 내려다보다. ¶谷底を～ 골짜기 밑을 내려다보다. **3** 잠깐 들르다; 잠깐 들여다보다; 조금만 배우다〔알다〕. ¶ドイツ語はほんの～·いただけ 독일어는 잠깐〔조금〕 공부한 것뿐/古本屋を～ 헌 책방에 (잠깐) 들러 보다.
㊁5自 일부분만 밖에 나타나다. ¶えりから下着が～·いている 옷깃으로부터 속옷이 조금 내보인다/笑うと白い歯が～ 웃으면 하얀 이가 살짝 보인다. 可能 のぞけ-る 下1自

のそだち【野育ち】 图 제멋대로 자람; 버릇없이 자람; 또, 그 사람. ¶～の子 제멋대로 자란〔버릇없는〕 아이.

のそのそ 副 느릿느릿; 어슬렁어슬렁. ¶牛が～(と)歩く 소가 어슬렁어슬렁 걷다/そこで何を～しているのか 거기서 무엇을 꾸물거리고 있느냐.

***のぞまし-い【望ましい】** 形 바람직하다. ¶～·からざる傾向 바람직스럽지 않은 경향/仮名書きが～ことば 仮名로 쓰는 것이 바람직한 말.

***のぞみ【望み】** 图 **1** 소망; 희망하는 일. ¶～の品 바라는 물건/～がかなう 소망이 이루어지다/～をかける 희망을 걸다/～は大きく持て 대망을 가져라. **2** 가망; 전망. ¶まだ～はある 아직 가망은 있다/～無きにあらず 희망이 없는 것도 아니다. **3** 인망. ¶～を一身に集める 인망을 일신에 모으다.

⁑**のぞ-む【望む】** 5他 **1** 바라다; 소망하다; 기대하다. ¶平和〔出世〕を～ 평화〔출세〕를 바라다/～·んでやまない 바라 마지않다/君に～のは正直さだ 자네에게 바라는 것은 정직이다/徹底した対策が～·まれる 철저한 대책이 요망된다. **2** 바라다보다; 조망(眺望)하다. ¶富士を～あたり 富士산을 바라다볼 수 있는 곳/大空を～ 넓은 하늘을 바라다보다. **3** 따르다; 흠모하다. ¶その徳を～ 그 덕을 흠모하다. 可能 のぞ-める 下1自

***のぞ-む【臨む】** 5自 **1** 면하다; 향하다. ¶海に～·んだ家 바다를 향한 집/湖に～ホテル 호수에 면한 호텔. **2** (중요한 장면에) 임하다. ¶試験〔死〕に～ 시험〔죽음〕에 임하다/開会式に～ 개회식에 임석하다. **3** 만나다; 당면하다; 즈음하다. ¶危機に～ 위기를 만나다/別れに～·んで 이별에 즈음하여. 可能 のぞ-める 下1自

のだ 連語 《動詞·形容詞 및 이와 같은 꼴의 활용을 하는 助動詞에 붙어서》 강한 단정을 나타냄. **1** 상대가 모르는 것이나 의심하고 있는 것을 설명해 주는 기분을 나타냄. ¶それでいい～ 그것으로〔그러면〕 되는 것이다/結果はそうなる～ 결과는 그렇게 되는 것이다. **2** 말하는〔쓰는〕 이의 결심을 나타냄: …하련다. ¶ぼくはこうする～ 나는 이렇게 하련다. 注意 'んだ' 라고도 함.

のだいこ【野太鼓】《野幇間》 图 'たいこもち'를 업신여겨 일컫는 말.

のたうちまわ-る【のたうち回る】 5自 'のたうつ'의 힘줌말.

のたう-つ 5自 (괴로워서) 몸부림치다; 괴로워서 뒹굴다. ¶毒を飲んで~ 독약을 마시고 (괴로워서) 뒹굴다〔몸부림치다〕.

のたく-る 一5自 **1** (지렁이·뱀 따위가) 꿈틀꿈틀 기어가다; 꿈틀거리다. ¶へびが地面を~ 뱀이 지면을 꿈틀꿈틀 기어가다. **2** ☞のたうつ.
二5他 (서투른 글씨를) 직직 (갈겨) 쓰다. ＝ぬたくる. ¶~·った字 직직 갈겨 쓴 글자/ペンで~ 펜으로 직직 갈겨쓰다.

のだち【野太刀】 图 들판에 나갈 때 찼던 날밑 없는 칼.

のだて【野だて】《野点》 图ス自 야외에서 차를 끓임; 또, 야외에서 하는 다회(茶會). ＝野掛け.

のたまわく〖宣わく·曰わく〗 連語 〈雅〉 말씀하시기를; 가라사대. ¶子し~ 공자가 말씀하시기를.

のたりのたり 副 너울너울. ¶春の海ひねもす~かな 봄의 바닷물이 종일토록 굽이쳐 너울거리는구나《봄 바다의 화창함을 읊은 俳句》.

のたれじに【野垂れ死に】 图ス自 객사; 길가에 쓰러져 죽음. ¶飢えて~する 굶어서 길가에 쓰러져 죽다/たとえ~しようとお前などの世話にはならない 설사 길가에 쓰러져 죽는 한이 있더라도 네까짓 놈의 신세는 안 질 거야. 注意 '野垂れ'로 씀은 취음.

⁑**のち**【後】 图 **1** (시간적으로) 뒤; 후. ¶晴れ~曇り 개었다가 흐림/~に説明する 나중에 설명한다. ↔まえ·さき. **2** 미래; 장래. ¶~の人人 후세의 사람들. ↔まえ. **3** 사후(死後). ¶~を案ずる 사후의 일을 걱정하다.

のちぞい【後添い】 图 후처. ＝のちづれ. ¶~を迎える 후처를 맞이하다.

のちのち【後後】 图 장래; 이후《副詞적으로도 씀》. ¶~の事を考える 장래 일을 생각하다/~苦労する 두고두고 고생하다.

のちのよ【後の世】 連語 〈雅〉 **1** 후세; 장래의 세상; 미래. ¶~のため 후세를 위하여/~まで語りつぐ 후세에까지 구전되다. **2** 사후(死後); 내세.

のちほど【後程】 副 조금 지난 뒤(에); 나중에. ＝後刻. ¶~詳しく説明します 나중에 상세하게 설명하겠습니다. ↔先ほど. 参考 공손한 말씨와 함께 쓰일 때가 많음.

ノッカー [knocker] 图 노커. **1** 현관문에 달린, 문 두드리는 고리쇠. **2**〘野〙 수비 연습으로 노크를 하는 사람.

のっか-る【乗っかる】 5自 〈俗〉 ☞のる(乗). 可能のっか-れる 下1自

ノッキング [knocking] 图 노킹; (가솔린 기관에서) 연료의 이상 폭발.

ノック [knock] 图ス他 노크. **1** (내방한 것을 알리기 위해서) 문을 가볍게 두드림. **2**〘野〙 수비 연습으로 각 야수(野手)를 향하여 공을 쳐 주는 일. 参考 **2**는 일제 영어.

―アウト [knockout] 图ス他 녹아웃. **1** 권투에서, 상대방을 쓰러뜨려 규정 시간 내에 일어나지 못하게 함. **2**〘野〙 마구 히트를 쳐서 상대방 투수를 교대시킴. **3** 상대방을 완전히 패배시키는 일.

―ダウン [knock down] 图ス他 녹다운. **1** (권투에서) 상대방을 한때 쓰러뜨리는 일. **2** 부분품의 조립. ¶~方式 녹다운 방식《부분품을 수출하여 현지에서 조립하는 방식》.

のっけ 图 〈俗〉 처음; 최초; 초장. ¶~にしくじる 초장부터 실수하다. 参考 본디, 大阪 지방의 사투리.

のっしのっし 副 체중이 무거운 것이 발을 천천히 떼어 걷는 모양. ¶象が~(と)歩く 코끼리가 육중하게 걷다.

のっそり 副ス自 **1** 동작이 굼뜬 모양: 어슬렁어슬렁; 느릿느릿. ＝のそっと. ¶~(と)立ち上がる 느릿느릿 일어나다/~した人 느릿느릿한 사람. **2** 우두커니 서 있는 모양. ¶~突っ立っている 말없이 우두커니 서 있다.

ノット [knot] 图 노트《1노트는 1시간에 1해리(＝1852 m)를 가는 속력》.

のっとり【乗っ取り】 图 **1** 탈취함; 빼앗음. **2** 기업을 매수하여 경영을 지배함. **3** 배나 비행기를 납치함. ¶~犯〔事件〕 (비행기 등의) 납치범〔사건〕.

のっと-る〖則る·法る〗 5自 본받다; 준(準)하다. ¶前例に~·ってやる 전례에 준해서 하다.

のっと-る【乗っ取る】 5他 **1** 납치하다. ¶旅客機を~ 여객기를 납치하다. **2** 빼앗다; 탈취하다. ¶会社を~ 회사를 빼앗다/敵の城を~ 적의 성을 빼앗다. 可能のっと-れる 下1自

のっぴきならない〖退っ引きならない〗 連体 어찌할〔피할〕 도리가 없는. ＝のっぴきならぬ. ¶~用事があって欠席〔欠勤〕する 피할 수 없는 용무가 있어 결석〔결근〕하다.

のっぺいじる〖濃餅汁〗 图 유부·야채 등을 맑은 장국에 끓이고 갈분(葛粉)을 풀어서 걸쭉하게 만든 요리. 注意 '濃餅'로 씀은 취음(取音).

のっぺらぼう 一名ナ **1** 밋밋함; 또, 그런 것. ¶~な顔 밋밋한 얼굴. **2** 아무 변화〔반응〕도 없음. 二名 키가 크고 눈·코·입이 없는 귀신.

のっぺり トス自 **1** 기복이 없이 밋밋한 모양. ¶~(と)した地形 평평한 지형. **2** 얼굴이 평면적이고 부드러운 모양; 또, 남자(의) 얼굴이 넓적하고 두루뭉술한 모양. ¶色白の~(と)した顔 살갗이 희고 너부데데한 얼굴.

のっぽ 名ナ 〈俗〉 키가 큼; 키다리; 껑충이. ¶~ビル 키다리 빌딩/~の少年

키다리 소년. ↔ちび.

のづみ【野積み】名 야적; 한데에 쌓음. ¶古タイヤを～にする 헌 타이어를 한데에 쌓다.

のづら【野面】名〈雅〉들. =のはら. ¶～を吹く風 들판에 부는 바람.

ので 接助《連体形에 붙어서》이유나 원인을 나타냄: …므로; …때문에. ¶雨が降る～出かけなかった 비가 와서 나가지 않았다/風が強い～ほこりがひどい 바람이 세어 먼지가 심하다. 注意 'んで' 라고도 함. 參考 'から' 와는 달리, 앞의 일과 뒷일을 주관적으로 연결시킬 경우에는 쓸 수 없음.

のてん【野天】名 옥외; 노천. =露天. ¶～掘り 노천굴/～興行 야외 공연/～風呂 노천 목욕탕.

⁑**のど**〖喉·咽〗名 목. 1 인후; 목구멍; 비유적으로, 목청. ¶～風邪 목감기/～がいい 목청이 좋다/～がかわく 목이 마르다/～を潤す 목을 축이다. 2 급소; 긴요한 목. ¶～を締める 목을〔급소를〕 조르다/敵の輸送路の～を押さえる 적의 수송로의 목을〔급소를〕 제압하다. 3 책의 철하는 부분. ↔小口.

—が鳴る 목구멍에서 소리가 나다《맛있는 음식을 보고 식욕이 일어나다; 입맛을 쩍쩍 다시다》.

—から手が出る 1 ☞のどがなる. 2 몹시 갖고 싶은 욕망이 일어남의 비유. ¶～ほど車がほしい 자동차 갖고 싶은 마음이 굴뚝같다.

***のどか**〖長閑〗ダナ 1 (날씨가) 화창한 모양. ¶～な春の日 화창한 봄날. 2 마음이 편안하고 한가로운 모양. ¶～な気持ち 편안하고 한가로운 마음〔기분〕.

のどくび〖喉頸〗名 멱; 목의 전면 부분〔숨통 언저리〕; 전하여, 급소. ¶敵の～を押さえる 적의 요충을 제압하다.

のどごし【のど越し】《喉越し》名 음식이 목구멍으로 넘어가는 일; 넘어가는 맛. ¶～のよいそば 술술 잘 넘어가는 국수.

のどじまん【のど自慢】《喉自慢》名 1 노래 자랑. ¶素人〔町内〕～大会 아마추어〔읍내〕 노래 자랑 대회. 2 목청이 좋음을 자랑함.

のどちんこ〖喉ちんこ〗名〈俗〉목젖. =のどびこ·口蓋垂.

のどびこ〖喉彦〗名 ☞のどちんこ.

のどぶえ【のど笛】《喉笛》名 숨통. ¶～をかき切る 숨통을 끊어 놓다.

のどぼとけ【のど仏】《喉仏》名 울대뼈; 결후(結喉).

のどもと【のど元】《喉元》名 1 목의, 흉부에 가까운 부분; 목 부분. ¶～でボタンをかける 목 부분에서 단추를 채우다. 2 사물의 중요한 부분; 요소.

—過ぎれば熱さを忘れる 목구멍만 넘어가면 뜨거움을 잊는다《괴로움도 그 때가 지나면 곧 잊어버린다는 뜻》.

のどやか〖和やか·長閑やか〗ナリ 1 한가롭고 평화스러운 느낌을 주는 모양. =のどか. 2 날씨가 화창한 모양.

のどわ【のど輪】《喉輪》名 1 목 언저리에 대는 갑옷의 부속품. 2 ☞のどわぜめ.

—ぜめ【—攻め】名 씨름에서, 상대방의 목을, 엄지와 집게손가락 사이로 세게 밀어붙이는 수. =のどわ.

のなか【野中】名 들판 가운데; 들 복판. ¶～の一軒家 들판 한가운데에 있는 외딴집.

のに 接助《連体形에 붙음. 形容動詞, 助動詞 'だ' 에서는 終止形에 붙을 때도 있음》1 어떤 사항으로부터 보통 예기하는 것과 반대의 일이 일어나는 뜻을 나타냄: …한데; …는데도. ¶こんなに寒い～元気一杯だ 이렇게 추운데도 원기가 왕성하다/熱が有る～外出した 신열이 있는데도 외출했다/金も無い～ぜいたくする 돈도 없으면서 사치한다. 參考 'のに' 는 객관적으로 말할 때 쓰며, 추측이나 의지를 나타내는 말이 뒤에 올 때는 'ても' 를 쓰는 경우가 많음. 2 나타날 것으로 예기된 일에 반대되는 결과가 되었을 때 불만의 뜻을 나타냄: …는데; …텐데; …련만. ¶ようやく生活が楽になってきた～ (이제) 겨우 생활에 여유가 생기기 시작했는데/早く行けという～行かない 빨리 가라고 하는데도 가지 않는다/よせばいい～ 그만두면 좋으련만.

のに 連語 1 …하기 위해; …하는 데. ¶本を買う～金がかかる 책을 사는 데 돈이 든다 / 旅行する～必要な物 여행하는 데 필요한 물건. 2 …의 물건으로. ¶それは君～買ってきたのだ 그것은 네 것〔몫〕으로 사 온 것이다.

のねずみ〖野鼠〗名〔動〕들쥐.

ののし-る〖罵る〗5他 큰 소리로 비난하다〔꾸짖다〕; 욕을 퍼붓다. ¶口汚く～ 입정사납게 욕을 하다/陰で人を～ものではない 뒷전에서 남의 욕을 하는 게 아니다. ↔ほめる.

⁑**のば-す**【伸ばす】5他 1 펴다. ㉠팽팽하게 하다. ¶アイロンをかけてしわを～ 다리미질을 해서 주름을 펴다. ㉡곧바르게 하다; 뻗다. ¶曲がった針金を～ 구부러진 철사를 펴다 / 羽〔腰〕を～ 날개〔허리〕를 펴다. ↔曲げる·かがめる·ちぢめる. 2 성장시키다; 발전시키다. ㉠신장시키다. ¶国力を～ 국력을 신장시키다. ㉡기르다; 키우다; 자라게 하다. ¶ひげ〔髪〕を～ 수염을〔머리를〕 기르다/力を～ 힘을 키우다/才能を～ 재능을 향상시키다. ㉢늘리다. ¶売り上げを～ 매출을 늘리다. 3〈俗〉때려눕히다. =のす. ¶相手を一発で～ 상대를 한 방에 때려눕히다. 可能 のば-せる 下1自

⁑**のば-す**【延ばす】5他 1 (시일을) 연장시키다. ¶寿命を～ 수명을 연장시키다. ↔ちぢめる. 2 연기하다. ¶出発を～ 출발을 연기하다/解決が先に～·される 해결이 뒷날로 미루어지다. 3

길게 늘이다. ¶ゴムひもを引っぱって~ 고무줄을 끌어당겨 늘이다. **4** (물 따위에 타서) 묽게 하다. ¶濃縮ジュースを水で~ 농축 주스를 물에 타서 묽게 하다. 可能 のば-せる 下1自

のばなし【野放し】名 **1** (가축을) 놓아기르기; 방목. ¶~の犬 놓아기르는 개. **2** 제멋대로 하게 둠; 방임(放任)함. ¶~に育てる (제멋대로 하게) 방임하여 기르다 / ~のまま放置される 제멋대로 하게 방치되다.

***のはら**【野原】名 들; 들판. ¶仔馬が~をかけまわる 망아지가 들판을 뛰어다닌다. 「ら.

のばら【野ばら】《野薔薇》名 ☞のいば

のび【伸び】名 **1** 뻗음; 늘어남; 또, 그 정도. ¶経済の~ 경제의 성장 / ~がよいニス 잘 먹는 니스 / ~のよいおしろい 잘 먹는 분 / ~が鈍る〔止まる〕 신장이 둔화하다〔멎다〕. **2** 기지개. ¶大きく~をする 크게 기지개를 켜다.

のび【延び】名 길게 됨; 또, 그 정도.

のび【野火】名 **1** 초봄에 산이나 들의 마른풀을 태우는 일; 또, 그 불; 쥐불. **2** 야산의 화재; 들불.

のびあが-る【伸び上がる】5自 몸을 펴서 발돋움하다. ¶~って見る (몸을 펴) 발돋움해서 보다.

のびざかり【伸び盛り】名 키가 한창 자랄 때; 또, 능력·재능 등이 크게 신장할 시기. ¶~の若手選手 한창 재능이 뻗어날 시기의 젊은 선수.

のびちぢみ【伸び縮み】名ス自 늚과 줆; 신축; 또, 그 폭. ¶~がきく 신축이 잘 되다 / 体のうごきに合わせて~する 몸의 움직임에 맞추어 신축한다.

のびなや-む【伸び悩む】5自 **1** 더 이상 뻗지 못하고 주춤하다《침체 상태에 빠지다》. ¶記録が~ 기록 향상이 여의치 않다. **2**〖經〗시세가 오를 것 같으면서도 오르지 않다. ¶株価が~ 주가가 오르지 않고 제자리걸음하다.

***のびのび**【延び延び】名ナ (기일 등이) 자꾸만 지연됨; 늦어짐; 또, 그런 모양. ¶仕事が~になる 일이 자꾸 늦어지다 / 運動会が雨で~になる 운동회가 비 때문에 자꾸 지연되다.

⁂**のびのび**【伸び伸び】副ス自 **1** 자유롭게 뻗어나는 모양: 구김살 없이; 쭉쭉; 무럭무럭. ¶~と育った子供 자유롭게 구김살 없이 자란 아이 / 竹の子が~と伸びる 죽순이 쭉쭉 뻗다. **2** 마음이 편하고 구애됨이 없는 모양; 느긋한 모양. ¶~した生活 자유롭고 편안한 생활 / 試験がおわって~している 시험이 끝나 느긋하게 지내고 있다.

のびやか【伸びやか】ダナ 편안하게 쉬는 모양; 느긋한 모양. ¶~に育つ 구김살 없이 자라다.

のびりつ【伸び率】名 늘어나는 비율; 신장률. ¶売り上げ〔収益〕の~ 매출〔수익〕의 신장률.

⁂**の-びる**【伸びる】上1自 **1** 펴지다; 자라다. ¶枝が~ 가지가 뻗다 / 背〔ひげ〕が~ 키가〔수염이〕 자라다 / 紙のしわが~ 종이의 주름살이 펴지다. ↔ちぢむ. **2** 발전하다; 신장하다. ¶技量が~ 기량이 향상되다 / 英語の力が~ 영어 실력이 향상하다 / ~·びた成績 향상된 성적 / 勢力が~ 세력이 신장하다. **3** 증가하다. ¶売り上げが~ 매출이 증가하다 / 相場が~ 시세가 오르다. **4** 위기에서 겨우 벗어남. ¶生き~ 겨우 살아남다 / 逃げ~ 겨우 도망치다. **5** (피로하거나 얻어맞아서) 뻗다. ¶すっかり~ 완전히 뻗다 / 一撃で~·びてしまった 일격에 뻗어 버렸다. **6** 미치다. ¶捜査の手が~ 수사의 손길이 뻗치다.

⁂**の-びる**【延びる】上1自 **1** (시간·공간이) 길어지다; 연장되다. ¶鉄道が~ 철도가 연장되다 / 立春をすぎて日が~ 입춘이 지나 해가 길어지다. **2** 연기되다. ¶来週に~ 내주로 연기되다 / 出発が~ 출발이 늦어지다〔연기되다〕. **3** 늘어지다; 탄력이 없어지다. ¶ゴムひもが~ 고무줄이 늘어나다 / そばが~ 국수가 붇다. **4** (녹거나 부드러워져서) 잘 퍼지다. ¶絵の具がよく~ 그림물감이 잘 퍼지다. 「る.

のびる〖野蒜〗名〔植〕야산; 달래. =ひ

ノブ [knob] 名 노브; 손잡이; 문의 둥근 손잡이〔핸들〕. =ノッブ.

のぶし【野武士】《野伏》名 산야에 숨어서 패잔병 등의 무기를 탈취하기도 하던 무사나 토민(土民)의 무리. =のぶせり.

のぶと-い〖野太い〗形 〈俗〉 **1** (목소리가) 굵다. ¶男の~声 사나이의 굵은 목소리. **2** 담이 매우 크다; 뻔뻔스럽다. =ずぶとい. ¶~事を言う 뻔뻔스럽고 대담한 소리를 하다. 注意 '野太い'로 씀은 취음. 「개머루.

のぶどう【野ぶどう】《野葡萄》名〔植〕

のべ【延べ】名 연; 총계; 합계. ¶~人数 연인원수 / 建坪は~で何坪になるか 연건평은 몇 평이 되는가.

のべ【野辺】名 들; 벌판. ¶~に咲く花 들에 피는 꽃.

—の送り 장송(葬送); 장례의 전송.

のべいた【延べ板】名 판금(板金).

のべがね【延べ金】名 **1** (특히, 금·은으로 만든) 판금(板金). **2** 도검(刀劍).

のべじんいん【延べ人員】名 연인원. ¶五人で三日かかれば~は十五人になる 5명이 해서 3일 걸린다면 연인원수는 15명이 된다.

のべた-てる【述べ立てる】下1他 (이것저것) 열심히 주워섬기다. ¶しきりに効能を~ 열심히 효능에 대해 떠들어대다.

のべつ 副 쉴새없이; 끊임없이. =しょっちゅう. ¶~(に)しゃべる 쉴새없이 지껄이다.

のべつぼ【延べ坪】名 연건평; 건물의

총평수. ¶ ~百坪(ひゃくつぼ) 연건평 백 평. 参考 지금은 '延(の)べ面積(めんせき)'라고 함.

のべつまくなし 【のべつ幕無し】 連語 'のべつ(=끊임없이)'의 힘줌말. ¶ ~に働(はたら)く 쉴새없이 일하다.

のべにっすう【延べ日数】名 연일수. ¶ 三人(さんにん)で十五日(じゅうごにち)かかれば~は四五日(よんじゅうごにち) 셋이서 15일 걸린다면 연일수는 45일.

のべばらい【延べ払い】名 연불(延拂); 연체 지불. ¶ ~小切手(こぎって) 연수표.

—ゆしゅつ【—輸出】名 연불 수출.

のべめんせき【延べ面積】名 연면적; 각 층 면적의 합계. =延(の)べ坪(つぼ).

ノベライゼーション [novelization] 名 노블라이제이션; 히트한 영화나 텔레비전의 각본을 소설화하여 간행함.

の-べる【延べる·伸べる】下1他 **1** 뻗치다. =伸(の)ばす. ¶ 飴(あめ)を~ 엿을 늘이다/救(すく)いの手(て)を~ 구조의 손을 뻗치다. **2** 펴다; 펴서 깔다. ¶ 床(とこ)を~ 이부자리를 펴다〔깔다〕/巻(ま)き物(もの)を~ 두루마리를 펼치다.

*__の-べる__【述べる】下1他 **1** 말하다; 진술하다. ¶ 堂々(どうどう)と意見(いけん)を~ 당당히 의견을 진술하다/礼(れい)を~ 사의를 표하다. 注意 '宣べる·陳べる·叙べる'로도 썼음. **2** 기술하다. ¶ 上(うえ)に~べたように 위에 기술한 바와 같이.

ノベル [novel] 名 노벨; 장편 소설. =ノヴェル. ↔ロマンス.

ノベルティー [novelty] 名 노벨티(《광고주가 자기 회사의 이름이나 상품명을 넣어 제공하는 달력·재떨이·라이터 따위의 광고 상품》).

のほうず 〖野放図·野方図〗 ダナ **1** 제멋대로임; 방약무인. ¶ ~に育(そだ)つ 제멋대로 자라다. **2** 한없음. ¶ ~に広(ひろ)がる公害(こうがい) 한없이 퍼지는 공해. 注意 '野放図·野方図'로 씀은 취음.

のぼせあが-る【のぼせ上がる】(《逆上せ上がる》) 5自 **1** 몹시 상기〔흥분〕하다; 얼다. ¶ 演壇(えんだん)で~ 연단에서 얼다. **2** 열중하다; (…에) 미치다. ¶ 人気歌手(にんきかしゅ)に~ 인기 가수에게 미치다.

*__のぼ-せる__ 〖逆上せる〗 下1自 **1** 상기(上氣)하다; 현기증이 나다. ¶ 湯(ゆ)に~ 목욕 중에 현기증이 나다/暑(あつ)さに~ 더위에 머리가 멍해지다. **2** 흥분하다; 울컥하다. ¶ ちょっとした事(こと)にも~ 사소한 일에도 불끈한다. **3** 열중하다; …에 빠지다; 미치다. ¶ ロック歌手(かしゅ)に~ 록 가수에 빠지다〔미치다〕. **4** 우쭐하다. =思(おも)いあがる·うぬぼれる. ¶ 褒(ほ)められて~ 칭찬을 받고 우쭐하다.

*__のぼ-せる__【上せる】下1他 **1** 올리다. ㉠오르게 하다. ¶ 位(くらい)を~ 지위를〔계급을〕 올리다/膳(ぜん)に~ 밥상에 올리다. ㉡써서 실리다〔적다〕. ¶ 記録(きろく)に~ 기록에 올리다(《정식으로 써 넣다》)/文書(ぶんしょ)に~ 문서에 적어 넣다. ㉢제출하다; 내놓다. ¶ 議題(ぎだい)に~ 의제에 올리다/会議(かいぎ)に案(あん)を~ 회의에 안을 내놓다〔올리다〕. **2** 서울로 보내다. ¶ 娘(むすめ)を京(きょう)へ~ 딸을 서울로 보내다. **3**『舞台(ぶたい)に~』무대에 올리다.

「놓은 불상.

のぼとけ【野仏】名 들판의 길가에 세워

のほほんと 副 **1** 번둥번둥. ¶ ~暮(く)らす 번둥번둥 지내다. **2** 무관심하고 태평한 모양. ¶ ~して知(し)らぬ顔(かお)である 무관심하고 아무것도 모른다는 표정이다.

*__のぼり__【上り】名 **1** 오름; 올라감. ¶ ~のエレベーター 올라가는 엘리베이터. **2** '上(のぼ)り坂(ざか)(=오르막; 치받이)' '上(のぼ)り列車(れっしゃ)(=상행 열차)'의 준말. ¶ ~線(せん) 상행선 / ~にかかる 오르막에 접어들다. **3** 지방에서 중앙으로, 교외에서 도심지로 향함. ¶ お~さん 시골서 상경한 사람; 시골뜨기. ⇔くだり.

*__のぼり__【登り】名 높은 곳으로 오름; 올라감; 또, 오르는 길. ¶ 山(やま)~ 등산/急(きゅう)な~ 가파른 오르막길. ↔くだり.

のぼり 〖幟〗 名 **1** 좁고 긴 천의 한 끝을 장대에 매달아 세우는 기. ¶ ~を立(た)てる のぼり를 세우다〔내걸다〕. **2** ☞こいのぼり.

のぼりあゆ【上りあゆ】(《上り鮎》) 名 봄에 상류로 올라가는 새끼은어.

のぼりおり【上り下り】名 ス自 오르고 내림; 오르내림. ¶ 階段(かいだん)の~ 층계〔계단〕의 오르내림.

のぼりぐち【上り口·登り口】名 **1** 산길이나 언덕길의 어귀〔초입〕. ¶ ~で一休(ひとやす)みする 산길 초입에서 잠깐 쉬다. **2** 계단의 어귀.

のぼりざか【上り坂】名 **1** 오르막; 치받이. **2** 점차 좋은 방향으로 향하고 있는 상태. ¶ ~の選手(せんしゅ) (기능·체력이) 상승일로에 있는 선수/今(いま), 人気(にんき)の~にある俳優(はいゆう) 지금 한창 인기가 오르막에 있는 배우. ⇔くだり坂(ざか).

のぼりちょうし【上り調子】名 형세〔기세〕가 올라감; (값의) 오름세. ¶ ~の相場(そうば) 올라갈 낌새가 보이는 시세; 오름세.

のぼりつめ-る【上り詰める】下1自 꼭대기까지 오르다. ¶ 山頂(さんちょう)に~ 산꼭대기까지 오르다/階段(かいだん)を~ 계단 꼭대기까지 오르다/首相(しゅしょう)の地位(ちい)に~ 수상의 지위에까지 오르다.

のぼりれっしゃ【上り列車】名 상행(上行) 열차. ↔下(くだ)り列車.

⁑__のぼ-る__【上る】5自 **1** 오르다. ㉠올라가다. ¶ 坂(さか)を~ 비탈길을 오르다/北(きた)へ~ 북상하다/気温(きおん)が~ 기온이 올라가다. ↔くだる·おりる. ㉡상경하다. ¶ 都(みやこ)に~ 서울로 올라가다. ↔くだる. ㉢…로 취급되다; …에 오르다. ¶ 話題(わだい)に~ 화제에 오르다/人(ひと)の口(くち)に~ 구설수에 오르다/食膳(しょくぜん)に~ 식탁에 오르다. **2** (상당히 많은) 수량이 되다; …에 달하다. ¶ 損害(そんがい)が百万円(ひゃくまんえん)に~ 손해가 백만 엔에 달하다. ↔くだる. 可能のぼ-れる 下1自

⁑__のぼ-る__【昇る】5自 **1** 높이 올라가다. ¶

天(てん)に～ 하늘에 올라가다. **2** 지위가 오르다; 또, 승급하다. ¶月給(げっきゅう)が～ 월급이 오르다 / 大臣(だいじん)の位(くらい)に～ 대신〔장관〕의 지위에 오르다. **3** 떠오르다. ¶日(ひ)が～ 해가 떠오르다. ↔しずむ. 可能 のぼ-れる 下1自

のぼ-る【登る】5自 높은 곳으로 올라가다. ¶山(やま)〔木(き)〕に～ 산〔나무〕에 오르다. ↔おりる·くだる. 可能 のぼ-れる 下1自

のま-す【飲ます】5他 먹이다; 마시게 하다. ＝のませる. ¶乳(ちち)を～ 젖을 먹이다 / 酒(さけ)を～ 술을 마시게 하다.

のま-せる【飲ませる】一 下1他 ☞のます. ¶酒(さけ)を～店(みせ) 술 파는 가게 / 牛(うし)に水(みず)を～ 소에 물을 먹이다.
二 上1自 맛이 좋아 더 마시고 싶은 마음이 일어나다. ¶この酒(さけ)は～ね 이 술은 꽤 마실 만한데.

のまれる【飲まれる】連語 **1** 먹히다. **2** 휩쓸리다; (상대나 그 자리의 분위기에) 압도되다. ¶波(なみ)に～ 파도에 휩쓸리다 / 勢(いきお)いに～ 기세에 눌리다. 參考 '飲(の)む'의 未然形＋受動의 助動詞 'れる'.

のみ〘蚤〙图〔蟲〕벼룩. ¶～に食(く)われたぐらいの傷(きず) 벼룩에 물린 정도의 상처.
—の夫婦(ふうふ) 아내가 남편보다 몸집이 큰 부부.

のみ〘鑿〙图 끌; 정. ¶～で彫(ほ)る 끌로 파다.

のみ 副助 오직 그것뿐; …만; …뿐《격식 차린 말씨》. ＝だけ·ばかり. ¶君(きみ)のこと～思(おも)う 오로지 자네〔임〕만을 생각하다 / あとは返事(へんじ)を待(ま)つ～だ 남은 일은 대답을 기다리는 것뿐이다 / 父(ちち)～か母(はは)も病(やまい)に倒(たお)れた 아버지뿐만 아니라 어머니마저도 병환으로 쓰러졌다.

のみあか-す【飲み明かす】5自 밤새도록 술을 마시다. ¶友人(ゆうじん)と～ 친구와 밤새도록 술을 마시다.

のみある-く【飲み歩く】5自 여러 술집을 돌며 마시다. ¶盛(さか)り場(ば)を～ 번화가의 술집을 돌아다니며 마시다.

のみかけ【飲み掛け】图 마시다 맒; 또, 그 남긴 것. ＝のみさし. ¶～のグラス 마시다 만 술잔 / ～で席(せき)を立(た)つ 먹다 말고 자리를 뜨다.

のみくい【飲み食い】图ス他 마시고 먹고 함. ＝飲食(いんしょく). ¶～に金(かね)を費(つい)やす 마시고 먹는 데 돈을 써 버리다.

のみぐすり【飲み薬】图 먹는 약; 내복약. ⇨ぬりぐすり·つけぐすり.

のみくだ-す【飲み下す】5他 삼키다. ＝のみこむ. ¶薬(くすり)を～ 약을 삼키다.

のみくち【飲み口】图 **1** (술 따위를) 입에 댔을 때의 혀의 감각. ¶～のよい酒(さけ)だ 마시기 좋은 술이다. **2** 즐겨 술을 마심; 또, 그 사람. ¶彼(かれ)は～の方(ほう)だ 그는 술을 즐겨 마시는 편이다. **3** 술잔 등의 입을 대는 부분.

のみぐち【飲み口】《呑み口》图 **1** 통 속에 든 액체를 따르는 주둥이. **2** 담뱃대의 물뿌리.

のみごたえ【飲みごたえ】《飲み応え》图 (술·음료 등의) 맛과 분량이 족히 마실 만함. ＝飲(の)みで.

のみこみ〘呑み込み〙图 이해. ¶～が早(はや)い 이해가 빠르다 / ～が悪(わる)い 이해가 더디다 / 早(はや)～ 속단(速斷).

***のみこ-む**【飲み込む】《呑み込む》5他 **1** 삼키다. ¶つばを～ 침을 삼키다. **2** (말해야 할 것을) 말하지 않고 말다. ¶あやうく言(い)いかけたことばをぐっと～·んだ 하마터면 내뱉을 뻔한 말을 꾹 참았다. **3** 수용하다. ¶3万人(さんまんにん)を～·んだスタジアム 3만 명을 수용한 스타디움. **4** 이해하다; 납득하다. ¶要領(ようりょう)〔こつ〕を～ 요령을 터득하다 / 事情(じじょう)はよく～·んでいる 사정은 잘 이해하고 있다. 可能 のみこ-める 下1自

のみさ-す【飲みさす】《飲み止す》5他 마시다 말다. ¶ビールを～·して席(せき)を立(た)つ 맥주를 마시다 말고 자리를 뜨다.

のみしろ【飲み代】图 술값. ＝さかて·酒代(さかだい). ¶～をつかませる 술값을 쥐어 주다.

のみす-ぎる【飲み過ぎる】上1自 지나치게 마시다; 과음하다. ¶～·ぎて病気(びょうき)になる 과음해서 병이 나다.

のみすけ【飲み助】《呑み助》图 〈俗〉 술꾼; 주객(酒客). ＝のんべえ. ¶彼(かれ)は～だ 그는 술꾼이다. 參考 '助'를 써서 사람 이름같이 만든 말.

のみたお-す【飲み倒す】5他 **1** 술을 마시고 술값을 떼먹다. ¶～·したままいなくなる 술값을 떼어먹은 채 없어지다. **2** 술로 재산을 날리다. ＝飲(の)みつぶす. ¶家屋敷(いえやしき)を～ 가산을 술로 날리다.

のみち【野道】图 들길. ＝野路(のじ). ¶～を行(ゆ)く 들길을 가다.

のみつぶ-す【飲みつぶす】《飲み潰す·呑み潰す》5他 술로 재산을 탕진하다. ¶身代(しんだい)を～ 재산을 술로 탕진하다.

のみつぶ-れる【飲みつぶれる】《飲み潰れる·呑み潰れる》下1自 고주망태가 되다. ¶連日(れんじつ)のように～ 연일 고주망태가 되다.

のみて【飲み手】图 술꾼. ＝酒飲(さけの)み. ¶彼(かれ)はかなりの～だ 그는 어지간한 술꾼이다.

のみで【飲みで】《飲み出》图 마실 분량이 많음; 마시기에 족함. ＝飲(の)みごたえ. ¶～がある 마시기에 족한 분량이다.

のみなお-す【飲み直す】5自 장소나 상대를 바꾸어 또 마시다. ¶河岸(かし)を変(か)えて～·そう 자리를 옮겨서 다시 마시자.

のみなかま【飲み仲間】图 술친구. ＝飲みともだち.

のみならず 連語 …만이 아니라; 뿐만 아니라. ¶きみ～, ぼくもそうだ 자네뿐만 아니라 나도 그렇다 / 体力(たいりょく)に劣(おと)る～, 学力(がくりょく)にもやや弱(よわ)いところがある 체력이 뒤떨어질 뿐만 아니라 학력도 좀 약한 데가 있다. 參考 글 머리에 接続詞적으로도 씀. ¶彼(かれ)は頭(あたま)がよい. ～指導力(しどうりょく)もある 그는 머리가 좋

다. 뿐만 아니라 지도력도 있다.

のみにげ【飲み逃げ】名ス自 **1** 음주 도중에 몰래 빠져 나감. **2** 술 따위를 마시고 그 대금을 치르지 않고 도망침.

ノミネート [nominate] 名ス他 노미네이트; 지명〔임명·추천〕함. ¶新人賞に～される 신인상에 추천을 받다.

のみのいち【のみの市】《蚤の市》名〈俗〉벼룩시장; 고물 시장. 参考 일요일에 파리 교외에 서게 된 것이 시초.

のみほ-す【飲み干す】《飲み乾す》5他 다 마셔 버리다. ¶大杯を一息に～ 큰 잔(의 술)을 단숨에 들이켜다.

のみみず【飲み水】名 음료수. ¶日照りがつづいて～が不足する 가뭄이 계속되어 음료수가 부족하다.

***のみもの**【飲み物】名 마실 것; 음료. ¶～を持って行く 마실 것을 갖고 가다.

のみや【飲み屋】名 (목로) 술집; 선술집. =居酒屋.

****の-む**【飲む】《呑む》5他 **1** 마시다. ¶水をがぶがぶと～ 물을 벌떡벌떡 마시다 / 一杯～·もう 한잔 마시러 가자 / 苦汁を～·まされる 쓰디쓴 경험을 하다. **2** 먹다. ㉠복용하다. ¶薬を～ 약을 먹다. ㉡피우다. ¶タバコを一日に四十本も～ 담배를 하루에 40개비나 피우다. **3** 삼키다. ㉠꿀꺽 넘기다. ¶かたずを～·んで見守る 마른침을 삼키며 지켜보다. ㉡《비유적》 집어삼키다; 휩쓸다. ¶波が舟を～ 물결이 배를 삼키다. ㉢참다; 누르다. ¶恨みを～ 원한을 삼키다 / 涙を～ 눈물을 참다〔삼키다〕/ 声を～ 목소리를 죽이다. 可能 の-める 下1自

―打つ買う (술) 마시고, 노름하고, 계집질하다《남자의 도락의 대표적인 것들을 일컫는 말》. ¶～の三拍子をそろえる 음주·도박·오입질의 삼박자를 갖추다.

> **飲むの 여러 가지 표현**
>
> 표현例 ぐいぐい(벌떡벌떡; 쭉쭉)·ぐいっと((단숨에) 쭉)·ぐいと(쭉)·ぐびりぐびり(꿀꺽꿀꺽)·がぶがぶ(벌떡벌떡)·ごくごく(꿀꺽꿀꺽)·ごくりと(꿀꺽)·ごくんと(꿀꺽)·ちびちび(홀짝홀짝)·ちびりちびり(홀짝홀짝).

****の-む**〖呑む〗5他 **1** 감추다; 품다. ¶どすを～ 비수〔단도〕를 품다. **2** 얕보다; 넘보다. ¶相手を～·んでかかる 상대를 넘보고 덤비다. **3** 압도하다. ¶敵を～ 적을 압도하다 / 会場の雰囲気に～·まれてしまう 회장의 분위기에 압도당하다. **4** 받아들이다. ¶条件を～ 조건을 받아들이다. 可能 の-める 下1自

のめ-す 5他 **1** 앞으로 넘어뜨리다. =のめらせる. ¶突いて～ 쳐서 앞으로 고꾸라뜨리다. **2**《다른 動詞의 連用形를 받아서》 철저하게 …하다. ¶たたき～ 때려눕히다 / しゃれ～ 한껏 멋부리다.

のめのめ 副 뻔뻔스럽게; 낯두껍게. =おめおめ. ¶今さら～(と)帰るわけにはいかない 이제 와서 뻔뻔스럽게 돌아갈 수는 없다.

のめりこ-む【のめり込む】5自 끌려들다; 빠져들다. ¶野球〔競馬〕に～ 야구〔경마〕에 깊이 빠지다 / 泥田に～ 수렁논에 빠지다.

のめ-る 5自 앞으로 고꾸라지다〔고꾸라질 뻔하다〕. ¶石につまづいて～ 돌에 채어서 앞으로 고꾸라질 뻔하다. ↔のけぞる.

の-める【飲める】下1自 **1** 많이 마시다. **2** 입에 당기다. ¶この酒は～ 이 술은 마실 만하다.

のやき【野焼き】名ス自 들판의 잡초를 태워 다음 해의 비료로 삼는 일.

のやま【野山】名 산야; 산과 들. ¶新緑の～ 신록의 산과 들.

のら【野良】名 들; 특히, 전답. ¶～犬 들개 / ～仕事 들일.

―ねこ【―猫】名 임자 없는 고양이; 도둑고양이.

のらくら 副ス自 게으름만 부리는 모양: 빈둥빈둥. ¶～者 빈둥빈둥 노는 자; 게으름뱅이 / ～と日をおくる 빈둥빈둥 날을 보내다 / ～していてちっとも働かない 빈둥빈둥 놀며 조금도 일을 하지 않다.

のらむすこ【のら息子】名 게을러 빈둥거리며 놀기만 하는 아들; 건달 자식. =どらむすこ.

のらりくらり 副 **1** ☞のらくら. **2** ☞ぬらりくらり.

のり〖規·則〗名 **1** 지켜야 할 도리; 규정; 규칙; 법칙. ¶～をこえる 도리를 벗어나다 / ～を守る 규칙을 지키다. **2** 모범; 본. ¶～を示す 모범을 보이다. **3** 지름; 직경. ¶内～ 내경(內徑); 안지름.

のり〖法〗名〖佛〗불법(佛法).

***のり**〖糊〗名 풀. ¶～をする (의류에) 풀하다 / ～のきいたワイシャツ 풀을 먹인 와이셔츠 / ～で張りつける 풀로 붙이다 / ～とはさみでできた論文 남의 것을 이것저것 이어 붙여 만든 논문.

のり【乗り】㊀名 **1** 탐; 탈것. ¶玉～ 공타기. **2** 분·그림물감·페인트 따위가 먹는 정도. ¶おしろいの～がいい 분이 잘 먹는다. ㊁接尾 (인원 수를 나타내는 말에 붙어) …승. ¶六十人～のバス 60인승 버스.

のり〖海苔〗名 **1**〖植〗수중의 암석에 붙어 이끼 모양을 이룬 해초의 총칭; 특히, あさくさのり(=김). **2** (마른) 김.

のりあい【乗り合い·乗合】名 **1** 합승; 같이 탐. ¶～の客 탑승객. **2** '乗合自動車(=버스)' '乗合馬車(=합승 마차)' 따위의 준말. ↔貸切り.

のりあ-げる【乗り上げる】下1自 (차나 배가 운행 중에 장애물에 걸려) 올라앉다〔얹히다〕; (배가) 좌초하다. =のしあげる. ¶船が暗礁に～ 배가 암초에 걸리다 / 車が歩道に～ 자동차가 보도로 올라앉다.

のりあじ【乗り味】名 탔을 때의 느낌; 승차감. ＝乗りごこち.

のりあわ-せる【乗り合わせる】下1自 같은 차에 타다; (우연히) 함께 타다. ＝のりあわす. ¶たまたま～・せた客と親しくなる 어쩌다가〔우연히〕 같이 탄 손님과 친해지다.

のりいれ【乗り入れ】名スル自 **1** 탄 채로 들어감. ¶車の～禁止 자동차〔승차〕 진입 금지. **2** (철도·버스 따위의) 노선 연장.

のりい-れる【乗り入れる】下1自他 **1** 탄 채로 들어가다. ¶車を校庭に～ 차를 탄 채 교정에 들어가다. **2** 버스나 전철 등이 어느 지역 내에 정기 노선을 개설〔연장〕하다. ¶バスが団地に～ 버스가 단지에 노선을 개설하다.

のりうつ-る【乗り移る】5自 **1** 갈아타다. ¶船から救命ボートに～ 배에서 구명 보트로 갈아타다. **2** 신(神)이 붙다〔들리다〕. ¶神霊が巫子に～ 신령이 무당에게 지피다.

のりうま【乗り馬】名 **1** 사람이 타는 말; 승용마. **2** 말을 탐; 승마.

のりおく-れる【乗り遅れる】下1自 **1** (차나 배 등을) 놓치다. ¶終発に～ 막차를 놓치다. **2** 시류에 뒤떨어지다. ¶貿易自由化の波に～ 무역 자유화 물결에 처지다.

のりおり【乗り降り】名スル自 타고 내림. ¶たくさんの人が～する 많은 사람이 타고 내리다 / ～する客でごったかえす 타고 내리는 손님으로 혼잡하다.

*__のりかえ__【乗り換え·乗換】名スル自 갈아탐; 바꿔 탐. ¶～(用の)切符 바꿔 타는 표 / 大阪方面行きは当駅で～です 大阪 방면으로 가는 손님은 당역에서 갈아타십시오.

—えき【乗換駅】名 갈아타는 역; 환승역. ¶～をまちがえる 환승역을 잘못 알다〔착각하다〕.

*__のりか-える__【乗り換える】下1自 **1** 갈아타다. ¶電車からバスに～ 전차에서 버스로 갈아타다. **2** 이제까지의 관계·생각 따위를 바꾸다. ¶新しいシステムに～ 새로운 시스템으로 바꾸다.

のりかか-る【乗り掛かる】5自 **1** 타려고 하다; 타기 시작하다. ¶修学旅行の学生たちが船に～・った 수학여행 가는 학생들이 배에 올라타기 시작했다. **2** 하기 시작하다. ¶～・った仕事 하기 시작한 일. **3** 올라타서 눌러대다; 덮치다. ＝乗っかかる. ¶～・って相手を押さえつける 올라타서 상대방을 눌러대다〔제압하다〕.

—・った船 일단 시작한 이상 도중에서 그만둘 수 없음의 비유. ¶～で後へは引かれない 내친걸음〔벌인춤〕이라 뒤로 물러설 수는 없다.

のりき【乗り気】名ナ 마음이 내킴; 내키는 마음. ¶～がしない 마음이 내키지 않다 / もうけ話に～になる 돈벌이 이야기에 구미가 동하다.

のりき-る【乗り切る】5自 **1** 탄 채로 끝까지 가다. ¶馬で湖水を～ 말을 탄 채 호수를 건너가다. **2** 극복하다. ＝のりこえる. ¶難局〔不況〕を～ 난국〔불황〕을 극복하다.

のりくみいん【乗組員】名 (선박·항공기의) 승무원. ＝クルー. ¶～に船内の様子をきく 선원에게 선내의 사정을 듣다.

のりく-む【乗り組む】5自 (승무원으로서) 타다. ¶飛行機に操縦士が二人～・んでいる 비행기에 조종사가 두 사람 타고 있다.

*__のりこ-える__【乗り越える】下1他 **1** 타고 넘다. ¶へいを～ 담을 타고 넘다. **2** (난국 등을) 극복하다. ¶不景気を～ 불경기를 극복하다. **3** 남보다 앞서다; 능가하다. ¶先人の業績を～ 선인의 업적을 능가하다. **4** 탄 채로 넘어가다. ¶車で山を～ 차로〔차를 탄 채로〕 산을 넘어가다.

のりごこち【乗り心地】名 탔을 때의 기분; 승차감. ＝のりあじ. ¶～のいい車 승차감이 좋은 차.

のりこ-す【乗り越す】5他 **1** 타고 가다가 (목적지를) 지나치다. ＝のり過ごす. ¶一駅～ 한 정거장 지나쳐 타고 가다 / 居眠りをしていて～・してしまった 졸다가 목적지를 지나쳐 버렸다. **2** ☞のりこえる.

のりこな-す【乗りこなす】5他 (마음대로) 익숙하게 타다. ¶悍馬を～ 사나운 말을 익숙하게 타다.

のりこ-む【乗り込む】5自 **1** 올라타다. ¶自動車に～ 자동차에 올라타다. **2** 여럿이 같이 타다. ¶どやどやと船に～ 여럿이 우루루 (몰려) 배에 올라타다. **3** 탄 채로 들어가다. ¶自動車で会場へ～ 자동차로 회장에 들어서다 / バスを連ねて～ 여러 대의 버스를 몰고 줄달아 들어가다. **4** 힘차게 들어가다; 진입(進入)하다. ¶一人で敵地に～ 혼자서 적지에 뛰어들다.

のりしろ【のり代】《糊代》名 (종이 따위를 이어 붙일 때) 풀칠하기 위해 남겨 두는 부분.

のりすご-す【乗り過ごす】5他 ☞のりこす1.

のりすす-める【乗り進める】下1他 타고 달려 나아가다. ¶こまを原頭に～ 말을 타고 들판으로 달려 나아가다.

のりす-てる【乗り捨てる】下1他 **1** 타고 간 차를 그대로 버려 두다. ¶自動車を道に～ 타고 간 자동차를 길에 버려 두다. **2** 타고 간 것에서 내린 다음 걸어가다. ¶車を～・てて会場に急ぐ 차에서 내려 회장으로 서둘러 가다.

のり-する〖糊する〗サ変自 **1** 풀칠하다. **2**『口を～』입에 풀칠하다《겨우겨우 살아가다》.

のりそこな-う【乗り損なう】[5自] 기차 등을 놓치다. ¶五時の列車に～·った 5시 기차를 놓쳤다.

***のりだ-す**【乗り出す】[5自他] **1** 타고 나아가다. ¶大海に～ (배를 타고) 큰 바다로 나아가다. **2** 타기 시작하다. ¶うちの子も三輪車に～·した 우리 아이도 세발자전거를 타기 시작했다. **3** 상체를 앞으로 쑥 내밀다 ¶ひざを～ 무릎을 앞으로 내밀며 다가앉다 / 窓から体を～·して下をみる 창 밖으로 몸을 내밀고 밑을 보다. **4** (어떤 일에) 적극적으로 나서다; 착수하다; 개입하다. ¶政界へ～ 정계에 나서다 / 事態収拾に～ 사태 수습에 나서다.

のり-ち【のり地】《法地》[名] 경사가 져서 택지 등 건물로 이용하기 어려운 토지.

のりつ-ぐ【乗り継ぐ】[5他] 갈아타고 가다. ¶飛行機を～ (가다가) 비행기를 갈아타고 가다 / 電車から車に～ 전차에서 자동차로 갈아타다.

のりづけ〖糊付け〗[一名][ス他] 풀로 붙임; 또, 풀로 붙인 물건. ¶壁にポスターを～する 벽에 포스터를 풀로 붙이다. [二名][ス自] (세탁물에) 풀을 먹임; 푸새. ¶シーツを～する 시트에 풀을 먹이다. [注意] 'のりつけ' 라고도 함.

のりつ-ける【乗り付ける】[下1自] **1** 차를 탄 채 그곳까지 가 닿다. ¶車を玄関に～ 차를 탄 채 현관까지 가다. **2** 항상 타 버릇하다. ¶飛行機に～·けているから何ともない 비행기를 타 버릇해서 아무렇지도 않다 / 車に～·けると歩くのがおっくうだ 차를 타 버릇하니까 걷는 것이 귀찮다.

のりつづ-ける【乗り続ける】[下1他] 목적지까지 계속해서 타다.

のりて【乗り手】[名] **1** 승객; 탄 사람. **2** (말 따위를) 잘 타는 사람. ¶なかなかの～だ 말을 꽤 잘 타는 사람이다.

のりと【祝詞】[名] 神主가 신 앞에 고(告)하여 비는 축문(祝文); 축. ＝のっと. ¶～をあげる 축을 올리다.

のりと-る【乗り取る】[5他] 탈취하다; 납치하다. ＝のっとる. ¶怪漢に飛行機を～·られる 괴한에게 비행기를 납치당하다.

のりにげ【乗り逃げ】[名][ス自] **1** 찻삯을 내지 않고 도망침. ¶運転手をおどして～する 운전사를 협박하여 차비를 내지 않고 도망치다. **2** 차를 훔쳐 달아남.

のりば【乗り場】[名] (차·배 따위를) 타는 곳; 승차장; (열차) 승강장. ¶タクシー〔バスの〕～ 택시〔버스〕 승차장.

のりまき【のり巻き】《海苔巻き》[名] 김초밥. ＝のりまきずし. ¶昼食に～を食べる 점심으로 김밥을 먹다.

のりまわ-す【乗り回す】[5他] 차를 몰고 돌아다니다. ¶新車で市中を～ 새 차로 시내를 몰고 다니다.

のりまわる【乗り回る】[5自] 차를 타고 여기저기 돌아다니다. ¶車で方方を～ 자동차로 여기저기 돌아다니다.

のり-めん【のり面】《法面》[名] 법면; 인공적으로 조성된 경사면.

***のりもの**【乗り物】[名] 탈것; 교통 기관. ¶～の便が悪い 교통편이 나쁘다.

****の-る**【乗る】[5自] **1** 타다. ㉠탈것에 타다. ¶馬に～ 말을 타다 / 自転車に～ 자전거를 타다. ↔おりる. ㉡실리다. ¶電波に～·って世界に広まる 전파를 타고 세계에 퍼지다. **2** 오르다. ㉠올라가다. ¶踏み台に～ 발판 위에 올라서다 / 猫がひざの上に～ 고양이가 무릎 위에 올라앉다. ㉡궤도에 오르다; 가락이 붙다〔맞다〕. ¶興に～ 흥에 겹다 / 軽快なリズムに～·って踊る 경쾌한 리듬에 맞춰 춤추다. ㉢(기름이) 오르다. ¶脂が～ (a) 기름이 오르다; (b) 가락이 붙다; 궤도에 오르다; (일에) 열이 나다. **3** 기회를 타다. ¶ブームに～ 붐을 타다 / 時流に～ 시류를 타다. **4** 속다; 넘어가다. ¶計略に～ 계략에 걸리다〔넘어가다·속다〕 / その手には～·らない 그 수법에는 안 속는다. **5** 우쭐해지다. ¶おだてに～ 추어주니까 우쭐해지다. **6** 한몫 끼다; 응(應)하다; 끌리다. ¶その話に一口～·ろう 그 이야기에 한몫 끼자 / 相談に～ 상담에 응하다. **7** 마음이 내키다. ¶仕事に気が～ 일에 마음이 내키다. **8** 잘 묻다; 잘 먹다. ¶インクが～ 잉크가 잘 묻다 / おしろいが～ 분이 잘 먹다. [可能] の-れる[下1自]

****の-る**【載る】[5自] **1** 놓이다. ¶机の上に～·っている本 책상 위에 놓인 책. **2** (신문·잡지 등에) 실리다. ¶彼の論文が雑誌に～·った 그의 논문이 잡지에 실렸다. [可能] の-れる[下1自]

のるかそるか〖伸るか反るか〗[連語] 성공이냐 실패냐; 되느냐 안 되느냐; 흥하느냐 망하느냐. ＝いちかばちか. ¶～やってみよう 좌우지간에 해 보자 / ～この勝負一つだ 성공이냐 실패냐는 이 한 판 승부에 달렸다.

ノルディックしゅもく【ノルディック種目】[名] 노르딕 종목《스키 경기에서, 거리·점프·복합의 3 종목》. ⇨アルペンしゅもく. ▷Nordic.

ノルマ [러 **norma**] [名] 노르마. **1** 기준. **2** 할당된 노동의 기준량〔책임량〕. ¶～を果たす 노르마를 완수하다.

のれん〖暖簾〗[名] **1** 상점 출입구나 처마 끝에 치는 (상호가 든) 천; 포렴(布簾). ¶～を掛ける 포렴을 치다〔드리우다〕. **2** 상점의 이름·신용. ¶～にかかわる 상점의 신용에 관계되다.

――に腕押し 힘을 주어도 아무런 반응이 없음의 비유; 호박에 침 주기.

――を下ろす 장사를 끝내고 가게 문을 닫다; 또, 폐업하다.

――を分ける (오랫동안 근무한 점원에게) 분점을 차려 주다《같은 옥호를 쓰게 하며, 단골집도 일부 나누어 줌》.

のろ〘鈍〙图 우둔함; 또, 우둔한 사람. =のろま. ¶薄(うす)〜 지능이 낮고, 동작·반응이 둔함; 또, 그런 사람; 얼간이.

のろ〘獐·麞〙图〔動〕노루. =のろじか. 注意 'のる' 라고도 함. ▷한 노루.

***のろ-い**〘鈍い〙形 **1** 느리다. ㉠둔하다; 재빠르지 않다. ¶頭(あたま)の働(はたら)きが〜 머리가 둔하다. ↔はしこい. ㉡더디다. ¶汽車(きしゃ)〔歩(あゆ)み〕が〜 기차가〔걸음이〕 느리다 / 仕事(しごと)が〜 일이 더디다. ↔速(はや)い. **2** (여자에게) 무르다. ¶女房(にょうぼう)に〜 마누라에게 무르다.

のろい〘呪い·詛い〙图 저주. ¶〜を受(う)ける 저주를 받다 / 〜をかける 저주하다 / 〜の言葉(ことば)を吐(は)く 저주하는 말을 내뱉다.

***のろ-う**〘呪う·詛う〙5他 저주하다. ¶〜·われた運命(うんめい) 저주받은 운명 / 世(よ)を〜 세상을 저주하다 / 人(ひと)を〜·わば穴(あな)二(ふた)つ 남을 저주하면 구덩이 둘(을 파야 한다)《남 잡이가 제 잡이》.

のろくさ-い〘鈍臭い〙形 느려 빠지다. ¶やることが〜のでいらいらする 하는 짓이 느려 빠져 짜증이 난다.

のろけ〘惚気〙图 자기 아내와〔애인과〕의 정사 따위를 자랑삼아 이야기함; 또, 그 이야기. ¶お〜を言(い)う 자기의 정사〔사랑〕 얘기를 주책없이 늘어놓다.

のろ-ける〘惚気る〙下1自 자기 아내〔애인〕의 이야기를 남에게 자랑삼아 늘어놓다. ¶手放(てばな)しで〜 부부간〔애인과〕의 일 따위를 노골적으로 이야기하다.

のろし〘狼煙·烽火〙图 봉화; 비유적으로, 큰 사건의 계기가 된, 두드러진 행동. ¶革命(かくめい)の〜が上(あ)がる 혁명의 봉화가 오르다.

—を上(あ)げる **1** (신호로) 봉화를 올리다. **2** 큰일이 일어날 계기를 만들다; 전쟁이나 사업의 시작을 세상에 알리다.

のろのろ 副ス自 느릿느릿; 꾸물꾸물. ¶〜運転(うんてん) 느림보 운전 / 電車(でんしゃ)が〜(と)走(はし)る 전차가 느릿느릿 달리다.

のろま〘鈍間〙名ナ 동작이나 머리가 아둔함; 또, 그런 사람; 바보. ¶この〜め 이 바보 같은 녀석아; 이 멍청이야.

のろわし-い〘呪わしい〙形 저주스럽다. ¶台風(たいふう)が〜 태풍이 저주스럽다.

ノン [non] 接頭 논…; '…이 아닌, 비(非), 무(無)' 의 뜻을 나타냄.

—キャリア [일 non+career] 图〈俗〉중앙 관청의 국가 공무원 중에서 1종 시험 합격자가 아닌 공무원. ↔キャリア.

—ストップ [nonstop] 图 논스톱; 직행; 무정차; 무착륙.

—セクト [non-sect] 图 논섹트; (특히, 학생 운동에서) 무당파 (학생).

—バンク [nonbank] 图 논뱅크; 비(非) 은행계 금융 기관으로, 여신 업무를 다루는 금융 관련 회사의 총칭《카드 회사·리스 회사 따위》.

—フィクション [nonfiction] 图 논픽션. ↔フィクション.

—プロ [←nonprofessional] 图 논프로; 프로가〔직업적이〕 아님; (특히, 야구에서) 직업 선수가 아님. ¶〜野球(やきゅう) 아마추어 야구. ↔プロ.

—ポリ [일 nonpoli] 图 정치에 관심이 없음; 또, 그런 사람《'ノンポリティカル' 의 준말》. ¶〜学生(がくせい) 정치에 관심이 없는 학생.

***のんき**〘呑気·暢気〙ダナ 성격이 느긋한 모양; 걱정·근심이 없는 모양; 무시근한 모양. ¶〜者(もの) 만사태평한 사람 / 〜な性分(しょうぶん) 만사태평한 성품 / 〜に構(かま)える 천하〔무사〕태평이다 / 〜に暮(く)らす 무사태평하게 살아가다 / 今(いま)は隠居(いんきょ)して〜な身分(みぶん)だ 지금은 은퇴하여 아무 근심·걱정 없는 팔자다 / そんな〜な事(こと)をいっていられない 그런 한가한 말을 하고 있을 수 없다. 注意 '呑気·暢気' 로 씀은 취음(取音).

のんだくれ【飲んだくれ】图 모주꾼; 주정뱅이. =よいどれ. ¶〜の怠(なま)け者(もの) 술주정뱅이에 게으름쟁이.

のんだく-れる【飲んだくれる】下1自 술을 많이 마시고 정신없이 취하다. ¶毎晩(まいばん)〜·れては大暴(おおあば)れする 매일밤 곤드레만드레가 되어서 난동을 부린다.

***のんびり** 副ス自 유유히; 한가로이; 태평스럽게. ¶〜屋(や) 태평한 사람 / 〜した田舎生活(いなかせいかつ) 한가로운〔유유자적한〕 시골 생활 / 〜した国民性(こくみんせい) 태평한〔느긋한〕 국민성 / 〜(と)暮(く)らす 유유히 살아가다.

ノンブル [프 nombre] 图 농브르; (인쇄물의) 페이지 숫자.

のんべえ【飲んべえ】《飲ん兵衛·呑ん兵衛》图〈口〉술부대; 모주. =のんべ·のんだくれ·のみすけ. ¶親父譲(おやじゆず)りの〜 아버지를 닮은 모주꾼. 參考 사람 이름같이 표현한 말.

のんべんだらり 副 별 하는 일 없이 시간을 보내고 있는 모양; 빈둥빈둥. =のんべんぐらり. ¶〜と日(ひ)を暮(く)らす 빈둥빈둥 세월을 보내다.

ノンラン [일 non+run] 图 논런 스타킹; 올이 잘 풀어지지 않게 만든 스타킹〔양말〕. =ノーラン.

は ハ

1 五十音図 'は行'의 첫째 음. [ha] 2〖字源〗'波'의 초서체《かたかな 'ハ'는 '八'의 전체(全體)》.

*は【刃】图 (칼 따위의) 날. =やいば. ¶かんなの~ 대팻날/~をつける 날을 세우다; 벼리다/~がこぼれる 칼날의 이가 빠지다/~がするどい 날이 날카롭다/~を研ぐ 날을 갈다.

は【羽】图 〈雅〉1 날개. =翼·羽根. ¶たかの~ 매의 날개. 2 깃털; 새털.

は【派】图 파. ¶どの~にも属さない 어느 파에도 속하지 않다/二つの~にわかれる 두 파로 갈라지다.

**は【歯】图 1 이(빨). ¶~並び 치열/~を磨く 이를 닦다/~をほじ(く)る 이를 쑤시다/~がはえる 이가 나다/~がわるい 이가 나쁘다/~がいたむ 이가 아프다/~が抜ける 이가 빠지다. 2 이 모양으로 나란히 선 것. ㉠살. ¶櫛の~ 빗살. ㉡굽. ¶げたの~ 왜나막신의 굽. ㉢톱니. ¶鋸の~ 톱니; 톱날/歯車の~ 톱니바퀴의 톱니.

—が浮く 1 이가 들뜨다〔흔들리다〕. 2 (신것 따위를 먹어) 이가 시큰거리다. 3 경박한 언행을 보고 역겹다〔아니꼽다〕. ¶~ようなおせじ 역겨운 겉치레말.

—が立たない 1 단단하여 씹히지가 않다. 2 (상대방에게) 못 당하다; 벅차다; 감당못하다. ¶実力では彼に~ 실력으로는 그에게 맞설〔당할〕 수 없다.

—に合う 마음에 들다; 취미에 맞다. ¶~仕事 마음에 드는 일.

—に衣着せない 생각하는 바를 솔직히 말하다; 가식 없이 말하다.

—の抜けたよう 1 듬성듬성한 모양. 2 (있어야 할 것이 빠져서) 허전한 모양.

—の根が合わない (추위나 공포로) 이가 덜덜 떨리다.

—を食いしばる 이를 악물다; 또, (분하여) 입술을 깨물다. ¶歯を食いしばってがまんする 이를 악물고 참다.

—を切す 이를 갈다.

**は【葉】图 잎; 잎사귀. =はっぱ. ¶木の~ 나뭇잎/かれ~ 마른 잎/~がしげる 잎이 무성하다/~がおちる 잎이 지다/~をひろげる 잎을 펼치다.

は【端】图 끝; 가장자리. ¶山の~ 산의 능선 또는 그 근처/口の~にのぼる (사람들의) 입길에 오르내리다.

は【覇】图 패권; 패자; 전하여, 경기 등에서 우승함. ¶~を争う〔きそう〕 패권을 다투다〔겨루다〕/~をとなえる 패권을 장악하다; 패자가 되다.

ハ 图 〔樂〕 다《장음계의 다조(調)에서 '도'에 해당하는 음; C 음》. ¶~長調 다 장조.

は 感 1 응답하는 말: 네; 넷. =はっ·はい. ¶~, かしこまりました 예, 분부대로 하겠습니다. 2 되묻거나 의심할 때 등에 내는 말: 뭐; 예. ¶~, 何ですか 예, 무엇입니까.

は wa 係助 사물을 다른 것과 구별해서 두드러지게 나타내는 데 씀: …은〔는〕. 1 특히 내세워 말하는 데 씀. ¶さかな~食べない 생선은 안 먹는다/タバコ~絶対にいけません 담배는 절대로 안 됩니다/映画~よくみる 영화는 자주 본다/親に~話すべきだ 부모에게는 얘기해야 한다/太郎のいたずらに~こりごりだ 太郎의 장난에는 진절머리가 난다/以前より~元気だ 이전보다는 건강하다. 2 말할 제목이 됨을 나타냄. ¶これ~ぼくの本だ 이것은 내 책이다/江戸~浅草の生まれさ 江戸하고도 浅草 태생이야/この絵~松本くんがかいたものです 이 그림은 松本군이 그린 것입니다. 3 다른 것과 대조적으로 들어서 나타냄. ¶値段~高いが 값은 비싸지만/姉に~指輪, 弟に~時計を買ってやった 누나에게는 반지, 아우에게는 시계를 사 주었다/からだ~小さいが, 力~強い 몸은 작지만 힘은 세다. 4 단정(斷定)을 강조함. ¶行き~するが 가기는 한다마는/書いて~いない 쓰고는 있지 않다/練習して~いるが, 記録は平凡だ 연습은 하고 있으나 기록은 평범하다/犬で~ない 개는 아니다/知って~いるが今は言えない 알고는 있지만 지금은 말할 수 없다/不合理な話で~ある 불합리한 이야기이긴 하다/寄せて~返す波 밀려왔다가는 물러가는 파도.

は 〖把〗 常用 ハ とる たば | 파 쥐다 | 1 쥐다; 잡다. ¶把握 파악/掌把 장파. 2 묶음; 다발. ¶一把 한 묶음.

は 〖波〗 教3 ハ なみ | 파 파도 | 1 물결; 물결치다. ¶波濤 파도. 2 파동. ¶音波 음파.

は 〖派〗《派》 教6 ハ わかれ | 파 갈래 | 파. 1 갈래. ¶流派 유파/分派 분파. 2 근본에서 갈라져 나가다. ¶派遣 파견.

は 〖破〗 教5 ハ やぶる やぶれる | 파 깨지다 | 1 깨지다; 부서지다; 망그뜨리다. ¶破損 파손/大破 대파. 2 싸워 적을 이기다. ¶撃破 격파/打破 타파.

は 〖覇〗《覇·霸》 常用 ハ | 패 두목 | 패자; 전하여, 경기 따위에 우승함. ¶覇王 패왕/覇権 패권/制覇 제패.

***ば**【場】图 장. **1** 장소. ㉠곳; 자리. ¶～ちがい 장소가 틀림; 장소에 어울리지 않음/共通(きょうつう)の～ 공통의 장/その～に居合(いあ)わせる 마침 그 자리에 있다/その～で答(こた)える 그 자리에서 대답하다/～を取(と)る 자리를 잡다《(a)공간을 차지하다; (b)좌석을 예약하다》/～をふさぐ 자리를 차지하다/～をもうける 장소를 마련하다. ㉡상황; 경우; 분위기. ¶～に合(あ)う発言(はつげん) 분위기에 맞는 발언/その～の空気(くうき) 그 자리의 분위기/～をもたせる (어떤) 분위기를 지속시키다. **2** 영화·연극의 한 장면. ¶あだ討(う)ちの～ 복수의 장면/三幕五(さんまくご)～ 삼막 오장. **3**〖理〗힘이 작용하는 범위. ¶磁(じ)～ 자기장/重力(じゅうりょく)の～ 중력 마당.

ば 接助 **1** 사항을 가정하여, 이것을 조건으로 해서 말하는 데 씀: …면. =…なら. ¶雨(あめ)が降(ふ)れ～遠足(えんそく)を中止(ちゅうし)する 비가 오면 소풍을 중지한다/あと一時間(いちじかん)もすれ～ことしも終(お)わる 이제 한 시간만 지나면 금년도 다 간다/読(よ)め～分(わ)かる 읽어 보면 안다/今日(きょう)くれ～よかったのに 오늘 왔더라면 좋았을 텐데. **2**《仮定形에 붙어서, 흔히 앞뒤에 'も'를 수반함》같은 종류의 것을 열거하는 데 씀. ¶金(かね)もなけれ～死(し)にたくもない 돈도 없거니와 죽기도 싫다/山(やま)も有(あ)れ～川(かわ)も有(あ)る 산도 있거니와 강도 있다/考(かんが)えれ～考えるほどわからない 생각하면 할수록 더욱 모르겠다/景色(けしき)もよけれ～, 食(た)べ物(もの)もうまい 경치도 좋거니와 음식도 맛있다. ⇨し. **3** ㉠어느 사항이 항상 수반되어 일어나는 조건을 가리킴: …면. =…と. ¶雪(ゆき)が降(ふ)れ～道(みち)がすべる 눈이 오면 길이 미끄럽다. ㉡어떤 것이 인정되었을 경우, 계속해서 다음 일이 인정되는 뜻을 나타냄: …면 (그때). ¶それを思(おも)え～こんな苦労(くろう)は何(なん)でもない 그것을 생각하면 이런 고생은 아무 것도 아니다. 参考 口語에서, '…と言(い)え～(=…로 말하면; 그런데 참)'의 꼴로, 화제를 끌어내는 데도 씀. ¶大学(だいがく)と言(い)え～, このごろ問題(もんだい)が多(おお)いそうだね 대학이라면 요즘 문제가 많다고 하던데.

ば〖馬〗教2 バ メ / うま ま | 마 / 말 | 마; 말. ¶馬車(ばしゃ) 마차/馬子(まご) 마부/牛馬(ぎゅうば) 우마; 소와 말/駿馬(しゅんめ) 준마.

ば〖婆〗常用 バ / ばば | 파 / 할머니 | 나이를 먹은 어머니; 또, 나이 먹은(늙은) 여자. ¶お婆(ばあ)さん 할머니/老婆(ろうば) 노파.

はあ 感 **1** 응답함을 나타냄: 네《말끝을 내림》. ¶～そうです 네, 그렇습니다. **2** 놀람·감탄의 기분을 나타냄: 허어《천천히 말끝을 올림》. ¶～, みごとなものですねえ 허어, 훌륭한 물건이군요. **3** 되물음을 나타냄: 예《급히 말끝을 올림》. ¶～, どう言(い)う意味(いみ)ですか 예, 무슨 뜻입니까.

バー [bar] 图 바. **1** (높이뛰기·장대높이뛰기 등에서) 뛰어넘는 가로대. ¶～をあげる 바를 올리다. **2** (축구·럭비 등에서) 골문의 가로대; 크로스바. ¶～を越(こ)す 크로스바를 넘다. **3** 서양식 술집. ¶～の女(おんな) 바의 호스티스.

ばあ 感 어린아이와 얼굴을 마주 대고 어르는 말: 까꿍.

ばあ 图 〈俗〉 **1** 바보. =ばか. ¶～じゃなかろうか 바보가 아닐까/すこし～だよ 좀 바보야. **2** (주산에서) 털어 버리고 다시 놓기; 없던 것으로 함. ¶～にする 에끼다. **3** (가위바위보의) 보. =紙(かみ). ↔ぐう·ちょき.

パー [par] 图 파. **1** 같은 값; 등가(等價). ¶百円(ひゃくえん)～ 한 개에 백 엔 균일. **2**〖골프〗기준 타수. ¶アンダー～ 언더파.

—プレー [일 par+play] 图〖골프〗파 플레이; 기준 타수로 경기하는 일.

****ばあい**【場合】图 경우; 사정; 케이스; 때. ¶～によっては 경우에 따라서는/万一(まんいち)の～ 만일의 경우/時(とき)と～による 때와 경우에 따른다/～が～だけに 경우가 경우인 만큼/欠席(けっせき)の～はご通知(つうち)ください 결석하는 경우에는 통지해 주십시오 /ぐずぐずしている～じゃない 우물쭈물하고 있을 때가 아니다/雨(あめ)の～には中止(ちゅうし)する 비가 올 경우에는 중지한다.

パーカ [parka] 图 파카; 후드가 달린 긴 셔츠 모양의 방한용 재킷. =パルカ.

バーガー [burger] 图 'ハンバーガー(=햄버거)'의 준말.

パーキング [parking] 图 파킹; 주차(장). ¶～タワー 파킹 타워; 주차탑/～料金(りょうきん) 주차 요금.

はあく【把握】图 ス他 **1** 파악. ¶情況(じょうきょう)を～する 상황을 파악하다/文章(ぶんしょう)の要旨(ようし)を～する 문장의 요지를 파악하다. **2** 장악. ¶制空権(せいくうけん)を～する 제공권을 장악하다.

パーク [park] 파크. ㊀图 공원. ㊁图ス自 주차; 파킹. =パーキング.

ハーケン [도 Haken] 图 하켄; 암벽에 박는 등산용 못.

バーゲンセール [bargain sale] 图〖商〗바겐 세일; 염가 대매출. =安売(やすう)り·バーゲン.

バーコード [bar code] 图 (상품의) 바코드.

パーゴラ [pergola] 图 퍼걸러; 덩굴시렁.

ばあさん〖婆さん·祖母さん〗图 'おばあさん'의 스스럼없는 말씨. ↔じいさん.

バージョン [version] 图 버전. **1** 컴퓨터 프로그램의 판(版). **2** 번역.

—アップ [version up] 图 버전 업; 컴퓨터 프로그램을 개정(改訂)함; 또, 그 개정판.

バージン [virgin] 图 버진; 처녀.

—ロード [일 virgin+road] 图 신부가 부친의 손을 잡고 들어가는 교회의 중앙 통로.

は

バースデー [birthday] 图 버스데이; 생일. ¶ ～ケーキ 생일 축하 케이크.
パーセンテージ [percentage] 图 퍼센티지; 백분율(%).
***パーセント** [percent] 图 퍼센트; 백분율(%). ¶ 二十五(にじゅうご)～が増加(ぞうか)した 25퍼센트가 증가하였다.
パーソナリティー [personality] 图 퍼서낼리티. **1** 개인의 성격; 개성; 인격. ¶ その人(ひと)の～によってちがう 그 사람의 개성에 따라 다르다. **2** 라디오 방송의 디스크 자키나 특정 프로그램의 사회자.
パーソナル [personal] ダナ 퍼스널; 개인적.
──コール [일 personal＋call] 图 퍼스널 콜; 국제 전화의 지명 통화.
──コンピューター [personal computer] 图 퍼스널 컴퓨터; 개인용 컴퓨터. ＝パソコン·PC.
バーターせい【バーター制】图 바터제; 물물 교환에 의한 무역 제도. ＝バーターシステム. ▷barter.
はあたり【歯当たり】图 음식을 씹을 때의 느낌.
ばあたり【場あたり·場当たり】㊀图 (연극·집회 등에서) 즉석의 재치로써 호평이나 인기를 얻음. ¶ ～をねらう 즉석의 성과를[호평·인기 등을] 노리다.
㊁名ナ 임기응변; 임시 처변. ¶ ～主義(しゅぎ) 적당주의 / ～的(てき) 임기응변적 / ～な計画(けいかく) 임기응변적인 계획 / ～の政策(せいさく) 임기응변[임시변통]의 정책.
パーチメント [parchment] 图 파치먼트; 양피지. ¶ ～紙(し) 파치먼트지; 황산지.
バーチャルリアリティー [virtual reality] 图〖컴〗버츄얼 리얼리티; 가상 현실. ＝仮想現実(かそうげんじつ)·VR(ブイアール).
パーツ [parts] 图 파츠; 기계·기구 등의 부(속)품. ＝パート.
バーディー [birdie] 图〖골프〗버디《기준 타수(打數)보다 하나 적은 타수로 홀에 넣는 일》. ↔ボギー.
パーティー [party] 图 파티. **1** (사교 등 목적의) 회합. ¶ ダンス～ 댄스 파티. **2** 정당. **3** (등산 등의) 한 무리; 일행. ¶ ～を組(く)む 조를 짜다. 「ダー.
バーテン [←bartender] 图 ☞バーテン
バーテンダー [bartender] 图 바텐더《바나 카페 등에서 술을 조합(調合)하는 등의 일을 하는 사람》. ＝バーテン.
ハート [heart] 图 하트. **1** 마음; 심장. ¶ ～をつかむ 마음을 사로잡다. **2** 카드놀이 패의 하나로서 심장 모양을 한 것《빨간색 심장형 패》. ¶ ～形(がた) 하트형.
ハード [hard] ダナ 하드; 엄격한[고된] 모양. ¶ ～な仕事(しごと) 힘든 일 / ～なスケジュールをくむ 빡빡한 일정을 짜다.
──ウェア [hardware] 图〖컴〗하드웨어; 본체(本體) 및 주변 장치. ↔ソフトウェア.
──グッズ [hard goods] 图 하드 구즈; 내구(耐久) 소비재. ↔ソフトグッズ.
──スケジュール [일 hard＋schedule] 图 하드 스케줄; (일·행사 등의) 강행군.
──ディスク [hard disk] 图〖컴〗하드 디스크; 자기 디스크.
──トレーニング [hard training] 图 하드 트레이닝; 맹(猛)훈련.
──ボイルド [hard-boiled] 图 하드보일드. **1** 냉혹; 비정(非情)함. **2** 사실주의 문학의 한 파; 감상(感傷)을 배제, 비정하게 대상을 그리는 수법.
──ランディング [hard landing] 图 하드 랜딩; 경(硬)착륙. **1** 우주선 등이 급격히 착륙하는 일. **2** 전하여, 금융시장에서의 급격한 폭락 등을 가리킴. ⇔ソフトランディング.
バード [bird] 图 버드; 새.
──ウィーク [일 bird＋week] 图 버드위크; 애조(愛鳥) 주간《5월 10일부터 1주일간》.
──ウォッチング [birdwatching] 图 버드워칭; 들새 관찰. ＝探鳥(たんちょう).
パート [part] 图 파트. **1** 부분; 구분. **2**〖樂〗각각 담당하는 악기나 음역(音域). **3**〖劇〗그 사람이 맡은 역. **4** 'パートタイム(＝파트타임; 시간제 근무)·パートタイマー(＝파트타이머; 시간제 근무자)'의 준말. ¶ ～にでる 시간제 근무하러 나가다 / ～で働(はたら)く 시간제로 일하다.
パートナー [partner] 图 파트너. **1** (댄스 등의) 상대. **2** (권투의) 연습 상대. **3** 짝; 동반자; (함께 일하는) 동료. ¶ 国際社会(こくさいしゃかい)の～ 국제 사회의 동반자.
ハードル [hurdle] 图 허들. **1** 장애물 경주용 목제(木製) 틀. **2** 'ハードルレース(＝허들 레이스; 장애물 경주)'의 준말.
バーナー [burner] 图 버너. ¶ ガス～ 가스 버너 / ～に点火(てんか)する 버너에 점화하다.
ハーバー [harbor] 图 하버; 항구; 선착장. ¶ ヨット～ 요트 하버.
ハーフ [half] 图 **1** 하프. ㉠반(半)분; 중간. ＝なかば. ¶ ～タイム 하프 타임. ㉡ 'ハーフバック(＝하프 백)'의 준말. **2** 혼혈(아). 「반코트.
──コート [일 half＋coat] 图 하프 코트;
──サイズ [일 half＋size] 图 하프 사이즈; 보통 크기의 반 정도. ¶ ～カメラ 하프 사이즈 카메라《화면이 35mm 필름의 반 크기로 찍히는 카메라》.
──バック [halfback] 图 하프백; (축구·하키 따위에서) 중위(中衛).
──マラソン [←half-length marathon] 图 하프 마라톤《정식 마라톤의 반 또는 10마일 등의 경기 종목이 있음》.
ハーブ [herb] 图〖植〗허브; 약초; 향초. ¶ ～ティー 허브 차.
ハープ [harp] 图〖樂〗하프. ＝竪琴(たてごと).
パーフェクト [perfect] ダナ 퍼펙트; 완전[완벽]한 모양. ¶ ～ゲーム 퍼펙트 게임 / ～にしあげる 완벽하게 끝내다.
バーベキュー [barbecue] 图 바베큐; 야외에서의 불고기 요리(용 화로).

は

バーベル [barbell] 图 바벨; 역기.
パーマ 图 파마(('パーマネントウエーブ(＝퍼머넌트 웨이브)'의 준말)). ¶～をかける 파마를 하다.
パーマネント [permanent] 图 퍼머넨트; 'パーマネントウエーブ(＝퍼머넌트 웨이브)'의 준말.
パームトップコンピューター [palmtop computer] 图 팜탑 컴퓨터; (손바닥 위에 올려 놓을 수 있을 정도의) 소형 경량 컴퓨터.
ハーモニー [harmony] 图 하모니. **1** 조화. ¶～がとれる 조화를 이루다. **2**〘樂〙 화성(和聲).
ハーモニカ [harmonica] 图〘樂〙 하모니카. ＝ハモニカ. ¶～を吹ふく 하모니카를 불다.
パーラー [parlour] 图 팔러; 경(輕)식당; 매점. ¶フルーツ～ 과일을 주로 파는 가게.
はあり【羽あり】((羽蟻)) 图 **1** 날개미; 교미기의 날개가 돋힌 개미. **2** 'シロアリ(＝흰개미)'의 딴 이름. ＝はねあり.
バール [bar] 图 바; 기압의 단위. ⇨ミリバール.
パール [pearl] 图 펄; 진주(眞珠).
—グレー [pearl gray] 图 펄 그레이; 진주 광택이 나는 밝은 회색.
ハーレム [Harlem] 图 할렘((뉴욕시 맨해턴 섬 북동부에 있는 흑인 거주 지역)).
バーレル [barrel] 图 ☞バレル.
*__はい__【灰】图 재. ¶タバコの～ 담뱃재 / 死しの～ 죽음의 재((방사성 낙진)).
—にする 재로 만들다. **1** 태워 없애다. **2** 시체를 화장하다.
—になる **1** 재가 되다. **2** 죽어서 화장되다.
はい【拝】图 배; 올림; 배상(拜上)((편지에서 자기 이름 밑에 써서 경의를 표하는 말)). ¶吉田次郎よしだじろう～ 吉田次郎 배.
はい【杯】((盃)) 배. ㊀图 잔; 술잔. ¶～をあげる 술잔을 들다 / ～を重かさねる 잔을 거듭하다. ㊁接尾 **1** 상배(賞杯). ¶優勝ゆうしょう～ 우승배 / 会長かいちょう～ 회장배. **2** ㉠ 공기나 잔 등에 든 것을 세는 말. ¶コップ一杯いっぱいの水みず 컵 한 잔의 물 / ごはん二に～ 밥 두 공기 / 酒さけ五ご～ 술 다섯 잔 / うどん三杯さんばい 가락국수 세 그릇. ㉡ 문어·오징어를 세는 말: 마리. 参考 撥音はつおん 다음에서는 'ばい', 促音そくおん 다음에서는 'ぱい'가 됨.
はい [胚] 图 배. **1**〘植〙 배아(胚芽). ＝はいが. **2**〘動〙 배자(胚子). ＝はいし. ¶カエルの～の観察かんさつ 개구리 배의 관찰.
*__はい__【肺】图 폐. **1**〘生〙 폐장(肺臟). ¶～が悪わるい 폐가 나쁘다. **2** '肺病はいびょう(＝폐병)'의 준말. ¶～を病やむ 폐병을 앓다; 폐병이다.
はい【敗】 패. ㊀图 짐; 패배. ¶～を取とる 패하다. ㊁接尾 진 횟수를 세는 말. ¶三勝さんしょう二に～ 3승 2패 / 五ご～を喫きっする 5패를 당하다.
はい [牌] 图 패. **1** 팻말. **2** 메달. ¶優勝ゆうしょう～ 우승 메달. **3** 죽은 사람의 법명을 쓴 패. ¶位い～ 위패.
ハイ= [high] 하이. **1** 높은. ¶～アベレージ 하이 애버리지; 높은 타율 / ～ベルト 하이벨트; 고지대. **2** 고도의. ¶～テンション 하이텐션; 고도의 긴장. ↔ロー.
—ウエー [highway] 图 하이웨이. **1** 고속도로. **2** 공도(公道); 간선 도로.
—ジャンプ [high jump] 图 하이점프; 높이뛰기. ＝走はしり高跳たかとび.
—スクール [high school] 图 하이스쿨. **1** 고등학교. **2** (미국의) 중등학교.
—スピード [highspeed] 图 하이스피드; 고속도.
—センス [일 high＋sense] ダナ 격조 높음; 아주 멋있고 고상한 모양. ¶～な品品しなじな 격조 높은 여러 가지 물건.
—ソックス [일 high＋socks] 图 하이삭스((무릎 밑까지 오는 긴 양말)).
—ティーン [일 high＋teen] 图 하이틴((틴에이저 중 16세 이상인 사람)). ↔ローティーン.
—テク [←high technology] 图 하이테크; 첨단 기술.
—テンポ [일 high＋tempo] 名ナ 빠른 박자[템포]. ¶～な音楽おんがく 박자가 빠른 음악.
—パワー [일 high＋power] 图 하이 파워; 고성능; 고출력.
—ヒール [←high-heeled shoes] 图 하이힐. ↔ローヒール.
—ビジョン [Hi-Vision] 图 하이비전; 일본서 개발한 고(高)선명도 TV 방식의 애칭. ▷high-definition television.
—ピッチ [일 high＋pitch] 图 하이 피치; 진행상황이 빠름. ¶～で工業化こうぎょうかする 급속도로 공업화하다.
—ファイ [hi-fi] 图 하이파이; 고충실도. ¶～放送ほうそう 하이파이 방송. ▷high fidelity.
—ボール [미 highball] 图 하이볼; 위스키에 소다수를 넣고 얼음을 띄운 음료.
—ミス [일 high＋miss] 图 하이미스; 올드미스의 고친 이름.
—ライト [highlight] 图 하이라이트. **1** (그림이나 사진에서) 가장 밝은 부분. ↔シャドー. **2** (연극·방송·스포츠 등에서) 중심이 되는 가장 홍미 있는 부분[장면].
—レベル [high level] 图 하이 레벨; 수준이 높음. ¶～な論文ろんぶん 수준이 높은 논문.
はい 感 네. **1** 대답하는 소리. ¶～, 大田おおたです 예, 大田입니다. **2** 주의를 촉구하는 소리. ¶～, 始はじめましょう 자, 시작합시다. **3** 긍정·승낙을 나타내는 소리. ¶～, わかりました 예, 알았습니다 / まだ行いかないかね. ～行きません 아직 안 갔나. 네 안 갔습니다. ↔いいえ.

はい〖拝〗((拜)) 教6 ハイ おがむ | 배 절 | **1** 신불에 배례하다; 경의를 표하다. ¶参拝さんぱい 참

배 / 崇拝(すうはい) 숭배. 2 ㉠상대를 공경하는 행위에 얹어 쓰는 말. ¶拝読(はいどく) 배독. ㉡ 편지에 쓰는 말. ¶拝啓(はいけい) 배계.

はい〘杯〙常用 ハイ さかずき | 배 술잔 | 1 술잔. ¶祝杯(しゅくはい) 축배 / 杯洗(はいせん) (술자리에서) 술잔을 헹구는 그릇. 2 공기·수저 따위로 양을 잴 때 쓰는 말. ¶さじ一杯(いっぱい) 한 수저(가득). 注意 '盃'는 속자.

はい〘背〙教6 ハイ せ せい そむく そむける | 배 등 | 1 등; 사물의 뒤쪽. ¶背景(はいけい) 배경 / 背泳(はいえい) 배영. 2 등을 돌리다; 배반하다. ¶違背(いはい) 위배 / 背恩(はいおん) 배은.

はい〘肺〙教6 ハイ | 폐 폐 | 폐; 허파. ¶肺炎(はいえん) 폐렴 / 肺門(はいもん) 폐문 / 珪肺(けいはい) 규폐(硅肺).

はい〘俳〙教6 ハイ わざおぎ | 배 광대 | 1 배우; 연예인. ¶俳優(はいゆう) 배우. 2 '俳諧(はいかい)' 또는 '俳句(はいく)'의 준말. ¶俳人(はいじん) 俳句(はいく)를 짓는 사람 / 俳文(はいぶん) 俳諧 같은 멋을 부린 산문.

はい〘配〙教3 ハイ くばる たぐい | 배 짝짓다 | 1 나란히 서다; 어울리다; 쌍이 되다. ¶配合(はいごう) 배합 / 交配(こうはい) 교배. 2 배급하다; 배부하다. ¶配達(はいたつ) 배달 / 分配(ぶんぱい) 분배.

はい〘排〙常用 ハイ おす おしひらく | 배 밀치다 | 1 밀어젖히다; 물리치다. ¶排出(はいしゅつ) 배출 / 排斥(はいせき) 배척. 2 늘어서다; 벌여 놓다. ¶排列(はいれつ) 배열 / 按排(あんばい) 안배.

はい〘敗〙教4 ハイ やぶれる まける | 패 지다 | 1 부서지다; 파손되다. ¶腐敗(ふはい) 부패. 2 실패하다. ¶成敗(せいはい) 성패. 3 싸움에 지다. ¶敗戦(はいせん) 패전. ↔勝(しょう).

はい〘廃〙《廢》常用 ハイ すたれる すたる | 폐 폐하다 | 1 낡아서 못쓰게 되다; 쇠퇴하다. ¶荒廃(こうはい) 황폐 / 退廃(たいはい) 퇴폐. 2 버리다; 없애다; 그만두다. ¶廃止(はいし) 폐지 / 廃刊(はいかん) 폐간.

はい〘輩〙常用 ハイ やから ともがら | 배 무리 | 1 차례로 많이 늘어서다. ¶輩出(はいしゅつ) 배출. 2 무리; 동아리; 패. ¶後輩(こうはい) 후배 / 先輩(せんぱい) 선배 / 同輩(どうはい) 동배.

*ばい【倍】图 배; 2배. ¶所得(しょとく)が～になる 소득이 배가 되다 / 前(まえ)より～もかかった 전보다 배나 들었다 / ～ではきかない (약효 등이) 배로는 듣지 않다 / 賞金(しょうきん)を～にする 상금을 배로 하다.

バイ 感 'グッドバイ(good bye)'의 준말.

ばい〘貝〙教1 バイ かい | 패 조개 | 조개; 조가비. ¶貝殻(かいがら) 패각; 조가비.

ばい〘売〙《賣》教2 バイ マイ うる うれる | 매 팔다 | 1 팔다; 장사하다. ¶売店(ばいてん) 매점 / 非売品(ひばいひん) 비매품. ↔買(ばい). 2 선전으로 퍼뜨리다. ¶売名(ばいめい) 매명.

ばい〘倍〙教3 バイ ます | 배 배 | 배; 가하다; 두 곱하다; 배가하다. ¶倍額(ばいがく) 배액 / 倍率(ばいりつ) 배율 / 倍増(ばいぞう) 배증.

ばい〘梅〙《梅》教4 バイ うめ | 매 매화나무 | 매화. ¶白梅(はくばい) 백매 / 梅花(ばいか) 매화.

ばい〘培〙常用 バイ つちかう | 배 북돋우다 | 북돋우다; 배양하다; 양육하다. ¶培養(ばいよう) 배양.

ばい〘陪〙常用 バイ | 배 모시다 | 배종(陪從)하다; 따르다. ¶陪席(ばいせき) 배석 / 陪食(ばいしょく) 배식.

ばい〘媒〙常用 バイ なかだち | 매 중매 | 1 (결혼) 중매자. ¶媒酌(ばいしゃく) 매작. 2 중개하다. ¶媒介(ばいかい) 매개 / 媒体(ばいたい) 매체.

ばい〘買〙教2 バイ かう | 매 사다 | 사다. ¶買収(ばいしゅう) 매수 / 購買(こうばい) 구매. ↔売(ばい).

ばい〘賠〙常用 バイ つぐなう | 배 물어주다 | 물어주다. ¶賠償(ばいしょう) 배상 / 賠補(ばいほ) 배보; 배상.

パイ [pie] 图 파이《양과자》. ¶アップル～ 애플파이 / クリーム～ 크림파이.

パイ [중 牌] 图 마작의 패.

はいあが-る【はい上がる】《這い上がる》 5自 기어오르다. ¶塀(へい)を伝(つた)って, 屋根(やね)に～ 담을 타고 지붕에 기어오르다.

バイアグラ [Viagra] 图〘商標名〙비아그라; 남성의 성적(性的) 불능 치료약.

バイアスロン [biathlon] 图 바이애슬론; 스키에 의한 20킬로 거리 레이스와 라이플 사격을 합친 경기.

はいあん【廃案】图 폐안; 폐기된 의안〔안건〕. ¶その案(あん)は～となった 그 안은 폐기되었다.

はいいろ【灰色】图 회색; 잿빛. ＝グレー. ¶明(あか)るい～ 밝은 회색 / 顔(かお)が～になる 얼굴이 잿빛이 되다. 参考 비유적으로 무소속·무정견한 사람이나 음침함·우울함·애매함·수상쩍음의 뜻으로도 쓰임. ¶～議員(ぎいん) (어느 당에 속해 있는지 분명치 않은) 회색 의원 / ～の人生(じんせい) 잿빛〔쓸쓸한〕 인생 / ～の青春(せいしゅん) 우울한 청춘 / ～高官(こうかん) 의심쩍은 고관.

はいいん【敗因】图 패인. ¶敵(てき)を甘(あま)く見(み)たのが～だった 적을 얕본 것이 패인이었다. ↔勝因(しょういん).

*ばいう【梅雨】图 장마《일본에서 6-7월 상순에 걸쳐 내리는 비》. ＝つゆ・さみだれ. ¶～期(き) 장마철.

——ぜんせん【——前線】图 장마 전선.

はいえい【背泳】图 ☞せおよぎ.

はいえき【廃液】图 폐액; 폐수. ¶工場(こうじょう)の～ 공장 폐수.

はいえつ【拝謁】图ス自 배알. ¶天皇(てんのう)に～する 天皇을 배알하다 / ～を御許(おゆる)しになる 배알을 허락하시다.

ハイエナ [hyena] 图〘動〙하이에나《포유동물의 하나》. ＝タテガミイヌ.

はいえん【肺炎】图〘醫〙폐렴. ¶～を併

は

発(はっ)する 폐렴을 병발하다.

ばいえん [煤煙] 图 매연. ¶ ~車(しゃ) 매연차 / ~の多(おお)い都会(とかい) 매연이 많은 도회지 / ~で服(ふく)がよごれる 매연으로 옷이 더러워지다.

バイオ [bio] 图 바이오. **1** '생명의' '생물의'의 뜻《다른 말에 붙어 복합어를 만듦》. **2** 'バイオテクノロジー'의 준말.

—インダストリ [bio-industry] 图 바이오인더스트리; 생명 산업《유전자 조작 등의 생명 공학을 응용한 새로운 산업으로 각광을 받음》.

—コンピューター [biocomputer] 图 바이오컴퓨터《인간의 뇌의 기능을 갖춘 컴퓨터》.

—センサー [biosensor] 图 바이오센서《생체의 감각 기능을 생체 계측에 응용한 감지기(感知機)》.

—テクノロジー [biotechnology] 图 바이오테크놀로지; 생체 공학; 생물 공학. =バイオ.

—とっきょ【—特許】图 바이오 특허; 생물 공학을 이용해 인위적으로 만든 생물·유전자·단백질 등을 대상으로 한 특허. =生物(せいぶつ)特許.

はいおく【廃屋】图 폐옥. =あばらや. ¶ ~を改修(かいしゅう)する 폐옥을 개수하다.

パイオニア [pioneer] 图 파이오니어; 개척자; 선구자. ¶ ~精神(せいしん) 개척자 정신.

バイオリニスト [violinist] 图〔樂〕바이올리니스트; 바이올린 주자.

バイオリン [violin] 图〔樂〕바이올린.

バイオレット [violet] 图 바이올렛. **1**〔植〕제비꽃. =すみれ. **2** 보랏빛.

はいか【配下】《輩下》图 **1** 부하. =てした. ¶ ~が多(おお)い 부하가 많다 / 山村(やまむら)さんの~に入(はい)る 山村씨의 부하로 들어가다. **2** 지배를 받는 것. ¶ ~の子会社(こがいしゃ) 산하의 자회사.

はいが【拝賀】图ス自 배하; 삼가 치하함. ¶ 新年(しんねん)の~式(しき) 신년 하례식.

はいが【はい芽】《胚芽》图 배아《씨앗에서 장차 싹이 되어 성장하는 부분》.

—まい【—米】图 배아미; 현미.

ばいか【倍加】图ス自他 배가. ¶ 負担(ふたん)が~される 부담이 배가되다 / 努力(どりょく)を~する 노력을 배가하다.

ばいか【買価】图 매가; 사는 값. =買(か)い値(ね). ↔売価(ばいか).

ばいか【売価】图 매가; 파는 값. =売(う)り値(ね). ↔買価(ばいか).

ハイカー [hiker] 图 하이커; 하이킹하는 사람. ¶ ~でにぎわう 하이커로 붐비다.

はいかい [俳諧·誹諧] 图 発句(ほっく) 곧 俳句(はいく)·連句(れんく)의 총칭.

はいかい [徘徊] 图ス自 배회. ¶ すりが~する 소매치기가 배회하다.

はいがい【拝外】图 배외; 외국의 사물이나 사상을 숭배함. ¶ ~思想(しそう) 배외 사상. ↔排外(はいがい).

はいがい【排外】图 배외; 외국의 사물이나 사상을 배척함. ¶ ~思想(しそう) 배외 사상 / ~運動(うんどう)が高(たか)まる 배외 운동이 드높아 가다. ↔拝外(はいがい).

*__ばいかい__【媒介】图ス他 매개. ¶ ~者(しゃ) 매개자 / ねずみがペスト菌(きん)を~する 쥐가 페스트균을 매개하다.

ばいがく【倍額】图 배액; 두 배의 액(수). ¶ ~の給料(きゅうりょう)を要求(ようきゅう)する 두 배의 급료를 요구하다.

はいかぐら【灰神楽】图 (불기가 있는 재에 물을 쏟았을 때 일어나는) 재연기; 재티. ¶ ~が立(た)つ〔上(あ)がる〕 부옇게 재가 일어나다 / ~で, 部屋(へや)じゅうがまっ白(しろ)だ 재티로 방안이 온통 새하얗다.

はいガス【排ガス】图 '排気(はいき)ガス(=배기가스)'의 준말. ¶ 自動車(じどうしゃ)の~を規制(きせい)する 자동차의 배기가스를 규제하다. ▷gas.

はいかつりょう【肺活量】图 폐활량. ¶ ~計(けい) 폐활량계 / 生徒達(せいとたち)の~を測(はか)る 학생들의 폐활량을 재다.

ハイカラ [←high collar] 图ダナ 하이칼라. **1** 양풍을 좇거나, 유행을 따라 멋부림; 또, 그런 사람. ¶ ~な紳士(しんし) 멋쟁이 신사. ↔蛮(ばん)カラ. **2** 참신하고 조촐함. ¶ ~な店(みせ) 산뜻하고 멋부린 가게.

はいかん【拝観】图ス他 배관; 신사·불각(佛閣)이나 그 안의 보물 등을 배견함. ¶ ~料(りょう)を取(と)る 배관료를 받다.

はいかん【廃刊】图ス他 폐간. ¶ 雑誌(ざっし)が~になる 잡지가 폐간되다 / 新聞(しんぶん)を~する 신문을 폐간하다. ↔創刊(そうかん).

はいかん【肺肝】图 폐간. **1** 폐장과 간장. **2** 마음속; 내심(内心). ¶ ~を見抜(みぬ)く 마음속을 꿰뚫어보다 / ~を披(ひら)く 마음속을 털어놓다.

—を砕(くだ)く 몹시 고심하다.

はいかん【配管】图ス自 배관. ¶ ~工事(こうじ) 배관 공사 / 水道管(すいどうかん)を~する 수도관을 배관하다.

はいがん【拝顔】图ス自 배안. ¶ ~の栄(えい)に浴(よく)する 배안의 영광을 입다.

はいがん【肺がん】《肺癌》图〔醫〕폐암.

パイかん【パイ缶】《パイ缶》图 파인애플 통조림. ▷pineapple.

はいき【排気】图ス自 배기. ¶ ~管(かん) 배기관 / ~量(りょう) 배기량. ↔吸気(きゅうき).

—ガス [gas] 图 배기 가스. ¶ ~規制(きせい) 배기 가스 규제 / ~浄化装置(じょうかそうち) 배기 가스 정화 장치.

はいき【廃棄】图ス他 폐기. ¶ ~処分(しょぶん) 폐기 처분 / 条約(じょうやく)を~する 조약을 폐기하다 / 悪法(あくほう)を即時(そくじ)に~せよ 악법을 즉시 폐기하라.

—ぶつ【—物】图 폐기물. ¶ 産業(さんぎょう)〔放射性(ほうしゃせい)〕~ 산업〔방사성〕 폐기물 / ~の不法(ふほう)投棄(とうき) 폐기물 불법 투기.

ばいきゃく【売却】图ス他 매각. ¶ ~品(ひん) 매각품 / ~処分(しょぶん) 매각 처분.

はいきゅう【排球】图 배구. ☞バレーボール.

*__はいきゅう__【配給】图ス他 배급. ¶ ~制度(せいど) 배급 제도 / 被災者(ひさいしゃ)に米(こめ)を~する 이재민에게 쌀을 배급하다 / ~が

遅れる 배급이 늦어지다.

はいきょ【廃虚】《廃墟》 图 폐허. ¶～と化す 폐허가 되다/～になっている 폐허가 되어 있다.

はいきょう【背教】图 배교; (주로 기독교에서) 신앙을 버리거나 다른 종교로 개종하는 일. ¶～徒 배교도.

はいぎょう【廃業】图又他 폐업. ¶～届 폐업 신고/商売を～する 장사를 그만두다. ↔開業.

はいきょく【敗局】图 패국; (바둑·장기에서) 진 판. ↔勝局.

はいきん【拝金】图 배금; 돈을 극단적으로 존중함. ¶～主義 배금주의.

はいきん【背筋】图 배근; 등에 있는 근육. ¶～力 배근력.

***ばいきん**【ばい菌】《黴菌》图 미균《'細菌(=세균)'의 통속적인 말씨》. =バクテリア. ¶傷口から～が入った 상처로 균이 들어갔다.

ハイキング [hiking] 图又自 하이킹. =ハイク. ¶～コース 하이킹 코스.

バイキング [Viking] 图 **1** 바이킹. **2** 'バイキング料理'의 준말. 注意 'ヴァイキング'라고도 씀.

——りょうり【——料理】图 바이킹 요리; 일정 요금을 내고 각자 마음대로 골라 먹는 방식의 요리; 뷔페.

はいく【俳句】图 일본의 5·7·5의 3구(句) 17음으로 되는 단형(短型)시《본디 連句의 첫 구절이 독립한 것》. =発句. ¶～をたしなむ 俳句를 즐기다/～を作る 俳句를 짓다.

はいぐ【拝具】图 배상(拜上); 여불비례(餘不備禮)《편지 끝에 쓰는 말》.

はいぐうしゃ【配偶者】图 배우자. =つれあい. ¶～を失う 배우자를 잃다.

ハイクラス [high class] 图 하이 클래스. ¶～のレストラン 고급 레스토랑.

はいけい【拝啓】图 근계(謹啓)《삼가 아룁니다의 뜻으로 편지 첫머리에 씀》. 参考 편지 첫머리에는 '拝啓·拝呈·(一筆)啓上·謹啓·粛啓' 따위를 씀. '拝啓'가 가장 일반적임.

***はいけい**【背景】图 배경. ¶舞台～ 무대 배경/事件の～ 사건의 배경/～をさぐる 배경을 알아보다/湖を～にして写真をとる 호수를 배경으로 해서 사진을 찍다.

はいげき【排撃】图又他 배격. ¶断乎として～する 단호히 배격하다/偏見を～する 편견을 배격하다.

はいけっかく【肺結核】图 폐결핵; 폐병. ¶～で入院する 폐결핵으로 입원하다.

はいけつしょう【敗血症】图 패혈증. ¶～にかかる 패혈증에 걸리다.

はいけん【拝見】图又他 배견; 삼가 봄. ¶お手紙を～しました 주신 편지는 잘 받아 보았습니다/ちょっと～します 잠깐 보여 주세요.

はいご【背後】图 배후. ¶敵の～を突く 적의 배후를 찌르다/～関係をあらう 배후 관계를 조사하다.

はいこう【廃坑】图 폐갱; 폐기된 광산이나 탄광; 또, 그 갱도(坑道).

はいこう【廃校】图又自 폐교. ¶母校は経営難で～になった 모교는 경영난으로 폐교되었다.

はいごう【廃合】图 (통)폐합. ¶部課の～ 부과의 폐합/～整理 폐합 정리.

はいごう【配合】图又他 배합; 조합(調合); 또, 그 정도. ¶～肥料〔飼料〕 배합 비료〔사료〕/色の～ 색의 배합; 배색/薬の～ 약의 배합.

ばいこく【売国】图 매국. ¶～奴 매국노/～行為 매국 행위.

はいこむ〖這い込む〗五自 기어서 안으로 들어가다. ¶～すきもない 기어 들어갈 틈도 없다. ↔はいでる.

はいざい【配剤】图又他 배제; 약을 배합함; 전하여, 제삼자나 운명이 알맞게 배합됨. ¶天の～ 하늘의 배제《우연이라 할 수 없을 만큼 세상사나 운명이 묘하게 되어 있음》.

はいさつ【拝察】图又他 배찰《'推察(=추찰)'의 겸사말》. ¶～申し上げます 배찰되옵니다.

はいざら【灰皿】图 재떨이. ¶タバコの～ 담배 재떨이.

はいざん【敗残】图 패잔; 싸움에 지고 살아 남음. ¶～兵 패잔병.

***はいし**【廃止】图又他 폐지. ¶制服〔虚礼〕～ 제복〔허례〕 폐지/～した旧法 폐지한 구법. ↔存置.

はいじ【拝辞】图又他 배사; 사퇴〔사절〕함, 또는 작별을 고함의 겸사말. ¶役員になることを～する 임원이 되는 것을 사퇴하다.

はいしゃ【敗者】图 패자; 패배자. ¶～復活戦 패자 부활전. ↔勝者.

はいしゃ【配車】图又自 배차. ¶～係 배차계; 배차원.

はいしゃ【廃車】图 폐차. ¶自動車の～ 자동차의 폐차/～処分 폐차 처분/～にする 폐차하다.

はいしゃ【歯医者】图 치과 의사. =歯科医. ¶～に見てもらう 치과 의사에게 보이다〔진찰을 받다〕.

はいしゃく【拝借】图又他 배차; 빌려 씀의 겸사말. ¶鉛筆を～します 연필을 빌리겠습니다/ちょっと耳を～ 잠깐 귀를 빌립시다《할 말이 있습니다》.

ばいしゃく【媒酌】《媒妁》图又他 중매; 또, 중매인.

——にん【——人】图 중매인. =なこうど.

ハイジャック [hijack] 图 하이잭; (비행기나 배의) 공중〔해상〕 납치.

はいじゅ【拝受】图又他 배수《받음의 겸사말》. ¶お手紙を～致しました 편지를 배수하였습니다.

***ばいしゅう**【買収】图又他 매수. ¶国家が～した土地 국가가 매수한 토지/有権者〔選挙人〕を～する 유권

자를〔선거인을〕 매수하다.

はいしゅつ【排出】[名][ス他] 배출. ¶～基準 (유해 물질의) 배출 기준 / 汚水〔不用物〕を～する 오수를〔무용물을〕 배출하다.

はいしゅつ【輩出】[名][ス自] 배출. ¶学者〔大物選手〕が～している 학자〔대형 선수〕가 배출되고 있다.

ばいしゅん【売春】[名][ス自] 매춘. ＝ばいいん. ¶～行為 매춘 행위.

—ふ【—婦】[名] 매춘부; 창녀.

はいしょ【配所】[名] 배소; 유배지. ＝謫所. ¶～の露と消える 유배지의 이슬로 사라지다.

*__はいじょ__【排除】[名][ス他] 배제; 제거. ¶暴力を～する 폭력을 배제하다 / 邪魔者を～する 방해자를 제거하다.

ばいじょ【売女】[名] 매춘부; 창녀.

ばいしょう【売笑】[名] 매소; 매춘. ＝ばいいん. ¶～婦 매춘부.

ばいしょう【賠償】[名][ス他] 배상. ¶～金 배상금 / ～責任 배상 책임 / 損害～ 손해 배상.

はいしょく【敗色】[名] 패색. ＝敗勢·まけいろ. ¶～が濃い 패색이 짙다.

はいしょく【配色】[名][ス他] 배색. ¶～のよい服装 배색이 잘된 복장.

ばいしょく【陪食】[名][ス自] 배식; 귀인을 모시고 식사함. ¶～の光栄を賜わる 배식의 영광을 입다 / ～を仰せ付けられる 배식의 분부를 받다.

はいしょくようゆ【廃食用油】[名] 폐식용유.

はいしん【背信】[名][ス自] 배신. ¶許しがたい～行為 용서 못할 배신 행위.

はいしん【背進】[名][ス自] 배진; 후진.

はいしん【配信】[名][ス他] 배신; 통신사 등이 정보나 뉴스를 보도 기관 등에 보냄. ¶クーデター第一報を～する 쿠데타 (발생) 제1보를 배신하다.

はいじん【俳人】[名] 俳句를 짓는 사람. ＝俳諧師.

はいじん【廃人】《癈人》[名] 폐인. ¶気が狂って全く～になった 미쳐서 완전히 폐인이 되었다.

ばいしん【陪審】[名] 배심. ¶～員 배심원.

はいすい【排水】[名][ス自] 배수; 필요 없는 물을 뽑아냄. ¶～管 배수관 / ～孔 배수공 / ～路 배수로 / ～用のポンプ 배수용 펌프.

—りょう【—量】[名] 배수량.

はいすい【廃水】[名] 폐수. ¶工場～ 공장 폐수.

はいすい【配水】[名][ス自] 배수; 물을 배급함. ¶～管 배수관 / 水道管で～する 수도관으로 배수하다.

はいすいのじん【背水の陣】[連語] 배수진. ¶～を敷く 배수진을 치다.

ばいすう【倍数】[名] 배수; 두 배의 수. ¶公～ 공배수. ↔約数.

はいずりまわ-る【はいずり回る】《這いずり回る》[5自] 'はいまわる'의 힘줌말. ¶赤ん坊が部屋の中を～ 아기가 방안을 기어서 돌아다니다.

はい-する［佩する］[サ変他] (칼 따위를) 허리에 차다. ＝帯びる. ¶軍刀を～ 군도를 차다.

はい-する【拝する】[サ変他] **1** 절하다. **2** 삼가 받다. ¶大命を～ 대명을 받다. **3** 우러러 뵙다. ＝拝見する. ¶お手紙を～·しまして 편지를 받자옵고 / 尊顔を～ 존안을 삼가 뵙다.

はい-する【排する】[サ変他] **1** 물리치다; 배제하다. ¶万難を～ 만난을 물리치다 / 私情を～ 사사로운 정을 배제하다. **2** 밀어서 열다; 밀어 젖히다. ¶戸を～·してはいる 문을 밀어 젖히고 들어가다. **3** 배열(排列)하다.

はい-する【廃する】[サ変他] 폐하다. **1** 폐지하다; 그만두다. ¶学業を～ 학업을 그만두다 / 虚礼を～ 허례를 폐하다. **2** 지위에서 몰아내다; 폐위하다. ¶王を～ 왕을 폐하다.

はい-する【配する】[サ変他] **1** 배합하다; 짝짓다; 부부(夫婦)로 하다. ¶紺に臙脂を～·したネクタイ 감색에 연지색〔홍색〕을 배합한 넥타이. **2** 도르다; 분배하다; 할당〔배치〕하다; 배열하다. ¶全員に～ 전원에게 도르다 / 人材を～ 인재를 배치하다 / 池に松を～ 연못에 소나무를 배열하다 / 機動隊を～ 기동대를 배치하다. **3** 배속시키다. ¶総務部に有能の士を～ 총무부에 유능한 인사를 배속시키다.

はいず-る〖這いずる〗[5自] 엎드려서 기다. ¶地面を～ 땅위를 기어 다니다 / ～·りまわる 기어서 돌아다니다.

ばい-する【倍する】[サ変自他] 배가 되다; 배로 하다. ¶味方に～敵の大軍 우군의 배나 되는 적의 대군 / 旧〔前回〕に～ご支援を(お願いします) 배전(倍前)의 지원을 (바랍니다).

*__はいせき__【排斥】[名][ス他] 배척. ¶～運動 배척 운동 / だから皆から～される 그러니까 모두에게서 배척받는다.

ばいせき【陪席】[名][ス自] 배석; 귀인과 동석함. ¶祝賀の宴に～する 축하연에 배석하다.

*__はいせつ__［排泄］[名][ス他] 배설. ¶～作用 배설 작용 / ～器 배설 기관 / 老廃物を～する 노폐물을 배설하다.

—ぶつ［—物］[名] 배설물.

はいせつ【排雪】[名][ス自] 배설; 제설; 또, 제설한 눈. ¶～車 제설차 / ～が川に詰まる 제설한 눈이 내를 메우다.

はいぜつ【廃絶】폐절. [一][名][ス他] 모두 폐지해 없앰. ¶核兵器～ 핵무기 전폐. [二][名][ス自] 대가 끊어짐. ¶三代で～する 삼대로 대가 끊어지다.

はいせん【敗戦】[名][ス自] 패전. ＝負けいくさ. ¶～国 패전국 / ～投手 패전 투수.

はいせん【配線】[名][ス自] 배선. ¶～工事 배선 공사 / ～図 배선도.

はいせん【配船】[名][ス自] 배선; 배를 나누

어 배치함. ¶~計画(けいかく) 배선 계획/ヨーロッパ航路(こうろ)に~する 유럽 항로에 배선하다.

はいせん【廃船】 图 폐선; 선적(船籍)에서 빼거나 낡아서 쓰지 못하는 배.

はいせん【廃線】 图 폐선; 교통 노선·통신선 등의 영업을 폐지함; 또, 그 선로.

はいぜん [沛然] トタル 패연; 비가 억수로 쏟아지는 모양. ¶~たる驟雨(しゅうう)にみまわれる 억수로 쏟아지는 소나기를 만나다/~として驟雨きたる 억수로 소나기가 오다.

はいぜん【配ぜん】《配膳》 图ス自 상을 차려 손님 앞에 돌림; 또, 그것을 맡은 사람. ¶~室(しつ) 찬방(饌房)/~台(だい) 배식대/~係(がかり) 배식 담당.

はいそ【敗訴】 图ス自 패소. ¶原告(げんこく)の~となる 원고의 패소가 되다《원고가 패소하다》. ↔勝訴(しょうそ).

はいそう【敗走】 图ス自 패주. ¶~する敵(てき)を追(お)いかける 패주하는 적을 추격하다/なだれをうって~する 사태가 난 것처럼 일시에 패주하다.

はいそう【背走】 图ス自 (야구 등에서, 날아오는 공을 보며) 뒷걸음질로 달림. ¶~してボールをキャッチする 뒷걸음으로 달려서 공을 잡다.

はいそう【配送】 图ス他 배송; 돌라 보냄. ¶市内(しない)は無料(むりょう)で~します 시내는 무료로 배송해 드립니다.

はいぞう【肺臓】 图 폐장; 폐(肺).

ばいぞう【倍増】 图ス自他 배증; 배가. =倍(ばい)まし. ¶所得(しょとく)の~ 소득 배증.

はいぞく【配属】 图ス他 배속. ¶~将校(しょうこう) 배속 장교/~をきめる 배속을 정하다/企画室(きかくしつ)に~する 기획실에 배속하다.

はいた【歯痛】 图 치통. =しつう. ¶~を起(お)こす 치통을 일으키다.

はいた【排他】 图 배타. ¶~的(てき) 배타적.

—しゅぎ【—主義】 图 배타주의. ↔愛他主義(あいたしゅぎ).

ばいた『売女』 图 〈俗〉 매춘부; 갈보; 화냥년《여자를 매도하는 말》. ¶この~め 이 화냥년아.

はいたい【敗退】 图ス自 패퇴; 싸움에 지고 물러남. ¶一回戦(いっかいせん)で~する 일회전에서 패퇴하다.

はいたい [胚胎] 图ス自 배태. **1** (아이·새끼를) 뱀. **2** 싹이 틈. ¶禍根(かこん)が~する 화근이 싹트다/悪弊(あくへい)がそこに~している 악폐가 거기에 싹트고 있다.

ばいたい【媒体】 图 **1** 매체. =メディア. ¶コミュニケーションの~ 커뮤니케이션의 매체/宣伝(せんでん)~ 선전 매체. **2**〖컴〗 기억 매체. =記憶(きおく)媒体.

ばいだい【倍大】 图 배대; 갑절의 크기. ¶~号(ごう) 배대호《잡지 따위의 매수를 배로 늘린 특별호》/~の大(おお)きさ 갑절의 크기.

はいだ-す【はい出す】《這い出す》 5自 **1** 기어 나오다〔나가다〕. ¶洞穴(ほらあな)から~ 굴에서 기어 나가다. **2** 기기 시작하다. ¶赤子(あかご)が~ 아기가 기기 시작하다.

はいたつ【配達】 图ス他 배달. ¶郵便(ゆうびん)~ 우편 배달/~不能(ふのう) 배달 불능.

バイタリティー [vitality] 图 바이탤리티; 활력; 활동력; 생활력; 생명력. ¶~に富(と)んだ青年(せいねん) 활력이 넘치는 청년/~のある人(ひと) 활동력이 있는 사람.

はいち [背馳] 图ス自 배치; 엇갈림; 어긋남. ¶現実(げんじつ)は理想(りそう)に~する 현실은 이상에 배치한다/約束(やくそく)〔人倫(じんりん)〕に~する 약속〔인륜〕에 배치되다.

*__はいち【配置】__ 图ス他 배치함; 또, 그 배치된 곳. ¶気圧(きあつ)~ 기압 배치/うまく~する 잘 배치하다/~につく 배치된 곳으로 가다/~につける 배치시키다/へやの~がよい 방 배치가 잘 됐다.

—がえ【—替え】 图ス他 **1** 배치 변경. ¶家具(かぐ)を~する 가구를 다시 배치하다. **2** ☞はいちてんかん.

—てんかん【—転換】 图ス他 배치 전환. =配転(はいてん).

はいちゃく【敗着】 图ス他 패착; (바둑에서) 승부에 지게 된 악수(를 둠). ¶その点(てん)が~だった 그 점이 패착이었다. ↔勝着(しょうちゃく).

はいちょう【拝聴】 图ス他 배청; 남의 말을 들음의 겸사말. ¶講義(こうぎ)を~する 강의를 배청하다.

ハイツ [heights] 图 하이츠; 높은 지대에 있는 주택 (단지).

はいつくば-う『這い蹲う』 5自 설설 기다; 납죽 엎드리다. =はいつくばる. ¶地面(じめん)に~ 땅에 납죽 엎드리다.

はいつくば-る『這い蹲る』 5自 ☞はいつくばう.

はいてい【拝呈】 图ス他 배정. **1** 삼가 드림; 근정(謹呈). ¶著書(ちょしょ)~ 저서 배정. **2** 삼가 올린다는 뜻의 겸사말로서 편지 서두에 쓰는 말. =拝啓(はいけい).

ハイテク [high-tech] 图 하이테크; 첨단 기술《'ハイテクノロジー'의 준말》.

—さんぎょう【—産業】 图 하이테크 산업; 첨단 (기술) 산업.

ハイテクノロジー [high technology] 图 하이테크놀러지; 첨단 기술; 고도의 과학 기술. =ハイテク.

はい-でる【はい出る】《這い出る》 下1自 기어 나오다. ¶穴(あな)から~ 구멍에서 기어 나오다/ありの~すきまもない 개미가 기어나올 틈도 없다.

はいてん【配点】 图ス自 배점; 점수를 배정함; 또, 그 점수.

はいてん【配転】 图ス他 '配置転換(はいちてんかん)(=배치 전환)'의 준말; 특히, 인사 이동에서 직장·직무를 바꿈. ¶地方(ちほう)に~される 지방으로 배치 전환이 되다.

はいでん【拝殿】 图 배례하기 위하여 신사(神社) 본전(本殿) 앞에 지은 건물. ¶~にぬかずく 拝殿에 부복하다.

はいでん【配電】 图ス自 배전. ¶~所(しょ) 배전소/~線(せん) 배전선/~盤(ばん) 배전반.

ばいてん【売店】图 매점. ¶～で買(か)う 매점에서 사다/校内(こうない)～ 교내 매점.

バイト [byte] 图〘컴〙 바이트《기억 용량의 단위; 1바이트는 8비트》. ⇨ビット.

バイト 图 'アルバイト(＝아르바이트)'의 준말. ¶デパートで～をする 백화점에서 아르바이트를 하다.

はいとう【配当】图ス他 배당. ¶～金(きん)〔率(りつ)〕 배당금〔률〕/利益(りえき)の～ 이익 배당/二個(にこ)ずつ～する 두 개씩 배당하다.

—おち【—落ち】图〘經〙 배당락.

—つき【—付き】图〘經〙 배당부.

はいとく【背徳】《悖徳》图 배덕; 패덕; 도리에 어긋남. ¶～者(しゃ) 배덕자/～行為(こうい) 배덕 행위.

はいどく【拝読】图ス他 배독《읽음의 겸사말》. ¶お手紙(てがみ)～し, 安心(あんしん)いたしました 편지 배독하고 안심했습니다.

ばいどく【梅毒】《黴毒》图 매독. ¶～にかかる 매독에 걸리다.

パイナップル [pineapple] 图〘植〙 파인애플. ＝パインアップル·パイン.

はいにち【排日】图 배일; 반일(反日). ¶～運動(うんどう) 배일 운동. ↔親日(しんにち)·知日(ちにち).

はいにょう【排尿】图ス自 배뇨; 오줌을 눔. ¶～障害(しょうがい) 배뇨 장애.

はいにん【背任】图ス自 배임; 임무·신임을 저버림. ¶～罪(ざい) 배임죄.

ばいにん【売人】图〈俗〉 판매원; (특히, 마약·총기 등 불법 물품의) 밀매인. ¶やくの～ 마약 장수.

はいのう [背嚢] 图 배낭. ¶～を背負(せお)う 배낭을 메다.

はいのぼ-る【はい上る】《這い上る》5他 기어오르다; 덩굴져 오르다. ¶岩壁(がんぺき)を～人(ひと) 암벽을 기어오르는 사람/つるくさがへいに～ 덩굴풀이 담을 덩굴져 오르다.

はいはい 感 **1** 기분 좋게 대답〔응답〕할 때 내는 소리: 예예; 네네. ¶～, さっそく持(も)って参(まい)ります 예예, 곧 가져 오〔가〕겠습니다/～, お安(やす)い御用(ごよう)です 예예, 아주 쉬운 일입니다/～, やればいいでしょう 예예, 하면 되겠죠/～, わかりましたよ 예예, 알았습니다요. **2** (전화로) 응답할 때 내는 소리: 예예; 네네. ¶もしもし, ～ 여보세요, 예예. **3** 주의를 촉구할 때 내는 소리. ¶～, どけてどけて 자자, 물러나라 물러나/～, おきておきて 자자, 일어나라 일어나.

はいはい〖這い這い〗图ス自〈兒〉 어린애가 기는 데 대한 말: 기엄기엄. ¶～してごらん 어디 기어 봐라.

*__ばいばい__【売買】图ス他 매매. ＝うりかい. ¶～価格(かかく) 매매 가격/～契約(けいやく) 매매 계약/株(かぶ)の～ 주식의 매매/製品(せいひん)を～する 제품을 매매하다.

バイバイ [bye-bye] 一感〈俗〉 빠이빠이; 안녕. ¶じゃ, ～, あしたまた 그럼 빠이빠이, 내일 또 만나.

二图ス自 헤어짐. ¶きょうはこれで～しようね 오늘은 이쯤에서 헤어지자.

バイパス [by-pass] 图 바이패스; (교통 혼잡을 덜기 위한) 우회 도로; 우회; 돌아감. ¶～を設(もう)ける〔通(とお)す〕 우회로를 만들다〔내다〕/話(はな)し合(あ)いの～をつなぐ 대화의 새 길을 트다.

—スクール [일 bypass＋school] 图 대입 검정 (시험생을 위한) 학원.

はいはん【背反】《悖反》图ス自 배반. **1**《背叛》 어김; 거역. ¶命令(めいれい)に～する 명령에 거역하다/主人(しゅじん)を～する 주인을 배반하다. **2** 논리적으로 양립할 수 없음. ¶二律(にりつ)～ 이율 배반.

はいはんちけん【廃藩置県】图 1871년 明治(めいじ) 정부가 전국의 藩(はん)을 폐지하고 県(けん)(＝현)을 설치한 행정적 개혁《이로부터 중앙 집권제가 확립됨》.

はいび【配備】图ス他 배비; 준비를 갖추어 미리 대비함. ＝手配(てくば)り. ¶ミサイルを～する 미사일을 비치하다.

はいびょう【肺病】图 폐병; 폐결핵.

はいひん【廃品】图 폐품. ＝はいぶつ. ¶～回収(かいしゅう) 폐품 회수; 폐품 수집.

ばいひん【売品】图 매품. ＝売(う)りもの. ↔非売品(ひばいひん).

はいふ [肺腑] 图 폐부. **1** 폐. **2** 마음속.

—をえぐる〔突(つ)く〕 폐부를 찌르다. ¶～ことば 폐부를 찌르는 말/肺腑を突く一言(いちごん)を吐(は)く 폐부를 찌르는 한마디를 내뱉다.

はいふ【配付】图ス他 배부. ¶通知書(つうちしょ)〔広報(こうほう)〕を～する 통지서를〔홍보물을〕 배부하다.

はいふ【配布】图ス他 배포. ¶～網(もう) 배포망/広告(こうこく)〔ちらし〕を～する 광고〔삐라〕를 배포하다.

はいぶ【背部】图 배부; 등 (부분); 뒤쪽. ＝背中(せなか)·後方(こうほう). ¶～から突(つ)く 배후에서 찌르다.

*__パイプ__ [pipe] 图 파이프. **1** 관(管). ¶～レンチ 파이프 렌치. **2** 서양식 담뱃대. ¶～をくわえる 파이프를 물다/～をふかす 파이프 담배를 피우다. **3** 양쪽의 중개를 하는 일. ¶～をつなぐ 중개 역할을 하다.

—オルガン [pipe organ] 图 파이프 오르간. ↔リードオルガン.

—カット [일 pipe＋cut] 图 파이프 컷; 수정관을 절단하거나 일부를 절제하는 남성 불임 수술.

—やく【—役】图 중개 역할(을 하는 사람).

—ライン [pipeline] 图 파이프라인. **1** 가스·석유 등을 보내는 수송관. **2** (중간에서) 양쪽의 연락 역할을 하는 사람.

はいふく【拝復】图 배복《삼가 답장을 올린다는 뜻으로, 편지 첫머리에 쓰는 인사말》.

はいぶつ【廃物】图 폐물. ＝廃品(はいひん)·すたりもの. ¶～利用(りよう) 폐물 이용/～になる 폐물이 되다.

ハイブリッド [hybrid] 图 하이브리드. **1** (동식물의) 잡종. **2** 서로 다른 것의 합성물. ¶～IC(アイシー) 하이브리드 IC.

—カー [hybrid car] 图 하이브리드 카;

혼합 동력차《복수의 동력원(動力源)을 장치한 자동차》.
—まい【—米】图 하이브리드 쌀; 잡종 1대(代)째의 쌀《다수확용》.
バイブル [Bible] 图 바이블. **1** 성서; 성경. **2** (그 방면에서) 가장 권위 있는 책. ¶経営学(けいえいがく)の~ 경영학의 바이블.
バイブレーション [vibration] 图 바이브레이션. **1** 진동. ¶~を起(お)こす 진동을 일으키다. **2** (성악에서) 떨어서 내는 목소리. ＝ビブラート. ¶~のきいた歌(うた) 바이브레이션을 살린 노래 / ~で歌(うた)う 바이브레이션으로 노래 부르다.
バイブレーター [vibrator] 图 바이브레이터; 진동기; 진동 안마기.
バイプレーヤー [일 byplay＋er] 图 바이플레이어; (영화나 연극의) 조연자; 조역(助役). ＝脇役(わきやく).
ハイフン [hyphen] 图 하이픈; 붙임표.
はいぶん【配分】图ス他 배분. ¶比例(ひれい)~ 비례 배분 / 利益(りえき)を~する 이익을 배분하다 / 人数(にんずう)に応(おう)じて~する 인원수에 맞추어 배분하다 / 適当(てきとう)に~しなさい 적당히 배분하시오.
ばいぶん【売文】图 매문; 글을 써서 그 보수로 생활함. ¶~の徒(と) 글을 써서 생활하는 사람.
はいべん【排便】图ス自 배변; 대변을 봄. ¶三日(みっか)も~がない 사흘이나 배변이 없다.
ばいべん【買弁】《買辦》图 매판; (본디는 중국에서) 외국 무역의 중개 업자; 전하여, 외국 자본에 붙어 자기 이익을 노리는 일; 또, 그런 사람. ¶~政府(せいふ) 매판 정부 / ~資本(しほん) 매판 자본.
はいほう【敗報】图 패보. ¶~がとどく 패보가 들어오다. ↔勝報(しょうほう).
はいぼう【敗亡】图ス自 패망; 패사(敗死). ＝はいもう. ¶国家(こっか)の~ 국가의 패망.
*__はいぼく__【敗北】图ス自 패배. ¶みじめな~を喫(きっ)した 참혹한 패배를 당했다 / ~に終(お)わる 패배로 끝나다. ↔勝利(しょうり).
ハイポニカ [hyponica] 图 하이포니카; 수경(水耕) 재배.
はいほん【配本】图ス自他 배본. ¶次回(じかい)~ 차기 배본 / ~済(ず)み 배본필(畢).
ばいまし【倍増し】图ス他 배증; 배로 늘림. ¶~料金(りょうきん) 배증 요금 / 報酬(ほうしゅう)を~する 보수를 배증하다.
はいまつ〖這い松〗图 **1** 가지 모양이 땅을 기고 있는 듯한 소나무. **2**〖植〗눈잣나무. ＝いざりまつ.
はいまつわ-る〖這い纏る〗5自 휘감기다. ¶つる草(くさ)が枝(えだ)に~ 덩굴풀이 가지에 휘감기다.
はいまみれ【灰塗れ】图 재투성이가 됨. ¶~になる 재투성이가 되다.
はいまわ-る【はい回る】《這い回る》5自 기어 돌아다니다. ¶赤(あか)ん坊(ぼう)が床(ゆか)の上(うえ)を~ 아기가 마루 위를 기어 다니다.
はいめい【拝命】图ス他 배명. **1** 명령을 받음의 겸사말. **2** 관직에 임명됨. ¶大使(たいし)を~する 대사를 배명하다.
ばいめい【売名】图 매명; 이름을 팖. ¶~行為(こうい) 매명 행위.
バイメタル [bimetal] 图 바이메탈《열 팽창도가 다른 두 장의 금속판을 한데 붙인 것; 온도 자동 조절 장치 등에 씀》.
はいめつ【廃滅】图ス自 폐멸; 쇠퇴하여 멸망함. ¶~した郷土(きょうど)芸術(げいじゅつ) 쇠퇴하여 없어진 향토 예술.
はいめつ【敗滅】图ス自 패멸; 패망. ¶敵(てき)は~した 적은 패멸했다.
はいめん【背面】图 배면; 뒤쪽. ¶敵(てき)の~をつく 적의 배후를 찌르다 / 敵(てき)の~からせめる 적의 배후에서 공격하다. ↔正面(しょうめん)·前面(ぜんめん).
ハイヤー [hire] 图 하이어; 대절 자동차. ¶~を雇(やと)う 택시를 대절하다.
バイヤー [buyer] 图 바이어; (무역 관계로 외국에서 온) 구매자. ¶~を招(まね)く 바이어를 초청하다 / ~と交渉(こうしょう)する 바이어와 교섭하다.
はいやく【背約】图ス自 배약; 약속을 어김. ＝違約(いやく).
はいやく【配役】图 배역. ＝キャスト. ¶~をきめる 배역을 정하다.
ばいやく【売約】图ス自 매약; 팔 약속.
—ずみ【—済み】图 매약필(畢).
ばいやく【売薬】图 매약《의사의 처방에 따른 조제가 아니고 미리 만들어서 파는 약》. ¶~店(てん) 약방 / ~でまにあわせる 매약으로 임시변통하다.
はいゆ【廃油】图 폐유; 못 쓰게 된 기름. ¶~を処分(しょぶん)する 폐유를 처분하다.
*__はいゆう__【俳優】图 배우. ＝役者(やくしゃ). ¶映画(えいが)〔性格(せいかく)〕~ 영화〔성격〕배우 / ~になる 배우가 되다.
はいよう〔佩用〕图ス他 패용; 몸에 참. ¶勲章(くんしょう)を~する 훈장을 패용하다.
ばいよう【培養】图ス他 배양. ¶~土(ど) 배양토 / ~液(えき)〔基(き)〕 배양액〔기〕/ 細菌(さいきん)〔実力(じつりょく)〕を~する 세균〔실력〕을 배양하다.
はいよ-る【はい寄る】《這い寄る》5自 기어서 다가가다; 가만히 다가가다. ¶敵陣(てきじん)に~ 적진에 기어서 접근하다.
はいらん【排卵】图ス自 배란. ¶~期(き) 배란기.
はいらん【拝覧】图ス他 배람; 삼가 봄.
はいり【背理】《悖理》图 배리. **1** ☞ぎゃくり·ぎゃくせつ. **2** 사리〔도리〕에 어긋남. ¶~の議論(ぎろん) 배리의 의론.
はいり【背離】图ス自 배리; 서로 등지어 떨어짐; 괴리. ¶両者(りょうしゃ)の感情(かんじょう)が~する 양자의 감정이 괴리되다.
はいりぐち【入り口】《這入り口》图 입구. ＝いりぐち.
はいりこ-む【入り込む】《這入り込む》5自 속으로〔깊숙이〕 파고 들어가다. ¶~余地(よち)がない 비집고 들어갈 여지가 없다 / 話(はなし)に~ 이야기에 끼어들다.
はいりつ【廃立】图ス他 폐립; 현재의 왕

を廃하고 다른 왕을 세움. ¶王の～ 왕의 폐립. 注意 옛날에는 'はいりゅう'.

ばいりつ【倍率】图 배율; 경쟁률. ¶～をあげる 배율을 높이다 / ～を調整する 배율을 조정하다 / ～の高い顕微鏡 배율이 높은 현미경 / 入試の～ 입시 경쟁률.

はいりゅう【配流】图 ☞はいる(配流).

***はいりょ**【配慮】图スル他自 배려; 심려. ¶ご～をわずらわす 심려를 끼치다 / ～がいきとどく 두루 마음을 쓰다 / ～に欠ける 배려가 없다 / よろしく御～ください 잘 배려해 주십시오.

はいりょう【拝領】图スル他 배령; 귀인으로부터 물건을 받음; 배수(拜受). ¶公爵から～した品 공작에게서 받은 물건.

ばいりょう【倍量】图 배량; 곱절이 되는 분량. ¶ふだんの～ 평소의 갑절이 되는 분량.

ばいりん【梅林】图 매림; 매화나무 숲. ＝うめばやし.

⁑**はい-る**【入る】5自 **1** 들다. ㉠들어오다; 들어가다. ¶汽車が～ 기차가 (역에) 들어오다 / へやに～ 방에 들어가다〔오다〕/ お茶が～ 차가 나오다《대접하다》/ すきま風が～ 틈새 바람이 들어오다 / どろぼうが～ 도둑이 들다 / 大工が～ 목수가 (일하러) 오다 / 日が～ (a)해가 들다《빛이 쬐다》; (b)해가 지다 / ガスが～ 가스가 들어오다 / 風呂に～ 목욕하다. ↔出る. ㉡(손·귀·눈 등이 미치는 범위 안에) 들어오다. ¶目に～ 눈에 들어오다《보이다》/ 耳に～ 귀에 들어오다《들리다》/ 手に～ 손에 들어오다《입수하다》/ 月に軽く三十万は～ 한 달에 쉽게 30만 엔은 들어온다. ㉢빠지다. ¶穴へ～ (a)구덩이에 빠지다; (b)숨다. ㉣타지다; 넣어지다. ¶砂糖が～ 설탕이 들다 / 塩が～ 소금이 쳐지다. ㉤들어가다; 입학〔가입〕하다; 포함되다. ¶会社に～ 회사에 들어가다 / 学校に～ 학교에 입학하다 / なかまに～ 한패가 되다 / 無我の境に～ 무아지경에 빠지다 / ～·りそこなう 들어가지 못하다 / 計算に～·っている 계산에 들어 있다《포함되다》/ 財布に千円～·っている 지갑에 천 엔 들어 있다 / カバンに～ 가방 안에 들어가다《넣을 수 있다》/ 選に～ 입선하다. ㉥접어들다. ¶三月に～ 3월에 접어들다 / 梅雨に～ 장마철에 접어들다 / 後半に～ 후반에 접어들다 / 交渉に～ 교섭에 들어가다. **2** 가해지다; 첨가되다. ¶先生の手が～·った絵 선생님의 손이 간 그림. **3** 생기다. ¶ひびが～ 금이 가다. **4** 지각 속에 받아들이다. ¶頭に～ 머리에 들어오다 / 気合が～ 기합이 들어가다 / たましいが～ 혼〔정신〕이 들어가다.

はいる【配流】图スル他 유배; 귀양. ＝島流し·流刑·流罪·はいりゅう. ¶～の身 유배된 몸 / 遠島に～される 낙도에 유배되다.

パイル[pile]图 파일. **1** 말뚝. ＝杭. ¶コンクリート～ 콘크리트 파일 / ～ドライバー 파일 드라이버. **2** 타월이나 비로드 같이 표면을 테나 보풀처럼 울퉁불퉁하게 짠 천. ¶～織り 파일 직(織) / 綿～ 면 파일. **3** 원자로(爐).

はいれい【拝礼】图スル自他 배례. ＝はいらい·礼拝. ¶神前で～する 신전에서 배례하다.

***はいれつ**【配列·排列】图スル他 배열. ¶～をかえる 배열을 바꾸다 / 大きいものから順に～する 큰 것부터 차례로 배열하다.

はいろ【羽色】图 새의 날개빛. ¶～の同じ二羽の鳥 날개빛이 같은 두 마리의 새.

パイロット[pilot]图 파일럿. **1** 비행기의 조종사. ¶テスト～ 시험 조종사. **2** 수로(水路) 안내인; 키잡이. 参考 지침(指針)이 되는 사람·물건에도 비유됨. ¶時代の～をもって自ら任ずる 시대의 키잡이로 자처하다.

パイン[pine]图 파인. ☞パイナップル. ¶～ジュース 파인 주스.

バインダー[binder]图 바인더. **1** 서류나 잡지 등을 한데 철하는 데 쓰는 표지(表紙). **2** 곡물을 베어 단으로 묶는 기계.

⁑**は-う**『這う』5自 **1** 기다. ¶蛇が～·ったあと 뱀이 기어간 자국 / 赤ん坊が～ようになった 어린애가 기게 되었다 / 土俵に～ 씨름판에 나가 떨어지다 / ～·っても行かなければならない 기어서라도 가야 한다. **2** 붙어서 뻗어가다. ¶つたが壁を～·いのぼる 담쟁이덩굴이 벽을 타고 뻗어 가다 / 太い木の根が～·っている 굵은 나무뿌리가 (지표면에) 뻗어 있다.

—·えば立て, 立てば歩めの親心 기면 서라, 서면 걸으라고 하는 부모 마음《자기 자식의 성장을 고대하는 부모의 마음을 나타낸 말》.

ハウジング[housing]图 하우징; 토지·주택·가구·인테리어 등 종합적인 주택 공급; 또, 그 관련 산업. ¶～プラン 하우징 플랜.

ハウス[house]图 하우스. **1** 주택. ¶モデル～ 모델 하우스. **2** 야채·과일 따위의 촉성 재배에 쓰는 구조물. ¶～栽培 하우스 재배 / ビニール～ 비닐 하우스.

—キーパー[housekeeper]图 하우스키퍼. **1** (외국인 가정 등의) 가정부. **2** 주택 관리인. **3** 주부(主婦).

はうた〔端唄〕图 三味線에 맞추어 부르는 짧은 속요(俗謠).

パウダー[powder]图 파우더. **1** 가루. ¶～スノー 파우더 스노; 가루눈 / ベーキング～ 베이킹 파우더. **2** (화장용의) 분. ＝粉おしろい. **3** 땀띠약. ＝汗知らず. ¶ベビー～ 베이비 파우더; 어린이용 땀띠약.

はうちわ【羽うちわ】《羽団扇》图 새털로 만든 부채; 우선(羽扇).
はう-つ【羽撃つ】《羽搏つ》5自 (새가) 날갯짓하다. ¶鳥がぱたぱたと～·った 새가 푸드득거리며 날갯짓했다.
ハウツー [how-to] 图 하우투; 만드는 법이나 익히는 법 따위의 실용적인 방법·기술. 「치는 서적류.
—もの【—物】图 실용적 기술을 가르
ばうて【場打て】图 그 자리의 화려한 분위기에 기가 꺾이는 일. ¶～がする 분위기에 기가 죽다.
バウンド [bound] 图スル自 바운드; (공 따위가) 튐. ¶ワン～ 원 바운드; 한 번 튐/大きく～したボール 크게 튄 공.
*はえ〖蠅〗图〔蝿〕파리. ¶～がたかる 파리가 꾀다.
はえ【映え】图 빛남; 빛나는 모양; 광채. ¶夕映え 저녁놀(에 하늘이 붉게 빛남)/仕立てばえがする 바느질 솜씨가 돋보일 만큼 한결 훤하다.
はえ【栄え】图 '光栄(=영광; 명예)'의 풀어쓴 말씨. =ほまれ. ¶～ある勝利 영광스러운 승리.
はえぎわ【生え際】图 머리털이 난 언저리. ¶額の～が薄くなっている 앞머리가 많이 빠져 엉성해졌다.
はえたたき〖蠅叩き〗图 파리채. =はえうち·はいたたき.
はえ-でる【生え出る】下1自 싹트다; 발아하다. ¶若芽が～ 새싹이 나다.
はえとり【はえ取り】《蠅取り》图 파리를 잡음; 또, 그 도구. =はいとり.
はえなわ【はえ縄】《延縄》图 연승; 주낙. ¶～漁業 연승 어업; 주낙 어업.
はえぬき【生え抜き】图 1 본토박이. =生粋. ¶～の大阪人 토박이 大阪 사람. 2 창업 이래 줄곧 근무하고 있음; 또, 그 사람. ¶当社～の社員 당사의 창립 사원.
は-える【映える】下1自 (빛을 받아) 빛나다. ¶もみじが夕日に～ 단풍이 석양에 빛나다/朝日に～山なみ 아침 해에 빛나는 산맥.
は-える【栄える】下1自 돋보이다. 1 두드러지다; 반짝 띄다. ¶さほど～·えない人物 별로 두드러지지 않은 인물; 미미한 존재/この絵はここにかけたのでは～·えない 이 그림은 여기에 걸어서는 돋보이지 않는다. 2 잘 어울려서 한층 돋보이다. ¶スカーフが洋服の色によく～ 스카프가 양복 빛깔에 잘 어울려 돋보이다.
⁑は-える【生える】下1自 나다. ¶雑草が～ 잡초가 나다/歯が～ 이가 나다/毛〔ひげ〕が～ 털〔수염〕이 나다/青かびが～ 푸른곰팡이가 피다.
パオ [중 包] 图 파오《몽고인이 사는 만두 모양의 이동식 천막집》.
はおう【覇王】图 패왕. 1 무력이나 권모술수로 왕이 된 사람. ¶楚の～ 초나라의 패왕. 2 패자(覇者)나 왕자.
はおと【羽音】图 1 날개 소리. =はねおと. ¶～を立てる 날개 소리를 내다. 2 날아가는 화살의 소리. 「겉옷.
はおり【羽織】图 일본옷 위에 입는 짧은
—はかま〖—袴〗图 가문(家紋)을 넣은 羽織와 はかま(=일본 남자의 하의(下衣))《정장임》.
はお-る【羽織る】5他 '羽織'를 입다; 또, (그와 같이) 옷 위에 겉옷을 걸쳐 입다. ¶コートを～ 코트를 어깨에 걸쳐 입다/あわててパジャマの上にガウンを～·った 당황해서 파자마 위에 가운을 걸쳤다. 「진도.
はか〖捗〗图 일이 되어가는 정도; 일의
—が行く 일이 잘 진척되다.
⁑はか【墓】图 묘; 뫼; 무덤; 또, 묘비나 묘석. =つか·おくつき. ¶～穴 묘혈/～掘り 무덤을 팜; 또, 그 사람/～参り 성묘/先祖の～ 조상의 묘/～守り 묘지기/～にもうでる 성묘하다/～に葬る 무덤에 매장하다/～をたてる 묘를 쓰다; 묘비를 세우다.
⁑ばか〖馬鹿〗图ダナ 1 (사람이) 어리석음; 바보; 멍청이. ¶～者 멍텅구리; 바보/薄～ 얼간이/～なやつ 어리석은 놈/～にならない 얕볼〔무시할〕 수 없다/～に出来ない 무시할 수 없다. ↔利口. 2 썩 상식적이 아닌 일; 또, 그런 사람. ¶専門～ 자기 전문〔영역〕 외는 상식적인 판단조차 못함을 나무라는 말/親～ 자식 귀여운 줄 만 앎; 또, 그런 사람/学者～ 세상 물정에 어두운 학자〔선비〕/～なまねはよせ 바보짓 작작해라. 3 쓸모없음; 어처구니없음. ¶そんな～な事が! 그 따위 당찮은 일이 있나/～な目に会う 어처구니 없는 꼴을 당하다/～を言う 부질없는 소리를 하다. 4 기능·작용을 잃음. ¶かぜを引いて鼻が～になる 감기가 들어 코가 막히다《냄새를 못 맡다》/酢が～になる 초가 신맛을 잃다. 5《'～に'의 꼴로》 몹시; 매우; 무척; 대단히. ¶～に安い 엄청 싸다/～に寒い 몹시 춥다/～におそい 되게 늦다/～にうれしそうだ 되게 좋은 모양이다. 6《接頭語적으로》〈俗〉 정도가 지나침. ¶～騒ぎ 야단법석. 注意 '馬鹿'로 씀은 취음.
—とはさみは使いよう 바보와 가위는 쓰기 나름《바보도 쓰기에 따라서는 쓸모가 있다》.
—にする 깔보다; 업신여기다; 경시하다. ¶子供だと思って～ 아이라고 업신여기다.
—になる 정상 기능을 잃다. ¶ねじが～ 나사가 (닳아) 못쓰게 되다/足が～ 발이 (곱아서·저려서) 말을 안 듣다.
—の一つ覚え 어리석은 자가 한 가지를 알고 그것만을 마구 내세움.
—も休み休み言え 바보 같은 소리 작작 해라. 「수고하다.
—を見る 어이없는 꼴을 당하다; 헛
ばかあたり【ばか当たり】《馬鹿当たり》

名ス自 〈俗〉 1 (흥행·장사 등이) 예상외로 썩 잘됨. ¶思いがけず~した 뜻밖에 좋은 성적을 냈다. 2 〖野〗 예상외로 안타가 잘 남.

*はかい【破壊】名ス他自 파괴. ¶~者 파괴자 / ~力 파괴력 / 建設のための~ 건설을 위한 파괴 / 環境を~する 환경을 파괴하다. ↔建設.

はかい【破戒】名 〖宗〗 파계. ¶~僧 파계승. ↔持戒.

はがい【羽交い】名 1 새의 두 날개가 겹치는 곳. 2 날개. =つばさ·はね.

──じめ【──締め】名 상대의 뒤에서 겨드랑이 밑으로 양팔을 넣어 목 뒤로 꽉 죄는 일. ¶~にする 상대방을 꼼짝 못하게 죄다.

はかいし【墓石】名 묘석. =ぼせき.

**はがき 〖葉書〗 名 엽서. ¶往復~ 왕복엽서 / ~を出す 엽서를 내다. 注意 '葉書'로 씀은 취음.

はかく【破格】名ナ 파격; 격을 벗어남. ¶~の待遇 파격적 대우 / ~の文章 파격적인 문장.

ばかくさ-い 〖馬鹿臭い〗 形 어리석다; 어처구니 없다. =ばからしい. ¶~話だ 어처구니없는 얘기다.

はがくれ【葉隠れ】名 나뭇잎 사이에 숨음. ¶つばきの花が~に見える 동백꽃이 나뭇잎 사이로 보이다.

はかげ【葉陰】《葉蔭》名 나뭇잎 그늘.

ばか-げる 〖馬鹿げる〗 下1自 우습게 보이다; 어리석게〔시시하게〕 생각되다; 어이없다. ¶~·げた話だ 시시한〔말 같잖은〕 이야기다 / じつに~·げている 정말 어처구니 없다 / ~·げたことをする 어리석은 짓을 하다 / ~·げたまねをするな 어리석은 짓을 하지 마라.

ばかさわぎ【ばか騒ぎ】《馬鹿騒ぎ》名ス自 법석댐; 야단법석. =大さわぎ·底ぬけさわぎ. ¶酒を飲んで~をする 술을 마시고 법석을 떨다.

ばかし 〖許し〗 副助 〈俗〉 ☞ばかり.

ばかしょうじき【ばか正直】《馬鹿正直》名ダナ 지나치게 고지식함; 또, 그러한 사람. ¶~な人 우직한 사람.

はか-す 〖捌かす〗 5他 1 막히지 않고 흐르게 하다. ¶池の水を~ 연못의 물을 잘 흐르게 하다. 2 죄다 팔아 치우다. ¶残品〔在庫〕を~ 팔다 남은 물건〔재고품〕을 죄다 팔아치우다.

*はが-す 〖剝がす〗 5他 벗기다; 떼다. ¶ふとんを~ 이불을 벗기다 / 生爪を~ 생손톱을 벗기다 / 壁紙を~ 벽지를 벗겨내다 / 切手〔びら〕を~ 우표〔광고지〕를 떼다.

ばか-す【化かす】5他 속이다; (정신을) 호리다. =たぶらかす. ¶狐に~·された 여우에게 홀렸다.

ばかず【場数】名 1 여러 장소; 장소의 수. 2 시합·출전 경험의 횟수.

──を踏む 많은 경험을 쌓다. ¶決勝戦は試合の場数を踏んでいる方が有利だ 결승전은 시합 경험을 많이 쌓은 편이 유리하다.

*はかせ【博士】名 박사. 1 〈俗〉 ☞はくし(博士). ¶~論文 박사 논문 / 文学~ 문학 박사. 2 학자; 식자. ¶お天気~ 일기 박사《날씨를 잘 맞추는 사람》/ 物知り~ 만물〔척척〕 박사.

はかぜ【羽風】名 (새 등의) 날개 바람.

はかぜ【葉風】名 초목의 잎을 흔드는 바람. ¶~が立つ 잎새에 바람이 일다.

はがた【歯形】《歯型》名 1 (깨문) 잇자국. ¶~が残った 잇자국이 났다 / かまれたところに~がつく 물린 자리에 잇자국이 나다. 2 이빨(모양)을 본뜬 것; 톱니 꼴. ¶歯車の~ 톱니바퀴의 이 / ~レール 톱니 레일〔궤도〕 / ~を取る 이틀을 뜨다.

ばかたれ 〖馬鹿たれ〗 名 〈俗〉 바보 자식; 「멍텅구리.

ばかぢから【ばか力】《馬鹿力》名 (상식 밖의) 굉장한 힘; 뚝심《멸시하는 말》. ¶彼は~がある 그는 뚝심이 세다.

ばかていねい【ばか丁寧】《馬鹿丁寧》名ダナ 지나치게 공손함. ¶~なあいさつ 지나치게 공손한 인사 / ~にお辞儀をする 지나치게 공손히 절하다.

ばかでか-い 〖馬鹿でかい〗 形 무척 크다. ¶~すいか 엄청 큰 수박.

*はかど-る 〖捗る·果取る〗 5自 일이 순조롭게 되어 가다. ¶仕事〔勉強〕が~ 일이〔공부가〕 잘 진척되다 / なかなか~·らない 좀처럼 진척되지 않는다.

はかな-い 〖果敢無い·儚い〗 形 덧없다; 무상〔허무〕하다. ¶~望み 헛된 희망 / ~この世 덧없는 이 세상 / ~恋〔命〕 덧없는 사랑〔목숨〕 / 人生は~ものだ 인생이란 덧없는 것이다.

はがね【鋼】名 강철. =鋼鉄.

ばかね【ばか値】《馬鹿値》名 〈俗〉 터없이 싼〔비싼〕 값. ¶~に売れる 터없는 값으로 팔리다.

はかば【墓場】名 묘지; 산소.

ぱかぱか 副 말이 경쾌하게 걷는 발굽소리: 따가닥 따가닥. ¶~(と)馬が通る 따가닥따가닥 말이 지나가다.

はかばかし-い 〖捗捗しい〗 形 1 일 따위가 잘 진척되다; 병이 호전되다. ¶交渉が~·く進まない 교섭이 순조롭게 진척되지 않는다 / どうも~·くない 좀처럼 잘 되지 않는다 / 病気が~·くない 병세가 시원치 않다. 2 신통하다; 대견하다. ¶~結果が得られない 신통한 결과가 안 나오다 / ~返事がない 시원한 대답이 없다.

ばかばかし-い 〖馬鹿馬鹿しい〗 形 1 매우 어리석다; 우습다; 어이없다. ¶~お話で恐れ入ります 너무 허황된 이야기라서 죄송합니다 / そんな事は~·くて出来ない 그런 바보 같은 짓은 못하겠다. 2 엄청나다. ¶~大きさのかぼちゃ 터무니 없이 큰 호박 / ~大さわぎ 굉장한 소동.

ばかばなし【ばか話】《馬鹿話》名 터무

니없는〔시시한〕 이야기; 바보 같은 소리. ¶～に興ずる 시시한 애기에 흥겨워하다／そんな～はよせ 그 따위 되잖은 소리 관둬라.

はかぶ【端株】名 단주; 수량이 거래 단위에 못 미치는 주식.

はかま〖袴〗名 **1** 일본 옷의 겉에 입는 주름잡힌 하의(지금은 'はおり'와 함께 정장의 경우에 입음). **2** 徳利를 끼워 두는 통 모양의 그릇. **3** 풀 줄기의 표피. ¶つくしの～ 토필(土筆)의 껍질.

はかまいり【墓参り】名ス自 성묘. ＝墓もうで·墓参. ¶～のため故郷にかえる 성묘하러 고향에 돌아가다.

はかもうで【墓もうで】《墓詣で》名ス自 ☞はかまいり.

ばかもの【ばか者】《馬鹿者》名 바보; 멍청이; 얼간이; 멍텅구리; 숙맥.

はかもり【墓守り】名 묘지기.

ばかやろう【ばか野郎】《馬鹿野郎》名 〈俗〉 바보자식; 멍청이; 멍텅구리. 参考 흔히, 상대를 욕할 때 씀.

はがゆ-い【歯がゆい】《歯痒い》形 성에 차지 않아서 답답하다; 속이 타다; 안타깝다. ＝じれったい·もどかしい. ¶彼の生温いやり方を見ていると～·くてならない 그의 미적지근한 행동을 보고 있으면 답답해서 견딜 수가 없다／この程度のことであきらめるとは～奴だ 이 정도의 일로 단념하다니 답답한 놈이다.

はからい【計らい】名 **1** 조치; 처리; 재량; 처분. ¶適切な～ 적절한 조치／お～にお任せします 처분에 맡기겠습니다. **2** 주선; 알선. ¶彼の～で 그의 주선으로.

はから-う【計らう】5他 **1** 적절히 조처〔주선〕하다. ¶便宜を～ 편의를 봐주다／よいように～·ってくれ 좋도록 해 주게. **2** 상의하다. ¶人に〔みんなに〕～ 남과〔모두와〕 상의하다／ふたりで～·ってきめる 둘이서 의논하여 정하다.

ばからし-い〖馬鹿らしい〗形 어리석다; 시시하다; 어처구니〔어이〕없다. ＝つまらない·あほらしい. ¶～目にあう 어이없는 변을 당하다／～話はやめなさい 시시한 애기는 그만두시오.

はからずも〖図らずも〗連語 뜻밖에도; 우연히도. ¶～意見が一致した 의외에도 의견이 일치되었다／～そこに居合わせた 공교롭게도 그때 그 자리에 있게 되었다／～も会長にえらばれた 뜻밖에도 회장에 선출되었다.

はかり〖秤〗名 저울. ¶～竿 저울대／さおばかり 대저울／台ばかり 대칭; 앉은뱅이 저울.

――に掛ける **1** 저울에 달다. **2** 이해득실을 생각하다. ¶義理と人情を～ 의리와 인정을 저울질하다.

はかり【量り·計り·測り】名 **1** 저울질; 또, 저울질한 양. ¶～をごまかす 근량을 속이다／～をよくする; ～が甘い 저울질을 후하게 하다; 근을 잘 주다／～不足だ 근이 모자란다. **2** 달아서 팖.

ばかり〖許り〗副助 **1** 사물의 정도·범위를 한정해서 말하는 데 씀. ㉠…정도; …쯤; 가량. ＝ほど·くらい. ¶コップに半分～の水 컵에 절반쯤 되는 물／三つ～ください 세 개 정도 주시오／二千円～貸してくれませんか 2천 엔쯤 빌려주시지 않겠습니까. ㉡…만으로는; …만 해도. ¶見た～でもむしずが走る 보기만 해도 역겹다／学問～では成功できない 학문만으로는 성공할 수 없다. ㉢…만; …한. ¶正直な人～はいない 정직한 사람만 있는 것은 아니다. **2**《助動詞 'た'에 붙어서》…한 지 얼마 안 되었다는 뜻을 나타냄: 막; 방금. ¶いま出発した～のところだ 이제 막 출발한 참이다／今来た～だ 지금 막 왔다／起きた～でまだなにも食べていない 방금 일어나 아직 아무 것도 먹지 않았다. **3** (아직은 하지 않았지만) …하는 것과 같은 단계에까지 이르렀다·(앞으로는) …할 뿐이다의 뜻을 나타냄: …할 (단계에 이르러); 곧 …할 듯이. ¶噛みつかん～にどなる 곧 달려들어 물듯이 소리치다／泣かん～にたのむ 막 울기라도 할 듯이 부탁하다／いやだと言わん～の顔をする 당장 싫다고 말할 것 같은 얼굴을 하다／飛び上がらん～のおどろき 펄쩍 뛸 듯한 놀람(아주 크게 놀람의 뜻). **4** …에게만; …에서만; …할 뿐더러 도리어. ＝だけ. ¶彼女に～〔彼女～に〕好意を示す 그 여자에게만 호의를 보이다／反省しない～か悪口を言い返した 반성은 커녕 욕설로 대꾸했다. **5** 강조하는 데 씀. ㉠다만 …할 뿐이지, 다른 것은 없다는 뜻을 나타냄: …만. ¶酒～飲む 술만 마시다／遊んで～いる 놀고만 있다／これ～は勘弁してくれ 이것만은 용서해 주게. ㉡《'に'가 따라서》 다만 …만이 원인이 되었다는 뜻: 탓으로. ¶腹を立てた～に損をした 화낸 탓으로 손해를 보았다／ゆだんした～に事故を起こしてしまった 방심한 탓으로 사고를 내고 말았다. **6** 그렇게 마음 먹고 있는 뜻을 나타냄. ¶今だと～言いだした 바로 이때라는 듯이 말을 꺼내기 시작했다／恩返しはこの時と～ 은혜를 갚는 것은 바로 이때라는 듯이.
注意 口語에서는 'ばっかり' 'ばかし' 'ばっかし'라고도 함.

――が能ではない《다른 말에 붙어서》…하는 것만으로는 안 된다. ¶食べる〔勉強〕～ 먹는 것〔공부〕만이 능사는 아니다.

はかりうり【量り売り】名ス他 달아서 팖. ¶～します 달아서 팝니다／～の砂糖 달아서 파는 설탕.

ばかりか〖許りか〗連語 그뿐만 아니라; …만. ¶子供～大人まで 아이들뿐 아니라 어른까지／風～雨まで降っ

は

てきた 바람뿐만 아니라 비까지 내리기 시작했다. ⇒ばかり4.

はかりごと 〖謀〗 图 꾀; 계략; 일을 꾀함. ¶～をめぐらす 계략을 꾸미다/敵の～に陥いる 적의 계략에 빠지다.

はかりしれない【計り知れない】連語 헤아릴 수 없다〔없는〕. ¶～苦労〔底ぢから〕 헤아릴 수 없는 고생〔저력〕/彼は～才能を持っている 그는 헤아릴 수 없는 재능을 가지고 있다.

はかりめ【はかり目】《秤目》图 1 저울눈. 2 근량(斤量). ＝量目. ¶～をごまかす 저울눈〔근량〕을 속이다.

*はか-る【図る】5他 1 생각하다. ¶～·らずも 뜻하지 않게/あに～·らんや 어찌 생각이나 했으랴. 2 목적하다; 노리다. ¶利益を～ 이익을 노리다. 3 노력하다; 계획하다; 꾀하다. ¶再起を～ 재기를 꾀하다/独立を～ 독립을 꾀하다. 4 주선〔도모〕하다. ¶便宜を～ 편의를 도모하다. 可能はか-れる 下1自

*はか-る【計る】5他 1《測るとも》 헤아리다; 가늠하다. ¶真意を～·りかねる 진의를 알 길이 없다/相手の心中を～ 상대의 심중을 헤아리다/ころあいを～·って酒を出す 적당한 때를 가늠해서 술을 내다. 2 세다. ¶数を～ 수효를 세다/時間を～ 시간을 재다. 3《謀るとも》 ㉠속이다. ¶人に～·られる 남에게 속다/まんまと～·られた 감쪽같이 속았다/しまった, ～·られたか 아차, 속았군. ㉡계획하다; 꾸미다; 꾀하다. ¶悪事を～ 못된 일을 꾸미다/実現を～ 실현을 꾀하다. 可能はか-れる 下1自

*はか-る【量る·測る】5他 무게·길이·깊이·넓이 등을 재다. ¶ますで～ 말로 되다/目方を～ 무게를 달다/目で～ 눈으로 어림하다. 可能はか-れる 下1自

*はか-る【謀る】5他 꾀하다; 꾸미다. ¶暗殺を～ 암살을 꾀하다/人を～·っておとしいれる 남을 계략에 빠뜨리다. 可能はか-れる 下1自

*はか-る【諮る】5他 의견을 묻다; 상의하다. ¶審議会に～ 심의회에 물어보다〔자문하다〕/日時と場所はみんなに～·って決めよう 날짜와 장소는 모두 함께 상의해서 정하자.

*はが-れる 〖剝がれる〗 下1自 벗겨지다; 벗어져 떨어지다. ＝はげる. ¶きずのかさぶたが～ 상처의 딱지가 벗겨지다/うすく～ 얇게 벗겨지다/ばけの皮が～ 가면이 벗겨지다; 정체가 드러나다.

ばかわらい【ばか笑い】《馬鹿笑い》图 ス自 1 바보 같은 웃음. 2 공연히 큰 소리로 웃음. ¶～は失礼に当たる 쓸데없이 크게 웃는 것은 실례가 된다.

はがんいっしょう【破顔一笑】图 ス自 파안일소. ¶幼い子のことばに～する 어린아이의 말에 파안일소하다.

バカンス [프 vacances] 图 바캉스; 휴가. ¶夏の～ 여름 휴가.

*はき【破棄】图 ス他 파기. 1 깨뜨리거나 찢어 버림. ¶条約〔誓約〕を～する 조약〔서약〕을 파기하다/婚約を～する 약혼을 파기하다《파혼함》. 2〔法〕《破毀》 상급 법원이 원(原)판결을 취소함. ¶原判決〔一審判決〕を～する 원판결〔일심 판결〕을 파기하다.

はき【覇気】图 패기; 야심. ¶～がない〔にとぼしい〕 패기가 없다/～がある 패기가 있다/～にみちた男 패기에 찬 남자.

はぎ 〖脛〗 图 정강이. ＝すね·向こうずね. ¶ふくら～ 장딴지.

はぎ 〖萩〗 图〔植〕 싸리.

はぎあわ-せる【はぎ合わせる】《接ぎ合わせる》 下1他 (천을) 잇대어 깁다; (판자 따위를) 잇대어 붙이다. ¶半ぱの切れを～·せて袋をつくる 천 조각을 기워 붙여 자루를 만들다.

はきくだし【吐き下し】《嘔き下し》图 ス自他 토하고 설사함; 토사.

はきけ【吐き気】《嘔き気》图 구역질; 욕지기. ¶～を催す 구역질이 나다/名前を聞いただけで～がする 이름만 들어도 구역질이 난다.

はぎしり【歯ぎしり】《歯軋り》图 ス自 이를 갊. ＝はがみ. ¶眠りながら～(を)する 잠 자면서 이를 갈다/～してくやしがる 이를 갈며 분해 하다.

はきす-てる【吐き捨てる】下1他 뱉어 버리다. ¶ガムを～ 껌을 뱉어 버리다/～ように言い放つ 내뱉듯이 잘라 말하다.

*はきだ-す【吐き出す】5他 토해 내다; 내뱉다. ¶煙〔ガス〕を～ 연기〔가스〕를 뿜어내다/犯行を～ 범행을 자백하다/うっぷんを～ 울분을 토해 내다/～ように言い捨てる 내뱉 듯이 말하다/へそくりを全部～ 사천을 몽땅 털어 내놓다/あまりの苦さに思わず～·した 어찌나 쓴지 그만 토해버렸다.

はきだ-す【掃き出す】5他 쓸어 내다. ¶ごみを道端に～ 쓰레기를 길가에 쓸어 내다.

はきだめ【掃きだめ】《掃き溜め》图 쓰레기터. ＝ごみため·掃きだまり. ¶そこは実に不潔で～のようだ 거기는 아주 불결하여 쓰레기터 같다.

――に(降りた)鶴 쓰레기통에 장미; 개천에서 용 나다.

はきちが-える【履き違える】下1他 1 잘못하여 바꾸어 신다. ¶だれかが私の靴を～·えた 누군가가 내 신을 잘못 알고 바꾸어 신었다. 2 잘못〔바꾸어〕 생각하다. ¶目的を～ 목적을 잘못 알다.

はぎと-る【はぎ取る】《剝ぎ取る》5他 1 벗겨내다; 떼어내다. ¶掲示のビラを～ 게시한 광고지를 떼어내다. 2 입고 있는 의복이나 소지품을 빼앗다. ¶身ぐるみ～·られた 몸에 지닌 것을 몽땅 빼앗겼다.

はきはき 副 ス自 기질이 활발하고 똑똑

한 모양 : 시원시원 ; 또깡또깡. ¶～した態度 시원시원한 태도 / ～した生徒 똘똘한 학생 / ～(と)答える 또깡또깡 대답하다.

***はきもの**【履物】图 신 ; 신발. ¶～をはく 신발을 신다 / ～をぬぐ 신발을 벗다.

ばきゃく【馬脚】图 마각. ¶～をあらわす 마각을 드러내다; 본색을 드러내다 / あんなことを言ったので～が現われてしまった 그런 말을 했기 때문에 본색이 드러나고 말았다.

はきゅう【波及】图ス自 파급. ¶～効果 파급 효과 / 全国に～する 전국에 파급되다 / 金融引き締めの影響が家計にまで～する 금융 긴축의 영향이 가계에까지 파급되다.

バキューム [vacuum] 图 배큐엄; 진공.
――カー [일 vacuum+car] 图 배큐엄카; 흡입식 분뇨 수거차.

はきょう【破鏡】图 파경; 이혼. ¶～の憂き目を見る 파경의 쓰라린 일을 당하다.
――の嘆〔**嘆き**〕 파경지탄; 부부의 이혼의 슬픔.

はきょく【破局】图 파국; 비참한 끝장. ¶～に直面する 파국에 직면하다 / ～を免れる 파국을 면하다 / ～を迎える 파국을 맞이하다.

はぎれ【端切れ】图 조각난 천; 자투리. ＝はんぱ布.

はぎれ【歯切れ】图 **1** 이로 물어 끊을 때의 느낌. ¶～がいい (a)씹히는 맛이 좋다; (b)말이 시원시원하고 또렷하다. **2** 전하여, 말이나 일을 처리하는 태도가 시원시원하고 분명함. ¶～の悪い返事 모호한 대답 / ～のよいことば 분명한 말씨.

****は-く**【掃く】5他 **1** 쓸다. ¶庭を～ 뜰을 쓸다 / ～·いて捨てる 쓸어 버리다. **2**《刷く로도》(가볍게) 칠하다. ¶おしろいを～ 분을 바르다 / 眉を～ 눈썹을 그리다. 可能は-ける 下1自
――·いて捨てるほど 남아 돌아갈 정도로; 지천으로. ¶お金なら～ある 돈이라면 남아돌 정도로 있다.

****は-く**【吐く】5他 **1** 토하다. ㉠(내)뱉다. ¶へどを～ 게우다; 토하다 / 食べ物を～ 먹은 것을 토하다 / 蚕が糸を～ 누에가 실을 내다 / 唾〔痰〕を～ 침을〔가래를〕 뱉다. ㉡내뿜다. ¶煙を～煙突 연기를 뿜는 굴뚝 / 貝が砂を～ 조개가 모래를 내뿜다. ㉢(숨을) 내쉬다. ¶息を～ 숨을 내쉬다. **2** (생각·감정을) 토로하다; 말하다. ¶意見を～ 의견을 말하다 / 暴言を～ 폭언하다 / 気を～ 기염을 토하다 / 本音を～ 실토하다 / 泥を～ 불다; 자백하다 / よわねを～ 죽는〔나약한〕 소리를 하다. 可能は-ける 下1自

****は-く**【履く】5他 신다. ¶長靴を～ 장화를 신다 / わらじを～ 짚신을 신다; 길을 떠나다. ↔脱ぐ. 可能は-ける 下1自

****は-く**〖穿く〗5他 (바지 따위를) 입다. ¶スカート〔ズボン〕を～ 스커트〔바지〕를 입다.

はく〖箔〗图 **1** 박; 금속을 종이처럼 얇게 편 것. ¶～を押す (금·은 따위) 박을 입히다. **2** 값어치; 관록.
――が付く 관록이 붙다.
――を付ける (더) 관록이 붙게 하다.

=はく【拍】 박자 치는 횟수. ¶三拍 3 박자.

=はく【泊】 숙박 일수를 세는 말: …박. ¶二～三日 2박 3일.

=はく【博】 **1** '博士'의 준말. ¶法学～ 법학 박사. **2** '博覧会'의 준말. ¶貿易～ 무역 박람회.

はく〖白〗教1 ハク ビャク しろ しろい しら もうす | 백 희다 |
1 흼; 희다. ¶白雪 백설 / 蒼白 창백. **2** 아무 것도 없다〔써 있지 않다〕. ¶白紙 백지 / 空白 공백. **3** 고하다; 밝히다. ¶自白 자백.

はく〖伯〗常用 ハク | 백 맏형 | **1** 맏이; 큰형. ¶伯兄 백형. **2** 아버지〔어머니〕의 형, 또는 누님. ¶伯父 백부. **3** 5등 작위의 셋째. ¶伯爵 백작.

はく〖拍〗常用 ハク ヒョウ うつ | 박 박자 | **1** 손뼉을 치다. ¶拍手 박수 / 拍掌 박장. **2** 박자를 맞추다. ¶拍子 박자.

はく〖泊〗常用 ハク とまる とめる | 박 머물다 | **1** 배를 물가에 매어 두다; 머물다. ¶停泊 정박 / 岸に舟を泊める 기슭에 배를 대다. **2** 집 밖에서 숙박하다; 묵다. ¶外泊 외박.

はく〖迫〗《迫》常用 ハク せまる | 박 닥치다 | **1** 다가오다; 여유가 없어지다. ¶迫真 박진 / 切迫 절박. **2** 핍박하여 괴롭히다. ¶迫害 박해 / 圧迫 압박.

はく〖舶〗常用 ハク ふね | 박 배 | 배; 바다를 건너는 큰 배. ¶舶来 박래 / 船舶 선박.

はく〖博〗《博》教4 ハク バク ひろい | 박 넓다 | **1** 넓게 퍼지다; 크고 넓다. ¶博愛 박애. **2** 박사의 준말. ¶医博 의학 박사. **3** 노름; 내기. ¶賭博 도박.

はく〖薄〗《薄》常用 ハク うすい うすめる うすまる うすらぐ うすれる せまる すすき | 박 엷다 | **1** 얇다. ¶薄氷 박빙. **2** 가볍다; 적다. ¶薄給 박급. ⇔厚.

***は-ぐ**〖剝ぐ〗5他 벗기다; 박탈하다. ¶木の皮を～ 나무 껍질을 벗기다 / ふとんを～ 이불을 벗기다 / 着物を～ 옷을 벗기고 빼앗다 / 領地を～ 영지를 박탈하다 / ばけの皮を～ 가면을 벗기다; 정체를 드러내게 하다 / 栄誉を～·がれる 영예를 박탈당하다.

は-ぐ〖接ぐ〗5他 이어 붙이다; 하나로

잇다. ¶板いたを～ 판자를 이어 붙이다 / 小切こぎれを～·いで作つくった座ざぶとん 천 조각을 이어서 만든 방석.

ばく【貘·獏】图 맥. **1**〔動〕포유 동물로 물소를 닮고 흑갈색이며, 동남아시아·중남미 등지에 삶. **2** 중국에서, 상상의 동물.

ばく〖麦〗(麥) 教2 バク むぎ | 맥 보리 | 보리. ¶麦秋ばくしゅう 맥추 / 精麦せいばく 정맥.

ばく〖漠〗常用 バク | 막 사막 | **1** 사막. ¶砂漠さばく 사막. **2** 분명하지 않다. ¶漠然ばくぜん 막연.

ばく〖縛〗(縛) 常用 バク しばる いましめる | 박 묶다 | 묶다. ¶束縛そくばく 속박 / 捕縛ほばく 포박.

ばく〖爆〗常用 バク はぜる はじける | 폭 폭발 | **1** 터지다; 폭발하다. ¶爆音ばくおん 폭음 / 自爆じばく 자폭. **2** '爆弾ばくだん(＝폭탄)'의 준말. ¶爆撃ばくげき 폭격.

ばく〖幕〗☞まく〖幕〗

ばぐ【馬具】图 마구.

バグ [bug] 图〔컴〕버그; 프로그램의 결함.

はくあ【白亜】(白堊) 图 백악. **1** 흰 벽. ¶～館かん 백악관 / ～の殿堂でんどう 백악의 전당. **2** 분필이나 백색 안료의 원료인 석회석의 일종. ＝チョーク.

はくあい【博愛】图 박애. ¶～主義しゅぎ 박애주의 / ～の精神せいしん 박애 정신.

はくい【白衣】图 백의. ¶～の勇士ゆうし 백의의 용사《상이군인》. 注意 'びゃくえ'라고도 함.

─の天使てんし 백의의 천사《간호사의 미칭》.

はくおし【はく押し】(箔押し) 图ス自 칠기(漆器)나 책 표지의 글씨·그림에 금〔은〕박을 입힘.

ばくおん【爆音】图 폭음. ¶～をとどろかす 폭음을 울리다 / ～を立たてて飛とぶ 폭음을 내면서 날다.

ばくが【麦芽】图 맥아; 엿기름. ＝麦むぎもやし. ¶～糖とう 맥아당; 엿당.

はくがい【迫害】图ス他 박해. ¶～を加くわえる〔受うける〕 박해를 가하다〔받다〕/ 原住民げんじゅうみん〔異教徒いきょうと〕を～する 원주민을〔이교도를〕 박해하다.

はくがく【博学】名ナ 박학. ¶～多識たしき 박학다식 / ～な人ひと 박학한 사람 / ～多才たさいである 박학다재하다. ↔浅学せんがく.

はくがんし【白眼視】图ス他 백안시. ¶よそ者ものを～する 외지에서 온 사람을 백안시하다 / 世人せじんに～される 세인에게 백안시당하다.

はぐき【歯ぐき】(歯茎) 图 치경; 잇몸. ＝しけい·歯齦しぎん. ¶～の腫はれ物もの 잇몸의 종기 / ～から血ちが出でる 잇몸에서 피가 나다.

ばくぎゃく〖莫逆〗图 막역. ¶～の交まじわり〔友とも〕 막역한 교분〔친구〕. 注意 바르게는 'ばくげき'.

はくぎん【白銀】图 백은. **1** 은. ＝ぎん·しろがね. **2** 은백색; 또, (쌓인) 눈의 형용. ¶～の山やま 은백색의 산 / ～の世界せかい 은백의 세계.

はぐく-む【育む】5他 기르다. **1** (어미새가) 새끼를 품어 기르다. 参考 '羽は'+'含くくむ'에서 온 말. **2** 키우다. ㉠양육하다. ¶両親りょうしんの愛あいに～·まれる 부모의 사랑 가운데서 자라나다. ㉡(발전하도록) 보호·육성하다. ¶後進こうしんを～ 후진을 보호·육성하다 / 自由じゆうを～学園がくえん 자유를 보호·신장하는 학원.

はくげきほう【迫撃砲】图 박격포.

*__ばくげき__【爆撃】图ス他 폭격. ¶～機き 폭격기 / ミサイル基地きちを～する 미사일 기지를 폭격하다.

はくさ【白砂】图 백사; 흰 모래.

はくさい【白菜】图〔植〕배추.

ばくさつ【爆殺】图ス他 폭살; 폭탄·폭약 등을 폭발시켜 죽임. ¶要人ようじんが～される 요인이 폭살당하다.

はくし【博士】图 박사. ＝ドクター·はかせ. ¶農学のうがく～ 농학 박사.

─ごう【─号】图 박사 칭호. ¶～を取とる 박사 칭호를 취득하다; 박사 학위를 따다.

はくし【白紙】图 백지. ¶～委任状いにんじょう 백지 위임장 / ～の答案とうあん 백지 답안 / ～の態度たいどで臨のぞむ 백지의《선입관이 없는》 태도로 임하다.

─に返かえす〔戻もどす〕 백지로 돌리다《없던 일로 하다》.

はくじ【白磁】图 백자; 순백색의 자기.

ばくし【爆死】图ス自 폭사. ¶空襲くうしゅうに会あい～した 공습을 만나 폭사했다.

はくしき【博識】名ナ 박식. ¶～を誇ほこる 박식을 자랑하다 / ～な人ひと 박식한 사람 / ～をもって知しられる 박식으로 알려지다.

はくしじゃっこう【薄志弱行】图 박지약행; 의지가 약하고 결단성이 모자람.

はくじつ【白日】图 백일. ¶～夢む 백일몽 / 青天せいてん～ 청천백일 / ～の下もとにさらされる 백일하에 드러나다.

はくしゃ【拍車】图 (말의) 박차.

─を掛かける〔加くわえる〕 박차를 가하다. ¶技術開発ぎじゅつかいはつに～ 기술 개발에 박차를 가하다.

はくしゃ【薄謝】图 박사; 약간의 사례; 촌지. ¶～を呈ていす 적으나마 사례를 드리다 / ～を出だす 약간의 사례를 하다.

ばくしゃ【幕舎】图 막사; 천막을 친 야외 숙박소.

はくしゃく【伯爵】图 백작; 작위의 셋째. ¶～夫人ふじん 백작 부인.

はくじゃく【薄弱】名ナ 박약. ¶根拠こんきょ～ 근거 박약 / 意志いし～ 의지 박약 / 心身しんしんともに～だ 심신이 모두 박약하다.

*__はくしゅ__【拍手】图ス自 박수; 신불을 배례하거나 칭찬·격려·찬성·축하 등의 뜻으로 손뼉을 침. ¶～を送おくる 박수를 보내다 / ～して迎むかえる 박수를 쳐서 맞아들이다 / 二拝にはい二に～ 두 번 절하고 두 번 손뼉을 침.

─かっさい〖─喝采〗图ス自 박수갈채.

¶観客(かんきゃく)から～を浴(あ)びる 관객에게서 박수갈채를 받다.

はくじゅ【白寿】名 백수; 99세의 별칭; 또, 그 축하〔잔치〕.

はくしょ【白書】名 백서. ¶経済(けいざい)～ 경제 백서. 参考 white paper의 역어.

***はくじょう**【白状】名ス他 자백. ¶罪(つみ)〔すべて〕を～する 죄를〔모든 것을〕 자백하다/男(おとこ)らしく～しなさい 남자답게 자백하시오/おどかして～させる 을러서 자백하게 하다.

***はくじょう**【薄情】名ナ 박정; 야박. ¶～な人(ひと) 박정한 사람/～な仕打(しう)ちをなげく 박정한 처사를 개탄하다/～なことをする 야박한 짓을 하다. ↔厚情(こうじょう).

ばくしょう【爆笑】名ス自 폭소. ¶～の渦(うず) 폭소의 소용돌이/～をさそう 폭소를 자아내다/観客(かんきゃく)はどっと～した 관객은 일제히 폭소를 터뜨렸다.

はくしょく【白色】名 백색; 흰빛. ¶～人種(じんしゅ) 백색 인종/～テロ 백색 테러.

はくしょん 感 재채기하는 소리: 에취. =はくしょい·はっくしょん. ¶～とくしゃみをする 에취 하고 재채기하다.

はくしん【迫真】名 박진. ¶～力(りょく) 박진력/～の演技(えんぎ) 박진한 연기; 실감나는 연기.

はくじん【白人】名 백인; 백색 인종. ↔黒人(こくじん).

はくじん【白刃】名 백인; 빼어 든 예리한 칼날. ¶～をふりかざす 시퍼런 칼을 번쩍 치켜 들다〔휘두르다〕/～をふむ 칼날을 밟다《위험을 무릅쓰다》/～の下(した)をくぐる 죽을〔위험한〕 고비를 겪다.

ばくしん【爆心】名 폭심; 폭발의 중심지. ¶～地(ち) 폭심지.

ばくしん［驀進］名ス自 맥진; 돌진. ¶機関車(きかんしゃ)が～して来(く)る 기관차가 돌진해 오다/目標達成(もくひょうたっせい)に向(む)けて～する 목표 달성을 향하여 돌진하다.

はく-す【博す】5他 ☞はくする.

はく-する【博する】サ変他 얻다; (명성 등을) 떨치다. ¶名声(めいせい)を～ 명성을 떨치다/好評(こうひょう)を～ 호평을 얻다.

ばく-する［駁する］サ変他 반박하다; 논박하다. ¶他人(たにん)の意見(いけん)を～ 남의 의견을 반박하다.

はくせい［剝製］名 박제. ¶～のきじ 박제한 꿩.

はくせつ【白雪】名 백설; 흰 눈. =しらゆき. ¶～のように白(しろ)い砂(すな) 백설같이 하얀 모래.

はくせん【白線】名 백선; 흰 줄. ¶～をつけた帽子(ぼうし) 흰 줄을 두른 (고교생의) 모자.

***ばくぜん**【漠然】トタル 막연. ¶～たる不安(ふあん) 막연한 불안/～とした事(こと)を言(い)う 막연한 말을 하다/将来(しょうらい)のことを～と考(かんが)える 장래의 일을 막연하게 생각하다.

はくそ【歯くそ】《歯屎·歯糞》名 이똥. =はかす.

***ばくだい**【ばく大】《莫大》名ナ 막대. =多大(ただい). ¶～な損害(そんがい) 막대한 손해/～な費用(ひよう) 막대한 비용.

はくだつ［剝奪］名ス他 박탈. ¶市民権(しみんけん)を～する 시민권을 박탈하다/自由(じゆう)〔資格(しかく)〕を～される 자유를〔자격을〕 박탈당하다. ↔付与(ふよ).

***ばくだん**【爆弾】名 폭탄. ¶～声明(せいめい) 폭탄 성명/～を投下(とうか)する 폭탄을 투하하다/～が爆発(ばくはつ)する 폭탄이 터지다/体(からだ)に～をかかえている (생명에 관계되는) 위험한 병을 갖고 있다.

はくち【白痴】名 백치; 바보; 천치. =ばか. ¶～美(び) 백치미/～の人(ひと) 백치; 바보/一億(いちおく)総(そう)～化(か) 1억〖일본 전국민〗 총백치화《텔레비전은 온 국민을 백치로 만든다는 말》.

***ばくち**〖博打·博奕〗名 도박; 노름; (비유적으로) 요행을 바라고 하는 큰 모험. =とばく. ¶～をうつ 노름을 하다/～で身上(しんしょう)をつぶす 노름으로 재산을 탕진하다/一(いち)か八(ばち)か〔一世一代(いっせいちだい)〕の大(おお)～を打(う)つ 건곤일척〔일생일대〕의 큰 모험을 하다.

—うち【—打ち】名 도박꾼; 노름꾼. =ばくと·賭博師(とばくし).

—ば【—場】名 도박장. =鉄火場(てっかば).

ばくちく【爆竹】名 폭죽. ¶～の音(おと) 폭죽 소리/お祭(まつ)りに～を鳴(な)らす 축제에 폭죽을 터뜨리다.

はくちず【白地図】名 백지도; 윤곽만을 그린 지도. =白図(はくず). ¶～に地名(ちめい)をかきいれる 백지도에 지명을 써 넣다.

はくちゅう【伯仲】名ス自 백중; (세력이) 팽팽함. ¶勢力(せいりょく)～ 세력 백중/保革(ほかく)～ 보수 개혁 백중/～している二人(ふたり)の技倆(ぎりょう) 백중한 두 사람의 기량.

—の間(かん·あいだ) 백중한 사이; 서로 어금지금한 사이.

はくちゅう【白昼】名 백주; 대낮. =まひる·ひるひなか·白日(はくじつ). ¶～堂々(どうどう)と強盗(ごうとう)が押(お)し入(い)る 백주에 버젓이 강도가 침입하다. ↔深夜(しんや).

—む【—夢】名 백일몽. =白日夢(はくじつむ).

はくちょう【白鳥】名 백조. **1** 흰색의 새. =しらとり. **2**〖鳥〗고니. =スワン.

—ざ【—座】名〖天〗백조자리.

ぱくつ-く 5他 〈俗〉 덥석(덥석) 먹다〔물다〕; 빠끔빠끔 먹다. ¶鮒(ふな)が口(くち)を～ 붕어가 입을 빠끔거리다/パンに〔を〕～ 빵을 덥석덥석 먹다.

ぱくっと 副 **1** 큰 입으로 한 입에 먹는 모양: 덥석. ¶パンに～食(く)いついた 빵을 덥석 먹었다. **2** 째진 데 등이 크게 벌어진 모양: 빠끔히. ¶傷口(きずぐち)が～あく 상처가 빠끔히 벌어지다. 注意 1·2는 'ぱくりと'라고도 함.

バクテリア［bacteria］名〖生〗박테리아; 세균. =バクテリヤ.

ばくと【博徒】名 박도; 노름꾼. =ばくちうち. ¶～の仲間(なかま) 노름패.

はくとう【白桃】名〖植〗백도; 수밀도(水蜜桃)의 하나《과실의 살이 흼》. =しろもも. ↔黄桃(おうとう).

はくどう【白銅】图 백동; 백통. ¶～貨(か) 백동화; 백통돈.

はくどう【拍動】《搏動》图ス自 박동; (심장의) 고동. ¶心臓(しんぞう)の～ 심장의 박동 / ～性(せい)の痛(いた)み 박동성의〔욱신거리는〕 아픔.

はくとうゆ【白灯油】图 백등유.

はくないしょう【白内障】图〔醫〕백내장. ＝しろそこひ.

はくねつ【白熱】图ス自 백열. ¶～灯(とう) 백열등 / ～戦(せん) 백열전 / ～電球(でんきゅう)～ 백열 전구 / ～した試合(しあい) 몹시 격렬해진 경기 / 議論(ぎろん)が～化(か)する 의론이 백열화하다〔격렬해지다〕.

はくば【白馬】图 백마; 흰말; 부루말. ＝あおうま.

*ばくは【爆破】图ス他 폭파. ¶弾薬庫(だんやくこ)を～する 탄약고를 폭파하다 / ～して岩(いわ)を砕(くだ)く 폭파하여 바위를 부수다.

バグパイプ [bagpipe] 图 백파이프《목관 악기의 일종》.

ばくばく【漠漠】トタル 막막. **1** 광막(廣漠)한 모양; 아득하게 넓은 모양. ¶～たる荒野(こうや)〔大地(だいち)〕 광막한 황야〔대지〕. **2** 막연한 모양. ¶～とした記憶(きおく) 막연한 기억 / ～と広(ひろ)がる不安(ふあん) 막막하게 번지는 불안 / ～として測(はか)りがたい 막막하여 헤아리기 어렵다.

ぱくぱく 副 **1** 입을 연이어 크게 벌리는 모양: 빠끔빠끔. ¶金魚(きんぎょ)が口(くち)を～させる 금붕어가 입을 빠끔빠끔 벌리다. **2** 음식을 게걸스럽게 먹는 모양. ¶片(かた)っぱしから～とたべてしまう 닥치는 대로 덥석덥석 먹어 치우다. **3** 이은 부분이 빠끔히 벌어진 모양. ¶靴(くつ)の先(さき)が～する 구두 앞쪽이 터져 너덜거린다.

はくはつ【白髪】图 백발; 흰머리. ¶～の老紳士(ろうしんし) 백발의 노신사.

—三千丈(さんぜんじょう) 백발 삼천장《시름으로 백발이 늘어난 것을 과장하여 한 말》.

⁑ばくはつ【爆発】图ス自 폭발. ¶～物(ぶつ) 폭발물 / ガス～ 가스 폭발 / 爆弾(ばくだん)が～する 폭탄이 폭발하다 / 不満(ふまん)〔怒(いか)り〕が～する 불만이〔분노가〕 폭발하다.

—てき【—的】ダナ 폭발적. ¶～な人気(にんき)を呼(よ)ぶ 폭발적인 인기를 끌다.

ばくはんたいせい【幕藩体制】图 幕府(ばくふ)와 여러 藩(はん)에 의하여 지배되던 일본 근세의 정치 체제.

はくび[白眉]图 백미; 여럿 중에서 가장 뛰어난 사람〔것〕. ＝ぴか一(いち). ¶歴史(れきし)小説(しょうせつ)(中(ちゅう))の～ 역사 소설(중)의 백미 / 本大会(ほんたいかい)の～と言(い)えよう 본 대회의 백미라고 할 수 있을 것이다.

はくひょう【白票】图 백표. **1** 국회에서 찬성 투표에 쓰이는 흰 표. ↔青票(せいひょう). **2** (아무것도 안 쓴) 백지 투표. ¶～を投(とう)ずる 백지 투표를 하다.

はくひょう【薄氷】图 박빙; 살얼음. ＝うすごおり. ¶～が張(は)る 살얼음이 얼다.

—を踏(ふ)む思(おも)い 살얼음을 밟는 느낌; 위태로워 아슬아슬한 느낌.

はくふ【伯父】图 백부. ＝おじ. 注意 옛날에는 'はくぶ'. ↔伯母(はくぼ).

ばくふ【幕府】图 무가(武家) 시대에 将軍(しょうぐん)이 정무를 집행하던 곳; 또, 무가 정권. ¶鎌倉(かまくら)～ 鎌倉 무가 정권. 参考 본디는 将軍의 거처 또는 진영.

ばくふ[瀑布]图 폭포; 폭포수. ＝たき. ¶ナイヤガラの～ 나이아가라 폭포.

ばくふう【爆風】图 폭풍. ¶～で窓(まど)ガラスがこわれる 폭풍으로 유리창이 깨지다 / ～で屋根(やね)が吹(ふ)き飛(と)んだ 폭풍으로 지붕이 날아갔다.

はくぶつがく【博物学】图 박물학. ¶～を習(なら)う 박물학을 배우다.

はくぶつかん【博物館】图 박물관. ¶科学(かがく)～ 과학 박물관 / ～行(ゆ)きの代物(しろもの) 박물관에나 갈 고리타분〔희귀〕한 물건 / ～に見物(けんぶつ)に行(ゆ)く 박물관에 구경하러 가다.

はくぶん【白文】图 백문. **1** 구두점이나 토가 없이 그냥 내리 쓴 한문. **2** 주석을 달지 않은 본문만인 한문. ¶～訓点(くんてん) 백문의 토.

はくへいせん【白兵戦】图 백병전; 육박전. ¶～の華(はな)と散(ち)る 백병전에서 전사하다.

はくぼ【伯母】图 백모. ＝おば. ↔伯父(はくふ).

はくぼ【薄暮】图 박모; 황혼. ＝たそがれ·夕暮(ゆうぐ)れ. ¶～の迫(せま)った河原(かわら) 황혼이 지기 시작한 강변.

はくほうじだい[白鳳時代]图 일본 미술사에서의 시대 구분의 하나《飛鳥(あすか) 시대와 天平(てんぴょう) 시대와의 중간 시대인 645-709년》.

はくぼく【白墨】图 백묵; 분필. ＝チョーク. ¶赤(あか)い～ 붉은 분필 / ～で黒板(こくばん)に書(か)く 백묵으로 칠판에 쓰다.

はくまい【白米】图 백미; 흰쌀; 정백미(精白米). ＝精米(せいまい). ¶～を配給(はいきゅう)する 백미를 배급하다. ↔玄米(げんまい).

ばくまつ【幕末】图 江戸幕府(えどばくふ) 시대의 말기. ¶～の動乱期(どうらんき) 江戸(えど)幕府 말기의 동란기.

はくめい【薄命】图 박명. **1** 불운. ＝ふしあわせ. ¶～に泣(な)く 불운에 울다 / ～を嘆(なげ)く 불운을 한탄하다. **2** 단명(短命). ¶佳人(かじん)～ 가인박명.

はくめい【薄明】图 박명; 해뜨기 전, 해진 뒤의 어스레한 무렵. ＝うすあかり. ¶～の時(とき) 새벽녘.

ばくめい【爆鳴】图 폭명; 폭발할 때 소리를 냄; 또, 그 소리.

はくめん【白面】图 백면. **1** 나이가 젊고 미숙함. ¶～の書生(しょせい) 백면서생. **2** 흰 얼굴. ¶～の貴公子(きこうし) 백면의 귀공자.

はくや【白夜】图 (극(極)지방의) 백야. ＝びゃくや.

*ばくやく【爆薬】图 폭약. ¶～庫(こ) 폭약고 / ～を仕掛(しか)ける 폭약을 장치하다.

はくらい【舶来】图 박래; 외래. ¶～品(ひん) 외래품 / ～種(しゅ) 외래 품종 / ～の文化(ぶんか) 외래문화. ↔国産(こくさん).

ばくらい【爆雷】图〔軍〕폭뢰; 물속에서

は

폭발시키는 폭탄《잠수함 공격용》.
はぐらか-す 5他 **1** 따돌리다; 동행이 눈치채지 못하게 슬쩍 떨어져〔빠져〕 나오다. ＝まく. ¶供の者を～ 동행을 따돌리다 / 友達を～·して一人で帰る 친구들을 따돌리고 혼자 돌아오다. **2** 어름거려 넘기다; 얼버무리다. ¶答えを～ 대답을 얼버무려 넘기다.
はくらく [剝落] 名スル自 박락; 벗겨져 떨어짐. ¶塗装が～する 도장이 벗겨져 떨어지다 / ～した壁画 (채색이) 벗겨져 떨어진 벽화.
はくらん【博覧】名スル他 박람. **1** 박식. **2** 일반인이 널리 보는 일. ¶世人の～に供する 널리 세상 사람들에게 보이다.
──かい【──会】名 박람회. ¶万国〔産業〕～ 만국〔산업〕 박람회.
──きょうき【──強記】名 박람강기; 박학다식. ¶～の人 박학다식한 사람.
はくり [剝離] 名スル自 박리; 벗겨져 떨어짐. ¶網膜～ 망막 박리.
はくり【薄利】名 박리; 적은 이익.
──たばい【──多売】名スル自 박리다매. ¶～主義 박리다매주의.
はくりきこ【薄力粉】名 박력분《단백질이나 끈기가 적어 비스킷·튀김 따위에 쓰는 밀가루》. ↔強力粉
ぱくりと 副 **1** 입을 크게 딱 벌리고 먹거나 마시는 모양: 덥석; 꿀꺽. ¶～一口に食う 한 입에 덥석 먹다. **2** 틈이나 구멍이 크게 벌어지는 모양: 빠끔히. ¶傷口が～とあく 상처 구멍이 빠끔히 벌어지다 / くつの底が～口をあく 구두창이 빠끔히 입을 열다; 구두창에 구멍이 뻥 뚫리다.
ぱくりや【──屋】名〈俗〉자금 융통이나 어음 따위를 미끼로 남을 공갈쳐서 금품을 갈취하는 폭력배.
ばくりょう【幕僚】名〔軍〕막료; 참모 장교. ¶～を集めて作戦を練る 막료를 모아 작전을 짜다.
***はくりょく**【迫力】名 박력. ¶～負け 박력이 딸림〔부족함〕 / ～満点 박력 만점 / ～に欠ける 박력이 모자라다〔없다〕 / ～のある演技 박력 있는 연기.
はぐ-る [撥る] 5他 젖히다; 넘기다; 개다; 걷(어 올리)다. ¶こよみを～ 달력을 넘기다 / 布団を～ 이불을 개다〔걷어 젖히다〕.
ぱく-る 5他〈俗〉**1** (가게 물건을) 훔치다. **2** 사취(詐取)하다; 날치기하다. ¶手形を～·られた 어음을 날치기〔사취〕 당했다. **3** 검거하다; 잡다. ¶すりを～ 소매치기를 체포하다 / 現行犯で～·られた 현행범으로 검거되었다.
***はぐるま**【歯車】名 **1**〔機〕톱니바퀴. ＝ギヤ. ¶ねじ〔平〕～ 나사〔평〕 톱니바퀴. **2** 전체를 구성하고 있는 개개의 요소나 요원. ¶政治の～が狂う 정치가 순조롭게 되어가지 않는다 / 組織の～にすぎない 조직의 한 요원〔요소〕에 불과하다.
ばくれつ【爆裂】名スル自 폭렬; 폭발하여 파열함. ¶～薬 폭약 / ～音 폭렬음; 폭발음 / ～弾 폭렬탄; 폭탄.
はぐ-れる [逸れる] 下1自 **1** 일행과 떨어지다〔처지다〕; 일행을 놓치다. ¶親に～·れて迷子になる 부모를 놓치고 미아가 되다 / 群れから～ 무리에서 처지다. **2** 기회를 놓치다. ¶飯に～ 끼니 때를 놓치다. **3**《動詞連用形를 받아서》 놓치다; 실패하다. ¶乗り～ 차를 놓치다 / 行き～ 못 가게 되다 / 食い～ (때를 놓쳐) 밥을 못 먹다 / 取り～ 못 잡고 놓치다 / 寝～ 잠을 설치다.
ばくれん [莫連] 名〈俗〉닳고 닳아 뻔뻔함; 또, 그런 사람《특히 여성》. ＝あばずれ·すれっからし.
──おんな【──女】名 닳아빠진〔굴러먹은〕 여자.
はくろ【白露】名 백로. **1** 흰 이슬. ＝しらつゆ. **2** 24절기 중의 하나《양력 9월 7일경》.
***ばくろ**【暴露】《曝露》名スル他自 폭로. ¶～記事〔戦術〕 폭로 기사〔전술〕 / 陰謀が～する 음모가 폭로되다 / 不正〔正体〕を～する 부정을〔정체를〕 폭로하다.
はくろう【白ろう】《白蠟》名 백랍; 흰 밀랍.
──びょう【──病】名〔醫〕백랍병. ＝振動病.
***はけ** [刷毛·刷子] 名 솔; 귀얄; 붓. ¶～目 귀얄 자국 / ～でペンキを塗る 붓으로 페인트를 칠하다 / ～でのりをつける 귀얄로 풀을 바르다.
はけ [捌け] 名 **1** (물이) 흘러 빠짐. ¶水～がよい 물이 잘 빠지다. **2** (상품이) 팔림. ＝売れゆき. ¶～のいい品 잘 팔리는 물건 / 品物の～が悪い 물건이 잘 안 나간다.
***はげ** [禿] 名 대머리; 또, 그 사람; 전하여 널리, 민둥이 된 상태. ¶～山 민둥산 / 若～ 젊어서 대머리가 됨; 또, 그 사람 / つるっぱげ 홀렁 까진 대머리 / 山が～になる 산이 민둥산이 되다.
はげあが-る【はげ上がる】《禿げ上がる》 5自 대머리지다; 이마에서 머리까지 벗어지다. ¶額の～·った人 이마가 벗겨진 사람.
はげあたま【はげ頭】《禿頭》名 대머리. ＝はげ·とくとう.
バケーション [vacation] 名 버케이션; 휴가. ¶サマー～ 여름휴가.
はげお-ちる【はげ落ちる】《剝げ落ちる》 上1自 벗겨져 빛이 바래다. ¶ペンキの～·ちた壁 페인트가 벗겨져 떨어진 벽.
ばけがく【化学】名 化学(＝화학)를 음이 같은 科学(＝과학)와 구별하여 쓰는 말.
はけぐち【はけ口】《捌け口》名 **1** 배수구; 배출구. ¶不満の～ 불만의 배출구 / 感情の～を求める 감정의 배출구를 찾다 / 流しの～が詰まる 개숫물 구멍이 막히다. **2** 판로. ¶～のない品 판로가 없는 상품 / 商品の～を開

拓(かいたく)する 상품의 판로를 개척하다.

**はげし-い【激しい】《劇しい·烈しい》 形 세차다; 격심하다; 잦다; 열렬하다. ¶ ~痛(いた)み 격심한 통증 / ~寒(さむ)さ 심한 추위 / ~競争率(きょうそうりつ) 심한 경쟁률 / ~恋(こい) 열렬한 사랑 / 気性(きしょう)の~人(ひと) 성미가 과격한 사람 / 風(かぜ)が~ 바람이 세다 / 雨風(あめかぜ)が~ 비바람이 세차다 / 行(ゆ)き来(き)が~ 왕래가 빈번하다 / すききらいが~ 호불호가 까다롭다.

はげたか〖禿鷹〗 名 〔鳥〕〈俗〉 はげわし.

はげちょろ〖剝げちょろ·禿げちょろ〗 名ナ (빛깔·칠·머리 등이) 여기저기 벗겨져 보기 흉함. ¶ ~のカーペット 여기저기 닳아 보기 흉한 카펫 / ~の鉢(はち) 군데군데 빛이 바랜 화분.

はげちょろけ〖剝げちょろけ·禿げちょろけ〗 名 'はげちょろ'의 힘줌말.

*__バケツ__ [bucket] 名 바께쓰; 양동이; 물통. ¶ ~一杯(いっぱい)の水(みず) 양동이 하나 가득한 물. 注意 '馬穴'로 씀은 취음.

—リレー [일 bucket+relay] 名 (화재 때) 여러 사람이 한 줄로 서서 양동이 물을 릴레이식으로 나르는 일.

バゲット [프 baguette] 名 바게트《프랑스인이 주식으로 하는 막대 모양의 빵》.

パケット [packet] 名 패킷; 데이터 통신에서, 보내는 데이터의 전송 단위.

—つうしん【—通信】 名 패킷 통신; 수집한 정보를 세분해서 전송하는 데이터 통신 서비스. ▷ packet telecommunication.

ばけのかわ【化けの皮】 名 가면(假面); 위장(僞裝); 탈.

—がはがれる〔はげる〕 가면이 벗겨지다《정체가 드러나다》.

—を現(あら)わす 정체를 드러내다.

はけば【はけ場】《捌け場》 名 배설할 곳; 배출구. ¶ 不満(ふまん)の~がない 불만을 토로〔발산〕할 데가 없다.

はげまし【励まし】 名 격려. ¶ ~の手紙(てがみ)〔言葉(ことば)〕 격려의 편지〔말〕.

*__はげま-す【励ます】__ 5他 1 북돋(우)다; 격려하다. ¶ 子供(こども)を~·して勉強(べんきょう)させる 아이를 격려해서 공부시키다 / 失意(しつい)におちた友(とも)を~ 실의에 빠진 친구를 격려하다. 2 언성을 높이다. ¶ 声(こえ)を~·してしかる 언성을 높여 꾸짖다.

はげみ【励み】 名 1 힘씀; 노력함. ¶ お~の様子(ようす) 힘쓰시는 모양. 2 자극; 격려. =はげまし. ¶ 友(とも)の成功(せいこう)が良(よ)い~になる 친구의 성공이 좋은 자극이 되다.

*__はげ-む【励む】__ 5自 힘쓰다. ¶ 研究(けんきゅう)〔家業(かぎょう)〕に~ 연구〔가업〕에 힘쓰다 / 仕事(しごと)に~ 열심히 일하다.

ばけもの【化け物】 名 1 도깨비; 요괴; 귀신. =お化(ば)け. ¶ ~屋敷(やしき) 도깨비가 나오는 집 / ~が出(で)る 도깨비가 나오다. 2 정체를 모를 사람; 알 수 없는 능력을 가진 사람. ¶ あいつは~だ 저 놈은 괴물이다.

はげやま【はげ山】《禿山》 名 독산; 민둥산. =はだかやま. ¶ ~に木(き)を植(う)える 민둥산에 나무를 심다.

は-ける〖捌ける〗 下1自 1 (물이) 잘 빠지다. ¶ 下水(げすい)が~ 하수가 잘 빠진다. 2 (물건이) 잘 팔리다. =さばける. ¶ 商品(しょうひん)が全部(ぜんぶ)~ 물건이 모두 팔리다 / 右(みぎ)から左(ひだり)へ~ (들여온) 물건이 금방 팔리다.

は-げる〖剝げる〗 下1自 1 (칠·껍질 따위가) 벗겨지다. ¶ 塗(ぬ)りが~ 칠이 벗겨지다 / メッキが~ 도금한 것이 벗겨지다 / 化(ば)けの皮(かわ)が~ 본성이 드러나다. 2 퇴색하다; 바래다. ¶ ~·げない色(いろ) 바래지 않는 색 / 人気(にんき)が~ 인기가 바래다〔한물 가다〕.

は-げる〖禿げる〗 下1自 1 머리가 벗어지다. ¶ ~·げた頭(あたま) 대머리 / 頭(あたま)が~ 머리가 벗겨지다. 2 전하여, 민둥산이 되다. ¶ 山(やま)が~ 산이 헐벗다.

*__ば-ける【化ける】__ 下1自 모습이 딴판으로 바뀌다; 둔갑하다; 가장하다. ¶ きつね〔へび〕が女(おんな)に~ 여우가〔뱀이〕 여자로 둔갑하다 / 学生(がくせい)に~·けて尾行(びこう)する 학생으로 가장하여 미행하다.

はげわし〖禿鷲〗 名 〔鳥〕 독수리. 参考 본디 이름은 'はげたか'.

*__はけん【派遣】__ 名ス他 파견. ¶ ~軍(ぐん) 파견군 / 大使(たいし)〔選手(せんしゅ)〕を~する 대사〔선수〕를 파견하다.

はけん【覇権】 名 패권; 지배권. ¶ ~主義(しゅぎ) 패권주의 / リーグ戦(せん)で~を争(あらそ)う 리그전에서 패권을 다투다.

—を握(にぎ)る 패권을 잡다; 우승하다. ¶ 海上(かいじょう)の~ 해상의 패권을 쥐다.

ばけん【馬券】 名 마권. ¶ 競馬(けいば)の~ 경마의 마권.

はこ【箱】《函》 一名 1 상자; 궤짝; 함. ¶ 木箱(きばこ) 나무 상자 / 宝石箱(ほうせきばこ) 보석함 / ~につめる 상자에 채워 넣다 / ~にしまう 상자에 넣다. 2〈俗〉 철도 차량; 찻간. ¶ 隣(となり)の~ 이웃 찻간 / この~に乗(の)ろう 이 칸에 타자. 二接尾 상자 수효를 세는 말. ¶ 二(ふた)~ 두 상자.

はご【羽子】 名〈雅〉 모감주나무 열매에 새털을 끼운 배드민턴의 셔틀콕과 비슷한 것. =はね.

—いた【—板】 名 羽子(はご)를 치고 받고 하는 나무채.

はこいり【箱入り】 名 1 상자 속에 들어 있음; 또, 그 물건. ¶ ~の茶器(ちゃき) 상자에 들어 있는 다기. 2 'はこいり娘(むすめ)'의 준말.

—むすめ【—娘】 名 규중처녀.

はこう [跛行] 名ス自 파행; 균형이 안 잡힘; 절름발이. ¶ ~状態(じょうたい) 파행 상태 / ~景気(けいき)〔相場(そうば)〕 파행 경기〔시세〕.

はこし【箱師】 名〈俗〉 (전차·기차 따위의) 차내 전문 소매치기. ¶ ~が乗(の)っている 소매치기가 타고 있다.

ばこそ 連語 앞의 것〖주로 원인·이유〗을 강조하는 데 씀: …나머지; …이기에. ¶ 君(きみ)のためを思(おも)え~苦言(くげん)を呈(てい)するのだ 너를 위하는 마음이기에 충고

하는 거다 / これまでの努力(どりょく)があれ～, 今日(こんにち)までやってこられたのだ 이제까지의 노력이 있었기에 오늘까지 해 나갈 수 있었던 것이다. [參考] 이때 뒤에 오는 말을 표현하지 않을 때가 있음. ¶君(きみ)のためを思(おも)え～だ 너를 위〔생각〕하기 때문이다.

パゴダ [pagoda] 图 파고다; 불탑.

はごたえ【歯ごたえ】《歯応え》图 **1** 씹을 때 이에 느끼는 감촉; 씹는 맛. ¶しこしこした～ 쫄깃쫄깃하게 씹히는 맛 / 柔(やわ)らかすぎて～がない 너무 연해서 씹는 맛이 없다. **2** 반응〔보람〕이 있음. ㉠(일 등이) 보람이 있음. ¶～のある仕事(しごと) 보람이 있는 일. ㉡(사람이) 만만치 않음; 상대할 만함. ¶～のある相手(あいて) 맞서 볼 만한 상대 / あいつは～のあるやつだ 저 녀석은 만만치 않은 놈이다.

はこづめ【箱づめ·箱詰め】图 상자에 채움; 또, 그 채운 것. ¶～の花(はな) 상자에 채워 넣은 꽃.

はこづり【箱釣り】图 축제일 등에 노점 따위에서, 수조 속에 있는 잉어·금붕어 등을 낚게 하는 놀이.

はこにわ【箱庭】图 상자 안에 만든 모형 정원; 미니어처(miniature) 가든.

はこね【箱根】图〔地〕神奈川(かながわ)·静岡(しずおか) 두 현(縣) 사이의 箱根 화산 지대《유람지·온천장으로 유명함》.

はこび【運び】图 **1** 운반. ¶荷物(にもつ)の～を手伝(てつだ)う 짐나르기를 돕다. **2** (일의) 진행. ㉠추진 솜씨. ¶話(はなし)の～がうまい 이야기의 진행 솜씨가 능하다. ㉡진도; 진척. ¶筆(ふで)の～ 붓놀림; 운필 / 仕事(しごと)の～が遅(おそ)い 일의 진도가 늦다. **3** 걸음걸이. ¶足(あし)の～がのろい〔おぼつかない〕 걸음걸이가 느리다〔불안하다〕. **4** 단계. ¶完成(かんせい)の～になる 완성 단계가 되다 / 開会(かいかい)の～になる 개회할 단계가 되다. **5** 왕림; 와 줌. ¶お～をいただき恐縮(きょうしゅく)です 왕림해 주셔서 황송합니다 / 遠路(えんろ)のお～で恐縮(きょうしゅく)です 원로에 왕림해 주셔서 황송합니다.

はこびこ-む【運び込む】[5他] (물건을) 날라서 들여놓다. ¶機械(きかい)を工場(こうば)へ～ 기계를 공장에 날라서 들여놓다.

はこびだ-す【運び出す】[5他] (물건을) 바깥으로 날라내다; 반출하다. ¶荷物(にもつ)を～ 짐을 밖으로 날라내다.

はこ-ぶ【運ぶ】[一][5他] **1 운반하다; 옮기다; 나르다. ¶机(つくえ)を次(つぎ)のへやに～ 책상을 다음 방으로 옮기다 / 足(あし)を～ 발길을 옮기다《몸소 가다》/ 針(はり)を～ 바느질하다 / 風(かぜ)が春(はる)のたよりを～ 바람이 봄 소식을 전하다. **2** 진행〔진척〕시키다; 추진하다. ¶段取(だんど)りをつけて仕事(しごと)を～ 계획을 정해 놓고 일을 추진하다.
[二][5自] 진행〔진척〕되다. ¶話(はなし)がすらすらと～·んで相談(そうだん)がまとまった 이야기가 척척 잘 진행되어 합의를 보았다 / 工事(こうじ)が順調(じゅんちょう)に～ 공사가 순조로이 진척되다. [可能] はこ-べる [下1自]

はこぶね【箱船】《方舟》图 네모난 배; 방주. ¶ノアの～ 노아의 방주.

はこぼれ【刃こぼれ】《刃毀れ》图[ス自] (칼)날의 이가 빠짐〔빠진 부분〕. ¶～した刀剣(とうけん) 이빠진 도검.

はごろも【羽衣】图 우의; 깃옷. ¶仙女(せんにょ)の～ 선녀의 우의.

はこん【破婚】图[ス自] 파혼. **1** 혼약을 파기함. **2** 이혼. ＝離婚(りこん). ¶二人(ふたり)は～した 두 사람은 파혼했다.

バザー [bazaar] 图 바자; 자선시(市).

はさい【破砕】《破摧》图[ス他自] 파쇄; 깨어져 부서짐; 깨뜨려〔쳐〕 부숨. ¶敵(てき)を～する 적을 쳐부수다 / 岩石(がんせき)を～する 암석을 깨뜨려 부수다.

はざかいき【端境期】图 단경기. ＝はざかい. [參考] 시장에서 야채·과일 등이 갈마드는 시기도 가리킴.

はさき【刃先】图 칼끝. ＝きっさき. ¶～が鋭(するど)い 칼끝이 날카롭다 / ～をかわす 칼끝을 피하다.

はざくら【葉桜】图 꽃이 지고 어린 잎이 나는 무렵의 벚나무. ¶はや～の時節(じせつ)になった 벌써 벚나무에 잎이 나는 계절이 되었다.

ばさつ-く [5自] **1** 머리털 따위가 부수수하다. ¶髪(かみ)の毛(け)が～ 머리털이 부수수하다. **2** 바삭바삭 소리를 내다.

ぱさつ-く [5自] 건조하여 퍼석퍼석하다. ¶～·いたパン 퍼석퍼석한 빵.

ばさばさ [副ス] **1** 머리털 따위가 부수수한 모양. ¶～した髪(かみ)の毛(け) 부수수한 머리털. **2** 마른 것이 서로 닿을 때 내는 소리: 바삭바삭; 바스락바스락. ¶枯(か)れ葉(は)が～音(おと)を立(た)てる 마른 잎이 바삭바삭 소리를 내다.

ぱさぱさ [副ス] 말라서 물기〔기름기〕가 없는 모양: 구덕구덕; 퍼석퍼석; 바삭바삭; 부수수. ¶～した髪(かみ) 부수수한 머리털 / ～に乾(かわ)く 파삭파삭하게 마르다 / 洗濯物(せんたくもの)が風(かぜ)で～となる 세탁물이 바람으로 구덕구덕 마르다 / 古(ふる)いパンは～していてまずい 묵은 빵은 퍼석퍼석해서 맛이 없다.

はざま〖狭間〗图 **1** 틈새기. ＝あいだ. ¶雲(くも)の～から日(ひ)がもれる 구름 사이에서 햇빛이 비쳐오다. **2** 골짜기. ＝たにま. **3** (성벽에 마련한) 총안(銃眼).

*はさま-る【挟まる】[5自] 틈(새)에 끼이다. ¶魚(さかな)の骨(ほね)が歯(は)に～ 생선가시가 잇새에 끼이다 / 中(なか)に～·って閉口(へいこう)さ 중간에 끼어서 참 난처하네 / 嫁(よめ)と姑(しゅうとめ)の間(あいだ)に～·れて苦労(くろう)する 고부간 틈바구니에 끼어 고생하다.

はさみ〖鋏〗图 **1 가위. ¶紙鋏(かみばさみ) 종이가위 / 剪定鋏(せんていばさみ) 전정가위 / ～で切(き)る 가위로 자르다. **2** 표찍는 가위; 개표가위; 펀치. **3** (가위바위보의) 가위.
—を入(い)れる **1** 가위질하다. **2** 나무를 전정하다; 머리 손질을 하다. ¶庭木(にわき)に～ 정원수를 가지치다. **3** 승차권·입장권 등의 일부를 잘라내거나 구멍을 내어

사용 증명을 하다; 개표하다.
はさみ 〖螯〗 图 게나 새우의 집게발.
はさみうち【挟み撃ち】图 ス他 협공; 협격. ¶敵を～にする 적을 협공하다/～にあう 협공당하다.
はさみばこ【挟み箱】图 옛날, 의복이나 도구를 넣고 막대기를 꿰어서 하인에게 지우던 함.
[挟み箱]
はさみむし 〖鋏虫〗 图〔蟲〕집게벌레.
はさ-む【挟む】《挿む》 5他 **1 끼(우)다. ㉠사이에 두다. ¶机を～·んで向かい合う 책상을 사이에 두고〔끼고〕 마주 앉다/しおりを本の間に～ 서표(書標)를 책 사이에 끼우다/こわきに～ 겨드랑이에 끼다 / 道を～·んで立つ 길을 사이에 두고 서다. ㉡(끼워서) 집다. ¶箸で～ 젓가락으로 집다. **2** (마음에) 품다. ¶疑いを～ 의심을 품다. **3** 듣다. ¶うわさを耳に～ 소문을 귓결에 듣다. **4** 말참견하다. ¶口〔ことば〕を～ 말참견하다. 可能はさ-める 下1自
はさ-む 〖剪む·鋏む〗 5他 가위로 자르다. ¶枝を～ 가지를 치다; 전정하다. 可能はさ-める 下1自
ばさりと 副 넓이 있는 것이 물건 위에 떨어지거나 덮이는 소리: 바스락; 풀썩.
はざわり【歯触り】图 무엇을 씹었을 때의 느낌. ¶～のいいお菓子 씹는 맛이 좋은 과자.
*__はさん__【破産】图 ス自 파산. ¶～宣告 파산 선고 / 事業に失敗して～する 사업에 실패해 파산하다/会社は～の一歩手前だ 회사는 파산 일보 직전이다.
はさん【破算】图 ☞ごはさん.
はし【端】图 **1 끝; 선단(先端). ¶棒の～ 막대기의 끝/ひもの両～ 끈의 양 끝/～をそろえる 끝을 맞추다. **2** 시초; 처음. ＝初め·起こり. ¶～からはじめる 처음부터 시작하다. **3** 가장자리. ＝へり·ふち. ¶道の～を通る 길섶으로(지나)가다/～に寄る 가장자리로 가다〔비키다〕/紙の～を折る 종이(의) 귀를 접다. **4** 잘라낸 조각. ＝きれはし. ¶木の～ 나뭇조각 / 切れ～ 끄트러기; 지저깨비. **5** 구석. ＝すみ. ¶部屋の～ 방구석. **6** 사물의 일부분. ¶ことばの～を捕らえる 말꼬리를 잡다.
**はし【橋】图 다리. ¶～の袂 다리 옆/丸木橋を渡る 통나무 다리를 건너다/～をかける 다리를 놓다.
—を渡す **1** 다리를 놓다. **2** 양쪽의 중개 역할을 하다.
*__はし__ 〖箸〗 图 젓가락. ¶～を使う 젓가락질을 하다/～をおく 다 먹다.
—が転んでもおかしい年頃 젓가락이 굴러도 우스워하는 나이《사춘기 소녀가 아무 것도 아닌 일에도 잘 웃음을 이르는 말》.
—が進む 입맛이 돌다; 식욕이 나다. ＝食が進む.
—にも棒にもかからない 도무지 어떻게 할 도리가 없다.
—の上げ下ろしにも小言を言う 젓가락질에도 잔소리하다《사소한 일까지 일일이 잔소리를 하다》.
—をつける 먹기 시작하다.
—を取る 식사하다; 식사하기 시작하다.
**はじ【恥】《羞·辱》图 부끄러움; 수치; 치욕. ¶わが家の～ 우리 집안의 수치 / ～をかかせる 창피를 당하게 하다/～とも思わない 수치라곤 생각지 않는다/～を知れ 부끄러움을 알아라/～を忍ぶ 수치를 참다/免れて～なし 죄·책임을 면해서 태평하게 있다.
—の上塗り〔かけ上げ〕 거듭 수치를 당함.
—も外聞もない 부끄러워하거나 남의 눈치를 볼 경황이 아니다.
—をかく〔さらす〕 창피를 당하다. ¶満天下に恥をさらす 온 세상에 다 알려지도록 창피를 당하다.
—をすすぐ 치욕을 씻다.
はじ 〖端〗 图 ☞はし.
はじい-る【恥じ入る】5自 크게 부끄러워하다. ¶まちがいを指摘されて大いに～ 잘못을 지적당해 크게 부끄러워하다/深く～次第です 매우 부끄럽게 생각하는 바입니다.
はしおき【はし置き】《箸置き》图 (식사 때) 젓가락을 얹어 놓는 받침. ＝箸まくら·はしだい.
はしか 〖麻疹〗 图 마진; 홍역. ＝ましん.
はしがき【端書き】图 **1** 머리말; 서문. ＝前書き·序文. ↔後書き. **2** (편지의) 추신(追伸). ＝おってがき. ¶～を添える 추신을 덧붙이다.
はじき 〖弾き〗 图 **1** 튀김; 탄력성. ¶つま～ (a)손톱으로 튀김; (b)배척함/バットの～がいい (야구) 배트의 탄력이 좋다. **2** ☞おはじき. **3** 〈俗〉 권총.
はじきだ-す【はじき出す】《弾き出す》5他 **1** 튀겨 내다. ¶爪で～ 손톱으로 튀겨 내다 / 満員電車から～·された人々 만원 전차에서 밀려난 사람들. **2** 따돌리다. ¶じゃま者を～ 방해가 되는 자를 쫓아버리다/仲間から～·される 동료에게서 따돌림을 당하다. **3** ㉠산출하다. ¶コンピューターが～·した結果 컴퓨터가 산출한 결과. ㉡염출하다. ¶切りつめて旅費を～ 절약해서 여비를 염출하다.
*__はじ-く__ 〖弾く〗 5他 **1** 튀기다. ＝つまびく. ¶爪で～ 손톱으로 튀기다/弦を～ 현을 튀기다. **2** (수판을) 놓다. ¶そろばんを～ 수판을 놓다; 손익을 따지다. **3** 겉돌게 하다. ¶油紙は水を～ 유지에는 물이 겉돈다《유지는 물을 안 받는다》. 可能はじ-ける 下1自
はしくれ【端くれ】图 **1** (재목 등의) 토막; 끄트러기. **2** 나부랭이; 겨우 축에 끼는 사람. ＝末輩·はしっくれ. ¶役人の～ 관리 나부랭이/男の～ 지질

한 남자 / 私わたしも学者がくしゃの～ですが 저도 학자 나부랭이지만. 参考 자기 겸사말로도 쓰임.

はしけ 〖艀〗 图 거룻배. ＝はしけぶね. ¶ ～で渡わたる 거룻배로 건너다.

はしげた 【橋げた】《橋桁》 图 다리 기둥〔교각〕 위에 걸쳐서 널빤지를 지탱하는 도리.

はじ-ける 〖弾ける〗 下1自 **1** 여물어서 터지다; 튀다. ＝はぜる. ¶才さい～·けた男おとこ 지나치게 머리가 잘 돌아 다소 경계를 요하는 사나이 / ばねが～ 용수철이 튀다 / くりのいがが～ 밤송이가 벌어지다 / 竹たけが～ 대나무가 갈라지다. **2** 세게 튀다. ¶水みずが～ 물(방울)이 튀다 / ～ような笑わらい声ごえ 갑작스러운〔까르르하는〕 웃음 소리 / ～ように立たち上あがる 벌떡 일어서다.

*__はしご__ 〖梯子〗 图 **1** 사다리. ¶非常ひじょうばしご 비상 사다리 / ～をかける 사다리를 걸치다 / 縄なわばしごをのぼる 줄사다리를 오르다. **2** 〈俗〉 'はしご酒ざけ'의 준말. ¶～して飲のむ 이집 저집 다니며 술을 마시다.

――ざけ 【――酒】 图 술집 순례; 2차·3차 「술.

――しゃ 【――車】 图 고가(高架) 사다리 차《소방차》.

はしこ-い 〖敏い·敏捷い〗 形 **1** (동작이) 빠르다; 민첩하다. ¶～動うごき 잽싼〔날랜〕 동작. **2** 약빠르다; 약다; 영리하다. ＝かしこい. ¶～人ひと 약빠른 사람 / ～子供こども 영리한 아이 / ～顔かおつき 영리하게 생긴 얼굴 / 金かねに～ 돈에 약빠르다.

はじさらし 【恥さらし】《恥曝し》 名ｽ 망신(시킴); 수치; 창피; 또, 그 사람. ¶一門いちもんの～ 가문의 수치《사람》/ ～な話はなし 창피한 이야기 / いい～だ 꼴 좋다 / そんな～なまねができるか 그런 창피한 짓을 할 수 있을까.

はじしらず 【恥知らず】 名ｽ 수치를 모름; 또, 그런 사람; 철면피. ¶この～奴め 이 뻔뻔한 놈아 / ～なふるまい 철면피한 행동 / お前まえのような～は見みたことがない 너 같은 철면피는 처음 봤다.

はした 〖端〗 名ｽ **1** 우수리; 끝수; 단수; 나머지. ＝端数はすう. ¶～のかね 푼돈 / ～を切きりすてる 끝수를 버리다. **2** 어지빠름; 어중간함. ＝はんぱ. ¶～の仕事しごと 어중간한 일.

はしたがね 【はした金】《端金》 图 푼돈. ＝はしたぜに. ¶こんな～で何なにが買かえるか 이런 푼돈으로 뭘 산단 말이냐.

はしたな-い 〖端ない〗 形 **1** 상스럽다; 천격스럽다; 야비하다. **2** 조심성이 없다; 버릇없다. ¶～振ふる舞まい 경망스러운 행동 / ～言いい方かた 버릇없는 말씨.

はしため 【はした女】《端女》 图 하녀.

はしっこ 【端っこ】 图 〈俗〉 ☞はし(端). ¶～に席せきを取とる 가장자리〔구석〕에 자리를 잡다 / ～にちょこんとすわった 구석에 오도카니 앉았다. 注意 'はじっこ'라고도 함.

はしっこ-い 〖敏捷い〗 形 ☞はしこい.

ばじとうふう 【馬耳東風】 图 마이동풍. ¶～と聞きき流ながす 마이동풍으로 흘려 듣다 / いくら説教せっきょうしても～だ 아무리 (타)일러도 마이동풍이다.

はしなくも 〖端無くも〗 連語 뜻밖에도; 어쩌다가. ＝はからずも·ふと. ¶秘密ひみつが～外部がいぶに漏もれる 비밀이 뜻하지 않게 외부에 새다 / ～本音ほんねをもらす 어쩌다가 속마음을 털어놓다.

はしばし 【端端】 图 사소한 부분; 이모저모; 끝. ¶言葉ことばの～に気きをつける 말 한 마디 한 마디에 조심하다 / 無念むねんさが言葉の～に感かんじられる 원통함이 말 한 마디 한 마디에서 느낄 수 있다.

はしばみ 〖榛〗 图〔植〕 개암나무.

パシフィック リーグ [Pacific League] 图 퍼시픽 리그; 일본 프로 야구 연맹의 하나. ＝パリーグ. ↔セントラルリーグ.

はじまらない 【始まらない】 連語 《…しても를 받아》 …해도 소용없다; …해도 이제 와서 어쩔 수 없다. ¶いまさら後悔こうかいしても～ 새삼스레 후회해도 소용없다 / いくら心配しんぱいしても～ 아무리 걱정해도 소용없다.

*__はじまり__ 【始まり】 图 시작; 시초; 기원. ¶けんかの～ 싸움의 시초〔발단〕/ 授業じゅぎょうの～を告つげる鐘かねの音ね 수업 시작을 알리는 종소리 / 文明ぶんめいの～ 문명의 기원. ↔終おわり.

はじま-る 【始まる】 5自 시작되다. **1** 개시되다. ¶国会こっかい〔映画えいが〕が～ 국회〔영화〕가 시작되다. ↔終おわる. **2** 평소에 하던 버릇이 나타나다. ¶また彼かれののろけ話ばなしが～·った 또 그의 애인 자랑 이야기가 시작되었다.

はじめ 【初め】 一图 (시간적으로) 처음; 최초. ¶年としの～ 연초 / ～から気きが進すすまない 처음부터 마음이 내키지 않는다. ↔終おわり·末すえ. 二副 앞서; 이전에. ¶～言いったこと 앞서 말한 것 / ～は別べつの人ひとかと思おもった 처음엔 딴 사람인 줄 알았다.

はじめ 【始め】 图 **1** (일의) 시작. ㉠개시; 시작. ¶～のあいさつ 시작하는 인사(말) / 作業さぎょう～の合図あいず 작업 개시 신호. ㉡(사물의) 기원. ¶国くにの～ 나라의 기원. ㉢첫무렵; 첫머리. ¶～のうちは慎重しんちょうだった 처음에는 신중했었다 / ～はおもしろくなかった 첫머리는 재미없었다. ↔末すえ. **2** 《'…を～として'의 꼴로》 …을 비롯〔위시〕하여. ¶首相しゅしょうを～として 수상을 비롯하여.

はじめて 【初めて】《始めて》 副 처음(으로); 비로소; 첫 번째(로). ¶生うまれて～の経験けいけん 태어나서 처음 겪는 경험 / 子こを持もって～知しる親おやの恩おん 자식을 갖고서야 비로소 아는 부모의 은혜 / ～お目めにかかります 처음 뵙겠습니다 / ～にしてはよく出来できた 첫 솜씨치고는 잘 됐다 / 手紙てがみを見みて～知しった 편지를 보고 비로소 알았다.

はじめね【始め値】图 (증권 시장에서) 시초가; 시가(始價). ＝寄より付つき値ね. ↔終おわり値ね.

はじめまして【始めまして·初めまして】連語 처음 뵙겠습니다((초대면의 인사)). ¶～, 私わたくし, 田中たなかと申もうします 처음 뵙겠습니다. 저는 田中라고 합니다.

はじ-める【始める】((初める)) 下1他 **1** 시작〔개시〕하다. ¶勉強べんきょうを～ 공부를 시작하다 / 店みせを～ 가게를 시작하다; 개점하다 / 今いまに～·めぬ事ことながら 지금 처음 시작된 일은 아니지만 / ほら～ぞ. いつもの小言こごとだ 또 시작이다. 늘 하는 그 잔소리다. ↔終おえる·終おわる. **2** ((動詞나 '(さ)せる' '(ら)れる'의 連用形에 붙어 接尾語적으로))…하기 시작하다. ¶本ほんを読よみ～ 책을 읽기 시작하다 / 花はなが咲さき～ 꽃이 피기 시작하다.

はしゃ【覇者】图 패자. **1** 무력·권력으로 천하를 정복한 사람. ¶戦国時代せんごくじだいの～ 전국 시대의 패자. ↔王者おうじゃ. **2** (경기 따위의) 우승자. ¶本年度ほんねんど〔プロ野球やきゅう〕の～ 금년도〔프로 야구〕의 패자.

ばしゃ【馬車】图 마차. ¶荷に～ 짐마차 / 二頭立にとうだての～ 쌍두마차 / ～に乗のる 마차를 타다.

—うま【—馬】图 **1** 마차(를 끄는) 말. **2** 〈俗〉 한눈 팔지 않고 열심히 일하는 것의 비유. ¶～のように働はたらく 한눈 팔지 않고 열심히 일하다.

はしゃ-ぐ〖燥ぐ〗5自 **1** (신명이 나서) 까불며 떠들다; 우쭐해져서 큰소리치다. ¶お祭まつりで子供こどもらが～·ぎまわる 축제에서 아이들이 떠들어 대다. **2** 마르다; (너무 말라) 휘거나 뒤틀리다. ¶桶おけが～ 통이 바짝 마르다 / 板いたが～ 판자가 뒤틀리다 / のどが～ 목이 마르다. 可能 はしゃ-げる 下1自

はしやすめ【はし休め】((箸休め)) 图 주된 요리를 먹는 중 간간이 집어 먹는 간소한 찬((초무침 따위)); 입가심. ＝つまみもの.

パジャマ [pajamas] 图 파자마; 서양식 잠옷. ＝ピジャマ. ¶～に着きかえる 파자마로 갈아입다.

ばしゅ【馬主】图 마주; (경마의) 말 임자. ＝ばぬし·うまぬし.

ばしゅ【馬首】图 〈文〉 마수; 말의 목; 말머리. ¶～をめぐらす 말머리를 돌리다; 진행 방향을 바꾸다.

はしゅつ【派出】图ス他 파출; 보냄. ¶店員てんいんを～させる 점원을 출장시키다.

—かんごふ【—看護婦】图 (개인이나 병원에 출장 가는) 파출 간호사.

—じょ【—所】图 파출소. **1** 출장소. **2** '巡査じゅんさ派出所はしゅつじょ(＝경찰관 파출소)'의 준말. ＝交番こうばん. ¶～勤務きんむ 파출소 근무.

—ふ【—婦】图 파출부. ＝家政婦かせいふ.

ばじゅつ【馬術】图 마술. ¶～師し 마술가 / ～競技きょうぎ 마술 경기.

ばしょ【場所】图 **1** 장소. ㉠곳; 위치. ¶寝ねる～ 잠잘 곳 / ～をえらぶ 장소를 고르다 / 駅えきの～をたずねる 역의 위치를 묻다 / ～が～だけに 장소가 장소인만큼 / 土地とちも～によって違ちがう 땅(값)도 위치에 따라 다르다. ㉡자리. ¶置おき～ 놓을 자리 / ～をふさぐ 많은 자리〔장소〕를 차지하다; 터를 잡다 / ～をあける 자리를 비우다 / ～が有ある 자리가〔좌석이〕 있다 / (すわる)～を取とっておく (앉을) 자리를 잡아 두다. **2** 씨름의 흥행 장소〔기간〕. ¶夏なつ～ 여름철 씨름 흥행 장소〔기간〕.

—を勤つとめる 씨름 흥행에 출장(出場)하다.

—を踏ふむ 경험을 쌓다. ＝場数ばかずを踏む.

—がら【—柄】图 **1** 장소(의 성질). ¶～をわきまえない振ふる舞まい 장소를 가리지 않은 처신 / ～を考かんがえろ 장소를 생각(하고 처신)해라. **2** ((副詞적으로)) 그 장소의 성질〔조건〕상. ¶～, 人ひとの出入でいりが多おおい 장소가 장소이니만큼 사람의 출입이 많다.

—わり【—割り】图 장소의 할당. ¶夜店よみせの～ 야시장의 자리 할당.

はじょう【波状】图 파상. **1** 물결 모양. ¶～雲うん 파상운. **2** 파도처럼 거듭되는 모양. ¶～熱ねつ 파상열 / ～攻撃こうげき 파상 공격 / ～スト 파상 스트라이크.

ばしょう〖芭蕉〗图〔植〕 파초.

はしょうふう【破傷風】图〔醫〕 파상풍.

ばしょく〔馬謖〕图『泣ないて～を斬きる』 읍참마속(泣斬馬謖)((아까운 인물이지만 책임을 물어 엄벌함의 비유)).

はしょ-る〖端折る〗5他 **1** 옷자락을 걷어 올려 허리에 접어 지르다. ¶着物きものを～ 옷자락을 걷어(올려) 지르다 / 尻しりを～ 뒷자락을 걷어서 허리에 지르다. **2** 줄이다; 생략하다. ¶話はなし〔説明せつめい〕を～ 이야기를〔설명을〕 줄이다.

はしら【柱】㊀图 기둥; 또, 기둥이 되는 사람〔물건〕. ¶電信柱でんしんばしら 전봇대 / 一家いっかの～ 일가의 기둥 / テントの～を立たてる 천막의 지주를 세우다 / 杖つえとも～ともたのむ人ひと 하늘같이 믿고 의지하는 사람. ㊁接尾 ((수를 나타내는 말에 붙여)) 신체(神體)·유골 따위를 세는 말: 위(位). ¶六ろく～の英霊えいれい 육위의 영령.

はじらい【恥じらい】((羞じらい)) 图 수줍음; 부끄러움. ¶乙女おとめの～ 처녀의 수줍음 / ～の色いろをみせる 부끄러운 기색을 나타내다.

はじら-う【恥じらう】((羞じらう)) 5自 부끄러워하다; 수줍어하다. ＝はにかむ·照てれる. ¶ほおを染そめて～ 볼을 붉히며 수줍어하다 / 花はなも～乙女おとめ 꽃도 부끄러워〔무색케〕할 만큼 아름다운 처녀.

はしら-す【走らす】5他 **1** (막힘없이) 술술 움직이다; 놀리다. ¶筆ふでを～ 붓을 놀리다 / 目めを～ 눈을 빨리 움직여 차례로 보다; 빨리 읽다. **2** 달리(게 하)다; 급히 보내다. ＝はしらせる. ¶馬うまを～ 말을 빨리 달리다〔급히 몰다〕 / 使者ししゃ

を～ 사자를 급히 보내다 / 車を～·せる 차를 빨리 몰다. **3** 패주(敗走)시키다. ¶敵を国外に～ 적을 국외로 쫓아버리다.

はしら-せる【走らせる】[下1他] ☞はしらす.

はしらどけい【柱時計】[图] 괘종시계; 벽시계. ¶～が一時を打つ 괘종시계가 한 시를 치다.

はしり【走り】[图] 닫기; 달리기; 움직임이 매끄러움. ¶～くら 달리기 (내기) / 一～して行って来る 한차례〔한달음에〕 달려갔다 오다 / この車はとても～がいい 이 차는 아주 잘 나간다.

はしり〖走り〗[图] **1** 만물; 첫물; 햇것. ¶～のみかん 햇귤 / かつおの～ 만물 가다랑어 / まつたけの～ 햇송이. **2** 어떤 현상의 시작; 선구. =さきがけ. ¶流行〔ミニスカート〕の～ 유행〔미니스커트〕의 선구.

はしりがき【走り書き】[图][ス他] (휘) 갈겨씀; 또, 그렇게 쓴 것. ¶～の手紙〔メモ〕 갈겨 쓴 편지〔메모〕.

はしりこ-む【走り込む】[五自] **1** 달려 들어가다; 뛰어들다. =駆け込む. ¶時間ぎりぎりに～ 시간이 임박해 달려 들어가다. **2** 러닝을 충분히 하다. ¶～んで下半身を鍛える 달리기 연습을 충분히 하여 하반신을 단련하다.

はしりたかとび【走り高跳び】[图] 높이뛰기. =ハイジャンプ.

はしりづかい【走り使い】[图] 잔심부름으로 뛰어다님; 또, 그 사람. ¶主人の～をする 주인의 잔심부름으로 뛰어다니다 / ～に学生アルバイトを雇う 잔심부름꾼으로 아르바이트 학생을 고용하다.

はしりづゆ【走り梅雨】[图] 5월경, 장마를 예고하듯이 계속 내리는 비.

はしりぬ-く【走り抜く】[五自] 끝까지 달리다; 완주하다. ¶三十キロの道を～ 30킬로의 길을 완주하다.

はしりはばとび【走り幅跳び】[图] 멀리뛰기. =ブロードジャンプ·ブロード.

はしりよみ【走り読み】[图][ス他] 대강대강 읽음; 대충 훑어봄. ¶朝刊を～する 조간을 대충 훑어보다.

⁑**はし-る**【走る】[五自] **1** 달리다; 빨리 움직이다. ¶電車が～ 전차가 달리다 / 筆が～ (a) 붓이 매끄럽게 움직이다; (b) 문장이 술술 쓰여지다 / 山道を～ 산길을 달리다 / 曲が～ 곡이 빨라지다 / 水が～ (a) 물이 빨리 흐르다; (b) 물이 힘차게 솟아나다 / 稲妻が～ 번개가 치다 / 血が～ 피가 뿜어나오다. **2** (길이나 산맥 등이) 뻗다; 통하다. ¶道が東西に～ 길이 동서로 뻗다 / 海に沿って国道が～ 바다를 따라 국도가 뻗어 있다. **3**《趨る·奔る》 달아나다; 도망치다; 패주하다. ¶九州へ～ 九州로 달아나다 / 敵陣に～ 적진으로 도망치다 / 南へさして～ 남쪽을 향하여 도망치다 / 恋人のもとへ～ 애인곁으로 도망쳐 가다. **4**《奔る·趨る》(좋지 않은 방향으로) 기울다; 치우치다; 쏠리다. ¶感情〔極端〕に～ 감정에〔극단으로〕 치우치다 / 赤に～ 좌익으로 기울다 / 悪〔犯罪〕に～ 악〔범죄〕의 길로 들어서다. **5** 미끄러져 나오다. ¶刀がさやから～ 칼이 칼집에서 뽑혀 나오다. [可能]はし-れる[下1自]

は-じる【恥じる】[上1自] **1** (자신의 죄·잘못·결점 등을) 부끄럽게 여기다. ¶無知〔不明〕を～ 무지를〔어리석음을〕 부끄러워하다 / 良心に～ 양심에 부끄러이 여기다. **2**《'…に～·じない'의 꼴로》…에 부끄럽지 않다. ¶横綱の名に～·じない〔～·じぬ〕力量 横綱의 이름에 부끄럽지 않은 역량.

はしわたし【橋渡し】[图][ス他] 다리를 놓음; 전하여, 중개함; 또, 그 사람. ¶～を頼む 중간 역할을〔중간에 다리를 놓아 줄 것을〕 부탁하다 / 商売の～をする 장사의 거간 노릇을 하다 / ～をかってでる 중개를 맡고 나서다.

ばしん【馬身】[图]《接尾語적으로》 마신; (경마에서) 말의 머리에서 꼬리까지의 길이. ¶一～の差 1 마신의 차.

はす〖斜〗[图] 비스듬함; 경사. =はすかい·すじかい·ななめ. ¶～に切る 엇베다; 비스듬히 자르다 / ～向かい 비스듬히 앞쪽 / 標札が～になっている 문패가 비뚤어져 있다 / ～にたてかける 비스듬하게 세워 놓다 / 帽子を～にかぶる 모자를 비스듬히 쓰다.

はす〖蓮〗[图]〔植〕 연; 연꽃; (불교에서) 연화(蓮華)《극락 정토를 상징하는 꽃》. =はちす·れんげ. ¶～池 연못.

⁑**はず**〖筈〗[图]《구체적인 내용을 보이는 한정의 어구를 받아서》 일이 당연히 그래야 할 것임을 나타내는 말: …할 예정〔것임〕; …할 리; …할 터; 당연히 …할 것. ¶あした着く～だ 내일 도착할 것이다 / 彼なら及第する～だ 그라면 급제할 게다 / そんな～はない 그럴 리는 없다 / 父が行く～のところを 아버지가 가셔야 할 것을 / それくらいの事は君だって知っている～ 그만한 일은 자네도 (당연히) 알고 있을 터 / たしかあなたもそう言った～だ 분명히 당신도 그렇게 말한 것으로 안다 / 彼ならできる～だ 그라면 할 수 있을 게다.

ハズ [←husband] [图] 〈俗〉 남편《'ハズバンド'의 준말》. ↔ワイフ.

ばす【馬す】《馬尾毛》[图] 말총.

バス [bass] [图]〔樂〕 베이스. **1** (성악에서) 남성 최저음. **2** 저음의 금관악기. ¶～クラリネット 베이스 클라리넷. **3** 'コントラバス(=콘트라베이스)'의 준말.

バス [bath] [图] 배스; 목욕(탕). ¶～タオル 목욕 수건.

—ルーム [bathroom] [图] 배스룸; 욕실.

—ローブ [bathrobe] [图] 배스로브; 목욕 후에 입는 헐렁한 실내복.

⁑**バス** [bus] [图] 버스. ¶～便 버스편 / ～

停 버스 정류장 / 観光～ 관광버스 / ～ガイド (관광버스의) 안내원.

—に乗り遅れる **1** 버스를 놓치다. **2** 세상 일반 풍조 등에 뒤지다; 낙오자가 되다.

—ストップ [bus stop] 图 버스 스톱; 버스 정류장. =バス停.

パス [pass] 패스. ㊀图 무료 승차권〔입장권〕; 또, 정기 승차권. ¶優待～ 우대 패스 / 顔～ 안면 통과; 지명도 등으로 무료 입장〔승차〕함.

㊁图スル自他 **1** (시험에) 통과함; 합격. ¶入学試験に～した 입학시험에 합격했다 / 審査を～する 심사를 통과하다. **2** (농구·축구 등에서) 공을 자기편으로 건네주는 일. ¶ボールを～する 공을 패스하다. **3** (카드놀이에서) 자기 순번을 거름; 전하여, 자기의 순번·일을 회피함.

—ポート [passport] 图 패스포트; 여권.

—ボール [←passed ball] 图〔野〕포수가 공을 놓치는 일.

—ワード [password] 图 패스워드; 암호말《현금 인출 카드의 비밀 번호 등》.

はすい【破水】图スル自 파수; 양수(羊水)가 터지는 일; 또, 그 양수.

はすう【端数】图 우수리; 끝수. ¶～をきりすてる 우수리를 (떼어) 버리다.

バズーカほう【バズーカ砲】图 바주카포《대(對)전차 로켓포》. ▷미 bazooka.

ばすえ【場末】图 변두리. =町はずれ. ¶～の酒場 변두리의 술집 / ～に店を出している 변두리에 가게를 내고 있다. ↔さかり場.

はすかい〖斜交い〗图 비스듬함; 기욺; 비낌; 또, 비스듬히 교차함. =ななめ·はす. ¶札を～に打ちつける 팻말을 비스듬히 박다 / 材木を～に組む 재목을 엇갈리게 엮다 / ～にまじわる道 비스듬하게 교차하는 길.

⁑**はずかし-い**【恥ずかしい】形 부끄럽다; 면목없다; 창피하다. ¶～事をしてくれたな 창피한 짓을 저질렀군 / どこへ出しても～·くない 어디에 내놓아도 부끄럽지 않다 / ～·くてそんな事は出来ない 창피해서 그런 짓은 못한다 / だれに聞かれても～·くない 누가 들어도 부끄러울 것 없다.

はずかしがりや【恥ずかしがり屋】图 부끄럼〔수줍음〕을 잘 타는 사람; 숫기없는 사람. =はずかしがり.

はずかしが-る【恥ずかしがる】5自 부끄럽게 여기다; 쑥스러워〔부끄러워〕하다. ¶～·って口もきかない 부끄러워하여 말도 안 한다.

はずかしながら【恥ずかしながら】《恥かし乍ら》連語 부끄러운 일이나; 창피한 일이지만. ¶～見ての通りの貧乏暮らしだ 창피하지만 보는 바와 같이 가난하게 살고 있네.

はずかしめ【辱め】图 모욕; 치욕. ¶～を受ける 모욕을 당하다.

はずかし-める【辱める】下1他 **1** 욕보이다; 창피를 주다. ¶公衆の面前で～ 대중 앞에서 창피를 주다. **2** (지위나 명예를) 더럽히다; 손상시키다; 욕되게 하다. =けがす. ¶名人の名を～·めない作品 명인의 이름을 더럽히지 않는 작품 / 家名を～ 집안의 명예를 욕되게 하다.

パスカル [pascal] 图〔理〕파스칼; 압력 단위《기호: Pa》. ¶ヘクト～ 헥토파스칼.

ハスキー [husky] ダナ 허스키; 목이 쉰 모양. ¶～な声 쉰 목소리 / ～ボイス 허스키 보이스; 약간 쉰 듯한 목소리.

バスケット [basket] 图 바스켓. **1** 바구니; 특히, 손바구니. =手さげかご. **2** 'バスケットボール'의 준말.

—ボール [basket ball] 图 바스켓 볼; 농구; 또, 그 공.

⁑**はず-す**【外す】5他 **1** 떼다. ㉠떼어 내다. ¶雨戸〔看板〕を～ 빈지를〔간판을〕 떼다 / 羽目を～ 흥겨워 도를 지나치다《⇨はめ 1》. ㉡빼다; 벗기다. ¶栓を～ 마개를 뽑다〔벗기다〕/ 閂を～ 빗장을 벗기다. ㉢벗다. ¶眼鏡を～ 안경을 벗다. **2** 끄르다; 풀다. ¶ボタンを～ 단추를 끄르다 / ネクタイを～ 넥타이를 풀다. **3** 피하다; 빗나가게〔빗맞게〕 하다. ¶質問(の矢)を～ 질문(의 화살)을 피하다 / タイミングを～ 타이밍을 놓치다 / 的を～ 과녁을 빗맞히다. **4** (자리를) 뜨다; 비우다; 참석지 않다. ¶席〔場〕を～ 자리를 뜨다 / 会を～ 회의에 참석지 않다. **5** 놓치다. ¶ボールを～ 공을 놓치다 / 機会を～ 기회를 놓치다 / いい口を～ 좋은 (일)자리를 놓치다. **6** (…에서) 제외하다; 빼다. ¶予定から～ 예정에서 제외하다 / メンバーから～ 멤버에서 빼다. 可能 はず-せる 下1自

はすっぱ〖蓮っ葉〗图ダナ 여자의 태도·행동이 경박하고 상스러움; 또, 그런 여자. ¶～な娘 왈가닥〔바람둥이〕 처녀 / ～な振るまい〔言い方〕 경박하고 천한 행동〔말투〕. 参考 '蓮葉'의 힘줌말.

パステル [pastel] 图〔美〕파스텔. ¶～画 파스텔화 / ～カラー 파스텔 컬러.

バスト [bust] 图 버스트; 가슴둘레; 가슴. =胸まわり. ¶豊かな～ 풍만한 가슴 / 彼女は～が大きい 그녀는 가슴이 크다.

ハズバンド [husband] 图 허즈밴드; 남편. =ハズ. ↔ワイフ.

はずま-せる【弾ませる】下1他 (숨을) 헐떡거리다. =弾ます. ¶息を～ 숨을 헐떡거리다.

***はずみ**【弾み】图 **1** 튐; 탄력. ¶～のいいゴムまり 잘 튀는 고무 공 / ボールの～が悪い 공이 잘 튀지 않는다 / ～をつける 탄력을 돋우다. **2** 여세; 힘; 가락. ¶～がつく 가락〔타성, 힘〕이 붙다; 기운이 나다. **3** (그때의) 추세; 상황; 형세. ¶物の～で 사소한 동기로; 어쩌다가 /

どういう～か 어찌된 일인지. **4** 그 순간; 그 찰나. ＝とたん. ¶ふとした～で 어쩌다가 그만/倒(たお)れた～に足(あし)をひねった 넘어지는 바람에 다리를 삐었다.

—を食(く)う 어떤 일의 여세에 휘말리다. ¶急停車(きゅうていしゃ)の弾みを食ってひっくりかえる 급정거의 반동으로 쓰러지다.

****はず-む【弾む】** ㊀5自 **1** (반동으로) 튀다. ¶まりが～ 공이 튀다. **2** 기세가 오르다; 신바람이 나다. ¶心(こころ)が～ 마음이 들뜨다; (기뻐서) 가슴이 뛰다/話(はなし)が～ 이야기가 활기를 띠다/声(こえ)が～ 목소리가 들뜨다. **3** (숨이) 거칠어지다. ¶息(いき)が～ 숨이 헐떡거리다.
㊁5他 (돈을) 호기 있게 내다. ¶チップ〔祝儀(しゅうぎ)〕を～ 팁을 호기 있게 주다/小遣(こづか)いを～ 용돈을 듬뿍 주다.

はすむかい【はす向かい】《斜向かい》图 비스듬히 마주보는 쪽. ＝はすむこう. ¶～の家(いえ) 엇비슷하게 마주 보는 집.

パズル [puzzle] 图 퍼즐; 수수께끼. ＝謎(なぞ). ¶クロスワード～ 크로스워드 퍼즐/～を解(と)く 퍼즐을 풀다.

***はずれ【外れ】** 图 **1** 변두리. ＝はし. ¶町(まち)の～ 시가의 변두리. **2** 맞지 않음; 벗어남; 어긋남. ¶当(あ)たり～ 빗나감/期待(きたい)～ 기대에 어긋남; 기대 밖/季節(きせつ)〔規格(きかく)〕～ 계절〔규격〕에 맞지 않음/～くじ 빈탕 제비; 꽝. ↔当(あ)たり.

はずれ【葉擦れ】 图 초목의 잎이 (바람에) 스침; 또, 그 소리. ¶～の音(おと) 나뭇잎이 스치는 소리/こがらしに～わびしく 늦가을 바람에 스치는 나뭇잎 소리 스산하고.

****はず-れる【外れる】** 下1自 **1** (단 것, 박은 것 등이) 빠지다. ㉠벗겨지다; 풀어〔끌러〕지다; 떨어지다. ¶ボタンが～ 단추가 끌러지다/かぎが～ 갈고리가 벗겨지다. ㉡누락되다; 제외되다. ¶選(せん)から～ 선(발)에서 빠지다. **2** 빗나가다; 빗맞다. ¶的(まと)から～ 표적에서 빗나가다/たまが～ 탄환이 빗나가다/くじに～ 추첨에 맞지 않다. **3** 벗어나다; 어그러지다. ¶当(あ)てが～ 겨냥이〔기대가〕 어긋나다/予想(よそう)が～ 예상이 어긋나다/道理(どうり)に～ 도리에 벗어나다/常識(じょうしき)から～ 상식에 어긋나다/コースから～ 코스에서 벗어나다/軌道(きどう)を～ 궤도를 벗어나다.

はぜ 〖沙魚·鯊〗 图〔魚〕 문절망둑.

はせい【派生】 图ス自 파생. ¶新(あら)たな問題(もんだい)が～する 새로운 문제가 파생하다.

—ご【—語】 图 파생어.

ばせい [罵声] 图 시끄럽게 욕하는 소리. ¶～を浴(あ)びせる 큰소리로 욕설을 퍼붓다/～をとばす 욕설을 퍼붓다.

はせつ-ける【はせ着ける】《馳せ着ける》下1自 달려서 다다르다; 급히 달려오다. ¶息(いき)せき切(き)って～ 헐레벌떡 급히 달려오다 / 父(ちち)危篤(きとく)の報(ほう)に～·けた 부친이 위독하다는 통지에 급히 달려왔다.

はせもど-る【はせ戻る】《馳せ戻る》5自 급히 (말을 몰아) 돌아오다. ＝かけもどる.

パセリ [parsley] 图〔植〕 파슬리《양식에 곁들임》. ＝オランダぜり.

は-せる 〖馳せる〗 下1他 **1** 달리다. ¶車(くるま)を～ 차를 급히 몰다〔달리다〕/馬(うま)を～·せて急(いそ)ぐ 말을 몰아 급히 가다. **2** (먼 곳의 어떤 것을) 생각하다. ¶思(おも)いを故国(ここく)に～ 고국 생각을 하다/遠(とお)い国(くに)に思(おも)いを～ 먼 고향 생각을 하다. **3** (이름 등을) 떨치다. ¶天下(てんか)に名声(めいせい)を～ 천하에 명성을 떨치다.

は-ぜる 〖爆ぜる〗 下1自 (열매가) 터져 벌어지다; 터지다; 튀다. ＝はじける. ¶豆(まめ)の～音(おと) 콩이 터져 튀는 소리/栗(くり)のいがが～ 밤송이가 벌어지다.

はせん【波線】 图 파선; 물결 모양으로 꾸불꾸불한 선《～～～》. ＝なみせん.

はせん【破線】 图 파선; 같은 간격으로 띄어 놓은 선《----》. ¶問題(もんだい)を～で囲(かこ)む 문제를 파선으로 두르다.

ばぞく【馬賊】 图 마적. ¶～に襲(おそ)われる 마적에게 습격당하다.

パソコン 图 퍼스컴; 'パーソナルコンピューター(＝퍼스널 컴퓨터)'의 준말; PC.

—ゲーム [game] 图 PC 게임.

—つうしん【—通信】 图 PC 통신.

はそん【破損】 图ス自他 파손. ¶～した車(くるま) 파손된 차/台風(たいふう)で窓(まど)ガラスが～する 태풍으로 유리창이 파손되다.

はた【畑】《畠》图 밭. ＝はたけ. ¶田(た)～ 논밭/～仕事(しごと) 밭일/焼(や)き畑(ばた) 화전/～を耕(たがや)す 밭을 갈다. ↔田(た).

***はた** 〖傍〗 图 옆 (사람); 곁의 사람. ¶～から見(み)るほど楽(らく)ではない 곁에서 보듯이 수월하지는 않다/～の人(ひと)が気(き)の毒(どく)だ 곁의 사람이 딱하다/～から口(くち)を出(だ)すな 옆에서 참견하지 마라.

****はた【旗】** 图 기; 깃발; 기치. ¶～じるし 기치/白(しろ)～ 백기/～をかかげる 깃발을 내걸다/～をおろす 깃발을 내리다.

—を揚(あ)げる **1** 군사를 일으키다. **2** 새로 일을 시작하다.

—を振(ふ)る (정치 운동 등에서) 선두에 서서 지휘하다.

—を巻(ま)く **1** 계획을 중지하다; (전망이 나빠) 손을 떼다. **2** 항복하다.

はた【端】 图 가; 가장자리; 끝. ¶炉(ろ)の～ 노변/池(いけ)の～ 못가/井戸端(いどばた) 우물가/道端(みちばた) 길가.

はた【機】 图 베틀. ¶～を織(お)る 베를 짜다.

はた 〖畑〗 教3 はた はたけ | **1** 밭. ¶畑作(はたさく) 밭농사/田畑(たはた) 논밭. **2** 전문 분야. ¶畑違(はたけちが)い 전문 분야가 다름. 参考 일본에서 만든 글자이며, '畠'와 같음.

***はだ【肌】**《膚》图 **1** 피부; 살(갗); 살결. ＝はだえ. ¶～が荒(あ)れる 피부가 거칠어지다/～が白(しろ)い 살갗이 희다 /～にこころよい (살갗에 닿는) 감촉이 좋다. **2** (토지·물건 따위의) 거죽; 겉. ㉠껍질. ¶木(き)の～ 나무 껍질. ㉡표면. ¶山(やま)の～

산의 표면/～の白い ダイコン 겉이 흰 무. **3** 기질; 성미. ¶伝法～ 드세고 협기 있는 기질/学者～の人 학자 기질의 사람.

—が合う 성격이〔마음이〕 맞다. ¶その人とはどうも肌が合わない 그 사람과는 아무래도 성격이 안 맞는다.

—で感じる 피부로 느끼다; 직접 경험하다.

—を合わせる 육체관계를 맺다.

—を汚す (여자가) 몸을 더럽히다.

—を脱ぐ **1** 웃통을 벗다. **2** 힘써주다; 진력하다. =ひとはだぬぐ. ¶友人のために～ 벗을 위해 힘쓰다.

—を許す (여자가) 몸을 허락하다.

バタ 名 ☞バター.

—くさ-い【—臭い】形 서양 냄새가 풍기다; 서양 바람이 들다. ¶～趣味 서양티를 내는 취미.

バター [butter] 名 버터. ¶～をたっぷり入れる 버터를 듬뿍 넣다/パンに～を塗る 빵에 버터를 바르다.

—か大砲か 버터냐 대포냐; 국민의 생활 안정이냐 군비 충실이냐.

はだあい【肌合い】名 **1** 피부·물건의 촉감. =肌ざわり. ¶なめらかな～ 부드러운 촉감/～のよい布 감촉이 좋은 천. **2** 성품; 성질; 기질. =気立て. ¶～が違う 기질이 다르다.

はたあげ【旗揚げ】名 ス自 **1** 군사를 일으킴; 거병함. ¶革命の～をする 혁명의 군사를 일으키다. **2** 예능 등에서, 새로 일을 시작함. ¶劇団の～公演 극단의 창단 공연. **3** 조직이나 집단 등을 새로 만듦. ¶新党が～する 신당이 발족하다.

ばたあし【ばた足】名 (수영에서) 두 발로 물장구를 침. ¶～をする 발로 물장구를 치다.

パターン 名 ☞パタン.

はたいろ【旗色】名 **1** (전쟁이나 경기의) 형세; 전황. ¶～をうかがう 형세를 살피다. **2** 기치; 소속; 입장. ¶～を鮮明にする 기치를 선명히 하다.

—が悪い 싸움의 형세가 좋지 않다.

はだいろ【肌色】名 **1** 살색; 살갗처럼 약간 붉은 빛을 띤 누른 빛. ¶～のシャツ 살색 셔츠. **2** 기물(器物) 등의 바탕이 되는 색깔. ¶この焼き物の～が美しい 이 도기의 빛깔이 아름답다.

はたうち〖畑打ち〗名 괭이 따위로 밭을 일굼.

はだえ〖肌·膚〗名 〈雅〉 살갗; 피부. =はだ. ¶玉の～ 옥 같은 피부/～に粟を生ずる 소름이 끼치다.

はたおり【機織り】名 ス自 **1** 베틀로 베를 짬; 또, 그 사람. ¶～女 베짜는 여인/～姫 직녀성의 딴이름. **2** '機織り虫(=여치)'의 준말.

****はだか**【裸】名 알몸. **1** 맨몸; 발가숭이; 전하여, 덮이지 않은 것. ¶～踊り 나체춤/～山 민둥산/～ん坊 벌거숭이; 알몸뚱이/～の電球 갓 없는 전구/赤～ 벌거숭이. **2** 무일푼. ¶～になって出なおす 무일푼에서 다시 시작하다. **3** 숨기거나 꾸밈이 없음. ¶～になって話し合う 꾸밈없이(탁 터놓고) 서로 얘기하다.

はだかいっかん【裸一貫】名 맨몸; 알몸; 적수공권. ¶～から出発する〔たたきあげる〕 빈주먹으로 출발하다〔잔다리 밟아 성공하다〕/～から財を築く 적수공권으로 재산을 모으다.

はだかみ【裸身】名 나신; 나체. =らしん.

はだかむぎ【裸麦】名 나맥; 쌀보리.

はだか-る〖開かる〗5自 **1** 팔·다리를 벌리고 막아 서다. ¶ゆくてに立ち～ 가는 길에 떡 버티고 막아서다. **2** (옷의 일부가 벌어져) 노출되다; 벌어지다. ¶胸が～ 가슴이 드러나다/裾が～·ってみっともない 옷자락이 벌어져 보기 흉하다.

はたき〖叩き〗名 먼지떨이; 총채. =ちりはらい. ¶～をかける 총채로 떨다.

はだぎ【肌着】《肌衣·膚着》名 내의; 속옷. ¶～を着る 내의를 입다.

***はた-く**〖叩く〗5他 **1** 털다. ㉠털어내다. ¶ふとんを～ 이불의 먼지를 털다/ちりを～ 먼지를 털다. ㉡탕진하다. ¶財布を～ 지갑을 몽땅 털다/身代を～ 가산을 탕진하다 / へそくりを～·いて買う 사천을 털어서 사다. **2** (손바닥으로) 치다; 때리다. ¶相手のほおを～ 상대방의 뺨을 때리다.

はたけ〖疥·乾瘡〗名〘漢醫〙 마른버짐; 건선(乾癬). ¶～が出来る 마른버짐이 생기다.

****はたけ**【畑】《畠》名 **1** 밭. ¶大根畑 무밭/～を耕す 밭을 갈다. ↔田. **2** 영역; 전문 분야. ¶～が違う 전문 분야가 다르다/外交畑の人 외교가 전문인 사람/商売は私の～じゃない 장사는 나의 영역이 아니다.

はたけちがい【畑違い】名 전문 분야가 다름. =専門違い. ¶～の仕事 전문 분야가 다른〔아닌〕 일.

はだ-ける〖開ける〗下1自他 (옷의) 앞가슴이 벌어지다; 앞가슴을 벌리다. ¶胸が～ 앞가슴이 벌어지다/前を～ 앞을 드러내다.

はたご〖旅籠〗名 **1** 여인숙; 여관. =宿屋. ¶～に泊まる 여관에 묵다. **2** 'はたごや'의 준말.

—や【—屋】名 여인숙; 여관. =やどや. ¶～をとる 여관을 잡다.

はたさく【畑作】名 밭농사; 또, 그 작물. ¶～の準備 밭농사 준비/この辺では～に力を入れている 이 일대에서는 밭농사에 주력하고 있다.

はださむ【肌寒】名 늦가을에 느끼는 으스스한 추위. =秋冷え. ¶～の季節 으스스한 계절.

はださむ-い【肌寒い】形 으스스 춥다. =うすら寒い. ¶～風が吹く 으스스한 찬바람이 불다 / 朝夕は～·くなった 아침저녁은 으스스하니 추워졌다.

はだざわり【肌触り】《膚触り》图 **1** 촉감; 감촉. ¶ ～のすべすべした布地 촉감이 매끄러운 천 / ～がなめらかだ 감촉이 부드럽다. **2** 남에게 주는 느낌. ¶ ～のいい人 대하기가 부드러운 사람.

***はだし**〖裸足〗图 **1** 맨발(로 걸음). ¶ ～で歩く 맨발로 걷다 / ～で飛び出した 맨발로 뛰어나갔다. ⇨すあし. **2**《接尾語적으로》도저히 따라가지 못함. ¶ くろうと～の腕前 전문가 뺨칠 솜씨.

はたしあい【果たし合い】图 결투. ¶ ～を申し込む 결투를 신청하다.

はたしじょう【果たし状】图 결투장. ¶ ～を送る 결투장을 보내다 / ～をつきつける 결투장을 내밀다.

はたして【果たして】副 과연. **1** 생각한 바와 같이; 역시. ¶ ～失敗した 역시 실패했다 / ～彼は成功した 과연 그는 성공했다. **2**《疑問·仮定 따위의 말을 수반하여》예상〔추측〕한 대로; 말 그대로; 정말로. ¶ ～そうだろうか 정말로 그럴까 / ～そこまで行けるか 정말 거기까지 갈 수 있을까 / ～どれが真実か 과연 어떤 것이 진실인가.

はだジュバン【肌じゅばん】《肌襦袢》图 (일본 옷의) 직접 살에 닿는 속옷; 속속곳. ＝肌ジバン. 注意 '肌襦袢'으로 씀은 취음.

はたじるし【旗印】《旗標》图 (명백히 내건) 목표; 기치. ¶ 自由の～ 자유의 기치 / ～をかかげる 기치를 내걸다.

***はた-す**【果たす】5他 **1** 완수하다; 다하다; 달성하다. ＝しとげる. ¶ 責任を～ 책임을 완수하다 / 使命を～ 사명을 다하다 / 目的を～ 목적을 달성하다. **2**《動詞의 連用形에 붙어서》죄다 …해 버리다. ¶ 有り金を使い～ 있는〔가진〕 돈을 죄다 써버리다. 可能 はた-せる 下1自

はたせるかな〖果たせる哉〗連語 생각한 바와 같이; 역시; 아니나다를까. ＝やっぱり·案のじょう. ¶ ～失敗した 아니나다를까 실패했다 / ～彼は落第した 역시 그는 낙제했다.

***はたち**【二十·二十歳】图 20세; 스무 살. ¶ 来年は～になる 내년에는 스무 살이 된다 / 彼はまだ～前だ 그는 아직 스무 살이 안 됐다.

はたち【畑地】图 밭으로 쓰는 땅.

ばだち【場立ち】图〔經〕시장 대리인《증권 회사 등에서 거래소에 파견된, 매매 업무 담당 직원》. ＝手振り. 注意 'ばたち'라고도 함.

ばたつ-く 5自 〈俗〉 허둥대다; 버르적거리다; 발버둥이치다; 또, 펄럭이다; 덜걱거리다. ¶ 先に行こうと～ 먼저 가려고 허둥대다 / 風で窓が～ 바람으로 창문이 덜걱거리다 / テントが風で～ 천막이 바람으로 펄럭이다.

ぱたっと 副 **1** 가벼운 것이 갑자기 넘어지거나 떨어지는 모양: 딱; 탁. **2** 갑자기 끊어지는 모양: 뚝; 딱. ¶ ～消息を絶つ 딱 소식을 끊다 / 風が～止まる 바람이 뚝 그치다 / 連絡が～とだえた 연락이 뚝 끊겼다.

はたと〖礑と〗副 **1** 갑자기 그치거나 막히는 모양: 딱; 탁; 퍼뜩. ¶ ～行きづまる 딱 막히다 / ～思い当たる 퍼뜩 생각나다 / ～ことばに詰まる 말이 딱 막히다. **2** 날카롭게 쏘아보는 모양: 딱. ＝はったと. ¶ ～にらむ 딱 노려보다. **3** 물건이 갑자기 맞아서 소리가 나는 모양: 탁. ¶ ～ひざをたたく〔うつ〕 탁 무릎을 치다.

はだぬぎ【肌脱ぎ】图 옷을 벗어 상반신을 드러냄; 또, 그 모습. ¶ ～になって汗をぬぐう 웃통을 벗고 땀을 닦다 / 暑いので～になる 더워서 윗옷을 벗다.

はたはた〖鱩·鰰〗图〔魚〕도루묵.

はたはた 副 깃발 따위가 바람에 펄럭이는 모양: 펄럭펄럭. ¶ 校旗が～(と)ひるがえる 교기가 펄펄 나부끼다.

ばたばた 副 **1** 발이나 날개 등을 계속해서 움직이는 소리; 또, 그 모양: 동동; 푸드덕푸드덕; 쿵쾅; 쿵쿵. ¶ 足を～させる 발을 동동 구르다; 발버둥이치다 / 鳥が～(と)飛び立つ 새가 푸드덕 날아오르다 / 廊下を～(と)走る 복도를 쿵쾅거리며 달리다. **2** 계속해서 떨어지거나 쓰러지는 소리; 또, 그 모양: 턱턱; 픽픽. ¶ コレラで～(と)倒れる 콜레라로 픽픽 쓰러지다〔죽다〕. **3** 계속 부딪는 모양. ¶ ～と的にあたる 연이어 딱딱 표적에 맞다. **4** (문이) 덜커덩거리는 모양: 덜컹덜컹; 덜커덩. ¶ 風で戸が～いう 바람에 문이 덜커덩거리다. **5** 분주히 뛰어다니거나 또 바쁜 모양. ¶ ～(と)駆け回る 분주하게 뛰어 돌아다니다 / 一日中～していた 하루종일 바쁘게 지냈다. **6** 사물이 순조롭게 진척되는 모양: 데꺽. ¶ 友達が～と就職する 친구들이 척척 취직되다 / 用事を～(と)片付ける 볼일을 후딱후딱 마쳐버리다.

ぱたぱた 副 **1** 먼지 등을 가볍게 터는 모양: 탁탁. ¶ 障子に～(と)はたきをかける 장지를 총채로 탁탁 털다. **2** (가볍게) 치는 소리가 나는 모양: 똑똑. ¶ 戸を～(と)たたく 문을 똑똑 두드리다. **3** 신발 따위가 가볍게 소리내는 모양. ¶ スリッパで～歩く 슬리퍼를 짤짤 끌며 걷다. **4** 새의 날개나 작은 기 따위가 가볍게 소리내는 모양: 파닥파닥; 팔랑팔랑. ¶ 会場の小旗が～鳴る 회장의 작은 깃발이 팔락거리다. **5** 일이 진척되는 모양. ¶ 仕事が～(と)かたづく 일이 제꺽제꺽 끝나다〔해결되다〕.

はたび【旗日】图 국기를 게양하는 날; 국경일.

バタフライ [butterfly] 图 버터플라이. **1** 접영(蝶泳). **2** 나비.

はたまた〖将又〗連語《接続詞적으로》혹은; 또는. ＝もしくは·それともまた. ¶ 行く先は北か～南か 행선지는

북인가 아니면 남인가.

はだまもり【肌守り】《膚守り》图 몸에 지니는 부적.

はだみ【肌身】图 몸; 살갗. =はだ. ¶～を許す (여자가) 몸을 허락하다. 參考 '肌'와 '身'를 겹침으로써 강조하는 말. **—離さず** 몸에 늘 지니고. ¶子の写真を～たいせつに持つ 아이 사진을 몸에서 떼지 않고 늘 소중히 지니다.

はため【はた目】《傍目》图 곁에서 남이 보는 느낌〔눈〕. =よそめ. ¶～にも気の毒なほど 옆에서 보기에도 딱할 정도(로)/～にも痛々しい 옆에서 보기에도 애처롭다/～にもうらやましいほど仲がいい 옆에서 보기에도 부러울 정도로 사이가 좋다.

はためいわく【はた迷惑】《傍迷惑》图 ダナ 옆〔인근〕 사람에게 폐가 됨. =近所迷惑. ¶～な話 남에게 폐스러운 얘기/～も考えない 남에게 폐가 되는 것도 생각지 않다.

はため-く 5自 (기 따위가) 펄럭이다. ¶国旗〔万国旗〕が風に～ 국기〔만국기〕가 바람에 펄럭이다.

はたもと【旗本】图 江戸 시대에, 将軍에 직속된 무사로, 직접 将軍을 만날 자격이 있는, 녹봉(祿俸) 만 석(石) 미만, 500석 이상인 자.

ばたや【ばた屋】图 〈俗〉 넝마주이; 양아치; 폐품 수집업자. =くずひろい.

*__はたらか-す__【働かす】5他 일을 시키다; 활동시키다; 활용〔발휘〕하다. =はたらかせる. ¶頭を～ 두뇌를 쓰다/想像力を～ 상상력을 발휘하다/知恵を～ 지혜를 활용하다/機械を～ 기계를 움직이다/社員を合理的に～ 사원을 합리적으로 부리다.

__はたらき__【働き】图 **1 활동; 회전. ¶頭の～が鋭い〔にぶい〕 머리 회전이 빠르다〔둔하다〕. **2** 작용; 기능; 효능; 효과. ¶引力の～ 인력의 작용/胃の～ 위의 기능/薬の～ 약의 효능/機械の～がにぶる 기계의 기능이 저하되다. **3** 공적; 공로. ¶抜群の～ 발군의 공적/～を認めて抜擢する 공적을 인정해서 발탁하다. **4** 일; 근무; 노동(량). ¶～がい 일한 보람/一日の～ 하루의 노동(량)/～に出る 일〔근무〕하러 (나)가다. **5** (생활) 능력. ¶～がある (a) 유능하다; (b) 생활 능력이 있다; (c) 수입이 많다/～がない 일한 것이 없다; 수입이 없다. **6**《活き》〔文法〕 활용. ¶動詞の～ 동사의 활용.

はたらきあり【働きあり】《働き蟻》图 〔蟲〕 일개미.

はたらきかけ【働き掛け】图 작용; 공작.

はたらきか-ける【働き掛ける】下1自 (상대방이 응하도록 적극적으로) 작용하다. ¶和平を～ 화평 공작을 하다/合併を～ 합병 공작을 하다/仲間に加わるよう～ 동아리에 가담하도록 손을 쓰다〔작용을 하다〕.

はたらきぐち【働き口】图 일자리. =職場. ¶～を探す 일자리를 찾다/いい～があっても 좋은 일자리가 있어도.

はたらきざかり【働き盛り】图 한창 때; 한창 일할 나이《청장년기》. ¶～の若い人 한창 일할 나이의 젊은이.

はたらきて【働き手】图 **1** 한 집안의 기둥《생계를 맡은 사람》. ¶～の息子が急死する 한 집안의 기둥인 아들이 급사하다/一家の～を失う 집안의 기둥을 잃다. **2** 일을 잘하는 사람. =働き者.

はたらきばち【働きばち】《働き蜂》图 〔蟲〕 일벌. =職蜂.

はたらきもの【働き者】图 부지런한 사람. ↔なまけ者.

__はたら-く__【働く】一 5自 **1 일을 하다; 활동하다; 움직이다. ¶よく～人 일 잘하는 사람/工場〔山〕で～ 공장〔산〕에서 일하다/頭が～ 머리가 잘 움직이다〔돌다〕; 센스가 빠르다/知恵が～ 지혜가 발휘되다/～·いたあとは飯がうまい 일한 뒤엔 밥이 맛있다/～·かざる者食うべからず 일하지 않는 자는 먹지도 말라. **2** 작용하다. ¶引力が～ 인력이 작용하다/理性が～ 이성이 작용하다/薬が～ 약이 효력을 내다/勘が～ 직감이 작용하다. **3**〔文法〕 활용하다. ¶五段に～動詞 5단으로 활용하는 동사.

二 5他 나쁜 짓을 하다. ¶盗みを～ 도둑질을 하다/悪事を～ 못된 짓을 하다/詐欺を～ 사기 치다/乱暴を～ 난폭하게 굴다. 可能 はたら-ける 下1自

> **働くの 여러 가지 표현**
>
> **表現例** あくせく(아득바득)·せっせと(열심히; 부지런히)·ばりばり(열심히)·きびきび(팔팔하게)·てきぱき(척척; 시원시원(하게)).
>
> **관용 표현** 汗にまみれて(땀투성이가 되어)·まっ黒になって(정신없이; 열심히)·汗水垂らして〔流して〕(땀을 뻘뻘 흘리며)·額に汗して〔汗を流して〕(구슬땀을 흘리며)·体を粉にして(뼈가 부서지도록)·骨身を惜しまず(몸을 아끼지 않고)·身を入れて(정성을 쏟아)·身を粉にして(몸이 가루가 되도록; 온 힘을 다하여).

ばたりと 副 'ぱたりと'의 힘줌말; ぱたりと보다 무거운 느낌의 말.

ぱたりと 副 ☞ ぱたっと.

はだれゆき【はだれ雪】《斑雪》图 이따금 내리는 눈; 또, 여기저기 남은 눈. =はだれ·まだらゆき. 注意 'はだらゆき'라고도 함.

はたん［破綻］图スル自 파탄. ¶～をきたす 파국을 가져오다/計画に～を生ずる 계획에 파탄이 생기다/家庭生活が～する 가정생활이 파탄하다.

はだん【破談】名 파담; 일단 정한 의논이나 약속 또는 혼담을 취소함〔없었던 것으로 함〕. ¶この間(あいだ)の話(はなし)は～にする 요전의 이야기는 없었던 걸로 하겠다 / その縁談(えんだん)は～になった 그 혼담은 깨졌다.

パタン [pattern] 名 패턴. **1** 형(型); 유형(類型). ¶日本文化(にほんぶんか)の～ 일본 문화의 유형 / センテンス～ 문장의 유형. **2** 본; 형지(型紙). **3** 무늬; 도안. 注意 'パターン'이라고도 함.

ばたんと 副 ☞ばたりと.

ぱたんと 副 ☞ぱたりと.

⁑**はち**【八】名 여덟; 여덟째. ¶～の日(ひ) 여드렛날.

──の字(じ)を寄(よ)せる (이마에) 여덟 팔자를 그리다《얼굴을 찡그리다》.

はち 〖蜂〗 名〔蟲〕 벌. ¶～に刺(さ)される 벌에 쏘이다. ⇨はちのす.

*__はち__【鉢】名 **1** 주발; 사발; 바리때. ¶サラダを～に盛(も)る 샐러드를 대접에 담다. **2** 화분. ＝植木鉢(うえきばち). ¶～に植(う)える 화분에 심다. **3** 바리때 비슷한 용기. ¶お～ 밥통. **4** 〈俗〉 두개골; 머리의 가로둘레. ¶～が大(おお)きい 머리통이 크다 / ～が開(ひら)いている 머리가 벗겨져 있다; 대머리다. **5** 투구의 머리를 덮는 부분.

はち 〖八〗 教1 ハチ ヤ やつ やっつ よう | 팔 여덟 | 팔; 여덟. ¶八方(はっぽう) 팔방 / 八景(はっけい) 팔경 / 八日(ようか) 팔일 / 八大地獄(はちだいじごく) 팔대지옥.

はち 〖鉢〗 常用 ハチ ハツ | 발 바리때 | 주발; 사발. ¶乳鉢(にゅうばち) 유발.

ばち 〖撥·桴·枹〗 名〔樂〕 **1** 발목(撥木); 술대. ¶～の音(おと)がさえる 발목으로 타는 악기 소리가 맑다. **2** (북·징 따위를 치는) 채. ¶～さばき 북〔징〕채를 다루는 솜씨.

ばち【罰】名 벌; 천벌. ＝たたり. ¶～があたる; ～をこうむる 천벌을 받다.

ばちあたり【罰当たり】名ナ (천)벌을 받음; 또, (천)벌을 받아 마땅한 사람. ¶この～め 이 천벌을 받을 놈; 이 벼락 맞을 놈아 / そんな～なことを言(い)うものではない 그런 천벌 받을 소릴 하는 게 아니다.

はちあわせ【鉢合わせ】名ス自 **1** 머리를 맞부딪침; 박치기. ¶暗闇(くらやみ)で～する 어둠 속에서 머리를 맞부딪치다 / 廊下(ろうか)のかどで～した 복도 모퉁이에서 머리를 맞부딪쳤다. **2** 우연히 마주침〔만남〕. ¶恩師(おんし)の宅(たく)で旧友(きゅうゆう)と～する 은사 댁에서 옛친구를 우연히 만나다 / ～になる 우연히 마주치게 되다.

ばちあわせ【ばち合わせ】《撥合わせ》名 (아악에서) 비파 따위를 연주하기 전에 음조(音調)를 맞추기 위해 하는 일종의 전주곡.

はちうえ【鉢植え】名 화분에 심음; 또, 그 초목. ¶～のばら 화분에 심은 장미.

ばちがい【場違い】名 그 자리에 어울리지 않음; 엉뚱함. ¶～の議論(ぎろん)〔服装(ふくそう)〕 장소에 어울리지 않는 토론〔복장〕/ ～な発言(はつげん) 그 자리에 어울리지 않는 엉뚱한 발언.

⁑**はちがつ**【八月】名 8월. 注意 雅語로는 'はづき'.

はちき-れる【はち切れる】下1自 **1** 차서 넘치려 하다. ¶～·れそうな元気(げんき) 터질 듯한 건강 / ～ばかりの若(わか)さ 터질 듯한 젊음. **2** 속이 꽉 차서 터지다. ¶おなかが～·れそうだ 배가 터질 것 같다 / 米袋(こめぶくろ)が～ 쌀자루가 터지다.

はちく【破竹】名 **1** 파죽; 대를 쪼갬. **2** '破竹の勢(いきお)い'의 준말.

──の勢(いきお)い 파죽지세. ¶～で勝(か)ち進(すす)む (경기에서) 파죽지세로 연승하다.

ぱちくり 副 놀라서 눈을 크게 끔벅이는 모양: 끔뻑. ¶目(め)を～させる 놀라서 눈을 크게 뜨고 끔뻑거리다.

はちじ【八字】名 여덟팔자의 모양. ¶～ひげ〔まゆ〕 팔자 수염〔눈썹〕.

はちじゅうはちや【八十八夜】名 입춘으로부터 88일째《5월 1,2일경으로, 농가에서는 파종의 적기로 여김》.

パチスロ 名 〈俗〉 빠찡꼬 집에 설치된 슬롯머신《딴 코인은 경품과 바꿈》. 參考 パチンコ와 スロットマシン의 준말.

ぱちつか-せる 下1他 **1** 훨훨 부채질하다. ¶扇子(せんす)を～ 접부채로 훨훨 부치다. **2** 눈을 자꾸 깜박거리다. ¶驚(おどろ)いて目(め)を～ 놀라서 눈을 깜박거리다.

はちのす【はちの巣】《蜂の巣》名 벌집. ¶～のように穴(あな)が明(あ)く 벌집처럼 많은 구멍이 뚫리다 / ～のように撃(う)たれる 총에 맞아 벌집처럼 구멍이 나다.

──をつついたよう 벌집을 쑤신 것 같음; 큰 소동이 일어나 수습할 수 없게 됨. ＝はちのすをやぶったよう. ¶～な騒(さわ)ぎ 벌집을 쑤신 듯한 소란.

ぱちぱち 副 **1** 눈을 깜박거리는 모양: 깜박깜박. ¶目(め)を～させる 눈을 깜박거리다. **2** 손뼉을 치는 소리: 딱딱. ¶～と手(て)を叩(たた)く 딱딱 손뼉을 치다. **3** 콩 같은 것이 튀는 소리: 톡톡; 탁탁. ¶ごまが～はぜる 깨가 톡톡 튀다 / 豆(まめ)が～とはじく 콩이 톡톡 튀다. **4** 나무 같은 것이 세차게 타는 소리: 딱딱; 바지직. ¶～と燃(も)え上(あ)がる 딱딱 소리 내며 타오르다.

はちぶ【八分】名 열 가운데 여덟; 8할; 대부분. ¶～どおり読(よ)んだ 대충 읽었다. ⇨腹(はら)はちぶ.

はちぶんおんぷ【八分音符】名 8분음표.

はちぶんめ【八分目】名 **1** 10분의 8; 8할. ¶器(うつわ)に～ほど水(みず)を入(い)れる 그릇에 10분의 8쯤 물을 담다. **2** 좀 부족하게 함. ¶腹(はら)～ 조금 양에 덜 차게 먹음.

はちまき【鉢巻き】名ス自 머리를 수건 따위로 동여매는 일; 또, 그 천; 머리띠. ¶向(む)こう～ 머리띠 매듭을 앞이마에서 맨 것 / ねじり～ 수건을 비틀어 두른 머리띠 / うしろ～ 머리띠의 매듭이 뒤로 가게 한 것 / ～をしめる 머리띠를 매다 / 手ぬぐいで～する 수건으로 머리띠를 매다.

はちまん [八幡] 副 맹세코; 단연코; 결코; 정말로. ＝誓って·決して. ¶～うそは言わぬ 맹세코 거짓말은 않는다 / ～許すまじ 결코 용서치 않겠다.

はちみつ 〖蜂蜜〗 名 봉밀; 벌꿀; 꿀. ＝みつ·ハニー. ¶～のように甘い 꿀처럼 달다.

はちミリ 【八ミリ】 名 〖映〗 '八ミリ映画(＝8mm 영화)' '八ミリ撮影機(＝8mm 촬영기)'의 준말. ▷millimeter.

はちめん 【八面】 名 팔면. **1** 여덟 개의 평면. ¶～体 팔면체. **2** 모든 방면〔방향〕; 각 방면.

―ろっぴ [―六臂] 名 팔면육비; 모든 일을 혼자 처리하는 수완·능력이 있음. ¶～の大活躍 팔면육비의 대활약.

はぢゃ 【葉茶】 名 갓나온 잎으로 만든 엽차. ＝はちゃ. ↔ひき茶.

ばちゃばちゃ 副 수면을 두드려 물을 튀기는 소리: 철벅철벅. ¶小川を～させながら歩く 시내를 철벅거리며 걷다.

はちゅうるい 【は虫類】《爬虫類》 名 〖動〗 파충류. ¶～みたいな奴 파충류 같은 놈; 음험하고 검질긴 놈.

はちょう 【波長】 名 **1** 〖理〗 파장. ¶光の～ 빛의 파장 / ～が長い〔違う〕 파장이 길다〔다르다〕 / ～を合わせる 파장을 맞추다. **2** (비유적으로) 사고방식. ¶どうも彼とは～が合わない 그 사람과는 영 장단〔생각〕이 안 맞는다.

ぱちりと 副 **1** 바둑(돌)을 두는 소리: 딱. ¶～碁石を打つ 딱하고 바둑돌을 놓다. **2** 카메라 셔터 누르는 소리: 찰칵. ¶～シャッターを切る 찰칵하고 셔터를 누르다. **3** 감았던 눈을 갑자기 크게 뜨는 모양.

パチンコ 名 **1** 빠찡꼬. ¶～をやる 파친코를 하다. **2** (고무줄) 새총; 고무총. **3** 〈俗〉 권총.

ぱちんと 副 **1** 단단한 것을 튀기거나 부딪칠 때 나는 소리: 탁. ¶がま口を～しめる 손지갑을 탁하고 닫다. **2** 똑딱단추 따위를 잠그는 소리: 짤깍. ¶スナップを～止める 똑딱단추를 짤깍 잠그다. **3** 손바닥으로 치는 소리: 찰싹. ¶ほおを～たたく 볼을 찰싹 치다.

はつ 【初】 ⊟名 처음; 최초. ¶～の記者会見 최초의 기자 회견. ⊟接頭 《名詞·動詞連用形 앞에 붙어》 처음의 뜻을 나타냄: 첫…. **1** (그 사물·사람에게 있어서) 최초. ¶～公判 첫공판 / ～舞台〔優勝〕 첫무대〔우승〕 / ～恋 첫사랑 / ～体験 첫체험; 첫경험. **2** (그 해에 있어서의) 최초; 처음. ¶～咲き 그해 들어 처음 핀 꽃 / ～雪 첫눈 / ～霜 첫서리 / ～ぜみ (그 해 들어) 첫매미(가 욺).

=はつ 【発】 …발. **1** 떠남의 뜻. ¶東京～大阪行き 東京발 大阪행 / 六時～の列車 6시발 열차. **2** 발신(發信)의 뜻. ¶ロンドン～の外電 런던발 외신. ↔着. **3** 탄환의 발사 수효를 세는 말. ¶五～ 다섯 발 / 百発百中 백발백중.

はつ 〖発〗《發》 教3 ハツ ホツ はなつ ひらく あばく たつ | 발 발하다 | **1** 화살〔총〕을 쏘다. ¶発射 발사 / 散発 산발. **2** 생기다; 밖에 나타나다. ¶発生 발생 / 発熱 발열 / 発作 발작.

はつ 〖髪〗《髮》 常用 ハツ かみ | 발 머리 | 머리털. ¶白髪 백발 / 断髪 단발.

はっ 感 **1** (웃어른에 대해) 대답하는 말: 예; 넷. ¶～, 承知しました 예, 알겠습니다. **2** 뜻밖의 일이나 놀랐을 때 내는 말: 어. ¶～, そうだったのか 어, 그랬던가. ⇒はっと.

ばつ 名 (그 자리의) 형편; 사정; 체면; 「분위기.

―が悪い 거북하다; 겸연쩍다; 난처하다; 체면을 잃다. ¶集いに遅れて何ともばつが悪かった 모임에 늦게 가서 정말 겸연쩍었다.

―を合わせる (그 자리의) 분위기를 맞추다; 이야기의 앞뒤를 맞추다.

ばつ 名 ☞ばってん. ¶～をつける 가위표(標)〖×〗를 하다 / ○～式の問題 오엑스(OX) 문제. ↔丸.

***ばつ** 【罰】 名 벌. ＝仕置き. ¶サボった～ 농땡이 친 벌 / ～を受ける 벌을 받다 / ～を科する 벌을 과하다 / なまけた～だ 게으름 피운 벌이다. ↔賞.

ばつ 【閥】 名 벌; 파벌. ¶～をつくる 파벌을 만들다.

ばつ 〖伐〗 常用 バツ きる うつ | 벌 베다 | **1** (무기로) 치다. ¶征伐 정벌 / 誅伐 주벌. **2** 베다. ¶伐木 벌목.

ばつ 〖抜〗《拔》 常用 バツ ぬく ぬける ぬかす ぬかる | 발 뽑다 | **1** 뽑다; 뽑아내다. ¶抜本塞源 발본색원. **2** 가려 내다. ¶選抜 선발 / 抜擢 발탁. **3** 뛰어나다. ¶抜群 발군.

ばつ 〖罰〗 常用 バツ バチ | 벌 벌 | 벌. ¶罰金 벌금 / 信賞必罰 신상필벌 / 天罰 천벌.

ばつ 〖閥〗 常用 バツ | 벌 지체 | **1** 문벌. ¶門閥 문벌. **2** 파벌. ¶学閥 학벌 / 派閥 파벌.

ばつ 〖末〗 ☞まつ〖末〗 「새벽빛.

はつあかり 【初明かり】 名 원단(元旦)의

はつあき 【初秋】 名 초추; 초가을; 첫가을. ＝しょしゅう. ¶はや～だ 어언 초가을이다. ↔晩秋.

はつあん 【発案】 名 自他 발안; 제안; 제의. ¶～者 발안자 / 父の～で登山にでかける 아버지의 제안으로 등산하러 가다.

はつい 【発意】 名 自他 발의. ¶この事は彼の～によって行われた 이 일은 그의 발의에 의해서 이루어졌다. 注意 'ほ

つい’라고도 함.

はついく【発育】图 ス自 발육. ＝成育(せいいく). ¶～ざかり 한창 발육할 때/順調(じゅんちょう)な～ 순조로운 발육/～がいい〔おそい〕 발육이 좋다〔늦다〕/立派(りっぱ)に～する 훌륭하게 발육하다.

—ふぜん【—不全】图 발육 부전.

はつえき【発駅】图 발역; 시발역; 떠난 역; 화물을 보낸 역. ¶貨物(かもつ)を～に送(おく)り返(かえ)す 화물을 발송한 역으로 되돌려 보내다. ↔着駅(ちゃくえき).

はつえん【発煙】图 ス自 발연; 연기를 냄. ¶～剤(ざい) 발연제/～弾(だん) 발연탄; 연막탄/～筒(とう) 발연통.

*__はつおん__【発音】图 ス他 발음. ¶～記号(きごう) 발음 기호/～が悪(わる)い 발음이 나쁘다/きれいな～ 깨끗한〔정확한〕 발음/～を正(ただ)しくする 발음을 정확히 하다.

はつおん［撥音］图 ‘ん’의 음《비음(鼻音)의 하나》.

はつおんびん［撥音便］图 음편(音便)의 하나: (五段·四段活用動詞의 連用形語尾인) ‘び·み·に’가 ‘て·た·り’ 따위와 결합될 때 ‘ん’으로 되는 것《‘学(まな)びて’가 ‘学(まな)んで’ ‘読(よ)みたり’가 ‘読(よ)んだり’로 되는 따위》. 参考 넓은 뜻으로는 어미 이외에 대해서도 말함《‘いかに’가 ‘いかん’으로, ‘盛(さか)り’가 ‘盛(さか)ん’이 되는 것 따위》.

__はつか__【二十日】图 20일. **1 스무날. **2** 그 달의 20일째.

—ねずみ〖—鼠〗图〔動〕생쥐.

はっか【発火】图 ス自 발화. ¶自然(しぜん)～ 자연 발화/ガソリンを～させる 휘발유를 발화시키다. ↔消火(しょうか).

—てん【—点】图 발화점. ¶～が高(たか)い 발화점이 높다.

はっか〖薄荷〗图〔植〕박하. ¶～糖(とう) 박하당/～入(い)りのタバコ 박하 담배.

はつが【発芽】图 ス自 발아; 싹이 틈. ＝めばえ. ¶～試験(しけん) 발아 시험/自我(じが)の～ 자아의 싹틈/～が後(おく)れる 발아가 늦어지다/種(たね)が～する 씨가 싹트다.

ハッカー［미 hacker］图〖컴〗해커; 컴퓨터 침입자. ¶銀行(ぎんこう)オンラインへ～が侵入(しんにゅう)する 은행 온라인에 해커가 침입하다.

はっかい【発会】图 ス自 발회. **1** 처음으로 회가 발족함. ¶～式(しき) 발회식. **2**〔經〕(거래소에서) 그 달 최초의 입회일. ↔納会(のうかい).

はつかおあわせ【初顔合わせ】图 **1** (씨름 등에서) 그 상대와 처음으로 대전함. ¶横綱(よこづな)との～ 横綱와의 처음 대전. **2** 그룹의 멤버 등이 정해지고 나서 최초의 회합. ¶編集(へんしゅう)スタッフの～ 편집 스태프의 상면(相面) 첫 모임.

はつかがみ【初鏡】图 새해 들어 처음으로 거울 앞에서 화장하는 일.

はっかく【発覚】图 ス自 발각. ¶陰謀(いんぼう)〔不正融資(ふせいゆうし)〕が～される 음모〔부정 융자〕가 발각되다.

ばっかし 副助〈俗〉☞ばかり5. ¶うそ～言(い)う 거짓말만 하다.

ばっかり 副助〈俗〉‘ばかり5’의 힘줌말.

はっかん【発刊】图 ス他 발간. **1** 출판. ¶図書(としょ)を～する 도서를 발간하다. **2** 창간. ¶雑誌(ざっし)の～をいそぐ 잡지의 발간을 서두르다. ↔廃刊(はいかん).

はっかん【発汗】图 ス自 발한; 땀이 남. ¶～剤(ざい) 발한제/激(はげ)しい運動(うんどう)で～する 격렬한 운동으로 땀이 나다.

はつがん【発がん】《発癌》图 발암. ¶～性(せい)物質(ぶっしつ) 발암성 물질.

はつかんせつ【初冠雪】图 그해 겨울에, 산에 첫눈이 내려 쌓임; 또, 그 눈.

はっき【白旗】图 백기《군사(軍使)임을 알리거나 항복의 표지로 사용함》. ＝しらはた·しろはた. ¶～を掲(かか)げる (a) 백기를 올리다; (b) 항복하다. 参考 일기예보로는 ‘맑음’의 표지.

**__はっき__【発揮】图 ス他 발휘. ¶実力(じつりょく)の～ 실력 발휘/才能(さいのう)〔指導力(しどうりょく)〕を～する 재능〔지도력〕을 발휘하다.

はつぎ【発議】图 ス自他 발의. **1** 회의 등에서 의견·의안을 내어 놓음. **2** 합의체에서, 의원이 의안을 제출하는 일. ¶修正案(しゅうせいあん)を～する 수정안을 발의하다.

はづき【葉月】图〈雅〉음력 8월.

はっきゅう【白球】图 백구; (야구·골프 등의) 흰 공. ¶～を追(お)う 백구를 쫓다.

はっきゅう【発給】图 ス他 발급. ¶旅券(りょけん)〔ビザ〕を～する 여권을〔비자를〕 발급하다.

はっきゅう【薄給】图 박급; 박봉. ＝安月給(やすげっきゅう)·薄俸(はくほう). ¶～に堪(た)える 박봉에 견디다/～に甘(あま)んじる 박봉을 감수하다. ↔高給(こうきゅう).

はっきょう【発狂】图 ス自 발광. ¶心配(しんぱい)のあまり～する 근심한 나머지 미쳐버리다/この暑(あつ)さで～しそうだ 이 더위로 미쳐버릴 것 같다.

__はっきり__ 副 **1 똑똑히; 명확히; 분명히; 확실히. ¶～しない天気(てんき) 흐릿한 날씨/～(と)みえる 똑똑히 보이다/頭(あたま)が～する〔しない〕 머리가 명쾌해지다〔개운치 않다〕/～(と)しない 분명치 않다/～したことはまだ分(わ)からない 확실한 것은 아직 모른다/～返事(へんじ)をする 분명히 대답하다/この際(さい)～言(い)っておくが 차제에 분명히 말해 두지만/病状(びょうじょう)が～しない 병세가 신통치 않다/気分(きぶん)が～しない 마음이 개운치 않다/今日(きょう)こそ～してもらおう 오늘이야 말로 분명히 해주기 바란다. **2**〈俗〉타산적인 모양; 약은 모양. ¶～(と)したやつだ 빈틈없는 놈이다.

はっきん【白金】图〔鑛〕백금. ＝プラチナ. ¶～の指環(ゆびわ) 백금 반지.

はっきん【発禁】图 발금; ‘発売(はつばい)禁止(きんし)(＝발매 금지)’ ‘発行禁止(はっこうきんし)(＝발행 금지)’의 준말. ¶～本(ぼん) 발금본/～になる 발행 금지가 되다.

*__ばっきん__【罰金】图〔法〕벌금. ¶～刑(けい)

벌금형 / ～を取とられる 벌금을 물다 / ～を払はらう 벌금을 내다 / ～ものだ 벌금감이다 / これをこわしたら～だ 이것을 부수면 벌금을 내게 된다.

パッキング [packing] 名 패킹. **1** 짐꾸리기; 포장. ＝荷造にづくり. ¶～ケース 패킹 케이스; 포장 상자 / ～ペーパー 패킹 페이퍼; 포장지. **2** (깨지거나 망가지지 않게) 포장 속에 채워 넣는 충전물(充塡物). **3** 관(管)의 이음매에 끼우는 재료. ＝パッキン. ¶水道すいどうの～ 수도의 패킹.

*__バック__ [back] 백. ━名 **1** 뒤. ＝うしろ. ㉠등; 배후. ↔フロント. ㉡배경. ¶古跡こせきを～にしたスナップ 고적을 배경으로 한 스냅. ㉢(축구 등의) 후위(後衛). ↔フォワード. ㉣'バックストローク'의 준말; 배영. ＝背泳せおよぎ. ㉤'オールバック'의 준말; 올백 머리. ㉥'バックハンド(＝백핸드)'의 준말. **2** 'バッグ'의 와음(訛音). ━名ス自 **1** 뒤로 이동함; 물러감; 되돌아감. ＝後退こうたい·逆ぎゃくもどり. ¶車くるまが～する 차가 후진하다 / 車を～させる 차를 후진시키다. **2** (금전적으로) 후원함; 또, 후원자. ¶有力ゆうりょくな～がいる 유력한 후원자가 있다. **3** 되돌려줌. ¶割増金わりましきんは後あとで～させる 할증금은 나중에 환불된다.

―アップ [back up] 名ス他 〔野〕 백업; 수비자의 실책 등에 대비해서 다른 수비자가 그 배후에서 뒤받쳐 주는 일; 전(轉)하여, 뒤에서 지켜 줌; 뒷받침함. ¶ぼくが～する 내가 밀어주지.

―グラウンド [background] 名 백그라운드. **1** 배경. **2** 환경.

―グラウンドミュージック [background music] 名 백그라운드 뮤직; 배경 음악. ＝BGMビージーエム.

―スイング [backswing] 名 〔野〕 백스윙.

―スクリーン [일 back＋screen] 名 〔野〕 백스크린; 센터 뒤의 관중석에 있는 녹색 담장. ¶～にうちこむ (공을) 백스크린에 쳐 넣다《홈런을 치다》.

―ストレッチ [back stretch] 名 백스트레치; (육상 경기장에서) 결승선 반대쪽의 직선 코스. ↔ホームストレッチ.

―チャージ [back charge] 名 백 차지; (축구에서) 상대의 뒤쪽에서 몸을 부딪치는 반칙.

―ナンバー [back number] 名 백넘버. **1** 잡지의 지난 호(號). **2** 자동차 따위의 뒷번호. **3** (운동 선수 등의) 등번호. ＝背番号せばんごう.

―ネット [일 back＋net] 名 〔野〕 백네트《포수 뒤에 있는 그물》.

―ハンド [backhand] 名 백핸드; (테니스 등에서) 라켓을 쥔 손의 반대쪽에 오는 공을 치는 타법. ↔フォアハンド.

―ホーム [일 back＋home] 名ス他 백홈; (야구에서) 주자의 홈인을 막기 위해 야수(野手)가 홈에 송구함.

―ボーン [backbone] 名 백본. **1** 등뼈. **2** 줏대; 기골; 확고한 신조. ¶～のある人ひと 줏대가 있는 사람.

―ミラー [일 back＋mirror] 名 (자동차의) 백미러; 후시경(後視鏡). *영어로는 rearview mirror라고 함.

バッグ [bag] 名 백; 휴대용 가방; 여자용 백. ¶ボストン～ 보스턴 백 / ショルダー～ 숄더백 / ハンド～ 핸드백.

パック [pack] 팩. ━名 **1** 짐; 화물. **2** 비닐로 만든 작은 용기(容器)《과일이나 작은 야채 따위를 담아서 팖》. ━名ス他 **1** 물건을 채워넣거나 포장함. ¶真空しんくう～ 진공 포장. **2** 피부에 쓰이는 인공 영양물(을 바름). ¶毎晩まいばん顔かおに～する 매일 밤 얼굴에 팩을 하다.

―りょこう【―旅行】名 ☞パッケージツアー.

バックスキン [buckskin] 名 벅스킨. **1** 사슴이나 양(羊)의 무두질한 가죽. ¶～の手袋てぶくろ 벅스킨 장갑. **2** 사슴 가죽처럼 짠 모직물.

はっくつ【発掘】名ス他 발굴. ¶古墳こふんの～ 고분의 발굴 / 人材じんざいを～する 인재를 발굴하다.

ぱっくり 副 입이나 틈 따위가 크게 벌어진 모양; 딱; 빠끔히. ¶傷口きずぐちが～(と)あく 상처 자리가 빠끔히 벌어지다.

バックル [buckle] 名 (혁대의) 버클. ＝尾錠びじょう·とめがね. ¶ベルトを～でとめる 벨트를 버클로 고정시키다.

はづくろい【羽繕い】名ス自 새가 부리로 날개를 가다듬음. ＝はねづくろい. ¶鳩はとが～をする 비둘기가 부리로 날개를 가다듬다.

ばつぐん【抜群】名ナ 발군. ¶～の成績せいせき 발군의 성적 / 歌うたが～にうまい 노래를 뛰어나게 잘하다.

はっけ [八卦] 名 팔괘; 또, 역(易); 점. ¶当あたるも～, 当あたらぬも～ 점이란 맞는 수도 안 맞는 수도 있다.

―み [―見] 名 점쟁이. ＝八卦置おき.

パッケージ [package] 名ス他 패키지. **1** 포장; 특히, 상품 포장이나 용기(容器). ¶きれいに～された商品しょうひん 아름답게 포장된 상품. **2** 관계되는 몇 가지 사물을 하나로 종합함.

―ツアー [package tour] 名 패키지 투어. ＝セット[パック]旅行りょこう·パックツアー.

はっけっきゅう【白血球】名 〔生〕 백혈구. ↔赤血球せっけっきゅう.

はっけつびょう【白血病】名 〔醫〕 백혈병.

はっけよい 感 (씨름에서) 씨름꾼들이 꼬느기만 하고 피차 수를 쓰지 않을 때 심판이 내지르는 소리. ＝はっきょい. ¶～, 残のこった, 残のこった 자, 좀더, 조금 더.

__はっけん__【発見】名ス他 발견. ¶新しん大陸たいりくを～する 신대륙을 발견하다 / 彼かれの意外いがいな一面いちめんを～した 그의 의외의 일면을 발견했다.

*__はつげん__【発言】名ス自 발언. ¶～の機会きかいを失うしなう 발언할 기회를 놓치다 / 自由じゆうに～させる 자유롭게 발언하게 하다 / ～を求もとめる 발언을 요구하다.

―けん【―権】名 발언권. ¶オブザーバーには～がない 옵서버에게는 발언권이 없다.

―りょく【―力】名 발언하여 이끄는 힘; 발언의 영향력.

はつげん【発現】名ス自他 발현; 실지로 나타남; 나타냄. ¶公共心〔自意識〕の～ 공공심〔자의식〕의 발현.

はつご【初子】名 ☞ういご.

ばっこ［跋扈］名ス自 발호. ¶悪徳業者が～する 악덕업자가 발호하다 / 暴力を～させるな 폭력이 설치지 못하게 해라.

はつこい【初恋】名 첫사랑. ¶～の人 첫 애인 / ～の思い出 첫사랑의 추억 / ～にやぶれる 첫사랑에 실패하다.

はっこう【発光】名ス自 발광; 빛을 냄. ¶～体 발광체 / ～塗料 발광 도료 / ストロボがうまく～しない 스트로보가 잘 발광하지 않는다.

***はっこう**【発行】名ス他 발행. ¶～者 발행자 / ～所 발행소 / ～価格 (주식 등의) 발행 가격 / 図書の～ 도서의 발행 / 雑誌〔株券〕を～する 잡지를〔주권을〕 발행하다.

はっこう【発効】名ス自 발효. ¶法律の～ 법률의 발효 / 条約が～する 조약이 발효하다. ↔失効.

はっこう【発酵】《醗酵》名ス自 **1** 발효. ¶～作用 발효 작용 / ～させる 발효시키다. **2** 머릿속의 생각이나 상상이 떠올라 점차 무르익는 것의 비유. ¶着想が～して熟すのをじっくりと待っている 착상이 떠올라 무르익는 것을 차분하게 기다리고 있다.

はっこう【薄幸】《薄倖》名ナ 박행; 박복. ＝ふしあわせ. ¶～の佳人 박복한 가인 / 若くして～の生涯をとじる 젊어서 박복한 생애를 마치다.

はつごおり【初氷】名 초빙; 첫얼음. ¶～が張る 첫얼음이 얼다.

はっこつ【白骨】名 백골. ¶～死体 백골 사체 / ～と化す 백골이 되다.

ばっさい【伐採】名ス他 벌채; 채벌. ¶～作業 벌채 작업 / 山林から樹木を～する 산림에서 수목을 벌채하다.

ばっさり 副 **1** 한칼에 베는 모양: 싹둑. ¶枝を～(と)切り落とす 가지를 싹둑 잘라 버리다 / 髪を～切った 머리를 싹둑 잘랐다. **2** 단번에 버리거나 깎는 모양: 싹. ¶予算を～(と)削る 예산을 싹〔왕창〕 깎아 버리다.

***はっさん**【発散】名ス自他 발산. ¶光の～ 빛의 발산 / 情熱を～させる 정열을 발산시키다 / ストレスを～する 스트레스를 발산하다 / 精力の～しようがない 정력을 발산할 수가 없다.

ばつざんがいせい［抜山蓋世］名 발산개세. ¶～の勇がある 발산개세의 용기가 있다.

ばっし【末子】名〈老〉말자; 막내둥이. ＝まっし・すえっ子. ¶～として生まれた 막내둥이로 태어났다. ↔長子.

ばっし【抜糸】名ス自 (수술 후) 실을 뽑음. ¶五日目に～する 닷새 만에 실을 뽑다.

バッジ［badge］名 배지. ＝バッチ. ¶～をつける 배지를 달다.

はっしと『発止と』副 **1** 단단한 물건이 세게 부딪치는 소리: 탁; 딱. ¶～受け止める 탁 받아내다 / 来たボールを～打つ (내 쪽으로) 온 공을 탁 치다. **2** 화살이 꽂히는 소리: 탁; 딱. ¶矢は～的に命中した 화살은 탁하고 과녁에 명중하였다.

パッシブ［passive］ダナ 패시브; 수동(적임). ¶～な態度 수동적인 태도. ↔アクチブ.

―スモーキング［passive smoking］名 패시브 스모킹; 간접 흡연.

はつしも【初霜】名 초상; 첫서리. ¶～が降りる 첫서리가 내리다.

***はっしゃ**【発車】名ス自 발차. ¶～信号 발차 신호 / ～五分前 발차 5분 전 / ～オーライ 발차 오라이 / ～が遅れる 발차가 늦어지다 / 汽車が～する 기차가 발차하다. ↔停車.

***はっしゃ**【発射】名ス他 발사. ¶～管 발사관 / 弾丸を～する 탄환을 발사하다 / 電波を～する 전파를 발사하다.

はっしょう【発祥】名ス自 발상. ¶古代文明～の地 고대 문명의 발상지 / 文明は川の流域で～した 문명은 강 유역에서 발상하였다.

はつじょう【発情】名ス自 발정; 정욕이 일어남. ¶～期 발정기.

はっしょく【発色】발색. ㊀名 (컬러 사진·염색 등의) 제 색이 남. ¶～がいい 색이 잘 나왔다. ㊁名ス自 (처리에 의해서) 색깔이 나타남. ¶～剤 발색제.

はっしん【発信】名ス自 발신. ¶～局 발신국 / ～人 발신인 / 電波を～する 전파를 발신하다. ↔着信・受信.

はっしん［発疹］名ス自 발진. ＝ほっしん. ¶～が出る 발진이 나다 / 顔一面に～する 온 얼굴에 발진하다.

―チフス［도 Typhus］名〔醫〕발진 티푸스. ＝戦争チフス.

はっしん【発進】名ス自 발진; (부대·비행기 따위가) 출발함. ¶～加速 발진 가속 / 緊急～ 긴급 발진 / 基地からいっせいに～する 기지에서 일제히 발진하다.

はっすい［撥水］名 발수; (천·종이 따위가) 물을 받지 않는 일. ¶～性 발수성 / ～加工 발수 가공.

ばっすい【抜粋】《抜萃》名ス他 발췌. ＝ぬき書き. ¶～曲 발췌곡 / 論文の～ 논문의 발췌 / 要点を～する 요점을 발췌하다. 注意 본디는 '抜萃'.

***はっ-する**【発する】㊀サ変自 발하다. **1** 출발하다. ¶駅を～ 역을 떠나다 / 未明に宿を～ 미명에 숙소를 떠나다. **2** 일어나다; 발생하다. ¶伝染病が～

전염병이 발생하다. **3** 밖으로 나타나다. ¶酔いが～ 취기가 오르다/においが～ 냄새가 나다/親切心から～·したできごと 친절한 마음에서 나온 일.
㊁サ変他 발하다. **1** 일으키다; 시작하다. ¶みなもとを～ 발원(發源)하다/…に端を～ …에서 발단하다. **2** ㉠내다. ¶奇声〔光〕を～ 기성〔빛〕을 발하다/怒りを～ 성을 내다. ㉡발사하다. ＝はなつ. ¶弾丸を～ 탄환을 발사하다. **3** 발표〔공표〕하다; 알리다. ¶声明を～ 성명을 발표하다/喪を～ 발상(發喪)하다/電報を～ 전보를 치다. **4** 사람을 보내다. ＝差し向ける. ¶使いを～ 심부름꾼을 보내다.

ハッスル [미 hustle] 名ス自 허슬; 의기왕성하게 활동함; 맹렬히 활동함. ¶大～ 맹활약/勝利を目ざして～する 승리를 목표로 매진하다.

***ばっ-する【罰する】** サ変他 (처)벌하다; 벌주다. ¶盗人を～ 도둑을 처벌하다/いたずらした生徒を～ 장난한 학생을 벌주다/法で～·せられる 법에 따라 처벌받다.

****はっせい【発生】** 名ス自他 발생. ¶事件の～初期 사건의 발생 초기/害虫〔コレラ〕が～する 해충이〔콜레라가〕 발생하다/台風が～·した 태풍이 발생했다.

はっせい【発声】 名ス自 발성. **1** 소리를 냄; 소리를 내는 방식. ¶～法 발성법/～器官 발성 기관/～映画〔練習〕 발성 영화〔연습〕/～障害 발성 장애/～が悪い 발성이 나쁘다/大きな声で～する 목소리를 크게 내다. **2** (모임에서) 선창함. ¶社長の～で万歳を唱える 사장의 선창으로 만세를 부르다 / 会長の～で乾杯する 회장의 선창으로 건배하다. 「명절.

はつぜっく【初節句】 名 나서 처음 맞는

ばっせん【抜染】 名ス他 발염《한문투의 말씨》. ＝抜き染め. ¶～剤 발염제.

はっそう【発送】 名ス他 발송. ¶荷物を～する 화물을 발송하다.

はっそう【発想】 名ス自他 발상; 생각; 생각해 냄. ＝アイデア. ¶～の転換 발상의 전환/ユニークな～ 독특한 발상/いい～だ 좋은 발상이다.

はっそく【発足】 名ス自 발족; 출발; 개시. ¶新しい会社は五日より～する 새 회사는 5일부터 발족한다. 注意 'ほっそく'라고도 함.

ばっそく【罰則】 名 벌칙. ¶～をつくる 벌칙을 만들다/～に触れる 벌칙에 저촉되다/～を設ける 벌칙을 마련하다.

ばった〖飛蝗·蝗〗名〔蟲〕메뚜기.

バッター [batter] 名〔野〕배터; 타자. ＝打者. ¶トップ～ 톱 타자.
──ボックス [←batter's box] 名 배터 박스; 타석. ＝打席·ボックス. ¶～に立つ 타석에 서다.

はつたいけん【初体験】 名 첫체험; 첫경험; 특히, 이성과의 첫 성(性)관계. ＝しょたいけん.

はつたけ〖初茸〗名〔植〕나팔버섯. ＝あいたけ·ろくしょうはつ.

****はったつ【発達】** 名ス自 발달. ¶工業が～した国〔地域〕 공업이 발달한 나라〔지역〕/～した低気圧 발달한 저기압/心身の～ 심신의 발달/台風が急速に～する 태풍이 급속히 발달하다.

はったと 副 'はたと'의 힘줌말.

はったり 名 〈俗〉 홍감; 허세. ¶～屋 홍감 부리는 사람; 허풍쟁이/～の強い男 공갈이 센 남자/～をかます 감쪽같이 속이다. 「세〕 부리다.
──を利かせる〔掛ける〕 〈俗〉 홍감〔허

ばったり 副 **1** 갑자기 떨어지거나 쓰러지는 모양: 푹. ¶～(と)倒れる 푹 쓰러지다. **2** 뜻밖에 마주치는 모양: 딱. ¶店で先生に～会う 가게에서 선생님과 딱 만나다. **3** 갑자기 끊어지는 모양: 뚝. ¶売れ行きが～とまる 매기(買氣)가 뚝 끊어지다/客足が～とだえる 손님 발걸음이 뚝 끊기다.

ぱったり 副 'ばったり'와 거의 같으나 약간 가벼운 느낌을 나타내는 말. ¶ふすまが～(と)たおれた 맹장지가 탁 넘어졌다/人通りが～(と)とだえた 사람의 왕래가 뚝 끊어졌다. 「구.

ハッチ [hatch] 名 해치; 배 갑판의 승강

パッチ [patch] 名 패치; 깁는 헝겊 대신에 대는 가죽. ¶エルボー～ 소매 팔꿈치에 대는 가죽.
──ワーク [patchwork] 名 패치워크; 이것 저것 그러모은 것; 쪽모이 세공《창의(創意) 없는 사전 편찬에도 비유됨》.

はっちゃく【発着】 名ス自 발착. ¶列車の～時刻 열차의 발착 시각/航空機の～に支障をきたす 항공기의 발착에 지장을 초래하다/五分ごとにバスが～する 5 분 마다 버스가 발착한다.

はっちゅう【発注】〖発註〗名ス他 발주; 주문함. ¶商品〔部品〕を～する 상품〔부품〕을 발주하다/製品の～が増える 제품의 발주가 늘다. ↔受注.

はっちょう【八丁】〖八挺〗名『口も～, 手も～』말도 잘하고 일 솜씨도 좋음; 입도 싸고 손도 재다《좋은 뜻으로는 쓰이지 않음》.

ばっちり 副 〈俗〉 **1** 빈틈없이 수입을 얻는 모양; 충분한 모양: 듬뿍. ＝がっちり. ¶～かせぐ 짭짤하게 벌다/～いただく 듬뿍 받다. **2** 잘 돼가는 모양: 멋지게; 보기 좋게. ¶～百点を取った 보기 좋게 백점 받았다/山が当たったから, 今日の試験は～だ 예상이 맞았으니 오늘 시험은 문제 없다.

ぱっちり 副 눈이 시원스런 모양; 또, 눈을 크게 뜬 모양. ¶目は～と色白で 시원스런 눈매에 살빛이 희고/～(と)した目 시원스럽게 큰 눈/目を～とあけ

る 눈을 크게 뜨다.

バッティング [batting] 图 〖野〗 배팅; 타격. ¶ ～の練習(れんしゅう) 배팅 연습 / ～アイ 배팅 아이; 선구안(眼) / ～オーダー 배팅 오더; 타순(打順) / ～アベレージ 배팅 애버러지; 타율.

バッティング [butting] 图 버팅; 권투에서 머리를 숙이고 상대에게 부딪치는 일 《반칙임》. ¶ ～をやる 버팅을 하다.

パッティング [putting] 图 퍼팅; 골프에서, 공을 홀에 넣기 위해 가볍게 치는 일.

ばってき【抜擢】图 ス他 발탁. ¶ 異例(いれい)の～ 이례적인 발탁 / 新人(しんじん)を～する 신인을 발탁하다.

バッテリー [battery] 图 배터리. **1** 〖野〗 한팀의 투수와 포수. ¶ ～エラー 배터리 에러 / ～を組(く)む 배터리를 짜다; 투수와 포수를 짝지우다. **2** 축전지. ¶ ～カー 배터리카; 전기 자동차 / ～があがる 배터리(의 전기)가 다되다.

***はってん**【発展】图 ス自 **1** 발전. ¶ 都市(とし)の～ 도시의 발전 / 海外(かいがい)へ～する 해외로 발전하다 / 事件(じけん)の～を見守(みまも)る 사건의 진전을 지켜보다 / ～を遂(と)げる 발전을 이루다 / 話題(わだい)が～する 화제가 발전하다. **2** 맹렬히 활약함; 특히, 주색에 빠지는 일. ¶ ～家(か) 주색에 빠진 사람 / ご～を祈(いの)る 맹활약을 빌다.

—てき【—的】ダナ 발전적. ¶ ～に考(かん)がえよう 발전적으로 생각하세.

—とじょうこく【—途上国】图 발전도상국; 개발 도상국.

***はつでん**【発電】图 ス自 발전. ¶ ～機(き) 발전기 / ～所(しょ) 발전소 / 水力(すいりょく)～ 수력 발전 / 風力(ふうりょく)を利用(りよう)して～する 풍력을 이용하여 발전하다.

ばってん【罰点】图 **1** 틀림·불가 등을 나타내는 가위표《×》. ＝ばつ. ¶ ～の多(おお)い答案(とうあん) 가위표가 많은 답안. **2** 벌점; (반칙으로 인한) 감점.

はっと【法度】图 (무가(武家) 시대의) 법령; 특히, 금령(禁令); 금제(禁制). ¶ ～をおかす 금령을 어기다 / それはご～だ 그것은 금지되어 있다.

ハット [hat] 图 해트; (차양이 있는) 모자. ¶ シルク～ 실크 해트.

—トリック [hat trick] 图 해트 트릭; 축구 등에서, 한 선수가 한 경기에서 3점 이상 득점하는 일. 参考 본디 크리켓에서, 투수가 세 타자를 연속으로 아웃시키고, 상으로 모자를 받은 데서 나온 말.

***はっと** 副 **1** 문득; 퍼뜩. ¶ ～して目(め)が覚(さ)める 퍼뜩 잠에서 깨다 / ～我(われ)に返(かえ)る 문득 정신이 들다 / ～気(き)がついた 퍼뜩 생각이 났다. **2** 뜻밖의 일로 놀라는 모양: 덜컥; 깜짝. ¶ 落(お)ちそうになって～する 떨어질 뻔해서 깜짝 놀라다 / ～息(いき)をのむ 깜짝 놀라 숨을 죽이다.

バット [bat] 图 〖野〗 배트; 타봉(打棒). ¶ ～を振(ふ)る 배트를 휘두르다 / ～をかまえる 타격 자세를 취하다.

パット [putt] 图 ス自 〖골프〗 퍼트; 그린의 공을 홀을 향해 가볍게 치는 일. ¶ 5(ご)メートルのイーグル～をきめる 5미터짜리 이글 퍼트를 성공시키다.

ぱっと 副 **1** 일시에 사방으로 퍼지는 모양: 쫙; 확. ¶ うわさが～広(ひろ)まる 소문이 쫙 퍼지다 / 金(かね)を～使(つか)う 돈을 확 쓰다〔뿌리다〕/ ～火(ひ)が燃(も)え上(あ)がる 불이 확 타오르다 / 電気(でんき)が～つく 전기가 확 들어오다〔켜지다〕/ 桜(さくら)は～咲(さ)いて～散(ち)る 벚꽃은 일시에 확 피었다 일시에 확 진다. **2** 움직임이나 상태가 갑자기 바뀌는 모양: 홱; 휙. ¶ 戸(と)が～開(ひら)く 문이 홱 열리다 / ～駆(か)け出(だ)す 홱 뛰어 나가다 / 鳥(とり)が～飛(と)び立(た)つ 새가 휙 날아오르다.

—しない 별로 남의 눈을 끌지 못하다; 시원치 않다. ¶ ～できばえ 시원찮은 성과〔솜씨〕/ この絵(え)はあまり～ね 이 그림은 별로 신통치 못하군 / 彼(かれ)の成績(せいせき)は～ 그의 성적은 시원찮다.

パッド [pad] 图 패드; 모양을 내기 위하여 어깨 또는 브래지어에 넣는 심(心) 따위. ¶ ～をたくさん入(い)れた 패드를 많이 넣었다.

はつどう【発動】图 ス自他 발동. ¶ ～機(き) 발동기 / ～機船(きせん) 발동기선 / 国権(こっけん)の～ 국권의 발동 / 強権(きょうけん)を～する 강권을 발동하다.

はっとうしん【八頭身】图 팔두신; 팔등신. ¶ ～の美人(びじん) 팔등신 미인.

はつなり【初なり】《初生り》 图 만물. ¶ ～のすいか 만물 수박.

はつに【初荷】图 (정월 초이튿날 상품에 장식을 꾸며) 새해 들어 마수로 거래처에 배달하는 일; 또, 그 짐.

はつね【初音】图 (휘파람새 등이) 그해 들어 처음으로 우는 소리. ＝初声(はつこえ).

はつねつ【発熱】图 ス自 발열. ¶ ～量(りょう) 발열량 / ～体(たい) 발열체 / 風邪(かぜ)で～する 감기로 열이 나다.

はつのり【初乗り】图 ス自 **1** 버스·전차 등의 개통 첫 날에 타는 일. **2** 버스·택시 따위의 최저 운임의 구간. ¶ ～料金(りょうきん) (승차) 기본 요금.

はっぱ【発破】图 발파; 화약을 장전(裝塡)하여 바위를 폭파하는 일; 또, 그에 쓰는 화약. ¶ ～の音(おと)が響(ひび)く 발파음이 울리다.

—を掛(か)ける **1** 발파 장치를 하여 폭파하다. **2** 〈俗〉 기합을 넣거나 격려하다.

はっぱ【葉っぱ】图 〈口〉 잎; 잎사귀. ＝葉(は). ¶ 木(き)の～ 나뭇잎 / ～が散(ち)る 잎이 지다 / ～が舞(ま)う 잎이 흩날리다.

***はつばい**【発売】图 ス他 발매. ＝売(う)り出(だ)し. ¶ 新(しん)～ 신발매 / 只今(ただいま)～中(ちゅう) 현재 발매 중 / 新製品(しんせいひん)が～される 신제품이 발매되다.

—きんし【—禁止】图 발매 금지. ＝発禁(はっきん).

ばっぱい【罰杯】《罰盃》 图 벌배; 벌주. ¶ ～を受(う)ける 벌주를 받다.

はつばしょ【初場所】图 매년 1월에 일본 씨름 협회가 주최하는 공식 씨름 대회《東京에서 열림》. ＝一月場所.

ぱっぱと 副 **1** 주저함이 없이 계속해서 하는 모양: 척척; 썩썩; 빽빽. ¶金を～使う 돈을 척척〔펑펑〕 쓰다 / たばこを～吸う 담배를 빽빽 빨다〔피우다〕 / ～仕事を片づける 후딱후딱 일을 해치우다. **2** 거리낌 없이 말하는 모양. ¶～言ってのける 데꺽데꺽〔거침없이〕 말해 버리다 / ～しゃべる 거리낌 없이 지껄이다.

はつはる【初春】图 **1** 초봄. ＝しょしゅん. **2** 신년; 신춘. ¶～の日の出 신년의 해돋이 / ～の祝い 신년 축하 / ～興行 신춘 흥행 / ～のお喜びを申しあげます 새해를 맞아 경하드립니다.

はつひ【初日】图 설날의 아침 해. ¶～の光 설날의 아침 햇빛.

はっぴ【法被】图 직공 등이 입는 しるしばんてん. ¶～を引っかけた職人 はっぴ를 걸친 장색.

ハッピー [happy] 名ナ 해피; 행복한 모양; 즐거움. ¶～ホーム 해피 홈; 행복한 가정 / ～な気分 행복한 기분.

―エンド [일 happy＋ending] 图 해피엔드; 행복한 결말. ＝めでたしめでたし. ¶～に終わる 해피엔드로 끝나다.

はつひので【初日の出】图 설날의 해돋이. ＝はつひ. ¶～を拝む 설날 아침 해를 향하여 배례하다.

はっぴゃくやちょう【八百八町】图 옛날 江戸에 동네가 많았음의 일컬음; 江戸의 모든 거리.

はつびょう【発病】图ス自 발병. ¶過労がもとで～する 과로로 말미암아 병이 나다 / ～後三日で死ぬ 발병 후 사흘 만에 죽다 / ～する率が低い 발병율이 낮다.

***はっぴょう**【発表】图ス自 발표. ¶合格者～ 합격자 발표 / バイオリン～会 바이올린 발표회.

はっぷ【発布】图ス他 발포; 공포. ＝公布. ¶憲法～ 헌법 공포.

はつぶたい【初舞台】图 첫 무대; 첫 출연. ＝デビュー. ¶～の俳優 첫 출연하는 배우 / ～をふむ 첫 무대를 밟다; 처음으로 출연하다.

はっぷん【発憤·発奮】图ス自 발분; 분발. ¶大いに～する 크게 분발하다 / ～して勉強する 분발해서 공부하다 / 偉人の伝記を読んで～する 위인전기를 읽고 분발하다.

ばつぶん [跋文] 图 발문; 책의 뒤끝에 쓰는 글. ＝跋·あとがき. ¶～を書く 발문을 쓰다 / 師に～を依頼する 스승에게 발문을 의뢰하다. ↔序文.

はつほ【初穂】图 **1** 그 해에 처음으로 익은 벼이삭; 전하여, 곡물·과실·야채 등 그 해의 만물. **2** 추수한 농작물 중에서 먼저 신불이나 조정에 바치는 것; 전하여, 신불에게 바치는 돈·음식·술 따위. ¶お～ 신불에 바치는 돈.

はっぽう【八方】图 팔방; 여기저기; 모든 방면. ¶四方～ 사방팔방 / ～手を尽くしてさがしまわる 팔방으로 손을 써서 찾아다니다.

―びじん【―美人】图 팔방미인; 두루춘풍. ¶～で信用がない 팔방미인이라 신용이 없다.

―ふさがり〖―塞がり〗图 팔방색; (음양도에서) 어느 쪽으로 가도 불길한 일; 운수가 꽉 막힘; 사면초가. ¶～でお手上げだ 팔방이 다 막혀 속수무책이다.

―やぶれ【―破れ】名ナ 아무런 대비도 없이 허점투성이인 모양; 전하여, 될 대로 되라며 위협적으로 태도를 바꾸는 일.

はっぽう【発泡】图ス自 발포; 거품을 내는 일. ¶～剤 발포제.

―スチロール [도 Styrol] 图 발포 스티롤; 발포 스티렌 수지.

はっぽう【発砲】图ス自 발포. ¶～命令 발포 명령 / ～事件 발포 사건 / 警察がデモ隊に～する 경찰이 데모대에 발포하다.

ばっぽん【抜本】图 발본; 뿌리뽑음.

―そくげん [―塞源] 图 발본색원. ¶～的な改革 발본색원적인 개혁.

―てき【―的】ダナ 발본적. ＝ドラスティック. ¶～な対策を立てる 발본적인 대책을 세우다.

はつまご【初孫】图 첫 손자〔손녀〕. ＝ういまご.

はつみみ【初耳】图 초문(初聞); 처음 듣는 일. ¶名前も～の温泉 이름도 처음 듣는 온천 / その話は～だ 그 이야기는 처음 듣는다.

***はつめい**【発明】㊀图ス他 발명. ¶～家〔権〕 발명가〔권〕 / 新しい機械を～する 새로운 기계를 발명하다. ㊁名ナ 영리한 모양; 총명함《예스러운 말씨》. ＝りこう·利発. ¶～な子供〔娘さん〕 영리한 아이〔아가씨〕.

はつもうで【初もうで】《初詣で》图ス自 새해 들어 첫 참배. ＝初まいり.

はつもの【初物】图 만물; 햇것; 전하여, 아직 아무도 손대지 않은 것. ＝はしり. ¶なすの～ 만물 가지 / 終わり～ (만물만큼 귀한) 끝물 / ～が出回る 햇것이 나돌다.

はつゆ【初湯】图 **1** 새해 들어 처음하는 목욕. **2** ☞うぶゆ.

はつゆき【初雪】图 초설; 첫눈. ¶今年は～が遅い 금년은 초설이 늦다.

はつゆめ【初夢】图 첫 꿈《보통, 정월 초하루나 초이틀에 꾸는 꿈을 이름》. ¶良い～を見た 좋은 첫 꿈을 꾸었다.

はつよう【発揚】图ス他 발양; 떨쳐 일으킴; 앙양. ¶国威の～ 국위(의) 선양 / 士気を～する 사기를 앙양하다.

***はつらつ**〖潑剌·潑溂〗トタル 발랄. ¶～たる若人 발랄한 젊은이 / 元気～としている 원기가 발랄하다.

はつれい【発令】图ス自他 발령. ¶三月十日付けの～ 3월 10일부 발령 / 暴風警報～ 폭풍 경보 발령 / 津波警報が沿岸地方に～された 해

일 경보가 연안 지방에 발령되었다.

はつろ【発露】名スル自 발로; 표면에 드러남. ¶友情〔善意〕の～ 우정〔선의〕의 발로.

はて【果て】名 끝. **1**《涯》끝장; 종말. ¶～がない 끝이 없다／～もなく 끝없이／宇宙の～ 우주의 끝〔종말〕／あげくの～ 결국／口論の～, つかみ合いとなった 언쟁 끝에 드잡이 싸움이 되고 말았다. **2** 영락한 상태; 말로. ¶なれの～ 영락한 몰골; 슬픈 말로. **3** 산야(山野)·바다 등의 끝간 데. ¶地の～ 땅끝／旅路の～ 여로의 끝(난 곳).

はて 感 망설이거나 의심스러워서 생각해 볼 때에 내는 말: 글쎄; 그런데. ¶～何だろう 글쎄 무엇일까／～どうしよう 그렇다면 어쩐다지／～, どうしたものだろう 글쎄, 어떻게 된 걸까.

はで『派手』名ダナ **1 화려한 모양. ¶～な色〔シャツ〕 화려한 색깔〔셔츠〕／～に着る 화려하게 차려 입다／～ごのみ〔好き〕 화려한 것을 좋아함／生活が～だ 생활이 화려하다. **2**〈俗〉사람 눈을 끌 정도로 심하게 무엇을 하는 모양. ¶～に泣き出す 야단스럽게 울어대다／～に金をばらまく 호기 있게 돈을 뿌리다／～な殺し合い 끔찍한 살생／～にけんかする 요란하게 싸우다. 注意 '派手'로 씀은 취음. ⇔地味.

パテ [putty] 名 퍼티; 떡밥《유리창틀의 정착제(定着劑) 등으로 쓰임》.

ばてい [馬蹄] 名 마제; 말굽. ¶～の響き 말굽 소리.

―に掛ける 말굽으로 짓밟다.

はてさて 感 놀라움·당혹스러움을 나타내는 말: 그것 참; 거참. ¶～, 困ったやつだ 그것 참 곤란한 녀석이다／～, 弱ったなあ 거참, 곤란한데.

はてし【果てし】名《否定의 말을 수반하여》끝; 한정. =かぎり. ¶～も知らず 끝도 없이／～もない大地 끝도 없는 대지. 参考 'し'는 본디, 강조의 助詞.

はてしな-い【果てしない】形 끝없다; 한없다. ¶～·く続く大草原 끝없이 이어지는 대초원／～大海原 망망대해／～議論 끝없는 의론.

はてな 感 ☞はて. ¶～, おかしいぞ 글쎄, 이상한데／～, どこへいったんだろう 이상한데, 어디 갔을까.

はては【果ては】hatewa 副 드디어는; 끝내는; 결국은. ¶飲んで踊って～眠りこんだ 마시고 춤추고 하다가 끝내는 깊이 잠들었다.

はではでし-い【派手派手しい】形 매우 화려하다. ¶～服 매우 화려한 옷.

はでやか『派手やか』ダナ 남의 눈을 끌 정도로 화려한 모양. ¶～な身なり〔衣服〕 화려한 옷차림〔의복〕.

は-てる【果てる】下1自 **1** 끝나다. ¶宴が～ 연회가 끝나다／会議はいつ～ともなく続いた 회의는 언제 끝날지도 모르게 계속되었다. **2** 목숨이 다하다; 죽다. ¶自らのどを突いて～·てた 스스로 목을 찔러 죽었다／戦場で～·てた 전쟁터에서 죽었다. **3**《動詞 連用形에 붙어서》완전히 …하다; 극도에 달하다. ¶あきれ～ 어이없어 하다／つかれ～ 극도로 지쳐 버리다／困り～ 아주 난처해지다.

ば-てる 下1自 〈俗〉지치다; 기진하다; 녹초가 되다. ¶からだが～ 녹초가 돼버리다／徹夜続きで～·てた 연이은 철야로 지쳐버렸다.

はてんこう【破天荒】名ナ 파천황; 전대미문; 미증유(未曾有). ¶～の大事件 미증유〔전대미문〕의 대사건／～の人事 이례적인 인사／～の試み 전례없는 시도／～な冒険をなしとげる 전대미문의 모험을 해내다.

パテント [patent] 名 페이턴트; 특허(권); 전매특허.

***はと**『鳩』名〔鳥〕비둘기. ¶～小屋 비둘기장〔집〕／伝書ばと 전서구／～がくうくう鳴いている 비둘기가 꾸꾸꾸 울고 있다.

はとう【波頭】名 파두; 물마루. =なみがしら. ¶白くくだける～ 하얗게 부서지는 물마루／白い～が立つ 하얀 물마루가 일다.

はとう [波濤] 名 파도. ¶万里の～をけたてて 만리의 파도를 헤치며／～を越えて 파도를 넘어서／～を蹴って進む 파도를 헤치고 나아가다.

はどう【波動】名 파동. ¶～説 파동설／政治～ 정치 파동／景気の長期～ 경기의 장기 파동.

はどう【覇道】名 패도; 권모나 무력으로 천하를 지배하는 일. ↔王道.

ばとう [罵倒] 名スル他 매도. ¶口ぎたなく～する 입정 사납게 매도하다／～を浴びせる 심한 욕설을 퍼붓다.

パトカー 名 ☞パトロールカー.

はとこ『再従兄弟·再従姉妹』名〈俗〉육촌 형제 자매; 재종 형제〔자매〕. =またいとこ.

パトス [그 pathos] 名〔哲〕파토스; 고조된 감정; 격정; 열정. ↔エトス.

はとどけい【はと時計】《鳩時計》名 뻐꾹 시계; 뻐꾹종(鐘).

はとは【ハト派】《鳩派》名 비둘기파; 온건파; 화평파. ↔タカ派.

はとば【波止場】名 선창; 부두. ¶～釣り 부두 낚시／船が～に着く 배가 부두에 닿다.

バドミントン [badminton] 名 배드민턴. ¶～の羽根 배드민턴의 셔틀콕.

はとむぎ『鳩麦』名〔植〕율무.

はとむね【はと胸】《鳩胸》名 구흉; 새가「슴.

はとめ【はと目】《鳩目》名 (구두·서류·의복 따위의) 끈을 꿰기 위한 동그란 구멍; 또, 그 구멍의 쇠고리.

はどめ【歯止め】名 **1** 바퀴의 회전을 제어하는 장치. =ブレーキ. **2** 언덕에 세워둔 자동차 따위의 바퀴 밑에 괴는 것《사태의 악화나 변화를 막는 일에도 비유됨》. ¶インフレの～ 인플레의 억제/円安(えんやす)の傾向(けいこう)に～をかける 엔저 경향에 제동을 걸다.

パトロール [patrol] 图 ス自 패트롤; 경관이 순찰하는 일; 또, 그 사람. ¶ハイウエー～ 고속 도로 순찰(자).

—カー [patrol car] 图 패트롤 카; 순찰차. =パトカー.

パトロン [patron] 图 패트런; (경제적) 후원자; 보호자; 전하여, 기둥서방. ¶政治家(せいじか)を～に持(も)つ 후원자로 정치인이 있다.

ハトロンし【ハトロン紙】 图 하도롱지; 엷은 갈색의 질긴 양지의 일종. ▷네 **patroonpapier**.

バトン [baton] 图 **1** 바통; 배턴. **2**〖樂〗지휘봉. =タクト.

—を渡(わた)す 배턴을 넘기다. **1** (릴레이 경주에서) 바통을 건네주다. **2** 후계자에게 일을 인계하다. ¶会長(かいちょう)は息子(むすこ)にバトンを渡して引退(いんたい)した 회장은 아들에게 배턴을 넘기고 은퇴하였다.

—ガール [일 **baton+girl**] 图 바통 걸《고적대나 음악대에 앞장서서 지휘봉을 흔들며 나아가는 소녀》.

—タッチ [일 **baton+touch**] 图 ス自 배턴 터치; 바통을 건네줌《후임자에의 인계에도 비유됨》. ¶担当業務(たんとうぎょうむ)を後任(こうにん)の社員(しゃいん)に～する 담당 업무를 후임 사원에게 인계하다.

****はな【花·華】** 图 **1** 꽃. ¶～が散(ち)る 꽃이 지다/～が開(ひら)く 꽃이 피다/～を摘(つ)む 꽃을 따다/～を折(お)る 꽃을 꺾다/雪(ゆき)の～ 눈꽃; 설화/～は吉野(よしの) 벚꽃은 吉野(よしの)(의 것이 으뜸임). 参考 '花'라고 하여 벚꽃을 가리키기도 함. **2** 꽃과 같이 아름다운 것; 모두가 가지고 싶어하는 것. ㉠아름답고 한창임; 또, 그러한 것. ¶社交界(しゃこうかい)の～ 사교계의 꽃/職場(しょくば)の～ 직장의 꽃《젊고 명랑한 여성》/人生(じんせい)の～ 인생의 절정기/両手(りょうて)に～ 양손에 꽃《좌우에 미인을 거느리거나 명실상부한 때의 비유》/～の年(とし)ごろ 꽃다운 나이/～を添(そ)える 금상첨화/今(いま)が～だ 지금이 전성기다/あのころが～だった 그때가 좋았다. ㉡정수(精髓); 정화(精華). ¶オリンピックの～ 올림픽의 정수《마라톤을 이름》/武士道(ぶしどう)の～ 무사도의 정수. **3** 예인(藝人)·하인·기생에게 주는 팁〔행하〕; 화대; 놀음차. ¶～をはずむ 화대를 듬뿍 주다. **4** '花合(はなあ)わせ(=화투놀이)' '花札(はなふだ)(=화투)' '生(い)け花(ばな)(=꽃꽂이)' 등의 준말. ¶～を引(ひ)く 화투를 치다/お～の先生(せんせい) 꽃꽂이 선생/お～を習(なら)う 꽃꽂이를 배우다. 注意1 2의 대부분은 '華'로 씀. 注意2 3, 4는 '華'로 쓰지 않음.

—が咲(さ)く 꽃이 피다. **1** 때를 만나 번성하다. ¶人生(じんせい)に～ 인생의 전성기를 맞이하다. **2** 흥겹게 이어지다. ¶思(おも)い出(で)話(ばなし)に～ 추억담에 시간 가는 줄 모르다.

—と散(ち)る (꽃이 지듯이) 미련없이 깨끗이 죽다; 특히, 전쟁에 나가 죽다.

—の都(みやこ) **1** 그 나라의 서울. **2** 화려한 도시. ¶～, パリ 화려한 도시, 파리.

—は桜木(さくら), 人(ひと)は武士(ぶし) 꽃이라면 벚꽃, 사람은 무사가 으뜸.

—も実(み)もある **1** 명(名)과 실(實)이 겸비하다. **2** 외관도 내용도 훌륭하다.

—より団子(だんご) 꽃보다 경단. **1** 풍류를 모름의 비유. **2** 허울보다는 실속을 좇는다는 말.

—を咲(さ)かせる 꽃피우다. **1** 성공하다; 이름을 날리다. ¶誠実(せいじつ)さと努力(どりょく)がやがて花を咲(さ)かせ実(み)を結(むす)ぶ 성실성과 노력이 드디어 꽃을 피워 열매를 맺다. **2** 한창 일을 벌이다. ¶昔話(むかしばなし)に～ 옛날 이야기에 꽃을 피우다.

—を持(も)たせる 승리나 공(功)을 남에게 돌리다. ¶若(わか)い者(もの)に～ 젊은이에게 공을 돌리다.

はな〖洟〗 图 콧물. =はなじる. ¶～がでる 콧물이 나오다/～をかむ 코를 풀다/～を垂(た)らす 코를 흘리다/～をすする 콧물을 훌쩍거리다.

—も引(ひ)っ掛(か)けない 상대조차 하지 않다; 아주 무시해 버리다.

はな〖端〗 图〈俗〉**1** (사물의) 시초; 처음; 최초. ¶～からしくじる 초장부터 실수하다/～からけんか腰(ごし)で掛(か)けあう 다짜고짜 시비조로 담판하다/～から縁起(えんぎ)がよい 처음부터 재수가 좋다/それは～から分(わ)かっていた 그것은 처음부터 알고 있었다. **2** 말단; 끝. =先端(せんたん)·はし. ¶突堤(とってい)の～ 돌제의 끝.

****はな【鼻】** 图 **1** 코. ¶～がつまる 코가 막히다/～をつまむ 코를 잡다/～に掛(か)かった声(こえ) 코먹은 소리/～をほじる 코를 후비다. **2** 후각.

—が胡坐(あぐら)をかく 코가 책상다리를 하다; 납작코이다.

—が利(き)く **1** 냄새를 잘 맡는다. **2** 잇속이 빠르다.

—が高(たか)い 콧대가 높다; 우쭐하다. ¶成績(せいせき)がよくて～ 성적이 좋아서 기고만장이다.

—が曲(ま)がる 악취가 코를 찌르다.

—であしらう (냉담하게) 콧방귀 뀌다.

—で笑(わら)う 코웃음치다; 콧방귀 뀌다.

—に掛(か)ける 내세우다; 자랑하다. ¶成績(せいせき)がいいのを～ 성적이 좋은 것을 자랑으로 여기다.

—に付(つ)く 진력나다. ¶出(で)すぎた親切(しんせつ)が～ 지나친 친절이 역겹다.

—を明(あ)かす 꼭뒤질러 깜짝 놀라게 하다. ¶宿敵(しゅくてき)の～ 숙적을 꼭뒤질러 놀라게 하다.

—を打(う)つ (냄새가) 코를 찌르다.

—を折(お)る 콧대를 꺾다; 코를 납작하게 만들다.

—を高(たか)くする 자랑하다.

—を突(つ)く 코를 찌르다《냄새가 심하다》. ¶～におい 코를 찌르는 냄새.

—を鳴(な)らす **1** 킁킁거리다. **2** 콧소리로 아양 떨다〔어리광 떨다〕.

=ばな 〖端〗 …하자마자. ¶寝入り～に起こされる 막 잠들려는데 깨우다.

バナーこうこく【バナー広告】图 배너 광고. **1** (상업 광고 분야에서) 깃발 모양의 광고. **2** 인터넷 홈 페이지에 띄우는 띠 모양의 광고《이곳을 클릭하면 광고주의 홈 페이지에 연결되어 보다 상세한 정보를 얻을 수가 있음》. ▷banner.

はなあらし【花あらし】《花嵐》图 **1** 벚꽃이 폭풍우처럼 바람에 흩날림. **2** (벚꽃이 필 무렵의) 꽃샘바람.

はなあわせ【花合わせ】图 화투놀이.

はないかだ【花いかだ】《花筏》图 물에 떠내려가는 꽃잎을 뗏목에 비유한 말.

はないき【鼻息】图 콧김. **1** 코로 쉬는 숨. **2** 콧대; 의기; 기세. ＝意気込み. ¶すごい～だ 대단한 기세다. **3** 사람의 의향이나 기분. ¶社長の～ばかり気にしている 사장의 의향〔기분〕에만 신경을 쓰고 있다.

──が荒い 콧김이 세다; 기세가 당당하다. ¶金が出来たのであの男は近ごろ鼻息が荒くなった 돈이 생겨서 저 사내는 요즘 기세가 당당해졌다.

──をうかがう 숨소리를 살피다《상대방의 의향이나 기분을 살핌》.

はなうた【鼻歌】《鼻唄》图 콧노래.

──まじり【──交じり】图 콧노래를 부르며(기분좋게, 가벼운 마음으로) 일하는 모양. ¶～で仕事をする 콧노래를 부르면서 일하다.

はなお【鼻緒】图 왜나막신의 끈이나 짚신의 갱기. ¶～が切れる 나막신의 끈이〔신갱기가〕 끊어지다/～ずれ 나막신 끈에 발이 까짐〔부르틈〕/～をすげる 나막신 끈을 꿰어 달다.

はなかご【花かご】《花籠》图 꽃바구니. ¶～を手に提げる 꽃바구니를 손에 들다/お祝いに～を贈る 축하의 뜻으로 꽃바구니를 보내다.

はなかぜ【鼻風邪】图 코감기. ＝はなっかぜ. ¶～をひく 코감기에 걸리다.

はながた【花形】图 **1** 인기 있는 화려한 존재. ＝スター. ¶～株 인기주/～役者 인기 배우/～選手 인기 있는 선수; 각광을 받는 선수/～産業 인기 있는 산업/時代の～ 시대의 각광을 받는 사람〔것〕. **2** 꽃 모양; 꽃무늬. ¶野菜を～に切る 야채를 꽃 모양으로 자르다.

はながみ【鼻紙】图 코푸는 종이; 휴지. ＝ちりがみ·はなかみ. ¶～ではなをかむ 휴지로 코를 풀다.

はながら【花柄】图 (의복 따위의) 꽃무늬. ¶～のスカートをはく 꽃무늬 스커트를 입다.

はなきん【花金】图 샐러리맨이 일주일 근무를 끝내고 해방감에 넘치는 금요일《'花の金曜日'의 뜻》.

はなぐすり【鼻薬】图 **1** 코약. ¶～をさす 코약을(콧구멍에) 넣다. **2** 어린애 달래는 과자. **3** 약간의 뇌물. ¶～がきく 뇌물이 효력을 나타내다.

──をかがせる 뇌물을 (좀) 주다.

はなくそ【鼻くそ】《鼻糞·鼻屎》图 코딱지. ¶～をほじくる 코딱지를 후비다/目糞，～を笑う 눈곱이 코딱지를 비웃다《똥 묻은 개가 겨 묻은 개 나무란다는 뜻》.

はなぐもり【花曇り】图 벚꽃이 필 무렵에 날씨가 흐림; 또, 그런 날씨. ¶～の空 벚꽃철의 흐린 하늘.

はなげ【鼻毛】图 코털.

──を抜かれる **1** 꼭뒤 질리다. **2** 여자한테 바람맞다.

──を抜く 꼭뒤 지르다; 속이다.

──を伸ばす 여자가 하자는대로 하다; 여자의 미색에 현혹되다.

──を読まれる 만만하게 보이다.

──を読む 여자가 제게 반한 남자를 마음대로 주무르다. ＝鼻毛を数える.

はなごえ【鼻声】图 **1** 비성; 콧소리. ¶～を出す 콧소리를 내다/～で子供が物をねだる 흥흥거리며〔응석부리며〕 아이가 무엇을 달라고 조르다. **2** (울거나 해서 나는) 코 멘 소리. ¶～でかきくどく 울먹이며 코 멘 소리로 끈덕지게 하소연하다.

はなござ【花ござ】《花茣蓙》图 꽃돗자리; 화문석. ＝花むしろ.

はなことば【花ことば·花言葉】图 꽃말. ¶ばらの～は愛 장미의 꽃말은 사랑.

はなごよみ【花暦】图 꽃달력; 철 따라서 피는 꽃과 그 명소로 나타낸 달력.

はなざかり【花盛り】图 **1** 꽃이 만발함〔한창임〕; 또, 그 계절. ¶桜の～ 벚꽃이 한창임/～の頃 꽃이 한창인 무렵. **2** 여성의 한창 아름다운 연령; 묘령. ¶彼女は今が～だ 그 여자는 지금이 한창 (꽃다운) 때이다. **3** 사물의 한창 때. ¶人生の～ 인생의 전성기.

はなさき【鼻先】图 **1** 코끝. **2** 코앞; 눈앞. ＝目前. ¶～に証拠を突きつける 코앞에 증거를 들이대다/完成が～に見えた 완성이 눈앞에 보였다. **3** 사물의 선단(先端). ¶岬の～に立って沖をながめる 갑의 끝에 서서 먼 바다를 바라보다.

──であしらう 코끝으로 다루다; 얕보고 대하다. ＝鼻であしらう.

──で笑う 코웃음치다; 콧방귀 뀌다.

はなし【放し】图 **1** (내)버려둠. ¶～飼い 방목; 놓아 기름/～馬 방목하는 말. **2** 놓음; 뗌. ¶手放しで自転車に乗る 손 놓고 자전거를 타다.

⁑はなし【話】图 **1** 이야기; 말. ¶子供の～ 어린이의 이야기/こそこそ話 귓속말/ひとり話 혼잣말/お～中 이야기〔통화〕 중; 면담 중/～がうまい 말을 잘하다; 입담이 좋다/～のたね 이야깃거리/～をもちだす 이야기를 꺼내다/～がとぎれる 이야기가 끊기다/耳よりな～ 솔깃한 얘기/ばかげた～さ 터무니없는 얘기야/全くひどい～だ

정말 지독한 이야기다〔일이다〕/ その~はもうやめて! 그 이야기는 이제 그만둬요 / それはこういう~だろう 그것은 이런 얘기일 게다. **2** 상의; 의논; 교섭. ¶うまい~ 잇속 있는〔돈벌이〕 이야기 / ~がある 의논할 것이 있다 / ~に乗る 교섭에 응하다; 이야기에 끌려들다 / ~がまとまる 이야기가〔교섭, 흥정이〕 성립되다. **3** 소문; 풍문. ¶彼の~で持ち切りだ 그의 소문뿐이다 / もっぱら…という~だ 온통 …이라는 소문이다. **4** 옛이야기; 만담; 재담. ¶~の名人 만담의 명인 / 長い長い~ 길고 긴 (옛)이야기. **5** 사연; 사정. ¶それにはちょっと~がある 거기에는 좀 사연이 있다. **6** 거짓(말). ¶あれはただの~だ 그것은 그저 거짓말일 뿐이다. **7**《앞의 말을 가리켜 形式名詞처럼 쓰이어》(…한) 것〔일〕. =こと. ¶いやはやあきれた~だよ 거참 어처구니없는 일이야 / そんなことで苦労するなんてつまらない~だ 그런 일로 고생하다니 어이없는 일이다.

—が付く 교섭·의논이 성립되다.
—がはずむ 이야기가 활기를 띠다.
—が早い 이해가 빠르다.
—が分かる 남의 말을 알아듣다. ¶案外~人だ 생각보다 말이 통하는 사람이다.
—変わって 화제가 바뀌어.
—に尾鰭が付く 얘기가 과장되다.
—にならない 말이〔말할 거리가〕 안 된다; 문제삼을 일이 못된다.
—に花が咲く 이야기에 꽃이 피다; 흥이 나서 여러 가지 화제가 계속되다.
—に実が入る 이야기에 열중하다.
—の腰を折る 말참견하여 상대방의 이야기를 가로 막다.
—を決める 상담·흥정 등을 성립시키다.

=ぱなし【ぱなし·放し】《動詞連用形에 促音이 따른 말에 붙어》**1** 그대로 둔다는 뜻. ¶やりっ~ 하다말고 팽개침 / あけっ~の戸 연 채로 둔 문 / 電灯をつけっ~でおく 전등을 켠 채로 내버려두다. **2** 그 상태가 계속된다는 뜻. ¶勝ちっ~ 연전연승.

はなしあい【話し合い】图 의논; 교섭; 상담; 서로 이야기함. ¶~が付く 이야기가〔상담이〕 성립하다 / ~にはいる 상담에 들어가다 / ~は不調に終わった 교섭은 성립되지 않았다.

はなしあ-う【話し合う】[5自] 서로 이야기하다. ¶親と~·ってきめる 부모와 의논해서 정하다 / 問題解決について~ 문제 해결에 대하여 의논하다.

はなしか【話家】《噺家·咄家》图 만담가. ¶~になる 만담가가 되다.

はなしがい【放し飼い】图 놓아먹임; 방목. =野飼い. ¶羊を~にする 양을 방목하다.

はなしか-ける【話しかける】《話し掛ける》[下1自] **1** 말을 걸다. ¶~·けてきた人 말을 걸어온 사람 / 隣席の人に~ 옆자리(의) 사람에게 말을 걸다. **2** 이야기를 시작하다; 또, 중간까지 이야기하다. ¶~·けて口をつぐむ 얘기를 시작하다가 입을 다물다 / ~ところです 이야기할 참입니다.

はなしかた【話し方】图 이야기하는 방식·태도; 말투. ¶兄にそっくりな~ 형을 꼭 닮은 말투.

はなしごえ【話し声】图 말소리. ¶戸口の方で~がする 문간 쪽에서 말소리가 들린다 / 隣の部屋で人の~が聞こえた 옆방에서 사람의 말소리가 들렸다.

はなしことば【話言葉】图 구어(口語); 보통 쓰는 말. ¶~で書く 구어체로 글을 쓰다. ↔書き言葉.

はなしこ-む【話し込む】[5自] (장시간) 이야기에 열중하다. ¶深夜まで~ 한밤중까지 이야기에 열중하다 / 友達と~·んで遅くなる 친구들과 이야기하다가 늦어지다.

はなしじょうず【話し上手】图[ダナ] 이야기를 잘함; 또, 그 사람. ¶~な人 이야기를 잘하는 사람. ↔話し下手.

—は聞き上手 말 잘하는 사람은 (자기 말도 하지만) 남의 말을 잘 들어 주기도 한다.

はなしずき【話し好き】[名ナ] 말하기를 좋아함; 수다스러움; 또, 그 사람. ¶~の女 수다스러운 여자.

はなしずく【話ずく】《話尽く》图 충분히 이야기를 나눈 끝에 일을 도모함. ¶争いを~で解決する 분쟁을 충분한 대화로 해결하다.

はなして【話し手】图 **1** 이야기〔말〕하는 사람. ↔聞き手. **2** 이야기꾼; 이야기 잘하는 사람. ¶なかなかの~だ 입담이 아주 좋은 사람이다.

はなしはんぶん【話半分】图 **1** 사실은 이야기의 절반 정도임《이야기의 반쯤은 과장이라는 뜻》. ¶まあ~に聞いておこう 그저 반 에누리해서 들어 두지 / ~でも大変なことだ 반만 사실이라고 해도 대단한 것이다. **2** 이야기를 반 밖에 듣지 않음. ¶~で家をとび出す 말을 다 듣지도 않고 집을 뛰쳐나가다.

はなしぶり【話しぶり】《話振り》图 말하는 모양. =話し方.

はなしべた【話し下手】图[ダナ] 말솜씨가 서투름; 또, 그런 사람. ¶~で損する 말주변이 없어서 손해보다. ↔話し上手.

はなしる【鼻汁】图 콧물. =はな·はなじる. ¶~をたらす 콧물을 흘리다 / ~をすする 콧물을〔코를〕 훌쩍거리다.

はなじろ-む【鼻白む】[5自] 질린 표정을 하다; 머쓱해지다. ¶怒鳴られて~ 호통을 맞고 머쓱해지다 / 発言を無視されて~ 발언을 무시당해 머쓱해지다.

はな-す【放す】[5他] **1** 놓다. ¶ハンドル(から手)を~ 핸들(에서 손)을 놓다 / たもとを~·さない 옷소매를 놓지 않

다. ↔つかむ. **2** 풀어놓다; 놓아주다. ¶犬を～ 개를 풀어놓다/捕虜を～ 포로를 풀어주다/つかまえた鳥を～·してやる 잡은 새를 놓아주다/釣った鮒を川に～ 낚은 붕어를 강에 놓아주다. [可能]はな-せる[下1自]

はな-す【話す】 [5他] 이야기하다. **1** 말하다. ¶おもしろおかしく～ 재미있고 우습게 이야기하다/人に～ 남에게 이야기하다/事件をくわしく～ 사건을 자세히 이야기하다/英語で～ 영어로 말하다/～·せば分かる 이야기하면〔사정을 말하면〕 이해한다〔알아 듣는다〕. **2** (더불어) 상의〔의논〕하다. ¶～に足りる 더불어 이야기할〔상의할〕 만하다/就職について兄と～ 취직에 대해 형과 상의하다. [可能]はな-せる[下1自]

話す의 여러 가지 표현

[표현例] べらべら(줄줄; 술술)·ぺらぺら(술술)·くどくど(장황하게)·つべこべ(이러쿵저러쿵)·ぬけぬけ(뻔뻔스레)·ぶつぶつ(중얼중얼; 투덜투덜)·ぺちゃくちゃ(재잘재잘)·はきはき(또깡또깡)·もぐもぐ(우물우물)·むにゃむにゃ(중얼중얼)·しんみり(조용히; 차분히)·ぼそぼそ(소곤소곤)·ひそひそ(소곤소곤).

[관용 표현] おもしろおかしく(재미있고 우습게)·かいつまんで(간추려서; 요약해서)·声高に(큰 소리로)·歯切れよく(시원스럽고 또렷하게)·口から出まかせに(입에서 나오는 대로)·立て板に水を流すように(청산유수처럼)·喋々喃々と(남녀가 다정하게 (소곤거림))·訥々と(어눌하게; 더듬더듬)·ある事ない事(있는 일 없는 일 (마구))·膝を交えて(무릎을 맞대고 (허물없이))·油紙に火がついたように(가리지 않고 마구).

はな-す【離す】 [5他] 떼다. **1** 풀다. ¶つなぎ目を～ 이음매를 풀다〔끄르다〕/解き～ 풀어놓다. **2** 옮기다. ¶目を～ 눈을 떼다《시선을 옮기다》. **3** 사이를 두다; 거리를 벌리다; 사이를 떼다. ¶五メートル引き～ 5m 떼어놓다/机と机とを～ 책상과 책상을 떼어놓다/二人の仲を～ 두 사람 사이를 떼어놓다/さかなの骨から身を～ 생선뼈에서 살을 발라내다/本を手元から～·さない 책을 손에서 떼지 않는다. [可能]はな-せる[下1自]

はなすじ【鼻筋】 [名] 콧날. ¶～が通っている美人 콧날이 서 있는 미인.

はな-せる【話せる】 [下1自] **1** 말할 수 있다. ¶英語が～ 영어를 말할 줄 안다. **2** 이야기 상대로 할 만하다; 이야기를 잘 알아 듣다; 융통성이 있다. ¶～人 이야기가 통하는 사람/～男だ 이야기 상대가 되는 사나이다/あんな～·せないやつはない 저렇게 말이 통하지 않는 놈은 없다.

はなぞの【花園】 [名] 화원; 꽃밭; 꽃동산. ＝花畑. ¶犬が～に入る 개가 꽃밭에 들어가다.

はなだい【花代】 [名] 화대; 해웃값; 화채(花債). ＝はな·玉代·揚げ代. ¶～を払う 화대를 지불하다.

はなたかだか【鼻高高】 [連語] 매우 뻐기는 모양; 콧대가 높은 모양. ¶満点をもらって～だ 만점을 맞고 기고만장이다/現役で合格して～だ (고교) 재학 중에 합격해서 의기양양하다.

はなたて【花立て】 [名] **1** 꽃병. **2** 꽃을 꽂는 통《특히, 불전(佛前)이나 무덤 앞에 놓는 것》.

はなたば【花束】 [名] 꽃다발. ＝ブーケ. ¶成功を祝って～を贈る 성공을 축하해서 꽃다발을 보내다.

はなだより【花便り】 [名] 화신(花信); 꽃소식; 특히, 벚꽃이 핀 것을 알리는 소식. ＝花信.

はなたらし〖洟垂らし〗 [名] **1** 코를 흘림; 또, 그 사람; 코흘리개. **2** 젊거나 무기력한 사람을 욕하는 말: 애송이. ¶まだ～のくせに 아직 애송이인 주제에/三十, 四十はまだ～だ 서른살, 마흔살은 아직 애송이다. [參考] 힘줌말은 'はなったらし'.

はなたれ〖洟垂れ〗 [名] ☞はなたらし. ¶～小僧 코흘리개 아이; 개구쟁이. [參考] 힘줌말은 'はなったれ'.

はなぢ【鼻血】 [名] 코피. ¶～を流す 코피를 흘리다/～が出る 코피가 나다.

はな-つ【放つ】 [5他] **1** 풀어 놓다; 놓아주다. ¶野に～·たれた馬 들에 풀어놓은 말/鳥をかごから～ 새를 새장에서 놓아 주다/虎を野に～ 호랑이를 들에 풀어 놓다. **2** 내쫓다; 추방하다. ¶罪人を遠国に～ 죄인을 먼 지방으로 추방하다. **3** 활짝 열어놓다; 치우다. ¶戸を～ 문을 열어 젖히다/仕切りを～ 칸막이를 치워버리다. **4** 발(發)하다; 내보내다. ¶光を～ 빛을 발하다/第一弾を～ 제일탄을 발(사)하다/第一声を～ 제일성을 발하다《최초의 연설을 함》/異彩を～ 이채를 발하다〔드러내다〕/声を～·って泣く 소리 내어 울다/スパイ〔刺客〕を～ 스파이를〔자객을〕 내보내다. **5** 『火を～』 불을 지르다; 방화하다. [可能]はな-てる[下1他]

はなっつら【鼻っ面】 [名] ☞はなづら.

はなっぱし【鼻っぱし】 [名] 콧대; 고집. ¶～が強い 콧대가 세다.

はなっぱしら【鼻っ柱】 [名] 콧등; 콧날; 콧대. ＝はなっぱし. ¶～をくじく 콧대를 꺾다/～を折られる 콧대가 꺾이다. [參考] 'はなばしら'의 힘줌말.

—が強い 콧대가 세다. ¶あの娘は～ 저 아가씨는 콧대가 세다.

—をへし折る 콧대를 꺾어 놓다.

はなつまみ【鼻つまみ】《鼻摘み》图 남들이 싫어함; 미움을 받음; 또, 그런 사람. ¶彼は近所の～だ 그는 근처에서 따돌리는 사람이다. 參考 코를 쥐고 구린내를 피하는 데서.

はなつまり【鼻詰まり】图 코가 멤. =はなづまり·はなふさがり.

はなつみ【花摘み】图 꽃을 땀; 또, 그 사람.

はなづら【鼻面】图 코끝; 콧등. =はなさき. ¶馬の～をなでる 말의 콧등을 어루만지다/～につきつける 코앞에 들이대다. 參考 '鼻っつら'는 힘줌말.

はなつんぼ【鼻つんぼ】《鼻聾》图 코머거리. ¶～になってよくねむれない 코가 메어서 잠을 잘 잘 수 없다.

はなでんしゃ【花電車】图 꽃전차. ¶～が走る 꽃전차가 달리다.

はなどき【花時】图 꽃철; 특히, 벚꽃이 필 무렵.

バナナ [banana] 图〔植〕바나나. ¶～キック (축구의) 바나나킥; 휘어차기.

はなの【花野】图 꽃이 핀 (가을) 들판.

はなのさ【鼻の差】图 (경마에서) 말의 선후 차(差)가 아주 적음; 전하여, 일반적으로 사물의 차가 아주 적음. ¶～で勝つ 근소한 차로 이기다.

はなのさき【鼻の先】图 **1** 코끝. =はながしら. **2** 코앞. ¶～にある物 코앞에 있는 것/頂上は目と～だ 정상은 코 닿을 데 있다.

──であしらう 콧방귀 뀌다. =鼻であしらう.

はなのした【鼻の下】图 **1** 인중(人中). **2**〈俗〉입.

──が長い 인중이 길다; 여자에게 무르다.

──が干上がる (생계의 수단을 잃고) 먹고사는 일이 어렵다; 목구멍에 거미줄 치다. =あごが干上がる.

はなばさみ【花ばさみ】《花鋏》图 전정가위.

はなばしら【鼻柱】图 **1** 비주(鼻柱); 비량(鼻梁); 콧마루; 코뼈. ¶～を打つ 코방아를 찧다. **2** 콧대. =鼻っぱしら. ¶～が強い 콧대가 세다/～をくじく〔折る〕콧대를 꺾다.

*__はなはだ__【甚だ】副 매우; 몹시; 심히. =ひじょうに·たいそう. ¶～残念だ 매우 유감이다/～面白い 아주 재미있다/～恐縮〔勝手〕ですが 매우 죄송스럽습니다만〔외람되오나〕.

はなばたけ【花畑】《花畠》图 꽃밭.

はなはだし-い【甚だしい】形 (정도가) 심하다; 대단하다. ¶～寒さ 심한 추위/誤解も～ 오해도 이만저만이 아니다/非常識〔心得違い〕も～ 몰상식함〔오해〕도 유분수다.

*__はなばなし-い__【花花しい·華華しい】形 눈부시다; 매우 화려하다; 훌륭하다. ¶～活躍 눈부신 활약/～·く火花が散る 눈부시게 불꽃이 튀다/～·くデビューする 화려하게 데뷔하다/披露宴を～·くとり行う 피로연을 화려하게 거행하다.

はなび【花火】《煙火》图 꽃불; 화포(花砲); 또, 그 불꽃·연기·소리. ¶～が上がった 불꽃이(하늘 높이) 올라갔다/～を打ち上げる 화포를 쏘아 올리다; 불꽃놀이를 하다.

はなびえ【花冷え】图 꽃샘(추위); 꽃이 필 무렵의 추위. ¶～で客足がにぶる 꽃샘추위로 손님의 발길이 뜸해지다.

はなひしげ【鼻ひしげ】《鼻拉げ》图 납작코; 또, 그런 사람. =はなひしゃげ.

はなびら【花びら】《花弁·花片》图 꽃잎. =かべん.

はなぶさ【花房】图 **1** 꽃송이. ¶ふじの～ 등꽃 송이. **2** 꽃받침. =萼.

はなふだ【花札】图 화투. =花ガルタ. ¶～で遊ぶ 화투놀이하다.

はなふぶき【花吹雪】图 꽃보라《벚꽃이 지는 것을 눈보라에 비유한 말》. ¶美しい～の光景 아름다운 꽃보라의 광경/～がまう 꽃보라가 흩날리다.

はなまち【花街·花町】图 화류계; 유흥가; 유곽. =いろまち·花街.

はなみ【花実】图 꽃과 열매; 전하여, 이름과 실속.

──が咲く 좋은 결과를 얻다; 영화(榮華)를 얻다. ¶死んで～ものか 죽은 다음에 꽃이 피고 열매가 맺히겠는가《죽으면 끝장이다》.

はなみ【花見】图 꽃구경; 꽃놀이. ¶～時 꽃놀이 철/～酒 꽃놀이하며 마시는 술/～の酒もり 꽃놀이하며 벌이는 술잔치/～に行く 꽃놀이 가다.

はなみず【鼻水】图 콧물. =はな·はなじる. ¶～をすする 콧물을 훌쩍거리다/～を垂らす 콧물을 흘리다.

はなみち【花道】图 **1** 歌舞伎 관람석을 건너질러 만든 배우들의 통로. **2** 씨름판에서 씨름꾼이 출입하는 길. **3** 활약하던 사람이 아깝게 은퇴하는 시기. ¶～を飾る 은퇴하는 마지막길을 장식하다.

はなむけ【餞·贐】图 길 떠나는 사람에게 선사하는 금품이나 시가(詩歌) 따위; 전별(餞別). ¶～の言葉 작별의 인사말/～に本をおくる 전별의 뜻으로 책을 선사하다.

はなむこ【花婿】《花壻·花聟》图 신랑. ↔花嫁.

はなむすび【花結び】图 **1** 장식으로서 꽃이나 나비 모양으로 맨 것. **2** 끝을 당기면 곧 풀리도록 끈을 매는 법. =蝶結び·女結び.

はなめがね【鼻眼鏡】图 **1** 코안경. **2** 안경이 헐거워서 코끝에 걸려 있는 상태. ¶～で本を読む 코끝에 안경을 걸고 책을 읽다.

はなもじ【花文字】图 **1** (로마자 등 대문자(大文字)에서) 장식적으로 쓴 글자. **2** 꽃을 글자 형상으로 늘어놓거나 심은 것. =飾り文字.

はなもち【鼻持ち】图 고약한 냄새를 참는 일.

──(が)ならない 언동이 아니꼽고 천해서 보고 듣기에 역겹다. ¶彼は～男だ 그는 역겨운 사나이다.

はなもよう【花模様】图 꽃무늬. ¶～の壁紙 꽃무늬 벽지.

*はなやか【花やか·華やか】ダナ 화려한 모양. ¶～な生涯〔模様〕 화려한 생애〔무늬〕/～な雰囲気 화려한 분위기/～な活躍 눈부신 활약/～に着飾る 화려하게 차려 입다.

はなや-ぐ【花やぐ·華やぐ】5自 화려하고 아름답게 되다. ¶～·いだ衣装 화려한 의상/～·いだ雰囲気 밝고 흥겨운 분위기/彼の登壇で座がいっぺんに～·いだ 그의 등단으로 자리가 대번에 환해졌다.

はなよめ【花嫁】名 신부(新婦); 새색시. ¶～衣裳〔修業〕 신부 의상〔수업〕/～姿 (결혼 의상을 차려 입은) 신부의 모습. ↔花婿.

—がっこう【—学校】名 미혼 여성이 신부 수업을 위해 다니는 요리 학원·양재 학원 등의 속칭.

—ごりょう【—御寮】名 'はなよめ'의 미칭; 새아씨.

はならび【歯並び】名 잇바디; 치열.

はなれ【離れ】名 1 '離れ座敷·離れ家'의 준말. ¶～に客を通す 별채에 손님을 안내하다/～で暮らす 별채에서 지내다. 2《'…ばなれ'의 꼴로 名詞에 붙어》…에서 떠난 상태. ㉠도저히 …이라고는 못 할 정도로 동떨어진 상태. ¶しろうと離れ 풋내기라고는 못 할 정도《솜씨 따위》/学者離れした政治力 학자티를 벗은 정치력/現実離れ 현실 초탈. ㉡의존할 필요없이 떨어져나감. ¶乳離れ 이유(離乳)/都会離れが進む 도회지를 떠나는 경향이 많아지다.

ばなれ【場慣れ】《場馴れ》名ス自 그 자리·분위기에 익숙해짐. ¶～がする 여러 번 경험해서 익숙해지다/～した態度 익숙한 태도/～していてあわてない 익숙해져서 당황하지 않다.

はなれざしき【離れ座敷】名 안채에서 떨어져 딴 채로 있는 방; 별채.

はなれじま【離れ島】名 외딴섬; 낙도; 고도(孤島). ¶無人の～ 사람이 살지 않는 외딴섬/～に流される 외딴섬으로 유배(流配)당하다.

はなればなれ【離れ離れ】名 이산(離散); 따로따로 떨어짐. ＝ちりぢりばらばら·わかれわかれ. ¶一家が～になる 한집안이 뿔뿔이 흩어지다/～に暮らす 따로따로 떨어져 살다.

はなれや【離れ家】名 외딴집; 별채.

はな-れる【放れる】下1自 1 (매여 있던 것이) 놓이다; 풀리다. ¶綱から～·れた馬 고삐에서 풀려난 말/くさりから～·れた犬 사슬에서 풀려난 개/糸から～·れた凧 실에서 떨어져 나간 연. 2 (화살·탄환이) 발사되다. ¶矢がつるを～ 화살이 시위를 떠나다.

**はな-れる【離れる】下1自 떨어지다. 1 붙어 있던 것이 따로 떨어지다. ¶足が地を～ 발이 땅에서 떨어지다/手を～ 손에서 떨어져 나가다/話が本筋から～ 이야기가 본 줄거리에서 벗어나다. 2 거리가 멀어지다; 사이가 벌어지다. ¶うき世を～·れた奥山暮らし 속세를 떠난 깊은 산중 생활/列が～ 행렬 간격이 벌어지다. 3 관계가 없어지다; 떠나다. ¶職を～ 이직하다/夫に～ 남편과 이혼하다/親もとを～ 부모의 슬하를 떠나다《독립하다》/人心が～ 인심이 떠나다/席を～ 자리를 뜨다/戦列を～ 전열을 이탈하다/脳裏を～·れない 뇌리에서 떠나지 않다.

はなれわざ【離れ業·離れ技】名 대담하고 기발한 행동이나 기예; 아슬아슬한 재주; 어렵고 위험한 짓. ¶～を演ずる 아슬아슬한 재주를 부리다/それはなかなかの～だった 그것은 아주 대담한 행동이었다.

はなわ【花輪】《花環》名 화환. ¶祝賀の～ 축하의 화환/～を首にかける 화환을 목에 걸다.

はなわ【鼻輪】名 1 쇠코뚜레. ＝はながい. 2 (아프리카 등지의 원주민이) 장식으로 코에 다는 뼈나 금속의 고리.

はにかみ『含羞み』名 부끄러움; 수줍음.

—や【—屋】名 부끄럼〔수줍음〕을 잘 타는 사람. ＝恥ずかしがりや.

はにか-む『含羞む』5自 부끄러워하다; 수줍어하다. ¶～·んでうつむく 수줍어하며 고개를 숙이다/～·まないで話しなさい 부끄러워 말고 이야기해요/～·んでおじぎをする 수줍어하며 인사를 하다.

ばにく【馬肉】名 마육; 말고기. ＝さくら肉.

バニシングクリーム [vanishing cream] 名 배니싱크림.

パニック [panic] 名 패닉. 1 ☞きょうこう(恐慌)2. 2 (재해로 인한) 혼란 상태. ¶～におちいる 혼란 상태에 빠지다.

バニラ [vanilla] 名〖植〗바닐라《열대산 난과(蘭科) 상록 덩굴풀》. ＝ヴァニラ. ¶～エッセンス 바닐라 에센스.

はにわ [埴輪] 名 옛날 무덤의 주위에 묻어 두던 찰흙으로 만든 인형이나 동물 따위의 상(像); 토용(土俑).

**はね【羽】名 1 날개. ¶～を広げる〔たたむ〕 날개를 펴다〔접다〕/～をはばたく 날개를 치다. 注意 곤충에는 '翅'로도 씀. 2 새털; 깃. ¶～ぶとん 새털 이불/～をもがれる 깃털을 뜯기다〔뽑히다〕.

—が生えて飛ぶ 아주 잘 팔림의 비유. ¶～ように売れる 날개돋친 듯이 팔리다.

—を伸ばす 1 속박에서 벗어나서 기를 펴다. ¶里帰りして～ 친정에 가서 기를 펴고 지내다. 2 세력을 뻗치다.

はね【羽根】名 1 ☞はご. ¶～をつく 羽根를 치다. 2 기계·비행기 등의 날개. ¶扇風機の～ 선풍기 날개.

はね【跳ね】名 1 종연(終演); 그 날의 흥행이 끝남〔파함〕. ¶～太鼓 종연을 알리는 북. 2 튐. 3 (옷자락에) 튄 흙. ¶～があがる (옷에) 흙탕물이 튀다/車が～を上げて通る 차가 흙탕을 튀기며 지나가다.

はね〖撥ね〗名 붓끝을 위로 채는 운필(運筆); 또, 그 필법에 의한 글씨의 부분; 치침.

***ばね**〖発条·撥条〗名 용수철; 스프링; 전하여, 탄력(성). ¶腰の～ 허리의 탄력; 허릿심 / 足の～をきかせて 다리의 탄력을 이용해서 / ～が強い 용수철이〔탄력이〕 강하다 / 手首の～が強い選手 손목의 탄력이 강한 선수.

はねあがり【跳ね上がり】名 **1** 뛰어오름; 튀어오름. ¶物価の～ 물가의 급등. **2**〈俗〉 말괄량이. ＝おてんば·はねかえり. ¶～者 말괄량이; 왈패. **3** 과격한 행동(가). ¶組合運動の～ 과격한 조합 운동(원) / 下部組織の～を抑えきれない 하부 조직의 과격한 행동을 누를 수가 없다.

はねあが-る【跳ね上がる】5自 뛰어오르다. **1** 튀다. ¶どろが～ 흙탕(물)이 튀다. **2** 껑충 뛰다; 날뛰다. ¶～·って喜ぶ 기뻐서 날뛰다 / 魚が～ 물고기가 뛰어오르다. **3** (값이) 폭등하다. ¶値段〔株価〕が～ 값이〔주가가〕 뛰어오르다. **4** 덮어놓고 격하게 행동하다; 과격한 생각을 하다. ¶～·った行動 과격한 행동.

はねお-きる【跳ね起きる】下1自 벌떡 일어나다. ¶寝床から～ 잠자리에서 벌떡 일어나다 / 物音に驚いて～ 무슨 소리에 놀라서 벌떡 일어나다.

はねかえ-す【跳ね返す】《撥ね返す》5他 **1** 힘차게 본디 상태로 되돌리다; 되튀기다. ¶どろ水〔ボール〕を～ 흙탕물〔공〕을 되튀기다 / 速球を～ 속구를 받아치다. **2** 벌떡 뒤집다. ¶劣勢を～ 열세를 뒤집다〔만회하다〕. **3** (충고·압력 따위를) 단호히 거부하다; 물리치다. ¶要求を～ 요구를 박차 버리다 / 重圧を～ 중압을 물리치다.

はねかえり【跳ね返り】名 **1** 튀어서 되돌아옴; 되튀어옴. ¶～の強いボール 잘 튀는 공. **2** 하나의 영향이 다른 것에 파급함. ¶運賃値上げの物価への～ 운임 인상이 물가에 미치는 영향. **3**〈俗〉 말괄량이. ＝おてんば·はねっかえり. ¶娘が～で困っている 딸이 말괄량이라서 난처하다.

***はねかえ-る**【跳ね返る】5自 **1** 튀어서 되돌아오다. ¶球が～ 공이 튀어 돌아오다. **2** 세차게 튀다; 튀어 오르다. ¶泥が～ 흙탕이 튀어 오르다 / 波のしぶきが～ 파도의 물보라가 튀어 오르다. **3** 어떤 영향이 되돌아오다. ¶米価の値上げが物価に～ 쌀값 인상이 물가에 파급되다.

はねかか-る【跳ね掛かる】《撥ね掛かる》5自 (물 따위가) 튀어 오르다. ¶泥水が～ 흙탕물이 튀기다.

はねぐるま【羽根車】名 날개 바퀴《회전축 둘레에 날개 모양의 것이 달린 바퀴》. ¶水車の～ 물레방아의 날개바퀴.

ばねじかけ【ばね仕掛け】《発条仕掛け》名 용수철 장치. ¶～の機械 용수철 장치로 된 기계.

はねっかえり【跳ねっ返り】名 ☞はねかえり1.

はねつき【羽根突き】名 羽子板로 羽子를 치는 놀이《배드민턴과 비슷함》.

***はねつ-ける**〖撥ねつける〗下1他 (요구·신청 따위를) 매정하게〔딱 잘라〕 거절하다; 퇴짜 놓다. ＝はねかえす. ¶値上げの要求を～ 가격 인상 요구를 거절하다 / きっぱりと～ 단호히 거절하다.

はねとば-す【はね飛ばす】《撥ね飛ばす》5他 부딪쳐 나가떨어지게 하다. ¶車が歩行者を～ 차가 보행자를 받아 나가떨어지게 하다.

はねの-ける〖撥ね除ける〗下1他 **1** 밀어젖히다; 뿌리치다. ¶かけぶとんを～ 이불을 밀어젖히다 / 人を～·けてすすむ 남을 밀어젖히고 나아가다. **2** 골라서 없애다; 제외하다; 제거하다. ¶不良品を～ 불량품을 골라내다 / 困難を～ 어려움을 제거하다. **3** 외부로부터의 압력에 대항하다; 거절하다. ¶圧迫を～ 압박을 물리치다 / 要求を～ 요구를 거절하다.

はねばし【跳ね橋】《撥ね橋》名 도개교(跳開橋).

はねぶとん【羽布団】《羽蒲団》名 새털이불. ¶～をかける 새털 이불을 덮다.

はねまわ-る【跳ね回る】5自 여기저기 뛰어 돌아다니다. ¶犬が雪の中を～ 개가 눈 속에서 이리저리 뛰어다니다.

ハネムーン [honeymoon] 名 허니문. **1** 결혼한 달; 밀월(蜜月). **2** 신혼여행.

パネラー [일 panel+er] 名 **1** ☞パネリスト. **2** 퀴즈 프로그램의 해답자.

パネリスト [panelist] 名 패널리스트; 토론회 참석자. ＝パネラー.

は-ねる〖刎ねる〗下1他 목을 치다. ¶敵将の首を～ 적장의 목을 치다.

****は-ねる**【跳ねる】下1自 **1** 뛰다; 뛰어 오르다. ¶馬が～ 말이 뛰어 오르다 / のみが～ 벼룩이 뛰다 / 子供が喜んでぴょんぴょん～ 아이가 좋아서 깡충깡충 뛰다. **2** 튀다; 터지다. ＝はじける. ¶どろが～ 흙탕(물)이 튀다 / 炭が～ 숯불이 튀다 / 豆〔油〕が～ 콩〔기름〕이 튀다 / 栗のいがが～ 밤송이가 터지다. **3** (극장 등에서) 그 날의 흥행이 끝나다; 종연(終演)하다. ¶芝居が～ 연극이 끝나다.

***は-ねる**〖撥ねる〗下1他 **1** (물 따위를) 튀기다. ¶どろを～·ねて歩く 흙탕을 튀기며 걷다. **2** 받아서 나가떨어지게 하다. ¶自動車に～·ねられる 자동차에 받히다. **3** 가려내다; 불합격으로 하다. ¶面接で～·ねられる 면접에서 퇴짜맞다 / 不良品を～ 불량품을 가려내다. **4** 일부를 빼앗다; 삥땅치다. ¶上前を～ 남의 몫의 일부를 가로채다. **5** 잘라 버리다. ¶松の小枝を～ 소나무 잔가지를 쳐버리다.

パネル [panel] 名 패널. **1** 판벽널. ＝鏡

板(かがみいた)·羽目板(はめいた). ¶床(ゆか)～ 마루널. 2 배전반(配電盤). 3 화판(畫板); 그것에 그린 그림. ¶～画(が) 패널화 / ～ペインティング 패널 페인팅. 4 사진을 붙이는 틀. 5 'パネルディスカッション'의 준말.
—ディスカッション [panel discussion] 图 패널 디스커션; 공개 토론회.

パノラマ [panorama] 图 파노라마. ¶～台(だい) 파노라마대; 전망대 / ～撮影(さつえい)〔写真(しゃしん)〕 파노라마 촬영〔사진〕/ ～のような景色(けしき) 파노라마와 같은 경치.

⁑はは【母】图 어머니. 1 모친. ¶二児(にじ)の～となる 두 아이의 어머니가 되다. ↔父(ちち). 2 비유적으로, (사물을 산출하는) 근원; 모태(母胎). ¶必要(ひつよう)は発明(はつめい)の～ 필요는 발명의 어머니 / ～なる大地(だいち) (만물의) 어머니〔근원〕인 대지.

はは 感 하하《웃는 소리》.

⁑はば【幅】《巾》图 1 폭; 나비; 너비. ¶横(よこ)～ 가로폭 / 道(みち)～ 길의 폭; 노폭 / たんすの～ 장롱의 폭 / 川(かわ)の～ 강의 폭 / 歩(あゆ)み～ 보폭 / ～の広(ひろ)い道(みち) 폭이 넓은 길 / リボンの～ 리본의 폭. 2 위세. ＝はぶり. 3 여유; 여지. ＝ゆとり. ¶～のある態度(たいど) 여유 있는 태도 / 規則(きそく)に～を持(も)たせる 규칙에 여유를〔융통성을〕 두다 / いくぶん～を持(も)たせておく 어느 정도 여유를 두다 / 人間(にんげん)に～ができる 사람에게 여유가 생기다. 4 차이; 차. ¶揺(ゆ)れ～が大(おお)きい 변동폭이 크다 / 両者(りょうしゃ)のいい分(ぶん)には～がある 양자의 주장에는 차이가 있다.
—を利(き)かせる 활개치다; (지위·세력을 이용해) 위세를 떨치다.
—を取(と)る 넓은 장소를 차지하다.

ばば〖婆〗图 1 노파. ＝ばばあ. ¶鬼(おに)～ 간악한 할멈; 마귀할멈. ↔爺(じじ). 2 (카드놀이의) 조커; 쓸데없는 것. ¶～をつかむ 마땅찮은 것이 손에 들어오다.

ばば〖祖母〗图 조모; 할머니. ＝そぼ·ばばあ. ↔じじ(祖父).

ばば【馬場】图 마장; 승마장; 경마장. ¶重(おも)～ 비나 눈이 와서 경마장의 상태가 나빠짐.

パパ [papa] 图〈兒〉파파; 아빠. ↔ママ.

ばばあ〖婆〗图 노파; 할멈. 參考 'ばば'의 막된 말씨. ↔じじい.

パパイア [papaya] 图〘植〙파파야. ＝パパヤ·パパイヤ.

ははうえ【母上】图 어머니의 높임말; 어머님. ↔父上(ちちうえ).

ははおや【母親】图 모친; 어머니. ¶～似(に) 어머니를 닮음; 외(外)탁 / 海(うみ)より深(ふか)い～の恩(おん) 바다보다 깊은 어머님의 은혜. ↔父親(ちちおや).

ははかた【母方】图 외가 쪽. ¶～の祖父(そふ) 외조부 / ～の伯父(おじ) 외삼촌. ↔父方(ちちかた).

はばかり〖憚り〗图 1 거리낌; 조심. ＝遠慮(えんりょ). ¶～なく言(い)う 거리낌 없이 말하다 / ～のない大(おお)きな声(こえ) 거리낌이 없는 큰 소리 / 表(おもて)ざたにするには～がある 표면화시키기에는 조심스럽다. 2 변소; 뒷간. ¶～へ行(い)く 변소에 가다.

はばかりさま〖憚り様〗感 1 남에게 신세졌을 때의 인사말: 감사합니다. ¶～ですが(…して下(くだ)さい) 번거로우시지만 (…해주시겠습니까·해주십시오) / これはこれは, ～でございます 이거 참, 폐가 많습니다. 2 상대의 말에 좀 빈정대며 하는 말: 유감이군요; 안 됐습니다. ＝おあいにくさま. ¶～, あなたのお世話(せわ)にはなりません 미안하지만 당신 신세는 지지 않겠습니다.

はばかりながら〖憚りながら〗副 1 죄송〔송구〕스럽습니다만. ¶～お願(ねが)い申(もう)します 송구스럽지만 부탁드립니다. 2 외람된 말이지만; 말하기 거북하지만; 이래 봬도. ¶～これでも学生(がくせい)です 외람되나마 이래도 학생입니다 / ～, これでもおれは男(おとこ)だ 미안하지만 이래 봬도 나는 남자요.

*はばか-る〖憚る〗一 5他 거리끼다; 꺼리다. ¶人目(ひとめ)を～仲(なか) 남의 눈을 꺼리는 사이 / だれに～ことも無(な)い 누구에게 거리낄 것도 없다 / 他聞(たぶん)を～ 남이 듣는 것을 꺼리다 / 人前(ひとまえ)を～·っていわない 사람을 꺼려서 말하지 않다. 二 5自 위세를 떨치다. ¶憎(にく)まれっ子(こ), 世(よ)に～ 집에서 미움 받는 자식이 밖에서는 활개친다.

はばき【幅木】图 벽의 밑 부분인 굽도리에 대는 좁다란 널빤지.

はばきき【幅利き】图 세력이 있음〔있는 사람〕. ¶政界(せいかい)での～ 정계의 실력자 / 土地(とち)の～ 고장의 유지 / 村中(むらじゅう)での～である 마을의 세력가이다.

ははぎみ【母君】图 남, 또는 자기 어머니의 높임말; 자친; 자당. ↔父君(ちちぎみ).

ははご【母御】图 상대방 어머니의 높임말; 자당. ＝ははごぜ. ↔父御(ちちご).

はばたき【羽ばたき】《羽撃き》图 날개를 침. ¶鳥(とり)の～ 새의 날갯짓 / 雄鶏(おんどり)が～をして時(とき)をつくる 수탉이 홰치며 때를 알리다.

はばた-く【羽ばたく】《羽撃く》5自 1 날개치다; 홰치다. ¶鶏(にわとり)が鳴(な)きながら～ 닭이 울면서 홰치다. 2 비행기가 하늘을 날다. 3 사람이 희망에 차서 일하다. ¶未来(みらい)へ大(おお)きく～若者(わかもの) 미래를 향하여 크게 뻗어가는 젊은이.

*はばつ【派閥】图 파벌. ¶～争(あらそ)いに明(あ)けくれる 파벌 싸움에 영일이 없다 / どの政党(せいとう)にも～が横行(おうこう)している 어느 정당에도 파벌이 횡행하고 있다.

ばばっと 副 동작이 재빠른 모양: 후닥닥. ¶～かたづける 후닥닥 해치우다.

はばとび【幅跳び】《巾跳び》图 뛰어서 그 거리를 겨루는 육상 경기《'走(はし)り幅跳び(＝멀리뛰기)'와 '立(た)ち幅跳び(＝제자리멀리뛰기)'가 있음》.

ばばぬき【ばば抜き】《婆抜き》图 카드놀이에서, 마지막에 조커(joker)를 가진 사람이 지는 놀이.

ははのひ【母の日】图 어머니날《5월의

둘째 일요일》. ↔父ちちの日.

はばひろ【幅広】[名ナ] (보통보다) 폭이 넓음; 또, 그러한 것. =はばびろ. ¶~帯おび〔ネクタイ〕 폭이 넓은 띠〔넥타이〕.

はばひろ-い【幅広い】[形] 폭 넓다. **1** 폭이 넓다. ¶~肩かた 떡 벌어진 어깨 / ~道路どうろ 폭이 넓은 도로. **2** 활동 범위가 넓다. ¶~活動かつどう 폭넓은 활동 / ~視野しや〔支持しじ〕 폭넓은 시야〔지지〕.

***はば-む**【阻む】《沮む》[5他] 방해하다; 저지하다; 막다. ¶行ゆく手てを~ 가는 길을 막다 / 攻撃こうげきを~ 공격을 저지하다 / 悪天候あくてんこう〔川かわ〕に進路しんろを~·まれる 악천후로〔강 때문에〕 진로가 가로막히다 / 乱開発らんかいはつを~ 난개발〔무질서한 개발〕을 저지하다.

ははもの【母物】[名] (영화 등에서) 모성애를 주제로 한 것; 모정 드라마.

はばよせ【幅寄せ】[名][ス自] **1** 자동차를 도로변에 붙이거나 차간 거리를 좁혀 주차시키는 일. **2** 달릴 때 차의 진로를 도로 가쪽으로 잡는 일.

パパラッツォ [이 paparazzo] [名] 파파라초; 유명 인사 등을 추적하여 가십 사진 등을 찍는 프리랜서 카메라맨. [参考] 본뜻은 '사람의 주위를 날아다니는 벌레'.

***はびこ-る**〘蔓延る〙[5自] 만연하다; 널리 퍼지다; 전하여, 횡행하다. ¶雑草ざっそうが~ 잡초가 만연〔무성〕하다 / 暴力ぼうりょくが~ 폭력이 판을 치다 / 悪あくが~乱世らんせい 악이 횡행하는〔판치는〕 난세.

パビリオン [pavilion] [名] 파빌리온. **1** 가설 천막. **2** 박람회장에 세워진 전시관.

ハブ [hub] [名]〘機〙 허브; 차륜의 바퀴통. =こしき.

―くうこう【―空港】[名] 허브 공항; 거점 공항; 각지 또는 각국에서 항공로가 모여드는 공항.

パブ [pub] [名] 퍼브; 서양식 대중 술집; 선술집. ▷public house.

パフォーマンス [performance] [名] 퍼포먼스. **1** 상연; 공연; 여흥. **2** 연기; 연주; 몸짓. **3** 행위; 동작; (가두에서 갑자기 하는) 구경거리.

⁑はぶ-く【省く】[5他] 덜다. **1** 생략하다; 줄이다. ¶費用ひようを~ 비용을 줄이다 / 説明せつめいを~ 설명을 생략하다 / てまを~ 수고를 덜다 / 文字もじの字画じかくを~ 글자의 자획을 줄이다. **2** 없애다. ¶むだを~ 쓸데없는 것을〔낭비를〕 없애다. [可能] はぶ-ける [下1自]

はぶたえ【羽二重】[名] 얇고 부드러우며 윤이 나는 순백색 비단.

―はだ【―肌】[名] 희고 고운 살결.

ハプニング [happening] [名] 해프닝; 뜻밖의 일; 우발적 사건. ¶~がおこる〔生しょうじる〕 해프닝이 일어나다.

はブラシ【歯ブラシ】[名] 칫솔. ¶~で歯はを磨みがく 칫솔로 이를 닦다. ▷brush.

はぶり〘羽振り〙[名] (남에 대한) 세력이나 인망. ¶~がよい人ひと 행세깨나 하는 사람 / ~がいい 위세가 좋다〔있다〕.

―を利きかせる 행세하다; 판치다; 위세를 부리다; 쩡쩡거리다. ¶彼かれは政財界せいざいかいで~実力者じつりょくしゃだ 그는 정재계에서 행세하는 실력자다.

パブリック [public] [ダナ] 퍼블릭; 공공적. ↔プライベート.

―オピニオン [public opinion] [名] 퍼블릭 오피니언; 여론.

―オフィス [public office] [名] 퍼블릭 오피스; 관청; 관공서.

―コース [public course] [名]〘골프〙 퍼블릭 코스; 비(非)회원제 골프장.

バブル [bubble] [名] 버블; 거품; 또, 포말적 투기 현상. ¶~景気けいき〔経済けいざい〕 거품 경기〔경제〕 / ~の崩壊ほうかい 버블의 붕괴 / ~がはじける 거품이 꺼지다.

ばふん【馬ふん】《馬糞》[名] 마분; 말똥. =まぐそ. ¶~紙し 마분지.

はへい【派兵】[名][ス自他] 파병. =出兵しゅっぺい. ¶海外かいがいに~する 해외에 파병하다.

はべ-る〘侍る〙[5自] 시중들다. ¶おそばに~ 곁에서 시중들다 / 芸妓げいぎを~·らせる 기생에게 시중들게 하다.

はへん【破片】[名] 파편. =かけら. ¶ガラスの~ 유리 파편.

はぼたん〘葉牡丹〙[名]〘植〙 모란채.

***はま**【浜】[名] 바닷가; 호숫가. ¶~に立たって沖おきを見みる 해변가에 서서 난바다를 보다.

はまき【葉巻】[名] 여송연; 엽궐련. =シガー. ¶~をくわえる〔くゆらす〕 여송연을 물다〔피우다〕.

はまぐり〘蛤〙[名]〘貝〙 대합. ¶~の殻から 조가비; 조개껍데기.

はまち〘鰒〙[名] **1** (関西かんさいで서) 방어의 새끼. =いなだ. **2** (関東かんとう 지방에서) 양식(養殖)한 방어.

はまて【浜手】[名] 해변 쪽. ¶~に行ゆく 해변 쪽으로 가다. ↔山手やまて.

はまなす〘浜茄子〙[名]〘植〙 해당화.

はまべ【浜辺】[名] 바닷가; 해변. =うみべ. ¶波なみうつ~ 파도 치는 해변.

はまや【破魔矢】[名] (잡신(雜神)을 쫓기 위해 쏘는) 액막이 화살《지금은 새해의 재수를 빌기 위한 물건으로 신사(神社)에서 판매함; 상표명》.

はまりこ-む【はまり込む】《嵌まり込む》[5自] ☞はまる.

はまりやく【はまり役】《嵌まり役》[名] 적역; 꼭 알맞은 역할. =適役てきやく. ¶この仕事しごとは彼かれにぴったりの~だ 이 일에는 그가 최적임자다.

***はま-る**〘嵌まる·塡まる〙[5自] **1** 꼭 끼이다; 꼭 맞다; 적합하다. ¶戸と〔指輪ゆびわ〕が~ 문짝이〔반지가〕 꼭 맞다 / 型かたに~·った教育きょういく 틀에 박힌 교육 / キャップが~·らない 뚜껑이 맞지 않다 / 条件じょうけんに~ 조건에 들어맞다 / 蛇口じゃぐちにホースが~·らない 수도꼭지에 호스가 끼워지지 않는다. **2** 빠지다. ¶池いけに~ 연못에 빠지다 / わなに~ 덫에 걸리다 / タイヤがみぞに~ 차바퀴가 도랑에 빠지다. **3**

속다. ¶わなに～ 함정에 빠지다/まんまと計略(けいりゃく)に～ 감쪽같이 계략에 속다.

はみ〖馬銜〗图 1 마함; 재갈. ¶～をくわえさせる 재갈을 물리다. 2 사나운 말의 입에 줄을 물려 머리에 묶음; 또, 그 줄.

はみがき【歯磨き】图 1 이를 닦음; 이닦기. ¶～をする 이를 닦다. 2 치약.

*はみだ-す【はみ出す】《食み出す》5自 불거지다; 비어져 나오다; 초과하다. ¶綿(わた)の～·したふとん 솜이 비어져 나온 이불/欄外(らんがい)に～ 난외로 밀려나오다/なかみが～ 내용물〔속에 든 것〕이 비어져 나오다/定員(ていいん)から三名(さんめい)～ 정원에서 3명이 초과되다/満員(まんいん)で乗客(じょうきゃく)の一部(いちぶ)が～·された 만원으로 승객의 일부가 밀려났다.

はみ-でる【はみ出る】《食み出る》下1自 ☞はみだす. ¶隊列(たいれつ)から～·でた人(ひと)たち 대열에서 밀려나온 사람들/綿(わた)の～·でた座布団(ざぶとん)を敷(し)く 솜이 비어져 나온 방석을 깔다.

ハミング [humming] 图ス自 허밍; (입을 다물고) 콧노래를 부름. ¶～コーラス 허밍 코러스/～で歌(うた)う 허밍으로 노래하다/～しながらラジオを聞(き)く 콧노래를 부르면서 라디오를 듣다.

は-む〖食む〗5他 〈雅〉 1 먹다; 마시다; 식사하다. ¶牛(うし)が草(くさ)を～ 소가 풀을 먹다. 2 봉급 따위를 받다. ¶禄(ろく)を～ 녹을 먹다/高給(こうきゅう)を～ 많은 급료를 받다.

ハム [ham] 图 햄; 돼지고기를 가공하여 훈제한 식품.

——エッグス [←ham and eggs] 图 햄에그.

ハム [ham] 图 햄; 아마추어 무선가.

=ば-む 《体言 등에 붙여서 五段活用 動詞를 만듦》 그 상태를 띠다. ¶気色(けしき)～ 기색을 띠다《얼굴 등에 노여움이 나타나다》/黄(き)～ 누레지다/汗(あせ)～ 땀이 배다.

はむか-う【刃向かう·歯向かう】5自 거스르다; 맞서다; 반항하다; 저항하다; 덤벼들다. ¶権力(けんりょく)に～ 권력에 저항하다/犬(いぬ)が～·って来(く)る 개가 덤벼들다. 參考 본디, 칼을 들고 맞서거나 물려고 이를 드러내고 덤벼든다는 뜻.

はむし【羽虫】图 1 새에 기생(寄生)하는 이. =はじらみ. 2 날개가 있는 작은 벌레의 총칭.

ハムスター [hamster] 图〔動〕 햄스터《시리아가 원산지인 쥐의 일종으로 의학상의 실험용 또는 애완용으로 기름》.

ハムレットがた【ハムレット型】图〔心〕 햄릿형; 내성적·회의적·비(非)행동적인 우유부단한 성격. ↔ドンキホーテ型(がた). ▷Hamlet.

はめ【羽目】图 1 벽 따위에 판자를 가지런히 붙인 것. =板羽目(いたばめ). 2《破目》(곤란한) 처지. ¶苦(くる)しい～に陥(おちい)る 괴로운 처지에 놓이다 /とんだ～に陥(おちい)る 어이없는 궁지에 빠지다/一人(ひとり)で後始末(あとしまつ)をする～になった 혼자서 뒷수습을 해야할 처지가 되었다/こんな～になるとは思(おも)わなかった 이런 지경에 이를 줄은 생각지 못했다.

——をはずす 흥겨운 나머지 도를 지나치다. ¶飲(の)みすぎて～ 과음으로 흥겨운 나머지 법석을 떨다.

はめこ-む【はめ込む】《嵌め込む》5他 1 끼워〔집어〕 넣다. ¶ガラスを～ 유리를 끼워 넣다/型(かた)に～ 틀에 집어 넣다/ダイヤを～·んだ指輪(ゆびわ) 다이아몬드를 박은 반지. 2 (계략을 써서) 함정에 빠뜨리다. ¶計略(けいりゃく)に～ 계략에 빠뜨리다/うまく～·まれた 보기 좋게 당했다.

はめころし【はめ殺し】《嵌め殺し》图 미닫이나 유리창 따위를 여닫지 못하게 만든 방식. =はめごろし. ¶～の窓(まど) 붙박이 창.

*はめつ【破滅】图ス自 파멸; 멸망. ¶～のもと 파멸의 원인/～に瀕(ひん)する 파멸에 직면하다/～を来(き)たす 파멸을 가져오다/酒(さけ)が身(み)の～を招(まね)く 술이 일신의 파멸을 초래한다.

**は-める〖嵌める〗下1他 1 끼우다; 끼다; (수갑을) 채우다; 박다. ¶戸(と)を～ 문을 끼우다/手錠(てじょう)を～ 수갑을 채우다/手袋(てぶくろ)を～ 장갑을 끼다/ボタンを～ 단추를 채우다. 2 빠뜨리다; 속여 넘기다; 걸려들게 하다. ¶計略(けいりゃく)に～ 계략에 빠뜨리다/敵(てき)をわなに～ 적을 함정에 빠뜨리다/まんまと～ 감쪽같이 속여 넘기다.

**ばめん【場面】图 1 장면. =シーン. ¶～の変化(へんか) 장면의 변화/名(めい)～ 명장면/～が変(か)わる 장면이 바뀌다. 2 경우; 처지; 일이 일어난 장소. ¶苦(くる)しい～に直面(ちょくめん)する 괴로운 처지에 직면하다/とんだ～にでくわした 난처한 경우에 맞닥뜨렸다/その～に倒(たお)れる 그 장소에 쓰러지다.

はも〖鱧〗图〔魚〕 갯장어. 參考 東北(とうほく) 지방에선 'アナゴ(=붕장어)'를 이름.

*はもの【刃物】图 날붙이. =きれもの. ¶～沙汰(ざた) 칼부림 (소동)/狂人(きょうじん)に～ 미치광이에게 칼을 쥐어 주는 격/～をふり回(まわ)す 날붙이를 휘두르다.

——ざんまい〖——三昧〗图 툭하면 칼을 휘두르는 일. ¶～に及(およ)ぶ 칼부림 사태로 번지다.

はもの【端物】图 갖추어지지 않은 것. =はんぱもの. ¶～ですから安(やす)くします 짝이 맞지 않으니 싸게 드리지요.

ハモ-る 5自 〈俗〉 둘 이상의 성부(聲部)가 잘 어울리다. ¶よく～·ったコーラス 잘 조화된 코러스. 參考 'ハーモニー'의 준말 'ハモ'가 動詞化한 말.

はもん【波紋】图 파문. ¶～が広(ひろ)がる 파문이 번지다/～を投(な)げかける 파문을 던지다〔일으키다〕/～をえがく 파문을 그리다/大(おお)きい～をよぶ 큰 파문〔영향〕을 불러일으키다.

はもん【破門】图ス他 파문; 사제 관계를 끊고 문중에서 추방함; (종교에서) 규칙을 어긴 신도를 종문(宗門)에서 제거함. ¶弟子(でし)を～した 제자를 파문했다/背信

者(はいしんしゃ)を～に処(しょ)する 배신자를 파문에 처하다/師(し)から～される 스승에게 파문당하다.

はや〚鮠〛图〔魚〕피라미. ＝はえ.

はや〚早〛副 이미; 벌써. ＝はやくも·もう·すでに·もはや. ¶～手(て)おくれだ 이미 때가 늦었다/～子供(こども)が二人(ふたり)だ 벌써 아이가 둘이다/故郷(こきょう)を出(で)て～五年(ごねん) 고향을 떠난 지 벌써 5년.

はやあし【早足·速足】 图 빠른 걸음; 빨리 걸음. ＝急(いそ)ぎ足(あし). ¶～でターミナルに向(む)かう 빠른 걸음으로 터미널을 향해 가다/～に学校(がっこう)へ行(い)く 빠른 걸음으로 학교에 가다/～で歩(ある)く 빠른 걸음으로 걷다.

⁑**はや-い【早い】** 形 **1** (시간적으로) 이르다. ¶朝(あさ)～·く起(お)きる 아침 일찍 일어나다/～·ければ来年中(らいねんちゅう)には完工(かんこう)できるだろう 이르면 내년중엔 완공되겠지. **2** 아직 그 시각·시기가 아니다. ¶寝(ね)るには～ 자기에는 이르다/失望(しつぼう)するには～ 실망하기에는 이르다/あきらめるのは～ 단념하는 것은 이르다. **3** 시간이 짧다[빠르다]. ¶分(わ)かりが～ 이해가 빠르다/会(あ)って話(はな)すほうが～ 만나서 얘기하는 것이 빠르다/～·く来(き)なさい 빨리 와라. **4** (시간적으로) 앞서다. ¶一時間(いちじかん)～·く起(お)きる 한 시간 빨리 일어나다/朝(あさ)が～ 기상 시각이 이르다. **5**《'…がはやいか' '…よりはやく'의 꼴로》…하자마자. ¶聞(き)くが～か家(いえ)を飛(と)び出(だ)した 듣기가 무섭게 집을 뛰쳐나갔다.

—話(はなし)が 간단히 말해서; 요컨대. ＝つまり. ¶～それはだめだってことだ 요컨대, 그건 안된다는 거야.

—·かれ遅(おそ)かれ 어차피; 조만간. ＝遅かれ早かれ.

—·かろう悪(わる)かろう 일은 빠르지만 됨됨이는 좋지 않다; 빠르다고 해서 좋은 것만은 아니다.

⁑**はや-い【速い】** 形 (동작·속도가) 빠르다. ¶～飛行機(ひこうき) 빠른 비행기/脈(みゃく)が～ 맥이 빠르다/手(て)が～ 손이 빠르다; 툭하면 손찌검이다/～·く走(はし)る 빨리 달리다[뛰다]/仕事(しごと)[計算(けいさん)]が～ 일[계산]이 빠르다/読(よ)むのが～ 읽는 것이 빠르다/足(あし)が～ 발이 빠르다. ↔おそい·のろい.

はやいこと【早い事】 副 재빠르게; 일찌감치; 빨리. ＝てばやく. ¶あとはうるさいから～知(し)らせておこう 나중에는 번거로우니 일찍이 알려 두자/～かたづけて帰(かえ)ろう 빨리 치우고 돌아가자.

はやいとこ【早いとこ】《早い所》副 재빠르게; 일찌감치; 빨리. ＝すばやく. ¶～頼(たの)む 빨리 부탁하네/～やってくれ 빨리 해 주게/～かたづけよう 후딱 해치우자/～仕事(しごと)をすましてしまおう 일찌감치 일을 끝내버리자. 参考 '早いところ'의 俗語적 표현.

はやいものがち【早い者勝ち】 連語 먼저 한 자가 유리함; 선착한 자의 승리로 함. ¶～に入場(にゅうじょう)する 선착순으로 입장하다.

はやうち【早打ち】 图 **1** 말을 달려 급히 알림; 또, 그 사람; 파발꾼. ¶矢(や)のように～が通(とお)った 화살처럼 파발꾼이 지나갔다. **2【早撃ち】** 속사(速射); 권총 따위를 빨리 쏘는 일; 또, 그런 사람. ¶～の名人(めいじん) 속사의 명인.

はやうま【早馬】 图 파발꾼이 타는 말; 파발마. ¶～を(仕(し))立(た)てる 파발꾼을 보내다.

はやうまれ【早生まれ】 图 1월 1일부터 4월 1일 사이에 출생하는 일; 또, 그 사람. ↔おそ生(う)まれ.

はやおき【早起き】 图ス自 일찍 일어남; 또, 그러한 사람. ¶早寝(はやね)～ 일찍 자고 일찍 일어남/昨日(きのう)より～して出(で)かける 어제보다 일찍 일어나서 나가다. ↔朝寝(あさね).

—は三文(さんもん)の徳(とく) 부지런하면 어떻든 이득이 있다; 거지도 부지런하면 더운 밥을 얻어 먹는다.

はやおくり【早送り】 图ス自 녹음기 등의 테이프를 보통 속도보다 빨리 앞으로 돌림. ¶テープを～する 테이프를 빨리 돌리다.

はやがてん【早合点】 图ス自 지레짐작. ＝早(はや)のみこみ. ¶～して失敗(しっぱい)する 지레짐작하여 실패하다/彼(かれ)は何(なん)でも～する 그는 무엇이든지 지레짐작한다. 注意 'はやがってん'이라고도 함.

はやがね【早鐘】 图 다급할 때에 요란하게 울리는 종; 경종. ¶～をつく 경종을 치다/胸(むね)は～を打(う)つようだ 가슴이 두방망이질하는 것 같다.

はやがわり【早変わり】 图ス自 歌舞伎(かぶき)에서, 한 배우가 같은 장면에서 재빨리 변장하여 이역(二役) 이상을 연기하는 일《재빨리 변신[전신(轉身)]하는 일에도 비유됨》. ¶役人(やくにん)から会社重役(かいしゃじゅうやく)に～する 관리에서 회사 중역으로 빨리 변신하다/押(お)し売(う)りが強盗(ごうとう)に～した 강매 상인이 강도로 돌변했다.

はやく【破約】 图ス自他 파약; 계약을 취소함; 약속을 어김. ¶いったん請(う)け合(あ)ったのを～する 일단 책임진 것을 파약하다/婚約(こんやく)が～になる 약혼이 깨지다; 파혼이 되다/取引(とりひき)を～する 거래를 취소하다.

はやく【端役】 图 단역; 하찮은 역할; 또, 그것을 맡은 사람. ¶～で出演(しゅつえん)する 단역으로 출연하다. ↔主役(しゅやく).

はやく【早く】 副 **1** 급히; 빨리. ＝急(いそ)いで. ¶～いらっしゃい 빨리 오시오. **2** 일찍이; 예전에. ¶～分裂(ぶんれつ)のきざしはあった 일찍부터 분열의 조짐은 있었다/～父(ちち)を失(うしな)った 오래 전에 아버지를 여의었다/～から知(し)っている 벌써 알고 있다. **3** 아침 일찍. ¶朝(あさ)～から働(はたら)く 아침 일찍부터 일하다.

はやくち【早口】 图 말이 빠름. ＝口早(くちばや).

¶～でまくしたてる 빠른 어조로 지껄여대다 / ～でよく聞き取れない 말이 빨라서 잘 알아들을 수 없다.

—ことば【—言葉】名 음이 같거나 까다로운 발음이 반복되는 어려운 문구를 빨리 하는 놀이·훈련; 또, 그 문구(('ぼうずがびょうぶにじょうずにぼうずのえをかいた(=중이 병풍에 중의 그림을 능란하게 그렸다)' 따위)). =早口そそり·早ことば.

はやくも【早くも】副 **1** 빨라도; 일러야. ¶～一か月は掛かる 빨라도 한달은 걸린다. **2** 재빨리; 이미; 벌써. =もう. ¶～追っ手がせまった 재빨리 추적자가 따라붙었다 / ～一年たった 어느 덧 일 년이 지났다 / ～売り切れになった 벌써 매진되었다.

はやさ【速さ】名 **1** 빠름; 또, 그 정도. ↔おそさ. **2** 속력; 속도; 스피드. ¶舟の～ 배의 속도 / 潮の～を計る 조수의 속도를 재다.

はやざき【早咲き】名 그 꽃이 보통 피는 시기보다 빨리 핌; 또, 그 꽃. ¶～の菊 빨리 피는 국화. ↔おそ咲き.

はやし【林】名 숲; 전하여, 사물이 많이 모여 있는 상태; 또, 그 물건. ¶松ばやし 소나무숲 / アンテナ〔ビル〕の～ 안테나〔빌딩〕 숲. ⇨森.

はやし〖囃·囃子〗名 (能楽나 歌舞伎 등에서) 박자를 맞추며 흥을 돋우기 위해서 반주하는 음악((피리·북·징 등을 사용함)).

はやした-てる【はやし立てる】((囃し立てる)) 下1他 **1** 시끄럽게 떠들어대다; 신명을 돋우다. ¶笛や太鼓で～ 피리나 북으로 요란하게 반주하다. **2** 주위에서 여럿이 놀려대다. ¶失敗を～ 실패했다고 여럿이 놀려대다.

はやじに【早死に】名ス自 요절; 젊어서 죽음. =わか死に. ¶病弱で～する 병약하여 요절하다 / 彼は酒のために～した 그는 술로 인하여 일찍 죽었다. ↔長生き.

はやじまい【早仕舞い】名ス自他 여느 때보다 빨리 일을 마침〔일찍 가게를 드림〕. ¶店を～して芝居を見に行く 가게를 일찍 드리고 연극 구경가다.

ハヤシライス [일 hashed+rice] 名〔料〕 해시(드) 라이스((양파·쇠고기 따위를 기름에 볶은 후 물에 푼 밀가루를 섞어 끓여 밥 위에 부은 요리)).

はや-す〖囃す〗5他 **1** (북·징·피리 따위로) 반주하다. **2** 소리를 내거나 박수로 장단을 맞추다. ¶手を打って～ 손뼉을 쳐서 장단을 맞추다 / 男は歌い, 女は～ 남자는 노래하고 여자는 장단 맞추다. **3** 칭찬하거나 비웃기 위해서 와하고 소리를 지르다. ¶観衆が～ 관중이 소리 지르다. 可能はや-せる 下1自

はや-す【生やす】5他 (수염·털·초목 등을) 자라게 하다; 기르다. =伸ばす. ¶あごひげを～ 턱수염을 기르다 / 根を～ 뿌리를 자라게 하다 / 雑草を～ 잡초를 자라게 두다. 可能はや-せる 下1自

はやせ【早瀬】名 여울. ¶～に流される 여울에 떠내려가다.

はやだち【早立ち】名ス自 아침 일찍 길을 떠남. ¶宿を～する 여관에서 아침 일찍 떠나다 / 朝暗いうちに～する 아침 날이 새기 전에 일찍 나서다.

はやて〖疾風〗名 질풍. =はやち. ¶～のように駆ける 질풍처럼 달리다.

はやで【早出】名ス自 일찍 출근함; 일찍 집을 나섬. ¶明日は～だ 내일은 일찍 출근한다. ↔おそ出.

はやてまわし【早手回し】名 미리 손 쓰거나 조처해 두는 일. ¶～に予約しておく 미리 손을 써서 예약해 놓다 / もう計画を立てたとは,～な男だ 벌써 계획을 세웠다니 손도 빠른 사나이다.

はやとちり【早とちり】名ス自 〈俗〉 지레짐작하다가 실패하는 일. ¶そそっかしく～する 경솔하게 지레짐작하여 실패하다 / ～して間違える 지레짐작하여 틀리다.

はやね【早寝】名ス自 일찍 잠. ¶～早起きの習慣 일찍 자고 일찍 일어나는 습관. ↔おそ寝·宵っぱい.

はやのみこみ【早のみこみ】((早呑み込み)) 名ス自 ☞はやがてん. ¶～(を)して飛び出して行く 속단을 하고 뛰어 나가다 / ～して失敗する 지레짐작하여 실패하다 / 彼は～であわて者だ 그는 지레짐작을 잘하고 침착하지 못하다.

はやばまい【早場米】名 모내기·수확이 다른 데보다 이른 지방의 쌀. ↔おそ場米.

はやばや〖早早〗副 매우 빨리〔일찍〕. ¶～と出かける 부랴부랴 떠나다 / ～とすませる 일찍 끝마치다 / ～とひきあげる 서둘러 철수하다 / 久し振りの酒に～と酔いがまわる 오랜만에 마신 술에 취기가 빨리 돌다.

はやばん【早番】名 일찍 번드는 차례. =早出. ¶あすは～だから, はやく寝る 내일은 번 차례가 이르니 일찍 잔다. ↔遅番.

はやびけ【早引け】((早退け)) 名ス自 조퇴. =早びき. ¶頭が痛いので～する 머리가 아파서 조퇴하다 / 用事で～して家へ帰る 볼일이 있어 조퇴하고 집으로 돌아가다.

はやぶさ〖隼〗名〔鳥〕 매.

はやべん【早弁】名 (학생 등이) 점심 시간 전에 도시락을 먹음.

はやま-る【早まる】5自 **1** 빨라지다. ¶期日が～ 기일이 빨라지다. **2** 서두르다; 서둘러서 일을 그르치다. ¶～な 서두르지 마라 / ～った事をしてくれた 성급〔경솔〕한 짓을 했군 / 決して～ってはいけない 결코 서둘러서는 안 된다.

はやみち【早道】名 지름길. **1** ((速道)) 가까운 길. =ちかみち. ¶～をして帰る 지름길로 질러서 돌아가다. **2** 빠른 방

법; 간단한〔수월한〕 길. ¶出世(しゅっせ)の～ 출세의 지름길 / 直接(ちょくせつ)話(はな)す方(ほう)が～だ 직접 이야기하는 편이 빠른 길이다.

はやみひょう【早見表】图 조견표; 일람표; 차트. ¶利息(りそく)計算(けいさん)～ 이자 계산 조견표.

はやみみ【早耳】《速耳》图 (소문 따위를) 빨리 들어 아는 일; 또, 그 사람. ¶君(きみ)は～だね, もう知(し)っているの 자네는 소식이 빠르군, 벌써 알고 있었나 / 彼(かれ)の～には驚(おどろ)いた 그가 소문에 밝은 데는 놀랐다 / 彼(かれ)は業界(ぎょうかい)きっての～だ 그는 업계 제일의 소식통이다.

はやめ【早め】《早目》图 정해진 시간보다 조금 이름. ¶～に出(で)かける 좀 일찍 나가다 / ～に集合(しゅうごう)する 일찌감치 모이다 / いつもより～に起(お)きる 여느 때보다 좀 일찍 일어나다 / 仕事(しごと)を～に切(き)り上(あ)げる 일을 좀 일찍 끝내다. ↔おそめ.

はやめ【速め】图 스피드가 좀 빠름. ¶～に歩(ある)く 좀 빨리 걷다. ↔おそめ.

はやめし【早飯】图 1 밥을 빨리 먹음. ¶～, 早(はや)じたく 밥을 빨리 먹고 채비를 서두름. 2 여느 때보다 일찍 밥을 먹음. ¶～にする 여느 때보다 일찍 식사하다.

はや-める【早める】下1他 (기일이나 시각을) 예정보다 이르게 하다. ¶開会(かいかい)を～ 개회를 앞당기다 / 死(し)を～ 죽음을 재촉하다〔앞당기다〕.

はや-める【速める】下1他 움직임·속도를 빨리 하다; 빠르게 하다. ¶車(くるま)を～ 차를 빨리 몰다 / スピードを～ 스피드를 내다 / 足(あし)を～ 걸음을 재촉하다.

*はやり〖流行〗图 유행; 또, (시대의) 풍조. ¶今年(ことし)～の色(いろ) 금년에 유행하는 색깔 / ～すたりが激(はげ)しい 유행의 변천이 심하다 / ～を追(お)う 유행을 좇다; 시대의 풍조를 따르다. ↔すたり.

はやりうた【はやり歌】《流行歌》图 유행가. ＝りゅうこうか. ¶～を歌(うた)う 유행가를 부르다.

はやりかぜ【はやり風邪】《流行風邪》图 유행성 감기〔독감〕; 돌림감기. ＝インフルエンザ. ¶～にかかる 돌림감기에 걸리다.

はやりことば【はやり言葉】《流行言葉》图 유행어; 시체말.

はやりすたり【はやり廃り】《流行り廃り》图 유행의 성쇠〔기복〕. ¶～がある 유행을 타다 / 色(いろ)にも～がある 빛깔에도 유행이 있다 / この品(しな)は～がない 이 물건은 유행을 타지 않는다.

はやりた-つ【はやり立つ】《逸り立つ》5自 (자기 능력을 발휘할 기회가 왔다고) 분기하다; 기운이〔용기가〕 불끈 솟다. ¶戦(たたか)いを前(まえ)にして～ 싸움을 앞두고 분기하다 / ～心(こころ)をしずめる 용솟음치는 마음을 가라앉히다.

はやりっこ 【はやりっ子】《流行っ児》图 인기가 있는〔잘 팔리는〕 기생·연예인(따위). ＝売(う)れっ子(こ)·人気者(にんきもの). ¶花柳界(かりゅうかい)の～ 화류계의 인기 기생 / 映画界(えいがかい)の～ 영화계의 인기 배우. 注意 기생일 때는 '流行っ妓'로도 씀.

はやりめ【はやり目】《流行眼》图 〈俗〉 유행성 결막염.

はやりやまい【はやり病】《流行病》图 유행병; 전염병; 돌림병. ＝時疫(じえき).

⁑はや-る〖流行る〗5自 1 유행하다. ㉠ (한창) 인기가 있다. ¶今(いま)～·っているスタイル 지금 유행하고 있는 스타일 / また～·り出(だ)した 다시 유행하기 시작했다 / 昔(むかし)～·った歌(うた) 옛날에 유행한 노래. ↔すたれる. ㉡ 만연하다; 널리 퍼지다. ¶かぜが～ 감기가 유행하다〔퍼지다〕 / 新手(あらて)の詐欺(さぎ)が～ 신종 사기가 널리 퍼지다. 2 번성하다; 번창하다; 손님이 많다. ¶～店(みせ) 번창하는 가게 / あの医者(いしゃ)はよく～ 저 의사는 환자가 많이 몰려들어 잘 된다.

はや-る〖逸る〗5自 1 설레다. ¶心(こころ)が～ 마음이 설레다. 2 조급히 서둘다. ¶～心(こころ)をおさえる 조급해지는 마음을 억제하다.

はやわかり【早分かり】图 1 빨리 이해하게 한 도표나 책; 속성. ¶英会話(えいかいわ)～ 영어 회화 속성. 2 빨리 이해함. ¶～をする子(こ) 이해가 빠른 아이 / なんでも～のするたち 무엇이든 빨리 이해하는 성질〔체질〕.

はやわざ【早業】图 재빠르고 멋진 솜씨〔재주〕. ¶電光石火(でんこうせっか)の～ 번개같이 재빠른 솜씨 / 目(め)にもとまらぬ～ 미처 알아볼 수 없을 만큼 빠른 솜씨.

はら【原】图 들; 벌판. ＝野原(のはら)·はらっぱ. ¶すすきの～ 갈대밭 / 一面(いちめん)雪(ゆき)の～ 온통 눈에 덮인 벌판.

⁑はら【腹】图 1 배. ㉠ (사람·동물의) 가슴에 이어지는 부분; 복부. ¶～がすく〔へる〕 배가 고프다 / ～が出(で)る 배가 나오다 / ～をみたす 배를 채우다 / ～が張(は)る 배가 팽팽하다《팽만감을 느끼다》 / ～ぐあいが悪(わる)い 배가 탈이 나다; 속이 거북하다. ㉡ 모태(母胎)내; 또, 거기서 낳은 자식. ¶妾腹(めかけばら) 첩의 소생; 서출(庶出) / ～違(ちが)いの兄弟(きょうだい) 배다른 형제 / ～が違(ちが)う 배〔어머니〕가 다르다 / 彼(かれ)は妾(めかけ)の～だ 그는 첩의 소생이다. ㉢ (가운데의) 불룩한 부분; 중배. ¶船(ふね)の～ 선복 / たるの～ 통의 중배 / 徳利(とくり)の～ 술병의 중배 / 指(ゆび)〔筆(ふで)〕の～ 손가락〔붓〕의 불룩한 부분. 2 (속)마음; 속생각. ¶～の中(なか)を見(み)せずに 속마음을 감추고 / ～の中(なか)で笑(わら)う 마음속으로 웃다 / 父(ちち)の～がわからない 아버지의 생각을 모르겠다 / ～を合(あ)わす 서로 짜다; 한통속이 되다 / ～ではけなしている 속으로는 비방하고 있다. 3 도량; 담력; 배짱. ¶～が出来(でき)ている 줏대가 서 있다; 배짱이 서 있다.

—が癒(い)える 화〔분노〕가 사그라지다; 감정〔원한〕이 풀리다.

—が痛(いた)む 자기 돈으로 지급하다; 자

기 돈을 쓰다. ＝身銭を切る.
―が下る 설사를 하다.
―が黒い 뱃속이 검다《엉큼하다》. ＝腹黒い.
―が据わる 사물에 동하지 않다; 각오가 되어 있다.
―が立つ 화가 나다. ¶自分で自分に～ 스스로 자신에게 화가 나다.
―が膨れる 1 (많이 먹어) 배가 부르다. 2 (아기를 배어) 배가 부르다. 3 할 말을 못하여 불만이 쌓이다.
―が見え透く 속이 빤히 들여다보이다.
―に一物 마음속에 엉큼한 계획을 품고 있음. ¶～ある人 엉큼한 사람.
―に据えかねる 참을 수가 없다; 분노를 누를 수가 없다.
―の皮をよる 뱃살을 움켜잡다; 배꼽이 빠지게 웃다.
―も身の内 배도 내 몸의 일부이다《폭음·폭식을 삼가라는 말》.
―を合わせる 1 마음을 합하다; 협력하다. 2 한(통)속이 되다.
―を痛めた子 (자기가 낳은) 친자식.
―を痛める 1 자기의 자식을 낳다. 2 자기 돈을 내다. ¶彼は絶対に自分の～ようなことはしない 그는 결코 자기 돈을 내는 일 따위는 하지 않는다.
―を抱える 배꼽을 움켜쥐다《크게 웃다》. ¶腹を抱えて笑う 배꼽을 움켜쥐고 자지러지게 웃다.
―を決める 마음을 정하다; 작정을 하다.
―を切る 1 할복하다. 2 사직하다; 책임을 지다. 3 자기가 비용을 부담하다; 제 돈을 내다. ＝自腹を切る. 4 ☞はらをかかえる.
―を括る 최악의 사태를 각오하고 결심하다. ¶腹を括って難局に臨む 각오를 단단히 하고 난국에 임하다.
―を下す 설사를 하다.
―をこわす 설사를 하다.
―を探る 상대방 의중〔속마음〕을 떠보다. ¶痛くもない腹を探られる 당찮은〔엉뚱한〕 의심을 받다.
―を据える 1 각오를 하다. ¶腹をすえてかかる 각오를 굳히고 대들다〔시작하다〕. 2 노여움을 참다.
―を立てる 화를 내다.
―を割る 본심을 털어놓다. ¶腹を割って話す 마음을 터 놓고 이야기하다.

ばら〖散〗图 (한 벌로 되어 있는 것의) 낱개. ¶文学全集を～で売る 문학 전집을 낱권으로 떼어서 팔다.

ばら〖茨·荊棘〗图〔植〕가시가 있는 나무의 총칭; 가시나무. ＝いばら.

ばら〖薔薇〗图 장미. ＝ローズ. ¶～にとげがある 장미에 가시가 있다.

はらあて【腹当て】图 1 배에 두르는 병졸용 갑옷. 2 배두렁이. ＝はらがけ·はらまき. ¶子供に～をさせる 아이에게 배두렁이를 해 주다.

バラード〔프 ballade〕图 발라드. 1 서사시; 담시(譚詩). 2 서사적인 가곡; 담시곡(譚詩曲)《피아노·오케스트라를 위한 낭만적이며 서사적인 짧은 가곡》.

はらい【払い】图 지불. ＝支払い. ¶前払い 선불 / 一時払い 일시불 / ～が滞る〔たまる〕 지불이 밀리다 / ～が悪い〔いい〕 지불 상태가 나쁘다〔좋다〕 / ～をすます 다 지불하다.

はらい〖祓い〗图 불제(祓除)《신에게 기원해서 죄·부정(不淨) 따위를 없애고 몸을 깨끗이 하는 일》; 또, 그때 읽는 축문. ＝はらえ.

はらいおと-す【払い落とす】5他 털어서 떨어뜨리다. ¶ごみを～ 먼지를 털어 버리다.

はらいきよ-める【はらい清める】《祓い清める》下1他 불제(祓除)를 해서 죄·부정(不淨) 따위를 씻어 없애다. ¶神主に～·めてもらう 신관(神官)을 통하여 불제하다.

はらいこみ【払い込み】图 납입. ¶～期日 납부 기일 / ～金 납부금 / ～先 납부처 / ～資本 납입 자본 / 会費の～ 회비 납부.

はらいこ-む【払い込む】5他 납입하다; 납부하다. ¶毎月千円ずつ～ 매달 천 엔씩 붓다 / 定期預金を～ 정기 예금을 입금하다 / 税金を銀行に～ 세금을 은행에 납부하다 / 現金で～ 현금으로 납부하다.

はらいさげ【払い下げ】图 불하(拂下). ¶～品 불하품 / 国有地が～になる 국유지가 불하되다.

はらいさ-げる【払い下げる】下1他 불하하다. ¶国有林を～ 국유림을 불하하다.

はらいせ【腹いせ】《腹癒せ》图 화〔분〕풀이; 울분을 풂. ¶～をする 화풀이를 하다 / ～にけんかを売る 분풀이로 싸움을 걸다 / ～になぐる 분풀이로 때리다 / ～に戸をける 분풀이로 문을 차다 / これで～ができた 이것으로 분이 풀렸다.

はらいた【腹痛】图 복통. ＝ふくつう. ¶～を起こす 복통을 일으키다.

はらいっぱい【腹いっぱい】《腹一杯》一图 배가 부름; 잔뜩 먹음; 만복. ＝たらふく. ¶～に食う 배 부르게 먹다 / ～になる 잔뜩 배가 부르다. 二副 마음껏; 실컷; 마구. ＝腹さんざん. ¶～悪口を言う 실컷 욕을 하다 / ～いいまくる 실컷 떨들어대다.

はらいの-ける【払いのける】《払い除ける》下1他 제거하다; 뿌리치다; 물리치다; 쫓아〔털어〕 버리다. ¶邪魔ものを～ 방해자를 없애 버리다 / 雪を～ 눈을 털어 버리다 / 不安を～ 불안을 떨쳐 버리다 / やじうまを～ 구경꾼을 쫓아 버리다 / すがる手を～ 매달리는 손을 뿌리치다.

はらいばこ【払い箱】图《'お'를 붙여》 면직; 해고. ¶お～になる 해고당하다.

はらいもどし【払い戻し】图 환불; 환급. ¶特急料金の～ 특급 요금의 환불 / 税の～を請求する 세금(의)

환불을 청구하다.

はらいもど-す【払い戻す】5他 **1** (정산한 나머지를) (되)돌려 주다; 환불하다. ¶運賃を～·してもらう 운임을 환불받다 / 税金を～ 세금을 환불해 주다. **2** 예금을 예금자에게 지불하다. ¶銀行で～ 은행에서 예금을 내주다 / 定期預金を～ 정기 예금을 내주다.

ばらいろ【ばら色】《薔薇色》图 장밋빛 《건강·행복·앞날의 광명 따위의 상징》. ＝ローズ. ¶～の人生 장밋빛 인생 / ～の未来像を描く 장밋빛 미래상을 그리다.

***はら-う**【払う】5他 **1** 제거하다; 없애(버리)다. ¶下枝を～ 밑가지를 치다 / 分母を～ 분모를 없애다 / 垣根を～ 울타리를 걷어치우다《서로의 간격을 터 없애다》. **2** (먼지 따위를) 털(어 버리)다. ¶ほこり〔すす〕を～ 먼지를〔그을음을〕 털다. **3** 물리치다; 쫓아 버리다. ¶悪魔を～ 악귀를 쫓아 버리다 / 人を～ (통행이나 중요한 이야기에 방해되는) 사람을 물리치다 / はえを～ 파리를 쫓다. **4** 치르다. ㉠(돈·값을) 내(어 주)다; 지불하다. ¶勘定を～ 셈을 치르다 / 代金を～ 대금을 지불하다 / 入場料を～ 입장료를 내다. ㉡둘도 없는 것을 소모하다. ¶犠牲を～ 희생을 치르다. **5** (모로) 후려치거나 베다. ¶足を～ 다리를 모로 후려치다 / 刀を右に～·って切っ先をかわす 칼을 오른쪽으로 받아 쳐 (상대의) 칼끝을 피하다. **6** 팔아 버리다. ¶古新聞を～ 묵은 신문을 팔아 버리다 / くず屋に～ 넝마 장수에게 팔아 버리다. **7** 세력 따위를 떨치다; 위압하다. ¶あたりを～ 주위를 위압하다. **8** 물러나다; 퇴거하다. ¶宿を～ 숙소를 퇴거하다. **9** (마음을) 기울이다. ¶注意を～ 주의를 기울이다 / 関心を～ 관심을 두다〔가지다〕 / 苦心を～ 애를 쓰다. **10** 나타내다; 표하다. ¶敬意を～ 경의를 표하다. **11** 《'そろばんを～'의 꼴로》 놓았던 주판알을 떨다. 可能はら-える 下1自

はら-う〖祓う〗5他 불제(祓除)하다; 신에게 빌어서 죄나 부정(不淨)·재난을 없애다. ¶悪魔を～ (신에게 빌어) 마귀를 물리치다 / 厄を～ 재앙을 없애다 / 身のけがれを～ 몸의 부정을 없애다. 可能はら-える 下1自

ばらうり【ばら売り】图ス他 푼거리로 팖. ¶タバコの～ 담배를 낱개로 팖.

バラエティー [variety] 图 버라이어티. **1** 다양성; 변화. ¶～に富む 다양성이 있다. **2** 가요·무용·촌극 등이 섞인 대중 연예. ＝バラエティーショー.

はらおび【腹帯】图 **1** 배가리개. ＝はらまき. ¶～をして寝る 배가리개를 하고 자다. **2** 복대; 임신부가 배에 감는 띠. ＝岩田帯. ¶～を締める 복대를 감다〔두르다〕. **3** 말의 뱃대끈. ＝はるび. ¶～が緩む 말의 뱃대끈이 느즈러지다.

はらがけ【腹掛け】图 **1** (어린아이의) 배두렁이. ＝腹当て. **2** 장색(匠色)들이 'はんてん' 안에 입는 작업복《복부에 연장을 넣는 큰 주머니가 있음》.

はらがまえ【腹構え】图 (예측되는 사태에 대한) 마음의 준비; 각오. ¶～ができていない 마음의 준비가 돼 있지 않다 / いつでもしっかりした～で事に臨んでいる 언제나 마음의 준비를 단단히 하여 일에 임하고 있다.

はらから〖同胞〗图 **1** 한배의 형제자매. ＝きょうだい. **2** 한겨레; 동포. ＝同胞. ¶～が集う 동포가 모이다.

はらぎたな-い【腹汚い】《腹穢い》形 마음씨가 더럽다; 심보가 나쁘다. ¶～人 심보가 고약한 사람.

はらきり【腹切り】图 할복. ＝切腹. ¶～刀 할복할 때 쓰는 칼.

はらぐあい【腹具合】《腹工合》图 위(胃)나 장(腸)의 상태; 속. ¶～が悪い〔変だ〕 속이 좋지 않다〔이상하다〕 / ～がよくなる 배 속이 편해지다.

はらくだし【腹下し】㊀图ス自 설사. ＝下痢·はらくだり. ¶～を起こす 설사하다. ㊁图 하제(下劑). ＝下剤. ¶～を飲む 하제를 먹다.

はらくだり【腹下り】图ス自 설사. ＝下痢. ¶～がする 설사가 나다.

パラグライダー [paraglider] 图 패러글라이더; 개량한 스카이다이빙용 낙하산을 사용하여 산 위에서 강하·공중 유영하는 스포츠.

パラグラフ [paragraph] 图 패러그래프; 문장의 단락; 절(節).

はらぐろ-い【腹黒い】形 속이 검다; 엉큼하다; 음험하다. ¶～人間 음험한 사람 / 彼は～·くて信用できない 그는 엉큼해서 신용할 수 없다.

はらげい【腹芸】图 **1** (연극에서) 배우가 대사나 동작에 의하지 않고 표정·태도만으로 그 역을 살리는 일. ↔見得. **2** 말이나 행동으로가 아니라 배짱이나 경험으로 일을 처리하는 일. ¶～のできる人 배짱 부릴 줄 아는 사람 / ～の巧みな政治家 뱃심 좋은 정치가.

はらごしらえ【腹ごしらえ】《腹拵え》图ス自 (일에 착수하기 전에) 배를 채워 둠. ¶～してでかける (미리) 식사를 하고 나서다.

はらごたえ【腹ごたえ】《腹応え》图 음식을 먹어 배부르다는 느낌; 포만〔만복〕감. ¶～のない弁当 먹은 둥 만 둥 한 도시락.

はらごなし【腹ごなし】图ス自 운동 따위로 음식의 소화를 도움. ¶～に散歩する 소화를 돕기 위하여 산책하다.

パラサイトシングル [일 parasite＋single] 图 패러사이트 싱글; 부모에게 얹혀사는 독신자《만혼화(晩婚化)·소자화(少子化) 경향 등과의 관련이나, 그 소비 행태가 주목을 받고 있음》. 参考 'parasite'는 '기생하다'의 뜻.

パラシュート [parachute] 名 패러슈트; 낙하산. =落下傘(らっかさん). ¶~が開(ひら)いた 낙하산이 펴졌다.

はら-す【晴らす】5他 풀다. **1** 소원을 이루다; 성취하다. ¶念願(ねんがん)を~ 염원을 풀다. **2** (불쾌감·의심 따위를) 해소시키다; 개운케 하다. ¶恨(うら)み〔疑(うたが)い〕を~ 원한〔의심〕을 풀다/気分(きぶん)を~ 기분을 풀다/うさを~ 시름을 달래다.

はら-す〖腫らす〗5他 붓게 하다. ¶目(め)を泣(な)き~ 울어서 눈이 붓다/歯(は)ぐきを~ 잇몸이 붓다/まぶた〔のど〕を~ 눈두덩〔목〕이 붓다.

ばら-す 5他 〈俗〉 **1** 분해하다; 해체하다; 뜯(어 내)다. ¶本(ほん)を~ 책을 뜯다/箱(はこ)を~ 상자를 뜯어내다/時計(とけい)を~ 시계를 분해하다/死体(したい)を~ 시체를 토막 내다/~·して運(はこ)ぶ 분해하여 운반하다. **2** 죽이다. ¶彼奴(あいつ)を~·してしまえ 저 놈을 죽여 버려라. **3** 폭로하다. =あばく. ¶秘密(ひみつ)〔悪事(あくじ)〕を~ 비밀〔못된 짓〕을 폭로하다.

バラスト [ballast] 名 밸러스트. **1** (배의) 바닥짐. =荷足(にあし). **2** 철길이나 도로에 까는 자갈. =バラス.

ばらせん【ばら銭】名 잔돈; 푼돈《주로 동전》. =こぜに·はしたぜに.

パラソル [parasol] 名 파라솔; 양산. ¶~をさす 양산을 쓰다.

パラダイス [paradise] 名 파라다이스; 낙원. =楽園(らくえん). ¶子供(こども)の~ 어린이의 낙원/地上(ちじょう)の~ 지상 낙원.

パラダイム [paradigm] 名 패러다임; (그 시대의 지배적인) 이론적 틀; 규범.

はらだたし-い【腹だたしい·腹立たしい】形 화가 나다; 괘씸하다. ¶~言動(げんどう) 괘씸한 언동/~あまりに席(せき)を立(た)つ 화난 나머지 자리를 뜨다/~思(おも)いをする 괘씸한 생각이 들다.

はらだち【腹立ち】名 화냄; 성냄; 노함. =立腹(りっぷく). ¶~まぎれに 홧김에/お~はもっともです 역정(을) 내시는 것은 당연합니다.

はらだ-つ【腹だつ·腹立つ】5自 노하다; 화가 나다; 화내다. =おこる·むかむかする·憤(いきどお)る. ¶~事(こと)も沢山(たくさん)ある 화나는 일도 많다/無礼(ぶれい)なしうちに~ 무례한 처사에 화가 나다.

パラチオン [도 Parathion] 名 파라티온; (농업용) 살충제《현재는 사용 금지》.

はらちがい【腹違い】名 배다름; 각(各)배; 또, 배다른 형제자매. =はらがわり. ¶~の兄(あに) 이복형. ↔種違(たねちが)い.

パラチフス [도 Paratyphus] 名〖醫〗 파라티푸스. =パラチブス.

ばらつき 名 불균형; 고르지 못함. ¶品質(ひんしつ)に~がない 품질이 고르다/~が大(おお)きい 차이가 많이 나다.

ばらつ-く 5自 **1** 흩어지다; 흐트러지다. ¶髪(かみ)が~ 머리털이 흩어지다/列(れつ)が~ 열이 흐트러지다. **2** (빗방울 따위가) 조금 내리다; 뿌리다. ¶小雨(こさめ)が~ 가랑비가 뿌리다. **3** (통계 등에서) 평균치에서 벗어나 흩어지다. ¶数値(すうち)が~ 수치가 불규칙하게 분포하다.

バラック [barrack] 名 바라크; 가(假)건물. ¶焼(や)け跡(あと)に~を建(た)てる 불 탄 자리에 가건물을 세우다.

ぱらつ-く 5自 비·눈 따위가 조금 뿌리다《'ばらつく'의 가벼운 상태》. ¶雨(あめ)が~·いたがすぐ止(や)んだ 비가 조금 뿌리다가 곧 그쳤다.

はらつづみ【腹鼓】名 고복(鼓腹); 부른 배를 (내밀고 북처럼) 두드리는 일. 注意 'はらづつみ' 라고도 함.

—を打(う)つ (실컷 먹고) 배를 두드리다《배불리 잘 먹어 만족스럽다는 뜻》.

ぱらっと 副 성기게 흩뿌리는 모양. ¶~塩(しお)をまく 소금을 훌훌 뿌리다.

***はらっぱ**【原っぱ】名 (주택지 근처의) 빈 터; 들. ¶うらの~で遊(あそ)ぶ 뒤쪽 빈 터에서 놀다.

ばらづみ【ばら積み】名 ス他 (광석·곡물 따위를) 포장하지 않고 그대로 싣는 일; 산적(散積). ¶~にする 산적하다.

はらづもり【腹積もり】名 작정; 속셈; 복안. ¶~がある 복안이 있다/…という~であったが …라는 속셈이었으나.

はらどけい【腹時計】名 배꼽 시계. ¶~ではもう正午(しょうご)だ 배꼽 시계로는 벌써 정오다.

パラドックス [paradox] 名 패러독스; 역설.

ばらにく【ばら肉】《肋肉》名 소·돼지 따위의 갈비에 붙은 고기; 안심; 삼겹살. =三枚肉(さんまいにく)·ばら.

パラノ [parano] 名 **1** 'パラノイア'의 준말. **2** 특정한 사물이나 가치관을 고집하는 심리 경향. ↔スキゾ.

パラノイア [paranoia] 名〖醫〗 파라노이아; 편집광(偏執狂). =パラノイヤ.

はらのたし【腹の足し】名 요기(거리); 입매. ¶~になる 요기가 되다.

はらのなか【腹の中】名 (마음) 속; 뱃속. =はらのうち. ¶~が煮(に)えくり返(かえ)るようだ 속이 부글부글 끓는 것 같다; 분해서 못 견디겠다.

はらのむし【腹の虫】名 **1** 회충; 거위. ¶~が目(め)をさます 회충이 잠을 깨다《시장기(氣)를 느끼다》. **2** 감정을 벌레에 비유해서 한 말; 비위.

—がおさまらない 그대로 참을 수가 없다; 화가 치민다; 비위난정(脾胃難定)이다. =腹の虫が承知(しょうち)しない.

はらばい【腹ばい】《腹這い》名 **1** 배를 깔고 엎드려서 기어 감; 포복. =四(よ)つんばい. ¶赤(あか)ん坊(ぼう)が~で進(すす)む 갓난아기가 배밀이하다. **2** 배를 깔고 누움. ¶~になって本(ほん)を読(よ)む 엎드려 누워서 책을 읽다/ベッドに~になる 침대에 엎드려 눕다.

はらば-う【腹ばう】《腹這う》5自 **1** 배를 깔고 엎드려 기(어가)다; 포복하다. **2** 엎드려 눕다. ¶~·ってタバコを吸(す)う 엎드려 누워서 담배를 피우다.

はらはちぶ【腹八分】图 조금 양에 덜 참; 또, 덜 차게 먹음. ＝腹八分目(はちぶんめ). ─に医者(いしゃ)いらず 과식을 안하고 알맞게 먹으면 탈이 없다.

*はらはら 副 1 위태위태하여 조바심하는 모양: 아슬아슬; 조마조마; 전전긍긍. ¶～する場面(ばめん) 아슬아슬한 장면 / 見(み)ていても～する 보고만 있어도 조마조마하다. 2 물방울·눈물·나뭇잎·꽃잎 따위가 떨어져 흩어지는 모양: 뚝뚝; 주르르; 팔랑팔랑. ¶～と散(ち)る紅葉(もみじ) 팔랑팔랑 지는 단풍잎 / 涙(なみだ)を～とながす 눈물을 주르르 흘리다.

*ばらばら ⊟ダナ 1 하나로 된 것이 따로따로 흩어지는 모양: 뿔뿔이. ¶～の髪(かみ)の毛(け) 흐트러진 머리칼 / ～な服装(ふくそう) 흐트러진 복장 / でんでん～ 뿔뿔이 제멋대로임 / ～にする 뿔뿔이 되게〔흩어지게〕 하다; 분해〔해체〕하다 / 組織(そしき)が～にされる 조직이 뿔뿔이 해체되다 / 家族(かぞく)が～になる 가족이 뿔뿔이 흩어지다 / 足並(あしな)みが～だ 보조가 흐트러져 있다. 2 제각기 다른 모양. ¶各人(かくじん)～な意見(いけん) 제각기 다른 의견 / ～なやり方(かた) 제각각 다른 방식. ⊟副 연속적인 가벼운 소리를 내면서 비·싸락눈·총알 따위가 날아 오는 모양: 후드득(후드득). ¶雨(あめ)が～と降(ふ)り始(はじ)めた 빗방울이 후드득 떨어지기 시작했다 / 弾丸(だんがん)が～と飛(と)んできた 총알이 핑핑〔후드득후드득〕 날아 왔다 / 火(ひ)の粉(こ)が～と降(ふ)る 불똥이 풀풀 흩어져 떨어지다〔튀다〕.

ぱらぱら 副ダナ 1 비 따위가 조금 오는 모양(('ばらばら' 보다는 가벼운 느낌을 나타냄)): 후둑후둑. ¶雨(あめ)は今朝(けさ)～と降(ふ)っただけだ 비는 오늘 아침 조금 뿌렸을 뿐이다. 2 가볍게 조금 뿌리는 모양; 또, 드문드문한 모양. ¶豆(まめ)〔塩(しお)〕を～とまく 콩〔소금〕을 훌훌 뿌리다 / 見物人(けんぶつにん)も～だった 구경꾼도 드문드문했다. 3 책장을 넘기는 모양: 훌훌. ¶～と本(ほん)をめくる 훌훌 책장을 넘기다.

はらびれ【腹びれ】((腹鰭)) 图〔魚〕 배지느러미.

パラフィン [paraffin] 图〔化〕 파라핀. ＝パラピン. ¶～紙(し) 파라핀지.

はらぺこ【腹ぺこ】图 〈俗〉 배가 몹시 고픔. ¶～で歩(ある)けないよ 허기가 져서 걷지 못하겠다 / 朝飯(あさはん)抜(ぬ)きで～だ 아침 식사를 걸러서 몹시 시장하다.

パラボラアンテナ [일 parabola＋antenna] 图 파라볼라〔접시형〕 안테나.

はらまき【腹巻き】图 1 배가 냉해지는 것을 막기 위해서 배에 두르는 천이나 털실로 뜬 것. 2 걷기 편하게 만든 간단한 갑옷.

[腹巻き 2]

ばらま-く 〖散蒔く·散播く〗 5他 (흩)뿌리다. 1 흩어 뿌리다; 여기저기 흩어지게 하다. ¶豆(まめ)を～ 콩을 흩뿌리다 / うわさを～ 소문을 퍼뜨리다. 2 금품을 활수하게 쓰다; 돈을 여기저기 나누어 주어 선심쓰다. ¶金(かね)を～ 돈을 마구 뿌리다 / 彼(かれ)は選挙(せんきょ)で大分(だいぶ)～·いたらしい 그는 선거에서 (돈을) 꽤 뿌린 것 같다 / チップを～ 팁을 뿌리다.

はら-む 〖孕む〗 5他 잉태하다. 1 임신하다; (새끼를) 배다. ＝みごもる. ¶～·んでいる犬(いぬ) 새끼 밴 개. 2 내포하다; 품다; 가득 받다. ¶危険(きけん)〔矛盾(むじゅん)〕を～ 위험〔모순〕을 내포하다 / 可能性(かのうせい)を～ 가능성을 품다 / 嵐(あらし)を～·んだ情勢(じょうせい) 폭풍〔격동〕을 안고 있는 정세 / 帆(ほ)が風(かぜ)を～ 돛이 바람을 잔뜩 받다.

はらもち【腹持ち】图 소화 시간이 길어서 배가 든든함. ¶～のいい食(た)べ物(もの) 오랫동안 든든한 음식 / 餅(もち)は～がいい 떡을 먹으면 배가 오래도록 든든하다.

はらりと 副 가볍게 또, 드문드문 흘러 떨어지는 모양: 조르르; 사르르; 팔랑. ¶髪(かみ)が～解(と)ける 머리칼이 사르르 풀리다 / ～涙(なみだ)を流(なが)す 조르르 눈물을 흘리다 / 花(はな)びらが～落(お)ちる 꽃잎이 사르르 떨어지다.

ばらりと 副 듬성듬성 흩어지게 하는 모양: 드문드문; 훌훌. ¶～置(お)く 드문드문 놓다 / カードを～まく 카드를 훌훌 뿌리다.

ぱらりと 副 1 작고 가벼운 것이 떨어지는 모양: 팔랑; 팔락. ¶木(こ)の葉(は)が～散(ち)る 나뭇잎이 팔랑 떨어지다. 2 소량의 물건이 흩어진 모양; 또, 흩뜨리는 모양: 훌훌; 드문드문. ¶畑(はたけ)に種(たね)を～まく 밭에 씨를 훌훌 뿌리다 / 観衆(かんしゅう)は～しか入(はい)っていない 관중은 드문드문 들어 왔을 뿐이다.

パラリンピック [Paralympics] 图 파랄림픽; 신체 장애인 올림픽 대회.

はらわた 〖腸〗 图 1 창자; 대장과 소장. ¶酒(さけ)が～にしみわたる 술이 창자 속에 스며들다 / ～をかきむしられる思(おも)い 창자를 쥐어뜯기는 느낌 / 魚(さかな)の～を抜(ぬ)く〔取(と)り出(だ)す〕 생선의 내장을 빼내다. 2 (근본) 정신; 마음. 3 (오이·호박 따위의) 씨를 품고 있는 연한 부분; 또, 물건의 속. ¶座布団(ざぶとん)の～ 방석의 속.
─が腐(くさ)る 정신〔속〕이 썩어빠지다.
─が煮(に)えくり返(かえ)る 밸이 뒤틀리다.
─を断(た)つ 단장(斷腸)의 느낌이다. ¶友人(ゆうじん)に裏切(うらぎ)られて腸を断たれる思(おも)いだ 친구에게 배신당해 단장의 느낌이다.

*はらん【波乱】图 파란; 전하여, 소동이나 분규. ¶～に富(と)んだ一生(いっしょう) 파란 많은 일생 / 平地(へいち)に～をよび起(お)こす 평지풍파를 일으키다.
─ばんじょう【─万丈】图 파란만장. ¶～の小説(しょうせつ) 파란만장한 소설.

*はらん 〖葉蘭〗 图〔植〕 엽란((백합과의 상록 다년생 식물)).

バランス [balance] 图 밸런스; 균형. ¶～をとる 균형을 잡다 / ～を保(たも)つ〔失(うしな)う〕 균형을 유지하다〔잃다〕 / ～がくず

れる 균형이 깨지다 / ～感覚かんかくがある 균형 감각이 있다. ↔アンバランス.

はり【張り】㊀名 **1** 켕김; 팽팽하게 땅김; 또, 그런 힘. ¶～の強つよい弓ゆみ 켕기는 힘이 센 활. **2** 야무지고 힘참; 생기; 활기. ¶～のある文章ぶんしょう 생기 있는 문장 / ～のある肌はだ 팽팽한 살갗 / ～のある声こえ 야무지고 힘찬 목소리 / 目めに～がない 눈에 생기가 없다. **3** 의욕. ＝はりあい. ¶ほめられて～が出でる 칭찬을 듣고 의욕이 나다. **4** 오기; 기개. ＝いくじ. ¶心こころに～のある人ひと 줏대 있는 사람. ㊁接尾 활·장막·초롱 따위의 수를 세는 말. ¶弓ゆみ一ひと～ 활 한 장.

はり〖梁〗名 들보; 대들보. ＝うつばり.

＊はり【針】名 **1** 바늘. ¶竹針たけばり 대바늘 / ～に糸いとを通とおす 바늘에 실을 꿰다 / ～を運はこぶ 바느질하다. **2** (벌 따위의) 침. ¶蜂はちの～ 벌의 침. **3** 시계·레코드 플레이어의 바늘; 호치키스의 침. ¶時計とけいの～ 시계 바늘 / レコード針ばり 레코드 바늘 / ホチキスの～ 호치키스 바늘. **4** 작은 가시. ¶いばらの～ 가시나무의 가시. **5**《鍼》침; 침술. ¶～医い 침술의 / ～麻酔ますい 침술 마취 / ～を打うつ 침을 놓다 / ～に通かよう 침 맞으러 다니다. **6**《鉤》낚싯바늘.

―のあることば 가시 돋친 말.

―の先さきで突ついた程ほど 바늘끝으로 찌른 만큼《근소함의 비유》.

―ほどのことを棒ぼうほどに言いう 침소봉대하다. 「여지가 없다.

―を立たつる土地とち無なし 입추(立錐)의

―を含ふくむ 가시가 돋히다. ¶針を含んだもの言いい 가시 돋힌 말투.

はり [玻璃] 名 파리. **1** 수정(水晶). **2** 'ガラス(＝유리)'의 딴말. ¶～の杯さかずき 유리 잔.

ばり [罵詈] 名ス他 매리; 마구 욕함.

―ぞうごん [―雑言] 名 갖은 욕설. ¶～を浴あびせる 온갖 욕설을 퍼붓다.

＝ばり〖張り〗**1** 활의 강도를 이르는 말. ¶五人ごにん～ 활줄 메는 데 다섯 사람의 힘이 드는 활. **2** 흉내 냄; 닮음. ¶ピカソ～の絵え 피카소풍의 그림 / 漱石そうせき～の文章ぶんしょう 漱石 투의 문장.

＊はりあい【張り合い】名 **1** 맞섬; 대립; 경쟁. ¶意地いじの～ 서로 고집 부리기; 고집으로 맞서기 / 両者りょうしゃの～が激はげしい 양자의 경쟁이 심하다. **2** 열심히 노력하려는 의욕; 좔맛. ¶～のない仕事しごと 할 의욕〔보람〕이 없는 일 / ～のある仕事しごと 해볼 만한 일 / ～のない相手あいて 도무지 겨루어 볼 맛이 안 나는 (싱거운) 상대 / 何なにを言いっても黙だまっていては～がない 무슨 소리를 해도 잠자코만 있으면 신명이 안 난다 / ～の抜ぬけた顔かおをする 맥빠진 표정을 짓다.

はりあ-う【張り合う】5自 대항하여 겨루다; 경쟁하다. ¶たばこ屋やの娘むすめを～ 담배가겟집 딸을 두고 서로 겨루다 / 成績せいせきを～ 성적을 겨루다 / 会長かいちょうの座ざを～ 회장 자리를 놓고 겨루다.

はりあ-げる【張り上げる】下1他 (소리를) 지르다; 외치다. ¶大声おおごえを～ 큰 소리를 지르다.

パリーグ 名 'パシフィックリーグ'의 준말. ↔セリーグ.

バリウム [도 Barium] 名〘化〙바륨《금속 원소의 하나; 기호: Ba》.

バリエーション [variation] 名 바리에이션. **1** 변종; 변화. **2**〘樂〙변주곡.

はりかえ【張り替え】名ス他 **1** (헌것을 뜯어내고) 새로 바름. ¶ふすまの～ 미닫이를 새로 바름. **2** (현악기의 줄을) 새로 갈아 댐. **3** 옷을 뜯어서 빨아 말림; 재양(載陽)침.

はりか-える【張り替える】下1他 새로〔다시〕바르다; 갈아 대다. ¶障子しょうじを～ 장지를 다시 바르다 / ギターの弦げんを～ 기타 줄을 갈아 대다.

＊はりがね【針金】名 철사. ¶～を巻まく 철사를 감다 / ～で縛しばる 철사로 묶다.

はりがみ【張り紙】《貼り紙》名 **1** 종이를 바름; 또, 붙인 종이. ¶～細工ざいく 찢어 붙이기《색종이를 찢어 바르는 공작》. **2** 벽보. ＝張はり札ふだ. ¶～禁止きんし 벽보 금지 / ～を出だす 벽보를 내 붙이다. **3** 부전(附箋); 부전지. ¶注意ちゅういすべき所ところに～をつける 주의해야 할 곳에 부전을 붙이다.

バリカン 名 바리캉; 이발기. ¶～で髪かみを刈かる 바리캉으로 머리를 깎다.

参考 프랑스의 'Bariquand et Marre'라는 제작소의 이름에서.

＊ばりき【馬力】名 마력. **1** 동력을 나타내는 단위. ¶十じゅう～のモーター 10마력의 모터. **2** 강한 체력; 정력. ¶～がある 힘〔기운〕이 세다 / もっと～を出だして働はたらけ 좀더 힘을 내서 일해라.

―を掛かける 힘〔기운〕을 내다; 정력적으로 일하다. ＝馬力を出だす.

＊はりき-る【張り切る】5自 팽팽히 켕기다; 긴장하다; 힘이 넘치다. ¶～·った健康けんこうな肌はだ 팽팽하고 건강한 피부 / 凧たこの糸いとが～ 연줄이 팽팽해지다 / ～·って試合しあいにのぞむ 의기충천하여 경기에 나서다 / ～·った気持きもちが緩ゆるむ 긴장되었던 마음이 풀리다 / ～·って働はたらく 의욕적으로 일하다.

バリケード [barricade] 名 바리케이드; 방(어)벽; 방책. ¶～を築きずく〔めぐらす〕 바리케이드를 치다.

ハリケーン [hurricane] 名〘氣〙허리케인. ¶～が襲おそう 허리케인이 내습하다.

はりこ【張り子】名 틀에 종이를 여러 겹 붙여서 말린 뒤, 그 틀을 빼내어 만든 물건. ＝はりぬき.

―の虎とら **1** 종이 호랑이《장난감》. **2** 허세 부리는 사람.

はりこみ【張り込み】名 망을 봄. ¶～の刑事けいじ 잠복 형사.

はりこ-む【張り込む】㊀5自 잠복하여 감시하다. ¶刑事けいじが犯人はんにんの実家じっか

に～ 형사가 범인의 생가에 잠복하다. 二 5他 대지(臺紙) 따위에 붙이다. ¶アルバムに写真を～ 앨범에 사진을 붙이다. 三 5自他 큰마음 먹고 돈을 쓰다. ＝おごる. ¶上等の時計を～ 큰마음 먹고 고급 시계를 사다/チップを～ 큰마음 먹고 팁을 듬뿍 주다.

はりさ-ける【張り裂ける】下1自 1 한껏 부풀어 터지다. ¶のども～·けんばかりに叫ぶ 목이 터져라 하고 외치다/風船が～ 풍선이 한껏 부풀어 터지다. 2 (격한 감정으로) 가슴이 터질 듯하다. ¶～思い 가슴이 찢어지는 느낌/胸が～ようだ (분노나 슬픔으로) 가슴이 메어 터질 듯하다.

はりさし【針刺し】名 바늘겨레. ＝針立て·針山·針坊主.

はりしごと【針仕事】名 바느질; 재봉. ＝ぬいもの. ¶内職の～ 부업인 바느질/～で暮らしを立てる 바느질로 생계를 꾸리다.

はりたお-す【張り倒す】5他 때려 누이다; 힘껏 때리다. ¶相手を～ 상대를 때려 눕히다/横っ面を～ 따귀를 후려갈기다.

はりだし【張り出し】名 1 건축에서, 달아낸 부분. 2《貼り出し》내어 붙임; 게시함; 또, 게시한 것. ¶掲示板の～を読む 게시판의 게시문을 읽다. 3 (씨름에서) 대전표의 난 외에 써 붙이는 일; 또, 그 씨름꾼《그 지위에 준함》. ¶～横綱 대전표의 난 외에 써 붙인 横綱.
—まど【—窓】名 돌출창. ＝出窓.

はりだ-す【張り出す】一 5他《貼り出す》게시하다; 내어 붙이다. ¶試験の成績を～ 시험 성적을 게시하다/告示を～ 고시를 내붙이다. 二 5自他 1 밖으로 내달다. ¶軒〔庇〕を～ 처마를 〔차양을〕 내달다. 2 밖으로 내밀다; 내뻗다. ¶半島が海に～ 반도가 바다로 쑥 내밀다/枝が～ 가지가 내뻗다/～·した額 불거져 나온 이마.

はりつ-く【張り付く】《貼り付く》5自 붙다; 달라붙다; 들러붙다. ¶ぴったり～ 착 붙다/母親に～·いている 어머니에게 달라 붙어 있다/特派員が事件の現場に～·いて取材する 특파원이 사건 현장에 들러붙어 취재하다.

はりつけ〖磔〗名 옛날, 죄인을 나무 기둥에 묶어 놓고 찔러 죽이던 형벌; 책형(磔刑). ＝はっつけ. ¶～の刑 책형/～にする 책형에 처하다.

はりつ-ける【張り付ける】《貼り付ける》下1他 (풀 따위로) 붙이다; 비유적으로, 사람을 한곳에 붙잡아 두다. ¶切手〔印紙〕を～ 우표〔인지〕를 붙이다/記者を捜査本部に～ 기자를 수사 본부에 고정 배치하다.

ばりっと 副 1 얇고 단단한 것을 단번에 세게 찢거나 부수는 소리: 짝; 북. ¶紙を～引き裂く 종이를 북 찢다/ガラスに～ひびがはいる 유리에 짝 금이 가다. 2 배짱 있고 남성적인 모양. ¶～した人 박력 있는 사람.

ぱりっと 副 1 약간 얇은 종이나 굳은 것 따위를 단번에 가볍게 찢거나 부수는 소리: 짝; 바삭. ¶菓子を～かむ 과자를 바삭 씹다/広告を～はがす 광고를 짝 떼내다. 2 옷 등이 새롭고 좋은 모양: 말쑥이. ¶～した洋装 말쑥한 양장.

はりつ-める【張り詰める】下1自他 1 긴장하다. ¶試験前の～·めた雰囲気 시험전의 긴장된 분위기/気を～ 긴장하다. 2 (온통) 덮(이)다. ¶池に氷が～ 연못에 얼음이 얼어붙다/タイルを～ 빈틈없이 타일을 붙이다.

はりて【張り手】名 (씨름에서) 손바닥으로 상대방의 얼굴이나 목 둘레를 치는 수《두 손으로 동시에 치지 못함》. ¶～をかます 손바닥으로 면상을 치다.

はりとば-す【張り飛ばす】5他 〈俗〉(손바닥으로) 세차게 때리다. ¶横っ面を～ 따귀를 후려갈기다/～·してやろうか 한 대 때려 줄까〔맞아 보겠니〕.

バリトン [barytone] 名〔樂〕바리톤. ¶～歌手 바리톤 가수.

はりねずみ〖針鼠〗名〔動〕고슴도치.

はりのあな【針の穴】名 바늘귀. ＝はりのみみ.

はりのみみ【針の耳】名 바늘귀. ＝針の穴·めど.

はりのむしろ【針のむしろ】《針の筵》名 바늘 방석. ¶～にすわったようだ 바늘방석에 앉은 것 같다.

はりばこ【針箱】名 반짇고리; 바느질 그릇.

ばりばり 副 1 일을 척척 해 나가는 모양; 활동적인 모양. ¶～(と)働く 열심히 일을 하다. 2 물건을 긁거나, 찢거나, 벗기거나 할 때 나는 소리: 득득; 북북. ¶猫が畳を～(と)引っ搔く 고양이가 다다미를 득득 긁다/紙を～と裂く 종이를 박박 찢다. 3 단단한 물건을 깨무는 소리: 아드득아드득; 으드득으드득. ¶なまの栗を～と嚙む 생밤을 아드득아드득 깨물다. 4 풀을 세게 먹인 옷이나 종이가 스칠 때 나는 소리: 버스럭버스럭; 와삭와삭. ¶糊気のある着物から～と音がする 풀 먹인 옷에서 와삭와삭 소리가 나다.

ぱりぱり 一 名ナ 1 원기 왕성하고 외모가 좋은 모양; 민첩하고 단정한 모양. ¶～の江戸っ子 팔팔한 江戸내기〔토박이〕/某新聞社の～記者 모 신문사의 팔팔한 기자. 2 새롭고 구김살이 없는 모양. ¶～に糊のきいたシャツ 빳빳하게 풀을 먹인 셔츠/～の新調服〔仕立ておろし〕 미끈한 새 마춤옷. 二 副 잘 씹히는 것을 깨무는 모양: 파삭파삭; 으썩으썩. ¶～(と)かみくだく 파삭파삭 씹어 으깨다/たくあんを～(と)たべる 단무지를 으썩으썩 씹어먹다.

はりばん【張り番】名 ス自 망을 봄; 또, 그 사람. ＝見張り番. ¶～に立つ 망을 보다/要所に～を立てる 요소에 망(望)꾼을 세우다/目立たないように

～をする 눈에 띄지 않도록 망을 보다.

はりぼて【張りぼて】图 종이를 붙여 만든 연극의 소품(小品). =張(は)り子(こ).

はりまわ-す【張り回す】5他 둘러치다; 두르다. ¶幕(まく)を～ 막을 둘러치다/全国(ぜんこく)に蜘蛛(くも)の巣(す)のように捜査網(そうさもう)を～ 전국에 거미줄처럼 수사망을 펴다〔치다〕.

はりみせ【張り店·張り見せ】图 유곽에서, 창녀들이 집 앞에 늘어앉아 손님을 기다리는 일; 또, 그런 집. ↔陰店(かげみせ).

はりめ【針目】图 땀; (뜨개질의) 코. =縫(ぬ)い目(め). ¶～がほつれる 땀이 풀어지다/～が粗(あら)い 땀이 성기다/～が細(こま)かい 땀이 촘촘하다.

はりめぐら-す【張り巡らす】5他 온통 둘러치다. =はりまわす. ¶金網(かなあみ)を～ 철망을 둘러치다/情報網(じょうほうもう)を～ 정보망을 펴다/立入(たちい)り禁止(きんし)のロープを～ 출입 금지의 로프를 둘러치다.

バリュー [value] 图 밸류; 가치. ¶ニュース～ 뉴스 밸류; 보도 가치/ネーム～ 네임 밸류; 성가(聲價).

は-る【張る】一5自 **1** 뻗다; 뻗어나다. ¶四方(しほう)に根(ね)が～ 사방으로 뿌리가 뻗(어나가)다/木(き)の芽(め)が～ 나무의 싹이 뻗어나다/つるが～ 덩굴이 뻗다. **2** 퍼져 덮이다; 깔리다. ¶氷(こおり)が～ 얼음이 덮이다〔얼다〕/暖(あたた)めた牛乳(ぎゅうにゅう)に膜(まく)が～ 데운 우유에 막이 덮이다〔더껑이가 앉다〕/薄皮(うすかわ)が～ 엷은 껍질이 덮이다. **3** 안의 힘이 움직여 부풀어 오르다. ㉠부풀다; 팽팽해지다; 튀어나오다. ¶腹(はら)が～ 배가 땡땡해지다/肩(かた)が～ 어깨가 뻐근하다/気(き)が～ 긴장하다/頰骨(ほおぼね)が～ 광대뼈가 나오다/凧(たこ)の糸(いと)が～ 연줄이 팽팽해지다. ㉡많아지다; 늘다; 넘치다. ¶乳(ちち)が～ 젖이 붇다/欲(よく)が～ 욕심이 넘치다/値(ね)が～ 값이 비싸다/食(く)い意地(いじ)が～ 걸신이 들리다.

二5他 **1** 펴다; 뻗치다. ¶木(き)が根(ね)を～ 나무가 뿌리를 뻗치다/胸(むね)を～ 가슴을 펴다/翼(つばさ)を～ 날개를 펴다/肩(かた)を～ 어깨를 펴다《으스대다》/勢力(せいりょく)を～ 세력을 뻗치다/ひじを～ 팔꿈치를 뻗치다; 우락부락하게 굴다; 젠체하다. **2** 활짝 펴다; (펼)치다. ¶幕(まく)を～ 막을 치다/くもが巣(す)を～ 거미가 집을 치다〔짓다〕/非常線(ひじょうせん)を～ 비상선을 펴다/テント〔陣(じん)〕を～ 천막〔진〕을 치다/縄(なわ)を～ 새끼줄을 치다/論陣(ろんじん)を～ 논진을 펴다/アンテナを～ 안테나를 달다. **3** (물 따위 액체를) 채우다. ¶おけに水(みず)を～ 통에 물을 (가득히) 채우다. **4** 깔다; 붙이다. ¶床(ゆか)にタイルを～ 바닥에 타일을 깔다/天井(てんじょう)を～ 천장을 바르다/切手(きって)を～ 우표를 붙이다/ばんそうこうを～ 반창고를 붙이다/傘(かさ)を～ 종이 우산에 종이를 바르다. **5** (손바닥으로) 때리다. ¶ほおを～ 뺨을 치다. **6** 가느다란 것을 한 쪽 끝에서 다른쪽 끝으로 뻗치다. ¶弓(ゆみ)に弦(つる)を～ 활 시위를 메우다. **7** 벌이다; 차리다. ¶店(みせ)を～ 가게를 벌이다/宴(えん)を～ 잔치를 베풀다/世帯(しょたい)を～ 살림을 차리다. **8** 부리다; 마음 먹다. ¶欲(よく)〔虚勢(きょせい)〕を～ 욕심을〔허세를〕 부리다/我(が)を～ 고집을 부리다/意地(いじ)〔強情(ごうじょう)〕を～ 고집을 부리다. **9** 대항하다. ¶向(む)こうを～ 당당히 맞서다. ⇨はりあう. **10** 걸다; (돈을) 대다. ¶相場(そうば)を～ 투기 사업에 돈을 대다/万円(まんえん)を～ 만 엔을 걸다/からだを～ 몸을 걸다《자기 희생을 각오하다》. **11** 감시하다; 망보다; 사람을 기다리다. ¶星(ほし)を～ 용의자를 감시하다/犯人(はんにん)の立(た)ちまわり先(さき)を～ 범인이 도망 중 들르는 길목을 지키다.

はる【春】图 **1** 봄. ¶～のいぶき 봄소식; 봄기운/～の訪(おとず)れ 봄이 찾아옴/行(ゆ)く～ 가는 봄/～が浅(あさ)い 봄이 온 지 오래지 않다. **2** 새해. ¶～を迎(むか)える 신년을 맞이하다. **3** 전성기; 한창 때. ¶わが世(よ)の～ 내 생애의 전성기/家(いえ)に再(ふたた)び～が来(き)た 집안에 다시 좋은 시절이 왔다. **4** 청춘; 사춘기. ¶人生(じんせい)の～ 인생의 봄《청년기》/～に目(め)ざめる 이성에 눈뜨다.

―惜(お)しむ 가는 봄을 아쉬워하다.

―の目覚(めざ)め (사춘기에 이르러) 이성(異性)에 눈뜸.

―の夜(よ)の夢(ゆめ) 봄날 밤의 꿈《아주 짧고 덧없는 것의 비유》.

―を売(う)る〔ひさぐ〕 매춘하다.

=ば-る《体言에 붙어서 五段活用動詞를 만듦》그것의 성질을 띠고 긴장함을 나타내는 말: …와 같이 되다; …처럼 행동하다. ¶四角(しかく)～ (태도 등이) 딱딱해지다/格式(かくしき)～ 격식만 차리다/形式(けいしき)～ 형식만 차리다/欲(よく)～ 욕심만 내다/かさ～ 부피가 늘다/骨(ほね)～·った体(からだ)つき 뼈가 앙상한 체격〔몸매〕.

はるいちばん【春一番】图 겨울이 끝날 무렵에 최초로 부는 강한 남풍.

はるか [遥か] 副ダナ **1** 아득하게 먼 모양: 아득히. ¶～な山(やま) 아득히 멀리 떨어진 산/～かなた〔向(む)こう〕 아득히 먼 저쪽/～な旅(たび) 먼 여행/～な故郷(こきょう)をしのぶ 아득한 고향을 그리워하다. **2** 몹시 차이가 있는 모양: 훨씬; 매우. ¶～に大(おお)きい〔まずしい〕 훨씬 크다〔가난하다〕. **3** 시간적으로 매우 떨어져 있는 모양: 아득히 (먼). ¶～昔(むかし)の話(はなし) 아득한 옛날 이야기.

はるがすみ【春がすみ】《春霞》图 봄안개. ¶～がたなびく 봄안개가 가로로 길게 끼다.

はるかぜ【春風】图 춘풍; 봄바람. =しゅんぷう. ¶～が吹(ふ)いてくる 봄바람이 불어 오다.

はるぎ【春着】图 **1** 봄옷. **2** 설빔; 새해에 입는 새옷.

バルクカーゴー [일 balk+cargo] 图 벌크 카고; 산적(散積) 화물《곡물·석탄 등 포장하지 않은 화물》.

はるぐもり【春曇り】图 봄에 흔히 볼

수 있는 흐릿한 날씨.

はるご【春ご】《春蚕》图 춘잠; 봄누에. =しゅんさん. ¶~を飼う 봄 누에를 치다. ↔夏蚕·秋蚕.

バルコニー [balkony] 图 **1**〔建〕 발코니; 노대(露臺). =バルコン. ¶~へ出る 발코니에 나가다. **2**극장의 2층 좌석.

はるさき【春先】图 초봄; 이른 봄. ¶このセーターは~によい 이 스웨터는 초봄에 좋다/~には花も咲くだろう 초봄에는 꽃도 피겠지.

バルサミコす【バルサミコ酢】图 발사미코 초; 이탈리아산(産) 고급 양조 식초《와인 비니거의 일종》. ▷이 **aceto balsamico**.

はるさめ【春雨】图 **1**봄비. ¶~が降る 봄비가 오다. ↔秋雨. **2**감자·녹두 따위의 녹말로 만든 가늘고 투명한 국수. =まめそうめん. 「빨치산.

パルチザン [프 partisan] 图 파르티장;

はるつげどり【春告げ鳥】图 'うぐいす(=휘파람새)'의 딴 이름.

はるのななくさ【春の七草】图 봄의 일곱 가지 나물《미나리·냉이·떡쑥·별꽃·광대나물·순무·무》. 參考 음력 1월 7일에, 죽에 넣어 먹음. ↔秋の七草.

はるばしょ【春場所】图 매년 3월 大阪에서 열리는 공식 씨름 대회. =三月場所.

はるばる〖遥遥〗副 아득히 먼 모양; 멀리서 오는〔가는〕 모양. ¶田舎から~やってきた両親 시골에서 멀리 찾아온 부모/頂上から四方を~と見渡す 꼭대기에서 사방을 멀리 바라다보다/遠路~(と)上京する 먼 길을 마다 않고 상경하다.

バルブ [valve] 图 밸브; 판(瓣). =弁. ¶安全~ 안전판/~を締める 밸브를 잠그다. 「로 만들다.

パルプ [pulp] 图 펄프. ¶~にする 펄프

はるまき【春巻き】图 중국 요리의 하나《잘게 썬 돼지고기·표고·죽순 등을 엷은 밀점병으로 싸서 기름에 튀긴 것》.

はるまき【春まき】《春蒔き》图 봄에 씨를 뿌림; 또, 그 식물. ↔秋蒔き.

はるめ-く【春めく】5自 봄다워지다; 제법 봄다운 기분이 나다. ¶~·いた川風 봄다워진 강바람/一雨ごとに~ 한 차례 비가 올 때마다 차츰 봄다워지다/だんだん~·いて来た 점점 봄기운이 완연해졌다.

はるやすみ【春休み】图 봄방학.

****はれ**【晴れ】图 **1**하늘이 갬; 날씨가 좋음. ¶南の風で~ 남풍이 불고 갬. ↔曇り. **2**혐의를〔누명을〕 벗음. ¶~の身となる 결백한 몸이 되다. **3**공식적인 자리; 경사스러움. ↔褻. ¶~の場所 사람이 많이 모인 (경사스런) 자리/~の入学式〔結婚式〕 경사스러운 입학식〔결혼식〕/きょうを~と着飾る (오늘을 기다렸다는 듯이) 화려하게 차려입다/~の席に臨む 공적인 자리에 참석하다. ↔褻.

——の舞台 화려한 무대; 영광스러운 장소; 또, 그러한 때. =晴れぶたい. ¶彼にとってその公演は一世一代の~だった 그에게 있어 그 공연은 일생일대의 영광스러운 무대였다.

はれ〖腫れ〗图 부음; 부기. ¶~がひく 부기가 가라앉다〔빠지다〕.

はれあが-る【晴れ上がる】5自 맑게 개다. ¶~·った天気 맑게 갠 날씨/台風が去って~ 태풍이 지나가고 맑게 개다.

はれあが-る〖腫れ上がる〗5自 (몹시) 부어 오르다. ¶刺されたところが~ 찔린 데가 부어 오르다/虫歯で頰が~ 충치로 볼이 부어오르다.

ばれい【馬齢】图 자기 나이를 겸손하게 이르는 말.

——を重ねる (헛되이) 나이만 먹다. =馬齢を加える. ¶いたずらに~ 헛되이 나이만 먹다.

ばれいしょ〖馬鈴薯〗图 ☞じゃがいも.

はれいしょう【晴れ衣装】《晴れ衣裳》图 빔; 나들이옷. =はれぎ.

バレー [프 ballet] 图 발레. =バレエ. ¶~スキー 발레스키. 「말.

バレー [volley] 图 'バレーボール'의 준

——ボール [volleyball] 图 발리볼; 배구.

パレード [parade] 图ス自 퍼레이드; 행렬을 갖춘 행진. ¶~をくりひろげる 퍼레이드를 벌이다 / 優勝チームが大通りを~する 우승팀이 대로에서 축하 행진을 하다.

はれがまし-い【晴れがましい】形 **1**드러나게 화려하다. ¶~儀式 성대한 의식/~場所は苦手だ 드러나게 화려한 자리는 질색이다. **2**너무나 드러나서 쑥스럽다. ¶そんな~ことはできません 그렇게 두드러지게 표나는 일은 못하겠소/テーブルスピーチなんて~事はいやだ 탁상 연설 같은 겸연쩍은 일은 싫다.

はれぎ【晴れ着】图 성장(盛裝); 정장; 나들이옷. =はれいしょう. ¶成人式の~ 성인식의 성장/正月の~の娘 설빔을 입은 아가씨. ↔普段着.

パレス [palace] 图 팰리스. **1**궁전. **2**넓은 오락장. ¶アイス~ 아이스 팰리스《거울이나 컷 글라스를 설비한 고급 매춘장》.

はれすがた【晴れ姿】图 **1**화려하게 차려 입은 모습. **2**장한 (자리에 나간) 모습. ¶一世一代の~ 일생 일대의 장한 모습.

***はれつ**【破裂】图ス自 파열. **1**터져서 찢어짐; 폭발. ¶怒りが~する 분노가 폭발하다/タイヤが~する 타이어가 터지다/心臓が~しそうだ 심장이 터질 것 같다 / 寒さで水道管が~する 추위로 수도관이 터지다. **2**전하여, 회담이나 협상 등이 결렬됨. ¶談判が~する 담판이 결렬되다.

—おん【—音】名〔言〕터진 소리; 파열음; 폐쇄음. ＝破音(はおん).

パレット [palette] 名〔美〕팔레트; 그림물감을 섞는 판; 조색판(調色板).

はれて【晴れて】副 거리낌 없이; 공공연하게; 떳떳하게. ＝公然(こうぜん)と. ¶天下(てんか)～ 세상에 떳떳이 / ～夫婦(ふうふ)になる 떳떳하게〔정식으로〕 부부가 되다.

はればれ【晴れ晴れ】[トス自] 상쾌함; 시원함; 후련함. ¶～(と)した顔(かお)つき 유쾌한 얼굴; 밝은 표정 / ～した天気(てんき) 청명한 날씨 / ～(と)した気分(きぶん) 상쾌한 기분 / 心(こころ)が～する 속이 개운하다 / 心(こころ)も～と旅(たび)に出(で)る 마음도 상쾌하게 여행을 떠나다.

はればれし-い【晴れ晴れしい】形 마음이 후련하다〔상쾌하다〕. ¶～顔(かお) 명랑한〔밝은〕 얼굴 / 気分(きぶん)が～ 기분이 상쾌하다.

はれぼった-い〖腫れぼったい〗形 부어서 부석부석하다. ¶～顔(かお) 부석부석한 얼굴 / 寝不足(ねぶそく)で目(め)が～ 수면 부족으로 눈이 부석부석하다.

はれま【晴れ間】名 **1** 비·눈 등이 갠 사이. ¶雨(あめ)〔梅雨(つゆ)〕の～に 비〔장마〕가 갠 사이에. **2** 구름 사이로 보이는 푸른 하늘. ¶～から太陽(たいよう)がのぞく 구름 사이로 태양이 보이다 / ～が見(み)える 구름 사이로 맑은 하늘이 보이다.

ハレム [harem] 名 하렘. **1** 이슬람교도의 처첩(妻妾)이 거처하는 방; 후궁. ＝ハーレム. **2** 여자들만이 있는 곳.

はれもの〖腫れ物〗名 종기; 부스럼. ＝できもの·おでき. ¶腕(うで)に～ができる 팔에 부스럼이 나다.

—にさわるよう 종기를 만지듯《두려워서 조심조심하는 모양》. ¶まるで～に扱(あつか)う 마치 종기를 만지듯이 다루다.

はれやか【晴れやか】[ダナ] **1** 마음이 명랑한 모양. ¶～な顔(かお) 밝은 얼굴 / ～な笑顔(えがお) 환하게 웃는 얼굴 / 心(こころ)も～に旅立(たびだ)つ 마음도 가벼이 여행을 떠나다. **2** 쾌청한 모양; 맑게 갠 모양. ¶～な秋空(あきぞら) 쾌청한 가을 하늘. **3** 화려한 모양. ＝はなやか·はでやか. ¶～に着飾(きかざ)る 화려하게 차려 입다 / ～なよそおい 화려한 옷차림.

バレリーナ [이 ballerina] 名 발레리나; 발레의 여자 무용수; 특히, 주역 무용수.

****は-れる**【晴れる】[下1自] **1** (하늘이) 개다. ¶空(そら)が～ 하늘이 개다 / 雨(あめ)が～ 비가 개다 / 霧(きり)が～ 안개가 걷히다. **2** (괴로움 등이) 사라지다. ¶心(こころ)〔気持(きも)ち〕が～ 마음〔기분〕이 명랑해지다. **3** (의심·혐의 등이) 풀리다. ¶疑(うたが)い〔嫌疑(けんぎ)〕が～ 의심이〔혐의가〕 풀리다 / 罪(つみ)が～ 죄를 벗다.

***は-れる**〖腫れる〗[下1自] 붓다. ¶顔(かお)が～ 얼굴이 붓다 / まぶたが～·れている 눈꺼풀이 부어 있다 / 打(う)たれた所(ところ)が～·れた 얻어맞은 자리가 부었다.

ば-れる [下1自] 발각되다; 탄로나다; 들키다; 들통나다; 드러나다. ¶秘密(ひみつ)が～ 비밀이 탄로나다 / 正体(しょうたい)が～ 정체가 드러나다 / 悪事(あくじ)が～ 악행이 들통나다 / そのうそが～·れてしまった 그 거짓말이 탄로나고 말았다.

バレル [barrel] 名 배럴《액체의 용량 단위》. ＝バーレル.

ハレルヤ [히 hallelujah] 名〔基〕할렐루야《환희·감사를 나타내는 말》. ＝アレルヤ. ¶～コーラス 할렐루야 합창.

はれわた-る【晴れ渡る】[5自] (하늘이) 활짝 개다. ¶雲(くも)一片(いっぺん)なく～ 구름 한 점 없이 활짝 개다 / ～·った秋空(あきぞら) 활짝 갠 가을 하늘.

バレンタイン デー [←St. Valentine's Day] 名 밸런타인 데이《2월 14일》.

はれんち【破廉恥】[名ナ] 파렴치. ＝はじ知(し)らず. ¶～な行(おこな)い〔人間(にんげん)〕 파렴치한 행위〔인간〕 / ～極(きわ)まりないふるまい 더없이 파렴치한 짓.

—ざい【—罪】名 파렴치죄《사기·절도·강간 따위》.

はろう【波浪】名 파랑; 파도; 물결. ＝波(なみ). ¶～注意報(ちゅういほう) 파랑 주의보 / ～が岩(いわ)を洗(あら)う 파도가 바위를 씻다.

ハロー [hello, hallo] 感 헬로; 여보세요; 안녕하세요. ＝もしもし·こんにちは.

—ワーク [일 Hello＋Work] 名 헬로 워크; (일본의) 공공 직업 안정소의 애칭.

バロック [프 baroque] 名 바로크《17세기에 유럽서 유행한 예술 양식》.

パロディー [parody] 名 패러디; 남의 시문을 교묘하게 흉내내어 우스꽝스러운 주제를 취급하는 문학 작품 형식의 하나; 희작(戯作). ＝もじり.

バロメーター [barometer] 名 바로미터. **1** 기압계; 청우계. **2** 전하여, 어떤 상태를 나타내는 척도; 지표. ¶体重(たいじゅう)〔血圧(けつあつ), 食欲(しょくよく)〕は健康(けんこう)の～ 체중〔혈압, 식욕〕은 건강의 바로미터.

パワー [power] 名 파워. **1** 힘. ¶～のある自動車(じどうしゃ) 힘이 좋은〔마력이 센〕 자동차 / ～アップ 파워 업 / ～に欠(か)ける 힘이 없다. **2** 능력; 실력. ¶たいした～だ 대단한 능력〔실력〕이다. **3** 세력. ¶ブラック～ 블랙파워 / ウーマン～ 우먼파워 / 市民(しみん)～ 시민의 영향력〔세력〕 / ～エリート 파워〔권력〕 엘리트 / ～ウインドー (자동차의) 파워 윈도 / ～ゲーム 파워 게임.

ハワイアン [Hawaiian] 名 하와이안; 하와이풍임; 또, 그 음악. ¶～ギター 하와이안 기타.

はわたり【刃渡り】名 **1** 칼날의 길이. ¶～三寸(さんずん)の短刀(たんとう) 칼날 길이가 세 치의 단도. **2** 칼날 위를 맨발로 걷는 곡예.

パワフル [powerfull] [ダナ] 파워풀; 힘이 센 모양; 강력한 모양. ¶～なエンジン 강력한 엔진 / ～な活動(かつどう) 활기 찬 활동.

はん【反】[一]名 **1** 반대. **2** 모반; 반역. ¶～をなす 모반을 일으키다.

[二][接頭] …에 반대되는〔어긋나는〕. ¶～

道徳的(どうとくてき) 반도덕적.

はん【半】名 **1** 반. ㉠절반. ¶二(ふた)つ～ 두 개반. ㉡(시각의) 30분. ¶3時(さんじ)～ 3시 반. **2** 기수; 홀수. ¶丁(ちょう)か～か 짝수냐 홀수냐. ↔丁(ちょう).

***はん【判】**一名 **1** 도장. ＝はんこ. ¶～を押(お)す〔突(つ)く〕 도장을 찍다. **2** 판단; 판정. ¶～を下(くだ)す 판정을 내리다. **3** 수결(手決). ＝花押(かおう). 二接尾 '判型(はんがた)(＝판형)'의 준말; 지면·책의 크기. ¶B5(ビーご)～ B5판 / ポケット～ 포켓판.

—で押(お)したよう 판에 박은 듯이 늘 같은 것을 되풀이하는 모양. ¶～な毎日(まいにち)〔あいさつ〕 판에 박은 듯한 매일〔인사〕.

はん【版】一名 **1** 판목(版木); 인쇄판. ¶～を彫(ほ)る 판목을 새기다 / ～がいたむ (인쇄)판이 상하다. **2** 인쇄; 출판. ¶～を重(かさ)ねる 판을 거듭하다.
二接尾 출판물의 간행 횟수를 나타냄. ¶初(しょ)～ 초판 / 三版(さんぱん) 3판.

はん【班】一名 반; 조(組). ¶三(みっ)つの～に分(わ)ける 3개의 반으로 나누다 / ～をつくる 반을 만들다. 二接尾 수·순서를 나타냄; 반. ¶第二(だいに)～ 제2 반.

はん【煩】名 번거로움. ¶～にたえない 번거롭기 짝이 없다 / ～をいとわず 번거로움을 마다 않고.

はん【範】名 본; 모범. ¶～とする 모범으로 삼다 / ～を示(しめ)す〔垂(た)れる〕 모범을 보이다.

はん【藩】名 江戸(えど) 시대, 大名(だいみょう)의 영지; 또, 그 정치 형태. ¶～を廃(はい)する 藩을 폐지하다.

はん=[汎] 범…; 널리 전체에 걸침; 모든; 전(全). ＝パン. ¶～アメリカ 범미(汎美).

=はん【犯】…범. **1** 범죄. ¶放火(ほうか)～ 방화범. **2** 범죄 횟수를 나타내는 말. ¶前科二(ぜんかに)～ 전과 2범.

はん〖反〗教3 ハン ホン タン そる そらす かえす そむく | 반 뒤집다 | **1** 뒤집어지다; 엎어지다. ¶反射(はんしゃ) 반사 / 反問(はんもん) 반문. **2** 되풀이하다. ¶反覆(はんぷく) 반복.

はん〖半〗《半》教2 ハン なかば | 반 절반 | 반; 반쪽. ¶半年(はんねん·はんとし) 반년 / 過半(かはん) 과반 / 半信半疑(はんしんはんぎ) 반신반의.

はん〖犯〗教5 ハン ボン おかす | 범 범하다 | **1** 범하다; 어기다. ¶犯行(はんこう) 범행 / 侵犯(しんぱん) 침범 / 過(あやま)ちを犯(おか)す 과오를 범하다. **2** 수형(受刑)한 횟수를 세는 말. ¶前科(ぜんか)二犯(にはん) 전과 이범.

はん〖帆〗《帆》常用 ハン ほ | 범 돛 | 돛; 돛단배. ¶帆船(はんせん) 범선 / 孤帆(こはん) 고범.

はん〖判〗《判》教5 ハン バン わかつ わかる | 판 가르다 | **1** 우열·시비를 가리다. ¶判別(はんべつ) 판별 / 公判(こうはん) 공판. **2** 수결(手決); 인감; 도장. ¶印判(いんばん) 인장 / 判(はん)を押(お)す 도장을 찍다.

はん〖坂〗教3 ハン さか | 판 비탈 | 비탈; 언덕배기. ¶坂路(さかみち) 언덕길 / 急坂(きゅうさか) 가파른 언덕.

はん〖板〗教3 ハン バン いた | 판 널 | 판자; 또, 그와 비슷한 모양의 재료. ¶甲板(かんぱん) 갑판 / 鉄板(てっぱん) 철판 / 掲示板(けいじばん) 게시판.

はん〖版〗教5 ハン | 판 판목 | 판. **1** 글자를 쓰는 널판. **2** 인쇄하는 판. ¶石版(せきはん) 석판 / 写真版(しゃしんばん) 사진판.

はん〖班〗教6 ハン わかつ | 반 나누다 | 반; 반으로 나눈 것. ¶班長(はんちょう) 반장 / 作業班(さぎょうはん) 작업반.

はん〖畔〗《畔》常用 ハン あぜ くろ ほとり | 반 두둑 | **1** 논둑. ¶畔道(あぜみち) 논두렁길. **2** 물가; 근처. ¶湖畔(こはん) 호반 / 池(いけ)の畔(ほとり) 못가.

はん〖般〗常用 ハン | 반 일반 | 사물의 종류; 동등한 사항. ¶全般(ぜんぱん) 전반 / 今般(こんぱん) 금반.

はん〖販〗常用 ハン | 판 팔다 | 장사하다; 팔다. ¶販売(はんばい) 판매 / 市販(しはん) 시판.

はん〖飯〗《飯》教4 ハン めし いい | 반 밥 | 밥; 식사. ¶炊飯(すいはん) 취반 / 残飯(ざんぱん) 잔반.

はん〖搬〗常用 ハン | 반 나르다 | 옮기다; 나르다. ¶搬送(はんそう) 반송 / 運搬(うんぱん) 운반.

はん〖煩〗常用 ハン ボン わずらう わずらわす | 번 번민하다 | **1** 번거롭다. ¶煩(わずら)わしい仕事(しごと) 번거로운 일. **2** 괴롭히다. ¶煩悩(ぼんのう) 번뇌.

はん〖頒〗常用 ハン わかつ わける | 반 나누다 | 나누어주다; 널리 펴다. ¶頒布(はんぷ) 반포.

はん〖範〗常用 ハン のり | 범 법식 | **1** 틀; 모범; 본. ¶規範(きはん) 규범. **2** 정해진 구획. ¶範囲(はんい) 범위.

はん〖繁〗《繁》常用 ハン しげる | 번 무성하다 | **1** 너무 많다; 번거롭다. ¶繁雑(はんざつ) 번잡 / 頻繁(ひんぱん) 빈번. ↔簡(かん). **2** 번창하다. ¶繁栄(はんえい) 번영 / 繁昌(はんじょう) 번창.

はん〖藩〗常用 ハン | 번 울 | 江戸(えど) 시대의 大名(だいみょう)의 영지. ¶藩主(はんしゅ) 영주.

ばん【万】一名 만; 일만. 二副 **1**《뒤에 否定이 따라서》 만의 하나라도; 결코. ¶～遺漏(いろう)なきを期(き)す 만유루없도록 하다. **2** 아무리 해도; 어떻게도.

—やむを得(え)ず 만부득이. ¶万やむを得ない場合(ばあい) 만부득이한 경우.

ばん【判】名 판; 종이나 책 따위의 규격을 나타내는 말. ¶四六(しろく)～ 사륙판 / ～が大(おお)きい 판이 크다.

***ばん【晩】**名 **1** 저녁 때. ¶～の食事(しょくじ) 저녁 식사 / 朝(あさ)から～まで 아침부터 저

녁까지. **2** 밤. ¶じきに~になった 금방 밤이 되었다/きのうの~は眠れなかった 어제 밤은 잠을 못 잤다.

ばん【番】㊀图 **1 순서; 차례. ¶自分の~を待つ 자기 차례를 기다리다/~がまわってくる 차례가 돌아오다. **2** 지키는 일; 또, 파수꾼. ¶荷物の~ 짐 지키기/~をする 지키다; 망을 보다/寝ずの~をする 불침번을 서다/店の~をする 가게를 보다.
㊁接尾 순서·등급·횟수 등을 나타내는 말. ¶第一~ 제일번/一~で卒業 일등으로 졸업/最後の一~ 마지막 한 판/十~勝負 열판 승부.

ばん【盤】图 **1** 접시. =さら. **2** 바둑판; 장기판. ¶将棋の~ 장기판/~の前にすわる 판 앞에 앉다. **3** 음반; 레코드판. ¶LP~ LP판/新しい~を求める 새판을 찾다.

=ばん【版】판. **1** 출판; 출판물. ¶限定~ 한정판/豪華~ 호화판. **2** 제판(製版); 인쇄판. ¶オフセット~ 오프세트판. **3** (신문에서) 특정 지역 표시. ¶地方~ 지방판. **4** …식; …풍. ¶現代~ 현대판/韓国~ 한국판.

ばん〖伴〗《伴》常用 バン ハン ともなう とも | 반 짝 | 동반하다; 같이 가다; 데리고〔따라〕 가다. ¶伴侶 반려/随伴 수반.

ばん〖晩〗《晩》教6 バン くれ おそい | 만 저물다 | **1** 저녁때; 밤. ¶晩景 만경/晩鐘 만종. **2** 시기가 늦다. ¶晩夏 만하/大器晩成 대기만성.

ばん〖番〗教2 バン つがい つがう | 번 순서 | 번. **1** 차례. ¶当番 당번/輪番 윤번. **2** 교대로 하는 차례. ¶火の番 방화(防火) 당번. **3** 차례를 나타내는 말. ¶第一番 제일번/番地 번지.

ばん〖蛮〗《蠻》常用 バン | 만 오랑캐 | **1** 미개 민족. ¶蛮族 만족. **2** 거칠고 도리를 모르다. ¶野蛮 야만.

ばん〖盤〗常用 バン | 반 소반 | **1** 쟁반; 접시. ¶杯盤 배반. **2** 평평한 면을 쓰는 기구; 특히, 장기·바둑·축음기 등의 판. ¶羅針盤 나침반/音盤 음반.

ばん〖万〗☞まん〖万〗.

*パン [포 pão] 图 빵; 전하여, 생활의 양식(糧食). ¶~くず 빵 부스러기/あん~ 팥빵/~を焼く 빵을 굽다/~のために働く 빵을 위해 일하다/人は~のみにて生くるものにあらず 사람은 빵만으로 사는 것은 아니다.

パン= [pan] 팬; 전(全); 범(汎). ¶~アメリカン 범미(汎美); 전미(全美).

はんい【犯意】图 범의. ¶~を認める 범의를 시인하다 / 別に~はなかった 이렇다 할 범의는 없었다.

**はんい【範囲】图 범위. ¶勢力~ 세력 범위/(守備)~が広い (수비) 범위가 넓다/~を狭める〔広げる〕 범위를 좁히다〔넓히다〕/~を限る 범위를 한정하다/~を越える 범위를 넘다/~に入る 범위에 들다〔들어가다〕.

はんいご【反意語】图 반의어; 반대어. =対義語·アントニム. ↔同意語.

はんいん【班員】图 반원. ¶~が足りない 반원이 부족하다.

*はんえい【反映】图ス自他 반영. ¶夕日が雪山に~する 저녁해가 눈 덮인 산에 반영하다 / 流行歌は世相を~する 유행가는 세태를 반영한다/平素の考えが行動に~する 평소의 생각이 행동에 반영된다.

はんえい【繁栄】图ス自 번영. ¶企業の~ 기업의 번영/国家が~する 나라가 번영하다/~をもたらす 번영을 가져오다/御一家の御~を祈ります 댁내가 번영하시기를 기원합니다.

はんえいきゅう【半永久】图 반영구.
――てき【―的】ダナ 반영구적. ¶~な設備 반영구적인 설비.

はんえり【半襟】图 여성의 옷 위에 덧대는 장식용 깃.

はんえん【半円】图 반원. ¶~形 반원형/~アーチ 반원 아치/~を描く 반원을 그리다.

はんおん【半音】图〘樂〙 반음. ¶~上げる 반음 올리다.

はんか【反歌】图 長歌 뒤에 더하는 短歌《長歌의 대의를 요약하고, 또 그것을 보충하는 노래》. =かえしうた.

はんか【繁華】名ナ 번화. ¶~街 번화가/~な町 번화한 거리.

はんが【版画】图 판화. ¶~家 판화가/~集 판화집/~を彫る 판화를 새기다/~を刷る 판화를 박다.

ばんか [挽歌] 图 만가. =哀悼歌.

ばんか【晩夏】图 만하; 늦여름. ¶~のころに咲く花 늦여름철에 피는 꽃/紅くして黒き~の日が沈む 검붉은 늦여름의 해가 지다. ↔初夏.

ハンガー [hanger] 图 행어; 양복걸이; 옷걸이. =洋服かけ.

バンカー [bunker] 图 벙커; 골프장의 장애 구역으로서 모래가 들어 있는 오목한 땅. ¶~ショット 벙커샷.

ハンガーストライキ [hunger strike] 图 헝거 스트라이크; 단식 투쟁. =ハンスト.

はんかい【半開】图ス自 반개. **1** 반쯤 열리는〔피는〕 일. =半びらき. ¶~の戸 반쯤 열린 문/桜が~だ 벚꽃이 반쯤 피었다/栓を~にする 마개를 반쯤 열다. ↔全開. **2** 개화가 덜됨. ¶~地 반개화지.

はんかい【半壊】图ス自 반괴; 반쯤 부서지거나 허물어짐; 반파(半破). ¶~した家 반파된 집. ↔全壊.

ばんかい [挽回] 图ス他 만회; 회복. ¶名誉〔失地〕~ 명예〔실지〕 회복/列車の遅れを~する 열차의 지연을 만

회하다 / 勢力〔劣勢〕を～する 세력을〔열세를〕 만회하다.

ばんがい【番外】 名 **1** 일정한 프로그램 외. ¶～の余興 프로그램 외의 여흥. **2** 정식 구성원이 아님; 준(準). ¶～委員 준위원; 정식이 아닌 위원. **3** 특별한 것; 보통의 것과 다른 것; 예외. ¶彼は～だ 그는 예외〔특별〕이다. **4** 회의의 옵서버. ¶会議に～で出席する 회의에 옵서버로 출석하다.

ばんがい【盤外】 名 반외; 바둑〔장기〕판 밖. ¶～雑記 반외 잡기.

はんがえし【半返し】 名 경조사 때 보내온 금품의 반액(半額)에 해당하는 물건을 답례로서 보냄.

はんがく【半額】 名 반액. ¶～の割引 반액 할인 / ～で売る 반액으로 팔다 / 子供は～です 아이는 반액입니다.

ばんがく【晩学】 名 만학. ¶～の人 만학하는 사람.

はんかくさ-い【半可臭い】 形 시시하다; 어이없다; 어리석다. ＝ばからしい.

ばんがさ【番傘】 名 지(紙)우산. ¶～を差す 지우산을 받다. 参考 옛날, 상가(商家)에서 번호를 붙여 손님에게 빌려준 데서.

はんかた【半肩】 名 한쪽 어깨.

―担ぐ 짝이 되어 힘이 되어주다. ＝片棒担ぐ.

***ハンカチ** 名 'ハンカチーフ'의 준말. ＝ハンケチ. ¶～で涙をぬぐう 손수건으로 눈물을 닦다.

ハンカチーフ [handkerchief] 名 행커치프; 손수건. ＝ハンカチ·ハンケチ.

はんかつう【半可通】 名 잘 알지도 못하면서 아는 체함; 데알; 또, 그런 사람. ＝半可. ¶～を振りまわす 데아는〔어설픈〕 지식을 과시하다.

ばんカラ【蛮カラ】 名ナ (옷차림이나 언행이) 거칠고 품위가 없음; 조잡함; 또, 그런 사람. ¶～学生 조잡한〔멋이 없는〕 학생 / ～な校風 와일드한 교풍. 参考 'ハイカラ'를 엇먹여 대응시킨 말.

バンガロー [bungalow] 名 방갈로; 여름 한철 산이나 바다에서 쓰는 간단한 집. ¶～で泊まる 방갈로에서 묵다.

***はんかん【反感】** 名 반감. ¶～を持つ〔いだく〕 반감을 가지다〔품다〕 / ～をそそる 반감을 돋우다.

―を買う 반감을 사다. ¶世間の～ 세상의 반감을 사다.

ばんかん【万感】 名 만감. ¶～胸に迫る 만감이 가슴에 복받치다.

―交到る 만감이 교차하다.

はんかんはんみん【半官半民】 名 반관반민. ¶～の会社 반관반민의 회사.

はんがんびいき【判官びいき】《判官贔屓》 名 제삼자가 약자·패자를 동정함. ＝ほうがんびいき.

はんき【半期】 名 반기. **1** 한 기간의 반. **2** 반년. ¶上〔下〕～ 상〔하〕반기 / ～ごとに決算する 반기마다 결산하다.

はんき【半旗】 名 반기; 조기(弔旗). ¶～を掲げて弔意をあらわす 반기를 게양하여 조의를 표하다.

はんき【反旗】 名 반기.

―を翻す 반기를 들다; 모반하다.

はんぎ【版木·板木】 名 판목; 인쇄하기 위하여 문자나 그림을 새긴 나무 판자. ¶～師 판목장이.

ばんき【晩期】 名 만기. **1** 말기. ¶～資本主義 말기〔후기〕 자본주의. **2** 만년의 시기; 늘그막. ¶～になって成功した 늘그막에 성공했다.

はんぎご【反義語】 名 ☞はんいご.

はんぎゃく【反逆】《叛逆》 名ス自 반역. ＝むほん. ¶～罪 반역죄 / ～者 반역자 / ～をくわだてる 반역을 꾀하다.

―じ【―児】 名 반역아. ¶政界の～ 정계의 반역아.

はんきゅう【半球】 名〘地〙 반구. ¶北～ 북반구 / 東～ 동반구.

はんきょう【反共】 名 반공. ¶～勢力 반공 세력 / ～同盟 반공 동맹 / ～政権 반공 정권. ↔容共.

***はんきょう【反響】** 名ス自 반향; 메아리. ¶～を呼ぶ 반향을 일으키다 / 多大の〔意外な〕～を呼び起こす 다대한〔의외의〕 반향을 불러일으키다 / 歌声が建物の中に～する 노랫소리가 건물 안에 메아리치다.

はんきょうらん【半狂乱】 名 반 미침; 반미치광이. ¶～になって 반미치광이가 되어.

ばんきん【板金】 名 (양철 따위의) 판금. ＝いたがね. ¶～工場 판금 공장.

ばんきん【万鈞】 名 매우 무거움. ¶～の重み 만근의 무게; 대단한 무게. 参考 '鈞'은 30근 무게.

はんく【半句】 名 반구. **1** 한 구절의 반. **2** 적은 말. ¶一言～ 일언반구.

バンク [bank] 名 뱅크; 은행. ¶アイ～ 안구(眼球) 은행 / データ～ 데이터 뱅크; 정보은행.

―カード [bank card] 名 뱅크 카드; 은행에서 발행한 신용 카드.

―チェック [bank check] 名 뱅크 체크; 은행 발행 수표.

***パンク** [←puncture] 名ス自 빵꾸; 펑크. **1** 타이어에 구멍이 남. ¶～を直す 펑크를 때우다 / タイヤが～する 타이어가 펑크 나다. **2** 물건이 부풀어 터짐. ¶風船が～する 풍선이 터지다 / お腹が～しそうだ 배가 터질 것 같다. **3**〈俗〉 출산; 분만. ¶女房が～しそうだ 마누라가 곧 애를 낳을 것 같다. **4**〈俗〉 파산; 기능 마비. ¶～寸前の財政 파산 직전의 재정 / 回線が～した 회선이 폭주하여 통화 불능이 되었다.

ハンググライダー [hang glider] 名 행글라이더. ¶～飛行 행글라이더 비행.

***ばんぐみ【番組】** 名 (경기·연예·방송 등의) 프로(그램). ＝プログラム. ¶～表 프로그램표 / 放送～ 방송 프로 / スポ

ーツ～ 스포츠 프로그램.

ハングリー [hungry] 名ナ 헝그리; 배고픔. ¶～(な)精神(せいしん) 헝그리 정신.

ースポーツ [일 hungry＋sports] 名 헝그리 스포츠; 역경에서 얻은 강한 정신력이 요구되는 스포츠《권투 등》.

ハングル [한 한글] 名 한글.

ばんくるわせ【番狂わせ】名 (경기 따위가) 예상외의 결과가 됨. ¶～が起(お)こる 예상외의 결과가 일어나다.

はんぐん【反軍】名 반군. **1** 군부·군국주의·전쟁에 반대함. ¶～思想(しそう) 반군〔반전〕 사상. **2** 반란군. ¶官庁(かんちょう)は～が占領(せんりょう)した 관청은 반란군이 점령했다.

***はんけい**【半径】名 반경; 반지름. ¶～五(ご)センチの円(えん) 반경 5cm의 원 / 行動(こうどう)～ 행동 반경.

はんげき【反撃】名ス自 반격. ＝反攻(はんこう). ¶～に会(あ)う 반격을 당하다 / ～に転(てん)じる〔出(で)る〕 반격으로 전환하다〔나오다〕 / ～をかわす 반격을 피하다 / 反証(はんしょう)をあげて～する 반증을 들어 반격하다.

ハンケチ 名 ☞ハンカチ.

****はんけつ**【判決】名ス他 판결. ¶～例(れい) 판결례; 판례 / ～文(ぶん) 판결문 / ～が下(くだ)る 판결이 내리다 / 公平(こうへい)な～を下(くだ)す 공평한 판결을 내리다 / ～を言(い)い渡(わた)す〔覆(くつがえ)す〕 판결을 선고〔번복〕하다.

ーしょ【ー書】名 판결서; 판결문. 参考 법조계에서는 관행적으로 'はんけつがき'라고 함.

はんげつ【半月】名 반월; 반달; 반달 모양; 한달의 반. ¶～形(がた)の 반달 모양의 / 大根(だいこん)を～に切(き)る 무를 반달 모양으로 자르다 / ～が空(そら)にかかっている 반달이 공중에 걸려 있다.

はんけん【半券】名 반권; 물건을 맡기거나 요금을 받았을 때 증표로 반을 찢어 주는 표.

はんけん【版権】名 판권. ＝出版権(しゅっぱんけん). ¶～取得(しゅとく) 판권 취득 / ～を譲(ゆず)る 판권을 양도하다.

はんげん【半減】名ス自他 반감. ¶興味(きょうみ)が～する 흥미가 반감하다.

ばんけん【番犬】名 번견; 경비견. ¶～を飼(か)う 번견을 기르다 / これは～にいい犬(いぬ)だ 이것은 번견으로 좋은 개다.

はんこ【判こ】《判子》名 〈俗〉 도장. ＝印判(いんばん). ¶～を捺(お)す 도장을 찍다 / ～を作(つく)る 도장을 만들다.

ーで押(お)したよう ☞はん(判)でおしたよう.

はんご【反語】名 반어. **1** 의문을 제기하여 반대의 뜻을 단정적으로 표현하는 방식. ¶～法(ほう) 반어법 / 好(この)んで～を使(つか)う 즐겨 반어를 쓰다. **2** 아이러니; 비꼼. ¶～に聞(き)こえる言(い)いかた 비꼬는 듯한 말투.

ばんこ【万古】名 만고; 영원.

ーふえき【ー不易】名 만고불역. ¶～の真理(しんり) 만고불역의 진리.

パンこ【パン粉】《麵麭粉》名 **1** 빵의 원료가 되는 밀가루. **2** 빵가루. ▷포 pão.

***はんこう**【反抗】名ス自 반항. ¶～期(き) 반항기 / ～心(しん) 반항심 / 親(おや)に～する 부모에게 반항하다.

ーてき【ー的】ダナ 반항적. ¶～な態度(たいど) 반항적인 태도.

はんこう【反攻】名ス自 반공; 반격. ＝反撃(はんげき). ¶～作戦(さくせん) 반격 작전 / ～に転(てん)ずる 반격으로 전환하다 / 果敢(かかん)に～する 과감하게 반격하다.

***はんこう**【犯行】名 범행. ¶～が発覚(はっかく)される 범행이 발각되다 / ～を認(みと)める〔自供(じきょう)する〕 범행을 인정〔자백〕하다 / ～の現場(げんば)をおさえる 범행 현장을 덮치다 / ～を重(かさ)ねる 범행을 거듭하다 / ～に及(およ)ぶ 범행을 저지르게 되다.

はんごう [飯盒] 名 반합. ¶～で飯(めし)を炊(た)く 반합으로 밥을 짓다.

ばんこう【蛮行】名 만행. ¶友(とも)の～に憤慨(ふんがい)する 친구의 만행에 분개하다.

****ばんごう**【番号】名 번호. ¶電話(でんわ)～ 전화 번호 / ～順(じゅん)に並(なら)べる 번호순으로 늘어 놓다 / ～を付(つ)ける〔打(う)つ〕 번호를 매기다.

はんコート【半コート】名 반코트. ▷coat.

はんこく【板刻·版刻】名ス他 판각; 판목에 서화를 새김; 서적으로 출판함. ¶経書(けいしょ)を～する 경서를 판각하다.

ばんこく【万国】名 만국. ¶～共通(きょうつう) 만국 공통 / ～地図(ちず) 만국 지도.

ーき【ー旗】名 만국기. ＝ばんこっき.

ーはくらんかい【ー博覧会】名 만국 박람회. ＝万博(ばんぱく)·万国博(ばんこくはく)·エキスポ·エクスポ.

はんこつ【反骨】名 반골; 부당한 권세에 반항하는 기골〔기개〕. ¶～の士(し) 반골 인사 / ～精神(せいしん) 반골 정신.

ばんごはん【晩御飯】名 저녁 식사《夕食(ゆうしょく)의 다소 공손한 표현》. ＝夕御飯(ゆうごはん).

ばんごや【番小屋】名 파수막; 초소.

はんごろし【半殺し】名 반죽음. ¶～の目(め)に合(あ)う 반죽음당하다 / 相手(あいて)を～にする 상대를 반죽음이 되게 하다.

ばんこん【晩婚】名 만혼. ¶～の夫婦(ふうふ) 만혼(의) 부부. ↔早婚(そうこん).

はんさ [煩瑣] 名ダナ 번쇄; 너무 잘고 번거로움. ＝煩雑(はんざつ). ¶～な儀礼(ぎれい)〔手続(てつづ)き〕 번거로운 의례〔절차〕.

***はんざい**【犯罪】名 범죄. ¶～者(しゃ) 범죄자 / 悪質(あくしつ)な～ 악질적인 범죄 / ～を犯(おか)す 범죄를 저지르다 / ～や暴力(ぼうりょく)がはびこる 범죄와 폭력이 판치다.

ばんざい【万歳】만세. 一名ス自 **1** 언제까지나 살아서 번영하는 일. ＝ばんせい. ¶千秋(せんしゅう)～ 천추 만세 / ～三唱(さんしょう) 만세 삼창 / 聖寿(せいじゅ)の～を祝(いわ)う 성수 무강을 축원하다. **2** 〈俗〉 두 손 들기; 속수무책; 끝장. ＝お手(て)あげ. ¶～だよ 끝장이야; 두 손 들었어 / もう～するよりしようがない 이제 두 손 들 수 밖에 도리가 없다. 二感 축복하여 외치는 말. ¶国王陛下(こくおうへいか)～ 국왕 폐하 만세.

はんさく【半作】名 반타작《수확량이 평년의 반밖에 안 됨》. ¶今年(ことし)の米(こめ)は～

だ 금년 벼(농사)는 반타작이다.

ばんさく【万策】图 온갖 계책. ¶~尽きる 백계(百計)가 다하다/~を講じる 모든 수단을 강구하다.

*__はんざつ__【煩雑】图ダナ 번잡; 번거롭고 복잡함. ¶~な仕事〔手続き, 家事〕 번거로운 일〔절차, 가사〕/~をさける 번잡을 피하다.

*__はんざつ__【繁雑】图ダナ 번잡; 일이 많고 번거로움. ¶~な業務 번잡한 업무/ますます~になる 더욱 번잡해지다.

ハンサム [handsome] ダナ 핸섬; 미남임. =おとこまえ. ¶~ボーイ 핸섬 보이; 미남자/~な若者 핸섬한 젊은이.

はんさよう【反作用】图 반작용. ¶~の原理 반작용의 원리/~を及ぼす 반작용을 미치다. ↔作用.

ばんさん [晩餐] 图 만찬. ¶~会 만찬회/~に招く 만찬에 초대하다/~に招かれる 만찬에 초대받다.

はんし【半紙】图 반지《주로 붓글씨를 연습하는 일본 종이》. ¶習字用の~ 습자용의 반지. 参考 본디, 가로로 긴 종이를 좌우로 2등분한 종이의 뜻.

はんし【半死】图 반사. **1** 반죽음. ¶~の病人 다 죽어가는 환자. **2** 남은 목숨이 얼마 안 됨. ¶~の老人 여명이 얼마 남지 않은 노인.

—はんしょう【—半生】图 반생반사; 빈사(瀕死). ¶~の目にあう 거의 죽을 변을 당하다; 빈사의 지경에 이르다.

はんし【藩士】图 제후(諸侯)에 속하는 무사. =藩臣.

はんじ【判事】图 판사. ¶裁判所の~ 법원의 판사/予審~ 예심 판사.

ばんし【万死】图 **1** 도저히 살 길이 없음. **2** 목숨을 던짐.

—に値する 몇 번 죽어도 갚을 길이 없을 만큼 죄가 무겁다. ¶罪, ~ 지은 죄가 몇 번 죽어도 마땅하리만큼 무겁다.

—に一生を得る 구사일생하다.

—を冒して進む 죽음을 무릅쓰고 나아가다.

—を恐れず 죽음을 두려워하지 않다. ¶~突き進む 죽음을 두려워하지 않고 돌진하다.

*__ばんじ__【万事】图 만사. ¶~オーケー 만사 오케이/~を切り回す 만사를 잘 꾸려나가다/~思い通りになる 만사가 뜻대로 되다.

—休す 만사휴의; 만사가 끝났다; 이제 다 틀렸다.

パンジー [pansy] 图《植》 팬지.

はんした【版下】图 **1** 판목(版木)을 뜨기 위한 밑글씨. **2** (철판(凸版)·망판(網版) 등의) 제판용 정서(淨書) 원고.

はんじもの【判じ物】图 문자나 그림 속의 어떤 숨은 뜻을 알아맞히기; 수수께끼; 퀴즈. ¶ごたごた書かれていてまるで~だ 어지럽게 그려져 있어 마치 수수께끼 같다.

⁑__はんしゃ__【反射】图ス自他 반사. ¶条件~ 조건 반사/光が鏡に~する 빛이 거울에 반사하다/窓ガラスの~がまぶしい 창 유리의 반사가 눈부시다.

—きょう【—鏡】图 반사경.

—てき【—的】ダナ 반사적. ¶~にとびおきる 반사적으로 벌떡 일어나다.

ばんしゃく【晩酌】图ス自 만작; 저녁 반주. ¶~に一杯やる 저녁 반주로 한 잔 하다/毎日~する 매일 저녁 반주를 들다/~は三杯と決めている 저녁 반주는 석 잔으로 정해 놓고 있다.

ばんじゃく【盤石】《磐石》图 반석. **1** 큰 바위. =いわお·ばんせき. **2** 대단히 견고함. ¶~のごとき要塞 철통 같은 요새/~の備え 든든한 방비/~の意志〔構え〕 반석 같은 의지〔자세〕.

はんしゅ【藩主】图 藩의 영주(領主); 제후(諸侯). =大名·藩侯.

はんじゅ【半寿】图 81세의 축하《'半'은 '八十一'로 파자할 수 있는 데서》.

はんしゅう【半周】图ス他 반주; 주위의 반; 또, 반 바퀴 돎. ¶~二百メートル 반주 2백 미터/池を~する 연못을 반바퀴 돌다.

ばんしゅう【晩秋】图 만추; 늦가을. ↔初秋.

はんじゅく【半熟】图 반숙. ¶~の卵 반숙 달걀/~にする 반숙으로 하다.

ばんじゅく【晩熟】图 만숙; 보통보다 늦게 성숙함. =おくて. ↔早熟.

はんしゅつ【搬出】图ス他 반출. ¶荷物の~ 짐의 반출/展覧会場から絵を~する 전람회장에서 그림을 반출하다. ↔搬入.

ばんしゅん【晩春】图 만춘; 늦봄. ¶~の風景 만춘의 풍경. ↔初春.

ばんしょ【板書】图ス自他 판서; (교실에서) 칠판에 씀; 또, 그 쓴〔그린〕 것. ¶名詩を~する 명시를 판서하다.

はんしょう【半鐘】图 (화재 따위를 알리기 위해 망루 등에 매단 조그마한) 적종(吊鐘); 경종(警鐘). ¶~を打ち鳴らす 경종을 울리다〔치다〕.

はんしょう【半焼】图ス自 반소. ¶一棟は~した 한 채는 반소했다/納屋が~した 헛간이 반소되었다. ↔全焼.

はんしょう【反証】图ス他 반증. ¶~をあげる 반증을 들다/~を求める 반증을 구하다. ↔本証.

はんじょう【半畳】图 **1** 다다미의 반 장. **2** 옛날, 극장에서 관람자가 깔고 앉던 작은 방석. **3** 비난·야유의 말.

—を入れる〔打つ〕 (관람자가 깔고 앉던 방석을 무대로 집어던진 데서) 남의 언동을 비난하거나 야유하다.

*__はんじょう__【繁盛】《繁昌》图ス自 번성; 번창. ¶家内~ 가내 번창/店〔商売〕が~する 가게〔장사〕가 번창하다. 注意 본디는 '繁昌'.

ばんしょう【晩鐘】图 만종; 저녁종. =入相の鐘. ¶ミレーの~ 밀레의 만종. ↔暁鐘.

ばんしょう【万障】图 만장; 온갖 지장. ¶~を排して 만사를 무릅쓰고/~繰

り合わせて 만사를 제쳐 놓고 / ～お繰り合わせのうえご出席ください 만사 제쳐 놓고 왕림해 주십시오.

ばんじょう【万丈】图 만장《매우 높음의 형용》. ¶気炎～ 기염만장 / 波瀾～ 파란만장 / ～の山千仞の谷 매우 높은 산과 매우 깊은 골짜기 / ～の気を吐く 만장의 기염을 토하다.

ばんじょう【万状】图 만상; 갖가지 모양. ¶千態～ 천태만상.

バンジョー [banjo] 图〔樂〕 밴조.

はんしょく【繁殖】《蕃殖》图ス自 번식. ¶～期 번식기 / ～力が強い 번식력이 강하다 / ネズミはまたたくまに～する 쥐는 눈 깜짝할 사이에 번식한다.

パンしょく【パン食】《麵麭食》图 (주식으로) 빵을 먹음. ↔米食. ▷포 pão.

はん-じる【判じる】上1他 ☞はんずる.

はんしん【半身】图 반신. ¶～像 반신상 / 下～ 하반신 / 右～ 우반신 / ～の自由が利かない 반신을 마음대로 쓸 수 없다 / 窓から～を乗り出す 창문으로 상반신을 내밀다. ↔全身.

—ふずい【—不随】图 반신불수. ¶～になった 반신불수가 되었다.

はんしん [阪神] 图 大阪 시와 神戸 시 (사이의 지방). ¶～工業地帯 神戸·西宮·大阪를 중심으로 한 일본 4대 공업 지대의 하나.

はんしんはんぎ【半信半疑】图 반신반의. ¶～で聞く 반신반의하며 듣다 / ～の面持ち 반신반의하는 표정 / まだ～の態だ 아직도 반신반의의 상태이다.

はんすい【半睡】图 반수; 꾸벅꾸벅 조는 일. ¶～状態 반수 상태 / ～半覚 반수반각; 비몽사몽(非夢似夢).

—はんせい [—半醒] 图 반수반성.

はんすう [反芻] 图ス他 반추. **1** 되새김. ¶～動物 반추 동물 / ～胃 반추위; 되새김 밥통. **2** 전하여, 되새겨 음미함. ¶教訓を～する 교훈을 되새겨 음미하다 / 師の忠告を～する 소승의 충고를 되새기다.

はんすう【半数】图 반수. ¶過～ 과반수 / ～交替 반수 교대 / ～を越す 반수를 넘다. ↔全数.

ハンスト 图 'ハンガーストライキ(=단식 투쟁)'의 준말. ¶～に突入する 단식 투쟁에 들어가다.

パンスト 图 'パンティーストッキング(=팬티 스타킹)'의 준말.

はんズボン【半ズボン】图 반바지. ¶～をはく 반바지를 입다. ↔長ズボン. ▷프 jupon.

*__はん-する__【反する】サ変自 **1** 어그러지다; 반하다. ¶予期に～·して 기대에 반해서. **2** 위반되다; 어긋나다. ¶規則に～ 규칙에 위반되다 / 期待に～ 기대에 어긋나다 / 利害が相～ 이해가 상반되다.

はん-ずる【判ずる】サ変他 **1** 분별하다; 판단하다. ¶事の善悪を～ 일의 선악을 판단하다 / 合否を～ 합격 여부를 판정하다. **2** 추측하다; 헤아리다. ¶手紙から～に 편지로 미루어 보건대.

*__はんせい__【反省】图ス他 반성. ¶～を促す 반성을 촉구하다 / ～が足りない 반성이 모자라다 / 今日一日を～する 오늘 하루를 반성하다 / ～の色が見えない 반성하는 기색이 보이지 않다.

はんせい【半生】图 반생. **1** 생애의 반. ¶後～ 후반생 / ～をふりかえる (지난) 반생을 돌이켜 보다 / 教育に～を捧げる 교육에 반생을 바치다. **2** 거의 죽어감. =はんしょう·半死.

ばんせい【晩成】图ス自〈文〉 만성. ¶～型の人 만성형인 사람 / 大器～ 대기만성. ↔早成.

ばんせい【万世】图 만세; 만대; 영구. ¶～不朽 만세불후 / ～に伝わる 만세에 전해지다.

—いっけい【—一系】图 만세일계《같은 계통·혈통이 영속됨》. 參考 일본인이 그 황실에 대해서 이르는 말.

ばんせい【蛮声】图 거칠고 사나운 소리. ¶～を張り上げる 거칠고 사나운 소리를 지르다.

はんせいひん【半製品】图 반제품. ¶～を納める〔輸出する〕 반제품을 납품〔수출〕하다. ↔精製品.

はんせき【犯跡】图 범적; 범죄의 자취. ¶～をくらます 범적을 감추다.

はんせん【反戦】图 반전. ¶～思想 반전 사상 / ～運動 반전 운동 / ～を叫ぶ 반전을 부르짖다. ↔主戦.

はんせん【帆船】图 범선; 돛배. =ほかけぶね·ほぶね·ほまえぶね. ¶三本マストの～ 세대박이; 삼대선(船).

はんぜん【判然】トタル ス自 판연. ¶～たる証拠 판연한 증거 / 論旨が～としない 논지가 판연하지 않다 / なぜそうなったのか理由が～としない 왜 그렇게 된 건지 이유가 분명하지 않다.

ばんせん【番線】图 번선. **1** 굵기에 따라 붙인 철사의 번호. ¶八～で, さくを結う 8번선으로 울짱을 엮다. **2** 역(驛)에서, 번호를 붙인 플랫폼 쪽의 선로. ¶三～から東京行き発車 3번선에서 東京행 발차.

ばんぜん【万全】图 만전. ¶～の処置 만전의 조치 / ～を期する 만전을 기하다 / ～の策を講ずる 만전의 대책을 강구하다 / 試合の前に体調を～に整える 경기 전에 컨디션을 완전히 조절하다.

ハンセンびょう【ハンセン病】图 한센병; 나병; 문둥병《'癩病'의 고친 이름》. =レプラ. ▷Hansen.

はんそう【帆走】图ス自 범주. ¶近海を～する 근해를 범주하다.

はんそう【搬送】图ス他 반송. ¶加工と～ 가공과 반송 / 貨物〔コンテナ〕を～する 화물을〔컨테이너를〕 반송하다.

ばんそう【伴奏】图ス自 반주. ¶～者

반주자 / ピアノで～する 피아노로 반주하다 / 先生(せんせい)のオルガン～で合唱(がっしょう)する 선생님의 오르간 반주로 합창하다 / ～なしで歌(うた)う 반주 없이 노래하다.

ばんそう【伴走】图[ス自] 반주; (주자 곁에서) 같이 따라 달림. ¶～車(しゃ) 반주차 / 駅伝(えきでん)の～ 역전 경주의 반주.

ばんそうこう〖絆創膏〗图 반창고. ¶～を貼(は)り傷口(きずぐち)を保護(ほご)する 반창고를 붙여 상처를 보호하다.

はんそく【反則】《犯則》图[ス自] 반칙; 범칙. ¶～負(ま)け 반칙패 / ～金(きん) (교통) 범칙금 / ～をおかす 반칙을 범하다 / 君(きみ)の行為(こうい)は～だ 너의 행위는 반칙이다.

はんぞく【反俗】图 반속; 세상의, 일반적인 방식·가치관에 따르지 않음. ¶～的(てき) 반속적 / ～精神(せいしん) 반속 정신.

はんそで【半そで】《半袖》图 반소매. ¶～のシャツ 반소매 셔츠. ↔長(なが)そで.

はんだ〖半田〗图 땜납. ＝しろめ. ¶～ごて 납땜 인두.

―づけ【―付け】图 납땜. ¶～する 납땜하다.

パンダ [panda] 图〖動〗판다《히말라야에서 중국에 걸친 산속에 사는 작은 곰만한 크기의 짐승》. ＝熊猫(くまねこ).

ハンター [hunter] 图 헌터; 수렵가; 비유적으로, 무엇을 노리고 찾아다니는 사람. ¶ラブ〔ブック〕～ 러브〔북〕헌터.

⁑はんたい【反対】반대. [一]图[ダナ] 어떤 사물과의 대립 관계에 있음. ＝あべこべ·さかさま. ¶～意見(いけん) 반대 의견 / 暑(あつ)いの～は寒(さむ)い 덥다의 반대는 춥다 / 男(おとこ)の～は女(おんな) 남자의 반대는 여자 / 道(みち)の～側(がわ) 길의 반대쪽 / 上下(じょうげ)が～になる 위아래가 반대로 되다 / ～をとなえる 반대를 외치다 / 事実(じじつ)はその～だ 사실은 그 반대다 / 兄(あに)と(は)～に弟(おとうと)はよく働(はたら)く 형과는 반대로 동생은 일을 잘한다. [二]图[ス自] 어떤 의견 등에 따르지 않고 거스름. ¶～のための～ 반대를 위한 반대 / こぞって〔真(ま)っ向(こう)から〕～する 모두가〔정면으로〕반대하다 / ～を押(お)し切(き)る 반대를 무릅쓰고 나아가다. ↔賛成(さんせい).

―きゅうふ【―給付】图 반대급부.

ばんだい【番台】图 목욕탕 등의 카운터; 또, 거기에 앉은 사람. ¶風呂屋(ふろや)の～ 목욕탕의 카운터 / ～に座(すわ)る 카운터에 앉다.

ばんだい【盤台】图 생선 장수가 쓰는 얕은 타원형의 대야. ＝はんだい.

―づら【―面】图 크고 넓적한 얼굴을 놀리는 말; 떡판 (얼굴).

ばんだい【万代】图 만대; 만세; 영구(永久). ¶偉業(いぎょう)が～に伝(つた)わる 위업이 만대에 전해지다.

―ふえき【―不易】图 만대불역. ＝万世(ばんせい)不易·千古(せんこ)不易. ¶～の摂理(せつり) 만대불역의 섭리.

はんたいせい【反体制】图 반체제. ¶～的(てき) 반체제적 / ～運動(うんどう) 반체제 운동.

はんだくおん【半濁音】图 반탁음《ぱ·ぴ·ぷ·ぺ·ぽ의 다섯 음》.

―ぷ【―符】图〖言〗☞はんだくてん.

はんだくてん【半濁点】图 반탁음을 나타내는 점《パ·ピ 따위의 '゜' 표》.

パンタグラフ [pantograph] 图 팬터그래프. **1** 전차나 전기 기관차의 지붕에 장치하여, 가선(架線)으로부터 전류를 도입하는 장치; 집전기(集電器). **2** 원도(原圖)를 임의의 크기로 확대·축소하여 그릴 수 있는 제도기. ＝パントグラフ.

バンタムきゅう【バンタム級】图 (권투에서) 밴텀급. ▷bantam.

パンタロン [프 pantalon] 图〖商標名〗판탈롱《아랫 부분이 나팔처럼 넓은 여성용 바지》. ¶～をはく 판탈롱을 입다.

⁑はんだん【判断】图[ス他] 판단. **1** 판정. ¶～力(りょく) 판단력 / とっさの～で 순간적인 판단으로 / 外見(がいけん)から～すると 외관으로 판단하면 / ～を下(くだ)す〔誤(あやま)る〕판단을 내리다〔그르치다〕/ ～を仰(あお)ぐ 판단을 청하다 / ～がつかない 판단이 서지 않다 / ～に迷(まよ)う 판단을 내리지 못하고 망설이다 / ～に苦(くる)しむ 판단하는 데 애먹다. **2** 점; 길흉의 판단. ¶姓名(せいめい)～ 성명 판단 / 身(み)の上(うえ)～ 신수점.

ばんたん【万端】图 만단; 만반; 갖가지의 형편·수단. ¶～の準備(じゅんび) 만단의 준비 / 用意(ようい)～整(ととの)った 모든 준비가 갖추어졌다.

はんち【半知】图 지식이 어중간함.

―はんかい【―半解】图 지식이나 이해력이 어중간하여 쓸모가 없음.

***ばんち**【番地】图 번지. ¶お宅(たく)は何(なん)～ですか 댁은 몇 번지입니까 / ～が違(ちが)う 번지가 틀리다. [参考] 지금은 '地番(ちばん)'이라고 함.

パンチ [punch] 펀치. [一]图[ス他] 차표나 종이에 구멍을 뚫음; 또, 그러한 가위나 기구. ¶切符(きっぷ)に～を入(い)れる 차표에 구멍을 뚫다《검표하다》/ データを～する 자료에 구멍을 뚫다. [二]图 (권투에서) 타격; 비유적으로, 십분의 효과; 박력. ¶～のきいた音楽(おんがく) 박력 있는 음악 / ～を食(く)わす 펀치를 먹이다 / ～をきかす 효과〔박력〕있게 하다.

ばんちゃ【番茶】图 질이 낮은 엽차.

―も出花(でばな) 질 낮은 엽차도 막 달인 것은 맛이 좋다《못생긴 여자도 한창때는 예뻐 보인다는 비유》. ＝鬼(おに)も十八(じゅうはち), 番茶も出花.

はんちゅう〖範疇〗图 범주. ＝カテゴリー. ¶美的(びてき)～ 미적 범주 / …の～にはいる …의 범주에 들다.

はんちょう【班長】图 반장. ¶～を決(き)める 반장을 정하다.

ばんちょう【晩潮】图 만조; 저녁에 들어오는 밀물.

ばんちょう【番長】图〈俗〉(교내의) 비행 소년·소녀 집단의 리더.

ハンチング [←hunting cap] 图 헌팅; 헌팅캡; 사냥 모자. ＝鳥打(とりう)ち帽(ぼう).

パンチング [punching] 图 (축구에서,

골키퍼의) 펀칭. ＝フィスティング.

パンツ [pants] 名 팬츠. **1** 남자·아동용의 바지. ¶～をはく 팬츠를 입다. **2** (경기용의) 짧은 바지. ¶トレーニング～ 트레이닝 팬츠《경기 연습용》/ランニング～ (경주용의) 러닝 팬츠/ジョギング～ 조깅 팬츠/海水(かいすい)～ 수영 팬츠.

はんつき【半月】名 반달; 보름. ¶～ごとに出(で)る雑誌(ざっし) 보름마다 나오는 잡지.

ばんづけ【番付】名 씨름에서, 씨름꾼의 순위를 기록한 표; 또, 그것을 모방하여 인명 등을 차례로 기록한 표. ¶長者(ちょうじゃ)～ 부호 순위표/～が上(あ)がる 지위〔순위〕가 올라가다/～にのる 순위표에 오르다/～がきまる 서열이 정해지다.

ハンデ 名 핸디《‘ハンディキャップ(＝핸디캡)’의 준말》. ＝ハンディ.

ばんて【番手】名 **1** 성을 지키는 무사. **2** 옛날, 싸움터에서 부대의 대오를 부르던 말. ¶一(いち)～ 선봉진. **3** 순번을 나타내는 말. ¶一(いち)～の選手(せんしゅ) 첫 번째 선수. **4** 번수; 실의 굵기를 나타내는 단위《840야드로 1파운드인 것을 ‘一番手(いちばんて)’라 하는데, 가늘수록 수가 커짐》. ¶六十(ろくじゅう)～ 60번수.

***はんてい**【判定】名 ス他 판정. ¶写真(しゃしん)～ 사진 판정/審判(しんぱん)の～ 심판의 판정/～を下(くだ)す 판정을 내리다/～が下(お)りる〔下(くだ)る〕 판정이 내리다.

―がち【―勝ち】名 판정승. ↔判定負(ま)け.

ハンディー [handy] ダナ 핸디; 간편하고 쓰기에 편리함; 손에 알맞음. ¶～な辞典(じてん)〔カメラ〕 간편하고 휴대하기에 알맞은 사전〔카메라〕.

パンティー [←panties] 名 (여성용) 팬티. ¶～をはく 팬티를 입다.

―ストッキング [일 panty＋stocking] 名 팬티 스타킹. ＝パンスト. ＊영어로는 pantyhose라고 함.

ハンディキャップ [handicap] 名 핸디캡. **1** 경기 등에서, 힘을 평균화하기 위하여 우수한 자에게 과하는 부담. ＝ハンデ(ィ). ¶～をつける〔負(お)う〕 핸디캡을 매기다〔지다〕. **2** (처음부터) 타에 비하여 불리한 조건. ¶～がつく 핸디캡이 붙다〔따르다〕/～をのりこえる 핸디캡을 이겨내다.

ハンティング [hunting] 名ス他 헌팅; (스포츠로서의) 수렵; 사냥.

はんてん〖半纏〗名 **1** 羽織(はおり) 비슷한 짧은 겉옷의 하나《깃을 뒤로 접지 않고 가슴의 옷고름 끈이 없음》. **2** ‘しるしばんてん(＝깃이나 등에 옥호나 가문(家紋) 따위의 표지를 날염한 작업복 웃도리)’. 注意 ‘半天’으로 씀은 취음.

はんてん【反転】名ス自他 반전. **1** 구름; 굴림. ¶マットの上(うえ)で～する 매트 위에서 구르다. **2** 뒤집힘; 뒤집음. ¶状況(じょうきょう)が～する 상황이 반전되다. **3** 진행하던 방향으로부터 반대 방향으로 방향이 바뀜〔방향을 바꿈〕. ¶機首(きしゅ)を～する 기수를 반전하다/～して敵(てき)の背後(はいご)をつく 되짚어 적의 배후를 찌르다.

はんてん【斑点】名 반점; 얼룩점. ＝まだら·ぶち. ¶白(しろ)い～が点在(てんざい)する 흰 반점이 점재하다/腕(うで)に赤(あか)い～ができる 팔에 붉은 반점이 생기다.

はんてん【飯店】名 반점; 중국 요리점. 参考 중국어로는 ‘호텔·여관’의 뜻.

はんと【反徒】《叛徒》名 반도; 반역도. ¶～討伐(とうばつ) 반도 토벌/～を鎮圧(ちんあつ)する 반도를 진압하다.

はんと【版図】名 판도; 영토. ¶～を広(ひろ)げる 판도를 넓히다/西域(せいいき)を～におさめる 서역을 판도에 편입하다.

ハンド [hand] 名 핸드; 손. ¶～クリーム 핸드 크림/～ローション 손에 바르는 로션/マジック～ 매직 핸드.

―バッグ [handbag] 名 핸드백. ¶～をかかえた女(おんな) 핸드백을 든 여자.

―ブック [handbook] 名 핸드북. **1** 편람; (여행) 안내서. **2** 휴대용 소형 책.

―ボール [handball] 名 핸드볼; 송구. ＝送球(そうきゅう).

―メード [handmade] 名 핸드메이드; 수공(품). ＝手製(てせい)·手作(てづく)り.

バント [bunt] 名ス自他 〖野〗 번트; 연타(軟打). ¶犠牲(ぎせい)～ 희생 번트/送(おく)り～ 보내기 번트/～を構(かま)える 번트 자세를 취하다/～して走者(そうしゃ)を走(はし)らせる 번트하여 주자를 진루하게 하다.

バンド [band] 名 밴드. **1** 양복의 허리띠. ＝ベルト. ¶～を締(し)める 밴드를 매다. **2** 줄; 끈. ¶ゴム～ 고무줄/ヘア～ 머리를 묶는 끈/ブック～ 책을 묶는 끈. **3** 취주악〔재즈〕 악단. ¶～マン 밴드맨; 악단원/ジャズ～ 재즈 밴드.

―マスター [bandmaster] 名 밴드마스터; 악단의 지휘자; 악장.

はんドア【半ドア】名 자동차 문이 충분히 닫히지 않은 상태. ¶～で走(はし)る 자동차 문을 덜 닫고 달리다. ▷door.

***はんとう**【半島】名 반도. ¶カムチャッカ～ 캄차카 반도.

はんとう【反騰】名ス自 반등; 내리던 시세가 반대로 오름. ¶～の気配(けはい)を示(しめ)す 반등할 기미를 보이다. ↔反落(はんらく).

***はんどう**【反動】名 반동. **1** 어떤 동작에 대한 반대 동작; 반발. ¶抑圧(よくあつ)への～ 억압에 대한 반발/バスが動(うご)き出(だ)す～でよろめく 버스가 움직이는 반동으로 비틀거리다. **2** 보수적 경향. ¶～分子(ぶんし) 반동 분자. **3**〖理〗반작용.

―てき【―的】ダナ 반동적. ¶～傾向(けいこう) 반동적 경향.

ばんとう【晩冬】名 만동. **1** 늦겨울. ↔初冬(しょとう). **2** 음력 12월의 딴 이름.

ばんとう【番頭】名 상가(商家)에서, 고용인의 우두머리; 상점의 지배인. ¶旅館(りょかん)の～ 여관의 지배인.

はんどうたい【半導体】名 〖理〗 반도체. ¶～素子(そし) 반도체 소자/～メモリー 반도체 메모리.

はんとうめい【半透明】名 반투명. ¶～体(たい) 반투명체.

はんとき【半時】图 반시; 옛날 12시로 나눈 한 시의 반((지금의 한 시간)); 전하여, 짧은 시간. ¶もう~の辛抱だ 이제 조금 더 참으면 된다 / 一時~を争う事態 분초를 다투는 사태.

はんどく【判読】图区他 판독. ¶~に苦しむ 판독하는 데 애를 먹다 / ~しがたい 판독하기 어렵다 / 古文書を~する 고문서를 판독하다.

はんとし【半年】图 반년. =はんねん. ¶~前 반년 전 / ~ごとに 반년마다.

パントマイム [pantomime] 图 팬터마임; 무언극(無言劇). =マイム·ミーム.

パンドラ [그 Pandora] 图 판도라; 그리스 신화에서, 신이 최초로 만든 여성.
—の箱 판도라의 상자((신이 모든 죄악과 재앙을 그 속에 넣어 판도라에게 주었다는 상자)).

ハンドリング [handling] 图 핸들링. **1** 축구에서, 공에 손을 대는 반칙 행위. =ハンド. **2** (자동차 등의) 핸들 조작. ¶巧みな~ 능숙한 핸들 조작.

***ハンドル** [handle] 图 핸들; 손잡이. ¶ドアの~ 문의 손잡이 / ~さばき 핸들 다루기 / ~を右に切る 핸들을 오른쪽으로 꺾다 / 自動車の~を握る 자동차의 핸들을 잡다 / (スリップして)~を取られる (미끄러져서) 핸들이 말을 안듣다.

はんドン【半ドン】图 **1** 오전만 근무하는 날. **2** 반공일; 토요일. ⇨ドンタク.

ばんなん【万難】图 만난; 온갖 고난.
—を排して 만난을 물리치고. ¶~行う 만난을 물리치고 행하다.

はんにえ【半煮え】图 반쯤 익음; 덜 익음. ¶~めし 덜 익은 밥.

はんにち【反日】图 반일. ¶~感情 반일 감정. ↔親日.

はんにち【半日】图 반일; 반날; 한나절. =はんじつ. ¶~勤務 반일 근무 / ~をつぶす 한나절을 허비하다 / ~がかりの仕事 한나절 걸리는 일.

はんにゃ [般若] 图 반야. **1**〖佛〗불법의 참다운 이치를 깨닫는 지혜. **2** 귀신처럼 무서운 얼굴을 한 여자; 또 그 탈.

はんにゅう【搬入】图区他 반입. ¶展覧会場に作品を~する 전람회장에 작품을 반입하다 / 出品物の~が始まる 출품물의 반입이 시작되다. ↔搬出.

***はんにん**【犯人】图 범인. **1** 범죄자. ¶~蔵匿罪 범인 은닉죄 / ~がつかまる 범인이 잡히다 / ~を突きとめる 범인을 밝혀내다. **2** 〈俗〉 못된 장난을 한 사람. ¶茶わんを割った~ 찻잔을 깬 놈.

ばんにん【番人】图 지키는[망 보는] 사람; 파수꾼. ¶~小屋 파수막 / 法の~ 법의 수호자 / 山小屋の~ 산막지기 / ~を置く 파수꾼을 두다.

ばんにん【万人】图 만인. =ばんじん. ¶~向き 만인에게 두루 맞음 / ~のみとめるところ 만인이 인정하는 바 / ~が納得する 만인이 납득하다.

はんにんまえ【半人まえ·半人前】图 반 사람 몫; 능력이 보통 사람의 반 정도뿐임. ¶何をやらしても~だ 무엇을 시켜도 보통 사람의 반 정도 밖에 못한다 / 腕はまだ~だ 솜씨는 아직 반거들충이다 / まだ~の見習いだ 아직 제몫을 못하는 견습생이다. ↔一人前.

はんね【半値】图 반값. ¶~で買う 반값으로 사다 / ~に負ける 반값으로 깎아 주다.

はんねり【半練り】图 말랑하게 반죽함; 또, 그렇게 한 것. ↔堅練り.

はんねん【半年】图 반년. =はんとし. ¶~分の家賃が滞る 반 년치의 집세가 밀리다.

ばんねん【晩年】图 만년. =老後. ¶おだやかな~を送る 평온한 만년을 보내다 / ~は不遇だった 만년은 불우했었다. 參考 죽은이의 생애에 관해서 회고할 때에 주로 씀. ↔早年.

***はんのう**【反応】图区自 반응. ¶生体[拒否]~ 생체[거부] 반응 / ~を起こす 반응을 일으키다 / すばやい~を示す 신속한 반응을 보이다 / 相手の~を見る 상대방의 반응을 보다 / しかってもぜんぜん~がない 야단을 쳐도 전혀 반응이 없다.

はんのう【半農】图 반농; 생업의 반(半)이 농업임. ↔全農.
—はんぎょ【—半漁】图 반농반어. ¶~の暮らし 농사 반 어업 반의 생계.

ばんのう【万能】图 만능. ¶~薬 만능약 / 黄金~の世の中 황금 만능의 세상 / ~選手 만능선수 / コンピューター~の時代 컴퓨터 만능 시대.

はんのき〖榛の木〗图〖植〗오리나무.

はんば【飯場】图 토목 공사나 광산 등의 현장에 있는 노무자 합숙소.

***はんぱ**【半端】图ナ **1** 전부가 갖춰지지 않음; 또, 그 물건; 불완전함; 불완전한 것; 단수(端數); 끝수; 우수리. ¶~な数 다 차지 않은 수 / ~な布 자투리; 조각 천 / ~が出る 끄트러기가 생기다 / その品は~では売れません 그 물건은 나누어 팔 수 없습니다 / ~を切り捨てる 끝 수를 떼어 버리다. **2** 어중간함. =中途半端. ¶~な位置 어중간한 위치 / ~な考え 어지빠른 생각. **3** 똑똑지 못함; 반편이; 바사기; 멍청이. =まぬけ. ¶~な人 반편이 같은 사람.
—もの【—者】图 반편이; 반병신.
—もの【—物】图 개수가 모자라는 물건; 끄트러기.

ばんぱ【万波】图 만파; 한없이 이는 파도. ¶千波~ 천파만파.

バンパー [미 bumper] 图 범퍼; 자동차 등의 완충기. =バンバー. ¶事故で~がへこんだ 사고로 범퍼가 찌그러졌다.

ハンバーガー [미 hamburger] 图 햄버거. **1** 햄버그를 둥근 빵에 물린 샌드위치. **2** ☞ハンバーグ.

ハンバーグ [名] 햄버그(('ハンバーグステーキ'의 준말)).
—ステーキ [Hamburg steak] [名] 햄버그 스테이크. =ハンバーグ.
はんばい【販売】[名][ス他] 판매. ¶~網(もう) 판매망/~促進(そくしん) 판매 촉진/商品(しょうひん)~ 상품 판매/一手(ひとて)~ 독점 판매/自動(じどう)~機(き) 자동 판매기; 자판기/古本(ふるほん)を~する 헌책을 판매하다.
バンパイア [vampire] [名] 뱀파이어; 흡혈귀.
はんばく[反駁] [名][ス自他] 반박. =はんぱく. ¶激(はげ)しい~に合(あ)う 심한 반박을 당하다/非難(ひなん)に~する 비난에 반박하다/猛烈(もうれつ)な~を加(くわ)える 맹렬한 반박을 가하다.
はんぱく【半白】((斑白)) [名] 반백. =ごましお. ¶~の頭髪(とうはつ) 반백의 머리털/~の紳士(しんし) 반백의 신사.
はんぱく【半泊】[名] 반박; 저녁부터 밤중까지 또는 밤중부터 아침까지 숙박하는 일. ¶~料金(りょうきん) 반박 요금.
ばんぱく【万博】[名] '万国(ばんこく)博覧会(はくらんかい)(=만국 박람회)'의 준말.
*__はんぱつ【反発】__((反撥)) [名][ス自他] 반발. **1** 되받아서 튀겨짐[튀김]. ¶~力(りょく)が強(つよ)い 반발력이 세다. **2** (받은 말·행동에 대해) 지지 않고 반항함. ¶~を感(かん)ずる 반발을 느끼다/非難(ひなん)を~する 비난을 반박하다. **3** 내린 시세가 다시 오름; 반등. ¶~気味(ぎみ) 반등 기미. ↔反落(はんらく).
[注意] '反発'로 씀은 대용 한자.
—てき【—的】[ダナ] 반발적. ¶~な態度(たいど) 반발적인 태도.
はんはん【半半】[名] 반반. =五分五分(ごぶごぶ). ¶~に分(わ)ける 반반으로 나누다/塩(しお)と砂糖(さとう)を~に入(い)れる 소금과 설탕을 반반씩 넣다/賛成(さんせい)と反対(はんたい)が~だ 찬성과 반대가 반반이다.
ばんばん [副] 어떤 일을 기세 좋게 많이 하는 모양: 펑펑; 퍽퍽; 척척. ¶~買(か)いまくる 척척 사들이다.
ばんばん【万万】[副] **1** 모두; 죄다; 충분히. ¶それは~承知(しょうち)している 그것은 익히 알고 있다/お目(め)にかかって~申(もう)し上(あ)げます 만나 뵈옵고 죄다 말씀 드리겠습니다. **2** ((뒤에 否定語를 수반하여)) 결코; 절대로; 만에 하나라도. ¶そんなことは~あるまい 그런 일은 절대로 없을 것이다/~手(て)ぬかりはあるまい 만에 하나 소홀함은 없겠지.
ばんぱん【万般】[名] 만반. =百般(ひゃっぱん). ¶~の準備(じゅんび)を整(ととの)える 만반의 준비를 갖추다/政治(せいじ)に関(かん)する~の問題(もんだい) 정치에 관한 만반의 문제.
ぱんぱん [副] **1** 물건을 두드릴 때 나는 소리: 탁탁; 팍팍. **2** 물건이 연달아 터지는 소리: 빵빵. **3** 물건이 터질 듯이 부풀어 있는 모양: 땡땡; 탱탱; 띵띵. ¶おなかが~にふくれる 배가 띵띵하게 부르다.
パンパン [名] 〈俗〉 가창(街娼); 매춘부. =パン助(すけ). ¶~ガール 가창/~を取(と)り締(し)まる 가두 매춘 행위를 단속하다.
[参考] 2차 대전 직후 유행한 말.
ばんばんざい【万万歳】[名] 만만세(('万歳(ばんざい)(=만세)'의 힘줌말)). ¶国(くに)の~を祈(いの)る 나라의 만만세를 빌다.
はんびらき【半開き】[名] 반개. **1** 반쯤 열려 있음; 반쯤 엶. ¶~の窓(まど) 반쯤 열린 창/口(くち)を~にする 입을 반쯤 벌리다/戸(と)が~になっている 문이 반쯤 열려 있다. **2** 반쯤 핌. ¶桜(さくら)が~だろう 벚꽃이 반쯤 피었을 것이다.
*__はんぴれい【反比例】__[名][ス自] 반비례; 역비례. ¶速度(そくど)と時間(じかん)は~する 속도와 시간은 반비례한다. ↔正比例(せいひれい).
はんぷ【頒布】[名][ス他] 반포; 배포. =配布(はいふ). ¶実費(じっぴ)~ 실비 배부/会報(かいほう)を~する 회보를 배포하다.
パンフ [名] 'パンフレット'의 준말.
*__はんぷく【反復】__[名][ス他] 반복. ¶~練習(れんしゅう) 반복 연습/~して覚(おぼ)える 반복해서 외다.
*__はんぷく【反覆】__[名][ス自他] 반복. **1** 본디로 돌림[돌아감]. **2** 뒤집음; 또, 뒤집힘. **3** 변심; 배반. ¶表裏(ひょうり)~ 표리 반복. **4** ☞はんぷく(反復).
はんぷく【半腹】[名] 반복; (산의) 중턱; 중복. ¶~に登(のぼ)る 산중턱에 오르다.
ばんぷく【万福】[名] 만복; 복이 많음. =まんぷく. ¶貴家(きか)の~を祈(いの)ります 귀댁의 만복을 빕니다.
パンプス [pumps] [名] 펌프스; 끈이나 고리가 없는 뒷굽이 높은 여성화.
ばんぶつ【万物】[名] 만물. ¶天地(てんち)~ 천지 만물/~は皆(みな)流転(るてん)する 만물은 모두 유전한다.
—の霊長(れいちょう) 만물의 영장. ¶人(ひと)は~である 사람은 만물의 영장이다.
バンブラン [프 vin blanc] [名] 뱅블랑; 백(白)포도주.
ハンブル [fumble] [名][ス自] 〖野〗 펌블; 공을 잡으려다 놓침. =ジャッグル·お手玉(てだま)·ファンブル.
パンフレット [pamphlet] [名] 팸플릿. =パンフ. ¶~を配(くば)る 팸플릿을 돌리다.
__はんぶん【半分】__[名] **1 반분; 반. =なかば. ¶りんごを~ずつ分(わ)けてやる 사과를 반쪽씩 나누어 주다/窓(まど)が~開(あ)いている 창문이 반쯤 열려 있다. **2** ((名詞 뒤에 붙여)) 반 …삼아. ¶じょうだん~(に) 반 농담으로/いたずら~(に) 반 장난으로.
はんぶんじょくれい [繁文縟礼] [名] 번문욕례((규칙이나 예법이 까다롭고 번거로움)). =繁縟(はんじょく). ¶役所(やくしょ)の~を廃(はい)する 관청의 번문욕례를 폐지하다.
はんべい【反米】[名] 반미. ¶~闘争(とうそう) 반미 투쟁/~感情(かんじょう) 반미 감정.
ばんぺい【番兵】[名] 초병; 파수병. ¶~を置(お)く 초병을 두다/~に立(た)つ 보초를 서다.
はんべそ【半べそ】[名] (아이가) 거의 울상이 됨. ¶~をかく 거의 울상이 되다.
はんべつ【判別】[名][ス他] 판별; 식별; 분

간. ¶ひなの雌雄の～ 병아리의 암수 감별 / 暗くて～がつかない 어두워서 판별할 수 없다 / 善悪を～する 선악을 판별하다.

はんぺん〖半平·半片〗名 다진 생선 살에 마 등을 갈아 넣고 반달형으로 쪄서 굳힌 식품. ＝はんぺい.

はんぼいん【半母音】名 반모음. ＝接近音.

はんぼう【繁忙·煩忙】名ダ 번망; 다망. ＝多忙. ¶御～の折 번망하신 때 / ～をきわめる 바쁘기 이를 데 없다.

ばんぽう【万邦】名 만방. ＝万国·まんぽう. ¶～共栄 만방 공영 / ～に類のない 만방에 유례가 없는.

はんぽん【版本·板本】名 판본; 판각본. ＝木版本·刻本. ↔写本.

はんま【半間】名ダナ〈俗〉**1** 온전하지 못함. ＝はんぱ. ¶仕事を～にする 일을 시원찮게 하다. **2** 멍청함; 얼간이. ＝まぬけ·とんま. ¶～なやつ 멍청한 놈.

ハンマー [hammer] 名 해머. **1** 쇠망치. **2** 육상 경기의 해머 던지기용의 운동구.

―なげ【―投げ】名 해머 던지기; 투(投)해머.

はんみ【半身】名 **1** (씨름·검도 등에서) 상대방에 대해 몸을 비스듬히 잡는 자세. ¶～に構える 자세를 비스듬히 취하다. **2** 반으로 가른 생선의 그 한 쪽《다른 한 쪽에는 뼈가 있음》.

はんみち【半道】名 **1** 오리(五里). ＝半里. ¶～を二十分で歩く 5리를 20분에 걷다. **2** 도정(道程)의 반. ¶これで～ほど来た 이제 반쯤 왔다.

ばんみん【万民】名 만민; 모든 사람〔국민〕. ¶天下～ 천하 만민 / ～その堵に安んず 만민이 편안히 생활하다.

=ばんめ【番目】 순서를 나타내는 말: …번째. ¶右から三～の人 오른쪽에서 세 번째 사람.

はんめい【判明】名ス自 판명; 밝혀짐. ¶～した所によると 밝혀진 바에 의하면 / 行方が～する 행방이 판명되다.

ばんめし【晩飯】名 저녁밥; 저녁 식사. ¶外で～を食べる 밖에서 저녁 식사를 하다. ↔朝飯·昼飯.

はんめん【半面】名 반면. **1** 얼굴의 반. ¶～像 반면상. **2** 사물의 일면(一面). ¶～の真理 반면의 진리. **3** 다른 한 쪽 면. ¶その～では 그 다른 한 면에서는.

はんめん【反面】반면. ㊀名 반대의 면. ¶その～において 그 반면에 있어서. ㊁副 다른 면에서는; 한편. ¶～, 欠点もないではない 한편, 결점도 없지는 않다 / それは便利な～, こわれやすい欠点もある 그것은 편리한 반면, 부서지기 쉬운 결점도 있다.

―きょうし【―教師】名 반면교사; (배워서는 안되는) 나쁜 본보기. ＝悪例. 参考 중국의 마오쩌둥(毛澤東)의 말에서 나온 말.

ばんめん【盤面】名 반면. **1** 장기〔바둑, 레코드〕판의 표면. **2** 장기·바둑의 형세〔판세〕. ¶～が有利に展開する 판세가 유리하게 전개되다.

はんも【繁茂】名ス自 번무; 초목이 무성함. ¶空き地に雑草が～する 빈터에 잡초가 우거지다 / その山には樹木が～している 그 산에는 나무들이 무성하다.

はんもく【反目】名ス自 반목. ¶相～する 서로 반목하다 / ～をあおる 반목을 부추기다 / 両者の～が続いている 양자의 반목이 계속되고 있다.

ハンモック [hammock] 名 해먹; 튼튼한 그물 또는 천으로 달아 맨 침대. ¶～で眠る 해먹에서 잠자다.

はんもと【版元】名 (출판물의) 발행소.

はんもん【反問】名ス自他 반문. ¶鋭く～する 날카롭게 반문하다.

はんもん [煩悶] 名ス自 번민. ¶日夜～する 밤낮으로 번민하다 / ～して病気になる 번민하여 병이 나다.

パンヤ [포 panha; 영 panya] 名〖植〗판야; 케이폭; 판야과의 열대산 상록 교목《열매에서 얻는 백색털은 이불〔베개〕솜 대신에 씀》. ＝カポック.

はんやく【反訳】名ス他 반역; 번역〔속기〕된 것을 다시 본래의 말로 돌이킴. ¶速記原本を～する 속기 원본을 반역하다.

はんやけ【半焼け】名 **1** 반쯤 구워짐; 설구워짐. ＝なま焼け. ¶～の肉 설구워진 고기. **2** 반소; 화재로 (집이) 반쯤 탐. ＝はんしょう. ¶～の物置 반쯤 탄 헛간 / 火事で車庫が～になる 화재로 차고가 반소되다. ↔丸焼け.

はんやけ【半やけ】《半自棄》名 반 자포자기가 됨.

ばんゆう【蛮勇】名 만용. ¶～をふるう 만용을 부리다.

ばんゆういんりょく【万有引力】名〖理〗만유인력.

はんよう [汎用] 名ス他 범용; 널리 사용함. ¶～コンピューター 범용 컴퓨터.

はんら【半裸】名 반라; 반나체. ¶～の女 반나체의 여자 / ～になる 반나체가 되다. ↔全裸.

ばんらい【万雷】名 만뢰; 많은 우렛소리. ¶～の拍手を浴びる 우레 같은 박수를 받다.

はんらく【反落】名ス自 반락; 오른 시세가 반대로 떨어짐. ¶～の気配を示す 반락할 기미를 보이다. ↔反騰.

はんらん【反乱】《叛乱》名ス自 반란. ¶～軍 반란군 / ～を起こす 반란을 일으키다 / ～を鎮める 반란을 진압하다.

＊はんらん [氾濫] 名ス自 범람. ¶悪書の～ 악서의 범람 / 大雨で川が～する 큰비로 하천이 범람하다.

ばんり【万里】名 만리; 매우 멂. ¶～の波濤を乗り越えて 만리 파도를 타고 넘어 / ～の道を遠しとせず 만리 길을 멀다하지 않고.

―の長城 만리장성. ＝長城.

はんりょ［伴侶］图 반려; 동반자; 길동무; 배우자. ¶人生の好～ 인생의 좋은 반려/終生の～を求める 평생의 반려자를 구하다.

はんるい【煩累】图 번루; 번거롭고 귀찮음. ¶～を及ぼす 번루를 끼치다/～を脱する 번루를 벗어나다.

はんれい【凡例】图 범례. 注意 'ぼんれい'는 잘못.

はんれい【反例】图 반례; 반증으로서 제시할 수 있는 실례. ¶あの定理に～が見つかった 그 정리에 (대한) 반례가 발견되었다.

はんれい【判例】图 판례. ¶～法 판례법/判決～集 판결 판례집/～を調べる 판례를 조사하다.

はんれい【範例】图 범례; 본보기가 되는 예; 규범. ＝手本.

はんろ【販路】图 판로. ＝うれくち·はけぐち. ¶～をひろめる 판로를 넓히다/～を開拓する 판로를 개척하다.

はんろう【煩労】图 번로; 걱정하고 수고함. ¶～をいとわない 번거로운 수고를 마다않다.

はんろん【反論】图又自他 반론; 논박. ¶～の立場をとる 반론의 입장을 취하다/～を試みる 반론을 시도하다/～の余地がない 반론의 여지가 없다.

はんろん［汎論］图 범론; 통론. ＝通論. ↔各論.

ひ ヒ

1五十音図 'は行'의 둘째 음. [hi] **2**〖字源〗'比'의 초서체《かたかな'ヒ'는 '比'의 한쪽》.

ひ【一】图 하나. ＝ひとつ·ひい. ¶～ふみよ 하나, 둘, 셋, 넷. 注意 수를 셀 때에만 쓰는 말.

※ひ【日】图 **1**《본디 陽로도》해; 태양. ¶～が出る〔昇る〕 해가 뜨다/～が沈む 해가 지다/～がかげる 해가 구름에 가려 흐려지다. ↔月. **2** 햇빛; (햇)볕. ¶～に焼ける 볕에 타다/～がさす 햇볕〔햇빛〕이 들다〔비치다〕. **3** 낮. ＝ひる(ま). ¶～が長くなる 낮이 길어지다/～が短い 낮이〔해가〕 짧다. ↔夜. **4** 하루. ＝一日. ¶その～ぐらし 하루벌어 하루 먹는 생활/～に三度の飯 하루 세끼의 밥. ↔月. **5** 날짜. ㉠날수; 세월. ¶～を経る 날짜가 경과하다/～がたつ 날짜가〔세월이〕 가다. ㉡일한(日限); 시한. ¶～が切れる 날짜가 다되다 / ～を延ばす 날짜를 연기하다. ㉢기일; 일시. ¶きめられた～ 정해진 날짜/出発の～がせまる 출발 날짜가 다가오다. **6** 날. ㉠하루의 날. ¶～雇い人夫 날품팔이/雨の～も風の～も 비가 오는 날이건 바람이 부는 날이건. ㉡특정한 (행사가 있는) 날. ¶記念日 기념일/母の～ 어머니의 날. ㉢《'…した～には'의 꼴로》때; 경우. ¶失敗する～にはたいへんだ 실패하는 날에는 큰일이다. ㉣시절; 때. ¶若き～の思い出 젊은 날의 추억. ㉤(책력상의) 일진. ＝ひがら. ¶～が悪い 일진이 나쁘다/結婚式によい～を選ぶ 결혼식에 좋은 날을 택하다. **7** 매일; 나날. ¶～に進む 나날이 진보하다. **8** 날씨. ¶今日もいい～だ 오늘도 좋은 날씨다.

——が浅い 일천하다. ¶引っ越して来て～ 이사온 지 얼마 안 되다.

——暮れて道遠し 날은 저물고 갈 길은 멀다. **1** 나이는 늙었는데 해야 할 일은 아직도 많다. **2** 기한은 다가오는데 일은 아직 별로 진척되지 않았다.

——を改めて 다른 날을 골라서; 훗날. ¶～伺います 훗날 찾아뵙겠습니다.

——を移す 하루를 넘기다〔보내다〕.

——を追って **1** 날짜 차례대로. **2** 나날이. ＝日に日に. ¶～快方に向かう 병이 나날이 차도가 있다.

※ひ【火】图 불. **1** 가연물(可燃物)이 타는 상태; 또, 그 때의 열·빛. ¶～にあたる 불을 쬐다/～に掛ける 불에 올려놓다/～を通す 잠깐 열을 가하다《데우다; (김 따위를) 굽다; 불에 말리다》. **2** 화재. ¶～を出す 불을 내다/～の用心をする 불조심을 하다/～の手が上がる 불길이 솟다. **3** 격렬한 감정. ¶～のように怒る 불같이 노하다/～を散らして口げんかをする 불꽃 튀기는 입씨름을 하다/胸の～ 가슴속의 불《(a) 뜨거운 정열; (b)격한 감정》.

——の消えたよう 불이 꺼진듯《활기를 잃고 갑자기 쓸쓸하도록 조용해진 모양》. ¶～に静まる 불 꺼진 듯 갑자기 조용해지다.

——のついたよう 불이 붙은 듯. **1** 황급한 모양. **2** 격심한 모양. ¶～に泣く (갓난애가) 자지러질 듯이 울어대다.

——のない所に煙は立たぬ 아니 땐 굴뚝에 연기 나랴.

——の中水の底〔中〕 견디기 힘든 고난의 비유. ¶好いたお前と一緒なら, ～でも厭いやせぬ 사랑하는 그대와 함께라면 불속이든 물속이든 마다하지 않겠소.

——を掛ける 불을 붙이다; 방화하다.

——を付ける **1** 불을 붙이다; 점화하다. **2** 불을 지르다. ㉠방화하다. ㉡사건 따위의 계기를 만들다. ¶国境紛争に～ 국경분쟁의 계기를 만들다.

——を見るよりも明らかだ 명약관화(明若觀火)하다; 불을 보듯 빤하다.

火(ひ)의 여러 가지 표현

표현例 ちろちろ(깜박깜박(타다))·ぼうぼう(활활 (타다))·めらめら(활활; 이글이글 (타다))·かっかと(이글이글; 활활 (타오르다)).
◆火(ひ)が(불이)── つく(붙다)·燃(も)える(타다)·熾(おこ)る(활활 피어오르다)·燃(も)え広(ひろ)がる(번지다)·燃え盛(さか)る(활활 타다)·燃(も)え尽(つ)きる(완전히 타버리다)·燃え付(つ)く(옮겨 붙다〔번지다〕)·消(き)える(꺼지다).
◆物(もの)が(물건이)── 焼(や)ける(타다)·延焼(えんしょう)する(연소하다)·炎上(えんじょう)する(타오르다)·類焼(るいしょう)する(옮겨 붙다)·焦(こ)げる(눋다; 타다).

ひ【比】图 비. **1** 동류(同類); 같은 부류; 유(類). ＝たぐい. ¶世(よ)に～を見(み)ない 세상에 유례를 볼 수 없다. **2**〔數〕비례 관계; 비율. ＝割合(わりあい).

ひ【灯】图 불(빛); 등불. ＝ともしび·あかり. ¶～をともす 등불을 켜다/町(まち)の～ 거리의 불빛.

ひ【否】图 부. **1** 찬성치 않음. ¶値上(ねあ)げ案(あん)を～とする 가격 인상안을 찬성하지 않다. **2** 부정함. ¶うわさに～を唱(とな)える 소문을 부정하다. ⇔可(か). **3** 바르지 않음. ¶～を正(ただ)す 부정(不正)을 바로잡다.

ひ【非】㊀图 비. **1** 좋지 않음; 나쁨; 부정. ¶～をあばく 비리를 들추다. **2** 잘못; 결점. ¶～を認(みと)める 잘못을 인정하다/どこといって～のない人(ひと) 이렇다 할 결점이 없는 사람. **3** 비난함; 비방함. ¶～を唱(とな)える 비난하다. ㊁接頭 비…; 부정을 뜻함. ¶～科学的(かがくてき) 비과학적. **──の打(う)ち所(どころ)がない** 하나도 나무랄 데가 없다; 더할 나위 없다.

ひ【秘】图 비; 비밀. ¶～中(ちゅう)の～ 비밀 중의 비밀; 절대 비밀.

ひ【碑】图 비. **1** 비석. ＝いしぶみ. ¶～を建(た)てる 비석을 세우다. **2**《接尾語적》…비. ¶表徳(ひょうとく)～ 송덕비.

ひ［緋］图 (불빛 같은) 짙고 밝은 홍색; 주홍. ¶～の衣(ころも) 주홍빛의 옷.

ひ=【被】 피…. ¶～保険者(ほけんしゃ) 피보험자.

=ひ【費】 …비; 비용. ¶人件(じんけん)～ 인건비/接待(せったい)～ 접대비.

ひ〖比〗 教5 ヒ くらべる ならぶ ころ | 비 견주다 | 비. **1** 견주다; 비교하다. ¶対比(たいひ) 대비. **2**〔數〕비례 관계. ¶比例(ひれい) 비례.

ひ〖皮〗 教3 ヒ かわ | 피 가죽 | **1** 가죽; 모피. ¶皮革(ひかく) 피혁. **2** 겉. ¶皮相(ひそう) 피상/果皮(かひ) 과피.

ひ〖妃〗 常用 ヒ きさき | 비 왕비 | 비. **1** 본디, 황후의 다음 자리에 있는 후궁. ¶后妃(こうひ) 후비. **2** 황족의 아내. ¶妃殿下(ひでんか) 비전하.

ひ〖否〗 教6 ヒ いな いや | 부 아니다 | **1** 부정하다. ¶否認(ひにん) 부인. **2** 반대임. ¶可否(かひ) 가부.

ひ〖批〗 教6 ヒ | 비 치다 | **1** 비평하다. ¶批評(ひひょう) 비평. **2** 상주(上奏)한 문서를 군주가 인정하다. ¶批准(ひじゅん) 비준.

ひ〖彼〗 常用 ヒ カ かれ かの | 피 저 | 상대방; 제삼자; 저쪽(의). ¶彼此(ひし) 피차/彼岸(ひがん) 피안.

ひ〖披〗 教5 ヒ ひらく | 피 헤치다 | **1** 열다; 펴다. ¶披読(ひどく) 피독; 뜯어 봄. **2** 펼치다. ¶披露(ひろう) 피로/披瀝(ひれき) 피력.

ひ〖肥〗 教5 ヒ こえる こえ こやす こやし ふとる | 비 살지다 | **1** 살찌다. ¶肥満(ひまん) 비만. **2** (땅이) 기름지다. ¶肥沃(ひよく) 비옥. **3** 비료; 거름. ¶肥料(ひりょう) 비료/堆肥(たいひ) 퇴비.

ひ〖非〗 教5 ヒ そしる あらず | 비 아니다 | **1** 옳지 못하다. ¶是非(ぜひ) 시비. ↔是(ぜ). **2** 헐뜯다. ¶非難(ひなん) 비난. **3** 아니다. ¶非凡(ひぼん) 비범.

ひ〖卑〗《卑》 常用 ヒ いやしい いやしむ ひくい いやしめる | 비 낮다 | **1** 낮다. ¶卑賤(ひせん) 비천. ↔尊(そん). **2** 마음이 저열하다. ¶卑怯(ひきょう) 비겁/卑屈(ひくつ) 비굴. **3** 남을 경멸하다. ¶男尊女卑(だんそんじょひ) 남존여비.

ひ〖飛〗 教4 ヒ とぶ とばす | 비 날다 | **1** 날다. ¶飛行(ひこう) 비행. **2** 뛰어오르다. ¶飛躍(ひやく) 비약. **3** 빨리 뛰다. ¶車(くるま)を時速(じそく)100(ひゃっ)キロで飛(と)ばす 차를 시속 100킬로로 몰다.

ひ〖疲〗 常用 ヒ つかれる つからす | 피 고달프다 | **1** 고단하다. ¶疲労(ひろう) 피로. **2** 쇠하다. ¶疲弊(ひへい) 피폐.

ひ〖秘〗《祕》 教6 ヒ かくす ひめる | 비 숨기다 | **1** 숨기다. ¶秘密(ひみつ) 비밀. **2** 신비스럽다. ¶神秘(しんぴ) 신비. **3** (변이) 잘 통하지 않다. ¶便秘(べんぴ) 변비.

ひ〖被〗 常用 ヒ こうむる おおう かぶる かずく | 피 덮다 | **1** 덮다. ¶被覆(ひふく) 피복. **2** 옷. ¶被服(ひふく) 피복. **3** (손해를) 입다. ¶被害(ひがい) 피해.

ひ〖悲〗 教3 ヒ かなしい かなしむ | 비 슬퍼하다 | **1** 슬프다. ¶悲観(ひかん) 비관. **2** (불교에서) 자비심. ¶慈悲(じひ) 자비.

ひ〖扉〗《扉》 常用 ヒ とびら | 비 문짝 | 문짝. ¶鉄扉(てっぴ) 철비/扉(とびら)を開(ひら)く 문짝을 열다.

ひ〖費〗 教4 ヒ ついやす ついえる | 비 쓰다 | **1** 쓰다. ¶費用(ひよう) 비용/消費(しょうひ) 소비. **2** 경비. ¶学費(がくひ) 학비/歳費(さいひ) 세비.

ひ〖碑〗《碑》 常用 ヒ いしぶみ | 비 비석 | 비; 비석; 비문. ¶記念碑(きねんひ) 기념비/碑銘(ひめい) 비명.

ひ〖罷〗 常用 ヒ やめる やむ つかれる まかる | 파 파하다 |

1 (일을) 그만두다. ¶罷業 파업. 2 직을 그만두게 하다. ¶罷免 파면.

ひ 〖避〗《避》 常用 ヒ さける よける | 피 피하다 | 피하다. ¶避難 피난 / 逃避 도피.

び【美】图 미. 1 아름다움. ¶自然の~ 자연의 미 / 健康~ 건강미. ↔醜. 2 훌륭함; 칭찬할 만한 일. ¶有終の~を飾る 유종의 미를 장식하다.

び【微】图ダナ 1 미세함. 2 희미함. ¶~な物音 희미한 소리. 3《接頭語적》미세함. ¶~生物 미생물 / ~調整 미조정.

—に入り細をうがつ (마음씀이) 매우 세세한 데까지 미치다. ¶~説明 아주 자상한 설명.

=び【尾】생선을 세는 말: …마리. ¶まぐろ三~ 다랑어 세 마리.

び 〖尾〗 常用 ビ お | 미 꼬리 | 1 꼬리. ¶竜頭蛇尾 용두사미. 2 뒤. ¶尾行 미행. 3 사물의 후부; 끝. ¶首尾一貫 수미일관. 4 생선을 세는 말: 마리. ¶鯛一尾 도미 한 마리.

び 〖美〗 教3 ビ ミ うつくしい よい | 미 아름답다 | 미. 1 아름답다. ¶美貌 미모. ↔醜. 2 훌륭함. ¶美談 미담 / 美風 미풍. 3 맛있다. ¶美食 미식.

び 〖備〗 教5 ビ そなえる そなわる | 비 갖추다 | 1 갖추다. ¶完備 완비 / 不備 불비. 2 준비. ¶常備 상비 / 予備 예비.

び 〖微〗《微》 常用 ビ かすか | 미 작다 | 1 극히 작다. ¶微細 미세. 2 희미하다. ¶微動 미동. 3 몰래. ¶微行 미행.

び 〖鼻〗《鼻》 教3 ビ はな | 비 코 | 1 코. ¶鼻音 비음. 2 사물의 시작. ¶鼻祖 비조.

ビア 图 ☞ビヤ.

ひあい【悲哀】图 비애. ¶人生の~を味わう 인생의 비애를 맛보다.

ひあが-る【干上がる】《乾上がる》 5自 1 바싹 마르다. ¶田が~ 논이 바싹 마르다. 2 가난해 살 수 없게 되다. ¶口が~ 입에 풀칠하기 어렵다 / 失業して~ 직업을 잃고 생활이 어렵게 되다.

ひあし【日足】《日脚》图 1 일각; 햇발. =日ざし. ¶~が移る 햇발이 옮아가다. 2 낮 시간. ¶~が延びる 해가 길어지다.

ひあし【火足】《火脚》图 불길; 불이 번지는 속도. ¶~が速い 불길이 빨리 번지다 / ~が延びる 불길이 번지다.

ピアス [←pierced earrings] 图 귓불에 구멍을 내서 하는 귀고리; 이어링.

ひあそび【火遊び】图 불장난. 1 불을 가지고 장난함. =火いたずら. ¶子どもの~ 아이들의 불장난. 2 무분별하고 일시적인 연애·정사. ¶恋の~ 사랑의 불장난.

*ひあたり【日当たり】图 볕이 듦; 또, 그 정도. ¶~のよい家 양지바른 집.

ピアニシモ [이 pianissimo] 图〖樂〗피아니시모; 매우 여리게《기호: *pp*》. ↔フォルティシモ.

ピアニスト [pianist] 图 피아니스트. =「ピヤニスト.

ピアノ [piano] 图 1 피아노. =ピヤノ. ¶~三〔五〕重奏 피아노 3〔5〕중주 / ~を弾く 피아노를 치다. 2〖樂〗여리게《기호: *p*》. ↔フォルテ.

ひあぶり【火あぶり】《火炙り》图 옛날의 화형(火刑). ¶~の刑 화형.

ヒアリング 图 ☞ヒヤリング.

ひい [一] 图 하나. ¶~, ふう, みい 하나, 둘, 셋. 参考 'ひ(一)'의 긴 소리.

ひい【非違】图 비위. ¶~をただす 비위를 조사하다.

ひい= 〖曾〗증; 조부모 또는 손자보다 한 대 위아래의 관계. ¶~おじいさん 증조할아버지 / ~まご 증손.

ピーアール [PR] 图ス他 피아르; 선전 광고. ¶~活動 피아르 활동 / 新製品を~する 신제품을 피아르하다. ▷public relations.

ビーアイエスきせい [BIS規制] 图〖經〗비아이에스 규제. 1 국제 업무를 담당하는 민간 은행의 자기 자본 비율에 관한 규제. 2 보유 주식·금리·환(換) 등의 시세 변동에 따라 생기는 리스크에 대응하는 자본 증자 등에 필요한 규제. =BISマーケットリスク規制.

ビーエス [BS] 图 비에스; 방송 위성. ¶~放送 위성 방송. ▷broadcasting satellite.

ピーエックス [PX] 图 피엑스; 군매점(軍賣店). ▷post exchange.

ピーエム [P.M., p.m.] 图 피엠; 오후. ↔エーエム. ▷라 post meridiem.

ビーオーディー [BOD] 图〖生〗비오디; 생물학적 산소 요구량. ▷biochemical oxygen demand.

ビーカー [beaker] 图 비커《화학 실험용의 원통형 유리 그릇》.

*ひいき〖贔屓〗一图ス他 편〔역성〕을 들어 줌. ¶長男ばかりを~する 장남만 역성 들어 주다 / ~にあずかる 특별한 후원을 받다. 二图 특별히 돌봐주는 사람; 후원자. ¶~のだんな (자주 들르는) 단골 아저씨〔손님〕/ ~が多い 후원자가 많다.

—の引き倒し 지나친 편애가 도리어 그 사람을 불리하게 함〔손해를 줌〕.

—め【—目】图 호의적인 눈. ¶~で見る 호의적인 눈으로 보다.

ひいく【肥育】图ス他 비육; 가축에 먹이를 많이 주어 단기간에 살찌게 함.

ピーク [peak] 图 피크; 정상; 절정; 최고조. ¶ラッシュアワーの~ 러시아워의 절정 / 混雑が~に達する 혼잡이 극에 달하다. 「孔雀.

ピーコック [peacock] 图 피콕; 공작. =

ビーコン [beacon] 图 비컨; 수로나 항

공로의 교통 표지; 등대. ¶ラジオ～ 라디오 비컨; 무선 표지(標識).
ビーシー [B. C.] 图 비시; 서력 기원전. ↔A. D.(エーディー). ▷before Christ.
ビージーエム [BGM] 图 비지엠; 작업이나 사무 능률을 올리기 위해서 사업장에 흘려 내보내는 음악; 백그라운드 뮤직. =バックグラウンドミュージック. ▷background music.
ビーシージー [BCG] 图〔醫〕비시지; 결핵 예방 백신. ¶～を接種(せっしゅ)する 비시지를 접종하다. ▷프 Bacille de Calmette et Guérin.
ビーシーへいき [BC 兵器] 图 비시 병기; 생물 화학 무기. =シービー兵器. ▷biological and chemical weapons.
びいしき【美意識】图 미의식. ¶繊細(せんさい)な～の持(も)ち主(ぬし) 섬세한 미의식을 지닌 사람. 「↔ひいばば.
ひいじじ〖曾祖父〗图 증조부. =ひじじ.
ビーズ [beads] 图 비즈; 여성복·수예품 등에 쓰이는 작은 장식용 구슬. =南京玉(なんきんだま).
ピース [peace] 图 피스; 평화. 「片).
ピース [piece] 图 피스; 조각; 단편(断
ヒーター [heater] 图 히터; 방열기. ¶電気(でんき)～ 전기 히터.
ビーだま【ビー玉】图 유리 구슬. 参考 'ビー'는 'ビードロ(vidro)'의 준말.
ビーチ [beach] 图 비치; 해안; 해변. =海辺(うみべ). ¶～ウエア 비치웨어 / ～パラソル 비치 파라솔.
ピーチ [peach] 图 피치; 복숭아(나무).
ひいちにち【日一日】副 나날이; 날로; 하루하루. =日(ひ)ごとに. ¶～(と)暖(あたた)かくなる 나날이 따뜻해지다.
ピーティーエー [PTA] 图 피티에이; 사친회(會); 육성회. ▷Parent-Teacher Association.
ヒーティング [heating] 图 히팅; 난방(장치). ¶セントラル～ 중앙 난방식.
ひいては〖延いては〗副 (한층 더) 나아가서는. =さらには. ¶自分(じぶん)のため, ～国(くに)のためにもなる 자기를 위해서, 더 나아가서는 국가를 위함도 된다.
ひい-でる【秀でる】サ変自 **1** 빼어나다; 뛰어나다. =ぬきんでる. ¶一芸(いちげい)に～ 한 가지 재간이 뛰어나다 / 語学(ごがく)に～ 어학이 뛰어나다 / 衆(しゅう)に～ 출중하다. **2** 수려하다; 준수하다. ¶まゆが～ 눈썹이 수려하다.
ビート [beat] 图 비트. **1**〔樂〕박자; 특히, 재즈 등의 강렬한 리듬. ¶エイト～ 8박자 / ～の利(き)いた演奏(えんそう) 강렬한 리듬의 연주. **2** (수영에서) 물장구. ¶～板(ばん) 비트판; 발장구 연습용 널. **3** 기성의 도덕·질서를 무시하고 제멋대로 행동하는 일〔사람〕. ¶～族(ぞく) 비트족.
ビードロ [포 vidro] 图 비드로《유리의 옛 이름》. 注意 '玻璃'로 씀은 취음.
ビーナス [Venus] 图 비너스. **1** 미와 사랑의 여신. **2** ☞きんせい(金星).
ピーナッツ [peanut] 图 피넛; 땅콩.
ビーバー [beaver] 图〔動〕비버. =海狸(かいり)·うみだぬき.
ビーバップ [bebop] 图 비밥; 율동적 화음을 주제로 한 재즈 연주 형식의 하나《모던 재즈의 원전(原典)으로 침》. =ビバップ. 「↔ひいじじ.
ひいばば〖曾祖母〗图 증조모. =ひばば.
ひいひい 副 **1** 고통·통증 등으로 우는 모양: 찔찔. ¶～(と)泣(な)く 찔찔 울다. **2** 곤란한 일 등으로 비명을 내는 모양: 낑낑. ¶訓練(くんれん)が激(はげ)しくて～いう 훈련이 고되어 낑낑거리다.
ぴいぴい 一副 **1** 생활에 쪼들리는 모양. ¶いつも～している 늘 쪼들리고 있다. **2** 병아리 등의 우는 소리: 삐악삐악. ¶～とひよこが鳴(な)く 삐악삐악 병아리가 울다. **3** 피리 따위의 소리: 삐삐. ¶呼(よ)ぶ子(こ)を～(と)鳴(な)らす 호루라기를 삐삐 불다.
ピーピーエム [ppm] 图 피피엠《농도 등을 나타내는 단위》; 백만분율. ▷parts per million.
ピーピービ [ppb] 图 피피비; 10억분의 몇임을 나타내는 말《농도 따위를 나타낼 때 씀》. ▷parts per billion.
ビーフ [beef] 图 비프; 쇠고기. ¶～カツレツ 비프 커틀릿.
―ステーキ [beefsteak] 图 비프스테이크. ☞ビフテキ.
ひいまご【ひい孫】《曾孫》图 증손; 손자의 아들. =ひまご. 「고추.
ピーマン [프 piment] 图〔植〕피망; 서양
ビーム [beam] 图 빔. **1** (건축물의) 보. **2** 빛·전자의 흐름; 광선의 다발.
ヒール [heel] 图 힐; 뒤꿈치; 구두 뒤축. ¶ハイ～ 하이힐 / ロー～ 로힐.
―バック [heel back] 图 힐 백; 축구에서, 발뒤축을 이용해 공을 뒤로 차는 일.
ビール [네 bier] 图 맥주. =ビヤ. ¶～瓶(びん) 맥주병 / 生(なま)〔黒(くろ)〕～ 생〔흑〕맥주 / ～の泡(あわ) 맥주 거품 / 缶(かん)～ 캔 맥주 / 瓶詰(びんづ)め～ 병맥주 / ～一本(いっぽん) 맥주 한 병 / 気(き)の抜(ぬ)けた～ 김빠진 맥주 / ～を一杯(いっぱい)やる 맥주 한잔하다 / 彼(かれ)は～ぶとりだ 그는 맥주살이 쪘다. 注意 '麦酒'로 씀은 차자(借字). 「ルス.
ビールス [도 Virus] 图 비루스. ☞ウイ
ひいれ【火入れ】一图 담뱃불 따위의 불씨를 넣는 조그만 그릇. 二图ス自 **1** (용광로 따위에 처음으로) 불을 넣음. ¶～式(しき) 점화식. **2** 술이나 간장을 썩지 않게 열을 가함.
ひいろ [緋色] 图 비색; 심홍색.
ヒーロー [hero] 图 히어로. **1** 용사; 영웅. **2** 뛰어나게 활약한 사람. ¶きょうの試合(しあい)の～ 오늘 경기의 히어로. **3** 소설 등의 남자 주인공. ↔ヒロイン.
ビーンボール [미 bean ball] 图〔野〕빈볼; (타자의 기를 꺾기 위한) 위협구.
ひうち【火打ち】《燧》图 부싯돌로 불을 내는 일; 또, 그 도구.

—いし【—石】《燧石》图 부싯돌.
—がね【—金】《燧鉄》图 부시.
ひうん【非運】《否運》图 비운; 불운. ¶～に泣(な)く 비운에 울다. ↔幸運(こううん).
ひうん【悲運】图 비운. ¶～を嘆(なげ)く 비운을 한탄하다.
ひえ〖稗〗图〘植〙피.
ひえき-る【冷え切る】[5自] 1 아주 차가워지다. ¶寒(さむ)さで体(からだ)が～ 추위로 몸이 몹시 차가워지다. 2 (애정 따위가) 완전히 식어 버리다. ¶夫婦(ふうふ)のあいだが～·っている 부부간의 애정이 완전히 식어 버렸다.
ひえこ-む【冷え込む】[5自] 1 몹시 차가워지다; 갑자기 기온이 내리다. ¶けさはひどく～ 오늘 아침은 몹시 차다〔춥다〕. 2 추위가 몸속까지 스며들다. ¶～·んでかぜをひく 몸이 차져서 감기가 들다 / ～·んだ体(からだ)を暖(あたた)める 차가워진 몸을 녹이다.
ひえしょう【冷え性】图 냉한 체질; 특히 허리나 다리가 냉한 부인병의 속칭. ¶～の人(ひと) 냉한 체질인 사람.
ひえびえ【冷え冷え】[トス自] 냉랭한 모양; 추위가 쌀랑쌀랑한 모양. ¶～(と)した空気(くうき) 냉랭한 공기 / ～(と)した雰囲気(ふんいき) 쌀쌀한 분위기 / 二人(ふたり)の間(あいだ)は～(と)している 두 사람 사이는 냉랭하다. [参考] 마음이 적적하고 공허한 일에도 비유됨.
**ひ-える【冷える】[下1自] 차가워지다; 식다; 냉담해지다. ¶御飯(ごはん)が～ 밥이 식다 / 研究熱(けんきゅうねつ)が～ 연구열이 식다 / 夜(よる)はなかなか～ 밤에는 제법 쌀쌀하다 / 二人(ふたり)の仲(なか)が～ 두 사람 사이가 냉랭해지다.
ピエロ [프 pierrot] 图 피에로; 어릿광대.
びえん【鼻炎】图〘醫〙비염. ＝鼻(び)カタル. ¶アレルギ性(せい)～ 알레르기성 비염.
ビエンナーレ [이 biennale] 图 비엔날레; 2년마다 열리는 국제 미술 전람회.
ひお [氷魚] 图〘魚〙은어의 치어(稚魚). ＝ひうお.
ひおうぎ〖檜扇〗图 1 노송나무의 얇은 오리로 엮어 만든 쥘부채. 2〘植〙범부채. ＝からすおうぎ.
ひおおい【日覆い】图 차양. ＝日(ひ)おい·日(ひ)よけ. ¶～を下(お)ろす 차양을 내리다.
ひおけ【火おけ】《火桶》图 나무로 만든 둥근 화로.
ビオラ [viola] 图〘樂〙비올라.
ビオロン [프 violon] 图〘樂〙비올롱. ＝バイオリン.
びおん【微温】图 미온; 미지근함.
—てき【—的】[ダナ] 미온적. ¶～態度(たいど) 미온적(인) 태도 / ～な処置(しょち)〔対策(たいさく)〕 미온적인 조치〔대책〕.
びおん【鼻音】图 비음; 콧소리.
ひか【皮下】图〘生〙피하. ¶～脂肪(しぼう) 피하 지방 / ～組織(そしき) 피하 조직.
—ちゅうしゃ【—注射】图 피하 주사. ↔静脈(じょうみゃく)〔筋肉(きんにく)〕注射.
ひか【悲歌】图 비가; 슬픈 노래. ＝哀歌(あいか)·エレジー.
ひが【彼我】图 피아; 그와 나; 상대편과 내편. ¶～の勢力(せいりょく)は伯仲(はくちゅう)している 피아의 세력은 백중하다.
びか【美化】图[ス他] 미화. ¶～運動(うんどう) 미화 운동 / 現実(げんじつ)を～して考(かんが)える 현실을 미화해서 생각하다.
—ご【—語】图 미화어《어떤 사물을 고상하게 일컫는 말: 'めし'를 '御飯(ごはん)', '食(く)う'를 'たべる'라고 하는 따위》.
**ひがい【被害】图 피해. ¶～者(しゃ) 피해자 / ～を受(う)ける〔こうむる〕 피해를 받다〔보다〕 / ～を最小限(さいしょうげん)に食(く)い止(と)める 피해를 최소한으로 막다. ↔加害(かがい).
—もうそう【—妄想】图 피해 망상.
ぴかいち【ぴか—】《光—》图〈俗〉출중함; 또, 그 사람. ¶クラスで～の美人(びじん) 학급에서 제일가는 미인.
*ひかえ【控え】图 1 예비(로 준비)해 둠; 대기함; 또, 그 사람〔것〕. ¶～の投手(とうしゅ) (교대하기 위한) 예비 투수 / ～の間(ま) 대기실. 2 옆에서 보조함. ¶～の者(もの) 조수. 3 비망(록); 메모; 부본. ¶書類(しょるい)の～ 서류 부본 / ～をとる 부본을 만들다.
ひかえしつ【控え室】图 대기실. ¶新郎新婦(しんろうしんぷ)の～ 신랑 신부의 대기실.
ひかえめ【控え目】图[ダナ] 사양하듯〔조심하며〕 소극적임; 약간 적은 듯함. ¶～な態度(たいど) 조심스러운 태도 / ～に話(はな)す (조심해서) 말을 좀 적게 하다 / 食事(しょくじ)を～にする (과식이 안 되도록) 식사를 약간 적은 듯하게 하다.
ひがえり【日帰り】图[ス自] 당일로 다녀옴. ¶～の旅行(りょこう) 당일치기 여행 / ～しようと思(おも)えば出来(でき)る距離(きょり) 당일치기를 하려고 들면 가능한 거리. ↔泊(と)まりがけ.
**ひか-える【控える】[一][下1他] 1 못 떠나게 하다. ㉠잡아 끌다. ¶袖(そで)を～·えて諫(いさ)める 옷소매를 잡아 끌며 간하다. ㉡대기시키다. ¶馬(うま)を～·えて待(ま)つ 말을 대기시키고 기다리다. 2 삼가다. ㉠조심해서 하다. ¶発言(はつげん)〔外出(がいしゅつ)〕を～ 발언〔외출〕을 삼가다. ㉡좀 적게 취하다; 절제하다. ¶食事(しょくじ)を～ 식사를 조금 적게 하다 / 酒(さけ)を～ 술을 절제하다. 3 가까이 두다. ㉠옆에 두다. ¶西(にし)に山(やま)を～·えた家(いえ) 서쪽에 산을 끼고 있는 집. ㉡앞두다. ¶試験(しけん)を明日(あす)に～·えて最後(さいご)の勉強(べんきょう)をする 시험을 내일로 앞두고 마지막 공부를 하다. 4 기록해 두다; 메모해 두다. ¶要点(ようてん)を掻(か)い摘(つま)んでノートに～ 요점을 간추려 노트에 메모해 두다. [二][下1自] 1 차례를 기다리다; 끝나기를〔옆에서〕 기다리다. ¶隣室(りんしつ)で～ 옆방에서 순서를 기다리다. 2 어떤 사람 곁에 따르다. ¶主人(しゅじん)の後(うし)ろに～ 주인 뒤에 따르다.
**ひかく【比較】图[ス他] 비교. ¶～検討(けんとう)する 비교 검토하다 / …に～して安(やす)い …과 비교해서 싸다.

—きゅう【—級】名〔文法〕비교급. ↔原級(げんきゅう)·最上級(さいじょうきゅう).

—たすう【—多数】名 비교 다수《의결 등에서, 과반수에 미달하나 그 중에서 가장 많은 수》. ↔絶対(ぜったい)多数.

—てき【—的】副 비교적. =わりあい(に). ¶~うまく出来(でき)た 비교적 잘 되었다/~やさしい 비교적 쉽다.

ひかく【皮革】名 피혁; 가죽. =レザー. ¶~製品(せいひん) 피혁 제품.

ひかく【非核】名 비핵; 핵무기를 갖지 않음. ¶~地帯(ちたい) 비핵(무장) 지대.

—さんげんそく【—三原則】名 비핵 삼원칙《핵무기를 만들지 않는다, 갖지 않는다, 들여오지 않는다는 일본의 원칙》.

びがく【美学】名 미학. =審美学(しんびがく). ¶~を専攻(せんこう)する 미학을 전공하다.

***ひかげ**【日陰】名 응달; 음지. ¶~で乾(かわ)かす 응달에서 말리다. ↔日向(ひなた). **2** 드러내놓고 생활할 수 없는 사회적 환경. ¶~者(もの) 버젓이 살지 못하는 사람《첩·범죄자 등》/一生(いっしょう)を~で過(す)ごす 한평생을 그늘에서 (불우하게) 살다.

ひがけ【日掛け】名 매일 일정 금액을 적립함. ¶~貯金(ちょきん) 일부 적립 저금.

ひかげん【火加減】名 **1** 화력의 세기; 불기운. ¶~を見(み)ながら炭(すみ)を入(い)れる 불기를 보면서 숯을 넣다. **2** 화력의 조절. ¶~をする 화력을 조절하다.

ひがごと【ひが事】《僻事》名 이치〔도리〕에 맞지 않는 일. ¶~を言(い)う 억지소리를 하다.

ひがさ［暈］名 (해·달의) 무리. =ハロ.

ひがさ【日傘】名 양산(陽傘). ¶~を差(さ)す 양산을 받다. ↔雨傘(あまがさ).

ひかさ-れる【引かされる】下1自 (마음이) 끌리다; 얽매이다. =ほだされる. ¶情(じょう)に~ 정에 끌리다/子(こ)に~ 아이에 얽매이다.

ひがし【干菓子】《乾菓子》名 마른과자. ↔生菓子(なまがし).

****ひがし**【東】名 **1** 동쪽. =東方(とうほう). **2** 동풍. =東風(ひがしかぜ).

ひがしかぜ【東風】名 동풍. ↔西風(にしかぜ).

ひがしがわ【東側】名 **1** 동쪽. **2** (유럽에서) 구 소련 및 구 소련에 동조하던 여러 나라. ⇔西側(にしがわ).

ひがしはんきゅう【東半球】名 동반구. ↔西半球(にしはんきゅう).

ひかず【日数】名 일수; 날수; 날짜. =にっすう. ¶~がかかる 날짜가 걸리다/~を重(かさ)ねる 날수를 거듭하다.

ひかすう【被加数】名〔數〕피가수. ↔加数(かすう).

ひかぜい【非課税】名 비과세.

—しょとく【—所得】名 비과세 소득.

ひがた【干潟】名 간석지(干潟地); 개펄.

ぴかっと 副 뻔쩍《'ぴかりと'의 힘줌말》. ¶稲妻(いなずま)が~光(ひか)る 번개가 뻔쩍 빛나다.

ぴかどん 名〈俗〉원자 폭탄.

ひがないちにち【日がな一日】連語《副詞的으로》진종일; 아침부터 밤까지. ¶~遊(あそ)びくらす 진종일 놀고 지내다/~釣(つ)り糸(いと)を垂(た)れる 하루 온종일 낚싯줄을 드리우다. ↔夜(よ)がな夜(よ)っぴて.

ひがね【日金】名 **1** 일숫돈. **2** 그날그날 들어오는 현금. =ひぜに.

ぴかぴか 副 반짝반짝; 번쩍번쩍. ¶~したくつ 번쩍번쩍 광이 나는 구두/いなずまが~(と)光(ひか)る 번갯불이 번쩍번쩍하다.

ひがみ《僻み》名 비뚤어짐; 비뚤어진 마음; (사물을) 비뚤어지게 봄. ¶~根性(こんじょう) 비뚤어진 근성/~っぽい (성격이) 몹시 비뚤어지다.

ひがみなり【日雷】名 마른 천둥.

ひがみみ【ひが耳】《僻耳》名 잘못 들음; 헛들음. ¶もし~かと思(おも)って 혹시 잘못 들었는가 싶어서.

***ひが-む**《僻む》5自 비뚤어지다; 곡해하다; 옥생각하다. =ねじける. ¶のけ者(もの)にされたと~ 따돌림당했다고 옥생각하다/差別(さべつ)して扱(あつか)うのは子供(こども)の~もとだ 차별 대우하는 것은 아이들이 비뚤어지게 되는 원인이다.

ひがめ【ひが目】《僻目》名 **1** 사팔눈. =すがめ·やぶにらみ. **2** 잘못 봄. =そらめ. ¶…と見(み)たのは~かも知(し)らないが …이라고 본 것은 잘못 본 것인지도 모르지만. **3** 편견. ¶そう考(かんが)えるのは君(きみ)の~だ 그렇게 생각하는 것은 자네의 편견이다.

ひがもの【ひが者】《僻者》名 마음이 비뚤어진 사람. =ひねくれ者(もの).

ひがら【日がら·日柄】名 일진; 일수. ¶~を選(えら)ぶ 날을 잡다; 택일하다/きょうは~がよい 오늘은 일진이 좋다.

ひから-す【光らす】5他 빛〔광〕나게 하다; 번쩍이다; 번뜩이다. ¶ぴかぴかに~ 번쩍번쩍 광나게 하다/目(め)を~ 눈을 번뜩이(며 감시하)다. 可能ひから-せる 下1自

ひから-びる【干からびる】《乾涸びる》上1自 **1** 바짝 말라 버리다. ¶パンが~ 빵이 바짝 말라 버리다/日照(ひで)りで田(た)が~ 가뭄으로 논이 바싹 말라 붙다. **2** 신선미가 없어지다; 진부해지다. ¶~·びた思想(しそう) 진부한 사상/~·びた感情(かんじょう) 메마른 감정.

****ひかり**【光】名 **1** 빛. ㉠환한 빛. ¶日(ひ)の~ 햇빛; 일광/月(つき)の~ 달빛/~を失(うしな)う (a)실명하다; (b)희망을 잃다/~のない生活(せいかつ) 희망 없는 생활. ㉡서광. ¶平和(へいわ)の~ 평화의 서광. ㉢광; 윤. =つや. ¶床(ゆか)をみがいて~を出(だ)す 마루를 닦아 광을 내다. **2** 영예; 영광. ¶家名(かめい)に~をそえる 가문을 빛내다. **3** 위광; 위세; 후광. ¶親(おや)の~をかさに着(き)る 부모의 위세를 등에 업다.

—を放(はな)つ 빛을 발하다; 재능·힘을 발휘하다.

ひかりかがや-く【光り輝く】5自 눈부시게 빛나다. ¶~シャンデリア 휘황찬란하게 빛나는 샹들리에.

ひかりコンピューター【光コンピューター】名 광컴퓨터; 반도체 IC 대신에 광(光) IC를 구성 소자(素子)로 하는 미

래형 컴퓨터. ＝オプトコンピューター. ▷optoelectronic computer.

ひかりつうしん【光通信】 图 광통신. ＝光ファイバー通信.

ひかりディスク【光ディスク】 图 광디스크; 레이저 광선을 쏘여 디지털 데이터를 기억시킨 원판《컴퓨터의 대(大)용량 기억 장치로 이용됨》. ▷optical disk.

ぴかりと 副 번쩍. ¶～光る 번쩍하고 빛나다 / いなずまが～する 번개가 번쩍하다.

ひかりファイバー【光ファイバー】 图 광파이버; 광섬유. ▷optical fiber.

ひかりもの【光り物】 图 **1** 빛나는〔번쩍이는〕 물건. **2**〈俗〉 쇠붙이. **3**〘料〙〈俗〉 (초밥 재료로 쓰는) 등 푸른 생선《고등어 따위》. **4** (화투에서) 20끗짜리; 광.

****ひか-る**【光る】 5自 빛나다. **1** 빛을 내다〔발하다〕; 번쩍〔번뜩〕이다; 비치다. ¶夜空に～星 밤하늘에 빛나는 별 / 雨にぬれて～舗道 비에 젖어서 번들거리는 포도 / 宝石が～ 보석이 번쩍이다 / 目を～·らせる 눈을 번뜩이다《엄중히 감독·감시하다》. **2** (인물·재능 등이) 출중하다; 뛰어나다. ¶一段と～作品 한층 빛나는〔뛰어난〕 작품 / 新人中では彼が一番～·っている 신인 중에서는 그가 제일 뛰어나다.

ひかれもの【引かれ者】 图 잡히어 형장 등으로 끌려가는 사람.

——の小唄 (형장으로) 끌려가는 자가 태연을 가장하여 노래를 부름; 전하여, 허세를 부림.

ひか-れる【引かれる】《惹かれる》 下1自 (마음 등이) 끌리다. ¶異性に～ 이성에게 마음이 끌리다 / おもしろい話に～ 재미있는 이야기에 끌리다.

ひがわり【日替わり】 图 매일 바뀜. ¶～(の)メニュー 날마다 바뀌는 메뉴 / ～弁当 (반찬 등이) 매일 바뀌는 도시락.

***ひかん**【悲観】 图ス自他 비관. ¶～論 비관론 / 事業に失敗して～する 사업에 실패하여 비관하다. ↔楽観.

——てき【—的】 ダナ 비관적. ¶～な見方 비관적인 견해 / 形勢は～だ 형세는 비관적이다. ↔楽観的.

ひかん【避寒】 图ス自 피한. ¶～地 피한지. ↔避暑.

ひがん【彼岸】 图 **1**〘佛〙 피안; 열반(涅槃)에 달함; 또, 그 깨달음의 경지. ↔此岸. **2** 건너편; 저쪽 강가. **3** 춘분·추분을 전후한 7일간; 또, 그 즈음의 계절. **4** 'ひがんえ'의 준말.

——え【—会】 图〘佛〙 춘분이나 추분 전후의 7일간에 행하는 불교 행사.

ひがん【悲願】 图 비원. **1**〘佛〙 부처나 보살의 대(大)자비에서 나온 중생 제도의 서원. **2** 비장한 소원. ¶～がかなえられる 비원이 성취되다 / 優勝の～を達成する 우승의 비원을 달성하다.

びかん【美感】 图 미감. ¶～を欠く 미감이 없다.

びかん【美観】 图 미관. ¶～地区 미관지구 / ～を添える〔損なう〕 미관을 더하다〔손상하다〕 / 都市の～を害する 도시 미관을 해치다.

ひき【引き】 ⊟图 **1** 끎; (특히) 고기가 낚시에 걸려 줄을 당기는 힘. ¶～が強い 당길힘이 세다. **2** 특별히 돌봄; 후원; 편애. ＝ひいき·引き立て. ¶社長の～で重役になる 사장 배경으로 중역이 되다. **3** (연)줄; 끈; 연고. ＝手づる·つて. ¶兄の～で就職する 형의 연줄로 취직하다. ⊟接頭《動詞 앞에 붙어서》 어세(語勢)를 강하게 하는 데 씀. ¶～据える 끌어 앉히다 / ～下がる 물러나다. 参考 '引っ摑む(＝거머쥐다)'처럼 'ひっ'으로 되는 일도 많음.

ひき【悲喜】 图 희비. ¶～こもごも至る 희비가 엇갈리다〔교차하다〕.

＝ひき【匹】《疋》 **1**《数詞 뒤에 붙어서》 짐승·물고기·벌레 따위를 세는 말: 마리. ¶犬五～ 개 다섯 마리. **2** 피륙 세는 단위: 필. ¶反物二～ 포목 두 필.

びき〔美姫〕 图 미희; 미인.

びぎ【美技】 图 미기; 훌륭한 기량. ＝ファインプレー. ¶～をきそう 훌륭한 기량을 겨루다.

ひきあい【引き合い】 图 **1** (증거나 참고 따위의) 예로 인용함; 인례(引例). ¶～に出す 증거로 삼다. **2** (사건 따위의) 참고인; 증인. ＝引合人. ¶～に出される 증인으로 불려 나가다. **3** 매매의 거래; 또, 거래 조건 따위의 사전 문의. ¶～を出す 거래 조건의 사전 문의를 하다 / ～を受ける 거래 조건의 문의를 받다 / 海外から～が来る 해외로부터 (거래) 문의가 들어오다.

ひきあ-う【引き合う】 5自 **1** 서로 끌어당기다; 맞당기다. ¶つなを～ 밧줄을 맞당기다. **2** 거래하다. ¶外国商社と～ 외국 상사와 거래하다. **3** 수지가 맞다; 애쓴 보람이 있다. ¶～·わない商売 수지 안 맞는 장사 / これでおこられては～·わない 이 일로 꾸지람을 들으면 애쓴 보람이 없다.

ひきあげ【引き上げ·引き揚げ】 图 **1** 끌어 올림. ㉠인양. ¶～作業 인양 작업. ㉡인상. ¶賃金の～ 임금 인상. ↔引き下げ. **2** 귀환함; 귀국함; 철수.

——しゃ【引き揚げ者】 图 (2차 대전 후 본국으로의) 귀환자; 귀국자.

***ひきあ-げる**【引き上げる】 下1他 끌어올리다. **1** 밑에서 위로 올리다. ¶川から死体を～ 강에서 시체를 끌어올리다 / 沈没船を～ 침몰선을 끌어올리다〔인양하다〕. **2** 인상하다. ¶運賃を～ 운임을 인상하다 / 水準を～ 수준을 끌어올리다. ↔引き下げる. **3** 승진시키다. ¶課長に～ 과장으로 승진시키다. ↔引き下げる.

***ひきあ-げる**【引き揚げる】 ⊟下1他 철수〔퇴각〕하다. ¶隊を～ 부대를 철수시키다. ⊟下1自 귀환〔귀국〕하다. ¶中国

中国から～ 중국에서 귀환하다 / 故国へ～ 고국으로 돌아오다.

ひきあて【引き当て】图 **1** 장래의 특정한 지출에 대비해서 돈을 준비함. **2** 저당; 담보. ¶家を～に金を借りる 집을 담보로 돈을 꾸다.

—きん【—金】图 (예상되는 손실에 대한) 충당금; 준비금; 예비금. ¶貸し倒れ～ 대손(貸損) 충당금.

ひきあ-てる【引き当てる】下1他 **1** 제비를 뽑아 맞히다. ¶一等の宝くじをうまく～ 일등짜리 복권을 용케 뽑아 맞히다. **2** 견주다; 적용하다. ¶わが身に～·てて考える 내 자신에 견주어 생각하다.

ひきあみ【引き網】《曳き網》图 끌어당겨 고기를 잡는 그물의 총칭《후릿그물·트롤망(網) 따위》.

ひきあわせ【引き合わせ】图 **1** 대면시킴; 소개함. ¶～をする 소개를 하다. **2** 대조함. ¶帳簿の～ 장부 대조.

ひきあわ-せる【引き合わせる】下1他 **1** 끌어당겨 맞추다. ¶えりを～ 옷깃을 여미다. **2** 견주어 보다; 대조하다. ¶原文と翻訳を～ 원문과 번역을 대조하다. **3** 소개하다; 대면시키다. ¶恋人を両親に～ 애인을 부모에게 소개하다 / 若い二人を～ 젊은 두 사람을 대면시키다.

***ひき-いる**【率いる】上1他 거느리다; 인솔하다; 이끌다. ¶大軍を～ 대군을 거느리다 / 生徒を～·いて遠足に行く 학생을 인솔하고 소풍 가다.

ひきい-れる【引き入れる】下1他 끌어넣다; 끌어들이다. ¶車を庭内に～ 차를 마당 안으로 끌어넣다 / 味方に～ 자기 편에 끌어들이다.

ひきうけ【引き受け】图 인수; 떠맡음. ¶～会社 인수 회사.

—てがた【引受手形】图 인수 어음.

—にん【引受人】图 인수인.

ひきう-ける【引き受ける】下1他 떠맡다. **1** (책임지고) 맡다. ¶仕事を～ 일을 맡다 / 役員を～ 임원(직)을 맡다. **2** 인수하다. ㉠뒤를 잇다. ¶兄のあとを～ 형의 뒤를 잇다 / 店を～ 가게를 인수하다. ㉡보증하다. ¶手形を～ 어음을 인수하다 / 身元を～ 신원을 보증하다. **3** 상대가 되어 응대하다. ¶敵を一手に～ 적을 혼자서 떠맡다.

ひきうす〖挽き臼·碾き臼〗图 맷돌. ＝石うす. ¶～を回す 맷돌을 돌리다.

ひきうたい【弾き歌い】图 한사람이 반주를 하며 노래를 부름.

ひきうつし【引き写し】图 **1** 원본대로 베껴 씀; 또, 그 베껴 쓴 것. ¶参考書を～にした答案 참고서를 그대로 베껴 쓴 답안. **2** 위에 대고 복사함; 또, 그것; 투사(透寫). ＝しきうつし. ¶原画の～ 원화의 복사.

ひきうつ-す【引き写す】5他 **1** 서화(書畫) 등을 투명한 종이 밑에 대고 복사하다. ＝しきうつす. **2** 문장 등을 그대로 베끼다.

ひきうつ-る【引き移る】5自 다른 곳으로 옮기다; 이사하다. ＝引っこす. ¶大阪から東京に～ 大阪에서 東京로 옮기다.

***ひきおこ-す**【引き起こす】5他 일으키다. **1**《惹き起こす》야기하다. ＝しでかす. ¶混乱〔問題〕を～ 혼란을〔문제를〕 일으키다 / 戦争〔紛争〕を～ 전쟁〔분쟁〕을 일으키다〔야기하다〕. **2** (쓰러진 것을) 다시 일으켜 세우다. ¶倒れた人〔電柱〕を～ 쓰러진 사람을〔전주를〕 일으키다.

ひきおと-す【引き落とす】5他 **1** 씨름에서, 잡아당겨 쓰러뜨리다. ¶前に～ 앞으로 잡아당겨 쓰러뜨리다. **2** 요금 등을 지급인 계좌에서 인출하여 수취 기관에 자동 납부하다. ¶水道料金を口座から～ 수도 요금을 계좌에서 자동 대체하다.

ひきおろ-す【引き下ろす】5他 **1** 끌어내리다. **2** 예금을 찾다.

ひきかえ【引き換え·引き替え】图 바꿈; 교환; 상환(相換). ¶代金(と)～で品物を渡す 대금과 상환하여 물품을 내주다.

—けん【引換券·引替券】图 상환권; 교환권.

ひきかえ-す【引き返す】㊀5自 되돌아가다〔오다〕; 도서다. ¶家〔出発点〕へ～ 집〔출발점〕으로 되돌아가다. ㊁5他 **1** 뒤로 되돌리다. **2** 반대로 하다; 뒤집다.

ひきか-える【引き換える·引き替える】下1他 **1** 바꾸다; 교환〔상환〕하다. ¶賞品と～ 상품과 바꾸다 / 品物を金と～ 물건을 돈과 교환하다. **2**《'…に～·え(て)'의 꼴로》 그와는 반대로. ¶兄に～·え弟は活発だ 형과는 반대로 동생은 활발하다.

ひきがえる〖蟇蛙·蟾蜍〗图〔動〕 두꺼비. ＝がま.

ひきがたり【弾き語り】图 ス他 **1** 손수 三味線을 타면서 浄瑠璃를 이야깃조로 읊는 일. **2** 손수 피아노를 치거나 바이올린 따위를 켜면서 노래하는 일.

ひきがね【引き金】图 **1** 방아쇠. ¶～を引く 방아쇠를 당기다. **2** (직접적인) 동기〔원인〕; 계기. ＝きっかけ. ¶汚職が国会解散の～になった 독직(사건)이 국회 해산의 계기가 되었다.

ひきぎわ【引き際】图 ☞ひけぎわ.

ひきくら-べる【引き比べる】下1他 'くらべる(＝비교하다)'의 힘줌말.

ひきげき【悲喜劇】图 희비극. ¶人生の～ 인생의 희비극 / 出会いと別れの～ 만남과 이별의 희비극.

ひきこみせん【引込線】图 간선(幹線)에서 갈려 들어가는 전선이나 철로. ＝ひっこみせん.

ひきこ-む【引き込む】5他 **1** 끌어들이다; 끌어넣다. ¶水道を～ 수도를 끌어들이다 / 仲間に〔味方に〕～ 한패

〔자기편〕에 끌어넣다 / 聴衆(ちょうしゅう)は彼(かれ)の名演奏(めいえんそう)に～·まれた 청중은 그의 명연주에 끌려들어 갔다〔매료되었다〕. **2** (감기에) 걸리다. ¶風邪(かぜ)を～ 감기에 걸리다. 可能 ひきこ-める 下1自

ひきこも-る【引きこもる】《引き籠もる》 5自 틀어박히다; 죽치다. ＝とじこもる. ¶謹慎(きんしん)して家(いえ)に～·っている 근신하여 집에 죽치고 있다.

ひきころ-す【ひき殺す】《轢き殺す》 5他 역살(轢殺)하다; 치어 죽이다. ¶車(くるま)が犬(いぬ)を～ 자동차가 개를 치어 죽이다.

ひきさが-る【引き下がる】 5自 물러나다. **1** (장소에서) 물러서다. ＝退(ひ)く. ¶次(つぎ)の間(ま)へ～ 곁방으로 물러나다 / どやしつけられて～ 야단을 맞고 물러서다. **2** (일 따위에서) 손을 떼다〔빼다〕.

ひきさ-く【引き裂く】 5他 **1** (잡아) 찢다; 가르다. ¶布(ぬの)を～ 천을 잡아 찢다 / 手紙(てがみ)を～ 편지를 쭉 찢다 / 竹(たけ)を～ 대를 가르다. **2** (사이 따위를) 갈라 놓다. ¶二人(ふたり)の仲(なか)を～ 두 사람 사이를 갈라 놓다.

ひきさげ【引き下げ】 名 끌어내림; 떨어뜨림; 인하. ¶物価(ぶっか)の～ 물가의 인하. ↔引(ひ)き上(あ)げ.

ひきさ-げる【引き下げる】 下1他 **1** (끌어)내리다. ㉠인하하다; 싸게 하다. ¶運賃(うんちん)を～ 운임을 인하하다 / 法定利子(ほうていりし)を～ 법정 이자를 내리다. ㉡(신분 따위를) 떨어뜨리다; 낮추다. ＝くだす·おとす. ¶役付(やくつ)きから平社員(ひらしゃいん)に～ 임원에서 평사원으로 강등하다. ㉢(밑으로) 내리다; 드리우다. ¶幕(まく)を～ 막을 내리다. ⇔引(ひ)き上(あ)げる. **2** (뒤로) 물리다; 물러나게 하다. ¶兵(へい)を～ 군대를 후퇴시키다 / 車(くるま)を～ 차를 뒤로 빼다. **3** 취하하다; 철회하다. ＝取(と)り下(さ)げる. ¶訴(うった)えを～ 소송을 취하하다 / 提案(ていあん)を～ 제안을 철회하다.

ひきさ-る【引き去る】 一 5他 **1** 빼다; 공제하다. ¶給料(きゅうりょう)から税金(ぜいきん)を～ 급료에서 세금을 공제하다. **2** 잡아가다; 끌고 가다; 연행하다. ¶泥棒(どろぼう)をつかまえて～ 도둑을 잡아 끌고 가다. 二 5自 물러가다. ¶津波(つなみ)が～ 해일이 물러가다.

ひきざん【引き算】 名〔數〕 뺄셈; 감산(減算). ↔足(た)し算(ざん)·寄(よ)せ算(ざん).

ひきしお【引き潮】 名 썰물. ＝干潮(かんちょう)·下(さ)げ潮(しお). ↔満(み)ち潮(しお)·上(あ)げ潮(しお).

ひきしぼ-る【引き絞る】 5他 **1** 잔뜩 당기다. ¶弓(ゆみ)を～ 활을 잔뜩 당기다 / 幕(まく)を～ 막을 팽팽이 치다. **2** (억지로) 짜내다. ¶声(こえ)を～ 소리를 짜내다.

ひきしま-る【引き締まる】 5自 **1** 단단히 죄어지다; (바싹) 죄이다. ¶～·った文章(ぶんしょう) 힘차고 간결한 문장 / 口元(くちもと)が～ 입매가 야무지다 / スポーツで鍛(きた)えた～·った体(からだ) 스포츠로 단련한 탄탄한 몸. **2** (마음이) 긴장되다. ¶(おごそかで)心(こころ)が～ (엄숙해서) 마음이 긴장되다. **3**〔經〕 값이 다시 상승세를 보이다. ¶相場(そうば)が～ 시세가 다시 상승세를 보이다. ↔引(ひ)き緩(ゆる)む.

ひきし-める【引き締める】 下1他 (단단히) 죄다. **1** 조르다; 켕기다. ¶手綱(たづな)を～ 고삐를 (잔뜩) 죄다. **2** (느즈러진 정신·몸 따위를) 다잡다; 긴장시키다. ¶心(こころ)を～ 마음을 다잡다 / 生徒(せいと)を～ 학생을 당조짐하다. **3** (살림·예산 따위를) 조리차하다; 긴축시키다. ¶家計(かけい)〔生活(せいかつ)〕を～ 살림을 조리차하다 / 財政(ざいせい)を～ 재정을 긴축시키다.

ひぎしゃ【被疑者】 名 피의자; 용의자. ＝容疑者(ようぎしゃ).

ひきす-える【引き据える】 下1他 (데려다) 강제로 꿇어앉히다. ¶罪人(ざいにん)を～ 죄인을 꿇어앉히다 / 法廷(ほうてい)に～ 법정에 데려다 꿇어앉히다.

ひきずりおと-す【引きずり落とす】《引き摺り落とす》 5他 **1** 끌어당겨 떨어뜨리다. ¶カーテンを～ 커튼을 잡아당겨 내리다. **2** (지위에서) 실각시키다. ¶ボスを～ 보스를 실각시키다.

ひきずりこ-む【引きずり込む】《引き摺り込む》 5他 **1** (억지로) 끌어들이다. ¶部屋(へや)に～ (억지로) 방에 끌어들이다. ↔引きずり出(だ)す. **2** 억지로 동아리에 끌어들이다. ¶悪(わる)い仲間(なかま)に～·まれる 나쁜 패거리에 끌려들어가다 / 友人(ゆうじん)を悪(あく)に～ 친구를 나쁜 일에 끌어들이다.

ひきずりだ-す【引きずり出す】《引き摺り出す》 5自 (억지로) 끌어내다. ¶家(いえ)から～ 집에서 끌어내다 / 会合(かいごう)に～·した 억지로 회합에 끌어냈다. ↔引(ひ)きずり込(こ)む.

ひきずりまわ-す【引きずり回す】《引き摺り回す》 5他 여기저기 (억지로) 끌고 다니다. ¶東京(とうきょう)じゅうを～ 東京 도내를 여기저기 끌고 다니다.

***ひきず-る**【引きずる】《引き摺る》 5他 **1** 질질 끌다. ㉠땅에 질질 끌다. ¶片足(かたあし)を～·って歩(ある)く 한쪽 발을 질질 끌며 걷다 / すそを～ 옷자락을 질질 끌다 / 荷物(にもつ)を～·って運(はこ)ぶ 짐을 끌어 나르다. ㉡(시간·날짜를) 끌다; 지연시키다. ¶交渉(こうしょう)を～ 협상을 (질질) 끌다. **2** (억지로) 끌고 가다; 연행하다. ¶いやがるのを～·って行(ゆ)く 싫어하는 것을 억지로 끌고 가다 / 犯人(はんにん)を警察(けいさつ)へ～·って行(ゆ)く 범인을 경찰로 연행하다. 可能 ひきず-れる 下1自

ひきたお-す【引き倒す】 5他 잡아당겨 넘어뜨리다. ¶電柱(でんちゅう)を～ 전주를 잡아당겨 넘어뜨리다.

***ひきだし**【引き出し】 名 **1**《본디 抽出し》 서랍. ¶机(つくえ)の～をあける 책상 서랍을 열다. **2** (예금 따위를) 찾아냄; 인출. ¶預金(よきん)の～ 예금을 찾음.

ひきだ-す【引き出す】 5他 **1** 꺼내다. ㉠(챙겨 넣은 것을) 밖으로 내다. ¶押(お)し入(い)れからふとんを～ 반침에서 이불을 꺼내다. ㉡(말을) 끄집어 내다. ¶話(はなし)を～ 이야기를 꺼내다 / 本音(ほんね)を～ 실

토하게 하다. ㉢(예금 등을) 찾아내다. ¶銀行(ぎんこう)から金(かね)を～ 은행에서 돈을 찾다. **2** 우려내다. ¶うまい事(こと)を言(い)って五万円(ごまんえん)を～ 그럴듯한 말로 5만 엔을 우려내다. **3** 끌어내다. ㉠(자리에) 나오게 하다. ¶交渉(こうしょう)のテーブルに～ 협상 테이블에 끌어내다. ㉡(재주·능력 등을) 이끌어 내다; 발휘하게 하다. ¶答(こた)えを～ 답을 끌어내다 / 隠(かく)れた才能(さいのう)を～ 숨은 재간을 발휘하게 하다.

ひきた-つ【引き立つ】[5自] **1** 돋보이다; 두드러지다. ＝目(め)だつ. ¶淡(あわ)い赤地(あかじ)に緑(みどり)の水玉(みずたま)が～ 엷은 빨강 바탕에 초록빛 물방울 무늬가 돋보이다 / 澄(す)みきった秋空(あきぞら)に紅葉(もみじ)がぐっと～・って見(み)える 맑은 가을 하늘에 단풍잎이 한층 더 돋보인다. **2** (시장 경기 따위가) 활발해지다. ¶景気(けいき)が～ 경기가 활기를 띠다.

ひきたて【引き立て】[名] **1** 사람을 돋보이게 함. **2** 특별히 돌봐줌; 후원. ¶お～に預(あず)かりまして有(あ)り難(がと)うございます 특별히 돌봐 주셔서 감사합니다.

──やく【──役】[名] 남을 또는 상대자를 돋보이게 하는 사람; 들러리. ¶花嫁(はなよめ)の～ 신부의 들러리 / 醜女(しゅうじょ)は美人(びじん)の～ 추녀는 미인을 더욱 돋보이게 하는 역할(을 함).

ひきた-てる【引き立てる】[下1他] **1** (문을 옆으로 밀어) 닫다. ¶戸(と)を～ 문을 닫다. **2** 억지로 끌고 가다. ＝ひったてる. ¶罪人(ざいにん)を～ 죄인을 연행하다. **3** 북돋우다; 격려하다. ＝はげます. ¶気(き)を～ 사기를〔기운을〕 북돋우다. **4** 돋보이게 하다; 두드러지게 하다. ¶髪型(かみがた)が顔(かお)を～ 머리형이 얼굴을 돋보이게 하다. **5** 돌보아 중용(重用)하다; 등용〔발탁〕하다. ¶後進(こうしん)を～ 후진을 등용하다 / 主任(しゅにん)に～ 주임으로 발탁하다.

ひきちぎ-る【引きちぎる】[5他] 무리하게 잡아당겨 떼다; (마구) 잡아 찢다. ¶ボタンを～ 단추를 억지로 잡아떼다 / 袖(そで)を～・られる 소매를 잡아 찢기다.

ひきちゃ【ひき茶】《挽き茶》[名] 녹차를 갈아서 분말로 한 고급차; 가루차. ＝抹茶(まっちゃ). ↔葉茶(はちゃ).

ひきつぎ【引き継ぎ】[名] 인계. ¶事務(じむ)の～を行(おこな)う 사무 인계를 하다.

ひきつ-ぐ【引き継ぐ】[5他] 이어받다; 계승〔인계〕하다. ¶伝統(でんとう)を～ 전통을 이어받다 / 財産(ざいさん)を～ 재산을 물려받다 / 仕事(しごと)を～ 일을 인계하다.

ひきつけ『引き付け』[名] 경련; 특히, 어린애의 경풍. ¶～を起(お)こす 경련〔경풍〕을 일으키다.

ひきつ-ける『引き付ける』㊀[下1自] (어린애가) 경련을〔경기(驚気)를〕 일으키다. ¶子供(こども)が～ 어린애가 경기를 하다. ㊁[下1他] **1** 끌어당기다. ¶火(ひ)ばちを～ 화로를 끌어당기다 / 磁石(じしゃく)が釘(くぎ)を～ 자석이 못을 끌어당기다. **2** 《본디 惹き付ける》 마음을 끌다; 매혹하다. ¶女性(じょせい)の心(こころ)を～ 여성의 마음을 매료하다.

ひきつづき【引き続き】㊀[名] 계속. ¶昨日(きのう)の～をやる 어제의 계속을〔나머지를〕 하다 / ～の日照(ひで)りでうんざりする 계속되는 가뭄으로 진저리가 난다. ㊁[副] 계속해서; 잇달아; 곧 이어서. ¶～仕事(しごと)をする 계속해서 일하다 / ～負(ま)ける 잇달아〔내리〕 지다.

ひきつづ-く【引き続く】[5自] (그대로) 계속되다; 잇따르다. ¶陸軍(りくぐん)に～海軍(かいぐん)の分列行進(ぶんれつこうしん) 육군의 뒤를 이은 해군의 분열 행진 / 戦乱(せんらん)が～ 전란이 계속되다.

ひきつり『引き攣り』[名] **1** 경련; 쥐. **2** 화상(火傷) 따위로 오그라든 살갗.

ひきつ-る『引き攣る』[5自] **1** (화상 따위로) 피부가 옥죄이다. ¶傷(きず)あとが～ 상처가 옥죄이다. **2** 경련을 일으키다; 쥐가 나다. ¶水泳中(すいえいちゅう), 足(あし)が～ 수영 중, 발에 쥐가 나다. **3** 굳어지다; 경직되다. ¶怒(いか)りで顔(かお)が～ 노염으로 얼굴이 굳어지다.

ひきつ-れる【引き連れる】[下1他] 데리고 가다; 뒤에 거느리다. ¶お供(とも)を～ 수행자를 거느리다 / 部下(ぶか)を～・れて飲(の)みに行(い)く 부하를 데리고 술 마시러 가다.

ひきて【引き手】[名] **1** 장지문 따위의 문고리; 손잡이. ¶たんすの～ 장농의 손잡이. **2** 끄는 사람. ㉠(수레 따위를) 앞에서 끄는 사람. ㉡(손님을) 꾀는 사람; 여리꾼. ＝引(ひ)く手(て).

ひきて【弾き手】[名] 거문고·三味線(しゃみせん) 등의 악기를 연주하는 사람.

ひきでもの【引き出物】[名] 연회 때 손님에게 내놓는 선물; 답례품. ＝ひきもの. ¶結婚式(けっこんしき)の～ 결혼식의 답례품. [参考] 옛날, 말을 뜰에 끌어 내어 선사한 데서.

ひきど【引き戸】[名] 미닫이; 가로닫이. ＝やり戸(ど). ↔開(ひら)き戸(ど).

ひきどき【引き時】《退き時》[名] 물러날 시기〔때〕; 은퇴할 시기. ¶今(いま)が～だ 지금이 물러날 때다 / ～が肝心(かんじん)だ 물러날 때가 중요하다.

***ひきと-める**【引き止める·引き留める】[下1他] 만류하다; 말리다. ¶辞任(じにん)を～ 사임을 만류하다 / 走(はし)ろうとするのを～ 뛰려고 하는 것을 말리다.

ひきとり【引き取り】[名] 떠맡음; 인수.

──にん【──人】[名] 인수인. ＝引(ひ)き取(と)り手(て). ¶～の無(な)い遺品(いひん) 인수인이 없는 유품.

***ひきと-る**【引き取る】㊀[5自] 물러가다; 물러나다. ¶その場(ば)を～ 그 자리를 물러나다 / お～・りください 돌아가 주십시오. ㊁[5他] **1** 떠맡다. ㉠인수하다. ¶不良品(ふりょうひん)を～ 불량품을 인수하다 / 遺児(いじ)を～ 유아를 떠맡다. ㉡(말끝을) 이어받다. ¶人(ひと)の言(げん)を～・って話(はな)す 남의 말을 이어받아 말을 계속하다. **2** 거두다. ¶息(いき)を～ 숨을 거두다《죽다》.

ビギナー [beginner] [名] 비기너; 초심자.

ーズ ラック [beginner's luck] 图 비기너스 럭; 도박 등에서 초심자가 가끔 만나는 행운.

ひきなお-す【引き直す】图 **1** 다시 긋다. ¶線(せん)を～ 선을 다시 긋다. **2** 다시 걸리다. ¶かぜを～ 감기에 다시 걸리다.

ビキニ [bikini] 图 비키니. ¶～スタイル 비키니 스타일.

ひきにく【ひき肉】《挽き肉》图 기계로 갈거나 저민 고기.

ひきにげ【ひき逃げ】《轢き逃げ》图 スル自 (사람을 친 자동차의) 뺑소니. ¶～犯(はん) 뺑소니 범인 / 飲酒運転(いんしゅうんてん)で～する 음주 운전으로 사람을 치고 뺑소니치다.

ひきぬき【引き抜き】图 **1** 빼냄; 뽑아냄. **2** (인기 선수·인재를) 스카우트함. ¶有能(ゆうのう)な技術者(ぎじゅつしゃ)～ 유능한 기술자의 스카우트.

ひきぬ-く【引き抜く】5他 **1** (잡아) 뽑다; 뽑아내다. ＝引(ひ)っこぬく. ¶大根(だいこん)を～ 무를 뽑다. **2** (외부의 인재 등을) 스카우트하다. ¶よその選手(せんしゅ)を～ 다른 팀 선수를 스카우트하다.

ひきのばし【引き伸ばし】图 **1** 사진 확대. ¶現像(げんぞう)·焼(や)き付(つ)け·～ 현상·인화·확대. **2** 'ひきのばし写真(しゃしん)'의 준말.

ーしゃしん【ー写真】图 확대 사진. ＝ひきのばし.

ひきのばし【引き延ばし】图 지연; 질질 끎. ¶会議(かいぎ)の～ 회의의 지연 / ～策(さく)を講(こう)ずる 지연책을 강구하다.

***ひきのば-す**【引き伸ばす】5他 **1** 잡아늘이다; 길게 하다. ¶ゴムひもを～ 고무줄을 잡아늘이다 / 文章(ぶんしょう)を～ 문장을 길게 늘이다. **2** 묽게 하다. ¶のりを～ 풀을 묽게 하다. **3** 사진을 확대하다. ¶航空写真(こうくうしゃしん)を～ 항공 사진을 확대하다.

ひきのば-す【引き延ばす】5他 끌다; 지연시키다. ¶会議(かいぎ)を～ 회의를 지연시키다.

ひきはが-す【引きはがす】《引き剝がす》5他 (잡아)떼다. ¶壁(かべ)のポスターを～ 벽에 붙은 포스터를 떼다. 注意 'ひっぱがす'는 힘줌말.

ひきはな-す【引き離す】5他 떼어 놓다. **1** 갈라 놓다; (무리하게) 떼다. ¶二人(ふたり)の仲(なか)を～ 두 사람 사이를 떼어 놓다 / 親(おや)と子(こ)を～ 부모와 자식을 갈라 놓다. **2** 뒷사람과의 사이를 벌리다. ¶二(に)メートル～·して一着(いっちゃく)になる (뒤의 선수를) 2미터 떼어 놓고 (여유 있게) 1등이 되다 / 相手(あいて)チームを五点(ごてん)～ 상대 팀을 5점차로 벌리다.

ひきはら-う【引き払う】5他 퇴거하다; 걷어치우다. ¶家(いえ)を～·ってアパートに住(す)む 집을 옮겨 아파트에서 살다 / 店(みせ)を～·って職(しょく)を変(か)える 가게를 걷어치우고 직업을 바꾸다.

ひきふね【引き舟】《曳き船》图 배를 끌고 감; 끌고 가는 배; 예인선.

ひきまく【引き幕】图 무대에서, 옆으로 잡아당겨서 여닫는 막; 가로닫이 막. ↔揚(あ)げ幕(まく)·どんちょう.

ひきまど【引き窓】图 지붕에 설치한 천창(天窓).

ひきまわし【引き回し】图 **1** 지도하여 돌봐 줌. ¶よろしくお～願(ねが)います 잘 지도해 주시기 바랍니다; 잘 부탁드립니다. **2** 江戸(えど) 시대에, 참수형 이상의 죄인을 처형 전에 조리돌리던 일; 조리돌림.

ひきまわ-す【引き回す】5他 **1** 끌고 (돌아)다니다. ㉠여기저기 데리고 다니다. ¶市内(しない)を～ 시내를 여기저기 데리고 다니다. ㉡(처형 전의 중죄인을) 말에 태워 조리돌리다. **2** 돌보고 지도하다. ¶新人(しんじん)を～ 신인을 돌보고 지도하다. **3** (막이나 새끼 따위를) 둘러치다. ¶幕(まく)を～ 막을 둘러치다.

ひきめかぎばな【引き目かぎ鼻】《引き目鉤鼻》图 사람 얼굴의 묘사법의 하나《이야기 등을 그림으로 그린 두루마리 따위에서 볼 수 있으며, 눈을 '一'자로 그리고 코는 L자를 비스듬히 한 것처럼 단숨에 그림》.

ひきもきらず【引きも切らず】連語 끊임없이; 연달아. ＝たえまなく·ひっきりなしに. ¶客(きゃく)が～詰(つ)めかける〔押(お)しよせる〕 손님이 연달아 몰려들다 / 抗議(こうぎ)の電話(でんわ)が～かかってくる 항의 전화가 계속 걸려 온다.

ひきもど-す【引き戻す】5他 **1** 되돌리다; 본디대로 하다. ¶ボートを～ 보트를 본 장소에 되돌리다 / 最初(さいしょ)に～·して考(かんが)え直(なお)す 처음으로 되돌아가 다시 생각하다. **2** 다시 데려〔끌어〕오다. ¶家出娘(いえでむすめ)を～ 가출한 딸을 다시 데려오다. **3** 되돌아오다; 되돌아서다. ＝ひきかえす. ¶途中(とちゅう)から～ 도중에서 되돌아오다.

ひきもの【引き物】图 **1** ☞ひきでもの. **2** 칸막이하는 휘장.

ひきゃく【飛脚】图 파발꾼. ¶～を立(た)てる 파발을 놓다; 파발꾼을 보내다.

ひぎゃく【被虐】图 피학; 피학대. ¶～趣味(しゅみ) 피학 취미. ↔加虐(かぎゃく).

ひきやぶ-る【引き破る】5他 (잡아) 찢다. ＝やぶる·引(ひ)きさく. ¶手紙(てがみ)を～ 편지를 (북북) 찢다.

ひきゅう【飛球】图〔野〕비구; 플라이《높이 쳐올린 공》. ↔匍球(ほきゅう).

ひきゆる-む【引き緩む】5自 (거래에서) 내림세를 보이다. ↔引(ひ)き締(し)まる.

びきょ【美挙】图 미거; 선행. ¶～を表彰(ひょうしょう)する 선행을 표창하다.

***ひきょう**【卑怯】名ナ 비겁. ¶～者(もの) 비겁한 자 / ～なふるまい〔手段(しゅだん)〕 비겁한 행동〔수단〕/ ～にも人(ひと)をだます 비겁하게도 남을 속이다.

ひきょう【秘境】图 비경. ¶～を探(さぐ)る 비경을 탐험하다.

ひきょう【悲境】图 비경; 불행한 처지. ¶～にあってもくじけない 불행한 처지에 있어도 좌절하지 않는다.

ひぎょう【罷業】名 파업. **1** 일을 그만둠. **2** '同盟～'의 준말. =ストライキ. ¶～が起こる 파업이 일어나다.

ひきょく【悲曲】名 비곡; 슬픈 곡〔음악〕. =エレジー.

ひきよ-せる【引き寄せる】下1他 **1** 가까이(끌어)당기다. ¶椅子を～ 의자를 끌어당기다. **2** (마음·손님을) 끌다. ¶視線が～·せられる 시선이 끌리다. **3** 가까이 다가오게 하다; 바싹 유인하다.

ひきょり【飛距離】名 비거리. **1** (야구·골프 등에서) 공이 날아간 거리. **2** (스키의 점프 경기에서) 점프대에서 착지(着地)까지의 거리.

ひぎり【日切り】名 날짜를 한정함. =日限. ¶～の金を借りる 기한부로 돈을 빌리다.

*__ひきわけ__【引き分け】名 비김; 무승부. =あいこ·ドロー(draw). ¶～になる 무승부가 되다; 비기다 / ～に持ち込む 경기를 무승부로 끌고 가다.

ひきわ-ける【引き分ける】一下1他 떼어 놓다. ¶けんかを～ 싸움을 뜯어말리다. 二下1自 비기다; 무승부가 되다. ¶延長戦の末に～ 연장전 끝에 비기다.

ひきわたし【引き渡し】名 인도; 넘겨줌. ¶～命令 인도 명령 / 犯人の～を求める 범인의 인도를 요구하다.

ひきわた-す【引き渡す】5他 **1** 넘겨주다. ㉠인도하다. ¶身柄を～ 신병을 인도하다 / 警察へ犯人を～ 경찰에 범인을 넘겨주다. ㉡양도하다. ¶権利を～ 권리를 넘겨주다. **2** (줄 따위를) 건너매다; 치다.

ひきわり【ひき割り】《碾き割り》名 **1** 맷돌로 곡식을 타는 일. **2** 'ひきわり麦'의 준말. ↔押し割り.

—むぎ【—麦】名 맷돌에 탄 보리쌀.

ひきん【卑近】名ナ 비근. ¶～な例をあげる 비근한 예를 들다. ↔高遠.

ひきんぞく【非金属】名〔化〕비금속. ↔金属.

ひきんぞく【卑金属】名〔化〕비금속. ↔貴金属.

ひ-く【引く】一5他 **1** 끌다. ㉠(가까이) 잡아끌다〔당기다〕. ¶綱を～ 밧줄을 끌(어당기)다 / 袖を～ 소매를 잡아끌다 / 老人の手を～·いて案内する 노인의 손을 잡아 이끌어 안내하다. ↔押す. ㉡당겨 붙이는 작용을 하다. ¶磁石が鉄片を～·きつける 자석이 쇳조각을 당기다〔끌어 붙이다〕. ㉢《본디 惹く로도》(주의·마음을) 끌다. ¶人目を～ 남의 눈을 끌다 / 関心を～ 관심을 끌다. ㉣끌어들이다. ¶客を～ 손님을 끌다 / 水道を～ 수도를 끌어들이다〔놓다〕 / お宅には電話が～·いてありますか 댁에는 전화가 (가설되어) 있습니까. 注意 '손님을 끌다'는 '惹く'로도 씀. ㉤《본디 曳く·挽く로도》앞으로 끌고 가다. ¶荷車を～ 짐수레를 끌다 / 舟を～·いて浜に上げる 배를 끌어 해변에 올리다. ↔押す. ㉥《본디 曳く로도》(땅에) 질질 끌다. ¶着物のすそを～ 옷자락을 질질 끌다 / 足を～·いて歩く 발을 질질 끌며 걷다. ㉦(꼬리·여운 등을) 뒤에 길게 남기다. ¶声を長く～ 목소리를 길게 끌다 / 鐘の音が尾を～ 종소리가 여운을 끌다. ㉧(인기가 있어) 여기저기서 끌다. ¶～手あまたの男 여기저기서 (오라고) 끄는 데가 많은 사나이. **2** (활 시위 등을) 당기다. ¶引き金を～ 방아쇠를 당기다 / 大将に弓を～ 대장에게 활을 쏘다《반역하다》. **3** 《본디 控く로도》빼다. ㉠덜어내다. ¶五から三を～ 5에서 3을 빼다. ↔足す. ㉡떼다; 공제하다. ¶月給から～ 월급에서 (공)제하다. **4** 뽑다. ㉠잡아 뽑다. ¶大根を～ 무를 뽑다. ㉡(제비뽑기에서) 집어 내다. ¶くじを～ 제비를 뽑다. **5** 뒤로 물리다. ㉠(팔다리 따위를) 오므려 들이다; 또, (몸을) 뒤로 빼다. =引っ込める. ¶伸ばした足を～·いて正しく座る 뻗은 다리를 당겨 바로 앉다 / 身を～·いて球をよける 몸을 뒤로 비켜 공을 피하다. ↔出す. ㉡후퇴시키다. ¶兵〔軍勢〕を～ 군사를 물리다. **6** (줄을) 긋다; 그리다. ¶線を～ 선을 긋다 / 図面を～ 도면을 그리다. **7** (값을) 깎다. ¶値段を一割～ 값을 1할 깎다 / いくら～·けませんか 얼마쯤 깎아 주지 않겠습니까. **8** 끌어대다; 인용하다. ¶たとえを～ 비유를 들다 / テニスンから～·いた句 테니슨에서 인용한 글귀 / 外国の例を～ 외국의 예를 들다. **9** (많은 속에서) 찾다. ¶むずかしい言葉を辞書で～ 어려운 말을 사전에서 찾다. **10** 《退く로도》 손을 떼다. ¶その件からは手を～·いた 그 건에선 손을 떼었다. **11** (병 따위에) 걸리다; 들다. ¶風邪を～ 감기가 들다. **12** 들이쉬다. ¶息を～ 숨을 들이쉬다. **13** 치다. ㉠(막 따위를) 둘러치다. ¶壁のまわりにカーテンを～ 벽에 커튼을 둘러치다. ㉡바르다; 칠하다. =のべる·ぬりつける. ¶(機械に) 油を～ (기계에) 기름을 치다 / のりを～ 풀을 바르다. **14** (혈통·전통을) 이어〔물려〕받다. ¶血筋を～ 핏줄을 이어받다 / 流れを～ 유파를 잇다. **15** 실처럼 죽죽 늘어지다; 줄을 치다. ¶くもが糸を～ (거미가) 거미줄을 치다 / 涙が筋を～ 눈물이 주루룩 흘러내리다. **16** 사(私)를 두다; 정실 등용하다. ¶身内の者を～ 정실로 친척을 등용하다. **17** 살짝 훔치다. ¶ねずみが野菜を～ 쥐가 야채를 살짝 훔치다. **18** (화투로) 놀다. ¶花札を～ 화투를 치다.

二5自 《본디 退く로도》 **1** 빠지다. ㉠(물이) 삐다. ¶水〔潮〕が～ 물이〔조수가〕 빠지다. ㉡(열·부기 따위가) 내리다. ¶熱が～ 열이 내리다 / 汗が～ 땀이 식다 / 腫れが～ 부기가 빠지다 / 血

ちの気が～ 핏기가 가시다. ㉢(사람이) 뜸해지다; 줄어들다. ¶客足が～ 손님이 뜸해지다. **2** 물러나다. ㉠물러서다. ¶あとへ～ 뒤로 물러서다. ㉡은퇴하다; 그만두다. ¶会社を～ 회사를 그만두다. [可能]ひ-ける[下1自]

——に——·けない 물러날래야 물러날 수 없다.

ひ-く〖挽く〗[5他] **1** 톱으로 켜다. ¶材木を～ 재목을 켜다/のこを～ 톱으로 켜다. **2** 녹로를〔갈이틀을〕 돌려서 물건을 만들다. ¶ろくろを～·いて棒を丸くけずる 녹로를 돌려서 막대기를 둥글게 깎다. **3** 끌다; 끌고 가다. ☞引く 1 ㊐. [可能]ひ-ける[下1自]

***ひ-く**【弾く】[5他] 악기를 연주하다; 켜다; 타다; 치다. ¶ピアノを～ 피아노를 치다/三味線を～ 三味線을 타다/バイオリンを～ 바이올린을 켜다. [可能]ひ-ける[下1自]

ひ-く〖碾く〗[5他] 맷돌에 갈다; 타다; 빻다. ¶お茶を～ 차를 갈다/うすを～ 맷돌질하다/粉を～ 가루를 빻다. [可能]ひ-ける[下1自]

***ひ-く**〖轢く〗[5他] (차 따위가) 치다. ¶車に～·かれる 차에 치이다/自動車が人を～ 자동차가 사람을〔보행자를〕 치다. [可能]ひ-ける[下1自]

びく〖魚籠〗[名] 어롱; 종다래끼; 구덕. ¶釣った魚を～に入れる 낚은 물고기를 어롱에 넣다.

びく[比丘][名]〔佛〕비구. ↔比丘尼.

****ひく-い**【低い】[形] 낮다. **1** 작다. ㉠(높이·길이가) 짧다. ¶背が～ 키가 작다. ㉡(소리가) 크지 않다. ¶～声で話す 낮은 목소리로 이야기하다/声を～·くする 목소리를 낮추다. **2** 얕다. ㉠정도·수준이 높지 않다. ¶金利が～ 금리가 낮다/温度が～ 온도가 낮다/文化程度が～ 문화 정도가 낮다. ㉡위치·지위가 높지 않다. ¶～山 낮은 산/鼻が～ 코가 납작하다/腰が～ 저자세이다; 겸손하다/身分が～ 신분이 낮다. ⇔高い.

ひぐち【火口】[名] **1** 화구; 점화구(點火口). **2** 불이 난 시초; 화재의 발단. **3** 가스 용접기 끝의 노즐. **4** 분화구.

ひくつ【卑屈】[名][ダナ] 비굴. ¶～な考え 비굴한 생각/～な態度 비굴한 태도/～になる 비굴해지다.

びくつ-く [5自] 흠칫거리다; 겁내다. ¶これくらいの事で～な 이만한 일로 겁내지 마라 / 先生に怒られないかと～ 선생님께 야단 맞지나 않을까 하고 겁내다.

ひくて【引く手】[名] (자기 쪽으로) 끄는 사람; 권유하는 사람. ＝引き手. ¶～あまたの娘 여기저기에서 끄는 사람이 많은 아가씨; 구혼자가 많은 아가씨.

びくとも [副]『～しない』꿈쩍도 않다; 눈 하나 까딱도 않다. ¶いくら押しても～しない 아무리 밀어도 꿈쩍도 안 한다/事件後も会社は～しなかった 사건 후에도 회사는 끄떡도 없었다.

びくに[比丘尼][名]〔佛〕비구니; 여승; 신중. ↔比丘.

ピクニック [picnic] [名] 피크닉; 소풍; 들놀이. ＝野遊び·行楽. ¶～に出かける 소풍 나가다.

ひくひく [副] 이따금 조금씩 떨며 움직이는 모양: 실룩실룩; 벌룩벌룩. ¶鼻を～(と)させる 코를 벌름거리다.

びくびく [副][ス自] **1** 무서워서 떠는 모양: 벌벌; 흠칫흠칫. ¶おそろしさに～する 무서워서 흠칫흠칫하다/怒られないかと～する 야단 맞지 않을까 하고 흠칫거리다. **2** 발작적으로 조금씩 움직이는 모양: 바르르; 오들오들. ¶体を～(と)震わす 몸을 바르르 떨다.

ぴくぴく [副][ス自] **1** 실룩대는 모양: 실룩실룩. ¶目の下が～する 눈 밑이 실룩거리다/ほおが～(と)ひきつる 뺨이 실룩실룩 경련을 일으키다. **2** 쫑긋거리는 모양: 쫑긋쫑긋. ¶耳を～させる 귀를 쫑긋거리다.

ひぐま〖羆〗[名]〔動〕큰곰. ＝ひ.

ひくま-る【低まる】[5自] 낮아지다. ¶死亡率〔琴の音〕が～ 사망률이〔거문고 소리가〕 낮아지다. ↔高まる.

ひくめ【低め】[名ナ] (좀) 낮음; (좀) 낮은 모양. ¶～の球を投げる 나직하게 공을 던지다/賃上げ率を～に抑える 임금 인상률을 좀 낮게 억제하다/達成目標をやや～に置く 달성 목표를 약간 낮게 잡다. ↔高め.

ひく-める【低める】[下1他] 낮추다. ¶声を～ 목소리를 낮추다/身を～ 몸을 낮추다《겸손하게 굴다》. ⇔高める.

ひぐらし〖蜩·茅蜩〗[名]〔蟲〕쓰르라미. ＝かなかな(ぜみ).

ひぐらし【日暮らし】㊀[名] 그날그날을 지냄. ㊁[副]〈雅〉종일; 하루 종일. ¶～仕事をする 하루 종일 일을 하다.

ぴくりと [副] 갑자기 경련을 일으키듯 한 번 작게 움직이는 모양: 꼼틀; 움찔. ＝ぴくっと. ¶筋肉が～動く 근육이 꼼틀 움직이다.

ピクルス [pickles] [名]〔料〕피클스; 서양식 야채 절임. ＝ピクル·ピックルス.

ひぐれ【日暮れ】[名] 저녁때; 일모. ＝夕方·ゆうぐれ. ↔夜明け.

ひけ【引け】[名] **1**《본디, 退け로도》파함; 퇴근함. ¶早引け 조퇴/会社の～は五時だ 회사 퇴근은 5시다. **2** ㉠(남에게) 짐; 남만 못함. ㉡초라하게〔창피하게〕 느낌; 주눅듦. ¶～を感じる 열등감을 느끼다.

——を取る 승부에 지다; 남만 못하다; 남에게 뒤지다. ＝おくれをとる. ¶誰にも引けを取らない腕前 누구에게도 뒤지지 않을 기량.

***ひげ**〖髭·鬚·髯〗[名] 수염. ¶カイゼル～ 카이제르 수염/どじょう～ 미꾸라지 수염《아주 듬성한 수염》. [注意] 구레나룻인 경우는 '髯', 턱수염의 경우는 '鬚'

로 셌음. ¶白髯·しらひげ 흰 구레나룻.

ひげ【卑下】图ス自他 비하. ¶自分を あまり~するな 자신을 너무 비하하지 마라.

—も自慢のうち 겸비하여 그것을 미덕으로 뽐내는 일.

ピケ 图 'ピケット'의 준말. ▷picket.

びけい【美景】图 미경; 아름다운 경치. ¶~をめでる 아름다운 경치를 보며 즐기다.

***ひげき**【悲劇】图 비극. ¶~を演ずる俳優 비극을 연기하는 배우/親子生き別れの~ 부모 자식이 생이별하는 비극/~をもたらす 비극을 불러오다/~に巻き込まれる 비극에 휩쓸리다/~に見舞われる 비극을 겪다. ↔喜劇.

—てき【—的】ダナ 비극적. ¶~な結果 비극적인 결과.

ひけぎわ【引け際】《退け際》图 1 하루의 일이 끝날 무렵; 퇴근할 무렵. ¶~に来客があった 퇴근 무렵에 손님이 찾아왔다. 2 (거래소에서) 마지막 매매가 끝날 무렵(의 시세).

ひけし【火消し】图 1 불을 끔. 2 江戸시대의 소방 조직; 또, 소방수. 3 소동을 진압함; 위기를 극복함. ¶~役 위기를 극복하는 사람; 분쟁 해결〔조정〕자.

ひけそうば【引け相場】图 ☞ひけね.

***ひけつ**【否決】图ス他 부결. ¶法案を~する 법안을 부결하다. ↔可決.

ひけつ[秘訣]图 비결. ¶合格〔成功〕の~ 합격〔성공〕의 비결.

ピケット[picket]图 피켓; 쟁의 중인 노동자들이 파업 방해나 배반을 막기 위해 감시함; 또, 감시인. =ピケッティング·ピケ. ¶~を張る 쟁의 중에 파업 방해자나 배반자 방지를 위해 감시소 등을 만들다.

—ライン[picket line]图 피켓라인. ¶~をしく 피켓라인을 치다.

ひげづら【ひげ面】《髭面》图 수염이 많은 얼굴; 또, 그런 사람. =ひげっつら. ¶~の大男 덩치가 큰 털보.

ひけどき【引け時】《退け時》图 파할 시각. ¶会社の~ 회사의 퇴근 시각/~の混雑 퇴근 무렵의 혼잡.

ひけね【引け値】图 '大引け値段'의 준말; 거래소에서 그 날의 파장 때의 시세; 종가(終價). =ひけそうば.

ひけめ【引けめ·引け目】图 1 열등감. ¶~を感じる 열등감을 느끼다. 2 (자각하고 있는) 결점; 약점. ¶こちらにも~がある 이쪽에도 약점이 있다.

ひげもじゃ〖髭もじゃ〗图ダナ 수염이 텁수룩한 모양. ¶~の猟師 수염이 텁수룩한 사냥꾼.

ひけらか-す 5他 〈俗〉 자랑해 보이다; 자랑하다; 과시하다. ¶ダイヤの指輪を~ 다이아 반지를 자랑해 보이다/知識を~ 지식을 과시하다.

ひ-ける【引ける】下1自 1《본디, 退ける》(그 날의 일이 끝나서) 파하다. ¶会社が~ 회사가 끝나다/学校は三時に~ 학교는 3시에 파한다. 2 열등감이 들다; 마음이 내키지 않다; 기가 죽다. ¶気が~ 기가 죽다.

ひけん【比肩】图ス自 비견; 견줌; 필적. ¶この分野でかれに~する者はいない 이 분야에서 그와 견줄 사람은 없다.

ひけん【披見】图ス他 피견; (서류 따위를) 펴 봄. ¶手紙を~する 편지를 펴 보다/~を許さず 개봉을 불허함.

ひげんじつてき【非現実的】图 비현실적. ¶~な計画 비현실적인 계획.

ひけんしゃ【被験者】图 피험자; 시험이나 실험 따위의 대상자. 参考 검사를 받는 경우는 '被検者(=피검사자)'라고 씀.

ひこ〖曾孫〗图 증손. =ひ(い)まご.

ひご〖籤〗图 대오리. =たけひご.

ひご[庇護]图ス他 비호; 감싸고 두둔함. ¶神の~ 신의 비호/親の~を受ける 부모의 비호를 받다.

ひご【卑語】《鄙語》图 비어; 천한 말; 쌍스러운 말. =スラング.

ひご【飛語】《蜚語》图 비어; 뜬소문. ¶流言~ 유언비어.

ひごい〖緋鯉〗图〔魚〕비단잉어《관상용의 잉어》. ↔まごい.

ひこう【肥厚】图ス自〔醫〕비후; (피부·점막 따위가) 부어올라 두껍게 됨. ¶粘膜~ 점막 비후.

ひこう【非行】图 비행. ¶~をあばく 비행을 들추다〔폭로하다〕/~に走る 비행의 길로 들어서다/~少年 비행 소년.

ひこう【飛行】图ス自 비행. ¶~時間 비행 시간/低空を~する 저공을 비행하다.

—き【—機】图 비행기. =航空機. ¶~雲 비행기운; 비행기구름.

—じょう【—場】图 비행장. =エアポート·空港.

—せん【—船】图 비행선.

ひごう【非業】图〔佛〕비업; 비명(非命). ¶~の死 비명의 죽음/~の最期を遂げる 비명의 죽음을 하다; 비명횡사하다.

びこう【尾行】图ス自他 미행; 뒤를 밟음. ¶刑事に~される 형사에게 미행당하다/~を撒く 미행을 따돌리다/犯人を~する 범인을 미행하다.

びこう【備考】图 비고. ¶~欄 비고란.

びこう【備荒】图 비황; 흉년에 대비하는 일. ¶~貯蓄 비황 저축.

—さくもつ【—作物】图 비황 작물《피·메밀·고구마 따위》.

びこう【鼻こう】《鼻腔》图〔生〕비강. 注意 의학 용어로는 '鼻孔'와 구별하여 'びくう'라고도 함.

びこう【鼻孔】图 비공; 콧구멍. ¶~が詰まる 콧구멍이 막히다.

ひこうかい【非公開】图 비공개. ¶~のもとに会議が行われる 비공개리에

회의가 진행되다 / ～で審議する 비공개로 심의하다. ↔公開.

ひこうしき【非公式】图ダナ 비공식. ¶～の会談 비공식 회담 / ～に発表する 비공식으로 발표하다. ↔公式.

ひごうほう【非合法】图ダナ 비합법. ¶～活動 비합법 활동 / ～な手段に訴える 비합법적 수단에 호소하다. ↔合法.

ひごうり【非合理】名ナ 비합리. ⇨ふごうり.

*ひこく【被告】图 피고. **1** (민사 소송법에서) 고소를 당한 쪽의 당사자. ↔原告. **2** ☞ひこくにん.

—にん【—人】图 (형사 사건의) 피고(인). ¶～の陳述 피고인의 진술.

ひごと【日ごと】《日毎》連語 매일; 날마다. ¶～夜ごと 날마다 밤마다; 밤낮 / ～の勤め 날마다의 근무 / 柿が～に色付く 감이 날마다 빨갛게 익어 간다. ↔夜ごと.

ひこぼし【ひこ星】《彦星》图〖天〗칠석날에 오작교에서 직녀성을 만난다는 견우성.

ひこまご【ひこ孫】《曾孫》图 증손. ☞ひこ.

ひごろ【日ごろ】《日頃》图 평소; 평상시; 늘. ＝普段. ¶つね～ 평소 / ～の望み 평소의 소망 / ～行きたいと思っていた所 평소 가고 싶어하던 곳 / ～の勉強が大切だ 평소의 공부가 중요하다.

**ひざ〖膝〗图 무릎. ¶子供を～の上にのせる 아이를 무릎 위에 앉히다 / ～まで水につかる 무릎까지 물에 잠기다 / ～を突き合わせて相談する 무릎을 맞대고 의논하다.

—が笑う (하산길 등에) 지쳐서 무릎 힘이 빠지다; 무릎이 떨리다.

—とも談合 무릎과도 의논《누구하고든지 의논하면 이익이 있다》.

—を打つ 무릎을 치다. ¶いいアイディアに思わず～ 좋은 생각에 무심코 무릎을 치다.

—を折る〔屈する〕 무릎을 꿇다; 전하여, 굴복하다.

—を崩す 편히 앉다. ¶どうぞひざを崩して下さい 어서 편히 앉으시지요.

—を組む 책상다리를 하(고 앉)다.

—を進める **1** (상대에게) 다가가다. **2** 마음이 내키다〔솔깃해지다〕.

—を交える 무릎을 맞대다《서로 친밀하게 환담하다》.

ビザ [visa] 图 비자; 사증(査證). ＝(入国)査証. ¶～を申請する 비자를 신청하다 / ～が下りる〔下りない〕 비자가 나오다〔안 나오다〕.

ピザ [이 pizza] 图〖料〗피자. ＝ピザパイ·ピッツァ. ¶～の店 피자 가게.

ひさい【非才】《菲才》图 비재; 재능이 없음《자기 재능의 겸사말》. ¶浅学～の身 천학비재한 몸.

ひさい【被災】图ス自 재해〔피해〕를 입음. ＝罹災.

—しゃ【—者】图 재해를 입은 사람; 이재자. ¶台風の～ 태풍 피해자.

びさい【微細】名ナ **1** 미세; 가늘고 작음. ¶～な違い 미세한 차이 / ～にわたって述べる 세세한 점에 이르기까지〔자세히〕 말하다〔논술하다〕. ↔巨大. **2** 미천. ¶～の身 미천한 몸.

びざい【微罪】图 미죄; 가벼운 죄. ¶～不起訴 미죄 불기소 / ～釈放 미죄 석방. ↔重罪.

ひざおくり【ひざ送り】《膝送り》图 무릎〔앉은〕걸음으로 서로 죄어 앉음. ＝ひざ繰り. ¶～をして席をあける (서로서로) 죄어 앉아서 자리를 내다.

ひざがしら【ひざ頭】《膝頭》图 무릎; 무릎의 관절 부분. ＝ひざ小僧. ¶～を強く打った 무릎을 세게 부딪쳤다.

ひざかり【日盛り】图 볕이 한창 내리쬐는 시각; 한낮. ¶夏の～には作業を休む 여름의 한창 더운 한낮에는 작업을 쉰다.

ひさく【秘策】图 비책. ¶～を授ける 비책을 전수(傳授)하다.

ひさ-ぐ〖鬻ぐ·販ぐ〗5他〈雅〉 팔다. ＝売る. ¶春を～ (여자가) 몸을 팔다; 매춘〔매음〕하다.

ひざぐみ【ひざ組み】《膝組み》图ス自 책상다리. ¶～に座る 책상다리로 앉다.

ひさご〖瓢·瓠·匏〗图 **1**〖植〗호리병박. **2** 호리병.

ひざこぞう【ひざ小僧】《膝小僧》图〖生〗무릎. ＝ひざがしら.

*ひさし〖庇·廂〗图 **1**〖建〗(옛날 寝殿造り에서) 몸채 주위의 조붓한 방; 행랑방. **2** (처마에 내어 댄) 차양(遮陽). **3** (모자 따위의) 챙. ¶～のついた帽子 챙이 달린 모자.

—を貸して母屋を取られる 행랑방을 빌려 주고 몸채까지 빼앗기다. **1** 일부분을 빌려 주었다가 나중에는 전부를 빼앗기다. **2** 은혜를 원수로 갚음을 당함의 비유.

ひざし【日ざし】《日差し·陽射し》图 볕이 쬠; 볕; 햇살. ¶夏の～ 여름 햇볕 / ～が強い 햇살이 세다〔따갑다〕.

ひさし-い【久しい】形 오래다; 오래간만이다. ¶～間 오랫동안 / ～·く会わない友 오랫동안 만나지 않은 벗 / お～·うございます 오래간만입니다.

*ひさしぶり【久しぶり】《久し振り》图 오래간만. ¶～の休日〔再会〕 오래간만의 휴일〔재회〕 / ～に会う 오래간만에 만나다 / やあ, ～ですね 여, 오랫만입니다그려.

ひざづめ【ひざ詰め】《膝詰め》图 무릎을 들이댐; 꼼짝 못하게 밀어붙임. ¶～談判 무릎을 맞대고 하는 직접 담판.

ひさびさ【久久】图〈雅〉 오래간만; 오랫동안. ＝久しぶり. ¶～の対面 오래간만의 대면 / ～にお目にかかる 오래간만에 만나뵈다 / ～ごぶさたしました 오랫동안 격조했습니다.

ひざびょうし【ひざ拍子】《膝拍子》图

무릎장단. ¶歌(うた)に合(あ)わせて~をとる 노래에 맞추어서 무릎장단을 치다.

ひざまくら〖膝枕〗图 무릎베개. ¶妻(つま)の~で高(たか)いびき 아내의 무릎을 베고 코를 드르렁 곪/子供(こども)は母(はは)の~で寝入(ねい)った 아이는 어머니의 무릎을 베고 잠들었다.

ひざまず-く〖跪く〗5自 무릎꿇다. ¶仏前(ぶつぜん)に~ 부처님 앞에 무릎꿇다/~·いて懇願(こんがん)する 무릎꿇고 간청하다. 可能 ひざまず-ける 下1自

ひさめ【氷雨】图 **1**〈雅〉 우박. =あられ. **2**진눈깨비. **3**(가을의) 찬비.

ひざもと【ひざもと·ひざ元】《膝元·膝下》图 **1**슬하. ¶親(おや)の~を離(はな)れる 부모의 슬하를 떠나다. **2**황거(皇居)·幕府(ばくふ)의 소재지. =おひざもと. ¶将軍(しょうぐん)のお~ 将軍이 있는 곳《江戸(えど)》.

ひさん【飛散】图ス自他 비산; 튀어 흩어짐. ¶ガラスの破片(はへん)が~している 유리 조각들이 날아 흩어져 있다.

*__ひさん__【悲惨】《悲酸》名ナ 비참. ¶~な最後(さいご) 비참한 최후/~を極(きわ)めた一生(いっしょう) 비참하기 짝이 없는 일생/目(め)をおおうばかりの~な光景(こうけい) 눈 뜨고 못 볼 비참한 광경.

ひし【秘史】图 비사. ¶外交(がいこう)~ 외교 비사.

*__ひじ__〖肘·肱·臂〗图 팔꿈치; 팔꿈치 모양으로 구부러진 것. ¶~で押(お)しのける 팔꿈치로 밀어 제치다/いすの~ 의자의 팔걸이/~をつく 팔꿈치를 괴다/~を枕(まくら)にする 팔꿈치를 베개 삼다.

ひじ【秘事】图 비사; 비밀한 일. ¶人(ひと)の~を暴(あば)く 남의 비밀을 폭로하다.

びじ【美辞】图 미사. ¶~を弄(ろう)する 듣기에 아름다운 말들을 지껄이다.

—れいく【—麗句】图 미사여구. ¶~を連(つら)ねる 미사여구를 늘어놓다.

ひじあて【ひじ当て】《肘当て》图 (보강과 장식을 겸해) 양복 팔꿈치 부분에 대는 천.

ひしかく-す【秘し隠す】5他 비밀로 하여 감추다〔숨기다〕.

ひじかけ〖肘掛け〗图 팔걸이; 궤상(几床); 사방침. =脇息(きょうそく).

—いす 图 팔걸이의자.

ひしがた【ひし形】《菱形》图 능형; 마름모꼴.

ひし-ぐ〖拉ぐ〗5他 찌부러뜨리다; 기운을〔세력을·기세를〕 꺾다. ¶鬼(おに)をも~勢(いきお)い 귀신이라도 무찌를 기세/敵(てき)の気勢(きせい)を~ 적의 기세를 꺾다/高慢(こうまん)な鼻(はな)を~ 거만한 콧대를 꺾다. 可能 ひし-げる 下1自

ひし-げる〖拉げる〗下1自 찌부러지다; 짓눌리다; 세력·기운·기세 따위가 꺾이다. =ひしゃげる. ¶箱(はこ)が~·げている 상자가 찌부러져 있다.

ひじじ〖曾祖父〗图 증조부. =ひいじじ.

ひししょくぶつ【被子植物】图 피자식물; 속씨식물. ↔裸子(らし)植物.

ひしせん [皮脂腺] 图〔生〕 피지선. =脂腺(しせん).

ビジター [visitor] 图 비지터. **1**〔골프〕 회원 이외의 경기자. **2**〔野〕 원정팀.

ひしつ【皮質】图〔生〕 피질. **1**부신(副腎)이나 신장 등 중실성(中實性) 기관의 겉층의 부분. **2**대뇌나 소뇌의 겉층을 이루는 회백질부(灰白質部). ¶大脳(だいのう)~ 대뇌 피질. ↔髄質(ずいしつ).

びしっと 副 **1**물건이 깨지거나 부러지는 소리를 나타내는 말: 딱; 탁. ¶竿(さお)が~折(お)れた 장대가 딱하고 부러졌다. **2**엄한 모양: 딱; 따끔하게; 호되게. =ぴしゃりと. ¶~断(ことわ)る 딱 거절하다/~しかる 따끔하게〔호되게〕 야단치다.

ぴしっと 副ス自 **1**채찍·막대기 따위로 때리거나 물건이 깨지는 등의 모양이나 소리: 탁; 철썩; 쨍. ¶~むちで打(う)つ 철썩하고 채찍으로 때리다/ガラスに~ひびがはいる 유리에 쨍 하고 금이 가다. **2**빈틈없이; 깔끔〔말쑥〕하게. ¶~した服装(ふくそう) 깔끔〔말쑥〕한 복장.

びしてき【微視的】ダナ 미시적. ¶~な見(み)かた 미시적인 시각/見解(けんかい)がそんなに~では大成(たいせい)する見(み)こみがない 견해가 그렇게 미시적이어서는 대성할 가망이 없다. ↔巨視的(きょしてき).

ひじてつ【ひじ鉄】《肘鉄》图 ☞ひじでっぽう.

ひじでっぽう【ひじ鉄砲】《肘鉄砲》图 **1**팔꿈치로 상대방을 떼밂〔내지름〕. **2**(요구나 권유 등의) 박참; 자빡댐; (단호한) 거절. ¶~を食(く)らわす 퇴짜를 놓다; 박차다/女(おんな)から~を食(く)う 여자한테 퇴짜〔딱지〕를 맞다.

ひしと〖犇と〗副 **1**꽉; 꼭; 딱. =しっかり·ぴったりと. ¶~抱(だ)きつく 꽉 껴안다/~しがみつく 꼭 달라붙다. **2**강렬하게; 절실히; 되게. =強(つよ)く·きつく·きびしく. ¶忠告(ちゅうこく)が~こたえる 충고가 강렬하게 와닿다/寒(さむ)さが~身(み)にこたえる 추위가 매섭게 몸에 느껴지다.

ビジネス [business] 图 비즈니스. **1**사무; 일. ¶~ウエア 사무복. **2**사업.

—クラス [business class] 图 비즈니스 클래스; 여객기 좌석 등급의 하나《퍼스트 클래스와 이코노믹 클래스의 중간》.

—コンサルタント [business consultant] 图 비즈니스〔경영〕 컨설턴트.

—マン [businessman] 图 비즈니스맨; 실업〔사업〕가; 사무가; 상인.

—ライク [businesslike] ダナ 비즈니스라이크; 사무적; 직업적; 능률적.

ひしひし〖犇犇〗副 **1**자꾸자꾸 다가오는 모양: 바싹바싹. ¶~(と)押(お)し寄(よ)せる 바싹바싹 밀려〔다가〕오다/数万(すうまん)の兵(へい)が~(と)城(しろ)を攻(せ)めよせる 수만의 군사가 바싹바싹 성을 공격해 오다. **2**강하게 느끼는 모양. ¶寒(さむ)さが~(と)身(み)にしみる 추위가 오싹오싹 몸에 스미다/親(おや)のありがたさが~と胸(むね)に迫(せま)る 부모의 고마움이 절절히 가슴에 와 닿다.

びしびし 副 가차없이; 엄(격)하게. ¶~(と)しかる 호되게 꾸짖다/~取(と)り締(し)まる 엄하게 단속하다.

ひじまくら〖肘枕〗图 팔베개. ¶~で昼寝(ひるね)する 팔베개를 하고 낮잠을 자다.

ひしめ-く〖犇めく〗5自 (많은 사람이 모여) 밀치락달치락 옹성대다; 북적거리다. ¶～群衆(ぐんしゅう) 밀치락달치락 복작대는 군중 / 見物人(けんぶつにん)が～ 구경꾼이 와그작거리다〔웅성거리다〕.

ひしもち〖菱餅〗图 마름모꼴로 자른 떡《홍·백·녹 3색의 떡을 포개어 삼짇날의 ひな祭(まつ)り에 차려 놓음》.

ひしゃ【飛車】图 일본 장기짝의 하나《한국 장기의 차(車)와 비슷함》. =しゃ.

ひしゃく〖柄杓·杓〗图 국자. ¶～ですくう 국자로 푸다 / ～で汁(しる)をわんによそう 국자로 국을 공기에 담다.

びじゃく【微弱】名ナ 미약. ¶～な地震(じしん)〔電流(でんりゅう)〕 미약한 지진〔전류〕.

ひしゃ-げる 下1自 〈俗〉 눌려 찌부러지다. =ひしげる. ¶～·げた帽子(ぼうし) 찌부러진 모자 / 箱(はこ)が～ 상자가 찌부러지다.

ひしゃたい【被写体】图 피사체; 사진에 박히는 물체〔사람〕.

ぴしゃりと 副 **1** 문 따위를 닫는 소리: 탁. ¶戸(と)を～締(し)める 문을 탁 닫다. **2** 손바닥으로 치는 소리: 철썩; 탁. ¶平手(ひらて)で～ほおを打(う)つ 손바닥으로 찰싹 뺨을 때리다. **3** 고압적인 태도로, 딱 잘라서 말하는 모양: 딱. ¶相手(あいて)の要求(ようきゅう)を～ことわる 상대방의 요구를 딱 거절하다.

ひしゅ〔匕首〕图 비수; 단도. =あいくち.

びしゅ【美酒】图 미주; 맛있는 술. =うまざけ. ¶～に酔(よ)う 좋은 술에 취하다.

ビジュアル [visual] ダナ 비주얼; 시각적. ¶～な広告(こうこく) 시각적인 광고.

ひしゅう【悲愁】图スル自 비수. ¶～にとざされる 비수에 잠기다.

ひじゅう【比重】图 비중. ¶～を測(はか)る〔占(し)める〕 비중을 재다〔차지하다〕 / 銅(どう)は鉄(てつ)より～が大(おお)きい 구리는 철보다 비중이 크다 / …に～をおく …에 비중을 두다 / 教育費(きょういくひ)の～が年年(ねんねん)増大(ぞうだい)する 교육비 비중이 해마다 증가한다.

びしゅう【美醜】图 미추; 아름다움과 추함. ¶善悪(ぜんあく)～の判断(はんだん) 선악미추의 판단.

ひしゅうしょくご【被修飾語】图〔言〕 피수식어; 수식을 받는 말.

ひじゅつ【秘術】图 비술; 비밀의 술법; 비법. ¶～を尽(つ)くす 비술을 다하다.

**びじゅつ【美術】图 미술. ¶～家(か) 미술가 / 古(こ)～ 고미술 / ～品(ひん) 미술품 / 造形(ぞうけい)〔現代(げんだい)〕～ 조형〔현대〕 미술.

ひじゅん【批准】图スル他〔法〕 비준. ¶～書(しょ) 비준서 / 講和条約(こうわじょうやく)を～する 강화 조약을 비준하다.

ひしょ【秘書】图 비서. =セクレタリー. ¶社長(しゃちょう)～ 사장 비서.

ひしょ【避暑】图スル自 피서. ¶～地(ち) 피서지 / ～に行(ゆ)く 피서 가다. ↔避寒(ひかん).

びじょ【美女】图 미녀. ¶美男(びなん)～ 미남 미녀. ↔醜女(しゅうじょ).

ひしょう【卑称】图 비칭; 낮춤말; 자기나 상대를 낮추어 일컫는 말. =卑語(ひご).

ひしょう〔飛翔〕图スル自 비상; 공중을 낢. ¶大空(おおぞら)を～する鷲(わし) 넓은 하늘을 비상하는 독수리.

**ひじょう【非常】一ダナ 비상; 보통이 아님; 대단함. ¶～な暑(あつ)さ 대단한 더위 / ～に大(おお)きい〔うれしい〕 대단히 크다〔기쁘다〕. 二图 비상; 심상치 않음. ¶～ベル 비상벨 / ～階段(かいだん) 비상 계단 / ～の際(さい)の心得(こころえ) 비상시 수칙.

—ぐち【—口】图 비상구.

—コック [cock] 图 (버스·전철 등에 설치한) 비상 콕〔고동〕.

—じ【—時】图 비상시. ¶～に備(そな)える 비상시에 대비하다.

—しょうしゅう【—召集】图 비상 소집. ¶休日(きゅうじつ)なのに～がかかる 휴일인데 비상 소집이 걸리다.

—せん【—線】图 비상선. ¶～を張(は)る 비상선을 치다.

ひじょう【非情】一名ナ 비정; 무정함. ¶～な〔の〕人(ひと) 비정한 사람 / ～な仕打(しう)ち〔処置(しょち)〕 비정한 처사〔조치〕 / ～の雨(あめ) 무정한 비. 二图 목석 따위처럼 감정이 없는 것. ⇔有情(うじょう).

びしょう【美称】图 미칭; 칭찬하여〔아름답게〕 일컫는 말.

びしょう【美粧】图 미장; 예쁘게 가꿈. ¶～院(いん) 미장원《'美容院(びよういん)'의 예전 호칭》 / ～をほどこす 예쁘게 가꾸다; 미장을 하다.

びしょう【微小】名ナ 미소. ¶～な生物(せいぶつ)〔粒子(りゅうし)〕 미소한 생물〔입자〕 / ～な動(うご)き 매우 작은 움직임.

びしょう【微少】名ナ 미소; 매우 적음. ¶～な損害(そんがい) 미소한 손해.

びしょう【微笑】图スル自 미소. =ほほえみ. ¶～を浮(う)かべる 미소를 띠다.

ひじょうきん【非常勤】图 비상근. ¶～講師(こうし)〔嘱託(しょくたく)〕 비상근 강사〔촉탁〕. ↔常勤(じょうきん).

*ひじょうしき【非常識】名ナ 비상식; 상식을 벗어남; 상식이 없음. ¶～な行動(こうどう) 상식에 벗어난 행동 / ～な事(こと)〔発言(はつげん)〕をする 비상식적인 짓〔발언〕을 하다. ↔常識的(じょうしきてき).

びしょうじょ【美少女】图 미소녀. ↔美少年(びしょうねん).

ひじょうじょうかぶ【非上場株】图〔經〕 비상장주.

ひじょうすう【被乗数】图〔數〕 피승수. ↔乗数(じょうすう).

びしょうねん【美少年】图 미소년. ¶紅顔(こうがん)の～ 홍안의 미소년. ↔美少女(びしょうじょ).

びしょく【美食】图スル自 미식. ¶～家(か) 미식가. ↔悪食(あくしょく)·粗食(そしょく).

ひじょすう【被除数】图〔數〕 피제수; 나뉨수(數). ↔除数(じょすう).

ビショップ [bishop] 图 비숍. **1** 주교(主教). **2** 서양 장기 말의 하나.

びしょぬれ〖びしょ濡れ〗图 흠뻑 젖음. =ぐしょぬれ·ずぶぬれ. ¶～の着物(きもの) 흠뻑 젖은 옷 / 夕立(ゆうだち)にあって～になる 소나기를 만나 흠뻑 젖다.

びしょびしょ 副ダナ **1** 흠뻑 젖은 모양.

¶雨で服が～になる 비를 맞아 옷이 흠뻑 젖다 / 汗で～になる 땀으로 흠뻑 젖다. **2** 비가 잇달아 오는 모양: 주룩주룩; 줄기차게. ¶毎日雨が～(と)降る 매일 비가 줄기차게 오다 / ～(と)降るなかを出かけた 주룩주룩 비가 내리는 가운데 나갔다.

ビジョン [vision] 图 비전. **1** 시각(視覺). **2** 환영(幻影). **3** 상상(력); 마음에 그리는 상(像). **4** 장래 실현코자 하는 계획[구상]; 미래상(像). ¶将来の展望や～に欠ける 장래에 대한 전망이나 비전이 없다.

ひじり 〚聖〛 图 덕이 높고 숭배를 받는 사람. **1** 성인(聖人). **2** 탁월한 학문이나 기술이 있는 사람. ¶歌の～ 가성(歌聖); 명창. **3** 고승(高僧).

ぴしりと 副 **1** 무엇을 세게 때리는 소리: 철썩. ¶～と鞭を打つ 철썩하고 채찍으로 때리다. **2** 단호하게 거절하는 모양: 딱 (잘라); 한 마디로. ¶要求を～はねつける 요구를 딱 잘라 거절하다.

びしん【微震】图〔地〕미진《진도 1의 지진》. ¶～があった 미진이 있었다.

びじん【美人】图 미인. ¶～薄命 미인박명 / 絶世の～ 절세의 미인.

ヒス 图 'ヒステリー'의 준말. ¶～を起こす 히스테리를 일으키다.

ひすい 〚翡翠〛 图 비취. **1**〔鳥〕물총새. ＝かわせみ. **2** 비취옥. ¶～の指輪 비취 반지.

ビスケット [biscuit] 图 비스킷.

ビスコース [viscose] 图〔化〕비스코스.

ヒスタミン [histamine] 图〔化〕히스타민《단백질이 분해할 때 생기는 유독 성분》. ¶抗～剤 항히스타민제.

ヒステリー [도 Hysterie] 图〔醫〕히스테리. ＝ヒス. ¶～性格 히스테리 성격 / ～を起こす 히스테리를 일으키다.

ヒステリック [hysteric] ダナ 히스테릭. ¶～な笑い[声] 히스테릭한 웃음[목소리].

ピストル [pistol] 图 피스톨; 권총. ¶～強盗(事件) 권총 강도 (사건) / ～に弾をこめる 권총에 탄알을 재다.

ピストン [piston] 图 피스톤. ＝活塞.

――ゆそう【――輸送】图ス他 피스톤 수송; 연이어 자꾸 사람이나 물건을 보냄.

***ひずみ** 〚歪み〛 图 **1** 비뚤어짐; 일그러짐; 뒤틀림. ＝ゆがみ. ¶～が出来る 왜곡이 생기다 / 障子に～が生じる 미닫이가 뒤틀리다. **2** (사물이 잘 안되는 데서 일어나는) 나쁜 여파. ＝しわよせ. ¶高度経済成長の～に泣く中小企業 고도 경제 성장에서 오는 부작용에 우는 중소 기업. **3**〔理〕변형(變形); 일그러짐.

***ひず-む** 〚歪む〛 5自 비뚤어지다; 일그러지다; 뒤틀리다. ＝ゆがむ·まがる. ¶板が～ 판자가 뒤틀리다.

ひ-する【比する】サ変他 비(교)하다; 비기다. ＝くらべる. ¶他に～·して劣る 다른 것에 비하여 떨어지다.

ひ-する【秘する】サ変他 감추다; 숨기다; 비밀히 하다. ＝ひめる. ¶名を～ 이름을 숨기다 / 思いを心中深く～·して語らない 생각을 마음속 깊이 감추고 말하지 않다.

ひせい【批正】图ス他 비정; 비판하여 정정·개정함. ¶御～を乞う 비정해 주시기를 바랍니다.

ひせい [秕政·粃政] 图 비정; 악정(惡政). ¶～を正す 비정을 바로잡다.

びせい【美声】图 미성. ¶～に酔う 아름다운 목소리에 도취되다. ↔悪声.

ひせいさんてき【非生産的】ダナ 비생산적. ¶～な意見 비생산적인 의견.

ひせいふそしき【非政府組織】图 비정부 기구; 비정부간 기구. ＝NGO.

びせいぶつ【微生物】图〔生〕미생물. ¶～検査 미생물 검사.

ひせき【秘跡】《秘蹟》图 (가톨릭에서) 성사(聖事). ＝サクラメント.

ひせき【碑石】图 비석. **1** 비석돌. **2** 돌비석. ＝いしぶみ.

びせきぶん【微積分】图〔數〕미적분. ¶～学 미적분학.

ひせつ【秘説】图 비설; 숨겨져 세상에 알려지지 않은 설. ¶そのような～があるとは知らなかった 그와 같은 알려지지 않은 이야기가 있는 줄은 몰랐다.

ひぜに【日銭】图 **1** (상점 등에서) 그날그날 수입으로 들어오는 돈; 일수입(日收入); 일당. ¶～が入る 날마다 돈이 들어오다 / ～をかせぐ 일당을 벌다. **2** 일숫돈. ＝ひがね·日なし金.

ひぜめ【火攻め】图 화공; 불을 질러서 공격함. ＝焼き討ち. ↔水攻め.

ひせん [卑賤] 名ナ 비천. ＝微賤. ¶～の身 비천한 몸[신분]. ↔高貴.

びせん [微賤] 名ナ 미천. ＝卑賤. ¶～の身 미천한 몸 / ～より身を興す 미천한 처지에서 입신[출세]하다.

びぜん [美髯] 图 미염; 아름다운 구레나룻[수염]. ¶～をたくわえる 아름다운 수염을 기르다.

ひせんきょけん【被選挙権】图〔法〕피선거권. ¶～がある 피선거권이 있다. ↔選挙権.

ひせんきょにん【被選挙人】图〔法〕피선거인. ↔選挙人.

ひせんとういん【非戦闘員】图 비전투원. ¶～を殺す 비전투원을 죽이다.

ひそ【ひ素】《砒素》图〔化〕비소《기호: As》. ¶～剤 비소제. 注意 자연 과학에서는 'ヒ素'라고 씀.

びそ【鼻祖】图 비조; 시조; 원조. ＝先祖.

ひそう【皮相】名ナ 피상. **1** (사물의) 겉; 거죽; 표면. ＝うわつら·うわべ. ¶～な観察 피상적인 관찰 / 人情の～のみを見ていては, 真の人間性はわからない 인정의 겉면만을 보고서는 참다운 인간성은 모른다. **2** (생각 따위가) 깊이가 없음. ¶～な見解は正し

い結論をもたらさない 피상적인 견해로는 올바른 결론이 안 나온다.
──てき【──的】ダナ 피상적.
ひそう【悲壮】名ナ 비장. ¶～な決意〔覚悟〕 비장한 결의〔각오〕/～な最期 비장한 최후〔죽음〕.
ひそう［悲愴］名ナ 비창; 비통. ¶～な顔 비창한 얼굴/～感がただよう 비통한 감이 감돌다.
ひぞう【ひ臓】《脾臓》名〖生〗비장; 지라.
ひぞう【秘蔵】名ス他 **1** 비장; 소중히 간직함. ¶～本 비장본/～の書画 비장의 서화. **2** 애지중지함. ¶～の弟子 애끼고 사랑하는 제자/～の娘 애지중지하는 딸; 귀동딸. 注意 옛날에는 'ひそう'.
びそう【美装】名ス他 미장. ¶～本 미장본; 아름답게 장식한 책/～を凝らす 몸차림에 정성을 쏟다.
びぞう【微増】名ス自 미증; (물가 따위가) 조금 오름. ↔微落.
ひそか〖密か・窃か・私か〗ダナ 가만히〔몰래〕 하는 모양. ＝こっそり. ¶～な楽しみ 은밀한 즐거움/～に会う 몰래 만나다/～に忍び込む 살그머니〔몰래〕 숨어들다/心中～に喜ぶ 마음속으로 은근히 기뻐하다.
ひぞく【卑俗】名ダナ 비속; 저속; 상스러움. ＝下品. ¶～な言葉 비속한〔상스러운〕 말. ↔高雅.
ひぞく【卑属】名 비속. ¶直系～ 직계 비속/傍系～ 방계 비속. ↔尊属.
ひぞく［匪賊］名 비적. ¶～の頭 비적의 두목.
びそく【鼻息】名 비식; 콧숨. ＝はないき.
──をうかがう; ──を仰ぐ 남의 기색을 살피다.
びぞく【美俗】名 미속. ¶良風～ 양풍미속/醇風～ 순풍미속.
ひぞっこ【秘蔵っ子】名〈俗〉귀동이; 애지중지하는 자식; 또는 제자나 부하. 注意 'ひぞうっこ'라고도 함.
ひそひそ 副 남에게 들리지 않도록 속삭이는 모양: 소곤소곤. ¶～声 속삭이는 목소리/～(と)話す 소곤소곤 이야기하다/～(と)耳もとでささやく 소곤소곤 귓전에 대고 속삭이다.
──ばなし【──話】名 소곤거리는 이야기; 비밀 이야기. ↔たかばなし.
ひそみ〖顰〗名 눈살을 찌푸림.
──に倣う **1** 효빈(效顰)하다; 맥락도 모르고 덩달아 남을 흉내내다. **2** 남을 흉내냄을 겸손하게 일컫는 말.
***ひそ-む**【潜む】5自 숨다. **1** 잘 안 보이는 곳에 숨다. ¶岩かげに～ 바위 뒤에 숨다/物かげに～ 그늘에 숨다/犯人は市内に～・んでいるはずだ 범인은 시내에 숨어 있을 것이다. **2** 잠재하다. ¶心に～憎しみ 마음속에 잠재하는 증오.
ひそめ-る【潜める】下1自 **1** 숨기다; 감추다. ¶身を～ 몸을 숨기다/胸に～ 가슴속에 숨기다. **2** 드러나지 않게 하다. ¶声を～・めてささやく (목)소리를 낮추고〔죽이고〕 속삭이다/息を～・めて待つ 숨을 죽이고 기다리다.
ひそ-める〖顰める〗下1他 찌푸리다; 찡그리다. ＝しかめる. ¶まゆを～ 눈살을 찌푸리다.
ひそやか〖密やか〗ダナ **1** 가만히 남모르게 하는 모양. ＝ひそか. ¶～なささやき 은밀한 속삭임/～に泣く 남몰래 울다. **2** 조용한 모양. ¶～な真夜中 고요한 한밤중/～に暮らす (드러나지 않게) 조용히 살다.
ひた=〖直〗 오로지; 다만. ＝ひたすら. ¶～隠し 그저 숨기기만 함/～押しに押す 그저 무턱대고 밀다/～走りに走る (쉬지 않고) 오로지 달리기만 하다.
ひだ〖襞〗名 **1** (의복 따위의) 주름. ¶スカートの～ 스커트의 주름/～をつける〔とる〕 주름을 잡다. **2** 주름처럼 보이는 것; 습곡(褶曲). ¶山の～ 산의 습곡.
ひたあやまり【ひた謝り】《直謝り》名 (지은 잘못에 대해) 그저 빌기만 함; 사과에 사과를 거듭함. ¶～にあやまる 백배사죄하다.
***ひたい**【額】名 이마. ＝おでこ. ¶～に手を当てて考える 이마에 손을 대고 생각하다.
──に筋を立てる 이마에 핏대를 세우고 성을 내다.
──を集める 이마를 맞대고 의논하다.
ひだい【肥大】名ス自 비대. ¶心臓～ 심장 비대/～した産業〔組織〕 비대해진 산업〔조직〕.
びたい［媚態］名 미태. **1** (여자의) 교태; 아양부리는 태도. **2** (환심을 사려고) 빌붙는 태도. ¶～を示す 아첨하는 태도를 보이다〔부리다〕.
びだい【尾大】名 미대; 꼬리쪽이 더 큼.
──掉わず 미대부도(尾大不掉); 위보다 아랫사람의 세력이 강대해서 제어하기 어려움의 비유.
ひたいじゅう【比体重】名 비체중; 체중과 신장과의 비율.
びたいちもん【びた一文】《鐚一文》名 피천 한 닢; 단돈 한 푼. ¶～もない 땡전 한 푼〔피천 한 닢〕도 없다/～まけられない 단돈 한 푼도 깎아 줄 수 없다.
ひたおし【ひた押し】《直押し》名ス他 마구 밀어댐; 그저 밀어대기만 함. ¶～に押す 마구〔그저〕 밀어대다; 오로지 밀기만 하다.
ひたかくし【ひた隠し】《直隠し》名 그저〔오직〕 숨기기만 함. ¶～に隠す 그저 숨기기만 하다/不祥事を～にする 불상사를 그저 은폐하기만 하다.
びだくおん【鼻濁音】名 비탁음; 콧소리로 내는 が行의 발음.
***ひた-す**【浸す】5他 (물이나 액체에) 담그다; 잠그다; 전하여, 흠뻑 적시다. ¶足を水に～ 발을 물에 잠그다/お湯に手を～ 더운 물에 손을 담그다/手ぬぐいを水に～・して顔をぬぐう 수

건을 물에 적시어 얼굴을 닦다/アルコールを～·した脱脂綿(だっしめん) 알코올을 먹인 탈지면.

ひたすら〖只管〗副 오로지; 그저; 일편단심〔일념〕으로; 한결같이. ¶～謝(あやま)るのみ 그저 사과할 뿐/～な思(おも)い 한결같은 마음/～に祈(いの)りをささげる 한결같이〔일념으로〕 기도를 올리다/～勉強(べんきょう)に励(はげ)む 오로지 공부에 힘쓰다.

ひだち【肥立ち】名 **1** 나날이 성장함. ¶～のよい赤(あか)ん坊(ぼう) 나날이 잘 자라는 갓난아기. **2** 날로 병이 나아짐. ¶産後(さんご)の～がよい 산후의 회복이 좋다.

ぴたっと 副 ☞ぴたりと.

ひたと〖直と〗副 **1** 간격을 두지 않는 모양: 꼭; 착; 딱; 바싹. ＝ぴったり·じかに. ¶～寄(よ)り添(そ)う 바싹 다가붙다; (옆에) 꼭 붙다. **2** 갑자기; 딱; 뚝. ＝にわかに. ¶～止(と)まる 딱 (멈춰) 서다/物音(ものおと)が～やむ 소리가 딱 그치다/～足(あし)を止(と)める 발걸음을 딱 멈추다.

ひだね【火種】名 불씨. ¶紛争(ふんそう)の～ 분쟁의 불씨/～をつくる〔切(き)らす〕 불씨를 만들다〔없애다〕/～を残(のこ)す〔絶(た)やさない〕 불씨를 남기다〔꺼뜨리지 않다〕/局地戦争(きょくちせんそう)の～をばらまく 국지 전쟁의 불씨를 뿌리다.

ひたばしり【ひた走り】《直走り》名 (쉬지 않고) 오로지〔줄곧〕 달림; 또, 그런 모양. ＝ひたはしり. ¶ゴールを目(め)ざして～に走(はし)る 골을 향해 그저 전력을 다하여 달리다.

ひたばし-る【ひた走る】《直走る》5自 쉬지 않고 계속 달리다. ＝ひたはしる. ¶目的(もくてき)に向(む)かって～ 목적을 향하여 줄기차게 달리다.

ひたひた 副 **1** 물결이 조용히 치는 소리; 또, 그 모양: 찰싹찰싹. ¶波(なみ)が～と舟(ふな)ばたを打(う)つ 물결이 철썩철썩 뱃전을 치다. **2** 물결이 밀려오듯 점점 다가오는〔닥쳐오는〕 모양: 물밀듯이. ¶大軍(たいぐん)が～と押(お)し寄(よ)せる 대군이 물밀듯이 밀어닥치다. **3** 물에 잠길랑말랑한 상태: 바특이. ¶水(みず)を～にして野菜(やさい)を煮(に)る 물을 바특이 붓고 푸성귀를 삶다.

ひだま【火玉】名 (공중을 날아가는) 불똥; 불덩이; 불덩어리.

ひだまり【日だまり】《日溜まり》名 양지쪽. ¶～で縫(ぬ)い物(もの)をする 양지쪽에 앉아 바느질을 하다.

ビタミン〔도 Vitamin〕名 비타민; 바이타민. ¶脂溶性(しようせい)〔水溶性(すいようせい)〕～ 지용성〔수용성〕 비타민 / ～欠乏症(けつぼうしょう) 비타민 결핍증.

ひたむき〖直向き〗ダナ 한 가지 일에 전념하는 모양: (오로지 목표를 향해) 곧장; 열심히; 외곬으로; 일편단심; 한결같이. ¶試験(しけん)を目(め)ざして～に勉強(べんきょう)を続(つづ)ける 시험을 목표로 공부에 전념하다/学問(がくもん)に対(たい)する～な態度(たいど) 학문에 대한 한결같은 태도/～に人(ひと)を愛(あい)する 한결같이 사람을 사랑하다.

***ひだり**【左】名 좌. **1** 왼편; 왼쪽; 좌측. ¶～の手(て) 왼쪽 손/～ハンドルの車(くるま) 핸들이 왼쪽에 있는 차/～にまがる 왼쪽으로 돌다. ↔右(みぎ). **2** 술을 좋아함; 또, 그 사람. **3** 왼손. **4** 좌익; 좌파. ↔右(みぎ).
――が利(き)く **1** 왼손잡이다. **2** 술을 잘 마시다.

ひだりうち【左打ち】名〔野〕 타자가 좌타석에서 치는 일; 또, 레프트 방향으로 때림.

ひだりうちわ【左うちわ】《左団扇》名 놀고도 생활에 걱정이 없이 편안히 지냄. ¶～で暮(く)らす 놀고도 걱정 없이 지내다.

ひだりがわ【左側】名 좌측; 왼쪽. ＝さそく. ↔右側(みぎがわ).

ひだりきき【左利き】名 **1** 오른손보다 왼손을 잘 씀; 왼손잡이. ＝ひだりぎっちょ. ↔右利(みぎき)き. **2** 술에 셈; 또, 그런 사람. ＝左党(さとう).

ひだりぎっちょ【左ぎっちょ】名〈俗〉☞ひだりきき1.

ひだり-する【左する】サ変自 왼쪽으로 가다; 왼쪽으로 꺾이다. ↔右(みぎ)する.

ひだりて【左手】名 **1** 왼손. **2** 왼쪽; 왼편. ¶～の家(いえ) 왼쪽 집/～に海(うみ)が見(み)えた 왼쪽에 바다가 보였다. ⇔右手(みぎて).

ぴたりと 副 **1** 갑자기 그치는 모양: 딱. ¶機械(きかい)〔しゃっくり〕が～止(と)まる 기계가〔딸꾹질이〕 딱 멈추다/酒(さけ)を～やめる 술을 딱 끊다. **2** 빈틈없이 붙는 모양: 착; 바짝. ＝ぴったり. ¶紙(かみ)を壁(かべ)に～はる 종이를 벽에 착 붙이다/二人(ふたり)は～寄(よ)り添(そ)って歩(ある)いた 두 사람은 바싹 붙어서 걸었다. **3** 잘〔완전히〕 맞거나 들어맞는 모양: 딱; 꼭. ¶答(こた)えを～当(あ)てる 답을 딱 맞히다/予想(よそう)が～あたる 예상이 꼭 들어맞다/洋服(ようふく)が～合(あ)う 양복이 딱 맞는다/～呼吸(こきゅう)が合う 호흡이 잘 맞다.

ひだりとう【左党】名 술꾼; 주당. ＝さとう.

ひだりまえ【左前】名 **1** 왼 섶을 안으로 들어가게 입는 일. 参考 염(殮)할 때, 수의를 입히는 형식. **2** 운이 나빠짐; 불우해짐; 가세가 기욺; 경제적으로 곤란해짐. ＝左向(ひだりむ)き·落(お)ち目(め). ¶事業(じぎょう)が～になる 사업이 기울다/財政(ざいせい)が～になる 재정이 곤란해지다.

ひだりまき【左巻き】名 **1** 왼쪽으로 감음; 또, 그것. ↔右巻(みぎま)き. **2**〈俗〉 머리가 정상이 아님; 머리가 돎; 또, 그런 사람. ¶あいつは少々(しょうしょう)～だ 저놈은 좀 돌았다.

ひだりまわり【左回り】名 왼쪽으로 돎. ¶ねじを～に回(まわ)す 나사를 왼쪽으로 돌리다. ↔右回(みぎまわ)り.

ひだりむき【左向き】名 **1** 좌향. ↔右向(みぎむ)き. **2** ☞ひだりまえ2. ¶商売(しょうばい)が～になる 장사가 잘 안 되다.

***ひた-る**【浸る】《漬る》5自 **1** 잠기다. ㉠ 물에 잠기다; 침수하다. ¶腰(こし)まで～ (물이) 허리까지 차다〔잠기다〕/床下(ゆかした)まで水(みず)に～ 마루 밑까지 침수하다. ㉡

(다른 일을 잊을 정도로 …상태에) 빠져들다; 젖다. ¶女〔酒〕に～ 여색〔술〕에 빠지다 / 悲しみ〔喜び〕に～ 슬픔〔기쁨〕에 잠기다 / 勝利の感激に～ 승리의 감격에 젖다. **2** 물에 젖다. ＝ぬれる·湿る. ¶裾が～ 옷자락이 젖다. 可能ひた-れる 下1自

ひだる-い〖饑い〗形 시장하다; 배고프다; 허기지다. ¶今日は～·くてたまらない 오늘은 시장해서 못 견디겠다.

ひだるま【火だるま】《火達磨》図 온몸에 불이 타오르고 있는 모양: 불덩이; 불덩어리. ¶一瞬のうちに全身～になって 한 순간에 전신이 불덩어리가 되어서.

ひたん【悲嘆】《悲歎》図ス自 비탄. ¶～にくれる 비탄에 잠기다.

ひだん【飛弾】図 비탄; 날아오는 탄알. ¶～をさける 비탄을 피하다.

びだん【美男】図 ☞びなん.
—し【—子】図 ☞びなんし.

びだん【美談】図 미담. ¶～の主 미담의 주인공 / ～として伝えられる 미담으로 전해지다.

ピチカート[이 pizzicato] 図〖樂〗피치카토; 현악기의 줄을 손가락으로 뚱겨 소리 내는 연주법. ＝ピッチカート.

びちく【備蓄】図ス他 비축. ¶～米 비축미 / ～食糧 비축 식량 / 後日のために米〔石油〕を～する 후일을 위해 쌀을〔석유를〕비축하다.

ぴちぴち 副 **1** 물고기 따위가 힘차게 뛰는 모양: 펄떡펄떡. ¶魚が～(と)はねる 물고기가 펄떡펄떡 뛰다. **2** 약동적이고 기운찬 모양: 팔팔. ¶～したからだ 씽씽한 몸 / ～(と)した若者たち 팔팔한 젊은이들.

びちゃびちゃ 副 **1** 물에 몹시 젖은 모양: 흠뻑. ＝びしょびしょ. ¶服が雨で～になる 옷이 비로 흠뻑 젖다. **2** 물에 잠긴 모양: 철버덩철버덩. ¶床を水で～にぬらす 마루가 물에 젖어 철버덩거리다. **3** 물을 튀기는 모양: 철벅철벅; 첨벙첨벙. ¶～と泥水をはねかえす 첨벙첨벙 흙탕을 튀기다 / ぬかるみを～と歩く 진창 속을 철벅철벅 걷다.

ぴちゃぴちゃ 副 **1** 물이 있는 곳을 걷는 소리: 철벅철벅. ¶雨降りの道を～(と)歩く 비 오는 길을 철벅철벅 걷다. **2** 물이 물건에 부딪치는 소리: 철썩철썩. ¶波が～と舟ばたをたたく 물결이 철썩철썩 뱃전에 부딪다. **3** 손바닥으로 계속해서 치는 소리: 찰싹찰싹. ¶顔を～とぶつ 얼굴을 찰싹찰싹 때리다. **4** 소리를 내며 마시거나 먹는 소리: 홀짝홀짝; 할짝할짝. ¶猫が牛乳を～なめる 고양이가 우유를 할짝거리다.

ひちょう【飛鳥】図 비조; 나는 새. ¶～の早業 비조와 같은 날랜 솜씨.

びちょうせい【微調整】図ス他 **1** 미조정《TV 채널을 맞추고 화면을 가장 좋은 상태로 하는 일》. **2** 마무리를 위한 작은 조정. ¶決算の確定を経て～が行われた 결산을 확정한 다음 마무리 세부 조정이 행해졌다.

ひつ〖櫃〗図 **1** 궤; 대형(大形)의 궤로서 뚜껑이 위로 열리는 것《長櫃·米櫃 따위》. **2** 밥통. ＝めしびつ·おはち. ¶お～ 밥통.

ひつ〖匹〗常用 ヒツ ひき たぐい | 필 짝 | **1** 짝이 되다; 한 동아리가 되다. ¶匹儔 필주. **2** (대등하게) 견줄 만하다. ¶匹敵 필적. **3** 한 사람; 홑. ¶匹夫 필부.

ひつ〖必〗教4 ヒツ かならず | 필 반드시 | **1** 반드시. ¶必然 필연 / 生者必滅 생자필멸. **2** 하지 않으면 안 되다. ¶必罰 필벌 / 必読 필독.

ひつ〖泌〗常用 ヒツ ヒ しみる | 비 스미다 | 스미다; 배어 나오다. ¶分泌·ぶんぴ 분비 / 泌尿器 비뇨기.

ひつ〖筆〗教3 ヒツ ふで | 필 붓 | **1** 붓. ¶毛筆 모필 / 万年筆 만년필. **2** 붓으로 쓴 문자〔그림, 문장〕. ¶偽筆 위필 / 真筆 진필. **3** 문장을 씀. ¶筆記 필기.

ひっ=【引っ】《動詞 앞에 붙여서》〈俗〉어세나 뜻을 강조하는 말. ¶～捕える 꽉 붙잡다 / ～ぱたく 냅다 때리다 / ～くくる 꽉 묶다. 参考 '引っ張る' 등과 같이 '끌다'의 뜻을 가질 때도 있음.

***ひつう**【悲痛】名ナ 비통. ¶～な叫び〔面持ち〕비통한 절규〔표정〕.

ひっか【筆禍】図 필화. ¶～事件 필화 사건 / 予期せぬ～を招く 예기하지 않은 필화를 초래하다. ↔舌禍.

ひっかえ-す【引っ返す】5自〈口〉☞ひきかえす.

ひっかかり【引っ掛かり】図 **1** (마음에) 걸림. ¶気持ちに～がある 마음에 걸리는 것이 있다. **2** 관계; 관련; 연루. ＝掛かり合い. ¶～の者 일가; 친척 / ほんの少しの～がある 아주 조금 관계가 있다 / 彼とは何の～もない 그와는 아무 관계도 없다.

***ひっかか-る**【引っ掛かる】5自 걸리다. **1** 무엇에 걸려 떨어지지 않다. ¶くもの巣に～ 거미줄에 걸리다 / そでがくぎに～ 소매가 못에 걸리다. **2** 걸려들어 도중에 방해받다. ¶税関に～ 세관에 걸리다 / 不審尋問に～ 불심 검문에 걸리다. **3** 속다. ¶詐欺に～ 사기에 걸리다 / わるだくみに～ 못된 계략에 걸리다. **4** 관계〔상관〕하다; 말려들다; 연루되다. ＝かかずらう. ¶面倒なことに～ 성가신 일에 말려들다 / いやな事に～ 원치 않는 일에 걸려들다. **5** 납득이 안 가다; 마음에 걸리다. ¶どうも彼のことばが～ 아무래도 그의 말이 마음에 걸린다.

ひっかきまわ-す【ひっかき回す】《引っ掻き回す》5他 휘젓다. **1** 마구 휘젓다《'かきまわす'의 힘줌말》. ¶机の中

を～ 책상 속을 마구 휘젓다. **2** 멋대로 굴어 혼란시키다〔어지럽히다〕. ¶ひとりで会社(かいしゃ)を～ 혼자서 회사를 휘젓다.

ひっか-く『引っ掻く』[5他] (손톱 따위로) 세게 긁다; 할퀴다. ＝かきむしる. ¶爪(つめ)で～·いたあと 손톱으로 할퀸 자국/顔(かお)を～ 얼굴을 할퀴다/痒(かゆ)い所(ところ)を～ 가려운 데를 들이 긁다/猫(ねこ)に～·かれる 고양이에게 할퀴이다.

ひっかく【筆画】[名] 필획; 자획. ＝字画(じかく). ¶～数(すう)に従(したが)って配列(はいれつ)する 글자 획수에 따라서 배열하다.

***ひっか-ける**【引っ掛ける】[下1他] **1** 걸다. ㉠(내민 끝에) 걸어 늘어뜨리다. ¶上着(うわぎ)をくぎに～ 윗옷을 못에 걸다. ㉡아무렇게나 입다〔신다〕; 걸치다. ¶コートを～·けて会社(かいしゃ)をとび出(だ)す 코트를 걸치고 회사를 뛰쳐 나가다/下駄(げた)を～·けて庭(にわ)へ出(で)る 下駄를 끌고 뜰로 나오다. ㉢(속여서) 걸려들게 하다. ¶女(おんな)を～ (그럴듯한 말로) 여자를 낚다/みごとに～·けられる 보기 좋게 속다/魚(さかな)を針(はり)に～ 물고기를 낚시에 걸려들게 하다; 낚아채다. **2** 걸려서 찢기게 하다; 긁히게 하다. ¶服(ふく)をくぎに～ (a)옷을 못에 걸다; (b)옷이 못에 걸려 찢어지게 하다. **3** 갑자기 부딪(치)다. ¶自動車(じどうしゃ)が人(ひと)を～ 자동차가 사람을 치다. **4** (액체 등을) 들이 붓다; 뿌리다. ¶植木(うえき)に水(みず)を～ 분재에 물을 뿌리다. **5** 들이켜다. ¶ビールを一杯(いっぱい)～ 맥주를 한 잔 들이켜다/景気付(けいきづ)けに一杯(いっぱい)～·けよう 기분을 돋우기 위해 한잔 걸치자. **6** 외상값을 지불 않다. ＝踏(ふ)み倒(たお)す. ¶飲(の)み代(しろ)を～ 외상 술값을 갚지 않다.

ひっかぶ-る『引っ被る』[5他] 뒤집어쓰다. **1** (힘차게) 들쓰다. ¶水(みず)を～ 물을 뒤집어쓰다/ふとんを～·って寝(ね)る 이불을 뒤집어쓰고 자다. **2** 안다미하다; 안고나다; (남의 일이나 책임 따위를) 떠맡다. ＝しょいこむ. ¶罪(つみ)をすべて～ 죄를 모두 뒤집어 쓰다/彼(かれ)の借金(しゃっきん)を～ 그의 빚을 덤터기쓰다〔떠맡다〕.

ひつき【火付き】[名] 불이 댕김; 불이 붙음. ¶～が悪(わる)い 불이 잘 안 붙다.

***ひっき**【筆記】[名][ス他] 필기. ¶～用具(ようぐ) 필기 용구〔도구〕/講義(こうぎ)を～する 강의를 필기하다.

―しけん【―試験】[名] 필기시험. ↔口述(こうじゅつ)試験.

―たい【―体】[名] 필기체. ↔活字体(かつじたい).

ひつぎ『棺·柩』[名] 관(棺). ＝かんおけ. ¶～に納(おさ)める 입관하다.

ひっきょう『畢竟』[副][ス自] 필경; 결국. ＝つまるところ·結局(けっきょく). ¶～どうなることやら 결국(은) 어떻게 될는지.

―するに [副] 필경은; 결국은. ¶～両者(りょうしゃ)の主張(しゅちょう)は同(おな)じものである 결국 양자의 주장은 같은 것이다.

ひっきりなし『引っ切りなし』[名] 간단없음; 끊임 없음; 계속적임. ¶～にしゃべる 쉬지 않고 지껄이다/～に車(くるま)が通(とお)る 쉴 새 없이 차가 지나가다.

ビッグ= [big] 빅; 큰; 중대한. ¶～ゲーム 빅 게임; 큰 경기/～イベント 빅 이벤트; 큰 행사〔시합〕/～ニュース 빅 뉴스; 중대 뉴스.

―バン [big bang] [名] 빅뱅. **1**〖天〗우주 탄생 때의 대폭발. **2** 영국에서 1986년에 실시한 금융·자본 시장의 자유화. ¶～を実施(じっし)して経済(けいざい)の活性化(かっせい)を図(はか)った (금융) 빅뱅을 실시하여 경제 활성화를 꾀하였다.

ピック [pick] [名] 피크. **1** 기타·만돌린 따위를 켜는 데 쓰는 물건. **2** 얼음 깨는 송곳. ＝アイスピック.

ピックアップ [pickup] 픽업. ㊀[名][ス他] 집어 냄; 골라 냄. ¶問題点(もんだいてん)を～する 문제점을 가려〔골라〕내다. ㊁[名] 전축에서, 바늘의 진동을 전류의 진동으로 바꾸는 장치.

ひっくく-る『引っ括る』[5他] 꽉 묶다; 잡아 묶다. ＝くくる·縛(しば)る. ¶袋(ふくろ)の口(くち)を～ 자루 아가리를 단단히 묶다/どろぼうを～ 도둑놈을 잡아 묶다.

びっくり『吃驚·喫驚』[名][ス自] 깜짝 놀람. ¶～して口(くち)もきけない 깜짝 놀라 말도 못하다/名前(なまえ)を呼(よ)ばれて～する 이름이 불리어 깜짝 놀라다.

―ぎょうてん『―仰天』[名][ス自] 깜짝〔소스라치게〕 놀람; 기절초풍.

―ばこ【―箱】[名] 깜짝〔도깨비〕 상자《뚜껑을 열면 무엇이 튀어나와 깜짝 놀라게 하는 (장난감) 상자》.

***ひっくりかえ-す**【引っ繰り返す】[5他] **1** 뒤집다; 뒤엎다; 뒤바꾸다. ¶かばんを～ 가방을 뒤집다/形勢(けいせい)を～ 형세를 뒤집다/計画(けいかく)〔定説(ていせつ)〕を～ 계획〔정설〕을 뒤엎다/順序(じゅんじょ)を～ 순서를 뒤바꾸다. **2** 쓰러뜨리다; 넘어뜨리다. ¶花瓶(かびん)を～ 꽃병을 쓰러뜨리다.

ひっくりかえ-る【引っ繰り返る】[5自] **1** 뒤집히다. ㉠(상하·표리 등이) 거꾸로 되다. ¶舟(ふね)が～ 배가 뒤집히다. ㉡반대 관계로 되다; 역전하다. ＝くつがえる. ¶形勢(けいせい)が～ 형세가 뒤집히다/試合(しあい)が～ 경기가 역전하다. ㉢(일 등이 터져) 혼란해지다. ¶世(よ)の中(なか)が～ 세상이 발칵 뒤집히다. **2** 쓰러지다; 넘어지다. ¶家(いえ)が～ 집이 쓰러지다/あおむけに～ 벌렁 나자빠지다.

ピックルス [名] ☞ピクルス.

ひっくる-める『引っ括める·引っ包める』[下1他] 〈口〉 일괄하다; 통틀다; 뭉뚱그리다. ¶～·めて言(い)えば 통틀어 말하면/全部(ぜんぶ)～·めて, 費用(ひよう)はどのくらいでしょうか 전부 통틀어 비용은 어느 정도일까요.

ひつけ【火付け】[名] 방화(放火); 불을 지름; 또, 방화범.

***ひづけ**【日付】[名] 일부; 날짜; 문서 따위에, 그것의 작성·발송·접수 등의 연월일을 기입함; 또, 그 연월일. ¶～のない手紙(てがみ) 날짜 없는 편지/受付(うけつけ)の～を書か

き込(こ)む 접수 날짜를 기입하다.
—へんこうせん【—変更線】图〖地〗날짜〔일부〕 변경선.
ひっけい【必携】图 필휴; 꼭 휴대해야 함; 또, 그런 물건. ¶ ~の書(しょ) 반드시 가져야 할 책 / 受験票(じゅけんひょう) ~のこと 수험표를 꼭 휴대할 것.
ピッケル [도 Pickel] 图 피켈; 곡괭이 모양의 등산용 지팡이.
ひっけん【必見】图 필견; 꼭 보아야 함. ¶ ~の書(しょ) 필독서 / ~の映画(えいが) 꼭 보아야 할 영화.
ひっけん【筆健】图 시가나 문장 따위를 짓는 힘이 뛰어남.
***びっこ**〖跛〗图 〈卑〉 **1** 절름거림; 절름발이. ＝ちんば. ¶ ~をひく 다리를 절다; 절름거리다. 參考 지금은 '足(あし)の不自由(ふじゆう)な人(ひと)'라고 함. **2** 짝짝이. ＝片(かた)ちんば·不(ふ)ぞろい. ¶ ~のげた〔靴下(くつした)〕 짝짝이 왜나막신〔양말〕 / 靴(くつ)が~でおかしい 구두가 짝짝이어서 우습다.
***ひっこし**【引っ越し】图スル自 이사; 이전. ¶ ~先(さき) 이사 가는〔간〕 곳 / ~荷物(にもつ) 이삿짐 / ~車(ぐるま) 이삿짐 나르는 차〔수레〕.
—そば〖—蕎麦〗图 이사 간 곳의 이웃에게 인사의 뜻으로 돌리는 메밀국수.
ひっこ-す【引っ越す】5自 이사하다. ＝移転(いてん)する. ¶ 郊外(こうがい)に~ 교외로 이사하다 / 新居(しんきょ)に~ 새집으로 이사하다. 可能ひっこ-せる 下1自
ひっこぬ-く【引っこ抜く】5他 〈俗〉 ☞ ひきぬく. ¶ 大根(だいこん)を畑(はたけ)から~ 무를 밭에서 (잡아) 뽑다.
ひっこみ【引っ込み】图 **1** 물러감; 특히, 歌舞伎(かぶき)에서 배우가 퇴장할 때에 하는 동작. **2** (결말을 내고) 관계를 끊음; 물러남. ¶ ~がつかない (일이 수습되지 않아) 물러날〔몸을 뺄〕 수가 없다. **3** (집 따위의 안으로) 끌어 들임. ¶ 電気(でんき)の~線(せん) 전기의 옥내 도입선.
—がち ダナ **1** 외출을 그다지 않는 모양. ¶ 病気(びょうき)で~だ 병으로 바깥 출입을 그다지 않는다. **2** 소극적인 모양. ¶ ~でめったに発言(はつげん)しない 소극적이어서 좀처럼 발언하지 않는다.
—じあん【—思案】名ナ 숫기가 없음; 적극성이 없음; 또, 그런 성질. ¶ ~な人(ひと) 소극적인 사람; 숫기 없는 사람.
—せん【—線】图 ☞ ひきこみせん.
***ひっこ-む**【引っ込む】⊟5自 **1** 안으로 쑥 들어가다; 움패다. ¶ 目(め)が~·んでいる 눈이 쑥 들어가 있다 / こぶが~ 혹이 들어가다. **2** 틀어박히다; 칩거하다. ¶ 家(いえ)〔田舎(いなか)〕に~ 집〔시골〕에 틀어박히다. **3** 물러나다. ¶ 会長(かいちょう)をやめて~ 회장을 그만두고 들어앉다. **4** 바깥에서 안쪽으로 들어가다. ¶ 通(とお)りから~·んだ家(いえ) 한길에서 쑥 들어간 집. 可能ひっこ-める 下1自
***ひっこ-める**【引っ込める】下1他 **1** 한번 내밀었던 것을 제자리로 도로 물리다; 당기다. ¶ 手(て)を~ (내밀었던) 손을 당겨들이다〔빼다〕 / 亀(かめ)が頭(あたま)を~ 거북이 머리를 움츠리다. **2** (요구·의견 등을) 철회〔취하〕하다. ¶ 提案(ていあん)〔辞表(じひょう)〕を~ 제안을〔사표를〕 철회하다.
ピッコロ [이 piccolo] 图〖樂〗피콜로《관악기의 한 가지》.
ひっさ-げる【引っ提げる】下1他 **1** 손에 들다. ＝たずさえる. ¶ かばんを~·げて駆(か)け出(だ)す 가방을 손에 들고 뛰어나가다. **2** 거느리다《좀 과장된 말씨》. ＝率(ひき)いる. ¶ 手下(てした)数人(すうにん)を~·げて現(あらわ)れる 부하 몇 명을 거느리고 나타나다. **3** 무리를 하다; 이끌다. ¶ 老軀(ろうく)を~·げて事(こと)に当(あ)たる 노구를 이끌고 일을 맡다. **4** 내걸다; 내세우다. ¶ 要求(ようきゅう)を~·げて交渉(こうしょう)する 요구를 내걸고 교섭하다 / 減税政策(げんぜいせいさく)を~·げて立候補(りっこうほ)する 감세 정책을 내세우고 입후보하다. 參考 '引(ひ)き下(さ)げる'의 변화.
ひっさつ【必殺】图 필살. ¶ ~の剣(けん)〔一撃(いちげき)〕 필살의 검〔일격〕.
ひっさん【筆算】图スル他 필산; 종이에 써서 계산함. ↔暗算(あんざん)·珠算(しゅざん·たまざん).
***ひっし**【必死】图ダナ 필사. **1** 반드시 죽음; 죽기를 각오함; 전력을 다함. ＝命(いのち)がけ. ¶ ~の抵抗(ていこう) 필사적인 저항 / ~で勉強(べんきょう)する 죽자사자〔기를 쓰고〕 공부하다 / ~に戦(たたか)う 필사적으로 싸우다. **2**《必至》(장기에서) 단 한 수면 외통수가 될 듯한 형세. ¶ ~の手(て) 외통수.
ひっし【必至】图ダナ **1** 필지; 불가피; 필연. ¶ 没落(ぼつらく)は~だ 몰락할 것은 뻔하다 / 内閣(ないかく)の解散(かいさん)は~だ 내각 해산은 불가피하다. **2** ☞ひっし(必死)2.
ひっし【筆紙】图 필지; 붓과 종이.
—に尽(つ)くし難(がた)い 글로는 이루 표현할 수 없다. ¶ この喜(よろこ)びは~ 이 기쁨은 글로 표현할 길이 없다.
ひつじ【未】图 미; 지지(地支)의 제 8《방위로는 남남서(南南西), 시각으로는 오후 2시 또는 오후 1시부터 3시까지》. ⇨じゅうにし.
ひつじ【羊】图 양. ＝めんよう.
ひつじかい【羊飼い】图 양치기; 목동.
ひつじぐも【羊雲】图〖氣〗양떼구름《고적운(雲)의 속칭》.
ひっしゃ【筆写】图スル他 필사. ＝書写(しょしゃ). ¶ ~本(ぼん) 필사본 / 本(ほん)をかりて~する 책을 빌려서 베끼다.
ひっしゃ【筆者】图 필자. ＝執筆者(しっぴつしゃ). ¶ ~未詳(みしょう) 필자 미상.
ひつじゅ【必需】图 필수.
—ひん【—品】图 필수품. ¶ 生活(せいかつ)~ 생활필수품.
ひっしゅう【必修】图スル他 필수. ¶ ~科目(かもく) 필수 과목. ↔選択(せんたく).
ひつじゅん【筆順】图 필순. ＝書(か)き順(じゅん).
ひっしょう【必勝】图 필승. ¶ ~を期(き)する 필승을 기하다 / ~の信念(しんねん)で臨(のぞ)む 필승의 신념으로 임하다 / ~の意気(いき)に燃(も)える 필승의 의기에 불타다.
ひつじょう【必定】图 〈老〉 필정; 꼭 그

렇게 될 것으로 정해져 있음. ¶成功(せいこう)は~だ 성공은 틀림없다 / 味方(みかた)の勝利(しょうり)は~だ 아군〔우리 편〕의 승리는 틀림없다.

びっしょり 副 완전히 젖은 모양: 흠뻑. =ぐっしょり. ¶~(と)汗(あせ)をかく 흠뻑 땀을 흘리다〔땀에 젖다〕/ 雨(あめ)に~ぬれる 비에 흠뻑 젖다.

びっしり 副 **1** 빈틈없이 들어차 있는 모양: 꽉; 빽빽이. ¶~(と)家(いえ)が建(た)つ 빽빽이 집이 들어서다 / ~(と)箱(はこ)に入(はい)っている 상자에 꽉 들어차 있다 / ~予定(よてい)がつまっている 예정이 꽉 차 있다. **2** 충분히 하는 모양: 흠씬. ¶~きたえる〔練習(れんしゅう)する〕 충분히 단련시키다〔연습하다〕.

ひつじん【筆陣】 名 필진. **1** 박력 있는 문장으로 날카롭게 논전함《군진(軍陣)에 비유해 하는 말》. ¶堂堂(どうどう)の~を張(は)る 당당한 필진을 펴다. **2** 필자의 진용. ⇨論陣(ろんじん).

ひっす [必須] 名 필수. ¶~科目(かもく) 필수 과목 / 登山(とざん)に~の道具(どうぐ) 등산에 필수적인 도구 / ~(の)条件(じょうけん) 필수 조건. 注意 'ひっしゅ'라고도 함.

—アミノさん【—アミノ酸】 名〖生〗필수 아미노산. ▷라 amino.

ひっせい [畢生] 名 필생; 일생. =終生(しゅうせい)·一生(いっしょう)·一代(いちだい). ¶~の大業(たいぎょう) 필생의 대업.

ひっせい【筆勢】 名 필세. =筆(ふで)づかい. ¶躍(おど)るような~ 약동하는 듯한 필세.

ひっせき【筆跡】《筆蹟》名 필적. =手跡(しゅせき). ¶~鑑定(かんてい) 필적 감정.

ひつぜつ【筆舌】 名 필설. 「없다.
—に尽(つ)くしがたい 필설로는 다할 수

***ひつぜん【必然】** 名 필연. =必定(ひつじょう). ¶~の勢(いきお)い 필연적 추세 / ~の結果(けっか) 필연의 결과 / 死(し)は~である 죽음은 필연이다. ↔偶然(ぐうぜん).

—せい【—性】 名 필연성. ¶その結論(けつろん)には~が認(みと)められない 그 결론에는 필연성을 인정할 수 없다.

—てき【—的】 ダナ 필연적.

ひっそり 副 **1** 죽은 듯이 조용하고 쓸쓸한 모양: 조용히; 고요히. ¶~(と)した森(もり) 고요한 숲 / ~(と)静(しず)まりかえった町(まち) 쥐죽은 듯이 조용한 거리. **2** 조용히 남몰래 하는 모양. ¶田舎(いなか)で~(と)暮(く)らす 시골에서 조용히 살다.

—かん【—閑】 副 대단히 조용한 모양. ¶人通(ひとどお)りもなく~とした道(みち) 인적도 없이 아주 조용한 길.

ひったくり〖引っ手繰り〗名 낚아챔; 특히, 날치기(꾼). ¶~にあう 날치기를 만나다〔당하다〕.

ひったく-る〖引っ手繰る〗5他 잡아채다; 낚아채다. ¶金(かね)を~ 돈을 낚아 채다 / ハンドバッグを~·られる 핸드백을 날치기당하다.

ひった-てる【引っ立てる】 下1他 **1** (강제로) 끌고 가다; 연행하다. ¶犯人(はんにん)を~ 범인을 연행하다. **2** 기운을 내게 하다; 격려하다.

ぴったり 副ナ **1** 틈이 없이 꼭 맞는 모양: 꼭; 딱; 꽉. ¶門(もん)を~(と)しめる 문을 꽉 닫다. **2** 착 들러 붙는 모양: 착; 찰싹; 바싹. ¶紙(かみ)を~(と)貼(は)りつける 종이를 착 붙이다 / ~と寄(よ)り添(そ)う 바싹 다가붙다〔다가서다〕. **3** 꼭 알맞은〔들어맞는〕 모양: 딱; 꼭. ¶~な洋服(ようふく) 꼭 맞는 양복 / 予想(よそう)が~(と)的中(てきちゅう)した 예상이 딱 들어맞았다. 参考 'ぴたり'의 힘줌말.

ひつだん【筆談】 名スル自 필담. ¶話(はなし)は~でした 이야기는 필담으로 했다.

ひっち【筆致】 名 필치. ¶軽妙(けいみょう)〔強(つよ)い〕~ 경묘한〔힘찬〕 필치.

ピッチ [pitch] 名 피치. **1** 일정 시간내에 되풀이하는 횟수·능률·속도; 특히, 보트 레이스 따위에서 노를 젓는 횟수. ¶急(きゅう)~で漕(こ)ぐ 급피치로 노를 젓다. **2**〖化〗아스팔트; 역청(瀝青). =チャン. **3**〖野〗'ピッチング'의 준말; 투구. ¶ナイス~ 멋진 투구 / ワイルド~ 폭투(暴投). **4** 톱니바퀴의 톱니와 톱니 사이의 길이. ¶~ゲージ 피치를 재는 계기(計器). **5** 음의 고저(의 정도). ¶~アクセント 피치 악센트 / ~をそろえる 음조를 고르다. ↔ストレス.

—を上(あ)げる 피치를 올리다. **1** 동작의 횟수를 늘리다. **2** 능률을 올리다. 「웃.

ピッチアウト [pitchout] 名〖野〗피치아

ヒッチハイク [미 hitchhike] 名 히치하이크; 지나가는 자동차에 편승해서 하는 여행.

ピッチャー [pitcher] 名〖野〗피처; 투수. =投手(とうしゅ). ↔キャッチャー.

—ズ プレート [pitcher's plate] 名〖野〗피처스 플레이트; 투수판(板).

ひっちゃく【必着】 名スル自 필착; 꼭 도착(해야)함. ¶七日(なのか)までに~の事(こと) 7일까지 반드시 도착하도록 할 것.

ぴっちり 副 착; 딱; 꼭. ¶~した洋服(ようふく) 딱 맞는〔꼭 끼는〕 양복 / ~体(からだ)に合(あ)う 몸에 꼭 맞는다.

ピッチング [pitching] 名スル自 피칭. **1** 뒷질; (배가) 앞뒤로 흔들림. =たて揺(ゆ)れ. ↔ローリング. **2**〖野〗투구; 또, 그 기술. =投球(とうきゅう). ¶~マシン 피칭 머신 / ナイス~ 나이스 피칭.

—スタッフ [pitching staff] 名〖野〗피칭 스태프; 투수진.

ひっつか-む〖引っ掴む〗5他 거머잡다; 움켜〔거머〕쥐다. ¶そでを~ 소매를 거머쥐다 / 襟元(えりもと)を~·んで脅(おど)す 멱살을 움켜쥐고 위협하다.

ひっつ-く〖引っ付く〗5自 **1** 착 들러붙다. ¶服(ふく)にもちが~ 옷에 떡이 착 달라붙다. **2**〈俗〉남녀가 밀통하다; 또, 부부가 되다.

ひっつめ〖引っ詰め〗名 여성이 머리를 뒤로 잡아매는 일; 또, 그 머리 모양.

ひってき【匹敵】 名スル自 필적. ¶有段者

ゆうだんしゃに～する実力 유단자에 필적할 만한 실력 / 彼に～するものはない 그에게 견줄 만한 사람은 없다.

ヒット [hit] 名スル自 히트. **1**〖野〗안타. ¶センターに～を放つ 센터에 안타를 치다. **2** 크게 성공함. ＝当たり. ¶～盤 히트판 / 流行歌が～する 유행가가 히트하다.

—アルバム [hit album] 名 히트 앨범; 인기 가수의 히트곡으로 꾸민 프로그램.

—エンドラン [hit-and-run] 名〖野〗히트 앤드 런; 투수가 투구 동작에 들어가자마자 주자는 뛰고 타자는 공을 치는 일.

—ソング [hit song] 名 히트송.

ビット [bit] 名 비트; 컴퓨터의 정보량을 나타내는 기본 단위. ▷binary＋digit.

ひっとう【筆答】名スル自 필답. ¶～試験 필답시험; 필기시험. ↔口答.

ひっとう【筆頭】名 필두; 명단에 쓰인 첫째; 또, 첫째 사람. ¶強硬派の～ 강경파의 우두머리 / ～に名を掲げる 필두에 이름을 올리다.

ひつどく【必読】名スル他 필독; 꼭 읽어야 함. ¶～の書 필독할 책.

ひっとら-える【引っ捕らえる】下1他 붙잡다; 체포하다. ¶犯人を～ 범인을 붙잡다. 参考 'とらえる'의 힘줌말.

ひっぱが-す〖引っ剝がす〗5他〈俗〉억지로〔잡아〕벗기다; 잡아떼다. ＝引っぺがす. ¶皮〔化けの皮〕を～ 가죽〔가면〕을 (잡아) 벗기다 / 壁紙を～ 벽지를 잡아떼다.

ひっぱく〔逼迫〕名スル自 핍박. ¶財政の～ 재정의 핍박 / 生活が～する 생활이 핍박해지다.

ひっぱた-く〖引っ叩く〗5他〈俗〉세게 치다; 냅다 때리다. ¶ほっぺたを～ 뺨따귀를 후려갈기다.

ひっぱり【引っ張り】名 **1** 잡아끎. **2** 거리에서 손님을 끄는 창녀; 가창(街娼).

—しけん【—試験】名〖理〗인장 시험.

—だこ〖—凧〗名 (인기가 있어) 예서 제서 끎; 세남; 또, 그런 사람·물건. ¶方々の会社から～だ 여러 회사에서 서로 끌려고 야단이다.

ひっぱりこ-む【引っ張り込む】5他 끌어들이다. **1** 손을 잡아끌 듯이 안으로 들이다. ¶客を店に～ 손님을 가게에 잡아 끌어들이다. **2** 한패에 들게하다. ¶友を計画に～ 친구를 계획에 끌어들이다.

ひっぱりだ-す【引っ張り出す】5他 끌어내다. **1** (안의 것을 밖으로) 내다. ＝ひきだす. ¶鞄の中身を～ 가방 속의 것을 끄집어내다. **2** 억지로 나오게 하다. ¶舞台に～ 무대에 끌어내다 / 検察側の証人として～·される 검찰측 증인으로 끌려나가다.

⁑**ひっぱ-る**【引っ張る】5他 **1** (잡아)끌다. ㉠끌어〔잡아〕당기다. ¶袖を～ 소매를 잡아끌다 / 足を～ 발을 잡아당기다《남의 승진·성공이나 순조로운 진행을 방해하다》. ㉡당겨서 팽팽하게 하다. ¶綱を～ 줄을 잡아당기다. ㉢(힘들여) 앞으로 끌다; 견인하다. ¶リヤカーを～ 리어카를 끌다. ㉣억지로 끌고 가다; 연행하다. ¶容疑者を～ 용의자를 끌고가다 / 交番に～·られる 파출소에 끌려가다. ㉤길게 끌어 늘이다. ¶話を～ 이야기를 길게 끌다. ㉥끌어들이다. ¶客を～ 손님을 잡아끌다 / 野球部に～ 야구부로 끌다. ㉦시간·기한을 질질 미루다; 연장하다. ¶支給を～ 지급을 질질 끌다. ㉧이끌다. ¶クラスを～·って行く 학급을 이끌어 가다. **2** 줄을 치다. ¶非常線の縄を～·って人を入れない 비상선의 줄을 치고 사람을 들이지 않다. **3**〖野〗(배트를) 끌어당겨 치다. 可能 ひっぱ-れる 下1自

ヒッピー [hippie] 名 히피. ¶～族 히피족.

ひっぷ【匹夫】名 필부. ↔匹婦.

—の勇 필부지용; 만용.

ひっぷ【匹婦】名 필부. ↔匹夫.

ヒップ [hip] 名 히프. **1** (양재에서) 엉덩이 둘레(의 치수). ¶～サイズ 엉덩이 치수. **2**〈俗〉엉덩이; 볼기. ＝尻.

ビップ [VIP] 名 브이아이피; 중요 인물; 요인(要人). ＝ブイアイピー. ▷very important person.

ひっぽう【筆法】名 필법. **1** 운필법; 쓰는 법. ¶～を習う 필법을 배우다. **2** (문장의) 표현법. ＝言いまわし. ¶春秋の～ 춘추의 필법. ⇨春秋. **3** 일을 행하는 방법. ¶その～で行こう 그 방법으로 하자.

ひっぽう〔筆鋒〕名 필봉. ¶～鋭く攻撃する 필봉도 날카롭게 공격하다 / 鋭い～で反論する 날카로운 필봉으로 반론하다.

ひづめ〖蹄〗名 발굽. ¶～の跡〔音〕발굽 자국〔소리〕.

ひつめい【筆名】名 필명. ＝ペンネーム. ¶その小説家の～は 그 소설가의 필명은. ↔本名.

ひつめつ【必滅】名スル自 필멸; 반드시 멸망함. ¶～の運命 필멸의 운명 / 生者～ 생자필멸.

⁑**ひつよう**【必要】名ナ 필요. ¶～な道具 필요한 도구 / くどくど説明する～もない 장황하게〔길게〕설명할 필요도 없다 / ～やむを得ぬ 꼭 필요하다. ↔不要.

—は発明の母 필요는 발명의 어머니.

—あく【—悪】名 필요악.

—じょうけん【—条件】名 필요조건. ¶～が備わる 필요조건이 갖추어지다. ↔十分条件.

—せい【—性】名 필요성. ¶～が高まる 필요성이 높아지다.

⁑**ひてい**【否定】名スル他 부정. ¶～し得ない現実 부정할 수 없는 현실 / 頭〔真っ向〕から～する 딱〔정면으로〕부정하다. ↔肯定.

—てき【—的】ダナ 부정적. ¶～な見解

けんかい 부정적인 견해.

びていこつ ［尾骶骨］ 图 〘生〙 미저골《'尾骨(びこつ)(＝미골)'의 구칭》.

ビデオ [video] 图 비디오. ¶～カセット 비디오 카세트 / ～ゲーム 비디오 게임; 전자 오락 / ～カメラ 비디오 카메라 / ～取(と)り 비디오테이프에 녹화하는 일. ↔オーディオ.

—ディスク [video disk] 图 비디오 디스크; 영상과 음성을 수록(收錄)한 원반(圓盤)《플레이어에 세팅해서 틀면 영상과 음성이 모니터에 재생됨》.

—テープ [video tape] 图 비디오테이프. **1** TV 방송용의 녹화 테이프. ↔サウンドテープ. **2** 'ビデオテープレコーダー'의 준말.

—テープレコーダー [video tape recorder] 图 비디오테이프리코더; TV 화상을 테이프에 기록하여 재생하는 장치. ＝VTR(ブイティーアール).

びてき【美的】ダナ 미적. ¶～感覚(かんかく)〔情操(じょうそう)〕 미적 감각〔정서〕.

ひてつきんぞく【非鉄金属】图 비철 금속.

ひでり【日照り】图 **1** 가뭄; 한발. ¶～が続(つづ)く 가뭄이 계속되다. **2** 필요한 것이 부족함. ¶女(おんな)～ 여자 기근. **3** 별이 쬠.

—あめ【—雨】图 여우비. ＝きつねのよめいり·天気雨(てんきあめ).

ひでん【秘伝】图 비전. ¶～の妙薬(みょうやく) 비전의 묘약 / ～を授(さず)ける 비전을 전수하다.

ひでん【飛電】图 비전. **1** 급한 전보. ¶早朝(そうちょう)～あり 이른 아침에 급전이 옴. **2** 번쩍하는 번개. ＝いなずま. ¶～一閃(いっせん) 번개가 한번 번쩍함.

びてん【美点】图 미점; 장점. ¶人(ひと)の～を学(まな)ぶ 남의 장점을 배우다. ↔欠点(けってん).

びでん【美田】图 미전; 옥답; 기름진 논. ¶児孫(じそん)のために～を買(か)わず 자손을 위해 옥답을 사지 않는다《자손에게 재산을 남기는 것은 좋지 않다》.

ひでんか【妃殿下】图 비전하《황족의 처의 존칭》. ↔殿下(でんか).

****ひと**【人】图 사람. **1** 인류; 인간. ¶～は火(ひ)を使(つか)う 사람은 불을 사용한다. **2** (집단이 아닌) 개인; 또, 특별한 관계에 있는 사람. ¶うちの～ 우리 남편〔집 양반〕/ いい～ (a)좋은 사람; (b)애인 / 党(とう)より～を選(えら)ぶがよい 당보다 인물 본위로 뽑는 것이 낫다. **3** 보통 사람. ㉠일반 세상 사람. ¶～のうわさ 세상 소문 / ～の世(よ)の常(つね) 인간 세상에 흔히 있는 일. ㉡남; 타인. ＝他人(たにん). ¶～を立(た)てて話(はな)し合(あ)う (중간에) 사람〔대리인〕을 내세워 이야기하다 / ～の目(め)を気(き)にする 남의 눈을 의식하다 / ～のまねをする 남의 흉내를 내다 / ～を甘(あま)くみるな 사람을 우습게 보지 마라. **4** 어른; 성인. ¶～となる 어른이 되다; 장성하다. **5** 적당한 사람. ㉠훌륭한 사람; 인물. ¶～を得(う)る 인물을 얻다 / 政界(せいかい)に～なし 정계에 인물이 없다. ㉡필요한 일손. ¶～を求(もと)める 일손을 구하다 / ～が足(た)りない 사람〔일손〕이 부족하다. **6** 인품; 성질. ¶～がいい 사람〔인품〕이 좋다.

—には添(そ)うて見(み)よ馬(うま)には乗(の)って見よ 사람은 사귀어 보고 말은 타 보아라《사람은 사귀어 봐야 알 수 있다》.

—のうわさも七十(しちじゅう)五日(ごにち) 남의 말도 석 달.

—の風上(かざかみ)に置(お)けない 그 사람의 행동이 더럽다는 말.

—の口(くち)に戸(と)は立(た)てられぬ 세상 소문은 막을 도리가 없다.

—のふり見(み)て我(わ)がふり直(なお)せ 남의 언행을 보고 제 버릇 고쳐라.

—のふんどしで相撲(すもう)を取(と)る 남이 켠 불에게 잡기.

—は—, 我(われ)は我 남은 남, 나는 나.

—も無(な)げ 사람을 무시하는 모양; 방약무인한 모양. ¶～な態度(たいど) 안하무인의 태도 / ～に声高(こわだか)に話(はな)す 방약무인하게 큰 소리로 말하다.

—を食(く)う 사람을 사뭇 깔보다.

—を呪(のろ)わば穴(あな)二(ふた)つ 남을 물에 넣으려면 자기가 먼저 물에 들어간다; 남 잡이가 제잡이.

—を—とも思(おも)わぬ 사람을 사람으로 여기지 않다《남을 깔보는 모양》.

—を見(み)て法(ほう)を説(と)け 상대에 따라 그에 알맞은 조치를 취해라.

—を見(み)る目(め) 사람을 보는 눈. ¶～がない 사람 보는 눈이 없다.

ひと=【一】 한…. **1**《名詞 등의 앞에 붙여서》하나; 한 번. ¶～にぎり 한 줌 / ～そろい 한 벌 / ～勝負(しょうぶ) 한판 승부 / ～冬(ふゆ)越(こ)す 한 겨울 나다 / ～夏(なつ)過(す)ごす 한 여름 지내다. **2**《名詞 앞에 붙여서》조금; 약간. ¶～筆(ふで)書(か)く 조금 쓰다; 한 자 적다 / ～目(め)ちらりと見(み)る 한 번 얼핏 보다 / ～ふろ浴(あ)びる 한차례 목욕하다. **3**《名詞 앞에 붙여서》(막연히) 어떤. ¶～夜(よ) 어느 날 밤 / ～ころはそういう事(こと)もあった 한때는 그런 일도 있었다.

ひとあし【一足】图 한 발. **1** 한 걸음. ¶～先(さき)に行(い)く 한 발〔조금〕 먼저 가다. **2** 얼마 안 되는 시간〔거리〕.

—ちがい【—違い】图 한 발 차이. ¶～で人(ひと)に会(あ)えない 한 걸음 차이로 사람을 만나지 못하다.

ひとあし【人足】图 인적; 사람의 왕래. ＝人通(ひとどお)り. ¶～がしげくなる 사람 왕래가 빈번해지다 / ～が絶(た)える 인적이 끊어지다.

ひとあじ【一味】图『～違(ちが)う』다른 것에서는 볼 수 없는 독특한 맛이 있어 그것을 두드러지게 하다; 어딘가 다르다.

ひとあしらい【人あしらい】图 남을 접대하는 일; 사람과의 응대. ¶～がうまい 사람 응대를 잘한다.

ひとあせ【一汗】图 한바탕 땀을 흘림. ¶力仕事(ちからしごと)をして～かく 힘든 일을 해서 한바탕 땀을 흘리다 / 風呂(ふろ)で～流(なが)

す 욕탕에서 한바탕 땀을 흘리다.

ひとあたり【人当たり】图 사람을 대하는 태도; 남에게 주는 인상. ¶～がよい 붙임성〔사귐성〕이 좋다/～が柔(やわ)らかい 남에게 주는 인상이 부드럽다.

ひとあと【人跡】图 인적; 사람의 발자취. ＝じんせき.

ひとあめ【一雨】图 **1** 한차례 비가 옴. ¶～ごとに暖(あたた)かくなる 비가 한차례 올 때마다 따뜻해진다. **2** 한바탕 비가 옴. ¶～来(き)そうだ 한바탕 비가 올 것 같다.

ひとあれ【一荒れ】图ス自 비바람이 한바탕 몰아닥침; 전하여, (승부·회의 등에서) 한바탕 파란이 일어남. ¶この空模様(そらもよう)では～来(き)そうだ 이런 날씨로는 폭풍우가 한바탕 올 것 같다/～ありそうだ 한바탕 파란이 일 것 같다/今度(こんど)の国会(こっかい)は～しそうな雰囲気(ふんいき)だ 이번 국회는 한바탕 파란이 일 듯한 분위기이다. 「뜻.

ひとあわ【一泡】图 느닷없어 당황함의

——吹(ふ)かせる 느닷없이〔허를 찔러〕 남을 놀라게〔당황하게〕 하다.

ひとあんしん【一安心】图ス自 일단 안심이 됨; 한시름 놓음. ¶子供(こども)が大学(だいがく)に入(はい)って～する 자식이 대학에 입학해서 한시름 놓다.

⁑**ひど-い**〖酷い·非道い〗形 (정도가) 심하다. **1** 가혹〔참혹〕하다; 호되다. ＝むごい. ¶～しうち 가혹한 처사/～目(め)にあわせる 혼내 주다. **2** 지독하다; 엄청나다. ＝激(はげ)しい·はなはだしい. ¶～雨(あめ) 지독한 비/～寒(さむ)さ 호된 추위/～·く暑(あつ)い 지독히〔되게〕 덥다/～人出(ひとで)だ 엄청난 인파다. **3** (정도가) 너무 나쁘다; 형편없다. ¶～出来(でき) 형편없는 만듦새.

ひといき【一息】图 **1** 단숨. ¶～に飲(の)み干(ほ)す 단숨에 들이켜다. **2** 한숨 돌림; 잠깐 쉼. ¶～入(い)れる 한숨 돌리다; 잠깐 쉬다/ほっと～つく 후유 하고 한숨 쉬다〔돌리다〕. **3** (계속해서) 단숨에 함. ¶～に仕上(しあ)げる 단숨에 해내다〔완성하다〕/～に駆(か)け上(あ)がる 단숨에 뛰어 올라가다. **4** 한 고비의 노력. ¶頂上(ちょうじょう)まで, あと～だ 정상까지 이제 조금만 더 오르면 된다.

ひといきれ【人いきれ】图 사람의 훈김〔훈기〕. ¶～でむんむんする 사람의 훈김으로 후텁지근하다.

ひといくさ【一戦】《一軍》图 일전; 한 차례의 싸움〔전투〕.

ひといちばい【人一倍】副ダナ 남보다 갑절이나〔배나〕. ¶～努力(どりょく)する 남보다 갑절이나 노력하다/母(はは)は～心配性(しんぱいしょう)だ 어머니는 유난히 걱정이 많다.

ひどう【非道】图ダナ 비도; 무도. ¶極悪(ごくあく)～ 극악무도/～に人(ひと)をさいなむ 무도하게 사람을 괴롭히다.

びとう【尾灯】图 미등; 테일 라이트. ＝テールライト. ↔前照灯(ぜんしょうとう).

びとう〔微騰〕图ス自 미등; (물가 따위가) 조금 오름. ↔微落(びらく).

びどう【微動】图ス自 미동; 조금 움직임. ¶～だにしない 미동도 않다; 끄떡도 않다.

ひとうけ【人受け】图 남에게 주는 (좋은) 감정·평판; 남의 신용. ¶～がいい 평판이 좋다/～をねらった作品(さくひん) 인기를 노린 작품.

ひとうけ【人請け】图 신원 보증; 또, 그 보증인. ¶～証文(しょうもん) 신원 보증서.

ひとえ【一重】图 외겹; 홑겹; 한 겹. ¶～まぶた 홑눈꺼풀/～ざくら 외겹 벚꽃.

ひとえ〖単衣·単〗图 **1** 'ひとえ物(もの)'의 준말. ¶～仕立(じた)て 홑옷으로 지음. ↔あわせ. **2** ☞ひとえぎぬ.

——ぎぬ〖単衣〗图 홑옷. ＝ひとえ.

——もの【一物】图 홑옷.

ひとえに〖偏に〗副 오로지; 그저; 전적으로. ＝ただただ·もっぱら·ひたすら·全(まった)く. ¶～おわび申(もう)し上(あ)げます 그저 사과드릴 따름입니다/～あなたのおかげです 오로지 당신 덕택입니다.

ひとおじ【人おじ】《人怖じ》图ス自 (어린아이 등의) 낯가림. ¶～しない子供(こども) 낯가림하지 않는 아이/この子(こ)は～して困(こま)ります 이 애는 낯가림을 해서 애먹습니다.

ひとおもいに【一思いに】連語 단숨에; 단결에; 큰마음 먹고; 눈 딱 감고. ¶～飲(の)みこむ 단숨에 삼키다/いっそ～死(し)んでしまいたい 차라리 눈 딱 감고 죽어 버리고 싶다.

ひとかい【人買い】图 어린이나 여자를 꾀는 인신 매매자. ¶～にさらわれる 인신 매매자에게 채이다〔유괴되다〕.

ひとかかえ【一抱え】图 한 아름. ¶～の木(き) 아름드리 나무.

ひとがき【人垣】图 많은 사람이 빙 둘러싸서 울처럼 된 상태. ¶～を作(つく)る 많은 사람이 빙 둘러싸 울타리를 이루다.

ひとかげ【人影】图 인영; 사람의 그림자; 사람의 모습. ¶～が見(み)えない 사람의 모습이 보이지 않다/～がさす 사람의 그림자가 비치다.

ひとかけら【一かけら】《一欠片》图 한 조각; 또, 매우 적음. ¶～のパン 한 조각의 빵/～の情(なさ)けもない 눈곱만큼의 인정도 없다.

ひとかず【人数】图 인수. **1** 사람 수. ＝にんずう. **2** 사람축. ＝人(ひと)なみ. ¶～にはいらない 사람축에 못 들다.

ひとかた〖一方〗图 보통(의 정도); 어지간함; 이만저만함. ＝一通(ひととお)り. ¶彼(かれ)の喜(よろこ)びは～ではなかった 그의 기쁨은 이만저만한 것이 아니었다.

——ならず 副 적잖이; 매우; 무척. ¶～驚(おどろ)く 적잖이 놀라다. 参考 'ひとかたならぬ(＝적잖은)'의 꼴로 連体修飾語로도 씀. ¶ひとかたならぬお世話(せわ)になりました 적잖은 신세를 졌습니다.

ひとかど〖一角·一廉〗图 **1** 한층 뛰어남; 버젓함; 상당함. ¶～の人物(じんぶつ) 뛰어난〔어엿한〕 인물. **2** 제구실; 한 몫. ¶～の

働(はたら)き 한 사람 몫의 일; 제구실.

***ひとがら**【人がら·人柄】㊀图 인품; 사람됨. ¶～がにじみ出(で)る 인품이 절로 우러나오다/あの人(ひと)は～がよい 저 사람은 인품이 좋다. ㊁[名ナ] 인품〔사람〕이 좋음. ¶お～な人(ひと) 사람이 좋은 사람/彼(かれ)はお～だ 그는 사람이 좋다.

ひとかわ【一皮】图 한 겹질; 한 꺼풀.

—剝(む)く 한 꺼풀 벗기다; 겉치레를 없애다. ¶一皮剝けば欲(よく)のかたまりだ 한 꺼풀 벗기면 욕심 덩어리다.

—剝(む)ける 한꺼풀 벗겨지다; 경험·시련을 거쳐 이전보다 나아지다. ¶社会(しゃかい)に出(で)て彼(かれ)も一皮剝けたようだ 사회에 진출하고 나서 그도 이전보다 한결 나아진 것 같다.

ひとぎき【人聞き】图 남이 들음; 바깥소문. =外聞(がいぶん). ¶～が悪(わる)い 바깥소문〔세평, 평판〕이 나쁘다.

ひとぎらい【人嫌い】[名ナ] 남과 접촉하는 것을 싫어함; 또, 그런 사람. ¶根(ね)っからの～ 천성적으로 사람 만나길 싫어함/弟(おとうと)は～でこまる 아우는 사람 만나기를 싫어해서 탈이다.

ひときれ【一切れ】图 한 조각; 한 가닥. ¶～のパン 한 조각의 빵.

ひときわ〖一際〗副 한층 더; 눈에 띄게; 유난히. =めだって·ひとしお. ¶なかでも～高(たか)い山(やま) 그 중에서도 한층 더 높은 산/～目立(めだ)つ装(よそお)い 유난히 눈에 띄는 차림새/～すぐれる 한층 더 뛰어나다.

ひとく【秘匿】图[ス他] 비닉; 몰래 감춤. ¶取材源(しゅざいげん)の～ 뉴스 소스를 밝히지 않음. ⇨隠匿(いんとく).

ひどく〖酷く〗副 몹시; 심히; 매우. ¶～大(おお)きい 대단히 크다/～驚(おどろ)いた 몹시 놀랐다/～高(たか)いわけでもない 몹시〔그렇게〕 비싼 것도 아니다.

びとく【美徳】图 미덕. ¶～を積(つ)む 미덕을 쌓다 / 謙譲(けんじょう)の～を発揮(はっき)する 겸양의 미덕을 발휘하다. ↔悪徳(あくとく).

ひとくぎり【一区切り】图 일단락. =一段落(いちだんらく). ¶～がつく 일단락되다.

ひとくさり【一くさり】《一齣》㊀图 (노래나 이야기 등의) 한 토막. ¶～演説(えんぜつ)する 일장 연설을 하다.

㊁图[ス自] 한바탕 이야기함. ¶いつものじまん話(ばなし)を～したところだ 늘 하는 자랑을 한바탕 늘어놓은 참이다.

ひとくせ【一癖】图 보통내기가 아님을 느끼게 하는 특이한 성깔. ¶～ある人物(じんぶつ) 보통내기가 아닌 인물/～ありそうだ 성깔이 있어 보인다; 행내기가 아닌 것 같다.

—も二癖(ふたくせ)もある 성깔이 있다; 만만찮다; 어거하기 어렵다.

ひとくち【一口】图 **1** 한 입. ¶～にたべる 한 입에 먹다. **2** 조금〔한 입, 한 모금〕 먹음. ¶ほんの～飲(の)む 아주 조금 마시다/～いかがですか 조금 드셔 보시지요. **3** 한 마디 (말). ¶～に言(い)えば 한 마디로 말하면/～には言(い)えない 한 마디로는 말할 수 없다. **4** 한 몫. ㉠주식·기부 따위의 한 단위. ¶～千円(せんえん) 한 몫 천 엔. ㉡한 몫. =わけまえ·わりあて.

—ばなし【—話】《—噺》图 짤막한 이야기; 짧고 익살스러운 이야기.

ひとくふう【一工夫】图[ス自] 약간의 연구; 좀더 머리를 씀. ¶まだ～足(た)りない 아직 좀 연구가 부족하다/もう～すればいい作品(さくひん)になる 이제 좀더 머리를 쓰면 좋은 작품이 된다.

ひとくろう【一苦労】图[ス自] 약간의 노력〔고생, 수고〕. ¶じゃ～願(ねが)おうか 그럼 수고 좀 해 주겠나/もう～で出来上(できあ)がるんだがなあ 조금만 더 노력하면 완성될 텐데/～も二(ふた)苦労もした 어지간히〔꽤도〕 고생을 했다.

ひとけ【人け】《人気》图 인기척. =ひとげ. ¶～のない夜中(よなか)の寂(さび)しい道(みち) 인기척이 없는 한밤중의 호젓한 길.

ひどけい【日時計】图 해시계.

ひとけた【一けた】《一桁》图 **1** (숫자의) 한 자릿수. ¶～の成長率(せいちょうりつ) 한 자릿수의 성장률. **2** 한 자릿수의 해《1년에서 9년까지의 해》. ¶昭和(しょうわ)～の生(う)まれ 昭和 원년부터 9년까지 사이에 태어난 사람.

ひとこいし-い【人恋しい】形 사람이 그립다. ¶～秋(あき)の山里(やまざと) 사람이 그리운 가을 산골 마을.

ひとこえ【一声】图 일성; 한 마디 소리. ¶鶴(つる)の～ 학의 일성《유력자·권위자의 한 마디》/もう～ 한 마디〔한 번〕 더《경매에서 값을 끌어올리기〔내리기〕 위하여 부르는 소리》. ¶一万(いちまん)五千円(ごせんえん), もう～! 1만 5천 엔, 더 없습니까!

ひとごえ【人声】图 사람의 말소리. ¶向(む)こうで～がする 저 쪽에서 사람 소리가 난다.

ひとごこち【人心地】图 (공포나 불안 따위에서 벗어나) 살아 있다는 기분; 제정신; 살 것 같은 마음. ¶～がしない 살아 있다는 기분이 나지 않는다/やっと～がつく 겨우 제정신이 들다.

ひとごころ【人心】图 **1** 인심; 인정; 애정. **2** 정상적인 의식; 제정신. =正気(しょうき). ¶～がつく 제정신이 들다.

ひとこと【一言】图 일언; 한 마디 말. ¶～で言(い)うと 한 마디로 말하면/～も聞(き)きもらさない 한 마디도 빠뜨리지 않고 듣다/～言(い)いたいことがある 한 마디 하고 싶은 말이 있다/～も触(ふ)れていない 한 마디도 언급돼 있지 않다/私(わたし)からも～言(い)わせてもらおう 나도 한마디 해야겠다.

ひとごと【ひと事·人事】《他人事》图 남의 일. ¶～とは思(おも)えない 남의 일로는 생각되지 않는다/～ではない 남의 일이 아니다《언젠가는 나에게도 닥칠 일인지도 모른다》.

ひとこま【一こま】《一齣》图 (극·영화 따위의) 한 장면; 한 토막; 필름의 한 화면. ¶映画の～ 영화의 한 장면/歴史の～ 역사의 한 토막.

ひとごみ【人込み】《人混み》名 인파(로 붐빔); 북적임; 또, 그 장소. ¶～をさける 북적이는 곳을 피하다/～にまぎれる 인파 속으로 사라지다/大変な～だ 꽤나 붐빈다.

ひところ〖一頃〗名 한때; 이전의 어떤 시기. =ひととき. ¶～栄えた町 한때 번창했던 도시/～の元気が無い 전과 같은 기운이 없다.

ひとごろし【人殺し】名 살인; 살인자. ¶～をする 살인을 하다/～が捕まる 살인범이 붙잡히다.

ひとさしゆび【人指し指·人差し指】名 집게손가락; 식지(食指).

ひとざと【人里】名 사람이 사는 마을. ¶～離れた所 마을에서 떨어진 곳/～が恋しくなる (사람 사는) 마을이 그리워지다. ↔山里.

ひとさま【人様】名 '他人(=타인)'의 높임말. ¶～のことに口を出すな 남의 일에 참견 마라/～に迷惑をかけてはいけない 남에게 폐를 끼쳐서는 안 된다.

ひとさらい【人さらい】《人攫い》名 유괴(범); 납치(범). ¶～に子供をさらわれた 유괴범에게 아이를 유괴당했다.

ひとさわがせ【人騒がせ】名ナ 놀라게 함; 떠들썩하게 함; 소란을 피움. ¶～な事件 세상을 떠들썩하게 하는 사건/とんだ～をしてすみません 뜻하지 않은 소란을 피워서 죄송합니다; 이거 놀라게 해드려 죄송합니다.

ひとざわり【人触り】名 사람을 대할 때 상대에게 주는 느낌. =人当たり.

ひとし-い【等しい】形 **1** 같다; 동등하다; 동일하다. ¶乞食に～生活 거지와 같은 생활/長さ〔大きさ〕が～ 길이〔크기〕가 같다/ほとんど無いに～ 거의 없는 것과 같다. **2**《'～·く'의 꼴로》한결같이; 다 같이. =そろって. ¶万人～·く仰ぐ 만인이 한결같이 우러러보다/全員に～·く分配する 전원에게 똑같이 분배하다.

ひとしお【一塩】名 살짝 절임; 또, 그 절인 것. ¶～のさけ 얼간 연어.

ひとしお〖一入〗副 한층 더; 한결 더; 특히. =ひときわ. ¶～興を添える 한결 더 흥을 돋우다/寂しさが～身にしみる 쓸쓸함이 한층 더 몸에 스미다/末っ子だけに～かわいい 막내이기에 한층 더 귀엽다.

ひとしきり〖一頻り〗副 한때 한바탕 계속되는 모양: 한동안; 한차례; 한바탕. ¶雨が～降る 비가 한바탕 내리다/～にぎやかな歌声が続いた 한동안 떠들썩한 노랫소리가 계속되었다.

ひとしごと【一仕事】名ス自 한 가지의 일; 조금 일을 함. ¶やっと～終わった 겨우 한 가지 일이 끝났다.

ひとじち【人質】名 인질; 볼모. ¶～となる 인질이 되다/～にとる 인질로 잡다/～をさしだす 인질을 내놓다.

ひとしなみ【等し並み】ダナ 동등함; 같음; 동렬(同列); 같은 수준. ¶～の扱い 동등하게 다룸/それとこれとは～には考えられない 그것과 이것과는 동등하게 생각할 수 없다.

ひとしれず【人知れず】連語 남몰래. =ひそかに. ¶～泣く〔悩む〕 남몰래 울다〔고민하다〕/～悪い事をした 남모르게 나쁜 짓을 했다.

ひとしれぬ【人知れぬ】連体 남모르는. ¶～苦労があった 남모르는 고생이 있었다.

ひとずき【人好き】名 남이 좋아함; 남에게 호감을 줌. ¶～のする顔 남에게 호감을 주는 얼굴/～がする (남에게) 호감을 주다.

ひとすじ【一筋】名 **1** 한 줄기. ¶～の川 한 줄기 강/～の光 한 줄기 희망의 빛/～の希望をつなぐ 한 가닥 희망을 걸다/無能無才にしてこの～につながる 무능무재하여 이 한 가지(일)에 매달려 있다. **2** 외곬; 한결같음. ¶～に思いつめる 외곬으로〔골똘히〕 생각하다/勉強～に生きる 그저〔오로지〕 공부에만 힘쓰며 살다.

—なわ【—縄】名 보통 수단. ¶この仕事は～ではいかない 이 일은 보통 수단〔방법〕으로는 안 된다.

ひとずれ【人擦れ】名ス自 (많은 사람을 접하여) 닳고 닳음; 닳아빠짐. ¶～しない人 순진한〔까지지 않은〕 사람/～している女 닳고 닳은〔까진〕 여자.

ひとそろい【一そろい】《一揃い》名 있어야 할 것 전부; 일습; 한 세트. ¶所帯道具～を買いあつめる 살림 도구 일습을 사 모으다.

ひとだかり【人だかり】《人集り》名ス自 많은 사람이 모임; 또, 그 사람들. =人立ち. ¶黒山のような～がする 사람들이 새까맣게 모여들다; 인산인해를 이루다.

ひとだすけ【人助け】名 남을 도움; 사람을 살리는 행위. ¶～だと思って頼まれてくれ 사람 살리는 일이라고 생각하고 부탁을 들어주게.

ひとだのみ【人頼み】名 (자기가 하지 않고) 남에게 의지함; 남에게 맡김. =ひとまかせ. ¶～の根性 남에게 의지하는 근성/～では成功しない 남에게 의지해서는 성공하지 못한다.

ひとたび〖一度〗名 **1**《가정(假定) 등의 표현이 뒤따라서》한번; 일단. =いったん. ¶～決心したからには実行するだけだ 일단 결심한 이상은 실행할 뿐이다/～事が起こったら 일단 유사시에는. **2** 한 번; 일회. =一度. ¶～はがまんしたが 한 번은 참았으나.

ひとだま【人だま】《人魂》名 도깨비불. =火の玉. ¶～が飛ぶ 도깨비불이 날다/～に怯える 도깨비불에 겁먹다.

ひとたまり〖一溜まり〗图 잠시 지탱함.
—もない 잠시도 버티지 못하다. ¶ひとたまりもなく負(ま)けた 여지없이〔변변히 싸워 보지도 못하고〕 패했다.

ひとちがい【人違い】图ス他自 헛봄; 잘못 봄; 사람을 착각함. ＝人違(ひとちが)え. ¶～をして声(こえ)をかけた 사람을 잘못 보고 말을 걸었다 / とんだ～して失礼(しつれい)しました 엉뚱한 착각을 해서 실례했습니다.

ひとつ【一つ】㊀图 **1** 하나. ㉠수(數)의 하나; 한; 첫째; 일면(一面). ¶～, ふたつ… 하나, 둘… / なしが～ 배가 한 개 / ～違(ちが)い 하나 차이《특히, 한 살 차이》/ ～, 本会(ほんかい)は… 일〔첫째〕, 본회는… / 誕生日(たんじょうび)が来(き)て～になる 생일날이면 한 살이 된다 / ～にはこういう見解(けんかい)も成(な)り立(た)つ 한편으로는 이러한 견해도 성립된다. ㉡(한덩어리로서의) 전체. ¶全員(ぜんいん)が～にまとまる 전원이 하나로 뭉치다 / 海(うみ)と空(そら)とが～になる 바다와 하늘이 하나가 되다. ㉢조차. ¶あいさつ～できない 인사 하나〔조차〕 제대로 못한다 / 塵(ちり)～落(お)ちていない 먼지 하나 떨어져 있지 않다. **2**《'～だ' '～になる' '～にする'의 꼴로》 한 가지; 같음; 비슷함. ¶ふたりの気持(きも)ちが～になる 두 사람의 마음이 하나가[일치] 되다 / 心(こころ)を～にする 마음을 하나로 하다〔같이하다〕. ㊁副 **1** 그럼; 한 번; 자. ¶～出(で)かけようか 자 떠나 볼까 / ～やってみないか 한 번 해보지 않으려나 / どりゃ～飲(の)んでみよう 어디 한 번 마셔 보자. **2** 아무쪼록; 부디. ＝どうぞ. ¶～よろしくお願(ねが)いします 아무쪼록 잘 부탁드리겠습니다.
—まちがえば 자칫 잘못하면. ¶～この田島屋(たじまや)は煙(けむり)になってしまうんだ 자칫 잘못하면 이 田島屋는 재가 되어 버리는 거야.

ひとつあな【一つ穴】图 **1** 같은〔한〕 굴. **2** 공모하여 못된 일을 꾸밈.
—の貉(むじな)〔狐(きつね)〕 한패; 한동아리; 한통속. ¶彼(かれ)らはどうせ～だよ 그들은 어차피 한통속이다.

ひとつおぼえ【一つ覚え】图 하나만 앎; 하나만 알고 자랑함. ¶ばかの～ 어리석은 사람이 하나만 알고 그것을 자랑스럽게 써먹음; 바보의 외고집.

ひとづかい【人使い】图 사람 쓰는〔다루는〕 법; 사람 다루기〔부리기〕. ¶～が荒(あら)い 사람 부리는 것이 거칠다.

ひとつかま【一つかま】《一つ釜》图 한솥; 같은 솥.
—の飯(めし)を食(く)う 한솥밥을 먹다. ¶ひとつかまの飯を食った仲(なか) 한솥밥을 먹은 사이; 고락을 같이한 사이.

ひとづき【人付き】图 **1** 교제; 사귐. ＝人(ひと)づきあい. ¶～の多(おお)い人(ひと) 교제가 많은 사람. **2** 남이 받는 인상; 붙임성; 사귐성; 사교성. ¶～のいい人(ひと) 남에게 좋은 인상을 주는 사람; 붙임성이 있는 사람.

ひとづきあい【人付き合い】图 교제; 사귐. ¶～が多(おお)い 교제가 많다 / ～がへただ 교제가 서투르다; 사귐성이 없다 / ～が悪(わる)い 남과 잘 사귀지 못한다.

ひとっこ【人っ子】图 '人(ひと)'의 힘줌말.
—ひとり【——一人】連語《否定하는 말이 뒤따라》 사람 하나; 누구 하나; 아무도. ＝だれひとりも. ¶～通(とお)らない 사람 하나 지나가지〔얼씬하지〕 않는다 / ～居(い)ない 아무도 없다.

ひとづて【人づて】《人伝》图 **1** 인편에 전함. **2** 구전(口傳)됨; 소문. ¶～に聞(き)く 사람을 통해 듣다; 소문에 듣다.

ひとつとして【一つとして】連語《다음에 否定을 수반하여》 하나도. ¶～良(よ)い物(もの)はない 하나도 좋은 거라곤 없다.

ひとっぱしり【一っ走り】图ス自 잠깐 달림. ＝ひとはしり. ¶～行(い)って来(く)る 잠깐 달려갔다 오다 / ～して知(し)らせてくる 잠깐 달려가서 알려 주고 오다.

ひとつばなし【一つ話】图 진담(珍談); 기담(奇談); 늘 자랑삼아 하는 이야기. ¶老人(ろうじん)の～ 노인이 늘 자랑삼아 하는 이야기 / 今(いま)でも～として語(かた)り継(つ)がれている 지금까지도 진담으로서 구전되고 있다.

ひとつひとつ【一つ一つ】图副 일일이; 하나하나. ＝ひとつびとつ·いちいち. ¶～調(しら)べあげる 하나하나〔일일이〕 조사하다 / ～に思(おも)い出(で)がある 하나하나에 추억이 서려 있다.

ひとつぶだね【一粒種】图 외아들; 외딸; 외동이. ＝ひとりご. ¶大切(たいせつ)な～を亡(な)くして悲(かな)しむ 귀중한 외동이를 잃고 슬퍼하다.

ひとづま【人妻】图 남의 아내; 유부녀. ¶～らしい女(おんな) 유부녀처럼 보이는 여자 / ～になる (여자가) 결혼하다; 남의 아내가 되다 / ～に思(おも)いを寄(よ)せる 남의 아내를 연모하다〔마음에 두다〕.

ひとつまみ【一つまみ】《一抓み·一撮み》图 **1** 한 자밤《손끝으로 집을 정도로 적음》; 약간. ¶～の塩(しお) 소금 한 자밤. **2** 간단하게 상대를 이김. ¶～にするぞ 간단히 해치워 버리겠다.

ひとて【一手】图 **1** 도맡음; 독점; 도거리. ＝いって. ¶～販売(はんばい) 독점 판매 / ～に引(ひ)き受(う)ける 혼자서 떠맡다. **2** 한 번의 손질·솜씨; (바둑 따위의) 한 수. ¶～遅(おく)れる 한 수 늦다 / ～教(おし)えをこう 한 수 지도를 바라다. **3** 한 무리; 일대(一隊). ＝一組(ひとくみ). ¶～は敵(てき)の背後(はいご)にまわる 일대는 적의 배후로 돌다.

ひとで【人手】图 **1** 남의 손. ㉠남의 도움. ¶～を借(か)りる 남의 손을 빌리다 / ～にたよる 남의 도움〔손〕에 의지하다. ㉡남의 수중. ¶～に渡(わた)る 남의 손에 넘어가다《남의 소유가 되다》. **2** 일손; 일할 사람; 일꾼. ＝働(はたら)き手(て). ¶～がない 일손이 없다 / ～がかかる 일손이 들다. **3** 사람의 솜씨; 인공(人工). ¶～を加(くわ)える 손을 보다; 손질을 하다.

ひとで【人出】图 많은 사람이 그곳에 모임〔나옴〕; 인파. ¶今年最高の～でにぎわう 금년 최고의 인파로 북적거리다/海岸はたいへんな～だった 해변은 대단한 인파였다.

ひとで〚海星·人手〛图〔動〕불가사리.

ひとでなし【人でなし】《人非人》图ナ 인비인; 은혜나 인정을 모르는 사람. =人非人. ¶あの人は全く～だ 저 사람은 정말 사람도 아니다/この～め 이 짐승만도 못한 놈아.

ひととおり〚一通り〛图 **1** 대강; 얼추; 대충. =ひとわたり·だいたい·あらまし. ¶～説明を聞く 대강 설명을 듣다/～読んだ 얼추 읽었다. **2** 필요한 것; 일습. ¶～買いそろえる 필요한 것 전부를 사서 갖추다 / 教科書を～買う 필요한 교과서를 전부 사다. **3** 《대개 否定하는 표현이 뒤따라서》보통; 엔간함. ¶～の苦労ではない 보통 고생이 아니다 / ～の努力ではできない 엔간한 노력으로는 안된다. **4** 한 가지 방법. ¶やり方は～だけではない 하는 방법은 한 가지만이 아니다.

ひとどおり【人通り】图 사람의 왕래. =行き来. ¶～がはげしい 사람의 왕래가 아주 잦다〔많다〕.

ひととき【ひととき·一時】图 한때. **1** 한동안; 잠깐 동안. =いちじ·いっとき. ¶いこいの～ 휴식의 한동안〔한때〕. **2** (이전의) 어느 때; 한때. =ひところ. ¶～はやった歌 한때 유행한 노래/～はたいへん景気がよかった 한때는 대단히 경기가 좋았다.

ひととなり【ひととなり·人となり】《為人》图 위인(爲人); 사람됨. =人柄. ¶相手の～を理解する 상대방의 사람됨됨이를 이해하다.

ひとなか【人中】图 **1** (많은) 사람 가운데; 뭇 사람 앞. ¶～で恥をかく 뭇 사람 앞에서 창피를 당하다. **2** 세상. =世間. ¶～に出られない身 세상에 나서지 못할 몸/～でもまれる 세상에서 부대끼다.

ひとなかせ【人泣かせ】图ナ 사람을 괴롭힘; 남에게 괴로움을 끼치는 행위. ¶～な制度 사람을 괴롭히는 제도/～ないたずら 남을 괴롭히는 장난.

ひとなだれ【人なだれ·人雪崩】图 사람사태(沙汰); (한곳에 모인) 군중이 서로 밀며 사태처럼 우르르 움직이는 일. ¶～とともに外へ出る 인파에 밀려 밖으로 나오다.

ひとなつっこ-い【人懐っこい】形 사람을 잘 따르다; 붙임성이 있다; 상냥하다. =ひとなつこい. ¶～く寄ってくる 상냥하게 다가오다 /この子はたいそう～ 이 애는 매우 붙임성이 있다.

ひとなみ【人波】图 인파. ¶～に揉まれる 인파에 부대끼다/～にのまれる 인파에 휩쓸리다/～をかきわける 인파를 헤치다.

ひとなみ【人並み】图ダナ (남들과 같은) 보통 정도임. =世間なみ. ¶～に苦労をする 웬만큼 고생을 하다/～の生活をする 보통의〔여느 사람과 같은〕생활을 하다.

ひとな-れる【人なれる】《人馴れる》下1自 **1** 교제에 익숙〔친숙〕해지다. **2** (동물이) 사람을 따르다; 길들다. ¶～·れた犬 길든 개.

ひとにぎり【一握り】图 한 줌; 극히 적음. ¶～の砂 한 줌의 모래 / ～の異端分子 극소수의 이단 분자.

ひとねいり【一寝入り】图ス自 ☞ひとねむり.

ひとねむり【一眠り】图ス自 한숨〔한잠〕잠. =ひとねいり. ¶別室で～する 별실에서 한잠 자다.

ひとのき【人の気】图 남의 마음〔기분〕. ¶～も知らないで 남의 속도 모르고.

ひとのこ【人の子】图 **1** 남의 자식; 자식된 자. **2** 인간. ¶あいつも～, 子供はかわいいとみえる 저 녀석도 사람이라고, 아이들은 귀여운 모양이다.

ひとのよ【人の世】图 인간 세계; 이 세상. ¶栄枯盛衰は～の常 영고성쇠는 세상의 상례.

ひとばしら【人柱】图 옛날, 축성(築城)·축제(築堤)·가교(架橋) 따위의 난공사때 사람을 제물로 생매장하던 일; 또, 그 사람; 전하여, 어떤 목적으로 희생이 되는 일. ¶～となる 제물〔희생〕이 되다/護国の～となった 호국의 넋〔제물〕이 되었다.

ひとはしり【一走り】图ス自 잠깐 뜀. ¶～行って来い 잠깐 뛰어 갔다 오너라. 注意 'ひとっぱしり'는 힘줌말.

ひとはた【一旗】图 하나의 깃발.
――揚げる **1** 군사를 일으키다; 거병(擧兵)하다. **2** 새로 사업을 시작하다.

ひとはだ【一肌】图《'～脱ぐ'의 꼴로》한팔을 걷고〔발 벗고〕도와 주다; 힘이 되어 주다. ¶君のためなら～脱いでもいい 자네를 위해서라면 발 벗고 도와 줄 수 있다.

ひとはだ【人肌】《人膚》图 사람의 피부; 또, 그 정도의 따스함. ¶～のおかん 체온 정도로 술을 데움.

ひとはな【一花】图 **1** 한 송이〔떨기〕꽃. **2** 한때의 번영〔영화〕.
――咲かせる 한때 번영하다〔날리다〕.

ひとばらい【人払い】图ス自 **1** 밀담하기 위해 다른 사람을 물리침; 좌우를 물리침. ¶～して密談する 사람을 물리치고 밀담하다. **2** 벽제(辟除).

ひとばん【一晩】图 **1** 하룻밤. ¶～じゅう寝られなかった 밤새 자지 못했다. **2** 어느 날 밤. ¶～友達がたずねて来た 어느 날 밤 친구가 찾아왔다.

ひとひ【ひと日·一日】图 **1** 하루. =いちにち. **2** 종일. =一日じゅう. ¶湖畔で～を過ごす 하루를〔온종일〕호반에서 보내다. **3** 어느 날. ¶春の～ 봄의 어

느 날; 어느 봄날.

ひとびと【人人】 图 **1** 사람들. ¶貧しい～を助ける 가난한 사람들을 돕다. **2** 각자. ¶～の意見を聞く 각자의 의견을 듣다.

ひとひねり【一ひねり】《一捻り》 图ス他 **1** 한 번 비틂. **2** 간단히 다룸. ¶あんな奴, ～だよ 저런 녀석(은), 단번에 해치울 수 있어. **3** 여러 가지로 머리를 굴림〔궁리함〕. ¶～した趣向 별난 취향/もう～する必要がある 좀더 궁리할 필요가 있다.

ひとひら【一ひら】《一片·一枚》 图〈雅〉1매; 한 장; 한 조각. ¶～の雲 한 조각의 구름.

ひとふで【一筆】 图 일필. **1** (편지 따위를) 조금〔잠깐〕 씀. ¶紹介状を～お願いします 소개장을 한 줄 써 주시기 바랍니다. **2** 먹을 다시 묻히지 않고 단번에 씀.

—がき【—書き】 图 단번에 써〔그려〕 냄; 일필휘지(一筆揮之).

ひとふろ【一ふろ】《一風呂》 图 한 차례 목욕함. ¶～浴びる (풍덩) 한탕 목욕을 하다.

ひとべらし【人減らし】 图 감원; 인원 감축. ¶～合理化 감원 합리화; 정리 해고.

ひとほね〘一骨〙 图 한번〔약간〕의 수고; 애씀. ¶～折る 좀 수고하다.

ひとま【一間】 图 방 하나; 일실. =一室. ¶六畳～のアパート 畳 여섯 장 크기의 방 한 칸(이 있는) 아파트/～にとじこもる 일실에 틀어박히다.

ひとまえ【人前】 图 남의 앞. **1** 사람들이 있는〔보는〕 곳. ¶～に出る 남 앞에 나서다/～で恥をかかす 남 앞에서 창피를 주다. **2** 체면. ¶～を飾る 체면을 차리다.

ひとまかせ【人任せ】 图 남에게 맡김. ¶仕事は～にして遊んでばかりいる 일은 남에게 맡기고 놀기만 한다.

ひとまく【一幕】 图 **1** (연극의) 한 막; 일막. **2** (사건 등의) 한 장면. ¶犯人逮捕の～ 범인 체포의 한 장면/取っ組みあう～があった 서로 드잡이하는 사태가〔해프닝이〕 있었다.

—もの【—物】 图 단막극; 일막짜리 연극〔희곡〕.

***ひとまず〘一先ず〙** 副 우선; 일단. =一応. ¶～やってみよう 우선 해 보자/これで～安心だ 이것으로 일단 안심이다.

ひとまちがお【人待ち顔】 名ナ 사람을 기다리는 듯한 얼굴이나 모양. ¶～の女 사람을 기다리는 듯한 여자/～にすわっている 누군가를 기다리는 듯한 표정으로 앉아 있다.

ひとまね【人まね】《人真似》 图ス自 남의 흉내; (동물의) 사람 흉내. ¶～ばかりするな 남의 흉내만 내지 마라.

ひとまわり【ひとまわり·一回り】 图ス自 **1** 일주(一周); 한 번〔바퀴〕 돎. ¶池を～する 연못을 한 바퀴 돌다. **2** (지지(地支)에서) 난 해가 되돌아오는 해까지의 12년간. ¶～若い (나이가) 열 두 살 아래다/兄とは～違う 형과는 열 두 살 차이다. **3** (인물의 도량·재능·수완 등의) 스케일의 크기를 나타내는 말: 한층; 한결. ¶～大きい人物 한결 스케일이 큰 인물.

ひとみ〘眸·瞳〙 图 눈동자; 동공(瞳孔); 눈. ¶つぶらな～ 귀여운 둥근 눈/～を輝かせる 눈동자를 번득이다.

—を凝らす 응시하다; 뚫어지게 보다. =ひとみを据える.

ひとみごくう [人身御供] 图 **1** 인신 공양; 제물로서 사람을 신에게 바침; 또, 그 희생이 되는 사람. =生き身供. **2** 남의 욕망을 채워 주기 위해 희생이 되는 사람.

ひとみしり【人見知り】 图ス自 낯가림. =人おじ. ¶～しない子 낯을 가리지 않는 아이/この子は～(を)してこまる 이 애는 낯을 가려서 큰일이다.

ひとむかし【一昔】 图 일단 옛날로 느껴질 정도의 과거《보통 10년 정도》; 한 옛날. ¶十年～ 10년이면 옛날이다〔강산도 변한다〕. ↔大昔.

ひとむれ【一群れ】 图 새·짐승·벌레 따위의 한 떼; 한 무리; 일군. =一群. ¶羊の～ 양의 한 떼.

ひとめ【一目】 图 한눈. **1** 잠깐 한 번 봄. ¶～で気に入る〔分かる〕 한눈에 마음에 들다〔알 수 있다〕/～会いたい 한번(만이라도) 만나고 싶다. **2** 한번에 전체를 볼 수 있는 모양. ¶港が～で見おろせる丘 항구가 한눈에 내려다보이는 언덕/山の上から町が～で見渡される 산 위에서 거리가 한눈에 바라다보인다.

—ぼれ〘—惚れ〙 图ス自 한눈에 반함.

ひとめ【人目】 图 남의 눈. ¶～を気にする 남이 볼까 신경을 쓰다/～がうるさい 남의 눈이 성가시다〔귀찮다〕.

—に余る 눈꼴사납다; 눈꼴시다. ¶～態度 눈꼴사나운 태도.

—に立つ 남의 눈에 띄다; 두드러지다.

—につく 남의 눈에 띄다.

—を忍ぶ 남의 눈을 기이다〔피하다〕. ¶人目を忍んで暮らす 남의 눈을 피해 가며 살다.

—を盗む 남의 눈에 띄지 않도록 가만히 하다.

—をはばかる 남의 눈〔이목〕을 꺼리다. ¶人目をはばかって会う 남에게 들키지 않도록 조심해서 만나다.

—を引く 남의 이목을 끌다. ¶～服装 남의 눈에 띄는 복장.

ひともうけ【一もうけ】《一儲け》 图ス自 한밑천 잡음. =一稼ぎ. ¶株で～する 주식으로 한밑천 잡다/ドル売りで～ねらった 달러 장사로 한밑천 잡으려고 했다.

ひともじ【人文字】 图 위에서 보면 어떤

글자처럼 보이도록 광장에 많은 사람이 줄지어 늘어섬; 또, 그 글자《넓은 뜻으로는, 그림무늬도 가리킴》.

ひともしごろ【火ともしごろ】《火点し頃》名 해가 져서 불을 켤 무렵; 저녁 무렵. =夕暮れ·夕方.

ひとやく【一役】名 한 역할.

—買う (자진해서) 한 역할을 맡다.

ひとやすみ【一休み】名 スル自 잠깐 쉼. ¶ちょっと~する 잠깐 쉬다/ここらで~しましょう 이쯤〔이 근처〕에서 잠깐 쉽시다.

ひとやま【一山】名 **1** (과일이나 채소 따위의) 한 무더기. ¶~千円 한 무더기 1,000엔. **2** 산 하나; 산 전체. ¶~越えて隣の町へ行く 산 하나 넘어 이웃 동네에 가다.

—当てる **1** (광산에서) 쇳줄을 잡다; 노다지를 캐다. **2** (투기 등으로) 한밑천 벌다. ¶株で~ 주식으로 한밑천 벌다.

—越す (어려움 따위를) 한 고비 넘기다. =一段落する.

ひとやま【人山】名 인산. ¶~を築く 인산인해를 이루다.

ひとよ【一夜】名 **1** 하룻밤. =ひとばん. **2** 어느 날 밤. ¶ある夏の~ 어느 여름날 밤.

ひとよせ【人寄せ】名 スル自 사람을 모아들임; 또, 그렇게 하기 위한 가벼운 연예·오락. ¶~に有名人を招く 사람을 모으기 위해 유명인을 초청하다.

—だいこ【—太鼓】名 (연극·씨름 등의 흥행에 앞서) 사람들을 모으기 위해 치는 북.

***ひとり**【一人】名 한 사람. ¶人が~すわっている 사람이 한 사람 앉아 있다.

***ひとり**【独り】名 **1** 혼자; 독신. ¶~で遊ぶ 혼자서 놀다/~で暮らす 혼자서〔독신으로〕 살다/まだ~です 아직 독신입니다. **2**《'のみならず' 'だけでない' 따위를 수반하여 副詞적으로》 다만; 단지. =ただ·単に. ¶~それだけにとどまらず 단지 그것만으로 그치지 않고/これは~君だけでなく, 僕自身の問題でもある 이는 단지 너뿐만 아니라 나 자신의 문제이기도 하다.

—として《다음에 否定어가 와서》 누구 하나; 아무도. ¶~帰る者はいなかった 아무도 돌아가는 사람은 없었다.

ひどり【日取り】名 날짜를 정함; 택일; 정한 날짜; 기일; 일정. ¶旅行の~ 여행의 일정/結婚の~をきめる 결혼 날짜를 정하다.

ひとりあたま【一人頭】名 1인당. ¶~二千円の割り当て 1인당 2천엔의 할당.

ひとりあたり【一人当たり】名 한 사람당〔앞〕; 1인당. ¶~の分け前 1인당 노느몫.

ひとりあるき【独り歩き】名 スル自 혼자서 걸음; 전하여, 혼자 일을 하거나 생활해 나감. ¶赤ん坊が~するようになった 아기가 걸음마를 하게 되었다/まだまだ経済的に~できないでいる 아직도 경제적으로 독립하지 못하고 있다.

ひとりがてん【独り合点】名 スル自 혼자 속단함; 스스로 이해한 듯이 독단함; 지레 짐작. ¶たしかめもせずに~する 확인하지도 않고 혼자서 속단하다/彼は~しているが話は一向わからない 그는 이해한 체하나 이야기를 통 알아듣지 못한다. 注意 'ひとりがってん' 이라고도 함.

ひとりぎめ【独り決め】名 スル他 독단; 혼자 정함. ¶相談せずに~するのは困る 의논하지 않고 혼자 정하는 것은 곤란하다/できないものと~にしてしまう 안되는 것으로 혼자 정해 버리다.

ひとりぐち【一人口·独り口】名 독살림함; 또, 그 살림. ¶~は金がかかるものだ 독살림은 돈이 드는 법이다.

—は食えぬが二人口は食える 혼자 사는 것보다 결혼해서 둘이 사는 게 돈이 덜 든다는 뜻.

ひとりぐらし【一人暮らし·独り暮らし】名 독신 생활; 혼자 삶. ¶~は淋しいものだ 독신 생활은 쓸쓸한 법이다.

ひとりご【一人子·独り子】名 외동이. =ひとりっこ.

ひとりごと【一人言·独り言】名 혼잣말; 독백. =独語. ¶~をつぶやく 혼잣말을 중얼거리다.

ひとりじめ【独り占め·一人占め】名 スル他 독점; 독차지. =独占. ¶利益を~する 이익을 독점하다.

ひとりずまい【独り住まい】名 혼자 삶; 특히, 홀아비〔과부〕살림. =ひとりずみ·ひとり暮らし.

ひとりずもう【独り相撲】名 독씨름; 혼자서 설침〔열을 냄〕; 독판침; 독무대. ¶~をとる 독씨름을 하다《(a)(상대가 없어) 독판치다; (b)실력의 차이가 심해서 상대가 되지 않다》/だれも相手にしないので~に終わる 아무도 상대해 주지 않는 바람에 혼자 설치다가 말다.

ひとりだち【独り立ち】名 スル自 **1** 독립; 자립. ¶やっと~ができる 겨우 자립할 수 있다/~して商売を始める 독립해서 장사를 시작하다. **2** 아이가 혼자서 서게 됨. ¶赤ん坊が~できるようになった 아기가 혼자서 설 수 있게 되었다.

ひとりっこ【一人っ子·独りっ子】名 〈俗〉 독자; 외동이. =ひとり子.

ひとりでに〖独りでに〗副 저절로; 제물로; 자연히. =自然に·おのずから. ¶ドアが~開いた 문이 저절로 열렸다.

ひとりでんか【独り天下·一人天下】名 일인 천하; 독판; 독천장(獨擅場). ¶主人の~だ 남편의 독천장이다.

ひとりね【独り寝】名 혼자서 잠; 독침. ¶~のわびしさ 혼자 자는 쓸쓸함.

ひとりのみこみ【独りのみこみ】《独り呑み込み》名 혼자 속단; 이해한 듯이 독

단(獨斷)함; 지레짐작. ＝独り合点. ¶～で事を運ぶ 혼자 속단으로 일을 추진하다.

ひとりびとり【一人一人】名 한 사람 한 사람. **1** 각자. ＝めいめい. ¶～の覚悟 각자의 각오. **2** 한 사람씩 (차례로). ＝ひとりひとり. ¶～呼びだす 한 사람씩 불러내다.

ひとりぶたい【独り舞台】名 독무대; 독판; 원맨쇼. ¶その芝居は彼女の～だったな 그 연극은 그녀의 독무대였지 / 文学の話となれば彼の～だ 문학 이야기가 되면 그의 독판이다.

ひとりぼっち【一人ぼっち·独りぼっち】名 단 혼자; 외돌토리. ＝ひとりぽっち. ¶親が死んで～になる 부모가 죽고서 외(돌)토리가 되다 / ～で遊ぶ 혼자서 놀다. 「ちにんまえ.

ひとりまえ【一人まえ·一人前】名 ☞い

ひとりみ【独り身】名 독신; 홀몸. ¶一生を～で通す 일생을 독신으로 지내다 / まだ～です 아직 홀몸입니다.

ひとりむし【火取り虫】名 여름밤, 등불에 모여드는 나방; 불나방. ＝灯蛾.

ひとりむすこ【一人息子】名 외아들.

ひとりむすめ【一人娘】名 외(동)딸.

ひとりもの【独り者】名 〈口〉 홀몸인 사람; 독신자. ＝独身者.

ひとりよがり【独り善がり】名ナ 독선(적). ¶～な態度 독선적인 태도 / ～に陥る 독선에 빠지다 / それは～の考えだ 그것은 독선적인 생각이다.

ひとりわらい【独り笑い】名ス自 **1** 혼자 웃음. ¶にやにやと～する 싱글싱글 혼자서 웃다. **2** 춘화도.

ピトレスク [프 pittoresque] ダナ 피토레스크; 그림처럼 아름다움; 회화(繪畫)적임. ¶～な情景 그림과 같이 아름다운 정경.

ひとわたり〖一渡り·一渉り〗副 한번; 한 차례; 대강; 대충. ＝いちど·ひととおり·一応. ¶～目を通す 대충〔한 차례〕 훑어보다 / ～あいさつを済ます 대충 인사를 마치다.

ひとわらい【人笑い】名 남의 웃음거리; 놀림감. ＝人わらわれ·人わらえ.

ひとわらわせ【人笑わせ】名ナ 웃음거리; 남을 웃기는 어리석은 짓. ¶～な話だ 웃기는 이야기다.

ひな〖鄙〗名 시골; 촌. ＝いなか. ¶～にはまれな美人〔しゃれた店〕 시골에서는 드문 미인〔멋진 가게〕. ↔みやこ.

ひな〖雛〗名 **1** 갓 깬 새 새끼; 병아리. ＝ひよこ. ¶～をかえす 병아리를 까다. **2** 옷을 입힌 인형. ＝ひな人形·ひいな. **3**《名詞 앞에 붙여서》 작은; 귀여운. ¶～形 작은 모형.

ひなあそび【ひな遊び】《雛遊び》名 ☞ ひなまつり.

ひなか【日中】名 낮; 대낮. ＝ひるま. ¶ひるの～に 대낮〔백주〕에.

ひなが【日長·日永】名 (봄이 되어) 낮이 길; 또, 긴 낮 동안. ¶春の～ 봄날의 긴 낮. ↔夜長.

ひながた【ひな型·ひな形】《雛型·雛形》名 **1** (작은) 모형. ¶議事堂の～をつくる 의사당의 축소 모형을 만들다. **2** 양식; 서식. ¶～にならって書く 서식에 따라서 쓰다. 「ジー.

ひなぎく〖雛菊〗名〔植〕 데이지. ＝デー

ひなげし〖雛罌粟〗名〔植〕 개양귀비. ＝ぐびじんそう·ポピー.

ひなし【日なし】《日済し》名 **1** 빚을 날마다 조금씩 갚는 일; 일부불(日賦拂). ¶借金を～で返す 빚을 일수로 갚다. **2** 'ひなしがね'의 준말.

——**がね**【——金】名 원리금을 일부로 갚는 빚; 일숫돈. ＝ひなし·ひぜに.

***ひなた**〖日向〗名 양지; 양달. ¶～に出る 양지로 나가다. ↔日かげ.

——**くさ-い**【——臭い】形 (옷·침구 따위가) 햇볕에 쬔 냄새가 나는 듯하다.

——**ぼっこ** 名ス自 양지에서 볕쬐기. ¶庭で～をする 뜰에서 볕을 쬐다.

ひなだん【ひな壇】《雛壇》名 ひなまつり에서 인형을 진열하는 단《계단식으로 되어 있음》; 또, 그런 모양으로 된 단. ¶国会の～ 국회의 계단식으로 된 좌석.

ひなどり【ひな鳥】《雛鳥》名 **1** 날짐승의 새끼. **2** 병아리.

ひなにんぎょう【ひな人形】《雛人形》名 ひなまつり에 진열하는 작은 인형들《15개 한 세트》. ＝おひなさま·ひな.

ひな-びる〖鄙びる〗上1自 시골티가 나다; 촌스러운 데가 있다. ＝いなかびる·いなかめく. ¶～·びた風情 시골티나는 정취 / ～·びた山里の駅 궁벽한 산골 마을의 역.

ひなまつり【ひな祭り】《雛祭り》名 3월 3일의 여자 아이의 명절《층계식 단(壇)에 일본 옷을 입힌 작은 인형들과 떡·감주 등을 차려 놓고 여자 아이의 행운을 빎》. ＝ひな遊び·ひいな祭り.

ひなみ【日並み】《日次》名 일진(日辰). ＝日がら. ¶きょうは～がよい 오늘은 일진이 좋다 / ～を選んで出発する 좋은 날을 잡아 출발하다.

ひならず【日ならず】副 며칠 안 되어서; 머지않아; 가까운 장래에. ＝まもなく.

——**して** 副 ☞ひならず. ¶出生後～死んだ 출생 후 얼마 되지 않아 죽었다 / ～全快するだろう 머지않아 완쾌될 테지.

ひなわ【火縄】名 화승; 화약심지. ＝ひなわづつ. ¶～銃 화승총.

***ひなん**【非難】《批難》名ス他 비난. ¶～を受ける 비난을 받다 / ～を免れる 비난을 면하다 / ～の的になる 비난의 대상이 되다 / 不手際を～する 솜씨가 서투른 것을 비난하다.

***ひなん**【避難】名ス自 피난. ¶～訓練 피난 훈련 / 火事場から～する 화재가 난 곳에서 피난하다.

——**みん**【——民】名 피난민.

びなん【美男】图 미남. ＝びだん·男前. ↔美女.

―し【―子】图 미남자. ＝びだんし.

ビニール [vinyl] 图 비닐. ¶～樹脂 비닐 수지/～繊維 비닐 섬유.

―ハウス [일 vinyl＋house] 图 비닐하우스.

***ひにく**【皮肉】㊀图 빈정거림; 비꼼; 야유. ＝あてこすり·アイロニー. ¶～屋 잘 빈정대는 사람/運命の～ 운명의 장난/～を言う 빈정거리다; 비꼬아 말하다. ㊁名ナ 짓궂은 일을 당한 것 같은 결과; 얄궂음; 짓궂음. ¶～な運命〔めぐりあわせ〕 얄궂은 운명/～な笑い方 빈정거리는 웃음/～な世の中 얄궂은 세상/～にも, 自ら定めた法に裁かれる 얄궂게도 스스로 만든 법에 심판을 받다.

ひにく-る【皮肉る】5他 〈俗〉 빈정거리다; 비꼬아서 말하다; 풍자하다. ¶小説で政治を～ 소설로 정치를 풍자하다/痛烈に～ 통렬히 비꼬아대다. 注意 '皮肉'를 動詞化한 말. 可能 ひにく-れる 下1自

****ひにち**【日日】图 날; 날수; 날짜; 기일. ＝ひ·ひかず. ¶～がたつ 날이 가다〔지나다〕/～がかかる 날수가 걸리다/会の～を決める 모임의 날짜를 정하다.

ひにひに【日に日に】副 날마다; 하루하루; 나날이; 날이 갈수록. ＝日ごとに. ¶～成長する 나날이 성장하다/春の日ざしが～暖かくなる 봄볕이 날이 갈수록 따뜻해지다.

ひにまし【日に増し】副 날로; 날이 갈수록. ＝日増しに.

ひにょうき【泌尿器】图 비뇨기. ＝ひつにょうき. ¶～科 비뇨기과.

ビニロン [일 vinyl＋nylon] 图 비닐론; 폴리비닐 알코올계(系)의 합성 섬유.

ひにん【否認】图ス他 부인. ¶犯行の事実を～する 범행 사실을 부인하다. ↔是認.

ひにん【避妊】图ス自 피임. ¶～薬 피임약/～具 피임구《콘돔·페서리 따위》.

ひにんじょう【非人情】图ダナ **1** 비인정; 몰인정. ＝不人情. ¶～な行為 몰인정한 행위. **2** 의리·인정 따위를 초월함〔에 구애되지 않음〕. ¶～に眺める 초연히 바라(다)보다.

ひねくりまわ-す【ひねくり回す】《捻くり回す》5他 〈俗〉 ☞ひねりまわす.

ひねく-る〚捻くる〛5他 **1** 만지작거리다. ¶鉛筆を～·りながらはなす 연필을 만지작거리면서 이야기하다. **2** 이리저리 핑계〔이유〕를 들어 둘러대다. ¶いつも一理屈～ 언제나 한 마디 핑계를 붙인다/詩を～ (말을 둘러대어) 시를 짓다《비꼬아 하는 말》. 可能 ひねく-れる 下1自

***ひねく-れる**〚捻くれる〛下1自 **1** (모양새가) 뒤틀리다. ¶～·れた枝ぶり 뒤틀린 가지 모양. **2** (성질이) 비뚤어지다; 뒤둥그러지다. ¶～·れた性格 비뚤어진 성격/～·れ者 (성질이) 뒤둥그러진 사람.

びねつ【微熱】图 미열. ¶～が出る 미열이 나다/～が続く 미열이 계속되다.

ひねもす〚終日〛副 〈雅〉 온종일. ＝一日中. ↔よもすがら.

ひねり〚捻り〛图 **1** 비틂. ¶ひげを一～する 수염을 한 번 꼬다. **2** 비틀 듯이 집은 한 옴큼; 자밤. ¶一～の塩 소금 한 자밤/一～のたばこをきせるに詰める 한 옴큼의 담배를 담뱃대에 담다. **3** ☞ひねりわざ. **4** 색다른 취향. ¶～がきいた作品 색다른 취향을 살린 작품.

―わざ【―技】图 (씨름에서) 팔로 상대의 몸을 비틀어 넘어뜨리는 수.

ひねりだ-す【ひねり出す】《捻り出す》5他 (이리저리 머리를 써서) 생각해 내다; 짜내다; (무리해서) 염출하다. ¶妙案を～ 묘안을 짜내다/一時間かかって解答を～ 한 시간 걸려서 해답을 생각해 내다/旅費を～ 여비를 염출하다.

ひねりまわ-す【ひねり回す】《捻り回す》5他 **1** (손끝으로) 이리저리 만지작거리다; 주물럭거리다. ¶ライターを～ 라이터를 만지작거리다/人形を～·してこわす 인형을 만지작거리다가 망가뜨리다. **2** (여러 가지로 궁리하여) 생각·취향·기교를 짜내다. ¶文章を～ 문장을 짜내다.

***ひね-る**〚拈る·捻る〛5他 **1** 비틀다; 틀다; 비꼬다. ¶せんを～ 마개〔꼭지〕를 틀다/ひげを～ 수염을 꼬다/スイッチを～ 스위치를 틀다/鳥の首を～ 닭 모가지를 비틀어 잡다. **2** 틀어서 방향을 바꾸다; 뒤틀다; 돌리다. ¶からだを～ 몸을 뒤틀다/首を～ 고개를 갸우뚱하다《의아하게 생각하다》/ころんで足首を～·った 넘어져서 발목을 삐었다. **3** (두루 궁리하여) 생각을 짜내다. ¶文章を～ 문장을 생각해 내다/頭を～ 머리를 짜내다. **4** 일부러 색다르게〔까다롭게〕 하다. ¶～·った問題〔出題〕 일부러 까다롭게 낸 문제〔출제〕. **5** 〈俗〉 손쉽게 해내다; 해치우다. ¶軽く～·ってやる 간단히 해치우다; 가볍게 이기다. 可能 ひね-れる 下1自

ひ-ねる〚陳ねる〛下1自 **1** 오래되다; 찌들다; 묵다. ＝ふるびる. ¶～·ねた胡瓜 오래되어 찌든 오이. **2** 자깝〔깜찍〕스러워지다. ＝おとなびる. ¶～·ねた子供 자깝스러운 아이.

ひのあめ【火の雨】图 비오듯이 떨어지는 불똥.

ひのいり【日の入り】图 일몰(日沒); 해넘이. ＝日暮れ. ¶～が早くなる 일몰이 일러지다. ↔日の出.

ひのうみ【火の海】图 불바다. ¶あたり一面～だ 주위 일대가 불바다다.

ひのうりつ【非能率】名ナ 비능률. ¶～的 비능률적.

ひのき〚檜·檜木〛图〔植〕 노송나무.

ひのきぶたい【ひのき舞台】《檜舞台》图

노송나무 판자로 만든 무대; 전하여, 자기의 솜씨를 보일 자랑스러운 자리; 영광스러운 무대. ¶世界の～をふむ 세계의 영광스러운 무대를 밟다《국제적으로 크게 활약하다》.

ひのくるま【火の車】图 빈곤에 쪼들리는 모양; 경제 상태가 몹시 궁한 모양. ¶物価の値上がりで, ～だ 물가가 올라서 살림이 말이 아니다. 参考 본디, 불교에서 죄인을 싣고 지옥으로 가는 불타는 수레.

ひのくれ【日の暮れ】图 일모; 저녁때; 해질녘. ＝夕方·夕暮れ.

ひのけ【火の気】图 **1** 불기; 불의 따뜻한 기운. ¶～の全くないへや 불기가 전혀 없는 (냉)방. **2** 화기(火氣); 불씨. ¶～のない所から火事が出た 화기가 없는 곳에서 화재가 났다.

ひのこ【火の粉】图 불똥; 불티. ¶～を浴びる 불티를 뒤집어쓰다.

ひのし【火のし】《火熨斗》图 (숯불을 얹어 쓰는 국자 모양의) 다리미. ¶～をかける 다리미질하다.

ひのした【日の下】图 하늘 아래; 천하.

—かいさん【—開山】图 (무예 등에서) 천하무쌍; 천하무적. 参考 '開山'은 개조(開祖), 제일인자의 뜻.

ひのたま【火の玉】图 **1** 불덩어리; 또, 맹렬한 기세. ¶～となって戦う 격렬하게 싸우다. **2** 도깨비불. ＝おにび.

ひのて【火の手】图 불길. **1** 타오르는 불(의 기세). ¶～が強くなる 불길이 세어지다. **2** 비난이나 공격의 기세. ¶改革の～があがる 개혁의 불길이 오르다/攻撃の～をあげる 공격의 불길을 당기다〔기세를 올리다〕.

ひので【日の出】图 일출; 해돋이; 또, 그 시각. ↔日の入り.

—の勢い 욱일승천의 기세.

ひのばん【火の番】图 화재를 감시하는 사람〔당번〕. ¶～小屋 화재 감시인 초소/～をする 화재 감시 당번을 하다.

ひのべ【日延べ】图ス自 **1** (기일의) 연기. ¶出発を～する 출발을 연기하다/運動会が雨で～になった 운동회가 비로 연기되었다. **2** (기간의) 연장. ¶会期を三日間～する 회기를 3일간 연장하다.

ひのまる【日の丸】图 태양을 본뜬 붉은 동그라미; 또, 그것을 그린 일본 국기; 일장기. ＝日章旗.

—べんとう【—弁当】图 밥 한가운데에 빨간 梅干し 한 개만 박은 도시락.

ひのみ【火の見】图 '火の見やぐら'의 준말.

—やぐら〖—櫓〗图 화재 감시 망루. ＝「ひのみ.

ひのめ【日の目】《陽の目》图 햇빛; 일광. ¶～を見ない 햇빛을 보지 못하다《(a)세상에 공표되지 않다; (b)불우하여 세상에 알려지지 않다》.

—を見る 햇빛을 보다; 세상에 알려지게 되다. ¶地味な研究がやっと～ 수수한〔별것 아닌 것 같은〕 연구가 드디어 햇빛을 보다.

ひのもと【火の元】图 **1** 화인(火因); 또, 처음 발화한 곳. **2** 불기가 있는 장소. ¶～御用心 화기 주의; 불조심.

ひば【干葉】《乾葉》图 **1** 시래기. **2** 말라 죽은 나뭇잎.

ビバーク [프 bivouac] 图ス自 비바크; 비부아크; (등산에서의) 야영. ¶岩陰で～する 바위 그늘에서 야영하다.

ひばいひん【非売品】图 비매품.

ひばく【被爆】图ス自 피폭. **1** 폭격을 받음. ¶～地帯 피폭 지대. **2** 특히, 원자탄·수소탄의 폭격을 당함.

—しゃ【—者】图 피폭자《특히, 원자폭탄에 의한 피해자》.

ひばし【火ばし】《火箸》图 부젓가락. ¶～で炭火をはさむ 부젓가락으로 숯불을 집다.

ひばしら【火柱】图 불기둥. ¶～が立つ 불기둥이 서다〔오르다〕.

びはだ【美肌】《美膚》图 아름다운 살결; 또, 피부를 곱게 하는 일. ¶～法 피부미용법.

ひばち【火鉢】图 화로. ＝ひおけ. ¶～に当たる 화롯불을 쬐다/～を囲んで座る 화로를 둘러싸고 앉다.

ひばな【火花】图 **1** 불똥; 불티; 불꽃. **2** 방전할 때 나오는 불빛; 스파크.

—を散らす 불꽃을 튀기다《전하여, 격렬하게 싸우는 뜻으로도 씀》. ¶主導権をめぐって～ 주도권을 둘러싸고 격렬하게 싸우다.

ひばり〖雲雀〗图〔鳥〕 종다리.

***ひはん**【批判】图ス他 비판. ¶～を加える 비판을 가하다/～を浴びる〔受ける〕 비판을 받다/～に耳を傾ける 비판에 귀를 기울이다/～の的になる 비판의 대상이 되다/～に甘んじる 비판을 감수하다/…の～は当たらない …의 비판은 당찮다.

—てき【—的】ダナ 비판적. ¶～な態度 비판적인 태도/～に聞くだけで, 信じない 비판적으로 들을 뿐 믿지 않는다.

ひばん【非番】图 비번; 난번. ¶今日は～である 오늘은 비번이다. ↔当番.

ひひ〖狒狒〗图 **1**〔動〕 비비. **2** 호색가(好色家). ¶～おやじ 색골 영감.

ひび〖皹·皸〗图 (추위에) 살갗이 튼 곳. ¶～だらけの手 온통 튼 손/～が切れる 살갗이 트다. ⇨あかぎれ.

ひび〖罅〗图 금. **1** (벽·유리·그릇 따위에 생긴) 잔금; 터진 데. ＝ひびり. **2** 인간관계에서의 틈.

—が入る 금이 가다. ＝ひびが入る. ¶茶わんに～ 밥공기에 금이 가다/壁〔骨〕に～ 벽에〔뼈에〕 금이 가다/友情に～がはいる 우정에 금이 가다.

ひび【日日】图 나날; 매일; 그날그날. ¶～の仕事 그날그날의 일/夢のような～を送る 꿈같은 나날을 보내다.

びび【微微】 [トタル] 미미; 적은〔작은〕 모양. ¶～たる収入 쥐꼬리만한 수입 / ～たる存在 미미한 존재 / 業績は～として振るわない 업적은 미미하여 신통치 않다.

ひびか-せる【響かせる】 [下1他] **1** 울리(게 하)다; (영향이) 미치게 하다. ¶サイレンを～ 사이렌을 울리다 / 物価にまで～ 물가에까지 미치게 하다. **2** 세상에 떨치다; (들)날리다. ¶名声を～ 명성을 떨치다. **3** 암시하다; 넌지시 비추다. ＝ほのめかす. ¶ちょっとぐらい～·せても感じない人 웬만큼 암시해도 감을 잡지 못하는 사람.

ひびき【響き】 [名] **1** 울림; 그 소리. ¶雷の～ 우레 소리 / 太鼓の～ 북 (울리는) 소리. **2** 반향(反響). ㉠반응; (미치는) 영향. ¶値上げの, 生活への～ 가격 인상이 생활에 미치는 영향. ㉡메아리. ¶山に伝わる人声の～ 산에 울려 퍼지는 사람 목소리의 메아리. **3** 여운. ¶鐘の～ 종소리의 여운. **4** 진동. ¶地～ 땅울림 / エンジンの快調な～が手に伝わる 엔진의 순조로운 진동이 손에 전해오다. **5** 평판. ¶世の～ 세상 평판. **6** 귀에 들리는 음이나 소리의 느낌; 음감. ¶快い～の声 듣기 좋은 〔상쾌한 느낌의〕 목소리 / ～のよくない言葉 귀에 거슬리는 말.

ひびきわた-る【響き渡る】 [5自] **1** 울려 퍼지다. ¶鐘の音が～ 종소리가 울려 퍼지다. **2** (평판·명성 등이) 널리 알려지다. ¶名声が～ 명성이 널리 퍼지다〔알려지다〕.

ひび-く【響く】 [5自] **1** 울리다. ㉠울려 퍼지다. ＝鳴り渡る. ¶大砲の音が～ 대포 소리가 울리다. ㉡여운을 끌며〔남기며〕 들리다. ¶遠寺の鐘がかすかに～ 멀리 떨어진 절의 종소리가 아스라히 여운을 남기며 울리다. ㉢진동이 전해지다. ¶爆音がガラス窓に～ 폭음이 유리창을 울리다. ㉣반향하다; 메아리치다. ¶山びこが～ 산울림이 메아리치다; 메아리지다. **2** 반응을 주다; 통하다. ¶何を言っても彼にはいっこう～·かない 무슨 소리를 해도 그에게는 도통 반응이 없다. **3** (나쁜) 영향을 주다. ¶神経に～ 신경에 해로운 영향을 주다 / 値上げが～·いて売れ行きがとまる 가격 인상이 영향을 미쳐 팔리지가 않다. **4**『胸に～』(찡하게) 가슴에 와닿다. ¶忠告が胸に～ 충고가 찡하고 가슴에 와닿다. **5** 널리 알려지다. ¶名が国内に～ 이름이 국내에 널리 알려지다.

ビビッド [vivid] [ダナ] 비비드; 생생함. ¶～カラー 선명한 색깔 / ～な描写 생생한 묘사.

ひひょう【批評】 [名][ス他] 비평. ¶～家 비평가 / 文芸～ 문예 비평 / 作品を～する 작품을 비평하다 / ～を書く 비평을 쓰다.

―がん【―眼】 [名] 비평안; 비평 능력.

びび-る [5自] 〈俗〉 기가 죽어 움츠러들다; 주눅들다; 위축되다; 야코죽다. ¶失敗を恐れて～ 실수할까 봐 겁먹어 기가 죽다 / ここで～·っては負けるぞ. 強気でいけ 여기서 기죽으면 진다. 세게 나가라.

ひびわれ【ひび割れ】《罅割れ》 [名][ス自] 금이 감; 또, 갈라진 데; 균열. ¶柱が～する 기둥에 금이 가다 / 二者間に～が生ずる 양자간에 금이 가다〔원만한 관계가 손상되다〕.

ひびわ-れる【ひび割れる】《罅割れる》 [下1自] 금이 가다. ¶茶わんが～ 공기가 금이 가다.

びひん【備品】 [名] 비품. ¶学校の～ 학교비품. ↔消耗品.

ビビンバ [한 비빔밥] [名]〖料〗 비빔밥.

ひふ【皮膚】 [名] 피부; 살갗. ¶～病 피부병 / ～が弱い 피부가 약하다 / ～が荒れている 피부가 거칠다.

ひぶ【日歩】 [名] 일보; 일변. ¶利子は～で計算する 이자는 일변으로 계산한다. ↔年利·月利.

ひぶ【日賦】 [名] 일부; 일부불; 일숫돈으로 빚을 갚음. ＝日なし. ¶借金を～で返す 빚을 일수로 갚다.

びふう【美風】 [名] 미풍. ¶～良俗 미풍양속. ↔悪風.

びふう【微風】 [名] 미풍; 산들바람. ＝そよかぜ. ¶快い～ 상쾌한 산들바람.

ひふく【被服】 [名] 피복; 의복. ＝衣服. ¶～費 피복비 / ～は会社で支給する 피복은 회사에서 지급한다.

ひふく【被覆】 [名][ス他] 피복; 덮어 씌움. ¶～線 피복선 / 絶縁体で～する 절연체로 피복하다.

ひぶくれ【火膨れ】《火脹れ》 [名] 화상으로 살이 부풀어오름; 또, 그로 인한 물집. ¶やけどで～ができる 화상으로 물집이 생기다.

ひぶた【火ぶた】《火蓋》 [名] (화승총(火縄銃)의) 화약통 뚜껑.

―を切る 전쟁·경기 따위를 시작하다. ¶反撃の～ 반격을 개시하다.

ひぶつ【秘仏】 [名] 비불; 비장해 두고 일반에게 공개하지 않는 불상(佛像).

ビフテキ [프 bifteck] [名] 비프스테이크; 쇠고기 구운 요리. ＝ビーフステーキ. ¶生焼けの～ 설익힌 비프스테이크.

ビブラート [이 vivrato] [名]〖樂〗 비브라토. ↔トリル.

ひふん【悲憤】 [名][ス自] 비분; 슬퍼하고 분노함. ¶～の涙 비분의 눈물.

―こうがい【―慷慨】 [名][ス自] 비분강개. ¶黄金万能の世の中を～する 황금만능의 세태를 비분강개하다.

ひぶん【碑文】 [名] 비문; 비석에 새긴 문장. ＝いしぶみ.

びふん【微粉】 [名] 미분; 미세한 가루.

びぶん【美文】 [名] 미문. ¶～調の文を書く 미문조의 글을 쓰다.

びぶん【微分】[名][ス他]〔数〕 미분. ¶ ～学 미분학. ↔積分.

ひへい【疲弊】[名][ス自] 피폐. ¶ 水害で～した村 수해로 피폐한 마을 / 戦争のため国力が～する 전쟁 때문에 국력이 피폐해지다.

ひほう【飛報】[名] 비보; 급보. ¶ 父危篤の～に接する 부친이 위독하다는 급보를 받다.

ひほう【秘方】[名] 비방. ¶ ～薬 비방약.

ひほう【秘法】[名] 비법. ¶ ～を伝授する〔授かる〕 비법을 전수하다〔받다〕.

ひほう【秘宝】[名] 비보. ¶ しまっておいた～を披露する 간직해 두었던 비보를 피로〔공개〕하다.

ひほう【悲報】[名] 비보. ¶ ～に接する 비보에 접하다; 비보를 받다. ↔朗報.

ひぼう [誹謗] [名][ス他] 비방. ¶ ～中傷する 비방 중상하다 / 根拠の無い～ 근거없는 비방 / 仲間を～する 동료를 비방하다.

びほう [弥縫] [名][ス他] 미봉; 임시변통. ¶ 一時を～する 일시 미봉하다.

—さく [—策] [名] 미봉책. ¶ ～をほどこす 미봉책을 쓰다.

びぼう [美貌] [名] 미모. ¶ ～の女 미모의 여자 / ～を誇る 미모를 자랑하다.

びぼう【備忘】[名] 비망; 잊어버릴 경우에 대비함.

—ろく【—録】[名] 비망록. ＝メモ. ¶ ～に控える 비망록에 기입하다.

ひぼく [婢僕] [名] 비복; 계집종과 사내종.

ひぼし【干ぼし】《干乾し》[名] 굶주려서 바짝 여윔. ¶ 妻子を～にするわけにはいかない 처자식을 굶겨 말라 죽게 할 수는 없다.

ひぼし【日干し】《日乾し》[名] 햇볕에 말림〔말린 것〕. ¶ ぶどうの～ 햇볕에 말린 포도 / ふとん〔魚〕を～にする 이불〔생선〕을 햇볕에 말리다. ↔陰干し.

ひぼん【非凡】[名ナ] 비범. ¶ ～な腕前 비범한 솜씨. ↔平凡・凡庸.

***ひま**【暇】《閑》[名] **1** 손이 비어 있는 시간·상태. ㉠틈; 짬; 기회. ¶ 本を読む～がない 책을 읽을 틈이 없다 / ようやく～が明いた 겨우 짬이 났다 / ～を見て庭の手入れをする 틈을 보아서 뜰의 손질을 하다. ㉡한가한 상태. ¶ ～な人 한가한 사람; 현재 할 일이 없는 사람 / ～な身になる 한가한 몸이 되다 / 商売が～だ 장사가 한산하다. [参考] ㉡의 뜻으로, 連体修飾語가 될 때 'な'를 씀. ㉢휴가; 말미. ¶ ～をもらう 휴가를 얻다. **2** 고용·부부 등의 관계를 끊음; 내보냄. **3** (무엇을 하는 데 필요한) 시간. ¶ ～がかかる 시간이 걸리다 / ～を惜しんで勉強する 촌가(寸暇)를 아껴서 공부하다.

—に飽かす (그 일에) 시간을 아끼지 않고 쓰다; 어떤 일에 많은〔충분한〕 시간을 들이다.

—を割く 시간을 내다〔할애하다〕.

—を出す ☞ひまをやる.

—を潰す 따분한 시간을 …하며 보내다; 심심풀이로 시간을 보내다. ¶ 映画を見て～ 영화를 보며 시간을 보내다.

—を取る **1** (고용인 등이) 자청하여 그 집을 떠나다. **2** 휴가를 얻다. ¶ 暇を取って旅行に出る 휴가를 얻어 여행에 나서다.

—を盗む 얼마 안 되는 시간을 이용하다; 억지로〔틈틈이〕 시간을 내다. ¶ 暇を盗んで本を読む (…하는) 틈틈이 책을 읽다.

—を遣る (고용인을) 해고하다; 또, 아내와 이혼하다. ＝ひまを出す.

ひま 〖隙〗[名] **1** 물건과 물건의 사이; 틈. ＝すきま. **2** 티격남; 불화. ¶ ～を生じる 티격나다; 불화해지다.

ひまく【皮膜】[名] 피막. **1** 피부와 점막. **2** 껍질 같은 막.

ひまご【ひ孫】《曾孫》[名] 〈方〉 증손. ＝ひいまご・そうそん.

ひまし 〖蓖麻子〗[名]〔植〕 피마자; 아주까리씨. ¶ ～油 피마자유; 아주까리 기름.

ひましに【日増しに】[副] 날이 갈수록; 나날이. ¶ ～寒く〔暖かく〕なる 날이 갈수록 추워지다〔따뜻해지다〕 / ～大きくなる 나날이 커지다.

ひまじん【暇人】《閑人》[名] 한인. ¶ ～がうらやましい 한가한 사람이 부럽다.

ひまつ [飛沫] [名] 비말. ＝しぶき・とばしり. ¶ ～をあげて泳ぐ 물방울을 튀기면서 헤엄치다.

—かんせん [—感染] [名] 비말 감염.

ひまつぶし【暇つぶし】《暇潰し》[名] **1** 심심파적; 심심풀이. ¶ ～に碁を打つ 심심파적으로 바둑을 두다. **2** 시간을 허비함. ＝時間つぶし.

ひまつり【火祭り】[名] 진화제(鎭火祭) 《불이 나지 않도록 기원하는 제사; 또, 불을 때서 신에게 제사 지내는 행사》.

ひまど-る【暇どる】[5自] (예정보다) 시간이 오래 걸리다; 손이 가다. ＝てまどる. ¶ 支度に～ 채비하는 데 시간이 오래 걸리다.

ひまひま【暇暇】[名] 틈틈(이); 짬짬(이). ¶ ～に勉強する 틈틈이 공부하다 / ～に編み物をする 짬짬이 뜨개질을 하다.

ひまわり 〖向日葵〗[名]〔植〕 해바라기.

ひまん【肥満】[名][ス自] 비만. ¶ ～型 비만형 / ～児〔症〕 비만아〔증〕.

びみ【美味】[名ナ] 미미; 맛있음; 또, 맛좋은 음식. ¶ ～に飽きる 미식에 싫증이 나다 / 旬の魚は～だ 제철에 나온 생선은 맛있다.

****ひみつ**【秘密】[名][ダナ] 비밀. ¶ 公然の～ 공공연한 비밀 / ～にする 비밀로 하다 / ～を明かす 비밀을 밝히다 / ～をあばく 비밀을 들춰내다〔폭로하다〕 / ～に相談する 비밀히 의논하다 / ～を守る〔もらす〕 비밀을 지키다〔누설하다〕 / ～がもれる 비밀이 새다 / 事件のいき

さつは～のベールにおおわれる 사건의 경위는 비밀의 베일에 가리워지다.

—せんきょ【—選挙】图 비밀 선거.

*** びみょう**【微妙】ダナ 미묘. ＝デリケート. ¶～な違(ちが)い 미묘한 차이/～な立場(たちば) 미묘한 입장〔처지〕/～な意味(いみ)あいの言葉(ことば) 미묘한 뉘앙스의 말/問題(もんだい)は～である 문제는 미묘하다.

ひむろ【氷室】图 빙실; 빙고(氷庫).

ひめ【姫】《媛》图 **1**〈雅〉여성에 대한 미칭. ↔彦(ひこ). **2** 귀인의 딸로 미혼녀. **3**《名詞 앞에 붙여서》작고 귀여움. ¶～鏡台(きょうだい) 꼬마 경대.

ひめい【非命】图 비명. ¶～の死(し) 비명횡사/～に倒(たお)れる 비명에 쓰러지다.

ひめい【悲鳴】图 비명.

—を上(あ)げる **1** 비명을 지르다. ¶売(う)れすぎて～ 너무 잘 팔려서 즐거운 비명을 지르다. **2** 우는〔죽는〕 소리를 하다. ¶忙(いそが)しさに～ 바빠서 죽는 소리를 하다.

ひめい【碑銘】图 비명; 비에 새긴 글.

びめい【美名】图 미명. **1** 좋은 평판; 명예. **2** 훌륭한 명목〔구실〕. ¶…という～のもとに …라는 미명하에.

—に隠(かく)れる 못된 짓을 훌륭한 명목하에 숨기다. ¶社会事業(しゃかいじぎょう)という美名にかくれて私欲(しよく)をはかる 사회사업이라는 미명하에 사욕을 꾀하다.

ひめくり【日めくり】《日捲り》图 (매일 한 장씩 떼는) 일력. ＝はぎ暦(ごよみ).

ひめごと【秘め事】图 비사(祕事); 남에게 숨기는 일들. ＝ないしょごと. ¶二人(ふたり)だけの～ 두 사람만의 비밀.

ひめゆり〖姫百合〗图〔植〕산단(山丹).

ひ-める【秘める】下1他 **1** 숨기(고 나타내지 않)다; 비밀히 하다; (속에) 간직하다. ¶思(おも)いを胸(むね)に～ 생각을 가슴(속)에 간직하다/真相(しんそう)は長(なが)いこと～·められていた 진상은 오랫동안 숨겨져 있었다. **2** 내부에 가지다; 내포하다. ¶無限(むげん)の可能性(かのうせい)を～·めた若者(わかもの) 무한한 가능성을 갖고 있는 젊은이.

ひめん【罷免】图ス他 파면. ＝免職(めんしょく). ¶大臣(だいじん)を～する 장관을 파면하다.

**** ひも**〖紐〗图 **1** 끈. ¶～を掛(か)ける 끈으로 묶다〔두르다〕/靴(くつ)の～を結(むす)ぶ 구두끈을 매다. **2**〈俗〉배후에서 조종하는 사람〔것〕; (여자를 매춘부 따위로 부려먹는) 정부(情夫). ¶女(おんな)の～ 여자의 정부. **3**〈俗〉조건. ¶～の付(つ)いた援助(えんじょ) 조건이 붙은 원조. ⇨ひもつき3.

ひもく【費目】图 비목; 비용의 명목. ¶～ごとに伝票(でんぴょう)を整理(せいり)する 비목별로 전표를 정리한다.

びもく〔眉目〕图 미목; 용모. ＝みめ·顔(かお)かたち. ¶～秀麗(しゅうれい)な青年(せいねん)紳士(しんし) 미목이 수려한 청년 신사.

ひもじ-い〖饑じい〗形 배고프다; 시장하다. ＝ひだるい. ¶～思(おも)いをする 시장기를 느끼다.

ひもすがら〖終日〗副 (온)종일. ＝ひねもす. ↔よもすがら.

ひもち【火持ち】《火保ち》图 불이 오래 감. ¶～の悪(わる)い炭(すみ) 불이 오래 가지 않는 숯/～がいい 불이 오래 가다.

ひもち【日持ち】《日保ち》图 며칠이고 보존할 수 있음; 또, 그 상태. ¶～のする食品(しょくひん) 상하지 않고 며칠씩 가는 식품/～のいい菓子(かし) 오래 보존할 수 있는 과자.

ひもつき【ひも付き】《紐付き》图 **1** 끈이 달려 있음; 또, 끈이 달린 물건. ¶～の寝巻(ねまき) 끈이 달린 잠옷. **2**〈俗〉배후 관계가 붙어 있음; 또, 그것. ㉠(행동의 제약을 받는) 배경이 딸림. ¶社長(しゃちょう)の～の社員(しゃいん) 사장의 끄나풀인 사원. ㉡(여자에게) 정부(情夫)가 있음. ¶～の女(おんな) 정부가 있는 여자. **3**〈俗〉조건이 붙음; 또, 그것. ¶～融資(ゆうし) 조건부 융자; 타이드 론/～の援助資金(えんじょしきん) 조건이 붙은 원조 자금.

ひもと【火元】图 **1** 발화(發火)한 곳; 처음 불을 낸 집; 전하여, 사건·소동의 근원. ¶うわさの～ 소문의 근원. **2** 불기 있는 곳. ¶～に気(き)をつける 불 있는 곳에 주의하다.

ひもと-く〖繙く·紐解く〗5他 책을 펴서 읽다. ¶史書(ししょ)を～ 사서를 펴서 읽다. 可能 ひもと-ける 下1自

ひもの【干物】《乾物》图 건물; 포. ¶鱈(たら)の～ 건대구; 대구포.

ひや【冷や】图 찬〔데우지 않은〕 것. ¶お～ 냉수/～酒(ざけ) 찬술/～で飲(の)む 찬 것으로 마시다. 参考 특히, 물이나 술에 대하여 말함.

ビヤ [beer] 图 비어; 맥주. ＝ビール·ビア. ¶～ホール 비어〔맥주〕홀.

—ガーデン [beer garden] 图 비어 가든《정원 등 옥외에 있는 맥주집》.

—だる〖—樽〗图 맥주통; 또, 배가 나온 사람; 배불뚝이.

ひやあせ【冷や汗】图 냉한; 식은땀.

—をかく 식은땀이 나다 ; 조마조마해지다.

ひやかし【冷やかし】图 **1** 살 생각은 없으면서 구경하거나 값만 물어봄; 또, 그 사람. ¶～の客(きゃく) 물건은 사지 않고 값을 물어보거나 눈요기만 하는 손님. **2** 놀림; 희롱. ¶～ことば 희롱하는 말.

*** ひやか-す**【冷やかす】5他 **1** 놀리다; 희롱하다. ＝からかう. ¶アベック〔新婚夫婦(しんこんふうふ)〕を～ 아베크〔신혼부부〕를 놀리다. **2** (살 생각도 없이) 물건을 보거나 값만 물어 보다. ¶露店(ろてん)を～ 노점에서 물건 구경을 하고 값만 물어 보다/繁華街(はんかがい)を～·して歩(ある)く 번화가를 눈요기만 하고 돌아다니다. 可能 ひやか-せる 下1自

*** ひやく**【飛躍】图ス自 비약. ¶スキーの～競技(きょうぎ) 스키의 점프 경기/論理(ろんり)の～ 논리의 비약/一大(いちだい)～を遂(と)げる 일대 비약을 이루다/話(はなし)が～しすぎる 이야기가 지나치게 비약하다.

—てき【—的】ダナ 비약적. ¶生産(せいさん)

と消費(しょうひ)が～に伸(の)びる 생산과 소비가 비약적으로 늘다.

ひやく【秘薬】图 비약; 특효약. ¶家伝(かでん)の～ 가전의 비약.

ひゃく【百】图 **1 백. ¶～の二倍(にばい) 백의 2배. **2** 다수; 많은 것. ¶～の説教(せっきょう) 많은 설교.

━も承知(しょうち) 충분히 알고 있음; 알고도 남음.

ひゃく〖百〗教1 ヒャク もも | 백 일백 | **1** 백. ¶百個(ひゃっこ) 백 개 / 数百(すうひゃく) 수백. **2** 많음. ¶百獣(ひゃくじゅう) 백수 / 百聞(ひゃくぶん) 백문.

びゃくえ[白衣]图 백의; 흰 옷. ¶～の婦人(ふじん) 흰 옷을 입은 여자. ↔黒衣(こくえ).

━の天使(てんし) 백의의 천사《간호사에 대한 미칭》.

ひゃくがい【百害】图 백해. ¶～あって一利(いちり)なし 백해무익하다.

ひゃくじ【百事】图 백사; 만사. ＝万事(ばんじ).

ひゃくじつこう【百日紅】图〖植〗백일홍. ＝さるすべり.

ひゃくしゃくかんとう[百尺竿頭]图 백척간두; 백척이나 되는 긴 장대 끝.

━一歩(いっぽ)を進(すす)める 백척간두 진일보하다《이미 도달할 데까지 이르렀으나 한층 더 발전하려 함의 비유》.

ひゃくじゅう【百獣】图 백수. ¶～の王(おう) 백수의 왕《사자》.

ひゃくじゅうきゅうばん【百十九番·一一九番】图 비상시, 소방차나 구급차를 부르는 전화번호: 일일구(번).

ひゃくしゅつ【百出】图ス自 백출. ¶異論(いろん)～ 이론 백출 / 意見(いけん)が～する 의견이 백출하다.

ひゃくしょう【百姓】图ス自 **1** 농민; 농가. **2** 농사를 지음; 또, 농사일. ¶郷里(きょうり)へ帰(かえ)って～する 고향에 돌아가 농사를 짓다. **3** 시골뜨기. ＝いなかもの. 参考 본디, 일반 국민·백성의 뜻.

━いっき[━一揆]图 江戸(えど) 시대, 농민의 반항 운동; 농민 폭동.

ひゃくせん【百千】图 백천; 수많음. ¶～の軍勢(ぐんぜい) 수많은 군사.

ひゃくせん【百戦】图 백전.

━ひゃくしょう【━百勝】图 백전백승.

━れんま【━錬磨】图 백전연마. ¶～のつわもの 백전연마의 용사.

ひゃくたい【百態】图 백태; 여러 가지 모양·모습. ¶美人(びじん)～ 미인 백태.

びゃくだん〖白檀〗图〖植〗백단향. ＝せんだん.

ひゃくとおばん【百十番·一一〇番】图 **1** 범죄·사고 등 긴급시에, 경찰을 부르는 전화 번호; 일일공(번). ¶～する 일일공을 부르다[돌리다]. **2** 어떤 전문적 지식을 제공하는 전화 서비스. ¶育児(いくじ)～ 육아에 관한 지식을 제공하는 전화 서비스.

ひゃくどまいり【百度参り】图 **1**《'お'를 앞에 붙여》소원을 빌기 위해 신사·절의 경내에서 일정 거리를 백 번 왕복하면서 예배하는 일. **2** 소원 성취될 때까지 몇 번이고 다님. ¶役所(やくしょ)に～をする (청원이 이루어질 때까지) 관청에 골백번이나 가 부탁하다.

ひゃくにち【百日】图 백일. **1** 백날. **2** 많은 나날.

━の説法(せっぽう), 屁(へ)一(ひと)つ 백일의 설법이 방귀 하나로 허사가 되다《개미구멍 하나로 공든 탑이 무너진다》.

━ぜき〖━咳〗图〖醫〗백일해.

ひゃくにんいっしゅ【百人一首】图 백 명의 가인(歌人)의 和歌(わか) 한 수씩을 뽑아 모은 것. ＝百人首(しゅ).

ひゃくにんりき【百人力】图 **1** 일당백(一當百)의 힘; 힘이 장사임. **2** 아주 마음이 든든함. ¶彼(かれ)がいれば～だ 그가 있으면 마음이 든든하다.

ひゃくねん【百年】图 백년. **1** 백 해. **2** 매우 많은 해.

━河清(かせい)を待(ま)つ 백년하청을 기다리다《되지도 않을 일을 기다림의 비유》.

━の計(けい) 백년지계. ¶国家(こっか)～ 국가의 백년지계.

━め【━目】图 **1** 백년째. ¶死後(しご)～ 사후 백년째. **2** 피할 수 없음; 끝장. ¶ここで会(あ)ったが～ 여기서 만났으니 (너도 이젠) 끝장이다 / もうこうなっては～だ 이렇게 되었으니 이젠 끝장이다.

ひゃくパーセント【百パーセント】图 백 퍼센트. **1** 백 프로. **2** 더할 나위없음; 완전함; 만점. ¶効果(こうか)～ 효과 만점. ▷percent.

ひゃくはちじゅうど【百八十度】图 백팔십도; 정반대. ¶方針(ほうしん)を～転換(てんかん)する 방침을 180도 전환하다 / 態度(たいど)が～変(か)わる 태도가 180도 달라지다.

ひゃくはちぼんのう【百八煩悩】图〖佛〗백팔 번뇌.

ひゃくぶん【百聞】图 백문.

━は一見(いっけん)に如(し)かず 백문이 불여일견.

ひゃくぶんひ【百分比】图〈俗〉백분비; 백분율. ＝パーセンテージ.

ひゃくぶんりつ【百分率】图 백분율; 백분비. ＝百分比(ひゃくぶんひ).

ひゃくまん【百万】图 백만; 수가 매우 많음. ¶～の味方(みかた)を得(え)た思(おも)い 백만 우군을 얻은 기분.

━げん【━言】图 백만언; 아주 많은 말. ¶～を費(つい)やす 온갖 말을 다하다.

━ちょうじゃ【━長者】图 백만장자; 대부호. ¶～になる 백만장자가 되다.

ひゃくめんそう【百面相】图 **1** 여러 가지 얼굴 모양을 해 보임; 또, 그 얼굴. **2** 여러 가지 표정을 지어 보이는 연예.

びゃくや【白夜】图 ☞はくや.

ひゃくやく【百薬】图 백약; 온갖 약.

━の長(ちょう) 백약지장《'술'의 미칭》. ¶酒(さけ)は～ 술은 백약의 으뜸.

ひゃくようばこ【百葉箱】图〖氣〗백엽상; 기상 관측을 위하여 옥외에 설치한 상자. ＝ひゃくようそう.

びゃくれん〖白蓮〗图 **1** 백련; 흰 연꽃. ＝はくれん. **2** 깨끗한 마음이나 몸의 비유. ¶泥沼(どろぬま)に開(ひら)く一輪(いちりん)の～ 진구렁

에 핀 한 송이 백련.

ひやけ【日焼け】图 ス自, 1 피부가 햇볕에 타서 검게 되는 일. ¶真(ま)っ黒(くろ)に~する 까맣게 피부가 타다 / ~した顔(かお) 햇볕에 탄 얼굴. 2 볕에 색이 바래는 일. ¶~した畳(たたみ) 볕에 바랜 다다미. 3 가뭄에 논바닥 따위의 물이 말라붙음.

—どめ【—止め】图 피부가 햇볕에 타는 것을 막는 화장품; 선(sun) 크림.

ひやざけ【冷や酒】图 찬술; 데우지 않은 술. ¶~で飲(の)む 찬술로 마시다. ↔かん酒(ざけ).

ひやし【冷やし】图 차게 함; 또, 차게 한 것. ¶~ビール 냉맥주.

ヒヤシンス [hyacinth] 图 〔植〕 히아신스 《백합과의 다년생 식물》. 注意 '風信子'로 쓰기도 함.

⁑**ひや-す**【冷やす】5他 1 차게 하다; 식히다. ¶すいかをよく~·して食(た)べる 수박을 차게 해서 먹다 / 頭(あたま)を~ 머리를 식히다. 2 (마음에) 충격을 받다; 서늘하게 하다. ¶きもを~ 간담이 서늘해지다《몹시 놀라다》. 可能 ひや-せる 下1自

ひゃっか【百花】图 백화; 온갖 꽃. =万花(ばんか).

—せいほう【—斉放】图 백화제방《문학과 예술 방면에서 창작과 비판을 자유롭게 하는 일; 모택동이 처음 씀》.

—りょうらん [—繚乱] 图 백화요란. 1 여러 가지 꽃이 어우러져 핌. 2 많은 뛰어난 인물이 나타나 훌륭한 업적을 남김.

ひゃっか【百科】图 백과.

—じてん【—事典】图 백과 사전. =エンサイクロペディア.

ひゃっか【百家】图 백가; 그 시대의 많은 학자·논객. ¶諸子(しょし)~ 제자백가.

—そうめい【—争鳴】图 백가쟁명; 학자나 논객이 각자의 입장에서 자유로이 의견을 발표하고 논쟁하는 일.

ひゃっか【百貨】图 백화.

—てん【—店】图 백화점. =デパート.

ひゃっきやこう【百鬼夜行】图 백귀야행. ¶~の乱世(らんせい) 백귀야행의 난세. 注意 'ひゃっきやぎょう'라고도 함.

ひゃっこう【百行】图 백행; 온갖 행위. ¶孝(こう)は~の本(もと) 효는 백행의 근본.

ひやっと〖冷やっと〗副 선뜩; 섬뜩; 오싹.

ひゃっぱつひゃくちゅう【百発百中】图 백발백중. ¶僕(ぼく)の占(うらな)いは~だ 내 점은 백발백중이다.

ひゃっぱん【百般】图 백반; 여러 방면; 제반(諸般). =万端(ばんたん). ¶~の事(こと) 제반사(諸般事) / 武芸(ぶげい)~に通(つう)ずる 무예 제반에 통달하다.

ひゃっぽう【百方】백방. ⊟图 여러 방면; 온갖 방법. ⊡副 여러 방면으로; 사방으로. =ほうぼう·あれこれ. ¶~手(て)をつくす 백방으로 손을 쓰다.

ひやとい【日雇い】《日傭い》图 일용(日傭); 날품팔이. ¶~人夫(にんぷ) 날품팔이꾼 / ~労務者(ろうむしゃ) 일용 노무자.

ひやひや【冷や冷や】副 ス自 1 차가운 느낌이 있는 모양. ¶背中(せなか)が~する 등이 써늘하다 / 夜気(やき)が~とする 밤공기가 차갑다. 2 간담이 서늘한 모양; 마음이 조마조마한〔마음을 졸이는〕 모양. ¶食(く)いつかれやしないかと~する 물리지나 않을까 싶어 마음이 조마조마하다 / 失敗(しっぱい)しやしないかと~する 실패하지나 않을까 싶어 마음을 졸이다.

ひやみず【冷や水】图 냉수. =ひや·冷水(れいすい). ¶年寄(としよ)りの~ 노인이 오기로 나이답지 않은 일을 함의 비유.

ひやむぎ【冷や麦】图 냉국수. =ひやしむぎ.

ひやめし【冷や飯】图 찬밥.

—を食(く)う 찬밥을 먹다; 냉대를 받다.

—を食(く)わされる 냉대를 받다.

ひややか【冷ややか】ダナ 차가운〔쌀쌀한〕 모양. 1 매우 찬 모양. ¶~な水(みず) 차가운 물 / ~な夜風(よかぜ)が吹(ふ)く 차가운 밤바람이 불다. 2 냉담한 모양. ¶~な態度(たいど) 냉담한 태도 / ~な目(め)で見(み)つめる 차가운 눈으로 응시하다 / ~に笑(わら)う 쌀쌀하게 웃다.

ひややっこ【冷ややっこ】《冷や奴》图 차가운 날두부에 간장과 양념을 곁들인 음식.

ひやりと 副 선뜩; 섬뜩; 오싹; 철렁. ¶~する風(かぜ) 선뜩한 바람 / しかられるかと思(おも)って~した 꾸지람 들을까 봐 (가슴이) 철렁했다 / ライオンのほえ声(ごえ)を聞(き)いて~した 사자가 우는 소리를 듣고 오싹하였다.

ヒヤリング [hearing] 图 히어링; 청취; 듣기연습. =ヒアリング.

***ひゆ** [比喩·譬喩] 图 비유. ¶適切(てきせつ)な~をもちいる 적절한 비유를 쓰다 / ~で語(かた)る 비유로 말하다.

—てき【—的】ダナ 비유적. ¶~(な)表現(ひょうげん) 비유적 표현.

ピュア [pure] 名ナ 퓨어. ¶~な心(こころ) 순수한 마음.

ヒューズ [fuse] 图 퓨즈. ¶~が飛(と)ぶ 퓨즈가 나가다《끊어지다》/ ~が切(き)れる 퓨즈가 끊어지다 / ~を付(つ)け替(か)える 퓨즈를 새로 갈다.

ビューティー [beauty] 图 뷰티; 미. =美(び). 1 미인. ¶~コンテスト 뷰티 콘테스트; 미인 선발 대회. 2 미용.

—サロン [beauty salon] 图 뷰티 살롱; 미장원; 미용원(院).

ピューマ [puma] 图 〔動〕 퓨마. =アメリカライオン.

ヒューマニスト [humanist] 图 휴머니스트; 인도주의자.

ヒューマニズム [humanism] 图 휴머니즘; 인도주의; 인문주의.

ヒューマニティー [humanity] 图 휴머니티; 인간성; 인정미.

ヒューマン [human] ダナ 휴먼; 인간적인; 인간다움. ¶~エンジニアリング 인간 공학 / ~ドキュメント 인생 기록.

—リレーションズ [human relations] 图 휴먼 릴레이션; 인간〔대인〕 관계.

ピューリタン [Puritan] 图 퓨리턴. 1 청

교도. **2** 결벽〔근엄〕한 사람.

ヒュッテ [도 Hütte] 名 휘테; 등산자를 위한 산막(山幕).

ビュッフェ [프 buffet] 名 뷔페. **1** (열차나 역내에서 서서 먹는) 간이식당. **2** 서서 먹는 파티.

ひょいと 副 **1** 뜻밖에; 불시에; 불쑥. ¶ ~行き会う 뜻밖에 맞닥뜨리다 / ~車が横から出る 불쑥 차가 옆에서 튀어 나오다 / 窓から~顔を出す 창문에서 얼굴을 쑥 내밀다. **2** 가볍게; 훌쩍. ¶荷物を~持ち上げる 짐을 가볍게〔번쩍〕 들어올리다 / 垣根を~飛び越える 울타리를 훌쩍 뛰어넘다.

ひょいひょい 副 **1** 가볍게 뛰어가거나 뛰어오르는 모양; 깡충깡충. ¶飛び石伝いに~(と)歩く 징검돌을 따라 깡충깡충 건너가다. **2** 이따금. ¶~顔を出す 이따금 얼굴을 내밀다.

**ひよう【費用】名 비용. ＝入費. ¶~がかさむ 비용이 많아지다 / 相当な~がかかる 상당한 비용이 든다 / ~を惜しまず出す 비용을 아끼지 않고 내다 / ~は自分持ちで旅行する 비용은 자기 부담으로 여행하다.

*ひょう【表】名 표. ¶統計~ 통계표 / ~にまとめる 표로 만들어 정리하다 / 調査の結果を~にする 조사 결과를 표로 만들다.

ひょう〖豹〗名〔動〕표범.

ひょう【票】 표. 一 名 표; 투표지. ¶~固め 표 굳히기〔확보 공작〕/ ~を読む 득표수를 예측하다 / ~につながる 득표에 연결되다 / ~を集めて当選する 표를 모아 당선되다. 二 接尾 투표수를 세는 말. ¶二~の差 두 표 차 / 清き一票を! 깨끗한 한 표를!

ひょう【評】 평. 一 名 평; 비평. ¶選者の~ 선자평 / ~を書く 평을 쓰다. 二 接尾 비평; 세평. ¶映画~ 영화평 / 下馬~ 하마평.

ひょう〖雹〗名 우박. ¶~が降る 우박이 내리다.

=**ひょう【俵】** 가마니에 든 것을 세는 말; …섬; …가마. ¶麦五~ 보리 다섯 섬.

ひょう〖氷〗教3 ヒョウ こおり ひ こおる | 빙 얼음 | 얼다; 얼음. ¶氷河 빙하 / 氷山 빙산 / 氷点 빙점.

ひょう〖表〗教3 ヒョウ おもて あらわす あらわれる | 표 겉 | **1** 겉. ¶表紙 표지 / 表層 표층. ↔裏. **2** 나타내다. ¶表現 표현 / 発表 발표.

ひょう〖俵〗教5 ヒョウ たわら | 표 나누어주다 | **1** 나누어 주다. **2** 섬·부대를 세는 말. ¶米一俵 쌀 한 섬.

ひょう〖票〗教4 ヒョウ | 표 쪽지 | **1** ㉠쪽지; 표《어음·지폐·차표 따위》. ¶軍票 군표 / 証票 증표. ㉡(선거 등의) 투표지. ¶得票 득표. **2** 투표수를 세는 말. ¶一票 일표.

ひょう〖評〗(評) 教5 ヒョウ | 평 평하다 | 품평하다; 비평하다; 논평하다. ¶評論 평론 / 映画評 영화평.

ひょう〖漂〗常用 ヒョウ ただよう さらす | 표 떠다니다 | **1** 떠돌다. ¶漂流 표류 / 浮漂 부표. **2** 물에 바래다; 마전하다. ¶漂白 표백.

ひょう〖標〗教4 ヒョウ しるし しるす しるべ しめ | 표 표 | **1** 목표; 표지. ¶標準 표준 / 目標 목표. **2** 나타내다; 보여 주다. ¶標本 표본 / 商標 상표.

びよう【美容】 名 미용. ¶~師 미용사 / ~術 미용술.

—いん【—院】 名 미용원; 미장원.

—せいけい【—整形】 名〔醫〕미용 정형〔성형〕. ¶~の手術を受ける 미용 정형 수술을 받다.

—たいそう【—体操】 名 미용 체조.

びょう【秒】 名 초. ¶~読み 초읽기 / ~を争う (분)초를 다투다.

びょう〖廟〗名 묘; 사당. ＝たまや. ¶孔子~ 공자묘 / ~に参る 사당에 참배하다.

びょう〖鋲〗名 **1** 대갈못; 징; 압정(押釘). ¶画~ 그림 압정 / 靴の~ 구두징. **2** ☞リベット.

=**びょう【病】** …병. ¶皮膚~ 피부병.

びょう〖苗〗常用 ビョウ ミョウ なえ なわ | 묘 싹 | 모; 모종. ¶種苗 종묘; 모종 / 苗木 묘목 / 育苗 육묘.

びょう〖秒〗教3 ビョウ のぎ | 초 초 | 시간이나 각도·위도 등의 단위; 초. ¶秒針 초침 / 秒速 초속 / 分秒 분초.

びょう〖病〗常用 ビョウ ヘイ やむ やまい | 병 앓다 | 병. **1** 병이 나다; 병을 앓다. ¶病院 병원 / 仮病 꾀병 / 目を病む 눈병을 앓다. **2** 근심하다. ¶気に病む 마음에 두고 근심하다.

びょう〖描〗常用 ビョウ えがく かく | 묘 그리다 | 그리다. ¶描写 묘사.

びょう〖猫〗常用 ビョウ ミョウ ねこ | 묘 고양이 | 고양이. ¶猫額(びょうがく·ねこびたい) 고양이 이마(처럼 좁음) / 愛猫 애묘.

ひょういもじ【表意文字】 名 표의 문자; 뜻글자. ＝意字. 注意 'ひょういもんじ' 라고도 함. ↔表音文字.

びょういん【病因】 名 병인. ¶~が分からない 병인을 알 수 없다 / ~を調べる 병인을 조사하다.

**びょういん【病院】名 병원. ¶~船 병원선 / 大学~ 대학 병원 / に入院

する 병원에 입원하다 / ～に見舞(みま)いに行(い)く 병원에 병문안을 가다.

ひょうおんもじ【表音文字】图 표음문자; 소리글자. ↔表意文字(ひょういもじ).

ひょうか【氷菓】图 빙과; 얼음과자.

*ひょうか【評価】图ス他 평가. ¶～額(がく) 평가액 / ～すべき成果(せいか) 평가할 만한 성과 / ～を惜(お)しまない 평가를 아끼지 않다 / 高(たか)く～する 높이 평가하다 / それなりに～する 그 나름으로 평가하다.

—そん【—損】图〖經〗평가손.

ひょうが【氷河】图〖地〗빙하.

—き【—期】图 빙하기.

—じだい【—時代】图 빙하 시대.

びょうが［病臥］图ス自 병와; 와병; 자리보전. ¶長(なが)らく～中(ちゅう)の祖父(そふ) 오랫동안 와병 중에 있는 할아버지.

ひょうかい【氷海】图 빙해; 얼어붙은 바다.

ひょうかい【氷塊】图 빙괴; 얼음덩이.

ひょうかい【氷解】图ス自 빙해; 빙석(氷釋); 얼음 녹듯이 의혹이 풀림. ¶長(なが)い間(あいだ)のわだかまりが～する 오랜 마음의 응어리가 얼음 녹듯이 풀리다.

びょうがい【病害】图 병해.

ひょうがいかんじ【表外漢字】图 상용(常用) 한자표에 없는 한자.

びょうかん【病患】图 병환; (중한) 병. =わずらい. ¶不治(ふち)の～ 불치의 병.

ひょうき【表記】图ス他 표기. ¶価格(かかく)～ 가격 표기 / 仮名(かな)〔ローマ字(じ)〕で～する 仮名〔로마자〕로 표기하다 / ～の住所(じゅうしょ)に転居(てんきょ)しました 표기의 주소로 이사했습니다.

—ほう【—法】图 표기법. ⇨正書法(せいしょほう).

ひょうき【標記】图ス他 표기. **1** 표지〔안표〕로 삼는 부호; 또, 그 부호를 붙임. **2** 표제로서 씀; 또, 그 표제. ¶～の件(けん)につき 표기의 건에 관하여.

ひょうぎ【評議】图ス他 평의; 의논(함). ¶～員(いん) 평의원 / 運営(うんえい)について～する 운영에 대하여 의논하다.

びょうき【病気】图ス自 병. **1 앓음; 질병. =やまい. ¶重(おも)い～ 무거운 병; 중병 / ～にかかる 병에 걸리다 / ～で死(し)ぬ 병으로 죽다 / ～を治(なお)す 병을 고치다 / ～になる 병이 나다〔들다〕/ ～が進(すす)む 병이 진행하다〔악화되다〕/ 悪(わる)い～が移(うつ)る 나쁜 병이 옮다 / ～がはやる 병이 퍼지다〔유행하다〕/ ～がちで, よく学校(がっこう)を休(やす)む 병이 잦아 학교를 자주 쉰다. **2** 나쁜 버릇. ¶～が出(で)る (못된) 버릇이 나오다 / また例(れい)の～が始(はじ)まった 또 그 못된 버릇이 시작되었다 / 酒(さけ)を飲(の)むとからむのは彼(かれ)の～だ 술을 마시면 시비를 거는 것이 그의 병이다.

—みまい【—見舞い】图 병문안.

ひょうきん〖剽軽〗ダナ 소탈하고 익살스러움; 우스꽝스러움. ¶～者(もの) 익살꾼 / ～な男(おとこ) 소탈하고 익살스러운 사나이 / ～なしぐさ 우스꽝스러운 짓.

びょうきん【病菌】图 병균. =病原菌(びょうげんきん). ¶～を発見(はっけん)する 병균을 발견하다.

ひょうぐ【表具】图 표구.

—し【—師】图 표구사. =経師屋(きょうじや).

びょうく【病苦】图 병고. ¶～とたたかう 병고와 싸우다 / ～に悩(なや)む 병고에 시달리다 / ～にあえぐ 병고에 허덕이다 / ～に耐(た)える〔打(う)ち勝(か)つ〕 병고를 견디어 내다〔극복하다〕.

びょうく［病軀］图 병구; 병든 몸. =病身(びょうしん). ¶～をおして参加(さんか)する 병구를 무릅쓰고 참가하다 / ～をひっさげて 병든 몸을 이끌고.

ひょうけい【表敬】图ス自 경의를 표함. ¶～訪問(ほうもん) 그 나라 원수·수상에게 경의를 표하기 위한 공식 방문; 예방.

ひょうけつ【氷結】图ス自 빙결; 결빙; 동결. ¶湖面(こめん)が～する 호수 표면이 결빙하다 / 港(みなと)が～して航行(こうこう)できない 항구가 동결되어서 항행하지 못한다.

ひょうけつ【表決】图ス他 표결. ¶挙手(きょしゅ)による～ 거수에 의한 표결 / 拍手(はくしゅ)で～する 박수로 표결하다.

ひょうけつ【票決】图ス他 표결; 투표로써 결정함. ¶御意見(ごいけん)がなければ～に移(うつ)ります 의견이 없으면 표결로 들어가겠습니다.

ひょうけつ【評決】图ス他 평결; 평의〔논의〕해서 결정함. ¶無罪(むざい)の～ 무죄의 평결 / 陪審官(ばいしんかん)は有罪(ゆうざい)の～を下(くだ)した 배심관은 유죄 평결을 내렸다.

びょうけつ【病欠】图ス自 병결. ¶会社(かいしゃ)を～する 회사를 병결하다.

**ひょうげん【表現】图ス他 표현. ¶～力(りょく) 표현력 / 巧(たく)みな～ 정교한 표현 / 適切(てきせつ)な言葉(ことば)で～する 적절한 말로 표현하다 / この～はまずい 이 표현은 서투르다〔좋지 않다〕.

びょうげん【病原】《病源》图〖醫〗병원.

—きん【—菌】图 병원균; 병균.

—たい【—体】图 병원체.

ひょうご【兵庫】图〖地〗近畿(きんき) 지방 서북부에 있는 현(縣)《현청 소재지는 神戸(こうべ) 시》.

ひょうご【標語】图 표어. =モットー·スローガン. ¶交通(こうつう)安全(あんぜん)の～ 교통 안전 표어 / ～を募集(ぼしゅう)する 표어를 모집하다.

びょうご【病後】图 병후. =やみあがり. ¶～の養生(ようじょう) 병후의 섭생 / ～の身(み)をいたわる 병후의 몸을 잘 조섭하다.

ひょうこう【標高】图 표고; 해발. =海抜(かいばつ). ¶～一千(いっせん)メートルの高地(こうち) 표고 천 미터의 고지.

びょうこん【病根】图 **1** 병근; 병인. =病因(びょういん). ¶～を絶(た)やす 병근을 근절하다. **2** 악습·악폐의 근원. ¶社会(しゃかい)の～を除(のぞ)く 사회의 병폐 근원을 없애다.

ひょうさつ【表札】《標札》图 표찰; 문패. ¶～を出(だ)す 문패를 달다 / 戸口(とぐち)に～がある 문에 문패가 (달려) 있다.

ひょうざん【氷山】图 빙산.

—の一角(いっかく) 빙산의 일각. ¶摘発(てきはつ)さ

れた汚職(おしょく)は～にすぎない 적발된 독직은 빙산의 일각에 불과하다.

*ひょうし【拍子】图 1 박자. ㉠규칙적으로 되풀이되는 음의 강약의 한 단락. ¶三拍子(さんびょうし)の歌(うた) 3박자의 노래. ㉡장단. ¶手拍子(てびょうし) 손장단/足(あし)で～をとる 발로 장단을 맞추다. 2 가락; 상태. ＝調子(ちょうし)·ぐあい. ¶～がくるう 가락이〔상태가〕 좋지 않다. 3 (…하는 바로 그) 때〔순간〕; 찰나; 바람. ＝はずみ·とたん. ¶転(ころ)んだ～に靴(くつ)がぬげる 자빠지는 바람에 구두가 벗겨지다/笑(わら)った～に足(あし)をふみはずした 웃는 순간에 발을 헛디뎠다.

—ぎ【—木】图 딱따기. ¶～を鳴(な)らす 딱따기를 치다.

—ぬけ【—抜け】图ス自 맥빠짐; 김빠짐. ＝気抜(きぬ)け. ¶雨(あめ)で試合(しあい)が中止(ちゅうし)となり～した 비로 경기가 중지되어 김빠졌다.

*ひょうし【表紙】图 표지. ¶本(ほん)の～ 책 표지/～をめくる 표지를 넘기다.

ひょうじ【表示】图ス他 표시. ¶意思(いし)～ 의사 표시/非常口(ひじょうぐち)の～ 비상구의 표시/価格(かかく)を～していない店(みせ) 가격을 표시하지 않고 있는 가게.

ひょうじ【標示】图ス他 표시; 표지를 하여 나타냄. ¶～物(もの) 표시물/道程(どうてい)～ 도정 표시/境界(きょうかい)の～ 경계 표시/危険(きけん)区域(くいき)を～する 위험 구역을 표시하다.

びょうし【病死】图ス自 병사. ¶外地(がいち)で～する 객지에서 병사하다.

ひょうしき【標識】图 표지. ¶道路(どうろ)〔航空(こうくう)〕～ 도로〔항공〕 표지/赤(あか)い～を付(つ)ける 붉은 표지를 붙이다〔달다〕.

—とう【—灯】图 (비행기나 배의 야간) 표지등.

びょうしつ【病室】图 병실.

ひようしゃ【被用者】《被傭者》图 피고용자; 고용된 사람. ＝傭人(ようにん).

*びょうしゃ【描写】图ス他 묘사. ¶心理(しんり)〔自然(しぜん)〕～ 심리〔자연〕 묘사/巧(たく)みに～する 능숙하게 묘사하다.

ひょうしゃく【評釈】图ス他 평석; 해석하여 비평을 가함; 또, 그렇게 한 것. ¶詩歌(しいか)を～する 시가를 평석하다.

びょうじゃく【病弱】图ナ 병약. ¶～な身(み)〔体質(たいしつ)〕 병약한 몸〔체질〕/小(ちい)さい時(とき)から～だった 어렸을 적부터 병약했다. ↔強健(きょうけん).

ひょうしゅつ【表出】图ス他 표출; 마음속의 느낌이나 생각 등을 밖에 나타냄. ¶感情(かんじょう)を～する 감정을 표출하다.

びょうしゅつ【描出】图ス他 묘출; 그려냄. ¶おびえた表情(ひょうじょう)を～する 겁먹은 표정을 그려 내다.

**ひょうじゅん【標準】图 표준. ¶～化(か) 표준화/～型(がた) 표준형/～サイズ 표준 사이즈/～以下(いか)の体重(たいじゅう) 표준 이하의 체중/～から外(はず)れる 표준에서 벗어나다/～に達(たっ)する〔合(あ)わせる〕 표준에 달하다〔맞추다〕/～をきめる〔立(た)てる〕 표준을 정하다〔세우다〕.

—かせき【—化石】图 표준 화석.

—ご【—語】图 표준어. ↔俗語(ぞくご)·方言(ほうげん).

—じ【—時】图 표준시.

—しき【—式】图 표준식; 일본어를 로마자로 표기하는 한 방식(('シ'를 'shi'로, 'ジ'를 'ji'로, 'フ'를 'fu'로 하는 따위)). ＝ヘボン式(しき). ↔訓令式(くんれいしき)·日本式(にほんしき).

—てき【—的】ダナ 표준적. ¶～な日本人(にほんじん) 표준적인 일본인.

ひょうしょう【表象】图ス他 표상. 1 상징. ¶はとは平和(へいわ)の～である 비둘기는 평화의 표상〔상징〕이다. 2〖心〗 마음속에 떠오르는 형상; 심상(心像). ¶記憶(きおく)～ 기억 표상/想像(そうぞう)～ 상상 표상.

*ひょうしょう【表彰】图ス他 표창. ¶～状(じょう) 표창장/勤続(きんぞく)三十年(さんじゅうねん)で～される 근속 30년으로 표창받다.

ひょうじょう【氷上】图 빙상; 빙판 위. ¶～競技(きょうぎ) 빙상 경기/～スポーツ 빙상 스포츠.

**ひょうじょう【表情】图 표정. 1 속의 감정이 밖으로 나타난 것. ¶～のない顔(かお) 표정이 없는 얼굴/～の豊(ゆた)かな曲(きょく) 감정이 풍부한 곡/～が明(あか)るい 표정이 밝다/～にとぼしい 표정이 없다/変(へん)な～をする 이상한 표정을 짓다. 2 모양; 풍경. ¶正月(しょうがつ)の各地(かくち)の～ 설날의 각지 표정/現地(げんち)の～を伝(つた)える 현지의 표정을 전하다.

ひょうじょう【評定】图ス他 평정. ＝評決(ひょうけつ). ¶小田原(おだわら)～ 질질 끌고 쉽게 결론이 나지 않는 회의·상담.

びょうしょう【病床】图 병상; 병석. ¶～にある 병상에 누워 있다; 병을 앓고 있다/～につく〔ふす〕 병상에 눕다.

びょうじょう【病状】图 병상; 병세. ＝病態(びょうたい)·病勢(びょうせい). ¶一進一退(いっしんいったい)の～ 일진일퇴하는 병세/～が悪化(あっか)する 병세가 악화하다.

びょうしん【秒針】图 (시계의) 초침. ↔分針(ふんしん)·時針(じしん).

びょうしん【病身】图 병든 몸; 또, (걸핏하면 병이 나는) 병약한 몸. ¶～の母(はは)をいたわる 병든 어머니를 위로하고 돌보다.

ひょう-す【表す】5他 ☞ひょう(表)する.

ひょう-す【評す】5他 ☞ひょう(評)する.

ひょうすう【票数】图 표수; 투표 따위에 의해서 얻은 표의 수.

ひょう-する【表する】サ変他 나타내다; 표하다. ＝示(しめ)す·あらわす. ¶敬意(けいい)を～ 경의를 표하다/哀悼(あいとう)〔遺憾(いかん)〕の意(い)を～ 애도〔유감〕의 뜻을 표하다.

ひょう-する【評する】サ変他 평하다; 비평하다. ¶新刊書(しんかんしょ)を～ 신간 서적을 비평하다/人物(じんぶつ)を～ 인물을 평하다.

びょうせい【病勢】图 병세. ¶～があらたまる〔悪化(あっか)する〕 병세가 악화하다.

ひょうせつ【氷雪】图 빙설; 얼음과 눈. ¶～に閉ざされる 빙설에 갇히다.

ひょうせつ[剽窃]图ス他 표절. ＝盗作. ¶他人の意匠を～する 남의 의장을 표절하다/～したのがばれる 표절한 것이 탄로나다.

ひょうぜん【漂然】《飄然》トタル 표연; (마음 내키는 대로) 훌쩍 떠나가거나 찾아오는 모양. ¶～と家を〔旅に〕出る 훌쩍 집을〔여행에〕나서다.

ひょうそう【表装】《裱装》图ス他 표장. ☞ひょうぐ(表具).

ひょうそう【表層】图 표층; 표면의 층. ¶物事の～しか見ていない 사물의 표면밖에 보지 않고 있다. ↔深層.

—なだれ【—雪崩】图〔地〕표층 눈사태《쌓인 눈의 표면 부분이 일시에 무너져 내리는 눈사태》.

びょうそう【病巣】《病竈》图 병소; 병원(病原)이 있는 곳. ¶～の切除 병소의 절제/～が広がる 병소가 퍼지다.

びょうそく【秒速】图 초속. ¶～二十メートルの風 초속 20m의 바람.

ひょうだい【表題·標題】图 표제. ¶新刊書の～ 신간서의 표제/～がきまらない 표제가 정해지지 않다/～をつける〔掲げる〕표제를 붙이다〔내걸다〕. ↔副題.

ひょうたん【氷炭】图 빙탄; 얼음과 숯.

—相容れず 빙탄불상용; 서로 상반되어 조화되지 않는다.

ひょうたん[瓢箪]图 **1**〔植〕호리병박. **2** 표주박. ＝ひさご.

—から駒(が出る) 농담으로 한 것이 뜻밖에 사실로 실현됨의 비유.

—なまず[—鯰]图 (표주박으로 메기를 눌러 잡듯이) 요령부득인 모양; 종잡을 수가 없음.

ひょうちゃく【漂着】图ス自 표착. ¶難破船が～する 난파선이 표착하다.

ひょうちゅう【氷柱】图 빙주. **1** 고드름. ＝つらら. **2** 여름에 냉방용으로 실내에 세운 얼음 기둥.

ひょうちゅう【評注】《評註》图 평주; 평석(評釋); 비평을 가한 주석.

びょうちゅう【病中】图 병중. ＝病気中. ¶～の身 병중인 몸.

びょうちゅうがい【病虫害】图 병충해. ¶作物が～にやられる 농작물이 병충해를 입어 못쓰게 되다.

ひょうてい【評定】图ス他 평정; 평가하여 정함. ¶勤務～ 근무 평정/地価を～する 땅값을 평정하다. 注意 'ひょうじょう'로 읽으면 딴 말.

ひょうてき【標的】图 표적; 목표; 과녁. ＝まと. ¶～射撃 표적 사격/～が外れる 과녁에서 벗어나다/攻撃の～となる 공격의 표적이 되다.

びょうてき【病的】ダナ 병적. ¶～な心理 병적인 심리/～にしつこい 병적으로 집요하다/～に太る 병적으로 뚱뚱해지다/あの潔癖さはいささか～だ 저 결벽은 좀 병적이다. ↔健全.

ひょうてん【氷点】图 빙점. ¶～以下に下がる 빙점 이하〔영하〕로 내려가다. ↔沸点.

—か【—下】图 빙점하; 영하. ¶～二度 영하 2도.

ひょうてん【評点】图 평점; 성적 점수; 평가해서 붙인 점. ¶～が辛い 평점이 짜다〔박하다〕.

ひょうでん【票田】图 표밭; 선거에서, 그 후보자나 그 정당에게 대량 득표가 기대되는 지역.

ひょうでん【評伝】图 평전; 평론이 섞인 전기. ¶なくなった有名政治家の～を書く 고인이 된 유명 정치가의 평전을 쓰다.

ひょうど【表土】图 표토; 땅의 맨 윗부분. ＝表層土.

びょうとう【病棟】图 병동. ¶結核～ 결핵 병동.

*びょうどう【平等】图ダナ 평등. ¶～権 평등권/男女～ 남녀 평등/法の下の～ 법 아래에서의 평등/～を欠く 평등하지 못하다/～に分ける 평등하게 나누다/～に扱う 평등하게 다루다. ↔不平等.

びょうどく【病毒】图 병독; 병의 원인이 되는 것. ¶～に感染する 병독에 감염하다/～が移る 병독이 옮다/～を流す 병독을 퍼뜨리다.

*びょうにん【病人】图 병자; 환자. ＝患者·病者. ¶～を看護する 환자를 간호하다.

ひょうのう[氷嚢]图 빙낭; 얼음 주머니. ＝こおりぶくろ. ¶～を当てる 얼음 주머니를 대다.

ひょうはく【漂白】图ス他 표백. ¶～剤 표백제/～作用 표백 작용/布を～する 천을 표백하다.

ひょうはく【漂泊】图ス自 표박; 유랑; 방랑; 떠돎. ＝さすらい. ¶～の旅 방랑의 여로/各地を～する 각지를 유랑하다.

**ひょうばん【評判】평판. ㊀图 세상의 (비)평. ＝うわさ. ¶～が悪い 평이 나쁘다. ㊁图ナ 잘 알려져 화제에 오름; 인기가 있음. ＝有名. ¶～の孝行娘 소문난〔평판이 자자한〕효녀/～の映画 평판이 좋은 영화/～が立つ 평판〔소문〕이 나다/～を気にする 평판에 신경을 쓰다.

ひょうひ【表皮】图〔生〕표피; 겉질. ¶木の～ 나무의 표피.

ひょうひょう[飄飄]トタル 표표; 세속에 구애됨이 없이 유유히 지내는 모양. ¶～とした人柄 표표한 인품/～と暮らす 표표히 지내다.

ひょうびょう[縹渺·縹緲]トタル 표묘. ¶神韻～ 신운 표묘; 비할 바 없이 운치가 넘침/～たる原野 표묘〔광활〕한 원야/芳香が～と漂って来る 방향이 은은하게 풍겨 오다.

びょうびょう[渺渺]トタル 묘묘; 망망.

¶～たる海原 망망대해.
びょうぶ【屛風】名 병풍. ¶～絵 병풍 그림 / 金～ 금박 병풍 / 六枚～ 여섯 쪽 병풍 / ～を立てる 병풍을 치다.
—と商人は直ぐにては立たぬ 정직한 것만으로는 장사를 할 수 없다.
—いわ【—岩】名 (높게 깎아지른) 병풍바위.
—だおし【—倒し】名 병풍이 쓰러지듯 발딱 자빠짐. ¶ばったりと～になる 병풍이 쓰러지듯이 벌렁 자빠지다.
びょうへい【病弊】名 병폐; 폐단. ＝弊害. ¶社会の～ 사회의 병폐 / 積年の～ 오랜 세월에 걸쳐 쌓인 병폐 / 政治の～をえぐり出す 정치의 병폐를 도려내다. 「빙벽을 오르다.
ひょうへき【氷壁】名 빙벽. ¶～を登る
びょうへき【病癖】名 병벽; 병적인 버릇. ¶嘘を言うのが彼の～だ 거짓말을 하는 것이 그의 병적인 버릇이다.
ひょうへん［豹変］名ス自 표변; (태도·의견 따위가) 싹 바뀜. ¶態度が～する 태도가 표변하다 / 君子は～す 군자는 잘못을 알면 곧 고칠 줄 안다. 参考 본디 좋은 의미의 변화를 말했으나, 지금은 나쁜 쪽으로의 바뀜을 말하는 경우가 많음.
びょうへん【病変】名〔醫〕병변; 병으로 인하여 일어나는 육체〔생리〕적인 변화. ¶～をみとめる 병변을 발견하다 / ～の推移がみられる 병변의 추이를 볼 수 있다. 「(兵法).
ひょうほう【兵法】名 병법. ☞へいほう
ひょうぼう［標榜］名ス他 표방. ¶民主主義を～している 민주주의를 표방하고 있다.
びょうぼつ【病没】《病歿》名ス自 병몰; 병사. ＝病死. ¶彼が～してから十年 그가 병사한 지 10년.
***ひょうほん**【標本】名 표본. **1** (연구·학습용) 채집 보존된 견본. ＝サンプル. ¶昆虫〔植物〕～ 곤충〔식물〕 표본. **2** 대표적인 실례. ¶俗物の～ (대표적인) 속물의 표본; 표본적인 속물 / けちの～のような人 노랑이의 표본 같은 사람. **3**〔統計〕모(母)집단에서 뽑아낸 일부의 것; 샘플.
—ちょうさ【—調査】名 표본 조사. ＝サンプリング. ↔全数調査.
びょうま【病魔】名 병마. ¶～にとりつかれる〔おかされる〕 병마에 걸리다.
ひょうめい【表明】名ス他 표명. ¶辞意の～ 사의의 표명 / 所信を～する 소신을 표명하다.
びょうめい【病名】名 병명. ¶～がはっきりしない 병명이 확실하지 않다.
***ひょうめん**【表面】名 표면; 겉. ＝おもて·うわべ. ¶～の理由 표면상 이유 / 月の～ 달의 표면 / ～を飾る人 겉을 꾸미는 사람; 겉치레하는 사람 / 彼は～に出るのが嫌いだ 그는 표면〔앞〕에 나서길 싫어한다. ↔裏面.
—か【—化】名ス自 표면화. ¶対立が～する 대립이 표면화하다. 「장력.
—ちょうりょく【—張力】名〔理〕표면
—てき【—的】ダナ 표면적; 형식적. ¶～な見方 표면적인 관찰〔견해〕. ↔内面的·実質的.
ひょうめんせき【表面積】名 표면적; 겉넓이. ¶球の～を求める 구의 표면적을 구하다.
ひょうよみ【票読み】名ス自 **1** (투표 전에) 득표수를 예측하는 일. **2** (개표시에) 표를 세는 일.
びょうよみ【秒読み】名 초읽기; 시간을 초 단위로 셈. ¶ロケット発射の～ 로켓 발사의 초읽기 / ～の段階にはいる 초읽기 단계에 들어가다.
ひょうり【表裏】표리. 一名 겉과 속. ＝うらおもて. ¶都会の生活の～を知る 도시 생활의 겉과 속〔실상〕을 알다. 二名ス自 겉과 속(셈)이 다름. ＝うらはら. ¶～がある人 표리가 있는 사람 / 言行が相～している 말과 행동이 서로 다르다.
—いったい【—一体】名 표리일체.
びょうり【病理】名 병리; 병의 이론〔원리〕. ¶～学 병리학.
ひょうりゅう【漂流】名ス自 표류. **1** 바다 위를 떠돎. ¶ロビンソン～記 로빈슨 표류기 / 漁船が～する 어선이 표류하다. **2** 정처 없이 방랑함.
びょうれき【病歴】名 병력. ¶患者の～を聞く 환자의 병력을 묻다.
ひょうろう【兵糧】名 병량; 군량; 전하여, 식량. ¶～が尽きる 식량〔군량〕이 떨어지다.
—ぜめ【—攻め】名 적의 식량 보급로를 끊어 그 전력을 약화시키는 공격법.
ひょうろん【評論】名ス他 평론. ¶～家 평론가 / 経済～ 경제 평론.
ひよく【比翼】名 **1** 비익; 두 마리의 새가 날개를 나란히 함. **2** 부부의 비유.
—れんり【—連理】名 비익연리; 부부·남녀의 깊은 정에 대한 비유.
ひよく［肥沃］名ナ 비옥. ¶～な土地〔平野〕 비옥한 토지〔평야〕. ↔不毛.
びよく【尾翼】名 미익; (비행기의) 꼬리날개. ↔主翼.
ひよけ【日よけ】《日除け》名 해가림; 차일(遮日); 차양. ＝日おおい. ¶～のカーテン 햇빛을 가리기 위한 커튼.
ひよけ【火よけ】《火除け》名 **1** 불의 번짐을 막음; 또, 그 설비. **2** 화재의 예방; 또, 그 부적(符籍).
ひよこ〖雛〗名 **1** 병아리. **2** 풋내기; 햇병아리; 애송이. ＝ひよっこ. ¶～のくせに生意気を言うな 애송이 주제에 건방진 소리 마라 / 技術者としてまだほんの～だ 기술자로서 아직 풋내기에 지나지 않는다.
ひょこひょこ 副 ☞ぴょこぴょこ1.
ぴょこぴょこ 副 **1** 한곳에 있지 못하고 여기저기 가볍게 뛰어 돌아다니는 모

양: 강동강동. ¶うさぎが～(と)はねる 토끼가 깡충깡충 뛰다. **2** 머리 따위를 조아려 굽실거리는 모양: 꾸뻑꾸뻑; 굽실굽실. ¶～(と)おじぎをする 연방 꾸벅꾸벅 절을 하다. **3** 간단없이 계속해서 나타나는 모양: 불쑥불쑥. ¶～(と)顔を出す 불쑥불쑥 얼굴을 내밀다.

ぴょこんと 副 **1** 머리만을 굽혀 앞으로 숙이는 모양: 꾸뻑. ¶～おじぎをする 꾸뻑 절을 하다. **2** 하나만이 불시에 나타나는 모양: 불쑥; 쑥. ¶～芽が出る 싹이 쑥 나오다/～出っぱっている 불쑥 튀어나와 있다.

ひょっこり 副 뜻하지 않게 나타나거나 마주치는 모양: 우연히; 느닷없이; 불쑥. ¶道で～旧友に会った 길에서 우연히 옛 친구를 만났다.

ひょっと 副 **1** 뜻밖에; 갑자기; 불쑥. ¶～顔を出す 불쑥 얼굴을 내밀다/～口に出す 불쑥 말하다/～思いつく 갑자기 생각나다. **2** 만일; 어쩌다가. ¶～そんなことがおこると困る 만일 그런 일이 일어나면 곤란하다. 参考 'ひょいと'의 힘줌말.

ひょっとこ 图 **1** 입이 뾰족이 나오고 짝짝이 눈의 익살스러운 가면(假面); 또, 그 탈을 쓰고 추는 춤. **2** 남자를 욕하는 말: 추남; 못난이. ¶この～め 이 못난 놈아. ↔おかめ·おたふく.

ひょっとしたら 連語 어쩌면; 혹시. ¶～成功するかもしれない 어쩌면 성공할는지도 모른다.

ひょっとして 連語 어쩌다가; 만일. ¶～断られでもしたらどうしますか 만일 거절이라도 당하면 어쩌지요.

ひょっとすると 連語 어쩌면; 혹시. ＝もしかすると·ひょっとしたら. ¶～雨が降るかも知れない 어쩌면 비가 올지도 모른다.

ひよどり 〖鵯〗 图 〔鳥〕 직박구리. ＝ひよ.

ぴよぴよ 副 병아리 따위가 우는 소리: 삐악삐악.

ひより【日和】图 **1** (그날의) 일기; 날씨. ¶よい～ですね 좋은 날씨군요. **2** (…하기에) 좋은 날씨. ¶釣り日和 낚시하기 좋은 날씨/行楽日和 행락에 좋은 날씨. **3** 형편. ¶～を見て動く 형편을 보아서 움직이다.

—み【—見】图 ス自 **1** 날씨를 살핌. **2** (유리한 쪽에 붙으려고) 형세를 관망함. ¶～主義 기회주의.

ひょろつ-く 5自 비틀거리다; 휘청거리다. ¶酒に酔って足下が～ 술에 취해서 다리가 휘청거리다.

ひょろなが-い【ひょろ長い】形 껑충하다; 가늘고 길다. ¶～足の人 다리가 껑충한 사람/電柱のように～男 전봇대처럼 껑충한 사나이.

ひょろひょろ 副 ト ス自 **1** 비슬비슬; 비틀비틀. ¶～(と)歩く 비틀비틀 걷다/足が～する 다리가 휘청거리다. **2** 가늘고 약하게 자란 모양. ¶～の苗木 가늘고 약한 묘목/～した松の木 가냘프게 자란 소나무/やせて～な男 여위고 가냘픈 사나이.

ひょろりと 副 (가늘고 길어서) 연약한 모양. ¶～一本伸びた草 가냘프게 자란 한 떨기 풀.

ひよわ【ひ弱】ダナ 가냘픈 모양; 허약한 모양. ¶～なからだ 허약한 몸/～に育った子供 허약하게 자란 아이.

ひよわ-い【ひ弱い】形 가냘프다; 허약〔취약〕하다. ¶～体質 허약한 체질/～経済基盤 취약한 경제 기반.

ぴょんと 副 가볍게 뛰거나 뛰어넘는 모양: 깡총; 휙. ¶～飛び越える 휙 뛰어넘다/うさぎが～跳ねる 토끼가 깡충 뛰다.

ひょんな 連体 〈俗〉 묘한; 엉뚱한; 이상야릇한; 괴상한. ¶～仲になる 묘한〔이상한〕 사이가 되다/～ことになった 일이 이상하게 되었다/～事からけんかになる 엉뚱한 일로 싸움이 되다.

ぴょんぴょん 副 깡충깡충; 깡똥깡똥. ¶うさぎが～(と)はねまわる 토끼가 깡충깡충 뛰어다니다.

ひら【平】图 **1** 평평함; 또, 평평한 것. ¶手の～ 손바닥/～屋根 평평한 지붕. **2** 평; 보통. ¶～の教員 평교사/～(の)社員 평사원/何年いても～のままだ 몇 년 있어도 졸때기 그대로다.

＝ひら 〖片·枚〗 얇고 평평한 것의 수를 나타낼 때 붙이는 말: 편; 조각. ¶一～の雲 한 조각의 구름/一～の花びら 꽃잎 하나/札びらを切る 돈을 활수하게 쓰다. 注意 수(數)를 받을 때 이외는 連濁로 'びら'가 됨.

びら 图 한 장으로 된 광고〔선전〕지; 전단; 삐라. ＝ちらし. ¶宣伝～ 선전 삐라/～をまく 광고지를 뿌리다/～を配る 전단을 도르다/壁に～を張る 벽에 광고지를 붙이다. 参考 현재는 보통 'ビラ'로 씀.

ビラ [villa] 图 빌라; 별장.

ひらあやまり【平謝り】图 (변명하지 않고) 진심으로 사과·사죄함. ¶～にあやまる 백배사죄하다.

ひらい【飛来】图 ス自 비래; 날아옴. ¶つばめが～する季節 제비가 날아오는 계절/いなごの大群が～する 메뚜기의 큰 떼가 날아오다/敵機が～する 적기가 날아오다.

ひらいしん【避雷針】图 피뢰침. ¶～を立てる 피뢰침을 세우다.

ひらおよぎ【平泳ぎ】图 평영; 개구리헤엄. ＝ブレスト(ストローク).

ひらおり【平織り】图 평직(물).

ひらがな【平仮名】图 한자의 초서체에서 만들어진 일본의 음절 문자. ↔片仮名.

ひらかれた【開かれた】連体 누구에게나 개방되어 있는; 열린. ¶～大学 개방 대학.

ひらき【開き】图 **1** 엶; 열린 것; 열림. ¶

戸の～が悪い 문이 잘 열리지 않는다. **2** 벌어짐; 격차; 차. ¶実力の～ 실력의 차이 / 相当な～がある 상당한 차이가 있다. **3** 핌. ¶～の早い花 일찍 피는 꽃. **4** '開き戸'의 준말. ¶～をあける (여닫이) 문을 열다. **5** 생선의 배를 갈라서 말린 것〔식품〕. ¶あじの～ 전갱이의 배를 갈라 말린 것.

=びらき【開き】 **1** 여는 일〔것〕. ¶両～ (문이) 좌우로 갈라져서 열림; 또, 그 문. **2** 시작; 개시. ¶店～ 개점 / プール～ 풀장 개장.

ひらきど【開き戸】 图 한쪽에 경첩이 달려 있고, 앞뒤로 여닫게 된 문. ↔引き戸·やり戸.

ひらきなお-る【開き直る】 5自 정색하고 나서다; 갑자기 태도를 바꾸어 강하게 나오다. ¶～·って反問する 정색하고 반문하다 / 乗客が強盗に～ 승객이 강도로 돌변하다.

ひら-く【開く】 ⊟5自 **1** (닫혔던 것이) 열리다. ＝あく. ¶戸が～ 문이 열리다 / 国会が～ 국회가 열리다《개회하다》/ 銀行が～ 은행(문)이 열리다《업무를 시작하다》/ 窓が～·いて子供が顔を出す 창문이 열리고 아이가 얼굴을 내밀다. **2** 벌어지다. ㉠《본디 発く로도》 개화하다; 피다. ¶つぼみが～ 꽃봉오리가 벌어지다 / 花が～ 꽃이 피다. ㉡격차가 생기다. ¶点数が～ 점수차가 벌어지다 / 実力が～ 실력 차가 나다 / 両者の距離が～ 양자의 거리가 벌어지다. ↔縮まる. ⊟5他 **1** 열다. ㉠(닫혔던 것을) 열다; 펴다; 풀다. ¶戸を～ 문을 열다 / 扇〔書物〕を～ 부채를〔책을〕 펴다 / 口を～ 입을 열다 / 括弧を～ 괄호를 열다. ↔閉じる. ㉡열어 놓다; 터 놓다. ¶心〔胸襟〕を～ 마음〔흉금〕을 터 놓다 / 門戸を～ 문호를 개방하다〔열다〕. ↔閉ざす. ㉢시작하다; 일으키다. ¶店を～ 가게를 열다〔시작하다〕/ 事業を～ 사업을 시작하다. ㉣《본디 展く로도》 개최하다. ＝もよおす. ¶送別会を～ 송별회를 열다 / 祝宴を～ 축하연을 열다. **2**《본디 拓く로도》 개척〔개발〕하다; 개설하다. ¶道を～ 길을 내다 / 運命を～ 운명을 개척하다 / 荒れ地を～ 황무지를 개간하다 / 口座を～ 계좌를 트다. **3**〔數〕근(根)을 구하다. 可能 ひら-ける 下1自

ひら-ける【開ける】 下1自 **1** (닫히거나 막힌 것이) 열리다; 트이다. ¶戸が～ 문이 열리다 / 活路〔国交〕が～ 활로〔국교〕가 트이다〔열리다〕/ 運が～ 운이 트이다 / 道が～ 길이 나다〔트이다〕/ 視界が～ 시계가 트이다. **2** 인정이나 물정에 통하다. ¶～·けたおじさん〔人〕 트인 아저씨〔사람〕. **3**《본디 拓ける로도》 개화(開化)되다; 개발되다. ¶～·けた民族 개화된 민족 / 土地が～·けて来た (그) 지방이 차차 개발되었다.

ひらしゃいん【平社員】 图 평사원. ¶～から係長に昇進する 평사원에서 계장으로 승진하다.

ひらた-い【平たい】 形 **1** 평평하다; 평탄하다; 넓적하다; 납작하다. ¶～地面 평탄한 지면 / ～顔 넓적한 얼굴 / ～皿 납작한 접시 / 表面が～ 표면이 평평하다. **2** 알기 쉽다. ¶～·く言えば 알기 쉽게 말하면 / ～言葉で説明する 알기 쉬운 말로 설명하다.

ひらち【平地】 图 평지. ＝へいち. ¶土地をならして～にする 땅을 골라 평지로 만들다.

ひらて【平手】 图 **1** (편) 손바닥. ¶～でたたく 손바닥으로 때리다. ↔げんこ. **2** (장기에서) 맞둠; 맞장기. ¶上手に～で差す (장기 따위를) 상수와 맞두다.

ひらに〖平に〗 副 제발; 아무쪼록; 부디. ＝ぜひとも. ¶～ご容赦〔お許し〕ください 아무쪼록 용서해 주십시오.

ピラニア [piranha] 图〔魚〕 피라니아《남미 아마존 강에 사는 담수 열대어; 떼를 지어 사람·짐승을 잡아먹기도 함》.

ひらひら 副トス自 깃발·종이 따위가 바람에 나부끼는 모양: 팔랑팔랑; 팔락팔락; 나풀나풀. ¶旗が風に～する 깃발이 바람에 팔락거리다 / 花びらが～(と)散る 꽃잎이 팔랑팔랑 지다.

ピラフ [pilaf] 图 필래프; 밥에 고기·새우 따위를 넣고 버터로 볶은 음식. ＝ピラウ. ¶えびの～ 새우 필래프.

ひらぶん【平文】 图 평문; 암호문을 쓰지 않은 보통의 통신문(文). ＝へいぶん.

ひらべった-い〖平べったい〗 形〈俗〉 납작하다. ＝ひらぺったい. ¶～箱 납작한 상자 / ～胸 납작한 가슴. 參考 'ひらたい'의 힘줌말.

ひらまく【平幕】 图 横綱나 三役(＝大関·関脇·小結)에 들지 않는 幕内의 씨름꾼.

ピラミッド [pyramid] 图 피라미드; 금자탑. ¶逆～ 역피라미드.

—がた【—形】 图 피라미드형. ¶～人口構造 피라미드형 인구 구조.

—セリング [pyramid selling] 图 피라미드 셀링; 피라미드식 (다단계) 판매. ＝マルチ商法.

ひらむぎ【平麦】 图 납작보리; 압맥(押麦). ↔丸麦.

ひらめ〖平目·鮃·比目魚〗 图〔魚〕 넙치.

ひらめか-す〖閃かす〗 5他 번뜩이다. ＝きらめかす. **1** 번쩍이게 하다. ¶やいばを～ 칼(날)을 번뜩이다. **2** 날카로운 재능의 일단을 잠깐 보이다. ¶才知を～ 재지를 번뜩이다.

ひらめき〖閃き〗 图 번뜩임. **1** 번쩍임. ¶白刃の～ 시퍼런 칼날의 번쩍임. **2** 예리한 두뇌의 움직임; 직감력. ¶天才の～ 천재의 번뜩임 / 話に教養の～を感じさせる 말에 교양의 번뜩임을 느끼게 한다.

ひらめ-く〖閃く〗 5自 **1** 번뜩이다. ㉠번쩍이다. ＝きらめく. ¶いなずまが～ 번

개가 번쩍하다. ㉡뛰어난 재능의 일단이 잠깐 나타나다. ¶才知(さいち)が～ 재치가 번뜩이다. ㉢(좋은 생각 따위가) 문뜩 떠오르다. ¶名案(めいあん)が頭(あたま)に～ (문뜩) 명안이 머릿속에 번뜩이다. **2** (깃발 따위가) 펄럭이다.

ひらや【平屋】《平家》图 단층집. ¶木造(もくぞう)の～作(づく)り 목조로 된 단층집 구조.

—だて【—建て】图 단층집 구조; 또, 그 집.

ひらりと 副 가볍게 펄럭이거나 뒤집히는 모양; 재빠르게 몸을 움직이는 모양: 훌쩍; 날쌔게. ¶～馬(うま)にまたがる 훌쩍 말에 올라타다/～身(み)をかわす 날쌔게[훌쩍] 몸을 비키다.

ひり【非理】图 비리; 도리에 어긋남. ¶～を正(ただ)す 비리를 바로잡다/～をなじる 비리를 힐난하다.

***びり** 图〈俗〉 꼴찌. ＝とんじり·けつ. ¶～から二番目(にばんめ)の成績(せいせき) 꼴찌에서 두 번째 성적/競走(きょうそう)で～になる 경주에서 꼴찌가 되다.

ピリオド [period] 图 피리어드; 종지부; 마침표. ＝終止符(しゅうしふ).

—を打(う)つ 종지부를 찍다; 끝맺다. ¶論争(ろんそう)に～ 논쟁에 종지부를 찍다; 논쟁을 끝내다.

ひりき【非力】图ナ 힘이 약함; 또, 실력이 모자람. ＝ひりょく. ¶～な選手(せんしゅ) 힘이 달리는 선수/技(わざ)はうまいが～の憾(うら)みがある 재주는 좋으나 힘이 모자라는 아쉬움이 있다.

ひりつ【比率】图 비율. ＝比(ひ). ¶交換(こうかん)～ 교환 비율/～が高(たか)い 비율이 높다/～が高(たか)まる 비율이 높아지다.

ひりつ-く 5自 얼얼하다; 따끔따끔하다. ¶舌(した)が～ほど辛(から)いカレー 혀가 얼얼할 정도로 매운 카레/口(くち)の中(なか)が～ 입 안이 얼얼하다/すり傷(きず)が～ 벗겨진 상처가 따끔거리다/のどが～ 목구멍이 따끔따끔하다.

びりっけつ〖びりっ尻〗图 'びり'의 힘줌말. ＝びりけつ.

ぴりっと 副 **1** 매운 것이나 전기 따위의 강한 자극을 받았을 때의 느낌: 짜릿; 찌르르; 얼얼. ¶～した味(あじ) 짜릿한[얼얼한] 맛/舌(した)が～する 혀가 짜릿하다/電気(でんき)が手(て)に～伝(つた)わった 전기가 찌르르 손에 통했다. **2** 태도 등이 의연한 모양. ¶～した人(ひと) 태도가 의연한 사람.

ひりひり 副トス自 몹시 매운맛의 느낌; 바늘에 찔렸을 때와 같은 아픈 느낌: 알알; 얼얼; 뜨끔뜨끔. ¶口(くち)のなかが～する 입 안이 얼얼하다/傷口(きずぐち)が～(と)痛(いた)む 상처가 따끔따끔 아프다.

びりびり 副トス自 **1** 물체가 잘게 진동하는 소리; 또, 그 모양: 드르르. ¶地震(じしん)で窓(まど)ガラスが～する 지진으로 유리창이 드르르 흔들리다[소리를 내다]. **2** 갑자기 전기 따위의 자극을 받았을 때의 저린 듯한 느낌: 찌르르. ¶～しびれてきた 찌르르하고 저려왔다/手(て)に電気(でんき)が～と来(き)た 손에 전기가 찌르르 통했다. **3** 종이나 피륙이 찢어지는 소리: 짝짝; 찍찍. ¶紙(かみ)を～と破(やぶ)る 종이를 찍찍 찢다.

ぴりぴり 副トス自 **1** 몹시 매운 느낌: 얼얼; 알알. ¶口(くち)が～する 입이 얼얼하다. **2** 바늘에 찔렸을 때와 같은 아픈 느낌: 따끔따끔. ¶日(ひ)に焼(や)けて皮膚(ひふ)が～する 햇볕에 타서 살갗이 따끔따끔하다. **3** 몹시 신경이 과민해진 상태·모양. ¶試験(しけん)前(まえ)で～している 시험 전이라서 신경이 과민해져 있다.

ビリヤード [billiards] 图 빌리어드; 당구. ＝玉(たま)つき.

びりゅうし【微粒子】图 미립자.

***ひりょう**【肥料】图 비료. ＝こやし. ¶化学(かがく)～ 화학 비료/～を施(ほどこ)す 비료를 주다.

びりょう【微量】图 미량; 극히 적은 양. ¶～の塩分(えんぶん) 미량의 염분.

ひりょく【非力】图ナ ☞ひりき.

びりょく【微力】图ナ 미력. **1** 힘이 적음; 힘이 모자람; 또, 그 힘. **2** 자기 힘을 낮추어 하는 말. ¶～をつくす 미력을 다하다/～ながらやってみます 미력하나마 해 보겠습니다.

ぴりりと 副 매운 맛이나 자극이 느껴지는 모양: 짜릿; 얼얼. ＝ぴりっと. ¶山椒(さんしょう)は小粒(こつぶ)でも～辛(から)い 산초는 알이 작아도 얼얼하게 맵다.

ひ-る〖放る〗5他 몸 밖으로 내보내다; (오줌·똥을) 배출하다; (방귀를) 뀌다. ¶へを～ 방귀를 뀌다/魚(うお)が卵(たまご)を～·り付(つ)ける 물고기가 알을 슬다.

ひる【干る】《乾る》上1自 **1** 마르다. ＝かわく. ¶のどが～ 목이 마르다. **2** (조수가) 써다. ¶潮(しお)が～ 조수가 써다. ↔満(み)ちる.

ひる【昼】图 **1** 낮. ㉠일출에서 일몰까지. ¶～酒(ざけ) 낮술/～が長(なが)い 낮이 길다. ↔夜(よる). ㉡한낮; 대낮. ＝ひるま. ¶～寝(ね) 낮잠. **2** 《본디 午로도》 정오 (전후 시간). ¶～過(す)ぎ 정오를 (조금) 지남/～前(まえ) 정오 전/ぼつぼつ～になる 그럭저럭 오정 때가 되다. **3** 점심. ＝昼飯(ひるめし). ¶お～ 점심 식사/そろそろ～にしよう 슬슬 점심을 들도록 하자.

—を欺(あざむ)く 대낮 못지 않게 밝다.

ひる〖蛭〗图〖動〗 거머리.

=びる《名詞 따위를 받아 上一段活用動詞를 만듦》…의 상태를 띠다; …인 것처럼 보이다. ¶ふる～ 낡아 보이다/おとな～ 어른 티가 나다/いなか～ 촌티가 나다.

***ビル** [←building] 图 **1** 'ビルディング(＝빌딩)'의 준말. ¶～街(がい) 빌딩가/高層(こうそう)～ 고층 빌딩/八階建(はっかいだ)ての～ 8층 빌딩/～が立(た)ち並(なら)ぶ 빌딩이 즐비하다. **2** 지음; 만듦. ¶マネー～ 돈을 늘림; 이식(利殖)/ボディー～ 보디빌딩.

ビル [bill] 图 빌. **1** 계산서; 청구서. ＝かきつけ. **2** 어음. ＝手形(てがた). ¶～ブロー

カー 빌 브로커; 어음 브로커〔중개인〕.

ひるあんどん【昼あんどん】《昼行灯》图 멍청한 사람이나 있어도 쓸모없는 사람을 조롱하여 일컫는 말.

ひるい【比類】图 비류; 서로 비교할 만한 물건. =たぐい. ¶~なき才能(さいのう) 비할 데가 없는 재능/~ない 비할 데 없다/他(ほか)に~を見(み)ない 달리 유례를 볼 수 없다.

ひるがえ-す【翻す】5他 **1** 뒤집다; 번드치다; 번복하다. ¶手(て)のひらを~ 손바닥을 뒤집다/前言(ぜんげん)を~ 앞서의 말을 번복하다/心(こころ)を~ 마음을 번드치다〔바꾸다〕/さっと身(み)を~·して去(さ)る 몸을 획 돌려 사라지다. **2** (깃발 따위를) 나부끼게 하다; 휘날리다. ¶旗(はた)を~ 깃발을 휘날리다/反旗(はんき)を~ 반기를 들다. 可能ひるがえ-せる 下1自

ひるがえって〖翻って〗副 반대 또는 다른 입장에서; 반대로; 돌이켜. ¶~考(かんが)えれば 한편 돌이켜 생각하면.

ひるがえ-る【翻る】5自 **1** 뒤집히다; 갑자기 바뀌다. ¶心(こころ)が~ 마음이 바뀌다. **2** 번드쳐 뛰어오르다. **3** 나부끼다; 휘날리다. ¶旗(はた)が~ 깃발이 나부끼다.

ひるがお〖昼顔〗图〔植〕메; 메꽃.

ひるさがり【昼下がり】图 정오를 조금 지났을 무렵《오후 2시경》. ¶~のうだるような暑(あつ)さ 오후〔한낮〕의 찌는 듯한 더위.

ひるすぎ【昼過ぎ】图 **1** 정오가 조금 지났을 무렵. **2** 오후. ↔昼前(ひるまえ).

ビルディング [building] 图 빌딩. =ビル.

ビルトイン [built-in] 图 빌트인; (건물·기계 따위에) 붙박이로 짜 넣음; 부착시킴. ¶セルフタイマー~ 자동 셔터 장치가 내장되어 있는 (사진기).

ひるどき【昼時】图 **1** 정오경〔쯤〕. **2** 점심때. =お昼時(ひるどき).

ひるなか【昼中】图 **1** 낮(동안). =ひるま. ↔夜中(よなか). **2** 한낮. =まひる.

***ひるね**【昼寝】图ス自 낮잠. =午睡(ごすい). ¶寝転(ねころ)んで~をする 아무렇게나 누워 낮잠을 자다/庭(にわ)の木陰(こかげ)で~する 뜰의 나무 그늘에서 낮잠 자다.

ひるひなか【昼日中】图 대낮; 한낮. =ひるま·まっぴるま. ¶殺人(さつじん)は~に行(おこな)われた 살인은 대낮에 일어났다. ↔夜夜中(よるよなか).

****ひるま**【昼間】图 주간; 낮(동안). =日中(ひなか·にっちゅう). ¶~から酒(さけ)を飲(の)む 대낮부터 술을 마시다.

ひるまえ【昼前】图 정오(正午) 조금 전; 오전(중). ¶~に仕事(しごと)をおえる 오전중에 일을 마치다.

ひる-む〖怯む〗5自 기가 죽다〔꺾이다〕; 질리다. =たじろぐ. ¶敵(てき)の大軍(たいぐん)をみて~ 적의 대군을 보고 기가 죽다/出(で)ばなをたたかれて, ちょっと~ 첫고등에 얻어맞고 기가 좀 꺾이다. ↔勇(いさ)む.

***ひるめし**【昼飯】图 점심. ¶~をすませる 점심을 끝내다. ↔朝飯(あさめし)·晩飯(ばんめし).

ひるやすみ【昼休み】图 **1** 점심 후의 휴식 (시간). **2** 낮잠. =ひるね.

ひれ〖鰭〗图 **1** 지느러미. ¶せびれ 등지느러미/むなびれ 가슴지느러미/尾(お)~ 꼬리지느러미. **2** (요리에서) 지느러미의 살.

――を付(つ)ける 과장하다.

ヒレ [프 filet] 图 필레; 소나 돼지 따위의 등심살. ¶~肉(にく) 등심/~カツ 필레 커틀릿.

***ひれい**【比例】图ス自 비례; 균형 잡힘. ¶~が取(と)れている (미술에서) 균형이 잘 잡혀 있다/物価(ぶっか)上昇(じょうしょう)に~して人件費(じんけんひ)もあがる 물가 상승에 비례해서 인건비도 오른다.

――だいひょうせい【――代表制】图 비례 대표제.

――はいぶん【――配分】图ス他〔數〕비례 배분. =按分比例(あんぶんひれい).

ひれい【非礼】图 비례; 실례; 무례. =無礼(ぶれい). ¶~をわびる 무례를 사과하다.

びれい【美麗】图ナ 미려; 아름답고 고움. ¶~に見(み)える 미려하게 보이다/~な装丁(そうてい)の本(ほん) 미려한 장정으로 된 책.

ひれき〔披瀝〕图ス他 피력. ¶胸中(きょうちゅう)〔真情(しんじょう)〕を~する 속마음〔진심〕을 피력하다.

ひれざけ【ひれ酒】《鰭酒》图 복어·도미 따위의 지느러미를 불에 그슬어, 데운 술에 넣은 것《향미가 있음》.

***ひれつ**【卑劣】《鄙劣》图ナ 비열. ¶~な根性(こんじょう) 비열한 근성/~きわまりない 비열하기 짝이 없다/~な手段(しゅだん)で人(ひと)を陥(おとしい)れる 비열한 수단으로 남을 구렁에 빠뜨리다〔모함하다〕.

ひれふ-す【ひれ伏す】《平伏す》5自 부복하다; 넙죽 엎드리다. =平伏(へいふく)する. ¶足元(あしもと)に~·して許(ゆる)しを請(こ)う 발밑에 넙죽 엎드려 용서를 빌다.

ひれん【悲恋】图 비련. ¶~に泣(な)く 비련에 울다/~の物語(ものがたり) 비련 이야기/二人(ふたり)の仲(なか)は~におわった 두 사람 사이는 비련으로 끝났다.

ひろ〖尋〗图 수심이나 새끼줄 등의 길이의 단위《약 1.8m》; 길; 발. ¶水(みず)の深(ふか)さが十(じゅう)~ある 수심이 열 길이다.

****ひろ-い**【広い】形 넓다. **1** (면적·폭이) 넓다. ¶~部屋(へや) 넓은 방/庭(にわ)が~ 마당이 넓다/肩身(かたみ)が~ 어깨가 으쓱거리다; 긍지를 느끼다/肩幅(かたはば)が~ 어깨통이 넓다. **2**《본디 博い로도》(범위가) 넓다; 크다; 많다. ¶~視野(しや)〔範囲(はんい)〕 넓은 시야〔범위〕/見識(けんしき)〔見聞(けんぶん)〕が~ 견식〔견문〕이 넓다/顔(かお)が~ 얼굴이 넓다《안면이 많다; 교제가 넓다》/~·く門戸(もんこ)を開放(かいほう)する 널리 문호를 개방하다. **3**《본디 寛い로도》(마음이) 너그럽다; 너글너글하다. ¶度量(どりょう)〔こころ〕が~ 도량〔아량〕이 넓다〔크다〕. ⇔狭(せま)い.

ひろいあ-げる【拾い上げる】下1他 **1** 주워 올리다; 줍다. ¶ボールを~ 볼을 줍다. **2** 발탁하다. ¶二軍(にぐん)から~ 이군에서 발탁하다/失業(しつぎょう)してぶらぶらしていたときに~·げてもらった 실직해

서 빈둥거릴 때 발탁되었다.

ヒロイズム [heroism] 图 헤로이즘; 영웅(숭배)주의.

ひろいもの【拾い物】图 **1** 줍는 일; 또, 주운 물건. **2** 뜻밖의 수확; 횡재. ¶~をする (a)물건을 습득하다; (b)뜻밖의 횡재를 하다/とんだ〔思わぬ〕~だ 뜻밖의 횡재다.

ひろいよみ【拾い読み】图 ス他 **1** 여기저기 골라서 읽음. ¶~で大意をつかむ 띄엄띄엄 읽어서 대의를 파악하다/おもしろそうな所だけ~(を)する 재미있을 듯한 곳만 골라서 읽다. **2** 한 자 한 자 더듬어 읽음.

ヒロイン [heroine] 图 헤로인. **1** (소설 따위의) 여주인공. ¶悲劇の~ 비극의 여주인공. **2** 어떤 사건 또는 활동의 중심 인물《여성》. ⇔ヒーロー.

***ひろ-う**【拾う】5他 **1** (떨어진 것을) 줍다. ¶財布を~ 돈지갑을 줍다/道ばたで万年筆を~ 길바닥에서 만년필을 줍다. ↔捨てる. **2** 골라내다. ㉠(많은 중에서) 뽑아내다. ¶活字を~ 활자를 뽑다; 채자(採字)하다. ㉡골라 취하다. ¶長所を~ 장점을 취하다. **3** 등용하다. =引き立てる. ¶社長に~·われる 사장에게 발탁되어 직을 얻다. **4** (위험에서) 간신히 건지다. ¶命を~ 목숨을 건지다. ↔捨てる. **5** (예기치 않은 것을) 얻다; 손에 넣다. ¶勝ちを~ (뜻밖의) 승리를 거두다. **6** 차를 세워 타거나 태우다. ¶タクシーを~ 택시를 잡아타다/客を~ 손님을 태우다. 可能ひろ-える 下1自

ひろう【披露】图 ス他 피로. **1** 사람들에게 널리 알림. ¶結婚~ 결혼 피로/~宴 피로연/料理の腕前を~する 요리 솜씨를 피로하다. **2** (문서 따위를) 펴 보임.

***ひろう**【疲労】图 ス自 **1** 피로. ¶~が重なる〔たまる〕 피로가 겹치다〔쌓이다〕. **2** 비유적으로, 지나친 사용으로 그 부분의 재질(材質) 따위가 약해지는 일. ¶金属~ 금속 피로. 「기진맥진.

——こんぱい [——困憊] 图 ス自 피로곤비;

びろう〚尾籠〛ダナ 배설(排泄) 등에 관한 이야기로 말하기를 꺼리는 모양: 더러움; 지저분함. ¶~な話であるが 지저분한 얘기지만. 注意 'おこ'의 취음자 '尾籠'의 음독.

ビロード [포 veludo] 图 비로드; 우단; 벨벳. =ベルベット.

***ひろが-る**【広がる】《拡がる》5自 **1** (면적이) 넓어지다. ¶道幅が~ 노폭이 넓어지다. **2** 넓은 범위에 미치다. ㉠퍼지다; 번지다; 만연되다. ¶できものが~ 종기가 번지다/火事が~ 화재가 번지다/うわさが~ 소문이 퍼지다/伝染病が~ 전염병이 만연되다. ㉡규모가 커지다; 확대〔확장〕되다. ¶事業がますます~ 사업이 점점 확장되다. **3** 펼쳐지다. ㉠전개되다. ¶すばらしいけしきが眼下に~ 멋진 경치가 눈아래에 펼쳐지다. ㉡벌어지다. ¶先が~ 끝이 벌어지다/スカートが~ 스커트가 벌어지다. ↔せばまる. 可能ひろが-れる 下1自

ひろく【秘録】图 비록. ¶~を公開する 비록을 공개하다.

***ひろ-げる**【広げる】《拡げる》下1他 **1** 《본디 展げる로도》 펴다; 펼치다; 벌리다. ¶本を~ 책을 펴다/包みを~ 보따리를 풀다/新聞を~·げて読む 신문을 펴서 읽다/両手を~ 양손을 벌리다. **2** 넓히다; 확장하다. ㉠(면적을) 넓히다. ¶道を~ 길을 넓히다/領土を~ 영토를 넓히다. ㉡규모·범위를 크게 하다. ¶店を~ (a)가게를 넓히다〔늘리다〕; (b)가게를 벌여 놓다/事業を~ 사업을 확장하다/視野を~ 시야를 넓히다/選択の幅を~ 선택의 폭을 넓히다. **3** 온통 늘어〔벌여〕놓다. ¶部屋いっぱいに本を~ 온 방 안에 책을 벌여 놓다.

ひろこうじ【広小路】图 노폭이 넓은 가로(街路); 큰길. ↔小路.

ひろさ【広さ】图 넓이. ¶土地の~ 땅의 넓이/学識の~ 폭넓은 학식/~が広い 넓이가 크다. ↔せまさ.

ひろしま【広島】图〖地〗일본 中国 지방 중부의 현; 또, 그 현청 소재지.

ひろっぱ【広っぱ】图〈俗〉(집 밖에 있는) 넓은 공터. ¶子供が~で遊んでいる 아이들이 공터에서 놀고 있다.

ひろの【広野】图 광야; 넓은 들판. =こうや. ¶雪にうずもれた~ 눈에 덮인 광야.

***ひろば**【広場】图 광장; 넓은 장소; 비유적으로, 의사 소통이 가능한 곳. ¶駅前~ 역전 광장/共通の~ 공통의 광장/話し合いの~ 대화의 광장.

ひろはば【広幅】《広巾》图 광폭; 너비가 보통 것보다 2배 되는 옷감《약 72cm 정도》. ¶~の生地 광폭의 옷감. =大幅. ↔なみ幅.

ひろびろ【広広】トス自 널찍한 모양. ¶~(と)した庭園 널찍한 정원.

ヒロポン [일 Philopon] 图〖商標名〗필로폰; 히로뽕《각성제의 하나》. =ポン.

ひろま【広間】图 (회합 등을 위한) 큰 방. ¶大~ 큰 집회장; 홀.

***ひろま-る**【広まる】《弘まる》5自 **1** 넓어지다. ¶知識〔範囲〕が~ 지식이〔범위가〕 넓어지다. ↔狭まる. **2** 널리 퍼지다; 널리 알려지다〔보급되다〕. ¶火事が~ 화재가 번지다/うわさが~ 소문이 퍼지다/仏教が~ 불교가 널리 퍼지다〔전파되다〕.

***ひろ-める**【広める】下1他 **1** 넓히다. =広げる. ¶見聞を~ 견문을 넓히다. **2** 널리 퍼지게 하다. ㉠보급시키다. ¶キリスト教〔仏教〕を~ 기독교〔불교〕를 널리 퍼뜨리다. ㉡선전하다; 광고하다. ¶新製品を世に~ 신제품을 세상에 선전하다. ㉢(명성 따위를) 떨치

다. ¶名(な)を～ 이름을 떨치다.

ひろやか【広やか】[ダナ] 널찍한 모양. ¶～な座敷(ざしき) 널찍한 다다미방.

ひわ【秘話】[名] 비화. ¶政界(せいかい)の～ 정계의 비화 / 大戦(たいせん)～ 대전 비화.

ひわ【悲話】[名] 비화; 슬픈 이야기. ¶タイタニック号(ごう)の～ 타이태닉호의 비화.

びわ〖琵琶〗[名]〔楽〕 비파《동양의 현악기의 하나》. ¶～をひく 비파를 타다.

じゅう(柱) てんじゅ(転手) はんげつ(半月) ばち(撥) ふくしゅ(覆手)
[琵琶]

ひわい[卑猥·鄙猥][名ナ] 〈文〉 비외; 야비하고 외설스러움. ¶～な話(はなし)をする 추잡한 이야기를 하다.

ひわだ〖檜皮〗[名] **1** 노송나무 껍질. **2** 'ひわだぶき'의 준말.

—ぶき〖—葺き〗[名] 노송나무 껍질로 지붕을 임; 또, 그 지붕.

ひわり【日割り】[名] **1** (급료 등의) 일당. ¶～計算(けいさん) 일당 계산 / 報酬(ほうしゅう)を～でもらう 보수를 일당으로 받다. **2** 그날그날에 할 일들을 사전에 할당함; 또, 그 일; 일정(日程). ¶作業(さぎょう)〔工事(こうじ)〕の～ 작업〔공사〕 일정.

ひわれ【干割れ】[名] 건조한 탓으로 재목이나 땅이 갈라지는 일. ¶日照(ひで)りで, 田(た)に～ができる 가뭄으로 논바닥이 갈라지다.

ひわ-れる【干割れる】[下1自] 너무 말라서 터지다〔갈라지다〕; 금이 가다. ¶柱(はしら)が～ 기둥이 말라서 갈라지다 / 田(た)が～ 논바닥이 말라서 갈라지다.

ひん【品】[一][名] (그 사물·사람에게) 갖추어진 성질; 품질; 품위; 품격; 기품. ¶～がある人(ひと) 품위 있는 사람 / ～がない話(はなし) 품위 없는〔상스러운〕 이야기. [二][接尾] …품; 물건; 상품. ¶食料(しょくりょう)～ 식료품 / 輸出(ゆしゅつ)～ 수출품.

ひん=〖引ん〗 뒤에 오는 말의 의미나 어세(語勢)를 강하게 하는 말. ¶～曲(ま)げる 세게 꾸부리다; 비틀다 / ～剝(む)く 홀랑 벗기다.

ひん〖品〗[教3] ヒン ホン しな | 품 물건 | 품. **1** 물건. ¶品名(ひんめい) 품명 / 部品(ぶひん) 부품. **2** 등급을〔종류를〕 정하다. ¶品種(ひんしゅ) 품종 / 品評(ひんぴょう) 품평. **3** 갖추어진 값어치. ¶品位(ひんい) 품위 / 気品(きひん) 기품.

ひん〖浜〗《濱》[常用] ヒン はま | 빈 물가 | 물가; 해변. ¶海浜(かいひん) 해빈 / 浜辺(はまべ) 해변.

ひん〖貧〗[教5] ヒン ビン まずしい | 빈 가난하다 | **1** 가난함. ¶貧窮(ひんきゅう) 빈궁 / 清貧(せいひん) 청빈. ↔富(ふ). **2** 결핍; 부족. ¶貧血(ひんけつ) 빈혈 / 貧弱(ひんじゃく) 빈약.

ひん〖賓〗《賓》[常用] ヒン | 빈 손님 | **1** 귀한 손님. ¶賓客(ひんきゃく) 빈객 / 来賓(らいひん) 내빈. **2** 주된 것에 대립되는 것. ¶賓辞(ひんじ) 빈사.

ひん〖頻〗《頻》[常用] ヒン しきり | 빈 자주 | 빈번히 하다; 자주. ¶頻発(ひんぱつ) 빈발 / 頻繁(ひんぱん) 빈번 / 頻出(ひんしゅつ) 빈출.

びん【便】[名] **1** 우편. **2** (편지나 짐·사람 등을) 나름; 나르는 수단. ¶バスの～がある 버스 편이 있다. **3** 좋은 기회〔계제〕. ¶～のあり次第(しだい)送(おく)る 형편이 닿는 대로 〔좋은 기회가 있을 때에〕 보내다.

*__びん__【瓶】《罎》[名] 병. ¶～の口(くち) 병(의) 주둥이 / ガラス～ 유리병 / ビール～ 맥주병 / ～に詰(つ)める 병에 담다 / ～が割(わ)れる 병이 깨지다. [注意] 술을 담는 것은 '罎'으로도 썼음.

びん〖鬢〗[名] 빈모(鬢毛); 살쩍. ¶～のほつれ 살쩍의 흐트러짐.

=びん【便】 우편; 운송; …편. ¶速達(そくたつ)～ 속달편 / 鉄道(てつどう)～ 철도편 / 急行(きゅうこう)～ 급행편 / 定期(ていき)～ 정기편.

びん〖敏〗《敏》[常用] ビン すばやい さとい とし | 민 민첩하다 | 재빠르다. ¶敏捷(びんしょう) 민첩 / 鋭敏(えいびん) 예민. ↔鈍(どん).

びん〖瓶〗《甁》[常用] ビン ビョウ ヘイ かめ | 병 병 | 단지; 병. ¶花瓶(かびん) 화병; 꽃병 / 魔法瓶(まほうびん) 보온병.

*__ピン__[pin][名] 핀. **1** 바늘. ¶安全(あんぜん)～ 안전핀 / 虫(むし)～ 곤충 표본을 꽂는 핀 / ～で留(と)める 핀으로 고정시키다 / …から～を抜(ぬ)く …에서 핀을 뽑다. **2** (볼링의) 핀. **3** 'ヘアピン'의 준말. **4** (골프에서) 홀에 세우는 푯대.

—アップ [미 pin-up][名] 핀업; (벽에 핀으로 꽂아놓은) 인기 있는 미인의 사진. =ピンナップ. ¶～ガール 핀업걸; 미인.

—ホール [pinhole][名] 핀홀; 바늘구멍. ¶～カメラ 핀홀 카메라.

ピン [名] **1** 카드·주사위 눈의 '1'의 수. **2** 첫째(가는 것). ↔キリ. [参考] 포르투갈어 pinta의 뜻.

—からキリまで 처음부터 끝까지; 가장 우수한 것으로부터 가장 열등한 것까지. ¶舶来品(はくらいひん)といっても～ある 외래품이라 해도 최고급에서 최하급의 것까지 있다.

—をはねる 남에게 넘겨주어야 할 금품의 일부를 가로채다; 삥땅(을) 치다.

ひんい【品位】[名] 품위. **1** 그 사람〔물건〕이 지니고 있는 뛰어난 느낌이나 모양. =ひん. ¶～を保(たも)つ 품위를 지키다 / ～を落(お)とす 품위를 떨어뜨리다. **2** 주조 화폐에 함유되어 있는 금 또는 은의 비율. ¶高(こう)～の金貨(きんか) 고품위의 금화. **3** 광석에 함유된 금속의 비율. ¶～の高(たか)い鉱石(こうせき) 품위가 높은 광석.

ひんかく【品格】[名] 품격; 품위; 기품. ¶～が下(さ)がる 품격이 떨어지다 / ～を保(たも)つ 품격을 유지하다.

ひんかく【賓客】[名] ☞ひんきゃく.

ひんかく【賓格】[名]〔文法〕 빈격; 목적

격. ↔主格しゅかく.
びんかつ【敏活】名ダナ 민활. ¶ ~な動作どうさ 민활한 동작 / ~に仕事しごとをすすめる 민활하게 일을 진행시키다.
***びんかん**【敏感】名ダナ 민감. ¶ ~な人ひと 민감한 사람 / とても~な年としごろ 한창 민감한 나이 / ~に反応はんのうする 민감하게 반응하다 / 寒さむさに対たいして~だ 추위에 대해서 민감하다. ↔鈍感どんかん.
ひんきゃく【賓客】名 빈객; 귀한 손님. =ひんかく.
ひんきゅう【貧窮】名ス自 빈궁; 빈곤. =貧困ひんこん. ¶ ~している 빈곤하게 살다 / ~にあえぐ 빈궁에 허덕이다.
ひんく【貧苦】名 빈고; 빈궁. ¶ ~のどん底ぞこ 빈궁의 밑바닥 / ~にめげず節せつを守まもる 빈궁에도 굴하지 않고 절의(節義)를 지키다.
ピンク [pink] 名 핑크(빛). **1** 분홍빛; 담홍색. ¶ ~のブラウス 분홍 블라우스. **2** 〈俗〉 색정적임. ¶ ~ムード 핑크 무드 / ~映画えいが 도색 영화.
―カラ [일 pink+collar] 名 핑크칼라; 여(女)사무원. 參考 '화이트칼라' '블루칼라'에 빗대어서 만든 말.
ひんけつ【貧血】名ス自 빈혈. ¶ 脳のう~ 뇌빈혈 / ~をおこす 빈혈을 일으키다 / ~でたおれる 빈혈로 쓰러지다.
―しょう【―症】名 빈혈증.
ひんこう【品行】名 품행. =身持みもち. ¶ ~をつつしむ〔改あらためる〕 품행을 조심하다〔바르게 하다〕.
―ほうせい【―方正】名ダナ 품행 방정. ¶ ~な青年せいねん 품행 방정한 청년.
ひんこう【貧鉱】名 빈광. **1** 품위가 낮은 광석을 내는 광산; 또, 그 광석. **2** 산출량이 적은 광산. ⇔富鉱ふこう.
ひんこん【貧困】名 빈곤. ¶ ~な家庭かてい 빈곤한 가정 / ~に耐たえる 빈곤을 참고 견디다 / ~とたたかう 빈곤과 싸우다.
ひんし【品詞】名 〖文法〗 품사. ¶ ~の転成てんせい 품사의 전성.
ひんし [瀕死] 名 빈사. ¶ ~の重傷じゅうしょう 빈사의 중상 / ~の状態じょうたい 빈사 상태.
ひんしつ【品質】名 품질. =しながら. ¶ ~保証付ほしょうつき 품질 보증이 붙음 / ~が劣おとる 품질이 떨어지다 / ~を高たかめる 품질을 높이다.
―かんり【―管理】名 품질 관리《QC》.
ひんじゃ【貧者】名 빈자. =びんぼうにん. ↔富者ふしゃ.
―の一灯いっとう 빈자의 일등《물질의 다과보다 정성이 소중하다는 비유》. ¶ 長者ちょうじゃの万灯まんとうより~ 장자의 만등보다 빈자의 일등이 더 귀하다.
***ひんじゃく**【貧弱】名ダナ 빈약. **1** 작거나 볼품이 없는 모양. ¶ ~な校舎こうしゃ 빈약한 교사 / ~な体からだ 빈약한 몸 / 見みるからに~な男おとこ 언뜻 보기에 빈약한 남자. **2** 적음; 모자람. ¶ ~な知識ちしき 빈약한 지식. ↔豊富ほうふ.
ぴんしゃん 副ス自 《흔히 'と'를 수반해》 **1** 원기가 정정한 모양. ¶ まだ~(と)している 아직 기운이 정정하다. **2** 남에게 매몰찬 행동을 취하는 모양. ¶ ~(と)した語気ごき 쌀쌀한 말투.
ひんしゅ【品種】名 품종. ¶ 新あたらしい~ 새로운 품종 / ~改良かいりょう 품종 개량.
ひんしゅく [顰蹙] 名ス自 빈축.
―を買かう 빈축을 사다. ¶ 世人せじんの~ 세인의 빈축을 사다.
ひんしゅつ【頻出】名ス自 빈출; 자주 나타남〔일어남〕. ¶ ~度ど 빈출도 / ~漢字かんじ 자주 쓰이는 한자 / 入試にゅうしに~する問題もんだい 입시에 자주 나오는 문제 / 事故じこが~する 사고가 빈발하다.
びんしょう [敏捷] 名ダナ 민첩. ¶ ~な動作どうさ 민첩한 동작 / ~に乗のり移うつる 민첩하게 옮겨 타다. ↔鈍重どんじゅう.
びんしょう [憫笑] 名ス他 민소; 가엾게 여겨서 웃음. ¶ ~を買かう 민소를 사다.
びんじょう【便乗】名ス自 편승. **1** 남의 차에 같이 탐. ¶ 友人ゆうじんの車くるまに~する 친구 차에 편승하다. **2** 좋은 기회를 잡아 이용함. ¶ ~値上ねあげ 덩달아 값을 올림; 편승 가격 인상 / 時流じりゅうに~する 시류에 편승하다.
ヒンズーきょう【ヒンズー教】名 힌두교; 인도교. ▷Hindu.
ひん-する【貧する】サ変自 가난해지다.
―すれば鈍どんする 가난해지면 아둔해지고 품성마저 떨어지게 된다.
ひん-する [瀕する] サ変自 절박한 형편에 처하다. ¶ 死しに~ 죽을 지경에 이르다 / 危機ききに~ 위기에 직면하다.
ひんせい【品性】名 품성. ¶ ~を養やしなう 품성을 배양하다 / ~が下劣げれつである 품성이 비열하다 / そんな事ことを言いうと~を疑うたがわれる 그런 말을 하면 품성을 의심받는다.
ひんせい [稟性] 名 품성; 천성. =てんせい. ¶ ~のりっぱな人ひと 품성이 훌륭한 사람.
ピンセット [pincette] 名 핀셋. ¶ ~ではさむ 핀셋으로 집다.
ひんせん [貧賤] 名ナ 빈천. ¶ ~の徒と 빈천한 무리. ↔富貴ふうき.
びんせん【便船】名 때마침 타고 갈 수 있는 배; 배편. ¶ ~を待まつ 배편을 기다리다 / ~を得える 마침 떠나는 배를 얻어 타다.
びんせん [便箋] 名 편전지; 편지지. =レターペーパー.
ひんそう【貧相】名 빈상; 궁해 보이는 용모〔모양〕. ¶ ~な顔かお 궁상스러운 얼굴 / ~な身みなり 초라한 옷차림. ↔福相ふくそう.
びんそく【敏速】名ダナ 민속; 민첩하고 빠름. =敏捷びんしょう. ¶ ~な行動こうどう 민속한 행동 / ~に処理しょりする 민속하게 처리하다. ↔遅鈍ちどん.
ひんそん【貧村】名 빈촌; 가난한 동네〔마을〕.
ひんだ【貧打】名 〖野〗 빈타; 빈약한 타격. ¶ ~戦せん 빈타전.
びんた 名 **1** 살쩍이 있는 곳. **2** 남의 따귀

를 침. ¶～を食わす〔張る〕 따귀를 때리다. 参考 'ぴんた'라고도 함.

ピンチ [pinch] 名 핀치; 위기. ＝苦境. ¶～に強い 위기에 강하다 / 絶体絶命の～ 절체절명의 위기 / ～を切り抜ける〔脱する〕 위기를 헤쳐 나가다〔벗어나다〕/ ～に陥る 위기에 빠지다 / ～に追い込まれる 핀치에 몰리다.

—ヒッター [pinch hitter] 名 핀치 히터. **1** 〔野〕 대(代)타자. ¶～を立てる 핀치히터를 내세우다. **2** 절박한 때에 남을 대신해 그 일을 맡아 하는 사람.

—ランナー [pinch runner] 名 〔野〕 핀치 러너; 대주자(代走者).

びんづめ【瓶詰め】《壜詰め》 名 병조림; 병에 담음; 또, 그것. ¶～のジャム 병에 담은 잼 / ～にする 병에 담다 / ～で売る 병에 넣어서 팔다.

ヒント [hint] 名 힌트. ¶～を与える〔得る〕 힌트를 주다〔얻다〕.

ひんど【頻度】名 빈도. ¶～数 빈도수 / ～が高い 빈도가 높다.

ぴんと 副 **1** 물건이 세차게 또는 급히 뛰어오르는 모양: 쑥. ¶メーターの針が～あがる 미터 바늘이 쑥 올라가다. **2** 잔뜩 켕기는 모양: 팽팽히; 바짝; 쭉. ¶綱を～張る 밧줄을 팽팽히 당기다 / 背筋を～伸ばす 등을 쭉 펴다. **3** 직감적으로 곧 느끼는〔깨닫는〕 모양: 즉각. ¶～来る 직감적으로 알아차리다; 단박에 깨닫다 / 鈍感で～こない 둔감해서 얼른 이해가 안되다.

ピント [←네 brandpunt] 名 핀트. **1** (렌즈의) 초점. ¶～グラス 핀트 글라스; (카메라의) 초점경 / ～が甘い 핀트가 약간 안 맞다 / ～が合わない 핀트가 안 맞다 / ～を合わす 핀트를 맞추다. **2** 사물의 중심이나 요점. ¶～がぼける 초점이 흐려지다; 요점이 분명찮다.

—はずれ【—外れ】名 **1** 〔寫〕 핀트가〔초점이〕 맞지 않음. ＝ピンぼけ. **2** 요점에서 벗어남. ＝的外れ. ¶～の答え 요점에서 벗어난 답; 동문서답.

ひんとう【品等】名 품등. ¶～別 품등별 / ～によって値段をつける 품등에 따라서 값을 매기다.

ピンナップ [pinup] 名 ☞ピンアップ.

ひんぬ-く【ひん抜く】5他 〈俗〉 세게 잡아 뽑다.

ひんのう【貧農】名 빈농. ¶～の生活 빈농의 생활. ↔富農·豪農.

ひんぱつ【頻発】名ス自 빈발. ＝続発. ¶交通事故が～する 교통사고가 빈발하다.

ピンはね 名ス自他 전달할 돈이나 물건의 일부를 (몰래) 가로챔; 삥땅. ¶報酬を～する 남의 보수 일부를 떼어먹다〔삥땅치다〕. ⇒ピンをはねる.

***ひんぱん**【頻繁】名ダナ 빈번; 잦음. ¶～な人出入り 빈번한 사람의 출입 / ～に船が出る 빈번하게 배가 떠나다.

ひんぴょう【品評】名ス他 품평. ＝しなさだめ. ¶～会 품평회.

ひんぴん【頻頻】トタル 빈빈; 빈번함; 아주 잦음. ¶～と火事が起こる 빈번히 불이 나다 / 不祥事が～と発生する 불상사가 빈번히 발생하다.

ぴんぴん 副ス自 **1** 힘있게 뛰는 모양: 팔팔; 펄떡펄떡. ¶魚が～とはねまわる 물고기가 펄떡펄떡 뛰다. **2** 원기 왕성한 모양; 기력이 정정한 모양: 씽씽. ¶年はとっても～している 나이는 많이 들었지만 정정하다 / 病気どころか～している 아프기는커녕 팔팔하다.

ひんぷ【貧富】名 빈부. ¶～の差がはげしい 빈부의 차가 심하다.

‡びんぼう【貧乏】名ナ ス自 빈핍; 가난함. ¶～な人〔家庭〕 가난한 사람〔가정〕/ ～な暮らし 가난한 살림 / いつも～している 늘 가난하다.

—暇なし 가난 때문에 먹고 살기에 바쁘다.

—がみ【—神】名 가난을 가져온다는 신. ¶～にとりつかれる 가난 귀신에 들리다.

—くじ〖—籤〗名 가장 손해 보는 역할〔제비〕; 불운. ¶～をひく (a)불리한 제비를 뽑다; (b)불리한 일을 맡다; 억지로 책임을 떠맡다.

—しょう【—性】名 궁상맞은 성질; 궁기. ¶～が抜けない 궁상에서 벗어나지 못하다.

—にん【—人】名 가난한 사람; 가난뱅이. ¶～の子沢山 가난한 사람에게〔집에〕 자식이 많다.

—ゆすり【—揺すり】名ス自 좌정하지 못하고 무릎을 치신없이〔방정맞게〕 떠는 일. ＝貧乏ゆるぎ. ¶～は, はためいわくだ 무릎을 치신없이 떠는 것은 옆 사람에게 폐가 된다.

ピンぼけ 名ス自 〈俗〉 〔寫〕 핀트가 맞지 않아 화상이 흐려짐; 전하여, 핵심〔요점〕에서 벗어남. ¶～になる 초점이 흐려지다 / ～の写真 핀트가 맞지 않아 부옇게 된 사진 / ～の質問 핵심을 벗어난 질문 / ～の答えをする 엉뚱한 대답을 하다.

ピンポン [ping-pong] 名 핑퐁; 탁구. ＝テーブルテニス·卓球. ¶～台 탁구대 / ～球 탁구공 / 友だちと～をする 친구들과 탁구를 하다.

ひんま-げる【ひん曲げる】下1他 〈俗〉 몹시 굽게 하다; 전하여, 사실 등을 왜곡하다. ¶真実を～·げて伝える 진실을 왜곡해서 전하다.

ひんみん【貧民】名 빈민. ＝細民. ¶～街 빈민가 / ～を救済する 빈민을 구제하다. ↔富民.

—くつ〔—窟〕名 빈민굴. ＝スラム街.

ひんめい【品名】名 품명. ¶～を表示する 품명을 표시하다.

ひんもく【品目】名 품목. ¶輸出品の～ 수출품의 품목.

ひんやり 副ス自 찬 기운을 느끼는 모양: 썰렁; 선뜩. ¶～(と)した高原の

空気 썰렁한 고원의 공기.

びんらん【便覧】名 ☞べんらん.

びんらん[紊乱] 名ス自他 문란. ¶風紀～ 풍기 문란/～した綱紀を正す 문란한 기강을 바로잡다. 注意 바르게는 'ぶんらん'.

びんわん【敏腕】名ナ 민완. =うできき. ¶～家 민완가/～(の)刑事 민완 형사/～をふるう 민완을 떨치다〔발휘하다〕. ↔鈍腕.

ふ フ

1五十音図 'は行'의 셋째 음. [fu] 2〖字源〗'不'의 초서체《かたかな 'フ'는 '不'의 생략》.

ふ[二] 名 둘《수를 셀 때만 쓰임》. =ふう. ¶ひ, ～, み 하나 둘 셋.

ふ【府】名 부. 1중심이 되는 곳. ¶学問の～ 대학/行政の～ 행정부/良識の～ 참의원. 2 都·道·県과 함께 지방 공공 단체의 하나《大阪·京都의 두 府가 있음》.

ふ[斑] 名 얼룩; 반점. =まだら·ぶち. ¶黒い～がある 검은 얼룩이 있다/～の入った葉 점박이 잎.

ふ【歩】名 일본 장기 말의 하나《졸(卒)에 해당함》. ¶～を取る 졸을 따다/～を突く 졸을 전진시키다. 参考 '歩兵(=졸병)'의 준말.

ふ[腑] 名 내장. =はらわた. ¶胃の～ 위장/～の抜けた人 쓸개 빠진 사람. ⇨ふにおちない.

ふ[訃] 名 부고; 부음. ¶恩師の～に接する 은사의 부음에 접하다.

ふ【譜】名 악보. ¶～を読む 악보를 읽다.

ふ【負】名〖數·電〗음; 음수·음전기를 나타내는 말. ¶～の数 음수. ↔正.

ふ〖麩〗名 1밀기울. =ふすま. 2밀가루에서 추출한 글루타민으로 만든 식품. ¶金魚麩 금붕어 먹이.

ふ=【不】《名詞·形容動詞 어간에 붙어서》불…. ¶～賛成 불찬성/～景気 불경기/～必要 불필요. ⇨ぶ=(不).

=ふ【夫】…부. ¶潜水～ 잠수부.

=ふ【婦】…부. ¶派出～ 파출부.

ふ〖不〗教4 フ ブ ず | 부 불 아니 | 부정(否定)의 말: 아니. ¶不正 부정/不作法 예의에 어긋남.

ふ〖夫〗教4 フ フウ おっと おとこ それ | 부 사내 남편 | 1성년이 된 남자. ¶匹夫 필부. 2남편. ¶夫婦 부부. ↔妻.

ふ〖父〗教2 フ ちち | 부 아비 | 아버지. ¶父母 부모/父兄 부형/叔父 숙부. ↔母.

ふ〖付〗教4 フ つく つける | 부 주다 | 1건네 주다. ¶交付 교부/付与 부여. 2붙이다; 붙다; 더하다. ¶添付 첨부/付箋 부전.

ふ〖布〗教5 フ ホ ぬの きれ しく | 포 베 | 1피륙; 베. ¶布帛 포백/画布 화포. 2직물; 천. ¶絹布 견포. 3널리 알리다. ¶公布 공포.

ふ〖扶〗常用 フ たすける | 부 돕다 | 돕다; 조력하다; 돌보다. ¶扶助 부조/扶養 부양.

ふ〖府〗教4 フ | 부 관청 | 1㉠관청. ¶政府 정부/総理府 총리부. ㉡수도; 도회지. ¶首府 수부. 2지방 공공 단체의 하나. ¶府立 부립/府庁 부청.

ふ〖怖〗常用 フ こわい おそれる おじる おびえる | 포 두려워하다 | 두려워하다. ¶恐怖 공포/畏怖 외포.

ふ〖附〗常用 フ つく つける | 부 붙다 | 1붙이다. ¶附言 부언/送附 송부. 2따르다; 붙좇다. ¶附属 부속/阿附 아부. 注意 지금은 '付'를 많이 씀.

ふ〖負〗教3 フ おう まける まかす そむく | 부 지다 | 1등에 지다. ¶負荷 부하/負担 부담. 2입다; 받다. ¶負傷 부상. 3싸움에 지다. ¶勝負 승부. ↔勝.

ふ〖赴〗常用 フ おもむく | 부 다다르다 | 급히 가다; 가다. ¶赴任 부임.

ふ〖浮〗《浮》常用 フ うく うかれる うかぶ うかべる うわつく | 부 뜨다 | 1뜨다. ¶浮沈 부침/浮力 부력. ↔沈. 2가볍다; 들뜨다. ¶浮薄 부박.

ふ〖婦〗《婦》教5 フ おんな | 부 지어미 | 1아내. ¶主婦 주부. 2여성. ¶婦人 부인; 여성/家政婦 가정부. 3'看護婦'의 준말; 간호사. ¶婦長 수간호사.

ふ〖符〗常用 フ | 부 부신 | 1㉠신표(信標)로서 가지는 물건; 부절(符節); 패. ¶割符 부절. ㉡표. ¶切符 표. 2기호. ¶音符 음표.

ふ〖富〗常用 フ フウ とむ とみ | 부 넉넉하다 | 풍족하다; 재산이 많다. ¶富裕 부유/巨富 거부/富貴 부귀. ↔貧.

ふ〖普〗常用 フ あまねく | 부 넓다 | 두루 미치다; 넓다. ¶普及 보급/普通 보통.

ふ〖腐〗常用 フ くさる くされる くさらす | 부 썩다 | 1썩다. ¶腐敗 부패. 2케케묵어 쓸모없다. ¶腐儒 부유/陳腐 진부. 3

머리를 썩이다. ¶腐心(ふしん) 부심.

ふ〖敷〗《敷》常用 フ しく | 부 펴다 | 펴다; 깔다; 베풀다. ¶敷設(ふせつ) 부설 / 敷衍(ふえん) 부연.

ふ〖膚〗常用 フ はだ はだえ | 부 살갗 | 피부; 살갗. ¶皮膚(ひふ) 피부 / 髪膚(はっぷ) 발부.

ふ〖賦〗常用 フ | 부 구실 | **1** 공물(貢物). ¶賦役(ふえき) 부역 / 貢賦(こうふ) 공부. **2** 배당해 주다. ¶賦与(ふよ) 부여. **3** 빚 등을 치르다. ¶月賦(げっぷ) 월부.

ふ〖譜〗常用 フ | 부 적다 | **1** 계통을 세워 순서 있게 적은 기록; 계보. ¶家譜(かふ) 가보 / 系譜(けいふ) 계보. **2** 음곡을 부호로 나타낸 것; 악보. ¶楽譜(がくふ) 악보.

ぶ【分】 名 **1** 무엇을 몇 등분한 것의 하나; 특히, 한 치·일 할의 10분의 일; 푼; 분; 一両(いちりょう)의 4분의 1. ¶四(し)～六(ろく)～ 4 할과 6 할(의 비율) / 四(し)～音符(おんぷ) 사분음표. **2** 두께의 정도. ¶～厚(あつ)い本(ほん) 술이 두꺼운 책 / ～が薄(うす)い 두께가 얇다. **3** 우열의 비율〔형세〕. ¶君(きみ)に～がある 네게 유리하다.

—が悪(わる)い 불리하다. =歩(ぶ)がない.

ぶ【武】 名 무. **1** 무예; 무술. ¶～をきそう 무술을 겨루다 / ～を練(ね)る 무술을 연마하다. **2** 무력; 군사력. ¶～に訴(うった)える 무력에 호소하다.

ぶ【歩】 名 **1** ㉠거래 따위의 수수료나 보수; 구전. ¶～を取(と)る 구전을 받다〔먹다〕. ㉡이율; 비율. ¶～がいい〔悪(わる)い, 高(たか)い〕 이율이 좋다〔나쁘다, 높다〕. **2** 보; 면적의 단위《1 보는 6 척 평방; 약 3.3 제곱미터》. =坪(つぼ).

ぶ【部】 부. 一名 **1** 나눈 한 구분. ¶昼(ひる)の～ 주간부 / 上(じょう)の～に入(はい)る 윗길 축에 들다. **2** 조직의 한 구성 부분. ¶～を解散(かいさん)する 부를 해산하다.

二接尾 **1** 책·신문을 세는 말. ¶千(せん)～ 천 부; 천 권. **2** 단체의 조직 구성의 하나. ¶営業(えいぎょう)～ 영업부.

ぶ=【不】《名詞나 形容動詞 어간에 붙어서》좋지 않은. ¶～器用(きよう) 서투름 / ～格好(かっこう) 꼴이 흉함; 모양이 나쁨.

ぶ=【無】《動詞나 形容動詞 어간에 붙어서》否定의 뜻을 나타냄. ¶～遠慮(えんりょ) 예의가 없음 / ～愛想(あいそう) 상냥치 못함.

ぶ〖侮〗《侮》常用 ブ あなどる | 모 업신여기다 | 업신여기다. ¶侮辱(ぶじょく) 모욕 / 侮蔑(ぶべつ) 모멸.

ぶ〖武〗教5 ブ ム たけし | 무 호반 | **1** 강하다; 용감하다. ¶武勇(ぶゆう) 무용 / 武名(ぶめい) 무명. **2** 전력(戰力); 군사(軍事). ¶武力(ぶりょく) 무력 / 武術(ぶじゅつ) 무술. ↔文(ぶん).

ぶ〖部〗教3 ブ ベ | 부 분류 | **1** ㉠구분하다; 나눈 한 구분. ¶部署(ぶしょ) 부서 / 局部(きょくぶ) 국부. ㉡관청 따위 조직 구분의 하나. ¶総務部(そうむぶ) 총무부. **2** 서적 등을 세는 말. ¶限定(げんてい)百部(ひゃくぶ)出版(しゅっぱん) 한정 백 부 출판.

ぶ〖舞〗常用 ブ まう まい | 무 춤추다 | **1** 춤추다. ¶舞踊(ぶよう) 무용 / 舞台(ぶたい) 무대. **2** 뛰듯이 움직이다. ¶鼓舞(こぶ) 고무.

ぶ〖無〗☞む〖無〗

ファースト [first] 名 퍼스트. **1** 최초; 제일. ¶レディー～ 레이디 퍼스트. **2**〖野〗일루(수).

—クラス [first class] 名 퍼스트 클래스; (비행기·여객선 등의) 1 등석.

—ラン [first-run] 名 퍼스트런; 영화 개봉 (흥행). ↔セカンドラン.

—レディ [first lady] 名 퍼스트 레이디; 대통령 부인; 또, 수상 부인.

ファーストフード [fast foods] 名 패스트푸드; 즉석 식품. =ファストフード.

ファームウエア [firmware] 名〖컴〗펌웨어《늘 사용하는 프로그램을 기억시켜 두는, 판독 전용의 고정 기억 장치》.

ファームバンキング [일 firm+banking] 名 펌 뱅킹《기업과 은행을 온라인(online)화하여 금융 업무나 기업 정보의 제공 등을 행하는 시스템; FB》.

ぶあい【歩合】 名 **1** 비율. ¶～五分(ごぶ) 비율 5 푼《5의 100에 대한 비율》/ 利益(りえき)の～を求(もと)める 이익의 비율을 구하다. **2** 수수료; 보수. =歩(ぶ). ¶売(う)り上(あ)げの～ 판매 수수료 / 一割(いちわり)の～を払(はら)う 1할의 수수료를 지불하다 / ～を取(と)る 수수료를 받다.

ファイア [fire] 名 파이어. **1** 불. ¶～アラーム 파이어 알람; 화재 경보(기). **2** 모닥불. ¶キャンプ～ 캠프파이어.

—ウォール [fire wall] 名 파이어 월. **1** 방화벽(防火壁). **2** 컴퓨터나 네트워크를, 외부의 불법 침입으로부터 지키는 방어 시스템. **3** 은행·증권·보험 회사 등이 자회사를 설립, 업무상 영향력을 행사해서 불공정 거래나 고객 정보를 유용하지 못하게 하는 제한이나 규제. =業務隔壁(ぎょうむかくへき).

ぶあいきょう〖無愛敬·無愛嬌〗名ダナ 애교가 없음. ¶～な女(おんな) 애교가 없는 여자.

ぶあいそう【無愛想】 名ダナ 상냥하지 못함; 괘다리적음; 섬서함; 무뚝뚝함. =ぶあいそ. ¶～な人(ひと) 무뚝뚝한 사람 / ～な返事(へんじ)をする 퉁명스러운 대답을 하다.

ファイター [fighter] 名 파이터. **1** 전사; 투사; 또, 투지가 있는 사람. **2** 복싱에서, 공격형의 선수.

ファイト [fight] 一名 파이트; 투지; 감투심; 기력. ¶～を燃(も)やす 투지를 불태우다 / ～がある 투지가 있다. 二感 파이팅; '힘내라'《구호》. =がんばれ.

—マネー [일 fight+money] 名 파이트 머니; 프로 복싱〔레슬링〕 등의 대전료; 시합의 보수.

ファイナル [final] 名 파이널. **1** 최종; 최후. ¶～セット〔ゲーム〕 파이널 세트〔게

임). **2** 스포츠에서, 결승전.
ファイナンス [finance] 图 파이낸스; 재정; 재정학; 재원; 금융; 융자. ¶～カンパニー 금융 회사.
ファイバー [fiber] 图 파이버; (인조) 섬유; 특히, 'ステープルファイバー(=스테이플 파이버)'의 준말.
—スコープ [fiberscope] 图 파이버스코프; 유리 섬유(의) 관으로 된 내시경. =ファイバー ガストロスコープ.
ファイブ [five] 图 파이브; 다섯. ¶ビッグ～ 빅 파이브((5 대 강국 따위)).
ファイル [file] 图|자他 파일. **1** 서류철. =書類ばさみ. **2** (서류·신문 등을) 철함. ¶会議録を～する 회의록을 철하다. **3**〔컴〕정리된 자료의 집합.
—しょり【—処理】图 파일 처리; 컴퓨터에 많은 데이터를 기억시켜 두고, 검색해 내는 일. ▷file processing.
ファインセラミックス [fine ceramics] 图 파인 세라믹스; 규산염 그 밖의 천연 원료를 정제한 것을 고온으로 구워 만든 요업 제품((경도나 내열성에서 금속보다 뛰어남)).
ファインダー [finder] 图 (카메라의) 파인더. ¶～をのぞきこむ 파인더를 들여다보다.
ファインプレー [fine play] 图 파인 플레이; 미기(美技); 묘기. ¶～を演ずる 파인 플레이를 (연출)하다.
ファウル [foul] 图 파울. **1** 반칙. **2**〔野〕친 공이 일루선·삼루선의 밖으로 떨어짐. =ファウルボール. ↔フェア.
ファウンデーション [foundation] 图 파운데이션. **1** 기초 화장품. =化粧下. **2** (몸의 선을 고르기 위한) 여성의 속옷((코르셋 등)). **3** 기초; 토대. 注意 'ファンデーション'이라고도 함.
ファクシミリ [facsimile] 图 팩시밀리; 모사 전송(模寫電送). =ファックス.
ファクター [factor] 图 팩터; 요인; 요소; 인자(因子). ¶事件の～を分析する 사건 요인을 분석하다.
ファクタリング [factoring] 图〔經〕팩터링; 기업의 외상 매출 채권을 사서 자기가 위험을 부담하면서 그 채권의 관리와 대금을 회수하는 일.
ファゴット [이 fagotto] 图〔樂〕파고토; 긴 통 모양의 저음 목관(木管) 악기. =バスーン.
ファジー [fuzzy] ダナ 퍼지; 애매한 모양; 경계가 불명확한 모양. ¶～理論 퍼지 이론.
—コンピューター [fuzzy computer] 图 퍼지 컴퓨터; 퍼지 이론을 도입해서 인간의 감각이나 판단에 가까운 정보 처리가 가능한 컴퓨터.
ファシスト [fascist] 图 파시스트.
ファシズム [fascism] 图 파시즘.
ファスナー [fastener] 图 파스너; 지퍼. ¶～を締める〔はずす〕 지퍼를 잠그다〔열다〕. 參考 같은 뜻으로 쓰는 'チャック'는 일본, 'ジッパー'는 미국 회사의 상표명임.
ぶあつ-い【分厚い】(【部厚い】) 形 두껍다. ¶～本 두툼한〔두꺼운〕 책 / ～唇〔胸〕 두툼한 입술〔가슴팍〕/ ～·く切った パン 두껍게 썬 빵.
ファックス [fax] 图 팩스(('ファクシミリ(=팩시밀리)'의 준말)). ¶～番号 팩스 번호 / ～で送る 팩스로 보내다.
ファッショ [이 fascio] 图 파쇼; 독재적인 지배 체제. ¶～のあらしは二次大戦をひき起こした 파쇼 선풍은 2차 대전을 일으켰다.
ファッショナブル [fashionable] ダナ 패셔너블; (복장에 대해) 유행의; 유행을 따라 멋진 모양. ¶～な眼鏡 패셔너블한 안경 / ～に装う 유행을 따라서 멋있게 차려 입다.
ファッション [fashion] 图 패션; 유행; 복장. ¶～ビジネス 패션 비즈니스; 복식(服飾) 산업 / ニュー～ 뉴 패션 / ハイ～ 하이 패션.
—インダストリー [fashion industry] 图 패션 인더스트리; 패션 산업((유행 상품을 제조하는 산업)).
—ショー [fashion show] 图 패션 쇼.
—モデル [일 fashion+model] 图 패션 모델.
ファニーフェース [일 funny+face] 图 퍼니 페이스; 미인은 아니지만 개성적이고 매력이 있는 얼굴.
ファミコン [일 Famicon] 图〔商標名〕TV 게임용 컴퓨터(('ファミリー コンピューター'의 준말)). ▷family computer.
ファミリー [family] 图 패밀리; 가정; 가족. ¶～カー 패밀리 카.
—サイズ [family size] 图 패밀리 사이즈; 일용품·식품 등에서, 일가족용으로 적당한 크기나 양.
—レストラン [일 family+restaurant] 图 패밀리 레스토랑; 가족 동반으로 비교적 싸고 편리하게 이용할 수 있는 레스토랑. =ファミレス.
⁑ふあん【不安】名ナ 불안. ¶経済的～ 경제적 불안 / ～な地位 불안한 지위 / ～に思う 불안하게 여기다 / ～を抱く 불안해하다 / どうなるかと～でならない 어떻게 될지 불안해서 못 견디겠다. 「불안감을 품다.
—かん【—感】图 불안감. ¶～を抱く
***ファン** [fan] 图 팬. **1** 부채; 선풍기; 환풍기. ¶電気～ 전기 환풍기. **2** (연극·영화 등의) 팬. =ひいき. ¶～レター 팬레터 / 野球～ 야구팬.
ファンシー [fancy] 名ナ 팬시; 디자인 등이 세련됨. ¶～ショップ 팬시 숍; 팬시점(店).
—しょうひん【—商品】图 팬시 상품; 그림이 있는 소품(小品). =ファンシーグッズ. 「지아; 환상곡.
ファンタジア [이 fantasia] 图〔樂〕판타
ファンタジー [fantasy] 图 팬터지. **1** 공

상; 환상. **2**〔樂〕 환상곡. ＝ファンタジア. **3** 공상적·환상적인 문학 작품.

***ふあんてい**【不安定】名ナ 불안정. ¶～な政情 불안정한 정정/世の中が～だ 세상이 불안정하다/天候が～だ 날씨가 고르지 못하다.

ファンデーション [foundation] 名 ☞ファウンデーション.

ファンド [fund] 名 펀드. **1** 자금; 기금. **2** 투자 신탁 등의 운용 재산.

——マネージャー [fund manager] 名 펀드 매니저; 은행·보험 회사 등의 금융 자산 운용 담당자.

ふあんない【不案内】名ナ 서투름; 사정을 잘 모름; 능통하지 못함. ＝ぶあんない·不知案内. ¶～の土地 낯선 고장/そういう事柄には～です 그런 일에는 서투릅니다/株の事は全く～だ 주식에 관한 것은 전혀 모른다.

ファンファーレ [도 Fanfare] 名〔樂〕 팡파르; 삼화음(三和音)만 사용한 나팔의 신호. ¶～を奏でる 팡파를 연주하다.

ふい 名〈俗〉허사; 헛일; 무효. ＝だめ. ¶努力が～になる 노력이 허사가 되다/またとない機会を～にする 다시없는 기회를 헛되이 하다/急な値下がりで今までのもうけはみんな～になってしまった 시세 급락으로 이제까지 번 것은 모두 허사가 되고 말았다.

***ふい**【不意】名ダナ 불의; 불시; 갑작스러움; 돌연. ＝だしぬけ. ¶～の事故 불의의 사고/～を打つ 기습하다.

——を食う〔食らう〕 허를 찔리다.

——を突く 허를 찌르다. ¶敵の～ 적의 허를 찌르다.

——に 副 갑자기; 느닷없이. ¶汽車が～止まる 기차가 갑자기 멈춰 서다/物音が～やんだ 소리가 돌연 멎었다.

ぶい【武威】名 무위; 무력에 의한 위세. ¶～を輝かす 무위를 빛내다/天下に～を示す 천하에 무위를 떨치다. ↔朝権.

ぶい【部位】名 부위; 전체에 대한 부분의 위치. ¶身体各～の名称 신체 각 부위의 명칭.

ブイ [buoy] 名 부이. **1** 부표(浮標). **2** 구명대(救命袋). ＝浮き袋. ¶救命～ 구명 부이.

ブイアイピー [VIP] 名 브이아이피; 요인(要人); 중요 인물. ＝ビップ. ▷very important person.

フィアンセ [프 fiancé(e)] 名 피앙세; 약혼자. ＝許婚·婚約者.

フィー [fee] 名 피; 요금; 수수료; 보수. ¶グリーン～ 그린피; 골프장 입장료.

フィート [feet] 名 피트《길이 단위; 12인치; 약 30.5cm》. 參考 '呎'로도 씀.

フィードバック [feedback] 名ス他 피드백. **1** 전기 회로에서 출력의 일부를 입력 쪽으로 돌려서, 출력을 조정함. **2** 어떤 동작이나 행위 등에 대한 결과나 반응을 보고 조정을 가함. ¶現場の意見を企画に～させる 현장의 의견을 기획에 피드백〔반영〕시키다.

フィーバー [fever] 名ス自 피버; 열광적인 상태가 됨; 흥분함; 열중함. ¶オールスターゲームに～する 올스타 게임에 열광하다.

フィーファー [FIFA] 名 피파; 국제 축구 연맹. ▷프 Fédération Internationale de Football Association.

フィーリング [feeling] 名 필링; 느낌; 감각. ¶～が合う 기분·감정이 통하다/なかなかいい～の店だ 제법 느낌이 좋은 가게다 / 音楽に対する～がいい 음악에 대한 감각이 좋다.

フィールド [field] 名 필드. **1** 육상 경기장의 트랙 안쪽 부분의 경기장. ↔トラック. **2**〔理·心·言〕장(場). **3** 연구 분야; 영역. ¶～が違う 분야가 다르다.

——きょうぎ【——競技】名 필드 경기《도약·투척 등의 경기》. ↔トラック競技.

——ホッケー [field hockey] 名 필드하키.

***ふいうち**【不意打ち】名 기습; 불의의 습격; 전하여, 갑자기 무엇을 함. ¶～をかける 불의의 습격을 하다/～に試験する 갑자기 시험보다 / ～を食わぬように用心する 불의의 기습을 받지 않도록 조심하다.

フィギュア [figure] 名 피겨; 'フィギュアスケーティング(＝피겨 스케이팅)'의 준말.

フィクション [fiction] 名 픽션. **1** 허구. ¶～を交えて書く 픽션을 섞어 쓰다. **2** 창작; 소설. ↔ノンフィクション.

ふいご〖鞴·吹子〗名 풀무. ＝ふいごう. ¶移動～ 이동 풀무/かじ屋の～ 대장간의 풀무/～で吹く〔を踏む〕 풀무질하다.

ふいちょう [吹聴] 名ス他 (말을) 퍼뜨림; 선전함. ¶得意になって～する 우쭐해서 말을 퍼뜨리다/自分の手柄を～して歩く 자기 공(功)을 선전하고 다니다/よろしく御～ください 잘 선전하여 주십시오.

ふいつ【不一】《不乙》名 생각한 바를 충분히 표명하지 못했다는 뜻; 여불비(餘不備); 불구(不具)《편지의 맺음말》. ＝不悉·不尽·ふいち.

フィットネス [fitness] 名 피트니스. **1** 적당; 적합; 적응도. **2** 건강 증진을 위한 운동. ¶～クラブ 피트니스 클럽; 체력 단련 클럽.

ブイティーアール [VTR] 名 브이티아르; 녹화기. ▷video tape recorder.

ふいと 副 갑자기; 문득; 불쑥. ＝ふと. ¶～立ち上がる 갑자기 일어서다/～用件を思い出す 문득 용건을 생각해 내다/～いなくなった 갑자기 사라졌다.

ぷいと 副 홱; 퉁명스럽게. ¶～席を立つ 홱 자리를 박차고 일어서다/～横を向く 홱 고개를 돌리다.

フィナーレ [이 finale] 名 피날레. **1**〔樂〕

한 곡의 마지막 악장. 2〖樂〗 오페라 등의 끝장면; 종막. ＝大詰(おおづ)め. 3 종말; 마지막; 행사·사건 등의 최후 부분. ¶～をかざる 피날레를 장식하다.

フィニッシュ [finish] 图 피니시. 1 최종; 종결. 2 운동 경기의 결승; 또, 경기의 최종 장면; (특히, 체조 경기에서) 최종 기술에서 착지까지의 동작. ¶～を決(き)める 마지막 동작을 마무리짓다.

ブイネック [V neck] 图 브이 넥《앞 목 둘레를 V자 꼴로 판 것》. ¶～のセーター 브이 넥의 스웨터.

フィヨルド [노르웨이 fjord] 图 〖地〗 피오르드. ＝峡湾(きょうわん).

フィラメント [filament] 图 (전구·진공관의) 필라멘트.

ふいり【不入り】 图 (흥행 등에서) 입장자가 적음; 한산함. ¶～で公演(こうえん)を打(う)ち切(き)る 입장객이 적어 공연을 중단하다 / 意外(いがい)の～で赤字(あかじ)を出(だ)す 의외로 입장자가 적어서 적자를 내다 / その興行(こうぎょう)は～だった 그 흥행은 손님이 적었다. ↔大入(おおい)り.

フィリバスター [미 filibuster] 图 〖政〗 필리버스터; 의사(議事) 진행 방해.

フィルター [filter] 图 필터. 1 거르거나 제거하는 장치. ¶～付(つ)きのタバコ 필터 담배 / 浄水器(じょうすいき)の～ 정수기(의) 필터. 2 사진기의 렌즈 앞에 붙여 광선을 투과·제한 또는 차단하기 위한 색유리. ¶レンズに～をかける 렌즈에 필터를 씌우다.

フィルダーズ チョイス [fielder's choice] 图 〖野〗 필더스 초이스; 야수 선택. ＝野選(やせん).

フィルハーモニー [도 Philharmonie] 图 필하모니; 음악 애호가; 또, 그 단체; 교향악단.

フィルム [film] 图 필름. 1 사진 감광판; 또, 그것을 현상한 음화(陰畫). ¶～をカメラに入(い)れる 필름을 카메라에 넣다. 2 영화.
—に収(おさ)める 필름에 담다; 사진으로 찍어 두다.

ふいん [訃音] 图 부음. ＝訃報(ふほう). ¶～に接(せっ)する 부음에 접하다.

ぶいん【無音】 图 ス自 무소식; 격조. ＝ぶさた. ¶長(なが)らく御(ご)～いたしました 오랫동안 소식을 전하지 못했습니다.

フィンガー [finger] 图 핑거. 1 손가락. 2 송영대《공항에서 송영객을 위해 건물에 특별히 만든 부분》. ＝送迎(そうげい)デッキ.
—ボール [finger bowl] 图 핑거볼《서양 요리에서, 식후에 손가락을 씻게 탁상에 내어 놓는 물그릇》.

ふう [二] 图 둘《'ふ(二)'를 장음화한 것으로, 수를 셀 때에만 씀》. ¶ひい, ～, みい 하나 둘 셋.

ふう【封】 图 봉함; 봉한 것. ¶手紙(てがみ)の～をする 편지를 봉하다 / ～を切(き)る 봉을 뜯다.

ふう【風】 一图 1 풍습; 풍속. ＝ならわし. ¶昔(むかし)の～になじめない 옛풍습을 좇기 어렵다. 2 모양; 외양; 모습. ＝ようす·ふり. ¶～がいい人(ひと) 풍채가 좋은 사람 / 知(し)らない～をする 모른 체하다 / 君子(くんし)の～がある 군자의 풍도가 있다. 3 상태; 방법; 식. ¶あんな～では困(こま)る 저런 상태로는 곤란하다 / こういう～につくる 이런 식으로 만들다.
二 接尾 …풍; …식. ¶中国(ちゅうごく)～の料理(りょうり) 중국식 요리.

ふう〖封〗 常用 フウ ホウ | 봉 봉하다 | 1 영지를 주어 제후로 삼다. ¶封土(ほうど) 봉토 / 封建制度(ほうけんせいど) 봉건 제도. 2 닫다; 가두다. ¶封鎖(ふうさ) 봉쇄. 3 봉하다; 봉한 표. ¶封筒(ふうとう) 봉투 / 金一封(きんいっぷう) 금일봉.

ふう〖風〗 教2 フウ フ かぜ かざ | 풍 바람 | 1 바람; 바람이 불다. ¶風雨(ふうう) 풍우 / 春風(しゅんぷう) 춘풍. 2 관습; 풍습; 버릇; 양식(樣式). ¶風俗(ふうぞく) 풍속 / 校風(こうふう) 교풍. 3 취향; 경치. ¶風情(ふぜい) 풍정. 4 빗대다; 넌지시 말하다. ¶風刺(ふうし) 풍자.

ふうあい【風合い】 图 피륙 따위의 감촉이나 눈으로 본 느낌. ¶シルクの～を持(も)った布(ぬの) 비단 같은 감촉〔모양〕의 천.

ふうあつ【風圧】 图 〖理〗 풍압. ¶～計(けい) 풍압계 / ～に耐(た)える 풍압에 견디다 / ～が強(つよ)まる 풍압이 강해지다.

ふういん【封印】 图 ス自 봉인. ¶～を破(やぶ)る〔張(は)る〕 봉인을 뜯다〔붙이다〕 / 遺言状(ゆいごんじょう)に～を押(お)す 유언장에 봉인을 찍다.

ふうう【風雨】 图 풍우. 1 바람과 비. ¶～にさらされる 비바람을 맞다. 2 폭풍우. ¶～注意報(ちゅういほう) 풍우 주의보 / ～を冒(おか)して行(ゆ)く 풍우를 무릅쓰고 가다 / ～をついて出(で)かける 비바람을 무릅쓰고 떠나다.

ふううん【風雲】 图 풍운. 1 바람과 구름; 자연계. ¶～の情(じょう) 대자연 속으로 떠도는 여행을 떠나고 싶어하는 마음. 2 풍운지회(風雲之會)《세상이 크게 변하려는 기운》. ¶～に乗(じょう)ずる 풍운을 타다; 호기를 잡다.
—急(きゅう)を告(つ)げる 정세가 긴박해지다. ¶中東(ちゅうとう)が～ 중동(의) 정세가 긴박해지다.
—の志(こころざし) 풍운의 뜻. ¶～を抱(いだ)く 풍운의 뜻을 품다.
—じ【—児】 图 풍운아. ¶政界(せいかい)の～ 정계의 풍운아 / 一代(いちだい)の～ 일대의 풍운아.

ふうか【風化】 图 ス自 풍화; 풍화 작용; 기억·인상(印象)이 오랜 시일 후에 희미해짐에도 비유됨. ¶～し易(やす)い 풍화되기 쉽다 / ～作用(さよう) 풍화 작용 / 戦争体験(せんそうたいけん)の～ 전쟁 체험의 풍화〔약화〕 / 発足時(ほっそくじ)の精神(せいしん)は今(いま)や～した 발족 당시의 정신은 이제 퇴색되었다.

ふうが【風雅】 图 ダナ 풍아; 속되지 않고 멋이〔정취가〕 있음; 특히, 시가·문장·서화 등의 도(道). ¶～の道(みち) 풍아의 도 / ～を解(かい)する 풍아를 알다 / ～をたしな

む 풍아를 즐기다/~の趣(おもむき)のある画(え) 풍아한 정취가 있는 그림.

ふうがい【風害】名 풍해; 폭풍 등 바람에 의한 피해. =風災(ふうさい). ¶~がない 풍해가 없다/その地方(ちほう)は~が甚(はなは)だしかった 그 지방은 풍해가 심했다.

ふうかく【風格】名 풍격. **1** 풍채와 품격; 인품. ¶~のりっぱな人(ひと) 풍격이 훌륭한 사람/王者(おうじゃ)の~がある 왕자다운 풍격이 있다/~がにじみ出(で)る 풍격이 배어나다. **2** 맛; 멋; 풍치. =あじわい·おもむき. ¶~のある字(じ) 풍격이 있는 글씨.

ふうがわり【風変わり】名ナ 색다른 모양; 또, 그런 물건이나 사람. ¶~な人(ひと)〔建物(たてもの)〕 색다른 사람〔건물〕/ちょっと~な身(み)なりをしている 좀 색다른 옷차림을 하고 있다.

ふうかん[封緘] 名ス他 봉함. =封(ふう)·封(ふう)じ目(め). ¶~はがき 봉함 엽서/手紙(てがみ)を~する 편지를 봉함하다.

—はがき〖—葉書〗名 봉함 엽서(《'郵便書簡(ゆうびんしょかん)'의 구칭》).

ふうき【富貴】名ナ 부귀. =ふき. ¶~な家(いえ)に生(う)まれる 부귀한 집에 태어나다. 注意 'ふっき'라고도 함. ↔貧賤(ひんせん).

*__ふうき__【風紀】名 풍기. ¶~を乱(みだ)す 풍기를 문란케 하다〔어지럽히다〕/~がみだれる 풍기가 문란해지다/~を取(と)り締(し)まる 풍기를 단속하다.

ふうぎ【風儀】名 **1** 예의범절. =行儀作法(ぎょうぎさほう). ¶~の正(ただ)しい家(いえ)で育(そだ)つ 예의범절이 바른 집안에서 자라다. **2** 풍습; 관습. =ならわし. ¶昔(むかし)の~はすたれた 옛 풍습은 스러졌다. **3** 모습; 모양. =すがた. ¶~が変(か)わって 모습이 바뀌어.

ふうきり【封切り】名ス他 개봉(開封). =ふうぎり. ¶~館(かん) 개봉관.

ブーケ[프 bouquet] 名 부케; 작은 꽃다발.

*__ふうけい__【風景】名 **1** 풍경; 풍광. =けしき·ながめ. ¶~画(が) 풍경화/田園(でんえん)~ 전원 풍경/一家(いっか)だんらんの~ 일가 단란한 풍경/窓(まど)からの~はすばらしい 창가에서 내다보는 풍경은 멋있다. **2** 모양; 상태; 정경(情景). ¶心象(しんしょう)~ 심상 상태/練習(れんしゅう)~ 연습 풍경/ほほえましい~ 흐뭇한 정경.

—しげん【—資源】名 풍광 자원(《관광지의 아름다운 경치를 자원에 비유한 말》). ⇨観光(かんこう)しげん.

ふうげつ【風月】名 풍월; 청풍명월. ¶~の遊(あそ)び 음풍농월(吟風弄月)/~の才(さい) 풍월을 읊는 재능/花鳥(かちょう)~ 화조 풍월/~を楽(たの)しむ 풍월을 즐기다.

—を友(とも)とする 풍월을 벗삼다.

ふうこう【風光】名 풍광; 경치. ¶~明媚(めいび) 풍광명미(《경치가 매우 아름다움》).

ふうこう【風向】名 풍향. =かざむき.

—けい【—計】名 풍향계. =風信器(ふうしんき).

*__ふうさ__【封鎖】名ス他 봉쇄. ¶海上(かいじょう)〔経済(けいざい)〕~ 해상〔경제〕 봉쇄/~を解(と)く 봉쇄를 풀다/港(みなと)を~する 항구를 봉쇄하다. ↔開放(かいほう).

ふうさい[風采] 名 풍채. =なりふり·ふうてい. ¶~のあがらぬ男(おとこ) 풍채가 시원치 못한 사나이/~がぱっとしない 풍채가 돋보이지 않는다.

ふうさつ【封殺】名ス他 **1**〔野〕봉살; 포스 아웃. **2** 봉쇄; 상대방의 활동을 막음. ¶敵(てき)の動(うご)きを~する 적의 움직임을 봉쇄하다/子供(こども)の可能性(かのうせい)を~する 어린이의 가능성을 봉쇄하다.

*__ふうし__【風刺】《諷刺》名ス他 풍자; 비꼼. =あてこすり. ¶~小説(しょうせつ) 풍자 소설/~的(てき)な漫画(まんが) 풍자적인 만화/世相(せそう)を~する 세상을 풍자하다.

ふうじこ-む【封じ込む】5他 ☞ ふうじこめる.

ふうじこめ【封じ込め】名 봉함; 가둠. ¶~政策(せいさく) 봉쇄 정책.

ふうじこ-める【封じ込める】下1他 안에 넣고 봉(쇄)하다; 가두다. =閉(と)じ込(こ)める·封(ふう)じ入(い)れる. ¶岩屋(いわや)に~ 바위굴에 가두다/船(ふね)を港(みなと)に~ 배를 항구에 가두다/秘密書類(ひみつしょるい)を~·めておく 비밀 서류를 안에 넣고 봉해 두다/民衆(みんしゅう)の声(こえ)を~ 민중의 목소리를 봉쇄하다.

ふうじて【封じ手】名 **1** (바둑 등에서) 봉수. **2** (유도·씨름 등에서) 써서는 안 되는 수.

ふうじめ【封じめ·封じ目】名 봉한 자리. ¶~に印(いん)を押(お)す 봉한 자리에 도장을 찍다/~を切(き)る 봉한 자리를 뜯다.

ふうしゃ【風車】名 풍차. =かざぐるま.

—ごや【—小屋】名 풍찻간.

*__ふうしゅう__【風習】名 풍습. =ならわし. ¶珍(めずら)しい~のある地方(ちほう) 진기한 풍습이 있는 지방/昔(むかし)の~を守(まも)る 옛 풍습을 지키다/慣(な)れない外国(がいこく)の~に戸惑(とまど)う 익숙지 않은 외국 풍습에 어리둥절하다.

ふうしょ【封書】名 봉서. =封状(ふうじょう). ¶一通(いっつう)の~ 한 통의 봉서/~を出(だ)す 봉서를 띄우다.

ふうしょく【風食】《風蝕》名ス他 풍식. ¶~作用(さよう) 풍식 작용.

ふう-じる【封じる】上1他 **1** 봉하다. ¶袋(ふくろ)を~ 봉지〔주머니〕를 봉하다/出入口(でいりぐち)を~ 출입구를 봉하다. **2** 막다; 봉쇄하다. ¶自由(じゆう)を~ 자유를 막다/退路(たいろ)を~ 퇴로를 봉쇄하다/港(みなと)を~·じて船(ふね)の出入(でい)りを禁(きん)ずる 항구를 봉쇄하여 선박의 출입을 금하다.

ふうしん【風信】名 **1** 풍향(風向). =かざむき. **2** 풍설; 소문.

ふうしん【風しん】《風疹》名〔醫〕풍진. =みっかはしか.

ふうじん[風塵] 名 풍진. **1** 바람에 일어나는 먼지. **2** 극히 가벼운 것. ¶身(み)を~よりも軽(かろ)んずる 일신을 풍진보다 가벼이 여김. **3** 번거로운 속사(俗事). ¶~を避(さ)けて隠棲(いんせい)する 번거로운 속사를 피해 은둔 생활을 하다.

ブース [booth] 图 부스. **1** 전시회장·투표소·전화 박스 등 칸막이한 공간. **2** (고속도로 등의) 요금 징수소.

ふうすい【風水】图 **1** 바람과 물. **2** (음양오행설에 따른) 풍수.

ふうすいがい【風水害】图 풍수해. ¶～を受ける 풍수해를 입다/木を植えて～を予防する 나무를 심어 풍수해를 예방하다.

ブースター [미 booster] 图 부스터《기계 따위의 기능이나 속도를 빠르게 하는 장치; 또, 로켓 추진 보조 엔진》.

フーズフー [Who's Who] 图 후즈후; 신사록; 현대 명사록. 参考 본디, 상표명.

ふう-する [諷する] サ変他 에둘러 비판하다; 풍자하다; 빗대어 꼬집다. ＝ほのめかす.

ふう-ずる【封ずる】サ変他 ☞ふうじる.

ふうせつ【風説】图 풍설; 소문; 풍문. ＝うわさ·とりざた. ¶～にまどわされる 풍설에 현혹되다/～が流れる 풍설이 퍼지다/～を打ち消す 소문을 부정하다.

ふうせつ【風雪】图 풍설. **1** 바람과 눈. ¶～をしのぐ 바람과 눈을 가리다. **2** 쓰라린 시련; 풍상(風霜). ¶～十年 모진 시련의 십 년/～に耐えて生きる 풍상을 견디며 살다. **3** 눈보라. ＝ふぶき. ¶～を冒して進軍する 눈보라를 무릅쓰고 진군하다.

ふうせん【風船】图 풍선. **1** 기구(氣球). ¶～ガム 풍선 껌/～を飛ばす〔ふくらませる〕 풍선을 날리다〔불다〕. **2** '風船玉'·'紙風船(＝종이 풍선)'의 준말.

―だま【―玉】图 **1** 고무풍선. ＝ゴム風船. **2** 늘 들뜨고 침착하지 못한 사람.

ふうぜん【風前】图 풍전; 바람 앞.

―の灯 풍전등화. ¶彼の地位もまさに～だ 그의 지위도 글자 그대로 풍전등화다.

ふうそう【風葬】图ス他 풍장. ↔土葬·火葬·水葬.

ふうそう【風霜】图 풍상. **1** ㉠바람과 서리. ㉡세상살이의 고초. ＝風雪. ¶長い～に耐える 오랜 풍상에 견디다/～を乗り越える 세상 고초를 극복하다. **2** 세월; 성상(星霜). ¶～を経ていよいよ声価を高める 풍상〔세월〕이 지나 드디어 성가를 높이다.

ふうそく【風速】图 풍속. ¶～計 풍속계/一時間十五キロの～で 한 시간 15 km의 풍속으로.

*__ふうぞく__【風俗】图 풍속; 풍습. ¶～画 풍속화/～犯罪 풍속 범죄/～紊乱 풍속 문란/性～ 성풍속/～が乱れる 풍속이 문란해지다/時代の～を描く 시대의 풍속을 그리다.

―えいぎょう【―営業】图 풍속 영업; 유흥업.

ふうたい【風袋】图 **1** (겉)포장의 중량. ¶～を差し引く 겉포장의 무게를 빼다/～込みの重量 포장을 포함한 중량. **2** 외관. ＝うわべ·みかけ·外観. ¶～ばかりりっぱだ 겉(보기)만 근사〔번드레〕하다.

ぷうたろう【風太郎】图 **1** 날품팔이 항만 근로자. **2** 떠돌이. 注意 'ふうたろう'라고도 함.

ふうち【風致】图 풍치. ＝おもむき·風趣. ¶～地区 풍치 지구/～林 풍치림/～を害する 풍치를 해치다.

ふうちょう【風潮】图 풍조. ¶世の～に逆らう 세상 풍조에 역행하다/時の社会の～を反映する 당시의 사회 풍조를 반영하다.

ブーツ [boots] 图 부츠; 장화. ¶～をはいている 부츠를 신고 있다.

ふうてい【風体】图 외양; 겉모습; 옷차림; 풍채. ＝ふうたい·みなり. ¶～のよくない男 외관이 좋지 못한 남자/商人らしい～の人 상인 같은 차림의 사람/怪しげな～の人物 수상한 차림의 인물. 参考 좋은 뜻으로는 별로 쓰지 않음.

ふうてん [瘋癲] 图〈俗〉**1** 풍전; 정신병《언어 착란·감정 격발 등이 심한 것》. ¶～病院 정신 병원. **2** 가출하여 번화가에서 어정거리는 부랑배들. 参考 **2**는 흔히 'フーテン'이라고도 씀.

*__ふうど__【風土】图 풍토. ¶～色 풍토색; 지방색/政治～ 정치 풍토/日本の～に慣れる〔なじむ〕 일본의 풍토에 익숙〔친숙〕해지다.

―びょう【―病】图 풍토병; 지방병.

フード [food] 图 푸드; 음식물; 식품. ¶～センター 식품 센터/ドッグ～ 개먹이; 개밥.

フード [hood] 图 후드. **1** (외투·우비 등에 붙은) 두건. **2** 카메라 렌즈의 광선 가리개. ＝レンズフード.

*__ふうとう__【封筒】图 봉투. ＝状袋. ¶～の垂れぶた 봉투(를 봉하는) 뚜껑/～に切手を貼る 편지 봉투에 우표를 붙이다/～に書類を入れる 봉투에 서류를 넣다.

ふうどう【風洞】图〔理〕풍동. ¶～実験 풍동 실험.

プードル [poodle] 图〔動〕푸들《양털 모양의 긴 털을 가진 애완용 개》.

ふうにゅう【封入】图ス他 봉입. **1** 동봉함. ¶現金～の手紙 현금을 동봉한 편지/写真を～する 사진을 동봉하다. **2** 넣고서 봉함. ¶ガスを～した電球 가스 (봉입) 전구/ライターにガスを～する 라이터에 가스를 넣다.

ふうは【風波】图 풍파. **1** 바람과 파도; 또, 바람 때문에 일어나는 파도; 풍랑. ¶～が立つ 풍랑이 일다. **2** 다툼질; 내분. ¶家庭に～が絶えない 가정에 풍파가 끊이지 않는다.

ふうばいか【風媒花】图〔植〕풍매화《벼나 소나무 등》. ↔虫媒花·水媒花·鳥媒花.

ふうび [風靡] 图ス他 풍미; 휩쓺. ¶一世

一世を～する 일세를 풍미하다.

ブービー [booby] 图 부비; 골프·볼링 따위에서, 성적이 최하위에서 두번째. ¶～賞 부비상.

──メーカー [일 booby+maker] 图 골프경기에서, 최하위의 경기자《일본에서만 쓰는 호칭》.

ふうひょう【風評】 图 풍평; 뜬소문; 풍문. ＝風説·うわさ·取りざた. ¶とかくの～がある 이러니저러니 뜬소문이 있다/好ましくない～が立つ 바람직스럽지 못한 소문이 나다.

ふうふ【夫婦】 图 부부. ＝夫妻·めおと·つれあい·みょうと. ¶～づれ 부부동반/～仲がいい 부부 사이가 좋다/～窓 두 개가 나란히 붙은 창문/円満な～ 원만한 부부/晴れて～になる 떳떳이 부부가 되다/～喧嘩が絶えない 부부 싸움이 끊이지 않다/似た者～ 부부는 흔히 서로 성질이나 취미가 비슷이 닮는다는 말.

──げんかは犬も食わない 부부 싸움은 개도 안 먹는다《부부 싸움이란 '칼로 물 베기'이므로 중재에 나설 필요가 없다는 말》.

──は二世 부부의 인연은 내세까지 이어짐의 비유.

ふうふう 副 **1** 괴로움을 당하거나 일에 쫓기는 모양: 허덕허덕. ¶朝から晩まで仕事で～言う 아침부터 밤까지 일에 허덕거리다/～言わされる 일에 쫓기다. **2** 입김을 내는 모양: 후후. ¶熱いお茶を～と吹いて飲む 뜨거운 차를 후후 불며 마시다/～吹いて火をおこす 후후 불어서 불을 피우다.

ぶうぶう 副 **1** 불평이나 잔소리를 하는 모양: 투덜투덜; 툴툴. ¶～文句をいう 투덜투덜 불평하다/そう～言うなよ 그렇게 투덜거리지 말게. **2** (나팔·경적 따위의) 낮은 소리가 잇따라 나는 모양: 붕붕; 빵빵. ¶～(と)警笛を鳴らす 붕붕 경적을 울리다.

ふうぶつ【風物】 图 풍물. **1** 눈에 들어오는 풍경; 경치. ＝ながめ·けしき. ¶田園の～ 전원의 풍물/一歩都心を出ずれば～おのずから改まる 한 걸음 도심을 벗어나면 풍물은 절로 달라진다. **2** 각 계절의 특징이 되는 것. ¶初夏の～ 초여름의 풍물/四季折々の～ 사계절 철철이 빚어지는 풍물. **3** 풍속이나 사물. ¶日本の～ 일본의 풍물.

──し【──詩】 图 풍물시. ¶金魚売りの声は夏の～だ 금붕어 장수의 외치는 소리는 여름의 풍물시다.

ふうぶん【風聞】 图ス他 풍문. ¶よからぬ～を耳にする 좋지 못한 풍문을 듣다/悪事をたくらんでいると～される 나쁜 일을 꾸미고 있다고 소문이 나다/単なる～であった 단순한 풍문이었다.

ふうぼう [風貌] 图 풍모; 풍채; 용모. ¶堂々たる～ 당당한 풍모.

ふうみ【風味】 图 풍미. ＝おもむき·あじわい. ¶～のある料理〔お茶〕 풍미가 있는 요리〔차〕.

ブーム [boom] 图 붐; 벼락〔갑작〕 경기; 유행. ¶建築～ 건축 붐/レジャー～ 레저붐/～が起こる 붐이 일어나다/～に乗る 붐을 타다/～が下火になる 붐이 식어 가다.

ブーメラン [boomerang] 图 부메랑《던지면 회전하면서 날아가서 되돌아오는 ㄱ자 모양의 수렵 기구나 장난감》. ¶～効果 부메랑 효과.

ふうもん【風紋】 图 풍문《바람에 의해서 모래 위에 생기는 무늬》.

ふうゆ【風諭】《諷諭》 图ス他 풍유; 넌지시 말하여 깨닫게 함. ¶友の浪費を～する 벗의 낭비를 풍유하다.

ふうらいぼう【風来坊】 图 **1** 떠돌이; 방랑객. **2** 변덕쟁이. ¶彼は～で信じられない 그는 변덕쟁이여서 믿을 수 없다. 「ふうきらん.

ふうらん〚風蘭〛 图〔植〕 풍란. ＝富貴蘭

フーリガン [hooligan] 图 훌리건; 깡패; 난폭자; 특히, 지나치게 열광적인 (영국의) 축구팬.

ふうりゅう【風流】 图ダナ 풍류. **1** 사물의 멋·정취를 앎; 풍아. ¶～の道 풍류의 도《시가·서화·다도 따위》/～を解する 풍류를 이해하다. **2** 운치 있게 꾸밈. ＝数寄. ¶～な庭 운치있게 꾸민 정원/～に造った離れ屋 운치있게 만든 별당/～棚 운치있게 꾸민 선반.

──いんじ【──韻事】 图 풍류놀이《도색적인 놀이를 가리키는 일도 있음》. ¶～を楽しむ 풍류놀이를 즐기다.

──じん【──人】 图 풍류인; 풍류객. ＝粋人.

ふうりょく【風力】 图〔氣〕 풍력. ¶～が増した 풍력이 세어졌다.

ふうりん【風鈴】 图 풍경. ¶軒端の～が鳴る 처마 끝의 풍경이 울리다/～をつる 풍경을 달다.

***プール** [pool] 풀. 一图 수영(경기)장. 二图ス他 **1** (자금·이익·계산 등을) 공동 계산으로 함; 또, 기업가 연합 따위. **2** 모아 둠. ¶資金を～する 자금을 모아 두다.

ふうろ【風炉】 图 자연 통풍을 이용한 시금(試金)용 작은 도가니.

ふうろう【封ろう】《封蠟》 图 봉랍. ¶瓶の栓を～で封じる 병마개를 봉랍으로 봉하다. ＝封じ蠟.

ふうろう【風浪】 图 풍랑; 풍파. ＝なみかぜ. ¶～に揉まれる一葉の小舟 풍랑에 시달리는 일엽편주/～と戦う 풍랑과 싸우다.

ふうん【不運】 图ナ 불운. ＝ふしあわせ·不幸·不遇. ¶～な出来事 불운한 사건/人の運～は定めがない 사람의 운·불운은 덧없다/～のどん底におちいる 불운의 구렁텅이에 빠지다. ↔幸運.

ふうん【浮雲】图 부운; 뜬구름. =浮(う)き雲(ぐも). ¶~のような人生(じんせい) 뜬구름과 같은 인생 / ~の富貴(ふうき) 뜬구름 같은 부귀.

ふうん 感 감탄하거나 의심스러운 마음을 나타낼 때의 콧소리: 흠; 흥. ¶~それは本当(ほんとう)かい 흥, 그것이 정말인가.

ぶうん【武運】图 무운. ¶~長久(ちょうきゅう)を祈(いの)る 무운 장구를 빌다 / ~尽(つ)きて曠野(こうや)の露(つゆ)と消(き)える 무운이 다하여 광야의 이슬로 사라지다 / ~つたなく敗(やぶ)れ去(さ)る 무운이 다하여[나빠서] 패해 물러가다.

ぷうんと 副 냄새가 (강하게) 풍기는 모양: 물씬.

***ふえ**【笛】图 **1** 피리; 저. ¶~の音(ね) 피리 소리 / ~を吹(ふ)く 피리를 불다. **2** 호각. ¶試合開始(しあいかいし)の~ 시합 개시의 호각 / 集合(しゅうごう)の~を吹(ふ)く 집합의 호각을 불다.

—吹(ふ)けども踊(おど)らず 피리를 불어도 춤추지 않는다《온갖 수를 써서 꼬드겨도 상대가 응하지 않는다》.

フェア [fair] 一ダナ 페어. **1** 공명; 공정; (특히, 경기에서) 적법임. ¶~な態度(たいど) 공정한 태도 / ~じゃない 공정치 못하다 / ~に戦(たたか)う 공명정대하게 싸우다. **2** 야구·테니스에서, 친 공이 규정된 선 안에 들어감. ↔ファウル·アウト.
二图 (백화점의) 직매 전시회; 견본시. ¶ブック~ 북 페어; 도서 전시회.

—プレー [fair play] 图 페어 플레이; 정정당당한 시합; 공명정대한 태도나 행동. ¶~の精神(せいしん) 페어 플레이 정신.

ふえいせい【不衛生】图ダナ 비위생적임. ¶~な店(みせ) 비위생적인 가게.

フェイルセーフ [fail-safe] 图 페일세이프; (고장에 대해) 안전 장치가 반드시 작동하게 된 장치. =フェールセーフ.

フェイント [feint] 图 페인트; (운동 경기 등에서) 공격하는 시늉; 속이기 위한 견제 동작; 양동(陽動). ¶~モーション 페인트 모션 / ~をかける 페인트 모션을 쓰다.

フェース [face] 图 페이스; 얼굴. =顔(かお). ¶ニュー~ 새 얼굴; 신인 / ポーカー~ 포커 페이스; 무표정한 얼굴 / ベビー~ 앳된 얼굴.

—バリュー [face value] 图 페이스 밸류; (증권 등의) 액면 가격.

フェーンげんしょう【フェーン現象】图〖氣〗 푄 현상《산을 넘은 건조한 바람이 열풍이 되어 내리 부는 현상》. =フェーン. ▷도 Föhn.

ふえき【不易】名ナ 불역; 불변. ¶万古(ばんこ)~の真理(しんり) 만고불변의 진리.

フェザーきゅう【フェザー級】图 (권투·레슬링·역도 따위 체급별 스포츠의) 페더급. 參考 feather weight의 역어.

フェスティバル [festival] 图 페스티벌; 축전; 축제; 제전; 향연. =(お)祭(まつ)り. ¶ジャズ~ 재즈 페스티벌.

ふえつ [斧鉞] 图 **1** 부월; 큰 도끼와 작은 도끼. **2** (문장 등의) 손질; 수정.

—を加(くわ)える (문장 등을) 수정하다.

ふえて【不得手】名ナ **1** 잘하지 못함. =不得意(ふとくい)·苦手(にがて). ¶~な科目(かもく) 잘 못하는 과목 / 私(わたし)は商売(しょうばい)は~です 나는 장사는 서투릅니다 / しゃべるのはどうも~です 말주변이라고는 없습니다 / 人(ひと)にはそれぞれ得手(えて)~がある 사람에게는 각기 잘하고 못하는 것이 있다. ↔得手(えて). **2** 즐기지 않음. ¶酒(さけ)は~だ 술은 즐기지 않는다.

フェニックス [phoenix] 图 피닉스; 불사조《이집트 신화의 영조(靈鳥)》.

フェノール [phenol] 图〖化〗 페놀. **1** 석탄산(酸)·크레졸 등의 총칭. **2** 석탄산.

フェミニスト [feminist] 图 페미니스트. **1** 여성 해방론자; 여권 확장론자. **2** 여성을 각별히 존중하는 남자; 여자에 무른 남자.

フェミニズム [feminism] 图 페미니즘; 여권 확장론; 여성 존중론.

フェリー [ferry] 图 페리《'フェリーボート'의 준말》.

—ボート [ferryboat] 图 페리보트; (자동차를 실을 수 있는) 큰 나룻배; 연락선. =カーフェリー.

****ふ·える** 下1自 **1**【増える】 (인원·물량·수효가) 늘다; 증가하다; 늘어나다. =増(ま)す. ¶荷物(にもつ)が~ 짐이 늘다 / 又(また)一人(ひとり)子供(こども)が~·えた 또 아이가 하나 늘었다 / 水(みず)が~ 물이 붇다 / 目方(めかた)が~·えた 무게가 늘었다. ↔減(へ)る. **2**【殖える】 (돈·재산 등이) 늘다. ¶財産(ざいさん)[金(かね)]が~ 재산[돈]이 늘다[불어나다].

フェルト [felt] 图 펠트《모자·방석·신 따위의 재료》. =フエルト.

—ペン [felt pen] 图 펠트펜.

ふえん【不縁】图 연분이 없음. **1** 절연(絶緣). =離縁(りえん). ¶釣(つ)り合(あ)わぬは~のもと 어울리지 않는 것은 절연의 원인. **2** 인연이 맺어지지 않음; 인연이 멂. ¶~に終(お)わる 맺어지지 않고 끝나다.

ふえん【敷延】《敷衍》图ス他 부연. ¶説明(せつめい)を~する 부연 설명하다.

フェンシング [fencing] 图 펜싱.

フェンス [fence] 图 펜스; 울타리; 벽《특히, 야구장 안의 방벽》. ¶オーバー~ 오버 펜스 / 打球(だきゅう)が~をこす 타구가 펜스를 넘어가다.

フェンダー [fender] 图 펜더; 자동차의 흙받기. =どろよけ.

ぶえんりょ【無遠慮】图ダナ 예의가 없음; 제멋대로 행동함; 무례함. =不作法(ぶさほう). ¶~なやつ 버릇없는 놈 / ~な質問(しつもん) 무람없는 질문 / ~に物(もの)を言(い)う人(ひと) 함부로 지껄이는 사람 / ずけずけと~な口(くち)をきく 서슴지 않고 제멋대로 지껄이다.

フォア [four] 图 포; 4명이 젓는, 조정용 「보트.

—ボール [일 four+balls] 图〖野〗 포볼; 베이스 온 볼스; 사구(四球). ¶~で一塁(いちるい)に歩(ある)く 사구로 1루에 걸어나가다.

フォアハンド [forehand] 图 (테니스·탁

구 등에서) 포핸드. ↔バックハンド.

フォアグラ [프 foie gras] 名 〖料〗 푸아그라; 거위 간《요리의 재료로, 진미(珍味)로 침》.

フォーカス [focus] 名 〖寫〗 포커스; 초점; 핀트. ¶ソフト～ 소프트 포커스.

フォーク [fork] 名 포크. ¶一揃いの～とナイフ 한 벌의 포크와 나이프.

——ボール [fork ball] 名 〖野〗 포크 볼《집게손가락과 가운뎃손가락으로 공을 쥐고 던지는 변화구》. 「차.

——リフト [forklift] 名 포크리프트; 지게

フォークソング [folk song] 名 포크송; 구미(歐美)의 민요풍의 노래.

フォークダンス [folk dance] 名 포크 댄스; 민속 무용; 향토 무용; 또, 레크리에이션에서 집단적으로 추는 댄스.

フォースアウト [force-out] 名ス他 〖野〗 포스아웃; 봉살(封殺).

フォーマット [format] 名 포맷. **1** 서적 등의 판형(判型); 잡지 따위의 체재. **2** 〖컴〗 틀잡기; 데이터나 데이터를 기록하는 매체에 설정되는 일정한 형식. **3** 방송 프로그램의 구성·형식.

フォーマル [formal] ダナ 포멀; 공식임; 형식적임. ¶～イベント 공식 행사 / ～スーツ 포멀한 양복; 격식 차린 정식 양복. ↔インフォーマル.

——ウエア [formal wear] 名 포멀 웨어; 정장(正裝). ↔カジュアルウエア.

フォーム [form] 名 폼; 형식; 자세; 모양. ¶投球～ 투구 폼〔자세〕/ 美しい～で走る 멋진 폼으로 달리다.

フォーメーション [formation] 名 포메이션; 구기(球技) 따위에서, 진형(陣形).

フォーラム [forum] 名 포럼; 광장; 공개토론회.

フォール [fall] 名ス自 폴; (레슬링에서) 선수의 양 어깨가 동시에 매트에 닿는 일《닿는 편이 짐》. ¶～勝ち 폴 승 / ～で勝つ 폴로 이기다.

フォールト [fault] 名 폴트; (테니스·배구 따위에서) 서브의 실패.

フォーン [phone] 名 폰; 'テレフォン(＝전화(기))'의 준말.

フォト [photo] 名 포토; 사진. ＝フォトグラフ. ¶～ニュース 사진 뉴스.

——スタジオ [photo studio] 名 포토 스튜디오; 사진관. ＝写場.

ぶおとこ【ぶ男】《醜男》名 추남; 못생긴 남자. ＝しこお. ↔ぶ女.

フォルダー [folder] 名 폴더; 서류철; 종이 끼우개. ＝紙ばさみ·ホルダー.

フォルテ [이 forte] 名 〖樂〗 포르테《'강하게'의 뜻; 기호: *f*》. ↔ピアノ.

フォルティシモ [이 fortissimo] 名 〖樂〗 포르티시모; 아주 강하게《기호: *ff*》. ＝フォルティッシモ. ↔ピアニシモ.

フォロー [follow] 名ス自 폴로. **1** 뒤쫓음; 추적함. ¶事件の顚末をよく～した記事 사건의 전말을 잘 추적한 기사. **2** 실패하지 않도록 지원〔원조〕함. ¶新入社員の業務を～する 신입 사원의 업무를 지원하다.

——シーン [일 follow＋scene] 名 〖映〗 폴로신; 이동 촬영 장면.

フォワード [forward] 名 포워드; 구기(球技) 등에서, 전위. ↔バック.

ふおん【不穏】名ナ 불온. ¶～思想 불온 사상 / ～分子 불온 분자 / ～な形勢 험악한 형세 / ～な態度を取る 불온한 태도를 취하다. ↔平穏.

フォント [font] 名 〖印〗 폰트; 크기·서체가 같은 구문(歐文) 활자의 한 세트《대문자·소문자·기호 등》.

ふおんとう【不穏当】名ダナ 불온당; 온당치 못함. ¶～な言葉 온당치 않은 말 / ～な処置を取る 온당치 못한 조처를 취하다. ↔穏当.

ぶおんな【ぶ女】《醜女》名 추녀; 못생긴 여자. ＝しこめ·しゅうじょ. ↔ぶ男.

ふか 〖鱶〗 名 〖魚〗 상어《특히, 큰 것의 속칭》. ¶～ひれのスープ 상어 지느러미 수프.

ふか【不可】名 불가. **1** 옳지 않음; 해서는 안됨. ¶可もなく～もない 좋은 것도 없고 나쁜 것도 없다《무난하지만 특색이 없다》/ 立ち入り～ 들어갈 수 없음. **2** (시험 등 성적 평가에서) 최하급; 수준 이하로서 불합격의 뜻. ⇔可.

ふか【付加·附加】名ス他 부가. ¶～税 부가세 / ～刑 부가형 / ～物 부가물 / ～価値 부가가치.

ふか [孵化] 名ス自他 부화. ＝孵卵. ¶人工～ 인공 부화 / ひよこを～させる 병아리를 부화시키다.

ふか【負荷】부하. ㊀名ス他 짐을〔임무를〕떠맡음. ¶～の大任 맡은 바 대임. ㊁名 기계를 가동하여 실제로 작업시키는 일의 분량. ¶～率 부하율 / ～電動機 부하 전동기.

ふか【賦課】名ス他 부과. ¶～金 부과금 / 税金を～する 세금을 부과하다.

ふか＝【深】**1** 깊은; 깊게. ¶～情け 이성에 대한 깊은 애정 / ～入り 깊이 들어감〔관여함〕. **2** 중한; 깊은. ¶～手 중상; 깊은 상처.

ぶか【部下】名 부하. ＝配下·手下. ¶～にする 부하로 삼다 / 氏の～には幾多の敏腕家がいる 씨의 부하에는 많은 민완가가 있다 / ～を従える〔使う〕부하를 거느리다〔부리다〕.

ふかあみがさ【深編みがさ】《深編み笠》名 (얼굴을 푹 가리게 된) 운두가 깊은 삿갓.

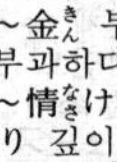

〔深編み笠〕

ふか-い【深い】形 **1** 깊다. ㉠겉에서 속까지의 길이가 길다. ¶～谷〔井戸〕 깊은 골〔우물〕/ ～傷 깊은 상처 / ～海の底 깊은 바다 밑바닥 / ～山の中 깊은 산속 / 山〔底〕が～ 산〔바닥〕이 깊다 / 彫りの～顔 윤곽이 뚜렷한 얼굴. ㉡(생각이) 듬쑥하다. ¶～·く考える

깊이 생각하다/心の奥～·く秘める 마음속 깊이 간직하다/学識が～ 학식이 깊다. ㉢한창이다. ¶秋が～ 가을이 깊다/夜が～ 밤이 깊다. ㉣정의나 관계가 두텁다. ¶～仲 깊은 사이/～·く関係を結ぶ 깊이 관계를 맺다. **2** 심하다; 많다. ¶欲〔経験〕が～ 욕심〔경험〕이 많다/罪が～ 죄가 크다/さびが～ 녹이 많이 슬다. **3** (빛깔·맛 따위가) 짙다. ¶味〔緑〕が～ 맛〔녹음〕이 짙다. **4** 밀도가 높다; 우거지다. ¶霧が～ 안개가 짙다/草が～ 풀이 무성하다. ⇔浅い.

*__ふかい__【不快】㊀[名ナ] 불쾌. ¶～感 불쾌감/～な顔 불쾌한 얼굴/～な思いがする 불쾌한 생각이 들다/～を覚える 불쾌감을 느끼다. ㊁[名] 병《예스러운 말씨》. ¶～の気味 병의 기미/ご～の由は承りましたが… 병환이시라는 말은 들어 알고 있습니다만….

—しすう【—指数】[名] 불쾌지수.

=**ぶか-い**【深い】《名詞에 붙어, 形容詞를 만듦》…이 깊다. ¶情け～ 인정이 많다/毛～ 털이 많다/遠慮～ 조심성이 많다. ⇒ふか(深)い.

ぶがい【部外】[名] 부외; 조직에 속하지 않는 외부. =外部. ¶～者 부외자/～秘 부외비/～に話をもらす 이야기를 부외로 누설하다. ↔部内.

ふがいな-い〖腑甲斐無い·不甲斐ない〗[形] 기개가 없다; 칠칠치 못하다; 한심스럽다. ¶あんな相手に負けるなんて～ 저런 상대에게 지다니 칠칠치 못하다/連敗するとは～ 연패하다니 야무지지 못하다/一点も取れないなんて～ 한 점도 못 따다니 한심스럽다/われながら～ 내가 생각해도 한심하다.

ふかいにゅう【不介入】[名] 불개입. ¶紛争～ 분쟁 불개입.

ふかいり【深入り】[名ス自] (필요 이상으로) 깊이 들어감〔관계함〕. ¶敵地に～して捕虜になる 적지에 깊이 들어갔다가 포로가 되다/その件には～しないほうがいい 그 건에는 깊이 관여하지 않는 게 좋다.

ふかおい【深追い】[名ス他] 끈덕지게 깊이 쫓음. ¶～は危険だ 너무 쫓으면 위험하다/敵を～して反対に罠にはまった 적을 너무 깊이 쫓다가 반대로 함정에 빠졌다.

ふかかい【不可解】[名ナ] 불가해. ¶～な現象 불가해한 현상/人生は～だ 인생은 불가해하다.

ふかく【不覚】[名ダナ] **1** 확고한 각오가 서 있지 않음; 특히, 방심해서 실패〔실수〕함; 불찰. ¶僕の～だった 나의 실수였다〔불찰이었다〕/あんな人を妻に持ったのがあなたの～です 저런 사람을 아내로 삼은 것이 당신의 불찰이오/～にも気づかなかった 방심한 나머지 알아차리지 못했다. **2** 저도 모르게 함; 무의식. ¶～の涙がこぼれる 저도 모르게 눈물이 나오다/前後～に眠る 전후 분별〔정신〕없이 자다.

—を取る 방심하여 생각잖은 실수를 하다〔낭패를 보다〕.

ふかく【俯角】[名]〘数〙 부각; 내려본각. =伏角. ↔仰角.

ぶがく【舞楽】[名] 무악; 특히, 춤이 따른 (야외용의) 아악. ¶～を楽しむ 무악을 즐기다.

ふかくじつ【不確実】[名ダナ] 불확실. =あやふや·ふたしか. ¶～性 불확실성/～な情報 불확실한 정보.

ふかくてい【不確定】[名ダナ] 불확정. ¶～な要素をふくんでいる 불확정적인 요소가 내포되어 있다.

ふかけつ【不可欠】[名ナ] 불가결. ¶～の条件 불가결한 조건/生命に～な物質 생명에 불가결한 물질/～の存在と認める 불가결한 존재로 인정하다.

ふかこうりょく【不可抗力】[名] 불가항력. ¶～的 불가항력적/それは～だ 그것은 불가항력이다/当局はこの惨事を～と称している 당국은 이 참사를 불가항력이라고 말하고 있다.

ふかさ【深さ】[名] 깊이. ¶～を測る 깊이를 재다/～が五フィートに達する 깊이가 5 피트에 달하다.

ふかざけ【深酒】[名ス自] 과음. ¶～をしたので食欲がない 과음해서 식욕이 없다.

ふかし〖蒸かし〗[名] 찜; 또, 찐 것. ¶～いも 찐 감자/～缶 찜통/～が足りない 덜 쪄지다.

ふかし【不可視】[名] 불가시.

—こうせん【—光線】[名]〘理〙 불가시광선. ↔可視光線.

ふかしぎ【不可思議】[名ナ] 불가사의. **1** 아무리 생각해도 속속들이 알 수 없음. ¶～な事件 불가사의한 사건/宇宙の～を解明する 우주의 불가사의를 해명하다. **2** 이상함. =ふしぎ. ¶～な話 이상한 이야기.

ふかしん【不可侵】[名] 불가침 ¶～条約 불가침 조약.

ふか-す【吹かす】[5他] **1** (담배를) 피우다. =くゆらす. ¶たばこを～ 담배를 피우다. **2** 티를 내다. ¶先輩風を～ 선배티를 내다/大臣風を～ 장관 행세를 하다. **3** 정거한 상태에서 자동차 엔진을 고속 공회전시키다. ¶エンジンを～ 엔진을 고속으로 회전시키다.

ふか-す【更かす·深す】[5他] 『夜を～』 밤 늦도록 안 자다. ¶遊びで夜を～ 노느라고 밤늦도록 안 자다.

*__ふか-す__〖蒸かす〗[5他] 찌다. =むす. ¶いもを～ 고구마〔감자〕를 찌다/御飯を～ 밥을 찌다.

ぶかつ【部活】[名] 야구부·미술부 따위 학생의 동아리 활동《'部活動(=부활동)'의 준말》. ¶～で毎日遅く帰る 클럽 활동으로 매일 늦게 돌아오다.

ぶかっこう【不格好】《不恰好》[名ダナ] 꼴

이 흉함; 모양이 나쁨; 볼품이 없음. ¶～な洋服(ようふく) 모양이 나쁜 양복/～な身(み)なり 볼품없는 옷차림/～に見(み)える 몰골스럽다; 꼴사납게 보이다.

ふかづめ【深づめ】《深爪》名ス自 손톱을 바싹 깊이 깎음. ¶～をする 손톱을 바싹 깎다/～を切(き)って指(ゆび)をいためる 손톱을 너무 바싹 깎아서 손가락을 상하게 하다.

ふかで【深手】《深傷》名 큰 부상; 중상. ¶～を負(お)う 중상을 입다/この～では助(たす)からない 이런 중상으로는 살 수 없다. ↔浅手(あさで)·薄手(うすで).

ふかなさけ【深情け】名 이성에 대한 깊은 애정. ¶悪女(あくじょ)の～ 추녀의 깊은 애정《성가신〔달갑잖은〕 호의나 친절》.

*__ふかのう__【不可能】名ナ 불가능. ¶実現(じつげん)～な計画(けいかく) 실현 불가능한 계획/～な事(こと)を要求(ようきゅう)する 불가능한 일을 요구하다/～に挑戦(ちょうせん)する 불가능에 도전하다. ↔可能(かのう).

ふかひ【不可避】名ナ 불가피. ¶交渉決裂(こうしょうけつれつ)は～だ 교섭의 결렬은 불가피하다/両者(りょうしゃ)の衝突(しょうとつ)は～のことと思(おも)われる 양자의 충돌은 불가피한 것으로 여겨진다.

ふかふか 副ナ 부드럽게 부푼 모양: 폭신폭신; 말랑말랑. ¶～(と)したふとん 폭신폭신한 이불/～にふかしたまんじゅう 말랑말랑하게 찐 만두.

ふがふが 副 코나 입에서 소리가 새어 무슨 말인지 분명치 않은 모양: 홍얼홍얼. =ふぎゃふぎゃ. ¶～(と)言(い)う 홍얼홍얼 중얼거리다.

ぶかぶか 一ダナ 헐거운 모양: 헐렁헐렁. ¶～なズボン〔靴(くつ)〕 헐렁헐렁한 바지〔구두〕. 二副ス自 **1** 고정되지 않고 들떠 있는 모양. ¶～した古畳(ふるだたみ) 불쑥불쑥 들뜬 낡은 다다미. **2** 물에 잠긴 것이 떠 있는 모양: 둥둥. ¶材木(ざいもく)が～(と)浮(う)いている 재목이 둥둥 떠 있다.

ぷかぷか 副 **1** 담배를 연해 피우는 모양: 뻑뻑. ¶～(と)たばこをふかす 뻐끔뻐끔 담배를 피우다. **2** 물 위에 가벼운 것이 뜬 모양: 둥실둥실; 둥둥. ¶～ボールが浮(う)く 공이 둥실둥실 뜨다/魚(うお)が～浮(う)きあがる 물고기가 둥둥 떠오르다.

ふかぶかと【深深と】副 깊디깊게; 깊숙이. ¶～腰掛(こしか)ける 깊숙이 걸터앉다/大気(たいき)を～吸(す)い込(こ)む 대기를 깊이 들이마시다/帽子(ぼうし)を～かぶる 모자를 깊숙이 쓰다/～眠(ねむ)る 깊이 잠들다/～頭(あたま)をさげる 머리를 깊이 숙이다.

ふかぶん【不可分】名ナ 불가분. ¶両者(りょうしゃ)は～の関係(かんけい)にある 양자는 불가분의 관계에 있다. ↔可分(かぶん).

ふかま【深間】名 (물이) 깊은 곳; 전하여, 남녀의 정분이 매우 깊음. ¶～にはまり込(こ)む 깊은 곳에 쑥 빠져 버리다; 특히, 남녀의 정분이 매우 깊어지다.

*__ふかま-る__【深まる】五他 깊어지다. ¶秋(あき)が～ 가을이 깊어지다/知識(ちしき)〔理解(りかい)〕が～ 지식이〔이해가〕 깊어지다/友情(ゆうじょう)が～ 우정이 두터워지다.

ふかみ【深み】名 **1** 깊은 곳; 깊이 팬 곳. ¶沼(ぬま)の～に落(お)ち込(こ)む 늪의 깊은 곳에 빠지다/悪(あく)の～におちいる 악의 구렁텅이에 빠지다. **2** 깊이; 깊은 맛. ¶～のない文章(ぶんしょう) 깊이가 없는 문장/その絵(え)には～が無(な)い 그 그림에는 깊은 맛이 없다/人物(じんぶつ)に～を加(くわ)える 인물에 깊이를 더하다. ↔浅(あさ)み.

ふかみどり【深緑】名 짙은 초록색; 갈매. =濃緑(のうりょく). ↔浅緑(あさみどり)·薄緑(うすみどり).

*__ふか-める__【深める】下1他 깊게 하다. ¶愛情(あいじょう)を～ 애정을 깊게 하다/考(かんが)えを～ 생각을 깊게 하다.

ふかよい【深酔い】名ス自 몹시 취함. ¶～のあげく溝(どぶ)に落(お)ちてしまった 몹시 취한 끝에 하수구에 빠지고 말았다.

ふかん[俯瞰]名ス他 부감; 조감(鳥瞰); 내려다봄. ¶丘(おか)から街(まち)を～する 언덕에서 거리를 내려다보다.
—ず[—図]名 부감도; 조감도.

ぶかん【武官】名 무관. ¶駐在(ちゅうざい)～ 주재 무관. ↔文官(ぶんかん).

ふかんしへい【不換紙幣】名〔經〕불환지폐. ¶今(いま)の紙幣(しへい)は～である 오늘날의 지폐는 불환 지폐다. ↔兌換(だかん)紙幣.

ふかんしょう【不干渉】名 불간섭. ¶内政(ないせい)～ 내정 불간섭.

ふかんしょう【不感症】名 **1**〔醫〕불감증. ¶～の女(おんな) 불감증인 여자. **2** (익숙하여) 둔감함. ¶医者(いしゃ)は死体(したい)に対(たい)して～になる 의사는 시체에 대해서 별다른 느낌을 갖지 않게 된다.

*__ふかんぜん__【不完全】名ナ 불완전. ¶～燃焼(ねんしょう) 불완전 연소/～な答案(とうあん) 불완전한 답안/～な装備(そうび)で山(やま)にのぼる 불완전한 장비를 하고 등산하다.

ふき〖蕗〗名〔植〕머위. ⇨ふきのとう.

ふき【不帰】名 불귀. ¶の客(きゃく)となる 불귀의 객이 되다《죽다》.

ふき【付記·附記】名ス他 부기; 덧붙여 씀. ¶感想(かんそう)〔但(ただ)し書(が)き〕を～する 감상을〔단서를〕 부기하다.

ふぎ【付議·附議】名ス他 부의; 회의에 부침. ¶議案(ぎあん)を委員会(いいんかい)に～する 의안을 위원회에 부의하다.

ふぎ【不義】名 **1** 불의. ¶不忠(ふちゅう)～の輩(やから) 불충불의의 도배/～の金(かね) 부정한 돈. **2** 부정한 정교(情交); 밀통; 간통. ¶～密通(みっつう) 부정한 밀통/～の子(こ) 부정한 관계로 태어난 아이; 사생아/～の男女(だんじょ) 부도덕한 남녀/～の情(じょう)を結(むす)ぶ 부정한 정을 맺다; 간통하다.

*__ぶき__【武器】名 무기. ¶～を取(と)って戦(たたか)う 무기를 들고 싸우다/語学(ごがく)が彼(かれ)の～だ 어학이 그의 무기이다/涙(なみだ)は女(おんな)の～だ 눈물은 여자의 무기다/彼(かれ)は弁説(べんぜつ)を～として世(よ)に立(た)ち向(む)かう 그는 변설을 무기로 세상과 맞선다.
—こ【—庫】名 무기고. =武器ぐら.

ふきあげ【吹き上げ】名 **1** 바닷바람이나

강바람이 치붊; 또, 그런 곳. ¶～の浜(はま) 바람이 치부는 바닷가〔강가〕/ 秋風(あきかぜ)の～に立(た)てる白菊(しらぎく) 가을바람이 치부는 곳에 서 있는 흰 국화. **2**【噴き上げ】분수《예스러운 말씨》.

ふきあ-げる【吹き上げる】 下1他 **1**【噴き上げる】(물 등을) 위쪽으로 뿜어 올리다. ¶くじらが潮(しお)を～ 고래가 바닷물을 뿜어 올리다. **2** 바람이나 증기 등이 불어서 무엇을 날아오르게 하다. ¶風(かぜ)が木(こ)の葉(は)を～ 바람이 나뭇잎을 날리다 / 蒸気(じょうき)がふたを～ 증기가 뚜껑을 밀어 올리다.

ふきあ-れる【吹き荒れる】 下1自 (바람이) 몹시 거칠게 불다; 불어대다. ＝吹(ふ)きすさぶ. ¶木枯(こが)らしが～ 초겨울 찬바람이 사납게 불다.

ふきおろ-す【吹き下ろす】 5自 내리불다; 아래쪽으로 향하여 불다. ¶山(やま)から～風(かぜ) 재넘이.

ふきかえ【吹き替え】 名 **1** 개주(改鑄)함; 또, 그 다시 주조한 물건. ＝鋳直(いなお)し. ¶～の銀貨(ぎんか) 다시 주조한 은화. **2** 더빙. ¶～の声(こえ) (일본어로) 더빙한 목소리. **3**〔劇·映〕관객이 모르게 대역(代役)함; 또, 그 대역이나 인형. ＝スタンドイン·替(か)え玉(だま).

ふきかえ-す【吹き返す】 [一]5自 반대 방향으로 바람이 불다. [二]5他 **1** 바람이 불어서 물건을 반대 방향으로 날리거나 물건을 뒤엎다. ¶掃(は)きよせた落(お)ち葉(ば)を～ 쓸어 모은 낙엽을 바람이 불어 날려 버리다. **2** 화폐·쇠붙이를 녹여 다시 만들다. ＝鋳(い)なおす. ¶銅銭(どうせん)を～ 동전을 개주하다. **3** 숨을 되돌리다; 소생하다. ＝生(い)き返(かえ)る. ¶人工呼吸(じんこうこきゅう)で息(いき)を～ 인공 호흡으로 되살아나다.

ふきか-ける【吹き掛ける】 下1他 **1** 세차게 내뿜다. ¶鏡(かがみ)に息(いき)を～·けてみがく 거울에 입김을 내뿜고 문지르다. **2** ☞ふっかける2·3.

***ふきげん**【不機嫌】 名ダナ 불쾌함; 기분이 좋지 않음〔언짢음〕. ¶～な顔(かお) 불쾌한 얼굴 / ～になる 불쾌해지다; 언짢아지다 / ～に黙(だま)りこくる 언짢아 하며 잠자코 있다. ↔御機嫌(ごきげん)·上気嫌(じょうきげん).

ふきこぼ-れる【吹きこぼれる】 下1自 (물 따위가) 끓어 넘치다. ¶味噌汁(みそしる)が～ 된장국이 끓어 넘치다.

***ふきこ-む**【吹き込む】 [一]5自 (비·바람 등이) 들이치다. ¶窓(まど)から雨(あめ)が～ 창문으로 비가 들이치다. [二]5他 **1** 꼬드겨 가르치다; 불어넣다. ¶ボールに空気(くうき)を～ 공에 바람을 불어넣다 / 悪(わる)い思想(しそう)を～ 나쁜 사상을 불어 넣다 / 新(あたら)しい生命(せいめい)を～ 새 생명을 불어넣다. **2** 녹음〔취입〕하다. ¶レコードに新曲(しんきょく)を～ 레코드에 신곡을 취입하다.

ふきこ-む【ふき込む】《拭き込む》 5他 (복도·선반·기둥 등을) 윤이 나도록 닦다. ¶ピカピカによく～·んだ廊下(ろうか) 반들반들하게 잘 닦은 복도 / 鏡(かがみ)のように～ 거울처럼 반들반들하게 닦다.

ふきさらし【吹きさらし】《吹き曝し》 名 가리는 게 없어서 비바람을 그대로 맞음; 또, 그런 한데. ＝ふきっさらし. ¶～の会場(かいじょう) 노천 회장 / ～のプラットホーム 바람막이가 없는 플랫폼 / 機械(きかい)が～になっている 기계가 한데에 내놓여져 있다.

ふきすさ-ぶ【吹きすさぶ】《吹き荒ぶ》 5自 (바람이) 휘몰아치다; 거칠게 불다. ¶風(かぜ)の～野原(のはら)を歩(ある)く 바람이 휘몰아치는 들판을 걷다.

ふきそ【不起訴】 名〔法〕불기소. ¶～処分(しょぶん) 불기소 처분. ↔起訴(きそ).

ふきそうじ【ふき掃除】《拭き掃除》 名 ス自 걸레질. ¶家(いえ)の～が行(ゆ)き届(とど)いている 집 안의 걸레질이 구석구석 잘되어 있다. ↔掃(は)き掃除.

***ふきそく**【不規則】 名ダナ 불규칙. ¶～な生活(せいかつ)〔食事(しょくじ)〕 불규칙한 생활〔식사〕/ ～に勉強(べんきょう)する 불규칙하게 공부하다 / ～に並(なら)んでいる 불규칙하게 늘어서 있다. ↔規則的(きそくてき).

―どうし【―動詞】 名 (서양 문법에서) 불규칙〔변격〕 동사. ↔規則(きそく)動詞.

ふきたお-す【吹き倒す】 5他 **1** 바람이 물건을 넘어뜨리다. ¶強風(きょうふう)が垣根(かきね)を～ 강풍이 울타리를 쓰러뜨리다. **2** 허풍을 쳐서 남을 압도하다.

ふきだし【吹き出し】 名 **1** 계절이나 지역의 특유한 바람이 세게 불기 시작함. ¶冬(ふゆ)の季節風(きせつふう)の～ 겨울의 계절풍이 불기 시작함. **2** 만화에서, 인물의 대사를 쓰기 위한, 풍선 모양의 둥근 테두리.

ふきだ-す【吹き出す】 [一]5自 바람이 불기 시작하다. ¶午後(ごご)から風(かぜ)が～ 오후부터 바람이 불기 시작하다.
[二]5他 (피리 따위를) 불기 시작하다.

***ふきだ-す**【噴き出す】 [一]5自 **1** (물·온천 등이) 내뿜다. ¶傷口(きずぐち)からどっと血(ち)が～ 상처에서 왈칵 피가 내뿜다 / 火山(かざん)が～ 화산이 분출하다 / 温泉(おんせん)が～ 온천물이 솟아 나다. **2** 웃음을 터뜨리다. ¶たまらなくなってぷっと～ 참지 못하여 푹 웃음을 터뜨리다 / 思(おも)わず～·さずにはいられなかった 나도 모르게 웃음을 터뜨리지 않을 수 없었다.
[二]5他 불·용암 등을 내뿜다; 분출하다; 불어 내보내다. ¶煙(けむり)を～ 연기를 내뿜다 / 箱(はこ)の中(なか)の土(つち)ぼこりを～ 상자 속의 흙먼지를 불어 내다.

ふきだまり【吹きだまり】《吹き溜まり》 名 바람에 날리어 눈·나뭇잎 등이 쌓인 곳. ¶～の雪(ゆき) 바람에 휘날려 쌓인 눈.
参考 생활의 낙오자들이 모이는 곳이나 막다른 골로도 비유됨. ¶人生(じんせい)〔社会(しゃかい)〕の～ 인생〔사회〕의 낙오자가 모이는 곳 / 日本(にっぽん)は東西(とうざい)両(りょう)文化(ぶんか)の～だ 일본은 동서 양 문화의 막다른 골이다.

***ふきつ**【不吉】 名ナ 불길. ＝凶(きょう)·不祥(ふしょう). ¶～な前兆(ぜんちょう) 불길한 전조 / ～な夢(ゆめ)〔予感(よかん)〕 불길한 꿈〔예감〕.

ふきつ-ける【吹き付ける·吹き着ける】 ㊀[下1自他] 내뿜다; 세차게 불다. ¶息(いき)を~ 숨을 내뿜다 / 風(かぜ)が~所(ところ)で働(はたら)く 바람이 세차게 부는〔내리치는〕 곳에서 일하다 / 風(かぜ)が雪(ゆき)を窓(まど)に~ 바람이 눈을 창문에 뿌리다. ㊁[下1他] 뿜어서 부착시키다. ¶塗料(とりょう)〔ペンキ〕を~ 도료〔페인트〕를 뿜어 칠하다.

ぶきっちょ [名][ダナ] 〈俗〉 ☞ぶきよう. [注意] 'ぶきっちょう'라고도 함.

ふきでもの【吹き出物】[名] 부스럼; 뾰루지·여드름 따위《흔히, 작은 부스럼을 이름》. ＝おでき.

ふきとおし【吹き通し】[名] 바람이 불어 지나감; 또, 그곳. ＝ふきぬけ.

ふきとお-す【吹き通す】[5自] **1** 바람이 불어 지나가다. **2** 바람이 계속 불다. ¶一晩(ひとばん)じゅう風(かぜ)が~·した 밤새도록 바람이 불었다.

ふきとお-る【吹き通る】[5自] 바람이 지나가다. ＝吹き抜(ぬ)ける.

ふきとば-す【吹き飛ばす】[5他] **1** 불어 날려 버리다. ¶風(かぜ)が帽子(ぼうし)を~ 바람이 모자를 날려 버리다. **2** 큰소리를 쳐서 놀라게 하다. ¶ほらを~ 풍을 치다 / 相手(あいて)を~ 풍을 쳐 상대를 놀라게 하다 / 笑(わら)って~ 웃어 대어 놀라게 하다. **3** 떨쳐버리다; 물리치다. ¶暑(あつ)さを~ 더위를 쫓다 / 悲(かな)しみを~ 슬픔을 떨쳐버리다 / 不景気(ふけいき)を~ 불경기를 이겨 내다.

ふきと-ぶ【吹き飛ぶ】[5自] **1** 바람에 날아가다. ¶看板(かんばん)〔木(こ)の葉(は)〕が~ 간판〔나뭇잎〕이 바람에 날아가다. **2** 언짢은 기분이나 생각이 깨끗이 사라지다〔가시다〕. ¶疑(うたが)いの念(ねん)が~ 의혹이 싹 사라지다.

ふきながし【吹き流し】[名] **1** 기(旗)드림《군진(軍陣)에 세우는, 여러 개의 조붓하고 긴 헝겊을 반달 모양의 고리에 매어 장대 끝에 달아 바람에 나부끼게 한 것》. **2** 단오절에 장대 끝에 매다는 こいのぼり.

ふきぬき【吹き抜き】《吹き貫き》[名] **1** 막힘 없이 바람이 통하는 곳. ＝ふきぬけ. **2**〖建〗 벽이 없는 건축 양식; 또, 건물 중앙부 중간에 마루를 두지 않고 위아래가 통하게 짓는 양식. ＝ふきぬけ·吹(ふ)き放(はな)ち.

ふきぬ-ける【吹き抜ける】[下1自] 바람이 지나가다. ¶風(かぜ)が~部屋(へや) 바람이 지나가는 방 / 台風(たいふう)が東京(とうきょう)を~·けた 태풍이 東京를 지나갔다.

ふきのとう〖蕗の薹〗[名]〖植〗 머위의 어린 꽃줄기《씹으면 맛이 씁쌀함》.

ふきはら-う【吹き払う】[5他] (바람이) 불어서 날려 버리다. ¶風(かぜ)が霧(きり)を~ 바람이 불어 안개를 날려 버리다 / ごみを~ 먼지를 불어서 날려 버리다 / 暗雲(あんうん)を~ 먹구름을 날려버리다.

ふきぶり【吹き降り】[名] 폭풍우; 거센 비바람. ¶一日中(いちにちじゅう)~がひどかった 온종일 비바람이 심했다.

ふきまく-る【吹きまくる】《吹き捲る》 ㊀[5自] (바람이) 마구 세차게 불어 대다; 휘몰아치다. ¶一日中(いちにちじゅう)北風(きたかぜ)が~ 하루 종일 북풍이 휘몰아치다. ㊁[5他] 마구 큰소리〔흰소리〕치다〔허풍을 떨다〕. ¶能力(のうりょく)がないのにほらを~ 능력이 없는데도 큰소리만 친다.

ふきまわし【吹き回し】[名] 바람이 부는 상태; 전하여, 그때의 형편. ¶風(かぜ)の~で 바람따라; 형편에 따라서 / どうした風(かぜ)の~でここに来(き)たか 무슨 바람이 불어서 여기 왔나.

*__ぶきみ__【不気味·無気味】[名][ダナ] 어쩐지 기분이 나쁨; 까닭 모를 무서움. ¶~な沈黙(ちんもく) 기분 나쁜 침묵 / ~な笑(わら)い 섬뜩한 웃음 / ~に静(しず)まり返(かえ)っている 어쩐지 무서운 생각이 들 만큼 조용하다.

ふきや【吹き矢】[名] 바람총《짤막한 화살을 대통에 넣고 입으로 불어 쏘는 무기》; 또, 그 화살.

ふきゅう【不休】[名] 불휴; 쉬지 않고 활동함. ¶不眠(ふみん)~ 불면불휴 / ~の努力(どりょく) 쉼없는 노력; 끊임없는 노력.

ふきゅう【不急】[名ナ] 불급. ¶不要(ふよう)~ 불요불급 / ~な工事(こうじ)に予算(よさん)を使(つか)う 급하지 않은 공사에 예산을 쓰다.

―ふよう【―不要】[名ナ] 불급불요; 불요불급.

ふきゅう【不朽】[名] 불후. ＝不滅(ふめつ). ¶~の名作(めいさく)を世(よ)に残(のこ)す 불후의 명작을 세상에 남기다.

ふきゅう【腐朽】[名][ス自] (목재·금속 등이) 썩어 문드러짐. ¶~を防(ふせ)ぐ 썩는 것을 방지하다.

*__ふきゅう__【普及】[名][ス自他] 보급. ¶テレビの~率(りつ) 텔레비전 보급률 / パン食(しょく)の~ 빵식의 보급 / パソコンの~がめざましい PC 보급이 눈부시다 / ビデオが~する 비디오가 보급되다.

―ばん【―版】[名] 보급판; 대중판. ↔豪華版(ごうかばん).

ふきょ【不許】[名] 불허. ＝不許可(ふきょか). ¶独走(どくそう)~ 독주 불허.

―ふくせい【―複製】[名] 불허복제.

ふきょう【不況】[名] 불황. ＝不景気(ふけいき). ¶~のしわ寄(よ)せ 불황의 여파 / ~に陥(おちい)る 불황에 빠지다 / ~に見舞(みま)われる 불황이 닥치다 / ~が長(なが)びく 불황이 오래 끌다 / ~の波(なみ)をかぶる 불황의 물결을 만나다 / ~を乗(の)り切(き)る 불황을 이겨내다 / ~が回復(かいふく)しつつある 불황이 회복돼 가고 있다. ↔好況(こうきょう).

ふきょう【不興】[名ナ] **1** 흥이 깨짐; 재미가 없음; 흥미가 없어짐. ¶座(ざ)が~になる 좌흥이 깨지다 / ~をかこつ 재미없다고 투덜거리다. **2** (윗사람의) 기분을 상하게 함; 노여움. ＝ふきげん. ¶~な顔(かお) 노여운 얼굴 / ~をこうむる 노염을 사다 / 社長(しゃちょう)の~を買(か)う 사장의 역정을 사다.

ふきょう【富強】㊀[名ナ] 부강. ¶国(くに)の~を図(はか)る 나라의 부강을 도모하다. ㊁[名]

'富国強兵(ふこくきょうへい)(＝부국강병)'의 준말.

ふきょう【布教】图(ス他) 포교. ＝伝道(でんどう). ¶～師(し) 포교사; 선교사 / ～活動(かつどう) 포교활동 / ～に従事(じゅうじ)する 포교에 종사하다 / 仏教(ぶっきょう)を～する 불교를 포교하다.

***ぶきよう**【不器用·無器用】图(ダナ) 서투름; 손재주가 없음. ＝ぶきっちょ. ¶～な手(て)つき 서투른 솜씨 / 人扱(ひとあつか)いが～だ 사람 다루는 게 서투르다 / 世渡(よわた)りがいたって～な男(おとこ) 처세가 매우 서투른 사나이. ↔器用(きよう).

ぶぎょう【奉行】图 무가 시대에 행정 사무를 분담한 각 부처의 우두머리《町(まち)奉行·勘定(かんじょう)奉行·寺社(じしゃ)奉行 따위》.

ふぎょうじょう【不行状】(名ナ) 품행〔몸가짐〕이 바르지 못함. ＝不行跡(ふぎょうせき). ¶～が重(かさ)なる 못된 짓이 거듭되다 / 積年(せきねん)の～ 여러 해 쌓인 못된 행실.

ふぎょうせき【不行跡】(名ナ) 행실이 나쁨; 품행이 바르지 못함. ＝不行状(ふぎょうじょう). ¶～を働(はたら)く 못된 짓을 하다.

ふきょうわおん【不協和音】图〖樂〗 불협화음《비유적으로도 씀》. ¶日米(にちべい)間(かん)に～が生(しょう)じる 미일 간에 불협화음이 생기다. ↔協和音(きょうわおん).

ぶきょく【舞曲】图 무곡. **1** 춤과 악곡. **2** 춤을 위한 악곡; 춤곡.

ふきよ-せる【吹き寄せる】(下1他) 바람이 한군데에〔한구석으로〕 그러모으다. ¶風(かぜ)が落(お)ち葉(ば)を～ 바람이 낙엽을 한군데로 그러모으다.

ふぎり【不義理】(名ナ) 의리에 벗어남; 특히, 빚을 갚지 않음. ¶～を働(はたら)く 못된 짓을 하다 / 友達(ともだち)に～をする 친구에게 빚을 갚지 않다 / ～ばかり(を)重(かさ)ねている 의리 없는 짓만을 되풀이하다.

ぶきりょう【不器量】《無器量》(名ナ) 용모가 못생김; 또, 그 사람. ＝ぶさいく. ¶～な〔の〕女(おんな) 못생긴 여자. (參考) 'ふきりょう'라고도 함.

ふきわ-ける【吹き分ける】(下1他) **1** (바람이 불어서 물건을) 여기저기 흩뜨리다. **2** (광물을 녹여서) 함유물을 분리하다〔가려내다〕. ¶鉱石(こうせき)から鉄(てつ)を～ 광석을 녹여 쇠를 가려내다.

ふきん【付近·附近】图 부근; 근처. ＝あたり·近所(きんじょ). ¶この～ 이 부근 / 東京(とうきょう)～ 東京 부근 / ～の図書館(としょかん) 부근의 도서관 / 女学校(じょがっこう)の～をうろつく 여학교 부근을 배회하다 / 現場(げんば)～を捜索(そうさく)する 현장 부근을 수색하다.

ふきん〖布巾〗图 행주. ¶～で拭(ふ)く 행주로 훔치다 / ～をかける 행주질하다.

ふきんこう【不均衡】图 불균형. ＝アンバランス. ¶～をただす 불균형을 바로잡다 / 貿易(ぼうえき)の～を是正(ぜせい)する 무역의 불균형을 시정하다.

ふきんしん【不謹慎】(名ナ) 불근신. ¶～なふるまい 불성실한 행동 / ～な態度(たいど) 신중하지 못한 태도 / ～をとがめる 불근신을 나무라다 / 少(すこ)し～に見(み)える 조금 불성실하게 보이다.

****ふ-く**【吹く】㊀(5自) (바람이) 불다. ¶南(みなみ)から涼(すず)しい風(かぜ)が～ 남쪽에서 시원한 바람이 불다.

㊁(5他) **1** (입으로) 불다. ㉠입김으로 불다. ¶火(ひ)を～·いておこす 불을 불어서 일으키다 / ろうそくを～·いて消(け)す 촛불을 불어서 끄다 / 湯(ゆ)を～·いてさます 더운물을 불어서 식히다. ㉡입김을 내어 울리다. ¶口笛(くちぶえ)を～ 휘파람을 불다 / トランペットでマーチを～ 트럼펫으로 행진곡을 불다. **2** 큰소리를 치다. ¶ほらを～ 풍을 치다〔떨다〕 / 大(おお)きな事(こと)を～·きまくる 큰소리를 탕탕 치다; 호언장담하다. **3** (금속을) 녹이다; 부어 만들다. ¶鐘(かね)を～ 종을 부어 만들다.

㊂(5自他) 내솟다; 솟아나다. **1**《噴く로도》 내뿜다. ¶火(ひ)を～山(やま) 불을 내뿜는 산 / 火(ひ)を～·いて燃(も)えあがる 불을 내뿜으며 타오르다 / 汗(あせ)が～·き出(で)る 땀이 내솟다 / クジラが潮(しお)を～ 고래가 물을 뿜어 내다. **2** 겉으로 나오다. ¶柳(やなぎ)が芽(め)を～ 버들이 싹을 내다〔싹트다〕 / ほしがきに粉(こ)が～ 곶감에 시설(柿雪)이 배어나다.

—·けば飛(と)ぶよう 불면 날아갈 듯《빈약하거나 관록이 없음》. ¶～な安普請(やすぶしん)〔男(おとこ)〕 불면 날아갈 듯한 날림 공사〔빈약한 사내〕.

吹(ふ)く의 여러 가지 표현

(표현例) さわさわ(산들산들)·そよそよ(솔솔; 산들산들; 살랑살랑)·ひゅうひゅう(휑휑)·びゅうびゅう(휑휑; 휙휙)·ぴゅうぴゅう(휑휑)·ひゅっと(휙)·ごうごう(윙윙).

***ふ-く**【噴く】㊀(5自) 뿜어 나오다. ¶火山(かざん)が～ 화산이 분출하다 / 温泉(おんせん)が～·きあがる 온천물이 뿜어 나오다.

㊁(5他) 내뿜다. ¶火山(かざん)が煙(けむり)を～ 화산이 연기를 내뿜다.

****ふ-く**〖拭く〗(5他) 닦다; 훔치다. ＝ぬぐう. ¶ガラスを～ 유리를 닦다 / 布巾(ふきん)でテーブルを～ 행주로 테이블을 훔치다 / 涙(なみだ)〔ぬれた手(て)〕を～ 눈물〔젖은 손〕을 닦다 / ハンカチで額(ひたい)の汗(あせ)を～ 손수건으로 이마의 땀을 닦다 / 雑巾(ぞうきん)で床(ゆか)を～ 걸레로 마루를 닦다 / こぼした水(みず)を～ 흘린 물을 훔치다.

ふ-く〖葺く〗(5他) **1** 지붕을 이다. ¶かわらで～ 기와로 지붕을 이다. **2** 처마에 초목을 꽂아 장식하다. ¶菖蒲(しょうぶ)を～·いた家(いえ) 처마에 창포를 꽂은 집.

ふく【副】㊀图 부본(副本). ＝うつし·ひかえ. ¶正(せい)～二通(につう)の書類(しょるい) 정부 2통의 서류. ㊁(接頭) 부…. ¶～委員長(いいんちょう) 부위원장. ⇔正(せい).

ふく【幅】㊀图 족자. ＝掛(か)け物(もの)〔軸(じく)〕. ㊁(接尾) …폭《족자를 세는 말》. ¶一幅(いっぷく)の絵(え) 한 폭의 그림.

***ふく**【服】㊀图 옷; (특히) 양복. ¶～を新調(しんちょう)する 양복을 새로 맞추다 / ～を

着る〔脱ぐ〕 옷을 입다〔벗다〕. 〔二〕〔接尾〕 **1** 첩약·가루약 봉지를 세는 말. ¶一日一服 하루 한 봉지. **2** 담배·차·약 따위를 먹는 횟수. ¶食後の一服 식후의 담배 한 대 / 一服のお茶 한 잔의 차.

ふく【福】〔名〕 복; 행복. ＝しあわせ. ¶～が舞いこむ 복이 날아 들다 / ～を呼ぶ〔招く〕 복을 불러들이다.

――は内, 鬼は外 복은 집 안으로, 귀신은 밖으로 (물러나라)《입춘 전날 밤에 볶은 콩을 뿌리면서 외는 말》.

ふく【複】〔名〕 (테니스·탁구 등에서) 복식. ¶混合の～ 혼합 복식. ↔単.

ふく〘伏〙〔常用〕 フク ふせる ふす | 복 엎드리다 |

1 엎드리다. ¶伏角 복각 / 起伏 기복. **2** 물건 아래에 숨다; 숨기다. ¶伏兵 복병 / 潜伏 잠복.

ふく〘服〙《服》〔教3〕 フク | 복 옷 | **1** 옷; 특히, 양복. ¶服装 복장 / 礼服 예복. **2** 좇다; 따르(게 하)다. ¶征服 정복 / 服務 복무. **3** 약·차·담배 따위를 먹음. ¶服薬 복약.

ふく〘副〙〔教4〕 フク そう そえる | 부 돕다 | **1** 곁에서 거들다; 시중들다; 버금. ¶副署 부서 / 副官 부관. ↔正. **2** 부차적인 것; 여벌; 대용물. ¶副本 부본.

ふく〘幅〙〔常用〕 フク はば | 폭 나비 | **1** 나비; 너비. ¶紙幅 지폭 / 振幅 진폭. **2** 족자; 또, 족자의 수를 나타내는 데 덧붙이는 말. ¶画幅 화폭 / 幅物 족자.

ふく〘復〙〔教5〕 フク かえる かえす ふたたび また | 복 다시 |

1 (본디의 위치나 상태로) 돌아가다. ¶復員 복원 / 復活 부활. **2** 되돌아가다. ¶往復 왕복. ↔往. **3** 되풀이. ¶反復 반복 / 復習 복습.

ふく〘福〙《福》〔教3〕 フク さいわい | 복 복 |

복; 행복. ¶福徳 복덕 / 祝福 축복. ↔禍.

ふく〘腹〙〔教6〕 フク はら | 복 배 | **1** 배. ¶腹痛 복통 / 満腹 만복. **2** 중간 부분; 물건을 간수하는 곳. ¶山腹 산복 / 船腹 선복. **3** 마음을 터 놓고 믿음. ¶腹心 복심. **4** 마음속. ¶腹案 복안.

ふく〘複〙〔教5〕 フク | 복 겹치다 | **1** 겹옷; 옷을 껴입다. **2** 겹으로 되어 있다. ¶複数 복수 / 重複 중복. ↔単.

ふく〘覆〙《覆》〔常用〕 フク くつがえす くつがえる おおう | 복 덮다 | **1** 덮어 씌우다; 덮다. ¶覆面 복면 / 被覆 피복. **2** 엎어지다. ¶転覆 전복.

ふぐ〘河豚〙〔名〕〔魚〕 복; 복어. ¶～中毒 복(어) 중독 / ～料理 복요리 / ～にあたる 복어에 중독되다.

――は食いたし, 命は惜しし 복어는 먹고 싶고 목숨은 아깝고《이익은 얻고 싶으나 위험해서 주저함의 비유》.

***ふぐ【不具】**〔名〕 **1** 불구; 신체 장애(자). ＝かたわ. ¶～者 신체 장애인 / ～になる 불구가 되다. 〔参考〕 현재는 '障害(＝장애)' 라고 함. **2** 〈文〉 불비; 여불비(餘不備)《편지 끝에 쓰는 말》. ＝不備·不一·不尽.

ぶぐ【武具】〔名〕 무구; 특히, 투구와 갑옷. ＝具足. ¶～を備える 투구와 갑옷을 갖추다.

ふくあん【腹案】〔名〕 복안. ¶～無しに話す 복안 없이 말하다 / ～を立てる〔練る〕 복안을 세우다〔짜다〕 / ～が出来ている 복안이 되어 있다 / 私に～がある 내게 복안이 있다.

ふくい【復位】〔名〕〔ス自〕 복위. ¶逐われた王が～する 쫓겨난 왕이 복위하다.

ふくい【福井】〔名〕〔地〕 일본 중부 서남부에 있는 현; 또, 그 현청 소재지.

ふくいく［馥郁］〔トタル〕 복욱; 그윽한 향기가 풍김. ¶～とした香り 그윽한 향기 / ～たる香りがあたりに満ちる 그윽한 향기가 주위에 그득하다.

ふくいん【幅員】〔名〕 (다리·도로·선박 등의) 폭; 나비. ＝はば. ¶道路の～ 도로의 폭.

ふくいん【復員】〔名〕〔ス自〕 복원; 병역에서 해제되어 귀향함. ¶～軍人 복원 군인 / 外地から～する 외지에서 복원하다. ↔動員.

ふくいん【福音】〔名〕 복음. **1** 기쁜 소식. ¶天来の～ 천래의 복음. **2**〔宗〕 예수의 가르침. ¶～を説く 복음을 설파하다. **3** '福音書'의 준말.

――しょ【――書】〔名〕〔宗〕 복음서.

ふぐう【不遇】〔名ナ〕 불우. ¶～な一生を送る 불우한 일생을 보내다 / 身の～をかこつ 자신의 불우함을 푸념하다.

ふくえき【服役】〔名〕〔ス自〕 복역. **1** 병역에 복무함. ¶～の義務 병역의 의무 / 海兵隊に～中 해병대에 복무 중. **2** 징역을 삶. ¶三年の～を終えて出所する 삼 년 복역을 마치고 출소하다.

ふくえん【復縁】〔名〕〔ス自〕 복연; (부부 등의) 인연을 끊었다가 다시 원래의 관계로 돌아감. ¶前妻が～を迫る 전처가 복연을 강요하다 / 離縁した夫婦が～する 이혼한 부부가 재결합하다.

ふくおか［福岡］〔名〕〔地〕 九州 북부에 있는 현; 또, 그 현청 소재지.

ふくがく【復学】〔名〕〔ス自〕 복학. ¶～を許可する 복학을 허가하다 / 病気がなおって～する 병이 나아서 복학하다. ↔休学.

ふくかん【副官】〔名〕 ☞ふっかん(副官).

ふくがん【複眼】〔名〕〔蟲〕 복안; 겹눈. ↔単眼.

――てき【――的】〔ダナ〕 사물을 여러 각도로 보고 검토하는 모양. ¶～な思考 다각적인 사고.

ふくぎょう【副業】图 부업. ＝内職. ¶～として養鶏をする 부업으로 양계를 하다. ↔本業.
ふくきん【腹筋】图 ☞ふっきん.
*ふくげん【復元·復原】图ス自他 복원. ¶～図 복원도/～工事 복원 공사/壁画を～する 벽화를 복원하다.
—りょく【—力】图 복원력. ¶～の大きい船 복원력이 큰 배.
ふくごう【複合】图ス自他 복합. ¶～名詞 복합 명사/～体 복합체/～汚染 복합 오염.
—ご【—語】图〔言〕복합어. ↔単純語·合成語.
ふくさ〖服紗·袱紗〗图 복사; 작은 비단보. **1** 선물을 보낼 때 쓰는 보. ¶～に包む 비단 보에 싸다. **2** 다도에서 다구(茶具)를 닦거나 받치거나 할 때 쓰는 보.
ふくざい【服罪】图ス自 복죄; 복역. ¶三年間～する 삼 년간 복역하다/いさぎよく～する 깨끗이 규정된 형벌에 따르다.
**ふくざつ【複雑】图ダナ 복잡. ¶～な仕事〔心境〕 복잡한 일〔심경〕/～にからみ合った関係 복잡하게 얽히고설킨 관계/～な気持ち 복잡한 마음/～な事情がある 복잡한 사정이 있다. ↔簡単·単純.
*ふくさよう【副作用】图 부작용. ＝副反応. ¶薬の～ 약의 부작용/～のある薬 부작용이 있는 약/～を起こす 부작용을 일으키다.
ふくさんぶつ【副産物】图 부산물. ¶研究の～ 연구의 부산물/コールタールは石炭ガスの～だ 콜타르는 석탄가스의 부산물이다. ↔主産物.
ふくし【副使】图 부사. ¶正使に～二名がつき従う 정사에 부사 2명이 수행하다. ↔正使.
ふくし【副詞】图〔文法〕부사.
*ふくし【福祉】图 복지. ¶老人～ 노인 복지/社会～事業 사회 복지 사업/国民の～と繁栄 국민의 복지와 번영/公共の～を図る 공공복지를 꾀하다.
—しせつ【—施設】图 복지 시설.
ふくじ【服地】图 복지; 옷감; 양복감. ＝洋服生地. ¶よい～であつらえる 좋은 양복감으로 맞추다.
ふくしき【複式】图 복식. ¶～火山 복식 화산/～簿記 복식 부기. ↔単式.
ふくしきこきゅう【腹式呼吸】图 복식 호흡. ↔胸式呼吸.
ふくじてき【副次的】ダナ 부차적; 이차적. ¶～なことは後回しにする 부차적인 것은 뒤로 돌리다〔미루다〕.
ふくしま【福島】图〔地〕東北 지방에 있는 현의 하나; 또, 그 현청 소재지.
ふくしゃ【複写】图ス他 복사; 카피. ＝写し·コピー. ¶～機〔紙〕 복사기〔지〕/書類を～する 서류를 복사하다.
ふくしゃ［輻射］图ス他〔理〕복사; 방사. ¶～熱 복사열; 방사열. 参考 학술 용어로는 '放射'.
*ふくしゅう【復習】图ス他 복습. ＝おさらい. ¶～が足りない 복습이 모자라다/漢字の～をする 한자 복습을 하다. ↔予習.
*ふくしゅう［復讐］图ス自 복수. ＝仕返し·あだ討ち·かたきうち. ¶～戦 복수전/～の鬼 복수의 화신/～の念に燃える 복수심에 불타다/敵に～する 적에게 복수하다/～を決心する 복수를 결심하다.
ふくじゅう【服従】图ス自 복종. ¶絶対～ 절대 복종/～する必要は無い 복종할 필요는 없다. ↔反抗.
ふくしゅうにゅう【副収入】图 부수입. ¶毎月若干の～がある 매달 약간의 부수입이 있다. ↔主収入.
ふくしょう【副将】图 부장. ＝副帥. ↔主将.
ふくしょう【副賞】图 부상. ¶賞金十万円, ～としては時計 상금 십만 엔, 부상으로는 시계. ↔正賞.
ふくしょう【復唱】《復誦》图ス他 복창. ¶命令を～する 명령을 복창하다.
ふくしょうしき【複勝式】图 (경마 따위의) 복승식《1등·2등 또는 1–3 등의 어느 것을 맞추어도 유효가 되어 배당을 받는 방식》. ↔単勝式.
ふくしょく【復職】图ス自 복직. ¶～はむずかしい 복직은 어렵다/～の辞令を受ける 복직 사령을 받다/病気が全快して～した 병이 완쾌되어 복직하였다.
ふくしょく【服飾】图 복식; 의복과 장신구의 총칭. ¶～デザイナー 복식 디자이너/～品 복식품; 액세서리/～に凝る 옷치레에 지나치게 신경을 쓰다.
*ふくしょく【副食】图 부식; 반찬. ＝さい·おかず·副食物. ¶～費 부식비/～をたくさんとる 부식을 많이 먹다. ↔主食.
ふくじょし【副助詞】图〔文法〕구(句)의 성분에 붙어 그 문절(文節) 전체를 부사적으로 만들고, 다음에 오는 술어의 뜻을 수식하는 助詞《'だけ·しか(＝뿐, 만)' 'など(＝따위)' 'まで(＝까지)' 따위》.
ふくしん【副審】图 부심. ↔主審.
ふくしん【腹心】图 **1** 복심; 마음속 깊은 곳. ¶～を打ち明ける 속마음을 털어놓다. **2** 깊이 신뢰함; 또, 그런 사람; 심복. ＝股肱. ¶～の部下 심복 부하.
ふくじん【副じん】《副腎》图〔生〕부신. ¶～皮質ホルモン 부신 피질 호르몬.
ふく-す【復す】5自他 ☞ふく(復)する.
ふく-す【服す】5自他 ☞ふく(服)する.
ふくすい【腹水】图〔醫〕복수. ¶～がたまる 복수가 차다.
ふくすい【覆水】图 복수; (그릇이 뒤집혀) 엎지른 물.
—盆に返らず 엎지른 물이다《(a) 한

번 실패하면 다시 돌이킬 수가 없다; (b)일단 이혼한 부부 사이는 예전으로 돌아가지 않는다)).

*ふくすう【複数】名 복수. **1** 둘 이상의 수. ¶~の敵 복수의 적. **2**〔文法〕사물이 둘 이상임을 나타내는 말이나 어형. ¶~形 복수꼴. ↔単数.

ふく-する【伏する】サ変自他 **1** 엎드리다; 부복하다. ¶身を~·して拝む 부복하여 절하다. **2** (두려워) 복종〔항복〕하다; 따르다. =従う. ¶権力に~ 권력에 붙좇다/~敵は寛大にもてなせ 항복하는 적은 관대하게 대하라. **3**숨다; 잠복시키다.

ふく-する【復する】サ変自他 본디 상태로 되돌아가다; 회복되다. =かえる·もどる. ¶旧に~ 옛날로 돌아가다/正常に~ 정상으로 되돌아가다/元の位に~ 원래 지위로 복귀하다.

ふく-する【服する】一サ変自 복종하다; 따르다. ¶刑に~ 형을 받다/罪に~する 복죄하다/命令に~ 명령에 복종하다/兵役に~ 병역에 복무하다/喪に~ 복상하다; 복을 입다/役務に~ 역무에 종사하다.
二サ変他 (차·약 따위를) 먹다; 마시다. ¶毒を~ 독약을 마시다.

ふくせい【複製】名ス他 복제. ¶~画 복제화/~品〔物〕복제품〔물〕/~権 복제권/不許~ 불허 복제.

ふくせき【復籍】名ス自 복적; 원래의 학적이나 호적으로 되돌아감. ¶~の手続きを取る 복적 절차를 밟다.

ふくせん【伏線】名 복선. ¶~を張る〔敷く〕복선을 치다〔깔다〕.

ふくせん【複線】名 복선. **1** 둘 또는 그 이상의 선. **2** '複線軌道(=복선 궤도)'의 준말. ¶~工事を急ぐ 복선 공사를 서두르다. ⇔単線.

ふくそう【副葬】名ス他 부장; 죽은 사람의 유물 따위를 시체와 함께 묻음. ¶遺品を~する 유품을 부장하다.
—ひん【—品】名 부장품.

*ふくそう【服装】名 복장. =身なり·装い. ¶立派〔派手〕な~ 훌륭한〔화려한〕복장/改まった~ 격식 차린 복장/端正な~をする 단정한 차림을 하다/~を正す〔整える〕복장을 바로하다〔단정히 하다〕.

ふくそう【福相】名 복상; 복스러운 상. ¶~の人 복스러운 사람. ↔貧相.

ふくそう［輻輳·輻湊］名ス自 폭주. =ラッシュ. ¶記事〔事務〕が~する 기사〔사무〕가 폭주하다/~を避ける 폭주를 피하다.

ふくぞう【腹蔵】名 속에 숨기고 비밀로 함. ¶~のない意見 숨김없는 의견.
—な-い 形 숨김없다; 솔직하다. ¶~·く言うならば 숨김없이 말한다면.

ふくぞく【服属】名ス自 복속. ¶敵国を~させる 적국을 복속시키다.

ふくだい【副題】名 부제; 부제목. =サブタイトル. ¶論文に~をつける 논문에 부제를 달다. ↔表題·主題.

ふくだいじん【副大臣】名 '大臣(=장관)' 부재시에 그 직무를 대행하며 정무를 처리하는 직위((종전의 정무 차관을 폐지하고 신설됨)).

ふぐたいてん［不倶戴天］名 불구대천. ¶~の敵 불구대천의 원수.

ふくちゅう【腹中】名 복중; 뱃속; 마음속. ¶大~ 큰 도량/~を探る 뱃속〔속마음〕을 떠보다/~に一物ある 뱃속〔마음속〕에 한 가지 속셈이 있다.

ふくちょう【復調】名ス自 (특히, 건강이) 정상 상태로 돌아감. ¶~がいちじるしい 회복이 뚜렷하다/~するまで休ませよう 회복될 때까지 쉬게 하자.

ふぐちり〖河豚ちり〗名〔料〕복어 요리의 하나((복어 토막·두부·야채 등을 냄비에 넣고 끓이면서 초간장에 찍어 먹음)). =てっちり.

ふくつ【不屈】名ナ 불굴. ¶不撓~の精神 불요불굴의 정신.

ふくつう【腹痛】名 복통. =はらいた(み). ¶~を起こす 복통을 일으키다.

ふくどく【服毒】名ス自 독약을 마심; 음독. ¶~自殺 음독 자살.

ふぐどく【ふぐ毒】〖河豚毒〗名 복어독.

ふくとくほん【副読本】名 부독본. =サイドリーダー·ふくどくほん.

ふくとしん【副都心】名 부도심.

ふくのかみ【福の神】名 복신; 행복과 재산을 가져다 주는 신. =福神. ¶~がまいこむ 복신이 찾아들다. ↔貧乏神·疫病神.

ふくはい【腹背】名 복배; 배와 등. ¶~に敵を受ける 앞뒤에 적을 맞다.

ふくびき【福引き】名 (경품 등의) 제비뽑기; 복첨(福籤). ¶~券 복첨권/~を引く 복첨을 뽑다/~で当たる 복첨에 당첨되다/余興に~があります 여흥으로 제비뽑기가 있습니다.

ふくぶ【腹部】名 복부. ¶船体の~ 선체의 복부.

ふくふく 副ス自 부드럽고 부푼 모양: 폭신폭신. =ふかふか. ¶~した布団 폭신한 이부자리.

ぶくぶく 副 **1**보그르르; 부글부글. ¶~と泡を立てる 부글부글 거품이 일다/~(と)沈む 부그르르 가라앉다. **2**뒤룩뒤룩. ¶~(と)太った人 뒤룩뒤룩 살찐 사람/~に着ぶくれる 뚱뚱하게 껴입다.

ぷくぷく 副 **1**부풀어 오른 모양; 부푼 모양: 팅팅. ¶~(と)ふくらむ 팅팅 부풀다. **2**보글보글. ¶~(と)泡立つ 보글보글 거품이 일다.

ふくぶくし-い【福福しい】形 복스럽다. ¶~顔つき 복스러운 얼굴.

ふくふくせん【複複線】名 복복선; 이중 복선. ¶~軌道 복복선 궤도.

ふくぶくろ【福袋】名 정초 등에, 여러 가지 물건을 넣고 봉하여 내용물을 모르게 한 채 싸게 파는 주머니.

ふくぶん【副文】图 부문; 조약·계약 등에서 정문(正文)에 첨부한 것. ↔正文.

ふくぶん【複文】图〖文法〗복문; 주어와 술어로 된 두 개 이상의 구(句)를 가진 글. ↔単文·重文.

ふくべ〖瓠·匏·瓢〗图〖植〗1 박의 한 변종; 또, 그 열매의 속을 파내고 만든 바가지. =まるゆうがお. 2 ☞ひょうたん.

ふくへい【伏兵】图 복병. 1 몰래 숨겨 둔 군사. =ふせぜい. ¶~を置く 복병을 두다/~の手に掛かる 복병에 살해되다/~に会う 복병을 만나다. 2 뜻밖의 경쟁자나 장애물. ¶思わぬ~に足もとをすくわれる 뜻밖의 복병에 딴죽이 걸리다.

ふくぼく【副木】图〖醫〗부목; 덧목. =添え木. ¶骨折のところに~をあてる 골절한 곳에 부목을 대다.

ふくほん【副本】图 부본. =ひかえ. ¶~をつくる 부본을 만들다. ↔正本.

ふくまく【腹膜】图 1〖生〗복막. 2 '腹膜炎(=복막염)'의 준말.

ふくまでん【伏魔殿】图 복마전《끊임없는 음모의 근원지에 비유됨》. ¶政界の~ 정계의 복마전.

ふくまめ【福豆】图 (악귀를 물리친다고 하여) 입춘 전날에 뿌리는 볶은 콩.

ふくみ【含み】图 속에 든 뜻·내용; 함축(성). ¶~のある言い方 함축성 있는 말(투)/決定事項に~を持たせる 결정 사항에 함축성을 갖게 하다.

ふくみごえ【含み声】图 입 속에서 우물거리는 소리. ¶~で聞きにくい 말을 입 속에서 우물거려 듣기 힘들다.

ふくみみ【福耳】图 복귀; 귓불이 큰 귀.

ふくみわらい【含み笑い】图ス自 소리 없이 웃는 웃음; 입을 다문 채 웃음. ¶気味の悪い~ 기분 나쁘게 소리 없이 웃는 웃음.

⁑ふく-む【含む】5他 1 포함하다; 함유하다. ¶税金を~ 세금을 포함하다/交通費を~ 교통비를 포함하다/鉄分を~·んだ水 철분을 함유한 물/海水には多くの塩類がとけ~·まれている 바닷물에는 많은 염류가 녹아서 함유되어 있다. 2 머금다. ¶水を口に~ 물을 입에 머금다/雨を~·んだ柳 빗물을 머금은 버드나무. 3 (마음속에) 품다. ¶怒りを~ 노염을 품다/この事情を~·んでおいて下さい 이 사정을 유념해 두십시오. 4 함축하다; 지니다. ¶困難を~問題 어려움이 함축된〔있는〕 문제/この語はその意味を~·んでいる 이 말은 그 뜻을 함축하고 있다. 5 띠다. ¶憂いを~·んだ面持ち 우수를 띤 얼굴 표정/こびを~·んだ目つき 교태를 띤 눈매/笑みを~ 웃음을 띠다.

—ところがある 원한이나 앙심을 품고 있다. ¶彼は僕に~ようだ 그는 내게 원한〔앙심〕을 품고 있는 것 같다.

ふくむ【服務】图ス自 복무. ¶~時間 복무 시간/~規程 복무 규정/終日~する 종일 복무하다.

ふくめい【復命】图ス他 복명. ¶~書 복명서/~を聞く 복명을 듣다/調査の結果を~する 조사 결과를 복명하다.

⁑ふく-める【含める】下1他 1 포함시키다; 품게 하다. ¶旅館代にチップも~ 여관비에 팁도 포함시키다/筆に墨を~ 붓에 먹물을 묻히다/本代を~·めて三千円かかった 책값을 포함하여 3천 엔 들었다. 2 잘 설명해 납득시키다. ¶かんで~ように教える 잘 알아듣도록 가르치다/誤解のないように言い~ 오해가 없도록 납득시키다/よく~·めて帰してやる 잘 타일러서 돌려보내다.

ふくめん【覆面】图ス自 1 복면. ¶~の盗賊 복면한 도둑/~を脱ぐ 복면을 벗다. 2 신분·정체를 숨김; 익명. ¶~作家 익명 작가/~で評論を書く 익명으로 평론을 쓰다.

—パトカー 图〈俗〉(외관을 일반 차량과 같게 한) 위장 순찰차.

ふくも【服喪】图ス自 복상; 상을 입음. =ふくそう. ¶~中 상중. ↔除喪.

ふくやく【服薬】图ス自 복약; 복용. =服用. ¶胃腸薬を~する 위장약을 복용하다.

ふくよう【服用】图ス他 복용; 복약. =服薬. ¶日に三回~する 하루에 세 번 복용하다.

ふくよう【複葉】图 복엽. 1〖植〗겹잎. ¶羽状~ 우상 복엽. 2 비행기 주익(主翼)이 겹으로 된 것. ⇔単葉.

ふくよか ダナ 1 폭신하고 부드러운 모양. ¶~な肌〔顔〕 보동보동한 살갗〔얼굴〕/~な綿入れ 폭신한 솜옷. 2 향기가 짙게 감도는 모양. ¶~な新茶の香り 짙게 감도는 신차의 향기.

ふくら-す【膨らす】《脹らす》5他 부풀리다; 불룩하게 하다. ¶風船を~ 풍선을 부풀리다/ほおを~ (a) 볼을 볼록하게 하다; (b) 부루퉁해하다/胸を~ 가슴을 부풀리다《희망에 차다》.

ふくらはぎ〖膨ら脛·脹ら脛〗图 장딴지. =こむら·こぶら. ¶~が痛い 장딴지가 아프다.

ふくらま-す【膨らます】《脹らます》5他 부풀게 하다; 부풀리다; 불룩하게 하다. =ふくらませる·ふくらす. ¶パン〔風船〕を~ 빵〔풍선〕을 부풀리다/頬を~ 볼을 볼록하게 하다/期待に胸を~ 기대에 가슴을 부풀리다.

⁑ふくら-む【膨らむ】《脹らむ》5自 부풀다. 1 부풀어 오르다; 불룩해지다. =ふくれる. ¶腹が~ 배가 불룩해지다/つぼみが~ 봉오리가 볼록해지다. ↔しぼむ. 2 (계획 따위의) 규모가 커지다. ¶夢〔希望〕が~ 꿈〔희망〕이 부풀다/予算が~ 예산이 불어나다.

> **膨(ふく)らむ의 여러 가지 표현**
>
> 표현例 ふかふか(폭신폭신; 말랑말랑)・ぷくっと(불룩하게)・ふんわり(폭신폭신)・ふっくら(포동포동; 폭신하게)・ふっくり(볼록하게)・ぷくぷく(팅팅)・ぶよぶよ(퉁퉁)・ぶわぶわ(퉁퉁)・ぱんぱんに(탱탱하게; 띵띵하게)・むくむく(포동포동)・こんもり(봉긋하게).

ふくり【福利】名 복리. ¶～施設(しせつ) 복리 시설/公共(こうきょう)の～ 공공 복리/国民(こくみん)の～を増進(ぞうしん)させる 국민의 복리를 증진시키다.

ふくり【複利】名 복리. ¶利息(りそく)を～で計算(けいさん)する 이자를 복리로 계산하다. ↔単利(たんり).

ぶくり 副 물건이 물에 가라앉거나 떠오르는 모양; 또, 그 소리: 폭; 쑥. ¶～と沈(しず)む 폭 가라앉다.

ふくれあが-る【膨れ上がる】5自 **1** 부풀어 오르다; 불룩해지다. ¶カバンが本(ほん)で～ 가방이 책으로 불룩해지다/希望(きぼう)が～ 희망이 부풀어 오르다. **2** (수량 등이) 기준·예상보다 많아지다. ¶予算規模(よさんきぼ)が～ 예산 규모가 불어나다.

ふくれっつら【膨れっ面】名 (불평·불만으로) 뾰로통한[볼멘] 얼굴. ¶～をしている 볼멘 얼굴을 하고 있다; 부루퉁해 있다/しかられるとすぐ～をする 꾸지람을 들으면 이내 부루퉁해진다.

ふく-れる【膨れる】《脹れる》下1自 **1 부풀다; 불룩해지다. ¶腹(はら)が～ 배가 불룩해지다; 배가 부르다/もちが～ 떡이 부풀다. **2** (화가 나서) 뾰로통해지다. =むくれる. ¶～・れて唇(くちびる)を突(つ)き出(だ)す 부루퉁해서 입술을 삐죽이 내밀다/～・れてばかりいる 늘 부루퉁해 있다.

ふくろ【袋】《嚢》名 **1 자루; 주머니; 봉지. ¶～に入(い)れる 봉지에 넣다/～につめる 자루에 채우다. **2** 과일의 알을 싸고 있는 껍질. ¶みかんの～ 귤의 속껍질. **3**《다른 名詞와 합쳐서》 자루 비슷한 상태인 것. ¶胃(い)ぶくろ 밥통/～小路(こうじ) 막다른 골목길.

—**のねずみ** 독 안에 든 쥐. =ふくろの中(なか)のねずみ. ¶彼(かれ)は～も同然(どうぜん)だ 그는 독 안에 든 쥐나 다름없다.

ふくろう〖梟〗名 **1**〔鳥〕 올빼미. =ふくろ. **2** 밤에 활동하는 사람의 비유.

ふくろうぶたい【ふくろう部隊】《梟部隊》名 (번화가·유원지 등의) 경찰의 야간 순찰대.

ふくろこうじ【袋小路】名 막다른 골목(길); 전하여, 사물이 막힌 상태. =袋道(ふくろみち). ¶～になっている 막다른 골목으로 되어 있다/～に入(い)り込(こ)んで解決(かいけつ)できない 일이 막다른 골에 빠져 해결할 수 없다.

ふくろだたき【袋だたき】《袋叩き》名 뭇매. ¶～にする 뭇매를 때리다/～に合(あ)う 뭇매를 맞다/～にして気(き)を失(うしな)わせる 뭇매를 때려서 실신시키다.

ふくわじゅつ【腹話術】名 복화술. ¶～を使(つか)う 복화술을 쓰다.

ふくん【夫君】名 부군《남의 남편의 높임말》. =ご主人(しゅじん). ¶Y(ワイ)女史(じょし)の～ Y여사의 부군.

ぶくん【武勲】名 무훈. ¶赫赫(かくかく)たる～を立(た)てる 혁혁한 무훈을 세우다.

ふけ〖雲脂·頭垢〗名 비듬. ¶～が出(で)る 비듬이 생기다/～だらけの頭(あたま) 비듬투성이의 머리/～性(しょう)の人(ひと) 비듬이 많은[잘 생기는] 사람/～を取(と)る 비듬을 없애다.

ぶけ【武家】名 무가; 무사(의 가문). =武門(ぶもん). ↔公家(くげ).

—**じだい**【—時代】名 무가 시대; 鎌倉(かまくら) 시대부터 江戸(えど) 시대에 이르는 무인의 집권 시대《약 680년간》. ↔王朝(おうちょう)時代.

ふけい【不敬】名ナ (황실·신사·사찰 등에 대한) 불경. =無礼(ぶれい). ¶～罪(ざい) 불경죄/～の行為(こうい) 불경한 행위.

*__ふけい__【父兄】名 부형. ¶～の教(おし)えに従(したが)う 부형의 가르침에 따르다. ↔子弟(してい)·子女(しじょ).

ふけい【父系】名 부계; 아버지 쪽의 혈통. ¶～家族(かぞく) 부계 가족/～制(せい) 부계제. ↔母系(ぼけい).

ふけい【婦警】名 여경《'婦人(ふじん)警察官(けいさつかん)(=여자 경찰관)'의 준말》.

ぶげい【武芸】名 무예; 무술. =武技(ぶぎ). ¶～を修(おさ)める[磨(みが)く] 무예를 닦다.

*__ふけいき__【不景気】名ナ **1** 불경기. =不況(ふきょう). ¶～な世(よ)の中(なか) 경기 불황의 세상/どこもかしこも非常(ひじょう)に～だ 어디나 매우 불경기다/私達(わたし)の商売(しょうばい)は～です 우리들의 장사는 불경기입니다. ↔好景気(こうけいき). **2** 비유적으로, 가진 돈이 적음; 활기가 없음. ¶～な顔(かお) 기운이 없는 얼굴/ふところが～だ 주머니가 비어 있다.

ふけいざい【不経済】名ダナ **1** 불경제. ↔経済(けいざい)·経済的(けいざいてき). **2** 낭비; 무익; 헛됨. ¶時間(じかん)の～だ 시간의 낭비다/～なやり方(かた) 무익한 방법.

ふけこ-む【老け込む】5自 늙어빠지다; 아주 늙어 버리다. ¶まだ～年(とし)ではない 아직 늙어빠질 나이는 아니다/めっきり～・んだ 부쩍 늙어 버렸다.

*__ふけつ__【不潔】名ナ 불결; 더러움. ¶～な肌着(はだぎ)[身(み)なり] 불결한 내의[옷차림]/～な金(かね) 더러운 돈/便所(べんじょ)の～な事(こと)は話(はなし)にならない 변소의 불결하기란 말이 아니다. ↔清潔(せいけつ)·純潔(じゅんけつ).

ふけっか【不結果】名ナ 나쁜 결과. =不成功(ふせいこう)·不首尾(ふしゅび). ¶結末(けつまつ)が～に終(お)わる 결말이 좋지 않게 끝나다.

ふけまい【腐化米】《更米》名 변질미.

ふけやく【老け役】名〔劇〕 노역. =ふけ. ¶～をやる 노역을 맡아 하다.

ふけゆ-く【更け行く】5自 밤이 깊어가

다. ¶～秋(あき)の夜(よ) 깊어가는 가을밤.

ふ-ける〖蒸ける〗[下1自] (뜸이 들어) 푹 쪄지다. ¶いもが～ 감자가 푹 쪄지다/ごはんが～ 밥이 뜸들다.

*ふけ-る〖耽る〗[5自] (지나치게) 열중하다; 빠지다; 골몰하다. ¶遊(あそ)びに～ 유흥에 빠지다/読書(どくしょ)に～ 독서에 골몰하다/物思(ものおも)い〔思(おも)い出(で)〕に～ 골똘히 생각〔회상〕에 잠기다/思案(しあん)に～ 골똘히 생각하다; 근심에 잠기다.

*ふ-ける【更ける】《深ける》[下1自] (밤·계절 따위가) 깊어지다; 이슥해지다; 한창이다. ¶夜(よ)が～ 밤이 이슥해지다/秋(あき)も～·け, 涼(すず)しさを増(ま)した 가을도 깊어져 서늘한 기운도 더해졌다.

*ふ-ける【老ける】[下1自] 나이를 먹다; 늙다. ¶年(とし)より～·けて見(み)える 나이보다 늙어 보이다/急(きゅう)に～·けてしまった 갑자기 늙어버렸다/父(ちち)もめっきり～·けた 아버지도 눈에 띄게 늙으셨다.

ふけん【府県】[名] 부현; 부(府)와 현. ⇨都道(とどう)府県[박스記事].

ふけん【父権】[名] 부권. **1** 남성의 사회적 지배권; 가장권; 가부권. **2** 부친으로서의 친권. ↔母権(ぼけん).

ふげん【不言】[名] 불언; 말하지 않음.

—じっこう【—実行】[名] 불언실행; 말없이 실행함.

ふげん【付言】[名][ス他] 부언; 덧붙여 말함; 또, 그 말. ¶念(ねん)のために～するが 주의를 환기하기 위해서 부언하는데/～を要(よう)しない 덧붙여 말할 필요가 없다.

ふけんこう【不健康】[名][ダナ] **1** 불건강; 건강하지 못함; 건강에 해로움. ¶夜(よ)ふかしは～だ 밤샘은 건강에 좋지 않다. **2** 불건전. ¶子供(こども)には～な遊(あそ)びだ 아이에게는 불건전한 놀이다.

ふけんしき【不見識】[名ナ] 견식이 없고 경솔함. ＝軽(かる)はずみ·無定見(むていけん). ¶そんな～な事(こと)はできない 그런 분별없는 짓은 할 수 없다/～もはなはだしい 경솔하기 짝이 없다.

ぶげんしゃ【分限者】[名] 부자. ＝かねもち·分限(ぶげん). ¶にわか～ 벼락부자.

ふけんぜん【不健全】[名][ダナ] 불건전. ¶～な考(かんが)え 불건전한 생각/そんな結論(けつろん)は～な思想(しそう)から出(で)る 그러한 결론은 불건전한 사상에서 나온다.

ふげんぼさつ[普賢菩薩][名]〖佛〗보현보살.

*ふこう【不孝】[名ナ] 불효. ¶～者(もの) 불효자/親(おや)～ 불효/～のさた 불효한 짓/～な〔の〕子(こ) 불효자식/親(おや)に先立(さきだ)つ～の罪(つみ) 부모보다 앞서 죽는 불효죄. ↔孝行(こうこう).

**ふこう【不幸】[一][名][ダナ] 불행. ＝ふしあわせ·不運(ふうん). ¶～続(つづ)き 불행의 연속/～なめぐりあわせ 불행한 운명/～をなげく 불행을 한탄하다/幸(こう)か～か 행인지 불행인지. [二][名] 초상; 가족·친척의 죽음. ¶～に会(あ)う 초상이 나다; 상고(喪故)를 당하다/身内(みうち)に～があった 집안에 상사(喪事)가 있었다.

—中(ちゅう)の幸(さいわ)い 불행 중 다행. ¶だれにもひどい怪我(けが)がなかったのは～であった 아무도 심한 부상을 당하지 않은 것은 불행 중 다행이었다.

ふごう【富豪】[名] 부호. ＝大金持(おおがねもち)·財産家(ざいさんか). ¶～階級(かいきゅう) 부호 계급.

ふごう【符合】[名][ス自] 부합. ¶話(はなし)がぴったり～する 얘기가 딱 부합되다.

*ふごう【符号】[名] 부호; 기호. ＝しるし. ¶モールス～ 모스 부호/～を付(つ)けておく 부호를 달아 두다/それは何(なん)の～ですか 그것은 무슨 부호입니까.

ぶこう【武功】[名] 무공. ＝武勲(ぶくん). ¶～をたてる 무공을 세우다.

ふごうかく【不合格】[名] 불합격. ¶～者(しゃ) 불합격자/～になる 불합격이 되다. ↔合格(ごうかく).

ふこうせい【不公正】[名][ダナ] 불공정.

—とりひき【—取引】[名] 불공정 거래.

**ふこうへい【不公平】[名][ダナ] 불공평. ＝片手落(かたてお)ち. ¶～な処置(しょち) 불공평한 조처/～を生(しょう)じる 불공평하게 되다/君(きみ)は私(わたし)に対(たい)して～だ 너는 내게 대해서 불공평하다. ↔公平(こうへい).

*ふごうり【不合理】[名ナ] 불합리. ¶～な制度(せいど) 불합리한 제도/～な要求(ようきゅう) 불합리한 요구. ↔合理(ごうり).

ふこく【富国】[名] 부국. ¶～策(さく) 부국책.

—きょうへい【—強兵】[名] 부국강병.

ふこく【布告】[名][ス他] 포고. ¶宣戦(せんせん)を～する 선전을 포고하다.

ぶこく[誣告][名][ス他] 무고. ¶～罪(ざい) 무고죄. [注意] 'ふこく'라고도 함.

*ぶこころえ【不心得】[名ナ] 분별이 없음; 마음가짐이 좋지 못함. ＝心得違(こころえちが)い. ¶～者(もの) 심보가 고약한 놈; 무분별한 자/～な了見(りょうけん) 잘못된 생각/～をたしなめる 마음가짐이 나쁜 것〔좋지 않은 생각〕을 나무라다/～のないように戒(いまし)める 무분별한 일을 하지 않도록 타이르다. ↔殊勝(しゅしょう).

ぶこつ【無骨·武骨】[名ナ] **1** 거칠고 (뼈가) 울툭불툭한 모양. ¶～な手(て) 거칠고 울툭불툭한 손. **2** 예의범절을 모름; 세련되지 못함; 또, 그 모양. ¶～な田舎者(いなかもの) 시골 무지렁이/～なあいさつ 무뚝뚝한 인사. ↔きゃしゃ.

—もの【—者】[名] 무지렁이; 버릇없는 자. ¶生来(せいらい)の～ 타고난 무지렁이〔버릇없는 자〕.

ふさ【房】《総》[名] **1** (실로 만든) 술; 삭모(槊毛). ¶この帽子(ぼうし)には～がついている 이 모자에는 술이 달려 있다. **2** 송이; 송이처럼 축 늘어진 것. ¶ぶどうの～ 포도송이/花房(はなぶさ) 꽃송이.

ブザー[buzzer][名] 버저. ¶～を鳴(な)らす 부저를 울리다.

ふさい【夫妻】[名] 부처; 부부. ＝夫婦(ふうふ). ¶社長(しゃちょう)御(ご)～をお招(まね)きする 사장 내외분을 초대하다.

ふさい【負債】[名] 부채; 빚. ＝債務(さいむ)·借金(しゃっきん). ¶～ができる 빚이 생기다/～で

動きがとれない 부채로 꼼짝달싹 못하다 / ～を抱える〔負う〕 부채를 안다〔지다〕. ↔資産.

――かんじょう【――勘定】 图 부채 계정. ↔資産勘定.

***ふざい【不在】** 图 부재. ＝るす. ¶人間～の政治 인간 부재의 정치《인간을 무시한 정치》/ 彼はあいにく～だ 그는 공교롭게도 집〔자리〕에 없다.

――じぬし【――地主】 图 부재 지주.

――とうひょう【――投票】 图 '不在者投票(＝부재자 투표)'의 속칭.

ぶさいく【不細工·無細工】 图ダナ **1** 만듦새가 서투르고 모양이 없음. ＝不手際. ¶～な机〔箱〕 모양 없게 만든 책상〔상자〕/ ～な字 서투른 글씨. **2** 못생김. ＝不器量. ¶～な顔 못생긴 얼굴. 注意 'ぶざいく'라고도 함.

ふさいさん【不採算】 图 채산이 맞지 않음. ¶～事業 채산이 안 맞는 사업 / ～になっているスポーツ用品販売 채산이 맞지 않게 된 스포츠 용품 판매.

***ふさが-る〘塞がる〙** 5自 **1** 막히다; 메다. ¶息が～ 숨이 막히다 / 穴が～ 구멍이 메다 / 胸が～ 가슴이 메다. **2** 닫히다. ¶戸が～ 문이 닫히다 / あいた口が～·らない 벌어진 입이 닫혀지지 않다《기가 막히다》/ ねむくて目が～ 졸려서 눈이 감기다 / 満潮になると水門は～ 만조가 되면 수문은 닫힌다. **3** (이미 가득) 차다. ¶へや〔席〕が～ 방이〔자리가〕 차다 / 手が～ 손이 나지 않다 / その日は先約で～·っている 그 날은 선약으로 차 있다《틈이 나지 않는다》/ 電話が～·っている 통화가 막혀 있다《통화 중이다》. ⇔あく.

ふさぎこ-む【ふさぎ込む】《鬱ぎ込む·塞ぎ込む》 5自 몹시 우울해지다; 울적해지다. ¶失恋で～ 실연하여 몹시 우울해지다 / 家で～·んでいる 집에서 울적하게 지내고 있다.

***ふさく【不作】** 图 **1** 작물이 잘 안됨; 흉작. ¶～の年 흉작의 해 / 数十年ぶりという農作物の～に見まわれる 수십년 만이라는 농작물 흉작을 당하다. ↔豊作. **2** 작품 등이 잘 안 됨; 실패작. ¶百年の～ 일생일대의 실패《악처라고 불평함의 뜻으로도 씀》/ 今年の出品作は全般に～だ 금년 출품작은 전반적으로 수준 이하다.

***ふさ-ぐ〘塞ぐ〙** ㊀5他 **1** 막다. ㉠틀어막다; 가리다. ¶紙ですきまを～ 종이로 틈을 막다 / アリの巣を～ 개미집을 틀어막다 / 耳を～ 귀를 막다. ㉡(장애물로) 가로막다. ¶道を～ 길을 막다. ㉢메우다. ¶穴を～ 구멍을 메우다〔막다〕. **2** 차지하다. ¶場を～ 자리를 차지하다 / 席を～ 자리를〔좌석을〕 차지하다〔잡다〕. ⇔あける. ㊁5自 우울해지다; 답답해지다. ＝滅入る. ¶気が～ 마음이 우울해지다 / ～·いだ顔 우울한 얼굴 / 何を～·いでいるのだ 왜〔무엇 때문에〕 울적해하는 거냐.

ふさ-げる〘塞げる〙 下1他 가로막다; 막다. ＝ふさぐ. ¶道〔穴〕を～ 길〔구멍〕을 막다 / 耳を～ 귀를 막다.

***ふざ-ける〘巫山戯る〙** 下1自 **1** 희롱거리다. ㉠농하다; (아이가) 장난치다; 까불다. ＝ざれる. ¶～·けて言ったこと 농으로 한 말 / ～·けてひっくりかえる 까불다가 자빠지다 / ～·けないで, まじめに考えてくれ 농하지 말고 진지하게 생각해 주게. ㉡남녀가 (남들 앞에서) 치신없이 시시(덕)거리다; 새롱거리다. ＝いちゃつく. ¶人前もはばからず～ 남의 면전을 가리지 않고 새롱거리다. **2** 깔보다; 놀리다. ¶～·けた真似をする 놀리는 투로 까불어 대다 / ～·けたことを言うな 까불지 마라; 입 닥쳐 / 野郎, ～な 자식, 까불지 마라. 注意 '巫山戯る'로 씀은 취음.

ぶさた〘無沙汰〙 图ス自 ☞ごぶさた.

ふさふさ〘総総·房房〙 副ス自 (탐스럽게) 많이 모여서, 술처럼 늘어져 있는 모양: 더부룩하게; 주렁주렁. ¶～(と)した白ひげ (탐스럽게) 더부룩한 흰 수염 / ～した胸毛 더부룩한 가슴털 / バナナが～(と)なっている 바나나가 주렁주렁 달려 있다.

***ぶさほう【不作法·無作法】** 图ダナ 예의에 벗어남; 버릇없음. ＝ぶしつけ. ¶～な振る舞い 버릇없는 행동 / この子は～だ 이 아이는 버릇이 없다.

ぶざま【無様·不様】 图ダナ 보기 흉함; 몰골스러움; 꼴〔모양〕 사나움; 추태. ＝ぶかっこう·醜態. ¶～なふるまい〔かっこう〕 보기 흉한 행동〔몰골〕/ ～な坐り方をするな 볼꼴 사납게 앉지 마라 / ～をさらけ出す 추태를 보이다 / ～な恰好で人前に出る 꼴사나운 몰골로 남 앞에 나서다.

***ふさわし-い〘相応しい〙** 形 어울리다. ＝似合わしい. ¶彼に～花嫁 그에게 어울리는 신부 / 年齢に～ 나이에 어울리다〔걸맞다〕/ 彼には商売が一番～ 그에게는 장사가 제일 어울린다 / その場に～·くない服装 그 자리에 어울리지 않는 복장.

ふさん【不参】 图ス自 불참. ¶～の者 불참자 / ～の旨 불참의 뜻.

****ふし【節】** 图 **1** 마디. ㉠대나무·갈대 등의 줄기의 마디. ¶～の多い竹 마디가 많은 대나무. ㉡사람이나 동물의 관절. ¶指の～を鳴らす 손가락 마디를 꺾어 (딱딱) 소리를 내다. ㉢(가사 등의) 단락; 구획; 고비. ＝区切り·ふしめ. ¶最初の～ 최초의 단락 / 人生のひとつの～ 인생의 한 고비 / あの仕事はぼくにとって大きな～となった 그 일은 나에게 있어 하나의 큰 계기가 되었다. **2** 옹두리; 옹이. ¶～穴 옹이 구멍 / ～の多い板 옹이가 많은 판자. **3** 주목할 만한 점. ＝箇所. ¶あやしい～がある 의심스러운 점이 있다 / 故意

と思われる～がある 고의라고 여겨지는 구석이 있다. 4 때; 기회. ＝時・折. ¶その～はお世話様でした 그때는 폐를 끼쳤습니다. 5 음악의 선율; 가락. ＝メロディー. ¶～をつける 가락을 붙이다/～が合う 가락이 맞다/一～歌う 한 곡조 부르다.

ふし【不死】图 불사. ¶不老～ 불로불사.

—ちょう【—鳥】图 불사조. ＝フェニックス. ¶～のように蘇る 불사조처럼 소생하다.

ふし【父子】图 부자. ＝親子. ¶～相伝 부자상전. ↔母子.

ふじ〖藤〗图〔植〕등나무.

ふじ【不時】图 불시; 임시. ¶～の用意 불시의 준비/～の支出 임시 지출.

—ちゃく【—着】图ス自 불시착; '不時着陸(＝불시 착륙)'의 준말. ¶故障で飛行機が～した 고장으로 비행기가 불시착했다.

ふじ【不治】图 불치; 병이 낫지 않음. ＝ふち. ¶～の病 불치병.

ふじ【富士】图〔地〕1 '富士山'의 준말. 2 富士山을 닮은 아름다운 산에 붙이는 이름. ¶津軽～ 青森県에 있는 岩木山의 딴 이름.

—さん【—山】图〔地〕静岡와 山梨 두 현의 경계에 있는 일본에서 제일 높은 산《휴화산으로 높이는 3,776m》. ＝不二・富岳・富士の山.

ぶし【武士】图 무사; 무인. ＝さむらい・武者. ¶～の面目 무사의 체면.

—に二言なし 무사에게는 두말없다《군자 무이언(無二言)》.

—は食わねど高ようじ 양반은 얼어 죽어도 짚불〔겻불〕은 안 쬔다.

—どう【—道】图 무사도. ¶～精神 무사도 정신.

＝ぶし【節】1 浄瑠璃나 민요 등의 節. ⇨節5. 2 'かつおぶし'의 뜻.

＊＊ぶじ【無事】图ダナ 무사. 1 평온함. ¶平穏～ 평온무사/～の日日を過ごす 무사한 나날을 보내다/今日も～に済んだ 오늘도 무사히 끝났다/～に暮らす 무사히 지내다/荷物が～に着いた 짐이 무사히 도착했다. ↔有事. 2 별다른 과실이 없음; 무고함. ¶三十年間～に勤めた 30년 동안 별고 없이 근무했다. 3 건강함; 병이 없음. ＝無病. ¶御～で何よりです 건강〔무사〕하셔서 무엇보다도 다행스럽습니다.

ふしあな【節穴】图 (널빤지 등의) 옹이 구멍; 전하여, 통찰력이 없는 눈. ¶～からのぞく 옹이 구멍으로 들여다보다/きさまの目は～か 네 눈은 아무것도 못 보느냐.

—同然 옹이 구멍과 같음《눈은 뜨고 있으나 아무 소용없음》. ¶目があっても, ～ 눈이 있어도 옹이 구멍과 같음《있으나마나 함》.

ふしあわせ【不幸せ・不仕合わせ】图ダナ 불행; 불운. ＝不幸・不運. ¶～な一生〔身の上〕 불행한 일생〔신세〕/～になる 불행하게 되다/～にみまわれる 불행을 당하다/彼は～続きだ 그는 계속 불행하다. ↔しあわせ.

ふじいろ【ふじ色】《藤色》图 (등나무꽃 색깔의) 연보랏빛.

＊＊ふしぎ【不思議】图ダナ 불가사의; 이상함. ¶～な話 이상한 이야기/～な挙動 수상한 거동/七～ 일곱 가지 불가사의/～に分からない 이상하게도 모르다/～な人間 불가사의한 인간/～がる 이상해 하다/まか～ 매우 이상함/～と言えば～である 이상하다고 하면 이상하다/～とも何とも思わない 이상하지도 아무렇지도 않게 생각하다. 参考 '～と(＝이상하게도)'의 꼴도 씀.

ふしくれ【節くれ】《節榑》图 옹이투성이인 재목.

—だつ【—立つ】5自 옹이가 많아서 울퉁불퉁하다; 특히, (노동자・농민 등의 손이) 거칠고 울툭불툭하다. ¶～った手 거칠고 울툭불툭한 손.

＊ふしぜん【不自然】图ダナ 부자연. ¶～な姿勢 어색한 자세/～な演技 부자연스러운 연기/～なつくり笑い 부자연스러운 억지웃음. ↔自然.

ふしだら 图ダナ 1 단정치 못함; 칠칠찮음; 흘게늦음. ¶～な生活 방종한 생활. 2 행실이 나쁨; 치신사나움. ＝不行跡. ¶～な女 행실이 나쁜 여자/～をする (몸가짐을) 헤프게 굴다.

ふじつ【不実】一名ナ 부실; 성실하지 못함. ¶～な人〔行い〕 성실치 못한 사람〔행위〕/～を責める 불성실을 책하다. 二图 무실(無實); 사실이 아님. ＝うそ. ¶～の申し立て 허위 진술/～を言う 거짓말을 하다.

ぶしつけ〖不躾〗图ダナ 무례; 버릇없음. ＝無作法. ¶～な行い 무례한 행위/～を責める 무례함을 책망하다/～な質問をする 무례한 질문을 하다/～なお願いをお許しください 염치없는 청원을 용서해 주십시오.

ふしぶし【節節】图 1 (관절・대 따위의) 마디마디. ¶からだの～が痛む 몸의 마디마디가 아프다/竹の～ 대나무의 마디마디. 2 군데군데; 여러 가지 점. ¶思いあたる～ 여러 가지로 짚이는 점/疑わしい～がある 여러 가지로 의심스러운 데가 있다.

＊ふしまつ【不始末】名ナ 1 뒷처리를 잘못함; 단속이 허술함; 칠칠치 못함; 부주의. ＝ふしだら. ¶火の～ 허술한 불단속/～のため物をなくす 부주의한 탓으로 물건을 잃다. 2 괘씸한 짓; 불미한 일. ＝ふらち・不都合. ¶～な行為 괘씸한 행위/むすこの～をわびる 자식의 무례함을 사과하다/～をしでかす 불미스러운 일을 저지르다.

ふしまわし【節回し】图 곡조; 억양; 가락. ¶～がむずかしい 곡조가 어렵다/

彼女は声量もあり～もうまい　그녀는 성량도 좋고 곡조도 잘 부른다.

ふじみ【不死身】[名ｽ] 불사신. ¶～の人 불사신인 사람.

ふしめ【伏し目】[名] 눈을 내리뜸. ¶～がちに話す 약간 눈을 내리뜨고 이야기하다 / 恥かしそうに～になる 부끄러운 듯이 눈을 내리깔다.

ふしめ【節目】[名] **1** 재목의 옹이나 마디가 있는 부분. ¶～の多い板 옹이가 많은 널빤지. **2** 단락을 짓는 시점. ¶人生の～ 인생의 한 고비 / ～をつける 구획을 짓다.

ふしゅ［浮腫］[名]〘醫〙부종. ＝むくみ·水腫.

ぶしゅ【部首】[名] 부수. ¶～索引 부수 색인 / ～を画数の順にならべる 부수를 획수 순으로 늘어놓다.

ふしゅう【腐臭】[名] 썩는 냄새. ¶～を放つ 썩는 냄새를 풍기다.

***ふじゆう**【不自由】[名][ダナ][ス自] 부자유. **1** 기능이 불완전함. ¶右手が～だ 오른손을 잘 못 쓴다. **2** 빈곤〔곤궁〕함; 옹색함. ¶～な暮らし〔生活〕 군색한 살림〔생활〕/ 金に～する 돈이 없어 곤란을 겪다 / 何～なく暮らす 아무 부족함이 없이 살다. **3** 불편함. ¶～を忍ぶ 불편한 것을 참다 / 助手がいなくて～だ 조수가 없어서 불편하다. ⇔自由.

ぶしゅうぎ【不祝儀】[名] 상서롭지 못한 일; 특히, 장례식. ↔祝儀.

***ふじゅうぶん**【不十分·不充分】[ダナ] 불충분. ¶証拠～ 증거 불충분 / ～な資料 불충분한 자료 / 準備が～だ 준비가 불충분하다. ↔十分.

ぶじゅつ【武術】[名] 무술. ¶秀でた～ 뛰어난 무술 / ～の心得 무술의 소양.

ふしゅび【不首尾】[名ｽ] **1** 결과〔성과〕가 나쁨; 실패. ＝不成功. ¶両者の会談は～に終わった 양자의 회담은 실패로 끝났다. ↔上首尾. **2** 평이 좋지 않음. ＝不人気. ¶上役に～だ 상사에게 평이 좋지 않다.

ふじゅん【不純】[名ｽ] 불순. ¶～物 불순물 / ～分子 불순분자 / ～な動機〔気持ち〕 불순한 동기〔마음〕/ ～な異性交遊 불순한 이성 교제.

ふじゅん【不順】[名ｽ] 불순; 고르지 못함. ¶天候～ 날씨 불순 / 月経〔生理〕～ 월경〔생리〕 불순 / 気候～の折 기후가 불순한 계절.

ふじょ【婦女】[名] 부녀; 부인; 여자.

—し【—子】[名] 부녀자. ¶～に席を譲る 부녀자에게 자리를 양보하다.

ふじょ【扶助】[名][ス他] 부조. ¶相互～ 상호 부조; 상부상조 / ～を受ける 부조를 받다 / ～の義務がある 부조의 의무가 있다 / 困窮者を～する 곤궁한 사람을 부조하다.

ぶしょ【部署】[名] 부서. ＝持ち場. ¶～割り当て 부서 할당 / ～につく 부서에 배치되어 자기 업무에 임하다 / ～を固める 부서를 굳게 지키다.

ふしょう【不肖】불초. ㊀[名ｽ] 어버이·스승을 닮지 않고 못남. ¶～の子 불초 자식 / ～の弟子 불초한 제자 / 身～といえど 몸은 불초하나마. ㊁[代] 자기의 겸칭. ¶～私がいたします 불초 제가 하겠습니다 / ～未熟ながら力一杯やる覚悟です 불초, 미숙하나마 힘껏 할 각오입니다.

ふしょう【不祥】[名ｽ] 불상; 불길. ¶～な出来事 상서롭지 못한 사건.

—じ【—事】[名] 불상사. ¶近来まれに見る～ 근래에 보기드문 불상사 / ～をひきおこす 불상사를 일으키다.

ふしょう【不詳】[名] 불상; 미상(未詳). ¶作者〔氏名〕～ 작자〔성명〕 미상 / 身元～ 신원 미상.

ふしょう【不承】[名][ス他] **1** 마지못해 승낙함. **2** 승낙〔동의〕하지 않음. ＝不承知. ¶御～でしょうが 동의하지 않으시겠지만 / ～とあれば, いたし方ない 불찬성이라면 할 수 없다 / それじゃあお前は～か 그러면 너는 동의하지 않는단 말인가.

—ぶしょう【—不承】[副] 마지못해. ＝いやいやながら·しぶしぶ. ¶～の態 마지못해 하는 모습 / ～承諾する 마지못해 승낙하다.

***ふしょう**【負傷】[名][ス自] 부상. ＝けが. ¶～者 부상자 / 顔に～する 얼굴에 부상을 입다 / 足を～する 발을 부상하다 / ～を免れる 부상을 면하다.

ふじょう【不浄】㊀[名ｽ] 부정; 깨끗하지 못함. ¶～の身を清める 부정한 몸을 깨끗이 하다 / 悪事による～な金 못된 짓으로 얻은 부정한 돈. ↔清浄. ㊁[名] 깨끗하지 못한 것《대소변·월경 따위》. ¶御～ 변소.

ふじょう【浮上】[名][ス自] 부상; 떠오름. ¶潜水艦が～する 잠수함이 부상하다 / 三位に～する 삼위로 부상하다 / 別の候補者が～した 딴 후보자가 부상했다〔두각을 나타냈다〕.

ぶしょう【武将】[名] 무장. **1** 무사의 우두머리. ¶ひとかどの～ 어엿한 무장. **2** 무예에 뛰어난 장수.

***ぶしょう**【不精·無精】《無性》[名][ダナ] 게을러서 힘쓰지 아니함; 귀찮아함. ¶～な人 게으른 사람 / ～をきめこむ 게으름 피우기로 작정하다. [参考] '～する(＝게으름 피우다; 귀찮아하다)'의 꼴로도 씀. ¶～して, ひげをそらない 귀찮아서 수염을 깎지 않는다.

—ひげ〖—髭〗[名] 다박나룻; 자라는 대로 버려 둔 수염.

ふしょうじき【不正直】[名][ダナ] 부정직. ¶～な男 부정직한 사나이.

ふしょうち【不承知】[名ｽ] 승낙하지 않음; 불찬성. ＝不承諾. ¶～の旨を返事する 불찬성의 뜻을 회답하다 / だから私は～なのだ 그러니까 난 불찬성이다 / 先方は～だそうだ 상대

방은 찬성하지 않는단다.

ふしょうふずい【夫唱婦随】名 부창부수. ¶～の家風 부창부수하는 가풍.

ふじょうり【不条理】名ダナ 부조리; 도리〔사리〕에 어긋남. ¶～な話 부조리한 이야기 / ～な判定 도리에 맞지 않는 판정.

ふしょく【扶植】名ス他 부식; 심음; 뿌리 박음. ¶若手社員の中に勢力を～する 젊은 사원들 속에 세력을 부식하다.

*ふしょく【腐食】《腐蝕》名ス自他 부식. **1** 부식해 푸석푸석함. ¶～した岩石 부식한 암석. **2** (약품으로) 금속 따위의 표면이〔표면을〕 변화함〔변화시킴〕. ¶～作用 부식 작용 / 銅版を～する 동판을 부식시키다.

ふしょく【腐植】名〖農〗 부식. ¶～土 부식토.

*ぶじょく【侮辱】名ス他 모욕. ＝侮蔑. ¶～を受ける〔加える〕 모욕을 당하다〔가하다〕/ 人を～するな 사람을 모욕하지 마라 / ～にはたえられない 모욕은 참을 수 없다.

—ざい【—罪】名〖法〗 모욕죄.

ふじわらじだい［藤原時代］名 **1**〖史〗(미술사에서) 平安 초기의 弘仁 원년〖서기 810년〗 이후 약 270년간. **2** 藤原씨가 정권을 전단(專斷)했던 시대.

ふしん【不信】名 불신. **1** 신용하지 않음. ＝不信任. ¶政治～ 정치 불신 / ～の念をいだく 불신하는 생각을 품다 / ～を招く 불신을 초래하다 / ～の目で見る 불신의 눈으로 보다. **2** 신의가 없음. ¶～の行い 신의 없는 행동.

—かん【—感】名 불신감. ¶～がつのる 불신감이 더해지다 / ～を抱く 불신감을 품다.

ふしん【不振】名ナ 부진. ¶食欲～でやせたみたい 식욕 부진으로 여윈 것 같다 / 経営～にあえぐ 경영 부진에 허덕이다 / 商売は非常に～だ 장사는 아주 부진하다.

*ふしん【不審】名ナ 불심; 의심스러움. ¶～顔 미심쩍어하는 표정 / ～に思う 수상쩍게 생각하다 / ～をいだく 의심을 품다 / 挙動～の男 거동이 수상한 남자 / ～(の念)が起こる 미심쩍은 생각이 들다.

—がみ【—紙】名 책 따위의 의심 나는 곳에 붙이는 쪽지. ＝付け紙.

—び【—火】名 원인 모를 화재.

ふしん【普請】名ス他 건축·토목 공사《본디, 불교에서 널리 시주를 청하여 불당이나 탑을 건축·수선하는 일》. ¶安普請 날림 공사 / 道〔川〕普請 도로〔하천〕 공사 / ～中につき休業いたします 공사〔수리〕 중이므로 휴업합니다.

ふしん【腐心】名ス自〈文〉부심; 고심; 애태움. ＝苦心·心痛. ¶妻の病で～する 아내의 병으로 부심하다 / 日夜会社の再建に～する 밤낮으로 회사 재건에 부심하다.

*ふじん【夫人】名 부인; 남의 아내의 경칭. ＝奥様. ¶～同伴 부인 동반 / 社長～ 사장 부인 / P氏の～が来られた P씨 부인이 오셨다.

ふじん【布陣】名ス自 포진. ＝陣立て. ¶巧妙な～で対戦する 교묘한 포진으로 대전하다 / 川を背に～する 강을 등지고 포진하다.

*ふじん【婦人】名 부인; 여성. ¶～服 여성〔부인〕복 / ～問題 여성 문제 / 職業～ 직업여성. 参考 성인 여자의 명칭으로는 '女性'를 많이 씀.

—うんどう【—運動】名 여성 운동.

—けいさつかん【—警察官】名 여자 경찰관. ＝婦警.

ぶじん【武人】名 무인; 무사; 군인. ＝軍人·武士. ¶～執権の政治 무인 집권 정치. ↔文人.

ふしんじん【不信心】名ナ 불신심; 신앙심이 없음. ＝不信仰·ぶしんじん. ¶～な人 신앙심이 없는 사람 / 全くの～ 전혀 신앙심이 없음.

*ふしんせつ【不親切】名ダナ 불친절. ¶客に～な店〔案内人〕 손님에게 불친절한 가게〔안내인〕/ ～な案内板 불친절한 안내판 / ～に扱う 불친절하게 다루다.

ふしんにん【不信任】名ス他 불신임. ¶～案を提出する 불신임안을 제출하다.

ふしんばん【不寝番】名 불침번. ＝寝ずの番. ¶～勤務 불침번 근무 / ～に立つ 불침번을 서다.

ふ-す【付す·附す】5自他 ☞ふ(付)する.

ふ-す【伏す】《臥す》5自 **1** 엎드리다. ＝うつぶす·うつむく. ¶がばと～ 탁 엎드리다 / 草に～ 풀밭에 엎드리다 / ～·して泣く 엎드려서 울다 / ～·してお願い申します 엎드려 부탁 드립니다. ↔仰ぐ. **2** 아파서 드러눕다. ¶かぜで～ 감기로 자리에 눕다 / 病の床に～ 병상에 눕다.

ふず【付図·附図】名 부도. ¶～を多く入れる 부도를 많이 넣다.

ぶす 名〈俗〉추녀(醜女); 호박(꽃)《여성을 욕하는 말》. ＝ぶおんな.

ふずい【不随】名 불수; 몸이 제대로 움직이지 않음. ¶半身～ 반신불수.

ふずい【付随】名ス自 부수; 관련됨. ¶～条項 부수 조항 / ～した問題 부수된 문제 / この件に～して起こった問題 이 건에 부수해 일어난 문제.

ぶすい【不粋·無粋】名ダナ 멋없음; 세련되지 못함; 풍류가 없음. ＝やぼ·無風流. ¶～な男 멋이 없는 남자. ↔粋.

ふすう【負数】名〖數〗 음수(陰數). ↔正数.

ぶすう【部数】名 부수; (책·신문 따위) 출판물의 수. ＝冊数. ¶～をふやす〔のばす〕 부수를 늘리다 / 発行～が落ちている 발행 부수가 떨어졌다 / ～に制

限がある 부수에 제한이 있다.

ぶすっと 副 **1** 기분이 상해서 입을 다물고 있는 모양: 빼쭉; 뾰로통하게. ¶~した顔 시무룩한 얼굴 / ~したきり一言も話さない 뾰로통한 채 한 마디도 말하지 않는다. **2** ☞ぶすりと.

ぶすぶす 副 **1** 활활 타지 않고 연기만 내면서 타는 모양〔소리〕: 부지지. ¶~(と)燃える 부지지 타다. **2** 찌르거나 뚫는 모양〔뚫리는 소리〕: 푹푹; 폭폭. ¶紙に~(と)穴を空ける 종이에 폭폭 구멍을 뚫다.

ふすま〖麬·麩〗图 밀기울. ¶鶏に~をやる 닭에 밀기울을 주다.

***ふすま**〖襖〗图 맹장지. =からかみ. ¶~絵 맹장지에 그린 그림 / ~紙 맹장지에 바르는 종이 / ~を張り換える 맹장지를 새로 바르다.

ぶすりと 副 부드러운 것을 힘 있게 찌르거나 찔리는 모양: 푹. =ぶすっと. ¶~突きささる 푹 찔리다 / 太い注射器を腕に~刺す 굵은 주사기를 팔뚝에 푹 찌르다 / わき腹に矢が~ささる 옆구리에 화살이 푹 꽂히다.

ふ-する【付する·附する】サ変他 **1** 붙이다; 첨부하다. =つける. ¶傍線を~·した語 방선을 친 말 / 条件を~ 조건을 붙이다 / 書類に証明書を~ 서류에 증명서를 첨부하다. **2** 맡기다; 회부하다. =託する·まかせる·かける. ¶公判に~ 공판에 부치다 / 分科委員会に~ 분과 위원회에 회부하다 / 不問に~ 불문에 부치다 / 火葬に~ 화장에 부치다.

ふ-する【賦する】サ変他 **1** 할당하다; 부과하다. =課する. ¶税を~ 과세하다. **2** 시가를 짓다. ¶漢詩を~ 한시를 짓다 / 五言の詩を~ 오언시를 짓다.

ふせ【布施】图ス自〔佛〕보시. **1** 남에게 베풂. =施し. **2** 승려에게 시주하는 일; 또, 그 금품. =おふせ. ¶お~を差し上げる 보시를 올리다 / お~を包む 시주를 하다.

***ふせい**【不正】图ダナ 부정. =よこしま. ¶~行為〔入学〕 부정행위〔입학〕 / ~蓄財 부정 축재 / ~を働く 부정한 짓을 하다 / ~の摘発に乗り出す 부정의 적발에 착수하다.

ふせい【不整】名ナ 부정; 고르지 않음. =不ぞろい. ¶~脈 부정맥 / 脈が~になる 맥이 고르지 않게 되다.

ふせい【父性】图 부성. ¶~愛 부성애. ↔母性.

ふぜい【風情】图 **1** 풍정; 풍치; 운치. =おもむき. ¶~のある景色 운치가 있는 경치 / ~を添える 운치를 더하다. **2** 모양; 모습. =ようす. ¶さびしげな~ 쓸쓸한 모양 / 恥ずかしそうな~をする 부끄러운 듯한 모양을 하다. **3** 접대; 대접. ¶何の~もなく済みません 아무 대접도 못해서 미안합니다. **4**《体言을 받아서》…같이 하찮은 것《흔히, 경시(輕視)·겸칭의 느낌을 나타냄》. ¶商人~に 장사치 따위에게 / 私~までお呼びいただきまして 저 같은 것(까지)도 불러 주셔서.

ぶぜい【無勢】图 인원수가 적음; 또, 그 세력. =小勢·寡勢. ¶多勢に~では, とてもかなわぬ 다수에 대해 소수로는 도저히 대적할 수 없다.

ふせいかく【不正確】图ダナ 부정확. ¶~な情報 부정확한 정보 / ~な答え 부정확한 답.

ふせいこう【不成功】名ナ 불성공; 실패. ¶~に終わる 실패로 끝나다.

ふせいじつ【不誠実】名ナ 불성실. ¶~な態度 불성실한 태도.

ふせいしゅつ【不世出】图 불세출; 세상에 드물 정도로 뛰어남. ¶~の天才〔英雄〕 불세출의 천재〔영웅〕.

ふせいせき【不成績】名ナ 성적이 좋지 않음; 또, 그 성적. ¶~の生徒 성적이 불량한 학생 / 今学期は~に終わった 이번 학기는 좋지 않은 성적으로 끝났다. ↔好成績.

ふせいりつ【不成立】图 불성립. ¶大会~ 대회 불성립 / 予算は~となった 예산은 성립되지 않았다.

ふせき【布石】图 포석. **1** (바둑에서) 대국 초의 돌의 배치. ¶~を研究する 포석을 연구하다 / ~を誤る 포석을 잘못하다. **2** 장래를 위한 준비. ¶次期総裁選への~ 차기 총재 선거를 위한 포석 / 将来の発展のために~を打つ 장래의 발전을 위해 포석하다.

****ふせ-ぐ**【防ぐ】5他 막다. **1** 방어하다. ¶攻撃を~ 공격을 막다 / 外敵の侵入を~ 외적의 침입을 막다. ↔攻める. **2** 미리 저지하다; 방지하다; 가로막다. ¶水害〔雨風〕を~ 수해를〔비바람을〕 막다 / 侵略を~ 침략을 저지하다 / 西日を~ 석양볕을 가리다 / 事故を未然に~ 사고를 미연에 방지하다. 可能ふせ-げる 下1自

ふせじ【伏せ字】图〔印〕복자. **1** 인쇄물에서 명기(明記)하는 것을 피하기 위하여 그 자리를 비워 두거나 ○·× 등의 표로 나타내는 일. ¶~のある本 복자가 있는 책. **2** ☞げた2.

ふせつ【付設·附設】图ス他 부설. ¶~中学校 부설 중학교 / 研究所を~する 연구소를 부설하다.

ふせつ【符節】图 부절; 부신(符信). =割り符·手形.

—を合わせたよう 부신을 맞춘 것 같음《딱 일치하는 모양》.

ふせつ【敷設·布設】图ス他 부설. ¶鉄道〔ガス管〕を~する 철도를〔가스관을〕 부설하다.

ふせっせい【不摂生】名ナ 불섭생; 건강에 주의하지 않음. =不養生. ¶~で健康を害する 불섭생으로 건강을 해치다 / 長年の~がたたる 오랫동안의 불섭생이 탈나다.

*ふ-せる【伏せる】下1他 **1** 엎드리다. ¶身を～ 엎드리다 / 地面に～·せて弾をよける 땅에 엎드려 탄알을 피하다. **2** (눈을) 내리깔다; 숙이게 하다. ¶目を～ 눈을 내리뜨다 / 顔を～ 얼굴을 숙이다. **3** 엎어 놓다. ¶杯〔トランプ〕を～ 잔을〔카드를〕 엎어 놓다 / 本を机に～·せて置く 책을 책상에 엎어 놓다. **4** 쓰러뜨리다; 내리눌러 깔다. ¶切って～ 베어 쓰러뜨리다. **5** (덮어서) 숨기다; 밝히지 않다. ¶名を～ 이름을 숨기다 / この話は～·せておこう 이 얘기는 덮어두자.

ふせ-る【伏せる】《臥せる》5自 드러눕다; 특히, 앓아 눕다. ¶床に～ 자리에 눕다 / かぜを引いて～·っている 감기가 들어 자리에 누워 있다.

ふせん【不戦】名 부전; 전쟁·시합을 하지 않음. ¶～条約 부전 조약.

—しょう【—勝】名 부전승. ¶～で勝つ 부전승으로 이기다. ↔不戦敗.

—ぱい【—敗】名 부전패. ¶～にする 부전패로 하다. ↔不戦勝.

ふせん [付箋] 名 부전; 찌지. ¶～を付けた書類 부전을 붙인 서류.

ふぜん【不全】名〔醫〕부전; 불완전. ¶発育～ 발육 부전 / 心～ 심부전 / ～色盲症 부전 색맹증. ↔完全.

ふぜん【不善】名 불선; 좋지〔착하지〕 못함. ¶小人閑居して～をなす 소인한거위불선(爲不善); 소인은 한가히 있으면 마침내 나쁜 짓을 한다.

ぶぜん [憮然] トタル 무연; 실망하는 모양; 또, 아연 실색하는 모양. ¶～とした〔たる〕面持ち 망연한 얼굴 / ～として腕を組む 무연히 팔짱을 끼다.

ふせんめい【不鮮明】ダナ 불선명. ¶～な色 불선명한 빛깔 / ～なコピー〔印刷〕 불선명한 카피〔인쇄〕.

ふそ【父祖】名 부조; 조상. ¶～の墓 조상의 묘 / ～伝来の土地〔品〕 조상 전래의 땅〔물건〕.

ぶそう【武装】名ス自 무장. ¶～解除 무장 해제 / 理論～ 이론 무장 / ～警官 무장 경관 / 小銃で～する 소총으로 무장하다 / ～を解く 무장을 풀다〔해제하다〕.

ふそうおう【不相応】名ナ 어울리지 않음; 걸맞지 않음. =不釣り合い. ¶身分～な持ち物 신분에 맞지 않는 소지품 / 身分～の望み 과분한 소망 / 品物に～な値段 물건에 걸맞지 않은 값. ↔相応.

*ふそく【不足】一名ナス自 부족. =不十分. ¶実力～ 실력 부족 / 睡眠不足 수면 부족 / 何の～もない生活 아무 부족도 없는 생활 / 人手が～する 일손이 부족하다 / 人数の～を補う 인원 부족을 보충하다. 二名ナ 불만; 불평. =不服. ¶～そうな顔 불만스러운 듯한 얼굴 / ～をいう 불평을 말하다 / ～に思う 불만스럽게 여기다 / 相手にとって～はない 상대로서 부족함은 없다《겨루어 볼 만한 상대다》.

ふそく【不測】名 불측; 예측할 수 없음. =不慮. ¶～の事態に備える 예측할 수 없는 사태에 대비하다.

ふそく【付則·附則】名 부칙. ¶～で補う 부칙으로 보완하다. ↔本則.

*ふぞく【付属·附属】名ス自 부속. ¶～品 부속품 / ～機関 부속 기관 / 大学～高等学校 대학 부속 고등 학교 / 会社に～する研究所 회사에 부속된 연구소 / 本島に～する小島 본섬에 부속된 작은 섬.

ぶぞく【部族】名 부족. ¶古代～国家の成立 고대 부족 국가의 성립.

ふそくふり【不即不離】名 부즉불리. =不離不即. ¶～の関係を保つ 부즉불리의 관계를 유지하다 / ～の態度をとる 부즉불리의 태도를 취하다.

ふぞろい【不ぞろい】《不揃い》名ダナ 가지런하지〔갖추어지지〕 않음; 고르지 않음. =ふそろい. ¶大小～ 대소가 고르지 않음 / ～の茶わん 짝이 안 맞는 공기 / ～な〔の〕全集 다 갖추어지지 않은 전집 / ～な歯並び 고르지 않은 치열 / 前後～の事を言う 앞뒤가 안 맞는 말을 하다.

ふそん [不遜] 名ナ 불손. =尊大·高慢. ¶～な態度 불손한 태도 / ～のふるまい 불손한 짓 / ～な言を吐く 불손한 말을 하다. ↔けんそん.

ふた〖蓋〗名 **1 뚜껑; 덮개. ¶鍋の～ 냄비 뚜껑 / ～付きの茶碗 뚜껑이 달린 찻종 / ～を取る 뚜껑을 열다 / 臭い物に～をする 냄새나는 물건에 뚜껑을 덮다《드러나지 않도록 임시 회피하다》/ 身も～もない 너무 노골적이라, 정취도 함축도 없다. ↔身. **2** (소라 따위의) 딱지. ¶サザエの～ 소라 딱지.

—を開ける **1** 뚜껑을 열다. ㉠일을 시작하다. ㉡결과 따위를 확인하다. ¶選挙の当落はふたを開けてみないとわからない 선거의 당락은 뚜껑을 열어 봐야 안다. **2** (극장 등에서) 그날의 흥행을 시작하다. ¶初日の～ 첫날의 흥행을 시작하다.

ふた=【二】두. ¶～親 양친 / ～心 이심; 두〔딴〕 마음 / ～七日 (사람의 사후) 두 이레. 參考 숫자를 읽을 때, 특히 확실히 하기 위해 二円高(=2엔 오름), 또는 '一千二百十二円(=1,212엔) 등으로 쓰는 수도 있음.

ふだ【札】名 **1 표(標). ¶質～ 전당표 / 荷～ 짐표 / 名～ 명찰 / 値段を書いた～ 값을 적은 표; 가격표 / 休業の～を下げる 휴업의 패를 걸다. **2** 팻말. ¶高～ (a)게시판; 팻말; (b)입찰 최고가 / 立て～ 게시판 / 立ち入り禁止の～を立てる 출입 금지의 팻말을 세우다. **3** (화투 따위의) 패. ¶手～ 손에 든 패 / ～をくばる 패를 도르다 / ～をめくる〔伏せる〕 패를 젖히다〔엎어

놓다]. **4** 부적. ＝守り札. ¶お～ 부적／魔除けの～ 마귀 쫓는 부적.

***ぶた**【豚】图 돼지. ＝家猪. ¶～のように太る 돼지같이 살찌다.

—に真珠 돼지에 진주《어떤 보물도 그 가치를 모르는 사람에겐 아무런 소용이 없음의 비유》. ＝ねこに小判.

ふたあけ〖蓋開け·蓋明け〗图 개시; 뚜껑을 엶; 특히 극장에서 흥행을 시작함. ¶夏休みの～ 여름 방학〔휴가〕의 시작／～から活況を呈する 개막 첫날부터 성황을 이루다.

ふたい【付帯·附帯】图ス自 부대. ¶～条件〔事項〕 부대 조건〔사항〕／～契約〔工事〕 부대 계약〔공사〕.

—てき【—的】ダナ 부수적. ¶～問題 부수적인 문제.

ふだい【譜代】图 **1** 대대로 그 주인 집을 섬기어 옴; 또, 그 신하. **2** 江戸 시대에, 이전부터 대대로 徳川씨 집안을 섬겨 온 사람. ↔外様.

—だいみょう【—大名】图 徳川家康가 천하를 장악하기 이전부터 대대로 徳川씨 집안을 섬겨 온 大名《幕府의 요직을 차지함》. ↔外様大名.

***ぶたい**【部隊】图 **1** 부대. ¶落下傘～ 낙하산 부대. **2** 무리; 떼. ¶買い出し～ (생산지로) 물건을 사러 가는 떼.

***ぶたい**【舞台】图 무대. ¶～劇 무대극／～照明〔装置〕 무대 조명〔장치〕／初～ 첫무대／～に上がる 무대에 오르다／はじめて～に立つ 처음으로 무대에 서다／～をつとめる 무대에서 연기하다／晴れの～を踏む 화려하고 영광스러운 무대에 서다／外交の～で活躍する 외교 무대에서 활약하다.

—にのぼせる 무대에 올리다; 극으로 공연하다.

—うら【—裏】图 **1** 무대 뒤. **2** 막후; 이면. ¶～の動き 이면의 동태／～工作 막후 공작.

—げいこ〖—稽古〗图 무대 연습.

ふたいてん【不退転】图 불퇴전; 굽히지 아니함; 굳게 믿어 변함없음. ¶～の決意 불퇴전의 결의.

ふたえ【二重】图 **1** 이중; 두 겹. ＝にじゅう. ¶～あご 군턱／帯を～に回して結ぶ 띠를 두 겹으로 둘러서 매다. **2** ☞ふたえまぶた.

—まぶた〖—瞼〗图 쌍꺼풀. ＝ふたかわめ. ¶～の美人 쌍꺼풀 미인.

ふたおや【二親】图 양친; 어버이. ＝両親. ¶～とも健在だ 양친이 다 건재하시다／～が共に死んだ 부모가 두 분 다 죽었다. ↔片親.

ふたく【付託·附託】图ス他 **1** 위임; 위탁. ¶～事項 위임 사항. **2** 의회에서, 의안을 위원회에 회부 심의함. ¶議案を委員会に～する 의안을 위원회에 회부하다.

ふたけた【二けた】《二桁》图 (숫자의) 두 자리《전하여, 10-99의 범칭이나 열자리의 뜻으로도 씀》. ¶～勝利 두 자리대(臺)의 승리／～の数字 두 자리 숫자／～台の成長 두 자리 대의 성장／～台に乗せる 두 자리(숫자)대로 올리다／予測値と実測値が～も違った 예측치와 실측치가 두 자리(숫자)까지 틀렸다.

ふたご【双子】图 쌍둥이; 쌍생아. ＝双生児. ¶～に生まれた 쌍둥이로 태어났다.

ふたごころ【二心】《弐心》图 이심; 두〔딴〕 마음. ¶恋人の～に憤慨する 연인의 변심에 분개하다／主人に～をいだく 주인《주군》에 대해 반역할 마음을 품다／～無き事を誓う 이심이 없음을 맹세하다.

ふたことめ【二言目】图 말을 꺼내면 꼭 하는 말; 입버릇처럼 하는 말. ¶～には勉強しろとおっしゃる 말을 꺼냈다 하면 으레 공부하라고 하신다／～には愚痴を言う 입만 열면 푸념을 한다.

ぶたごや【豚小屋】图 돼지우리.

ふたしか【不確か】ダナ 불확실함; 애매함. ＝あやふや. ¶～な情報 불확실한 정보／～な事を言うものではない 애매한 말을 하는 게 아니다. ↔確か.

ふだしょ【札所】图 사찰 순례자가 참배의 표시로 패를 받는 곳《33개처의 관음, 88개처의 弘法 대사(大師) 등의 영장(靈場)》.

ふたすじ【二筋】图 두 줄기. ＝二本.

—みち【—道】图 **1** 갈림길; 기로. ＝分かれ道·ふたまたみち. ¶生か死かの～ 생사의 기로／～でためらう 갈림길에서 망설이다. **2** (서로 다른) 두 길. ¶色と欲との～ 여색과 욕망의 두 가지 길／人生の明暗～を歩む 인생의 명암 두 가지 길을 가다.

***ふたたび**【再び】《二度》副 두 번; 재차; 다시. ＝再度. ¶～お会いするまで 다시 만나 뵐 때까지(안녕히)／～巡ってきた絶好のチャンス 다시 찾아온 절호의 찬스／二度と～来るな 두 번 다시 오지 마라／～こんなことをするな 두 번 다시 이런 일을 하지 마라.

****ふたつ**【二つ】图 **1** 둘; 두 개. ¶～に割る 둘로 나누다〔가르다〕／世論が～に割れる 여론이 둘로 갈리다／同じ鉛筆を～持っている 같은 연필을 두 개 갖고 있다. **2** 두 살. ¶今年～になる子 금년 두 살 되는 어린애. **3** 둘째. ¶一つにも勉強, ～にも勉強だ 첫째도 공부, 둘째도 공부다.

—と無い 둘도〔다시〕 없다. ¶～大切な体 둘도 없는 귀중한 몸이다.

—に一つ **1** 둘 중 하나. ¶イエスかノーか返事は～だ 예스냐 노냐 대답은 둘 중 하나다. **2** 흥하든 망하든; 이판사판. ＝いちかばちか·のるかそるか.

—ながら〖—乍ら〗副 둘 다; 양쪽 모두. ¶～気に入る 양쪽 모두 마음에 들다.

—へんじ【—返事】图 예예하고 쾌히 승낙하는 일. ¶～で引き受ける 예예하고 쾌히 떠맡다. ↔生返事.

ふだつき【札付き】图 **1** (상품에) 가격표 또는 정찰이 붙어 있음. ¶～の物でないと安心して買えない 정찰이 붙어 있는 것이 아니면 안심하고 살 수 없다. **2** 악평이 나 있음; 딱지 붙음; 또, 그런 사람〔물건〕. ¶～の悪党〔暴れ者〕 이름난 악당〔난폭자〕/あいつは～だ 저 놈은 호가 난 놈이다.

ふたて【二手】图 두 집단; 두 패. ¶～に分かれる 두 패로 나뉘다.

ふたとおり【二通り】图 두 종류; 두 가지. ¶～の解釈ができる 두 가지로 해석할 수 있다.

ふだどめ【札止め】图 (극장 따위에서, 만원이 되어) 입장권의 발매를 중지함. ¶～の盛況 입장권 발매를 중지할 정도의 대성황.

ぶたにく【豚肉】图 돼지고기.

ふたば【二葉·双葉】图 **1** 떡잎. ¶せんだんは～より芳し 향나무는 떡잎부터 향기롭다《될성부른 나무는 떡잎부터 알아본다》. **2** (비유적으로) 사물의 시초; 특히, 사람의 어린 시절. ¶～の頃から育て上げる 어릴 때부터 잘 가르쳐 키우다.

ぶたばこ【豚箱】图 〈俗〉 (경찰서의) 유치장. ¶～行き 유치장행.

ふたまた【二また】《二股》图 두 갈래. ¶～道 두 갈랫길/～ソケット 쌍소켓/～大根 가랑무/～(を)かける 양다리 걸치다/川が～に分かれる 강이 두 갈래로 갈라지다.

—ごうやく〖—膏薬〗图 이쪽저쪽에 붙어 태도가 일정치 아니함.

ふため【二目】图 두 번 봄; 다시 봄.

—と見られない (추악하거나 처참해서) 두 번 다시 볼 수 없다. ¶～悲惨な光景 차마 눈뜨고 볼 수 없는 비참한 광경.

ふため〖不為〗图ダナ 득이 되지 않음; 이롭지 못함. ¶身の～ 자신에게 이롭지 못함/それは君にとって～だ 그것은 자네에게 불리하다/君の～になることはしない 자네에게 손해되는 일은 하지 않는다.

*__ふたり__【二人】图 두 사람. =ににん·両人. ¶お～ (부부·애인 등 짝이 된) 두 분/～共 두 사람 다/～連れ (일행인) 두 사람/～部屋 (병원 등의) 2인실/自転車に～乗りする 자전거에 둘이 타다/この世に～といない美人 이 세상에 둘도 없는 미인/～で行く 둘이서 가다/～の仲を取り持つ 두 사람 사이를 주선하다/～前の食事を注文する 두 사람 분의 식사를 주문하다.

*__ふたん__【負担】图ス他 부담. ¶～金 부담금; 분담금/送料を～する 송료를 부담하다/～が重い 부담이 무겁다/その分は僕が～する 그 몫〔부분〕은 내가 부담한다/私には～になる 내게는 부담이 된다/～に感じる 부담스럽게 느끼다.

__ふだん__【不断】名ナ 부단. **1 끊임없음. ¶～の努力 부단한 노력/～に行う 부단히 행하다; 끊임없이 하다. **2** 결단력이 없음. ¶優柔～ 우유부단.

**__ふだん__〖普段〗图副 항상; 평상시; 평소. =日ごろ·平生·常. ¶～の心がけ 평소의 마음가짐/～のままの服装 평상시대로의 복장/～思っている事 평소 생각하고 있는 일/～の力を出す 평소의 힘〔실력〕을 내다. 注意 '普段'으로 씀은 취음.

—ぎ【—着】图 평상복. ↔晴れ着·よそ行き.

ブタン [도 Butan] 图〘化〙 부탄. ¶～ガス 부탄가스.

ぶだん【武断】图 무단. ¶～主義〔政治〕 무단주의〔정치〕. ↔文治.

ふち〖淵·潭〗图 **1** 강물의 깊은 곳; 깊은 못; 소(沼). ↔瀬·浅瀬. **2** 헤어날 수 없는 괴로운 처지나 심경. ¶絶望の～に沈む 절망의 구렁 속에 잠기다.

*__ふち__【縁】图 가장자리; 테두리; 전; 가. =へり·まわり·わく. ¶めがねの～ 안경테/～の付いた帽子 차양이 달린 모자/うつわの～ 그릇의 전/川の～ 냇가/～を取る 테두리를 붙이다; 가선을 두르다; 선 두르다/目の～が赤い 눈가가 빨갛다.

ふち【不治】图〈老〉☞ふじ(不治).

ぶち〖斑〗图 얼룩짐; 얼루기; 얼룩빼기. =まだら. ¶～の猫 얼룩고양이/～になる 얼룩덜룩해지다/茶と白の～の犬 갈색과 백색의 얼룩이 있는 개.

ぶち=〖打ち〗'打ち(=때림)'의 속어적 말씨로, 뒤에 붙는 동사의 의미를 강조함. ¶～殺す 쳐죽이다/～こわす 때려 부수다/～のめす 때려눕히다. 參考 뒤의 動詞 꼴에 따라 'ぶん…' 'ぶっ…'로도 됨. ¶ぶんなぐる 후려갈기다/ぶったおす 냅다 쓰러뜨리다.

ぶちあ-ける【ぶち明ける·ぶち開ける】《打ち明ける·打ち開ける》下1他 **1** (구멍 따위를) 냅다 뚫어 버리다. ¶壁に穴を～ 벽에 구멍을 냅다 뚫어 버리다. **2** 죄다 꺼내다. ¶かばんの中身を～ 가방 속에 든 내용물을 죄다 꺼내다. **3** 모두 털어놓다. ¶～けた話 털어놓은 이야기/洗いざらい～ 남김없이 죄다 털어놓다.

ぶちあ-げる【ぶち上げる】《打ち上げる》下1他 큰소리치다; 호언장담하다. ¶一大構想を～ 일대 구상을 당당히 내놓다.

ぶちあた-る【ぶち当たる】《打ち当たる》5自 **1** 기세 좋게 부딪다. =うちあたる. **2** 직면하다. ¶難題に～ 난제에 직면하다.

ぶちこ-む【ぶち込む】《打ち込む》5他 〈俗〉 처넣다. =ぶっこむ. ¶刑務所

に～ 교도소에 처넣다.

ぶちころ-す【ぶち殺す】《打ち殺す》[5他]〈俗〉**1** 쳐〔때려〕죽이다. ¶犬を～ 개를 때려죽이다. **2** '殺す(=죽이다)'의 힘줌말. =ぶっ殺す.

ぶちこわし【ぶち壊し】[名] **1** 쳐부숨; 때려 부숨. **2** 깨뜨림; 망침. ¶せっかくの名案もこれじゃ～だ 모처럼의 명안도 이래서는 망쳤다.

ぶちこわ-す【ぶち壊す】《打ち壊す》[5他]〈俗〉**1** 때려 부수다; 파괴하다. ¶ガラス戸を～ 유리창문을 때려 부수다〔깨다〕/暴力団が家を～ 폭력단이 집을 마구 때려 부수다. **2** 깨(뜨리)다; 망치다. ¶うまくまとまった話を～ 잘 (타협이) 된 이야기를 싹 깨버리다/いい雰囲気を～ 좋은 분위기를 망치다/人の縁談を～ 남의 혼담을 망쳐 놓다.

ふちじ【府知事】[名] (大阪・京都 부의) 부지사.

ぶちたた-く〖打ち叩く〗[5他] 두들겨 패다. =ぶったたく.

ふちどり【縁取り】[名][ス自] 가를 채색하거나 장식을 베풂. ¶レースの～のあるハンカチ 레이스로 가선을 두른 손수건.

ふちど-る【縁取る】[5他] 테두리를 붙이다; (가)선을 두르다. ¶美しい花で～った庭 아름다운 꽃으로 가를 두른 정원/まわりを赤色の絵の具で～ 둘레를 빨간 그림물감으로 채색하다.

ふちなし【縁無し】[名] 테(두리)가 없음; 또, 그런 물건. ¶～眼鏡 무테 안경.

ぶちぬ-く【ぶち抜く】《打ち抜く》[5他] **1** 뚫어 구멍을 내다. ¶壁を～ 벽을 뚫어 구멍을 내다. **2** 칸막이 따위를 터서 통하게 하다. ¶三部屋を～いて式場にする 방 셋을 터서 식장으로 만들다.

ぶちのめ-す〖打ちのめす〗[5他]〈俗〉때려눕히다; 타도하다. ¶思い切り～ 마음껏 때려눕히다/今度会ったら～してやる 이번에 만나면 때려눕혀 줄 테다.

ぶちま-ける〖打ちまける〗[下1他]〈俗〉**1** (속에 든 것을) 모조리 털어 내다. ¶バケツの水を～ 양동이의 물을 쏟아 버리다/箱の中を～けて物を捜す 상자 속을 모조리 털어 내고 물건을 찾다. **2** 숨김없이 털어놓다. ¶不満〔内情〕を～ 불만〔내부 사정〕을 털어놓다/腹の中を～けて話す 속을 탁 털어놓고 얘기하다/何もかも～けてしまえ 모조리 탁 털어놓아라.

ふちゃく【付着】[名][ス自] 부착. ¶～力〔物〕 부착력〔물〕/貝が船底に～する 조개가 배 밑바닥에 들러붙다.

*__ふちゅうい__【不注意】[名][ダナ] 부주의. =てぬかり・不用意. ¶～による事故 부주의로 인한 사고/君の～から起こった事だ 너의 부주의로 생긴 일이다/私は～にも彼を信用した 나는 경솔하게도 그를 신용했다.

ふちょう【不調】[一][名][ダナ] 상태가 나쁨. ¶～を訴える 상태가 좋지 않음을 호소하다/エンジンが～だ 엔진의 컨디션이 나쁘다/～から立ち直る 슬럼프에서 회복하다/投手が～で, 大敗した 투수가 컨디션이 좋지 않아서 대패했다. ↔快調・好調. [二][名] 잘 이루어지지 않음. ¶交渉は～に終わった 교섭은 끝내 성사되지 않았다.

ふちょう【符丁・符帳】《符牒》[名] **1** (상점에서) 상품 값을 나타내는 은어나 기호. ¶値段を～で書き込む 값을 기호로 써 넣다. **2** 암호. =あいことば. ¶～で話す 암호로 이야기하다.

ぶちょう【部長】[名] 부장. ¶人事～ 인사부장/大学の法学～ 대학의 법학부장.

ぶちょうほう【不調法】[一][名ナ] **1** 서투름; 미흡함. =へた・不行き届き. ¶～者 익숙지 않은 사람/～で相済みません 손〔생각〕이 고루 미치지 못해 미안합니다/口が～で 말이 서툴러서《구변이 없어》/口は～だが腕は確かだ 구변은 없지만 능력은 틀림없다. **2** 술・담배・유흥 따위를 못한다는 겸사말. ¶酒は～です 술은 못합니다/どうも～なものですから… 워낙 못하는 편이라서…. [二][名] 잘못; 실수. =過ち・しくじり・そこつ・そそう. ¶～をする 실수하다/とんだ～をしでかしてすみません 엉뚱한 실수를 해서 미안합니다.

ふちょうわ【不調和】[名ナ] 부조화. ¶～な色 조화가 안 되는 빛깔/周囲と～な建物 주위와 조화를 이루지 못한 건물.

ふちん【不沈】[名] 함선 등이 구조상으로 가라앉지 않음을 이르는 말: 불침. ¶～戦艦 불침 전함/～を誇る空母 불침을 자랑하는 항공모함.

ふちん【浮沈】[名] 부침; 흥망. =浮き沈み. ¶～がはげしい 부침이 심하다/～をかける 흥망을 걸다/～常ならず 흥망 무상/会社の～にかかわる重大な取引 회사의 흥망에 관계되는 중대한 거래.

ふつ〖払〗《拂》[常用] フツ はらう | 불 떨다 | 털어버리다; 털다. ¶払拭 불식.

ふつ〖沸〗[常用] フツ わく わかす | 비 끓다 | 끓다; 들끓다. ¶沸騰 비등/煮沸 자비.

ふっ=【吹っ】《動詞 앞에 붙여서》 세차게 …함을 나타내는 말. ¶～切れる 뚝 끊어지다/～飛ぶ 홱 날다. [参考] '吹き'의 전와.

ぶ-つ〖打つ〗[5他] **1** 때리다; 치다. =うつ・なぐる. ¶尻を～ 볼기를 때리다/先生に～たれる 선생님에게 얻어맞다. **2**〈俗〉'연설하다' 등의 힘줌말. ¶一席～ 일장 연설을 하다/演説を～ 연설을 하다. [参考] '打つ'의 전와.

ぶつ【物】[接尾] …물. =もの. ¶目的～

목적물 / 刊行かんこう～ 간행물.

ぶつ〖仏〗(佛) 教5 ブツ フツ ほとけ | 불 부처 |

1 '仏陀ぶつだ(=불타)'의 준말: 부처. ¶仏教ぶっきょう 불교 / 成仏じょうぶつ 성불. 2 '仏蘭西フランス(=프랑스)'의 준말. ¶英仏えいふつ 영불 / 仏語ふつご 불어.

ぶつ〖物〗 教3 ブツ モツ もの | 물 만물 | 1 물건. ¶物質ぶっしつ 물질 / 貨物かもつ 화물. 2 일. ¶事物じぶつ 사물 / 禁物きんもつ 금물.

ぶっ= 〖打っ〗〈俗〉《動詞 앞에 붙여서》 난폭하게 함을 나타내는 말: 마구; 힘껏. ¶～掛かける 마구 끼얹다. 注意 ナ行ぎょう음·マ行ぎょう음으로 시작하는 動詞에 붙을 때에는 'ぶん'이 됨. ¶ぶんなぐる 마구 때리다 / ぶん回まわす 마구〔세게〕 돌리다 / ぶん投なげる 냅다 던지다.

ふつう【不通】 名 불통; 교통·통신·뜻 등이 통하지 않음; 끊김. ¶音信おんしん～ 소식 불통 / ～箇所かしょ 불통 구역 / 鉄道てつどう〔電話でんわ〕が～になる 철도〔전화〕가 불통이 되다 / 文意ぶんい～の手紙てがみ 글의 뜻이 통하지 않는 편지.

**ふつう【普通】 名ナ 보통. =なみ·通常つうじょう·一般的いっぱんてき. ¶～預金よきん〔郵便ゆうびん〕 보통 예금〔우편〕/ ～の人間にんげん 보통 인간 / ごく～の人ひと 극히 평범한 사람 / ～に考かんがえる 보통으로〔예사로〕 생각하다 / この寒さむさは～ではない 이 추위는 보통이 아니다 / 体からだの調子ちょうしが～ではない 건강 상태가 보통이 아니다 / ～ならもう卒業そつぎょうしている 보통 같으면 벌써 졸업했다. ↔特別とくべつ·特殊とくしゅ.

―せんきょ【―選挙】 名 보통 선거. =普選ふせん. ↔制限せいげん選挙.

―めいし【―名詞】 名 보통 명사. ↔固有こゆう名詞.

ふつう〖普通〗 副 보통; 대개. ¶～そうは言いわない 보통 그렇게는 말하지 않는다 / 親おやは, ～子供こどもよりさきに死しぬ 부모는 대개 자식보다 먼저 죽는다 / 郵便ゆうびんは～三日みっかかかる 우편은 보통 사흘 걸린다.

**ふつか【二日】 名 1 이틀. =両日りょうじつ. ¶～掛がかりの仕事しごと 이틀 걸리는 일 / ～も眠ねむり続つづける 이틀 동안이나 계속 자다. 2 2일. ¶一月いちがつ～ 1월 2일.

―よい【―酔い】 名ス自 숙취. ¶～の迎むかえ酒ざけ 숙취 뒤의 해장술.

***ぶっか**【物価】 名 물가. ¶～調節ちょうせつ 물가 조절 / ～が上あがる〔下さがる〕 물가가 오르다〔내리다〕/ ～が安定あんていする 물가가 안정되다 / ～を抑おさえる 물가를 억제하다 / ～高だかにあえぐ 물가고에 허덕이다.

―しすう【―指数】 名 물가 지수.

ぶつが【仏画】 名 불화; 부처·불교에 관한 그림. ¶～の研究けんきゅう 불화 연구.

ぶっかき 〖打っ欠き〗 名 〈俗〉 잘게 깬 (식용의) 얼음 조각. =ぶっかき氷ごおり. ¶氷こおりを～にする 얼음을 잘게 깨어 여러 조각을 내다. 注意 関西かんさい 지방에서는 'かちわり'라고 함.

ぶっかく 〖打っ欠く〗 5他 〈俗〉 잘게 깨다; 쳐부수다. ¶氷こおりを～ 얼음을 잘게 깨다.

ぶっかく【仏閣】 名 〔佛〕 불각; 절의 건물; 또, 절. =寺てら·寺院じいん. ¶神社じんじゃ～ 신사(神社)와 불각.

ふっかける 〖吹っ掛ける〗 下1他 1 ☞ ふきかける. 2 과장해서 말하다; 에누리하다; 터무니없이 말하다. ¶高値たかねを～ 터무니없이 높은 값을 부르다. 3 (싸움을) 걸다. =しむける·しかける. ¶けんかを～ 싸움을 걸다.

ぶっかける 〖打っ掛ける〗 下1他 〈俗〉 세차게 뿌리다; 마구 끼얹다. ¶水みずを～ 물을 확 끼얹다.

***ふっかつ**【復活】 名ス自他 부활. ¶～祭さい 부활절 / キリストの～ 그리스도의 부활 / 原案げんあんの～ 원안의 부활 / 敗者はいしゃ～戦せん 패자 부활전 / 郷土芸能きょうどげいのうをぜひ～させたい 향토 예능을 꼭 부활시키고 싶다.

**ぶつかる 5自 1 부딪(치)다; 충돌하다. ¶電信柱でんしんちゅうに～ 전봇대에 부딪치다 / 結婚問題けっこんもんだいで父ちちと～ 결혼 문제로 아버지와 충돌하다 / 岩いわに～·った波なみが砕くだける 바위에 부딪친 파도가 부서지다. 2 부닥치다; 맞닥뜨리다. ¶思おもいがけない困難こんなんに～ 뜻밖의 곤란에 부닥치다 / 一回戦いっかいせんで強敵きょうてきと～ 일회전에서 강적과 맞닥뜨리다 / 実地じっちに～·って調しらべよう 실지로 부닥쳐서 조사하자 / 先方せんぽうに～·って見みよう 상대방과 직접 부닥쳐〔교섭해〕 보자. 3 마주치다; 겹쳐지다. =かちあう·重かさなる. ¶予定よていが～ 예정이 겹치다 / 祝日しゅくじつが日曜日にちようびと～ 축제일이 일요일과 겹치다. 可能ぶつかれる 下1自

ふっかん【副官】 名 〔軍〕 부관. =ふくかん. ¶専属せんぞく～ 전속 부관.

ふっかん【復刊】 名ス他 복간. ¶～第一号だいいちごう 복간 제1호 / 一時いちじ休刊きゅうかんしていた雑誌ざっしを～する 일시 휴간 중이던 잡지를 복간하다.

ふっき【復帰】 名ス自 복귀. ¶社会しゃかい～ 사회 복귀 / 政界せいかいに～する 정계에 복귀하다 / 現役げんえき〔現場げんば〕に～する 현역〔현장〕에 복귀하다 / 前まえにいた会社かいしゃに～する 전에 있던 회사에 복귀하다 / もとの任務にんむに～した 원래 임무에 복귀했다.

ふづき [文月] 名 〈雅〉 음력 7월. =ふみづき.

ぶつぎ【物議】 名 물의; 뭇사람의 평판. =とりざた.

―をかもす 물의를 빚다〔일으키다〕. ¶首相しゅしょうの発言はつげんが～ 수상의 발언이 물의를 빚다.

ふっきゅう【復旧】 名ス自他 복구. ¶～作業さぎょう 복구 작업 / ダイヤが～する 열차 운행이 복구되다 / 雨あめで～に手間取てまどる 비로 복구에 시간이 걸리다.

ぶっきょう【仏教】 名 불교. ¶～徒と 불교도 / ～美術びじゅつ〔彫刻ちょうこく〕 불교 미술〔조각〕/ ～に帰依きえする 불교에 귀의하

다 / ～を信仰する 불교를 믿다.

ぶっきらぼう 名ダナ 〈俗〉 무뚝뚝함; 볼통스러움; 또, 그런 사람. ¶～に話す〔答える〕 무뚝뚝하게 말〔대답〕하다 / ～な口を利く 퉁명스럽게 말하다.

ぶつぎり【ぶつ切り】名 〖料〗 재료를 크고 두껍게 썲; 또, 그렇게 썬 물건. ¶魚を～にする 생선을 크게〔뭉텅뭉텅〕 토막치다.

ふっき-る【吹っ切る】5他 미련·번민 등을 말끔히 끊어버리다. ¶執着〔未練〕を～ 집착〔미련〕을 모두 버리다 / 暗いイメージを～ 어두운 이미지를 떨쳐버리다.

ぶっき-る【ぶっ切る】《打っ切る》5他 〈俗〉 힘껏 쳐서 자르다. ¶魚の頭を～ 생선 대가리를 댕강 자르다.

ふっき-れる【ふっきれる·吹っ切れる】下1自 **1** 종기가 곪아 터져 고름이 나오다. **2** 꺼림칙하던 것이 싹 가시어 개운해지다. =すっきりする. ¶迷いが～ 미혹이 싹 가시다 / ～·れないものがある 꺼림칙한〔석연치 않은〕 것이 있다.

ふっきん【腹筋】名 〖生〗 복근; 복벽(腹壁)을 이루고 있는 근육의 총칭.

ブッキング [booking] 名 부킹. **1** 기장(記帳). **2** 항공권·호텔 등의 예약. ¶ダブル～ 더블 부킹; 이중 예약 / オーバー～ 오버부킹; (정원) 초과 예약. **3** 흥행·출연의 계약; 또, 영화의 배급 계약.

フック [hook] 名 훅; (권투에서) 팔을 구부려 옆에서 치는 공격법. ¶強烈な右の～を浴びる 강렬한 오른쪽 훅을 맞다.

ブック [book] 名 북. **1** 책. **2** ☞ノートブック. ¶スケッチ～ 스케치북.

——カバー [book cover] 名 북커버; 책표지; 책가위.

——バンド [일 book+band] 名 북 밴드; 책 따위를 묶어 휴대하는 데 쓰는 밴드.

ぶつぐ【仏具】名 불구; 불사에 쓰는 기구. =仏器·ぶぐ. ¶～屋〔店〕 불구 판매점; 불교 용품점.

ぶつくさ 名副 불평이나 잔소리를 중얼거리는 모양: 투덜투덜. =ぶつぶつ. ¶～言う 투덜거리다 / あいつの～は毎度の事だ 저 자의 불평은 빈번히 있는 일이다.

ふっくら 副ス自 부드럽게 부풀어 있는 모양. =ふっくり. ¶～(と)したほお 포동포동한 볼 / ～と肥えた人 통통하게 살찐 사람 / ～(と)した布団 폭신한 이부자리 / ～と炊けたごはん 뜸이 잘 든 밥; 고슬고슬한 밥 / おまんじゅうが～と蒸し上がる 찐빵이 뭉실뭉실하게 잘 쪄지다.

*** ぶつ-ける**〖打付ける〗下1他 **1** 부딪다. ¶頭を戸に～ 머리를 문에 부딪다. **2** 던지다; 던져 맞히다. =なげつける. ¶犬に石を～ 개에다 돌을 던지다. **3** 마구 발산하다. ¶怒り〔不満〕を～ 분노를〔불만을〕 터뜨리다 / 上司に自分の考えを～·けてみなさい 상사에게 자기의 생각을 털어놓아 보시오. 注意 강조하여 'ぶっつける'라고도 함.

ふっけん【復権】名ス自他 복권. ¶～を図る 복권을 꾀하다 / 再審の結果～が許された 재심 결과 복권이 허용됐다.

ぶっけん【物件】名 물건. =物品·品物. ¶課税～ 과세 물건 / 証拠～ 증거 물건. ↔人件.

ふっこ【復古】名ス自他 복고. ¶～趣味 복고 취미 / 王政～ 왕정복고.

——ちょう【——調】名 복고조. ¶軍国主義～の動きが見える 군국주의 복고조의 움직임이 보이다.

——てき【——的】ダナ 복고적. ¶～傾向 복고적 경향.

ふつご [仏語] 名 불어; 프랑스어. 参考 'ぶつご'라고 하면 딴말.

ぶっこ【物故】名ス自 물고; 작고; 사람이 죽음(한문투의 말씨). =死去. ¶～者名簿 사망자 명부 / ～した先生の墓 작고한 선생의 무덤.

ぶつご【仏語】名 불어; 불교 용어.

ふっこう【復校】名ス自 복교; 복학. =復学.

*** ふっこう**【復興】名ス自他 부흥. ¶～策 부흥책 / 文芸～ 문예 부흥 / 戦災都市を～する 전재를 입은 도시를 부흥시키다 / 経済が急速度に～した 경제가 급속도로 부흥했다.

*** ふつごう**【ふつごう·不都合】名ナ **1** 형편이 좋지 못함. ¶～な時間 (사정이 있어) 적당치 못한 시간 / ～を招く〔来す〕 지장을 초래하다 / これはちょっと君に～だな 이것은 자네에게 좀 적합지 않은데. ↔好都合. **2** 무례함; 괘씸함. =不届き·ふらち. ¶～な奴 무례한 놈 / ～な事をしでかす 괘씸한 짓을 저지르다 / ～千万だ 괘씸하기 짝이 없다.

ふっこく【復刻·覆刻】名ス他 복각; 서적 따위를 원본과 같게 복제(複製)하여 간행함; 일반적으로, 책의 복제. ¶～本 복각본 / 稀覯本を～する 희구서를 복각하다.

ぶっこぬ-く【ぶっこ抜く】《打っこ抜く》5他 〈俗〉 **1** 거세게〔힘차게〕 뽑다. ¶大根を～ 무를 힘껏 잡아당겨 뽑다. **2** 내처 하다. ¶五時間～·いて話す 5시간 내리 이야기하다. **3** (칸막이 따위를) 터서 통하게 하다. =ぶち抜く. ¶三部屋を～·いて宴会をもよおす 세 방을 터 놓고 연회를 하다.

ぶっこ-む【ぶっ込む】《打っ込む》5他 〈俗〉 **1** 쳐서 박다; 처넣다. =打ち込む·ぶち込む. ¶くいを～ 말뚝을 처박다 / 生意気な事を言うと川の中に～ぞ 건방진 소리 하면 강 속에 처넣을 테다. **2** 아무렇게나 집어 넣다. ¶有り合わせの野菜を～·んでお汁をつくる (새로 사오지 않고) 마침 집에 있

는 야채를 집어넣고 국을 끓이다.

ぶっころ-す【ぶっ殺す】《打っ殺す》5他 〈俗〉 때려죽이다. ＝うち殺す·ぶち殺す. ¶四の五のぬかすと～ぞ 이러쿵 저러쿵 지껄이면 죽일 테야.

ぶっこわ-す【ぶっ壊す】《打っ壊す》5他 'ぶちこわす'의 전와(轉訛).

ぶっさん【物産】名 물산; 토산물. ¶～展 물산전; 토산물 전시회 / ～の豊富な地方 산물이 풍부한 지방.

ぶっし【仏師】名 불사; 불상을 만드는 장색. ＝ぶし·仏工.

*__ぶっし__【物資】名 물자. ¶～援助 물자 원조 / 救援～ 구원 물자 / ～を動員する 물자를 동원하다.

ぶつじ【仏事】名 불사; 불교의 의식. ＝法事·法会·法要. ¶～を営む 불사를 행하다.

ぶっしき【仏式】名 불식; 불교식. ¶～の葬儀 불교식 장례 / 葬儀は～で行われる 장례는 불식으로 행해진다.

**__ぶっしつ__【物質】名 물질. ¶～界 물질계 / ～欲 물질욕 / ～生活〔文化〕 물질 생활〔문화〕 / 有毒な～がふくまれている 유독한 물질이 함유되어 있다. ↔精神.

—**てき**【—的】ダナ 물질적. ¶～な欲望 물질적인 욕망 / ～に恵まれている 물질적으로 풍족하다. ↔精神的.

ぶっしゃり【仏舎利】名 불사리; 석가의 유골. ＝舎利·仏骨·仙骨.

プッシュ [push] 名 푸시; 밂; 지원; 추진. ¶～ボタン 푸시 버튼; 누름단추 / 有力者の～で職を得る 유력자의 뒷배로 직업을 얻다.

—**カート** [pushcart] 名 푸시카트; 슈퍼마켓 등의 손수레나 행상인의 손수레.

—**ホン** [일 push＋phone] 名 푸시 폰; 누름단추식 전화기.

ぶっしょう【物証】名 물증; 물적 증거. ¶～がそろう 물적 증거가 갖추어지다 / ～をかためる 물증을 확보하다 / 容疑者の～をとらえる 용의자의 물증을 포착하다. ↔人証·書証·口証.

ぶつじょう【物情】名 물정; 세상 인심; 세상의 돌아가는 사정.

—**そうぜん**【—騒然】トタル 물정이 소연함; 세상이 어수선함.

ふっしょく [払拭] 名ス他 불식; 일소. ＝ふっしき. ¶旧弊を～する 구폐를 불식하다 / 不安〔不信感〕を～する 불안〔불신감〕을 불식하다.

ぶっしょく【物色】名ス他 **1** 물색. ¶後任を～する 후임을 물색하다 / 安くて良い品を～する 싸고도 좋은 물품을 물색하다. **2** 뒤짐. ¶泥棒が室内を～する 도둑이 실내를 뒤지다.

ぶっしん【物心】名 물심. ¶～両面からの援助を受ける 물심 양면으로 원조를 받다 / ～両面に充実した生活 물심 양면으로 충실한 생활.

ぶつぜん【仏前】名 불전; 불단 앞. ¶～に花を供える 불전에 꽃을 바치다.

ふっそ【ふっ素】《弗素》名〔化〕 불소; 플루오르(기호: F). ¶～樹脂 플루오르 수지.

*__ぶっそう__【物騒】名ナ 세상이 뒤숭숭하고, 위험한 느낌이 드는 모양. ¶～な話〔世の中〕 뒤숭숭한 이야기〔세상〕 / ～なうわさ 불온한 소문 / ～な男 위험스런 사나이 / ～な物を持っている (권총 따위) 위험한 물건을 갖고 있다 / 夜道は～だ 밤길은 위험하다. 参考 '物騒がし'의 음독에서.

ぶつぞう【仏像】名 불상. ＝仏体. ¶～を安置する 불상을 안치하다.

ぶつだ [仏陀] 名 불타; 부처. ＝ほとけ·ぶっだ. ¶～の教え 불타의 가르침.

*__ぶったい__【物体】名 물체. ¶未確認飛行～ 미확인 비행 물체 / ～の大きさ 물체의 크기 / 物質の集まりを～と言う 물질이 모인 것을 물체라 한다.

ぶったお-す【ぶっ倒す】《打っ倒す》5他 〈俗〉 후려쳐서 쓰러뜨리다. ¶一撃で～ 일격에 쓰러뜨리다 / じゃまなものは～·してしまえ 장애가 되는 것은 쓰러뜨려 버려라.

ぶったお-れる【ぶっ倒れる】《打っ倒れる》下1自 〈俗〉 갑자기 (쾅하고) 쓰러지다. ¶強烈な左パンチを受けて～·れた 강렬한 왼손 펀치를 얻어맞고 푹 쓰러졌다.

ぶったぎ-る【ぶった切る】《打った切る》5他 〈俗〉 마구 자르다〔베다〕; 힘차게 내리쳐 끊다. ＝たたっ切る. ¶肉を～ 고기를 숭덩숭덩 썰다 / 邪魔な枝を～ 방해되는 가지를 내리치다.

ぶったくり 〖打っ手繰り〗名 〈俗〉 **1** 강탈; 탈취. ¶やらず～の商法 주지 않고 빼앗기만 하는 상술. **2** 바가지 씌움.

ぶったく-る 〖打っ手繰る〗5他 〈俗〉 **1** 억지로 (채어서) 빼앗다; 탈취하다; 채뜨리다. ＝ひったくる. ¶本を～ 책을 채뜨리다 / 抱えていた袋を～·られた 안고 있던 봉지를 낚아채였다. **2** 바가지 씌우다. ＝ぼる·ぶんだくる. ¶飲み屋で～·られた 술집에서 바가지 썼다.

ぶったた-く 〖打っ叩く〗5他 〈俗〉 마구 때리다〔두드리다〕. ¶ひとつ, ～·いてやろうか 한번 패줄까.

ぶったま-げる 〖打っ魂消る〗下1自 〈俗〉 아주 질겁하다. ＝おったまげる. ¶あの元気な人が死んだと聞いて～·げた 그토록 건강했던 사람이 죽었다는 말을 듣고서 아주 질겁했다.

ぶつだん【仏壇】名 불단. ¶～に花を供える 불단에 꽃을 바치다.

ぶっちがい【ぶっ違い】《打っ違い》名 〈俗〉 교차시킨 모양; 어긋매낀 모양. ＝すじかい·うちちがい. ¶木を～に打ち付ける 나무를 어긋매껴 쳐 박다.

ぶっちぎり【ぶっ千切り】名 경주에서, 큰 차로 이김. ¶～のトップ 크게 앞지른 수위 / ～で一着になる 크게 앞질

러 1착을 하다.

ぶっちゃ-ける 下1他 'ぶちあける'의 구어적 표현. ¶～·けた話, 実は… 까놓고 얘기해서, 실은….

ぶっちょうづら【仏頂面】图 무뚝뚝[시무룩]한 얼굴. ＝ふくれっつら. ¶しかられて～をして立っている 야단을 맞고 뿌루퉁한 표정으로 서 있다.

ふつつか〖不束〗名ナ 미거함; 못남; 버릇없음; 불민함. ＝不届き·不行き届き. ¶～なお願い 무례한 부탁/～なもてなし 소홀한 대접/～(な)者ですが 못난 사람입니다만/～ながら出来るだけやってみます 불민합니다만 할 수 있는 한 해보겠습니다.

ぶっつか-る〖打っ付かる〗5自 'ぶつかる(＝부딪다; 겹치다)'의 힘줌말. ¶電柱に～ 전봇대에 부딪히다.

ぶっつけ〖打っ付け〗图 〈俗〉 **1** 불쑥[별안간] 일을 함; 또, 일의 시작; 최초; 처음. ¶～からうまくいかない 처음부터 일이 틀어지다/それではあまり～で失礼だ 그래서는 너무 급작스러워서 실례가 된다. **2** 사양하지 않음; 노골적. ¶～に話す 노골적으로 말하다/～にことわる 딱 잘라 거절하다.

—ほんばん【—本番】图 사전 연습이나 준비 없이 바로 시작함. ¶～で行こう (연습 없이) 바로 시작합시다/～で上演する 연습 없이 바로 상연하다.

ぶっつ-ける〖打っ付ける〗下1他 ☞ぶつける.

ぶっつづけ【ぶっ続け】《打っ続け》图 〈俗〉 계속함; 잇따라 함. ＝続けざま·ぶっ通し. ¶一日中～で仕事をした 종일 계속해서 일을 했다/昼夜～の強行軍でも倒れなかった 밤낮 내리 계속된 강행군에도 쓰러지지 않았다/三時間～に勉強した 3시간 계속해서 공부했다.

ぶっつぶ-す〖打っ潰す〗5他 마구 부수다《'つぶす'의 거친 말씨》. ¶こんな小屋は～·せ 이런 오두막은 막 때려 부숴라.

ふっつり 副 돌연[단연] 그만두는 모양: 딱; 뚝. ＝ぷっつり·ふつり. ¶～(と)酒をやめる 뚝 술을 끊다/その後～音さたがない 그 후 딱 소식이 없다.

ぶっつり 副 **1** 밧줄 등 좀 굵고 질긴 것이 끊어지는 모양[소리]: 툭. ¶ロープが～(と)切れた 로프가 툭 끊어졌다. **2** 날붙이 따위로 찌르는 모양[소리]: 푹.

ぷっつり 副 **1** 실 따위가 끊어지는 소리[모양]: 뚝; 툭. ＝ぷつんと. ¶糸が～(と)切れる 실이 뚝 끊어지다/黒髪を～(と)切る 검은 머리를 싹독 자르다. **2** 사물이 어느 시기 이후 끊어져 버리는 모양: 딱; 뚝. ¶手紙が～(と)とだえる 편지가 딱 끊어지다/叫び声が～(と)止んだ 외치는 소리가 뚝 그쳤다/～(と)思い切った 딱 단념했다/～と消息がとだえた 소식이 뚝 끊어졌다. 参考 'ふっつり'의 힘줌말.

ふってい【払底】图ス自 바닥이 남; 동이 남; 품절; 결핍. ＝品切れ. ¶紙の～ 종이의 품절/原料が～する 원료가 동나다/一円玉が～しています 일엔 동전이 다 나가고 없습니다.

ぶってき【物的】ダナ 물(질)적. ¶～条件 물질적 조건/～援助 물적 원조/～資源に恵まれる 물적 자원이 넉넉하다. ↔心的·人的.

—しょうこ【—証拠】图 물적 증거. ＝物証. ¶～を手に入れた 물적 증거를 입수했다. ↔人的証拠.

ぶつでし【仏弟子】图 불제자; 석가의 제자; 불교도. ¶～としての修行に励む 불제자로서의 수도에 힘쓰다.

ふってん【沸点】图〔理〕비점; 끓는점. ＝沸騰点. ¶～に達する 끓는점에 달하다. ↔氷点.

ぶってん【仏典】图 불전; 불교의 경전. ＝経典·仏書. ¶～の解釈 불전의 해석/～を読む 불전을 읽다.

ぶつでん【仏殿】图 불전; 불당. ＝本堂·仏堂. ¶～を建立する 불전을 건립하다.

ふっと 副 ☞ふと(不図). ¶～湖が見たくなる 문득 호수가 보고 싶어지다/～頭に浮かぶ 문득 머리에 떠오르다/～思い付く 문득 생각이 나다/～姿が見えなくなった 갑자기 모습이 사라졌다.

フット[foot] 图 푸트; 발. ↔ハンド.

—ノート[footnote] 图 푸트노트; 각주(脚注). ↔ヘッドノート.

—ボール[football] 图 풋볼; 축구(공).

—ライト[footlight] 图 푸트라이트; 각광. ¶～を浴びる 각광을 받다.

—ワーク [footwork] 图 풋워크; (권투 등에서) 발놀림. ＝足さばき. ¶～が乱れる 발놀림이 흐트러지다.

ぷっと 副 **1** 입을 오므리고 갑자기 숨을 내 쉬는 모양: 푸. ＝ふっと. ¶～息を吹き掛ける 푸 하고 입김을 내뿜다. **2** 뱉어 내는 모양: 탁; 퉤. ¶ガムを～ふき出す 껌을 퉤 뱉어 버리다. **3** 무심코 웃음을 터뜨리는 모양: 픽; 피식. ¶～笑いだした 픽 하고 웃음을 터뜨렸다. **4** 비위가 상해서 발끈하는 모양: 팩. ¶～ふくれる 뾰로통해지다.

*__ふっとう__【沸騰】图ス自 비등. ¶～する非難 들끓는 비난/水が～する 물이 끓어오르다/人気[輿論]が～する 인기가[여론이] 비등하다. 「의 구칭》.

—てん【—点】图 끓는점《'ふってん'

ぶつどう【仏堂】图 불당; 절. ＝仏殿. ¶～を見物する 불당을 구경하다.

ぶつどう【仏道】图 불도; 부처의 가르침. ¶～修行 불도 수행/～に入る[帰依する] 불도에 귀의하다/～に励む 불도에 힘쓰다.

ぶっとおし【ぶっ通し】《打っ通し》图 처음부터 끝까지 죽 계속함. ＝ぶっ続け. ¶昼夜～の猛練習 주야로

계속하는 맹연습 / ~に勉強(べんきょう)する 계속 공부하다 / 二時間(にじかん)~で歩(ある)いた 2시간 동안 계속해서 걸었다.

ぶっとお-す【ぶっ通す】《打っ通す》[5他] 〈俗〉 **1** 처음부터 끝까지 죽 계속하다. ¶夜(よ)を~·した仕事(しごと) 밤을 지새운 일. **2** 세게 쳐서〔찔러〕 꿰뚫다. ¶五寸釘(ごすんくぎ)を壁(かべ)に~ 다섯 치 못을 벽에 처박아 뚫어지게 하다. **3** 막히지 않게 탁 트다. ¶三部屋(さんへや)を~·して宴(えん)を張(は)る 세 방을 탁 터서 연회를 열다.

プットオプション [put option] 图 〔經〕 풋 옵션; 매도 선택권《옵션 거래에서, 일정 기간내에 계약 가격으로 팔 수 있는 권리》. ↔コールオプション.

フットサル [Futsal] 图 풋살; 5인제 실내 축구《일본에서는 흔히 'ミニサッカー(=미니 축구)'라고 함. ▷에스페란토 fut(실내)+포 sal(축구).

ふっとば-す【吹っ飛ばす】[5他] '吹(ふ)き飛(と)ばす'의 힘줌말: 세차게 날려 버리다; (마음속에서) 털어 없애버리다. ¶風(かぜ)で~·された 바람에 날아가 버렸다 / 不安(ふあん)を~ 불안을 털어 버리다.

ぶっとば-す【ぶっ飛ばす】《打っ飛ばす》[5他] 〈俗〉 **1** 힘차게 내던지다〔날리다〕. ¶ボールを~ 공을 힘껏 던지다 / ホームランを~ 홈런을 날리다. **2** 마구 세차게 때리다〔후려치다〕. ¶あんななまいきな奴(やつ), ~·してやれ 저런 건방진 놈 후려갈겨 줘라. **3** 마구〔냅다〕 몰다. ¶自動車(じどうしゃ)を~ 자동차를 쏜살같이 몰다.

ふっと-ぶ【吹っ飛ぶ】[5自] 〈俗〉 휙 날아가다. **1** 힘차게〔갑자기〕 날아가다. ¶強風(きょうふう)で屋根(やね)が~·んだ 강풍으로 지붕이 날아갔다. **2** 갑자기 없어지다. ¶五万円(ごまんえん)が一晩(ひとばん)で~ 5만 엔이 하룻밤 사이에 휙 날아가다 / 首(くび)が~ 목이 날아가다《해고당하다》/ 心配(しんぱい)〔疲(つか)れ〕が~ 걱정이〔피로가〕 싹 가시다 / 地価(ちか)の高騰(こうとう)でマイホームの夢(ゆめ)が~·んだ 땅값 앙등으로 마이홈〔내 집 마련〕의 꿈이 날아갔다.

ぶっと-ぶ【ぶっ飛ぶ】《打っ飛ぶ》[5自] '飛(と)ぶ'의 힘줌말. ¶土俵(どひょう)の外(そと)に~ 土俵 밖으로 나가 떨어지다.

ぶつのう【物納】图[ス他] 물납. ¶財産税(ざいさんぜい)を家屋(かおく)で~する 재산세를 가옥으로 물납하다 / 小作料(こさくりょう)を~する 소작료를 물납하다. ↔金納(きんのう).

ぶっぱな-す【ぶっ放す】《打っ放す》[5他] 〈俗〉 발사하다; 세차게 마구 쏘다. ¶機関銃(きかんじゅう)を~ 기관총을 마구 쏘다.

ぶっぱら-う【ぶっ払う】《打っ払う》[5他] 〈俗〉 내쫓다; 쫓아내다; 쳐서 몰아내다〔물리치다〕. ¶侵略者(しんりゃくしゃ)を~ 침략자를 쳐 물리치다.

ぶっぴん【物品】图 물품; 물건. =しなもの·もの. ¶必要(ひつよう)な~を揃(そろ)える 필요한 물품을 갖추다.

ふつふつ〖沸沸〗副 **1**《흔히 'と'를 수반하여》 끓어오르는 모양: 펄펄; 부글부글. ¶~と煮(に)えたぎる (국 따위가) 부글부글 끓어오르다. **2** 생각 등이 샘솟는 모양. ¶~(と)詩情(しじょう)がわく 끝없이 시정이 샘솟다 / 怒(いか)りが~とこみあげてくる 분노가 부글부글 치밀어 오르다.

ぶつぶつ 一副 **1** 낮은 소리로 무엇인가 중얼거리는 모양; 또, 불평 불만을 늘어놓는 모양: 중얼중얼; 투덜투덜. ¶~言(い)う 투덜거리다. **2** ☞ふつふつ1. 二图 좁쌀 같은 것(이 많이 있음). ¶顔(かお)に~ができた 얼굴에 좁쌀알 같은 것이 돋았다.

ぶつぶつこうかん【物物交換】图[ス自] 물물 교환. =物交(ぶっこう)·バーター. ¶~を盛(さか)んにする 물물 교환을 많이 하다 / 昔(むかし)は魚(さかな)と米(こめ)とを~した 옛날에는 물고기와 쌀을 물물 교환했다.

ふつぶん [仏文] 图 불문. **1** 프랑스어 문장. ¶~和訳(わやく) 불문 일역. **2** 'フランス文学(ぶんがく)(=프랑스 문학)'의 준말. ¶~専攻(せんこう) 불문학 전공.

ぶっぽう【仏法】图 불법; 불도; 불교. ¶~に帰依(きえ)する 불법에 귀의하다. ↔王法(おうほう).

ぶつぼさつ [仏菩薩] 图 불보살; 부처와 보살.

ぶつま【仏間】图 불상이나 위패를 모신 「방.

ぶつもん【仏門】图 불문《'仏道(ぶつどう)(=불도)'의 멋부린 말씨》.
—に入(はい)る 불문에 들어가다《승려가 되「다》.

ぶつよく【物欲】《物慾》图 물욕. ¶~の徒(と) 물욕에 현혹된 무리 / ~にとらわれる 물욕에 사로잡히다 / ~を押(お)さえる 물욕을 억누르다.

ふつり 副 ☞ふっつり.

*__ぶつり__【物理】图 물리. ¶~学(がく) 물리학 / ~現象(げんしょう) 물리 현상.
—てき【—的】[ダナ] 물리적. ¶~に不可能(ふかのう)な計画(けいかく) 물리적으로 불가능한 계획. ↔化学的(かがくてき).
—りょうほう【—療法】图 〔醫〕 물리요법. =物療(ぶつりょう). ↔化学(かがく)療法.

ぷつり 副 ☞ぷっつり.

ふつりあい【不釣り合い】[名ナ] 어울리지〔균형이 잡히지〕 않음; 불균형; 부적합. ¶~な縁談(えんだん)〔カップル〕 어울리지 않는 혼담〔커플〕/ 学生(がくせい)には~の時計(とけい) 학생에게는 어울리지 않는 시계.

ぶつりゅう【物流】图 〔經〕 물류《'物的流通(ぶってきりゅうつう)(=물적 유통)'의 준말》. ¶~管理(かんり) 물류 관리 / ~システム 물류 시스템.

ぶつりょう【物量】图 물량. ¶~作戦(さくせん) 물량 작전 / ~に物(もの)を言(い)わせる 물량의 힘을 빌리다〔발휘하다〕/ ~で敵(てき)を圧倒(あっとう)する 물량으로 적을 압도하다.

ぶつりょう【物療】图 '物理(ぶつり)療法(りょうほう)(=물리 요법)'의 준말. ¶~内科(ないか) 물료 내과.

ふつわ [仏和] 图 '仏和辞典(ふつわじてん)(=불일(佛日) 사전)'의 준말.

ぷつん 副 'ぷつり'의 힘줌말. ¶電線(でんせん)

が～と切れる 전선이 뚝 끊어지다 / ～と言葉を切る 말을 뚝 끊다 / 通信が～と絶えた 통신이 딱 끊어졌다.

***ふで**【筆】㊀图 붓; 비유적으로, 글〔그림〕을 쓰는〔그리는〕 일; 또, 그 쓴〔그린〕 것. ¶～一本 붓 한 자루 / 雪舟の～ 雪舟(＝室町 시대 후기의 중·화가)가 그린 그림 / ～の冴え 글〔그림〕 솜씨가 빼어남 / ～が滞る 붓이 잘 나가지 않다 / …の～になる …가 쓴 (것임) / ～に訴える 글로 호소하다 / ～の力で人を動かす 붓〔글〕의 힘으로 사람을 움직이다 / この美しさは～の及ぶところではない 이 아름다움은 도저히 붓으로 표현할 수 없다.
㊁接尾《수를 나타내는 말에 붙어》 **1** 붓을 쓰는 횟수를 나타내는 말: 필. ¶一～書き 일필휘지(一筆揮之). **2** 대지·전답 등의 한 자리: 필; 필지(筆地).
—が滑る 쓸데없이 지나치게 쓰다.
—が立つ 문장을 잘 쓰다. ¶～人 문장에 뛰어난 사람.
—に任せる 마음 내키는 대로 쓰다.
—を入れる 문장·문자를 고치다. ＝添削する.
—を置く 붓을 놓다; 각필(擱筆)하다.
—を起こす (글을) 쓰기 시작하다. ¶筆を起こしたのは十年前 쓰기 시작한 것은 10년전.
—を折る 붓을 꺾다. ＝筆をすてる.
—を加える 가필하다.
—を捨てる 붓을 던지다.
—を断つ 붓을 꺾다. ＝筆を折る.
—を執る 붓을 잡다〔들다〕《글 쓰다》.
—を投げる〔投ず〕 붓을 던지다; 쓰기를 중도에서 그만두다.
—を走らせる (막힘 없이) 줄줄 쓰다.
—を揮う 글씨를 쓰거나 그림을 그리다; 휘필(揮筆)〔휘호〕하다.

***ふてい**【不定】名ナ 부정; 일정하지 않음. ¶住所～ 주소 부정 / 収入が～になる 수입이 일정하지 않게 되다.
—かんし【—冠詞】图〖文法〗부정 관사. ↔定冠詞.
—しょう【—称】图〖文法〗부정칭《'だれ(＝누구)' 'どれ(＝어느 것)' 'どちら(＝어느 쪽)' 'どこ(＝어디)' 'どんな(＝어떠한)' 'いつ(＝언제)' 따위》.

ふてい【不貞】名ナ 부정. ¶～の妻 부정한 아내 / ～を働く 부정한 짓을 하다. ↔貞淑·貞節.

ふてい[不逞] 名ナ 불령; 괘씸함; 뻔뻔스러움. ¶～の輩 무뢰한들. 参考 본디, 제멋대로 행동하는 일.

ふていき【不定期】名ナ 부정기. ¶～船 부정기선 / ～路線 부정기 노선 / ～に送られてくる荷物 부정기적으로 보내 오는 짐. ↔定期.

ふていさい【不体裁】名ナ 꼴사나움; 볼품없음. ＝ぶていさい. ¶～な服装 꼴사나운 복장 / ～な恰好〔包み方〕 볼품없는 모양새〔포장〕 / ～なことを言う 듣기에 거북한 말을 하다.

ブティック [프 boutique] 图 부티크《고급 기성복·장신구 등을 파는 소규모의 전문점》. ＝ブチック.

ふでいれ【筆入れ】图 필갑; 필통.

プディング [pudding] 图 푸딩; 달걀·과일·설탕을 밀가루에 섞어 찐 말랑말랑한 생과자. ＝プリン.

ふてき【不適】名ナ 부적(당). ＝ふてきとう. ¶適～を判断する 적·부적을 판단하다 / 君にこの仕事は～だ 자네에게 이 일은 어울리지 않는다.

ふてき【不敵】名ナ **1** 대담하여 두려워하지 않음. ¶～な面魂 겁 없는 상판대기 / 大胆～なやつだ 대담무쌍한 놈이다. **2** 염치없이 뻔뻔스러움.

ふでき【不出来】名ナ 됨됨이〔만듦새, 성과〕가 나쁨; 서툴러서 볼품이 없음. ¶～な料理 서투른 요리 / 作物の出来～ 농작물의 풍작과 흉작 / ～な子供 성적이 시원찮은 아이. ↔上出来.

ふてきせつ【不適切】名ナ 부적절. ¶～な関係 부적절한 관계.

***ふてきとう**【不適当】名ナ 부적당. ¶その場に～な表現 그 자리에 부적당한 표현 / 今度の役はあの男には～だ 이번 임무는〔역할은〕 그 남자에겐 부적당하다. ↔適当.

ふてきにん【不適任】名ナ 부적임. ¶～な人物 적임이 아닌 인물 / この仕事は～だ 이 일에는 적임이 아니다.

ふてぎわ【不手際】名ナ 솜씨가 나쁨; 사물의 처리나 결과가 좋지 못함. ¶～な〔の〕処置 서투른 조처 / ～を詫びる 실수를 사과하다 / 私どもの～です 저희들의 실책입니다 / 実に～な細工だ 참으로 볼품 없는 세공품이다.

ふてくさ-る【ふて腐る】《不貞腐る》 5自 지르퉁하다; 불평을 품고 순종하지 않다; 불쾌하게 여겨 토라지다. ＝ふてる. ¶彼はちょっと叱ると～ 그는 조금만 꾸짖어도 부루퉁해진다. 注意 'ふて'를 '不貞'로 씀은 취음.

ふてくさ-れる【ふて腐れる】《不貞腐れる》 下1自 ☞ふてくさる. ¶～·れた顔 부루퉁한 얼굴 / ～·れて寝ている 심통이 나서 누워 있다.

ふでくせ【筆癖】图 **1** 글씨 쓸 때에 나타나는 버릇. **2** 문장·문체에 나타나는 버릇. 注意 'ふでぐせ'라고도 함.

ふでさき【筆先】图 **1** 붓끝; 붓을 다루는 솜씨; 운필(運筆). ¶～で稼ぐ 문필〔서도〕로 벌다 / ～でごまかす 문필로〔붓끝으로〕 얼버무리다. **2** 문자; 문장.

ふでたて【筆立て】图 필통; 붓·연필 따위를 꽂아 두는 문방구.

ふでづかい【筆遣い】图 붓놀림; 특히, 서법; 필법; 필치. ¶力強い～ 힘찬 필치 / 巧みな～ 능란한 붓놀림.

***ふてってい**【不徹底】名ナ 불철저. ¶～な捜査 철저하지 못한 수사 / ～な態度をきらう 흐지부지한 태도를 싫어

하다 / 指示〔連絡〕が～だ 지시가〔연락이〕 철저하지 못하다.

ふてね【ふて寝】《不貞寝》 名[ス自] 토라져서〔심통이 나서〕 누워 버림. ＝やけ寝. ¶思う通りにならないので～をする 뜻대로 되지 않아 심통이 나서 누워 버리다. 「れ.

ふでばこ【筆箱】名 필갑; 필통. ＝筆入

ふでぶしょう【筆不精·筆無精】 名ナ 붓을 들어 편지〔글〕 쓰기를 싫어하는 일; 또, 그런 성격의 사람. ¶～で全然返事を出さない 편지 쓰기를 귀찮아해서 전혀 회답을 내지 않다 / ～で御無沙汰する 편지 쓰기를 귀찮아해서 격조하다. ↔筆まめ.

ふてぶてし-い〖太太しい〗形 넉살 좋고 대담하다; 뻔뻔스럽다. ¶～男〔態度〕 뻔뻔스러운 사나이〔태도〕. 注意 '太太しい'로 씀은 취음.

ふでぶと【筆太】 名ナ 쓴 글씨가 굵음; 또, 굵게 쓴 글씨. ＝墨太. ¶～の字 굵은 글씨 / ～に書く 굵직하게 쓰다.

ふでまめ【筆まめ】《筆忠実》 名ダナ (귀찮아 하지 않고) 글이나 편지를 부지런히 잘 씀; 또, 그런 성격의 사람. ¶彼は～に次々と論文を書く 그는 잇따라 부지런히 논문을 쓴다. ↔筆不精.

ふ-てる〖不貞る〗下1自 ☞ふてくさる. ¶～·てて口も利かない 부루퉁해져서 말도 안 하다. 参考 '不貞'를 동사화(化)한 것.

*ふと〖不図〗副 1 뜻밖에; 우연히; 문득. ¶～みると 문득 본즉 / ～思い出す 문득 생각나다 / 我々は～した事で知り合いになった 우리들은 우연한 일로 서로 알게 되었다. 2 갑자기; 잠시. ¶～立ち止まる 갑자기 걸음을 멈추다.

**ふと-い【太い】形 1 굵다. ㉠가늘지 않다. ¶～糸 굵은 실 / ～足〔眉〕 굵은 다리〔눈썹〕 / 握りの～ステッキ 손잡이가 굵은 단장 / 神経が～ 신경이 굵다《대범하다》 / 線が～ 선이 굵다. ㉡낮은 목소리에 음량이 풍부하다. ¶～声 굵은 목소리. 2 크다. ¶腹の～人物 도량이 큰 인물 / 胆っ玉が～ 담보가 크다; 담대하다. ⇔細い. 3 넉살 좋다; 뻔뻔스럽다. ＝ふてぶてしい·ずぶとい. ¶～事をする 뻔뻔스런 짓을 하다 / ～奴だ 뻔뻔스러운 녀석이다.

―·く短く 굵고 짧게. ¶くよくよせずに～生きる 사소한 일에 끙끙대지 않고 굵고 짧게 살다. ↔細く長く.

*ふとう【不当】ダナ 부당. ¶～な要求〔差別〕 부당한 요구〔차별〕 / ～労働行為 부당 노동 행위. ↔正当.

ふとう【不凍】名 부동; 얼지 않음. ¶～液 부동액 / ～港 부동항.

ふとう【不等】名 부등; 같지 않음. ¶品質が～である 품질이 같지 않다.

―ごう【―号】名〔數〕부등호(<·>·≠). ↔等号. 「しき.

―しき【―式】名〔數〕부등식. ↔等式

ふとう〔埠頭〕名 부두; 선창. ＝はとば·ふなつきば.

ふどう【不同】名 부동; 같지 않음. ¶順序〔大小〕～ 순서〔대소〕 부동.

ふどう【不動】名 1 부동. ¶直立～の姿勢 직립 부동의 자세 / ～の地位を確保する 부동의 지위를 확보하다. 2 '不動明王'의 준말.

―みょうおう【―明王】名〔佛〕부동명왕. ＝不動尊.

ふどう【浮動】名[ス自] 부동. ¶～人口 부동 인구 / 相場が～する 시세가 변동이 심하다. ↔固定. 「ひょう.

―ひょう【―票】名 부동표. ↔固定票

ぶとう【舞踏】名[ス自] 무도; 춤. ＝ダンス. ¶～会 무도회.

ぶどう【武道】名 무도; 무사가 지켜야 할 도리; 무사도; 무예; 무술. ¶～の時間 무도 시간 / ～に精進する 무도에 정진하다 / ～を修練する 무도를 수련하다.

ぶどう〖葡萄〗名 포도. ¶～糖 포도당 / ～色〔酒〕 포도빛〔주〕 / ～畑 포도밭 / ～のつる 포도 덩굴.

ふどうい【不同意】名 부동의; 동의하지 않음. ＝不賛成.

*ふとういつ【不統一】名ダナ 통일이 되지 않음. ¶閣内～ 각내 의견의 불일치 / 前後～な文章 앞뒤가 맞지 않는 문장.

ふどうさん【不動産】名 부동산. ¶～業 부동산(중개)업 / ～登記 부동산 등기 / ～を処分する 부동산을 처분하다. ↔動産. 「방.

―や【―屋】名 부동산 소개업자; 복덕

ふどうたい【不導体】名〔理〕부도체; 불량 도체. ＝絶縁体. ↔導体.

ふどうとく【不道徳】名ナ 부도덕. ＝不徳·背徳. ¶～な人〔行為〕 부도덕한 사람〔행위〕. ↔道徳的.

ふとうふくつ【不撓不屈】名ナ 불요불굴. ¶～の精神 불요불굴의 정신.

ふとうめい【不透明】名ナ 불투명. ¶～体 불투명체 / ～な液体 불투명한 액체 / ～な金の使い途 불투명한 돈의 사용처 / 交渉の先行きは～だ 교섭의 전망은 불투명하다. ↔透明.

ふどき【風土記】名 풍토기; 풍토·문화 그 밖의 정세를 지방별로 기록한 책. ¶人物～ 인물 풍토기.

ふとく【不徳】名 부덕. 1 부도덕. ¶～漢 부도덕한 사람. 2 덕이 부족함. ¶わが身の～をはじる 자신의 부덕함을 부끄러워하다.

―の致すところ 부덕의 소치. ¶これもすべて私の～です 이것도 모두 저의 부덕의 소치입니다.

ふとくい【不得意】名ナ 능숙하지 못함. ＝不得手. ¶～な学科 잘 못하는 학과 / 英語は～だ 영어는 잘못한다. ↔得意.

ふとくてい【不特定】名ナ 불특정. ¶～

多数の聴視者 불특정 다수의 시청자.

ふとくようりょう【不得要領】名ナ 요령부득; 요령이 없음. ¶~な返事 요령부득의 대답.

***ふところ**【懐】名 **1** 품. ¶自然の~ 자연의 품/母の~に抱かれて寝る 어머니 품에 안기어 자다/短刀を~に忍ばせる 단도를 품에 감추다. **2** 호주머니(돈). =所持金. ¶~が豊かだ 가진 돈이 많다/人の~をねらう 남의 호주머니를 노리다/万事は~と相談の上 만사는 호주머니 사정에 따라서. **3** 가슴속; 내막. =腹·内情. ¶~を見すかす 마음속을 꿰뚫어보다/~を探る 심중을 살피다/~をのぞかれる 내막이 탐지되다/敵の~に飛び込む 적의 내부로 뛰어들다. **4** 무엇에 둘러싸인 곳. ¶山の~ 산속.

—が暖かい 호주머니 사정이 좋다; 가진 돈이 넉넉하다.

—が寂しい ☞ふところがさむい.

—が寒い 돈이나 재산이 적다〔없다〕.

—が深い 도량이 넓다; 포용력이 있다.

—を痛める 자기 돈을 쓰다.

—を肥やす 호주머니를 채우다; 부당이득을 얻다. ¶不正融資を斡旋して~ 부정 융자를 알선하여 사복(私腹)을 채우다.

ふところがたな【懐刀】名 **1** 품에 지니고 다니는 호신용 칼. =懐剣. **2** 심복부하. =腹心. ¶彼は社長の~だ 그는 사장의 심복이다.

ふところかんじょう【懐勘定】名 속셈; (소지금 따위) 호주머니 사정을 속으로 계산함. =胸算用. ¶~がはずれる 속셈이 어긋나다.

ふところぐあい【懐具合】名 주머니 사정. =金回り. ¶~がいい〔苦しい〕 주머니 사정이 좋다〔나쁘다〕.

ふところで【懐手】名 浴衣 따위를 입고, 소매에 팔을 끼지 않은 채 양손을 품속에 넣고 있음; 전하여, 남에게 맡기고 아무것도 하지 않음. ¶~のまま出かける 양손을 품속에 넣은 채 외출하다/~で遊び暮らす 아무 일도 하지 않고 (빈둥빈둥) 놀고 지내다/~で〔をして〕見ている 팔짱을 끼고 보고만 있다/~でもうける 빈둥거리며 돈을 벌다.

ふとじ【太字】名 굵은 글씨. ¶~用万年筆 촉이 굵은 만년필. ↔細字.

ふとした〖不図した〗連体 우연한; 사소한. =ちょっとした·思いがけない. ¶~過ち 사소한 잘못/~きっかけ 우연한 계기/~縁で一緒になった 우연한 인연으로 함께 살게 되었다/~ことから争いが起きた 사소한 일로 분쟁이 야기되었다.

ふとして〖不図して〗副 어쩌다가; 우연히; 혹시. ¶~お目にかかることができたら… 혹시 뵐 수 있으면….

ふとっちょ【太っちょ】名 〈俗〉 뚱뚱보 《놀림조의 말》. =でぶ. ¶~の女 뚱뚱보 여자. 注意 'ふとっちょう'라고도 함. ↔やせぽっち.

ふとっぱら【太っ腹】名ナ 도량이 큼; 배짱이 큼. ¶~の人 배짱이 큰 사람/~なところを見せる 배포가 큰 것을 보여 주다.

ふとどき【不届き】名ナ 패덕(悖德); 패륜; 괘씸함; 못됨. =ふらち. ¶~者 고얀 놈/~な事をする 괘씸한 짓을 하다. 参考 본디, 고루 미치지 못함; 부주의. ¶~で申し訳ありません 주의가 미치지 못해서 죄송합니다.

ふとぶと【太太】副 매우 굵은 모양: 굵직굵직. ¶~(と)した字 굵직한 글씨/~と書く 굵직굵직하게 쓰다.

ぶどまり【歩留まり】名 **1** (가공시) 원료에 대한 제품의 비율〔수율(收率)〕. ¶~がいい 원료에 대한 제품 비율이 좋다/~をよくして, 単価をさげる 제품 수율을 높여 단가를 내리다. **2** (생선·야채 등 식품의) 그 원형물(原形物)에 대한 식용 가능 부분의 비율. ¶~が悪い (실제) 먹을 수 있는 부분이 얼마 안 된다. **3** 전하여, 불확실한 부분을 뺀 실제의 비율. ¶~を考えて多めに採用する (중도) 포기자를 고려하여 좀 넉넉하게 채용하다.

ふとめ【太め】名ナ (다른 것에 비하여) 굵은 편임; 굵직함; 굵은 듯함. ¶~のズボン (다리통이) 넓은 듯한 바지/~の人 좀 뚱뚱한 편인 사람/~に切る 약간 굵직하게 자르다. ↔細め.

ふともも【太もも】《太股·大腿》名 넓적다리; 대퇴. ¶~を出す〔あらわにする〕 넓적다리를 내놓다〔드러내다〕/ ~までぬかる 넓적다리까지 빠지다.

ふとやか【太やか】ダナ 굵직한〔살찐〕 모양. ¶~な声 굵직한 목소리.

ふとりじし【太りじし】《太り肉》名 살집이 좋음; 살쪄 있음. ¶~の女〔中年男〕 살집이 좋은 여자〔중년 남자〕. ↔やせじし.

⁑**ふと-る**【太る】《肥る》5自 **1** 살찌다. ¶まるまると~·った人 통통하게 살이 찐 사람/芋が~ 감자가 통통해지다. ↔やせる. **2** 재산 등이 늘어나다. ¶財産〔身代〕が~ 재산이 불어나다/戦後のどさくさで~ 전후의 혼란 통에 재산이 늘다. ↔細る.

⁑**ふとん**【布団】《蒲団》名 포단; 이부자리; 이불; 요. ¶~綿 이불솜/掛け布団 이불/敷き布団 요/座布団 방석/~を畳む〔敷く〕 이부자리를 개다〔깔다〕/~に入る 이불 속으로 들어가다/~を掛け直してやる 이불을 다시 덮어 주다.

—むし【—蒸し】名 사형(私刑)의 하나로, 이불을 뒤집어씌워서 괴롭히는 일.

ふな〖鮒〗名〖魚〗붕어.

ふな=【船·舟】배의. ¶~荷 뱃짐/~火事 배에서 일어나는 화재.

ぶな〖橅·山毛欅〗名〔植〕너도밤나무. ＝ぶなの木.

ふなあし【船足·船脚】名 **1** 배의 속도. ¶～が速い 배(의 속도)가 빠르다/～を早める〔落とす〕배의 속도를 내다〔줄이다〕. **2** 흘수(吃水)《선체의 물에 잠기는 부분》. ＝喫水. ¶～が深い〔浅い〕흘수가 깊다〔얕다〕/～一杯に荷を積む 흘수선이 수면에 닿을 정도로 짐을 (가득) 싣다.

ふなあそび【舟遊び·船遊び】名ス自 뱃놀이; 선유. ＝船遊山. ¶～で夜を明かす 뱃놀이로 밤을 새우다.

ぶない【部内】名 부내; 그 조직이나 기관의 내부. ¶～事情 부내 사정/～秘 부내비/～の人事異動 부내의 인사 이동/犯人は～の者らしい 범인은 부내 사람 같다. ↔部外.

ふなうた【舟歌·船歌】名 뱃노래. ＝さお歌. ¶ベニスの～ 베니스의 뱃노래.

ふなか【不仲】ダナ 사이가 나쁨. ¶長年の友人と～になる 오랜 친구와 사이가 나빠지다/兄弟が～になる 형제가 불목(不睦)하다.

ふなかた【船方·舟方】名 선원; 뱃사공. ＝せんどう·船乗り·かこ.

ふなこ【船子·舟子】名 뱃사공. ＝船人·船乗り·かこ.

ふなじ【船路·舟路】名 **1** 항로; 뱃길. ¶危険な～ 위험한 항로/三日の～ 사흘 걸리는 뱃길. **2** 선박 여행. ＝船旅. ¶～を行く 뱃길을 떠나다.

ふなぞこ【船底·舟底】名 **1** 선저; 뱃바닥. ＝せんてい. ¶～を調べる 배 밑바닥을 조사하다. **2** 뱃바닥같이 활등 모양으로 굽은 것. ¶～形の天井 아치형의 천장/～まくら 바닥을 굽게 만든 箱枕.

ふなたび【船旅】名 선편 여행. ¶君は～の経験がありますか 당신은 배편으로 여행한 경험이 있습니까.

ふなちん【船賃·舟賃】名 선임; 뱃삯. ¶～を払う 뱃삯을 내다/高い～を取られる 비싼 뱃삯을 물다.

ふなつきば【船着き場·舟着き場】名 선착장; 선창. ＝ふなつき. ¶～の完備した港 선창이 완비된 항구.

ふなづみ【船積み】名ス他 배에 짐을 실음; 선적. ¶～港 선적항/～案内状 선적 통지서/～で発送する 배에 실어서 발송하다/コンテナを～する 컨테이너를 선적하다.

ふなで【船出·舟出】名ス自 출범(出帆); 출항; (비유적으로) 출발; 진출. ＝でふね·出航. ¶～の汽笛 출항의 기적/社会に～する人々 사회로 나아가는〔에 진출하는〕사람들.

ふなどめ【船留め·舟留め】名ス自 출항〔운항〕금지. ¶～されて五日目に禁令が解かれた 배가 묶였다가 닷새만에 금령이 풀렸다.

ふなに【船荷】名 선하; 뱃짐. ¶～を積む〔下ろす〕뱃짐을 싣다〔부리다〕.
――しょうけん【――証券】名〔經〕선하증권; 선화 증권(B/L).

ふなぬし【船主】名 선주. ＝せんしゅ. ¶～に掛け合って舟を出させる 선주와 담판하여 배를 내게 하다.

ふなのり【船乗り】名 선원; 뱃사람. ＝船員·海員. ¶～になる 선원이 되다/愉快な～ 유쾌한 뱃사람.

ふなばた【船端】《舷》名 뱃전. ＝ふなべり. ¶～を踏みはずして水中に落ちる 뱃전을 헛딛고 물속으로 빠지다.

ふなびと【船人·舟人】名 **1** 승선자; 배에 타고 있는 사람. **2** 뱃사람. ＝船頭·ふなかた. ¶～にあこがれる少年 선원이 되기를 동경하는 소년.

ふなびん【船便】名 선편; 배편. ¶～で送る 배편으로 보내다/～がよい 선편이 좋다/その島には～があります 그 섬에는 선편이 있습니다.

ふなべり【船べり·舟べり】《船縁》名 ☞ ふなばた. ¶～を打つ波 뱃전을 때리는 파도.

ふなやど【船宿·舟宿】名 **1** 선박 운송업소. **2** 놀잇배·낚싯배의 주선을 업으로 하는 집.

ふなよい【船酔い·舟酔い】名ス自 뱃멀미. ＝ふなあたり. ¶～しない人 뱃멀미하지 않는 사람/僕は～をする 나는 뱃멀미를 한다.

ふなれ【不慣れ】《不馴れ》名ナ 익숙하지 않음; 서투름. ¶～な仕事 익숙지 않은 일/～の土地 낯선 땅.

***ぶなん**【無難】名ダナ 무난. ¶～な人選 무난한 인선/～な出来 무난한 성적〔작품〕/一生を～に過ごす 일생을 별 탈 없이 지내다/～にやり終えた 탈 없이 끝마쳤다.

ふにあい【不似合い】名ダナ 어울리지 않음; 맞지 않음. ¶～な夫婦 어울리지 않는 부부/君には～である 자네에게는 어울리지 않아/～な態度をとる 어색한 태도를 취하다.

ふにおちない［腑に落ちない］連語 납득이 가지 않다; 이해할 수 없다. ¶どうしても～ 아무래도 납득이 가지 않는다.

ふにゃふにゃ 副ダナ 부드러워 팽팽한 맛이 없는 모양; 다부지지 못한 모양: 흐늘흐늘; 노글노글; 흐느적흐느적. ¶～した性格 줏대가 없는 성격/～するように煮る 흐늘흐늘하게 삶다.

ふにょい【不如意】名ナ **1** 불여의; 생각대로 잘 되지 않음. ¶万端～ 만사가 여의치 않음. ↔如意. **2** 살림이 어려움; 돈에 궁색함. ¶手元～ 준비된 돈이 없음/生活が～だ 생활이 어렵다.

ふにん【不妊】《不姙》名 불임. ¶～症 불임증/～手術 불임 수술.

***ふにん**【赴任】名ス自 부임. ¶単身～ 단신 부임/新しく～して来た先生 새로 부임해 온 선생님/任地に～する 임지에 부임하다.

ぶにん【無人】名ナ **1** 사람 손이 모자람; 인원수가 적음. **2** 사람이 없음. ¶ ~の家 사람이 없는 집 / ~で家を明けられない 사람이 없어서 집을 비울 수 없다. ⇨むじん(無人).

ふにんき【不人気】名ダナ 인기가 없음〔오르지 않음〕. ¶こんどの興行は~だった 이번 흥행은 인기가 없었다.

ふにんじょう【不人情】名ナ 인정이 없음; 몰인정. =薄情. ¶~な人〔仕打ち〕 몰인정한 사람〔처사〕 / ~をする 몰인정한 짓을 하다 / 彼は私のことを~だと言った 그는 나를 몰인정하다고 말했다.

ふぬけ〖腑抜け〗名 무기력한 사람; 겁쟁이; 정신 나간 사람; 얼간이. =いくじなし·まぬけ·こしぬけ. ¶この~め 이 얼간아; 이 쓸개 빠진 놈아.

ふね【船·舟】名 **1 배. ¶~に乗る 배를 타다 / ~を浮かべる 배를 띄우다. **2** 생선회·조갯살 등을 담는 운두가 낮은 용기. ¶さしみの~ 생선회 그릇 / さしみ一~ 생선회 한 접시.

—に刻みて剣を求む 각주구검(刻舟求劍)《옛 풍습을 지켜 시대 추세의 변화를 모른다는 뜻》.

—をこぐ 배를 젓다; 전하여, 꾸벅꾸벅 졸다. ¶座るとすぐ船をこぎ始めた 앉자마자 곧 졸기 시작했다.

注意 '舟'는 '小舟' '舟遊び' 처럼 작은 배에, '船'는 주로 대형 배에 쓰임.

船(ふね)=·船(ふな)=·=船(ふね·ぶね)의 구분

어두(語頭)에 올 때는 일부 예외를 빼고는 대개 ふな=가 되며, 어말에서는 예외없이 =ふね 또는 =ぶね가 됨.

- ◆ふね=: 船釣(ふねづ)り·ふなづり(배 (타고 하는) 낚시)·舟偏(ふねへん)(배주변).
- ◆ふな=: 舟遊(ふなあそ)び(뱃놀이)·舟歌(ふなうた)(뱃노래)·船賃(ふなちん)(뱃삯)·船積(ふなづ)み(선적)·船出(ふなで)(출범; 출항)·船荷(ふなに)(뱃짐)·船乗(ふなの)り(뱃사람)·船便(ふなびん)(배편)·船酔(ふなよ)い(뱃멀미).
- ◆=ふね·=ぶね: 夜船(よぶね)·よふね(밤배)·大船(おおぶね)·おおふね(큰 배).

ふねっしん【不熱心】名ダナ 열성이 없음; 열심히 안 함. ¶商売に~な人 장사에 열성이 없는 사람 / 勉強に~なので落第した 공부를 열심히 안 해서 낙제하였다.

ふねん【不燃】名 불연; 타지 않음. ¶~物 불연물 / ~住宅〔材料〕 불연 주택〔재료〕. ↔可燃.

—ごみ 名 **1** 잘 타지 않는 쓰레기. **2**〈俗〉 가정에서 불만에 가득 차 있고 남편에 대하여 전혀 정욕을 느끼지 못하는 아내의 자조적인 자칭. ⇨粗大ゴミ2.

—せい【—性】名 불연성. ¶~フィルム 불연성 필름.

ふのう【不能】名ナ 불능; 불가능. ¶屈折~の状態 굴절 불능의 상태 / 再起~の重傷 재기 불능의 중상. ↔可能.

ふのう【富農】名 부농. ¶~の家に生まれる 부농의 집에 태어나다. ↔貧農.

ふのり〖布海苔·海蘿〗名〔植〕 청각채.

ふはい【不敗】名 불패. ¶~の陣容を誇る 불패의 진용을 자랑하다 / ~の態勢をとる 불패의 태세를 취하다.

*__ふはい__【腐敗】名ス自 부패. ¶~菌 부패균 / 政治の~ 정치의 부패 / ~しやすい物 부패하기 쉬운 것 / ~を防ぐ 부패를 막다 / 肉が~する 고기가 부패하다 / ~して悪臭を放つ 부패하여 악취를 풍기다.

ふばい【不買】名 불매; 사지 않음. ¶~運動 불매 운동.

ふはつ【不発】名 불발. **1** 탄환 등이 발사·폭발되지 않음. ¶~弾 불발탄. **2** 비유적으로, 하려던 일이 안 됨. ¶ストは~に終わる 파업은 불발로 끝나다.

ふばらい【不払い】名 (대금 등을) 지불하지 않음; 미불(未拂). =ふはらい. ¶賃金の~ 임금 미불〔체불〕 / 本代を~のまま立ちさった 책값을 치르지 않은 채 가버렸다.

ぶば-る【武張る】5自 (군인이나 무사처럼) 씩씩하고 억세게 행동하다. ¶~った事が大好き 용맹스러운 것이 참 좋아.

ふび【不備】名ナ 불비. **1** 충분히 갖추지 않음. ¶手続きの~ 절차의 불비 / 用意が~だ 준비가 되지 않았다 / 書類に~な点がある 서류에 불비한 점이 있다. ↔完備. **2** 편지 끝에 쓰는 불비례(不備禮)의 뜻. =不具·不一.

ふひつよう【不必要】名ダナ 불필요. =不要. ¶~な品物 불필요한 물건.

ふひょう【不評】名 평판이 나쁨; 악평. =不評判. ¶~で客の入りが悪い 평이 나빠서 입장객 수가 적다 / 新聞では~だった 신문에서는 평이 나빴다. ↔好評.

—を買う 악평을 받다.

ふひょう【付表】名 부표; 딸린 표·도표. ¶~参照 부표 참조.

ふひょう【浮標】名 부표. **1** 물에 띄워서 표지로 삼는 물건; 부이. =ブイ. ¶航路~ 항로 부표. **2** 그물·낚시 따위에 단 찌. ¶~を付ける 부표를 달다.

ふびょうどう【不平等】名ダナ 불평등. ¶~条約 불평등 조약 / ~な取り扱い 불평등한 취급 / ~を是正する 불평등을 시정하다. ↔平等.

ふびん【不敏】名ナ 불민. **1** 재치·재능이 모자람《자기의 겸칭으로도 씀》. ¶~ではありますが 불민합니다만 / ~の致すところ 불민한 소치. **2** 민첩하지 못함. ¶~な動作 민첩하지 못한 동작. ↔敏活.

ふびん〖不憫·不愍〗名ナ 불민; 처지가 딱하고 가엾음. ¶~な子 불쌍한 아이 / ~なことをした 가엾은 짓을 했다 / ~

に思う 가엾게 생각하다/～でならない 가엾어서 견딜 수 없다.

ぶひん【部品】名 부품(('部分品(=부분품)'의 준말)). =パーツ. ¶～を組み立てる〔取り替える〕 부품을 조립하다〔바꾸다〕/～が足りない 부품이 모자라다/エンジン～を作る工場 엔진 부품을 만드는 공장.

ふひんこう【不品行】名ナ 품행이 나쁨. =不身持ち. ¶～な人 품행이 나쁜 사람.

ふぶき【吹雪】名 눈보라. ¶花～ 흩날리는 꽃잎/～を冒して帰る 눈보라를 무릅쓰고 돌아가다.

*ふふく【不服】名ナ 불복. ¶～を唱える 불복을 주장하다((항의하다))/～らしい顔 납득이 가지 않는다는 얼굴 표정/～を申し立てる 불복을 제기하다.

ふぶ-く『吹雪く』五自 눈보라가 치다. ¶～·いて列車が不通になる 눈보라가 쳐서 열차가 불통이 되다/一晩中, ～·いていた 밤새도록 눈보라가 치고 있었다.

ふふん 感 콧소리를 내며 남의 말을 건성으로 듣거나, 가볍게 긍정할 때의 모양: 흥흥; 흥. ¶～と鼻先で笑う 흥하고 코웃음 치다/～, そうか 응, 그래/～, 勝手にしろ 흥, 마음대로 하렴.

**ぶぶん【部分】名 부분. ¶一～ 일부분/三つの～から成る 세 부분으로 이루어지다/～にこだわって全体を見ない 부분에 구애되어 전체를 보지 못하다. ↔全体·総体.

—しょく【—食】(—蝕) 名 부분식. 注意 본디는 '部分蝕'. ↔皆既食.

—スト 名 부분 파업〔스트라이크〕. ↔全面スト.

—てき【—的】ダナ 부분적. ¶～にはよい 부분적으로는 좋다. ↔全体的.

ぶぶんきょくひつ【舞文曲筆】名 무문곡필; 문장을 꾸미려고 사실을 왜곡·과장하여 씀.

ふぶんりつ【不文律】名 불문율((관습법·판례법 등)). =不文法. ¶家庭のことに触れないのが～であった 가정일에 언급하지 않는 것이 불문율이었다. ↔成典·成文法.

*ふへい【不平】名 불평. =不満. ¶～家 불평가/～分子 불평 분자/～不満を言う 불평 불만을 말하다.

—を鳴らす 불평하다; 투덜대다.

—を並べる 불평을 늘어놓다.

ぶべつ〔侮蔑〕名ス他 모멸; 경멸. ¶～的な言辞 모멸적인 언사/～の色を浮かべる 모멸의 빛을 띄우다/～の態度を示す 모멸적 태도를 보이다.

ふへん【不変】名 불변. ¶永久～ 영구불변/～の真理 불변의 진리. ↔可変.

—せい【—性】名 불변성; 영원성. ↔可変性.

*ふへん【普遍】名 보편. ¶～の真理 보편적 진리. ↔特殊.

—だとうせい【—妥当性】名 보편타당성. ¶～を持った意見 보편타당성이 있는 의견.

—てき【—的】ダナ 보편적. ¶～な見方 보편적인 견해/～に認められる真理 보편적으로 인정되는 진리.

**ふべん【不便】名ナ 불편. ¶交通が～な地 교통이 불편한 곳/～をかこつ 불편하다고 투덜대다/携帯に～である 휴대하기에 불편하다/～をしのぶ 불편함을 참다/ご～をおかけしました 불편을 끼쳐 드렸습니다. ↔便利.

ふべんきょう【不勉強】名ダナ 힘써 공부하지 않음. ¶～な子供 공부하기를 싫어하는 아이/学生時代の～を悔いる 학생 시절에 애써 공부하지 않은 것을 후회하다/～がたたって落第する 힘써 공부하지 않은 탓으로 낙제하다.

ふへんふとう【不偏不党】名ナ 불편부당. ¶～の報道姿勢 불편부당한 보도 자세.

**ふぼ【父母】名 부모. =ちちはは·両親. ¶～会 학부형회/～の国 조국; 고향/子を持って知る～の恩 자식을 두고서 (비로소) 알게 되는 부모의 은혜/～の膝下を離れる 부모의 슬하를 떠나다.

ふほう【不法】名ダナ 불법. ¶～行為 불법 행위/～占拠〔就労〕 불법 점거〔취로〕/～に侵入する 불법으로 침입하다.

—にゅうこく【—入国】名 불법 입국.

ふほう〔訃報〕名 부보; 부고(訃告). =訃音. ¶～に接する 부보에 접하다.

ふほんい【不本意】名ナ 본의가 아님; 바라던 바가 아님. ¶～ながらそうする 본의는 아니나 그렇게 하다/～な結果〔成績〕に終わる 기대에 어긋난 결과로〔성적으로〕 끝나다. ↔本意.

ふま-える【踏まえる】下1他 **1** 밟아 누르다; 힘차게 밟다. ¶鬼を～·えた四天王の像 귀신을 꽉 밟고 있는 사천왕상/大地を～ 대지를 힘차게 밟다. **2** 근거하다; 입각하다. ¶事実を～·えた立論 사실에 근거한 입론/後先を～·えない, 単なる思い付き 앞뒤를 고려하지 않은, 단순한 착상/この句は有名な漢詩を～·えている 이 구는 유명한 한시를 근거로 하고 있다/証拠を～·えて責めたてる 증거에 입각해 몰아세우다. 注意 'ふんまえる'라고도 함.

ふまじめ【不まじめ】(不真面目) 名ダナ 성실〔진지〕하지 않음; 불성실. ¶～な態度 불성실한 태도. ↔まじめ.

*ふまん【不満】名ナ 불만. ¶不平～ 불평 불만/欲求～ 욕구 불만/～を抱く 불만을 품다/～がつのる〔爆発する〕 불만이 쌓이다〔폭발하다〕/受賞作としては～な出来だ 수상작으로서는 불만스러운 됨됨이다.

ふまんぞく【不満足】名ナ 불만족; 불

만. ¶～な様子〔出来〕 불만족스러운 모양〔성과〕/～に思う 불만족스럽게 생각하다/～な結果に終わる 불만족한 결과로 끝나다.

ふみ【文】《書》图〈雅〉**1** 서한; 편지; 특히, 연서(戀書). ¶～を送る 글월을 보내다/～を通わす 편지 왕래를 하다/～をつける 연서를 건네주다. **2** 책. ＝書物. ¶～をひもとく 책을 (펴서) 읽다/～読む月日重ねつつ 면학의 세월을 거듭하면서. **3** 문서. ＝書きつけ.

ふみいし【踏み石】图 **1** 댓돌; 디딤돌. ¶～に履き物を揃える 디딤돌에 신을 가지런히 놓다. **2** 보석(步石); 섬돌; 징검돌. ＝飛び石. ¶～伝い 징검돌을 따라〔밟아〕 감/～を伝って行く 징검돌을 따라 딛고 가다.

ふみいた【踏み板】图 **1** (도랑 따위의) 배다리; 발판; 디딤널. ＝敷板. **2** 오르간의 발판〔페달〕.

ふみえ【踏み絵】图 (江戸 시대에) 기독교도인가 아닌가를 식별하기 위해 밟게 했던 그리스도·마리아 상 등을 새긴 널쪽; 또, 그 널쪽을 밟게 한 일《사상 조사 등의 수단으로도 비유됨》.

***ふみきり**【踏み切り】图 **1**【踏切】(철로) 건널목. ¶無人～ 무인 건널목/～を渡る 건널목을 건너다. **2** (도약 경기에서) 지면을 세게 굴러 그 반동으로 뜀; 또, 그 장소. **3** ☞ふんぎり.

—ばん【踏切番】图 건널목지기. ＝踏切警手.

***ふみき-る**【踏み切る】5自 **1** (도약 경기에서) 땅을 힘차게 걷어차고 뛰어오르다. ¶勢いよく～·って跳ぶ 힘차게 땅을 걷어차고 뛰어오르다. **2** 결단하다; 단행하다. ＝ふんぎる. ¶出資に～ 출자하기로 용단을 내리다/開催へ～ 개최하기로 결단하다/結婚に～ 결혼하기로 결단을 내리다. **3** (씨름에서) 씨름판 밖으로 발을 내딛다. ＝ふみこす.

ふみこ-える【踏み越える】下1他 **1** 밟고 넘다. ¶敷居を～ 문지방을 (밟고) 넘어서다/垣根を～ 울타리를 넘다. **2** (곤란 따위를) 타개해서 넘기다. ¶死線を～ 사선을 넘다〔넘기다〕/危機を～ 위기를 넘기다.

ふみこた-える【踏みこたえる】《踏み堪える》下1他 발에 힘을 주고 버티다; 끝까지 버티다. ¶じっと～ 꾹 참고 견디다/土俵ぎわで～ 씨름판 경계에서 (밀려 나가지 않으려고) 버티다.

ふみこみ【踏み込み】图 **1** 발을 들여놓음; 깊이 파고듦. ¶もう一歩の～が足りない 조금만 더 파고들지 못하는 것이 아쉽다; 가일층의 추궁이 부족하다. **2** (현관 등에서) 신을 벗어 놓는 곳. ＝たたき.

ふみこ-む【踏み込む】一5自 **1** 발을 들여놓다〔디디다〕; 빠지다. ¶密林に足を～ 밀림에 발을 들여놓다/泥に～ 흙탕에 빠지다. **2** 예고나 허가 없이 어떤 장소·건물 등에 마구 들어가다; 뛰어들다. ¶警官が賭場に～ 경관이 도박장을 덮치다. **3** (본질에) 깊이 파고들다; 깊은 데까지 생각이 미치게 하다. ¶事件の核心に～ 사건의 핵심에 파고들다. 二5他 세게 밟다. ¶アクセルを～ 액셀을 세게 밟다.

ふみしだ-く【踏みしだく】《踏み拉く》5他 **1** 밟아 망치다; 짓밟다. ＝ふみにじる·ふみ荒らす. ¶草花が～·かれている 화초가 짓밟혀 있다. **2** 세게 밟다.

ふみし-める【踏み締める】下1他 **1** 힘껏 밟다; 버티다. ¶両足を～ 두 다리로 버티고 서다/～·めて登る 힘껏 밟고 올라가다/一歩一歩～·めて進む 한발 한발 힘주어 딛고 나아가다. **2** 밟아 다지다. ¶土を～ 흙을 밟아 다지다.

ふみだい【踏み台】图 발판; 발돋움; 또, 어떤 목적을 위해 일시 이용하는 것. ＝あしつぎ·ふみつぎ·あしがかり. ¶～に乗って物を下ろす 발판 위에 올라서서 물건을 내리다/友人を～にして出世する 친구를 발판으로 삼아 출세하다.

ふみたお-す【踏み倒す】5他 **1** 밟아 쓰러뜨리다. ¶あばれ馬に柵を～·された 날뛰는 말에 울짱이 밟혀 쓰러졌다. **2** (대금·빚을) 떼어먹다. ¶飲み代を～ 술값을 떼어먹다/借金を～·して行方をくらます 빚을 갚지 않고 행방을 감추다.

ふみだ-す【踏み出す】5自 발을 내디디다; 전진하다; 비유적으로, 출발하다; 진출하다; 착수하다; 시작하다. ¶土俵を～ 씨름판 밖으로 발을 내딛다/研究の第一歩を～ 연구의 첫발을 내디디다/政界に～ 정계에 진출하다.

ふみだん【踏み段】图 층층대; 계단; 사닥다리의 발판. ¶～を設ける 층대를 만들다/石の～ 돌층대; 섬돌.

ふみちが-える【踏み違える】下1他 잘못 밟다. ¶人生の道を～ 인생길을 잘못 들다/～·えて階段から落ちる 발을 헛디뎌 계단에서 떨어지다.

ふみづき【文月】图〈雅〉음력 7월. ＝ふづき.

ふみつ-ける【踏みつける】《踏み付ける》下1他 짓밟다; 밟고 누르다; 전하여, (체면 따위를) 무시하다; 깔보다. ¶虫を～ 벌레를 짓밟다/人を～·けて平気な顔をしている 남의 체면을 짓밟아 놓고도 태연한 얼굴을 하고 있다.

ふみつぶ-す【踏みつぶす】《踏み潰す》5他 **1** 밟아 부수다〔뭉개다〕. ¶空き缶を～ 빈 깡통을 짓밟아 찌그러뜨리다/卵を～ 달걀을 밟아 깨다. **2** 남의 체면을 손상시키다. ¶よくもおれの顔を～·したな 감히 내 체면을 짓밟아 놓았것다. **3** 적을 멸망시키다.

ふみとどま-る【踏みとどまる】《踏み止まる》5自 **1** 남아 처지다〔머무르다〕. ¶

現地に～ 현지에 남다 / ～·って敵を防ぐ 남아서 적을 막다 / ただ一人～·って火を消した 혼자 남아서 불을 껐다. **2** 단념하다; 참고 견디다; 그만두다. ¶～·ってよかった 중간에서 단념하기를 잘 했다 / 辞職も考えたが～·った 사직도 생각했지만 단념했다. **3** 버티다. ¶ずるずる滑ったが中途で～·った 질질 미끄러졌으나 중도에서 뻗디디어 섰다.

ふみなら-す【踏みならす】《踏み均す》 5他 (흙·땅 따위를) 밟아 고르다. ¶～·した道 밟아 다져진 길 / 土を～ 흙을 발로 밟아 고르게 하다.

ふみなら-す【踏み鳴らす】 5他 (마루 따위를) 발로 쿵쿵 구르다. ¶床を～·して騒ぐ 마루를 쿵쿵 구르며 떠들다.

ふみにじ-る【踏みにじる】《踏み躙る》 5他 밟아 뭉개다; 짓밟다; 유린하다. ¶草花を～ 화초를 짓밟다 / 面目を～ 체면을 짓밟다 / 貞操を～ 정조를 유린하다 / 人の好意を～ 남의 호의를 짓밟다.

ふみぬ-く【踏み抜く】 5他 **1** 세게 밟아서 구멍을 뚫다. ¶床を～ 세게 밟아서 마루청을 뚫다. **2** 밟아서 찔리다. ¶くぎを～ 못을 밟아서 찔리다.

ふみば【踏み場】 名 발 디딜 곳. ＝ふみど. ¶足の～もない 발 디딜 곳도 없다.

ふみはず-す【踏み外す】 5他 **1** 잘못 밟다; 헛디디다. ¶階段を～ 계단을 헛디디다. **2** 상도(常道)에서 벗어난 일을 하다. ¶人の道を～ 인도에 어긋난 행위를 하다.

ふみまよ-う【踏み迷う】 5自 길을 잃고 헤매다. ¶山道を～ 산길을 (잃고) 헤매다 / 悪の泥道に～ 악의 구렁텅이에서 헤매다.

ふみもち【不身持ち】 名ナ 품행이 나쁨; 이성(異性) 관계가 추잡함. ＝ふしだら·不品行. ¶～な亭主 행실이 나쁜 남편 / 夫の～に悩む 남편의 외도에 고민하다.

ふみわ-ける【踏み分ける】 下1他 밟고 헤쳐 나아가다. ¶草むらを～·けて進む 풀숲을 발로 헤치며 나아가다 / 道なき道を～ 길도 나 있지 않은 곳을 헤치며 나아가다.

ふみん【不眠】 名 불면. ¶～になやむ 잠이 안 와서 고생하다.

—しょう【—症】 名〔醫〕 불면증. ¶～にかかる 불면증에 걸리다.

—ふきゅう【—不休】 名 불면불휴. ¶～の努力 불면불휴의 노력 / ～で作業を進める 불면불휴로 작업을 진행하다.

ふ-む【踏む】 5他 **1** 밟다. ㉠발로 밟다; 디디다. ¶影を～ 그림자를 밟다 / 足を～·まれる 발을 밟히다 / 誤って人の足を～ 실수로 남의 발을 밟다 / 二の足を～ 주저하다; 망설이다 / ふみうす〔ペダル, アクセル〕を～ 디딜방아를〔페달을, 액셀을〕 밟다 / ミシンを～ 재봉틀을 밟다; 재봉틀질을 하다 / 段階を～ 단계를 밟다 / 大地を～·んで立つ 대지를 딛고 서다 / 薄氷を～思い 살얼음을 밟는 느낌《위태위태한 모양》 / 拍子を～ 발 장단을 맞추다 / 正道を～ 정도를 밟다 / 故郷の土を～ 고향 땅을 밟다 / 舞台を～ 무대를 밟다; 무대에 서다 / 地団駄を～ 발을 동동 구르며 몹시 분해하다. ㉡과정을 거치다. ¶大学の課程を～ 대학 과정을 밟다 / 手続きを～·んで願い出る 절차를 밟아 신청하다. **2**『韻を～』 운을 달다; 압운(押韻)하다. **3** 실제로 하다; 경험하다. ¶場数を～ 여러 번 경험하다; 경험을 쌓다. **4** 값을 어림쳐서 매기다; (자료·정세 등을 종합해서) 평가하다. ¶百円と～·んでおこう 백 엔으로 쳐 두자 / 実現は不可能と～ 실현 불가능한 것으로 짐작하다 / 安く～ 싼값으로 매기다. **5** 예상하다. ¶だいじょうぶと～ 틀림없다고 예상하다 / 三日かかると～·んだ仕事 사흘 걸린다고 예상했던 일 / 素人ではないと～ 아마추어는 아니라고 짐작하다. 可能 ふ-める 下1自

ふむ 感 납득·동감·의문 따위의 심정을 나타냄: 음; 흠. ¶～, そうだったか 음, 그랬던가 / ～, わかった 음, 알았어.

ふむき【不向き】 名ナ (기호·성질에) 맞지 않음; 적합하지 않음. ＝不相応. ¶商人には～な性格 상인으로는 맞지 않는 성격 / この柄はあなたには～です 이 무늬는 당신에게 어울리지 않습니다 / 人にはそれぞれ向き～がある 사람에게는 저마다 적격 부적격인 면이 있다.

*__ふめい【不明】__ ㊀名ナ **1** 불명; 불명료. ¶原因～ 원인 불명 / 行方～ 행방불명 / ～な点がいくつかある 불명료한 점이 몇 가지 있다. **2** '行方不明(＝행방불명)'의 준말. ¶死者二, ～五 사망자 둘, 행방불명 다섯.
㊁名 식견이 없음; 어리석음. ＝おろか. ¶身の～を嘆く 자기의 어리석음을 한탄하다.

ふめいよ【不名誉】 名ナ 불명예. ＝名折れ·不面目. ¶～な話〔事件〕 불명예스러운 이야기〔사건〕 / ～な敗北を喫する 불명예스러운 패배를 당하다. ↔名誉.

ふめいりょう［不明瞭］ ダナ 불명료; 불명. ¶～な発音 불명료한 발음.

ふめいろう【不明朗】 ダナ 숨기거나 속이려는 것이 있는 모양; 명랑하지 못함. ¶～な会計 석연치 않은 회계〔셈〕 / ～な空気 명랑하지 못한 분위기.

ふめつ【不滅】 名ナ 불멸. ＝不朽. ¶～の名曲 불멸의 명곡 / ～の名を残す 불멸의 이름을 남기다 / ～の光を放つ 불멸의 빛을 발하다.

ふめん【譜面】 名 보면; 악보(를 큰 종이

에 쓴 것). ¶～台 보면대 / ～を読む 보면을 읽다.

ふめんぼく【不面目】名ナ 면목 없음; 불명예. ＝ふめんもく. ¶～にも 면목 없게도 / ～な行為 면목 없는 행위 / こんな～なことはない 이렇게 면목 없는 일은 없다.

ふもう【不毛】名ナ **1** 불모. ¶～の地 불모의 땅. ↔肥沃. **2** 성과·발전이 없음. ¶～の一年 성과 없었던 한 해 / ～な論争 헛된 논쟁.

***ふもと**〖麓〗名 (산)기슭. ＝さんろく·山すそ. ¶山の～にある家 산기슭에 있는 집. ↔山頂.

ふもん【不問】名 불문. ¶年齢学歴～ 연령 학력 불문.

—に付す 불문에 부치다. ¶小さなあやまちは～ 사소한 잘못은 불문에 부친다.

ぶもん【武門】名 무문; 무사의 혈통·집안; 무가. ¶～の誉れ 무문의 명예.

ぶもん【部門】名 부문. ¶各～の受賞者 각 부문의 수상자 / 営業～ 영업 부문 / ～別統計 부문별 통계.

ふやか-す 5他 (물에 담가서) 붇게 하다; 불리다. ¶豆を水につけて～ 콩을 물에 담가서 불리다 / 水に～·しておく 물에 불려 두다.

ふや-ける 下1自 **1** (물에 젖어서) 붇다. ¶豆が～ 콩이 붇다 / 水につかって手が～ 물에 젖어서 손이 붇다. **2** 게을러지다; 축 늘어지다. ＝だらける·だらだらする. ¶～·けた男 (맺힌 데가 없이) 흐게 늦은 사내 / 心が～ 마음이 해이해지다 / あいつは～·けている 저 녀석은 게으름을 피우고 있다 / ～·けたことを言うな 맥빠진 소리 하지 마.

ふやじょう【不夜城】名 불야성. ¶夜には全市街が～となる 밤에는 온 거리가 불야성을 이룬다.

***ふや-す** 5他 **1**【増やす】(인원·수량을) 늘리다. ＝増す. ¶人数を～ 인원수를 늘리다. **2**【殖やす】(재산을) 늘리다; 불리다; 증식〔번식〕시키다. ¶財産〔貯金〕を～ 재산〔저금〕을 늘리다 / 金魚を～ 금붕어를 번식시키다. 可能 ふや-せる 下1自 ⇔減らす.

****ふゆ**【冬】名 겨울. ¶～支度 월동 준비; 겨울 채비 / 寒い～ 추운 겨울 / きびしい～ 매서운 겨울 / ～になる 겨울이 되다 / ～休み 겨울 방학 / ～を越す〔過ごす〕 겨울을 넘기다〔지내다〕.

—立つ 겨울이 되다; 입동이 되다.

ふゆう【浮遊】《浮游》名ス自 부유. ¶～水雷 부유 수뢰 / 水中に～する 물속에 떠 다니다. ↔沈降.

—せいぶつ【—生物】名 부유 생물; 플랑크톤. ＝プランクトン.

ふゆう【富裕】名ナ 부유; 유복. ¶～な家庭〔階層〕 부유한 가정〔계층〕.

ぶゆう【武勇】名 무용. ¶～談 무용담 / ～の誉れが高い 무용으로 이름이 높다 / ～に優れる 무용에 뛰어나다.

—でん【—伝】名 **1** 무용전; 무용담. **2** 〈俗〉 완력을 휘둘러 행패를 부린 사건. ¶酒に酔って～を演じる 술취해 행패를 부리다.

***ふゆかい**【不愉快】名ダナ 불유쾌; 불쾌. ¶～な話 불쾌한 이야기 / ～に感ずる 불쾌하게 느끼다 / ～な目にあう 불쾌한 일을 당하다 / 人を～にする 남을 불쾌하게 만들다.

ふゆがれ【冬枯れ】名 **1** 겨울이 되어 초목이 마름; 또, 그 쓸쓸한 경치. ¶～の山〔野〕 겨울철의 황량한 산〔들〕. **2** 겨울철, 특히 2월경에 상업 경기가 나쁜 일. ↔夏枯れ.

ふゆぎ【冬着】名 겨울 옷; 동복. ↔夏着.

ふゆきとどき【不行き届き】名ナ 용의주도하지 못함; 충분히 손이 미치지 못함. ¶監督の～を責める 감독의 소홀함을 책하다 / 万事～ 만사가 제대로 되어 있지 않음 / ～な点はおわびします 소홀한 점은 사과 드립니다.

ふゆげしょう【冬化粧】名ス自 눈이 내려 겨울다운 정감을 더함. ¶～した山 하얗게 눈으로 덮인 겨울 산.

ふゆごし【冬越し】名ス自 월동. ＝越冬.

ふゆこだち【冬木立】名 겨울에 잎이 떨어진 나무. ↔夏木立.

ふゆごもり【冬ごもり】《冬籠り》名ス自 겨울철에, (사람이나 동물이) 집 안이나 둥지 등에 틀어박혀 밖에 나가지 않음; 동면(冬眠). ¶～に入る 겨울잠에 들어가다 / 蛇が～(を)する 뱀이 겨울잠을 자다.

ふゆじたく【冬支度】名ス自 월동 준비.

ふゆしょうぐん【冬将軍】名 동장군. ¶～の訪れ 동장군이 찾아옴 / ナポレオンを破ったロシアの～ 나폴레옹을 격파한 러시아의 동장군〔혹한〕.

ふゆぞら【冬空】名 겨울 하늘; 동천(冬天). ＝寒空. ↔夏空.

ふゆどり【冬鳥】名 겨울새. ↔夏鳥.

ふゆば【冬場】名 겨울(철). ¶～は店を閉める 겨울철에는 가게 문을 닫는다. ↔夏場.

ふゆばれ【冬晴れ】名 일본 태평양 연안의 맑은 겨울 날씨.

ふゆび【冬日】名 **1** 겨울 해〔햇살〕. ¶～がさす 겨울 햇살이 비치다. **2** 하루의 최저 기온이 영도 미만인 날. ↔夏日.

ふゆふく【冬服】名 동복; 겨울 옷. ＝冬着. ↔夏服.

ふゆもの【冬物】名 겨울 옷가지; 겨울 용품. ¶～バーゲン 겨울 의류〔용품〕 바겐세일 / ～一掃売り出し 겨울 용품 재고 정리 대매출. ↔夏物.

ふゆやすみ【冬休み】名 겨울 방학; 겨울 휴가. ↔夏休み.

ふゆやま【冬山】名 **1** 등산의 대상으로서의 겨울 산. **2** 겨울철의 황량한 산. ↔夏山.

ふよ【付与】名ス他 부여; (내려) 줌. ¶

権利をーする 권리를 부여하다. ↔剝奪.

ふよう【不用】 [名ナ] 불용. **1** 쓰지 않음. ¶ ~物 불용물; 쓰지 않는 물건 / ~施設 불용 시설 / ~になった品 불용품. **2** 소용이 없음; 불필요. =不要. ¶ ~の人物 무익한 인물 / それはもう~です 그것은 이젠 필요 없습니다.

***ふよう【不要】** [名ナ] 불요; 불필요. =不必要. ¶ ~な本 필요 없는 책 / ~不急の予算 불요불급한 예산 / 日常生活には~な品 일상생활에는 불필요한 물건. ↔必要.

ふよう【扶養】 [名][ス他] 부양. ¶ ~家族 부양 가족 / ~義務 부양 의무 / ~料 부양료〔비〕 / 幼い弟たちを~する 어린 동생들을 부양하다.

ふよう〖芙蓉〗 [名]〖植〗부용; 목부용. =もくふよう·きはちす.

ふよう【浮揚】 [名][ス自他] 부양. ¶ ~力 부양력 / 空中に~された軽気球 공중에 부양된 경기구 / 景気を~させる 경기를 부양시키다.

ぶよう【舞踊】 [名] 무용. =まい·おどり. ¶ ~家〔劇〕 무용가〔극〕 / 日本~ 일본 무용 / ~を習う 무용을 배우다.

ふようい【不用意】 [名][ダナ] **1** 준비가 되어 있지 않음. ¶ ~のまま会を開く 준비되지 않은 채 회를 열다. **2** 조심성이 없음; 부주의. ¶ ~にしゃべった言葉 부주의하게 지껄인 말 / ~な発言であげあしを取られる 부주의한 발언으로 말꼬리를 잡히다. ⇔周到.

ふようじょう【不養生】 [名ナ] 불섭생(不攝生). ¶ 医者の~ 의사의 불섭생《남에게 섭생을 권하는 의사가 자신은 오히려 섭생을 하지 않는다는 뜻》.

ぶようじん【不用心·無用心】 [名ナ] **1** 주의〔경계〕를 하지 않음; 주의가 부족함. ¶ 塀がなくて~な家 담이 없어서 경계가 허술한 집 / ずいぶん~に見える 매우 허술하게 보이다 / 夜道の一人歩きは~だ 밤길을 혼자 다니는 것은 위험하다. **2** 세상이 소란함; 어수선함. ¶ ~だから戸締まりを厳重にしなさい 세상이 소란하니 문단속을 엄중히 하시오.

ふようど【腐葉土】 [名]〖農〗부엽토; 낙엽이 썩어서 된 흙《원예용》.

ぶよぶよ [副][ダナ] (물에 불어 부은 것처럼) 말랑말랑하거나 또는 퉁퉁하게 살이 찐 모양. =ぶわぶわ. ¶ 腐って~な木 썩어서 문덕문덕한 나무 / 熟して~になった柿 익어서 말랑말랑하게 된 감 / 赤ん坊の手足が~(と)している 아기의 손발이 보동보동하다 / 水に浸かって畳が~になる 물에 잠겨서 다다미가 문적문적해지다.

ブラ [bra] [名] 브라《'ブラジャー(=브래지어)'의 준말》.

フライ [fly] [名] **1**〖野〗플라이; 비구(飛球). ¶ センター~ 센터 플라이 / ピッチャー~ 피처 플라이 / ~を取る 플라이를 잡다. ↔ゴロ. **2** 'フライ級(=플라이급)'의 준말.

フライ [fry] [名] 프라이; 튀김; 어패(魚貝)·야채 등을 기름에 튀긴 요리. ¶ カキ~ 굴 튀김 / ~を揚げる 튀김 요리를 만들다.

—パン [fry pan] [名] 프라이팬.

ぶらい【無頼】 [名ナ] **1** (일정한 직업이 없이) 성행(性行)이 불량한 모양; 또, 그런 사람. =やくざ. ¶ ~の徒 무뢰한들 / 放蕩~ 방탕하고 불량함. **2** 의지할 곳이 없음. ¶ 乱世~の身 난세의 의지가지 없는 몸.

—かん【—漢】 [名] 무뢰한; 불량배. =ならずもの·ごろつき.

プライス [price] [名] 프라이스; 값; 가격; 환시세.

—ダウン [일 price+down] [名] 가격 인하. *영어로는 markdown.

プライズ [prize] [名] 프라이즈; 상; 상품.

—マネー [prize money] [名] 프라이즈 머니; 상금; 특히, 스포츠 상금.

ブライダル [bridal] [名] 브라이덜; 혼례; 결혼식. ¶ ~ウエア 브라이덜 웨어; 신부 의상 / ~産業 결혼 관련 산업.

—マーケット [bridal market] [名] 브라이덜 마켓; 결혼 관련 시장.

フライト [flight] [名][ス自] 플라이트. **1** 비행. ¶ ~ナンバー 플라이트 넘버; 항공편의 번호. **2** (스키에서) 점프.

フライド [fried] [名] 프라이드; '튀긴'의 뜻. ¶ ~ポテト 프라이드 포테이토; 감자 튀김.

プライド [pride] [名] 프라이드; 자랑; 자존심; 자부심. ¶ ~が高い 프라이드가 높다; 자존심이 강하다 / ~を傷つける 자존심을 상하게 하다.

プライバシー [privacy] [名] 프라이버시; 사생활. ¶ ~の権利 프라이버시의 권리 / ~の侵害 프라이버시〔사생활〕 침해 / ~をおかされる 프라이버시를 침해당하다.

プライベート [private] [ダナ] 프라이빗; 개인적; 사적(私的). ¶ ~な問題 사적인 문제 / ~に訪問する 사적으로 방문하다. ↔パブリック.

プライム [prime] [名] 프라임; 제일; 최상.

—レート [prime rate] [名]〖經〗프라임 레이트; 우대 금리.

フライング [flying] [名][ス自] 플라잉; 경주·경영(競泳) 등에서, 출발 신호보다 먼저 나아감. =フライイング.

ブラインド [blind] [名] 블라인드. =よろい戸. ¶ ~を下ろす〔上げる〕 블라인드를 내리다〔올리다〕.

ブラウス [blouse] [名] 블라우스; (여성용의) 헐렁한 셔츠 모양의 윗옷.

ブラウンかん【ブラウン管】 [名] 브라운관《TV 수상용》. ▷Braun tube.

プラカード [placard] [名] 플래카드. ¶ ~を掲げてデモ行進する 플래카드를

들고 시위 행진하다.

ブラカップ [일 bra+cup] 图 (젖가슴을 풍만하게 보이기 위해 브래지어에 대는) 유방 패드.

ぶらく【部落】 图 부락; 촌락; 취락. ¶山間の~ 산간 부락. =集落.

プラグ [plug] 图〘電〙플러그. =さしこみせん. ¶~を抜く〔差し込む〕 플러그를 뽑다〔꽂다〕.

プラザ [스 plaza] 图 플라자; 도시의 광장; 시장(市場). ¶ショッピング~ 대형 매장(賣場).

ぶらさが-る【ぶら下がる】 5自 **1** 매달리다; 축 늘어지다. ¶鉄棒に~ 철봉에 매달리다 / ふじの花が~ 등나무 꽃이 늘어지다. **2** 곧 잡힐 듯 눈앞에 어른거리다. ¶大臣のいすが~·っている 장관 의자〔자리〕가 눈앞에 어른거린다 / 優勝が目の前に~ 우승이 눈앞에 어른거린다. **3** (다른 사람에게) 의지하다. ¶子供三人が細腕に~·っている 아이 셋이 연약한 여자 힘에 의지하고 있다.

ぶらさ-げる【ぶら下げる】 下1他 **1** 축 늘어뜨리다; 매달다. ¶耳輪を~ 귀고리를 (매)달다 / 胸に勲章を~ 가슴에 훈장을 달다. **2** 손에 들다. ¶酒を一升~·げて来た 청주 한 됫병을 들고 왔다.

ブラシ [brush] 图 브러시; 솔. =ブラッシュ·はけ. ¶歯~ 칫솔 / 洋服~ 양복솔 / ~をかける 솔질하다.

ブラジャー [프 brassière] 图 브래지어. =ブラ·ちちおさえ·ちちあて. ¶~をつける 브래지어를 (착용)하다.

ふら-す【降らす】 5他 (비 따위를) 내리게 하다. ¶雨を~ 비를 내리게 하다 / 血の雨を~ (싸움 등에서) 많은 사상자를 내다 / げんこつの雨を~ 주먹 세례를 퍼붓다.

****プラス** [plus] 플러스. 一图ス他 더하기; 보탬; 또, 그 기호《+》. ¶五を~する 5를 보태다 / 元金に利子を~する 원금에 이자를 더하다. 二图 **1** 양수(陽數). **2** (전기의) 양극; (성질의) 양성. ¶反応は~と出た 반응은 양성으로 나왔다. 三图ス自 덧붙임; 이익; 흑자. ¶将来に~する 장래에 유리하다 / 片方にだけ~になる契約 한쪽에만 유리한 계약. ⇔マイナス.

—アルファ [일 +α, plus+alpha] 图 플러스 알파; 얼마를 더하기; 또, 그 더한 것. ¶三千円~で妥結する 삼천 엔에 얼마를 더해서 타결짓다.

—マイナス [일 plus+minus] 图 플러스 마이너스. **1** 더함과 뺌; 가감. =差し引き. ¶~でゼロ 플러스 마이너스해서 영. **2** 장단점; 이점과 결점. ¶多数決制の~ 다수결 제도의 장단점.

フラスコ [포 frasco] 图〘化〙프라스코; 내열성 유리로 만든, 목이 길고 둥그스름한 실험용 용기.

プラスチック [plastic] 图〘化〙플라스틱; 합성수지. =プラスティック. ¶~の入れ物 플라스틱 그릇.

フラストレーション [frustration] 图〘心〙프러스트레이션; 욕구 불만.

ブラスバンド [brass band] 图〘樂〙브라스 밴드; 취주 악대.

プラズマ [도 Plasma] 图〘理〙플라스마; (원자핵과 전자처럼) 원자·분자가 자극되어 양전기와 음전기를 가진 입자군(群)으로 갈라져서 격렬하게 움직이고 있는 상태. ¶~振動 플라스마 진동.

プラタナス [platanus] 图〘植〙플라타너스. =すずかけのき.

フラダンス [일 hula+dance] 图 훌라 댄스; 하와이 여자들의 엉덩이춤. =フラフラ(ダンス)·フラ·しりふりダンス.

ふらち〖不埒〗图ナ 발칙함; 괘씸함. =ふとどき·ふしまつ. ¶~者 발칙한 녀석 / ~千万 발칙하기 짝이 없음 / ~なやつだ 발칙한 놈이다 / ~を働く 괘씸한 짓을 하다.

プラチナ [platina] 图 플라티나; 백금.

ふらつ-く 5自 **1** 휘청거리다. ¶酔って足が~ 취해서 발이 휘청거리다 / 病み上がりで足が~ 병후라서 발이 휘청거린다. **2** 〈俗〉☞ぶらつく1. ¶あっちこっち~ 여기저기 어정거리다 / 今頃までどこを~·いていたのだ 지금까지 어디를 어정거리고 다닌 거냐. **3** 기분이 불안정하여 흔들리다. ¶考えが~ 생각이 흔들리다.

ぶらつ-く 5自 **1** 슬슬 거닐다; 어정거리다. ¶公園を~ 공원을 슬슬 거닐다 / 友人と盛り場を~ 친구와 번화가를 어정거리다. **2** 빈들거리다. ¶大学を卒業してまだ~·いている 대학을 졸업하고 아직 빈들거리고〔놀고〕 있다.

ブラック [black] 图 블랙. **1** 검음; 검정; 흑색. ↔ホワイト. **2** 커피에 아무것도 타지 않음; 또, 그런 커피. ¶~で飲む 블랙으로 마시다. **3** 부정(不正); 암거래. ¶~マネー 검은 돈; 부정 이득 / ~マーケット 암시장. **4** 흑인. ¶~ミュージック 흑인 음악.

—コメディー [black comedy] 图 블랙 코미디《잔인하고 통렬한 풍자를 내용으로 하는 희극》.

—ホール [black hole] 图〘天〙블랙홀; 초중력(超重力)을 가지고, 주위의 물질이나 빛을 흡수한다고 생각되는 천체.

—ボックス [black box] 图 블랙박스. **1** 정밀 전자 기기(機器) 장치. **2** 비행 기록 장치. =フライトレコーダー.

—ユーモア [black humor] 图 블랙 유머; 뒷맛이 개운치 않은 유머.

—リスト [black list] 图 블랙리스트; 요주의 인물의 명부. =黒表. ¶~にのる 블랙리스트에 오르다.

フラッシュ [flash] 图 플래시. **1** (사진의) 섬광. ¶~をたく 플래시를 터뜨리다 / ~を浴びる 플래시의 빛을 받다. **2**

속보(速報). ¶ニュース～ 뉴스 플래시.

ブラッシング [brushing] 名 ス自他 브러싱; 솔로 머리를 빗질함.

フラット [flat] 名 플랫. **1** 〔樂〕 반음(半音)을 내리는 기호; 내림표(♭). ＝変記号. ↔シャープ. **2** (경기에서) 계시에 초 이하의 우수리가 없음. ¶二百メートルを二十五秒～で走る 200미터를 25초 플랫으로 달리다.

ふらっと 副 'ふらりと'의 힘줌말. ☞ふらり2. ¶～出かける 훌쩍 나가다/頭が～する 머리가 핑 돌다/～して倒れそうになった 휘청하고 쓰러질 뻔했다/散歩のついでに～寄る 산책하는 길에 불쑥 들르다.

***プラットホーム** [platform] 名 (역 등의) 플랫폼. ＝プラットフォーム·ホーム. ¶～まで兄を出迎える 플랫폼까지 형을 마중 나가다.

プラトニック [Platonic] ダナ 플라토닉; 순수하고 정신적이며 깨끗한 모양. ¶～な愛 플라토닉한 사랑/～ラブ 플라토닉 러브.

プラネタリウム [도 Planetarium] 名 플라네타륨《영사기로 둥근 천장에 천체의 운행 상황을 비춰 보이는 장치》; 천상의(天象儀).

ふらふら 副 トス自 **1** 걸음이 흔들리는 모양: 비트적비트적. ¶～した足どり 비트적거리는 발걸음 / 疲れて～になる 지쳐서 휘청휘청해지다 / ～になるまで働く 몸이 휘청거릴〔녹초가 될〕 때까지 일하다. **2** 마음이 흔들리는 모양: 흔들흔들. ¶～しないでさっさと決心しなさい 망설이지 말고 어서 빨리 결심하시오/～して落ち着かない 들떠서 안정되지 않다. **3** 힘없이 흔들리는 모양. ¶～(と)立ち上がる 비슬비슬 일어서다/～(と)歩きまわる 비틀비틀 돌아다니다. **4** 충분히 생각하지 않은 모양: 얼떨결에. ¶誘われてつい～とついて行ってしまった 꾐에 빠져 그만 얼떨결에 따라가 버렸다.

ぶらぶら 副 トス自 **1** 매달려서 흔들거리는 모양: 흔들흔들. ¶腰掛けて足を～させる 걸터앉아서 발을 대롱거리다/へちまが風に吹かれて～する 수세미외가 바람에 흔들흔들한다. **2** 지향 없이 거니는 모양: 어슬렁어슬렁. ¶海岸を～(と)歩く 해안을 어슬렁어슬렁 걷다. **3** 하는 일이 없는 모양: 빈둥빈둥; 번들번들. ¶大学を出てもう二年間も～している 대학을 나와서 벌써 2년 동안이나 빈둥빈둥 놀고 있다.

ブラボー [bravo] 感 브라보; 근사하다; 잘한다; 좋다; 만세. ＝すてき(だ)·でかした·うまいぞ. ¶～と叫ぶ 브라보라고 외치다.

フラミンゴ [flamingo] 名 〔鳥〕 플라밍고; 홍학(紅鶴). ＝べにづる.

フラメンコ [스 flamenco] 名 플라멩코《스페인의 민속 무용》. ¶激しく～を踊る 열정적으로 플라멩코를 추다.

プラモデル [일 Plamodel] 名 플라모델; 'プラスチックモデル(＝플라스틱으로 만든 비행기·자동차 등의 모형)'의 상표명. ＝プラモ.

ふらり 副 《흔히, '～と'의 꼴로》 **1** 흔들흔들; 비슬비슬. ¶～と倒れかかる 비슬거리며 넘어지려 하다. **2** 훌쩍; 불쑥. ¶～と外出する 훌쩍 외출하다 / ～と現れた 불쑥 나타났다.

—ふらり 副 ☞ふらり1. ¶～とゆれ動く 흔들흔들 흔들리다.

ぶらり 副 《흔히 '～と'의 꼴로》 **1** 대롱대롱. ¶へちまが～と垂れ下がっている 수세미외가 대롱대롱 매달려 있다. **2** 훌쩍; 불쑥; 표연히. ¶～と外出する 훌쩍 외출하다. **3** 빈둥빈둥. ¶手持ちぶさたで～としている 아무것도 하는 것 없이 (심심해서) 빈둥거리고 있다.

ふら-れる 【振られる】 連語 ☞ふ(振)る 7. ¶女に～ 여자에게 채이다.

フラワー [flower] 名 플라워; 꽃. ¶ドライ～ 드라이 플라워《장식용 조화》/～ランゲージ 플라워 랭귀지; 꽃말.

ふらん 【腐乱】(腐爛) 名 ス自 부란; 썩어 짓무름. ¶～した死体 부란한 〔썩어 문드러진〕 시체.

フラン [프 franc] 名 프랑《프랑스·스위스·벨기에 등의 화폐 단위; 기호: F》.

プラン [plan] 名 플랜. **1** 계획; 안(案). ¶～を練る 플랜을 짜다/デスク～ 탁상계획/旅行の～を立てる 여행 계획을 세우다. **2** 설계도; 평면도.

フランク [frank] ダナ 프랭크; 솔직한 모양; 거리낌 없는 모양. ＝ざっくばらん. ¶～な態度 솔직한 태도/～な付き合い 무간한 교제/～に話す 솔직히 말하다/もっと～になれよ 좀더 솔직해져라.

ブランク [blank] 名 ダナ 블랭크; 공백; 공란; 비유적으로, 미경험. ¶二年間の～ 2년 간의 공백/ノートの～を埋める 노트의 공란을 메우다.

—チェック [blank check] 名 블랭크 체크; 백지 수표.

プランクトン [plankton] 名 플랑크톤; 부유 생물. ＝浮遊生物.

ぶらんこ 〚鞦韆〛 名 추천; 그네. ＝ぶらここ·しゅうせん. ¶～に乗る 그네를 타다. 参考 포르투갈어 balanço에서 온 말이라고도 함.

フランス [France] 名 〔地〕 프랑스. ¶～語 프랑스어; 불어/～料理 프랑스 요리. 注意 '仏蘭西'로 씀은 음역.

—デモ 名 프랑스식 데모; 손을 맞잡은 채 길 가득히 대열을 이루어 행진하는 데모 방식.

フランチャイズ [franchise] 名 프랜차이즈. **1** 독점 영업권. **2** 〔野〕 프로 야구단의 본거지(에서의 흥행권). ＝ホームグラウンド.

—チェーン [franchise chain] 名 프랜차

이즈 체인《본부로부터 지역 내 영업 판매권을 부여받은 가맹점 조직》.

ブランデー [brandy] 图 브랜디《양주의 하나》. ¶~グラス 브랜디 잔. =ブラン.

ブランド [brand] 图 브랜드; 상표. =銘柄(めいがら). ¶~物(もの)〔商品(しょうひん)〕 브랜드 상품; 상표가 붙은 상품 / 一流(いちりゅう)~ 일류 상표 / 有名(ゆうめい)~ 유명 브랜드.

プラント [plant] 图 플랜트; 공장 설비. ¶~輸出(ゆしゅつ) 플랜트 수출.

プランナー [planner] 图 플래너; 기획 담당자; 입안자; 설계자.

フランネル [flannel] 图 플란넬; 방모사(紡毛絲)로 짠 털이 보풀보풀한 모직물. =ネル·本(ほん)ネル·フラノ.

ふり【振り】图 **1** 흔듦. ¶腕(うで)の~が大(おお)きい 팔을 흔드는 품이 크다 / バットの~が鈍(にぶ)い 배트를 휘두르는 것이 둔하다. **2** 춤의 동작; 또 배우가 무대에서 하는 동작. ¶~をつける 안무(按舞)하다. **3** 단골이 아니고 뜨내기임. ¶~の客(きゃく) 뜨내기 손님.

ふり〖風·振り〗图 **1** 모습; 꼴; 차림새; 거동. =なり·姿(すがた)·振(ふ)る舞(ま)い. ¶人(ひと)の~見(み)てわが~直(なお)せ 남의 모습을 보고 자기 모습을 고쳐라 / なり~かまわず 주제꼴을 돌보지 않고 / 変(へん)な~をする 이상한 행동을 하다. **2** 체. ¶知(し)らない~をする 모르는 체하다 / 見(み)て見(み)ない~をする 보고도 못 본 체하다.

ふり【降り】图 (비·눈 등이) 내림; 또, 그 모양〔정도〕. ¶ひどい~だ 심한 비다〔눈이다〕/ 大(たい)した~ではない 그리 대단한 비는 아니다 / この~で客足(きゃくあし)がにぶる 이 비〔눈〕 때문에 손님이 뜸하다. ↔照(て)り.

***ふり**【不利】名ナ 불리; 불이익. ¶形勢(けいせい)~ 형세 불리 / ~な立場(たちば)に立(た)つ 불리한 처지〔입장〕에 서다 / ~な条件(じょうけん)をのむ 불리한 조건을 받아들이다 / ~をこうむる 손해를 입다 / ~を招(まね)く 불이익을 초래하다. ↔有利(ゆうり).

=ふり〖振り〗 도검의 수를 나타내는 말: …자루. ¶一(ひと)~の刀(かたな) 한 자루의 칼.

ぶり〖鰤〗图〔魚〕방어. ¶寒(かん)~ 겨울(에 잡힌) 방어. 参考 성장 정도에 따라 わかし·いなだ·わらさ·ぶり(이상은 東京(とうきょう) 지방), 또는 つばす·はまち·めじろ·ぶり(이상 大阪(おおさか) 지방)로 이름이 달라짐.

=ぶり〖振り·風〗 **1**《名詞나 動詞連用形에 붙어》모습; 모양; 태도; 방식. ¶男(おとこ)~ 남자다운 태도〔풍채〕/ 枝(えだ)~ 가지 모양 / 勉強(べんきょう)~ 공부하는 모양〔태도〕/ 生活(せいかつ)~ 생활 태도 / 営業(えいぎょう)~ 영업 방식 / 混雑(こんざつ)~ 혼잡한 상태 / 酒(さけ)の飲(の)み~がいい 술 마시는 태도가 좋다. **2**《시간의 경과를 나타내는 말에 붙어》… 만에. ¶久(ひさ)し~に 오래간만에 / 三年(さんねん)~に会(あ)った 3년 만에 만났다. **3** 어떤 크기의 분량을 나타냄. ¶大(おお)~のからだ 큼직한 몸집 / やや小(こ)~だ 약간 자그마하다 / 大(おお)~の容器(ようき)に盛(も)る 큼직한 그릇에 (가득) 담다.

ふりあい【振り合い】图 (비교해 볼 때의) 균형; 걸맞음. ¶~がつかない 균형이 잡히지 않는다 / 向(む)こうとの~でこちらも減(へ)らそう 저쪽과의 균형상 이쪽도 줄이자 / 他(た)との~も有(あ)ることだから, 遠慮(えんりょ)してくれないか? 남과의 관계도 있고 하니, 삼가 주지 않겠나.

ふりあ-う【振り合う】5自 서로 흔들다. ¶手(て)を~·って別(わか)れる 서로 손을 흔들며 헤어지다.

ふりあ-う【触り合う】5自 서로 스치다. ¶そで~も他生(たしょう)の縁(えん) 소매가 서로 스치는 것도 전생의 인연.

ふりあお-ぐ【振り仰ぐ】5自 고개를 들고 위를 쳐다보다; 우러러보다. ¶山頂(さんちょう)を~ 산정을 쳐다보다.

ふりあ-げる【振り上げる】下1他 치켜들다; 번쩍 올리다. =振(ふ)りかざす. ¶こぶしを~ 주먹을 치켜들다.

ふりあ-てる【振り当てる】下1他 할당하다; 나눠 맡기다; 떼어 맡기다. =割(わ)り振(ふ)る. ¶分担(ぶんたん)をきめて仕事(しごと)を~ 분담을 정하여 일을 할당하다 / 損(そん)な役目(やくめ)を~·てられる 불리한 역할을 배정받다.

フリー [free] 图ダナ 프리. **1** 자유로움. ¶~な立場(たちば) 자유로운 입장 / ~セックス 프리 섹스. **2** 무료임; 무세(無税)임.

—アルバイター [일 free+도 Arbeiter] 图 (일정한 직업이 없이 아르바이트 형태로 여러 가지 일을 하는) 자유 직업인. =フリーター.

—エージェント [free agent] 图 프리 에이전트; (프로 야구에서) 자유 계약 선수《FA》. ¶~制(せい) 프리에이전트제.

—スタイル [일 free+style] 图 프리 스타일; (수영·레슬링 등에서) 자유형.

—ダイヤル [일 free+dial] 图 프리 다이얼《통화 요금을 수신자가 지불하는 방식의 전화》.

—タックス [일 free+tax] 图 면세. ¶~ショップ 면세점. *영어로는 duty-free.

—トーキング [일 free+talking] 图 프리 토킹; (의제를 정하지 않고 하는) 자유 토론. *영어로는 free discussion.

—パス [free pass] 图 프리 패스. **1** 무료 승차〔입장〕권. **2** (시험 따위에서) 무조건 통과〔합격〕함.

—メール [일 free+mail] 图〖컴〗무료 E메일 계정 서비스. *미어로는 free E-mail이라고 함.

—ライター [일 free+writer] 图 프리 라이터; 자유 기고가. *영어로는 free-lance writer.

—ランサー [free-lancer] 图 프리랜서; 자유 계약에 의한 고용자; 전속이 아닌 연예인.

フリーク [freak] 图 프리크; 한 가지 일에 광적으로 몰두하는 사람. ¶コンピューター~ 컴퓨터광(狂).

フリーザー [freezer] 图 프리저; 냉각기;

아이스크림 등을 만드는 장치.

フリーター 名 'フリーアルバイター'의 준말.

ブリーフ [←briefs] 名 브리프; 남성용 짧은 팬츠.

ブリーフケース [briefcase] 名 브리프케이스; 서류 가방.

フリーマーケット [flea market] 名 플리마켓; 벼룩시장. ＝蚤(のみ)の市(いち).

ふりえき【不利益】名ナ 불이익; 불리; 손해. ＝損(そん). ¶～をこうむる 손해를 입다 / 何人(なにびと)も自己(じこ)に～な供述(きょうじゅつ)を強要(きょうよう)されない 아무도 자기에게 불리한 진술을 강요받지 않는다. ↔利益(りえき).

ふりおこ-す【振り起こす】5他 ☞ふるいおこす.

ふりおと-す【振り落とす】5他 **1** 흔들어 떨어뜨리다. ¶馬(うま)が人(ひと)を～ 말이 몸을 흔들어 사람을 떨어뜨리다 / デッキから～·される 갑판에서 떨어지다. **2** 불합격시키다; 떨어뜨리다. ＝ふるい落(お)とす. ¶試験(しけん)で～ 시험에서 떨어뜨리다.

ふりおろ-す【振り下ろす】5他 (치켜들었던 것을) 내려치다; 내리찍다. ¶斧(おの)〔つるはし〕を～ 도끼〔곡괭이〕를 내리찍다 / なたを～ 손도끼를 내려치다.

*__ふりかえ__【振替】名 대체(對替). **1**【振り替え】엇바꿈. ¶～輸送(ゆそう)〔休日(きゅうじつ)〕 대체 수송〔휴일〕/ ～伝票(でんぴょう) 대체 전표 / ～がきく 대체할 수가 있다. **2** '郵便(ゆうびん)振替(＝우편 대체)'의 준말.

ぶりかえ-す【ぶり返す】《振り返す》5自 **1** (병이) 도지다; (날씨 등이) 다시 악화되다. ¶無理(むり)をして病気(びょうき)が～ 무리해서 병이 도지다 / 暑(あつ)さが～ 도로 더워지다. **2** 재차 문제화되다; 다시 말썽이 되다. ¶紛争(ふんそう)が～ 분쟁이 재연되다.

*__ふりかえ-る__【振り返る】5他 **1** (뒤를) 돌아다보다. ¶～·って見(み)るほどの美人(びじん) 뒤돌아보게 할 정도의 미인 / ～·っておじぎをする 뒤돌아보고 인사하다 / 思(おも)わず～ 무심코 뒤돌아보다 / 名残(なごり)惜(お)しそうに～ 아쉬운 듯이 뒤돌아보다. **2** 회고하다. ¶学生(がくせい)時代(じだい)を～ 학생 시절을 되돌아보다 / 過去(かこ)を～ 과거를 돌이켜 보다.

ふりか-える【振り替える】下1他 **1** 잠시 다른 것과 바꾸어 쓰다. ¶列車(れっしゃ)の不通(ふつう)区間(くかん)をバスに～ 열차 불통 구간을 버스로 바꾸어 이용하다. **2** 대체(對替)하다. ¶休日(きゅうじつ)を月曜(げつよう)に～ 휴일을 월요일로 대체하다 / 定期預金(ていきよきん)に～ 정기 예금으로 대체하다.

ふりかか-る【降り懸かる】5自 **1** 몸에 내리덮이다. ¶～雪(ゆき)を払(はら)う 쏟아져 내리는 눈을 털다 / 火(ひ)の粉(こ)が～ (몸에) 불똥이 튀어 앉다. **2** 좋지 못한 일이 신상에 일어나다〔덮치다〕. ¶身(み)に災難(さいなん)が～ 신상에 재난이 덮치다.

ふりかけ【振り掛け】名 밥에 뿌려 먹는, 어육·김 따위를 가루로 만든 식품. ¶～のり 밥에 뿌리는, 조미된 부스러기 김.

ふりか-ける【振り掛ける】下1他 뿌리다; 끼얹다. ¶塩(しお)を～·けて食(た)べる 소금을 뿌려서 먹다 / 頭(あたま)から砂(すな)を～ 머리에서부터 모래를 끼얹다.

ふりかざ-す【振りかざす】《振り翳す》5他 머리 위로 번쩍 쳐들다; 비유적으로, (주의·주장 등을) 내세우다. ¶刀(かたな)を頭上(ずじょう)に～ 칼을 머리 위로 번쩍 쳐들다 / 大義(たいぎ)名分(めいぶん)を～ 대의명분을 표방하다.

ふりかた【振り方】名 **1** 흔드는〔휘두르는〕 법. ¶バットの～ (야구) 배트를 휘두르는 법. **2**『身(み)の～』처신. ¶身(み)の～に困(こま)る 처신이 난처하다 / 身(み)の～を考(かんが)える 금후의 처신을 생각하다.

ふりがな【振り仮名】名 한자 옆에 읽는 법을 仮名(かな)로 단 것. ＝ルビ.

ふりかぶ-る【振りかぶる】5他 (머리 위로) 크게 휘둘러 올리다. ¶～·って球(たま)を投(な)げおろす (팔을) 머리 위로 크게 쳐들었다가 공을 내리 던지다 / 木刀(ぼくとう)を～ 목도를 머리 위로 높이 쳐들다.

ブリキ [네 blik] 名 블리크; 생철; 양철. ¶～屋(や) 생철장이 / ～缶(かん) 깡통; 양철통 / ～屋根(やね) 함석 지붕. 注意 '錻力'로 씀은 취음(取音).

*__ふりき-る__【振り切る】5他 **1** 뿌리치다. ¶押(お)さえた手(て)を～ 잡은 손을 뿌리치다 / 親(おや)の反対(はんたい)を～ 부모의 반대를 뿌리치다 / ～勇気(ゆうき)がなかった 뿌리칠 용기가 없었다 / ～·ってにげる 뿌리치고 도망치다. **2** 충분히 휘두르다. ¶バットを～ 배트를 힘껏 휘두르다. **3**〈俗〉뒤쫓아 오는 것을 끝내 떼쳐 이기다. ¶急追(きゅうつい)を～ 맹렬한 추적을 떼쳐 버리다 / 相手(あいて)を～·ってゴールに入(はい)る 상대를 떼치고 골인하다.

ふりこ【振り子】名 진자; 흔들이. ＝振子(しんし). ¶柱時計(はしらどけい)の～ 괘종시계의 흔들이.

—どけい【—時計】名 추시계; 진자 시계. ＝ふりどけい.

ふりこう【不履行】名 불이행. ¶契約(けいやく)～ 계약 불이행.

ふりこみ【振り込み】名 (대체 계좌·예금 계좌 등에의) 납입.

ふりこ-む【振り込む】5他 (대체 계좌 등에) 납입하다. ¶代金(だいきん)を口座(こうざ)に～ 대금을 계좌에 납입하다 / 受(う)け取(と)った小切手(こぎって)を当座(とうざ)預金(よきん)に～ 받은 수표를 당좌 예금에 넣다.

ふりこ-める【降りこめる】《降り籠める》下1他 비나 눈이 몹시 와서 나들이를 못하게 하다. ¶山(やま)で雨(あめ)に～·められた 산에서 비에 갇혔다 / 大雪(おおゆき)に～·められて困(こま)った 눈이 많이 와 꼼짝 못하고 갇혀서 난처했다. 参考 흔히, 'ふりこめられる'의 꼴로 씀.

ふりしき-る【降りしきる】《降り頻る》5自 (눈·비가) 계속해서 몹시 오다. ¶まる一日(いちにち)雨(あめ)が～ 온종일 비가 계속 퍼붓다 / ～雨(あめ)の中(なか)を走(はし)る 내리 쏟아지는 빗속을 달리다.

ふりし-く【降り敷く】5自〈雅〉(눈·비가) 와서 땅을 덮다; 가득히 내리다. ¶ ~白雪(しらゆき) 온 지면을 덮도록 내리는 백설 / 庭(にわ)に雪(ゆき)が~ 뜰에 눈이 내려 덮이다 / 桜(さくら)の花(はな)びらが~ 벚꽃 꽃잎이 떨어져 온통 깔리다.

ふりしぼ-る【振り絞る】5他 (목소리·힘·지혜 등을) 최대한으로 쥐어짜다. ¶ 声(こえ)を~·って救(すく)いを求(もと)める 소리를 내질러 구원을 청하다 / 力(ちから)を~ 있는 힘을 다 내다 / ない知恵(ちえ)を~·って考(かんが)える 없는 지혜를 쥐어짜 궁리하다.

ふりす-てる【振り捨てる】下1他 뿌리쳐 버리다; 내동댕이치다; 사정없이 버리다. ¶ 妻子(さいし)を~·てて外国(がいこく)に行(ゆ)く 처자를 뿌리치고 외국으로 가다 / 愛人(あいじん)を~ 애인을 뿌리쳐 버리다 / 未練(みれん)を~ 미련을 떨쳐 버리다.

プリズム [prism] 名〔理〕프리즘. =三稜鏡(さんりょうきょう)·分光器(ぶんこうき).

ふりそそ-ぐ【降り注ぐ】5自 (비가) 내리쏟아지다; (불똥이) 쏟아지다; (햇빛이) 내리쬐다; (비유적으로) 내리퍼붓다. ¶ 火(ひ)の粉(こ)が~ 불똥이 쏟아지다 / さんさんと~日(ひ)の光(ひかり) 눈부시게 쏟아지는 햇빛 / 非難(ひなん)の声(こえ)が~ 비난의 소리가 빗발치다 / 雨(あめ)あられと弾丸(だんがん)が~ 빗발치듯 총알이 날아오다 / ~雨(あめ)でびしょぬれになった 내리 쏟아지는 비로 흠뻑 젖었다.

ふりそで【振りそで】《振り袖》名 겨드랑 밑을 꿰매지 않은 긴 소매; 또, 그런 소매의 일본 옷《주로 미혼 여성의 예복》. =振(ふ)り. ↔留(と)めそで.

ふりだし【振り出し】名 **1** (쌍륙의) 출발점; (사물의) 출발. ¶ 人生(じんせい)の~ 인생의 첫 출발 / ~に戻(もど)る 출발점으로〔처음 상태로〕 되돌아오다 / ~を誤(あやま)る 첫 출발을 그르치다 / 牛乳(ぎゅうにゅう)配達(はいたつ)を~に転々(てんてん)と職(しょく)を変(か)えた 우유 배달을 시작으로 직업을 전전했다. **2**【振出】(수표·어음의) 발행. ¶ ~人(にん) 발행인.
――に戻(もど)す 처음 상태로〔원점으로〕 되돌리다. ¶ 話(はなし)を~ 이야기를 원점으로 되돌리다.

ふりだ-す【振り出す】5他 **1** 흔들어 뽑다〔내놓다〕. ¶ くじを~ 제비를 흔들어 뽑다 / さいころを~ 주사위를 흔들어 굴리다 / こしょうを~ 후추를 흔들어서 뿌리다. **2** 흔들기 시작하다. ¶ 鈴(すず)を~ 방울을 흔들기 시작하다. **3** (어음·수표 등을) 발행하다; 떼다. ¶ 私(わたし)はH氏(エッチし)受(う)け取(と)りの十万円(じゅうまんえん)の小切手(こぎって)を~·しました 저는 H씨 앞으로 10만 엔짜리 수표를 뗐습니다.

ふりだ-す【降り出す】5自 내리기 시작하다. ¶ 雨(あめ)が~ 비가 오기 시작하다 / 今(いま)にも~·しそうな空(そら) 금방이라도 비가 내릴 것 같은 하늘.

ふりた-てる【振り立てる】下1他 **1** 흔들어 세우다; 곤두세우다. ¶ 髪(かみ)を~·てて走(はし)る 머리를 휘날리며 달리다 / 牛(うし)が角(つの)を~·てて怒(いか)る 소가 뿔을 곤두세우고 성을 내다 / かにがはさみを~ 게가 집게발을 발딱 세우다 / 頭(あたま)を~·てて踊(おど)る〔しかりつける〕 머리를 흔들어 대며 춤추다〔호통치다〕. **2** 세게 흔들어 소리를 내다. ¶ 鈴(すず)を~ 마구 방울을 흔들어 (요란하게) 소리를 내다. **3** 목청을 높이다. ¶ 声(こえ)を~·てて叫(さけ)ぶ 목청을 높여 외치다.

ふりつけ【振り付け·振付】名 안무(按舞); 안무가(家). ¶ 踊(おど)りの~ 안무 / バレーの~をする 발레(의) 안무를 하다.
――し【――師】名 안무가.

ぶりっこ【ぶりっ子】名ス自 얌전한 체, 착한 체, 귀여운 체함; 또, 그런 (계집)아이《특히, 젊은 여성에 대해 이름》. ¶ いい子(こ)~している 새침하게 잘 보이려고 하다.

ブリッジ [bridge] 名 브리지. **1** 함선의 선교(船橋); 함교(艦橋). **2** 다리. **3**〔醫〕이의 금관을 물리기 위해 다리처럼 걸친 장치. **4** 카드놀이의 한 가지.
――バンク [bridge bank] 名〔經〕브리지 뱅크; 가교(假橋) 은행. =受(う)け皿(ざら)銀行(ぎんこう)·つなぎ銀行.

ふりつづ-く【降り続く】5自 오랫동안 계속 내리다. ¶ 昨日(きのう)から~雨(あめ) 어제부터 계속 내리는 비.

ふりつの-る【降り募る】5自 (비가) 점차 세차게 내리다. ¶ ~雨(あめ) 점점 더 세차게 내리는 비.

ふりつも-る【降り積もる】5自 (눈이) 내려 쌓이다. ¶ ~雪(ゆき)で交通(こうつう)がとだえる 내려 쌓이는 눈으로 교통이 두절되다 / 一晩(ひとばん)で屋根(やね)まで~·った 하룻밤 사이에 지붕까지 눈이 쌓였다.

ふりにげ【振り逃げ】名ス自〔野〕1루에 주자가 없거나 투아웃 상태에서, 타자가 삼진한 공을 포수가 직접 잡지 못했을 때, 타자가 1루로 뛰어가 세이프되는 일.

ふりはな-す【振り放す】5他 뿌리치다; 뿌리쳐 떼다; 냅다 떨치다. =ふりすてる·ふり切(き)る. ¶ 手(て)を~·して逃(に)げる 손을 뿌리치고 도망치다 / 好敵手(こうてきしゅ)を~·してゴールインする 호적수를 떼치고 골인하다.

ふりはら-う【振り払う】5他 흔들어 떼다; 뿌리치다. =ふりはなす. ¶ 相手(あいて)の差(さ)し出(だ)した手(て)を~ 상대가 내민 손을 뿌리치다 / 涙(なみだ)を~ 눈물을 흔들어 떨어내다.

ぶりぶり 副ス自 ☞ぷりぷり2.

ぷりぷり 副ス自《'~と'의 꼴로도 씀》**1** 만지면 튈 듯이 탄력 있는 모양; 몹시 살찐 모양. ¶ ~(と)太(ふと)ったからだ 통통한 몸집 / しりの肉(にく)が~している 엉덩이 살이 탱탱하다. **2** 몹시 성난 모양. =ぶりぶり. ¶ ~(と)怒(おこ)っている 잔뜩 골을 내고 있다 / ~してものも言(い)わない 뿌루퉁해서 말도 안하다.

プリペイドカード [prepaid card] 名 프리페이드 카드; 대금을 선불한 다음 현

금처럼 쓰는 자기(磁氣) 카드《신용 카드·전화 카드·교통 카드 따위》.

ふりほど-く【振りほどく】《振り解く》 5他 내둘러〔흔들어〕 풀다. ¶なわを～ 새끼줄을 내둘러 풀다 / 髪を～ 머리카락을 흔들어 헤치다 / 押さえた手を～·いてかけだす 잡은 손을 떼치고 달아나다.

プリマ [이 prima] 名 프리마; 주역의 뜻.

──ドンナ [이 prima donna] 名 프리마 돈나; 가극의 주역 여성 가수. ¶オペラの～ 오페라의 프리마 돈나.

ふりま-く【振りまく】《振り撒く》 5他 (흩)뿌리다. ¶水を～ 물을 뿌리다 / あいきょうを～ 마구 애교를 떨다 / 金を～ 돈을 마구 뿌리다 / うわさを～ 소문을 마구 퍼뜨리다.

ふりまわ-す【振り回す】 5他 **1** 휘두르다. ㉠휘휘 돌리다. ¶ステッキを～ 지팡이를 휘두르다 / 棒を～·してあばれる 몽둥이를 휘두르며 날뛰다. ㉡남용하다. ¶権力を～ 권력을 휘두르다. **2** 자랑해 보이다. ＝ひけらかす·みせびらかす. ¶肩書を～ 직함을 자랑하다〔지나치게 내세우다〕 / 生半可な知識を～ 어설픈 지식을 자랑해 보이다 / 親の威光を～ 부모의 백을 믿고 설치다. **3** 사람을 멋대로 다루다. ¶子供に～·される 자식에게 휘둘리다 / にせ情報に～·される 거짓 정보에 놀아나다.

ふりみだ-す【振り乱す】 5他 마구 흩뜨리다. ¶髪を～·して戦う 머리를 흩날리며 싸우다.

ふりみふらずみ【降りみ降らずみ】 連語 《副詞적으로》 (비·눈이) 오다 말다 하는 모양. ¶～の天気 (비·눈이) 오다 말다 하는 날씨.

***ふりむ-く**【振り向く】 5自 (뒤)돌아보다. ¶物音に～ 소리가 나서 뒤돌아보다 / こちらを～·きもしないで立ち去る 이쪽을 돌아다보지도 않고 떠나가 버리다.

ふりむ-ける【振り向ける】 下1他 돌리다. **1** 전용(轉用)하다; 유용하다. ¶学費に～ 학비로 돌려 쓰다 / 予算を～ 예산을 돌리다 / 余暇を奉仕活動に～ 여가를 봉사 활동에 돌리다 / 車を一台送迎用に～ 차를 한 대 송영용으로 돌리다. **2** 돌아보게 하다. ¶顔を～ 얼굴을 돌리다 / 頭を右に～ 머리를 오른쪽으로 돌리다.

ふりや-む【降りやむ】《降り止む》 5自 (비·눈이) 멎다; 그치다. ¶雨が～ 비가 그치다.

ふりょ【不慮】 名 의외; 뜻밖. ＝不測. ¶～の災難に遭う 뜻하지 않은 재난을 당하다 / ～の死を遂げる 뜻밖의 죽음을 맞다.

ふりょ [俘虜] 名 부로; 포로. ＝とりこ·捕虜. ¶～収容所 포로 수용소 / ～の引き渡し 포로의 인도 / 戦争～ 전쟁 포로.

***ふりょう**【不良】 名ナ 불량; 불량자. ¶～品 불량품 / 成績～ 성적 불량 / ～少女 불량 소녀 / 町の～者 거리의 불량자 / 素行の～な男 품행이 불량한 사나이 / 天候～のため 날씨가 좋지 않아서 / ～になる 불량자가 되다 / ～を働く 불량한 짓을 하다. ↔善良·良好.

ふりょう【不猟】 名 (사냥에서) 안 잡힘. ¶今日は～でだめだ 오늘은 사냥이 안 되어 틀렸다. ↔大猟.

ふりょう【不漁】 名 불어; 흉어. ↔大漁·豊漁.

ぶりょう [無聊] 名ナ 무료; 심심함. ＝退屈·つれづれ. ¶～を慰める〔かこつ〕 무료함을 달래다〔푸념하다〕 / ～の日日を送る 무료한 나날을 보내다 / ～に苦しむ 무료해서 따분해하다.

ふりょうけん [不了見·不料簡·不了簡] 名ナ 잘못된〔나쁜〕 생각. ＝心得違い. ¶～を起こす 나쁜 마음을 품다 / ～をいましめる 못된 생각을 품지 말라고 타이르다 / ～な事をするな 분별없는 짓을 하지 마라.

ぶりょうとうげん【武陵桃源】 名 무릉도원; 도원경. ＝桃源. ¶～の夢を見る 무릉 도원을 꿈꾸다.

ふりょうどうたい【不良導体】 名 〘理〙 불량 도체; 부도체. ↔良導体.

ふりょく【浮力】 名 〘理〙 부력. ¶～が作用する 부력이 작용하다.

ぶりょく【武力】 名 무력; 병력. ¶～を行使する 무력을 행사하다 / ～に訴える 무력에 호소하다 / ～衝突が起こる 무력 충돌이 일어나다.

フリル [frill] 名 프릴; 여성복·아동복의 깃·소맷부리 따위에 다는 주름 장식. ¶～のついたスカートをはく 프릴이 달린 스커트를 입다.

ふりわけ【振り分け】 名 **1** 배분(配分); 나눔; 가름. ¶～にする 짐을 어깨 앞뒤로 나누어 메다. **2** 중앙; 중간. **3** 경계. ＝わけ目. **4** '振り分け髪' '振り分け荷物'의 준말.

──がみ【振り分け髪】 名 좌우로 갈라 늘어뜨린 아이의 머리. ＝はなちがみ.

──にもつ【振り分け荷物】 名 (길을 떠나거나 할 때에) 앞뒤로 갈라 끈으로 매어 어깨에 걸쳐 멘 짐.

ふりわ-ける【振り分ける】 下1他 나누다; 가르다; 할당〔배분〕하다. ¶公平に～ 공평하게 배분하다 / 三人に仕事を～ 세 사람에게 일을 배분하다.

ふりん【不倫】 名ナ 불륜. ＝非倫. ¶～な関係 불륜 관계 / ～の行い 불륜(의) 행위 / ～の恋 불륜의 사랑 / 彼は～をしている 그는 불륜을 저지르고 있다.

プリン 名 'プディング'의 전와(轉訛).

プリンス [prince] 名 프린스. **1** 왕자; 황태자; 공작. ↔プリンセス. **2** (비유적으로) 그 세계에서 장래가 촉망되는 젊은

남자. ¶政界(せいかい)の～ 정계의 황태자.

プリンセス [princess] 名 프린세스; 공주; 왕자비; 왕비. ↔プリンス.

プリンター [printer] 名 프린터. **1**〖컴〗 인자기(印字機); 인쇄기. **2** (사진의) 인화기.

プリント [print] 名 ス他 프린트. **1** 인쇄(물). ¶～屋(や) 인쇄소; 프린트장이. **2** (영화의) 음화로부터 양화를 인화하는 일; 또, 그렇게 한 필름; (사진의) 인화. **3** 날염. ¶～の服地(ふくじ) 날염한 옷감.

ふ-る【振る】 5他 **1** 흔들다. ¶手(て)〔尾(お)〕を～ 손을〔꼬리를〕 흔들다/旗(はた)を～ 기를 흔들다/首(くび)を横(よこ)に～ 머리를 가로 젓다. **2** 휘두르다. ¶むちを～ 채찍을 휘두르다/バットを大振(おおぶ)りに～ 배트를 크게 휘두르다/オーケストラを～ 오케스트라를 지휘하다. **3** 흔들어〔달여〕 우려내다. ¶茶(ちゃ)を～ 차를 우려내다/薬(くすり)を～·り出(だ)す 약을 달여 내다. **4** 흔들어서 던지다. ¶さいころを～ 주사위를 흔들어 던지다. **5** 흔들어서 뿌리다. ¶料理(りょうり)に塩(しお)を～ 요리에 소금을 치다. **6** 날리다; 잃다; 버리다. ¶百万円(ひゃくまんえん)を棒(ぼう)に～ 백만 엔을 날리다/大臣(だいじん)の地位(ちい)を～ 대신의 지위를 날리다〔버리다〕/試験(しけん)を～ 시험을 포기하다. **7** 뿌리치다; 거절하다; 퇴짜 놓다. ¶女(おんな)に～·られる 여자에게 채다/客(きゃく)を～ 손님을 거절하다/男(おとこ)を～ 남자를 퇴짜 놓다/昇進(しょうしん)を～·って好(す)きな道(みち)にすすむ 승진을 뿌리치고 좋아하는 길〔분야〕로 나가다. **8** 나누다; 할당하다. ¶役(やく)を～ 배역을 할당하다/番号(ばんごう)を～ 번호를 매기다. **9** (음을) 달다. ¶かなを～ 仮名(かな)로 음을 달다/ルビを～ (인쇄에서) 한자에 仮名음을 달다. **10** 방향을 돌리다. ¶台風(たいふう)が進路(しんろ)を北(きた)に～ 태풍이 진로를 북쪽으로 틀다/機首(きしゅ)を少(すこ)し右(みぎ)に～ 기수를 조금 오른쪽으로 돌리다. 可能 ふ-れる 下1自

ふ-る【降る】 5自 **1** (비·눈·서리 등이) 내리다; 오다. ¶雪(ゆき)が～ 눈이 오다/霜(しも)が～ 서리가 내리다. **2** 뜻하지 않은 일이 닥치다. ¶幸運(こううん)が～·ってくる 행운이 몰려오다.

─·って湧(わ)く 뜻밖의 일이 생기는 것의 비유. ¶降ってわいたような話(はなし) 뜻밖에 생긴 운 좋은 얘기/～·ってわいた大軍(たいぐん) 뜻밖에 나타난 대군/降ってわいた災難(さいなん) 뜻밖에 닥친 재난.

─ほど 대단히 많음. ¶満天(まんてん)～の星(ほし) 하늘에 그득한 별/あの娘(むすめ)には縁談(えんだん)が～ある 저 처녀에겐 혼담이 여기저기서 많이 나온다.

> **降る의 여러 가지 표현**
>
> ◆雨(あめ)(비)が ── さっと(쏴)·ざっと(쏴)·ざあっと(좍좍)·ざあざあ(좍좍)·ぱらぱら(후드득후드득)·ぽつぽつ(뚝뚝)·しとしと(부슬부슬)·しょぼしょぼ(보슬보슬).
>
> ◆雪(ゆき)(눈)が ── こんこん (펄펄; 펑펑)·はらはら(소리 없이)·どかっと(잔뜩)·しんしんと(소복이).
>
> ◆霰(あられ)(싸라기눈)が ── ぱらぱら(후드득후드득).

ふる【古】《旧》名《특히, 'おふる'의 꼴로》 한 번 남이 쓴 것; 고물. ＝おさがり. ¶父(ちち)〔兄(あに)〕のお～をもらう 아버지가〔형이〕 쓰던 것을 물려받다; 아버지〔형〕의 퇴물림을 받다.

フル [full] ダナ 풀; 충분함; '온, 전(全)'의 뜻. ¶～エントリー 만원; (배우 등의) 총등장/スピードを～に出(だ)す 전속력을 내다/時間(じかん)を～につかう 시간을 최대한으로 활용하다/一日中(いちにちじゅう)～に働(はたら)く 온종일 쉬지 않고 일하다.

─カウント [full count] 名 (야구·권투 등에서) 풀 카운트.

─コース [full course] 名 (서양 요리에서) 풀 코스.

─スイング [full swing] 名 ス他〖野〗 풀 스윙; 최대한의 스윙.

─スピード [full speed] 名 풀 스피드; 전속력. ¶～で走(はし)る 전속력으로 달리다.

─セット [full set] 名 (배구·테니스 등의) 풀 세트. ¶～の大接戦(だいせっせん) 풀 세트의 대접전.

─タイム [full time] 名 풀 타임《정해진 하루의 근무 시간을 완전히 근무하는 일》. ↔パートタイム.

─ネーム [full name] 名 (서양 사람의) 풀 네임.

─ベース [full base] 名〖野〗 풀 베이스; 만루.

ふる=【古】 낡음; 헌것. ¶～新聞(しんぶん) 헌 신문/～雑誌(ざっし) 헌 잡지.

ぶ-る〖振る〗 一 接尾《名詞나 形容詞의 語幹 등에 붙어서 五段活用 動詞를 만듦》(짐짓) …인 체하다; …연(然)하다. ¶学者(がくしゃ)～ 학자연하다/えら～ 잘난 체하다; 뽐내다/高尚(こうしょう)～ 고상한 체하다/利口(りこう)～·っていやな奴(やつ) 영리한 체하여 미운 녀석. 二 5自 자랑하다; 뽐내다. ＝もったいぶる·きどる·てらう. ¶彼(かれ)はどこか～ところがあっていやだ 그는 어딘지 체하는 데가 있어서 싫다/そう～·らなくてもいいだろう 그렇게 뽐내지 않아도 될 걸세. 参考 二는 一을 독립해서 쓰게 된 것.

ブル 名 **1** ☞ブルドッグ. **2** ☞ブルジョア.

ふる-い【古い】《旧い》形 **1** 오래되다. ㉠ 헐다. ¶～机(つくえ) 헌 책상/～友人(ゆうじん)〔建物(たてもの)〕 오래된 친구〔건물〕/～家柄(いえがら) 유서 깊은 가문. ㉡ 옛일이다. ¶～時代(じだい) 옛 시대/彼(かれ)と知(し)り合(あ)ったのも～話(はなし)だ 그와 알게 된 것도 옛 이야기다. **2** 신식이 아니다; 신선하지 않다; 낡다. ¶～型(かた)の洋服(ようふく) 구형〔구식〕 양복/～洒落(しゃれ)〔話(はなし)〕 케케묵은 익살〔이야기〕/頭(あたま)が～ 머리가 구식이다/～考(かんが)え 낡은〔시대에 뒤진〕 생각/その手(て)は～ 그 수는 낡은 수법이다/～殻(から)を破(やぶ)る 구각을 타파하다. ⇔新(あたら)しい.

ふるい〖篩〗图 체. ＝とおし.
――にかける 체로 치다; 체질하다; (좋은 것만을) 가려내다; 선별하다. ¶年齢で～ 연령을 기준으로 하여 골라〔가려〕 내다 / 十人の候補者の中でふるいにかけられて残った者が三人であった 10명의 후보자 중에서 추리고 남은 자가 3명이었다.
ぶるい【部類】图 부류. ¶優秀の～ 우수한 부류 / ～別に分ける 부류별로 나누다 / これは, いい～だ 이것은 좋은 부류에 속하는 것이다 / 甲と乙とを同じ～に入れる 갑과 을을 같은 부류에 넣다.
ふるいおこ-す【奮い起こす】5他 분기시키다; 분발하게 하다; 불러일으키다. ¶気力を～·して再度いどむ 기운을 내서 재차 도전하다 / 勇気を～·して前進する 용기를 내어 전진하다.
ふるいおと-す【ふるい落とす】《篩い落とす》5他 체로 쳐서 떨어뜨리다; 전하여, 걸러내다. ¶砂を～ 모래를 치다 / 受験者の半分を～ 수험자의 반수를 떨어뜨리다 / 悪い品を～ 나쁜 물건을 추려 내다.
ふるいた-つ【奮い立つ】5自 분기하다; 분발하다. ¶試合を前に全員～ 경기를 앞두고 전원이 분기하다 / 勝報に～ 승보에 분발하다.
ふるいつ-く【震い付く】5自 (확 덤벼들어) 껴안다. ＝抱きつく·むしゃぶりつく. ¶～·きたいような美人 확 껴안고 싶어지는 미인.
***ふる-う**【奮う】《振う》5自 **1** 떨치다; 용기를 내다. ¶士気大いに～ 사기가 크게 떨치다 / 勇を～·って立ち向かう 용기를 내어 맞서다. **2** 성해지다. ¶商売〔成績〕が～·わない 장사가〔성적이〕 시원치 않다〔부진하다〕 / 国力が大いに～ 국력이 크게 떨치다〔매우 융성해지다〕. ⇨ふるって.
***ふる-う**【振るう】5他 **1** 털다. ¶着物を～ 옷을 털다 / すそを～·って立つ 옷자락을 털고 일어서다 / 財布の底を～·って 지갑을〔가진 돈을〕 다 털어. **2**《揮う로도》 휘두르다. ¶健筆を～ 건필을 휘두르다 / 刀を～·って切り込む 칼을 휘둘러 쳐들어가다 / 拳〔暴力〕を～ 주먹〔폭력〕을 휘두르다 / 腕を～ 솜씨를〔능력을〕 발휘하다 / ハンマーを～ 해머를 휘두르다 / 熱弁を～ 열변을 토하다. **3** 떨치다. ¶台風が猛威を～ 태풍이 맹위를 떨치다 / 勇気を～ 용기를 내다 / 蛮勇を～ 만용을 부리다.
ふる-う〖篩う〗5他 **1** (체로) 치다. ¶砂〔小麦粉〕を～ 모래〔밀가루〕를 체로 치다. **2** 선발하다; 가려내다. ¶まず書類選考で～ 우선 서류 전형으로 가려내다 / 志願者を筆記試験で～ 지원자를 필기시험으로 가려내다.
ブルー [blue] 图 블루; 청색. ＝青色.
――カラー [미 blue-collar] 图 블루칼라; 공원(工員); 육체 노동자. ↔ホワイトカラー.
――ジーンズ [blue jeans] 图 블루진; 청바지.
――セックス [blue sex] 图 블루 섹스; 동성연애.
――チップ [blue chip] 图〘經〙 블루 칩; 우량주.
――トレイン [일 blue＋train] 图 (일본의 JR가 운행하는) 장거리 야간 침대 특급 열차의 애칭.
――ヘルメット [blue helmet] 图 블루 헬멧; 유엔 평화 유지군의 통칭《푸른 빛깔의 헬멧이나 베레모를 쓰기 때문》.
ブルース [blues] 图〘樂〙 블루스《4/4 박자의 춤곡의 하나》.
フルーツ [fruits] 图 프루트; 과일. ¶～ケーキ 프루트케이크.
――パーラー [일 fruit＋parlor] 图 프루트 팔러《과일 가게를 겸한 다방》.
フルート [flute] 图〘樂〙 플루트《목관 악기의 하나》. ＝フリュート.
ふるえ【震え】图 떨림. ¶～がくる 떨리다 / ～が止まらない 떨리는 것이 멎지 않는다.
――ごえ【――声】图 떨리는 목소리.
ふるえあが-る【震え上がる】5自 (추위·공포 따위로) 부들부들 떨다. ¶あまりの寒さにみんな～ 심한 추위로 모두가 부들부들 떨다 / 恐がって～ 무서워서 부들부들 떨다.
ふる-える【震える】下1自 **1** 흔들리다; 진동하다. ¶爆音でガラス窓が～ 폭음으로 유리창이 흔들리다. **2** 두려움 따위로 떨리다. ¶寒くて～ 추워서 떨리다 / 声〔唇〕が～ 목소리가〔입술이〕 떨리다 / 怒りに全身が～ 분노로 온몸이 떨리다 / 手が～·えて字が書けない 손이 떨려 글씨를 쓸 수 없다 / ひざががくがく～ 무릎이 덜덜 떨리다.

> **震える의 여러 가지 표현**
>
> **표현例** ぶるぶる(벌벌; 부들부들)·がくがく(바들바들; 오들오들)·がたがた(덜덜; 와들와들)·ひくひく(실룩실룩; 벌룩벌룩)·びくびく(벌벌; 흠칫흠칫)·ぴくぴく(씰룩씰룩)·わなわな(와들와들; 후들후들).

ふるがお【古顔】图 고참. ＝古株. ¶数年勤めて～になる 수년 근무해서 고참이 되다. ↔新顔.
ふるかぶ【古株】图 **1** 묵은 뿌리〔그루〕. **2** 고참. ＝古顔. ¶社員の～ 고참 사원 / ～になる 고참이 되다.
ふるぎ【古着】图 헌 옷; 낡은 옷. ＝ふるて. ¶～屋 헌 옷 장수〔가게〕 / ～をまとう 낡은 옷을 걸치다.
ふるきず【古傷】《古疵》图 **1** 오래된 상처. ¶額の～ 오래된 이마의 상처. ↔生傷. **2** 비유적으로, 오래전에 범한 죄 또는 과실; 구악(舊惡). ¶～を暴き立てる 구악을 폭로하다 / ～に触れる

(이전의) 묵은 상처를 건드리다.
──が痛む 옛 상처가 아프다; 이전에 저지른 나쁜 일이나 체험 등이 생각나서 가슴이 아프다.

ふるぎつね【古ぎつね】《古狐》 名 늙은 여우; (비유적으로) 경험이 많고 교활한 사람《흔히 여자를 일컬음》. ¶金貸しの~にだまされる 돈놀이하는 늙은 여우한테 속다. ⇨古だぬき.

ふるく【古く】 ⊟副 옛날; 오랜 옛적에; 아주 이전부터. ¶~さかのぼれば 옛날로 거슬러 올라가면. ⊟名 훨씬 이전; 옛날. ¶~からのつき合い 오랜 교분/~からの友人 오랜 친구/~からの言い伝え 예전부터 전해 오는 이야기.

ふるくさ-い【古くさい】《古臭い》 形 케케묵다; 신선미가 없다. ¶~考え 케케묵은〔진부한〕 생각/~言い回し 진부한 표현.

ふるさと〖古里·故里·故郷〗 名 고향. ＝郷里. ¶心の~ 마음의 고향/第二の~ 제2의 고향/~の山川 고향의 산천/~をしのぶ 고향을 그리워하다/~に帰る 고향에 돌아가다/~の山はなつかしきかな 고향의 산은 그립기도〔반갑기도〕 하여라.

ブルジョア [프 bourgeois] 名 부르주아; 중산 계급; 자본가. ↔プロレタリア.

=ふる-す【古す】《旧す》《動詞連用形에 붙어, 五段活用動詞를 만듦》 (사용해서) 낡게 하다; 이제는 쓸모가 없을 정도로, 오래 또는 자주 …하다. ¶着~·したオーバー 입어서 낡은 오버/使い~·された機械 써서 낡은 기계/昔から言い~·された言葉 옛날부터 늘 써 오던 말.

ふるす【古巣】 名 **1** 옛 보금자리. **2** 옛 집. ¶~が恋しい 옛 집이 그립다/~にもどる 옛 집에 되돌아오다. **3** 예전에 정들었던 곳. ¶彼はもとの~のP会社に帰った 그는 예전에 정들었던 P회사로 돌아갔다.

ふるだぬき【古だぬき】《古狸》 名 늙은 너구리 (같은 사람); 능구렁이《흔히 남자에 대해 이름》. ¶あの~今度は何をたくらんでいることやら 저 능구렁이, 이번에는 무슨 흉계를 꾸미고 있는지. ⇨古ぎつね.

ふるった〖振るった〗 連体 색다른; 기발한. ¶~意見だ 기발한 의견이다/~話だ 기발한 이야기다.

ふるって〖奮って〗 副 **1** 분발해서; 자진해서. ¶~応募する 분발〔자진〕해서 응모하다/~参加する 적극적으로 참가하다/~献金しましょう 자진해서 헌금합시다. **2** 기운을 내서. ¶~事に当たる 기운을 내어 일에 임하다.

ふるつわもの【古つわもの】《古兵·古強者》 名 역전의 무사; 전하여, 그 방면에 경험·연공을 쌓은 사람. ＝ベテラン. ¶千軍万馬の~ 천군만마의 노련한 무사/政治にかけては~だ 정치에 있어서는 노련한 사람이다.

ふるて【古手】 名 **1** 낡은 것《헌 옷, 헌 도구》. ¶~屋 헌 옷 장수/~の道具 낡은 도구/洋服の~を買う 헌 양복을 사다. **2** 고참. ＝古顔. ¶~の官僚 고참 관료. ↔新手. **3** 낡은〔케케묵은〕 수단·방법. ¶~の思想 케케묵은 사상. ↔新手.

ふるどうぐ【古道具】 名 낡은 가재 도구; 고물. ¶~屋 고물상.

ブルドーザー [bulldozer] 名 불도저. ¶~でならす 불도저로 고르다.

プルトニウム [plutonium] 名〔化〕 플루토늄《방사성 원소의 하나; 기호: Pu》.

ふるなじみ【古なじみ】《古馴染み》 名 오래전부터 친한 사이; 오랜 친구. ＝昔なじみ·旧友. ¶~の客 오랜 단골 손님.

ふる-びる【古びる】 上1自 낡다; 헐다. ¶~·びた家〔洋服〕 낡은 집〔양복〕.

ぶるぶる 副 ス自 추위·두려움으로 떠는 모양: 벌벌; 부들부들. ¶恐ろしくて~(と)ふるえる 무서워서 벌벌 떨다/手が~して字が書けない 손이 부들부들 떨려 글씨를 쓸 수가 없다/身を~震わせる 몸을 벌벌 떨다.

ブルペン [bull pen] 名〔野〕 불펜; 야구장의 한 구석에 있는 투수의 연습장.

ふるぼ-ける【古ぼける】《古呆ける·古惚ける》 下1自 낡아서 퇴색하다〔더러워지다〕. ¶~·けた帽子 낡아빠진 모자/~·けた写真 낡아서 바랜 사진/無理につかえば早く~ 무리하게 쓰면 빨리 헌다.

ふるほん【古本】 名 고본; 헌 책. ＝ふるぼん. ¶~屋 헌 책방/この本は今では~でしか手に入らない 이 책은 지금에 와서는 헌 책〔고본〕으로 밖에 손에 넣을 수 없다. ↔新本.

ふるまい【振る舞い·振舞】 名 **1** 행동; 거동. ＝しわざ·動作. ¶立ち居~ 행동거지/りっぱな~ 훌륭한 행동/亭主らしい~ 남편다운 태도/軽率な~をするな 경솔한 행동을 하지 마라/勝手な~は許さない 시먹은 제멋대로의 행동은 용납하지 않는다. **2** 대접; 향응. ＝もてなし·ちそう·接待.
──ざけ【──酒】 名 대접하기 위한 술.

ふるま-う【振る舞う】 ⊟5自 행동하다. ＝おこなう·はたらく. ¶我がままに~ 제멋대로 행동하다/つとめて明るく~ 애써 명랑하게 굴다〔행동하다〕/主人のように~ 주인처럼 굴다〔행동하다〕/もの静かに~ 차분하게 행동하다.
⊟5他 대접하다; 향응하다. ＝もてなす. ¶酒を~ 술을 대접하다/客に夕食を~ 손님에게 저녁을 대접하다.

ふるめかし-い【古めかしい】 形 예스럽다. ¶~建物 예스러운 건물/~仏像 고풍스러운 불상/~しきたり 고풍스런 관습.

ふるもの【古物】 名 고물; 헌것《특히, 헌

옷가지와 가재도구》. ＝こぶつ. ¶～店〔屋〕 고물전.

ふるわ-す【震わす】 5他 ☞ふるわせる.

ふるわ-せる【震わせる】 下1他 떨(게 하)다; 진동시키다. ＝ふるわす. ¶怒りで体を～ 노여움으로 몸을 떨다/声を～·せて訴える 떨리는 목소리로 호소하다/窓ガラスを～·せて飛び立つジェット機 유리창을 진동시키며 날아오르는 제트기.

ふれ【ふれ·振れ】 名 흔들림; 진동; (수치·위치·방향 등의) 편차(偏差). ¶磁石の～ 자석의 편차/～が大きい 편차가 크다/メーターの～を見る 미터의 움직임을 보다.

ふれ【触れ】 名 일반에게 널리 알림; 또, 그 문서; 포고(布告); 고시(告示). ＝ふれがき·ふれぶみ. ¶お～が出る (정부의) 고시가 나오다.

ぶれ 名 흔들림; 특히 사진에서, 영상이 흐리거나 이중으로 찍히는 일. ¶カメラの～ 카메라의 흔들림/手～ (셔터를 누를 때에) 손이 떨려서 흔들림.

プレ= [pre] 프레…; 이전; 앞; 미리. ¶～ロマンチシズム 프레로맨티시즘; 전기 낭만주의/～オリンピック 프레올림픽/～スクール (취학 전의 과정인) 유치원이나 보육원. ↔ポスト.

フレア [flare] 名 〔裁〕 플레어《나팔꽃 모양으로 퍼지게 된 것》. ＝フレヤー. ¶～スカート 플레어스커트.

ふれあい【触れ合い】 名 접촉; 맞닿음; (마음이) 서로 통함. ¶親子の～ 부모 자식 간의 접촉/心と心の～ 마음과 마음이 서로 통함.

ふれあ-う【触れ合う】 5自 맞닿다; (서로) 스치다; 접(촉)하다; (마음이) 서로 통하다. ¶民衆の心に～政治 민중의 마음과 서로 통하는 정치/肩と肩が～ 어깨와 어깨가 맞닿다〔스치다〕/唇と唇が～ 입술과 입술이 맞닿다《입맞추다》/心と心が～ 마음과 마음이 서로 통하다/車体が～ 차체가 접촉하다〔스치다〕.

ふれある-く【触れ歩く】 5他 널리 알리며〔퍼뜨리고〕 다니다. ＝ふれまわる. ¶緊急避難命令を～ 긴급 피난 명령을 알리며 다니다.

ぶれい【無礼】 名ナ 무례; 실례. ＝ぶしつけ. ¶～者 무례한 놈/～なふるまい 무례한 행동/～を働く 무례한 짓을 하다/～にもこんな手紙をよこした 무례하게도 이런 편지를 보내왔다.

—こう【—講】 名 신분이나 지위의 상하를 가리지 않고 터놓고 어울려 즐기는 주연〔술자리〕. ¶今日は～で行こう 오늘은 (지위 고하를 가리지 말고) 터놓고 마셔 보자.

フレー [hurray] 感 후레이《격려·응원의 소리》; 힘내라; 이겨라. ＝フラー. ¶～, ～, 赤組 후레이, 후레이, 홍군.

プレー [play] 名 플레이. **1** 경기(의 기술). ¶ファイン～ 파인플레이/スタンド～ 스탠드플레이/頭脳～ 두뇌 플레이/降雨中断ののち, ～を再開する 강우로 중단한 후 플레이를 재개하다. **2** 'プレーボール'의 준말. **3** 연극; 연기. ¶珍～ 진기(珍技).

—オフ [play-off] 名 플레이오프; (골프·프로 야구 등에서, 1위가 2명〔팀〕 이상인 경우의) 우승 결정전.

—ガイド [일 play＋guide] 名 플레이 가이드; 흥행물의 입장권 예매나 안내를 하는 곳; 연예 안내소. 注意 바르게는 booking agency.

—ボーイ [playboy] 名 플레이보이.

—ボール [play ball] 名 플레이 볼; (구기(球技)에서) 경기 개시 (선언). ↔ゲームセット.

***ブレーキ** [brake] 名 브레이크; 제동; 장애. ¶エア～ 에어 브레이크/急～ 급브레이크/～がきかない 브레이크가 듣지 않다/民主化の～になる 민주화의 장애가 되다.

—を掛ける 브레이크를 걸다; 진행을 억제하다. ¶行き過ぎに～ 지나친 행동에 브레이크를 걸다.

プレーズ [phrase] 名 프레이즈; 단어의 모임; (관용)구; 성구(成句). ＝フレーズ. ¶キャッチ～ 캐치프레이즈.

プレート [plate] 名 플레이트. **1** (금속)판. ¶ネーム～ 명찰; 명패; 문패/ナンバー～ 번호판. **2** 진공관의 양극. **3** (사진의) 건판. **4**〔野〕 홈 플레이트〔본루〕; 피처스 플레이트〔투수판〕. ¶～を踏む 플레이트를 밟다.

フレーム [frame] 名 프레임. **1** 틀; 테두리. ¶眼鏡の～ 안경테. **2**〔農〕 틀을 짜서 만든 온상; 묘상(苗床).

プレーヤー [player] 名 플레이어. **1** 경기자. **2** 연주자. **3** 레코드·CD 등의 음향 재생 장치. ＝レコードプレーヤー.

ブレーン [brain] 名 브레인. **1** 두뇌. **2** 'ブレーントラスト'의 준말. ¶優秀な～を擁する 우수한 브레인〔전문가 고문단〕을 거느리다.

—スキャナー [brain scanner] 名 브레인 스캐너《방사성 동위 원소를 사용해서 뇌종양이나 장애를 진단하는 장치》.

—トラスト [brain-trust] 名 브레인 트러스트; 국가·회사 등의 고문 기관.

—ドレイン [brain drain] 名 브레인 드레인; 두뇌 유출.

プレーン [plain] ダナ 플레인. **1** 꾸미지 않음; 단순함. ¶～なデザイン 단순한〔꾸밈없는〕 디자인. **2** 가미하지 않음. ¶～ソーダ 가미하지 않은 소다수.

フレキシブル [flexible] ダナ 플렉시블; 유연성〔융통성〕이 있는 모양. ¶～な思考〔発想, 頭脳〕 유연성 있는 사고〔발상, 두뇌〕/～に対応する 유연하게 대처하다.

フレクシプレース [flexiplace] 名 플렉시플레이스; 컴퓨터를 조작하며 집에서

근무하는 일.
ふれこみ【触れ込み】図 미리 말을 퍼뜨림; 사전 선전. =前ぶれ·ふれだし. ¶秀才という~ 수재라는 사전 선전.
ブレザーコート [일 blazer+coat] 図 블레이저 코트; 밝고 화려한 색의 플란넬로 만든, 운동선수들의 정장용 신사복형 저고리《가슴에 휘장을 달기도 함》. =ブレザー.
プレジデント [president] 図 프레지던트. **1** 대통령. **2** 총재. **3** 학장; 회장.
プレス [press] 図ス他 프레스. **1** 압력(을 가함). ¶~ハム 프레스 햄; 눌러 굳힌 햄. **2** 인쇄; 출판; 신문. ¶~クラブ 프레스 클럽; 신문 기자 클럽. **3** 다리미질. =プレッシング. ¶~のきいたズボン 다리미질이 잘 된 바지/ズボンを~する 바지를 다리미질하다.
—ルーム [일 press+room] 図 프레스룸; 기자실.
ブレスト [breast] 図 브레스트. **1** 가슴. **2** 'ブレストストローク(=평영)' 의 준말. =平泳ぎ.
ブレスレット [bracelet] 図 브레이슬릿; 팔찌. =腕輪.
プレゼン 図 ☞プレゼンテーション.
プレゼンテーション [presentation] 図 프레젠테이션; 회의 등에서 기획을 제안·설명하는 일; 특히, 광고 대행사가 광고주에게 계획안을 제시하는 일. =プレゼン.
プレゼント [present] 図ス他 프레젠트; 선사; 선물. ¶クリスマス~ 크리스마스 선물/ハンカチを~する 손수건을 선사하다.
プレタポルテ [프 prêt-à-porter] 図 프레타포르테; (주로 여성용의) 고급 기성복. ↔オートクチュール.
フレックスタイム [flex-time] 図 플렉스타임; 자유 근무 시간제; 가변적 노동 시간제.
プレッシャー [pressure] 図 프레셔; 압력; 정신적 압박. ¶~グループ 압력 단체/~がかかる 압력이 가해지다; 중압감을 느끼다/~をかける 압력을 넣다.
フレッシュ [fresh] ダナ 프레시; 신선함; 참신함. ¶~な感じ 프레시한〔신선한〕 느낌/~ジュース 신선한 주스/~な文学 청신한 문학.
プレハブ [prefab] 図 프리패브; 조립식 주택. ¶~住宅 조립식 주택. 參考 prefabricated house의 준말.
プレパラート [도 Präparat] 図〔生〕프레파라트《현미경 관찰용의 표본》.
ふれまわ-る【触れ回る】5自 **1** 말을 퍼뜨리며 다니다. ¶息子のことを~ 아들 자랑을 하며 돌아다니다/人の悪口を~ 남의 험담을 하고 다니다/詐欺師だと~ 사기꾼이라고 떠들며 돌아다니다. **2** 포고문을 전하며 다니다; 알리며 다니다. ¶町内に~ 동네에 알리며 다니다.
プレミア 図 ☞プレミアム.
プレミアショー [premiere show] 図〔映〕프레미어 쇼; (개봉 전의) 유료 특별 시사회. =プレミア.
プレミアム [premium] 図 프리미엄. **1** 수수료; 권리금. ¶~発行 프리미엄 발행/~が付く 프레미엄이 붙다. **2** 입장권 등의 할증금. =プレミア.
プレリュード [prelude] 図〔樂〕프렐류드; 전주곡; 서곡.
ふ-れる【振れる】下1自 **1** 흔들리다. ¶電灯が~ 전등이 흔들리다/メーターの針が~ 미터〔계량기〕의 바늘이 (서지 않고) 흔들리다. **2** (어떤 방향으로) 쏠리다; 치우치다. ¶少し西に~·れている 약간 서쪽으로 틀어져 있다.
ふ-れる【触れる】⊟下1自 **1** 접촉하다; 닿다. ¶水底に~ 물속 바닥에 (발이) 닿다/手と手が~ 손과 손이 닿다/外気に~ 바깥 공기를 쐬다/軽く~ 가볍게 닿다/空気に~·れると酸化する 공기와 접촉하면 산화한다. **2** 들어오다; 느끼다. ㉠눈에 띄다. ¶目に~ 눈에 띄다; 보이다. ㉡귀에 들려오다. ¶耳に~ 귀에 들리다. ㉢마음에 들어오다. ¶心に~ 심금을 울리다. **3** (규칙 등에) 저촉되다; 걸리다. =そむく·ひっかかる. ¶法律に~ 법률에 저촉되다. **4** 언급하다. ¶手みじかに~ 간략하게 언급하다/その事に~·れておく 그 일에 언급해 두다. **5** 감촉하다. ¶雷に~ 벼락을 맞다/電気に~ 감전하다. **6** 거슬리다. ¶気に~ 기분을 상하게 하다/怒りに~ 노여움을 사다.
⊟下1他 **1** 접촉하다; 대다; 건드리다; 만지다. ¶はだを~ 살을 대다《남녀가 육체관계를 맺다》/手を~·れないでください 손을 대지 말아 주십시오. **2** 널리 일반에게 알리다. =いいふらす. ¶あちこち~·れ(て)歩く 여기저기 말을 퍼뜨리고 다니다.
ふ-れる〖狂れる〗下1自 《'気が~' 의 꼴로》 미치다; 돌다. =狂う. ¶彼女は気が~·れている 그녀는 실성했다.
ぶ-れる 下1自 정상 위치에서 벗어나다; 특히, 사진을 찍을 때 카메라가 흔들리다. ¶映像が~ 영상이 흔들려 한쪽으로 기울다.
プレレコ [←prerecording] 図〔映〕프리레코《화면을 촬영하기 전에 음악이나 대사를 녹음하는 일》. =プリレコ. ↔アフレコ.
ふれんぞくせん【不連続線】図〔氣〕불연속선.
フレンチ [French] 図 프렌치; '프랑스식의' 의 뜻; 또, 프랑스인〔어〕. ¶~カンカン 프렌치 캉캉.
—カジュアル [French casual] 図 프렌치 캐주얼; 도시적 감각을 살린 일상복 패션.
—トースト [French toast] 図 프렌치〔프랑스식〕 토스트《우유와 계란을 섞은 것에 빵을 적셔 프라이팬에 구운 것》.

フレンド [friend] 名 프렌드; 친구. ¶ボーイ〔ガール〕~ 보이〔걸〕 프렌드.
──シップ [friendship] 名 프렌드십; 우정; 우애.
ブレンド [blend] 名ス他 블렌드; 풍미·향 등을 좋게 하기 위해 종류가 다른 것을 섞음; 또, 그 섞은 것. ¶コーヒー~ 커피 블렌드 / 数種(すうしゅ)の酒(さけ)を~する 몇 종류의 술을 혼합하다.
***ふろ** 〖風呂〗 名 **1** 목욕(물); 목욕통; 욕조. ¶~にはいる 목욕하다 / ~をわかす 목욕물을 데우다 / ~が沸(わ)く 목욕물이 데워지다. **2** 대중목욕탕. =ふろ屋(や)·銭湯(せんとう). ¶~代(だい) 목욕값 / 男(おとこ)〔女(おんな)〕ぶろ 남〔여〕탕 / ~に行(ゆ)く 공중 목욕탕에〔목욕하러〕 가다.
──を立(た)てる 목욕물을 데우다.
***プロ** 名 프로. **1** 'プログラム'의 준말. ¶音楽(おんがく)~ 음악 프로 / 芸能(げいのう)~ 연예 프로. **2** 'プロダクション'의 준말. ¶独立(どくりつ)~ 독립 프로덕션. **3** 'プロフェッショナル'의 준말. ¶~野球(やきゅう) 프로 야구 / ~レス 프로 레슬링 / ~の選手(せんしゅ) 프로 선수. ↔アマ·ノンプロ.
フロア [floor] 名 플로어; 마루; (빌딩의) 층. =フロアー. ¶~スタンド 플로어스탠드《마루 위에 놓은 스탠드》/ 彼(かれ)の部屋(へや)も同(おな)じ~だ 그의 방도 같은 층이다.
──ショー [floor show] 名 플로어 쇼.
ブロイラー [broiler] 名 브로일러; 통거리로 굽는 데 쓰이는 영계.
ふろう【不老】名 불로; 늙지 아니함. ¶~長寿(ちょうじゅ) 불로장수 / ~の秘訣(ひけつ) 늙지 않는 비결.
ふろう【浮浪】名ス自 부랑; 방랑. ¶~者(しゃ)〔人(にん)〕 부랑자 / ~児(じ) 부랑아 / 町(まち)から町へ~する 이 거리 저 거리로 떠돌아다니다.
ふろうしょとく【不労所得】名 불로 소득. ↔勤労(きんろう)所得.
ブローカー [broker] 名 브로커; 중개인. =仲買人(なかがいにん)·周旋屋(しゅうせんや). ¶不動産(ふどうさん)~ 부동산 중개인.
ブロークン [broken] ダナ 브로큰; 규칙을 어긴 것; 정식이 아닌 모양; 변칙. ¶~イングリッシュ 엉터리 영어 / 彼(かれ)の英語(えいご)は~だ 그의 영어는 엉터리다.
ふろおけ 〖風呂桶〗 名 목욕통; 욕조.
フローズン [frozen] 名 프로즌; (식품 등이) 냉동됨. ¶~フード 프로즌푸드; 냉동 식품.
ブローチ [brooch] 名 브로치. ¶~を胸(むね)につける 브로치를 가슴에 달다.
フローリング [flooring] 名 플로링《마루를 까는 널빤지》. =フロアリング.
***ふろく**【付録·附録】名 부록. **1** 본문에 덧붙여서 기록한 것. ¶巻末(かんまつ)~ 권말 부록 / ~を付(つ)ける 부록을 달다. ↔本編(ほんぺん). **2** '別冊付録(べっさつふろく)(=별책 부록)'의 준말. =おまけ. ¶正月号(しょうがつごう)の~ 1월호의 부록. ↔本誌(ほんし)·本紙(ほんし).

プログラマー [programmer] 名 〔컴〕 프로그래머; 프로그램 작성자.
***プログラム** [program] 名 프로그램. **1** (방송·연예·경기 등의) 순서(표); 프로. =プロ. ¶~を組(く)む 프로를 짜다. **2** 예정(표); 계획(표). **3** 컴퓨터에 의한 처리 순서와 계산 방법을 지시한 것. ¶コンピューターの~を作(つく)る 컴퓨터의 프로그램을 만들다.
──ばいばい【──売買】名 〔經〕 프로그램 매매《일정한 조건하에 매도나 매수 판단을 하는 프로그램에 따라 매매 타이밍의 분석이나 주문까지를 자동적으로 행하는 채권·주식의 매매; 또, 선물(先物)·현물의 차익 거래를 위한 운용을 말함》. 参考 program trading의 역어.
プロジェクト [project] 名 프로젝트; 계획; 연구 과제. ¶~チーム 프로젝트〔기획〕 팀; 특별 편성 팀 / 商品開発(しょうひんかいはつ)~ 상품 개발 계획 / 大型(おおがた)~ 대형 프로젝트.
***ふろしき** 〖風呂敷〗 名 **1** 보자기. ¶衣類(いるい)を~に包(つつ)む 의류를 보자기에 싸다. **2**
──を広(ひろ)げる 허풍을 떨다. ⌊허풍.
プロショップ [일 professional+shop] 名 전문점.
プロセス [process] 名 프로세스; 과정; 공정; 방법. ¶作業(さぎょう)の~ 작업 공정.
プロダクション [production] 名 프로덕션. **1** 생산. ¶マス~ 매스 프로덕션; 대량 생산. **2** 영화 제작(소). =プロ. **3** 탤런트의 출연 기획을 맡은 사무소.
フロック [fluke] 名 플루크; 요행; 우연한 행운〔성공〕. ¶~で勝(か)つ 요행수로 이기다 / ~をねらう 요행을 노리다.
ブロック [프 bloc] 名 블록; 정치·경제상의 공동 이해를 가진 단체나 국가 등의 집단. ¶~経済(けいざい) 블록 경제; 광역 경제(권).
ブロック [block] 一名 블록. **1** 네모난 석재(石材); 콘크리트 벽돌. ¶~建築(けんちく) 블록 건축 / ~塀(べい) 블록담. **2** 시가지의 한 구획. =街区(がいく). **3** 컴퓨터에서, 한 단위로 취급되는 관련 문자의 집단.
二名ス他 운동경기에서, 상대방의 공격을 방해·저지함. ¶敵(てき)の前進(ぜんしん)を~する 적의 전진을 방해하다.
フロックコート [frock coat] 名 프록코트; 남성의 통상 예복. =フロック.
プロット [plot] 名 플롯; 소설·각본 등의 줄거리; 구상.
フロッピーディスク [floppy disk] 名 〔컴〕 플로피 디스크. =フロッピー.
プロテクター [protector] 名 프로텍터; 위험으로부터 몸을 보호하는 방호구《캐처의 가슴받이 따위》.
プロテスタント [Protestant] 名 프로테스탄트; 개신교(도). ↔カトリック.
プロデューサー [producer] 名 프로듀서《라디오·TV의 프로 제작자; 영화 제작자; 연극의 연출자》. =プロジューサー. ¶~システム 프로듀서 시스템《프로듀서

가 기획에서 완성까지의 모든 책임을 지는 제도》.

ふろば【ふろ場】《風呂場》名 (목)욕실; 목욕탕. =湯殿(ゆどの)·浴場(よくじょう). ¶タイル張(ば)りの~ 타일을 바른 욕실.

プロパガンダ [propaganda] 名 프로파간다; 선전 (활동). =プロ.

プロパンガス [propan gas] 名 프로판〔액화 석유〕 가스《LPG》. =プロパン.

プロフィール [profile] 名 프로필; 옆 얼굴; 측면상(像); 인물 약평. =プロフィル. ¶夫人(ふじん)が語(かた)る長官(ちょうかん)の~ 부인이 말하는 장관의 프로필.

プロフェッショナル [professional] ダナ 프로페셔널; 직업적(임); 프로. =プロ. ↔アマチュア.

プロペラ [propeller] 名 프로펠러. ¶~機(き) 프로펠러기 / ~の音(おと) 프로펠러 소리. 參考 선박의 경우는 スクリュー를 씀.

プロポーション [proportion] 名 프로포션; 비율; 비례; 균형; 모양. ¶~のとれた体(からだ) 균형 잡힌 몸 / ~がいい 균형이 잘 잡혀 있다.

プロポーズ [propose] 名 자自 프로포즈; 신청함; 특히, 구혼. ¶思(おも)いきって彼女(かのじょ)に~する 작심하고 그녀에게 프로포즈하다.

ブロマイド [bromide] 名 브로마이드; 배우·운동선수 등의 초상 사진.

プロムナード [프 promenade] 名 프롬나드; 산책; (포장한) 산책길.

プロモーター [promoter] 名 프로모터; 주최자; 발기인; 흥행사(師).

ふろや【ふろ屋】《風呂屋》名 목욕탕; 대중탕. =銭湯(せんとう)·ゆや.

プロレス [←professional wrestling] 名 프로레슬링《'プロレスリング' 의 준말》.

プロレタリア [도 Proletarier] 名 프롤레타리아; 노동자; 무산자. ¶~独裁(どくさい) 프롤레타리아 독재. ↔ブルジョア.

プロローグ [prologue] 名 프롤로그. **1** (작품의) 서막; 서곡; 서언. **2** (비유적으로) 사건의 발단. ⇔エピローグ.

フロン [일 flon] 名〔化〕 플루오로카본(fluorocarbon)의 일본 관용명; 프레온. ¶~ガス 프레온 가스.

ブロンズ [bronze] 名 브론즈; 청동; 동상.

フロンティア [frontier] 名 프런티어; 국경 지방; 변경; 특히, (미국 개척사에서) 개척된 지역의 최전선. ¶~スピリット 프런티어 스피릿; 개척 정신.

フロント [front] 名 프런트. **1** 정면; 전면; 전선. ↔バック. **2** 호텔 등의 정면 현관의 계산대〔접수대〕. ¶部屋(へや)の鍵(かぎ)を~にお預(あず)け下(くだ)さい 방 키를 프런트에 맡기십시오. ▷front desk.

──ガラス [일 front+glass] 名 프런트글라스《자동차의 정면 유리창》. *영어로는 windscreen 또는 windshield라고 함.

──ドライブ [front drive] 名 프런트 드라이브; 자동차의 전륜(前輪) 구동 (방식). ↔リアドライブ.

ブロンド [blond(e)] 名 블론드; 금발(의 여자). ¶~の美人(びじん) 금발 미인.

プロンプター [prompter] 名〔劇〕 프롬프터; 무대 뒤에서 대사를 읽어 주는 사람. =後見(こうけん)·黒(くろ)ん坊(ぼう).

ふわ【不和】名ナ 불화. ¶家庭(かてい)の~ 가정 불화 / ~の仲(なか) 불화한 사이 / ~のもと 불화의 근원〔원인〕 / ~になる 사이가 나빠지다.

ふわく【不惑】名 불혹《40세를 이르는 말》. ¶~を迎(むか)える 불혹을 맞이하다 / よわい~をすぎる 나이가 40을 넘다.

ふわけ [腑分け] 名 자他 해부(解剖)《예스러운 표현》. ¶人体(じんたい)の~ 인체 해부.

ふわたり【不渡り】名 부도. ¶~小切手(こぎって) 부도 수표 / ~になる 부도가 나다 / ~を出(だ)す 부도를 내다.

──てがた【──手形】名 **1** 부도 어음. **2** 헛된 약속. =空(から)約束(やくそく).

ふわふわ 一副 자自 **1** 가볍게 뜨거나 또는 움직이는 모양: 둥실둥실; 둥둥. ¶~(と)空(そら)に浮(う)かぶ 둥실둥실 공중에 뜨다 / カーテンが~(と)ゆれる 커튼이 나붓거리다 / 風船(ふうせん)が~(と)飛(と)んで行(い)く 풍선이 둥실둥실 떠 날아가다. **2** 마음이 들뜬 모양. ¶~(と)した気分(きぶん) 들뜬 기분. 二副 ダナ 부드럽게 부푼 모양: 폭신폭신. ¶~のふとん 폭신폭신한 이불.

ふわらいどう【付和雷同】名 자自 부화뇌동. ¶一人(ひとり)の意見(いけん)に~する 한 사람의 의견에 부화뇌동하다.

ぶわり【歩割】名 비율. =歩合(ぶあい).

ふわりと 副 **1** 가볍게 뛰어오르는〔떨어지는〕 모양: 살짝; 사뿐. =ふんわり. ¶~飛(と)び下(お)りる 사뿐히 뛰어 내리다. **2** 가볍게 떠돌거나 또는 흔들리는 모양: 붕; (두)둥실; 너풀너풀. =ふんわり. ¶~空中(くうちゅう)に浮(う)かぶ 두둥실 공중에 뜨다 / カーテンが風(かぜ)で~揺(ゆ)れる 커튼이 바람에 너풀거린다. **3** 슬쩍 가볍게 걸치는 모양. ¶~毛布(もうふ)を掛(か)けてやる 담요를 살짝 덮어 주다 / 毛皮(けがわ)のコートを~羽織(はお)った 모피 코트를 가볍게 걸쳐 입었다.

ふん【分】名 분. **1** 시간의 단위. ¶~刻(きざ)みのスケジュール 분 단위의 스케줄. **2** 각도의 단위《60분이 1도》.

ふん〖糞〗名 똥; 대변. =くそ. ¶鳥(とり)〔犬(いぬ)〕の~ 새〔개〕똥 / ~をする 똥을 누다. ↔尿(にょう). 參考 보통 동물의 똥을 말함.

ふん 感 **1** (손아랫사람에게) 가볍게 대꾸하거나 불만·경시(輕視) 등의 기분을 나타내는 콧소리: 흥. =ふむ. ¶~, わかった 응, 알았어 / ~, 何(なに)を言(い)うか 흥, 무슨 말을 하는 거냐 / ~, たったこれっぽっちか 흥, 겨우 이것뿐이야. **2** (반은 탄복하며) 반은 의심쩍음을 나타내는 콧소리: 흠. =ふうん. ¶~, なるほどね 흠, 정말 그렇구먼.

ふん= '거칠게'의 뜻《'踏(ふ)み'의 전와(轉訛)》. ¶~づかまえる 거칠게 붙잡다 / ~だくる 난폭하게 빼앗다.

ふん〘粉〙教4 フン こな こ | 분 가루 | **1** 가루. ¶粉末(ふんまつ) 분말 / 粉食(ふんしょく) 분식. **2** 빻다. ¶粉砕(ふんさい) 분쇄. **3** 꾸미다. ¶粉飾(ふんしょく) 분식.

ふん〘紛〙常用 フン まぎれる まぎらす まぎらわす まぎらわしい | 분 어지럽다 | 혼란하다; 복작거리다. ¶紛争(ふんそう) 분쟁 / 内紛(ないふん) 내분.

ふん〘雰〙常用 フン | 분 안개 | 자욱이 끼다; 에워싸다. ¶雰囲気(ふんいき) 분위기.

ふん〘噴〙常用 フン ふく はく | 분 뿜다 | 내뿜다. ¶噴射(ふんしゃ) 분사 / 噴出(ふんしゅつ) 분출 / 自噴(じふん) 자분.

ふん〘墳〙常用 フン | 분 봉분 | 무덤. ¶墳墓(ふんぼ) 분묘 / 古墳(こふん) 고분.

ふん〘憤〙常用 フン いきどおる | 분 결내다 | 분개하다. ¶憤怒(ふんぬ) 분노 / 悲憤(ひふん) 비분.

ふん〘奮〙教6 フン ふるう | 분 떨치다 | 분발하다. ¶奮闘(ふんとう) 분투 / 興奮(こうふん) 흥분.

ふん〘分〙 ☞ぶん〘分〙

ぶん【分】㊀名 **1** 분; 분수. ＝身(み)のほど. ¶～に安(やす)んずる 분에 만족하다 / ～に応(おう)じて 분수에 맞게〔따라서〕/ ～をわきまえる〔守(まも)る〕 분수를 알다〔지키다〕/ ～に過(す)ぎる 분에 넘치다. **2** 본분; 직분. ¶親(おや)としての～を尽(つ)くす 부모로서의 할 일을 다하다. **3** 모양; 상태; 정도. ¶この～で行(ゆ)けば 이 상태〔대로〕라면 / 話(はな)す～にはさしつかえない 말하는 정도라면 무방하다; 말하는 데는 지장 없다. **4** 부분. ¶殖(ふ)えた～は貯金(ちょきん)する 증식분은 저금한다 / 残(のこ)った～は明日(あす)やる 나머지 부분은 내일 한다 / 減(へ)った～を補(おぎな)う 줄어든 부분을 보충하다 / 早(はや)く起(お)きた～だけ早くねむくなった 일찍 일어난 만큼 일찍 졸음이 왔다. **5** 몫. ¶これが君(きみ)の～だ 이것이 네 몫이다 / この菓子(かし)は弟(おとうと)の～に残(のこ)しておく 이 과자는 동생 몫으로 남겨 둔다. ㊁接頭 분…; 나뉜; 갈라진. ¶～教場(きょうじょう) 분교장. ㊂接尾 **1** …분. ㉠나눔. ¶二(に)～する 양분하다. ㉡부분. ¶繰(く)り越(こ)し～ 이월(移越)분 / 持(も)ち～ 소유 부분; 지분. ㉢성분. ¶塩(えん)～ 염분. ㉣분량. ¶五人(ごにん)～ 5인분 / 一箇月(いっかげつ)～ 한 달분〔치〕. **2** 임시의 신분; 뻘. ¶親(おや)～ 두목; 부모처럼 의지하고 있는 사람 / 兄弟(きょうだい)～ 의형제 / 兄貴(あにき)～ 형뻘; 형처럼 모시고 있는 사람.

***ぶん**【文】名 **1** 글; 글월; (전거가 되는) 문장. ¶～にいわく 문헌에서 이르기를 / ～をつくる〔ねる〕 글을 짓다〔다듬다〕/ ～を草(そう)する 문장을 초잡다. **2**〘文法〙 문장; 문절. ＝センテンス. ¶～の成分(せいぶん) 문장의 성분. ↔単語(たんご). **3** (무(武)에 대하여) 학문·문예 등. ¶～を修(おさ)める 학문을 닦다.
──は人(ひと)なり 글은 인품이다; 글은 그 필자의 인품을 나타낸다.

ぶん＝〈俗〉 냅다(《'ぶち'의 힘줌말》). ¶～なぐる 후려 갈기다 / ～なげる 냅다 던지다 / ～回(まわ)す 세게 돌리다. ⇨ぶっ＝.

ぶん〘分〙教2 ブン フン ブ わける わかれる わかる わかつ | 분 나누다 | **1** 나누다; 나누어지다. ㉠떼다; 재다. ¶分解(ぶんかい) 분해 / 等分(とうぶん) 등분. ㉡분별하다. ¶分別(ふんべつ) 분별. ㉢분리되어 나간 것. ¶分家(ぶんけ) 분가 / 分派(ぶんぱ) 분파. **2** (시간의) 분. ¶二時間四十分(にじかんよんじっぷん) 2시간 40분. **3** 그렇게 정한 관계. ¶親分(おやぶん) 두목 / 兄貴分(あにきぶん) 형뻘. **4** (무엇에 대하여 차지하는) 비율. ¶分(ぶ)が悪(わる)い 불리하다 / 分(ぶ)がある 유리하다.

ぶん〘文〙教1 ブン モン ふみ あや | 문 글월 | **1** ㉠글자; 서체. ¶文字(もんじ·もじ) 문자 / 文盲(もんもう) 문맹. ㉡문장; 문예 작품. ¶文芸(ぶんげい) 문예 / 経文(きょうもん) 경문. **2** 옛날 돈의 단위. ¶一文銭(いちもんせん) 한 푼짜리 엽전. **3** '文学(部)(ぶんがく(ぶ))(＝문학(부))'의 준말. ¶文博(ぶんはく) 문박; 문학 박사.

ぶん〘蚊〙常用 ブン か | 문 모기 | 모기. ¶蚊虻(ぶんぼう) 문망; 모기와 등에 / 蚊帳(かや) 모기장.

ぶん〘聞〙教2 ブン モン きく きこえる | 문 듣다 | 듣다; 들리다. ¶見聞(けんぶん·けんもん) 견문.

ぶんあん【文案】名 문안; 문서의 초안; 문장의 초고. ＝草案(そうあん). ¶～を作(つく)る〔練(ね)る〕 문안을 작성하다〔다듬다〕.

ぶんい【文意】名 문의; 문장〔글〕의 뜻. ¶～不明(ふめい) 문의 불명 / ～を汲(く)む 문의를 이해하다 / ～が通(とお)らない 글 뜻이 통하지 않는다.

***ふんいき**【雰囲気】名 분위기. ＝ムード. ¶職場(しょくば)の～ 직장 분위기 / ～が気(き)に入(い)らない 분위기가 마음에 들지 않다 / ～のある人(ひと)〔俳優(はいゆう)〕 분위기가 있는 사람〔배우〕/ 和(なご)やかな～を醸(かも)し出(だ)す 부드러운 분위기를 자아내다 / 熱(あつ)っぽい～に包(つつ)まれる 뜨거운 분위기에 휩싸이다 / ～に呑(の)まれる〔なじめない〕 분위기에 압도하다〔익숙해지지 않다〕.

ふんえん【噴煙】名 (화산 따위의) 뿜어내는 연기. ¶盛(さか)んに～を上(あ)げる 끊임없이 연기를 내뿜다 / 火山(かざん)が～を吐(は)く 화산이 연기를 뿜다.

ぶんえん【分煙】名ス他 흡연의 피해를 다소나마 줄이기 위해, 흡연과 금연의 장소 및 시간을 구분하는 일.

ふんか【噴火】名ス自 분화. ¶火山(かざん)が～する 화산이 분화하다.
──こう【──口】名 분화구. ＝火口(かこう).
──ざん【──山】名 분화산; 활화산.

ぶんか【分化】名ス自 분화. ¶工程(こうてい)の～ 공정의 분화 / 器官(きかん)が～する 기관이 분화하다 / 学問(がくもん)がますます～する 학문이 점점 더 분화한다.

ぶんか【分科】图 분과. ¶ ~会(かい) 분과회.

ぶんか【文科】图 문과. **1** 문학·철학·법학 등의 학과. ¶ ~系(けい) 문과계. **2** 문학부; 문학과. ¶ ~大学(だいがく) 문과 대학《'文学部(ぶんがくぶ)(=문학부)'의 구칭》. ⇔理科(りか).

**ぶんか【文化】图 문화. =カルチャー. ¶ ~史(し) 문화사 / ~生活(せいかつ) 문화 생활 / 東洋(とうよう)~ 동양 문화 / ~の交流(こうりゅう) 문화 교류 / ~が開(ひら)ける 문화가 깨다; 개화되다 / ~が発達(はったつ)する 문화가 발달하다.

—いさん【—遺産】图 문화유산.

—さい【—祭】图 (학교 또는 지역의) 문화 축제 행사.

—ざい【—財】图 문화재. ¶ 無形(むけい)~ 무형 문화재 / 埋蔵(まいぞう)~ 매장 문화재.

—てき【—的】ダナ 문화적. ¶ ~な生活(せいかつ) 문화적인 생활.

—のひ【—の日】图 문화의 날《일본의 국경일의 하나; 11월 3일》.

ふんがい【憤慨】图ス自他 분개. ¶ 大(おお)いに~する 크게 분개하다 / ~にたえない 분개해 마지않다.

*ぶんかい【分解】图ス自他 분해. ¶ 空中(くうちゅう)~ 공중분해 / 電気(でんき)~ 전기 분해 / 時計(とけい)を~掃除(そうじ)する 시계를 분해 소제하다. ↔組(く)み立(た)て·合成(ごうせい).

ぶんかいせいプラスチック【分解性プラスチック】图 분해성 플라스틱; 폐기 후에 햇빛·산소·박테리아 등에 의해 무해(無害)한 성분으로 분해되어 버리는 플라스틱. ▷degradable plastics의 역어.

*ぶんがく【文学】图 문학. ¶ ~書(しょ) 문학서 / ~愛好家(あいこうか) 문학 애호가 / ~作品(さくひん)〔青年(せいねん)〕 문학 작품〔청년〕/ ~を愛(あい)する 문학을 사랑하다.

ぶんかつ【分割】图ス他 분할. ¶ 領土(りょうど)~ 영토 분할 / 土地(とち)を~して売(う)る 토지를 분할하여 팔다.

—ばらい【—払い】图 분할불; 할부. ↔一時払(いちじばら)い.

ぶんかん【文官】图 문관. ↔武官(ぶかん).

—ゆうい【—優位】图 문관 우위.

ふんき【奮起】图ス自 분기; 분발. ¶ ~を促(うなが)す 분발을 촉구하다 / 侮辱(ぶじょく)されて彼(かれ)も~した 모욕을 당하고 그도 분발했다 / 大(おお)いに~して勉強(べんきょう)する 크게 분발해서 공부하다.

ぶんき【分岐】图ス自 분기; 가는 방향이 갈라짐. ¶ 道(みち)が四方(しほう)に~している 길이 사방으로 갈라져 있다.

—てん【—点】图 분기점. =分(わ)かれめ. ¶ 鉄道(てつどう)の~ 철도의 분기점 / 人生(じんせい)の~に立(た)つ 인생의 갈림길에 서다.

ふんきゅう【紛糾】图ス自 분규. ¶ ~を招(まね)く 분규를 초래하다 / 両者間(りょうしゃかん)に~がおきた 양자간에 분규가 일어났다 / ~した事態(じたい)を解決(かいけつ)する 분규 사태를 해결하다 / 相続問題(そうぞくもんだい)で~する 상속 문제로 분규가 일어나다.

ぶんきょう【文教】图 문교. ¶ ~政策(せいさく) 문교 정책 / ~をつかさどる 문교를 담당〔관장〕하다.

ぶんぎょう【分業】图ス他 분업. ¶ ~化(か) 분업화 / 医薬(いやく)~ 의약 분업 / ~にして能率(のうりつ)を上(あ)げる 분업으로 하여 능률을 올리다.

ぶんきょうじょう【分教場】图 분교장; 분교. ¶ ~の先生(せんせい) 분교의 선생. ↔本校(ほんこう). 参考 지금은 分校(ぶんこう)라고 함.

ふんぎり〖踏ん切り〗图 결단; 단호한 결심. ¶ ~が悪(わる)い 결단성이 없다 / ~をつける 결단을 내리다 / なかなか~がつかない 좀처럼 결단이 내려지지 않는다. 注意 '踏(ふ)み切(き)り'의 음편.

ふんぎ-る〖踏ん切る〗5自 결행하다; 결단하다; 결심하다. ¶ 実施(じっし)に~ 실시하기로 결단을 내리다. 注意 '踏(ふ)み切(き)る'의 음편(音便).

ぶんぐ【文具】图 문구; 문방구. =文房具(ぶんぼうぐ). ¶ ~商(しょう)〔店(てん)〕 문구상〔점〕/ ~を揃(そろ)える 문방구를 갖추다.

ぶんけ【分家】图ス自 분가. =別家(べっけ)·新宅(しんたく). ¶ ~の叔父(おじ) 분가한 숙부 / 次男(じなん)が~する 차남이 분가하다. ↔本家(ほんけ).

ぶんけい【文系】图 문과계; 문과 계통. ↔理系(りけい).

ふんけい〔刎頸〕图 문경; 목을 침.

—の交(まじ)わり 문경지교; 생사를 같이할 만한 절친한 친교.

ぶんけい【文型】图 문형; 글의 유형. =センテンスパターン. ¶ 基本(きほん)~ 기본 문형 / ~練習(れんしゅう) 문형 연습.

ぶんげい【文芸】图 문예. ¶ ~欄(らん)〔批評(ひひょう)〕 문예란〔비평〕/ ~作品(さくひん) 문예 작품 / 大衆(たいしゅう)~ 대중 문예.

—ふっこう【—復興】图 문예 부흥. =ルネサンス.

ふんげき【憤激】图ス自 분격; 격분. =激憤(げきふん)·激怒(げきど). ¶ ~を買(か)う 분노를 사다 / ひきょうなやり方(かた)に~する 비겁한 짓에 분격하다 / 無礼(ぶれい)な仕打(しう)ちに~する 무례한 처사에 격분하다 / ~のあまり我(われ)を忘(わす)れた 격분한 나머지 제정신을 잃었다.

ぶんけん【分権】图 분권. ¶ ~化(か) 분권화 / 地方(ちほう)~ 지방 분권. ↔集権(しゅうけん).

ぶんけん【分遣】图ス他 분견. ¶ ~隊(たい) 분견대.

*ぶんけん【文献】图 문헌. ¶ ~学(がく) 문헌학 / 参考(さんこう)~ 참고 문헌 / ~が見(み)つかる 문헌이 발견되다 / ~をあさる 문헌을 찾아다니다 / いろいろな~を調(しら)べる 여러 가지 문헌을 조사하다.

ぶんげん【分限】图 분한; 신분; 분수. =身(み)のほど·分際(ぶんざい). ¶ ~を守(まも)る〔わきまえる〕 분수를 지키다〔알다〕.

ぶんこ【文庫】图 문고. **1** 서고(書庫); 전하여, 수집된 장서(藏書). ¶ 学級(がっきゅう)~ 학급 문고. **2** 서류·문방구 등을 넣어 두는 상자. ¶ 手(て)~ 문갑. **3** 보급용의 작고 싼 책.

—ばん【—判】图 문고판《국판의 반절 「크기」》.

ぶんご【文語】图 문어. **1** 문장어. =書(か)きことば. ¶ ~体(たい) 문어체 / ~的(てき)な言(い)

いまわし 문어적인 표현. **2** 특히, 일본 고전에서 쓰이는 말((平安(へいあん) 시대의 문법을 기초로 발달함)). ¶～文法(ぶんぽう) 문어 문법. ⇔口語(こうご).

ぶんこう【分光】名ス他〖理〗분광. ¶～分析(ぶんせき) 분광 분석.

—き【—器】名〖理〗분광기.

ぶんこう【分校】名 분교. ¶僻地(へきち)の～ 벽지의 분교. ↔本校(ほんこう).

ぶんごう【文豪】名 문호. ¶～の名作(めいさく) 문호의 명작 / ～が輩出(はいしゅつ)した時代(じだい) 문호가 배출된 시대.

ぶんこつ【分骨】名ス自他 분골; 죽은 사람의 유골을 두 군데 이상으로 나누어 묻음; 또, 그 유골. ¶故郷(こきょう)に～する 고향에 분골하다.

ふんこつさいしん【粉骨砕身】名ス自 분골쇄신. ¶国事(こくじ)に～する 국사에 분골쇄신하다 / ～努力(どりょく)します 분골쇄신 노력하겠습니다.

ふんさい【粉砕】名ス他 분쇄. ¶～機(き) 분쇄기 / 敵軍(てきぐん)〔相手(あいて)チーム〕を～する 적군〔상대 팀〕을 쳐부수다.

ぶんさい【文才】名 문재; 글재주. ¶すぐれた～ 뛰어난 문재 / ～のある人(ひと) 글재주가 있는 사람 / ～に富(と)む 글재주가 많다.

ぶんざい【分際】名 (그다지 높지 않은) 신분; 분수. ＝分限(ぶんげん)·身(み)のほど. ¶～をわきまえる 분수를 알다 / 学生(がくせい)の～でなまいきだ 학생 신분으로 건방지다 / すねかじりの～でぜいたくだ 부모에게 얹혀사는 처지에 사치스럽다. 參考 나무라거나 겸손을 표시할 때 씀.

ぶんさつ【分冊】名ス他 분책. ¶第一(だいいち)～ 제일 분책 / 上(じょう)中(ちゅう)下(げ)の三(さん)～ 상·중·하의 세 분책 / ～にして発売(はつばい)する 분책해서 발매하다. ↔合冊(がっさつ).

ぶんさん【分散】名ス自他 분산. ¶人口(じんこう)が～する 인구가 분산되다 / 兵力(へいりょく)を～する 병력을 분산하다 / プリズムによって光(ひかり)が～する 프리즘에 의해서 빛이 분산하다. ↔集中(しゅうちゅう).

ふんし【憤死】名ス自 분사. ¶憂国(ゆうこく)の志士(しし)が～する 우국지사가 분사하다 / 本塁(ほんるい)寸前(すんぜん)で～する (야구에서 러너가) 홈 직전에서 아깝게 아웃되다.

ぶんし【分子】名 분자. **1**〖化〗몇 개의 원자의 집합체. ¶～式(しき) 분자식. **2** 집단 중의 일원. ＝成員(せいいん). ¶不穏(ふおん)～ 불온 분자. **3**〖數〗분수나 분수식에서 횡선 위에 쓰는 수나 식. ↔分母(ぶんぼ).

ふんしつ【紛失】名ス自他 분실. ¶～物(ぶつ) 분실물 / ～届(とどけ) 분실 신고 / かぎ〔定期(ていき)〕を～する 열쇠를〔정기 승차권을〕 분실하다.

ぶんしつ【分室】名 **1** 분실. ¶～長(ちょう) 분실장 / 研究所(けんきゅうじょ)の～ 연구소의 분실. **2** 작게 나누어진 방.

ふんじば-る【ふん縛る】5他 〈俗〉 단단히〔우악스럽게〕 묶다. ¶手足(てあし)〔泥棒(どろぼう)〕を～ 수족〔도둑〕을 단단히 묶다.

ふんしゃ【噴射】名ス他 분사. ＝ジェット. ¶逆(ぎゃく)～ 역분사 / ～推進(すいしん)装置(そうち) 분사 추진 장치 / ロケットを～して人工衛星(じんこうえいせい)の軌道(きどう)を修正(しゅうせい)する 로켓을 분사하여 인공위성(의) 궤도를 수정하다.

ぶんじゃく【文弱】名ナ 문약. ¶～の徒(と)〔男(おとこ)〕 문약한 무리〔남자〕 / ～に流(なが)れる 문약에 흐르다.

ぶんしゅう【文集】名 문집. ¶学級(がっきゅう)〔クラス〕～ 학급 문집 / 卒業紀念(そつぎょうきねん)～を編(あ)む 졸업 기념 문집을 엮다.

ふんしゅつ【噴出】名ス自他 분출. ¶石油(せきゆ)が～する 석유가 분출하다 / 溶岩(ようがん)が～する 용암이 분출하다.

ふんしょ［焚書］名 분서.

—こうじゅ［—坑儒］名〖史〗분서갱유.

***ぶんしょ**【文書】名 문서; 서류. ＝書類(しょるい)·書(か)きもの·もんじょ. ¶公(こう)〔私(し)〕～ 공〔사〕문서 / 回答(かいとう)は～でお願(ねが)いします 회답은 문서로 부탁합니다.

ぶんしょう【分掌】名ス他 분장. ¶事務(じむ)～ 사무 분장 / 政務(せいむ)を～する 정무를 분장하다.

ぶんしょう【文相】名 문상. ＝文部科学大臣(もんぶかがくだいじん). 注意 'ぶんそう'는 잘못.

***ぶんしょう**【文章】名 문장. ¶～家(か) 문장가 / 簡潔(かんけつ)な～ 간결한 문장 / ～をつくる 문장을 짓다 / ～で示(しめ)す 문장으로 나타내다 / ～がうまい 글 솜씨가 좋다 / ～が下手(へた)だ 문장이 서투르다.

—ご【—語】名 문장어. ＝書(か)きことば. ↔口頭語(こうとうご)·談話語(だんわご).

ぶんじょう【分乗】名ス自 분승. ¶五台(ごだい)の車(くるま)に～する 다섯 대의 차에 분승하다.

ぶんじょう【分譲】名ス他 분양. ¶～地(ち) 분양지 / ～住宅(じゅうたく) 분양 주택 / 住宅を～する 주택을 분양하다 / 整地(せいち)して～する 정지하여 분양하다.

ふんしょく【粉食】名ス自 분식. ¶～に慣(な)れる 분식에 익숙해지다 / ～を奨励(しょうれい)する 분식을 장려하다. ↔粒食(りゅうしょく)·米食(べいしょく).

ふんしょく【粉飾】名ス他 분식; 겉치레. ¶～決算(けっさん) 분식 결산 / 事実(じじつ)を～する 사실을 분식〔미화〕하다 / ～して報告(ほうこく)する 분식해서 보고하다. 參考 본디, 분·연지 따위로 화장하는 일.

ふんしん【分針】名 분침. ＝長針(ちょうしん). ↔時針(じしん)·秒針(びょうしん).

ふんじん［粉塵］名 분진; 돌이나 금속 따위가 부서져서 된 가루〔먼지〕.

ぶんしん【分身】名 분신. ¶子(こ)は親(おや)の～ 자식은 그 부모의 분신 / 主人公(しゅじんこう)は作者(さくしゃ)の～だ 주인공은 작자의 분신이다.

ぶんしん【文臣】名 문신. ↔武臣(ぶしん).

ぶんじん【文人】名 문인. ¶～画(が)〔劇(げき)〕 문인화〔극〕 / ～趣味(しゅみ) 문인 취미.

—ぼっかく【—墨客】名 문인 묵객.

ふんすい【噴水】名 분수. ＝ふきあげ. ¶

～井戸 분수 샘 / ～の仕掛け 분수 장치 / ～から水が出ている 분수에서 물이 나오고 있다.

ぶんすい【分水】图ス自他 분수; 물의 흐름이 갈라짐; 또, 물의 흐름을 가름.

—れい［—嶺］图 분수령. ¶～を成している山脈 분수령을 이루고 있는 산맥.　「분수식.

ぶんすう【分数】图〖數〗분수. ¶～式

ふん-する［扮する］サ変自 분하다; 분장하다. ＝扮装する. ¶ハムレットに～ 햄릿으로 분장하다 / 女に～して登場する 여자로 분장해 등장하다.

***ぶんせき**【分析】图ス他 분석. ¶情勢［状況］～ 정세［상황］ 분석 / 精神～ 정신 분석 / 定量～ 정량 분석 / 原因を～する 원인을 분석하다. ↔総合·合成.　「책임.

ぶんせき【文責】图 문책; 쓴 글에 대한

—ざいきしゃ【—在記者】連語 문책 재기자《남의 담화 따위를 문장으로 발표할 경우, 문장상의 책임은 그것을 정리한 사람에게 있음을 나타내는 말》.

ぶんせつ【分節】图ス他 분절; 이어진 전체를 몇 개로 나눔; 또, 그 하나하나.

ぶんせつ【文節】图〖文法〗문절; 실제의 언어로서 글을 부자연스럽지 않을 정도로 구분한 최소 단위《'辞書で(＝사전으로)' '調べた(＝조사했다)' 따위》. ＝文素. ↔単語·文·文章.

ふんせん【奮戦】图ス自 분전. ＝奮闘. ¶～記 분전기 / ～(も)空しく 분전도 헛되이 / 強敵を相手に～する 강적을 상대로 분전하다 / 最後まで～して死ぬ 최후까지 분전하다 죽다.

ふんぜん【奮然】トタル 분연. ¶～たる決意 분연한 결의 / ～として戦う 분연히 싸우다.

ふんぜん【憤然】《忿然》トタル 분연. ¶～たるおももち 분연한 표정 / ～と(して)席を立つ 분연히 자리를 뜨다.

ぶんせん【文選】图ス他 문선. ¶～工 (인쇄소의) 문선공.

ふんそう［扮装］图ス自 분장. ¶～をこらす 분장에 공들이다 / 僧に～する 승려로 분장하다.

***ふんそう**【紛争】图ス自 분쟁. ＝もめごと. ¶国境［学園］～ 국경［학원］ 분쟁 / 労使～ 노사 분쟁 / ～が絶えない 분쟁이 끊이지 않는다 / ～に巻き込まれる 분쟁에 휘말리다 / ～を引き［巻き］起こす 분쟁을 일으키다.

ぶんそうおう【分相応】图ダナ 능력이나 지위에 잘 어울림; 격［분수］에 맞음. ＝身分相応. ¶～の望み 신분에 어울리는 소망 / ～の住まい 분수에 맞는 주거 / ～に扱う 격에 어울리게 다루다 / ～なことを言う 신분에 걸맞은 말을 하다. ↔過分.　「도.

ふんそく【分速】图 분속; 1분간의 속

ふんぞりかえ-る【ふんぞり返る】《踏ん反り返る》5自 (의자에 앉은 사람 따위가) 거만하게 몸을 뒤로 젖히다; 뽐내다. ¶椅子［課長席］に～っている 의자［과장석］에 턱 버티고［으스대고］ 앉아 있다.　「장.

ぶんたい【分隊】图 분대. ¶～長 분대

ぶんたい【文体】图 문체. ¶簡潔な～ 간결한 문체 / 古めかしい［洗練された］～ 예스러운［세련된］ 문체.

ふんだく-る 5他〈俗〉**1** 탈취하다; 낚아채다. ＝ひったくる. ¶かばんを～って逃げる 가방을 확 낚아채어 도망치다 / 十万円を～ 10만 엔을 탈취하다. **2** 바가지 씌우다. ＝ぼる. ¶酒代として三万円～られた 술값으로 3만 엔이나 바가지 썼다.

ふんだりけったり【踏んだりけったり】連語 엎친 데 덮치기로 곤욕을 겪는 모양. ¶～のしうち 가혹한 처사 / これじゃまるで～だ 이건 정말 엎친데 덮친 격이다.

ふんだん ダナ 많음; 충분함. ＝たくさん. ¶～な軍資金 풍부한 군자금 / ～に湧く湯 펑펑 솟는 더운물 / ～に使う 흥청망청 쓰다 / 食糧は～にある 식량은 넉넉히 있다.

***ぶんたん**【分担】图ス他 분담. ¶～金 분담금 / 費用の～ 비용의 분담 / 組み立て作業を～する 조립 작업을 분담하다.

ぶんだん【分断】图ス他 분단. ¶～国家 분단국가 / 組織を～する 조직을 (여러 개로) 갈라 놓다 / 国が東西に～される 나라가 동서로 분단되다 / 大雨で鉄道が～された 큰비로 철도가 분단되었다.

ぶんだん【文段】图 문단; 문장의 단락.

ぶんだん【文壇】图 문단; 문학계. ¶～に出る 문단에 나서다.

ぶんちゅう【文中】图 문중; 글 중. ¶～敬称略 문중 경칭 생략 / 次の～から助動詞を選び出せ 다음 글 중에서 조동사를 가려내라.

ぶんちょう【文鳥】图〖鳥〗문조. ¶手乗りの～ 손에 올라앉는 문조.

ぶんちん【文鎮】图 문진; 서진(書鎭). ＝卦算. ¶紙の上に～を載せる 종이 위에 문진을 얹어 놓다.

ぶんつう【文通】图ス自 편지 왕래. ¶～が絶える 편지 왕래가 끊어지다 / 外国の友人と～する 외국의 벗과 편지 왕래하다 / 十年来～を続けている 10년 전부터 지금까지 편지 왕래를 계속하고 있다.

ふんづ-ける【踏ん付ける】下1他〈俗〉짓밟다《'踏みつける(＝밟다)'의 힘준 말》. ¶眼鏡を～けてこわす 안경을 짓밟아 못 쓰게 만들다.

ふんづまり【ふん詰まり】《糞詰まり》图〈俗〉**1** 변비. ＝べんぴ·秘結. ¶～になる 변비가 되다. **2** 꽉 막힘; 불통이 됨. ¶～の状態 꽉 막힌 상태.

ぶんてん【文典】图 문전; 문법 책. ＝文

法書. ¶国語の～ 국어 문전.

ふんど【憤怒】《忿怒》名ス自 분노. ＝ふんぬ. ¶～の念をおぼえる 분노를 느끼다/卑劣な行為に対して～する 비열한 행위에 대하여 분노하다.

ぶんと【分都】名ス自 분도; 수도에 집중된 행정 기구의 일부를 다른 곳으로 이전·분산시키는 일. ¶～案 분도안.

ぷんと 副 **1** 성이 나서 뾰로통한 얼굴 모양. ¶～した顔つき 뾰로통한 얼굴/～ふくれる 뾰로통해지다. **2** 냄새가 강하게 나는 모양: 물컥. ¶～来る 냄새가 물씬 나다/～におう 냄새가 물씬 풍기다/酒のにおいが～する 술냄새가 확 풍기다/悪臭が～鼻をつく 악취가 코를 찌르다.

***ふんとう**【奮闘】名ス自 분투. ¶孤軍～ 고군분투/～の甲斐もなく敗れた 분투한 보람도 없이 패했다/事態収拾のため～する 사태 수습을 위해 분투하다.

ふんどう【分銅】名 분동; 추. ¶～を載せる 추를 얹다. 「↔文末.

ぶんとう【文頭】名 문두; 서두(書頭).

ぶんどき【分度器】名 분도기; 각도기.

ふんどし〖褌〗名 들보; 남성의 음부를 가리기 위한 천. ＝下帯. ¶人の～で相撲を取る 남의 샅바를 차고 씨름하다《남의 잠방이 입고 춤춘다》.

――を締める 들보를 단단히 매다《결심하고 각오를 새로이하다》. ¶褌を締めて掛かる 마음을 다잡고 일에 임하다.

――かつぎ【――担ぎ】名 **1** 関取의 샅바나 둘러메고 따라다니는 졸때기 씨름꾼. ＝取り的. **2** 최하급자; 졸때기. ＝したっぱ. ¶まだぺいぺいの～です 아직 새까만 졸때기입니다.

ぶんどり【分捕り】名 빼앗음; 빼앗은 것. ¶～品 노획품; 노획물/予算の～合戦 예산의 쟁탈전.

ぶんど-る【分捕る】5他 (싸움터에서) 적의 무기 따위를 빼앗다; 전하여, 남의 것을 빼앗다: 탈취하다. ¶戦車を～ 전차를 노획하다/友人の帽子を～ 친구의 모자를 빼앗다/大企業に市場を～·られる 대기업에 시장을 빼앗기다.

ぶんなぐ-る【ぶん殴る】《打ん殴る》5他 〈俗〉 후려갈기다. ¶思い切り～ 마음껏 후려갈기다.

ふんにゅう【粉乳】名 분유. ＝こなミルク·ドライミルク. ¶脱脂～ 탈지분유/～を飲ませる 분유를 먹이다.

ふんにょう[糞尿]名 분뇨; 똥오줌. ¶～を処理する 분뇨를 처리하다.

ふんぬ[憤怒·忿怒]名ス自 분노. ＝ふんど. ¶～の形相 분노의 형상/～絶頂に達する 분노가 절정에 이르다.

ぶんのう【分納】名ス他 분납. ¶授業料～ 수업료 분납/税金を～する 세금을 분납하다. ↔全納.

ぶんぱ【分派】名ス自 분파. ¶～(的)行動 분파(적) 행동/～活動 분파 활동/新たに～を作る 새로 분파를 만들다/主流から～する 주류에서 분파하다. ↔本流.

ぶんばい【分売】名ス他 분매. ¶全集を～する 전집을 분매하다/～も致します 분매도 합니다.

***ぶんぱい**【分配】名ス他 분배. ¶利益の～に与する 이익 분배에 한몫 끼다/もうけを均等に～する 번 것을 균등하게 분배하다/食糧を貧民に～する 식량을 빈민에게 분배하다.

ふんぱつ【奮発】名ス自 **1** 분발. ＝発奮. ¶～して勉強に励む 분발하여 공부에 힘쓰다/さあ, もう一～して頑張ろう 자 조금 더 분발해서 버티자. **2** 큰마음 먹고 많은 금품을 냄. ¶チップを～する 팁을 후하게 주다/もう千円～して下さい 천 엔만 더 쓰십시오《상인의 말》/ボーナスが出たから, 今日は～するよ 보너스가 나왔으니 오늘은 큰맘 먹고 내지.

ふんば-る〖踏ん張る〗5自 **1** 양다리를 벌리고 힘껏 버티다. ¶両足を～·って立つ 양다리를 버티고 서다/土俵ぎわで～ 씨름판의 경계에서 밀리지 않으려고 힘껏 버티다. **2** 완강히 버티다; 뻗대어 굽히지 않다. ＝がんばる. ¶もう少しだから～·れ 이제 얼마 안 남았으니 참고 견뎌라/最後まで～ 끝까지 참고 견디다/～·ってやり遂げる 있는 힘을 다해 버티어 해내다/～·って自説を曲げない 뻗대어 자설을 굽히지 않다. 可能 ふんば-れる 下1自

ふんぱん【噴飯】名 분반; 웃음을 참을 수가 없음.

――もの【――物】名 실소를 금할 수 없는 일; 우스꽝스러운 일. ¶あの件は～だった 그 건은 우습기 짝이 없는 일이었다/そんなことを言うなんて～だぞ 그런 말을 하다니 웃기는 일이야.

ぶんぴ【分泌】名ス自他 ☞ぶんぴつ.

***ぶんぴつ**【分泌】名ス自他〘生〙분비. ＝ぶんぴ. ¶～物〔液〕 분비물〔액〕/胃液を～する 위액을 분비하다.

ぶんぴつ【文筆】名 문필. ¶～家 문필가/～の才 문필의 재능/～生活 문필 생활/～に親しむ 문필을 즐기다/～に携わる 문필업에 종사하다.

ふんびょう【分秒】名 분초. ＝寸刻. ¶～を惜しむ 분초를 아끼다.

――を争う 분초를 다투다. ¶～問題 분초를 다투는 문제.

ぶんぶ【文武】名 문무. ¶～百官 문무백관/～兼備 문무겸전/～両道の達人 문무 양도의 달인/～にたけた名将 문무에 뛰어난 명장.

***ぶんぷ**【分布】名ス自 분포. ¶方言の～図 방언의 분포도/人口～ 인구 분포/～が広い 분포가 넓다/島の植物の～状態を調べる (그) 섬의 식물 분포 상태를 조사하다.

ぶんふそうおう【分不相応】图ダナ 신분·능력 따위에 어울리지 않음.
ぶんぶつ【文物】图 문물. ¶～制度(せいど) 문물 제도 / 西洋(せいよう)の～ 서양의 문물.
ふんぷん【紛紛】トタル 분분; 어수선하게 뒤섞임. ¶～たる諸説(しょせつ) 분분한 여러 설 / 雪(ゆき)が～と飛(と)び散(ち)る 눈이 분분하게 흩날리다.
ぶんぶん 副 붕붕; 윙윙. **1** 비행기 따위가 나는 소리. **2** 곤충의 날개 소리. ¶蜂(はち)が～飛(と)ぶ 벌이 붕붕 날다. **3** 바람 소리가 날 정도로 휘두르는 모양. ¶棒(ぼう)を～(と)振(ふ)り回(まわ)す 막대기를 휘휘〔윙윙〕 휘두르다.
ぷんぷん 副ス自 **1** ☞ぷりぷり3. **2** 냄새가 몹시 나는 모양: 물씬; 확확. ¶香水(こうすい)が～(と)におう 향수 냄새가 물씬 나다 / 酒(さけ)のにおいを～させている男(おとこ) 술냄새를 확확 풍기고 있는 사나이 / 不浄(ふじょう)のにおいが～する 대소변 냄새가 물씬 나다.
*ふんべつ【分別】图ス他 분별; 철; 지각. ¶思慮(しりょ)～がある 사려 분별이〔철이 들어〕 있다 / ～のない子(こ) 철없는 아이 / ～がつかない 분별이 서지 않다. 参考 'ぶんべつ'라고 하면 딴 말.
—くさ-い〘—臭い〙形 분별이 있는 체하다. ¶～顔(かお) 분별 있는 체하는 얼굴 / 子供(こども)のくせに～ことをいう 어린아이 주제에 분별 있는 체하는 말을 하다.
—ざかり【—盛り】名ナ 한창 세상 이치를 분별할 나이; 또, 그 사람. ¶四十(しじゅう)五十(ごじゅう)は～ 사십 오십은 한창 사리에 밝을 나이.
—らし-い 形 지각이 있어 보이다. ¶～顔(かお)つき 지각이 있어 보이는 표정.
ぶんべつ【分別】图ス他 분별; 종류에 따라 나누어 가름. ¶～収集(しゅうしゅう) (쓰레기의) 분리 수거 / ～書法(しょほう) 띄어쓰기 / ごみの～作業(さぎょう) 쓰레기 분류 작업. 参考 'ふんべつ'라고 하면 딴 말.
ふんべん［糞便］图 똥. ＝くそ·大便(だいべん).
ぶんべん［分娩］图ス他 분만; 해산. ＝出産(しゅっさん). ¶～室(しつ) 분만실 / 無痛(むつう)～ 무통 분만 / 男子(だんし)を～する 남아를 분만하다.
ふんぼ【墳墓】图 분묘. ＝はか.
—の地(ち) **1** 묘지. **2** 자기 조상의 묘지가 있는 곳; 곧, 고향.
ぶんぼ【分母】图〔数〕분모. ↔分子(ぶんし).
*ぶんぼう【文房】图 문방; 서재(書齋). ¶～四宝(しほう) 문방사우(四友).
—ぐ【—具】图 문방구. ＝文具(ぶんぐ). ¶～屋(や) 문방구점. 注意 'ぶんぽうぐ'라고도 함.
ぶんぽう【文法】图〔言〕문법. ¶～学(がく) 문법학 / ～にかなわない語法(ごほう)を用(もち)いる 문법에 맞지 않는 어법을 쓰다.
ふんまつ【粉末】图 분말; 가루. ＝こ·こな. ¶～ジュース 분말 주스 / 石炭(せきたん)の～ 석탄 가루 / ～状(じょう)にして用(もち)いる 분말 상태로 만들어 쓰다.
ぶんまわ-す【ぶん回す】5他 세차게 휘두르다〔돌리다〕. ¶バット〔刀(かたな)〕を～ 배트를〔칼을〕 세차게 휘두르다.
ふんまん［憤懣·忿懣］图 분만; 울분. ¶～を鎮(しず)める 분만을 달래다 / ～を漏(も)らす 분만을 토로하다 / ～をぶつける 울분을 터뜨리다 / ～やるかたない 분만을 풀 길이 없다.
ぶんみゃく【文脈】图 문맥. ¶～をたどる 문맥을 더듬다 / ～が乱(みだ)れている 문맥이 서 있지 않다 / 前後(ぜんご)の～から意味(いみ)を判断(はんだん)する 전후 문맥으로 뜻을 판단하다 / ～から言(い)うと, そうは理解(りかい)出来(でき)ない 문맥으로 보면 그렇게는 생각할 수 없다.
ぶんみん【文民】图 문민; (군인이 아닌) 일반인; 민간인. 参考 civilian의 역어(譯語). ↔軍人(ぐんじん).
ふんむき【噴霧器】图 분무기. ＝霧吹(きりふ)き·スプレー. ¶～で殺虫剤(さっちゅうざい)を掛(か)ける 분무기로 살충제를 뿌리다.
ぶんめい【分明】图ダナ 분명. ＝明白(めいはく). ¶～な事実(じじつ) 분명〔명백〕한 사실 / 事(こと)を～に説(と)き進(すす)む 사실을 분명하게 설명해 나아가다 / 結論(けつろん)を～にする 결론을 분명히 하다 / 両者(りょうしゃ)の違(ちが)いは～である 양자의 차이는 분명하다 / 趣旨(しゅし)は～だ 취지는 분명하다.
**ぶんめい【文明】图 문명. ¶～国(こく) 문명국 / ～人(じん) 문명인 / ～の利器(りき) 문명의 이기 / 物質(ぶっしつ)～ 물질 문명 / ～が進(すす)む 문명이 진보하다. ↔野蛮(やばん).
ぶんめい【文名】图 문명; 글을 잘한다는 소문. ¶～を馳(は)せる 문명을 날리다 / ～とみに上(あ)がる 문명이 갑자기 높아지다 / ～が高(たか)い 문명이 높다.
ぶんめん【文面】图 문면. ¶たどたどしい～ 서투른 글로 된 문면 / 誠意(せいい)の読(よ)み取(と)れる～ 읽어서 성의를 헤아려 알 수 있는 문면 / この～から察(さっ)すると… 이 문면으로 살피건대… / 近々(きんきん)上京(じょうきょう)するという手紙(てがみ)の～だ 일간 상경한다는 편지 사연이다.
*ぶんや【分野】图 분야. ¶科学(かがく)の～ 과학 분야 / 専門(せんもん)～ 전문 분야 / 得意(とくい)の～ 자신 있는 분야 / 産業(さんぎょう)の各(かく)～ 산업의 각 분야.
ぶんゆう【文友】图 문우; 시문(詩文)을 통한 벗. ＝詩友(しゆう).
ぶんよ【分与】图ス他 분여; 나누어 줌. ¶子供(こども)たちに財産(ざいさん)を～する 아이들에게 재산을 나누어 주다.
ぶんらく【文楽】图 浄瑠璃(じょうるり)에 맞추어 하는 설화(說話) 인형극.
ぶんらん［紊乱］图ス自他 문란. ¶風俗(ふうぞく)～ 풍속 문란 / 風紀(ふうき)が～する 풍기가 문란해지다. 注意 흔히 'びんらん'이라고도 함.
*ぶんり【分離】图ス自他 분리. ¶政教(せいきょう)～ 정교 분리 / 中央(ちゅうおう)～帯(たい) 중앙 분리대 / 水(みず)と油(あぶら)は完全(かんぜん)に～する 물과 기름은 완전히 분리된다.

― かぜい【―課税】图 분리 과세.

ぶんり【文理】图 문리; 문과와 이과. ¶~学部 문리 학부.

ぶんりつ【分立】분립. ㊀图ス自 갈라져서 존재함. =ぶんりゅう. ¶三権~ 삼권 분립. ㊁图ス他 나누어 따로 설립함. ¶子会社〔支店〕を~する 자회사를〔지점을〕 분립하다.

ふんりゅう【噴流】图ス自 분류; 내뿜듯이 세차게 흐름; 또, 그 흐름. ¶溶岩の~ 용암의 분류/~式洗浄器 분류식 세척기.

ぶんりゅう【分流】图ス自 **1** 분류. ¶利根川の~ 利根강의 분류〔지류〕/A地で~して太平洋に注ぐ A지에서 분류하여 태평양으로 흘러 들어가다. ↔本流. **2** 전하여, 분파.

*ぶんりょう【分量】图 분량. ¶目~ 눈대중/仕事の~ 일의 분량/~をふやす〔へらす〕 분량을 늘리다〔줄이다〕/砂糖の~が多すぎる 설탕의 분량이 너무 많다.

*ぶんるい【分類】ス他 분류. ¶~表 분류표/図書の~ 도서 분류/形による~ 형태에 따른 분류/大きさで~する 크기로 분류하다/~を繰り返す 분류를 되풀이하다/細かに~する 세분하다.

ふんれい【奮励】图ス自 분려. ¶一同の~を望む 일동의 분투 노력을 바란다/~努力する 분투 노력하다.

ぶんれい【文例】图 문례. =例文. ¶~が豊富だ 문례가 풍부하다.

ぶんれつ【分列】图ス自 분열. ¶~行進 분열 행진/~飛行 분열 비행.

―しき【―式】图 분열식.

*ぶんれつ【分裂】图ス自 분열. ¶細胞~ 세포 분열/~を起こす 분열을 일으키다/会が二つに~する 모임이 두 개로 분열되다. ↔統一.

―しょう【―症】图 '精神分裂病(=정신 분열병)'의 속칭.

ふんわり 副トス自 **1** 동작·상태가 가볍고 부드러운 모양: 살짝; 사뿐. =ふわりと. ¶~着陸する 사뿐히 착륙하다/~と空に浮かぶ雲 두둥실 하늘에 떠 있는 구름. **2** 부드럽게 부풀어 있는 모양: 폭신폭신. =ふっくら. ¶~(と)したふとん 폭신한 이불/~した髪型 푸한〔봉곳한〕 머리모양.

へ ヘ

1 五十音図 'は行'의 넷째 음. [he]
2〔字源〕'部'의 방(旁)의 초서체《かたかな 'ヘ'는 '部'의 방(旁)의 약체》.

へ〖屁〗图 **1** 방귀. =おなら. ¶すかし屁 소리 안 나게 뀐 방귀/~をひる〔こく〕 방귀를 뀌다. **2** 가치 없는 것; 시시한 것; 하찮은 것. ¶~理屈 말도 안 되는 소리; 강변(強辯)/~のようなものだ 하찮은 것이다.

―でもない 문제가 되지 않다; 하잘것없다.

―とも思わない 방귀만큼도 여기지 않는다; 아무렇지도 않게 여기다. ¶約束を破ることを~ 약속을 어기는 것쯤은 아무렇지도 않게 여기다.

へ 感 **1** (주로 신분이 낮은 사람이 쓰는) 대답의 말: 예; 예이. =へい. ¶~, ここにおります 예, 여기 있습니다. **2** 상대를 업신여겨 이르는 말: 흥. =へん. ¶~, あの人が社長だなんて 흥, 저 사람이 사장이라니.

へ e 格助 **1** 동작의 방향을 나타내는 데 씀: …로; …으로. ¶北~飛ぶ 북쪽으로 날다/家~帰る 집으로 돌아가다. **2** 동작·작용의 상대를 나타내는 데 씀: …에; …에게; …께. ¶母~の手紙 어머님께 보내는 편지/先生~よろしくお伝えください 선생님께 안부 전해 주세요. **3** 사물이 존재하는 위치를 나타내는 데 씀: …에. ¶ここ~荷物を置いてはいけない 여기에 짐을 두어서는 안 된다/押入れ~しまったままだ 벽장에 넣어 둔 채로다. 参考 2, 3은 'に'와 거의 같은 뜻으로 쓰임. **4**《'…たところ~' '…ているところ~' 등의 꼴로》 한 가지 일 외에 또 다른 일이 일어남을 나타냄: …(하는) 데; …(하고 있는) 데. ¶寝ようとしたところ~電話がかかってきた 자려고 하는데 전화가 걸려 왔다/風呂に入っているところ~お客が来た 목욕하고 있는데 손님이 왔다.

=べ【辺】…가; 근처. ¶海〔浜〕~ 바닷가/岸~ 물가; 바닷가; 강가/野~ 들판; 벌판/山~ 산 부근.

=ぺ **1** 세련되지 못한 사람에 대한 경멸의 뜻을 나타내는 말. ¶いなかっ~ 시골뜨기/在郷っ~ 촌뜨기. **2** 친한 사람 이름 밑에 붙여서 친근한 뜻을 나타내는 말. ¶道子っ~ 道子야.

ヘア [hair] 图 **1** 헤어; 머리털. ¶~スタイル 헤어 스타일/~ブラシ 머릿솔. **2** '음모(陰毛)'의 완곡한 표현. 注意 'ヘアー' 'ヘヤ'라고도 함.

―アイロン [일 hair+iron] 图 헤어 아이론; 고데.

―スプレー [hair spray] 图 헤어스프레이.

―トニック [일 hair+tonic] 图 헤어토닉; 모발 강장제; 양모제.

―バンド [일 hair+band] 图 헤어밴드; 머리띠.

―ピン [hairpin] 图 헤어핀; 머리핀. ¶~カーブ (헤어핀과 같이 커브가 급한) 유(U)자형 굴곡로.

―リキッド [hair liquid] 图 헤어 리퀴

ド; 남성용 액체 정발제.

ベア 图 'ベースアップ(=베이스업)'의 준말. ¶ ~率(りつ) 임금 인상률 / 五(ご)パーセントの~ 5퍼센트의 임금 인상.

ペア [pair] 图 페어; 쌍; 짝. ¶ ~を組(く)む 짝을 짓다; 한 조를 이루다.

—ルック [일 pair+look] 图 페어 룩; 애인·부부가 같은 빛깔·무늬의 옷을 입는 일; 또, 그 무늬나 옷.

ベアリング [bearing] 图 베어링; 축받이. =軸受(じくう)け. ¶ ボール~ 볼베어링.

へい【丙】 图 병. **1** 십간(十干)의 셋째. **2** 등급·성적 따위의 3위. ¶ 英語(えいご)の成績(せいせき)はいつも~だった 영어 성적은 늘 병이었다.

へい【兵】 图 **1** 군대; 군인. ¶ ~を進(すす)める 진군하다 / ~を募(つの)る 군인을 모집하다 / ~を動(うご)かす 군대를 움직이다〔이동시키다〕. **2** 전쟁; 군사(軍事). ¶ ~を構(かま)える 전쟁을 하다 / ~を談(だん)ず 군사를 논하다. **3** 병졸; 사병; 병사. ¶ ~を集(あつ)める 병사를 모으다 / ~八人(はちにん)をひきいる 사병 8명을 거느리다. 参考 接尾語적으로도 씀. ¶ 一等(いっとう)~ 일(등)병.

—は神速(しんそく)を貴(たっと)ぶ 병귀신속(兵貴神速); 용병(用兵)은 신속해야 함.

—を挙(あ)げる 거병(擧兵)하다; 군사를 일으키다.

へい【塀】(屛) 图 담; 특히, 널판장. ¶ 煉瓦塀(れんがべい) 벽돌담 / ブロック塀(べい) 블록담 / ~を乗(の)り越(こ)える 담을 타고 넘다 / ~を巡(めぐ)らす 담장을 두르다.

へい【弊】 一图 폐습; 악습; 폐해. ¶ 積年(せきねん)の~ 오랜 폐습 / 飲酒(いんしゅ)の~ 음주의 폐해. 二 接頭 자기 것에 붙이는 겸칭: 폐…. ¶ ~社(しゃ) 폐사 / ~店(てん) 폐점.

へい 感 상인이 손님에게, 또 하인이 주인에게 알았습니다의 뜻을 나타내는 예스러운 표현: 예(이). =へ1. ¶ ~, お待(ま)ち 예이, 기다리십시오 / ~, 承知(しょうち)しました 예, 잘 알았습니다.

へい〖丙〗(丙) 常用 ヘイ ひのえ | 병 셋째천간 |
병. **1** 천간(天干)의 셋째. ¶ 丙午(へいご) 병오. ⇨ひのえ. **2** 사물의 제3위. ¶ 丙種(へいしゅ) 병종 / 甲乙丙(こうおつへい) 갑을병.

へい〖平〗(平) 教3 ヘイ ビョウ たいら ひら | 평 평평하다 화평하다 | **1** 평평하다. ¶ 平地(へいち) 평지 / 水平(すいへい) 수평. **2** 평온하다. ¶ 平和(へいわ) 평화 / 平穏(へいおん) 평온 / 泰平(たいへい) 태평.

へい〖兵〗 教4 ヘイ ヒョウ つわもの いくさ | 병 군사 |
1 군인; 군대. ¶ 兵営(へいえい) 병영 / 歩兵(ほへい) 보병. **2** 무기. ¶ 兵器(へいき) 병기. **3** 전쟁; 군사(軍事). ¶ 兵法(へいほう) 병법 / 挙兵(きょへい) 거병. **4** 사병. ¶ 兵卒(へいそつ) 병졸.

へい〖併〗(倂) 常用 ヘイ あわせる ならぶ しかし | 병 나란히하다 | **1** 나란히 하다; 양립하다; 늘어놓다. ¶ 併行(へいこう) 병행 / 併記(へいき) 병기. **2** 양쪽을 취하다; 합치다. ¶ 併合(へいごう) 병합 / 併用(へいよう) 병용.

へい〖坪〗(坪) 常用 ヘイ つぼ | 평; 토지 면적의 단위. ¶ 建坪(たてつぼ) 건평 / 建坪率(けんぺいりつ) 건폐율. 参考 주로 훈독함. ⇨つぼ(坪).

へい〖並〗(竝) 教6 ヘイ ならべる なみ ならぶ ならびに | 병 나란히서다 | **1** 나란히 하다. ¶ 並列(へいれつ) 병렬 / 並称(へいしょう) 병칭. **2** 아울러; 함께. ¶ 並居(へいきょ) 병거.

へい〖柄〗(柄) 常用 ヘイ え がら つか | 병 자루 |
1 자루. ¶ 柄杓(ひしゃく) 국자 / 葉柄(ようへい) 엽병. **2** 권세; 세력. ¶ 権柄(けんぺい) 권병 / 横柄(おうへい) 방자(放恣).

へい〖陛〗 教6 ヘイ きざはし | 폐 섬돌 | 궁전의 층계; 전하여, 천자에 관한 말에 얹히는 말. ¶ 陛下(へいか) 폐하.

へい〖閉〗 教6 ヘイ とじる とざす しめる しまる | 폐 닫다 |
1 문을 닫다; 닫히다. ¶ 開閉(かいへい) 개폐 / 閉鎖(へいさ) 폐쇄. **2** 가두다. ¶ 密閉(みっぺい) 밀폐. **3** 마치다. ¶ 閉会(へいかい) 폐회.

へい〖塀〗(塀·屛) 常用 ヘイ | 담; 담장. ¶ 土塀(どべい) 토담 / 板塀(いたべい) 널판장.

へい〖幣〗(幣) 常用 ヘイ ぬさ しで みてぐら | 폐 비단 | **1** 신전(神前)에 올리는 비단. ¶ 幣帛(へいはく) 신전에 올리는 제물. **2** 돈. ¶ 貨幣(かへい) 화폐.

へい〖弊〗(弊) 常用 ヘイ やぶれる つかれる | 폐 해지다 | **1** 피곤하다. ¶ 疲弊(ひへい) 피폐. **2** 악습. ¶ 弊習(へいしゅう) 폐습. **3** 자기의 일에 붙이는 겸칭. ¶ 弊社(へいしゃ) 폐사.

べい〖皿〗 教3 ベイ さら | 명 그릇 | 접시. ¶ 器皿(きべい) 기명 / 灰皿(はいざら) 재떨이 / 皿洗(さらあら)い 접시닦기. 参考 주로 훈독함. ⇨さら(皿).

べい〖米〗 教2 ベイ マイ こめ よね | 미 쌀 | **1** 쌀. ¶ 米穀(べいこく) 미곡 / 玄米(げんまい) 현미. **2** 88세. ¶ 米寿(べいじゅ) 미수. **3** '亜米利加(アメリカ)'의 준말. ¶ 米国(べいこく) 미국 / 南米(なんべい) 남미.

ペイ [pay] 페이. 一图 임금; 급료; 보수. =賃金(ちんぎん). ¶ ~が安(やす)い〔低(ひく)い〕 급료가 싸다〔낮다〕 / ~がいい 보수가 좋다.
二图 자自 수지〔채산이〕 맞음. ¶ ~しない商売(しょうばい) 수지가〔채산이〕 안 맞는 장사 / この計画(けいかく)は~するだろう 이 계획은 채산이〔수지가〕 맞을 게다.

へいあん【平安】 图 ダナ 평안. ¶ ~を祈(いの)る 평안하기를 빌다 / 心(こころ)を~に保(たも)つ 마음을 편안하게 가지다. 参考 편지 겉봉의 수신인 이름 밑에 곁들여 쓸 때에는 변고를 알리는 사연이 아님을 나타냄. ⇨平信(へいしん).

—じだい【—時代】 图〔史〕桓武天皇

天皇가 平安京(=현재의 京都중앙부)에 정도(定都)한 후 鎌倉幕府가 성립(成立)될 때까지 약 400년간의 시기《794-1192년》.

へいい【平易】图ダナ 평이. ¶~な表現〔文章〕 평이한 표현〔문장〕/~に説明する 평이하게 설명하다.

へいいん【兵員】图 병원; 병사; (필요한) 병사의 수효. ¶~を失う 병사를 잃다/~が足りない 병사가 부족하다.

へいえい【平泳】图 ☞ひらおよぎ.

へいえい【兵営】图 병영. ¶~生活 병영 생활.

*__へいえき__【兵役】图 병역. ¶~忌避 병역 기피/~義務 병역 의무/~を済ませる 병역을 마치다/~に服する〔就く〕 병역에 복무하다.

*__へいおん__【平穏】图ダナ 평온. ¶~な毎日 평온한 매일/~を取り戻す 평온을 되찾다. ↔不穏.

—ぶじ【—無事】图ダナ 평온무사.

へいか【平価】图 평가.

—きりあげ【—切り上げ】图〘經〙 평가절상. =リバリュエーション.

—きりさげ【—切り下げ】图〘經〙 평가절하. =デバリュエーション.

へいか[兵戈]图 병과. **1** 무기. =武器. **2** 전쟁. ¶~に訴える 무력〔전쟁〕에 호소하다/~を交える 전쟁을 하다.

へいか【兵火】图 병화; 전화(戰火); 전쟁. ¶~を免れる〔逃れる〕 전화를 면〔피〕하다.

へいか【陛下】图 폐하《天皇·황후·황태후·태황태후에 대한 높임말》.

べいか【米価】图 미가; 쌀값. ¶生産者~ 생산자 미가.

*__へいかい__【閉会】图ス自他 폐회. ¶~の辞 폐회사/~を宣する 폐회를 선언하다. ↔開会.

**__へいがい__【弊害】图 폐해; 해. ¶~を生ずる 폐해를 낳다; 폐해가 발생하다/~を伴う〔除く〕 폐해를 수반하다〔없애다〕/~を及ぼす 폐해를 끼치다.

へいかん【閉館】图ス自他 폐관. **1** (도서관·미술관 등을) 폐쇄함. ¶昨年末で~した 작년말로 폐관했다. **2** (도서관·영화관 등이) 그 날의 업무를 끝냄. ¶六時に~する 6시에 일과를 끝내다. ⇔開館.

へいがん【併願】图ス他 (입시에서) 복수 지원함. ¶公立と私立を~する 공립과 사립을 복수 지원하다. ↔単願.

**__へいき__【平気】图ナ 아무렇지도〔개의치〕 않음; 걱정 없음; 태연함; 침착함; 예사. =大丈夫. ¶~をよそおう 태연한 체하다; 태연을 가장하다/~で嘘をつく 거침없이〔예사로〕 거짓말을 하다/しかられても~な顔をする 꾸중을 들어도 태연한 얼굴을 하다.

—のへいざ【—の平左】連語〈俗〉 태연함을 사람 이름처럼 일컫는 말. ¶いくら新聞でたたかれても~だ 아무리 신문에서 두들겨 맞아도 태연하다. 參考 '平気の平左衛門'의 준말.

へいき【兵器】图 병기; 무기. ¶~庫 병기고; 무기고/核~ 핵무기/原子〔化学〕~ 원자〔화학〕 무기.

へいき【併記】图ス他 병기; 함께 기록함. ¶本人と保証人の氏名が~されている 본인과 보증인의 성명이 병기되어 있다.

へいぎょう【閉業】图ス自他 폐업. **1** 그날의 영업을 마침; 또, 그날 영업을 쉼; 휴업. ¶本日~ 금일 휴업. **2** 영업을 그만 둠. ¶経営不振で~する 경영 부진으로 폐업하다. ⇔開業.

**__へいきん__【平均】一图ス自他 평균(치); 여럿이 고름; 또, 고르게 함. ¶品質を~させる 품질을 고르게 하다/~に分ける 균등하게 나누다/~を出す 평균(값)을 내다. 二图 균형(잡힘); 평형. ¶片足で体の~を保つ 한 발로 몸의 평형을 유지하다.

—じゅみょう【—寿命】图 평균 수명. ¶~が延びる 평균 수명이 늘다.

—だい【—台】图 평균대.

—ち【—値】图 평균치; 평균값. ¶~を求める 평균값을 구하다.

—てん【—点】图 평균점. ¶~をとる 평균점을 따다/~を上回る出来 평균점을 웃도는 성적.

へいけ【平家】图 **1** 平 성(姓)을 가진 집안〔일족(一族)〕. =平氏. **2** '平家物語'의 준말.

—ものがたり【—物語】图 平家 일문의 영화와 멸망을 그린 鎌倉 시대 초기의 군담(軍談) 소설.

へいげい[睥睨]图ス他 비예. **1** 흘겨봄. **2** 눈을 부라리고 위압함. ¶あたりを~する 눈을 부라리고 주위를 위압하다/天下を~する 천하를 비예하다.

へいけいき【閉経期】图 폐경기.

へいけん【兵権】图 병권. ¶~を執る〔握る〕 병권을 잡다〔쥐다〕.

へいげん【平原】图 평원. ¶大~ 대평원.

べいご【米語】图 미어; 미국(영)어.

*__へいこう__【平行】图ス自 평행. ¶線を~に引く 선을 평행으로 긋다/~する二直線 평행하는 두 직선.

—せん【—線】图 평행선; 또, 대립하는 두 의견이 일치하지 않음. ¶~を描く 평행선을 긋다/交渉は~をたどる 교섭은 서로 자기 주장을 굽히지 않아 끝내 의견 일치를 보지 못하다.

—ぼう【—棒】图 평행봉.

へいこう【平衡】图 평형; 균형. =均衡. ¶~感覚 평형 감각/~を保つ 평형을 유지하다 / ~を失う 균형을 잃다.

へいこう【並行·併行】图ス自 병행. **1** 나란히 감. ¶電車とバスが~する 전차와 버스가 나란히 가다. ↔交差. **2** 동시에 행해짐. ¶二つの研究を~して行こう 두 가지 연구를 병행하다.

*へいこう【閉口】图ス自 질림; 손듦; 항복함. ¶彼女のおしゃべり〔あつかましさ〕には~した 그녀의 수다〔뻔뻔함〕에는 질렸다 / 目のやりばがなくて~した 눈 줄 곳이 없어 애먹었다.

へいこう【閉校】图ス自 폐교. **1** 학교가 일시 수업을 안 하고 쉼. ¶インフルエンザの流行により一週間~する 인플루엔자의 유행으로 1주간 휴교함. **2** 폐교(廢校).

へいごう【併合】图ス自他 병합; 합병. ¶占領地の~ 점령지의 병합 / 子会社を~する 자회사를 병합하다.

べいこく【米国】图 미국; 미합중국.

べいこく【米穀】图 미곡.

へいこら 副ス自 〈俗〉 굽실굽실 머리를 숙이는 모양. ¶上役に~する 상사에게 굽실거리다 / だれにでも~(と)頭を下げるくせがある 누구에게나 굽실굽실 머리를 숙이는 버릇이 있다.

*へいさ【閉鎖】图ス自他 폐쇄. ¶工場~ 공장 폐쇄 / 門〔国境〕を~する 문〔국경〕을 폐쇄하다. ↔開放.

──てき【──的】ダナ 폐쇄적. ¶~な性格の持ち主 폐쇄적인 성격의 소유자 / ~な市場の開放を要求する 폐쇄적인 시장의 개방을 요구하다. ↔開放的.

へいさく【平作】图 평작; 평년작. =平年作. ↔豊作·凶作.

べいさく【米作】图 미작. =稲作. ¶今年の~は平年なみだ 올해의 벼 작황은 평년 수준이다.

へいさつ【併殺】图ス他 〖野〗 병살. =ダブルプレー. ¶~を喫する 병살당하다.

へいざん【閉山】图ス自他 폐산. **1** 등산 기간이 끝남. **2** 탄광·광산을 폐쇄함.

へいし【兵士】图 병사; 사병. =兵卒. ¶古参の~ 고참 병사.

へいじ【平時】图 평시. ¶~編制 평시 편제 / ~は五時終業 평상시에는 5시 종업. ↔非常時·戦時.

べいしきしゅうきゅう［米式蹴球］图 미식 축구. =アメリカン フットボール.

*へいじつ【平日】图 평일. **1** 평상시. ¶~通りに勤務する 평상시대로 근무하다. **2** 일요일·공휴일 이외의 날. =ウィークデー. ¶~ダイヤ 평일 열차 운행표.

へいしゃ【兵舎】图 병사. =兵営.

へいしゃ【弊社】图 폐사《자기 회사의 겸칭》. ¶~の製品 폐사(의) 제품.

へいしゅ【丙種】图 병종. **1** 셋째 등급. **2** '丙種合格(=구일본 군대에서의, 병종 합격)'의 준말.

へいしゅ【兵種】图 병종; 군대에서 임무나 부문에 따른 종별.

べいじゅ【米寿】图 미수; 88세(의 축하). 參考 '米' 자를 파자(破字)하면 '八十八'이 되므로.

──のが【──の賀】图 미수연; 미수의 축하(연). =米の祝い.

へいしゅう【弊習】图 폐습; 폐풍. =弊風. ¶~を打破する〔改める〕 폐습을 타파하다〔고치다〕.

べいしゅう【米州】《米洲》图 미주; 남북 아메리카 주(洲). ¶~機構 미주 기구.

へいじゅん【平準】图 평준. ¶賃金の~化を計る 임금의 평준화를 꾀하다.

へいしょ【兵書】图 병서. ¶~を読む 병서를 읽다.

へいしょう【併称·並称】图ス他 병칭. **1** 함께〔아울러〕 일컬음. ¶李杜と~する (이백(李白)과 두보(杜甫)를) 이두라고 병칭하다. **2** 함께 칭찬함.

*へいじょう【平常】图 평상; 평소; 보통. =平生·ふだん. ¶~に返る 평상 상태로 돌아오다 / ~どおり営業する 평상시대로 영업을 하다.

──しん【──心】图 평상심; 평소와 다르지 않은 평온한 마음. ¶試合に臨んでは~が大切だ 시합에 임해서는 평상심이 중요하다.

べいしょく【米食】图 미식; 쌀을 주식으로 먹음. ¶~の習慣 쌀밥을 먹는 습관 / ~民族 쌀을 주식으로 하는 민족. ↔パン食·粉食.

へいじょぶん【平叙文】图 평서문.

へいしん【平信】图 평신; 평서(平書); 변고를 알리거나 급한 용건이 아닌 보통의 편지. ¶~に安堵する 무사하다는 보통(의) 편지에 안도하다.

へいしんていとう【平身低頭】图ス自 평신저두; 저두평신; 엎드려 고개를 숙임. ¶~して謝る 머리를 숙이고 엎드려 사과〔사죄〕하다.

*へいせい【平静】图ダナ 평정. ¶~な態度を取る 평온하고 조용한 태도를 취하다 / ~を保つ〔失う〕 (마음의) 평정을 유지하다〔잃다〕.

へいせい【平成】图 현재의 일본 연호《1989년〔昭和 64년〕 1월 8일 개원(改元); 2002년은 平成 14년임》.

へいぜい【平生】图 평소. =ふだん·つねひごろ·平常·平素. ¶~の心がけが大切だ 평소의 마음가짐이 중요하다 / ~通りの営業 평소대로의 영업.

へいせつ【併設】图ス他 병설. ¶~中学校 병설 중학교 / 工場に研究所を~する 공장에 연구소를 병설하다.

へいぜん【平然】トタル 태연. ¶~たる態度 태연〔침착〕한 태도 / ~と構える 태연한 태도를 취하다 / ~とうそをつく 태연히 거짓말하다.

へいそ【平素】图 평소. =平生·ふだん·平常. ¶~のおこない 평소의 소행 / ~はおとなしい 평소에는 온순하다.

へいそく［閉塞］图ス自他 폐색; 닫아서 막음. ¶腸~ 장폐색 / 港の出入り口を~する 항구로 드나드는 길목을 막다.

へいそつ【兵卒】图 병졸; 병사. =兵士.

へいそん【併存】图ス自 병존; 공존. ¶利

害相反(りがいあいはん)するものの~はむずかしい 이해상반하는 것은 병존하기 어렵다. 注意 'へいぞん'이라고도 함.

—じゅうたく【—住宅】图 점포·사무실 등이 같은 동(棟) 안에 있는 공동 주택; 주상(住商) 복합 주택.

*へいたい【兵隊】图 병대; 군대; 병정. ¶~ごっこをする 병정놀이를 하다.

—あり〖—蟻〗图〔蟲〕병정개미.

—かんじょう【—勘定】图〈俗〉각자 부담; 각추렴. =わりかん.

へいたん［平坦］名ナ 평탄. ¶~な道(みち) 평탄한 길/~な人生(じんせい)を歩(あゆ)む 평탄한 인생을 걷다《살다》/前途(ぜんと)は~でない 전도는 평탄치 않다.

*へいち【平地】图 평지. =ひらち. ↔山地(さんち).

—に波瀾(はらん)を起(お)こす 평지풍파를 일으키다.

へいち【併置·並置】图ス他 병치; 병설. ¶小学校(しょうがっこう)に幼稚園(ようちえん)を~する 초등학교에 유치원을 병설하다.

へいちゃら〖平ちゃら〗ダナ〈俗〉1 걱정하지〔겁내지〕 않는 모양. =へっちゃら. ¶鼻血(はなぢ)が出(で)たくらい~だ 코피가 난 것쯤 아무것도 아니다. 2 아주 쉬운 모양. ¶こんなもの作(つく)るなんて~だ 이런 것 만드는 일쯤은 아무것도 아니다.

へいてい【平定】图ス自他 평정. ¶天下(てんか)が~する 천하가 평정되다/反乱(はんらん)を~する 반란을 평정하다.

へいてい【閉廷】图ス自他 폐정. ¶~を宣(せん)する 폐정을 선언하다. ↔開廷(かいてい).

へいてん【閉店】图ス自 폐점. 1 그날의 영업을 마치고 가게 문을 닫음. ¶~時間(じかん) 폐점 시간. 2 가게를 걷어치움. =店(みせ)じまい. ¶商売(しょうばい)不振(ふしん)で~する 장사가 부진하여 폐점하다. ⇔開店(かいてん).

へいてん【弊店】图 폐점《자기 상점의 겸사말》.

へいどく【併読】图ス他 병독; 두 종류 이상의 신문·소설 따위를 아울러 봄. ¶二紙(にし)を~している 두 가지 신문을 같이 보고 있다.

へいどん［併呑］图ス他 병탄. ¶隣国(りんごく)〔小国(しょうこく)〕を~する 이웃 나라를〔소국을〕 병탄하다.

へいねつ【平熱】图 평열; 평상시 체온. ¶やっと~に下(さ)がった 가까스로 평열로 내렸다.

へいねん【平年】图 평년. ¶~作(さく) 평년작/~と閏年(うるうどし) 평년과 윤년/~を上(うわ)まわる収穫(しゅうかく) 평년을 웃도는 수확/気温(きおん)は~なみである 기온은 평년 수준이다.

へいば【兵馬】图 병마. 1 군대; 군비. ¶~を動(うご)かす〔進(すす)める〕 군대를 동원하다〔전진시키다〕. 2 전쟁. =いくさ. ¶十年(じゅうねん)を~の間(かん)に過(す)ごす 10년을 전쟁 속에서 지내다.

—の権(けん) 병마지권; 통수권. ¶~をにぎる 병마지권을 장악하다.

へいはく［幣帛］图 1 신전(神前)에 바치는 공물(供物); 특히, '御幣(ごへい)(=종이·삼 따위를 드리운 오리)'. =ぬさ·みてぐら. 2 폐물; 예물. =幣物(へいもつ).

へいはつ【併発】图ス自他 병발. ¶かぜから肺炎(はいえん)を~する 감기로부터 폐렴을 병발하다.

へいはん【平版】图〔印〕 평판; '平版印刷(いんさつ)'의 준말. ↔凹版(おうはん)·凸版(とっぱん).

—いんさつ【—印刷】图 평판 인쇄.

へいばん【平板】 평판. 一图 1 평평한 판자. 2 씨 뿌릴 때 땅을 고르는 농구. 二图ダナ 변화가 없고 단조로움. ¶~な文章(ぶんしょう) 단조로운 문장/~なストーリー展開(てんかい) 단조로운 스토리 전개.

へいび【兵備】图 병비; 군비. ¶~を整(ととの)える 군비를 갖추다.

へいふう【弊風】图 폐풍. ¶~を改(あらた)める 폐풍을 고치다/~に染(そ)まる 폐풍에 물들다. ↔美風(びふう).

へいふく【平伏】图ス自 두 손을 바닥에 짚고 머리를 조아림. ¶~して許(ゆる)しを請(こ)う 엎드려 용서를 빌다.

へいふく【平服】图 평복; 평상복. =ふだんぎ. ¶~のまま食堂(しょくどう)に行(ゆ)く 평복인 채로 식당에 가다/当日(とうじつ)は~でおいで下(くだ)さい 당일은 평복으로 와 주십시오. ↔礼服(れいふく).

へいへい【平平】トタル 평평. 1 평범함. 2 평탄함. ¶~たる原野(げんや) 평탄한 황야.

—たんたん［—坦坦］トタル 평평탄탄; 아주 평탄함.

—ぼんぼん【—凡凡】トタル 아주 평범함. ¶~たる生活(せいかつ)〔生涯(しょうがい)〕 아주 평범한 생활〔생애〕/~と日(ひ)を過(す)ごす 아주 평범하게 하루하루를 보내다.

へいへい 一副ス自 상대방의 기분을 상하지 않도록 굽실거려 아첨하는 모양: 예예. ¶上役(うわやく)に~している 상사에게 예예하고 굽실거린다. 二感 긍정·승인의 대답 'へい'를 겹친 말: 예예. ¶~, 承知(しょうち)しました 예예, 잘 알았습니다.

へいべい【平米】图〈俗〉'平方(へいほう)メートル(=제곱미터)'의 압축된 말.

べいへい【米兵】图 미병; 미국 병사.

ぺいぺい 图〈俗〉 지위가 낮은 사람을 깔보거나 자신을 낮추어 하는 말. =へっぽこ·ぺえぺえ·下(した)っぱ. ¶~相撲(ずもう) 아이들 씨름/わたしはまだ~です 저는 아직 햇병아리입니다.

へいほう【平方】图ス他 평방; 제곱. ¶~メートル 평방미터; 제곱미터/三(さん)の~は九(く) 3의 제곱은 9.

—こん【—根】图〔數〕 평방근; 제곱근. ¶~を求(もと)める 제곱근을 구하다.

へいほう【兵法】图 1 병법. ¶孫子(そんし)の~ 손자 병법/~を学(まな)ぶ 병법을 배우다. 2 검술; 무술. ¶~指南(しなん) 검술 지도〔사범〕. 注意 'ひょうほう'라고도 함.

—か【—家】图 1 병법가. 2 검술가.

*へいぼん【平凡】图ダナ 평범. ¶~な人物(じんぶつ)〔人生(じんせい)〕 평범한 인물〔인생〕/~に一生(いっしょう)を送(おく)る 평범하게 일생을 보내

다/競馬もかけがないと～だ 경마도 내기를 안 하면 싱겁다. ↔非凡.

へいまく【閉幕】图ス自 폐막. ¶8時に～になる 여덟 시에 폐막된다/大会は無事に～した 대회는 무사히 폐막됐다. ↔開幕.

べいまつ【米松】图〔植〕미송(美松).

へいみん【平民】图 평민. ¶～宰相 평민 재상/生まれは～である 평민 출신이다.

—てき【—的】ダナ 평민적; 서민적. ¶～な雰囲気のなかに育つ 평민적인 분위기 속에서 자라다. ↔貴族的.

へいめい【平明】평명. ⊟图ダナ 알기 쉽고 명료함. ¶～な文章 평이한 문장. ⊟图 새벽. =夜明け·明け方.

*__へいめん__【平面】图 평면. ¶～上の一点 평면상의 한 점. ↔曲面.

—きかがく【—幾何学】图〔數〕평면 기하학.

—ず【—図】图 평면도.

—てき【—的】ダナ 평면적. ¶～な見方 평면적인 관찰. ↔立体的.

へいもつ【幣物】图 **1** ☞へいはく1. **2** 폐물; 선물; 공물(貢物).

へいもん【閉門】图ス自 폐문. **1** 문을 닫음. ¶～時刻 폐문 시각. ↔開門. **2** 두문불출함(江戸 시대에, 근신하는 뜻으로 그렇게 함).

*__へいや__【平野】图 평야. ¶海岸～ 해안 평야/広い～ 넓은 평야[들]. ↔山地.

へいゆ【平癒】图ス自 평유; 쾌유; 병이 나음. =平復·本復. ¶心から～を祈る 진심으로 병이 낫기를 빌다.

へいよう【併用】图ス他 병용. ¶注射と飲み薬とを～する 주사와 내복약을 병용하다/算盤と電卓を～する 주판과 전자계산기를 병용하다.

—じゅうたく【—住宅】图 점포나 진료소 등의 업무용 부분이 주거용 부분과 결합된 주택.

へいらん【兵乱】图 병란; 전란. =戦乱. ¶～のちまたと化す 싸움터로 화하다.

へいり【弊履】(敝履)图 폐리; 헌신짝.

—のごとく捨てる 헌신짝처럼 버리다.

へいりつ【並立】图ス自 병립. ¶両雄～せず 양웅은 병립하지 못한다.

—ご【—語】图 병립어(글의 성분의 하나로 '君とぼくとは親友だ(=자네와 나는 친구 사이다)'의 '君と' 'ぼくとは' 처럼 병립된 문절(文節)의 일컬음).

へいりゃく【兵略】图 병략; 군략; 전략. =軍略·戦略. ¶～にたける 병략에 뛰어나다.

へいりょく【兵力】图 병력; 전투력. ¶～増強 병력 증강/～に訴える 무력에 호소하다.

へいれつ【並列】图ス自他 병렬. =パラレル. ¶～回路 병렬 회로/～処理 병렬 처리. ↔直列.

**__へいわ__【平和】图ダナ 평화. ¶～に暮らす 평화롭게 살다/～な家庭 평화로운 가정/家庭の～を乱す 가정의 평화를 어지럽히다.

—けんぽう【—憲法】图 (제2차 세계대전 후의) 일본 헌법.

—じょうやく【—条約】图 평화 조약.

ペイント[paint]图 페인트. ☞ペンキ.

へえ 感 **1** 감동하거나 놀랐을 때 또는 의심쩍거나 어이없을 때 내는 말: 저런; 허. ¶～, そうだったの. 知らなかったよ 저런, 그랬었나. 몰랐었지. **2** 긍정·승낙의 뜻을 나타내는 말: 예. =はい. ¶～, そうです 예, 그렇습니다.

ベーカリー[bakery]图 베이커리; 제과점; 빵집.

ベーキングパウダー [baking powder]图 베이킹 파우더. =ふくらし粉·パウダー.

ベークライト[Bakelite]图〔商品名〕베이클라이트.

ベーコン[bacon]图 베이컨.

*__ページ__[page]图 페이지. ¶～の狂った本 페이지 차례가 뒤바뀐 책; 난장(亂帳)의 책/～を打つ 페이지를 매기다/～をめくる 책장을 넘기다.

ページェント[pageant]图 패전트. **1** 야외에서 벌이는 큰 행사; 구경거리. ¶航空～ 항공 패전트; 에어쇼. **2** 여흥(餘興)의 행렬; 가장행렬.

ベーシック[BASIC]图〔컴〕베이식; 초심자용(用) 회화형 프로그램 언어. ▷Beginner's All-purpose Symbolic Instruction Code.

ベーシック[basic]ダナ 베이식; 기초적; 기본적. ¶～英語 기초(적인) 영어.

ページャー[pager]图 페이저; 휴대용 무선 호출기; 삐삐. =ポケットベル.

ベージュ[프 beige]图 베이지; 엷고도 밝은 갈색. =らくだ色·ベージ.

ベース[base]图 베이스. **1** 토대; 기초; 기본. ¶賃金～ 임금 베이스. **2** 기지; 근거지. **3** 야구의 누(壘). ¶ホーム～ 홈베이스; 본루.

—アップ[일 base+up]图ス自 베이스업; 임금 인상. =ベア. ¶～を要求する 임금 인상을 요구하다.

—キャンプ[base camp]图 베이스 캠프. **1** (등산이나 탐험에서) 근거지로 하는 고정 천막. **2** 외국군의 주둔 기지.

—ボール[baseball]图 베이스볼; 야구.

ベース[bass]图〔樂〕베이스. ⇨バス.

ペース[pace]图 페이스; 걸음걸이; 보조. ¶自分の～を守る 자기 페이스를 지키다/相手の～に巻きこまれる 상대방의 페이스에 말려들다.

—メーカー[pacemaker]图 페이스메이커; (경주 연습 등에서) 선두에 서서 보조를 주도하는 러너.

ペーソス[pathos]图 페이소스; 애수(哀愁). ¶～あふれる映画 페이소스가 넘치는 영화.

ペーパー[paper]图 페이퍼. **1** 종이; 서류; 논문; 신문. ¶レター～ 레터페이퍼; 편지지/学会で～を読む 학회에

서 논문을 읽다. **2** 'サンドペーパー'의 준말; 사포(砂布). ¶~をかける 사포질을 하다. **3** 라벨; 딱지. ¶~をはがす 라벨을 떼다.

—カンパニー [일 paper+company] 图 유령 회사《등기만 하고 실체가 없는 회사》. *영어로는 dummy company.

—ドライバー [일 paper+driver] 图 페이퍼 드라이버; 운전 면허증은 있으나 차가 없어서 운전할 기회가 거의 없는 사람.

—バック [paperback] 图 페이퍼백; 종이 표지로 된, 값이 싼 책《문고판 크기의》. ↔ハードカバー.

—プラン [paper plan] 图 페이퍼 플랜; 지상(紙上) 계획. =机上案.

—レス ファイリング [paperless filing] 图 페이퍼리스 파일링; 서류를 마이크로필름 등 전자 기기로 정리·보존하는 일.

ぺえぺえ 图〈俗〉☞ぺいぺい.

ベール [veil] 图 베일; 면사포; 장막. =ヴェール. ¶夜の~ 밤의 베일[장막] / ~をはぐ 베일을 벗기다 / 神秘の~に包まれる 신비의 베일에 싸이다.

べからず『可からず』連語《'べし'의 否定形》금지·제지·불가능의 뜻을 나타내는 말: 안 된다; 해서는 못쓴다. ¶~主義 안 된다주의 / 入る~ 들어가지 말 것 / 花を取る~ 꽃을 따지 말 것 / 許すべからざる犯罪 용서할 수 없는 범죄 / 筆舌に尽くす~ 필설로 다할 수 없다. ⇨べし.

へき【癖】图 버릇; 경향. =くせ. ¶放浪~ 방랑벽 / げて物を好む~がある 색다른 것을 좋아하는 버릇이 있다 / 大言壮語の~が有る 호언장담하는 버릇이 있다.

へき〖碧〗人名 ヘキ みどり | 벽 옥돌 | **1** 짙은 청색. ¶碧空 벽공 / 紺碧 감벽; 새파람. **2** 푸르고 아름다운 옥. ¶碧玉 벽옥.

へき〖壁〗常用 ヘキ かべ | 벽 벽 | 벽. **1** 울; 토담. ¶土壁 토벽. **2** 벽. ¶壁画 벽화 / 面壁 면벽. **3** 성채. ¶城壁 성벽.

へき〖癖〗常用 ヘキ くせ | 벽 버릇 | **1** 버릇. ¶潔癖 결벽 / 収集癖 수집벽. **2** 병. ¶病癖 병벽.

べき『可き』副助《'べし'의 連体形》**1** (응당) 그렇게 해야 할. ¶守る~規則 지켜야 할 규칙 / あやまる~だ 사과해야 한다. **2** 적절한; 온당한. ¶ぼくならこっちを買う~だと思う 나 같으면 이쪽 것을 사는 게 좋으리라 생각하네 / 子供が見る~テレビじゃない 애들이 볼 텔레비전이 아니다. **3** …할 만한. ¶見る~ものがない 볼 만한 게 없다 / 最近における少年犯罪の増加は恐る~ことだ 최근의 소년 범죄 증가는 놀랄 만한 일이다.

へきえき [辟易] 图ス自 **1** 두려워서[질려서] 물러남. =閉口. ¶相手のけんまくに~する 상대방의 기세에 질려서 물러나다 / 彼は容易に~する男ではない 그는 쉽사리 물러설 사내가 아니다. **2**〈俗〉난처해함; 곤란해함. ¶~した態度を示す 난감해 하는 태도를 보이다. 参考 '辟'는 피하다, '易'는 바꾸다의 뜻. 본디, 상대를 두려워하여 길을 비켜 물러선다는 뜻.

へきが【壁画】图 벽화. ¶~古墳 벽화 고분 / ~を描く 벽화를 그리다.

へきかい [碧海] 图 벽해; 푸른 바다. =蒼海.

へきがん [碧眼] 图 벽안; 푸른 눈; 전하여, 서양 사람. ¶紅毛~ 홍모벽안.

へきそん [僻村] 图 벽촌. =かたいなか. ¶~の子供 벽촌의 어린이 / 山あいの~ 산간벽지.

へきち [僻地] 图 벽지. =辺地·僻陬. ¶山間(の)~ 산간벽지 / 寒村~ 한촌 벽지 / ~手当 벽지 수당 / ~に赴任する 벽지에 부임하다.

へきとう [劈頭] 图 벽두. =まっさき. ¶~から熱戦になる 벽두부터 열전이 벌어지다 / 会議の~から意見が割れる 회의 벽두부터 의견이 갈리다.

へきめん【壁面】图 벽면. ¶~に絵をかく 벽면에 그림을 그리다.

へきれき [霹靂] 图 벽력. ¶青天の~ 청천벽력; 맑은 하늘에 날벼락.

へ-ぐ『剝ぐ』5他〈俗〉**1** (얇게) 벗기다. =はぐ. ¶木の皮を~ 나무껍질을 벗기다 / 切手を~·ぎとる 우표를 뜯어[벗겨] 내다. **2** 줄이다.

べく『可く』副助〈雅〉《'べし'의 連用形》**1** 그렇게 하는 것이 당연함을 나타내는 말. ¶驚く~誤植の多い本 놀랄 만큼 오식이 많은 책 / 家族のために働く~余儀なくされた 가족을 위해 어쩔 수 없이 일하지 않을 수 없었다. **2** 그렇게 할 것을 목적으로 무엇인가를 함을 나타내는 말: …(하)기에; …(하)기 위해. ¶行く~余りにも遠い 가기에(는) 너무나 멀다 / 彼を見舞う~病院を訪ずれた 그를 문병하기 위해 병원으로 찾아갔다.

べくして『可くして』連語 **1** …할 것이 당연히 예상되어서. ¶残る[起こる]~残った[起こった] 당연히 남아야[일어나야] 했기에 남았다[일어났다]. **2** …할 수는 있어도. ¶言う~行なわれない 말할 수는 있어도 실행할 수는 없다.

ヘクタール [hectare] 图 헥타르《100아르, 즉 10,000m^2; 기호: ha》.

ベクトル [도 Vektor] 图〔理〕벡터; 크기와 방향을 가진 양《속도·힘 따위》.

べくもない『可くもない』連語〈雅〉…할 만하지도 않다; …할 수[여지]도 없다. ¶知りう~ 알 수 조차 없다 / 当分望む~ 당분간 바랄 여지도 없다 / その実力はならぶ~ 그 실력은 견줄 수도 없을 것이다.
べくんば〚可くんば〛 連語 …을 할 수 있다면. ¶望(のぞ)む～ 바랄 수 있다면.
ぺけ 名 〈俗〉 **1** 수준 미달; 불합격; 못씀. ¶～だ 수준 미달이다; 못쓴다/企(くわだ)てがすべて～になる 계획이 모두 못쓰게 되다. **2** 벌점; '×'의 표시. ¶～をつける '×'표를 하다. ↔丸(まる). **3** 꼴찌. ＝びり. ¶かけっこで～だった 달리기에서 꼴찌였다. 参考 2는 주로 関西(かんさい)에서, 3은 東京(とうきょう)에서 쓰이는 말.
ヘゲモニー [도 Hegemonie] 名 헤게모니; 주도적 지위; 주도권. ¶～を握(にぎ)る 헤게모니를 잡다.
へこた-れる 下1自 〈俗〉 녹초가 되다; 힘이 빠지다; 기운이 꺾이다〔꺾여 주저앉다〕. ¶中途(ちゅうと)で～ 중도에서 뻗어 버리다/峠(とうげ)の中(なか)ほどまできて～·れた 고개 중턱까지 와서 퍼더버렸다/これしきで～な 이깟 일로 주저앉지 마라.
ベゴニア [프 bégonia] 名〔植〕 베고니아; 추해당(秋海棠).
ぺこぺこ 一 ダナ 몹시 배가 고픈 모양. ¶おなかが～だ 배가 몹시 고프다. 二 副 ス自 머리를 자꾸 조아리는 모양; 또, 비굴하게 아첨하는 모양: 굽실굽실. ¶～(と)あやまる 굽실굽실 빌다/社長(しゃちょう)に～する 사장에게 굽실거리다.
へこま-す〚凹ます〛 5他 **1** 움푹 들어가게〔패게〕 하다; 욱이다; 우그러뜨리다. ¶腹(はら)を～ 배를 들이밀다/指(ゆび)で押(お)して～ 손가락으로 눌러 욱이다〔쑥 들어가게 하다〕. **2** (말 따위로 상대를) 굴복시키다; 납작하게 만들다. ¶相手(あいて)を～ 상대를 납작하게 만들다.
***へこ-む**〚凹む〛 5自 **1** 욱다; 움푹 패다; 꺼지다. ¶道(みち)が～ 길이 패다/衝突(しょうとつ)して車体(しゃたい)が～·んだ 충돌해서 차체가 우그러졌다. **2** 굴복하다; 찌부러지다. ¶何(なに)を言(い)われても～·まない 무슨 말을 들어도 굴복하지 않는다. **3** (장사 따위에서) 밑지다. ¶今月(こんげつ)は百万(ひゃくまん)円(えん)～·んだ 이 달엔 100만 엔 밑졌다.
へこりと 副 **1** 들어간 모양: 움푹. ¶～へこんだ 움푹 들어갔다. **2** 머리를 숙였다가 드는 모양: 꾸벅. ¶～おじぎをする 꾸벅 절하다.
へさき〚舳先〛 名 이물; 뱃머리. ＝みよし·船首(せんしゅ). ¶南(みなみ)に～を向(む)ける 남쪽으로 뱃머리를 돌리다. ↔とも.
べし〚可し〛 副助 〈雅〉 **1** 당연의 뜻. ㉠…하는 것이 마땅〔당연〕하다. ¶残(のこ)るべくして残(のこ)った 남아야 했기에 남았다/この桜(さくら)の花(はな)も, やがては散(ち)るべき運命(うんめい)にある 이 벚꽃도 머지않아 져야 할 운명에 있다. ⇨べくして. ㉡해야 한다; 하지 않으면 안 된다. ¶あす七時(しちじ)に集合(しゅうごう)す～ 내일 7시에 집합할 것/妥協(だきょう)す～との意見(いけん)が多(おお)い 타협해야 한다는 의견이 많다. ㉢…할 예정이다. ¶明日(あす)は遠国(えんごく)へ赴(おもむ)く～ 내일은 먼 고장으로 떠날 작정이다. **2** 추측의 뜻: …할 듯하다; …인 것 같다. ¶風雨(ふうう)が強(つよ)かる～ 풍우가 셀 것 같다/明日(あす)は雨(あめ)なる～ 내일은 비가 올 것 같다. **3** 가능의 뜻: …할 수 있다; …할 수 있을 듯하다. ¶山(やま)をも抜(ぬ)く～ 산도 뽑을 만하다/そんなことは望(のぞ)むべくもなし 그런 일은 바랄 수조차 없다. **4**《終止形으로》 상대의 動作에 대하여 말하는 이〔글쓴이〕의 勧誘·命令을 나타내는 말: 하라; 하여 다오. ¶直(ただ)ちに取(と)りかかる～ 당장 착수할 것. **5** 말하는 이〔글쓴이〕의 의사를 나타내는 말: 꼭…하겠다〔할 것이다〕. ¶会議(かいぎ)に出席(しゅっせき)すべく上京(じょうきょう)する 회의에 참석하려고 상경한다.
へしあ-う【へし合う】《圧し合う》 5自 서로 밀치다. ＝おしつけあう. ¶乗客(じょうきゃく)が出口(でぐち)で～·っている 승객이 출구에서 (서로) 밀치고 있다.
へしお-る【へし折る】《圧し折る》 5他 눌러서〔꾸부려서, 휘어서〕 꺾다. ¶木(き)の枝(えだ)を～ 나뭇가지를 꺾다/高慢(こうまん)な鼻(はな)を～ 거만한 콧대를 꺾어 놓다.
へしこ-む【へし込む】《圧し込む》 5他 억지로 욱여 넣다. ¶穴(あな)に～ 구멍에 쑤셔 넣다.
ベジタリアン [vegetarian] 名 베지테어리언; 채식주의자.
ペシミスト [pessimist] 名 페시미스트; 비관론자; 염세가. ↔オプチミスト.
ペシミズム [pessimism] 名 페시미즘; 비관주의; 염세주의. ↔オプチミズム.
ぺしゃんこ ダナ **1** 눌려서 짜그라진〔납작해진〕 모양. ¶～につぶれた箱(はこ) 납작하게 짜부라진 상자/箱(はこ)〔車(くるま)〕が～になる 상자〔차〕가 납작하게 짜부라지다. **2** 상대방에게 윽박질려서 꼼짝 못하게 된 모양. ¶しかられて～になる 꾸지람을 듣고 납작해지다 / 一言(いちごん)で相手(あいて)を～にする (말) 한마디로 상대방을 납작하게 만들다. 注意 힘줌말은 'ぺちゃんこ'.
ベスト [best] 名 베스트. ¶～を尽(つ)くす 베스트를〔최선을〕 다하다.
――セラー [best seller] 名 베스트 셀러. ¶処女作(しょじょさく)が～になる 처녀작이 베스트셀러가 되다.
――テン [일 best+ten] 名 베스트 텐. *영어로는 top ten 또는 ten best라고 함.
――ドレッサー [best dresser] 名 베스트 드레서; 옷을 가장 세련되게 입는 사람.
ペスト [pest] 名〔醫〕 페스트; 흑사병. ＝黒死病(こくしびょう). ¶～菌(きん) 페스트균.
へそ〚臍〛 名 **1** 배꼽. ＝ほぞ·ほぞ. ¶～出(だ)しルック 배꼽티. **2** 물건의 중심부에 있는 작은 돌기; 특히, 맷돌(의) 중쇠·(배의) 놋좆 따위. ¶石(いし)うすの～ 맷돌의 수쇠. **3** (과일 따위의) 배꼽처럼 오목한 곳. ¶みかんの～ 귤의 배꼽/あんパンの～ 팥빵의 배꼽.
――で〔が〕茶(ちゃ)を沸(わ)かす (우스워서) 배꼽을 빼다. ＝へそ茶(ちゃ). ¶やつが歌手(かしゅ)希

望(きぼう)だって? へそが茶を沸かさあ 녀석이 가수를 희망한다고? 웃겼어.
—を曲(ま)げる 토라져서 말을 안 듣다.
べそ 图『~をかく』(어린이가) 울상을 짓다; 또, 울다. ¶子供(こども)が金(かね)を落(お)として~をかいている 어린이가 돈을 잃어버리고 울상을 짓고 있다.
へそくり 〖臍繰り〗图 'へそくりがね'의 준말; 사천; (주부 등이) 살림을 절약하거나 하여 남편 모르게 은밀히 모은 돈. ¶~貯金(ちょきん) 사천 저금/たんすに~をする 장농에 사천을 모아 두다/~をはたいてカメラを買(か)った 사천을 털어 카메라를 샀다.
へそく-る 〖臍繰る〗5他 (주부 등이 아껴서) 사천을 모으다. ¶~·っておいた小金(こがね) 사천으로 모아 둔 약간의 목돈.
へそのお【へその緒】《臍の緒》图 탯줄. =ほぞのお.
—を切(き)って以来(いらい)〔から〕 탯줄을 끊은 이래; 이 세상에 태어난 이후.
へそまがり【へそ曲がり】《臍曲がり》名ナ 〈俗〉 비뚤어진 심사; 또, 심술쟁이. =つむじまがり·あまのじゃく. ¶~の男(おとこ) 심술궂은 사내/ちょっと~なところがある 좀 심술궂은 데가 있다.
へた 〖蔕〗图 (감이나 가지 따위의) 열매의 꼭지.
**へた【下手】图ダナ 1 (솜씨가) 서투름; 서투른 사람. ¶字(じ)が~だ 글씨가 서투르다/人(ひと)づきあいの~な人 사람 교제가 서투른 사람/~に口出(くちだ)しをして, かえって混乱(こんらん)させた 섣불리 말참견해서 도리어 혼란을 가져왔다. ↔上手(じょうず). 2《'~な…より'의 꼴로》어중간함; 어설픔. ¶~な名所(めいしょ)よりよい景色(けしき)だ 어설픈 명소보다 좋은 경치다.
—な鉄砲(てっぽう)も数(かず)打(う)てば当(あ)たる 총 쏘는 솜씨가 서툴러도 여러 번 쏘면 맞는다《여러 번 하다 보면 요행히 맞는 수도 있다》.
—の考(かんが)え休(やす)むに似(に)たり 서투른 사람의 생각은 시간의 낭비일 뿐 아무 쓸모가 없다.
—の長談義(ながだんぎ) 말이 서투른 사람일수록 얘기는 으레 깁. 「시 좋아함.
—の横好(よこず)き 서투른 주제에 그것을 몹
—は上手(じょうず)のもと 처음부터 잘 하는 사람은 없다; 솜씨는 차츰 익숙해지는 것이다.
—をすると 자칫 잘못하면; 자칫하면. ¶~面倒(めんどう)なことになるよ 자칫 잘못하면 성가시게 된다.
べた 图 〈俗〉 1 빈틈없이 전체에 빠침; 전체; 전면(全面); 온통. ¶~ぼれ 홀딱 반함/~ぼめ 마구 칭찬함/~負(ま)け 완패. 2 'べた組(ぐ)み' 'べた焼(や)き'의 준말.
ベター [better] 图 베터; 더〔보다〕 좋음. ¶その方(ほう)が~だ 그쪽이 더 좋다.
—ハーフ [better half] 图 베터 하프; 좋은 배우자; 애처.
べたあし【べた足】图 1 편평족. 2 발뒤꿈치를 붙이고 터덕터덕 걷는 일.
べたいちめん【べた一面】图 〈俗〉 (물건의) 표면 전부; 온통. ¶~の焼(や)け野原(のはら) 온통 불타 버린 들판/~に塗(ぬ)りたくる 온통 처바르다.
べたおくれ【べた遅れ】图 (열차 등의) 전면적인 지연. ¶事故(じこ)で下(くだ)りは~だ 사고로 하행 열차는 모두 연착이다.
べたきじ【べた記事】图 (신문 등에서) 1단짜리 작은 기사.
へたくそ【下手くそ】《下手糞》名ナ 〈俗〉 대단히 서투름. ¶~な字(じ) 아주 서투른 글씨/あいつには何(なに)をやらしても~だ 저 녀석에게는 무슨 일을 시켜도 형편없다. 參考 'くそ'는 강조의 接詞.
べたぐみ【べた組み】图〔印〕 통조판(組版); 붙여짜기《자간(字間)·행간을 떼지 않고 활자를 짜기》. =べた.
へだたり【隔たり】图 간격; 격차; 거리; 차이. ¶年齢(ねんれい)の~ 연령의 차이/~がある 차이〔격차〕가 있다/~ができる (a) 격차〔차이〕가 생기다. (b) 격이 나다.
*へだた-る【隔たる】5自 1 (공간적으로) 떨어지다. ¶ここから一里(いちり)~·った所(ところ)に寺(てら)がある 여기서 십 리 떨어진 곳에 절이 있다. 2 (세월이) 지나다; 경과하다. ¶半世紀(はんせいき)も~·った今日(こんにち) 반세기나 지난 오늘날. 3 사이가 차단되다; 가로막히다. ¶川(かわ)で~·った村々(むらむら) 강을 사이에 끼고 있는 마을들. 4 소원해지다; 멀어지다. ¶二人(ふたり)の仲(なか)が次第(しだい)に~ 두 사람 사이가 점차 멀어지다. 5 차이가 생기다; (사이가) 벌어지다. ¶実力(じつりょく)があまりに~·っている 실력차가 너무 벌어져 있다.
べたつ-く 5自 1 끈끈하게 달라붙다. ¶汗(あせ)で手(て)が~ 땀으로 손이 끈적거리다. 2 사람의 몸에 달라붙다; 교태를 부리며 달라붙다. ¶人前(ひとまえ)で~とは見苦(みぐる)しい 사람 보는 데서 달라붙다니 꼴사납다.
べたっと 副 ☞べたりと.
へだて【隔て】图 1 칸막음; 또, 칸막이. =しきり. ¶~の障子(しょうじ) 칸막이 장지문. 2 차별; 구별. ¶男女(だんじょ)の~なく 남녀의 차별없이/~をつける 차별을 두다. 3 격의; 간격. ¶~なくつきあう 격의 없이 사귀다/あの事(こと)があって彼(かれ)との間(あいだ)に~ができた 그 일이 있은 후 그와의 사이에 간격이 생겼다.
*へだ-てる【隔てる】《距てる》下1他 1 사이를 떼다; 사이에 두다. ¶テーブルを~·てて向(む)かい合(あ)う 테이블을 사이에 두고 마주 보다/十年(じゅうねん)という歳月(さいげつ)を~·てて再会(さいかい)した 10년이라는 세월이 지난 뒤에 재회하였다. 2 칸을 막다; 가로막다. ¶塀(へい)に~·てられて見(み)えない 담에 가로막혀 보이지 않다/障子(しょうじ)で~ 장지로 칸을 막다. 3 멀리하다; 싫어하다. ¶病人(びょうにん)を~ 환자를 격리하다/気(き)に入(い)らぬ人(ひと)を~ 마음에 들지 않는 사람을 멀리하다. 4 사이를 가르다. ¶相愛(そうあい)の二人(ふたり)の仲(なか)を~ 서로

사랑하는 두 사람 사이를 가르다.

へたば-る 5自 〈俗〉 **1** 지쳐 버리다; 녹초가 되다; 지쳐서 퍼더버리다; 늘어지다. ¶日に十里ぐらい歩いても～私ではない 하루 100리쯤 걸어도 지칠 내가 아니다/べったりと～·って立てない 축 늘어져서 일어설 수 없다. **2** 몸을 구부리다.

へたへた 副 힘이 빠져 쓰러지는〔주저앉는〕 모양: 털썩. ¶～としりもちをつく 힘 없이 털썩 주저앉다/気落ちして～とその場に座りこむ 낙담해서 그 자리에 털썩 주저앉다.

べたべた 副ス自 **1** 끈적끈적. ¶汗で下着が～(と)くっつく 땀으로 속옷이 끈적끈적 들러붙다/手が～だ 손이 끈적끈적하다. **2** (꿍꿍이속이 있어서) 달라붙어 떨어지지 않는 모양: 찰딱. ¶いつも～(と)つきまとう 언제나 찰딱 달라붙어 따라다니다/上役に～する 상사에게 찰딱 달라붙다. **3** 온통 바르거나 붙이는 모양: 처덕처덕. ¶白粉を～と塗りたくる 분을 처덕처덕 뒤바르다.

ぺたぺた 副 **1** 손바닥으로 몸이나 젖은〔차진〕 물건을 때리는 소리: 찰싹(찰싹); 찰싸닥. ¶～と背中をたたく 찰싹찰싹 등을 두드리다. **2** 연이어 몇 개씩 붙이거나, 도장을 찍는 모양: 처덕처덕; 온통. ¶判を～(と)押す 도장을 마구 찍다. 参考 'べたべた' 보다 가벼운 느낌의 말.

べたぼめ【べた褒め】 名ス他 〈俗〉 격찬함; 극구 칭찬함. ¶～されて面映ゆい 격찬을 받아 겸연쩍다.

べたぼれ 〘べた惚れ〙 名ス自 〈俗〉 홀딱 반해 버림.

べたやき【べた焼き】名 〔寫〕 밀착 인화《특히, 35밀리 필름 한 통분을 인화지 한 장에 밀착 인화하는 일》. =べた·コンタクト. ↔引き伸ばし.

へたりこ-む【へたり込む】 5自 지쳐서 주저앉다; 지쳐서 서 있을 수 없게 되다. ¶思わずその場に～·んだ 무의식중에〔나도 모르게〕 그 자리에 (털썩) 주저앉았다.

べたりと 副 **1** 끈적끈적 붙는 모양: 쩍; 철떡. ¶ペンキが～つく 페인트가 쩍 묻어나다/～壁にへばりつく 벽에 철떡 들러붙다. **2** 주저앉는 모양: 털썩. ¶～すわる 털썩 주저앉다.

ぺたりと 副 **1** 가볍게 누르는 모양; 또, 그와 같이 붙이는 모양: 살짝; 딱. ¶～印を押す 도장을 딱 찍다/切手を～はる 우표를 딱 붙이다. **2** 엉덩이를 붙이고 앉는 모양: 탈싹. ¶～すわる 탈싹 주저앉다. 参考 'べたりと' 보다 가벼운 느낌의 말.

へた-る 5自 녹초가 되어 퍼더버리다.

ペダル [pedal] 名 페달; (자전거·피아노 등의) 발판. ¶～を踏む 페달을 밟다.

ぺたんと 副 **1** 물건의 면에 납작하게 붙는 모양; 또, 붙이는 모양: 착. ¶紙を～はり付ける 종이를 착 갖다 붙이다. **2** 도장 따위를 찍는 모양: 딱. =ぺたりと. ¶～ゴム印を押す 고무 도장을 딱 찍다. **3** 엉덩방아를 찧는〔주저앉는〕 모양: 털썩. =ぺたと. ¶～すわる 털썩 주저앉다.

ペチカ [러 pechka] 名 페치카《러시아식 벽난로》. 注意 'ペーチカ'라고도 함.

ペチコート [petticoat] 名 페티코트《여성 속옷의 하나》. =ペティコート.

へちま 〘糸瓜〙 名 **1** 〔植〕 수세미외. **2** 하찮은 것의 비유《수세미외는 먹지 못하므로》. ¶この～野郎 이 등신아/学校〔勉強〕も～もあるものか 학교〔공부〕고 나발이고 다 무슨 소용이야.

べちゃくちゃ 副 〈俗〉 시끄럽게 지껄이는 모양: 씩둑씩둑. ¶～(と)おしゃべりばかりしている 씩둑씩둑 수다만 떨고 있다.

ぺちゃくちゃ 副 〈俗〉 'べちゃくちゃ' 보다 가벼운 느낌을 나타내는 말: 재잘재잘. ¶～しゃべる 재잘재잘 지껄이다.

ぺちゃんこ ダナ 〈俗〉 **1** 눌려 납작해진 모양. ¶帽子が～になる 모자가 납작해지다/家が～に潰れた 집이 납작하게 짜부라졌다. **2** 완전히 압도〔패배〕당한 모양. ¶～にやられる 꼼짝 못하고 당하다/～に負けた 꼼짝달싹 못하고 졌다. 注意 'ぺしゃんこ'의 힘줌말.

べつ【別】 一名 **1** 구별; 차이. ¶男女〔年齢〕の～なく 남녀〔연령〕의 구별 없이/長幼の～をわきまえる 장유의 차례를 알다/昼夜の～なく仕事をする 밤낮을 가리지 않고 일하다. **2** 유별(類別). ¶国立と私立との～がある 국립과 사립의 구별이 있다. **3** 별도. ¶例外は～として 예외는 별도로 하고/食費は～に払う 식비는 별도로〔따로〕 치르다. **4** 특별. ¶～に何もすることがない 특별히〔별로〕 아무것도 하는 일이 없다/～にかわりはない 특별히〔별로〕 변한 것은 없다. **5** 제외. ¶じょうだんは～として 농담은 제쳐놓고/先生を～にして五人です 선생님을 제외하고 5명입니다.

二 ダナ 다름. ¶～な方法 다른 방법/～の問題 다른 문제. ⇨べつに.

三 接頭 별…. **1** 다른. ¶～問題 다른 문제/別世界 별세계; 색다른 세계. **2** 특별. ¶～あつらえ 특별 주문(품).

四 接尾 …별; 구별의 뜻. ¶能力～ 능력별/地方～ 지방별.

べつ 〘別〙 教4 ベツ わかれる わかつ わける | 별 다르다 |

1 구별하다. ¶分別 분별. **2** 헤어지다. ¶惜別 석별/別居 별거. **3** 다르다; 다른 것. ¶特別 특별.

べつあつらえ【別あつらえ】〘別誂え〙 名ス他 특별 주문; 또, 그 물건. ¶～の洋服 특별 주문한 양복.

べっかく【別格】名 별격; 특별; 예외적인 취급을 받는 일. ¶～の待遇 특별 대우 / ～に扱う 별격으로 다루다.
べっかん【別館】图 별관. ↔本館.
べっき【別記】图ス他 별기. ¶～のように 별기와 같이.
べつぎ【別儀】图 다른 일; 별다른 일. ＝余の儀 ¶～ではございませんが… 별다른 일은 아닙니다만….
べっきょ【別居】图ス自 별거. ¶～生活 별거 생활 / 仕事のつごうでよぎなく家族と～する 업무 관계로 어쩔 수 없이 가족과 별거하다. ↔同居.
べつくち【別口】图 **1** 다른 종류; 다른 루트. ¶～の収入 별도의 수입 / これはまた～の話だが 이것은 또 딴 이야기지만. **2** 다른 거래〔계좌〕.
べっけん【別件】图 별건. ¶～で呼ばれる 다른 사건으로 소환되다.
べっこ【別個】《別箇》名ナ 별개. ¶～の問題 별개의 문제 / ～に扱う 별개로 취급하다.
べつご【別後】图 헤어진 뒤. ¶～一向消息がない 이별 후 도무지 소식이 없다.
べっこう〖鼈甲〗图 대모갑(玳瑁甲). ¶～色 반투명의 황색〔황갈색〕/ ～細工 대모갑 세공.
べっこん【別懇】名ナ 각별히 친함. ＝昵懇. ¶～の間柄 각별하게 친한 사이 / ～になる 각별히 친해지다.
べっさつ【別冊】图 별책. ¶新年号～付録 신년호 별책 부록.
べっし〔蔑視〕图ス他 멸시. ¶学歴で人を～するのはよくない 학력으로 사람을 멸시하는 것은 좋지 않다.
べっしつ【別室】图 별실. ¶～に通す 별실에 안내하다.
ヘッジファンド[hedge fund] 图〔經〕 헤지 펀드《개인 자금을 투기적으로 운영하는 유한 책임의 투자 신탁조합》.
べっしゅ【別種】图 별종; 다른 종(류). ¶同属だが～の植物 같은 속이지만 다른 종인 식물.
べっしょう【別称】图 별칭. ＝別名.
べつじょう【別条】图 보통과 다른 사항; 별다른 일; 별일. ¶～無く暮らす〔過ごす〕 별고 없이 지내다.
べつじょう【別状】图 다른 상태; 보통과 다른 모양; 이상한 모양. ＝異状. ¶命に～はない 생명에 별다른 이상은 없다.
べつじん【別人】图 별인; 딴 사람. ¶～のように変わる 딴 사람처럼 변하다.
―の観 아주 딴 사람같이 보임. ¶～がある 아주 딴 사람같이 보인다.
べつずり【別刷り】图 **1** 본문과는 따로 (삽화 등을) 인쇄함; 또, 그 인쇄한 것. ¶口絵は～にする 권두화(卷頭畫)는 별쇄로 한다. **2** 발췌 인쇄(물). ¶～を配って批判を求める 발췌 인쇄물을 배포하여 비판을 구하다. 參考 2는 자연과학 계통에서 쓰는 용어이며, 인문 과학 계통에서는 '抜き刷り'라고 함.
べっせかい【別世界】图 별세계; 색다른 세계. ＝別天地. ¶役者の生活は我我のとは～だ 배우의 생활은 우리 생활과는 별세계다.
べっそう【別荘】图 **1** 별장. ¶～で夏を過ごす 별장에서 여름을 지내다. **2**〈俗〉 교도소.
べっそう【別送】图ス他 별송; 따로 보냄. ¶小包を～します 소포를 따로 보내겠습니다.
べったく【別宅】图 별택; 별가; 딴 살림집. ＝別邸. ¶次男を～に住まわせる 차남을 별가에서 살도록 하다. ↔本宅.
へったくれ 图〈俗〉 시시하게 생각한다는 뜻으로 실질적인 의의를 나타내는 말에 곁들여서 쓰이는 말: …이건 뭐건〔나발이건〕. ¶いやも～もあるものか 싫고 좋고가 어디 있어 / もう友情も～もない 이젠 우정이고 나발이고 다 소용〔필요〕 없다.
べつだて【別建て】图 별도로〔따로따로〕 취급함. ¶新幹線と在来線の料金は～だ 신간선과 재래선의 요금은 별도이다.
べったり 副 **1** 끈적끈적 달라붙는 모양; 또, 아주 밀접한 모양: 척; 찰싹. ¶～(と)血がついている 피가 끈끈하게 묻어 있다 / 体制に～だ 체제에 찰싹 밀착되어 있다. **2** 전면(全面)에 붙어 있는〔적혀 있는〕 모양. ¶おしろいを～塗る 분을 치덕치덕 바르다 / 紙面いっぱいに～書いてある 지면 전체에 빈틈없이 적혀 있다. **3** 털썩. ¶～(と)縁側にすわる 털썩 툇마루에 주저앉다 / ～尻もちをついた 털썩 엉덩방아를 찧었다. 「운 표현.
ぺったり 副 'べったり' 보다 조금 가벼
べつだん【別段】一名ナ 보통과 다름; 특별; 각별. ¶～の扱いをする 특별한 취급을 하다. 二副《뒤에 否定의 말을 수반하여》 별반; 별로; 특별히. ＝大して. ¶～変わった事もない 별반 달라진 것도 없다 / ～これという理由もない 특별히 이렇다 할 이유도 없다.
へっちゃら ダナ〈俗〉'へいちゃら'의 힘줌말.
ぺっちゃんこ ダナ ☞ぺちゃんこ. ¶箱が～になる 상자가 납작해지다.
ヘッディング[heading] 图 헤딩. **1** (기사의) 표제. ＝見出し. **2** (축구에서) 공을 머리로 받는 일. 注意 'ヘディング'라고도 함.
ペッティング[petting] 图ス自 페팅; 이성과의 애무 행위.
べってんち【別天地】图 별천지; 별세계. ＝別世界. ¶～の感がある 별천지 같은 느낌이 든다.
ヘッド[head] 图 헤드. **1** 머리; 또, (어떤 물건의) 선단(先端) 부분. ¶クラブの～ 클럽〔골프채〕의 헤드 / ボーン～ 본헤드; 서투른〔맥없는〕 플레이. **2** 우두머리; 수령; 수석; 주임. ¶～コーチ 헤드 코치. **3** (녹음기·녹화기 등에서) 테이프가 접촉하여 녹음·녹화의 재생·소거(消去) 따위를 하는 부분.

―スライディング [일 head+sliding] 图 〖野〗 헤드 슬라이딩《다이빙하듯 손을 뻗쳐 슬라이딩하는 동작》.

―ハンター [headhunter] 图 헤드헌터; 헤드헌팅 전문업자; 인재 스카우트업.

―ホーン [headphone] 图 헤드폰. 注意 'ヘッドホン' 이라고도 함.

―ライト [headlight] 图 헤드라이트. ¶～を照(て)らす 헤드라이트를 비추다. ↔ テールライト.

べっと【別途】图 별도. ¶～収入(しゅうにゅう) 별도의 수입 / ～に考(かんが)える 별도로 생각하다. 參考 副詞적으로도 쓰임. ¶交通費(こうつうひ)は～支給(しきゅう)する 교통비는 별도로 지급한다.

***ベッド** [bed] 图 베드. **1** 침대. ¶ダブル～ 2인용 침대. **2** 묘상(苗床); 화단.

―シーン [일 bed+scene] 图 베드신.

―タウン [일 bed+town] 图 베드타운; 대도시 주변에 있는 주택 지역. *영어로는 bedroom suburb라고 함.

―ハウス [일 bed+house] 图 잠만 재우는 값싼 여관; 간이 숙박소.

ペット [pet] 图 페트; 애완용 동물; 귀염둥이《연하의 애인도 가리킴》.

―ホテル [일 pet+hotel] 图 페트 호텔; 여행 중인 사람의 애완 동물을 맡는 곳.

―ロボット [← robotic pet] 图 개·고양이 등 애완 동물 대신에 개발된 로봇.

ペット [PET] 图 페트; 폴리에틸렌 테레프탈레이트 수지(樹脂). ▷**polyethylene terephthalate**.

―ボトル [PET bottle] 图 페트 보틀; 페트병《페트로 된 용기》. ¶～のリサイクル 페트병의 재활용.

ぺっと 副 갑자기 뱉어내는 모양: 퉤. ¶つばを～吐(は)く 침을 퉤 뱉다.

べつどうたい【別働隊·別動隊】图 별동대. ↔本隊(ほんたい).

べっとり 副 끈적거리는 것이 온통 붙는 모양: 흠뻑. ¶脂汗(あぶらあせ)を～(と)かく 진땀을 흠뻑 흘리다 / 泥(どろ)が～(と)つく 진흙이 흠뻑 묻다.

***べつに**【別に】副 **1**《뒤에 否定을 수반해서》 별로; 특별히. ＝とりたてて. ¶～用(よう)は無(な)い 별로 볼일은 없다 / ～ほしいものはない 별로 갖고 싶은 것은 없다 / ～これと言(い)う理由(りゆう)もない 별로 이렇다 할 이유도 없다. 參考 '何(なに)かありませんか(＝뭐 없습니까)' 라는 물음에 대하여 '別に' 로 대답할 때에는 '別(べつ)に無(な)い(＝별로 없다)' 의 뜻을 포함하는 경우가 많음. **2** 따로. ¶～もう一(ひと)つ 따로 하나 더 / ～申(もう)し上(あ)げます 따로 말씀드리겠습니다.

べつのう【別納】图ス他 별납; 별도 납입. ¶料金(りょうきん)～郵便(ゆうびん) 요금 별납 우편.

べっぴょう【別表】图 별표. ¶～を参照(さんしょう)せよ 별표를 참조할 것.

へっぴり〖屁っ放り〗图 **1** 'へひり' 의 힘줌말. **2** 남을 욕하는 말: 시시한 녀석.

―ごし【―腰】图〈俗〉**1** 구부정하고 엉거주춤한〔불안정한〕 자세. ＝及(およ)び腰(ごし). ¶～でスキーをする (엉덩이를 뒤로 빼고) 구부정한 자세로 스키를 타다 / そんな～では駄目(だめ)だ 그렇게 엉거주춤한 자세로는 안 된다. **2** 자신이 없고 불안한 모양. ¶～で事態(じたい)に対処(たいしょ)する 자신 없는 (불안한) 태도로 사태에 대처하다.

べつびん【別便】图 별편; 다른 인편〔차편〕. ¶荷物(にもつ)は～でお送(おく)りします 짐〔화물〕은 별편으로 보내겠습니다.

べっぴん〖別嬪〗图〈俗〉미인; 미녀. ¶あの娘(むすめ)はなかなか～だ 저 처녀는 꽤 미인이다.

べっぷう【別封】별봉. 一图ス他 따로따로 봉함. ¶名前別(なまえべつ)に～する 이름별로 별봉하다. ↔同封(どうふう). 二图 별첨한 봉서(封書).

***べつべつ**【別別】ダナ 따로따로; 각각. ¶～に行(ゆ)く 따로따로 가다 / 勘定(かんじょう)は～に払(はら)う 대금은 각자 치르다 / ～の仕事(しごと)〔方法(ほうほう)〕 각각 다른 일〔방법〕.

へっぽこ 图〈俗〉재주 없는〔쓸모없는〕 사람을 깔보아 일컫는 말: 돌팔이; 풋내기. ¶～医者(いしゃ) 돌팔이 의사 / ～役人(やくにん)〔画家(がか)〕 풋내기 관리〔화가〕.

べつむね【別棟】图 별동; 딴채; 별채. ¶研究室(けんきゅうしつ)は～にある 연구실은 딴채에 있다.

べつめい【別名】图 별명; 특히, 생물학에서 학명 이외에 습관적으로 쓰이고 있는 동식물명. ＝べつみょう. ¶彼岸花(ひがんばな)は～まんじゅしゃげとも言(い)われる 석산(石蒜)은 별명 만주사화(曼珠沙華)라고도 한다.

べつめい【別命】图 별명; 별도의 명령. ¶～有(あ)るまで 별명이 있을 때까지 / ～を待(ま)つ 별도 명령을 기다리다 / ～をおびて活動(かつどう)する 별명을 띠고 활동하다.

べつもの【別物】图 **1** 다른 것; 딴 것; 별개의 것. ¶～を送(おく)って来(き)た 딴 것을 보내왔다 / 学問(がくもん)と常識(じょうしき)とは～だ 학문과 상식은 별개의 것이다 / これとそれとは～だ 이것과 그것은 딴 것이다. **2** 예외; 특별 취급할 사람〔물건〕. ¶彼(かれ)だけは～だ 그만은 예외이다 / ～扱(あつか)いにする 특별 취급을 하다.

べつもんだい【別問題】图 별문제. ¶それとこれとはまったく～だ 그것과 이것은 아주 딴 문제다.

へつらい〖諂い〗图 아첨; 아부. ＝追従(ついしょう)·おべっか. ¶～をいう 아첨하다.

へつら-う〖諂う〗5他 아첨하다; 알랑거리다. ＝おもねる·こびる. ¶社長(しゃちょう)に～ 사장한테 아첨하다 / 上役(うわやく)には～い, 部下(ぶか)には威張(いば)る 상사에겐 아첨하고, 부하에겐 으스댄다.

べつり【別離】图 이별. ＝別(わか)れ·離別(りべつ). ¶～を嘆(なげ)く 이별을 슬퍼하다 / ～を惜(お)

しむ 이별을 아쉬워하다.

ペディキュア [pedicure] 名 페디큐어; 발과 발톱 화장. ⇨マニキュア.

ベテラン [프 vétéran] 名 베테랑; 노련한 사람; 숙련자. ¶その道(みち)の～ 그 분야의 베테랑. ↔駆(か)け出(だ)し.

ぺてん 名 〈俗〉 속임; 속임수; 사기; 환롱. ＝いかさま. ¶～師(し) 사기꾼 / ～にかける 사기치다 / ～にかかる 속임수에 넘어가다.

へど 〖反吐〗 名 토한 것; 게움; 구역질. ＝げろ. ¶～を吐(は)く 게우다; 토하다.

—が出(で)る 1 토하다; 구역질이 나다. ¶その顔(かお)を見(み)ただけでも反吐が出(で)そうだ 그 얼굴을 보기만 해도 구역질이 날 것 같다. 2 불쾌해지다; 비위가 상하다.

べとつ-く 5自 끈적거리다; 끈적끈적 붙다. ¶土(つち)が～ 흙이 질척거리다 / あめが～ 엿이 끈적끈적 붙다 / 汗(あせ)で体(からだ)が～ 땀으로 몸이 끈적거리다.

ペドフィリア [pedophilia] 名 페도필리아; 어린아이를 상대로 한 성(性)도착. ＝小児性愛(しょうにせいあい).

へとへと ダナ 몹시 지쳐서 힘이 없는 모양. ¶～に疲(つか)れた 몹시 피곤하다 / ～だ 녹초가 됐다 / 長(なが)い行軍(こうぐん)で一行(いっこう)は～になった 긴 행군으로 일행은 녹초가 됐다.

べとべと 一ダナ 끈적거리는 모양. ¶汗(あせ)でシャツが～だ 땀으로 셔츠가 끈적끈적하다. 二副ス自 끈적거리는 모양: 끈적끈적. ＝べたべた. ¶油(あぶら)で手(て)が～する 기름으로 손이 끈적거리다.

へどもど 副 (말이 막힌다든가 해서) 쩔쩔매는 모양; 당황하여 어쩔 줄 모르는 모양. ¶～して答(こた)えられない 당황해서 대답을 못하다 / ～しながら言(い)い訳(わけ)をする 쩔쩔매면서 변명하다.

へどろ 名 처리하지 않은 하수(下水)와 공장 폐수 등이 해변가에 질척질척하게 굳어진 것. ¶～公害(こうがい) 오폐수 공해. 注意 'ヘドロ'로 표기될 때가 많음. 参考 '反吐(へど)(＝토한 것)'와 '泥(どろ)(＝진흙)'의 혼합어라고 함.

へなちょこ 〖埴猪口〗 名 풋내기; 애송이. ¶～野郎(やろう) 애송이 녀석.

へなへな 副ダナ 1 풀썩〔폴싹〕 맥없이 주저앉는〔쓰러지는〕 모양. ¶～とくずおれる〔すわりこむ〕 풀썩〔맥없이〕 주저앉다. 2 성격이 맵지 못함; 줏대가 없음; 물렁물렁함. ¶～した人間(にんげん) 물렁팥죽 같은 사람 / 妻(つま)の前(まえ)に出(で)ると～になる男(おとこ) 아내 앞에 나가면 물렁팥죽이 되는 남자. 3 맥없이 휘어지는 모양. ¶～のブリキ板(ばん) 맥없이 휘는 양철판 / ～の表紙(ひょうし) 단단하지 않은 표지.

ペナルティー [penalty] 名 페널티. 1 형벌. 2 벌금. ¶契約(けいやく)不履行(ふりこう)の～を払(はら)う 계약 불이행의 벌금을 물다. 3 벌칙. ¶～を科(か)す 벌칙을 과하다.

—エリア [penalty area] 名 페널티 에어리어; (축구에서) 벌칙 구역.

—キック [penalty kick] 名 (축구에서) 페널티 킥《略: PK》.

ペナント [pennant] 名 페넌트. 1 길고 좁은 삼각기; 학교·단체 등의 마크. ¶選手(せんしゅ)が～を交換(こうかん)する 선수가 페넌트를 교환하다. 2〔野〕 우승기; 전하여, 우승; 패권. ¶～を得(え)る 우승하다.

—レース [pennant race] 名〔野〕 페넌트 레이스; 프로 야구에서, 리그의 우승을 다투는 공식 경기.

べに 【紅】 名 1〔植〕 ☞べにばな. 2 잇꽃의 꽃잎 따위로 만든 적색 안료《염료·화장품·식품 등에 씀》. ¶～染(ぞ)め 분홍빛으로 물들임. 3 연지. ¶ほお～ 연지 / 口(くち)～ 입술 연지; 루즈 / ～をさす 연지를 바르다. 4 주홍색. ＝紅色(べにいろ)·くれない.

べにいろ 【紅色】 名 홍색; 선홍색; 주홍색. ＝くれない色.

べにおしろい 【紅おしろい】《紅白粉》 名 연지와 가루분; 또, 화장. ¶～は女(おんな)のたしなみ 화장은 여인의 소양 / ～にうき身(み)をやつす 화장에 너무 골몰하다.

ペニシリン [penicillin] 名 페니실린. ¶～ショック 페니실린 쇼크 / ～アレルギー 페니실린 알레르기.

ペニス [라 penis] 名 페니스; 음경(陰莖).

べにばな 【紅花】《紅藍花》 名〔植〕 홍화; 잇꽃. ＝べに·すえつむはな. 参考 옛 이름은 'くれない'.

ベニヤいた 【ベニヤ板】 名 베니어판. ＝ベニヤ·合板(ごうはん). ▷veneer.

へのかっぱ 〖屁の河童〗 名 〈俗〉 1 아무것도 아님; 대수롭지 않게 생각함. ＝平気(へいき)·へいちゃら. ¶そんなことは～さ 그까짓 것은 아무것도 아니다. 2 간단히 할 수 있는 일.

へのへのもへじ 名 글자놀이의 하나; ひらがなの 'へ'를 눈썹과 입, 'の'를 눈, 'も'를 코, 'じ'를 얼굴 윤곽으로 하여 사람 얼굴을 그린 것. ＝へへののもへじ.

[へのへのもへじ]

ペパーミント [peppermint] 名 페퍼민트; 박하; 박하를 넣은 양주〔껌〕.

へばりつ-く 〖へばり付く〗 5自 찰싹 달라붙다; 눌러붙다. ¶かたつむりが石(いし)に～·いて離(はな)れない 달팽이가 돌에 딱 붙어 떨어지지 않는다 / 都会(とかい)の片隅(かたすみ)に～·いて生(い)きている 도시 한구석에 눌러붙어 살고 있다.

へば-る 5自 아주 지치다; 녹초가 되다. ＝へたばる. ¶慣(な)れない力仕事(ちからしごと)ですっかり～·った 익숙지 않은 육체노동으로 아주 녹초가 되었다.

へび 【蛇】 名〔動〕 뱀. ＝ながむし·くちなわ. 参考 큰 것은 'おろち'.

—に見込(みこ)まれた〔にらまれた〕蛙(かえる)のよう 뱀 앞에 꼼짝 못하는 개구리처럼 겁에 질려 꼼짝 못함의 형용. ¶～にその場(ば)に立(た)ちすくんだ 뱀 앞의 개구리처럼 그 자리에 선 채 꼼짝 못했다.

—の生殺し 반죽음이 되게 함; 또, 서서히 괴롭히는 것의 비유.

ヘビー [heavy] 헤비. 一图 막판의 분발. ¶ラスト～ 최후의 노력; 마지막 분발. 二接頭 **1** 정도가 심한. ¶～スモーカー 헤비 스모커; 골초. **2** 강한; 센. ¶～バッター 강타자. **3** 무거운.

—を掛ける 최후의 분발을 하다; 안간힘을 쓰다.

—きゅう【—級】图 헤비급.

ベビー [baby] 图 베이비. **1** 유아; 젖먹이. ¶～服 아기옷/～ブーム 베이비붐. **2** 소형(小型)의 것. ¶～カメラ 소형 사진기/～ゴルフ 베이비 골프/～だんす 작은〔소형〕 장롱.

—サークル [일 baby+circle] 图 베이비 서클; 아기를 안전하게 놀리기 위한 조립식 목책(木柵).

—シッター [baby-sitter] 图 베이비시터; 어머니가 없는 동안 아이를 돌봐주는 여자. ＝子守り.

—パウダー [일 baby+powder] 图 베이비 파우더《땀띠 약》.

—バスト [baby bust] 图 베이비 버스트; 출생률의 급감소. ↔ベビーブーム.

—ホテル [일 baby+hotel] 图 아기를 맡아 돌봐 주는 무허가 보육소의 통칭.

へびいちご【蛇いちご】《蛇苺》图〔植〕뱀딸기. ＝くちなわいちご.

へびつかい【蛇遣い】图 **1** 뱀을 길들여 마음대로 부려서 구경시키는 사람; 또, 그 구경거리. **2** 게으름뱅이.

へひり〘屁放り〙图 방귀를 뀜; 방구쟁이.

ペプシン [도 Pepsin] 图 펩신《위액(胃液) 속의 단백질을 분해하는 효소》.

へへ 感 헤헤. **1** 비웃는 웃음소리. ¶～, ざまあ見ろ 헤헤, 꼴좋다. **2** 아비하게 웃는 웃음소리.

べべ 图〈兒〉때때옷. ¶お～ 꼬까옷.

へべれけ ダナ〈俗〉고주망태가 된 모양. ¶～に酔う 고주망태가 되게 취하다/～になるまで飲む 고주망태가 될 때까지 마시다.

へぼ 图〈俗〉**1** 서투름. ＝へた. ¶～医者 엉터리 의사/～将棋 풋장기. **2** (과일 등의) 미숙함. ¶～きゅうり 덜 익은 오이.

ヘボンしき【ヘボン式】图 헵번식; 미국인 선교사 헵번이 고안한 일본어의 로마자 철자법의 하나《'フ'를 fu, 'シ'를 shi, 'ジ·ヂ'를 ji로 표기함》. ＝ヘボン式ローマ字つづり方·標準式. ↔訓令式·日本式. ▷Hepburn.

へま 名ナ〈俗〉**1** 똑똑지 못하고 눈치가 없음; 얼간; 바보짓. ¶～野郎 얼뜨기 녀석/～な発言 눈치 없는 발언/～なことをしてしまった 바보짓을 하고 말았다. **2** 실패; 실수. ¶～をやらかす 실수를 저지르다.

へまむし 图 글자 놀이의 하나; カタカナ의 'ヘマムシ' 네 글자로 사람 얼굴을 그린 것《'ヘ'가 머리, 'マ'가 눈, 'ム'가 코, 'シ'가 입과 턱이 되어 사람의 옆얼굴이 이루어짐》.

—にゅうどう【—入道】图 カタカナ의 'ヘマムシ' 네 글자로 그린 사람의 옆얼굴에, 심하게 흘려 쓴 '入道'로 몸통을 그린 것; 또, 'ヨ'를 덧붙여 귀를 그려 'へまむしょ入道'라고도 함.

〔へまむし入道〕

へめぐ-る【経巡る】5自 여기저기 두루 돌아다니다; 편력(遍歴)하다. ¶諸国を～ 여러 지방을 편력하다.

ヘモグロビン [도 Hämoglobin] 图〔生〕헤모글로빈. ＝血色素.

へや【部屋】图 **1** 방. ¶～着 실내복/～代 방세; 방값/大べや 큰방/子供べや 어린이 방/勉強べや 공부방/明るい～ 밝은 방/自分の～にひきこもる 자기 방에 틀어박히다. **2** 은퇴한 씨름꾼이 경영하며 거기 소속하는 씨름꾼을 양성하는 곳. ＝相撲部屋. ¶～制度 은퇴한 씨름꾼이 후배 씨름꾼을 양성하는 합숙소 제도.

—ずみ【—住み】图 맏아들이 아직 호주(戸主) 상속을 받지 않았을 때의 신분; 또, (江戸 시대에) 호주 상속을 받지 못하는 차남 이하의 사람.

ベヤリング [bearing] 图 ☞ベアリング.

へら〘篦〙图 (줄을 긋거나 풀 등을 개고 바르는) 주걱《뼈인두 따위》. ¶靴べら 구둣주걱.

べら〘遍羅〙图〔魚〕놀래기.

へら-す【減らす】5他 줄이다; 감하다. ¶分量を～ 분량을 줄이다/人を～ 사람을 줄이다; 감원하다/食事の量を～ 식사량을 줄이다. ↔増す·ふやす. 可能 へら-せる 下1自

へらずぐち【減らず口】图 지는 것이 분해서 당찮은 말을 자꾸 함; 또, 그 말. ¶～をたたく〔きく〕 (지지 않으려고) 억지부리다; 생떼거리를 쓰다.

へらへら 副 **1** 실없이 자꾸 웃는 모양: 실실. ¶～笑ってごまかす 실실 웃으며 얼버무리다. **2** 경솔하게 지껄이는 모양: 실실; 하롱하롱. ¶～とお世辞を言う 실실 따리를 붙이다. **3** 불꽃이 타오르는 모양: 훨훨. ＝めらめら. ¶～と燃えあがる 훨훨 타오르다.

べらべら 副 ス自 **1** 입심 좋게 잘 지껄여 대는 모양; 외국어를 잘 지껄이는 모양: 줄줄; 술술. ¶～(と)まくしたてる 줄줄 지껄여대다/人の秘密を～としゃべるな 남의 비밀을 함부로 지껄여대지 마라. **2** 물건이 얇고 약한 모양: 흐르르. ¶～した布〔紙〕 흐르르한 천〔종이〕. 参考 'ぺらぺら'의 힘줌말.

ぺらぺら 副 ダナ ス自 **1** 거침없이 잘 지껄이는 모양; 특히, 외국어를 잘 지껄이는 모양: 술술; 줄줄. ¶彼は英語が～だ 그는 영어를 술술 잘한다. **2** 종잇장 같은 것을 연달아 넘기는 모양: 펄럭펄럭.

¶～とノートを捲る 펄럭펄럭 노트장을 넘기다. **3** 얇고 약한 모양: 흐르르. ¶～の人絹 흐르르한 인견／～な本 얄팍한 책／～した布〔紙〕 흐르르한〔얇은〕 천〔종이〕.

べらぼう〖箆棒〗名ダナ〈俗〉**1** (정도가) 몹시 심한 모양: 엄청남; 굉장함. ¶～に暑い 엄청나게 덥다／～にうまい 굉장히 잘하다／～に強い〔高い〕 되게 세다〔비싸다〕. **2** 터무니없음. ¶～な値段 터무니없는 값／そんな～な話があるものか 그런 터무니없는 말이 어디 있어. **3** 남을 욕하는 말. ＝ばか·あほう. ¶～め 바보야; 등신아.

ベランダ [veranda] 名 베란다.

—スモーカー [일 veranda＋smoker] 名 담배를 싫어하는 가족을 위해 베란다에서 담배를 피우는 사람. ⇨ほたる族.

べらんめえ 名〈俗〉東京 사람들이 남을 욕할 때 쓰는 말. ＝ばかめ. 注意 'べらぼうめ'의 전와(轉訛)라고도 함.

—くちょう【—口調】名 東京의 전래 소(小)상공업 지역 장인(匠人)들이 혀끝을 말 듯이 활기차게 지껄이는 어조〔말〕. ¶～でまくしたてる べらんめえ 어조로 마구 지껄이다.

—ことば【—言葉】名 ☞べらんめえくちょう.

へり【減り】《耗り》名 줄어듦; 감소; 또, 그 정도. ＝へりめ. ¶インクの～がはげしい 잉크가 격감하다／靴の～が早い 구두가 빨리 닳는다.

***へり**〖縁〗名 **1** 가장자리; 언저리; 가; 모서리. ＝ふち·はし. ¶机の～ 책상 가장자리／池の～に立つ 연못가에 서다. **2** 테를 두른 천; 가선. ¶畳の～ 다다미의 가선／～が切れる 가선이 해지다／～をとる 가선을 대다.

ヘリ 名 'ヘリコプター(＝헬리콥터)'의 준말; 헬기. ¶～ポート 헬리포트.

=べり〖縁〗 강 언저리의 뜻. ¶利根川～ 利根川 강가.

ヘリウム [도 Helium] 名〔化〕 헬륨《기호: He》. ¶～ガス 헬륨 가스.

ペリカン [pelican] 名〔鳥〕 펠리컨; 사다새. ＝ガランチョウ.

へりくだ-る〖謙る·遜る〗5自 겸양하다; 자기를 낮추다. ¶～·った言い方〔態度〕 겸손한 말씨〔태도〕／～·って話をする 겸손하게 이야기하다.

へりくつ【へ理屈】《屁理屈》名 (당찮은) 억지 이론; 생떼 같은 억지; 강변(強辯). ¶～をこねる〔ならべる〕 당찮은 이유를 내세우다〔늘어놓다〕／～をつける 억지를 쓰다.

ヘリコプター [helicopter] 名 헬리콥터. ＝ヘリ. ⇨オートジャイロ.

ヘリポート [heliport] 名 헬리포트; 헬리콥터 발착장.

****へ-る**【減る】5自 **1** 줄다; 적어지다. ¶数量〔体重〕が～ 수량〔체중〕이 줄다／口の～·らない奴だ 수다스러운 놈이다. ↔増す·ふえる. **2**《'腹が～'의 꼴로》 허기지다; 배고프다. ¶腹が～·ってはいくさができない 배가 고파서는 싸움을 할 수 없다. **3** 닳다; 마멸(磨滅)하다. ¶くつのかかとが～ 구두 뒤축이 닳다／砥石が～ 숫돌이 닳다.

***へる**【経る】下1他 지나가다; 거치다. **1** (때가) 지나다; 경과하다. ¶卒業後二十年を～ 졸업 후 20년이 지나다／一か月(を)へても音沙汰がない 한 달이 지나도 아무 소식이 없다. **2** 지나다; 통과하다; 거쳐 가다. ¶山をへて行く 산을 지나서 가다／大阪をへて神戸に行く 大阪를 거쳐 神戸에 가다. **3** (과정을) 거치다. ¶手続きを～ 절차를 거치다〔밟다〕／審議を～ 심의를 거치다.

***ベル** [bell] 名 벨; 종; 방울; 초인종. ¶非常～ 비상 벨／ポケット～ 포켓벨; 휴대용 무선 호출기《삐삐》.

—ボーイ [bellboy] 名 벨보이; 호텔 현관 등에서 손님의 시중을 드는 종업원.

ヘルシー [healthy] ダナ 헬시; 건강한 모양; 건강에 좋음. ¶～な生活 건강한 생활／～フーズ 건강식품.

ヘルスセンター [일 health＋center] 名 헬스센터; 보양을 위한 시설.

ヘルツ [도 Hertz] 名〔理〕 헤르츠《기호: Hz》. ＝サイクル毎秒.

***ベルト** [belt] 名 벨트. **1** 혁대; 띠; 띠 모양의 것. ＝バンド. ¶ズボンの～ 양복바지 벨트. **2** 기계의 피대. ＝しらべかわ. **3** 지대(地帶). ¶グリーン～ 그린 벨트; 녹지대.

—コンベヤー [belt conveyer] 名 벨트 컨베이어; 전송대(傳送帶).

ヘルニア [라 hernia] 名〔醫〕 헤르니아; 탈장(脫腸). ¶椎間板〔そけい部〕～ 추간판〔서혜부〕 헤르니아.

ヘルパー [helper] 名 헬퍼. **1** 돕는 사람; 조수. **2** 가정부. **3** 환자·장애인을 돌보는 사람.

ベルベット [velvet] 名 벨벳. ☞ビロード.

ヘルメット [helmet] 名 헬멧. ＝ヘル.

ベレー [프 béret] 名 베레; 'ベレー帽(＝베레모)'의 준말. ¶～をかぶる 베레(모)를 쓰다.

ペレストロイカ [러 perestroika] 名 페레스트로이카《구소련의 고르바초프 정권 아래서 진행된 개혁의 총칭》. 參考 본래, '재건(再建)·개혁'의 뜻.

ヘレニズム [Hellenism] 名 헬레니즘. ↔ヘブライズム.

べろ 名〈俗〉 혀. ＝舌. ¶～を出す 혀를 내밀다.

ヘロイン [도 Heroin] 名 헤로인《모르핀으로 만드는 마약》.

ぺろっと 副 ☞ぺろりと. ¶しくじって～舌を出す 실수를 하고 날름 혀를 내밀다.

へろへろ 名〈俗〉 약하고 힘이 없음; 맥빠진 모양. ¶～矢 무른 화살／あんな～の球なら楽に打ちこめる 저 따위 김빠진 볼이면 쉽게 칠 수 있다.

べろべろ 副 1 혀로 핥는 모양: 할짝할짝. ¶~(と)皿をなめる 할짝할짝 접시를 핥다. 2《'~に'의 꼴로》 곤드레만드레. =べろんべろん. ¶~に酔う 곤드레만드레 취하다. 3 종이 따위가 젖어 흐늘흐늘한 모양.

ぺろぺろ 副 1 혀를 자주 내미는 모양: 날름날름. ¶~(と)舌を出す 날름날름 혀를 내밀다. 2 혀로 핥는 모양: 할짝할짝. ¶~となめる 할짝거리다. 3 다 먹어치우는 모양: 늘름늘름. ¶~(と)平らげる 늘름늘름 먹어치우다.

べろりと 副 1 혀를 내미는 모양: 날름. ¶~舌を出す 혀를 날름 내밀다. 2 날름 혀를 내밀고 핥는 모양: 할짝. ¶~なめる 할짝 핥다.

ぺろりと 副 1 ㉠혀를 재빨리 내미는 모양: 날름. ¶~舌を出して照れ笑いした 날름 혀를 내밀고 멋쩍은 웃음을 지었다. ㉡혀로 빨리 핥는 모양: 할쭉. 2 게 눈 감추듯 먹어 치우는 모양: 늘름. ¶一皿を~平らげる 한 접시를 늘름 먹어치우다.

べろんべろん 名 곤드레만드레. =べろべろ·ぐでんぐでん. ¶~に酔っぱらう 곤드레만드레 취하다 / ~になるまで飲む 곤드레만드레 될 때까지 마시다.

へん【辺】名 1〔數〕변. ¶多角形の~の数を求める公式 다각형의 변의 수를 구하는 공식. 2 근처; 부근; 언저리. =あたり. ¶九州~は雨らしい 규슈 근방은 비가 오는 모양이다 / その~の事情はわからない 그쪽의 사정은 알 수 없다. 3 정도. =くらい. ¶この~で許してやれ 이 정도로 용서해 줘라 / では, この~でやめよう 그럼 이 정도로 그만두자.

へん【返】㊀名 (전보에서) '返事(=회답)'의 준말. ¶~マツ 회답 기다림. ㊁接尾 …번; 횟수를 세는 말. =遍. ¶一返 한 번 / 二~ 두 번 / 三返 세 번 / 四返 네 번.

**へん【変】㊀名 변. 1 변화. ¶桑海の~ 창상(滄桑)지변. 2 난; 난리《내란 따위》; 큰 사건; 정변. ¶本能寺の~ 本能寺의 난 / 万一の~にそなえる 만일의 사태에 대비하다. 3〔樂〕플랫 (flat)《기호: ♭》. ↔嬰.
㊁ダナ 보통이 아님; 이상함. ¶~な話 이상한 이야기 / どうも気分が~だ 어쩐지 기분이 이상하다.

へん【偏】名 (한자의) 변. ¶~のちがう字 변이 다른 글자. ↔つくり.

へん【編】《篇》 편. ㊀名 1 편집; 편찬; 편곡. ¶国語学会~ 국어학회 편 / …の~にかかる …가[이] 편집[편찬]한. 2 작품; 또, 그 일부분. ¶近世~ 근세편 / 各論~ 각론편. ㊁接尾 시문을 세는 말. ¶随想一編 수상 1편 / 詩二~ 시 2편.

=へん【片】 …편; 조각·토막을 세거나 나타내는 말. ¶金属~ 금속편 / 一片 1편; 한 조각.

=へん【遍】 …번; …회; 횟수·도수(度數)를 세는 말. ¶五~ 다섯 번 / 三遍 세 번.

へん 感 눈앞의 상대를 무시하는 기분을 나타내는 말: 흥. ¶~, 何を言ってるんだい 흥, 무슨 소리 하는 거야.

へん〖片〗教6 ヘン かた きれ ひら | 편 조각 | 1 조각; 토막; 한 쪽〔조각〕. ¶断片 단편 / 片雲 편운. 2 아주 작은 것. ¶片鱗 편린.

へん〖辺〗《邊》教4 ヘン あたり ほとり べ | 변 가 | 1 가; 근처. ¶海辺 해변 / 天辺 꼭대기. 2 국경; 변두리; 벽촌. ¶辺境 변경 / 辺土 변토.

へん〖返〗《返》教3 ヘン かえす かえる | 반 돌아오다 | 1 ㉠(되)돌아오다. ¶返還 반환 / 返事 대답; 회답. ㉡반사하다. ¶返照 반조. 2 횟수를 세는 말. ¶四返 네 번.

へん〖変〗《變》教4 ヘン かわる かえる | 변 변하다 | 1 변화하다. ¶変更 변경 / 臨機応変 임기응변. 2 변고; 불시의 재난. ¶異変 이변 / 天変地異 천변지이.

へん〖偏〗《偏》常用 ヘン かたよる ひとえに | 편 기울다 | 1 치우치다. ¶偏狭 편협 / 不偏 불편. 2 한자의 왼쪽 부수: 변. ¶人偏 인변. ↔旁.

へん〖遍〗《遍》常用 ヘン あまねし | 편 두루 | 1 빠짐없이 널리 미치다. ¶遍歴 편력 / 普遍 보편. 注意 '偏'과 같음. 2 횟수를 세는 말. ¶一遍 한 번.

へん〖編〗《編》教5 ヘン あむ | 편 엮다 | 1 철(綴)하다. 2 편집하다. ¶編集 편집 / 新編 신편. 3 편성하다. ¶編入 편입 / 編曲 편곡. 注意 '篇'의 대용.

べん【弁】名 1《辯》변. ㉠말; 말투; 변설. ¶懸河の~をふるう 현하지변을 토하다 / 就任の~ 취임의 변. ㉡《接尾語적으로》 말씨. ¶熊本~ 熊本 말씨. 2《瓣》판. ㉠밸브. ¶安全~ 안전밸브 / ポンプの~ 펌프의 밸브 / ~を開く〔ひねる〕 밸브를 열다[틀다]. ㉡화판(花瓣). ¶五~の花 오판화.
—が立つ 능변이다; 강연·연설 등을 잘하다. ¶彼は~から交渉ごとには適任だ 그는 능변이므로 교섭하는 일에는 적임자다.
—を弄する 마구 지껄이다; 억지 소리를 하다; 허튼소리를 하다.

*べん【便】名 1 변; 대소변. ¶~の検査 변 검사 / ~がゆるい〔出る〕 변이 무르다〔나오다〕 / ~を出す 배변하다 / 二日も~がない 이틀이나 변이 없다. 2 편; 편의; 편리. ¶交通の~のよい所

交通便이 좋은 곳 / バスの～がある 버스 편〔노선〕이 있다.

べん〖弁〗《辨·瓣·辯》教5 ベン | 변 고깔 | ㊀【辨】**1** 변별하다. ¶是非(ぜひ)を弁(べん)ずる 시비를 가리다 / 弁別(べんべつ) 변별. **2** 분별하다. ¶弁証(べんしょう) 변증. **3** 충용하다; 충당하다. ¶弁償(べんしょう) 변상. ㊁【瓣】**1** 화판; 꽃잎. ¶花弁(かべん) 꽃잎. **2** 판(瓣); 밸브. ¶弁(べん)をひねる 밸브를 틀다. ㊂【辯】**1** 논쟁하다; 변론하다. ¶弁護(べんご) 변호. **2** 말투; 이야기; 말. ¶弁士(べんし) 변사 / 雄弁(ゆうべん) 웅변. **3** 말씨. ¶東京弁(とうきょうべん) 東京 말씨.

べん〖便〗教4 ベン ビン たより すなわち | 편 편하다 | **1** 편리하다. ¶不便(ふべん) 불편. **2** 소식; 편지. ¶便箋(びんせん) 편지지. **3** 화물·사람 따위를 운반하다. ¶航空便(こうくうびん) 항공편. **4** (대소변의) 배설을 하다; 또, 배설물. ¶大小便(だいしょうべん) 대소변.

べん〖勉〗教3 ベン つとめる | 면 힘쓰다 | 힘씀; 힘써 함. ¶勉学(べんがく) 면학 / 勤勉(きんべん) 근면.

***ペン** [pen] 名 펜; 또, 문필 활동. ¶～画(が) 펜화 / ～字(じ) 펜 글씨 / ～先(さき) 펜촉 / ～だこ 펜을 잡은 자리에 생기는 못 / ～を代(か)える 펜(촉)을 갈다 / 金(きん)～ 금펜촉 / ～の力(ちから) 펜의 힘 / ～を執(と)る 펜을 들다; 문필 생활을 하다 / ～をおく 펜을 놓다; 글쓰기를 그만두다.
—は剣(けん)よりも強(つよ)し 펜은 칼보다 강하다; 언론의 힘은 무력보다 강하다.
—を折(お)る 붓을 꺾다; 절필하다. 「—.
—じく【—軸】名 펜대. ＝ペンホルダ
—ネーム [pen name] 名 펜네임; 필명.
—パル [pen pal] 名 펜팔. ＝ペンフレンド. 「펜팔.
—フレンド [pen-friend] 名 펜 프렌드;

へんあい【偏愛】名スル他 편애. ¶長男(ちょうなん)を～する 장남을 편애하다.

へんあつ【変圧】名スル自他〔電〕변압.
—き【—器】名 변압기. ＝トランス.

へんい【変異】名スル自 변이; 이변. ¶突然(とつぜん)～ 돌연변이 / 天地(てんち)の～ 천지의 이변 / ～が起(お)こる 이변이 일어나다.

へんい【変移】名スル自他 변이; 변화하여 감; 변천. ¶～する農村風景(のうそんふうけい) 변천하는 농촌 풍경 / 世(よ)の中(なか)の～につれて 세상의 변천에 따라.

べんい【便意】名 변의; 용변하고 싶은 생각. ¶～を催(もよお)す 대〔소〕변이 마렵다.

へんえい【片影】名 편영. ¶故人(こじん)の～を物語(ものがた)る逸話(いつわ) 고인의 편영을 말해 주는 일화 / 敵(てき)の～だも見(み)ず 적의 그림자조차도 안 보이다.

べんえき【便益】名 편익. ＝便利(べんり). ¶～施設(しせつ) 편의 시설 / ～を与(あた)える〔はかる〕편익을 주다〔도모하다〕.

へんおんどうぶつ【変温動物】名 변온동물. ＝冷血(れいけつ)動物. ↔恒温(こうおん)動物·定温(ていおん)動物.

へんか【返歌】名 반가; 딴 사람이 보내온 和歌(わか)에 화답하여 지어 보내는 和歌. ＝返(かえ)し歌(うた).

****へんか**【変化】名スル自 변화. ¶語尾(ごび)～ 어미 변화 / 色(いろ)が～する 색이 변하다 / ～に富(と)む 변화가 다양하다 / ～のない生活(せいかつ)はうっとうしい 변화 없는 생활은 음울하다. 「球(ちょっきゅう).
—きゅう【—球】名〔野〕변화구. ↔直

***べんかい**【弁解】《辯解》名スル他自 변해; 변명. ＝言(い)いわけ·言いひらき. ¶～がましい (마치) 변명하는 것 같다 / ～たらたら 구구히 변명함 / ～の余地(よち)がない 변명의 여지가 없다.

へんかく【変革】名スル自他 변혁. ¶政治(せいじ)～ 정치 변혁 / 教育(きょういく)制度(せいど)を～する 교육 제도를 변혁하다. 「(せいかく).

へんかく【変格】名 변격; 변칙. ↔正格
—かつよう【—活用】名〔文法〕변격 활용. ¶さ行(ぎょう)～ さ行 변격 활용. ↔正格(せいかく)活用.

へんがく【扁額】名 편액; 가로로 긴 액자. ¶～を掲(かか)げる 편액을 걸다.

べんがく【勉学】名スル自他 면학; 공부. ＝勉強(べんきょう). ¶～にいそしむ 면학에 힘쓰다.

ベンガラ [네 Bengala] 名 벵갈라; 철단(鐵丹); 황토(黃土)를 구워서 만든 붉은 안료. ＝べにがら. 注意 '弁柄·紅殼'로 씀은 취음.

へんかん【返還】名スル他 반환. ¶領土(りょうど)の～ 영토 반환 / 優勝旗(ゆうしょうき)を～する 우승기를 반환하다.

へんかん【変換】名スル他自 변환; 전환. ¶性(せい)の～手術(しゅじゅつ) 성전환 수술 / 太陽(たいよう)エネルギーを電気(でんき)に～する 태양 에너지를 전기로 변환하다.

べんき【便器】名 변기; 요강. ＝おまる·おかわ. ¶～を当(あ)てる 변기를 받치다.

***べんぎ**【便宜】名ダナ 편의. ¶～の方法(ほうほう) 편리하고 좋은 방법 / ～を図(はか)る 편의를 도모하다 / あらゆる～を与(あた)える 모든 편의를 제공하다.
—しゅぎ【—主義】名 편의주의.
—じょう【—上】副 편의상. ＝都合上(つごうじょう). ¶～親(おや)の名儀(めいぎ)にしておく 편의상 부모 명의로 해 둔다 / ～逆(さか)さにする 편의상 거꾸로 한다.
—てき【—的】ダナ 편의적. ¶～方法(ほうほう) 편의적인 방법 / ～手段(しゅだん)に過(す)ぎない 편의적 수단에 불과하다.

ペンキ 名 뺑끼; 페인트. ＝ペイント. ¶～ぬりたて '칠 주의'《게시 문구》/ ～を塗(ぬ)る 페인트를 칠하다. 注意 네덜란드말 pek, pik의 전와(轉訛).
—や【—屋】名 칠장이; 페인트 가게.

へんきゃく【返却】名スル他 반환; 되돌려 줌. ¶借金(しゃっきん)を～する 빚을 갚다 / 図書館(としょかん)に本(ほん)を～する 도서관에 책을 반환하다.

へんきょう【辺境】《辺疆》名 변경. ¶～の地(ち) 변경 지방 / ～の守備(しゅび)を堅(かた)め

る 변경의 수비를 강화하다.

へんきょう【偏狭】名ナ 편협; (토지 또는 사람의 도량이) 좁음. ¶～な人物 편협한 인물/～な国土 좁은 국토.

＊＊べんきょう【勉強】名ス他自 **1** (학업·일 따위에) 열심히 힘을 기울임; 공부. ¶～部屋 공부방/～の虫 공붓벌레/受験～ 수험 공부/夜おそくまで数学の～をする 밤 늦게까지 수학 공부를 하다/～し過ぎて病気になる 지나치게 공부를 해서 병이 나다. **2** (장래의 대성(大成)을 위한) 쓰라린 경험; 시련(試錬). ¶いい～になった 좋은 공부가〔경험이〕 되었다 / 何もかも～だと思ってやるんだね 무엇이든 좋은 경험이라고 생각하고 하는 거야. **3**〈俗〉(값을) 싸게 해서 팖; 할인. ¶本日, 大～ 오늘 대할인 (판매)/おい, もっと～出来ないかね 여보게, 좀더 싸게 할 수 없겠나/～しますのでお買いください 싸게 해 드릴 테니 사 주세요.

―か【―家】名 열심히 공부〔노력〕하는 사람; 노력가. ＝勉強人.

へんきょく【編曲】名ス他〘樂〙 편곡. ＝アレンジ. ¶バイオリン用に～する 바이올린용으로 편곡하다.

へんきん【返金】名ス自 반금; 빌린 돈을 돌려줌; 변제함. ¶～を迫られる 빚 독촉을 받다/やっと一部を～した 가까스로 빌린 돈의 일부를 갚았다.

ペンギン [penguin] 名〘鳥〙 펭귄.

へんくつ【偏屈】名ナ 편굴; 편벽; 성질이 비뚤어짐. ＝かたくな. ¶～な男 편벽한 사나이/～で手に負えない 편벽하여 감당하기 어렵다.

へんげ【変化】名ス自 본디의 모습을 바꾸어 나타남; 괴물; 요괴; 화신(化身). ¶妖怪～ 요사스러운 도깨비. 注意 'へんか' 로 읽으면 딴말. 參考 신불(神佛)이 임시로 사람의 모습을 하고 나타나는 일에도 씀.

へんけい【変形】名ス他自 변형. ¶事故で～した車体 사고로 변형된 차체/毛虫は蝶に～する 모충은 나비로 변형한다.

へんけい【変型】名 변형. **1** 보통과 다른 형. **2** 규격 치수와 조금 다른 종이나 책의 형(型). ¶A5判～ A5판 변형.

へんけい [扁形] 名 편형; 평평한 모양.

―どうぶつ [―動物] 名 편형동물.

べんけい【弁慶】《辨慶》名 강자(強者). ¶内～ 아랫목 대장/影～ 남이 없는 데서만 센 체하는 사람. 參考 弁慶는 平安 시대 말의 무장 源義経의 심복이었던 장사. 호는 武蔵坊.

―の立ち往生 (衣川의 싸움에서 弁慶가 다리 가운데서 선 채로 죽었다는 데서) 진퇴유곡.

―の泣き所 **1** (弁慶 같은 장사도 발로 채면 운다는 급소의 뜻에서) 정강이(뼈). ＝向こうずね. ¶転んだはずみに～をぶつけた 넘어지는 바람에 정강이를 부딪쳤다. **2** (강자의) 약점. ¶お金の話が社長の～だ 금전 이야기가 사장의 유일한 약점이다.

へんけん【偏見】名 편견. ¶～をいだく〔捨てる〕 편견을 품다〔버리다〕/～にとらわれる 편견에 사로잡히다.

へんげんせきご【片言隻語】名 편언척어; 한마디 말(('片言(＝편언)'의 힘줌말)). ＝片言隻句.

＊べんご【弁護】《辯護》名ス他 변호. ¶自己～ 자기 변호/～を引き受ける 변호를 맡다/母が～してくださった 어머니가 변호해 주셨다.

―し【―士】名 변호사. ¶～に依頼する 변호사에게 의뢰하다.

―にん【―人】名 변호인. ¶主任～ 주임 변호인.

＊へんこう【変更】名ス他 변경. ＝変改. ¶名義～ 명의 변경/予定を～する 예정을 변경하다.

へんこう【偏光】名〘理〙 편광. ¶～計 편광계/～顕微鏡 편광 현미경.

へんこう【偏向】名ス自 편향. ¶～教育 편향 교육/～を是正する 편향을 시정하다.

へんさ【偏差】名〘數〙 편차. ¶標準～ 표준 편차.

―ち【―値】名 편차치; 편찻값.

へんさい【返済】名ス他 반제. ¶借金を～する 빚을 갚다.

へんざい【偏在】名ス自 편재; 치우쳐 있음. ¶富の～ 부의 편재/物資が～している 물자가 편재해 있다. ↔遍在.

へんざい【遍在】名ス自 편재; 두루 퍼져 있음. ¶神は宇宙に～している 신은 우주에 편재한다. ↔偏在.

べんさい【弁済】《辨済》名ス他 변제. ¶～能力 변제 능력/～を迫られる 변제를 독촉받다/債務を～する 채무를 변제하다.

へんさん [編纂] 名ス他 편찬; 편집. ＝編集. ¶辞書の～ 사전의 편찬/教科書を～する 교과서를 편찬하다.

へんし【変死】名ス自 변사. ¶～体 변사체/～を遂げる 변사하고 말다.

へんじ【片時】名 잠시. ＝かたとき. ¶～も忘れたときはない 잠시도 잊은 적이 없다.

＊＊へんじ【返事・返辞】名ス自 대답; 답장; 응답. ¶いい～ 기쁜 회답/二つ～ 네, 네 하고 쾌히 응함/色よい～ 호의적인〔듣기 좋은〕 대답/すぐ～を出す 곧 답장을 내다/～を書く〔もらう〕 답장을 쓰다〔받다〕/大きな声で～をする 큰 소리로 대답을 하다/～に困った 대답하기 곤란했다/呼ばれたらすぐ～しなさい 부르거든 곧 대답을 해요.

へんじ【変事】名 변사; 이변; 보통이 아닌 사건. ¶～にそなえる 뜻밖의 변란에 대비하다/～を聞いてかけつける 이변을 듣고 달려가다〔달려오다〕/～が起こった 변이 생겼다. ↔ただごと.

べんし【弁士】《辯士》名 변사. **1** 구변이 좋은 사람. **2** 연설·강연하는 사람; 특히, 무성 영화의 화면 설명자. ＝活弁(かつべん).

へんしつ【変質】㊀名ス自 변질. ¶薬品(やくひん)が～する 약품이 변질하다. ㊁名 이상한 성질; 병적인 성격. ¶～者(しゃ) 변질자; 성격·기질 이상자.

へんしつ【偏執】名 ☞へんしゅう(偏執).

へんしゃ【編者】名 편자; 엮은이. ＝編纂者(へんさんしゃ)·編集者(へんしゅうしゃ). ¶辞典(じてん)の～ 사전의 편자. 注意 'へんじゃ' 라고도 함.

へんしゅ【変種】名 변종. ＝変(か)わり種(だね). ¶人工(じんこう)～ 인공 변종/風土的(ふうどてき)～ 풍토적 변종. ↔原種(げんしゅ).

へんしゅ［騙取］名ス他 편취; 속이어 빼앗음; 사취. ＝詐取(さしゅ). ¶金銭(きんせん)を～する 금전을 편취하다.

へんしゅう【偏執】名ス自 편집; 편굴; 외고집. ＝片意地(かたいじ). ¶地位(ちい)に対(たい)する～ 지위에 대한 편집.

―きょう【―狂】名 편집광. ＝モノマニア.

―びょう【―病】名 편집병. ＝パラノイア.

へんしゅう【編修】名ス他 편수; 편찬. ¶教科書(きょうかしょ)の～ 교과서의 편수/辞書(じしょ)を～する 사전을 편찬하다.

*へんしゅう【編集】《編輯》名ス他 편집; 편찬. ¶～部(ぶ) 편집부/～者(しゃ) 편집자/雑誌(ざっし)〔テープ〕を～する 잡지〔테이프〕를 편집하다.

―こうき【―後記】名 편집 후기.

へんしょ【返書】名〈老〉답장; 답신. ＝返信(へんしん). ¶～を書(か)く 답장을 쓰다/～を出(だ)す 답장을 내다.

*べんじょ【便所】名 변소; 뒷간. ＝かわや·せっちん·トイレ. ¶公衆(こうしゅう)～ 공중 변소/～へ行(い)く 변소에 가다.

へんじょう【返上】名ス他 반려; 반환; 반납. ¶予算(よさん)～ 예산 반려/日曜(にちよう)～ 일요일 반납/タイトルを～する 타이틀을 반납하다/汚名(おめい)を～する 명예를 회복하다/休日(きゅうじつ)を～して働(はたら)く 휴일을 반납하고 일하다.

べんしょう【弁償】《辨償》名ス他 변상. ¶～能力(のうりょく) 변상 능력/ガラスを割(わ)って～した 유리를 깨뜨리고 변상했다/なくした本(ほん)を～する 잃어버린 책을 변상하다.

べんしょうほう【弁証法】名〔哲〕변증법.

―てき【―的】ダナ 변증법적. ¶～唯物論(ゆいぶつろん) 변증법적 유물론/彼(かれ)の論理(ろんり)は～に組(く)み立(た)てられている 그의 논리는 변증법적으로 짜여져 있다.

へんしょく【変色】名ス自他 변색. ¶茶色(ちゃいろ)に～した写真(しゃしん) 갈색으로 변색한 사진/日(ひ)に当(あ)たると～する 볕에 노출되면 변색한다.

へんしょく【偏食】名ス自 편식. ¶～による栄養失調(えいようしっちょう) 편식으로 인한 영양 실조/～を直(なお)す 편식을 고치다.

ペンション［pension］名 펜션; 민박(民泊)식의 작은 호텔.

へん-じる【変じる】上1自他 ☞へん(変)ずる.

べん-じる【弁じる】上1自他 ☞べん(弁)ずる.

ペンシル［pencil］名 펜슬; 연필《흔히, 샤프펜슬을 말함》. ¶～型(がた)ロケット 연필 모양의 소형 로켓/カラー～ 색연필.

へんしん【返信】名 답서; 회신. ＝返書(へんしょ). ¶～はがき 회신 엽서. ↔往信(おうしん).

へんしん【変心】名ス自 변심. ＝心変(こころが)わり. ¶男(おとこ)の～を恨(うら)む 남자의 변심을 원망하다/～して敵(てき)に内通(ないつう)する 변심해서 적과 내통하다.

へんしん【変身】名ス自 변신; 몸·모습을 바꿈; 또, 바뀐 모습. ¶歌手(かしゅ)へ華麗(かれい)に～する 가수로 화려하게 변신하다.

へんじん【変人】《偏人》名 괴짜; 좀 색다른 사람. ＝変(か)わり者(もの). ¶～扱(あつか)いされる 괴짜 취급을 받다. ↔常人(じょうじん).

ベンジン［benzine］名 벤진《'石油(せきゆ)ベンジン(＝석유 벤진)'의 준말》. 参考 'ベンゼン'과는 딴 것.

へんすう【変数】名〔數〕변수. ↔定数(ていすう).

へんずつう【偏頭痛】名〔醫〕편두통. ＝かたずつう.

へん-する【偏する】サ変自 치우치다; 기울다. ¶方向(ほうこう)が北(きた)に～ 방향이 북으로 기울다/一方(いっぽう)に～ 한 쪽으로 치우치다.

へん-ずる【変ずる】サ変自他 변화하다; 바뀌다; 바꾸다. ¶方向(ほうこう)を～ 방향을 바꾸다/桑田(そうでん)～·じて滄海(そうかい)となる 상전이 변해서 창해가 되다.

べん-ずる【弁ずる】サ変他 **1** 말하다. ㉠ 이야기하다. ¶滔々(とうとう)と～ 도도히 진술하다/一席(いっせき)～ 일장 연설을 하다. ㉡ 변명하다. ¶あれこれと～ 이러쿵저러쿵 변명하다/友(とも)のために～ 친구를 위해서 변명하다. **2** 구별하다. ¶是非(ぜひ)善悪(ぜんあく)を～ 시비 곡직을 가리다/黒白(こくびゃく)を～·じない 흑백을 가리지 않다.

へんせい【変成】名ス自他 변성. ¶～岩(がん) 변성암/～作用(さよう) 변성 작용.

へんせい【変声】名 변성. ＝声変(こえが)わり.

―き【―期】名〔生〕변성기.

へんせい【編成】名ス他 편성. ¶クラス～ 반 편성/時間割(じかんわ)りの～ 시간표 편성/六両(ろくりょう)～の列車(れっしゃ) 6량 편성의 열차/番組(ばんぐみ)～ 프로그램 편성/予算(よさん)を～する 예산을 편성하다.

へんせい【編制】名ス他 편제. ¶戦時(せんじ)～ 전시 편제/部隊(ぶたい)を～する 부대를 편제하다.

へんせいふう【偏西風】名〔氣〕편서풍.

へんせつ【変節】名ス自 변절. ¶～者(しゃ) 변절자/～漢(かん) 변절자.

べんぜつ【弁舌】名 변설; 구변. ¶～の下手(へた)な人(ひと) 구변이 없는 사람/～さわやかに 명쾌한 변설로/～をふるう 말솜씨를 발휘하다.

*へんせん【変遷】名ス自 변천. ¶時代(じだい)の～に備(そな)える 시대의 변천에 대비하다/幾多(いくた)の～を経(へ)る (수)많은 변천

을 거치다 / ～をたどる 변천을 겪다.

ベンゼン [benzene] 名〔化〕벤젠; 벤졸. ＝ベンゾール. 參考 'ベンジン'과는 전혀 다름.

へんそう【返送】名ス他 반송. ¶手紙を～する 편지를 반송하다.

へんそう【変装】名ス自 변장. ¶～を見破る 변장을 간파하다 / 婦人に～する 여인으로 변장하다.

へんぞう【変造】名ス他 변조. ¶～紙幣 변조 지폐 / 小切手を～する 수표를 변조하다.

へんそうきょく【変奏曲】名 변주곡. ＝バリエーション.

ベンゾール [도 Benzol] 名 벤졸. ＝ベンゼン.

へんそく【変則】名ナ 변칙. ¶～用言 변칙 용언; 불규칙 용언. ↔正則·本則.

—てき【—的】ダナ 변칙적. ¶～な教育[やり方] 변칙적인 교육[방법].

へんそく【変速】名ス自 변속; 속력을 바꿈. ¶～装置 변속 장치 / 自動的に～する 자동적으로 변속하다.

へんたい【変態】名 변태. ¶毛虫は蝶の～である 모충은 나비의 변태이다.

—しんり【—心理】名 변태 심리.

—せいよく【—性欲】名 변태 성욕.

へんたい【編隊】名 편대. ¶～飛行 편대 비행 / ～を組む 편대를 짜다.

べんたつ〖鞭撻〗名ス他 편달. ¶不勉強の息子を～する 공부하지 않는 자식을 편달하다 / 御指導御～願います 지도 편달해 주시기를 바랍니다.

ペンダント [pendant] 名 펜던트. **1** 목걸이나 귀걸이 등에 다는 보석이나 메달. **2** 보석이나 메달이 달린 목걸이.

へんち【辺地】名 변지; 벽지. ¶～に赴任する 벽지에 부임하다.

ベンチ [bench] 名 벤치. ¶～ウォーマー 벤치 워머; 후보 선수.

—を暖める〔野〕후보 선수로서 출전 기회가 없어 벤치에 남아 있다.

ペンチ [←pinchers] 名 펜치. ¶～で針金を切る 펜치로 철사를 끊다.

へんちくりん ダナ 〈俗〉이상야릇한 모양; 괴이함. ＝へんてこ(りん)·へんちきりん. ¶～なことを言う 괴상한 말을 하다 / ～な格好をしている 괴상한 모습을 하고 있다.

ベンチャー [venture] 名 'ベンチャービジネス'의 준말.

—ビジネス [일 venture+business] 名〔經〕벤처 비즈니스; 벤처 기업.

べんちゃら 名 간살을 부림; 또, 그 말. ¶～を言う 간살스런 말을 하다; 간살(을) 부리다. 注意 'おべんちゃら'라고도 함.

へんちょ【編著】名 편저. ¶～者 편저자.

へんちょう【変調】名ス他自 변조. **1** 상태가 바뀜; 상태를 바꿈; 또, 그 상태. ¶エンジンに～を来す 엔진이 비정상적이다. ↔正調. **2**〔樂〕이조(移調); 조옮김. **3** 몸 상태가 평상시와 다름. ¶体に～をきたした 몸의 컨디션이 좋지 않다.

へんちょう【偏重】名ス他 편중. ¶学歴～の社会 학력 편중 사회 / テストの成績を～する 시험 성적을 지나치게 중시하다.

べんつう【便通】名 변통; 대변이 나옴. ＝通じ. ¶～をととのえる 변통을 정상화시키다 / ～がある 변통이 되다 / ～がない 대변이 안 나오다.

へんてこ〖変梃〗ダナ 〈俗〉이상[기묘]한 모양; 또, 그런 것이나 사람. ＝へんちき·へんちくりん·へんてこりん. ¶～なものを着ている 묘한 것을 입고 있다 / 二人の間が～になった 두 사람 사이가 묘하게 되었다.

へんてつ【変哲】名『～もない』색다를 것이 없다; 특별난 것도 없다; 평범하다. ¶何の～もない話 별로 특별한 것도 없는 이야기. 注意 '変哲'로 씀은 취음(取音).

へんてん【変転】名ス自 변전. ¶～きわまりない 변전 무쌍하다 / 政情が目まぐるしく～する 정치 정세가 어지럽게 돌아가다.

へんでん【返電】名 반전; 답전. ¶～を打つ 답전을 치다.

へんでんしょ【変電所】名 변전소.

へんど【辺土】名 변토; 벽촌. ＝かたいなか·辺地. ¶～に骨を埋める 변토에 뼈를 묻다.

へんとう【返答】名ス自 대답; 응답. ＝返事. ¶～を求める 답변을 구하다 / はっきり～しろ 분명하게 대답하라 / ノックをしても～がない 노크를 해도 응답이 없다.

へんとう〖扁桃〗名〔植〕**1** 편도; 'アーモンド(＝아몬드)'의 딴 이름. **2** ☞へんとうせん.

—せん〖—腺〗名〔生〕편도선. ¶～炎 편도선염 / ～がはれる 편도선이 붓다.

へんどう【変動】名ス自 변동. ¶物価の～ 물가의 변동 / 相場が～する 시세가 변동하다 / 株価の～が激しい 주가가 변동이 심하다. ↔安定.

—かわせそうばせい【—為替相場制】名〔經〕변동 환율제.

*__べんとう__【弁当】《辨当》名 도시락. ¶～箱 도시락(통) / 駅売り～ 역에서 파는 도시락 / ～屋 도시락(을 만들어 파는) 집 / 日の丸～ 매실장아찌를 박은 도시락밥 / 腰～ 집에서 싸갖고 다니는 도시락《하급 월급쟁이에 비유》/ 愛妻～ 아내가 싸 준 도시락 / ～が出る 도시락이 나오다 / 仕出し屋から～を取る 맞춤 음식점에서 도시락을 주문해 먹다.

—を使う 도시락을 먹다.

へんに【変に】副 기묘하게; 이상하게. ¶話が～こじれる 이야기가 묘하게 뒤꼬이다.

へんにゅう【編入】名ス他 편입. ¶～試

験(しけん) 편입 시험/三学年(さんがくねん)に～された 3학년에 편입되었다.

へんねんし【編年史】名 편년사; 편년체로 쓴 역사.

へんねんたい【編年体】名 편년체. ¶～で歴史(れきし)を書(か)く 편년체로 역사를 쓰다. ↔紀伝体(きでんたい)·紀事本末体(きじほんまつたい)·列伝体(れつでんたい).

へんのう【返納】名ス他 반납; 반환. ＝返上(へんじょう). ¶～済(ず)み 반납필/図書(としょ)を～する (빌린) 도서를 반납하다.

へんぱ〖偏頗〗名ナ 편파. ¶～な考(かんが)え 편파적인 생각.

へんぱい【返杯】《返盃》名ス自 술잔을 돌려줌. ＝返盞(へんさん). ¶御(ご)～ 잔 받으시오《받은 술잔을 돌려주면서 하는 말》/一気(いっき)に飲(の)んで～する 단숨에 마시고 술잔을 돌려주다. ↔献杯(けんぱい).

へんぴ〖辺鄙〗名ナ 변비; 궁벽함. ¶～の地(ち) 벽지; 외진 곳/～な所(ところ)に住(す)んでいる 아주 외진 곳에 살고 있다.

べんぴ【便秘】名ス自 변비. ＝ふんづまり. ¶～になやむ 변비로 고생하다.

へんぴん【返品】名ス自他 반품. ¶～の山(やま) 산더미 같은 반품/雑誌(ざっし)の～が多(おお)い 잡지의 반품이 많다.

へんぶつ【変物】《偏物》名 변물; 괴짜. ＝変(か)わり者(もの)·変人(へんじん). ¶彼(かれ)は～だ 그는 괴짜다.

へんぺい[扁平] 名ナ 편평; 평평함. ¶～な形(かたち)〔顔(かお)〕 편평한 모양〔얼굴〕.

——**そく**【——足】名 편평족; 마당발.

べんべつ【弁別】名ス他 변별; 분별; 식별. ¶是非善悪(ぜひぜんあく)を～する力(ちから) 시비곡직을 변별하는 능력/色(いろ)の違(ちが)いを～する 빛깔의 차이를 식별하다.

へんぺん【片片】トタル **1** 하찮은 모양. ¶～たる小事(しょうじ) 하잘것없는 사소한 일. **2** 작은 조각이 가볍게 흩날리는 모양; 편편; 팔랑팔랑. ¶桜花(おうか)～として散(ち)り乱(みだ)れる 벚꽃이 편편이 흩날리다.

べんべん【便便】トタル **1** 살이 쪄서 배가 뚱뚱한 모양. ¶～たる太鼓腹(たいこばら) 똥똥한 올챙이배. **2** 빈둥빈둥 허송세월하는 모양. ¶～と日(ひ)を送(おく)る 빈둥빈둥 세월을 보내다.

ぺんぺんぐさ【ぺんぺん草】名〘植〙냉이. ＝なずな. 参考 씨의 깍지가 三味線(しゃみせん) 채와 비슷한 데서 붙인 이름.

——**が生(は)える** 집 따위가 헐려 황폐해진 모습을 이르는 말.

へんぼう[変貌] 名ス自 변모. ＝変容(へんよう). ¶めざましい～を遂(と)げる 놀라운 변모를 이룩하다/都会(とかい)はいちじるしく～した 도시는 두드러지게 변모했다.

へんぽう【返報】名ス自 **1** 보답함; 앙갚음함; 보복. ＝仕返(しかえ)し. ¶～を恐(おそ)れて訴(うった)えない 보복이 두려워 고소하지 않다. **2** 회답; 답장. ＝返信(へんしん). ¶よい～を期待(きたい)する 좋은 회답〔답신〕을 기대하다. **3** 답례. ＝返礼(へんれい).

べんぽう【便法】名 편법. ¶～を講(こう)ずる 편법을 강구하다/学問(がくもん)に～はない 학문에 편법이란 없다.

へんぽん【返本】名ス他 (서점에서, 일단 사들였던) 책을 반품함; 또, 그 책.

へんぽん[翩翻] トタル 편번; 나부끼는 모양. ¶旗(はた)が～と翻(ひるがえ)る 깃발이 펄럭펄럭 나부끼다.

べんまく【弁膜】《瓣膜》名〘生〙판막.

べんむかん【弁務官】《辨務官》名 판무관. ¶高等(こうとう)～ 고등 판무관.

へんめい【変名】변명. 一名 변성명; 본명을 숨기고 달리 내세운 이름. ＝へんみょう. ¶～を使(つか)って逃(に)げかくれる 변명을 써서 도망쳐 숨다/～で旅館(りょかん)に泊(と)まる 변성명하고 여관에 묵다. 二名ス自 이름을 갊.

べんめい【弁明】名ス他 변명; 해명. ＝弁解(べんかい). ¶一身上(いっしんじょう)の～ 일신상의 변명/～の機会(きかい)を与(あた)える 변명〔해명〕할 기회를 주다. 注意 본디는 '辯明'.

べんもう【べん毛】《鞭毛》名〘生〙편모.

——**ちゅうるい**【——虫類】名 편모충류.

へんよう【変容】名ス他自 변용; 변모; 모습이 달라짐. ¶チームカラーがすっかり～する 팀컬러가 완전히 변모하다.

べんらん【便覧】名 편람. ＝ハンドブック. ¶通信工学(つうしんこうがく)～ 통신 공학 편람/文学部(ぶんがくぶ)～ 문학부 편람. 注意 'びんらん'이라고도 함.

へんらん【変乱】名 변란. ¶しばしば～が起(お)こる 종종 변란이 일어나다.

べんり【便利】名ナ 편리. ¶～がよい (여러모로) 편리하다/使(つか)うに～だ 쓰기에 편리하다/なかなか～に出来(でき)ている 제법 편리하게 되어 있다. ↔不便(ふべん).

——**や**【——屋】名 용달사; 심부름꾼〔센터〕. ＝便達屋(べんたつや).

べんりし【弁理士】名〘法〙변리사. ¶～の資格(しかく)を取(と)る 변리사 자격을 따다.

へんりん[片鱗] 名 편린; 일단(一端). ¶大器(たいき)の～をうかがわせる 대기다운 면모의 편린이 엿보이다.

——**を示(しめ)す** 편린을 보이다. ¶才能(さいのう)の～ 재능의 편린을 보이다〔나타내다〕.

へんれい【返礼】名ス自 답례. ¶お祝(いわ)いの～ 축하해 준 답례/～に何(なに)を上(あ)げましょうか 답례로 무엇을 드릴까요.

べんれい【勉励】名ス自 면려; 열심히 힘씀. ¶刻苦(こっく)～ 각고 면려/職務(しょくむ)に～する 직무에 열심히 힘쓰다.

へんれき【遍歴】名ス自 편력. ¶人生(じんせい)～ 인생 편력/女性(じょせい)～ 여성 편력/諸国(しょこく)を～する 여러 나라를〔지방을〕 편력하다.

へんろ【遍路】名 순례《四国(しこく)에 있는 弘法(こうぼう) 대사의 유적 88개처를 순배(巡拜)하는 일; 또, 그 사람》. ¶お～さん 순례자/～姿(すがた) 순례자 차림.

べんろん【弁論】《辯論》名ス自 변론. ¶～大会(たいかい) 변론〔웅변〕 대회/口頭(こうとう)～ 구두 변론/被告(ひこく)のために～する 피고를 위해 변론하다.

ほ ホ

1五十音図(ごじゅうおんず) 'は行(ぎょう)'의 다섯째 음. [ho] 2〔字源〕'保'의 초서체《かたかな'ホ'는 '保'의 오른쪽 아래》.

*ほ【帆】图 돛. ¶~を揚(あ)げる 돛을 올리다/~に風(かぜ)をはらむ 돛에 바람을 안다〔받다〕/~を掛(か)ける〔下(お)ろす〕 돛을 달다〔내리다〕/~を張(は)る 돛을 치다/得手(えて)に~を揚(あ)げる 자신 있는 일을 신이 나서 하다/尻(しり)に~をかける 엉덩이에 돛을 달다《쏜살같이 도망치다》.

ほ【歩】图 1걸음; 보조. ¶~を運(はこ)ぶ〔移(うつ)す〕 걸음을 옮기다; 걷다. 2보병. 3사물의 추이(推移). =あゆみ.

—を合(あ)わせる 보조를 맞추다.

—を進(すす)める 1걸어가다. 2다음 단계로 나아가다; 앞으로 나아가다; 진행하다. ¶決勝戦(けっしょうせん)に~ 결승전에 진출하다.

ほ[哺]图 음식을 입에 머금음; 또, 그 음식.

*ほ【穂】图 1이삭. ¶いな~ 벼이삭/ススキの~ 참억새의 이삭. 2이삭 모양의 것. ¶筆(ふで)の~ 붓끝/槍(やり)の~ 창끝.

—に出(で)る 1이삭이 패고 열매를 맺다. 2생각하고 있는 것이 겉으로 드러나다.

—に穂が咲(さ)く 벼가 잘 여물다; 풍년이 들다. ¶秋(あき)になるとどの田(た)にも穂に穂が咲いた 가을이 되자 모든 논의 벼가 잘 여물었다.

=ほ【歩】…보《걸음 횟수》. ¶一歩二歩(いっぽにほ) 한 발짝 두 발짝/三歩(さんぽ)退(しりぞ)く〔離(はな)れる〕 세 걸음 물러나다〔떨어지다〕.

=ほ【補】…보; 수습; 후보. ¶判事(はんじ)~ 판사보.

ほ〘歩〙《步》教2 ホ ブ フ あるく あゆむ | 보 걷다 | 1걷다; 걸음. ¶歩行(ほこう) 보행. 2거리를 재는 단위. ¶三歩(さんぽ)前(まえ)へ 3보 앞으로. 3경지(境地). ¶進歩(しんぽ) 진보.

ほ〘保〙教5 ホ ホウ たもつ やすんずる | 보 보전하다 | 1편안(하다); 지키다; 보살피다. ¶保育(ほいく) 보육. 2맡다; 맡아 두다. ¶保証(ほしょう) 보증/担保(たんぽ) 담보.

ほ〘捕〙常用 ホ ブ とらえる とらわれる とる つかまえる つかまる | 포 잡다 | 1붙잡다. ¶捕殺(ほさつ) 포살. 2〔野〕'捕手(ほしゅ)(=포수)'의 준말.

ほ〘浦〙常用 ホ うら | 포 물가 | 물가; 갯가; 바닷물이 드나드는 개. ¶曲浦(きょくほ) 꾸불꾸불한 해안/浦回(うらみ) 해변의 쑥 들어간 곳.

ほ〘畝〙常用 ホ せ うね | 묘 이랑 | 밭이랑. ¶田畝(でんぽ) 전묘; 논밭; 밭이랑/畝間(うねま) 고랑. 注意 주로 'せ' 'うね'로 훈독함.

ほ〘補〙教6 ホ フ おぎなう | 보 깁다 | 1의복의 해어진 곳을 깁다; 보충하다. ¶補修(ほしゅう) 보수. 2돕다; 도움. ¶補聴器(ほちょうき) 보청기.

ほ〘舗〙《鋪》常用 ホ しく | 포 펴다 | 1점포; 가게. ¶店舗(てんぽ) 점포. 2지면에 깔다. ¶舗装(ほそう) 포장. 注意 '鋪'도 같은 글자.

ぼ〘母〙教2 ボ モ はは | 모 어미 | 모. 1어머니; 모친. ↔父(ちち). ¶老母(ろうぼ) 노모. 2㉠부모의 슬하; 돌아갈 곳; 기지(基地). ¶母船(ぼせん) 모선. ㉡출신지. ¶母校(ぼこう) 모교.

ぼ〘募〙常用 ボ つのる | 모 뽑다 | 모으다; 모집하다. ¶募金(ぼきん) 모금/公募(こうぼ) 공모/応募(おうぼ) 응모.

ぼ〘墓〙教5 ボ はか | 묘 무덤 | 묘; 무덤. ¶墓地(ぼち) 묘지.

ぼ〘慕〙常用 ボ したう | 모 사모하다 | 사모하다; 그리워하다. ¶慕情(ぼじょう) 모정/恋慕(れんぼ) 연모/追慕(ついぼ) 추모.

ぼ〘暮〙教6 ボ くれる くらす | 모 저물다 | 1날이 저물다; 황혼. ¶暮雨(ぼう) 모우. 2시절이 늦다; 계절〔일년〕의 말경. ¶歳暮(せいぼ·さいぼ) 세모.

ぼ〘簿〙《簿》常用 ボ | 부 장부 | 장부. ¶簿記(ぼき) 부기/出納簿(すいとうぼ) 출납부.

ほあん【保安】图 보안. ¶~林(りん) 보안림/~装置(そうち)〔警察(けいさつ)〕 보안 장치〔경찰〕/~を維持(いじ)する 보안을 유지하다.

—かん【—官】图 보안관.

ほい【補遺】图 보유; (문장·글에서) 빠진 것을 보충하는 일; 또, 그렇게 한 부분. ¶~編(へん) 보유편/~をつける 보유를 달다.

=ぽい ☞=っぽい.

ホイール[wheel]图 휠; 수레바퀴 (모양의 것); 차량. ¶フライ~ 플라이 휠.

ほいきた【ほい来た】連語《感動詞적으로》 어떤 일을 가볍게 떠맡을〔응답할〕 때 내는 말: 옹, 그래. ¶~, 了解(りょうかい) 그래, 알았어.

ほいく【保育】图ス他 보육. 1어린아이를 돌보아 기름. 2《본디, 哺育》 어미가 젖을 주어 새끼를 기름.

—えん【—園】图 '保育所(しょ)'의 통칭.

—しょ【—所】图 (맞벌이 부부를 위한) 일일 탁아소. =ほいくじょ.

ボイコット[boycott]图ス他 보이콧. 1불매 동맹. ¶外車(がいしゃ)が~される 외제차가 보이콧당하다. 2어떤 사람〔일〕을 공동으로 배척함. ¶授業(じゅぎょう)を~する 수업을 보이콧하다. 3노동자가 단결하여 작업을 거부함.

ぽいすて【ぽい捨て】图 물건을 함부로 버리는 일. ¶吸(す)い殻(がら)の~ 담배꽁초를 함부로 버리는 일.

ボイスメール [voice mail] 名〔컴〕보이스 메일; 음성 메일; 음성에 의한 전자 메일 시스템.
—ボックス [voice mailbox] 名 보이스 메일박스; 음성 사서함《VMX》. =音声メールボックス.

ほいつ【捕逸】名 ス他〔野〕'捕手逸球(=캐처가 피처의 투구(投球)를 놓침)'의 준말. =パスボール.

ホイッスル [whistle] 名 휘슬; 호각. =ホイスル. ¶レフェリーが~を鳴らす 심판이 휘슬을 불다.

ほいっぽ【歩一歩】連語 보일보; 한 걸음 한 걸음; 조금씩. ¶~と目的に近づく 일보 일보 목적에 가까이 가다/~快方に向かう 조금씩 차도가 있다.

ぽいと 副 **1** 물건을 가볍게 버리거나 던지는 모양: 홱; 휙. =ぽいっと. ¶~投げてよこす 휙 던져서 넘겨주다/ごみ箱へ紙くずを~捨てる 쓰레기통에 휴지를 홱 버리다. **2** 갑자기 떠나는 모양: 홱. =ふいと. ¶~帰ってしまう 홱 돌아가 버리다.

ほいほい 副 가벼운 기분으로 일을 맡거나 행하는 모양: 쉽게; 척척. ¶なんでも~(と)買ってやる 무엇이든지 척척 사주다/~(と)二つ返事で引き受ける 선뜻 두말 없이 떠맡다.

ボイラー [boiler] 名 보일러; 기관. =汽缶. ¶~マン 보일러 맨; 화부(火夫)/~をたく 보일러를 때다.

ホイル [foil] 名 포일; (음식을 싸는) 금속 박지(箔紙). ¶アルミ~ 알루미늄 박지/~焼き 포일에 싸서 구움.

ボイルド= [boiled] 보일드; 삶은; 끓인. ¶~エッグ 보일드 에그; 삶은 달걀/~ハム 보일드 햄; 삶은 햄.

ぼいん【母音】名 모음; 홀소리. =ぼおん. ↔子音.

ぼいん [拇印] 名 무인; 지장; 손도장《한문투의 말씨》. =つめいん. ¶~をおしてください 지장을 찍어 주십시오.

ポインター [pointer] 名〔動〕포인터《사냥개의 일종》.

ポイント [point] 名 포인트. **1** 특정의 개소(箇所); 요점. ¶ウイーク~ 약점/チャーム~ 매력 포인트/~を押さえる〔つかむ〕 요점을 파악하다. **2** 점수; 득점. ¶勝敗の~ 승패의 포인트/~をあげる 득점을 올리다/~を取る 포인트를 따다. **3** 레일의 전철기(轉轍機). ¶~マン 포인트맨; 전철수/~の切り替え 전철기를 바꾸어 지름. **4** 활자 크기의 단위. =ポ. ¶九~の活字 9포인트 활자. **5** 소수점. =コンマ. ¶~以下 소수점 이하.
—を稼ぐ 점수를 벌다.
—かつじ【—活字】名〔印〕포인트 활자. ↔号(数)活字.

***ほう**【方】名 **1** 방면. ㉠방향; 쪽. ¶左の~ 왼쪽/こっちの~ 이쪽. ㉡부면; 방면. ¶その~ではまけない 그 방면에서는 지지 않는다/酒の~ではひけを取らない 술이라면 남에게 지지 않는다. ㉢어떤 일을 막연하게 지칭할 때 쓰는 말: …분야; …계통. ¶音楽の~の仕事 음악 방면의 일/私の職業は事務の~です 내 직업은 사무 계통입니다. **2** 편. ㉠쪽. ¶ぼくよりは君の~が悪い 나보다는 네 쪽이 나쁘다/君の~が年上だ 네 쪽이 연상이다. ㉡…(하는) 편. ¶彼は怒りっぽい~だ 그는 화를 잘 내는 편이다/甘党の~だ (술보다) 단것을 좋아하는 편이다.

ほう【法】名 법. **1** 법률; 규칙. ¶~に触れる 법에 저촉되다/~にそむく 법에 어긋나다/~を犯す 법을 어기다/~に従う 법을〔에〕 따르다/~の裁き 법의 심판/~の定めるところによる 법이 정하는 바에 따르다. **2** 방법; 수단. ¶今帰る~はない 지금 돌아갈 수는 없다. **3** 예의; 예법; 관례. ¶~にかなったふるまい 예의 바른 행동/~にのっとる 규범에 따르다/そんな口をきく~があるか 그런 말을 하는 법이 있는가. **4** 불법(佛法); 불교. ¶人を見て~を説け 사람을 보고 설법하라.
—に照らす 법에 비추어 보다; 법조문에 따라 판단하다.
—を曲げる 법을 왜곡하다. ¶同情はするけれど~わけにはいかない 동정은 하지만 법을 왜곡할 수는 없다.

ほう [苞] 名〔植〕포; 화포(花苞)《싹이나 꽃부리 밑에 붙은 비늘 모양의 잎》.

ほう【報】㊀名 소식. ¶父の死の~に接す 아버지가 돌아가셨다는 소식에 접하다/勝利の~が入る 승리의 소식이 들어오다. ㊁接尾 …보; 통보. ¶至急~ 지급보/第一報 제일보.

ほう 感 감탄하거나 놀라서 내는 소리: 허; 저런. ¶~, ずいぶん安いね 허, 꽤 싼데/~, そうですか 허, 그래요.

ほう〖方〗教2 ホウ かた あたる ならべる まさに | 방 모 | **1** 바르다. ¶方正 방정. **2** 방향. ¶方位 방위/八方 팔방. **3** 네모; 정사각. ¶方形 방형; 사각형/正方形 정방형; 정사각형. ↔円.

ほう〖包〗《包》教4 ホウ つつむ かねる | 포 싸다 | 포; 싸다. ¶包囲 포위/内包 내포/包括 포괄.

ほう〖芳〗常用 ホウ かんばしい よし | 방 향내나다 | 신록의 향기; 좋은 향기; 향기롭다. ¶芳醇 방순/芳香 방향.

ほう〖邦〗《邦》常用 ホウ くに | 방 나라 | **1** 국가; 국토; 대국. ¶異邦 이방/連邦 연방/万邦 만방. **2** 자기 나라. ¶邦語 방어/邦訳 방역.

ほう〖奉〗常用 ホウ ブ たてまつる | 봉 받들다 | **1** 받들다. ¶奉呈 봉정/奉献 봉헌. **2** 섬기다.

¶奉公(ほうこう) 봉공/奉仕(ほうし) 봉사.

ほう〚宝〛《寶》教6 ホウ たから | 보 보배 | 1 보배; 보물. ¶宝石(ほうせき) 보석. 2 보배로 여기다; 소중히 하다; 귀중하다. ¶宝鑑(ほうかん) 보감/宝典(ほうてん) 보전.

ほう〚抱〛《抱》常用 ホウ だく いだく かかえる | 포 껴안다 | 1 안다; 껴안다. ¶抱擁(ほうよう) 포옹. 2 마음에 품다; 생각하다. ¶抱負(ほうふ) 포부/辛抱(しんぼう) 참고 견딤.

ほう〚放〛教3 ホウ はなす はなつ はなれる ゆるす ほうる ほしいままにする | 방 놓다 | 1 내쫓다; 멀리하다; 놓다. ¶放送(ほうそう) 방송/追放(ついほう) 추방. 2 놓아주다; 석방하다. ¶放免(ほうめん) 방면/解放(かいほう) 해방/釈放(しゃくほう) 석방.

ほう〚法〛常用 ホウ ハッ ホッ のり のっとる | 법 법 | 법. 1 법도. ¶法廷(ほうてい) 법정/司法(しほう) 사법. 2 규범; 법조문. ¶法典(ほうてん) 법전/法度(はっと) 법. 3 일의 일정한 순서; 방법. ¶方法(ほうほう) 방법/製法(せいほう) 제법.

ほう〚泡〛《泡》常用 ホウ あわ | 포 거품 | 물거품. ¶泡沫(ほうまつ) 포말/水泡(すいほう) 수포.

ほう〚胞〛《胞》常用 ホウ えな はら | 포 태의 | 1 태아를 싸는 막. ¶胞衣(ほうい·ほうえ·えな) 포의. 2 모체. ¶同胞(どうほう) 동포.

ほう〚倣〛常用 ホウ ならう | 방 본뜨다 | 본뜨다. ¶模倣(もほう) 모방/古式(こしき)に倣(なら)う 옛날 식을 따르다.

ほう〚俸〛常用 ホウ | 봉 녹 | 봉급; 녹봉; 급료. ¶俸給(ほうきゅう) 봉급/月俸(げっぽう) 월봉.

ほう〚峰〛常用 ホウ ブ みね | 봉 산봉우리 | 산봉우리; 산정(山頂). ¶高峰(こうほう) 고봉/連峰(れんぽう) 연봉. 注意 '峯'는 같은 글자.

ほう〚砲〛《砲》常用 ホウ | 포 대표 | 대포; 총포. ¶砲兵(ほうへい) 포병/砲撃(ほうげき) 포격.

ほう〚崩〛常用 ホウ くずす くずれる | 붕 무너지다 | 1 산이 무너지다. ¶崩壊(ほうかい) 붕괴/崩落(ほうらく) 붕락. 2 천자의 죽음. ¶崩御(ほうぎょ) 붕어.

ほう〚訪〛教6 ホウ おとずれる たずねる とう おとなう | 방 방문하다 | 1 방문하다. ¶来訪(らいほう) 내방/歴訪(れきほう) 역방. 2 찾아가 탐구하다. ¶探訪(たんぽう) 탐방.

ほう〚報〛教5 ホウ むくいる しらせる | 보 갚다 | 1 갚다; 답례하다; 앙갚음하다. ¶報恩(ほうおん) 보은/報復(ほうふく) 보복. 2 알리다; 알림. ¶報告(ほうこく) 보고.

ほう〚棚〛《棚》常用 ホウ たな | 붕 선반 | 선반. ¶陸棚(りくほう) 육붕; 대륙붕 / 本棚(ほんだな) 서가(書架)/戸棚(とだな) 찬장. 参考 주로 훈독함.

ほう〚豊〛《豐》教5 ホウ ブ ゆたか とよ | 풍 풍년 들다 | 1 농사가 잘됨. ¶豊年(ほうねん) 풍년/豊作(ほうさく) 풍작. 2 풍성함. ¶豊満(ほうまん) 풍만/豊富(ほうふ) 풍부.

ほう〚飽〛《飽》常用 ホウ あきる あかす | 포 배부르다 | 배불리 먹다; 풍족하다; 물리다. ¶飽食(ほうしょく) 포식/飽和(ほうわ) 포화/飽満(ほうまん) 포만.

ほう〚褒〛常用 ホウ ほめる | 포 기리다 | 칭찬〔찬양〕하다. ¶褒美(ほうび) 포상(褒賞)/褒賞(ほうしょう) 포상/善行(ぜんこう)を褒(ほ)める 선행을 기리다.

ほう〚縫〛《縫》常用 ホウ ぬう | 봉 꿰매다 | 1 꿰매다; 기워서 옷을 만들다. ¶縫製(ほうせい) 봉제. 2 미봉하다. ¶弥縫(びほう) 미봉.

ぼう [卯] 名 묘; 지지(地支)의 넷째. =「う」.

ぼう【坊】一 名 1 승려; 중. ¶お～さん 스님/師(し)の～ 법사 스님. 2 남자 아이. ¶～や 아가/～はどこの子(こ)だい 아가는 어디에 사니; 아가는 집이 어디지.

二 接尾 1 애칭 또는 조롱해서 쓰는 말. ¶あまえん～ 응석받이/けちん～ 구두쇠. 2 남자 아이 이름에 붙여 친밀감을 나타내는 말. ¶二男(じなん)～ 둘째 아기.

＊ぼう【棒】名 1 몽둥이; 막대기. ¶長(なが)い～ 긴 막대기/～でたたく 몽둥이로 때리다/足(あし)が～になる 너무 걸어서 다리가 뻣뻣해지다. 2 (그은) 줄. ¶～を引(ひ)いて消(け)す 줄을 그어 지우다. 3〔樂〕 지휘봉. ¶～を振(ふ)る 지휘봉을 휘두르다《지휘하다》.

——に振(ふ)る (이제까지의 노력 등을) 헛되게 하다; 망치다; 그르치다. ¶つまらないことで一生(いっしょう)を～ 하찮은 일로 일생을 망치다.

ぼう【某】名 모; 아무개; 어떤 이〔곳, 때 등〕. ¶～青年(せいねん) 어떤 청년/～政治家(せいじか) 모 정치가/本田(ほんだ)～ 本田 아무개/～年(ねん)～月(げつ) 모년 모월.

ぼう〚亡〛《亡》教6 ボウ モウ ない ほろびる | 망 잃다 | 1 없어지다; 잃다; 망하다. ¶亡失(ぼうしつ) 망실/興亡(こうぼう) 흥망. ↔存(そん). 2 도망하다. ¶亡命(ぼうめい) 망명. 3 죽다. ¶死亡(しぼう) 사망.

ぼう〚乏〛常用 ボウ とぼしい | 핍 모자라다 | 1 모자라다. ¶欠乏(けつぼう) 결핍/耐乏(たいぼう) 내핍. 2 가난하다. ¶窮乏(きゅうぼう) 궁핍.

ぼう〚忙〛《忙》常用 ボウ いそがしい | 망 바쁘다 | 바쁘다. ¶忙殺(ぼうさつ) 망쇄/忙中(ぼうちゅう) 망중/忽忙(そうぼう) 총망. ↔閑(かん).

ぼう〚坊〛常用 ボウ ボッ | 방 동네 | 1 시가지. ¶坊市(ぼうし) 방시. 2 절; 중이 사는 곳. ¶僧坊(そうぼう) 승방. 3 중. ¶坊(ぼう)さん 중. 4 어린아이의 애칭. ¶坊(ぼう)や 아가. 参考 애칭으로서는 'ちゃん'과, 낮춤말로는 '助(すけ)'와 유사함; '書

生(しょせい)っぽう(＝샌님; 서생의 낮춤말)' 따위의 'ぽう'는 이의 변화.

ぼう〖妨〗常用 ボウ さまたげる | 방 거리끼다 | 방해(하다). ¶妨止(ぼうし) 방지 / 妨害(ぼうがい) 방해.

ぼう〖肪〗常用 ボウ あぶら | 방 비계 | 동물 체내의 기름. ¶脂肪(しぼう) 지방.

ぼう〖忘〗《忘》教6 ボウ わすれる | 망 잊다 | 기억이 없어지다; 잊다. ¶忘恩(ぼうおん) 망은 / 忘失(ぼうしつ) 망실 / 健忘症(けんぼうしょう) 건망증.

ぼう〖防〗教5 ボウ ふせぐ | 방 둑 | 1 둑. ¶堤防(ていぼう) 제방. 2 막다; 지키다; 대비하다. ¶防空(ぼうくう) 방공 / 防衛(ぼうえい) 방위 / 国防(こくぼう) 국방.

ぼう〖房〗《房》常用 ボウ ふさ | 방 곁방 | 1 방. ㉠당(堂)의 협실; 부속실. ¶独房(どくぼう) 독방 / 房室(ぼうしつ) 방실. ㉡침실. ¶房事(ぼうじ) 방사 / 閨房(けいぼう) 규방. 2 방에 있는 사람. ¶女房(にょうぼう) 궁녀; 여편네; 아내.

ぼう〖某〗常用 ボウ それがし | 모 아무 | 모; 어떠한 것; 아무개. ¶某氏(ぼうし) 모씨 / 某国(ぼうこく) 모국 / 某年(ぼうねん)某月(ぼうげつ) 모년 모월.

ぼう〖冒〗《冒》常用 ボウ おかす | 모 무릅쓰다 | 1 무릅쓰고 나아가다; 범하다. ¶冒険(ぼうけん) 모험 / 冒瀆(ぼうとく) 모독 / 感冒(かんぼう) 감기. 2 처음. ¶冒頭(ぼうとう) 모두.

ぼう〖剖〗常用 ボウ ホウ わける さく | 부 가르다 | 한복판을 둘로 잘라 나누다; 째다. ¶剖検(ぼうけん) 부검 / 解剖(かいぼう) 해부.

ぼう〖紡〗常用 ボウ つむぐ | 방 잣다 | 1 실을 잣다. ¶混紡(こんぼう) 혼방. 2 '紡績(ぼうせき)(＝방적)'의 준말. ¶綿紡(めんぼう) 면방; 면방적.

ぼう〖望〗《望》教4 ボウ モウ のぞむ もち | 망 바라보다 | 1 바라보다. ¶眺望(ちょうぼう) 조망. 2 바라다; 기대하다. ¶希望(きぼう) 희망 / 欲望(よくぼう) 욕망.

ぼう〖傍〗常用 ボウ ホウ かたわら そば | 방 곁 | 곁; 옆; 한편. ¶傍観(ぼうかん) 방관 / 傍受(ぼうじゅ) 방수 / 傍若(ぼうじゃく)無人(ぶじん) 방약무인.

ぼう〖帽〗《帽》常用 ボウ | 모 모자 | 머리에 쓰는 것. ¶帽子(ぼうし) 모자 / 制帽(せいぼう) 제모.

ぼう〖棒〗教6 ボウ | 봉 몽둥이 | 1 몽둥이; 막대. ¶棍棒(こんぼう) 곤봉. 2〔樂〕지휘봉. 3 (그린) 직선; 줄. ¶棒(ぼう)を引(ひ)く 줄을 긋다.

ぼう〖貿〗教5 ボウ | 무 장사하다 | 물물 교환하다; 장사하다. ¶貿易(ぼうえき) 무역.

ぼう〖暴〗教5 ボウ バク あらす あらい あばく あばれる | 포 폭 사납다 | 1 난폭하다; 사납다. ¶暴言(ぼうげん) 폭언 / 横暴(おうぼう) 횡포. 2 갑자기 (일어나다). ¶暴落(ぼうらく) 폭락 / 暴騰(ぼうとう) 폭등.

ぼう〖膨〗常用 ボウ ふくれる ふくらむ | 팽 부풀다 | 불룩해지다; 부풀(어 오르)다. ¶膨脹(ぼうちょう) 팽창 / 膨大(ぼうだい) 팽대.

ぼう〖謀〗常用 ボウ ム はかる はかりごと | 모 꾀하다 | 1 꾀함; 계획을 세우다. ¶謀略(ぼうりゃく) 모략 / 参謀(さんぼう) 참모. 2 모의하다. ¶共謀(きょうぼう) 공모 / 謀叛(ぼうはん・むほん).

ぼうあく【暴悪】名ナ 포악. ¶～な犯人(はんにん)〔君主(くんしゅ)〕 포악한 범인〔군주〕.

ぼうあげ【棒上げ】名〔經〕주식 시세가 단번에 오름; 수직 상승. ↔棒下(ぼうさ)げ.

ぼうあつ【暴圧】名ス他 폭압; (사람의 행동 등을) 폭력으로 억누름. ¶～に堪(た)えられない 폭압을 견디지 못하다 / 反対(はんたい)デモを～する 반대 데모를 폭력으로 억압하다.

ほうあん【法案】名 법안. ¶～が通(とお)る 법안이 통과하다 / ～を通(とお)す 법안을 통과시키다 / 議会(ぎかい)に～を提出(ていしゅつ)する 의회에 법안을 제출하다.

ぼうあんき【棒暗記】名ス他 이해도 못하면서 무턱대고 욈. ＝丸(まる)暗記. ¶名文(めいぶん)を～する 명문을 무턱대고 암기하다.

ほうい【法衣】名〔佛〕법의. ＝ほうえ. 注意 'ほうえ'가 바른 말씨.

ほうい【包囲】名ス他 포위. ¶～網(もう)〔作戦(さくせん)〕 포위망〔작전〕/ 三方(さんぽう)から敵(てき)を～する 3 면에서 적을 포위하다 / 報道陣(ほうどうじん)に～される 보도진에게 포위되다.

ほうい【方位】名 방위. 1 방향. ¶～角(かく) 방위각 / ～を定(さだ)める 방위를 정하다. 2 오행 천간(五行天干)에 의해 판단하는, 방향의 좋고 나쁨. ¶～を見(み)る〔占(うらな)う〕 방위를 보다〔점치다〕/ ～が悪(わる)い 방위가 나쁘다.

ぼうい【暴威】名 폭위; 맹위. ¶台風(たいふう)が～をふるう 태풍이 맹위를 떨치다.

ほういつ【放逸】《放佚》名ナ 방일; 멋대로 함; 방종. ¶～なふるまい 방자한 행동 / ～な生活(せいかつ) 방종한 생활 / ややもすれば～に流(なが)れやすい 자칫하면 방종에 흐르기 쉽다.

ぼういん【暴飲】名ス自 폭음. ¶～して体(からだ)をこわす 폭음하여 건강을 해치다.
—**ぼうしょく**【—暴食】名 폭음폭식.

ぼうう【暴雨】名 1 폭우. ¶途中(とちゅう)～にあう 도중에 폭우를 만나다. 2 소나기.

ほうえ【法会】名〔佛〕법회. 1 설법을 위하여 사람을 모음; 또, 그 모임. 2 죽은 사람의 추선(追善) 공양을 함; 또, 그 의식; 법사(法事). ＝法要(ほうよう).

ほうえ［法衣］名 법의; 법복. ＝法衣(ほうい)・僧衣(そうい).

ほうえい【放映】名ス他 방영. ¶テレビで名画(めいが)を～する 텔레비전에서 명화를 방영하다.

*__ぼうえい__【防衛】名ス他 방위. ¶正当(せいとう)〔過剰(かじょう)〕～ 정당〔과잉〕 방위 / 国土(こくど)

〔タイトル〕を～する 국토를〔타이틀을〕 방위하다.
—ちょう【—庁】[名] 방위청.
**ぼうえき【貿易】[名][ス自] 무역. ¶～商 무역상 / 保護～ 보호 무역 / 我が国の～は年々盛んになる 우리 나라의 무역은 해마다 활발해진다.
—じり〖—尻〗[名] 수출입의 결산액.
—てがた【—手形】[名] 무역 어음.
—ふう【—風】[名] 무역풍.
ぼうえき【防疫】[名][ス他]〔醫〕방역. ¶～対策 방역 대책 / ～に万全を期する 방역에 만전을 기하다.
ほうえつ【法悦】[名]〔佛〕법열; 전하여, 황홀한 기분. ＝エクスタシー. ¶～境にひたる 황홀경에 잠기다.
ほうえん【方円】[名] 방원; 네모와 원. ¶水は～の器に従う 물은 그릇에 따라 모양이 변한다; 전하여, 사람은 주위 환경에 따라 달라진다.
ほうえん【砲煙】《砲烟》[名] 포연.
—だんう【—弾雨】[名] 포연탄우. ¶～の下を潜り抜ける 포연탄우 속을 헤치고 살아 남다.
ほうえん［豊艶］[名ナ] 풍염; 풍만하고 아름다움. ¶～な美人 풍염한 미인.
ぼうえん【防炎】[名] 방염; 화염 방지; 연소 방지. ¶～カーテン 방염 커튼.
—かこう【—加工】[名] 방염 가공. ＝難燃加工.
ぼうえん【望遠】[名] 망원; 먼 데를 봄.
—きょう【—鏡】[名] 망원경. ¶天体〔屈折〕～ 천체〔굴절〕망원경.
—レンズ［lens］[名] 망원 렌즈.
ほうおう【法王】[名] 법왕. **1**〔가톨릭〕교황. ＝教皇. ¶ローマ～ 로마 교황. **2**〔佛〕여래(如來)의 딴 이름.
ほうおう【法皇】[名] 불문에 들어간 상황(上皇).
ほうおう【訪欧】[名][ス自] 방구; 유럽 방문. ¶～の旅 유럽 방문 여행 / ～の途につく 유럽 방문길에 오르다.
ほうおう［鳳凰］[名] 봉황.
ぼうおく［茅屋］[名] 모옥; 초가집; 누추한 집. ＝あばらや. ¶～ですがお立ち寄りください 누추한 집이지만 들러 주십시오. [参考] 자기 집의 겸칭으로도 씀.
ほうおん【報恩】[名] 보은. ＝恩返し.
ぼうおん【忘恩】[名] 망은. ＝恩知らず. ¶～のふるまい 배은망덕한 짓 / ～の徒 망은지도(忘恩之徒).
ぼうおん【防音】[名][ス自] 방음. **1** 소음을 방지〔흡수〕함. ¶～壁 방음벽 / ～装置〔ガラス〕방음 장치〔유리〕/ この部屋は～してある 이 방은 방음되어 있다. **2** 소음이 나지 않게 함. ¶～法 방음법《소음 방지법》.
ほうか【放下】[名][ス他] 투하(投下)함; 던져 버림; 던짐.
ほうか【放火】[名][ス自] 방화. ＝つけび. ¶～罪 방화죄 / ～魔 방화마. ↔失火.
ほうか【放課】[名] 방과. ¶～後映画を見に行く 방과 후 영화를 보러 가다.
ほうか【放歌】[名][ス自] 방가; 큰 소리로 노래를 부름.
—こうぎん【—高吟】[名][ス自] 고음방가; 고성방가. ¶酒に酔って～する 술에 취해 고성방가하다.
ほうか【法科】[名] 법과. **1** 법률에 관한 학과. **2** 법학부. ¶～の出身 법과 출신.
ほうか【邦貨】[名] 방화; 자기 나라 화폐. ¶ドル貨を～に換算する 달러화를 방화로 환산하다. ↔外貨.
ほうか【砲火】[名] 포화; 포격. ¶～のちまた 전쟁터 / 集中～ 집중 포화 / ～を浴びる 포격을 받다 / ～を浴びせる 포화를 퍼붓다.
—を交える 교전하다; 전투를 개시하다. ¶今も世界のどこかで～国がある 지금도 세계 어딘가에서 전쟁을 하는 나라가 있다.
ほうか［烽火］[名] 봉화. ＝のろし·狼火. ¶～が上がる 봉화가 오르다.
ほうが【奉加】[名][ス自]（신불에게）기부함. ＝寄進. ¶～金 헌금; 기부금.
ほうが【奉賀】[名][ス他] 축하를 드림. ¶～新年 근하신년.
ほうが［萌芽］[名][ス自] 맹아; 싹이 틈; 전하여, 사물의 시작. ＝めばえ·きざし. ¶文明の～ 문명의 맹아 / 悪の～をつみ取る 악의 싹을 잘라 버리다 / 自立心の～が見えてくる 자립심이 싹트는 것이 엿보이기 시작하다.
ほうが【邦画】[名] 방화. **1** 자기 나라의 그림. **2** 국산 영화. ¶～館 방화관《국산 영화만을 상영함》. ⇔洋画.
*ぼうか【防火】[名] 방화. ¶～林〔壁〕방화림〔벽〕/ ～訓練 방화 훈련 / ～構造〔用水〕방화 구조〔용수〕.
ぼうが【忘我】[名] 망아. ¶～の境に浸っている 망아의 경지에 잠겨 있다.
ほうかい【崩壊】《崩潰》[名][ス自] 붕괴; 무너짐. ¶ローマ帝国〔社会主義〕の～ 로마 제국〔사회주의〕의 붕괴 / 内閣が～する 내각이 붕괴하다 / 堤防が～する 둑이 무너지다.
ほうがい【法外】[名][ダナ] 도리·상식을 벗어남; 터무니없음; 도가 지나침. ¶～な要求〔言いがかり〕당찮은 요구〔트집〕/ ～な値をつける 터무니없이 비싼 값을 매기다 / ～なことを言う 터무니없는 말을 하다.
*ぼうがい【妨害】《妨碍》[名][ス他] 방해. ＝じゃま. ¶営業〔交通〕～ 영업〔교통〕방해 / ～にあう 방해를 받다 / 通行を～する 통행을 방해하다. [注意] 본디는 '妨碍'.
ぼうがい【望外】[名ナ] 망외; 기대한 이상임. ¶～の栄誉〔喜び〕뜻밖의 영예〔기쁨〕/ ～に成功する 기대 이상으로 성공하다 / それは～の成功であった 그것은 기대 이상의 성공이었다.
ほうがく【方角】[名] **1 방위. ¶～を調べる 방위를 조사하다 / ～が悪い 방위가

나쁘다. **2** 방향. ¶海の~に火の手が見える 바다 쪽에 불길이 보인다/駅の~に歩く 역 쪽으로 걷다/~を失う 방향을 잃다; 목표를 잃다. **3** 수단 방법. ¶~が立たない 방법이 없다.

—が付く 짐작이 가다; 어림잡히다.

—ちがい【—違い】名 **1** (목적과) 다른 방향; 전하여, 짐작〔대중〕이 틀림. =見当違い. ¶~の問題だ 아주 엉뚱한 문제다. **2** 방향이 틀림; 목적과 다른 방향. ¶~の方へ行く 엉뚱한 방향으로 가다.

ほうがく【法学】名 법학. ¶~者 법학자/~博士 법학 박사.

ほうがく【邦楽】名 방악; 자기 나라 고유의 음악. ↔洋楽.

ほうかつ【包括】名ス他 포괄. ¶問題点を~して質問する 문제점을 포괄하여 질문하다/全体を~して述べる 전체를 포괄하여 말하다.

—てき【—的】ダナ 포괄적. ¶~に述べれば 포괄적으로 말하면.

ほうかん【奉還】名ス他 봉환; 삼가 되돌려 줌. ¶大政~ 대정 봉환(徳川 제15대 将軍 慶喜가 정권을 天皇에게 돌려준 일).

ほうかん【宝冠】名 보관; 보석으로 꾸민 관.

ほうかん【砲艦】名 포함(연안(沿岸) 경비를 맡은 군함의 하나).

ほうがん【包含】名ス他 포함. ¶矛盾を~する 모순을 내포하다/この詩は深い悲しみを~している 이 시는 깊은 슬픔을 내포하고 있다.

ほうがん【砲丸】名 포환. **1** 대포알. **2** 투포환에 쓰는 쇠공.

—なげ【—投げ】名 포환던지기; 투포환.

ぼうかん【傍観】名ス他 방관. ¶拱手~ 수수방관/~者 방관자/事態を~する 사태를 방관하다.

—てき【—的】ダナ 방관적. ¶~態度を取る 방관적 태도를 취하다.

ぼうかん【暴漢】名 폭한. ¶~に襲われる 폭한에게 습격당하다.

ぼうかん【防寒】名 방한. ¶~服〔具, 帽〕 방한복〔구, 모〕/~の用意をする 방한 준비를 하다. ↔防暑.

ほうがんし【方眼紙】名 모눈종이. =セクションペーパー. ¶~にグラフを描く 모눈종이에 그래프를 그리다.

ほうがんびいき［判官びいき］《判官贔屓》名 약자나 패자를 동정하는 심리. =はんがんびいき.

***ほうき**〖箒·帚〗名 비. ¶竹帚 대비/~ではく 비로 쓸다.

***ほうき**【放棄】《抛棄》名ス他 포기. ¶戦争~ 전쟁 포기/権利〔試合〕を~する 권리〔경기〕를 포기하다/試験を~する 시험을 포기하다.

***ほうき**【法規】名 법규. =法律規定. ¶交通~ 교통 법규/~に照らして処罰する 법규에 비추어서 처벌하다.

ほうき【芳紀】名 방기; 방년. ¶~まさに十八歳 바야흐로 방년 18세.

ほうき［蜂起］名ス自 봉기. ¶武装~ 무장 봉기/民衆の~ 민중 봉기/叛乱軍がいっせいに~する 반란군이 일제히 봉기하다.

ぼうぎ【謀議】名ス他 모의. ¶共同~ 공동 모의/~に加わる 모의에 가담하다/~をこらす 치밀하게 모의하다.

ほうきぼし【ほうき星】《箒星》名 ☞すいせい(彗星).

ほうきゃく【訪客】名 방문객. =ほうかく.

ぼうきゃく【忘却】名ス他 망각; 잊어버림. ¶~の彼方 망각의 저편/日取りを~する 날짜를 망각하다/酔って前後を~する 술에 취해 제정신을 잃다.

ぼうぎゃく【暴虐】名ナ 포학. ¶~な君主 포학한 군주/~の限りを尽くす 온갖 포학한 짓을 다하다.

***ほうきゅう**【俸給】名 봉급; 급료. =サラリー. ¶~生活者 봉급 생활자/~を受け取る 봉급을 받다.

ほうぎょ【崩御】名ス自 붕어; 天皇·황후 등이 세상을 떠남; 승하(昇遐).

ぼうきょ【暴挙】名 폭거. **1** 무모한 계획; 난폭한 행동. ¶~に出る 난폭한 행동으로 나오다/許し難い~ 용서할 수 없는 폭거/~をいましめる 폭거를 징계하다. **2** 폭동. ¶~を起こす 폭동을 일으키다.

ぼうぎょ【防御】《防禦》名ス他 방어. ¶~網 방어망/~体制 방어 체제/身をもって~する 몸으로써 방어하다/~を固める 방어를 굳건히 하다/最大の~は攻撃なり 최대의 방어는 공격이다. 注意 '防御'로 씀은 대용 한자. ↔攻撃.

ぼうきょう【望郷】名 망향. ¶~の念にかられる 고향 생각에 사로잡히다.

ぼうきょう【防共】名 방공. ¶~政策 방공 정책/~協定 방공 협정. ↔容共.

ぼうぎれ【棒切れ】名 나무토막; 짧은 막대기. =ぼうきれ·ぼうっきれ. ¶~を振り回す 막대기를 휘두르다.

ほうぎん【放吟】名ス他 (마음 놓고) 큰 소리로 읊음〔노래함〕; 고음(高吟). ¶高歌~する 고성방가하다/校歌を~する 교가를 큰 소리로 부르다.

ぼうぐ【防具】名 (검도·펜싱에서) 호구; 얼굴·몸통에 대는 방어용의 도구. ¶~をつける 호구를 착용하다.

ぼうぐい【棒ぐい】《棒杭·棒杙》名 (나무) 말뚝. ¶~を打ち込む 말뚝을 처박다/~を立てる 말뚝을 세우다.

ぼうくう【防空】名 방공. ¶~壕 방공호/~演習 방공 훈련.

ぼうグラフ【棒グラフ】名 막대그래프. ⇨円〔帯〕グラフ. ▷graph.

ぼうくん【暴君】名 폭군; 비유적으로, 멋대로 행동하는 횡포한 사람; 못된 주인〔사람〕. ¶家庭の~ 가정의 폭군/~ぶりを発揮する 폭군같이 굴다; 폭군 노릇을 하다 / ～の圧政(あっせい)に苦(くる)しむ 폭군의 압정에 시달리다.

ほうけい【方形】图 방형; 사각형; 사각. ¶～の器(うつわ) 사각형 그릇 / ～のテーブル 사각 탁자.

ほうけい【方計】图 계략; 방책. ＝方略(ほうりゃく).

ぼうけい【傍系】图 방계. ¶～血族(けつぞく) 방계 혈족 / ～の少数派(しょうすうは) 방계의 소수파. ↔直系(ちょっけい)·正系(せいけい).

——がいしゃ【——会社】图 방계 회사.

ぼうけい【謀計】图 모계; 계략. ¶～を企(くわだ)てる〔めぐらす〕 모계를 꾸미다.

ほうげき【砲撃】图ス他 포격. ¶軍艦(ぐんかん)から敵陣(てきじん)を～する 군함에서 적진을 포격하다.

ぼうけし【棒消し】图 줄을 긋고 기재 사항을 지움; 셈을 삭침. ＝帳消(ちょうけ)し·棒引(ぼうび)き.

ほう-ける〖惚ける·呆ける〗下1自 **1** 멍해지다. ＝ぼける. ¶病(や)み～ 오래 앓아서 기력이 없어지다 / ～·けた顔(かお) 멍청한 얼굴. **2**《動詞의 連用形에 붙여》 열중하다. ¶遊(あそ)び～ 노는 데 정신이 팔리다. 參考 'ほける' 가 장음화(化)한 것.

ほうけん【封建】图 봉건. ¶～制度(せいど)〔思想(しそう)〕 봉건 제도〔사상〕.

——じだい【——時代】图 봉건 시대《일본에서는 鎌倉(かまくら) 시대부터 江戸(えど) 시대》.

——しゅぎ【——主義】图 봉건주의.

——てき【——的】ダナ 봉건적. ¶～な考(かんが)え方(かた) 봉건적인 사고방식 / うちのおやじは～だ 우리 아버지는 봉건적이다. ↔民主的(みんしゅてき)·近代的(きんだいてき).

ほうげん【放言】图ス自他 방언; 멋대로〔무책임하게〕 지껄임; 또, 그 말. ¶～してはばからない 거리낌없이 마구 지껄이다 / 長官(ちょうかん)の～が問題(もんだい)になる 장관의 무책임한 발언이 문제가 되다 / その～は聞(き)き捨(す)てにならぬ 그 (무책임한) 말은 그냥 듣고 흘려버릴 수 없다.

**ほうげん【方言】图 방언; 사투리. ＝なまり·さとことば·俚言(りげん). ¶関西(かんさい)～ 関西 지방 방언. ↔標準語(ひょうじゅんご)·共通語(きょうつうご).

*ぼうけん【冒険】图ス自 모험. ¶～小説(しょうせつ) 모험 소설 / ～談(だん) 모험담 / ～を好(この)む人(ひと) 모험을 좋아하는 사람 / ～をおかす 모험을 무릅쓰다 / その投資(とうし)は～だ 그 투자는 모험이다.

ぼうけん【剖検】图ス他 부검. ¶遺体(いたい)を～する 사체를 부검하다.

ぼうけん【望見】图ス他 망견; 먼 데서〔멀리서〕 바라봄. ¶はるかに富士(ふじ)を～する 멀리 富士 산을 바라보다 / 山頂(さんちょう)から麓(ふもと)の町(まち)を～する 산꼭대기에서 산기슭의 마을을 멀리 바라보다.

ぼうげん【妄言】图 망언; 주책없고 근거 없는 말. ＝もうげん. ¶～を吐(は)く 망언을 하다 / ～に惑(まど)わされる 망언에 현혹되다.

——多謝(たしゃ) 망언다사; 망언을 사과함《흔히 편지에서 씀》.

ぼうげん【暴言】图 폭언. ¶～を吐(は)く 폭언을 하다 / ～が過(す)ぎる 폭언이 지나치다.

ほうこ【宝庫】图 보고; 전하여, 좋은 산물이 많이 나는 지방. ¶石油(せきゆ)の一大(いちだい)～ 석유의 일대 보고 / 知識(ちしき)〔資源(しげん)〕の～ 지식〔자원〕의 보고.

ほうご【法語】图〖佛〗 법어; 불교의 교의를 알기 쉽게 풀이한 문장〔이야기〕.

ぼうご【防護】图ス他 방호. ¶～団(だん) 방호단 / ～服(ふく)〔壁(へき)〕 방호복〔벽〕.

ほうこう【奉公】图ス自 **1** 봉공; 몸을 바쳐 공적 일에 봉사함. ¶滅私(めっし)～ 멸사봉공 / 国家(こっか)に～する 국가에 봉사하다. **2** (남의 집에서) 고용살이함. ¶女中(じょちゅう)奉公(ぼうこう) 식모살이 / でっち奉公(ぼうこう) 상점의 고용살이《연소자에만 해당》/ 娘(むすめ)を～に出(だ)す 딸을 고용살이로 내보내다.

——にん【——人】图 고용인; 더부살이《예스러운 말씨》.

ほうこう〔咆哮〕图ス自 포효; 짐승이 으르렁거림. ¶獅子(しし)の～ 사자의 포효.

ほうこう〔彷徨〕图ス自 방황; 헤맴. ¶青春(せいしゅん)の～ 청춘의 방황 / 原野(げんや)〔街(まち)〕を～する 들판을〔거리를〕 방황하다 / 死生(しせい)の境(さかい)を～する 생사의 갈림길을 헤매다.

ほうこう【放校】图ス他 방교; 출학(黜學); 퇴학. ¶～処分(しょぶん) 퇴학 처분 / ～される 퇴학당하다.

**ほうこう【方向】图 방향. ¶～舵(だ) 방향타 / ～転換(てんかん) 방향 전환 / ～感覚(かんかく) 방향 감각 / 逆(ぎゃく)の～に進(すす)む 반대 방향으로 나아가다 / 人生(じんせい)の～を誤(あやま)る 인생의 방향을 그르치다 / 将来(しょうらい)の～ 장래의 방침.

——たんちき【——探知器】图 방향 탐지기.

——づけ【——付け】图ス自 방향을 정함.

ほうこう【砲口】图 포구; 포문. ¶～を敵(てき)の方(ほう)に向(む)ける 포구를 적 쪽으로 돌리다.

ほうこう【芳香】图 방향; 향기로운〔좋은〕 냄새. ¶～を放(はな)つ 방향을 내뿜다. ↔悪臭(あくしゅう).

ほうごう【縫合】图ス他 봉합. ¶傷口(きずぐち)の～ 상처의 봉합 / 患部(かんぶ)を～する 환부를 봉합하다.

*ぼうこう【暴行】图ス自 폭행; 강간; 난폭한 행위; 폭력을 가함. ¶～魔(ま) 강간 상습범 / ～はよせ 폭행은 하지 마라 / ～をはたらく 폭행을 하다 / 女子(じょし)に～を加(くわ)える (a)여자에게 폭행하다; (b)여자를 능욕하다.

ぼうこう〔膀胱〕图〖生〗 방광; 오줌통. ¶～炎(えん) 방광염 / ～鏡(きょう) 방광경 / ～結石(けっせき) 방광 결석.

**ほうこく【報告】图ス他 보고. ¶帰朝(きちょう)～ 귀국 보고 / ～書(しょ) 보고서 / 中間(ちゅうかん)～を取(と)りまとめる 중간 보고를 정리하다 / 一部始終(いちぶしじゅう)〔事件(じけん)の経過(けいか)〕を～する 자초지종을〔사건의 경과를〕 보고하다.

ほうこく【報国】名 보국. ¶～の念 보국지념／一死～ 일사보국／尽忠～ 진충보국.

ぼうこく【亡国】名 망국. **1** 망한 나라. ¶～の民 망국의 백성／～の嘆き 망국지탄. **2** 나라를 망침. ¶奢侈～論 사치 망국론.

ぼうさい【亡妻】名 망처; 죽은 아내. ↔亡夫.

ぼうさい【防災】名 방재; 재해를 방지함. ¶～対策を立てる 방재 대책을 세우다／～に手ぬかりがある 방재에 미비한 데가 있다／～設備を充実させる 방재 설비의 충실을 기하다.

ぼうさき【棒先】名 **1** 막대기 끝. **2** 가마채의 끝(을 메는 사람).

―を切る 물건을 사주고 그 금액의 일부를 떼어먹다. ＝棒先をはねる〔取る〕.

ほうさく【方策】名 방책. ¶万全の～を立てる 만전의 방책을 세우다／～が尽きる 방책이 다하다／～を見いだす 방책을 찾아내다／最善の～を考え出す 최선의 방책을 생각해 내다.

*__ほうさく__【豊作】名 풍작. ¶～の年 풍작의 해; 풍년／～続き 풍년이 계속됨. ↔不作・凶作.

―ききん〖―飢饉〗名 풍년 기근《풍작으로 농산물 값이 폭락하여 농민이 고생함》. ＝豊作貧乏.

ぼうさげ【棒下げ】名 (주식 시세의) 수직 하락. ↔棒上げ.

ぼうさつ【忙殺】名ス他《'～される'의 꼴로 써서》망쇄; 매우 분주함; 일에 쫓김. ¶仕事に～されて映画一つ見られなかった 일에 쫓기어 영화 하나 보지 못했다／辞書の編集に～される 사전 편집으로 매우 바쁘다.

ぼうさつ【謀殺】名ス他 모살. ¶～の疑いが濃い 모살한 혐의가 짙다. 参考 현행법에서는 故殺와 구별하지 않음.

ほうさん【ほう酸】《硼酸》名〔化〕붕산. ¶～水 붕산수／～綿 붕산면.

ほうさん【放散】名ス自 방산; 발산; 특히, 한곳에 생긴 아픔이 여러 곳으로 퍼지는 듯이 느낌. ¶熱を～する 열을 방산하다／痛みが～する 통증이 퍼지다.

ぼうさん【坊さん】名 중을 친숙하게 부르는 말. ¶お～ 스님.

*__ほうし__【奉仕】名ス自 봉사. **1** 사회나 남을 위해 진력함. ¶～隊 봉사대／無料～ 무료 봉사／国に～する 나라에 봉사하다. **2** 값을 싸게 하여 팖. ＝サービス. ¶～品 봉사품／特別～価格 특별 봉사 가격.

ほうし［放恣・放肆］名ナ 방종. ¶～な生活 방종한 생활／生活が～に流れる 생활이 문란해지다.

ほうし【法師】名 **1**〔佛〕법사; 승려. **2**《…ぼうし의 꼴로》그런 상태에 있는 사람・사물을 가리킴. ¶やせ～ 말라깽이／一寸法師 난쟁이／影法師 사람 그림자.

ほうし【胞子】名〔植〕포자. ¶～嚢 포자낭／～葉 포자엽; 홀씨잎.

ほうし【芳志】名 방지《남의 친절・배려에 대한 높임말》. ＝芳心. ¶ご～を深謝します 베풀어 주신 방지에 깊이 감사 드립니다／ご～まことにありがたく頂戴いたしました 베풀어주신 후의는 참으로 감사히 받았습니다.

ほうじ【法事】名〔佛〕재(齋). ＝法会・法要. ¶父の一週忌の～を営む 부친의 소상(小祥)을 지내다.

**__ぼうし__【帽子】名 모자《넓은 뜻으로는 긴 물건의 끝 부분에 둘러씌우는 것도 가리킴》. ¶～掛け 모자걸이／～のひさし〔つば〕 모자의 챙／～をかぶる 모자를 쓰다／筆の～ 붓두껍／～を脱ぐ 모자를 벗다; 전하여, 경의를 표하다／～をとりなさい 모자를 벗으시오.

ぼうし【某氏】名 모씨; 어떤 분. ¶～の推薦 모씨의 추천／高官の～ 고관인 모씨.

ぼうし【防止】名ス他 방지. ¶火災～ 화재 방지／事故の～策を練る 사고 방지책을 강구하다／火災を未然に～する 화재를 미연에 방지하다.

ほうしき【方式】名 방식. ¶一定の～どおりに 일정한 방식대로／トーナメント～で行う 토너먼트 방식으로 하다.

ほうしき【法式】名 법식. ＝のり・おきて・作法. ¶礼儀～ 예의범절／～にかなっている 법식에 합당하다／～にのっとって葬儀を行う 법식에 따라 장례식을 치르다.

ほうじちゃ【ほうじ茶】《焙じ茶》名 엽차를 센불에 볶아서 만든 차.

ぼうしつ【亡失】名ス自他 망실; 분실; 잃어버림; 없어짐. ¶～届 망실계; 분실 신고.

ぼうしつ【忘失】名ス他 망실; 아주 잊어버림. ¶記憶を～する 기억을 상실하다.

ぼうしつ【防湿】名 방습.

―ざい【―剤】名〔化〕방습제. ＝乾燥剤・吸湿剤.

ぼうじつ【某日】名 모일; 어떤 날. ¶某月～ 모월 모일.

ほうしゃ【放射】名ス他 방사; 복사(輻射). ¶～状の道路 방사상 도로／熱を～する 열을 방사하다／ラジウムは絶えず～線を～している 라듐은 끊임없이 방사선을 방사하고 있다.

―せい【―性】名〔理〕방사성. ¶～物質 방사성 물질.

―せん【―線】名〔理〕방사선. ¶～治療 방사선 치료.

―のう【―能】名〔理〕방사능. ¶～雨 방사능비／魚が～に汚染される 물고기가 방사능에 오염되다／～を浴びる 방사능을 쬐다.

ぼうじゃくぶじん【傍若無人】ダナ 방약무인. ¶～な態度 방약무인한 태도／～にふるまう 방약무인하게 행동하다.

ほうしゅ【砲手】名 포수. ¶～が次々と倒れる 포수가 잇따라 쓰러지다.

ぼうしゅ [芒種] 名 망종《24절기의 하나. 양력 6월 6일경이 됨》.

ぼうじゅ【傍受】名 ス他 방수; 무전을 제3자가 수신함. ¶アマチュア無線家(むせんか)が秘密(ひみつ)の指令(しれい)を～する 아마추어 무선사가 비밀 지령을 방수하다 / 無線(むせん)を～する 무선을 방수하다.

***ほうしゅう**【報酬】名 보수. ＝返礼(へんれい). ¶～をあたえる〔支払(しはら)う〕 보수를 주다〔지급하다〕/～を受(う)ける〔得(え)る〕 보수를 받다〔얻다〕/努力(どりょく)に対(たい)する当然(とうぜん)の～ 노력에 대한 당연한 보수.

ほうじゅう【放縦】名 ダナ 방종. ＝わがまま. ¶彼(かれ)は～な生活(せいかつ)を送(おく)っている 그는 방종한 생활을 하고 있다. ↔自制(じせい). 注意 본디는 'ほうしょう', 'ほうじゅう'는 관용음. 「취제.

ぼうしゅう【防臭】名 방취. ¶～剤(ざい) 방

ほうしゅく【奉祝】名 ス他 봉축. ＝奉賀(ほうが). ¶～歌(か) 봉축가 /～行事(ぎょうじ) 봉축 행사 / 王子(おうじ)誕生(たんじょう)を～する 왕자 탄생을 봉축하다.

ぼうしゅく【防縮】名 ス他 방축; 천의 수축을 막음. ¶～加工(かこう) 방축 가공.

ほうしゅつ【放出】一 名 ス他 방출. ¶～物資(ぶっし) 방출 물자 / エネルギーの～ 에너지 방출 / 冬物衣料(ふゆものいりょう)の～セール 겨울 의류 방출 세일 / 食糧(しょくりょう)を～する 식량을 방출하다. 二 名 ス自 뿜어져 나옴. ¶水(みず)がノズルから～する 물이 노즐에서 뿜어져 나오다.

ほうじゅつ【砲術】名 포술. ¶～家(か) 포술가 /～を習(なら)う 포술을 배우다.

ぼうじゅつ【棒術】名 봉술; 몽둥이를 무기로 쓰는 기술. ＝棒(ぼう).

ほうじゅん【芳醇】名ナ 방순; (술이) 향기가 높고 맛이 좋음; 훈감함. ¶～な酒(さけ) 향기가 좋은 미주.

ほうじゅん【豊潤】名ナ 풍윤; 풍부하고 윤택함. ¶～な土地(とち) 비옥한 땅 /～な肉体(にくたい) 풍만한 육체 /～な生活(せいかつ)を送(おく)る 풍윤한 생활을 하다.

ほうじょ [幇助] 名 ス他 방조. ¶～犯(はん) 방조범 / 自殺(じさつ)～罪(ざい) 자살 방조죄 / 正犯(せいはん)を～したる者(もの) 주범을 방조한 자.

ぼうしょ【某所】名 모처; 어떤 곳; 어느 곳. ¶都内(とない)の～で会(あ)う 東京(とうきょう) 시내의 모처에서 만나다.

ぼうじょ【防除】名 ス他 방제. ¶虫害(ちゅうがい)を～する 충해를 방제하다.

ほうしょう【報奨】名 ス他 보장; 보답하고 장려함. ¶～金(きん) 보장금 /～措置(そち)を講(こう)ずる 보장 조처를 강구하다. ⇨ほうしょう(褒賞).

ほうしょう【報償】名 ス自 보상. **1** 손실의 변상. ¶～金(きん) 보상금. **2** 보복.

ほうしょう【法相】名 법상; 법무 대신《법무 장관에 해당》. ＝法務大臣(ほうむだいじん).

ほうしょう【褒賞】名 ス他 포상. ¶～授与(じゅよ) 포상 수여. 参考 '報奨(ほうしょう)'와 뜻이 비슷하나 칭찬하는 데에 중점을 둠.

ほうしょう【褒章】名 포장; 국가나 사회에 기여한 사람에게 국가가 수여하는 기장. ¶紫綬(しじゅ)～ 자수 포장 / 藍綬(らんじゅ)～ 남수 포장 / 緑綬(りょくじゅ)～ 녹수 포장.

ほうじょう【放生】名〔佛〕방생.
—え【—会】名 (음력 8월 15일에 하는) 방생회. ＝放生の法会(ほうえ).

ほうじょう【芳情】名 방정; 방지(芳志)《상대방의 친절이나 따뜻한 마음씨에 대한 높임말》. ＝芳志(ほうし). ¶ご～, 感謝(かんしゃ)にたえません 베풀어 주신 온정에 감사해 마지 않습니다.

ほうじょう [豊饒] 名ナ 풍요. ¶～な社会(しゃかい)〔土地(とち)〕 풍요한 사회〔땅〕.

ぼうしょう【傍証】名 ス他 방증. ¶犯罪(はんざい)の～を固(かた)める 범죄의 방증을 굳히다〔다지다〕.

ぼうじょう【棒状】名 봉상; 막대기 모양. ¶～の飴(あめ) 가래엿.

ほうしょく【奉職】名 ス自 봉직《좁은 뜻으로는 교원(教員)이 되는 것을 가리킴》. ¶～すること三十年(さんじゅうねん) 봉직한 지 30년 / 母校(ぼこう)に～する 모교에 봉직하다.

ほうしょく【飽食】名 ス自 **1** 포식. ¶～してでぶでぶと太(ふと)った 포식하여 뒤룩뒤룩 살졌다. **2** 먹을 것이나 생활이 풍족함. ¶～の時代(じだい) 풍요로운 시대.

ぼうしょく【暴食】名 ス自 폭식. ¶暴飲(ぼういん)～ 폭음폭식.

ぼうしょく【紡織】名 방직. ¶～工業(こうぎょう) 방직 공업 /～機(き) 방직기.

ぼうしょく【防食】《防蝕》名 방식; 금속이 녹스는 것을 방지함. ＝さびどめ. ¶～加工(かこう) 방식 가공.
—ざい【—剤】名 방식제.

ほうしょくひん【宝飾品】名 재산 가치가 높은 장식품의 총칭《주로 보석·귀금속 제품》. ＝ジュエリー.

ほう-じる 〖焙じる〗 上1他 (불에 쬐어) 말리다; 볶다. ¶茶(ちゃ)を～ 차를 볶다.

ほう-じる【報じる】上1他 ☞ほう(報)ずる. 「ずる.

ほう-じる【奉じる】上1他 ☞ほう(奉)

ほうしん【方針】名 방침. ¶施政(しせい)〔既定(きてい)〕～ 시정〔기정〕 방침 /～を固(かた)める〔つらぬく, 切(き)りかえる〕 방침을 굳히다〔관철하다, 바꾸다〕/～がはっきりしていない 방침이 분명하지 않다 /～を決(き)める〔かかげる〕 방침을 결정하다〔내세우다〕/～に従(したが)う 방침에 따르다.

ほうしん【砲身】名 포신; 대포의 몸통. ¶～の長(なが)さ 포신의 길이.

ほうしん【放心】名 ス自 방심. **1** 멍함; 정신을 차리지 못함. ¶～の態(てい) 방심 상태 /～したような顔付(かおつ)きをする 방심한 듯한 얼굴〔표정〕을 하다. **2** 방념; 안심. ¶どうぞご～下(くだ)さい 아무쪼록 안심하십시오.

ほうじん【法人】名 법인. ¶～税(ぜい) 법인세 / 学校(がっこう)～ 학교 법인 / 財団(ざいだん)～ 재단 법인. ↔自然人(しぜんじん).

ほうじん【砲陣】名 포진. ¶～を敷(し)く

포진을 치다.

ほうじん【邦人】图 방인; 자국인. ¶在留～ 재류 교민. ↔外人.

ぼうじん [防塵] 图 방진; 먼지가 들어감을 막음. ¶～装置 방진 장치.

ほうず【方図】图〈俗·老〉끝; 한도. ＝きり·際限. ¶～のない話 끝이 없는 이야기.

—がない; —もない 한이 없다. ¶かれの望みには方図がない 그 사람 소원은 끝이 없다 / 方図もない事を言う 걷잡을 수 없는 소리를 하다.

***ぼうず**【坊主】图 **1** (절의 주지인) 중. **2** 중의 속칭; 또, 중처럼 민 머리; 또, 그러한 상태〔사람〕. ¶台湾～ 대머리; 독두병(禿頭病)《잎사귀 없는 나무, 나무 없는 산에도 비유》/ 丸～ 까까중 / ～刈りにする 머리를 빡빡 깎다 / 乱伐で山が～になる 남벌로 산이 민둥산이 되다. **3** 사내아이의 애칭. ¶いたずら～ 장난꾸러기 / うちの～ 우리 집 꼬마 녀석 / 一年～ 풋내기 신입생 / 二年～ 2학년둥이. **4** 다른 말에 붙어, 어떤 사람을 조롱하는 뜻으로 부르는 말. ¶三日～ 작심삼일로 끝나는 사람 / なまけ～ 게으름뱅이.

—憎けりゃ袈裟まで憎い 중이 미우면 가사도 밉다; 며느리가 미우면 손자까지 밉다.

—丸儲け 밑천 안 들이고 이득을 봄.

—あたま【—頭】图 까까머리; 중대가리; 또, 그런 사람.

—がえり〖—還り〗图 환속. ＝法師還り.

—くさ-い【—臭い】形 불교 냄새〔티〕가 나다; 중냄새〔티〕가 나다. ＝抹香くさい.

—やま【—山】图 민둥산. ＝はげやま.

—よみ【—読み】图 중이 염불하듯 뜻도 모르고 그저 읽기만 함.

ほうすい【放水】图ス自 **1** 방수; 물을 끌어 흐르게 함. ¶～路 방수로. **2** (소화(消火)를 위해서) 호스로 물을 세차게 뿌림. ¶～演習 방수 연습.

ぼうすい【紡錘】图 방추; 물렛가락. ＝錘.

—けい【—形】图 방추형.

ぼうすい【防水】图ス他 방수. ¶～加工 방수 가공 / ～時計 방수 시계 / ～着 방수복 / ～布 방수포 / ～がきいた服 방수 가공한 옷 / ～性がよい 방수성이 좋다.

ほう-ずる【封ずる】サ変他 (영주로) 봉하다. ¶二十万石の大名に～ 20만 석의 大名로 봉하다.

ほう-ずる【報ずる】㊀サ変自他 보답하다; 갚다; 보복하다. ¶師の恩に～ 스승의 은혜에 보답하다 / 恨み〔あだ〕を～ 원한을〔원수를〕 갚다. ㊁サ変他 알리다; 보도하다. ¶新聞の～ところ 신문이 보도하는 바 / 事件の経過を～手紙 사건의 경과를 알리는 편지.

ほう-ずる【奉ずる】サ変他 **1** 바치다; 올리다. ¶殿下に土地の銘酒を～ 전하께 그 고장 명주를 바치다. **2** 분부를 받들어 좇다; 봉명(奉命)하다. ¶主君の命を～ 주군의 분부를 받들다 / 官途に職を～ 관청에 봉직하다. **3** 신봉하다. ¶キリスト教を～ 기독교를 신봉하다.

ほうすん【方寸】图 방촌. **1** 사방 한 치《전하여, 매우 좁은 곳》. **2** 마음(속). ¶思いを～に納める 생각을 마음속에 간직하다 / 計略はわが～にあり 계략은 내 흉중에 있다.

—の地 매우 좁은 땅; 땅뙈기.

ほうせい【方正】名ナ 방정. ¶品行～ 품행 방정 / ～の士 방정한 사람.

ほうせい【法制】图 법제; 법률과〔법률상의〕 제도.

ほうせい【砲声】图 포성; 대포 소리. ¶殷々たる～ 은은한 포성 / ～が轟く 포성이 울려 퍼지다.

ほうせい【縫製】图ス他 봉제. ¶～品 봉제품 / ～業 봉제업 / ～工場 봉제 공장.

ぼうせい【暴政】图 폭정. ¶～に苦しむ 폭정에 시달리다 / 暴君の～にあえぐ 폭군의 폭정에 허덕이다.

***ほうせき**【宝石】图 보석. ¶～箱 보석함〔상자〕/ ～商 보석상 / ～をちりばめた冠 보석을 박은 관.

ぼうせき【紡績】图 방적. **1** 실을 자음. ¶～工場 방적 공장. **2** '紡績糸(＝방적사)'의 준말.

ほうせつ【包摂】图ス他〘論〙 포섭. ¶スズメという概念は, 鳥という概念の中に～される 참새란 개념은 조류라고 하는 개념 속에 포섭된다.

ぼうせつ【防雪】图 방설; 눈·눈사태를 막음. ¶～林 방설림.

ぼうせん【傍線】图 방선; 곁줄. ＝サイドライン. ¶～をつける 곁줄을 치다. ⇨傍点·下線.

ぼうせん【棒線】图 **1** 곧바로 그은 줄; 직선. **2** 굵은 줄. ¶重要事項に～を引く 중요 사항에 굵은 줄을 긋다.

ぼうせん【防戦】图ス自 방전; 방어전. ¶～に努める 방어전에 힘쓰다 / ～一方の試合 방어 일변도의 경기 / 終始～に追いやられる 시종 방어로 몰리다.

ぼうぜん [呆然] トタル 망연; 어리둥절함; 멍함; 어이없어함. ¶～たる面持ち 망연한 표정 / 道を失い～と立ちつくす 길을 잃어 멍하니 서 있다 / 彼のずうずうしさには皆～とした 그의 뻔뻔스러움에는 모두 어안이 벙벙했다.

ぼうぜん [茫然] トタル 망연. **1** 넓고도 먼 모양. **2** 종잡을 수 없음; 막연함. ¶～たる態度 종잡을 수 없는 태도 / 前途は～として分からない 전도는 망연하여 종잡을 수가 없다.

—じしつ [—自失] 图ス自 망연자실. ¶～の体 망연자실한 상태.

ほうそう【包装】图ス他 포장. ¶～紙

포장지 / ～が崩れる 포장이 흐트러지다 / ～して下さい 포장해 주십시오.

ほうそう【放送】名ス他 방송. ¶～劇〔網〕 방송극〔망〕/ ～局 방송국 / ～記者 방송 기자 / 生～ 생방송 / 実況～ 실황 방송 / 現地からテレビで～する 현지에서 TV로 방송하다.

―えいせい【―衛星】名 방송 위성.

ほうそう【法曹】名 법조. ¶～界の大物たち 법조계의 거물들.

ほうそう［疱瘡］名 〈老〉 **1** 포창; 천연두; 마마. ＝天然痘. **2** 종두(種痘). ¶～を植える 종두를 접종하다; 우두를 놓다.

ぼうそう【暴走】名ス自 폭주. **1** 난폭하게 달림. ¶トラックが～する 트럭이 폭주하다. **2** 운전사 없는 차가 내달림. **3** 엉뚱한〔무모한〕 짓을 함; 독주함. ¶過激派が～する 과격파가 독주하다. **4** 〖野〗 무모한 주루(走塁)를 함. ¶三塁に～して刺された 삼루로 폭주하여 터치아웃되었다.

―ぞく【―族】名 폭주족.

ほうそく【法則】名 법칙. ¶万有引力〔質量不変〕の～ 만유인력〔질량불변〕의 법칙 / ～に合ったやり方 법칙에 맞는 방식 / ～に従う 법칙에 따르다.

ほうたい【包帯】《繃帯》名 붕대. ¶～を巻く 붕대를 감다 / 戦地の～所 야전 응급 치료소 / 指に～をしている 손가락에 붕대를 감고 있다. 注意 '包帯'라 씀은 대용 한자.

ほうだい【邦題】名 외국에서 수입한 영화나 가요 등에 붙여진 일본어 제목.

ほうだい【砲台】名 포대. ¶島に～を築く 섬에 포대를 구축하다.

＝ほうだい〖放題〗《形容動詞의 語幹, 動詞의 連用形이나 助動詞 'たい'에 붙여서》 마음껏〔마음대로〕 행하는 뜻을 나타내는 말. ¶取り～ 손에 잡히는 대로 / 食い～ 마음껏 먹음 / 遊び～ 멋대로 놂 / 言いたい～を言う 제멋대로〔실컷〕 지껄이다 / 勝手～にしておく 제멋대로 하게 내버려두다 / 彼はしたい～の〔な〕事をしている 그는 자기 하고 싶은 대로 하고 있다.

ぼうだい【膨大】《厖大》名ナ 방대. ¶～な予算〔量〕 방대한 예산〔양〕/ ～な計画 방대한 계획.

ぼうだい【膨大】名ス自 팽대; 부풀어올라 커짐. ¶種子は水を含むと～する 종자는 물을 머금으면 팽대한다 / 体積が～する 부피가 불어서 커지다.

ぼうたおし【棒倒し】名 (운동회에서) 장대넘기기.

ぼうたかとび【棒高跳び】《棒高飛び》名 장대높이뛰기. ＝ポールジャンプ.

ぼうだち【棒立ち】名 막대 모양으로 곧추섬; 우뚝 섬. ＝さお立ち. ¶馬が驚いて～になる 말이 놀라서 뒷발로 곧추서다 / 土俵ぎわで～になる 씨름판의 경계선에 밀려 (안간힘을 쓰며) 버티어 서다〔견디다〕.

ぼうだま【棒球】名 〖野〗 타자가 치기 좋은, 스피드 없는 직구(直球).

ほうだん【放談】名ス自 방담. ¶新春～ 신춘 방담 / ～は慎むこと 방담은 삼갈 것 / 首相の出席する時事～会 수상이 참석하는 시사 방담회.

ほうだん【砲弾】名 포탄. ¶～が破裂する 포탄이 터지다 / 敵に～を浴びせる 적에게 포탄을 퍼붓다.

ぼうだん【防弾】名 방탄. ¶～ガラス〔チョッキ〕 방탄유리〔조끼〕.

ほうち【報知】名ス他 보지; 알림. ¶火災～機 화재 경보기 / 異変を～する 이변을 알리다.

ほうち【放置】名ス他 방치. ¶～された自転車 방치된 자전거 / 怪我人を治療もせずに～する 부상자를 치료도 않고 방치하다.

ほうち【法治】名 법치. ¶～国家 법치국가 / ～主義 법치주의.

ぼうちぎり【棒ちぎり】《棒乳切り》名 '棒ちぎり木'의 준말; 몽둥이 토막; 막대기; 곤봉. ＝ぼうちぎれ. ¶けんか過ぎての～ 사후 약방문.

ほうちく【放逐】名ス他 방축; 내쫓음; 추방. ¶国外に～する 국외로 추방하다 / 酔漢を会場から～する 취한을 회장에서 내쫓다.

ほうちゃく［逢着］名ス自 봉착; 맞부딪침. ¶矛盾に～する 모순에 봉착하다 / 難関に～する 난관에 부딪치다.

ぼうちゅう【傍注】《旁註》名 방주. ¶～をつける 방주를 달다.

ぼうちゅう【忙中】名 망중; 바쁜 가운데. ¶～の閑 망중한. ↔閑中.

―閑あり 망중유한; 바빠도 틈은 있다; 또, 그렇게 말하며 즐기는 모양.

ぼうちゅう【防虫】名 방충. ¶～網 방충망.

―ざい【―剤】名 방충제. ＝むしよけ.

ほうちょう【包丁】《庖丁》名 **1** 식칼. ¶刺身ぼうちょう 회(치는) 칼 / ～を入れる 칼질을 하다. **2** 요리(인); 또, 그 솜씨. ¶～人 요리인; 쿡 / ～のさばき 칼놀림; 요리 솜씨 / ～の冴えを見せる 멋진 요리 솜씨를 보이다. 注意 '包丁'로 씀은 대용 한자.

ほうちょう【放鳥】名ス自 방조; 放生会나 장례식 때에 잡아 두었던 새를 놓아줌; 또, 그 새.

ぼうちょう【傍聴】名ス他 방청. ¶～席 방청석 / ～人 방청인 / ～券 방청권 / 国会〔公判〕を～する 국회를〔공판을〕 방청하다.

ぼうちょう【膨張·膨脹】名ス自 팽창. ¶～率 팽창률 / 熱～ 열 팽창 / 予算が～する 예산이 팽창하다 / 都市の人口が～する 도시의 인구가 팽창하다. ↔収縮.

ぼうちょう［防諜］名 방첩. ¶～活動

방첩 활동/～に万全を期す 방첩에 만전을 기하다.

ぼうちょう【防潮】图 방조; 해일이나 파도 등을 막음.

―てい【―堤】图 방조〔방파〕제; 둑.

ぼうっと 副 **1** (안개 낀 것처럼) 희미하게 보이는 모양. ¶山が～かすむ 산이 뿌옇게 흐려 보이다/街の灯が～かすんで見える 거리의 등불이 희미하게 흐려 보이다. **2** 멍한 모양. ¶頭が～する 머리가 멍해지다. **3** 갑자기 소리내며 불붙는 모양. ¶枯れ葉が～燃え上がる 마른잎이 확 타오르다.

ぼうっと 副 **1** 멍한 모양; 희미한 모양. ¶寝不足で頭が～している 잠이 모자라 머리가 띵하다/病み疲れて～する 병에 시달려 멍해지다. **2** 발그레한 모양. ¶目の縁が～色づく 눈언저리가 발그레해지다; 상기되다/東の空が～明るくなる 동쪽 하늘이 불그스름하게 밝아지다. **3** 기적 등이 조금 크게 내는 소리: 뻭. ¶～と警笛を鳴らす 뻭 하고 경적을 울리다.

ぼうて【貿手】图 '貿易手形(＝무역 어음)'의 준말.

ほうてい【法定】图 법정. ¶～積立金 법정 적립〔준비〕금/～得票数 법정 득표수/～選挙費用 법정 선거 비용. ↔任意·約定.

―そうぞく【―相続】图 법정 상속. ¶～人 법정 상속인.

―りそく【―利息】图 법정 이자. ↔約定利息.

*__ほうてい__【法廷】图 법정. ¶～で争う 법정에서 다투다/～へ出る 법정에 나가다/～に立つ 법정에 서다/～を開く 법정을 열다; 개정(開廷)하다.

ほうていしき【方程式】图 **1**〔數〕방정식. ¶連立～ 연립 방정식/～を解く 방정식을 풀다. **2** '化学方程式(＝화학 방정식)'의 준말.

ほうてき［放擲·抛擲］图ス他 방척; 던져 버림; 내팽개침. ¶職場を～する 직장을 버리고 떠나다/万事を～して一事に専念する 만사를 제쳐 놓고 한 가지 일에 전념하다/家業を～して遊び暮らす 가업을 내팽개치고 놀고 지내다.

ほうてき【法的】ダナ 법적. ¶～根拠 법적 근거/～義務 법적 의무/～措置をとる 법적 조치를 취하다/～に規制する 법적으로 규제하다.

ほうてん【宝典】图 보전; 귀중한 서적. ¶家庭医学～ 가정 의학 보전/～を編集する 보전을 편집하다.

ほうてん【法典】图 **1** 법전. **2** 법률. ＝法律. ¶現行～では 현행 법률로는.

ほうでん【宝殿】图 보전. **1** 보물을 간직해 두는 건물. **2** 신불(神佛)을 모신 곳; 신전. **3** 훌륭한 궁전.

ほうでん【放電】图ス自 방전. ¶火花～ 불꽃 방전/空中～ 공중 방전/～電流 방전 전류/～管 방전관/～させる 방전시키다. ↔充電.

ぼうてん【傍点】图 방점. ¶～を打つ 방점을 찍다.

ほうと【方途】图 방도; 방법. ＝しかた. ¶実現の～を模索する 실현 방도를 모색하다/～を失う〔見いだす〕 방도를 잃다〔찾아내다〕/改善の～が立つ 개선의 방도가 서다/解決の～をさぐる 해결할 방도를 찾다.

ぼうと【暴徒】图 폭도. ¶～と化す 폭도로 변하다/～は鎮圧された 폭도는 진압되었다.

ほうとう【宝刀】图 보도. ¶伝家の～を抜く 전가의 보도를 뽑다; 전하여, 마지막 수단을 쓰다.

ほうとう［放蕩］图ス自 방탕. ¶～児 방탕아/～息子 방탕한 아들/～者 방탕한 자/～三昧 방탕 삼매; 방탕에 젖음/～にふける 방탕에 빠지다/～に身を持ちくずす 방탕으로 신세를 망치다/さんざん～したあげく借金までこしらえる 실컷 방탕한 끝에 빚까지 지다.

*__ほうどう__【報道】图ス他 보도. ¶～員 보도원/～写真 보도 사진/新聞～ 신문 보도/現地からの～によれば 현지로부터의 보도에 의하면.

―じん【―人】图 언론인. ＝ジャーナリスト.

―じん【―陣】图 보도진.

ぼうとう【冒頭】图ス自 모두. **1** 벽두. ¶～に述べた事 모두에 말한 사항/～に掲げる 첫머리에 싣다/会議は～から険悪な雰囲気に包まれた 회의는 벽두부터 험악한 분위기에 싸였다. ↔末尾. **2** 서두. ¶～から活発な議論の応酬がはじまる 서두부터 활발한 논쟁의 응수가 시작되다.

ぼうとう【暴投】图ス自〔野〕폭투. ＝ワイルドピッチ. ¶ピッチャーの～でランナーは2塁に進む 피처의 폭투로 주자는 2루로 나아가다.

ぼうとう【暴騰】图ス自 폭등. ¶株価が～した 주가가 폭등했다/～する物価の対策を練る 폭등하는 물가 대책을 강구하다. ↔暴落.

*__ぼうどう__【暴動】图 폭동. ¶～罪 폭동죄/～が起こる 폭동이 일어나다/～を鎮める 폭동을 진압하다 /～をおこす 폭동을 일으키다.

ぼうとく［冒瀆］图ス他 모독. ¶～的言辞 모독적인 언사/神を～する 신을 모독하다.

ぼうどく【防毒】图 방독.

―めん【―面】图 방독면. ＝防毒マスク.

ほうなん【法難】图〔佛〕법난; 포교를 하다가 받는 박해. ¶日蓮の～ 日蓮의 법난.

ほうにち【訪日】图ス自 방일; 일본을 방문함. ¶～視察団 방일 시찰단.

ほうにょう【放尿】图ス自 방뇨; 함부로 소변을 봄. ¶道路での～禁止 도로에서의 방뇨〔소변〕금지.

ほうにん【放任】图ス他 방임. ¶ ~主義 방임주의 / 自由~ 자유방임 / 子供を~する 아이를 방임하다.

ほうねつ【放熱】图ス自 방열; 열을 발산시킴. ¶ ~器 방열기 / ~して室内を暖める 방열하여 방 안을 덥히다.

ぼうねつ【防熱】图 방열; 밖으로부터 받는 열을 막음. ¶ ~服 방열복 / ~装置 방열 장치.

ほうねん【放念】图ス自 방념; 방심; 안심. ¶どうか御~下さい 부디 안심하십시오.

ほうねん【豊年】图 풍년. ¶ ~満作 풍년 대작 / ~踊り 풍년을 축하〔기원〕하는 춤 / 今年は~だ 금년은 풍년이다. ↔凶年.

ぼうねん【忘年】图 망년. **1** 그해의 괴로움을 잊음. **2**『~の友』망년지우. **3**『~の交わり』망년지교.

—かい【—会】图 망년회; 송년회.

ぼうねん【防燃】图 방연; 연소 방지. ¶ ~加工 방연 가공.

ほうのう【奉納】图ス他 봉납; 신불(神佛)에게 헌상함. ¶ ~歌 신불에 봉납하기 위해 읊는 和歌.

—じあい【—試合】图 신불에게 제사를 올릴 때에 신불을 위로하기 위해서 경내(境内)에서 행하는 무술 시합.

ぼうはく【傍白】图〔劇〕방백; 관객에게는 들리나 무대 위에 있는 상대역에게는 들리지 않는 것으로 약속하고 말하는 대사(臺詞). =わきぜりふ.

ぼうばく[茫漠] トタル 망막. **1** 넓고 아득함. ¶ ~たる平原 망막한 평원. **2** 종잡을 수 없음; 막연함. ¶ ~たる前途 망막한 전도 / ~としてつかみどころがない 막연하여 종잡을 수 없다.

ぼうはつ【暴発】图ス自 **1** 폭발; 돌발. ¶大事件が~した 대사건이 돌발하였다. **2** 오발. ¶ピストルの~事故 권총의 오발 사고. 参考 옛날에는 혁명·폭동의 뜻으로 썼음.

ぼうはてい【防波堤】图 방파제. ¶ ~を築く 방파제를 쌓다.

ぼうばり【棒針】图 대바늘. =編み針. ↔かぎばり.

—あみ【—編み】图 대바늘 뜨개질.

ぼうはん【防犯】图 방범. ¶ ~週間 방범 주간 / ~灯 방범등 / ~ベル 방범 벨 / ~に努める 방범에 힘쓰다.

*ほうび【褒美】图 포상(褒賞); 상. ¶ ~をもらう〔あたえる〕 포상을 받다〔주다〕 / ご~をあげる 상을 주다.

ぼうび【防備】图ス他 방비; 방위. ¶ ~を固くする〔固める〕 방비를 튼튼히 하다〔공고히 하다〕 / 首府を~する 수도를 방비하다.

ぼうびき【棒引き】图ス他 말소함; 꺾자 놓음. =帳消し. ¶負債を~にする 부채를 말소하다. 「(備忘録).

ぼうびろく【忘備録】图 ☞びぼうろく

ほうふ【抱負】图 포부. ¶自信満満と~を語る〔述べる〕 자신만만하게 포부를 말하다.

**ほうふ【豊富】ダナ 풍부. ¶ ~な資源〔経験〕 풍부한 자원〔경험〕 / 内容を~にする 내용을 풍부히 하다 / 商品を~にそろえる 상품을 풍부하게 갖추다. ↔貧弱.

ぼうふ【亡夫】图 망부; 죽은 남편. ¶ ~を慕う 죽은 남편을 그리다. ↔亡妻.

ぼうふ【亡父】图 망부; 돌아가신 아버지. ↔亡母.

ぼうふ【防腐】图 방부. ¶ ~剤 방부제.

ぼうふう【防風】图 방풍; 바람을 막음.

—りん【—林】图 방풍림.

*ぼうふう【暴風】图 폭풍.

—う【—雨】图 폭풍우. =あらし. ¶ ~警報 폭풍우 경보 / 沿岸に~が襲った 연안에 폭풍우가 덮쳤다.

ほうふく【報復】图ス自 보복. =仕返し. ¶ ~手段 보복 수단 / ~行為 보복 행위 / ひどい仕打ちに~する 가혹한 처사에 보복하다. 「세.

—かんぜい【—関税】图〔經〕보복 관

ほうふく【抱腹】《捧腹》图 포복; 배를 움켜쥐고 크게 웃음.

—ぜっとう【—絶倒】图ス自 포복절도. ¶ ~の喜劇 포복절도할 희극.

ほうふく【法服】图 법복. **1** 법관 등의 제복. **2**〔佛〕법의. =法衣.

ほうふつ[彷彿·髣髴] トタル ス自 **1** 방불; 거의 비슷함. ¶故人の面影に~たるものがある 고인의 모습을 방불케 하는 것이 있다 / 昔日を~させる 지난날을 방불케 하다. **2** 생생히 떠오름; 눈에 선함. ¶なき母のおもかげが~としてくる 돌아가신 어머니의 모습이 생생히 떠오른다. **3** 보일 듯 말 듯 어렴풋한 모양. ¶水天~たる所 하늘과 물이 맞닿은 것같이 보이는 곳; 수평선 / 島影が~(と)して見える 섬(의 모습)이 아련히 보이다.

ほうぶつせん【放物線】《抛物線》图〔數〕포물선. ¶ ~を描いて落下する 포물선을 그리며 낙하하다. 注意 '放物線'으로 씀은 대용 한자.

ぼうふら『孑孑·孑孒』图〔蟲〕장구벌레《모기의 유충》. =ぼうふり. ¶ ~がわく 장구벌레가 꾀다.

ほうぶん【邦文】图 일문(日文). =和文. ¶ ~タイプライター 일문 타이프. ↔欧文.

ほうへい【砲兵】图 포병. ¶ ~陣地を築く 포병 진지를 구축하다 / ~の掩護射撃 포병의 엄호 사격.

ほうべい【訪米】图ス自 방미; 미국을 방문함. ¶ ~視察団 방미 시찰단 / ~の途につく 방미길에 오르다.

ぼうへき【防壁】图 방벽. ¶祖国の~となる 조국의 방벽이〔방패가〕 되다 / ~をきずく 방벽을 쌓다.

ほうべん【方便】图 방편; 수단. ¶うそも~ 거짓말도 하나의 방편 / 一時の

～ 일시적인 방편 / ～に使われる 방편으로 쓰이다.

ぼうぼ【亡母】图 망모; 돌아가신 어머니. ↔亡父.

**ほうほう【方法】图 방법. ¶～を見いだす 방법을 찾아내다 / ～を立てる〔ためす〕 방법을 세우다〔시험해 보다〕/ その外に～はない 그 외에 방법은 없다 / 君の～は誤っている 너의 방법은 틀렸다 / いい～がない 좋은 방법이 없다 / ～はどうでもよい 방법은 어떻든 좋다.

—てき【—的】ダナ 방법적. ¶目的はいいが～にあやまっている 목적은 좋으나 방법적으로 틀렸다.

ほうほう〖這う這う〗副『～の体』당황하여 가까스로 도망치는 모양: 허둥지둥. ¶～の体で逃げ出す 허둥지둥 도망가다 / 皆から非難され～の体で引き下がる 여러 사람에게 비난을 받고 황망히 물러나다.

*ほうぼう【ほうぼう·方方】图 여기저기; 여러 곳. ＝あちこち. ¶所所～ 방방곡곡 / ～に散らばる 여기저기 흩어지다 / ～に火事が起こる 여기저기서 화재가 일어나다 / ～から投書が殺到した 여기저기서 투서가 쇄도했다.

ほうぼう〖魴鮄〗图〘魚〙성대.

ぼうぼう【某某】图 모모; 누구누구; 아무개. ¶～の世話になる 모모의 신세를 지다 / ～のしわざだ 모모의 짓이다 / 党員～の言によれば 당원 모모의 말에 따르면.

ぼうぼう [茫茫] トタル 1 넓고 아득한 모양; 또, 종잡을 수 없고 명백하지 않은 모양: 망망. ＝茫漠. ¶～たる視界 망망한 시계. 2 희미한 모양; 흐릿한 모양. ¶～として定かでない 희미하여 분명치 않다.

ぼうぼう 副 1 (풀·수염 등이) 아무렇게나 자란 모양: 더부룩이; 텁수룩이. ¶庭に草が～生える 뜰에 풀이 더부룩하게 자라다 / 髪を～(と)のばす 머리를 텁수룩하게 기르다. 2 불이 세차게 타는 모양: 활활. ¶火が～(と)燃え上がる 불이 활활 타오르다.

ほうぼく【放牧】图ス自他 방목. ¶～地 방목지 / 牛を～する 소를 방목하다.

ほうまつ [泡沫] 图 포말; 물거품. ＝あわ·あぶく. ¶細かい～が立つ 잔 물거품이 일다 / ～のように消滅する 물거품처럼 사라져 없어지다《덧없다》.

—こうほ [—候補] 图 (당선될 가망이 전혀 없는) 들러리 입후보자.

ほうまん【放漫】图ダナ 방만; 방종. ¶～な生活 방종한 생활 / ～な経営〔財政〕 방만한 경영〔재정〕.

ほうまん【豊満】名ナ 풍만; 풍성. ¶～な色彩 풍성한 색채 / ～な胸 풍만한 가슴 / 女の～な肉体美に魅せられる 여인의 풍만한 육체미에 매혹되다.

ほうまん【飽満】图ス自 포만; 물리도록 배불리 먹음. ¶美食に～する 맛있는 음식을 물리도록 배불리 먹다.

ほうみょう【法名】图 법명. 1 승명(僧名). 2 계명(戒名). ⇔俗名.

ほうむ【法務】图 법무. 1 법률에 관한 사무. 2〘佛〙불법(佛法)에 관한 일체의 사무; 또, 큰 절에서 서무를 맡아 보는 승려〔승직〕.

—しょう【—省】图 법무성《우리나라의 법무부에 해당함》. 「葬式.

ほうむり【葬り】图 매장함; 장례식. ＝

*ほうむ-る【葬る】5他 매장하다. ¶墓に～ 무덤에 매장하다 / 社会から～·り去られる 사회에서 매장되다 / 闇から闇に～ 쉬쉬해 버리다 / 忘却のかなたに～ 망각 속에 묻어 버리다 / うやむやのうちに～ 흐지부지 얼버무려 덮어 버리다 / 忌まわしい過去を～ 혐오스러운 과거를 묻어 버리다.

ほうめい【芳名】图 방명. 1 남의 이름에 대한 높임말. ¶～録 방명록 / 御～は伺っております 존함은 익히 알고 있습니다. 2 좋은 평판; 명성. ¶～を千載に残す 방명을 천추에 남기다. 参考 '御～(＝성함; 존함)' 라고 쓰는 것은 경어의 중복이 되나 실제로는 '御芳名'로 인쇄되어 쓰이기도 함; 반신용 엽서 등에서는 '芳'자를 지움.

*ぼうめい【亡命】图ス自 망명. ¶～政権 망명 정권 / 某国へ～を申し入れる 모국에 망명을 신청하다.

ほうめん【放免】图ス他 방면; 석방. ¶無罪～ 무죄 방면 / 仕事から～される 일에서 풀려나다 / みんな～した 모두 풀어 주었다.

*ほうめん【方面】图 방면. 1 그 근방. ¶東京～ 東京 방면. 2 분야. ¶多～ 다방면 / あらゆる～ 모든 방면 / 彼はその～の権威だ 그는 그 분야의 권위자다.

ほうもう【法網】图 법망. ¶～にかかる 법망에 걸리다 / ～をくぐって悪事を働く 법망을 뚫고 못된 짓을 하다 / 巧みに～をくぐる 교묘히 법망을 뚫다〔빠져 나가다〕.

ぼうもう【紡毛】图 방모. 1 짐승의 털을 방적함. ¶～機 방모기. 2 '紡毛糸(＝방모사)'의 준말. ↔梳毛.

—おりもの【—織物】图 방모 직물.

ほうもつ【宝物】图 보물. ＝たからもの.

ほうもん【砲門】图 포문. 1 포구. 2 포안(砲眼); 총안. 「하다.

—を開く 포문을 열다; 전투를 개시

**ほうもん【訪問】图ス他 방문. ¶～客 방문객 / 戸別～ 호별 방문 / ～を受ける 방문을 받다. 「의 약식 예복》.

—ぎ【—着】图 나들이옷《일본 여자들

—はんばい【—販売】图 방문 판매《법으로 규제됨》. ＝訪販.

ぼうや【坊や】图 1 사내아이를 귀엽게 부르는 말: 아가. ¶～, おいで 아가 이리 온 / ～, よい子だ, ねんねしな 아가야 착한 아기 자장자장. 2〈俗〉철없는 젊은 남자; 철부지. ＝ぼっちゃん·ぼんぼん. ¶彼は~で困る 그는 철부지라서 곤란하다/いつまでたっても~だ 언제까지나 철부지다.

ほうやく【邦訳】名ス他 방역; 국역(國譯); 일역. ¶この小説は始めて~された 이 소설은 처음으로 일역되었다.

ほうゆう [朋友] 名 붕우; 친구; 벗. ＝ともだち. ¶幼い時からの~だ 어렸을 때부터의 친구다/~として信義を守る 벗으로서 신의를 지키다.

ほうよう【包容】名ス他 포용. ¶~する雅量 포용하는 아량.

—りょく【—力】名 포용력. ¶~のある人 포용력이 있는 사람.

ほうよう【抱擁】名ス他 포옹; 얼싸안음. ¶~して泣く 얼싸안고 울다/妻を~する 아내를 포옹하다/再会の喜びに言葉もなく~する 재회의 기쁨에 말없이 포옹하다.

ほうよう【法要】名〘佛〙법요; 법회《주로 장의(葬儀)·추선(追善) 공양》. ＝法会·法事. ¶七回忌の~をいとなむ 칠회기의 법회를 치르다.

ぼうよう [茫洋·芒洋] トタル 넓고 넓어 끝이 없는 모양; 또, 갈피를 잡을 수 없는 모양: 망양. ¶~たる海 망망한 바다/~とした人柄 (도량이 넓어 무어라) 종잡을 수 없는 인품.

ほうよく [豊沃] 名ナ 풍옥; 비옥; 땅이 기름짐. ¶~な土地 비옥한 땅.

ぼうよみ【棒読み】名ス他 **1** 한문을 음독으로 내리읽음. **2** 구두점이나 억양을 무시하고 단조롭게 내리읽음. ¶せりふを~する 대사를 억양 없이 내리읽다.

ほうらく【崩落】名ス自 붕락. **1** 무너져 떨어짐. ¶岩石が~する 암석이 무너져 떨어지다. **2**〘商〙시세가 폭락함. ¶相場が~する 시세가 폭락하다.

ぼうらく【暴落】名ス自 폭락. ¶株価が~した 주가가 폭락했다/株の~で破産する 주식 폭락으로 파산하다. ↔暴騰.

ほうらつ [放埓] 名ダナ 방날; 멋대로 놀아남; 주색에 빠짐; 방탕. ¶~な生活 방탕한 생활.

—ざんまい〚—三昧〛名 멋대로 방탕한 생활을 함. ¶~に明け暮れる 그날그날을 주색에 빠져 지내다.

ほうり【法吏】名 법리; (판사 따위) 사법 관리. ＝司法官.

ほうり【法理】名 법리. ¶~上は問題ない 법리상으로는 문제가 없다.

ぼうり【暴利】名 폭리. ¶~をむさぼる 폭리를 탐하다/~を取り締まる 폭리를 단속하다.

ほうりあ-げる【ほうり上げる】《放り上げる》下1他 위로 던지다. ＝投げあげる. ¶ボールを~ 공을 던져 올리다.

ほうりき【法力】名〘佛〙법력; 불법의 위력·공력(功力); 또, 불도를 닦음으로써 얻는, 신기한 힘.

ほうりこ-む【ほうり込む】《放り込む》5他 (아무렇게나) 던져 넣다. ¶チョコレートを口に~ 초콜릿을 입에 던져 넣다/鍋にイモを~ 냄비에 감자를 처넣다/なんでもかんでも一緒に引出しの中に~ 이것저것 할 것 없이 모두 서랍 속에 집어넣다.

*__ほうりだ-す__【ほうり出す】《放り出す》5他 **1** (밖으로) 내팽개치다. ¶かばんを~·して遊びに行く 가방을 내팽개치고 놀러 가다/土俵の外へ~ 씨름판 밖으로 내던지다. ↔ほうりこむ. **2** 내쫓다; 추방[배척]하다; 보살피지 않고 모른 체하다. ¶会社を~·された 회사에서 쫓겨났다《해고당했다》/子どもを~·しておく 아이를 돌보지 않고 내버려 두다. **3** 중도에서 단념하다. ¶学問を~ 학문을 집어치우다. **4** (담보로) 소유물을 일단 전부 내놓다. ¶私財を~·して債権者に弁済する 사재를 몽땅 내놓아 채권자에게 변제하다.

**__ほうりつ__【法律】名 법률. ¶~事務所 (변호사의) 법률 사무소/~を犯す 법률을 어기다/~に則る[触れる] 법률에 따르다[저촉되다]/~は人を論じない 법은 사람을 가리지 않는다[만인에 평등하다].

ほうりな-げる【ほうり投げる】《放り投げる》下1他 'ほうる'의 힘줌말. **1** 멀리 던지다; 던지 듯이 두다; 냅다 던지다. ¶石を~ 돌을 멀리 던지다/岸にロープを~ 기슭에 로프를 냅다 던지다. **2** 중도에서 집어치우다; 내팽개치다. ¶仕事を~·げて遊び回る 일을 내팽개치고 놀러 다니다.

ぼうりゃく【謀略】名 모략. ＝たくらみ. ¶~宣伝 모략 선전/敵の~ 적의 모략/~にかかる 모략에 걸리다/~をめぐらす 모략을 꾸미다.

ほうりゅう【放流】名ス他 방류. **1** (양식하기 위하여) 어린 물고기를 강에 놓아줌. ¶稚魚を川に~する 치어를 강물에 놓아주다. **2** (막았던) 물을 터놓음. ¶水門を開いてダムの水を~する 수문을 열어 댐의 물을 방류하다.

ぼうりゅう【傍流】名 방류. **1** 지류. ↔本流. **2** 방계; 비주류. ¶~から重役を抜擢する 방계에서 중역을 발탁하다. ↔本流·主流.

ほうりょう【豊漁】名 풍어. ＝大漁. ¶~でにぎわう 풍어로 북적거리다[흥청거리다]/さばが~だ 고등어가 풍어다. ↔不漁·凶漁.

*__ぼうりょく__【暴力】名 폭력. ＝バイオレンス. ¶~団 폭력단/~行為 폭력 행위/~を振るう[加える] 폭력을 휘두르다[가하다]/~に訴える 폭력에 호소하다.

—てき【—的】ダナ 폭력적. ¶~な解決の仕方 폭력적인 해결 방법.

ボウリング [bowling] 名 볼링. ＝ボーリング. ¶~場 볼링장/~をしに行

く 볼링하러 가다 / 彼女は～が上手だ 그녀는 볼링을 잘한다.
参考 'ボーリング(＝보링; 구멍을 뚫음)' 와 구별하기 위해, 최근에는 'ボウリング' 로 쓰는 것이 보통임.

*ほう-る〖放る·抛る〗5他 **1** 멀리 내던지다; 던지다. ¶石〔ボール〕を～ 돌〔공〕을 내던지다 / 速い球を～投手 빠른 공을 던지는 투수. **2** 집어치우다; 단념하다. ¶試験を～ 시험을 집어치우다 / 仕事を～·ってテレビを見る 일을 팽개치고〔하지 않고〕 텔레비전을 보다. **3**『～·っておく』(돌보지 않고) 내버려두다; 방치하다. ¶～·っておいて相手にしない 내버려두고 상대하지 않다 / 泣いても～·っておく 울어도 내버려두다 / 心配で～·ってはおけない 걱정스러워 내버려 둘 수는 없다. 可能ほう-れる 下1自

ほうるい［堡塁］图 보루. ＝とりで·ほるい. ¶敵の～を抜く 적의 보루를 함락하다 / ～に拠って敵を防ぐ 보루에 의거하여 적을 막다.

ぼうるい【防塁】图 ☞とりで.

ほうれい【法令】图 법령. ¶～によって 법령에 의해서 / ～全書 법령 전서《우리나라의 법령집에 해당》. 「집.

ほうれい【法例】图 법례. ¶～集 법례

ほうれい【豊麗】图ナ 풍려; 풍만하고 아름다움. ¶～な体つき〔女性〕 풍만하고 아름다운 몸매〔여성〕.

ぼうれい【亡霊】图 망령; 유령. ＝亡魂. ¶～を慰める 망령을 위로하다〔달래다〕 / ～が出る 유령이 나오다.

ほうれつ【放列】图 **1** 방렬; 포열(砲列); 사격할 수 있도록 대포를 가로로 늘어놓은 대형. ＝砲列. ¶～を敷く 포열을 배치하다. **2** 죽 늘어선 대열. ¶カメラの～を敷く (카메라맨들이) 죽 늘어서서 카메라를 들이대다.

ほうれんそう〖菠薐草〗图〘植〙 시금치.

ほうろう【放浪】图ス自 방랑. ＝さすらい. ¶～記〔者〕 방랑기〔자〕 / ～癖 방랑벽 / ～生活 방랑 생활 / ～の旅を続ける 방랑 여행을 계속하다.

ほうろう〖琺瑯〗图 법랑. ¶～のなべ 법랑 냄비 / ～をかける 법랑을 입히다.

—しつ【—質】图 법랑질. ＝エナメル質. 「또, 그 제품.

—びき【—引き】图 법랑을 입혀 만듦;

ぼうろう【望楼】图 망루; 망대. ＝物見やぐら. ¶消防署の～ 소방서의 망루.

ぼうろん【暴論】图 폭론; 난폭한 의론·이론. ¶～を吐く 폭론을 토하다.

ほうわ【法話】图〘佛〙 법화; 설법; 법어; 법담. ¶高僧の～ 고승의 법화.

ほうわ【飽和】图ス自 포화. ¶～蒸気 포화 증기 / 大都市の人口は～状態に達している 대도시의 인구는 포화 상태에 이르고 있다. 「리.

ほえごえ【ほえ声】《吠え声》图 짖는 소

ほえつ-く【ほえ付く】《吠え付く》5自 짖으며 덤비다. ＝ほえかかる.

ほえづら【ほえ面】《吠え面》图〈俗〉 울상; 울려고 하는 얼굴. ＝泣きつら·ほえっつら.

—をかく 분해서 울상을 짓다. ¶後で～な 나중에 울상짓지 마라.

ポエム [poem, 프 poème] 图 포엠; (개개의) 시; 운문(韻文). ↔プローズ.

*ほ-える〖吠える·吼える〗下1自 **1** (개·짐승 등이) 짖다; 으르렁거리다. ¶犬が～ 개가 짖다 / ライオンが～ 사자가 으르렁거리다 / ～犬はかまない 짖는 개는 물지 않는다. ⇨うなる. **2**〈俗〉㉠ 사람이 큰 소리로 울다. ¶そう～な 그렇게 울어 대지 마라. ㉡ 고함지르다.

ほお〖朴〗图〘植〙 후박나무. ＝ほおがしわ·ほおのき.

*ほお〖頰〗图 볼; 뺨. ＝ほっぺた. ¶りんごのような～ 사과처럼 붉은 볼 / ～がこける 볼이 홀쭉해지다 / 恥ずかしそうに～を染める〔赤らめる〕 부끄러운 듯이 볼을 붉히다.

—が落ちそう 기막히게 맛있다. ＝ほっぺたが落ちそう.

—がゆるむ 싱글벙글하다.

—をふくらます (골이 나서) 부루퉁하다. ¶不満気に～ 불만스러운 듯이 부루퉁해 하다.

ボー [bow] 图 보. **1** 옷깃에 다는 나비 모양의 리본. **2** 'ボータイ'의 준말. **3** 활.

—タイ [bow tie] 图 보타이; 나비넥타이. ＝蝶ネクタイ.

ボーイ [boy] 图 보이. **1** 사환; 웨이터. ＝ウエーター. ¶ホテルの～ 호텔 보이. **2** 소년. ＝少年. ↔ガール.

—スカウト [Boy Scouts] 图 보이 스카우트; 소년단. ↔ガールスカウト.

—フレンド [boyfriend] 图 보이프렌드; 남자 친구. ↔ガールフレンド.

ほおえ-む【ほお笑む】《頰笑む·微笑む》5自 ☞ほほえむ.

ポーカー [poker] 图 포커《카드놀이》.

—フェース [poker face] 图 포커 페이스; 속마음을 숨긴, 무표정한 얼굴. ＝とぼけ顔. ¶～で通す 시종일관 무표정하다 / ～を決め込む 시치미를 떼다.

ほおかぶり〖頰被り〗图ス自 **1** 수건 따위로 (얼굴이 가려지도록) 머리에서 뺨을 푹 감쌈. ¶手拭いで～(を)した泥棒 수건으로 얼굴을 가린 도둑. **2** 모르는 체함. ¶～をきめ込む 시치미를 떼다 / ～してすましている 모른 체 시치미떼고 있다 / あの男は～主義だ 저 남자는 뭐든지 모른 체한다. 注意 'ほっかぶり·ほおかむり' 라고도 함.

ボーカル [vocal] 图 보컬; 성악. ¶～ミュージック 보컬 뮤직; 성악 / ～グループ 보컬 그룹.

ボーキサイト [bauxite] 图〘鑛〙 보크사이트; 철반석(鐵礬石).

ホーク [fork] 图 ☞フォーク.

ホーク [hawk] 图 호크; 매.
ボーク [balk] 图 〔野〕 보크; 투수의 반칙 투구 동작.
ボーグ [프 vogue] 图 보그; 유행. ¶ 春の~ 봄 유행.
ポーク [pork] 图 포크; 돼지고기. ¶ ~カツ(レツ) 포크커틀릿 / ~ソテー 포크소테《돼지고기를 기름으로 볶은 요리》/ ~チョップ 포크촙《돼지갈비구이》.
ほおげた 〖頰桁〗 图 광대뼈; 관골(顴骨); 또, 광대뼈 근처의 뺨. =ほほげた·ほお骨. ¶ ~が過ぎる 지나치게 지껄이다〔수다떨다〕/ ~を張られる 따귀를 맞다 / ~を張り飛ばす 따귀를 후려갈기다.
ほおじろ 〖頰白〗 图 〔鳥〕 멧새.
ホース [hose] 图 호스. ¶ ~で庭に水をまく 호스로 뜰에 물을 뿌리다.
ポーズ [중 包子] 图 만두; 고기 만두. =パオズ.
ポーズ [pause] 图 포즈. **1** 휴지(休止); 사이; 틈. =あいま. ¶ ~をおく 사이를 두다. **2** 〔樂〕 쉼표.
ポーズ [pose] 图 포즈; 자세; 태도. ¶ ~をとる 포즈를 취하다 / 思わせぶりな~ 의미 있는 듯한 태도 / ~を作る (a) 자세를 취하다; (b) 젠체하다 / あれは~だけだよ 저건 허세에 지나지 않아.
ほおずき 〖酸漿·鬼灯〗 图 **1** 〔植〕 꽈리. **2** (입으로 부는) 꽈리.
ほおずり 〖頰擦り〗 图 ス自 (애정의 표시로) 자기의 볼을 상대방 볼에 대고 비빔. ¶ 赤ん坊〔子供〕に~(を)する 갓난아기〔어린아이〕에게 볼을 비비다.
ポーター [porter] 图 포터. **1** 베이스캠프까지 등산대의 짐을 운반하는 (현지의) 인부. ⇨シェルパ. **2** (역의) 짐꾼; (호텔의) 포터.
ボーダーライン [borderline] 图 보더라인; 경계선; 또, 경계가 애매한 지점. ¶ 当落の~ 당락의 경계선.
ボーダーレス [borderless] ダナ 보더리스; 경계가〔국경이〕 없음.
ポータブル [portable] 图 포터블; 휴대용. ¶ ~ラジオ 휴대용 라디오.
ポータルサイト [portal site] 图 〔컴〕 포털 사이트; 인터넷 이용자가 맨처음 들어가는 홈 페이지(home page)《이용자는 여기서부터 다른 홈 페이지로 연계되며, 이 사이트는 광고 가치가 높아 주목됨》. 参考 'portal'은 '현관'이란 뜻.
ポーチ [porch] 图 포치《지붕이 있는, 현관 앞의 차 대는 곳》. =車寄せ.
ポーチ [pouch] 图 파우치; 작은 주머니; 잔돈 주머니. =パウチ.
ほおづえ 〖頰杖〗 图 팔꿈치를 세우고 손바닥으로 턱을 굄. ¶ ~をつく 손바닥으로 턱을 괴다.
ボーディング [boarding] 图 보딩. **1** 탑승. **2** 하숙.
 —カード [boarding card] 图 보딩 카드; 여객기 탑승권. =ボーディングパス.
 —ブリッジ [boarding bridge] 图 보딩 브리지; (여객기) 탑승교(橋).
ボート [boat] 图 보트. =短艇. ¶ ~をこぐ 보트를 젓다 / 彼らは~で川を上った 그들은 보트로 강을 거슬러 올라갔다.
 —ピープル [boat people] 图 보트 피플《베트남·캄보디아 등지에서 보트·소형 선박으로 탈출한 피난민들》.
ボード [board] 图 보드. **1** 가공하여 강하게 만든 건축용 널(빤지); 특히, 합판(合板). ¶ 耐火~ 내화 패널. **2** 파도타기용 널. =サーフボード.
ポートレート [portrait] 图 포트레이트; 초상(화).
ボーナス [bonus] 图 보너스; 상여금. ¶ 月給三か月分の~を貰う 월급 3개월분의 보너스를 받다.
ほおば-る 〖頰張る〗 5他 볼이 미어지게 음식을 입에 넣다〔넣고 먹다〕. ¶ 餅〔すし〕を口一杯に~ 떡〔초밥〕을 볼이 미어지도록 잔뜩 입에 넣다.
ほおひげ 〖頰髭·頰鬚〗 图 구레나룻. ¶ ~を生やしている男 구레나룻을 기르고 있는 사나이.
ホープ [hope] 图 호프. **1** 희망. ¶ 私の~は 내 희망은. **2** 장래가 기대되는 사람; 유망주. ¶ 水泳界の~ 수영계의 호프.
ほおべた 〖頰辺〗 图 뺨; 뺨 언저리. =ほっぺた. 注意 'ほおぺた'로도 읽음.
ほおべに 【ほお紅】《頰紅》 图 볼연지. ¶ ~をつける 볼연지를 바르다.
ほおぼね 【ほお骨】《頰骨》 图 광대뼈; 관골(顴骨). =ほおげた. ¶ ~の張った人 광대뼈가 나온 사람 / ~が高い 광대뼈가 높다〔튀어나왔다〕.
ホーマー [homer] 图 〔野〕 호머; 홈런; 본루타. =ホームラン.
ホーム 图 'プラットホーム(=플랫폼)'의 준말. ¶ 三番~ 3번 플랫폼.
ホーム [home] 图 홈. **1** 가정; 고향. ¶ ~ドラマ 홈드라마 / ~ドレス 홈드레스 / 老人~ (가정형의) 양로원 / ~バンキング (PC를 이용한) 홈뱅킹. **2** 〔野〕 본루. ¶ ~をふむ 홈을 밟다; 홈인하다.
 —アンドアウェー [home and away] 图 홈 앤드 어웨이. ¶ ~戦で行われる 홈 앤드 어웨이전으로 치러진다.
 —イン [일 home+in] 图 ス自 〔野〕 홈인; 생환(生還).
 —グラウンド [home ground] 图 홈그라운드. **1** 자기 본고장; 본거지. **2** 〔野〕 그 팀이 본거지로 삼고 있는 야구장.
 —シック [homesick] 图 홈식; 회향병; 향수병. =ノスタルジア.
 —ショッピング [일 home+shopping] 图 홈 쇼핑《쌍방향 유선 방송 등을 통해 집에서 백화점이나 슈퍼마켓의 물건을 사고 호텔이나 항공권 등을 예약하는 통신 판매 방식》.
 —スチール [일 home+steal] 图 〔野〕 홈스틸; 본루로의 도루.
 —ステイ [homestay] 图 홈 스테이; 유

학생이나 관광객이 외국의 일반 가정에서 묵으며 풍속·언어 등을 익히는 일.

—スパン [homespun] 图 홈스펀; 손으로 짠 올이 굵은 모직물.

—トレーディング [home trading] 图 홈 트레이딩; (PC를 이용한) 주식 등의 재택(在宅) 거래.

—バー [일 home+bar] 图 홈 바; 자기 집에 만든 바 모양의 설비.

—バンキング [home banking] 图 홈 뱅킹; 가정에 설치된 단말 장치를 이용하여 은행의 각종 서비스를 받을 수 있는 시스템. ¶~サービス 홈뱅킹 서비스.

—プレート [home plate] 图 〖野〗 홈 플레이트; 본루.

—ページ [home page] 图 〖컴〗 홈 페이지; 인터넷으로 단체·개인 간에 정보 교환을 하는 시스템(HP).

—ベース [home base] 图 〖野〗 홈 베이스; 본루.

—ラン [미 home run] 图 〖野〗 홈런; 본루타. =ホーマー. ¶さよなら~ 굿바이 홈런.

—ルーム [homeroom] 图 홈룸; (중·고교에서) 담임 선생과 학생이 (특정한 시간에) 모여서 하는 자율적 교육 활동; 또, 그 시간.

—レス [homeless] 图 홈리스; 집이 없음; 또, 노숙자.

ボーリング [boring] 图자自 보링. **1** 금속에 구멍을 뚫음. **2** 시굴(試掘).

ボーリング [bowling] 图 ☞ボウリング.

ホール [hall] 图 홀. **1** 대청. **2** 회관. ¶コンサート~ 콘서트홀. **3** 'ダンスホール(=댄스홀)'의 준말.

ホール [hole] 图 홀. **1** 구멍. ¶ボタン~ 단춧구멍. **2** 〖골프〗 공을 넣는 구멍. ¶ボールを~に入(い)れる 공을 홀에 넣다.

—インワン [hole in one] 图 홀인원; 단 한 번 쳐서 골프공을 홀에 넣는 일.

*ボール [ball] 图 볼. **1** 공; 구슬. ¶~ベアリング 볼 베어링. **2** 〖野〗 스트라이크가 아닌 투구(投球). ¶主審(しゅしん)は~と判定(はんてい)した 주심은 볼이라 판정했다. ↔ストライク.

—ペン [ball pen; ballpoint pen] 图 볼펜.

ボール [←board] 图 'ボール紙(がみ)'의 준말. ¶段(だん)~ 골판지.

—がみ【—紙】图 판지; 마분지.

—ばこ【—箱】图 판지 상자.

ボール [bowl] 图 볼; (금속제의) 운두가 높은 식기《사발·공기 등》. =ボウル. ¶フィンガー~ 핑거볼.

ポール [pole] 图 폴. **1** 가늘고 긴 막대; 특히, 전동차 지붕에 달아, 가선(架線)에서 전기를 끌어오는 것. **2** 장대높이뛰기에 쓰이는 막대. ¶~ジャンプ 폴 점프; 장대높이뛰기.

ホールディング [holding] 图 (배구·농구·축구·권투 등에서) 홀딩 (반칙).

—カンパニー [holding company] 图 홀딩 컴퍼니; 지주(持株) 회사.

ボールばん【ボール盤】图 보르반; 드릴로 금속에 구멍을 뚫는 공작 기계. 注意 'ボール盤'이라 씀은 취음. ▷네 boorbank.

ほおん【保温】图자自 보온. ¶~装置(そうち) 보온 장치.

ホーン [horn] 图 혼. **1** (자동차의) 경적(警笛); 클랙슨. =クラクション. **2** 〖樂〗 ☞ホルン.

ぽおん 副 세차게 치거나 차거나 던지는 모양: 팍; 뻥; 휙. ¶~とボールをける 뻥 하고 공을 차다.

ほか【ほか·外】《他》图 **1 다른 것; 딴것〔곳〕. ¶~の人(ひと)〔品(しな)〕 딴 사람〔물건〕/~の店(みせ) 딴 가게/~の事(こと)ならともかく 딴 일이라면 몰라도/~の話(はなし)をしましょう 딴 이야기를 합시다/その~ 그 외에/~に何(なに)かないか 그 밖에 무언가 없는가/~へ行(い)く 딴 곳에 가다/~に方法(ほうほう)がない 달리 방법이 없다. **2** 바깥; (어느 범위) 밖; 외(外). ¶思(おも)いの~難(むずか)しい 뜻밖에 어렵다/その~ 그 밖; 이 밖/青木(あおき)~五名(ごめい) 青木 외 5명/二百里(にひゃくり)の~に遊(あそ)ぶ 이천 리 밖에 유람 가다/恋(こい)は思案(しあん)の~ 사랑은 상식으로는 생각할 수 없다는 비유.

**ほか 係助 《否定이 따라서》 …밖에〔외에〕. ¶待(ま)つより~はない 기다리는 수밖에 없다/そうする~仕方(しかた)があるまい 그렇게 하는 수밖에 도리가 없겠지/私(わたし)としては行(い)く~ない 나로서는 가는 수밖에 없다/こうなったからには謝(あやま)る~ない 이렇게 된 바에는 사과하는 수밖에 없다 / 合格者(ごうかくしゃ)は数(かぞ)えるほど~ない 합격자는 셀 수 있을 정도밖에 없다《매우 적다는 뜻》.

ぽか 图 〈俗〉 (바둑·장기 등에서) 어처구니없는 악수; 전하여, 별것도 아닌 장면에서의 실수. ¶大(おお)~ 큰 실수/時(とき)どき~をやる 이따금 맹추 같은 짓을 한다.

ほかく【捕獲】图자他 포획. **1** 잡음. ¶~禁止区域(きんしくいき) 포획 금지 구역/~高(だか) 포획고〔량〕/鯨(くじら)を~する 고래를 잡다. **2** 노획함. ¶~品(ひん) 노획품/敵艦(てきかん)を~する 적함을 포획하다.

ほかげ【火影】《灯影》图 **1** 불빛; 등불; 등불빛. ¶~が見(み)える 불빛이 보이다. **2** 등불에 비치는 그림자. ¶~がゆれる 등불에 비치는 그림자가 흔들리다/障子(しょうじ)に映(うつ)った~は母(はは)にそっくりだ 장지문에 비친 그림자는 어머니의 모습과 꼭 같다.

ほかけぶね【帆掛け船】图 범선; 돛배.

ぼかし『暈し』图 바림; 선염(渲染). ¶~が入(はい)っている着物(きもの) 바림이 있는 옷.

*ぼか-す『暈す』5他 **1** 바림하다. ¶背景(はいけい)を~ 배경을 바림하다. **2** 어물거리다; 애매하게 말하다. ¶態度(たいど)を~ 애매한 태도를 취하다/返事(へんじ)を~ 대답을 얼버무리다. 可能 ぼか-せる 下1自

ぽかっと 副 **1** 때리는 모양〔소리〕: 딱. ¶~なぐる 딱 때리다/~げんこつを食(く)らわす 딱하고 주먹으로 쥐어박다. **2** (어떤 부분이) 몽땅; 훌랑. ¶~穴(あな)があ

く 구멍이 뻥 뚫리다 / ～抜ける 홀랑 빠지다. 参考 'ぽかりと'의 힘줌말.

ほかでもない 〖他でもない〗 連語 다른 것이 아니다《다음 말을 특히 강조하는 경우에 씀》. ¶話というのは～が 이야기는 다른 것이 아니고 / お前をここへ呼んだのは～ 너를 여기에 부른 것은 다른 게 아니다.

ほかならない 〖他ならない〗 連語 **1**《흔히, '…に～'의 꼴로》 다른 것이 아니다; 바로 …이다; 틀림없다. ¶努力の結果に～ 노력의 결과임에 틀림없다 / 原因は憎しみに～ 원인은 다름 아닌 바로 증오이다. **2** 남과 달리 특별한 관계에 있다. ¶～きみの頼みだから引き受けないわけにはいかない 다름 아닌 네 부탁이니 마다할 수는 없다.

ほかならぬ 〖他ならぬ〗 連語 ☞ほかならない. ¶～彼の依頼だから二つ返事で引き受けたのだ 다른 사람도 아닌 그의 부탁이니까 두말없이 수락한 것이다.

ほかほか 副 따끈따끈; 후끈후끈. ¶ふかしたてで～のにくまんじゅう 막 쪄낸 따끈따끈한 고기 만두 / ～の布団 따뜻한 이부자리. 参考 'ぽかぽか'보다 부드러운 느낌.

ぽかぽか 副 **1** 따끈따끈. ¶～した春先の一日 따뜻한 이른 봄의 하루 / 体中が～してくる 온몸이 따뜻해지다. **2** 군데군데; 여기저기. ¶くらげが～(と)浮いている 해파리가 군데군데 떠 있다. **3** 계속해서 때리는 모양: 딱딱. ¶頭を～(と)なぐる 머리를 딱딱 때리다.

＊ほがらか【朗らか】 ダナ **1** 쾌활〔명랑〕한 모양. ¶～な人 명랑한 사람 / ～な政治 밝은 정치 / ～に笑う 쾌활하게 웃다 / ～に暮らす 명랑하게 지내다. **2** (날씨가) 쾌청함. ¶～な秋空 맑게 갠 가을 하늘.

ほかん【保管】 名ス他 보관. ¶～料 보관료 / ～場所 보관 장소 / 貴重品を～する 귀중품을 보관하다.

ぽかんと 副 **1** 물건을 세차게 두드리는 모양; 또, 물건이 얻어맞아 빠개지는〔깨지는〕 모양: 딱; 짝. ¶スイカが～割れる 수박이 짝 갈라지다. **2** 입을 크게 벌린 모양: 딱; 떡. ¶～口をあける 입을 딱〔떡〕 벌리다. **3** (할 일이 없어) 멍하니 있는 모양. ¶～座っている 멍하니 앉아 있다 / ～した顔 멍청한 얼굴.

ぼき【簿記】 名 부기. ¶商業～ 상업 부기 / 単式〔複式〕～ 단식〔복식〕 부기 / ～を習う 부기를 배우다.

ボギー [bogey] 名〘골프〙 보기; 기준 타수보다 하나 많은 타수. ↔バーディー.

ぽきぽき 副《흔히, 'と'를 수반하여 씀》 **1** 나뭇가지·뼈 따위가 부러지는 소리: 뚝뚝. ¶小枝を～折る 잔가지를 뚝뚝 꺾다. **2** (손가락 따위) 관절을 꺾을 때 나는 소리: 뚝뚝.

ボキャブラリー [vocabulary] 名 버캐블러리; 어휘; 용어의 수효. ¶～が豊富な人 어휘가 풍부한 사람.

ほきゅう【捕球】 名ス自〘野〙 포구. ¶～のうまい人 공을 잘 잡는 사람 / ～体勢に入る 포구 자세에 들어가다.

＊ほきゅう【補給】 名ス他 보급. ¶～路 보급로 / ～基地 보급 기지 / 弾薬の～ 탄약의 보급 / ～が切れる 보급이 끊어지다 / 燃料を～する 연료를 보급하다.

＊ほきょう【補強】 名ス他 보강. ¶～工事 보강 공사 / チームを～する 팀을 보강하다 / 橋のいたんだ部分を～する 다리의 파손된 부분을 보강하다.

＊ぼきん【募金】 名ス自 모금. ¶～箱 모금함 / ～活動 모금 활동 / 街頭～ 가두 모금.

ほきんしゃ【保菌者】 名 보균자. ¶病原菌の～ 병원균의 보균자.

ほく 〖北〗 教2 ホク きた そむく にげる | 북 북쪽 | **1** 북쪽. ¶西北 서북. ↔南. **2** (패하여) 도망치다. ¶敗北 패배.

ぼく【僕】 代 남자의 자칭: 나. ¶君と～ 너와 나 / ～の本 내 책. 注意 대등한 사람이나 아랫사람에 쓰며 그 밖의 일반인은 'わたし'가 좋음. ↔きみ.

ぼく 〖木〗 教1 ボク モク き こ | 목 나무 | 목. **1** 나무. ¶木石 목석 / 灌木 관목. **2** 재목. ¶木剣 목검 / 土木 토목. **3** 칠요(七曜)의 하나; 또, '木曜日(＝목요일)'의 준말.

ぼく 〖朴〗 常用 ボク ほお | 박 순박하다 | 순박; 자연 그대로임; 꾸밈이 없음. ¶素朴 소박 / 朴直 박직. 注意 '樸'와 같음.

ぼく 〖牧〗 教4 ボク まき | 목 목장 | **1** 목동; 소를 기름; 목축하다. ¶牧場 목장. **2** 다스리다. ¶牧民官 목민관.

ぼく 〖睦〗 人名 ボク むつぶ むつまじい | 목 화목하다 | 화목하다; 친하다. ¶親睦 친목.

ぼく 〖僕〗 常用 ボク しもべ やつがれ | 복 종 | **1** 남자 종; 하인; 사용인. ¶奴僕 노복 / 公僕 공복. **2** 남자의 자칭; 나. ↔君.

ぼく 〖墨〗(墨) 常用 ボク すみ | 묵 먹 | **1** ㉠먹. ¶墨汁 묵즙 / 墨痕 묵흔. ㉡먹처럼 글을 쓰는 데 쓰는 것. ¶白墨 백묵. **2** 먹줄. ¶縄墨 승묵; 먹줄.

ぼく 〖撲〗 常用 ボク うつ なぐる | 박 때리다 | **1** 때리다; 두드리다. ¶撲殺 박살 / 打撲 타박. **2** 내던지다. ¶撲筆 박필.

ほくい【北緯】 名〘地〙 북위. ¶～二十度 북위 20도. ↔南緯.

ほくおう【北欧】 名〘地〙 북구; 북유럽. ¶～諸国 북유럽 제국. ↔南欧.

ぼくが【墨画】 名 묵화. ＝すみえ.

ほくがん【北岸】名 북안; 북쪽 해안·강안(江岸).
ボクサー [boxer] 名 복서. **1** 권투 선수. **2** 개의 한 품종《애완용; 경찰견》.
ぼくさつ【撲殺】名ス他 박살. ¶狂犬(きょうけん)を～する 미친 개를 때려죽이다.
ぼくし【牧師】名〔基〕 목사.
ぼくしゃ【牧舎】名 목장에서 기르는 짐승을 넣어두는 우리; 축사(畜舍).
ぼくしゅ【墨守】名ス他 묵수; (의견이나 주장을) 굳게 지킴. ¶旧習(きゅうしゅう)を～する 구습을 고수하다.
ぼくじゅう【墨汁】名 묵즙; 먹물.
ほくじょう【北上】名ス自 북상. ＝北進(ほくしん). ¶台風(たいふう)が～する 태풍이 북상하다. ↔南下(なんか).
***ぼくじょう**【牧場】名 목장. ＝まきば. ¶～のあちこちで牛(うし)がのんびりと草(くさ)を食(は)んでいる 목장의 이곳저곳에서 소가 한가롭게 풀을 뜯고 있다.
ほくしん【北進】名ス自 북진. ¶一路(いちろ)～する 일로 북진하다/敵(てき)を追(お)って～する 적을 뒤쫓아 북진하다. ↔南進(なんしん).
ぼくしん【牧神】名 ☞ぼくようしん.
ぼくじん【牧人】名 목인; 목자(牧者). ＝牧夫(ぼくふ)·牧者(ぼくしゃ).
ボクシング [boxing] 名 복싱; 권투. ¶～選手(せんしゅ) 권투 선수.
ほぐ-す〖解す〗5他 풀다. ＝ほごす. ¶糸(いと)を～ 실을 풀다/感情(かんじょう)のもつれを～ 맺힌 감정을 풀다/肩(かた)の凝(こ)りを～ 뻐근한 어깨를 (주물러서) 풀다/さかなの肉(にく)を～ 생선(의) 살을 바르다/旅(たび)のつかれを～ 여독을 풀다. 可能ほぐ-せる下1自
ぼく-する [卜する] サ変他 점치다; 점쳐서 택하다. ¶吉凶(きっきょう)を～ 길흉을 점치다/吉日(きつじつ)を～ 길일을 택하다.
ほくせい【北西】名 북서. ¶～風(ふう) 북서풍.
ぼくせき【木石】名 목석. ¶心(こころ)は～にあらず 마음은 목석이 아니다.
―**ならぬ身(み)** 인정을 아는 사람.
ぼくそう【牧草】名 목초. ¶～地(ち) 목초지/牛(うし)が～を食(は)んでいる 소가 목초를 뜯고 있다.
ほくそえ-む【ほくそ笑む】《北叟笑む》5自 득의의 미소를 짓다. ¶計画(けいかく)が図(ず)に当(あ)たって～ 계획이 뜻대로 들어맞아 혼자 싱글벙글하다/ひそかに～ 남모르게 벙글거리다.
ぼくたく [木鐸] 名 목탁; 전하여, 사회의 지도자. ¶社会(しゃかい)の～となる 사회의 목탁이 되다.
ほくたん【北端】名 북단; 북쪽 끝. ¶岬(みさき)の～ 곶의 북단/日本(にほん)の最(さい)～ 일본의 최북단. ↔南端(なんたん).
ほくち【火口】名 부싯깃. ＝ほくそ.
ぼくちく【牧畜】名 목축. ¶～業(ぎょう) 목축업/～をする 목축을 하다.
ほくちょう【北朝】名〔史〕 북조; 足利氏(あしかがし)가 京都(きょうと)에 세운 조정《1331-92》. ↔南朝(なんちょう).
ほくと【北斗】名 북두《'北斗(ほくと)七星(しちせい)'의 준말》.
―**しちせい**【―七星】名 북두칠성. ＝北斗星(ほくとせい).
ほくとう【北東】名 북동. ↔南西(なんせい).
ぼくとう【木刀】名 목도; 목검. ＝きだち. ¶～を振(ふ)りまわす 목검을 휘두르다.
ぼくどう【牧童】名 목동.
ぼくとつ〖木訥·朴訥〗名ダナ 목눌; 순박하고 말이 적음. ¶～な性質(せいしつ)〔好人物(こうじんぶつ)〕 목눌한 성질〔호인〕.
ぼくねんじん【朴念仁】名 **1** 벽창호. ＝わからず屋(や). ¶彼(かれ)は女(おんな)の気持(きも)ちの分(わ)からない～だ 그는 여자 마음을 모르는 벽창호다. **2** 말이 적고 무뚝뚝한 사람. ¶～で実務(じつむ)には役(やく)に立(た)たぬ男(おとこ) 무뚝뚝하여 실무에는 쓸모없는 사나이.
ほくぶ【北部】名 북부. ¶～地方(ちほう) 북부지방. ↔南部(なんぶ).
ほくべい【北米】名 북미; 북아메리카. ↔南米(なんべい).
ほくぼう [北邙] 名 북망(산); 묘지.
―**のちり**〖―の塵〗連語 죽어서 화장되어 재가 됨; 죽음. ＝北邙の煙(けむり). ¶～と化(か)す 죽다.
ほくほく 副ス自 **1** 기뻐서 어쩔 줄 모르는 모양. ¶月給(げっきゅう)が上(あ)がって～だ 월급이 올라서 희희낙락하다/お年玉(としだま)をたくさんもらって～している 새해 선물을 많이 받고 좋아서 싱글벙글하고 있다. **2** 갓 찐 고구마 등이 먹음직스러운 모양. ＝ほかほか. ¶～の芋(いも) 갓 쪄서 먹음직한 고구마.
ぽくぽく 副 **1** 목탁 등을 두드리는 소리: 딱딱. ¶～と木魚(もくぎょ)をたたく 딱딱 목탁을 두드리다. **2** 천천히 걷는 발소리; 또, 그 모양: 뚜벅뚜벅.
ぼくめつ【撲滅】名ス他 박멸. ¶蚊(か)を～する 모기를 박멸하다/結核(けっかく)〔癌(がん)〕～運動(うんどう) 결핵〔암〕 박멸 운동.
ほくよう【北洋】名 북양; 북쪽 바다. ¶～漁業(ぎょぎょう) 북양 어업. ↔南洋(なんよう).
ぼくよう【牧羊】名ス自 목양; 양을 침; 또, 그 양. ¶～犬(けん) 목양견.
―**しん**【―神】名 목양신. ＝牧神(ぼくしん).
ほくりく【北陸】名〔地〕 '北陸地方(ちほう)'의 준말.
―**ちほう**【―地方】名〔地〕 현재의 福井(ふくい)·石川(いしかわ)·富山(とやま)·新潟(にいがた) 등 중부지방의 여러 현의 총칭. ＝北陸.
ほぐ-れる〖解れる〗下1自 풀리다. ＝とける. ¶もつれ〔結(むす)び目(め)〕が～ 엉킨 것〔매듭〕이 풀리다/気分(きぶん)〔こり〕が～ 기분이〔응어리가〕 풀리다/口(くち)が～·れてくる 말문이 열리다; 마음을 터놓게 되다/表情(ひょうじょう)〔雰囲気(ふんいき)〕が～ 표정이〔분위기가〕 부드러워지다.
ほくろ〖黒子〗名 흑자; 검정사마귀; 점. ¶目元(めもと)に小(ち)いさな～がある 눈가에 작은 점이 있다.
ぼけ〖木瓜〗名〔植〕 명자나무.
ぼけ〖惚け·呆け〗名 **1** 지각이 둔해짐; 멍청함; 노망함. ¶寝(ね)～ 잠에 취해서 멍청함/あいつもいよいよ～が来(き)た 저

녀석도 이젠 노망기가 생겼다. **2**어떤 상태가 오래 계속된 후, 한동안은 머리가 원상대로 되지 않음. ¶連休～ 연휴병/時差～ 시차 장애〔병〕.

ほげい【捕鯨】名 포경; 고래잡이. ¶～業 포경업/～船 포경선.

ぼけい【母系】名 모계. ¶～社会 모계 사회/～家族 모계 가족. ↔父系.

ほけきょう［法華経］名 법화경((‘妙法蓮華経’의 준말. 대승 불교의 중요 경전의 하나)).

ポケコン 名 ‘ポケットコンピューター’의 준말.

***ほけつ**【補欠】((補闕)) 名 보결; 보궐. ¶～選手 보결 선수/～入学 보결 입학/～でやっと合格する 보결로 간신히 합격하다.

—せんきょ【—選挙】名 보궐 선거. ＝補選.

ぼけつ【墓穴】名 묘혈. ＝はかあな.

—を掘る 묘혈〔무덤〕을 파다((스스로 파멸할 원인을 만듦)). ¶みずから～ 스스로 제 무덤을 파다.

ポケッタブル［pocketable］ダナ 포켓터블; 포켓형의; 휴대용의; 비교적 작은.

ぼけっと 副スル自 멍하니; 멍청히. ＝ぼさっと. ¶～して日を過ごす 하는 일 없이 멍하니 하루를 보내다/～していないで勉強をしなさい 멍하니 있지 말고 공부를 해라.

***ポケット**［pocket］名 포켓. **1**호주머니. ＝かくし. ¶うち～ 안주머니/～にいれる 포켓에 넣다. **2**((다른 말과 복합해)) 포켓에 들어갈 만큼 소형의 뜻. ¶～型 포켓형/～サイズ 포켓 사이즈.

—コンピューター［pocket computer］名 포켓 컴퓨터; 키보드·모니터·본체가 일체로 된 포켓형 컴퓨터. ＝ポケコン.

—ベル［일 pocket＋bell］名〔商標名〕포켓 벨; 휴대용 무선 호출기; 삐삐. ＝ポケベル.

—マネー［pocket money］名 포켓 머니; 용돈.

ぼけなす〖惚け茄子〗名〈俗〉멍청한 사람을 조롱하여 이르는 말; 멍텅구리; 얼간이; 맹추.

ポケベル 名 ‘ポケットベル’의 준말.

***ぼ-ける**〖惚ける·呆ける〗下1自 (감각·의식 등이) 흐려지다. ¶頭が～ 머리가 흐려지다; 멍청해지다/寝～ 잠에 취해서 흐리멍텅하다/まだ～年でもない 아직 망령들 나이는 아니다.

***ぼけ-る**〖暈る〗下1自 영상(映像)·색조가 흐릿해지다; 바래다. ¶色が～ 색깔이 바래다/ピントが～ 핀트가 안 맞아 흐릿하게 찍히다; 전하여, (목적이) 빗나가다/問題の焦点が～ 문제의 초점이 흐려지다.

ほけん【保健】名 보건. ¶～体操 보건 체조/～衛生 보건 위생.

—しつ【—室】名 보건실; 양호실.

—じょ【—所】名 보건소.

****ほけん**【保険】名 **1**보험. ¶～料 보험료/～に入る 보험에 들다/～会社 보험 회사/～事故 보험 사고/火災～ 화재 보험/生命～ 생명 보험/健康～ 건강 보험. **2**‘健康保険(＝건강 보험)’의 준말. **3**비유적으로, 손해를 보상하는 확실한 보증.

—を掛ける **1**보험에 가입하다. **2**일이 그릇될 경우에 대비하여 대안을 마련하다.

—がいこういん【—外交員】名 보험 외무원; 생활 설계사. ＝保険勧誘員.

—きん【—金】名 보험금.

—しゃ【—者】名 보험자. ↔被保険者.

—つき【—付き】名 보험부; 보증(保證)부; 틀림없음. ¶～の商品 품질이 보증된 상품.

ぼけん【母権】名 모권. ¶～伸張 모권 신장. ↔父権.

ほこ【矛】((戈·鉾·鋒)) 名 미늘창; 쌍날칼을 꽂은, 창과 비슷한 무기. ↔盾.

—を収める 싸움을 그만두다.

—を交える 싸우다; 교전하다.

ほご〖反古·反故〗名 못 쓰는 종이; 휴지; 전하여, 소용 없는 물건〔일〕. ＝ほぐ·ほうぐ·ほうご. ¶～入れ〔かご〕 휴지통/計画が～になる 계획이 허사가 되다/そんな証文は～同様だ 그 따위 증서는 휴지나 다름없다.

—にする **1**소용없다고 버리다. **2**무효로 하다; 파기하다. ¶約束を～ 약속을 깨다/講和条約を～ 강화 조약을 파기하다.

****ほご**【保護】名スル他 보호. ¶～施設 보호 시설/～帽 안전모/自然～ 자연 보호/警察の～を受ける 경찰의 보호를 받다/～を求める 보호를 요청하다/～をあたえる 보호해 주다/文化財を～する 문화재를 보호하다.

—あずかり【—預り】名 (은행 등의 귀중품에 대한) 보호 예치.

—しゃ【—者】名 보호자. ¶生徒の～ 학생의 보호자.

—しょく【—色】名〔動〕보호색. ↔警戒色.

ほご【補語】名〔文法〕보어.

ぼご【母語】名 모어. **1**모국어. **2**같은 계통에 속하는 언어의 시조가 되는 언어. ＝祖語. ¶ラテン語はフランス語·イタリア語の～だ 라틴어는 프랑스어·이탈리아어의 모어이다.

ほこう【歩行】名スル自 보행. ¶～困難 보행 곤란/～者〔器〕 보행자〔기〕.

—しゃてんごく【—者天国】名 보행자 천국; 차 없는 거리. ¶この通りは日曜日には～になる 이 거리는 일요일에는 보행자 천국이 된다.

ほこう【補講】名スル他 보강; 보충 강의. ¶～授業 보충 수업.

ぼこう【母校】名 모교. ¶なつかしい～ 그리운 모교/～の先生 모교의 선생.

ぼこう【母港】名 모항; 배의 근거지로 삼고 있는 항구. ¶～に帰る 모항으로 돌아가다.

ぼこく【母国】名 모국; 조국. ¶～を遠く離れて 조국을 멀리 떠나.

──ご【──語】 图 모국어. ¶フランス語を～のように話す 프랑스어를 모국어처럼 말하다.

ほこさき【矛先】《鋒先·鉾先》 图 창끝; 전하여, 비난·공격의 방향〔화살〕. ¶～を転ずる 공격의 화살을 돌리다 / ～が鈍る 논조〔공세〕가 둔해지다 / 議論の～をたくみにかわす 토론 방향을 교묘히 돌리다.

ほご-す〚解す〛 5他 ☞ほぐす.

ぼこぼこ 副 **1** 팬 곳이나 구멍이 많이 뚫려 있는 모양: 옴폭옴폭; 움푹움푹; 뻥뻥. ¶道に穴が～(と)あく 길에 구멍이 움푹움푹 패이다. **2** 샘솟거나 거품이 이는 모양: 보글보글. ¶～(と)水がわきでる 물이 보글보글 솟아나다.

ほこら〚祠〛 图 사당. ¶道端の～ 길가의 사당 / ～を建てる 사당을 짓다.

ほこらか【誇らか】 ダナ 자랑스러운〔득의만면한〕 모양. ¶～な態度 자랑스러운 태도 / ～に成果をうたいあげる 자랑스럽게 성과를 칭송하다.

ほこらし-い【誇らしい】 形 자랑스럽다; 뽐내고 싶다. ¶～気持ちになる 자랑스러운 기분이 되다; 우쭐해지다.

＊ほこり〚埃〛 图 먼지. ¶～が立つ 먼지가 일다〔나다〕 / ～をかぶる 먼지를 뒤집어쓰다 / ～だらけになる 먼지투성이가 되다 / ～を払う 먼지를 털다 / 彼も叩けば～が出る 그도 털면 먼지가 난다《흠이 드러난다》.

ほこり【誇り】 图 자랑; 긍지; 명예로움. ＝プライド. ¶一家の～ 한 집안의 자랑 / ～を持つ 긍지를 갖다 / ～を傷つける 명예를 훼손하다 / どんな人にでも～はあるものだ 어떤 사람에게도 긍지는 있는 법이다.

ほこりっぽ-い〚埃っぽい〛 形 먼지가 많다. ¶ごちゃごちゃして～街 지저분하고 먼지가 많은 거리.

ほこりまみれ〚埃塗れ〛 图 먼지투성이임. ¶～になる 먼지투성이가 되다.

＊ほこ-る【誇る】 5自 자랑하다; 뽐내다; 자랑으로 여기다; 명예로 삼다. ¶～·らぬ人 뽐내지 않는 사람 / 伝統〔腕〕を～ 전통을〔솜씨를〕 자랑하다 / 東洋一を～ビル 동양 제일을 자랑하는 빌딩 / 自分の技を～ 자기의 재주를 자랑〔자만〕하다 / ～に足りない業績 자랑할 만한 것이 못 되는 업적. 可能 ほこ-れる 下1自

ほころば-せる〚綻ばせる〛 下1他 **1** 풀리게 하다; 벌어지게 하다. ¶さくらがつぼみを～ 벚꽃이 꽃망울을 터뜨리다. **2** 웃음을 짓다. ¶顔を～ 얼굴에 웃음을 띄우다.

＊ほころ-びる〚綻びる〛 上1自 **1** (실밥이) 풀리다; (꿰맨 자리가) 터지다. ¶袖口が～ 소맷부리가 타지다. **2** 조금 벌어지다; (꽃이) 피기 시작하다. ¶つぼみが～ 꽃봉오리가 벌어지기 시작하다 / 口元が～ 입가에 미소를 띠다; 웃다.

ほころ-ぶ〚綻ぶ〛 5自 ☞ほころびる.

ほさ【補佐】《輔佐》 图ス他 보좌. ＝アシスト. ¶課長～ 과장 보좌〔대리〕 / ～官 보좌관 / 幼君を～する 어린 주군(主君)을 보필하다. 注意 '補佐'로 씀은 대용 한자.

ほさき【穂先】 图 **1** 이삭 끝. ¶～をたれる 이삭을 수그리다; 이삭이 수그러지다. **2** 칼·창·송곳·붓 따위의 끝. ¶槍の～ 창끝.

ほざ-く 5他 〈俗〉 (되지 못하게) 지껄이다; 씨부렁거리다; 뇌까리다. ＝ぬかす. ¶つべこべ～な 이러니저러니 지껄이지 마라 / 何を～か 무슨 잔말이냐.

ぼさつ［菩薩］ 图 〔佛〕 보살. ¶文殊～ 문수보살 / 外面似～内心如夜叉 (여자가) 겉으로 보기에는 보살 같으나 마음속은 야차 같음.

ぼさっと 副ス自 할 일을 잊고 멍청하게 있거나 외톨이가 된 모양. ＝ぼけっと. ¶～してないで手伝ってくれ 멍청히 있지 말고 거들어 다오. ⇨ぼさぼさ 2.

ぼさぼさ 副ス自 **1** 머리가 흐트러진 모양: 부수수; 더부룩이. ¶髪の毛の～(と)した人 머리털이 부수수한 사람 / ～した白髪 부수수한 백발. **2** 아무 일도 않고 멍하니 있는 모양. ＝ぼさっと. ¶そんな所で～してるな 그런 데서 멍청하게 서 있지 마라.

ぼさん【墓参】 图ス自 성묘. ＝はかまいり.

＊＊ほし【星】 图 **1** 별. ¶～が出る 별이 나오다 / 夜空に～がまたたく 밤하늘에 별이 반짝이다. **2** 세월. ¶～移り年変わる 세월이 흐르고 해가 바뀌다. **3** 운수. ¶よい～の下に生まれる 운수를 잘 타고 나다. **4** 별표; 승부의 표지; 과녁에 그려진 검은 동그라미. ¶白〔勝ち〕星 이긴 표《○》/ 黒〔負け〕星 진 표《●》/ ～取り表 승패의 성적표 / ～が悪い 성적이 나쁘다. **5** (눈동자의) 삼. ¶目に～ができる 눈에 삼이 생기다. **6** 표적; 용의자 또는 범인. ¶本ぼし 진범인 / ～をつける (범인으로) 점찍다; 짐작〔의심〕을 하다. **7** (별처럼) 우러러보는 사람; 스타. ＝花形·スター. ¶我が社の～ 우리 회사의 스타.

──が割れる 범인이 판명되다.

──をあげる 범인을〔용의자를〕 검거하다.

──を落とす (씨름 등에서) 지다.

──を稼ぐ 점수를 따다; 성적을 올리다; 공을 세우다.

──を列ねる 고관대작들이 위의(威儀)를 갖추고 열석하다.

> **星에 대한 여러 가지 표현**
>
> 표현例 星が── きらきら(반짝반짝)·ちかちか(반짝반짝) ─ 光る.
>
> ◆星が── 光る(빛나다)·瞬く(반짝이다)·きらめく(반짝이다)·輝く(빛나다)·降る(총총하다)·流れる((유성이) 흐르다).

—を拾う (씨름 등에서) 간신히 이기다; 신승(辛勝)하다.
—を分ける (승부에서) 무승부가 되다; 비기다.

ほじ【保持】 名ス他 보지; 보유; 계속 유지함. ¶選手権～者 선수권 보유자/記録を～する 기록을 보유하다/機密〔一位〕を～する 기밀을〔일위를〕 유지하다.

ぼし【墓誌】 名 묘지; 죽은이의 행적 등을 적은 비문. ¶～銘 묘지명.

ぼし【母子】 名 모자. ¶～手帳 모자 건강 수첩/～寮 모자원/～共に健康 모자가 다 건강(함)/～感染 모자〔수직〕 감염/～家庭 모자 가정《아버지가 없는 결손 가정》.
—ほけん【—保健】 名 모자 보건; 모성 및 젖먹이 어린이의 건강 유지와 증진을 꾀하는 일.

ポジ 名 ☞ポジティブ㊁. ↔ネガ.

ほしあかり【星明かり】 名 별빛. ¶～の夜 별빛이 밝은 밤.

****ほし-い【欲しい】** 形 **1**…하고 싶다; 탐나다. ¶～もの 탐나는 것/酒〔水〕が～ 술〔물〕을 마시고 싶다/金が～ 돈이 필요하다/何も～・くない 아무것도 갖고 싶지 않다/話し相手が～ 말 상대가 있으면 좋겠다. **2**《'…て～'의 꼴로》 바라다; 요망하다. ¶注意して～ 주의하기 바란다/こっちへ来て～ 이리 와 주었으면 한다〔싶다〕/はっきり言って～ 분명히 말해 주기 바란다.

ほしいまま〖縦·恣〗 ダナ 제멋대로 하는 모양; 방자하게 구는 모양. ¶～な態度 방자한 태도.
—にする 제멋대로 하다; 방자하게 굴다. ¶権力を～ 권력을 남용하다/一国の政治を～ 한 나라의 정치를 전단(專斷)하다.

ほしうお【干し魚】《乾し魚》 名 말린 물고기; 건어물(乾魚物). ＝ひもの.

ほしうらない【星占い】 名 점성술.

ほしがき【干しがき】《干し柿·乾し柿》 名 곶감. ＝つるしがき.

ほしかげ【星影】 名 〈雅〉 별빛. ¶またたく～ 반짝이는 별빛/～さやかに 별빛도 청명하게/～を仰ぐ 별빛을 쳐다보다〔바라보다〕.

ほしかた-める【干し固める】《乾し固める》 下1他 말려서 굳히다.

ほしが-る【欲しがる】 5他 탐내다; 갖고 싶어하다. ¶人の万年筆を～ 남의 만년필을 탐내다/患者が甘い物を～ 환자가 단것을 먹고 싶어하다/人の物を～・ってはいけない 남의 물건을 탐내면 안된다.

ほしくさ【干し草】《乾し草》 名 (사료용) 건초; 마른풀. ＝ほしぐさ. ¶～の山 건초 더미/家畜に～を食わせる 가축에게 건초를 먹이다. ↔生草.

ほしくず【星くず】《星屑》 名 밤하늘에 무수히 반짝이는 작은 별들.

ほじくりかえ-す【ほじくり返す】《穿り返す》 5他 **1** 여기저기 파헤치다. ¶畑を～ 밭을 파헤치다. **2** 다시 들추어내다. ¶古い事件を～ 오래 된 사건을 다시 들추어 내다.

ほじくりだ-す【ほじくり出す】《穿り出す》 5自 **1** 후벼 파내다. ¶たにしの肉を～ 우렁이 살을 파내다. **2** 들추어 내다. ¶他人の秘密を～ 남의 비밀을 들추어 내다.

ほじく-る〖穿る〗 5他 후비다; 쑤시다; (시시콜콜히) 캐다. ¶鼻くそを～・り出す 코딱지를 후벼 내다/人のあらを～ 남의 흠을 들추어내다/～・って聞き出す 꼬치꼬치 캐묻다.

ポジション [position] 名 포지션. **1** 장소; 위치; 지위. **2** 구기 등에서, (선수의) 수비 위치. ¶～に付く 수비 위치에 서다.

ほしぞら【星空】 名 별이 총총한 밤하늘. ¶～をあおぐ 별이 총총한 밤하늘을 쳐다보다.

ほしづきよ【星月夜】 名 〈雅〉 별빛이 달빛처럼 밝은 밤. ＝ほしづくよ.

ポジティブ [positive] 포지티브. ㊀ダナ 적극적; 긍정적. ¶～な働きかけ 적극적인 작용. ㊁名 (사진의) 양화(陽畫); 양화용 필름. ＝ポジ. 注意 'ポジチブ'라고도 함. ⇔ネガティブ.

ほしのり【干しのり】《干し海苔·乾し海苔》 名 건태; 말린 김.

ほしぶどう【干しぶどう】《干し葡萄·乾し葡萄》 名 건포도. ＝レーズン.

ほしまつり【星祭り】 名 (명절의 하나인) 칠석(七夕). ＝たなばたまつり.

ほしまわり【星回り】 名 운수; 신수. ¶～がいい 운수〔팔자〕가 좋다/～が悪い 운수〔팔자〕가 나쁘다.

ほしもの【干し物】《乾し物》 名 햇볕에 말린 것; 특히, 세탁물. ¶～竿 바지랑대/～をする 빨래를 널다/～を取りこむ 빨래를 거둬들이다.

***ほしゃく【保釈】** 名ス他 보석. ¶～金 보석금/～になる 보석이 되다/容疑者を～する 용의자를 보석하다.

ポシャ-る 5自 〈俗〉 (계획 등이) 못 쓰게 되다; 허사가 되다. ¶資金不足で計画が～ 자금 부족으로 계획이 허사가 되다. 參考 'シャッポをぬぐ'의 'シャッポ'를 거꾸로 하여 활용한 말이라 함.

ほしゅ【保守】 ㊀名 보수. ¶～政党 보수 정당. ↔革新. ㊁名ス他 정상 상태를 유지 보존함. ¶機械〔線路〕の～ 기계〔선로〕의 유지 보존.
—てき【—的】 ダナ 보수적. ¶～な思想 보수적인 사상. ↔進歩的.

ほしゅ【捕手】 名〔野〕 포수; 캐처. ＝キャッチャー.

ほしゅう【補修】 名ス他 보수. ¶河川の～工事 하천의 보수 공사.

ほしゅう【補習】 名ス他 보습. ¶～授業 보충 수업/～生 보습생/～教育

(きょういく) 보습〔보충〕 교육.

***ほじゅう【補充】** 名ス他 보충. ¶ ~兵(へい) 보충병 / 欠員(けついん)の~ 결원 보충 / 燃料(ねんりょう)を~する 연료를 보충하다.

***ぼしゅう【募集】** 名ス他 모집. ¶ ~広告(こうこく) 모집 광고 / ~に応(おう)ずる 모집에 응하다; 응모하다 / 会員(かいいん)を~する 회원을 모집하다. ↔応募(おうぼ).

***ほじょ【補助】** 名ス他 보조. ¶ ~金(きん) 보조금 / ~員(いん) 보조원 / ~椅子(いす) (극장 등의) 보조 의자 / 学費(がくひ)の~ 학비 보조 / 金銭的(きんせんてき)な~を受(う)ける 금전적인 보조를 받다.

ぼしょ【墓所】 名 묘소; 산소. ＝はかば.

ほしょう［歩哨］ 名 보초. ＝哨兵(しょうへい). ¶ ~兵(へい) 보초병 / ~に立(た)つ 보초 서다 / ~を置(お)く 보초를 두다.

—せん［—線］ 名 보초선.

⁑ほしょう【保証】 名ス他 보증. ¶ ~保険(ほけん) 보증 보험 / ~小切手(こぎって) 보증 수표 / ~金(きん) 보증금 / ~つきの品物(しなもの) 보증이 붙어 있는 물건 / ~がない 보증이 없다 / 身元(みもと)を~する 신원을 보증하다.

—にん【—人】 名 보증인. ¶ 連帯(れんたい)~ 연대 보증인.

ほしょう【保障】 名ス他 보장. ¶ 社会(しゃかい)~ 사회 보장 / 生活(せいかつ)を~する 생활을 보장하다 / 航路(こうろ)の安全(あんぜん)を~する 항로의 안전을 보장하다.

ほしょう［堡礁］ 名 〘地〙 보초; 섬을 둘러싸고 있는 산호초.

ほしょう【補償】 名ス他 보상. ¶ ~金(きん) 보상금 / 損害(そんがい)を~する 손해를 보상하다 / 国(くに)に~を求(もと)める 국가에 보상을 청구하다. 「なわ.

ほじょう【捕縄】 名 포승; 오라. ＝とり

ぼじょう【慕情】 名 모정; 그리는 마음. ¶ ~をいだく 모정을 품다 / ひそかに~をよせる 남몰래 그리워하다.

ほしょく【補色】 名 ☞よしょく(余色).

ぼしょく【暮色】 名 모색; 날이 저물어 갈 때의 어스레한 빛. ¶ ~蒼然(そうぜん) 모색창연 / ~が迫(せま)る 저녁때가 가까워지다 / ~に包(つつ)まれる 모색에 싸이다.

ほじ-る 〚穿る〛 5他 〈俗〉 ☞ほじくる.

ほしん【保身】 名 보신; 처신; 처세. ¶ ~をはかる 보신을 꾀하다 / ~に汲汲(きゅうきゅう)とする 보신에 급급하다 / ~の術(じゅつ)にたけている 보신〔처세〕술에 능하다.

***ほ-す【干す】**《乾す》 5他 **1** 말리다. ¶ ふとん〔せんたくもの〕を~ 이불을〔빨래를〕 말리다 / 日(ひ)に~ 햇볕에 말리다. **2** 바닥이 드러나도록 하다. ㉠괸 물을 다 빼다. ¶ 池(いけ)の水(みず)を~ 못물을 다 빼다. ㉡죄다 마셔 버리다. ¶ 杯(さかずき)を~ 잔을 내다〔비우다〕 / 飲(の)み~ 다 마셔 버리다. **3** 〈俗〉 굶기다; 일거리를 안 주고 애먹이다. ¶ ~·された女優(じょゆう) 일선에서 밀려난 여배우 / 仕事(しごと)〔役(やく)〕を~·される 일〔배역〕을 주지 않아 애먹다 / 腹(はら)を~ 배를 주리다〔굶다〕.

ボス [boss] 名 보스; 두목; 우두머리. ＝親分(おやぶん). ¶ 政界(せいかい)〔暗黒街(あんこくがい)〕の~ 정계〔암흑가〕의 보스. 「ず.

ほすう【歩数】 名 보수; 걸음 수. ＝ほか

—けい【—計】 名 보수계; 페도미터. ＝ペドメーター.

ほずえ【穂末】 名 이삭의 끝. ＝穂先(ほさき).

ポスター [poster] 名 포스터. ¶ ~を張(は)る〔はがす〕 포스터를 붙이다〔떼다〕.

—カラー [poster color] 名 〘美〙 포스터 컬러; 포스터용 그림물감.

ホステス [hostess] 名 호스티스. **1** (파티 같은 데서) 접대역의 여주인. ↔ホスト. **2** 스튜어디스. **3** 접대부. ¶ バーの~ 바의 접대부.

ホスト [host] 名 호스트; 접대역의 주인. ↔ホステス·ゲスト.

—コンピューター [host computer] 名 두 대 이상의 컴퓨터를 함께 쓸 때, 중심이 되는 컴퓨터. ↔スレーブ.

***ポスト** [post] 名 포스트. **1** 우체통; 우편함. ¶ 手紙(てがみ)を~に入(い)れる 편지를 우체통에 넣다. **2** 지위; 직위. ＝ポジション. ¶ 社会的(しゃかいてき)~ 사회적 지위 / 重要(じゅうよう)な~につく 중요한 자리에 앉다 / ~が空(あ)く 자리가 비다. **3** (축구 등의) 골문. ¶ ゴール~ 골 포스트.

—カード [postcard] 名 포스트 카드; 우편 엽서. 参考 미국에서는 '사제 엽서'를 가리키며, 관제 엽서는 postal card 라고 함.

ポスト= [post] 포스트; 이후; 뒤; 다음. ¶ ~冷戦(れいせん) 냉전 이후 / ~モダン 포스트 모던; 탈(脫)근대 / ~シズン 포스트시즌; (스포츠 등에서) 시즌이 끝난 후의 기간. ↔プレ.

ボストンバッグ [Boston bag] 名 보스턴백; 여행용 가방.

ホスピス [hospice] 名 호스피스; 죽음이 임박한 환자의 고통을 완화하도록 도와주는 의료·간호 시설. 「원.

ホスピタル [hospital] 名 호스피털; 병

ほ-する【補する】 サ変他 보하다; 직책을 맡기다. ¶ 会計課長(かいけいかちょう)に~ 회계 과장에 보하다.

ほせい【補正】 名ス他 보정; 보충하고 바로 고침. ¶ 実験(じっけん)の誤差(ごさ)を~する 실험 오차를 보정하다 / 観測値(かんそくち)を~する 관측치를 보정하다.

—よさん【—予算】 名 추가 예산과 수정 예산의 총칭; 추가 경정 예산. ↔本(ほん)予算.

ぼせい【母性】 名 모성. ¶ ~愛(あい) 모성애 / ~本能(ほんのう)をくすぐる 모성 본능을 자극하다. ↔父性(ふせい).

ほぜい【保税】 名 〘法〙 보세. ¶ ~地域(ちいき)〔加工貿易(かこうぼうえき)〕 보세 지역〔가공 무역〕.

—そうこ【—倉庫】 名 보세 창고.

ぼせき【墓石】 名 〈文〉 묘석; 묘비. ＝はかいし.

ほせつ【補説】 名ス他 보충 설명. ¶ 少(すこ)し~する必要(ひつよう)がある 조금 보충 설명을 할 필요가 있다.

ほせん【保線】名 보선; 철도 선로의 안전 관리. ¶～工事 보선 공사.
—く【—区】名 보선구〔사무소〕《보선 업무를 담당하는, 철도 현업 기관》.

ほせん【補選】名 보선《'補欠選挙(=보궐 선거)'의 준말》. ¶～に出馬する 보궐 선거에 출마하다.

ほぜん【保全】名ス他 보전. ¶国土の～ 국토의 보전 / 地位の～を図る 지위의 보전을 꾀하다 / 領土を～する 영토를 보전하다.

ぼせん【母川】名 모천; 송어·연어 등의 소하어(遡河魚)가 산란 장소로 삼는 하천. ¶～回帰 모천 회귀.

ぼせん【母船】名 모선. =おやぶね.

ぼぜん【墓前】名 묘전; 무덤 앞. ¶花を～に供える〔手向ける〕 꽃을 묘전에 바치다 / ～にぬかずく 묘 앞에 엎드려 절하다.

ほそ=【細】 가는…. ¶～腕 가는 팔 / ～まゆ 가는 눈썹; 실눈썹 / ～腰 가는 허리; 개미허리 / ～長い 가늘고 길다.

ほぞ〖臍〗名〈老〉 배꼽. =へそ. ¶これを見たのは～の緒切って初めてだ 이것을 본 것은 난생〔탯줄 떨어지고〕 처음이다.
—を固める 단단히 결심하다; 각오를 단단히 하다.
—をかむ 후회하다. ¶あとでほぞをかんでも遅い 나중에 후회해 봤자 늦다.

ほぞ〖枘〗名〔建〕 장부; 순자(筍子). ¶～穴 장붓구멍.

ほそ-い【細い】形 **1** 가늘다. ¶～うどん 가는 국수 / 糸が～ 실이 가늘다 / 線が～ 선이 가늘다《섬세하다; 도량이 좁다》/ 目を～·くする 눈을 가늘게 뜨다《기뻐서 만면에 웃음을 띠는 형용》. ↔太い. **2** 좁다. ㉠폭이 좁다. ¶～道 좁은 길. ㉡마음이 좁다. ¶神経が～ (a)사람됨이 잘다; (b)신경이 과민하다. **3** (양 따위가) 적다. ¶夏になると食が～·くなる 여름이 되면 식욕이 준다. **4** 여유가 없다; 불안하다. ¶心細い 불안하다. **5** (음성이) 가늘다; 작다. ¶～声 가는 목소리. ↔太い. **6** 힘이 약하다. ¶～うで 약한 팔 / ガスの火が～ 가스 불이 약하다.
—·く長く 가늘고 길게. ¶～生きる 가늘고 길게 살다《구차히 오래 살다》. ↔太く短く.

ほそう【舗装】《鋪装》名ス他 포장. ¶～道路 포장 도로 / ～工事 포장 공사 / 道路を～する 도로를 포장하다.

ほそうで【細腕】名 가는 팔; 비유적으로, (경제적으로) 약한 힘. ¶女の～で育て上げる 연약한 여자의 힘으로 키워 내다.

ほそおもて【細面】名 갸름한 얼굴. =ほそおも. ¶～の美人 갸름한 얼굴의 미인.

ほそく〔捕捉〕名ス他 포착; 붙잡음; 파악함. ¶敵を海上で～する 적을 해상에서 포착하다 / その意味は～し難い 그 뜻은 포착〔이해〕하기 어렵다.

ほそく【歩測】名ス他 보측; 걸음짐작. ¶距離を～する 거리를 걸음짐작하다.

ほそく【補則】名 보칙; 보충한 규칙. ¶～で規定する 보칙으로 규정하다.

ほそく【補足】名ス他 보족; 보충해 채움. ¶～説明 보충 설명 / 以上の説明に若干の～を致します 이상의 설명에 약간의 보충을 하겠습니다.

ほそづくり【細作り】名ナ **1** 가늘게 만듦; 또, 그렇게 만든 것. ¶～の太刀 가느다란 긴 칼 / サヨリの～ 가늘게 저민 공미리회. **2** (몸이) 날씬함; 또, 그 몸. =きゃしゃ. ¶～の女 날씬한 여자.

ぽそっと 副 **1** 우두커니 있는 모양: 우두커니; 오도카니. ¶～立っている 오도카니 서 있다. **2** 작은 소리로 중얼거리는 모양. ¶～つぶやく 나직이 중얼거리다.

ほそなが-い【細長い】形 길고 가느다랗다; 홀쭉하다. ¶～紙切れ 가늘고 긴 종잇조각 / ～小路 좁고 긴 골목.

ほそびき【細引き】名 **1** 가는 삼노끈. =ほそびきなわ. ¶行李に～を掛ける 고리를 가는 삼노끈으로 묶다. **2** 생선회 따위를 가늘게 썬 것. =ほそづくり.

ほそぼそ【細細】副 **1** 아주 가느다란 모양; 또, 풍족함·씩씩함·적극성·활기 등이 없는 모양. ¶～と続く山道 가느다랗게 이어지는 산길 / 煙が～と立ちのぼる 연기가 가느다랗게 오르다 / ～とした声 매우 가는 목소리. **2** 어찌어찌; 이럭저럭. ¶～(と)暮らす 그럭저럭〔근근이〕 살아가다.

ぼそぼそ 副 **1** 작은 소리로 말하는 모양: 소곤소곤. ¶へやのすみで～話す 방구석에서 소곤소곤 이야기하다. **2** 수분이 없고 메마른 모양: 퍼석퍼석; 팍팍. ¶このパンは～してうまくない 이 빵은 퍼석퍼석해서〔팍팍해서〕 맛이 없다.

ほそみ【細身】名 **1** (칼 따위의) 폭이 좁고 길쭉하게 만든 것. ¶～の包丁 길쭉한 식칼 / ～のネクタイ 폭이 좁은 넥타이. **2** ☞ほそづくり2. ¶～の美人 호리호리한 미인.

ほそめ【細め】名 가늚; 좁은 사이〔틈〕. ¶障子を～にあける 장지문을 방긋이 열다 / ～の筆 가느다란 붓 / ～に切る 가느다랗게 자르다. ↔太め.

ほそめ【細目】名 가는 눈. **1** 가늘게 뜬 눈; 실눈. ¶～をして見る 실눈을 뜨고 보다 / ～をあける 눈을 가늘게 뜨다. **2** (편물의) 가늘게 짠 눈. ¶～に編む 촘촘하게 짜다. ↔太目.

ほそ-める【細める】下1他 **1** 가늘게 하다; 좁게 하다. ¶目を～ (a)눈을 가늘게 뜨다; (b)몹시 좋아하다. **2** (음성·등불 등을) 작고 약하게 하다. ¶ガスを～ 가스 불을 약하게 하다〔줄이다〕.

ほそやか【細やか】ダナ 가느스름한 모양; 가느다란 모양; 가냘픈 모양. ¶～な声〔体〕 갸냘픈 목소리〔몸〕.

ほそ-る【細る】5自 가늘어지다; 여위

다; 작아지다; 약해지다. ¶身(み)が~思(おも)い 몸이 오그라드는 느낌〔심정〕/食(しょく)が~ 먹는 양이 적어지다/気力(きりょく)が~ 기력이 약해지다.

***ほぞん【保存】** 图スル他 보존. ¶~登記(とうき) 보존 등기/~がきく 잘 보존되다/~がきかない 보존이 안되다/よく~されている古跡(こせき) 잘 보존되어 있는 고적.

ポタージュ [프 potage] 图〘料〙 포타주; 걸쭉한〔되직한〕 수프. ↔コンソメ.

ぼたい【母体】 图 모체. **1** 해산한 어머니의 몸. ¶~の安全(あんぜん)を図(はか)る 모체의 안전을 도모하다. **2** (근본이 되는) 본체. ¶国連(こくれん)を~とする組織(そしき) 국제 연합을 모체로 하는 조직.

ぼたい【母胎】 图 모태. ¶~内(ない)での発育(はついく)不十分(ふじゅうぶん) 모태 내에서의 발육 부진/思想(しそう)の~ 사상의 모태〔모체〕.

ぼだい [菩提] 图〘佛〙 보리; 번뇌를 끊고 진리를 깨닫는 일. ¶~心(しん) 보리심.
—を弔(とむら)う 고인의 명복을 빌다.
—じ [—寺] 图 선조 대대의 위패를 모신 절. =だんなでら·菩提所(じょ).
—じゅ [—樹] 图〘植〙 보리수.

ほださ-れる 〖絆される〗 下1自 (인정·애정에) 얽매이다; 끌리다; 묶이다. ¶熱意(ねつい)に~ 열의에 이끌리다/情(じょう)に~·れて金(かね)を貸(か)してやった 인정에 끌려 돈을 빌려 주었다.

ほだ-す 〖絆す〗 5他 **1** 붙어 다니다. **2** 붙들어 매다; 얽매다; 속박하다. ¶馬(うま)を~ 말을 매어두다.

ほたてがい 〖帆立貝〗 图〘貝〙 가리비; 해선(海扇). =おうぎがい.

ぼたぼた 副 물방울이 떨어지는 모양: 뚝뚝(《'ぽたぽた(=똑똑)' 보다는 좀 무거운 느낌》). ¶~(と)血(ち)が落(お)ちる 피가 뚝뚝 떨어지다/涙(なみだ)を~(と)落(お)とす 눈물을 뚝뚝 떨어뜨리다.

ぼたもち 〖牡丹餅〗 图 찹쌀과 멥쌀을 섞어 고물을 묻혀 만든 떡(《'おはぎ'의 딴 이름》). ¶棚(たな)から~ 굴러 온 호박(《뜻밖에 찾아든 행운의 비유》).

ぼたり 副 액체 따위가 방울져서 떨어지는 모양: 뚝. ¶どろんこが~と落(お)ちる 흙탕(물)이 뚝 떨어지다.

ほたる【蛍】(《螢》) 图〘蟲〙 반딧불이; 개똥벌레. ¶~火(び) 반딧불/~石(いし)〘鑛〙 형석/~狩(が)り 개똥벌레 잡기 놀이.
—の光(ひかり)窓(まど)の雪(ゆき) (반딧불과 창문의 눈이라는 뜻으로) 고생하며 공부함; 형설. =蛍雪(けいせつ).

ほたるかご【蛍かご】(《蛍籠》) 图 개똥벌레를 넣어 두고 관상하는 바구니.

ほたるぞく【蛍族】 图〈俗〉 개똥벌레족; 아파트(의) 베란다에 나가서 담배를 피우는 남편 족속들. 参考 빨간 담뱃불이 마치 반딧불처럼 보이는 데서. ⇨ベランダスモーカー.

ぼたん 〖牡丹〗 图 **1**〘植〙 모란. **2**〈俗〉 멧돼지 고기의 딴 이름. 「↔こなゆき.
—ゆき【—雪】 图 함박눈. =ぼたゆき.

****ボタン** [포 botão] 图 **1** 보탕; 단추. ¶~穴(あな)〔ホール〕 단춧구멍/金(きん)~ 금단추/~をかける〔はずす〕 단추를 채우다〔풀다〕. **2** [button] 버튼; (초인종 등의) 누름단추. ¶呼(よ)び鈴(りん)の~を押(お)す 초인종의 누름 단추를 누르다. 注意 '釦''鈕'으로도 씀.
—を掛(か)け違(ちが)える (첫)단추를 잘못 채우다; 처음에 절차를 그르쳐서 나중에 일이 뒤틀리다.

ぼち【墓地】 图 묘지. =墓場(はかば). ¶外人(がいじん)~ 외국인 묘지/~に埋葬(まいそう)する 묘지에 매장하다.

=ぽち 〈俗〉 부족한 느낌〔적음〕을 나타내는 말. =ぽっち. ¶これっ~じゃしかたがない 이것만으로는 어쩔 도리가 없다/それっ~のことで怒(おこ)ってはならない 그만한 일로 화를 내면 안 된다.

ホチキス [Hotchkiss] 图〘商標名〙 호치키스. =ホッチキス·ステープラー. ¶~の針(はり) 호치키스의 철(綴)쇠/書類(しょるい)を~で留(と)める 서류를 호치키스로 찍다.

ぼちぼち 副〈方〉 ☞ぼつぼつ.

ぽちゃぽちゃ 一副スル自 통통하고 귀여운 모양: 보동보동; 포동포동. ¶~(と)した, かわいらしい娘(むすめ) 포동포동한 귀여운 처녀/~と太(ふと)った子供(こども) 포동포동 살찐 아이. 二副 물을 가볍게 휘젓는 모양: 참방참방. =ぼちゃぼちゃ. ¶川岸(かわぎし)で~(と)水遊(みずあそ)びをする 강기슭에서 참방참방 물장난을 하다.

ほちゅう【補注】(《補註》) 图 보주; 보충으로 단 주석; 보충 주석. ¶~をつける 보충 주석을 달다.

ほちゅうあみ【捕虫網】 图 포충망; 곤충망. ¶~でトンボを捕(と)らえる 포충망으로 잠자리를 잡다.

ほちょう【歩調】 图 보조. ¶~を取(と)る 보조를 맞추다〔맞추어 걷다〕/~を合(あ)わせる 보조를 맞추다/~が早(はや)い 발걸음이 빠르다/仕事(しごと)の~をそろえる 일의 보조를 맞추다/~が合(あ)って仕事(しごと)がはかどる 보조가 맞아 일이 순조롭게 진행되다/党内(とうない)の~がそろわない 당내의 보조가 안 맞는다.

ほちょうき【補聴器】 图 보청기. =聴話器(ちょうわき). ¶~をつける 보청기를 달다〔끼다〕/~を耳(みみ)にはさむ 보청기를 귀에 끼다.

ぼつ【没】 一图 **1** '没書(ぼっしょ)(=몰서)'의 준말. ¶原稿(げんこう)を~にする 원고를 채택 않기로 하다. **2** (《본디, 歿》) 몰; 죽음; 사망. ¶一九八二年(せんきゅうひゃくはちじゅうにねん)~ 1982년 몰/陣中(じんちゅう)に~する 진중〔싸움터〕에서 죽다. 二接頭 몰…; 없는; 무관한. ¶~常識(じょうしき) 몰상식/~交渉(こうしょう) 몰교섭; 거래·내왕이 없음.

ぼつ〖没〗(《沒》) 常用 ボツ | 몰 빠지다 | **1** 가라앉다; 파묻히다. ¶沈没(ちんぼつ) 침몰. **2** 영락하다. ¶没落(ぼつらく) 몰락. **3** 죽다; 없어지다. ¶没年(ぼつねん) 몰년. 注意 '歿'와 같음.

ぼっか【牧歌】名 목가. ¶～調 목가조.
──てき【──的】ダナ 목가적. ¶～な風景〔暮らし〕 목가적인 풍경〔생활〕.
ぼつが【没我】名 몰아. ¶～の境地に入る 몰아의 경지에 들(어가)다.
ほっかいどう【北海道】名〖地〗 일본 열도의 북단에 있는 큰 섬으로 이루어진, 행정 구역의 하나《도청(道廳) 소재지는 札幌시》.
ぽっかり 副 **1** 가볍게 뜨는 모양: 두둥실. ¶雲が～(と)空に浮かぶ 구름이 두둥실 하늘에 뜨다. **2** 갑자기 갈라지거나 또는 갈라져서 벌어지는 모양: 딱; 떡; 짝; 뻥; 빠끔히. ¶～(と)口をあく 입을 떡 벌리다 / 庭に～(と)穴があく 뜰에 구멍이 뻥 뚫어지다. **3** 따뜻한 모양; 포근한 모양. ¶～暖かい部屋の空気 포근하고 따뜻한 방 공기.
ほつがん【発願】名ス自 발원; 신불(神佛)에게 소원을 빎. ¶～文 발원문.
ほっき【発起】발기. ㊀名ス他 새로 일을 기획하여 시작함. ¶会社の設立を～する 회사 설립을 발기하다. ㊁名ス自〖佛〗 발심(發心). ¶一念～ 일념발기《한결같이 부처에 대한 믿음을 가짐》.
──にん【──人】名 발기인. ¶学会設立の～ 학회 설립 발기인.
ほつぎ【発議】名ス他 발의. ¶やたらに～する 함부로 발의하다 / 採決〔条約改正〕を～する 채결〔조약 개정〕을 발의하다. 注意 'はつぎ' 라고도 함.
ぼっき [勃起] 名ス自 발기. **1** 갑자기 발끈 일어남. **2** 음경이 충혈하여 꿋꿋해짐. ¶～力 발기력.
ほつきある-く【ほつき歩く】5自 싸다니다. ＝ほっつき歩く. ¶勉強もせずにどこか～·いてばかりいる 공부도 않고 어딘가를 싸다니기만 하고 있다.
ぼっきゃく【没却】名ス他 몰각. ¶自己を～して公のために尽くす 자기를 잊고 공공을 위해서 진력하다 / 目的を～する 목적을 몰각하다.
ほっきょく【北極】名 북극. ¶～圏〔星〕 북극권〔성〕. ↔南極.
──かい【──海】名 북극해《'北氷洋(＝북빙양)' 의 고친 이름》.
ぽっきり ㊀副 (뼈·몽둥이 등이) 힘없이 부러지는 모양: 똑; 뚝. ¶枝が～と折れた 가지가 뚝 부러졌다.
㊁接尾《數量을 나타내는 体言에 붙어서》 딱〔꼭〕 …임. ＝かっきり. ¶十人～ 꼭〔딱〕 열 사람 / 持っていたのは千円～だった 가지고 있던 돈은 딱 천 엔(뿐)이었다.
ほっく【発句】名 **1** 시가의 첫 구. ㉠한시(漢詩)·和歌의 첫 구《和歌는 처음 5자》. ㉡連歌·俳諧에서는 5·7·5의 17문자. ↔挙句. **2** ☞はいく(俳句).
ホック [hook, 네 hoek] 名 후크; 호크; 양복 따위의 똑딱단추. ＝フック.
ボックス [box] 名 박스. **1** ㉠상자. ¶アイス～ 아이스박스. ㉡상자 모양의 물건. ¶～カメラ 상자형 카메라 / ～席 (극장 등의) 칸막이한 좌석 / オーケストラ～〖樂〗 오케스트라 박스 / 電話～ 전화 박스 / ポリス～ 경찰관 파출소. ㉢〖經〗 시세 변동폭의 범위. ¶～相場 박스(권) 시세. **2** 복스 카프(box calf); 무두질한 송아지 가죽.
ぽっくり 〖木履〗 名 소녀가 신는, 통나무 밑바닥을 파낸 왜나막신. ＝ぽっくり.
ぽっくり 副 **1** 힘없이 부러지는 모양: 뚝. ¶人形のくびが～(と)折れる 인형의 목이 똑 부러지다. **2** 갑자기 죽는 모양: 덜컥. ¶～ゆく 덜컥 가다〔죽다〕 / あれほど元気だった人が脳出血で～(と)死んでしまった 그렇게 건장하던 사람이 뇌출혈로 덜컥 죽어 버렸다.
──びょう【──病】名 건장한 젊은 남성이 자다가 급사하는 병《원인 불명임》.
ほっけ【法華】名〖佛〗 법화《法華経·法華宗' 의 준말》.
──しゅう【──宗】名〖佛〗 법화종《불교의 한 종파; 일반적으로 日蓮宗를 이름》. 「아이스하키.
ホッケー [hockey] 名 하키. ¶アイス～
ぼっけん【木剣】名 목검; 목도(木刀). ＝きだち. ¶～の素振りをする 목검으로 휘두르는 연습을 하다. ↔真剣.
ぼつご【没後】《歿後》名 몰후; 사후. ¶子～の門人 공자 사후의 제자 / ～十年を経る 사후 10년이 지나다. 注意 본디는 '歿後'. ↔没前·生前.
ぼっこう [勃興] 名ス自 발흥; 갑자기 일어남. ¶新勢力の～ 신세력의 발흥 / 次次に新しい国家が～する 잇따라 새 국가가 일어나다.
ぼっこうしょう【没交渉】名ダナ 몰교섭; 거래 또는 교섭이 없음. ¶世間と～の毎日 세상을 멀리한 나날(의 생활); 두문불출 / 彼とはこの数年間～だ 그와는 요 몇 년 동안 접촉이 없다. 注意 'ぼつこうしょう' 라고도 함.
ほっこく【北国】名 북국; 북쪽 나라〔지방, 땅〕. ↔南国.
ぼっこ-む【ぼっ込む】5自 **1** 박아 넣다; 처넣다. ＝ぶっこむ. **2** (칼 따위를) 아무렇게나 허리에 차다.
ぼっこん [墨痕] 名 묵흔; 묵적; 필적. ＝筆跡. ¶～あざやかにしたためる 필적도 선명하게 쓰다.
***ほっさ**【発作】名 발작. ¶心臓～ 심장발작 / ぜんそくの～ 천식의 발작 / ～が起こる 발작이 일어나다 / ～を起こす 발작을 일으키다. 注意 'はっさ' 로 읽음은 잘못.
──てき【──的】ダナ 발작적. ¶～な行動〔犯行〕 발작적인 행동〔범행〕 / ～に痛む 발작적으로 아프다.
ぼっしゅう【没収】名ス他 몰수. ¶財産を～する 재산을 몰수하다 / 土地を～される 토지를 몰수당하다.
──じあい【──試合】名〖野〗 몰수 경기〔게임〕; 경기 몰수.

ぼっしゅみ【没趣味】[名ナ] 몰취미; 취미가 없음. ¶～の人 몰취미한 사람. [注意] 'ぼつしゅみ' 라고도 함. ↔多趣味.

ぼつじょう【没上】[名] 한자(漢字) 두 자로 된 숙어에서, 뒷 글자의 한 음(音)을 생략하는 일《'出雲'를 'いずも'로, '河内'를 'かわち'라고 하는 따위》.

ぼつじょうしき【没常識】[名ナ] 몰상식; 상식이 아주 없음. ＝非常識. ¶～な人〔発言〕 몰상식한 사람〔발언〕.

ほっしん【発心】[名][ス自] 발심; 보리심을 일으킴; 전하여; (무엇을 하겠다는) 마음을 먹음. ＝発起. ¶～して勉学に励む 발심하여 배움에 힘쓰다.

ほっ-する【欲する】[サ変他] **1** 바라다; 원하다. ＝望む·願う. ¶救われんと～者は来たれ 구원을 받고자 하는 자는 오라 / 平和を～ 평화를 바라다 / ～ところを行う 바라는 바를 행하다. **2** 갖고〔하고〕 싶다. ¶～がままに 갖고 싶은 대로; 하고 싶은 대로 / 心の～ままに 마음 내키는 대로.

ぼっ-する【没する】[一][サ変自他] **1** 가라앉다; 침몰하다. ¶難破船が海中に～·した 난파선이 바닷속으로 가라앉았다. **2** 사라지다. ㉠(틈바구니 속에) 묻히다. ¶群衆の中に姿を～ 군중 속에 묻히다; 군중 속으로 사라지다. ㉡ 잊혀지다. ¶忘却のかなたに～ 망각의 저편으로 사라지다. **3** (해가) 지다; 저물다. ¶日が西に～ 해가 서산에 지다. [二]《歿する》[サ変自] 몰하다; 죽다. ¶旅先で～ 여행지에서 죽다. [三][サ変他] 몰수하다; 박탈하다; 빼앗다. ¶田地を～ 전답을 몰수하다.

ぼつぜん【没前】《歿前》[名] **1** 생전; 죽기 전. ＝生前. [注意] 본디는 '歿前'. **2** 해지기 전. ⇔没後.

ぼつぜん［勃然］[トタル] 발연. **1** 갑자기 일어나거나 나타나는 모양. ¶反対の声が～として起こる 갑자기 반대하는 소리가 나오다. **2** 벌컥 성을 내는 모양. ¶～として怒る 벌컥 성을 내다 / ～として色をなす 발끈 화를 내며 낯을 붉히다.

***ほっそく**【発足】[名][ス自] 발족. ¶～式 발족식 / 後援会は十月に～する 후원회는 10월에 발족한다. [注意] 'はっそく'라고도 함.

ほっそり [副][ス自] 홀쭉한 모양: 호리호리. ¶～(と)した美人〔体つき〕 호리호리한 미인〔몸매〕 / ～(と)したしなやかな指 가늘고 나긋나긋한 손가락. ↔でっぷり.

=ぼった-い《形容詞의 語幹이나 動詞의 連用形에 붙어서》 자못 …한 듯하다; …해 보이다; …해지다. ¶厚～ 두툼하다; 좀 두꺼운 듯하다 / 腫れ～ 부석부석해 보이다.

ほったて【掘っ建て·掘っ立て】[名] '掘っ建て小屋'의 준말.

—ごや【—小屋】[名] 허술한 집; 판잣집. ¶粗末な～を建てる 보잘것없는 판잣집을 짓다.

ほったらか-す [5他] 〈俗〉 내버려두다; 방치하다. ¶仕事〔宿題〕を～·して遊び回る 일을〔숙제를〕 내버려두고 놀러 다니다.

ほったん【発端】[名] 발단; 일의 시초. ¶事件の～ 사건의 발단 / 物語の～ 이야기의 시작. ↔結末·終局.

=ぽっち 〈俗〉《指示代名詞나 수량을 나타내는 体言에 붙어서》 (겨우) …뿐; …밖에. ¶一人～ 혼자뿐; 외토리 / 十円～ 겨우 십 엔뿐 / これっ～しかない 요것밖에 없다. [注意]1 'ぽち·ぼっち·ぼち' 라고도 함. [注意]2 'ぽち'의 힘줌말.

ホッチキス [名] ☞ホチキス.

ぽっちゃり [副][ス自] 통통하고〔오동통하고〕 귀여운 모양. ¶～したからだ 통통한 몸 / ～した顔 오동통한 얼굴.

ぼっちゃん【坊っちゃん】[名] **1** 남의 아들의 높임말: 도련님; 아드님. ¶～はおいくつですか 아드님은 몇 살입니까. **2** 세상 물정에 어두운 남자; 철부지. ¶まるで～だ 꼭 철부지 같다.

—そだち【—育ち】[名] 고생을 모르고 자란 남자.

ぽっちり [副] 〈俗〉 약간; 조금. ¶薬品をほんの～垂らす 약품을 아주 조금 떨구다.

ほっつ-く [5自] 〈俗〉 싸다니다; 헤매다; 방황하다. ¶夜おそくまでどこを～·いていたのだ 밤늦도록 어디를 싸다니다 왔니.

ぽっつり [副] **1** 실 따위가 툭 끊어지는 모양: 툭; 톡. ＝ぷつり. ¶糸が～と切れた 실이 톡 끊어졌다. **2** 작은 얼룩이나 점·구멍 따위가 생기는 모양: 빠끔; 뻥; 톡. **3** 굵은 빗방울이 드문드문 떨어지는 모양: 똑. ＝ぽたり. ¶水滴が～(と)おでこに当たった 물방울이 똑하고 이마에 떨어졌다.

ぽってり [副][ス自] 살이 쪄서 탄력이 있는 모양: 똥똥; 통통. ¶～(と)した体つき 통통한 몸매 / 腹が～大きくなった 배가 똥똥해졌다《아이를 뱄다》.

ホット [hot] [ダナ] 핫. **1** 뜨거움. ¶～コーヒー 뜨거운 커피 / ウイスキーを～で飲む 위스키에 더운 물을 타서 마시다. ↔コールド. **2** 강렬함; 심함. ¶～な論争 격렬한 논쟁. ↔クール. **3** 생생함; 새로움. ¶～な話題 새로운 화제.

—ケーキ [hot cake] [名] 핫케이크.

—コーナー [미 hot corner] [名] 〖野〗 핫코너; 3루.

—ドッグ [미 hotdog] [名] 핫도그.

—ニュース [hot news] [名] 핫뉴스.

—パンツ [hot pants] [名] 핫팬츠.

—マネー [hot money] [名] 〖經〗 핫 머니; 국제 단기 자금.

—ライン [hot line] [名] 핫라인; 두 나라 정부 수뇌 전용 직통 전화선; 또, 긴급 비상용 직통 전화.

ほっと [副][ス自] **1** 한숨 쉬는 모양: 후유.

¶～ため息をつく 후유하고 한숨 쉬다. **2** 겨우 안심하는 모양: 후유. ¶～胸をなでおろした 후유하고 가슴을 쓸어 내렸다《안심하다》/ 間にあって～した 시간에 대어 안심했다 / 試験が終わって～する 시험이 끝나서 한숨 놓다.

ポット [pot] 图 포트. **1** 항아리; 단지. ¶コーヒー～ 커피포트. **2** 보온병.

ぼっと 副ス自 **1** 멍한 모양: 멍하게; 멍청히. ＝ぼうっと. ¶～していて財布をすられた 멍하니 있다가 지갑을 소매치기당했다. **2** 갑자기 밝아지거나 나타나는 모양: 확; 번쩍. ¶電灯が～つく〔ともる〕 전등불이 번쩍 들어오다 / ～顔を赤らめる 확 얼굴을 붉히다. **3** 불길·연기 등이 갑자기 타오르는〔치솟는〕 모양: 확. ¶火が～燃え上がる 불이 확 타오르다.

ぼっとう【没頭】图ス自 몰두. ¶研究に～している 연구에 몰두하고 있다.

ほっと-く 5他 〈俗〉 내버려두다. ¶このまま～·いてくれ 이대로 내버려둬 주게. 参考 'ほうっておく'의 전와(轉訛).

ぽっとで【ぽっと出】图 〈俗〉 처음으로 도회지에 올라옴; 또, 그런 촌뜨기. ＝おのぼりさん. ¶～娘 도회지에 갓 올라온 촌색시 / 一見して～とわかる 첫눈에 갓 올라온 촌뜨기인 줄 알 수 있다.

ほづな【帆綱】图 용총줄; 마룻줄. ＝ほなわ.

ぼつにゅう【没入】图ス自 몰입. **1** 가라앉음; 빠짐. ¶海中に～する 바닷속에 가라앉다. **2** 몰두. ¶研究〔仕事〕に～する 연구〔일〕에 몰두하다.

ぼつねん【没年】《歿年》图 몰년. **1** 죽은 해. ¶生年も～もわからない 생년도 몰년도 모른다. ↔生年. **2** 죽은 때의 나이; 향년. ＝行年·享年. 注意 본디는 '歿年'.

ぼつねんと 副ス自 혼자만 쓸쓸히 있는 모양: 오도카니. ＝つくねんと·ぽつりと. ¶～物思いにふけっている 오도카니 생각에 잠겨 있다 / ひとり～して座っている 혼자 오도카니 앉아 있다.

ぼっぱつ [勃発] 图ス自 발발; 갑자기 일어남. ＝突発. ¶戦争が～する 전쟁이 발발하다.

ホップ [네 hop] 图·〘植〙 홉《맥주의 향미제(香味劑)로 쓰임》. ¶～で苦みをつける 홉으로 씁쌀한 맛을 내다.

ホップ [hop] 图ス自 홉. **1** (야구에서) 투수가 던진 공이 타자 앞에 와서 솟아오름. ¶～する球 솟아오르는 공. **2** 한 발로 뜀. ¶～ステップアンドジャンプ 홉 스텝 앤드 점프; 세단뛰기.

ポップ [pop] 图ダナ 팝. **1** ☞ポップス. ¶～な編曲 팝조의 편곡 / ～調の曲 팝조의 곡. 参考 popular music의 준말에서. **2** 대중적임. ¶～感覚の演奏 대중적인 감각의 연주.

ポップコーン [popcorn] 图 팝콘; 옥수수튀김. ＝ポプコーン.

ポップス [pops] 图 팝스; 팝송; 미국의 대중가요; 그 연주 악단; 서양식의 (일본) 대중가요. ¶～歌手 팝송 가수.

ボッブスレー [bobsleigh] 图 봅슬레이《동계 올림픽 경기 종목의 하나; 급커브의 빙판 사면을 썰매로 달리는 경기》.

ほっぺ〖頰っ辺〗图 〈兒〉 ☞ほっぺた.

ほっぺた〖頰っぺた〗图 〈俗〉 뺨 언저리; 뺨. ＝頰. ¶リンゴのような～ 사과 같은 (발그레한) 뺨. ⇨しりっぺた. 参考 유아어(幼兒語)는 ほっぺ.

—が落ちそう ☞ほおがおちそう.

—をつねる (꿈인지 생시인지) 뺨을 꼬집어 보다.

ほっぽう【北方】图 북방; 북쪽. ¶その湖は市の～にある 그 호수는 시의 북쪽에 있다. ↔南方.

—りょうど【—領土】图 북방 영토.

ぼつぼつ 一图 (이곳저곳에 보이는 작은) 돌기나 여드름 같은 것. ¶いぼのような～がある 사마귀같이 돋아난 것이 있다. 二副 **1** 작은 점이나 구멍이 여기저기 많은 모양: 뻐끔뻐끔. ¶穴が～空いている 구멍이 뻐끔뻐끔 뚫려 있다. **2** 느리게 일을 행하는 모양: 슬슬; 조금씩. ＝そろそろ·ぼつりぼつり. ¶～帰ろう 슬슬 돌아 가자 / では～仕事を始めるとするか 그럼 슬슬 일을 시작해 볼까.

ぽつぽつ 一图副 ☞ぼつぼつ. 二副 ☞ぽつりぽつり.

ぽっぽと 副 **1** 김이 세게 나는 모양: 폭폭; 푹푹; 모락모락; 또는, 불꽃이 솟아오르는 모양: 훨훨; 활활. ¶～湯気を立てる 푹푹 김을 내뿜다. **2** 열기로 몸이 뜨거워지는 모양: 후끈후끈. ¶体が～してくる 몸이 후끈해지다.

ほっぽ-る 5他 〈俗〉 **1** 내던지다. ＝ほうる. ¶品物を手荒に～ 물건을 난폭하게 내던지다. **2** 중도에서 그만두다; 집어치우다. ＝ほうり出す. ¶仕事を～·って出掛ける 일을 팽개치고 외출하다.

ぼつらく【没落】图ス自 몰락; 영락. ¶～貴族 몰락〔영락〕한 귀족 / ～の運命にある 몰락할 운명에 있다.

ぽつり 副 **1** 비·물 따위가 한 방울 떨어지는 모양: 똑; 뚝. ¶～としずくが落ちる 물방울이 똑 떨어지다. **2** 작은 점이나 구멍이 하나 생기는 모양: 뺑; 뻐끔. ＝ぽつり. ¶穴が～とあく 구멍이 뺑 뚫리다.

ぽつりぽつり 副 **1** (어떠한 일이) 사이를 두고 계속되는〔하는〕 모양. ¶人が～(と)集まってくる 사람이 하나둘씩 모여든다. **2** 빗방울이나 물방울 등이 조금씩 사이를 두고 떨어지는 모양: 뚝뚝; 똑똑. ¶雨の雫が～(と)落ちて来る 빗방울이 똑똑 떨어지다. **3** 말을 조금씩 하는 모양: 띄엄띄엄; 쉬엄쉬엄. ¶～(と)心境を語る 띄엄띄엄 심경을 말하다.

ほつれげ【ほつれ毛】《解れ毛》 名 흐트러진 머리털. =ほつれがみ・みだれ髪(がみ).

ほつ-れる〖解れる〗 下1自 (가지런한 것이) 풀리다; 흐트러지다. ¶~・れた髪(かみ)の毛(け) 흐트러진 머리칼/袖口(そでぐち)が~ 소맷부리가 해어지다/縫(ぬ)い目(め)が~ 꿰맨 자리가 터지다.

ぽつんと 副 **1** 작은 점·구멍이 하나 생긴 모양: 콕; 톡. ¶~点(てん)を打(う)つ 콕 점을 찍다. **2** 혼자서 외따로 있는 모양. ¶~座(すわ)っている 오도카니 앉아 있다. **3** 물 따위가 한 방울 떨어지는 모양: 뚝; 똑. ¶涙(なみだ)が~落(お)ちる 눈물이 한 방울 똑 떨어지다. ⇔ぽつりと.

ほてい〖布袋〗 名 포대; 七福神(しちふくじん)의 하나《배가 뚱뚱하며 항상 자루를 메고 있음. 본래는 중국 당말(唐末)의 선승》.

—ばら【—腹】 名 올챙이배; 배불뚝이. =太鼓腹(たいこばら). ¶~をかかえて大笑(おおわら)いする 북 같은 배를 움켜잡고 크게 웃다.

ほてい【補訂】 名ス他 보정; (저작물을) 증보·개정함. ¶~版(はん) 보정판/旧著(きゅうちょ)を~する 구저를 보정하다 /~を加(くわ)える 보정을 가하다.

ほてい [補綴] 名ス他 (문장 따위를) 보필(補筆)함. ¶生徒(せいと)の文章(ぶんしょう)を~する 학생의 문장을 손질하다.

ボディー [body] 名 보디. **1** 신체; 몸. **2** 동체; 몸통. ㉠(권투에서) 몸통 부분. ¶~攻撃(こうげき) 보디 공격/~を打(う)つ 보디를 치다. ㉡(물체의) 동체에 해당되는 부분. ¶自動車(じどうしゃ)の~ 자동차의 차체. **3** ☞じんだい(人台).

—ガード [bodyguard] 名 보디가드; 경호원. ¶歌手(かしゅ)の~をつとめる 가수의 경호원 노릇을 하다.

—シャンプー [body shampoo] 名 보디 샴푸; 몸통을 씻는 액체 비누.

—チェック [body check] 名 보디 체크; 하이잭 방지를 위한 몸수색.

—ビル [←body building] 名 보디빌딩; 육체미 운동.

—ブロー [body blow] 名 보디 블로; (권투에서) 몸통 부분의 타격(법); 또, 그 펀치. ¶~を打(う)つ 보디 블로를 치다.

—ペインティング [body painting] 名 보디 페인팅; (나체에 그림을 그리는) 피부 예술.

ボデー [body] 名 ☞ボディー.

ほてつ [補綴] 名ス他 보철. **1** ☞ほてい(補綴). **2** 이가 상한 곳을 고쳐 바로잡거나 이를 해 박는 일.

ポテト [potato] 名〔植〕 포테이토; 감자. ¶~フライ 감자튀김/スイート~ 고구마; 또, 고구마로 만든 양과자.

—チップ [potato chip] 名 포테이토칩.

ほて-る〖火照る・熱る〗 5自 (몸·얼굴이) 화끈해지다; 달아오르다. ¶顔(かお)が~ 얼굴이 화끈해지다/興奮(こうふん)とはずかしさでからだじゅうが~・った 흥분과 수치심으로 온몸이 달아올랐다.

ホテル [hotel] 名 호텔. ¶ビジネス~に泊(と)まる 비즈니스 호텔에 묵다/どの~にお泊まりですか 어느 호텔에 묵고 계십니까.

ほてん [補塡] 名ス他 보전; 보충. ¶赤字(あかじ)を~する 적자를 보전하다/欠損(けっそん)を~する 결손을 메우다.

ほど【程】 名副助 **1** (거기서 그쳐야 할 행동의) 한계; 한도; 분수. ¶~を過(す)ごす 한도를 넘다/~を守(まも)る 분수를 지키다/身(み)の~を知(し)らない 자기 분수를 모르다/身(み)の~を知(し)れ 분수를 알라. **2** 가치; 가치 있는 것; 필요. ¶財産(ざいさん)という~のものは無(な)い 재산이라고 할(만한) 것은 없다/用事(ようじ)という~のものは無(な)い 용건이라 할 것은 없다. **3** 정도; 쯤; 만큼. ¶十日(とおか)~前(まえ) 열흘쯤 전/どれ~の価値(かち)が有(あ)るか 어느 정도의 가치가 있느냐/これ~うれしい事(こと)はない 이처럼 기쁜 일은 없다/きのう~は寒(さむ)くない 어제만큼은 춥지 않다/年(とし)の~は三十四, 五(さんじゅうしご) 나이는 34,5세 정도. **4** 모양; 상태; 여하; 여부. ¶真偽(しんぎ)の~は不明(ふめい)だが 진위 여부는 모르지만/御都合(ごつごう)の~お知(し)らせ下(くだ)さい 형편[사정]이 어떠하신지 알려 주십시오. **5** (시간적·공간적인) 범위. ㉠사이; 동안. ¶~無(な)くまいります 곧 가[오]겠습니다/待(ま)つ~も無(な)く彼(かれ)は現(あらわ)れた 기다릴 사이도 없이 그는 곧 나타났다. ㉡즈음; 무렵; 때. ¶宵(よい)の~ 초저녁 무렵. **6** 좀; 조금. ¶~遠(とお)し 좀 멀다/~狭(せま)しといえども 좀 좁다 하더라도. **7**《'…する~に' '…ば…~'의 꼴로》…이[하]면 …일[할]수록. ¶飲(の)む~に酔(よ)いが回(まわ)る (마시면) 마실수록 취하다/多(おお)ければ多(おお)い~いい 많으면 많을수록 좋다. 参考 보통 副助詞로 되는 것은 **3**, **7**.

ほどあい【程合い】 名 알맞은 정도. =ころあい. ¶~の甘(あま)み 알맞은 단맛/~を見計(みはか)らう 적당한 때를 가늠하다/遊(あそ)びも~にしておけ 노는 것도 정도껏 해라.

***ほどう**【歩道】 名 보도; 인도. ¶横断(おうだん)~ 횡단보도. ↔車道(しゃどう).

—きょう【—橋】 名 인도교; 육교. ¶~を渡(わた)る 육교를 건너다.

ほどう【舗道】《鋪道》 名 포도; 포장 도로. =ペーブメント. ¶雨(あめ)に濡(ぬ)れて光(ひか)る~ 비에 젖어 빛나는 포도.

***ほどう**【補導】《輔導》 名ス他 보도. ¶職業(しょくぎょう)~ 직업 보도/過(あやま)ちを犯(おか)した青少年(せいしょうねん)を~する 과오를 범한 청소년을 보도하다.

***ほど-く**〖解く〗 5他 풀다; 뜯다. ¶糸(いと)のもつれを~ 엉킨 실을 풀다/着物(きもの)を~・いて仕立(した)てなおす 옷을 뜯어서 새로 (마름질하여) 고치다. 可能 ほど-ける 下1自

***ほとけ**【仏】 名 **1** 부처; 불타; 불상. ¶地獄(じごく)で~ 지옥에서 부처님을 만나다《매우 곤란할 때 도움받음의 비유》/知(し)ら

ぬが～ 모르는 것이 약/～の慈悲にすがる 부처님의 자비에 의지하다. **2** 고인; 사자(死者). ¶この～は酒好きだった 고인은 술을 좋아했지.

──作って魂入れず 불상을 만들고 혼을 안 넣다《가장 중요한 것을 빠뜨리다》. ＝仏つくって眼を入れず.

──の顔も三度 부처님 얼굴도 세 번《아무리 착한 사람도 거푸 심하게 당하면 끝내는 화를 낸다》.

ほとけごころ【仏心】 名 불심; 자비로운 마음. ＝仏気·ぶっしん. ¶～を起こす 자비심을 일으키다/つい～を出してしまう 그만 저도 모르게 자비심을 발휘하고 말다.

ほど-ける〚解ける〛 下1自 (저절로) 풀어지다. ¶結び目が～ 매듭이 풀어지다/靴ひもが～ 구두 끈이 풀리다/緊張が～ 긴장이 풀리다.

ほどこし【施し】 名 은혜를 베풂; 시혜(施惠). ¶～米 보시로 주는 쌀; 쌀 보시/人の～を受ける 남의 도움을 받다/乞食に～をする 거지에게 동냥을 주다.

***ほどこ-す【施す】** 5他 **1** 베풀다. ㉠(계획 등을) 세우다. ¶策を～ 방책을 세우다. ㉡채색하다; 입히다. ¶丹青を～ 단청을 입히다/化粧を～ 화장을 하다. ㉢행하다; 가하다《'行こう'의 격식 차린 말씨》. ¶手術を～ 수술을 하다/仁政〔恩恵〕を～ 선정을〔은혜를〕 베풀다/手の～しようがない 손을 쓸 길이 없다. **2** 설비를 하다; 가공〔장식〕하다. ¶冷暖房装置を～ 냉난방 장치를 설비하다. **3** 주다. ¶肥料を～ 비료를 주다. **4** (체면 등을) 세우다; 드러내다. ¶面目を～ 면목을 세우다〔드러내다〕. **5** 달다; 덧붙이다. ¶ふりがなを～ ふりがなを 달다. 可能 ほどこ-せる 下1自

ほどちか-い【程近い】 形 (거리가) 가깝다; 그리 멀지 않다. ¶～所に村がある 그리 멀지 않은 곳에 마을이 있다. ↔程遠い.

ほどとお-い【程遠い】 形 멀다; 걸맞지 않다. ¶～·からぬ所にお寺がある 그다지 멀지 않은 곳에 절이 있다/理想の実現には～ 이상의 실현에는 아직 멀었다. ↔程近い.

ほととぎす〚時鳥·杜鵑·子規·不如帰·蜀魂〛 名〘鳥〙불여귀; 두견; 자규. 注意 '郭公'는 딴 새 이름이므로 'ほととぎす'로 읽음은 잘못임.

ほどなく【程無く】 連語《副詞적으로》 머지않아; 곧. ¶～到着する 머지 않아 도착한다/車を呼びましたから～参りましょう 차를 불렀으니까 곧 올 것입니다.

ほどに【程に】 接助 **1** …에 따라 더욱. ¶読む～おもしろい 읽을수록 재미있다. ⇨ほど 7. **2** …이므로; …이니까. ¶せいぜい心がけます～ご安心ください 되도록 유념할 것이니 안심하십시오. **3** …하였더니.

ほとばし-る〚迸る〛 5自 샘솟다; 내뿜다; 또, 튀다. ¶～熱気 내뿜는 열기/～ような情熱 솟구치는 정열/滝の水が～ 폭포수가 사방으로 튀다.

ほと-びる〚潤びる〛 上1自 (물에) 붇다; 불어서 물렁해지다. ＝ふやける. ¶豆が～ 콩이 물에 붇다.

ほどへて【程経て】 副 조금 지나서. ¶～訪れた時には居なかった 조금 지나서 찾아갔을 때는 없었다.

ほとほと〚殆〛 副 정나미가 떨어진 모양: 몹시; 되게; 아주; 정말이지. ＝まったく. ¶～困った 몹시 난처하다/～感心する 진정으로 감탄하다/～閉口した 두손 들었다/～手をやく 몹시 애먹다/～いやになった 아주 정나미가 떨어졌다.

ほどほど〚程程〛 名 적당함; 알맞은 정도. ¶～にする 알맞게〔정도껏〕 하다/～にくらす 분수에 맞게 살다/夜遊びも～にしろ 밤마을〔밤놀이〕도 적당히 해라/冗談も～にしろ 농담도 정도껏 해라.

ぽとぽと 副 물방울이 계속해서 떨어지는 모양: 뚝뚝. ＝ぽたぽた. ¶～(と)したたる 뚝뚝 떨어지다. 参考 'ぽとぽと' 보다는 무거운 느낌.

ほとぼり〚熱り〛 名 **1** (사건이 끝난 다음에도 한동안 남는) 감정·흥분 등의 여세. ¶彼はひどく興奮しているから少し～がさめてから話した方がよい 그는 몹시 흥분해 있으니까 좀 열기〔분기〕가 사그라진 뒤에 얘기하는 것이 좋다. **2** (사건 등에 대한) 세상의 관심. ¶騒動の～がさめるまで身をかくす 소동에 대한 세상의 관심이 식을 때까지 몸을 숨기다.

ボトムアップ [bottom up] 名 보텀 업; 기업 경영에서, 하의상달식 관리 방식. ↔トップダウン.

ほどよ-い【程よい】《程好い》 形 알맞다; 적당하다. ¶～温度〔気候〕 알맞은 온도〔기후〕/～·く焼ける 알맞게 구워지다/～間隔に木を植える 적당한 간격으로 나무를 심다.

ほとり〚辺〛 名 근처; 부근. ¶村の～ 마을 근처/池の～ 못가/川の～ 냇가; 강가/湖の～に有る公園 호숫가에 있는 공원.

ぽとりと 副 물방울·물건 등이 떨어지는 모양: 똑. ¶球を～落とす 공을 똑 떨어뜨리다 /しずくが～したたる 물방울이 똑 떨어지다/つばきの花が～散る 동백꽃이 똑 떨어지다.

ボトル [bottle] 名 보틀. **1** (양주)병. **2** 단골 술집에 맡겨 놓는, 개인 전용의 양주병. ¶～をキープする 마시다 만 술병을 맡기다.

──キープ [일 bottle＋keep] 名 바 따위의 단골 술집에서, 마시다 만 위스키 등

을 맡겨 놓는 일.

—ネック [bottleneck] 图 보틀넥; 애로; 장애; (교통 정체가 발생하는) 병목 지점. ＝ネック.

**ほとんど 〖殆ど〗 图副 대부분; 거의; 대략; 하마터면. ¶ ～が異議を唱えている 거의 모두가 이의를 말하고 있다 / ～手がつけられぬ 거의 손댈 수가 없다; 속수무책이다 / ～死ぬところだった 하마터면 죽을 뻔했다 / ～意味が無い 거의 무의미하다 / ～終わりました 거의 끝났습니다 / ～がだめになった 대부분 못쓰게 됐다.

ほなみ 【穂波】 图 이삭이 물결치는 일; 또, 그런 이삭. ¶ ～が揺れる 황금 물결이 출렁이다 / ～が立つ 이삭이 물결치듯 움직이다〔일렁이다〕.

ポニーテール [ponytail] 图 포니테일; 뒤로 땋아 늘인, 조랑말 꼬리 같은 여자 머리.

ほにゅう [哺乳] 图ス自 포유; 젖을 먹여 아이를 기름. ¶ ～期〔動物〕 포유기〔동물〕 / ～瓶 포유병; 젖병.

—るい 【ほ乳類】《哺乳類》 图 포유류.

ぼにゅう 【母乳】 图 모유. ¶ ～で育てる 모유로 기르다.

ほぬの 【帆布】 图 범포; 돛에 쓰는 두터운 천. ＝はんぷ.

**ほね 【骨】 图 1 뼈. ¶ 腰の～ 허리뼈 / ～をくじく 뼈를 삐다 / ～が外れる 탈구(脫臼)하다. ↔身. 2 전체를 받치는 것. ㉠(기물(器物)의) 뼈대; 살. ¶ 傘の～ 우산 살 / 扇の～ 부챗살 / 障子の～ 장지문살. ㉡(사물의) 핵심; 중심. ¶ 論文の～になる部分 논문의 골자가 되는 부분 / 事業の～になる人 사업의 중심이 되는 사람. 3 기골; 기개. ¶ ～のある人 기개가 있는 사람.

—と皮 말라서 피골이 상접한 모양. ¶ ～になる 피골이 상접하다.

—にこたえる ☞ほねにしみる.

—に染みる 1 뼈에 사무치도록 심하다. ¶ ～寒さ 뼛속까지 스미는 추위. 2 마음 깊이 느끼다. ¶ ご恩は～ 은혜는 백골난망이다.

—の髄まで 철저히; 골수까지. ¶ 彼は～スポーツマンだ 그는 철저한 스포츠맨이다 / ～寒さがこたえる 뼛속까지 추위가 느껴지다《매우 춥다》.

—までしゃぶる 뼈까지 빨다《남을 철저하게 이용해 먹다》. ¶ 悪徳商人にひっかかって骨までしゃぶられる 악덕 상인에 걸려들어 철저하게 당하다.

—を埋める 1 뼈를 묻다; 죽다. ¶ 他郷に～ 타향에서 죽다; 객사하다. 2 그 일에 일생을 바치다.

**ほね 〖骨〗 ダナ 수고(스러움); 힘이 드는 모양. ¶ 何とも～な役目 아무튼 성가신 역할 / この仕事はなかなか～だ 이 일은 꽤 힘이 든다 / 歩くのが～だ 걷기가 힘들다.

—が折れる 힘들다; 성가시다.

—を折る 수고하다; 애쓰다. ＝ほねおる. ¶ 後輩のために～ 후배를 위해 애쓰다.

—を休める 잠깐 쉬다.

ほねおしみ 【骨惜しみ】 图ス自 수고를 아낌; 꾀부림. ¶ ～をせずにもっと働け 꾀부리지 말고 좀더 일해라.

ほねおり 【骨折り】 图 노력; 수고. ¶ ～甲斐があった 수고한 보람이 있었다 / 先輩のお～で就職できました 선배의 수고로 취직되었습니다.

ほねおりぞん 【骨折り損】 图 수고한 보람이 없음.

—のくたびれもうけ 도로아미타불; 고생만 하고 애쓴 보람이 없음.

ほねお-る 【骨折る】 5自 진력하다; 힘을 들이다; 애쓰다. ¶ ～·った甲斐があった 애쓴 보람이 있었다 / 教え子の就職に～ 제자의 취직에 애쓰다.

*ほねぐみ 【骨組み】 图 뼈대; 얼개; 골조. ¶ 文章の～ 문장의 뼈대 / 計画の～ 계획의 골자 / 建物の～ 건물의 골조 / ～ががっしりしている 뼈대가 튼튼하다 / ～が出来上がる 뼈대가 이루어지다.

*ほねしごと 【骨仕事】 图 힘이 드는 일; 육체노동. ＝力仕事.

ほねつぎ 【骨接ぎ·骨継ぎ】 图 접골; 정골(整骨); 접골의(接骨醫). ¶ ～に通う 접골의한테 다니다.

ほねっぷし 【骨っ節】 图 1 뼈마디. 2 기골; 기개. ¶ ～の強い人 기골이 찬 사람 / ～がある 기개〔줏대〕가 있다.

ほねっぽ-い 【骨っぽい】 形 1 (생선 따위에) 잔뼈〔가시〕가 많다. ¶ ～魚 가시가 많은 생선. 2 기골이 차다. ¶ ～男 기골한(氣骨漢).

ほねなし 【骨無し】 图 뼈가 없음; 줏대가 없음; 또, 그런 사람. ¶ あの男は～だ 저 남자는 줏대가〔기골이〕 없다.

ほねぬき 【骨抜き】 图 1 골자〔알맹이〕를 뺌. ¶ 原案は～にされた 원안의 알맹이는 다 빠져 버렸다. 2 사람에게서 줏대·기개를 빼 버림; 또, 그 상태. ¶ 女にたぶらかされて～にされる 여자에게 홀려서 얼이 빠지게 되다. 3 (요리하기 위하여) 뼈를 발라 냄; 또, 그렇게 한 것.

ほねば-る 【骨張る】 5自 1 뼈가 앙상하다. ¶ ～·った手 뼈가 앙상한 손. 2 고집을 부리다. ¶ ～·った事を言う 고집 센 소리를 하다.

ほねぶと 【骨太】 ダナ 1 뼈가 굵음. ¶ ～な指 뼈대가 굵은 손가락. 2 뼈대가 억셈; 체격이 좋음. ⇔骨細. 3 기골·기개가 있는 모양. ¶ ～な考え方 기개가 있는 사고방식.

ほねぼそ 【骨細】 ダナ 뼈대가 가늚; 몸집이 홀쭉하고 날씬함. ¶ ～の体 홀쭉하고 날씬한 몸. ↔骨太.

ほねみ 【骨身】 图 골신; 뼈와 살; 몸.

—にこたえる 뼈에 사무치다《'骨にこたえる'의 힘줌말》. ¶ 寒さが～ 추위가 뼛속까지 스미다.

—を惜(お)しまない 몸을 아끼지 않고 열심히 일하다(‘骨(ほね)をおしまず’의 힘줌말). ¶骨身を惜しまず働(はたら)く 몸을 아끼지 않고 일하다.

ほねやすめ【骨休め】名ス自 쉼; 휴식; 휴게; 휴양. ＝ほねやすみ. ¶よい～だ (마침) 좋은 휴식이다 / ～に温泉(おんせん)に行(い)く 휴양하러 온천에 가다.

ほの= 〖仄〗《흔히 形容詞 앞에 붙어서》 아득히; 어렴풋이; 희미하게; 약간. ¶～暗(くら)い 어두컴컴하다 / ～見(み)える 흘끗 보이다 / ～白(じろ)い 희읍스름하다.

***ほのお**【炎】《焰》名 불꽃; 불길. ¶蠟燭(ろうそく)の～ 촛불의 불꽃 / 憤怒(ふんぬ)〔嫉妬(しっと)〕の～ 분노〔질투〕의 불길 / 紅蓮(ぐれん)の～ 시뻘건 불길 / ～をあげる 불길이 치솟다 / ～に包(つつ)まれる 불길에 휩싸이다.

ほのか〖仄か〗ダナ 분명히 분간할 수 없는 모양; 아련한 모양; 어렴풋한 모양; 은은한 모양. ¶～な愛情(あいじょう) 아련한 애정 / ～な期待(きたい) 실낱 같은 기대 / ～な明(あ)かり 희미한 불빛 / ～にかおる 향기가 은은하다 / ～に聞(き)く 어렴풋이 듣다.

ほのぐら-い【ほの暗い】《仄暗い》形 어두컴컴하다; 어슴푸레하다. ＝うすぐらい. ¶まだ～明(あ)け方(がた) 아직 어슴푸레한 새벽 / ～電灯(でんとう) 희미한 전등.

ほのじろ-い【ほの白い】《仄白い》形 어렴풋하게 희다; 희읍스름하다. ¶～夜明(よあ)けの空(そら) 희읍스름한 새벽 하늘.

ほのぼの〖仄仄〗副 **1** 어렴풋한 모양; 약간 밝은 모양. ¶～と夜(よ)があける 어슴푸레 밤이 새다. **2** 따스하게 느껴지는 모양. ＝ほんのり. ¶～(と)した友情(ゆうじょう) 따뜻한 우정 / ～とした人情味(にんじょうみ) 훈훈한 인정미.

ほのめか-す〖仄めかす〗5他 암시하다; 넌지시 비추다. ¶内容(ないよう)を～ 넌지시 내용을 알려 주다 / 辞意(じい)〔引退(いんたい)〕を～ 사의〔은퇴〕를 넌지시 비추다 / 言外(げんがい)に～ 언외에 넌지시 비추다.

ほのめ-く〖仄めく〗5自 희미하게 보이다; 은연중에 나타나다; 흘끗 보이다. ¶雲間(くもま)から月影(つきかげ)が～ 구름 사이로 달빛이 희미하게 비치다 / 彼(かれ)の顔(かお)には堅(かた)い決心(けっしん)の色(いろ)が～·いていた 그의 얼굴에는 굳은 결심의 빛이 은연중에 엿보였다.

ほばく【捕縛】名ス他 포박. ¶犯人(はんにん)を～する 범인을 포박하다.

ほばしら【帆柱】《檣》名 돛대. ＝マスト. ¶～に登(のぼ)る 돛대에 오르다.

ほはば【歩幅】《歩巾》名 보폭. ¶～が広(ひろ)い〔大(おお)きい〕 보폭이 넓다〔크다〕 / ～を伸(の)ばす 보폭을 넓히다.

ぼひ【墓碑】名 묘비. ＝はかいし. ¶～を立(た)てる 묘비를 세우다.

—めい【—銘】名 묘비명. ＝墓銘(ぼめい).

ほひつ【補筆】名ス自 보필; 보완해 씀. ¶論文(ろんぶん)を～する 논문을 보필하다 / ～して訂正(ていせい)する 보필하여 정정하다.

ポピュラー [popular] 一ダナ **1** 포퓰러; 대중적. ＝大衆的(たいしゅうてき). ¶～ソング 대중가요. **2** 인기 있는 모양. ¶～な人物(じんぶつ) 인기 있는 인물. 二名 ‘ポピュラーミュージック’의 준말.

—ミュージック [popular music] 名 포퓰러 뮤직; 통속적 음악; 경음악.

ぼひょう【墓表·墓標】名 묘표; 무덤의 표시로서 세우는 기둥이나 돌. ＝はかじるし. ¶～を立(た)てる 묘표를 세우다.

ほふく【匍匐】名ス自 포복; 배를 땅에 대고 김. ¶～茎(けい) 포복경; 기는 줄기 / ～して前進(ぜんしん)する 포복해서 전진하다.

ボブスレー 名 ☞ボッブスレー.

ほぶね【帆船】名 범선; 돛배. ＝はんせん. ¶～で川(かわ)を下(くだ)る 범선을 타고 강을 내려가다.

ポプラ [poplar] 名〘植〙 포플러; 미루나무. ¶～並木(なみき)の道(みち) 포플러 가로수(가 늘어선) 길.

ポプリン [poplin] 名 포플린(직물의 한 종류).

ほふ-る〖屠る〗5他 **1** (경기에서) 상대를 물리치다; 이기다. ¶強敵(きょうてき)〔横綱(よこづな)〕を～ 강적을〔横綱를〕 물리치다. **2** (적을) 도륙(屠戮)하다; 몰살하다; 전멸시키다. ¶敵(てき)を一挙(いっきょ)に～ 적을 일거에 전멸시키다. **3** (새·짐승 따위를) 잡다; 도살하다. ¶牛(うし)を～ 소를 잡다.

ほへい【歩兵】名 보병. ¶～中隊(ちゅうたい) 보병 중대.

ぼへい【募兵】名ス自 모병. ¶～に応(おう)ずる 모병에 응하다.

ボヘミアン [Bohemian] 名 보헤미안; 집시; 방랑자.

ほほ〖頰〗名 ☞ほお.

ほぼ【保母】《保姆》名 보모(保姆). **1** 보육원 등에서 아동 보육을 하는 여자 직원. **2** 본디, 유치원 교사.

ほぼ〖略·粗〗副 거의; 대부분; 대개; 대강. ＝おおかた. ¶～同年輩(どうねんぱい) 거의 동년배 / ～似(に)た話(はなし)だ 거의 비슷한 이야기다 / ～読(よ)み終(お)わった 거의 다 읽었다 / ～片(かた)づいた 대강 매듭지어졌다. ↔すっかり·ちょうど.

ほほえまし-い【ほほ笑ましい】《微笑ましい》形 호감이 가다; 흐뭇하다; 저절로 미소짓게 되다. ＝ほおえましい. ¶～光景(こうけい)だ 흐뭇한 광경이다 / ～話(はなし)だ 흐뭇한 이야기다.

ほほえみ【ほほ笑み】《微笑み》名 미소. ＝ほおえみ. ¶口元(くちもと)に～を浮(う)かべる 입가에 미소를 띠우다.

ほほえ-む【ほほ笑む】《微笑む》5自 미소짓다; 비유적으로, 꽃망울이 조금 벌어지다. ＝ほおえむ. ¶にっこりと～ 빵긋이 웃다 / かすかに～ 살짝 미소짓다 / ～·みながら迎(むか)える 미소지으면서 맞이하다 / 草花(くさばな)が～·み始(はじ)めた 화초의 꽃망울이 벌어지기 시작했다.

ポマード [pomade] 名 포마드. ¶～をつける 포마드를 바르다.

ほまれ【誉れ】名 명예; 영예; 자랑거리. ¶家(いえ)の～ 집안의 영예 / 秀才(しゅうさい)の～が

高い 수재로 이름이 높다 / 彼は国家の～である 그는 나라의 자랑이다.

ホメオスタシス [homeostasis] 名〔生〕 호메오스타시스; 환경이 변화되어도 생체가 그 생리 상태를 항상 일정하게 조정하는 일; 또, 그 능력; 생리적 평형.

ほめことば【褒め言葉】《誉め言葉》名 칭찬의 말; 찬사.

ほめそや-す【褒めそやす】《誉めそやす》 5他 격찬하다; 높이 칭찬하다. ¶その行為を～ 그 행위를 극구 칭찬하다 / 口々に～ 입을 모아 격찬하다.

ほめたた-える【褒めたたえる】《誉め称える·褒め称える》 下1他 극구 칭찬하다. ¶努力〔勇気〕を～ 노력을〔용기를〕 극구 칭찬하다.

ほめた-てる【褒め立てる】《誉め立てる》 下1他 격찬하다; 치켜세우다. ¶みんなが～ 모두가 격찬하다 / 演技の素晴しさを～ 연기의 훌륭함을 격찬하다.

ほめちぎ-る【褒めちぎる】《誉めちぎる》 5他 (본인이 부끄러울 정도로) 극구 칭찬하다. ¶口をそろえて～ 입을 모아 극구 칭찬하다 / 最高の演奏だと～ 최고의 연주라고 절찬하다.

ほ-める【褒める】《誉める·賛める》 下1他 칭찬하다; 찬양하다. ¶～べき行為 칭찬을 할 만한 행위 / 子供を～ 아이를 칭찬하다 / 父に～·められる 아버지께 칭찬받다 / 誰も～人がない 아무도 칭찬하는 사람이 없다.

ホモ 名 호모. **1** 사람; 인간. ▷라 homo. **2** 균질화; 동질화(同質化). ▷homogenized. **3** 〈俗〉 (남성 간의) 동성애; 또, 그 사람. ↔レズ. ▷homosexuality.

—サピエンス [라 Homo sapiens] 名 호모 사피엔스; 인류.

—セクシュアル [homosexual] 名 호모섹슈얼; 동성애. ＝ホモ.

ほや〖海鞘〗名〔動〕 우렁쉥이; 멍게.

ほや【火屋】名 **1** (남포의) 등피. ¶ランプに～をかける 램프에 등피를 씌우다. **2** 향로(香爐)나 (손을 쬐는) 작은 화로 등의 뚜껑.

ぼや〖小火〗名 〈俗〉 작은 불〔화재〕. ¶～を出す〔起こす〕 작은 화재를 내다 / ～のうちに食い止める 불길이 번지기 전에 막다.

ぼやか-す 5他 어물쩡 넘기다; 애매하게 하다. ＝ぼかす. ¶話〔返事〕を～ 말〔대답〕을 얼버무리다.

ぼや-く 5自他 〈俗〉 투덜거리다; 불평하다. ¶安い給料を～ 급료가 싼 것을 불평하다 / 何を～·いているのか 무엇을 투덜거리고 있느냐.

ぼや-ける 下1自 희미해지다; 부예지다. ＝ぼける. ¶写真が～ 사진이 바래지다 / 頭が～ 머리가 멍해지다 / りんかくが～ 윤곽이 희미해지다 / 記憶が～ 기억이 흐릿해지다 / 物が～·けて見える 사물이 희미하게 보이다.

ぼやっと 副 ☞ぼんやり.

ほやほや 名ナ **1** 갓 만들어서 따끈따끈하고 말랑말랑한 모양. ¶～のパン (갓 만들어) 말랑말랑하고 따뜻한 빵. **2** 그 상태가 된 지 얼마 안 되는 모양. ¶新婚(の)～ (갓 결혼한) 신혼부부 / 大学出の～ 대학을 갓 나온 애송이 / 覚えたての～ 이제 겨우 몸에 익힌 모양.

ぼやぼや 副 멍하니〔우두커니〕 있는 모양. ¶何を～しているんだ 왜 멍청히 서 있는 게야 / この忙しい時に～するな 이 바쁜 때에 멍하니 있지 마라 / ～して電車を乗り過ごしてしまった 멍하니 있다가 전차의 하차역을 지나쳐 버렸다.

ほゆう【保有】名ス他 보유. ¶～量 보유량 / ～米 보유미 / 核兵器を～する 핵무기를 보유하다.

***ほよう**【保養】名ス自 **1** 보양; 휴양. ＝養生. ¶～地 보양지; 휴양지 / 病後の～ 병후의 보양. **2** 위안으로 삼고 즐김. ¶目の～になる 눈요기가 되다.

ほら【洞】名 〈老〉 굴; 동굴. ＝ほらあな. ¶がけの中途に～がある 낭떠러지 중간에 동굴이 있다.

ほら〖法螺〗名 **1** 'ほらがい'의 준말. **2** 허풍을 떪; 과장해서 말함; 또, 그런 이야기. ¶大法螺 대단한 허풍.

—を吹く **1** 소라를 불다. **2** 허풍을 떨다. ¶～のもいい加減にしろ 허풍 좀 작작 떨어라.

ほら 感 무엇을 가리키며 주의를 환기할 때 내는 소리; 이봐; 얘; 자. ＝ほれ·そら. ¶～見てごらん 자, 봐라 / ～, みたことか 거 봐라 (내가 뭐랬나).

ぼら〖鯔〗名〔魚〕 숭어. 参考 성장함에 따라서, 'おぼこ'에서 'いな' 'ぼら' 'とど'로 이름이 바뀜.

ホラー [horror] 名 호러; 공포; 전율. ¶～映画 공포 영화.

ほらあな【洞穴】名 동굴. ＝洞.

ほらがい【ほら貝】《法螺貝》名 **1**【ほらがい】〔貝〕 소라고둥. **2** 소라고둥의 뾰족한 쪽에 구멍을 내어, 불어서 소리가 나게 만든 것《싸움터의 신호용으로, 또는 山伏 등이 맹수 따위를 쫓는 데 썼음》; 소라; 나각(螺角). ＝ほら.

ほらがとうげ【洞が峠】《洞ヶ峠》名 유리한 쪽으로 붙으려고 형세를 관망함; 기회주의. ＝ひよりみ. ¶～をきめこんで動こうとしない 센 쪽에 붙으려고 움직이려 들지 않다. 参考 京都·大阪의 경계에 있는 산마루의 이름; 1582년 山崎 전투 때 筒井順慶가 이 산마루에서 유리한 쪽에 붙으려고 전세를 관망했다 해서.

ほらふき【ほら吹き】《法螺吹き》名 **1** 허풍선이; 떠버리. ¶彼は～だから信用できない 그는 허풍선이니까 신용 못한다 / この～め 이 뻥쟁이놈. **2** 소라를 부는 사람. ⇨ほらがい2.

ポラロイドカメラ [Polaroid camera] 名〔商標名〕 폴라로이드 카메라《찍고 1분

후면 사진이 나옴》.

ボランティア [volunteer] 名 볼런티어; 자원 봉사(자). ¶ ~活動〔センター〕 자원 봉사 활동〔센터〕.

***ほり【堀】**《濠》名 **1** 땅을 파서 만든 수로(水路). =ほりわり. ¶つり堀 물고기를 길러 돈을 받고 낚시를 하게 하는 연못 / 川と川を~で連絡させる 강과 강을 수로로 연결시키다. **2** 해자(垓字). ¶~をめぐらす 해자를 둘러치다.

ほり【彫り】 名 조각함; 조각한 모양; 조각한 것 같은 요철(凹凸). ¶いい~だ 조각이 잘 됐다 / ~の深い顔 윤곽이 뚜렷한 얼굴. 参考 공예품은 '…彫'로 씀.

ポリ 名 'ポリス(=경찰)'의 준말.

—ボックス 名 ☞ポリスボックス.

ほりあ-てる【掘り当てる】 下1他 발굴하다. **1** (땅속의 것을) 파서 찾아내다. ¶銀鉱を~ 은광을 파서 찾아내다. **2** 숨겨진 귀중한 것을 찾아내다. ¶優秀な人材を~ 우수한 인재를 발굴하다.

ポリープ [polyp] 名〘醫〙폴립; 점막·피부 따위에 돌출하는 종류(腫瘤). 注意 'ポリプ'라고도 함.

ポリウレタン [polyurethane] 名〘化〙폴리우레탄. =ウレタン.

ポリエステル [polyester] 名〘化〙폴리에스테르《합성수지의 일종》.

ポリオ [polio] 名 폴리오; 유행성 소아마비. ¶~ウイルス 폴리오 바이러스. ▷라 poliomyelitis.

ほりおこ-す【掘り起こす】 5他 **1** 일구다; 개간하다. ¶畑を~ 밭을 개간하다 / 荒れ地を~ 황무지를 일구다. **2** (묻힌 것을) 파내다. ¶木の根を~ 나무뿌리를 파내다. **3** 개발하다; 발굴하다. ¶才能を~ 재능을 개발하다 / 事件の真相を~ 사건의 진상을 파헤치다.

ほりかえ-す【掘り返す】 5他 **1** 파서 일구다. ¶畑を~ 밭을 일구다. **2** 다시 파다; (묻힌 것을) 파내다. ¶墓を~ 묘를 파내다 / 道を~ 길을 파헤치다. **3** (일단 결말이 난 것을) 다시 문제삼다. ¶忘れられた事件を~ 잊혀진 사건을 다시 문제삼다.

ほりごたつ【掘りごたつ】《掘炬燵》名 마루청을 뚫고 묻은 こたつ. =据えごたつ. ↔置きごたつ.

ほりこ-む【彫り込む】 5他 음각하다; 오목새김하다; 조각하다; 새기다. ¶石工の名を~ 석수의 이름을 새기다.

ほりさ-げる【掘り下げる】 下1他 **1** 파내려가다. ¶穴を深く~ 구멍을 깊이 파내려가다. **2** (사물을) 깊이 파고들다. ¶問題を~ 문제를 파고들다 / ~·げて考える 깊이 파고들어 생각하다.

ほりし【彫り師】 名 조각사(師); 각수(刻手). =彫り物の師.

ポリシー [policy] 名 폴리시. **1** 정책; 정략. ¶この企画にはまったく~がない 이 기획에는 전혀 정책이 없다. **2** (회사나 단체 등의) 방침.

ポリス [police] 名 폴리스; 경관; 경찰.

—ボックス [police box] 名 폴리스 박스; 파출소. =交番·ポリボックス.

ほりだしもの【掘り出し物】 名 우연히 얻은 진귀한 물건; 의외로 싸게 산 물건. =ほりだし. ¶夜店〔骨董屋〕で~を見つける 야시〔골동품 가게〕에서 우연히 진귀하고 싼 물건을 찾아내다.

ほりだ-す【掘り出す】 5他 **1** 파내다. ¶石炭を~ 석탄을 파내다. **2** 우연히 진귀한 것을 찾아내다; 의외로 좋은 것을 싸게 사다. ¶古本屋で珍本を~ 헌 책방에서 진본을 입수하다.

ポリティカル [political] ダナ 폴리티컬; 정치의; 정치적; 정략적.

—フィクション [political fiction] 名 폴리티컬 픽션; 정치적·사회적인 주제를 다룬 소설.

ホリデー [holiday] 名 **1** 홀리데이; 휴일; 축제일. **2** 휴가. ¶サマー~ 여름휴가.

ポリバケツ [poly(ethylene)+bucket] 名〘商標名〙폴리 바께쓰; 폴리에틸렌으로 만든 바께쓰〔양동이〕.

ポリぶくろ【ポリ袋】 名 폴리에틸렌(의 얇은) 주머니; 비닐 봉지〔주머니〕.

ぼりぼり 副 **1** 딱딱한 것을 씹는 소리: 어적어적; 우두둑우두둑. ¶~(と)おこしを食べる 어적어적 강정을 먹다. **2** 손톱으로 물건을 긁는 소리: 북북. ¶蚊に刺されたところを~と掻く 모기에 물린 자리를 북북 긁다.

ほりめぐら-す【掘りめぐらす】《掘り回らす》5他 **1** 파서 둘러치다; 주위를 파다. ¶堀を~ 해자(垓字)를 파서 둘러치다. **2** 사방으로 파다. ¶地下に通路を~ 지하에 통로를 사방으로 파다.

ほりもの【彫り物】 名 **1** 문신. =入れ墨. ¶~をする 문신을 넣다 / 背中に竜の~がある男 등에 용의 문신을 한 사나이. **2** 조각. ¶梅の~のある手鏡 매화가 조각된 손거울.

—し【—師】 名 **1** 조각사; 각수(刻手). **2** 문신 새기는 일을 업으로 하는 사람.

***ほりゅう【保留】** 名ス他 보류; 유보. =あずかり·留保. ¶発表を~する 발표를 보류하다 / 態度を~する 태도를 유보하다.

ボリューム [volume] 名 볼륨. **1** 분량; 양(量). =かさ. ¶~のある女 볼륨이 있는〔풍만한〕 여자 / ~たっぷりの食事 양이 충분한 식사. **2** 음량; 성량. ¶~のある声 성량이 풍부한 음성 / スピーカーの~を上げる〔下げる〕 스피커의 볼륨을 올리다〔낮추다〕.

ほりょ【捕虜】 名 포로. =とりこ·俘虜. ¶~収容所 포로 수용소 / 敵の~になる 적의 포로가 되다.

ほりわり【掘割り】 名 (땅을 파서 만든) 수로; 물길. =ほり. ¶~を掘る 수로를 파다.

ほ-る〖放る·抛る〗5他 내버려두다; 방

치하다; 내던지다. ¶あまりむずかしいので~·ってしまう 너무 어려워서 집어치우다/めんどうなので~·っておく 성가시기 때문에 내버려두다.

****ほ-る【掘る】** 5他 **1** 파다; 구멍을 뚫다. ¶井戸を~ 우물을 파다/前足でしきりに穴を~ 앞발로 자꾸 구멍을 파다/自ら墓穴を~ 스스로 묘혈을 파다. **2** 캐다. ¶石炭〔芋〕を~ 석탄을〔감자를〕 캐다. 可能ほ-れる 下1自

****ほ-る【彫る】** 5他 **1** (칼로) 새기다; 조각하다. =きざむ. ¶仏像を~ 불상을 조각하다/名を板に~ 이름을 판에 새기다/版木を~ 판목을 새기다. **2** 문신을 넣다. ¶背中に竜を~ 등에 용을 문신하다. 可能ほ-れる 下1自

ぼ-る 5他 〈俗〉 부당한 이익을 취하다; 바가지 씌우다; 갈겨먹다. ¶ずいぶん~店だ 되게 바가지를 씌우는 가게다/夜店でひどく~·られた 야시장에서 되게 바가지 썼다.

ほるい [堡塁] 名 ☞ほうるい.

ポルカ [polka] 名 폴카; 2박자의 경쾌한 춤(곡).

ボルシェビキ [러 Bolsheviki] 名 볼셰비키. **1** 러시아 혁명기에 레닌을 지지한 사회 민주 노동당의 좌익 다수파. =ボル. ↔メンシェビキ. **2** 혁명적 공산주의자; 과격파.

ホルスタイン [도 Holstein] 名 〔動〕 홀스타인《네덜란드 원산 젖소의 일종》.

ホルダー [holder] 名 홀더. **1** 받치는 물건. ¶ペン~ 펜대; 펜걸이/キー~ 키홀더; 열쇠집/ペーパー~ 서류철. **2** 보유자. ¶レコード~ 기록 보유자/タイトル~ 선수권 보유자.

ボルテージ [voltage] 名 **1** 〔電〕 볼티지; 볼트 수; 전압. **2** 전하여, 적극성; 열기. ¶~が高い演説 (a) 열띤 연설; (b) 격조 높은 연설/~があがる 열기가〔흥분이〕 고조되다.

ボルト [bolt] 名 볼트; 굵은 나사못. ¶~を締める 볼트를 죄다. ⇨ナット.

ボルト [volt] 名 〔電〕 볼트; 전압의 실용 단위. ¶その電線には200~の電流が流れている 그 전선에는 2백 볼트의 전류가 흐르고 있다.

ボルドー [프 Bordeaux] 名 보르도; 프랑스 보르도 지방에서 나는 포도주.

ポルノ [porno] 名 포르노《'ポルノグラフィー'의 준말》. ¶~映画〔産業〕 포르노 영화〔산업〕.

—グラフィー [pornography] 名 포르노그래피《성행위를 중심으로 한 그림·영화·소설 따위》. =ポルノ.

ホルマリン [도 Formalin] 名 포르말린《살균제·소독제·방부제의 하나》. =フォルマリン.

ホルモン [도 Hormon] 名 〔生〕 호르몬. ¶~剤 호르몬제.

ホルモンやき【ホルモン焼き】 名 돼지 등의 내장을 잘게 썰어 꼬치구이로 한 식품. =もつ焼き. 参考 ホルモン은 버리는 물건이란 뜻의 大阪 사투리 'ほるもの'가 변한 말.

ホルン [horn] 名 〔樂〕 호른. **1** 금관악기의 일종. **2** 뿔피리.

ボレー [volley] 名 발리. **1** 일제 사격. **2** (테니스 등에서) 공이 땅에 닿기 전에 되받아치는 일. =ボーレー.

—キック [volley kick] 名 발리킥; 축구에서, 공이 땅에 닿기 전에 차는 일.

ほれこ-む【ほれ込む】《惚れ込む》 5自 홀딱 반하다; 매우 호의를 갖다. ¶腕前に~ 솜씨에 매료되다/彼の人物には~よ 그의 인물에는 홀딱 반하겠다.

ほれぼれ 〖惚れ惚れ〗 トス自 홀딱 반한 모양. ¶~(と)ながめる 넋을 잃고 바라보다/彼女は~(と)するような声で歌った 그 여자는 황홀한 목청으로 노래를 불렀다/~するような男前 홀딱 반할 것 같은 미남자.

ほ-れる 〖惚れる〗 下1自 **1** (이성에게) 반하다. ¶一目で~ 한눈에 반하다/ぞっこん~ 홀딱 반하다/あの女に~·れた 저 여자에 반했다. **2** 마음에 들다; 심취하다. ¶人物に~·れて採用した 인물이 마음에 들어 채용했다/気っぷのよさに~ 시원시원한 기질에 마음이 끌리다/社長は君の度胸のよさに~·れたのだ 사장은 자네의 배짱 좋은 점이 마음에 든 것이다. **3**《動詞의 連用形에 붙어서》 넋을 잃다; 열중하다. ¶聞き~ 넋을 잃고 듣다.

—·れて通えば千里も一里 반하면 천릿길도 십 리; 반하면 만나러 가는 길이 멀어도 가깝게 느껴짐.

ボレロ [스 bolero] 名 볼레로. **1** 단추 없는 스페인식의 짧은 여자용 재킷. **2** 4분의 3박자의 스페인 댄스; 또, 그 곡.

ほろ 〖幌〗 名 (마차·인력거 등의) 포장; 덮개. ¶~馬車 포장마차/~をかける 포장을 치다.

***ぼろ** 〖襤褸〗 名 **1** 넝마; 누더기. ¶おん~な服 넝마 같은 옷/~をまとう 누더기를 걸치다. **2** 낡은 것; 고물. ¶~靴 해져서 낡은 구두/~車 고물차/~会社 금방 쓰러질 것 같은 회사. **3** 허술한 데; 결점. ¶~を隠す 결점을 감추다/余りしゃべると~が出る 너무 지껄이면 결점이 드러난다.

—を出す 결점을 드러내다; 실패하다.

ポロ [polo] 名 폴로《말을 타고 스틱으로 공을 쳐서 상대방 골에 넣는 마상 경기》. ¶ウォーター~ 수구(水球).

—シャツ [polo shirt] 名 폴로셔츠《반소매에 깃이 달린 스포츠 셔츠》.

ぼろ-い 形 〈俗〉 **1** 든 밑천·수고에 비하여 이문이 썩 많다. ¶~商売 거저먹기 같은 장사/~仕事 힘 안 드는 일/~もうけ 수월한 돈벌이〔이득〕. **2** 일이 엉성하고 값싸다; 조잡하다; 부서져 있다. ¶~本 싸구려 책/~車 털털이 고물차/雨のもれる~家に住す

む 비가 새는 낡아빠진 집에 살다.

ホロコースト [holocaust] 名 홀로코스트; (특히, 나치스의 유대인) 대학살.

ほろにが-い【ほろ苦い】形 **1** 씁쓰레하다; 쌉쌀하다. ¶ビールの～味 맥주의 쌉쌀한 맛. **2** 마음이 좀 아프다. ¶～思い出 좀 씁쓸한 추억 / 初恋は誰にとっても～経験だ 첫사랑은 누구에게 있어서나 씁쓸한 경험이다.

ポロネーズ [프 polonaise] 名 폴로네즈《템포가 느린 폴란드 특유의 가곡이나 무용》.

ほろばしゃ【ほろ馬車】《幌馬車》名 포장(을 씌운) 마차.

*__ほろ-びる__【滅びる】《亡びる》上1自 **1** 멸망하다; 망하다. ¶国家が～ 국가가 멸망하다. ↔興る. **2** 없어지다; 쇠퇴하다; 사라지다; 스러지다. ¶～民族 쇠퇴하는 민족 / ～·びゆく大自然 스러져 가는 대자연.

ほろ-ぶ【滅ぶ】《亡ぶ》5自 ☞ほろびる. ¶マンモスは氷河期に～·んでしまった 매머드는 빙하기에 멸절해 버렸다.

*__ほろぼ-す__【滅ぼす】《亡ぼす》5他 **1** 멸망시키다; 망치다. ¶敵国を～ 적국을 멸망시키다 / 麻薬で身を～ 마약으로 신세를 망치다 / その政策は国を～おそれがある 그 정책은 나라를 망칠 우려가 있다. **2** 근절시키다; 없애다. ¶悪い病気を～ 나쁜 병을 뿌리 뽑다. 可能ほろぼ-せる 下1自

ほろほろ 副 **1** (눈물·꽃 따위) 가볍고 작은 것이 조용히 떨어지는 모양. ¶涙を～(と)こぼす 소리 없이 눈물을 흘리다 / 花が～(と)散る 꽃이 폴폴 떨어지다. **2** 호각 소리, 꿩·산새의 울음소리 등을 형용하는 말. ¶山鳩が～(と)鳴く 산비둘기가 꾸룩꾸룩 울다.

ぼろぼろ 一 ダナ **1** 물건·천 등이 형편없이 해어진 모양: 너덜너덜함. ¶～の着物 너덜너덜 해진 옷 / ～の校舎 낡아빠진 교사 / この靴下はもう～だ 이 양말은 이제 다됐다〔떨어졌다〕. **2** (밥 따위가) 찰기〔물기〕가 적어 낱낱이 흩어지는 모양: 흐슬부슬함. ¶～になったごはん 흐슬부슬해진 밥. 二 副 **1** 물건이 흐르듯 떨어지거나 벗겨지는 모양. ¶大粒の涙が～と落ちた 굵은 눈물방울이 주르륵 떨어졌다 / 豆を～とこぼす 콩을 주르륵 흘리다 / 壁が～(と)はがれる 벽이 흐슬부슬 벗겨지다. **2** 숨겨진 사실·거짓이 계속 드러나는 모양. ¶過去の悪事が～(と)明るみに出る 과거의 악행이 연달아 세상에 드러나다.

ぽろぽろ 副 'ぼろぼろ' 보다는 가벼운 느낌을 주는 상태: 뚝뚝; 주르르; 부슬부슬. ¶涙を～(と)こぼす〔流す〕 눈물을 주르르 흘리다 / 汚職の事実が～(と)出てきた 독직한 사실이 잇따라 드러났다.

ぼろもうけ 〖ぼろ儲け〗 名 ス自他 〈俗〉 (들인 밑천이나 노력에 비해) 엄청나게 많은 이득을 봄. ¶株で～する 주식으로 떼돈을 벌다.

ぼろや【ぼろ家】《襤褸家》名 오래 되어 낡아빠진 집; 누추한 집.

ほろよい【ほろ酔い】《微酔い》名 (술이) 얼근히 취함; 거나함.

—きげん【—機嫌】名 거나한 기분. ＝一杯機嫌.

ほろりと 副 **1** 눈물이 절로 나는〔떨어지는〕 모양. ¶～させる話 눈시울을 뜨겁게 하는 이야기 / ～なる 눈시울이 뜨거워지다 / 観客を～させる感動的なシーン 관객의 눈시울을 뜨겁게 하는 감동적인 장면. **2** 가볍게 취하는 모양. ¶～酔う 얼근히 취하다.

ぽろりと 副 **1** 맥없이 떨어지는 모양. ¶涙が～落ちる 눈물이 뚝 떨어지다 / ボタンが～取れる 단추가 뚝 떨어지다. **2** 물건을 무의식적으로〔실수로〕 떨어뜨리는 모양. ¶外野フライを～落とす 외야 플라이를 어이없이 뚝 떨어뜨리다.

ホワイト [white] 名 화이트. **1** 흰 빛; 백색 (그림물감). ¶～で消す 화이트로 지우다. **2** 백인; 백색 인종. ＝白人.

—カラー [whitecollar (worker)] 名 화이트 칼라; 사무계 근로자. ↔ブルーカラー.

—ソース [white sauce] 名 화이트 소스; 밀가루·우유 따위로 만든 흰 소스.

—ハウス [White House] 名 화이트 하우스; 백악관.

*__ほん__【本】一名 **1** 책; 서적. ¶一冊の～ 한 권의 책 / 漫画の～ 만화책 / 人にすすめたい～ 남에게 권하고 싶은 책 / ～を読む 책을 읽다 / ～にまとめる 책으로 엮다. **2** 각본; 대본. ¶役者はそろったが～がまにあわない 배우는 다 모였는데 대본이 덜 되었다 / キャストより, ～のよしあしが問題だ 배역보다도 대본의 좋고 나쁨이 문제다.

二 接頭 본…. **1** 정식의. ¶～建築 본건축. ↔仮. **2** 주된. ¶～通り 주요 통로. **3** (문제의) 바로 그것; 이. ¶～事件 본 사건. **4** (자칭의 뜻으로) 당(當). ¶～研究所 본 연구소.

三 接尾 **1** 가늘고 긴 것을 세는 말: 자루; 개비. ¶ふで二～ 붓 두 자루 / 鉛筆六本 연필 여섯 자루. **2** 유도·검도 등 승패를 세는 말. ¶三本勝負 3판 승부. **3** 영화 등의 작품 수를 세는 말. ¶二～立ての映画 두 편 동시 상영의 영화. 参考1 야구의 안타수, 특정한 상품, 양복 바지, 라디오·텔레비전의 출연 수, 또 소설·드라마의 집필 수 등을 세는 말로 씀; 양복 바지는 '本' '着', 타월은 '本' '枚' 의 두 가지를 다 씀. ¶本塁打五十本 홈런 50개.

参考2 '一·六·八·十' 에 붙으면 'ぽん', '三' 에 붙으면 'ぼん' 이 됨.

ホン [phon] 名 〔理〕 폰; 음의 크기의 단위《주로 소음을 측정하는 데 씀》. ＝フ

ォン·ホーン. ¶工場が百〜もの騒音を発する 공장이 백 폰이나 되는 소음을 낸다.

ほん〖本〗教1 ホン もと もとづく | 본 근본 | 본. **1** 초목의 밑둥치; 근본; 사물의 시초. ¶根本 근본. ↔末. **2** 본래 갖추어 있다. ¶本性 본성/本質 본질. **3** 정식인; 진짜. ¶本物 진짜.

ほん〖奔〗《奔》常用 ホン はしる | 분 달리다 | **1** 빨리 달리다. ¶奔走 분주/狂奔 광분. **2** 멋대로임. ¶奔放 분방.

ほん〖翻〗《飜》常用 ホン ひるがえる ひるがえす | 번 날다 | **1** 나부끼다. ¶翩翻 편번. **2** 뒤집(어지)다. ¶翻意 번의. **3** 고쳐 만들다; 번역하다. ¶翻案 번안. 注意 '飜'으로도 씀.

***ぼん**【盆】图 **1** (목제·금속제의) 쟁반. ¶〜にのせて出す 쟁반에 얹어 내놓다/〜のように丸い月 쟁반같이 둥근 달. **2** ☞うらぼん. ¶〜に帰省する 우란분재 때 귀성하다.

—と正月が一緒に来たよう 매우 바쁨; 또, 기쁜 일이 겹침의 비유.

ぼん〖凡〗《凡》常用 ボン ハン およそ すべて | 범 대강 | 범. **1** 대강; 대충; 여러 가지. ¶凡例 범례. **2** 보통; 평범. ¶凡人·凡人 범인/非凡.

ぼん〖盆〗常用 ボン | 분 동이 | 분. **1** 쟁반. ¶盆栽 분재. **2** '盂蘭盆会(=음력 7월 15일에 조상을 제사하는 불사)'의 준말.

ほんあん【翻案】图ス他 번안. ¶〜小説 번안 소설/戯曲を〜して上演する 희곡을 번안해서 상연하다.

ほんい【本位】图 본위. **1** 생각·행동의 중심이 되는 기준. ¶親切〜 친절 본위/お客〜 손님 본위〔위주〕/自己〜の考え 자기 본위의 생각. **2** 화폐 제도의 기초. ¶金〜 금본위/〜制度 본위 제도.

—かへい【—貨幣】图 본위 화폐. ↔補助貨幣.

ほんい【本意】图 본의. ¶〜にかなう 본의에 꼭 맞다/私の〜でない 나의 본의가 아니다/〜から出た言葉ではない 본의에서 나온 말은 아니다.

ほんい【翻意】图ス自 번의. ¶〜をうながす 번의를 촉구하다/やっとのことで〜させた 겨우 번의시켰다.

ほんいんぼう【本因坊】图 바둑 우승자에게 주는 칭호의 하나.

ほんえい【本営】图 본영; 총사령관이 있는 군영; 본진. ¶大〜 대본영/〜を進める 본진을 전진시키다.

ぼんおどり【盆踊り】图 음력 7월 15일 밤에 남녀들이 모여서 추는 윤무(輪舞) 《본래는 정령(精靈)을 맞이하여 위로하는 행사임》.

ほんか【本科】图 **1** 본과. ¶〜にはいる 본과에 들어가다. ↔予科·別科·選科. **2** 이 과(科); 당과(當科). ¶〜の者でありません 이 과〔당과〕의 사람이 아닙니다.

ほんかい【本懐】图 본회; 숙원. =本望·本意. ¶〜をとげる 숙원을 이루다/男子の〜これに過ぐるものはない 남자의 숙원〔소망〕으로 이보다 더한 것은 없다.

ほんかいぎ【本会議】图 본회의. ¶(国会で)議案を〜にかける (국회에서) 의안을 본회의에 상정하다.

ほんかく【本格】图 본격. =本式. ¶〜派 본격파.

—てき【—的】ダナ 본격적. ¶〜な夏〔冬〕の訪れ 본격적인 여름〔겨울〕이 찾아옴/〜に勉強する 본격적으로 공부하다.

ほんがわ【本革】图 진짜 가죽. =ほんかわ.

ほんかん【本館】图 본관. **1** 주된 건물. ↔新館·別館. **2** 이 건물.

ほんがん【本願】图 본원. **1** 본래의 소원; 본회; 숙원. =本懐. ¶〜成就 숙원 성취/〜を達成する 소원을 이루다. **2**〖佛〗중생을 구제하기 위한 부처의 서원(誓願).

***ほんき**【本気】图ダナ 본마음; 진심; 본정신. ¶〜でやる 열의를 갖고 하다/〜で仕事をする 본격적으로 일하다/〜で言っているのか 진심으로 말하는 거냐/私は〜ですよ 나는 진심입니다/〜のさたではあるまい 제정신으로 한 짓은 아니겠지.

—にする 정말이라고 믿다. ¶その話を〜 그 이야기를 곧이듣다.

—になる 진지해지다. ¶本気になって怒る 정말로 화를 내다.

ほんぎ【本義】图 본의. **1** 문자나 말 등의 본래의 의미. ↔転義. **2** 근본이 되는 가장 중요한 의의. ¶憲政の〜 헌정의 본의/事の〜はその点にある 이 일의 본의는 그 점에 있다.

ほんぎまり【本決まり】《本極まり》图 정식으로 결정됨. ¶賃金の値上げが〜になる 임금 인상이 정식으로 결정되다/社長の決裁が下りて〜になる 사장 결재가 나서 정식으로 결정되다. ↔内定.

ほんきゅう【本給】图 본급; 본봉.

ほんきょ【本拠】图 본거; 근거(지). ¶〜地 본거지/東京に〜を置く 東京에 본거를 두다.

ほんぎょう【本業】图 본업. =本職. ¶〜外の仕事 본업 외의 일/彼は医者が〜である 그는 의사가 본업이다/〜のかたわら小説を書く 본업을 하는 한편 소설을 쓰다. ↔副業·兼業.

ほんきょく【本局】图 본국. **1** 중심이 되는 국. ↔支局. **2** 이 국(局). **3** (바둑이나 장기 등의) 이 대국(對局).

ほんぐみ【本組み】图〖印〗교정이 끝난

가조판을 정식 규격으로 조판하는 일; 또, 그 조판. ↔棒組(ぼうぐ)み.

ほんぐもり【本曇り】名 날씨가 아주 흐림. ¶～の日(ひ) 날씨가 아주 흐린 날. ↔うす曇(ぐも)り.

ぼんくら 名ナ 〈俗〉 멍텅구리; 바보; 얼간이. ＝まぬけ. ¶～な女房(にょうぼう) 주변머리 없는〔무능한〕 마누라 / あんな～にはたのめない 저런 멍청이에게는 부탁할 수 없다.

ぼんくれ【盆暮れ】名 우란분재(齋)와 세밑. ＝盆歳暮(ぼんせいぼ). ¶～のつけとどけ 우란분재 때와 세밑의 선사품 / ～に賞与(しょうよ)を貰(もら)う 우란분재와 세밑에 보너스를 받다.

ほんけ【本家】名 **1** 본가; 종가(宗家). ¶～の跡取(あとと)り息子(むすこ) 본가의 대를 이을 아들. ↔分家(ぶんけ)·末家(まっけ). **2** 유파의 종가; (상점의) 본점; 원조(元祖).

―争(あらそ)い 원조〔정통〕 다툼.

―ほんもと【―本元】名 '本家'의 힘줌말; 대(大)종가; 원조. ＝おおもと.

ほんけがえり［本卦還り·本卦帰り］名 환갑(還甲); 회갑. ＝還暦(かんれき).

ほんげつ【本月】名 본월; 이 달.

ほんげん【本源】名 본원; 근원; 근본. ＝おおもと. ¶～をたずねる 근본을 찾다 / ～をさぐる 본원을 탐구하다.

ぼんご［梵語］名 범어; 고대 인도의 문장어. ＝サンスクリット.

ボンゴ［ス bongo］名〖樂〗봉고《타악기의 하나》.

ほんこう【本校】名 본교. **1** 본체가 되는 학교. ↔分校(ぶんこう). **2** 이 학교; 우리 학교. ¶～の生徒(せいと)にあるまじき行(おこな)い 본교 학생으로서 있을 수 없는 행동.

ほんこく【翻刻】名ス他 번각; 책을 내용 그대로 인쇄하여 출판함. ¶～本(ぼん) 번각본 / 古典(こてん)を～する 고전을 번각하다.

ほんごく【本国】名 본국. **1** 그 사람의 국적이 있는 나라. ¶～へ送還(そうかん)する 본국에 송환하다. **2** 식민지가 아닌 본래의 영토. ¶～政府(せいふ) 본국 정부. **3** 선조 또는 부모가 난 나라; 모국. **4** 고향.

ほんごし【本腰】名 본격적인〔진지한〕 마음가짐; 제대로 마음을 씀. ＝本気(ほんき). ¶～になる 제대로 마음먹다 / ～でかかる 본격적으로 달라붙다.

―を入(い)れる 진지해지다; 마음먹고 일하다. ＝本腰を据(す)える. ¶本腰を入れて勉強(べんきょう)する 정신을 쏟아 (열심히) 공부하다.

ぽんこつ 名 〈俗〉 **1** 대장간에서 쓰는 물몽둥이. **2** 고물 자동차; 폐품. ¶～車(しゃ) 폐차; 고물차. 参考 'ぽんこつ'1로 찌그러뜨리는 데서.

―や【―屋】名 〈俗〉 중고차를 수리·재생하여 팔거나, 해체하여 쓸 만한 부품을 판매하는 사람.

ほんさい【本妻】名 본처; 정실. ¶妾(めかけ)が～に直(なお)る 첩이 본처로 들어앉다. ↔内妻(ないさい).

ぼんさい【凡才】名 범재; 평범한 재능(의 사람). ¶一生(いっしょう)～に終(お)わる 평생 범재로 살다.

ぼんさい【盆栽】名 분재; 화분에 심은 관상용 화초·나무. ¶～をつくる 분재를 만들다 / ～を楽(たの)しむ 분재를 즐기다 / ～をいじる 분재를 손질하다.

ぼんさく【凡作】名 범작; 평범하고 시시한 작품. ¶今月(こんげつ)の小説(しょうせつ)は～揃(ぞろ)いだ 이 달의 소설은 모두 범작뿐이다. ↔秀作(しゅうさく).

ぼんさく【凡策】名 범책; 평범한 책략.

ほんざん【本山】名 **1**〖佛〗본산; 본사. ㉠일종 일파(一宗一派)를 통할하는 사찰. ↔末寺(まつじ). ㉡이 절. ＝当山(とうざん). ¶～の開基(かいき)は 본사찰의 개기는〔창건은〕. **2** 사물을 통할하는 중심. ＝もとじめ. ¶悪(あく)の～ 악의 본산〔소굴〕.

ぼんざん【盆山】名 **1** 정원 같은 곳에 만들어 놓은 석가산. **2** 쟁반 따위에 자연석과 모래로 만들어 놓은 산의 형상.

ほんし【本旨】名 본지; 본래의 취지. ¶～にかなう 본 취지에 맞다 / 会(かい)の～に背(そむ)く 회(會)의 본지에 위배되다 / 暴力(ぼうりょく)は民主主義(みんしゅしゅぎ)の～に反(はん)する 폭력은 민주주의의 본지에 위배된다.

ほんし【本紙】名 본지. **1** (호외 등에 대해서) 본지면. **2** 이 신문. ¶～特派員(とくはいん) 본지 특파원.

ほんし【本誌】名 본지; 본 잡지; 이 잡지. ¶～記者(きしゃ) 본지 기자.

ほんじ【本字】名 본자. **1** 한자(漢字). ↔かな. **2** 약자나 속자가 아닌 정식 한자(체). ↔略字(りゃくじ)·くずし字(じ). **3** 어떤 한자의 기본이 된 한자.

***ほんしき**【本式】名ダナ 본식; 정식. ¶～の料理(りょうり) 본식 요리 / ～に習(なら)った芸(げい) 정식으로 배운 기예 / ～に英語(えいご)を習(なら)う 정식으로 영어를 배우다. ↔略式(りゃくしき).

***ほんしつ**【本質】名 본질. ¶～を衝(つ)く質問(しつもん) 본질을 찌르는 질문 / 問題(もんだい)の～に触(ふ)れる 문제의 본질에 언급하다 / ～を見誤(みあやま)る 본질을 잘못 보다.

―てき【―的】ダナ 본질적. ¶～な姿(すがた)を見(み)る 본질적인 모습을 보다 / ～に違(ちが)う 본질적으로 다르다. ↔現象的(げんしょうてき).

ほんじつ【本日】名 본일; 금일; 오늘. ＝きょう. ¶～休業(きゅうぎょう)〔開店(かいてん)〕 금일 휴업〔개점〕 / 切符(きっぷ)は～限(かぎ)り有効(ゆうこう)である 표는 금일까지 유효하다.

ぼんしつ【凡失】名 (야구 따위에서) 범실; 대수롭지 않은 상황에서 저지르는 실책. ＝ミス·エラー. ¶～をかさねる 범실을 거듭하다.

ほんしゃ【本社】名 본사. **1** 회사의 본점 사업소. ¶～勤務(きんむ)になる 본사 근무를 하게 되다. ↔支社(ししゃ). **2** 이 회사〔신사(神社)〕. **3** 중심이 되는 신사. ＝本宮(ほんぐう). ↔末社(まっしゃ)·摂社(せっしゃ).

ほんしゅう【本州】名〖地〗일본 열도 중에서 가장 큰 섬. ＝本土(ほんど).

ほんしゅつ【奔出】名ス自 분출(噴出). ¶原油(げんゆ)の～ 원유의 분출 / 地下水(ちかすい)が

~する 지하수가 분출하다.

ほんしょ【本署】图 본서. **1** 주(主)된 서《경찰서·소방서·세무서 등》. ¶~に連行する 본서에 연행하다. ↔支署·分署. **2** 이 서; 당서(當署).

ほんしょう【本性】图 본성. **1** 본래 타고난 성질. =ほんせい. ¶泥棒の~を現わす 도둑놈의 본성을 드러내다 / それが彼の~だ 그것이 그의 본성이다 / ~をむきだしにする 본성을 그대로 드러내다 / 生酔い,~に違わず 아무리 취해도 그 사람의 본성은 변하지 않는다. **2** 본정신; 제정신. =正気. ¶酒を飲んでも~を失わない 술을 마셔도 제정신을 잃지 않다.

ほんしょう【本省】图 본성. **1** 관하(管下)의 관청을 관장하는 중앙의 최고 관청《우리 나라의 부(部)에 해당》. **2** 이 성(省). =当省.

―づめ【―詰め】图 본성(本省)〔중앙 관청〕에 근무하는 일. ¶~になる 중앙 관청에 근무하게 되다.

ほんじょう【本城】图 본성. **1** 중심이 되는 성; 근거지. =ねじろ·ほんまる. ↔支城. **2** 이 성. =当城.

ぼんしょう［梵鐘］图 범종; 종루에 매다는 종. ¶~をつく 범종을 치다.

ほんしょく【本職】본직. ⊟图 **1** 그 일에 전문적인 직업인. =くろうと·プロ. ¶~の大工 본직〔전문적〕인 목수 / いくらうまいと言っても~にはかなわない 아무리 잘한다 해도 전문 직업인에게는 당하지 못한다. **2** 본직무; 본업. ¶~に精を出す 본업에 정성을 쏟다. ↔兼職. ⊟代 관리의 자칭; 본관(本官).

―はだし〖―跣〗图 전문가 못지않은 기술·솜씨가 있음; 또, 그런 사람. ¶~の腕前 전문가 못지않은 솜씨.

ほんしん【本心】图 **1** 본심. ㉠진심; 본마음. ¶~を明かす 본심을 밝히다 / ~から出たことば 진심에서 나온 말 / 口でああ言っても~は分からない 입으로 저렇게 말해도 본심은 알 수 없다. ㉡타고난〔천성의〕 바른 마음; 양심. ¶悔いて~に立ち返る 뉘우치고 본심으로 돌아오다. **2** 제정신. =正気. ¶酒に酔って~を失う 술에 취해 제정신을 잃다.

ほんじん【本陣】图 본진; 본영(本營). ¶敵の~を突く 적의 본진을 무찌르다.

ぼんじん【凡人】图 **1** 범인; 보통 사람. ¶われわれ~にはさっぱりわからない 우리들 범인으로서는 전혀 알 수 없다. **2** 하찮은〔시시한〕 사람.

ポンス［네 pons］图 폰스. **1** 등자(橙子)를 짜서 만든 즙. =ポン酢. **2** 브랜디나 럼주에 과즙이나 설탕을 넣은 음료수. =ポンチ.

ポンず【ポン酢】图 ☞ポンス1. 注意 'ポン酢'로 씀은 취음.

ほんすう【本数】图 **1** 개수《나무나 긴 물건의》. ¶列車の~ 열차의 편수 / 鉛筆の~ 연필(의) 자루 수 / 一人が吸うタバコの~ 한 사람이 피우는 담배의 개비 수 / バスの~が少ない 버스(의) 운행 횟수가 적다. **2** 본디의 수.

ほんすじ【本筋】图 **1** 본줄거리; 본론. ¶話の~にもどる 이야기의 본론으로 돌아가다 / この議論は~からはずれている 이 논의는 본줄거리에서 벗어나 있다. **2** 정당한 방식. ¶そうするのが~だ 그렇게 하는 것이 옳은 방식이다.

ほんせい【本姓】图 본성. **1** (남의 집에 입적(入籍)하여 성이 바뀐 사람의) 생가(生家)의 성. =旧姓. **2** 필명이나 변성이 아닌 진짜 성. =本名.

ほんせい【本性】图 ☞ほんしょう1.

***ほんせき**【本籍】图 본적. =原籍. ¶~地 본적지 / ~を東京に移す 본적을 東京로 옮기다.

ほんせん【本船】图 본선. **1** (소속선에 대한) 주(主)가 되는 배; 모선. =もとぶね. ¶沖の~に連絡する 먼 바다에 있는 본선에 연락하다. **2** 이 배.

ほんせん【本線】图 본선. **1** 간선인 철도 노선. ¶東海道~ 東海道 본선. ↔支線. **2** (고속도로 등의) 중심이 되는 주된 차선(車線).

ほんせん【本選】图 본선. ↔予選.

ほんぜん【本然】图 본연. ¶~の性 본연의 성질 / 人間〔自己〕~の姿 인간〔자기〕 본연의 모습. 注意 'ほんねん'이라고도 함.

ほんそう【奔走】图ス自 (일이 잘 되도록) 분주하게 뛰어다님; 또, 여러 가지로 애씀. ¶国事に~する 국사를 위해 헌신하다 / 資金集めに~する 자금 모으기에 동분서주하다 / 先輩の~で就職できた 선배의 적극적인 주선으로 취직되었다.

ほんそく【本則】图 본칙. **1** 근본의 법칙; 원칙. ¶~に従う 원칙에 따르다. ↔変則. **2** 법령·규칙의 주(主)가 되는 부분. ↔付則.

ぼんぞく【凡俗】图 범속; 통속적임; 또, 그 사람; 속인. ¶~な人物 범속한 인물 / ~の間に伍する 평범한 인간에 끼다 / ~の理解を超える 속인의 이해하는 바를 초월하다.

ほんぞん【本尊】图 **1** 본존; 법당 중앙에 모신 가장 으뜸되는 불상; 주불. ¶ご~様に手を合わせる 본존 불상에게 합장하다. ↔脇立ち. **2** 일의 중심적 역할을 하는 인물; 주동자. ¶ご~がまだ現われない 주동자가 아직 안 보인다. **3** (약간 농조로) 당사자; 본인. ¶ご~はいっこうご存じないらしい 당사자께선 백판 모르시는 모양이야.

ぼんだ【凡打】图ス自他〖野〗 범타. ¶~をくり返す 범타를 거듭하다 / ~に終わる 범타로 끝나다.

ほんたい【本体】图 본체. **1** 정체; 실체. ¶計略の~を明かす 계략의 본체를 밝히다 / ~はなかなかつかめない 정체

는 좀처럼 알 수 없다. **2**〔哲〕존재의 근본적 실체. =本質ほんしつ. ↔現象げんしょう. **3**(기계 따위의) 중심 부분. ¶コンピューターの~ 컴퓨터의 본체 / 発電機はつでんきの~の据すえ付つけを終おわる 발전기 본체의 설치를 끝내다.

ほんたい【本態】图 본태; 실태.

—せい【—性】图〔醫〕본태성. ¶~高血圧症こうけつあつしょう 본태성 고혈압증.

ほんたい【本隊】图 본대. **1** 주력 부대. ¶~に復帰ふっきする 본대에 복귀하다. ↔支隊したい. **2** 이 부대.

ほんだい【本題】图 본제. **1** 중심 제목; 주제. ¶これから~にはいる 이제부터 본제로 들어간다. **2** 이 문제〔과제〕.

ぼんたい【凡退】图ス自〔野〕범퇴; 타자가 치지 못하고 아웃됨. ¶三者さんしゃ~ 삼자 범퇴.

ほんたく【本宅】图 본댁; 본집; 본댁네; 항시 사는 집. =本邸ほんてい. ¶今いま~に居おります 지금 본집에 있습니다. ↔別宅べったく·妾宅しょうたく.

ほんたて【本立て】图 책꽂이. =ほんだて.

ほんだな【本棚】图 서가(書架). =書棚しょだな. ¶~に本ほんを並ならべる 서가에 책을 나란히 꽂다.

ぼんち【盆地】图 분지. ¶~を成なす 분지를 이루다 / 山やまの間あいだが~になっている 산 사이가 분지로 되어 있다.

ポンチ [punch] 图 펀치. **1** 공작물의 중심 등에 안표(眼標)를 찍는 데 쓰는 기구. =パンチ. **2** 구멍 뚫는 도구. **3** ☞ポンス2. ¶フルーツ~ 프루트 펀치. **4** 'ポンチ絵え'의 준말. ▷Punch.

—え【—絵】图 풍자를 주로 한 만화.

ポンチョ [ス poncho] 图 판초《남미의 민족 의상의 하나》.

ほんちょう【本庁】图 본청. **1** 주가 되는 관청. ¶~に問とい合あわせる 본청에 문의하다. ↔支庁しちょう. **2** 당청(當廳). ¶~の役人やくにん 이 청의 관리.

ほんちょう【本朝】图 본조. **1** 우리나라(의 조정)《일본 조정을 가리킴》. ↔異朝いちょう. **2** 정통(正統) 조정. ↔偽朝ぎちょう. **3** 오늘 아침; 금조(今朝). ↔昨朝さくちょう·明朝みょうちょう.

ほんちょうし【本調子】图 본가락이 나옴; 정상〔본격〕적이 됨; 전하여, 일이 제대로 잘 되어감. ¶~でない 정상 상태가 아니다 / ~を出だす 제가락을 내다 / やっと~になる〔もどる〕 겨우 정상적인 상태로 되다〔되돌아가다〕; 겨우 제 페이스를 찾다 / なかなか~が出でない 좀처럼 정상적인 상태가〔제 컨디션이〕 안 나온다.

ぽんつく 图〈俗〉☞ぼんくら. ¶この~奴め 이 멍청이 같은 놈아.

ほんづくり【本造り】图 만듦새에 있어 충분한 시간을 들이고 재료면에서나 전통적인 기술을 살리는 데 있어서나 완벽한 것임. ¶~の味あじ 격식대로 만든 본격적인 맛.

ほんてい【本邸】图 본댁(本宅); 본집. ↔別邸べってい.

***ほんてん**【本店】图 본점. **1** 영업의 중심되는 점포. ¶~勤務きんむ 본점 근무. ↔支店してん·分店ぶんてん. **2** 이 가게. =当店とうてん.

ほんでん【本殿】图 본전; (신사에서) 신령을 모시는 주된 신전. =正殿せいでん. ↔拝殿はいでん.

ほんと 图 ☞ほんとう(本当). ¶~の話はなしはこうだ 실제의 이야기는 이렇다 / え, ~か 어, 정말인가. 參考 구어(口語)체의 말.

ほんど【本土】图 본토. **1** 본국. ¶英国えいこく~ 영국 본토 / ~に赴おもむく 본토를 향해 가다. **2** (속국이나 섬에 대하여) 주된 국토. **3** ☞ほんしゅう.

ぽんと 副 **1** 손으로 가볍게 치는 소리·모양: 탁; 톡. ¶~手てをたたく 탁 손을 치다 / ~肩かたをたたく 어깨를 툭 치다. **2** 마개 등을 뽑는 소리·모양: 펑; 뻥. ¶~コルクを抜ぬく 펑하고 코르크 마개를 따다. **3** 대수롭지 않게 또는 세차게 동작하는 모양: 홱; 툭; 척; 선뜻; 아낌없이. ¶あき缶かんを~投なげ出だす 빈통을 홱 내던지다 / 大金たいきんを~寄付きふする 거금을 선뜻 기부하다.

ボンド [Bond] 图〔商標名〕본드; 접착제.

ポンド [pound] 图 파운드. **1** 파운드법의 무게 단위《기호: lb》. 注意 '封度'로 씀은 음역. **2** 영국의 화폐 단위《기호: £》. ¶私わたしは~で払はらった 나는 파운드(화)로 지불했다. 注意 '磅'로 씀은 음역.

＊ほんとう〖本当〗图 **1** 진실; 정말; 진짜; 사실; 진정함. ¶~を言いうと 사실을 말하면 / ~の革かわ 진짜 가죽 / ~はもっとやっかいなんだが 사실은 더 귀찮지만〔까다롭지만〕 / ~の寒さむさ 본격적인 추위 / ~の友達ともだち 참된 친구 / ~のところ, 自信じしんはない 사실은 자신이 없다. ↔うそ. **2** 정상〔제대로〕임. ¶代理だいりでなくて本人ほんにんが来くるのが~だ 대리인이 아니라 본인이 오는 게 정상이다 / ~はこちらがあやまらなければならない 본래는 이쪽에서 사과해야 한다. 注意 'ほんと'라고도 함.

—に 副 정말이지; 실로; 참으로. ¶~頼たのむよ 진정으로 부탁하네 / ~ありがとう〔うれしい〕 정말 고맙네〔기쁘다〕.

ほんとう【本島】图 본도. **1** 군도(群島)나 열도(列島) 중의 주된 섬. ¶沖縄おきなわ~ 오키나와 본도. **2** 이 섬. ¶~生うまれです 본도 태생입니다.

ほんどう【本堂】图〔佛〕본당; 법당; 대웅전(大雄殿). ↔庫裏くり.

ほんどう【本道】图 본도. **1** 본가로(本街路). ↔間道かんどう. **2** 바른 길; 정도(正道). ¶~を行いく 정도를 가다 / ~にもとる 정도에 어긋나다 / 義務ぎむをはたすのが~だ 의무를 다하는 것이 정도다.

ほんに〖本に〗副 정말로; 진실로; 참으로; 실로. =本当ほんとうに·実じつに·なるほど. ¶~お寒さむいことで… 정말 추워서… /

あなたは～意地悪(いじわる)なかたよ 당신은 정말 짓궂은 분이에요/～結構(けっこう)なお品(しな)ですこと 정말 훌륭한 물건이군요.

ほんにん【本人】 图 본인; 당사자. ＝当人(とうにん). ¶～次第(しだい) 본인 하기 나름/～に任(まか)せる 본인에게 맡기다/～に間違(まちが)いない 본인에 틀림없다.

ぼんにん【凡人】 图 범인. ☞ぼんじん.

ほんぬい【本縫い】 图 마무리 바느질. ↔仮縫(かりぬ)い.

ほんね【本音】 图 본음색(音色); 전하여, 본심에서 우러나온 말. ¶～を吐(は)く 실토하다/～を聞(き)く 진심을 듣다/～が出(で)る 본심이 드러나다/～をもらす 본심을 드러내다/～と建前(たてまえ)のギャップ 본심과 표면적인 주장과의 갭〔차이〕. ↔たてまえ.

ボンネット [bonnet] 图 보닛. **1** 여성·아동용 모자의 하나《리본을 턱 밑에서 매게 되어 있음》. **2** 자동차의 엔진 덮개. ¶～をあける 보닛을 열다.

ほんねん【本年】 图 본년; 금년; 올해. ＝ことし·当年(とうねん). ¶～度(ど) 금년도/～もどうぞよろしくたのみます 올해도 아무쪼록 잘 부탁 드립니다. 参考 '今年(ことし)(＝올해)'의 격식 차린 말씨.

ほんの『本の』連体 **1** 그저 명색뿐인; 정말 그 정도밖에 못되는. ¶～粗末(そまつ)な品(しな) 그저 변변찮은 물건/～赤(あか)ん坊(ぼう)だ 그저 어린애에 지나지 않는다/～名(な)ばかり 그저 명색뿐/～少(すこ)し 아주 조금/～おしるしです 그저 표시일 뿐입니다; 약소합니다/～二, 三分(にさんぷん)違(ちが)いで遅(おく)れた 불과 이삼분 차이로 늦었다. **2** 정말로; 참말로. ¶～こどもだましだ 진짜 아이들 속임수다.

***ほんのう【本能】** 图 본능. ¶母性(ぼせい)～ 모성 본능/帰巣(きそう)～ 귀소 본능/自己保存(じこほぞん)の～を有(ゆう)する 자기 보존의 본능을 가지고 있다.

—てき【—的】 ダナ 본능적. ¶火(ひ)〔死(し)〕に対(たい)する～な恐(おそ)れ 불〔죽음〕에 대한 본능적인 두려움/～に防御(ぼうぎょ)の姿勢(しせい)を取(と)る 본능적으로 방어 자세를 취하다. ↔理性的(りせいてき).

ぼんのう【煩悩】 图 **1**〖佛〗번뇌. ¶～のとりこになる 번뇌의 포로가 되다/～を解脱(げだつ)して悟(さと)りを得(え)る 번뇌를 해탈하여 깨달음을 얻다. **2** 마음이 몹시 끌림; 강한 애착. ¶子(こ)～ 자식을 끔찍이 사랑하는 일〔사람〕.

ほんのり 副 희미하게 나타나는 모양: 희미하게; 어슴푸레하게; 어렴풋이; 아련하게. ＝ほのか·うっすら. ¶～(と)赤(あか)らむ 아련하게 붉어지다; 불그스름해지다/～と夜(よ)が明(あ)けた 희붐하게 밤이 밝았다/娘(むすめ)は～(と)ほおを染(そ)めた 아가씨는 살짝 볼을 붉혔다.

ほんば【奔馬】 图 분마. **1** 거칠게 날뛰는〔달리는〕 말. ¶～の如(ごと)く突入(とつにゅう)する 분마와 같이 돌입하다. **2** 기세가 세참의 비유. ¶～の勢(いきお)い 세찬 기세.

ほんば【本場】 图 **1** 본바닥; 본고장. ¶～物(もの) 본고장 산물/英国(えいこく)は代議政治(だいぎせいじ)の～である 영국은 대의 정치의 본고장이다/～仕込(じこ)みの英語(えいご) 본바닥에서 익힌 영어. **2** 원산지; 주산지. ¶りんごの～ 사과의 주산지.

***ほんばこ【本箱】** 图 책장; 책궤.

ほんばしょ【本場所】 图 **1** 프로 씨름의 정식 대회《씨름꾼의 순위 결정 등에 영향을 끼치며 해마다 여섯 번 행함》. **2** 본장소; 정식의 장소. ＝本場(ほんば).

ほんばん【本番】 图 **1** (영화·텔레비전 등에서) 연습이 아닌 정식 연기·방송. ¶ぶっつけ～ 준비없이 바로 시작함/～五秒前(ごびょうまえ) 본 방송 5초 전/～を迎(むか)える 본 방송〔연기〕에 들어가다. ↔リハーサル. **2** 당번 차례; 담당 부서.

ぽんびき【ぽん引き】 图 〈俗〉 **1** 그곳 사정에 어두운 사람을 속여 등쳐 먹는 자; 등치기; 야바위. ¶～にひっかかる 야바위에게 걸려들다. **2** 사창가에서 손님을 끄는 자; 유객꾼. 注意 'ぽんひき' 또는 'ぽんぴき'라고도 함.

ほんぶ【本部】 图 본부. ¶大学(だいがく)～ 대학 본부/捜査(そうさ)～ 수사 본부/～の指令(しれい) 본부(의) 지령. ↔支部(しぶ).

ほんぷ【本譜】 图〖樂〗본보. ↔略譜(りゃくふ).

ぼんぷ【凡夫】 图 범부. **1** 보통 평범한 사람. ¶～の浅知恵(あさぢえ) 범부의 얕은 꾀. **2**〖佛〗중생(衆生). ¶～のあさましさ 중생의 한심한 모습.

***ポンプ** [네 pomp, 영 pump] 图 펌프. ¶消防(しょうぼう)～ 소방 펌프/～で水(みず)を汲(く)み出(だ)す 펌프로 물을 퍼내다.

ほんぶり【本降り】 图 비가 본격적으로 내림. ¶夕立(ゆうだち)がとうとう～になる 소낙비가 마침내 본격적으로 쏟아지기 시작하다. ↔小降(こぶ)り.

ほんぶん【本分】 图 본분. ¶学生(がくせい)の～ 학생의 본분/～をつくす 본분을 다하다/～を怠(おこた)る 본분을 게을리하다/子(こ)たるの～を忘(わす)れる 자식으로서의 본분을 망각하다.

ほんぶん【本文】 图 본문. ¶条約(じょうやく)の～ 조약의 본문. ⇨ほんもん.

ボンベ [도 Bombe] 图 봄베《고압 기체 등을 저장하는 데 쓰는 원통형 용기》.

ほんぽ【本舗】 图 **1** ☞ほんてん(本店). **2** 특정 상품의 제조·판매원(元)《흔히, 옥호에 붙여 씀》.

ほんぽう【奔放】 图 ダナ 분방. ¶自由(じゆう)～な生活(せいかつ) 자유분방한 생활/～に生(い)きる 분방하게 살다.

ほんぽう【本俸】 图 본봉; 기본 (봉)급. ＝本給(ほんきゅう). ¶～よりもいろいろな手当(てあて)の方(ほう)が多(おお)い 본봉보다도 여러 가지 수당 쪽이 더 많다. ↔加俸(かほう)·手当(てあて).

ほんぽう【本邦】 图 본방; 이 나라; 우리나라. ＝我(わ)が国(くに). ¶～初演(しょえん), 乞(こ)う期待(きたい) 본방 초연, 걸기대.

ぼんぼり【雪洞】 图 단면(斷面)이 6각이고 위가 벌어진 틀에 종이를 발라 불을 켜는 작은 등롱(燈籠). =せっとう.

ぼんぼん〖坊坊〗图〈関西方〉양갓집 아들을〔젊은 주인을〕이르는 말: 도련님. =ぼんち·若だんな. ¶~育ち 철부지. ⇨いとはん.

ボンボン [프 bonbon] 图 봉봉《겉을 설탕이나 초콜릿으로 굳히고, 속에 과즙·위스키·브랜디 따위를 넣은 과자》.

ぼんぼん 副 **1** 패종시계가 치는 소리: 땡땡. ¶時計が~(と)鳴った 시계가 땡땡쳤다. **2** 물건을 치거나 내던지는 소리: 탁탁; 휙휙. ¶~投げる 휙휙 내던지다.

ぽんぽん ㊀副 **1** 연달아 세게 치는〔터지는〕소리: 빵빵; 탕탕; 펑펑; 둥둥. ¶鉄砲を~撃つ 총을 탕탕 쏘다/花火が~(と)上がる 꽃불이 펑펑 (터져) 오르다/~(と)手を打つ 짝짝 손뼉을 치다. **2** 기탄없이 말하는 모양: 툭툭; 빵빵; 탕탕. ¶~たんかを切る 땅땅 큰 소리로 호통치다/冗談が~(と)飛び出す 농담이 서슴없이 튀어나오다. **3** 힘차게 또는 잇달아 행하는 모양: 척척; 쑥쑥. ¶よいアイディアが~浮かぶ 좋은 아이디어가 척척 떠오르다/商品が~(と)売れる 상품이 척척 팔리다. ㊁图〈兒〉배. =ぽんぽ·おなか. ¶~が痛い 배가 아프다.

ほんま〖本真〗图〈関西方〉정말; 진짜. =ほんとう. ¶~の話 진담(眞談)/~に涼しい 정말 시원하다/~に驚いたわ 정말로 놀랐어요/それ~か 그게 정말인가.

ほんまつ【本末】图 본말; 일의 근본과 여줄가리. ¶~を誤る 본말을 그르치다/~をわきまえない 본말을 파악 못하다.

—てんとう【—転倒】图 본말 전도. ¶~した意見 본말이 전도된 의견/~もはなはだしい 본말이 전도돼도 유분수지.

ほんまる【本丸】图 성(城)의 중심이 되는 건물《보통, 중앙에 天守閣(=망루)를 짓고 그 둘레에 해자(垓字)를 팜》; 본성; 아성. ¶~に迫る 본성에 육박하다. ↔出丸·二の丸·三の丸.

ほんみょう【本名】图 본명; 실명. =ほんめい. ¶~を明かす〔名乗る〕본명을 밝히다〔대다〕. ↔仮名·筆名·偽名.

ほんむ【本務】图 본무. **1** 본래의 직무. ¶~に専念する〔励む〕본무에 전념하다〔힘쓰다〕/~を全うする 본무를 다하다. ↔兼務. **2** 본분. ¶学生の~ 학생의 본분.

ほんめい【奔命】图 바쁘게 뛰어다님〔일함〕. ¶~に疲れる 바쁘게 뛰어다녀서 지치다. 參考 본디, 군명(君命)에 의해 분주히 돌아다님의 뜻.

ほんめい【本名】图 ☞ほんみょう.

ほんめい【本命】图 **1** (경마·경륜(競輪) 등에서) 우승 후보 선수〔말〕. ↔対抗. **2** 일반적으로, 가장 유력시되는 인물. ¶総裁候補の~ 총재 후보로 가장 유력한 사람/次期社長の~と目される人 차기 사장으로 가장 유력하다고 지목되는 사람.

ほんもう【本望】图 본망; 숙원(을 이루어 만족함). =本懐. ¶~をとげる 숙원을 이루다/~をはたす 숙원을 달성하다/さぞ~だろう 정녕 더할 나위 없이 만족하겠지.

ほんもと【本元】图 근원; 본바탕. ¶本家~ 대(大)종가; 대종(大宗); 총본산/~から買う 본바닥에서 사다/噂の~を突き止める 소문의 근원을 밝혀내다.

***ほんもの**〖本物〗图 진짜. **1** 실물. ¶~そっくりだ 진짜와 꼭 같다〔닮았다〕/~のダイヤ 진짜 다이아/~と偽物とを見分ける 진짜와 가짜를 분간하다. ↔にせ物. **2** (기예 등이) 본격적임; 또, 전문가. =玄人. ¶~の武士 진정한 무사/~になる 전문가〔익수〕가 되다/あいつの腕前は~だ 저 녀석 솜씨는 진짜배기다/調子は~だ 상태는 제대로이다/彼の研究は~だ 그의 연구는 알짜다/このごろの冷えこみは~だ 요즘의 추위는 본격적이다.

ほんもん【本文】图 **1** (전문(前文)이나 부록 이외의) 본문. =ほんぶん. **2** (주석 등의) 원문(原文). =テキスト.

ほんや【本屋】图 책방 (주인); 서점 (주인). ¶~に立ち寄る 책방에 들르다.

***ほんやく**【翻訳】图ス他 번역. ¶~物〔者〕번역물〔자〕/~小説 번역 소설/同時~ 동시 번역/下手な~ 서투른 번역/~できない言葉 번역할 수 없는 말/間違った~ 잘못된 번역/~がうまい 번역을 잘하다.

ぼんやり ㊀副 **1 뚜렷하지 않은 모양: 어렴풋이; 아련히. ¶~(と)した思い出 아련한 추억/~(と)した色 흐릿한 빛깔/~(と)かすんで見える 어렴풋이 흐려 보이다/~としか覚えていない 어렴풋이 기억하고 있을 뿐이다. **2** 의식 상태가 흐린 모양: 멀거니; 멍청히; 멍하니. ¶~(と)眺める 멀거니 바라보다/~(と)考え込む 멀거니 생각에 잠기다/一日中~(と)して暮らす 하루 종일 멍하니 지내다/~しちゃいられない 멍청히 있을 수 없다/~して気がきかない 멍청해서 눈치〔센스〕가 없다. ↔しっかり. ㊁图 멍텅구리(인 상태). ¶うす~ (a)얼간이; (b)부주의(한 사람)/生来の~ 타고난 멍청이/この~め 이 멍청아.

ぼんよう【凡庸】图ナ 범용; 평범; 평범한 사람; 범인. ¶~な人間〔人物〕범용한 인간〔인물〕/~な作品 평범한 작품/~な生活を送る 평범한 생활을 보내다. ↔非凡.

ほんよみ【本読み】图 **1** 독서(가). ¶なかなかの~だ 대단한 독서가다. **2** 상연 전

에 작자·연출가가 출연자에게 극본을 읽어 줌; 또, 배우가 맡은 대사를 서로 읽음. ＝読(よ)み合(あ)わせ.

***ほんらい**【本来】㊀副 본래. ＝元来(がんらい)·もともと. ¶～の使命(しめい)〔姿(すがた)〕 본래의 사명〔모습〕/彼(かれ)は～怠(なま)け者(もの)だ 그는 원래 태만한 자이다. ㊁名 당연히 그래야 함; 도리. ¶～なら参上(さんじょう)すべきところ 당연히 찾아 뵈어야 할 일〔경우〕/～ならば (a)(굳이) 따져서 말한다면; (b)엄밀하게 말한다면/～なら正式(せいしき)の書類(しょるい)を出(だ)してもらうところだ 본래 같으면〔원칙대로라면〕 정식 서류를 제출토록 해야 하는 것이다.

ほんりゅう【奔流】名 분류; 격류. ＝急流(きゅうりゅう)·はやせ. ¶～が堤防(ていぼう)を破壊(はかい)する 분류가 둑을 파괴하다/～となって流(なが)れる 격류가 되어 흐르다.

ほんりゅう【本流】名 본류; 주류. **1** 강의 원줄기. ↔支流(しりゅう). **2** 주가 되는 유파. ¶保守(ほしゅ)の～ 보수의 주류/～を占(し)める 주류를 차지하다. ⇔傍流(ぼうりゅう).

ほんりょう【本領】名 본령; 본래의 특성〔본질〕; 진가. ＝もちまえ. ¶文学(ぶんがく)の～ 문학의 본령/～を発揮(はっき)する 본령을〔진가를〕 발휘하다/こう言(い)う作品(さくひん)は僕(ぼく)の～とするところだ 이런 작품은 나의 본령이다.

ほんるい【本塁】名 본루. **1** 본거지; 근거지. ¶～を襲(おそ)う 본거지를 습격하다/～を陥(おとし)いれる 근거지를 함락시키다. **2**〔野〕 홈베이스. ＝ホームベース. ¶～を踏(ふ)む 홈베이스를 밟다.

―だ【―打】名〔野〕본루타; 홈런. ＝ホームラン·ホーマー.

ほんろう［翻弄］名ス他 번롱; (마음대로) 가지고 놂; 농락함. ¶船(ふね)が波(なみ)に～される 배가 파도에 까불리다/敵(てき)を～する 적을 농락하다/若(わか)い女(おんな)を～する 젊은 여자를 희롱하다/運命(うんめい)に～される 운명에 농락당하다.

ほんろん【本論】名 본론. **1** 주가 되는 의론·논의. ¶～にはいる 본론으로 들어가다/～に立(た)ち返(かえ)って 본론으로 (되)돌아가서. ↔序論(じょろん)·結論(けつろん). **2** 이 논(論).

ほんわか 副 〈俗〉 편안해져 기분이 좋은 모양. ¶～と酔(よ)う 기분 좋게 취하다/～(と)したムード 온화한 무드.

ま マ

1 五十音図 ‘ま行’의 첫째 음. [ma] 2〖字源〗‘末’의 초서체《かたかな ‘マ’는 ‘万’의 생략》.

ま【真】 ㊀名 정말; 진실; 참말. ㊁接頭 **1** 진실〔진짜〕의; 참다운. ¶ ~心 진심 / ~人間 참(다운) 인간. **2** (곧) 바른; 순수한. ¶ ~水 순수한 물; 담수 / ~正面 바로 정면 / 真っ赤 진홍 / ~新しい 아주 새롭다. **3** 완전히; 정확히. ¶ ~四角 정사각형 / ~上 바로 위 / ~東 정동(正東).

―に受ける 정말로 믿다; 곧이듣다. ¶ 冗談を~ 농담을 곧이듣다.

***ま【間】** ㊀名 **1** 사이. ㉠(공간적인) 간격. ¶ 少し~をあけて座布団を敷く 조금 사이를 떼고 방석을 깔다. ㉡(시간적인) 동안; 겨를; 짬. ¶ 出発までの~ 출발까지의 동안 / あっと言う~に 눈 깜짝할 사이에 / 発車までにはまだ~がある 발차까지는 아직 짬이 있다 / 寝る~もない 잠잘 사이〔틈〕도 없다 / 出発までもう~がない 출발까지 이젠 시간이 없다《떠날 시간이 거의 다 되었다》. **2** 틈; 기회; 계제; (마침 좋은) 때. ¶ ~を見計らって切り出す 틈을〔계제를〕 보아 말을 꺼내다 / ~をうかがう 틈을〔때를〕 엿보다 / ~を見て行く 기회를 보아 간다. **3** 방. ¶ 六畳の~ 다다미 여섯 장짜리 방 / 茶の~ 거처방; 다실 / 洋~ 양실 / ~を借りる 방을 세들다〔빌리다〕 / ~を貸す 방을 세주다〔빌려 주다〕 / 次の~に通す 곁방으로〔대기실로〕 안내하다. **4** (음악·무용 등에서의) 가락; 전체적인 리듬감. ¶ ~を取る 가락을〔박자를〕 맞추다 / ~が合っている 가락이 맞는다.

㊁接尾 방의 수효를 나타내는 말: 칸; 실(室); 방. ¶ 六畳二~の宿所 다다미 6장짜리 두 칸의 숙소.

―がいい **1** 계제가 좋다; 타이밍이 좋다. **2** 운이〔재수가〕 좋다. ¶ 今日は何て~んだろう 오늘은 무슨 재수가〔운이〕 이렇게 좋을까.

―が抜ける **1** 박자가〔가락이〕 맞지 않다. **2** 얼빠지다; 바보같다. ¶ 間が抜けた返事 얼빠진 대꾸. **3** 사물의 가장 긴한 것이 빠지다.

―が悪い **1** 계제가 나쁘다; 타이밍이 나쁘다. ¶ ~時に来客があった 좋지 않은 때에 방문객이 왔다. **2** 운이〔재수가〕 나쁘다. **3** 거북〔어색〕하다; 멋쩍다. ¶ あのときは~思いをした 그때는 멋쩍은 생각이 들었다.

―を合わせる **1** 가락〔장단〕을 맞추다. **2** 적당히 처리하여 임시변통하다. ¶ 仮の回答で~ 임시변통의 회답으로 얼버무려 넘기다.

―を持たす 시간을 때우다. ¶ 世間話で~ 잡담으로 시간을 때우다.

ま【魔】 ㊀名 마. **1** 악마. **2** 생명을 빼앗거나 괴롭히는 곳이나 시간. ¶ ~の踏切 마의 건널목 / ~の十秒間 마의 10초간 / ~の時間帯 마의 시간대. ㊁接尾 도가 지나치도록 집착하는 사람; 편집광(偏執狂); …광(狂). ¶ 収集~ 수집광 / メモ~ 메모광.

―が差す 마가 들다〔끼다〕. ¶ 魔がさして人の財布に手を出す 마가 끼어 남의 지갑을 슬쩍하다.

―の手 마수. =魔手. ¶ 誘惑の~が伸びる 유혹의 마수가 뻗치다.

ま 〖麻〗《麻》 常用 マ あさ お | 마 삼 마비하다 |

1 삼; 삼베; 삼실. ¶ 大麻 대마 / 麻布 마포. **2** 마비되다. ¶ 麻薬 마약 / 麻酔 마취.

ま 〖摩〗《摩》 常用 マ する こする | 마 갈다 | **1** 손을 비비다; 문지르다. ¶ 摩滅 마멸 / 摩擦 마찰. **2** 다다르다. ¶ 摩天楼 마천루.

ま 〖磨〗《磨》 常用 マ する みがく とぐ | 마 갈다 |

갈다; 닦다. ¶ 研磨 연마 / 練磨 연마 / ガラスを磨く 유리를 닦다.

ま 〖魔〗《魔》 常用 マ | 마 마귀 | 마귀; 악마. ¶ 色魔 색마 / 睡魔 수마.

まあ ㊀副 지금으로서는; 그럭저럭; 어떻게. =どうやら. ¶ ~やりくりはついている 이럭저럭 (어떻게) 꾸려나가고 있다. ㊁副感 **1** 자기 또는 상대의 말을 가볍게 제지하거나 무엇을 권하거나 할 때 쓰는 말: 자; 뭐; 어때; 좀; 말하자면. ¶ ~いいだろう 뭐 괜찮을 테지 / ~考えておこう 좀 생각해 보지 / ~そうおっしゃらずに 자〔아니 뭐〕 그런 말씀일랑 마시고 / ~そう怒らないで 뭐 그렇게 화는 내지 말고 / ~それ程心配するには及ばない 뭐 그렇게 걱정할 것까지는 없다. **2** 잠시; 우선. ¶ ~このままにしておけ 잠시 이대로 놔 둬라 / ~お待ちなさい 잠깐 기다리시오.

㊂感 〈女〉 놀랄 때의 말: 어머; 어머나; 정말. ¶ ~すてき 어머, 멋져 / ~, ひどい 정말 너무해요 / ~, 驚いた 어머 정말 놀랍군요 / ~, あきれた 어머, 기가 막혀.

まあい【間合い】 名 짬; 틈; 사이; 간격; 타이밍. ¶ ~を詰める 간격을 좁히다 / ~を取る 간격을 잡다 / ~を見はからう 때를〔타이밍을〕 가늠하다.

マーガリン [margarine] 名 마가린; 식물성 인조 버터. ¶ パンに~を塗る 빵

에 마가린을 바르다.

マーガレット [marguerite] 名 〖植〗 마거리트《국화과에 속하는 다년생 식물》.

マーク [mark] 마크. 一名 표; 표장(標章); 상표. ¶トレード～ 상표/キス～ 키스 마크/～を付(つ)ける 표시를 하다. 二名 ス他 **1** 기록. ¶第三位(だいさんい)を～する 제3위를 기록하다. **2** 특정인의 활동을 계속 감시하는 일. ¶敵(てき)の選手(せんしゅ)を～する 적의 선수를 마크하다《득점 기회를 주지 않기 위해 저지하다》.

―シート [일 mark+sheet] 名 〖컴〗 마크 시트; 특정 용지 위에 연필 따위로 표시해 입력 매체로 하는 것.

マーケッティング [marketing] 名 마케팅.

―リサーチ [marketing research] 名 마케팅 리서치; 시장 조사. ＝マーケッティングサーベイ.

マーケット [market] 名 마켓; 시장; 판로. ¶～を開拓(かいたく)する 시장을 개척하다/～をひろめる 판로를 넓히다/～で買(か)い物(もの)をする 시장에서 물건을 사다; 장을 보다.

―プライス [market price] 名 마켓 프라이스; 시장 가격; 시가(市價).

マージャン [중 麻雀] 名 마작.

マージン [margin] 名 마진. **1** 차액; (상업 상의) 이문. ¶～を取(と)る〔つける〕 마진을 먹다〔붙이다〕. **2** 판매 수수료. ¶～を払(はら)う 수수료를 물다.

まあたらし-い【真新しい】形 아주 새것이다. ¶～洋服(ようふく) 아주 새 양복.

マーチ [march] 名 마치; 행진곡. ¶ウエディング～ 웨딩 마치; 결혼 행진곡.

マーボどうふ【マーボ豆腐】名 마파 두부; 저민 돼지고기와 두부에 고추장을 넣고 볶은 중국 요리의 하나. ▷중 麻婆.

まあまあ 一副 상대방의 마음을 달래거나 촉구할 때 씀: 자자; 그저; 그럭저럭. ¶～そう言(い)わずに 자자 그러지 말고/～がまんしよう 그저 참자. 二ダナ 불충분하지만 그 정도로서 만족할 수 있음을 나타냄; 그저 그런 정도. ¶～の成績(せいせき) 그저 그런 성적/～の出来(でき)だ 그저 그런 정도의 솜씨다/～だね 그저 그런 정도로군《쓸 만하다》. 三感 〈女〉 어머나. ¶～, ご立派(りっぱ)におなりになって 어머나, 훌륭하게 되셔서/～, 大(おお)きくなったこと 어머나, 참 많이 컸네요. 参考 'まあ'의 힘줌말.

マーマレード [marmalade] 名 마멀레이드《오렌지·귤 따위의 껍질로 만든 잼》. ＝ママレード.

マーモット [marmot] 名 〖動〗 마멋; 다람쥣과의 포유동물.

まい 助動 **1** 否定적인 추측을 나타냄: …않을 것이다; 않겠지. ¶まだ雨(あめ)は降(ふ)る～ 아직 비는 오지 않을 게다/まさかそんなことはある～ 설마 그런 일은 없을 테지/彼(かれ)もきっと知(し)る～ 그도 필시 모를 것이다/楽観(らっかん)は許(ゆる)され～ 낙관은 할 수 없을 게다/試験(しけん)に受(う)かる～ 시험에 합격 못 할 게다. **2** 否定적인 의지를 나타냄: …않겠다; …않을 작정이다. ¶二度(にど)と行(ゆ)く～ 두 번 다시 가지 않겠다/彼(かれ)にはさせ～ 그에게는 시키지 않겠다/またとくりかえす～ 다시는 반복하게 않을 테다. **3** 말하는이〔글쓴이〕가 당연하지〔적당하지〕 않다고 판단하는 뜻을 나타냄: …(해)서는 안 된다; 할 리〔수〕가 없다. ¶あろう事(こと)かある～ことか 있을 수 있는 일인가 있을 수 없는 일인가. **4**『…ではある～し』…도 아닌데〔아닐 테고〕. ¶娘(むすめ)ではある～し, そんな赤(あか)い着物(きもの)は着(き)られない 처녀도 아닌데〔아니고〕, 그런 빨간 옷은 입을 수 없다/子供(こども)ではある～し, わからないはずがないよ 애도 아닐 테고 모를 리가 없어. ⇨まいか.

まい【舞】名 춤; 무용. ＝おどり. ¶～ひめ 무희/獅子(しし)～ 사자춤/～を舞(ま)う 춤을 추다.

まい=【毎】매…; 그때마다의. ¶～秒(びょう) 매초/～土曜(どよう) 매토요일.

=まい【枚】…매; …장《종이·널 따위 얇고 평평한 것을 세는 말》. ¶一(いち)～ 한 장.

まい 〖毎〗(毎) 教2 マイ ごと つねに | 매 마다 | 매; 마다; 그때마다. ¶毎年(まいねん) 매년/毎月(まいげつ) 매월.

まい 〖妹〗 教2 マイ いもうと いも | 매 누이 | 손아래 누이. ¶姉妹(しまい) 자매/義妹(ぎまい) 의매.

まい 〖枚〗 教6 マイ バイ ひら | 매 낱 | **1** 종이·판자 등 평평한 것을 세는 단위: 장; 자리. ¶紙(かみ)一枚(いちまい) 종이 한 장. **2** 옛날에, 금은 화폐를 세는 말: 닢. ¶銀(ぎん)一枚(いちまい) 은화 한 닢/大枚(たいまい) 많은 돈.

まい 〖埋〗 常用 マイ うめる うまる うもれる うずめる | 매 묻다 | 묻다; 파묻히다. ¶埋蔵(まいぞう) 매장.

まい 〖米〗 ☞べい〖米〗

まいあが-る【舞い上がる】5自 날아 올라가다; 공중 높이 떠오르다. ¶ほこりが～ 먼지가 날려 올라가다/ひばりが～ 종달새가 날아 올라가다.

まいあさ【毎朝】名 매일 아침; 아침마다. ¶～歯(は)を磨(みが)く 아침마다 이를 닦다.

まいか 連語 否定적 추측을 의문형으로 나타내는 말: …하지는 않을까. ¶まだだれか講堂(こうどう)に残(のこ)っていはし～ 아직 누군가 강당에 남아 있지는 않을까.

マイカー [일 my+car] 名 마이 카; 자기 소유의 자동차. ¶～で出勤(しゅっきん)する 마이 카로 출근하다.

―ぞく【―族】名 마이 카〔자가용〕족.

まいかい【毎回】名 매회; 매번. ＝毎度(まいど). ¶～無得点(むとくてん)に終(お)わる 매회 무득점으로 끝나다/～のことだ 매번 있는 일이다.

まいきょ【枚挙】名 ス他 매거; 하나하나 셈. ¶事例(じれい)を～する 사례를 매거하다.

―にいとまがない 너무 많아서 일일이

셀 수가 없다. ¶この種(しゅ)の実例(じつれい)は～ 이런 종류의 실례는 일일이 셀 수 없다.

マイク [mike] 图 마이크(('マイクロホン'의 준말)).

マイクロ [micro-] 图 마이크로. **1** 아주 작은 것. =ミクロ. ¶～カメラ 마이크로 카메라. **2** 단위 이름 위에 붙어서 100만분의 1을 나타내는 말((기호: μ)). =ミクロ. **3** 'マイクロバス' 'マイクロフィルム'의 준말.

—ウエーブ [microwave] 图 마이크로웨이브; 극초단파.

—カード [microcard] 图 마이크로카드; 축사(縮寫) 사진 카드((책·신문 따위를 페이지마다 카드식으로 인화지에 축사한 것)).

—コンピューター [microcomputer] 图 마이크로컴퓨터; 소형·저(低)가격 컴퓨터. =マイコン.

—バス [microbus] 图 마이크로버스; 소형 버스.

—フィッシュ [microfiche] 图 마이크로피시; 인쇄물 여러 페이지분을 한 장의 카드 모양의 필름에 수록한 것((마이크로필름보다 보관·취급이 간편함)).

—フィルム [microfilm] 图 마이크로필름((서적이나 서류 등을 축소 복사하여 보존하는 35밀리 필름)). ¶～に撮(と)る 마이크로필름으로 찍다.

—ホン [microphone] 图 마이크로폰. =マイク·マイクロフォン.

—リーダー [microreader] 图 마이크로리더; 마이크로필름 등을 확대해서 읽는 장치. =閲読器(えつどくき).

まいげつ【毎月】 图 매월; 달마다. =まいつき. ¶雑誌(ざっし)を～発行(はっこう)する 잡지를 매월 발행하다.

まいこ【舞子】((舞妓)) 图 (특히, 京都(きょうと)의 祇園(ぎおん)에서) 연회석에서 춤을 추는 동기(童妓). =半玉(はんぎょく).

*__まいご【迷子】__((迷児)) 图 미아; 길 잃은 아이. =まよいご. ¶デパートで～になる 백화점에서 미아가 되다/～を捜(さが)す 미아를 찾다.

まいごう【毎号】 图 (신문·잡지 등의) 매호; 호마다.

まいこつ【埋骨】 图ス自 매골; 화장한 뼈를 묻음. ¶～式(しき) 매골식/墓(はか)に～する 묘에 유골을 묻다.

まいこ-む【舞い込む】 五自 **1** 날아 들(어오)다. ¶ビラが～ 삐라가 날아 들어오다/変(へん)な手紙(てがみ)が～ 이상한 편지가 날아 들다. **2** 예기치 않은 곳에[것이] 난데없이 나타나다. ¶幸運(こううん)が～ 행운이 날아 들다/妙(みょう)なやつが～ 괴상한 작자가 난데없이 나타나다.

マイコン 图 ☞マイクロコンピューター.

まいじ【毎次】 图 그때마다; 매회; 매번. ¶～記録(きろく)を更新(こうしん)する 매번 기록을 경신하다.

まいじ【毎時】 图 매시; 시간마다. ¶～百二十(ひゃくにじっ)キロの速度(そくど)ではしる 매시 120km의 속도로 달리다.

まいしゅう【毎週】 图 매주; 일주일마다. ¶～の目標(もくひょう) 매주의 목표.

まいしょく【毎食】 图 매끼; 식사 때마다. ¶～野菜(やさい)を食(た)べる 매끼 채소를 먹다.

まいしん【邁進】 图ス自 매진. ¶勇往(ゆうおう)～ 용왕매진/一路(いちろ)～する 일로매진하다/研究(けんきゅう)に～する 연구에 매진하다.

まいすう【枚数】 图 매수; 장수. ¶切符(きっぷ)の～を数(かぞ)える 표의 장수를 세다.

まいせつ【埋設】 图ス他 매설. ¶～工事(こうじ) 매설 공사/～物(ぶつ) 매설물/水道管(すいどうかん)を～する 수도관을 매설하다.

まいそう【埋葬】 图ス他 매장. ¶墓地(ぼち)に～する 묘지에 매장하다/遺体(いたい)を～する 유해를 매장하다.

まいぞう【埋蔵】 图ス他 매장. ¶～物(ぶつ) 매장물/～金(きん) 매장금/～文化財(ぶんかざい) 매장 문화재/石炭(せきたん)の～量(りょう) 석탄의 매장량.

まいちもんじ【真一文字】 图 일직선; 한일자처럼 똑바름. =一文字(いちもんじ). ¶口(くち)を～に結(むす)ぶ 입을 한일자로 (꽉) 다물다/～に突(つ)き進(すす)む 똑바로 돌진하다.

まいつき【毎月】 图 매월; 달마다. =まいげつ·月月(つきづき). ¶～授業料(じゅぎょうりょう)を払(はら)う 매달 수업료를 내다.

まいった【参った】 連語 ☞まいる2.

まいど【毎度】 图 매번; 항상; 번번이. ¶～の事(こと) 늘 있는 일/～ありがとう 항상 (호의를 베풀어 줘서) 고맙다/～御面倒(ごめんどう)をかけてすみません 번번이 폐를 끼쳐서 미안합니다.

まいとし【毎年】 图 매년; 매해; 해마다. =まいねん. ¶～この頃(ころ)台風(たいふう)がやってくる 매년 이때쯤 태풍이 불어온다.

マイナー [minor] 마이너. 一ダナ 중요하지 않음; 이류임; 하급임; 소수파임. ¶～な作家(さっか) 이류 작가. 二图〔樂〕단음계; 단조(短調). ⇔メジャー.

__マイナス__ [minus] 마이너스. 一图ス他 감함; 또, 그 기호((−)). 二图 **1 음수(陰數); 음수의 기호((−)). ¶～と～をかけ合(あ)わせるとプラスになる 마이너스와 마이너스를 곱하면 플러스가 된다. **2** 전기의 음극; 음성. ¶～の電極(でんきょく) 마이너스 전극/反応(はんのう)は～だった 반응은 음성이었다. **3** 비유적으로, 부족(되는 수량); 손실; 결손; 적자; 불리. ¶彼(かれ)にとって～になる 그에게는 불리해진다/家計(かけい)はいつも～だ 가계는 늘 적자다. ⇔プラス.

—イメージ [일 minus+image] 图 마이너스 이미지; 나쁜 인상.

*__まいにち【毎日】__ 图 매일; 날마다. =日(ひ)ごと·ひび. ¶さびしくて不安(ふあん)な～を送(おく)る 외롭고 불안한 나날을 보내다/～～同(おな)じ事(こと)の繰(く)り返(かえ)しだ 매일매일 같은 일의 반복이다.

まいねん【毎年】 图 매년; 해마다. =年(とし)ごと·まいとし.

マイノリティー [minority] 图 마이노리티; 소수(파). ↔マジョリティー.

ま

まいばん【毎晩】図 매일 밤; 밤마다. ＝毎夜. ¶～のように飲み歩く 밤마다 매일처럼 술을 마시러 다니다.

まいひめ【舞姫】図〈雅〉무희. ＝まいこ·おどりこ.

マイペース［일 my＋pace］図 마이 페이스; 자기나름의 진도(進度). ¶～で生きていく 자기 방식대로 살아가다.

マイホーム［일 my＋home］図 **1** 자기 집; 가정. **2** (셋집에 대해) 자기 집; 소유 가옥. ＝持ち家. ¶念願の～ 염원하던 나의 집.

—しゅぎ【—主義】図 출세 따위보다는 가정의 행복에 사는 보람을 느끼는 소시민적 처세관; 가정 제일주의.

まいぼつ【埋没】図スル自 매몰. **1** 파묻힘. ¶地中に～する 땅 속에 매몰되다 / 土砂崩れで, 家が～する 토사가 무너져서 집이 매몰되다. **2** 세상에 알려지지 않음. ¶野に～している人材 야에 파묻혀 있는 인재 / 業績が世に～する 업적이 세상에 드러나지 않다.

まいまい【毎毎】図副 매번; 항상. ＝毎度. ¶～言っているように 항상 말하고 있듯이.

まいもど-る【舞い戻る】5自 (원래의 곳으로) 되돌아오다. ¶古巣〔故郷〕に～ 옛집〔고향〕으로 되돌아오다.

まいゆう【毎夕】図 저녁마다; 매일 밤. ＝毎晩. ¶～七時 매일 저녁 7시.

まいよ【毎夜】図 매일 밤; 밤마다. ¶～うなされる 밤마다 가위눌리다.

まいり【参り】図 (신사·사찰에 대한) 참배. ¶お礼～ 감사의 뜻으로 신불에 하는 참배 / お宮～ 신사 참배.

*__まい-る【参る】__ 一5自 **1** '行く(＝가다)' '来る(＝오다)'의 겸사말: 가다; 오다; 들다. ¶宮中に～ 궁중에 들다 / 寺に～ 절에 (참배하러) 가다《이 경우는 '詣る'로도 씀》/ 今度はいつ～·りましょうか 이번〔다음 번〕에는 언제 올〔갈〕까요 / ご一緒に～·りましょう 함께 가십시다 / お迎えに～·りました 마중 나왔습니다; 모시러 왔습니다. **2** 상대방에게 우위를 빼앗기다. ㉠(승부에) 지다; 항복하다. ¶一本～·った 한 판 졌다; (내가) 완전히 졌다 / ～·った, 許してくれ 졌다, 용서해 줘. ㉡ 맥을 못 추다; 질리다. ¶からだが～ 몸이 지치다 / あの事件以来すっかり～·っている 그 사건 이래 맥을 못 추고 있다 / 物価の高いのには～ 물가 비싼 데는 질린다. ㉢《흔히 '～·っている'의 꼴로》마음을 빼앗기다; 홀딱 반하다. ¶彼女に～·っている 그 여자에게 홀딱 빠져 있다. **3**《動詞 連用形＋'て'를 받아서》'行く' '来る'의 공손한 말, 또는 자신을 낮추는 겸사말. ¶お弁当はわたくしが作って～·ります 도시락은 제가 만들어 오겠습니다. 参考 윗사람에 대한 존경어로는 쓰지 않음. '先生はもうすぐ会場へ～·られます' 등으로 쓰면 잘못.

マイル［mile］図 마일《약 1.6km》. 注意 보통, '哩' 따위로 씀.

マイルド［mild］名ナ 마일드; (술·담배 등의 맛이) 부드러움; 순함; 또, 그러한 것. ¶～な味わい 순한 맛.

マインド［mind］図 마인드; 정신. ¶企業～ 기업 마인드〔정신〕.

—コントロール［일 mind＋control］図 마인드 컨트롤; 자기 자신의 정신 상태를 관리·제어하는 일.

ま-う【舞う】5自 **1** 떠돌다; 흩날리다. ¶木の葉が～ 나뭇잎이 흩날리다 / 雪が～ 눈이 흩날리다 / とんびが～ 솔개가 떠돌다 / 花びらが風に～ 꽃잎이 바람에 흩날리다. **2** 춤추다. ¶舞を～ 춤을 추다. 可能 まーえる 下1自

まうえ【真上】図 바로 위. ¶頭の～ 머리 바로 위 / ～の部屋 바로 윗방 / ～を見る 바로 위를 보다. ↔真下.

マウス［mouse; 도 Maus］図 **1** 생쥐. ＝はつかねずみ. **2**〖컴〗마우스《입력 장치의 하나》.

マウンド［mound］図〖野〗마운드; 투수판(板). ¶～に立つ〔のぼる〕 마운드에 서다〔오르다〕; 등판하다.

*__まえ【前】__ 図 **1** (공간적인) 앞. ¶家の～ 집 앞 / 駅～広場 역전 광장 / ～へ進む 앞으로 나아가다 / 人の～に出る 사람〔남의〕 앞에 나가다 / 銅像の～に立つ 동상 앞에 서다 / ～を見る 앞을 보다 / ～を隠す 앞을 가리다《국부(局部)를 가리다》. ↔うしろ·横. **2** (시간적인) 앞; (이)전. ¶卒業～ 졸업 전 / 出勤～ 출근 전 / 三年～の事 3년 전의 일 / ～に聞いた話 전에 들은 이야기 / ～からの知人 전부터 아는 사람 / ～に述べた通り 앞서 말한 바와 같이 / 疑う～によく捜させ 의심하기 전에 잘 찾아 보아라. ↔あと·のち. **3** (순서 상의) 앞; 먼저. ¶あとから来て～に出る 나중〔뒤〕에 와서 먼저 나가다. ↔あと. **4** 전과(前科). ¶～が有る 전과가 있다. **5**《名詞 뒤에 붙어》㉠ 맞먹는 것; 몫; 분(分). ¶三人～の料理 3인분의 요리 / 一人～の男 (제구실을 할 수 있는) 어엿한 남자.

まえあき【前開き】図 앞부분에 단추나 지퍼가 달린 옷. ¶～のスカート 앞을 튼 스커트.

まえあし【前足】図 앞발. **1** 네발짐승의 앞발. ↔あと足. **2** 앞으로 내디딘 쪽 발. ¶～に重心をかける 앞발에 무게 중심을 싣다.

まえいわい【前祝い】図スル自 미리 축하함. ¶新築の～をする 신축을 미리 축하하다 / 成功の～に一杯やる 성공을 미리 축하하여 한잔하다.

まえうしろ【前後ろ】図 **1** 앞과 뒤; 전후. ＝ぜんご. **2** 앞뒤가 거꾸로 되어 있음. ＝うしろまえ. ¶シャツを～に着る 셔츠를 앞뒤가 거꾸로 되게 입다 / 帽

子を～にかぶる 모자의 앞을 뒤로 가게 쓰다.

まえうり【前売り】名ス他 예매. ¶～券 예매권 / 切符を～する 표를 예매하다. ↔当日売り.

まえおき【前置き】名ス自 서론; 머리말; 서문; 서두. ¶～が長くて退屈する 서론이 길어서 지루하다 / ～をする 서론을 말하다 / ～はこのくらいにして 서론은 이쯤하기로 하고.

まえかがみ【前かがみ】《前屈み》名 앞으로 상반신을 구부림. ＝まえこごみ. ¶～になる 몸을 앞으로 구부리다; 구부정한 자세가 되다.

まえがき【前書き】名ス自 서언(序言); 머리말; 서론. ¶～を付ける 서언을 붙이다. ↔あと書き·奥書.

まえかけ【前掛け】名 앞치마. ＝前だれ·エプロン. ¶～を掛ける 앞치마를 두르다.

まえがし【前貸し】名ス他 선대(先貸); 가불해 줌. ＝さきがし. ¶給料を～する 급료를 가불해 주다. ↔前借り.

まえがしら【前頭】名 幕内 가운데 横綱와 三役 이외의 씨름꾼《小結의 아래 十両의 위》. 参考 前頭 중에서, 1위는 '筆頭～', 2위는 '～二枚目', 3위는 '～三枚目' 라고 함.

まえがみ【前髪】名 앞머리. ¶～をそろえる 앞머리를 가지런히 손질하다. ↔後ろ髪.

まえがり【前借り】名ス他 전차(금); (봉급 따위의) 가불. ＝さき借り·ぜんしゃく. ¶給料を～する 봉급을 가불받다. ↔前貸し.

まえかんじょう【前勘定】名 대금 선불; 선급(先給). ＝前勘·前金. ¶～で買う 대금 선불로 사다.

まえきん【前金】名 전도금; 선금. ＝前払い·ぜんきん. ¶～で取引する 선금으로 거래하다 / ～で買う 선불로 사다 / ～を貰って働く 선금을 받고 일하다 / 支払いは～でお願いします 지불은 선금으로 해주시기 바랍니다. ↔後金.

まえげいき【前景気】名 어떤 일·행사 따위의 본격적인 시작에 앞선 흥청거림〔사기(士氣)〕. ¶～をあおる 사전에 분위기를 돋우다 / ～に一杯やろう 기세를 북돋우기 위해 한잔하세.

まえこうじょう【前口上】名 본론에 들어가기 전의 서두. ＝まえおき. ¶～を述べる 서론을 말하다 / ～が長い 서두가 길다.

まえせんでん【前宣伝】名 발매(發賣)·행사 등에서, 시작하기 전에 하는 사전 선전. ¶開店の～にチラシを配る 개점의 사전 선전으로 광고지를 도르다.

まえだおし【前倒し】名 예정·예산 등을 앞당겨 씀. ¶下半期事業を～で執行する 하반기 사업을 앞당겨 집행하다.

まえだれ【前垂れ】名 (장사치나 짐꾼들이 두르는) 앞치마. ＝まえかけ.

まえづけ【前付け】名 (책의 본문 앞에 붙이는) 서문·목차 따위. ↔あとづけ.

まえっつら【前っ面】名 앞면. ¶建物の～ 건물의 앞면.

まえのめり【前のめり】名 앞으로 기우뚱함. ¶～に歩く 앞으로 구부정하게 걷다 / バスが急停止して～になる 버스가 급정지하여 앞으로 기우뚱하다.

まえば【前歯】名 **1** 앞니. ＝門歯. ¶～を折る 앞니를 부러뜨리다. ↔奥歯. **2** 왜나막신의 앞굽.

まえばらい【前払い】名ス他 선불. ¶月給を～する 월급을 선불하다 / 運賃～で荷物を送る 운임 선불로 짐을 보내다 / 給料を～してもらう 급료를 선불로 받다. ↔後払い.

まえひょうばん【前評判】名 어떤 일이 시작되기 전의 평판〔소문〕. ¶～がいい 사전 평판이 좋다 / ～は上々だ 사전 평판은 최상이다.

まえぶれ【前触れ】名 **1** 예고. ¶～のない訪問 사전 예고 없이 하는 방문 / 公演の～をする 공연 예고를 하다. **2** 전조(前兆); 조짐. ＝まえじらせ. ¶地震の～だ 지진의 전조다.

まえまえ【前前】名 이전; 오래 전. ¶～からの約束 오래 전에 한 약속 / ～から知っていた 오래 전부터 알고 있었다 / ～の通り行う 이전과 같이 행하다. ↔あとあと·のちのち.

まえみ【前身】名 '前身ごろ'의 준말.

まえみごろ【前身ごろ】《前身頃·前衽》名 옷의 앞길. ↔後ろ身ごろ.

まえむき【前向き】名 **1** 정면으로 향함. ¶～に倒れる 앞쪽으로 넘어지다 / ～にちゃんと座りなさい 정면으로 향해 바르게 앉으시오. **2** 사고방식이 발전적·적극적임. ¶～の人生観 발전〔적극〕적인 인생관 / ～に行動する 적극적으로 행동하다 / ～の姿勢でのぞむ 적극적인 자세로 임하다. ↔後ろむき.

まえもって【前もって】《前以って》連語 미리; 앞서; 사전에. ＝あらかじめ·かねがね. ¶～通告〔連絡〕する 미리 통고〔연락〕하다 / ～相談する 사전에 의논하다 / この点は～断っておく 이 점은 미리 양해를 구한다.

まえやく【前厄】名 액년〘남자의 42세, 여자의 33세 따위〙의 전 해; 또, 그 해에 입는 재액. ↔後厄.

まえわたし【前渡し】名ス他 **1** 전도(前渡); 선급. ＝さき渡し. ¶現品〔お金〕を～する 현품〔돈〕을 전도하다. **2** 선대(先貸); 가불해 줌.

まおう【魔王】名 마왕; (불교에서) 천마(天魔)의 왕; (일반적으로) 마물(魔物)·악마의 왕.

まおとこ【間男】名ス自 **1** 서방질. ¶～をする 서방질하다. **2** 샛서방. ＝みそかおとこ·間夫·情夫.

まがい 〖紛い〗 名 **1** 〈老〉 모조(품). ¶宝石の～ 보석(의) 모조품. **2** 《名詞 뒤에 붙어, 그것과》 흡사함; 꼭 닮음; 또, 그런 것. ¶ガンマン～の服装 건맨을 쏙 빼 복장 / ミンク毛皮～のコート 모조 밍크 코트. **──もない** 틀림없다; 진짜다. ¶～ルビー 진짜 루비.

まがいもの 【まがい物】 《紛い物》 名 모조품; 유사품; 가짜. =にせもの·模造品·イミテーション. ¶～の真珠 모조 진주 / ～を買わされる 모조품을 속아서 사다 / そのダイヤは～だ 그 다이아는 가짜다.

まが-う 〖紛う〗 5自 (뒤섞여 있거나 모양이 비슷하여) 착각하다; 혼동하다; 잘못 보다. ¶雪と～ばかりの花吹雪 눈으로 착각할 만큼 흩날리는 꽃보라. 参考 보통 連体形만이 쓰이며, 흔히 'まごう'로도 발음함.

まがお 【真顔】 名 진지한 얼굴; 정색. ¶～になる 정색을 하다; 진지한 얼굴이 되다 / ～でうそをつく 정색하고 거짓말하다 / ～で言う 정색을 하고 말하다.

まがき 〖籬〗 名 대나무나 나뭇가지 따위로 조잡하게 얽은 울타리; 장리; 바자울. =ませ(がき).

まかげ 【目陰】 《目蔭》 名 손을 이마에 대고 햇빛을 가리는 일. ¶～をさす 이마에 손을 대고 햇빛을 가리다.

まがし 【間貸し】 名ス自 방을 세줌. ¶学生相手の～をする 학생을 상대로 하여 방을 세주다. ↔間借り.

マガジン [magazine] 名 매거진. **1** 잡지. **2** 사진 필름을 담는 원통형의 용기.

まか-す 【任す】 《委す》 5他 ☞まかせる.

まか-す 【負かす】 5他 지우다; 이기다. =勝つ. ¶相手を～ 상대를 이기다 / 一点差で～·した 일점 차로 이겼다. 可能 まか-せる 下1自

まかず 【間数】 名 방의 수. ¶～が多い 방 수가 많다.

まか-せる 【任せる】 《委せる》 下1他 **1** 맡기다. ㉠…하는 대로 내버려 두다; 마음대로 …하게 하다. ¶人のするに～ 남이 하는 대로 내버려 두다 / なりゆきに～ 돌아가는 형편에 맡기다 / 想像に～ 상상에 맡기다 / 運を天に～ 운을 하늘에 맡기다. ㉡위임하다; 일임하다. =ゆだねる. ¶仕事〔経営〕を～ 일을〔경영을〕 맡기다 / 医者に～ 의사에게 맡기다. **2** …(있는) 대로 …하다; 기화로 삼다. ¶筆に～·せて書く 붓가는 대로 쓰다 / 金に～·せてぜいたくする 돈 있는 대로 사치하다.

まがたま 【曲玉】 《勾玉》 名 고대 장신구(裝身具)의 하나《끈에 꿰어 목에 거는 구부러진 옥돌》; 곡옥.

まかない 【賄い】 名 식사를 준비하고 시중을 듦; 또, 이 일을 하는 사람《식모·요리사》. =賄い方. ¶～のおばさん 주방 아줌마 / ～付き(の)下宿 식사를 제공하는 하숙 / ～を雇う 식모〔요리사〕를 고용하다.

***まかな-う** 【賄う】 5他 **1** 마련해 공급하다; 조달하다. ¶費用を～ 비용을 조달하다 / たいがいの物は近所で～ 대개의 물건은 근처에서 조달한다 / 少ない費用で～ 적은 비용으로 조달하다. **2** 밥을 먹게 해 주다; 식사를 마련해 내다. ¶昼食を～ 점심을 마련해 내다〔제공하다〕 / 三食とも下宿で～·ってくれる 세 끼니를 다 하숙집에서 먹여 준다. **3** 경비를 맡아 처리하다; 꾸려 가다. ¶会費だけで経費を～ 회비만으로 경비를 꾸려 나가다.

まがなすきがな 【間がなすきがな】 《間がな隙がな》 連語 《副詞적으로》 (잠시라도) 틈만 있으면; 언제나; 끊임없이; 늘. ¶～本を読んでいる 틈만 나면 책을 읽고 있다.

まかふしぎ 〖摩訶不思議〗 名ナ 매우 이상함; 희한함. ¶～な事もあったものだ 세상에 희한한 일도 다 있구나.

まがまがし-い 〖禍禍しい〗 形 화가 미칠 것 같다; 꺼림칙하다; 불길하다. =いまわしい. ¶～出来事 불길한 일〔사건〕 / ～言い伝えのあるほこら 불길한 전설이 있는 사당. 参考 古語적 표현.

まがり 【間借り】 名ス自他 (셋)방을 빌림. ¶～人 세입자 / ～生活をする 셋방살이를 하다. ↔間貸し.

まがりかど 【曲がり角】 名 **1** 길모퉁이. ¶道の～ 길모퉁이. **2** 전환점; 분기점. =変わり目·転機. ¶歴史の～ 역사의 전환기 / 人生の～に立つ 인생의 전환점에 서다 / この商売も～に来た 이 장사도 전환점에 이르렀다.

まがりくね-る 【曲がりくねる】 5自 꼬불꼬불 구부러지다. ¶～·った道 꼬부랑길 / 小川が田圃を～·って流れている 시내가 논밭 사이를 꾸불꾸불 흐르고 있다.

まかり-でる 〖罷り出る〗 下1自 **1** (귀인 앞에서) 물러가다; 퇴출하다. =ひきさがる. ¶御前·おんまえを～ 어전을 물러나다. **2** (뻔뻔스럽게) 사람 앞에 나서다. ¶臆面もなく人前に～ 뻔뻔스레 남 앞에 나서다. **3** 찾아 뵙다; 뵈러 가다. ¶お詫び〔あいさつ〕に～·でました 사과〔인사〕드리려 찾아 뵙습니다.

まかりとお-る 〖罷り通る〗 5自 (주위 사정에 아랑곳하지 않고) 태연하게 지나가다; 버젓이 통과하다〔통용되다〕. ¶不正が～世の中 부정이 버젓이 통하는 세상 / 大手を振って～ 활개치며 당당히 지나가다.

まかりならぬ 〖罷り成らぬ〗 連語 절대 안 된다; 용서되지 않는다. =いけない. ¶無断退席は～ 무단 퇴장은 허용 안 된다 / 口答えすることは～ 말대꾸하는 것은 결코 용납할 수 없다.

まがりなりにも 【曲がりなりにも】 連語 (불완전하나마) 이럭저럭; 그럭저럭; 어떻게든. =どうにかこうにか. ¶～大

学(だいがく)を卒業(そつぎょう)する 명색이나마 대학을 졸업하다 / ~人(ひと)なみの生活(せいかつ)を送(おく)る 그럭저럭 남들만큼의 생활을 해 나가다.

まかりまちが-う【まかり間違う】《罷り間違う》 5自 (자칫) 잘못하다; 실수〔실패〕하다. ¶~と命(いのち)がない 까딱 잘못하면 생명을 잃는다 / ~·えば大事故(だいじこ)になるところだった 까딱 잘못하면 큰 사고가 날 뻔했다.

まか-る【負かる】 5自 값을 싸게 할〔깎을〕 수 있다. ¶これ以上(いじょう)は(一円(いちえん)も)~·らない 이 이상은 (1엔도) 깎을 수 없다.

まが-る【曲がる】 5自 **1** 구부러지다. ㉠굽다. ¶~·った道(みち) 구부러진 길 / ~·って伸(の)びた松(まつ) 구부러져 뻗은 소나무 / 腰(こし)の~·った老人(ろうじん) 허리가 굽은 노인 / 高温(こうおん)で鉄棒(てつぼう)が~ 고온으로 철봉이 구부러지다. ㉡방향을 바꾸다; 돌다. ¶角(かど)を~ 모퉁이를 돌다 / 右(みぎ)へ~ 오른쪽으로 돌다. **2** 기울다; 비뚤어지다. ¶柱(はしら)が~ 기둥이 기울다 / ~·って張(は)られた切手(きって) 비뚤어지게 붙여진 우표 / 姿勢(しせい)〔ネクタイ〕が~ 자세〔넥타이〕가 비뚤어지다. **3**《흔히 'た''ている'를 덧붙여》 ㉠비뚤어지다. =ひねくれる·ねじける. ¶~·った心(こころ) 비뚤어진 마음 / 根性(こんじょう)が~·っている 심보가 비뚤어져 있다. ㉡바르지 않다. ¶~·った行(おこな)い 올바르지 않은 행위. 可能 まが-れる 下1自

——·った事(こと) 도리에 어긋나는 일; 부정한 일. ¶~は大(だい)きらいだ 부정한 일은 딱 질색이다.

マカロニ [이 maccheroni] 名 마카로니《이탈리아식 국수》.

まき【巻き】 名 **1** 서화의 두루마리; 전하여, 서적. 參考 두루마리로 된 서화·책 따위의 수를 나타낼 때에도 쓰임. **2** 서적의 구분; 권. ¶~の三(さん) 권지삼(巻之三). **3** 감기; 감은 것〔정도〕. ¶~がいいキャベツ 알차게 속이 찬 양배추 / ぜんまいの~がゆるい 태엽이 느슨하다〔덜 감겨 있다〕. 參考 감은 것의 수, 감은 횟수를 나타낼 때에도 쓰임. ¶糸(いと)一(ひと)~ 실 한 타래 / 縄(なわ)一(ひと)~ 새끼 한 사리. 注意 **1, 2**는 '巻'로 씀.

まき〖薪〗 名 장작. =たきぎ·わりき. ¶~を割(わ)る 장작을 패다 / ストーブに~をくべる 난로에 장작을 지피다.

まき〖槙·真木·柀〗 名 **1**〔植〕 마키나무《일본 특산인 상록 교목》. **2**《真木로도》 (훌륭한 나무라는 뜻으로) 노송나무·삼목 등의 총칭. 參考 'ま'는 미칭의 接頭語.

まきあ-げる【巻き上げる】 下1他 **1** 말아 올리다; 감아 올리다. ¶ロープを~ 로프를 감아 올리다 / すだれを~ 발을 말아 올리다 / フィルムを~ 필름을 감다 / 突風(とっぷう)が木(こ)の葉(は)を~ 돌풍이 나뭇잎을 회오리쳐 올리다. **2** 빼앗다; 등치다; 우려내다. =せしめる. ¶金(かね)を~ 돈을 등치다 / それを彼女(かのじょ)から~·げようと工夫(くふう)を凝(こ)らした 그것을 그 여자에게서 우려내려고 골똘히 궁리했다.

まきあみ【巻き網】《旋網》 名 후릿그물; 선망(旋網). ¶~漁船(ぎょせん) 선망 어선.

まきえ〖撒き餌〗 名 모이나 먹이를 뿌리는 일; 또, 그 먹이. =こませ·よせえ. ¶~をする 모이를 뿌리다.

まきえ【まき絵】《蒔絵》 名 금·은가루로 칠기 표면에 무늬를 놓는, 일본 특유의 공예.

まきおこ-す【巻き起こす】 5他 (어떤 것이 계기가 되어 예상 밖의 일을) 일으키다; 야기하다. ¶大混乱(だいこんらん)〔センセーション〕を~ 대혼란〔센세이션〕을 일으키다 / めんどうな事件(じけん)を~ 골치 아픈 사건을 일으키다.

まきがい【巻き貝】 名〔貝〕 고둥《소라·우렁이 따위》. ↔二枚貝(にまいがい).

まきかえし【巻き返し】 名 **1** 펼친 피륙 따위를 되말기. **2** 반격. ¶~政策(せいさく) 반격〔롤백〕 정책 / ~を計(はか)る 반격〔반전〕을 꾀하다 / ~に出(で)る 반격으로 나오다.

まきかえ-す【巻き返す】 5他 **1** 되감다. **2** 반격하다. ¶劣勢(れっせい)から~ 열세에서 반격으로 나오다 / ~·して勝利(しょうり)を得(え)る 반격하여 승리를 거두다.

まきがみ【巻紙】 名 **1** 두루마리《반절의 종이를 이어서 만 종이로서, 붓글씨용》; 주지(周紙). **2** (물건을) 마는 종이. ¶タバコの~ 담배 마는 종이.

まきがり【巻き狩り】 名 몰이 사냥.

まきげ【巻き毛】 名 고수머리의 감긴 머리칼.

まきこ-む【巻き込む】 5他 말려들게 하다. **1** 휩쓸리게 하다. ¶機械(きかい)に~·まれる 기계에 말려 들어가다. **2** 연루되게 하다; 끌어 넣다; 연좌시키다. ¶事件(じけん)に~ 사건에 끌어 넣다 / 紛争(ふんそう)に~·まれる 분쟁에 말려들다.

マキシ [maxi] 名 맥시; (발등까지 내려오는) 롱스커트의 딴이름. ¶~のスカート 맥시 스커트. ↔ミニ.

まきじた【巻き舌】 名 혀끝을 말듯이 발음하는 어조(語調). =べらんめえ口調(くちょう). ¶~でしゃべる 혀끝을 마는 듯한 어조로 지껄이다.

マキシマム [maximum] 名 맥시멈. =マクシマム. **1** 최대한; 최대. **2**〔數〕 극대; 극댓값. ⇔ミニマム.

マキシム [maxim] 名 맥심; 격언; 금언(金言).

まきじゃく【巻き尺】 名 줄자; 권척. ¶~で計(はか)る 줄자로 재다.

まきずし【巻きずし】《巻き鮨》 名 만 초밥《김초밥 따위》.

まきぞえ【巻き添え】 名 남의 죄·사건에 말려들어 골탕먹음; 연좌함; 언걸; 후림불. =まきぞい. ¶事故(じこ)の~を食(く)う 사고로 언걸먹다; 사고에 말려들다 / ~を恐(おそ)れて沈黙(ちんもく)を守(まも)る 언걸 입을까 두려워 침묵을 지키다 / 子供(こども)を~にする 어린애를 언걸먹게 하다.

まきた【真北】 名 정북(쪽). =正北(せいほく).

↔真南(まみなみ).

まきたばこ【巻きたばこ】《巻き煙草》图 궐련. ＝かみまき·シガレット. ¶～を吸(す)う 궐련을 피우다. ▷포 tobaco.

まきちら-す【まき散らす】《撒き散らす》5他 **1** 흩뿌리다. ¶豆(まめ)をあたりへ～ 콩을 사방에 흩뿌리다/湯水(ゆみず)のように金(かね)を～ 돈을 물 쓰듯 하다/たばこの灰(はい)を～ 담뱃재를 흩뿌리다. **2** 여기저기 퍼뜨리다. ¶うわさを～ 소문을 퍼뜨리다.

まきつ-く【巻き付く】5自 감기다; 휘감기다. ¶つたが～·いた木(き) 담쟁이덩굴이 휘감긴 나무/蛇(へび)は獲物(えもの)に～·いた 뱀은 잡은 먹이에 감겨 붙었다.

まきつけ【まき付け】《播き付け》图 파종(播種). ¶小麦(こむぎ)の～をする 밀의 파종을 하다.

まきつ-ける【巻き付ける】下1他 친친 둘러 감다〔동이다〕. ¶スカーフを首(くび)に～ 스카프를 목에 감아 두르다.

まきと-る【巻き取る】5他 (긴 것을) 말아서〔감아서〕 빼다〔꺼내다〕. ¶フィルムを～ 필름을 감아서 꺼내다.

まきなおし【まき直し】《蒔き直し》图 **1** 씨를 다시 뿌림. **2** 처음부터 다시 함. ¶新規(しんき)～ 처음부터 새로 다시 함.

まきば【牧場】图 ☞ぼくじょう.

まきひげ【巻きひげ】《巻き鬚》图〘植〙 권수; 덩굴손. ＝けんしゅ. ¶朝顔(あさがお)の～ 나팔꽃의 덩굴손.

まきもの【巻物】图 **1** 권축(卷軸); 두루마리. ¶絵(え)～ 두루마리로 된 그림. **2** 축(軸)에 감은 피륙.

***まぎら-す**【紛らす】5他 **1** 얼버무리다; 숨기다. ¶話(はなし)を～ 이야기를 얼버무리다/悲(かな)しみを笑(わら)いに～ 슬픔을 웃음으로 얼버무리다/人(ひと)ごみの中(なか)に姿(すがた)を～ 붐비는 사람들 속에 모습을 감추다. **2** (마음을 딴 데로 돌려) 달래다. ¶気(き)を～ 기분을 달래다/退屈(たいくつ)を読書(どくしょ)で～ 지루함을 독서로 달래다〔잊다〕/酒(さけ)でうさを～ 술로 시름을 달래다.

***まぎらわし-い**【紛らわしい】形 (비슷해서) 혼동하기 쉽다; 헷갈리기 쉽다. ¶～にせもの 속기 쉬운 가짜/軍人(ぐんじん)と～服装(ふくそう) 군인과 혼동하기 쉬운 복장/この二(ふた)つはどうも～ 이 둘은 아무래도 혼동하기 쉽다/～言(い)いかたをするな 헷갈리기 쉬운 말을 하지 마라.

まぎれ【紛れ】接尾《'～に' 의 꼴로》… 한 나머지. ＝あげく·余(あま)り. ¶苦(くる)し～に大声(おおごえ)を出(だ)す 괴로운 나머지 크게 소리를 지르다/くやし～に当(あ)たり散(ち)らす 분한 나머지 마구 화풀이하다/腹立(はらだ)ち～にけとばす 화난 김에 걷어차다/どさくさ～に逃(に)げる 혼란한 틈을 타서 도망치다.

まぎれこ-む【紛れ込む】5自 (혼잡한 틈을 타서) 잠입하다; (잘못) 섞여 들다. ¶群集(ぐんしゅう)の中(なか)へ～ 군중 속에 뒤섞여 들어가다/スパイが～ 간첩이 잠입하다/変装(へんそう)して敵(てき)の中(なか)に～ 변장하고 적중에 잠입하다/不純物(ふじゅんぶつ)が～ 불순물이 섞여 들다.

まぎれもない【紛れもない】連語 틀림없다. ¶～事実(じじつ) 틀림없는 사실/それはまぎれもなく純金(じゅんきん)だ 그것은 틀림없이 순금이다.

⁑**まぎ-れる**【紛れる】下1自 **1** (뒤섞여) 헷갈리다; (비슷해서) 분간 못 하다; 혼동되다. ¶やみに～·れて逃(に)げる 어둠을 타서 도망하다/書類(しょるい)が～·れないようにする 서류가 헷갈리지 않도록 하다/～·れやすい 혼동되기 쉽다. **2** 딴것에 마음을 빼앗겨서 시름을 잊다. ¶忙(いそが)しさに気(き)が～ 바빠서 시름이 잊혀지다/遊(あそ)びに～·れて辛(つら)さを忘(わす)れる 노느라고 잠시 고통을 잊다.

***まぎわ**【間際】图 **1** (어떤 일이 일어나려는) 직전; 막 …하려는 찰나. ＝寸前(すんぜん). ¶発車(はっしゃ)～に飛(と)び乗(の)る 발차 직전 뛰어올라 타다/試合(しあい)～になって中止(ちゅうし)する 경기 직전에 중지하다. **2** 바로 곁. ¶断崖(だんがい)の～まで走(はし)る 절벽 바로 앞에까지 달려가다.

まきわり【まき割り】《薪割り》图 **1** 장작 패기. ¶～剣術(けんじゅつ) 엉터리 검술. **2** 장작 패는 연장《도끼 따위》.

⁑**まーく**【巻く】5他 **1** 감다. ㉠말다. ¶～·いた毛(け) 둥글게 만〔지진〕 머리/糸(いと)を～ 실을 감다/いかりを～ 닻을 감다〔올리다〕/紙(かみ)をぐるぐると～ 종이를 둘둘 말다/帯(おび)を～ 띠를 두르다/舌(した)を～ 혀를 내두르다《놀라다》/しっぽを～ (a)꽁무니 빼다; (b)패배를 자인하다. ㉡틀(어 죄)다. ¶ねじを～ 나사를 틀어서 죄다/とけい(のぜんまい)を～ 시계 태엽을 감다/マフラーを首(くび)に～ 머플러를 목에 두르다. **2** 싸다; 둘러싸다; 포위하다. ¶城(しろ)を～ 성을 포위하다/遠巻(とおま)きに～ 멀리서 에워싸다/霧(きり)に～·かれる 안개에 싸이다. **3**『管(くだ)を～』 술에 취해 혀 꼬부라진 소리를 하다.

⁑**まーく**〖蒔く〗5他 **1** (씨를) 뿌리다; 파종하다. ¶種(たね)を～ 씨를 뿌리다/苗代(なわしろ)に籾(もみ)を～ 못자리에 볍씨를 파종하다. **2** 원인을 만들다. ¶自分(じぶん)で～·いた種(たね) 자기가 뿌린 씨; 자신이 만든 원인. **──·かぬ種(たね)は生(は)えぬ** 뿌리지 않은 씨는 나지 않는다《원인이 없이 결과가 생길 리가 없다》.

⁑**まーく**〖撒く〗5他 **1** 뿌리다; 살포하다. ¶水(みず)を～ 물을 뿌리다/飛行機(ひこうき)からビラを～ 비행기에서 삐라를 뿌리다/金(かね)を～ 돈을 뿌리다〔낭비하다〕/話題(わだい)を～ 화제를 뿌리다. **2** 동행자·미행자 따위를 (중도에서) 따돌리다. ¶追(お)い手(て)を～ 추적자를 따돌리다.

⁑**まく**【幕】㊀图 **1** 막. ㉠가리거나 칸막이로 쓰는 넓은 천. ＝とばり. ¶～を張(は)る 막을 치다. ㉡무대 앞에 드리우는 천. ¶～があがる 막이 오르다. ㉢(연극 등의) 일단락. ¶次(つぎ)の～に出(で)る 다음 막에 나오다〔나가다〕. **2** 장면; 경우; 때. ¶おま

えの出る～ではない 네가 나설 때〔장소〕가 아니다. **3** 끝; 종국; 종결. ¶この事件もやっと～だ 이 사건도 마침내 끝이 났다. 🈔接尾 연극의 일단락을 세는 말: 막. ¶三～五場 3막 5장／一～物 단막극.

—が開く 막이 열리다. **1** 상영·연극이 시작되다. **2** 일이 시작되다.

—が下りる 막이 내리다; 만사가 끝나다.

—を開ける 막을 열다; 개막하다. **1** 상영·연극을 시작하다. **2** 일을 시작하다.

—を切って落とす (歌舞伎에서, 일거에 막을 흔들어 떨어뜨리고 연기를 시작하는 데서) 일을 화려하게 시작하다. ¶全国大会の～ 전국대회의 막이 화려하게 열리다.

—を閉じる 막을 닫다; 폐막하다. **1** 상연·연극이 끝나다. **2** 일이 끝나다.

*__まく__【膜】图 막. ¶～をはぐ 막을 벗기다／目に～がかかる 눈에 막이 끼다／氷の～が張る 살얼음이 얼다.

まく〖幕〗教6 マク バク | 막 장막 | 막. **1** 장막. ¶天幕 천막. **2** 무대의 막. ¶開幕 개막. **3** 연극의 일단락. ¶一幕物 일막짜리.

まく〖膜〗常用 マク | 막 꺼풀 | 막; 생체 내의 기관을 싸거나 갈라 놓는 얇은 막. ¶角膜 각막／粘膜 점막.

まくあい【幕あい】《幕間》图 막간. ¶～劇 막간극／～が長い 막간이 길다／～に食事をする 막간에 식사하다.

まくあき【幕開き】图 **1** 개막. ¶正午に～した 정오에 개막했다. **2** 일을 시작함; 또, 그때. ＝まくあけ. ¶連休の～ 연휴 시작／新事業は新年に～する 새 사업은 새해에 시작한다. ⇔幕切れ.

まくあけ【幕開け】图 ☞まくあき.

まくうち【幕内】图 씨름꾼 계급의 하나; 대전표의 맨 윗단에 이름이 오르는 씨름꾼《前頭 이상》. ＝幕の内. ¶～力士 幕内의 씨름꾼. ↔幕下.

マグカップ [일 mug+cup] 图 머그잔; 손잡이가 달린 원통형의 컵.

まくぎれ【幕切れ】图 **1** 연극에서, 한 막이 끝남. **2** (일의) 끝; 또, 그때. ¶あっけない～ 싱거운 끝장／～になる 끝이 나다／その交渉は～が悪かった 그 교섭은 끝이 나빴다. ⇔幕開き.

まぐさ〖馬草·秣〗图 (마소에 주는) 꼴; 여물. ＝かいば. ¶馬に～をやる 말에 여물을 주다.

まくしあ-げる【まくし上げる】《捲し上げる》下1他 걷어 올리다. ＝まくりあげる. ¶袖を～ 소매를 걷어 올리다.

まくした【幕下】图 씨름꾼 계급의 하나《'十両'의 아래, '三段目'의 위에 위치하는 지위》. ↔幕内.

まくした-てる【まくし立てる】《捲し立てる》下1他 위세좋게 지껄여대다; 강한 어조로 계속해서 말하다. ¶早口で～ 빠른 말로 지껄여대다／やたらに～てても事はおさまらない 함부로 떠들어대 봤자 일은 수습되지 않는다.

マクシマム 图 ☞マキシマム.

まぐそ〖馬糞〗图 마분; 말똥. ＝ばふん. ¶～紙 마분지／～を肥料にする 말똥을 비료로 하다.

*__まぐち__【間口】图 **1** 토지·가옥 따위의 정면의 폭; 내림. ＝表口. ¶～三間の小店 내림 세 칸의 작은 가게／～が狭い 내림이 좁다. ↔奥行き. **2** 비유적으로, 지식·사업·연구 영역의 넓이. ¶～の広い評論家 폭〔활동 영역〕이 넓은 평론가／仕事の～を広げる 일의 영역을 넓히다.

マグニチュード [magnitude] 图 매그니튜드; 지진 규모의 단위《기호: M》.

マグネシウム [magnesium] 图〘化〙마그네슘《금속 원소의 하나; 기호: Mg》.

マグネット [magnet] 图〘理〙마그넷; 자석(磁石); 자기력(磁氣力).

まくのうち【幕の内】图 **1** ☞まくうち. **2** (연극 막간에 먹는) 깨소금을 뿌린 주먹밥에 달걀부침·어묵 등의 반찬을 곁들인 도시락. ＝幕の内弁当.

マグマ [magma] 图 마그마; 암장(岩漿).

*__まくら__〖枕〗图 **1** 베개. ¶～をする 베개를 베다／～につく 자다／草を～に寝る 풀밭을 베개 삼아 자다／～も上がらぬ 중병 따위로 베개에서 머리도 들 수 없다. **2** 잘 때 머리를 두는 방향. ¶東を～に寝る 머리를 동쪽으로 향하게 하고 자다. **3** 머리말로 하는 짧은 이야기. ¶落語の～ 만담에서, 서두의 짧은 이야기.

—を交わす 남녀가 동침하다.

—を高くして寝る 베개를 높이 베고 자다. **1** 안심하고 자다. **2** (아무 걱정 없이) 마음놓고 살다.

—を並べる **1** 같은 장소에서 자다. **2** 여러 사람이 같은 장소에서 죽다. ¶枕を並べて落選する 모조리 낙선하다／枕を並べて討ち死にする (a) 함께 싸우던 사람이 나란히 전사하다; (비유적으로) 함께 술을 마시던 사람들이 나란히 그 자리에 곯아 떨어지다; (b) 동시에 모두 실패하다. **3** 남녀가 동침하다.

まくらえ【まくら絵】《枕絵》图 춘화(春畫). ＝笑い絵.

まくらぎ【まくら木】《枕木》图 침목. ¶鉄道の～ 철도의 침목／～を取り替える 침목을 갈아 대다.

まくらことば〖枕詞〗图 (和歌 등에서) 습관적으로 일정한 말 앞에 놓는 4〔5〕음절의 일정한 수식어《'そらみつ'가 'やまと'를, 'ひさかたの'가 '光·そら'를 수식하는 따위》.

まくらさがし【まくら探し】《枕探し·枕捜し》图 자고 있는 나그네의 (머리맡에서) 금품을 훔침; 또, 그 도둑.

まくらもと【まくらもと·まくら元】《枕元·枕許》图 머리맡; 베갯머리. ＝まく

ら辺. ¶~に時計を置く 머리맡에 시계를 놓다 / ~へ呼ぶ 머리맡으로 부르다 / ~に付き添う 머리맡에서 시중들다.

まくりあ-げる【まくり上げる】《捲り上げる》 下1他 걷어 올리다; 감아 올리다. ¶ワイシャツの袖を~ 와이셔츠 소매를 걷어 올리다.

***まく-る** 〖捲る〗 5他 **1** (소매 따위를) 걷다; 걷어 올리다. ¶そでを~ 소매를 걷다 / すそを~·って川をわたる 옷자락을 걷어 올리고 내를 건너다 / うでを~ 팔을 걷어붙이다 / しりを~ (a) 엉덩이를 까다; (b) 반항적인 태도를 취하다. **2** 《動詞 連用形에 붙어서》 마구〔심하게〕…하다; 계속 …해대다. ¶逃げ~ 계속 도망쳐 다니다 / 書き~ 마구 갈겨쓰다. 可能まく-れる 下1自

***まぐれ** 〖紛れ〗 名 우연; 요행. =まぐれ当たり. ¶~で合格する 요행으로 합격하다 / 彼の成功は~だ 그의 성공은 요행이다.

まぐれあたり【まぐれ当たり】《紛れ当たり》 名 우연히〔어쩌다〕 들어맞음; 요행수. =まぐれ. ¶~に当たる 우연히〔어쩌다〕 들어맞다 / ~に一等した 요행수로 일등했다.

まく-れる 〖捲れる〗 下1自 (저절로) 끝이 걷어 올려지다; 걷힌〔벗겨진〕 상태가 되다. =めくれる. ¶風ですそが~ 바람에 옷자락이 걷어 올려지다 / 張り紙が~ 붙인 종이가 벗겨지다.

マクロ [도 Makro] 名 마크로; 거시적으로 봄. ¶~コスモス 마크로 코스모스; 대우주 / ~の経済学 거시적 경제학 / ~分析 마크로 분석; 거시적 분석. ↔ミクロ.

まぐろ 〖鮪〗 名 〔魚〕 다랑어; 참치. 参考 'クロマグロ' 또는 'ホンマグロ' 라고도 하며, 어린 새끼를 'メジ', 특대의 것을 'シビ' 라고 함.

まぐわ 〖馬鍬〗 名 써레. =うまぐわ·まんが·まんのう.

まくわうり 〖真桑瓜·甜瓜〗 名 참외. =あまうり·まくわ.

まけ【負け】 名 **1** 짐; 패배. ¶体力~(실력은 있으나) 체력에 짐 / ~相撲 진 씨름 / 議論は君の~だ 논쟁은 네가 졌다 / 勝ち~をきめる 승부를 정하다 / ~を取り返す 진 점수를 만회하다 / あと一点取られたら~になる 앞으로 한 점 빼앗기면 진다. ↔勝ち. **2** 『お~』 값을 깎아 줌; 에누리; 또, 경품; 덤으로 주는 물건. ¶百円お~します 백 엔 에누리해 드립니다 / これ以上お~はできない 이 이상 에누리는〔더 싸게는〕 할 수 없다.

—が込む 진 횟수나 점수가 많아지다.

まげ 〖髷〗 名 상투; 틀어 올린 머리. =わげ. ¶~を結う 머리를 틀어 올리다.

まけいくさ【負け戦】 名 싸움에 지는 일; 또, 그 싸움; 패전. ↔勝ち戦.

まけいぬ【負け犬】 名 싸움에 져서 기가 죽어 꽁무니를 빼는 개《어떤 경쟁에 진 쪽의 비참함을 형용할 때도 씀》. ¶~根性 패배자 근성 / ~は吠える 진 개가 짖는다; 패자가 큰소리친다.

まけいろ【負け色】 名 패세(敗勢); 패색. =敗色. ¶~が見える 패색이 엿보이다 / ~が濃くなる 패색이 짙어지다. ↔勝ち色.

****まけおしみ**【負け惜しみ】 名 (지거나 실패한 것을 인정하지 않고) 억지를 쓰는 일; 지기가 싫어 좀처럼 체념을 안 함. ¶~が強い (패배를 인정하려 들지 않고) 억지가 세다 / ~を言う (지고도) 억지를 쓰다.

まけぎらい【負け嫌い】 名ナ 유달리 지기 싫어함; 오기(傲氣). =まけずぎらい·負けん気·勝ち気. ¶~の人 오기가 센 사람.

まけこ-す【負け越す】 5自 패한 횟수가 이긴 횟수보다 많아지다; 실점이 승점보다 많아지다. ¶七勝八敗で~ 7승 8패로 패전수가 많아지다. ↔勝ち越す.

まけじだましい【負けじ魂】 名 지지 않으려는 정신; 투시. ¶~の持ち主 투지가 있는 사람 / ~で頑張る 투지로 버티다 / スポーツには~が必要だ 스포츠에는 투지가 필요하다.

まけずおとらず【負けず劣らず】 連語 《副詞적으로》 서로 우열이 없이 비등한 모양: 막상막하(로); 호각(互角)(으로). ¶~の成績 백중한 성적 / どちらも~の力量を持っている 서로 막상막하의 역량을 가지고 있다 / ~よく勉強する 막상막하로 공부를 잘하다.

まけずぎらい【負けず嫌い】 名ナ ☞まけぎらい.

まげて 〖枉げて〗 副 무리하게라도; 억지로; 부디. ¶~お聞きとどけてください 부디 청을 들어 주십시오 / 失礼の段~お許しください 실례가 된 점 부디 용서해 주십시오.

まげもの【曲げ物】 名 **1** 노송나무·삼목 등의 얇은 판자를 구부려 만든 기물(器物)《찜통·체 따위》. =わげ物·檜物·曲げ. **2** 〈俗〉 전당물. =しちぐさ.

まげもの【まげ物】《髷物》 名 옛날 상투 틀고 있던 시대의 일을 소재로 한 소설·영화·연극 따위; 역사물. =時代物.

****ま-ける**【負ける】 ⊟下1自 **1** 지다; 패하다. =やぶれる. ¶戦いに~ 전쟁에 패하다 / 誘惑に~ 유혹에 지다〔넘어가다〕 / 裁判に~ 재판에 지다; 패소하다 / 記憶力ではだれにも~·けない 기억력으로는 누구에게도 지지 않는다. ↔勝つ. **2** 옻타다; 피부가 …에 약하다. =かぶれる. ¶漆に~ 옻을 타다 / かみそりに~ 면도날 독기에 염증이 나다. **3** 양보하다; 생각해 주다; 봐주다. ¶本当はいけないのだが, 子供だから~·けてやる 사실은 안 되지만,

어린이라 봐 준다 / きょうの所は~·けておく 오늘만은 양보한다. **4** 압도되다; 더위 따위로 몸이 약해지다. ¶雰囲気に~ 분위기에 압도당하다 / 暑さに~ 더위로 지치다; 더위 먹다.

㊂[下1他] **1** 값을 깎아 주다. ¶百円~ 백 엔 깎아 주다 / もう少し~·けなさい 좀더 깎아 주시오. **2** 덤[경품]으로 주다. ¶いわし一匹~·けておこう 정어리 한 마리 덤으로 주기로 하지.

—が勝ち 지는 것이 이기는 것.

まげる【曲げる】 [下1他] 굽히다. **1 (곧은 것을) 구부리다. ¶腕[腰]を~ 팔을[허리를] 구부리다 / 足を~ 다리를 굽히다 / 口を~ 입을 비쭉하다. ↔伸ばす. **2** (뜻·사실·주의 따위를) 바꾸다; 왜곡하다. ¶事実を~ 사실을 왜곡하다 / 筆を~ 곡필(曲筆)하다 / 志を~ 뜻을 굽히다 / ~·げてご出席下さい (싫으시겠지만) 부디 출석해 주십시오 / ~·げてお引き受けください 너그러이[부디] 맡아 주십시오.

まけんき【負けん気】 图 지기 싫어하는 마음; 오기; 경쟁심. =負けぬ気·勝ち気. ¶~の強い子供 경쟁심이 강한[오기가 센] 아이 / ~を出す 오기를 부리다.

*__まご【孫】__ 图 **1** 손자. ¶~娘 손녀 / 内~ 친손자 / 外~ 외손자. **2** 대(代)를 한번 거른[건너뛴] 관계. ¶~弟子 제자의 제자.

—は子よりもかわいい 손자는 자식보다 귀엽다.

まご【馬子】 图 마부. =うまかた.

—にも衣装 옷이 날개.

まごい『真鯉』 图〔魚〕(몸 빛깔이 검은) 보통 잉어. ⇨ひごい.

まごがいしゃ【孫会社】 图〔經〕 손자 회사; 자(子)회사의 자회사.

まごこ【孫子】 图 **1** 손자와 아들. **2** 자손; 후예. ¶~の代まで栄える 자손 대대로 번영하다.

*__まごころ【真心】__ 图 진심; 성심; 참마음. ¶~こめた[のこもった]贈り物 정성 어린 선물 / ~をこめる[尽くす] 정성을 들이다[다하다] / 国を思う~ 나라를 생각하는 참마음.

*__まごつ-く__ [5自] (어찌해야 좋을지 몰라) 당황하다; 망설이다; 갈피를 못 잡다; 갈팡질팡하다. =うろたえる. ¶道に~ 길을 잃고 허둥거리다 / いざという時に~ 정작 중요한 때에 망설이다 / どうしていいのか~ 어떻게 해야 좋을지 망설이다 / 急に尋ねられて~·いた 갑작스러운 질문에 당황했다.

まごでし【孫弟子】 图 제자의 제자. =またでし.

*__まこと【誠】《真·実》__ ㊀图 **1** 진실; 사실. ¶~の話 사실 이야기 / うそか~か 거짓이냐 진실이냐. ↔偽り. **2** 진심; 성의; 정성. ¶~をつくす 정성을 다하다 / ~をこめて言う 진심으로 말하다.

㊁【まこと】副《흔히 '~に'의 꼴로》 참말로; 정말로; (전하여) 대단히. ¶~にりっぱだ 참말로 훌륭하다 / ~にお世話になりました 대단히 신세 많이 졌습니다 / これは~にお気の毒です 이거 정말로 안 됐습니다 / ~にけっこうな話だ 정말로 좋은 이야기다 / ~に申しわけありません 정말[대단히] 죄송합니다. [参考] 口語에서는 때로 'まっこと'라고도 함.

まことしやか【誠しやか】《真しやか·実しやか》 [ダナ] 참말인 듯한 모양; 그럴듯함. ¶~なうわさ 정말 같은 소문 / うそを~にのべる 거짓말을 사실인 듯이 말하다 / ~なうそをつく 그럴듯한 거짓말을 하다.

まことに【誠に】《真に·実に》 副 ☞まこと㊁.

まごのて【孫の手】 图 (끝이 손처럼 된) 등을 긁는 도구; 효자손. [参考] 손톱이 긴 중국의 전설 상의 여자 이름인 '麻姑'의 전와.

まごびき【孫引き】 图[ス他] 다른 책에 인용된 것을 그대로 또 인용함; 재인용. ¶~では信用がおけない 인용의 재인용으로는 신용할 수가 없다.

まごまご 副[ス自] 우물쭈물. ¶~しないでさっさと歩け 우물쭈물하지 말고 빨리빨리 걸어라.

まごむすめ【孫娘】 图 손녀.

まこも『真菰』 图〔植〕 줄. =はながつみ.

マザー コンプレックス [일 mother+complex] 图 머더 콤플렉스; 청년이 그 어머니나 어머니를 닮은 여성을 사모하는 경향. =マザコン.

*__まさか『真逆』__ ㊀图 위급한 사태에 직면함. ¶~の場合に備える 위급한 경우에 대비하다. ㊁副《보통, 다음에 否定과 推測의 말을 수반하여》 설마; 아무리 그렇다고 하더라도; 막상. =よもや. ¶~そんなことはあるまい 설마 그런 일이야 없겠지 / ~君ではないだろうね 설마 자네는 아니겠지 / ~そうするわけにもいかないね (아무리) 그렇다 하더라도 그렇게 할 수는 없지 / ~ことわるわけにもいかないね 그렇다고 거절할 수도 없지.

—の時 만일의 경우; 여차하면. ¶~に備える 만일의 경우에 대비하다.

まさかり『鉞』 图 큰 도끼.

まさき『正木·柾』 图〔植〕 사철나무.

まさぐ-る『弄る』 [5他] 만지작거리다; 뒤적거리다. ¶数珠を~ 염주를 만지작거리다 / ポケットを~ 주머니를 뒤적거리다.

まさご『真砂』 图 〈雅〉 고운 모래; 잔 모래. ¶浜の~ 바닷가의 잔 모래.

マザコン 图 'マザーコンプレックス'의 준말.

まさしく『正しく』 副 바로; 틀림없이; 확실히. =まさに·たしかに. ¶~推測した通りだ 바로 추측한 대로다 / ~彼の声だ 바로 그의 목소리다 / 盗んだのは~彼だ 훔친 것은 분명히 그다 / ~私のなくした時計だ 바로 내가 잃

어버린 (그) 시계다 / これは～背信行為だ 이것은 확실히 배신 행위이다.

****まさつ【摩擦】** 名ス自他 마찰. ¶冷水～ 냉수 마찰 / 貿易～ 무역 마찰 / ～で電気がおこる 마찰로 전기가 일어나다 / ～によって速度がにぶる 마찰에 의해서 속도가 느려지다 / ～が生じる 마찰이 일어나다 / ～を避ける 마찰을 피하다.

—を生ずる 마찰을 일으키다《분쟁이 생기다; 사이가 나빠지다》. ¶両国間に～ 양국 간에 마찰을 일으키다.

***まさに〖方に〗** 副 지금 바로; 마침. ¶～今がその時だ 바로 지금이 그때다.

***まさに【正に】** 副 바로; 틀림없이; 확실히; 정말로; 꼭. ¶～その通りだ 바로 그대로다 / 金五万円～受領致しました 일금 5만엔 확실히 수령했습니다 / ～人生の悲劇だ 실로〔문자 그대로〕 인생의 비극이다 / ～名案だ 정말로 명안이다.

***まさに〖当に〗** 副《뒤에 べし·べきだ·べく 등의 말이 와서》 당연히; 마땅히. ¶～すべきことをした 마땅히 해야 할 일을 했다 / 政府は～失業救済の手を打つべきである 정부는 당연히 실업 구제에 손을 써야 한다.

***まさに〖将に〗** 副《'～…んとする' '～…うとする'의 꼴로》 바야흐로; (이제) 막; 하마터면. ¶～沈もうとする夕日 바야흐로 지려고 하는 저녁해 / ～始まらんとする 바야흐로 시작되려고 하다.

まざまざ 副 똑똑히; 또렷이. ＝ありあり. ¶～(と)思いだす 똑똑히 기억해 내다 / この目で～と見た 이 눈으로 똑똑히 보았다 / 幼い日が～と目の前に浮かぶ 어린 시절이 생생하게 눈앞에 떠오르다.

まさむね [正宗] 名 **1** 잘 드는 칼; 명도(名刀). 参考 도공(刀工) '岡崎五郎正宗'의 이름에서. **2** 정종(正宗)《일본 청주의 한 가지》.

まさめ【正目】《柾目》 名 곧은결; 쪽 곧은 나뭇결. ¶～の板 결이 곧은 판자. ↔板目.

まさゆめ【正夢】 名 정몽; 사실과 부합되는 꿈; 맞는 꿈. ¶～になる 꿈이 들어맞다 / さては～だったか 그러고 보니 맞는 꿈이었군. ↔逆夢·そら夢.

***まさ-る【勝る】**《優る》 5自 (보다 더) 낫다; 우수하다. ＝すぐれる. ¶健康は富に～ 건강은 부보다 낫다 / 無いには～ 없느니보다는 낫다 / すべての点において～ 모든 점에 있어서 낫다 / 聞きしに～美貌だ 소문(으로 들은 것)보다 훨씬 나은 미모이다 / 実力は彼の方が～·っている 실력은 그가 더 낫다 / 悪知恵にかけても人よりは～ 못된 꾀에 있어서도 남보다 더하다 / これに～楽しみはない 이보다 나은〔더한〕 즐거움은 없다. ↔劣る.

—とも劣らない 나으면 낫지 못하지 않다. ¶これはそれに～ 이것은 그보다 나으면 낫지 못하지 않다.

***まさ-る〖増さる〗** 5自 (점차로) 붇다; 늘다; 많아지다; 더해지다. ＝増す. ¶川の水かさが～ 냇물이 붇다; 수위가 높아지다 / いとしさが～ 그리움이 더해지다.

「☞まじる.

***まざ-る【混ざる·交ざる】**《雑ざる》 5自

まし【増し】 一名 증가; 불음; 많아짐. ¶～刷り 증쇄 / ～時間 초과 근무 시간; 경기 연장 시간 / 日～に 날이 감에 따라. 二ダナ 더〔보다〕 나음; (그 편이) 더 좋음. ¶～に思う (그 편이) 더 낫다고 생각하다 / こんなものでもないよりは～だ 이런 거라도 없느니보다는 낫다 / 少しは～な暮らしになる 조금은 나은 살림살이가 되다 / 遅くともやらないよりは～だ 늦더라도 안 하는 것보다는 낫다. 三接尾 …증가. ¶一割～ 1할 증가 / 十円～ 10 엔 증가.

まじ 助動 〈雅〉《シク活用型》 부정하는 것이 당연하다는 뜻을 나타냄: …할 것이 아니다; …해서는 안 된다. ¶あるまじきあさましき事 있어서는 아니 될 망측한 일 / すまじきものは宮仕え 못할 짓은〔할 짓이 아닌 것은〕 대궐〔벼슬〕 살이.

まじ-える【交える】 下1他 **1** 섞다; 끼게 하다. ¶私情を～ 사사로운 정을 개입시키다 / 先生も～·えて話し合う 선생님도 한데 끼게 하여 이야기하다 / 身ぶりを～·えて話す 몸짓을 섞어가며 얘기하다. **2** 교차시키다; 맞대다. ¶枝を～ 나뭇가지를 서로 교차시키다 / ひざを～·えて話しあう 무릎을 맞대고 얘기하다. **3** 서로 나누다; 주고받다. ¶ことば〔意見〕を～ 말〔의견〕을 주고받다 / 砲火を～ 포화를 주고받다; 교전하다 / 干戈を～ 전쟁하다 / 一戦を～ 일전을 벌이다.

ましかく【真四角】 名ナ 정사각형. ¶～の家 네모 반듯한 집 / ～な紙 정사각형의 종이.

まじきり【間仕切り】 名 (방을) 칸막이함; 또, 그 칸막이. ¶カーテンで～をする 커튼으로 칸막이를 하다.

マジシャン [magician] 名 머지션; 마술사; 마법사; 요술쟁이. ＝手品師.

ました【真下】 名 직하; 바로 아래. ¶崖の～ 벼랑 바로 아래 / ～に落ちる 바로 아래로 떨어지다 / 橋の～にボートがあった 다리 바로 밑에 보트가 있었다. ↔真上.

マジック [magic] 名 매직; 마술; 요술; 마법. ¶～インキ 매직 잉크.

—ナンバー [magic number] 名 매직 넘버; 프로 야구 등에서, 2위 팀이 나머지 게임에서 전승(全勝)하는 경우라도 1위 팀이 우승할 수 있는 승수(勝數).

—ペン [magic Pen] 名 매직 펜; 유성 잉크를 넣고 쓰는 펜《상표명》.

—ミラー [일 magic＋mirror] 名 매직

미러((한 쪽에서는 투명하게 보이나 반대 쪽에서는 거울처럼 비치는 특수 유리)). =マジックガラス·ハーフミラー.

まして〖況して〗副 더구나; 하물며; 황차(況且). =なおさら. ¶男の力でも動かないのに, ~女が動かせるか 남자의 힘으로도 움직이지 않거늘, 하물며 여자가 움직일 수 있겠는가/海の上でも浮かないのに~プールでは泳げるはずがない 바다에서도 뜨지 못하는데 하물며 풀에서 헤엄칠 수 있을 리가 없다.

まして〖増して〗連語 다른 것보다 한층 더; …보다도 더; 여느 때보다도 더 한층. ¶前にも~ 전보다 더 (한층)/何にも~大切なこと 무엇보다 더 중요한 것.

ましてや〖況してや〗副 'まして'의 힘줌말.

まじない〖呪い〗名 주술; 주문(呪文). ¶~師 주술사/お~をする 주문을 외다; 주술을 부리다/~をとなえる 주문을 외다.

まじな-う〖呪う〗5他 주술을 부리다; 주문을 외다. ¶災難をまぬがれるよう~ 재난을 면하도록 주문을 외다[주술을 부리다].

まじまじ 副 말똥말똥; 말끄러미; 찬찬히. ¶~(と)人の顔を見る[みつめる] 뚫어지게[말끄러미] 남의 얼굴을 쳐다보다[응시하다].

ましま-す [坐す·在す] 5自 〈雅〉 계시다(('ます'를 한층 높여서 하는 말씨; 'ある''いる'의 높임말)). =いらっしゃる. ¶天に~神よ 하늘에 계신 하느님이시여.

マシマロ [marshmallow] 名 마시멜로((달걀의 흰자·설탕·젤라틴 등을 섞어 만든 부드러운 과자)). =マシュマロ.

*****まじめ**〖真面目〗名ダナ **1** 진심; 진정; 거짓이나 장난이 아님; 진지함. ¶~に話す 진지하게 얘기하다/~になる 진지해지다/どこまでが~なんだか分からない 어디까지가 진정인지 알 수가 없다/~な顔をする 진지한 얼굴을 하다/それは~に考える必要がある 그것은 진지하게 생각할 필요가 있다. **2** 착실함; 성실함. ¶~に働く 성실하게 일하다/~な人だな 착실한 사람이군/~な生活をする 성실한 생활을 하다. ⇔不まじめ.

—くさ-る【—腐る】5自 근실[진지]한 체하다; (농이 아니라는 듯) 자못 심각한 체하다. ¶~·った顔 근실한[진지]한 체하는 얼굴/~·って言う 자못 심각한 태도로 말하다.

ましゃく【間尺】名 **1** 공사(工事)에서 쓰는 치수. **2** 비율; 계산.

—に合わない 계산이[수지가] 맞지 않다; 손해다. ¶骨を折ってしかられては~ 기껏 애쓰고 야단맞는다면 손해다[억울하다].

ましゅ【魔手】名 마수. ¶~にかかる 마수에 걸리다/誘惑の~が伸びる 유혹의 마수가 뻗치다/~を逃れる 마수를 피하다[벗어나다]/凶漢の~に倒れる 흉한의 마수에 쓰러지다[걸려 죽다].

まじゅつ【魔術】名 마술; 요술. ¶~団[師] 마술단[사]/~をかける 마술을 걸다/~を使う 마술을 부리다.

まじょ【魔女】名 마녀((전설에 나오는 요녀)); 또, 악마처럼 못된 여자. ¶現代の~がり 현대판 마녀 사냥.

ましょう【魔性】名 마성; 악마처럼 사람을 현혹시키는 성질. ¶~の女 마성의 여자/~を現わす 마성을 드러내다.

ましょうか 連語 '…ましょう(=…합시다)'의 완곡한 표현: …하실[할]까요; …하시지요. ¶私がやり~ 제가 할까요/そろそろ出かけ~ 슬슬 나가 보실까요[보시지요].

ましょうめん【真正面】名 바로 정면. =まむかい. ¶~に座る 바로 정면에 앉다/~から問題に取り組む 정면으로 문제와 맞붙다.

マジョリティー [majority] 名 매조리티; 대다수; 과반수; 다수파. ¶サイレント~ 말없는 다수. ↔マイノリティー.

まじり【混じり·交じり】名 섞임; 또, 섞인 것. ¶皮肉~の批評 야유가 섞인 비평.

まじりけ【混じりけ·交じりけ】名 섞임; 섞인 것; 불순물. ¶~がない 섞인 것이 없다; 순수하다/~なしの酒 전국술/~のない気持ち 순수한 마음.

******まじ-る**【混じる·交じる】5自 섞이다; 혼입(混入)하다. =まざる. ¶漢字に仮名が~ 한자에 仮名가 섞이다/水と油はよく~·らない 물과 기름은 잘 섞이지 않는다/子供に~·って勉強する 아이들과 어울려서 공부하다.

まじろぎ〖瞬ぎ〗名 눈을 깜박임. =まばたき. ¶~もせずに聞き入る 눈도 깜박이지 않고 경청하다.

まじろ-ぐ 〖瞬ぐ〗5自 눈을 깜빡이다. =まばたく. ¶少しも~·がないで見つめる 조금도 깜박이지 않고 주시하다.

まじわり【交わり】名 **1** 교제; 사귐. =つきあい. ¶君子の~ 군자의 사귐/~を結ぶ 교분을 맺다. **2** 성교. ¶夫婦の~ 부부의 교합(交合).

*****まじわ-る**【交わる】5自 **1** 교차(交叉)하다; 엇걸리다; 만나다. ¶道が~ 길이 교차하다/二直線が一点に~ 두 직선이 한 점에서 교차하다. **2** 교제하다; 사귀다; 어울리다. ¶友と~ 친구와 사귀다/人はその~友を見ればわかる 사람은 그 사귀는 친구를 보면 안다/朱に~·れば赤くなる 주홍을 가까이 하면 붉어진다; 근묵자흑(近墨者黑). **3** 성교(性交)하다.

ましん [麻疹·痲疹] 名 ☞はしか.

マシン [machine] 名 **1** 머신; 기계. ¶~ガン 기관총/タイム~ 타임 머신/ピッ

チング～ (타격 연습용) 자동 투구기(投球機). **2** 경주용 자동차·오토바이.

⁑まーす【増す】《益す》㊀[5自] **1** (수·양·정도가) 커지다; 많아지다; 늘다; 붇다. ¶川の水が～ 강물이 불어나다/人口が～ 인구가 늘다/食欲〔実力〕が～ 식욕이〔실력이〕 늘다/喜びが～ 기쁨이 더해지다. **2**《'…に(も)～·して'의 꼴로》 더욱 …해지다; 더 한층 …하다. ¶何物にも～·してありがたい 무엇보다도 고맙다/前にも～·して寂しくなった 전보다도 더욱 쓸쓸해졌다. ⇔減へる. ㊁[5他] **1** (수·양·정도를) 많게〔크게〕 하다; 보태다; 늘리다. ＝ふやす. ¶人数を～ 인원수를 늘리다. **2** (양적·질적으로) 더하다; 정도를 높이다. ¶威厳を～ 위엄을 더하다/緊張の度を～ 긴장의 도를 더하다/速さ〔速度〕を～ 속력을〔속도를〕 더하다. ⇔減らす.

ます [助動]《動詞나 動詞型活用을 하는 助動詞의 連用形에 붙어》 말하는〔글쓴〕이가 듣는〔읽는〕 사람에 대한 공손한 마음을 나타냄; 또, 자기의 기품을 유지하는 말씨로도 씀: …입〔합〕니다. ¶よく降り～ね (비가, 눈이) 잘 내리는군요/お供し～ 모시고 가겠습니다/知りません 모르겠습니다/始めましょう 시작하십시다/何が有り～か 무엇이 있습니까/でき～れば明日にしていただきたい 가능하다면 내일로 해주셨으면 좋겠소/会議がはじまりました 회의가 시작되었습니다/お教えくださいませ 가르쳐 주십시오.

ます【升】《枡》[名] **1** 곡물·액체의 양을 되는 그릇《홉·되·말》. ¶一升～ 한 되들이 되/一合～ 한 홉(들이) 되/～ではかる 말〔되〕로 되다. **2** 되·말로 된 분량; 두량(斗量). ＝ますめ. ¶～がからい 되질이 짜다/～が足りない 되가 모자라다. **3** ☞ますせき.

ます〖鱒〗[名]〔魚〕 송어.

マス [名] ☞マスターベーション. ¶～をかく 용두질하다; 수음(手淫)하다.

マス [mass] [名] 매스. **1** 집단; 모임. **2** 다수; 대량. **3** 대중. ¶～ソサエティー 매스 소사이어티; 대중 사회. 「임.

—ゲーム [일 mass+game] [名] 매스 게

—コミ [名] **1** ☞マスコミュニケーション. ¶～が騒ぐ 매스컴이 떠들다/～に乗る 매스컴을 타다/～に取り上げられる 매스컴에 거론되다/～をにぎわす 매스컴을 떠들썩하게 하다. **2** ☞マスメディア. ¶～の寵児 매스컴의 총아. ⇨ミニコミ.

—コミュニケーション [mass communication] [名] 매스 커뮤니케이션; 대중 전달; 대량 전달. ＝マスコミ.

—プロ [名] ☞マスプロダクション.

—プロダクション [mass production] [名] 매스 프로덕션; 대량 생산.

—メディア [mass media] [名] 매스 미디어; 대중 전달 매체; 대량 매체.

⁑まず〖先ず〗[副] 우선. **1** 최초에; 첫째로; 맨 먼저. ¶～金が必要だ 우선 돈이 필요하다/～お茶を一杯のむ 먼저〔우선〕 차부터 한 잔 마시다/～いろはから教える 맨먼저 'いろは(＝ㄱ·ㄴ)'부터 가르치다/～これをかたづけよう 우선 이것을 치우자. **2** 대체로; 아마도; 하여간; 거의. ＝一応·おおよそ. ¶～まちがいない 거의 틀림없다/彼のことだから～成功するだろう 그 사람의 일이니까 하여간 성공할 것이다/成功の見込みは～ない 성공할 가망은 거의 없다/～来ないだろう 아마도 오지 않을 게다.

***ますい【麻酔】**[名] 마취. ¶～剤 마취제/全身〔局部〕～ 전신〔국부〕 마취/～をかける 마취시키다/～から覚める 마취에서 깨어나다.

⁑まずーい〖不味い〗[形] **1** 맛이 없다. ¶この料理は～ 이 요리는 맛이 없다/高くて～料理 비싸고 맛없는 요리/熱があるのかどうも口が～ 열이 있는지 입맛이 없다. ↔うまい·おいしい. **2** 서투르다; 졸렬하다. ＝つたない. ¶この絵はどうみても～ 이 그림은 아무리 봐도 서투르다/字が～ 글씨가 서투르다. ↔うまい. **3** 못생기다. ¶～顔 못생긴 얼굴. **4** 재미없다; 거북하다; 좋지 않다; 일이 잘못되다. ¶父に知れると～ 부친에게 알려지면 재미없다/それは～事になった 그것 참 재미없게 되었다/～所で会った 좋지 않은 곳에서 만났다/彼と～·くなった 그와의 사이가 서먹해졌다. ↔うまい.

ますがた【升形】《枡形·斗形》[名] **1** 되 같은 네모진 형상. **2**〔建〕 동자(童子)기둥; 쪼구미.

マスカラ [mascara] [名] 마스카라; 속눈썹에 바르는 먹〔화장품〕. ¶～をつけたまつげ 마스카라를 (칠)한 속눈썹.

マスク [mask] [名] 마스크. **1** 면(面). ㉠ 가면; 탈. ¶～プレー 가면극. ㉡야구의 포수나 펜싱하는 사람이 쓰는 안면 보호구. ¶～をかぶる 마스크를 쓰다. ㉢방독면. **2** 병균·먼지 따위를 막기 위한 입마개. ¶～をかける 마스크를 하다. **3** 'デスマスク(＝데스마스크)'의 준말. **4** 얼굴 생김새; 용모. ¶ほりの深い～ 선이 뚜렷한 얼굴/甘い～ 순한 얼굴/いい～をしている 잘생긴 얼굴이다.

マスコット [mascot] [名] 마스코트; 행운을 가져다 준다고 믿는 인형·동물 따위. ¶縫いぐるみの～ 봉제 마스코트.

ますざけ【升酒】《枡酒》[名] 됫술; 되로 파는 술; 되에 담은 술.

⁑まずしーい【貧しい】[形] **1** 가난하다. ¶～暮らし 가난한 살림/～家に生まれる 가난한 집에 태어나다/～·く暮らす 가난하게 살다. **2** 적다; 빈약하다; 변변찮다. ＝とぼしい. ¶～才能 빈약한 재능/～食事 변변찮은 식사/精神

(せいしん)[語彙(ごい)]が～ 정신이[어휘가] 빈약하다/心(こころ)の～人(ひと) 마음이 가난한 사람.

ますせき【升席】图 (씨름 등 흥행장에서) 되 모양으로 네모지게 칸막이를 한 관람석.

マスター [master] 마스터. 一图 **1** 주인; 고용주. ¶酒場(さかば)の～ 술집 주인. **2** 석사(碩士). =修士(しゅうし). ¶～コース 석사 코스[과정]. 二图スル他 숙달함; 완전히 습득함; 터득함. ¶英会話(えいかいわ)を～する 영어 회화를 마스터하다.

—キー [master key] 图 마스터 키; 맞쇠. =親鍵(おやかぎ).

—プラン [master plan] 图 마스터플랜; (종합) 기본 계획.

マスタード [mustard] 图 《料》 머스터드 《양요리에 쓰는 겨자》. =洋(よう)がらし.

マスターベーション [masturbation] 图 마스터베이션; 자위; 수음(手淫). =自慰(じい)·マス·オナニー.

マスト [mast] 图 마스트; 돛대. =ほばしら. ¶メーン～ 메인 마스트; 주돛대/三本(さんぼん)～の船(ふね) 세대박이; 삼대선.

まずは『先ずは』mazuwa 副 (편지에서) 다른 일은 제쳐 두고; 우선; 일단; 하여튼. =ひとまず·とにかく. ¶～お礼(れい)まで 우선은 사례의 말씀만 (드립니다)/～ビールで乾杯(かんぱい) 우선 맥주로 건배.

***ますます**『益益』副 점점 (더); 더욱더. =いよいよ. ¶人口(じんこう)は～ふえる 인구는 점점 더 늘어난다/最近(さいきん)～太(ふと)ってきた 최근 점점 더 뚱뚱해졌다/恋心(こいごころ)が～つのる 연정이 더욱 강렬해지다.

まずまず『先ず先ず』副 **1** 우선; 무엇보다 먼저. ¶～ごぶじで, けっこう (우선) 무엇보다도 무사하시다니 다행입니다/～これからかたづけよう 우선 이것부터 치우자. **2** (그저) 그런대로; 어쨌든; 그럭저럭. =まあまあ·どうやら. ¶～の成績(せいせき) 그저 그만한 성적/～というところ 그저 그만한 정도/～これで安心(あんしん)だ 어쨌든 이로써 안심이다/資金(しきん)の方(ほう)は～大丈夫(だいじょうぶ)だ 자금 문제는 그런대로 염려없다.

ますめ【升目】《枡目》图 **1** 두량(斗量); 되로 된 양(量). ¶～をごまかす 되를 속이다/～はたっぷりだ 되는[되질은] 후하다/～が足(た)りない 되가 모자라다. **2** 격자 모양의 칸·무늬 등. ¶原稿用紙(げんこうようし)の～ 원고 용지의 칸/～を埋(う)める 원고지의 칸을 채우다[메우다].

まずもって『先ず以て』連語 《副詞적으로》 우선 (무엇보다). ¶～おめでとう 우선 축하드립니다/～一安心(ひとあんしん)だ 우선 일단은 안심이다/この分(ぶん)なら～安心(あんしん)してよろしい 이 정도면 우선 안심해도 좋다.

ますらお『丈夫·益荒男』图 〈雅〉 대장부; 헌헌장부; 훌륭한 남자. =ますらたけお. ↔たおやめ.

ま-する【摩する】サ変他 **1** 닦다; 문지르다. ¶レンズを～ 렌즈를 갈다. **2** 접근하다; 접하다. ¶天(てん)を～高層(こうそう)ビル 하늘에 닿을 정도로 높은 고층 빌딩.

マズルカ [폴 maz(o)urka] 图 마주르카; 3박자의 쾌활한 리듬의 폴란드 국민 무용(곡).

まぜあわ-せる【混ぜ合わせる】下1他 (각각 다른 것을) 한데 섞다; 혼합하다. =混(ま)ぜあわす. ¶粉(こな)と水(みず)をよく～ 가루와 물을 잘 섞다.

まぜかえ-す【混ぜ返す】5他 ☞まぜっかえす.

まぜこぜ 图ダナ 여러 가지가 뒤섞이는 모양. =ごちゃごちゃ·ごたまぜ. ¶書類(しょるい)を～にする 서류를 뒤섞다/事実(じじつ)と想像(そうぞう)を～にして話(はな)す 사실과 상상을 뒤섞어서 말하다.

まぜごはん【混ぜ御飯】图 ☞まぜめし.

まぜっかえ-す【混ぜっ返す】5他 **1** 몇 번이고 뒤섞다. ¶飯(めし)に酢(す)をかけて～ 밥에 초를 쳐서 뒤섞다. **2** 말참견이나 농을 지껄여서 남의 진지한 말을 혼란시켜 망쳐 놓다. =まぜ返(かえ)す·ちゃかす. ¶横(よこ)から口(くち)を出(だ)して～ 곁에서 말참견하여 훼방놓다/会議(かいぎ)を～ 회의를 훼방놓다/茶々(ちゃちゃ)を入(い)れて～ 농담을 하여 남의 말을 혼란시키다.

まぜめし【混ぜ飯】《交ぜ飯》图 비빔밥. =ビビンバ. 參考 공손한 말씨는 '混(ま)ぜごはん'.

ま-せる『老成る』下1自 (나이에 비해서) 조숙하다; 자깝스럽다; 깜찍하다; 아른스럽다. ¶～·せた口(くち)をきく 깜찍한 말을 하다/～·せた子(こ) 조숙한 아이.

***ま-ぜる**【交ぜる】下1他 섞(어 넣)다. ¶漢字(かんじ)を～ 한자를 섞다.

***ま-ぜる**【混ぜる】下1他 섞다; 뒤섞다; 혼합하다. ¶酒(さけ)に水(みず)を～ 술에 물을 타다/卵(たまご)をよく～ 달걀을 잘 휘저어 섞다/砂(すな)にセメントを～ 모래에 시멘트를 섞다.

マゾ 图 **1** 'マゾヒスト'의 준말. **2** 'マゾヒズム'의 준말. ⇔サド.

マゾヒスト [masochist] 图 마조히스트. =マゾ. ↔サディスト.

マゾヒズム [masochism; 도 Masochismus] 图 마조히스무스; 마조히즘. =マゾ. ↔サディズム.

まそん【摩損·磨損】图スル自 마손; 닳음; 마멸. ¶タイヤの～ 타이어의 마손/機械(きかい)が～する 기계가 닳아 손상되다.

⁑**また**【また·又】一图 **1** 다른 때; 다음. ¶～の機会(きかい) 다른 기회/～の日(ひ) 딴 날 《다음날 또는 후일》/～にしましょう 다음 기회로 미룹시다/では～ 그럼 또《안녕》. **2** 《名詞를 수식하여》 간접의 뜻을 나타냄. ¶～貸(が)し 전대(轉貸)/～聞(ぎ)き 간접으로 들음. 二副 **1** 또; (또) 다시; 또 한번; 재차. ¶～会(あ)いましょう 또 만납시다/いずれ～伺(うかが)います 후에 또 찾아 뵙겠습니다. **2** 《본디 '亦'로도》 똑같이; 역시; 또한. ¶それも～よかろう 그것도 역시 좋겠지/これ(も)～傑作(けっさく)だ 이것도 또한 걸작이다/彼(かれ)も～商人(しょうにん)

だ 그도 역시 장사꾼이다/彼かれも～人ひとの子こだった 그도 역시 (성인이 아니라) 보통 인간이었다/彼かれも～彼女かのじょが好すきだ 그도 또한 그녀를 좋아한다. **3** 또; 도대체《놀람이나 강조, 강한 의문을 나타냄》. ¶これは～どうしたことか 이건 또 어떻게 된 일이냐/なんで～そんなことをするんだ 무엇 때문에 또 그런 짓을 하는 거냐/それは～どういう訳わけだ 그것은 도대체 어찌된 영문인가.

三接 달리 진술할 것이 있어 그것을 계속해서 말할 때에 씀: 그 위에 또; 또한; 게다가; 또는. ¶山やま～山 산 (너머) 또 산; 첩첩산중/外交官がいこうかんでもあり, ～詩人しじんでもある 외교관이기도 하고 또 시인이기도 하다.

━にする 다른 기회〔때〕에 하다. ¶この話はなしはまたにしてくれないか 이 얘기는 다른 기회에 해 주지 않겠나.

***また** 名 **1**《본디 叉》끝이 두 갈래로 갈라진 모양·곳: 아귀; 갈래. ¶木きの～ 나뭇가지의 아귀〔갈래〕. **2**《본디 股》(다리) 가랑이; 샅. ＝またぐら. ¶～を開ひらく 다리 가랑이를 벌리다/～を広ひろげて座すわる 다리 가랑이를 벌리고 앉다. **3**《본디 岐》갈림길. ¶道みちの三みつ～ (길의) 삼거리.

━にかける 여기저기 두루 돌아다니다. ¶世界せかいを～ 세계를 두루 돌아다니다; 전하여, 국제적인 규모로 널리 어떤 일을 하다.

****まだ** 〖未だ〗 副 **1** 아직(도). ㉠계속; 여태까지; 여지껏; 지금까지도. ¶～行いったことのない国くに 아직 가본 일이 없는 나라/～続つづいているのか 아직도 계속되고 있는가/～子供こどもだ 아직도 어린 애다. ㉡겨우. ＝わずかに. ¶始はじまってから～一時間いちじかん余あまりだ 시작해서 겨우 한 시간 좀 더 된다. **2** 그 외에도 더; 더욱; 또 (한편). ¶理由りゆうは～ある 이유는 또〔아직 더〕 있다/同おなじようなのが～ある 같은 것이 더 있다. **3** 차라리; 오히려; 그런대로. ¶この方ほうが～ましだ 이쪽이 오히려 낫다/前まえの方ほうが～よかった 먼저 것이 차라리 낫다. **4**《뒤에 否定이 와서》아직 …아니다; 겨우 …밖에 안 되다. ¶～一分いっぷんしかたたない 아직 1분밖에 지나지 않았다/～傷きずが直なおらない 아직 상처가 낫지 않았다.

まだい 〖真鯛〗 名〔魚〕참돔. ＝ほんだい.

まだい 【間代】 名 방세. ＝部屋代へやだい. ¶～が溜たまる 방세가 밀리다/～は幾いくらですか 방세는 얼마입니까.

またいとこ 〖又従兄弟·又従姉妹〗 名 육촌; 재종 형제나 자매. ＝ふたいとこ·はとこ·いやいとこ.

またがし 【又貸し】 名ス他 전대(轉貸); 빌려 온 것을 다시 남에게 빌려 줌. ¶本ほんを～する 책을 전대하다. ↔又借またがり.

またがみ 【また上】《股上》 名〔裁〕(바지 따위의) 가랑이에서 위까지의 길이; 밑. ¶～が浅あさい 밑이 되다. ↔また下した.

またがり 【又借り】 名ス他 전차(轉借); 남이 빌린 것을 다시 빌림. ¶金かねを～する 돈을 전차하다. ↔又貸またがし.

***またが-る** 〖跨る·股がる〗 5自 **1** 두 다리를 벌리고 올라타다; 걸터타다. ¶馬うまに～ 말에 올라타다. **2** 걸치다. ＝わたる. ¶五年ごねんに～計画けいかく 5년간에 걸친 계획/通とおりに～歩道橋ほどうきょう 큰길에 걸쳐 있는 육교/欧亜おうあの両大陸りょうたいりくに～ 유럽과 아시아 양대륙에 걸치다.

またぎき 【又聞き】 名ス他 간접적으로 들음; 한 다리 건너 들음. ¶～だからはっきりしない 간접적으로 들은 것이라서 확실치 않다/～した話はなしだが… 간접적으로 들은 이야기인데.

***またぐ** 〖跨ぐ〗 5他 가랑이를 벌리고 서다〔넘다〕. ¶みぞを～ 도랑을 넘다/敷居しきいを～ 문지방을 넘다; 방문하다; 출입하다/海峡かいきょうを～橋はし 해협에 걸쳐 있는 다리. 可能 また-げる 下1自

またぐら 〖股座〗 名 샅; 다리 가랑이. ＝股間こかん. ¶～をくぐる 가랑이 밑을 기어 나가다.

まだこ 〖真蛸〗 名 낙지.

またした 【また下】《股下》 名〔裁〕(바지 따위의) 밑〔가랑이〕 아래 길이. ↔またがみ.

またしても 〖又しても〗 連語 《副詞적으로》 또다시; 재차; 거듭《'また'의 힘줌말》. ＝またまた. ¶～彼かれにやられた 또다시 그에게 당했다/～やって来きた 또 (다시) 왔다/～迷惑めいわくをかける 또다시 폐를 끼치다/～勝かちを拾ひろう 다시금 승리를 거두다.

まだしも 〖未だしも〗 連語 아직 그렇지도 않으나; (아직) 그래도; 그런대로 (괜찮으나); (…면) 또 모르되. ¶このほうが～よい 이쪽이 그래도 낫다/それは～がまんができる 그건 그래도 참을 수가 있다/あの事ことは～, これは困こまる 그 일은 또 몰라도, 이것은 곤란하다/あれより～この方ほうがましだ 그것보다는 그런대로〔그래도〕 이쪽이 낫다.

またずれ 【また擦れ】《股擦れ》 名ス自 샅(의 살갗)이 쓸림.

また-せる 【待たせる】 下1他 기다리게 하다. ＝待またす. ¶長ながく～·せてすまない 오래 기다리게 해서 미안하다/お～·せしました 오래 기다리셨습니다/車くるまを～·せている 차를 대기시키고 있다.

またた-く 【瞬く】 5自 **1** 눈을 깜박이다. ＝まばたく. ¶目めを～ 눈을 깜작이다〔깜박이다〕. ⇨またたくま. **2** 반짝이다. ＝きらめく·ひらめく. ¶夜空よぞらに星ほしが～ 밤하늘에 별이 반짝이다/町まちの灯ひが～ 거리의 등불이 반짝이다. 可能 またた-ける 下1自

またたくま 【瞬く間】 名 순식간; 눈깜짝할 사이. ¶～の出来事できごと 순식간에 생긴 일/～に時間じかんがたつ 눈깜짝할 사이에 시간이 가다.

まただのみ 【又頼み】 名ス他 사람을 통해서 부탁함; 간접적으로〔남을 통해〕 부

탁함. ¶ ~では駄目だよ 남을 통해 부탁해서는 안 되네 / 就職を~する 사람을 통해 취직을 부탁하다.

またたび 〖木天蓼〗 图 〔植〕 개다래나무.

またでし 【又弟子】 图 제자의 제자. =孫弟子.

またと 【又と】 副 **1** 이 이외에. ⇨またとない. **2** 《否定어·禁止의 말과 함께》 두 번 다시. ¶ ~するな 다시는 하지 마라.

マタドール [스 matador] 图 마타도르; 투우에서, 마지막에 검으로 소의 숨통을 끊는 주역 투우사.

またとない 〖又とない〗 連語 다시없는; 둘도 없는. ¶ ~喜び 다시없는 기쁨 / こんなチャンスは~よ 이런 기회는 다시없어.

またの 〖又の〗 連体 **1** 다른; 딴. **2** 다음의. ¶今度は見送って~機会に譲ろう 이번은 보류하고 다음 기회로 미루자.

――名 또 하나의 이름; 별명; 일명(一名).

――日 **1** 다음〔이튿〕날. **2** 후일; 뒷날. ¶ ~にお伺い致します 뒷날 찾아 뵙겠습니다.

***または** 【または·又は】 matawa 接 또는; 혹은; 그게 아니면. =あるいは. ¶鉛筆~ペン 연필 또는 펜 / 手紙を出すか~電報を打つかしなければならない 편지를 내든가 아니면 전보를 치든가 해야 한다 / 特急列車~航空機が利用できる 특급 열차 또는 항공기를 이용할 수 있다. 参考 법령에서, 선택할 어구에 단계가 있는 경우 큰 단계에는 '又は', 작은 단계는 'もしくは'를 씀. ¶AもしくはB~C A 혹은 B 또는 C.

またひばち 【また火鉢】 《股火鉢》 图 화로를 타듯 다리 가랑이를 벌리고 불을 쬐는 일. =またび. ¶ ~をして一服する 화로를 껴안고 한 대 피우다.

またまた 〖又又〗 副 또다시; 거듭. =またしても·かさねて. ¶ ~の大げんか 거듭되는 큰 싸움 / ~失敗した 거듭 실패했다.

まだまだ 〖未だ未だ〗 副 아직; 아직도 《'まだ'의 힘줌말》. =まだ·今なお. ¶ ~日は暮れない 아직도 해는 저물지 않고 있다 / ~記憶に新しい 아직도 기억에 새롭다 / 山頂までは~だ 산정까지는 아직도 멀었다 / ~来ない 아직도 오지 않는다 / ~がまんできる 아직 참을 수 있다.

マダム [madam] 图 마담. **1** 부인. ¶有閑~ 유한 마담. **2** 술집·다방 등의 여주인. =ママ·おかみ. ¶やとわれ~ 고용 마담. ↔マスター.

――キラー [일 madam+killer] 图 기혼 여성을 반하게 하는 매력적인 남자. =奥さま殺し.

またも 〖又も〗 副 ☞またもや.

またもや 〖又もや〗 副 다시금; 또다시. =またまた. ¶ ~失敗した 또다시 실패했다 / ~成功を収めた 또다시 성공을 거두었다.

***まだら** 〖斑〗 图 얼룩; 반점(斑點). =ぶち. ¶ ~(の)牛 얼룩소 / ~模様 얼룩무늬 / ~になる 얼룩이 지다 / 雪が~に消え残っている 눈이 군데군데 녹지 않고 남아 있다.

まだる-い 〖間怠い〗 形 ☞まだるっこい.

まだるっこ-い 〖間怠っこい〗 形 (답답할 정도로) 굼뜨다; 미적지근〔흐리멍덩〕하다. =まだるこい·まどろ(っ)こしい. ¶ ~物言い 답답할 정도로 느린 말투 / ~くて見ていられない 답답해서 보고 있을 수 없다 / そんな~やり方ではだめだ 그렇게 흐리멍덩한 방법으로는 안 된다.

⁑まち 【町】 图 **1** 집이 많이 모여 있는 구역; 도회; 읍내. ¶ ~に出る 도회〔읍내〕로 나가다 / ~の病院 도회〔읍내〕의 병원. ↔いなか. **2** 행정 구역의 하나 《한국의 읍(邑)에 해당함》. =町. ↔市·村. **3** 시·구를 구성하는 작은 구획 《한국의 동(洞)에 해당함》.

⁑まち 【街】 图 상점 따위가 밀집된 번화한 거리. ¶若者の~ 젊은이의 거리 / ~の紳士 거리의 신사《특히 갱》 / ~の女 거리의 여자; 가창(街娼) / ファッションの~ 패션의 거리 / ~に買い物に行く 거리에 물건 사러 가다.

まちあいしつ 【待合室】 图 대합실. ¶駅の~で待っている 역(의) 대합실에서 기다리고 있다.

まちあか-す 【待ち明かす】 5他 밤새도록 기다리다; 기다리며 밤을 지새우다. ¶まんじりともせず一晩~ 뜬눈으로 밤새도록 기다리다 / 吉報を~ 희소식을 밤새도록 기다리다.

まちあぐ-む 【待ちあぐむ】 5他 기다림에 지치다; 진력이 나도록 오래 기다리다. =まちあぐねる. ¶夫の帰りを~ 남편의 귀가를 애타게 기다리다 / バスが来るのを~·んで歩きはじめた 버스를 기다리다 지쳐서 걷기 시작했다.

まちあわせ 【待ち合わせ】 图 (때와 장소를 미리 정하고) 약속하여 만나기로 함. ¶ ~の場所 서로 만나기로 한 장소 / ~に遅れる 만나기로 한 시각에 늦다.

***まちあわ-せる** 【待ち合わせる】 下1自 시간·장소를 미리 정하고 만나기로 하다. ¶六時に喫茶店で~ 6시에 다방에서 만나기로 하다.

まちいしゃ 【町医者】 图 개업의. =開業医·町医.

まちう-ける 【待ち受ける】 下1他 채비를 하고 기다리다. ¶ ~·けた手紙 고대하던 편지 / どんな運命が~·けているかだれも知らない 어떤 운명이 기다리고 있는지 아무도 모른다.

***まぢか** 【間近】 名되 (시간이나 거리가) 아주 가까움. ¶完成~のビル 완성 직전의 빌딩 / 締め切りが~に迫る 마감이 임박하다 / 総選挙を~に控

える 총선거를 바로 눈앞에 두다 / 目的地も～だ 목적지도 눈앞에 있다. ↔間遠.

⁑まちがい【間違い】 名 **1** 틀림; 잘못; 실수. ¶～のない男 틀림없는〔믿을 수 있는〕 사나이 / ～を犯す 잘못을 저지르다 / 答えに～が多い 답에 틀린 것이 많다 / ～なくお届けします 틀림없이 보내 드리겠습니다 / ～はだれにでもある 누구나 실수를 저지른다 / 成功は～ない 성공은 틀림없다. **2** 싸움; 사고; 말썽. ¶～が起こって一騒ぎした 말썽이 일어나서 한바탕 소동이 벌어졌다 / 何か～があったのではないか 뭔가 사고가 난 것은 아닌가.

まぢか-い【間近い】 形 (시간·거리가) 아주 가깝다; 임박하다. ¶卒業も～ 졸업도 임박했다 / 頂上が～ 정상이 아주 가깝다. ↔間遠い.

＊まちが-う【間違う】 5自他 잘못되다; 잘못하다; 틀리다; 잘못이 일어나다. ¶～·った答え 틀린 답 / ～·った行い 잘못된〔그릇된〕 행위 / 計算を～ 계산을 잘못하다 / 考えが～·っている 생각이 잘못되어 있다 / 道順を～ 절차〔코스〕를 그르치다 / 約束の日を～ 약속 날짜를 잘못 알다 / 手紙は～·って他の家へ配達された 편지는 잘못되어 딴 집으로 배달되었다.

——·っても 《다음에 否定·금지의 말이 와서》 어떤 일이 있어도; 절대로; 결코. ¶～言うな 절대로 말하지 마라 / 僕は～そんなことはしない 나는 절대로 그런 짓은 하지 않는다.

⁑まちが-える【間違える】 下1他 **1** 잘못하다; 틀리다; 실수하다. ¶計算を～ 계산을 잘못하다. **2** 다른 것으로 착각하다; 잘못 알다; 잘못 가지다. ＝とりちがえる. ¶へやを～ 방을 잘못 알다 / どろぼうと～ 도둑으로 오인하다 / 道を～ 길을 잘못 들다 / 犯人と～·えられる 범인으로 오인받다 / 靴を～ 모르고 다른 구두를 신다 / 彼は～·えて私のかさを持って行った 그는 잘못 알고 내 우산을 가지고 갔다.

まちかど【街角·町角】 名 **1** 길모퉁이; 길목. ¶～でぱったり出会う 길목에서 딱 마주치다 / ～でタクシーを拾う 길모퉁이에서 택시를 잡다. **2** 가두(街頭). ¶～で布教に努める 거리에서 포교에 힘쓰다.

まちか-ねる【待ち兼ねる】 下1他 **1** 기다리다 못하다; 더 기다릴 수 없다. ¶～·ねて帰る〔先に行く〕 기다리다 못해 돌아가다〔먼저 가다〕. **2** 잔뜩 기다리다; 학수고대하다. ¶返事を～ 답장 오기를 고대하다.

まちかま-える【待ち構える】 下1他 (준비를 다하고) 기다리다; 대기하다; 기대하다. ＝待ちもうける. ¶機会が来るのを～ 기회가 오기를 기다리다 / いまやおそしと～ 이제나저제나 하고 잔뜩 기다리다 / ～·えていた相手が来た 기다리던 상대가 왔다.

まちぎ【町着·街着】 名 외출복; 나들이옷. ＝タウンウェア.

まちくたび-れる【待ちくたびれる】 下1自 기다리다 못해 지치다. ¶開会が遅れて～ 개회가 늦어져 기다리다 못해 지치다 / ～·れて先に寝る 기다리다 지쳐서 먼저 자다.

まちこうば【町工場】 名 시내에 있는 작은 공장.

まちこが-れる【待ち焦がれる】 下1他 애타게〔초조히〕 기다리다; 고대하다; 손꼽아 기다리다. ¶夏休みを～ 여름 방학을 손꼽아 기다리다 / 恋人を～ 애인을 애타게 기다리다.

まちじかん【待ち時間】 名 기다리는 시간; 대기 시간. ¶病院は～が長い 병원은 대기 시간이 길다.

まちすじ【町筋】 名 거리. ¶～に店がならぶ 거리에 가게가 즐비하다 / 神輿が～を練り歩く 신여가 거리를 누비며 다니다.

まちどおし-い【待ち遠しい】 形 (이제나 저제나 하고) 오래 기다리다; 빨리 왔으면 하고 기다려지다. ＝まちどおい. ¶～夏休み 몹시 기다려지는 여름 방학〔휴가〕 / お正月が～ 설이 몹시 기다려진다.

まちなか【町中】 名 시내; 시가지; 번화가. ¶～でけんかする 거리에서 싸움질하다 / ～を歩く 번화가를 걷다 / 白昼～でひったくり事件があった 대낮에 시내에서 날치기 사건이 있었다.

まちなみ【町並み】 名 길거리에 집·상점 따위가 늘비하게 서 있는 모양. ¶にぎやかな～ 북적거리는 거리 / ～がよくそろっている 거리의 집들이 가지런히 잘 늘어서 있다.

まちにまった【待ちに待った】 連語 기다리고 기다리던; 기다려 마지않던; 오랫동안 기다리던. ¶～人が来る 기다리고 기다리던 사람이 오다 / ～夏休み 기다리고 기다리던 여름 방학〔휴가〕.

マチネー〔프 matinée〕 名 마티네; 주간 흥행. ¶～コンサート 주간 연주회.

まちのぞ-む【待ち望む】 5他 어서 이루어지기를 바라다; 대망하다; 희망하다. ¶世界平和を心から～ 세계 평화를 진심으로 희망하다.

まちはずれ【町外れ】 名 시외; 변두리. ¶～の一軒家 변두리의 외딴집.

まちばり【待ち針】 名〔裁〕 가봉(假縫) 바늘; 시침바늘. ＝こまちばり·標針. ¶布に～を打つ 천에 시침질을 하다. ↔ぬい針.

まちびと【待ち人】 名 기다려지는 사람. ＝まちうど. ¶～きたらず 기다리는 사람은 오지 않다.

まちぶせ【待ち伏せ】 名ス他 매복〔잠복〕하고 기다림. ¶峠で敵を～する 고개에서 매복하고 적을 기다리다 / ～して襲う 잠복하고 있다가 습격하다.

ま

まちぼうけ【待ちぼうけ】《待ち惚け》 图 기다리던 사람이 영 오지 않아 헛물켬. ＝まちぼけ. ¶～を食う 기다리다가 허탕치다; 바람맞다 / ～を食わせる 바람맞히다.

まちまち〖区区〗 ダナ 구구; 각기 다름. ＝くく. ¶～の服装 각기 다른 복장 / ～の意見 구구한 의견 / 報告〔大きさ〕が～だ 보고〔크기〕가 제각기 다르다 / 年齢が～だ 연령이 각기 다르다.

まちもう-ける【待ち設ける】 下1他 대비하고 기다리다. ＝待ちかまえる. ¶準備万端整えて客を～ 만반의 준비를 갖추고 손님을 기다리다 / この先どんな苦難が～·けているか分からない 앞으로 어떤 고난이 기다리고 있을지 알 수 없다 / 敵の襲来を～ 적의 내습에 대비하고 기다리다.

まちや【町家·町屋】 图 시중의 상가(商家). ＝町家.

まちやくば【町役場】 图 지자체(地自體)인 町의 사무를 보는 관청《한국의 읍·동사무소에 해당》.

まちわ-びる【待ちわびる】《待ち侘びる》 上1他 애타게 기다리다; 고대하다. ¶夜明けを～ 날이 새기를 애타게 기다리다 / 息子の帰国を～ 아들의 귀국을 고대하다.

⁑**ま-つ**【待つ】 5他 기다리다. ¶機会〔春, 客〕を～ 기회를〔봄을, 손님을〕기다리다 / 子の帰りを～ 자식이 돌아오기를 기다리다 / バス(の来るの)を～ 버스(가 오기)를 기다리다 / 門があくのを～ 문이 열리기를 기다리다 / 客を～ 손님을 기다리다 / あと一日～·ってくれ 하루만 더 기다려 주게. 可能 ま-てる 下1自

——·てば海路の日和あり 끈기 있게 기다리다 보면 뱃길이 잔잔해질 때가 있다《쥐구멍에도 볕들 날이 있다》. ＝待てば甘露の日和あり.

> **待つ의 여러 가지 표현**
>
> 표현例 いらいら(초조하게)·じりじり(바작바작; 초조하게)·そわそわ(안절부절못하고)·やきもき(안달복달하며)·いそいそ(들뜬 마음으로).
>
> 관용 표현 今か今かと(이제나저제나하고)·今や遅しと(이제나저제나하고)·首を長くして(애타게)·鶴首して(학수고대하고)·手ぐすねを引いて(만반의 준비를 하고)·満を持して(충분한 준비를 갖추고)·指折り数えて(손꼽아 헤아리며)·一日千秋の思いで(일일여삼추로; 몹시 애타게).

⁑**ま-つ**〖俟つ〗 5他 기대하다. ¶君の自覚に～ 너의 자각에 기대한다 / 言を～·たない 말할 필요도 없다 / 今後の研究に～ 금후의 연구에 기대하다.

***まつ**【松】 图 **1** 소나무. ¶赤～ 적송 / ～の実 솔방울. **2**〈雅〉 횃불. ＝たいまつ. **3** 'かどまつ(＝설날 대문 앞에 장식으로 세우는 소나무)'의 준말; 또, 이것을 세워서 축하하는 기간. ¶～が過ぎてから 설이 지나고 나서 / ～をかざる '門松'를 장식하다.

＝**まつ**【末】 图 …말. **1** 끝. ¶学期～ 학기말 / 世紀～ 세기말. **2** 가루. ¶ほうさん～ 붕산가루.

まつ〖末〗 教4 マツ バツ すえ | 말 끝 | 말. **1** 끝; 끝머리; 최후. ¶末席 말석 / 年末 연말. ↔始. **2** 가루. ¶粉末 분말.

まつ〖抹〗 常用 マツ | 말 바르다 | **1** 지워 무효로 하다. ¶抹消 말소. **2** 가루(로 만들다). ¶抹香 말향 / 抹茶 말차; 가루차.

まつえい［末裔］ 图 말예; 후예. ＝ばつえい. ¶名家の～ 명가의 후예.

***まっか**【真っ赤】 名ナ 새빨감. **1** 진한 빨강. ¶～なりんご 새빨간 사과 / はずかしくて顔が～になる 부끄러워서 얼굴이 새빨개지다. **2** 완전함; 순전함. ¶～なうそ 새빨간〔순〕 거짓말 / ～なにせもの 순전한 가짜.

まつかさ【松かさ】《松毬》 图 솔방울. ＝まつぼっくり.

まつかざり【松飾り】 图 설날, 대문에 장식하는 소나무. ＝かどまつ.

まつかぜ【松風】 图 송풍; 송뢰(松籟); 소나무에 부는 바람; 또, 그 소리. ＝松籟.

まっき【末期】 图 말기. ¶戦争～ 전쟁말기 / 梅雨～の大雨 장마 끝 무렵의 큰비. ⇨まつご. ↔初期.

——**てき**【—的】 ダナ 말기적. ¶～症状を示す 말기적 증상을 나타내다.

***まっくら**【真っ暗】 名ナ 아주 캄캄함. **1** 암흑. ¶～な部屋 캄캄한 방. **2** 전혀 희망이 없음. ¶お先～ 앞이 아주 캄캄함《전혀 희망이 없음》.

——**やみ**【—闇】 图 칠흑 같은 어둠. ¶星もない～の夜 별도 없는, 칠흑 같은 어두운 밤.

***まっくろ**【真っ黒】 名ナ 새까맘; 시커멈. ¶～な雲 시커먼 구름 / ～な髪 새까만 머리 / ～に日焼けした子供 새까맣게 햇볕에 탄 아이 / 日に焼けて～になる 햇볕에 타서 새까맣게 되다. ↔まっ白.

——**け** ダナ〈俗〉 새까맘. ＝まっくろ.

まっくろ-い【真っ黒い】 形 새까맣다; 시커멓다. ¶～髪 새까만 머리.

まつげ〖睫·睫毛〗 图 속눈썹. ¶つけ～ 인공〔가짜〕 속눈썹 / ～に宿るつゆ 속눈썹에 맺힌 이슬《눈물》 / ～の長い娘 속눈썹이 긴 처녀.

まつけむし〖松毛虫〗 图〘蟲〙 송충이.

まつご【末期】 图 말기; 일생의 최후; 임종. ¶～をみとる 임종을 지켜보다.

まっこう【抹香】《末香》 图 말향; 붓순나무의 껍질과 잎으로 만든 가루향《불공

때 쓰임》.

—くさ-い【—臭い】形 불교 냄새가 풍기다; 중내 나다. =ぼうず臭い.

まっこう【真っ向】名 **1** (똑바로) 정면. =まむかい·まとも. ¶～から反対する 정면으로 반대하다/～から斬りかかる 정면으로 칼을 쳐들고 덤비다. **2** 이마 한가운데. ¶～からたけ割り 이마 한가운데에서 내리쳐 벰.

まつざ【末座】名 말좌; 말석. =しもざ. ¶～に控える 말석에서 대기하다. ↔上座·上座.

マッサージ [프 massage] 名 마사지. ¶～師 마사지사/～をしてもらう 마사지를 (하게) 하다/顔を～する 얼굴을 마사지하다.

まっさいちゅう【真っ最中】名 한창…할 때. =まっさかり·ただなか. ¶戦闘の～ 전투가 한창 치열할 때/食事の～ 한창 식사 중.

まっさお【真っ青】名ナ 새파람. ¶～な空 새파란 하늘/顔が～になる 얼굴이 새파래지다/～になって怒る 새파래져서 화를 내다/聞いたとたんに～になる 들은 순간 새파랗게 질리다.

まっさかさま【真っ逆様】ダナ 완전히 거꾸로 됨; 곤두박이(로 됨). ¶～に落ちる 곤두박이로 떨어지다/飛行機が～に墜落する 비행기가 곤두박질하여 추락하다.

まっさかり【真っ盛り】名 한창(때). =まっさいちゅう. ¶夏の～ 한여름/桜の～の頃 벚꽃이 한창인 무렵/猟期は今が～だ 사냥철은 지금이 한창이다/今が人生の～だ 지금이 인생의 전성기이다.

まっさき【真っ先】名 맨 앞; 맨 먼저. ¶列の～の生徒 줄 맨 앞의 학생/～に食べる〔進む〕 제일 먼저 먹다〔나아가다〕/～に知らせる〔駆けつける〕 맨 먼저 알리다〔달려오다〕/～に手を上げる 제일 먼저 손을 들다.

まっさつ【抹殺】名スル他 말살. **1** 지움; 말소. ¶名簿から～する 명부에서 말소하다/文字を～する 글자를 지워 버리다/刑の記録を～する 형의 기록을 말소하다. **2** 사실·존재를 인정하지 않음; 무시함. ¶相手の意見を～する 상대 의견을 무시하다/社会的に～される 사회적으로 말살당하다.

まっさら【真っさら】《真っ新》名ダナ 아주 새로움; 아직 사용하지 않음; 또, 그 모양. ¶～な浴衣 새로 지은 浴衣.

まっし【末子】名 말자; 막내. =ばっし·すえっこ. ¶～相続 말자 상속. ↔長子.

まっしぐら〖驀地〗副《흔히 '～に'의 꼴로》맥진하는 모양; (무서운 기세로) 곧장; 쏜살같이. =一目散. ¶～に突進する 힘차게 돌진하다/～に駆け出す 쏜살같이 달려나가다. 「월 말일.

まつじつ【末日】名 말일. ¶三月～ 삼

まっしゃ【末社】名 본사에 부속된 신사(神社). =枝宮. ↔もと宮·本社·摂社.

マッシュ [mash] 名〔料〕 매시; 감자·야채 등을 삶아 강판에 갈아서 거른 것을 우유·버터 따위로 맛을 낸 것.

マッシュルーム [mushroom] 名〔植〕 머시룸; 서양 원산의 식용 버섯. =はらたけ·シャンピニョン.

まっしょう【抹消】名スル他 말소. =消去. ¶三字～ 석 자 지움/登録を～する 등록을 말소하다.

まっしょう [末梢] 名 말초. **1** (나뭇)가지의 끝. **2** 말단; 끝; 사소한 일. ¶～のことにこだわる 사소한〔지엽적인〕 일에 구애되다.

—しんけい【末しょう神経】名 말초 신경. ↔中枢神経.

—てき [—的] ダナ 말초적; 하찮음. ¶～な問題 말초적인 문제. ↔本質的·根本的.

まっしょうじき【真っ正直】名ダナ 참으로 정직함. =ましょうじき. ¶～に生きる 아주 정직하게 살아가다.

*__まっしろ__【真っ白】名ナ 새하얌. ¶～な雪〔ハンカチ〕 새하얀 눈〔손수건〕. ↔まっ黒.

まっしろい【真っ白い】形 새하얗다; 눈부시게 희다. ¶～布 새하얀 천.

__まっすぐ__【真っ直ぐ】副ダナ **1 쭉 곧음; 똑바로; 곧장. ¶～な線 쭉 곧은 선; 직선/～に進む〔歩く〕 똑바로 나아가다〔걷다〕/～(に)家に帰る 곧장 집으로 돌아가다. **2** 숨김이 없음; 정직함; 올곧음. ¶～な人間 정직한 인간/～な性質 올곧은 성질/～に白状する 숨김없이 자백하다.

まっせ【末世】名 말세. **1**〔佛〕 말법(末法)의 세상. **2** 도의가 땅에 떨어져 어지러운 세상. =すえのよ. ¶～的現象 말세적 현상/こうなっては世も～だ 이렇게 되면 세상도 말세다.

まっせき【末席】名 말석; 전하여, 하위의 지위. =ばっせき. ↔上席.

—を汚す 말석을 더럽히다《자기가 그 자리를 차지함의 겸사말》.

まっせつ【末節】名 말절; 하찮은 부분. ¶枝葉～ 지엽말절/～に拘泥する 하찮은 것에 구애하다.

まった【待った】名感 (바둑·장기·씨름 등에서) 잠깐 기다려 달라는 일; 또, 그 때에 지르는 소리. ¶～をする (씨름에서) 잠깐 기다려 달라고 하다; (바둑·장기에서) 한 번 둔 수(手)를 무르다/～をかける 상대가 걸어오는 수에 중단을 요구하다. 参考 '待ったり'의 전와.

—無し 유예하지 않음; 다시 무를 수 없음. ¶～の状況 절박한 상황.

まつだい【末代】名 말대; 후세. **1** 다음 세대. ¶～までの語り草 후세까지의 이야깃거리. **2** 죽은 다음의 세상. ¶人は一代, 名は～ 사람은 죽어도 이름

ま

은 남는다 / ～まで恥(はじ)をさらす 사후까지 욕을 당하다.

*まったく【まったく·全く】副 1 완전히; 아주; 전적으로; 전혀. ¶～無(む)一文(いちもん) 완전 무일푼 / ～違(ちが)う 전혀 다르다[틀리다] / ～同感(どうかん)だ 전적으로 동감이다 / ～忘(わす)れていた 아주 잊고 있었다 / ～うまいね 아주 잘 하는군 / ～泳(およ)げない 전혀 수영을 못 한다. 2《'～の' '～だ'의 꼴로》 정말로; 참으로. ¶～だ 정말 그렇다 / ～よかった 참으로 좋았다 / ～の話(はなし), 困(こま)った事(こと)さ 정말이지 난처한 일이다 / ～のうそだ 완전한 거짓말이다 / これは～の幸運(こううん)だった 이건 정말 행운이었다.

まつたけ〖松茸〗名〔植〕송이(버섯). ¶～飯(めし) 송이밥 / ～狩(が)りに行(い)く 송이버섯 따러 가다.

まっただなか【真っただ中】《真っ只中》名 1 한가운데; 한복판. ＝まんなか. ¶海(うみ)の～ 바다 한복판 / 敵(てき)の～に乗(の)り込(こ)む 적의 한복판에 쳐들어가다. 2 한창 …할 때; 고비. ＝まっさいちゅう. ¶戦争(せんそう)の～ 전쟁이 한창 치열할 때 / 青春(せいしゅん)の～ 청춘의 전성기[한창 때].

*まったん【末端】名 말단. 1 끝. ¶神経(しんけい)の～ 신경의 말단 / 棒(ぼう)の～をつかむ 막대기의 맨 끝을 잡다. 2 하부 조직. ¶～行政(ぎょうせい) 말단 행정 / 指令(しれい)が～にまで徹底(てってい)する 지령이 말단에 이르기까지 철저하게 미치다. ↔上部(じょうぶ).

*マッチ [match] 名 매치; 성냥. ¶～棒(ぼう) 성냥개비 / ～を擦(す)る 성냥을 긋다. 注意 '燐寸'로 씀은 뜻에 의한 차자(借字).

—ばこ【—箱】名 성냥갑. ¶～のように見(み)える家(いえ) 성냥갑처럼 보이는 집.

*マッチ [match] 名 매치. 一 名 자自 일치; 조화; 잘 어울림. ¶顔(かお)だちに～した髪型(かみがた) 용모에 어울리는 머리형.
二 名 경기; 시합. ¶タイトル～ 타이틀 매치 / タッグ～ 태그 매치.

—ポイント [match point] 名 매치 포인트; 배구·테니스·탁구 등에서, 그 경기의 승패가 판가름나는 최후의 한 점. ¶試合(しあい)は～を迎(むか)えた 경기는 한 점 승부가 되었다. ↔セットポイント.

まっちゃ【抹茶】名 가루 녹차. ＝ひき茶(ちゃ).

マッチョ [스 macho] 名 마초; 사내다움《특히, 외면적인 체형이나 근육 등에 관해 이름》. ¶～マン 마초 맨; 늠름하고 건장한 사나이.

まってい【末弟】名 막내(동이); 막내아우. ＝ばってい.

マット [mat] 名 매트. 1 (현관 등에 놓아두는) 신바닥 문지르개. ＝くつふき. 2 마루 등에 까는 깔개. 3 체조 경기나 권투·레슬링에 쓰는 두꺼운 깔개. ¶～に沈(しず)む[沈(しず)める] 매트에 쓰러지다[눕히다]; 케이오당하다[시키다].

まっとう【まっとう·真っ当】ダナ〈俗〉 정직; 성실; 진지. ＝まとも. ¶～な事(こと) 진지한 일 / ～な暮(く)らしをする 성실한 삶을 살다.

まっとう-する【全うする】サ変他 완수하다; 다하다. ¶責任(せきにん)を～ 책임을 완수하다 / 天寿(てんじゅ)を～ 천수를 다하다 / 終(お)わりを～ 유종의 미를 거두다 / 節(せつ)を～ 소신을 끝까지 지키다.

マッドバス [mud bath] 名 머드 배스; 진흙 목욕《류머티즘에 효과가 있음》. ＝泥風呂(どろぶろ).

マットレス [mattress] 名 매트리스; 침대용 요. ¶スプリング入(い)りの～ 스프링(이 든) 매트리스.

まつのうち【松の内】名 설에 門松(かどまつ)(＝대문 앞에 세우는 소나무 장식)를 세워 두는 동안《설날부터 7일 혹은 15일까지》. ＝しめのうち. ↔松過(まつす)ぎ.

マッハ [도 Mach] 名 마하《초음속을 재는 단위》. ¶～数(すう) 마하수 / ～3(さん) 마하 3.

まつば【松葉】名 솔잎. ¶～色(いろ) 솔잎 빛깔; 솔잎 같은 어두운 황록색.

—づえ〖—杖〗名 협장(脇杖); 목발. ¶～をつく 목발을 짚다.

—ぼたん〖—牡丹〗名〔植〕채송화.

まっぱだか【真っ裸】名ダナ 발가벗음; 알몸. ＝まるはだか. ¶～の子供(こども) 발가벗은 아이 / ～になる 발가벗다; 알몸이 되다 / ～で泳(およ)ぐ 발가벗고[알몸으로] 헤엄치다.

まつばやし【松林】名 송림; 솔밭; 솔숲.

まつび【末尾】名 말미; 끝. ＝おわり. ¶手紙(てがみ)の～ 편지의 말미 / 文(ぶん)の～に付(つ)け加(くわ)える 글의 말미에 덧붙이다. ↔起首(きしゅ)·冒頭(ぼうとう).

まっぴつ【末筆】名 편지 끝에 쓰는 문구. ¶～ながら皆様(みなさま)によろしく(お伝(つた)え下(くだ)さい) 끝으로 여러분께 안부 전해 주십시오.

まっぴら【まっぴら·真っ平】副 1 전적으로; 그저; 오로지; 절대로. ＝ひたすら·ひらに. ¶～おゆるしください 제발 용서해 주십시오. 2 'まっぴらごめん'의 준말: 아주 싫다. ¶それは～だ 그것은 딱 질색이다[아주 싫다].

—ごめん【—御免】連語 딱 질색이다; 아주 싫다. ¶危険(きけん)なことは～だ 위험한 짓은 딱 질색이다.

まっぴるま【真っ昼間】名 대낮; 한낮; 백주(白晝). ＝まひる. ¶～に強盗(ごうとう)が入(はい)る 대낮에 강도가 들다 / ～から酒(さけ)を飲(の)むとは 대낮부터 술을 마시다니. ↔まよなか.

マップ [map] 名 맵; (한 장 짜리) 지도. ¶ドライブ～ 자동차 주행용 지도 / ロード～ 로드 맵; 자동차 도로 지도.

まっぷたつ【真っ二つ】名 딱 절반; 딱 두 동강이. ¶～になる 딱 두 동강 나다 / ～に切(き)る 딱 두 쪽으로 자르다 / 政党(せいとう)が～に分裂(ぶんれつ)する 정당이 두 갈래로 분열하다. 参考 'まふたつ'의 口語형.

まつぶん【末文】名 말문. 1 글의 끝 부분. 2 편지 끝에 쓰는 맺음 문구《'まずは右(みぎ)御礼(おれい)まで(＝여불비례)' 따위》.

まっぽう【末法】図 말법. **1**〖佛〗'末法時(=말법시)'의 준말; 불법이 쇠퇴하고 오도(悟道)하는 사람이 없는 시대. ¶～思想 말법 사상. **2** 말세.

まつぼっくり【松ぼっくり】《松毬》図 솔방울. =まつかさ.

まつむし〖松虫〗図〔蟲〕청귀뚜라미.

まつやに【松やに】《松脂》図 송지; 송진(松津). ¶～油 송지유(松脂油).

まつよいぐさ〖待宵草〗図〔植〕금달맞이꽃. =よいまちぐさ.

まつよう【末葉】図 **1** 말엽; 말기. ¶十九世紀～ 19세기 말엽. **2** 자손. ¶名門豪族の～ 명문 호족의 자손. 注意 'ばつよう' 라고도 함.

まつり【祭り】図 **1 제사. =祭礼. ¶お～ 제사. **2** 축제; 잔치. =祭典·フェスティバル. ¶港～ 항구제(祭)/花～ 관불회(灌佛會)/お～気分だ 축제〔잔치〕기분이다.

まつりあ-げる【祭り上げる】下1他 추대하다; 떠받들다. ¶委員長に～ 위원장으로 추대하다.

まつりごと【政】図 정사(政事); 정치. ¶～を執り行う 정치를 행하다. 參考 '祭り事(=제사)'의 뜻. 옛날에는 제정(祭政) 일치였으므로.

まつりゅう【末流】図 말류. **1** 자손; 후손. =子孫. ¶平家の～ 平家의 자손. **2** 끝머리의 보잘것 없는 유파; 또, 그에 속하는 제자. 注意 'ばつりゅう'라고도 함.

まつ-る〖纏る〗5他 (천 끝이 풀리지 않도록 실로) 감치다; 공그르다. ¶裾を～ 옷단을 감치다. 可能まつ-れる 下1自

*まつ-る【祭る】《祀る》5他 **1** 제사 지내다《넓은 뜻으로는 불사(佛事)도 가리킴》. ¶祖先の霊を～ 선조의 혼령에 제사 지내다. **2** 혼령을〔신으로〕모시다. ¶祖先を～ 조상의 신주를 모시다/戦死者を～ 전사자의 혼령을 모시다/氏神を～神社 수호신을 모신 신사. 可能まつ-れる 下1自

まつろ【末路】図 말로; 일생의 끝; 만년; 특히, 비극적인 최후. ¶悪人の～ 악인의 말로/哀れ〔悲惨〕な～をたどる 가련〔비참〕한 만년을 보내다.

まつわりつ-く【まつわり付く】《纏わり付く》5自 **1** 휘감겨 붙다; 엉겨 붙다; 달라붙다. =からみつく. ¶スカートの裾が足もとに～ 치맛자락이 발치에 휘감겨 붙다. **2** 떠나지 않고 붙다; 늘 붙어 다니다. =つきまとう. ¶悲しげな声が耳に～ 슬픈 듯한 목소리가 귀에 늘 가시지 않는다.

*まつわ-る〖纏わる〗5自 **1** 휘감기다. =からみつく. ¶つるが垣根に～ 덩굴이 울타리에 휘감기다. **2** 달라붙(어 떨어지지 않)다; 따라〔붙어〕다니다. =つきまとう. ¶母のひざに～子 엄마 곁을 떠나지 않는 아이/怨霊が～·っている 원귀가 붙어 있다. **3** 얽히다; 관련되다. ¶地名〔湖〕に～伝説 지명〔호수〕에 얽힌 전설.

まで〖迄〗副助 **1** 때의 흐름·공간적 이동·상태·동작이 미치는 한계점을 나타냄. ㉠까지. ¶ここ～おいで 여기까지 오너라/六時～待つ 여섯 시까지 기다리다/そんなこと～言う必要がない 그런 것까지 말할 필요가 없다/東京～行く 東京까지 가다/わかる～話す 알아들을 때까지 이야기하다/天～とどく 하늘까지 닿다. ㉡《'～もない'의 꼴로》…할 필요가 없다; …할 것까지도 없다. ¶言う～もなく 말할 필요〔나위〕도 없이/社長が乗り出す～もない商談 사장이 나설 것까지도 없는 상담/考える～もないことだ 생각할 필요도 없는 일이다. **2** 극단의 예를 들어 그 밖엣 것은 암시에 그칠 때 씀: (…에게) 까지도; (…에게) 조차. =さえ(も). ¶下着～ずぶぬれだ 속옷까지 흠뻑 젖었다/親に～見離される 부모에게까지(도) 버림받다/ぼくに～隠すか 내게까지도 숨기려는가. **3** 정도가 그 이상에는 미치지 않는다는 뜻을 나타냄. ㉠만; 따름; 뿐. =だけ·ばかり. ¶右御返事～ 이상 답장드립니다/念のために尋ねてみた～だ 다짐을 위하여 물어 보았을 뿐이다/いやならやめる～だ 싫으면 그만둘 뿐이다/いやなら行かない～のことだ 싫으면 안 가면 그만이다/先方が反対するなら強行する～だ 그쪽이 반대한다면 강행할 따름이다. ㉡《'も'가 따르고 흔히 앞에 否定하는 말이 와서》…지언정; …더라도; …(할)망정. ¶全部といわない～も半分ぐらいは 전부까지는 아니더라도 절반쯤은/改めて言う～もないが,それはよくないことだ 새삼스럽게 말할 것도 없지만, 그것은 옳지 않은 일이다. 參考 앞이 긍정형일 때는 내용상 소극적인 표현이 됨. ¶失敗する～も, もう一度やってみよう 실패할망정 또 한 번 해 보자.

まてどくらせど【待てど暮らせど】連語 아무리 기다려도. ¶～帰ってこない 아무리 기다려도 돌아오지 않는다/～便りがない〔来ぬ人を〕아무리 기다려도 소식이 없다〔오지 않는 사람을〕.

まてんろう【摩天楼】図 마천루; 초고층 빌딩. 參考 skyscraper의 역어.

*まと【的】図 **1** 과녁. ¶～はずれの質問 빗나간 질문/～に当たる 과녁에 맞다. **2** 목표; 대상. ¶羨望〔あこがれ〕の～ 선망〔동경〕의 대상/攻撃の～をしぼる 공격 대상을 좁히다.

――を射る 교묘히 요점을 파악하다〔찌르다〕. ¶的を射た批評 정곡을 찌른 비평.

**まど【窓】図 창; 창문. ¶ガラス～ 유리창/あかり～ 광창(光窓)/社会の～ 바지의 앞단추《완곡한 표현》/目は心の～ 눈은 마음의 창문/～をあける 창

문을 열다/～をこわす 창을 깨다/～をあけはなす 창문을 활짝 열다/～越(ご)しに見(み)る 창 너머로 보다.

まどあかり【窓明かり】图 창문으로 비치는[들어오는] 밝은 빛. ¶～で本(ほん)を読(よ)む 창문으로 비치는 빛으로 책을 읽다.

まどい【惑い】图 미혹(迷惑). ＝まよい. ¶心(こころ)の～が募(つの)る 마음의 미혹이 더해지다/～を感(かん)ずる 미혹을 느끼다.

まどい〖円居〗图자自 **1** 둘러앉음. ＝くるまざ. ¶～の人々(ひとびと) 둘러앉은 사람들/～して語(かた)り合(あ)う 둘러앉아 이야기를 나누다. **2** 즐거운 모임; 단란(團欒). ＝だんらん. ¶楽(たの)しい一家(いっか)の～ 즐거운 집안 식구끼리의 단란/夜(よる)の～ 밤의 즐거운 모임.

***まと-う**〖纏う〗5他 (몸에) 걸치다; 입다. ＝まきつける·からませる. ¶晴(は)れ着(ぎ)を～ 나들이옷을 걸치다; 비단옷을 입다/一糸(いっし)も～·わない 실오라기 하나 걸치지 않다/身(み)にはぼろを～·っていても心(こころ)は錦(にしき)だ 몸에는 누더기를 걸치고 있어도 마음은 비단 같다. 可能 まと-える 下1自

まど-う【惑う】5自 **1** 갈팡거리다; 어찌할 바를 모르다; 망설이다. ¶道(みち)に～ 길을 잃고 갈팡대다/処置(しょち)に～ 처치할 바를 모르다/思(おも)い～ 갈피를 못 잡다/行(ゆ)くべきかどうか～ 가야 할지 어떨지 망설이다/四十(しじゅう)にして～·わず 사십에 불혹. **2** 혹하다; (좋지 않은 데에) 마음을 빼앗기다; 빠지다. ¶女(おんな)に～ 여자에게 빠지다.

まどお【間遠】ダナ (거리·시간적으로) 사이가[동안이] 뜸함. ¶人(ひと)の通行(つうこう)が～になる 사람의 통행이 뜸해지다/電車(でんしゃ)の間隔(かんかく)も～になる 전차의 운행 간격도 뜸해지다/波(なみ)の音(おと)が～に聞(き)こえる 파도 소리가 멀리서 들려오다. ↔間近(まぢか).

まどお-い【間遠い】形 (거리·시간적으로) 떨어져 있다. ¶～鐘(かね)の音(ね) 멀리서 들려오는 종소리/雷鳴(らいめい)も～·くなっている 천둥 소리도 멀어져 가고 있다. ↔間近(まぢか)い.

まどか〖円か〗ダナ **1** 둥근 모양. ¶～な月(つき) 둥근 달. **2** 평온함; 원만함. ¶～な人物(じんぶつ)[人柄(ひとがら)] 원만한 인물[인품]/～な夢路(ゆめじ)をたどる 평온한 꿈길을 더듬어가다《편안히 잠들다》.

まどガラス【窓ガラス】图 창유리. ▷네 glas.

まどぎわ【窓際】图 창가. ¶～の席(せき) 창가(의) 자리.

—**ぞく**【—族】图 회사에서 일다운 일이 주어지지 않는 나이 많은 월급쟁이《야유하는 말》. 参考 흔히 집무에 방해가 되지 않는 창가에 그 책상이 있으므로.

***まどぐち**【窓口】图 창구; 또, 그 역할. ¶～事務(じむ) 창구 사무/出札(しゅっさつ)～ 매표 창구/話(はな)し合(あ)いの～を開(ひら)く 대화의 창구를 열다/～のサービスを改善(かいぜん)する 창구 서비스를 개선하다/その件(けん)については彼(かれ)が～になっているよ 그 건에 대해선 그가 창구 역할을 맡고 있다. 参考 좁은 뜻으로는, 관청의 대민 관계의 업무를 일컬음.

まどつきふうとう【窓付き封筒】图 (수신인의 주소·성명 등이 비쳐 보이는) 창(문) 봉투.

まとはずれ【的外れ】名ナ (발언이) 요점을 벗어남. ＝見当(けんとう)はずれ. ¶～な批評(ひひょう) 빗나간 비평/～の質問(しつもん) 빗나간[엉뚱한] 질문.

まどはん【窓販】图〖經〗'窓口販売(まどぐちはんばい)(＝창구 판매)'의 준말; 투자신탁·보험 상품 등 (이제까지 은행 등이 취급할 수 없었던) 금융 상품을 은행 창구에서 판매하는 일.

まどべ【窓辺】图 창가. ¶日当(ひあ)たりのよい～に鉢(はち)をならべる 볕이 잘 드는 창가에 화분을 늘어놓다.

まとまり〖纏まり〗图 통합; 정리; 결착(決着). ¶～のない文章(ぶんしょう) 정리가 안 된 문장/～のない話(はなし) 두서없는 이야기/～がつく 결말이 나다; 해결되다/～をつける 결말을 내다.

***まとま-る**〖纏まる〗5自 **1** 뿔뿔이 된 것이 하나로 정리되다; 하나로 뭉쳐[합쳐]지다; 한 덩어리가 되다. ¶～·った金(かね) 목돈/～·ってバスに乗(の)る 한데 모여서 버스를 타다/意見(いけん)が～ 의견이 통일[종합]되다/考(かんが)えが～ 생각이 정리되다/クラスが～ 학급이 한 덩어리가 되다. **2** 바람직한 상태로 정리되다. ㉠결정[결말]이 나다. ¶話(はな)し合(あ)い[縁談(えんだん)]が～ 이야기가[혼담이] 결정되다. ㉡해결나다. ¶争議(そうぎ)が～ 쟁의가 해결되다/契約(けいやく)が～ 계약이 성립되다. ㉢완성되다. ¶論文(ろんぶん)[作品(さくひん)]が～ 논문[작품]이 완성되다. 可能 まとま-れる 下1自

まとめ〖纏め〗图 중점만을 모아서 정리함; 또, 그렇게 한 것; 요약. ¶総(そう)～ 총정리/論文(ろんぶん)の～ 논문의 정리[완성].

***まと-める**〖纏める〗下1他 뿔뿔이 되어 있는 것을 하나로 정리하다. **1** 한데[하나로] 모으다; 합치다; 통합[정리]하다. ¶考(かんが)え[データ]を～ 생각을[자료를] 정리하다/荷物(にもつ)を一(いっ)か所(しょ)に～ 짐을 한 군데에 모으다/金(かね)を～·めて払(はら)う 목돈으로 치르다/十人(じゅうにん)～·めて申(もう)し込(こ)む 열 사람을 모아서 신청하다/クラスの意見(いけん)を～ 클래스의 의견을 통합하다[모으다]/意見(いけん)を一(ひと)つに～ 의견을 하나로 모으다. **2** 바람직한 상태로 하다. ㉠결말[매듭]짓다. ¶交渉(こうしょう)を～ 교섭을 매듭짓다. ㉡완성하다. ¶論文(ろんぶん)を～ 논문을 완성하다. ㉢(분쟁 등을) 해결하다. ¶けんかを～ 싸움을 해결하다.

***まとも**〖真面〗图ダナ **1** 정면. ＝真正面(ましょうめん). ¶～にぶつかる 정면으로 부딪치다/～に相手(あいて)の顔(かお)を見(み)る 정면으로[똑바로] 상대방의 얼굴을 보다/風(かぜ)を～に受(う)けて進(すす)む 바람을 정면으로

받고 나아가다. **2** 착실; 성실; 정상. ¶～な人間 착실한 사람/～な商売 건전한 장사/～な生活 성실한 생활/～に暮らす 착실[성실]하게 살다.

マドモアゼル [프 mademoiselle] 名 마드무아젤; 아가씨; 영양(令嬢); …양. 参考 미혼 여성의 이름 위에 붙여서 호칭으로도 쓰임. ↔ムッシュー.

まどり【間取り】名 방의 배치. ¶～のよくできている家 방 배치가 잘 된 집/この家は～が悪い 이 집은 방의 배치가 나쁘다.

まどろっこ-い 形 'まだるい'의 힘줌말. ＝まだるっこい. ¶～·くて見ていられない 답답해서 보고 있을 수 없다.

マドロス [네 matroos] 名 마도로스; 선원; 뱃사람. ＝船乗り. ¶～パイプ 마도로스 파이프.

まどろっこし-い 形 ☞まだるっこい.

まどろ-む 〖微睡む〗 5自 졸다; 겉잠들다. ＝うとうとする. ¶考え疲れてしばし～ 생각에 지쳐서 잠깐 졸다/木陰で～ 나무 그늘에서 잠시 졸다/本を読みながらつい～·んだ 책을 읽다가 그만 깜박 졸았다.

まどわく【窓枠】名 창틀; 창문의 문얼굴.

***まどわ-す**【惑わす】5他 **1** 생각을 헷갈리게 하다; 어지럽히다; 혼란시키다. ¶生徒を～問題 학생을 헷갈리게 하는 문제/人心を～ 인심을 어지럽히다. **2** 유혹하다; 꾀다; 속이다. ¶青年を～映画 청년을 유혹하는 영화/甘い言葉で女を～ 감언이설로 여자를 꾀다/宣伝文句に～·される 선전 문구에 현혹되다. 参考 'まどわかす'라고도 함.

マトン [mutton] 名 머튼; 양고기.

マドンナ [이 Madonna] 名 마돈나. **1** 성모 마리아; 성모상(聖母像). **2** 동경의 대상인 미인. ¶我が校の～ 우리 학교의 마돈나.

まな【真名】《真字》名 한자(漢字). ＝真名. ↔仮名.

マナー [manner] 名 매너; 예의범절; 태도; 몸가짐. ¶テーブル～ 테이블 매너; 식사 (때의) 예법/～がいい 매너가 좋다/運転の～ 운전 매너.

まないた【まな板】名 (생선 요리용의) 도마.

―にのせる 도마에 올려 놓다; 초들어 문제(로) 삼다. ＝俎上にのぼす. ¶予算を～ 예산을 심의 대상으로 삼다.

―の鯉 도마에 오른 물고기; 남의 뜻대로 될 수 밖에 없는 상태. ＝まな板の魚·俎上の魚.

まなかい [目交·眼間] 名 눈과 눈 사이; 눈앞; 목전. ¶思い出がふと～をよぎる 추억이 문득 눈앞을 스쳐가다.

まながつお 〖真魚鰹〗 名〔魚〕병어.

まなこ【眼】名〈雅〉눈알; 눈. ＝めだま·め. ¶どんぐり～ 왕방울눈/寝ぼけた～ 잠에 취해 멍한 눈/～を転ずる 눈(알)을 돌리다《딴데를 보다》/観念の～を閉じる 각오를 하고 단념하다.

まなざし 〖眼差し〗 名 **1** 눈의 표정; 눈빛. ¶不安の～ 불안한 눈/好意の～で見る 호의적인 눈으로 보다/暖かい～で見守る 따뜻한 눈빛으로 지켜보다. **2**〈雅〉눈길; 시선. ＝視線. ¶やさしい～ 부드러운 눈길/～を伏せる 눈을 내리깔다; 시선을 피하다/～を注ぐ 시선을 집중시키다.

まなじり 〖眼尻·眦〗 名 눈초리. ＝目じり. ¶～をつり上げる 눈초리를 치켜뜨다《몹시 화를 내다》.

―を決する 눈을 딱 부릅뜨다; 눈을 딱 떠서 노한 기색이나 결의를 보이다. ¶まなじりを決して立ち向かう 눈을 부릅뜨고 덤비다.

まなつ【真夏】名 한여름; 성하(盛夏). ¶～の太陽が照りつける 한여름의 태양이 쨍쨍 내리쬐다. ↔真冬.

―び【―日】名 한여름날; 최고 기온이 30도를 넘는 날. ＝熱帯日. ↔真冬日.

まなづる 〖真鶴·真名鶴〗 名〔鳥〕재두루미. 参考 천연기념물로 지정되어 있음.

まなでし【まな弟子】《愛弟子》名 애제자; 특별히 촉망하고 아끼는 제자.

まなび【学び】名〈雅〉배움; 학문; 수업. ＝学問. ¶～の庭 배움의 뜰; 학교; 학원/～の窓 학창; 학교/～の道 배움[학문]의 길; 학문.

***まな-ぶ**【学ぶ】5他 배우다. **1** (학문·기술 등을) 익히다. ¶運転を～ 운전을 배우다/先人に～ 선인에게 배우다/泰西の技法を～ 태서[서양]의 기법을 익히다/先輩から仕事を～·んだ 선배에게서 일을 배웠다. **2** 공부하다; 학문을 하다. ¶ともに大学で～·んだ仲 함께 대학에서 배운 사이; 대학 동문[동창] 사이/英語を～ 영어를 배우다/A大学に～ A대학에서 공부하다; A대학 학생이다/よく～·びよく遊べ 열심히 공부하고 마음껏 놀아라. **3** 경험해서 알다. ¶人生を～ 인생을 배우다/社会に出ると～ところが多い 사회에 나오면 배우는 바가 많다. 可能 まな-べる 下1自

まなむすめ【まな娘】《愛娘》名 귀여워하는 딸. ¶～を嫁がせる 사랑하는 딸을 출가시키다.

マニア [mania] 名 마니아; …광(狂). ¶切手～ 우표 수집광/コレクト～ 수집광/オディオー～ 오디오 마니아.

***まにあ-う**【間に合う】5自 **1** 시간에 대다. ¶汽車に～ 기차 시간에 대다/準備が～·わない (그 시간까지) 준비가 끝나지 않다. **2** 급한 대로[아쉬운 대로] 쓸 수 있다; 족하다. ¶千円あれば～ 천 엔 있으면 그런 대로 쓸 수 있다/ふだん着で～ 평상복으로 족하다[된다]/電話で～用事 전화로 해결되는 용무. **3**《'～·っている'의 꼴로》충분하다. ¶今は～·っている 지금은

충분하다〔모자라지 않다〕.

***まにあわせ**【間に合わせ】图 급한 대로 대용함; 임시변통; 또, 그렇게 한 것. ＝一時(いちじ)〔当座(とうざ)〕しのぎ. ¶～の修繕(しゅうぜん) 임시적인 수선/～の衣装(いしょう) 임시 대용의 의상/～の料理(りょうり) 급한 대로 있는 재료로 만든 요리/一時(いちじ)の～に使(つか)う 임시변통으로 사용하다/一時(いちじ)の～で済(す)ませる 일시변통으로 때우다.

まにあわ-せる【間に合わせる】下1他 **1** 임시변통하다; 급한 대로 모면하다. ¶人(ひと)から借(か)りて～ 남에게 빌려 와서 변통하다. **2** 시간에 닿게 하다. ¶資料(しりょう)を会議(かいぎ)に～ 자료를 회의 시간에 닿게 준비하다.

まにうける【真に受ける】連語 곧이듣다; 참말로 알다. ¶じょうだんを～ 농담을 곧이듣다.

マニキュア [manicure] 图 매니큐어; 손톱 화장(술). ¶～を塗(ぬ)る〔落(お)とす〕 매니큐어를 칠하다〔지우다〕.

まにし【真西】图 정서(正西)(쪽). ↔真東(まひがし).

まにまに〖随に·随意に〗連語《'…(の)～'의 꼴로 副詞적으로》 되는〔되어 가는〕 대로. ＝ままに·まにま. ¶風(かぜ)〔波(なみ)〕の～漂(ただよ)う 바람 부는〔물결 치는〕 대로 떠돌다.

マニュアル [manual] 图 매뉴얼. **1** 손으로 하는 작업; 손에 의한 처리나 조작. ¶～方式(ほうしき) 수동 방식. **2** 설명서; 안내서; 편람. ＝手引(てび)き書(しょ). ¶サービス～ (상품의) 서비스 매뉴얼.

まにんげん【真人間】图 참사람; 성실한 사람. ¶心(こころ)を入(い)れ変(か)えて～になる 마음을 고쳐 먹고 참사람이 되다/前非(ぜんぴ)を悔(く)いて～に立(た)ち返(かえ)る 이전에 저지른 잘못을 뉘우치고 참사람으로 되돌아가다.

***まぬか-れる**【免れる】下1他 면하다; 모면하다; 피하다; 벗어나다. ＝逃(のが)れる. ¶戦災(せんさい)を～ 전재를 모면하다/死(し)〔罪(つみ)〕を～ 죽음을〔죄를〕 모면하다/危機一髪(ききいっぱつ)のところを～ 위기일발에서 모면하다/十連敗(じゅうれんぱい)を～ 10연패를 면하다/責任(せきにん)を～·れようとする 책임을 면하려고 하다. 注意 'まぬがれる'라고도 함.

まぬけ〖間抜け〗名ナ 얼간이〔투미한〕 짓을 함; 또, 그런 사람; 멍청이. ＝とんま. ¶～な答(こた)え 멍청한 대답/～野郎(やろう) 얼간이 같은 놈/～面(づら) 멍청한 상판대기/この～め 이 얼간이야/～な事(こと)をする 얼간이 짓을 하다/そんな～な話(はなし)があるものか 그런 바보같은 얘기가 있을 수 있나.

まぬる-い〖間緩い〗形 하는 일이 느리다; 굼뜨다. ＝まのろい.

***まね**〖真似〗图 **1** 흉내. ¶人(ひと)の～がうまい 남의 흉내를 잘 낸다/気違(きちが)いの～をする 미친 체하다. **2**〈俗〉(바보 같은) 짓·동작. ¶はしたない～ 경망한 행동/変(へん)な～をする 이상한 짓을 하다/ふざけた～をすると承知(しょうち)しないぞ 어쭙잖은 짓을 하면 가만 두지 않을 테다/ばかな～をするな 바보 같은〔같잖은〕 짓을 하지 마라/ひどい～をしてくれたものだ 대단한 짓을 했구먼.

マネー [money] 图 머니; 돈. ¶ノー～ 돈이 없음/ポケット～ 소지금; 용돈.

—ビル [일 money＋building] 图 (주식·채권 등에 의한) 이식(利殖); 재산 증식. ＝財産(ざいさん)づくり·金(かね)づくり.

—ロンダリング [money laundering] 图 머니 론더링; 돈〔자금〕 세탁. ＝資金洗浄(しきんせんじょう).

マネージメント [management] 图 매니지먼트; 경영 관리; 또, 경영자. ¶トップ～ 최고 경영자.

マネージャー [manager] 图 매니저. **1** 지배인; 관리인. ¶ホテルの～ 호텔 지배인. **2** 연예인 등에 딸리어, 외부 교섭 등을 담당하는 사람.

まねき【招き】图 초대; 초청; 초빙. ¶～に応(おう)ずる 초청에 응하다/～を受(う)ける 초대를 받다/～を断(ことわ)る 초대를 거절〔사절〕하다.

まねきい-れる【招き入れる】下1他 (집 안·방에) 불러들이다. ¶お客(きゃく)を店(みせ)に～ 손님을 가게에 불러들이다.

まねきねこ【招き猫】图 앞발로 사람을 부르는 시늉을 하고 있는 고양이 장식물《손님이 많이 들어오길 비는 뜻에서, 가게 앞에 둠》.

マネキン [mannequin] 图 마네킹. **1** 옷을 입혀서 진열하는 실물 크기의 인형. ＝マネキン人形(にんぎょう). **2** 최신 유행의 복장이나 화장을 하고 선전 또는 판매를 하는 사람. ＝マネキンガール.

****まね-く**【招く】5他 **1** 손짓하여 부르다. ＝手招(てまね)く. ¶ボーイを～ 보이를 손짓하여 부르다/手(て)を振(ふ)って～ 손을 흔들어 부르다. **2** 불러오다. ¶医者(いしゃ)を～ 의사를 불러오다. **3** 초대〔초빙〕하다. ¶～·かれた客(きゃく) 초대받은 손님/～·かれざる客(きゃく) 불청객/友(とも)だちを～ 친구들을 초대하다/家(いえ)〔パーティー〕に～ 집〔파티〕에 초대하다. **4** 초래하다. ¶悪循環(あくじゅんかん)〔誤解(ごかい)〕を～ 악순환을〔오해를〕 가져오다/災(わざわ)いを～ 화를 초래하다/それが大事(だいじ)を～·いた 그것이 큰일을 불러일으켰다. 可能 まね-ける 下1自

まねごと〖真似事〗图 **1** 흉내내어 함. ＝ものまね. **2** 자신이 하고 있는 일을 겸손히 일컫는 말. ¶ほんの商売(しょうばい)の～です 장사랍시고 그저 흉내나 내고 있죠/まあほんの～程度(ていど)です 뭐 그저 흉내를 낼 정도입니다.

****ま-ねる**〖真似る〗下1他 흉내내다; 모방하다. ¶人(ひと)の声(こえ)を～ 남의 목소리를 흉내내다/本物(ほんもの)を～·ねて作(つく)る 진짜를 모방하여 만들다/ピカソの絵(え)を～ 피카소 그림을 모방하다/子供(こども)は親(おや)を～ 아이는 부모를 모방한다.

まのあたり【目の当たり】名副 눈앞; 목

전; 또, (제 눈으로) 직접; 친히. ¶～教えを受けた先生 직접 가르침을 받은 선생님 / ～(に)見る 눈앞에〔직접〕보다 / ～(に)聞く 직접 듣다 / 霊峰を～にする 영봉을 목전에 두다.

まのて【魔の手】名 마수. ＝ましゅ. ¶～にかかる 마수에 걸리다.

まのび【間延び】名スル自 훌게 늦음; 어딘지 느슨함; 새가〔동안이〕떠서 김빠짐. ¶～した顔 멍청한 얼굴 / ～した話〔声〕맥빠진 이야기〔목소리〕.

まはぜ【真鯊】名〘魚〙망둥이; 망둥어.

まばたき〖瞬き〗名スル自 눈을 깜빡임; (등불 등의) 빤짝임. ＝またたき. ¶星の～ 별의 빤짝임 / ～をする (눈을) 깜빡이다; 깜빡거리다 / ～もせずに見つめる 눈도 깜빡이지 않고 응시하다.

まばた-く〖瞬く〗5自 1 (눈을) 깜빡거리다. ＝またたく. ¶まぶしそうに～ 눈이 부신듯이 눈을 깜빡거리다. 2 등불 따위가 빤짝거리다. ＝またたく. ¶星が～ 별이 빤짝이다. 可能まばた-ける下1自

まばゆ-い〖目映い·眩い〗形 1 눈부시다. ＝まぶしい. ¶～日の光 눈부신 햇빛. 2 눈부시게 아름답다. ¶～ばかりの美人 눈부시게 아름다운 미인.

まばら〖疎ら〗一ダナ 1 (새가) 뜸; 성김; 드문드문함. ¶人影も～な裏通り 인적도 뜸한 뒷골목 / 人家が～だ 인가가 드문드문 있다 / ～に生えている 드문드문 나 있다. 二名 소액 거래를 전문으로 하는 사람들〔회사〕. ¶～筋 소액 거래처. ↔大手.

*まひ〖麻痺·痲痺〗名スル自 마비. ¶心臓〔小児〕～ 심장〔소아〕마비 / ～した良心 마비된 양심 / 交通が～する 교통이 마비되다 / 機能を～させる 기능을 마비시키다 / 寒さのため手足が～する 추위 때문에 손발이 마비되다.

まひがし【真東】名 정동(正東)쪽; 정동방. ↔真西.

まびき【間引き】名スル他 솎아 냄. ¶大根を～する 무를 솎아 내다.

―うんてん【―運転】名スル自他 전차·버스 등을 평소보다 운행 대수·횟수를 줄여 운전함. ¶電車の～ 전차의 운행 횟수를 줄이는 일.

まび-く【間引く】5他 1 솎아 내다. ＝うろぬく. ¶大根〔菜〕を～ 무〔채소〕를 솎아내다. 2〈俗〉사이에 있는 것을 없애다. ¶運航を一割～ 운항을 1할 줄이다 / バスを～いて運転する 버스를, 운행 횟수를 줄여서 운행하다.

まびさし〖目庇·眉庇〗名 철모·모자 따위의 차양.

*まひる【真昼】名 한낮; 대낮. ＝まっぴるま. ¶～の太陽 한낮의 태양.

マフィア [Mafia] 名 마피아《미국의 거대한 이탈리아계 범죄 조직》.

まぶか【目深】ダナ (모자 따위를) 눈이 가릴 정도로 깊숙이 눌러쓴 모양. ＝めぶか. ¶帽子を～にかぶる 모자를 깊숙이 눌러 쓰다. 「섶.

まぶし〖蔟·蚕簿〗名 잠족(蠶簇); (누에)

**まぶし-い〖眩しい〗形 눈부시다. ＝まばゆい. ¶～ほど白い雪 눈부시게 흰 눈 / 日光が～ 햇빛이 눈부시다 / ～·がる 눈부셔 하다 / 映画館から外へ出たら～·くてしばらくは目が明かなかった 영화관에서 밖으로 나오니 눈이 부셔서 잠시 눈이 떠지지 않았다.

まぶ-す〖塗す〗5他 (가루 따위를) 온통 처바르다; 묻히다. ＝まぶる. ¶砂糖を～ 설탕을 뒤바르다 / 餅に黄粉を～ 떡에 콩고물을 묻히다. 可能まぶ-せる下1自

*まぶた〖目蓋·瞼〗名 눈꺼풀. ¶～を開く 눈을 뜨다 / ～に浮かぶ 눈에 선하다 / ～をとじる 눈을 감다.

―が重い 졸리다; 졸음이 오다.

まふゆ【真冬】名 한겨울; 엄동. ¶～の寒さ 한겨울의 추위. ↔真夏.

―び【―日】名 (최고 기온이 영도 미만의) 한창 추운 날. ↔真夏日.

マフラー [muffler] 名 머플러. 1 목도리. 2 자동차·오토바이 등의 소음(消音) 장치. ＝サイレンサー.

まほう【魔法】名 마법; 요술; 마술. ¶～の杖 요술 지팡이 / ～を使う 마술을 부리다 / ～をかける 마술을 걸다.

―つかい【―使い】名 마법〔마술〕사.

―びん【―瓶】名 보온병. ＝ジャー·ポット.

まほうじん【魔方陣】名〘數〙마방진; 방진. ＝方陣. 「니.

マホガニー [mahogany] 名〘植〙마호가

マホメットきょう【マホメット教】名〘宗〙마호메트교. ＝イスラム教·回教. ▷Mahomet.

まぼろし【幻】名 1 환상; 환영(幻影). ¶亡き人の～を追う 고인의 환상을 좇다 / ～に浮かぶ 환상으로 떠오르다 / 恋しい人を～に見る 그리운 사람을 환상으로 보다. 2 즉시〔덧없이〕사라지는 것. ¶～の世界新記録 조건 미달로 허사가 된 비공인 세계 신기록 / ～のように消える 덧없이 사라지다. 3 미확인; 미발견. ¶～の名画 있다고는 하는데 좀처럼 볼 수 없는 명화.

**まま〖儘〗名《흔히, 形式名詞적으로 쓰이어》1 되는 대로 맡김: …대로. ¶したい～にさせておく 하고 싶은 대로 내버려 두다 / 足の向く～に歩きまわる 발길 닿는 대로 돌아다니다. 2 (그 상태) 그대로; …채. ¶その～ 그대로 / 昔の～ 옛날 그대로 / 見た～を書く 본 그대로를 쓰다 / 言われた～にする 하라는 대로 하다 / 電灯をつけた～で眠る 전등을 켜 놓은 채로 자다 / その～でお上がり下さい 그대로 올라오십시오. 3 뜻대로임; 생각대로 됨. ¶意の～になる 뜻대로 되다 / 世の中は～にならぬ 세상은 뜻대로 안 된다.

まま〖間間〗副 간간이; 간혹; 때(때)로;

가끔. ¶そういうことが~ある 그러한 일이 간혹〔간간이〕 있다 / ~誤りがある 간혹 잘못이 있다.

ママ [ma(m)ma] 名 마마. 1〈兒〉 엄마. =おかあさん. ↔パパ. 2 (술집이나 다방 등의) 마담. =マダム. ¶~さん 마담 아줌마.

ままおや【まま親】《繼親》 名 계부 또는 계모; 계(繼)부모.

*ままこ【まま子】《継子》 名 1 의붓자식. =ままっこ. ¶~いじめ 의붓자식 학대. ↔実子. 2 따돌림 받는 사람. =のけもの. ¶~にする 따돌리다 / ~になる 따돌림당하다.

—あつかい【—扱い】 名 ス他 의붓자식 취급함《유별나게 따돌림》. ¶国際社会で~される 국제 사회에서 따돌림을 당하다.

ままこ【まま粉】《継粉》 名 밀가루 반죽할 때 잘 이겨지지 않고 덩이진 것. ¶~ができる (반죽 안 된) 덩어리가 생기다.

ままごと〖飯事〗 名 소꿉질. ¶~をして遊ぶ 소꿉질을 하고 놀다.

ままならぬ〖儘ならぬ〗 連語 뜻대로 안 되는. ¶~世 뜻대로 안 되는 세상.

*ままはは【まま母】《継母》 名 계모; 의붓어미. =けいぼ. ¶~に育てられた子 계모 밑에 자라난 아이. ↔実母.

ままよ〖儘よ〗 感 멋대로 돼라; 될 대로 돼라. ¶えい, ~, やって見よう 에이, 어찌되든 해 보자 / ~, 突撃だ 에라 모르겠다, 돌격이다 / ~, どうにでもなれ 에라, 될 대로 돼라.

まみ-える〖見える〗 下1自 1 (윗사람을) 만나 뵙다; 배알(拜謁)하다. ¶主君に~ 주군을 뵙다. 2 만나다; 대면하다. ¶敵に~ 적을 만나다 / なんの面目あって人に~·えよう 무슨 면목으로 남을 대할 수 있으랴.

まみず【真水】 名 담수(淡水); 단물. ↔海水·塩水.

まみ-れる〖塗れる〗 下1自 투성이가 되다. ¶汗〔血〕に~ 땀〔피〕투성이가 되다 / 一敗、地に~ 일패도지(一敗塗地)하다.

まむかい【真向かい】 名 바로 맞은편; 정면으로 마주함. ¶~の本屋 바로 맞은편 책방 / ~に座わる 맞은편에 앉다 / ~になって話をする 마주 보고 이야기하다 / 学校の~に住む 학교 맞은편에서 살다.

まむし〖蝮〗 名〔動〕살무사. =くちばみ.

**まめ【豆】 名 1〔植〕 콩; 특히, 대두(大豆). ¶~かす 콩깻묵 / ~ごはん 콩밥 / 青~ 푸른콩 / いり~ 볶은 콩 / 枝~ 풋콩 / はとに~をやる 비둘기에 콩을 주다. 2《接頭語적으로》 소형의 것. ¶~電球 소형〔꼬마〕 전구 / ~自動車 소형 자동차.

まめ〖肉刺〗 名 (콩알 같은) 물집. ¶~をつぶす 물집을 터뜨리다 / 足に~ができる 발에 물집이 생기다.

*まめ〖忠実〗 名 ダナ 1 진실; 성실. =まじめ·ほんき. ¶~な人 성실한 사람. 2 귀찮아하지 않음; 부지런함; 충실함. ¶ふで~ 편지를〔글을〕 부지런히 자주 씀 / ~に働く 부지런히 일하다 / 手を~に動かす 손을 부지런히 놀리다. 3 몸이 건강함. =すこやか. ¶~に暮らす 몸 성히 지내다.

まめかす【豆かす】《豆粕》 名 콩깻묵; 두박. ¶~を飼料にする 콩깻묵을 사료로 쓰다.

まめがら【豆がら】《豆幹》 名 콩깍지.

まめたん【豆炭】 名 조개탄.

*まめつ【摩滅·磨滅】 名 ス自 마멸. ¶線路が~する 선로가 마멸되다 / 碑文が~する 비문이 닳아 없어지다 / タイヤの溝が~する 타이어의 홈이 닳다.

まめつぶ【豆粒】 名 콩알. ¶屋上からは人が~のように見える 옥상에서는 사람이 콩알만하게 보인다.

まめでっぽう【豆鉄砲】 名 콩을 총알로 사용하는 장난감 총.

まめほん【豆本】 名 1 휴대용의 작은 책. 2 애호가에게만 나누어 주는 예쁘게 꾸민 아주 작은 책.

まめまき【豆まき】《豆撒き》 名 입춘 전날밤, 액막이로 콩을 뿌리는 일. =まめうち·おにやらい.

まめまめし-い〖忠実忠実しい·実実しい〗 形 (귀찮아하지 않고) 충실하고 부지런하다. ¶何事にも~ 무슨 일에든지 바지런하다 / ~·く立ち働く 이것저것 가리지 않고 바지런히 일하다.

まもう【摩耗·磨耗】 名 ス自 마모; 닳아서 얇아짐〔없어짐〕. ¶軸受けが~する 베어링이 마모되다.

まもなく〖間も無く〗 副 이윽고; 곧; 머지않아. =やがて·ほどなく. ¶入院して~死んだ 입원하고 얼마 안 되어 죽었다 / ~春が来る 머지않아 봄이 온다 / ~会議が始まります 곧 회의가 시작됩니다. 參考 파생적으로 'まもない(=얼마 되지 않다)'의 形容詞형으로도 씀. ¶ここへ越してきてまもない 이곳에 이사온 지 얼마 되지 않는다.

まもの【魔物】 名 마물; 악마; 요물; 요괴. ¶金は~ 돈은 마물 / 昔, キツネは~とされていた 옛날, 여우는 요물로 여겨졌다.

まもり【守り】 名 1 지킴; 방비; 단속; 수호; 수비. =守備·防備. ¶~につく 수비에 들어가다 / ~を固める 수비를 굳히다 / ~が堅い 수비가 단단하다 / 家の~を厳重にする 집 단속을 엄중히 하다. 2 신불의 가호. ¶神の~ 신의 가호. 3 부적《'守り札'의 준말》. =お守り·護符.

まもりがたな【守り刀】 名 호신용 칼. =脇差し.

まもりがみ【守り神】 名 수호신.

まもりふだ【守り札】 名 부적(符籍). =お守り·おふだ·護符.

まも-る【守る】5他 지키다. **1** 소중히 하다; 어기지 않다. ¶教え〔約束, 法〕を～ 가르침〔약속, 법〕을 지키다 / 節操を～ 절조를 지키다 / 親の言いつけを～ 부모의 말씀을 지키다. ↔破る. **2** 수호〔방비〕하다; 보호하다; 유지하다. ¶国を～ 나라를 지키다 / 健康を～ 건강을 지키다 / 一敗を～ (계속) 일패를 유지하다 / 沈黙を～ 침묵을 지키다 / 留守を～ 부재 중 집을 지키다 / 自然を～ 자연을 보호하다 / 身をもって～ 몸으로써 지키다 / 緑の環境を～ 푸른 환경을 지키다.

まやかし〖瞞し〗名 속임수; 가짜. ＝ごまかし·にせもの. ¶～物 가짜; 위조품 / とんだ～だった 엉뚱한 속임수였다 / ～にはだまされない 속임수에는 속지 않는다.

まやく【麻薬】《痲薬》名 마약. ¶～密売〔中毒〕 마약 밀매〔중독〕 / ～を打つ 마약 주사를 놓다.

まゆ【繭】名 고치; 특히, 누에고치.

*__まゆ__〖眉〗名 눈썹. ＝まゆげ. ¶太い～ 굵은 눈썹 / ～をしかめる 눈살을 찌푸리다; 인상을 쓰다 / ～を開く 눈살을 펴다《안심하다》.

―につばを塗る〔つける〕 속지 않도록 조심하다. ⇨まゆつばもの.

―に火がつく 눈썹에 불이 붙다; 초미(焦眉)《매우 다급하게 됨》.

―一つ動かさない 눈썹하나 까딱하지 않다; 표정이 전혀 안 바뀌다. ¶なんと言われても～ 무슨 말을 들어도 눈썹하나 까딱하지 않는다.

―を書く〔引く〕 (눈썹 먹으로) 눈썹을 그리다.

―をひそめる 눈살을 찌푸리다. ＝眉を寄せる. ¶無礼な振る舞いに～ 무례한 짓(거리)에 눈살을 찌푸리다.

*__まゆげ__【まゆ毛】《眉毛》名 눈썹. ＝眉.

―を読まれる 자기의 내심(内心)을 남이 알아채다.

まゆじり〖眉尻〗名 눈썹 끝〔꼬리〕. ¶～を吊り上げる 눈썹 끝을 치켜 올리다; 성난 표정을 짓다. ↔まゆ根.

まゆずみ【まゆ墨】《眉墨·黛》名 눈썹 그리는 먹; 눈썹 먹.

まゆだま【繭玉】名 버드나무나 댓가지 따위에 누에고치 모양의 떡·경단 등을 단 (설날 등의) 장식. ＝まゆだんご.

まゆつばもの【まゆつば物】《眉唾物》名 속지 않도록 조심해야 되는 것; 의심스러운 것; 수상한 것. ＝まゆつば. ¶彼の話は～だ 그의 말은 수상쩍다. 参考 눈썹에 침을 바르면 여우에 홀리지 않는다는 데서 유래.

まよい【迷い】名 **1** (갈피를 잡지 못해) 헤매는 일; 또, 그런 상태; 미혹. ＝まどい. ¶～の夢 미몽 / 心〔気〕の～ 마음의 미혹 / ～から覚める 미몽에서 깨어나다 / ～を断つ 미혹을 물리치다 / ～を生じる 미혹이 생기다. **2** 도(道)를 깨닫지 못하는 일.

まよ-う【迷う】5自 **1** 갈피를 못 잡다; 결단을 내리지 못하(고 망설이)다. ¶どれを選ぶべきか～ 어떤 것을 택해야 할지 갈피를 못 잡다 / 去就に～ 거취를 결정짓지 못하다 / 選択に～ 선택을 망설이다 / ～·わず実行せよ 망설이지 말고 실행하라. **2** 헤매다. ㉠방향을 잃다. ¶道に～ 길을 잃다 / 路頭に～ 길거리를 헤매다. ㉡〖佛〗 죽은 사람의 영혼이 성불(成佛)하지 못하고 이승을 방황하다. ¶死霊が～·って出る 죽은 영혼이 성불하지 못하고 망령으로 나타나다. **3** 혹(惑)하다; (나쁜 길에) 빠지다; 미혹되다. ¶女に～ 여색에 빠지다 / 金に～ 돈에 현혹되다 / 欲に～ 욕심에 사로잡히다.

まよけ【魔よけ】《魔除け》名 마귀를 쫓음; 또, 마귀를 쫓는 부적(符籍). ＝お守り. ¶～の札 부적.

まよこ【真横】名 바로 옆. ¶～の人〔席〕 바로 옆 사람〔자리〕 / ～を向く 바로 옆을 향하다 / ～から押す 바로 옆에서 밀다.

まよなか【真夜中】名 한밤중. ＝深夜. ¶～の侵入者 심야의 침입자 / ～まで勉強する 한밤중까지 공부하다.

マヨネーズ [프 mayonnaise] 名〖料〗 마요네즈 (소스). ¶～をかける 마요네즈를 바르다〔치다〕.

まよわ-す【迷わす】5他 미혹시키다; 현혹시키다. ＝まよわせる·まどわす. ¶人を～流言 사람을 현혹시키는 유언〔헛소문〕 / 受験生を～問題 수험생을 헷갈리게 하는 문제 / 甘い言葉に心を～·される 달콤한 말에 마음이 현혹되다.

マラカス [maracas] 名〖樂〗 마라카스《라틴 음악에서 쓰는 민속 리듬 악기》.

マラソン [marathon] 名 마라톤 (경주). ＝マラソンレース. 参考 흔히 오랫 동안 계속할 필요가 있는 일의 뜻으로도 쓰임. ¶～討論会 마라톤 토론회.

マラリア [도 Malaria] 名〖醫〗 말라리아; 학질. ＝おこり. ¶～にかかる 말라리아에 걸리다.

―か【―蚊】名 'はまだらか(＝학질모기)'의 속칭.

まり〖毬·鞠〗名 공. ¶～つき 공치기 / ゴム～ 고무공 / ～をける 공을 차다 / ～を投げる 공을 던지다.

マリア [라 Maria] 名 마리아; 그리스도의 어머니. ¶聖母～ 성모 마리아.

マリーナ [marina] 名 마리나; (요트나 모터보트용의) 정박소.

マリオネット [프 marionnette] 名 마리오네트; 인형극에 쓰는 인형. ＝あやつり人形.

マリファナ [영 marihuana; 스 marijuana] 名 마리화나; 대마의 이삭·꽃에서 얻는 마약. ＝ハシッシュ·マリワナ. ¶～を吸う 마리화나를 피우다.

まりも〖毬藻〗名〖植〗 녹조류의 하나《푸른 빛이 나는 공 모양이며 北海道

阿寒湖(あかんこ)의 것은 천연기념물》.

まりょく【魔力】[名] 마력. ＝まりき. ¶彼女(かのじょ)の目(め)には一種(いっしゅ)の～がある 그 여자의 눈에는 일종의 마력이 있다.

マリン [marine] [名] 머린; '바다의' '해상의'의 뜻《흔히, 외래어의 복합어로 쓰임》. ＝マリーン. ¶～ケーブル 해저 케이블 / ～タワー 머린 타워; 해변의 전망대 / ～パーク 머린 파크; 해양 공원.

──スポーツ [marine sports] [名] 머린〔해양〕 스포츠《요트·서핑·수상 스키 등》.

マリンバ [marimba] [名] 〔樂〕 마림바; 타악기의 하나.

***まる**【丸】[一][名] **1** 동그라미; 공; 원; 둥근 것. ¶正(ただ)しい文(ぶん)に～をつけよ 맞는 글에 동그라미를 쳐라 / 五(いつ)つの～をもらった 동그라미 다섯 개를 받았다. **2** 일본말의 마침표·반(半)탁음의 부호《°》. ＝句点(くてん)·半濁点(はんだくてん). ¶～を打(う)つ 온점을 치다〔찍다〕. **3** 전체; 통째임; 온통; 만(滿). ¶～のまま 온통 그대로; 통째로 / ～ごと食(た)べる 통째로 먹다 / ～のまま煮(に)る 통째로 삶다.

[二][接頭] **1** 數詞 앞에 붙여 그 수가 꼭 참을 나타냄; 만. ＝満(まん). ¶～三年(さんねん)かよう 만 3년 다니다 / ～十年(じゅうねん)勤(つと)める 만 10년 동안 근무하다. ↔あしかけ. **2** 名詞 앞에 붙여 완전히 그 상태임을 나타냄. ¶～損(ぞん) 완전 손해 / ～かじり 통째로 씹어〔베어〕 먹음 / ～もうけ 고스란히 벎.

まる【円】[名] **1** 원형(圓形); 또, 그런 모양의 것. **2** 돈의 은어; 동그라미.

まるあらい【丸洗い】[名][ス他] 일본옷을, 뜯지 않고 그대로 세탁함. ↔解(と)き洗い.

まるあんき【丸暗記】[名][ス他] (내용을 잘 이해하지 않고) 그대로 욈. ¶答(こた)えを～しておく 답을 무턱대고 외어 두다.

****まる-い**【丸い】[形] **1** 둥글다; 모가 나지 않다. ¶～顔(かお) 둥그런 얼굴 / 背中(せなか)が～ 등이 (활처럼) 굽다 / 目(め)を～·くする (놀라서) 눈을 휘둥그렇게 뜨다 / 体(からだ)を～·くする 몸을 웅크리다 / 角(かど)が～·くなる 모서리가 없어지다 / 鉛筆(えんぴつ)が～·くなる 연필이 뭉툭해지다 / 地球(ちきゅう)は～ 지구는 둥글다. ↔四角(しかく)い. **2** 원만〔온건〕하다. ¶～感(かん)じの人柄(ひとがら) 모나지 않은 느낌을 주는 인품 / ～人(ひと) 원만한 사람 / 人間(にんげん)が～·くなる 사람이 원만해지다 / けんかを〔仲(なか)に立(た)って〕～·くおさめる 싸움을〔중간에 서서〕 원만하게 수습하다.

──卵(たま)も切(き)りようで四角(しかく) 둥근 달걀도 어떻게 자르냐에 따라 네모도 됨; 모든 사물은 어떻게 다루느냐에 따라 원만하게도 되고 모나게도 됨. ＝ものも言(い)いようで角(かど)が立(た)つ.

──·くとも一角(ひとかど)あれ 원만할지라도 때로는 단호한〔뼈대가 있는〕 면도 있어야 좋다는 말.

****まる-い**【円い】[形] 둥글다; 원형 또는 구형을 하고 있다. ¶～月(つき) 둥근 달.

まるうつし【丸写し】[一][名][ス他] 그대로〔통째로〕 베낌. ¶参考書(さんこうしょ)を～する 참고서를 통째로 베끼다.

[二][名] 아주〔꼭〕 닮음. ¶父親(ちちおや)に～の顔(かお) 아버지를 빼쏜 얼굴.

まるがお【丸顔】[名] 둥근 얼굴. ¶～の女(おんな) 둥근 얼굴의 여인. ↔面長(おもなが).

まるがかえ【丸抱え】[名] **1** 기생의 생활비를 요정 등의 주인이 전부 부담함. ↔自前(じまえ). **2** 비용을 전부 대 줌. ¶会社(かいしゃ)～の旅行(りょこう) 회사가 비용을 전담하는 여행. [參考] 'まるかかえ' 라고도 함.

まるかっこ【丸括弧】[名] 소(小)괄호; 손톱묶음; 둥근 괄호《'( )' '《 》'》. ＝まるがっこ·パーレン.

まるがり【丸刈り】[名] 막깎이; 머리를 짧게 바싹 깎음; 또, 그런 머리. ＝坊主刈(ぼうずが)り. ¶～の少年(しょうねん) 까까머리 소년 / ～にする (머리를) 빡빡 깎다.

まるき【丸木】[名] 통나무. ＝まるた. ¶～橋(ばし) 외나무 다리 / ～の柱(はしら) 통나무 기둥 / ～で建(た)てた小屋(こや) 통나무로 지은 오두막집.

──ぶね【──舟】[名] 통나무배; 마상이.

マルキシスト [Marxist] [名] 마르크시스트; 마르크스주의자. ＝マルキスト.

マルキシズム [Marxism] [名] 마르크시즘; 마르크스주의. ＝マルクシズム.

まるきり『丸切り』[副] 《다음에 흔히 否定語 및 그 유사어를 붙여서》 전연; 전혀; 아주. ＝まるっきり·まるで. ¶～知(し)らない 전혀 모르다 / ～できない 전혀 못하다 / ～違(ちが)う 아주 다르다 / ～だめだ 전혀 가망〔쓸모〕 없다 / ～打(う)てない (바둑을) 전혀 못 두다; (야구에서) 전혀 못 치다.

マルクスしゅぎ【マルクス主義】[名] 마르크스주의. ＝マルキシズム. ▷Marx.

まるくび【丸首】[名] 셔츠나 스웨터 따위의 목을 동그랗게 판 것. ¶～シャツ 목을 둥글게 판 셔츠.

まるごし【丸腰】[名] **1** 무사가 칼을 차지 않음. **2** 무기를 갖지 않음; 무방비. ¶～の警官(けいかん) 비무장 경관 / ～で二人(ふたり)を相手(あいて)に戦(たたか)う 무기 없이〔맨 주먹으로〕 두 사람을 상대하여 싸우다.

まるごと『丸ごと』[副] 통째로; 통거리로. ¶～食(た)べる 통째로 먹다 / 文(ぶん)を～暗記(あんき)する 글을 통째로 암기하다 / 魚(さかな)を～煮込(にこ)む 생선을 통째로 끓이다.

まるざい【丸材】[名] 껍질만 벗긴 통나무 재목. ↔角材(かくざい).

まるぞめ【丸染め】[名][ス他] 옷 따위를 뜯지 않고 그대로 염색함; 또, 그렇게 염색한 것.

まるぞん【丸損】[名] 전손(全損); 완전 손해; 손해만 봄. ¶～になる 완전히 손해를 보다 / 50万円(まんえん)は～した 50만 엔은 완전히 손해 보았다. ↔丸(まる)もうけ.

***まるた**【丸太】[名] (껍질만 벗긴) 통나무. ＝まるたんぼう·丸木(まるき)·丸材(まるざい). ¶～小屋(ごや) 통나무를 엮어 만든 오두막집 / ～

を組(く)む 통나무를 엮다.

まるだし【丸出し】图 있는 그대로 드러냄. ＝むきだし. ¶田舎(いなか)なまり～の紳士(しんし) 시골 말씨를 그대로 해대는 신사/方言(ほうげん)～で話(はな)す 순 사투리로 말하다/たけが短(みじか)くてひざ小僧(こぞう)が～だ 기장이 짧아서 무릎이 그대로 드러나 있다.

まるたんぼう【丸太ん棒】图〈口〉☞まるた.

マルチ＝ [multi-] 图 멀티; '다수의' '다량의' '복수의' '복합의' '다중(多重)의'의 뜻. ¶～カラー 다색(多色)/～タレント 다재다능한 탤런트/～スクリーン 멀티스크린/～ナショナル 다국적의/～チャンネル 멀티 채널; 다중 통신/～メディア 멀티미디어; 복합 미디어.

—キャスト [multicast] 图〖컴〗멀티캐스트; 네트워크를 통해 하나의 정보를 동시에 복수의 상대에게 배신(配信)하는 기술.

—しょうほう【—商法】图 멀티 상법; 연쇄 판매 거래; 피라미드식 판매 방식. ＝ピラミッドセリング.

—プロセッシング [multiprocessing] 图〖컴〗멀티프로세싱; 다중 처리; 동시 병행 처리.

マルチョイ 图 다항식 선택법; 선다형 시험. ＝多肢(たし)選択法(せんたくほう)・マルチプルチョイス. ¶～テスト 다지 선택형 시험. 参考 multiple-choice method의 준말.

マルチング [mulching] 图 멀칭; 짚·비닐·폴리에틸렌 따위로 밭이랑을 덮어 채소 등을 촉성 재배하는 일.

まるっきり〖丸っ切り〗副 ☞まるきり.

まるっこ-い【丸っこい】形〈俗〉동그스름하다; 둥글다. ＝まるい. ¶～顔(かお) 동그스름한 얼굴.

まるつぶれ【丸つぶれ】《丸潰れ》图 완전히 부서짐〔망가짐〕. ¶面目(めんぼく)～だ 체면을 완전히 구겼다/家(いえ)が～になる 집이 완전히 허물어지다.

***まるで**〖丸で〗副 **1** 마치; 꼭. ＝さながら. ¶～猿(さる)のような顔(かお) 꼭 원숭이 같은 얼굴/～夢(ゆめ)〔絵(え)〕のようだ 마치 꿈〔그림〕 같다/～子供(こども)だ 꼭 어린애 같다/～目(め)に見(み)るようだ 마치 눈으로 보는 것 같다. **2**《다음에 否定語가 따라서》전혀; 전연; 통. ＝まるきり. ¶～違(ちが)う 전혀 다르다/～知(し)らなかった 전연 몰랐다/～覚(おぼ)えていない 전혀 기억하고 있지 않다/～話(はなし)にならない 전혀 말이 되지 않는다/～だめだ 아주 글렀다.

まるてんじょう【丸天井】图 **1** 둥근 천장. ＝ドーム. ¶～造(づく)りの建物(たてもの) 돔구조로 된 건물. **2** 하늘; 창공.

まるどり【丸取り】图ス他 전부 차지함; 통째로 가짐. ¶利益(りえき)の～ 이익의 독차지/賞品(しょうひん)を～する 상품을 독차지하다/給料(きゅうりょう)を～される 급료를 통째로 빼앗기다.

まるのみ【丸のみ】《丸呑み》图ス他 **1** 씹지 않고 삼킴; 통째로 삼킴. ¶蛇(へび)がかえるを～(に)する 뱀이 개구리를 통째로 삼키다. **2** 이해하지 못한 채 욈; 무조건 받아들임. ＝うのみ. ¶人(ひと)の意見(いけん)を～(に)する 남의 의견을 무조건 받아들이다.

まるはだか【丸裸】图 **1** 맨몸; 알몸; 발가숭이. ＝まっぱだか・すはだか. ¶～の子供(こども) 발가숭이 아이/～で泳(およ)ぐ 알몸으로 헤엄치다. **2** 무일푼; 빈털터리. ＝無一物(むいちもつ). ¶火事(かじ)で～になる 화재로 빈털터리가 되다.

まるばつしき [OX式] 图 OX식《객관식 시험 문제의 한 가지》. ＝選択式(せんたくしき)テスト. ¶～問題(もんだい) OX식 문제.

まるひ【丸秘】图 비밀 내용; 비밀로 해야 할 사항《비밀 서류 따위에 ㊙표시를 한 데서》. ¶～扱(あつか)い 비밀 취급/この話(はなし)は～だ 이 이야기는 비밀이다.

まるぼうず【丸坊主】图 빡빡 깎은 머리; 중대가리; 비유적으로, 민둥산. ¶～に刈(か)る 빡빡 깎다; 막깎이로 깎다/頭(あたま)を～にする 머리를 민머리로 깎다/乱伐(らんばつ)で山(やま)が～になる 남벌로 산이 민둥산이 되다.

まるぼし【丸干し】图ス他 (생선·고구마·무 따위를) 통째로 말림; 또, 그렇게 한 것. ¶いわしの～ 통째로 말린 정어리〔멸치〕.

まるぽちゃ【丸ぽちゃ】图〈俗〉(여자 얼굴이) 오동통하고 귀여움. ¶～の女(おんな) 얼굴이 토실토실한 여자.

まるまげ【丸まげ】《丸髷》图 (일본) 기혼 여성의 머리형의 하나. ＝まるまげ本多(ほんだ).

ねがけ (根掛)

[丸髷]

まるま-る【丸まる】5自 둥글게 되다. ¶～・って寝(ね)る 몸을 옴츠리고 자다; 새우잠을 자다/紙(かみ)が～ 종이가 (둥글게) 말리다.

まるまる〖丸丸〗副 **1** 모조리; 깡그리; 몽땅. ¶～損(そん)する 깡그리 손해보다/～一時間(いちじかん)はかかる 꼬박 한 시간은 걸린다/せっかくの貯金(ちょきん)を～ととられた 모처럼의 저금을 몽땅 빼앗겼다. **2** 통통하게 살찐 모양. ¶～とした赤(あか)ん坊(ぼう) 포동포동한 아기/～(と)した体(からだ)つき 통통한〔토실토실한〕 몸집/～(と)太(ふと)る 포동포동 살이 찌다.

まるみ【丸み・円み】图 둥그스름한 모양; 또, 원만〔온화〕한 모양. ¶～をおびる 둥그스름해지다/人間(にんげん)に～がある 인품이 원만하다/～が出(で)る 온화함이 풍기다; 원만해지다/角(かど)に～がつく 모서리가 무디어지다/～をつける 둥그스름하게 하다.

まるみえ【丸見え】图 죄다 보임; 환히 다 보임. ¶～になる 환히 다 보이다; 완전히 노출되다 / ここからあそこは～だ 여기서 저곳은 환히 다 보인다.

まるめこ-む【丸め込む】5他 **1** 돌돌 구겨〔뭉쳐〕 넣다. ¶書類(しょるい)〔ハンカチ〕を

ポケットに～ 서류를〔손수건을〕 호주머니속에 구겨 넣다. **2** 구워삶다; 구슬리다. ＝言いくるめる. ¶まんまと～ 감쪽같이 구슬리다/役人を～ 공무원을 구워삶다/反対派に～·まれた 반대파에게 말려들었다〔넘어갔다〕.

*__まる-める__【丸める】下1他 **1** 둥글게 하다; 뭉치다. ¶紙を～ 종이를 (구겨) 뭉치다/背を～ 등〔몸〕을 구부리다; 몸을 웅크리다. **2** ☞まるめこむ2. ¶～·められないように注意する 말려들지 않게 조심하다. **3** 머리를 깎다; 삭발하다. ¶頭を～ 삭발하고 출가(出家)하다《속죄하기 위한 경우도 있음》.

まるもうけ【丸もうけ】《丸儲け》图 ス自 깡그리 이득 봄; 고스란히 벎. ¶坊主～ 밑천 안 들이고 이득을 봄. ↔丸損.

まるやき【丸焼き】图 통구이; 또, 그렇게 구운 것. ¶鳥の～ 통닭구이.

まるやけ【丸焼け】图 전소; 몽땅 타버림. ＝全焼. ¶家が～になる 집이 몽땅 타다〔전소되다〕. ↔半焼け.

*__まれ__〖希·稀〗ダナ 드묾; 희소함; 좀처럼 없음. ¶近年～な暑さ 근년에 보기 드문 더위/世にも～な美人 절세의 미인/こんな例は～だ 이런 예는 드물다/～に会うことがある 드물게〔어쩌다〕 만나는 일이 있다/人生七十, 古来～なり 인생 칠십 고래희라.

——に見る 매우 드물다; 드물게 보다. ¶～天才だ 매우 드물게 보는 천재다; 좀처럼 볼 수 없는 천재다.

マロニエ［프 marronnier］图〘植〙 마로니에. ¶～の並木道 마로니에 가로수 길.

まろ-ぶ〖転ぶ〗5自 〈雅〉 **1** 구르다. **2** 넘어지다; 쓰러지다. ¶こけつ～·びつ逃げ帰る 엎어지며 넘어지며 도망쳐 돌아오다.

まろみ〖円み〗图 ☞まるみ.

まろやか〖円やか〗ダナ **1** 둥근 모양. ＝まろらか. **2** 맛 따위가 순한 모양. ¶～な味 순한 맛.

マロン［프 marron］图〘植〙 마롱. **1** 밤. ＝栗. **2** 밤색. ＝くり色.

まわし【回し】《廻し》图 **1**《본디 褌로도》(씨름꾼의) 샅바. ¶～を締め直してかかる 샅바를 다시 졸라매고 덤비다. **2** 돌림; 또, 돌리는 것. ¶～読み 돌려가면서 읽기/ねじ～ 나사돌리개; 드라이버. **3** 차례로 옮김〔돌림〕; 다음으로 돌림; 예정 등을 드팀. ¶患者をたらい～にする 찾아온 환자를 자꾸 딴 병원으로 돌려 가며 진찰을 받게 하다/翌日～にする 이튿날로 돌리다〔드티다〕.

まわしのみ【回し飲み】图 ス他 큰 그릇의 것을 돌려가며 마심《담배 등에도 말함》. ¶祝杯を～する 축배를 돌려가며 마시다.

まわしもの【回し者】图 염탐꾼; 첩자; 간첩; 스파이. ＝間者·スパイ. ¶あいつは敵の～だ 저 놈은 적의 첩자다.

⁑__まわ-す__【回す】《廻す》5他 **1** 돌리다. ¶こまを～ 팽이를 돌리다/ダイヤル〔ハンドル〕を～ 다이얼〔핸들〕을 돌리다/杯を～ 잔을 돌리다/書類〔回覧板〕を～ 서류를〔회람판을〕 돌리다/会計課に～·される 회계과로 돌려지다〔회부되다〕/通信費を旅費に～ 통신비를 여비로 돌리다/後に～ 뒤로 돌리다/補欠に～ 보결로 돌리다. **2** 두르다; 둘러치다. ¶屏風〔垣根〕を～ 병풍을〔울타리를〕 두르다/庭に塀を～ 마당에 담장을 둘러치다/木に縄を～ 나무에 새끼를 두르다. **3** 손을 쓰다; 수배하다. ¶事前に手を～·しておく 사전에 손을 써 두다/よく気を～ 충분히 배려를 하다/八方手を～ 온갖 손을〔수를〕 다 쓰다. **4** 돈을 굴리다〔놀리다〕. ¶金を高利で～ 돈을 고리로 빌려 주다/一割に～ 일할 이자로 굴리다. **5**《接尾語적으로 動詞 連用形에 붙어서》 여기저기〔이것저것〕 …하다; 그 부근 전체에 …하다; 심하게 …하다. ¶いじくり～ 마구 주물러대다; 들쑤시다/乗り～ 타고 돌아다니다/女を追い～ 여자를 짓궂게 따라다니다/刑事が付け～ 형사가 끈덕지게 뒤를 밟다. 可能まわ-せる 下1自

まわた【真綿】图 풀솜; 설면자(雪綿子).

——で首を締める 풀솜으로 목을 조르다《에두른 말로 책(責)하거나 괴롭혀, 은근히 골탕을 먹임의 비유》.

⁑__まわり__【回り】《廻り》图 **1** 돎. ㉠차례로 방문함. ¶お得意～ 단골집 돌기〔순방〕/年始～ 정초에 세배하며 돎. ㉡회전. ¶モーターの～ぐあい 모터의 회전 상태/ハンドルの～がおかしい 핸들의 회전 상태가 이상하다. ㉢작용이 미침; 또, 퍼짐. ¶酒〔薬〕の～ 술〔약〕 기운이 돎/火の～が速い 불길의 번짐이 빠르다/毒の～が速い 독 기운이 빨리 퍼지다/頭の～が遅い 머리 돌아가는 것〔두뇌 회전〕이 느리다. ㉣《接尾語적으로》 어떤 지역이나 둘레를 도는 횟수를 세는 말. ¶公園を一～する 공원을 한 바퀴 돌다/一～したら休もう 한 차례 돌고 나면 쉬자. **2**《接尾語적으로》 전체를 일순(一巡)한 크기. ㉠(지지(地支)에 의해서) 12년을 1기로 한 나이의 차. ¶長兄は私より一～上です 맏형은 나보다 열두 살 위입니다/年が一～違う 나이가 열두 살 차이가 난다. ㉡굵기·크기의 차이를 막연히 나타내는 말. ¶ひと～小さい皿〔サイズ〕 한결 작은 접시〔치수〕/一～大きい入れ物 한결 큰 용기/体が一～も二～も大きくなった 몸이 부쩍 커졌다.

⁑__まわり__【周り】图 사물의 둘레; 주위; 주변. ¶月の～ 달 주위/池の～ 연못의 둘레/焚き火の～に寄り集まる 모닥불 주위로 모여들다.

まわりあわせ【回り合わせ】图 자연히

돌아오는 운명; 운수. ＝めぐりあわせ. ¶～がよい 운수가 좋다/妙な～になる 묘한 운명이 되다/すべてこうなる～だったのだ 모두 이렇게 될 운명이었던 것이다.

まわりくど-い【回りくどい】形 (말 따위를) 빙 둘러서 하다; 에두르다; 번거롭다. ¶～話 빙 돌려서 하는 말; 에둘러 하는 말/説明が～ 설명이 번거롭다/～·く言うな 번거롭게 에둘러 말하지 마라《요점만 말해라》. ↔手っ取り早い.

まわりどお-い【回り遠い】形 1 길이 빙 돌아 멀다. 2 (수단 따위가) 번거롭다. ¶説明が～·くて歯がゆい 설명이 번거로워서 답답하다.

まわりばん【回り番】图 1 윤번(輪番); 순번. ¶司会を～でする 사회를 윤번으로 보다. 2 순찰 당번. ¶～の警官 순찰 당번 경관.

まわりぶたい【回り舞台】图 회전 무대. ¶世は～だといわれる 세상은 회전 무대라고 한다.

まわりみち【回り道】《回り路》图 ス自 길을 돌아서 감; 또, 그 길. ＝迂路. ¶～をする 길을 돌아서 가다/～して帰る 길을 돌아서 돌아오다〔가다〕/～になる 우회하게 되다/この道路は～だ 이 도로는 우회로이다. ↔近道.

まわりもち【回り持ち】图 차례로 담당함〔맡음〕. ＝輪番. ¶当番を～(に)する 당번을 돌려가며 맡다/議長は～だ 의장은 돌려가면서 맡는다.

まわ-る【回る】《廻る》5自 1 돌다. ㉠회전하다; 둘레를 돌다. ¶こまが～ 팽이가 돌다/湖を～ 호수를 (끼고) 돌다/月が地球を～ 달이 지구 (주위)를 돌다. ㉡차례로 돌(아가)다. ¶杯が～ 술잔이 (차례로) 돌아가다/得意先を～ 거래처를 돌다/番が～·って来る 차례가 돌아오다. ㉢반대쪽으로 이동하다. ¶建物の後ろに～ 건물의 뒤쪽으로 돌다/手が後ろに～ (못된 짓을 해서) 손이 뒤로 돌다《뒤로 묶이다》. ㉣꺾어서 가다; 방향을 바꾸다. ¶大きく右へ～ 오른쪽으로 크게 돌다/敵の背後に～ 적의 배후로 우회하다/風が南へ～ 바람이 남쪽으로 바뀌다/敵に～ 적편에 붙다/受け身に～ 수세로 전환하다. ㉤어지럽다. ¶目が～ 눈이 (핑핑) 돌다; 현기증이 나다. ㉥(구석구석까지) 작용이 미치다. ¶酒が～ 술기운이 돌다; 주기가 오르다/頭〔知恵〕が～ 머리가 잘 돌다/よく気が～ 생각이 잘 돌아가다/忙しくて手が～·らない 바빠서 손이 채 안 돌아간다〔손이 못 미치다〕/毒が～ 독이 퍼지다. ㉦잘 움직이다. ¶舌が～ 혀가 (잘) 돌다. 2 이익이 생기다. ¶もうけが一割に～ 이익이 1할 생기다. 3《接尾語적으로》(일정한 범위를) 이동하다. ¶歩き～ 걸어다니다/探し～ 찾아다니다/持ち～ 가지고 다니다. 可能 まわ-れる 下1自

──·り回って 돌고 돌아서. ¶～やっと家までたどりつく 돌고 돌아서 간신히 집에 다다르다.

まん【万】图 만. 1 천의 십 배; 일만. ¶～を超す件数 만을 넘는 건수. 2 수가 많음. ¶～巻の書 수많은 책.

──に一つも《否定의 말이 뒤따라》 만에 하나라도; 결코. ¶可能性は～ない 가능성은 전혀 없다.

まん【満】图 만. 1 (나이를 셀 때) 온 일 년을 한 살로 하기. ¶～で十二歳 만으로 열두 살/～で数える (나이를) 만으로 세다. ↔かぞえ. 2 연월을 셀 때, 일순(一巡)함을 1로 하기. ¶～三年 만 3년. ↔足かけ.

──を持す 1 준비를 충분히 하고 대기함의 비유. ¶満を持して待つ 만반의 준비를 하고 기다리다. 2 절정에 달하여 그 상태를 지속하다.

マン [man] 맨. ㊀图 사람. ㊁接尾 …을 (직업으로) 하는 사람; …에 관계하는 사람; 그 집단의 일원. ¶カメラ～ 카메라맨/宣伝～ 선전원/証券～ 증권맨; 증권사 직원/銀行～ 은행원/Aグループ～ A그룹 직원.

──ツーマン [man-to-man] 图 맨투맨; 1대1. ＝一対一. ¶～ディフェンス 맨투맨 디펜스; 대인 방어/～の指導 일대일의 지도/～で特訓する 일대일로 특별 훈련을 실시하다.

まん〘万〙《萬》教2 マン バン よろず | 만 일만

만. 1 일만. 2 다수; 수많은. ¶万病 만병/万国 만국.

まん〘満〙《滿》教4 マン みちる みたす | 만 차다

1 차다. ¶満期 만기/未満 미만. 2 풍족하다. ¶満足 만족/豊満 풍만.

まん〘慢〙常用 マン おこたる あなどる | 만 게을리하다

1 게을리하다. ¶怠慢 태만. 2 경시하다. ¶慢罵 만매. 3 거만하다. ¶慢心 만심/傲慢 오만.

まん〘漫〙常用 マン みだりに そぞろに | 만 질펀하다

1 느슨하다. ¶漫評 만평/散漫 산만. 2 딱딱하지 않고 재미있음. ¶漫画 만화/漫談 만담.

まんいち【万一】图《副詞적으로도 씀》 만일; 만에 하나; 만약. ＝まんがいち. ¶～に備える 만일에 대비하다/～困ったときは 만약 곤란한〔어려운〕 때에는/～そんなことが起こったら 만일 그런 일이 일어난다면/～私が行かなかったら止めてください 만일 내가 가지 않으면 중단해 주세요/～失敗したらどうしよう 만일 실패하면 어떻게 할까. 参考 만분의 1이라는 뜻.

まんいん【満員】图 만원. ¶～電車 만

원 전차 / ~御礼 만원 사례 / 大入り~ 대만원 / ~札止め 만원 입장권 매진 / 会場が~になる 회장이 만원이 되다.

まんえつ【満悦】图ス自 만족하여 기뻐함. ¶ご~の体 매우 만족하여 기뻐하시는 모습〔모양〕/ 山海の珍味に~する 산해진미에 만족해 하다.

まんえん [蔓延] 图ス自 만연. ¶伝染病が~する 전염병이 만연하다 / コレラの~を防ぐ 콜레라(의) 만연을 방지하다.

***まんが**【漫画】图 만화. ¶~家 만화가 / 時事~ 시사 만화 / ~雑誌 만화 잡지 / ~を描く 만화를 그리다 / 四コマの~ (신문 등의) 4컷짜리 만화 / あの男のすることはまるで~だ 저 남자가 하는 일은 꼭 만화같다((웃긴다는 뜻)).

—きっさ【—喫茶】图 만화방.

まんかい【満開】图ス自 만개; 만발. =はなざかり. ¶~になる 만발하다 / 桜の花が~だ 벚꽃이 만발이다.

まんがいち【万が一】图 만에 하나; 만일. =まんいち. ¶~失敗したらどうしよう 만일 실패하면 어떻게 하나.

まんがく【満額】图 예정〔요구〕액에 달함; 또, 그 금액; 전액. ¶預金が~に達する 예금이 예정 금액에 달하다 / 保険金が~下りる 보험금이 전액 지급되다.

まんがん【万巻】图 많은 책. =ばんかん. ¶~の書 많은 책.

まんがん【満願】图 만원; 일수를 정하여 신불(神佛)에 발원한 그 기한이 참. =結願. ¶~の日 만원일 / 今日で~になる 오늘로서 만원이 된다.

マンガン [도 Mangan] 图〘化〙 망간((금속 원소의 하나; 기호: Mn)).

まんかんしょく【満艦飾】图 **1** (축하의 표지로) 군함이 만국기·전등 따위로 장식함. **2**〈俗〉 여성의 화려한 몸치장; 또, 빨래 따위를 잔뜩 널어 말림. ¶~の女 화려하게 차린 여자 / おしめの~ 기저귀가 만국기처럼 널려 있음.

まんき【満期】图 만기. ¶~手形 만기어음 / 契約〔保険〕が~になる 계약〔보험〕이 만기가 되다.

まんきつ【満喫】图ス他 만끽. ¶山海の珍味を~する 산해진미를 실컷 먹다 / 勝利感を~する 승리감을 만끽하다.

まんきん【万金】图 만금; 천금; 많은 돈. =ばんきん. ¶~を積む 천금을 쌓다((많은 돈을 모으다)) / ~にあたいする 천금의 값어치가 있다.

まんげきょう【万華鏡】图 만화경. =にしきめがね·ばんかきょう·カレードスコープ. ¶~のような都会の夜景 만화경 같은 도회의 야경.

***まんげつ**【満月】图 만월; 보름달. =もちづき·十五夜の月. ¶~の夜 만월의 밤 / ~が浮かぶ 보름달이 뜨다 / 今夜は~だ 오늘 밤은 보름달이다. ↔新月.

まんこう [満腔] 图 만강; 전신; 온몸. ¶~の敬意を表する 만강의〔충심으로부터의〕 경의를 표하다.

マンゴー [mango] 图〘植〙 망고((옻나뭇과에 속하는 열대성 상록 교목)).

まんざ【満座】图 만좌; 그 자리에 있는 사람 모두. ¶~の失笑を買う 만좌의 실소를 사다((웃음거리가 되다)) / ~の視線を集める 만좌의 시선을 모으다〔주목을 받다〕.

まんさい【満載】图ス他 만재. ¶砂利を~したダンプ 자갈을 가득 실은 덤프트럭 / 荷を~する 짐을 만재하다.

まんざい【万歳】图 신년(新年)에, えぼし(=신관(神官) 등이 쓰는 모자의 일종)를 쓰고 집집마다 다니며 축하의 말을 해 주고 장구를 치면서 춤추는 사람.

まんざい【漫才】图 둘이 주고받는 익살스러운 재담; 만담. =かけあいまんざい. ¶~師 재담〔만담〕가.

まんさく【満作】图 풍작. =豊作. ¶豊年~ 풍년 풍작.

***まんざら**〖満更〗副〈俗〉《뒤에 否定하는 말이 따라서》 반드시는; 아주; 전혀. ¶~悪くもない 아주 나쁘지도 않다 / ~知らない仲ではない 아주 모르는 사이는 아니다 / ~のばかとも思えない 아주 바보라고도 생각되지 않는다 / ~いやではない 아주 싫지는 않다.

—でもない **1** 아주 마음에 없는〔마음이 내키지 않는〕 것도 아니다. ¶~顔つき 아주 싫은 것도 아닌 표정. **2** 아주 나쁜 것만도 아니다. ¶この品なら~ 이 물건이라면 아주 나쁜 것만도 아니다((그런대로 괜찮다)).

まんざん【満山】图 만산; 온 산. ¶~の桜〔紅葉〕 만산의 벚꽃〔단풍〕.

まんじ [卍·卍字] 图 만자; 卍의 모양이나 무늬.

まんしつ【満室】图 **1** 모든 방에 사람이 들어 있음. ¶本日~ 오늘은 빈방이 없음. ↔空室. **2** 방이 많은 사람 등으로 가득 차 있음.

まんじどもえ [卍巴] 图 서로 뒤섞인 모양; 뒤죽박죽. ¶~に入り乱れて戦う 서로 어지러이 뒤섞여 싸우다. 注意 'まんじともえ'라고도 함.

まんしゃ【満車】图 만차; 주차한 차로 주차장이 다 들어참. ¶~になった駐車場 만차가 된 주차장.

まんじゅう〖饅頭〗图 만두; 찐빵. ¶肉~ 고기 만두 / 焼~ 군만두 / 薄皮~ 껍질이 얇은 만두 / 中華~ 중국식 만두〔찐빵〕.

まんじゅしゃげ〖曼珠沙華〗图〘植〙 만주사화; 'ひがんばな(=석산(石蒜))'의 딴 이름.

まんじょう【満場】图 만장. ¶~の紳士淑女の皆様 만장하신 신사 숙녀 여러분 / ~の喝采を浴びる 만장

의 갈채를 받다.

—いっち【—一致】图 만장일치. ¶～で可決 만장일치로 가결.

マンション [mansion] 图 맨션; 큰 저택; 전하여, 고급스러운 분양 아파트.

まんじり 副《보통 否定하는 말이 따라서》깜빡 조는 모양; 잠깐 눈을 붙이는 모양. ¶～ともしない 한잠도 못 자다; 뜬눈으로 밤을 지새다.

まんしん【慢心】图ス自 (자)만심; 자만함; 교만하게 굶. ＝うぬぼれ. ¶ちょっとした成功に～する 조그만 성공에 우쭐해 하다 / ～が敗北を招いた 자만심이 패배를 자초했다.

まんしん【満身】图 만신; 온몸; 전신. ¶～の力をこめる 전신의 힘을 모으다.

—そうい [—創痍] 图 만신창이.

まんすい【満水】图ス自 만수. ¶～のダム 만수가 된 댐 / 貯水池が～になる 저수지에 물이 가득 차다.

マンスリー [monthly] 图 먼슬리; 월간; 월간 잡지. ↔ウイークリー·デーリー.

***まんせい**【慢性】图 만성. ¶～アルコール中毒 만성 알코올 중독 / ～の虫垂炎 만성 충수염〔맹장염〕/ ～化するインフレ 만성화하는 인플레이션. ↔急性.

まんせき【満席】图 만석; 만원. ¶～の大盛況 만원의 대성황 / もう三時の便は～になった 벌써 3시 (비행)편은 만석이 되었다.

まんせん【満船】图 만선; 배의 승객·화물이 최대 적재량이 되는 일.

まんぜん【漫然】トタル 만연; 막연한 모양; 멍(청)한 모양. ¶～と暮らす 만연히 살아가다 / ～とながめる 멍하니 바라보다 / ～と話を聞く 만연히〔멍하니〕 이야기를 듣다.

****まんぞく**【満足】图ス自ダナ 만족. **1** 완전함; 부족함이 없음. ¶～な答え 만족한 답 / 五体～ 육신이 온전함〔성함〕/ 手紙も～に書けないなんて 편지도 제대로 못 쓰다니 / ～な教育も受けていない 만족스런〔제대로〕 교육도 받지 못했다. 注意 수학에서는 他動詞로 쓰임. ¶方程式を～するXの値 방정식을 만족시키는 X의 값. **2** 바람이 충족되어 불평 불만이 없음. ¶～に思う 만족하게 여기다 / 好奇心を～させる 호기심을 충족시키다 / ～感をおぼえる 만족감을 느끼다 / 現状に～する 현상에 만족하다.

まんだら [曼陀羅] 图〔佛〕 만다라. **1** 부처가 깨달은 경지. **2** 부처의 세계나 극락을 그린 그림.

まんタン【満タン】图〈俗〉 만탱크. ＝満杯. ¶ガソリンを～にする 휘발유를 탱크에 가득 채우다 / ～にしてください (기름을) 가득 채워 주십시오.

まんだん【漫談】图ス自 만담. ¶～家 만담가 / 余興に～をする 여흥으로 만담을 하다.

まんちゃく [瞞着] 图ス他 만착; 속임. ¶有権者を～する 유권자를 속이다.

***まんちょう**【満潮】图 만조. ＝みちしお·あげしお. ¶～時 만조시 / ～線 만조선. ↔干潮.

まんてん【満天】图 만천. ¶～の星 하늘에 가득한 별.

まんてん【満点】图 만점. ¶栄養〔百点〕～ 영양〔백점〕 만점 / スリル～ 스릴 만점 / ～をとる 만점을 따다〔받다〕. 参考 '万点'으로 씀은 잘못.

まんてんか【満天下】图 만천하; 온 세상. ¶～の人々 만천하의 사람들 / ～の喝采を博する 만천하의 갈채를 받다 / ～の話題をさらう 만천하의 화제를 독차지하다.

マント [프 manteau] 图 망토; 소매 없는 외투.

マントー [중 饅頭] 图 (중국식) 찐만두; 찐빵. ＝マントゥ.

マンドリン [mandolin(e)] 图〔樂〕 만돌린. ¶～を弾く 만돌린을 켜다.

マントル [mantle] 图〔地〕 맨틀; 지구의, 지각(地殼)과 핵(核) 사이의 부분. ↔アイソスタシー.

****まんなか**【真ん中】图 한가운데. ＝まなか. ¶～の部屋 맨 가운뎃방 / 部屋の～ 방 한가운데 / 三人兄弟の～ 삼 형제의 한가운데.

マンネリ 图 'マンネリズム'의 준말.

—か【—化】图ス自 매너리즘화. ¶企画が～する 기획이 매너리즘화하다.

マンネリズム [mannerism] 图 매너리즘; 천편일률. ＝マンネリ. ¶～におちいる 매너리즘에 빠지다.

まんねん【万年】图 만년; 영구. ¶～候補 만년 후보 / ～青年 만년 청년 / 鶴は千年, 亀は～ 학은 천년, 거북은 만년.

—どこ【—床】图 밤낮으로 편 채로 있는 이부자리《독신 남성 등의 무절제한 생활을 나타낸 말》.

—ひつ【—筆】图 만년필. ¶～にインキを入れる 만년필에 잉크를 넣다.

—ゆき【—雪】图 만년설. ¶ヒマラヤ頂上の～ 히말라야 정상의 만년설.

まんねんれい【満年齢】图 만연령; 만(滿)나이. 注意 단지 '満'이라고도 함. ¶満(で)十八 만(으로) 18세. ↔数え年.

まんぱい【満杯】图〈俗〉 만배; 더 이상 들어갈 여지가 없이 가득참. ¶～の教室 꽉 들어찬 교실 / ～の酒 잔에 가득 찬 술 / 駐車場が～だ 주차장이 꽉 찼다 / タンクが～になる 탱크가 가득 차다.

まんぱん【満帆】图 만범; 돛이 바람을 가득 받음. ¶順風～ 순풍을 가득 받은 돛《일이 예정대로 잘 진행됨》.

まんびき【万引き】图ス他 가게에서, 물건을 사는 체하고 훔침; 또, 그 사람. ¶本を～する 가게에서 책을 훔치다.

まんぴつ【漫筆】图 만필; 수필. ＝漫録

まんろく. ¶ヨーロッパ~ 유럽 만필.

まんびょう【万病】名 만병; 모든 병. ¶かぜは~のもと 감기는 만병의 근원/~に効く薬 만병 통치약.

まんぴょう【満票】名 투표수〔투표자〕 전부의 표. ¶~を得る (투표자의) 전표(全票)를 얻다/~で当選する 만장일치로 당선되다.

まんぴょう【漫評】名ス他 만평; 제멋대로의 비평. ¶時事~ 시사 만평.

まんぷく【満幅】名 만폭; 전폭. =全幅. ¶~の信頼を寄せる〔置く〕 전폭적인 신뢰를 하다.

まんぷく【満腹】名ス自 만복; 배가 잔뜩 부름. ¶~感 만복감/見ただけで~だ 보기만 해도 배가 부르다/~で動けない 배가 불러 움직일 수 없다/二人前食って~する 2인분을 먹어서 배가 부르다/もう~です 이제 실컷 먹었습니다. ↔空腹.

まんぶんのいち【万分の一】名 만분의 일; 매우 적음. ¶せめて~なりと御恩返しをしたい 하다못해 만분의 일이라도 은혜에 보답하고 싶다.

まんべんなく〖万遍なく·満遍無く〗副 구석구석까지; 미치지 않은 곳 없이; 남김없이; 모조리. ¶~気を配る 모든 곳에 배려를 하다/~塗りつぶす 구석구석까지 모두 칠하다/~笑顔を振りまく 누구에게나 웃는 얼굴을 보이다.

マンボ[ス mambo] 名〔樂〕 맘보. ¶~ズボン〔スタイル〕 맘보 바지〔스타일〕/~を踊る 맘보춤을 추다.

まんぽ【漫歩】名ス自 만보; 목적 없이 한가롭게 걸음. =そぞろあるき. ¶町を~する 거리를 만보하다.

マンホール[manhole] 名 맨홀. ¶~ふた 맨홀 뚜껑.

まんまえ【真ん前】名 〈口〉 정면; 바로 앞. ¶駅の~に銀行がある 역 바로 앞에 은행이 있다.

まんまく【まん幕】《幔幕》名 만막; 식장·회장 따위의 주위에 치는 장막. ¶~を張りめぐらす 휘장을 둘러치다.

まんまと 副 감쪽같이. ¶~一杯食わされる 감쪽같이 속아 넘어가다/~逃げ出した 감쪽같이 도망쳤다.

***まんまる**【真ん丸·真ん円】名ナ 아주 동그람. ¶~なお月様 쟁반같이 둥근 달.

まんまる-い【真ん丸い·真ん円い】形 아주 둥글다; 똥그랗다. ¶~月 아주 둥근 달/~目 똥그란 눈.

まんまん【満満】トタル 만만; 차서 넘치는 모양. ¶不平~ 불평이 가득함/自信~の顔つき 자신만만한 표정/~と水をたたえた湖 넘치도록 물이 가득 찬 호수.

まんめん【満面】名 만면. =顔じゅう. ¶~に笑みを浮かべる〔たたえる〕 만면에 웃음을 띠다.

―に朱を注ぐ (성이 나거나 창피해서) 얼굴이 온통 시뻘게지다.

マンモス[mammoth] 名 매머드. **1**〔動〕 코끼릿과의 화석 동물. **2** 거대한 것의 형용. ¶~団地 대단지/~都市 거대 도시/~大学 매머드 대학.

まんゆう【漫遊】名ス自 만유; 두루 돌아다님. ¶諸国を~する 여러 나라를〔지방을〕 만유하다.

まんよう【万葉】名 '万葉集'의 준말.

―がな【―仮名】名 한자의 음훈(音訓)을 빌려서 일본어의 음을 적은 문자《万葉集에 그 예가 많으며, 우리나라의 이두(吏讀)와 같음》. =真仮名.

―しゅう【―集】名 일본에서 가장 오래 된 시가(詩歌)집《20권; 奈良 시대 말엽에 이루어짐》.

まんりき【万力】名 바이스《공작물을 끼워 나사로 죄어 움직이지 않게 고정시키는 기계》. =バイス. ¶~で締める 바이스로 고정시키다.

まんりょう【満了】名ス自 만료. ¶任期が~する 임기가 만료되다.

まんるい【満塁】名〔野〕 만루. =フルベース. ¶~ホーマー 만루 홈런/無死~となる 무사 만루가 되다.

み ミ

1 五十音図 'ま行'의 둘째 음. [mi] **2**〔字源〕 '美'의 초서체《かたかな 'ミ'는 '三'의 초서체》.

み【三】名 셋; 세; 석. =さん·みつ·みっつ. ¶ひ, ふ, ~, よ 하나, 둘, 셋, 넷/~月 석 달/~歳 삼 년.

****み**【実】名 **1** 열매; 과실. ¶~の入りのよいさや 결실이 좋은 깍지/~がなる 열매가 열리다. **2** 국 건더기. =ぐ. ¶みそ汁の~ 된장국의 건더기. **3** 알맹이; 내용. =なかみ. ¶上べよりも~のあるものを選ぶ 겉보다도 실속 있는 것을 택하다/花も~もある 명실상부하다.

―もない 내용이 없다; 값어치가 없다. ¶~話 내용이 없는 이야기.

―を結ぶ 결실하다. **1** 열매를 맺다. **2** 노력한 성과가 나타나다; 성공하다. ¶日頃の努力が~ 평소의 노력이 좋은 결과로 나타나다/恋愛が実を結んで結婚した 연애가 결실하여 결혼했다.

***み**【身】名 **1** 몸; 자기 자신. ¶~をかがめる 몸을 굽히다/~のこなしがいい 몸놀림이 유연하다/危険が~に迫る 위험이 몸에 닥치다/~を清める 몸을 깨끗이 하다; 목욕재계하다/~を持する 처신하다; 몸가짐을 엄히 하다/~で~

を食う 제 자신의 파멸을 가져오다. **2** (뼈·껍데기에 대하여) 살; (나무의) 줄기. ¶さかなの～ 생선의 살/～をむしる 살을 발라 내다/～が柔らかい魚 살이 연한 생선/～だけ食べる 살만 먹다/食べたものが全部～になる 먹은 것이 모두 살이 되다. **3** 분수; 신세. =身分·分際. ¶～のほどを知らない 분수를 모르다/流浪の～となる 떠돌이 신세가 되다. **4** 입장; 처지. =立場. ¶私の～にもなって下さい 제 입장이 좀 돼 보십시오. **5** (뚜껑·집에 대해) 넣는 부분; 몸체. ¶～とふたが合わない 뚜껑과 몸체가 맞지 않는다. ↔さや·ふた.

―が入る 정성을 쏟아[열심히] 하다. ¶身が入った仕事 정성을 들인 일/仕事に身が入らない 일에 정성을 쏟지 않다.

―が持たない (피로해서) 몸이 못 견디다. ¶残業続きで～ 연이은 잔업으로 몸이 견디지 못한다.

―から出たさび 제 잘못으로 인한 화; 자업자득; 자승자박. =自業自得.

―に余る 분(수)에 넘치다; 과분하다. ¶～光栄 분에 넘치는 영광.

―に覚えのない 자신이 그런 일을 한 기억이 없다. ¶～濡れぎぬを着せられる 엉뚱한 누명을 쓰다.

―に染みる 몸에 스미다; 마음을 찌르다; 사무치다. ¶寒さが～ 추위가 살을 에다.

―につける **1** ㉠몸에 걸치다; 입거나 신거나 하다. ¶コートを～ 코트를 입다. ㉡몸에 지니다. ¶大金を～ 큰돈을 소지하다. **2** 배워 익혀서 제 것으로 지니다. ¶教養を～ 교양을 갖추다.

―につまされる 남의 불행이 내일인 듯싶다; 남의 불행을 (제 처지에 비기어) 깊이 동정하다. ¶～苦労談 자기 처지에 비겨 절실하게 들리는 남의 고생 이야기.

―になる **1** 살이 되다. ㉠몸·마음에 좋다. ㉡유익하다. ¶食べた物が～ 먹은 것이 살이 되다. **2** 그 사람의 처지가[입장이] 되다. ¶親の～ 부모의 처지가 [몸이] 되다.

―の置き所がない 몸둘 곳이 없다; 몸둘 바를 모르다. 「에 애를 먹다.

―の振り方 처신. ¶～に困る 처신

―も蓋も無い 지나치게 노골적이라 맛도 정취도 없다. ¶そう言ってしまっては～ 그렇게 노골적으로 말해 버리면 더는 할 말이 없어진다.

―も世もない 너무 슬퍼서, 체면이고 뭐고 돌볼 수 없다. ¶身も世もなく泣き伏す 체면 불고하고 방성대곡하다.

―を入れる 열심히 하다. ¶身を入れて受験勉強をする 열심히 수험 공부를 하다.

―を起こす 출세하다. ¶一介の農民から～ 일개 농민에서 출세하다.

―を固める **1** (무장 등) 몸채비를 단단히 하다. ¶晴れ着で～ 나들이옷으로 몸단장을 단정히 하다. **2** 결혼하여 가정을 이루다. ¶そろそろ身を固めてもいい年ごろだ 이제 슬슬 가정을 가져도 좋을 나이다.

―を切られる 살을 에는 듯하다. ¶～思い 몸을 에는 듯한 괴로움; 모진 고통[고생].

―を焦がす 몹시 애태우다; 사랑에 열중하여 번민하다. ¶恋の炎に～ 사랑의 불길에 가슴을 태우다.

―を粉にする 노고를 마다하지 않고 일하다; 분골쇄신하다. =精根尽くす. ¶身を粉にして働く 온힘을 다하여 일하다.

―を捨ててこそ浮かぶ瀬もあれ 죽을 각오로 덤빌 때 비로소 (궁지를 벗어나) 무슨 일에 성공할 수 있는 법이다.

―を立てる **1** 입신출세하다. **2** 생계를 세우다. ¶針仕事で～ 삯바느질로 생계를 세우다.

―を尽くす 신명(身命)을 다하다.

―を投ずる 투신하다; 열중하다. ¶政治の世界に～ 정계에 투신하다.

―を投げる 몸을 던지다; 투신자살 하다. ¶海に～ 바다에 투신자살하다.

―を引く 물러나다; 은퇴하다. ¶政界から～ 정계에서 은퇴하다.

―を持ち崩す 몸가짐을 그르치다; 몸을 망치다. ¶酒で身を持ち崩した 술로 신세를 망쳤다.

―を持って **1** 몸으로(써). ¶～守る 몸으로써 지키다. **2** 몸소; 직접. ¶～体験する[範を示す] 직접 체험하다[모범을 보이다].

―をやつす **1** 수척하게 하다; …에 애를 태우다. ¶恋に～ 사랑에 애태우다. **2** 일부러 자신의 모습을 초라하게 바꾸다; 변장하다. ¶旅の僧に～ 나그네 중으로 변장하다.

―を寄せる 몸을 의탁하다; 남의 집에 기숙하다. ¶兄の家に～ 형님댁에 기숙하다.

み [巳] 图 사; 뱀; 지지(地支)의 여섯째 《방향으로는 남남동, 시간으로는 오전 10시 또는 9시부터 11시까지 사이》.

み 『箕』 图 키. ¶～であおる[ふるう] 키로 까불다; 키질하다.

み= 【未】 미…; 아직 …되지 않음. ¶～解決 미해결/～完成 미완성/～成年 미성년. ↔既.

み= 『御』 존경이나 공손한 마음을 나타내는 데 쓰이는 말. ¶～仏 부처님/～世 (天皇의) 치세.

=み 『味』 **1** 성질·상태 또 그런 느낌 등을 나타냄. ¶あま～ 단 정도; 단맛/温か～ 따스함; 따스한 느낌/ありがた～ 고마움. **2** 그런 상태의 장소를 보임. ¶弱～ 약한 곳; 약점/深～にはまる 깊은 곳에 빠지다[박히다].

=み 【味】 미; …다운 맛. ¶人間～ 인

간미 / 人情(にんじょう)～ 인정미 / 真剣(しんけん)～ 진지함; 진지한 맛.

み〖未〗教4 ミ ビ いまだ まだ ひつじ | 미 아니다 | 아직 그 때가 되지 않음. ¶未然(みぜん) 미연 / 未来(みらい) 미래.

み〖味〗教3 ミ あじ あじわう | 미 맛 | **1** 맛. ¶味覚(みかく) 미각 / 酸味(さんみ) 산미. **2** 재미. ¶興味(きょうみ) 흥미 / 趣味(しゅみ) 취미.

み〖魅〗常用 ミ みいる | 매 도깨비 | 홀리다. ¶魅力(みりょく) 매력 / 魅惑(みわく) 매혹.

みあい【見合い】名スル自 **1** 맞선; 맞선 봄. ¶～結婚(けっこん) 중매결혼 / 二人(ふたり)は～もしないで結婚(けっこん)した 두 사람은 맞선도 안 보고 결혼했다. **2** 균형(이 잡힘). ＝つりあい. ¶需給(じゅきゅう)の～ 수급의 균형 / 出荷(しゅっか)との～で生産(せいさん)する 출하와의 균형을 맞추어 생산하다.

みあ-う【見合う】一 5自 균형이 맞다〔잡히다〕; 걸맞다; 어울리다. ¶収入(しゅうにゅう)に～·った生活(せいかつ)〔暮(く)らし〕 수입에 걸맞은 생활 / 購買力(こうばいりょく)が物価(ぶっか)と～ 구매력이 물가와 균형을 이루다.
二 5他 서로 상대를 바라보다. ¶黙(だま)って顔(かお)を～ 말없이 얼굴을 마주보다.

みあ-きる【見飽きる】上1自 (여러번 보아) 보기에 싫증이 나다. ¶幾度(いくど)見(み)ても～·きない絵(え)だ 몇 번 보아도 싫증이 나지 않는 그림이다.

***みあ-げる**【見上げる】下1他 **1** 우러러보다; 올려다 보다; 쳐다보다. ¶空(そら)を～ 하늘을 쳐다보다. ↔見(み)おろす. **2** 《'～·げた'의 꼴로》 (인물·역량 등이) 훌륭하다고 생각하다; 감탄하다. ¶～·げた態度(たいど) 훌륭한 태도 / ～·げた人物(じんぶつ) 우러러볼 만한 인물 / その勇気(ゆうき)は～·げたものだ 그 용기는 훌륭하다〔감탄할 만하다〕. ↔見下(みさ)げる·見下(みくだ)す.

みあた-る【見当たる】5自 (찾던 것이) 발견되다; 눈에 띄다; 보이다. ¶～·り次第(しだい) 눈에 띄는 대로 / 探(さが)し物(もの)が～ 찾는 것이 발견되다 / この辺(へん)では余(あま)り～·らない景色(けしき)だ 이 근처에서는 그다지 볼 수 없는 경치다.

みあやま-る【見誤る】5他 잘못 보다; 오인〔착각〕하다. ¶信号(しんごう)を～ 신호를 잘못 보다 / 兄(あに)を弟(おとうと)と～ 형을 아우로 잘못 보다.

***みあわ-せる**【見合わせる】下1他 **1** 서로 마주 보다. ¶顔(かお)を～ 얼굴을 마주 보다. **2** 비교해 보다; 대조하다. ¶二(ふた)つの案(あん)を～ 두 개의 안을 대조하다 / 諸(しょ)条件(じょうけん)を～·せた上(うえ)で決(き)める 여러 조건을 비교해 본 뒤에 정하다. **3** (사정을 고려하여) 실행을 미루다; 보류하다. ¶旅行(りょこう)を～ 여행을 보류하다 / 出発(しゅっぱつ)を～ 출발을 미루다.

みいだ-す【見いだす】《見出す》5他 찾아내다; 발견하다. ¶解決策(かいけつさく)〔活路(かつろ)〕を～ 해결책을〔활로를〕 찾아 내다 / 才能(さいのう)を～ 재능을 발견하다.

みいちゃんはあちゃん 名〈俗〉 통속적인 일에 열중하는 젊은이들(을 비웃는 말). ＝みいはあ·ミーハー(族(ぞく)). ¶～の喜(よろこ)びそうな映画(えいが) 저속한 젊은 층이 좋아함직한 영화. 参考 'みよちゃん花(はな)ちゃん(＝여성의 대표적인 이름)'에서 온 말이라고도 함.

ミーティング [meeting] 名 미팅; 회합. ¶～ルーム 미팅룸; 응접실.

ミート [meat] 名 미트; 쇠고기나 돼지고기. ¶～ボール 미트볼; 고기 완자 / コールド ～ 콜드 미트; 냉동육 / ～ソース 미트 소스.

ミート [meet] 名スル自 〘野〙 미트; 배트로 공을 잘 맞혀 침. ¶ジャスト～ 저스트 미트.

みいはあ 名 'みいちゃんはあちゃん'의 준말.

ミイラ [포 **mirra**] 名 미라. 注意 '木乃伊'로 씀은 차자(借字).
――取(と)りが――になる 미라를 파내러 간 사람이 미라가 되다. **1** 사람을 찾으러 간 사람까지도 돌아오지 않다; 함흥차사. **2** 상대를 설득하려다 오히려 설득당하다.

みいり【実入り】名 **1** 열매가 여묾〔익음〕; 결실. ¶～がおそい 결실이 늦다 / 米(こめ)の～が悪(わる)い 벼의 결실이 나쁘다. **2** 수입(收入); 수익. ¶～がいい〔多(おお)い〕 수입이 좋다〔많다〕.

みい-る【見入る】5他 열심히 보다; 넋을 잃고 보다; 주시하다. ＝みとれる. ¶実験(じっけん)の結果(けっか)に～ 실험 결과를 주시하다 / ゴッホの絵(え)に～ 고흐의 그림을 넋을 잃고 보다.

みい-る【魅入る】5自 (귀신 따위가) 씌다; 들리다; 홀리다. ＝魅(み)する. ¶悪魔(あくま)に～·られる 악마에게 홀리다. 注意 대개 受動形으로 쓰임.

ミール [meal] 名 밀. **1** 옥수수·귀리 같은 것을 탄 것. ¶オート～ 오트 밀. **2** 식사.

みうけ【身請け·身受け】名スル他 (기생·창기 등의 빚을 갚아 주고) 기적에서 몸을 빼냄; 낙적(落籍). ¶芸者(げいしゃ)を～する 기생을 기적에서 빼내다.

みう-ける【見受ける】下1他 보다; 보고 판단하다. ¶年(とし)のころ三〇歳(さんじっさい)ぐらいと～ 나이 약 30세쯤으로 판단하다 / ときどき～人(ひと)だ 가끔 보는 사람이다 / ～·けたところ会社員(かいしゃいん)というタイプだ 보아하니 회사원 같은 타입이다.

みうごき【身動き】名スル自 몸을 움직임. ＝身(み)じろぎ. ¶～が取(と)れない 꼼짝할 수 없다《흔히, 뒤에 否定의 말이 따름》 / ～もしないでじっとしている 꼼짝도 않고 가만히 있다 / バスは～もできないほど込(こ)んでいた 버스는 움쭉달싹 못할 정도로 붐볐다.

***みうしな-う**【見失う】5他 보던 것을 (시야에서) 놓치다; (자태·모습 등을) 잃다. ¶連(つ)れを～ 일행〔동행〕을 잃어버리다 / 方向(ほうこう)を～ 방향을 잃다.

***みうち**【身内】名 **1** 가족; 집안; 일가. ¶

～のけんか 집안 싸움 / 他人より～ 남보다는 역시 일가《팔이 들이굽지 내굽나》/ ～の者だけで葬式を済ます 집안 사람끼리 장사를 지내다. **2** (협객·노름꾼 사회에서) 한패; 패거리; 같은 무리; 부하.

みうり【身売り】 名 ス自他 **1** 몸값을 받고 일정 기간 고용됨. **2** 돈을 받고 시설·조직을 몽땅 양도함; 회사 등이 다른 데에 합병됨. ¶経営難で会社を～する 경영난으로 회사를 양도하다.

みえ【三重】 名 **1** 삼중; 세 겹. **2**〖地〗近畿 지방 동부에 있는 현《현청 소재지는 津시》.

***みえ【見え】** 名 **1** 외양; 외관; (겉)보기. ¶～に構わない 외관에 무관심하다/～がよくない 겉보기가 좋지 않다; 볼품없다. **2** 허식; 겉치레; 허세; 허영; 허투. ¶～で寄付を出す 체면을 생각해서 기부하다/～で高い洋服を作る 허영으로 비싼 양복을 마련하다.

—を切る **1** (歌舞伎에서) 배우가 유다른 표정·제스처를 부리다. **2** 짐짓 자기를 과시하는 태도를 취하다. ¶壇上で～ 단상에서 과장된 몸짓을 하다.

—を張る (남을 의식해) 겉을 꾸미다; 허영을〔허세를〕 부리다. ¶見えを張ってぜいたくな生活をする 허세를 부려 사치스러운 생활을 하다.

みえがくれ【見え隠れ】 名 ス自 보였다 안 보였다 함; 나타났다 숨었다 함. ¶～に後をつける 숨바꼭질하듯이 뒤를 좇다/月が雲間に～する 달이 구름 사이로 보였다 안 보였다 하다. 注意 'みえかくれ'라고도 함.

みえす-く【見え透く】 5自 (마음속이) 빤히 들여다보이다; 속보이다. ¶～·いたおせじ 속이 빤히 들여다뵈는 입발림말/彼の心の底が～·いている 그의 의도가 빤하다.

みえっぱり【見えっ張り】《見栄っ張り》 名ナ 허세 부림; 또, 그런 사람. ＝みえぼう. ¶～な人 겉치레꾼.

みえぼう【見え坊】 名 허세 부리는 사람; 겉치레꾼; 허영꾼. ＝みえっぱり.

みえみえ【見え見え】 名 〈俗〉 상대방의 의도 등이 환히 들여다보이는 모양. ¶魂胆が～だ 속셈이 다 들여다보인다.

****み-える【見える】** 下1自 **1** 보이다. ㉠눈에 들어오다〔띄다〕. ¶山がよく～ 산이 잘 보이다/目に～·えてよくなる 눈에 띄게 좋아지다. ㉡볼 수 있다. ¶外野席でもよく～ 외야석에서도 잘 보인다. ㉢《'…に～'의 꼴로》…처럼 느껴지다; …로 보이다. ¶解決したかに～ 해결된 것처럼 보이다/うわべは強そうに～ 겉보기에는 세게 보인다. ㉣엿보이다. ¶工夫の跡が～ (여러모로) 궁리한 흔적이 엿보이다. **2**《'…と～'의 꼴로》…같이 생각되다; …인 것 같다. ¶いやと～ 싫은 것 같다/おきらいと～ 싫어하시는 것 같다. **3** 오시다《'来る'의 높임말》. ¶お客さまが～·えました 손님이 오셨습니다/すぐ～そうです 곧 오신답니다.

みおくり【見送り】 名 ス他 **1** 배웅; 전송. ¶～人 전송 나온 사람/空港へ～に行く 공항에 배웅하러 가다. ↔出迎え. **2** 보기만 하고 그냥 보냄. ¶～の三振 (야구에서) 공을 쳐 보지도 못하고 당하는 삼진. **3** 보류; 미룸. ¶今回は～とする 이번에는 보류하기로 한다.

***みおく-る【見送る】** 5他 **1** 배웅하다; 전송하다. ¶盛んに卒業生を～ 성대하게 졸업생을 전송하다/駅まで父を～ 역까지 부친을 배웅하다. ↔出迎える. **2** 죽을 때까지 돌봐 주다. ¶親を～ 부모를 죽을 때까지 돌봐 드리다. **3** 보기만 하고 그냥 보내다; 손을 대지 않다. ¶ボールを～ (투수가 던진) 공을 그냥 보내다/一電車を～ 전차 한 대를 (타지 않고) 그냥 보내다. **4** (다음 기회를 기다려) 보류하다; 미루다. ¶採用を～ 채용을 보류하다 / 議案を～ 의안을 보류하다.

みおさめ【見納め】 名 마지막으로 봄; 보는 마지막 (기회). ¶この世の～ 이승의 마지막; 죽음/これで～だ 보는 것도 이번이 마지막이다.

みおとし【見落とし】 名 ス他 간과(看過); 못 보고 넘김〔빠뜨림〕. ¶～がないか点検する 빠뜨린 데가 없는지 점검하다/多少の～は免れない 다소 빠뜨리는 것은 불가피하다.

みおと-す【見落とす】 5他 간과(看過)하다; 못 보고 넘기다〔빠뜨리다〕. ＝みすごす. ¶誤字を～ 오자를 못 보고 넘기다/まちがいを～·していた 틀린 점을 못 보고 있었다.

***みおとり【見劣り】** 名 ス自 (…만) 못해 보임; 빠짐. ¶～のある品 못해 보이는 물건/外国人に～しない体格 외국인 못지않은 체격. ↔見ばえ.

みおぼえ【見覚え】 名 본 기억. ¶～のある顔 본 적이 있는 얼굴/～がない 본 기억이 없다/私に～がありますか 나를 본 기억이 있습니까.

みおも【身重】 名ナ 임신함. ¶六か月の～の身〔からだ〕 임신 6개월 되는 몸/～になる 임신하다.

***みおろ-す【見下ろす】** 5他 내려다보다. **1** 아래를 보다; 굽어보다. ¶山から～ 산에서 내려다보다. ↔見上げる. **2** 얕보다; 깔보다. ＝みさげる·みくだす. ¶相手を～·した態度 상대를 얕보는 태도.

***みかい【未開】** 名ナ 미개. ¶～人 미개인/～の原野 미개척의 들판/～社会〔種族〕 미개 사회〔종족〕.

みかいけつ【未解決】 名ナ 미해결. ¶～の問題 미해결의 문제/事件はまだ～のままになっている 사건은 아직 미해결인 채로 있다.

みかいたく【未開拓】 名ナ 미개척. ¶～

の荒野 미개척의 황야 / ~の分野に挑む 미개척 분야에 도전하다.

みかえし【見返し】图 **1** 뒤돌아봄. **2** (책의) 면지(面紙). **3**〔裁〕깃 따위의 꺾은 부분; 안단.

みかえ-す【見返す】5他 **1** 뒤돌아보다; 되돌아보다. =見返る. ¶船から港を~ 배에서 항구를 되돌아보다. **2** 다시〔거듭〕보다. ¶答案を~ 답안을 거듭 보다 / 目をこすって~ 눈을 비비고 다시 보다. **3** 되받아 보다. ¶憎らしげに~ 얄미운 듯이 되받아 보다 / 向こうが見たのでこちらも~·した 그쪽이 보았으므로 이쪽에서도 되받아 보았다. **4** 성공하여 멸시받은 앙갚음을 하다. ¶いつかはあいつらを~·してやる 언젠가는 저녀석들에게 앙갚음하겠다.

みかえり【見返り】图 **1** 되돌아봄. **2** 담보; 보증; 보상. ¶~品 담보물 / ~を要求する 보상을 요구하다.

みかえ-る【見返る】5他 뒤돌아보다. =ふり返る. ¶後ろを~ 뒤를 돌아보다.

みか-える【見変える】下1他 버리고 다른 것으로 바꾸다. ¶恋人に~·えられる 연인에게 차이다.

みがき【磨き】《研き》图 **1** 닦아 윤이 나게 하거나 깨끗하게 함. ¶~が美しい 광택이 아름답다 / 廊下に~をかける 복도를 닦아 광택을 내다. **2** 더욱 연마함; 세련되게 함. ¶技に~をかける 기량〔기술〕을 더욱 연마하다 / 芸に~がかかる 기예가 세련되다.

みがきあ-げる【磨き上げる】下1他 **1** 닦아서 마무리하다; 충분히 닦다. ¶廊下を~ 복도를 반질반질하게 닦다. **2** 솜씨 따위를 연마하다. ¶~·げた腕前 갈고 닦은 솜씨.

みがきこ【磨き粉】图 닦는 데 쓰는 가루; 연마분(研磨粉).

みがきた-てる【磨き立てる】下1他 자꾸 닦다; 공들여 닦다. ¶~·てた柱 공들여 닦은 기둥.

みかぎ-る【見限る】5他 (가망 없다고 생각하여) 단념〔포기〕하다. =見はなす. ¶親に~·られる 부모에게 버림받다 / 見込みがなさそうなので~ 가망이 없을 듯하여 단념하다.

*__みかく__【味覚】图 미각. ¶~の秋 미각〔식욕〕의 가을 / ~をそそる〔楽しむ〕 미각을 돋우다〔즐기다〕.

__みが-く__【磨く】《研く》5他 **1 (문질러) 닦다; 윤을 내다. ¶玉を~ 옥〔구슬〕을 닦아 광을 내다 / くつ〔床〕を~ 구두〔마루〕를 닦다 / はだを~ 피부를 깨끗이 하다〔손질하다〕. **2** (숫돌 따위에) 갈다. ¶刀を~ 칼을 갈다 / レンズを~ 렌즈를 갈다. **3** 갈고 닦다; 연마하다. ¶うで〔技〕を~ 솜씨를〔기량을〕 연마하다 / 人格を~ 인격을 연마하다〔갈고 닦다〕. 可能 みが-ける 下1自

みかくにん【未確認】图 미확인. ¶~情報 미확인 정보 / ~飛行物体 미확인 비행 물체; 유에프오(UFO).

*__みかけ__【見掛け】图 외관; 겉보기. =うわべ. ¶~に似合わず気が小さい 겉보기와는 달리 마음이 옹졸하다 / ~だけでは分からない 겉보기만으로는 알 수 없다.

—によらない 겉보기와(는) 다르다. ¶~やさしい男だ 겉보기와는 달리 상냥한 사나이다 / 人は~ 사람은 외관으로는 판단할 수 없다.

—だおし【—倒し】图 허정함; 겉(모양)만 번드르르함. ¶~の品物 허정한 물품; 굴퉁이 / それは~だ 그것은 겉보기와 같이 그렇게 좋지는 않다; 빛 좋은 개살구다.

みかげいし[御影石]图 화강암. =花崗岩. 参考 神戸시의 御影가 산지(産地)로서 유명했던 데서.

みか-ける【見かける】《見掛ける》下1他 눈에 띄다; 가끔 보다; 만나다. ¶よく~顔 종종 보는 얼굴 / 散歩しているのを時々~·けた 산책하고 있는 것을 가끔 보았다.

*__みかた__【味方】一图 자기 편; 아군; 우군. ¶敵~ 적과 아군 / ~に引き込む〔引き入れる〕 자기편에 끌어들이다 / 彼が~につけば勝てる 그가 우리 편이 되어 주면 이길 수 있다.

二图スル自 편듦; 가세함. ¶どちらにも~しない 어느 쪽에도 가세하지 않다 / 母はいつも弟に~する 어머니는 늘 동생 편을 든다.

*__みかた__【見方】图 **1** 보는 방법; 보기. ¶顕微鏡〔地図〕の~ 현미경을〔지도를〕 보는 방법. **2** 견해; 생각. ¶~の相違 견해 차이 / 片寄った~をする 편벽된 입장에서 생각하다.

みかづき【三日月】图 초승달; 또, 그런 모양.

みがって【身がって】《身勝手》图ダナ 제멋대로 함; 방자함; 염치없음. =わがまま·気まま·自分勝手. ¶~な男 방자한 남자 / ~なお願い 염치없는 부탁 / ~を言う 방자한 말을 하다.

みか-ねる【見兼ねる】下1他 (차마) 볼 수 없다; 보다 못하다. ¶見るに~·ねて忠告〔注意〕する 보다 못해 충고하다〔주의를 주다〕.

みがまえ【身構え】图 공격·방어를 위한 자세(를 갖춤); 태세. ¶攻撃〔防御〕の~ 공격〔방어〕의 자세 / けんかの~をする 싸울 태세를 취하다.

みがま-える【身構える】下1自 (공격이나 방어를 위한) 자세〔태세〕를 갖추다. ¶殺気を感じて~ 살기를 느끼고 경계하다.

みがら【身がら·身柄】图 **1** 신병; 몸; 당사자(의 몸)《주로 구류나 보호 처분을 받을 사람에 대해서 씀》. ¶~を引き取る 신병을 인수하다 / ~をあずかる 신병을 맡다 / ~を送る 송치(送致)하다. **2** 신분; 분수. ¶~をわきまえている 자기 분수를 알고 있다.

*みがる【身軽】图ダナ 1 몸(놀림)이 가벼움. ¶～な身のこなし 가벼운 몸놀림 / ～に川を飛び越える 가볍게 (시)내를 건너뛰다. 2 (가진 것·딸린 것이 없어) 홀가분함; 가뜬함. ¶～な服装 가뜬한 복장 / ～なひとり者 홀가분한 독신자 / 妻子が無くて～だ 처자가 없어 홀가분하다.

みかわ-す【見交わす】5他 서로 상대를 보다; 서로 시선을 주고받다. ¶驚いて顔を～ 놀라서 서로 얼굴을 쳐다 보다 / 意味ありげに目を～ 의미있는 시선을 주고받다《눈짓하다》.

みがわり【身代わり】图 대신; 대역. ¶～を立てる 대역을 세우다 / 友の～になる 친구를 대신하다.

みかん【未刊】图 미간. ¶～の全集 미간의 전집. ↔既刊.

みかん【未完】图 미완. ¶～の大器 미완의 대기 / その連載小説は～のまま終わった 그 연재소설은 미완인 채 끝났다. ↔完.

*みかん〖蜜柑〗图 귤나무; 귤. ¶～の皮をむく 귤 껍질을 벗기다.

みかんせい【未完成】图ナ 미완성. ＝未完. ¶～交響曲 미완성 교향곡 / ～の作品 미완성의 작품 / ～に終わった大作 미완성으로 끝난 대작.

**みき【幹】图 1 나무의 줄기. ↔根·枝. 2 사물의 주요 부분; 근간(根幹). ¶計画の～になる工事 계획의 근간이 되는 공사.

**みぎ【右】图 우. 1 오른쪽; 우측. ¶向かって～ 마주보고 오른쪽 / ～投げ左打ち 우투 좌타; 공은 오른손으로 던지고 타격은 왼쪽에서 함 / ～から聞いて左へ抜ける 한 쪽 귀로 듣고 한 쪽 귀로 빠지다《무엇이나 곧 잊음의 비유》. ↔左. 2 세로로 쓴 문장에서 '이상(以上)'의 뜻. ¶～のとおり 이상과 같이 / ～に同じ 우와 같다 / ～, くれぐれもよろしく 이상, 잘 부탁드립니다. 3 (사상·정치상의) 우익. ¶～寄りの政党 우경〔보수적인〕 정당.

——から左へ 오른쪽에서 왼쪽으로《(a) 받은 금품 따위를 곧 남에게 넘김; (b) 그날그날을 간신히 살아감; (c) 즉시; 곧바로》. ¶給料は～, すぐ使ってしまう 급료는 받자마자 곧 써 버린다 / ～忘れてしまう 금방 잊어 버리다.

——と言えば左 오른쪽 하면 왼쪽; (성질이 비뚤어져서) 사사건건 반대함.

——に出る 우위에 서다; 능가하다. ¶～者がない 더 잘하는 사람이 없다.

みぎうで【右腕】图 오른팔. ＝うわん. 1 오른쪽의 팔. ↔左腕. 2 심복 부하. ¶社長の～となって活躍する 사장의 오른팔이 되어 활약하다.

みぎがわ【右側】图 우측; 오른쪽. ＝うそく. ¶～通行を守る 우측 통행을 지키다. ↔左がわ.

みきき【見聞き】图ス他 보고 들음; 견문. ¶旅をしながら～したことを記す 여행 중에 보고 들은 것을 기록하다.

みぎきき【右利き】图 오른손잡이. ↔左利き.

ミキサー [mixer] 图 믹서. ＝ミクサー. 1 콘크리트 믹서. ¶～車 (콘트리트) 믹서차; 트럭믹서. 2 과일의 즙을 내는 기구. 3 방송국에서, 음량·음질 또는 영상(映像)을 조절하는 일; 또, 그 담당자.

ミキシング [mixing] 图ス他 믹싱. 1 섞음; 혼합함. 2 방송이나 녹음에서, 두 가지 이상의 음성 등을 합성함.

みぎて【右手】图 1 오른손. ＝めて. 2 오른쪽. ¶～に見える家 오른쪽에 보이는 집. ⇔左手.

みぎひだり【右左】图 1 좌우. ¶～に行きかう 좌우로 엇갈리다 / ～に別れる 좌우로 갈라지다 / ～をよく見て横断する 좌우를 잘 보고 횡단하다. 2 좌우를 뒤바꿈; 반대. ¶サンダルを～にはく 샌들을 좌우 뒤바꿔 신다 / 位置が～だ 위치가 반대다.

みぎまわり【右回り】图 오른쪽을 향해 돎; 시계 방향으로 돎. ↔左回り.

みきり【見切り】图 단념함; 포기함. ¶～品〔物〕 투매품 / 今が～時だ 지금이 (바로) 단념〔포기〕할 때다.

——をつける 가망 없는 것으로 단념〔포기〕하다. ¶いい加減に見切りをつけた方がよい 적당히 단념〔포기〕하는 것이 좋다.

——はっしゃ【——発車】图ス自 1 버스·열차 등이 만원 등의 이유로 승객을 다 태우지 않고 발차하는 일. 2 조건이나 절차를 갖추지 않은 채 실행에 옮기는 일. ¶～で法案を通過させる 심의를 충분히 하지 않고 법안을 통과시키다.

みぎり〖砌〗图 때; 시절. ＝とき·おり. ¶上京の～ 상경시 / 厳寒の～ 엄한지제(之際) / 幼少の～ 어렸을 때.

みき-る【見切る】5他 1 끝까지 다 보다. ¶一日では～·れない 하루로는 다 볼 수 없다 / 絵を～·らないうちに閉館の時間が来た 그림을 다 보기도 전에 폐관 시간이 되었다. 2 가망 없다고 보고 단념〔포기〕하다. ¶ああなまけては私も～ほかない 저렇게 나태해서야 나도 단념할 수밖에 없다 / お医者さんに～·られる 의사 선생한테 가망 없다고 버림받다. 3 상품을 투매하다. ¶時季後れの品を～·って売る 철늦은 물건을 투매하다.

みぎれい【身ぎれい】《身奇麗》ダナ 몸차림이나 신변이 깨끗함〔단정함〕. ¶～にする 몸차림을 단정히〔깨끗이〕 하다.

みぎわ〖水際·汀〗图 물가. ＝なぎさ. ¶～によせるさざ波 물가에 밀려오는 잔물결.

みきわ-める【見極める】下1他 1 끝까지 지켜보다; 확인하다. ¶結果を～ 결과를 확인하다〔지켜보다〕. 2 (진위나 좋고 나쁨을) 판별하다; 가리다. ¶真偽を

~ 진위를 판별하다.

みくだ-す【見下す】 5他 깔보다; 멸시하다. ＝見(み)さげる. ¶~·したような態度(たいど) 깔보는 듯한 태도.

みくだりはん【三下り半】《三行半》名 남편이 아내에게 주는 이혼장; 수세. ¶~を書(か)く 이혼장을 쓰다. 參考 본디, 석 줄 반으로 쓴 데서.

***みくび-る【見くびる】**《見縊る》5他 깔보다; 얕보다. ＝見下(みさ)げる·見下(みくだ)す. ¶腕(うで)を~ 능력을〔솜씨를〕 얕보다 / 相手(あいて)を~·ったのが失敗(しっぱい)のもとだ 상대를 얕본 것이 실패의 원인이다.

みくら-べる【見比べる】 下1他 비교(검토)해 보다. ¶二(ふた)つの案(あん)を~ 두 개의 안을 비교(검토)해 보다.

***みぐるし-い【見苦しい】** 形 보기 흉하다; 모양〔볼꼴〕 사납다. ＝みっともない. ¶~身(み)なり 보기 흉한 옷차림 / ~負(ま)け方(かた)をする 볼꼴 사나운 패배를 하다. ↔見(み)よい.

みぐるみ【身ぐるみ】 名 몸에 지니고 있는 것 전부. ¶~はぎとられる 몸에 걸친〔지닌〕 것을 전부 털리다; 몽땅 털리다.

ミクロ [micro] 名 미크로. **1** 몹시 작은 것. ¶~の世界(せかい) 미크로의 세계. **2** 미시적. ⇔マクロ.

ミクロン [프 micron] 名 미크론《기호: μ; 1미크론은 100만분의 1미터》. 參考 현재는 마이크로미터(μm)를 씀.

みけ【三毛】 名 백색·흑색·갈색이 섞인 털; 또, 그런 털의 고양이.

—ねこ【—猫】 名 삼색(三色)의 얼룩고양이. ＝みけ.

みけいけん【未経験】 名ナ 미경험. ¶~者(しゃ) 미경험자 / 何分(なにぶん)~なものですから… 아무래도 경험이 없어서….

みけつ【未決】 名 미결. ¶~囚(しゅう)〔監(かん)〕 미결수〔감〕 / ~書類(しょるい) 미결 서류 / 判決(はんけつ)はまだ~だ 판결은 아직 미결이다. ↔既決(きけつ).

みけん【未見】 名 미견; 아직 (만나) 보지 못함. ¶~の書(しょ) 아직 못 본 책 / ~の間柄(あいだがら) 아직 만나보지 못한 사이.

みけん〘眉間〙 名 미간; 눈썹과 눈썹 사이. ¶~の傷(きず) 미간의 상처 / ~にしわを寄(よ)せる 미간을 찌푸리다.

みこ〘巫女·神子〙 名 무녀; 무당. ＝かんなぎ·ふじょ.

みこし〘御輿·神輿〙 名 제례 때 신위(神位)를〔혼백을〕 모시고 메는 가마; 요여(腰輿); 신련(神輦). ＝しんよ.

—を上(あ)げる **1** 오래 앉아 있던 사람이 천천히 일어서다. ¶店(みせ)が看板(かんばん)になるころやっとみこしを上げた 가게문을 닫을 쯤에 가서야 겨우 자리에서 일어났다. **2** 드디어 일에 착수하다.

—を据(す)える 요여를 안치하다《버티고 오래 앉아 있다》. ¶みこしを据えて飲(の)みはじめる 느긋하게 앉아서 마시기 시작하다.

みこし【見越し】 名 넘어다 봄; 건너다 봄; 또, (앞일을) 내다봄; 예측함. ¶~がきく 앞(일)을 잘 내다보다.

みごしらえ【身ごしらえ】《身拵え》名 ス自 어떤 행동에 걸맞은 옷차림을 함. ＝身支度(みじたく). ¶旅(たび)の~をする 여행 복장을 하다 / ~に時間(じかん)がかかる 옷차림에 시간이 걸리다.

みこ-す【見越す】 5他 **1** (장래를) 내다보다. ¶将来(しょうらい)を~·して計画(けいかく)する 장래를 내다보고 계획하다. **2** (칸막이 따위의) 너머로 보다.

みごたえ【見ごたえ】《見応え》名 볼 만함. ＝見(み)がい. ¶~のある映画(えいが) 볼 만한 영화 / ~がある〔する〕 볼 만하다.

****みごと〘見事〙** ダナ **1** 훌륭함; 멋짐; 뛰어남; 볼 만함. ¶~な演技(えんぎ) 멋진 연기 / ~にやってのける 훌륭하게 해 치우다 / ~に言(い)いあてる 멋지게〔완벽하게〕 알아 맞히다. **2**《反語的으로》 완전함. ¶~にしくじる 완전히 실패하다 / ~にやられた 완전히〔보기 좋게〕 당했다 / ものの~に落第(らくだい)する 아주 보기 좋게 낙제하다.

みことのり【詔】《勅》名 조칙(詔勅); 임금의 말씀(을 쓴 문서).

みごなし【身ごなし】 名 몸의 움직임; 몸을 움직이는 품; 태도; 몸가짐; 행동거지. ¶優雅(ゆうが)な~ 우아한 몸가짐 / 慣(な)れた~で応対(おうたい)する 익숙한 태도로 응대하다.

***みこみ【見込み】** 名 **1** 장래성; 가망; 희망. ¶~のある青年(せいねん) 유망한 청년 / 直(なお)る~はない 나을 가망은 없다. **2** 예상; 전망; 예정. ¶三月(さんがつ)卒業(そつぎょう)の~ 3월 졸업 예정 / ~が立(た)たない 전망이 서지 않다 / ~がつかない 전망〔예상〕할 수가 없다 / ~がはずれる 예상이 빗나가다.

—ちがい【—違い】 名ダナ 잘못 예상함; 예상이 빗나감. ＝みこみ外(はず)れ. ¶株価(かぶか)が下(さ)がったのは~だった 주가가 내린 것은 예상을 잘못 짚은 것이었다.

***みこ-む【見込む】** 5他 **1** 유망〔확실〕하다고 보다; 기대하다; 신임하다. ¶成功(せいこう)を~ 성공을 기대하다 / 確実(かくじつ)だと~·んで金(かね)を出(だ)す 확실하다고 보아 돈을 내다 / 社長(しゃちょう)に~·まれる 사장한테 신임을 받다 / 男(おとこ)と~·んで頼(たの)む 사나이라 믿고 부탁하다 / 将来性(しょうらいせい)を~·まれる 장래성이 촉망되다. **2** 내다보다; 예상하고 고려에 넣다. ¶収入(しゅうにゅう)を~ 수입을 예상하다 / 騰貴(とうき)を~·んでうんと買(か)い込(こ)む 등귀할 것을 내다보고 잔뜩 사들이다. **3** 집요하게 노리다; 눈독 들이다. ¶蛇(へび)に~·まれた蛙(かえる) 뱀 앞의 개구리; 뱀에게 눈독 들린 개구리 / 彼(かれ)に~·まれたら最後(さいご)だ 그에게 찍히면 끝장이다.

みごも-る【身ごもる】《身籠もる》5自 (아이를) 배다; 임신하다. ＝はらむ. ¶結婚(けっこん)して程(ほど)なく~ 결혼하여 얼마 안 가서 임신하다.

みごろ【見ごろ】《見頃》名 (꽃 따위를)

보기에 알맞은 시기. ¶さくらの～ 벚꽃을 볼 만한 시기.

みごろ【身ごろ】《身頃·裑》图 (옷의) 길. ¶後(うし)ろ〔前(まえ)〕～ (옷의) 뒷〔앞〕길.

みごろし【見殺し】图 못 본 체함. 1 죽게 내버려 둠. ¶溺(おぼ)れている人(ひと)を～にはできない 물에 빠진 사람을 죽게 내버려 둘 수는 없다. 2 어려운 처지에 있는 사람을 모른 체함. ¶おれを～にする気(き)か 내 어려운 처지를 못 본 체할 셈인가.

みこん【未婚】图 미혼. ¶～の女性(じょせい) 미혼 여성. ↔既婚(きこん).

ミサ [라 missa] 图〘宗〙1 미사. ＝ミサ聖祭(せいさい). ¶～に行(い)く〔参列(さんれつ)する〕 미사에 가다〔참례하다〕. 2 미사곡.

みさい【未済】图 미제; 아직 끝나지 않음. ¶～事件(じけん) 미제 사건.

ミサイル [missile] 图 미사일; 유도탄. ¶地対空(ちたいくう)～ 지대공 미사일/巡航(じゅんこう)～ 순항〔크루즈〕 미사일.

みさお【操】图 1 절조; 지조; 절개. ¶固(かた)い～ 굳은 절개. 2 여자의 정조. ¶～を売(う)る〔守(まも)る, 汚(けが)す〕 정조를 팔다〔지키다, 더럽히다〕.

みさかい【見境】图 분별; 판별; 구별. ＝見分(みわ)け. ¶前後(ぜんご)の～もなく 앞뒤 분별도 없이/良(よ)い悪(わる)いの～がつかない 좋은지 나쁜지 분간을 못하다/だれ彼(かれ)の～なく話(はな)しかける 이 사람 저 사람 가리지 않고 말을 걸다.

みさき【岬】图 갑; 곶. ＝さき. ¶～の灯台(とうだい) 갑의 등대.

みさ-げる【見下げる】下1他 멸시하다; 경멸하다; 업신여기다. ¶相手(あいて)を～·げた目(め)つき 상대를 깔보는 눈초리/金(かね)がないので～·げられる 돈이 없어 멸시당하다. ↔見上(みあ)げる.

みさだめ【見定め】图 보고 정함; 확실히 봄; 확인. ＝みきわめ. ¶可否(かひ)の～がつかない 가부의 확정을 못 짓다.

みさだ-める【見定める】下1他 보고 정하다〔확인하다〕; 확실히 보다; 확정하다. ＝見(み)きわめる. ¶状況(じょうきょう)を～ 상황을 지켜보다/人柄(ひとがら)を～·めた上(うえ)で採用(さいよう)する 사람됨〔인품〕을 잘 본 다음에 채용하다.

みざめ【見ざめ】《見醒め》图 보고 있는 사이에 흥이 깨짐; 싫증이 남. ¶ああいう色(いろ)はすぐ～がする 저런 색깔은 금세 싫증이 난다.

みざる きかざる いわざる【見ざる聞かざる言わざる】《見猿聞か猿言わ猿》連語 ☞さんえん(三猿).

⁑みじか-い【短い】形 1 짧다. ㉠길이가 길지 않다. ¶～帯(おび) 짧은 띠/～距離(きょり) 짧은 거리/～話(はなし)〔小説(しょうせつ)〕 짧은 이야기〔소설〕/髪(かみ)を～·く切(き)る 머리를 짧게 자르다. ㉡(시간적으로) 길지 않다. ¶～期間(きかん) 짧은 기간/～一生(いっしょう) 짧은 일생/冬(ふゆ)は日(ひ)が～ 겨울은 해가 짧다/～間(あいだ)のしんぼうだ 잠깐 동안만 참아라. 2 성미가 조급하다; 참을성이 없다. ¶気(き)が～ 성급하다.

みじかめ【短め】名ﾅ 약간 짤막함. ¶やや～のスカート 약간 짤막한 스커트/やや～に切(き)る 조금 짤막하게 자르다. ↔長(なが)め.

みじたく【身支度·身仕度】图ス自 치장; 몸차림. ＝身(み)ごしらえ. ¶旅(たび)の～をする 여행 차림을 하다/早々(はやばや)と～して出(で)かける 부랴부랴 치장하고 나가다.

みじまい【身仕舞】图ス自 몸차림; (특히, 여성의) 몸치장. ＝みじたく·身(み)ごしらえ. ¶～をして出(で)かける 몸치장을 하고 나가다.

みしみし 副 (널빤지 따위가) 삐걱거리는 소리: 삐걱삐걱. ¶廊下(ろうか)を～歩(ある)く 복도를 삐걱거리며 걷다/歩(ある)くと～音(おと)がする 걸으면 삐걱삐걱 소리가 난다.

*みじめ【惨め】ダナ 비참함; 참혹함. ¶～な生活(せいかつ) 비참한 생활/～に敗北(はいぼく)する 비참하게 패배하다/親(おや)の無(な)い子(こ)は～だ 부모가 없는 아이는 비참하다/慰(なぐさ)められてかえって～な思(おも)いをした 위로를 받고 도리어 비참한 생각이 들었다.

みしゅう【未収】图 미수. ¶～金(きん) 미수금.

*みじゅく【未熟】名ﾅ 미숙. 1 덜 익음. ¶～なりんご 덜 익은 사과. ↔成熟(せいじゅく)·完熟(かんじゅく). 2 서투름. ¶～な腕前(うでまえ) 미숙한 솜씨/私(わたし)の英語(えいご)は～です 내 영어는 미숙합니다. 3 미성숙. ¶～児(じ) 미숙아/～者(もの) 미숙한 사람.

みしょう【未詳】图 미상. ¶作者(さくしゃ)～の作品(さくひん) 작자 미상의 작품/原因(げんいん)～ 원인 미상/生没年(せいぼつねん)～ 생몰년 미상.

みしらず【身知らず】名ﾅ 1 분수를 모름. ¶～の望(のぞ)み 분수에 넘치는 희망/～にも程(ほど)がある 분수를 몰라도 정도가 있다. 2 자신의 몸을 돌보지 않음. ＝むこうみず. ¶～なまねはやめなさい 자신의 몸을 함부로 다루지 마세요.

みしらぬ【見知らぬ】連体 알지 못하는; 낯선. ¶～男(おとこ) 낯선 사나이/～土地(とち)を旅(たび)する 낯선 고장을 여행하다.

みし-る【見知る】5他 1 안면이 있다; 전에 보아서 알고 있다. ¶お～·りおきください 앞으로 잘 부탁합니다. 2 보고 알다; 잘 알고 있다.

みじろぎ【身じろぎ】《身動ぎ》图ス自 몸을 약간 움직임. ＝みうごき. ¶～一(ひと)つしない 몸을 옴쭉도 않다/～もしないで話(はなし)を聞(き)く 꼼짝도 않고 얘기를 듣다/部屋(へや)は狭(せま)くて～もできなかった 방은 좁아서 몸을 옴쭉도 할 수 없었다.

ミシン [←sewing machine] 图 미싱; 재봉틀. ¶電動(でんどう)～ 전동 재봉틀/～をかける 재봉틀질하다/～をふむ 발재봉틀질하다/～入(い)りの切手(きって) (떼내기 쉽도록) 점선 구멍이 나 있는 우표 딱지.

みじん〖微塵〗图 1 미진; 작은 먼지; 전하여, 미세한 것; 또, 극히 조금. ¶木(こ)っ端(ぱ)～に砕(くだ)ける 산산조각으로 깨지다. 2 'みじんぎり'의 준말. ¶たまねぎ

を～に切る 양파를 잘게 썰다.

—ぎり【—切り】图 잘게 썲; 또, 잘게 썬 것. ¶たまねぎの～ 양파를 잘게 썲; 또, 잘게 썬 양파.

—こ〖—子·水蚤〗图〔動〕물벼룩.

—も 副《뒤에 否定이 와서》조금도; 추호도. ＝いささかも. ¶だます考えは～なかった 속일 생각은 추호도 없었다/～ゆるがせにしない 조금도 소홀히 하지 않다/反省のそぶりは～ない 눈곱만큼도 반성하는 기색이 없다.

みす〖御簾〗图 비단 따위로 선을 두른 고운 발《궁전·신사 등에서 씀》.

ミス [miss] 미스. ⊟图ス自 실패; 잘못함. ¶レシーブを～する 리시브를 잘못하다/バントを～する 번트를 실패하다. ⊟图 'ミステーク(＝미스테이크)'의 준말. ¶校正の～ 교정 미스/～を犯す 미스를 범하다; 잘못을 저지르다.

ミス [Miss] 图 미스. **1** 미혼 여성의 이름 앞에 붙여 부르는 말; 전하여, 아가씨; 독신 여성. ¶～中村 미스 中村/まだ～でいる 아직 미혼이다. ↔ミセス. **2** 대표적인 미인. ¶～日本〔ユニバース〕 미스 일본〔유니버스〕. ⇔ミスター.

***みず**【水】图 **1** 물. ¶～争い 물싸움/～飢饉 물기근/飲み～ 마시는 물/～めがね 물안경/～が流れる 물이 흐르다/～が凍る 물이 얼다/～でゆすぐ 물로 헹구다/～に浸す 물에 담그다/～を被る〔浴びる〕 물을 뒤집어쓰다/～をとめる 수도 꼭지를 잠가 물이 안 나오게 하다/～をまく 물을 뿌리다/～でうすめる (뜨거운 물, 위스키 등에) 찬물을 타다/～をやる (가축·화초 등에) 물을 주다. **2** 홍수; 큰물. ¶～が出る 큰물이 지다; 홍수가 나다. **3** 물 상태의 것; 또, 수분이 많은 것. ¶～あめ 물엿/～白粉 물분/はな～ 콧물/汗～ 줄줄 흐르는 땀/～ぼうそう 수두(水痘)/傷口をしぼると～が出る 상처를 짜면 진물이 나온다/関節に～がたまる 관절에 진물이 괴다.

—清ければ魚すまず 물이 맑으면 고기가 놀지 않는다《지나치게 결백하면 사람이 따르지 않음의 비유》.

—で割る 진한 액체에 물을 타다; 묽게 하다. ¶ウイスキーを～ 위스키에 물을 타(서 묽게 하)다.

—と油 물과 기름《상극임》.

—に流す 물에 흘려 버리다《지나간 일은 없었던 것으로 하고 일절 탓하지 않다》. ¶今までの事は～ことにしよう 지금까지의 일은 없었던 것으로 치자.

—の滴るよう 싱싱하게 아름다운 모양. ＝水の垂れるよう. ¶～な美女 싱싱한 미녀.

—も漏らさぬ (경계 등이) 물샐 틈 없음. ¶～警戒ぶり〔包囲網〕 물샐 틈 없는 경계 태세〔포위망〕.

—を打ったよう 여러 사람이 쥐죽은 듯이 조용한 모양. ¶～な会場 쥐죽은 듯 조용한 회장.

—を得た魚のよう 물을 만난 물고기 모양《때를 만나 활기가 넘치는 모양》. ¶あたらしい部署に移って～に元気だ 새로운 부서로 옮기고 물을 만난 물고기처럼 팔팔하다.

—を差す 물을 끼얹다. **1** 방해하다. ¶話に～ 말하는 데 끼어들어 방해하다. **2** 친밀한 사이를 갈라 놓다.

—を向ける 상대가 관심을 갖도록 유인〔유도〕하다. ¶それとなく～ 은근슬쩍 떠보다.

> **水에 대한 여러 가지 표현**
>
> 표현例 ぽたぽた(똑똑)·ぼたぼた(뚝뚝)·ぽとぽと(똑똑)·ぼとぼと(뚝뚝)—落ちる(떨어지다).
>
> ◆ざあざあ(콸콸)·さらさら(졸졸)·じゃあじゃあ(콸콸; 좍좍)·ちょろちょろ(졸졸)—流れる(흐르다).
>
> ◆ざぶざぶ(첨벙첨벙)·じゃぶじゃぶ(점벙점벙)—洗う(씻다).
>
> ◆びしょびしょに(흠뻑)·びっしょり(흠뻑)—濡れる(젖다).
>
> ◆びちゃびちゃ(첨벙첨벙)·ぴちゃぴちゃ(철벅철벅; 철썩철썩)·ちゃぷちゃぷ(찰싹찰싹; 참방참방)—音を立てる(소리를 내다).

ミズ [Ms] 图 미즈; 기혼·미혼에 관계없이 여성 이름 앞에 붙이는 높임말.

みずあか【水あか】《水垢》图 물때. ＝みあか·みしぶ. ¶舟の～ 배의 물때/～がたまる 물때가 끼다.

みずあげ【水揚げ】图ス他 **1** 양륙. ＝陸揚げ. ¶桟橋に～する 선창(船艙)에 양륙하다. **2** 잡은 물고기를 배나 뭍에 올림; 또, 어획(량). ¶～が落ちる 어획량이 떨어지다. **3** (유흥업소·운전사 등의) 매출액; 벌이. ¶タクシーの～が少ない 택시의 벌이가 적다. **4** (꽃꽂이에서) 꽃이 오래 가게 물을 잘 흡수시킴. ¶～をよくする 화초가 물을 잘 빨아 올리도록 하다.

みずあそび【水遊び】图ス自 물장난; 물놀이. ¶たらいで～する 대야로 물장난하다.

みずあたり【水当たり】《水中り》图ス自 맹물을 마시고 배탈이 남. ¶井戸水で～する 우물물을 마시고 배탈이 나다.

みずあび【水浴び】图ス自 **1** 물을 끼얹음; 미역 감음. ＝水浴. ¶シャワーで～する 샤워로 물을 끼얹다. **2**〈老〉수영; 헤엄. ＝水泳. ¶川で～する 강에서 헤엄치다.

「청.

みずあめ【水あめ】《水飴》图 물엿; 조

みずあらい【水洗い】图ス他 (비누 등을 쓰지 않고) 물로 씻음〔빪〕. ＝すいせん. ¶よく～してから干す 잘 헹군 다음에 말리다.

***みすい**【未遂】图 미수. ¶殺人～ 살인미수/～に終わる 미수에 그치다/放

火〜で捕えられる 방화 미수로 체포되다. ↔既遂.

みずいらず【水入らず】图 (남이 끼지 않은) 집안끼리임. ¶一家〜の団欒 집안끼리만의 단란/親子〜の夕食 부모와 자식들만의 오붓한 저녁 식사.

みずいり【水入り】图 (씨름에서) 두 선수가 맞붙은 채 승부가 나지 않고 지쳐 있을 때, 시합을 중단하고 내려가 잠깐 물을 마시고 쉬게 함. ＝みず.

みずいろ【水色】图 엷은 남빛; 옥색; 물빛.

***みずうみ**【湖】图 호수. ¶山の中の静かな〜 산속의 고요한 호수.

みずえ【水絵】图 수채화(畫).

みす-える【見据える】下1他 **1** 눈여겨보다; 응시하다. ¶相手を〜 상대를 뚫어지게 바라보다. **2** 확실히 (잘) 보다; 똑똑히 확인하다. ＝見定める. ¶行くえを〜 행방을 확인하다/現実を〜 현실을 잘 보다.

みずおち『鳩尾』图 명치. ＝みぞおち.

みずかがみ【水鏡】图 물거울(로 봄); 또, 그 수면. ¶〜に映る 수면에 모습이 비치다.

みずかき『水搔き』图 물갈퀴. ¶〜で泳ぐ 물갈퀴로 헤엄치다.

みずかけろん【水掛け論】图 쌍방이 서로 (자기에게 유리한) 이론만 내세우고 결말이 나지 않는 의론. ¶〜をする 결말 안 나는 의론만 하다/結局あれは〜に終わった 결국 그것은 결말이 나지 않는 입씨름으로 끝났다.

みずかげん【水加減】图 (끓이는 요리 등에서) 물을 넣는 정도; 물대중(을 맞춤). ¶〜を見る 물대중을 보다/ご飯の〜をまちがえる 밥짓는 물대중을 잘못하다.

みずかさ【水かさ】《水嵩》图 (강물 따위의) 수량(水量). ¶〜が増す 수량이 늘다; 물이 붇다.

みすか-す【見透かす】5他 **1** …너머로 보다; …속을 자세히 보다. ¶窓ガラス越しに〜 유리창 너머로 자세히 보다. **2** (숨긴 것을) 꿰뚫어 보다; (이면을) 간파하다. ＝みぬく. ¶内幕〔魂胆〕を〜 내막〔속셈〕을 꿰뚫어 보다/足元を〜 속을 빤히 들여다보다; 남의 약점을 간파하다/相手の腹を〜 상대의 마음속을 꿰뚫어 보다.

みずがめ【水がめ】《水瓶·水甕》图 물동이; 물독. ¶〜に水を汲んでおく 물독에 물을 길어 놓다.

***みずから**【みずから·自ら】스스로. 一副 몸소; 자신이; 친히. ¶〜手をくだす 몸소 손을 대다/〜進んで事をする 스스로 자진해서 일을 하다/社長〜先頭に立つ 사장이 몸소 선두에 서다/それは彼が〜招いた災いだ 그것은 그가 스스로 초래한 재난이다. 二图 〈雅〉 자기; 자신. ＝自分·自身. ¶〜の危険をかえりみない 자기의 위험을 돌보지 않다/〜をかえりみる 자신을 돌아보다; 반성하다.
—墓穴を掘る 스스로 무덤을 파다.

みすぎ【身過ぎ】图 생활; 생계; 생업; 처지. ¶〜世過ぎ 세상살이.

みずき『水木』图〔植〕층층나무.

みずぎ【水着】图 수영복. ＝海水着. ¶〜ショー 수영복 쇼/〜を着て泳ぐ 수영복을 입고 헤엄치다.

みずききん【水ききん】《水飢饉》图 물기근.

ミスキャスト[miscast] 图 미스캐스트; 배역을 잘못함; 또, 잘못된 배역.

みずきり【水切り】图 **1** 물기를 뺌; 또는, 물기 빼는 그릇《소쿠리 따위》. ¶〜用のざる 물기 빼는 소쿠리/野菜の〜 채소를 씻어 물기를 뺌. **2** 물수제비뜨기. ¶石で〜をする 돌로 물수제비를 뜨다. **3** (꽃꽂이에서) 꽃이 오래 가게 물 속에서 줄기나 뿌리를 자름.

みずぎわ【水際】图 물가. ＝みぎわ. ¶〜で食い止める (상대의 상륙을) 물가에서 저지하다.
—**だ-つ**【—立つ】5自 두드러지게 뛰어나다〔돋보이다〕. ¶〜った演技 한층 돋보이는 연기.

みずくき【水茎】图 〈雅〉 붓(글씨); 필적.
—の跡 붓으로 쓴 필적; 또, 편지. ¶〜もうるわしい手紙 필적도 아름다운 편지.

みずくさ【水草】图 수초; 물풀. ＝すいそう.

みずくさ-い【水くさい】《水臭い》形 **1** 수분이 많다; 싱겁다. ＝水っぽい. ¶〜酒 싱거운 술/おかずが〜 반찬이 싱겁다. **2** 서먹서먹하게 굴다; 남 대하듯 하다. ＝よそよそしい. ¶〜態度 서먹서먹한 태도/〜·くする 서름서름하게 굴다; 남 대하듯 하다/私に隠し立てをするなんて君も随分〜ね 내게 숨기다니 자네도 어지간히 매정하군.

みずぐすり【水薬】图 물약. ＝すいやく. ↔粉薬·錠剤.

みずぐるま【水車】图 수차; 물레방아. ＝すいしゃ. ¶〜が回る 물레방아가 돌다/〜で米を搗く 물레방아로 쌀을 찧다.

みずけ【水け】《水気》图 수분; 물기. ＝水分·水気. ¶〜の多い果物 수분이 많은 과일/〜を取る〔切る〕 물기를 빼다.

みずけむり【水煙】图 **1** 물보라. ＝水しぶき. ¶〜を立てて走る 물보라를 일으키며 달리다/ざぶんと〜を上げて飛び込む 풍덩 물보라를 일으키면서 뛰어들다. **2** 물안개; 수면에 낀 안개.

みずご【水子】图 태아; 특히, 유산하거나 낙태시킨 태아. ¶〜供養 유산한 태아 공양. 注意 'みずこ'라고도 함.

みずごえ【水肥】图 물거름; 액체 비료. ＝すいひ.

みずごけ『水蘚』《水苔》图〔植〕물이끼.

みすご-す【見過ごす】5他 **1** 보고도 못 본 체하다; 간과(看過)하다. ¶〜ことのできない誤り 간과할 수 없는 잘못/

こんどだけは～·してやる 이번만은 눈감아 주겠다. **2**〈老〉 못보고 놓치다. ＝見(み)のがす·見落(みお)とす. ¶道路標識(どうろひょうしき)を～·してしまった 도로 표지를 못 보고 말았다.

みずごり【水ごり】《水垢離》图 목욕재계. ¶～を取(と)る 목욕재계를 하다.

みずさいばい【水栽培】图 물재배; 물가꾸기. ☞すいこうほう.

みずさかずき【水杯】《水盃》图 재회(再會)를 기약하기 어려울 때 등에 술 대신 물로 작별의 잔을 나눔. ¶～をかわす 물로 작별의 잔을 나누다.

みずさき【水先】图 **1** 물이 흘러가는 방향. **2** 물길; 배의 진로. **3** '水先案内(あんない)(＝수로 안내(인))'의 준말. ＝パイロット.

みずさし【水差し】图 물병; 물주전자. ＝水(みず)つぎ. ¶～から水(みず)をつぐ 물병에서 물을 따르다.

みずしごと【水仕事】图 진일. ¶～で手(て)が荒(あ)れる 진일로 손이 거칠어지다.

みずしぶき【水しぶき】图 물보라. ＝しぶき. ¶～が立(た)つ 물보라가 일다 / ～をあげる 물보라를 일으키다.

みずしょうばい【水商売】图 접객업; 유흥업; 물장사(요정·바·카바레 따위). ＝水稼業(みずかぎょう). ¶～の女(おんな) 접객업에 종사하는 여인.

みずしらず【見ず知らず】图 (보지도 듣지도 못해) 전연 모름; 일면식도 없음. ¶～の他人(たにん) 생판 남 / ～の人(ひと)に助(たす)けられる 일면식도 없는 사람으로부터 도움을〔구조를〕 받다.

みずすまし〖水澄まし〗图〘蟲〙 **1** 물매암이. ＝まいまいむし. **2**〈俗〉 소금쟁이. ＝あめんぼ.

みずぜめ【水攻め】图 수공; 급수로(給水路)를 끊거나, 강물로 침수시켜서 적의 성을 공격하는 방법. ¶城(しろ)を～する 성을 수공하다. ↔火攻(ひぜ)め.

みずぜめ【水責め】图 물 고문. ¶～にあわせる 물고문을 하다. ↔火責(ひぜ)め.

ミスター [Mr.; Mister] 图 미스터. **1** 남자 이름 앞에 붙여 부르는 말: 씨; 군. ↔ミセス. **2** 대표적 남성. ¶～日本(にっぽん) 미스터 일본. ⇔ミス.

みずたき【水炊き】图 영계백숙(초장 따위를 찍어 먹음). 注意 'みずだき'라고도 함.

みずたま【水玉】图 **1** 물방울. ¶～が飛(と)ぶ 물방울이 튀다. **2** 물방울 무늬. ＝水玉模様(もよう). ¶～のネクタイ 물방울 무늬의 넥타이.

みずたまり【水たまり】《水溜まり》图 웅덩이. ¶道路(どうろ)には所々(ところどころ)～ができていた 도로에는 군데군데 웅덩이가 패어 있었다.

みずぢゃや【水茶屋】图 江戸(えど) 시대에, 엽차 따위를 대접하며 나그네를 쉬게 하던 길가의 가게.

みずっぱな【水っぱな】《水っ洟》图〈口〉 콧물. ＝水(みず)ぱな. ¶～をすする〔たらす〕 콧물을 훌쩍이다〔흘리다〕 / 風邪(かぜ)を引(ひ)いて～が出(で)て困(こま)る 감기가 들어서 콧물이 나와 못 견디다.

みずっぽ-い【水っぽい】形 묽어 싱겁다. ¶～味(あじ) 싱거운 맛 / ～酒(さけ) 싱거운 술 / お汁(しる)が～ 국이 묽다〔멀겋다〕.

ミステーク [mistake] 图 미스테이크; 잘못; 실수. ＝ミス.

みずでっぽう【水鉄砲】图 물총; 물딱총. ¶子供(こども)が～で遊(あそ)ぶ 아이가 물총을 가지고 놀다.

ミステリー [mystery] 图 미스터리. **1** 신비; 불가사의; 괴기. **2** 추리〔괴기〕 소설. ¶～作家(さっか) 미스터리 작가.

***みす-てる**【見捨てる】《見棄てる》下1他 내버려 둔 채〔관계를 끊고〕 돌보지 않다. ＝見(み)はなす. ¶両親(りょうしん)に～·てられた子供(こども) 부모에게 버림받은 아이 / 恋人(こいびと)を～ 연인을 버리다.

みずどけい【水時計】图 물시계.

みずとり【水鳥】图 물새; 수금(水禽).

みずに【水煮】图 (고기나 야채 따위를 양념 없이) 맹물 또는 묽은 소금물에 익힘. ¶～の缶詰(かんづめ) 맹물에 익힌 통조림.

みずのあわ【水の泡】《水の沫》图 물거품; 수포. ¶せっかくの計画(けいかく)が～となる 모처럼의 계획이 물거품이 되다.

みずのみ【水飲み】《水呑み》图 물을 마심; 또, 그 그릇. ¶～場(ば) 물 마시는 곳.
—びゃくしょう【—百姓】图〈卑〉 가난한 농민; 빈농(조롱해서 하는 말).

みずはけ【水はけ】《水捌け》图 배수(排水); 물이 흐르는〔빠지는〕 정도. ＝水(みず)はき. ¶～のよい土地(とち) 배수가 잘 되는 토지 / この溝(みぞ)は～が良(よ)い 이 도랑은 물이 잘 빠진다.

みずばしら【水柱】图 물기둥. ＝すいちゅう. ¶～が立(た)つ 물기둥이 솟다.

みずばら【水腹】图 물배; 물로 배를 채움; 또, 그때의 배의 상태. ¶～も一時(いっとき) 물배로도 잠시 허기를 면한다.

みずひき【水引】图 **1** 가는 지노 여러 개를 합쳐 풀을 먹여 굳히고, 중앙에서 색을 갈라 염색한 끈(선물 포장에 두르되, 축하 때에는 홍백·금은색, 흉사에는 흑백·남백색 따위를 씀). **2**〖水引〗〘植〙 이삭여뀌. ＝みずひきぐさ.

みずびたし【水浸し】图 침수; 물에 잠김. ¶洪水(こうずい)で床(ゆか)まで～になる 홍수로 마루까지 물에 잠기다.

みずぶくれ【水膨れ】图 **1** 수종(水腫)(이 생김); 물집. ¶やけどで右腕(みぎうで)に～ができる 화상으로 오른팔에 물집이 생기다. **2** 물을 많이 마셔 배가 부풂.

ミスプリント [misprint] 图〘印〙 미스프린트; 오식(誤植). ＝ミスプリ.

みずべ【水辺】图 수변; 물가. ＝すいへん. ¶～の植物(しょくぶつ) 물가의 식물.

みずぼうそう【水ぼうそう】《水疱瘡》图 ☞すいとう(水痘).

***みすぼらし-い**〖見窄らしい〗形 초라하다. ¶～家(いえ) 초라한 집 / ～服装(ふくそう) 초라

한 복장/～身(み)なりをしている 초라한 옷차림을 하고 있다.

みずまくら【水まくら】《水枕》图 물베개《머리를 식히는 데 사용함》. ¶～を頭(あたま)の下(した)にあてがう 물베개를 머리 밑에 대다.

みずまし【水増し】图ス自他 **1** 물을 타서 양을 늘림. ¶～した酒(さけ) 물을 타서 양을 불린 술. **2** 실질을 속여서 겉으로 실제 이상으로 불림〔보이게 함〕. ¶経費(けいひ)を～する 경비를 실제 이상으로 불리다/～して請求(せいきゅう)する 실제보다 불려서 청구하다.

みすま-す【見澄ます】5他 정신 차려서 잘 보다; 확인하다. ¶人(ひと)のいないのを～·して忍(しの)び込(こ)む 사람이 없는 것을 확인하고 살그머니 잠입하다.

みずまわり『水回り』《水廻り》图 부엌·욕실·화장실 등, 건물 안에서 물을 사용하는 곳.

みすみす『見す見す』副 빤히 보면서; 빤히 알고 있으면서; 눈을 멀뚱멀뚱 뜨고서. ¶～損(そん)をする 눈 뜨고 손해보다/せっかくの好機(こうき)を～のがす 모처럼의 호기를 빤히 보면서 놓치다.

みずみずし-い『瑞瑞しい』形 윤이 나고 싱싱하다; 신선하고 아름답다. ¶～肌(はだ) (윤기 있고) 싱싱한 피부/～果物(くだもの)〔若葉(わかば)〕 싱싱한 과일〔어린 잎〕/～感覚(かんかく)に満(み)ちた詩(し) 젊고 신선한 감각이 넘치는 시/～顔(かお)をしている 젊고 싱싱한 얼굴이다.

みずみまい【水見舞い】图 수해(水害)를 당한 사람의 안부를 물음〔위문을 함〕.

みずむし【水虫】图 무좀. ¶足(あし)の指(ゆび)に～ができた 발가락에 무좀이 생겼다.

みずもの【水物】图 **1** 음료수나 물기가 많은 과일. ¶～をとりすぎてお腹(はら)をこわす 음료수를 너무 먹어 배탈이 나다. **2** 운에 좌우되기 쉬워서 예상을 할 수 없는 일. ¶勝負(しょうぶ)は～だ 승부란 예상하기 어려운 것이다/選挙(せんきょ)は～だ 선거는 그 결과를 예측할 수 없다.

みずもれ【水漏れ】图ス自 물이 샘; 누수.

みずようかん【水ようかん】《水羊羹》图 보통 것보다 묽게 만든 양갱. ↔練(ね)りようかん.

み-する【魅する】サ変他 (이상한 힘으로) 사람을 혹하게 만들다; 매혹하다. ¶悪魔(あくま)に～·せられる 악마에 홀리다〔씌다〕/美声(びせい)に～·せられる 아름다운 목소리에 매혹되다/彼女(かのじょ)には男(おとこ)を～力(ちから)がある 그 여자에게는 남자를 매혹하는 힘이 있다.

みずわり【水割り】图ス他 물을 타서 묽게 함; 또, 물을 타서 묽게〔마시기 수월하게〕 한 것. ¶～酒(さけ) 물을 타 묽게 한 술/ウイスキーの～ 위스키에 물을 탐; 물 탄 위스키.

****みせ**【店】图 가게; 상점; 점포. ¶軒(のき)～ 구멍가게/屋台(やたい)～ 포장마차 (가게)/～を出(だ)す 가게를 내다/～を畳(たた)む 가게〔장사〕를 걷어치우다/～を張(は)る 가게를 차려 장사를 하다.

みせいねん【未成年】图 미성년. ¶～者(しゃ)の飲酒(いんしゅ)を禁(きん)ずる 미성년자의 음주를 금하다. ↔成年(せいねん).

みせかけ【見せ掛け】图 외관; 겉보기; 거탈; 눈비음. ＝うわべ. ¶～はりっぱだ 겉보기는 훌륭하다/～だけの, ちゃちな品(しな)だ 겉보기만 그럴듯한 싸구려 물건이다.

みせか-ける【見せ掛ける】下1他 겉으로만 그럴싸하게 보이게 하다; 겉을 꾸미다. ¶実物(じつぶつ)に～ 실물처럼 꾸미다/病気(びょうき)のように～ 병인것처럼 보이게 하다; 꾀병을 부리다.

みせがね【見せ金】图 믿도록 하기 위해서 상대방에 보이는 돈. ＝みせきん.

みせがまえ【店構え】图 점포의 구조〔규모〕. ＝みせごしらえ. ¶堂々(どうどう)とした～ 당당한 점포의 구조.

みせぐち【店口】图 가게 전면의 나비.

みせさき【店先】图 점두(店頭); 가게 앞. ¶～渡(わた)し 점두 인도《점포에서 매주(買主)에게 인도함》/品物(しなもの)を～に並(なら)べる 물품을 가게 앞에 벌여 놓다.

みせじまい【店仕舞い】图ス自他 **1** (그날의 영업을 마치고) 가게를 닫음〔드림〕. ＝閉店(へいてん). ¶6時(ろくじ)には～する 여섯 시에는 가게를 닫는다/今日(きょう)はもう～しよう 오늘은 이만 가게를 닫자. **2** 폐업함; 폐점함. ¶不景気(ふけいき)で～する 불경기로 폐업하다. ⇔店開(みせびら)き.

みせしめ『見せしめ』图 본때(를 보임). ＝こらしめ. ¶～のために処罰(しょばつ)する 본때를 보이기 위해 처벌하다/こうしたらあの男(おとこ)の～になるだろう 이렇게 하면 저 남자에게 본때가〔교훈이〕 될 것이다.

ミセス [Mrs] 图 미세스; 기혼 여성. ↔ミス·ミスター.

みせつ-ける【見せ付ける】下1他 여봐란 듯이 보이다; 과시하다. ¶仲(なか)のいい所(ところ)を～ 짐짓 사이 좋은 장면을 여봐란 듯이 보여 주다.

みせどころ【見せ所】图 자랑삼아 꼭 보여 주고 싶은 연기〔장면, 솜씨〕. ＝見(み)せ場(ば). ¶腕(うで)の～ 꼭 보이고 싶은 솜씨; 솜씨를 보일 장면.

みぜに【身銭】图 자담금(自擔金); 자기 돈. ¶～を切(き)る (남 또는 공용을 위해) 제돈을 들이다.

みせば【見せ場】图 볼 만한 장면; 연극 따위에서 배우가 가장 잘하는 연기를 보여 주는 장면. ¶芝居(しばい)の～ 연극의 볼 만한 장면/～をつくる 볼 만한 장면을 연출하다.

みせばん【店番】图ス自 가게를 지킴; 가게 보는 사람. ¶～がいない 가게 볼 사람이 없다/～を頼(たの)まれる 가게를 봐 달라는 부탁을 받다/子供(こども)に～をさせる 아이에게 가게를 보게 하다.

***みせびらか-す**【見せびらかす】5他 자랑스럽게 내 보이다; 과시하다. ＝見(み)せ

つける. ¶ダイヤの指輪を～ 다이아몬드 반지를 자랑해 보이다.

みせびらき【店開き】 图 ス自他 개점; 개업. ¶朝十時に～する 아침 10시에 개점하다 / 駅前にパン屋が～した 역전에 빵집이 개업했다. ↔店じまい.

みせもの【見せ物】《見世物》图 **1** (곡예나 요술 따위) 흥행. ¶～小屋 가설 흥행장. **2** 구경거리. ¶他人の～になる 남의 구경거리가 되다 / ～にされたくない 구경〔웃음〕거리가 되고 싶지 않다.

⁑み-せる【見せる】 下1他 보이다. **1** ㉠남에게 보도록 하다. ¶親に写真を～ 부모에게 사진을 보이다 / ちょっと～·せてください 잠깐 보여 주십시오. ㉡나타내다. ¶教室に姿を～ 교실에 모습을 나타내다 / 最近顔を～·せない 최근 얼굴〔모습〕을 나타내지 않는다. **2** 상태 등을 숨김없이 드러내다. ¶興味を～ 흥미를 보이다 / 自信の程を～ 자신만만함을 보이다. **3** 겉을 꾸미다. ¶美しく～ 아름답게 보이다. **4**【みせる】《'…して～'의 꼴로》(강한 의지를 나타내거나 시범 따위로) 해 보이다. ¶発音して～ 발음해 보이다 / 彼がまずやって～·せた 그가 먼저 해 보였다.

みぜん【未然】 图 미연. ¶災いを～に防ぐ 재난을 미연에 방지하다.

—けい【—形】 图〔文法〕미연형; 활용어의 활용형 제1단《용언·조동사에 접속하여 추량(推量)·부정 등을 나타냄》.

***みそ〖味噌〗** 图 **1** 된장. ¶～であえる 된장으로 무치다. **2** 된장 비슷한 것. ¶かにの～ 게장. **3** 자랑거리; 특색. ¶手前～ 자기 자랑 / それが～だ 그것이 특색이다.

—もくそもいっしょ 무엇이고 가리지 않고 한데 뒤버무림. ¶～にした批判 우열이나 선악을 가리지 않고 똑같이 취급한 비판.

—を擂る 된장을 개다; 전하여, 알랑거리다; 아첨하다. ¶上役に～ 상사에게 아첨하다.

—を付ける 실수하다; 체면을 잃다; 얼굴에 똥칠하다. ¶彼もこの事件ではすっかりみそを付けた 그도 이 사건에서는 완전히 체면이 깎였다.

***みぞ【溝】** 图 **1** 개천; 도랑; 수채. =どぶ. ¶～を飛び越える 도랑을 뛰어넘다 / ～にはまる 도랑에 빠지다. **2** 홈. ¶～を掘る 홈을 파다. **3** 사람 사이를 떼어 놓는 감정적 거리; 틈; 장벽. =ギャップ. ¶夫婦の間に深い～ができる 부부간에 깊은 틈이 벌어지다.

みぞう [未曾有] mizō 图 미증유; 역사상 처음임. ¶古今～の大事件 고금 미증유의 대사건. 參考 '未だ曾て有らず'의 뜻.

みぞおち〖鳩尾〗 图 ☞みずおち.

みそか〖晦日〗 图 그믐날. =つごもり. ¶～払い 월말 지불 / ～に決算する 그믐날에 결산하다 / ～に月が出るようなものだ 그믐날에 달이 뜨는 것과 같다《불가능한 일이다》. ↔ついたち.

みそぎ〖禊〗 图 ス自他 목욕재계. ¶～川 목욕재계하는 강.

みそくそ〖味噌糞〗 ダナ〈俗〉☞くそみそ. ¶～にやっつける 마구 윽박지르다.

***みそこな-う【見損なう】** 5他 **1** 잘못 보다. ㉠헛보다; 틀리게 보다. =見あやまる. ¶信号を～ 신호를 잘못 보다 / 敵味方を～ 적과 아군을 잘못 보다. ㉡평가를 잘못하다. ¶俺を～な 나를 잘못〔만만하게〕 보지 마라 / 彼を～·っていた 그를 잘못 평가하고 있었다. **2** 볼 기회를 놓치다; 못 보다. =見はずす. ¶美術展を～ 미술전을 못 보고 놓치다.

みそさざい〖鷦鷯〗 图〔鳥〕굴뚝새.

みそじ [三十路] 图 **1** 삼십. **2** 서른 살. ¶～の坂にかかる 삼십 고개에 접어들다 / ～をこえる 삼십 고개를 넘다.

みそしる【みそ汁】《味噌汁》图 된장국. =お付け·おみおつけ. ¶～が欲しい 된장국이 먹고 싶다.

みそっかす〖味噌っ滓〗 图〈俗〉**1** 된장 찌꺼기. 參考 쓸모없는 사람·물건에도 비유됨. **2** 놀이 따위에서, (반편이로) 따돌림 받는 아이. =みそっこ. ¶～にされる 따돌림을 당하다.

みそづけ【みそ漬け】《味噌漬け》图 된장에 절임; 또, 그것. ¶大根の～ 무를 된장에 박은 것.

みそっぱ【みそっ歯】《味噌っ歯》图〈俗〉충치로 거멓게 썩은 아이들의 이빨. ¶～を出して笑う 거멓게 썩은 충치를 드러내고 웃다.

みそ-める【見初める】 下1他 첫눈에 반하다. ¶バスで～·めた女性 버스에서 첫눈에 반한 여성 / 売店の子を～ 매점 처녀한테 첫눈에 반하다.

みそら【身空】 图 신세; 신상; 몸; 처지. ¶若い～でけなげに働く 젊은 몸으로 부지런히 일하다 / 生きた～もしない 살았다는 기분도 나지 않는다.

みぞれ〖霙〗 图 진눈깨비. ¶～が降る 진눈깨비가 오다.

みそ-れる【見それる】《見逸れる》下1他 알아보지 못하다; 못 알아보다. ¶うっかりして友人を～ 무심중에 그만 친구를 알아보지 못하다 / ～ほど大きくなる 알아보지 못할 정도로 크다〔자라다〕. 參考 흔히 'お～·れしました(=알아 뵙지 못했습니다)'의 꼴로 쓰임. ⇨おみそれ.

=みたい 〈俗〉《体言 또는 活用語의 終止形에 붙어서》(마치) …같다; …비슷하다; …싶다. ¶本物～だろう 진짜 같지 / まるでうそ～ね 마치 거짓말 같군요 / この頃少し太った～よ 요즈음 살이 좀 찐 것 같네요 / 子供～な事を言うな 어린애 같은 소리를 하지 마라 / どこかで会った～ですが 어디선가 만난 적이 있는 것 같습니다만 / あの人

はちょっと疲れている～だった 그 사람은 약간 지쳐 있는 것 같았다 / このみかんは腐っている～(だ) 이 귤은 썩은 것 같애. 参考 '…(の)ようだ(＝(마치)…과 같다)'의 口語적 표현.

みたけ【身丈】 名 **1** 옷 길이. **2** 키; 신장. ＝身長. ¶～六尺の大男 키 육척의 거한.

みだし【見出し】 名 **1** 표제(標題); 표제어. ＝ヘッドライン. ¶～語 표제어 / 大～ (신문·잡지 등의) 큰 표제 / 小～ 부표제 / 人の目を引くような～ 사람의 눈을 끄는 표제. **2** 색인; 차례. ＝インデックス. ¶～を付ける 색인을 붙이다.

みだしなみ【身だしなみ】《身嗜み》 名 **1** (복장·언어·태도 등의) 단정한 몸가짐. ¶～がいい (옷차림이) 단정하다 / ～に注意する 몸가짐에 조심하다. **2** 지도적 계층의 사람에게 요구되는 상당한 교양이나 예능. ¶～をそなえた人 (상당한) 교양과 예능을 갖춘 사람.

***みた-す【満たす】**《充たす》 5他 채우다. **1** 가득히 채우다. ¶杯に酒を～ 술잔에 술을 채우다 / 腹を～ 배를 채우다. **2** 만족[충족]시키다. ¶欲望[飢え]を～ 욕망을[허기를] 채우다 / ～·されない気持ち 충족되지 못한 기분 / 条件[要求]を～ 조건을[요구를] 충족시키다 / 愛情が～·されない 애정이 충족되지 않다. 可能みた-せる 下1自

***みだ-す【乱す】** 5他 어지럽히다. **1** 흩뜨리다; 어지르다. ¶髪を～ 머리카락을 흩뜨리다 / 列を～ 열을 흩뜨리다. **2** 혼란시키다. ¶秩序を～ 질서를 어지럽히다 / 心を～·される 마음이 어지러워지다. 可能みだ-せる 下1自

みたて【見立て】 名 **1** 보고 정함[고름]; 또, 그것. ¶～が下手だ 선택하는 것이 어설프다 / ネクタイの～がいい 넥타이를 잘 고른다. **2** 보는 바 (견해); 진단; 감정. ¶医者の～ 의사의 진단 / 私の～によれば本物です 제가 보기에는 진품입니다.

みた-てる【見立てる】 下1他 **1** 보고 판단하다. ㉠보고 고르다. ¶いい柄を～ 좋은 무늬를 고르다. ㉡감정[진단]하다. ¶本物だと～ 진짜라고 감정[판단]하다 / 結核と～ 결핵으로 진단하다. **2** (…에) 비기다; (…으로) 보다; 가정하다. ＝なぞらえる. ¶枝の雪を花に～ 가지의 눈을 꽃에 비기다 / 立ち木を人に～ 서 있는 나무를 사람으로 보다.

みたま【み霊】《御霊》 名 '霊(＝영혼)'의 높임말. ¶先祖の～をまつる 조상의 영혼을 모시다. 「御霊屋.

——や【——屋】 名 사당; 영묘(靈廟). ＝

みため【見た目】 名 겉보기; 볼품. ＝外見. ¶～には仲のよさそうな夫婦 겉보기에는 사이가 좋은 것 같은 부부 / ～が悪い 보기에 나쁘다; 볼품이 없다.

みだら〖淫ら〗 ダナ 음란[난잡, 추잡]한 모양. ¶～な話 음란한 이야기 / ～な関係 난잡한 관계.

みだり〖妄り·濫り·猥り〗 ダナ 사리에 어긋남; 분별없음; 함부로 하는 모양. ¶～なふるまい 분별없는 행동 / ～に欠席するな (신고도 하지 않고) 함부로 결석하지 마라 / ～に入るべからず (허가 없이) 함부로 들어오[가]지 말 것.

みだりがわし-い〖妄りがわしい·濫りがわしい·猥りがわしい〗 形 난잡[추잡]하다; 음란하다. ＝みだりがましい. ¶～話 음란한 이야기.

みだれ【乱れ】 名 흐트러짐; 어지러움; 혼란. ¶ダイヤの～ (열차) 운행 시간의 혼란 / 世の～ 세상의 어지러움 / 着物の～をなおす 옷의 흐트러진 매무새를 고치다.

みだれがみ【乱れ髪】 名 마구 흐트러진 머리; 어수선한 머리털. ¶～をなでつける 흐트러진 머리카락을 매만지다.

⁂みだ-れる【乱れる】《紊れる》 下1自 어지러워지다; 흐트러지다; 혼란[문란]해지다. ¶両チーム入り～·れての混戦 양팀이 뒤엉켜 싸우는 혼전 / 髪が～ 머리가 흐트러지다 / 国[天下]が～ 나라[천하]가 어지러워지다 / 秩序が～ 질서가 문란해지다 / 呼吸が～·れて苦しそうだ 숨이 차서 괴로워 보인다 / 酒がはいるにつれて宴席は～·れてきた 술이 들어감에 따라 연회석은 어지러워졌다.

⁂みち【道】《路·途》 名 **1** 길. ㉠도로. ¶～に迷う 길을 잃다 / ～が混む 길이 붐비다 / ～を尋ねる 길을 묻다 / ～を間違える 길을 잘못 들다 / ～を横切る 길을 건너다. ㉡도중. ¶学校へ行く～で先生に会う 학교 가는 길에 선생님을 만나다. ㉢도정(道程); 거리; 여정. ¶～は遠い 길은 멀다 / ～を急ぐ (갈)길을 서두르다. ㉣인생의 걸어온[걸어갈] 길; 출세의 길. ¶成功への～ 성공에의 길 / ～を誤る (인생의) 길을 잘못 들다 / 後進に～を開く 후진에게 길을 터 주다《용퇴하다》. ㉤방법; 전망; 방도. ¶生きる～ 살아갈 길 / 生活の～がない 생활할 방도가 없다 / 他に～がない 달리 길이[방도가] 없다. ㉥목표로 하는 방향; 진로. ¶理想を実現する～ 이상을 실현하는 길 / ～を決する 나아갈 길[방향]을 결정하다. ㉦전문 분야; 방면. ¶～を究める 그 분야를[길을] 전문적으로 궁구하다. **2** 도덕·윤리적인 길; 도리; 진리; 도. ¶～を修める 도를 닦다 / 人の～にそむく 인간의 도리에 어긋나다 / ～を説く 도리[진리]를 가르치다. ⇨みちならぬ.

——が開ける 길이 열리다; 해결의 방법이 생기다.

——は近きにあり 학문의 길은 가까이 있나니《쓸데없이 고원(高遠)한 이론으로 흐르지 말도록 경계한 맹자의 말》.

—をつける 1 길을 내다. ¶川沿(かわぞ)いに～ 강을 따라 길을 내다. 2 (나아갈 길의) 실마리를 만들다. ¶新(あたら)しい分野(ぶんや)の研究(けんきゅう)に～ 새로운 분야를 연구하는 계기를 마련하다. 3 초보를 가르치다.

みち【未知】 图 미지. ¶～の世界(せかい) 미지의 세계. ↔既知(きち).

—すう【—数】 图 미지수. 1 〖數〗 방정식에서, 아직 그 값을 모르는 수. ↔既知数(きちすう). 2 예상할 수 없음. ¶実力(じつりょく)は～だ 실력은 미지수다 / うまく行(ゆ)くかどうか～だ 잘될지 어떨지 미지수다.

みちあんない【道案内】 图 길잡이. ＝道(みち)しるべ. 1 도표(道標); 이정표. ¶山(やま)みちの～がなくなって道(みち)に迷(まよ)う 산길의 도표가 없어져 길을 잃다. 2 길 안내; 선두에서 인도함; 또, 길라잡이. ¶～に立(た)つ 길안내를 서다 / ～に従(したが)って山に登(のぼ)る 길안내를 따라서 산에 오르다.

*みぢか【身近】 ダナ 1 자기 몸에 가까운 곳; 신변. ¶～に置(お)く 몸 가까이 두다 / 危険(きけん)が～に迫(せま)る 위험이 가까이 다가오다. 2 일상 있는 모양. ¶～な話題(わだい) 일상의 자질구레한 화제 / ～に感(かん)ずる 친근하게 느끼다.

みぢか-い【身近い】 形 몸에 가깝다; 자신과 관계가 깊다. ¶～問題(もんだい) 자신과 관계가 깊은 문제.

みちが-える【見違える】 下1他 잘못 보다; 몰라보다. ＝見誤(みあやま)る. ¶～ほど変(か)わった 몰라볼 만큼 변했다 / 知(し)らない人(ひと)を友達(ともだち)と～ 모르는 사람을 친구로 잘못 보다.

みちかけ【満ち欠け】 《盈ち虧け》 图 달이 참과 이지러짐; 영휴(盈虧). ¶月(つき)の～ 달이 차고 이지러짐.

みちくさ【道草】 图 ス自 1 길가의 풀; 노방초. ¶～を摘(つ)む 길가의 풀을 뜯다. 2 길 가는 도중에 딴짓으로 시간을 보냄; 지정거림. ¶～してはいけませんよ 도중에 딴 짓 하느라 늦어서는 안 된다.

—を食(く)う (도중에서) 지정거리다. ¶学生時代(がくせいじだい) 1年(いちねん)留年(りゅうねん)して道草を食った 학생 시절에 일년 유급하여 허송세월을 보냈다.

みちしお【満ち潮】 图 만조; 밀물. ＝上(あ)げ潮(しお). ¶～になる 만조가 되다. ↔引(ひ)き潮(しお).

みちじゅん【道順】 图 (목적지로 가는) 길(순서); 밟아야 할 일의 순서. ＝順路(じゅんろ). ¶～をおしえる〔聞(き)く〕 (가는) 길을 가르치다〔묻다〕.

みちしるべ【道しるべ】 《道標》 图 길잡이. ＝道案内(みちあんない). 1 이정표. ¶～を頼(たよ)りに進(すす)む 도표를 의지하여 나아가다. ＝どうひょう. 2 지침. ¶会社経営(かいしゃけいえい)の～ 회사 경영의 길잡이 / 初学者(しょがくしゃ)の～となる 초학자의 길잡이가 되다.

みちすがら【道すがら】 副 〈老〉 길을 가면서; 가는 도중. ＝道道(みちみち). ¶～話(はなし)をする 길을 가면서 이야기하다 / 学校(がっこう)への～本屋(ほんや)に寄(よ)る 학교로 가는 길에 책방에 들르다.

みちすじ【道筋】 图 1 지나가는 길; 코스. ＝とおり道(みち). ¶～の風景(ふうけい) 연도의 풍경 / 行進(こうしん)の～ 행진 코스. 2 사물의 도리; 조리; 이치. ＝すじみち. ¶～が立(た)たない 조리가 닿지 않다.

みちた-りる【満ち足りる】 上1自 충분히 만족하다; 흡족하다. ¶～・りた顔(かお) 흡족한 얼굴〔표정〕/ 何(なに)か～・りない気持(きも)ち 뭔가 좀 허전한 기분.

みちづれ【道連れ】 图 동행(자); 길동무; 동반. ¶旅(たび)は～, 世(よ)は情(なさ)け 나그넷길은 길동무, 세상살이는 인정(이 중요함) / 子(こ)どもを～にした一家心中(いっかしんじゅう) 자식을 동반한 일가 집단 자살.

みちならぬ【道ならぬ】 連語 도덕〔윤리〕에 어긋나는. ¶～恋(こい) 불륜의 사랑.

みちのり【道のり】 《道程》 图 도정; 행정(行程); 거리. ＝道程(どうてい). ¶長(なが)い～ 긴 도정 / 自動車(じどうしゃ)で二時間(にじかん)の～ 자동차로 두 시간 걸리는 거리 / ～が遠(とお)い 길이〔거리가〕 멀다 / 大(たい)した～ではない 대단한 거리는 아니다.

みちばた【道端】 图 길가; 도로변. ＝路傍(ろぼう). ¶～に咲(さ)く野菊(のぎく) 길가에 핀 들국화 / ～に車(くるま)が止(と)まっている 길가에 차가 서 있다.

みちひ【満ち干】 图 간만(干滿). ＝干満(かんまん). ¶潮(しお)の～が激(はげ)しい 조수의 간만이 심하다.

みちびき【導き】 图 인도; 지도. ¶神(かみ)の～ 신의 인도 / 今後(こんご)ともよろしくお～のほどを 앞으로도 잘 이끌어 주시기를.

**みちび-く【導く】 5他 이끌다. 1 안내를 하다. ¶応接間(おうせつま)に～ 응접실로 안내하다. 2 지도하다; 가르치다. ¶子供(こども)を～ 어린이를 지도하다. 3 어떤 일이 그렇게 되게 하다. ¶交渉(こうしょう)を有利(ゆうり)に～ 협상을 유리하게 이끌다 / 未知(みち)の世界(せかい)へ～ 미지의 세계로 이끌다 / 結論(けつろん)を～・き出(だ)す 결론을 이끌어 내다.

みちぶしん【道普請】 图 도로(개설이나 보수) 공사. ¶そこは今(いま)～中(ちゅう)だ 그곳은 지금 도로 공사 중이다.

みちべ【道辺】 图 길가; 도로변. ＝みちのべ・みちばた.

みちみち【道道】 副 길을 (걸어) 가면서. ＝みちすがら. ¶～話(はなし)をする 길을 가면서 이야기하다 / ～相談(そうだん)しましょう 걸으면서 상의하십시다.

みちゃく【未着】 图 미착; 미도착. ¶～の品物(しなもの) 미착 물품. ↔既着(きちゃく).

みちゆき【道行き】 图 1 (歌舞伎(かぶき) 등에서) 여행하는 장면; (좁은 뜻으로는) 남녀가 눈이 맞아 도망가는 장면. 2 여행 도중의 풍경이나 여정 따위를 서술한 옛 운문체(韻文體)의 문장. ＝道行き文(ぶん). 3 일본옷에 입는 여성용의 코트《옛날에, 주로 여행자가 입었음》.

*み-ちる【満ちる】 《充ちる》 上1自 1 차다. ㉠ 그득 차다. ¶希望(きぼう)に～ 희망에 차다 / 聴衆(ちょうしゅう)が会場(かいじょう)に～ 청중이 회장

에 가득 차다 / 気迫(きはく)に～·ちている 기백에 차 있다. ↔欠(か)ける. ㉡ (달이) 둥글어지다. ¶月(つき)が～ 달이 차다《(a) 만월이 되다; (b) 만삭이 되다》. ↔欠(か)ける. ㉢ (기한이) 다 되다. ¶任期(にんき)が～·ちて退任(たいにん)する 임기가 차서 퇴임하다. ㉣ 만조(滿潮)가 되다. ¶潮(しお)が～·ちてくる 조수가 차〔밀려〕 오다. ↔ひく·干(ひ)る. **2** 완전해지다; 충족되다. ¶条件(じょうけん)が～ 조건이 충족되다.

みつ【三つ】图〈雅〉**1** 셋. ¶～折(お)り 셋으로 접음 / ～星(ぼし) 별 셋; 삼성. **2** 세 살. 注意 'みっつ'라고도 함.

みつ〖蜜〗图 **1** 꿀. ＝はちみつ. ¶ちょうが花(はな)の～を吸(す)う 나비가 화밀(花蜜)을 빨다. **2** 설탕을 바짝 조린 액; 당밀.

みつ【密】图ダナ **1** 비밀. ¶謀(はかりごと)は～なるを以(も)ってよしとす 일을 꾀할 때에는 은밀히 해야 한다. **2** 빽빽함; 조밀함. ¶～に植(う)える 빽빽이〔촘촘히〕 심다 / 人口(じんこう)が～だ 인구가 조밀하다. ↔疎(そ). **3** 긴밀. ¶連絡(れんらく)を～にする 연락을 긴밀히 하다. ↔粗(そ). **4** 밀접; 친밀. ¶～な間柄(あいだがら) 친밀한 사이. ↔疎(そ).

みつ〖密〗教6 ミツ こまやか ひそか みそか ｜ 밀 빽빽하다
1 빽빽하다; 촘촘하다. ¶密生(みっせい) 밀생 / 稠密(ちゅうみつ) 조밀. ↔疎(そ). **2** 비밀히 하다. ¶密議(みつぎ) 밀의 / 秘密(ひみつ) 비밀.

⁂**みっか**【三日】图 삼일. **1** 초사흘. ¶八月(はちがつ)～ 8월 3일. **2** 사흘. ¶～間(かん) 3일간 / ～と続(つづ)かない 사흘을 가지 않다.
—にあげず 사흘이 멀다 하고; 매일처럼. ¶～訪(たず)ねて来(く)る 사흘이 멀다 하고 찾아오다.
—見(み)ぬ間(ま)の桜(さくら) 사흘 못 본 동안의 벚꽃《세상의 변천이 심함의 비유》.
—てんか【—天下】图 삼일천하. ¶その内閣(ないかく)は～で終(お)わった 그 내각은 3일 천하로 끝났다.
—ぼうず【—坊主】图 싫증나서 오래 계속 못 함; 또, 그런 사람.

みっかい【密会】图ス自 밀회. ＝あいびき. ¶～をかさねる 밀회를 거듭하다.

⁂**みつか-る**【見付かる】5自 발견되다. **1** 들키다; 발각되다. ¶いたずらを父(ちち)に～ 장난질하다가 아버지에게 들키다. **2** (찾던 것을) 찾게 되다. ¶逃(に)げ道(みち)〔捜(さが)し物(もの)〕が～ 도망갈 길〔찾던 물건〕이 발견되다 / 本(ほん)が～·らない 책이 발견되지 않다 / いい仕事(しごと)が～ 좋은 일자리가 나서다.

みつぎ【密議】图ス他 밀의; 비밀의 상의. ¶～をこらす 밀의를 (거듭)하다.

みつぎもの【貢ぎ物】图 공물; 조공. ¶～を捧(ささ)げる 조공〔공물〕을 바치다.

みっきょう【密教】图〔佛〕 밀교. ¶～徒(と) 밀교도. ↔顕教(けんきょう).

みつ-ぐ【貢ぐ】5他 **1** 공물〔조공〕을 바치다. ¶朝廷(ちょうてい)に黄金(おうごん)を～ 조정에 황금을 바치다. **2** (생계를 돕기 위해서) 금품을 대다〔보태 주다〕. ¶女(おんな)が働(はたら)いて男(おとこ)に～ 여자가 벌어서〔일해서〕 남자에게 돈을 주다.

ミックス [mix] 图ス他 믹스; 섞음; 혼합; 혼성. ¶～(した)コーヒー (두 종류 이상을) 섞은 커피 / ～ダブルス 믹스트 더블스; (테니스·탁구 등에서) 남녀 혼합 복식.

みつくち【三つ口】《兎唇》图〈俗〉 언청이. ＝いぐち.

みづくろい【身繕い】图ス自 몸치장. ＝みじたく·みごしらえ. ¶～をして客(きゃく)をむかえる 몸단장을 하고 손님을 맞다.

みつくろ-う【見繕う】5他 (물품을 이것저것) 적당한 것을 골라 갖추다. ＝見(み)はからう. ¶お祝(いわ)いの品(しな)を～ 축하 선물을 이것저것 적당한 것으로 골라 잡다 / 夕食(ゆうしょく)のおかずを～ 저녁 찬거리를 적당히 장만하다.

みつけだ-す【見付け出す】5他 찾아내다. ¶人(ひと)ごみの中(なか)から友達(ともだち)を～ 인파 속에서 친구를 찾아내다.

みつげつ [蜜月] 图 밀월; 신혼기; 허니문. ¶～旅行(りょこう) 밀월〔신혼〕 여행 / ～を過(す)ごす 밀월을 보내다 / 両国(りょうこく)の～は終(お)わった 양국의 밀월은 끝났다. 参考 honeymoon의 직역어.

⁂**みつ-ける**【見つける】下1他 **1** 찾(아내)다; 발견하다. ¶仕事(しごと)を～ 일을〔일자리를〕 찾아내다 / 新(あたら)しい彗星(すいせい)を～ 새 혜성을 발견하다 / 紛失(ふんしつ)した時計(とけい)を～ 분실한 시계를 발견하다. **2** 늘 보다; 자주 봐서 눈에 익다. ¶しじゅう～·けている情景(じょうけい)です 늘 보아 눈에 익은 정경입니다 / あまり～·けない顔(かお)だ 그다지 눈에 익지 않은 얼굴이다.

みつご【三つ子】图 **1** 세쌍둥이. ¶～を産(う)む 세쌍둥이를 낳다. **2** 세 살 된 아이. ¶～でも知(し)っている 세 살 먹은 아이라도 알고 있다.
—の魂(たましい)、百(ひゃく)まで 세 살 적 버릇이 여든까지 간다.

みつご【密語】图 밀어; 가만가만 속삭임; 또, 그 말. ＝ないしょ話(ばなし). ¶～を交(か)わす 밀어를 나누다.

みつご [蜜語] 图 밀어; 달콤하게 속삭이는 말.

みっこう【密行】图ス自 밀행; 미행(微行); 잠행(潛行). ¶単身(たんしん)～して目的地(もくてきち)へ潜入(せんにゅう)する 단신 밀행하여 목적지에 잠입하다.

みっこう【密航】图ス自 밀항. ¶～者(しゃ) 밀항자 / ～船(せん) 밀항선 / ～を企(くわだ)てる 밀항을 기도하다.

みっこく【密告】图ス他 밀고. ¶～者(しゃ) 밀고자 / 脱税(だつぜい)を～する 탈세를 밀고하다 / 仲間(なかま)を警察(けいさつ)に～する 동료를 경찰에 밀고하다.

みっし【密使】图 밀사. ¶～を送(おく)る 밀사를 보내다.

みつじ【密事】图 밀사; 은밀한 일. ¶～を漏(も)らす 비밀을 누설하다.

みっしつ【密室】图 밀실. **1** 밀폐되어 출입할 수 없는 방. ¶～殺人事件(さつじんじけん) 밀

실 살인 사건 / ~に閉じこもって協議を続ける 밀실에 틀어박혀 협의를 계속하다. **2** 비밀한 방. ¶地下の~ 지하 밀실.

*__みっしゅう__【密集】名区自 밀집. ¶~部隊 밀집 부대 / 人家が~している 인가가 밀집해 있다.

みつしゅっこく【密出国】名区自 밀출국. ↔密入国.

みっしょ【密書】名 밀서. ¶国王の~を携える 국왕의 밀서를 휴대하다.

ミッション [mission] 名 미션. **1** 사절단. **2**〔基〕 전도 단체. **3** 'ミッションスクール(=미션 스쿨)'의 준말.

——コントロール センター [mission control center] 名 미션 컨트롤 센터; 미국 유인 우주 왕복선 비행 관제 센터.

みっしり 副 **1** 착실히; 충실히; 열심히; 맹렬히. ¶~勉強する 충실히 공부하다 / ~仕込まれる 착실히 교육받다. **2** 많이; 충분히; 흠씬. ¶~溜め込む (돈을) 적잖이 저축하다 / ~(と)しぼられた 호되게 야단맞았다. **3** 꽉; 빽빽이; 잔뜩. =びっしり. ¶箱に~詰まっている 상자에 꽉 차 있다.

みっせい【密生】名区自 밀생; 빽빽이 돋음. ¶樹木が~する 수목이 밀생하다 / 竹が~している 대나무가 밀생해 있다.

*__みっせつ__【密接】밀접. 一名区自 빈틈없이 꼭 붙음. ¶隣家に~して家を建てる 옆집에 딱 붙여서 집을 짓다. 二ダナ 관계가 매우 깊은 모양. ¶~に結び付く 밀접하게 맺어지다 / ~な関係を持つ 밀접한 관계를 유지하다.

みっそう【密葬】名区他 밀장. **1** 암장(暗葬). ¶~に付される 암장되다. **2** 집안끼리만 모여 장례를 지냄; 또, 그 장의. ¶肉親だけで~を営む 육친끼리만 모여서 장례를 치르다.

みつぞう【密造】名区他 밀조; 법을 어기고 몰래 만듦. ¶~酒 밀주 / どぶろくを~する 탁주를 밀조하다.

みつぞろい【三つぞろい】《三つ揃い》名 셋을 갖추어 한 벌이 되는 것; (특히, 저고리·바지·조끼의) 한 벌.

みつだん【密談】名区自 밀담. ¶~の内容がもれる 밀담 내용이 새다 / ~を重ねる〔交わす〕 밀담을 거듭하다〔나누다〕 / ひそひそと~する 소곤소곤 밀담하다.

*__みっちゃく__【密着】밀착. 一名区自 착 붙음. ¶~取材 밀착 취재 / 社会と~した教育 사회와 밀착된 교육. 二名 ☞みっちゃくいんが.

——いんが【一印画】名〔寫〕 밀착 인화. =密着焼き·べた焼き.

みっちり 副〈口〉 ☞みっしり. ¶実力を~つける 실력을 착실히 쌓다 / ~教えこむ〔仕込む〕 착실〔철저〕히 가르치다 / 先生に~油を絞られた 선생님한테 몹시 꾸중을 들었다.

⁑__みっつ__【三つ】名 ☞みつ(三つ).

みっつう【密通】名区自 밀통; 사통; 부부 아닌 남녀가 몰래 정을 통함. =私通. ¶不義~ 윤리에 어긋난 간통 / 他の男と~する 다른 사내와 밀통하다.

みってい【密偵】名 밀정; 스파이; 간첩. ¶敵国に~をおくりこむ 적국에 밀정을 잠입시키다.

ミット [mitt] 名〔野〕 미트《주로, 캐처·1루수용》. ¶キャッチャー~ 캐처 미트.

⁑__みつど__【密度】名 밀도. ¶人口~ 인구 밀도 / ~の高い話〔論文〕 밀도 높은 이야기〔논문〕.

ミッドナイト [midnight] 名 미드나이트; 심야; 한밤중. ¶~ショー 심야 쇼.

みつどもえ【三つどもえ】《三つ巴》名 **1** 바깥쪽으로 도는 소용돌이 모양이 셋 있는 무늬. **2** 삼파; 셋이 대립하여 서로 얽힘; 정립. ¶~の戦い〔争い〕 삼파전 / 三者~となって争う 셋이 삼파전을 벌이다.

〔三つ巴1〕

*__みっともな-い__ 形 보기 흉하다; 꼴사납다; 꼴불견이다. =見苦しい. ¶~まね 꼴사나운 짓 / 人の前であくびをするのは~ものだ 사람들 앞에서 하품하는 것은 보기 흉하다.

みつにゅうこく【密入国】名区自 밀입국. ¶~者 밀입국자. ↔密出国.

みつば【三つ葉】名 **1** 세 잎. ¶~葵 세 잎의 접시꽃. **2**【みつば】〔植〕 파드득나물. =みつばぜり.

みつばい【密売】名区他 밀매. ¶麻薬を~する 마약을 밀매하다.

みつばち〖蜜蜂〗名〔蟲〕 밀봉; 꿀벌.

みっぷう【密封】名区他 밀봉; 단단히 봉함. =厳封. ¶~した手紙 밀봉한 편지 / 瓶を~する 병을 밀봉하다.

みっぺい【密閉】名区他 밀폐. ¶~した容器 밀폐한 용기 / 戸を~して相談する 문을 밀폐하고 상의하다.

みつぼうえき【密貿易】名 밀무역.

みつまた【三つまた】《三つ叉》名 (강이나 길 따위가) 세 갈래로 갈라짐; 또, 그렇게 된 곳. ¶~の道 세 갈랫길 / ~のソケット 세 가지 소켓.

みつまた〖三椏〗名〔植〕 삼지닥나무.

みつまめ【みつ豆】《蜜豆》名〔料〕 삶은 완두콩에 깍뚝썰기한 한천·과일 등을 함께 담아 꿀을 친 음식.

*__みつ-める__【見詰める】下1他 응시하다; 주시하다. ¶一点を~ 한 곳을 응시하다 / 現実を~ 현실을 직시하다 / 人の顔を穴のあくほど~ 남의 얼굴을 뚫어지게 보다.

*__みつもり__【見積もり】名 어림; 견적. ¶~価格 견적 가격 / ~書 견적서; 추산서 / ~を取る 견적을 뽑다 / ~を出す 견적을 내다 / 費用の~をする 비용을 어림잡다.

みつも-る【見積もる】5他 (눈)어림하다; 대중잡다; 견적·평가하다; 또, 예정·추측하다. ¶安く〔高く〕~ 싸게〔비싸게〕 어림하다 / 内輪に~ 줄잡다; 좀 적게 어림잡다 / 予算を~ 예산을 어림잡다 / 金に~と千円になる 돈으로 어림하면 천 엔이 된다.

みつやく【密約】[名][ス自他] 밀약. ¶~を交わす 밀약을 나누다 / 外国と~を結ぶ 외국과 밀약을 맺다.

みつゆ【密輸】[名][ス他] 밀수. ¶~品 밀수품 / 金を~する 금을 밀수하다.

みつゆしゅつ【密輸出】[名][ス他] 밀수출. ¶武器を~する 무기를 밀수출하다. ↔密輸入.

みつゆにゅう【密輸入】[名][ス他] 밀수입. ¶麻薬の~が発覚される 마약 밀수입이 발각되다. ↔密輸出.

みつゆび【三つ指】[名] 엄지·인지·장지의 세 손가락을 짚고 공손히 절함; 또, 그 절. ¶~をつく 공손히 인사〔절〕하다.

みづら-い【見づらい】《見辛い》[形] **1** 보기 흉하다; 눈뜨고 볼 수가 없다. =見苦しい. ¶~骨肉の争い 눈뜨고 볼 수 없는 골육상쟁. **2** 잘 보이지 않다; 보기 힘들다. =見にくい. ¶字が小さくて~ 글자가 작아서 보기 힘들다.

みつりょう【密漁】[名][ス他] 밀어; 불법 고기잡이. ¶サケを~する 연어를 불법 어로하다.

みつりょう【密猟】[名][ス他] 밀렵; 불법 사냥. ¶保護鳥の~ 보호조의 밀렵 / カモを~する 오리를 밀렵하다.

みつりん【密林】[名] 밀림. =ジャングル. ¶熱帯の~ 열대의 밀림. ↔疎林.

みつろう〖蜜蠟〗[名] 밀(랍); 황랍. ¶~はつや出し剤などに利用される 밀랍은 광택제 등으로 이용된다.

***みてい**【未定】[名ナ] 미정. ¶期日は~ 기일은 미정 / 行く先は~です 행선지는 미정입니다. ↔既定.

ミディアム [medium] [名] 미디엄. **1** 중간(쯤)임. ¶~サイズ 미디엄〔중간〕 사이즈. **2** 비프스테이크 등에서 중간쯤 익은〔구워진〕 정도. [参考] 날것에 가까운 것은 レア(rare), 잘 익은 것은 ウェルダン(welldone)이라 함.

みてくれ【見てくれ】《見て呉れ》[名]〈俗〉 외관; 겉모양. =うわべ·見かけ·体裁. ¶~がいい〔悪い〕 겉모양이 좋다〔나쁘다〕 / ~ばかりを気にする 외관에만 신경을 쓰다 / ~だけつくろう 외관만 꾸미다. [参考] 'さあ, これを見てくれ(=자, 이것을 봐 달라)'의 뜻에서.

みてと-る【見て取る】[5他] 간파하다; 알아채다. =見やぶる·見ぬく. ¶敵の動きを~ 적의 움직임을 간파하다 / にせものと~ 가짜임을 알아채다.

みとう【未到】[名] 미도; 아직 아무도 이르지 않음. ¶前人~の業績 아직 아무도 이루지 못한 업적.

みとう【未踏】[名] 미답; 아직 아무도 발을 들여놓지 않음. ¶人跡~の地 전인미답의 땅.

***みとおし**【見通し】[名] **1** 전망. ㉠멀리 한눈에 내다봄; 또, 훤히 트임. ¶~のいい道 앞이 탁 트인 길 / 霧で~がきかない 안개로 앞이 내다보이지 않다. ㉡앞일을 내다봄; 장래의 예측. ¶~は明るい 전망은 밝다 / ~が立つ〔つく〕 전망이 서다 / ~を誤る 전망을 잘못하다 / 先の~が利く 앞일을 내다볼 수 있다 / あすからの~もつかない 당장 내일부터 어떻게 될는지 알 수 없다. **2** 꿰뚫어 봄; 훤히 앎〔내다봄〕. ¶神は心の中までお~だ 하느님은 마음속까지 꿰뚫어 보신다.

みとお-す【見通す】[5他] **1** (처음부터 끝까지) 모두 보다. ¶番組を終わりまで~ 프로그램을 끝까지 다 보다. **2** 내다보다. ㉠멀리까지 한눈에 보다. ¶林の向こうまで~ 숲 저쪽까지 멀리 내다보다. ㉡꿰뚫어 보다; 통찰하다. ¶相手の計略を~ 상대방의 계략을 꿰뚫어 보다. ㉢(장래 일까지) 미리 예견〔예측〕하다. ¶一年先のことを~ 1년 앞을 내다보다 / こうなることを~·していた 이렇게 될 줄 예상하고 있었다.

みとが-める【見とがめる】《見咎める》[下1他] 수상히 여기고 검문하다. ¶警官に~·められる 경관에게 검문당하다 / だれにも~·められずに侵入する 아무에게도 들키지 않고 침입하다.

みとく【味得】[名][ス他] 음미하여 이해함. =味到. ¶古典を~する 고전을 음미하고 이해하다.

みどく【味読】[名][ス他] 미독; 내용을 잘 음미하면서 읽음; 숙독. ¶~するに足る作品 숙독할 만한 작품 / 名句を~する 명구를 잘 음미하면서 읽다. ↔卒読.

***みどころ**【見所】[名] **1** 볼 만한 대목. ¶この映画の~ 이 영화의 볼 만한 대목〔장면〕. **2** 장래성. ¶~のある青年 장래가 기대〔촉망〕되는 청년.

***みとど-ける**【見届ける】[下1他] 끝까지 보고 확인하다; 마지막까지 지켜보다. ¶結果を~ 결과를 지켜보다 / 子供の成長を~ 어린이의 성장을 지켜보다 / 安全を~·けてから横断する 안전한가를 확인하고 나서 횡단하다.

みとめ【認め】[名] 'みとめいん'의 준말.

みとめいん【認め印】[名] (막)도장. ¶~を押す 막도장을 찍다. ↔実印.

****みと-める**【認める】[下1他] 인정하다. **1** 인지하다; (있다는 것을) 알아차리다. ¶異常を~ 이상을 인지하다 / 人影を~ 사람의 모습을 인지하다《사람이 있음을 알아차리다》. **2** 판단하다. ¶価値を~ 가치를 인정하다 / 彼を犯人と~ 그를 범인으로 인정하다 / そんな言い訳は~·めない 그런 변명은 인정하지 않는다. **3** 적당하다고〔이유 있다고〕 보다; 승인하다. ¶役所としては~わけには行かない 관청으로서는 인정할 수가 없다. **4** 좋게 평가하다. ¶仕事ぶ

りを～ 일솜씨를 인정하다 / 課長に～·められる 과장에게 인정을 받다.

⁑みどり【緑】 名 **1** 녹색; 초록(빛). ¶～いろ 녹색 / ～の革命〖農〗 녹색 혁명 / 松の～ 소나무의 푸른빛 / ～したたる五月 신록이 우거지는 5월. **2** 녹색의 나무나 풀잎. ¶～がすくない 푸른 초목이 적다 / ～が深まる 녹음이 깊어지다.

—の(黒)髪 젊은 여성의 검고도 윤기가 도는 머리털; 삼단 같은 머리.

—の日 녹색의 날《자연과 친화하고자 정한 날; 4월 29일》. 「＝えいじ.

みどりご〖嬰児〗 名 〈雅〉 영아; 젖먹이.

みとりず【見取り図】 名 겨냥도. ¶～を取る 겨냥도를 그리다.

ミドリフトップ [midriff top] 名 미드리프 톱; 기장이 짧고, 배가 드러나는 여성용 상의.

みと-る【見取る】 5他 보고 알아 차리다; 파악하다. ¶あやしいと～ 수상하다고 보다 / すぐに情勢を～ 곧 정세를 파악하다.

みと-る〖看取る〗 5他 병구완〔간호〕하다; 병 시중을 들다. ¶病人を～ 환자를 간호〔간병〕하다 / 最期を～ 임종〔운명〕을 지켜보다.

ミドル [middle] 名 미들; 중간; 중등; 중급. ¶～クラス 중류 계급 / ～級 미들급 / ～スクール 중학교.

—エージ [middle age] 名 미들 에이지; 중년. ＝ミドル.

***みと-れる【見とれる】** 下1自 정신없이 보다; 넋을 잃고 보다. ＝見ほれる. ¶あまりの美しさに～ 너무나도 아름다워 넋을 잃고 보다 / ぽかんと～ 넋을 잃고 멍하니 바라보다.

＝みどろ 《名詞 뒤에 붙어서》…투성이. ＝＝まみれ. ¶血～ 피투성이 / 汗～ 땀투성이.

ミトン [mitten] 名 미튼; 벙어리장갑.

みな【皆】 一名副 다; 모두; 전부《'みんな'의 격식차린 말씨》. ¶家中の者が～行く 집안 사람이 모두 가다 / ～くれてしまった 모두 주어 버렸다 / ～が集まる 모두가 모이다.

二代 모두들. ¶～, きょうはよくやった 모두들 오늘은 잘했다 / ～どう思う 모두들 어떻게 생각해.

—が— 모두 다; 남김없이; 모조리. ¶～わかったわけではない 모두 다 안 것은 아니다 / ～とまでは行かない 전부 다라고는 할 수 없다.

—になる 다 되다; 동이 나다; 품절〔매진〕되다; 다 써버리다. ＝尽きる.

みなおし【見直し】 名ス他 다시 봄; 재검토. ¶制度の～ 제도의 재검토.

みなお-す【見直す】 一5他 다시 보다. **1** 처음부터 고쳐 보다. ¶答案を～ 답안을 다시 보다. **2** 보고 다시 평가하다. ¶今度の事で彼を～·した 이번 일로 그 인물을 다시 보았다〔평가했다〕/ わが子を～ 내 자식을 다시 보다.

二5自 (병이나 경기가) 나아지다; 회복〔호전〕하다. ¶病人が～·して来た 환자가 차차 나아졌다.

みなかみ〖水上〗 名 〈雅〉 강 위쪽; 상류. ＝川上. ↔水下.

***みなぎ-る**〖漲る〗 5自 넘치(게 되)다. **1** 물이 그득 차다〔차란차란해지다〕. ¶タンクの水が～ 물탱크의 물이 차란차란해지다. **2** 넘쳐 흐르다. ¶闘志〔活気〕が～ 투지〔활기〕가 넘치다 / 不穏な空気が～ 불온한 공기가 가득하다.

みなくち〖水口〗 名 (강에서 논으로 끄는) 물고. ＝みなぐち·みずくち. ¶～をせき止める 물고를 막다.

みなげ【身投げ】 名ス自 투신(자살); 몸을 던짐. ＝投身. ¶川に～(を)する 강에 투신자살(을) 하다.

みなごろし【皆殺し】 名 몰살. ¶一家～になる 한집안 식구가 몰살되다 / さからう者を～にした 반항하는 자들을 몰살했다.

みなさま〖皆様〗 代 여러분《많은 사람에 대한 경어》. ¶ご列席の～のご賛同を得たい 참석하신 여러분의 찬동을 얻고 싶습니다 / ～, お元気ですか 여러분, 안녕하십니까 / ～よくいらっしゃいました 여러분, 잘 오셨습니다.

みなさん【皆さん】 代 'みなさま'의 口語형《스스럼없는 말씨》.

みなしご〖孤児〗 名 고아《풀어쓴 말씨》. ＝孤児. ¶～になる 고아가 되다 / ～を引き取る 고아를 떠맡다.

***みな-す【見なす】**《見做す·看做す》 5他 간주하다; 가정하다. ¶返事の無い者は賛成と～ 대답이 없는 자는 찬성으로 간주한다 / 某国を敵国と～ 모국을 적국으로 가상하다.

みなづき [水無月] 名 〈雅〉 음력 6월. 参考 옛날에는 'みなつき'라고 했음.

⁑みなと【港】《湊》 名 항구. ¶～を出る 출항하다 / ～に帰る〔入る〕 항구로 돌아가다〔들어가다〕/ 船が～に着く 배가 항구에 도착하다.

みなとまち【港町】 名 항도; 항구 도시.

⁑みなみ【南】 名 **1** 남; 남쪽; 남부. ¶～の国 남쪽 나라 / ～アメリカ 남미 / ～向きの家 남향집. **2** 남풍; 마파람. ¶～が強い 마파람이 세다. ⇔北.

みなみかいきせん【南回帰線】 名 남회귀선. ↔北回帰線.

みなみかぜ【南風】 名 남풍; 마파람. ＝なんぷう. ↔北風.

みなみじゅうじせい【南十字星】 名 〖天〗 남십자성.

みなみな【皆皆】 名副 모두; 전부; 죄다. ¶～元気にやっております 모두들 건강하게 지내고 있습니다.

みなみはんきゅう【南半球】 名 남반구. ↔北半球.

みなもと【源】 名 **1** 수원(水源). ＝水源. ¶淀川は～を琵琶湖に発する 淀川는 琵琶호에서 발원한다. **2** 기원;

근원. ＝起源(きげん)·根源(こんげん). ¶文明(ぶんめい)の～ 문명의 기원 / わが家(いえ)の～をさぐる 우리 집안의 뿌리를 찾다.

みならい【見習い】图 견습; 수습. ¶～看護婦(かんごふ) 수습 간호사 / ～期間(きかん) 수습 기간 / ～社員(しゃいん) 수습사원 / ～として働(はたら)く 견습으로 일하다.

—こう【見習工】图 수습공; 견습공.

***みなら-う**【見習う】5他 **1** 본받다. ¶先輩(せんぱい)に～ 선배를 본받다 / 少(すこ)し彼(かれ)を～·え 좀 그를 본받아라. **2** 보고 익히다〔배우다〕; 수습〔견습〕하다. ¶商売(しょうばい)を～ 장사를 배우다 / 家事(かじ)を～ 가사를 보고 익히다.

***みなり**【身なり】《身形》图 옷차림; 복장. ¶きちんとした～ 말쑥한 옷차림 / ～をかまわない 옷차림에 무관심하다 / ～を整(ととの)える 옷차림을 단정히 하다.

みな-れる【見慣れる】《見馴れる》下1自 늘 보아서 익숙하다; 눈에 익다; 낯익다. ¶～·れぬ人(ひと) 낯선 사람 / ～·れた景色(けしき) 눈에 익은 경치 / 彼(かれ)の字(じ)は～·れないと読(よ)みにくい 그의 글씨는 눈에 익지 않으면 읽기 어렵다.

みなわ〖水泡〗图〈雅〉물거품; 수포. ＝あぶく.

ミニ [mini] 一图 미니. **1** 소형; 작음; 짧음. ¶～シアター 소형 영화관. **2** 'ミニスカート'의 준말. 二接頭 작은 것. ¶～カメラ 미니 카메라.

—カー [minicar] 图 미니카. **1** 소형 자동차《실린더 용적이 500cc 정도인 것》. **2** 모형 자동차.

—コミ 图 미니커뮤니케이션; (매스컴에 대하여) 미니컴; 소수의 사람들간의 정보 전달. 参考 'ミニコミュニケーション'의 준말.

—シリーズ [mini-series] 图 미니시리즈; 단기 연속 방영 프로그램.

—スカート [miniskirt] 图 미니스커트. ＝ミニ. ↔ロングスカート.

—ディスク [mini disc] 图 미니 디스크; 지름 64mm인 디지털 방식의 광자기 디스크《재생·녹음이 가능함; MD》.

—バイク [minibike] 图 미니 바이크; 소형 오토바이.

—バス [minibus] 图 미니 버스; 마이크로 버스.

ミニアチュア [miniature] 图 미니어처. ＝ミニアチュール. **1** 소형 (모형). ¶軍艦(ぐんかん)の～ 군함 모형. **2** 세밀화(細密畫).

***みにく-い**【見にくい】《見難い》形 보기 힘들다〔나쁘다〕; 알아보기 어렵다. ¶～活字(かつじ) 알아보기 힘든 활자 / 文字(もじ)が小(ち)いさくて～ 글씨가 작아서 알아보기 힘들다 / この席(せき)は舞台(ぶたい)が～ 이 자리는 무대가 잘 안 보인다. ↔みやすい.

***みにく-い**【醜い】形 추(악)하다; 보기 흉하다; 못생기다. ¶～女(おんな) 못생긴 여자; 추녀 / ～欲望(よくぼう) 추악한 욕망 / 顔(かお)を～·くゆがめる 얼굴을 보기 흉하게 찡그리다. ↔美(うつく)しい.

ミニコプター [minicopter] 图 미니콥터; 1인승 소형 헬리콥터.

***みぬ-く**【見抜く】5他 간파하다; 꿰뚫어 보다. ¶相手(あいて)のうそを～ 상대의 거짓을 간파하다 / 簡単(かんたん)に～·かれる 간단히 간파당하다.

みね【峰】《峯·嶺》图 **1** 봉우리. ¶富士(ふじ)の～ 富士산 봉우리 / 高(たか)くそびえる～ 높이 솟은 봉우리. **2** 칼등. ¶包丁(ほうちょう)の～でたたく 식칼의 칼등으로 두드리다. **3** 물건의 봉우리처럼 높게 된 부분. ¶雲(くも)の～ 구름의 봉우리.

みねうち【峰打ち】图 (죽이지 않고 타격만 줄 목적으로) 칼등으로 침. ¶～をくれる 칼등으로 치다.

ミネラル [mineral] 图 미네랄. ¶～ウォーター 미네랄 워터 / ～入(い)りビタミン剤(ざい) 미네랄 함유 비타민제.

みの〖蓑〗图 도롱이. ¶～を着(き)て笠(かさ)をかぶる 도롱이를 입고 삿갓을 쓰다.

みのう【未納】图 미납. ¶～金(きん) 미납금 / 税金(ぜいきん)の～ 세금의 미납. ↔既納(きのう)·完納(かんのう).

みのうえ【身の上】图 **1** 신상; 일신의 처지〔환경〕. ¶～相談(そうだん) 신상 상담 / ～話(ばなし) 신상〔신세〕 이야기 / 気(き)の毒(どく)な～ 딱한 신세 / 友(とも)の～を案(あん)ずる 친구의 처지를 걱정하다. **2** 운명. ¶～判断(はんだん) 운명 판단 / ～を占(うらな)う 운명을 점치다.

***みのが-す**【見逃す】5他 **1** 볼 기회를 놓치다. ¶評判(ひょうばん)の映画(えいが)を～ 소문난 영화를 못보고 말다 / 今度(こんど)～·したら二度(にど)と見(み)られない 이번에 못 보면 두 번 다시 못 본다. **2** 못 보(고 빠뜨리)다. ＝見(み)おとす. ¶一字(いちじ)を～ 글자 하나를 빠뜨리고 보다 / 誤植(ごしょく)を～ 오식을 못 보고 놓치다 / チャンスを～ 찬스〔기회〕를 놓치다. **3** 묵인하다; 눈감아 주다. ¶過失(かしつ)〔違反(いはん)〕を～ 과실〔위반〕을 묵인하다.

みのがみ〖美濃紙〗图 미농지. ¶～で障子(しょうじ)を張(は)る 미농지로 장지를 바르다.

みのけ【身の毛】图 몸의 털. ＝体毛(たいもう).

—がよだつ 머리끝이 쭈뼛해지다; 소름이 끼치다. ＝身(み)の毛(け)立(だ)つ.

みのしろきん【身の代金】图 (기생·창녀로 팔 때나 인질의) 몸값. ¶～目(め)あての誘拐(ゆうかい) 몸값을 노린 유괴.

みのたけ【身の丈】《身の長》图 키; 신장. ＝せたけ. ¶～六尺(ろくしゃく)あまり 신장 6척 남짓.

みのふりかた【身の振り方】連語 처신. ⇨ふりかた.

みのほど【身の程】图 (자신의) 분수. ＝分際(ぶんざい). ¶～をわきまえずに 분수도 가리지 않고 / ～を知(し)らない 분수를 모르다 / ～を知(し)れ 분수를 알라.

—しらず【—知らず】图 (자신의) 분수를 모름; 또, 그런 사람. ¶～もいいところだ 분수를 몰라도 유분수다.

***みのまわり**【身の回り】图 **1** 늘 몸에 지니거나 곁에 두고 쓰는 신변 잡화《옷·신발·장식품 따위》. ¶～の品(しな) 신변의 일상 용품 / ～を整(ととの)える 신변물을 정리

하다. 2 신변 잡사; 일상의 자질구레한 일. ¶～の世話(せわ)をする 일상사를〔신변을〕 돌봐주다 / ～の事(こと)は自分(じぶん)でする 제 일은 스스로 한다.

みのむし〖蓑虫〗图〔蟲〕 도롱이벌레.

みのり【実り】《稔り》图 결실; 소득; 성과. ¶～の秋(あき) 결실의 가을 / ～ある成果(せいか) 알찬 성과 / 豊(ゆた)かな～ 풍요로운 결실 / 米(こめ)の～がいい 벼농사가 잘되다.

****みの-る**【実る】《稔る》5自 열매를 맺다; 여물다; 결실하다. ¶稲(いね)が～ 벼가 여물다 / 柿(かき)が～ 감이 열리다 / 研究(けんきゅう)が～ 연구가 성과를 거두다 / 愛(あい)が～ 사랑이 열매를 맺다 / 長年(ながねん)の努力(どりょく)が～ 여러 해 동안의 노력이 열매를 맺다.

みば【見場】图 (잠시 볼 때의) 겉모양(새); 외관. ¶～をよくする 겉모양을 좋게 하다 / ～は悪(わる)いが, 味(あじ)はいい 겉보기는 안 좋지만 맛은 좋다.

みばえ【見栄え·見映え】图 볼품이 좋음; 보기에 좋음. ¶～のする洋服(ようふく) 보기 좋은〔돋보이는〕 양복 / ～がする 돋보이다 / ～がしない 보기에 좋지 않다; 돋보이지 않다. ↔見劣(みおと)り.

みはから-う【見計らう】5他 가늠보다〔하다〕; 적당히 고르다. =みつくろう. ¶土産(みやげ)の品(しな)を～ 적당한 선물을 고르다 / ころ合(あ)いを～って話(はな)す 적당한 때를 보아 이야기하다 / ～·って買(か)う 적당히 골라서 사다.

みはつ【未発】图 1 아직 일어나지 않음; 미연. ¶事故(じこ)を～に防(ふせ)ぐ 사고를 미연에 방지하다 / 暴動(ぼうどう)は～に終(お)わる 폭동은 불발로 끝나다. 2 아직 발견·발명되지 않음. ¶前人(ぜんじん)～の偉業(いぎょう) 아직까지 아무도 발견〔발명〕하지 못한 위업.

みはっぴょう【未発表】图 미발표. ¶～の論文(ろんぶん) 아직 발표하지 않은 논문.

みはてぬゆめ【見果てぬ夢】連語 미진(未盡)한 꿈《실현이 불가능한 사항》. ¶～を追(お)う 실현 불가능한 일을 좇다〔꿈꾸다〕.

みは-てる【見果てる】下1他 다〔끝까지〕 보다.

みはな-す【見放す】5他 버리고 돌아보지 않다; 단념〔포기〕하다. =見(み)すてる. ¶お医者(いしゃ)に～·される 의사에게 (가망이 없다고) 버림받다 / 親(おや)〔運命(うんめい)の女神(めがみ)〕から～·される 부모〔운명의 여신〕에게 버림받다.

みはらい【未払い】图 미불. ¶～金(きん) 미불금; 미(未)지급금 / 代金(だいきん)が～になっている 대금이 미불로 되어 있다. ↔既払(きばら)い.

みはらし【見晴らし】图 전망. ¶～台(だい) 전망대 / ～がいい 전망이 좋다 / ～がきく 멀리까지 바라볼 수 있다.

みはら-す【見晴らす】5他 전망〔조망〕하다; 멀리 바라보다. ¶山(やま)の上(うえ)から～ 산 위에서 전망하다 / 遠(とお)く海(うみ)を～ 멀리 바다를 바라보다.

***みはり**【見張り】图 망(봄); 지켜봄; 파수(꾼). ¶～番(ばん) 파수꾼; 파수 당번 / ～を置(お)く 파수꾼〔망꾼〕을 두다.

みは-る【見張る】5他 1《瞠る》(눈을) 크게 뜨다. ¶目(め)を～·らんばかりに驚(おどろ)く 눈이 휘둥그레질 정도로 놀라다. 2 망보다; 파수하다; 지키다. ¶国境(こっきょう)を～ 국경을 경비하다 / 犯人(はんにん)を～ 범인을 지키다 / 辺(あた)りを厳重(げんじゅう)に～ 주변을 엄중히 경계하다.

みはるか-す【見はるかす】《見晴かす》5他 조망(眺望)하다; 멀리 바라보다. =見(み)はらす. ¶～瀬戸(せと)の島々(しまじま) 멀리 바라보는 瀬戸 내해의 섬들.

みびいき【身びいき】《身贔屓》图ス他 가까운 사람만 편들어〔돌봐〕 줌. ¶子(こ)を～する 아이 편을 들다 / 応援(おうえん)はどうも～になりやすい 응원은 아무래도 가까운 사람을 편들게 되기 쉽다.

みひつのこい【未必の故意】連語〔法〕 미필적 고의. ¶～による殺人容疑(さつじんようぎ) 미필적 고의에 의한 살인 혐의.

みひとつ【身一つ】图 (아무것도 지니지 않은) 자기 몸 하나; 자기 혼자. ¶～で暮(く)らす 혼자서 지내다 / ～で家(いえ)を出(で)る 맨몸으로 집을 나가다.

みひらき【見開き】图 (책·잡지·신문 따위를 펼쳤을 때) 마주보는 좌우 양쪽 페이지. ¶～にわたる写真(しゃしん) 좌우 양페이지에 걸친 사진.

みひら-く【見開く】5他 눈을 (크게) 뜨다. ¶閉(と)じていた目(め)を～ 감고 있던 눈을 뜨다.

みふたつ【身二つ】图『～になる』 임부(姙婦)가 아기를 낳다.

***みぶり**【身振り】图 몸짓. =ゼスチュア·しぐさ. ¶～手振(てぶ)り 몸짓 손짓 / ～で感謝(かんしゃ)の意(い)をしめす 몸짓으로 감사의 뜻을 표시하다. ↔手振(てぶ)り.

みぶるい【身震い】图ス自 (무서움·추위 등으로) 몸을 떪; 몸이 떨림; 몸서리. ¶戦争(せんそう)と聞(き)いただけで～する 전쟁이란 말만 들어도 몸서리친다.

****みぶん**【身分】图 1 신분. ㉠사회에서의 지위. ¶～証明書(しょうめいしょ) 신분 증명서 / いやしい～ 천한 신분 / ～が違(ちが)う〔高(たか)い〕 신분이 다르다〔높다〕. ㉡〔法〕 법률상의 지위. ¶～を保証(ほしょう)する 신분을 보증하다. 2 (약간 비꼬는 투로) 처지; 신세; 팔자. ¶すわって居(い)て月(つき)に百万円(ひゃくまんえん)入(はい)るとは, いいご～ですね 가만히 앉아 있어도 매달 백만 엔씩 들어온다니 팔자 좋으시군요.

みぼうじん【未亡人】图 미망인; 과부. =ごけ. ¶～になる 과부가 되다 / 戦争(せんそう)は多(おお)くの～を出(だ)した 전쟁은 많은 미망인을 낳았다.

みほ-れる【見ほれる】《見惚れる》下1自 넋을 잃고 보다; 보고 홀딱 반하다. =見(み)とれる. ¶～ような美人(びじん) 홀딱 반할 만한 미인 / 絵(え)に～ 넋을 잃고 그림을 보다.

***みほん**【見本】图 견본; 겨냥; 표본. =サンプル. ¶～刷(ず)り 견본〔시험〕쇄 / 商

品の～ 상품의 견본 / 実物大の～ 실물 크기의 견본 / ～と違う 견본과 다르다 / かれは不良の～だ 그는 불량배의 표본이다.

—いち【—市】图 견본시. ¶国際～ 국제 견본시.

—ぐみ【—組み】图 견본〔시험〕 조판.

***みまい**【見舞い】图 문안; 문병; 위문; 또, 위문 등을 위해 보내는 편지나 물건 따위. ¶～品 위문품 / ～状 문안 편지 / 病気～ 문병 / ～客 문안〔문병〕객 / ～に行く (a) 문안〔문병〕 가다; (b) 위문 가다 / たくさんの～をいただく 많은 위문품을 받다.

***みま-う**【見舞う】5他 **1** (병)문안하다; 위문하다. ¶病人を～ 환자를 문병하다 / 親を～ 부모를 찾아 문안하다. **2** (반갑지 않은 것이) 닥쳐 오다; 덮치다. ¶台風に～·われる 태풍에 휩쓸리다 / 不況に～·われる 불황이 닥치다. **3** 타격을 가하다. ¶げんこつを～·ってやるぞ 주먹으로 때려 줄 테다.

みまが-う【見まがう】《見紛う》5他 잘못보다; 오인하다. ＝見誤まる. ¶雪と～花 눈으로 잘못 볼 만큼 흰 꽃. 参考 終止形·連体形은 흔히 みまごう로도 발음함.

みまも-る【見守る】5他 지켜보다. ¶経過〔結果〕を～ 경과〔결과〕를 지켜보다 / 子供の成長を～ 아이의 성장을 지켜보다.

みまわ-す【見回す】5他 둘러보다. ¶あたりを～ 주변을 둘러보다.

みまわり【見回り】图 돌아봄; 순찰; 또, 그 사람. ¶工場の～をする 공장 안을 돌아보다.

***みまわ-る**【見回る】5自 (순찰이나 구경하기 위해) 돌아보다; 돌(아다니)다. ¶夜の町を～ 밤거리를 순찰하다 / 名所を～ 명소를 돌아보다.

***みまん**【未満】图 미만. ¶百円～ 백엔 미만. 参考 수학 등에서는 그 수치를 포함하지 않음.

****みみ**【耳】图 귀. **1** 듣는 기관. ¶～に水が入る 귀에 물이 들어가다 / ～をふさぐ 귀를 막다 / ～をほじる 귀를 후비다 / ～がかゆい 귀가 가렵다《자신에 대한 소문·비판 따위를 듣고 마음이 편치 못하다》/ ～に手を当てて聞く 귀에 손을 대고 듣다. **2** 귀 모양의 것. ¶なべの～ 냄비 족자리 / 針の～ 바늘귀. **3** 종이·직물 등 평평한 것의 가. ¶織物の～をそろえる 직물의 변폭을 가지런히 하다 / 紙の～をそろえる 종이의 귀를 맞추다.

—が痛い 귀가 아프다《남의 말이 자기의 약점을 찔러서 듣기 거북하다》.

—が肥える 음악 등을 듣고 음미하는 능력이 풍부해지다. ¶耳が肥えた聴衆 수준이 높은 청중.

—が遠い 귀가 어둡다; 귀먹다. ¶年取って耳が遠くなる 나이 먹어 귀가 어두워지다.

—が早い 귀가 밝다; 소문 따위를 듣는 것이 빠르다. ¶新聞記者は～ 신문 기자는 귀가 밝다.

—に入れる **1** 우연히 듣다. ¶車中で耳に入れた話 차안에서 우연히 들은 이야기. **2** 들려 주다; 알려〔일러〕주다. ¶上役の～ 상사에게 알리다.

—に逆らう 귀에 거슬리다. ¶忠言は～ 충언은 귀에 거슬린다.

—にする 듣다. ¶うわさを～ 소문을 듣다.

—にたこができる 귀에 못이 박이다. ¶～ほど聞かされる 귀에 못이 박이도록 듣다.

—に付く **1** 귀에서 떠나지 않다. **2** 신물이 나도록 듣다.

—に留める 귀담아 듣다. ¶兄の忠告を～ 형의 충고를 귀담아 듣다.

—に挟む 언뜻〔얼핏〕 듣다. ¶妙なうわさを～ 묘한 소문을 언뜻 듣다.

—を疑う 귀를 의심하다; 들은 것을 믿을 수 없다. ¶突然の話で～ 갑작스러운 이야기에 귀를 의심하다.

—を貸す 귀를 기울이다; 남의 이야기를 듣다. ¶いくら頼んでも, 耳を貸そうとしない 아무리 부탁해도, 들으려고 하지 않는다.

—を傾ける 귀를 기울이다. ¶講義に～ 강의에 귀를 기울이다.

—を澄ます〔そばだてる, 立てる〕 신경을 집중해서 듣다; 귀를 기울여서 듣다. ¶耳を澄まして虫の音を聞く 귀를 기울여 벌레 소리를 듣다.

—をそろえる **1** 우수리를 채워 한 목으로 만들다. ¶耳をそろえて借金を返す 한목에 빚을 갚다. **2** 몇 사람이 모여서 이야기를 듣다.

—を聾く 귀가 먹먹해지다; 귀청이 떨어지다. ¶爆音が～ 폭음으로 귀가 먹먹해지다.

みみあか【耳あか】《耳垢》图 귀지. ¶～を取る 귀지를 파내다.

みみあたらし-い【耳新しい】形 금시초문이다; 귀에 새롭다. ¶～外来語 귀에 선 외래어 / ～話だ 처음 듣는 얘기다 / 何か～事がありますか 무슨 새 소식이라도 있습니까.

みみうち【耳打ち】图ス自 귀엣말. ¶そっと～(を)する 살짝 귀엣말을 하다.

みみかき【耳かき】《耳掻き》图 귀이개.

みみがくもん【耳学問】图 귀동냥; 어깨너멋글; 얻어들은 지식. ¶～がある 얻어들은 지식이 있다.

みみかざり【耳飾り】图 귀걸이; 귀고리. ＝イヤリング.

みみくそ【耳くそ】《耳糞》图 ☞みみあか.

みみざと-い【耳ざとい】《耳聡い》形 **1** 귀밝다. ¶～·く聞きつける 귀밝게 알아듣다. **2** 소식이〔이해가〕 빠르다. ¶～子だ 이해가 빠른 아이이다.

みみざわり【耳触り】图 귀로 들었을 때의 느낌. ¶～がよい〔よくない〕音 듣

기가 좋은〔좋지 않은〕 소리.

みみざわり【耳障り】名ナ 귀에 거슬림. ¶～な話(はなし) 귀에 거슬리는 이야기 / 車(くるま)の音(おと)が～で眠(ねむ)れない 자동차 소리가 귀에 거슬려 잠을 잘 수 없다.

みみず〖蚯蚓〗名〔動〕지렁이.

――ばれ〖――脹れ〗名 피부의 긁힌 자리가 지렁이처럼 길게 부어 오름; 또, 그 곳. ¶ひっかかれたあとが～になった 긁힌 자리가 부르텄다.

みみずく〖木菟〗名〔鳥〕부엉이·쇠부엉이·칡〔수리〕부엉이 등의 총칭.

みみせん〖耳栓〗名 (소음이나 물이 들어오는 것을 막기 위한) 귀마개.

みみたぶ【耳たぶ】《耳朶》名 이타; 귓불. ¶厚(あつ)い～ 두꺼운 귓불 / ～にイヤリングを下(さ)げる 귓불에 귀고리를 달다. 注意 'みみたぼ' 라고도 함.

みみだれ【耳垂れ】《耳漏れ》名 이루(耳漏); 귀고름(이 나오는 병). ＝耳漏(じろう).

みみっち-い 形 〈俗〉 인색하다; 다랍다; 쩨쩨하다. ¶～事(こと)をする 다라운 짓을 하다 / ～もうけだ 쩨쩨한 벌이다 / それぐらいの金(かね)で～ことを言(い)うな 그만한 돈으로 쩨쩨하게 굴지 마라.

みみどお-い【耳遠い】形 **1** 귀먹다; 귀가 어둡다. ¶～老人(ろうじん) 귀먹은 노인. **2** 귀설다. ＝耳(みみ)なれない. ¶～外国語(がいこくご) 귀에 선 외국어.

みみどしま【耳どしま】《耳年増》名 〈俗〉 경험은 적지만 (특히, 성지식 등에 대해) 얻어들은 지식만은 풍부한 젊은 여성.

みみなり【耳鳴り】名 이명; 귀울음. ¶～がする 귀가 울다.

みみな-れる【耳慣れる】《耳馴れる》下1自 귀에 익다. ＝聞(き)きなれる. ¶～·れた童謡(どうよう) 귀에 익은 동요 / ～·れない言葉(ことば) 귀에 익지 않은 말씨.

みみもと【耳元】《耳許》名 귓전. ¶～でささやく 귓전에 대고 속삭이다.

みみより【耳寄り】名ナ (듣고) 솔깃해지는 모양. ¶それは～な話(はなし)だ 그것 반가운〔솔깃해지는〕 이야기군.

みみわ【耳輪】《耳環》名 귀고리; 이환. ＝イヤリング.

みむき【見向き】名 (그 쪽으로) 돌아다봄. ¶～もされない記事(きじ) 전혀 관심도 끌지 못하는 기사.

――もしない 돌아다〔거들떠〕보지도 않다; 문제로 삼지도 않다; 무시하다. ¶～で足早(あしばや)に去(さ)る 돌아다보지도 않고 잰걸음으로 사라지다.

みむ-く【見向く】5他 (그 쪽으로) 얼굴을 돌리다; 돌아다보다. ¶声(こえ)をかけられても～·こうともしない 목소리를 듣고도 돌아다보려고도 하지 않다.

みめ【みめ·見目】《眉目》名 **1** 겉모양; 외관; 외모; 용모. ¶～うるわしい 용모가 아름답다. **2** 면목; 명예; 체면. ¶～をはばかる 체면을 꺼리다.

――より心(こころ) 외모보다 마음.

みめい【未明】名 미명. ¶八日(ようか)～に出発(しゅっぱつ)する 8일 미명에 출발하다.

みめかたち【みめかたち·見目形】名 얼굴과 자태; 용자(容姿). ¶～の美(うつく)しい人(ひと) 용모와 자태가 아름다운 사람; 잘생긴 사람 / ～がととのっている 용자가 단정하다.

みめよ-い【見目よい】《見目好い》形 용모가 아름답다; 잘 생기다. ¶～女性(じょせい) 잘 생긴 여성.

ミモザ [mimosa] 名〔植〕**1** 미모사; 함수초(含羞草). **2** 〈俗〉 꽃아카시아.

みもだえ【身もだえ】《身悶え》名ス自 몸부림. ¶～して泣(な)く 몸부림치며 울다 / 苦(くる)しみのあまり～(を)する 괴로운 나머지 몸부림치다.

みもち【身持ち】名 **1** 몸가짐; 품행. ¶～の悪(わる)い男(おとこ) 품행이 나쁜 남자 / ～がいい 품행이 좋다. **2** 임신함. ＝身重(みおも). ¶～(の)女(おんな) 임신부 / ～になる 임신하다.

***みもと**【身元】《身許》名 신원. ¶～保証人(ほしょうにん) 신원 보증인 / ～の確(たし)かな人(ひと) 신원이 확실한 사람 / ～を洗(あら)う 신원을 자세히 조사하다 / ～が割(わ)れる 신원이 밝혀지다〔드러나다〕.

みもの【見物】名 볼 만한 것. ¶この試合(しあい)は～だ 이건 볼 만한 경기다 / 最近(さいきん)にない～だ 최근에 없던 구경거리다. ⇨けんぶつ.

みや【宮】名 **1** 신사(神社). ¶お～ 신사 / ～参(まい)り 신사 참배. **2** (宮의 칭호를 받고 분가한) 황족(집안)의 높임말《좁은 뜻으로는 親王(しんのう)·内(ない)親王를 가리킴》. ¶～さま 황족님. **3** 〈雅〉 궁성.

みやぎ〔宮城〕名 東北(とうほく) 지방 동부에 있는 현《현청 소재지는 仙台(せんだい)시》.

***みゃく**【脈】名 맥; 맥박. ¶～が早(はや)い 맥이 빠르다 / ～をはかる 맥박을 재다 / ～が上(あ)がる 맥박이 멎다; 죽다.

――がある 아직 희망이 있다. ¶あの返事(へんじ)なら, まだ～ 그런 대답이라면 아직 가망이 있다.

――を取(と)る〔見(み)る〕 맥을 짚(어 보)다.

みゃく〖脈〗《脈》教4 ミャク 맥 맥

맥. **1** 혈관. ¶脈動(みゃくどう) 맥동 / 動脈(どうみゃく) 동맥. **2** 줄기가 되어서 이어진 것. ¶山脈(さんみゃく) 산맥 / 鉱脈(こうみゃく) 광맥.

みゃくう-つ【脈打つ】5自 맥박치다. **1** 맥이 뛰다. ¶かすかに～·っている 가냘프게 맥이 뛰고 있다. **2** 생기가 넘치다; 고동치다. ¶～意欲(いよく) 생동하는 의욕 / 自由(じゆう)の精神(せいしん)が～ 자유의 정신이 고동치다.

みゃくどう【脈動】名ス自 맥동. ¶大地(だいち)の～ 대지의 맥동 / 新時代(しんじだい)〔新思想(しんしそう)〕の～ 새 시대〔신사상〕의 맥동.

みゃくどころ【脈所】名 **1** 맥을 짚는 곳. **2** 사물의 급소. ¶～を突(つ)いた意見(いけん) 정곡을 찌른 의견 / ～をつかむ 요점을 파악하다.

みゃくはく【脈拍】《脈搏》名 맥박. ＝みゃく. ¶～が早(はや)い 맥박이 빠르다 / ～に

異常がない 맥박에 이상이 없다.

みゃくみゃく【脈脈】[トタル] 계속되며 끊어지지 않는 모양: 면면(綿綿). ¶～とつたわる〔続く〕伝統 면면히 전해오는〔이어지는〕전통.

みゃくらく【脈絡】[名] 맥락; 연관; 연결; 관련. ¶～のない文章 문맥이 통하지 않는 문장/両者の間には～が認められない 양자 사이에는 관련성을 찾아볼 수 없다.

*みやげ【土産】[名] **1** 여행지에서 가족·친지를 위해 선물로 사가지고 가는 토산물. ¶これは友人達へのいい～になる 이것은 친구들에게 좋은 선물이 된다. **2** 남의 집을 방문할 때의 선물. ＝手土産.

―ばなし【―話】[名] 여행 중에 견문한 이야기. ¶～に花が咲く 여행담에 시간가는 줄 모르다.

*みやこ【都】[名] **1** 서울; 수도; 도읍지. ¶～を京都から東京へ移した 서울〔도읍〕을 京都에서 東京로 옮겼다. **2** (좁은 뜻으로는) 무언가를 특징으로 하고 있는 도시. ¶花の～パリ 꽃 같은〔화려한〕도시 파리/水の～ベニス 물의〔물이 아름다운〕도시 베니스.

みやこいり【都入り】[名][ス自] 서울로 들어옴〔감〕; 입경(入京). ↔都落ち.

みやこおち【都落ち】[名][ス自] 낙향. ¶転任で～(を)する 전임으로 낙향하다/生活難で～をする 생활난으로 서울을 떠나 낙향하다. ↔都入り.

みやざき【宮崎】[名] 九州 동남부에 있는 현; 또, 그 현청 소재지.

みやさま【宮様】[名] 황족을 경애하여 친근감 있게 부르는 말씨.

みやす-い【見やすい】《見易い》[形] **1** 보기 좋다; 보기 쉽다. ¶ゲームが～席 경기가 잘 보이는 자리/きれいで～字 깨끗하고 알아보기 쉬운 글자/～所に看板を出す 보기 쉬운 곳에 간판을 내놓다. ↔見にくい. **2** 알기 쉽다. ¶～道理 알기 쉬운 도리〔이치〕.

みやだいく【宮大工】[名] 신사·절·궁전 따위의 건축을 전문으로 하는 목수.

みやづかえ【宮仕え】[名][ス自] **1** 벼슬살이. **2**〈俗〉고용살이; 월급쟁이 노릇. ¶～するのも楽じゃない 월급쟁이 노릇도 쉽지 않다/すまじきものは～ 못할 짓은 고용살이《취직 생활은 자유롭지 못하고 괴로운 일이 많다》.

みやび〖雅び〗[名ナ] 우미; 우아; 풍아(風雅). ¶～な服装 우아한 복장/～にふるまう 우아하게 행동하다. [参考] '宮び(＝궁궐풍)'의 뜻. ↔俚び.

みやびやか〖雅やか〗[ダナ] 풍치 있고 우아한 모양; 고상하고 풍아로운 모양. ¶～な物腰 우아한 태도/古式にのっとった～な儀式 전통 예식에 따른 우아한 의식/装飾が～だ 장식이 풍아하다.

みや-びる〖雅びる〗[下1自] 점잖다; 고상하고 멋스럽다. ↔ひなびる.

*みやぶ-る【見破る】[5他] 간파하다; 꿰뚫어보다. ¶本心〔計略〕を～ 본심〔계략〕을 간파하다/正体を～·られる 정체를 간파당하다.

みやま［深山］[名]〈雅〉**1** 산《미칭》. **2** 심산; 깊은 산. ＝奥山. ¶春の～に分け入る 봄철 깊은 산을 헤치고 들어가다. ↔端山·外山.

―おろし［―颪］[名] 재넘이.

みやまいり【宮参り】[名][ス自]《'お～'의 꼴로》아기의 백일에〔3 살, 5 살, 7 살 된 축하로 11 월 15 일에〕그 아이를 데리고 그 고장 수호신에게 참배하는 일. ＝うぶすなまいり.

みや-る【見やる】《見遣る》[5他] **1** 먼 곳을 바라보다. ¶海のかなたを～ 바다 저편을 바라보다. **2** 그쪽을 언뜻 보다. ¶声のする方を～ 소리가 나는 쪽을 보다/～·りもせずに過ぎる 눈길도 돌리지 않고 지나가다. ↔見おこす.

ミュージアム［museum］[名] 뮤지엄; 박물관; 미술관.

ミュージカル［musical］[名] 뮤지컬. **1** 음악을 주로한 연극의 총칭. ¶～ドラマ 뮤지컬 드라마. **2** 음악·연극·무용을 결합시킨 종합 무대 예술.

ミュージシャン［musician］[名] 뮤지션; (팝·재즈의) 음악가; 특히, 연주가.

ミュージック［music］[名] 뮤직; 음악. ¶ダンス～ 댄스 음악/サウンド～ 사운드 뮤직; 입체 음악/スクリーン～ 스크린 뮤직; 영화 음악.

みよ［御代］《御世》[名] 임금의 치세. ¶明治の～ 明治天皇의 치세.

みよ-い【見よい】《見好い》[形] 보기 좋다. **1** 본 느낌이 좋다. ¶夫婦げんかは～ものではない 부부 싸움은 보기 좋은 것은 아니다/もうすこし～服装をしなさい 좀더 보기 좋은 옷차림을 하세요. ↔見苦しい·醜い. **2** 보기 쉽다; 잘 볼 수 있다. ¶～席 잘 보이는 좌석/この時計の文字盤は～ 이 시계의 문자반은 알아보기 쉽다. ↔見づらい.

みよう【見よう】《見様》[名] 보기; 견지(見地). ＝見方. ¶～で評価が分かれる 보기에 따라 평가가 달라진다.

―みまね【―見まね】《―見真似》[名] 보고 흉내내는 중에 저절로 터득함. ¶～で運転を覚える 눈동냥으로 보고 운전을 배우다〔익히다〕.

*みょう【妙】묘. ㊀[名] 인지(人智)가 미치지 못할 정도로 뛰어남〔교묘함〕. ¶演技の～ 연기의 묘/造化の～ 조화의 묘/人工の～を尽くす 인공의 묘를 다하다. ㊁[ダナ] 묘함; 이상함. ¶～な人間 묘한 인간/～な音がする 묘한〔이상한〕소리가 나다/～におそいな 이상하게 늦군.

みょう〖妙〗[常用] ミョウ たえ | 묘 묘하다 | **1** 묘하다. ¶神妙 신묘/妙案 묘안. **2** 이상

하다. ¶珍妙 진묘 / 霊妙 영묘.

みょうあさ【明朝】图 명조; 내일 아침. ＝みょうちょう. ¶～出発する 내일 아침 떠난다.

みょうあん【妙案】图 묘안. ¶～がない〔浮かぶ〕 묘안이 없다〔떠오르다〕/ ～を思いつく 묘안이 생각나다.

みょうが [冥加] 图ナ 명가. **1** (신불의) 가호. ＝おかげ·冥利. ¶～を願う (신불의) 가호를 빌다. **2** 묘하게도 좋은 운수; 행운. ¶～の至り 더없는 행운 / 命～なやつ 운 좋게 목숨이 긴 놈.

―に余る 신불의 가호가 분에 넘치어 참으로 고맙다. ¶～お言葉 참으로 고마우신 말씀.

みょうが 〖茗荷〗图〘植〙 양하(蘘荷).

みょうぎ【妙技】图 묘기. ＝美技. ¶～に酔う 묘기에 도취하다 / ～を競う 묘기를 겨루다 / ～をふるう 묘기를 발휘하다〔부리다〕.

みょうけい【妙計】图 묘계; 묘책. ¶～を案じる 묘계를 짜내다.

みょうご＝【明後】 명후; 다음다음의. ¶～三日 다음다음날인 3일날.

―にち【―日】图 명후일; 다음다음날; 모레. ＝あさって.

―ねん【―年】图 명후년; 내후년; 다음다음 해. ＝さらいねん.

みょうごう【名号】图〘佛〙 명호; 아미타불의 칭호. ¶～を唱える 나무아미타불을 외다.

みょうさく【妙策】图 묘책. ＝妙計. ¶～が浮かぶ 묘책이 떠오르다.

***みょうじ**【名字】《苗字》图 성씨(姓氏); 성. ＝姓.

みょうしゅ【妙手】图 묘수. **1** 명수; 명인. ¶射撃の～ 사격의 명수. **2** (바둑·장기 등에서) 썩 뛰어난 수. ¶～奇手 묘수 기수 / ～を打つ 묘수를 두다.

みょうしゅん【明春】图 명춘; 내년 봄. ＝来春. ¶～卒業します 내년 봄에 졸업합니다.

みょうじょう【明星】图 명성. **1**〘天〙 샛별; 금성. ¶明けの～ (새벽녘의) 샛별 / 宵の～ 개밥바라기; 태백성. **2** 스타. ＝スター. ¶文壇の～ 문단의 명성.

みょうだい【名代】图 (윗사람의) 대리; 대리인. ¶～に立つ 대리인이 되다; 대리인으로 나서다 / 父の～で会合に出る 아버지의 대리인으로 회합에 나가다. 参考 '代理(＝대리)'에 비해 격식 차린 말씨.

みょうちきりん【妙ちきりん】ダナ〈俗〉 기묘함; 이상〔괴상〕함. ¶～なかっこう 기묘한 모습 / ～な服装 이상야릇한 복장 / ～な人間 괴상한 사람 / ～な夢を見た 이상한 꿈을 꾸었다. 「あさ.

みょうちょう【明朝】图 명조. ＝みょう

***みょうにち**【明日】图 명일; 내일. ＝あした·あす. ↔昨日. 「↔昨年.

みょうねん【明年】图 명년. ＝来年.

みょうばん【明晩】图 내일 밤. ¶～お宅へお伺いします 내일밤 댁으로 찾아뵙겠습니다. ↔昨晩.

みょうばん 〖明礬〗图 명반; 백반.

みょうみ【妙味】图 묘미. ＝妙趣. ¶文章の～を味わう 문장의 묘미를 맛보다 / ～のある商売 묘미가 있는〔많이 남는〕 장사.

みょうやく【妙薬】图 묘약; (비유적으로) 묘책. ¶若返りの～ 젊음을 되찾는 묘약 / インフレ防止の～ 인플레이션 방지의 묘책 / 恋の病に効く～はない 상사병에 듣는 묘약은 없다.

みょうり [冥利] 图 명리. **1** 은연중에 입는 신불의 은혜; 그 밖의 것으로는 맛볼 수 없는 만족〔행복감〕. ¶教師～ 교사이기 때문에 맛볼 수 있는 행복〔만족감〕/ 商売～ 장사에서 모르는 사이에 받는 도움. ⇨男みょうり. **2**〘佛〙 선행의 결과로 보답받는 행복.

―に尽きる 과분할 정도로 고맙다. ¶役者として～大役 배우로서 과분할 정도로 영광스러운 대역.

みょうれい【妙齢】图 묘령. ¶～の婦人 묘령의 여인.

みより【身寄り】图 친척. ¶～のないお年寄り 친족이 없는 노인 / 頼るべき～もない 의지할 친척도 없다.

ミラー [mirror] 图 미러; 거울; 반사경. ¶バック～ 백미러.

―ボール [mirror ball] 图 미러 볼; 카바레 등의 천장에 달아 놓은 거울 달린 장식등《빛을 반사해 환상적인 효과를 냄》.

＊＊みらい【未来】图 **1** 미래; 장래. ¶～図〔像〕 미래도〔상〕/ ～の妻 미래의 아내 / ～のある青年 미래가 있는 청년 / はるか遠い～ 아득히 먼 장래 / 明るい～を築く 밝은 미래를 구상하다 / ～が嘱望される 장래가 촉망되다. **2** 사후의 세계; 내세. ⇔現在·過去.

―えいごう [―永劫] 图 미래 영겁; 앞으로 영원함. ¶～変わることのない友情 미래 영겁 변하지 않을 우정.

ミラクル [miracle] 图 미러클; 기적.

ミリ [프 milli] 图 밀리. ¶八～映写機 8밀리 영사기 / 体長は約三～ 몸길이는 약 3밀리(미터).

―グラム [프 milligramme] 图 밀리그램《기호: mg》. 注意 '瓱'로도 씀.

―バール [프 millibar] 图 밀리바《기압의 단위; 기호: mb》.

―メートル [프 millimètre] 图 밀리미터《기호: mm》. 注意 '粍·耗'로도 씀.

―リットル [프 millilitre] 图 밀리리터《술·간장 따위의 용량의 단위; 기호: ml》. ¶一八〇～ 180 밀리리터《약 1 홉》. 注意 '竰'로도 씀.

ミリオン [million] 图 밀리언; 백만. ¶～セラー 밀리언 셀러.

ミリタリールック [military look] 图 밀리터리룩; 군복 비슷한 의상 스타일.

みりょう【未了】图 미료; 미필. ¶審議～ 심의 미료. ↔完了.

みりょう【魅了】 名 ス他 매료; 마음을 사로잡음. ¶聴衆を~する演奏 청중의 마음을 사로잡는 연주.

***みりょく【魅力】** 名 매력. ¶性的~ 성적 매력 / ~のある人柄 매력있는 인품 / ~にひかれる 매력에 끌리다 / ~に欠ける 매력이 없다 / ~を感じる〔失う〕 매력을 느끼다〔잃다〕. 注意 속어형으로는 'みりき'.

みりん 〖味醂〗 名 미림; 조미료로 쓰는 달콤한 술의 일종.

****みる【見る】** 上1他 **1** 보다. ㉠눈으로 파악·확인하다. ¶テレビを~ 텔레비전을 보다 / 本〔新聞〕を~ 책〔신문〕을 보다 / それみたことか 그것 봐라 (그러게) 내가 뭐라고 했지 / 今にみろ 어디 두고 보자. ㉡조사하다. ¶答案を~ 답안을 보다. ㉢다루다; 처리하다. ¶会計事務を~ 회계 사무를 보다. ㉣시각뿐 아니라 널리 감각으로 판단하다; 평가하다; 관찰하다. ¶味を~ 맛을 보다 / 甘く~ 얕잡아 보다; 문문하게 보다 / 機械のぐあいを~ 기계 상태를 보다 / 手相を~ 손금을 보다 / 運勢を~ 운수를 보다《점치다》 / 医者にみてもらう 의사에게 진찰을 받다 / しばらく様子を~ 잠시 동정을 보다〔살피다〕 / 敵の動きを~ 적의 동태를 살피다 / ふろを~ 목욕물이 데워진 정도를 보다 / 相手の出方を~ 상대방이 어떻게 나오는지를 보다 / 疲労の色がみられる 피로의 기색이 (엿)보이다. 注意 진찰의 뜻일 때에는 '診る'로도 씀. ㉤실제로 경험하다. ¶史上まれに~ 사상 드물게 보다 / 類いをみない 유례를 볼 수 없다. **2** 돌보다; 보살피다. ¶子供を~ 어린아이를 (돌)보다 / あとを〔面倒を〕~ 뒤를 보살피다. **3** 당하다; 겪다. ¶ばかを~ 쓸데없는 일을 당하다; 헛된 일을 겪다 / 痛い目を~ 혼나다 / 落選のうき目を~ 낙선의 쓰라림을 당하다. **4**【みる】《動詞의 連用形에 'て'가 붙는 꼴을 받아서》 (시험삼아) …하다; …(해) 보다. ¶一口食べて~ 한 입 먹어 보다 / 考えてもみろ 생각 좀 해 보아라 / 旅行にでも行ってみたくなった 여행이라도 가 보고 싶어졌다.

みぬが花 실제로 봤을 때보다 상상하고 있을 때가 더 좋다는 뜻.

みも知らぬ 본 적이 없다; 생판 모르다. ¶~人 생판 모르는 사람.

—に忍びない 차마 눈 뜨고 볼 수 없다. ¶~惨状 차마 눈뜨고 볼 수 없는 참상.

—に見かねて 차마 볼 수 없어서; 보다 못하여. ¶~手助けする 보다 못해 도와주다.

—間に 잠깐 보는 사이에; 순식간에. ¶~過ぎ去った 순식간에 지나갔다.

見れば見るほど 보면 볼 수록. ¶~すばらしい 보면 볼수록 멋있다.

見れば目の毒 보면 욕심이 생기므로 몸에 해롭다는 뜻.

> **見る의 여러 가지 표현**
>
> **표현例** じっと(꼼짝 않고)·しげしげ(자상히; 찬찬히)·じろじろ(빤히; 말똥말똥)·じろりと(힐끗)·ちらちら(힐끔힐끔)·ちらりと(흘끗; 언뜻)·きょろきょろ(두리번두리번)·きょろりと(힐끗)·きょとんと(멍하니)·きょときょと(두리번두리번)·まじまじと(말끄러미)·しょぼしょぼさせて(맥없이; 거슴츠레).
>
> **관용 표현** 鵜の目鷹の目で(눈을 까뒤집고; 눈에 불을 켜고)·穴の開くほど(뚫어지게)·固唾を呑んで(숨을 죽이고)·嘗めるように(핥듯이 구석구석까지)·虎視眈々と(호시탐탐)·指をくわえて(탐은 나지만 손도 못쓰고)·矯めつ眇めつ(꼼꼼히; 요모조모로)·手をつかねて(팔짱을 끼고; 수수방관만 하고)·目をそばめて(바로 못 보고 곁눈질로)·目を皿のようにして(화등잔처럼 눈을 크게 뜨고).

***みる【診る】** 上1他 보다; 진찰하다. ¶脈を~ 맥을 보다; 진맥하다 / 患者を~ 환자를 보다〔진찰하다〕.

みるかげもない【見る影もない】 連語 (지난날의 모습을 찾아볼 수 없을 정도로) 볼품 없다; 처참하다; 초라하다. ¶見る影もなくやせる 옛 모습을 찾아볼 수 없을 정도로 여위다.

みるからに【見るからに】 連語 보기만 해도; (언뜻) 보기에. ¶~強そうな男 (언뜻) 보기에도 억세 뵈는 사나이.

***ミルク** [milk] 名 밀크. **1** 우유. ¶~キャラメル 밀크 캐러멜. **2** 'コンデンスミルク(=콘덴스트 밀크; 연유(煉乳))'의 준말. ¶~ティー 밀크티.

—セーキ [미 milk shake] 名 밀크 셰이크《우유에 달걀·설탕 등을 넣고 흔들어 얼음을 띄운 음료》.

みるみる 〖見る見る〗 副 보고 있는 동안에; 순식간에. ¶~空が暗くなる 금세 하늘이 어두워지다 / 山火事は~広がった 산불은 삽시간에 번졌다.

みるも【見るも】 連語 보기만 해도. ¶~いたましい姿 보기만 해도 애처로운 모습.

***みれん【未練】** 名 미련; 아쉬움. ¶~を残す〔断ち切る〕 미련을 남기다〔끊다〕 / 別れた妻に~がある 헤어진 아내에게 미련이 있다.

—がましい 形 (단념하지 못하고) 아쉬워하다; 연연해하다. =未練くさい·未練たらしい. ¶~ことを言う 아쉬운 듯한 소리를 하다.

みろく [弥勒] 名〖佛〗 미륵.

—ぼさつ [—菩薩] 名〖佛〗 미륵보살.

みわく【魅惑】 名 ス他 매혹. ¶男を~

する 남자를 매혹하다.

—てき【—的】 ダナ 매혹적. ¶～な目 매혹적인 눈.

みわけ【見分け】 名 분별; 분간; 구별. ¶～がつかないほど似ている 분간할 수 없을 정도로 닮았다.

***みわ-ける【見分ける】** 下1他 분별하다; 식별하다; 분간하다; 가리다. ¶善悪を～ 선악을 분간하다/暗がりの中で人の顔を～ 어둠 속에서 사람 얼굴을 식별하다.

みわす-れる【見忘れる】 下1他 **1** (본 지 오래 되어) 몰라보다. ¶～ほど変わる 몰라보리만큼 변하다 / 何年も会わずにいたので彼を～·れた 몇 해나 만나지 못했기 때문에 그를 알아보지 못했다. **2** 볼 것을 잊고 못 보다. ¶(テレビの)連続ドラマを～·れた (TV) 연속극 보는 것을 잊고 못 보았다.

***みわた-す【見渡す】** 5他 멀리 바라다보다; 전망하다. ¶あたりの山を～ 주변의 산을 둘러보다/全体を～·して調整する 전체를 전망하여 조정하다.

—かぎり 눈이 미치는 한; 눈에 들어오는 것 모두. ¶～の大地 눈 앞에 펼쳐진 대지/～一面の雪 눈에 들어오는 것이 온통 지면을 덮은 눈.

みん【民】 민. 一名 민간(인). ¶官も～もあげて 관민이 모두.
二接尾 사람(들). ¶開拓～ 개척민/避難～ 피난민.

みん〚民〛 教4 ミン たみ | 민 백성 | **1** 백성. ¶農民 농민. **2** '民間(=민간)'의 준말. ¶民営 민영/民放 민방.

みん〚眠〛 常用 ミン ねむる ねむい | 면 자다 | 자다. ¶睡眠 수면/安眠 안면.

みんい【民意】 名 민의. ¶選挙で～を問う 선거로 민의를 묻다/～を反映させる 민의를 반영시키다.

みんえい【民営】 名 민영. ¶国営機関を～に切り替える 국영 기관을 민영으로 바꾸다〔전환하다〕. ↔国営·官営·公営.

みんか【民家】 名 민가. ¶～を宿舎に指定する 민가를 숙사로 지정하다/～が密集する 민가가 밀집하다.

***みんかん【民間】** 名 민간. ¶～企業〔療法〕 민간 기업〔요법〕/～に伝わる迷信 민간에 전해 오는 미신.

—ほうそう【—放送】 名 민간 방송; 상업 방송. ↔公共放送.

ミンク [mink] 名〔動〕 밍크. ¶～のコート 밍크 코트.

みんぐ【民具】 名 민구; 민예품으로서의 일상생활 용구《장롱·냄비 등》.

みんげい【民芸】 名 민예. ¶～品 민예품.

みんけん【民権】 名 민권. ¶～運動 민권 운동/自由～ 자유 민권.

みんじ【民事】 名〔法〕 민사. ¶～事件 민사 사건/～訴訟〔裁判, 責任〕 민사 소송〔재판, 책임〕. ↔刑事.

みんしゅ【民主】 名 민주. ¶～社会〔政治〕 민주 사회〔정치〕.

—か【—化】 名スル他 민주화. ¶組織の運営を～する 조직의 운영을 민주화하다.

—しゅぎ【—主義】 名 민주주의. =デモクラシー. ↔全体主義.

—てき【—的】 ダナ 민주적. =デモクラチック. ¶～に運営する 민주적으로 운영하다. ↔独裁的.

みんじゅ【民需】 名 민수; 민간의 수요. ¶～産業 민수 사업/～品 민수품. ↔官需·軍需.

***みんしゅう【民衆】** 名 민중. ¶の支持を得る 민중의 지지를 얻다.

みんしゅく【民宿】 名スル自 민박; 또, 그 집.

みんじょう【民情】 名 민정. ¶～を視察する 민정을 시찰하다/～に通じる 민정에 정통하다.

みんしん【民心】 名 민심. ¶～の安定 민심의 안정/～を失う 민심을 잃다/～を把握する 민심을 파악하다.

みんせい【民生】 名 민생. ¶～が安定する 민생이 안정되다.

みんせん【民選】 名スル他 민선. ¶～議員 민선 의원. ↔官選.

みんそ【民訴】 名 민소《'民事訴訟(=민사 소송)'의 준말》. ↔刑訴.

みんぞく【民俗】 名 민속. ¶～舞踊 민속 무용/独特の～を伝承する 독특한 민속을 전승하다.

***みんぞく【民族】** 名 민족. ¶～性 민족성/～意識 민족 의식/少数～ 소수 민족.

—しゅぎ【—主義】 名 민족주의. =ナショナリズム.

—てき【—的】 ダナ 민족적. ¶～な運動 민족적인 운동.

みんだん【民団】 名 민단《'居留民団(=거류민단)'의 준말》.

みんちょう [明朝] 名 명조. **1** 명나라 조정. **2** 'みんちょう活字(=명조(체) 활자)'의 준말; 명조체. =明朝体.

みんど【民度】 名 민도. ¶～が低い〔高い〕 민도가 낮다〔높다〕.

****みんな【皆】** 名代副〈口〉☞みな. ¶～私が悪いのです 모두 내 잘못입니다/～あげるよ 다 주지/～, 集まれ 모두들 모여라/答えは～合っている 답은 모두 맞았다.

みんぺい【民兵】 名 민병. ¶～制 민병제/～を組織する 민병을 조직하다.

みんぼう【民望】 名 민망; 인망; 중망(衆望). ¶～がある 인망이 있다/～を失う 인망을 잃다.

みんぽう【民法】 名 민법. ⇨刑法.

みんぽう【民放】 名 민방; '民間放送(=민간 방송)'의 준말.

みんみんぜみ『みんみん蟬』 名〔蟲〕 참매미. =みんみん.

みんゆう【民有】 名 민유; 사유. ¶～地〔林〕 민유지〔림〕. ↔官有·国有.

みんよう【民謡】图 민요. ¶～歌手 민요 가수/日本～ 일본 민요/～を歌う 민요를 부르다.

みんりょく【民力】图 민력; 국민 경제력. ¶～がおとろえる 민력이 쇠하다.

みんわ【民話】图 민화; 민담; 민간 설화. ＝民譚. ¶この地方に伝わる～ 이 지방에 전해 오는 민화.

む ム

1五十音図 'ま行'의 셋째 음. [mu] **2**〖字源〗'武'의 초서체((かたかな'ム'는 '牟'의 윗부분)).

む【六】图 육; 여섯. ¶いつ, ～, なな, や 다섯, 여섯, 일곱, 여덟/～年 여섯 해/～月 6개월.

む【無】무. ㊀图 **1** 없음. ¶～から有を生ずる 무에서 유를 낳다. **2** 헛됨; 보람이 없음. ¶せっかくの好意が～になる 모처럼의 호의가 헛일이 되다.
㊁接頭 없음. ¶～意味 무의미/～免許 무면허/～資格 무자격.
―に帰する 무로 돌아가다; 헛일이 되다. ¶長年の努力が, 一晩にして無に帰してしまった 오랫동안의 노력이 하룻밤 새에 헛일이 되고 말았다.
―にする 헛되게 하다; 저버리다. ¶人の好意を～ 남의 호의를 저버리다.

む 感 감동했을 때, 말이 막혔을 때, 응낙할 때 내는 소리: 저; 음. ¶～, わかった 응, 알았다/～, これはおもしろい 음, 이건 재미있군.

む〖矛〗常用 ム ボウ / ほこ | 모 / 창 | 모; 긴 창. ¶矛盾 모순/矛戟 모극.

む〖務〗教5 ム / つとめる | 무 / 힘쓰다 | 힘써 일하다; 종사하다. ¶公務 공무/義務 의무.

む〖無〗教4 ム ブ / ない | 무 / 없다 | 무. **1** 없다. ¶有無 유무/無言 무언. ↔有. **2** 헛일; 헛됨. ¶虚無 허무.

む〖夢〗教5 ム / ゆめ | 몽 / 꿈 | 몽; 꿈; 꿈꾸다. ¶夢想 몽상/凶夢 흉몽/瑞夢 서몽.

む〖霧〗常用 ム / きり | 무 / 안개 | 무; 안개. ¶雲霧 운무/霧笛 무적.

む〖武〗☞ ぶ〖武〗

むい【無為】图 무위. **1** 자연 그대로 두어 인위를 가하지 않음. ↔人為. **2** 하는 일이 없음. ¶～無策 무위무책/毎日を～にすごす 하루하루를 하는 일 없이 지내다/この回も～に終わった 이번 회도 무위로 끝났다/～徒食の日日を送る 무위도식의 나날을 보내다.

⁂**むいか**【六日】图 6일; 엿새.
―のあやめ〖―の菖蒲〗連語 엿샛날((단오 뒷날))의 창포((때가 지나 소용 없음의 비유)). ⇨十日の菊.

むいぎ【無意義】图ダナ 무의의; 무의미. ¶～な計画〔行動〕 무의미한 계획〔행동〕. ↔有意義.

*__むいしき__【無意識】무의식. ㊀图ダナ 의식이 없음. ¶～状態に陥る 무의식 상태에 빠지다. ㊁ダナ 제 자신의 행위를 스스로 깨닫지 못함. ¶～に頭をかく 무의식적으로 머리를 긁적이다.
―てき【―的】ダナ 무의식적. ¶～に繰り返す 무의식적으로 되풀이하다.

むいそん【無医村】图 무의촌.

むいちもつ【無一物】图 무일물. ＝むいちぶつ. ¶破産して～になる 파산해서 빈털터리가 되다/ほとんど～で商売を始めた 거의 맨주먹으로 장사를 시작했다.

むいちもん【無一文】图 무일푼. ＝一文なし. ¶～になる 무일푼이 되다.

むいとてき【無意図的】ダナ 무의도적; 무계획적.

*__むいみ__【無意味】图ダナ 무의미(함). ¶～な仕事 무의미한 일/それを論ずることは～だ 그것을 논하는 것은 무의미하다.

ムース[프 mousse] 图 무스. **1**〖料〗거품을 일게 한 생크림에 젤라틴·설탕·향료 등을 넣어 얼린 디저트 과자. **2** 거품이 나는, 크림 모양의 정발(整髮) 용품.

ムード[mood] 图 무드; 기분; 분위기. ¶～音楽 무드 음악/～を盛り上げる 무드를 돋우다/～にのる 무드를 타다/～に弱い 무드에 약하다((쉽게 주위의 영향을 받다)).
―メーカー[일 mood＋maker] 图 무드메이커; 분위기를 잘 돋우는 역할을 하는 사람.

ムートン[프 mouton] 图 무통; 양가죽. 「＝ムトン.

ムービー[movie] 图 무비; 영화.

むえき【無益】名ナ 무익. ＝むだ·むやく. ¶～な論争 무익한 논쟁/それはあながち～ではあるまい 그것은 반드시 무익하지만도 않을 것이다. ↔有益.

むえん【無煙】图 무연. ¶～炭 무연탄/～火薬 무연 화약.

むえん【無縁】名ナ 무연. **1** 인연이 없음; 관계가 없음. ¶庶民には～の話 서민과는 무관한 이야기/私には～な人だ 나에게는 관계 없는 사람이다/この事件とは～である 이 사건과는 무관하다. ↔有縁. **2** 연고자가 없음. ¶～墓地 무연고자 묘지.

むが【無我】图 무아; 무의식. ¶座禅を組んで～の境に入る 좌선을〔가부좌를〕하고 무아지경에 이르다.
―むちゅう【―夢中】图 어떤 일에 열

중하여 자신을 잊음. ¶～で逃げる 정신없이 도망치다.

むかい【向かい】[名] 마주 봄; 정면; 맞은편; 건너편. ¶～の家 맞은편 집/～がわ 맞은쪽/～にすわる 맞은쪽에 앉다/お～さん 맞은편 댁(사람).

*__むがい__【無害】[名ナ] 무해. ¶人畜に～な薬品 인축에 무해한 약품/それは劇薬だが少量なら～だ 그것은 극약이지만 소량이면 무해하다. ↔有害.

むがい［無蓋］[名] 무개. ¶～貨車 무개화차. ↔有蓋.

むかいあ-う【向かい合う】[5自] 마주보다; 마주 대하다. ¶～·って座る 마주 보고 앉다.

むかいあわせ【向かい合わせ】[名] 마주 봄. ¶～にすわる 마주 보고 앉다/学校と～の文房具店 학교 맞은편에 있는 문방구점. ↔背中合わせ.

むかいかぜ【向かい風】[名] 맞바람; 역풍. ¶～をうける 맞바람을 받다. ↔追い風·おいて.

__むか-う__【向かう】[5自] **1 향하다. ㉠면하다. ¶海に～ 바다에 면하다/正面に～·って座る 정면을 향해 앉다. ㉡(마주) 보다; 대하다. ¶～·って左側 마주 보아 왼쪽/鏡に～ 거울을 보다; 거울 앞에 서다〔앉다〕/天に～·ってつばきする 하늘을 보고 침을 뱉다. ㉢(향하여) 가다. ¶車で東京に～ 차로 東京에 가다/ゴールに～·って走る 골을 향해 달리다. **2** 맞서다; 대항하다. ¶大敵に～ 대적과 맞서다/素手で～·っていく 맨손으로 대항해 가다/～·ってくる者を切り倒す 대항해 오는 자를 베어 쓰러뜨리다. **3** (경향·추세 등을) 보이다; …해 가다. ¶病気は快方に～·っている 병은 차도를 보이고 있다.

むかえ【迎え】[名] 맞이함; 마중. ¶～を頼む 마중을 부탁하다/医者を～に行く 의사를 맞으러〔부르러〕 가다/～の車を出す 마중하러 차를 내보내다/お～が来る 맞이하러 오다《부처가 정토(淨土)로 맞아 가려〔부르러〕 오다; 곧 죽음이 임박함의 뜻으로도 씀》.

むかえい-れる【迎え入れる】[下1他] 맞아〔받아〕들이다. ¶客を応接間に～ 손님을 응접실로 맞아들이다/留学生を～ 유학생을 받아들이다.

むかえう-つ【迎え撃つ】[5他] 요격(邀擊)하다; 맞아 치다. ¶強敵を～ 강적을 맞아 싸우다.

むかえざけ【迎え酒】[名] 해장(술).

__むか-える__【迎える】[下1他] **1 맞이하다. ㉠(사람·때를) 맞다; 마중하다. ¶新入生を～ 신입생을 맞(이하)다/笑顔で客を～ 웃는 얼굴로 손님을 맞다/友人を停車場に～ 친구를 정거장에서 맞다/嫁を～ 아내〔며느리〕를 맞(이하)다/新年〔春〕を～ 새해를〔봄을〕 맞(이하)다. ㉡부르다; 모셔 오다. ¶医者を～ 의사를 불러 오다/専門家を～ 전문가를 초빙하다. ㉢추대하다; 모시다. ¶彼を会長に～ 그를 회장으로 맞이하다. **2** 영합하다; 뜻을 받아들이다. ¶社長の意を～ 사장의 뜻에 영합하다/先方の意を～ 상대방의 뜻을 받아들이다.

むがく【無学】[名ナ] 무학; 배우지 못함. ¶～な人 무학자/～を恥じる 무학을 부끄러워하다.

__むかし__【昔】[名] **1 옛날; 예전. ¶～むかし, ある所に… 옛날 옛적 어느 곳에…/とっくの～ 아주 오랜 옛날/～の面影がない 옛 모습이 없다. ↔今. **2**《助数詞적으로 써서》 10년의 세월; 과거 10년을 한 단위로 일컫는 말. ¶十年ひと～ 10년 전 옛날/もう二～も前のことだ 벌써 20년 전의 일이다.

—とった杵柄 예전에 익힌 솜씨.

—は昔, 今は今 옛날은 옛날이고 지금은 지금; 옛날은 지금과 다르므로 옛날처럼 해야 한다는 법은 없다.

むかしかたぎ【昔かたぎ】《昔気質》[名ナ] 옛(날) 기질; 예스럽고 고지식한 기질. ¶おやじは～でなかなか頑固だ 아버지는 옛날 기질이어서 아주 완고하다.

むかしがたり【昔語り】[名] 옛날에 있었던 일, 경험한 일 따위를 말함; 또, 그 이야기; 옛날 이야기(를 함). ＝むかしばなし. ¶それも今では～となった 그것도 이젠 옛날 이야기가 되었다.

むかしながら【昔ながら】[副] 옛날 그대로 (변함이 없음). ¶～の風俗〔面影〕 옛날 그대로의 풍속〔모습〕.

むかしなじみ【昔なじみ】《昔馴染み》[名] 옛날에 친하게 지냈음; 또, 그 사람; 옛친구. ＝古なじみ. ¶～にばったり出会う 옛친구를 우연히 만나다/同窓会で～に会う 동창회에서 옛 친구를 만나다.

むかしばなし【昔話】[名] 옛날 이야기. **1** ☞むかしがたり. ¶～にふける 옛날 이야기에 열중하다/～に花が咲く 옛날 이야기에 꽃을 피우다〔시간 가는 줄 모른다〕/～ばかりしている 옛날 얘기만 하고 있다. **2** 옛날부터 전해 오는 이야기나 전설. ＝おとぎばなし.

むかしふう【昔風】[名ナ] 예스러움; 옛날의 모습; 고풍(古風). ¶～のやり方 옛날 방식/～な建物 고풍스러운 건물/万事に～を重んずる 만사에 옛 관습을 존중하다. ↔今ふう.

むかしむかし【昔昔】[名] 옛날 옛적. ＝大昔. ¶～, ある所に… 옛날 옛적, 어떤 곳에 …. [参考] 옛날 이야기의 첫머리 등에 씀.

むかつ-く [5自] 역하다; 울컥거리다. **1** 메슥거리다. ¶食べ過ぎて胸が～ 과식해서 속이 메슥거린다/乗船するとすぐ～·いて来た 승선하자 곧 메슥거리기 시작했다. **2** 불뚱이가 치밀다; 화가 나다. ¶彼の顔を見ると～ 그의 얼굴을 보면 화가 치민다.

むかっと 副スル自 갑자기 화가 나거나 욕지기가 나는 모양: 벌컥; 울컥. ¶その話をきいて, ~する 그 이야기를 듣고 울컥 화가 치밀다/叱られて~くる 야단을 맞고 벌컥 화가 나다.

むかっぱら【むかっ腹】《向かっ腹》名〈俗〉공연히 버럭버럭 화를 냄. ¶~をたてる (공연히) 버럭버럭 화를 내다.

むかで『百足·蜈蚣』名〔動〕지네.

むかむか トスル自 **1** 욕지기가 나는 모양: 메슥메슥. ¶胸が~する 속이 울꺽거리다/話を聞いただけで~(と)する 말만 들어도 메슥거린다〔역겹다〕. **2** 화가 벌컥 치밀어 오르는 모양. ¶~(と)してどなりつける 울컥 화가 치밀어 큰 소리로 꾸짖다.

むかんかく【無感覚】名ナ 무감각. ¶寒さで指先が~になる 추위로 손가락 끝이 무감각해지다/苦痛に対して~である 고통에 대해서 무감각하다.

***むかんけい**【無関係】名ナ 무관계. ¶これとは~な話 이것과는 무관한 이야기/彼が何をしようと私には~だ 그가 무엇을 하건 내게는 상관없다.

***むかんしん**【無関心】名ナ 무관심. ¶政治に~な若者 정치에 무관심한 젊은이/教育に対する一般人の~ 교육에 대한 일반인의 무관심/~を装う 관심이 없는 척하다.

***むき**【向き】名 **1** 방향. ¶からだの~ 몸의 방향/風の~ 바람부는 방향/南~の部屋 남향의 방/船の~を変える 배의 방향을 바꾸다/この家は~が悪い 이 집은 향이 좋지 않다/~がかわる 방향이 바뀌다. **2** 특히, 한정된 면; 관심 따위가 향하는 곳〔쪽〕. ㉠방면; 면. ¶表~の口実 표면적인〔표면상의〕 구실. ㉡경향. ¶責任をはたさない~がある 책임을 다하지 않는 경향이 있다 / 反対を唱える~もある 반대를 주장하는 경향도 있다/理想主義に走る~がある 이상주의에 치우치는 경향이 있다. ㉢(그 방면의) 사람(들). ¶ご希望の~には安くお分けします 희망하시는 분에게는 싸게 나누어 드립니다. **3**《接尾語적으로》 적합(한 면); 적격. ¶万人~の品 만인에게 적합한 물품/家庭〔学生〕~ 가정〔학생〕에 적합함/子供~の番組 아이들에게 적합한 프로. ⇨むきふむき.

——**になる** (사소한 일에) 정색하고 화내다. ¶冗談をむきになって怒る 농담을 곧이듣고 화내다/向きになって反対する 정색을 하고 반대하다. 注意 '~になる'는 かな로 쓰는 경우가 많음.

むき【無機】名 무기《'無機物' '無機化学'의 준말》. ¶~物〔質〕 무기물〔질〕/~化学〔肥料〕 무기 화학〔비료〕. ↔有機.

むき【無期】名 무기; 일정 기한이 없음. ¶~延期 무기 연기/~懲役 무기 징역/~年金 무기 연금. ↔有期.

***むぎ**【麦】名 보리·밀·귀리 등의 총칭. ¶~畑 보리밭/~まき 보리 파종/~つき 보리 찧기/~を打つ 보리를 타작하다.

——**を踏む** 보리밟기를 하다.

むきあ-う【向き合う】5自 마주 (바라)보다; 마주 대하다. =向かい合う·相対する. ¶~って座る 마주 보고 앉다.

むぎうち【麦打ち】名 보리 타작.

***むきげん**【無期限】名 무기한. ¶~スト〔延期〕 무기한 파업〔연기〕/~に有効である 무기한으로 유효하다.

むきず【無傷】《無疵》名ナ 흠이〔상처가〕 없음; 결점·실패·패배 등이 없음. ¶~の茶わん 흠이 없는 공기/~のリンゴ 흠집이 없는 사과/~のチーム同士の対戦 무패 팀끼리의 대전/汚職事件に~だった 부정 사건에 결백했다《관련이 없음》/~で勝ち進む 무패 행진을 계속하다/大事故にあったが~で助かった 큰 사고를 당했지만 상처 없이 살아났다.

むきだし【むき出し】《剝き出し》名 드러남; 공공연함; 노골적임. =あらわ·あからさま. ¶~の表現 노골적인 표현/方言~でしゃべる 사투리 그대로 지껄이다/闘志を~にする 투지를 노골적으로 드러내다/彼は~に物を言う人だ 그는 노골적으로 말하는 사람이다.

むきだ-す【むき出す】《剝き出す》5他 드러내다; 노출시키다. ¶歯を~·して笑う 이를 드러내고 웃다.

むぎちゃ【麦茶】名 맥차; 보리차. =むぎゆ. ¶~を飲む 보리차를 마시다.

むきどう【無軌道】무궤도. 一名 궤도가 없음. ¶~電車 무궤도 전차. 二名ダナ 상궤(常軌)를 벗어난 모양. ¶~な生活 무절제한 생활/~にあばれまわる 제멋대로 날뛰고 다니다.

むきなお-る【向き直る】5自 방향을 바꾸다; 돌아서다. ¶急に~·って話をしだす〔始める〕 갑자기 돌아서서 말을 시작하다.

むぎばたけ【麦畑】《麦畠》名 보리밭.

むぎふみ【麦踏み】名 보리밟기.

むきふむき【向き不向き】名 적합함과 부적합함. ¶人にはそれぞれ~がある 사람에겐 각각 걸맞은 일과 걸맞지 않은 일이 있다.

むきみ『剝き身』名 조갯살. ¶~のえび 새우살/アサリの~ 모시조갯살.

むきむき【向き向き】名 각자의 취향; 적성. ¶~に応じて適所にふり分ける 적성에 따라 적소에 배치하다/人には銘銘~がある 사람에게는 각자 그 나름의 적성이 있다.

むきめい【無記名】名 무기명. ¶~投票 무기명 투표/~定期預金 무기명 정기 예금. ↔記名.

むぎめし【麦飯】名 맥반; 보리밥. =ばくはん.

むきゅう【無休】図 무휴. ¶年中～ 연중무휴.

むきゅう【無窮】名ナ 무궁. =無限. ¶天壌～ 천양무궁 / ～に伝わる 무궁히 전해지다.

むきゅう【無給】図 무급; 무보수. ¶～で働く 무급으로 일하다. ↔有給.

むきょういく【無教育】名ナ 무교육; 교육을 못 받음. ¶～者 무교육자 / ～な人間 (제대로) 교육을 못 받은 사람.

むきりょく【無気力】図ダナ 무기력. ¶～症 무기력증 / ～な人 무기력한 사람 / ～になる 무기력해지다.

むぎわら【麦わら】《麦藁》図 맥고; 보릿짚; 밀짚. =むぎから·ストロー.

——ぼうし【——帽子】図 맥고〔밀짚〕 모자. =ストローハット·むぎわらぼう.

むきん【無菌】図 무균. ¶～室 무균실 / ～状態 무균 상태.

※む-く【向く】⊟5自 **1** 향하다. ㉠(얼굴을) 돌리다; 보다. ¶右を～ 오른쪽을 보다 / 横を～ 옆을 보다 / そっぽを～ 외면하다 / 右～·け右 우향우《구령》. ㉡면(面)하다. ¶海に～·いた家 바다에 면한 집 / 海に～·いて開けた土地 바다를 향해 트인 땅 / 北に～ 북향이다; 북쪽을 향하다. **2** 적합하다; (알)맞다; 어울리다. ¶若い人に～仕事 젊은 사람에게 알맞은 일 / 彼は商人には～·かない 그는 장사꾼으로는 적합하지 않다. **3** 나아지다; 좋아지다. ¶病気が快方に～ 병이 나아지다〔차도가 있다〕 / しだいに運が～·いてきた 차츰 운이 트이기 시작했다.

⊟5他 그쪽을 보다; 향하다. ¶空を～·いて歩く 하늘을 보고 걷다.

***む-く**〚剝く〛5他 (껍질 따위를) 벗기다; 까다; 드러내다. ¶りんご(の皮)を～ 사과 껍질을 벗기다 / 指を～ 손가락 껍질이 벗겨지다 / 豆を～ 콩깍지를 까다 / 目を～·いて怒る 눈을 부라리고 화를 내다 / 牙を～ 엄니를 드러내다; 으르렁거리다 / 面の皮を～ (뻔뻔스러운) 낯가죽을 벗기다《창피를 주다》.

むく［無垢］名ナ 무구. **1** 순수함. ¶金～ 순금. **2** 무지(無地)의 염색하지 않은 옷; 특히, 흰 옷. ¶白～ 흰 옷; 소복. **3** 결백하고 순진함; 티없음. ¶純真～ 순진무구 / ～なむすめ 순결한 처녀.

***むくい**【報い】図 과보; 응보; 보답; 보수. ¶前世の～ 전세의 과보 / 人をだました～ 남을 속인 응보 / 怠けた～で落第する 게으름을 피운 탓으로 낙제하다 / 悪行の～をうける 악행의 응보를 받다 / 何の～も求めない 아무런 보수〔보답〕도 바라지 않는다.

***むく-いる**【報いる】上1自他 대갚음하다. **1** 보답하다; 갚다. ¶恩〔功, 労〕に～ 은혜〔공로, 수고〕에 보답하다 / 彼の努力は～·いられた 그의 노력은 보답을 받았다. **2** 보복하다; 앙갚음하다. ¶一矢を～ 앙갚음하다.

むくげ【むく毛】《尨毛》図 (짐승의) 텁수룩한 털. ¶～の犬 털이 텁수룩한 개.

むくげ〚木槿〛図〔植〕목근; 무궁화; 근화. =もくげ·ゆうかげぐさ.

***むくち**【無口】名ナ 과묵함; 또, 그런 사람. ¶～な人 과묵한 사람 / ～になる 과묵해지다; 말수가 적어지다. ↔多弁.

むくどり〚椋鳥〛図〔鳥〕찌르레기.

むくみ〚浮腫〛図 부종; 부증(浮症); 부어 오름. ¶～のある顔 부기가 있는 얼굴; 부석부석한 얼굴 / ～が出る 부어오르다 / 足に～が来る 발이 붓다 / ～がとれる〔引く〕 부기가 빠지다.

むく-む〚浮腫む〛5自 몸이 부어오르다. ¶寝過ぎで～·んだ顔 너무 자서 부어오른 얼굴 / 顔が少し～·んでいる 얼굴이 조금 부었다 / 脚気で足が～·んでいる 각기로 다리가 부어 있다.

むくむく 副 **1** 뭉게뭉게. ¶入道雲が～(と)盛りあがる 뭉게구름이 뭉게뭉게 피어오르다. **2** 덩치 큰 것이 일어나는 모양: 부스스. ¶寝床から～(と)起き上がった 잠자리에서 부스스 일어났다. **3** 포동포동. ¶～(と)太った赤ん坊 포동포동 살찐 아기.

むく-れる〚剝れる〛下1自 **1** 껍질이 벗겨지다. ¶皮が～ 껍질이 벗겨지다. **2** 〈俗〉 부루퉁〔뾰로통〕해지다. ¶すぐ～女 금방 뾰로통해지는 여자 / ～·れたつらつき 뿌루퉁한 낯짝 / 何をそんなに～·れているの 뭣 때문에 그렇게 화를 내고 있는 거니.

むくろ〚骸〛図 시체. =死体·なきがら. ¶冷たい～となって横たわる 차가운 시신이 되어 누워 있다.

=むけ【向け】행선지·보낼 곳 또는 그 대상이 되는 것을 보임: …용. ¶一般～ 일반용 / 子供～の本 어린이를 위한 책 / アメリカ～の輸出 미국으로의 수출.

むけい【無形】図 무형(의 물건). ¶有形～の恩恵 유형무형의 은혜 / ～の富 무형의 부. ↔有形.

——ざいさん【——財産】図 무형 재산《저작권·특허권 따위》.

——ぶんかざい【——文化財】図 무형 문화재. ¶～保持者 무형 문화재 보유자.

むげい【無芸】名ナ 무재주; 재주가 없음. ¶～大食 아무 재주도 없으면서 먹기만 많이 먹음; 또, 그런 사람 / 多芸は～ 재주 많은 것은 재주 없는 것(과 같음). ↔多芸.

むけいかく【無計画】名ナ 무계획. ¶～なやり方〔開発〕 무계획한 짓〔개발〕.

むけつ【無欠】図 무결; 흠〔결점〕이 없음. ¶完全～ 완전무결.

むけつ【無血】図 무혈. ¶～革命〔占領〕 무혈 혁명〔점령〕.

むけなお-す【向け直す】5他 방향을 바꾸다〔돌리다〕.

むげに〚無下に〛副 함부로; 딱 잘라; 마구; 아주. ¶～断るわけにもいかない

마구〔딱잘라〕 거절할 수도 없다 / ～見捨てたものでもない 함부로〔아주〕 저버릴 것도 아니다 / ～追い返すわけにもいくまい 냉정하게〔딱 잘라〕 돌려 보낼 수도 없다.

***む-ける**【向ける】 下1他 **1** 향하(게 하)다. ㉠(방향을) 돌리다. ¶目を～ 눈을 돌리다 / 音のする方に顔を～ 소리 나는 쪽으로 얼굴을 돌리다 / 機首を西に～ 기수를 서쪽으로 돌리다 / 矛先を～ 공격〔비난〕의 화살을 돌리다 / 壁に背を～·けてすわる 벽을 등지고 앉다 / 我々に～·けられた非難は不当だ 우리들에게 돌려진〔쏠린〕 비난은 부당하다. ㉡돌려 쓰다; 충당〔할당〕하다. ¶工業用に～ 공업용으로 돌리다 / 予備費を穴うめに～ 예비비를 결손 보충에 돌려 쓰다 / 全額を図書費に～ 전액을 도서비로 배정하다. **2** 보내다; 파견하다. ¶代理の者を～ 대리인을 보내다 / 係官を現場に～ 담당관을 현장으로 보내다.

む-ける〖剝ける〗 下1自 벗겨지다. ＝はがれる. ¶皮が～ 껍질이 벗겨지다 / 渋皮の～·けた女 때를 벗어 예뻐진 여자.

***むげん**【無限】 名ダナ 무한. ¶～の空間〔喜び〕 무한한 공간〔기쁨〕 / ～に広がる空 무한히 펼쳐지는 하늘 / ～に続く 한없이 계속되다 / 夢は～に広がる 꿈은 한없이 펼쳐진다〔커진다〕. ↔有限.

——きどう【—軌道】 名 무한 궤도. ＝キャタピラー.

——だい【—大】 名 무한대. ↔無限小.

むげん【夢幻】 名 몽환; 꿈과 환상. ¶～劇 몽환극 / ～の境をさまよう 몽환의 경지를 헤매다.

むげんそく【無原則】 名ダ 무원칙. ¶～に妥協する 원칙 없이 타협하다.

***むこ**【婿】《壻·聟》 名 **1** 사위. ¶～をもらう〔取る〕 사위를 얻다 / ～養子 데릴사위. **2** 신랑. ¶花～ 새신랑 / ～選び〔捜し〕 신랑감 고르기〔구하기〕. ⇔嫁.

むこ［無辜］ 名 무고. ¶～の民 무고한 백성.

***むご-い**〖惨い·酷い〗 形 **1** 비참하다; 끔찍하다; 애처롭다. ¶～姿 비참한 모습 / 現場は実に～ありさまだ 현장은 실로 비참한 광경이다. **2** 잔혹하다; 무자비하다. ¶～やり方 잔인한 짓 / ～仕打ちだ 잔인한 처사다.

むこいり【婿入り】 名ス自 데릴사위로 들어감. ¶～婚 처가살이하는 결혼 형태. ↔嫁入り.

****むこう**【向こう】 名 **1** 저쪽. ¶～の山 저쪽 산 / みんな～で遊びなさい 모두 저쪽에서 놀아라 / これから～は神奈川県だ 여기부터 저쪽은 神奈川県이다. **2** 맞은편; 건너편. ＝むかい·正面. ¶～の家 맞은편 집 / お～さん 맞은편 댁 (사람) / ～の岸 대안(對岸); 건너편 강안 / ～から先生がやって来る 맞은편에서 선생님이 오고 있다. **3** 행선지. ¶～へ着いてから知らせる 거기 도착해서 연락하겠다. **4** 이후; 향후. ¶～一週間 향후 1주일 / 三月から～は忙しい 3월(부터) 이후는 바쁘다. **5** 상대(방). ¶～の言い分も聞こう 그쪽 이야기〔주장〕도 듣자.

——に回す 적으로 삼다; 상대하며 겨루다. ¶新鋭をむこうに回して戦う 신예를 상대해서 싸우다.

——を張る 맞서다. ＝張り合う. ¶あのデパートの向こうを張ろうとしている 저 백화점에 맞서려 하고 있다.

***むこう**【無効】 名ダ 무효. ¶～投票 무효 투표 / 強制された契約は～である 강요당한 계약은 무효다 / 途中で下車するとこの切符は～になる 도중에서 하차하면 이 차표는 무효가 된다. ↔有効.

むこういき【向こう意気】 名 경쟁심; 남에게 지기 싫어하는 마음. ＝負けん気. ¶～の強い人 경쟁심이 강한 사람.

むこうがわ【向こう側】 名 저쪽. **1** 반대쪽. ¶山の～ 산너머 저쪽 / ～に立っている人 저쪽에 서 있는 사람 / あの家の～に池が有る 저 집 너머 저쪽에 연못이 있다. **2** 상대편. ¶～の意見 저편의 의견.

むこうぎし【向こう岸】 名 대안(對岸); 건너 편 물가. ¶～まで泳いで渡る 건너편 강기슭까지 헤엄쳐 건너다.

むこうきず【向こう傷】《向こう疵》 名 얼굴, 특히 미간이나 이마 등 몸의 앞면에 입은 상처. ¶～のある男 안면에 상처가 있는 사나이. ↔後ろ傷.

むこうじょうめん【向こう正面】 名 **1** 마주한 정면; 전면(前面). **2** (일본 씨름판에서) 정면〖북쪽〗에 대한 남쪽.

むこうずね【向こうずね】《向こう脛》 名 정강이. ¶～を蹴る 정강이를 차다.

むこうづら【向こう面】 名 〈俗〉 마주한 상대의 얼굴. ＝向こうっ面. ¶～を張りとばす 상대방의 얼굴을 갈기다.

むこうはちまき【向こう鉢巻き】 名 머리띠를 매는 방법의 하나《앞이마에 매듭을 지음》. ¶～で仕事を始める 머리띠매듭이 앞이마에 오게 질끈 매고 일을 시작하다. ↔うしろはちまき.

むこうみず【向こう見ず】 名ダナ 앞뒤 생각 없이 무턱대고 하는 모양; 분별이 없음; 무모함. ＝無鉄砲. ¶～の勇気 무모한 용기; 만용 / ～に突進する 무턱대고 돌진하다 / ～なことをして大損をする 분별없는〔무모한〕 짓을 해서 큰 손해를 보다.

むこくせき【無国籍】 名 무국적. ¶～者 무국적자.

むごたらし-い〖惨たらしい〗 形 ☞むごい. ¶～殺人 끔찍한 살인 / ～死にざま 끔찍한 죽음 / 焼け跡の～死体 불탄 자리의 참혹한 시체 / ～目にあわせる 끔찍한 꼴을 당하게 하다.

むこん【無根】 名ダ 무근; 근거 없음. ¶

～のうわさが立つ 근거 없는 소문이 나다 / その報道は事実～であった 그 보도는 사실무근이었다.

むごん【無言】图 무언. ¶～劇 무언극 / ～の圧力 무언의 압력 / 彼は～で僕の話を聞いていた 그는 말 없이 내 얘기를 듣고 있었다.

むさ-い 形 〈俗〉 지저분하다; 누추하다. ¶～所ですがお上がりください 누추한 곳입니다만 들어[올라] 오십시오.

むざい【無罪】图 무죄. ¶～放免 무죄 방면 / ～の宣告を受ける 무죄 선고를 받다. ↔有罪.

むさく【無策】图 무책. ¶無為～ 무위무책.

むさくい【無作為】图 무작위. ＝ランダム·不作為. ¶～に抽出する[えらび出す] 무작위로[임의로] 추출하다[골라 내다].

むさくるし-い【むさ苦しい】形 지저분하고 더럽다; 누추하다. ¶～部屋 누추한 방 / ～顔 더러운 얼굴 / ～みなり 지저분한[너절한] 옷차림 / ～風体をしている 지저분한 차림을 하고 있다 / 腰に～手ぬぐいを下げる 허리에 지저분한 수건을 차다 / ～所ですが, お上がりください 누추한 곳이지만 어서 들어오시지요.

むささび『鼯鼠』图〔動〕날다람쥐.

むさべつ【無差別】图ダナ 무차별. ＝平等. ¶～爆撃 무차별 폭격 / 男女～に扱う 남녀 차별 없이 대우하다. ↔差別.

—きゅう【—級】图 (유도 체급에서) 무차별급; 무제한급.

むさぼりく-う【むさぼり食う】《貪り食う》5他 탐식하다; 걸신들린 것처럼 먹다. ¶にぎり飯を～ 주먹밥을 걸신들린 것처럼 먹다.

むさぼりよ-む【むさぼり読む】《貪り読む》5他 탐독하다. ¶小説を～ 소설을 탐독하다.

*__むさぼ-る__『貪る』5他 탐내다; 탐하다; 욕심부리다. ¶安逸を～ 안일을 탐하다 / 暴利を～ 폭리를 탐하다 / ～ように読む 탐독하다 / 惰眠を～ 게으름을 피워 잠만 자다.

むざむざ 副 **1** 호락호락; 어찌 해볼 도리 없이; 힘없이. ＝やすやす·まんまと. ¶～(と)ひっかかる 호락호락 넘어가다 / ～(と)負けてなるものか 호락호락 질 수는 없지. **2** 쉽사리; 아낌없이. ＝あっさりと. ¶～捨ててしまっては勿体ない 함부로 버려서는 아깝다 / ～やめてしまうわけにはいかない 쉽사리 그만둘 수는 없다.

むさん【無産】图 무산. ¶～階級 무산 계급.

むさん【霧散】图ス自 무산; 안개처럼 흩어져 없어짐. ¶疑惑が～する 의혹이 깨끗이 해소되다 / 青春の夢が～する 청춘의 꿈이 무산되다.

むざん【無残·無惨】ダナ 끔찍[잔인]함; 무참. ¶二人の仲を～に引き裂く 두 사람 사이를 매정하게 갈라놓다 / 見るも～だ 보기에도 끔찍하다 / ～な最期をとげる 무참한 최후를 마치다.

__むし__【虫】图 **1 벌레. ㉠곤충 따위. ¶～の音 벌레 소리 / ～が食った本 벌레[좀] 먹은 책 / 秋の夜の～の声 가을 밤의 벌레 소리 / ～が湧く 벌레가 꾀다[끓다] / ～にさされる 벌레에 쏘다. ㉡기생충; 특히, 회충. ¶～をくだす 회충을 없애다[구충(驅蟲)하다]. ㉢(어떤 일에) 지독히 파고드는 사람《'鬼3' 보다는 집념이 미시적(微視的)임》. ¶本[仕事]の～ 책[일] 벌레 / 点取り～ 점수 벌레. **2** 감정; 기분; 예감《체내에 벌레가 있어서 여러 가지 감정을 좌우한다는 생각에서》. ¶ふさぎの～が起きる 우울증이 일어나다 / 腹の～が収まらない 치미는 부아를 누를 수 없다 / 悪い～が頭をもたげる 나쁜 생각이 고개를 들다. **3** 신경질; 특히, 어린아이의 경기. ＝虫気·癇. ¶～の薬 경기에 먹는 약 / かんの～ 짜증. **4**《接尾語적으로》걸핏하면 …하는 사람. ¶泣き～ 우지; 울보 / おこり～ 성마른 사람 / 弱～ 겁보; 겁쟁이.

—がいい 뻔뻔스럽다; 비위가 좋다; 얌체 같다. ¶～考え 얌체 같은 생각.

—が知らせる 무언가 일어날 듯한 예감이 들다.

—が好かない 까닭 없이 싫다; 주는 것 없이 밉다. ¶～奴だ 까닭 없이 미운 자식이다.

—がつく **1** (옷·서화(書畫) 따위를) 벌레가 먹다. **2** 딸자식에게 탐탁지 않은 애인이 생기다. ¶悪い虫がつかないうちに嫁にやる 못된 남자와 사귀기 전에 시집보내다.

—の居所が悪い (평소와는 달리 사소한 일에도) 기분이 언짢다.

—の知らせ (어쩐지 불길한) 예감.

—も殺さない 아주 부드럽고 온화한 성품의 비유. ¶～顔をしている 착하디착한 얼굴을 하고 있다.

—を殺す 감정을 죽이다; 화를 억누르다.

*__むし__【無視】图ス他 무시. ¶存在を～する 존재를 무시하다 / 少数意見を～する 소수 의견을 무시하다.

むし【無私】名ナ 무사; 사심이 없음. ¶公平～な態度 공평무사한 태도.

むし【無死】图〔野〕무사. ＝ノーダ(ウ)ン·ノーアウト. ¶～満塁 무사 만루.

むじ【無地】图 무지; 전체가 한 빛깔로 무늬가 없음. ＝無紋. ¶～の布地 무지의 천 / ～の着物 무지의 옷.

むしあつ-い【蒸し暑い】形 무덥다. ¶～部屋 무더운 방 / ～梅雨期 후덥지근한 장마철 / ～·くて寝苦しい夜 무더워 잠 못 이루는 밤.

むしかえ-す【蒸し返す】5他 **1** 다시 열기를 가해 데우다. ¶冷えた御飯を～ 찬밥을 데우다. **2** (일단 결말이 난 것

을) 다시 문제 삼다. ¶議論(ぎろん)を～ 의론을 다시 되풀이하다 / 問題(もんだい)は何度(なんど)も～·された 문제는 여러 차례 되풀이 논의되었다.

むしかく【無資格】名 ダナ 무자격. ¶～者(しゃ) 무자격자 / ～診療(しんりょう) 무자격 진료.

むじかく【無自覚】名 ダナ 무자각; 지각이 없음. ¶～な態度(たいど) 지각 없는 태도 / ～な人(ひと) 지각 없는 사람.

むしかご【虫かご】《虫籠》名 방울벌레 등 우는 벌레를 기르는 바구니.

むしき【蒸し器】名 찜통; 시루.

むしくい【虫食い】《虫喰い》名 벌레 먹음; 또, 그 자리. ¶～の予防(よぼう) 충해(蟲害) 예방 / この栗(くり)は～が多(おお)い 이 밤은 벌레 먹은 데가 많다.

むしくだし【虫下し】名 회충약; 구충제. ¶～を飲(の)む 구충제를 먹다.

むしけら【虫けら】《虫螻》名 **1** 벌레의 낮춤말. **2** 벌레 같은 하찮은 인간. ¶人(ひと)を～のように扱(あつか)う 사람을 버러지처럼 취급하다 / あんな～どもの相手(あいて)になるな 저런 벌레 같은 것들을 상대하지 마라.

むしけん【無試験】名 무시험. ¶～で入社(にゅうしゃ)する 무시험으로 입사하다 / ～入学(にゅうがく)の資格(しかく)がある 무시험 입학 자격이 있다.

むじこ【無事故】名 무사고. ¶～週間(しゅうかん) 무사고 주간 / ～運転(うんてん) 무사고 운전.

むしず【虫ず】《虫酸·虫唾》名 신물.

―が走(はし)る 신물이 나다; 몹시 역겹다. ¶考(かんが)えただけで～ 생각만 해도 역겹다 / あいつの声(こえ)を聞(き)くだけで～ 그놈 목소리를 듣기만 해도 신물이 난다.

むじつ【無実】名 **1** 무실; 사실이 없음. **2** 억울함. ¶～を訴(うった)える 억울함을 호소하다 / 飽(あ)くまで～だとがんばる 끝까지 무실을 주장하다.

―の罪(つみ) 억울한 죄. ¶～をきせられる 억울한 죄를 덮어 쓰다 / ～に泣(な)く 억울한 죄로 시달리다.

むじな〖狢·貉〗名〔動〕**1** 'あなぐま'의 딴 이름. **2** 'たぬき'의 딴 이름. ¶ひとつ穴(あな)の～ 한 굴 속의 너구리《한패》.

むしのいき【虫の息】名 다 죽어 가는 숨. ¶医者(いしゃ)が来(き)たときは～であった 의사가 왔을 때는 마지막 숨을 할딱이고 있었다.

むしば【虫歯】名 충치. ¶～を抜(ぬ)く 충치를 뽑다 / ～が二本(にほん)ある 충치가 두 개 있다 / ～が痛(いた)む 충치 앓는 데가 아프다.

むしば-む〖蝕む〗5他 좀먹다; 침식하다; 해치다. ¶～·んだ衣服(いふく) 좀먹은 의복 / ～·める心(こころ) 병든 마음 / 心が～·まれる 마음이 멍들다 / 童心(どうしん)を～出版物(しゅっぱんぶつ) 동심을 해치는〔좀먹는〕 출판물 / 結核菌(けっかくきん)が肺(はい)を～ 결핵균이 폐를 좀먹다 / 風潮(ふうちょう)に～·まれる 바람과 조수에 침식되다.

むしばら【虫腹】名 거위배; 회충 따위로 인한 배앓이. ¶～が痛(いた)む (거위)배가 아프다.

むじひ【無慈悲】名 ダナ 무자비. ¶～な男(おとこ)〔仕打(しう)ち〕 무자비한 사나이〔처사〕.

むしピン【虫ピン】名 표본 상자에 곤충을 꽂아 두는 핀; 바늘핀. ▷pin.

むしぶろ【蒸しぶろ】《蒸し風呂》名 증기욕; 한증(汗蒸). ¶～にはいったような暑(あつ)さ 한증막에 들어간 것 같은 더위. ↔水(すい)ぶろ.

むしぼし【虫干し】名 ス他 (삼복(三伏) 때) 옷·책 따위를 곰팡이가 나지 않고 좀먹지 않게 햇볕에 쬐고 바람에 쐼. ＝土用干(どようぼ)し. ¶冬物(ふゆもの)を～する 겨울옷가지를 햇볕에 쬐고 바람에 쐬다.

むしむし〖蒸し蒸し〗副 ス自 찌듯이 무더운 모양; 푹푹. ¶～する暑(あつ)い日(ひ) 푹푹 찌는 무더운 날 / ～(と)暑(あつ)い 푹푹 찌듯이 무덥다.

むしめがね【虫眼鏡】名 확대경; 돋보기. ¶～で見(み)る 확대경으로 보다.

むしゃ【武者】名 (특히, 갑옷과 투구로 무장한) 무사. ¶若(わか)～ 젊은 무사.

―しゅぎょう【―修行】名 ス自 무사가 무예를 닦기 위해 여러 곳을 돌아다님.

―にんぎょう【―人形】名 단옷날에 장식하는, 무사 모양을 한 인형. ＝かぶと人形·五月(ごがつ)人形.

―ぶるい【―震い·―振るい】名 ス自 흥분으로 설레어 몸이 떨림.

むしやき【蒸し焼き】名〔料〕밀폐된 용기 속에 재료를 넣고, 열을 가해 구움; 또, 그렇게 만든 음식. ¶鶏(にわとり)の～ 통닭구이 / ～にする 오븐 등에 넣어 굽다.

***むじゃき**【無邪気】名 ダナ **1** 천진함; 순진함. ¶～な笑(わら)い 천진난만한 웃음 / ～に笑う 순진하게 웃다 / きわめて～な人(ひと) 아주 순진한 사람 / ～な考(かんが)え 순진한 생각 / 子供(こども)が～に言(い)う事(こと)は面白(おもしろ)い 아이가 천진난만하게 하는 말은 재미있다. **2** 악의가 없음; 생각이 얕음. ¶～な言葉(ことば)〔質問(しつもん)〕 악의 없는 말〔질문〕 / ～な解釈(かいしゃく) 유치한 해석.

むしゃくしゃ 副 마음이 상쾌하지 못하여 답답함; 마음이 개운치 않음; 기분이 언짢음. ¶仕事(しごと)がうまくいかなくて, ～(と)する 일이 잘 안 되어 속이 상한다 / 朝(あさ)から～する 아침부터 기분이 언짢다.

むしゃぶりつ-く〖武者ぶりつく〗5自 맹렬하게 달라붙다. ¶母親(ははおや)に～·いて泣(な)く 엄마에게 매달려 울다.

むしゃむしゃ 副 게걸스럽게; 우적우적. ¶～(と)食(た)べる 게걸스럽게〔우적우적〕 먹다.

むしゅう【無臭】名 무취. ¶無味(むみ)～の液体(えきたい) 무미 무취의 액체.

むじゅうりょく【無重力】名 무중력. ＝無重量(むじゅうりょう). ¶～感(かん) 무중력감 / ～状態(じょうたい) 무중력 상태.

むしゅく【無宿】名 무숙; 집이 없음. ＝やどなし. ¶～者(もの) 무숙자; 떠돌이.

むしゅみ【無趣味】名ナ 무취미; 몰취미; 무풍류; 속악(俗惡). ＝ぶしゅみ. ¶～な男 풍류를 모르는 사나이 / ～な物ばかり買い集める 시시한 것만 사 모으다. ↔多趣味.

***むじゅん**【矛盾】名ス自 모순. ¶前後～した話 전후 모순된 말 / ～だらけな表現 모순투성이인 표현 / 現実と理想とは～する 현실과 이상은 모순된다.

むしょ 名〈隱〉형무소; 감옥; 큰집((깡패·도둑 사이에서 씀)). ¶～帰り 교도소에서 나옴((전과자)). 参考 '刑務所'의 준말.

むしょう【無償】名 무상; 무료. ＝ただ. ¶～奉仕 무료 봉사 / ～の愛 보상 없는 사랑 / ～配布 무상 배포 / ～貸し付け 무상 대부. ↔有償.

むじょう【無上】名 무상; 최상. ¶～の光栄〔喜び〕 무상의 영광〔기쁨〕.

むじょう【無常】名ナ 무상. **1**〖佛〗생멸 전변(轉變)하여 일정하지 않음. ¶諸行～ 제행무상. ↔常住. **2** 덧없음. ¶～の世に生きる 덧없는 세상을 살아가다.

むじょう【無情】名ナ 무정; 인정이 없음. ¶～な仕打ち 무정한 처사 / ～な人 무정한 사람 / ～にも妻子を振り切って出家した 무정하게도 처자를 뿌리치고 출가했다〔승려가 됐다〕/ 彼は～にも困っている友を見捨てた 그는 무정하게도 곤란을 겪고 있는 친구를 저버렸다. ↔有情.

***むじょうけん**【無条件】名 무조건. ¶～降伏 무조건 항복 / ～で承諾する〔受け入れる〕 무조건 승낙하다〔받아들이다〕/ ～で認める 무조건 인정하다.

むしょうに〖無性に〗副 몹시; 공연히; 까닭 없이; 무턱대고. ＝むやみやたらに. ¶～腹が立つ 공연히 화가 나다 / ～眠い 몹시 졸리다 / ～ほしがる 몹시〔무턱대고〕 탐내다 / ～水が飲みたい 목이 몹시 마르다 / ～さびしい 몹시〔까닭 없이〕 쓸쓸하다 / ～人恋しい 몹시 사람이 그립다.

***むしょく**【無色】名 **1** 무색((흰색도 말함)). ¶～の生地 흰 옷감 / ～透明 무색 투명. ↔有色. **2** 전하여, 중립(적임). ¶～の立場 중립적인 입장.

むしょく【無職】名 무직((좁은 뜻으로는 실직을 가리킴)). ¶～者 무직자 / 彼は～で独身者だった 그는 무직의 독신자였다 / 多くの人が～でいる 많은 사람이 무직으로 있다((실직하고 있다)).

むしよけ【虫よけ】〖虫除け〗名 해충을 구제함; 또, 그 장치나 방충제·구충제.

むしょぞく【無所属】名 무소속. ¶～議員 무소속 의원 / ～で立候補する 무소속으로 입후보하다.

むしりと-る【むしり取る】〖毟り取る〗五他 **1** 잡아〔쥐어〕 뜯다; 잡아 뽑다. ¶草を～ 풀을 잡아 뜯다. **2** 어거지로 빼앗다. ¶小遣いを～られた 용돈을 강탈당했다.

むし-る〖毟る〗五他 **1** 쥐어뜯다. ㉠잡아 뽑다. ¶毛を～ 털을 잡아 뜯다 / 草を～ 풀을 뽑다 / 髪をかき～ 머리털을 쥐어뜯다. ㉡떼어 내다. ¶パンを～って食べる 빵을 떼어〔뜯어〕 먹다. **2** (생선 따위의 뼈에서) 살을 발라내다. ¶魚の肉を～って食べる 생선 살을 발라내어 먹다.

むしろ〖筵·蓆〗名 **1** 왕골·짚·대 따위로 엮은 깔개의 총칭((자리나 거적, 특히, 멍석)). ¶～囲いの仮小屋 거적으로 둘러친 임시 오두막 / ～を編む 멍석을 치다 / ～を敷く 거적을 깔다. **2**〈雅〉좌석. ¶うたげの～ 연회 좌석.

***むしろ**〖寧ろ〗副 차라리; 오히려. ¶名よりも～実を選ぶ 명분보다 오히려 실리를 택하다 / 生きて恥をさらすくらいなら～死んだ方がましだ 살아서 욕을 당하느니 차라리 죽는 편이 낫다 / 美しいというより～かわいい女だ 아름답다기보다는 오히려 사랑스런 여인이다 / 小説家というより～詩人だ 소설가라기보다 오히려 시인이다 / 必要でよりも～好きでやっているのです 필요해서라기보다는 오히려 좋아서 하고 있습니다.

むしん【無心】一ダナ **1** 무심; (열중해) 아무 생각 없음. ¶～の草木 무심한 초목 / ～でいったことば 무심코 한 말 / ～に遊ぶ 놀이에 열중하다. **2** 사심(邪心)이 없음; 순진함. ＝むじゃき. ¶～な笑顔 천진스러운 웃는 얼굴 / ～な子供まで巻きぞえにする 천진한 아이들까지 언걸입히다〔한데 끌어넣다〕. 二名ス他 염치 없이 금품을 요구함. ¶～の手紙 뻔뻔스레 돈을 요구하는 편지 / 友人にお金を～する 친구에게 염치없이 돈을 달라고 하다 / 親元に～する (고향의) 부모에게 금품을 조르다.

むじん【無人】名 무인; 사람이 없음. ¶～島〔機〕 무인도〔기〕/ ～踏切 무인 건널목 / ～の境(を行く) 무인지경(을 가다) / 球が～の右中間にころがる (야구에서) 공이 아무도 없는 우중간으로 굴러가다. ↔有人.

むじん【無尽】名 무진. **1** 다하여 그치지〔없어지지〕 않음. ¶縦横～ 종횡무진. **2** 계(契). ＝頼母子講. ¶～に当たる 무진〔계〕에 당첨되다.

―ぞう【―蔵】ダナ 무진장. ¶～の資源 무진장한 자원.

むしんけい【無神経】名ダナ 무신경. ¶～な〔の〕男 무신경한 사나이 / はずかしめられても～だ 창피를 당해도 무신경이다 / 彼は何を言われても～だ 그는 무슨 말을 들어도 무신경이다.

むしんろん【無神論】名 무신론. ¶～者 무신론자. ↔有神論.

***む-す**【蒸す】一五自 무덥다. ¶今夜はひどく～ 오늘 밤은 몹시도 무덥다.

[二][5他] 찌다. ＝ふかす. ¶～·しタオル 삶은 타월／芋(いも)を～ 고구마를 찌다／～·したもち米(ごめ)をついて，もちをつくる 찐 찹쌀을 찧어서 떡을 만들다. [可能]む-せる[下1自]

むすい【無水】[名]〖化〗무수. ¶～アルコール 무수 알코올; 알코올 무수물／～炭酸(たんさん) 무수 탄산; 탄산 무수물.

***むすう**【無数】[ダナ] 무수. ¶～の星(ほし) 무수한 별／～の人(ひと)が集(あつ)まる 무수한 사람이 모이다. ↔有数(ゆうすう).

****むずかし-い**【難しい】[形] **1** 어렵다. ㉠곤란하다. ¶～試験(しけん)〔問題(もんだい)〕 어려운 시험〔문제〕／優勝(ゆうしょう)は～ 우승은 어렵(겠)다. ↔やさしい. ㉡고치기 힘들다. ¶～病気(びょうき) 난치병／容態(ようだい)が～·くなる 용태가 나빠지다. **2** 까다롭다. ㉠번거롭다; 귀찮다. ¶～手続(てつづ)き 까다로운 절차／操作(そうさ)が～ 조작이 까다롭다. ↔やさしい·たやすい. ㉡투정이 많다; 말썽이 많다. ¶～人(ひと) 까다로운 사람／年寄(としよ)りは食(た)べ物(もの)に～ 늙은이는 음식물에 까다롭다. **3** 기분이 언짢다; 못마땅하다. ¶～顔(かお)をする 못마땅한 얼굴을 하다. [注意]'むつかしい'라고도 함.

むずがゆ-い〖むず痒い〗[形] 근질거리다; 근질근질 가렵다; 무렵다. ¶足(あし)のしもやけが～ 동상 걸린 발이 근질근질 가렵다／蚊(か)に食(く)われたところが～ 모기에 물린 데가 근질거린다.

むずか-る〖憤る〗[5自] (어린아이가) 칭얼거리다; 보채다. ¶～赤(あか)ん坊(ぼう)をあやす 보채는 젖먹이를 달래다／眠(ねむ)くて～ 졸려서 칭얼거리다. [注意]'むつかる'라고도 함.

***むすこ**【息子】[名] 아들; 자식. ＝せがれ. ¶道楽(どうらく)～ 방탕한 자식／良(よ)い～を持(も)つ 좋은 아들을 두다. ↔娘(むすめ).

> **息子(むすこ)에 대한 지칭(指稱)**
>
> 자기 아들에 대해, 남에게는 息子(むすこ)·せがれ·子(こ)ども·坊主(ぼうず) 따위로 겸칭(謙稱)하며, 편지에서는 愚息(ぐそく)(우식)·豚児(とんじ)(돈아) 등으로도 씀.
> 또, 타인의 아들에 대해선 (お)坊(ぼっ)ちゃん·(お)ぼっちゃま(아드님)라고 하는 것이 보통이며, 편지에선 ご令息(れいそく)(様(さま))(영식)·ご子息(しそく)(様(さま))(자제분)·ご愛息(あいそく)(様(さま))(애식) 등으로도 씀.

むずと [副] 급히 강한 힘을 주는 모양: 꽉. ＝むんずと. ¶襟首(えりくび)を～引(ひ)っ摑(つか)む 목덜미를 덥석 거머쥐다／～組(く)みつく 다부지게 맞붙다.

むすび【結び】[名] **1** 맺음; 매듭. ¶蝶(ちょう)～ 나비 매듭／縁(えん)～ 결연(結緣)／荷物(にもつ)の～が悪(わる)い 짐을 묶는 방법이 잘못됐다. **2** 끝맺음; 결말(의 부분). ¶～の一番(いちばん) 마지막 한판; 결승전／～の言葉(ことば)を述(の)べる 끝맺는 말을 하다／～をつける 결론짓다. **3**《結飯》'結(むす)び飯(めし)'의 준말; 주먹밥. ＝握(にぎ)り飯(めし). ¶お～を握(にぎ)る 주먹밥을 만들다.

むすびつ-く【結び付く】[5自] **1** 결부되다; 이어지다; 밀접한 관계를 갖다. ＝つながる. ¶事件(じけん)に～証拠(しょうこ) 사건에 관계되는 증거／努力(どりょく)が成功(せいこう)に～ 노력이 성공으로 이어지다. **2** 한패가 되다; 결탁하다. ¶政治家(せいじか)に～·いた商人(しょうにん) 정치가와 결탁한 상인.

むすびつ-ける【結び付ける】[下1他] **1** 연결시키다; 결부하다; 묶다; 매다. ¶旗(はた)を竿(さお)に～ 기를 깃대에 매다／荷札(にふだ)を～ 꼬리표를 달다. **2** 결합〔결부〕시키다. ¶友情(ゆうじょう)で～·けられた二人(ふたり) 우정으로 맺어진 두 사람／両者(りょうしゃ)を密接(みっせつ)に～ 양자를 밀접하게 결합시키다.

むすびめ【結びめ·結び目】[名] 매듭. ＝結(ゆ)い目(め). ¶ひもの～が解(と)ける 끈의 매듭이 풀리다／～をこしらえる〔解(と)く〕 매듭을 짓다〔풀다〕.

****むす-ぶ**【結ぶ】[5他自] **1** 잇다. ¶世界(せかい)を～衛星(えいせい)中継放送(ちゅうけいほうそう) 세계를 잇는 위성 중계 방송／都心(としん)と空港(くうこう)を～道路(どうろ) 도심과 공항을 잇는 도로／短(みじか)いひもを～·んで長(なが)くする 짧은 끈을 이어서 길게 하다. **2** 매다; 묶다. ¶堅(かた)く～ 단단히 매다／しっかりと～ 단단히 묶다／帯(おび)〔くつのひも，ネクタイ〕を～ 허리띠〔신끈, 넥타이〕를 매다／束(たば)に～ 다발로 묶다. ↔解(と)く. **3** 맺다. ㉠관계를 맺다. ¶業者(ぎょうしゃ)と～·んで私腹(しふく)をこやす 업자와 짜고 사복을 채우다／敵(てき)と～ 적과 결탁하다／縁(えん)を～ 인연을 맺다／国交(こっこう)を～ 국교를 맺다／契約(けいやく)を～ 계약을 체결하다／愛(あい)によって～·ばれる 사랑으로 맺어지다. ㉡끝맺다. ¶論文(ろんぶん)〔話(はなし)〕を～ 논문을〔이야기를〕 끝맺다／'めでたしめでたし'で～ 해피 엔드로 끝을 맺다. ㉢결과를 맺다. ¶実(み)を～ 열매를 맺다／実(み)〔露(つゆ)〕が～ 열매가〔이슬이〕 맺히다／夢(ゆめ)を～ 잠을 자다. **4** 잡다; 쥐다. ¶手(て)を～ (a)손잡다《사이가 좋다》; (b)손을 꼭 쥐다. **5** 다물다. ¶口(くち)を堅(かた)く～ 입을 꽉 다물다. [可能]むす-べる[下1自]

むずむず [副] **1** 근실근실. ¶背中(せなか)が～する 등이 근실근실하다. **2** 좀이 쑤시는 모양: 근질근질. ＝うずうず. ¶答(こた)えを教(おし)えてやりたくて～する 답을 가르쳐 주고 싶어서 좀이 쑤시다／行(ゆ)きたくて～する 가고 싶어서 못 견디다／なぐりたくて腕(うで)が～している 때리고 싶어서 팔이 근질근질하다.

****むすめ**【娘】[名] **1** 딸(자식). ¶～を嫁(よめ)にやる 딸을 시집 보내다／一人(ひとり)の息子(むすこ)と二人(ふたり)の～がいる 아들 하나와 두 딸이 있다. ↔むすこ. **2** (젊은) 미혼 여성; 아가씨. ＝おとめ. ¶若(わか)い～さんたち 젊은 아가씨들／村(むら)～ 촌색시; 동네 아가씨／～時代(じだい)に 처녀 시절에.
—ひとりに婿(むこ)八人(はちにん) 처녀 하나에 신랑감이 여덟《물건은 하나인데 희망자가 많다는 비유》.

娘에 대한 지칭(指稱)

자기 딸을 남에게 말할 때는 娘·子ども·豚児(돈아)라고 하며, 남의 딸에 대해서는 보통, お嬢さん이나 お嬢さま(따님)라고 함.
또, 편지에서는 ご令嬢(様)(영애(令愛))·ご息女(様)(영양)·ご愛嬢(様)(영애)라고도 함.

むすめごころ【娘心】名 순정적인 처녀의 마음. ＝娘気. ¶～を踏みにじる 처녀의 순정을 짓밟다/感じやすい～ 감수성이 예민한 처녀 마음.

むすめざかり【娘盛り】名 처녀의 한창 꽃다운 나이.

むせい【無性】名〔生〕무성; 자웅의 구별이 없음. ↔有性.

—せいしょく【—生殖】名〔生〕무성 생식. ↔有性生殖.

むせい【無声】名 무성. ¶～音 무성음/～映画 무성 영화. ↔有声.

むせい【夢精】名ス自 몽정; 몽설.

むぜい【無税】名 무세. ¶～の品 면세품/～輸入を許す 면세 수입을 허가하다. ↔有税.

*__むせいげん__【無制限】名ダナ 무제한. ¶鯨の～な捕獲を禁ずる 고래의 제한 없는 포획을 금하다/切符を～に発行する 표를 무제한 발행하다.

むせいふ【無政府】名 무정부. ¶～状態 무정부 상태.

—しゅぎ【—主義】名 무정부주의; 아나키즘. ＝アナーキズム.

むせいぶつ【無生物】名 무생물. ↔生物.

むせいらん【無精卵】名 무정란; 수정하지 않고 낳은 알. ↔有精卵.

むせかえ-る【むせ返る】《噎せ返る》5自 **1** 숨이 콱콱 막히다. ¶～ような花の香り 코를 찌르는 듯한 꽃향기/～ような人込みの中で 숨막힐 듯한 군중 속에서/～暑さだ 숨이 콱콱 막히는 더위다/強い酒に～ 독한 술에 숨이 막히다/煙で～ 연기로 숨이 콱콱 막히다. **2** 몹시 흐느껴 울다. ¶顔を伏せて～ 고개를 숙이고 흐느껴 울다.

むせき【無籍】名 무적; 국적·호적·학적 따위가 없음. ¶～者 무적자.

むせきついどうぶつ【無脊椎動物】名 무척추 동물. ↔脊椎動物.

*__むせきにん__【無責任】名ダナ 무책임. **1** 책임 없음. ¶～な立場 책임이 없는 입장. **2** 책임 관념이 없음. ¶～な答弁 무책임한 답변/～極まる 무책임하기 짝이 없다/彼は～な事は言わない 그는 무책임한 말은 하지 않는다.

むせっそう【無節操】名ナ 무절조. ¶～な人 무절조한 사람.

むせびな-く【むせび泣く】《咽び泣く·噎び泣く》5自 흐느껴 울다; 또, (악기나 바람 소리 등이) 흐느껴 우는 듯한 소리를 내다. ¶激しく～バイオリンのメロディー 격렬하게 흐느끼는 (듯한) 바이올린 멜로디.

むせ-ぶ〖咽ぶ·噎ぶ〗5自 **1** 목이 메다. ＝むせる. ¶煙に～ 연기로 목이 메다. **2** 목메어 울다; 흐느껴 울다. ¶～·びながら訴える 목메어 울면서 호소하다/涙に～ 목메어 울다/彼女は涙に～·びつつ話した 그녀는 목메어 울면서 이야기했다/感涙に～ 감격의 눈물을 흘리며 흐느끼다.

む-せる〖噎せる〗下1自 목이 메다; 숨이 막히다. ＝むせぶ. ¶～ような花のかおり 자욱한 꽃향기/馴れないたばこの煙に～ 익숙지 않은 담배 연기에 숨이 막히다.

*__むせん__【無線】名 **1** 무선. **2** '無線電話·無線電信'의 준말. ⇔有線.

—そうじゅう【—操縦】名 무선 조종. ¶～の飛行機 무선 조종 비행기.

—でんしん【—電信】名 무선 전신. ＝無電. ¶～を発する 무선 전신을 보내다.

—でんわ【—電話】名 무선 전화.

むせん【無銭】名 무전. ¶～飲食 무전취식(取食)/～旅行 무전여행.

むそう【無双】名ナ **1** 무쌍. ＝無二·無類·無比. ¶古今～ 고금무쌍/怪力～ 괴력무쌍/天下～の男 천하무쌍한 남자. **2** 의복·기구 따위의 안팎을 같은 재료로 만듦. ¶～だんす 안팎을 같은 목재로 짠 옷장.

むそう【夢想】名ス他 몽상; 공상. ＝空想. ¶～家 몽상가/～だにしなかった事件 꿈에도 생각지 않았던 사건/未来を～する 미래를 꿈꾸다/完成の日を～する 완성될 날을 꿈꾸다/バラ色の結婚生活を～する 장밋빛 결혼 생활을 꿈꾸다.

*__むぞうさ__〖無造作〗名ダナ 손쉬운 모양; 대수롭지 않게 여기는 모양. ¶～に書く 아무렇게나[되는 대로] 쓰다/～に引き受ける 어렵잖게[선뜻] 떠맡다/～にやってのける 간단히[어렵지 않게] 해치우다/髪を～に束ねる 머리를 아무렇게나[되는 대로] 묶다/～に事を運ぶ 대수롭지 않게 일을 진행하다.

むそじ［六十路］名〈雅〉**1** 예순; 육십. **2** 육십 세; 예순 살.

**__むだ__【無駄】名ダナ 쓸데없음; 효과나 효력이 없음; 보람 없음; 헛됨. ¶～な話 쓸데없는 이야기/～な骨折り 헛된 수고/時間の～ 시간의 허비/～にする 헛되게 하다/～になる 헛되이 되다/～に終わる 보람 없이 끝나다/～な努力をする 헛된 노력을 하다/言葉に～が多い 말에 군더더기가 많다/～を省く 낭비를 없애다/～に金を費やす 헛되이 돈을 쓰다.

むだあし【無駄足】名ス自 헛걸음. ¶人を訪ねて～を踏む 사람을 찾아갔다가 헛걸음을 하다.

むたい【無体】一名〔法〕무체; 무형. ¶

～財産 무체 재산. ㊁名ダナ 무리; 무법. ¶無理～に 힘으로; 강제로; 어거지로 / ～な要求 무리한 요구.

むだい【無題】名 무제; (시가 등에서) 제목이 없음. ¶～の歌 무제의 노래. ↔題詠.

むだがね【無駄金】名 쓴 만큼의 효과가 없는 돈; 쓸데없이 쓰는 돈. ＝むだぜに. ¶～を使う 쓸데없는 돈을 쓰다.

むだぐい【無駄食い】名ス自 무위도식(無爲徒食). ＝徒食. ¶仕事にも就かずに～する 취직도 하지 않고 놀고 먹는다.

むだぐち【無駄口】名 쓸데없는 말. ＝むだ言. ¶～をたたく 쓸데없는 말을 지껄이다; 실떡거리다 / ～をきくな 쓸데없는 말을 하지 마라.

むだげ【無駄毛】名 (얼굴·팔 따위의) 불필요한 털.

むだじに【無駄死に】名ス自 헛된 죽음; 개죽음. ＝犬死に. ¶無益な戦争で若者を～させてはならない 무익한 전쟁으로 젊은이를 개죽음시켜서는 안된다.

むだづかい【無駄遣い】名ス他 낭비; 허비. ¶時間の～ 시간 낭비 / ～を慎む 낭비를 삼가다 / 予算を～する 예산을 낭비하다 / 子供に～させてはいけない 아이들에게 돈을 낭비하게 해선 안된다.

むだばなし【無駄話】名 쓸데없는〔실없는〕 이야기; 잡담. ＝おしゃべり. ¶～に花を咲かす 잡담으로 꽃을 피우다 / 喫茶店で友人と～して過ごす 다방에서 친구와 잡담하며 보내다.

むだぼね【無駄骨】名 헛수고; 도로(徒勞). ＝むだぼねおり. ¶～を折る 헛수고하다 / ～になる 헛수고가 되다.

むだめし【無駄飯】名 놀면서 먹는 밥; 무위도식. ¶～を食う 놀고 먹다; 무위도식하다.

***むだん**【無断】名 무단. ¶～欠席 무단결석 / ～転載〔立ち入り〕を禁ず 무단 전재를〔출입을〕 금함 / 人の物を～で使う 남의 물건을 양해 없이〔함부로〕 쓰다.

***むち**〖鞭·笞〗名 **1** 채찍; 회초리; 매. ¶愛の～ 사랑의 채찍〔매〕 / ～を加える 매질하다; 채찍질하다; 편달하다 / ～を当てる 채찍질하다 / ～を振る 채찍을 휘두르다. **2** 지시봉; 지휘봉. ¶黒板の字を～で指す 칠판의 글자를 지시봉으로 가리키다.

むち【無知】名ナ 무지. **1** 지식이 없음. ¶～文盲 무지문맹 / 自分の～をさらけ出す 자신의 무지를 드러내다 / ～につけ込む 무지함을 이용하다. **2** 어리석음; 지혜가 없음. ¶～な人 무지한 사람 / ～無能 무지무능.

むち【無恥】名ナ 무치; 염치를 모름. ¶厚顔～ 후안무치 / ～な言動 염치없는 언동.

むちうちしょう【むち打ち症】《鞭打ち症》名 자동차의 충돌·추돌(追突) 때 강한 충격으로 인하여 목이 앞뒤로 강하게 흔들려 생기는 장애; 편타성 손상. ＝頸椎捻挫. 参考 whiplash syndrome의 역어.

むちう-つ【むち打つ】《鞭打つ》5自 채찍질하다. **1** 채찍을 가하다. ¶馬に～ 말에 채찍질하다 / 罪人を～ 죄인을 채찍으로 때리다. **2** 질타 격려하다; 편달(鞭撻)하다. ¶病弱のからだに～ 병약한 몸을 채찍질하다 / なまけ心に～って仕事をする 게으른 마음을 채찍질하여 일하다. 参考 '馬を～'와 같이 他動詞적으로도 씀.

むちつじょ【無秩序】名ダナ 무질서. ¶～な社会 무질서한 사회.

***むちゃ**〖無茶〗名ダナ **1** 사리에 닿지 않고 보통이 아닌 모양: 터무니〔턱〕없음; 무턱댐; 엉뚱함; 당찮음. ＝めちゃ. ¶～を言う 당찮은 소리를 하다 / ～をやる〔する〕 (a) 난폭한 짓을 하다; (b) 엉뚱한〔턱없는〕 짓을 하다 / ～に安い 턱없이 싸다. **2** 엉망진창; 심함; 형편 없음; 지독함. ＝むやみ. ¶～に暑い 지독하게 덥다.

──くちゃ〖──苦茶〗名ダナ 'むちゃ'의 힘줌말. ＝めちゃくちゃ. ¶～に寒い 몹시 춥다 / ～に飲む 마구 마시다 / ～にあばれる 마구 날뛰다〔설치다〕 / ～に押し込む 마구 쑤셔 넣다〔집어넣다〕 / 部屋の中は～だ 방 안은 엉망진창이다 / 人の一生を～にしてしまう 남의 일생을 엉망으로 만들고 말다.

むちゃくりく【無着陸】名 무착륙. ¶～飛行 무착륙 비행.

****むちゅう**【夢中】㊀名 몽중; 꿈속. ＝夢裏. ¶～で恋人に会う 꿈속에 애인을 만나다 / ～で暮らす 꿈결 속에〔멍하니〕 살아가다. ㊁名ナ 열중함; 몰두함. ¶遊びに～だ 노는 데 정신이 없다 / 野球に～になる 야구에 열중하다 / 火勢に追われて～で逃げる 맹렬한 불길에 쫓겨 정신없이 달아나다.

むちん【無賃】名 무임. ¶～乗客〔乗車〕 무임 승객〔승차〕 / 市内は～配達いたします 시내는 무료로 배달합니다. 「く·むっつ.

むつ【六つ】名 〈雅〉 여섯; 여섯 살. ＝ろ

むつう【無痛】名 무통. ¶～手術 무통 수술 / ～分娩 무통 분만.

むつかし-い〖難しい〗形 ☞むずかしい.

むつき［睦月］名 〈雅〉 음력 정월.

むつき〖襁褓〗名 **1** 기저귀. ＝おむつ. ¶～をあてる 기저귀를 채우다. **2** 배내옷. ＝うぶぎ. ¶～のうち 어릴 적.

ムック［미 mook］名 무크; 잡지와 단행본의 중간 성격을 띤 책. ▷magazine＋book.

むっくと 副 갑자기 일어나는 모양: 벌떡. ¶～起き上がる 벌떡 일어나다.

むっくり 副 **1** ☞むっくと. **2** 봉긋한 모

양. **3** 통통하게 살찐 모양: 포동포동. ¶ ~したからだ 뭉실뭉실한 몸매.

むつごと 〖睦言〗 图 다정하게 주고받는 이야기; 특히, 남녀의 잠자리에서의 정담. ¶ ~を交わす 정담을 나누다.

むっちり 副 ス自 살이 찌고 탄력이 있는 모양: 포동포동. ¶ ~(と)太ったからだつき 포동포동 살집(이) 좋은 몸매 / ~(と)した腰つき 풍만한 허리 모양 / 少女の体は年ごろになると~する 소녀의 몸은 나이가 차면 팽팽해진다.

**むっつ 【六つ】 图 여섯; 여섯 살; 여섯 개; 여섯째. =むつ.

むっつり 副 말수가 적고 무뚝뚝한 모양. ¶ ~した人〔~屋〕 무뚝뚝한 사람; 뚱한 사람 / ~顔 무뚝뚝한 얼굴 / ~助平 무뚝뚝하여 그럴 것 같지 않은 호색가 / ~と黙りこくる 입을 다물고 잠자코 있다.

むっと 副 **1** 불끈 불덩이가 치미는 것을 순간적으로 참는 모양. ¶ 相手の言葉に~なる 상대방 말에 불끈해지다 / 無視されて~する 무시당하여 불끈 화가 치밀다. **2** 열기나 냄새로 숨이 막힐 듯한 모양: 후텁지근함. ¶ ~する部屋 후텁지근한 방 / へやにはいると~した 방에 들어가니 숨막힐 듯 답답했다.

むつまじ-い 〖睦まじい〗 形 사이가 좋다; 의가 좋다; 정답다; 화목하다. ¶ 夫婦~·く暮らす 부부가 오순도순 의좋게 살다 / どういったものか彼らの間が~·く行かない 웬일인지 그들 사이가 원만하지 못하다.

むていけん 【無定見】 名ナ 무정견; 일정한 주견이 없음. ¶ ~な人 무정견한 사람 / ~な政策 무정견한 정책 / ~を暴露する 무정견을 드러내다.

むていこう 【無抵抗】 名ナ 무저항. ¶ ~主義 무저항주의 / ~上陸をする 무저항 상륙을 하다.

むてかつりゅう 【無手勝流】 图 〈俗〉 **1** 싸우지 않고 책략으로 이김; 또, 그 수법. **2** 제멋대로 하는 일; 자기류. =自己流.

むてき 【無敵】 图 무적. ¶ ~艦隊 무적함대 / 天下~ 천하무적.

むてき 【霧笛】 图 무적. =きりぶえ. ¶ ~信号 무적 신호 / ~を鳴らす 무적을 울리다.

むてっぽう 【無鉄砲】 名ダナ ☞むこうみず. ¶ ~な男 무모한 사나이 / ~な人 분별없는 사람 / ~に家出する 무작정 가출하다. 注意 '無鉄砲'로 씀은 취음.

*__むでん__ 【無電】 图 무전(《'無線電信(=무선 전신)' '無線電話(=무선 전화)'의 준말》). ¶ ~を打つ〔傍受する〕 무전을 치다〔방수하다〕 / ~で連絡をとる 무전으로 연락을 취하다.

むてんか 【無添加】 图 무첨가. ¶ ~食品 무첨가 식품.

むとう 【無糖】 图 무당; 당분이 없음. ¶ ~練乳 무당 연유.

むどう 【無道】 名ナ 무도; 도리에 벗어남. =非道. ¶ 悪逆~ 악역무도 / ~な振る舞い 무도한 행동.

むとうせい 【無統制】 名ナ 무통제. ¶ ~な集まり 통제가 안 되는 모임.

むとうひょう 【無投票】 图 무투표. ¶ ~当選 무투표 당선.

むどく 【無毒】 名ナ 무독; 독이 없음. ¶ 緑青は~といわれる 녹청은 독이 없다고 한다. ↔有毒.

むとくてん 【無得点】 图 무득점. ¶ ~に終わる 무득점으로 끝나다.

むとどけ 【無届け】 图 신고하지 않음. ¶ ~欠勤 무단 결근 / ~集会 무신고 집회 / ~デモ 무신고 데모.

*__むとんじゃく__ 〖無頓着〗 图ダナ 무관심; 무심함; 대범함. ¶ 身なりに~な人 몸차림에 무관심한 사람 / 人の事に~だ 남의 일에 관심이 없다 / 金には~だ 돈에는 무관심하다. 注意 'むとんちゃく'라고도 함.

むないた 【胸板】 图 **1** 가슴의 평평한 부분; 가슴팍; 앞가슴. ¶ 厚い~ 두툼한 가슴팍 / ~をたたく 앞가슴을 치다 / ~を撃ちぬかれる (총알이) 앞가슴을 관통하다. **2** 갑옷의 앞가슴이 닿는 부분.

むなぎ 【棟木】 图 마룻대로 쓰는 목재.

むなくそ 【胸くそ】(《胸糞》) 图 〈俗〉 '胸(=가슴)'의 힘줌말. =むねくそ.

—が悪い 기분 나쁘다; 속이 뒤집히다. ¶ 話を聞くだけでもむなくそが悪くなる 이야기를 듣기만 해도 속이 뒤집힌다.

むなぐら 【胸ぐら】(《胸倉》) 图 목 아래 옷깃이 여며지는 곳; 멱살.

—をつかむ; —を取る 멱살을 잡다.

むなぐるし-い 【胸苦しい】 形 가슴이 답답하다. ¶ ~·くて寝つかれない 가슴이 답답해서 잠을 잘 수가 없다.

むなげ 【胸毛】 图 가슴털. ¶ ~の生えた男 가슴털이 난 사나이 / えりから~がのぞいている 옷깃으로 가슴털이 내보인다.

むなさき 【胸先】 图 (명치 부근의) 앞가슴; 가슴패기. =むなもと. ¶ ~三寸 가슴 속; 마음속 / 短刀を~につきつける 단도를 가슴에 들이대다.

むなさわぎ 【胸騒ぎ】 图 (근심거리나 불길한 예감 등으로) 가슴이 두근거림; 설렘. ¶ 何となく~がする 웬일인지 가슴이 설렌다 / 転勤のうわさに~(が)する 전근하게 된다는 소문에 (불안해서) 가슴이 두근거리다.

むなざんよう 【胸算用】 图ス自他 속셈; 꿍꿍이셈. =むねざんよう·むなづもり·むなかんじょう. ¶ ~をする 속셈을 하다 / 儲かる前から~をする 돈을 벌기 전부터 꿍꿍이셈을 하다.

*__むなし-い__ 〖空しい·虚しい〗 形 **1** ㉠허무하다; 덧없다. ¶ ~夢 덧없는 꿈 / ~人生 허무한 인생 / ~·く死んで行く

덧없이 죽어 가다. ㉡공허하다; 내용이 없다. ¶～作文に過ぎない 공허한 작문에 불과하다 / 時間が～·く過ぎる 시간이 헛되이 지나가다. **2** 헛되다; 보람 없다. ¶～努力 헛된 노력 / 善戦～·く敗れた 잘 싸운 보람도 없이 패했다.

むなそこ【胸底】图 흉저; 마음속.

むなつきはっちょう【胸突き八丁】图 산 정상 부근의 가파른 고갯길; 전하여, 고비; 어려운 국면. ¶日米交渉は～にさしかかった 미일 교섭은 가장 어려운 국면에 접어들었다. 「미.

むなびれ【胸びれ】《胸鰭》图 가슴지느러

むなもと【胸もと·胸元】图 앞가슴; 가슴. =むなさき. ¶～をとらえる 가슴패기를 붙잡다 / 着物の～を合わせる 옷깃을 여미다.

むに【無二】图 무이; 둘도 없음. ¶唯一～ 유일무이 / ～の親友〔宝〕 둘도 없는 친구〔보물〕.

―むさん【―無三】图 일심전력하는 모양. =がむしゃら. ¶～に逃げる 죽을 힘을 다하여 달아나다.

むにゃむにゃ 副 〈俗〉 중얼중얼. ¶～言う 중얼거리다 / ～(と)寝言を言う 중얼중얼 잠꼬대를 하다 / ～(と)何かつぶやく 중얼중얼 무언가 두덜거리다.

むね【旨】图 취지; 뜻. =趣意·趣旨. ¶近く上京の～を伝える 근간 상경할 뜻을 전하다 / その～を伝える 그 취지를 전하다.

むね [宗]《旨》图 으뜸으로 치는 것. ¶孝行を～とする 효도를 제일로 여기다 / 文は簡潔を～とせよ 글은 간결함을 으뜸으로 하라.

むね【棟】㊀图 **1** (지붕의) 용마루. **2** 마룻대. =むなぎ.

㊁接尾 가옥(家屋)이나 건물을 세는 助数詞: 동(棟); 채. ¶二～ 2동; 두 채.

[棟 1]

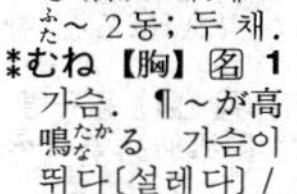
⁑むね【胸】图 **1** 가슴. ¶～が高鳴る 가슴이 뛰다〔설레다〕/ ～が苦しい 가슴이 답답하다 / ～をたたく 가슴을 탁 치다《자신이 있다·뽐내다의 비유》/ ～がむかむかする 속이 메슥거리다 / ～がどきどきする 가슴이 두근거리다 / ～が張り裂ける思い (슬퍼서) 가슴이 찢어질 것 같은 느낌. **2** 유방. ¶～を隠す 가슴을 가리다 / ～が小さい 유방이 작다. **3** 마음; 심금(心琴). ¶～にひびく教訓 심금을 울리는〔감명을 주는〕 교훈 / ～のうちを明かす 마음속을 털어 놓다 / それを見ると～が悪くなる 그것을 보면 속이 언짢아진다. **4** 폐. ¶～をやられる 폐병에 걸리다.

―が痛む **1** 가슴이 아프다; 마음이 괴롭다. ¶病状の悪化を考えると～ 병세가 악화된 걸 생각하니 가슴이 아프다. **2** 가슴이 찔리다; 양심의 가책을 받다.

―が一杯になる 가슴이 뿌듯해지다; 가슴이 벅차오르다. 「설레다.

―が躍る (기대나 흥분으로) 가슴이

―が裂ける (너무 슬퍼서) 가슴이 찢어질 것 같다〔미어지는 듯하다〕.

―が騒ぐ (근심이나 불길한 예감 따위로) 가슴이 두근거리다〔설레다〕.

―がすく 가슴〔속〕이 후련해지다.

―がつぶれる **1** 가슴이 섬뜩하다; 깜짝 놀라다. **2** (슬퍼서) 가슴이 미어지다.

―が塞がる (근심·걱정 등으로) 가슴이 답답해지다〔막히다〕.

―が焼ける 속이 보깨다; 가슴이〔위(胃)가〕 쓰리다. ¶食べ過ぎで～ 과식 때문에 속이 보깨다.

―が悪い **1** 속이 메스껍다〔불쾌하다〕. **2** 폐가 나쁘다.

―に一物 마음속에 어떤 계략〔엉큼한 생각〕을 품고 있음. ¶～ある人 마음속에 계략을〔흉계를〕 품고 있는 사람.

―に刻む 마음속에 새기다; 명심하다.

―に迫る 가슴속 깊이 느끼다.

―に畳む (겉으로 내색을 하지 않고) 가슴속 깊이 간직해 두다. =胸に納める〔包む〕. ¶独り胸に畳んで置く 혼자 마음속에 간직해 두다.

―に手を当てる〔置く〕 가슴에 손을 대다〔얹다〕《곰곰이 생각하다》.

―を痛める 몹시 걱정하다.

―を打つ **1** (슬픔·한탄·원통 따위로) 자기 가슴을 치다. **2** 깊은 감동을 주다; 감격시키다. **3** 놀라다.

―を躍らせる (희망·기쁨 따위로) 가슴이 설레다〔두근거리다〕.

―を借りる (선배 등) 실력이 위인 자에게 한 수 배우다《본디, 씨름 용어》.

―を焦がす **1** 가슴을 태우다; 애태우다; 괴로워하다; 초조해하다. **2** 몹시 그리워하다.

―をさする **1** 가슴을 어루만지다《안심하다》. **2** 노여움을 억누르다. 「들다.

―を突く 깜짝 놀라다; 정신이 번쩍

―を潰す 좋지 않은 일을 갑작스레 당하여 몹시 놀라고 슬퍼하다. ¶親友の急死の知らせに～ 친구가 급사했다는 통지에 가슴이 철렁 내려앉다.

―をなでおろす 가슴을 쓸어내리다《안심하다》.

―を弾ませる (기쁨·기대 따위로) 가슴이 설레다〔두근거리다〕. ¶胸をはずませて入学式を待つ 설레는 마음으로 입학식을 기다리다.

―を張る 가슴을 펴다; 자신 있는 태도를 취하다. ¶胸を張って生きる 가슴을 펴고 살다.

―を冷やす 가슴이 서늘해지다; 놀라고 두려워하다.

―を膨らませる (희망 따위로) 가슴을

부풀게 하다.

むねあげ【棟上げ】名 상량; 상량식. ＝上棟·建て前. ¶～式 상량식.

むねくそ【胸くそ】《胸糞》名〈俗〉☞むなくそ.

むねさんずん【胸三寸】名 가슴속; 마음속(의 생각). ¶事の成否は社長の～にある 일의 성사 여부는 사장의 마음에 달렸다.

—に納める 비밀로 가슴속에 간직하다.

むねやけ【胸焼け】名 명치 언저리가 쓰리고 아픔. ＝むなやけ.

むねん【無念】名ス **1** 무념; 아무 생각이 없음. ¶～無想 무념무상. **2** 원통함; 분함. ¶残念～ 분하고 원통함/～の涙をのむ 통분의 눈물을 삼키다/～を晴らす 원통함을 풀다/～の歯がみをする 원통해서 이를 갈다/～骨髄に達する 원통함이 골수에 사무치다.

*__むのう__【無能】名ス 무능. ¶～な者 무능한 자/外務当局の～を攻撃する 외무 당국의 무능을 공격하다/～のために罷免される 무능해서 파면되다. ↔有能.

むのうりょく【無能力】名ス 무능력. ¶～者 무능력자/～な人 무능력〔무능〕한 사람.

むはい【無配】名 무배(당). ＝無配当. ¶～株 무배주. ↔有配.

むはい【無敗】名 무패. ¶～を誇る 무패를 자랑하다.

むひ【無比】名 무비; 무쌍. ＝無双·無二·無類. ¶当代～ 당대 무비/痛快～の時代劇 통쾌하기 비할 데 없는 시대극.

むひはん【無批判】名ス 무비판. ¶～に受け入れる 비판 없이 받아들이다.

むびゅう【無謬】名 무류; 오류가 없음.

むひょう【霧氷】名 무빙; 빙점하에서 안개가 낄 때, 나뭇가지 따위에 붙어 생기는 얼음《수상(樹霜)·수빙 따위》.

むびょう【無病】名 무병. ¶～息災 무병식재; 병·재난도 없이 건강함.

むひょうじょう【無表情】名ダナ 무표정. ¶～な顔 표정 없는 얼굴/～に答える 무표정하게 대답하다.

むふう【無風】名 무풍. **1** 바람이 없음. ¶～帯 무풍대. **2** 파란·혼란이 없음. ¶～状態の政界 무풍 상태의 정계.

—ちたい【—地帯】名 무풍 지대. ¶この選挙区は～だ 이 선거구는 무풍 지대다.

むふんべつ【無分別】名ダナ 무분별. ¶～な行い 분별없는 행동/～極まる 무분별하기 짝이 없다. ↔上分別.

むほう【無法】名ダナ 무법. ¶～者 무법자/～地帯 무법 지대.

むぼう【無謀】名ダナ 무모. ＝むてっぽう. ¶～な計画 무모한 계획/～の挙に出る 무모한 행동을 하다.

むほうしゅう【無報酬】名 무보수. ¶～で働く 무보수로 일하다.

むぼうび【無防備】名ス 무방비; 방비가 없음. ¶～な国境地帯 무방비한 국경 지대/地震に～の都市 지진에 무방비한 도시.

むほん【謀反】名ス自 모반; 반역. ¶～心 모반심/～人 모반자/～を起こす 모반〔반역〕을 일으키다.

むみ【無味】名 무미; 맛이 없음; 재미가 없음. ¶～無臭 무미 무취/～乾燥な話 무미건조한 이야기.

むむ 感 입을 다문 채로 내는 소리《감동했거나 상대방의 말을 승낙·이해했을 때 따위》: 으음.

むめい【無名】名 무명. **1** 이름이 없음; 무기명. ¶～氏 무명씨/～の答案〔投書〕 무명의 답안〔투서〕. **2** 이름을 알지 못함. ¶～の勇士 무명의 용사. **3** 유명하지 않음. ¶～の新人 무명의 신인/～作家 무명 작가. ↔有名·知名.

むめい【無銘】名 무명; 서화·칼·기물 따위에 작자의 이름이 없음; 또, 그 작품. ¶～の刀 무명의 도검. ↔在銘.

むめんきょ【無免許】名 무면허. ¶～運転 무면허 운전.

むもくてき【無目的】名ス 무목적. ¶～行為 목적이 없는 행위.

むもん【無文】名 무문(無紋); 무늬나 문채가 없음. ¶～土器 무문 토기.

__むやみ__〖無闇〗ダナ **1 앞뒤를 생각하지 않고〔함부로, 무턱대고, 마구〕 하는 모양. ¶～に人を信じる 무턱대고 남을 믿다/～に約束するな 함부로 약속하지 마라/～に金を使う 마구 돈을 쓰다/～な事をいうな 당찮은 소리 하지 마라/～に可愛がる 무턱대고 귀여워하다/～に飲む〔食べる〕 무턱대고 마시다〔먹다〕. **2** 과도한 모양: 터무니없음; 지나침. ¶～に高い 터무니없이 비싸다/～に暑い 되게 덥다.

—やたら〖—矢鱈〗ダナ 'むやみ'의 힘줌말. ＝むちゃくちゃ. ¶～と書きなぐる 마구 휘갈겨 쓰다/～にいばるな 함부로 뻐기지 마라.

むゆうびょう【夢遊病】名〔醫〕몽유병. ＝夢中遊行症·離魂病. ¶～患者 몽유병 환자.

*__むよう__【無用】名ス 무용. **1** 쓸데없음; 필요 없음. ¶～の物 소용 없는 것/心配ご～ 걱정할 필요 없음/～の心配をする 쓸데없는 걱정을 하다/～の者立ち入り禁止 무용자 출입 금지/～な刺激は禁物だ 쓸데없는 자극은 금물이다. ↔有用. **2** 해서는 안 됨; 금지. ¶小便～ 소변 금지/通り抜け～ 통행 금지/落書き～ 낙서 금지/口外～ (비밀 등을) 입 밖에 내지 말 것/天地～ (포장물 따위에서) 위아래를 거꾸로 하지 말 것/開放～ 문을 닫아 주시오/他言は～に願います 남에게 말하지 말기 바랍니다.

むよく【無欲】《無慾》名ス 무욕. ¶～の

勝利 무욕의 승리 / ～な人 욕심이 없는 사람. ↔貪欲·大欲.

*むら〖斑〗名ナ **1** 얼룩; 채. ＝まだら. ¶～のないように彩色する 얼룩 안 지게 채색하다 / 色に～が出来る 빛깔이 고르지 못해 얼룩지다. **2** 고르지 못함; 한결같지 않음. ¶～のある性質 변덕스러운 성질 / 成績に～がある 성적이 고르지 못하다 / 気分に～がある 기분이 안정되지 못하다 / 各科目が～なくできる 각 과목을 고르게 잘한다.

むら【村】名 **1 마을; 촌락; 시골. ＝村里. ¶～の若い衆 마을의 젊은이 / 同じ～の人 같은 마을 사람 / ～に帰る 시골로 돌아가다; 귀향하다. **2** 행정 구역으로서, 郡의 하부 단위. ＝村.

むら【群】《叢》名 무리; 떼; 숲. ¶～すずめ 참새 떼 / ～烏 까마귀 떼 / 草～ 풀숲 / 一～の草 한 무더기 우거진 풀.

むらおこし【村起こし】名ナ (도시 진출로) 과소화(過疎化)한 마을의 활성화를 꾀하고 발전시키는 일.

*むらが-る【群がる】《叢る·簇る》五自 떼지어 모이다; 군집하다. ¶売場に～人々 매장에 떼지어 모인 사람들 / 堤には花見の人が～っている 둑에는 꽃놀이꾼들이 떼지어 있다 / ありが砂糖に～ 개미가 설탕에 떼지어 모이다 / 高層ビルが～って立つ地区 고층 빌딩이 임립(林立)한 지구.

むらき【むら気】名ナ 변덕스러움; 또, 그 마음·모양. ＝むらっけ. ¶～な性格〔娘〕 변덕스러운 성격〔아가씨〕 / ～で困る 변덕스러워서 곤란하다 / ～を起こす 변덕을 부리다 / 大衆は～なものだ 대중은 변덕스러운 법이다 / ～が多くて信頼できない 너무 변덕스러워서 신뢰할 수 없다. 注意 'むらぎ'라고도 함.

むらぎえ【むら消え】名 드문드문 사라짐. ¶雪の～ 눈이 드문드문 녹음.

むらくも【群雲】《叢雲》名 (和歌 등에서) 떼구름. ¶月に～花に風 달에는 떼구름, 꽃에는 바람《호사다마란 뜻》.

*むらさき【紫】名 **1** 자색; 보랏빛. ＝バイオレット. ¶～の袱紗 보랏빛의 명주 보자기 / 古代～ 남색이 짙은 보랏빛; 가지색. **2**【むらさき】〖植〗 지치. **3** 'しょうゆ(＝간장)'의 딴 이름.

むらさきずいしょう【紫水晶】名〖鑛〗 자수정. ＝アメシスト.

むらざと【村里】名 촌리; 마을; 촌. ＝村. ¶寂しい～に住み着く 적적한 촌동네에 정착하다 / ～離れた所 마을에서 떨어져 외진 곳. ↔都会.

むらさめ【村雨】《叢雨》名 소나기; 취우(驟雨). 注意 '村'는 취음.

むらしぐれ【村時雨】名 한 차례 내리고 지나가 버리는 가을비; 가을 소나기. 注意 '村'는 취음.

むら-す【蒸らす】五他 뜸들이다. ¶ごはんを～ 밥을 뜸들이다 / 鍋の蓋をとらずに五分間～ 냄비 뚜껑을 열지 않고 5분간 뜸들이다.

むらすずめ【群すずめ】《群雀》名 참새 떼; 떼를 지은 참새.

むらはずれ【村外れ】名 마을의 변두리; 동구 밖. ¶～の一軒屋 동구 밖의 외딴집.

むらはちぶ【村八分】名 **1** 마을의 법도를 어긴 사람과 그 가족을 마을 사람들이 따돌림. **2** (일반적으로) 한패에서 따돌림. ¶～にされる 따돌림을 당하다.

むらびと【村人】名 마을 사람.

むらむら 副 욕망·노여움 등의 감정이 솟구쳐 오르는 모양: 걷잡을 수 없이; 불끈불끈. ¶怒りが～(と)こみあげて来る 화가 불끈불끈 치밀어오르다 / ～(と)悪心を起こす 문득〔불현듯〕 못된 마음을 일으키다.

むらやくば【村役場】名 '村'의 행정 사무를 보는 곳《면사무소에 상당》.

*むり【無理】名ダナ 무리. **1** 도리가 아님; 이유가 없음. ¶～なお願い 무리한 부탁 / 彼が怒るのも～はない 그가 화내는 것도 무리는 아니다. **2** 어거지; 억지; 강제. ¶～が利く 억지가 통하다 / ～に行かせる 억지로 가게 하다 / ～をして出掛ける 무리를 해서 나서다 / ～を通す 억지를 부리다 / ～に計画を進める 무리하게 계획을 추진하다. **3** 곤란. ¶今は～だ 지금은 곤란하다 / 君には～だよ 자네에게는 무리다 / それはとても～だ 그것은 아무리 해도 곤란하다. **4** 무릅쓰고 함. ¶仕事の～で病気になる 과로해서 병이 나다.

—が通れば道理が引っ込む 억지가 통하면 도리가 물러선다《힘이 활개치면 정당한 일이 안 통하게 된다》.

—おし【—押し】名 억지로 밀고 나아감; 강행함. ＝ごり押し. ¶～(を)する 억지로 밀고 나아가다 / ～に結婚を迫る 결혼을 강요하다.

—からぬ 連体 무리가 아닌; 일리 있는. ¶～こと 있을 수 있는 일 / それは～話だ 그건 일리 있는 얘기다 / ～点もある 타당한 점도 있다.

—さんだん【—算段】名ス他 무리하게 변통함. ¶～して作った金 무리하게 변통해 마련한 돈 / ～をしても買う 기어코 사고야 만다.

—じい【—強い】名ス自 어거지; 강제; 강권. ¶～に酒を飲ませる 어거지로 술을 먹이다.

—しんじゅう【—心中】名ス自 강제로 하는 정사(情死)나 동반 자살.

—すう【—数】名〖數〗 무리수. ↔有理数.

—なんだい【—難題】名 생트집. ¶～をふっかける 생트집을 부리다.

—むたい【—無体】名ダナ 어거지; 강제. ¶～に連れていく 강제로 데리고 가다 / ～なことを言う 말도 안 되는 소리를 하다 / ～に働かせる 강제로 일을 시키다.

――やり〘――遣り·――矢理〙 名副 억지로 강행하려는 모양. ¶～にのませる 억지로 마시게 하다 / ～(に)会長の職を押しつける 어거지로 회장직을 떠맡기다.

むりかい【無理解】名ダナ 이해가 없음; 몰이해. ¶親の～ 부모의 몰이해 / 若者に対する世間の～ 젊은이에 대한 세상의 몰이해.

むりし【無利子】名 무이자. ＝無利息. ¶～で金を借りる 무이자로 돈을 꾸다. 「＝無利子.

むりそく【無利息】名 무이식; 무이자.

むりょ【無慮】副 무려; 대략; 약. ＝おおよそ·だいたい·ざっと. ¶死傷者は～数千人 사상자는 무려 수천 명.

***むりょう**【無料】名 무료. ＝ただ. ¶～駐車場 무료 주차장 / 見本は請求あり次第～で郵送します 견본은 청구하는 대로 무료로 우송합니다. ↔有料.

むりょう【無量】名 무량; 무한. ¶感慨～ 감개무량 / ～の意味がある 무한한 뜻이 있다.

むりょく【無力】名ナ 무력. ¶～感 무력감 / ～な経営者〔政治家〕 무력한 경영자〔정치가〕 / ～で子供を大学にやることもできない 무력해서 자식을 대학에 보낼 수도 없다 / 敵の攻撃に対して～である 적의 공격에 대해서 무력하다. ↔有力.

むるい【無類】名ダナ 무류; 비길〔비할〕 데 없음. ＝無比. ¶～のお人好し 비길 데 없는 호인 / ～飛び切りの品 극상품 / 豪胆～なつわもの 대담무쌍한 용사 / ～の酒好き 지독한 애주가.

***むれ**【群れ】名 떼; 무리. ¶雁〔渡り鳥〕の～ 기러기〔철새〕 떼 / ～をなして飛ぶ 떼지어 날다 / 盗賊の～に身を投ずる 도적 떼의 한패가 되다.

む-れる【群れる】下1自 떼를 짓다; 군집하다. ¶鳥が～·れて飛ぶ 새가 떼지어 날다 / 水鳥が浜辺に～ 물새가 바닷가에 떼지어 모이다.

む-れる【蒸れる】下1自 **1** 뜸들다. ¶ごはんが～ 밥이 뜸들다. **2** 찌다; 무덥다; 물쿠다. ¶～天候 물쿠는 날씨 / 部屋が～ 방이 물쿠다 / 足が～ 발에 땀이 나고 화끈거리다 / 靴の中が～ 구두 속이 누기 차다.

むろ【室】名 외기(外氣)를 막고 내부 온도를 일정하게 유지시키는 구조물; 온실; 냉장 창고. ¶こうじ～ 곡자실; 누룩을 띄우는 방 / 氷～ 얼음을 여름까지 저장해 두기 위한 곳; 빙고(氷庫).

むろあじ〘室鰺〙 名〔魚〕 갈고등어.

むろまちじだい【室町時代】名〔史〕 足利 씨가 정권을 잡고 京都 室町에 幕府를 두었던 시대《1336-1573년》. ＝足利時代.

むろまちばくふ【室町幕府】名〔史〕 足利尊氏가 1336년에 京都의 室町에 연 幕府《1573년에 멸망》. ＝足利幕府.

むろん〘無論〙 副 무론; 물론. ＝もちろん. ¶それは～のことだ 그것은 물론이다 / 僕は～賛成だ 나는 물론 찬성이다 / ～そんなことはありえない 물론 그런 일은 있을 수 없다.

むんずと 副 'むずと'의 힘줌말: 꽉. ¶腕を～つかむ 팔을 꽉 잡(아쥐)다 / ～組みつく 왈칵 덤벼들다.

むんむん 副 무더운 모양; 또, 강한 열기나 취기가 꽉 차서 후텁지근한 모양. ¶人いきれで部屋が～(と)する 사람들의 훈김으로 방 안이 후텁지근하다 / 聴衆の熱気で～(と)している 청중의 열기로 가득 차 있다.

め メ

1 五十音図 'ま行'의 넷째 음. [me] **2**〔字源〕'女'의 초서체《かたかな 'メ'는 '女'의 초서체의 생략》.

め【女】名〈雅〉 **1** 여성; 여자. ¶～神 여신 / たおや～ 우아한 여자. **2**《接頭語적으로 써서》 한 쌍 가운데서 작거나 약한 쪽. ¶～滝 두 개의 폭포 가운데서, 세력이 약한 쪽의 폭포 / ～波 크고 작은 파도 가운데서, 작은 파도. ⇔男.

***め**【目】《眼》⊟名 **1** 눈(알). ¶青い～ 파란 눈 / ～の大きな人 눈이 큰 사람 / ～が赤い 눈이 충혈되다 / ～を閉じる 눈을 감다 / ～が悪い 눈이 나쁘다; 눈병이 나다 / ～を澄ます 정신을 가다듬고 자세히 보다 / ～をうるませる 눈물을 글썽이다 / ～をいたわる 눈을 보호하다 / はたから変な～で見られる 주위에서 이상한 눈으로 보다 / 色っぽい～をする 색정적인 눈짓을 하다《추파를 던지다》/ ～を忍ぶ 눈을 피하다; 남의 눈을 꺼리다. **2** 안목; 안식(眼識); 통찰력. ¶専門家の～ 전문가의 눈 / 彼の見る～には誤りがない 그의 안식에는 틀림이 없다. **3** 시선; 시력. ¶～が弱い 시력이 약하다 / ～のやり場に困る 시선을 어디에 두어야 할지 모른다. **4** 눈에 보이는 모양; 외모; 겉모양. ¶見た～ばかりよくて実質は悪い 겉모양만 좋고 실속은 나쁘다. **5** 어떤 일을 겪음; 경험; 체험. ¶ひどい～に合う 지독한 일을 당하다; 혼이 나다. **6** 눈에 비유되는 것. ¶碁盤の～ 바둑판의 눈 / 網の～ 그물눈 / 針の～ 바늘귀 / ～の粗いふるい 눈이 성긴 체 / のこぎりの～ 톱니; 톱날 / くしの～ 빗살 / ～

が細かい板 결이 자잘한 널빤지 / ～が詰んでいる 눈이 촘촘하다. **7** 자·저울·주사위 따위의 눈금; 전하여, 수량. ¶はかりの～ 저울눈 / 物差しの～ 자의 눈금 / ～が切れる 저울눈이 부족하다; 무게가 덜 나가다 / ～がかかる 꽤 무게가 나가다 / いい～が出る (a) 일이 잘되다; 운이 트이다. (b) (주사위에서) 큰 숫자가 나오다.

㊁ 接尾【め·目】**1** 순서를 나타낼 때 붙이는 말: 째. ¶三番～の問題 세 번째 문제 / 三代～ 3대째 / 二番～の娘 둘째 딸. **2** 점이나 선처럼 되어 다른 것과 구별되는 곳. ¶結び～ 매듭 / 割れ～ 갈라진 틈〔금〕/ 折り～ 접은 곳; 주름. **3** 사물의 고비가 되는 상태. ¶落ち～にある品 하락세에 놓여 있는 물품 / 勝ち～がない 이길 가망이 없다. **4**【め】어느 쪽인가 하면 비교적 그 성질을 지닌다는 뜻을 나타냄. ¶すくな～ 약간 적음〔적은 양〕/ 細～の糸 가느스름한 실 / 大き～な方を選ぶ 약간 큼직한 쪽을 택하다 / 幾分早～に出掛ける 조금 일찌감치 떠나다.

—が利く 분별력이 있다; 감식하는 눈이 높다.

—がくらむ **1** 현기증이 나다. **2** 넋을 잃고 올바르게 판단하지 못하게 되다. ¶欲に～ 욕심에 눈이 어두워지다.

—が肥える 안식이 높아지다.

—が冴える (흥분 따위로) 잠이 안 오다; 눈이 말똥말똥해지다.

—が覚める **1** 눈 뜨다; 잠을 깨다. **2** 미망(迷妄)에서 깨나다; 정신 차리다. ¶忠告で～ 충고를 듣고 정신 차리다. **3** 신선함·아름다움 등에 놀라다. ¶～ような美人 깜짝 놀랄 만한 미인.

—が据わる 몹시 노하거나 취하거나 방심하여 눈알이 움직이지 않다.

—が高い 눈이 높다; 안식이 높다.

—が近い 근시(近視)이다.

—が潰れる 눈이 멀다.

—が遠い 원시(遠視)이다.

—が届く 주의·감독 등이 두루 미치다.

—が飛び出る 눈알이 튀어나오다《값이 엄청나게 비싸거나, 호되게 야단을 맞았을 때의 표현》.

—がない 열중하다; 매우 좋아하다. ¶酒に～ 술이라면 사족 못 쓴다.

—が離せない 잠시도 한눈을 팔 수가 없다《늘 주의를 기울여야 한다》. ¶最近の株価の動向は～ 최근의 주가 동향은 잠시도 한눈 팔고 있을 수 없다.

—が光る 엄중히 감시하다.

—が回る **1** 눈이 핑핑 돌다. **2** 매우 바쁘다. ¶～ような毎日を過ごす 몹시 바쁜 나날을 보내다.

—からうろこが落ちる (눈에 붙어서 시력에 장애가 되던 비늘이 떨어지듯이) 눈이 확 트이다.

—から鼻へ抜ける 매우 영리하다; 빈틈없고 약빠르다. ¶～やり手の商人 매우 약빠르고 수완이 좋은 상인.

—から火が出る 눈에서 불이 번쩍 나다《머리를 세게 얻어맞거나 부딪쳤을 때의 형용》.

—と鼻の先 엎드리면 코 닿을 데. ¶頂上は～だ 정상은 엎드리면 코 닿을 데다. ＝目と鼻の間.

—に余る **1** 너무 많아 전체를 바라볼 수 없다. **2** 눈꼴사납다; 너무 심한 상태여서 묵과할 수 없다. ¶～振る舞い 눈꼴사나운 행동거지.

—に一丁字もない 낫놓고 기억자도 모른다; 불학무식하다.

—に入れても痛くない 눈에 넣어도 아프지 않다《매우 귀여워함의 형용》. ＝目の中へ入れても痛くない.

—に浮かぶ 눈에 떠오르다.

—に映る 눈에 보이다.

—に掛かる 눈에 띄다; 보이다.

—に角を立てる 눈에 쌍심지 켜다.

—に染みる 시각을 자극하다; 눈에 스미듯이 색채나 인상이 선명하다. ¶～若葉 (눈에 스며드는 듯이) 선명한 어린 잎 / 煙が～ 연기가 눈을 자극하다.

—にする 실제로 보다.

—に立つ 눈에 띄다; 두드러지다.

—につく 눈에 띄다; 돋보이다. ¶大きなビルが～ 큰 빌딩이 눈에 띄다.

—に留まる **1** 눈에 띄다. **2** 눈을 끌다; 마음에 들다.

—には—を, 歯には歯を 눈에는 눈을, 이에는 이를《똑같은 방법으로 당한 양만큼 보복함의 뜻》.

—に触れる 눈에 띄다; 눈에 보이다.

—に見えて 눈에 띄게; 두드러지게. ¶～進歩した 눈에 띄게 진보하였다.

—にも留まらぬ 알아 볼 수 없을 만큼 빠름. ¶～早わざ 알아차릴 수 없을 만큼 재빠른 솜씨.

—に物(を)見せる 혼내 주다; 뼈저리게 느끼게 하다.

—の色を変える 화나거나 놀라서 눈빛이 변하다.

—の上の(たん)こぶ 눈 위의 혹《지위나 실력이 한 수 위로 활동의 장애가 되는 사람; 눈엣가시》.

—の黒いうち 살아 있는 동안.

—の付け所 착안점. ¶～がいい 착안점이 좋다. ⇨めのどく(毒).

—は口ほどに物をいう 눈은 입만큼 말을 한다《입으로 말하는 만큼 눈짓으로 그것을 표현한다》.

—は心の鏡〔窓〕 눈은 마음의 거울〔창〕.

—も当てられない 심해서 차마〔눈 뜨고〕 볼 수 없다. ¶～惨状 차마 볼 수 없는 참상.

—を疑う 제 눈을 의심하다《뜻밖의 일에 놀라다; 이상하게 여기다》.

—を奪う (너무나 아름다움〔훌륭함〕에) 넋을 잃고 보게 하다.

—を覆う **1** 눈을 가리다. **2** 눈뜨고 못 보다.

—を落とす **1** 아래를 보다. **2** 〈婉曲〉 죽다.

—を掛(か)ける 1 잘 돌보아 주다; 보살피다. 2 총애하다.
—をかすめる 눈을 속이다. ¶親(おや)の目をかすめて酒(さけ)を飲(の)む 부모 몰래 술을 마시다.
—を配(くば)る 사방을 살피다.
—をくらます 눈을 속이다.
—を呉(く)れる 눈을 주다; 시선을 보내다.
—を凝(こ)らす 응시하다.
—を皿(さら)にする 눈을 크게 뜨고 보다; 또, 놀라거나 찾는 모양의 비유: 눈이 등잔만해지다.
—を三角(さんかく)にする 눈을 세모로 뜨다《눈을 부라리다; 눈에 쌍심지를 켜다》.
—を白黒(しろくろ)させる 1 (괴로워서) 눈을 희번덕거리다. 2 몹시 놀라 당황하다.
—を据(す)える 한곳을 응시하다.
—を注(そそ)ぐ 주의해서 보다; 주시하다.
—を付(つ)ける 주목하다; 눈여겨보다.
—をつぶる 1 묵인하다. ¶今回(こんかい)だけは~ 이번 만큼은 묵인한다. 2 참다; 단념하다. 3 〈婉曲〉 죽다.
—を通(とお)す 대강 훑어보다; 대충 보다.
—を盗(ぬす)む ☞めをかすめる.
—を離(はな)す 눈을 떼다; 한눈팔다.
—を光(ひか)らせる 눈을 번뜩이다《주의나 감시를 게을리하지 않다》.
—を引(ひ)く 눈을 끌다.
—を伏(ふ)せる 눈을 내리깔다〔내리뜨다〕.
—を細(ほそ)める〔細(ほそ)くする〕 기쁘거나 귀여운 것을 보고 웃음짓는 모양.
—を丸(まる)くする 놀라서 눈을 똥그랗게 뜨다.
—を見張(みは)る 놀라거나 하여 눈을 크게 뜨다.
—を剝(む)く 눈을 부릅뜨다〔부라리다〕.
—を向(む)ける 1 시선을 돌리다. 2 관심을 돌리다. ¶海外(かいがい)に~ 해외로 관심을 돌리다.

**め【芽】图 싹. 1 (초목의) 움. ¶木(き)の~ 나무의 싹/種(たね)が~を出(だ)す 씨가 싹을 트다/柳(やなぎ)が~を吹(ふ)く 버들이 움트다. 2 새로 생겨서 장차 발전하려는 것. ¶悪(あく)の~を摘(つ)む 악의 싹을 잘라 버리다/才能(さいのう)の~を伸(の)ばす 재능의 싹을 키우다/危険(きけん)の~をはらむ 위험한 싹을 배태(胚胎)하다.
—が出(で)る 1 싹이 돋다. 2 행운이 찾아오다; 성공의 징조가 나타나다. =目(め)が出る. ¶事業(じぎょう)に~ 사업의 싹수가 보이다.
—のうちに摘(つ)む 1 싹이 어릴 때 잘라내다. 2 일이 커지기 전에 처리하다.

め【雌】〖牝〗图 암컷. =めす·めん. ¶~牛(うし) 암소/~ぎつね 암여우/~花(ばな) 암꽃/~ねじ 암나사. ↔雄(お)·牡(お).

=め〖奴〗《体言에 붙어서》 한층 낮추어 보는 뜻을 나타냄; 또, 자신에 대한 겸양의 뜻을 나타내는 말: 놈. ¶こいつ~ 이놈/ばか~ 바보 같은 놈/わたくし~の落(お)ち度(ど)です 제 잘못입니다.

めあかし【目明かし】图 江戸(えど) 시대에, 与力(よりき)·同心(どうしん) 아래의 하급 포리(捕吏). =岡(おか)っ引(ぴ)き·手先(てさき).

めあき【目明き】图 1 눈뜬 사람. 2 글을〔사리를〕 아는 사람. ⇔盲(めくら).

めあたらし·い【目新しい】形 새롭다; 신기하다. =めずらしい. ¶~試(こころ)み 새로운〔색다른〕 시도/何(なに)か~記事(きじ)でも出(で)ていますか 무슨 색다른 기사라도 나 있습니까/これはちょっと~図案(ずあん)だ 이것은 좀 색다른 도안이다.

*めあて【目当て】图 목표. 1 목적; 노리는 것. ¶将来(しょうらい)の~ 장래의 목표/持参金(じさんきん)~の結婚(けっこん) 지참금을 노린 결혼/賞金(しょうきん)~に出場(しゅつじょう)する 상금을 목적으로 출전하다. 2 표적; 목표물; 안표(眼標). =目印(めじるし). ¶山(やま)を~に歩(ある)く 산을 목표물로 (하여) 걷다/ただ北極星(ほっきょくせい)を~として進(すす)んだ 오직 북극성을 목표로 삼고 나아갔다.

めあわ·せる〖娶わせる〗下1他 (여자를) 결혼시키다; 짝지어 주다. =めあわす. ¶娘(むすめ)を同僚(どうりょう)の息子(むすこ)に~ 딸을 동료의 아들과 결혼시키다.

めい【命】图 명. 1 목숨; 수명. =いのち. ¶~果(は)てて 수명이 다하여/~を絶(た)つ 목숨을 끊다. 2 명령. =いいつけ. ¶~に従(したが)う 명령에 따르다/~を奉(ほう)ずる 명을 받들다/~にそむく 명령을 거역하다/~を受(う)ける 명령을 받다. 3 운명. ¶~が薄(うす)い 박명하다/死生(しせい)~あり 사생유명(死生有命).
—は天(てん)にあり 인명재천.

めい【明】图 1 명; 분명함; 밝음. ¶~と暗(あん) 명암. 2 안식(眼識); 통찰력. ¶先見(せんけん)の~ 선견지명/人(ひと)を見(み)る~がある 사람을 보는 눈이 있다. 3 시력. ¶~を失(うしな)う 실명하다.

*めい〖姪〗图 질녀; 조카딸. ¶~っ子(こ) 질녀(가 되는 어린아이). ↔甥(おい).

めい【銘】图 명. 1 금석(金石) 따위에 새기는 글; 명문. ¶~を刻(きざ)む 명문을 새기다/碑(ひ)の~を読(よ)む 비명(碑銘)을 읽다. 2 완성품에 새긴 제작자의 이름. ¶~のある刀(かたな) 명이 있는 도검. 3 교훈의 말. ¶座右(ざゆう)の~ 좌우명.

めい【名】㊀接頭 명…; 유명한. ¶~監督(かんとく) 명감독/~文句(もんく) 명문구. ㊁接尾 …명. 1 인원수를 나타내는 말. ¶一(いち)~ 한 명. 2 이름. ¶学校(がっこう)~ 학교명.

めい〖名〗教1 メイ ミョウ な なづける | 명 이름 | 1 이름. ¶記名(きめい) 기명/俗名(ぞくみょう) 속명. 2 유명하다. ¶名誉(めいよ) 명예/著名(ちょめい) 저명. 3 인원수를 세는 말. ¶数名(すうめい) 수명.

めい〖命〗教3 メイ ミョウ いのち みこと | 명 목숨 | 1 명령(하다). ¶命令(めいれい) 명령/特命(とくめい) 특명. 2 생명; 목숨. ¶寿命(じゅみょう) 수명.

めい〖明〗教2 メイ ミョウ あかり あかるい あかるむ あからむ あきらか あく あくる あける あかす | 명 밝다 | 1 ㉠밝다. ¶明暗(めいあん) 명암. ↔暗(あん). ㉡불이 켜지다. ¶明滅(めいめつ) 명멸.

↔滅(めつ). **2** 분명하다. ¶明記(めいき) 명기. **3** 날이 새다; 다음 날·해가 되다. ¶明年(みょうねん) 명년 / 黎明(れいめい) 여명.

めい 〚迷〛《迷》 教5 メイ まよう | 미 헤매다 |
1 길을 잃다. ¶迷宮(めいきゅう) 미궁. **2** 잘못된 길로 들어가다; 헤매다. ¶迷信(めいしん) 미신 / 昏迷(こんめい) 혼미.

めい 〚盟〛 教6 メイ ちかう ちかい | 맹 맹세 | 서로 약속하다. ¶盟邦(めいほう) 맹방 / 盟約(めいやく) 맹약.

めい 〚銘〛 常用 メイ | 명 새기다 | **1** 금속제의 기구에 새긴 제작자의 이름. ¶無銘(むめい) 무명 / 刻銘(こくめい) 각명. **2** 비석이나 금속기 따위에 새긴 글. ¶銘文(めいぶん) 명문 / 碑銘(ひめい) 비명.

めい 〚鳴〛 教2 メイ ミョウ なく なる ならす | 명 울다 |
1 동물이 울다. ¶鳴禽(めいきん) 명금 / 悲鳴(ひめい) 비명. **2** 소리가 나다. ¶鳴動(めいどう) 명동 / 自鳴(じめい) 자명.

めいあん【名案】图 명안. ¶~が浮(う)かぶ 명안이 떠오르다 / なるほど, それは~だ 과연 그것은 명안이다.

めいあん【明暗】图 명암. **1** 밝음과 어두움. ¶人生(じんせい)には~がつきものだ 인생에는 명암이 있게 마련이다. **2**〖美〗색채의 농담·강약. ¶~をはっきりさせ立体感(りったいかん)を出(だ)す 명암을 뚜렷하게 해 입체감을 나타내다.

—を分(わ)ける 성공과 실패, 승리와 패배 등이 (그것에 의해) 판가름나다. ¶一球(いっきゅう)が試合(しあい)の明暗を分けた 공 하나가 경기의 승패를 갈라놓았다.

めいい【名医】图 명의. ¶~にかかる 명의의 진찰을 받다.

めいう-つ【銘打つ】5自 물건에 이름을 붙이다〔내걸다〕; 전하여, 그런 명목을 붙여 선전하다. ¶慈善事業(じぜんじぎょう)と~ 자선 사업이라는 명목을 내세우다 / 世界的(せかいてき)発明(はつめい)と~·って売(う)り出(だ)す 세계적 발명이라는 거창한 이름을 내걸고 발매하다.

めいうん【命運】图 명운; (촉박한) 운명; 운. ¶一国(いっこく)の~ 일국의 명운 / ~が尽(つ)きる 명운이 다하다 / 事業(じぎょう)の~を賭(と)す 사업의 운명을 걸다.

めいおうせい [冥王星] 图〖天〗명왕성. =プルートー.

めいか【名花】图 명화. **1** 이름난 꽃; 아름다운 꽃. ¶~一輪(いちりん) 아름다운 꽃 한 떨기. **2** 아름다운 여성; 미녀. ¶社交界(しゃこうかい)の~ 사교계의 명화〔미인〕.

めいか【名家】图 명가. **1** 명문. ¶~の出(で) 명문 출신. **2** 그 길에서 뛰어난 사람; 대가(大家). ¶~文集(ぶんしゅう) 명가 문집 / 舞踊(ぶよう)の~ 무용의 대가.

めいか【名菓】图 명과; 이름난 과자; 맛있는 과자.

めいか【名歌】图 명가; 유명한〔애창되는〕노래. ¶古今(ここん)の~ 고금의 명가.

めいか【銘菓】图 명과; 특별한 이름을 붙인 고급 과자.

めいが【名画】图 명화; 이름난〔훌륭한〕그림〔영화〕. ¶うずもれた~ 묻혀 있는〔사장된〕명화 / ~を鑑賞(かんしょう)する 명화를 감상하다.

めいかい【明解】一图 명해; 확실한 해석. 二ダナ 알기 쉬움. ¶~な説明(せつめい) 알기 쉬운 설명.

めいかい【明快】ダナ 명쾌. ¶~な答(こた)え〔論理(ろんり)〕 명쾌한 답변〔논리〕.

***めいかく**【明確】ダナ 명확. ¶~な解答(かいとう) 명확한 해답 / ~に規定(きてい)する 명확하게 규정하다 / 責任(せきにん)の所在(しょざい)を~にする 책임 소재를 명확히 하다.

めいがら【銘柄】图 **1** (상품의) 상표; 특히, 우수한 상표. =ブランド. ¶~品(ひん) (품질이 우수한) 유명한 상품 / 一流(いちりゅう)の~ 일류 브랜드〔상표〕. **2** 종목; 거래하는 주식의 명칭. ¶株式(かぶしき)~ 주식 종목 / 特定(とくてい)~ 특정 종목.

めいかん【名鑑】图 명감; 명부; 인명록. ¶科学者(かがくしゃ)~ 과학자 명감 / 野球(やきゅう)~ 야구인 인명록.

めいき【名器】图 명기. ¶ストラディバリの~ 스트라디바리의 명기《바이올린》.

めいき【明記】图ス他 명기. ¶名前(なまえ)を~する 이름을 명기하다 / 規則(きそく)に~してある 규칙에 명기되어 있다.

めいき【銘記】图ス他 **1** 명기; 명심. =銘肝(めいかん). ¶心(こころ)に~する 명심하다. **2** 명(銘)으로 써 둠; 명문을 새겨서 나타냄.

めいぎ【名妓】图 명기; 뛰어난 기생. ¶~と謳(うた)われる 명기로 칭송되다.

めいぎ【名技】图 명기; 훌륭한 재주〔연기〕.

***めいぎ**【名義】图 명의. ¶他人(たにん)~ 타인 명의 / ~変更(へんこう) 명의 변경 / 夫人(ふじん)~の土地(とち) 부인 명의의 토지 / ~を借(か)りる 명의를 빌리다.

—かきかえ【—書き換え】图〖法〗명의 개서(改書).

めいきゅう【迷宮】图 미궁. ¶~にはいる (수사 등이) 미궁에 빠지다.

—いり【—入り】图ス自 미궁에 빠짐. ¶その問題(もんだい)は依然(いぜん)として~のままになっている 그 문제는 여전히 미궁에 빠진 채로 남아 있다.

めいきょうしすい【明鏡止水】图 명경지수. ¶~の心境(しんきょう)に達(たっ)する 명경지수의 심경에 이르다.

めいきょく【名曲】图 명곡. ¶~を鑑賞(かんしょう)する 명곡을 감상하다.

めいく【名句】图 명구. **1** 훌륭〔유명〕한 俳句(はいく)·글귀. =秀句(しゅうく). ¶古今(ここん)の~ 고금의 명구. ↔駄句(だく). **2** 명언. =名言(めいげん). ¶~を吐(は)く 명언을 하다.

めいくん【名君】图 명군; 훌륭한 군주.

めいくん【明君】图 명군; 현명한 군주. =明主(めいしゅ). ¶~の聞(き)こえが高(たか)い 명군이란 평판이 자자하다. ↔暗君(あんくん).

めいげつ【名月】图 명월; 음력 8월 보름달. =中秋(ちゅうしゅう)の名月·いも名月.

めいげつ【明月】图 명월; 밝고 둥근 달.

¶清風～ 청풍명월.
めいけん【名犬】图 명견.
めいけん【名剣】图 명검; 보검. ¶代代の～ 대대로 전해 오는 명검.
めいげん【名言】图 명언; 금언. ¶～集 명언집 / ～を吐く 명언을 하다 / 蓋し～だ 과연〔확실히〕 명언이다.
めいげん【明言】图[ス他] 명언; 분명히 말함; 언명. ¶～を避ける 언명을 회피하다 / 必ず解決すると～した 반드시 해결하겠다고 언명하였다.
めいこう【名工】图 명공; 명장(名匠). ¶彫刻の～として名高い 조각의 명장으로 유명하다.
めいコンビ【名コンビ】图 명콤비; 손발이 잘 맞는 단짝.
***めいさい【明細】**图[ダナ] 명세. **1** 자세함. ¶～な報告 자세한 보고 / ～に記す 상세히 적다 / ～に説明する 자세히 설명하다. **2** 명세서.
—しょ【—書】图 명세서. ＝明細書き. ¶支出～ 지출 명세서.
めいさい【迷彩】图〘軍〙미채; 위장 도색. ＝カムフラージュ. ¶～服 위장복; 얼룩무늬 옷 / 戦車に～を施す 전차에 미채를 하다.
めいさく【名作】图 명작. ¶～物語全集 명작 이야기 전집 / この絵は古今の～だ 이 그림은 고금의 명작이다. ↔駄作.
***めいさつ[名刹]**图 명찰; 유명한 절. ¶古寺～ 고사 명찰.
めいさつ【明察】图[ス他] 명찰; 똑똑히 살핌; 밝히 헤아림. [参考] 상대방의 추찰에 대한 경어로도 쓰임. ¶御～の通りです 명찰하신 대로입니다.
***めいさん【名産】**图 명산. ＝名物. ¶～物 명산물 / ～展 명산물 전시회.
めいざん【名山】图 명산; 유명한 산. ¶～霊峰 명산 영봉.
めいし【名士】图 명사. ＝名流. ¶土地の～ 그 고장의 명사 / ～を一堂に集めて会を催す 명사를 일당에 모아 모임을 개최하다.
***めいし【名刺】**图 명함. ¶～を交換する 명함을 교환하다 / ～を渡す〔切らす〕 명함을 건네다〔다 쓰다〕 / ～を置いて行く 명함을 두고 가다.
—いれ【—入れ】图 명함 케이스.
—ばん【—判】图 (사진의) 명함판.
めいし【名詞】图〘文法〙명사. ¶～句〔節〕 명사구〔절〕 / 固有～ 고유 명사 / ～化する 명사화하다.
めいじ【明示】图[ス他] 명시. ¶日時と場所を～する 일시와 장소를 명시하다. ↔暗示.
めいじ【明治】图 明治天皇 시대의 연호《1868–1912》.
—いしん【—維新】图 명치 유신《1867년에 이루어짐》. ＝御一新.
めいじつ【名実】图 명실; 그 이름과 실상. ¶～相伴う 명실상부하다.
—共に 명실공히. ¶彼は～文壇の第一人者だ 그는 명실공히 문단의 제일인자다.
めいしゃ【目医者】图 안과 의사. ¶～にかかる 안과 의사의 치료를 받다.
めいしゅ【名手】图 명수; 명인. ¶弓〔射撃〕の～ 활〔사격〕의 명수 / 笛の～ 피리의 명수〔명인〕.
めいしゅ【名酒】图 명주; 유명한 술.
めいしゅ【盟主】图 맹주. ¶～に押し立てる 맹주로 추대하다 / ～と仰がれる 맹주로 추앙을 받다.
めいしゅ【銘酒】图 명주; 특별한 이름을 붙인 좋은 술.
***めいしょ【名所】**图 명소; 명승지. ＝などころ. ¶～案内 명소 안내 / ～巡りをする 명소 순례를 하다 / ～を見物する 명소를 구경하다.
—きゅうせき【—旧跡】图 명소 구적; 명승고적.
めいしょう【名匠】图 **1** 명장; 솜씨가 훌륭하기로 유명한 장인(匠人). ＝名工. **2** 훌륭한 학자·승려.
めいしょう【名将】图 명장. ¶戦国時代の～ 전국 시대의 명장.
めいしょう【名称】图 명칭. ＝名前·呼び名. ¶～を与える 명칭을 부여하다 / ～を改める 명칭을 바꾸다. [参考] 보통, 사람 이름에는 사용하지 않음.
めいしょう【名勝】图 명승(지). ¶～の地 명승지 / ～を保存する 명승지를 보존하다.
めいじょう【名状】图[ス他] 상태를 말로 표현함. ¶～しがたい惨状 이루〔뭐라고〕 말할 수 없는 참상. [参考] 보통, 否定적 문맥 이외에는 쓰지 않음.
めいしょく【明色】图 명색; 밝은 빛. ↔暗色.
***めい-じる【命じる】**[上1他] ☞めい(命)ずる.
めい-じる【銘じる】[上1他] ☞めい(銘)ずる.
***めいしん【迷信】**图 미신. ¶～におぼれる 미신에 빠지다 / ～に取りつかれている 미신에 사로잡혀 있다 / ～を信ずる 미신을 믿다.
***めいじん【名人】**图 명인. **1** 그 분야에서 솜씨가 뛰어난 사람. ＝達人·名手. ¶釣りの～ 낚시의 명수 / うそつきの～ 습관적인 거짓말쟁이 / ～の域に達する 명인의 경지에 달하다. **2** 바둑이나 장기에서, 최고위(位)의 칭호의 하나. ¶～戦 명인전.
—かたぎ〖—気質〗图 ☞めいじんはだ.
—はだ【—肌】图 명인 기질.
めいすう【命数】图 **1** 수명. ¶～が尽きる 수명이 다하다. **2** 천명; 운수. ＝めぐり合わせ. ¶～と思ってあきらめる 운수라 생각하고 단념하다.
***めい-ずる【命ずる】**[サ変他] **1** 명하다; 명령하다; 임명하다. ¶良心の～ところ 양심이 명하는 바 / 課長に～·ぜられる 과장에 임명되다 / 退場を～ 퇴장을 명하다. **2** 명명하다; 이름짓다.

¶～·じて…という 이름하여 …(이)라고 (말)하다.

*めい-ずる【銘ずる】サ変他 마음속에 깊이 새기다; 명심(銘心)하다. ¶肝に～ 깊이 명심하다.

めいせい【名声】图 명성; 명망. ¶～を博する〔とどろかす〕 명성을 떨치다 / ～が上がる〔落ちる〕 명성이 높아지다〔떨어지다〕 / ～を傷つける〔高める〕 명성을 손상하다〔높이다〕.

めいせき【名跡】图 유명한 고적.

めいせき[明晰·明晳] 名ナ 명석. ¶～な頭脳の持ち主 명석한 두뇌의 소유자 / ～な論理 명석한 논리.

めいせん【銘仙】图 꼬지 않은 실로 거칠게 짠 비단《옷감·이불감 등으로 씀》.

めいそう【名僧】图 명승; 고승. ¶～知識 도승; 명승.

めいそう[瞑想·冥想] 图ス自 명상. =黙想. ¶～的 명상적 / ～にふける〔沈む〕 명상에 잠기다.

めいだい【命題】图〔論〕명제. ¶肯定～ 긍정 명제.

めいちゅう【命中】图ス自 명중. =的中. ¶～弾 명중탄 / ～率 명중률 / 的〔どまん中〕に～する 과녁〔한복판〕에 명중하다.

めいちょ【名著】图 명저. ¶古今の～ 고금의 명저 / ～を翻訳する 명저를 번역하다 / これは近来の～だ 이것은 근래의 명저이다.

めいっぱい【目一杯】副ナ 할 수 있는 한다함; 힘껏. =精一杯. ¶～な〔の〕サービス 최대한의 서비스 / ～がんばる 최대한〔힘껏〕 버티다 / ～めかしこむ 한껏 멋을 내다. 参考 '저울눈이 허용하는 한도껏'의 뜻.

めいてい[酩酊] 图ス自 명정; 만취. =深酔い. ¶ひどく～した 만취했다.

めいてつ【明哲】名ナ 명철; 재지(才智)가 뛰어나고, 사리에 깊이 통달함; 또, 그런 사람. ¶～保身の術 명철보신의 술.

めいてん【名店】图 유명한 점포. ──がい【──街】图 유명 점포가 즐비한 거리.

めいど【明度】图〔美〕명도. ⇨さいど(彩度)·しきそう(色相).

めいど[冥土·冥途] 图〔佛〕명토; 저승. ¶～の道連れ 저승길의 길동무. ──の旅に出る 저승길로 떠나다《죽다》.

めいとう【名刀】图 명도; 명검; 훌륭한 칼. ¶正宗の～ 正宗(=일본 제일의 도공(刀工)의 명검.

めいとう【銘刀】图 명도; 도공(刀工)의 명(銘)이 새겨져 있는 훌륭한 칼.

めいとう【名答】图 명답. ¶御～です 명답이십니다. ↔愚答.

めいとう【明答】图ス自 명답; 명확한 대답; 확답. ¶～を避ける 확답을 피하다 / ～を得る 명확한 답을 얻다.

めいどう【鳴動】图ス自 명동. ¶天地～ 천지 명동 / 大山～してねずみ一匹 태산명동에 서일필.

めいにち【命日】图 명일; 죽은 날에 해당되는 매해·매달의 그 날; 기일(忌日). ¶祖父の～ 조부의 기일.

めいば【名馬】图 명마. ¶～が駆ける 명마가 달리다.

*めいはく【明白】ダナ 명백. ¶～な事実 명백한 사실 / 罪状は～だ 죄상은 명백하다. ↔あいまい.

めいひつ【名筆】图 명필. ¶山水の～ 산수(화)의 명필.

めいひん【名品】图 명품. =逸品.

めいびん【明敏】图ダナ 명민(함). ¶頭脳～な人 두뇌가 명민한 사람.

めいふ[冥府] 图 명부. **1** 저승. =めいど. **2** 염마청(閻魔廳).

めいふく[冥福] 图 명복; 내세의 행복. ¶～を祈る 명복을 빌다.

*めいぶつ【名物】图 명물. **1** 유명한 것. ¶パリ～の蚤の市 파리의 명물인 벼룩시장. **2** 그 고장의 명산물《특히, 식품을 이름》. ¶～の梨 그 고장 명산물인 배. ──に旨い物なし 명물치고 맛 좋은 것 없다; 소문난 잔치에 먹을 것 없다. =名所に見所なし.

めいぶん【名分】图 명분. **1** 신분·입장에 따라 지켜야 할 본분. ¶～が立たない 명분이 서지 않는다. **2** 명목; 표면상의 이유. ¶大義～ 대의명분 / 視察という～で海外に出張する 시찰이라는 명분으로 해외에 출장가다.

めいぶん【名文】图 명문. ¶～家 명문가 / ～で書かれている 명문으로 쓰여져 있다 / 古来の～と称される 고래의 명문으로 일컬어지다. ↔悪文.

めいぶん【銘文】图 명문; 명(銘)으로서 금석(金石)의 기물에 새겨진 글.

めいぶんか【明文化】图ス他 명문화. ¶規則を～する 규칙을 명문화하다.

*めいぼ【名簿】图 명부. ¶会員～ 회원 명부 / ～に載る 명부에 실리다.

めいほう【盟邦】图 맹방. =同盟国.

めいぼう【名望】图 명망. ¶～家 명망가 / ～のある人 명망이 있는 사람 / ～を得る 명망을 얻다.

めいぼうこうし[明眸皓歯] 图 명모호치《미인》.

めいぼく【名木】图 명목; 유명한 나무. ¶～の松 유서 깊은 유명한 소나무.

めいぼく【銘木】图 형상·광택·재질·나뭇결이 진기하고 특수한 풍취가 있는 고급 목재의 총칭. ¶床柱に～を用いる 床柱에 고급 목재를 쓰다.

めいみゃく【命脈】图 명맥; 목숨. =いのち. ¶～を保つ 목숨을 부지하다; 명맥을 유지하다 / ～が尽きる 목숨이 끊어지다 / ～を絶つ 명맥을 끊다.

めいむ【迷夢】图 미몽; 미망(迷妄). ¶～をさます 미몽을 깨우다 / ～からさめる 미몽에서 깨어나다.

めいめい【命名】图ス自 명명; 이름을 붙임. =名づけ. ¶～式 명명식 / 生まれた子に太郎と～する 태어난 아기

에게 太郎라고 이름을 붙이다.

*めいめい〖銘銘〗图 각자; 제각기; 각각. ¶～の判断にまかせる 각자의 판단에 맡기다/食事代は～払い 식사 대금은 각자 지불〔부담〕/切符は～お持ち下さい 표는 각자가 지녀 주세요.

—ざら【—皿】图 앞접시; 개인 접시.

めいめいはくはく【明明白白】[名ナ][トタル] 명명백백. ¶～な論理 명명백백한 논리/～たる〔な〕事実 명명백백한 사실.

めいめつ【明滅】图[ス自] 명멸. ¶～する灯火 명멸하는 등불/ネオンサインが～する 네온 사인이 명멸하다.

めいもう【迷妄】图 미망; 그릇된 생각. ¶～に陥る 미망에 빠지다/世人の～をひらく 세인의 미망을 깨우치다.

めいもく【名目】图 명목. **1** 이름; 명색. ¶～上〔だけ〕の会長 명목상〔만〕의 회장. **2** 구실; 이유. ¶～が立たない 구실이 서지 않다/もっともらしい～を立てる 그럴듯한 구실을 내세우다.

めいもん【名門】图 명문. ＝名家. ¶～校 명문교/～の出 명문 출신/私学の～ 사학의 명문.

めいやく【名訳】图 명역; 명번역. ¶～の小説 훌륭하게 번역된 소설.

めいやく【盟約】图[ス他] 맹약; 굳은 약속. ¶～を結ぶ 맹약을 맺다.

めいゆう【名優】图 명우; 명배우.

めいゆう【盟友】图 맹우; 동지. ¶～とたもとを分かつ 동지와 갈라서다.

*めいよ【名誉】图[ダナ] 명예. **1** 영예. ＝ほまれ. ¶～ある地位 명예로운 지위/実に～なことだ 참으로 명예스러운 일이다/～に思う 명예롭게 생각하다/～の戦死を遂げる 명예로운 전사를 하다. **2** 자존심; 체면. ¶～を汚す〔傷つける〕 명예를 더럽히다〔손상하다〕. ↔不名誉. **3**《接頭語적으로》 존경의 뜻으로 수여되는 칭호. ¶～市民〔教授〕 명예 시민〔교수〕.

—きそん【—毀損】图 명예 훼손. ¶～罪 명예 훼손죄/～で訴える 명예 훼손으로 제소하다.

—しょく【—職】图 명예직. ¶～に就く 명예직에 취임하다.

めいりゅう【名流】图 명류; 명사. ¶～婦人 여류 명사/～の子弟 명사의 자제.

*めいりょう【明瞭】[ダナ] 명료; 명백; 똑똑함. ¶簡単～ 간단 명료/～な発音 똑똑한 발음/～に答える 똑똑하게 대답하다/意識は～だ 의식은 또렷하다/電文の意味が～さを欠く 전문의 의미가 분명하지 않다. ↔不明瞭.

めい-る〖滅入る〗[5自] 기가〔풀이〕 죽다; 우울해지다. ＝ふさぐ. ¶気の～話 우울해지는 이야기/雨天続きで気が～ 비가 계속 내려 우울해지다.

⁑めいれい【命令】图[ス他] 명령. ¶解散～ 해산 명령/行政～ 행정 명령/～を下す 명령을 내리다/～を発する〔受ける〕 명령을 발하다〔받다〕/～を守る 명령을 지키다.

—いっか【——下】图 명령 일하. ¶～突撃する 명령 일하 돌격하다.

—けい【—形】图〔文法〕 명령형.

—ぶん【—文】图〔文法〕 명령문. ↔平叙文·疑問文·感動文.

—レジスター 图〔컴〕 명령 레지스터《판독된 명령을 일시적으로 기억하는 곳》. ▷instruction register.

めいろ【目色】图 눈빛; 눈짓. ＝目つき. ¶～を変える 눈빛이 변하다/～で知らす 눈짓으로 알리다.

めいろ【迷路】图 미로; 홀림길. ¶～に陥る〔入り込む〕 미로에 빠지다〔빠져들다〕.

*めいろう【明朗】[ダナ] **1** 명랑. ¶～快活 명랑 쾌활/～な青年〔性格〕 명랑한 청년〔성격〕. **2** 거짓이 없고 공정함〔밝음〕. ¶～な政治 밝은 정치/～な会計 투명한 회계.

めいろん【名論】图 명론. ¶～卓説 명론 탁설.

めいろん【迷論】图〈俗〉 논지가 분명치 못한 의론《'名論'의 엇먹은 말》.

⁑めいわく【迷惑】[名ナ][ス自] 귀찮음; 성가심; 괴로움; 폐. ¶人に～をかける 남에게 폐를 끼치다/近所の～になる 이웃에 폐가 되다/ありがた～な贈り物 별로 달갑잖은〔부담스러운〕 선물/君のために～した 자네 때문에 난처했었다〔곤란을 받았다〕/他人の～にならぬようにせよ 딴 사람에게 폐가 안되도록 해라/～千万な話だ 귀찮기 짝이 없는 이야기다.

*めうえ【目上】图 지위·나이가 위임; 또, 윗사람; 연장자. ¶～に対する礼儀 윗사람에 대한 예의. ↔目下.

めうし【雌牛】《牝牛》图 암소. ↔雄牛.

めうち【目打ち】图 **1** 구멍 뚫는 데 쓰거나 자수에서 코뜨는 데 쓰는 수예 용구. **2** 우표 따위를 한 장씩 떼기 쉽게 점점이 뚫은 작은 구멍. **3** 장어 따위를 가를 때 머리에 꽂는 송곳.

めうつり【目移り】图[ス自] 다른 것에 끌려 그 쪽으로 눈이 쏠림〔관심이 감〕. ¶新しい品に～(が)する 새 물건에 눈이 쏠리다/あれこれ～して決断がつかない 이것저것에 눈이 쏠려 결단을 내리지 못하다.

*メーカー [maker] 图 메이커. **1** 제조(업)자. ¶一流の～ 일류 메이커/カメラの～ 카메라 메이커. ↔ユーザー. **2** 유명한 제조 회사〔제조원(元)〕. ＝銘店.

—ひん【—品】图 (유명) 메이커 제품. ＝銘柄品.

—もの【—物】图 ☞メーカーひん.

メーキャップ [make-up] 图[ス自] 메이크업; 화장; 특히, (출연) 배우의 얼굴 화장; 분장. ＝メーク. ¶～アーチスト 메이크업 아티스트; 화장 전문가; 분장사/老け役の～ 노역의 분장/～を落

おとす 화장을 지우다.
メーク [make] 名ス他 메이크; 'メーキャップ'의 준말. ¶顔かおを～する 얼굴을 화장하다.
メージャー [major] 名 ☞メジャー.
メーター [미 meter] 名 미터. 1자동 계기. ¶～制せい 미터제 / ガス～ 가스 미터. 2 ☞メートル. 注意 '米'는 음역.
メーデー [May Day] 名 메이데이; 노동절. ¶～のデモ行進こうしん 메이데이의 데모 행진. 「가정부.
メード [maid] 名 메이드; 식모; 하녀;
*メートル [프 mètre] 名 미터. 1 길이의 기본 단위《기호: m》. ¶～法ほう 미터법. 注意 '米'는 음역. 2 ☞メーター. ¶ガスの～ 가스 미터.
―を上あげる 술 마시고 큰소리 치다; 취해서 기염을 토하다.
メーリングリスト [mailing list] 名〔컴〕 메일링리스트; 특정 그룹에 속하는 사람들에게 e메일〔전자 우편〕을 동시에 송신(送信)하는 시스템《약칭: ML》.
メール [mail] 名 메일; 우편(물).
―オーダー [mail order] 名 메일 오더; 통신 판매.
―フレンド [mail friend] 名 메일 프렌드; E메일을 통해 사귄 친구.
―ボックス [mail box] 名〔컴〕메일 박스; 편지 상자《전자 우편 메시지를 기억해 두는 파일》.
メーン= [main] 메인…; 주요한. ＝メイン=. ¶～イベント 메인 이벤트 / ～ストリート 메인 스트리트; 중심가 / ～テーブル 메인 테이블 / ～ディッシュ 정찬의 중심이 되는 요리.
―バンク [main bank] 名 메인 뱅크; 주거래 은행. ＝主力銀行しゅりょくぎんこう.
めおと 〖夫婦〗 名 1〈雅〉 부부. ＝みょうと. ¶晴はれて～になる 떳떳이 부부가 되다. 2 두 개 또는 대소(大小)로 한 쌍이 되는 것. ¶～茶ちゃわん 대소 두 개로 한 쌍이 되는 공기〔찻잔〕.
メガ= [mega] 메가…《백만(배)의 뜻을 표시하는 말》. 「《기호: Mc》.
―サイクル [megacycle] 名 메가사이클
―トン [megaton] 名 메가톤; 백만 톤.
―バイト [megabyte] 名〔컴〕메가바이트; 100만 바이트.
―ヘルツ [megahertz] 名 메가헤르츠; 100만 헤르츠《기호: MHz; メガサイクル의 고친 이름》.
めがお【目顔】名 눈; 눈 표정; 눈짓. ¶～で知しらせる 눈(짓)으로 알리다.
めかくし【目隠し】名ス自 1 헝겊 따위로 눈을 가림; 또, 그 헝겊; 눈가리개. ¶タオルで～する 수건으로 눈을 가리다 / ～されて連つれて行いかれる 눈을 가린 채 끌려가다. 2 집의 내부가 밖에서 보이지 않도록 가리어 막음; 또, 그 막는 것《담·울타리 따위》. ¶～をつくる 가리개를 하다 / 窓まどに～をつける 창문에 가리개를 달다.
めかけ 〖妾〗 名 첩. ＝そばめ·てかけ. ¶男おとこ～ 남첩; 정부(情夫) / ～をかこう 첩을 두다. ↔本妻ほんさい.
*めが-ける【目掛ける】 下1他 목표로 하다; 노리다; 겨냥하다. ＝ねらう·めざす. ¶頂上ちょうじょうを～·けて登のぼる 정상을 목표로 하고 올라가다 / 敵てきを～·けて突撃とつげきする 적을 향하여 돌격하다.
めかご【目かご】《目籠》 名 (물건을 담는) 눈이 성기게 짠 바구니. ＝目めざる.
=めかし-い 《'めく'를 形容詞化한 것》 …답다; …스럽다; …처럼 보이다. ¶今更いまさら～ 새삼스럽다 / 古ふる～ 예스럽다 / なま～ 요염하다. ⇨=めく.
めかしこ-む 〖粧し込む〗 5自 한껏 모양을 내다; 멋을 부리다. ¶～·んで外出がいしゅつする 한껏 모양을 내고 외출하다.
めがしら【目頭】名 눈구석; 눈자위. ¶～に涙なみだをためる 눈(구석)에 눈물을 글썽거리다. ↔目めじり.
―が熱あつくなる 눈시울이 뜨거워지다. ¶苦労話くろうばなしに思おもわず～ 고생담에 저도 모르게 눈시울이 뜨거워지다. 「참다.
―を押おさえる (눈구석을 눌러) 눈물을
めか-す ⊟〖粧す〗 5自 멋을 부리다; 모양을 내다; 치장을 하다. ¶いやに～·した恰好かっこう 제법 멋을 부린 모양〔모습〕. 参考 '色いろめかす'의 준말.
⊟【めかす】 接尾 《名詞·語根 등의 밑에 붙어서》 …처럼 꾸미다〔차리다〕; …답게 보이도록 하다. ¶坊主ぼうず～ 중처럼 꾸미다 / 豪傑ごうけつ～ 호걸인 것처럼 굴다 / 親切しんせつ〔冗談じょうだん〕～ 친절한〔농담인〕 척하다 / ほの～ 암시하다; 넌지시 비추다.
**めかた【目方】名 무게; 중량. ¶～がかかる 무게가 나가다 / ～が増ふえる 무게가 늘다 / ～で売うる (무게로) 달아 팔다 / ～たっぷりに売うる 근수(斤數)를 푸지게〔듬뿍〕 달아 팔다 / ～が切きれる 근수가 모자라다 / ～を量はかる 무게를 달다 / ～が十五じゅうごキロある 무게가 15킬로 나가다. 「くじら.
めかど【目角】名 눈초리; 눈구석. ＝目
―を立たてる (화를 내고) 무서운 눈으로 노려보다; 눈에 쌍심지를 켜다.
メカトロニクス [일 mechanics＋electronics] 名 메커트로닉스; 전자 공학과 기계 공학을 결합한 기술. ＝メカトロ.
―さんぎょう【―産業】名 메커트로닉스 산업《디지털 시계·산업용 로봇·LSI 제조 장치 등과 같은 정밀 전자 기계 산업을 일컬음》.
メカニズム [mechanism] 名 메커니즘. 1 기계 장치. ＝メカ. 2 (사물의) 구조; 기구(機構). ¶近代社会きんだいしゃかいの～ 근대 사회의 메커니즘.
*めがね【眼鏡】名 1 안경. ＝がんきょう. ¶～の玉たま〔ふち〕 안경알〔테〕 / 色いろ～ 색안경 / 鼻はな～ 코안경 / ～のケース〔サック〕 안경집 / 度どの強つよい〔弱よわい〕～ 도수가 높은〔약한〕 안경 / ～を掛かける〔外はずす〕 안경을 쓰다〔벗다〕 / ～越ごしに見み

る 안경 너머로 보다. **2**《鑑識로도》〈俗〉사물을 볼 줄 아는 눈; 감별〔감식〕안; 감식력. ¶～が狂(くる)う 그릇 판단하다; 잘못 보다.

―にかなう (윗사람) 눈〔마음〕에 들다. ¶社長(しゃちょう)のめがねにかなって抜擢(ばってき)される 사장의 눈에 들어 발탁되다.

―ちがい【―違い】 图 잘못 감정〔감별〕함; 잘못 판단함.

―ばし【―橋】 图 아치형의 석조 다리; 홍예다리.

メガバンク [mega bank] 图〘經〙메가뱅크; 지주(持株) 회사를 통해 은행·보험·증권 등의 광범위한 금융 업무를 다루는 거대 종합 금융 회사《단순히, 대은행끼리의 합병을 일컫기도 함》.

メガホン [megaphone] 图 메가폰; 입에 대고 말하는 확성 나팔. =メガフォン. ¶～を握(にぎ)る〔取(と)る〕메가폰을 잡다《감독으로서 영화를 만들다》.

めがみ【女神】 图 여신. =じょしん. ¶自由(じゆう)の～ 자유의 여신/勝利(しょうり)の～が我(われ)らにほほえむ 승리의 여신이 우리에게 미소짓다. ↔男神(おがみ).

メガロポリス [megalopolis] 图 메갈로폴리스; 광역 도시; 거대 도시.

めきき【目利き】 图 (서화·도검 따위를) 감정〔감식〕함; 또, 그 사람. ¶書画(しょが)の～をする 서화 감정을 하다/あの人(ひと)は刀剣(とうけん)の～がなかなかうまい 저 사람은 칼 감정에 매우 능하다.

めぎつね〖牝狐〗 图 암여우; 또, (남자를 호리는) 교활한 여자.

めきめき 副 두드러지게 성장〔진보〕하는 모양: 눈에 띄게; 두드러지게; 무럭무럭; 급속도로. ¶～育(そだ)つ 무럭무럭 자라다/～(と)上達(じょうたつ)する (솜씨 따위가) 두드러지게〔점점〕늘다 / 病気(びょうき)が～(と)よくなる 병이 눈에 띄게 나아지다.

=めーく …다워지다; …인 듯하다; …경향을 띠다; …처럼 보이다. ¶皮肉(ひにく)～·いた言葉(ことば) 비꼬는 듯한 말투 / 春(はる)～ 봄다워지다/田舎(いなか)～ 촌스럽다.

めくされがね【目腐れ金】 图 눈에 차지 않는 돈; (얼마 안 되는) 약간의 돈. =めくさりがね·はした金(がね). ¶そんな～では承知(しょうち)できない 그런 푼돈으로는 안 된다.

めくじら【目くじら】 图〈俗〉눈구석. =目角(めかど).

―を立(た)てる 흠뜯다; 흠을 잡다.

めぐすり【目薬】 图 눈약; 안약. ¶～を差(さ)す 안약을 넣다.

めくそ【目くそ】《目糞》图 눈곱. =めやに.

―鼻(はな)くそを笑(わら)う 똥 묻은 개가 겨 묻은 개 나무란다.

めくばせ【目配せ】《眴》图 ス自 눈짓. =めくわせ·めまぜ. ¶互(たが)いに～する 서로 눈짓하다/黙(だま)っているように～をする 잠자코 있으라고 눈짓하다.

めくばり【目配り】 图 ス自 사방을 주의하여 둘러봄; 관심을 가지고 두루 살핌. ¶～をきかせる 사방을 두루 살피다/怠(おこた)り〔油断(ゆだん)〕なく～をする 방심 않고 두루 살피다; 경계를 게을리하지 않다.

***めぐまーれる【恵まれる】** 下1自 혜택을 받다. **1** 풍족〔풍부〕하다; 행복하다. ¶～·れた環境(かんきょう) 혜택받은 좋은 환경/資源(しげん)に～ 자원이 풍족〔풍부〕하다/家庭的(かていてき)に～·れない 가정적으로 불우하다/～·れざる人々(ひとびと) 불우한〔가난한〕사람들/緑(みどり)に～·れた住宅(じゅうたく) 녹지가 많은 주택. **2** (바람직한 것을) 만나다; (운좋게) 얻게〔갖게〕되다; 또, 타고나다. ¶才能(さいのう)に～ 재능을 타고나다/幸運(こううん)に～ 행운을 얻다〔만나다〕/好天(こうてん)に～ 날씨가 좋다/健康(けんこう)に～ 건강을 타고나다.

めぐみ【恵み】 图 은혜. **1** 은총. ¶神(かみ)の～によって 신의 은총으로. **2** 인정; 자비. ¶～深(ぶか)い 자비로운; 인정이 많은/～を施(ほどこ)す 은혜를〔인정을〕베풀다/～をたれる 자비를 베풀다. **3** 혜택. ¶自然(しぜん)の～を受(う)ける 자연의 혜택을 누리다〔받다〕.

―の雨(あめ) 단비; 자우. =慈雨(じう).

めぐーむ【芽ぐむ】 5自 싹트다; 움트다. ¶桑(くわ)の木(き)が青々(あおあお)と～·んで来(き)た 뽕나무가 파릇파릇 싹트기 시작했다.

めぐーむ【恵む】 5他 은혜를〔혜택을〕베풀다; (가엾이 여겨) 금품을 주다; 구제하다. ¶人(ひと)〔貧民(ひんみん)〕に金(かね)〔米(こめ)〕を～ 남〔빈민〕에게 금전〔쌀〕을 베풀다.

***めくら〖盲〗** 图 **1** 맹인; 장님; 소경; 시각장애인. =めしい. 注意 지금은 '目(め)の見(み)えない人(ひと)(=눈이 보이지 않는 사람)'이라고 함. **2** 문맹(文盲); 눈뜬 장님. ¶あき～ 눈뜬 장님《(a)문맹자; 까막눈; (b)청맹과니》. ⇔目明(めあ)き.

―千人(せんにん)目明(めあ)き千人 사리(事理)에 밝은 사람도 많고 어두운 사람도 많다.

―蛇(へび)におじず 장님이 뱀을 무서워할까; 하룻강아지 범 무서운 줄 모른다.

めくらうち【めくら撃ち】《盲撃ち》图 ス他 표적도 없이 함부로 마구 쏨.

めくらさがし【めくら探し】《盲探し》图 ス他 손으로 더듬어 찾음; 또, 맹목적으로 (무턱대고) 찾음.

めぐらーす【巡らす】 5他 **1** 돌리다. ¶首(こうべ)を～ (a)고개를 돌리다; (b)과거를 돌이켜 생각하다〔회상하다〕/きびすを～ 발길을 돌리다. **2** 두르다. ¶庭(にわ)に垣(かき)を～ 뜰에 울타리를 두르다. **3** (마음속에) 이리저리 두루 생각하다. ㉠머리를 짜다. ¶知恵(ちえ)を～ 지혜를 짜내다/一案(いちあん)を～ 한 가지 안을 생각해 내다. ㉡꾸미다. ¶計略(けいりゃく)を～ 계략을 꾸미다.

めくらばん【めくら判】《盲判》图 (내용을 잘 살피지 않고) 무턱대고〔마구〕도장을 찍음; 또, 그 도장. =めくらいん. ¶～を押(お)す 무턱대고 도장을 찍다.

めくらめっぽう〖盲滅法〗 图 ダナ 조금도 짐작이 안 감; 무턱대고 함; 되는 대로 함. =やみくも·でたらめ. ¶～に捜(さが)しまわる 무턱대고 찾아 돌아다니다/

~に撃つ (총 따위를) 무턱대고〔마구잡이로〕 쏘다 / ~にバットを振り回す 무턱대고 배트를 휘두르다.

めぐり【巡り】名 **1** 돎; 돌기. ㉠한 바퀴 돎; 순환. ¶月日の~ 일월(日月)의 순환 / 公園を一~する 공원을 일주하다 / 血の~が悪い 머리가 잘 돌지 않다〔둔하다〕. ㉡여기저기 들름; 순회; 편력. ¶お寺~ 사찰 순례 / 島~をする 섬을 순회하다. **2** 둘레; 주위; 주변. =あたり. ¶~の垣 둘레의 울타리 / 池の~ 연못의 주위.

めぐりあ-う【巡り合う】5自 오래간만에 우연히 만나다; 해후(邂逅)하다. ¶幸運に~ 우연히 행운을 만나다 / 旧師に~ 옛 스승을 우연히 만나다.

めぐりあわせ【巡り合わせ】名 (자연히 그렇게 될) 운명; 운. =まわりあわせ. ¶不思議な~ 이상한 운명〔인연〕.

めぐりめぐって【巡り巡って】連語 돌고 돌아서. ¶その財布は~持ち主に戻った 그 지갑은 돌고 돌아서 임자에게 되돌아왔다.

***めく-る**〖捲る〗5他 **1** 넘기다; 젖히다. ¶ページを~ 책장을 넘기다. **2** 벗기다; 뜯다; 떼다. ¶屋根を~ 지붕을 벗기다〔걷어 내다〕 / カレンダーを一枚~ 달력을 한 장 넘기다〔떼다〕.

***めぐ-る**【巡る】5自 **1** (한 바퀴) 돌다. ㉠순환·순회하다. ¶~年月 돌고 도는 세월 / 血液が体内を~ 피가 몸속을 돌다. ㉡여기저기 들르다; 돌아다니다. ¶関西を~ 関西 지방을 한 바퀴 돌다. **2** 에워싸다. ㉠둘러싸다. ¶彼を~五人の女性 그를 둘러싼 5명의 여성 / 賛否を~·って議論を戦わせる 찬부를 둘러싸고 토론하다. ㉡둘려 있다. ¶城郭〔堀〕が~ 성곽이〔해자가〕 둘려 있다.

めくるめ-く【目くるめく】《目眩めく》5自 〈雅〉 눈이 돌다; 아뜩해지다; 어지러워지다. =くるめく. ¶~絶壁 아찔하게 높은 절벽 / ~ような高さ 아찔할 정도의 높이.

めく-れる〖捲れる〗下1自 젖힌 상태로 말리다. ¶ページが~ 책장이 말리다 / 壁のポスターが~ 벽의 포스터가 말려 올라가다.

め-げる 下1自 약해지다; 기가 죽다〔꺾이다〕. =ひるむ·弱る. ¶暑さに~·げずがんばる 더위에도 끄떡 않고 분발하다 / 風雨にも~·げず登頂する 비바람도 아랑곳없이 등정하다.

めこぼし【目こぼし】《目溢し》名ス他 눈감아 줌; 관대히 봄; 묵인함. =黙許. ¶どうぞお~を願います 제발 눈감아 주시기 바랍니다.

***めさき**【目先】《目前》名 **1** 눈앞; 목전. ㉠눈의 앞. ¶彼の顔が~にちらつく 그의 얼굴이 눈앞에 어른거린다. ㉡현재; 당장; 또, 바로 앞. ¶~の事ばかり考える 눈앞의 일만을 생각하다 / 値段は~しっかりしている 값은 현재 안정되어 있다. **2** 앞일을 내다봄; 선견(先見). ¶~の見えない人 앞을 내다보지 못하는 사람.

—が利く **1** 앞일을 잘 내다보다; 선견지명이 있다. **2** 재치가 있다.

—を変える 외양을 달리하다; 취향을 바꾸다; 변화를 주다. ¶~ために 변화를 (주기) 위해.

めざし【目刺し】名 정어리 따위의 눈을 짚이나 나무로 꿰어서 말린 식품. ¶~を焼く (꿰어) 말린 정어리를 굽다.

***めざ-す**【目指す·目差す】5他 지향하다; 목표로 하다; 노리다. =ねらう. ¶~敵 노리는 적 / 頂上を~·して登る 정상을 향해 오르다 / 大学を~·して勉強する 대학을 목표로 공부하다 / 一路, 京を~ 일로〔곧장〕 서울을 향해 가다.

めざと-い【目ざとい】《目敏い》形 **1** (보는) 눈이 빠르다; 재빠르다. =目ばやい·目がしこい. ¶~·く見つける 재빨리 발견하다. **2** (잠에서) 깨기 쉽다; 잠귀가 밝다. ¶年を取って~·くなる 나이를 먹어 잠귀가 밝아지다.

めざまし【目覚まし】名 **1** 잠을 깸〔깨게 함〕; 졸음을 떨어 버림. ¶~に体操をする 잠을 떨어내기 위하여 체조를 하다. **2** (아이들이) 잠에서 깨었을 때 주는 과자; 냠냠이. =おめざ. ¶~をねだる 잠을 깨고 나서 냠냠이를 달라고 보채다. **3** '目覚まし時計'의 준말.

—どけい【—時計】名 자명종.

めざまし-い【目覚ましい】形 눈부시다; 놀랍다. ¶~働き 눈부신 활약 / ~業績を上げる 눈부신 업적을 올리다.

めざめ【目覚め】名 눈뜸. **1** 잠에서 깨어남; 기침(起寢); 또, 그 때. ¶お~が早い 일찍 깨다〔일어나다〕 / ~がちだ 자주 깬다; 잠을 설치다. **2** (본능 따위가) 싹틈; 자각. ¶性〔春〕の~ 성〔이성〕에 눈뜸; 춘기(春機) 발동 / アジア人の~ 아시아인의 자각〔각성〕.

***めざ-める**【目覚める】下1自 눈뜨다. **1** 잠을 깨다; 깨어나다. ¶朝早く~ 아침 일찍 잠을 깨다 / 物音に~ 무슨 소리에 잠을 깨다. **2** (본능 등이) 싹트다; 자각하다. ¶性に~ 성에 눈뜨다. **3** 깨닫다; 각성하다. ¶現実に~ 현실에 눈뜨다; 현실을 깨닫다 / 悪から~ 악에서 깨어나다.

***めざわり**【目障り】名ナ 눈에 거슬림; 또, 그런 것. ¶~なやつ〔看板〕 눈에 거슬리는 녀석〔간판〕 / 電柱が~になる 전주가 눈에 거슬린다 / そんながらくたは~だから早速取り払ってくれ 그런 잡동사니는 눈에 거슬리니 당장 치워 다오.

***めし**【飯】名 밥; 식사. =ごはん. ¶朝~ 아침밥; 조반 / 米の~ 쌀밥 / 麦~ 보리밥 / まぜ~ 잡곡밥 / 軍隊~ 군대밥 / ~の時間 식사 시간 / ~を炊く

밥을 짓다 / ~にする 식사하기로 하다 / 三度の~より好きだ 세 끼 식사보다 좋다〔좋아한다〕/ ~の支度をする 식사 준비를 하다. 參考 'めし'는 보통 남성이 쓰는 말로, 여성어는 'ごはん'.
―の食い上げ 생계의 길이 막힘; 밥줄이 끊어짐.
―の種 생계의 수단. ¶~を失う 직업〔직장〕을 잃다.
―を食う **1** 식사하다. **2** (…로) 먹고 살다; 생활하다. ¶文筆で~ 글을 써서 생활하다.

めじ【目地】 名〔建〕 줄눈; 사춤; 메지. ¶(モルタルで) 壁の~を塗る (모르타르로) 벽의 줄눈을 메우다.

メシア [히 Messiah] 名 메시아; 구세주. =メシヤ·メサイア.

めしあが-る【召し上がる】 5他 '飲む(=마시다)' '食べる(=먹다)'의 높임말. ¶何を~·りますか 무엇을 드시겠습니까 / たんと~·れ 많이 드세요.

めしあ-げる【召し上げる】 下1他 몰수하다; 빼앗다; 거두다. ¶財産〔領地〕を~ 재산을〔영지를〕 몰수하다.

めしかか-える【召し抱える】 下1他 부하로 쓰다; 고용하다. ¶武芸者を~ 무예에 능한 자를 부하로 쓰다.

***めした【目下】** 名 아랫사람; 손아래. ¶~の者 아랫사람. ↔目上.

めしたき【飯炊き】 名 밥을 지음; 취사; 또, 밥짓는 사람. ¶~を雇う 밥짓는 사람을 들이다.

めしつかい【召し使い】 名 머슴; 하인; 하녀. ¶~を雇う 머슴을 들이다 / ~を置く 하인을 두다.

めしつか-う【召し使う】 5他 곁에 두고 부리다; 고용하다. ¶下女を~·っている 하녀를 고용하고 있다.

めしと-る【召し捕る】 5他 죄인 등을 잡다; 체포〔포박〕하다. ¶牢破りを~ 탈옥수를 체포하다 / それ, くせ者を~·れ 야, 도둑놈 잡아라.

めしびつ【飯びつ】《飯櫃》 名 밥통. =おひつ·おはち.

めしべ〖雌蕊〗 名〔植〕 자예; 암꽃술. =しずい. ¶花の~ 암꽃술. ↔おしべ.

メジャー [major] 名 메이저. **1**〔樂〕 장음계; 장조. =長調. ↔マイナー. **2** 국제적인 석유 자본. ▷major of oil companies의 하략(下略).
―リーグ [major league] 名 (미국 프로 야구의) 메이저 리그. =大リーグ. ↔マイナーリーグ.

メジャー [measure] 名 메저. **1** 자; 양재용의 자. ¶~をあてる 자로 재다. **2** 정량(定量); 계량(計量). ¶~スプーン 정량 스푼. **3**〔樂〕 음절; 박자.

めじり【目じり】《目尻》 名 눈초리. =まなじり. ¶~が上がっている 눈초리가 치켜져 있다 / ~にしわが寄る 눈가에 주름이 생기다. ↔目頭.
―を下げる 기쁘거나 만족하여 싱글거리다; 또, 여자에게 넋을 잃은 듯한 표정을 짓다.

***めじるし【目印】**《目標》 名 안표; 표지; 표적. ¶~をつける 안표를 하다 / 煙突を~にする 굴뚝을 안표로 삼다.

めじろ〖目白〗 名〔鳥〕 동박새.
―おし【―押し】 名 ダナ (나뭇가지에 떼지어 앉은 동박새처럼) 많은 사람이나 사물이 떼지어 늘어섬. ¶~に並ぶ 빈틈없이〔빼곡히〕 늘어서다.

め-す【召す】 5他 **1** '取り寄せる(=가져〔보내〕오게 하다)' '呼び寄せる(=불러들이다)'의 높임말. ¶殿下がお~·しです 전하께옵서 부르십니다 / 家老を~ 중신을 부르시다. **2** '食う(=먹다)' '飲む(=마시다)' '着る(=입다)' '乗る(=타다)' 등의 높임말. ¶ごはんを~·しあがりますか 진지를 드시겠습니까 / 新しい服を~ 새옷을 입으시다 / おかぜを~ 감기에 걸리시다 / 風呂をお~·しなさい 목욕하십시오.

***めす【雌】**《牝》 名 동물의 암컷. =め·めん. ¶~犬 암캐 / ~馬 암말. ↔雄.

メス [네 mes] 名 메스; 해부·수술 따위에 쓰는 칼. =解剖刀.
―を入れる 메스를 가하다. **1** 수술하다. **2** 화근을 뽑기 위해 단호한 처분을 내리다. ¶政財界の癒着に~ 정재계 유착에 메스를 가하다.

****めずらし-い【珍しい】** 形 **1** 드물다. ㉠희귀〔희한〕하다; (진)귀하다. ¶~物 드문〔귀한〕 물건 / ~美人 드물게 보는 미인 / ~味のくだもの 희한한 맛의 과일 / ~·く家にいる 드물게〔희한하게도〕 집에 있다 / ~·く勉強している ね 희한하게도 공부를 다 하네그려. ㉡이상하다. ¶彼が遅れるのは~·くない 그가 늦는 것은 이상한〔드문〕 일이 아니다 / 今日は~·く帰りがおそい 오늘은 이상하게 귀가가 늦다. **2** 새롭다; 신기하다. ¶~考案を出す 새로운 고안을 내다 / 何か~事がありますか 무슨 새로운 일〔소식〕이 있습니까.

メセナ [프 mécénat] 名 메세나; (기업 등의) 문화·예술 활동 지원.

めせん【目線】 名 〈俗〉 눈길; 시선. ¶~をそらす 시선을 딴 데로 돌리다.

メゾソプラノ [이 mezzo-soprano] 名〔樂〕 메조소프라노.

メソッド [method] 名 메서드. =メソード. **1** 방법; 방식. **2** 체계; 질서.

めそめそ 副ス自 소리 없이 또는 낮은 소리로 우는 모양; 걸핏하면 우는 모양: 훌짝훌짝. ¶~と泣く 훌짝훌짝 울다 / ~した女は嫌いだ 걸핏하면 훌짝거리는 여자는 싫다 / こんなことで~するな 이런 일로 훌쩍거리지 마라.

めだか〖目高〗 名〔魚〕 송사리. =めたか.

めだ-つ【芽立つ】 5自 싹이 나오다; 싹트다.

****めだ-つ【目立つ】** 5自 눈에 띄다; 두드러지다. ¶~服装 남의 눈에 띄는 복장 / 長所が～ 장점이 두드러지다 / 白髪が～ 흰 머리가 눈에 띈다 / 彼はあまり～·たない存在だ 그는 그다지〔별로〕 눈에 띄지 않는 존재다.

めだって【目立って】副 눈에 띄게; 두드러지게. ＝きわだって. ¶～ふえてきた 두드러지게 많아졌다 / 彼は～背が高い 그는 눈에 띄게 키가 크다.

めたて【目立て】名 톱이나 줄칼 따위의 날을 세움; 또, 그 일을 하는 사람. ¶鋸の～をする 톱날을 세우다.

めだま【目玉】名 **1** 눈알; 안구(眼球). ＝まなこ. ¶～をぎょろつかせる 눈알을 굴리다. **2** 미움을 받음; 꾸지람을 들음. ¶お～を頂戴する〔食う〕 야단을 맞다; 혼쭐나다. **3** 상점 등에서, 손님의 주의를 끌기 위한 특가품; 또, 특히 강조하고 싶은 일; 가장 중심이 되는 일. ¶～番組 중심〔간판〕 프로그램 / 減税を～に立候補する 감세를 공약으로 입후보하다.

―が飛び出る 눈알이 (튀어) 나오다 《크게 꾸중을 듣거나 값이 몹시 비싸서 놀랐을 때의 비유》. ＝目の玉が飛び出る. ¶～ような法外の要求 눈알이 나올 만큼 당찮은 요구.

―の黒いうち 살아 있는 동안.

―しょうひん【―商品】名 (백화점 등에서 손님을 끌기 위한) 싼거리〔특별 세일〕 상품. ¶本日特売の～ 금일 특매의 싼거리 상품.

―やき【―焼き】名 달걀을 깨어 (풀지 않고) 노른자위가 그대로 있게 지진 프라이.

メダリスト [medalist] 名 메달리스트. ¶ゴールド～ 금메달 수상자.

メタル [metal] 名 메탈; 금속. ¶～ラス 메탈 라스《모르타르의 바탕으로 까는 금속망》/ バイ～ 바이메탈.

メダル [medal] 名 메달. ¶金～ 금메달.

メタン [도 Methan] 名 〖化〗 메탄; 탄화수소의 일종. ¶～ガス 메탄가스.

めちがい【目違い】名 그릇 봄; 잘못 봄. ＝見そこない·見誤り. ¶彼を信用したのは私の～だった 그를 신용한 것은 내가 잘못 본 탓이었다.

めちゃ〖目茶·滅茶〗名ダナ 〈俗〉 이치에 닿지 않는 모양: 당찮음; 부당함; 터무니〔턱〕없음; 엉망임. ¶～な批評〔待遇〕 부당한 비평〔대우〕/ ～な値段 턱도 없는 값 / とんでもない～を言う 얼토당토 않은 소리를 하다 / ～に寒い 무지하게 춥다 / ～をする 가당찮은 짓을 하다.

―くちゃ〖―苦茶〗名ダナ 〈俗〉 엉망(진창); 형편 없음; 마구 하는 모양《'めちゃ'의 힘줌말》. ¶～な計画 되는 대로 꾸민〔터무니없는〕 계획 / ～に走る 마구 달리다 / ～な値段 터무니〔엉터리〕없는 값 / 村は～に破壊された 마을은 엉망으로 파괴되었다.

―めちゃ〖目茶目茶·滅茶滅茶〗名ダナ 〈俗〉 엉망(진창); 뒤죽박죽; 뒤범벅; 형편없음《'めちゃ'의 힘줌말》. ¶～にこわす 엉망으로 부수다 / これで何もかも～だ 이것으로 모든 것이 다 엉망이 되어 버렸다.

メチルアルコール [도 Methylalkohol] 名 메틸알코올; 목재를 건류(乾溜)해서 만드는 액체. ＝メタノール·メチル.

めつ〖滅〗常用 メツ ほろびる ほろぼす | 멸 멸망하다

없어지다; 망하다. ¶滅亡 멸망 / 幻滅 환멸 / 消滅 소멸.

メッカ [Mecca] 名 메카. **1** 사우디아라비아의 옛 서울《회교의 성지》. **2** (그 방면의) 중심지; 동경하는 곳. ¶芸術家の～パリ 예술가의 메카인 파리.

めっかち 名 〈俗〉 **1** 한쪽 눈이 잘 보이지 않는 사람; 애꾸눈. ¶けがをして～になる 다쳐서 한쪽 눈이 안 보이게 되다. **2** 짝눈; 짝짝이눈.

***めつき**【目付き】名 눈(의 표정); 보는 눈모습. ¶優しい～ 상냥한 눈 / ～のよくない男 눈초리가 사나운 사나이 / ～が怪しい 눈(표정)이 수상쩍다 / 妙な～で見る 묘한 눈으로 보다 / ～が悪い 눈매가 고약하다 / 笑う〔にらむ〕ような～をする 웃는〔노려보는〕 것 같은 눈을 하다.

めっき〖鍍金〗名ス他 **1** 도금. ＝ときん. ¶銀～のさじ 은으로 도금한 숟가락. **2** 〈俗〉 겉만 번지르르하게 꾸밈; 겉바름; 또, 그것. ＝てんぷら.

―がはげる 본색〔본성〕이 드러나다. ¶試験されてめっきが剝げた 시험 결과 본색이 드러났다.

めっきゃく【滅却】名ス自他 멸각. ¶心頭～すれば火もまた涼し 무념무상의 경지에 이르면 불도 시원해진다《어떤 고난도 정신력으로 극복할 수 있다》.

めっきり 副 두드러지게 변화하는 모양: 뚜렷이; 현저히; 부쩍; 제법. ¶～寒くなる 부쩍 추워지다 / ～やせる 살이 쪽 빠지다 / ～(と)老け込む 부쩍 늙어 버리다 / ～(と)春らしくなった 제법 봄다워졌다.

めっきん【滅菌】名ス自他 멸균. ¶～ガーゼ 소독한 가제 / ～作用 멸균 작용.

めつけ【目付】名 무가(武家) 시대에, 무사의 위법을 감찰하던 직명. ¶～役 감찰관.

めっけもの【めっけ物】名 뜻밖에 얻은 행운〔횡재〕. ＝掘り出し物. ¶思わぬ～ 뜻밖의 횡재 / それで損をしなけりゃそれこそ～だ 그것으로 손해를 안 본다면 그야말로 행운이다 / 財布が戻るとは～だ 지갑이 되돌아오다니 정말 행운이다.

めっし【滅私】名 멸사; 사(私)를 버림.

―ほうこう【―奉公】名 멸사봉공.

メッシュ [mesh] 名 메시. **1** 그물코의 크기를 나타내는 수치《메시의 수가 많을수록 그물코가 작음》. **2** 그물 모양으로

엮어 짠 것. =網細工. ¶～の靴 망사 구두.

メッセージ [message] 图 메시지. ¶～を送る 메시지를 보내다.

メッセンジャー [messenger] 图 메신저; 사자(使者); 배달인. ¶～ボーイ 메신저 보이.

めっそう【滅相】名ナ 당치도 않음; 터무니없음. ¶～な話 당치도 않은 말.

—もない 당치도 않다; 터무니없다. =とんでもない. ¶～話だ 터무니없는 이야기다.

めった〖滅多〗ダナ 분별 없음; 마구 함; 함부로 함. =やたら·むやみ·めちゃくちゃ. ¶～なことをいうものではない 분별 없는 말을 하는 게 아니다 / ～なことでは驚かない 여간한 일로는 놀라지 않는다 / ～なことは言えない 함부로 말할 수는 없다.

—うち【—打ち】图 마구 침. ¶エースを～にする (야구에서) 에이스를 난타하다.

—ぎり【—切り】图 난도질. ¶～にする 마구 베다.

—に 副《다음에 否定이 따라서》 거의; 좀처럼. ¶～来ない 좀처럼 오지 않는다 / ～気が許せない 함부로 방심할 수 없다 / 忙しくて, ～休みが取れない 바빠서 좀처럼 쉴 수가 없다.

—やたら〖—矢鱈〗ダナ 무턱대고 함부로 하는 모양(《'めった'의 힘줌말》). =むやみ·むちゃくちゃ. ¶～に本を読む 아무 책이나 마구 읽다 / ～に駆ける 죽자 하고 마구 뛰다. 参考 단독으로 副詞적으로도 씀.

めつぶし【目つぶし】《目潰し》图 모래나 재 따위를 던져 상대의 눈을 못 뜨게 하는 일; 또, 그 모래나 재. ¶～の砂 눈을 못 뜨게 날리는 모래 / ～を食わす〔食らわす〕 모래나 재를 던져 눈을 못 뜨게 하다 / ～に灰を投げつける 눈을 못 뜨게 재를 확 던지다.

めつぼう【滅亡】图ス自 멸망. ¶ローマ帝国の～ 로마 제국의 멸망 / 国家が～する 국가가 멸망하다.

めっぽう〖滅法〗副 〈俗〉 정도가 지나친 모양: 굉장히; 대단히; 터무니없이. ¶～(に)強い 대단히 세다 / ～に寒い 굉장히 춥다 / ～足が速い 굉장히 발이 빠르다. 注意 'な'를 붙여 쓰기도 함. ¶それは～な事だ 그것은 터무니없는 일이다 / ～なことをいう 터무니없는 소리를 하다.

めづまり【目詰まり】图ス自 (먼지나 오물로) 그물 따위의 눈이 막힘.

メディア [media] 图 미디어; 수단; 매체. ¶マス～ 매스 미디어 / コミュニケーションの～ 커뮤니케이션의 매체.

メディカル [medical] 图 메디컬; 의료〔의학〕의; 의술의《복합어로 쓰임》. ¶～部門 의학 부문 / ～チェック 건강 진단; 의학적 검사.

—エレクトロニクス [medical electronics] 图 메디컬 일렉트로닉스; 전자 공학을 응용한 의료 기기·기술《ME》.

めでた-い〖目出度い·芽出度い〗形 **1** 경사스럽다; 축하할 만하다. ¶お～ことが続く 경사가 잇따르다 / 合格して何よりも～ 합격해서 무엇보다도 경사스럽다 / もうじきお～事があるんですってね 머지않아 경사가〔해산이〕 있다지요. **2** (모든 일이) 순조롭다; 좋다. ¶～く終わる 순조롭게 끝나다 / 主人の覚えが～ 주인이 좋게 보고 있다. **3** 《'お'를 붙여서》 속기 쉽다; 호인이다; 어수룩하다. ¶お～男〔人〕 호인 / お～考え 어수룩한 생각.

めでたし 图 결과가 좋게 끝남; 해피엔드. ¶その映画は～で終わる 그 영화는 해피엔드로 끝난다.

め-でる〖愛でる〗下1他 **1** 사랑하다; 귀여워하다; 완상(玩賞)하다. ¶花を～ 꽃을 즐기다 / 月を～ 달을 보며 즐기다. **2** 탄복〔칭찬〕하다. ¶忠勤に～·でて褒状を与える 충실한 근무를 기려 표창장을 주다 / 勇気に～ 용기에 탄복하다.

めど〖目処〗图 지향하는 곳; 목적; 전망; 목표. =目あて·見当. ¶～づけ 목표 설정 / 仕事の～が立つ 일의 전망이 서다 / 五月を～とした工事 오월을 목표로 한 공사.

—が付く 목표가 서다; 전망이 서다. ¶解決の～ 해결의 전망이 서다 / まだ商売のめどがつかない 아직 장사〔사업〕의 전망이 확실치 않다.

めど〖針孔〗图 바늘귀. =みぞ·みず. ¶～に糸を通す 바늘귀에 실을 꿰다.

めどおし【目通し】图 한번 죽 훑어봄. ¶原稿の～をする 원고를 한번 죽 훑어보다 / お～を願う 한번 훑어보아 주기를 바라다.

めどおり【目通り】图 알현; 배알; 접견. =謁見·拝謁. ¶～がかなわぬ 배알이 안 되다 / お～が許される 배알이 허용되다 / ～を許す 접견을 허락하다.

めと-る〖娶る〗5他 장가 들다; 아내로 맞아들이다. ¶妻を～ 아내를 얻다.

メドレー [medley] 图 메들리. **1** 혼합곡; 혼성곡. ¶シャンソン～ 샹송 메들리 / ヒット曲を～で歌う 히트곡을 메들리로 부르다. **2** ☞メドレーリレー.

—リレー [medley relay] 图 메들리 릴레이. **1** (육상 경기에서) 주자의 거리가 각각 다른 릴레이; 혼계주(混繼走). **2** (수영에서) 혼영 릴레이; 혼계영.

メトロ [프 métro] 图 메트로; 지하철.

メトロノーム [도 Metronom] 图〔樂〕 메트로놈; 박절기(拍節器).

メトロポリス [metropolis] 图 메트로폴리스; 수도; 대도시; 거대 도시.

めな-れる【目慣れる】《目馴れる》下1自 ☞みなれる.

メニュー [프 menu] 图 메뉴. **1** 식단(食單); 차림표. =献立(表). ¶今日

の～は何(なん)ですか 오늘 메뉴는 뭡니까. **2** 항목; 예정표. ¶～どおりに練習(れんしゅう)する 예정표대로 연습하다. **3**〖컴〗작업 일람표. ¶～選択(せんたく) 메뉴 선택.

メヌエット [도 Menuett] 名〖樂〗미뉴에트; 4분의 3 박자의 우아한 무용곡. =ミヌエット.

めぬき【目抜き】名 제일 눈에 띄는 것〔곳〕; 요소; 요지. ¶～の場所(ばしょ)だから家賃(やちん)は高(たか)いだろう 번화한 곳이니까 집세가 비쌀 테지.

—どおり【—通り】名 번화가; 중심가.

めねじ【雌ねじ】《雌螺子》名 암나사. =ナット. ↔雄(お)ねじ.

めのう〚瑪瑙〛名 마노《석영(石英)의 하나》.

めのかたき【目の敵】名 눈엣가시. ¶彼(かれ)は私(わたし)を～にしている 그는 나를 눈엣가시로 여기고 있다.

めのこざん【目の子算】名 어림셈; 암산; 개산(概算). =目の子勘定(かんじょう)·目の子. ¶～で 주먹구구식으로.

めのたま【目の玉】《眼の玉》名 눈알; 안구. =めだま.

—が飛(と)び出(で)る ☞めだまがとびでる.

—の黒(くろ)いうち 살아 있는 동안; 생존 중. =目(め)の黒いうち.

めのどく【目の毒】名 **1** 보아서 나쁜 것. ¶暴力(ぼうりょく)シーンは～だ 폭력 장면은 보면 해롭다. ↔目(め)の薬(くすり). **2** 보면 갖고 싶어지는 것.

めのほよう【目の保養】名 눈요기. =目(め)(の)正月(しょうがつ).

***めのまえ**【目の前】名 목전; 눈앞. ¶～にある 눈앞에 있다; 촉박하다 / 人(ひと)を～でほめる 남을 면전에서 칭찬하다 / 受験(じゅけん)は～に迫(せま)っている 시험이 눈앞에 닥쳤다.

—が暗(くら)くなる 눈앞이 캄캄해지다《희망이 사라지고 어찌할 바를 모르게 되다》. =目の前が真(ま)っ暗(くら)になる.

めばえ【芽生え】名 **1** 싹틈; 움틈; 발아. ¶若草(わかくさ)の～ 어린 풀의 움틈 / 木々(きぎ)の～が例年(れいねん)よりも遅(おそ)いようだ 나무들 싹트는 것이 예년보다 늦는 것 같다. **2** 사물의 시작. =きざし. ¶恋(こい)の～ 사랑의 움틈 / 現代文学(げんだいぶんがく)の～ 현대문학의 싹틈.

めば-える【芽生える】下1自 싹트다; 움트다; 사물이 일어나기 시작하다. ¶草木(くさき)が～ 초목이 싹트다 / 友情(ゆうじょう)が～ 우정이 싹트다 / 二人(ふたり)の間(あいだ)に恋(こい)が～·えた 두 사람 사이에 사랑이 싹텄다.

めはし【目端】名 눈치; 기지(機智); 재치. =目先(めさき).

—が利(き)く 재치가 있다; 눈치가 빠르다.

めはちぶ【目八分】名 **1** 눈 높이보다 조금 낮추어 물건을 듦. ¶おぜんを～にささげる 밥상을 눈 아래 높이로 들다. **2** 용량의 10분의 8쯤. ¶飯(めし)を～に盛(も)る 밥을 그릇에 골막하게 담다. 注意 'めはちぶん'이라고도 함.

めはな【目鼻】名 **1** 눈과 코. ¶卵(たまご)に～ 살결이 희고 귀여운 얼굴. **2** ☞めはなだち. ¶～が揃(そろ)う 얼굴 생김새가 단정하다.

—がつく 윤곽이 잡히다; 구체화하다. ¶あの問題(もんだい)は漸(よう)やく目鼻がつきかけた 그 문제는 겨우 윤곽이 잡히기 시작했다.

—だち【—だち·—立ち】名 이목구비; 얼굴의 생김새. =顔(かお)だち. ¶～が上品(じょうひん)だ 이목구비가 단아하다 / ～の整(ととの)った顔(かお) 이목구비가 반듯한 얼굴 / ～のいい女(おんな) 잘생긴 여자.

めばな【雌花】名〖植〗자화; 암꽃. =しか. ↔雄花(おばな·ゆうか).

めばや-い【目早い】形 눈치가 빠르다; 보는 눈이 빠르다. =めざとい.

めばり【目張り】《目貼り》名ス他 틈새에 종이 따위를 발라서 봉함; 문풍지를 바름. ¶窓(まど)に～をする 창 틈을 종이로 봉하다.

めばる〚眼張〛名〖魚〗볼락; 천징어《눈이 큼》. =はちめ·はつめ.

めぶ-く【芽吹く】5自 (초목이) 싹트다; 눈이 트다. ¶柳(やなぎ)が～ 버들이 움트다.

めぶんりょう【目分量】名 눈어림; 눈대중. =目積(めづ)もり·めばかり. ¶～ではかる 눈대중으로 재다 / ～で二(ふた)つに分(わ)ける 눈대중으로 둘로 나누다.

めべり【目減り】名ス自 **1** 흘리거나 새거나 해서 분량·무게가 절로 줆. ¶米(こめ)をつくと～する 쌀을 찧으면 분량이 줄어든다. **2** (실질적) 가치의 하락. ¶物価(ぶっか)の値上(ねあ)がりで貯金(ちょきん)が～する 물가가 올라서 저금의 실제 가치가 떨어진다.

めぼし【目星】名 **1** 목표; 표적. **2** (눈동자의) 삼.

—を付(つ)ける (범죄 수사 등에서) 점찍다; 목표로 삼다. ¶あの三人(さんにん)が怪(あや)しいと目星をつけている 저 세 사람이 수상하다고 점찍고 있다.

めぼし-い 形 유달리 눈에 띄다; 두드러지다; 값나가다. ¶～人物(じんぶつ) 두드러진 인물 / ～産業(さんぎょう)のない都市(とし) 특징 있는 산업이 없는 도시 / ～ものはみんな売(う)ってしまう 값나가는〔돈이 될 만한〕 것은 모두 팔아치우다.

めまい〚眩暈〛名ス自 현훈; 현기증. ¶～がする 현기증이 나다; 어찔하다 / ～におそわれる 별안간 현기증이 나다.

めまぐるし-い〚目紛しい〛形 눈이 팽팽 도는 것 같다; 어지럽다; 변화가 빨라 따라갈 수 없다. ¶社会(しゃかい)の～変化(へんか) 사회의 급격한 변화 / ～·く変(か)わる世(よ)の中(なか) 어지럽게 변하는 세상.

めめし-い【女女しい】形 계집애 같다; 사내답지 못하다; 유약하다. ¶～男(おとこ)〔ふるまい〕 사내답지 못한 남자〔행동〕 / ぐずぐずしていては～とわらわれる 꾸물대고 있다가는 사내답지 못하다고 남이 비웃는다. ↔雄雄(おお)しい.

メモ [memo] 名ス他 메모; 비망록; 각서. =ひかえ·メモランダム. ¶～帳(ちょう)

메모장 / ～用紙(ようし) 메모 용지 / ～をとる 메모하다 / 要点(ようてん)を～する 요점을 메모하다. ⇨メモる.

めもと【目元】《目許》 名 눈매; 눈언저리. ＝目付(めつ)き·まなざし. ¶～ぱっちり 또렷한 눈매 / ～がすずしい〔かわいい〕 눈매가 시원하다〔귀엽다〕.

***めもり【目盛り】** 名 ス他 (계량기의) 눈금. ¶温度計(おんどけい)の～を読(よ)む 온도계의 눈금을 읽다 / この物差(ものさ)しはインチで～がしてある 이 자는 인치로 눈금이 매겨져〔새겨져〕 있다.

メモリアル ホール [memorial hall] 名 메모리얼 홀; 기념관.

メモリー [memory] 名 메모리. **1** 기억(력). **2** 특히, 컴퓨터의 기억 장치.

めも-る【目盛る】 5他 (자 따위에) 눈금을 긋다〔새기다〕.

メモ-る 5他 〈俗〉 메모를 하다. ¶ちょっと～·っておく 잠깐 메모를 해 두다. 参考 'メモ'를 動詞化한 것.

***めやす【目安】** 名 목표; 대중; 표준; 기준. ¶～を立(た)てる 목표를 세우다 / ～になる 기준이 되다 / ～がつく 대충 짐작이 가다 / ～を高(たか)いところにおく 목표를 높은 데에 두다.

—を付(つ)ける 대중〔어림〕을 잡다.

めやに【目やに】《目脂》 名 눈곱. ＝めくそ. ¶～がたまる 눈곱이 끼다.

メラニン [melanin] 名 멜라닌; 동물의 피부에 있는 흑색 또는 흑갈색의 색소.

めらめら 副 활활; 이글이글. ¶一瞬(いっしゅん)の間(ま)に～(と)燃(も)えてしまう 일순간에 활활 타 버리다 / カーテンに火(ひ)が～燃(も)え上(あ)がっている 커튼에 불이 활활 타오르고 있다.

メランコリー [melancholy] 名 멜랑콜리; 우울; 우수(憂愁); 우울증.

メリーゴーラウンド [merry-go-round] 名 메리고라운드; 회전목마.

メリケン 〖米利堅〗 名 **1** 아메리카(의 것). ¶～松(まつ) 미송. **2** 〈俗〉 주먹(질). ¶～をくらわす 주먹으로 치다. 参考 American의 전와.

—こ【—粉】 名 (정제한) 밀가루. 参考 처음 미국에서 수입한 데서. ¶～をこねる 밀가루를 반죽하다.

めりこ-む【めり込む】《減り込む》 5自 (무게에 눌리거나 하여) 쑥 들어가다; 박히다. ¶車(くるま)が泥道(どろみち)に～ 차가 흙탕길에 쑥 빠지다 / 弾丸(だんがん)が柱(はしら)に～·んだ 총알이 기둥에 박혔다.

メリット [merit] 名 메리트; 장점; 적극적인 효과; 이점. ¶会社合併(かいしゃがっぺい)の～ 회사 합병의 이점 / ～がある〔ない〕 이점이 있다〔없다〕. ↔デメリット.

—システム [merit system] 名 메리트 시스템; 능력주의제《능력 위주의 인사 관리 방식》. ＝メリット制(せい).

めりはり 〖減り張り〗 名 늦춤과 당김; 특히, 음률의 고저; (음성의) 억양. ＝めりかり. ¶～を利(き)かせる 억양을 붙이다 / ～のある文章(ぶんしょう) 강약 장단이 있는 문장 / せりふに～をつける 대사에 억양을 붙이다 / 生活(せいかつ)に～をつける 생활에 신축성을〔변화를〕 주다.

めりめり 副 우지끈; 우지직; 와르르. ¶木(き)が～と倒(たお)れる 나무가 우지직 소리를 내면서 넘어지다 / 壁(かべ)が～とくずれる 벽이 와르르 무너지다.

メリヤス [ス medias; 포 meias] 名 메리야스. ¶～のシャツ 메리야스 셔츠.

メルシー [프 merci] 感 메르시; 고맙습니다.

メルヘン [도 Märchen] 名 메르헨; 공상적·신비적인 내용의 옛날 이야기; 동화. ＝おとぎばなし.

メロディー [melody] 名 멜로디; 선율. ＝ふし. ¶聞(き)き慣(な)れた～ 귀에 익은 멜로디.

メロドラマ [melodrama] 名 멜로드라마; 대중적·통속적인 극. ¶涙(なみだ)をそそる～ 눈물을 자아내는 멜로드라마.

めろめろ 一 ダ 태도가 야무지지 못하고 흘게 늦은 모양. ¶孫(まご)には～だ 손자에겐 맥을 못 춘다 / 主将(しゅしょう)のけがでチームは～になった 주장의 부상으로 팀은 (긴장감이 풀려) 느슨해졌다.

二 副 ☞めらめら.

メロン [melon] 名 〔植〕 멜론《서양 참외》.

⁂めん【面】 一 名 면. **1** 얼굴. ¶お～がいい 〈俗〉 얼굴이 잘 생기다 / ～が悪(わる)い 얼굴이 못생기다. **2** 탈; 가면. ¶鬼(おに)の～ 도깨비 탈 / ～を外(はず)す 탈을 벗다 / ～をかぶる 탈〔가면〕을 쓰다. **3** (검도에서) 얼굴을 가리는 방호구(防護具); 또, 머리치기〔찌르기〕. ¶お～を一本(いっぽん)とる 머리치기로 한 점을 따다. **4** 〔數〕 (다면체 등의) 평면. ¶相対(あいたい)する二(ふた)つの～ 마주 대하는 두 개의 면. **5** 부면; 방면; 지면(紙面). ¶不備(ふび)な～をなおす 불비한 면을 시정하다 / 財政(ざいせい)の～で援助(えんじょ)する 재정면으로 원조하다 / この～はふだん読(よ)まない～だ 이 면은 평소 읽지 않는 면이다. 二 接尾 거문고·거울·테니스 코트 등 평평한 것을 세는 말. ¶鏡(かがみ)一(ひと)～ 거울 한 개 / テニスコート六(ろく)～ 테니스 코트 6면.

めん【綿】 名 면; 무명. ¶～のシャツ〔仕事着(しごとぎ)〕 면 셔츠〔작업복〕.

めん 〖麵〗 名 면; 국수. ¶～をゆでる 국수를 삶다 / ～がのびる 국수가 붇다 / ～が好(す)きだ 국수를 좋아한다.

めん 〖免〗《兔》 常用 メン まぬかれる ゆるす

면 면하다 | **1** ㉠면하다. ¶免税(めんぜい) 면세 / 赦免(しゃめん) 사면. ㉡해를 입지 않게 되다. ¶免疫(めんえき) 면역. **2** 승낙하다. ¶免許(めんきょ) 면허. **3** 해직하다. ¶免官(めんかん) 면관 / 罷免(ひめん) 파면.

めん 〖面〗 教3 メン おも おもて つら まのあたり | 면 낯 | **1** ㉠얼굴; 낯. ¶満面(まんめん) 만면 / 面目(めんもく·めんぼく) 면목. ㉡얼굴을 마주 댐. ¶面会(めんかい) 면

회 / 面責(めんせき) 면책. **2** 겉; 평평한 부분. ¶ 地球(ちきゅう)の面(めん) 지구의 표면 / 地面(じめん) 지면. **3** 신문 지면. ¶ 経済面(けいざいめん) 경제면.

めん 〖綿〗 教5 メン わた | 면 솜 | **1** 풀솜; 햇솜. ¶綿糸(めんし) 면사 / 脱脂綿(だっしめん) 탈지면. **2** 길게 계속되다. ¶連綿(れんめん) 연면.

*__めんえき__【免疫】图 면역. ¶～性(せい)〔体(たい)〕 면역성〔체〕/ ～療法(りょうほう) 면역 요법 / 親父(おやじ)の小言(こごと)には～になった 아버지 잔소리엔 면역이 되었다.

めんおりもの【綿織物】图 면직물.

めんか【綿花】《棉花》图 면화; 목화. ¶～の産地(さんち) 목화의 산지.

めんか【綿価】图 면가; 솜값; 솜 시세.

めんかい【面会】图ス自 면회. ¶～日(び) 면회일 / ～謝絶(しゃぜつ) 면회 사절 / ～を求(もと)める 면회를 요청하다 / 病室(びょうしつ)で～する 병실에서 면회하다.

めんかん【免官】图ス他 면관; 면직. ¶依願(いがん)～ 의원 면관〔면직〕/ 収賄(しゅうわい)したために～になる 수회로 면직되다. ↔任官(にんかん).

*__めんきょ__【免許】图ス他 **1** 면허. ¶～取(と)り消(け)し 면허 취소 / 自分(じぶん)～の学者(がくしゃ) 자칭 학자 / 運転(うんてん)～をとる 운전 면허를 따다. **2** 스승이 제자에게 그 도(道)의 오의(奥義)를 전수함.

──かいでん【──皆伝】图 스승이 오의를 모두 전수함. ¶～の腕前(うでまえ) 스승의 기예를 모두 전수받은 솜씨.

めんくい【面食い】图〈俗〉 얼굴이 고운 사람만을 좋아함; 또, 그런 사람; 용모만을 탐하는 사람. ＝器量(きりょう)ごのみ. ¶あの男(おとこ)は～だ 저 친구는 얼굴만 보고 여자를 고른다.

めんくら-う【面食らう】5自 당황하다; 허둥대다. ＝まごつく. ¶いざという時(とき)になると～ものだ 다급해지면 당황하게 마련이다 / 突然(とつぜん)の事(こと)で少(すく)なからず～·った 갑작스러운 일이라 적잖이 당황했다.

めんこ〖面子〗图 딱지; 또, 딱지치기. ¶道端(みちばた)で～をやってあそぶ 길바닥에서 딱지를 치면서 놀다.

めんざい【免罪】图 면죄; 사죄(赦罪). ¶～符(ふ) 면죄부 / ～される 면죄되다.

めんし【綿糸】图 면사; 무명실. ＝木綿糸(もめんいと).

──ぼうせき【──紡績】图 면사 방적; 면방. ＝綿紡(めんぼう).

めんしき【面識】图 면식. ＝知(し)りあい·顔見知(かおみし)り. ¶～のない人(ひと) 모르는 사람 / ～がある 면식〔안면〕이 있다.

めんじゅうふくはい【面従腹背】图ス自 면종복배; 겉으로는 복종하는 체하면서 내심으로는 반대함.

*__めんじょ__【免除】图ス他 면제. ¶授業料(じゅぎょうりょう)を～する 수업료를 면제하다 / 兵役(へいえき)を～される 병역을 면제받다.

めんじょう【免状】图 **1** 면(허)장. ¶～を取(と)る 면허장을 따다. **2** 졸업 증서. ¶卒業式(そつぎょうしき)で～をもらう 졸업식에서 졸업장을 받다.

めんしょく【免職】图ス他 면직. ¶～処分(しょぶん) 면직 처분 / 懲戒(ちょうかい)～ 징계 면직 / 職務(しょくむ)怠慢(たいまん)で～になる 직무 태만으로 면직되다〔당하다〕.

めん-じる【免じる】上1他 ☞めんずる.

めんしん【免震】图 지진의 진동이 지반에서 건조물에 전파되는 것을 방지하는 일. ¶～ビル〔構造(こうぞう)〕 지진 전파 방지 빌딩〔구조〕.

メンス [←도 Menstruation] 图〈俗〉 멘스; 월경. ＝メンゼス.

めん-する【面する】サ変自 (당)면하다; 향하다; 마주 대하다. ¶その旅館(りょかん)は港(みなと)に～·している 그 여관은 항구에 면해 있다.

めん-ずる【免ずる】サ変他 **1** 면제하다. ¶税(ぜい)を～ 세금을 면제하다. **2** (공로나 관계자의 체면을 보아서) 용서하다. ¶どうか私(わたし)に～·じて許(ゆる)してください 아무쪼록 저를 봐서 용서해 주십시오. **3** 면직하다; 직에서 해임하다. ¶職(しょく)を～ 면직하다.

めんぜい【免税】图ス自他 면세. ＝タックスフリー. ¶～品(ひん) 면세품 / ～店(てん) 면세점 / ～輸入品(ゆにゅうひん) 면세 수입품.

めんせいひん【綿製品】图 면제품.

**__めんせき__【面積】图 면적; 넓이. ¶土地(とち)の～ 토지의 면적 / 床(ゆか)～ 바닥 넓이 / ～が広(ひろ)い 면적이 넓다 / ～を出(だ)す 면적을 내다 / ～を測(はか)る 넓이를 재다 / ～の割合(わりあい)に広(ひろ)く見(み)える 면적에 비해서 넓게 보이다.

めんせき【免責】图ス他 면책. ¶～条項(じょうこう)〔特権(とっけん)〕 면책 조항〔특권〕.

めんせつ【面接】图ス自 면접. ¶～試験(しけん) 면접 시험 / 就職(しゅうしょく)の～を受(う)ける 취직 면접 시험을 받다.

めんぜん【面前】图 면전. ＝目前(もくぜん). ¶人(ひと)の～で悪口(わるくち)を言(い)う 남의 면전에서 욕을 하다 / 大衆(たいしゅう)の～で乱暴(らんぼう)する 대중 앞에서 난폭한 짓을 하다.

めんそ【免訴】图ス他〘法〙 면소.

めんそう【面相】图 면상; 용모. ＝面体(めんてい). ¶奇怪(きかい)な～ 기괴한 용모 / 百(ひゃく)～ 백의 얼굴을 가진 사람 / たいしたご～の人(ひと) 대단한 면상을 한〔무섭고 추악한 얼굴을 한〕 사람 / ～を変(か)えて怒(いか)り出(だ)す 안색을 바꾸면서 화를 내다.

めんたい [明太] 图〘魚〙 **1** 명태(《'すけとうだら'의 딴 이름》). 参考 한국어 '명태'가 어원임. **2** '明太子(めんたいこ)'의 준말.

──こ [──子] 图 명란젓. ＝たらこ.

メンタル [mental] ダナ 멘탈; 정신적; 심리적. ¶～テスト 멘탈 테스트; 지능 검사 / ～な面(めん)を重(おも)んずる 정신적인 면을 중시하다.

めんだん【面談】图ス自 면담. ¶委細(いさい)～ 자세한 것은 만나서 이야기함 / 三者(さんしゃ)～ 삼자 면담 / 担任(たんにん)の先生(せんせい)と～する 담임 선생님과 면담하다.

メンチ [←mince] 图 민스; 다진 고기.

＝ミンチ. ¶～カツ 민스 커틀릿.

──ボール [일 mince+ball] 图 민스볼; 고기 완자. ＝ミートボール.

メンツ [중 面子] 图 미엔쯔; 체면; 면목. ＝面目(めんぼく). ¶～が立(た)つ 체면이 서다 / ～を保(たも)つ〔失(うしな)う, 重(おも)んずる〕 체면을 유지하다〔잃다, 존중하다〕/ 相手(あいて)の～を立(た)てる 상대의 체면을 세우다.

めんてい【面体】图 얼굴 생김새; 용모; 면상. ＝面相(めんそう). ¶いかがわしい～の男(おとこ) 수상한 상판대기를 한 사나이 / ～を包(つつ)む 얼굴을 가리다. 参考 좋은 뜻으로는 쓰지 않음.

メンテナンス [maintenance] 图 메인터넌스; 건물·기계 등의 관리·유지.

──リース [maintenance lease] 图 메인터넌스 리스; 물건의 임대뿐 아니라 유지·관리 등까지 해주는 리스 방식《복사기나 자동차 등의 리스에 많음》.

めんどう〘面倒〙名ナ **1** 번잡하고 성가심〔귀찮음〕. ¶～な問題(もんだい) 성가신 문제 / ～な仕事(しごと) 귀찮은 일 / ～ばかり起(お)こす男(おとこ) 말썽만 일으키는 사내 / 辞書(じしょ)を引(ひ)くのを～がってはいけない 사전 찾기를 귀찮아해선 안 된다. **2** 돌봄; 보살핌. ＝世話(せわ). ¶赤(あか)ん坊(ぼう)の～をたのむ 애기를 돌봐 주도록 부탁하다.

──をかける 폐를 끼치다. ¶めんどうをかけてすみません 폐를 끼쳐 죄송합니다.

──を見(み)る 돌보아 주다.

──くさ-い〘──臭い〙形 아주 귀찮다; 몹시 성가시다. ¶非常(ひじょう)に～·がる 아주 귀찮아 하다 / ～ことを言(い)うな 귀찮은〔성가신〕 소리 마라 / 返事(へんじ)を書(か)くのが～ 답장 쓰기가 귀찮다. 注意 'めんどくさい'라고도 함.

──み【──見】图 돌봄; 시중듦; 보살핌. ¶部下(ぶか)の～がよい人(ひと) 부하를 잘 돌봐 주는 사람.

めんとむかって【面と向かって】連語 맞대면해서; 맞대놓고. ¶～はなかなか言(い)いにくい 맞대면하고선 좀처럼 말하기 거북하다 / ～悪口(わるくち)〔文句(もんく)〕をいう 맞대놓고 욕〔불평〕을 하다.

めんどり【めん鳥】《雌鳥》图 날짐승의 암컷; 특히, 암탉. ↔おんどり.

──歌(うた)えば家(いえ)滅(ほろ)ぶ 암탉이 울면 집안이 망한다.

めんば [面罵] 图スル他 면매; 면전 매도; 면책. ¶きびしい調子(ちょうし)で～する 준엄하게 면책하다 / 卑劣(ひれつ)な振(ふ)る舞(ま)いを～する 비열한 행동을 매도하다.

メンバー [member] 图 멤버; 단체의 일원. ＝顔(かお)ぶれ. ¶構成(こうせい)～ 구성 멤버 / ～が揃(そろ)う 멤버가 모두 모이다.

──シップ [membership] 图 멤버십; 그 단체의 구성원임; 또, 그 지위·자격.

めんぴ【面皮】图 면피; 낯가죽; 세상에 대한 체면. ¶鉄(てっ)～ 철면피.

──が厚(あつ)い 뻔뻔하다.

──をはぐ 뻔뻔스러움을 폭로하고, 창피를 주다.

めんぷ【綿布】图 면포; 무명.

めんぼう【綿棒】图 면봉. ¶～で耳(みみ)の中(なか)に薬(くすり)をつける 면봉으로 귓속에 약을 바르다.

めんぼう【めん棒】《麺棒》图 면봉; 밀방망이. ＝延(の)べ棒(ぼう)·麦押(むぎお)し. ¶こねた生地(きじ)を～で薄(うす)く押(お)し延(の)ばす 반죽을 밀방망이로 얇게 밀다.

***めんぼく**【面目】图 면목; 체면; 명예. ＝めんもく·めいぼく. ¶～丸(まる)つぶれ 체면이 완전히 손상됨 / 一家(いっか)の～ 집안의 면목 / ～が立(た)つ〔立たない〕 면목〔체면〕이 서다〔서지 않다〕/ ～を一新(いっしん)する 면목을 일신하다 / ～にかかわる 체면에 관계되다 / ～を保(たも)つ〔汚(けが)す〕 체면을 유지하다〔더럽히다〕.

──を失(うしな)う; ──を潰(つぶ)す 면목을 잃다.

──を施(ほどこ)す 면목〔체면〕을 세우다.

──しだい【──次第】图《뒤에 否定하는 말이 옴》'面目'의 공손한 말씨. ¶～もない 참으로 면목이 없다.

──な-い 形 면목없다; 대할 낯이 없다; 남부끄럽다. ¶こんな負(ま)け方(かた)をして～ 이렇게 져서 면목이 없다.

メンマ [중 麵麻] 图 대만에서 나는 요리용 죽순의 일종. ＝支那竹(しなちく).

***めんみつ**【綿密】图ダナ 면밀; 치밀. ＝念入(ねんい)り. ¶～な計画(けいかく)〔観察(かんさつ)〕 면밀한 계획〔관찰〕/ ～に調(しら)べる 면밀하게 조사하다. ↔粗雑(そざつ)·粗略(そりゃく).

めんめん【面面】图 면면; 각 사람; 한사람한사람. ＝めいめい·おのおの. ¶一座(いちざ)の～ 한자리에 모인 사람들 / 出席(しゅっせき)した重役(じゅうやく)の～と挨拶(あいさつ)する 출석한 중역들 한사람한사람과 인사를 나누다 / ～の蜂(はち)を払(はら)え 남의 걱정보다 우선 제 할 일이나 해라.

めんめん【綿綿】トタル 면면; 끊이지 않고 끝없이 이어 있음. ¶～たる伝統(でんとう) 면면히 이어지는 전통 / ～として絶(た)えない 면면히 끊이지 않다.

***めんもく**【面目】图 ☞めんぼく.

めんよう【綿羊】《緬羊》图 ☞ひつじ.

めんるい【めん類】《麺類》图 면류; 국수 종류. ¶～を好(この)む 면류를 좋아하다.

も モ

1 五十音図(ごじゅうおんず) 'ま行(ぎょう)'의 다섯째 음. [mo] **2**〘字源〙 '毛'의 초서체《かたかな 'モ'는 '毛'의 생략(省略)》.

も【喪】图 상; 복. ＝忌(き)·忌(い)み. ¶～に服(ふく)する 거상〔복〕을 입다 / ～が明(あ)ける 탈상하다 / ～を発(はっ)する (제왕 등의) 상을 공표하다; 발상(發喪)하다.

も【藻】名 말; 수초(水草)·해초(海草)의 총칭. ＝もぐさ.

も〖面〗名〈雅〉면; 표면. ¶池の～ 연못의 수면 / 田の～ 논바닥.

も 一係助 **1** 동류 중에서 하나를, 또는 동류인 것을 몇 가지 늘어놓고 표시하는 데 씀: …도. ¶血～涙～ない男 피도 눈물도 없는 사나이 / 字～絵～下手だ 글씨도 그림도 서투르다 / 本～買った 책도 샀다 / 海～山～人で一杯だ 바다도 산도 사람으로 가득하다 / 雨～降るし風～つよい 비도 오고 바람도 세다. **2** 극단적인 예를 드는 데 씀: …도; …라도. ＝でも·さえ. ¶子供に～分かる 아이라도 안다 / 英語～ろくに出来ないくせに 영어도 제대로 못하는 주제에 / 猿～木から落ちる 원숭이도 나무에서 떨어진다. **3** 《不定을 나타내는 体言에 붙어서》 긍정문 중에서 전면(全面) 긍정을, 부정문(否定文) 중에서 전면 부정을 나타냄: …도; …이나; …조차. ¶どれ～ぼくの物だ 어느 것이고 (모두) 내 것이다 / 何～知らない 아무 것도 모른다 / 一度～会ったことがない 한 번도 만난 적이 없다. **4** 영탄(詠嘆)·감동을 나타내며 강조해서 어조를 고르는 데도 씀: …까지도; …하게도; …만큼이나. ¶東京～西のはずれ 東京라고는 해도 서쪽 끝 / 二十世紀～初めのころ 20세기라 해도 초엽 / こう～暑くてはやりきれない 이토록 더워서는 못견디겠다 / 雪が一メートル～つもった 눈이 1m나 쌓였다 / ろくに読み～しないで 제대로 읽지도 않고서 / 雨は三日～降り続いて, ようやくやんだ 비는 3일이나 계속 내리더니 겨우 그쳤다 / 一週間～あればできます 1주일만 있으면 됩니다 / 運悪く～見つかってしまった 운 사납게도 발각되고 말았다 / 惜しく～敗れた 애석하게도 패했다 / 辛く～のがれた 간신히 빠져 나왔다 / 学者に～いろんなタイプがある 학자에도 여러 가지 유형이 있다 / 店に～よりけりだ (가게라 해도) 가게 나름이다. **5** 그 일의 경우를 일단 긍정함을 나타냄: …도. ¶飯～飯だが, まず酒だ 밥도 밥이지만 우선 술이다 / 子供～子供だが, 親～親だ 아이도 아이지만 부모도 그에 못지 않다. **6** 대략의 정도를 나타냄: …(이)나; …이면. ¶百円～出せば買える 100엔 정도만 내면 살 수 있다 / 身のたけ二メートル～あろうという大男 키가 족히 2미터나 됨 직한 우람한 사나이.

二接助 仮定의 역접(逆接)이나 기정(既定) 조건을 나타냄: …해도; …어도. ＝ても·ども. ¶行きたく～行かれない 가고 싶어도 갈 수 없다 / 遅く～三日あればできる 늦어도 사흘이면 된다.

も〖茂〗常用 モ しげる | 무 우거지다 | 우거지다. ¶繁茂 번무 / 茂盛 무성.

も〖模〗教6 モ ボ かたどる | 모 법 | **1** 본보기. ¶規模 규모 / 模範 모범. **2** 본보기로 삼다. ¶模擬 모의 / 模造 모조. **3** 더듬어 찾다. ¶模索 모색.

モイスチャー [moisture] 名 모이스처; 습기; 물기; 수분. ＝しめりけ. ¶～化粧品 모이스처 화장품.

*もう 一副 **1** 벌써; 이미; 이제. ＝すでに. ¶～だめだ 이젠 틀렸다 / 今からでは～おそい 이제부터(한다)면 이미 늦다 / ～すんだ 이미 끝났다 / ～終わりにしよう 이제 끝내(기로 하)자 / ～間に合わない 이미 때는 늦다. **2** (조금) 더; 이 위에 또. ＝更に. ¶～少し 조금 더 / ～一ついかがですか 하나 더 어떻습니까 / ～一度やってみよう 다시 한번 해보자 / ～一杯下さい 한 잔 더 주세요 / ～だめだ 이 이상은 안 되겠다 / ～ちょっと待ってね 조금만 더 기다려. **3** 곧; 머지않아; 이제. ＝間もなく. ¶～来るだろう 곧〔머지않아〕 올 게다 / ～すぐ行くよ 이제 곧 가마.

二感 감동·감정을 강조할 때 쓰는 말. ¶なんてったって～すごいんだから 뭐니 뭐니 해도 아주 대단하다니까 / ～最高だわ 그야말로 최고예요.

もう＝【猛】 맹…. ¶～練習 맹연습 / ～攻撃 맹공격 / ～勉強〔反対〕 맹렬한 공부〔반대〕.

＝もう【網】 …망. ¶鉄条～ 철조망 / 捜査～ 수사망 / 通信～ 통신망.

もう〖毛〗教2 モウ け | 모 털 | **1** 털; 터럭. ¶毛皮 모피 / 毛髪 모발. **2** 풀이나 작물이 자람. ¶不毛の地 불모지 / 二毛作 이모작.

もう〖妄〗(妄) 常用 モウ ボウ みだる みだり | 망 망령되다 | 분별이 없다; 함부로. ¶妄動 망동 / 妄想 망상.

もう〖盲〗(盲) 常用 モウ めくら めしい | 맹 장님 | **1** 눈이 멀다; 또, 그런 사람. ¶色盲 색맹 / 盲人 맹인. **2** 사리를 판단 못하다. ¶盲信 맹신 / 盲従 맹종.

もう〖耗〗(耗) 常用 モウ コウ へる へらす | 모 덜다 | 줄다; 줄어 없어지다. ¶消耗 소모 / 心身耗弱 심신 쇠약.

もう〖猛〗常用 モウ たけし | 맹 사납다 | 거칠다; 사납다. ¶猛烈 맹렬 / 猛禽 맹금.

もう〖網〗常用 モウ あみ | 망 그물 | 새나 짐승을 잡는 도구; 그물(같은 것). ¶魚網 어망 / 通信網 통신망 / 網膜 망막.

もうあ [盲啞] 名 맹아; 시각 장애인과 청각 장애인. ¶～者 맹아자 / ～学校 맹아 학교.

もうい【猛威】名 맹위. ¶台風が～を

振るう 태풍이 맹위를 떨치다/～を加える 맹위를 더하다.
もうか【猛火】图 맹화; 세차게 타오르는 불; 큰불. ¶～に包まれる 맹화에 휩싸이다/～の中に飛び込む 맹화 속에 뛰어들다.
もうがっこう【盲学校】图 맹학교.
*もうか-る〖儲かる〗5自 **1** 벌이가 되다; 이가 남다. ¶～商売 벌리는 장사/辛うじて～ 겨우 벌다/万円～ 만 엔 벌다/事業でだいぶ～ 사업으로 상당히 벌다. **2** 득이 되다; 덕을 보다. ＝もうける. ¶早く終わって一日～ 일찍 끝나 하루 덕보다/行かずに済んで～·った 안 가도 되어서 덕 봤다/相手のエラーで一点～·った 상대의 실수로 한 점 덕 봤다.
もうかん【毛管】图 모관. **1** 모세관. ＝毛細管. ¶～現象 모세관 현상. **2** ☞もうさいけっかん.
もうきん[猛禽]图 맹금. ¶～類 맹금류.
*もうけ〖儲け〗图 벌이; 이익. ¶～の薄い商売 이익이 박한 장사/～は山分けする 이익은 반분한다/～がない 벌이가[이익이] 없다. ↔損.
もうけ【設け】图 미리 갖춤; 준비; 마련함. ＝準備·用意. ¶～の席に着く 마련된 자리에 앉다/特別席の～はない 특별석의 준비는 없다/茶菓の～がある 다과의 준비가 되어 있다.
もうげき【猛撃】图ス他 맹격; 맹렬한 공격. ＝猛攻. ¶相手に～を加える 상대방에게 맹격을 가하다.
もうけぐち【もうけ口】〖儲け口〗图 돈벌이; 벌이가 되는 일거리. ¶ぼろい～ 손쉬운 돈벌이/～を探す 돈벌이가 되는 일거리를 찾다/何かよい～はないかね 무슨 좋은 돈벌이 될 것이 없을까.
もうけもの【もうけ物】〖儲け物〗图 횡재; 뜻밖에 얻는 이익. ¶思わぬ～をする 뜻밖에 횡재를 하다/行かないですめば～だ 안 가도 된다면 다행이다.
もう-ける〖儲ける〗下1他 **1 벌다. ㉠이익을 보다. ¶骨折って～·けた金 뼈빠지게 번 돈/相場でだいぶ～·けた 투기 거래로 꽤 벌었다/楽に～ 손쉽게 벌다/一割～ 1할을 벌다. ㉡덕을 보다. ¶連休で～·けた 연휴로 덕을 봤다/敵のエラーで三点～ 상대의 에러로 3점 벌다. **2** 자식을 얻다. ¶一男二女を～ 1남 2녀를 두다.
もう-ける【設ける】下1他 **1 마련하다; 베풀다. ¶酒席を～ 술자리를 마련하다/一席～ 주연을 베풀다/機会を～ 기회를 마련하다. **2** 만들다; 붙이다; 설치하다. ¶新しく支店を～ 새로 지점을 설치하다/規則を～ 규칙을 만들다/口実を～·けて断わる 구실을 붙여 거절하다/条件を～ 조건을 붙이다.
もうけん【猛犬】图 맹견. ¶～注意 맹견 주의.
もうげん【妄言】图 망언; 망발. ＝ぼうげん. ¶～多謝 망언다사/～を吐く[謝す] 망언을 하다[사과하다].
もうこ[猛虎]图 맹호. ¶～の勢い 맹호와 같은 기세/～の群羊を駆るがごとくである 맹호가 양 떼를 쫓는 것과 같다.
もうこ〖蒙古〗图〔地〕몽고. ¶～馬 몽고말. 注意 '蒙古'는 음역.
——はん[——斑]图〔醫〕몽고반(7-8세까지 있음). ＝蒙古あざ·児斑.
もうこう【猛攻】图ス他 맹공(격). ＝猛攻撃. ¶息もつがせぬ～ 숨 돌릴 틈도 주지 않는 맹공격/～を加える 맹공을 가하다/相手の～に屈する 상대의 맹공에 굴복하다.
もうこん【毛根】图 모근; 털이 피부에 박힌 부분. ¶～を植える 모근을 심다.
もうさいけっかん【毛細血管】图 모세혈관. ＝毛細管·毛管.
もうしあ-げる【申し上げる】下1他 **1** 말씀드리다; 여쭙다. ¶先生に～ 선생님에게 말씀드리다/過日～·げた通り 지난번(에) 말씀드린 바와 같이. **2**《お[ご]…～의 꼴로》…해 드리다; …하다. ¶ご案内～ 안내해 드리다/おいとま～ 작별을 고하다/ごえんりょ～ 사양하다/お答え～·げます 답변해 드리겠습니다/いつまでもお待ち～·げます 언제까지나 기다리겠습니다/よろしくお願い～·げます 잘 부탁드리겠습니다. 參考 '申す(＝말하다)' '致す(＝하다)' 보다 높임의 정도가 한결 큰 말임.
もうしあわせ【申し合わせ】图 합의; 약정. ¶～事項 합의 사항/～の場所へ出むく 약속한 장소에 나가다.
もうしあわ-せる【申し合わせる】下1他 상의해서 정하다; 또, 약속하다; 합의하다. ¶～·せた時間に寄り合う 약속한 시간에 한자리에 모이다/みなが～·せて一人を懲らしめる 여럿이 짜고 한 사람을 골탕 먹이다.
もうしいれ【申し入れ】图 신청; 의사의 표시. ¶妥協の～ 타협할 의사 표시/～を拒否する 신청을 거부하다.
*もうしい-れる【申し入れる】下1他 제의[제기]하다; (의견이나 희망을) 자진하여 말하다; 표시하다. ¶反対の旨を～ 반대의 뜻을 표시하다/会見を～ 면회를 신청하다/和解を～ 화해를 제의하다.
もうしう-ける【申し受ける】下1他 **1** 신청[청구]하여 받다. ¶送料は実費で～·けます 송료는 실비로 받겠습니다. **2** 전하여, 삼가 받다; 부여받다. ＝うけたまわる. ¶重大な任務を～ 중대한 임무를 부여받다/実費[ご注文]を～·けます 실비를[주문을] 받습니다. 參考 '受ける' '受け取る' '引き受ける'의 겸사말.
もうしおくり【申し送り】图 통지; 말의 전달. ¶～事項 전달 사항.
もうしおく-る【申し送る】5他 **1** (상대

방에게) 말하여 전해 주다; 전언(傳言)하다. ¶くわしく手紙(てがみ)で~ 상세히 편지로 전해 주다. **2** (사무 인계의 경우에) 필요 사항을 후임자에게 전달〔인계〕하다. ¶未決(みけつ)書類(しょるい)を~ 미결 서류를 인계〔전달〕하다/後任(こうにん)に~ (필요한 사항을) 후임자에게 인계하다.

もうしおく-れる【申し遅れる】 下1他 말씀드리는 것이 늦어지다. ¶~·れましたが, 私(わたし)の名(な)は… 말씀드리는 것이 늦었습니다만, 제 이름은….

もうしか-ねる【申し兼ねる】 下1他 말하기가 곤란하다. ¶甚(はなは)だ~·ねますがそれを私(わたし)に下(くだ)さいませんか 매우 말씀드리기 죄송하오나 그것을 제게 주시지 않겠습니까.

もうしご【申し子】 图 **1** 점지해 주신 아이《신불에 치성드려 얻은 자식》. ¶観音様(かんのんさま)の~ 관음보살님이 점지해 주신 아이. **2** 특별한 상황에서 생긴 것; (부)산물. ¶国際化(こくさいか)時代(じだい)の~ 국제화 시대의 부산물.

もうしこし【申し越し】 图 말을 전함. ¶お~の件(けん)は… 말씀하신 건은…/お~の通(とお)り 말씀하신 대로/お~の値段(ねだん)では差(さ)し上(あ)げられません 말씀하신 값으로는 드릴 수가 없습니다.

もうしこみ【申し込み·申込】 图 신청; 예약. ¶~書(しょ) 신청서/入居(にゅうきょ)~ 입주 신청/ホテルの~ 호텔 예약/結婚(けっこん)の~をする 청혼을 하다.

もうしこ-む【申し込む】 5他 **1** 신청하다. ¶結婚〔試合(しあい)〕を~ 결혼〔시합〕을 신청하다/書面(しょめん)か口頭(こうとう)で~·みなさい 서면이나 구두로 신청하시오. **2** 제의하다; 제기하다. ¶抗議(こうぎ)を~ 항의를 제기하다.

もうしたて【申し立て】 图 제기; 주장. ¶異議(いぎ)の~ 이의의 제기.

もうした-てる【申し立てる】 下1他 강경히 진술하다; 주장하다; 건의하다; 제기하다. ¶事実(じじつ)を~ 사실을 강력히 주장하다/裁判所(さいばんしょ)の判決(はんけつ)に異議(いぎ)を~ 법원 판결에 이의를 제기하다/和解(わかい)を~ 화해를 신청하다.

もうしつ-ける【申し付ける】 下1他 명령하다; 분부하다. =言(い)いつける. ¶謹慎(きんしん)を~ 근신을 명하다/出張(しゅっちょう)を~ 출장을 명령하다/なんなりとお~·け下(くだ)さい 무엇이든지 분부만 내리십시오.

もうしつた-える【申し伝える】 下1他 중간에서 말을 전달해 올리다. ¶係(かかり)の者(もの)に~·えておきます 담당자에게 말씀해 놓겠습니다. 参考 '言(い)い伝(つた)える'의 겸사말.

もうしで【申し出】 图 신청; 제의. =もうしいで. ¶競技参加(きょうぎさんか)の~ 경기 참가 신청/援助(えんじょ)の~を断(ことわ)る 원조의 제의를 거절하다.

もうし-でる【申し出る】 下1他 제의하다; 신청하다. ¶辞任(じにん)を~ 사임을 자청하다/自分(じぶん)も行(い)こうと~ 자기도 가겠다고 요청하다/希望(きぼう)の方(かた)は~·でてください 희망하시는 분은 신청해 주십시오.

もうしの-べる【申し述べる】 下1他 말씀드리다. ¶事(こと)の次第(しだい)を~ 일의 전말(顚末)을 말씀드리다.

もうしひらき【申し開き】 图 변명; 해명. ¶~が出来(でき)ない 해명을 할 수가 없다/~が立(た)たない 변명이 서지 않다.

もうしぶん【申し分】 图 할 말. **1**《흔히 '~(が)ない'의 꼴로》 나무랄 데; 부족한 바. ¶~のない出来栄(できば)え〔成績(せいせき)〕 나무랄 데 없는 됨됨이〔성적〕/彼女(かのじょ)の料理(りょうり)は~がない 그 여자의 요리 솜씨는 나무랄 데가 없다. **2** 말하고 싶은 일; 주장. ¶先方(せんぽう)の~を聞(き)く 상대방의 주장을 듣다.

もうじゃ【亡者】 图 망자. **1** 사자(死者); 죽은 사람. **2** 비유적으로, 금전·재물에 집착하는 사람. ¶金(かね)の~ 돈에 환장한 사람.

もうしゅう【妄執】 图 망집; 헛된 생각을 버리지 못하고 있는 집념. =もうじゅう. ¶~のとりこ 망집의 포로/~を去(さ)る 망집을 버리다/~にとらわれる 망집에 사로잡히다.

もうしゅう【猛襲】 图ス他 맹습. ¶~に遭(あ)う 맹습을 당하다/敵(てき)の~を撃退(げきたい)する 적의 맹습을 격퇴하다.

もうじゅう【猛獣】 图 맹수. ¶~狩(が)り 맹수 사냥/~使(つか)い 맹수 조련사/~を慣(な)らす 맹수를 길들이다.

もうじゅう【盲従】 图ス自 맹종. ¶先輩(せんぱい)の主張(しゅちょう)に~する 선배의 주장에 맹종하다.

もうしょ【猛暑】 图 맹서; 혹서(酷暑); 심한 더위. ¶~を避(さ)けて海(うみ)に行(ゆ)く 혹서를 피해 바다로 가다.

もうしょう【猛将】 图 맹장; 용맹한 장수.

***もうしわけ【申し訳】** 图ス他 **1** 변명; 해명. =申(もう)し開(ひら)き·言(い)い訳(わけ)·弁解(べんかい). ¶~をする 변명하다/~が立(た)つ 변명이 서다. **2** 실질은 없고 명목뿐임. ¶~ばかりの品(しな)〔賃金(ちんぎん)〕 (얼마 안 되는) 명색뿐인 물품〔임금〕.

—な-い 形 변명할 여지가 없다; 미안하다. ¶誠(まこと)に~ 참으로 미안하다/迷惑(めいわく)をかけて~ 폐를 끼쳐 미안하다.

もうしわた-す【申し渡す】 5他 (아랫사람에게) 분부하다; 명령하다; 특히, 재판의 판결을 선고하다. ¶しかと~ 단단히 분부하다/そっこく立(た)ち退(の)きを~ 즉각 퇴거를 명령하다/実刑(じっけい)を~·される 실형을 선고받다.

もうしん【妄信】 图ス他 망신; 무턱대고 믿음. =ぼうしん. ¶流言(るげん)を~する 뜬소문을 함부로 믿다.

もうしん【猛進】 图ス自 맹진; 세찬 기세로 나아감. ¶相手(あいて)のゴールへ~する 상대편 골을 향해 돌진하다.

もうじん【盲人】 图 맹인; 시각 장애인. =盲者(もうしゃ). ¶~教育(きょういく) 맹인 교육.

*もう-す【申す】5他 1 '言う(＝말하다)' '語る(＝말하다)' '告げる(＝고하다)' '唱える(＝일컫다, 외치다)'의 겸사말·공대말. ¶私は山田と～·します 저는 山田라고 합니다 / ～言葉もありません 여쭐 말씀이 없습니다 / よく世間で～·しますが 흔히 세상에서 말을 하지만 / ～までもない 말씀드릴 필요도 없다. 2《'お'＋動詞 連用形＋'申す'나, '御' 또는 'お'＋동작을 나타내는 名詞＋'申す'의 꼴로》…을 해 드리다《남을 위하여 무엇인가를 함의 겸손한 말》. ＝いたす. ¶後ほどお知らせ～·します 잠시 후에 알려 드리겠습니다 / ご案内～·しましょう 안내해 드리겠습니다 / お願い～·します 부탁드립니다 / お待ち～·します 기다리겠습니다 / 車でお宅までお送り～·します 차로 댁까지 모셔다 드리겠습니다. 参考 현대어에서는 '申します'의 꼴로 쓰는 것이 보통임.

もうせい【猛省】名ス自他 맹성. ¶～を促す 맹성을 촉구하다.

もうせん〖毛氈〗名 모전; 양탄자. ＝フェルト. ¶～を敷く 양탄자를 깔다.

もうぜん【猛然】副トタル 맹렬한 모양; 사납게; 기운차게. ¶～と襲い掛かる〔攻め立てる, 立ち向かう〕 사납게 덤벼들다〔공격하다, 저항하다〕/ ～として立つ 힘차게 떨쳐나서다.

もうそう【妄想】名ス自 망상. ¶誇大～ 과대망상 / ～を抱く 망상을 품다.

もうそうちく〖孟宗竹〗名〔植〕맹종죽; 죽순대. ＝もうそうだけ.

*もうだ【猛打】名ス他〔野〕맹타; 계속 장단타(長短打)를 날림. ¶～賞 맹타상 / ～をあびる 맹타를 당하다 / ～を浴びせる 맹타를 퍼붓다.

もうちょう【盲腸】名 맹장. 1 충양돌기. 2 '盲腸炎'의 준말. ¶～の手術 맹장(염) 수술.

──えん【─炎】名 맹장염; 충양돌기염《의학에서는 '충수염'》.

もうで〖詣で〗名 1 참배함. ＝参詣. ¶初～ 새해의 첫 참배 / 宮～ 신사 참배. 参考 接尾語적으로 쓰는 때가 많음. 2 권력자를 자주 방문함. ¶永田町～ 수상 관저를 자주 방문함.

もう-でる〖詣でる〗下1自 신전·불전에 참배하다. ＝参詣する. ¶神社に～ 신사에 참배하다.

もうてん【盲点】名 맹점. 1 시신경과 접속하는 망막상의 점. ¶～にはいる 보이지 않게 되다. 2 허점. ¶法の～ 법의 맹점 / 警備の～を突く 경비의 허점을 찌르다.

もうとう〖毛頭〗副《뒤에 否定의 말을 수반하여》털끝만큼도; 조금도; 전연. ＝少しも. ¶そんなことは～ない 그런 일은 털끝만큼도 없다 / ～疑いない 조금도 의심스러운 점이 없다 / 反対する気など～ない 반대할 마음 따위는 조금도 없다.

もうどう【妄動】名ス自 망동. ¶軽挙～する 경거망동하다.

もうどうけん【盲導犬】名 맹도견; 시각 장애인의 길을 안내하는 개.

もうどく【猛毒】名 맹독; 강렬한 독. ＝劇毒. ¶～の蛇 맹독을 가진 뱀.

もうばく【盲爆】名ス他 맹폭; 마구잡이로 폭격함. ¶市街地を～する 시가지를 맹폭하다.

もうばく【猛爆】名ス他 맹폭. ¶敵陣を～する 적진을 맹폭하다.

もうはつ【毛髪】名 모발; 머리털. ＝かみのけ. ¶ふさふさした～ 탐스러운 모발 / ～を切る 머리를 깎다〔자르다〕.

もうひつ【毛筆】名 모필; 붓. ＝筆. ¶～画 모필화 / ～書きの履歴書 모필로 쓴 이력서. ↔硬筆.

もうひとつ〖もう一つ〗副《뒤에 否定의 말을 수반하여》조금 더; 약간. ¶～つっこみがたりない 조금 더 파고 드는 열의가 모자란다 / ～説明がたりない 약간 설명이 부족하다.

もうひとつ【もう一つ】連語 하나 더. ¶～いかが 하나 더 어떻습니까.

*もうふ【毛布】名 모포; 담요. ＝ブランケット·ケット. ¶～にくるまって寝る 담요를 뒤집어쓰고 자다.

もうぼ［孟母］名 맹모; 맹자의 어머니.

──三遷の教え 맹모삼천지교. ＝三遷の教え.

もうまい［蒙昧］名ナ 몽매. ¶無知～ 「무지몽매.

もうまく【網膜】名 망막. ¶～炎 망막염 / ～に写る 망막에 비치다; 보이다.

もうもう〖濛濛〗トタル 몽몽; 연기·수증기·먼지 따위가 자욱한 모양. ¶～たる湯気 자욱한 김 / ～たる排気ガス 자욱한 배기 가스 / ～と煙を吐く 펑펑 연기를 내뿜다.

もうもく【盲目】名 맹목. 1 눈이 멂; 먼 눈. 2 이성을 잃고 상궤를 벗어남. ¶恋は～だ 사랑은 맹목이다.

もうら【網羅】名ス他 망라. ¶法律を～した書物 법률을 망라한 책 / 各界の名士を～する 각계의 명사를 망라하다.

*もうれつ【猛烈】ダナ 맹렬; 정도가 심함. ¶～な暑さ 맹렬한 더위 / ～なタックル 맹렬한 태클 / ～に暑い 굉장히 덥다 / ～に反対する 맹렬히 반대하다.

もうれんしゅう【猛練習】名 맹연습. ¶試合に備えて～をする 경기에 대비하여 맹연습하다.

もうろう〖朦朧〗トタル 몽롱; 흐릿하고 희미한 모양. ¶酔眼～ 취안 몽롱 / 意識が～となる 의식이 몽롱해지다 / 記憶が～とする 기억이 분명하지 않다.

*もうろく〖耄碌〗名ス自 늙어 빠짐; 망령부림. ¶～した老人 늙어 빠진〔망령난〕 노인 / 年のせいで～する 나이 탓으로 망령부리다.

もえあが-る【燃え上がる】5自 타오르

다; (불길이) 솟아오르다《비유적으로도 씀》. ¶焚き火が勢いよく～ 모닥불이 활활 타오르다 / 恋のほのおが～ 사랑의 불길이 타오르다.

もえうつ-る【燃え移る】5自 불이 옮겨 붙다; 불이 번지다. ＝もえひろがる. ¶山火事が～ 산불이 번지다.

もえかす【燃えかす】《燃え滓》 图 ☞もえがら.

もえがら【燃え殻】图 타고 남은 찌끼. ＝もえかす. ¶石炭の～ 석탄재.

もえぎ〖萌え葱·萌え黄〗图 연둣빛; 노란색을 띤 파란색. ¶～色 연둣빛.

もえさか-る【燃え盛る】5自 한창 타다; 활활 타다《비유적으로 씀》. ¶～火の手 활활 타는 불길 / ～情念の炎 불타오르는 정념의 불길 / ～火の中に跳び込む 활활 타는 불 속에 뛰어들다.

もえさし【燃えさし】图 타지 않고 남은 것. ＝燃え残り. ¶マッチの～ 타다 남은 성냥개비 / 薪の～をくべる 타다 남은 장작을 피우다.

もえた-つ【燃え立つ】5自 **1** 활활 타다; 활활 타오르다; (불길이) 솟구치다. ¶～炎の中に投げ入れる 타오르는 불길 속에 던져 넣다 / 火柱が～ 불기둥이 솟구치다. **2** (감정 등이) 치밀다. ¶～思い 타오르는 사모의 정 / 怒りが～ 분노가 치밀다.

もえつ-く【燃え付く】5自 불이 붙다; 불길이 번지다. ¶火がなかなか薪に～·かない 좀처럼 장작에 불이 댕기지 않는다.

もえひろが-る【燃え広がる】5自 불이 번지다. ¶山火事が～ 산불이 번지다.

も-える【燃える】下1自 **1** 타다; 불길이 일다. ¶ぼうぼう～ 활활 타다 / ～·えて灰になる 불타서 재가 되다. **2** 타는 것 같은 상태가 되다. ¶かげろうが～ 아지랑이가 피어 오르다. **3** 감정·정열이 솟아오르다. ¶～思いをこめた手紙 불타오르는 사모의 정을 담은 편지 / 向学心に～ 향학심에 불타다 / 彼の目は怒りに～·えていた 그의 눈은 분노로 이글거리고 있었다.

も-える〖萌える〗下1自 싹트다. ＝芽ぐむ·きざす. ¶木の芽が～ 나무의 새싹이 눈트다.

モーション [motion] 图 모션; 행동; 동작. ¶スロー～ 슬로 모션 / ～を起こす 모션을 일으키다.

—を掛ける 〈俗〉 모션을 쓰다《추파를 던지다》. ＝色目を使う.

***モーター** [motor] 图 모터. **1** 발동기. **2** 전동기(電動機). **3** 자동차. ¶～ショー 모터 쇼; 자동차 견본시(市).

—バイク [motorbike] 图 모터바이크; 소형의 휘발유 엔진을 장치한 자전거. ＝モーターサイクル. 「동선.

—ボート [motorboat] 图 모터보트; 발

モーテル [motel] 图 모텔; 자동차 여행자를 위한 숙소. ＝モテル.

モード [프 mode] 图 모드; (패션) 유행(형식·양식). ¶～雑誌 모드 잡지 / パリ～ 파리 모드 / ニュー～ 뉴모드.

モーニング [morning] 图 모닝. **1** 아침; 오전. ¶～ショー 모닝 쇼. **2** 'モーニングコート'의 준말.

—コート [morning coat] 图 모닝코트《남자의 서양식 주간 예복》.

—コール [morning call] 图 모닝 콜; 호텔 등에서 투숙객이 지정한 시간에 전화를 걸어 깨워주는 서비스. ＝自覚まし電話. *wake-up call이라고도 함.

モーメント [moment] 图 모멘트. **1**〔理〕 물체를 회전시키는 힘의 크기를 나타내는 양; 능률. **2** ☞モメント1, 2.

モール [네 moor, 포 mogol] 图 몰; 단자(緞子) 비슷한 돋을무늬 모직물. ¶金～ 금몰 / 銀～ 은몰.

モールスふごう【モールス符号】图 모스 부호; 전신용 부호. ＝トンツー. ¶～で送信する 모스 부호로 송신하다. ▷Morse.

モカ [←Mocha coffee] 图 모카 커피《예멘 특산의 커피; 지난날, 모카 항에서 선적된 데서 붙여진 이름》.

***もが-く**〖踠く〗5自 **1** 바르작거리다; 발버둥이치다. ¶～·けば～ほど足に藻がからまる 바르작거리면 바르작거릴수록 다리에 수초가 감긴다 / 水に溺れて～ 물에 빠져 허우적거리다 / 今さら～·いても始まらない 이제와서 발버둥이쳤댔자 소용없다. **2** 초조해하다; 안달하다. ¶いくら～·いても金はできない 아무리 안달해도 돈은 마련할 수 없다.

もぎ【模擬】《摸擬》 图 모의. ¶～国会〔裁判〕 모의 국회〔재판〕.

—しけん【—試験】图 모의시험. ＝模試. ↔本試験.

—てん【—店】图 모의점《원유(園遊)회 등에서 손님 접대용의 간이음식점》.

もぎと-る【もぎ取る】《捥ぎ取る》 5他 **1** 잡아〔비틀어〕 떼다〔따다〕. ¶ももを木から～ 나무에서 복숭아를 따다. **2** 낚아채어 빼앗다. ¶武器を～ 무기를 낚아채어 빼앗다.

もぎり〖捥り〗图 극장·영화관 따위의 입구에서 입장권의 일부를 떼고 줌; 또, 그 일을 하는 사람.

もぎ-る〖捥る〗5他 ☞もぎとる1.

もく 图 〈俗〉 담배(꽁초). ¶洋～ 양담배 / ～拾い 담배꽁초 줍기.

もく【目】목. ㊀图 **1** 생물 분류학상의 한 단위《강(綱)의 아래, 과(科)의 위》. **2** 예산 편성 상의 한 단위《항(項)의 아래, 절(節)의 위》. ㊁接尾 바둑에서, 집의 수를 세는 말: 호(戶). ¶三～の勝ち 3호승(勝); 세 집 승.

もく〖目〗教1 モク ボク め ま | 목 눈 | **1** 눈; 눈동자. ¶眉目 미목 / 目蓋 눈꺼풀. **2** 눈짓; 눈매. ¶目礼 목례 / 目測 목측. **3**

목차. ¶目録 목록 / 題目 제목.

もく〖黙〗《默》常用 モク だまる もだす | 묵 잠잠하다 | 말을 하지 않다. ¶沈黙 침묵 / 黙認 묵인 / 黙読 묵독.

もーぐ〖捥ぐ〗5他 비틀어 떼다〔따다〕. ¶リンゴを～ 사과를 비틀어 따다. ⇨もぎとる.

もくあみ [木阿弥] 图 ☞もとのもくあみ.

もくぎょ【木魚】图〔佛〕목어; 목탁. ¶～を叩く 목탁을 두들기다.

*もくげき【目撃】图ス他 목격. ¶～者 목격자 / 犯行を～した 범행을 목격했다.

もぐさ〖艾〗图 **1** 약쑥. **2**〔植〕쑥.

もぐさ【藻草】图 ☞も(藻).

*もくざい【木材】图 목재; 재목. ¶～置き場 저목장; 목재 하치장 / 建築用～ 건축용 목재.

もくさく【木さく】《木柵》图 목책; 울짱; 나무 울타리. ¶～を巡らす 목책을 둘러치다.

もくさつ【黙殺】图ス他 묵살. ＝無視. ¶発言を～する 발언을 묵살하다 / 反対〔少数〕意見を～する 반대〔소수〕의견을 묵살하다.

もくさん【目算】图ス他 **1** 눈어림; 대충 잡음. ＝目分量. ¶～を立てる 대충 눈어림하다 / 費用を～してみる 비용을 대충 잡아 보다. **2** 예상; 예측. ＝見込み·当て. ¶～が立たない 예상을 할 수 없다 / ～がはずれる 예측이 빗나가다.

もくし【黙視】图ス他 묵시; 말없이 지켜봄. ＝黙過. ¶～するに忍びない 차마 보고만 있을 수 없다 / かわいそうで～できない 불쌍해서 묵시할 수 없다.

もくじ【目次】图 목차; 차례. ¶本の～を読む 책의 차례를 읽다.

もくしつ【木質】图 목질. ¶～繊維 목질 섬유 / ～部 목질부.

もくしょう [目睫] 图 목첩; (눈과 속눈썹이라는 뜻으로) 아주 가까움. ＝目前. ¶～の間に迫る 목첩지간〔눈앞〕에 닥치다.

もくず【藻くず】《藻屑》图 바닷속에 있는 말 부스러기〔쓰레기〕.

—となる 수난(水難)·해전(海戰) 등으로 죽다. ¶海の～ 바다에 빠져 죽다; 물고기 밥이 되다.

もく-する【目する】サ変他 지목하다; 주목하다; 인정하다; 촉망하다. ¶彼を最大の敵と～ 그를 최대의 적으로 보다〔지목하다〕/ 将来を～される 장래가 촉망되다.

もく-する【黙する】サ変自 침묵하다. ¶～して語らず 묵묵히 말이 없다.

もくせい【木星】图〔天〕목성. ¶～型惑星 목성형 행성; 대(大)행성.

もくせい〖木犀〗图〔植〕물푸레나무.

もくせい【木製】图 목제; 나무로 만듦; 또, 그 만든 것. ¶～品 목제품.

もくぜん【目前】图 목전; 눈앞. ＝眼前. ¶入学試験が～に迫る 입학시험이 목전〔눈앞〕에 닥치다 / 勝利を～にする 승리를 눈앞에 두다.

もくぜん【黙然】トタル 묵연; 잠자코 있는 모양. ＝もくねん. ¶～と座っている 묵연히〔말없이〕 앉아 있다.

もくそう【黙想】图ス自 묵상. ¶しばし～にふける 잠시 묵상에 잠기다.

*もくぞう【木造】图 목조. ¶～船 목조선 / ～家屋 목조 가옥 / あの家は～です 저 집은 목조입니다.

もくぞう【木像】图 목상; 나무로 만든 상; 목각 인형.

もくそく【目測】图ス他 목측; 눈어림으로 잼. ¶～距離 목측 거리 / 川幅を～する 강폭을 목측하다 / ～を誤る 목측을 잘못하다.

もくだく【黙諾】图ス他 묵낙; 말없이 승낙함. ＝黙許. ¶～を与える 묵낙하다 / ～を得たものと思う 묵낙을 얻은 것으로 생각하다.

もくたん【木炭】图 목탄; 숯. ＝すみ. ¶～画 목탄화.

もくちょう【木彫】图〔美〕목조. ＝木彫り. ¶～の人形 목각 인형.

**もくてき【目的】图 목적. ＝めあて. ¶～語 목적어 / ～の品 목적하는 물건 / ～のための手段 목적을 위한 수단 / ～に沿う 목적에 부합하다 / ～を遂げる〔果たす〕 목적을 이루다〔달성하다〕/ 手段と～とを取り違える 수단과 목적을 혼동하다 / 本来の～にかなっていない 본래의 목적에 맞지 않다.

もくと【目途】图 목적; 목표. ＝めど·目標. ¶来たる三月を～(と)して工事を急ぐ 오는 3월을 목표로 하여 공사를 서두르다.

もくとう [黙禱] 图ス自 묵도. ¶～をささげる 묵도를 올리다.

もくどく【黙読】图ス他 묵독. ¶本を～する 책을 묵독하다. ↔音読.

もくにん【黙認】图ス他 묵인. ＝黙許·黙諾. ¶～しがたい 묵인하기 어렵다 / ～の下で行われる 묵인하에 행해지다 / はやびけを～する 조퇴를 묵인하다. ↔公認.

もくねじ【木ねじ】《木捻子》图 나사못. ¶～で固定させる 나사못으로 고정시키다.

もくねん【黙然】トタル〈老〉☞もくぜん.

もくば【木馬】图 목마. **1** 나무로 만든 말 모양의 물건. ¶回転～ 회전목마. **2** 나무로 만든 말 모양의 체조 용구.

もくはん【木版】图 목판. ¶～画 목판화 / ～刷り〔印刷〕 목판 인쇄.

もくひ【黙秘】图ス自 묵비. ¶完全～ 완전 묵비 / かたくなに～する 완강하게 묵비하다.

—けん【—権】图〔法〕묵비권. ¶～を行使する 묵비권을 행사하다.

**もくひょう【目標】图 목표. ＝めあて·ねらい·まと. ¶射撃の～ 사격 목표

〔과녁〕/～に命中する 목표에 명중하다/～を掲げる 목표를 내걸다/～をきめる 목표를 정하다/～を打ち出す 목표를 명확히 세우다/～を低く抑える 목표를 낮게 잡다.

―そうばけん【―相場圏】名〔經〕목표 시세권; (국제 통화 안정을 위해 목표로 설정한) 외환 시세 변동폭. ＝ターゲットゾーン.

もくぶ【木部】名 목부; 목질부; 나무로 만든 부분. ¶植物の～ 식물의 목질부/スキーの～ 스키의 나무로 된 부분.

もくへん【木片】名 목편; 나뭇조각. ＝木ぎれ.

もくほん【木本】名〔植〕목본; 줄기가 목질(木質)인 식물《나무》. ↔草本.

もくめ【木目】名 나뭇결. ＝木理·きめ. ¶～が荒い 나뭇결이 거칠다/～のよい木 나뭇결이 좋은 나무.

もくもく【黙黙】トタル 묵묵; 아무 말 없음. ¶～と働く 묵묵히 일하다/～と仕事に励む 묵묵히 일에 힘쓰다/彼は～として何も言わなかった 그는 잠자코 아무 말도 하지 않았다.

もくもく 副 연기 따위가 많이 솟아오르는 모양: 뭉게뭉게. ¶煙が～(と)出る 연기가 뭉게뭉게 솟아오르다/入道雲が～(と)わき上がる 뭉게구름이 뭉게뭉게 피어오르다.

もぐもぐ 副ス自他 입을 벌리지 않고 씹거나 중얼거리는 모양: 우물우물; 중얼중얼. ¶～食べる 우물우물 씹다/何か～(と)言う 무엇인가 중얼중얼 말하다/口を～させる 입을 우물거리다.

もくやく【黙約】名 묵약; 묵계. ＝黙契. ¶～を交わす 서로 묵계하다/～が出来ている 묵약이 되어 있다.

⁑もくよう【木曜】名 목요(일). ¶～日 목요일.

もくよく[沐浴]名ス自 목욕. ＝ゆあみ. ¶斎戒～ 목욕재계.

もぐら〚土竜·鼹鼠〛名〔動〕두더지. ＝もぐらもち·むぐら(もち). ¶～の掘った穴 두더지가 판 구멍.

もぐり【潜り】名 1 잠수(潜水); 자맥질. ¶～の名人 잠수의 명인. 2 허가〔면허〕 없이 몰래 하는 짓; 또, 그 사람. ¶～の業者 무허가 업자/～で医者を開業する 무면허로 숨어서 의사를 개업하다. 3 진짜가 아님; 또, 그런 사람. ¶彼の名を知らないようでは～だ 그의 이름을 모른다면 가짜다.

―だいげん【―代言】名 무자격〔엉터리〕 변호사. ＝三百代言.

もぐりこ-む【潜り込む】5自 1 잠수하다; 자맥질하다. ¶水に～ 물속으로 들어가다〔잠기다〕. 2 기어들다. ¶寝床に～ 잠자리에 기어 들다. 3 잠입하다; 몰래 들어가다. ¶会場に～ 회장으로 몰래 들어가다/床下に～·んだ子ネコをさがす 마루 밑에 들어간 새끼 고양이를 찾다.

⁑もぐ-る【潜る】5自 1 자맥질하다; 잠수하다. ¶真珠をとりに～ 진주 캐러 잠수하다. 2 잠입하다. ¶地下に～ 지하에 숨다〔잠입하다〕《비합법적인 정치 활동을 하다》. 3 기어들다. ¶縁の下に～ 마루 밑으로 기어들다/ふとんに～ 이불 속으로 기어들다. 4 무슨 일을 숨어서 몰래 하다. ¶～·って営業する 숨어서 몰래 영업하다.

もくれい【目礼】名ス自 목례; 눈인사. ¶互いに～する 서로 목례하다/～して通りすぎる 목례하고 지나가다.

もくれい【黙礼】名ス自 묵례. ¶～をかわす 묵례를 나누다.

もくれん〚木蓮〛名〔植〕(자(紫))목련.

*もくろく【目録】名 목록; 물목. ¶図書～ 도서 목록/展覧会の出品～ 전람회의 출품 목록/財産の～をつくる 재산 목록을 만들다.

もくろみ〚目論見〛名 계획; 의도. ＝計画·くわだて. ¶～書き 계획서/～はずれ 계획이 어긋남/事業の～を立てる 사업 계획을 세우다/～を見破る 의도를〔계획을〕 간파하다.

もくろ-む〚目論む〛5他 계획하다; 기도하다; 꾀하다. ¶大事業を～ 대사업을 계획하다/陰謀を～ 음모를 꾸미다/一もうけしようと～·んでいる 한밑천 잡으려고 노리고 있다.

⁑もけい【模型】名 모형. ¶人体の～ 인체 모형/～飛行機 모형 비행기/実物大の～ 실물 크기의 모형.

も-げる〚捥げる〛下1自 (붙었던 것이) 떨어지다. ¶人形の首が～ 인형의 목이 떨어지다〔빠지다〕/ボタンが～ 단추가 떨어지다.

もこ[模糊]トタル 모호; 희미하게 보이는 모양. ¶あいまい～ 애매모호/真実のほどは～としてわからない 진실 여부는 모호하여 알 수 없다.

もこもこ 副 두툼하게 부푼 모양; 털이 많고 푹신한 모양: 복슬복슬. ¶～した犬 복슬복슬한 개.

もごもご 副ス自 ☞もぐもぐ. ¶何か言いたいそうに口を～させる 뭔가 말하고 싶다는 듯이 입을 우물우물하다.

もさ【猛者】名〈俗〉맹자; 용맹한 사람; 베테랑. ¶柔道五段の～ 유도 5단의 터프가이/彼はその道の～だ 그는 그 방면에 달통한 사람이다.

モザイク[mosaic]名 모자이크. ¶～模様〔タイル〕 모자이크 무늬〔타일〕.

―びょう【―病】名 모자이크병; 식물 특히, 담뱃잎에 반점이 생기는 병.

もさく【模作】名ス他 모작. ¶～した作品 모작한 작품/外国の機械を～する 외국 기계를 모작하다.

もさく【模索】名ス他 모색. ¶暗中～ 암중모색/最善の道を～する 최선의 길을 모색하다.

もさっと 副ス自〈俗〉멍청한〔메떨어진, 얼빠진〕 모양. ＝もっさり·ぼさっと. ¶

~したやつ 멍청한 녀석 / ~している 얼이 빠져 있다 / ~立たっている 멍청히 서 있다.

もさもさ 副 ス自 **1** 사람의 털이나 풀이 무성한 모양. ¶雑草ざっそうが~(と)はびこっている 잡초가 빽빽이 우거져 있다. **2** 동작이 굼뜬 모양: 꾸물꾸물; 우물우물. ¶~していると遅おくれるぞ 꾸물대고 있다가는 늦는다. **3** 세련되지 않은 모양; 멍청한 모양. ¶~(と)した人ひと 멍청한 사람.

****もし** 〖若し〗 副 《뒤에 'ば' 'たら' 'なら' 'ても'를 수반하여》 만약; 만일; 혹시. =もしも·もしか. ¶~費用ひようを出だせば行いってもいい 만약 비용을 낸다면 가도 좋다 / ~雨あめが降ふったら中止ちゅうしする 만일 비가 오면 중지한다 / ~水みずがなかったら, 生いきていけない 만일 물이 없다면 살아갈 수 없다.

***もじ** 【文字】 一 名 문자. **1** 글자. =もんじ. ¶~の発明はつめい 문자의 발명 / ~を知しらない 글자를 모른다. **2** 문장; 말. ¶~の上うえで知しっている 문자 상으로 알고 있다.

—たじゅうほうそう 【—多重放送】 名 문자〔영상〕 다중 방송. =テレテックスト(teletext)·文字放送もじほうそう.

—づら 【—面】 名 **1** 문자가 배열된 모양; 또, 거기서 받는 느낌. =字面じづら. **2** 자구의 표면적인 뜻. ¶~にとらわれた解釈かいしゃく 문자에 얽매인 해석.

—どおり 【—通り】 名副 문자〔글자〕 그대로. ¶~足あしのふみ場ばもない 문자 그대로 발디딜 곳도 없다 / ~骨ほねと皮かわばかり残のこった 그야말로 뼈와 가죽만 남았다.

—ばん 【—盤】 名 (시계·계기 따위의) 「문자반.

もしか 〖若しか〗 連語 **1** 혹시; 만약(에). ¶~失敗しっぱいしたらどうしよう 혹시 실패하면 어떡하지. **2** 어쩌면. ¶~我わが子こではないかと… 어쩌면 내 자식이 아닐까 하고….

—したら 어쩌면(《'もしか'의 힘줌말》). ¶~もう会あえないかも知しれない 어쩌면 다시 만날 수 없을는지도 모른다.

—して **1** ☞もしも. ¶~時間じかんに遅おくれたら帰かえるしかない 만약 시간에 늦으면 돌아올 수밖에 없다. **2** 어쩌면. =もしかすると. ¶~帰かえっているのではないか 어쩌면 돌아와 있는 게 아닐까.

—すると 어쩌면(《'もしか'의 힘줌말》). =ひょっとすると·あるいは. ¶~雨あめになるだろう 어쩌면 비가 오겠지 / ~彼かれは死しんだのかも知しれない 어쩌면 그는 죽었을지도 모른다.

もしくは 【若しくは】 moshikuwa 接 또는; 혹은; 그렇지 않으면. ¶願書がんしょは持参じさんするか, ~郵送ゆうそうしてください 원서는 지참하든가 또는 우송해 주십시오.

***もしも** 〖若しも〗 連語 만약; 만일의 경우 (《'もし'의 힘줌말》). ¶~のときには 만일의 경우에는 / ~当選とうせんしたら 만약 당선된다면 / ~こわれたら, たいへんだ 만약에 깨지면 큰일이다.

—のこと 만약의 일; 만일의 경우〔사태〕; 예기치 않은 일(《특히, 죽음》). ¶父ちちの身みに~があったら 아버님에게 만약의 일이 생긴다면.

もしもし 感 여보세요. ¶~, ハンカチが落おちましたよ 여보세요, 손수건이 떨어졌어요 / ~, 田中たなかさんでしょうか 여보세요, 田中씨이신가요.

もじもじ 副 ス自 우물거리거나 망설이는 모양: 꾸물꾸물; 주저주저; 머뭇머뭇. ¶はにかんで~(と)する 수줍어서 머뭇머뭇하다 / ~して口くちをきかない 망설이기만 하고 입을 열지 않다.

もしや 〖若しや〗 連語 혹시; 어쩌면. =もしか. ¶~あなたは金きむさんではありませんか 혹시 당신은 김선생이 아니십니까 / ~あの人ひとではと胸むねが騒さわぐ 혹시 저 사람이 아닌가 하고 가슴이 두근거린다.

もしゃ 【模写】 名 ス他 모사; 어떤 것을 본떠서 베낌; 또, 그 베낀 것. =コピー. ¶原画げんがの~ 원화의 모사 / ~した作品さくひん 모사한 작품 / 声帯せいたい~ 성대 모사.

もじゃもじゃ 副 ダナ ス自 털 따위가 많이 난 모양: 텁수룩이; 더부룩이. ¶ひげが~(と)はえる 수염이 텁수룩이 나다 / ~の髪かみをかきむしる 더부룩한 머리를 마구 긁다 / 髪かみが~になる 머리가 더부룩하게 되다.

もしゅ 【喪主】 名 상주. =そうしゅ. ¶~をつとめる 상주 노릇을 하다.

もしょう 【喪章】 名 상장. ¶~をつける 상장을 달다 / ~を腕うでに巻まく 상장을 팔에 두르다.

もじり 〖捩り〗 名 (속곡(俗曲) 따위에서) 본디의 표현을 변화시켜 익살스럽게 또는 우의(寓意)적으로 빗댄 것(《일종의 언어 유희임》). =パロディー.

もじ-る 〖捩る〗 5他 (유명한 고가(古歌) 등을) 풍자적으로 비꼬아서 표현하다; 어조(語調)를 흉내내다. ¶古歌こかを~ 옛 시가를 흉내내다.

も-す 【燃す】 5他 ☞もやす.

もず 〖鵙·百舌〗 名 〔鳥〕 때까치.

モスク [mosque] 名 모스크; 이슬람교 성원(聖院).

もすこし 【も少し】 副 〈口〉 좀더; 조금 더. =もう少すこし·もうちょっと. ¶~ちょうだい 조금 더 주세요 / ~おまけしてよ 좀더 깎아 주세요. 「ス·モス.

モスリン [musline] 名 머슬린. =メリン

も-する 【模する】(《摸する》) サ変他 본뜨다; 모방하다; 흉내내다. =模もす. ¶池いけを半月はんげつの形かたちに~·してつくる 못을 반월형을 본떠서 만들다.

もぞう 【模造】(《摸造》) 名 ス他 모조. =イミテーション. ¶~紙し 모조지 / ~真珠しんじゅ 모조 진주 / ~品ひん 모조품. 注意 '模造'로 씀은 대용 한자.

もぞもぞ 副 ス自 **1** 작은 벌레 따위가 느

릿느릿 자꾸 움직이는 모양: 굼실굼실; 스멀스멀. ¶虫(むし)が～と動(うご)く 벌레가 곰실거리다/体(からだ)じゅうが～する 온몸이 스멀거리다. **2** 침착성 없이 (좀스럽게) 움직이는 모양: 굼지럭굼지럭; 곰지락곰지락. ¶からだを～(と)動(うご)かす 몸을 굼지럭거리다/さっきから何(なに)を～しているんだ 아까부터 뭘 곰지락거리고 있는 거야. **3** 활발하지 않고 조금씩 움직이는 모양: 어슬렁어슬렁. ¶～と出(で)てくる 어슬렁어슬렁 나오다. 「속의 번민.

もだえ 〖悶え〗 图 번민. ¶心(こころ)の～ 마음

もだ-える 〖悶える〗 下1自 번민하다. **1** 몹시 고민하다. ¶恋(こい)に～ 사랑에 번민하다. **2** 괴로워서 (몸을) 뒤틀다; 몸부림치다. ¶苦痛(くつう)に身(み)を～ 괴로워서 몸부림치다; 몹시 괴로워하다.

もた-げる 〖擡げる〗 下1他 쳐들다; 머리를 들다; 대두하다. ¶へびがかまくびを～ 뱀이 대가리를 쳐들다/頭(あたま)を～ 머리〔고개〕를 들다; 대두하다/勢力(せいりょく)を～ 득세하다.

もた-す 【持たす】 5他 ☞も(持)たせる.

もたせか-ける 〖凭せ掛ける〗 下1他 기대다; 기대어 세우다. ¶からだを壁(かべ)に～ 몸을 벽에 기대다/塀(へい)にはしごを～ 담에 사닥다리를 기대어 세우다.

***もた-せる** 【持たせる】 下1他 **1** 가지게 하다. ¶所帯(しょたい)を～ 가정을 갖게 하다; 살림을 차리게 하다/子供(こども)に大金(たいきん)を～のはよくない 어린아이에게 큰돈을 가지게 하는 것은 좋지 않다. **2** 보존하다; 지탱하다. ¶氷(こおり)で～ 얼음으로 보존하다/注射(ちゅうしゃ)で～ 주사로 지탱하다. **3** 부담시키다. ¶費用(ひよう)を～ 비용을 부담시키다/勘定(かんじょう)はおれに～·せろ 셈은 내 부담으로 하게〔나에게 맡겨라〕. **4** 가지고 가게 하다; 들려 주다; 주어 보내다. ¶カバンを～ 가방을 들리다/手紙(てがみ)を～ 편지를 주어 보내다/荷物(にもつ)を～ 짐을 들고 가게 하다.

もたつ-く 5自 〈俗〉 (일이나 동작이) 잘 진행되지〔나아가지〕 않다. ¶解決(かいけつ)が～ 해결이 잘 안 되다/～·いていてなかなか結論(けつろん)が出(で)ない 순조롭게 진행이 안 되어 좀처럼 결론이 나지 않다.

モダニズム [modernism] 图 모더니즘; 근대주의; 현대식.

もたもた 副ス自 〈俗〉 **1** 어물어물; 우물쭈물; 꾸물꾸물. ¶～して機(き)を逃(のが)す 우물쭈물하다가 기회를 놓치다/～するな 어물거리지 마라/早(はや)く行(い)かないで何(なに)を～しているのか 빨리 가지 않고 무엇을 꾸물꾸물하고 있느냐. **2** 사물이 순조롭게 진행되지 않는 모양. ¶工事(こうじ)が～してはかどらない 공사가 순조롭게 진척되지 않는다.

もたら-す 〖齎す〗 5他 가져오다; 초래하다. ¶台風(たいふう)が～·した被害(ひがい) 태풍이 가져온 피해/幸福(こうふく)〔吉報(きっぽう)〕を～ 행복〔희소식〕을 가져오다 /インフレを～ 인플레를 초래하다.

もたれかか-る 〖凭れ掛かる〗 5自 기대다; 의지하다. ¶親(おや)に～ 부모에게 의존하다/壁(かべ)に～·って話(はな)す 벽에 기대어 이야기하다.

***もた-れる** 〖凭れる〗 下1自 **1** 기대다; 의지하다. ¶壁(かべ)に～ 벽에 기대다. **2** 〈俗〉 (속이) 거북하다; 더부룩하다; 트릿하다. ¶もちを食(た)べすぎて胃(い)が～ 떡을 많이 먹어서 위가 트릿하다〔거북하다〕.

モダン [modern] 图ダナ 모던; 현대적. ＝モダーン. ¶～アート 모던 아트/～バレー 모던 발레/～ジャズ 모던〔현대적〕 재즈/～なセンス 현대적인 감각/～ぶる 현대적인 체하다.

***もち** 〖餅〗 图 (찰)떡. ＝もちい. ¶～代(だい) 떡값/～網(あみ) (떡 굽는) 석쇠.

――はもち屋(や) 떡은 떡집에서 만든 것이라야《사물에는 제각기 전문이 있는 법》.

――をつく **1** 떡을 치다. **2** 성교하다.

***もち** 〖糯〗 图 찰기가 많은 곡식의 총칭. ¶～米(ごめ) 찹쌀/～あわ 차조. ↔うる.

もち 〖黐〗 图 끈끈이. ＝鳥(とり)もち.

もち 【持ち】 图 **1** 가짐. ㉠소유. ¶私(わたし)の～物(もの) 나의 소지품/女(おんな)～の傘(かさ) 여자용 우산. ㉡담당. ¶かばん～ 비서. ㉢부담. ¶費用(ひよう)は各人(かくじん)～ 비용은 각자 부담/社長(しゃちょう)～で飲(の)む 사장 부담으로 마시다/旅費(りょひ)は自分(じぶん)～だ 여비는 자기 부담이다. **2** 《保ち》 오래 감〔지탱함〕. ¶この食品(しょくひん)は～がいい 이 식품은 오래 간다《저장 기간이 길다》. **3** 〈雅〉 (바둑 등에서) 비김; 무승부. ＝(引(ひ)き)分(わ)け·持(じ). ¶この碁(ご)は～になった 이 바둑은 비겼다.

もちあい 【持ち合い】 图 **1** (세력 따위의) 균형이 잡힘. ¶～の勝負(しょうぶ)だ 팽팽한 승부다. **2** 《保合》〖經〗 (거래에서) 시세 변동이 없는 상태; 보합. ¶～相場(そうば) 보합〔제자리〕 시세.

***もちあが-る** 【持ち上がる】 5自 **1** (사건 따위가) 일어나다. ¶困(こま)った事(こと)が～ 난처한 일이 일어나다/縁談(えんだん)が～ 혼담이 오가다. **2** 학생이 진급해도 전(前)담임이 그대로 계속 맡다. ¶三年(さんねん)まで～ 3학년까지 계속 담임을 맡다. **3** 들어 올릴 수 있다; 들리다. ¶～·らない 들어 올릴 수가 없다/三人(さんにん)がかりでやっと～·った 3명이 달라붙어 겨우 들어 올렸다.

もちあ-げる 【持ち上げる】 下1他 **1** 들어 올리다; 쳐들다. ¶荷物(にもつ)を～ 짐을 들어 올리다/頭(あたま)を～ 머리를 쳐들다《대두하다》. **2** 〈俗〉 치켜세우다; 추어주다. ＝ほめる·おだてる. ¶やたらと～ 무턱대고 치켜세우다/～·げられていい気(き)になる 추어주니 기분 좋아하다〔우쭐해하다〕.

もちあじ 【持ち味】 图 본디 지닌 맛; 전하여 (작품·성격 등이 지니고 있는) 독특한 맛〔멋〕; 특색. ¶かぼちゃの～を生(い)かした料理(りょうり) 호박의 제맛을 살린 요리/～を発揮(はっき)する 본령을 발휘하다/

きみの～を生(い)かせ 자네 특색〔특유의 장점〕을 살려라.

もちある-く【持ち歩く】 [5他] 들고〔가지고〕 다니다. ¶重(おも)い荷物(にもつ)を～ 무거운 짐을 들고 다니다.

もちあわせ【持ち合わせ】 图 마침 갖고 있는 것; 특히, 돈. ¶あいにく～がない 마침 갖고 있는 돈이 없다.

***もちあわ-せる【持ち合わせる】** [下1他] 마침 갖고 있다. ＝持ち合わす. ¶たまたま～·せていた金(かね) 때마침 갖고 있던 돈/そんな大金(たいきん)は～·せておりません 그런 큰돈은 갖고 있지 않습니다.

もちいえ【持ち家】 图 자기 집. ＝もちや. ¶社長(しゃちょう)の～ 사장(소유)의 집. ↔借(か)り家(いえ).

モチーフ [프 motif] 图 모티프. **1** 동기; 계기. **2** 예술적 표현 활동의 주제(主題). ＝モチーブ.

****もち-いる【用いる】** [上1他] 쓰다. **1** 사용하다; 이용하다. ¶下剤(げざい)を～ 하제를 쓰다/筆(ふで)を～·いてかく 붓으로 쓰다/原料(げんりょう)に～ 원료로 쓰다/次(つぎ)の単語(たんご)を～·いて短文(たんぶん)をつくれ 다음 단어를 써서 단문을 만들라. **2** 신경을 쓰다; 배려하다. ¶意(い)を～ 마음을 쓰다《배려하다》. **3** 채용하다; 채택하다. ¶新人(しんじん)〔ベテラン〕を～ 신인〔베테랑〕을 채용하다/重(おも)く～ 중용하다/有能(ゆうのう)の士(し)を～ 유능한 인사를 등용하다/立案(りつあん)しても一向(いっこう)に～·いられない 입안을 해도 전혀 채택되지 않는다.

もちうた【持ち歌】 图 (가수가) 자기 노래로 가지고 있는 곡. ＝レパートリー. ¶～の多(おお)い歌手(かしゅ) 자기 노래를 많이 가진 가수.

もちおもり【持ち重り】 图[ス自] 들어서 무겁다고 느낌. ¶～のする子(こ) 묵직한 아이/～がする 들어보니 묵직하다.

もちかえり【持ち帰り】 图 (집으로) 가지고 돌아감; 특히 (그 자리에서 먹거나 배달하지 않고) 산 물건을 직접 갖고 감. ＝テークアウト. ¶～の弁当(べんとう) (집으로) 싸 가지고 가는 도시락/お～になりますか 가지고 가시겠습니까.

もちかえ-る【持ち帰る】 [5他] 가지고〔들고〕 돌아가다〔오다〕. ¶土産(みやげ)を～ 선물을 가지고 돌아오다/仕事(しごと)を家(いえ)に～ 일을 집에 가지고 가다〔오다〕.

もちか-ける【持ち掛ける】 [下1他] 말 따위를 꺼내다; 말을 걸다. ¶うまく～·けてだます 슬슬 구슬려서 속이다/縁談(えんだん)を～ 혼담을 꺼내다.

もちかぶ【持ち株】 图〘經〙소유주(株). ¶会社(かいしゃ)の～ 회사의 소유 주식.

──がいしゃ【──会社】 图〘經〙지주(持株) 회사.

もちきり【持ち切り】 图 (한동안) 화제가 계속됨; 자자함. ¶そのうわさで～だ 온통 그 소문으로 자자하다/どこへ行(い)っても新製品(しんせいひん)の話(はなし)で～だ 어딜 가나 온통 신제품 이야기뿐이다.

もちぐさ〚餅草〛 图 쑥(의 새싹).

もちぐされ【持ち腐れ】 图 가지고 있을 뿐 활용하지 못함. ¶宝(たから)の～ 보물을 가지고도 썩임《재능을 활용 못함》.

もちくず-す【持ち崩す】 [5他] 소중한 것을 마구 써서 망치다; 탕진하다. ¶身(み)を～ (주색에 빠져) 신세를 망치다/遺産(いさん)を～ 유산을 탕진하다.

もちこ-す【持ち越す】 [5他] 미루다. ¶去年(きょねん)から～·した仕事(しごと) 작년부터 미루어 온 일/審議(しんぎ)を明日(あす)に～ 심의를 내일로 미루다.

もちこた-える【持ちこたえる】《持ち堪える》 [下1他] 계속 유지〔지탱〕하다; 버티다; 견디다; 견지하다. ¶陣地(じんち)を～ 진지를 견지하다/堤防(ていぼう)は～だろう 둑은 지탱할 수 있겠지/どうにか生活(せいかつ)を～ 그럭저럭 생활을 유지하다.

もちごま【持ちごま】《持ち駒》 图 (일본 장기에서) 잡아서 가지고 있는 말《이 쪽에서 쓸 수 있음》; 비유적으로, 필요시 자기 마음대로 쓸 수 있는 사람·물건. ¶～がたくさんある 예비 인력·물품이 많이 있다/投手(とうしゅ)の～がたりない 예비 투수가 부족하다; 투수에 여유가 없다.

もちこみ【持ち込み】 图 가지고 들어옴; 지참. ¶ノートの～禁止(きんし) 노트 지참 금지/酒類(しゅるい)のお～はご遠慮(えんりょ)ください 주류 지참을 삼가 주시기 바랍니다.

もちこ-む【持ち込む】 [5他] **1** 가지고 들어오다〔가다〕. ¶危険物(きけんぶつ)を～ 위험물을 가지고 들어오다. **2** (의논·제안 등을) 해오다; 가지고 오다. ¶相談(そうだん)ごとを～ 의논을 해 오다/厄介(やっかい)なことを～·んだな (참) 성가신 제의로군. **3** 미해결인 채 다음 상태로 넘기다. ¶訴訟(そしょう)に～ 소송으로 몰고 가다/同点(どうてん)で延長戦(えんちょうせん)に～ 동점이 되어 연장전으로 넘어가다. 「るち.

もちごめ【もち米】《糯米》 图 찹쌀. ↔う

もちざお〚黐竿〛 图 (새·곤충을 잡기 위해) 끈끈이를 칠한 장대.

もちさ-る【持ち去る】 [5他] (다른 데로) 가지고 가버리다. ¶書類(しょるい)を～ 서류를 가지고 가다.

もちじかん【持ち時間】 图 **1** (바둑·장기에서) 제한 시간. ¶対局(たいきょく)の～ 대국 제한 시간. **2** 어떤 일을 하기 위해 주어진 시간《정견 발표회 등》. ¶～いっぱいしゃべる 주어진 시간껏 지껄이다.

もちだし【持ち出し】 图 **1** 가지고〔들고〕 나감; 반출. ¶図書(としょ)の～禁止(きんし) 도서의 반출 금지/非常(ひじょう)～ 비상 반출. **2** 부족되는 비용을 자기가 부담함. ¶規定(きてい)の旅費(りょひ)では～になる 규정된 여비로는 부족분을 자기가 부담하게 된다.

***もちだ-す【持ち出す】** [5他] **1** 가지고〔들고〕 나오다. ㉠반출하다; 끌어내다. ¶非常時(ひじょうじ)に～重要書類(じゅうようしょるい) 비상시에 반출할 중요 서류/家財(かざい)を～ 가재를 들어 내다. ㉡훔치다. ¶金庫(きんこ)の金(かね)を～ 금고의 돈을 꺼내다〔훔치다〕. **2** 말을

꺼내다; 제기하다. ¶個人(こじん)の話(はなし)を～ 개인적인 이야기를 꺼내다/会議(かいぎ)に難題(なんだい)を～ 회의에 어려운 문제를 제기하다. **3** (부족되는 비용을) 자기가 부담하다. ¶不足分(ふそくぶん)を～ 부족분을 자기가 부담하다. **4** 갖기 시작하다. ¶疑(うたが)いを～ 의심을 갖기 시작하다.

もちつき〚餅搗き〛名 떡을 침; 또, 그 사람. ¶～をする 떡을 치다.

もちづき[望月] 名 망월; 만월(滿月); 보름달; 특히, 추석날 밤의 달.

もちつもたれつ【持ちつ持たれつ】連語 서로 도움; 또, 그 관계. ¶～の関係(かんけい) 서로 도움을 주고받는 관계/世(よ)の中(なか)は～だ 세상은 서로 도우면서 살아가게 되어 있다.

***もちなお-す**【持ち直す】㊀5自 본래의 상태로 돌아가다; 회복하다. ¶病人(びょうにん)が～ 병자가 회복되다/なんとか～ 가까스로 회복되다. ㊁5他 다른 손에 바꾸어 잡다[들다]. ＝持(も)ちかえる. ¶荷物(にもつ)を～ 짐을 다른 손에 바꾸어 들다.

もちにげ【持ち逃げ】名ス他 (남의 금품을) 가지고 달아남. ¶店(みせ)の物(もの)を～する 가게 물건을 가지고 달아나다/かばんを～された (누가) 가방을 갖고 달아났다.

***もちぬし**【持ち主】名 임자; 소유자[주]. ¶ホテルの～ 호텔 소유자/美貌(びぼう)の～ 미모의 소유자/～の分(わ)からない品物(しなもの) 임자를 모르는 물품/落(お)とし物(もの)の～を捜(さが)す 분실물의 임자를 찾다.

もちば【持ち場】名 담당한 부서; 또, 점유하고 있는 장소. ¶～を守(まも)る 담당 부서를 지키다/～につく 담당 부서에 가 앉다[자리잡고 일하다]/～を離(はな)れるな 담당 부서를 이탈하지 마라.

もちはこび【持ち運び】名 들어 나름; 운반함. ¶～のできる物(もの) 들어 나를 수 있는 물건.

もちはこ-ぶ【持ち運ぶ】5他 들어 나르다; 운반하다. ¶かばんに入(い)れて～ 가방에 넣어서 나르다/荷物(にもつ)を～ 짐을 운반하다.

もちはだ【もち肌】《餅膚》名 매끈하고 포동포동한 (흰) 살갗. ¶～の女(おんな) 살갗이 희고 고운 여자. ↔さめはだ.

もちばん【持ち番】名 당번; 담당할 차례. ¶～が来(く)る 당번 차례가 오다.

もちぶん【持ち分】名 지분; (배당된) 몫. ¶自分(じぶん)の～ 자기 몫.

もちまえ【持ち前】名 타고난 성질; 천성. ＝生(う)まれつき. ¶～の短気(たんき) 타고난 급한 성미/～の心配性(しんぱいしょう)は変(か)わらない 선천적으로 잔걱정이 많은 성품은 변하지 않는다.

もちまわり【持ち回り】名 **1** 차례로 관계되는 사람에게 돌림. ¶～の優勝(ゆうしょう)カップ 우승하는 대로 돌려 가며 갖는 우승컵/～で全役員(ぜんやくいん)の賛同(さんどう)を得(え)た (안건 등을) 돌려서 전 임원의 찬동을 얻었다. **2** 역할[일] 등을 돌려 가며 맡음. ¶総務(そうむ)は～とする 총무는 번갈아 가며 맡는다.

―かくぎ【―閣議】名 회의를 열지 않고 의제를 각 장관에게 돌려서, 그 의견을 듣고 의사를 결정하는 약식 각의.

もちもの【持ち物】名 소지품; 소유물. ¶～検査(けんさ) 소지품 검사/～に注意(ちゅうい)して下(くだ)さい 소지품에 주의해 주십시오/あの家(いえ)はだれの～か 저 집은 누구(의) 소유물이냐.

もちや【持ち家】名 ☞もちいえ.

もちゅう【喪中】名 상중. ¶～である 상중이다/～につき年賀(ねんが)欠礼(けつれい) 상중이므로 새해 인사를 결례함.

もちよ-る【持ち寄る】5他 각자가 가지고 모이다; 추렴하다. ¶料理(りょうり)の材料(ざいりょう)を～ 요리 재료를 가지고 모이다/費用(ひよう)を～ 비용을 추렴하다.

****もちろん**〚勿論〛副 물론. ＝無論(むろん). ¶～知(し)っている 물론 알고 있다/～賛成(さんせい)だ 물론 찬성이다/英語(えいご)は～のことフランス語(ご)もできる 영어는 물론이고 프랑스어도 한다/それは～のことだ 그것은 말할 것도 없(는 일이)다.

****も-つ**【持つ】㊀5他 **1** 쥐다; 들다. ¶荷(に)[かばん]を～ 짐[가방]을 들다/ペンを～ 펜을 쥐다/右手(みぎて)に～ 오른손에 들다. **2** 가지다. ㉠소유하다. ¶家(いえ)を～ 집을 갖다. ㉡지니다. ¶ハンカチを～ 손수건을 지니다/影響力(えいきょうりょく)を～ 영향력을 지니다/ゆとりを～ 여유를 가지다/大金(たいきん)を～·って出(で)かける 많은 돈을 가지고 외출하다. ㉢품다. ¶自信(じしん)[考(かんが)え]を～ 자신[생각]을 갖다/恨(うら)みを～ 원한을 품다/心(こころ)の～·ち方(かた) 마음가짐. ㉣타고나다. ¶～·って生(う)まれた性質(せいしつ) 타고난 성질. ㉤지다. ¶責任(せきにん)を～ 책임을 지다. ㉥열다. ¶会談(かいだん)を～ 회담을 갖다[열다]/話(はな)し合(あ)う機会(きかい)を～·ちたい 이야기할 기회를 갖고 싶다. ㉦관련을 맺다. ¶関係(かんけい)を～ 관계를 갖다. **3** 살림을 차리다. ¶所帯(しょたい)を～ 결혼하다. **4** 부담하다. ¶学資(がくし)は国(くに)で～ 학자금은 나라에서 부담한다. ㊁5自 어떤 상태가 오래 가다; 지속하다; 지탱하다; 견디어 나가다. ¶からだが～·たない 몸이 견디지 못한다/これで一週間(いっしゅうかん)は～だろう 이것으로 일주일은 지탱할 테지/彼(かれ)とは座(ざ)が～·たない 그와 함께 있어서는 (따분해서) 자리가 재미없다.

もつ〚臓物〛名〈俗〉(요리 재료로서의 소·돼지·닭 따위) 내장. ＝ぞうもつ. ¶～焼(や)き 내장구이.

もっか【目下】名 목하; 현재; 지금. ¶～の急務(きゅうむ) 당장의 급한 용무/～のところ 지금 형편으로는; 현재로서는/～考慮中(こうりょちゅう) 목하 고려 중.

もっか【黙過】名ス他 묵과. ¶～できない行為(こうい) 묵과할 수 없는 행위/不正(ふせい)は断(だん)じて～しがたい 부정은 단연코 묵과할 수 없다.　「기.

もっかんがっき【木管楽器】名 목관 악

もっきん【木琴】图 목금; 실로폰. ＝シロホン. ¶～奏者 목금 주자 / ～を打ち鳴らす 목금을 치다.

もっけい【黙契】图区自 묵계. ¶～が成り立つ 묵계가 성립하다 / 二人の間には～があるらしい 두 사람 사이에는 묵계가 있는 모양이다.

もっけのさいわい【もっけの幸い】《勿怪の幸い》連語 뜻밖의 행운; 천만다행. ¶雨を～に仕事を休んだ 요행히 비가 와서 일을 쉬었다 / 彼が通りかかったのが～で, 荷物をもってもらった 천만다행으로 그가 지나가다가 짐을 들어 주었다.

もっこ〖畚〗图 삼태기의 일종《새끼를 그물처럼 엮어 끈을 단 것으로, 흙이나 돌 따위를 나르는 데 사용함》. ＝ふご. ¶～をかつぐ 삼태기를 메다.

もっこう【木工】图 목공. **1** 목공예. ¶～細工 목세공 / ～機械 목공 기계 / ～品 목공품. **2** 목수. ＝大工.

もっこう【黙考】图区自 묵고; 묵상; 숙고. ＝黙想. ¶沈思～ 심사숙고 / しばし～する 잠시 생각에 잠기다.

もったい〖勿体〗图 거드름 부리는 모양. ¶～をつける 젠 체하다; 재다.

―な-い〖―無い〗形 황송하다. **1** 과분하다; 고맙다. ¶こんなにまでしていただいて～ことです 이렇게까지 해주시니 그저 황송할〔고마울〕 따름입니다. **2** (함부로 써서) 아깝다. ¶まあ～ 아이구 아까워라 / まだ使えるのに捨てるのは～ 아직도 쓸 수 있는데 버리는 것은 아깝다.

―ぶ-る〖―振る〗5自 (짐짓) 젠 체하다; 거드름 피우다; 재다. ¶～·ってなかなか教えない 짐짓 젠 체하며 좀체 가르쳐 주지 않는다 / ～·った話し方をする 거드름 피우는 말투로 얘기하다.

もって〖以て〗連語 **1**《'…を～'의 꼴로 格助詞처럼 씀》㉠…을 써서; …(으)로. ¶文書を～通知する 문서로(써) 통지하다 / 太刀を～首をはねる 칼로써 목을 베다 / 以上を～会をとじる 이상으로 회의를 마친다. ㉡…의 이유로; …때문에. ¶老齢を～引退する 노령을 이유로 은퇴하다. ㉢…을 시점으로 일단 끊어서: 로써. ¶本日を～満二十歳となりました 오늘로써 만 20세가 되었습니다. ㉣'を'를 장중하게 말하는 말씨. ¶これを～第一位とする 이것을 제1위로 삼다 / 今を～黄金時代とする 지금이 바로 황금 시대이다. ㉤어조를 고르거나 강하게 하는 말. ¶実に～けしからん 정말 괘씸하기 짝이 없다《발칙하다》. **2**《接続助詞·接続詞처럼 사용해서》㉠그리고; 또. ¶安価で～美味 값싸고 맛이 있음 / 利口で～顔かたちもいい 똑똑하고 얼굴도 잘 생겼다. ㉡그것에 의하여; 따라서. ¶～つぎのとおり結論を下す 따라서 다음과 같이 결론을 내린다. **3**《接尾詞적으로》副詞를 만듦. ¶今～ 아직껏 / 前～ 미리 / なお～ 더욱더 / まず～ 우선 / この上～ 이 이상 더.

―する …을 활용하다; …에 의해서 하다. ¶彼の熱意をもってしてもどうにもならなかった 그의 열의로써도 어찌할 도리가 없었다 / 現代の技術をもってすれば 현대 기술로써 한다면.

―瞑すべし 그것으로 안심하고 죽을 수 있을 것이다; 그것으로 만족해야 할 것이다. ¶決勝まで進んだのだから～だ 결승까지 올라갔으니 (이제) 한이 없을 것이다.

もってうまれた【持って生まれた】連体 타고난. ¶～性質 타고난 성질.

もってこい〖持って来い〗連語 꼭 알맞음; 안성맞춤; 십상. ＝あつらえむき. ¶～の場所 안성맞춤의 장소 / 彼に～の仕事がある 그에게 딱 알맞은 일이 있다 / 彼には～だ 그에겐 제격이다 / 勉強するには～の場所だ 공부하기엔 안성맞춤인 곳이다.

もってのほか〖以ての外〗图ダナ 뜻하지 않음; 의외; 당치도 않음; 언어도단. ¶～のふるまい 당치도 않은 짓〔처사·행동〕 / ～の立腹 의외에 화를 냄; 당치도 않은 화 / 教育上～だ 교육상 언어도단이다 / 外泊など～だ 외박 따위 당치도 않다 / 悪口を言うとは～だ 욕을 하다니 언어도단이다.

もってまわった【持って回った】連体 에두른. ¶～言い方 에두른〔완곡한〕 표현; 에둘러서 하는 말씨.

⁑**もっと** 副 더; 더욱; 좀더; 한층. ＝更に·なお. ¶～右の方へ寄ってください 좀더 오른쪽으로 다가서 주세요 / 来月は～寒くなる 내달은 더 추워진다 / 金が有れば～買えるんだが 돈이 있으면 좀더 살 수 있으련만 / ～食べたい 더 먹고 싶다 / ほしければ～持って行くがいい 필요하면 더 가지고 가려무나.

モットー [motto] 图 모토; 표어; 좌우명. ＝標語. ¶親切を～とする 친절을 모토로 하다.

*****もっとも**〖尤も〗㊀ダナ 지당함; 사리에 맞음. ¶～な理由 도리에 맞는 이유 / ～な意見 지당한 의견 / ～至極 지극히 당연함 / ご無理ご～ 억지스러운 언동에도 지당하다고 장단 맞춤《상대방의 언동을 무조건 받아들임》/ ～の事を言う 지당한 말을 하다. ㊁接 그렇다고는 하지만; 하긴; 다만; 단(但). ＝ただし. ¶～例外が無いわけではない 하긴 예외가 없는 것은 아니다.

―らし-い 形 그럴듯하다; 그럴싸하다. ¶～意見 그럴듯한 의견 / ～うそをつく 그럴듯한 거짓말을 하다.

⁑**もっとも**【最も】副 (무엇보다도) 가장. ¶～大きな事件 가장 큰 사건 / 世界で～長い川 세계에서 가장 긴 강 / 学校で～足の速い生徒 학교에

서 발이 가장 빠른 학생 / この辺(へん)が被害(ひがい)の～はなはだしい地域(ちいき)だ 이 근방이 피해가 가장 심한 지역이다.

*もっぱら【専ら】 副 오로지; 한결같이; 전적으로. ＝ひたすら. ¶～のうわさ〔評判(ひょうばん)〕 한결같은 소문〔평판〕/ ～勉強(べんきょう)ばかりする 오로지 공부만 하다 / この車(くるま)は～輸出用(ゆしゅつよう)だ 이 차는 전적으로 수출용이다 / ～研究(けんきゅう)に打(う)ち込(こ)む 오로지 연구에 몰두하다 / 彼(かれ)が辞職(じしょく)するといううわさが～だ 그가 사직한다는 소문이 자자하다.

―にする 1 그 일에만 마음을 집중하다. ¶今(いま)は修行(しゅぎょう)を～べき時(とき)だ 지금은 수행에만 전념할 때다. 2 제멋대로 하다; 자행하다. ¶権勢(けんせい)を～ 권세를 멋대로 부리다.

モップ [mop] 名 몹; 자루걸레. ＝棒(ぼう)ぞうきん. ¶～で床(ゆか)を磨(みが)く 자루걸레로 바닥을 닦다.

もつれ〖縺れ〗 名 1 뒤얽힘; 엉클어짐. ¶～髪(がみ) 헝클어진 머리 / 糸(いと)の～を解(と)く 실의 엉클어진 데를 풀다. 2 분규; 갈등. ＝もめごと. ¶両国(りょうこく)間(かん)の～ 양국 간의 분규 / 感情(かんじょう)の～ 감정의 갈등.

もつれこ-む【もつれ込む】《縺れ込む》 5自 (이야기·경기 등이) 꼬여들다; 해결되지 않은 채 다음 단계로 넘어가다. ¶同点(どうてん)で延長戦(えんちょうせん)に～ 동점이 되어 연장전으로 들어가다.

*もつ-れる〖縺れる〗 下1自 1 뒤얽히다. ㉠엉클어지다; 얽히다. ¶釣(つ)り糸(いと)が～ 낚싯줄이 얽히다. ㉡복잡해지다. ¶話(はなし)が～ 이야기가 뒤얽히다 / 事件(じけん)が～ 사건이 복잡해지다. 2 분규를〔갈등을〕 보이다. ¶感情(かんじょう)が～·れて仲(なか)たがいとなる 감정의 갈등으로 사이가 나빠지다. 3 언어·동작이 뒤틀리다; 꼬이다. ¶舌(した)が～ 혀가 꼬부라지다 / 足(あし)が～ 다리가 꼬이다.

もてあそ-ぶ〖玩ぶ·弄ぶ·翫ぶ〗 5他 1 가지고 놀다; 장난하다. ＝いじくる. ¶火(ひ)を～ 불장난을 하다. 2 위안물로서 사랑하다; 완상〔애완〕하다. ¶骨董(こっとう)を～ 골동품을 완상하다 / 俳句(はいく)を～ 俳句를 즐기다. 3 마음대로 조종하다; 농락하다. ＝なぶる. ¶女(おんな)を～ 여자를 농락하다 / 運命(うんめい)に～·ばれる 운명에 농락되다. 4 농(弄)하다; 부리다《풀어쓴 말씨》. ¶策略(さくりゃく)〔小手先(こてさき)の細工(さいく)〕を～ 책략을〔잔 재주를〕 부리다.

もてあま-す【持て余す】 5他 처치 곤란해하다; 힘에 겨워하다; 주체스러워하다. ¶からだ〔自分(じぶん)の心(こころ)〕を～ 몸〔자기 마음〕을 주체 못하다 / ひまを～ 한가한 시간을 주체 못하다.

もてなし〖持て成し〗 名 1 대접; 환대. ＝待遇(たいぐう). ¶旅館(りょかん)の～ 여관의 손님 대접 / 手厚(てあつ)い～を受(う)ける 극진한 대접을 받다. 2 음식 대접. ¶茶菓(さか)の～を受(う)ける 다과를 대접받다.

*もてな-す〖持て成す〗 5他 1 대접하다; 환대하다. ¶一家(いっか)をあげて手厚(てあつ)く～ 온 가족이 환대하다. 2 음식을 대접하다. ¶手料理(てりょうり)で～ 손수 만든 요리로 대접하다.

もてはや-す〖持て囃す〗 5他 1 극구 찬양하다; 입을 모아 칭찬하다. ¶名人(めいじん)だと皆(みな)で～ 명인이라고 모두들 극구 칭찬하다. 2《受動形으로》 인기가 있다. ¶この本(ほん)は若(わか)い人(ひと)たちの間(あいだ)でも～·されている 이 책은 젊은이들 사이에서도 인기가 있다.

モデム [MODEM] 名〔컴〕 모뎀; 변조 장치와 복조 장치를 짜맞추어 통합한 장치. ▷modulation demodulation unit.

もてもて〖持て持て〗 連語 〈俗〉 매우 인기가 있음. ¶～の歌手(かしゅ) 한창 잘 나가는 가수 / 女学生(じょがくせい)に～だ 여학생들한테 대인기다.

モデラート [이 moderato] 名〔樂〕 모데라토; 보통의 빠르기.

も-てる【もてる·持てる】 下1自 1 인기가 있다. ¶～·てない客(きゃく) 인기 없는 손님 / 女(おんな)に～男(おとこ) 여자에게 인기가 있는 사나이. 2 들〔가질〕 수 있다. ¶～だけ持(も)つ 들〔가질〕 수 있는 만큼 들〔갖〕다. 3 견딜 수 있다; 유지할 수 있다. ¶身(み)が～·てない 몸이 견디지 못하다; 건강을 지탱할 수 없다.

もてる【持てる】 連語 (필요 이상의 재산 등을) 가진. ¶～者(もの)の悩(なや)み 가진 자〔부자〕의 고민 / ～国(くに)と持(も)たざる国 가진 나라와 못 가진 나라.

モテル 名 ☞モーテル.

*モデル [model] 名 모델; 본보기; 모범. ¶～業(ぎょう) 모델업 / ファッション～ 패션 모델 / ～スクール 시범 학교 / ～ハウス 모델 하우스; 견본 주택.

―ケース [model case] 名 모델 케이스; 대표적인 사례.

―チェンジ [일 model＋change] 名 모델 체인지; 형식(型式) 변경.

もと〖下·許〗 名 아래. 1 곁; 슬하. ¶手(て)～に 손 가까이; 곁에 / 親(おや)の～を離(はな)れる 부모 슬하를 떠나다. 2 ㉠밑. ¶自由(じゆう)の旗(はた)の～に集(あつ)まる 자유의 깃발 아래 모이다 / 松(まつ)の木(き)の～に埋(う)める 소나무 아래 묻다. ㉡지배·영향이 미치는 것을 표현함. ¶教授(きょうじゅ)の指導(しどう)の～で研究(けんきゅう)する 교수의 지도 아래 연구하다.

⁑もと【元】 ㊀名 1 사물의 시작; 처음; 기원. ¶～をたずねる 근원〔기원〕을 더듬다〔캐다〕/ この習(なら)わしの～をさぐる 이 관습의 기원을 더듬다. 注意 '本'로도 씀. ↔末(すえ). 2 전의 상태; 본디; 본래. ¶～にもどる 본디 상태〔시초〕로 되돌아가다 / ～に返(かえ)って考(かんが)え直(なお)す 원점으로 돌아가서 다시 생각하다. 3 원인. ¶けんかの～ 싸움의 원인 / ～をただせば 원인〔근원〕을 밝히자면 / 争(あらそ)いの～となる 싸움의 불씨가 되다. 4 원금; 밑천; 본전; 원가. ¶～がかかる商売(しょうばい) 밑천이 드는 장사 / ～を割(わ)る 본전을 밑지

다/～を切って売る 밑지고 팔다. ↔子. **5**(어떤 일이나 작용의) 근원. ¶電気の～を切る 전원을 끊다.

㊁連体 전(前); 전직. ¶～首相 전 수상/～代議士 전 국회의원. 参考 '前(=전)' 보다 전의 일. ↔現·前·新.

―が切れる **1** 밑지다. =もとが割れる. **2** 밑천이 떨어지다.

―のさやに収まる 이혼한 또는 반목하던 사이가〔부부·애인이〕 다시 이전 관계로 되돌아가다.

―も子も無くなる 본전도 이자도 없어지다; 이익은커녕 본전까지 날리다.

⁂**もと**【本】图 **1** 시초; 근본; 기본. ¶～と末を混同するな 본말을 혼동하지 말아라. ↔末. **2** 나무의 줄기·뿌리. ¶木を～から切る 나무를 밑동부터 자르다. **3**《숫자를 나타내는 순수 일본어에 붙여》 그루; 포기. ¶一～のナツメの木 한 그루의 대추나무.

―を正す 원인·기원을 따지다. ¶本をただせば自分が悪い 원인을 따지면 내가 잘못했다.

⁂**もと**【基】图 근본; 토대; 기초. =もとい·根底. ¶農は国の～ 농사는 나라의 근본/国の～を築く 나라의 토대를 구축하다/事実を～に考える 사실을 토대로 하여 생각하다.

⁂**もと**〖素〗图 만물이 생기는 바탕; 원질(原質); 원료; 밑; 특히, 누룩. ¶豆を～にして作った調味料 콩을 원료로 하여 만든 조미료/～を仕込む 원료를 배합해 통 따위에 넣다.

もとい【基】图 토대; 기초; 기본; 근본. =元·本·基. ¶国の～を築く 나라의 토대를 구축하다.

もとうけ【元請け】图 주문 당사자로부터 직접 일을 도급맡음; 또, 그 원도급업자. =元請負. ↔下請け.

もどかし-い 形 안타깝다; 애가 타다; 답답하다. =はがゆい·じれったい. ¶～仕事ぶり 답답한〔굼뜬〕 일솜씨/時間の立つのが～ 시간 가는 것이 안타깝다《더디다는 뜻으로도 됨》/うまく表現できなくて～ 잘 표현할 수 없어서 답답하다/自動車で走るのも～くらいであった (급해서) 자동차로 달리는 것도 답답할 지경이었다.

=**もどき**〖擬き〗《体言에 붙어서》 그것에 닮게 만듦; 닮은 것. =まがい. ¶芝居～の言いまわし 연극조의 말씨.

もときん【元金】图 **1** 자본금; 밑천. =もとで·元銀·資本金. ¶商売の～をくいつぶす 장사 밑천을 까먹다/商売をする～もない 장사할 밑천도 없다. **2** 원금; 본전. =がんきん. ¶～だけでも返してほしい 원금만이라도 돌려주었으면 싶다. ↔利息·利子.

もとごえ【基肥·元肥】图 밑거름. =原肥. ↔追い肥·追肥.

もとじめ【元締め】图 **1** 회계·경리 등을 총괄하는 직책이나 부서. ¶興行の～ 흥행주. **2** 노름꾼 등의 두목.

⁂**もど-す**【戻す】5他 **1**(본디 자리·상태로) 되돌리다; 갚다. ¶借りた金を～ 꾼 돈을 갚다/白紙に～ 백지로 되돌리다/車を少し～ 차를 조금 뒤로 물리다/時計を二十分～ 시계를 20분 뒤로 돌리다. **2**(먹은 것을) 토하다; 게우다. ¶船酔いして～·してしまった 뱃멀미를 해서 토해 버렸다.

もとせん【元栓】图 가정용 수도관·가스관 따위의 계량기에 달린 개폐 장치. ¶水道の～をしめる 수도 계량기의 개폐 장치를 잠그다.

もとちょう【元帳】图 원장. =原簿. ¶～に記入する 원장에 기입하다.

⁂**もとづく**【基づく】5自 기초를 두다; 의거하다; 기인하다. ¶誤解に～けんか 오해에 기인한 싸움/史実に～いた小説 사실에 입각한 소설/試験に～いて判断する 시험에 의거해서 판단하다.

*__もとで__【元手】图 자본; 밑천; 본전. =もときん. ¶～なしで商売を始める 밑천 없이 장사를 시작하다/～がかかる 밑천이 들다/～を食いつぶす 밑천을 까먹다/何事も健康〔からだ〕が～だ 무슨 일을 하든 건강〔몸〕이 밑천이다.

もとどおり【元通り】图副 본디 상태〔원래〕대로임. ¶～元気になった 본래의 건강을 되찾았다/～に直す 본디대로 바로잡다/～にして返す 본래대로 해서 돌려주다.

もとね【元値】图 구입 가격〔원가〕. ¶～で売る 원가에 팔다/～で買い取る 원가로 매입하다. ↔売り値.

―が切れる 파는 값이 구입 가격보다 싸서 손해보다; 원가에서 밑지다.

もとのもくあみ〔元の木阿弥〕連語 도로아미타불; 본래의 좋지 않은 상태로 되돌아감. =もくあみ.

もとばらい【元払い】图 (운임 따위를) 짐을 부치는 사람이 지불함. ¶～運賃 하송인(荷送人) 부담 운임. ↔先払い.

もとへ【元へ】motoe 感 (체조 따위에서) 다시 할 때에 하는 구령; 다시; 바로. =直れ.

もとめ【求め】图 **1** 요구; 주문. ¶～に応ずる 주문에 응하다. **2** 구입; 구매. ¶お～の店名を書いてお送り下さい 구입하신 점포 이름을 써 보내 주십시오.

もとめて【求めて】副 자진해서; 일부러. ¶～苦労する 사서 고생하다.

⁂**もと-める**【求める】下1他 **1** 구하다. ㉠ 바라다. ¶平和を～ 평화를 바라다/解決策を～ 해결책을 구하다/職〔答え〕を～ 직업〔답〕을 구하다. ㉡ 요구하다; (요)청하다. ¶助けを～ 도움을 청하다/面会〔謝罪〕を～ 면회〔사죄〕를 요구하다. ㉢사다《공손한 말씨》. ¶この靴は銀座で～·めました

이 구두는 銀座에서 샀습니다. 参考 'お求めになる(=사시다)' 'お~·めください(=사 주십시오)' 와 같이 다른 경어와 함께 쓰일 때도 많음. 2 찾다. ¶適任者〔嫁〕を~ 적임자를〔색싯감을〕 찾다. 3 (나쁜 결과 따위를) 자초하다; 스스로 불러들이다. ¶災いを~ 화를 자초하다 / みずから~·めた失敗 스스로 불러들인 실패.

もともと【元元】图 (본래와) 같음; 손해도 이득도 없음; 본전치기. ¶失敗しても~だ 실패해도 본전치기다; 밑져봐야 본전이다.

もともと〖元元〗副 본디부터; 원래. ¶~根はやさしい男 원래 천성이 다정한 남자 / あの人は~忘れっぽい 저 사람은 본래 건망증이 심하다〔잊어버리길 잘한다〕.

もとより〖固より·素より〗副 1 처음부터; 원래; 본디. ¶それは~承知している 그것은 처음부터 알고 있다 / 退学処分は~覚悟の上だ 퇴학 처분은 처음부터 각오한 바이다. 2 물론; 말할 것도 없이. ¶~異論はない 물론 이의는 없다 / 出席は~の事だ 출석해야 함은 물론이다.

もどり【戻り】图 1 되돌아감〔옴〕. ㉠본디 상태로 복귀함. ¶~が悪い 원상으로 돌아오는 힘이 약하다. ㉡귀가; 귀로. ¶今夜は主人の~がおそい 오늘밤은 주인의 귀가가 늦다. ↔行き. 2 (낚시·뜨개바늘의) 바늘 끝의 미늘.

もと-る〖悖る〗5自 사리에 어긋나다; 어그러지다. ¶人道に~行為 인도에 어긋나는 행위 / 正義〔理〕に~ 정의〔도리〕에 어긋나다.

⁑**もど-る**【戻る】5自 되돌아가〔오〕다. ¶席に~ 자리로 되돌아오다 / 病状は以前に~·ってしまった 병세는 이전 상태로 되돌아가고 말았다 / 意識が~ 의식이 되돌아오다 / 実家へ~ 생가로〔친정으로〕 되돌아가〔오〕다 / よりが~ (틀어진 두 사람 사이가) 본래의 관계로 되돌아가다.

もなか〖最中〗图 1 찹쌀가루 반죽을 얇게 밀어 구운 것에 팥소를 넣은 과자. 2 〈雅〉 한복판; 한창. ¶秋の~ 가을 한창때; 한가을.

モニター [monitor] 图 모니터. 1 라디오나 신문 등에서 그 내용에 대해 의견이나 비판을 하는 사람. ¶~制度 모니터 제도 / 消費者~ 소비자 모니터. 2 송신·녹음 등을 조정하는 장치; 또, 그 조정 기술자. ¶~用のテレビ 모니터용 TV. 3 감시자 또는 감시 기구. ¶~カメラ 모니터〔감시〕 카메라.

モニュメント [monument] 图 모뉴먼트. 1 기념비; 기념물. 2 불후의 업적〔저작〕.

もぬけ〖蛻〗图 (뱀이나 매미 등이) 허물을 벗음; 탈피. =脱皮.

—のから【—の殻】連語 사람이 탈출한 뒤; 사람이 이미 빠져나간 뒤의 잠자리나 집 따위. ¶警察が踏み込んだ時には, 犯人の部屋は~だっだ 경찰이 덮쳤을 때에는, 범인의 방은 텅 비어 있었다.

⁑**もの** 終助 〈女·兒〉《活用語의 終止形에 붙어서》 불만·원망 따위 기분을 담아서 변명이나 이유를 말할 때 씀: …한걸(요). ¶知らなかった~ 몰랐는 걸요 / だってきらいなんだ~ 그렇지만 싫은 걸요 / そんなこと知らない~ 그런 것 모르는 걸요 / 知りたいんです~ 알고 싶은데요. 参考 'もん'의 꼴로도 씀.

⁑**もの**【もの·物】㊀图 1 것; 물건; 물체; 물질《구체적이며 감각적으로 포착되는 대상》. ¶~を大切にする 물건을 소중히 하다 / ~が不足する 물건이 부족하다 / 階段に~を置くのは危険だ 계단에 물건을 놓(아 두)는 것은 위험하다. ↔事. 2【もの】 무엇; (어떤) 일; 말; 물정; 사리《어떤 일·대상을 막연히 하는 말》. ¶~の勢い 일의 추세〔흐름〕 / 平和という~ 평화라는 것 / ~の道理 사물의〔일의〕 도리 / ~につけ事に触れ 무슨 일에나《사사건건》 / ~を思う 무엇을 (막연히) 생각하다 / ~を口にしない 아무 것도 입에 대지 않다〔말하지 않다〕 / ~も食べない 아무 것도 먹지 않는다 / ~には順序というものがある 일에는 순서라는 것이 있다 / 助かったなんていう~じゃない (이제) 살았구나 따위의 말은 하는 게 아니다. 3 물건; 인물; 문제《특별한 일 또는 훌륭한 상태》. ¶~にして見せる 물건다운〔쓸모있는〕 것으로 만들어 보이겠다. 4【もの】《'~の'의 꼴로》☞ものの. 5【もの】《'~だ' '~です'의 꼴로》 ㉠…하는 것이 보통이다; 해야 한다《당연히 또는 보편적으로 그렇게 됨을 나타냄》. ¶時計がとまっていた~だから 시계가 섰었기 때문에 지각하였다 / 人の話は聞く~です 남의 이야기는 들어야 합니다 / なんでも習っておく~だ 무엇이든 배워 두어야 한다. ㉡…싶다; …한 걸; …했었지《감동이나 희망·회상을 표시》. ¶いやな~だ 정말 싫은 걸; 싫구먼 / そうしたい~だ 그렇게 하고 싶은 걸〔싶구먼〕 / よく行った~だ 곧잘 가곤 했(었)지〔갔었지〕 / 早く見たい~だ 빨리 보고 싶은 걸 / 強くなった~だ 강하게 되었군; 튼튼해졌는 걸 / 最近は便利になった~だ 요즘은 편리하게 되었지. 6【もの】《'~がある'의 꼴로》…하는 바다; …한 것이다《강한 단정을 나타냄》. ¶友情はまことにうるわしい~がある 우정이란 참으로 아름다운 것이다.

㊁接頭《形容詞 등, 상태·심정을 나타내는 말 앞에 붙여》 어쩐지; 어딘지. ¶~悲しい 어쩐지 슬프다; 구슬프다 / ~寂しい 어쩐지 쓸쓸하다 / ~騒がしい 어쩐지 뒤숭숭하다; 어수선하다.

㊂接尾 1 것; 거리; …물; 하기. ¶買い

～ 물건사기; 쇼핑 / 時代～ 역사물 / アクション～ 액션물; 활극 / 聞き～ 들을거리. **2** 이상한 체험에 관한 상태를 나타냄. ¶ひやひや～ 아찔아찔하게 하는 것《극·영화 따위》; 스릴러물.

—がいる 돈〔비용〕이 들다.

—ともしない 문제삼지 않다; 아무렇지도 않게 여기다; 아랑곳하지 않다.

—にする **1** 제것으로 만들다. ㉠익혀 숙달하다; 습득하다. ¶英語を～ 영어를 습득하다. ㉡여자를 설복하다. **2** 목적을 달성하다. ¶勝利を～ 승리를 획득하다.

—に憑かれる 신들리다. ¶ものにつかれたように仕事に打ち込む 신들린 듯이 일에 열중하다.

—になる **1** 어엿한 인물이 되다; 버젓한 솜씨(의 소유자)가 되다. ¶将来ものになりそうだ (장래) 쓸모있는〔훌륭한〕 인물이 될 듯하다. **2** 예기한 결과대로 되다; 자기 뜻대로 되다; 성공하다. ¶もう少しで～ 조금만 더 하면〔힘쓰면〕 성공한다.

—には程がある 모든 사물에는 정도〔한도〕가 있는 법《극단을 경계한 말》.

—の弾み 사소한 계기; 그때의 추세〔분위기〕. ¶～でつまらぬことを言った (그때의) 분위기에 말려 쓸데없는 소리를 했다.

—は相談 **1** 일에는 (언제나) 의논이 제일이다. **2** 의논해 보자고 상대방에게 요청할 때의 말. ¶～だが 의논을 해 보고 싶어서 하는 말인데; 의논 좀 해 보고 싶은데.

—は試し 일은 해 보아야 안다《길고 짧은 것은 대 보아야 안다》.

—も言いようで角が立つ 아무것도 아닌 일도 말하기에 따라 상대방의 감정을 상하게 할 수 있다.

—を言う **1** 힘〔소용〕이 되다; 효과를 나타내다; 행세하다. ¶経験が～ 경험이 말을 한다 / …が大きく～ …이 크게 효과를〔효력을〕 나타낸다 / 金が～社会 돈이 행세〔좌우〕하는 사회. **2** 증거가 되다; 증명하다. ¶この手紙が～ 이 편지가 증명한다.

—を言わせる 그 일에 소용되게 하다; 위력을 발휘하게 하다; 쓸모있게 하다. ¶目に～ (a)눈으로 말하다〔알리다〕; (b)혼내 주다 / 金に～ 돈의 힘을 빌려〔발휘시켜〕 보통으로는 안 되는 일을 되게 하다.

⁑**もの【者】** 名 《객관적 표현이나 깔볼 때 씀》 자; 사람; 것. ¶お前のような～は… 너와 같은 자는… / 十八歳未満の～は入場を禁ず 18세 미만인 사람들은 입장을 금함 / そういう～はいない 그런 사람은 없다 / 山田という～です 山田라고 하는 사람입니다.

ものいい【物言い】 名 **1** 말씨; 말(투). ＝ことばづかい. ¶気にさわる～ 비위에 거슬리는 말투 / ～が柔らかだ 말씨가 부드럽다 / ～に品がない 말씨에 품위가 없다 / ～がきつい 말투가 과격하다. **2** 이의를 주장함; 그 이의; 언쟁. ¶～がつく 이의가 제기되다 / ～をつける 이의를 제기하다; 따지다.

ものい-う【物言う】 monoyū 5自 **1** 말하다. **2** 증명하다. ¶事実が～ 사실이 증명한다. **3** 힘·효과를 발휘하다. ¶最後は体力が～ 마지막에는 체력이 말한다〔좌우한다〕.

—花 말을 하는 꽃; 곧, 미인.

ものいみ【物忌み】 名 ス自 (불길하다고) 꺼려 피함; 금기; 특히, 재계(齋戒)함.

ものいり【物入り・物要り】 名ナ 비용이 드는 모양; 출비(出費). ¶何かと～が多い 이것저것 비용이 많이 든다 / ～なことが続く 비용〔돈〕이 드는 일이 계속되다.

ものいれ【物入れ】 名 **1** 물건을 넣어 두는 곳. ¶空き箱を～に使う 빈 상자를 물건 넣는 것으로 쓰다. **2** 호주머니.

ものう-い【物憂い】《懶い》 形 어쩐지 몸이 나른하고 마음이 내키지 않다〔울적하다〕; 께느른하다; 귀찮다. ¶～春の日 께느른한 봄날 / 何をするのも～ 무엇을 하는 것도 다 귀찮(기만 하)다.

ものうり【物売り】 名 도붓장사〔장수〕; 행상인. ¶～が来る 행상인이 오다.

ものおき【物置】 名 헛간; 곳간; 광. ＝納屋. ¶～小屋 헛간 / 農具を～に置く 농구를 헛간에 두다.

ものおじ【物おじ】《物怖じ》 名 ス自 겁을 냄; 겁을 먹음. ¶～しない子 겁이 없는 아이 / 人の前に出ても～しない 사람들 앞에 나가도 두려워 하지 않는다.

ものおしみ【物惜しみ】 名 ス自 물건을 주거나 쓰기를 아낌. ¶～して使わずにしまっておく 아까워서 쓰지 않고 간수해 두다 / ～もほどほどにしろ (다랍게) 아끼는 것도 정도껏 해라; 인색하게 구는 것도 좀 엔간히 해라 / 太っ腹だから～がない 배포가 커서 쩨쩨하지 않다.

ものおそろし-い【物恐ろしい】 形 어쩐지 두렵다; 어딘지 무섭다. ¶～形相 어딘지 무서운 형상〔모습〕.

ものおと【物音】 名 (무슨) 소리. ¶二階で変な〔怪しい〕～がする 이층에서 이상한〔수상쩍은〕 소리가 난다 / にわかに凄まじい～が聞こえた 갑자기 굉장한 소리가 들렸다.

ものおぼえ【物覚え】 名 **1** 기억(력). ¶～がいい〔悪い〕 기억력이 좋다〔나쁘다〕. **2** 배워 익힘. ¶～が速い 습득이 빠르다.

ものおもい【物思い】 名 (걱정으로) 깊은 생각에 잠김; 특히, 근심; 수심. ¶～にふける 생각에 골몰하다 / ～にしずむ 생각〔근심〕에 잠기다.

ものおも-う【物思う】 5自 이것저것 깊은 생각에 잠기다; 번민하다. ¶～年頃 번민할 나이.

ものか 連語 《連体形에 붙어서》 반문(反

問)이나 부정(否定)을 강하게 나타내는 말: …말이야; …할까보냐; …하나 (두고) 봐라; …할[일] 게 뭐야. ¶そんなこと知る～ 그런 것 알 게 뭐냐/君なぞに負ける～ 네까짓 것한테 질까보냐/さびしい～ 쓸쓸할 게 뭐야; 쓸쓸하긴 뭘/こわい～ 무서울 게 뭐야; 무섭긴 뭘/あんなやつにできる～ 저런 놈이 할 수 있을 게 뭐야/ばかにされてだまっていられる～ 바보 취급을 당하고 가만히 있을 수 있겠는가[없다]. 注意 스스럼없는 표현으로는 'もんか'.

ものかき【物書き】名 글을 잘 쓰는 사람; 글을 쓰는 것을 직업으로 하는 사람. ¶～に携わって三〇年 문필에 종사한 지 30년.

ものかげ【物陰】名 가리어서 보이지 않는 곳; 그늘. ¶賊が～にひそむ[身を隠す] 도둑이 보이지 않는 곳[그늘]에 숨다.

ものがた-い【物堅い】形 견실하다; 의리가 굳다; 조신하고 예의가 바르다; 올곧다. ¶～老人 의리가 있고 올곧은 노인/～·く信用できる人 견실하고 믿을 수 있는 사람.

***ものがたり**【物語】名 **1** 이야기(함); 또, 그 내용. ¶苦難の～ 고난의 이야기/聞くも悲しい～をする 듣기에도 슬픈 이야기를 하다. **2** 전설. ¶～で知られた所 전설로 이름난[알려진] 곳/湖にまつわる～ 호수에 얽힌 전설.

ものがた-る【物語る】5他 말하다. **1** 이야기(를)하다. ¶昔のことを～ 옛날 일을 이야기하다. **2** 비유적으로, (어떤 사실이 어떤 뜻을 저절로) 가리키다. ¶苦労を～顔のしわ 고생이 많았음을 말해 주는 얼굴의 주름살/上品な物腰が育ちのよさを～ 점잖은 태도가 가정 교육이 좋았음을 말해 준다.

ものがなし-い【物悲しい】形 어쩐지 슬프다; 구슬프다; 서글프다. ¶～秋の夕暮れ 서글픈 가을 해질녘/～顔をする 서글픈 얼굴을 짓다/秋は～季節だ 가을은 어쩐지 서글픈 계절이다.

ものかは〖物かは〗monokawa 連語 문제가 되지 않는다; 아무렇지 않다. ¶あらしも～決然として出発した 폭풍우도 아랑곳하지 않고 결연히 출발하였다/寒さも～川にとびこむ 추위도 아랑곳하지 않고 강으로 뛰어들다.

ものぐさ〖物臭·懶〗名ナ (무엇을 하기를) 귀찮아함; 또, 그런 성질의 사람; 게으름쟁이. ¶～太郎 게으름뱅이/～な人 게으른[귀찮아하는] 사람.

ものぐるおし-い【物狂おしい】形 미친 듯하다; 또, 미칠 것 같은 심정이다. ¶～思い 미칠 것 같은 심정/～踊りと音楽 광적인 춤과 음악/～·げに髪の毛をかきむしる 미친 듯이 머리카락을 쥐어뜯다.

モノクロ 名 ☞モノクローム. ↔カラー.

モノクローム[monochrome] 名 모노크롬; 흑백 사진[영화]. ＝モノクロ.

ものごい【物ごい】《物乞い》名ス自 **1** 구걸; 비렁질. ¶～して歩く 구걸하며 다니다. **2** 거지; 비렁뱅이. ＝こじき.

ものごころ【物心】名 철; 분별심. ¶～がつくころ 철이 들 때; 사춘기에 접어들 때/～のつかない内に父をうしなう 철이 들기 전에 아버지를 여의다.

ものごし【物腰】名 사람을 대하는 말씨[태도]; 언행. ¶落ち着いた～ 침착한 언행[태도]/～の柔らかい人 사근사근한 사람/～が上品である 언행이 품위가 있다/おだやかな～で応対する 온화한 태도로 응대하다.

****ものごと**【物事】名 물건과 일; 일체의 사물. ¶～に気をつける 여러 가지 일에 조심하다/すべての～はそんなものさ 모든 일은 다 그런 것이야/世の中の～はそう簡単ではない 세상 일은 그렇게 간단하지는 않다/～がすべて順調に運んでいる 모든 일이 순조롭게 진척되고 있다.

****ものさし**【物差し·物指し】名 자; 전하여, 척도; 잣대; 기준. ¶～で測る 자로 재다/考え方の～がちがう 생각의 기준이[척도가] 다르다/審査員の～は一様ではない 심사원의 척도[잣대]는 다 같지는 않다.

ものさびし-い【物寂しい】《物淋しい》形 어쩐지 쓸쓸하다; 호젓하다. ＝うらさびしい·ものさみしい. ¶冬の山[秋の夕暮れ]は～ 겨울 산[가을 황혼]은 쓸쓸하다.

ものさ-びる【物さびる】上1自 고색(古色)이 창연하다; 황폐해 있다. ¶～·びた寺院 고색창연한 사원.

ものさわがし-い【物騒がしい】形 **1** 떠들썩하다; 소란스럽다. ¶教室のなかはいつも～ 교실 안은 언제나 떠들썩하다. **2** (세상이) 어수선하다; 뒤숭숭하다. ¶～世の中 어수선한 세상.

ものしずか【物静か】ダナ **1** 고요함; 조용함. ¶～な古寺 조용한 고찰(古刹). **2** (언행이) 침착[차분]함. ¶～な態度[女] 침착한[차분한] 태도[여자]/～な性格 차분한 성격/～に話す 차분하게 말하다.

ものしらず【物知らず】名 사물[물정]을 모름; 무식함; 또, 그런 사람. ¶～にもほどがある 물정을 몰라도 유분수다.

ものしり【物知り】《物識り》名 박식함; 또, 그런 사람. ¶～振る 아는 체하다/彼はなかなかの～だ 그는 대단히 박식한 사람이다/彼の～には驚いた 그의 박식함에는 놀랐다.

——がお【——顔】名 박식한 체하는 얼굴. ¶～にしゃべる 아는 체하면서 떠들다.

ものずき【物好き】名ダナ (짐짓) 유별난 것을 좋아함; 또, 그런 사람; 호기심. ¶～な人 유별난 사람/君も～だね 자네도 호기심이 많군/この雨にでかけるとは～だ 이런 비를 맞고 나가다니

(참) 괴짜다.

***ものすご-い**【物すごい】《物凄い》 形 무섭다. 1 끔찍하다. ¶かみつきそうな~形相(ぎょうそう) 대들 것 같은 무서운 얼굴. 2 굉장하다; 대단하다; 지독하다. ¶~爆発音(ばくはつおん) 굉장한 폭발음 / ~人気(にんき)〔人出(ひとで)〕 굉장한 인기〔인파〕.

もの-する【ものする·物する】 サ変他 무엇인가를 하다; 행하다; 특히, 시(詩)나 문장을 쓰다. ¶大事業(だいじぎょう)を~ 큰 사업을 하다 / 一筆(いっぴつ)~ 몇 자 쓰다 / 小説(しょうせつ)を~ 소설을 쓰다 / 一冊(いっさつ)本(ほん)を~ 한 권의 책을 쓰다.

モノセックス [일 mono+sex] 名 유니섹스; 남녀 공통. =ユニセックス. ¶~ファッション 유니섹스 패션.

ものだね【物種】名 사물의 근원이 되는 것. ¶命(いのち)あっての~ 우선 목숨이 제일이다; 목숨을 잃고서는 이것도 저것도 아니다.

***ものたりな-い**【物足りない】形 어딘지 불만스럽다; 어딘가 부족하다. =ものたらない. ¶~説明(せつめい) 어딘지 미흡한 설명 / どこか~点(てん)がある 어딘가 부족한 점이 있다 / これだけの説明(せつめい)では~ 이 정도의 설명으로는 좀 부족하다 / ~気持(きも)ちがする 좀 미흡한 생각이 들다.

もので 連語 자기 행위에 대한 이유를 나타냄: …(이)므로; …때문에. ¶走(はし)ってきた~, 息(いき)がきれる 뛰어 왔기 때문에 숨이 차다 / 腹(はら)が立(た)った~, ついどなってしまった 화가 났기 때문에 그만 소리를 질러 버렸다 / いなか育(そだ)ちな~何(なに)もわからなくて… 시골에서 자랐기 때문에 아무 것도 몰라서….

モノトーン [monotone] 名ナ 모노톤; 단조(로움). =一本調子(いっぽんちょうし). ¶~な音楽(おんがく) 단조로운 음악.

モノドラマ [monodrama] 名 모노드라마; 배우 혼자 하는 연극; 1인극. =一人芝居(ひとりしばい).

ものとり【物取り】名 훔침; 도둑. =どろぼう·ぬすびと. ¶~に入(はい)られる 도둑이 들다; 도둑맞다 / ~の仕業(しわざ)だ 도둑의 짓이다.

ものなつかし-い【物懐かしい】形 어쩐지〔왠지 모르게〕 그립다.

ものなら 連語 《連体形에 붙어서》 1 가정(假定)의 조건을 나타냄: …면. =なら. ¶そんなことでいい~だれにでもできる 그런 정도로 좋다면 누구라도 할 수 있다 / やれる~やってみろ 할 수만 있으면 해봐라 / 行(ゆ)ける~行(い)ってみたい 갈 수만 있다면 가보고 싶다. 2《'う〔よう〕'를 받아서》 그것을 계기로 큰일이 일어날 것을 예상함을 나타냄: …(할) 것 같으면. ¶そんな事(こと)を言(い)おう~, ひどくおこるだろう 그런 말을 한다면 몹시 화를 낼 게다 / うそをつこう~, ただではおかない 거짓말을 한다면 그냥은 안 둔다.

ものな-れる【物慣れる】 下1自 《흔히 '~·れた'의 꼴로》 익숙해지다; 숙달되다; 세지(世智)에 능하다. ¶~·れた人(ひと) 세지에 능숙한 사람 / ~·れた態度(たいど)で 익숙한 태도로 / ~·れた手(て)つきで扱(あつか)う 익숙한 솜씨로 다루다.

ものの 〖物の〗 連語 1 대개; 약; 불과; 겨우. =およそ·だいたい·たかだか. ¶~五分(ごふん)とかからない所(ところ)にいる 불과 5분도 걸리지 않는 곳에 있다 / ~一日(いちにち)とおかずに仕上(しあ)げた 불과 하루도 걸리지 않고 끝냈다 / ~十分(じっぷん)もたたないうちにまたやって来(く)る 불과 10분도 안 되었는데 또 온다. 2 정말; 대단히; 매우. =いかにも·非常(ひじょう)に. ¶~見事(みごと)に成功(せいこう)した 정말 훌륭하게 성공했다. 3《連体形에 붙어서》 (어떤 일을) 하기는 하였지만; 그래도; 그렇지만. ¶やってみた~さっぱりおもしろくない 해보기는 했으나 통 재미가 없다〔신통치 않다〕 / 引(ひ)き受(う)けはした~どうしたらいいのか分(わ)からない (일을) 맡기는 했으나 어떻게 해야 좋을지 모르겠다.

もののあわれ 〖物の哀れ〗 名 1 어쩐지 슬프게 느껴지는 일. 2 자연이나 인간 세상에 관한 깊은 정감(情感); 정취. ¶~を知(し)る〔感(かん)ずる〕 사물의 정취를 알다〔느끼다〕.

もののかず【物の数】名 1 사람이나 물건의 수. 2 특별히 헤아릴 만한 가치가 있는 것. ¶~ともせず 대수롭지 않게 여기다; 문제시하지 않다 / ~にはいらない 축에도 못 든다; 대수롭지 않다; 아무런 값어치도 없다 / これ位(くらい)の雨(あめ)は~ではない 이 정도의 비는 문제가 안 된다〔아무것도 아니다〕.

もののけ 〖物の怪·物の気〗 名 사람을 괴롭히는 사령(死靈)·원령(怨靈); 귀신. ¶~に迷(まよ)う 귀신에게 홀리다 / ~に取(と)りつかれる 귀신들리다.

もののどうり【物の道理】名 사물의 이치; 도리; 사리. ¶~をわきまえない人(ひと) 사리〔이치〕를 모르는 사람.

もののみごとに【物の見事に】連語 매우 훌륭하게; 멋들어지게. ¶~出来(でき)あがる 매우 훌륭하게 되다〔완성되다〕.

ものび【物日】名 (특별한 행사가 있는) 축제일; 명절.

ものほし【物干し】名 빨래를 (널어) 말리는 일〔장소〕. ¶~綱(づな) 빨랫줄 / ~場(ば) 빨래 너는 곳 / ~台(だい) (지붕 위 등의) 빨래 건조대 / ~竿(ざお) 빨래 장대; 바지랑대.

ものほしげ【物欲しげ】ダナ ☞ものほしそう.

ものほしそう【物欲しそう】ダナ 몹시 갖고 싶어하는 모양; 욕심이 나는 모양. =ものほしげ. ¶~な顔(かお)をする 갖고 싶어하는 얼굴을 하다 / ~に見(み)いる 몹시 탐이 나는 듯 들여다보다.

ものまね【物まね】《物真似》 名ス他 흉내. ¶歌手(かしゅ)の~をする 가수(의) 흉내를 내다 / 彼(かれ)は~がうまい 그는 흉내를 잘 낸다 / ~で笑(わら)わせる (성대모사 등)

흉내를 내어 웃기다.

ものみ【物見】图 **1** 구경; 관광. ＝けんぶつ. ¶～に出かける 구경하러 가다〔나서다〕. **2** 척후; 경비; 파수. ¶～櫓 망루 / ～の兵 척후병 / ～を出す 척후를 내보내다.

—だか-い【—高い】形 호기심이 많다〔강하다〕; (무엇이든) 보고 싶어하다. ¶～人々 호기심이 많은 사람들 / ～は都の常〔癖〕 호기심 많은 게 서울나기의 버릇 / 事故現場には～群衆がおしかけた 사고 현장에는 구경 좋아하는 군중이 몰려들었다.

—ゆさん【—遊山】图 관광 유람. ¶～に出かける 유람하러 나가다.

ものめずらし-い【物珍しい】形 어딘지 신기하다; 진기하다. ¶～品物 신기한 물건 / ～·そうに見て歩く 신기한 듯이 보고 다니다 / 見るもの聞くもの何もかも～ 보는 것 듣는 것이 모두 다 신기하다.

ものもう-す【物申す】5自 **1** 말을 하다. ¶すっかり疲れてしまって～元気もない 너무 피곤해서 말할 기운도 없다. **2** 항의하다; 불평하다. ¶当局者に～ 당국자에게 항의하다.

ものもち【物持ち】图 **1** 재산가; 부자. ¶村一番の～ 마을에서 제일가는 부자. **2** 물건을 잘 다루어 오래 씀. ¶～がよい人 물건을 소중히 다루어 오래도록 쓰는 사람.

ものものし-い【ものものしい·物物しい】形 위엄이 있다; 어마어마하다; 장엄하다; 삼엄하다. ＝いかめしい·おもおもしい. ¶～警戒 삼엄한 경계 / ～いでたち 위엄 있는 행장〔몸차림〕.

ものもらい【物もらい】《物貰い》图 **1** 거지; 비렁뱅이; 걸인. ¶～が来た 거지가 왔다. **2** 다래끼. ＝麦粒腫. ¶～が出来る 다래끼가 나다.

ものやわらか【物柔らか】ダナ (태도 따위가) 모나지 않고 부드러움; 온화함. ¶～な紳士 온화한〔점잖은〕 신사 / ～に話す 부드럽게 말하다.

モノラル [monaural] 图 모노럴; (녹음·레코드 등에서) 입체 음향이 아닌 단음(單音)적 재생 방식. ¶～盤 모노럴판. ↔ステレオ.

モノレール [monorail] 图 모노레일; 단궤(單軌) 철도.

モノローグ [monologue] 图〔劇〕 모놀로그. **1** 독백. ↔ダイアローグ. **2** 일인극.

ものわかり【物分かり】图 사물의 이해(력). ＝のみこみ. ¶～が速い 이해가 빠르다 / ～がいい 잘 이해하다.

ものわかれ【物別れ】图 (의견 등의) 결렬. ¶交渉は～となった 교섭은 결렬되었다 / 団交は～に終わった 단체 교섭은 결렬된 채 끝났다.

ものわすれ【物忘れ】图 사물을 잊음; 건망; 실념(失念). ¶よく～をする 곧잘 잊어버린다 / ～が多くなる 건망증이 심해지다 / 近ごろ～がひどくなった 요즈음 건망증이 심해졌다.

ものわらい【物笑い】图 조소; 비웃음; 웃음거리. ¶世間の～ 세상의 비웃음거리 / ～の種になる 웃음거리가 되다 / とんだ～だ 큰 웃음거리다.

ものを 連語 **1**《문장 끝에 붙여서》 비통·애석(愛惜)·불만 등으로 탄식하는 말: …련만. ¶早く買ってくれればいい～ 빨리 사 주었으면 좋을 것을 / 返事ぐらいしたらよさそうな～ 대답 좀 하면 좋으련만. **2**《문장 속에 써서》 1과 같은 기분을 품은 반대되는 구의 접속에 쓰는 말: …것을; …(인)데. ¶一言謝ればいい～意地を張っている 한마디 사과하면 좋을 것을 고집 부리고 있다.

モバイルコンピューティング [mobile computing] 图〔컴〕 모바일 컴퓨팅; 휴대형 컴퓨터와 휴대전화 등을 조합(組合)해 어디서나 네트워크에 접속하는 일; 또, 그런 환경.

もはや〖最早〗副 벌써; 이미; 어느새; 이제와서는. ¶今となっては～遅すぎる 지금에 와서는 이미 너무 늦다 / ～間に合うまい 이젠 시간에 대지 못할 것이다; 이미 늦었을 것이다 / ～十二時だ 벌써 열두 시다 / ～手遅れだ 벌써 때가 늦었다 / ～打つ手がない 이제는 손쓸 도리가 없다.

****もはん**【模範】图 모범. ＝手本. ¶～生 모범생 / ～試合 시범 경기 / ～を示す 모범을 보이다 / 下級生の～となる 하급생의 모범이 되다.

—てき【—的】ダナ 모범적. ¶～な青年〔学生〕 모범적인 청년〔학생〕.

モビル [mobile] 图 모빌. **1** 움직이는 조각. **2** 'モビル油(＝모빌유)'의 준말. 注意 'モビール'라고도 함.

もふく【喪服】图 상복; 장례식 등에 입는 검정 예복. ¶～を着る 상복을 입다 / 黒い～に身を包む 검은 상복을 입다.

もほう【模倣】《摸倣》图ス他 모방. ¶～の天才 모방의 천재 / 他社の製品を～した品 타사 제품을 모방한 물건 / 単なる～にすぎない 단순한 모방에 불과하다. ↔創造·独創.

もまれる〖揉まれる〗連語 **1** (큰 힘에 의해) 이리저리 밀리다. ¶波に～小舟 파도에 이리저리 밀리는 작은 배. **2** (여러 사람들 사이에서) 시달리다; 부대끼다. ¶世間の荒波に～ 세상의 거친 풍파에 시달리다.

もみ〖樅〗图〔植〕(왜)전나무.

もみ〖籾〗图 **1** (겉겨를 안 떨어 낸) 벼; 뉘. ＝もみ米. ¶苗代に～を蒔く 모판에 볍씨를 뿌리다 / ご飯の中に～が交じっている 밥 속에 뉘가 섞여 있다. **2** 'もみがら(＝겉겨)'의 준말.

もみあ-う【もみ合う】《揉み合う》5自 서로 비비대다; 비비대기치다; 밀치락달치락하다; 특히, 서로 뒤얽혀 싸우다; 논쟁하다. ¶出入口で～ 출입구에서 밀치락달치락하다 / デモ隊と警官が

～ 데모대와 경관이 옥신각신하다.

もみあげ【もみ上げ】《揉み上げ》名 살쩍; 귀밑털; 빈모(鬢毛). ¶～を長くしている 살쩍을 길게 기르고 있다.

もみがら【もみ殻】《籾殻》名 겉겨; 왕겨; 등겨. ＝すりぬか·あらぬか. ¶果物の箱に～を詰める 과일 상자에 왕겨를 채워넣다.

もみくちゃ〖揉み苦茶〗名 ダナ **1** 몹시 구겨짐; 쭈글쭈글해짐. ＝もみくしゃ. ¶～の半紙 구겨진 반지/書き損じた紙を～にする 글씨를 잘못 쓴 종이를 구겨 버리다. **2** 북새통에 혼남. ¶満員バスで～になる〔される〕 만원 버스에서 몹시 비비대기치다.

もみけし【もみ消し】《揉み消し》名 (쉬쉬하며) 감춤; 은폐. ¶～工作 은폐 공작/事件の～を図る 사건의 은폐를 꾀하다.

もみけ-す【もみ消す】《揉み消す》5他 **1** (불을 손으로) 비벼 끄다; 뭉개어 끄다. ¶煙草の火を～ 담뱃불을 비벼 끄다. **2** 쉬쉬하여 수습하다. ¶うわさ〔スキャンダル〕を～ 소문〔스캔들〕을 쉬쉬하여 덮어 버리다/金をつかって事件を～ 돈을 써서 사건을 무마하다.

もみごめ【もみ米】《籾米》名 벼. ＝もみよね·もみ1.

***もみじ**【紅葉】名 ス自 단풍. ¶～の山 단풍든 산/～映える渓谷 단풍이 물든 계곡/顔に～を散らす (부끄러워서) 얼굴을 붉히다/秋の山は～して燃えるようである 가을 산은 단풍이 들어 타는 듯이 붉다. 「은 손.

―のような手 어린아이의 고사리 같

―がり【―狩り】名 단풍 구경; 단풍놀이. ＝もみじ見. ¶～に行く 단풍놀이 가다.

―マーク[mark] 名 75세 이상의 자동차 운전자를 보호하기 위해 차에 붙이도록 한 표지. ＝高齢者マーク〔標章〕. ⇨若葉マーク.

もみで【もみ手】《揉み手》名 두 손을 비빔《사과할 때 등의 동작》. ¶～をしながら頼む 손을 비비며 부탁하다.

もみほぐ-す〖揉み解す〗5他 **1** 응어리 따위를 주물러서 풀다. ¶肩のこりを～ 어깨 결린 것을 주물러서 풀다. **2** 기분을 완화시키다. ¶緊張を～ 긴장을 완화시키다.

***も-む**〖揉む〗5他 **1** 비비다. ㉠문질러 비비대다. ¶手を～ 손을 비비다/草の葉を～ 풀잎을 비비다. ㉡구기다. ¶紙を～·んで柔らかくする 종이를 비벼 부드럽게 하다. ㉢돌리다. ¶きりを～ 송곳을 비벼 뚫다/数珠を～·んで祈る 염주를 돌리며 기도하다. ㉣주무르다. ¶肩を～ 어깨를 주무르다〔안마하다〕/一つ～·んで差し上げましょう 어디 좀 주물러〔안마를 해〕 드리죠. ㉤비비대기치다. ¶込んだバスで～·まれた 붐비는 버스 속에서 비비대기쳤다. **2** (마음을) 졸이다; 애태우다. ¶気を～ 여러 모로 걱정하다/息子のことで気を～·んでいる 아들놈 문제로 애태우고 있다. **3** 논의를 거듭하다; 토의하다. ¶もう少し～·んでから結論を出すことにしよう 좀더 토의하고 결론을 내기로 하자. **4**《受動形으로》 시달리다. ¶世間に出て～·まれる 사회에 나가 (세파에) 시달리다. **5** (씨름·승부 등에서) 한 수 가르쳐 주다. ¶一丁～·んでやろう 그럼 한 수 가르쳐 주지. 可能 も-める 下1自

もめごと【もめ事】《揉め事》名 다툼; 싸움; 분쟁. ＝ごたごた·いざこざ·トラブル. ¶内輪の～ 내부〔집안〕 싸움; 내분/夫婦の間で～が絶えない 부부 사이에 승강이가 끊이지 않다/～に巻きこまれる 분쟁에 휘말리다.

も-める〖揉める〗下1自 **1** 분쟁이 일어나다; 분규가 일어나다; 옥신각신하다. ¶雇い主と職工との間で相当～·めた 고용주와 직공 사이에 꽤 옥신각신했다/また～·めてるな 또 옥신각신하고 있구나. **2**『気が～』 근심되어 마음이 조마조마하다. ¶間に合うかどうか気が～ 시간에 댈 수 있을지 어떨지 마음이 조마조마하다.

***もめん**【木綿】名 무명(실); 면직물. ¶～糸 무명실/～物を着ている 무명옷을 입고 있다.

モメント[moment] 名 모멘트. **1** 계기; 동기. ＝きっかけ. **2** 순간. 注意 'モーメント'라고도 함.

もも【桃】名〔植〕 복숭아(나무). ¶～の木 복숭아나무/～の花 복숭아꽃.

もも〖股〗名 넓적다리; 대퇴. ＝大腿. ¶内～ 허벅지/太～ 허벅다리.

ももいろ【桃色】名 도색. **1** 분홍빛. ¶～の肌 분홍빛 살갗. **2**〈俗〉 남녀의 음란한 교제. ¶～遊戯 도색 유희.

もものせっく【桃の節句】連語 삼짇날《여자아이들을 위해 인형을 장식함》. ＝上巳の節句·ひな祭り.

ももひき〖股引き〗名 **1** 통이 좁은 바지 모양의 (남자용) 의복《속옷 또는 농부·인력거꾼 등의 작업복》. **2** 잠방이. ＝さるまた·さるももひき.

ももやまじだい【桃山時代】名 16세기 후반 豊臣秀吉가 정권을 잡고 있던 시대. ⇨安土桃山時代.

ももわれ【桃割れ】名 16-17세 가량의 소녀 머리 모양의 하나《머리채를 좌우로 고리처럼 갈라붙여 뒤꼭지에서 묶고 살쩍 부분을 부풀림》.

[桃割れ]

ももんが〖鼯鼠〗名〔動〕 하늘다람쥐.

もや〖靄〗名 연무(煙霧); 안개. ¶朝～ 아침 안개/～がかかる〔晴れる〕 안개가 끼다〔걷히다〕/～が立ち込める 안개〔연무〕가 자욱하게 끼다.

もや〖母屋〗名 **1** 집에서 주가 되는 방;

안방. ↔ひさし1. **2** 집의 중심이 되는 부분; 몸채. ＝おもや.

もやい〖催合い〗図 공동으로 일을 함; 공동으로 소유함〔사용함〕. ¶物を～で使う 물건을 공동으로 사용하다/二世帯が～で台所をつかう 두 가구가 공동으로 주방을 사용하다.

もや-う〖舫う〗5他 배를 서로〔육지에〕 붙들어 매다. ¶舟を川岸に～ 배를 강가에 붙들어 매다.

もやし〖萌やし〗図 곡물을 그늘에서 싹틔운 식품《콩나물·숙주나물·엿기름 따위》. ¶豆～ 콩나물.

―っこ【―っ子】図 (도시의) 가냘픈 어린이; 허약아.

*__もや-す__【燃やす】5他 불태우다. ¶ごみを～ 쓰레기를 태우다/情熱〔闘志〕を～ 정열을〔투지를〕 불태우다.

もやもや 一副 **1** 아지랑이가 낀 것처럼 몽롱한 모양; 연기 따위가 엷게 오르는 모양. ¶湯気で～として見えない 김으로 흐릿해 보이지 않다/湯気が～とあがる 김이 무럭무럭 오르다. **2** 마음이 개운찮고 떨떠름한 모양. ＝もやくや. ¶～(と)した気分 개운찮은 기분.
二図 개운치 못한 감정; 맺힌 데; 응어리. ＝わだかまり. ¶誤解が解けて心の～が晴れる 오해가 풀려 마음속의 응어리가 가시다/ふたりの間には～が残っている 두 사람 사이에는 떨떠름한 무엇이 남아 있다.

＝もよい〖催い〗《名詞에 붙어》 사물의 징조가 보임; 낌새; 기미. ¶雨〔雪〕～の空 비가〔눈이〕 올 듯한 날씨.

もよう【もよう·模様】図 **1 무늬; 도안. ¶花～ 꽃무늬/～編み 무늬뜨기/はでな～ 화려한 무늬/水玉～ 물방울 무늬/人生～ 인생이 옷감의 무늬처럼 다양하고 복잡함의 비유. **2** 모양; 상황; 동정(動靜). ¶空～ 날씨/当時の～を話した 당시의 상황을 말했다/行って町の～を見て来よう 가서 거리의 동정을 살펴보고 오자.

―がえ【―替え】図ス他 사물의 짜임새나 생김새를 바꿈. ¶計画の～ 계획의 변경/部屋を～する 방의 가구 배치 등을 바꾸다/停車場が～した 정거장이 새로 단장되었다.

もよおし【催し】図 **1** 주최; 회합; 모임; 행사. ＝催し物. ¶成人式〔歓迎〕の～ 성인식〔환영〕 행사/県の～で競技会を開く 현 주최로 경기 대회를 열다/～がある 모임이 있다. **2** 〈雅〉 (어떤 생리 작용이 일어날) 징조; 기미. ¶産気の～ 해산 기미; 산기.

もよおしもの【催し物】図 (사람을 모이게 해서 여는) 여러 가지 모임이나 연예 따위; 행사. ＝イベント. ¶秋には～が多い 가을에는 각종 행사가 많다.

もよお-す【催す】5他 **1** 개최하다; 열다. ¶身障児のためにチャリティーショーを～ 신체 장애 아동을 위해 자선 쇼를 열다〔개최하다〕. **2** ㉠불러일으키다. ¶信心〔食欲〕を～ 믿음〔식욕〕을 불러일으키다. ㉡느끼다. ¶寒気を～ 추위를 느끼다/吐き気を～ 구역질이 나다. ㉢마렵다. ¶便意を～ 변이 마렵다. ㉣자아내다. ¶涙を～ 눈물을 자아내다.

もより【最寄り】図 가장 가까움; 근처. ¶～の薬局 근처 약국/～の駅 가장 가까운 역.

もらいご【もらい子】《貰い子》図 얻어다 기르는 자식; 양자. ＝もらいっこ. ¶～をする 양자로 삼다.

もらいぢち【もらい乳】《貰い乳》図 남의 젖을 얻어 먹임; 또, 그 젖; 동냥 젖. ¶～をする 동냥 젖을 얻어 먹이다. 注意 'もらいちち'라고도 함.

もらいて【もらい手】《貰い手》図 얻어 가는 이. ¶嫁に～がない 색시로 데려갈 임자가 없다/子猫の～をさがす 고양이 새끼를 가져갈 사람을 찾다. ↔くれ手.

もらいなき【もらい泣き】《貰い泣き》図ス自 (남의 슬픔을 동정하여) 같이 욺; 덩달아 욺. ¶思わず～をする 자기도 모르게 따라 울다.

もらいび【もらい火】《貰い火》図 유소(類燒); 연소(延燒)《남의 집 불로 자기 집이 탐; 또, 그 불》. ＝類焼.

もらいもの【もらい物】《貰い物》図 남에게 얻은〔받은〕 물건. ¶～をする 물건을 얻다/～に苦情を言うものでない 남한테 얻은 물건을 갖고 이러니저러니 불평하는 게 아니다.

もらいゆ【もらい湯】《貰い湯》図 남의 집 목욕탕에서 목욕하는 일. ¶～をする 남의 집 목욕탕에서 목욕하다/隣家へ～に行く 이웃집에 목욕하러 가다.

もら-う〖貰う〗5他 얻다. **1 (선물 따위를) 받다; 얻다. ¶みやげを～ 선물을 받다/年金を～っている人 연금을 타고 있는 사람/手紙を～ 편지를 받다/休暇を～ 휴가를 얻다/この机はぼくが～ 이 책상은 내가 갖는다. 参考 겸손한 말씨로 'いただく·ちょうだいする·たまわる' 따위가 있음. **2** 집으로 맞아들이다. ¶嫁を～ 아내〔며느리〕를 맞아들이다. **3** 인수하다; 맡다. ¶この勝利は～った 이 승리는 맡아 놨다〔내것이다〕/身柄を～い受ける 신병을 인수하다/そのけんかはおれが～った 그 싸움은 내가 맡았다《중재해 주겠다》. ⇔やる·くれる. **4** 《動詞連用形＋助詞 'て'를 받아》 그것에 의해서 이익을 얻는 뜻을 나타냄: (누구에게서) …을 받다; (상대방이) 해 주다. ¶教えて～ 가르침을 받다/助けて～ 구조를〔도움을〕 받다/医者にみて～ 의사한테 진찰을 받다/頭を刈って～いたい 머리를 깎고 싶다〔깎아 주시오〕/お前に行って～おう 네가 가 줬으면 좋겠다/静かにして～えませんか 조용

히 해 줄 수 없겠습니까. ↔やる. [可能] もら-える [下1自]

***もら-す**【漏らす】《洩らす》[5他] **1** 새나오게 하다. ㉠흘러나오게 하다. ¶水も～·さぬ警戒 물샐틈없는 경계 / 明かりを～な 불빛이 새게 하지 마라. ㉡누설하다; 입 밖에 내다. ¶秘密を～ 비밀을 누설하다 / 不平を～ 불평을 하다 / ため息を～ 한숨을 내쉬다 / 本音を～ 본심을 털어놓다 / 不満を～ 불만을 토로하다. **2** (오줌을) 지리다. ¶子供が小便を～ 아이가 오줌을 지리다. **3** 놓치다. ¶犯人〔魚〕を～ 범인을〔고기를〕 놓치다 / 一人も～·さず捕らえる 한 사람도 놓치지 않고 체포하다. **4** 빠뜨리다; 빼먹다. ¶三字～ 석 자 빼먹다 / 要点を～ 요점을 빠뜨리다 / ささいなことも～·さない 사소한 것도 빠뜨리지 않다.

モラトリアム [moratorium] 图 〖經〗 모라토리엄; 지불 유예.

—にんげん【—人間】图 모라토리엄 인간; 사회적인 의무·책임을 유예 받기를 바라고 책임 있는 당사자가 되는 것을 싫어하는 소비형의 인간.

モラリスト [moralist] 图 모럴리스트; 도덕가.

モラル [moral] 图 모럴; 윤리·도덕. ¶封建的な～ 봉건적인 모럴 / ～に欠ける 모럴이 결여되어 있다.

—ハザード [moral hazard] 图 모럴 해저드; 도덕적 위험; 윤리의 결여.

***もり**【森】图 수풀; 삼림. ¶～路 숲길 / ～の都 숲의 도시 / ～の中をさまよう 숲 속을 헤매다 / 木を見て～を見ず 나무를 보고 숲을 못 보다.

もり〖銛〗图 작살. ¶～で突く 작살로 찌르다.

もり【守り】图 지키는 일〔사람〕; 특히, 아기 보는 사람. ¶灯台～ 등대지기 / 墓～ 묘지기 / 子供の(お)～をする 아기를 보다.

もり【盛り】图 **1** (그릇에) 담음; 담은 정도. ¶飯の～がいい 밥을 수북이 담다. **2** 'もりそば(＝메밀국수)'의 준말. ↔かけ(そば·うどん).

***もりあが-る**【盛り上がる】[5自] **1** 부풀어오르다; 솟아오르다. ¶筋肉が～·った腕 근육이 불거진 팔 / 地震で土地が～ 지진으로 땅이 솟아오르다. **2** (소리·기세 등이) 높아지다; 고조되다. ¶意欲が～ 의욕이 솟아나다 / 大衆の意見が～ 대중의 의견이 비등하다 / 人気が～ 인기가 드높아지다 / 世論が～ 여론이 비등하다〔고조되다〕.

もりあ-げる【盛り上げる】[下1他] **1** 쌓아올리다; 수북이 쌓다〔담다〕. ¶土を～ 흙을 쌓아올리다 / 盆にみかんを～ 쟁반에 귤을 수북이 담다. **2** (기세·분위기 등을) 돋우다; 고조시키다. ¶気分を～ 기분을 돋우다 / 雰囲気を～ 분위기를 고조시키다 / 士気を～ 사기를 북돋우다.

もりあわせ【盛り合わせ】图 〖料〗 한 그릇에 여러 가지 요리를 모아 담음; 또, 그렇게 한 것. ¶～定食 모듬 정식 / 刺身の～ 모듬회.

もりあわ-せる【盛り合わせる】[下1他] (한 그릇에) 여러 가지 식품을 담다.

もりかえ-す【盛り返す】[5他] (한번 약해진 세력을) 회복하다; 만회하다. ¶勢力〔人気〕を～ 세력을〔인기를〕 만회하다 / 失敗した後で～ 실패한 뒤에 다시 만회하다 / 元気を～ 원기를 회복하다.

もりがし【盛り菓子】图 (신불(神佛)에 바치는) 수북이 담은 과자.

もりきり【盛り切り】图 (밥 따위) 그릇에 담은 것뿐이고, 추가가 없음; 또, 그 담은 것. ＝もっきり. ¶～のごはん (몇 번씩 더 담아 주지 않는) 한 그릇뿐인 밥.

もりこ-む【盛り込む】[5他] **1** 그릇에 음식을 (가득) 담다. ¶どんぶりに飯を～ 사발에 밥을 담다. **2** 여러 종류의 것을 함께 담다; 어떤 생각을 내용에 포함시키다. ¶多彩な内容を～ 다채로운 내용을 담다 / 両者の意見を～ 양자의 의견을 함께 수용하다.

もりそば【盛りそば】《盛り蕎麦》图 대발을 깐 작은 나무 그릇에 담은 메밀국수 《양념 국물을 찍어 먹음》. ＝もり. ↔かけそば.

もりだくさん【盛りだくさん】《盛り沢山》[ダナ] 수북이 담겨져 있음; 내용이나 분량이 많음. ¶～の〔な〕行事 다채롭게 꽉 짜여진 행사.

もりた-てる【もり立てる】《守り立てる》[下1他] **1** 돌보아 제구실하게 하다; 육성시키다; 도와서 높은 지위에 앉히다. ¶若い社長を～ 젊은 사장을 돌보아 제구실을 하게 하다 / 野手全員で投手を～ 야수 전원이 투수를 지원하다. **2** 부흥〔회복〕시키다. ¶没落した家を～ 몰락한 집안을 다시 일으켜 세우다 / 会社をもう一度～ 회사를 다시 한 번 부흥시키다.

もりつけ【盛り付け】图 (음식을) 보기 좋게 담음; 또, 그 음식. ¶皿に～をする 접시에 음식을 보기 좋게 담다.

もりつ-ける【盛り付ける】[下1他] 음식을 쟁반 따위에 보기 좋게 담다. ¶種々の刺身を～ 여러 가지 생선회를 그릇에 보기 좋게 담다.

もりつち【盛り土】图[ス自] 성토; 대지 조성 등에서, 일정한 높이로 흙을 쌓아 돋우는 일; 또, 그 흙.

もりばな【盛り花】图 (꽃꽂이에서) 꽃바구니나 수반(水盤)에 여러 가지 꽃을 수북하게 꽂는 방법; 또, 그 꽃.

モリブデン [도 Molybdän] 图 〖化〗 몰리브덴《금속 원소의 하나; 기호: Mo》.

もりもり 副 **1** (단단한 것을) 왕성하게 먹는 모양: 와작와작; 우두둑우두둑. ¶～食べる 왕성하게 먹다. **2** 세차게 하는 모양: 버쩍버쩍. ¶～(と)実力が

つく 부쩍부쩍 실력이 늘다 / ~勉強する 전력을 다해 공부하다. **3** 부풀어오른 모양: 울퉁불퉁. ¶筋肉が~している 근육이 울퉁불퉁 솟아 있다.

***も-る**【漏る】《洩る》5自 (액체 따위가) 새다. =漏れる. ¶水が~バケツ 물이 새는 양동이 / 天井から雨が~ 천장에서 비가 새다.

***も-る**【盛る】5他 **1** 높이 쌓아 올리다. ¶砂〔土〕を~ 모래를〔흙을〕 쌓아 올리다. **2** ㉠(그릇에) 많이 담다. ¶飯を~ 밥을 수북하게 담다. ㉡넣다; 담다. ¶新味を~ 새 맛을 넣다. **3** 약을 조제하다; 독을 타서 먹이다. ¶食物に毒を~ 음식물에 독약을 타다 / 一服~ 독약을 한 봉지 타서 먹이다.

モルタル [mortar] 图〔化〕 모르타르; 시멘트와 모래를 물에 갠 건축 재료.

モルト [malt] 图 몰트; 위스키 따위의 원료인 맥아(麥芽)·엿기름.

モルヒネ [네 morphine] 图〔化〕 모르핀. =モヒ. ¶~中毒 모르핀 중독.

モルモット [프 marmotte] 图〔動〕 **1** 모르모트; 기니피그의 속칭《번식률이 좋으므로 의학 실험용으로 쓰임》. 参考 '마모트'의 오칭(誤稱). **2** 비유적으로, 실험 재료. ¶~にされる (본의 아니게) 실험 재료가 되다.

もれ【漏れ】《洩れ》图 샘; 빠짐; 누락; 탈락. =ぬけ·おち. ¶水〔ガス〕~ 물이〔가스가〕 샘 / 記入に~がある 기입에 누락이 있다.

もれき-く【漏れ聞く】5他 주워듣다; 간접적으로 듣다. ¶~ところによれば 얻어들은 바에 의하면.

もれなく【漏れなく】副 빠짐없이; 모두; 죄다. =残らず. ¶全員~参加する 전원 빠짐없이 참가하다 / ~記入する 빠짐없이 기입하다 / どの家にも~配る 어느 집에나 빠짐없이 도르다〔배부하다〕.

***も-れる**【漏れる】《洩れる》下1自 **1** (물·빛 따위가 틈새나 구멍으로) 새다. ¶水が~ 물이 새다 / 日が木の間を~ 햇빛이 나무 사이로 비치다 / 話し声が~·れてくる 말소리가 새나오다. **2** 빠지다; 누락되다. ¶選に~ 선발에서 빠지다 / 要点が~ 요점이 빠지다 / 名簿から名前が~ 명부에서 이름이 빠지다 / 抽選に~ 추첨에 떨어지다. **3** (비밀 따위가) 누설되다. ¶秘密が~ 비밀이 새다 / うわさが世間に~ 소문이 세상에 새나가다.

***もろ-い**〘脆い〙形 **1** 무르다; 부서지기〔깨지기〕 쉽다. ¶刃が~ 날이 무르다 / 骨が~ 뼈가 약하다 / 瀬戸物は~ 사기 그릇은 깨지기 쉽다. ↔かたい. ⇨もろくも. **2** (마음이) 여리다; 약하다. ¶情に~ 정에 여리다〔약하다〕 / 涙に~ 눈물을 잘 흘리다. ↔強い.

もろくも〘脆くも〙副 맥없이; 간단히. ¶~だまされる 어이없게 속다 / ~敗れ去る 맥없이〔어처구니없이〕 패해 달아나다 / ~一回戦で敗れる 어처구니없이 일회전에 지다.

もろこし〘蜀黍〙图〔植〕 수수. =もろこしきび·とうきび·こうりゃん.

もろざし【もろ差し】《諸差し·両差し》图 (씨름에서) 양팔을 상대의 양 겨드랑이에 질러넣음; 또, 그 수(手).

もろて【もろ手】《諸手·両手》图 양손. ¶~を挙げて賛成する 쌍수를 들어 찬성하다 / ~で捧げる 양손으로 바치다. ↔片手.

もろとも〘諸共〙图 **1** 함께함. ¶死なば~ 죽을 바엔 함께 죽음 / 父子~(に)検挙される 부자가 함께 검거되다 / 人馬~谷に墜落した 인마가 함께 골짜기에 추락했다. **2**《名詞와 합하여 副詞적으로》 그와 함께. ¶かけ声~投げ倒す 기합 소리와 함께 메어치다.

もろに 副〈俗〉 **1** 완전히; 근본부터. =完全に·根から. ¶~負ける 완전히 지다; 완패하다 / ~腐っている 근본부터 완전히 썩어 있다 / ~ひっくり返った 완전히 뒤집혔다. **2** 정면으로; 직접. =まともに·じかに. ¶北風を~受ける 북풍을 맞받다 / ~ぶつかる 정면으로 부딪다 / 水を~かぶる 물을 정면으로 뒤집어쓰다 / 不況のあおりを~受ける 불황의 여파를 직접 받다.

もろは【もろ刃】《諸刃·両刃》图 양날; 또, 양날의 칼. =両刃. ↔片刃.
—の剣 쌍날의 칼《유용〔유리〕하기도 하고 위험〔불리〕하기도 함의 비유》. =両刃の剣.

もろはだ【もろ肌】《諸肌·両肌》图 양 어깨〔웃통〕의 살갗. ↔片肌.
—(を)脱ぐ 웃통을 벗어 젖히다; 전하여, 전력을 다하여 일하다. ¶もろ肌を脱いで応援する 전력을 다해 응원하다.

もろびと【もろ人】《諸人》图〈雅〉 여러 사람; 모든 사람; 일동. ¶讃えよ~よ 찬양하라 모든 사람들이여.

もろみ〘諸味·醪〙图 전국; 거르지 않은 술·간장. ¶~酒 거르지 않은 술.

もろもろ〘諸諸〙图《흔히 '~の'의 꼴로》 여러 가지 (많은); 가지가지; 많은 것. ¶~の病 갖가지 병 / ~の関係者 여러 관계자 / ~の説がある 여러 가지 (많은) 설이 있다 / ~の賞を受ける 여러 가지 많은 상을 받다.

もん 終助〈俗〉 'もの'의 전와(轉訛): …걸; …한데. ¶知らないんだ~ 모르는걸 / だって, 誰も行かないんだ~ 하지만 아무도 가지 않는 걸.

もん【紋】图 **1** 무늬. ¶雨滴が水面に~を描く 빗방울이 수면에 무늬를 그리다. **2** 문장(紋章); 가문(家紋). ¶~をつける 가문을 표시하다.

****もん**【門】一图 **1** 문. ㉠대문; 출입문. ¶石の~ 돌 문 / ~を開く 문을 열다 / ~をとざす〔閉める〕 문을 닫다 / ~をくぐる (몸을 구부리고) 문을 빠져나가

다. ㉡(사물이) 통과하여야 할 곳. ¶せまき～ 좁은 문. **2** 예도(藝道)·학문 등에서, 스승의 집; 또, 그 계통의 유파·일파; 같은 문하생. ¶M先生の～に遊ぶ M선생 문하에서 배우다 / 高名な画家の～より出る 고명한 화가의 문하에서 나오다. 二接尾 대포를 세는 말: …문. ¶大砲三～ 대포 3문.

—を叩く (스승이 될 사람을 찾아가) 제자〔문하생이〕 되기를 청하다.

=もん【文】《수를 나타내는 한자어에 붙어서》…문. **1** 옛날 돈의 단위: 푼. ¶一～無し 한 푼도 없음; 빈털터리. **2** 양말·신 따위의 문수. ¶十～半のくつ 10문 반의 구두.

=もん【問】 …문; 질문·문제의 뜻. ¶第一～ 제1문.

もん〖門〗 教2 モン かど | 문 문 | **1** 문; 대문. ¶門柱 문기둥 / 門番 문지기. **2** 같은 문하생; 동문. ¶門人 문인 / 同門 동문.

もん〖紋〗 常用 モン | 문 무늬 | **1** 무늬. ¶指紋 지문 / 紋様 문양. **2** 문장(紋章). ¶紋服 가문을 넣은 일본 예복 / 家紋 가문.

もん〖問〗 教3 モン とう とい とん | 문 물다 | **1** 묻다. ¶質問 질문 / 問題 문제. ↔答. **2** 방문하다; 찾아가다. ¶訪問 방문 / 慰問 위문.

もんえい【門衛】 名 문지기; 수위. =門番.

もんか【門下】 名 문하(생); 제자. =門人. ¶～生 문하생 / 彼はP氏の～だった 그는 P씨의 문하생이었다.

もんか 連語 〈俗〉 ☞ものか. ¶そんな事知る～ 그런 것 알 게 뭐야.

もんがい【門外】 名 문외. **1** 문 밖. ¶～で待つ 문 밖에서 기다리다. **2** 전문 외.

—かん【—漢】 名 문외한. ¶～のくせに 문외한인 주제에 / 法律に関しては～だ 법률에 관해선 문외한이다.

—ふしゅつ【—不出】 名 문외불출. ¶～の名画 문외불출〔비장〕의 명화.

もんがまえ【門構え】 名 대문을 세움; 또, 그 구조. ¶～が立派だ 대문이 으리으리하다.

モンキー [monkey] 名 멍키. **1**〔動〕 원숭이. ¶～センター 원숭이 보호 지구. **2** 'モンキーレンチ'의 준말.

—レンチ [monkey wrench] 名 멍키 렌치. =モンキースパナ.

もんきりがた【紋切り型】 名 판〔틀〕에 박힌 양식. ¶～のあいさつをする 틀에 박힌 인사를 하다.

***もんく【文句】** 名 **1** 문구. ¶～を練る 글귀를 다듬다 / しゃれた～を思い付く 멋진 문구를 생각해 내다 / 歌の～を覚える 노래 가사를 외우다. **2** 불평; 이의. ¶～はない 이의는〔불만은〕 없다; 할 말 없다 / ～有るか 할 말〔이의〕 있나 / ～を言うな 이의를 달지 마라.

—無し 무조건; 불평·불만 따위를 할 여지가 없음. ¶～の出来 나무랄 데 없이 잘 됨 / ～に賛成する 무조건〔이의 없이〕 찬성하다 / ～に面白い 더할 나위 없이 재미있다.

—をつける 트집 잡다; 불평을 말하다; 이의를 달다; 시비를 걸다. ¶何かにつけ～ 걸핏하면 트집 잡는다.

もんげん【門限】 名 밤에 문 닫는 시각; 폐문 시각; 외출자가 돌아와야 하는 시각. ¶～に遅れる 문 닫을 시각에 대지 못하다 / ～を守る 외출자가 돌아와야 하는 시각을 지키다 / ～までには帰る 폐문 시간까지는 돌아온〔간〕다.

もんこ【門戸】 名 문호. **1** 출입구. ¶～開放 문호 개방 / ～をとざす 문호를 닫다《부외자의 출입을 엄격히 제한하다》. **2** 일가(一家); 자기류; 일파. ¶～を成す〔張る〕 일가를 이루다.

—を開く 문호를 개방하다. ¶世界に～ 세계에 문호를 개방하다.

もんさつ【門札】 名 문패. =表札. ¶～をかける 문패를 달다〔걸다〕.

もんし【門歯】 名〔生〕 문치; 앞니.

もんし [悶死] 名 ス自 〈文〉 민사; 고민하다가 죽음. =もだえ死に. ¶良心の呵責に悩んで～する 양심의 가책을 받아 고민하다가 죽다.

もんじ【文字】 名 ☞もじ.

もんじゅ【文殊】 名〔佛〕 '文殊菩薩(=문수보살)'의 준말; 지혜를 맡은 보살. ¶三人寄れば～の知恵 세 사람이 모이면 문수보살의 지혜(가 나온다).

もんじょ【文書】 名 문서; 서류. =ぶんしょ. ¶古～ 고문서.

もんしょう【紋章】 名 문장. ¶桐の～ 오동나무 잎을 그린 문장 / 菊の御～ 일본 황실의 문장.

もんしろちょう 〖紋白蝶〗 名〔蟲〕 배추흰나비.

もんしん【問診】 名 ス他〔醫〕 문진. ↔視診·聽診·触診·打診.

もんじん【門人】 名 문인; 문하생; 제자. =門下生·弟子.

モンスーン [monsoon] 名〔氣〕 몬순; 동남아시아에 부는 계절풍.

モンスター [monster] 名 몬스터; 괴물.

もんせき【問責】 名 ス他 문책. ¶きびしい～を受ける 엄한 문책을 받다 / 係の失策を～する 담당자의 실책을 문책하다.

もんぜき【門跡】 名〔佛〕 **1** 한 종파의 으뜸이 되는 절 또는 승려. **2** 특히, 本願寺 주지의 속칭. **3** 황족이나 귀족의 자제가 출가하여 그 법통을 전하고 있는 절; 또, 그 절의 주지.

もんぜつ [悶絶] 名 ス自 민절; 괴로운 나머지 기절함. ¶あまりの痛さに～する 너무나 아픈 나머지 기절하다.

もんぜん【門前】 名 문전; 문 앞.

—市を成す 문전성시; (드나드는 이가 많아) 문전에 저자를 이루다.

—の小僧習わぬ経を読む 절간 문전의 가겟집 사환이 배우지 않은 경문

을 왼다((서당개 삼 년에 풍월 짓는다)).
—ばらい【—払い】图 문전축객. ¶～を食わせる 문간에서 쫓아 버리다/～を食う 문간에서 쫓겨나다.
—まち【—町】图 중세 말 이후에, 신사·절 앞에 이루어진 시가(市街)((伊勢신궁 앞의 伊勢 시 따위)).
—やっきょく【—薬局】图 병원 근처에 자리잡고, 주로 그 병원의 처방전만을 대상으로 하는 조제 약국.
モンタージュ [프 montage] 图ス他 몽타주. ¶犯人の～写真 범인의 몽타주 사진.
**もんだい【問題】图 문제. ¶～児 문제아(동)/～点〔作〕 문제점〔작〕/～と答え 문제와 해답/～の多い論文 문제가 많은 논문/やっかいな～ 귀찮은 문제/～を出す〔解く〕 문제를 내다〔풀다〕/失言を～にする 실언을 문제삼다/またもや～を起こす 또 문제를 일으키다/それとこれとは別～だ 그것과 이것과는 별문제다.
—にならない 문제가 되지 않는다; 하찮다. ¶あいつなんか～よ 저 따위 놈은 문제도 아니다.
—いしき【—意識】图 문제 의식. ¶～が足りない 문제 의식이 없다.
もんち【門地】图 문지; 문벌; 가문. ＝家柄·家格. ¶～が高い 문벌이 높다/～争いをする 문벌 싸움을 하다.
もんちゃく〖悶着〗图ス自 말썽; 물의; 분쟁. ¶一～起こす 한바탕 말썽을 일으키다/遺産をめぐって～が起こる 유산을 둘러싸고 분쟁이 일어나다/両者の間にはまだ～が治まらない 양자 간에는 아직 분쟁이 수습되지 않고 있다.
もんちゅう【門柱】图 (대문의) 문기둥. ＝もんばしら. ¶～に名札をかける 문기둥에 문패를 달다.
もんつき【紋付き】图 가문(家紋)을 넣은 일본 예복. ＝紋服. ¶～の羽織 가문을 넣은 羽織.
もんで 連語 ☞もので. ¶忙しかった～つい忘れてしまった 바빴기 때문에 그만 잊어버렸다.
もんてい【門弟】图 문하생; 제자. ＝弟子·門人·門下.
もんと【門徒】图 문도. **1** 문인(門人); 제자. **2**〖佛〗신도.
もんとう【門灯】图 문등; 문에 단 등. ¶～をとりつける 문등을 달다.
もんどう【問答】图ス自 문답. **1** 물음과 답. ¶禅～ 선문답/～をかわす 문답을 주고받다. **2** 말다툼; 논쟁. ¶押し～ 입씨름/～無用 문답 무용((다툴 필요가 없음))/押し～の末 옥신각신 끝에/君と～している暇はない 자네와 논쟁할 시간은 없네.
もんどころ【紋所】图 가문(家紋); 그 집에 정해진 문장. ＝定紋.
もんどり〖翻筋斗〗图 공중제비; 텀블링. ＝宙返り·とんぼがえり.
—を打つ 공중제비하다. ＝もんどり「打つ.
もんない【門内】图 문내; 대문 안. ¶～に入るべからず 문 안에 들어오지 마시오. ↔門外.
もんなし【文無し】图 빈털터리; 무일푼. ¶財布をすられて～になる 지갑을 소매치기당해 빈털터리가 되다.
もんばつ【門閥】图 문벌. ¶～政治 문벌 정치/～の出で気位が高い 명문가 출신으로 자부심이 세다/～に頼って勢力を張る 문벌에 의지하여 세력을 뻗치다.
もんばん【門番】图 문지기; 수위. ¶～小屋 문지기 집; 파수막.
もんぴ【門扉】图 문비; 문짝; 대문. ¶～を閉ざす 대문을 닫다.
もんぴょう【門標】图 ☞もんさつ.
もんぶかがくしょう【文部科学省】图 문부 과학성((우리나라의 교육 인적 자원부와 과학 기술부에 해당함)).
もんぶしょう【文部省】图 문부성((2001년 1월 文部科学省로 개편됨)).
もんぺ 图 (농촌·산촌에서) 밭일을 할 때나 겨울에 방한(防寒)용으로 입는 일종의 바지((주로, 여성용)). ＝もんぺえ·もんぺい. ⇨カルサン.
もんめ【匁】图 척관법에 의한 무게의 단위: 돈; 돈쭝((관(貫)의 1000분의 1; 3.75g)). ＝め.
もんもう【文盲】图 문맹. ＝あきめくら. ¶無学～ 무학문맹.
もんもん〖悶悶〗トタル 민민; 몸부림치며 괴로워하는 모양. ¶～の情 몹시 애타는 심정/～とした日々 번민하는 나날/一夜を～として明かす 한 밤을 몸부림치며 지새우다/～として眠れない 괴로워서 잠을 잘 수가 없다.
もんよう【文様·紋様】图 문양; 무늬(의 모양). ＝模様.

や ヤ

1 五十音図 'や行'의 첫째 음. [ya] 2〔字源〕'也'의 초서체《かたかな 'ヤ'는 '也'의 초서체의 생략》.

や【八】图 1 여덟; 팔. ¶五六七~ 다섯 여섯 일곱 여덟 / 七転び~起き 칠전팔기.

*や【矢】《箭》图 1 화살. ¶弓に~をつがえる 활에 화살을 메기다 / ~を放つ〔射る〕 화살을 쏘다 / ~のようにはやい 쏜살 같다. 2 재목이나 돌을 쪼개는 데 쓰는 쐐기. 3 힐책·공격 등의 방향. =ほこさき. ¶質問の~を浴びせる 질문의 화살을 퍼붓다.

──の如し 매우 빠름의 비유. ¶光陰~ 세월의 흐름은 화살과 같다.

──の催促 성화같은 재촉. ¶金を返せと~だ 돈을 갚으라고 성화같이 재촉한다.

──も楯もたまらず 애가 타서 가만히 있을 수 없다. ¶~彼女に会いに行った 애간장이 타 견딜 수 없어서 그녀를 만나러 갔다.

や【家】图 집. ¶二階~ 이층집 / 空き~ 빈 집 / 我が~ 우리 집 / この~のあるじ 이 집의 주인 / ~鳴り震動 집이 울리는 진동.

や【野】图 1 들; 벌판. =の·のはら. ¶未開の~ 미개척의 들판 / とらを~に放つ 범을 들판에 풀어놓다《위험 인물을 방치하다》/ ~を開き耕す 들을 개간하여 일구다〔경작하다〕. 2 야; 민간. ¶~にありて正道を正す 야에 있으면서 정도를 바로잡다. ↔朝.

──に下る 1 하야(下野)하다. 2 여당에서 야당으로 돌다. ¶自民党がとうとう~時がきた 자민당이 마침내 야당이 될 때가 왔다.

や〔輻〕图 바퀴살. =やぼね·スポーク.

や【屋】接尾《흔히, 名詞에 붙어》1 그 직업을 가진 집〔사람〕; (경멸하는 뜻으로) 전문가. ¶魚~ 생선 장수〔가게〕/ 八百~ 채소 가게〔장수〕/ とうふ~ 두부 가게〔장수〕/ 政治~ 정상배; 정치꾼 / 技術~ 기술자 / 何でも~ 여러가지를 취급하는 가게〔사람〕; 만물상. 2 남을 깔보아 부를 때에 쓰는 말: 쟁이; 꾼. ¶やかまし~ 잔소리꾼 / 千三つ~ 복덕방쟁이; 허풍선이 / わからず~ 고집쟁이; 벽창호 / お天気~ 기분파; 변덕쟁이. 3 옥호(屋號)·아호 등에 붙이는 말. ¶木村~ 木村 상점.

=や 사람을 부르는 데 밑에 붙여서 친밀감을 나타냄. ¶ばあ~ 할멈 / じい~ 할아범 / ねえ~ 누나; 언니 / 坊~ 아가《남자》.

や 感 놀랐을 때, 또는 남을 부를 때 내는 말: 야; 아《흔히 남성이 씀》. ¶~, おじさん 아, 아저씨 / ~, あそこに来る 야, 저기 온다 / ~, 元気かい 어이, 잘 있었나 / ~, しまった 어, 큰일 났다 / ~, 弱ったな 거 참, 곤란한데. ⇨やあ.

や ㊀副助《体言 또는 이에 준하는 'の(=것)'에 붙어》열거하는 데 씀: …며; …이랑; …이니; …(하다)느니. ¶赤いの~青いの 빨간 것이랑 파란 것 / パン~ジュースを買う 빵이랑 주스를 사다 / あれ~これ~と文句を言う 이러니저러니 하고 잔소리를 하다.

㊁間助 1 영탄(詠歎)의 뜻을 나타냄: 야; 야; 여; 이여. ¶そんな事知らない~ 그런 것 모른단 말야. 2 (동년배·수하에게) 가벼운 권유·재촉의 뜻을 나타냄: …하세; …하지. ¶もう帰ろう~ 이젠 가세 / さあ, 行こう~ 자, 가자꾸나 / 早く行け~ 빨리 가지 / もうやめよう~ 이제 그만두세. 3 자신에게 타이르는 듯한 기분을 나타냄: …한데. ¶君が行かなきゃつまらない~ 자네가 가지 않는다면 재미가 없는데 / こりゃあ, すごい~ 이건 대단하군. 4 사람을 부르는 데 씀: 아; 야. ¶花子~ 花子야 / 太郎~ちょっとここへおいで 太郎야 이리 좀 오너라. 5 가벼운 단정을 나타냄: 아; 한데. ¶まあいい~ 어쨌든 좋아〔괜찮아〕; 이제 됐어 / これはいい~ 이것은 좋은데. 6《副詞 등에 붙여》뜻을 강조함: …야말로; 바로; 틀림없이. ¶今~情報化時代である 바야흐로 정보화 시대다 / 必ず~, そうなるだろう 필연코 그렇게 될 것이다.

㊂係助《動詞 連体形+'や(いなや)'의 꼴로》…하자 곧; …하자마자. ¶それを見る~, 泣きだした 그걸 보자마자 울기 시작했다 / この知らせに接する~(いな~)救援に出動した 이 소식에 접하자마자 구원하러 출동했다.

や〚夜〛教2 ヤ よ よる | 야 밤 | 밤. ¶夜間 야간 / 夜景 야경 / 深夜 심야. ↔昼.

や〚野〛教2 ヤ の | 야 들 | 1 들; 벌판. ¶野外 야외 / 野営 야영. 2 야성적이다. ¶野生 야생 / 野獣 야수. 3 야; 민간. ¶野党 야당 / 朝野 조야. ↔朝.

やあ 感 사람을 부를 때 또는 놀랐을 때에 내는 말: 야. ¶~, しばらく 야, 이거 오래간만일세 / ~, たいへんだ 야, 큰일이다〔큰일났다〕/ ~, これは珍しい 야, 이것 신기한데.

やあい 感 조롱하거나 멀리서 부르는 소리: 야; 어이. ¶泣き虫~ 울보야 / ~いくじなし, 야, 겁쟁이 / ~, ざまあみろ 야, 꼴 좋다.

ヤード [yard] 图 야드《1야드는 3피트, 약 91.4cm ; '碼' 로도 씀》.
やあやあ 感 가볍게 인사할 때 내는 말《남자가 씀》: 야; 이어. ¶～, 元気げんきかい 야, 잘 있(었)나.
ヤール 图 직물 길이의 단위: 마(碼). 参考 'yard' 를 네덜란드어식(式)으로 읽은 와음(訛音).
やい ⊟感 〈俗〉 사람을 막되게 부르는 말. ¶～, 小僧こぞう 야, 꼬마야 / ～, だれかいないか 야, (거) 누구 없느냐 / ～, でくの坊ぼう 야, 등신아. ⊟終助 다정하게 또는 얕잡아 부르는 말. ¶三郎さぶろう～ 三郎야 / 弱虫よわむし～ 겁쟁이야.
やいなや 〖や否や〗 連語 《動詞의 終止形에 붙여》 1 …하자 마자; …하기가 무섭게. ¶起おきる～飛とび出だした 일어나자 마자 뛰쳐나갔다. 2 …인지 아닌지〔어떤지〕. ¶来くる～はわからない 올지 안 올지는 모른다 / 価値かちがある～疑問ぎもんだ 가치가 있는지 없는지 의문이다.
やいのやいの 副 집요하게 재촉받는 모양: 바짝바짝. =やいやい. ¶～(と)泣なきせびる 우는소리를 하면서 바짝바짝 보채다〔조르다〕 / ～と催促さいそくする 바득바득 독촉하다.
やいば 〖刃〗 图 날붙이; 칼. =はもの. ¶敵てきの～に倒たおれる 적의 칼에 쓰러지다.
―に掛かかる 칼에 맞(아 죽)다.
―に掛ける 칼로 베어 죽이다.
―を交まじえる 칼을 가지고 싸우다.
やいやい ⊟感 〈俗〉 사람을 막되게 부르는 말: 야야《'やい' 의 힘줌말》. ¶～, 気きをつけろ 야야, 조심해 / ～, どこへ行ゆくんだ 야야, 어딜 가느냐.
⊟副 ☞ やいのやいの.
やいん【夜陰】图 야음. ¶～に乗じょうずる〔紛まぎれる〕 야음을 (틈)타다.
やえ【八重】图 1 여덟 겹으로 겹침; 또, 그것. ¶七重ななえのひざを～に折おる (a) 예의를 다해 사과하다; (b) 간절히 부탁하다. 2 ☞ やえざき.
―ざき【―咲き】图 꽃잎이 여러 겹으로 겹쳐 핌; 또, 그 꽃; 천엽(千葉). =やえ. ¶～の椿つばき 여러 겹꽃잎의 동백나무.
―ざくら 〖―桜〗 图 〔植〕 천엽벚나무. =ぼたんざくら.
―ば【―歯】图 덧니. =添そい歯ば·鬼歯おにば. ¶～がかわいい 덧니가 귀엽다.
やえい【夜営】图ス自 야영; 밤에 진영을 치고 묵음.
やえい【野営】图ス自 야영; 야숙; 노숙. =野宿のじゅく·キャンプ. ¶～訓練くんれん 야영 훈련 / ～地ち 야영지 / 砂漠さばくで～する 사막에서 야영하다.
やえん【野猿】图 야생 원숭이. ¶～狩がり 야생 원숭이 사냥.
やお【八百】图 1 팔백. =はっぴゃく. 2 《흔히 接頭語적으로 쓰이어》 수(數)가 아주 많음을 의미하는 말.
―ちょう【―長】图 짬짜미; 미리 짜고서 하는 엉터리 승부. =なれあい·いんちき. ¶～試合じあい 엉터리〔협잡〕 경기 / ～をする 미리 짜고 협잡질을 하다.
―や【―屋】图 1 야채 장수; 푸성귀 가게. =青物屋あおものや. 2 깊지는 않으나 두루 조금씩 아는 사람.
―よろず〔―万〕图 〈雅〉 수가 아주 많음. ¶～の神かみ 모든 신; 뭇 신들.
やおもて【矢面】图 화살이 날아오는 정면; 공격〔질문·비난〕이 집중하는 정면; 진두(陣頭).
―に立たつ 비난·질문 따위를 정면으로 받는 처지에 놓이다. ¶抗議こうぎ〔非難ひなん〕の矢面に立たたされる 항의〔비난〕의 방패막이가 되다.
やおら 副 서서히; 천천히; 유유히. =おもむろに. ¶～立たち上あがって 유유히 일어서서 / ～身みを起おこす 천천히 몸을 일으키다.
やかい【夜会】图 야회; 특히, 서양식 밤의 연회. ¶～でダンスを踊おどる 야회에서 댄스를 추다.
―ふく【―服】图 야회복《남자는 연미복이나 턱시도, 여자는 이브닝드레스》.
やがい【野外】图 야외; 옥외. ¶～コンサート 야외 콘서트 / ～活動かつどう (학생의) 야외 활동 / 都塵とじんを離はなれて, ～の空気くうきを吸すう 도시의 먼지나 번잡함을 벗어나 야외 공기를 마시다.
やがく【夜学】图 야학; 야학교. ¶～生せい 야학생 / ～に通かよう 야학에 다니다.
やかず【家数】图 집의 수; 호수(戶數). =いえかず. ¶～もわずか十軒じっけん足たらず 호수도 고작 열 채도 안됨.
やかた【屋形】图 1 《館》 〈雅〉 (귀인의) 저택; 숙소. 2 '屋形ぶね' 의 준말.
―ぶね【―船】图 지붕이 있는 놀잇배. =やねぶね.
*やがて 〖軈て〗 副 1 얼마 안 있어; 머지않아; 곧; 이윽고; 그럭저럭. ¶～来くるだろう 머지않아〔곧〕 올 테지 / ～一年いちねんになる 이럭저럭 1년이 된다 / ～時計とけいが12時じゅうにじを打うった 이윽고 시계가 12시를 쳤다. 2 즉; 곧; 바로; 결국은. ¶日々ひびの努力どりょくが～実みを結むすぶ 하루하루의 노력이 결국은 결실하게 된다.

**やかまし-い 〖喧しい〗 形 1 시끄럽다. ㉠ 떠들썩하다; 요란스럽다. ¶～, 静しずかにしろ 시끄럽다, 조용히 해라 / ～·く宣伝せんでんする 요란스럽게 선전하다 / テレビ〔泣なき声こえ〕が～ 텔레비전이〔우는 소리가〕 시끄럽다. ㉡성가시다; 까다롭다. ¶～規則きそく 까다로운 규칙 / 食たべ物ものに～人ひと 음식에 까다로운 사람 / 手てつづきが～ 절차가 번거롭다 / 警察けいさつが～ 경찰이 까다롭다. 2 잔소리가 심하다; 꾀까다롭다. ¶～おやじ 잔소리 많은 아버지. 3 엄하다. ¶～しつけ 엄한 예의범절 교육.
やかましや【やかまし屋】《喧し屋》图 잔소리꾼; 까다로운 사람. =うるさ型がた. ¶～の夫おっと 잔소리가 심한 남편 / 校長こうちょうは定評ていひょうのある～だ 교장은 정평

있는 잔소리꾼이다.

やから 图 1《輩》 도배(徒輩); 패거리. ¶ 不逞の～ 불령지배(不逞之輩) / 無頼の～ 불량배들. 2《族》〈雅〉 일족. ＝うから. ¶ うから～ 일가친척.

=やが-る 밉거나 멸시하는 자의 동작을 막된 말로 하거나 경멸의 뜻을 나타내는 데 씀. ¶ ぬかし～ 지껄여대다 / 食べ～ 처먹다 / すましてい～ 새침 떨고 있다 / 何をし～んだ 무슨 짓을 하는 거야.

***やかん**【夜間】图 야간. ¶ ～学校 야간 학교; 야학(교) / ～営業〔試合〕 야간 영업〔경기〕. ↔昼間.

—ぶ【—部】图 (학교의) 야간부.

***やかん**〖薬缶〗图 1 주전자. ¶ ～を火にかける 주전자를 불 위에 올려놓다 / ～で湯を沸かす 주전자로 물을 끓이다. 2〈俗〉'やかん頭(＝대머리)'의 준말.

やき【焼き】图 1 구움; 구운 것〔정도〕. ¶ ～がいい 잘 구워졌다 / ～が悪い 잘 구워지지 않았다. 2 (날붙이의) 불림; 담금질. ＝やきいれ. ¶ ～が甘い 담금질이 덜 되다.

—が回る 둔해지다; 늙어빠지다; 노쇠하다. ¶ 彼もだいぶやきが回った 그도 꽤 무디어졌다.

—を入れる 1 (쇠를) 불리다; 담금질하다. 2 달구치다; 또, 제재·린치·고문을 가하다. ¶ 生意気な後輩に～ 건방진 후배를 혼내 주다.

やき【夜気】图 1 야기; 밤의 (찬) 공기. ¶ ひんやりした～にあたる 싸늘한 밤공기를 쐬다. 2 밤의 조용함; 또, 그 기분. ¶ ～が迫る 밤의 정적이 밀려오다.

やぎ〖山羊〗图〔動〕 염소.

やきあが-る【焼き上がる】5自 잘 구워지다; 완전히 구워지다. ¶ パンがふっくらと～ 빵이 몽실몽실하게 구워지다.

やきあ-げる【焼き上げる】下1他 잘 굽다; 구워 내다. ¶ パン〔菓子〕を～ 빵을〔과자를〕 구워 내다.

やきあみ【焼き網】图 석쇠. ¶ ～でもちをやく 석쇠로 떡을 굽다.

やきいも【焼き芋】图 군고구마. ＝お芋 いも.

やきいれ【焼き入れ】图ス他 담금질. ↔ やきもどし.

やきいろ【焼き色】图 식품을 구웠을 때 겉에 생기는 빛깔. ¶ ～をつける 노릇노릇하게 되도록 굽다.

やきいん【焼き印】图 소인(燒印); 낙인. ＝らくいん. ¶ ～を押す 낙인을 찍다.

やきうち【焼き討ち】图ス他 화공. ＝火攻め. ¶ ～をかける 화공하다 / 城を～する 성을 화공하다.

やきき-る【焼き切る】5他 1 달구어서 끊다. ¶ 針金を～ 철사를 달구어서 끊다. 2 죄다 태우다. ¶ 戦火が町を～ 전화가 거리를 잿더미로 만들다.

やきぐし【焼きぐし】《焼き串》图 구이에 쓰는 꼬챙이. ¶ ～に刺す 구이꼬챙이에 꿰다.

やきごて【焼きごて】《焼き鏝》图 인두 (바느질·머리 손질·낙화(烙畫)용). ¶ ～を当てる 인두질을 하다.

やきざかな【焼き魚】图 구운 생선.

やきす-てる【焼き捨てる】下1自 태워서 버리다; 태워 없애다. ¶ 古い手紙を～ 오래 된 편지를 태워 버리다.

やきそば【焼きそば】《焼き蕎麦》图 튀김국수; 삶은 국수를 기름에 튀긴 요리.

やきたて【焼き立て】图 갓〔막〕 구움. ¶ ～の魚 갓 구운 생선 / ～のほやほや 갓 구워 따끈따끈하고 말랑말랑한 모양.

やきつぎ【焼き接ぎ】图ス他 깨진〔이빠진〕 도자기를 잿물로 때우고 구워 붙임.

やきつ-く【焼き付く】5自 1 타다; 태운〔구운〕 흔적이 남다. ＝やけつく·こげつく. ¶ ～ような夏の日ざし 타는 듯한 여름 햇살 / モーターが～ 모터가 타다. 2 뇌리에 새겨지다; 강렬하게 인상지어지다. ¶ 印象が胸に～ 인상이 가슴에 깊이 새겨지다 / 目に～ 눈에 강렬하게 새겨지다.

やきつけ【焼き付け】图 1〔寫〕 인화(印畫). ＝プリント. 2 도자기에 유약으로 무늬를 그린 다음 가마에 넣어 굽는 일. ＝上絵付け.

やきつ-ける【焼き付ける】下1他 1 달군 쇠를 눌러 자국을 내다; 낙인을 찍다. ¶ 樽に印を～ 나무통에 표지를 낙인하다. 2 뇌리에 새기다; 강한 인상을 주다. ¶ その場の光景が脳裏に～·けられる 그 때 광경이 뇌리에 새겨지다.

やきどうふ【焼き豆腐】图 불에 쬐어서 구운 두부.

やきとり【焼き鳥】图 닭고기 꼬치구이 (소·돼지 따위의 고기나 내장을 대신 쓰기도 함). ¶ ～屋 꼬치구이집.

やきなおし【焼き直し】图ス他 1 다시 구움〔구운 것〕. ¶ 魚の～はまずい 다시 구운 생선은 맛이 없다. 2 남의 작품이나 자기의 구작(舊作)을 좀 고쳐 신작인 양 가장함; 또, 그 작품; 재탕. ¶ この小説はバルザックの～だ 이 소설은 발자크의 모작(模作)이다.

やきにく【焼き肉】图 불고기. ¶ ～定食 불고기 정식.

やきのり【焼きのり】《焼き海苔》图 구운 김; 맛김.

やきば【焼き場】图 1 태우는 곳; 소각장. 2 화장(火葬)터. ＝火葬場.

やきばた【焼き畑】《焼き畠》图 화전. ＝火田·やきはた·やいばた. ¶ ～農業 화전 농업.

やきはら-う【焼き払う】5他 깡그리 태워버리다. ¶ 市街を～ 시가를 다 태워버리다 / 戦火に～·われた町 전화로 불타 버린 거리.

やぎひげ〖山羊鬚·山羊髭〗图 염소수염(을 기른 사람). ¶ ～を蓄えた人 염소수염〔긴 턱수염〕을 기른 사람.

やきまし【焼き増し】图ス他〔寫〕 복사; 추가 인화. ¶ この写真をもう三枚～してください 이 사진을 석 장 더 인화해 주세요.

やきめし【焼き飯】图 (중국 요리의) 볶음밥. =いりめし·チャーハン.
やきもき 副 애가 타서 안달하는 모양: 안달복달. ¶～(と)気をもむ 안절부절 못하고 애달아하다 / ひとりで～している 혼자서 안달복달하고 있다 / 時間に遅れはしないかと～した 시간에 늦지 않을까 하고 조바심했다.
やきもち【焼きもち】《焼き餅》图 1 구운 떡. 2 질투; 샘; 시기. ¶妻の～には参ったよ 아내의 질투에는 두 손 들었어.
──を焼く 질투하다.
──やき【──焼き】图 질투가 심한 사람.
やきもの【焼き物】图 1 도자기·도깨그릇의 총칭. ¶～師 도공 / ～薬 유약; 잿물. 2 (생선·닭고기 따위의) 구이 요리. ¶尾頭つきの～ 머리와 꼬리가 달린 통째의 생선구이.
*やきゅう【野球】图 야구. =ベースボール. ¶～場 야구장 / ～の試合 야구 경기 / ～見物 야구 구경 / 高校～ 고교 야구 / プロ～ 프로 야구.
──ぼう【──帽】图 1 야구(할 때 쓰는) 모자. 2 챙이 달린 운동모자. 「ン.
やぎゅう【野牛】图〔動〕들소. =バイソ
やきょく【夜曲】图 야곡; 세레나데.
やきん[冶金] 图 야금. ¶～学 야금학 / ～術 야금술.
やきん【夜勤】图スル自 야근; 야간 근무. ¶～手当 야근 수당 / 皆で～をする 다 함께 야근을 하다. ↔日勤.
やきん[野禽] 图 야금; 들새. =野鳥. ↔家禽.
**や-く『妬く』5他 질투하다; 시새우다. ¶ひどく～ 몹시 질투하다 / やきもちを～ 질투하다 / あいつ～·いてるぜ 녀석 질투하고 있네 / ～のもほどほどにしろ 질투하는 것도 정도껏 해라.
**や-く【焼く】5他 1 태우다. ¶ごみを～ 쓰레기를 태우다 / 戦争で家を～ 전쟁으로 집을 태우다 / 日光で背中を～ 햇볕에 등을 그을리다. 2 애태우다. ¶身を～恋 애타게 그리는 사랑 / 恋に胸を～ 사랑으로 가슴을 태우다; 사랑으로 애태우다. 3 ㉠불에 굽다. ¶炭を～ 숯을 굽다《만들다》/ 魚を～ 생선을 굽다 / 瀬戸物を～ 도자기를 굽다《만들다》. ㉡(사진을) 인화(印畫)하다. =やきつける. ¶写真を名刺判で三枚～ 사진을 명함판으로 석 장 인화하다. 4 달구다. ¶火ばしをまっかに～ 부젓가락을 새빨갛게 달구다. 5 지지다. ¶硝酸銀で～ 질산은으로 (환부를) 지지다.
やく【厄】图 1 액; 재난; 재앙. ¶～を払う 액을 물리치다 / とんだ～にあう 뜻밖의 재앙을 만나다. 2 '厄年(=액년)'의 준말. ¶来年が～だ 내년이 액년이다 / ～が明ける 액년이 지나다.
**やく【役】㊀图 1 직무; 직책; 소임. ¶～に就く 취임하다 / ～を退く 퇴임하다 / ～が勤まらない 직무에 부적격이다. 2 역할; 구실. ¶仲人の～をつとめる 중매역(할)을 하다 / 仲裁の～を買って出る 중재 역할을 맡아 나서다 / ～が回ってくる 역할이〔차례가〕돌아오다. 3 (연극 등에서) 배역. ¶斬られ～ 칼로 베임을 당하는 역 / ～になりきる 완전히 극중 인물이 되다 / ～を振る 역을 배정하다. 4 (화투·마작·카드놀이 등에서) 약(約). ¶～ができる 약이 나다. ㊁接尾 …역. ¶相談～ 상담역 / 取締～ 이사(理事).
──に立つ 쓸모가 있다; 도움이 되다. ¶～人物 유용한 인물.
*やく【約】㊀图 약속; 약정. ¶～を結ぶ 약정을 맺다 / ～をかわす 약속을 주고받다 / ～に反する 약정에 위배되다 / ～を果たす 약속을 이행하다.
㊁副 약; 대략. =およそ·ほぼ. ¶～五か年 약 5개년 / ～二倍に増える 약 두 배로 증가하다.
やく【訳】图 역; 번역. ¶英文に～をつける 영문에 번역을 붙이다〔달다〕/ へたな～だ 서투른 번역이다.
やく『葯』图〔植〕약; 꽃밥.
やく【薬】㊀图 〈俗〉 마약. ¶～が切れた 마약 기운이 떨어졌다.
㊁接尾 약; 약제. ¶胃腸～ 위장약.
ヤク [yak] 图〔動〕야크《소과의 짐승》.
やく〖厄〗常用 ヤク わざわい | 액 재앙 | 액; 재앙. ¶厄日 액일 / 災厄 재액.
やく〖役〗教3 ヤク エキ | 역 일 임무 | 1 주어진 임무; 직분. ¶役人 관리 / 代役 대역. 2 정부가 부역을 과하다. ¶役務 역무 / 賦役 부역.
やく〖約〗《約》教4 ヤク つづめる つづまやか | 약 대략 | 1 약정. ¶約款 약관 / 契約 계약. 2 줄이다; 간단히 하다. ¶集約 집약 / 約分 약분.
やく〖訳〗《譯》教6 ヤク わけ | 역 통변하다 | 번역하다. ¶訳読 역독 / 誤訳 오역 / 意訳 의역.
やく〖薬〗《藥》教3 ヤク くすり | 약 약 | 약. 1 약제. ¶薬草 약초 / 薬物 약물. 2 화학적 변화를 일으키게 하기 위해 정제된 재료. ¶薬品 약품 / 火薬 화약.
やく〖躍〗《躍》常用 ヤク おどる はねる | 약 뛰다 | 뛰어오르다. ¶躍動 약동 / 躍進 약진 / 跳躍 도약.
*やぐ【夜具】图 침구(寢具). ¶～を畳む 침구를 개(키)다.
*やくいん【役員】图 역원; 임원; 중역. ¶自治会の～ 자치회 임원 / ～を選挙する 임원을 선거하다.
やくおとし【厄落とし】图スル自 액막이; 액때움; 수떰; 또, 그 방법. =厄払い. ¶～に寺に参拝する 액때움으로

절에 참배하다.

やくがい【薬害】图 약해; 의약품·농약에 의한 해. ¶~訴訟 약해 소송/作物が~を受ける 농작물이 약해〔농약 피해〕를 입다.

やくがえ【役替え】图ス他 직책을 바꿈; 전임(轉任). ¶力量を考えて~する 역량을 고려해서 직책을 바꾸다.

やくがく【薬学】图 약학. ¶~を専攻する 약학을 전공하다.

やくがら【役がら·役柄】图 **1** 직무〔배역〕의 성질. =役向き. ¶~上, やむを得ない 직무상 부득이하다/~をこなす 배역을 잘 해내다. **2** 직무; 직분. ¶~が合う 직무가 어울리다/~を重んずる 직분을 존중하다.

やくげん【約言】一图ス他 약언; 요약해서 말함; 또, 그 말. ¶旨趣を~すれば 취지를 요약해서 말하면. 二图 약속한 말. ¶~をたがえる 약속한 말을 어기다.

やくご【訳語】图 역어. ¶生硬な~ 생경한〔딱딱한〕 역어/~が適切でない 역어가 적절하지 못하다. ↔原語.

やくざ 名ナ **1** 너절함. ¶~な人間 쓸모없는 인간/~な物ばかり売る 너절한 물건만 팔다. **2** 정당한 직업을 갖지 않고 생활함; 또, 그 사람; 불량배; 깡패; 건달; 노름꾼. =やくざ者. ¶~から足を洗う 깡패 생활에서 발을 빼다. 参考 三枚라는 노름에서 '八(=여덟 끗)' '九(=아홉 끗)' '三(=세 끗)'의 수가 나오면 지게 된 데서 나온 말. ↔かたぎ.

やくざい【薬剤】图 약제. ¶~散布 약제 살포/~耐性 약제 내성.

—し【—師】图 약(제)사.

やくさつ[扼殺]图ス他 액살; (손으로) 목을 졸라 죽임. ¶~屍体 액살 시체/~された跡がある 목졸려 살해된 흔적이 있다. ⇨絞殺.

やくさつ【薬殺】图ス他 독살. ¶狂犬を~する 미친 개를 독살하다.

やくし【薬師】图〔佛〕약사(《'薬師如来(=약사여래)'의 준말》).

やくし【訳詩】图 역시; 시의 번역; 번역시. ¶~集 역시집.

やくし【訳詞】图 역사; 외국 가사의 번역; 또, 그 가사. ¶シャンソンの~ 샹송의 역사.

*__やくしゃ__【役者】图 **1** 배우; 광대. ¶千両~ 천냥짜리〔매우 뛰어난〕 배우/大根~ 서투른 배우/~になる 배우가 되다; 무대에 서다. **2**〈俗〉처세에 능하고 수완이 있는 사람. ¶あいつはなかなかの~だ 저 녀석은 대단한 수완가다.

—が一枚上 인물·능력 등이 한결 나음〔한 수 윗길임〕. =役者が上.

—がそろう 필요한 인물이〔산전수전 다 겪은 노장들이〕 모두 모이다.

やくしゃ【訳者】图 (번)역자. ¶この本の~は信頼できる 이 책의 역자는 믿을 수 있다.

やくしゅ【薬酒】图 약주(《한약재·뱀 등을 넣은 술》); 약용주.

やくしゅ【薬種】图 약종; 특히, 한약의 재료. ¶~商 약종상.

やくしゅつ【訳出】图ス他 역출; 번역. ¶英詩を~する 영시를 번역해 내다.

**__やくしょ__【役所】图 관청; 관공서. ¶~づとめ 관공서 근무/お~仕事 형식적이고도 늑장 부리는 일처리; 번문욕례(繁文縟禮)/市~ 시청/区~ 구청. 注意 'やくどころ'로 읽으면 다른 말.

やくしょ【訳書】图 역서; 번역한 책. ¶誤訳の多い~ 오역이 많은 역서. ↔原書.

やくじょ【躍如】トタル 약여; 생생함; 또렷함. =躍然. ¶彼の性格が~としている文章 그의 성격이 생생하게 드러난 문장/面目~たるものがある 면목이 생생하게 드러나 있다.

やくじょう【約定】图ス他 약정. ¶~書 약정서/~済み 약정필/~を結ぶ 약정을 맺다/協力することに~する 협력하기로 약정하다.

やくしょく【役職】图 담당 임무·직무; 특히, 관리직. ¶~手当 직무〔직책〕 수당/~に就く 관리직에 취임하다/~を退く 관리직에서 물러나다.

—いん【—員】图 임직원. ¶~一同 임직원 일동.

やくしん【躍進】图ス自 약진; 눈부시게 진출함. ¶新人の~ 신인의 약진/~著しい企業 현저하게 약진한 기업/第一位に~する 1위로 약진하다/目覚ましい~を遂げる 눈부신 약진을 하다.

やく-す[扼す]5他 ☞やく(扼)する.

やく-す【約す】5他 ☞やく(約)する.

*__やく-す__【訳す】5他 번역하다; 해석하다; 새기다. ¶この日本語を英語に~ことは難しい 이 일본어를 영어로 번역하기는 어렵다.

やくすう【約数】图〔數〕약수. ↔倍数.

やく-する[扼する]サ変他 **1** 꽉 쥐다; 누르다. ¶拳を~·して残念がる 주먹을 부르쥐고 분해하다/喉を~ 목을 조르다/腕を~·して連行する 팔을 부여잡고 연행하다. **2** 요소·요충지를 장악하다. ¶海峡を~地点 해협을 제압하는 지점/重要な地点を~ 중요한 지점을 장악하다.

やく-する【約する】サ変他 **1** 약속하다; 기약하다. ¶後日を~ 후일을 기약하다/再会を~·して別れる 재회를 기약하고 헤어지다. **2** 줄이다. ㉠약하다; 간추리다. ¶手続きを~ 절차를 줄이다/長い名称を~·して言う 긴 명칭을 줄여 말하다. ㉡〔數〕약분하다. ¶分数を~ 분수를 약분하다. 「す.

やく-する【訳する】サ変他 ☞やく(訳)

やくせき【薬石】图 약석; 여러 가지 약과 치료법(《한문투의 말씨》). ¶~効なく他界する 약석의 보람 없이 타계하다. 参考 '石せき'는 '石鍼いしばり'로, 중국 고대의 치료 기구의 일종.

やくそう【薬草】 图 약초. ＝薬用植物. ¶～園 약초원/～を煎じる 약초를 달이다. ↔毒草.

やくそく【約束】 图ス他 약속. ¶～を果す〔守る〕 약속을 이행하다〔지키다〕/～を破る〔ほごにする〕 약속을 깨다〔어기다〕/～が違う 약속이 다르다/夫婦の～をする 부부의〔결혼〕 약속을 하다.

—の地 〔基〕 약속의 땅《가나안》.

—てがた【—手形】 图〔經〕 약속 어음. ＝約手. ¶～を振り出す 약속 어음을 발행하다.

やくたたず【役立たず】 名ナ 쓸모가 없음; 또, 그 모양〔사람, 것〕. ¶食べて寝るばかりでまったく～だ 먹고 자기만 하고 아주 쓸모가 없다.

***やくだ-つ【役立つ】** 5自 쓸모가 있다; 도움이 되다; 소용되다; 유용〔유익〕하다. ¶研究に～資料 연구에 도움이 되는 자료/知識が～ 지식이 도움이 되다.

***やくだ-てる【役立てる】** 下1他 유용하게 쓰다. ¶何かの用に～ 어떤 일에 유용하게 쓰다.

やくちゅう【訳注】《訳註》图 역주; 역자주. ¶～を付ける〔施す〕 역주를 달다. ↔原注.

やくづき【役付き】 图 (주임·과장 등) 책임 있는 직책에 있음; 또, 그 사람. ＝やくつき. ¶～手当 직책 수당/～の社員 (책임 있는) 직책을 가진 사원/～になる 임원이 되다.

やくづくり【役作り】 图ス自 배우가, 맡은 배역을 잘 연기하기 위해 연구함.

やくて【約手】 图 '約束手形(＝약속 어음)'의 준말.

やくどう【躍動】 图ス自 약동. ¶～感 약동감/生気～ 생기 약동/若人の血が～する 젊은이의 피가 약동하다.

やくとく【役得】 图 직책으로 인한 편의나 이익〔수입〕; 부수입; 국물. ＝余禄. ¶～のある地位 부수입이 있는 지위.

やくどく【訳読】 图ス他 역독; 외국어로 된 책 등을 번역·해석해서 읽음. ¶テキストを～する 텍스트를 역독하다.

やくどころ【役所】 图 **1** 주어진 직위·배역; 역할. ＝やくどこ. ¶～が替わる 역할이 바뀌다/こんな～なら僕はやめる 이런 역할이라면 나는 그만두겠다. **2** 알맞은 역할〔직무〕. ¶自分の～とわきまえる 자기에게 알맞은 역할로 이해하다. ⇨やくしょ.

やくどし【厄年】 图 액년《음양도(陰陽道)에서 남자는 25, 42, 60세, 여자는 19, 33세를 이름》; 겁년(劫年).

やくなん【厄難】 图 액난; 재난. ＝わざわい. ¶～除け 액막이/～に遭う 재난을 만나다.

***やくにん【役人】** 图 관리; 공무원. ¶～根性 관리〔관료〕 근성/小～ 말단 공무원/～風を吹かす 관리 티를 내고 으스대다.

***やくば【役場】** 图 **1** 지방 공무원이 사무를 보는 곳《'町·村(＝기초 지방 자치 단체)'의 사무소 따위》. **2** (공증인·법무사 등의) 사무소. ¶公証人～ 공증인 사무소. ⇨役所.

やくはらい【厄払い】 图ス自 액막이. ＝厄落とし·やくばらい.

やくび【厄日】 图 액일; (재난이 많이 일어난다는) 운수 사나운 날. ¶今日はとんだ～だった 오늘은 되게 운수 사나운 날이었다.

やくびょう【疫病】 图 역병; 전염성(이 강한) 열병. ＝えきびょう.

—がみ【—神】 图 **1** 역귀(疫鬼); 역신. ↔福の神. **2** 돌림쟁이. ＝きらわれ者. ¶町の～ 동네〔마을〕의 돌림쟁이/～が来たから家へ帰ろう 돌림쟁이가 왔으니까 집에 돌아가자.

***やくひん【薬品】** 图 약품. ¶化学〔救急用の〕～ 화학〔구급용〕 약품.

やくぶそく【役不足】 图 **1** 주어진 직무에 만족하지 않음. ¶～をかこつ 보직에 대한 불만으로 투덜대다/～は言いっこなしだ 각자 맡은 일에 불평하지 않기다/～を訴える 직무에 대해 불만을 호소하다. **2** (실력에 비해) 맡은 직책〔역〕이 하찮음. ¶彼には係長では～だ 그에게 계장 자리로는 좀 부족한〔가벼운〕 감이 든다.

やくぶつ【薬物】 图 약물; 약품. ＝薬. ¶～依存 약물 의존/～中毒 약물 중독/～療法 약물 요법/～をのんで自殺した 약물을 먹고 자살했다.

やくぶん【約分】 图ス他〔數〕 약분. ＝通約. ¶この分数は～できない 이 분수는 약분할 수 없다/～して簡単にする 약분해서 간단히 하다.

やくぶん【訳文】 图 역문; 번역한 문장. ¶よくこなれた～ 아주 세련된 번역문. ↔原文.

やくほうし【薬包紙】 图 약포지; 가루약 봉지. ＝くすり紙.

やくほん【訳本】 图 역본; 번역한 책. ↔原本.

やくまわり【役回り】 图 배당된 역〔직무〕. ¶損な～を押しつけられる 손해보는〔달갑잖은〕 역할을 억지로 맡게 되다/あまりありがたくない～だ 별로 달갑잖은 역할이다.

やくみ【薬味】 图 양념; 고명; 향신료. ¶～皿 작은 양념 접시/～をきかせる 양념으로 맛을 내다/～を入れる 양념을 치다.

やくむき【役向き】 图 직무의 성질; 직무상. ＝役柄. ¶～の事で会合する 직무상의 일로 회합하다/～上話せない 직무상 말할 수 없다.

***やくめ【役目】** 图 임무; 책임; 직무; 직분; 구실; 역할. ¶親の～ 어버이의 책임〔역할〕/～を果たす 임무를〔직분을〕 다하다/～を退く 직책에서 물러나

다 / 名詞の～をする 명사(의) 구실을 하다 / ここの掃除は君の～だ 이곳 청소는 자네 소임이다.

―がら〚―柄〛图 1《副詞적》직무상. ¶ ～の出張 직무상의 출장 / ～行かねばならない 직무상 가야 한다 / ～見て見ぬふりはできない 직무상 보고 못 본 체할 수는 없다. 2 직분. ¶ ～をよくわきまえる 직분을 잘 분간하다.

やくよう【薬用】图 약용. ¶ ～せっけん 약용 비누 / ～食物 약용 식물 / この草は～になる 이 풀은 약용이 된다.

やくよけ【厄よけ】《厄除け》图 액막이. ＝厄払い. ¶ ～のお守り〔お札〕 액막이 부적.

やぐら〚櫓〛图〈雅〉1 성루. 2 (성문이나 성벽의) 망루; 망대(望臺). ¶ 物見～ 망루. 3 씨름·연극의 흥행장에서 북을 치는 높은 대. ¶ ～を組む 북을 치는 높은 대를 만들다〔세우다〕. 4 'こたつやぐら'의 준말; 각로(脚爐)의 나무 틀.

やくり【薬理】图 약리. ¶ ～学 약리학 / ～作用 약리 작용.

やぐるま【矢車】图 축(軸)의 둘레에 화살 모양의 살을 방사상(放射狀)으로 박은 것《풍차 따위에 씀》.

やくろう〔薬籠〕图 1 약농; (휴대용) 약상자. ＝くすりばこ. 2 ☞いんろう.

―中の物 (약상자처럼) 언제나 마음대로 쓸 수 있는 것〔사람〕.

*やくわり【役割】图 역할; 임무; 소임; 구실. ¶ ～を果たす 구실을 다하다 / 委員の～をきめる 위원의 역할을〔임무를〕 정하다 / 重要な～を演じる 중요한 역할을 하다 / この仕事は君の～だ 이 일은 자네 소임이다.

やけ【焼け】图 1 놀. ¶ 朝～ 아침놀 / 夕～ 저녁놀. 2 탐. ¶ 雪～ 눈에 탐 / 日～ 볕에 탐〔그을음〕 / 丸～ 전소(全燒). 3 (주독 등으로) 벌겋게 되거나 푸르퉁퉁해짐. ¶ 酒～ 주독으로 얼굴이 벌검.

やけ〚自棄〛图 자포자기. ＝すてばち·やけくそ. ¶ ～食い 홧김에 마구 먹음 / ～を起こす 자포자기하다 / ～になる 자포자기하게 되다.

―のやんぱち 자포자기《'やけ'를 강조하여 의인화(擬人化)한 것》.

やけあと【焼け跡】图 불탄 자리. ¶ ～の片づけ 불탄 자리의 정리 / ～に家を建てる 불탄 자리에 집을 짓다.

―の釘拾い 불탄 자리에서 못 줍기《재산을 탕진한 후 근검절약함의 비유》.

やけい【夜景】图 야경. ＝夜色. ¶ 東京の～ 東京의 야경.

やけい【夜警】图 야경(꾼). ¶ ～に立つ 야경을 서다.

やけいし【焼け石】图 불에 달구어진 돌.

―に水 언 발에 오줌 누기.

やけお-ちる【焼け落ちる】上1自 (건물이) 불타서 무너지다. ¶ 空襲で～·ちた家 공습으로 소실된 집 / 城が～ 성이 타서 무너지다.

やけくそ〚自棄糞〛图ダナ〈俗〉'やけ(自棄)'의 힘줌말; 자포자기. ¶ ～な振る舞い 자포자기적인 행동 / ～になる 자포자기하게 되다.

やけこげ【焼け焦げ】图 타서 눌음; 탐; 또, 그 눌은 자리. ¶ 着物に～を作ってしまった 옷을 눌려 버렸다.

やけざけ【やけ酒】《自棄酒》图 홧술. ¶ ～をあおる 홧술을 들이켜다.

やけし-ぬ【焼け死ぬ】5自 불에 타 죽다. ¶ 火事で～ 화재로 타 죽다.

やけださ-れる【焼け出される】下1自 불에 타서 집을 잃다. ¶ ～·れて途方にくれる 화재로 집을 잃고 망연자실하다 / 大火でたくさんの人が～ 큰불로 많은 사람이 집을 잃다.

やけただ-れる【焼けただれる】《焼け爛れる》下1自 심한 화상으로 진무르다. ¶ ～·れた皮膚 데어서 진무른〔문드러진〕 피부.

やけつ-く【焼け付く】5自 타다; 타서 눌어붙다. ¶ ～ような太陽〔暑さ〕 타는 듯한 태양〔더위〕 / ～·いて離れない 눌어붙어 떨어지지 않다.

やけっぱち〚自棄っぱち〛图ダナ〈俗〉'やけ'의 힘줌말. ＝やけくそ·捨てばち. ¶ ～になってとびかかる 자포자기가 되어 덤벼들다.

やけっぱら【やけっ腹】《自棄っ腹》图〈俗〉자포자기(하여 화를 냄). ＝やけばら. ¶ ～になる 자포자기해 화를 내다.

**やけど〚火傷〛图ス自 1 화상; 뎀; 또, 그 상처. ＝かしょう. ¶ ～のあと 덴 자리 / 手に～を負う〔する〕 손에 화상을 입다 / ドライアイスで～する 드라이아이스에 데다. 2 피해〔손해〕를 봄; 타격을 입음. ¶ 株に手を出して～する 주식에 손을 대어 손해를 보다 / ～しないうちに相場から手を引く 손해 보기 전에 투기적 거래에서 손을 떼다.

やけに〚自棄に〛副〈俗〉몹시; 지독히; 되게; 매우. ¶ ～寒い 지독히 춥다 / どうした? ～おとなしいな 웬일이지? 되게 점잖은데 그래.

やけの【焼け野】图 불탄 들판. ＝焼け野原.

―の雉, 夜の鶴 한결같이 극진한 어버이 사랑의 비유.

―がはら【―が原】图 1 타버린 벌판. 2 (불타서) 벌판처럼 된 곳. ＝焼け野原.

やけのこ-る【焼け残る】5自 불에 타지 않고 남아나다; 화재를 면하다. ¶ 運よく～·った本 운 좋게 안 타고 남은 책.

やけのはら【焼け野原】图 ☞やけのがはら. ¶ 戦火で～と化した町 전화로 허허벌판으로 변한 거리 / 一面の～ 온통 불타버린 들판.

やけのみ【やけ飲み】《自棄飲み》图ス自 홧술을 마심.

やけばら【やけ腹】《自棄腹》图 ☞やけっぱら.

やけぶとり【焼け太り】图ス自 화재를 당한 뒤에 그전보다 생활이 더 좋아짐〔사업이 더 커짐〕. ¶ ～した家 화재를 당하고 생활이 더 나아진 집.

やけぼっくい【焼けぼっくい】《焼け木杭·焼け棒杭》图〈俗〉불에 탄 말뚝; 타다 남은 그루터기.

—に火がつく 타다 남은 말뚝에 불이 붙다; 전하여, 일단 갈라섰던 남녀가 다시 화합하다.

やけやま【焼け山】图 **1** 산불로 초목이 타 버린 산. **2**〈俗〉휴화산(休火山).

や-ける〖妬ける〗下1自 질투나다; 샘나다. ¶あいつが余りもてるので~ 저 친구가 너무 인기가 있어 질투가 난다/あのカップルを見ると~·けてならない 저 커플을 보면 샘이 나서 견딜 수 없다.

や-ける【焼ける】下1自 **1 타다. ¶家が~ 집이 타다/山が~ 산불이 나다/日に~ 햇볕에 타다/街の三分の一が~·けた 거리의 3분의 1이 불탔다. **2** 구워지다. ¶サンマの~におい 꽁치 굽는 냄새/もちがよく~ 떡이 잘 구워지다/よく~·けた茶わん 잘 구워진 공기. **3** (햇볕·불 따위에) 뜨거워지다. ¶地面が~ 지면이 뜨거워지다/~·けた鉄板 (불에) 단 철판. **4** 빨개지다; 그을다. ¶酒で~·けた顔 술에 절어서 벌겋게 된 얼굴/肌が~ 살갗이 그을다/日に~·けた顔 햇볕에 그을은 얼굴. **5** 변색하다; 바래다. ¶アルバムの表紙が日に~ 앨범 표지가 (햇볕에) 바래다/緑は~·けやすい色だ 초록은 바래기 쉬운 빛깔이다/色の~·けたコート 빛깔이 바랜 코트. **6** (먹은 것에) 속이 쓰리다; 답답하다. ¶胸が~ 속이 보깨다; 가슴이 쓰리다.

やけん【野犬】图 야견; 들개. =のら犬. ¶~狩り (광견병 예방을 위한) 들개잡기. ↔飼い犬.

やげん [薬研] 图 약연(藥碾). ¶~で薬種を砕く 약연으로 약재를 빻다.

やご〖水蠆〗图〔蟲〕학배기《잠자리의 유충》. =たいこむし·やまめ.

やこう【夜光】图 야광. ¶~虫 야광충/~時計〔塗料〕 야광 시계〔도료〕.

—の玉〔珠〕 야광옥〔주〕.

*やこう【夜行】图자自 야행. **1** 밤에 감〔행동함〕. ¶~性 야행성. **2** '夜行列車(=야행 열차)'의 준말. ¶~でたつ 밤차로 떠나다.

やごう【屋号】图 **1** 옥호; 가게의 이름. **2**《家号》歌舞伎 배우 집안의 칭호.

やごう【野合】图자自 야합. **1** (남녀의) 사통. ¶~の夫婦 내연의 부부. **2** 불순한 목적으로 관계를 맺음. ¶二党が~する 두 당이 야합하다.

**やさい【野菜】图 야채; 채소; 푸성귀. =あおもの. ¶~スープ 야채 수프/~いため 야채 볶음/清浄~ 청정 야채/~畑 채소밭/庭に~をつくる 뜰에 채소를 가꾸다.

やさおとこ【優男】图 (날씬하고) 싹싹한〔상냥한, 잘생긴〕 남자. ¶~金も力もなかりけり 잘생긴 남자 돈도 힘도 없더라.

やさがし【家探し】图자自 **1** 집 안을 모조리 뒤짐. ¶~(を)しても見つからない 집 안을 모조리 뒤져도 찾지 못하다. **2** (살) 집을 구함. =いえさがし. ¶友人に~を頼む 친구에게 집을 구해 달라고 부탁하다.

やさがた【優形】图 **1** (몸매가) 날씬하고 품위가 있음. ¶~の男 날씬하고 품위 있는 사나이. **2** 상냥함; 숙부드러움.

やさき【矢先】图 **1** 화살촉. =やじり. **2**【やさき】 막 …하려는 참; 마침 그때. =とたん. ¶寝入った~のできごと 막 잠이 들려는 참에 생긴 일/出ようとした~に, 雨がふりだした 막 외출하려는데 비가 오기 시작했다.

**やさし-い【易しい】形 쉽다. ¶~問題 쉬운 문제/操作の~機械 조작이 쉬운 기계/口で言うのは~ 입으로 말하기는 쉽다. ↔むずかしい.

やさし-い【優しい】形 **1 온순하다; (마음씨가) 곱다; 상냥하다; 다정하다. ¶~人〔目つき〕 상냥한 사람〔눈매〕/気立ての~娘 마음씨가 고운 처녀/親思いの~子 부모에게 효성스런 착한 아이/母の~声 어머니의 다정한 목소리/頭を~·く撫でてやる 머리를 다정하게 쓰다듬어 주다/~·く看病する 친절하게 간호하다. **2** 아름답다; 우아하다. ¶~姿 우아한〔아름다운〕 모습/この仏像のお顔はたいそう~ 이 불상의 얼굴은 매우 우아하다.

やし〖椰子〗图〔植〕야자(나무).

やし【野史】图 야사. =野乗·外史. ↔正史.

やし〖香具師〗图 축제일 따위에 번잡한 길가에서 흥행·요술 등을 하거나 싸구려 물건을 소리쳐 파는 사람. =てきや.

やじ〖野次·弥次〗图 **1** 'やじうま'의 준말. **2** 야유; 놀림; 또, 그 말. ¶~には~で応酬する 야유에는 야유로 응수하다.

—を飛ばす 야유하다.

やじうま〖野次馬〗图 까닭 없이 덩달아 떠들어 대는 일; 또, 그런 무리. ¶火事の現場は~で一杯だ 화재 현장은 떠들썩한 구경꾼들로 꽉 찼다/火事場に~が集まる 화재 현장에 (호기심 많은) 구경꾼들이 모이다.

—こんじょう【—根性】图 속물(俗物) 근성; 호기심 많은 성질.

やしき【屋敷】《邸》图 **1** 대지(垈地). ¶家~を売り払う〔手離す〕 집과 대지를 팔아 버리다/~内に建て増す 대지 안에 증축하다. **2** 저택; 특히, 고급 주택. ¶お~に住む 저택에 살다/~を構える 저택을 짓다.

—まち【—町】图 **1** 고급 주택가. **2** 무가의 저택이 늘어선 거리. =屋形町.

やじきた [弥次喜多] 图〈俗〉**1** 즐거운 만유(漫遊) 여행; 뜻 맞는 둘이서 하는 한가로운 여행. **2** 짝이 맞는 한 쌍의 익살꾼. ¶~コンビ 죽이 맞는 콤비. 参考

'東海道中膝栗毛'라는 익살스런 통속 소설의 두 주인공 '弥次郎兵衛'와 '喜多八'에서 온 말. 「1.

──どうちゅう【──道中】图 ☞やじきた

**やしな-う【養う】5他 1 기르다. ㉠양육하다. ¶他人に~·われた子 남에게 양육된 아이/孤児を~ 고아를 기르다. ㉡배양하다. ¶バクテリアを~ 박테리아를 배양하다/よい習慣を~ 좋은 습관을 기르다/気力〔胆力〕を~ 기력을〔담력을〕 기르다. ㉢보양하다; 요양·정양하다. ¶病を~ (a)병 요양을 하다; (b)병으로 쇠약한 몸을 보양하다. ㉣사육하다. =飼う. ¶子馬を~ 망아지를 기르다. 2 부양하다. ¶家族〔妻子〕を~ 가족을〔처자를〕 부양하다. 3 양자로 삼다. ¶おいを~ことにした 조카를 양자로 삼기로 했다.

やしゃ[夜叉] 图〖佛〗야차; 두억시니.

やしゃご〖玄孫〗图 현손. =やしわご.

やしゅ【野手】图〔野〕야수; 내야수·외야수의 총칭. =フィルダー.

──せんたく【──選択】图〔野〕야수 선택. =野選·フィルダーズチョイス.

やしゅ【野趣】图 야취; 자연스럽고 소박한 정취. ¶~に溢れる〔富む〕 야취가 넘치다.

やしゅう【夜襲】图ス他 야습. =夜討ち. ¶~をかける 야습을 하다/油断を見すまして~する 방심한 틈을 타서 야습하다.

やじゅう【野獣】图 야수; 야생 짐승; 또, 난폭한 사람. ¶~狩り 야수 사냥.

やしょく【夜色】图〈文〉야색; 야경; 밤경치. =夜景. ¶闇深い~ 이슥한 한밤의 야경.

やしょく【夜食】图 1 야식; 밤참. ¶~をとる 밤참을 먹다/~にインスタントラーメンを食べる 밤참으로 즉석 라면을 먹다. 2 저녁 식사.

やじり【矢じり】〖矢尻·鏃〗图 (화)살촉. =矢先·矢の根.

やじ-る〖野次る·弥次る〗5他 야유하다; 놀리다. ¶聴衆に~·られる 청중에게 야유를 당하다/球場にどっと~声が起こった 야구장에 와 하고 야유하는 소리가 일어났다/講演者を~·り倒す 강연자에게 야유를 해서 연설을 못하게 하다. 参考 'やじ'를 動詞化한 말.

やじるし【矢印】图 화살표. ¶~に従って会場をまわる 화살표를 따라 회장을 돌다. 「社」.

やしろ【社】图 신을 모신 건물; 신사(神

*やしん【野心】图 야심; 야망. ¶~作 야심작/政治的~ 정치적 야심/~をいだく 야심을 품다/~をとげる 야심을 이루다/~的な作品 야심적인 작품/彼はなかなかの~家だ 그는 상당한 야심가다.

やじん【野人】图 야인. 1 시골 사람. ¶田夫~ 촌부 야인. 2 무식한〔예절이 없는〕 사람. ¶傍若無人な~ぶり 방약무인한 야인의 태도. 3 재야인; 민간인. ¶官職を下りて一介の~としてくらす 관직을 물러나 한낱 야인으로 지내다.

やす〖簎·矠〗图 작살. ¶~で突く〔刺す〕 작살로 찌르다.

やす【安】一接頭 1 (값이) 쌈; (금액이) 적음. ¶~月給 싼 월급/~宿 싸구려 여인숙/~物 싸구려 물건. 2 경솔함; 경박함. ¶~請け合い 경솔하게 떠맡음. 二接尾 값이 내림. ¶五円~ 값이 5엔 내림. ↔=高.

やすあがり【安上がり】图ダナ (값이) 싸게 먹힘. ¶~な方法 싸게 먹히는 방법/~になる 값이 싸게 치이다/バスで行った方が~だ 버스로 가는 편이 싸게 먹힌다. ↔高上がり.

**やす-い【安い】形 1 (값이) 싸다. ¶~品物 싼 물건/~·くつく 싸게 치이다/~·くあがる 값이 싸게 먹히다/~に越したことはない 싼 것보다 더 좋은 것은 없다. ↔高い. 2〈雅〉(마음이) 편하다; 평온하다. ¶~·からぬ気持ち 편치 않은 마음/霊よ, ~·かれ 영령이여 고이 잠드소서/お心を~·くお持ち下さい 마음을 편안하게 가지십시오. 3〈俗〉《'お'를 받아 否定을 수반하여》 남녀 사이가 심상치 않음을 놀리는 말. ¶お~·くないぞ 보통 사이가 아닌데.

──·かろう, 悪かろう 싼 게 비지떡.

やす-い〖易い〗形 1 쉽다; 간단하다. ¶お~用だ 쉬운 일이다/言うは~·く, 実行は難い 말하기는 쉽고 실행하기는 어렵다. 2《動詞連用形에 붙어》(자칫)…하기 쉽다. ¶解き~問題 풀기 쉬운 문제/飲み~薬 먹기 쉬운 약/壊れ〔燃え〕~ 깨지기〔타기〕 쉽다/入り~ 들어가기 쉽다/まちがい~ 틀리기 쉽다/点がとり~ 점수를 따기 쉽다. ⇔にくい·難い.

やすうけあい【安請け合い】图ス自他 경솔히 (떠)맡음. ¶就職については~をするな 취직에 관해서는 함부로 응낙하지 마라/~して後で困る 경솔하게 떠맡아 나중에 난처해하다.

やすうり【安売り】图ス他 1 싸게 팖; 염매. ¶~店 염가 판매점/~競争 염가 매출 경쟁/大~ 염가 대매출/夏物の~ 여름 옷의 대매출. 2 (비유적으로) 무턱대고 베풂; 선뜻 응함. ¶親切の~ 값싼 친절을 베풂/愛嬌の~ 값싼 애교를 떪. 「き.

やすき〖易き〗图 (손)쉬움; 편함. ↔難

──につく 안이한 방법을 택하다.

やすげっきゅう【安月給】图 적은〔싼〕 월급; 박봉(薄俸).

やすっぽ-い【安っぽい】形 값싸다; 싸구려 같다; 천격스럽다. ¶~品 싸구려 물건/~感傷 값싼 감상/~言動 천박한 언동/~笑顔 천박하게 웃는 얼굴/値が値だけにこの洋服は~

값이 값이니만큼 이 양복은 볼품이 없다 / この帽子をかぶると人間まで～·く見える 이 모자를 쓰니 사람마저 천하게 보인다.

やすで【安手】名ナ 싸구려임; 품위가 없음; 하찮음; 저속함. ¶～の普請 싸구려 건축 / ～のヒューマニズム 하찮은 휴머니즘 / ～の生地 싸구려 옷감; 값싼 천 / ～な涙 값싼 눈물 / ～の同情 값싼 동정 / ～の恋愛映画 저속한 연애 영화 / ～に見える 싸구려같이 보이다. 参考 본디, '값싼 것'의 뜻.

やすね【安値】名 **1** 싼값; 헐값; 염가. ¶～販売 염가 판매 / ～をつける 싼값을 매기다 / 法外の～で売る 턱없이 싼 값으로 팔다. **2**〔經〕(주식 거래에서 그날의) 최저가. ¶～を更新する 최저가를 경신하다. ⇔高値.

やすぶしん【安普請】名 날림 공사; 또, 그렇게 지은 집. ¶～なのでながもちしない 날림 공사라서 오래 못 간다.

やすぼった-い【安ぼったい】形 싸고 조잡하다; 싸구려에 날림이다. ¶～品 싸고 허술한 물건.

やすま-る【休まる】5自 (심신이) 편안해지다. ¶気〔体〕が～ 마음〔몸〕이 편안해지다 / 心の～ひまがない 마음이 편해질 날이 없다.

⁑**やすみ**【休み】名 **1** 쉼; 휴식. ¶～なく働く 쉬지 않고 일하다 / ひと～してからつづける 잠깐 쉬었다가 계속하다 / お～中の所をなんですが (모처럼) 쉬시는데 무엇합니다만 / 少しお～になったらいかがですか 좀 쉬시는 게 어떻겠습니까. ㉠쉬는 시간. ¶～時間 쉬는 시간 / 昼～ 점심때의 쉬는 시간. ㉡휴일; 휴가. ¶夏～ 여름휴가〔방학〕/ 明日は～ 내일은 휴일 / ～を取る 휴가를 얻다 / ～には山へ行く 휴일에는 산에 간다. ㉢결석; 결근. ¶あの人は～です 그 사람은 결근입니다. **2** 잠자리에 듦; 취침함. ¶ご主人はもうお～になりました 주인은 벌써 자리에 드셨습니다 / もうお～の時間ですよ 이제 잘 시간이에요.

やすみやすみ【休み休み】副 쉬엄쉬엄; 작작. ¶～歩く 쉬엄쉬엄 걷다 / 坂道を～登る 언덕길을 쉬엄쉬엄 오르다 / 冗談も～にしろ 농담 좀 작작 해라 / ばかも～言え 바보 같은 소리 좀 작작 해라.

⁑**やす-む**【休む】5自他 쉬다. **1** 활동을 멈추다. ¶～·まずに働く 쉬지 않고 일하다 / 工場は作業を～·んでいる 공장은 작업을 쉬고〔중단하고〕 있다. **2** 휴식하다. ¶～間もない 쉴 사이도 없다 / ツバメが電線に～·んでいる 제비가 전선에 앉아 있다 / ちょっと～·んで一服しよう 한숨 돌리고 한 대 피우자. **3** 자다; 취침하다. ¶お～·みなさい 편히 주무셔요 / 床について～ 잠자리에 들어 자다. **4** 결석·결근하다. ¶会社を～ 회사를 쉬다 / 病気で～ 병으로 쉬다. **5** (직장 등이) 휴무하다. ¶二日続いて～ 이틀 계속해서 쉬다 / 改築中は商売を～·みます 개축 중에는 장사를 쉽니다.

やすめ【休め】感 (열중) 쉬어《구령》. ↔気を付け.

やすめ【安め】《安目》名ナ 비교적 쌈. ¶物価が～になる 물가가 좀 싸지다 / ～の品 좀 싼 물건 / ～に見積もる 좀 싸게 어림잡다. ↔高め.

やす-める【休める】下1他 **1** 쉬(게 하)다. ㉠휴식시키다. ¶からだを～ 휴식을 취하다 / 仕事の手を～ 잠시 일손을 놓다 / 頭を～ 머리를 식히다. ㉡멈추다; 놀리다. ¶機械を～ 기계 가동을 멈추다 / 筆を～ 붓을 놓고 쉬다 / 職工を～·めておくわけにはいかない 직공을 놀려 둘 수는 없다. ㉢묵히다. ¶畑を～ (지력 증진을 위해) 밭을 묵히다. **2** 편안히 하다. ¶心を～ 마음을 편안케 하다; 안심시키다; 안심하다.

やすもの【安物】名 값싼 물건; 싸구려. ¶～の時計 싸구려 시계 / ～をあさる 싸구려〔싼거리〕를 찾(아 헤매)다.
――買いの銭失い 싸구려를 사서 돈만 버리다《싼 것이 비지떡》. ＝安物は高物.

やすやす【安安】副 (평소보다 더) 편안히. ¶～(と)眠る 편안하게 잠자다 / ～(と)老後を送る 편안히 노후를 보내다.

やすやす〖易易〗副 거뜬히; 손쉽게; 간단히. ¶～と勝つ 간단히 이기다 / ～(と)持ち上げる 거뜬히 들어올리다 / 障害物を～(と)越える 장애물을 거뜬히 넘다 / 難問を～とこなす 어려운 문제를 쉽게 처리하다〔풀다〕.

やすらか【安らか】ダナ 편안; 평화; 안온. ¶～な日々 편안한 나날 / ～な人がら 온화한 인품 / 世が～に治まる 세상이 평화롭(게 다스려지)다 / ～な顔をして寝入る 편안한 얼굴을 하고 잠들다 / どうか～に眠ってください (조사(弔詞)에서) 부디 편히 잠드십시오.

やすらぎ【安らぎ】名 평온함; 평안. ¶心の～ 마음의 편안함 / ～をみいだす 편안함을 찾다 / ～を覚える 편안함을 느끼다.

やすら-ぐ【安らぐ】5自 편안해지다; 평온해지다. ¶～·いだ気分 편안해진 기분 / 気持ちが～ 마음이 편안해지다.

*__やすり__〖鑢〗名 줄. ¶～屑 줄밥 / ～をかける 줄질하다.

やすりがみ【やすり紙】《鑢紙》名 사포. ＝かみやすり·サンドペーパー.

やすん-じる【安んじる】上1自他 ☞やすんずる.

やすん-ずる【安んずる】サ変自他 **1** 안심하다; 믿다. ¶～·じて任せる〔暮らす〕 안심하고 맡기다〔살다〕. **2** 만족하다. ＝甘んずる. ¶現状に～ 현상(태)에

만족하다. **3** 편안히 하다 ; 안심시키다. ¶意を～ 마음을 안심시키다 / 人心を～ 민심을 가라앉히다.

やせ〖痩せ〗图 **1** 마름 ; 여윔 ; 또, 그 정도. ¶夏～ 여름을 탐. **2** 마른 사람 ; 야윈 사람. ¶お～ 말라깽이 / 着～ 옷을 입으면 더 여위어 보임. ⇔でぶ.

—の大食い 마른 사람이 더 먹음.

***やせい**【野生】图区自 야생. ¶～植物 야생 식물 / ～の馬 야생마.

やせい【野性】图 야성 ; 거친 성질. ¶～的な魅力 야성적인 매력 / ～を発揮する 야성을 발휘하다 / ～に返る 야성으로 되돌아가다.

—み【—味】图 야성미. ¶～豊かな人 야성미가 넘치는 사람.

やせうで【やせ腕】《痩せ腕》图 여윈 팔 ; 전하여, 연약한 힘〔능력〕. =細腕. ¶女の～で家族を養う 여자의 연약한 힘으로 가족을 부양하다.

やせおとろ-える【やせ衰える】《痩せ衰える》下1自 바짝 마르다 ; 수척해지다. ¶～·えた体 수척해진 몸 / 病気で～ 병으로 수척해지다.

やせがた【やせ形】《痩せ形》图 여윈 몸매. ¶～の男 홀쭉한 남자.

やせがまん〖痩せ我慢〗图区自 억지로 참음〔버팀〕; 앙버팀. ¶～を張る 억지로 참다〔버티다〕/ 痛いくせに～して無理に笑う 아픈데도 태연한 체하고 억지로 웃다.

やせぎす〖痩せぎす〗图ダナ 여위어서 뼈가 앙상함 ; 또, 그런 사람. ¶～の〔な〕女 깡마른 여자.

やせこ-ける〖痩せこける〗下1自 말라빠지다 ; 홀쭉해지다 ; 앙상하다. ¶頰が～ 볼이 홀쭉해지다.

やせさらば-える〖痩せさらばえる〗下1自 여위어 피골이 상접하다. ¶～·えた犬 비쩍 마른 개 / 見る影もなく～ 볼품 없이 앙상해지다.

やせじょたい【やせ所帯】《痩せ所帯·痩せ世帯》图 가난한 살림 ; 애옥살이. =貧乏所帯. ¶～に子が多し 가난한 살림에 자식이 많다.

やせち【やせ地】《痩せ地》图 메마른 땅 ; 척박한 땅. =瘠地·瘠土. ¶～に豆をつくる 메마른 땅에 콩을 심다.

やせっぽち〖痩せっぽち〗图〈俗〉몹시 여윔 ; 또, 그런 사람《경멸하는 말씨》. =やせっぽ. ¶～の男 말라깽이 남자.

やせほそ-る【やせ細る】《痩せ細る》五自 여위어서 몸이 홀쭉해지다. ¶～·った手足 여위어 앙상한 손발 / 栄養不足で～ 영양 부족으로 바싹 마르다 / 心配で～思いだ 걱정 때문에 바짝바짝 마르는 것 같다.

⁑や-せる〖痩せる〗下1自 **1** 여위다 ; 마르다 ; 살이 빠지다. ¶～·せ薬 살 빠지는 약 / 病気で～ 병으로 수척해지다 / 見る影もなく～ 형편없이 여위다〔마르다〕. ↔ふとる·肥える. **2** (땅이) 메마르게 되다 ; 토박해지다. ¶～·せた土地 메마른 땅. ↔肥える.

—·せても枯れても 아무리 몰락했어도 ; 비록 (지금의) 꼴은 이럴망정. ¶～私は貴族だ 아무리 영락했어도 나는 귀족이다 / ～男一匹だ 비록 꼴은 이럴망정 사내 대장부다.

やせん【夜戦】图 야전 ; 야간 전투. =夜いくさ.

やせん【野戦】图 야전. ¶～病院 야전 병원.

やせん【野選】图〔野〕'野手選択(=야수 선택)'의 준말.

やそう【野草】图 야초 ; 들풀. =のぐさ. ¶～を摘む 들풀을 뜯다.

やそうきょく【夜想曲】图 야상곡 ; 녹턴. =ノクターン. ¶ショパンの～ 쇼팽의 야상곡.

やそじ［八十路］图〈雅〉80세. ¶～の坂を越える 팔십 고개를 넘다.

やたい【屋台】图 **1** 작은 집 모양으로 지붕을 달고 이동할 수 있게 만든 판매대 ; 포장마차 ; 이동식 가게. =屋台店. ¶おでんの～ 꼬치 안주(를 파는) 포장 마차집. **2** '屋台骨' 2의 준말. ¶～が傾く 집안이 기울다.

—ぼね【—骨】图 **1** '屋台'의 뼈대. **2** 가산(家産) ; 재산. =身代. ¶～がかしぐ 가산이 기울어지다. **3** 한 집안이나 조직의 기둥인 사람 ; 한 집안을 지탱하는 자력(資力)·중심이 되는 것. =大黒柱. ¶一家の～となる 집안의 상기둥이 되다.

—みせ【—店】图 지붕이 있는 이동식 작은 가게 ; 포장마차. =屋台.

やたて【矢立て】图 **1** 전동(箭筒). **2** 먹통에 붓통이 달린 휴대용 필기구.

***やたら**〖矢鱈〗副ﾆ〈俗〉함부로〔멋대로, 무턱대고, 되는대로〕하는 모양 : 마구 ; 또, 정도가 심한 모양 : 몹시. ¶～にしゃべる 멋대로 지껄이다 / ～に金をつかう 마구 돈을 쓰다 / ～に腹が立つ 몹시 화가 나다 / ～に眠い 마구 졸리다 ; 졸음이 쏟아지다 / ～と忙しい 몹시 바쁘다 / ～なことはいえない 함부로 말할 수는 없다.

やちよ【八千代】图〈雅〉오랜 세월. ¶千代に～に 영원무궁토록 / ～を経る 오랜 세월이 지나다.

やちょう【野鳥】图 야조 ; 들새. ¶～保護法 야조 보호법 / ～を飼う 들새를 기르다. ↔飼い鳥.

***やちん**【家賃】图 집세. =たなちん. ¶～が高い 집세가 비싸다 / ～が滞る〔たまる〕 집세가 밀리다 / ～を払う 집세를 물다. 参考 방세인 경우는 보통 '部屋代'라고 함.

やつ〖奴〗⊟图〈俗〉사람·사물을 막되게 부르는 말 ; 놈 ; 녀석 ; 자식 ; 것. ¶かわいそうな～ 불쌍한 녀석 / 運のいい～ 운이 좋은 녀석 / 嫌な～ 싫은 녀석 / もっと大きい～ 좀더 큰 것 / いい～だった 좋은 놈이었지 / ばかの一つ覚えと

いう～で… 한 가지만 알고 그것만 내세우는 바보 같은 놈이어서…/これと同(おな)じ～をくれ 이것과 같은 것을 주게.

[三][代] 〈俗〉 그 자식; 그 녀석. ＝あいつ·きゃつ. ¶～のしわざだ 그 자식의 짓이다/～のやりそうなことだ 그 녀석이 할 법한 일이다/～に一杯(いっぱい)食(く)わされた 그 녀석한테 감쪽같이 속았다.

やつ【八つ】[名] 여덟; 여덟 개; 또, 여덟 살. ＝やっつ·はち. [参考] 수가 많은 뜻으로도 쓰임. ¶～裂(ざ)き 갈가리 찢음.

やっ [感] **1** 기합 또는 야유하는 소리: 얏. ¶えい, ～ 에이, 얏. **2** 놀랐을 때 내는 소리: 엇; 앗; 야. ¶～, 驚(おどろ)いた 야, 놀랐다/～, しまった 어, 큰일 났다.

やつあたり【八つ当たり】[名][ス自] 아무에게나 무턱대고 분풀이함; 엉뚱한 화풀이. ¶課長(かちょう)に叱(しか)られて家族(かぞく)に～(を)する 과장한테 야단맞고 가족에게 분풀이하다.

やっか【薬価】[名] 약가; 약값. ＝くすりだい·やくだい. ¶～が高(たか)い 약값이 비싸다.

やっか【薬禍】[名] 약화; (부적절한) 약의 사용으로 일어난 화; 약해(薬害). ¶～が頻発(ひんぱつ)する 약화가 빈발하다.

*__やっかい__【厄介】[一][名][ナ] **1** 귀찮음; 성가심. ¶～な仕事(しごと)〔問題(もんだい)〕 귀찮은 일〔문제〕/～な話(はなし)を持(も)ち込(こ)む 성가신 이야기를 꺼내다/～な事(こと)になった 일이 성가시게 되었다. **2** 폐; 신세. ＝世話(せわ). ¶～をかける 폐를 끼치다.

[二][名] 시중; 돌봄. ¶老人(ろうじん)の～を見(み)る 노인의 시중을 들다.

—になる 신세를 지다. ¶厄介になります 신세를 지겠습니다/一晩(ひとばん)友人(ゆうじん)の家(いえ)に～ 하룻밤 친구네 집에서 신세를 지다.

—もの【—者】[名] 귀찮은 존재; 애물; 골칫거리. ¶～扱(あつか)いされる 골칫거리 취급을 당하다.

やっかみ [名] 시새움; 질투함. ¶～半分(はんぶん)の皮肉(ひにく)を言(い)う 반은 질투로 비꼬아 말하다.

やっかん【約款】[名] 약관. ¶保険(ほけん)～ 보험 약관/条約(じょうやく)の～に違反(いはん)する 조약의 약관에 위배되다.

やっき【躍起】[名] 《흔히 '～に' '～と'의 꼴로》 기가 남; 기씀. ¶～に反対(はんたい)する 기를 쓰고 반대하다.

—となる; —になる 기를 쓰다. ¶やっきになってさがす 기를 쓰고 찾다/やっきになってしゃべる 기가 나서 지껄이다.

やつぎばや【矢継ぎ早】[ダナ] 연달음; 잇따름. ¶～の質問(しつもん) 잇따른 질문/～に問(と)い掛(か)ける 잇따라 물어 대다.

やっきょう［薬莢］[名] 약협; 탄알의 화약이 들어 있는 금속제 통.

*__やっきょく__【薬局】[名] 약국; 약방. ¶～を経営(けいえい)する 약국을 경영하다.

やづくり【家造り·家作り】[名] **1** 집을 지음. ¶～を始(はじ)める 집을 짓기 시작하다. **2** 집의 구조. ＝家構(いえがま)え. ¶りっぱな～ 훌륭한 가옥 구조/あの家(いえ)の～は純日本式(じゅんにほんしき)だ 저 집의 구조는 순 일본식이다.

やっこ〖奴〗[一][名] **1** 남자 하인; 특히, 江戸(えど) 시대 무가(武家)의 하인. **2** 'やっこ豆腐(どうふ)'의 준말. [二][代] ☞やっこさん.

やっこう【薬効】[名] 약효. ¶～がない 약효가 없다/～があらわれる 약효가 나타나다.

やっこさん〖奴さん〗[代] 손아래나 동배 이하의 사람을 가볍게 또는 친근한 기분으로 부르는 말: 녀석. ＝あいつ·やっこ. ¶～局長(きょくちょう)になったそうだ 그 녀석 국장이 되었다던데.

やっこどうふ【やっこ豆腐】《奴豆腐》[名] 네모로 잘게 썬 두부를 양념장에 찍어 먹는 요리. ＝冷(ひ)ややっこ·やっこ.

やつざき【八つ裂き】[名] 갈가리 찢음. ＝寸断(すんだん). ¶～にする 갈가리 찢다/～にしても飽(あ)きたりない 갈기갈기 찢어도 시원치가 않다.

やっさもっさ [名] 와글와글; 시끌시끌; 북적북적. ＝てんやわんや. ¶～の大騒(おおさわ)ぎをする 시끌벅적 큰 소동을 벌이다.

やつ-す〖俏す·窶す〗[一][5他] **1** 눈에 띄지 않게 또는 초라하게 가장〔변장〕하다. ¶こじき姿(すがた)に身(み)を～ 거지 꼴로 가장〔변장〕하다. **2** (초췌해 보일 정도로) 번민하다; 골똘하다; 애태우다. ¶…に憂(う)き身(み)を～ 여윌 정도로 …에 골똘〔열중〕하다/叶(かな)わぬ恋(こい)に身(み)を～ 이룰 수 없는 사랑에 애태우다.

**__やっつ__【八つ】[名] 여덟. [参考] 넓은 뜻으로는, 여덟 살·여덟 개·여덟 번째의 뜻으로도 씀.

やっつけしごと【やっつけ仕事】[名] (급해서) 당장 발림으로 하는 일; 겉날리는 일; 날림 일. ¶～で建(た)てた家(いえ) (서둘러) 겉날린 집; 날림 집/急(いそ)がされて～になってしまった 재촉을 받아서 일이 날림으로 되고 말았다.

*__やっつ-ける__〖遣っ付ける〗[下1他] 해치우다. **1** 〈俗〉 'やる·する(＝하다)'의 힘줌말; (일 등을) 해서 끝내다. ¶仕事(しごと)を午前中(ごぜんちゅう)に～ 일을 오전 중에 해치우다. **2** (말·힘으로) 혼내 주다; 홀닦다; 지게 하다. ＝負(ま)かす·こらす. ¶一撃(いちげき)で～ 일격에 해치우다/相手(あいて)のチームをこてんこてんに～ 상대 팀을 참패시키다/～·けろ 해치워라《때려라; 없애버려라; 죽여라》.

やつで〖八つ手〗[名]〔植〕 팔손이나무.

やってい-く【やって行く】《遣って行く》[5他] **1** 살아가다. ＝くらす. ¶これでなんとか～しかない 이것으로 그럭저럭 살아갈 수밖에 없다. **2** 일이나 교제를 계속하다. ¶同僚(どうりょう)とうまく～ 동료와 잘 해 나가다.

やってく-る【やって来る】[一][カ変自] (이리로) 다가오다; 찾아오다. ¶まもなく

冬が～ 머지않아 겨울이 다가온다/ちょうどいいところに～·きた 마침 좋은 때에 와 주었다. 二連語 죽 해 오다; 지내 오다. ¶これまで～·こられたのはみなさんのおかげです 이제까지 지내 올 수 있었던 것은 여러분의 덕분입니다.

やってのーける〖遣って退ける〗下1他 (어려운 일 따위를) 잘해내다; 해치우다. ¶みごとに～ 훌륭히 잘해내다/苦もなく～ 쉽사리 해내다/あの仕事をひとりで～·けたのには驚いた 그 일을 혼자 해낸 데에는 놀랐다.

⁑**やっと** 副 겨우; 가까스로; 간신히; 고작. ＝かろうじて·ようやく. ¶～の事で 겨우; 간신히/～三人はいれる広さ 간신히 세 사람 들어갈 수 있는 넓이/～まに合った 겨우 시간에 대었다/～できあがった 겨우 완성되었다/～暮らしている 근근이 살아가고 있다.

―の思いで 가까스로; 겨우. ¶～借金を返した 가까스로 빚을 갚았다/～打ち明けた 가까스로 털어놓았다.

やっとこ〖鋏〗图 (철사를 꼬부리거나, 뜨거운 쇠를 집는) 집게; 펜치.

やっとこ 副 〈俗〉☞やっと. ¶～すっとこ 간신히; 가까스로; 겨우/～(さ)間に合った 간신히 시간〔제때〕에 대었다.

やっとこさ 一感 힘들여 동작을 시작할 때 내는 소리: (이)영차; 어여차. ＝どっこいしょ·やっとこせ. 二副 ☞やっとこ. ¶～宿題を終えた 겨우 숙제를 끝냈다/～仕事のけりがついた 겨우 일의 결말이 났다.

やつはし【八つ橋】图 시내나 연못 같은 데 몇 장의 좁다란 널빤지를 지그재그로 이어붙여 놓은 다리《일본식(式) 정원에서 볼 수 있음》.

〔八つ橋〕

やっぱり〖矢っ張り〗副 〈口〉☞やはり. ¶～だめだ 역시 안 된다〔글렀다〕.

やつら〖奴等〗图 'やつ'의 복수: 놈들. ＝やつばら. ¶～のしわざだ 놈들의 소행이다/たちの悪い～だ 질이 나쁜 놈들이다.

*__やつーれる__〖窶れる〗下1自 초라해지다; 특히, 여위다; 까칫〔까칠〕해지다. ¶～·れ果てた姿 (여위어) 아주 초라해진 모습/～·れた顔 수척해진 얼굴/度重なる不幸ですっかり～·れている 겹치는 불행으로 아주 초췌해졌다.

⁑**やど**【宿】图 1 사는 집. ＝すみか. ¶～無し 부랑자; 무숙자. 2 묵을 곳; 숙소; 여관. ＝宿屋. ¶～主 여관 주인/～を決める 여관을 정하다/おじの家を～にする 아저씨 집을 숙소로 하다.

―を取る 여관을 잡다〔예약하다〕.

やとい【雇い】《傭い》图 1 고용함. ¶日～ 일용(日傭); 날품팔이/臨時～の社員 임시 고용 사원. 2 고용인. ＝やといにん. 3 임시 직원. ＝雇員.

やといいーれる【雇い入れる】下1他 새로 고용하다. ＝かかえ入れる. ¶運転手を～ 운전기사를 고용하다.

やといにん【雇い人】图 고용인; 고용당한 사람; 사용인. ↔雇い主.

やといぬし【雇い主】图 고용주; 사용자. ↔雇い人.

⁑**やとーう**【雇う】《傭う》五他 1 고용하다. ¶家政婦を～ 가정부를 고용하다. 2 세내다. ¶車〔釣り舟〕を～ 차〔낚싯배〕를 세내다. 可能やとーえる 下1自

*__やとう__【野党】图 야당. ¶～連合 야당 연합. ↔与党.

やどがえ【宿替え】图 이사. ＝引っ越し·転居. ¶今年だけで二度も～した 금년에만 두 번이나 이사했다.

やどかり〖宿借り〗图 〔動〕소라게; 집게.

やどーす【宿す】五他 1 잉태하다. ㉠품다; 내부에 지니다; 간직하다. ¶禍根を～ 화근을 배태하다/大望を～ 대망을 품다. ㉡(아이를) 배다; 임신하다. ＝はらむ. ¶子を～ 아이를 배다/種を～ 임신하다. 2 머금다. ¶露を～·した萩 이슬을 머금은 싸리. 3 모습을 비추다. ¶水に月の影を～ 물에 달 그림자가 비치다.

やどせん【宿銭】图 숙박료; 숙박비. ＝やどちん·はたごせん. ¶～は会社が持つ 숙박비는 회사가 부담한다.

やどちょう【宿帳】图 숙박부. ¶～につける 숙박부에 기입〔기재〕하다.

やどちん【宿賃】图 〈老〉 숙박료. ＝やどせん. ¶～を払う 숙박료를 치르다.

やどなし【宿無し】图 일정한 주소가 없음; 또, 그런 사람; 부랑인. ¶～犬 주인 없는 개/～子 집 없는 아이/～の身になる 떠돌이가 되다.

*__やどや__【宿屋】图 〈老〉 여인숙; 여관. ＝旅館·はたご(や). ¶～のあるじ〔おかみ〕 여관 주인〔여주인〕

やどり【宿り】图 머묾; 머무는 곳; 사는 집. ＝すみか. ¶この世は仮の～だ 이승은 잠시 머무는 곳이다/一夜の～を請う 하룻밤 숙박을 청하다.

やどーる【宿る】五自 1 머물다. ㉠어떤 위치에 있다. ¶健全なる精神は健全なる肉体に～ 건전한 정신은 건전한 육체에 깃든다/正直の頭に神～ 정직한 머리에 신이 깃든다《정직한 사람은 신이 보호하여 준다》. ㉡살다; 거처로 하다. ¶鳥が軒先に～ 새가 처마 끝에 둥지를 틀다. ㉢묵다; 숙박하다. ＝とまる. ¶～家もない 묵을 집도 없다/民宿に～ 민박하다. 2 임신하다; 잉태하다. ¶たねが～ 아이를 배다/新しい生命が～ 새로운 생명이 잉태하다. 3 기생하다. ¶回虫が～ 회충이 (인체에) 기생하다.

やどろく【宿六】图 〈俗〉 자기의 남편을 허물없이 또는 낮추어 부르는 말: 영감; 임자. ＝亭主. ¶うちの～ 우리 집 영감. ↔かかあ·山の神.

やどわり【宿割り】图区自 많은 사람을 재우기 위하여 숙소를 할당함; 또, 할당하는 사람. ¶修学旅行で～をする 수학여행에서 숙소를 할당하다.

やな〖梁·簗〗图 어량(魚梁)《나무나 대나무 따위로 물을 막아 한곳으로 흐르게 하고, 거기에 통발을 놓아서 물고기를 잡는 장치》. ¶～を打つ 어량을 치다.

やながわ〖柳川〗图 '柳川なべ'의 준말.

—なべ〖—鍋〗图 뼈를 발라낸 미꾸라지와 우엉을 넣고 질냄비에 끓여 달걀을 풀어 얹은 요리. ＝どじょうなべ.

やなぎ【柳】图〖植〗버드나무《버드나뭇과 식물의 총칭이지만, 보통으로는 수양버들을 가리킴》.

—に風(と受け流す) 버드나무에 바람(처럼 받아넘기다)《순순히 유연하게 받아넘김》.

—に雪折れなし 버드나무에 눈이 쌓여 부러질까《부드러운 것이 강(剛)한 것보다 견딜 힘이 세다》.

—の下にいつもどじょうは居ない 버드나무 밑에 늘 미꾸라지는 있지 않다《장마다 망둥이 날까》.

やなぎごうり【柳ごうり】《柳行李》图 버들고리.

やなぎごし【柳腰】图 유요; 버들가지같이 가늘고 나긋나긋한 미인의 허리. ¶～の美人 세요(細腰) 미인.

やなみ【家並み】图 **1** 집이 늘어선 모양; 또, 늘어선 집. ＝いえなみ. ¶古い～ 늘비한 낡은 집들/～の不揃いな道 집들이 들쭉날쭉한 길/～が揃っている 집들이 가지런히 늘어서 있다. **2** 집집마다. ＝軒並み.

やなり【家鳴り】图 집이 울림; 또, 그 소리. ¶～震動 집이 울리는 진동/地震で～がひどい 지진으로 집이 심하게 울린다/一日中～(が)する 온종일 집이 울린다.

やに〖脂〗图 **1** 진. ㉠수지(樹脂). ¶松の～ 송진. ㉡(담뱃대 따위의) 댓진. ¶パイプが～で詰まる 파이프가 댓진으로 막히다. **2** 눈곱. ＝目やに. ¶目に～が付く 눈에 눈곱이 끼다.

やにさが-る〖脂下がる〗5自 신명이 나서 싱글거리다; 우쭐해져서 벙글거리다. ¶女の子に囲まれて～ 아가씨들에 둘러싸여 빙글거리다.

やにっこ-い〖脂っこい〗形 **1** 진이 많다; 끈적끈적하다. ¶～木 끈적거리는 나무. **2** 끈덕지다; 끈질기다; 악착같다. ＝しつこい. ¶～男 끈덕진 남자/～·くからむ 끈질기게 치근거리다.

やにょうしょう【夜尿症】图 야뇨증. ＝寝小便. ¶～の子供 야뇨증이 있는 아이; 오줌싸개.

やにわに〖矢庭に〗副 당장; 즉석에서; 단숨에; 돌연; 갑자기; 느닷없이. ＝たちどころに·いきなり. ¶～飛びかかる 갑자기 달려들다/～七人も倒す 그 자리에서 일곱 사람이나 쓰러뜨리다/～駆け出す 당장 달려가다/～腕をつかまれた 느닷없이 팔을 붙잡혔다.

やぬし【家主】图 가주. **1** 한 집의 주인; 가장; 가구주. ＝あるじ. **2** (셋집 등의) 집주인; 셋집 주인. ＝いえぬし·大家. ¶～に家賃を払う 집주인에게 집세를 내다. ↔たな子.

**やね【屋根】图 지붕; 덮개. ¶～板 지붕널/自動車の～ 자동차 지붕/～をふく 지붕을 이다/～をかける 지붕을〔덮개를〕 씌우다/世界の～チベット 세계의 지붕 티베트/一つ～の下で暮らす 한 지붕 아래서 살다/～伝いに逃げる 지붕을 타고 도망치다.

—うら【—裏】图 **1** 지붕 밑; 더그매. **2** 다락방. ＝やねうらべや·アチック. ¶～に住む 다락방에 살다.

やのあさって〖弥の明後日〗图 그글피《지역에 따라서는 글피》. ＝やなあさって. ¶あさって·しあさって·～ 모레·글피·그글피.

やば【矢場】图 활터. ＝弓場.

やば-い 形〈俗〉**1** (들키거나 잡힐 염려가 있어) 위태롭다; 위험하다. ¶～ぞ, 逃げろ 위험하다, 도망쳐라/～仕事 위험한 일/この成績では～な 이 성적으로는 불안하겠는데. **2** 난처하다; 안된다. ¶見つかったら～ぞ 들키면 안된다.

やばね【矢羽·矢羽根】图 살깃.

**やはり〖矢張り〗副 역시; 전과 같이; 예상과 같이; 결국. ＝やっぱり. ¶～おかしい 역시 이상하다/私たちも～反対だ 우리들도 역시 반대다/りこうそうでも～子供だ 영리한 것 같아도 역시 어린애다/～名人のやることは違う 역시 명인이 하는 일은 다르다/～優勝は無理だった 역시〔예상대로〕 우승은 무리였다.

やはん【夜半】图 야반; (한)밤중. ＝(ま)よなか. ¶～の月 야밤중의 달/～の火事 한밤중의 화재/～を過ぎる 야반을 넘기다.

*__やばん__【野蛮】名ナ 야만(적); 조야(粗野)함. ¶～人 야만인/～なふるまい 야만적인 행동/～な風習 야만스러운 풍습. ↔文明.

やひ【野卑】《野鄙》名ナ 야비. ¶～な言葉 야비한 말/～な音楽〔趣味〕 저속한 음악〔취미〕.

*__やぶ__〖藪〗图 **1** 덤불; 대숲. ¶～を切り開く 덤불을 개간하다. **2** 'やぶ医者'·'やぶにらみ'·'やぶそば'의 준말. ¶あの医者は～だ 저 의사는 돌팔이다.

—から棒 아닌 밤중에 홍두깨; 갑작스러움. ¶～になにを言うのだ 아니 갑자기 무슨 소릴 하는 거야.

—の中 당사자의 얘기가 엇갈려 진상이 불명임. ¶事件の真相は～だ 사건의 진상은 분명치 않다.

—をつついて蛇を出す ☞やぶへび.

やぶいしゃ【やぶ医者】《藪医者》图 돌팔이 의사. ＝やぶ(い)·やぶくすし. ¶～にかかる 돌팔이 의사에게 치료받다.

や

やぶいり【やぶ入り】《藪入り》图자自 설날과 우란분재(盂蘭盆齋)《7월 16일》 전후에 고용인이 휴가를 얻어 귀향하는 일; 또, 그 날. =宿入(やどり).

やぶか【やぶ蚊】《藪蚊》图《蟲》 각다귀. =しま蚊(か). ¶~に刺(さ)される 각다귀에 물리다.

やぶ-く〖破く〗5他〈俗〉 찢다. ¶障子(しょうじ)を~ 장지를 찢다/手紙(てがみ)を~·き捨(す)てる 편지를 찢어 버리다/服(ふく)を~·いてしまった 옷을 찢어 버렸다.

やぶ-ける〖破ける〗下1自 ☞やぶれる. ¶袋(ふくろ)が~ 봉지가 찢어지다.

やぶさか〖吝か〗ダナ 인색함. =けち.

—でない 인색하지 않다; 기꺼이 …하다. ¶過(あやま)ちを改(あらた)めるに~ 잘못을 고치는 데 인색하지 않다/協力(きょうりょく)するに~ 협력하는 데 인색하지 않다; 기꺼이 협력하다.

やぶさめ〖流鏑馬〗图 기사(騎射)의 하나《말을 달리면서 우는살을 쏘아 과녁을 맞히는 무예》.

やぶだたみ【やぶ畳】《藪畳》图 대숲이 우거진 곳.

やぶにらみ〖藪睨み〗图〈卑〉 **1** 사팔뜨기. =斜視(しゃし). ¶~の人(ひと) 사팔뜨기. **2** 얼토당토 않음. ¶~の意見(いけん) 당치도 않은 의견/それは~の考(かんが)え方(かた)だ 그것은 얼토당토 않은 사고방식이다.

やぶへび【やぶ蛇】《藪蛇》图 'やぶをついて蛇(へび)を出(だ)す'의 준말; (덤불을 쑤셔 뱀을 나오게 한다는 뜻에서) 긁어 부스럼. ¶発言(はつげん)が~になる 발언이 긁어 부스럼이 되다/~な事(こと)をするな 쓸데없는 짓 하지 마라. ⇨やぶ.

⁑**やぶ-る**【破る】5他 **1** 깨다. ㉠깨뜨리다; 부수다; 뚫다. ¶壁(かべ)を~ 벽을 부수다/ガラスを~ 유리를 깨다/十秒(じゅうびょう)の壁(かべ)を~ 10초의 벽을 깨다/敵(てき)の囲(かこ)みを~ 적의 포위망을 뚫다/牢(ろう)を~ 탈옥하다/金庫(きんこ)を~ 금고를 깨다〔털다〕. ㉡어기다. ¶約束(やくそく)を~ 약속을 깨다/法律(ほうりつ)を~ 법률을 어기다/誓(ちか)いを~ 맹세를〔서약을〕 저버리다. ㉢무찌르다; 패배시키다. ¶強敵(きょうてき)を~ 강적을 무찌르다. **2** 찢다; 째다. ¶表紙(ひょうし)〔障子(しょうじ)〕を~ 표지를〔장지를〕 찢다. 可能やぶ-れる下1自

やぶれ【破れ】图 깨짐; 찢어짐; 찢어진 곳〔정도〕. ¶~傘(がさ) 찢어진 우산/障子(しょうじ)の~ 장지 찢어진 곳〔정도〕/塀(へい)の~を繕(つくろ)う 담장 망가진 데를 고치다.

やぶれかぶれ【破れかぶれ】ダナ〈俗〉 자포 자기하는 마음; 될 대로 되라는 심정; 또, 그런 모양. =すてばち. ¶~な気持(きも)ち 될 대로 되라는 기분/~になる 자포자기가 되다/こうなったらもう~だ 이렇게 되면 이제는 막판이다.

やぶれめ【破れ目】图 찢어진 데. =やれ目(め). ¶~をつくろう 찢어진 데를 깁다.

⁑**やぶ-れる**【破れる】下1自 **1** ㉠찢어지다. ¶紙(かみ)が~ 종이가 찢어지다. ㉡터지다; 뚫어지다. ¶くつ下(した)が~ 양말이 떨어지다/はれものが~ 종기가 터지다. **2** 깨지다. ¶ガラスが~ 유리가 깨지다/記録(きろく)が~ 기록이 깨지다/縁談(えんだん)が~ 혼담이 깨지다/交渉(こうしょう)が~ 교섭이 깨지다/つり合(あ)いが~ 균형이 깨지다/恋(こい)に~ 실연하다. **3** 다치다; 상처 입다. ¶~·れた心(こころ) 상처받은 마음.

⁑**やぶ-れる**【敗れる】下1自 지다; 패배하다. ¶いくさに~ 싸움에 지다/おしくも決勝戦(けっしょうせん)で~·れた 아깝게도〔분하게도〕 결승전에서 졌다.

やぶん【夜分】图 밤; 밤중. =よる·よなか. ¶~おじゃましました 밤중에 실례했습니다/こんな~にお電話(でんわ)して申(もう)しわけありません 이런 야밤에 전화 드려서 죄송합니다.

やぼ〖野暮〗名ナ〈俗〉 멋이〔풍류가〕 없음; 촌스러움; 세상 물정에 어두움; 또, 그런 사람; 쑥; 촌뜨기. ¶~なネクタイ 멋이 없는 넥타이/~な服装(ふくそう) 촌스러운 복장/~な男(おとこ) 투미한 남자/そんなこと聞(き)くだけ~だ 그런 건 묻는 만큼 쑥이다. ↔いき·すい.

やぼう【野望】图 야망. =野心(やしん). ¶~をいだく 야망을 품다/~をとげる〔砕(くだ)く〕 야망을 이루다〔꺾다〕.

やぼった-い〖野暮ったい〗形〈俗〉 촌스럽다; 세련되지 않다. ¶~服装(ふくそう)〔身(み)なり〕 촌스러운 옷차림.

⁑**やま**【山】图 **1** 산. ¶~に登(のぼ)る 산에 오르다/~にこもる 산속에 틀어박히다/~に柴刈(しばかり)りに行(い)く 산에 나무하러 가다. **2** 광산; 전하여, 요행을 바라고 하는 모험·투기. ¶~を掘(ほ)り当(あ)てる 광맥을 찾아내다. **3** 산더미; 무더기. ¶死体(したい)の~ 시체더미/リンゴが一(ひと)~百円(ひゃくえん) 사과가 한 무더기 백엔/~なす波(なみ) 산더미 같은 파도. **4** 절정; 정점; 고비; 클라이맥스. =とうげ. ¶話(はなし)の~ 이야기의 절정/~のない文章(ぶんしょう) 클라이맥스가 없는 글/事件(じけん)が~に達(たっ)した 사건이 고비에 이르렀다. **5** 쑥 솟은 부분. ¶~の高(たか)い帽子(ぼうし) 운두가 높은 모자/タイヤの~ 타이어의 삐죽삐죽 나온 부분. **6** (행운을 바라는) 예상. ¶~がはずれる 예상이 빗나가다.

—が見(み)える (곤란했던 일이 대충 해결되어) 앞으로의 예측〔전망〕이 서다.

—を当(あ)てる **1** 광맥을 찾아내다. **2** 가능성이 희박한 것에 걸어서 맞히다. ¶ダービーで~ 경마에서 요행수로 돈을 따다/試験(しけん)の~ 시험에서 출제 예상 문제를 알아맞히다.

—をかける 투기를〔모험을〕 하다; (시험·야구 등에서) 이런 것이〔이렇게〕 나올 것이라고 추측하다; 전하여, 요행수를 노리다. =山を張(は)る. ¶試験(しけん)に~ 시험에서 (요행수를 바라고) 찍다.

—を越(こ)す 고비를 넘기다. =峠(とうげ)を越す. ¶労組(ろうそ)の春闘(しゅんとう)もやまを越した 노조의 춘계 투쟁도 고비를 넘겼다.

—を抜く 역발산(力拔山)((힘이 강함의 비유)). ¶力～ 힘이 장사다.
—を踏む 범죄를 저지르다((경찰·범죄자의 은어)). ¶幾つもの山を踏んだ 여러 번 범죄를 저질렀다.

山에 대한 여러 가지 표현

표현例 山が— 聳える(우뚝 솟다)·そそり立つ(우뚝 솟다)·横たわる(가로놓이다; 가로막다)·屹立する(우뚝 솟(아 있)다)·天を摩する(하늘 높이 솟다)·(山脈が)走る((산맥이) 뻗다)·(山系が)連なる((산계가) 연이어져 있다).

やまあい【山あい】((山間)) 名 산간; 산골짜기. =やまかい·谷間. ¶～の村 산간 마을.
やまあらし〖豪猪·山荒〗名〔動〕호저.
やまあらし【山あらし】((山嵐)) 名 산바람; 산에서 부는〔불어오는〕거센 바람.
やまあるき【山歩き】名 ス自 산을 거닒; 또, 등산; 하이킹; 산행. ¶～は結構好きです 산행은 꽤 좋아합니다.
やまい【病】名 **1** 병. ¶恋の～ 상사병 / ～の床につく 병석에 눕다 / ～を癒す 병을 치료하다 / ～を押して出かける 병을 무릅쓰고 외출하다 / ～が篤い 병이 위독하다. **2** 나쁜 버릇; 고질. ¶人の物を取る～がある 남의 물건을 훔치는 나쁜 버릇이 있다.
—膏肓に入る **1** 병이 고황〔골수〕에 들다((고치기 어렵게 되다)). **2** 어떤 일에 열중하다.
—は気から 병은 마음먹기에 달렸다.
やまいも【やまいも·山芋】((薯蕷)) 名 ☞ やまのいも.
やまおく【山奥】名 산속; 깊은 산속. ¶～の村 산속의 마을.
やまおとこ【山男】名 **1** 깊은 산에 살고 있다는 남자 괴물. ↔やまうば. **2** 산 사나이. ㉠산속에서 사는〔일하는〕사나이. ¶あらくれの～ 우락부락한 산 사나이. ㉡노련한 등산가. ¶～にゃほれるなよ 산 사나이에겐 반하지 마라.
やまおろし【山おろし】((山颪)) 名 내리부는 산바람; 재넘이.
やまが【山家】名 산가; 산속의 집. ¶～の一軒家 산속의 외딴집.
やまかけ【山掛け】名 다랑어 회 따위에 마즙을 친 요리. ¶まぐろの～ 다랑어 회에 마즙을 끼얹은 요리.
やまかげ【山陰】名 산그늘; 산 때문에 빛이 안 드는 곳. ¶～の家 산그늘진 곳에 있는 집.
やまかじ【山火事】名 산불. ¶～で焼けだされる 산불로 집을 잃다.
やまかぜ【山風】名 산바람. **1** 산에서 부는 바람. **2** 밤에 산에서 기슭으로 내리부는 바람. ↔谷風.
やまがた【山形】名〔地〕東北 지방 서부의 현; 또, 그 현의 현청 소재지.
やまがら〖山雀〗名〔鳥〕산작; 곤줄박이. ¶～の曲芸 곤줄박이의 곡예.
やまがり【山狩り】名 ス自 **1** 산에서 사냥함. **2** (산에 숨은 범인을 잡기 위해서) 산을 뒤짐. ¶村人総出で～する 마을 사람이 모두 나와 산을 뒤지다.
やまかわ【山川】名 산천; 산과 강. ¶～越えて会いに行く 산 넘고 강을 건너 만나러 가다.
やまがわ【山川】名 계류(溪流); 산속을 흐르는 시내.
やまかん【山勘】名〈俗〉**1** 사기꾼처럼 남을 속임; 또, 그런 사람. **2** 어림으로 요행수를 바람. =あてずっぽう. ¶～が当たる 요행수가 들어맞다 / ～をやる 요행수를 노리고 하다; 모험을 하다 / ～で相手の職業を当てる 어림 대중으로 상대방의 직업을 알아맞히다.
やまき【山気】名 투기적 모험심; 투기·모험을 즐기는 기질. ¶～のある男 모험기가 있는 사나이 / ～が多い 투기심이 많다 / ～を出す 투기심을 내다. 注意 'やまぎ·やまけ' 라고도 함.
やまぎわ【山際】名 **1** 산기슭. =山裾. ¶～の一軒家 산기슭의 외딴집. **2**〈雅〉산의 능선과 하늘이 접하는 부분. ¶～に月が出る 산 위로 달이 뜨다.
やまくじら【山鯨】名 멧돼지 고기의 딴 이름. 参考 짐승 고기 먹는 것을 기(忌)하여 표현을 바꾼 말.
やまくずれ【山崩れ】名 ス自 산사태. =山つなみ. ¶～で汽車が不通になる 산사태로 기차가 불통이 되다.
やまぐち【山口】名〔地〕中国 지방 서부의 현; 또, 그 현청 소재지.
やまぐに【山国】名 산이 많은 지방; 산간 지방. ¶～育ち 산골에서 자람.
やまけ【山け】((山気)) 名 ☞やまき. 注意 'やまっけ' 라고도 함.
やまごし【山越し】名 ス自 **1** 산을〔재를〕넘음. =山越え. ¶～の風 재넘이. **2** 산을 격한 곳; 산 너머 (저쪽). ¶～の村 산 너머 마을.
やまごもり【山ごもり】((山籠り)) 名 ス自 산속에 틀어박힘; 산사(山寺)에 틀어박혀 수행을 함; 또, 산중에서 은둔 생활을 함.
やまごや【山小屋】名 (등산자의 숙박·휴게·피난 등을 위한) 산막. =ヒュッテ·コッテージ. ¶あらしを避けて～に泊まる 폭풍우를 피해 산막에 묵다.
やまざくら【山桜】名 **1** 산에서 피는 벚나무. **2**【やまざくら】〔植〕산벚나무.
やまさち【山幸】名 산에서 잡히는 새나 짐승 따위; 또, 산에서 채취한 나물이나 열매. =山の幸. ¶～, 海幸 산해진미.
やまざと【山里】名 산속의 마을; 산골 마을. =山村. ¶～の春 산골 마을의 봄. ↔人里.
やまざる【山猿】名 **1** 야생 원숭이. **2** 비유적으로, 세상의 물정이나 예의범절을 모르는 두메 산골의 촌사람.

やまし【山師】图 **1** 광맥을 찾는 것을 업으로 하는 사람. ＝金(かね)ほり. **2** 산림 매매업자. **3** 투기·모험을 하는 사람. **4** 사기꾼. ＝さぎ師(し).

やまじ【山路】图〈雅〉산길. ＝やまみち. ¶～を辿(たど)る 산길을 (이리저리 찾아) 가다.

やまし-い〖疚しい〗形 꺼림칙하다; 뒤가 켕기다; 양심의 가책을 느끼다. ＝うしろぐらい. ¶～ことはない 양심의 가책을 느낄 일은 없다 / ～ところがある 뒤가 켕기는 데가 있다. ↔いさぎよい.

やますそ【山すそ】《山裾》图 산기슭. ＝山麓(さんろく).

やまたいこく［耶馬台国·邪馬台国］图〖史〗3세기경 일본에 있었던 나라《여왕 卑弥呼(ひみこ)가 지배하였음; 중국의 위지 왜인전(魏志倭人傳)에 나오며, 위치는 大和(やまと)·北九州(きたきゅうしゅう)의 두 설(說)이 있음》. ＝やばたいこく.

やまたかぼうし【山高帽子】图 중산모자《운두가 높고 둥글며, 예장용》. ＝やまたか(ぼう).

やまだし【山出し】图 **1** 산에서 나옴; 산에서 나온 것. ¶～のままの材木(ざいもく) 산판에서 갓 나온 재목. **2** 도회지로 갓 나온 시골뜨기. ¶～の女中(じょちゅう) (도회지로 갓 나온) 시골뜨기 가정부.

やまっけ【山っ気】图 모험이나 투기를 좋아하는 마음《'山気(やまけ)'의 힘줌말》. ＝やまき·やまぎ. ¶～を出(だ)す 모험심〔투기심〕을 일으키다.

やまつなみ【山津波】图 산사태. ＝やまくずれ.

やまづみ【山積み】图スル自他 산적. **1** 산더미처럼 높게 쌓아 올림〔쌓여 있음〕. ¶～の荷物(にもつ) 산적한 화물 / ～になる 산적되다 / 机(つくえ)の上(うえ)に本(ほん)が～になっている 책상 위에 책이 산더미처럼 쌓여 있다. **2** (일 따위가) 많이 밀림. ＝山積(さんせき). ¶～の仕事(しごと) 산적한 일 / 難問(なんもん)が～される 어려운 문제가 많이 밀리다.

やまて【山手】图 **1** 산(에 가까운) 쪽. ¶～に住宅(じゅうたく)が密集(みっしゅう)する 산 쪽에 주택이 밀집하다. ↔海手(うみて)·浜手(はまて). **2** ☞やまのて1. ↔下町(したまち).

やまでら【山寺】图 산사; 산속에 있는 절. ¶静寂(せいじゃく)な～ 정적한 산사.

やまと【大和】《倭》㊀图〈雅〉**1** 옛 땅이름으로 지금의 奈良県(ならけん). ＝和州(わしゅう). **2** '日本(にっぽん)(＝일본)'의 딴 이름.
㊁接頭《名詞에 붙어서》일본의 특유한 사물·제작임을 나타내는 말.

やまと【山と】連語 산더미같이. ¶～積(つ)み上(あ)げる 산더미처럼 쌓아 올리다.

やまとえ【大和絵】《倭絵》图 일본화.

やまとことば【大和ことば·大和言葉】图 일본(고유의) 말. ＝和語(わご). ↔漢語(かんご)·外来語(がいらいご).

やまとじだい【大和時代】图 일본사 시대 구분의 하나; 고대 국가 성립에서 6세기경까지로, 大和(やまと) 지방에 도읍지가 있던 시대.

やまとだましい【大和魂】图 일본 민족의 고유한 정신. ＝大和心(やまとごころ).

やまとなでしこ【大和なでしこ】图 **1**【やまとなでしこ】〖植〗'ナデシコ(＝패랭이꽃)'의 딴 이름. **2**《大和撫子》일본 여성의 미칭. ¶～として恥(は)ずかしくない行(おこな)い 일본 여성으로서 부끄럽지 않은 행동.

やまどり【山鳥】图 **1** 산새. **2**【やまどり】〖鳥〗일본 특산인 꿩과의 텃새《꽁지깃이 길며, 온몸이 적갈색임》.

やまない〖止まない〗連語《'…して～'의 꼴로》어디까지나 …하다; …해 마지않다. ＝やまぬ. ¶祈(いの)って～ 빌어 마지않다 / …を願(ねが)って～ …을 바라〔빌어〕마지않다. ⇨止(や)む2.

やまなし【山梨】图〖地〗중부 지방 동남부에 있는 현《현청 소재지는 甲府(こうふ) 시》.

やまなみ【山並み】《山脈》图 산이 줄지어 있음; 산줄기; 연산(連山); 산맥.

やまなり【山なり】《山形》图 물건을 멀리 던질 때 둥글게 궤적을 그리는 모양; 호형(弧形). ¶～のスローボール (투수의) 포물선을 그리는 느린 공 / ～に弧(こ)を描(えが)く 포물선 모양의 호를 그리다.

やまなり【山鳴り】图スル自 (분화(噴火) 따위로 인한) 산울림. ⇨うみなり.

やまねこ【山猫】图 **1** 들이나 산에 사는 야생 고양이. **2**【やまねこ】〖動〗살쾡이.

やまのいも〖山の芋·薯蕷〗图〖植〗참마. ＝じねんじょ·やまいも.

やまのかみ【山の神】图 **1** 산신. ＝山(やま)つみ. **2**〈俗〉아내; 여편네; 마누라. ＝女房(にょうぼう)·かかあ. ¶うちの～は小言(こごと)が多(おお)い 우리 집 여편네는 잔소리가 심하다. ↔宿六(やどろく).

やまのさち【山の幸】图 ☞やまさち.

やまのて【山の手】图 **1** 지대가 높은 곳; 또는, 그 곳에 있는 주택 지구《특히, 東京(とうきょう)의 文京(ぶんきょう)·新宿(しんじゅく) 구(區) 일대의 고지대》. ¶～に住(す)む 고지대 주택 지구에 살다. ↔下町(したまち). **2** ☞やまて1.

——せん【—線】图 JR東日本(ひがしにほん)(＝일본 철도 회사명)의 東京(とうきょう) 전차 순환선(循環線)의 이름.

やまのは【山の端】图〈雅〉산등성이; 산마루. ¶月(つき)が～に入(はい)る 달이 산마루에 지다.

やまのぼり【山登り】图スル自 등산; 산에 오름.

やまば【山場】图 고비; 절정. ＝クライマックス. ¶交渉(こうしょう)の～ 교섭의 고비 / ～にさしかかる 고비에 접어들다 / いよいよ～を迎(むか)える 드디어 클라이맥스를 맞이하다.

やまはだ【山肌】图 산의 표면; (초목이 없는) 산허리의 흙·바위의 표면. ¶～があらわになる 산 바닥이 드러나다.

やまばん【山番】图 산지기. ＝山(やま)もり. ¶～小屋(ごや) 산지기막(幕).

やまびこ【山びこ】《山彦》图 메아리. ＝こだま. ¶～が響(ひび)く 메아리가 울리다 /

~がこたえる 메아리가 치다. 参考 본디, 산신의 뜻; 메아리는 이 산신이 대답하는 것으로 생각했었음.

やまひだ【山ひだ】《山襞》图 산줄기가 주름처럼 보이는 습곡; 산주름.

やまびらき【山開き】图 그 해 처음으로 (산막(山幕) 등을 열어 등산객을 맞이할 모든 준비를 갖추고) 일반에게 등산을 허용하는 일; 또, 그 날 또는 행사.

やまぶき【山吹】图 **1**【やまぶき】〔植〕 황매화나무. **2** '山吹色'의 준말.

—いろ【—色】图 (주황에 가까운) 황금색. =こがねいろ.

やまぶし【山伏】图 **1** 산야(山野)에 노숙함. **2** 산속에 숨어 지냄; 또, 그 사람. **3** 修験道의 수도자《팔모 지팡이·소라 등을 갖고, 특정한 산에 올라가 수행함》. =修験者.

やまぶどう〖山葡萄〗图〔植〕 왕머루.

やまふところ【山懐】图 산간의 움푹 들어간 곳. =やまぶところ. ¶~にかこまれた温泉 산으로 둘러싸인 온천.

やまべ【山辺】图 산 근처; 산이 있는 곳. ¶~の道 산 언저리 길. ↔海辺.

やまほど【山程】副 산(더미)만큼. ¶金なら~ある 돈이라면 얼마든지 있다/言いたいことは~ある 하고 싶은 말은 태산같이 많다/むずかしい事件が~ある 어려운 사건이 산적해 있다/注文が~来る 주문이 마구 밀려들다.

やまみち【山道】《山路》图 산길. =やまじ. ¶~を歩く 산길을 걷다.

やまめ〖山女〗图〔魚〕 산천어(山川魚); 민물송어.

やまもち〖山持ち〗图 산을 소유함; 또, 그 사람; 산주(山主).

やまもと【山元】图 **1** 산 임자; 광산 경영자. **2** 광산·탄갱의 소재지.

やまもり【山盛り】图 고봉으로 담음. ¶~のご飯 고봉밥/~で千円 고봉으로 담아서 천 엔/御飯を~によそう 밥을 고봉으로 담다. ↔すり切り.

やまやき【山焼き】图 (초봄에 새싹이 잘 돋도록) 산의 마른풀을 태움.

やまやま【山山】图 **1** 매우 많음. ¶~のほうびの品 산더미 같이 많은 상품/~積もる話 태산같이 쌓인 이야기. **2** 간절함. ¶ほしいのは~だがお金がない 갖고 싶은 마음은 간절하지만 돈이 없다/行きたいのは~だ 가고 싶은 생각은 굴뚝 같다. **3** 한도를 나타냄: 기껏; 고작. =せいぜい. ¶千円ぐらいが~だ 천 엔 정도가 고작이다/彼の才能では課長が~だ 그의 재능으로는 과장이 고작이다. 注意 副詞적으로도 씀.

やまゆり〖山百合〗图〔植〕 산나리《일본 특산인 나리의 한 품종》.

やまわけ【山分け】图ス他 눈대중으로〔절반씩 또는 인원수에 맞추어〕 고루 나눔. ¶獲物を~する 사냥한 것을 대충 고루 나누다/もうけは~だ 이익은 절반씩 나눈다.

***やみ**〖闇·暗〗图 **1** 어둠. =暗やみ. ¶~の女〔花〕 밤〔거리〕의 여인; 매춘부/~を照らす 어둠을 밝히다/~に乗じて討つ 어둠을 타서 공격하다/前途は~だ 전도는 캄캄하다《희망이 없다》/~にまぎれて逃げる 어둠을 틈타 도망치다/一寸さきは~の世だ 한 치 앞도 모르는 세상이다. **2** 사려·분별이 없는 상태. ¶子〔恋〕ゆえの~に迷う 자식〔사랑〕 때문에 분별을 잃고 갈팡대다. **3** 암거래(품). =やみとりひき. ¶~ドル 암 달러/~ルート 암거래 루트/~で買う 암거래로 사다. **4** 'やみ相場(=암시세)'의 준말.

—から—に葬る 어둠 속에 묻어 버리다《(a) 쉬쉬해 버리다; 휘지비지하다; (b) 몰래 낙태시키다》.

—に烏 분간이 되지 않음의 비유. =闇夜に烏.

やみあがり【病み上がり】图 병이 나은 지 얼마 되지 않은 상태; 또, 그 사람. =病気あがり. ¶~の人 앓고 나서 얼마 안 된 사람/~に無理をするな 병후에 무리하지 마라.

やみいち【やみ市】《闇市》图 암시장. =やみ市場.

やみうち【やみ討ち】《闇討ち》图ス他 **1** 야습. ¶~にあう 야습을 당하다/~をかける 야습을 감행하다. **2** 기습(으로 남을 놀라게 함). =不意打ち. ¶~を食わせる 불시에 습격하다; 기습을 가하다.

やみくも〖闇雲〗ダナ **1** 〈俗〉 마구〔함부로, 되는대로, 닥치는 대로〕 하는 모양. ¶~に突っ走る 마구 달리다/~にどなり散らす 마구 고함을 질러대다/~に突き進む 마구 돌진하다. **2** 불쑥〔갑자기〕 하는 모양. ¶そんな事を~に言い出されても困る 그런 말을 불쑥 꺼내면 곤란하다.

やみじ【やみ路】《闇路》图 〈雅〉 어두운 밤길; 비유적으로, 사려 분별없는 상태. ¶~を歩く 밤길을 걷다/恋の~に迷う 사랑의 미로를 헤매다.

やみそうば【やみ相場】《闇相場》图 암시세. =やみ(値). ¶~があがる 암시세가 오르다.

やみつき【病みつき】《病み付き》图 (나쁜) 버릇이 들어서 고칠 수 없게 됨; 고질이 됨. ¶ばくちが~になる 도박이 고질이 되다/~になってやめられない 고질이 되어 그만둘 수가 없다/一度食べてから~になった 한번 먹고 나서 인이 박였다.

やみつく【病みつく】《病み付く》5自 **1** (나쁜) 버릇이 들어〔사물에 열중하여〕 고칠 수 없게 되다. **2** 병이 들다.

やみとりひき【やみ取引】《闇取引》图ス他 암거래; 뒷거래. ¶ボスどうしの~ 보스끼리의 뒷거래/米の~をする 쌀의 암거래를 하다/入札をめぐる~ 입찰을 둘러싼 뒷거래.

やみね【やみ値】《闇値》图 암시세; 암거래 시세. ＝やみ相場.
やみほう-ける【病みほうける】《病み耄ける》下1自 병으로 몹시 쇠약해지다〔폐인처럼 되다〕. ¶長患いで～ 오랜 병으로 몹시 쇠약해지다.
やみや【やみ屋】《闇屋》图 암거래상; 암거래꾼. ＝やみ商人.
やみよ【やみ夜】《闇夜》图 암야; 캄캄한 밤. ＝暗夜. ↔月夜.
—に烏 ☞やみにからす.
—に〔の〕鉄砲 (캄캄한 밤에 총을 쏘듯이) 대충 짐작으로 일을 해봄. ＝やみ夜の礫.
****や-む**〖止む〗5自 **1** 멈추다; 그치다; 멎다; 그만두다. ¶雨〔騒音〕が～ 비가〔소음이〕 그치다/たおれて後～ 쓰러진 뒤에야 그만두다《죽도록 하다》/～ことなく発展する 끊임없이 발전하다. **2**《…して～·まない의 꼴로》…마지않다. ¶…(こと)を期待〔希望〕して～·まない …(것)을 기대〔희망〕해 마지않다/願って～·みません 바라 마지않습니다. ⇨やまない.
や-む【病む】5自他 **1** 병들다; 앓다. ¶肺を～ 폐를 앓다/～·んだ体に鞭打って研究にはげんだ 병든 몸에 채찍질하여 연구에 힘썼다. **2** 걱정하다; 괴로워하다. ¶…を気に～ …을 몹시 걱정하다/試験を苦に～ 시험을 몹시 걱정하다.
ヤムチャ [중 飲茶] 图 얌차; (주로 중국 남부에서) 차를 마시며 만두 등을 먹는 간단한 식사.
やむな-い〖已む無い〗形 부득이하다; 할 수 없다《'しかたがない'의 격식 차린 말씨》. ¶中止したのも～ことだ 중지한 것도 부득이하다/～事情により欠席した 부득이한 사정으로 (인하여) 결석했다.

やむなき〖已む無き〗連語 만부득이함; 어쩔 수 없음. ¶一時延期の～に至った 일시 연기치 않을 수 없게 됐다.
やむなく〖已む無く〗副 부득이. ¶～あきらめる 부득이 단념하다/～承諾する 어쩔 수 없이 승낙하다/～中止した 부득이〔할 수 없이〕 중지했다.
やむにやまれず〖止むに止まれず〗連語《副詞적으로》만부득이해서; 어쩔 수 없이. ¶～けんかを買って出る 어쩔 수 없이 싸움을 맡고 나서다/～口を出してしまった 어쩔 수 없이 말참견을 하고 말았다.
やむにやまれぬ〖止むに止まれぬ〗連語 만부득이한; 어쩔 수 없는. ¶～事情 만부득이한 사정.
やむをえず【やむを得ず】《已むを得ず》連語 할 수 없이; 어쩔 수 없이. ¶～引き受ける 할 수 없이 떠맡다/～引き返す 할 수 없이 되돌아오다.
やむをえない【やむを得ない】《已むを得ない》連語 할 수 없다; 어쩔 수 없다; 부득이하다. ¶やすむのも～ 쉬는 것도 부득이하다/～急用ではやびけする 부득이한 급한 일로 조퇴하다.
やめ〖止め〗图 그만둠; 중지; 끝남. ¶～になった 중지되었다/～にした 그만두기로 했다/もう～だ 이제 끝났다.
****や-める**〖止める〗下1他 그만두다; 중지하다; 끊다. ＝とりやめる. ¶話を～ 이야기를 중지하다/つきあいを～ 교제를 끊다/酒〔タバコ〕を～ 술을〔담배를〕 끊다/学校〔旅行〕を～ 학교를〔여행을〕 그만두다/行くのを～ことにする 가는 것을 그만두기로 하다.
や-める【辞める】下1他 (관직 따위를) 그만두다; 사직하다. ¶会社を～ 회사를 그만두다/委員を～ 위원을 사임하다.
や-める【病める】下1自 **1** 아프다. ¶後腹が～ 후배앓이를 하다. **2** 괴로워하다. ¶心が～ 고민하다/気が～ 걱정이 되다.
やめる【病める】連体 병든; 앓고 있는; 병적인. ¶～心〔現代文明〕 병든 마음〔현대 문명〕/～若者 병든〔병적인〕 젊은이/～母をいたわる 병든 어머니를 돌보다.
やもうしょう【夜盲症】图 야맹증.
やもめ〖寡婦〗图 과부; 미망인. ＝未亡人·後家. ¶戦争～ 전쟁 미망인/～暮らし〔住まい〕 과부 생활.
やもめ〖鰥夫〗图 홀아비. ＝やもお·男やもめ. ¶男の～暮らし 홀아비 생활.
やもり〖守宮〗图〔動〕 도마뱀붙이.
***やや**〖稍〗副 약간; 얼마쯤; 좀. ¶～寒い 약간 춥다/～右寄り 조금 오른쪽에 치우침/～大きめ 약간 크다 싶음/血圧が～高めだ 혈압이 약간 높다/～うつむきかげんに歩く 약간 머리를 숙이고 걷다.
—あって 좀 지나서; 얼마쯤 있다가. ¶～家主が口を切った 좀 있다가 집주인이 맨 먼저 말하기 시작했다.
ややこし-い 形 복잡해서 알기 어렵다; 까다롭다. ＝ややっこしい. ¶～路地 복잡하게 얽힌 골목/～問題 까다로운 문제/話が～·くなって来た 이야기가 까다로워〔복잡해〕졌다.
ややともすれば〖動ともすれば〗副 'ややもすれば'의 힘줌말.
ややもすれば〖動もすれば〗副 자칫하면; 까딱하면. ＝(やや)ともすれば·ややもすると. ¶夏は～睡眠不足になりがちだ 여름에는 자칫 수면 부족이 되기 쉽다/～生活費が足りなくなる 자칫하면 생활비가 모자라게 된다.
やゆ [揶揄] 图ス他 야유함; 놀림. ¶政治家を～した漫画 정치가를 야유한 만화/反対党の演説を～する 반대당의 연설을 야유하다.
やよい [弥生] 图〈雅〉음력 3월.
—じだい [—時代] 图 야요이 시대《기원전 5세기경부터 기원전 3세기경》.

やら ㊀終助 불확실한 상상을 나타내는 말: …는지; …인지. ¶どうしたの~ 어떻게 되었는지 / 完成するのはいつのこと~ 완성은 언제가 될 것인지 / これから先どうなるの~ 이제부터〔앞으로〕 어떻게 될 것인지. ㊁副助 **1**《부정(不定)을 나타내는 말과 함께 써서》 불확실한 기분으로 말할 때 씀: …인가. ¶だれ~笑っているぞ 누군인가 웃고 있구나 / 何~言っている 무엇인지 말하고 있다 / 来るの~来ないの~はっきりしない 올 것인지 안 올 것인지 확실하지 않다. **2** 열거할 때에 씀: …와〔과〕 …와〔과〕; …(이)며 …(이)며. =や·だの. ¶なし~栗~ 배랑 밤이랑 / 泣く~笑う~ 울다가 웃다가 / 踏まれる~けられる~ひどい目にあった 밟히기도 하고 채기도 하고 혼이 났다.

やらい【夜来】名 어젯밤 이후 (쭉 계속해서 지금까지); 밤사이. ¶~の雨 밤새 내린 비. ↔朝来.

やらか-す 5他 〈俗〉 하다; 저지르다. =する·やる·しでかす. ¶へまを~ 실수를 저지르다 / とんでもない事を~ 어처구니없는 짓을 저지르다.

やらずのあめ【やらずの雨】《遣らずの雨》連語 손님을 못 가게 하려는 듯이 오는 비; 또, 외출하려고 나설 때 공교롭게 오는 비.

やらずぶったくり〖遣らずぶったくり〗連語 〈俗〉 남에게 주지는 않고, 거두어들이기만 함. ¶~主義 주지는 않고 빼앗기〔받기〕만 하는 주의 / 地元には~の観光開発 현지〔제 고장〕에는 주는 것 없이 수탈만 하는 관광 개발.

やらせ〖遣らせ〗名 텔레비전 뉴스나 다큐멘터리 등에서, 마치 실제와 같은 상황을 조작하거나 연기를 시키는 일. ¶あの番組は~だ 저 프로그램은 미리 짜고 꾸민 것이다.

やら-せる〖遣らせる〗下1他 시키다; 하게 하다. =させる·やらす. ¶この仕事は, かれに~つもりだ 이 일은 그에게 시킬 작정이다.

やら-れる〖遣られる〗下1自 **1** 당하다. ㉠속다. ¶まんまと~·れた 감쪽같이 속았다 / 私も~·れた 나도 당했다. ㉡얻어맞다. ¶不良に~ 깡패한테 당하다. ㉢살해되다; 상처를 입다. ¶彼は一発で~·れた 그는 한 방에 당했다. ㉣지다; 패배하다. ¶こりゃあ, 一本~·れたね 이거 한판 졌는데. **2** (병에) 걸리다. ¶流感に~ 독감에 걸리다 / 暑さに~ 더위를 먹다 / 飲みすぎで胃を~ 과음하여 속에 탈이 났다. **3** 파괴되다; 피해를 보다. ¶洪水で田地が大分~·れた 홍수로 논밭이 상당한 피해를 보았다.

やり〖槍·鎗·鑓〗名 **1** 창. ¶~の穂 창끝 / 竹~ 죽창 / ~で突く 창으로 찌르다 / ~をしごく 창을 바싹 당기어 찌를 태세를 취하다. **2** 창술(槍術). =槍術. ¶~を習う 창술을 배우다.

やりあ-う【やり合う】《遣り合う》5自 **1** 서로 하다. ¶販売競争を~ 서로 판매 경쟁을 하다. **2** 서로 (말이나 완력으로) 다투다. ¶子供のことで妻と~ 아이 문제로 아내와 다투다 / 議会で両党首が~ 의회에서 양당수가 언쟁하다.

やりがい〖遣り甲斐〗名 하는 보람; 할 만한 가치. =しがい. ¶~のある仕事 하는 보람이 있는 일.

やりかえ-す【やり返す】《遣り返す》5他 **1** 다시〔고쳐〕 하다. =しなおす. ¶計算を~ 계산을 다시 하다. **2** 되받아 윽박지르다; 반박하다. ¶悪口を言われて~ 욕을 먹고 반박하다 / 野党の追及に政府側は~こともできない 야당의 추궁에 대해서 정부측은 끽소리〔반박〕도 못한다.

やりかけ【やり掛け】《遣り掛け》名 하고 있는 중임; 하다가 중단된 상태. ¶~の仕事 하다 만 일 / 仕事を~にしたまま出かける 일을 하다 만 채 나가다.

***やりかた**【やり方】《遣り方》名 하는 방식〔태도〕; 처사; 짓. ¶ひどい~ 지독〔가혹〕한 짓 / 選挙の~ 선거 방식 / ~がまずい 하는 (방)식이 서툴다 / ~がわからない 하는 방법을 모르다.

***やりきれない**〖遣り切れない〗連語 **1** 해낼 수가 없다; 끝까지 할 수 없다; 견딜 재간이 없다. ¶一時間では~仕事 한 시간으로는 해낼 수 없는 일 / 金詰まりでどうにも~ 돈이 딸려서 아무래도 해낼 재간이 없다. **2** 딱 질색이다; 못 견디겠다; 참을 수 없다. =かなわない. ¶~思い 견딜 수 없는 기분〔느낌〕/ こう暑くては~ 이렇게 더워서는 못 해먹겠다 / うるさくて~ 귀찮아서〔시끄러워〕 못살겠다.

やりくち【やり口】《遣り口》名 〈俗〉 (하는) 방식·방법; 수법. =やりかた·しかた. ¶きたない~ 더러운〔치사스러운〕 수법 / 巧妙な~ 교묘한 수법 / 彼の~は気に食わない 그의 방식은 마음에 들지 않는다.

やりくり〖遣り繰り〗名ス他 주변; 변통. ¶~がうまい 변통을 잘한다 / インフレで家計の~がつかない 인플레로 가계를 꾸려 나갈 수가 없다 / 何とか~して生活する 그럭저럭 변통해서 생활하다.

やりこな-す〖遣り熟す〗5他 (어려운 일 등을) 적절히 해내다. ¶りっぱに〔何とか〕~ 훌륭히〔그럭저럭〕 해내다.

***やりこ-める**〖遣り込める〗下1他 (말로 상대방을) 꼼짝 못하게 해대다; 쑥 들어가게 하다; 끽소리도 못하게 하다; 윽박지르다. ¶先生を~ 선생님을 끽소리도 못하게 하다 / するどい質問で大臣を~ 날카로운 질문으로 대신〔장관〕을 몰아세우다.

やりすご-す【やり過ごす】《遣り過ごす》

[5他] 1 (뒤에 온 것을 자기보다) 앞에 통과시키다. ¶ ~·してあとをつける 앞서 가게 해 놓고 뒤를 밟다 / 二,三台~·してすいたのに乗った 두세 대 그대로 보내고 빈 차를 탔다 / 追っ手を~ 추격자를 앞으로 따돌리다. 2 지나치게 하다; 과도하게 하다. =しすぎる·やりすぎる. ¶ 酒を~ 술을 과음하다.

やりそこな-う 【やり損なう】《遣り損なう》 [5他] 잘못하다; 실수하다; 실패하다. =しそこなう. ¶ 手術を~ 수술을 잘못하다.

やりだま 【やり玉】《槍玉》 [名] 1 창을 공다루듯이 잘 다룸. 2 사람을 창끝으로 찌름. 3 (비난·공격·희생의) 대상.
—に上げる 공격·비난의 대상으로 삼다. ¶ 同盟休校の罰に彼がやり玉に上げられた 동맹 휴학의 벌로 그가 희생의 대상이 되었다.

やりっぱなし 〖遣りっ放し〗 [名] (뒤처리를 하지 않고) 내버려 둠; 방치함. ¶ ~な人 일의 뒷갈망을 안 하는 사람 / ~にしないで後かたづけをしなさい 일을 팽개쳐 버리지 말고 뒤처리를 해요.

やりて 【やり手】《遣り手》 [名] 1 수완가; 민완가. ¶ 業界一の~ 업계 제일가는 수완가 / あの人はなかなかの~だ 저 사람은 상당한 수완가다. 2 일을 할 사람. ¶ この仕事は危険なので~がいない 이 일은 위험해서 할 사람이 없다. 3 (물건을) 줄 사람. ¶ もらい手はあるが~がいない 받을 사람은 있는데 줄 사람이 없다. ↔もらい手.

やりど 【やり戸】《遣り戸》 [名] 미닫이. =引き戸. ¶ ~を開ける 미닫이를 열다. ↔開き戸.

やりと-げる 【やり遂げる】《遣り遂げる》 [下1他] 완수하다; 끝까지 해내다; (최후의 목적을) 달성하다. =しとげる. ¶ 一人で~ 혼자서 해내다 / この事は誓って~ 이 일은 맹세코 해내겠다.

やりとり 【やり取り】《遣り取り》 [名][ス他] 주고받음; 교환함. ¶ 杯の~ (권커니 잣거니) 술잔을 주고받음 / 手紙の~ 편지 왕래 / 電話の~ 전화 통화 / 二人の~をわきで聞く 두 사람이 주고받는 말을 옆에서 듣다. [参考] 물건의 증정, 말수작, 말다툼, 술잔〔대작〕의 주고받음 따위를 가리킴.

やりなおし 【やり直し】《遣り直し》 [名] 다시 하기; 고쳐 하기. ¶ ~がきかない仕事 고쳐 할 수 없는 일 / 人生は~がきかない 인생은 다시 무를 수가 없다 / だめ, だめ, ~だ 안돼, 안돼, 다시 해야 돼.

*やりなお-す 【やり直す】《遣り直す》 [5他] 다시〔고쳐〕 하다. ¶ 失敗した仕事を~ 실패한 일을 다시 하다 / 試験を~ 시험을 다시 치다 / 一〔最初〕から~ 처음부터 다시 하다.

やりなげ 【やり投げ】《槍投げ》 [名] (육상경기의) 창던지기; 투창. ¶ ~の選手 창던지기 선수.

やりにく-い 〖遣り難い〗 [形] 해나가기 어렵다; 해내기 힘들다. ¶ ~仕事 해내기 힘드는 일.

やりぬ-く 【やり抜く】《遣り抜く》 [5他] 끝까지 해내다; 완수하다. =しとげる. ¶ 仕事を~ 일을 다 해내다.

やりば 【やり場】《遣り場》 [名] 가지고 갈 곳. ¶ 不平の~がない 불평을 쏟을 곳이 없다 / 恥ずかしくて目の~がない 부끄러워서 눈 돌릴 곳이 없다 / 目の~に困る 눈줄 곳이 없어 난처하다 / ~のない怒りを感じる 어떻게 할 수 없는 분노를 느끼다.

やりみず [遣り水] [名] 1 정원의 초목 따위에 물을 줌. ¶ 庭木に~をする 뜰의 나무에 물을 주다. 2 뜰에 물을 끌어 흐르도록 한 것. ¶ ~を引く 정원에 물을 끌어들여 흐르게 하다.

**や-る 〖遣る〗 [5他] 1 보내다. ㉠ 다니게 하다. =行かせる. ¶ 車を~ 차를 보내다 / 子どもを大学へ~ 자식을 대학에 보내다. ㉡ (밖으로, 먼데로) 보내다; 또, 파견하다. ¶ 使いを~ 심부름꾼을 보내다 / 外国に使者を~ 외국에 사신을 보내다 / 時計を直しに~ 시계를 고치러 보내다 / 一人娘を嫁に~ 외동딸을 시집보내다. 2 주다. =与える·くれる. ¶ お金〔小づかい〕を~ 돈〔용돈〕을 주다 / 犬にえさを~ 개에게 먹이를 주다 / 花に水を~ 화초에 물을 주다. ↔もらう. 3 하다. ㉠ (어떤 행위·무엇인가를) 하다. ¶ へまを~ 실수를〔바보짓을〕 하다 / 予習を~ 예습을 하다 / どえらいことを~ 엄청난 일을 하다 / ~·ってのける 해치우다; 해내다 / 勉強をよく~ 공부를 잘하다 / ~だけ~·ってみよう 할 수 있는 데까지 해 보자〔보지〕 / ~しかない 할 수밖에 없다. ㉡ (술을) 마시다; 먹다. ¶ 一杯~ 한잔하다. ㉢ 직업으로 삼다; 경영하다. ¶ そば屋を~ 메밀국숫집을 하다 / 父は医者を~·っている 아버지는 의사를 하고 있다. ㉣ (모임 따위를) 열다; 개최하다. ¶ 同窓会を~ 동창회를 하다. 4 생활하다; (이럭저럭) 꾸려 나가다. ¶ 月三十万円で~ 월 30만 엔으로 살아가다 / 物価高で~·っていけない 물가고로 생활을 꾸려 나갈 수가 없다. 5 《動詞連用形+助詞'て'를 받아서》 ㉠ (남을 위해 또는 해치기 위해) …해 주다. ¶ 書いて〔教えて〕~ 써〔가르쳐〕 주다 / どなりつけて~ 호통을 쳐 주다 / 金をふんだくって~ 돈을 빼앗고 말 테다 / どれ見て~·ろう 어디 봐 주지 / なぐって~·ろうか 때려 줄까 / 思い知らせて~ 뼈저리게 느끼게 해 주다. ㉡ 동작이 강한 의지로써 이루어짐을 나타냄: …할 테다; …해 보일 테다. ¶ 死んで~から (두고 봐라) 죽어 줄〔보일〕 테니까 / きっと優勝して~ 꼭 우승을 해 보이고야 말겠다. 注意 5는 공손히 말할 때는 '…てあげる'.

やるかたない【やる方ない】《遣る方ない》 連語 마음을 풀 길이 없다. ¶無念～ 분한 마음을 풀 길이 없다 / 憤懣～ 울분을 풀 길이 없다.

やるき【やる気】《遣る気》 名 …을 할 마음; 하고 싶은 기분. ¶～が出る 할 마음이 생기다 / ～を起こす 하고자 마음먹다 / ～をそがれる 의욕이 꺾이다.

やるせない 〖遣る瀬ない〗 連語 기분을 풀 길이 없다; 안타깝다; 시름없다; 쓸쓸[처량]하다. ＝せつない. ¶片思いの～気持ち 짝사랑의 안타까운 심정 / ～思いを打ち明ける 안타까운 심정을 털어놓다.

やれ 〖破れ〗 名 1 찢어짐; 찢어진 데. ¶紙の～ 파지 / ～穴 찢어진 구멍 / ふすまの～をつくろう 장지의 미어져 찢어진 데를 때우다. 2〈俗〉〖印〗 잘못 인쇄된 종이. ＝刷りやれ. ¶～本 파본 / ～が出る 파지가 나오다.

やれ 感 1 당황할 때나 기쁠 때 또는 안도할 때 내는 소리. ¶～, ひと安心 아, 한시름 놓았다 / ～これで助かった 야, 이젠 살았다 / ～よかった 아, 이젠 됐다 / ～, うれしや 야, 기쁘기도 해라. 2 번거로움을 개탄할 때 내는 소리. ¶～たいへんな事になった 아이쿠 큰일 났구나. 3 늘어놓을 때 하는 말: …니 …니. ¶～映画だ, ～しばいだと遊び回る 영화다, 연극이다 하면서 놀러 돌아다니다 / ～塾に行け, ～宿題をしろとうるさすぎる 학원에 가라느니 숙제를 하라느니, 너무 귀찮다.

やれやれ 感 1 매우 감동하여 내는 소리. ¶～うれしや 아이구 좋아라 / ～かわいそうに 에그 가엾게도. 2 안도하거나 실망 또는 피로했을 때 내는 소리: 아이고 맙소사. ¶～まただめか 아이고 또 틀렸나 / ～助かった 아이고 살았다 / ～これで一安心 어휴 이제 한숨 돌렸구나 / ～, またやり直しか 아이고 맙소사, 또 다시 해야 하나 / ～, 試験もやっとすんだ 그럭저럭 시험도 겨우 끝났다.

やろう【野郎】 一 名 〈俗〉 남자를 욕할 때 쓰는 말: 놈; 자식; 녀석. ¶ばか～ 바보(같은) 자식 / ～どものしわざだ 놈들의 짓이다 / ～何を考えてるんだろう 자식 무엇을 생각하고 있을까 / この～, あやまれ 이 자식, 사과해. 二 代 저 놈; 저 녀석; 그 녀석. ¶～逃がすな 그 놈 놓치지 마라 / ～ならやりかねない 그 녀석이라면 할지도 모른다. ⇔女郎.

――よばわり【――呼ばわり】 名 놈자를 붙여 막 부름. ¶～される 이놈 저놈 하고 막 부름을 당하다.

やろうじだい【夜郎自大】 名・ナ 야랑자대; 제 역량도 모르면서 으스댐. ＝うぬぼれ. ¶～な振る舞い 제 분수도 모르고 우쭐대는 행동[태도].

やわ【夜話】 名 야화. ＝よばなし. ¶文学～ 문학 야화.

やわ 〖柔〗 ダナ 〈方〉 1 부드러움. ¶地面が～だ 지면이 부드럽다. 2 약함; 깨지기 쉬움; 어설픔. ¶～な体 허약한 몸 / ～な神経ではつとまらない 섬약한 신경으로는 감당할 수 없다 / こんな～な仕事じゃ困る 일이 이렇게 어설퍼서는 곤란하다.

やわはだ【柔肌】《柔膚》 名 (여자의) 부드러운 살갗. ¶～の女 살결이 부드러운 여자 / (手が)～に触れる (손이) 부드러운 피부에 닿다.

やわら【柔ら】 名 '柔道(＝유도)·柔術(＝유술)'의 구칭.

***やわらか**【柔らか】 ダナ 부드러운 모양. 1 무른[몰랑한] 모양. ¶～な御飯 잘 퍼진 밥. 2 폭신한 모양. ¶～なふとん 폭신한 이불. 3 유연한 모양. ¶関節が～だ 관절이 나긋나긋하다. 4 온화[온순]한 모양; 융통성이 있는 모양. ¶～な表現 부드러운 표현 / ～な春の日ざし 온화한 봄볕 / ～な頭 융통성 있는 머리 / 事を～に運ぶ 일을 원만하게 처리하다 / ～な態度で人に接する 부드러운 태도로 남에게 대하다.

やわらか【軟らか】 ダナ 단단하지 않은[연한] 모양. ¶～な粘土 연한 진흙.

やわらか-い【柔らかい】 形 부드럽다. 1 포근하다; 폭신하다; 유연하다. ¶～からだ 유연한 몸 / ～ふとん 포근한 이불 / ～ソファ 폭신한 소파 / 頭が～人 두뇌 회전이 유연한 사람. ↔かたい. 2 따지지 않다; 순순하다. ¶～説き方 부드러운 설득 방법.

やわらか-い【軟らかい】 形 1 연하다; 딱딱하지 않다. ¶～もち 몰랑한 떡 / ～土 부드러운 흙 / ～話 딱딱하지 않은 이야기. ↔かたい. 2 온화[온건]하다; 숙부드럽다; 유순하다. ¶～態度 온화한[숙부드러운] 태도. ↔きつい.

やわら-ぐ【和らぐ】 5自 누그러지다. 1 누지다; 풀리다; 온화해지다; 조용[잔잔]해지다. ¶寒さが～ 추위가 풀리다 / 気分が～ 기분이 가라앉다 / 波が～ 물결이 잔잔해지다 / 痛みが～ 통증이 누그러지다. 2 부드러워지다; 완화되다. ¶態度[表情]が～ 태도가[표정이] 누그러지다 / 対立が～ 대립이 완화되다.

***やわら-げる**【和らげる】 下1他 부드럽게 하다; 진정[완화]시키다; 누그러뜨리다. ¶声[表現]を～ 목소리를[표현을] 부드럽게 하다 / 尖った神経を～ 날카로워진 신경을 진정시키다 / 取り締まりを～ 단속을 완화하다 / 怒りを～ 노여움을 누그러뜨리다. ↔荒げる.

ヤンガージェネレーション [younger generation] 名 영거 제네레이션; 젊은 세대; 청소년층; 젊은이들.

ヤンキー [미 Yankee] 名 〈俗〉 양키; 미국 사람. ¶～気質 양키 기질.

ヤング [young] 영. 一 接頭 젊은. ¶～

ゼントルマン 영 젠틀맨; 젊은 신사 / ～マン 영 맨; 젊은이 / ～レディー 영 레이디; 젊은 숙녀. 三名 〈俗〉 젊은이. ¶ ～の街〔世界〕 젊은이의 거리〔세계〕.
—タウン [일 young+town] 名 젊은이의 거리; 젊은이가 모여드는 번화가《東京의 新宿·原宿·六本木 등》. 「부(층).
—ミセス [일 young+Mrs.] 名 젊은 주
やんごとな-い 〖止ん事無い〗 形 (가문·지위 등이) 고귀하다; 지체 높다. ¶ ～生まれ 고귀한 집안의 태생 / ～身分のお方 지체 높으신 분.
やんちゃ 名ナ 〈俗〉 **1** (어린아이가) 응석을 부림; 떼(를) 씀; 또, 그런 아이. =わがまま. ¶ ～坊主〔～な子〕 응석꾸러기 / ～を言う 떼를 쓰다; 응석 부리다. **2** 장난. =いたずら. ¶ ～盛り 한창 장난칠 나이 / ～をする 장난치다.
やんぬるかな 〖止んぬるかな〗 連語 〈雅〉 이제는 어쩔 수 없다; 만사〔이젠〕 끝장이다; 만사휴의(萬事休矣). 参考 ‘万事休す’의 일본말식 표현.
やんま 〖蜻蜓〗 名〔蟲〕 왕잠자리.
やんや 感 여럿이 격찬할 때 내는 소리. ¶ ～の喝采 우레와 같은 갈채.
やんわり 副 부드럽게; 온화하게; 살며시. ¶ ～した感触 부드러운 감촉 / ～(と)非難する 부드럽게〔완곡하게〕 비난하다 / ～(と)押さえる〔握る〕 살며시 누르다〔잡다〕 / ～(と)断る 완곡하게 거절하다.

ゆ ユ

1 五十音図 ‘や行’의 셋째 음. [yu] **2**〔字源〕 ‘由’의 초서체《かたかな ‘ユ’는 ‘由’의 생략》.

***ゆ** 【湯】 名 **1** 뜨거운 물; 목욕물; 데운 물. ¶ ～加減 (목욕)물의 뜨거운 정도; 더운 물의 온도 / 熱～ 뜨거운 (목욕)물 / ぬるま～ 미지근한 (목욕)물 / ～をわかす (목욕)물을 데우다 / ～にはいる 입욕하다; 목욕하다 / 鉄瓶の～がたぎっている 쇠주전자의 물이 끓고 있다. **2** 온천(물). ¶ 別荘に～を引く 별장에 온천물을 끌다 / ～の町 온천 고장. **3** 목욕함; 또, (대중)목욕탕. ¶ 女～ 여탕 / ～に行く 목욕탕에 목욕하러 가다 / ～から上がる 목욕탕에서 나오다 / ～につかる 목욕물에 몸을 담그다.
—を使う 목욕을 하다.
ゆ 〖由〗 教3 ユ ユウ ユイ よし よる | 유 말미암다 | **1** 근거; 이유; 유래. ¶ 由緒 유서 / 理由 이유. **2** 말미암다; 좇다; 복종하다. ¶ 由來 유래 / 自由 자유.
ゆ 〖油〗 教3 ユ ユウ あぶら | 유 기름 | 기름. ¶ 石油 석유 / 油田 유전 / 油類 유류.
ゆ 〖愉〗《愉》 常用 ユ たのしい たのしむ | 유 기뻐하다 | 즐겁다. ¶ 愉快 유쾌 / 愉悦 유열 / 愉楽 유락.
ゆ 〖諭〗《諭》 常用 ユ さとす さとる | 유 깨우치다 | 타이르다; 깨우치다. ¶ 説諭 설유 / 教諭 교유.
ゆ 〖輸〗《輸》 教5 ユ シュ いたす | 수 보내다 | 나르다; 운반하다. ¶ 輸送 수송 / 輸出 수출 / 運輸 운수.
ゆ 〖癒〗《癒》 常用 ユ いえる いやす | 유 낫다 | 병이나 상처가 낫다; 고치다. ¶ 快癒 쾌유 / 治癒 치유.
ゆあか 【湯あか】《湯垢》 名 (주전자·욕조 등의 안에 끼는) 물때. ¶ ～が付く 물때가 끼다 / ～を取る 물때를 벗기다.
ゆあがり 【湯上がり】 名 **1** 목욕을 마치고 나옴; 또, 그때. ¶ ～姿 목욕탕에서 갓 나온 모습. **2** 목욕 후, 몸을 닦는 커다란 타월. =バスタオル.
ゆあたり 【湯当たり】《湯中り》 名ス自 너무 오랜 시간 온천이나 목욕탕 속에 들어가 있어서 몸에 탈이 남. ⇨ゆづかれ.
ゆあつ 【油圧】 名 유압. ¶ ～ブレーキ 유압 브레이크 / ～計 유압계.
ユアン [중 元] 名 위안; 중국 통화 단위《1元은 10자오(角), 1角는 10펀(分)》.
ゆい 〖唯〗 常用 ユイ イ ただ | 유 오직 | 다만; 그것뿐. ¶ 唯一 유일 / 唯物論 유물론.
ゆい 〖遺〗 ☞い〖遺〗
ゆいあ-げる 【結い上げる】 下1他 땋아 위로 올리다. ¶ 髪をリボンで～ 머리를 리본으로 땋아 올리다.
ゆいいつ 【唯一】 名 유일. ¶ ～神 유일신 / ～の取り柄 유일한 장점 / ～の楽しみ 유일한 즐거움. 注意 口語에서는 ‘ゆいっ’로도 발음함.
—むに 【—無二】 名 유일무이. ¶ ～の親友 유일무이한 친우.
ゆいがどくそん 【唯我独尊】 名 유아독존(격임). =ひとりよがり. ¶ ～の態度 유아독존적인 태도.
ゆいがみ 【結い髪】 名 (매만져) 틀어 올린 머리; 결발. =けっぱつ.
***ゆいごん** 【遺言】 名ス他 유언. ¶ ～状 유언장 / 親の～ 부모의 유언 / ～を残して死ぬ 유언을 남기고 죽다. 注意 법률에서는 ‘いごん’이라고 함.
***ゆいしょ** 【由緒】 名 유서; 유래; 내력. =いわれ·来歴. ¶ ～をたずねる 유래를 더듬다 / ～ある家柄 유서 깊은 집안; 내력 있는 집안 / ～正しい人 훌

릉한 혈통을 가진 사람/寺(てら)の～について話(はなし)を聞(き)く 절의 유래에 대해서 이야기를 듣다. 「物論(ゆいぶつろん).

ゆいしんろん【唯心論】名 유심론. ↔唯

ゆいのう【結納】名 약혼의 증거로 예물을 교환하는 일; 또, 그 물건; 납폐(納幣); 납채(納采). ¶～金(きん) 약혼 선물로 주는 돈/～をとりかわす 약혼 예물을 교환하다.

ゆいび【唯美】名 유미. ¶～的(てき) 유미적/～派(は) 유미파/～主義(しゅぎ) 유미주의.

ゆいぶつ【唯物】名 유물. ¶～思想(しそう) 유물 사상. ↔唯心(ゆいしん).

—しかん【—史観】名 유물 사관. ＝史的(してき)唯物論(ゆいぶつろん).

—ろん【—論】名〔哲〕유물론. ↔唯心論(ゆいしんろん)·観念論(かんねんろん).

*__ゆ-う__【結う】5他 매다; 묶다; 엮다; 특히, 머리하다. ¶髪(かみ)を～ 머리를 매만지다/垣根(かきね)を～ 울타리를 엮다/筆(ふで)を～ (짐승의 털로) 붓을 매다/ひもを～ 끈을 매다. 可能ゆ-える 下1自

ゆ-う【言う】5自他 ☞いう.

ゆう【夕】名〈雅〉저녁. ＝夕方(ゆうがた). ¶朝(あさ)に～に 아침저녁으로. ↔朝(あさ).

ゆう【優】名 우《좋은 성적을 나타내는 말》. ¶～をとる 우를 받다.

ゆう【勇】名 **1** 용기. ¶匹夫(ひっぷ)の～ 필부지용; 만용/～をふるう 용기를 내다. **2** 호용(豪勇). ¶～をもって鳴(な)る 호용으로써 이름을 떨치다.

—を鼓(こ)す 용기를 북돋우다.

ゆう【有】유. 一名 **1** 존재. ¶無(む)より～を生(しょう)ずる 무에서 유를 낳다. ↔無(む). **2** 소유. ¶A氏(エーし)の～に帰(き)す A씨 소유로 돌아가다. 二接頭 …이〔을 갖고〕 있는. ¶～資格者(しかくしゃ) 유자격자. ↔無(む).

ゆう【雄】名 영웅; 걸출한 유력자. ¶戦国(せんごく)の～ 전국의 영웅/斯界(しかい)の～ 사계의 유력자/業界(ぎょうかい)の～と目(もく)される 업계의 걸물로 주목받다.

ユー [you] 代 유; 당신; 너; 자네.

ゆう〖又〗常用 ユウ また | 우 또 | 그 위에; 또; 그밖에. ¶十又五年(じゅうゆうごねん) 십우오년; 10년 하고 또 5년.

ゆう〖友〗教2 ユウ とも | 우 벗 | 동무; 벗. ¶友人(ゆうじん) 우인/親友(しんゆう) 친우/友邦(ゆうほう) 우방.

ゆう〖右〗教1 ユウ ウ みぎ | 우 오른쪽 | **1** 오른쪽. ¶座右(ざゆう) 좌우/左右(さゆう) 좌우. ↔左(さ). **2** 보수적인 경향〔입장〕. ¶右翼(うよく) 우익/右派(うは) 우파.

ゆう〖有〗教3 ユウ ウ ある たもつ | 유 있다 | **1** 있다; 존재하다. ¶有無(うむ) 유무/有名(ゆうめい) 유명. ↔無(む). **2** 갖다. ¶私有(しゆう) 사유/所有(しょゆう) 소유/共有(きょうゆう) 공유.

ゆう〖佑〗人名 ユウ すけ たすける | 우 돕다 | 돕다. ¶佑助(ゆうじょ) 우조/神佑(しんゆう) 신우.

ゆう〖勇〗《勇》教4 ユウ いさむ | 용 용감하다 | 씩씩하다; 용맹스럽다. ¶勇猛(ゆうもう) 용맹/勇名(ゆうめい) 용명/蛮勇(ばんゆう) 만용.

ゆう〖幽〗常用 ユウ かすか | 유 그윽하다 | **1** 그윽하다; 어둡다. ¶幽玄(ゆうげん) 유현. **2** 사후(死後) 세계; 저승. ¶幽界(ゆうかい) 유계/幽霊(ゆうれい) 유령. ↔明(めい).

ゆう〖悠〗常用 ユウ はるか | 유 멀다 | 멀고 길어 끝이 없다. ¶悠遠(ゆうえん) 유원/悠久(ゆうきゅう) 유구.

ゆう〖郵〗教6 ユウ | 우 역말 | 우체; 우편. ¶郵送(ゆうそう) 우송/郵政(ゆうせい) 우정.

ゆう〖猶〗《猶》常用 ユウ なお | 유 망설이다 | 망설이다; 주저하다. ¶猶予(ゆうよ) 유예.

ゆう〖裕〗常用 ユウ ゆたか | 유 넉넉하다 | 넉넉하다; 풍부함. ¶富裕(ふゆう) 부유/裕福(ゆうふく) 유복.

ゆう〖遊〗《遊》教3 ユウ ユ あそぶ | 유 놀다 | **1** 놀다. ¶遊戯(ゆうぎ) 유희/豪遊(ごうゆう) 호유. **2** 여행하다. ¶遊覧(ゆうらん) 유람/周遊(しゅうゆう) 주유.

ゆう〖雄〗常用 ユウ お おす | 웅 수컷 | **1** 수컷. ¶雄性(ゆうせい) 웅성/雌雄(しゆう) 자웅. ↔雌(し). **2** 남자답다; 힘차고 뛰어나다. ¶雄志(ゆうし) 웅지/英雄(えいゆう) 영웅/群雄(ぐんゆう) 군웅.

ゆう〖誘〗常用 ユウ さそう いざなう | 유 꾀다 | 유혹하다; 권하다. ¶勧誘(かんゆう) 권유/誘惑(ゆうわく) 유혹/誘拐(ゆうかい) 유괴.

ゆう〖憂〗常用 ユウ うれえる うれい うい | 우 근심하다 | 걱정〔근심〕하다. ¶憂国(ゆうこく) 우국/憂慮(ゆうりょ) 우려/杞憂(きゆう) 기우.

ゆう〖融〗常用 ユウ ユ とける とかす とおる | 융 녹다 | **1** 녹다. ¶融解(ゆうかい) 융해/熔融(ようゆう) 용융. **2** 유통하다. ¶金融(きんゆう) 금융/融資(ゆうし) 융자.

ゆう〖優〗常用 ユウ やさしい すぐれる まさる | 우 뛰어나다 | **1** 뛰어나다. ¶優越(ゆうえつ) 우월/優良(ゆうりょう) 우량. ↔劣(れつ). **2** 고상하다; 우아하다. ¶優美(ゆうび) 우미. **3** 배우; 광대. ¶名優(めいゆう) 명우/女優(じょゆう) 여우.

ゆう〖由〗☞ゆ〖由〗

ゆうあい【友愛】名 우애; 우의. ＝友情(ゆうじょう). ¶～の情(じょう) 우애의 정/～結婚(けっこん) 우애 결혼/～(の)精神(せいしん) 우애 정신.

ゆうあかり【夕明かり】名 저녁 어스름. ＝残照(ざんしょう). ¶～に見(み)える山(やま) 저녁 어스름에 보이는 산/～が残(のこ)る 저녁 어스름빛이 남아 있다.

ゆうい【優位】名 우위. ¶～に立(た)つ 우위에 서다/～を占(し)める〔保(たも)つ〕 우위를 차지〔유지〕하다. ↔劣位(れつい).

ゆうい【有為】名ナ 유위; 유망함. ¶～の青年(せいねん) 유위한 청년/前途(ぜんと)～の人材(じんざい)と目(もく)される 전도유망한 인재로 촉망

되다. 参考 ‘うい’라고 하면 딴 말.

*ゆういぎ【有意義】名ダナ 유의의; 값어치가 있음. ¶～な人生〔生活〕 의의 있는 인생〔생활〕/ みんな～な夏休みを過ごす 모두 뜻 있는 여름 방학을 보내다. ↔無意義.

ゆういん【誘因】名 유인. ¶事件の～ 사건의 유인 / 両者対立の～となるもの 양자 대립의 유인이 되는 것.

ゆういん【誘引】名ス他 유인; 끌어들임. ¶観光客を～する 관광객을 유치하다 / 敵を～する 적을 유인하다 / 購買者を～する 구매자를 끌어들이다.

*ゆううつ【憂鬱】名ダナ 우울. ¶～症 우울증 / ～な気分 우울한 기분 / ～な空〔天気〕 찌무룩한 하늘〔날씨〕/ ～な顔をする 우울한 얼굴을 하다 / 卒業後の進路を考えると～になる 졸업 후의 진로 문제를 생각하면 우울해진다.

ゆうえい【遊泳】名ス自 1 유영; 헤엄침. ＝水泳. ¶宇宙～ 우주 유영 / ～動物 유영 동물 / ～禁止 수영 금지. 2 처세. ＝世わたり. ¶～術にたけた人 처세술이 능한 사람.

*ゆうえき【有益】名ダナ 유익. ¶～な話〔書物〕 유익한 이야기〔서적〕/ 夏休みを～に過ごす 여름 방학을 유익하게 보내다. ↔無益.

ゆうえつ【優越】名ス自 우월. ¶～した地位 우월한 지위 / スポーツではわが母校が～している 스포츠에서는 우리 모교가 우월하다.

―かん【―感】名 우월감. ¶～を持つ〔抱く〕 우월감을 갖다 / ～に浸る 우월감에 젖다. ↔劣等感.

ユーエッチエフ [UHF] 名 유에이치에프; 극초단파. ▷ultrahigh frequency.

ゆうえんち【遊園地】名 유원지. ＝遊園. ¶児童～ 아동 유원지; 어린이 놀이터.

ゆうおうまいしん [勇往邁進] 名ス自 용왕매진. ¶目的に向かって～する 목적을 향하여 용왕매진하다.

ゆうか【有価】名 유가. ¶～物 유가물.

―しょうけん【―証券】名 유가 증권.

ゆうが【優雅】名ダナ 우아. ¶～な踊り 우아한 춤 / ～な文体〔身のこなし〕 우아한 문체〔몸놀림〕/ ～に舞う 우아하게 춤추다. ↔粗野.

ゆうかい【融解】名ス自他 융해. ¶氷が～する 얼음이 융해하다. ↔凝固.

―てん【―点】名〖理〗융해점; 녹는 점. ＝融点.

*ゆうかい【誘拐】名ス他 유괴. ¶～事件 유괴 사건 / ～犯人 유괴범 / 子供を～する 어린이를 유괴하다.

*ゆうがい【有害】名ナ 유해. ¶～な本〔物質〕 유해한 책〔물질〕/ ～食品 유해 식품 / ～無益だ 유해무익하다 / タバコの～なことはだれでも知っている 담배가 해롭다는 것은 누구나가 알고 있다. ↔無害.

ゆうがお〖夕顔〗名〖植〗1 박. ⇨ふくべ 1. 2 메꽃과의 일년생 만초《여름 저녁때 나팔꽃 비슷한 꽃이 핌》. ＝ヨルガオ.

ゆうかく【遊郭】《遊廓》名 유곽. ＝いろざと·色町·くるわ·遊里. ¶～で遊ぶ 유곽에서 놀다 / ～に足を踏み入れる 유곽에 드나들다.

ゆうがく【遊学】名ス自 유학; 외지·외국에 가서 공부함. ¶アメリカに～する 미국에 유학하다.

ゆうかぜ【夕風】名 저녁 바람. ¶涼しい～ 시원한 저녁 바람. ↔朝風.

**ゆうがた【夕方】名 저녁때; 해질녘. ＝夕刻·夕暮れ. ¶～になる 저녁때가 되다. ↔朝方.

ゆうがとう [誘蛾灯] 名 유아등. ¶～をつける 유아등을 켜다.

ユーカラ [아이누 Yukar] 名 유카르; 아이누족(族) 사이에 구두로 전해 내려오는 장편 서사시.

ユーカリ [←eucalyptus] 名〖植〗유칼리《천인화과(科)에 속하는 상록 교목》.

*ゆうかん【夕刊】名 석간. ¶～紙 석간지 / その新聞は～だけだ 그 신문은 석간뿐이다. ↔朝刊.

ゆうかん【有閑】名 유한. ¶～階級 유한 계급 / ～マダム〔夫人〕 유한 마담〔부인〕.

*ゆうかん【勇敢】ダナ 용감. ¶～な兵士 용감한 병사 / ～に戦う 용감히 싸우다. ↔おくびょう.

ゆうかんじしん【有感地震】名〖地〗유감 지진. ↔無感地震.

**ゆうき【勇気】名 용기. ¶～百倍 용기백배 / ～のある人 용기 있는 사람 / ～を出す 용기를 내다 / ～をそぐ〔くじく〕 용기를 꺾다 / ～を失う 용기를 잃다 / 口をきく～がなかった 입을 열 용기가 없었다.

―づける【―付ける】下1他 용기를 북돋우다. ¶その一言に～·けられた 그 한마디에 용기를 얻었다.

ゆうき【有期】名 유기. ¶～懲役 유기 징역 / ～刑 유기형. ↔無期.

ゆうき【有機】名 유기. ¶～化学 유기 화학 / ～化合物 유기 화합물 / ～的 유기적 / ～肥料〔農業〕 유기 비료〔농업〕. ↔無機.

―たい【―体】名 유기체. ¶一つの～をなす 하나의 유기체를 이루다.

ゆうぎ [友誼] 名 우의. ＝友情. ¶～団体 친목 단체 / ～を結ぶ 우의를 맺다 / ～に厚い 우의가 돈독하다 / ～を深める 우의를 돈독히 하다.

*ゆうぎ【遊戯】名ス自 유희; 어린이의 춤이나 율동. ¶お～の時間 유희 시간 / 恋愛～ 연애놀이.

*ゆうぎ【遊技】名 유기; 오락으로서 행하는 기술〔기법〕. ¶～場 유기장.

ゆうきゅう【悠久】名 유구; 영구. ＝永久. ¶～の大地〔歴史〕 유구한 대지〔역사〕/ ～の昔から変わらな

い 유구한 옛날부터 변치 않다.

ゆうきゅう【有休】图 '有給休暇(=유급 휴가)'의 준말.

ゆうきゅう【有給】图 유급. ↔無給.

―きゅうか【―休暇】图 유급 휴가. =有休.

ゆうきゅう【遊休】图 유휴. ¶～施設 유휴 시설/～資本 유휴 자본.

ゆうきょう[遊侠]图 유협; 협객. =おとこだて. ¶～の徒 협객의 무리.

ゆうきょう【遊興】图ス自 유흥. ¶～費 유흥비/～に金を散ずる 유흥에 돈을 뿌리다/～にふける 유흥에 빠지다.

ゆうぎり【夕霧】图 저녁 안개. ↔朝霧.

ゆうぐ【遊具】图 놀이 도구. ¶子供の～ 아이의 놀이 기구.

ゆうぐう【優遇】图ス他 우우; 우대; 환대. =厚遇. ¶～措置 우대 조치/経験者を～する 경험자를 우대하다/珍客を～する 진객을 환대하다. ↔冷遇.

ゆうぐれ【夕暮れ】图 황혼; 해질녘. =たそがれ·日ぐれ. ¶～どき 황혼 때; 해질녘/～を告げる鐘の音 저녁을 알리는 종소리/～が迫る 황혼이 다가오다. ↔夜明け.

ゆうぐん【友軍】图 우군. ¶～機 우군기/～部隊 우군 부대. ↔敵軍.

ゆうぐん【遊軍】图 유군. **1** 유격대. ¶～の出動を命じる 유격대의 출동을 명령하다. **2** 일정한 부서에 속하지 않고 대기 상태에 있는 사람. ¶～記者 유군 기자.

ゆうげ【夕げ】《夕餉》图〈雅〉저녁 식사; 저녁밥. =夕食·夕飯. ¶～の膳に向かう 저녁 밥상 앞에 앉다. ↔あさげ·ひるげ.

ゆうけい【有形】图 유형. ¶～文化財 유형 문화재/～無形の恩恵をこうむる 유형무형의 은혜를 입다. ↔無形.

ゆうげい【遊芸】图 유예; 취미로 하는 예능《謡曲·다도·꽃꽂이·무용·三味線 따위》. ¶～をたしなむ 유예를 취미 삼아 즐기다〔배우다〕/子供に～を仕込む 자식에게 예능을 가르치다/～を習う 유예를 배우다/～にうとい 유예를 잘 모르다.

ゆうげき【遊撃】图 **1** 유격. ¶～兵〔戦〕 유격병〔전〕. **2** 'ゆうげきしゅ'의 준말.

―しゅ【―手】图〔野〕유격수. =ショートストップ·ショート.

―たい【―隊】图 유격대. =遊軍.

ゆうげしき【夕景色】图 저녁 경치.

ゆうけん【有権】图 유권; 권리가 있음.

―かいしゃく【―解釈】图 유권 해석; 공권적(公權的) 해석.

―しゃ【―者】图 유권자. ¶～の声に耳を傾ける 유권자의 소리(에) 귀를 기울이다.

ゆうげん【幽玄】图ナ 유현; 그윽함. ¶～な境地 유현한 경지/～の美 유현의 미/～なおもむき 그윽한 정취.

ゆうげん【有限】图ダナ 유한. ¶～な資源 유한한 자원/～な範囲 유한한 범위. ↔無限. ·「사.

―がいしゃ【―会社】图〔經〕유한 회

―せきにん【―責任】图 유한 책임. ↔無限責任.

ゆうこう【友好】图 우호. ¶～国 우호국/～関係を保つ 우호 관계를 유지하다/～を深める 우호를 깊게 하다.

***ゆうこう**【有効】图ダナ 유효; 유익. ¶～期間 유효 기간/その約束はまだ～だ 그 약속은 아직 유효하다/休みを～に使う 휴가를〔방학을〕유익하게 보내다. ↔無効.

ゆうごう【融合】图ス自 융합. ¶核～ 핵융합/東西文化の～ 동서 문화의 융합.

ゆうこく【夕刻】图〈老〉저녁때; 저녁 무렵. =夕方. ¶～までにはお伺いします 저녁때까진 찾아뵙겠습니다.

ゆうこく【幽谷】图 유곡. ¶深山～ 심산유곡.

ゆうこく【憂国】图 우국. ¶～の士 우국지사/～の至情に燃える 우국의 충정에 불타다.

ゆうこん[雄渾]图ナ 웅혼. ¶～な文章〔筆跡〕웅혼한 문장〔필적〕.

ユーザー[user]图 유저. **1**(자동차·기계 등의 생산자에 대해) 사용자; 수요자. ¶～ユニオン 유저 유니언; 소비조합/～の意見を聞く 소비자의 의견을 듣다. ↔メーカー. **2** 컴퓨터 이용자.

ゆうざい【有罪】图 유죄. ¶～判決 유죄 판결/～と認める 유죄로 인정하다. ↔無罪.

ゆうさんかいきゅう【有産階級】图 유산 계급. =ブルジョアジー. ↔無産階級.

ゆうし【勇士】图 용사. ¶白衣の～ 백의 용사《'傷痍軍人(=상이 군인)'의 딴 이름》/歴戦の～ 역전의 용사.

ゆうし【勇姿】图 용자; 씩씩한 모습. ¶馬上の～ 마상의 용자.

ゆうし【雄姿】图 웅자. ¶富士山が雲の上に～を現わす 富士산이 구름 위에 웅자를 나타내다.

ゆうし【有史】图 유사. ¶～以前の話 유사 이전의 이야기/～以来のできごと 유사 이래의 사건.

ゆうし【有志】图 유지. ¶～一同 유지 일동/～をつのる 유지를 모으다/土地の～ 그 고장의 유지/～の寄付を求める 유지의 기부를 요청하다.

ゆうし【融資】图ス自他 융자. ¶～を受ける〔頼む〕융자를 받다〔부탁하다〕/銀行から～してもらう 은행에서 융자를 받다/企業に短期資金を～する 기업에 단기 자금을 융자하다.

ゆうし【遊資】图 유자; '遊休資本'의 준말. ¶～運用 유휴 자본 운용.

ゆうじ【有事】图 유사. ¶～の場合 유사시의 경우; 유사시에 /～に備える

유사시에 대비하다. ↔無事(ぶじ).
――の際(さい) 유사시. ¶一朝(いっちょう)～に 일조 유사시에.

ゆうしきしゃ【有識者】名 유식자.

ゆうしてっせん【有刺鉄線】名 유자 철선; 가시 철사. ＝ばら線(せん). ¶～を張(は)り巡(めぐ)らす 철조망을 둘러치다.

ゆうしゃ【勇者】名 용자; 용사. ¶真(しん)の～ 참된 용자.

ゆうしゃ【優者】名 **1** 우수한 사람. ↔劣者(れっしゃ). **2** 우승한 사람; 승자.

***ゆうしゅう**【優秀】名ナ 우수. ¶～性(せい) 우수성 / ～な教師(きょうし)〔技術(ぎじゅつ)〕 우수한 교사〔기술〕 / ～な成績(せいせき)を取(と)る 우수한 성적을 얻다. ↔拙劣(せつれつ).

ゆうしゅう【幽囚】名 유수; 잡혀서 감옥에 갇힘; 또, 그 사람. ¶～の身(み)となる 옥에 갇힌 몸이 되다.

ゆうしゅう【憂愁】名 우수. ＝うれい. ¶～にとざされる 우수에 잠기다 / ～の色(いろ)が濃(こ)い 우수의 빛이 짙다 / 邸内(ていない)は深(ふか)い～の雲(くも)に閉(と)ざされていた 저택 안은 깊은 우수의 구름에 잠겨 있었다.

ゆうしゅうのび【有終の美】名 유종의 미. ¶～を飾(かざ)る〔成(な)す〕 유종의 미를 장식하다〔거두다〕.

ゆうじゅうふだん【優柔不断】名ナ 우유부단. ¶～な政策(せいさく)〔性格(せいかく)〕 우유부단한 정책〔성격〕.

ゆうしゅつ〔湧出〕名ス自 **1** 용출; 솟아 나옴. ¶原油(げんゆ)の年(ねん)～量(りょう) 원유의 연 용출량 / 温泉(おんせん)が～する 온천이 샘솟다. **2** 비유적으로, 여기저기서 튀어나옴. ¶疑問(ぎもん), 反問(はんもん)が～する 의문과 반문이 여기저기서 튀어나오다. 参考 'ようしゅつ'의 관용음.

ゆうじょ【遊女】名 유녀; 옛날에 역참이나 유곽에 있던 창녀(娼女). ¶～を買(か)う 창녀와 놀다; 오입하다 / ～に身(み)を落(お)とす 논다니〔창녀〕로 전락하다.

***ゆうしょう**【優勝】名ス自 우승. ¶～馬(うま) 우승마 / ～者(しゃ) 우승자 / ～旗(き)〔杯(はい)〕 우승기〔배〕 / ～をさらう 우승을 휩쓸다 / ～をとげる 우승을 하다 / マラソンで～する 마라톤에서 우승하다.
――れっぱい【――劣敗】名 우승열패. ＝適者生存(てきしゃせいぞん).

ゆうしょう【勇将】名 용장.
――の下(もと)に弱卒(じゃくそつ)なし 용장 밑에 약졸 없다. ＝強将(きょうしょう)の下(もと)に弱卒なし.

ゆうしょう【有償】名 유상. ¶品物(しなもの)を～交付(こうふ)する 물건을 유상 교부하다 / 建物(たてもの)を～で払(はら)い下(さ)げる 건물을 유상으로 불하하다. ↔無償(むしょう).

***ゆうじょう**【有情】名 유정. ¶天地(てんち)～ 천지 유정. ↔無情(むじょう).

ゆうじょう【友情】名 우정. ¶温(あたた)かい～ 따뜻한 우정 / 彼(かれ)は～に厚(あつ)い男(おとこ)だ 그는 우정이 두터운 남자다.

ゆうしょく【憂色】名 우색; 근심하는 기색. ¶顔(かお)に～をたたえる 얼굴에 근심하는 빛을 띠다 / ～にとらわれる 근심에 잠기다 / ～が濃(こ)い 근심의 빛이 짙다. ↔喜色(きしょく).

ゆうしょく【有色】名 유색.
――じんしゅ【――人種】名 유색 인종. ↔白色人種(はくしょくじんしゅ).
――やさい【――野菜】名 유색 야채《홍당무·토마토 따위》.

ゆうしょく【有職】名 유직. ¶～者(しゃ) 유직자 / ～婦人(ふじん) 유직 여성. ↔無職(むしょく).

***ゆうしょく**【夕食】名 저녁밥; 저녁 식사. ＝夕飯(ゆうめし)·夕飯(ゆうはん)·ゆうげ. ¶～をとる 저녁밥을 먹다. ↔朝食(ちょうしょく).

***ゆうじん**【友人】名 우인; 친구; 벗. ＝とも(だち). ¶～とつき合(あ)う 친구와 어울리다 / ～のよしみをもって 친구의 정분으로.

ゆうじん【有人】名 유인. ¶～宇宙船(うちゅうせん) 유인 우주선 / ～ロケット 유인 로켓 / ～衛星(えいせい) 유인 위성. ↔無人(むじん).

ゆうすい〔湧水〕名 용수; 지표에 솟아 나온 지하수. ＝わきみず.

ゆうすう【有数】名ナ 유수; 굴지. ＝屈指(くっし). ¶全国(ぜんこく)でも～の大工場(だいこうじょう) 전국에서도 유수한 큰 공장 / 日本(にほん)～の観光地(かんこうち) 일본 굴지의 관광지.

ゆうずう【融通】名ス他 융통. ¶～がきく 융통성이 있다 / 金(かね)を～する 돈을 융통하다 / ～がきかない 융통성이 없다.
――せい【――性】名 융통성. ¶彼(かれ)は真面目(まじめ)だが～がない 그는 성실하지만 융통성이 없다.

ゆうすずみ【夕涼み】名ス自 저녁 때 시원한 바람을 쐼; 저녁 납량(納涼). ¶～をする (시원한) 저녁 바람을 쐬다.

ユースホステル [youth hostel] 名 유스호스텔. ＝ユース. ¶～のペアレント 유스 호스텔의 관리 책임자.

ゆう-する【有する】サ変他 가지다; 소유하다《한문투의 말씨》. ¶権利(けんり)〔資格(しかく)〕を～ 권리를〔자격을〕 갖다.

ゆうせい【優勢】名ナ 우세. ¶敵(てき)は数(かず)においては～であった 적은 수에 있어서는 우세했다 / ～に試合(しあい)を運(はこ)ぶ 우세하게 시합을 진행하다 / ～を占(し)める〔保(たも)つ〕 우세를 차지〔유지〕하다 / ～に転(てん)じる 우세로 바뀌다 / ～に立(た)つ 우세하게 되다. ↔劣勢(れっせい).
――がち【――勝ち】名 (유도 등에서) 우세승.

ゆうせい【優性】名ナ《生》 우성. ¶～遺伝(いでん) 우성 유전. ↔劣性(れっせい).

ゆうせい【有声】名 유성. ¶～音(おん) 유성음. ↔無声(むせい).

ゆうせい【遊星】名 유성; 행성. ＝惑星(わくせい). ↔恒星(こうせい).

ゆうぜい【遊説】名ス自 유세. ¶～先(さき) 유세처 / 地方(ちほう)～ 지방 유세 / ～旅行(りょこう) 유세 여행 / 国内(こくない)を～する 국내를 유세하다 / ～に出(で)る 유세하러 나가다.

ゆうぜい【有税】名 유세; 세금이 붙음. ¶～品(ひん) 유세품. ↔無税(むぜい).

ゆうせいしょう【郵政省】名 우정성《우편·전기 통신을 관장하던 중앙 관청; 2001년 総務省(そうむしょう)에 통합됨》.

***ゆうせん**【優先】图ス自 우선. ¶最~権 최우선권 / ~順位を決める 우선순위를 정하다 / 公務は私事に~する 공무는 사사에 우선한다 / 仕事を~させる 생업을 우선적으로 하다.

—かぶ【—株】图〖經〗우선주.

—てき【—的】ダナ 우선적. ¶この問題を~に取り上げよう 이 문제를 우선적으로 다루자.

ゆうせん【有線】图 유선. ¶~通信 유선 통신 / ~電話 유선 전화 / ~テレビ 유선 텔레비전 / ~放送 유선 방송. ↔無線.

ゆうぜん【友禅】图 '友禅染'의 준말; 비단 등에 화려한 채색으로 인물·꽃·새·산수 따위의 무늬를 선명하게 염색하는 일. ¶~模様 友禅 무늬.

ゆうぜん【悠然】トタル 유연; 침착하고 여유가 있는 모양. =悠悠. ¶~たる態度 유연한 태도 / ~と構える 유연한 태도를 취하다 / ~としていて少しもあわてない 유연하여 조금도 당황하지 않다.

ゆうそう【勇壮】图ダナ 용장; 용감하고 굳셈. ¶~活発な音楽 씩씩하고 힘찬 음악 / ~をきわめた進撃 더없이 용장한 진격 / ~な行進曲 씩씩하고 힘찬 행진곡.

ゆうそう【郵送】图ス他 우송. ¶~料 우송료 / 原稿〔書類〕を~する 원고〔서류〕를 우송하다.

ゆうそくこじつ [有職故実] 图 옛 조정이나 무가(武家)의 예식·전고·관직 등을 연구하는 학문.

ユーターン [U-turn] 图ス自 (자동차 따위의) 유턴. =逆もどり. ¶~禁止 유턴 금지 / ~現象 유턴 현상《고향으로의 회귀(回歸) 현상》/ 都会から故郷へ~する 도회지에서 고향으로 되돌아가다.

***ゆうたい**【優待】图ス他 우대. =優遇. ¶~券 우대권 / 愛読者を~する 애독자를 우대하다.

ゆうたい【勇退】图ス自 용퇴. ¶定年を待たずして~する 정년(停年)을 기다리지 않고 용퇴하다.

***ゆうだい**【雄大】图ダナ 웅대. ¶~なながめ 웅대한 조망 / 規模の~を誇る 규모의 웅대함을 자랑하다.

ゆうだち【夕立】图 (여름 오후에 내리는) 소나기. =ゆだち·白雨. ¶~にあって寺へ駆けこんだ 소나기를 만나 절로 뛰어 들어갔다 / ~がきそうだ 소나기가 올 것 같다.

ゆうだん【勇断】图ス他 용단. ¶~を下す 용단을 내리다.

ゆうだんしゃ【有段者】图 (무술·바둑 등의) 유단자.

ゆうち【誘致】图ス他 유치. ¶村に工場を~する 마을에 공장을 유치하다 / オリンピック~運動をくりひろげる 올림픽 유치 운동을 전개하다.

ゆうちょう【悠長】ダナ 유장; 침착하며 성미가 느릿함; 서두르지 않음. ¶~な態度 누긋하고 서두르지 않는 태도 / ~に構える 마음을〔태도를〕 누긋하게 갖다 / そんな~なことは言っていられない 그런 태평한 이야기를 하고 있을 수가 없다.

ゆうづき【夕月】图 초저녁 달. =宵月.

—よ【—夜】图 **1** 달이 떠 있는 저녁. **2** 저녁달.

ユーティリティー [utility] 图 유틸리티. **1** 유용성; 실용성. **2** 'ユーティリティールーム(=다용도실; 가사실)'의 준말.

ゆうてん【融点】图〖理〗융점; 녹는점. =融解点. ¶~の高い物質 녹는점이 높은 물질. ↔凝固点.

ゆうと【雄図】图 웅도; 웅대한 계획. =壮図. ¶月世界探険の~ 달 세계 탐험의 웅도 / ~むなしく挫折する 웅도도 헛되이 좌절하다.

ゆうと【雄途】图 장도(壯途). ¶ヒマラヤ登山の~に就く 히말라야 등산의 장도에 오르다.

ゆうとう【友党】图 우당; 행동·강령을 같이 하는 정당.

***ゆうとう**【優等】图 우등; 우수. ¶~賞 우등상 / ~の成績で卒業する 우수한 성적으로 졸업하다. ↔劣等.

—せい【—生】图 (학교의) 우등생. ↔劣等生.

ゆうとう [遊蕩] 图ス自 유탕; 방탕. =放蕩. ¶~児 방탕아 / ~に耽ける 방탕에 빠지다.

***ゆうどう**【誘導】图ス他 유도. ¶生徒を安全な場所に~する 학생들을 안전한 장소로 유도하다.

—じんもん【—尋問】图 유도 신문. ¶~にひっかかる 유도 신문에 걸리다.

—だん【—弾】图 유도탄. =ミサイル.

—ろ【—路】图〖空〗유도로. =タクシーウエー.

ゆうどうえんぼく【遊動円木】图 유동원목《그 위에 올라 걷는, 운동 기구의 하나》. ↔固定円木.

ゆうとく【有徳】图 유덕. ¶~の士 유덕한 인사. 注意 'うとく'라고도 함.

***ゆうどく**【有毒】图ダ 유독. ¶~な植物 유독 식물 / ~ガス〔物質〕 유독 가스〔물질〕. ↔無毒.

ユートピア [Utopia] 图 유토피아; 이상향.

ゆうなぎ【夕なぎ】《夕凪》图 저녁 뜸; 저녁때, 바다의 풍파가 일시 잔잔해짐; 저녁때, 해풍과 육풍이 교체할 때, 일시 무풍 상태가 됨. ↔朝凪.

ゆうに【優に】副 **1** 우아하게; 고상하게. ¶~やさしい 우아하고 상냥하다. **2** 충분히; 족히; 넉넉히. ¶~一万を越える観衆 족히 1 만을 넘는 관중.

***ゆうのう**【有能】图ダナ 유능. ¶~な人材 유능한 인재 / あの医師は~だ 저 의사는 유능하다. ↔無能.

ゆうばえ【夕映え】图 석양빛을 받아 반

짝이고 빛남; 또, 저녁놀. ¶～の空 저녁놀 진 하늘 / 山は入り日を浴びて～がしていた 산은 석양을 받아 붉게 빛나고 있었다.

ゆうはつ【誘発】图ス他 유발. ¶連鎖反応を～する 연쇄 반응을 유발하다 / 国境紛糾が戦争を～した 국경 분규가 전쟁을 유발했다.

ゆうばれ【夕晴れ】图 저녁때 하늘이 갬.

*__ゆうはん__【夕飯】图 저녁밥. ＝夕食·晩飯. ¶～をたべる 저녁밥을 먹다. 注意 공손한 말씨는 '夕ごはん'. ↔朝はん·昼めし.

ゆうひ【夕日】《夕陽》图 석양(빛). ¶赤い～ 붉은 석양 / ～が沈む 저녁 해가 지다 / ～に映える秋の山 석양에 비치는 가을 산 / ～がさしこむ 석양빛이 들어오다. ↔朝日.

ゆうひ【雄飛】图ス自 웅비. ¶海外に～する 해외에 웅비하다. ↔雌伏.

ゆうび【優美】图ダナ 우미. ¶～な曲線 우미한 곡선 / ～に舞う 우아하고 아름답게 춤추다.

**__ゆうびん__【郵便】图 우편(물). ¶～料金 우편 요금 / ～で送る 우편으로 보내다 / ～が届かない 우편물이 오지 않다 / ～を出す 우편물을 부치다.

—**うけ**【—受け】图 우편함《대문 따위에 설치된》. ＝ポスト.

—**がわせ**【—為替】图 우편환(換). 注意 'ゆうびんかわせ'라고도 함.

—**きって**【—切手】图 우표.

—**きょく**【—局】图 우체국.

—**ししょばこ**【—私書箱】图 우편 사서함.

—**はいたつ**【—配達】图 1 우편 배달. 2 우편 집배원.

—**はがき**【—葉書】图 우편 엽서.

—**ばんごう**【—番号】图 우편 번호.

—**ぶつ**【—物】图 우편물.

—**ふりかえ**【—振替】图 우편 대체.

ユーフォー [UFO] 图 미(未)확인 비행물체. ＝ユーエフオー. ▷unidentified flying object.

ゆうふく【裕福】图ダナ 유복. ¶～な家庭 유복한 가정 / ～に暮らす 유복하게 살아가다.

ゆうべ【夕べ】图 1 〈雅〉 저녁때. ¶～の祈り 저녁 기도 / 秋の～ 가을날의 저녁. ↔あした. 2 밤(의 모임). ¶映画の～ 영화의 밤. 参考 독일어 Abend의 역어(譯語).

*__ゆうべ__〖昨夜〗图 어제 저녁; 어젯밤. ＝昨夜·昨晩. ¶～の新聞 엊저녁 신문 / ～は一睡もできなかった 어젯밤은 한잠도 못 잤다.

ゆうへい【幽閉】图ス他 유폐. ¶～の身 유폐된 신세 / 牢屋に～される 감옥에 유폐당하다 / 地下室に～する 지하실에 유폐하다.

ゆうべん【雄弁】图ダナ 웅변. ¶～家 웅변가 / ～大会 웅변 대회 / ～を振るう 웅변을 토하다 / 事実が～に物語っている 사실이 웅변(적)으로 말해주고 있다. ↔訥弁.

ゆうほ【遊歩】图ス自 유보; 산책《'散歩'의 멋부린 말씨》. ＝散歩·そぞろ歩き. ¶～道 산책 길 / ～甲板 유보 갑판 / ～場 산책 장소; 놀이터.

ゆうほう【友邦】图 우방. ¶～の誼 우방의 교분.

ゆうぼう【有望】名ナ 유망. ¶～視 유망시 / ～株 유망주 / ～な青年 유망한 청년 / 前途ますます～になってきた 전도는 더욱 유망해졌다.

ゆうぼく【遊牧】图ス自 유목. ¶～の民 유목민 / ～民族 유목 민족.

ゆうまぐれ【夕まぐれ】《夕間暮れ》图 황혼; 저녁 어스름. ＝ゆうぐれ.

ゆうめい【幽明】图 유명; 저승과 이승. —**相隔てる**; —**境を異にする** 유명을 달리하다《사별하다》.

**__ゆうめい__【有名】名ナ 유명. ¶～人 유명인 / ～な人 유명한 사람 / 一躍～になる 일약 유명해지다. ↔無名.

—**むじつ**【—無実】名ナ 유명무실. ¶～な法律 유명무실한 법률 / その条約は今や～となった 그 조약은 이제는 유명무실해졌다.

ゆうめい【勇名】图 용명《빈정대는 뜻으로 쓰기도 함》. ¶～をはせる〔とどろかす〕 용명을 떨치다.

ゆうめし【夕飯】图 저녁밥. ＝ゆうはん·晩飯. ¶～を食う 저녁밥을 먹다. ↔朝飯.

*__ユーモア__ [humor] 图 유머. ¶～小説 유머 소설 / 巧まざる～ 기교를 부리지 않은〔꾸밈없는〕 유머 / ～のある人 유머가 있는 사람 / ～を解しない日本人 유머를 모르는 일본인 / ～を交える 유머를 주고받다.

ゆうもう【勇猛】图ダナ 용맹. ¶～果敢 용맹 과감 / ～な武将 용맹한 무장 / ～心を振るい起こす 용맹심을 떨쳐 일으키다.

ゆうもや【夕もや】《夕靄》图 저녁 안개〔연무(煙霧)〕. ¶～がかかる 저녁 안개가 끼다. ↔朝もや.

ユーモラス [humorous] ダナ 유머러스. ¶～なしぐさ〔文章〕 유머러스한 몸짓〔문장〕 / 人生を～に描く 인생을 유머러스하게 묘사하다.

ユーモレスク [프 humoresque] 图 〖樂〗 유모레스크; 가벼운 기분의 소곡.

ゆうもん【幽門】图 〖生〗 유문《위의 말단부에서 십이지장에 연이은 부분》. ¶～閉塞 유문 폐색.

ゆうもん〖憂悶〗图ス自 우민; 근심하고 번민함. ¶祖国に対する～の情 조국에 대한 우민지정.

ゆうやく【勇躍】图ス自 용약. ¶～して敵地に向かう 용약하여 적지로 향하다. 参考 副詞적으로도 씀. ¶～出発する 용약 출발하다.

ゆうやけ【夕焼け】图 저녁놀. ＝夕ば

え.¶～空 저녁놀 진 하늘/～雲 저녁놀 진 붉은 구름.↔朝焼け.

ゆうやみ【夕やみ】《夕闇》图 땅거미; 박모(薄暮). =よいやみ.¶～がせまる 땅거미 지기 시작하다/～が濃くなる 땅거미가 짙어지다.

***ゆうゆう**【悠悠】トタル 유유. **1** 느긋한 모양.¶～と歩く 유유히 걷다/～たる歩み 느긋한 발걸음. **2** 충분히 여유가 있는 모양.¶～すわれる 넉넉히〔편히〕 앉을 수 있다/まだ～間に合う 아직 충분히 시간에 댈 수 있다. **3** 끝없이 아득한 모양; 세월이 아득히 먼 모양.¶～たる天空 유유한 천공; 유유창천/～たるかな天地 유유하구나 천지(여).

—かんかん【—閑閑】トタル 유유한한. =悠悠緩緩.¶～と生きる 태평하고 한가롭게 살다.

—じてき【—自適】图ス自 유유자적.¶～の生活 유유자적한 생활.

***ゆうよ**【猶予】图ス他 유예.¶執行～ 집행 유예/三日間の～を与える 삼일간의 유예를 주다/一刻も～すべき場合でない 일각도 유예할 때가 아니다/一刻の～もならない 일각의 유예도 할 수 없다/～なく断行せよ 지체 없이 단행하라.

—きかん【—期間】图 유예 기간.

=ゆうよ【有余】《수를 나타내는 한자어에 붙어서》…유여; 남짓. =あまり.¶三年～ 삼년 유여〔남짓〕.

ゆうよう【有用】名ナ 유용.¶～な動物〔品物〕 유용한 동물〔물건〕/～ならしめる 유용하게 하다.↔無用.

ゆうよう【悠揚】トタル 태연자약한 모양.¶～迫らぬ態度 태연자약하고 조금도 서두르지 않는 태도/～迫らざる応対 태연하고 침착하여 서두르지 않는 응대.

ゆうらん【遊覧】图ス自 유람.¶～船〔バス〕 유람선〔버스〕/景勝地を～する 경승지를 유람하다.

ゆうり【遊里】图 유곽(遊廓)《한문투의 말씨》. =いろざと·くるわ.¶～に足を入れる 유곽에 드나들다.

ゆうり【遊離】图ス自 유리.¶～原子価 유리 원자가/大衆から～した文学 대중으로부터 유리된 문학/この方法で塩素を～する 이 방법으로 염소를 유리시킨다.

***ゆうり**【有利】ダナ 유리.¶～な位置を占める 유리한 위치를 차지하다/戦局が～に展開する 전국이 유리하게 전개되다.↔不利.

ゆうりすう【有理数】图〔數〕유리수.↔「無理数.

ゆうりょ【憂慮】图ス他 우려. =心配.¶～すべき事態 우려할 만한 사태/～の面持ちで 걱정스러운 얼굴로/将来を～する 장래를 우려하다.

***ゆうりょう**【優良】名ナ 우량; 우수.¶～株〔品〕 우량주〔품〕/～銘柄 우량 종목/健康～児 건강 우량아/～な成績 우수한 성적.↔劣悪.

ゆうりょう【有料】图 유료.¶～道路 유료 도로/～老人ホーム 유료 양로원/～トイレ〔駐車場〕 유료 화장실〔주차장〕/この公衆便所は～です 이 공중변소는 유료입니다/見物は～ですか無料ですか 구경은 유료입니까 무료입니까.↔無料.

***ゆうりょく**【有力】ダナ 유력.¶～な支持者 유력한 지지자/～な候補 유력한 후보.↔無力.

—しゃ【—者】图 유력자.¶～の紹介をもらう 유력자의 소개를 받다.

ゆうれい【幽霊】图 유령. **1** 귀신; 요괴. =お化け·妖怪.¶～船 유령선/～話 유령 이야기/～都市 유령 도시/～屋敷 유령이 나오는 집/～が出る 유령이 나오다. **2** 실제는 없는데 있는 것처럼 꾸민 것.¶～会社 유령 회사/～人口 유령 인구.

ユーレイルパス[Eurail Pass]图 유레일패스; 유럽 여러 나라에서 통용하는 철도 공동 패스.

ゆうれつ【優劣】图 우열. =まさりおとり.¶～の差がない 우열의 차가 없다/～を争う〔競う〕 우열을 다투다/みんなが立派で～がつけがたい 모두 훌륭해서 우열을 가리기 힘들다.

ゆうわ【融和】图ス自 융화.¶～し難い仲 융화하기 어려운 사이/両国の～を図る 양국의 융화를 꾀하다.

***ゆうわく**【誘惑】图ス他 유혹.¶悪友に～される 못된 친구에게 유혹되다/～に勝つ〔負ける〕 유혹에 이기다〔지다〕/女を～する 여자를 유혹하다/～に打ち勝つ 유혹을 이겨내다〔극복하다〕/～に陥り易い 유혹에 빠지기 쉽다/～をきっぱりと退ける 유혹을 단호히 물리치다.

ゆえ【故】图 **1** 까닭; 이유; 사정.¶～なき辱しめを受ける 까닭 없는 욕을 당하다/～あって別れた 사정이 있어 헤어졌다/～なく罰せられる 까닭 없이 벌받다. **2**《助詞적으로》…때문; …까닭; …로 말미암음.¶貧～の盗み 가난 때문의 도둑질/寒い～ 추운 까닭에/あなた～ 당신 때문에/若き～の失敗 젊기 때문에 저지르는 실패.

ゆえつ【愉悦】图ス自 유열; 희열.¶～を感ずる 유열을 느끼다/生の～に浸る 삶의 유열에 잠기다.

ゆえに【故に】接 고로; 그러므로; 따라서《다소 격식 차린 표현》.¶夏は暑い.～汗が出る 여름은 덥다. 그러므로 땀이 난다/我思う,～我あり 나는 생각한다, 고로 나는 존재한다.

ゆえん〘所以〙图 소이; 까닭; 연유; 근거.¶人の人たる～は 사람이 사람인 소이는/以上が,この案を出した～である 이상이 이 안을 낸 이유이다.

ゆえん【油煙】图 유연; 석유·초·기름 따위의 그을음.¶～墨 유연묵/ランプの

～で天井が黒くなる 램프의 유연으로 천장이 그을다.

ゆおう〖硫黄〗名 ☞いおう(硫黄). 「통.

ゆおけ【湯おけ】《湯桶》名 목욕물〔용〕

***ゆか**【床】名 마루. ¶～を張る 마루를 깔다 /～にカーペットを敷く 바닥에 카펫을 깔다 /～が抜ける 마룻바닥이 빠지다. ↔天井.

ゆかい【愉快】名ダナ 유쾌. ¶～な人〔気分〕 유쾌한 사람〔기분〕/～な会だった 유쾌한 모임이었다 /～に時を過ごす 유쾌하게 시간을 보내다 / あいつが入学出来た〔落第した〕とは～だ 저 녀석이 입학〔낙제〕했다니 유쾌하다. ↔不愉快.

ゆかいた【床板】名 마루청; 청널; 마룻장. ¶～を踏み抜く 마루청을 밟아 빠지게 하다.

ゆかうえ【床上】名 마루 위. ¶～浸水 마루 위까지 찬 침수. ↔床下.

ゆかうんどう【床運動】名 (체조 경기에서) 마루 운동.

ゆが-く【湯がく】《湯掻く》5他 (야채 따위를) 살짝 데치다. =湯引く. ¶野菜を～ 야채를 살짝 데치다.

ゆかげん【湯加減】名 차나 탕약·목욕물 따위의 적당한 온도. ¶～をみる 목욕물의 온도가 알맞은지 알아보다.

ゆかし-い〖床しい〗形 **1** 아취가 있어 그윽하다; 고아해서 마음이 끌리다; 우아하다. =おくゆかしい. ¶～物語 그윽하고 마음이 쏠리는 이야기 /～人柄 점잖고 호감이 가는 인품. **2** 어쩐지 그립다. ¶古式～催し 향수를 자아내는 예스러운 행사 / 故郷を～·く思う 고향을 그리워하다.

ゆかした【床下】名 마루 밑〔아래〕. ¶～浸水 마루 밑까지 찬 침수 /～にもぐる 마루 밑으로 기어들다. ↔床上.

ゆかた【浴衣】名 목욕을 한 뒤 또는 여름철에 입는 무명 홑옷. ¶～を着る ゆかた를 입다.

ゆかたがけ【浴衣がけ】《浴衣掛け》名 ゆかた 차림〔바람〕. ¶～で散歩する ゆかた 차림으로 산책하다.

ゆかだんぼう【床暖房】名 (마룻바닥 속에 패널 히터 등을 설비한) 마룻바닥 난방.

ゆがみ〖歪み〗名 비뚤어짐; 일그러짐; 바르지 못함. ¶心の～ 마음이 바르지 못함 / 柱に～を生ずる 기둥이 비뚤어지다 / 列の～を直す 줄이 비뚤어진 것을 바로 잡다.

ゆがみなり〖歪み形〗名 **1** 비뚤어진〔뒤틀린〕 모양. **2** 구부러진 모양.

***ゆが-む**〖歪む〗5自 비뚤어지다. **1** (모양이) 일그러지다. ¶ネクタイが～ 넥타이가 비뚤어지다 / もの差しが～ 자가 굽다 / 鏡にうつった顔が～·んでみえる 거울에 비친 얼굴이 일그러져 보이다 / 地震で家が～ 지진으로 집이 기울어지다. **2** (마음·행실이) 바르지 못하다. ¶～·んだ性格 비뚤어진 성격 / 根性が～ 근성이 비뚤어지다.

ゆが-める〖歪める〗下1他 비뚤어지게 하다; 일그러뜨리다. ¶列〔童心〕を～ 줄〔동심〕을 비뚤어지게 하다 / 事実を～·めて報道する 사실을 왜곡하여 보도하다 / 形を～ 모양을 일그러뜨리다 / 痛みに顔を～ 통증으로 얼굴을 찡그리다 / 家庭環境が性格を～·めてしまった 가정 환경이 성격을 비뚤어지게 만들어 버렸다.

ゆかめんせき【床面積】名 바닥 면적.

ゆかり〖縁·所縁〗名 관계; 연고. ¶～の者 연고자 / 父の～の地 아버지의 연고지 / 文学作品～の地 문학 작품과 관계가 있는 곳 / 縁も～もない人 아무런 관계도 없는 사람.

ゆかん【湯かん】《湯灌》名ス他 탕관; (불교식 장례에서) 입관하기 전에 시체를 더운물로 깨끗이 씻는 일.

ゆき【行き】《往き》名 **1** 감; 특히, 목적지를 향해 감; 또, 그 도중. =いき. ¶博多～特急 博多행 특급 /～に寄る 가는 길에 들르다 /～は船, 帰りは飛行機だ 갈 때는 배, 올 때는 비행기다. ↔帰り·もどり. **2** 왕복 승차권에서, 가는 데 쓰는 것. =いき. ¶～の切符 갈 때 타는 표.

ゆき〖裄〗名 화장; 옷의 등솔기부터 소매 끝까지의 길이. =肩ゆき. ¶～を詰める 화장을 줄이다.

****ゆき**【雪】名 눈; 또, 흰 것의 비유. ¶～が積もる 눈이 쌓이다 /～が降る 눈이 오다〔내리다〕/～をかく 눈을 치우다 /～にうもれる 눈에 파묻히다 /～が解ける 눈이 녹다 /～に閉じこめられる 눈에 갇히어 꼼짝 못하다.

—の肌 눈같이 흰 살갗.

—は豊年の兆〔瑞〕 눈이 많이 오는 것은 풍년이 든다는 조짐.

—を欺く 눈처럼 희다.

—をいただく **1** 산꼭대기에 눈이 쌓이다. **2** 흰머리가 나다. ¶頭に～ 머리에

雪に 대한 여러 가지 표현

표현例 雪が — こんこん(펄펄; 펑펑)·しんしん(펑펑)·さらさら(보슬보슬)·ちらちら(팔랑팔랑 (흩날리는 모양))(と降る).

관용 표현 雪が — 音もなく降る(소리 없이 내리다)·降りしきる(내리퍼붓다)·降り掛かる(쏟아져 내리다)·降り暮らす(온종일 오다)·降り込む(들이치다)·降りこめる(내리쌓여 갇히다)·降り敷く(내려 덮이다)·降り積もる(내려 쌓이다)·降り募る(점점 더 세차게 내리다)·吹き荒ぶ(휘몰아치다)·吹き荒れる(휘몰아치다)·舞い落ちる(훨훨 날려 떨어지다)·吹雪く(눈보라 치다)·止む(그치다).

백발이 성성하다.

ゆきあ-う【行き会う】[5自] 가다가 만나다; 마주치다. =行き会う·でくわす·出あう. ¶街で友人とぱったり~·った 거리에서 친구와 딱 마주쳤다/途中で先生に~·った 도중에서 선생님과 마주쳤다.

ゆきあかり【雪明かり】[名] 쌓인 눈의 반사로 밝게 보임. ¶~の道 눈빛으로 밝게 보이는 길.

ゆきあたり【行き当たり】[名] 나아가 부딪침; 막다름; 막다른 데. =行き当たり. ¶~に出てしまった 막다른 데로 나와 버렸다.

——ばったり [名][ダナ] 〈俗〉 (아무런 계획도 없이) 그때그때 되어가는 대로 함. =いきあたりばったり. ¶~なやり方 그때그때 돼가는 대로 하는 방식/あの男は何事も~主義だ 저 남자는 무슨 일이나 되는대로 하는 주의다.

ゆきあた-る【行き当たる】[5自] 맞닥뜨리다; 막다르다; 당면하다. ¶塀に~ 담에 맞닥뜨리다/難問題〔難局〕に~ 난문제〔난국〕에 부딪치다.

ゆきおとこ【雪男】[名] 설인(雪人)《히말라야 산맥에 산다는 사람 비슷한 동물》. ⇨ゆきおんな.

ゆきおれ【雪折れ】[名] 쌓인 눈의 무게로 나뭇가지나 줄기가 부러짐; 또, 그렇게 부러진 가지나 줄기. ¶~の竹 눈에 부러진 대나무/柳に~なし 버드나무는 눈으로 부러지는 일이 없다《저항이 없는 것은 약한 듯하나 오히려 더 강하다》.

ゆきおろし【雪おろし】《雪颪》[名] 눈을 몰아치는 재넘이.

ゆきおろし【雪降ろし·雪下ろし】[名][ス自] 지붕에 쌓인 눈을 쓸어 내림.

ゆきおんな【雪女】[名] (눈이 많은 지방의 전설에서) 눈의 정령(精靈)이 둔갑해서 나타난다는 흰 옷을 입은 여자. =雪女郎·雪娘. ⇨ゆきおとこ.

ゆきか-う【行き交う】[5自] **1** 오가다; 왕래하다; 엇갈리다. =行きちがう·行きかう. ¶~人〔車〕の波 오가는 사람〔차〕의 물결/町は~人々でごった返している 거리는 오가는 사람들로 복작거린다〔바글거린다〕. **2** 교제하다; 사귀며 다니다. ¶幼いころに~·った家 어린 시절에 사귀며 오가던 집.

ゆきかえり【行き帰り】[名][ス自] **1** 오감; 왕복. ¶学校の~ 학교에 오가는 길/~とも飛行機を利用した 왕복 모두 비행기를 이용했다. **2** 갔다가 되돌아옴. [注意] 'いきかえり'라고도 함.

ゆきがかり【行き掛かり】[名] **1** 내친걸음; 사태가 이미 진행되고 있는 상태. =行きがかり. ¶~上やめられない 내친걸음이라 그만둘 수 없다/今までの~をすてる 지금까지 해 오던 것을 포기하다. **2** 가는 도중. =ゆきがけ. ¶~に友人の家へ寄る 가는 도중에 친구 집에 들르다.

ゆきがけ【行き掛け】[名] 막 출발할 때; 가는 길; 도중. =いきがけ. ¶~に寄る 가는 길에 들르다/~に投函する 가는 길에 (우편물을) 우체통에 넣다.

ゆきがこい【雪囲い】[名] **1** 서리나 눈에 얼지 않도록 초목(草木) 따위를 짚이나 가마니로 싸는 일. **2** 눈이 많이 오는 지방에서 집 주위를 짚이나 가마니로 에워싸는 일. =雪垣·雪構え.

ゆきかた【行き方】[名] **1** 방법; 방식. =しかた·やり方·いき方. ¶~が感心できない 방법이 마음에 들지 않는다/彼と私とでは~が全く違う 그와 나하고는 방식이 전연 다르다/独特の~で成功する 독특한 방식으로 성공하다. **2** 도정(道程); 노정(路程); 또, 탈것의 이용 방법. ¶市場までの~を教えて下さい 시장까지 가는 길을 가르쳐 주세요/船に乗るという~もある 배를 타고 가는 방법도 있다.

ゆきがっせん【雪合戦】[名] 눈싸움. =雪投げ. ¶子供達が~をする 아이들이 눈싸움을 하다.

***ゆきき**【行き来】《往き来》[名][ス自] 왕래. **1** 오감; 내왕. ¶人の~が激しい〔絶えない〕 사람의 왕래가 빈번하다〔끊이지 않다〕. **2** 교제; 사귐. =つきあい. ¶親しく~する 친하게 사귀다〔교제하다〕/あの男とは~しない方がよい 저 남자와는 교제하지 않는 게 좋다.

ゆきぐつ【雪ぐつ·雪靴】《雪沓》[名] 설화; 눈속을 걸을 때 신는 짚신. =藁沓.

ゆきぐに【雪国】[名] 눈이 많이 오는 지방. ¶~の春 눈 고장의 봄.

ゆきぐも【雪雲】[名] 눈구름; 눈을 머금은 구름. =せつうん.

ゆきく-れる【行き暮れる】[下1自] 가다가 해가 저물다. ¶野辺に~ 들판에서 해가 저물다/~·れた旅人に宿を貸す 길 가다가 날이 저문 나그네에게 (하룻밤) 드새게 하다/山道で~ 산길에서 해가 저물다.

ゆきげしき【雪景色】[名] 눈 경치; 설경(雪景). ¶山の壮大な~ 산의 장대한 설경.

ゆきげしょう【雪化粧】[名][ス自] (화장한 것처럼) 눈으로 아름답게 덮임. ¶野山が~する 들과 산이 눈으로 하얗게 덮이다/初雪でうっすら~した山々 첫 눈으로 하얗게 살짝 덮인 산들.

ゆきけむり【雪煙】[名] 눈이 바람에 연기 모양으로 휘날림; 또, 그 눈; 눈보라. =ゆきけぶり. ¶~を上げる 눈보라를 일으키다/~を立ててすべっていく 눈보라를 일으키며 미끄러져 가다.

ゆきさき【行き先】[名] **1** 행선지; 목적지. =ゆくえ. ¶~を決める 행선지를 정하다/~を告げずに家を出る 행선지를 알리지 않고 집을 나가다. **2** 간 곳. ¶~から電話する 간 곳에서 전화하다/~がわからない 간 곳을 모르다. **3** 전도; 앞날; 장래. ¶子供の~を案ずる 아

이의 앞날을 걱정하다/今のままでは～が不安だ 지금대로라면 앞날이 불안하다. 注意 'いきさき'라고도 함.

ゆきしつ【雪質】图 설질; 쌓인 눈의 성질·상태. =せっしつ.

ゆきしな【行きしな】图 가는 김〔길〕. =いきしな. ¶～に寄って届けておきましょう 가는 길에 들러서 전하겠습니다. ↔来しな·帰りしな.

ゆきすぎ【行き過ぎ】图 **1** 목적지를 지나침. **2** (행동·생각 등이) 도를 넘음; 지나침. ¶警備の～ 과도한 경비/話し合いがけんかになるとは～だ 의논이 싸움이 되다니 너무 지나치다. 注意 'いきすぎ'라고도 함.

ゆきす-ぎる【行き過ぎる】上1自 지나치다. **1** 지나가다. ¶自動車が家の前を～ 자동차가 집 앞을 지나치다. **2** (목적지보다) 더 가다. ¶～·ぎて終点まで来る 지나쳐서 종점까지 오다/～·ぎて引き返す 지나쳐 갔다가 되돌아가다. **3** 도를 넘다. =出すぎる. ¶～·ぎたことをする 지나친 짓을 하다/取り締まりは～ことのないように注意する 단속은 지나치는 일이 없도록 주의하다. 注意 'いきすぎる'라고도 함.

ゆきずり【行きずり】图 **1** (길을 가다가) 스침; 지나가는 김〔길〕. =いきずり. ¶～の人 스쳐 지나가는 사람/～のカフェに入る 지나가는 길에 카페에 들어가다. **2** 일시적임. =仮そめ. ¶～の縁 어쩌다가 맺어진 인연/～の恋 일시적인 사랑.

ゆきぞら【雪空】图 눈이 내릴 듯한 하늘〔날씨〕.

ゆきだおれ【行き倒れ】图 (추위·더위·기아·질병 따위로) 길가에 쓰러짐〔쓰러져 죽음〕; 또, 그 사람; 행로 병자(行路病者). =いきだおれ. ¶～になる 길가에 쓰러지다; 길에서 쓰러져 죽다.

ゆきだるま【雪だるま】《雪達磨》图 눈사람. ¶～を作る 눈사람을 만들다.

—しき【—式】图 눈덩이처럼 점점 불어나는 모양. ¶～に利子が増える 눈덩이처럼 이자가 불어나다.

***ゆきちがい**【行き違い】图 엇갈림. **1** 길이 엇갈림〔어긋남〕. ¶～になる 길이 (서로) 엇갈리다. **2** (반대 방향으로 가는 열차·버스 등이) 서로 획 지나침. **3** 일치하지 않음; (서로의) 오해; 충돌; 어그러짐. =食いちがい. ¶感情の～が生ずる 감정의 충돌이 생기다/その時二人の間には何か～があったらしい 그때 두 사람 사이에는 무언가 오해가 있었던 것 같다. 注意 'いきちがい'라고도 함.

ゆきつ-く【行き着く】5自 **1** (목적지에) 이르다; 다다르다. ¶～所は一つ 귀착점은〔목적하는 바는〕 하나/町に～·いたのは日暮れだった 읍에 도착한 것은 저녁때였다. **2** 정력 등이 다하다; 마지막 상태에 이르다. ¶～ところまでやる 힘 닿는 데까지 하다/事態は～ところまで来てしまったようだ 사태는 막판까지 와 버린 것 같다. 注意 'いきつく'라고도 함.

ゆきつけ【行き付け】图 자주 다녀 얼굴이 익음; 단골. =いきつけ. ¶～の店 단골 가게/～の飲み屋 단골 술집.

ゆきつぶて【雪つぶて】《雪礫》图 뭉친 눈덩이. =雪玉.

ゆきづまり【行き詰まり】图 막다름; 막다른 곳. =いきづまり. ¶～の家〔路地〕 막다른 집〔골목〕/この道は～だ 이 길은 막다른 길이다.

***ゆきづま-る**【行き詰まる】5自 막다르다; (앞이) 막히다; 전하여, 정돈 상태에 빠지다. =いき詰まる. ¶袋小路にはいって～ 막다른 골목으로 들어서서 길이 막히다/事業が～ 사업이 벽에 부딪치다/交渉は～·った 교섭은 정돈 상태에 빠졌다.

ゆきつもどりつ【行きつ戻りつ】連語 왔다갔다(하는 모양). =いきつもどりつ. ¶家の前を～して様子をうかがう 집 앞을 왔다갔다하면서 동정을 살피다.

ゆきづり【雪づり】《雪吊り》图 눈 무게로 정원의 나무가 부러지는 것을 막기 위해 나뭇가지를 줄로 달아 매어 둠.

ゆきどけ【雪どけ·雪解け】图 해빙. **1** 눈이 녹음; 눈석임; 또, 그 시기. =ゆきげ. ¶～で川の水かさが増す 해빙으로 강물이 불어나다. **2** 대립 관계가 해소됨; 긴장 완화. ¶東西関係の～ムード 동서 관계의 해빙 무드/～けはいが見えてきた 화해(의) 기미가 보이기 시작했다.

—みず【—水】图 눈석임물; 눈석이.

***ゆきとど-く**【行き届く】5自 (마음씨나 주의가) 구석구석까지 미치다; 자상하다; 모든 면에 빈틈이 없다. =行き届く. ¶～·いた客の取り扱い 빈틈없는 손님 접대/～·いた心づかい 자상한 마음씨/監視が～ 감시가 철저하다/～·かない所もありますが, どうぞよろしく 미흡한 데도 있지만 아무쪼록 잘 부탁합니다/細かいところまで注意が～ 세세한 데까지 두루 주의가 미치다.

ゆきどまり【行き止まり】图 **1** (길 따위가) 그 이상 더 갈 수 없음; 또, 그곳; 막다름. ¶ここで～になっている 여기서 더 갈 수 없게 되어 있다. **2** (사물의) 종말; 극점(極點); 궁극. ¶昇進もこれで～だ 승진도 이것으로 마지막이다/部長が～だ 부장 이상은 승진을 못한다. 注意 'いきどまり'라고도 함.

ゆきなげ【雪投げ】图 ☞ ゆきがっせん.

ゆきなだれ【雪雪崩】图 눈사태; 또, 그 눈. =なだれ.

ゆきなや-む【行き悩む】5自 **1** (앞으로) 나아가지 못하다; 나아가는 데 곤란을 느끼다. ¶吹雪で～ 눈보라로 더 나아가지 못하다. **2** (일이) 잘 진척되지 않다. ¶打開だかいに～ 잘 타개되지 않다 / 交渉こうしょうはあらゆる面めんで～·んでいる 교섭은 모든 면에서 제자리걸음을 하고 있다 / 資金面しきんめんで～ 자금면에서 곤란을 겪고 있다.

ゆきば【行き場】图 갈 곳〔데〕; (달리) 갈 수 있는 장소. =行いき場ば. ¶～がない 갈 데가 없다 / ～がなくなる 갈 데가 없어지다.

ゆきはだ【雪肌】图 **1** 쌓인 눈의 표면. **2** 설부(雪膚); 백설같이 흰 여자의 살갗.

ゆきひら【行平】图 '行平なべ'의 준말; 손잡이·뚜껑 및 귀때가 달린 운두 낮은 오지 냄비; 또, 손잡이가 하나만 달린 쇠냄비.

ゆきふり【雪降り】图 눈이 옴; 눈 내리는 날〔날씨〕. =降雪こうせつ.

ゆきまつり【雪祭り】图 눈축제《특히 札幌さっぽろ 시에서 하는 것이 유명함》.

ゆきみ【雪見】图 눈 구경; 눈 경치를 보고 즐김; 또, 그 연회. ¶～客きゃく 설경 관상객 / ～に行ゆく 눈 구경하러 가다 / ～をする 눈경치를 보고 즐기다. ↔月見つきみ·花見はなみ.

―ざけ【―酒】图 설경을 즐기며 술을 마심; 또, 그 술.

―どうろう〖―灯籠〗图 정원 따위에 설치하는 석등롱《나지막하며 갓이 크고 다리 세 개가 바깥쪽으로 퍼졌음》.

ゆきみち【雪道】《雪路》图 눈길; 눈 쌓인〔내리는〕 길. ¶～で車くるまがスリップした 눈길에서 차가 미끄러졌다.

ゆきもよい【雪もよい】《雪催い》图 눈이 올듯이 흐린 모양; 눈을 재촉하는 흐린 날씨. =雪もよう. ¶～の空そら 눈이 내릴 듯이 흐린 하늘.

ゆきもよう【雪模様】图 눈이 올 듯한 모양. =雪もよい.

ゆきやけ【雪焼け】图[자自] **1** 눈에 탐. ¶～の〔した〕顔かお 눈에 탄 얼굴. **2** 〈方〉 동상(凍傷). =しもやけ. [注意] 주로 동해(東海)쪽 적설 지방에서 이름.

ゆきやなぎ〖雪柳〗图〔植〕조팝나무. =こごめばな.

ゆきやま【雪山】图 설산; 눈이 쌓인 산. ¶～の景色けしき 설산의 경치 / ～に挑いどむ 설산에 도전하다.

ゆきよけ【雪よけ】《雪除け》图 **1** 제설(除雪). **2** 눈을 피함; 설해(雪害)를 막음; 또, 그를 위한 설비.

***ゆきわた-る**【行き渡る】[5自] (넓은 범위에) 골고루 미치다; 널리 퍼지다. ¶注意ちゅういが～ 주의가 골고루 미치다 / 世界せかいじゅうに～ 온 세계에 널리 퍼지다 / 医学いがく知識ちしきが～ 의학 지식이 널리 보급되다.

ゆきわりそう〖雪割草〗图〔植〕**1** 노루귀. =三角草みすみそう. **2** 설앵초.

ゆ-く【行く】《往く》[5自] **1** 가다. ㉠한 곳에서 딴 곳으로 움직여 가다. ¶一足ひとあし先さきに～ 한 발 앞서〔먼저〕 가다 / 知しらせ〔連絡れんらく〕が～ 통지가〔연락이〕 가다 / あっちへ～·け 저리 가라. ↔来くる. ㉡떠나(가)다. ¶海うみに～ 바다로 가다 / では～·こうか 그럼 가 볼까 / 芝居しばいを見みに～ 연극을 보러 가다 / 買かい物ものに～ 장보러〔쇼핑하러〕 가다. ㉢(일정한 곳을) 다니다. ¶毎日まいにち会社かいしゃへ～ 매일 회사에 가다 / 学校がっこうへ～ 학교에 가다. ㉣(목적지·목표로) 향해 가다. =赴おもむく. ¶戦地せんちへ～ 싸움터로 가다 / 兵隊へいたいに～ 군대에 가다. ㉤때가 지나(가)다. ¶～春はるを惜おしむ 가는 봄을 아쉬워하다 / ～年とし来くる年 가는 해 오는 해. ⇔来る·帰かえる. ㉥(그곳으로) 통하다. ¶駅えきに～道みち 역으로 가는 길 / 市場いちばから駅えきへ～バス 시장에서 역으로 가는 버스. ㉦바람직한 상태에 달하다. ¶満足まんぞくが～ 만족이 가다 / 合点がってんが～ 이해가 가다 / 納得なっとく〔得心とくしん〕が～ 납득이 가다 / 心こころ～ばかり語かたり合あう 서로 충분히〔실컷〕 이야기를 나누다 / 心こころ～まで楽たのしむ 마음껏 즐기다. ㉧다른 집으로 옮기다; 시집가다; 입양하다. ¶東京とうきょうへ嫁よめに～·った娘むすめ 東京에 시집간 딸 / 養子ようしに～ 양자(로) 가다. **2** 되다. ㉠(일이) 잘되어 나가다; 진척되다. ¶うまく～ 잘 되어가다 / はかが～ 일이 순조롭다 / 計画けいかく通どおりに～ 계획대로 되다. [參考]1 이의 부정(否定)은 불가능·금지를 나타냄. ¶そう簡単かんたんには～·かない 그리 간단히는 되지 않는다 / 一筋縄ひとすじなわでは～·かない 보통 수단으로는 안 된다. [參考]2 의지·권유를 나타내는 꼴로는 자진해서 하는 뜻이 됨. ¶それ, もう一番いちばん～ぞ 자, 또 한 번 간다 / 軽かるく一杯いっぱい～·こう 간단히 한잔하세. ㉡나이가 되다. ¶年端としはも～·かない子こ 아직 어린〔젖내나는〕 아이 / もっと年としの～·った人ひと 더 나이가 든 사람. **3**《動詞 連用形나 그것에 'て'가 붙은 꼴에 붙어》 ㉠(계속해서) 해나가다. ¶やって～うちに 해나가는 동안에 / 暮くらして～ 살아가다. ㉡점점 변해서 그렇게 되다; …져가다. ¶消きえ～ 사라져가다 / 明あけ～空そら 밝아 가는 하늘 / 空そらが暗くらくなって～ 하늘이 어두워져 가다 / 時ときが過すぎて～ 시간이 지나가다. **4**『そこへ～と』 그것에 비하면; 그 점에 있어선; 그런 점에서 본다면. ¶そこへ～と日本にほんは狭せまい 그런 점에서 본다면 일본은 좁다. **5**《'～·こう'의 꼴로》 동작을 시작하다. ¶この手てで～·こう 이 방법으로 시작하자 / 今日きょうは初はじめから～·こう 오늘은 처음부터 시작하자. [參考]3 현대어에서는 'いく'가 일반적이고, 'ゆく'는 약간 딱딱한 감을 주고 문장어적임. 또, '行って' '行った'의 경우, 발음은 'いって' 'いった'가 됨. [可能]ゆ-ける[下1自]

ゆ-く【逝く】[5自] 가다. **1** 가고 돌아오지 않다. ¶～水みず 흘러가는 물 / ～春はる 가는 봄. **2** (사람이) 죽다. ¶若わかくして～ 젊어서 죽다; 요절하다 / 先生せんせいが～·かれてから三年さんねん 선생님께서 돌아가신 지

3년. 注意 1은 '行く'로도 씀.

*ゆくえ【行方】图 1 행방; 갈 곳; 간 곳. ¶ ~をさがす 행방을 찾다 / ~をたずねる〔くらます〕 행방을 묻다〔감추다〕/ ~も定めず歩き回る 정처없이 돌아다니다. 2 장래; 전도. =行く末. ¶ ~を案じる 장래를 걱정하다 / ~は多難だ 전도는 다난하다.

──ふめい【──不明】图 행방불명. ¶ 船が~になる 배가 행방불명이 되다.

*ゆくさき【行く先】图 1 행선지; 목적지. ¶ ~がわからない 행선지를 모르다. 2 전도; 장래. =ゆくすえ. ¶ この子の~が心配です 이 아이의 장래가 걱정입니다 / ~を考える 장래를 생각하다. 3 여생. ¶ 短い~ 짧은 여생.

ゆくすえ【行く末】图 장래; 전도; 앞날; 미래. ¶ 来し方~ 지나온 세월과 장래 / ~長く 오래오래; 오래도록 / ~を見とどける 장래를 지켜보다 / 国の~が思いやられる 나라의 장래가〔앞날이〕 걱정된다.

ゆくて【行く手】图 가는 곳〔쪽〕; 전방; 전도; 앞길. =ゆく先. ¶ ~にランプが見える 전방에 남폿불이 보이다 / ~は多難だ 앞길은 다난하다 / ~をはばむ〔遮る〕 앞길을 막다〔가로막다〕.

ゆくとし【行く年】图 가는 해. ¶ ~来る年 가는 해 오는 해.

ゆくゆく【行く行く】副 1 장래 (언젠가)는; 끝내는. ¶ ~(は)社長になるだろう 장래 언젠가는 사장이 될 것이다. 2 가는 도중; 가면서. ¶ ~考える 가면서 내내 생각하다 / そのことは~話をしよう 그 일은 가면서 이야기하자.

ゆくりなく 副 뜻하지 않게; 갑자기. =ふと. ¶ ~(も)旧友に会う 뜻밖에(도) 옛 친구를 만나다 / ~(も)めぐりあえた 뜻밖에(도) 오랜만에 우연히 만날 수 있었다.

*ゆげ【湯気】图 김; 수증기. ¶ ~が立つ 김이 나다 / ~がのぼる 김이 오르다 / ~がこもる 김이 자욱하다 / 頭から~を立てて怒る 대로(大怒)하다.

*ゆけつ【輸血】图ス自 수혈. ¶ 患者に~する 환자에게 수혈하다.

ゆけむり【湯煙】《湯烟》图 뜨거운 목욕물·온천 등에서 오르는 김.

ゆさい【油彩】图 유채; 유화구로〔유화 그림물감으로〕 채색함; 또, 그 그림. ¶ ~画 유채화; 유화. ↔水彩.

ゆざい【油剤】图 유제; 기름 모양의 약제. ¶ ~を撒く 유제를 뿌리다.

ゆさぶ-る【揺さぶる】5他 (뒤)흔들다; 동요하다. =ゆすぶる. ¶ 肩を~ 어깨를 흔들다 / 木を~って実を落とす 나무를 흔들어서 열매를 떨어뜨리다 / 世間〔政局, 心〕を~ 세상〔정국, 마음〕을 뒤흔들다 / 打者を~ 타자를 동요시키다《변화구 등을 던져서 흔들리게 하다》.

ゆざまし【湯冷まし】图 1 끓여 식힌 물. ¶ ~を飲む 끓여 식힌 물을 마시다. 2 끓인 물을 식히는 데 쓰는 그릇.

ゆざめ【湯冷め】图ス自 목욕 후 한기를 느낌. ¶ ~しないように 목욕 후 한기를 느끼지 않도록 / ~してかぜをひく 목욕 후의 한기로 감기가 들다.

ゆさゆさ 副 무거워〔육중해〕 뵈는 것이 크게 흔들리는 모양: 흔들흔들. ¶ 大枝が風で~(と)揺れる 큰 가지가 바람에 흔들흔들하다 / 木を~(と)揺らして栗を落とす 나무를 흔들흔들 크게 흔들어 밤을 떨어뜨리다.

ゆさん【遊山】图ス自 유산; 산이나 들에 놀러 나감; 또, 기분 전환으로 외출함. ¶ ~客 행락객; 유산객 / 物見~ 구경하며 놀러 다님; 관광 유람 / ~に出かける 산놀이나 들놀이하러 나가다.

ゆし【油紙】图 ☞あぶらがみ.

ゆし【油脂】图 유지. ¶ ~工業 유지 공업 / 植物性~ 식물성 유지.

ゆし【諭旨】图 유지; 취지를 깨우쳐 타이름. ¶ ~免職 권고 사직.

**ゆしゅつ【輸出】图ス他 수출. ¶ ~品 수출품 / ~送り状 수출 송장 / ~免状 수출 면장 / ~割り当て制 수출 할당제 / ~を伸ばす 수출을 늘리다 / ~が伸びる 수출이 늘다 / 自動車を~する 자동차를 수출하다. ↔輸入.

ゆしゅつにゅう【輸出入】图 수출입. ¶ ~銀行 수출입 은행 / ~を制限する 수출입을 제한하다.

ゆず〖柚·柚子〗图〔植〕 유자(나무).

──いろ【──色】图 유자빛; 주황색.

──ゆ【──湯】图 유자탕《동짓날에 유자를 썰어 넣은 목욕물; 이 물에 목욕하면 감기에 안 걸린다고 함》.

*ゆす-ぐ〖濯ぐ〗5他 1 헹구다. ¶ せんたくものを~ 빨래를 헹구다. 2 양치질하다; (입을) 가시다. =すすぐ. ¶ 口を~ 입을 가시다. 可能 ゆす-げる 下1自

ゆすぶ-る【揺すぶる】5他 ☞ゆさぶる.

ゆすらうめ〖梅桃·山桜桃〗图〔植〕 앵두(나무).

ゆすり〖強請り〗图 공갈해서 금품 등을 강요함; 등침; 또, 그런 사람. ¶ ~たかりの常習犯 공갈 협박 상습범 / ~をはたらく 등치다; 공갈질을 하다.

ゆずり【譲り】图 물려받음; 양도. ¶ 姉のお~ 언니의 후물림 / 親~の才能 부모로부터 물려받은 재능 / 祖先からの~物 조상에게 물려받은 물건.

ゆずりあ-う【譲り合う】5他 서로 양보하다. ¶ 席を~ 자리를 서로 양보하다.

ゆすりあ-げる【揺すり上げる】下1他 치켜 흔들다; 추슬러 올리다. ¶ おぶった子を~ 업은 아이를 추슬러 올리다.

ゆずりう-ける【譲り受ける】下1他 물려받다; 양수하다; 양도받다. ¶ 財産を~ 재산을 물려받다 / 土地を市価で~ 땅을 시가로 양도받다.

ゆずりは〖譲り葉〗图〔植〕 굴거리나무《신년·축하의 장식물로 씀》. 参考 새 잎

이 나옴과 동시에 묵은 잎이 떨어지므로 이 이름이 붙음.

ゆずりわた-す【譲り渡す】5他 양도하다; 물려〔넘겨〕주다. ¶蔵書を～ 장서를 물려주다/財産を息子に～ 재산을 아들에게 물려주다.

*__ゆす-る__【揺する】5他 흔들다. ¶木の枝を～ 나뭇가지를 흔들다/～·り起こす 흔들어 깨우다/肩を～·って笑う 어깨를 흔들면서 웃다/膝を～ 무릎을 부들부들 떨다. 可能ゆす-れる 下1自

*__ゆす-る__〖強請る〗5他 공갈해서 금품 따위를 빼앗다. ¶～·って金をとる 공갈하여 돈을 등치다/金を～ 공갈하여 돈을 강요하다. 可能ゆす-れる 下1自

**__ゆず-る__【譲る】5他 1 양도하다. ㉠물려주다. ¶財産を～ 재산을 물리다/位を～ 지위를 물리다; 양위(讓位)하다/店を息子に～ 가게를 아들에게 물려주다. ㉡〈婉曲〉 팔(아넘기)다. =売る. ¶別荘を知人に～ 별장을 친지에게 양도하다/子猫～·ります 새끼 고양이 양도합니다〔팝니다〕. 2 양보하다; 내주다. ¶席を～ 자리를 양보하다/後進に道を～ 후진에게 길을 내주다/自説を主張して一歩も～·らない 자기 주장만 하고 한 치도 양보하지 않는다. 3 뒤〔후일〕로 미루다. ¶話は他日に～ 이야기는 후일로 미루다. 可能ゆず-れる 下1自

ゆせい【油井】名 유정.

ゆせい【油性】名 유성. ¶～ペイント 유성 페인트/～塗料 유성 도료/～おしろい 유성분. ↔水性.

ゆせん [湯煎] 名ス他 중탕(重湯). ¶～なべ 중탕냄비/～にかける 중탕하다/料理を～にする 요리를 중탕하다/バターを～してとかす 버터를 더운 물로 데워서 녹이다.

**__ゆそう__【輸送】名ス他 수송. ¶～機関 수송 기관/～機〔船〕 수송기〔선〕/海上～ 해상 수송/食糧を船で～する 식량을 배로 수송하다.

ゆそうせん【油槽船·油送船】ダナ 유조선. =タンカー.

**__ゆたか__【豊か】ダナ 1 풍족함; 풍부함. ¶～な生活 풍족한 생활/～な社会 풍요로운 사회/～な才能 풍부한 재능/～な資源〔経験〕 풍부한 자원〔경험〕/～な胸 풍만한 가슴/～に暮らす 풍족하게 살다/～に実る稲穂 열매가 많이 여무는 벼이삭. 2 좋이 …은 더 됨; 넉넉함. ¶六尺～の大男 6척이 넘는 큰 사나이. 3 여유 있는 모양. ¶～な心 너그러운 마음/古式～に 옛 정취가 넘치게/馬上～に進む 말을 타고 유유히 나아가다.

ゆだ-ねる〖委ねる〗下1他 1 맡기다. ㉠위임〔일임〕하다. =まかせる. ¶協商の全権を～ 협상 전권을 맡기다/…の選択に～ …의 선택에 맡기다/判断を読者に～ 독자의 판단에 맡기다/息子に後事を～ 아들에게 뒷일을 맡기다. ㉡(되는 대로) 내맡기다. ¶悪に身を～ 악에 몸을 내맡기다. 2 바치다. =ささげる·うちこむ. ¶教育に身を～ 교육에 몸을 바치다.

ユダヤ [Jud(a)ea] 名 유대; 유태. ¶～教 유대교/～人 유대인. 注意 '猶太'로 쓰은 취음(取音).

ゆだ-る〖茹だる〗5自 1 데쳐지다; 삶아지다. =うだる. ¶卵が～ 달걀이 삶아지다/野菜が～·ったら調味料を入れる 야채가 데쳐지면 조미료를 넣는다. 2 더위 등을 타다. =うだる. ¶温泉で～ 온천의 열기에 느른해지다.

**__ゆだん__【油断】名ス自 방심; 부주의. ¶～のならない奴〔世の中〕 방심할 수 없는 놈〔세상〕/～すると負けるぞ 방심하면 진다/ちょっと～したすきに逃げられた 잠깐 방심한 틈에 놓쳤다.

——大敵 방심은 금물.

——は怪我の基 방심은 사고의 원인.

——も隙もない 조금도 빈틈이 없다. ¶～奴だ 조금도 빈틈없는 녀석이다.

ゆたんぽ【湯たんぽ】《湯湯婆》名 탕파(湯婆). ¶～を入れて寝る 탕파를 넣고 자다.

ゆちゃく【癒着】名ス自 유착. 1〘生〙 기관(器官) 따위가 한데 들러붙음. ¶やけどで手の指が～する 화상으로 손가락이 유착하다. 2 양자가 부정 따위에 굳게 결탁함. ¶政財界の～ 정경 유착/労資の～ 노사(간의) 유착.

ゆづかれ【湯疲れ】名ス自 목욕탕 등에 너무 오래 들어가 있어서 나른해지는 일. ¶～して横たわる 장시간의 목욕으로 나른해져 드러눕다.

**__ゆっくり__ 副ス自 1 천천히; 마음 편히; 느긋하게. ¶～歩く 천천히 걷다/安全第一に～運転する 안전을 제일로 천천히 운전하다/時間をかけて～(と)作る 시간을 들여서 천천히 만들다/あしたは休みだから～していらっしゃい 내일은 휴일이니 느긋하게 계〔쉬〕십시오/どうぞ, ご～してください 편안히 푹 쉬십시오. 2 넉넉히; 충분히. =たっぷり. ¶今からでも～間に合う 지금부터라도 넉넉히 시간에 댈 수 있다/～三人すわれる 세 사람이 충분히 앉을 수 있다/日曜日は～起きる 일요일은 평소보다 늦게 일어난다/～一日の仕事だ 충분히 하루 일거리다/このくつの方が足に～している 이 신이 발에 낙낙하다.

ゆったり 副ス自 1 헐겁게; 낙낙하게. ¶～(と)した上着 낙낙한 윗옷. 2 마음 편히; 느긋하게. ¶～とくつろぐ 느긋하게 쉬다/いすに～と掛ける 의자에 편히 앉다/温泉に入って～した気分にひたる 온천에 들어가서 느긋한 기분에 잠기다.

ゆで〖茹で〗名 삶음; 데침; 또, 그 정도. ¶～えび〔栗〕 삶은 새우〔밤〕/生～の

麵 덜 삶아진 국수 사리.

ゆでこぼ-す〖茹で溢す〗5他 데친 다음에 그 물을 따라 버리다; 삶아서 우려내다. ¶あずきを～ 팥을 삶아서 우려내다.

ゆでだこ〖茹で蛸〗名 데쳐서 빨개진 낙지; 또, 술에 취하거나 목욕탕에 들어가 벌겋게 된 얼굴의 형용.

ゆでたまご【ゆで卵】《茹で卵》名 삶은 「달걀.

***ゆ-でる**〖茹でる〗下1他 데치다; 삶다. =うでる. ¶野菜を～ 야채를 데치다 / 卵を～ 달걀을 삶다.

ゆでん【油田】名 유전. ¶～地帯 유전지대 / 海底～ 해저 유전.

ゆどうふ【湯豆腐】名 물두부; 두부를 살짝 데쳐서 양념장을 찍어 먹는 요리.

ゆとうよみ[湯桶読み]名 두 자로 된 한자 숙어의 앞글자는 훈으로, 뒷글자는 음으로 읽는 방식《雨具·見本 따위》. ⇨重箱よみ 박스記事

ゆどおし【湯通し】名 **1** 피륙을 미지근한 물에 담그는 일《풀기를 빼어 부드럽게 하거나 후에 줄어듦을 막음》. **2**〔料〕재료·식기를 뜨거운 물에 살짝 데치거나 담금《냄새·기름기 등을 빼기 위함》.

***ゆとり** 名 (공간·정신 등의) 여유. ¶～のある生活 여유 있는 생활 / 心の～ 마음의 여유 / ～を持つ 여유를 가지다 / 部屋にはまだ～がある 방에는 아직 여유가 있다 / 時間に～を持たせる 시간을 넉넉하게 잡아 두다.

ユニーク [unique] ダナ 유니크; 특이; 독특. ¶～な作品〔発想〕 특이한 작품〔발상〕/ ～な考え 독특한 생각.

ユニオン [union] 名 유니언; 동맹; 연합; (노동)조합; 연합체. ¶ユーザー～ 소비 조합.

ユニセックス [unisex] 名 유니섹스; 남녀 공통(임).

―サロン [일 unisex+salon] 名 유니섹스 살롱; 이발과 미용을 겸업하는 가게. =ユニセックスヘアサロン.

―ファッション [일 unisex+fashion] 名 유니섹스 패션《남녀 성별(性別)에 구애되지 않는 패션》.

ユニセフ [UNICEF] 名 유니세프; 국제 연합 아동 기금. ▷United Nations International Children's Emergency Fund.

ユニット [unit] 名 유닛. **1** (전체를 구성하는 하나하나의) 단위. ¶～家具 조립식 가구. **2** (학습상의) 단원(單元).

ユニバーサル [universal] ダナ 유니버설; 우주적; 세계적. ¶～な視野 세계적인 시야〔시각〕/ ～タイム 유니버설 타임; 세계 표준시.

―バンキング [universal banking] 名 유니버설 뱅킹; 일반 은행 업무 외에 증권 매매·채권 발행·기업 합동의 중개 등을 할 수 있는 은행 영업 형태.

ユニバーシアード [Universiade] 名 유니버시아드; 국제 대학생 경기 대회.

ユニバーシティー [university] 名 유니버시티; 종합 대학.

ユニホーム [uniform] 名 유니폼; 제복; 군복; 특히, 통일된 운동〔작업〕복. ¶～姿の女性 유니폼 차림의 여성 / ～を脱ぐ 유니폼〔옷〕을 벗다; 은퇴하다.

⁑ゆにゅう【輸入】名ス他 수입. ¶～商 수입상 / ～品目 수입 품목 / ～割り当て制 수입 할당제. ↔輸出.

―ちょうか【―超過】名 수입 초과. =入超. ↔輸出超過.

ユネスコ [UNESCO] 名 유네스코; 국제 연합 교육 과학 문화 기구. ▷United Nations Educational, Scientific and Cultural Organization.

ゆのし【湯のし】《湯熨·湯熨斗》名ス他 김을 쐬어서 천의 주름을 폄. ¶～をする 김을 쐬어서 주름을 펴다.

ゆのはな【湯の花·湯の華】名 **1** 탕화《온천에 생기는 침전물》. =ゆばな. **2** 물때. =ゆあか.

ゆのみ【湯飲み】《湯呑み》名 '湯飲み茶わん'의 준말; (작은) 찻잔; 찻종.

ゆば【湯葉】名 두부 껍질《두유(豆乳)에 콩가루를 섞고 끓여서 그 표면에 엉긴 얇은 껍질을 걷어 말린 식품; 맑은 장국에 씀》.

ゆばな【湯花】名 ☞ゆのはな.

⁑ゆび【指】名 손〔발〕가락. ¶足の～ 발가락 / ～が長い 손가락이 길다 / ～にはめる 손가락에 끼우다 / ～を鳴らす 손가락을 꺾어 딱딱 소리를 내다 / 赤ん坊が～をしゃぶる 갓난아기가 손가락을 빨다 / 五本の～に入る 다섯 손가락 안에 들다.

―一本差させない 손가락 하나 까딱 못 하게 하다. **1** 남에게 비난받을 데가 없다. **2** 비난·간섭을 못하게 하다.

―を折る **1** 손꼽아 헤아리다. **2** 손꼽을 정도로 뛰어나다.

―をくわえる 손가락을 입에 물다《탐은 나지만 손은 쓰지 못하고 바라다보고만 있다》.

―を差す **1** 손가락으로 가리키다. **2** 뒤에서 손가락질〔욕〕하다.

―を詰める (폭력배 따위가 맹세·사죄의 표시로) 새끼손가락 끝을 자르다.

ゆびおり【指折り】名 **1** 손꼽아 헤아림. ¶～をする 손꼽아 헤아리다 / ～数えて待つ 손꼽아 기다리다. **2** 손꼽을 만큼 뛰어남. =屈指·有数. ¶～の大会社 굴지의 큰 회사.

ゆびきり【指切り】名ス自 (어린이들이 약속의 표시로) 새끼손가락을 마주 겲. =げんまん. ¶再会を誓って～する 재회를 맹세하여 손가락을 걸다. 参考 본디, 맹세·애정의 표시로 새끼손가락의 끝을 자르던 일.

ゆびさき【指先】名 손가락 끝; 손 끝.

ゆびさし【指差し】名 **1** 손가락질. **2** 골무. =指ぬき.

***ゆびさ-す**【指さす·指差す】5他 손가락질하다; 가리키다. ¶～かなた 손가락으로 가리키는 저쪽 / ～·してはっきり示し

す 손가락질로 분명히 가리키다.

ゆびずもう【指相撲】图 서로 네 손가락을 깍지 끼고, 엄지손가락으로 상대방의 엄지손가락을 눌러 승부를 겨루는 놀이.

ゆびにんぎょう【指人形】图 손가락 인형《몸통을 헝겊으로 주머니처럼 만들고 그 속에 사람이 손을 넣고 손가락으로 놀리는 인형》. =ギニョール.

ゆびぬき【指ぬき】《指貫》图 골무. =指さし. ¶針仕事に~をはめる 바느질에 골무를 끼다.

ゆびわ【指輪】《指環》图 반지; 가락지. ¶金の~ 금반지 / 結婚~ 결혼반지 / ダイヤの~ 다이아 반지.

ゆぶね【湯船】《湯槽》图 목욕통; 욕조. ¶~につかる 욕조에 몸을 담그다 / ~に水をはる 욕조에 물을 가득 채우다.

*__ゆまく__【油膜】图 유막; 액체나 물체 표면에 생긴 기름의 막.

*__ゆみ__【弓】图 **1** 활. ¶~を引きしぼる 활을〔활시위를〕 잔뜩 당기다 / ~を射る 활을 쏘다. ↔矢. **2** 궁술. ¶~を習う 궁술을 배우다. **3** 활 모양의 것; 특히, 악궁(樂弓). ¶バイオリンの~ 바이올린의 활 / ~をつかう 활을 다루다.

—折れ矢尽きる 활은 부러지고 화살은 다 떨어지다《참패당하다; 힘이 다해 어쩔 도리가 없게 되다》.

—を引く 활을 당기다; 전하여, 배반하다; 반역하다.

ゆみがた【弓形】图 궁형; 활꼴; 팽팽한 활모양. =きゅうけい·ゆみなり. ¶~の図形 활꼴 도형.

ゆみず【湯水】图 **1** 더운물과 찬물. ¶~ものどを通らなくなる 물도 넘길 수 없게 되다《매우 중태다》. **2** 흔한 것; 아무 데나 많이 있는 것의 비유.

—のように使う (돈 따위를) 물 쓰듯 하다; 낭비하다.

ゆみづる【弓弦】图 활시위; 활줄. =ゆづる.

ゆみとり【弓取り】图 **1** 〈雅〉 활을 잘 쏘는 사람; 무사. **2** (씨름에서) 활을 들고 하는 의식; 또, 그것을 하는 씨름꾼《현재는 그 날의 대전이 끝난 직후에 행함》.

ゆみなり【弓なり】《弓形》图 궁형; 활과 같이 굽은 형상. =弓がた. ¶体が~に反る 몸이 활처럼 젖혀지다 / ~の月 반달; 초승달.

ゆみはりづき【弓張り月】图 활 모양의 상현달·하현달; 현월(弦月); 반달.

ゆみや【弓矢】图 **1** 궁시; 활과 화살. **2** 무기. **3** 무도(武道). **4** 전쟁.

—取る身 무사 신분; 무사.

__ゆめ__【夢】图 **1 꿈. ¶新婚の~ 신혼의 (단)꿈 / 太平の~ 태평의 꿈 / 大きな~ 커다란 꿈〔이상〕 / ~を追う 꿈〔이상〕을 좇다 / ~にあらわれる 꿈에 나타나다 / ~を抱く 희망을 품다 / ~からさめる 꿈에서 깨어나다 / ~に描く 꿈에 그리다 / ~が破れる 꿈이 깨지다 / ~が膨らむ 꿈〔희망〕이 부풀다 / ~がかなう 꿈이 이루어지다 / ~でうなされる 가위눌리다 / 計画も単なる~と消える 계획도 한낱 꿈으로 사라지다 / ~みたいなことを言う 꿈같은〔헛된〕 이야기를 하다 / ~ではないかと身をつねる 꿈이 아닌가 하고 몸을 꼬집다. **2** 《'~にも' 등의 꼴로, 否定·禁止의 말이 따라서 副詞적으로 씀》 꿈에도; 조금도; 결코. ¶~にも知らなかった 꿈에도 몰랐다 / ~にも思わない〔忘れない〕 꿈에도 생각지〔잊지〕 못하다.

—か現か 꿈인지 생시인지.

—は逆夢 꿈은 실제와 반대《나쁜 꿈을 꾸거나 했을 때 위로차 하는 말》.

—を描く (마음 속에) 꿈〔희망〕을 그리다.

—を見る 꿈을 꾸다; 이룰 수 없는 희망〔이상〕을 품다.

—を結ぶ **1** 꿈꾸다. **2** 잠들다.

ゆめ〖努〗副《禁止하는 말이 따라서》 절대로; 반드시; 결코《예스러운 말씨》. ¶~疑うなかれ 절대로 의심하지 말지어다 / ~屈する(こと)なかれ 결코 굴하지〔굽히지〕 말지어다 / ~忘るな 결코 잊지 말지어다.

ゆめうつつ【夢うつつ】《夢現》图 비몽사몽(非夢似夢). ¶~のうちに 비몽사몽간에 / ~にきく 꿈결에 듣다 / ~で受話器をとる 꿈결에 수화기를 들다.

ゆめうらない【夢占い】图 해몽(解夢). =ゆめあわせ.

ゆめがたり【夢語り】图 꿈 이야기; 꿈같은〔덧없는〕 이야기. =夢話. ¶一場の~となった 일장춘몽이 되었다.

ゆめごこち【夢心地】图 꿈을 꾸는 (듯한 황홀한) 기분. =夢心. ¶~で合格の知らせを聞く 꿈을 꾸는 (황홀한) 기분으로 합격 통지를 듣다 / 恋をして~になる 사랑을 해서 황홀한 기분이 되다.

ゆめじ【夢路】图 꿈길. ¶~に入る 잠이 들다.

—をたどる 꿈길을 더듬다《꿈을 꾸다; 또, 자다》.

ゆめにも【夢にも】連語 ☞ゆめ(夢)2.

ゆめまくら【夢まくら】《夢枕》图 꿈을 꾸는 베갯머리; 꿈속.

—に立つ 신불이나 죽은 사람이 꿈속에 나타나다.

ゆめまぼろし【夢幻】图 몽환; 꿈과 환상. ¶~の世の中 (꿈이나 환상과 같이) 덧없는 세상 / ~と消える 허무하게 사라지다.

ゆめみ【夢見】图 꿈(을 꿈). ¶~が悪い 꿈자리가 사납다.

—ごこち【—心地】图 ☞ゆめごこち.

ゆめ-みる【夢見る】上1自他 꿈꾸다; 공상하다. ¶~年頃 꿈 많은 시절 / 明るい未来を~ 밝은 미래를 꿈꾸다.

ゆめものがたり【夢物語】图 ☞ゆめがたり. ¶~に過ぎない 꿈같은〔덧없는〕 이야기에 불과하다.

ゆめゆめ〖努努〗副 ☞ゆめ(努). ¶~怠ってはならぬ 결코 태만해서는 안된다 / ~疑ってはいけない 추호도〔절대로〕 의심해서는 안된다. 參考 'ゆめ'

를 겹쳐서 강조한 말.

ゆもと【湯元·湯本】名 온천이 솟아나는 곳; 온천이 솟는 근원. ¶～に近い 온천의 근원에 가깝다. 参考 '箱根(の)～' '日光(の)～' 등 지명으로 된 곳이 많음.

ゆゆし-い〖由由しい〗形 (사태가) 용이하지 않다; 중대하다. ¶～·き事態 중대한 사태 / 将来にかかわる～問題だ 장래에 관계되는 중대한 문제다.

*__ゆらい__【由来】㊀名 ス自 유래. ＝いわれ. ¶地名の～を尋ねる 지명의 유래를 묻다 / ギリシャに～する建築様式 그리스로부터 유래하는 건축 양식. ㊁副 원래; 본디; 옛날부터. ¶～この寺院は 원래 이 사찰은 / 彼は～物を知らない男だ 그는 원래 사리(事理)를 모르는 사나이다 / ～慎重な男だ 원래 신중한 남자다.

ゆら-ぐ【揺らぐ】5自 흔들리다; 요동하다. ¶風に木の葉が～ 바람에 나뭇잎이 흔들리다 / 身代〔権威, 地位〕が～ 재산이〔권위가, 지위가〕 흔들리다 / 気持ちが～ 기분이 동요되다.

ゆら-す【揺らす】5他 흔들다; 흔들리게 하다. ¶枝を～ 가지를 흔들다 / ハンモックを～ 해먹을 흔들다.

ゆらめ-く【揺らめく】5自 흔들거리다; 출렁이다. ¶波に～月影 물결에 어른거리는 달그림자 / 地平に～陽炎 지평선에 흔들거리는 아지랑이 / 風に炎が～ 바람에 불꽃이 한들거리다 / 明かりが～ 불빛이 흔들거리다.

ゆらゆら 副 가벼운 것이 천천히 흔들리는 모양: 한들한들; 흔들흔들; 하늘하늘. ¶～揺れる 흔들흔들 흔들리다 / 湯気〔かげろう〕が～と立ちのぼる 김이〔아지랑이가〕 하늘하늘 피어오르다.

ゆらり 副 **1** 한번 크게 흔들리는 모양: 출렁. ¶舟が～と揺れる 배가 출렁하고 흔들리다 / ぶらんこを～とこぎだす 그네를 출렁하고 발구르며 나아가다. **2** 천천히, 경쾌하게 몸을 움직이는 모양. ¶金魚が～と泳ぐ 금붕어가 천천히 헤엄치다 / 馬に～とうち乗る 말에 훌쩍 올라타다.

ゆらりゆらり 副 천천히 연달아 흔들거리는 모양: 흔들흔들. ¶ボートが～(と)波間に漂っている 보트가 흔들흔들 물결 사이를 떠돌고 있다.

ゆら-れる【揺られる】下1自 흔들리다. ¶馬車に～·れていく 마차에 흔들리며 가다 / 波に～ 파도에 흔들리다. 「ー.

ゆり〖百合〗名〔植〕백합; 나리. ＝リリ

ゆりいす【揺りいす】《揺り椅子》名 흔들의자. ＝ロッキングチェア.

ゆりうごか-す【揺り動かす】5他 흔들어 움직이다; 동요시키다. ¶心を～ 마음을 동요시키다 / 大地を～ようなとどろき 대지를 뒤흔드는 것 같은 굉음 / 巨体を～ 거구를 뒤흔들다.

ゆりおこ-す【揺り起こす】5他 흔들어 일으키다〔깨우다〕. ¶火事だと急いで～ 불이 났다고 급히 흔들어 깨우다.

ゆりかえし【揺り返し】名 여진(餘震). ＝ゆりもどし. ¶～が来る 여진이 (밀려) 오다. 「ようらん.

ゆりかご【揺りかご】《揺籠》名 요람. ＝

—から墓場まで 요람에서 무덤까지; 한평생《사회 보장 제도가 잘 시행되어 안심하고 살 수 있음의 비유》. 「し.

ゆりもどし【揺り戻し】名 ☞ゆりかえ

__ゆる-い__【緩い】形 **1 느슨하다; 헐겁다. ¶ひもを～·く結ぶ 끈을 느슨하게 매다 / ズボン〔ねじ〕が～ 바지〔나사〕가 헐겁다 / 蓋が～ 뚜껑이 헐겁다 / ～·く握る 느슨하게 잡다 / 靴が～·くて脱げやすい 구두가 헐렁해서 벗겨지기 쉽다. ↔きつい·かたい. **2** 엄하지 않다. ¶取り締まりが～ 단속이 엄하지 않다 / 警戒が～ 경계가 허술하다. ↔きつい. **3** 완만하다. ¶～上り坂 완만한 오르막〔비탈〕길 / ～カーブ 완만한 커브. **4** 느리다. ¶～スピード 느린 속도 / ～調子〔球, 流れ〕 느린 가락〔공, 흐름〕. **5** 부드럽다; 무르다; 묽다. ¶～大便 묽은 대변 / ～かゆ 묽은 죽 / 水で～·くとく 물로 묽게 개다 / 腹が～ 배가 부드럽다. ↔かたい.

ゆるが-す【揺るがす】5他 (뒤)흔들다. ¶天地を～大音響 천지를 뒤흔드는〔진동하는〕 대음향 / 大地を～ 대지를 뒤흔들다 / マスコミを～大事件 매스컴을 뒤흔든 대사건.

ゆるがせ〖忽せ〗名 소홀함; 허술함. ＝おろそか·なおざり. ¶～にするな 소홀히 하지마라 / 一刻も～にできない 잠시도 허술하게〔소홀히〕 할 수 없다 / 一言も～にしない 한마디도 소홀히 하지 않다. 参考 보통 '～に'의 꼴로 씀.

ゆるぎな-い【揺るぎない】形 흔들림 없다; 변함없다; 확고하다. ¶～地歩を占める 흔들림 없는〔확고한〕 지반을 잡다 / 政界に～地盤を築く 정계에 확고한 지반을 쌓다.

ゆる-ぐ【揺るぐ】5自 흔들리다; 동요하다. ＝ゆれうごく·ゆらぐ·ぐらつく. ¶土台〔信念〕が～ 토대가〔신념이〕 흔들리다 / 会長の座が～ 회장 자리가 흔들리다 / その会社の信用は～·ぎだした 그 회사의 신용은 흔들리기 시작했다.

ゆるし【許し】名 **1** 허가; 인가; 용서. ¶～なく 허가〔허락〕 없이 / ～を得る 허가를 받다 / ～を請う 용서를 빌다 / ～が出る 허가가 나오다 / 医者の～を得て外出する 의사의 허락을 받고 외출하다. **2** (다도·꽃꽂이 등의 예도(藝道)에서) 스승이 제자에게 주는 면허. ¶～を取る 스승에게 일정한 면허를 따다. ⇨おくゆるし.

__ゆる-す__【許す】5他 **1 허가〔허용〕하다; 허락하다. ¶入学〔営業〕を～ 입학〔영업〕을 허가하다 / 時間の～限

り 시간이 허락하는 한/出発を～ 출발을 허가하다/一般人の参観を～ 일반인의 참관을 허용하다/うっかり気を～ 깜박 방심하다〔마음을 놓다〕/男に肌を～ 남자에게 몸을 허락하다/心を～ 마음을 주다〔놓다〕; 신뢰하다/他の追随を～·さない 타의 추종을 불허하다. **2** 용서하다; 면하게 하다. ¶～·されて刑務所を出る 사면되어 교도소를 나오다/税を～ 세금을 면하다/再試験を～ 재시험을 면제하다/あやまちを～ 잘못을 용서하다. **3** 멋대로 하게 하다. ¶本塁打を～ 홈런을 허용하다/得点〔盗塁〕を～ 득점을〔도루를〕 허용하다. **4** 인정하다. ¶自他共に～ 자타가 공인하다/一刻の猶予も～·されない 일각의 유예도 용납되지 않는다. 可能ゆる-せる 下1自

ゆるみ【緩み】《弛み》图 느슨해짐; 헐거움; 해이함; 또, 그 정도. ¶心の～ 마음의 해이《방심함》/風紀の～ 풍기가 해이해짐/～を持たせる 느슨하게 하다; 여유를 주다.

***ゆる-む**【緩む】《弛む》5自 **1** 느슨해지다; 풀어지다; 누그러지다; 긴장이 풀리다. ¶糸が～ (팽팽하던) 실이 느슨해지다/帯が～ 띠가 느슨해지다/気が～ 마음(의 긴장)이 해이해지다/制限が～ 제한이 완화되다/緊張〔ねじ〕が～ 긴장이〔나사가〕 풀리다/寒さが～ 추위가 풀리다〔누그러지다〕/便が～ (대)변이 묽어지다. **2** 시세가 떨어지다. **3**《'口もとが～'의 꼴로》 웃음을 띠다. ¶口もとが思わず～·んだ 무심결에 빙그레 웃었다. ⇔締まる.

ゆるめ【緩るめ】名ス 조금 느슨함; 또, 그 모양. ¶～のふた 좀 헐거운〔큰 듯한〕 뚜껑/靴のひもを～に結ぶ 구두 끈을 약간 느슨하게 매다.

***ゆる-める**【緩める】《弛める》下1他 풀다; 늦추다; 느슨하게 하다; 완화하다. ¶糸の結び目を～ 실의 매듭을 느슨히 하다/警戒〔手綱〕を～ 경계〔고삐〕를 늦추다/スピード〔攻撃の手〕を～ 속도〔공격 태세〕를 늦추다/ネクタイを～ 넥타이를 느슨히 하다/取り締まりを～ 단속을 늦추다/基準を～ 기준을 완화하다/傾斜を～ 경사를 완만히 하다/気を～ 마음을 놓다; 긴장을 풀다/粥を～ 죽을 묽게 하다/湯で～·めて用いる 더운물을 타서 묽게 하여 쓰다. ⇨ゆるむ.

ゆるやか【緩やか】ダナ 완만함; 느릿함; 느슨함; 관대함. ¶傾斜の～な坂 경사가 완만한 비탈/～な衣服 낙낙한 의복/～にカーブする道 완만하게 구부러지는 길/～な川の流れ 완만한 강의 흐름/～な気分 느긋한 기분/制限を～にする 제한을 완화하다/風が～に吹く 바람이 슬슬 불다/取り締まりが～になる 단속이 느슨해지다〔완화되다〕.

ゆるゆる〖緩緩〗一副 **1** 서두르지 않는 모양; 천천히; 느릿느릿. ¶～(と)旅をする (서두르지 않고) 슬슬 여행하다/行列が～と進む 행렬이 천천히 전진하다. **2** 느긋한 모양; 유유히; 편안히. ¶～とした気分 느긋한 기분/～とくつろぐ 느긋하게 쉬다/～(と)温泉につかる 온천에 푹 몸을 잠그다. 二ダナ 느슨함; 헐렁함. ¶～な服 헐렁한 옷/ズボンが～だ 바지가 헐렁헐렁하다.

ゆるりと〖緩りと〗副〈老〉 유유히; 편안히. ＝らくに·ゆっくり. ¶御～お休みください 편안하게 쉬십시오/どうぞ御～なさって下さい 아무쪼록 편안히 지내십시오.

ゆれ【揺れ】图 요동; 흔들림; 또, 그 정도. ¶ひどい～ 심한 요동/心の～ 마음의 동요/船の～が激しい 배의 요동이 심하다.

ゆれうご-く【揺れ動く】5自 흔들리다; 동요하다. ¶～世界情勢 격동하는 세계 정세/気持ちが～ 마음이 흔들리다/ろうそくの炎が～ 촛불이 흔들리다.

****ゆ-れる**【揺れる】下1自 흔들리다. ¶～舟 흔들리는 배/～大学 흔들리는〖대학 본연의 자세가 크게 문제시되는〗 대학/心〔考え〕が～ 마음〔생각〕이 흔들리다/風で木の枝が～ 바람에 나뭇가지가 흔들리다/揺れに～ 마구 흔들리다/地面が～ 땅바닥이 흔들리다/内閣が大いに～ 내각이 크게 흔들리다.

ゆわ-える【結わえる】下1他 매다; 묶다. ¶髪にリボンを～ 머리에 리본을 매다/束に～ 다발로 묶다/馬を木に～·えておく 말을 나무에 매어 두다/荷物をひもで～ 짐을 끈으로 묶다.

ゆわかし【湯沸かし】图 (물을 끓이는) 주전자. ＝やかん.

ゆんで〔弓手〕图 **1** (활 잡는) 줌손; 왼손. **2**〈雅〉 왼쪽. ¶～を見る 왼쪽을 보다. ⇔馬手.

よ ヨ

1 五十音図 'や行'의 다섯째 음. [yo] **2**〖字源〗 '与'의 초서체《かたかな 'ヨ'는 '與'의 오른쪽 윗부분》.

***よ**【世】图 **1** 세상. ㉠사회. ＝世間·世の中. ¶～をいとう 세상을 싫어하다/～をはかなむ 세상을 비관하다/～に送り出す 사회에 내보내다/～の荒波

にもまれる 세상 풍파에 시달리다 / ～のため人のために尽くす 사회를 위해 남을 위해 봉사하다. ㉡때. ¶～に会う 때를 만나다. ㉢현재·과거·미래 가운데의 한 기간. ¶この～の終わりまで 이 세상 마지막 날〔이승이 다할 때〕까지 / あの～ 저 세상; 저승. **2** 일생; 생애. ¶我が～の春 인생 최고의 시절.

—が—なら(ば) 그 사람이 활약하기에 좋은 세상이었다면. ¶～こんな苦労をかけないものを 좋은 때를 만났더라면 이런 고생은 시키지 않았을 텐데.

—に背く 출가하다; 은둔하다.

—に立つ 세상에 나가다; 출세하다.

—に出る **1** 출세하다; 세상에 알려지다. **2** 이 세상에 태어나다〔나타나다〕. ¶秘蔵品が～ 비장품이 세상에 나오다. **3** 세상〔사회〕에 나가다. ¶世に出て活躍する 사회에 나가서 활약하다.

—に問う 사회의 평가를 구하다.

—を去る 세상을 떠나다《죽다》.

—を忍ぶ; —をはばかる 남의 눈을 피하다.

—を渡る 살아가다; 생활하다. ＝世を送る.

*よ【代】名 (특정한) 시대. ＝代. ¶明治の～ 明治 시대 / ～に逆らう 시대에 역행하다 / あの家も子供の～になった 저 집안도 그 자식의 대가 됐다.

よ【四】名 넷. ＝よっつ. ¶～年 4년 / ～人 4인. 注意 'ひ·ふ·み…'로 셀 때는 'よう'라고도 함.

*よ【夜】名 밤. ＝よる. ¶～がふける 밤이 깊어 가다 / ～が明ける 밤이 밝아오다 / ～を明かす 밤을 새우다.

—の目も寝ずに 밤잠도 자지 않고. ¶～仕上げる 밤잠도 자지 않고 일을 끝내다.

—も日も明けない (그것 없이는) 잠시도 지낼 수 없다《몹시 사랑하거나 좋아하는 모양》. ¶酒なしには～ 술이 없이는 잠시〔하루〕도 지낼 수 없다.

—を徹す 철야하다. ¶夜を徹して会議する 철야해가며 회의하다.

—を日に継ぐ 밤낮없이 계속하다. ¶夜を日に継いで働く 밤낮없이 계속해서 일하다.

よ【余】㊀名 **1** 여; 나머지; 이상. ¶百の～ 백 이상 / 三月の～ 삼개월 여. **2** 이외; 그 밖. ¶～の儀ではない 다른 일이 아니다 / ～の件については知らない 다른 건에 대해서는 모른다.

㊁接尾 …여; 이상. ¶十年～ 10년여 / 百～か所 백여 개소. 注意 '五億円～(＝5억엔 이상)'을 '五億～円'이라고는 하지 않음.

よ【余·予】代 여; 나《남자의 자칭; 한문투의 문장에 씀》. ¶～の説くところをよく理解せよ 내가 말하는 바를 잘 이해하라.

よ 間助 **1** 부름을 나타냄: …야; …아; …이여; …여. ¶ふるさと～ 고향이여 / 友～ 친구여 / 太郎～, しっかりやれ 太郎야 잘 해라. **2** 명령이나 부탁, 타이름이나 권유의 뜻을 나타내는 데 씀. ¶行こう～ 가자꾸나 / ちょっと待って～ 잠깐 기다려요 / 早くしろ～ 빨리 해라 / いらっしゃい～ 어서 오너라 / そこは危ない～ 거기는 위험해요 / そんなことするな～ 그런 짓은 하지 말아요. **3** 가벼운 감동, 단념의 기분을 나타냄. ¶いやだ～ 싫어요 / どうせそうでしょう～ 결국 그럴 거예요. **4** 사물을 판단해서 주장하거나 다짐할 때에 씀: …요; …해요; …예요. ¶あなたの番～ 당신 차례예요 / これはおいしいわ～ 이것은 맛있어요 / もう帰る～ 이젠 돌아간다 / 知らない～ 모른다 / 独りでやったんです～ 혼자서 해냈어요 / それは違う～ 그건 틀린다 / また来る～ 또 올게. **5** 의문을 나타내는 말이나 구에 붙어서 의문을 가지고 상대방을 나무라는 뜻을 나타냄: (무엇을) …하는 거요; (무얼) …그래요. ¶それくらい何～ 그것쯤 무얼 그래요 / 何言ってるの～ 무슨 소릴 하는 거야 / 分からないのか～ 모르는 거냐. 参考 글의 중간이나 끝부분에 씀. 口語에서는 'よう'로도 됨.

よ〖与〗《與》常用 ヨ あたえる ともに くみする あずかる | 여 함께 | **1** 관여하다. ¶与党 여당 / 参与 참여. **2** 주다. ¶給与 급여 / 授与 수여.

よ〖予〗《豫》教3 ヨ あらかじめ かねて | 예 미리 | **1** 미리. ¶予約 예약 / 予定 예정. **2** 꾸물거리다. ¶猶予 유예.

よ〖余〗《餘》教5 ヨ あまる あます | 여 남다 | 여분이 있다. ¶余分 여분 / 余計 여분 / 剰余 잉여.

よ〖誉〗《譽》常用 ヨ ほまれ ほめる | 예 명예 | **1** 칭찬하다. ¶毀誉褒貶 훼예포폄 / 称誉 칭예. **2** 명예; 좋은 평판. ¶栄誉 영예 / 名誉 명예.

よ〖預〗教5 ヨ あずける あずかる あらかじめ | 예 미리 | 금품을 타인에게 맡겨 두다. ¶預金 예금 / 預託 예탁.

よあかし【夜明かし】名 ス自 밤샘; 철야. ＝徹夜. ¶～で仕上げる 밤새워 마무리하다 / マージャンで～する 마작으로 밤샘하다 / 本を読んで～をする 책을 읽으면서 밤을 지새우다.

よあけ【夜明け】名 **1** 새벽. ＝あけがた·暁. ¶～前 동 트기 전 / ～を待つ 날 새기를 기다리다. ↔日暮れ. **2** 새로운 시대의 시작. ¶新時代の～ 신시대의 여명.

よあそび【夜遊び】名 ス自 밤놀이; 밤에 놀러 다님; 야유(夜遊). ¶～に出掛ける 밤놀이하러 나가다 / ～が過ぎる 밤놀이가 지나치다.

よあらし【夜あらし】《夜嵐》名 밤에 부

는 세찬 바람〔폭풍우〕.

よあるき【夜歩き】名ス自 밤외출; 밤에 나돌아다님. ¶女の~は危険だ 여자의 밤나들이는 위험하다.

よ-い【良い·善い】《好い》形 1 좋다. ¶~気持ち 좋은 기분 / ~天気 좋은 날씨. ㉠뛰어나다; 훌륭하다. ¶頭〔成績〕が~ 머리가〔성적이〕 좋다 / ~腕まえ 좋은 솜씨 / 味が~ 맛이 좋다. ㉡바람직하다. ¶もっと勉強すれば~のに 좀더 공부하면 좋을 텐데. ㉢정당하다; 바르다; …하는 것이 마땅하다. ¶もっと勉強するが~ 더 열심히 공부하는 것이 좋다 / ほめられて~事だ 칭찬받아 마땅한 일이다. ㉣괜찮다; 상관없다. ¶帰っても~ 돌아가도 좋다 / 行かなくても~ 가지 않아도 된다 / 遅れても~から来なさい 늦어도 괜찮으니까 오시죠. ㉤친하다. ¶仲が~ 사이가 좋다. ㉥다행이다. ¶けががなくて~·かった 상처가 없어서 다행이었다. **2 효과가 있다; 잘 됐다. ¶~·くやった 잘했다 / 胃腸に~薬 위장에 잘 듣는 약 / 間にあって~·かった 시간에 댈 수 있어서 잘 됐다 / ~·くおいで下さいました 잘 오셨습니다. **3** (값이) 높다; 비싸다. ¶なかなか~値だ 꽤 비싼 값이다. **4** 선량하다; 착하다. ¶~行い 착한 행위 / ~人柄 선량한 인품. **5** 적당하다; 알맞다. ¶~ところへ来た 마침 잘 왔다 / ぼくにはちょうど~相手だ 내게는 꼭 알맞은 상대이다 / ~人をさがす 적당한 사람을 찾다. **6** 충분하다; 다분히 그러하다. ¶~·く注意する 십분 주의하다 / それで~ 그것으로 충분하다 / 覚悟〔準備〕は~か 각오〔준비〕는 (단단히) 되어 있는가 / こうすれば~ 이렇게 하면 된다. **7** 상당하다. ¶~年をしてなんだ 나잇살이나 먹고서〔진득한 나이에〕 무슨 꼴이냐. **8** 이롭다. ¶~本 이로운 책 / からだに~ 몸에 이롭다. 注意 1~8에서 일반적인 상대어는 '悪い'. 参考 심히 못마땅할 때 '잘도 한다' '잘도 논다' 하는 따위의 반의적(反意的)으로 쓸 때도 있음. ¶~·く(も)言えたもんだ 그런 말을 잘도 하는군. **9**《動詞 連用形を 받아서》 어렵지 않다; …하기 쉽다. ¶飲み~薬 먹기 쉬운 약 / 書き~ペン 쓰기 좋은 펜 / たべ~ 먹기 좋다 / つきあい~人 사귀기 쉬운 사람 / 住み~社会 살기 좋은 사회. 参考 口語의 終止形이나 連体形에서는 보통 'いい' 라고도 함.

よい【宵】名 초저녁; 저녁. =初夜·初更. ¶夏の~ 여름 저녁 / 今~ 오늘 저녁 / 春の~ 봄날 저녁.

よい【酔い】名 **1** (술에) 취함; 취기. =えい. ¶ほろ~ 거나하게 취함 / ~が回る 취기가 돌다 / ~をさます 술을 깨우다. **2** 멀미. ¶舟~ 배멀미.

よいごこち【酔い心地】名 술 취한 때의 기분; 얼근한 기분. ¶~のよい酒 기분 좋게 취하는 술.

よいごし【宵越し】名 하룻밤을 넘김〔묵힘〕. ¶夏の牛乳は~ができない 여름철의 우유는 하룻밤을 넘기지 못한다. **──の金は持たぬ** 그날 번 돈은 그날에 써 버린다《江戸っ子(=江戸 토박이)의 담박〔활수〕한 기질을 나타낸 말》.

よいざまし【酔い覚まし】名 취기를 빨리 가시도록 함. ¶~に風に当たる 술을 깨기 위해 바람을 쐬다 / ~に水を一杯飲む 취기를 없애기 위해 물 한 잔을 마시다.

よいざめ【酔い覚め】名 술이 깸; 또, 취기가 가신 때. ¶~の水 술이 깰 때 갈증이 나서 마시는 물.

よいしょ 一感 무거운 것을 들어 올릴 때 내는 소리; 영차; 이영차. 二名ス他 치켜세워 (기분 좋게 해) 줌; 아첨을 떪. ¶上役に~する 상사를 치켜세우다 / ~して社長にとりいる 아첨을 떨어 사장의 환심을 사다.

よいし-れる【酔いしれる】《酔い痴れる》下1自 **1** 만취하다; 고주망태가 되다. ¶強い酒に~ 독한 술에 고주망태가 되다. **2** 도취되다; 황홀해지다. ¶名演奏に~ 명연주에 도취되다 / 勝利の喜びに~ 승리의 기쁨에 도취되다.

よいっぱり【宵っぱり】《宵っ張り》名ス自 밤늦도록 안 자고 일어나 있음; 또, 그런 사람. =夜ふかし. ¶彼は~の朝寝坊だ 그는 늦게까지 안 자고 아침에 자는 늦잠꾸러기다. ↔よいね.

よいつぶ-れる【酔いつぶれる】《酔い潰れる》下1自 만취해서 곤드레만드레가 되다; 술에 취해서 곤드라지다. ¶~·れて眠る 술에 곯아떨어지다 / ~·れて立ちあがれない 곤드레만드레 취해서 일어서지 못하다.

よいどめ【酔い止め】名 멀미를 예방함; 또, 멀미약.

よいどれ【酔いどれ】名 술에 잔뜩 취한 사람; 주정꾼. =よっぱらい. ¶~を介抱する 주정꾼을 돌보다.

よいね【宵寝】名ス自 초저녁잠; 초저녁부터 잠. =早寝. ¶~して朝早く起きる 초저녁에 자고 아침 일찍 일어나다. ↔よいっぱり.

よいのくち【宵の口】名 초저녁. ¶~から寝てしまう 초저녁부터 자 버리다 / 彼にとっては十時はまだ~だ 그로서는 10시는 아직 초저녁이다.

よいのみょうじょう【宵の明星】名〘天〙 태백성. =夕星. ↔明けの明星.

よいまちぐさ【宵待草】名〘植〙 금달맞이꽃. =まつよいぐさ. ⇨つきみそう.

よいまつり【宵祭り】名 축제일의 전야제. =夜宮·よいみや.

よいやみ【宵やみ】《宵闇》名 초저녁의 어스름; 또, 그 무렵; 땅거미. =ゆうやみ. ¶~が訪れる〔迫る〕 땅거미가 찾아들다〔지기 시작하다〕.

よいよい 名〈俗〉 알코올 중독이나 중풍

따위로 손발이 마비되고 혀가 잘 돌지 않는 병; 또, 그런 병자.

よいん【余韻】图 여운; 여음(餘音); 전하여, 가시지 않는 운치; 여정(餘情); 취향. ¶鐘の～が残る 종의 여운이 남다/興奮の～が冷めない 흥분의 여운이 가시지 않다/～を残す〔楽しむ〕 여운을 남기다〔즐기다〕/～が漂う 여운이 감돌다/～のある表現 여운이 있는 표현.

よ・う【酔う】 5自 **1 술에 취하다. ＝よっぱらう. ¶酒に～ 술에 취하다/彼は～と冗談をいう 그는 취하면 농담을 한다/～・って前後を失う 취하여 제정신을 잃다/～・って管を巻く 술취해 횡설수설하다/～・っても乱れない 취해도 흐트러지지 않는다. **2** (배나 차에) 멀미하다. ¶船に～ 배멀미하다/人に～ 사람멀미를 하다. **3** 황홀해지다; 도취하다. ¶妙技に～ 묘기에 황홀해지다/勝利に～ 승리에 도취하다.

よう 助動《五段 活用 이외의 動詞 및 助動詞 'せる' 'させる' 'れる' 'られる'의 未然形에 붙음》**1** 의지를 나타냄. ¶この本をあげ～ 이 책을 줄게/今出かけ～としている 지금 나가려고 한다〔하고 있다〕. **2** 권유를 나타냄. ¶さあ食べ～ 자, 먹자/さあ始め～ 자, 시작하자/もう寝～ 이제 자자. **3** 완곡한 명령이나 희망을 나타냄. ¶そんなになぐりたいと言うならひとつなぐられてみ～じゃないか 그토록 때리고 싶다고 한다면 한 번 맞아 보자꾸나. **4** 완곡한 단정을 나타냄. ¶このように言え～ 이와 같이 말할 수 있으리라. **5**《'～か' 또는 疑問의 말과 호응하여》 의문·질문·반어를 나타냄. ¶こんな所にだれが来～ 이런 곳에 누가 오겠나. **6**《'…～が' '…～と' '…～とも' '…～ものなら' 등의 꼴로》 대비(對比)하면서 상정(想定)함을 나타냄. ¶人に何と言われ～が, 平気だ 남이 뭐라 하든 아무렇지도 않다/仕事の手伝いをさせ～ものなら, 後のお礼がたいへんだ 일을 거들어달라고 하자니 나중의 사례가 큰일이다.

よう〖様〗一图 **1**《接尾語적으로》 모양; 형태; 그런 모양의 것; 생김새. ＝ありさま. ¶歯ブラシ～の物 칫솔 모양의 것. **2**《動詞連用形에 붙어서》…(할) 수. ¶何とも言い～がない 무어라 말할 수 없다. **3**《용언(用言) 따위의 連体形에 붙어 마침꼴이 됨; 이 경우 흔히 'に'가 따름》 …하도록《소원·소망(所望)을 나타냄》. ¶どうぞ合格します～に 부디 합격하시도록/成功する～にと祈る 성공하도록 빌다. **4**《動詞 또는 ない의 連体形＋'～に'의 꼴로》…ㄹ 수 있게; …도록《목적을 나타냄》. ¶汽車に間に合う～に出掛ける 기차 시간에 댈 수 있게 집을 나서다/歩ける～になる 걸을 수 있게 되다. 二 ダナ《体言＋'の', 用言의 連体形 따위를 받고 'だ' 'です' 따위를 수반하여》**1** '서로 같다, 비슷하다'의 뜻. ¶花びらの～なくちびる 꽃잎과 같은 입술/氷の～に冷たい 얼음처럼 차갑다/まるで夢を見る～だ 마치 꿈을 꾸는 것 같다. **2** '…과 같이, …처럼'의 뜻《내용의 지시, 또는 예를 드는 데 씀》. ¶御承知の～に 아시는 바와 같이/あなたの～にすぐれた方 당신처럼 훌륭한 분/彼の～な人も少ない 그와 같은 사람도 드물다. 参考 '～なこと(＝와 같은 일)'＋否定·禁止는 강한 부인을 표시함. ¶死ぬ～なことはしない 죽는 일 따윈 하지 않는다. **3** 불확실한 또는 완곡한 단정을 표시함. ¶どこかで聞いた～だ 어디선지 들은 것 같다/みんな寝た～だ 모두 잠든 것 같다/どうやら雨がやんだ～ 그럭저럭 비가 그친 것 같다.

よう【幼】图 어림; 어린아이. ¶～にして出家する 어려서 출가하다/老～を問わず 노소를 가리지 않고. ↔老.

よう [四] 图 넷《물건을 셀 때에만 쓰며, 一·二·三·四로 셈》. ＝よっつ·よ.

***よう**【用】一图 **1** 용도; 소용. ¶～が足りない 쓸모가 적다/～がない 쓸 데가 없다/～に供する 용도에 이용하다. **2** 용무; 용건; 볼일; 일. ¶～がある 용건〔볼일〕이 있다/～を頼む 일을 부탁하다/～がすむ 용무가 끝나다. **3** 비용. ¶～を節する 비용을 절약하다.

二接尾 …용. ¶非常～ 비상용/女性～ 여성용.

—に立つ 쓸모가 있다; 소용되다. ¶いざという時～ 만일의 경우에 소용되다/なんの用にも立たない 아무런 쓸모가 없다.

—を足す **1** 일을 보다; 용무를 끝내다. ¶ちょっと用を足してから行きます 잠깐 볼일 보고 가겠습니다. **2** 용변을 보다.

—をなさない 쓸모가 없다; 구실을 하지 못하다. ¶とけいの～ 시계 구실을 하지 못하다.

よう【洋】양. 一图 세계를 동서로 나눈 부분. ¶～もの 양품; 수입품.

二接尾 대해; 대양. ¶太平～ 태평양.

—の東西を問わず 동서양을 막론하고; 전세계적으로.

よう【要】一图 **1** 요령; 요점. ¶～は 요는; 요점은. **2** 필요. ¶再考の～がある 재고할 필요가 있다/あわてる～はない 당황할 필요는 없다.

二接頭 요…. ¶～注意 요주의/～確認 요확인.

—を得る 요점을 파악하고 있다; 요령이 있다. ¶要を得た話 요점이 분명한 이야기/簡にして要を得ている 간결하고 요령이 있다.

よう【陽】图 양. **1** 겉으로 나타남. ¶陰に～に 음으로 양으로. **2**〖理〗 플러스.

＝正. ¶～の電極 양의 전극. ⇔陰.

=よう【葉】…엽; 장; 매. ＝ひら·枚. ¶写真一～ 사진 한 장.

よう 感 1 호칭의 말: 여보세요; 여; 야. ¶～, こっちへ来いよ 야, 이리로 와. 2 응답의 말: 네; 예. 3 감동의 말: 야; 여. ¶～, しばらく 여! 오래간만일세 / ～お見事 야, 훌륭한데〔참 근사한데〕.

よう 間助 〈口〉 ☞よ 間助

よう〘幼〙教6 ヨウ おさない | 유 어리다 | 어리다. ¶幼児 유아 / 幼少 유소.

よう〘用〙教2 ヨウ もちいる | 용 쓰다 | 1 쓰다; 이용하다. ¶使用 사용 / 利用 이용. 2 소용되다. ¶有用 유용 / 起用 기용. 3 용건; 필요한 일. ¶用務 용무 / 用件 용건 / 用事 볼일.

よう〘羊〙教3 ヨウ ひつじ | 양 양 | 양. ¶羊毛 양모 / 綿羊 면양 / 牧羊 목양.

よう〘洋〙教3 ヨウ | 양 큰 바다 | 1 대해; 해양. ¶遠洋 원양 / 大西洋 대서양. 2 외국; 특히, 서양. ¶洋食 양식 / 洋風 (서)양풍; 서양식.

よう〘要〙《要》教4 ヨウ いる かなめ | 요 구하다 | 1 중요한 부분. ¶要点 요점 / 要訣 요결. 2 요구하다; 필요하다. ¶要請 요청 / 必要 필요.

よう〘容〙教5 ヨウ いれる かたち ゆるす | 용 얼굴 | 1 담아넣다. ¶容器 용기 / 包容 포용. 2 모습; 겉모양. ¶容貌 용모 / 威容 위용. 3 용서하다. ¶容認 용인.

よう〘庸〙常用 ヨウ つね もちいる | 용 범상하다 | 범상; 보통; 시시함. ¶庸劣 용렬 / 中庸 중용.

よう〘揺〙《搖》常用 ヨウ ゆれる ゆる ゆらぐ ゆるぐ ゆする ゆさぶる ゆすぶる うごく うごかす | 요 흔들리다 | 손으로 흔들다; 흔들리다. ¶揺籃 요람 / 動揺 동요.

よう〘揚〙常用 ヨウ あげる あがる | 양 오르다 | 떠오르다; 올리다. ¶浮揚 부양 / 掲揚 게양 / 揚水 양수.

よう〘葉〙教3 ヨウ ショウ は | 엽 잎 | 1 잎. ¶落葉 낙엽 / 葉脈 엽맥. 2 시기. ¶中葉 중엽 / 後葉 후엽.

よう〘陽〙教3 ヨウ ひ ひなた | 양 양기 | 1 태양; 햇빛. ¶陽光 양광 / 夕陽 석양. 2 (역학상) 음에 대한 양; 양기. ¶陰陽 음양 / 陽性 양성.

よう〘溶〙常用 ヨウ とける とかす とく | 용 녹다 | 녹다; 녹이다. ¶溶解 용해 / 溶接 용접.

よう〘腰〙《腰》常用 ヨウ こし | 요 허리 | 허리. ¶腰椎 요추 / 蜂腰 봉요.

よう〘様〙《樣》教3 ヨウ さま | 양 모양 | 모양; 형태. ¶様態 양태 / 同様 동양; 같음.

よう〘踊〙常用 ヨウ おどる おどり | 용 뛰다 | 춤추다. ¶舞踊 무용.

よう〘窯〙常用 ヨウ かま | 요 가마 | 기와나 도자기 등을 굽는 가마. ¶窯業 요업 / 民窯 민요.

よう〘養〙《養》教4 ヨウ やしなう | 양 기르다 | 1 사육하다; 기르다. ¶養成 양성 / 栄養 영양. 2 양자로 기르다. ¶養子 양자 / 養父 양부.

よう〘擁〙常用 ヨウ | 옹 안다 | 안다; 껴안다; 둘러싸다. ¶抱擁 포옹 / 擁護 옹호.

よう〘謡〙《謠》常用 ヨウ うたい うたう | 요 노래 | 가락을 붙여 노래하다; 유행가; 속요. ¶民謡 민요 / 童謡 동요 / 歌謡 가요.

よう〘曜〙《曜》教2 ヨウ | 요 빛나다 | 1 햇빛이 아름답게 빛나다. ¶曜曜 요요 / 照曜 조요. 2 요일. ¶水曜 수요.

ようあん【溶暗】名〔映〕용암《화면을 점점 어둡게 하면서 화상(畫像)이 사라지게 하는 촬영 기법》. ＝フェードアウト. ↔溶明.

**ようい【用意】名 ス自他 용의; 준비; 대비; 주의. ＝用心·支度. ¶災害に対する～ 재해에 대한 대비 / 旅行の～ 여행 준비 / ～万端を整える 만단의 준비를 갖추다 / 食事は～しておきます 식사는 준비해 두겠습니다.

―しゅうとう【―周到】名 ダナ 용의주도(함). ¶～な人 용의주도한 사람.

*ようい【容易】ダナ 용이(함); 손쉬움. ¶～な仕事 용이한 일 / ～ではない 쉽지는 않다 / ～に行ける 쉽게 갈 수 있다 / そうすれば事が～になる 그렇게 하면 일이 쉬워진다. ↔困難.

―ならぬ 예사롭지 않은; 중대한. ¶～事件 중대한 사건.

よういく【養育】名 ス他 양육. ¶～費 양육비 / 我が子のように～する 자기 자식처럼 양육하다.

よういん【要因】名 요인. ¶争議の～になる 쟁의의 요인이 되다 / 複雑な～がからんでいる 복잡한 요인이 얽혀 있다 / 政治問題化の～をはらむ 정치 문제화할 요인을 안고 있다.

よういん【要員】名 요원. ¶保安～ 보안 요원 / ～を募集〔確保〕する 요원을 모집〔확보〕하다.

ようえき【溶液】名〔化〕용액. ¶硝酸銀の～ 질산은 용액 / 飽和～ 포화 용액.

ようえん [妖艶]《妖婉》 名ナ 요염. ¶～な姿すがた〔美女びじょ〕 요염한 자태〔미녀〕.
ようえん [遥遠] 名ナ 요원. ¶前途ぜんと～ 전도 요원.
ようおん [拗音] 名〔言〕 한 음절로서, 'きゃ·しょ·にゅ·くゎ' 등과 같이 'や·ゆ·よ' 또는 'わ'를 다른 かな에 첨가해서 쓰는 음절.
**ようか【八日】名 초여드렛날; 8일(간). ¶～後ご 8일 후/十月じゅうがつ～ 시월 초여드레/来月らいげつ～ 내달 8일/できあがるまで～かかる 완성되기까지 여드레 걸린다.
ようか【養家】名 양가. ¶～の父母ふぼ 양부모. ↔実家じっか.
ようが【洋画】名 양화. **1** 서양화; 유화(油畫). ¶～家か 서양화가. ↔日本画にほんが. **2** 서양 영화; 외화. ¶～を見みに行ゆく 외국 영화를 보러 가다. ↔邦画ほうが.
ようが【陽画】名 양화《명암(明暗)이 실물과 똑같이 보이는 보통 사진》. =ポジティブ·ポジ. ↔陰画いんが.
ようかい [妖怪] 名 요괴; 도깨비. =化ばけ物もの. ¶～談だん 도깨비 이야기.
ようかい [容喙] 名ス自 용훼; 입을 놀림; 말참견함. =さしでぐち·横よこやり. ¶～は無用むよう 말참견은 하지 말 것/人ひとの事ことに～したがる人ひと 남의 일에 말참견하기 좋아하는 사람/他人たにんが～すべきことではない 남이 말참견할 일이 못된다.
ようかい【溶解】━名ス自他 용해; (액체에) 녹음; 녹임. ¶～液えき 용해액/氷こおりが～する 얼음이 녹다/水みずに～する 물에 녹다〔녹이다〕. ━名ス他自 《본디는 鎔解·熔解》 용해(鎔解); (쇠붙이를) 녹임; 녹음. ¶火ひで鉄てつを～する 불로 쇠를 용해하다.
ようがい【要害】名 요해; 요새; 성채(城砦). =とりで. ¶天然てんねんの～をなす 천연의 요새를 이루다/堅固けんごな～を築きずく 견고한 요새를 구축하다.
ようがく【洋学】名 양학; 서양의 학문이나 어학. ¶～者しゃ 양학자/～を学まなぶ 양학을 배우다. 参考 주로 江戸えど 시대의 것을 말함. ↔和学わがく·漢学かんがく·邦学ほうがく.
ようがく【洋楽】名 양악; 서양 음악. ¶～が好すきだ 양악을 좋아한다/～ファン 양악 팬. ↔邦楽ほうがく·和楽わがく.
ようがさ【洋傘】名 양산. =こうもりがさ. ¶～をさす 양산을 받다.
ようがし【洋菓子】名 양과자. =ケーキ. ¶～屋や 양과자점. ↔和菓子わがし.
ようかん【洋館】名 양관; 양옥. =西洋館せいようかん. ¶～の家いえ 양옥; 양옥집.
ようかん『羊羹』名 양갱; 양갱병; 단팥묵. ¶クリ〔ウメ〕～ 밤〔매실〕 양갱.
―いろ【―色】名 검은빛이나 보랏빛이 바래서 붉은빛을 띤 빛깔. ¶～の羽織はおり 빛이 바래서 붉은빛을 띤 羽織.
ようがん【溶岩】《熔岩·鎔岩》 名 용암. =ラバ. ¶～流りゅう 용암류/～が流ながれる 용암이 흐르다.
ようき [妖気] 名 요기; 요사스러운 기운. ¶～を発はっする 요기를 발하다/～が漂ただよっている 요기가 감돌고 있다.
*ようき【容器】名 용기. =うつわ·入いれ物もの. ¶～包装ほうそう 용기 포장/プラスチックの～ 플라스틱 용기/～に入いれる 용기에 담다〔넣다〕.
*ようき【陽気】━ダナ 화려하고 왕성한 모양; 성질이 밝고 쾌활한 모양. =にぎやか. ¶～な人ひと 쾌활한 사람/～に騒さわぐ〔しゃべる〕 쾌활하게 떠들다〔지껄이다〕. ↔陰気いんき. ━名 기후; 날씨. =時候じこう. ¶春はるらしい～ 봄다운 날씨/このごろの～は 요즘 기후는/～のせいだよ 날씨 탓이야/～がいい 날씨가 좋다/よい～になる 날씨가 좋아지다.
ようぎ【容儀】名 용의; 의용(儀容); 용자(容姿). ¶～を正ただす 태도와 자세를 단정히 하다/～を乱みださない 의용을 흐트러뜨리지 아니하다.
*ようぎ【容疑】名 용의; 혐의. ¶～を受うける 혐의를 받다/～をかける 혐의를 두다/～が濃こい 혐의가 짙다/～が強つよまる 혐의가 짙어지다/横領おうりょうの～が晴はれる 횡령 혐의가 풀리다.
―しゃ【―者】名 용의자; 피의자. ¶～を捕とらえる 용의자를 잡다. 参考 법률에서는 '被疑者ひぎしゃ(=피의자)'라고 하며, 신문·방송에서는 체포 또는 기소된 사람을 ○○容疑者라고 함.
ようきゅう【洋弓】名 양궁. =アーチェリー.
**ようきゅう【要求】名ス他 요구. ¶賃上ちんあげ(の)～ 임금 인상 요구/～に応おうずる 요구에 응하다/～を掲かかげる 요구를 내세우다/～を入いれる〔呑のむ〕 요구를 받아들이다/～を拒こばむ 요구를 거절하다/～を退しりぞける〔つっぱねる〕 요구를 물리치다〔일축하다〕.
ようぎょ【幼魚】名 유어; 어린 물고기. ¶～を川かわに流ながす 유어를 강에 풀어놓다. ↔成魚せいぎょ.
ようぎょ【養魚】名 양어. ¶～場じょう 양어장/～槽そう 양어조.
ようきょう【容共】名 용공. ¶～思想しそう 용공 사상/～政策せいさくをとる 용공 정책을 취하다. ↔反共はんきょう·防共ぼうきょう.
ようぎょう【窯業】名 요업. ¶～がさかんな町まち 요업이 활발한 소도시.
ようきょく【謡曲】名 能楽のうがく의 사장(詞章)에 가락을 붙여서 부름; 또, 그 사장. =うたい.
ようきょく【陽極】名〔理〕 **1** 양극. =プラス. **2** 자석의 북극. ⇔陰極いんきょく.
ようぎん【洋銀】名 양은. ¶～のスプーン 양은 스푼.
ようぐ【用具】名 용구; 도구. ¶～係がかり 용구계/スポーツ〔製図せいず〕～ 스포츠〔제도〕 용구/筆記ひっき〔洗面せんめん〕 필기〔세면〕 도구.
ようけい【養鶏】名 양계. ¶～業ぎょう 양계업/～家か 양계업자/～場じょう 양계장/

~をする 양계를 하다; 닭을 치다.

ようげき [邀撃] 名ス他 요격. =迎撃. ¶~機 요격기/敵機をミサイルで~する 적기를 미사일로 요격하다.

ようけつ [要訣] 名 요결; 비결. =奥の手·こつ·急所. ¶成功の~をさぐる 성공의 요결을 살피다.

ようけん【用件】名 용건. =用事·用向き. ¶急ぎの~ 급한 용건/差し迫った~ 절박한 용건/~に入る 용건에 들어가다/~をすます 용건을 끝내다/~のみお話しします 용건만 말씀드리겠습니다/御~は何ですか 용건은 무엇입니까.

ようけん【要件】名 요건. ¶資格~ 자격 요건/~を満たす 요건을 충족시키다/成功の~は誠実だ 성공의 요건은 성실이다.

ようげん【揚言】名ス他 양언; 공공연하게 말함. ¶~してはばからない 공공연히 말하여 거리끼지 않다.

ようげん【用言】名〔文法〕용언(動詞·形容詞·形容動詞의 총칭). ↔体言.

ようご【擁護】名ス他 옹호. ¶憲法~ 헌법 옹호/自由~の為に戦う 자유 옹호를 위해서 싸우다/人権を~する 인권을 옹호하다.

ようご【養護】名ス他 양호; (허약 아동 등을) 특별한 보호 밑에서 기름.

—**がっこう**【—学校】名 양호 학교; 정박아·지체부자유아 등을 위한 학교.

—**しせつ**【—施設】名 양호 시설(양호를 필요로 하는 아이들을 수용함).

ようご【用語】名 용어. =術語·テクニカルターム. ¶医学~ 의학 용어/不適切な~ 부적절한 용어/適切な~をつかう 적절한 용어를 구사하다.

ようご【要語】名 요어; (그 작품·문헌을 이해하는 데) 중요한 말. =重要語. ¶英語の~集 영어의 요어집/~の索引 요어의 색인.

ようこう【洋行】名ス自 양행; 서양에 여행이나 유학하는 일. ¶~して見聞を広める 양행해서 견문을 넓히다.

—**がえり**【—帰り】名 서양에 여행〔유학〕하고 돌아옴; 또, 그 사람.

ようこう【要綱】名 요강. ¶実施~ 실시 요강/物理学~ 물리학 요강.

ようこう【要項】名 요항. ¶募集~ 모집 요항.

ようこう【陽光】名 양광; 햇빛. =日光. ¶明るい~ 밝은 햇빛/燦々と降り注ぐ~ 눈부시게 내리쏟아지는 햇빛/~を浴びる 햇빛을 쬐다. 「로.

ようこうろ【溶鉱炉】《熔鉱炉》名 용광

ようこく【陽刻】名ス自他〔印〕양각; 돋을새김. ↔陰刻.

ようこそ 連語 노고에 대하여 감사의 뜻을 나타내는 말; 또, 상대의 방문을 환영할 때 쓰는 말. =よくぞ. ¶~おいでくださった 참으로 잘 와 주셨소/遠い所を~ 먼 데를 이렇게 와 주셔서 감사합니다/これは, ~ 이것, 참 잘 오셨습니다/韓国へ~ 한국 방문을 환영합니다.

***ようさい**【洋裁】名 양재. ¶~学校 양재 학교/~を習う 양재를 배우다. ↔和裁.

ようさい [要塞] 名 요새; 성채(城砦). =とりで. ¶~地 요새지/~地帯 요새 지대/~化する 요새화하다.

ようざい【溶剤】名〔化〕용제. ¶アルコールは樹脂性物質の~である 알코올은 수지성 물질의 용제다.

ようざい【用材】名 용재; 사용할 재료〔재목〕. ¶建築~ 건축 용재.

ようさん【養蚕】名 양잠. =蚕飼い. ¶~業〔農家〕 양잠업〔농가〕.

ようし [夭死] 名ス自 요사; 요절. =わかじに. ¶~した詩人 요절한 시인.

ようし【容姿】名 용자; 용모와 자태. =みめかたち. ¶~端麗 용자 단려.

ようし【洋紙】名 양지; 서양 종이. ↔和紙·日本紙.

ようし【用紙】名 용지. ¶答案〔原稿, 新聞〕~ 답안〔원고, 신문〕 용지/所定の~ 소정의 용지.

ようし【要旨】名 요지. ¶演説の~ 연설의 요지/~をまとめる〔説く〕 요지를 간추리다〔설명하다〕/~があいまいだ 요지가 애매하다. 「プロトン.

ようし【陽子】名〔理〕양자; 프로톤. =

***ようし**【養子】名 양자. ¶親戚の子を~にする 친척집 아이를 양자로 삼다/~に迎える 양자로 맞이하다/~をもらう〔取る〕 양자를 얻다〔맞다〕/~に入る 양자로 들어가다/彼は金持ちの家へ~に行った 그는 부잣집에 양자로 갔다. ↔実子.

—**えんぐみ**【—縁組】名 양자 결연. ¶~がととのう 양자 결연이 성립되다.

ようじ【幼児】名 유아; 어린아이. ¶~期 유아기/~教育 유아 교육.

参考 '幼児'보다 어린 아이를 '乳児(=유아; 젖먹이)' 그보다 위의 아이를 '児童(=아동)'라고 함.

ようじ【幼時】名 유시; 유년 시절. ¶~の記憶 어렸을 때의 기억.

ようじ〖楊枝〗名 이쑤시개. =つまようじ·こようじ. ¶~を使う 이쑤시개를 쓰다/~で歯の間をほじくる 이쑤시개로 잇새를 우비다.

—**で重箱の隅をほじくる** 이쑤시개로 찬합 구석을 뒤집개질하다(자잘한 일을 문제시함의 비유).

ようじ【用字】名 용자; 사용하는 문자; 또, 문자를 사용함. ¶~用語辞典 용자 용어 사전.

****ようじ**【用事】名 볼일; 용건; 용무. =用. ¶家の~ 집안 일/~を済ます 볼일을 마치다/~に出かける 볼일 보러 나가다/急な~ができる 급한 볼일이 생기다/御~は何ですか 용건은 무엇입니까/たいした~でもない 대수

로운 용건도 아니다.

*__ようしき__【様式】图 양식; 방식; (예술 작품 등의) 형식; 스타일; 장르. ¶生活(せいかつ)の～ 생활 양식 / 書類(しょるい)の～ 서류의 양식 / 詩(し)の～ 시의 형식.

*__ようしき__【洋式】图 양식; 서양식. ¶～トイレ 양식 변소 / ～の家(いえ) 양옥(집) / ～の生活(せいかつ) 양식 생활. ↔和式(わしき).

__ようしつ__【洋室】图 양실; 서양식 방. ＝洋間(ようま). ¶～を書斎(しょさい)につかう 양실을 서재로 쓰다. ↔和室(わしつ).

__ようしゃ__【容赦】图ス他 **1** 용서함. ¶～しがたい失態(しったい) 용서할 수 없는 실수 / 不行(ふゆ)き届(とど)きの点(てん)は御(ご)～ください 불비(不備)한 점은 용서해 주십시오. **2** 너그럽게 다룸. ¶情(なさ)け～のない仕打(しう)ち 몰인정한 처사 / ～なく攻(せ)める 가차없이 공격하다.

__ようじゃく__【幼弱】图ダナ 유약. ¶～な児童(じどう) 유약한 아동.

__ようしゅ__【洋酒】图 양주. ↔日本酒(にほんしゅ).

__ようじゅつ__［妖術］图 요술; 마술. ＝魔法(まほう)·幻術(げんじゅつ). ¶～を使(つか)う 요술을 부리다.

__ようしゅん__【陽春】图 양춘; 봄; 음력 정월의 딴 이름. ¶～の候(こう) 양춘지절.

__ようしょ__【洋書】图 양서; 외국 서적. ＝洋本(ようほん). ¶～を読(よ)みながす 양서를 줄줄 읽다. ↔和書(わしょ)·漢書(かんしょ).

__ようしょ__【要所】图 **1** 요소. ¶交通(こうつう)の～ 교통의 요소 / ～を固(かた)める 요소를 굳게 지키다. **2** 요점. ¶論文(ろんぶん)の～ 논문의 요점 / ～を押(お)さえる〔書(か)き抜(ぬ)く〕 요점을 파악하다〔가려 베끼다〕.

__ようじょ__【幼女】图 유녀; 어린 여자애. ¶幼年(ようねん)～向(む)きの絵本(えほん) 유년 유녀용의 그림책.

*__ようじょ__【養女】图 양녀. ¶～にもらう 양녀로 데려오다 / ～として育(そだ)てる 양녀로 기르다 / ～になる 양녀가 되다 / めいを～にする 조카딸을 양녀로 삼다.

__ようしょう__【幼少】图 유소; 나이 어림. ¶～の頃(ころ)の面影(おもかげ) 어릴 때의 모습.

__ようしょう__【要衝】图 요충(지). ＝要地(ようち). ¶交通(こうつう)の～ 교통의 요충지 / 敵(てき)の～を攻(せ)める 적의 요충을 공격하다.

__ようじょう__【洋上】图 양상; 해상(의 배위). ¶～作戦(さくせん)〔訓練(くんれん)〕 해상 작전〔훈련〕 / ～を漂(ただよ)う 바다 위를 떠돌다.

*__ようじょう__【養生】图ス自 양생. **1** 섭생. ¶～すれば長生(ながい)きできる 섭생하면 오래 살 수 있다 / 日(ひ)ごろから～に努(つと)める 진작부터 섭생에 힘쓰다 / ～して長生(ながい)きして下(くだ)さい 섭생하여 장수하십시오. ↔不(ふ)養生. **2** 보양(保養); 조섭. ¶温泉(おんせん)で神経痛(しんけいつう)の～をする 온천에서 신경통의 보양을 하다. **3** 콘크리트가 굳는 것을 보호·관리함; 또, 그 작업. ¶コンクリートの～をする 콘크리트를 양생하다.

__ようしょく__【容色】图 용색; (여성의 아름다운) 얼굴. ＝顔(かお)かたち. ¶～が衰(おとろ)える 용색이 수척해지다.

__ようしょく__【洋食】图 양식. ↔和食(わしょく).

__ようしょく__【要職】图 요직. ＝顕職(けんしょく). ¶政府(せいふ)の～を占(し)める 정부의 요직을 차지하다 / ～につく 요직에 오르다 / ～にある 요직에 있다.

__ようしょく__【養殖】图ス他 양식. ¶～場(じょう) 양식장 / ～漁業(ぎょぎょう) 양식 어업 / ～真珠(しんじゅ) 양식 진주 / カキを～する 굴을 양식하다.

**__ようじん__【用心】图ス自 조심; 주의; 경계. ¶火(ひ)の～ 불조심 / ～を怠(おこた)る 경계를 게을리하다 / 悪習(あくしゅう)に陥(おちい)らないように～する 악습에 빠지지 않도록 주의하다 / 空(あ)き巣(す)にご～ 집 비울 때는 조심할 것 / ～の上(うえ)にも～が肝要(かんよう)だ 조심조심하는 게 무엇보다 중요하다.

__―ぶか-い__【―深い】形 신중하다; 조심성이 많다. ¶～人(ひと) 신중한〔조심성이 많은〕 사람 / ～·くかまえる 신중하게 대비하다; 신중한 태도를 취하다.

__―ぼう__【―棒】图 **1** 호위꾼; 경호원. ＝ボディーガード·ガードマン. ¶～に雇(やと)われる 호위꾼으로 고용되다. **2** (문·창의) 버팀목. ＝しんばり棒(ぼう).

__ようじん__【要人】图 요인. ¶政府(せいふ)の～ 정부의 요인 / ～の警護(けいご)に当(あ)たる 요인 경호를 맡다.

__よう-す__【要す】5他 ☞よう(要)する.

__ようす__【ようす·様子】图 **1 모양. ㉠(사물의) 상태; 상황; 정세. ¶～をうかがう 정세를 살피다 / 土地(とち)の～に明(あか)るい 고장의 사정에 밝다 / 一目(ひとめ)でその場(ば)の～を見(み)て取(と)る 한눈에 그곳 상황을 알아차리다. ㉡(사람의) 모습; 용자(容姿); 용태. ¶見(み)すぼらしい～ 초라한 모습 / あの男(おとこ)の～が気(き)に食(く)わない 저 자의 꼬락서니가 마음에 안 든다 / その後(ご)病人(びょうにん)の～はどうですか 그 후 환자의 용태는 어떻습니까. **2** 징조; 낌새; 기미. ＝きざし. ¶夕立(ゆうだち)が来(き)そうな～だ 소나기가 올 듯한 낌새다 / 待(ま)っていたが彼(かれ)は帰(かえ)ってきそうな～もなかった 기다리고 있었으나 그는 돌아올 것 같은 기미도 보이지 않았다. **3** 눈치; 태도; 기색. ＝そぶり. ¶～がおかしい 거동이 이상하다 / 困(こま)った～もない 난처한 기색도 없다. **4** 특별한 이유〔사정〕; 까닭. ＝子細(しさい)·わけ. ¶～ありげに目(め)くばせする 까닭이 있는 듯이 눈짓을 하다 / 何(なに)か～がありそうだ 무언가 특별한 이유가 있는 모양이다.

__ようず__【要図】图 요도; 필요한 것만을 간단히 그린 도면(圖面). ¶軍事施設(ぐんじしせつ)の～ 군사 시설 요도.

__ようすい__【揚水】图ス自 양수; 물을 위로 올림. ¶～機(き) 양수기 / ～ポンプ 양수 펌프 / ～発電(はつでん) 양수 발전.

__ようすい__【用水】图 용수. ¶防火(ぼうか)〔工業(こうぎょう)〕～ 방화〔공업〕 용수 / ～路(ろ) 용수로 / ～池(いけ) 용수지.

__ようすい__【羊水】图〔生〕양수; 모래집 「물.

ようずみ【用済み】图 일이 끝남; 또, 필요 없게 됨; 또, 그 물건. ＝ようすみ. ¶~の切符 사용된 표 / ~の教科書 필요 없게 된 교과서.

よう-する【擁する】サ変他 **1** 지니다; 가지다; 거느리다. ¶巨万の富を~ 거만의 재산을 지니다 / 大軍を~ 대군을 거느리다. **2** 옹립하다. ＝もりたてる. ¶幼帝を~·して旗をあげる 어린 임금을 옹립하고 군사를 일으키다. **3** 수용하다. ¶人口百万を~大都市 인구 백만을 수용하는 대도시.

*__よう-する__【要する】サ変他 요하다; 필요로 하다. ¶急を~問題 긴급을 요하는 문제 / 熟練を~仕事 숙련을 요하는 일 / 旅行に~費用 여행에 필요한 비용 / 百万円を~ 백만 엔을 필요로 하다.

ようするに【要するに】連語 요컨대. ＝つまり. ¶~君の責任だ 요컨대 자네 책임일세 / ~しっかりやれと言うことだ 요컨대 잘 하라는 것이다.

ようせい [妖精] 图 요정. ＝フェアリー. ¶森の~ 숲의 요정.

*__ようせい__【要請】图ス他 요청. ¶~を受諾する 요청을 수락하다 / 援助を~する 원조를 요청하다 / 時局の~にこたえる 시국의 요청에 부응하다.

ようせい【陽性】양성. 一名ナ 적극적인 성질; 명랑한 성질. ¶性格が~の〔な〕人 성격이 양성인 사람. 二图〔醫〕검사의 반응이 플러스임. ¶ツベルクリン反応が~になる 투베르쿨린 반응이 양성이 되다. ⇔陰性.

—はんのう【—反応】图 양성 반응. ↔陰性反応.

*__ようせい__【養成】图ス他 양성; 함양. ¶~所 양성소 / 後継者を~する 후계자를 양성하다 / 独立精神を~する 독립 정신을 함양하다.

*__ようせき__【容積】图 용적. **1** 용량. ¶このびんは~が少ない 이 병은 용량이 적다. **2** 체적; 부피. ＝かさ. ¶液体の~を測る 액체의 용적을 재다.

—りつ【—率】图〔建〕용적률.

ようせつ [夭折] 图ス自 요절. ＝早死に·夭逝. ¶~した天才詩人 요절한 천재 시인.

ようせつ【溶接】《熔接》图ス他 용접. ¶~工 용접공 / ~棒 용접봉 / 電気〔酸素〕~ 전기〔산소〕용접 / 鉄管を~する 쇠 파이프를 용접하다.

ようせつ【要説】图 요설; 중요한 것을 골라 설명함. ¶国語~ 국어 요설.

ようせん [用箋] 图 용전; 편지지. ＝便箋. ¶書簡~ 서간전.

ようせん [傭船] 图ス他 용선; 배를 세냄; 또, 그 배. ＝チャーター. ¶~契約 용선 계약 / ~料 용선료 / 貨物船を~する 화물선을 세내다.

ようそ【よう素】《沃素》图〔化〕옥소; 요오드. ＝ヨード·ヨジウム. ¶~価 요오드값. 注意 자연 과학에서는 'ヨウ素'라고 씀.

**__ようそ__【要素】图 요소. ＝エレメント. ¶不可欠の~ 불가결한 요소 / 危険な~を含んでいる 위험한 요소를 내포하고 있다 / 健康は幸福の~だ 건강은 행복의 요소이다.

ようそう【様相】图 양상; 모양; 모습. ＝ありさま·状態. ¶険悪な~ 험악한 양상 / ただならぬ~を呈する 심상치 않은 양상을 보이다 / 街の~が一変する 거리의 양상이 일변하다.

ようそう【洋装】图ス自 양장. **1** 양복을 입음. ¶~の婦人 양장한 여성. **2** 서양식 장정. ＝洋とじ. ¶~本 양장본. ⇔和装.

ようだ〖様だ〗助動 ☞よう(様)二. 参考 형식적 体言 'よう'＋助動詞 'だ'.

ようたい【様態】图 양태. **1** 양상; 모습. ¶社会の~を調べる 사회 양상을 조사하다. **2**〔文法〕그와 같은 상태가 나타남을 표현하는 어법《伝聞의 'そうだ'에 대하여, 'うれしそうだ(＝기쁜 것 같다)'의 'そうだ'는 '様態の助動詞'라고 함》.

ようだい【容体】图 **1** 모양; 모습; 옷차림. ¶~を飾る人 외모를 꾸미는 사람. **2**《容態로도》용태; 병세. ¶~が急変〔悪化〕する 병세가 급변〔악화〕하다. 注意 'ようたい'라고도 함.

—ぶ-る〖—振る〗5自 짐짓 (잘)난 체하다; 거드럭거리다. ¶~·った人 거드럭거리는 사람 / ~·って歩く 짐짓 젠체하며 걷다.

ようたし【用足し】图ス自 **1** 볼일(을 봄). ¶市内に~に行く 시내에 볼일을 보러 가다. **2** 대변이나 소변을 봄. ¶ちょっと~をして来るよ 잠깐 용변을 보고 오겠다. **3**《用達》(관청으로의) 납품업; 또, 그 상인; 납품업자. ＝御用達. ¶宮内庁御~ 궁내청 어용 상인〔납품업자〕.

ようだ-てる【用立てる】下1他 **1** 유용하게 하다; 도움이 되게〔소용에 닿게〕하다; 편의를 제공하다. ¶この金で何かに~·ててください 이 돈으로 뭔가 유용하게 써 주십시오. **2** (금품 따위를) 빌려주다; 꾸어 주다. ＝たてかえる. ¶ちょっと~·ててもらえませんか 조금 꾸어 주실 수 없을까요.

ようだん【用談】图ス自 용담; 볼일〔용건〕에 관한 이야기. ¶~中 용담중 / ~を済ませる 용담을 끝내다 / その件で~いたしたい 그 일로 이야기하고 싶다 / 早速~に取りかかった 바로 용건으로 들어갔다.

ようだん【要談】图ス自 요담. ¶~を交わす 요담을 나누다.

ようち【夜討ち】图 야습. ＝夜襲. ¶~をかける 야습을 하다. ↔朝駆け.

—朝駆け 〈俗〉 신문 기자 등이 취재를 위해 심야나 새벽에 요인(要人) 등의

집을 불시 방문하는 일.

*ようち【幼稚】名ナ 유치. **1** (나이 등이) 어림. ¶～な子供 나이 어린 아이. **2** (방법·생각 등의) 정도가 미숙함. ¶～な考え 유치한 생각/その地の漁業はきわめて～である 그곳의 어업은 매우 유치하다. ↔老練.

―えん【―園】名 유치원. ¶～の園児 유치원 원아.

ようち【用地】名 용지. ¶建築〔鉄道〕～ 건축〔철도〕 용지/～を買収する 용지를 매수하다.

ようち【要地】名 요지; 중요한 지점〔지역〕. ¶交通の～ 교통의 요지/戦略上の～ 전략상의 요지.

ようちゅう【幼虫】名〔蟲〕 유충; 애벌레. ¶がの～ 나방의 유충. ↔成虫.

ようちゅうい【要注意】連語 요주의. ¶～者 요주의자/～の人物としてマークされる 요주의 인물로 감시당하다.

ようちょう【羊腸】トタル 산길 등이 꼬불꼬불한 모양. ＝つづらおり. ¶～たる山道 꼬불꼬불한 산길.

ようちょう[膺懲]名ス他 응징. ¶～の要がある 응징할 필요가 있다.

ようつい[腰椎]名〔生〕 요추; 허리등뼈. ¶～麻酔 요추 마취.

ようつう【腰痛】名 요통. ¶～を直す〔訴える〕 요통을 고치다〔호소하다〕.

ようてい[要諦]名 요체. ¶処世の～を悟る 처세의 요체를 깨닫다. 注意 바르게는 'ようたい'.

ようです〖様です〗助動 ☞よう(様)□. 参考 형식적 体言 'よう'＋'です'.

*ようてん【要点】名 요점. ＝要所. ¶～をはずれる 요점을 벗어나다/～をまとめる〔おさえる〕 요점을 정리〔파악〕하다/～をかいつまんで述べる 요점을 간추려서 말하다.

ようてん【陽転】名ス自〔醫〕 양전(('陽性転移(＝양성 전이)'의 준말)); 투베르쿨린 반응이 음성에서 양성으로 바뀜. ¶ツベルクリン反応が～する 투베르쿨린 반응이 양전하다.

ようでんき【陽電気】名〔理〕 양전기. ＝正電気. ↔陰電気.

ようと【用途】名 용도. ¶～が広い品 용도가 광범위한 물품/～を明確にする 용도를 명확히 하다.

ようど【用度】名 용도. **1** (회사·관청·학교 등에서) 사무 용품 따위의 공급에 관한 일. ¶～係 용도계(원). **2** 필요한 비용. ＝費用. ¶外遊の～を調達する 외유 비용을 조달하다.

ようとう【羊頭】名『～を掲げて狗肉を売る; ～狗肉』 양두구육.

ようどうさくせん【陽動作戦】名〔軍〕 양동 작전. ¶～で敵を攪乱する 양동작전으로 적을 교란하다.

ようとじ【洋とじ】(洋綴じ) 名 양식 제본. ¶～の本 양장본. ↔和とじ.

ようとして[杳として] 連語 《副詞적으로》 묘연히. ¶～消息が分からない 소식이 묘연하다/～行方が知れない 행방이 묘연하다.

ようとん【養豚】名 양돈. ¶～場 양돈장/～を勧める 양돈을 권하다.

ような〖様な〗助動 ☞よう(様)□. 参考 형식적 体言 'よう'＋'な'.

ようなし【洋なし】(洋梨) 名 서양 배.

ように〖様に〗助動 ☞よう(様)□. 参考 형식적 体言 'よう'＋'に'.

ようにく【羊肉】名 양육; 양고기. ＝マトン.

ようにん【容認】名ス他 용인. ＝認容. ¶～しがたい問題 용인하기 어려운 문제/これ以上～できない 이 이상 용인할 수 없다.

ようねん【幼年】名 유년. ¶～期 유년기/～時代 유년 시절.

ようは【要は】yōwa 連語 요는; 요컨대. ¶～勉強することだ 요컨대 공부해야 한다/～本人の努力次第だ 요는 본인이 노력하기 나름이다.

ようはい[遥拝]名ス他 요배; 멀리 떨어진 곳에서 배례함; 망배.

ようばい【溶媒】名〔化〕 용매. ↔溶質.

ようはつ【洋髪】名 양발; 서양식의 머리 모양. ¶～の美人 양발 미인. ↔日本髪.

*ようび【曜日】名 요일. ¶～を忘れる 요일을 잊다/～を間違える 요일을 잘못 알다/日曜を除いたら何～でも差し支えない 일요일을 제외하면 어느 요일이건 상관 없다.

ようひし【羊皮紙】名 양피지. ＝パーチメント.

ようひん【用品】名 용품. ¶婦人～ 여성〔숙녀〕 용품/台所～ 주방 용품/事務～ 사무 용품/スポーツ～ 스포츠 용품.

ようひん【洋品】名 양품((특히, 의류·장신구 따위)). ＝洋装品. ¶～店 양품점/～雑貨 양품 잡화.

ようふ[妖婦]名 요부. ＝バンプ·妖女. ¶～型の女 요부형의 여자/希代の～ 희대의 요부.

ようふ【養父】名 양부. ↔実父.

ようぶ【腰部】名 요부; 허리 부분. ¶～に痛みを感ずる 요부에 통증을 느끼다/～にあてがう 허리 부분에 대다.

ようふう【洋風】名 양풍; 양식. ¶～の料理 양식 요리/～建築 서양식 건축. ↔和風.

**ようふく【洋服】名 양복. ¶～だんす 양복장/～姿の 양복 차림의/出来合いの～ 기성복/あつらえの～ 맞춤〔주문〕 양복/～を着る 양복을 입다/～を一着あつらえる 양복을 한 벌 맞추다. ↔和服.

―かけ【―掛け】名 양복걸이; 옷걸이. ＝ハンガー.

ようふぼ【養父母】名 (수)양부모.

*ようぶん【養分】名 양분; 자양분. ¶～に富む食品 양분이 많은 식품/～を取る 양분을 (섭)취하다/～をたく

わえる 양분을 축적하다.

ようへい【庸兵】《傭兵》图 용병. =やとい兵. ¶～を置く 용병을 두다.

ようへい【用兵】图 용병; 군사를 부림. ¶～術 용병술 / ～に長ずる 용병에 능하다 / ～の妙を発揮する 용병의 묘를 발휘하다.

ようへい【葉柄】图〔植〕엽병; 잎자루.

ようべん【用便】图ス自 용변; 대소변을 봄. ¶～(を)する 대소변을 보다 / ～をすます〔足す〕용변을 보다.

ようぼ【養母】图 양모. ↔実母·生母. ⇨ぎぼ(義母).

ようほう【用法】图 용법; 사용법. =使い方. ¶前置詞の～ 전치사 용법 / ～を誤る 용법을 그르치다.

ようほう［養蜂］图ス自 양봉. ¶～業 양봉업 / ～家 양봉가.

ようぼう［容貌］图 용모. =顔かたち. ¶～魁偉 용모 괴위 / 美しい～ 아름다운 용모 / ～にすぐれる 용모가 뛰어나다.

*ようぼう【要望】图ス他 요망. =切望. ¶～にこたえる〔添う〕요망에 부응하다〔따르다〕/ ～を入れる 요망을 받아들이다 / 計画の実現を強く～する 계획의 실현을 강력하게 요망하다.

ようほん【洋本】图 **1** 양서; 원서(原書). =洋書. **2** 양장본. ⇔和本.

ようま【洋間】图 서양식 방; 양실(洋室). 注意 통속적으로 넓은 마루방을 가리킴. ↔日本間.

ようまく【羊膜】图 양막; 모래집.

ようみょう【幼名】图 ☞ようめい.

ようむ【用務】图 용무. =仕事·用事. ¶緊急の～ 긴급 용무 / ～で外出する 용무가 있어 외출하다.

―いん【―員】图 용무원; 학교·회사 등에서 잡일을 돌보는 고용인(雇傭人). 注意 '小使(=사환)' '雑役夫(=잡역부)'의 고친 이름.

ようむ【要務】图 요무; 중요한 직무〔임무〕. ¶～を帯びて着任する 중요한 임무를 띠고 부임하다.

ようむき【用向き】图 용건(의 내용). ¶～をたずねる 용건을 묻다 / ～があって出かける 용건이 있어서 외출하다 / 先方の～をよく聞いておいてください 상대방의 용건 내용을 잘 들어 (기억해) 두십시오 / ご～は? 용건은 (뭡니까).

ようめい【用命】图 분부; 하명; 또, 주문(함). ¶なにとぞ私どもにご～ください 아무쪼록 저희들에게 하명해 주십시오. 参考 현재는, 상품 주문을 받은 상점 쪽에서 주문한 손님에 대해 쓰는 경우가 많음. ¶ご～の品を持参致しました 주문하신 물건을 가져왔습니다.

ようめい【幼名】图 유명; 어렸을 때 이름; 아명(兒名). =ようみょう.

ようめい【溶明】图〔映〕용명《깜깜한 화면을 점차 밝게 해 가는 촬영 기법》. =フェードイン. ↔溶暗.

ようもう【羊毛】图 양모; 양털. ¶～を刈る 양털을 깎다.

ようもうざい【養毛剤】图 양모제. =毛生え薬. ¶～がよく効かない 양모제가 별 효력이 없다.

ようもく【要目】图 요목; 중요〔주요〕항목. ¶教授～ 교수 요목 / ～を列挙する 요목을 열거하다.

ようやく【要約】图ス他 요약. =要旨. ¶ひとことで～して言えば 한 마디로 요약해 말하면 / 話を～する 이야기를 요약하다.

ようやく『漸く』圖 **1 겨우; 간신히. =やっと·かろうじて. ¶～合格した 간신히 합격했다 / ～のことで助かる 간신히 살아나다〔구조되다〕/ ～頂上にたどりついた 간신히 정상에 도달했다. **2** 차차; 점점; 점차. ¶東の空が～白み始めた 동쪽 하늘이 점차 밝아지기 시작했다 / 寒さも～和らぐ 추위도 차차 풀리다.

ようゆう【溶融】《熔融》图ス自 용융; 용해; 융해. ¶～した鉄 용해한 철. 注意 '溶融'로 씀은 대용 한자.

ようよう【要用】图 중요한 용무〔일〕. ¶取り急ぎ～のみ (편지에서) 우선 급한 용무만 (아룀) / 以上〔先ずは〕～のみ (편지에서) 이상〔우선〕용무만 (아룀).

ようよう【揚揚】トタル 양양; 득의양양. ¶意気～と引き揚げる 의기양양하게 돌아오다. ↔消沈.

ようよう【洋洋】トタル 양양. **1** 물이 넘칠 듯이 가득한 모양; 바다가 한없이 넓은 모양. ¶～たる太平洋 양양한 태평양 / ～とひろがる海 양양하게 펼쳐지는 바다. **2** 장래가 희망에 차 있는 모양. ¶前途～たる若者 전도 양양한 젊은이.

ようよう『漸う』圖〈老〉☞ようや(漸)く. ¶おかげさまで～歩けるようになりました 덕분에 겨우 걸을 수 있게 되었습니다.

ようらん［揺籃］图 요람. **1** 젖먹이의 흔들채롱. =ゆりかご. ¶～の歌 자장가. **2** 사물의 발전 초기 단계.

―の地 요람지. ¶ギリシア文明の～ 그리스 문명의 요람지.

―き【―期】图 요람기. =揺籃時代. ¶我が社の～ 우리 회사의 요람기.

ようらん【要覧】图 요람. ¶業務～ 업무 요람 / 市政～ 시정 요람.

ようりく【揚陸】㊀图ス他 양륙; 뱃짐을 부림. =陸揚げ·荷揚げ. ¶貨物を～する 뱃짐을 양륙하다. ㊁图ス自 상륙. ¶～艦艇 상륙 함정.

ようりつ【擁立】图ス他 옹립. ¶市長候補に～する 시장 후보로 옹립하다.

ようりゃく【要略】图ス他 요략; 요약. ¶君の話を～すれば 자네 말을 요약하면 / 講演の～をメモする 강연의 대강을 메모하다.

ようりょう【容量】名 용량. ¶～分析 용량 분석/タンクの～が少ない 탱크의 용량이 적다.

ようりょう【用量】名 용량; 사용량. ¶一回の～ 일회 용량/～を越えては危険である 복용량을 초과하면 위험하다.

*__ようりょう__【要領】名 요령. ¶取り扱い～ 취급 요령/～を覚える 요령을 익히다/世の中は～だよ 세상은 요령이야/～が悪い 요령이 없다/～をつかんで話す 요령 있게 이야기하다/その～でやれ 그(런) 요령으로 해라.

──がいい 요령이 좋다; 요령을 잘 부리다.

──を得ない 요령부득이다. ¶～説明 요령부득의 설명.

ようりょく【揚力】名〘理〙양력; 부양력. ＝浮揚力. ¶～を高める 부양력을 높이다.

ようりょくそ【葉緑素】名〘植〙엽록소; 잎파랑이. ＝クロロフィル.

ようれい【用例】名 용례. ¶～の多い辞典 용례가 많은 사전/～を示す 용례를 보이다/～をあげて説明する 용례를 들어 설명하다.

ようれき【陽暦】名 양력(《'太陽暦'의 준말》). ＝新暦. ↔陰暦.

ようろ【要路】名 요로. **1** 중요 도로. ¶交通の～ 교통의 요로. **2** 중요한 지위. ¶～の高官 요로의 고관/～につく〔立つ〕 요직에 앉다〔오르다〕/～に陳情する 요로에 진정하다.

ようろう【養老】名 양로. ¶～の精神 노인을 봉양하는 정신/～保険 양로보험/最近は～の気持ちが薄れている 최근에는 양로 사상이 희박해지고 있다.

ヨーグルト [도 Joghurt] 名 요구르트. ＝酸乳.

ヨーデル [도 Jodel] 名 요들; 스위스의 알프스 지방에 특유한 민요(발성법).

ヨード [도 Jod] 名〘化〙요오드. ☞ようそ(沃素). 注意 '沃度'로 씀은 취음.

──チンキ [←도 Jodtinktur] 名 요오드팅크; 옥도정기. ＝ヨジウムチンキ·ヨーチン. 注意 '沃度丁幾'로 씀은 취음.

ヨーヨー [Yo-Yo] 名〘商標名〙요요; 자이로스코프의 원리를 응용한 아이들 장난감의 하나.

ヨーロッパ [포 Europa] 名〘地〙유럽(주); 구라파. ＝欧州. 注意 '欧羅巴'로 씀은 음역임.

──れんごう【──連合】名〘政〙유럽 연합(《EU》). ＝欧州連合.

よか【予価】名 예정 가격; 예정가. ¶来春刊行する詩集の～ 내년 봄에 간행되는 시집(의) 예정가/～よりも安く売る 예정가보다 싸게 팔다. ↔定価.

よか【予科】名 예과. ¶旧制大学の～中退 구제 대학 예과 중퇴. ↔本科·学部.

よか【余暇】名 여가; 겨를; 틈; 짬. ＝ひま. ¶～時間 여가 시간/～の活用〔利用法〕 여가의 활용〔이용법〕/～を楽しむ 여가를 즐기다/～にピアノをならう 여가에 피아노를 배우다.

ヨガ [범 yoga] 名 요가. ＝ヨーガ. ¶～行者 요가 수행자/美容法として～をする 미용법으로 요가를 하다.

よかく【予覚】名ス他 예각; 예감. ¶～した事 예감했던 일.

よかぜ【夜風】名 밤바람. ¶～に当たる 밤바람을 쐬다/～が身にしみる 밤바람이 몸에 스며들다.

よからぬ【良からぬ】連体 좋지 못한; 나쁜. ¶～まね 좋지 않은 흉내〔짓〕/～企て 못된 계획/～うわさ 나쁜 소문/～友だちに誘われる 못된 친구에게 꾀이다〔꾐을 당하다〕.

よかれ『善かれ』連語 잘〔좋게〕 되어라; 잘 됐으면 좋겠다. ¶～と祈る 잘 되라고 빌다/～と思ってしたことさ 잘 되었으면 좋겠다 싶어서 한 일이야. 参考 'よくあれ'의 준말.

よかれあしかれ『善かれ悪しかれ』連語 좋든 궂든〔나쁘든〕; 잘 됐든 못 됐든; 어찌 됐든. ¶～やる以外にない 좋든 궂든 할 수밖에 없다/～明日になれば結果がわかる 잘 됐든 못 됐든 내일이면 결과를 알게 된다/～早いに越したことはない 여하간에 일찍 하는 것보다 더 좋은 것은 없다.

*__よかん__【予感】名ス他 예감. ＝虫のしらせ. ¶死の～ 죽음의 예감/不吉な～ 불길한 예감/～が当たる 예감이 들어맞다/失敗しそうな～がする 실패할 것 같은 예감이 들다.

よかん【余寒】名 여한; 늦추위. ¶春とはいえなお～がきびしい 봄이라고는 하나 아직 여한이 맵다/まだ～が去らない 아직 늦추위가 가시지 않았다.

よき【善き】連語《雅語形容詞 'よし'의 連体形》바람직한 결과가 됨; 좋은. ¶彼とは～ライバルだ 그와는 좋은 (맞수가 되는) 라이벌이다.

──につけ, 悪しきにつけ 좋은 일이든 궂은 일이든; 기쁜 때나 슬픈 때나. ¶～父の名が引き合いに出される 좋든 나쁘든 아버지 이름이 거론된다.

よき【予期】名ス他 예기. ¶～した通り 예기한 대로/～に反した結果 예기에 반한〔어긋난〕 결과/～しない出来事 예기치 않은 사건/～せぬ事態にとまどう 예기치 않은 사태에 당황하다.

よぎ【夜着】名 **1** 이불. ＝ふとん. ¶～をかける 이불을 덮다. **2** 솜을 둔 옷 모양의 이불. ＝かいまき.

よぎ【余技】名 여기; 전문이 아닌 취미로 하는 기예. ¶～として絵を描く 여기로 그림을 그리다.

よぎしゃ【夜汽車】名 밤(기)차; 야간열차. ＝夜行列車. ¶～で行く 밤차로 가다.

よぎな-い【余儀ない】形 어쩔〔하는〕 수

없다; 부득이하다. =やむをえない. ¶~事情で欠席する 부득이한 사정으로 결석하다/~·く承知〔辞任〕する 어쩔 수 없이 승낙〔사임〕하다/それも~事だ 그것도 부득이한 일이다.

よきょう【余興】名 여흥. ¶~に移る 여흥으로 넘어가다/~に手品をやる 여흥으로 마술을 하다.

よぎり【夜霧】名 밤안개. ¶街灯が~にかすむ 가로등이 밤안개로 희미하게 보이다. ↔朝霧.

よぎ·る〖過る〗5自 지나가다; 스쳐가다. ¶目の前を車が~ 눈앞을 차가 지나가다/昔の記憶が頭を~ 옛 기억이 머리를 스치다/不安が心を~ 불안감이 마음을 스쳐 지나가다.

***よきん**【預金】名ス自他 예금. ¶~通帳 예금 통장/~を引き出す〔おろす〕 예금을 찾다/銀行に~する 은행에 예금하다.

—こうざ【—口座】名 예금 계좌. ¶~を開く 예금 계좌를 트다.

****よく**【欲】《慾》名 1 욕심. ¶~を出す 욕심을 내다/~が深い 욕심이 많다/~を言ったらきりがない 욕심을 부리자면 한이 없다. 2《接尾語적으로》욕. ¶知識~ 지식욕/金銭~ 금전욕.

—に目がくらむ 욕심에 눈이 멀다.

—の皮が突っぱる 욕심이 많다.

—も得もない 욕심도 이욕도 없다; 득실을 생각할 겨를이 없다《절박하다》. ¶恐ろしくなって欲も得もなく逃げた 무서워져서 이것저것 생각할 겨를도 없이 도망쳤다.

—を言えば 욕심을 말하자면〔부리자면〕. ¶~もう少し積極性が欲しい 욕심을 부리자면 조금 더 적극성이 있었으면 좋겠다.

よく【翼】名 날개. ¶右の~を撃たれる 오른쪽 날개를 맞다/~をふるう (비행기가) 날개를 흔들다/~を連ねて飛ぶ 편대를 이루어 날다.

****よく**【よく·良く·善く】副 1 잘; 충분히. ¶~分からない 잘 모르다/~考える 잘〔곰곰〕 생각하다/~注意する 잘〔단단히〕 주의하다/~見る 잘〔자세히〕 보다/~煮える 잘 익다/~勉強する 열심히 공부하다/~聞こえない 잘 들리지 않다/~お知らせ下さいました (친절하게도) 잘 알려 주셨습니다/~おいで下さいました 잘 오셨습니다. 2 곧잘; 걸핏하면; 자주; 흔히. ¶~聞く話 자주 듣는 이야기/若い時は~見物に行ったものだ 젊었을 때는 곧잘 구경을 가곤 했(었)지. 3 좋게. ¶あの病気は二三日休めば~なります 그 병은 이삼일 쉬면 좋아집니다. 4 매우; 대단히. ¶~似た顔 꼭 닮은 얼굴/~晴れた日 활짝 갠 날(씨)/二人は~似ている 두 사람은 아주 닮았다.

****よく**〖克く〗副 1 잘; 능히. ¶~困難に打ち勝つ 어려운 일을 잘 이겨내다. 2 용케. ¶~ぞ〔も〕 잘도; 용케도/~やった 참 잘〔훌륭하게, 멋있게〕 했다/こんな日に~来られたね 이런 날씨에 용케 왔구나. 3《反語的으로》잘도; 뻔뻔스럽게; 어쩌면 그렇게; 감히 그렇게. ¶~そんなことが言えるね 감히 그런 말을 다 할 수 있지.

よく=【翌】다음(날)의; 이듬. ¶~十日 그 다음날인 10일/~二千年に 이듬해인 2천년에.

よく〚抑〛常用 ヨク おさえる そもそも | 억 누르다 | 누르다; 눌러서 막다. ¶抑圧 억압/抑制 억제/抑留 억류.

よく〚浴〛教4 ヨク あびる あびせる | 욕 목욕 | 1 목욕하다. ¶浴室 욕실/入浴 입욕. 2 물 따위에 몸을 담그다. ¶海水浴 해수욕/日光浴 일광욕.

よく〚欲〛教6 ヨク ほっする ほしい | 욕 하고자하다 | 탐내다; 원하다. ¶欲望 욕망/欲求 욕구.

よく〚翌〛(〚翌〛) 教6 ヨク | 익 이튿날 | 이튿날; 다음. ¶翌日 익일/翌月 익월; 다음 달/翌年 익년; 이듬해.

よく〚翼〛(〚翼〛) 常用 ヨク つばさ | 익 날개 | 1 날개. ¶比翼 비익. 2 정치적 입장. ¶左翼 좌익/右翼 우익.

よくあさ【翌朝】名 이튿날 아침; 다음날 아침. =よくちょう. ¶~になって気がついた 다음날 아침이 되어서야 정신이 들었다〔생각이 났다〕.

よくあつ【抑圧】名ス他 억압; 억누름. ¶~的な態度 억압적인 태도/~が加えられる 억압이 가해지다.

よくけ【欲気】名 욕기; 욕심. ¶もう少し~を出せば 좀더 욕심을 낸다면/まるで~がない人だ 욕심이라고는 전혀 없는 사람이다.

よくげつ【翌月】名 익월; 다음 달. ¶~に回す 다음 달로 돌리다. ↔前月.

よくご【浴後】名 욕후; 목욕 후. =湯あがり. ¶~に飲む 목욕 후에 (술을) 마시다.

よくし【抑止】名ス他 억지. ¶戦争を~する 전쟁을 억지하다.

よくしつ【浴室】名 욕실. =ふろば·ゆどの.

よくじつ【翌日】名 익일; 이튿날; 다음날. ¶その~ 그 이튿날. ↔前日.

よくしゅう【翌週】名 익주; 다음 주; 내주. ¶~に延期する 다음 주로 연기하다. ↔前週.

よくじょう【欲情】名 욕정; 정욕. =情欲. ¶~に襲われる〔かられる〕 욕정에 사로잡히다/~をそそる 욕정을 자극하다/~を遂げる 욕정을 채우다.
参考 속어로 '~する(=성욕을 일으키다)'로도 씀.

よくじょう【浴場】图 욕장; 목욕탕; 공중 목욕탕. ＝ふろや·銭湯(せんとう). ¶公衆(こうしゅう)〔大衆(たいしゅう)〕~ 공중〔대중〕목욕탕.

よくしん【欲心】图 욕심. ＝欲気(よくけ)·欲念(よくねん). ¶~を起(お)こす〔捨(す)てる〕 욕심을 내다〔버리다〕.

よく-する『良くする·善くする·能くする』サ変他 **1** 잘하다; 능하다. ¶文(ぶん)を~ 글을 잘 짓다/凡人(ぼんじん)の~ところではない 범인이 능히 할 수 있는 일이 아니다/画家(がか)でありながら俳句(はいく)も~ 화가이면서 俳句에도 능하다. **2**《~·したものだ〔で〕의 꼴로》 잘 되어 있다. ¶世間(せけん)は~·したもので, 悪(わる)い事(こと)ばかりは続(つづ)かない 세상은 편리하게 잘 돼 있어서 늘 나쁜 일만 있는 것은 아니다.

よく-する【浴する】サ変自 **1** 미역감다; 목욕하다. ¶冷水(れいすい)に~ 냉수욕을 하다. **2** 쬐다. ＝当(あ)たる·浴(あ)びる. ¶日光(にっこう)に~ 햇빛을 쬐다; 일광욕을 하다. **3** 입다; 받다. ＝こうむる. ¶恩恵(おんけい)に~ 은혜를 입다.

よくせい【抑制】图ス他 억제. ¶インフレの~ 인플레이션 억제/~の利(き)いた文章(ぶんしょう) 잘 억제된 문장/感情(かんじょう)の~がきかない 감정의 억제가 안 되다. ↔促成(そくせい).

よくぞ 連語 **1** 잘했다고 칭찬하는 말: 잘. ¶~やった 참 잘했다/~言(い)ってくれた 참 잘 말해 주었다. **2** ☞ようこそ. ¶~おいでくださった 잘 와 주셨소.

よくそう【浴槽】图 욕조; 목욕통. ＝ゆぶね·ふろおけ. ¶~に水(みず)を入(い)れる 목욕통에 물을 받다/~を満(み)たす 욕조를 물로 채우다.

よくちょう【翌朝】图 익조; 다음날 아침. ＝よくあさ.

よくど[沃土]图 옥토; 기름진 땅. ＝沃地(よくち)·肥土(ひど). ¶やせ地(ち)を~と化(か)す 메마른 땅을 옥토로 만들다. ↔痩地(そうち).

よくとく【欲得】图 이득을 탐냄; 이욕(利慾); 타산. ¶~を離(はな)れて人(ひと)に親切(しんせつ)を尽(つ)くす 타산을 떠나 남에게 친절을 다하다/~抜(ぬ)きで面倒(めんどう)をみる 잇속을 따지지 않고 돌봐 주다.

—ずく『—尽く』图 모든 것을 이욕에 따라 함; 타산적임. ¶~の結婚(けっこん) 타산〔정략〕적인 결혼/~で参加(さんか)する 이득을 탐내고 참가하다.

よくとし【翌年】图 ☞よくねん.

よくねん【欲念】图 욕념; 욕심. ＝欲心(よくしん). ¶一切(いっさい)の~を去(さ)る 일체의 욕심을 버리다.

よくねん【翌年】图 익년; 다음해. ＝よくとし. ¶勘定(かんじょう)を~に繰(く)り越(こ)す 셈을 다음해로 이월하다.

よくばり【欲張り】名ナ 욕심이 많음; 욕심꾸러기. ¶~(の)爺(じい)さん 욕심쟁이 영감/~根性(こんじょう) 욕심쟁이 근성/そこまで望(のぞ)むのは~だ 그것까지 바라는 것은 지나친 욕심이다.

*__よくば-る__【欲張る】5自 지나치게 욕심을 부리다; 탐내다. ¶~·ってかえって損(そん)をする 너무 욕심을 부려 오히려 손해를 보다/~·って食(た)べ過(す)ぎる 욕심을 부려 과식하다/余(あま)り~ものではない 너무 욕심부려서는 안 된다.

よくばん【翌晩】图 다음날 밤. ＝翌夜(よくや).

よくふか【欲深】名ナ 욕심이 많음; 또, 그런 사람. ¶~な男(おとこ) 욕심 많은 사내/~と評判(ひょうばん)の人(ひと) 욕심쟁이로 이름난 사람/~が人(ひと)を駆(か)りたてる 과욕이 사람을 충동하다.

*__よくぼう__【欲望】图 욕망. ¶~を満(み)たす〔押(お)さえる〕 욕망을 채우다〔억제하다〕/~を抱(いだ)く 욕망을 품다.

よくめ【欲目】图 자기 좋을 대로 생각함; 자기 이해와 욕심으로 사물을 봄. ＝ひいき目(め). ¶親(おや)の~ 부모의 자식에 대한 편파적 시각/ほれた~では女(おんな)のあらが見(み)えるはずがない 반한 눈으로는 여자의 결점이 보일 리가 없다.

よくも『能くも』副 남의 부당한 행위에 놀라거나 미워하는 기분을 나타내는 말: 용케도; 감히. ¶~言(い)ったな (해서는 안될 말을) 감히 말했것다/~殴(なぐ)ったな 감히 때렸것다/~だましたな 감쪽같이 속였것다/~ここまで来(き)たものだ 용케도 여기까지 왔군.

よくや[沃野]图 옥야; 기름진 평야. ¶~千里(せんり) 옥야 천리/未開拓(みかいたく)の~ 미개척의 옥야.

よくや【翌夜】图 ☞よくばん.

よくよう【抑揚】图 억양. ＝イントネーション. ¶~のない話(はな)し方(かた) 억양이 없는 말투/~をつける 억양을 붙이다.

よくよう【浴用】图 목욕용. ＝入浴用(にゅうよくよう). ¶~せっけん 목욕(용) 비누.

よくよく『善く善く』副 **1** 잘; 차근차근히; 꼼꼼히. ¶~考(かんが)える 차근차근히 생각하다. **2** 몹시; 둘도 없이; 더할 나위 없이. ¶~ついていない日(ひ) 꽤나 재수없는 날/~のお人好(ひとよ)し 둘도 없는 호인/~困(こま)る 꽤나 곤란하다/~のばかだ 어지간한 바보다. **3** 어쩔 수 없이; 만부득이. ¶~の事情(じじょう) 만부득이한 사정/~のことでなければ来(こ)ない 만부득이한 일이 아니면 오지 않는다/怒(おこ)るのは~のことだ 화내는 것은 어쩔 수 없는 일이다.

よくよく=【翌翌】 다음다음. ¶~日(じつ) 모레/~月(げつ)〔年(ねん)〕 다음다음 달〔해〕.

よくりゅう【抑留】图 ス他 억류. ¶~者(しゃ) 억류자/~生活(せいかつ) 억류 생활/外地(がいち)に~される 외국에 억류되다.

=よけ『除け』 …막이. ¶魔(ま)~ 액막이/霜(しも)~ 서리막이/泥(どろ)~ (자동차 따위의) 흙받이/日(ひ)~ 차일; 차양.

*__よけい__『余計』副ダナ **1** 물건이 남아 돌아감; 여분. ¶~な品(しな) 여분의 물건/三人分(さんにんぶん)~に注文(ちゅうもん)する 삼인분 여분으로 주문하다. **2** 더욱; 한층 더. ¶叱(しか)ると~反抗(はんこう)する 나무라면 더 반항한다/人(ひと)より~練習(れんしゅう)する 남보다 더 많이 연습하다. **3** (정도가 지나쳐) 쓸데

없음; 불필요함; 무익함. ¶～な心配 쓸데없는 걱정/～なことを言うな 쓸데없는 소리 하지 마라/～な殺生をするな 무익한 살생을 하지 마라.
—なお世話 쓸데없는 (말)참견.
—もの【—者】图 귀찮은 존재; 애물. ＝厄介者.

*よ-ける〖避ける〗下1他 피하다; 옆으로 비키다. ＝さける. ¶弾丸を～ 탄환을 피하다/車を危く～ 차를 간신히 피하다/水たまりを～·けて通る 물구덩이를 비켜서 지나가다/非難の矛先を～ 비난의 화살을 피하다.

*よ-ける〖除ける〗下1他 (피해를) 방지하다; 제외하다. ¶こもをかぶせて霜を～ 거적을 덮어 서리를 막다/不良品は～·けておく 불량품은 제쳐 놓다.

よけん【予見】图ス他 예견. ＝先見·予知. ¶動乱を～する 동란을 예견하다/事故の発生を～する 사고 발생을 예견하다.

よげん【予言】图ス他 예언. ¶～が外れる 예언이 빗나가다/将来を～する 장래를 예언하다/～が適中する〔あたる〕 예언이 적중하다〔들어맞다〕.

よげん【預言】图ス他〖基〗예언. ¶～者 예언자.

**よこ【横】图 1 옆. ㉠가로. ¶～に書く 가로쓰다/首を～に振る 머리〔고개〕를 가로젓다/～に並ぶ 가로로 늘어서다. ↔縦. ㉡측면. ¶～顔 옆얼굴. ㉢비스듬함. ¶帽子を～にかぶる 모자를 비스듬히〔옆으로〕 쓰다. ㉣쓰러진 형태. ¶からだを～にする 몸을 (가로로) 눕히다; 가로눕다/～にして運ぶ 가로로 눕혀서 나르다. 2 곁; 옆. ¶机の～にある椅子 책상 옆에 있는 의자/～から口を出す 곁에서 말참견하다/～に置かれる 옆에 놓이다《문제가 방치되다》.
—になる (가로)눕다; 자다. ¶少し横になったらすっきりした 조금 누웠더니 몸이 개운해졌다.
—の物を縦にもしない 손가락 하나 까딱하지 않다《몹시 게으르다》.
—を向く 못마땅해하다; 무시하다.
—のかんけい【—の関係】图 (대인 관계 등에서의) 횡적 관계.

よご【予後】图 예후; 병후의 경과. ¶～を養う 병후 요양을 하다/手術の～が好ましくない 수술(의) 예후가 좋지 않다.

よこあい【横合い】图 1 옆쪽; 측면. ＝よこて. ¶行列の～から割り込む 행렬의 옆쪽에서 끼어들다/～から打ちかかる 옆에서 덤벼들다. 2 제3자; 곁. ¶～から口を出す 곁에서 말참견하다/～から故障を入れる 곁에서 이의를 제기하다.

よこあな【横穴】图 횡혈; 땅굴. ¶～を掘る 땅굴을 파다. ↔縦穴.

よこいっせん【横一線】图 (경마 등에서) 나란히 줄지어 달림; 전하여, (경쟁자가) 우열의 차가 거의 없음. ¶候補者五人の得票は今のところ～だ 후보자 다섯 사람의 득표는 현단계에선 별 차이가 없다.

よこいと【横糸】《緯糸》图 횡사; 씨실. ＝ぬきいと. ↔縦糸.

よこう【予行】图ス他 예행. ¶卒業式〔運動会〕の～演習 졸업식〔운동회〕의 예행 연습.

よこう【余光】图 여광. 1 해가 진 뒤에 하늘에 남는 빛; 잔광(殘光). ¶日没後の～ 일몰 후의 여광/～に輝く洋館のガラス窓 잔광에 빛나는 양옥의 유리창. 2 선인(先人)의 음덕. ＝余徳·余栄. ¶親の～で出世する 어버이의 음덕으로 출세하다.

よこがお【横顔】图 1 얼굴 옆모습; 옆얼굴. ¶～の美しい人 옆얼굴이 고운 사람. 2 인물평; 프로필. ¶名士の～ 명사의 프로필/新郎の～を紹介する 신랑의 프로필을 소개하다.

よこがき【横書き】图 횡서; 가로쓰기. ¶～の文章 가로로 쓴 문장/右～の看板 오른쪽에서 왼쪽으로 가로로 쓴 간판. ↔縦書き.

よこかぜ【横風】图 옆에서 불어 오는 바람.

よこがみやぶり【横紙破り】图 억지를 부림; 또, 그런 사람. ¶～の人 어거지로 밀어붙이는 사람. 参考 재래의 일본 종이는 결이 세로로 되어 있어 옆으로는 찢기 힘든 데서.

よこぎ【横木】图 1 횡목; 가로목; 가로대; 가로장. ＝バー. ¶ゴール上端の～ 골 상단의 가로대. 2 빗장으로 쓰는 나무.

*よこぎ-る【横切る】5他 가로지르다; 횡단하다. ¶行列を～ 행렬을 가로지르다/道路を～ 도로를 횡단하다.

*よこく【予告】图ス他 예고. ¶～編 (영화 등의) 예고편/新刊～ 신간 예고/次週上映～ 내주 상영의 예고.

よこぐみ【横組み】图〖印〗횡조; 활자의 가로짜기. ↔縦組み.

よこぐるま【横車】图 (수레를 옆으로 밀 듯) 이치에 맞지 않는 일을 억지로 하는 일; 생억지. ¶彼の～にはいつも泣かされる 그의 억지에는 늘 애먹는다.
—を押す 억지를 쓰다.

よこざま【横ざま】《横様》一图 옆쪽; 옆으로 향함. ＝よこむき. ¶～にたおれる 옆으로 넘어지다/～に座る 모로 앉다. 二名ナ ☞よこしま. 注意 'よこさま'라고도 함.

よこじく【横軸】图 횡축. 1 가로로 길게 된 족자. 2〖数〗가로축; x축. ⇔縦軸.

よこしま〖邪〗名ナ 부정(不正)(함); 도리에 어긋남. ＝邪悪. ¶～な考え 부정한 생각/～な思いをいだく 나쁜 생각을 품다.

よこじま【横じま】《横縞》图 가로줄무늬. ↔縦じま.

***よこ-す**『寄越す·遣す』5他 **1** 보내(오)다; 넘겨주다. ¶手紙を～·して来た 편지를 보내 왔다/その金は俺に～·せ 그 돈은 이리 줘/夏には子供をこちらに～·しなさい 여름엔 아이를 이곳으로 보내요. **2**《動詞 連用形＋'て'를 받아》 어떤 행위를 해오다. ¶言って～ 말을 해 오다/電話をかけて～ 전화를 걸어 오다/送って～ 보내 오다.

****よご-す**【汚す】5他 **1** 더럽히다. ¶本を書き～ 책에 글을 써서 더럽히다/着物を泥で～ 옷을 흙탕으로 더럽히다/面を～ような振る舞いをする 체면을 손상시킬 행동을 하다/口を～ (a) 입맛을 버리다; (b)먹다《음식을 권하는 쪽의 겸사말》. **2** 푸성귀를 무치다. ＝あえる·まぶす. ¶みそ〔胡麻〕で～ 된장〔깨소금〕으로 무치다. 参考 'けがす'와는 달리 구체적인 것에 대해 말하는 수가 많음.

よこずき【横好き】名 못하는 주제에 덮어놓고 좋아함. ¶へたの～ 서투른 주제에 (예능 등을) 덮어놓고 좋아함.

よこすじ【横筋】名 **1** 가로줄; 횡선. ¶紙に～を引く 종이에 가로줄을 긋다/～を入れる 가로줄을 넣다. **2** 옆길; 딴길. ＝よこみち. ¶話が～にそれる 이야기가 옆길로 새다.

よこすべり【横滑り】《横辷り》名ス自 옆쪽으로 미끄러짐; 비유적으로, 동격인 다른 지위로 이동함. ¶スケートが～する 스케이트가 옆으로 미끄러지다/総務課長から庶務課長への～発令 총무과장에서 서무과장으로의 횡적 (인사) 발령.

よこずわり【横座り】《横坐り》名ス自 다리를 모아 옆으로 하고 (편히) 앉음. ＝横っつわり. 注意 본디는 '横坐り'.

よこた-える【横たえる】下1他 **1** 가로놓다; 수평으로 놓다. ¶からだを床に～ 몸을 자리에 눕히다《자리에 눕다》. **2** (칼 따위를) 옆으로 차다. ¶刀を腰に～ 칼을 허리에 차다.

よこたおし【横倒し】名 서 있는 것이 옆으로 길게 쓰러짐; 또, 그 자세. ＝横転. ¶～にどっと倒れる 옆으로 쾅하고 나자빠지다/自転車が～になる 자전거가 옆으로 쓰러지다. 注意 'よこだおし'라고도 함.

よこだき【横抱き】名 옆으로 안음; 가로 껴안음; 겨드랑이에 낌. ¶～にかかえる 옆으로 껴안다/子供を～にして医者に急ぐ 아이를 겨드랑이에 껴안고 의사한테 급히 뛰어가다.

よこたわ-る【横たわる】5自 **1** 길게 눕다; (가로)눕다. ¶寝台に～ 침대에 눕다. ↔起きあがる. **2** 가로놓이다《비유적으로 가로막다》. ¶山が行く手に～ 산이 앞길에 가로놓여 있다/大木が～·って道を塞ぐ 큰나무가 가로놓여 길을 막다/前途には多くの困難が～·っている 전도에는 많은 곤란이 가로놓여 있다.

よこちょう【横町】名 (뒷)골목(길). ＝よこまち. ¶～のたばこ屋 골목길의 담배 가겟집/三つ目の～ 세 번째 골목/～のレストランで食事をした 뒷골목의 레스토랑에서 식사를 했다.

よこづけ【横付け】名ス他 선박·자동차 등의 측면을 목적한 장소에 직접 갖다댐. ¶自動車を玄関に～にする 자동차를 현관에 옆으로 갖다 대다/貨物船が埠頭に～になる 화물선이 부두에 뱃전을 대고 정박하다.

よこっちょ【横っちょ】名〈俗〉옆댕이; 측면. ＝よこ. ¶庭の～にある畑 마당 옆에 있는 밭/帽子を～にかぶる 모자를 삐딱하게 쓰다.

よこっつら【横っ面】名〈俗〉**1** 따귀; 귀싸대기. ¶～を張り飛ばす〔ひっぱたく〕 따귀를 후려갈기다. **2** 측면; 옆쪽. ¶車の～にぶつかる 차의 측면에 부딪히다. 参考 'よこつら'의 힘줌말.

よこっとび【横っ飛び·横っ跳び】名ス自 **1** 모로 뜀. ¶～にとぶ 몸을 모로 날리다. **2** 당황해서 뛰어감. ¶～に駆け出す 당황하여 급히 뛰어나가다.

***よこづな**【横綱】名 **1** 씨름꾼의 최고위; 천하장사. ⇨すもうとり 박스記事 **2** (비유적으로) 제1인자; 왕자. ¶～格 제1인자 격/多額納税者の～ 고액 납세자 중의 왕자/酒量では彼が～だ 주량으로는 그가 제일이다.
—を張る 横綱의 지위에 오르다. ＝綱を張る.

よこっぱら【横っ腹】名〈俗〉☞よこばら.

よこて【横手】名 옆쪽; 측면. ＝わき. ¶学校の～にある建物 학교 옆에 있는 건물.

よごと【夜ごと】《夜毎》名副 밤마다; 매일밤. ＝毎晩. ¶～の雨 밤마다 오는 비/～にあらわれる妖怪 밤마다 나타나는 요괴/～通ってくる 매일밤 다녀오다. ↔日ごと.

***よこどり**【横取り】名ス他 가로 챔; 옆에서 빼앗음; 새치기; 횡령. ¶人のアイディアを～する 남의 아이디어를 가로채다/列の～をする 새치기해서 끼어들다.

よこなが【横長】名ナ (세로보다) 가로길이가 긺. ¶～な〔の〕用紙 (세로보다) 가로가 긴 용지. ↔縦長.

よこながし【横流し】名ス他 횡류; (배급품·통제품 따위를) 부정으로 유출시킴; 또, 그 물건. ¶～を取り締まる 부정 유출을 단속하다/統制物資を～にする 통제 물자를 부정 유출하다.

よこながれ【横流れ】名ス自 부정 유출됨; 또, 그런 물자. ¶～の品 빼돌린〔부정 유출된〕 물건/～を買う 부정 유출품을 사다.

よこなぐり【横殴り】名 **1** 옆으로 세게 때림. **2** (풍우가) 옆으로 들이침. ¶～の雨 옆으로 들이치는 비.

よこなみ【横波】图 횡파. **1** 옆으로 부딪치는 파도. ¶～を受ける (배가) 옆으로 파도를 받다/～をくらって沈没した 측면으로 치는 파도에 부딪쳐 침몰했다. **2**〖理〗고저파(高低波). =横波. ⇔縦波.

よこならび【横並び】图 **1** 옆으로 줄지음. **2** 차등이 없이 동등함. ¶各社の売上高は～だ 각사의 매출액은 비슷하다.

よこね【横根】图〖醫〗가래톳.

よこばい【横ばい】《横這い》图자自 **1** 모로 김. ¶かにの～ 게걸음. **2**〖經〗시세가 별로 변동이 없음; 보합 시세. ¶相場は～だ 시세는 보합 상태다.

よこはば【横幅】图 가로나비; 좌우 폭.

よこはま【横浜】图〖地〗神奈川県의 현청 소재지.

よこばら【横腹】图 복부(腹部)의 측면; 옆구리. =わきばら·よこっぱら. ¶～が痛む 옆구리가 아프다/船の～に穴をあける 배의 옆구리에 구멍을 뚫다/車の～を電柱でこする 차 옆구리가 전주에 긁히다.

よこぶえ【横笛】图 횡적; 저; 적(笛). ¶～を吹く 저를 불다. ↔縦笛.

よこぶとり【横太り】图 키에 비해 몸시 살이 찜; 또, 그 사람; 땅딸보. ¶～の子供 땅딸막한 아이.

よこぶり【横降り】图 센 바람 때문에 비나 눈이 옆으로 들이침. ¶雨が～に降る 비가 옆으로 들이치다.

*よこみち【横道】图 **1** 옆길; 샛길; 간도(間道). ¶～を通る 샛길을 지나다. **2** 본줄거리에서 벗어난 사항; 지엽(枝葉). =末節. ¶話が～にそれる 얘기가 본줄거리에서 벗어나다.

よこむき【横向き】图 옆으로 향함; 옆을 향한 상태; 옆쪽. ¶～に座る 모로 앉다/～に寝る 옆으로〔모로〕 눕다/～になる 옆을 향하다.

よこめ【横目】图 곁눈. **1** 곁눈질. ¶～を使う 곁눈질하다/～で見る 곁눈질로 보다/～でにらむ 곁눈질로 노려보다. **2**《'…を～に'의 꼴로》본체만체하고; 거들떠보지도 않고; 무시한 체로. ¶けんかを～に通り過ぎる 싸움을 본체만체하고 지나가다.

よこもじ【横文字】图 가로로 쓰는 글자; 특히, 서양 글자〔말〕. ¶～のわかる人 서양말을 할 줄 아는 사람/～は読めない 서양글은 읽지 못한다/～に弱い 서양글에 약하다.

よこやり【横やり】《横槍》图 옆에서 창으로 찔러 들어옴; 전하여, 곁에서 참견함; 간섭. ¶当局の～ 당국의 간섭.

—を入れる 곁에서 참견하다. ¶結婚話に～ 혼담에 곁에서 이러쿵저러쿵 참견하다.

よこゆれ【横揺れ】图자自 **1** (배·비행기 등이) 좌우로 흔들림; 옆질; 롤링. **2** 지진으로 땅이 옆으로 흔들림. =水平動. ⇔縦揺れ.

よごれ【汚れ】图 오점; 더러움. ¶～を落とす 더러워진 것을 없애다; 더럼을 빼다/～が目立つ 더러움이 눈에 띄다.

よごれやく【汚れ役】图〖劇·映〗(창녀나 거지 따위의) 천한 역. ¶彼は～に挑戦して演技派への脱皮をはかった 그는 궂은 역에 도전하여 연기파로 향한 탈바꿈을 꾀하였다.

**よご-れる【汚れる】下1自 더러워지다. ¶～·れたお金 부정한 돈/工場の廃棄物で～·れた川 공장 폐기물로 오염된 강/着物が～ 옷이 더러워지다. 參考 'けがれる'와 달리 구체적인 것에 관해 말하는 수가 많음.

よこれんぼ【横恋慕】图자自 기혼자나 약혼한 사람을 연모함. ¶友人の細君に～している 친구 아내를 짝사랑하고 있다.

よこわり【横割り】图 **1** 가로로 쪼갬. **2** 조직을 횡적으로 연계하여 구성함. ⇔縦割り.

よさ【良さ·善さ】图 좋음; 좋은 점; 좋은 맛; 좋은 정도. ¶人柄の～ 인품이 좋음/内容の～が分かる 내용의 좋은 점을 알다.

よざい【余罪】图 여죄. ¶～を追及する 여죄를 추궁하다.

よざくら【夜桜】图 밤(에 보는) 벚꽃. ¶～見物 밤벚꽃 구경.

よさむ【夜寒】图 야한; 특히, 늦가을 밤추위; 또, 그 계절. =よざむ. ¶～のころとなりました 밤이면 추위를 느낄 만추의 계절이 되었습니다.

**よさん【予算】图 예산. ¶～案 예산안/～編成 예산 편성/補正～ 보정 예산/～がない 예산이 없다/～に計上する 예산에 계상하다/～を立てる〔組む〕 예산을 세우다〔짜다〕/～を切り詰める 예산을 바짝 줄이다/～が狂う 예산이 틀어지다.

よ-し【良し·善し】ク〈雅〉좋다. =よい. ¶帰って～ 돌아가도〔와도〕 좋다/すなおに言う事を聞けば～, さもないと承知しないぞ 고분고분 말을 들어야지, 그렇지 않으면 용서하지 않을 테다. ↔悪し.

よし【由】图 **1** (그럴 만한) 연유; 사정; 까닭. =わけ. ¶～もなく反対する 까닭도 없이 반대하다/手をつけようにもことの～を知らぬ 손을 대려고 해도 일의 연유를 모른다. **2**《'…～もない'의 꼴로》수단이나 방법이 없다. ¶行方は知る～もない 행방을 알 길이 없다. **3**《'…の～'의 꼴로》㉠…이라는 것〔말씀, 소식〕; …이라니; …하다니. =儀. ¶お元気の～, 何よりです 건재하시다니, 무엇보다도 기쁩니다. ㉡말한 내용; 취지. =旨. ¶その～を彼に伝えてくれ 그런 취지를 그에게 전해 주게.

よし〖葦·蘆〗图〖植〗갈대. =あし. 參考 'あし'가 '悪し(=나쁘다)'와 같은 음(音)이므로 '良し(=좋다)'와 같은 음

인 이 꼴을 씀.

よし〖止し〗图 그만둠. ¶もう~にしよう 이제 그만두자/行くのは~にする 가는 것은 그만두겠다.

よし〖縦し〗圖《양보·방임의 말투를 수반하여》〈雅〉 가령; 설사; 만약; 비록. =たとえ·かりに. ¶~事実としても 비록 사실이라고 하더라도/~雨が降ったとしても 설사 비가 온다고 하더라도. ⇨よしんば.

よし 感 **1** 시인·승낙·결의 등을 나타내는 뜻으로 하는 말: 알았어; 좋아. ¶~, そこまで 좋아, 거기까지/~, 許してやろう 좋아, 용서해 주마/~, 分かった 좋아, 알았어. **2** 위로하거나 달랠 때 하는 말; 그래 그래; 자. ¶~, もう泣くな 자, 그만 울어라/おう, ~~ 오, 그래 그래.

よしあし〖善し悪し〗图 **1** 좋고 나쁨; 선악; 양부(良否). =ぜんあく. ¶~を見分ける 좋고 나쁨을 가리다/ものの~の区別がつかない 물건의 좋고 나쁨의 구별이 되지 않는다. **2**《'~だ' 의 꼴로》 한 마디로 좋다 나쁘다 말할 수 없다; 좀 생각해 볼 문제다. =よしわるし. ¶正直〔慎重〕すぎるのも~だ 지나치게 정직〔신중〕한 것도 생각해 볼 문제다/世話をやきすぎるのも~だ 지나치게 돌봐 주는 것도 좀 생각해 볼 문제다.

よしきた〖よし来た〗連語 상대방의 청이나 주장 따위에 즉시 응할 때 하는 말: 좋아; 좋다; 알았다. ¶~, 相手になってやろう 좋아, 상대해 주지/~, さあ来い 좋아, 자 오너라〔덤벼라〕.

よじげん【四次元】图 4차원. =しじげん. ¶~の世界 4차원의 세계.

よじじゅくご【四字熟語】图 (한자의) 사자 숙어; 사자 성구(('七転八起' '一石二鳥' 따위)).

よしず〖葦簾〗图 갈대발. =よしすだれ. ¶~張りの小屋 갈대발을 둘러친 오두막집.

よじつ【余日】图 여일. **1** (기한까지) 남아 있는 날수. ¶~いくばくもない 남은 날자가 얼마 없다. **2** 다른 날. =他日. ¶~また伺います 다른 날 다시 찾아뵙겠습니다/~にゆずる 다른 날로 미루다/~を期して別れる 훗날을 기약하고 헤어지다.

よしな-い【由ない】《由無い》形 **1** (뚜렷한) 이유〔근거〕가 없다. ¶~反対 이유 없는 반대/~ことを言い張る 당치도 않은 말을 우겨대다. **2** 수단·방법이 없다; 하는 수 없다. =せんない. ¶~·く彼の言いなりになる 하는 수 없이 그가 하자는 대로 하다. **3** 하찮다; 부질없다. ¶~長話 쓸데없는 장광설/~·き妄想を抱く 부질없는 망상을 품다.

よじのぼ-る【よじ登る】《攀じ登る》5自 기어오르다. ¶木に~ 나무에 기어오르다/岩壁を~ 암벽을 타다/険しい山道を~ 험한 산길을 기어오르다.

よしみ〖好しみ·誼〗图 친분; 인연; 정의(情誼). ¶同窓の~ 동창의 인연〔정의〕/~を結ぶ〔通ずる〕 친분을 맺다/昔の~で力を貸す 옛날의 정의로 힘이 되어 주다.

よしや〖縦しや〗圖 설령; 설사. =よし·たとえ. ¶~死ぬ事があってもやるべき事はやる 설령 죽는 한이 있더라도 할 일은 한다.

***よしゅう**【予習】图ス他 예습. ¶学校の~ 학교의 예습/明日の~をする 내일 배울 것을 예습하다/~を済ます 예습을 끝마치다. ↔復習.

よじょう【余剰】图 잉여. =余まり·残り. ¶~金 잉여금/~農産物 잉여 농산물/~物資〔人員〕 잉여 물자〔인원〕.

よじょう【余情】图 여정; 여운; (시·문장의) 깊은 맛. ¶~溢れる詩 여정이 넘치는 시/~を楽しむ 여정을 즐기다.

よじょうはん【四畳半】图 다다미 넉 장 반을 깔 수 있는 2.25평 크기의 방.

—しゅみ【—趣味】图 아담한 작은 방에서 여자와 둘이 가볍게 술을 마시며 小唄 따위를 흥얼거리는 일본식 취미.

よしょく【余色】图 여색; 보색(補色).

よしよし 感 **1** 승낙·허가의 뜻을 나타냄: 알았다 알았어; 그래 그래. ¶~わかった 그래 그래 알았다. **2** 손아랫사람이나 어린애를 달랠 때 쓰는 말: 좋아좋아. ¶泣くな, ~ねんねしな 오냐오냐 울지 말고 코 자거라.

よじ-る〖捩る〗5他 비틀다; 꼬다. =ねじる·ひねる. ¶ひもを~ 끈을 꼬다/針金を~ 철사를 비틀다/からだを~·って笑いこける 몸을 꼬면서 자지러지게 웃다/腹の皮を~·って笑う 뱃살을 잡고 웃다.

よ-じる〖攀じる〗上1自 오르려고 달라붙다; 더위잡고 기어 오르다. ¶縄梯子を~ 줄사다리를 오르다/崖を~ 벼랑을 더위잡고 (기어)오르다.

よじ-れる〖捩れる〗下1自 비틀어지다; 뒤틀리다; 비꼬이다. =ねじれる·よれる. ¶ひも〔ロープ〕が~ 끈이〔로프가〕 비비 꼬이다/おかしくて腹が~ 우스워 뱃살이 꼬이다/腹の皮が~ 뱃살을 잡고 웃을 정도로 우습다.

よしわるし【善し悪し】图 ☞よしあし 2.

よしん【予診】图ス他 예진; 진찰 때 문진(問診)으로 필요한 것을 알아봄.

よしん【余震】图 여진. =ゆり返し. ¶~が収まる〔続く〕 여진이 멎다〔계속되다〕.

よじん【余人】图 다른 사람; 타인. =よにん·他人. ¶~はいざ知らず 다른 사람은 어떤지 모르지만/~をまじえない 다른 사람을 끼우지 않다/~を以っては代えがたい 다른 사람으로는 대신하기 어렵다.

よじん ［余燼］ 图 **1** 여신; 타다 남은 불기운. ＝もえさし. ¶大火の～ 큰불의 여신/～がくすぶる 여신이 연기를 내다. **2** 사건 등이 종결된 후에 남는 영향. ¶紛争の～がくすぶる 분쟁 뒤의 앙금이 가시지 않다.

よしんば 〖縦しんば〗 圖 《가정(假定)의 조건을 나타냄》 설사; 가령. ＝たとえ·よしや. ¶～彼が謝るとしても 설령 그가 사과한다 하더라도/～一時の出来心としても罪は罪だ 설사 한때의 우발적인 충동이었다 하더라도 죄는 죄다. ⇨よし. 參考 'たとえ'보다 예스러운 말투.

***よ-す** 〖止す〗 5他 중지하다; 그만두다. ＝やめる. ¶けんかは～·せ 싸움은 그만두어라/今日の仕事はこれで～·そう 오늘 일은 이만 하자/酒は～·したほうがいい 술은 안 하는 것이 좋다.

よすが 〖縁〗 图 **1** 연고. ＝つて. ¶～を求めて就職する 연고를 찾아서 취직하다. **2** 자그마한 인연; (관계될 만한) 실마리. ¶思い出の～ 추억의 실마리(가 될 만한 것). **3** 의지; 의탁할 사람. ¶身を寄せる～もない老人 몸을 의탁할 곳도 없는 노인.

よすがら 【夜すがら】 《終夜》 圖 밤새도록. ＝よもすがら. ¶～仕事をする 밤새도록 일을 하다/～語りあう 밤도와 이야기를 나누다. ↔日すがら.

よすぎ 【世過ぎ】 图 세상살이; 생활. ＝世渡り·口すぎ. ¶～のための商売 생활하기 위한 장사/身過ぎ～の苦しさを味わう 세상살이의 쓴맛〔괴로움〕을 맛보다.

よすてびと 【世捨て人】 图 속세를 떠난 사람《승려나 은자(隱者)》. ¶～になる 승려가 되다; 은둔하다.

よすみ 【四隅】 图 네 구석; 네 모퉁이. ＝しぐう. ¶へやの～ 방의 네 구석.

よせ 【寄せ】 图 **1** 그러모음; 가까이 모이게 함. ¶～算 덧셈/客～ 손님을 그러모음. **2** (바둑·장기의) 종반전; 끝내기. ¶大～ 큰 끝내기/～に入る 종반전에 들어가다/～に強い 종반전〔끝내기〕에 강하다.

よせ 【寄席】 图 '寄せ席'의 준말; 사람을 모아 돈을 받고 재담·만담·야담 등을 들려 주는 대중적 연예장. ＝寄せ場. ¶～芸人 만담〔재담〕가/～に行く 落語나 야담 등을 들으러 가다.

よせあつめ 【寄せ集め】 图 급한 대로 끌어 모은 사람들; 어중이떠중이; 오합지졸. ¶～の人数 어중이떠중이; 오합지졸/～の材料 이것저것 그러모은 재료/～の野球チーム 오합지졸로 이루어진 야구팀.

よせあつ-める 【寄せ集める】 下1他 모으다; 긁어모으다; 그러모으다. ¶紙くずを～ 휴지를 그러모으다.

よせい 【余勢】 图 여세; 남은 기세. **──を駆って** 여세를 몰아. ¶～一気に討ち平らげる 여세를 몰아 단숨에 토벌해 버리다.

よせい 【余生】 图 여생. ＝余命. ¶～を楽しむ 여생을 즐기다/ひっそりと〔静かに〕～を送る 조용히 여생을 보내다/～を教育に尽くす 여생을 교육에 이바지하다.

よせがき 【寄せ書き】 图ス自 여럿이 한 장의 종이에 서화를 쓰는 일; 또, 그렇게 해서 쓴 것. ¶～をしたはがき 여럿이 어울려 쓴 엽서/結婚記念の～ 결혼 기념으로 여럿이 어울려 쓴 서화.

よせか-ける 【寄せ掛ける】 下1他 **1** 기대게 하다; 기대어 세우다. ¶からだを壁に～ 몸을 벽에 기대다/はしごを塀に～ 사다리를 담에 걸쳐 놓다. **2** 쳐들어가다. ¶敵の大軍が～ 적의 대군이 쳐들어오다.

よせぎざいく 【寄せ木細工】 图 쪽매붙임; 나무쪽 세공. ＝埋め木ざいく.

よせぎれ 【寄せ切れ】 图 재단하고 남은 천 조각을 모아 놓는 일; 또, 그 모아 놓은 천 조각. ¶～の縫い物 천 조각을 이어 꿰맨 것/～で手提げを作る 자투리의 쪽모이로 손가방을 만들다.

よせざん 【寄せ算】 图 덧셈. ＝たし算. ↔引き算.

よせつ-ける 【寄せ付ける】 下1他 다가오게 하다; 접근시키다. ¶人をそばに～·けない 사람을 곁에 얼씬 못하게 하다/もっと～·けてから攻める 더 가까이 오게 한 다음에 공격하다/どらむすこは家に～·けないぞ 망나니 자식은 집에 얼씬도 못하게 하겠다.

よせて 【寄せ手】 图 공격해 오는 군세(軍勢). ¶～の大将 공격군의 대장.

よせなべ 【寄せなべ】 《寄せ鍋》 图 모둠냄비《(일본식) 해물 잡탕 요리》.

****よ-せる** 【寄せる】 一 下1自 밀려오다. ¶～·せ来る敵兵 밀려오는 적병/～·せては返す波 밀려왔다 밀려가는 파도/荒波が～ 거친 파도가 밀려오다. 二 下1他 **1** 바싹 옆으로 대다; 옆에 가까이 붙이어 대다. ¶車を隅に～ 차를 바싹 구석으로 대다/机を壁に～ 책상을 벽에 붙이어 대다/耳もとに口を～·せてささやいた 귓가에 입을 가까이 대고 속삭였다. **2** 의지하다. ¶親類に身を～ 친척에게 몸을 의지하다. **3** 마음을 기울이다; 마음을 두다. ¶同情〔関心〕を～ 동정〔관심〕을 기울이다/独りひそかに心を～·せた彼女 남몰래 정을 두었던 그녀. **4** 한군데로 모으다. ¶落ち葉を～ 낙엽을 한데 모으다/顔を～·せて相談する 얼굴을 맞대고 상의하다. **5** 《自動詞적으로》 빗대어 말하다; 비유하다; 핑계하다. ¶他人の事に～·せて皮肉を言う 남의 일에 빗대어 빈정거리다/花に～·せて思いを述べる 꽃에 빗대어 생각을 말하다. **6** 보내다. ¶たより〔手紙〕を～ 편지를 보내다/感想文を

~ 감상문을 써 보내다 / ご意見をお~·せください 고견을 써 보내 주십시오. **7** 더하다. ¶二に三を~ 2에 3을 더하다.

***よせん**【予選】图[ス他] 예선. ¶~を通過する〔通る〕 예선을 통과하다 / ~を勝ち抜く 예선을 내리이기다 / ~で落ちる 예선에서 탈락되다. ↔本選·決選.

***よそ**〖余所·他所〗图 **1** 딴 곳; 남의 집; 타처. ¶~の国〔子〕 남의 나라〔집 아이〕 / ~の人 남; 상관없는 사람 / ~から来た人 타처에서 온 사람 / ~で買うともっと安い 딴 집에서 사면 더 싸다 / ~へ行く 남의 집에〔딴 곳으로〕 가다 / ~へ逃げる 딴 곳으로 도망가다 / ~でごちそうになる 남의 집에서 식사 대접을 받다. **2**《흔히, '…を~に'의 꼴로》…을 소홀히 하고. ¶勉強を~にして遊び歩く 공부는 뒷전에 두고 놀러 다니다 / 商売を~にする 장사를 소홀히 하다.

よそいき【よそ行き】《余所行き》图 ☞よそゆき.

よそ-う〖装う〗yosou [5他] **1**〈口〉☞よそおう. **2** 음식을 그릇에 담다. ¶御飯を茶わんに~ 밥을 공기에 담다.

よそう【予想】图[ス自他] 예상. ¶~どおり 예상대로 / ~に反して〔たがわず〕 예상에 반하여〔어그러지지 않게〕 / ~がはずれる 예상이 빗나가다 / ~を裏切る 예상이 어긋나다 / ~を上まわる 예상을 웃돌다.

—がい【—外】[ダナ] 예상외; 뜻밖. ¶~のでき 예상외의 성적〔작황〕 / ~の収穫 예상 밖의 수확.

よそおい【装い】图 **1** 치장; 단장; 옷차림. ¶夏の~ 여름 치장〔옷차림〕 / 外出の~ 외출할 차림 / ~を凝らす 공들여 꾸미다〔치장하다〕 / ~も新たにはなばなしく開店する 새롭게 단장하고 화려하게 개점하다. **2** 겉모양; 풍경; 풍치. =風情. ¶春の~をした山々 봄의 풍치를 풍기는 산들. **3** 채비; 준비. =したく. ¶旅の~に忙しい 여행 준비에 바쁘다.

よそお-う【装う】[5他] **1** (몸)치장하다; 옷차림을 하다; 꾸미다. ¶美しく~·った娘 아름답게 차려입은 아가씨 / 晴れ着に身を~ 나들이옷으로 치장을 하다 / 派手に~ 화려하게 치장하다 / 式場を~ 식장을 꾸미다. **2** 가장하다; 그런 체하다. ¶客を~ 손님을 가장하다 / 平気を~ 아무렇지도 않은 체하다; 시치미를 떼다 / 無関心を~ 무관심한 체하다.

***よそく**【予測】图[ス他] 예측. ¶~していたとおり 예측한 대로 / ~が外れる 예측이 빗나가다 / ~を許さない 예측을 불허하다.

よそごと【よそ事】《余所事》图 남의 일; (자기와) 관계 없는 일. ¶~とは思えない 남의 일 같지 않다 / ~じゃない 남의 일이 아니다.

よそじ［四十路］图〈雅〉40년; 40세. ¶~の坂 40 고개.

よそながら〖余所乍ら〗圖 **1** 멀리서나마. =かげながら. ¶~案じる 멀리서나마 걱정하다 / ~ご成功を祈ります 멀리서나마 성공하시기를 빕니다. **2** 슬며시; 간접으로; 은연중. ¶~聞く 간접적으로 듣다 / ~警戒の目を怠らない 은연중 경계의 눈을 게을리하지 않다.

よそみ【よそ見】《余所見》图[ス自他] **1** 한눈 팖; 옆을 봄; 곁눈질. =わきみ. ¶~を使う 한눈을 팔다 / ~をするな 한눈 팔지 마라. **2** ☞よそめ1.

よそめ【よそ目】《余所目》图 **1** 남의 눈; 남이 봄; 남보기. =はた目·人目. ¶~に羨ましい友情 남보기에 부러운 우정 / ~が悪い 남보기가 흉하다 / ~を気にする 남의 눈을 의식하다. **2** ☞よそみ1.

よそもの【よそ者】《余所者》图 타관 사람. ¶~扱いにする 타관 사람 취급을 하다; 한패에서 따돌리다. ¶あの男は~ですよ 저 사내는 타관 사람이네.

よそゆき【よそ行き】《余所行き》图 **1** 외출; 또, 외출복. =よそいき. ¶~の着物 나들이옷; 외출복 / ~を着る 외출복을 입다 / ~の支度をする 외출할 채비를 하다 / ~に着替える 나들이옷으로 갈아입다. **2** 격식 차린 언어·동작 따위. ¶~のあいさつ 격식 차린 인사 / ~の顔ですましている 점잖은 얼굴로 시치미를 떼고 있다.

よそよそし-い〖余所余所しい〗形 (지금까지와는 달리) 쌀쌀하다; 서먹서먹하다; 데면데면하다. ¶~態度 서먹서먹한 태도 / ~·くあいさつする 데면데면하게〔처음 대하듯이〕 인사하다.

よぞら【夜空】图 밤하늘. ¶~に星が輝く 밤하늘에 별이 반짝이다.

よた〖与太〗图 **1** 바보; 얼간이《'与太郎'의 준말》. **2** 터무니없는 말; 허튼 수작. **3** '与太者'의 준말. [注意] '与太'는 취음(取音).

—を飛ばす 허튼 말을 하다; 실없는 말을 지껄이다. =よたる.

よたか〖夜鷹〗图 **1**〔鳥〕쏙독새. **2** 江戸 시대에 밤거리에서 손님을 끌던 하치 매춘부. =つじぎみ.

—そば〖—蕎麦〗图 밤 늦게까지 다니며 파는 메밀국수 장수; 또, 그 메밀국수. =夜鳴きうどん.

よたく【預託】图[ス他] 예탁. ¶~金 예탁금 / ~証券 예탁 증권 / 株券の~ 주권의 예탁 / 国庫に~する 국고에 예탁하다.

よだ-つ〖弥立つ〗[5自] 'いよだつ'의 준말; 소름이 끼치다. ¶身の毛が~ 몸의 털이 곤두서다《소름이 끼치다》.

よたもの【よた者】《与太者》图 불량배; 건달패. =ならず者. ¶サンダルを履

いた～風ふうの若者わかもの 샌들을 신은 불량배 같이 보이는 젊은이.

よたよた 副 비척비척; 비틀비틀. ¶酒さけに酔よって～(と)歩あるく 술에 취해서 비틀비틀 걷다 / 病後びょうごでまだ～している 병후라서 아직 비트적거린다.

よた-る 〖与太る〗 5自 〈俗〉 **1** 불량자를 닮아 가다; 망나니짓을 하다. ¶夜よの町まちで～·っている 밤거리에서 망나니짓을 하고 있다. **2** 허튼 소리를 하다. 参考 'よた'를 動詞화한 것.

***よだれ** 〖涎〗 图 (흘리는) 침; 군침.

―を流ながす 군침을 흘리다《몹시 먹고〔갖고〕 싶어하다》. ¶～を流ながして待まつ 군침을 흘리며 기다리다.

よだれかけ 【よだれ掛け】《涎掛け》 图 (갓난애의) 턱받이. ¶～を首くびにかけてやる 턱받이를 목에 걸어 주다.

よだん 【予断】 图ス他 예단; 미리 판단함. ¶成否せいひは最後さいごまで～を許ゆるさない 성패는 끝까지 예단을 불허한다.

よだん 【余談】 图 여담. ¶～はさておいて 여담은 그만두고 / これは～になりますが 이것은 여담이 되겠습니다만.

よち 【予知】 图ス他 예지; 미리 앎. ¶地震じしんを～する 지진을 예지하다.

よち 【余地】 图 여지; 여유. ¶家いえを建たてる～はある 집 지을 여지는 있다 / 立錐りっすいの～もない 입추의 여지도 없다 / 疑うたがいをはさむ～もない 의심할 여지도 없다.

よちょう 【予兆】 图 예조; 전조(前兆); 징조; 조짐. ＝前触まえぶれ. ¶大地震だいじしんの～ 대지진의 전조.

よちよち 副 아장아장; 비척비척; 비실비실. ¶～歩あるき 아장걸음 / 赤あかん坊ぼうが～歩く 갓난애가 아장아장 걷다.

よつ 【四つ】 图 **1** 넷; 네 살; 넷째. ＝よん·よっつ. **2** (씨름에서) 서로 상대방의 샅바를 붙잡고 맞붙음. ＝よつみ. ¶～にわたる 서로 양손으로 맞붙잡다.

―に組くむ **1** 씨름에서, 서로가 두 손으로 단단히 잡고 맞붙다. **2** 온힘을 다해 맞싸우다. ¶敵てきと～ 적과 맞싸우다.

よつあし 【四つ足】 图 발이 넷임; 또, 그런 것; (소·돼지 따위의) 네발짐승. ¶～の台だい 사각대(四脚臺) / ～の肉にく 네발짐승의 고기.

⁑よっか 【四日】 图 4일; 나흘; 초나흗날. ¶正月しょうがつの～ 정월 초나흗날 / ～間かんの旅たび 4일간의 여행.

よっかく 【浴客】 图 욕객. ＝よっきゃく. ¶温泉場おんせんばの～ 온천장의 욕객.

***よつかど** 【四つ角】 图 네거리; 십자로. ＝よつつじ. ¶～を右みぎに曲まがる 네거리를 오른쪽으로 돌다.

よつぎ 【世継ぎ】 图 대를 이음; 또, 그 상속인; 후사(後嗣). ＝跡取あとり. ¶～がない 대를 이을 사람이 없다 / ～が生うまれる 후사가 태어나다 / ～が決きまらない 상속자가 정해지지 않다.

***よっきゅう** 【欲求】 图ス他 욕구. ¶生せいの～ 생의 욕구 / 万人ばんじんの～を満みたす 만인의 욕구를 만족시키다.

―ふまん 【―不満】 图 욕구 불만. ＝フラストレーション. ¶～に陥おちいる 욕구불만에 빠지다.

よつぎり 【四つ切り】 图〔寫〕 4절판《약 25.5cm×30.5cm》. ＝四よつ·四よつ切ぎり判ばん.

よっこらしょ 感 일어설 때 따위에 기운을 돋우려고 내는 소리; 이여차.

よつずもう 【四つ相撲】 图 서로 양팔을 뻗어 상대의 샅바를 쥔 자세의 씨름.

よっつ 【四つ】 图 ☞よつ(四) 1. ¶～め 넷째; 네 번째.

よつつじ 【四つつじ】《四辻》 图 네거리; 십자로. ＝四つ角かど. ¶町まちの～ 시가(市街)의 네거리.

よって 〖因って·依って〗 連語 《接続詞적으로》 따라서; 그러므로; 이에. ＝ゆえに. ¶～罰金刑ばっきんけいに処しょす 따라서 벌금형에 처함 / その功績こうせきに～表彰ひょうしょうされた 그 공적에 따라서 표창받았다.

―来きたる 그(것이) 원인이 된; 연유하는. ¶～所以ゆえんを知しらず 그렇게 된 이유를 모르다 / 敗北はいぼくの～ところをみるに 패배한 원인을 살펴보건대.

よつであみ 【四つ手網】 图 고기 잡는 그물의 하나; 뜰망《네 귀에 대를 댄 네모난 그물; 얕은 물속에 가라앉혔다가 건져 내어 고기를 잡음》.

よってたかって 【寄ってたかって】《寄って集って》 連語 여러 사람이 달라붙어〔합세해서〕; 여럿이서. ¶～いじめる 여럿이 합세하여 괴롭히다〔놀리다〕.

ヨット [yacht] 图 요트. ¶～レース〔競技きょうぎ〕 요트 레이스; 요트 경기.

よっぱらい 【酔っ払い】 图 술 취한 사람; 술주정꾼; 취한(醉漢). ＝よいどれ. ¶～運転うんてん(手しゅ) 음주 운전(사) / ～が絡からむ 술주정꾼이 시비를 걸다.

よっぱら-う 【酔っ払う】 5自 몹시 취하다. ¶少すこし飲のんでも～ 조금 마셔도 몹시 취한다 / ～·って大声おおごえで歌うたう 만취하여 큰소리로 노래 부르다 / ～·って正体しょうたいを失うしなう 잔뜩 취해 정신을 잃다.

よっぴて 【夜っぴて】 副 〈俗〉 밤새도록. ＝夜よどおし. ¶～騒さわぐ 밤새도록 떠들어대다 / ～遊あそび歩あるく 밤새도록 놀러 다니다 / ゆうべは～眠ねむれなかった 엊저녁은 밤새도록 못 잤다.

よっぽど 〖余っ程〗 副 〈俗〉 'よほど'의 힘줌말: 꽤; 어지간히; 상당히; 대단히; 매우. ¶～恐こわかったようだ 꽤〔어지간히〕 무서웠던 모양이다.

よづめ 【夜づめ】《夜爪》 图 밤에 손톱을 깎음. ¶出でづめ～は切きるな 외출 전이나 밤에는 손톱을 깎지 마라《재수 없다고 꺼림》.

よつめがき 【四つ目垣】 图 대를 성기게 엮어 칸살이 네모난 울타리. ¶～を結ゆう 네모 칸살 울타리를 엮다.

よつゆ 【夜露】 图 밤이슬. ¶～にぬれる

밤이슬에 젖다 / ～はからだに毒(どく)だ 밤이슬은 몸에 해롭다. ↔朝露(あさつゆ).

よづり【夜釣り】名 밤낚시(질).

よつんばい【四つんばい】《四つん這い》名 납죽 엎드림; 네 손발로 김; 또, 그 모양. ¶～に倒(たお)れる 넉장거리로 엎어지다 / ～になって落(お)としためがねをさがす 납죽 엎드려 떨어뜨린 안경을 찾다.

**よてい【予定】名ス他 예정. ¶～申告(しんこく) 예정 신고 / ～通(どお)り 예정대로 / ～日(び)〔表(ひょう)〕 예정일〔표〕 / ～が狂(くる)う 예정이 틀어지다 / ～を組(く)む 예정을 짜다 / ～に入(い)れる 예정에 넣다.

よてき【余滴】名 여적. 1 붓끝에 남은 먹물. 2 여담; 뒷이야기. ¶研究(けんきゅう)～ 연구 뒷이야기.

よとう【夜盗】名 야도; 밤도둑. ＝やとう. ¶～にはいられる 밤도둑을 맞다.

*よとう【与党】名 여당. ¶政府(せいふ)～ 정부 여당. ↔野党(やとう).

よどおし【夜通し】副 밤새도록; 밤도와. ＝一晩中(ひとばんじゅう)·終夜(しゅうや). ¶～看病(かんびょう)する 밤새도록 병구완하다 / ～語(かた)り合(あ)う 밤새도록 이야기를 나누다.

よとぎ【夜とぎ】《夜伽》名 1 밤시중《병구완할 때나 상갓집에서 밤을 새워 말동무가 되어 줌》; 또, 그 사람. ¶病床(びょうしょう)の父(ちち)の～をする 병상의 아버지를 밤새워 간호하다. 2 여자가 남자의 뜻에 따라 동침함.

よとく【余得】名 (어떤 지위로 인한) 부수입; 국물. ＝余禄(よろく). ¶～の多(おお)い地位(ちい) 부수입이 많은 지위 / 思(おも)わぬ～にあずかる 뜻밖에 부수입을 얻다.

よとく【余徳】名 여덕; 음덕. ¶父祖(ふそ)の～を被(こうむ)る 조상의 음덕을 입다.

よどみ〖淀み〗名 1 (물이) 굄; 웅덩이. ¶溝(みぞ)の～ 도랑〔개천〕의 웅덩이 / ～に浮(う)かぶうたかた 웅덩이에 뜬 물거품. 2 진행이 순조롭지 않음; 정체(停滯). ¶～なくしゃべる 쉴새없이 지껄이다 / 景気(けいき)に～がみられる 경기가 침체하다.

よど-む〖淀む〗5自 1 (물이) 괴다; 흐르지 않다. ¶～·んだ水(みず) 괸 물; 오래되어 상한 물 / 空気(くうき)が～ 공기가 탁하다. 2 정체하다; 막히다; 침체되다; 힘이 없다. ¶～·んだ目(め) 힘없는 눈 / ～·んだ雰囲気(ふんいき) 침체된 분위기 / 言(い)い～ 말이 막히다; 말을 더듬거리다 / 仕事(しごと)が～·んではかどらない 일이 막혀 진척이 잘 안 되다.

よなおし【世直し】名ス自 세상을 바로잡음; 불경기를 호전시킴.

*よなか【夜中】名 밤중; 한밤중. ＝夜(よ)ふけ·夜半(やはん)·夜間(やかん). ¶真(ま)～に家(いえ)へ帰(かえ)る 한밤중에 집에 돌아오다 / ～に目(め)を覚(さ)ます 한밤중에 잠에서 깨다.

よなが【夜長】名 밤이 긺; 또, 그런 한가을의 계절. ¶秋(あき)の～ 가을의 긴 밤; 장장추야. ↔日長(ひなが).

よなき【夜泣き】名ス自 갓난애가 밤중에 자지 않고 욺. ¶～の癖(くせ)がつく 밤중에 우는 버릇이 생기다.

よなき【夜鳴き】《夜啼き》名ス自 1 새가 밤중에 욺. 2 '夜鳴きうどん' '夜鳴きそば'의 준말.

―うどん〖―饂飩〗名 関西(かんさい)에서, 밤에 포장 마차를 끌고 다니며 파는 가락국수; 또, 그 장수.

―そば〖―蕎麦〗名 ☞よたかそば.

よなべ【夜なべ】名ス自 야업; 밤일. ¶～仕事(しごと) 밤일; 야간 작업 / ～に針仕事(はりしごと)をする 야업으로 삯바느질을 하다.

よなよな【夜な夜な】副 매일 밤; 밤마다. ＝よごと. ¶～お化(ば)けが出(で)ると言(い)ううわさがある 밤마다 도깨비가 나온다는 소문이 있다. ↔朝(あさ)な朝(あさ)な.

よな-れる【世慣れる】《世馴れる》下1自 세상 물정에 익숙해지다; 세정에 밝다. ¶～·れた人(ひと) 세정에 밝은 사람.

よにげ【夜逃げ】名ス自 야반도주; 밤도망. ¶借金(しゃっきん)が払(はら)えないので～(を)する 빚을 갚지 못해서 야반도주하다.

よにも〖世にも〗副 1《否定의 표현이 따라서》 결코. 2 유달리; 각별히; 대단히; 참으로; 정말. ＝とりわけ. ¶～不思議(ふしぎ)な物語(ものがたり) 참으로 이상한 이야기 / ～まれな悲惨(ひさん)な事件(じけん) 참으로 드문 비참한 사건 / ～まずい菓子(かし)だ 정말 맛없는 과자다. 注意 'よに'의 힘줌말.

よねつ【予熱】名ス他 예열. ¶～器(き) 예열기.

よねつ【余熱】名 여열; 남은 열기. ＝ほとぼり. ¶アイロンの～ 다리미의 남은 열기 / 温泉(おんせん)の～を利用(りよう)する 온천의 여열을 이용하다.

よねん【余念】名 여념; 잡념.

―がない 여념이 없다. ¶練習(れんしゅう)に～ 연습에 여념이 없다.

よのう【予納】名ス他 예납; 전납(前納). ¶～金(きん) 예납금; 선납금(先納金).

よのきこえ【世の聞こえ】連語 세상의 평판〔소문〕. ¶～が悪(わる)い 세상 평판이 좋지 않다 / ～をはばかる 세상 소문을 꺼리다.

よのつね【世の常】連語 세상에 보통 있는 일; 예상사(例常事). ＝世(よ)の習(なら)い. ¶浮(う)き沈(しず)みは～だ 영고성쇠는 세상의 예상사이다.

**よのなか【世の中】名 세상. 1 인간 세계; 세간; 사회. ¶騒(さわ)がしい～になる 시끄러운 세상이 되다 / ～がいやになる 세상이 싫어지다 / ～に出(で)る 사회에 나아가다 / ～はそうしたものだ 세상은 그런 것이다. 2 시대. ¶原子力(げんしりょく)の～ 원자력 시대 / ～に後(おく)れる 시대에 뒤떨어지다 / もう～が変(か)わった 이제 세상이 변했다 / 今(いま)の～は実力(じつりょく)の～だ 지금 세상은 실력의 시대이다.

―は広(ひろ)いようで狭(せま)い 세상은 넓고도 좁다. ＝世間(せけん)は広いようで狭い.

よのならい【世の習い】連語 세상의 통례; 세상에서 흔히 행해지는 일; 예상사. ＝世(よ)の常(つね). ¶栄枯盛衰(えいこせいすい)は～

흥망성쇠는 세상의 예상사.

よは【余波】图 여파; 여세; 영향. ＝なごり·あおり. ¶台風の～ 태풍의 여파/不況の～を受ける 불황의 영향을 받다/事件の～が残る 사건의 여파가 남아 있다.

よばい【夜ばい】《夜這い》图 옛날에, 남자가 밤에 연인의 침소에 잠입하던 일. ¶～の風習 밤에 연인의 침소에 잠입하던 풍습. 注意 '夜這い'는 취음.

よはく【余白】图 여백. ＝スペース. ¶～に書き込みをする 여백에 써넣다/～を埋める 여백을 메우다/～を残しておく 여백을 남겨 두다.

よばなし【夜話】图 밤에 이야기함; 또, 그 이야기; 밤에 한가로이 담소함. ＝やわ·夜語り.

よば-れる【呼ばれる】下1自 **1** 불리다; 일컬어지다; …라고 하다. ＝称される. ¶神童と～·れた男 신동이라고 불리던 사나이. **2** 초대받다; 대접받다. ¶宴会に～ 연회에 초대받다.

よばわり【呼ばわり】接尾 자못 그렇다는 듯이 비방하여 부름; 취급〔지칭〕함. ¶どろぼう〔犯人〕～する 도둑〔범인〕 취급을 하다/馬鹿～される 바보 취급당하다.

よばわ-る【呼ばわる】5自 큰 소리로 부르다; 외치다. ＝叫ぶ. ¶荒野に～ 광야에서 외치다 / 遠くから大声で～ 멀리서 큰 소리로 부르다/待て待てと～ 기다려, 기다려 하고 외치다.

よばん【夜番】图 야번; 밤에 지킴; 또, 그 사람; 야경(夜警). ＝やばん. ¶倉庫の～をする 창고를 밤에 지키다/交替で～に立つ 교대로 야경을 서다.

***よび**【予備】图 예비. ¶～費 예비비/殺人～ 살인 예비/～交渉 예비 교섭/～の椅子 예비 의자/～を使って修理する 예비해 둔 것을 써서 수리하다.

—えき【—役】图〘軍〙 예비역.

—ぐん【—軍】图 예비군. ¶産業～ 산업 예비군.

—こう【—校】图 입시 학원; 특히, 대학 입시 학원.

—ちしき【—知識】图 예비 지식. ¶～を与える 예비 지식을 주다/その事に全く～がない 그 일에 전혀 예비 지식이 없다.

よびあ-げる【呼び上げる】下1他 큰 소리로 부르다. ¶生徒の名前を～ 학생 이름을 외쳐 부르다.

よびい-れる【呼び入れる】下1他 불러들이다; 초대하다. ¶お客を～ 손님을 불러들이다/面接室に～ 면접실에 불러들이다.

よびおこ-す【呼び起こす】5他 불러일으키다. **1** 불러서 깨우다. ¶二階の子供を～ 2층의 (자는) 아이를 불러서 깨우다/夜中に～·される 밤중에 누가 불러서 깨다. **2** 환기(喚起)하다; 일깨우다. ¶興味を～ 흥미를 불러일으키다/注意を～ 주의를 환기하다.

よびかえ-す【呼び返す】5他 **1** 불러서 되돌려 보내다. **2** (기억 등을) 상기하다. ¶記憶を～ 기억을 상기하다.

よびかけ【呼び掛け】图 **1** (소리 질러) 부름. ¶相手の～に答える 상대방의 부름에 응답하다. **2** 호소(함). ¶多くの人が～に応じる 많은 사람이 호소에 호응하다.

***よびか-ける**【呼び掛ける】下1他 **1** 소리를 질러 부르다. ¶大声で～ 큰 소리로 부르다/道行く人を～ 길 가는 사람을 (소리내어) 부르다/店の人に～·けて道を聞く 가게 사람을 불러 길을 묻다. **2** 호소하다. ¶結束〔決起〕を～ 결속을〔궐기를〕 호소하다/全国の農民に～ 전국의 농민에게 호소하다.

よびかわ-す【呼び交わす】5他 서로 부르다. ¶互いの名を～ 서로의 이름을 부르다.

よびこ【呼び子】图 호루라기; 호각. ＝よぶこ. ¶～を鳴らす 호각을 불다.

よびごえ【呼び声】图 **1** 부르는 소리; 외치는 소리. ¶物売りの～ 장사꾼이 외치는 소리. **2** (임명·인선 등에 관한) 평판; 소문. ＝うわさ.

—が高い (하마평 등) 소문이 자자하다; 물망이 높다. ¶優勝の～ 우승하리라는 소문이 자자하다/次期首相の～ 차기 수상의 물망에 오르다.

よびこ-む【呼び込む】5他 불러들이다; 끌어들이다. ＝呼び入れる. ¶客を～ 손님을 불러들이다.

よびさま-す【呼び覚ます】5他 **1** 불러 깨우다. ¶眠っている人を～ 잠자고 있는 사람을 불러 깨우다. **2** 상기시키다. ¶記憶を～ 기억을 상기시키다.

よびすて【呼び捨て】图 경칭을 붙이지 않고 이름을 막 부름. ¶～にする 경칭을 붙이지 않고 성명을 막 부르다. 注意 'よびずて'라고도 함.

よびだし【呼び出し】图 **1** 호출; 소환; 불러냄. ¶警察からの～ 경찰로부터의 호출/～に応じる 호출에 응하다/～がかかる 출석 요청이 오다/役所の～を受ける 관청의 소환 통지를 받다/～が来る 출석 통지가 오다/～を食う 소환당하다. **2** (씨름에서) 씨름꾼을 호명해서 등장시키거나, 씨름판의 정리 등을 맡아 하는 사람. ＝呼び出しやっこ. **3** '呼び出し電話'의 준말.

—でんわ【—電話】图 (이웃 전화로 연락을 취하는) 호출 전화.

よびだ-す【呼び出す】5他 호출하다; 불러내다; 출석시키다. ¶友達を電話で～ 친구를 전화로 불러내다/父兄を～ 부형을 출석시키다/喫茶店へ～ 다방으로 불러내다/法廷に～·される 법정에 호출당하다.

よびた-てる【呼び立てる】下1他 **1** 소리쳐 부르다. ¶子の名を～ 아이 이름을 외쳐 부르다. **2** 일부러 불러내다. ¶自

宅(じたく)にまで～ 자택까지 오라고 불러내다 / そんなことで～には及(およ)ぶまい 그런 일로 일부러 불러낼 필요는 없겠다.

よびつ-ける【呼び付ける】下1他 1 불러(그곳에) 오게 하다; 불러오다. ¶～·けてしかる 불러내서 꾸짖다 / 部長(ぶちょう)に～·けられる 부장에게 불려 가다. 2 늘 불러서 입에 익다. ¶～·けた名前(なまえ)で呼(よ)ばないと感(かん)じが出(で)ない 늘 부르던 이름으로 부르지 않으면 실감이 안 난다.

よびと-める【呼び止める】下1他 불러 세우다. ¶通行人(つうこうにん)を～ 통행인을 불러 세우다 / 警官(けいかん)に～·められる 경관이 불러서 서다.

よびな【呼び名】名 보통 불리고 있는 이름; 특히, (사람의 실명에 대한) 통명(通名); 통칭. ＝通(とお)り名(な).

よびね【呼び値】名 부르는 값; 호가(呼價).

よびみず【呼び水】名 1 (펌프의) 마중물(을 붓는 일). ＝誘(さそ)い水(みず)·迎(むか)え水(みず). ¶～をさす 마중물을 붓다. 2 비유적으로, 어떤 것의 계기가 되는 것; 실마리. ¶投書(とうしょ)が～となって 투서가 계기가 되어서 / ホームランが大量得点(たいりょうとくてん)の～となる 홈런이 대량 득점의 계기가 되다.

よびもど-す【呼び戻す】5他 1 불러들이다. ＝呼(よ)び返(かえ)す. ¶旅先(たびさき)で～·される 여행지에서 소환되다 / 親元(おやもと)へ～ 부모 곁으로 불러들이다. 2 원래의 상태를 되찾다; 복귀시키다. ¶忘(わす)れた感覚(かんかく)を～ 잃었던 감각을 되찾다.

よびもの【呼び物】名 (모임·연예 등에서) 인기를 끄는 것; 평판이 좋은 것. ¶～の映画(えいが) 인기 있는 영화 / 本日(ほんじつ)の～ 오늘의 인기 프로 / 大会(たいかい)の～ 대회의 인기 종목 / (新聞(しんぶん)の)～記事(きじ) (신문의) 관심 기사.

よびや【呼び屋】名 〈俗〉 외국으로부터 예능인 등을 불러들여 흥행하는 직업; 또, 그 흥행사. ＝プロモーター.

よびょう【余病】名 여병; 합병증; 병발증. ¶～を併発(へいはつ)する 여병을 병발하다.

よびよ-せる【呼び寄せる】下1他 불러서 가까이 오게 하다; (가까이) 불러들이다. ¶電報(でんぽう)で～ 전보로 불러오다 / 枕元(まくらもと)に～ 머리맡으로 불러들이다 / 本社(ほんしゃ)から支店長(してんちょう)を～ 본사에서 지점장을 불러들이다.

よびりん【呼び鈴】名 초인종. ＝ベル. ¶～を押(お)す 초인종을 누르다 / ～が鳴(な)る 초인종이 울리다 / ～を鳴(な)らす 초인종을 울리다.

**よ-ぶ【呼ぶ】5他 1 부르다. ㉠소리내어 부르다. ¶名前(なまえ)を～ 이름을 부르다 / 誰(だれ)かに～·ばれて振(ふ)り返(かえ)る 누군가가 불러서 뒤돌아보다 / ～·べば答(こた)える距離(きょり) 부르면 대답할 거리; 지호지간. ㉡불러서 오게 하다. ¶医者(いしゃ)を～ 의사를 부르다 / 車(くるま)を～ 차[택시]를 부르다 / 社長(しゃちょう)がお～·びです 사장님이 부르십니다 / 役所(やくしょ)に～ 관청에 소환하다. ㉢초대하다. ¶夕食(ゆうしょく)に～ 저녁 식사에 초대하다 / 会食(かいしょく)に～·ばれる 회식에 초대받다. ㉣이름 짓다; 일컫다. ¶太郎(たろう)と～ 太郎라고 부르다[호칭하다] / この辺(へん)一帯(いったい)は北(きた)アルプスと～·ばれる 이 근방 일대는 북알프스라고 불린다. 2 끌다; 모으다; 불러일으키다; 유발하다. ¶人気(にんき)を～ 인기를 끌다[모으다] / 世人(せじん)の注意(ちゅうい)を～ 세인의 주의를 끌다 / 客(きゃく)を～策(さく) 손님을 끄는 방책 / 感動(かんどう)の嵐(あらし)を～ 폭풍 같은 감동을 불러일으키다 / 火事(かじ)を～ 화재를 일으키다. 可能 よ-べる 下1自

よふかし【夜更かし】名ス自 밤늦게까지 자지 않음. ¶～の朝寝坊(あさねぼう) 밤늦게 자는 아침 잠꾸러기 / 読書(どくしょ)で～をする 밤늦게까지 독서를 하다. ⇨よあかし.

よふけ【夜更け】名 밤이 깊어짐; 또, 밤이 이슥한 때; 야심(夜深). ¶～の町(まち) 밤이 이슥한 거리; 야심한 거리 / ～まで遊(あそ)び歩(ある)く 심야까지 놀러 다니다 / ～は体(からだ)に毒(どく)だ 밤늦도록 안 자는 것은 몸에 해롭다.

よふん【余憤】名 여분; 풀리지 않고 남아 있는 분노. ¶～をもらす 여분을 터뜨리다 / ～さめやらない 화가 풀리지 않다.

*よぶん【余分】名ナ 여분. 1 나머지; 우수리. ＝のこり. ¶～は皆(みな)で分(わ)ける 여분은 다같이 나눈다. 2 덤; 더 이상; 가외. ¶～な金(かね) 가욋돈 / ～に上(あ)げよう 덤으로 (더) 드리지 / 人(ひと)より～に働(はたら)く 남보다 더 일하다 / ～の負担(ふたん)を課(か)す 필요 이상의 부담을 과하다 / ～の切符(きっぷ)が一枚(いちまい)ある 가외 표가 한 장 있다.

よぶん【余聞】名 여담. ＝こぼれ話(ばなし)·余話(よわ). ¶政界(せいかい)～ 정계 여담.

よへい【余弊】名 여폐. 1 아직도 남아 있는 폐해[피해]. ¶戦争(せんそう)[水害(すいがい)]の～ 전쟁[수해]의 여폐. 2 수반해서 생긴 폐해. ¶文明(ぶんめい)の～ 문명의 여폐.

よほう【予報】名ス他 예보. ¶～官(かん) 예보관 / 天気(てんき)[津波(つなみ)]～ 일기[해일] 예보 / ～が当(あ)たる[外(はず)れる] 예보가 들어맞다[빗나가다].

よぼう［輿望］名 여망; 세상의 신뢰·기대; 중망(衆望). ¶～を一身(いっしん)にになう 여망을 한몸에 짊어지다.

**よぼう【予防】名ス他 예방. ¶～措置(そち) 예방 조치 / 火災(かさい)を～する 화재를 예방하다 / 清潔(せいけつ)にしていることは病気(びょうき)の～になる 청결히 하고 있는 것은 병의 예방이 된다.

—せっしゅ【—接種】名 예방 접종.

—せん【—線】名 예방선. ¶～を張(は)る 예방선을 치다.

—ちゅうしゃ【—注射】名 예방 주사.

*よほど〖余程〗副 1 상당히; 무척; 꽤; 어지간히; 훨씬. ¶～の寒(さむ)さ 어지간한 추위 / ～困(こま)っているようだ 꽤[어지간히] 곤란한 모양이다 / ～でなければ凍(こお)らない 어지간해서는 얼지 않는다 / この方(ほう)が～いい 이쪽이 훨씬 좋다. 2 정말(이지); 꼭; 단호히. ¶～言(い)ってやろうと

思(おも)ったが 정말〔단호히〕 한마디 해줄까 했으나 / ～やってみようと思(おも)った 꼭 해 보려고 마음 먹었었다. 注意 'よっぽど'라고도 함.

よぼよぼ 副 비칠비칠; 어릿어릿; 휘청휘청. ¶～のお婆(ばあ)さん 늙어서 몸을 잘 가누지 못하는 노파 / 杖(つえ)に頼(たよ)って～(と)歩(ある)く 지팡이에 의지해 비칠비칠 걷다.

よまいごと【世まい言】《世迷い言》图 넋두리나 투정을 늘어놓음; 또, 그 말; 횡설수설; 헛소리. ¶～を言(い)って涙(なみだ)を流(なが)す 푸념을 늘어놓고 눈물을 흘리다 / ～を並(なら)べる 넋두리를 늘어놓다; 횡설수설하다.

よまつり【夜祭り】图 밤에 행하는 축제. ¶～で境内(けいだい)がにぎわう 밤(의) 축제로 경내가 홍청거리다.

よまわり【夜回り】图 ス自 야경 돎; 야간 순찰; 또, 야경꾼. ¶町内(ちょうない)を～する 동내를 야경 돌다.

よみ〖黄泉〗图 황천; 저승; 저 세상. ＝よみじ·あの世(よ). ¶～の国(くに) 황천.

よみ【読み】图 **1** 읽기; 읽는 방법. ¶～書(か)き 읽고 쓰기 / 秒(びょう)～ 초읽기 / この字(じ)の～が分(わ)からない 이 글자〔한자〕의 읽는 법을 모르겠다. **2** 앞을 내다봄; 선견지명; 통찰력. ¶～が早(はや)い人(ひと) 앞을 빨리 내다보는 사람 / ～があたる 선견지명이 들어맞다. **3** (바둑 등에서) 수읽기. ¶～を誤(あやま)る 수를 잘못 읽다.
—が深(ふか)い 선견지명〔통찰력〕이 있다.

よみあ-げる【読み上げる】下1他 **1** 소리를 내어 읽다; 낭독하다. ¶合格者(ごうかくしゃ)の名前(なまえ)を～ 합격자의 이름을 소리 높이 읽다. **2** (끝까지) 다 읽다; 독파하다. ¶小説(しょうせつ)を一晩(ひとばん)で～ 소설을 하룻밤에 다 읽다.

よみあさ-る【読みあさる】《読み漁る》5他 이 책 저 책을 이리저리 찾아 구해 읽다; 닥치는 대로 읽다. ¶史書(ししょ)を～ 사서를 이리저리 찾아 구해 읽다 / 推理小説(すいりしょうせつ)を～ 추리 소설을 닥치는 대로 읽다.

よみあわせ【読み合わせ】图 **1** (원고와 교정쇄 따위를) 읽어 서로 맞추어 봄. ¶原稿(げんこう)の～ 원고를 읽으면서 대조함. **2**〖劇〗연출 전에 배우가 모여 각자의 대사를 읽어 서로 맞추어 보는 연습; 극본〔대본〕읽기. ＝本読(ほんよ)み.

よみあわ-せる【読み合わせる】下1他 **1** (원고와 교정쇄 따위를) 읽어 가며 서로 맞추어 보다. **2** (연극 연습으로) 배우가 각자 각본을 손에 들고, 서로 자기의 대사를 읽어가며 맞추어 보다.

よみかえ-す【読み返す】5他 되풀이 읽다; 다시 읽다. ¶何度(なんど)も～ 몇 번이고 되풀이하여 읽다 / 原稿(げんこう)を～ 원고를 (검토하며) 다시 읽다 / 始(はじ)めから～ 처음부터 다시 읽다.

よみがえ-る〖蘇る·甦る〗5自 되살아나다; 소생하다. ¶三日目(みっかめ)に～ 사흘 만에 되살아나다 / 雨(あめ)で草木(くさき)が～ 비로 초목이 되살아나다 / 記憶(きおく)〔感激(かんげき)〕が～ 기억〔감격〕이 되살아나다.

よみかき【読み書き】图 (글자를) 읽고 쓰기. ¶～もろくろくできない 읽고 쓰기도 제대로 못한다 / ～算盤(そろばん)を習(なら)う 읽고 쓰고 셈하기를 배우다.

よみかた【読み方】图 **1** 읽는 법; 읽기. ＝読(よ)み. ¶漢字(かんじ)の～ 한자 읽는 법 / ～がぎこちない 읽는 것이 어설프다. **2** 문장 내용을 이해하기; 또, 그 방법. ¶古文(こぶん)の～ 고문의 독해법.

よみがな【読み仮名】图 한자를 읽기 위해 붙인 仮名(かな). ＝振(ふ)り仮名(がな). ¶～を付(つ)ける 한자에 仮名 토를 달다.

よみきか-せる【読み聞かせる】下1他 읽어서 들려 주다; 읽어 주다.

よみきり【読み切り】图 **1** 다 읽음. **2** (잡지 등에 실린 읽을 거리로) 1회로 완결하는 단편물. ¶～小説(しょうせつ) (1회로 끝맺는) 단편 소설. ↔連載(れんさい).

よみき-る【読み切る】5他 **1** 끝까지 읽다; 독파하다. ¶ひと晩(ばん)で～ 하룻밤에 다 읽다. **2** 결말까지 다 내다보다. ¶先(さき)を～ 앞을 훤히 내다보다.

よみくだ-す【読み下す】5他 **1** (처음부터 끝까지) 내리읽다; 읽어 내리다; 훑어보다. ¶長文(ちょうぶん)の手紙(てがみ)を一気(いっき)に～ 장문의 편지를 단숨에 내리읽다 / 広告文(こうこくぶん)をざっと～ 광고문을 죽 훑어보다. **2** 한문을 일본말 어순으로 고쳐서 읽다; 훈독하다. ¶漢詩(かんし)を～ 한시를 훈독하다.

よみごたえ【読みごたえ】《読み応え》图 읽을 만함; 또, (길거나 어려워) 읽기에 힘이 듦. ¶～のある本(ほん) (a)읽는 데 시간이 좀 걸리는 책; (b)읽을 만한〔내용이 괜찮은〕 책.

よみこな-す【読みこなす】5他 읽고 내용을 충분히 이해하다; 읽어서 삭이다. ¶原書(げんしょ)を～のはむずかしい 원서를 읽고 충분히 이해하긴 어렵다 / これは私(わたし)には～せません 이것은 나로서는 읽어서 삭일 수가 없습니다.

よみこ-む【詠み込む】5他 시가(詩歌) 따위에 사물의 이름 등을 넣어서 짓다. ＝詠(よ)みいれる. ¶名所(めいしょ)を～ 명승지의 이름을 넣어 시가를 짓다.

よみこ-む【読み込む】5他 **1** 되풀이하여 읽다; 잘 읽고 이해하다. ¶行間(ぎょうかん)を～ 행간을 이해하다. **2**〖컴〗읽어들이다; 보조 기억 장치에서 프로그램이나 데이터 파일 등을 불러내어 기억시키다.

よみさし【読みさし】图 읽다가 맒〔중단함〕; 또, 읽다 만 것. ＝読(よ)みかけ. ¶～の本(ほん) 읽다 만 책.

よみじ〖黄泉·黄泉路〗图 황천〔저승〕길.

よみすご-す【読み過ごす】5他 읽으면서 깨닫지 못하다; 간과하다. ＝読(よ)み落(お)とす. ¶要点(ようてん)を～ 요점을 간과하다.

よみすす-む【読み進む】5自 읽어 나아가다; 앞쪽으로 읽어 가다.

よみすて【読み捨て】图 읽은 후 내버림. ¶～の雑誌 (한 번) 읽고 버리는 잡지.

よみす-てる【読み捨てる】下1他 읽고 나서 내버리다; 읽고 난 후 잊어버리다. ¶～·てられた新聞 읽고서 버려진 신문/この本は～には惜しい 이 책은 읽고 버리기에는 아깝다.

よみせ【夜店】《夜見世》图 야시(夜市); 밤에 벌이는 노점. ＝夜市. ¶～が出る 야시장이 서다/～を開く 야시를 열다/～を冷やかす 야시장에서 사지 않고 값만 물어 보고 다니다.

よみち【夜道】图 밤길(을 걸음). ¶～はあぶない 밤길은 위험하다/～を歩く 밤길을 걷다.

よみて【読み手】图 **1** 읽는 이〔사람〕. ¶聞き手から～にまわる 듣는 측에서 읽는 측이 되다. ↔書き手·聞き手. **2** 'かるた(＝카드놀이의 하나)'의 '読み札'를 읽는 사람; 또, 그 역할. ¶かるたの～になる かるた에서 '読み札'를 읽는 역을 맡다. ↔取り手.

よみて【詠み手】图 和歌·俳句의 작자; 또, 和歌·俳句를 잘 짓는〔읊는〕 사람. ＝詠み人.

よみで【読みで】图 분량이 많아 읽을 만함. ¶～がある (책이) 부피도 있고 읽을 만하다. ⇨よみごたえ.

よみとば-す【読み飛ばす】5他 **1** (불필요한 것을) 건너뛰고 읽다. **2** 빨리 읽다.

よみと-る【読み取る】5他 **1** 독해하다; 읽고 이해하다; 간파하다; 알아차리다. ¶～ことができない 독해할 수 없다/人の心を～ 남의 마음을 알아채다/内容〔状況〕を～ 내용〔상황〕을 파악〔이해〕하다. **2** (컴퓨터 등 기기로) 문자·화상(畫像) 등을 읽다; 판독하다. ¶バーコードを～ 바코드를 판독하다.

よみなが-す【読み流す】5他 **1** 대충 읽다. ¶小説〔手紙〕を～ 소설을〔편지를〕 대충대충 읽다. **2** (막힘없이) 줄줄 읽다. ¶原文をすらすらと～ 원문을 줄줄 읽어 내리다.

よみびとしらず【読み人知らず·詠み人知らず】图 (和歌에서) 작자 미상〔불명〕. ＝作者不明.

よみふけ-る【読みふける】《読み耽る》5自他 탐독하다; 열중해서 읽다. ¶小説を～ 소설을 탐독하다/彼はいつも書物に～·っている 그는 늘 독서에 열중해 있다.

よみふだ【読み札】图 歌ガルタ의 읽는 쪽의 패. ↔取り札.

よみもの【読み物】图 **1** 독서. ¶机に向かって～をする 책상 앞에 앉아서 독서를 하다. **2** (흥미 위주로 가볍게 읽는) 읽을거리. ¶連載～ 연재물/何か～はないか 무슨 읽을거리는 없는가. **3** 책; 도서. ¶高校生向きの～ 고교생에게 적합한 도서. **4** 읽을 만한 문장이나 기사. ¶なかなかの～だ 꽤 읽을 만한 문장이다.

よ-む【読む】5他 **1** 읽다. ㉠소리내어 읽다. ¶本を～ 책을 읽다/朗朗と～ 낭랑하게 읽다/経を～ 경문을 읽다; 독경하다. ㉡보고 이해하다. ¶グラフを～ 도표를 보고 알다/目盛りを～ 눈금을 읽다. ㉢알아차리다; 헤아리다. ¶人の心を～ 남의 심중을 읽다〔들여다보다〕/先を～ 앞을 내다보다/作戦を～·まれる 작전이 탐지되다/顔色を～ 안색을 읽다; 마음을 헤아리다. ㉣(바둑·장기에서) 앞수를 생각하다〔내다보다〕. ¶手を～ 수를 읽다〔내다보다〕. **2** 세다. ¶数を～ 수를 세다/秒を～ 초읽기를 하다. **3**〖컴〗읽다; 기억된 자료를 뽑아 내다. ↔書く. 可能よ-める 下1自

よ-む【詠む】5他 시가를 짓다; 읊다. ¶愛する人との別れを～·んだ歌 사랑하는 사람과의 이별을 읊은 노래.

よめ【嫁】图 **1** 며느리. ¶～としゅうとめ 며느리와 시어머니/うちの～ 우리 집 며느리/～をさがす 며느릿감을 물색하다/～をいびる 며느리를 구박하다. **2** 신혼 여성. ¶花～ 신부. **3** 신붓감; 아내. ¶～えらび 신붓감 고르기/～を迎える〔もらう〕 아내를 맞아들이다; 장가들다/～に行く 시집 가다/娘を～にやる 딸을 시집 보내다. ⇔婿.

よめ【夜目】图 밤에 봄; 밤눈. ¶～が利く 밤눈이 밝다/～にも明らかだ 밤눈에도〔밤에 보아도〕 분명하다.

よめい【余命】图 여명; 여생. ¶～いくばくもない 여생이 얼마 남지 않았다.

よめいびり【嫁いびり】图ス自 (시어머니가) 며느리를 구박함.

よめいり【嫁入り】图ス自 시집감; 또, 그 혼례. ¶～支度 시집 갈 준비/春に～する 봄에 출가하다.

―どうぐ【―道具】图 혼수용 가재 도구. ¶～を調える 혼수를 마련하다.

―まえ【―前】图 시집 가기 전; 혼전. ¶～の娘 혼전 여성.

よめとり【嫁取り】图ス自 장가듦; 아내를 맞음; 또, 그 혼례. ↔婿取り.

よ-める【読める】下1自 **1** 읽을 수 있다; 읽을 만하다. ¶ちょっと～小説だ 꽤 읽을 만한 소설이다. **2** 이해되다; 알다. ¶彼の腹の中が～·めた 그의 뱃속을 알았다.

よも〖四方〗图〈雅〉동서남북 사방; 전후좌우; 전하여, 주위; 여러 곳. ¶～の山山 주위의 산들.

よもぎ〖蓬·艾〗图〔植〕쑥. ＝もちぐさ.

よもすがら【夜もすがら】《終夜》副 밤새; 밤새도록. ＝夜どおし·夜すがら. ¶～語る 밤새 이야기하다/～まんじりともせず 밤새 한잠도 못 자다/～虫の音を聞く 밤새도록 벌레 소리를 듣다. ↔ひねもす·日もすがら.

よもや 副《否定적인 추량(推量)의 말을 수반하여》설마. ＝まさか. ¶～私〔あのこと〕を忘れはすまい 설마 나를〔그

일을] 잊진 않았겠지 / ～知るまいと思ったら, よく知っていた 설마 모를 테지 하고 생각했으나 잘 알고 있었다.

——に引かされる 혹시나 하고 기대하는 마음에 이끌리다.

よもやま〖四方山〗图 1 여러 가지; 잡다(雜多). ¶～のうわさ話 여러 가지 소문. 2 세상. ¶～の人 세상 사람.

——ばなし【——話】图 여러 가지 잡다한 (세상) 이야기; 잡담. ¶～に花が咲く 여러 가지 잡다한 이야기에 꽃이 피다.

**よやく【予約】图ス他 예약. ¶～金 예약금 / ～済み 예약필 / ～席 예약석 / ～がとれる 예약이 되다 / ～をとる 예약을 하다.

**よゆう【余裕】图 여유. ＝ゆとり. ¶～のある生活をする 여유 있는 생활을 하다 / 時間の～がない 시간(의) 여유가 없다.

——しゃくしゃく〖——綽綽〗图トタル 여유작작. ¶～たる態度で臨む 여유작작한 태도로 임하다.

よよ【代代·世世】图 1 대대; 대를 거듭함. ¶～に伝える 대대로 전하다. 2 〖佛〗과거·현재·미래.

よよと 副〈雅〉흐느껴[목놓아] 우는 소리: 흑흑; 엉엉. ¶～泣き伏す 흑흑(하고) 엎드려 울다.

より【寄り】㊀图 1 집합; 모임; 모인 상태. ¶会合の～が悪い 회합에 사람이 많이 안 나오다. 2 (씨름에서) 상대방의 샅바를 잡고서 낮은 자세로 미는 일. 3 부스럼의 응어리. ㊁接尾《장소에 관한 말에 붙어》근처; 쪽. ¶海岸～ 해안 근처 / 駅～の店 역 쪽의 가게 / 右～の思想 우경(右傾) 사상 / 山～の畑 산 쪽에 있는 밭.

より〖縒り〗图 꼼; 또, 꼰 것. ¶糸に～をかける 실을 꼬다.

——を戻す 1 꼰 것을 되풀다. 2 본디의 관계로 되돌아가다; 특히, 한 번 이별했던 남녀가 다시 합치다. ¶別れた妻と～ 헤어진 아내와 다시 합치다.

より〖因り·依り〗連語《'…に～'의 꼴로》인하여; 의하여. 1 때문에. ¶不勉強に～落第する 공부를 하지 않았기 때문에 낙제하다. 2 …에 따라. ¶法律に～処罰する 법률에 따라 처벌하다.

より 副 보다; 한결; 더욱더. ¶～よい生活 보다 나은 생활 / ～正確に言えば 보다 정확히 말하면 / ～速く, ～高く 보다 빠르게, 보다 높게.

より 格助 1 동작·작용의 기점·경로를 나타내는 데 씀. ㉠출발점·시간을 가리킴: 에서; 으로부터. ＝から. ¶A駅～出発 A역에서 출발 / これ～試合を開始いたします 지금부터 경기를 시작하겠습니다. 參考 'から'와 같은 뜻으로 쓰이지만 'より'는 격식 차린 말씨나 文語적으로 쓰임. ㉡비교의 기준을 가리킴: …보다. ¶日本～大きな国 일본보다 큰 나라 / 歩く～電車に乗る方がいい 걷는 것보다 전차를 타는 편이 좋다 / 去年～寒い 작년보다 춥다. ㉢《否定을 수반해서》'그 이외에는 없다'의 뜻으로 한정하는 데 씀: …수밖에. ＝しか. ¶そうする～ほかにない 그렇게 하는 수밖에 (별 도리가) 없다 / 自分でやる～しかたがない 스스로 할 수밖에 없다. 2 수단·재료를 나타냄: …로. ¶木材～つくられた… 목재로 만들어진[된] ….

よりあい【寄り合い】图 모여듦; 모임; 회합; 집회. ¶村の～に出る 마을 모임에 나가다.

——じょたい【——所帯】图 1 한곳에 여럿이 모여 사는 세대; 집단 세대. ¶うちは親子三代の～だ 우리 집은 부모 자식의 3대가 모여 살고 있다. 2 통일이 없는, 잡다한 사람들이 모인 단체. ¶米国はいろいろな人種の～だ 미국은 여러 인종의 잡다한 집단이다.

よりあ-う【寄り合う】5自 (의논 등을 하기 위해) 사람들이 모여들다; 모이다. ¶～·えば昔の話になる 모이면 옛날 이야기를 하게 된다 / 村の公民館に～·って相談する 마을 회관에 모여서 상의하다.

よりあつま-る【寄り集まる】5自 (많은 것들이) 한데 모여들다; 모이다. ¶テーブルの周囲に～ 테이블 주위에 모이다 / 多くの人が広場に～ 많은 사람들이 광장에 모여들다.

よりいっそう〖より一層〗副 더한층; 한층 더; 보다 더. ¶～奮発する 더한층 분발하다.

よりいと【より糸】《縒り糸·撚り糸》图 연사; 꼰 실. ↔片糸.

*__よりかか-る__【寄り掛かる】《倚り掛かる·凭り掛かる》5自 기대다. 1 몸을 의지해 실리다. ¶壁[欄干]に～ 벽[난간]에 기대다. 2 의존하다; 의지하다. ¶親に～·って生活する 부모에게 의지해서 생활하다 / 生活費は親に～ 생활비는 부모에게 의존한다.

よりきり【寄り切り】图 (씨름에서) 샅바를 맞잡은 상대를 밀어붙여 저절로 발이 씨름판 밖으로 나가게 하는 재간.

よりけり〖因りけり〗連語《'…に～'의 꼴로》…에 따라 다르다[달려 있다]; …나름이다. ¶それも人[物]に～だ 그것도 사람[물건] 나름이다 / 冗談も時[相手]に～だ 농담도 때[상대]를 가려서 해야 한다 / 買うかどうかは値段に～だ 사느냐 안 사느냐는 값에 달려 있다.

よりごのみ【より好み】《選り好み》图ス自他 ☞えりごのみ. ¶食べ物の～が激しい 음식을 몹시 가린다.

よりすが-る【寄りすがる】《寄り縋る》5自 1 바짝 붙다; 매달리다; 다랑귀 뛰다. ¶～·って泣く 매달리어 울다. 2 믿고 의지하다; 기대다. ¶子供が親に

～ 어린이가 부모에게 매달리다/神に～しかない 하느님에게 의지하는〔매달리는〕 수밖에 없다.

よりすぐ-る 〖選りすぐる〗 5他 (여러 좋은 것 중에서) 특히 좋은 것을 골라 뽑다; 엄선하다. ＝えりすぐる. ¶～·った選手 엄선한 선수.

よりそ-う【寄り添う】5自 바싹 (달라) 붙다; 다가붙다. ¶～二人 바싹 몸을 붙인 두 사람/母に～ 어머니에게 바싹 달라붙다/友達と～·って道を歩く 친구와 바싹 붙어서 길을 걷다.

よりたおし【寄り倒し】名 (씨름에서) 샅바를 맞잡은 상대를 씨름판 경계에까지 몰아붙여서 쓰러뜨리는 재간.

よりつ-く【寄り付く】5自 **1** 다가가다; 접근하다; 가까이하다. ¶～·けない 가까이〔접근〕할 수 없다/子どもが～·かない 애가 가까이하지 않다《꺼리다》. **2** (거래소에서) 그날 첫 거래가 이루어지다. ¶いきなり高値で～ 갑자기 고가로 첫거래가 이루어지다.

*__よりどころ__〖拠り所·拠〗名 **1** 근거. ¶～のないうわさ 근거없는 풍문/そう言うのには何か～でもあるのかね 그렇게 말하는 데는 무슨 근거라도 있는가. **2** 믿는〔의지하는〕 것·곳; 의지; 기반. ¶心の～とする 마음의 의지로 삼다/生活の～を失う 생활의 지주를〔기반을〕 잃다.

よりどり【より取り】《選り取り》名ス他 마음대로 고름; 골라잡기. ¶～自由 마음대로 골라잡음/～で一つ百円 골라잡아서 한 개 백 엔.

—みどり【—見取り】名 마음대로 골라잡음《'よりどり'의 힘줌말》. ¶～500円で何でもございます 5백 엔으로 무엇이든지 있으니 골라잡으세요.

よりによって 〖選りに選って〗連語 하필; 공교롭게도. ¶～大みそかに泊まり客が来る 하필(이면) 섣달 그믐날에 (묵을) 손님이 오다.

よりぬき【より抜き】《選り抜き》名 ☞「えりぬき」.

よりぬ-く【より抜く】《選り抜く》5他 골라뽑다; 뽑아내다; 선발하다. ＝えりぬく. ¶予選で～·かれたチーム 예선에서 선발된 팀.

よりみち【寄り道】名ス自 가는〔지나는〕 길에 들름; 돌아가서 다른 데 들름; 또, 돌아서 가는 길. ¶～をして友人を見舞う 가는 길에 들러서 친구를 문병하다/～して家へ帰る 다른 곳에 들렀다가 집에 돌아가다.

よりめ【寄り目】名〈俗〉모들뜨기(눈). 「＝斜視.

よりよい【よりよい·より良い】連語 한층〔더욱, 보다〕 좋은. ¶～方法 보다 좋은〔나은〕 방법/～成果を期待する 더욱 좋은 성과를 기대하다.

よりょく【余力】名 여력; 남은 힘〔역량〕; 여유. ＝ゆとり. ¶～を蓄える〔残す〕 여력을 비축하다〔남기다〕/金銭的～がない 금전적 여유가 없다.

よりより 〖寄り寄り〗副 때때로; 수시로; 이따금. ¶～相談する 수시로 모여서 의논하다/～話が出る 이따금 이야기가 나오다.

よりわ-ける【より分ける】《選り分ける》下1他 ☞えりわける.

*__よ-る__〖依る〗5自 의하다. **1** 수단으로 하다. ¶書物に～·って専門知識を広める 서적으로 전문 지식을 넓히다/武力に～解決 무력에 의한 해결. **2** 의존하다; 의지하다. ¶信仰に～·らなければ救われない 신앙에 의하지 않고서는 구원받지 못한다.

*__よ-る__〖由る〗5自 의하다; 따르다. ¶時と場合に～ 때와 경우에 따르다/辞典に～と 사전에 따르면/事情に～·り大会をとりやめる 사정에 따라 대회를 취소하다/所に～·り雨がふる 곳에 따라 비가 오다/相手の出方に～·ってはただでは済まない 상대방의 나오는 태도에 따라서는 그냥 둘 수는 없다.

*__よ-る__〖拠る〗5自 의(거)하다. **1** 근거로 하다. ¶規程に～·って処理する 규정에 따라 처리하다/法律の定めるところに～ 법률이 정하는 바에 따른다. **2** 웅거(雄據)하다. ¶城に～·って防戦する 성에 웅거하여 방어하다.

*__よ-る__【よる·因る】5自 (기)인하다; 말미암다; 원인이 되다; 의하다. ¶漏電に～火災 누전으로 인한 화재/…に～所が大きい〔大である〕 …에 기인하는 바가 크다.

__よ-る__【寄る】5自 **1 접근하다; 다가가다〔서다〕. ¶船が岸に～ 배가 해안에 다가오다/近く～·って見る 가까이 다가가서 보다/もうすこし右に～·ってください 조금 더 오른쪽으로 다가서 주십시오. **2** 들르다. ＝立ち寄る. ¶帰りに～ 돌아오는 길에 들르다/通りがけに～·ってみる 지나는 길에 들러 보다/またお～·りください 또 와 주십시오. **3** 겹치다; 많아지다. ¶しわが～ 주름이 잡히다/年が～ 나이가 들다/～年波には勝てない 드는 나이는 어쩔 수 없다. **4** 치우치다; 기울다. ¶駅から西に～·ったところに山がある 역에서 서쪽이 되는 곳에 산이 있다/彼の思想は左に～·っている 그이의 사상은 좀 좌경되어 있다. **5** 의지하다; 기대다. ¶壁によ·って休らう 벽에 기대어 쉬다. **6** (씨름에서) 상대방의 샅바를 잡고서 떠밀치다〔떠밀고 나아가다〕. ¶一直線に～ 상대방 샅바를 잡고 곧바로 떠밀치다. **7** 한 장소로 모이다. ¶親類一同が～·って相談する 친척 일동이 모여 상의하다.

—·らば大樹の陰 남에게 의지할 바에는 (재력·권력 등) 힘있는 사람에게 의지하는 것이 좋다.

—と触ると 모이기만 하면 (으레); 기회만 있으면 늘. ¶～そのうわさばかり

だ 모이기만 하면 그 소문뿐이다.

よ-る『縒る·撚る』 5他 (실·끈 따위를) 꼬다. ¶糸を～ 실을 꼬다/こよりを～ 지노를 꼬다/腹の皮を～ 뱃살을 움켜잡고 웃다.

よ-る『選る』 5他 고르다; 가리다. ¶よいものを～ 좋은 것을 고르다/種を～ 종자를 가려내다.

**よる【夜】 名 밤. ¶～になる 밤이 되다/～おそくまで 밤 늦게까지/～に乗じて 밤[야음]을 틈타(서)/～を昼にす 밤을 낮으로 삼다; 밤낮 구별없이 일하다/～と昼ほど違う 밤과 낮만큼이나 다르다/～を迎えて雪はますます降りつのった 밤이 되자 눈은 더욱 더 세차게 퍼부었다 / サイレンが～のしじまを破った 사이렌 소리가 밤의 정적을 깼다. ↔昼.

—の女 밤거리의 여인; 창녀.

—の帳 밤의 장막; 밤의 어두움. ¶～が下りる 밤이 되다.

よるひる【夜昼】 名 **1** 밤과 낮; 주야. ¶～なしの酒宴 밤낮없는 주연/～なしに働く 밤낮없이 일하다/～の別を忘れる 주야의 구별을 잊다. **2**《副詞적으로》 밤낮(없이); 늘; 끊임없이. ＝あけくれ. ¶～遊び続ける 밤낮 놀아 대다/～親を思う 늘 부모를 생각하다.

よるべ【寄る辺】 名 의지할 데[사람]; 기댈 곳. ¶～ない身 의지할 데 없는 몸; 사고무친인 몸. ⇨知るべ.

よるよなか【夜夜中】 名 야밤중; 한밤중. ＝夜ふけ·真夜中. ¶～に大声を出す 야밤중에 큰소리를 내다/～に人の家を訪問する 오밤중에 남의 집을 방문하다. ↔昼日中.

よれい【予鈴】 名 예령; (공연·조업 개시 등에 앞서 울리는) 예비 종. ¶～が鳴る 예령이 울리다. ↔本鈴.

よれよれ ダナ 옷 따위가 낡고 헐어 구겨진 모양: 구깃구깃. ¶～の着物[ネクタイ] 낡고 구깃구깃한 옷[넥타이]/～になった背広 낡고 구겨진 신사복.

よ-れる『縒れる』 下1自 **1** 꼬이다; 비틀리다; 엉클어지다. ＝よじれる·もつれる·からまる. ¶糸が～ 실이 엉키다[꼬이다]/ゴール前で足元が～ 골 앞에서 발걸음이 비틀리다/腹の皮が～ほど笑った 뱃가죽이 비틀릴 만큼 웃었다. **2** 구겨지다. ¶背広が～ 신사복이 구겨지다.

よろい『鎧』 名 갑옷. ¶～かぶとに身を固める 갑옷 투구로 무장하다.

よろいど【よろい戸】《鎧戸》 名 **1** 미늘문. **2** 말아 올릴 수 있는 쇠살문; 셔터. ¶～をおろす 셔터를 내리다[닫다].

よろく[余禄] 名〈俗〉 여록; 부수입; 가외 수입. ＝余得. ¶～が多い職務 가외 수입이 많은 직무.

よろ-ける『蹌踉ける』 下1自 허든거리다; 비틀거리다; 비슬[비치적]거리다. ＝よろめく. ¶押されて[つまずいて]～ 떠밀려[발이 걸려] 비틀거리다/酔っぱらって～ 만취하여 비틀거리다/重荷を背負って～ 무거운 짐을 짊어지고 비칠거리다.

よろこばし-い【喜ばしい】《悦ばしい》 形 경사스럽다; 기쁘다; 즐겁다. ¶～知らせ[音信] 기쁜 소식/～日だ 경사스러운 날이다/こんな～事はない 이런 기쁜 일은 없다/～限りだ 오직 기쁠 뿐이다. ↔悲しい.

よろこば-せる【喜ばせる】《悦ばせる》 下1他 기쁘게 하다; 즐겁게 하다. ¶関係者を～ 관계자를 기쁘게 하다/母を大変に～·せた出来事 어머니를 매우 기쁘게 한 일.

よろこび【喜び】《悦び》 名 **1** 기쁨. ¶～を語る 기쁨을 이야기하다/～が深い 매우 기쁘다/～をかみ締める 기쁨을 곱씹다/～にわく 기쁨으로 열광하다/まことに～に堪えません 정말(이지) 기쁘기 짝이 없습니다. ↔悲しみ. **2** 경사; 경사스럽게 여기는 마음; 또, 그 축사. ¶隣にお～がある 이웃집에 경사가 있다/～が重なる 경사가 겹치다. **3** 축하함; 또, 그 말. ¶新年のお～ 신년 축하 (인사).

よろこびいさ-む【喜び勇む】 5自 기뻐서 신바람이 나다. ¶～·んで出発する 기뻐 신바람이 나서 출발하다.

よろこ-ぶ【喜ぶ】《悦ぶ》 5他 **1 즐거워하다; 기뻐하다; 좋아하다. ¶～·ばれる贈り物 기쁨을 주는 선물/合格を～ 합격을 기뻐하다/この贈り物はだれにも～·ばれるでしょう 이 선물은 누구나 (받으면) 기뻐할 것입니다. ↔悲しむ. **2**《본디 慶ぶ로도》 경하하다; 축복하다. ¶結婚を～ 결혼을 경하하다/無事な生還を～ 무사히 살아 돌아온 것을 축복하다. **3** 달갑게[기꺼이] 받아들이다. ¶忠告を～·ばない 충고를 달갑게 여기지 않다 / 改正案を～·ばない 개정안을 달가워하지 않다.

よろこんで【喜んで】《悦んで》 副 기쁘게; 기꺼이. ¶～引き受けよう 기꺼이 떠맡겠소/人の注意を～聞く 남의 주의의 말을 기꺼이 듣다/～伺います 기꺼이 찾아뵙겠습니다/～ちょうだいします 기꺼이 받겠습니다.

*__よろし-い__『宜しい』 形 **1** 'よい'의 격식 차린 말씨: 좋다; 나쁘지 않다; 괜찮다. ㉠적절하다; 알맞다. ¶ちょうど～ 아주 적절하다; 꼭 알맞다/ご都合の～時 형편이 좋으실 때. ㉡좋다; 해도 된다. ¶帰っても～ 돌아가도 좋다/～, やりましょう 좋습니다, 해 보지요[합시다]. **2** 'よい(＝좋다)'의 공손한 말씨. ¶はいっても～·ゅうございますか 들어가도 괜찮겠습니까/この方が～と存じます 이쪽이 괜찮다고 생각합니다/ご病気はもうお～のですか 병환은 이제 좋아지셨습니까. 参考 'よい'가 적극적인 데 대해 'まあよい(＝대체로 좋다)'

라는 기분을 나타냄. ⇔いけない. **3** 소용되지 않다. ¶きょうはまだ～ 오늘은 아직 괜찮다〔필요치 않다〕.

よろしき 〖宜しき〗 連語 아주 알맞음; 적절함. ¶緩急～を得た処置 완급이 적절한 조치/指導～を得て全員合格した 적절한 지도를 받아 전원 합격했다.

***よろしく** 〖宜しく〗 副 **1** 적당히; 적절히《'よろしい'의 連用形에서》. ¶君の判断で～やってくれ 자네 판단으로 적절히 해주게. **2** 잘〔좋도록〕 부탁합니다《'よろしく願います'의 준말》. ¶どうぞ～ 잘 부탁합니다/今後とも～ 앞으로도 잘 부탁합니다/～お願いします 잘 부탁합니다. **3** …에게 잘〔안부〕 전해 주십시오; 말씀 잘 드려 주십시오《'よろしくお伝え下さい'의 준말》. ¶ほかの方にも～ 다른 분에게도 안부 전해 주십시오. **4**《뒤에 'べし·べき'를 수반해서》 마땅히; 반드시; 모름지기. ¶～勉強に励むべし 모름지기 공부에 힘써야 하느니라 / ～反省すべきだ 마땅히 반성해야 한다.

よろず 〖万〗 名 **1** 〈雅〉 만; 수가 매우 많음. ¶～の神〔人々〕 수많은 신〔사람들〕/～たび 여러 번. **2**《副詞적으로》 (무슨 일이나) 모두; 온갖; 만사; 일체. ＝すべて. ¶～秘書に任せる 만사 비서에게 맡기다/～心得ている 만사 알고 있다/～ご相談に応じます 모든 상담에 응합니다.

よろずや【よろず屋】《万屋》名 **1** 만물상; 잡화상. ¶酒屋というより～だ 술가게라기보다는 만물상이다. **2** 만물박사; 만능꾼〔선수〕. ＝なんでも屋.

よろずよ【よろず代·よろず世】《万代》名 만대; 영구; 만세.

***よろめ-く** 〖蹌踉めく〗 5自 **1** 허든거리다; 비슬거리다; 쓰러질 듯하다. ＝よろける. ¶～足取り 허든거리는 걸음걸이/酔っぱらって～ 만취하여 비틀거리다/背を押されて～ 등이 떠밀려 비틀거리다. **2** 〈俗〉 (흔들흔들) 유혹에 넘어가다; 바람(이) 나다. ¶人妻〔年下の男〕に～ 남의 아내〔연하의 남자〕에게 빠지다.

よろよろ 副 비틀비틀; 비슬비슬. ¶～(と)歩く 비틀비틀 걷다/～立ち上がる 비칠비칠 일어서다/足が～する 다리가 비틀비틀하다/つまずいて～と倒れる 발부리가 채여서 비슬거리며 넘어지다.

***よろん** [輿論] 名 여론. ¶～調査 여론 조사/～に訴える〔従う〕 여론에 호소하다〔따르다〕/～が高まる 여론이 고조되다/～を喚起させる〔顧みない〕 여론을 환기시키다〔돌아보지 않다, 무시하다〕/～に耳を傾ける 여론에 귀를 기울이다. 参考 이 말 대신 '世論·よろん'으로 흔히 쓰임.

よわ【夜わ】《夜半》名 〈雅〉 야반; 밤중. ＝よる·よなか. ¶～の月〔雨〕 한밤중의 달〔비〕/秋の～を語り明かす 가을밤을 이야기로 지새우다.

よわ【余話】名 여화; 여적(餘滴); 여록; 여담. ＝余聞·こぼれ話. ¶財界〔政界〕～ 재계〔정계〕 여화.

****よわ-い**【弱い】形 약하다; 모자라다. ¶～風 여린 바람/～者いじめ 약한 자를 괴롭힘/体〔碁〕が～ 몸〔바둑〕이 약하다/酒に～ 술에 약하다/力が～ 힘이 약하다/脳が～ 머리가 모자라다《어리석다》/うちの子は数学に～ 우리 애는 수학에 약하다/気が～ 마음이 약하다《소심하다》/女の子には～ 계집애한테는 약하다/～·きを助け強きをくじく 약자를 돕고 강자를 꺾다. ↔強い.

——·き者よ汝の名は女なり 약한 자여, 그대의 이름은 여자이니라.

よわい 〖齢〗 名 나이; 연령; 연세. ＝とし·年齢. ¶～八十 나이 팔십/～十八の春 나이 열여덟의 봄/～を重ねる 나이를 먹어가다.

よわき【弱気】名ナ 무기력함; 나약함; 곧잘 우는〔약한〕 소리를 함. ¶～な男 나약한〔무기력한〕 남자/～を出す 약한 소리를 하다; 용기를 잃다/ともすれば～になりがちだ 자칫하면 나약해지기 쉽다. ↔強気.

よわごし【弱腰】名 **1** 허리의 잘록한 부분; 옆구리; 잔허리. ¶～をけとばす 옆구리를 걷어차다/～をけられる 옆구리를 걷어채다. **2** 약한 태도; 저자세; 소극적인 태도. ¶～の外交姿勢 소극적인 외교 자세; 저자세 외교/相手は～と見て 상대자는 만만하게 보고/～になる 저자세가 되다; 소극적이 되다/そんな～ではだめだ 그런 약한 태도로써는 안 된다/～で交渉してもだめだ 저자세로 교섭을 해서도 안된다. ⇔強腰.

よわさ【弱さ】名 약함; 약한 정도. ↔強さ.

よわたり【世渡り】名ス自 처세; 세상살이. ＝世過ぎ·渡世·処世. ¶～がうまい〔へただ〕 처세가 능하다〔서투르다〕/～を始める 세상살이를 시작하다.

よわね【弱音】名 힘없는 소리; 약한 소리; 나약한 소리. ¶～を吐く 약한 소리〔못난 소리〕를 하다.

よわび【弱火】名 약한 불; 뭉근한 불. ＝とろ火. ↔強火·中火.

よわま-る【弱まる】5自 약해지다; 수그러지다. ¶風〔勢い〕が～ 바람이〔기세가〕 약해지다. ↔強まる.

よわみ【弱み】《弱味》名 취약점; 약점; 결점. ¶～がある 약점이 있다/～につけこむ 약점을 이용하다/～を見せる 약점을 보이다/人の～を握る 남의 약점을 잡다. ↔強み.

よわむし【弱虫】名 나약자; 겁쟁이《욕으로 하는 말》. ＝弱みそ. ¶なんて～だろう 원 저리도 나약할까〔못났을까〕/～

のくせに強(つよ)がる 겁쟁이 주제에 허세를 부린다.

よわ-める【弱める】下1他 약하게 하다; 약화시키다. ¶ガスの火(ひ)を～ 가스불을 약하게 하다/視力(しりょく)を～ 시력을 약화시키다. ↔強(つよ)める.

よわよわし-い【弱弱しい】形 아주 약해 보이다; 약하디 약하다; 연약[허약]하다; 가냘프다. ¶～·く見(み)える子供(こども) 연약해 보이는 아이/～体(からだ)つき 허약한 체격/やせて～ (몸이) 마르고 가냘프다/～声(こえ)で訴(うった)える〔つぶやく〕 가냘픈 목소리로 호소하다〔중얼거리다〕.

よわりき-る【弱り切る】5自 **1** 몹시 약해지다. ¶からだが～·っている 몸이 몹시 쇠약해졌다. **2** 매우 난처해지다. ＝困(こま)り抜(ぬ)く. ¶～·った顔(かお) 매우 난처해하는 표정/～·ったあげく相談(そうだん)する 아주 난처해진 끝에 의논하다.

よわりは-てる【弱り果てる】下1自 ☞ よわりきる.

よわりめ【弱り目】名 난처〔곤란〕한 때; 불운한 경우〔때〕. ¶～につけこむ 곤란해진 때를 이용하다〔기화로 삼다〕.
—に祟(たた)り目(め) 엎친 데 덮치기; 설상가상; 화불단행. ＝泣(な)き面(つら)に蜂(はち).

***よわ-る**【弱る】5自 **1** 약해지다. ¶からだが～ 몸이 쇠약해지다/視力(しりょく)〔脚(あし)〕が～ 시력〔다릿심〕이 약해지다. **2** 곤란해지다; 난처해지다. ¶処置(しょち)に～ 어떻게 조치해야 할지 모르다/金(かね)がなくて～ 돈이 없어서 곤란하게 되다/雨(あめ)に降(ふ)られて～ 비가 와서 난처하게 되다.

よん【四】名 사; 넷; 네 개. ＝よっつ. ¶～回(かい) 4회; 네 번/～番(ばん) 4번/～倍(ばい) 4배. 参考 'よ'의 음편(音便).

よんエッチクラブ【四Hクラブ】名 4에이치클럽《농촌 청소년의 생활 개선, 농업 기술 개량을 위한 운동 및 조직》.
参考 4H는 head(＝두뇌)·hand(＝근로)·heart(＝양심)·health(＝건강)의 머리글자. ▷club.

よんしゅ【四種】名 4종; '第(だい)四種郵便物(ゆうびんぶつ)(＝제4종 우편물)'의 준말.

よんじゅう【四十】名 사십; 마흔. ＝しじゅう. ¶～年(ねん) 40년.

よんだい【四大】名 사년제 대학. ¶～生(せい)〔卒(そつ)〕 4년제 대학생〔졸업〕. ↔短大(たんだい).

よんどころな-い〖拠ん所ない·拠無い〗形 부득이하다; 어쩔 수 없다; 하는 수 없다. ¶～用事(ようじ) 부득이한 볼일/～事情(じじょう)〔事由(じゆう)〕で欠席(けっせき)する 부득이한 사정으로〔사유로〕 결석하다.

よんびょうし【四拍子】名〔樂〕 4박자. ＝しびょうし.

よんりんくどう【四輪駆動】名 사륜 구동; 또, 그 자동차. ＝4(よん)WD. ¶～車(しゃ) 사륜 구동차.

よんりんしゃ【四輪車】名 사륜차. ¶小型(こがた)～ 소형 사륜차/軽(けい)～ 경사륜차.

ら ラ

1 五十音図 'ら行'의 첫째 음. [ra] 2〖字源〗'良'의 초서체《かたかな 'ラ'는 '良'의 처음 두 획》.

ラ [이 la] 名〔樂〕라. **1** 장음계의 여섯째 음. **2** 가[A]음의 이탈리아 음명.

=ら〖等〗**1**《주로 사람에 관한 体言에 붙어서》복수를 나타내는 말: 등; 들; 따위. ¶子供~ 아이들 / A氏~三人 A씨 등 세 사람 / これ~ 이것들 / わたし~には理解できない 우리들은 이해할 수 없다 / おまえ~には書けない 너희들은〔따위는〕쓸 수 없다 / きみ~の出る幕ではない 너희들이 나설 자리가 아니다. 参考 사람을 가리키는 말에 붙일 때는, 친밀 또는 낮추어 보는 느낌을 나타내는 일이 있음; 특히 제1인칭에서는 겸손의 뜻을 나타내며, 윗사람에게는 쓰지 않음. ⇨たち·など. **2** 대강의 방향·장소·사물 따위를 나타냄. ¶ここ~ 이 근처; 이 근방; 이 쯤 / そち~ 거기쯤; 그 근방 / いく~ 얼마; 어느 정도.

ら〖裸〗常用 ラ はだか | 라 벌거숭이 | 벌거벗다; 알몸. ¶裸体 나체 / 全裸 전라.

ら〖羅〗常用 ラ | 라 그물 늘어서다 | **1** 새 그물; 그물로 잡다. ¶網羅 망라. **2** 나란히 늘어놓다. ¶羅列 나열 / 羅針盤 나침반. **3** 외래어의 음역자(音譯字). ¶羅紗 나사.

ラーゲル [러 lager] 名 라게르; 포로 수용소; 강제 수용소. =ラーゲリ.

ラード [lard] 名 라드; 요리용 돼지기름.

ラーメン [중 老麵] 名 라면; 중국식 면 요리의 하나. ¶~屋 라면집 / 即席~ 즉석 라면 / バター~ 버터 라면.

ラーユ [중 辣油] 名 라유; (중국 요리에서) 식물성 기름에 고추의 매운 맛을 낸 조미료.

ラールプールラール [프 l'art pour l'art] 名 라르 푸르 라르; 예술을 위한 예술; 예술 지상주의.

らい〖癩〗名〈卑〉☞らいびょう(癩病). ¶救~事業 구라 사업.

らい【雷】名 천둥; 우레.

──のごとし 크게 명성을 떨치고 있는 형용. ¶名声~ 명성이 우레와 같다.

ライ [rye] 名〔植〕라이; 호밀. ¶~パン 호밀빵 / ~麦 라이보리; 호밀.

らい【来】□一 接頭 내…. ¶~学期 내학기 / ~年度 내년도.

□二 接尾 …래; 이래. ¶昨夜~ 어젯밤 이래 / 昨年~ 작년 이래.

らい〖来〗《來》教2 ライ くる きたる きたす | 래 오다 | **1** 오다. ¶来客 내객 / 外来 외래. ↔往. **2** 이 다음. ¶来春 내춘 / 来年 내년. ↔去.

らい〖雷〗常用 ライ かみなり いかずち | 뢰 천둥 | **1** 천둥; 우레. ¶雷鳴 천둥 / 避雷針 피뢰침. **2** 폭음을 내면서 폭발하는 무기. ¶地雷 지뢰 / 雷管 뇌관.

らい〖頼〗《賴》常用 ライ たのむ たのもしい たよる | 뢰 의뢰하다 | 의지하다. ¶信頼 신뢰 / 依頼 의뢰.

らい〖瀬〗《瀨》常用 ライ せ | 뢰 여울 | 여울; 흐름이 빠른 곳. ¶急瀬 급뢰 / 火口瀬 (분화구 안의) 화구뢰.

らい〖礼〗☞れい〖礼〗

らいい【来意】名 내의; 찾아온 뜻〔이유〕. ¶~を告げる〔聞く〕찾아온 뜻을 고하다〔묻다〕.

らいいん【来院】名 ス自 내원; 병원 등 '원(院)'이라고 불리는 곳에 옴.

らいう【雷雨】名 뇌우. ¶山中で~に出会う 산중에서 뇌우를 만나다 / はげしい~に襲われる 세찬 뇌우가 엄습해 오다.

らいうん【雷雲】名 뇌우(雷雨)·천둥·번개를 몰고 오는 구름; 적란운; 소나기구름. =かみなりぐも·積乱雲.

らいえん【来演】名 ス自 내연; 그곳에 와서 연기·연주함. ¶~を依頼する 내연을 의뢰하다 / 合唱団が~する 합창단이 내연하다.

らいえん【来援】名 ス他 내원; 와서 도움〔응원함〕. ¶~をたのむ 내원을 부탁하다 / 急報で友軍が~した 급보를 받고 우군이 내원했다.

らいおう【来往】名 ス自 내왕; 왕래. =ゆきき. ¶~が激しくなる 왕래가 잦아지다 / 盛んに~する 빈번히 왕래하다.

ライオン [lion] 名〔動〕라이온; 사자.

らいか【雷火】名 뇌화. **1** 낙뢰로 인한 화재. ¶別荘が~で焼失した 별장이 뇌화로 소실되었다. **2** 번갯불. =いなびかり·いなずま.

らいが [来駕] 名『ご~』왕림; 내방. ¶御~を請う〔乞う〕왕림하여 주시기를 청하다.

らいかい【来会】名 ス自 내회; 와서 회합에 참가함. ¶ご~のみなさま 모임에 참석하신 여러분 / ご~下さい 모임에 와 주십시오.

らいかん【来簡】《来翰》名 내한; 보내온 편지. =来書·来信.

らいかん【来館】名 ス自 내관; 영화관·도서관 따위에 옴. ¶~者 내관자.

らいかん【来観】名 ス他 내관; 와서 봄. ¶~者 내관자 / 戴冠式を~する

人(ひと) 대관식에 와서 구경하는 사람.

らいかん【雷管】图 뇌관. ¶砲弾(ほうだん)の~ 포탄의 뇌관.

らいき【来期】图 내기; 이 다음 기.

らいきゃく【来客】图 내객. ¶~中(ちゅう) 방문객이 있음 / ~用(よう)の茶(ちゃ)わん 내객용의 찻종〔밥공기〕/ ~の絶(た)え間(ま)がない 내객이 그칠 새 없다 / ご~ですね 손님이 오셨군요 / 今日(きょう)は~が多(おお)いな 오늘은 내객이 많군.

らいぎょ〖雷魚〗图〘魚〙뇌어; 가물치.

らいげき【雷撃】图ス他 뇌격; 어뢰로 적함을 공격함. ¶~機(き) 뇌격기 / 敵艦(てきかん)を~する 적함을 뇌격하다 / 駆逐艦(くちくかん)の~を受(う)ける 구축함의 뇌격을 받다.

*__らいげつ__【来月】图 내월; 다음 달. =翌月(よくげつ). ¶支払(しはら)いは~まで 지급은 내달까지. ↔先月(せんげつ).

らいこう【来校】图ス自 내교. ¶生徒(せいと)の父兄(ふけい)が~する 학생의 부형들이 내교하다.

らいこう【来航】图ス自 내항. ¶ペリ提督(ていとく)の~ 페리 제독의 내항 / 亡命者(ぼうめいしゃ)が~する 망명자가 내항하다.

らいこう【雷公】图〈俗〉뇌공; 천둥《의인화(化)한 말씨》. =かみなりさま.

らいごう【来迎】图 **1**〘佛〙내영; 임종 때에 부처나 보살이 극락정토로 맞아 들이러 옴. **2** (높은 산에서 하는) 해맞이. =御来迎(ごらいごう).

らいさん【礼参】图ス自 예참. ¶仏(ほとけ)に~する 예불하다.

らいさん【礼賛】《礼讃》图ス他 예찬. **1** 고맙게 여겨 기림. ¶先人(せんじん)の偉業(いぎょう)を~する 선인의 위업을 예찬하다. **2** 부처를 예배하여 그 공덕을 찬양함.

らいしゃ【来社】图ス自 내사. ¶~の珍客(ちんきゃく) 내사한 진객 / 二時(にじ)までに~されたい 2 시까지 내사해 주기 바랍니다.

らいしゃ【来車】图『ご~』왕가(枉駕); 왕림. =来駕(らいが). ¶御(ご)~を仰(あお)ぐ 내왕하심을 바라다.

らいしゅう【来襲】图ス自 내습. ¶敵(てき)の~ 적의 내습 / 台風(たいふう)が~する 태풍이 내습하다 / 蝗(いなご)の大群(たいぐん)が~した 메뚜기의 큰 떼가 내습하였다.

らいしゅう【来集】图ス自 모여듦. ¶各地(かくち)から~する 각지에서 모여들다.

*__らいしゅう__【来週】图 내주; 다음 주. ¶~の土曜日(どようび) 내주의 토요일. ↔今週(こんしゅう)·先週(せんしゅう)·前週(ぜんしゅう).

らいしゅん【来春】图 내춘; 내년 봄; 또, 내년 정월. =明春(みょうしゅん). ¶~卒業(そつぎょう)の予定(よてい) 내년 봄 졸업할 예정 / ~早々(そうそう)に式(しき)を挙(あ)げる 내년 봄 일찌감치 식을 올린다. ↔今春(こんしゅん)·昨春(さくしゅん). 注意 'らいはる'라고도 함.

らいしょ【来書】图 내서; 내신(來信). =来状(らいじょう). ¶友人(ゆうじん)からの~によると 친구로부터 온 편지에 따르면.

らいじょう【来場】图ス自 그 장소〔회장〕에 옴. ¶ご~の皆様(みなさま) 이곳에 오신 여러분 / 名士(めいし)が~する 명사가 회장에 오다 / 多数(たすう)の賓客(ひんきゃく)が~する 다수의 빈객이 회장에 오다.

らいしん【来信】图 내신; 내서. =来書(らいしょ). ¶友(とも)からの~ 벗으로부터 온 서신.

らいしん【来診】图ス自 내진. ¶医者(いしゃ)に~を頼(たの)む 의사에게 내진을 청하다 / 夜中(よなか)に~する 한밤중에 내진하다. 参考 환자측의 말. 의사측의 말은 '往診(おうしん)(=왕진)'.

らいじん【雷神】图 뇌신; 천둥을 일으킨다는 신.

らいしんし【頼信紙】图 전보 용지. 参考 '発信紙(はっしんし)(=전보 용지)'의 구칭.

ライス [rice] 图 라이스. **1** 밥. ¶チキン~ 치킨 라이스. **2** 쌀.

ライスカレー [일 rice+curry] 图 ☞カレー

らいせ【来世】图〘佛〙내세; 후세; 사후의 세계. =後生(ごしょう)·後世(ごせ)·来生(らいしょう). ¶~を信(しん)ずる 내세를 믿다.

ライセンス [license] 图 라이선스; 수출입 기타 대외 거래의 허가(증); 또, (운전 등의) 면허(증). ¶~を取(と)る 면허를 따다; 면허〔허가〕증을 받다.

ライター [lighter] 图 라이터. ¶ガス~ 가스 라이터 / ~でタバコに火(ひ)をつける 라이터로 담배에 불을 붙이다.

ライター [writer] 图 라이터; 저작가; 작가. ¶シナリオ~ 시나리오 작가.

ライダー [rider] 图 라이더. **1** 오토바이 등을 타는 사람. **2** 기수(騎手).

らいたく【来宅】图ス自 객이 자기 집에 내방함. ¶ご~ください 제 집에 와 주십시오 / ご~をお待(ま)ちします 저희 집에 오시기를 기다리겠습니다.

らいだん【来談】图ス自 내담. ¶ご~を請(こ)う 내담하시기를 바람 / 明日(あす)~される予定(よてい) 내일 내담하실 예정.

らいちゃく【来着】图ス自 내착; 이곳에 도착함. ¶使節団(しせつだん)が日本(にほん)に~する 사절단이 일본에 도착하다.

らいちょう【来朝】图ス自 내조; 내일; 방일. =来日(らいにち). ¶アメリカの野球団(やきゅうだん)が~する 미국 야구단이 방일하다.

らいちょう【来聴】图ス自他 내청; 들으러 옴. ¶~自由(じゆう) 내청 자유 / ~歓迎(かんげい) 내청 환영 / ご~の方方(かたがた)に申(もう)し上(あ)げます 들으러 오신 여러분께 말씀드리겠습니다.

らいちょう【雷鳥】图〘鳥〙뇌조《일본에서, 특별 천연기념물임》.

ライティング [lighting] 图 라이팅; (무대·영화 촬영 따위의) 조명.

らいてん【来店】图ス自 내점. ¶ご~のみなさま 가게에 오신 여러분.

らいでん【来電】图 내전; 입전. ¶現地(げんち)からの~で遭難(そうなん)を知(し)る 현지로부터의 입전으로 조난한 것을 알다.

らいでん【雷電】图 뇌전; 천둥과 번개.

ライト [light] 图 라이트. **1** 가벼움. ¶~ウェート 경량(급). **2** 간편함; 손쉬움. ¶~ランチ 간단한 런치 / ~オペラ 경가극(輕歌劇).

―バン [일 light+van] 图 라이트 밴《좌석 뒤에 짐을 실을 수 있도록 꾸민 소형 화객 승용차》.

ライト [light] 图 라이트. **1** 빛; 광선. ¶車の～ 자동차(의) 라이트/ヘッド～ 헤드라이트. **2** 조명. ¶～をあてる 조명을 비치다/ルーム～ 실내 조명. **3** 밝음. ¶～ブルー 밝은 하늘색.

―アップ [일 light+up] 图ス他 라이트업; 건물이나 다리 등에 야간 조명을 비추어 밤 경관을 아름답게 연출하는 일.

ライト [right] 图 라이트. **1** 오른쪽〔손〕. **2**〖野〗라이트 필드; 라이트 필더; 우익(수). ¶～フライ 라이트 플라이. **3** 보수적임; 우파. ⇔レフト.

らいどう【雷同】图ス自 뇌동; 남의 말에 덩달아 따름. ¶付和～ 부화뇌동.

ライナー [liner] 图 라이너. **1**〖野〗지면과 거의 평행으로 날아가는 타구(打球); 직구. ¶～を飛ばす 라이너를 날리다. ↔フライ. **2** 정기 화물선〔여객기〕.

らいにち【来日】图ス自 내일; 외국인이 일본에 옴. ¶～して五年 일본에 와서 5년/～中のアメリカ人 내일 중인 미국인. ↔離日.

らいにん【来任】图ス自 내임; 근무하기 위해 임지에 옴; 부임. ＝着任. ¶大使が～する 대사가 부임하다.

**らいねん【来年】图 내년; 명년. ¶～の春 내년 봄. ↔去年·昨年.

―のことを言うと鬼が笑う 내년 일을 말하면 귀신이 웃는다《장래 일은 미리 알 수 없다》.

らいはい【礼拝】图ス他〖佛〗예배; 예불. ¶本尊を～する 본존을 예불하다. 参考 기독교에서는 'れいはい' 라고 함.

―どう【―堂】图 예배소《본당 앞에 있으며 본존(本尊)을 예배하는 곳》.

ライバル [rival] 图 라이벌; 경쟁 상대《좁은 뜻으로는, 연적(戀敵)》. ¶～会社〔意識〕 라이벌 회사〔의식〕/恋の～ 연적.

らいびょう【らい病】《癩病》图 나병; 문둥병《'ハンセン病(＝한센병)'의 구칭》. ＝レプラ.

*らいひん【来賓】图 내빈. ¶～席 내빈석/～の祝辞 내빈 축사.

ライフ [life] 图 라이프. **1** 일생. **2** 생명. ¶～サイエンス 라이프 사이언스; 생명과학. 参考 흔히, 다른 말에 붙어서 '구명(救命)을 위한'의 뜻이 됨. ¶～ボート 라이프 보트; 구명정(艇). **3** 생활. ¶モダン～ 모던 라이프.

―ライン [lifeline] 图 라이프라인; 생명선(線); 특히, 도시 생활에 불가결한 전기·가스·물의 공급로나 통신·수송망.

―ワーク [life work] 图 라이프 워크; 필생의 사업; 대표작. ¶この研究は彼の～となろう 이 연구는 그의 필생의 사업이 될 것이다.

ライブ [live] 图 라이브; 실연(實演); 생(生)연주. ¶～コンサート 라이브 콘서트/～ステージ 라이브 스테이지/～レコーディング 실황 녹음〔녹화〕.

らいふく【来復】图 내복; 다시 돌아옴. ¶一陽～ 일양 내복《(a)음(陰)이 끝나고 양(陽)이 돌아옴; (b)궂은 일이 지나고 좋은 일이 돌아옴》.

ライブラリー [library] 图 라이브러리. **1** 도서관; 도서실. ¶レコード～ 레코드 라이브러리. **2** 총서(叢書); 문고. ¶英文学～ 영문학 총서. **3** 장서(藏書). **4**〖컴〗기억 매체의 파일(file)의 집합.

ライフルじゅう【ライフル銃】图 라이플총; 선조(旋條)총; 소총. ＝ライフル. ¶～を構える 라이플총을 (들고) 겨누다. ▷rifle.

らいほう【来訪】图ス自 내방. ¶～を受ける 내방을 받다/知人が～する 친지가 내방하다. ↔往訪.

らいめい【雷名】图 뇌명; 세상에 떨친 명성. ¶ご～ 유명한 귀하의 성명《남의 성명을 높여서 이르는 말》/財界に～をとどろかす 재계에 명성을 떨치다/ご～はよく存じ上げております 높은 명성은 잘 알고 있습니다.

らいめい【雷鳴】图 뇌명; 우렛소리. ¶～がとどろく 천둥이 울리다/遠く～を聞いた 멀리 우렛소리를 들었다.

らいゆう【来遊】图ス自 내유; 놀러 옴. ¶御～を待つ 내유하심을 기다리다.

ライラック [lilac] 图〖植〗라일락. ＝リラ·むらさきはしどい.

らいりん【来臨】图ス自 내림; 왕림. ¶～の栄 왕림해 주신 영광/是非～されたし 꼭 왕림해 주시기 바랍니다.

らいれき【来歴】图 내력; 경력; 유래. ¶故事～ 고사 내력/～をただす〔語る〕 내력을 캐다〔이야기하다〕.

ライン [line] 图 라인. **1** 선. ㉠열; 줄. ¶ピケ～ 피킷(picket) 라인; 피킷 감시선. ㉡수준; 레벨. ¶合格～ 합격선. **2** 항(공)로. ¶ホンコン～ 홍콩 항로.

―アップ [lineup] 图 라인업. **1** 정렬. **2**〖野〗타격순. **3** 진용. 「스.

―ダンス [일 line+dance] 图 라인 댄

ラウドスピーカー [loud speaker] 图 라우드 스피커; 확성기.

ラウンジ [lounge] 图 라운지; (호텔의) 사교실; 휴게실. ¶カクテル～ 칵테일 라운지/スカイ～ 스카이라운지.

ラウンド [round] 图 라운드. **1** 둥긂. **2** 일주(一周); 순환. **3** (권투 등의) 시합 횟수. ¶最終～ 마지막 라운드.

ラオ [말레이 Lao] 图 (담뱃대의) 설대. 注意 '羅宇'로 씀은 취음.

―かえ【―替え】图 담배설대를 갈아 댐; 또, 그것을 업으로 하는 사람.

ラオチュウ [중 老酒] 图 라오주; 노주; 찹쌀·조·수수 등으로 빚은 중국 술.

らかん【羅漢】图〖佛〗나한《阿羅漢(＝아라한)의 준말》. ¶五百～の像 5백 나한상.

らがん【裸眼】图 나안; 맨눈(의 시력).

¶～視力 맨눈의 시력.

らく【楽】㊀名ダナ **1** 편안함; 안락함; 낙. ¶～をする 편안히〔안락하게〕 지내다 / ～な姿勢 편안한 자세 / ～なくらし 편안한〔유복한〕 생활 / どうぞお～に 편안히 앉으세요〔쉬세요〕 / 生活が～になる 생활이 편해지다 / ～な気持ちで試験を受ける 편안한 마음으로 시험을 치르다. ↔苦. **2** 용이함; 쉬움. ¶～な問題 쉬운 문제 / ～にできる 쉽게 할 수 있다 / ～に勝った 쉽게 이겼다 / 一日十ページは～だ 하루 10페이지는 문제없다. ㊁名 '千秋楽(=(씨름·연극 등 흥행의) 마지막 날)'의 준말.

──あれば苦あり 낙이 있으면 고생도 있다.

らく〖絡〗常用 ラク からむ からまる | 락 잇다 | 얽혀지다; 엉키다; 얽어매다. ¶籠絡 농락 / 連絡 연락.

らく〖落〗教3 ラク おちる おとす | 락 떨어지다 | **1** 떨어지다. ¶落下 낙하 / 低落 저락. **2** 인가가 모여 있는 곳. ¶村落 촌락 / 部落 부락.

らく〖酪〗常用 ラク | 락 타락 | 우유·양젖·말젖 따위로 만든 자양 음료. ¶酪農 낙농 / 乾酪 건락; 치즈.

らく〖楽〗☞ がく〖楽〗

らくいん［烙印］名 낙인.

──を押される 낙인이 찍히다. ¶卑怯者の～ 비겁자라는 낙인이 찍히다.

らくいん［落胤］名 귀인의 사생아; 서자. ＝おとしだね·おとし子. ¶将軍の御～ 将軍의 사생아.

らくいんきょ【楽隠居】名ス自 세상사를 잊고 편안하게 삶; 또, 그런 사람《흔히, 가사를 자식에게 맡긴 노인을 가리킴》. ¶～の身 편안히 은거 생활하는 몸 / ～してのんびりと暮らす 은퇴하여 편하고 한가하게 살다.

らくえん【楽園】名 낙원. ＝楽土·パラダイス. ¶地上の～ 지상의 낙원 / 野鳥の～ 야조의 낙원.

らくがい［洛外］名 **1** 도성 밖. ¶～の名所 도성 밖의 명소. **2** 京都 시의 교외. ⇔洛内·洛中.

らくがき【落書き】名ス他 낙서. ＝いたずら書き·らくしょ. ¶壁に～する 벽에 낙서하다.

らくがん［落雁］名 볶은 보릿가루·콩가루 따위를 설탕·물엿에 반죽하여 굳혀 말린 과자; 다식.

らくご［落伍］《落後》名ス自 낙오. ¶社会〔人生〕の～者 사회〔인생〕의 낙오자 / ～する者が大勢出る 낙오하는 사람이 많이 생기다.

らくご【落語】名 만담(漫談). ＝おとしばなし. ¶～家 만담가 / ～をする 만담을 하다.

らくさ【落差】名 **1**〘理〙낙차. ¶～の大きい滝 낙차가 큰 폭포. **2** 전(轉)하여, 높낮이의 차; 격차. ¶文化〔所得〕の～ 문화〔소득〕의 격차 / 夢と現実の～ 꿈과 현실 사이의 거리 / 成績の～が大きすぎる 성적차가 너무 많이 난다.

らくさつ【落札】名ス他 낙찰. ¶～値 낙찰 가격 / 請負工事は私に～した 도급 공사는 나에게 낙찰되었다.

らくじつ【落日】名 낙일; 지는 해; 낙양(落陽). ＝いりひ. ¶冬の～は早い 겨울의 낙양은 빠르다.

らくしゅ【落手】㊀名ス他 낙수; 입수(入手); (편지 따위를) 받음. ＝落掌. ¶御手紙を～しました 편지를 받았습니다. ㊁名 횡수(横手); (장기·바둑에서의) 실수한 수; 잘못 본 수.

らくしょう【楽勝】名ス自 낙승. ¶相手が弱いから～するだろう 상대방이 약하니까 낙승할 테지 / 今度の選挙ではきっと～するよ 이번 선거에선 틀림없이 낙승할 거요. ↔辛勝.

らくじょう【落城】名ス自 낙성; 성이 함락함; 또, 흔히 설득당해서 승낙함의 비유로도 씀. ¶～の恥辱 낙성의 치욕 / 水攻めで～する 수공으로 낙성하다 / 彼女を～させる 그녀를 함락시키다.

らくせい【落成】名ス自 낙성; 준공. ＝竣工. ¶～式 낙성식 / 校舎が～した 교사가 준공되었다. ↔起工.

らくせき【落石】名ス自 낙석. ¶～事故〔注意〕 낙석 사고〔주의〕 / ～に当たる 낙석에 맞다.

らくせき【落籍】名ス他 낙적; 몸값을 치르고 기적(妓籍)에서 빼냄. ＝身請け. ¶芸者を～させて結婚する 기생을 낙적시켜 결혼하다.

らくせん【落選】名ス自 낙선. ¶～の苦杯 낙선의 고배 / わずかの差で～する 근소한 차로 낙선하다 / 応募作品が～する 응모 작품이 낙선되다. ↔当選·入選.

らくだ〖駱駝〗名〘動〙낙타. ¶～色 낙타색; 엷은 갈색 / ～のこぶ 낙타의 육봉 / ヒト〔フタ〕コブ～ 단봉〔쌍봉〕낙타.

***らくだい**【落第】名ス自 낙제. **1** 불합격; 또, 유급. ¶～点 낙제점 / ～坊主 낙제꾸러기 / ～生 낙제생; 유급생 / 辛うじて～を免れた 간신히 낙제를 면했다. **2** 부적격. ¶衛生面で～の店 위생면에서 수준 미달인 가게〔점포〕. ↔及第·合格.

らくたん【落胆】名ス自 낙담. ＝力落とし. ¶～失望する 낙담 실망하다 / 試験に落ちて～する 시험에 떨어져 낙담하다.

らくちゃく【落着】名ス自 낙착; 결말이 남. ¶紛争〔事件〕が～する 분쟁〔사건〕이 낙착되다.

らくちゅう［洛中］名 **1** 도성의 안; 장안. **2** 京都 시내. ＝洛内. ⇔洛外.

らくちょう【落丁】名 낙장(落張); 책의

빠진 책장. ¶～や乱丁 낙장이나 난장(亂帳)/この本は～がある 이 책은 낙장이 있다. ⇨乱丁.

らくちょう【落潮】名 **1** 낙조. ＝ひきしお. **2** 쇠퇴하여 감. ＝おち目. ¶～の悲しみ (인기·세력 등의) 기울어감의 서러움/勢力の～ 세력의 쇠퇴.

らくてん【楽天】名 낙천. ¶～家 낙천가. ⇨楽観. ↔厭世.

—しゅぎ【—主義】名 낙천주의. ＝オプチミズム. ¶一生を～で通した 일생을 낙천주의로 일관했다〔살았다〕. ↔厭世主義.

—てき【—的】ダナ 낙천적. ¶～な性格〔考え方〕 낙천적인 성격〔사고 방식〕. ↔厭世的.

らくど【楽土】名 낙토; 낙원. ¶～を建設する 낙토를 건설하다.

らくのう【酪農】名 낙농. ¶～家 낙농가.

らくば【落馬】名スル自 낙마. ¶～して怪我をした 낙마해서 다쳤다.

らくはく［落魄］名スル自 낙백; 낙탁; 영락. ＝零落·没落. ¶～の身 영락한 신세/～した姿をさらす 영락한 모습을 드러내다/政変で～の憂き目を見る 정변으로 낙탁의 쓰라림을 겪다. 注意 바르게는, 'らくたく'. 또, らくばく라고도 함.

らくばん【落盤】《落磐》名スル自 낙반. ¶相次ぐ～事故 잇단 낙반 사고/～の危険がある 낙반 위험이 있다.

ラグビー［←Rugby football］名 럭비.

らくめい【落命】名スル自 낙명; 목숨을 잃음. ¶飛行機〔海難〕事故で～する 비행기〔해난〕 사고로 죽다.

らくやき【楽焼き】名 **1** 손으로 성형하여 잿물을 입히지 않고 낮은 온도에서 구운 데실데실한 도기(陶器). **2** (관광지 등에서) 토기(土器)에 손님으로 하여금 그림을 그리게 한 다음, 그 자리에서 구워 내는 도자기.

らくよう［洛陽］名〔地〕**1** 낙양(중국의 고도(古都)). **2** 京都의 딴 이름.

—の紙価を高める 낙양의 지가를 올리다(책이 불티나듯 잘 팔리다).

らくよう【落葉】名スル自 낙엽. ＝おちば.

—ざい【—剤】名 고엽제(枯葉剤).

—じゅ【—樹】名 낙엽수. ＝闊葉樹. ↔常緑樹.

らくらい【落雷】名スル自 낙뢰.

らくらく【楽楽】副《흔히 '～と'의 꼴로》**1** 편(안)한 모양: 편안히. ¶～(と)二人が腰掛けられる 편안히 둘이 걸터앉을 수 있다/老後を～(と)暮らす 노후를 편안히 지내다/～(と)寝そべる 편히 누워 뒹굴다. **2** 쉬운 모양: (손)쉽게; 가볍게. ¶～(と)解ける問題 쉽게 풀 수 있는 문제/～と勝つ 쉽게 이기다/難問題を～とこなす 어려운 문제를 쉽게 처리하다.

らくるい【落涙】名スル自 낙루. ¶思わず～する 자신도 모르게 낙루하다/はらはらと～する 주르르 눈물을 흘리다/～にむせぶ 흐르는 눈물로 목메다.

ラケット［racket］名 라켓. ¶～で打つ 라켓으로 (공을) 치다.

らしい ［一］助動《形容詞型 活用; 体言 및 그에 준하는 것에, 또 動詞·形容詞 및 助動詞 'せる·させる·れる·られる·ない·たい·た·ぬ'의 終止形, 形容動詞의 語幹, 助詞의 'の' 등에 붙어서》추정·추량(推量)·완곡한 단정을 나타냄. ¶天気になる～ 날씨가 갤 듯하다/相当じょうぶ～ 꽤 튼튼한 것 같다/雨が降り始めた～ 비가 내리기 시작한 것 같다/どうやら事実～ 아무래도 사실인 것 같다/式が始まる～ 식이 시작되는 것 같다/この本はぼくの～ 이 책은 내 것인 것 같다/静か～ 조용한 것 같다/外は暑い～ 밖은 더운 모양이다/どこかへ行く～ 어딘가 가는 것 같다/あすは晴れる～ 내일은 갤 것 같다. ［二］形 앞의 말을 받아서 확실히 그 판단이 성립한다는 뜻을 나타냄. ¶きょうは, 彼は欠席かな? うん, ～ね 오늘은 그 사람 결석인가. 응, 그런 것 같애.

=らし-い《形容詞型 活用; 体言에 붙어 形容詞를 만듦》**1** …답다. ¶学生～態度 학생다운 태도/子供は子供～·くしなさい 어린이는 어린이답게 해요. **2** …인 것같이 생각되다; …인 것 같다; …느낌이 들다. ¶馬鹿～話 바보 같은 이야기/わざと～態度 꾸민 것 같은 태도/彼の力ではこれをするのがやっと～ 그의 힘으로는 이것을 하는 게 고작인 것 같다.

ラジウム［radium］名〔化〕라듐(방사성 원소의 하나. 기호 : Ra).

ラジエーター［radiator］名 라디에이터. **1** 난방기; 방열기. **2** (자동차 등의) 엔진 냉각기.

**ラジオ［radio］名 라디오. ¶～体操 라디오 체조/カー～ 카 라디오/～ドラマ 라디오 드라마/～の番組 라디오 프로(그램)/～を聞く 라디오를 듣다/～をつける〔かける〕 라디오를 켜다/～を消す〔止める〕 라디오를 끄다.

—カセット［←radio cassette recorder］名 라디오 카세트. ＝ラジカセ.

—コントロール［radio control］名 라디오 컨트롤; 무선 조종〔제어, 조작〕.

ラジカセ 名 'ラジオカセット'의 준말.

ラジカル［radical］ダナ 래디컬. **1** 근본적. ¶～な問題 근본적인 문제. **2** 급진적. ¶～な行動 과격한 행동/～な考え 급진적인 생각.

ラジコン 名 'ラジオコントロール'의 준말.

ラシャ［포 raxa］名 나사(모직물의 하나). 注意 '羅紗'로 씀은 취음.

らしゅつ【裸出】名スル自 나출; 노출. ¶～した山肌 노출된 산의 표면/岩が～している 바위가 노출되어 있다.

らしん【裸身】名 나신; 나체; 알몸. ¶～の群像 나체의 군상.

ら

らしんばん【羅針盤】图 나침반; 컴퍼스. ＝羅針儀(らしんぎ).
ラスク [rusk] 图 러스크; 달걀 흰자를 입힌 얇은 빵·카스텔라 조각을 기름에 튀긴 과자.
ラスト [last] 图 라스트; 최종; 끝; 최후. ¶～チャンス 라스트 찬스; 마지막 기회 / ～を走(はし)る 라스트를 달리다.
—シーン [last scene] 图 라스트 신. ↔ファーストシーン.
—スパート [last spurt] 图 라스트 스퍼트; 최후의 역주. ¶～をかける 마지막 역주를 하다. ↔スタートダッシュ.
らせん〖螺旋〗图 나선. **1** 나사 모양. ¶～状(じょう) 나선상 / ～階段(かいだん) 나선 계단; 나사 층층대. **2** ☞ねじ1.
らぞう【裸像】图 나상; 벌거벗은 사람의 형상. ¶～の彫刻(ちょうこく) 나신상의 조각.
らたい【裸体】图 나체; 알몸. ＝裸身(らしん)·ヌード. ¶～画(が) 나체화 / 人前(ひとまえ)に～をさらす 남 앞에 알몸을 드러내다.
らち〖埒〗图 **1** 사물의 단락·구분·한계. ¶～を踏(ふ)みはずす 범위를 벗어난 일을 하다. **2** (마장(馬場)·목장의) 울타리. ¶～を越(こ)える (a) 울타리를 넘다; (b) 법·규칙을 어기다; 도리에 반하다.
—が明(あ)かない 결말[해결]이 나지 않다; 진척이 안 되다. ¶愚痴(ぐち)を言(い)い合(あ)っていても～ 서로 푸념을 늘어놓고 있어 봤자 해결이 나지 않는다.
—もない 순서[두서]가 없다; 난잡하다; 부질없다. ¶～ことを言(い)う 종잡을 수 없는 말을 하다.
らち [拉致] 图スル他 납치. ＝らっち. ¶何者(なにもの)かに車(くるま)で～される 어떤 자에게 차로 납치되다 / 見知(みし)らぬ男(おとこ)に～される 낯선 남자에게 납치당하다.
らちがい【らち外】《埒外》图 울타리 밖; 허용된 일정 범위[한계]의 밖; 테 밖. ¶問題(もんだい)の～に置(お)く 문제 밖에 두다《문제 삼지 않다》/ 学生(がくせい)として～の行動(こうどう)だ 학생으로서 있을 수 없는 행동이다 / そのチームは優勝(ゆうしょう)の～にある 그 팀은 우승권 밖에 있다. ↔らち内(ない).
らちない【らち内】《埒内》图 울타리 안; (일정한) 범위 안; 테 안. ¶法律(ほうりつ)の～ 법률의 테두리 안. ↔らち外(がい).
らっか【落下】图スル自 낙하. ¶～する速度(そくど) 낙하하는 속도 / 垂直(すいちょく)に～する 수직으로 낙하하다.
—さん【—傘】图 낙하산. ＝パラシュート. ¶～部隊(ぶたい) 낙하산 부대.
らっか【落果】图 낙과; 열매가 떨어짐; 또, 떨어진 열매.
らっか【落花】图 낙화. ¶～流水(りゅうすい) 낙화유수 / ～の雪(ゆき)か飛雪(ひせつ)の花(はな)か 꽃이 떨어지듯이 흩날리는 눈인지, 흩날리는 눈처럼 떨어지는 꽃인지.
—せい【—生】图〔植〕낙화생; 땅콩《'ナンキンマメ'의 딴 이름》.
ラッカー [lacquer] 图 래커《섬유소·합성수지 용액에 안료를 섞은 도료》.
*らっかん【楽観】图スル他 낙관. ¶将来(しょうらい)[事態(じたい)]を～する 장래[사태]를 낙관하다 / ～は禁物(きんもつ) 낙관은 금물 / ～を許(ゆる)さない 낙관을 불허하다. ↔悲観(ひかん).
—てき【—的】ダナ 낙관적. ¶～な意見(いけん)をはく 낙관적인 의견을 토로하다 / ～な空気(くうき)が支配的(しはいてき)だ 낙관적인 분위기가 지배적이다. ↔悲観的(ひかんてき).
らっかん【落款】图 낙관. ¶～を捺(お)す 낙관을 찍다.
ラッキー [lucky] ダナ 러키; 행운. ¶～ボーイ 행운아 / ～な得点(とくてん) 행운의 득점 / ～な事(こと)には 다행하게도.
—セブン [←lucky seventh] 图〔野〕러키 세븐; 득점하기 쉬운 7회째 공격.
—ゾーン [lucky zone] 图〔野〕러키 존.
らっきゅう【落球】图スル自〔野〕낙구; 받은 공을 떨어뜨림.
らっきょう〖辣韮·薤〗图〔植〕염교; 채지(菜芝).
らっけい【落慶】图 (신사나 사찰의 신·개축 공사가) 낙성된 기쁨. ¶～式(しき) (신사·절의) 낙성식 / ～供養(くよう) 낙성 공양; 낙성을 경하해서 올리는 공양.
らっこ [아이누 rakko] 图〔動〕해달(海獺). 注意 '猟虎'·'海獺'로 씀은 취음.
ラッシュ [rush] 图 러시. **1** 돌진; 혼잡; 쇄도. **2** 광분(狂奔); 벼락 경기(景氣). ¶ゴールド～ 골드 러시. **3**〔映〕편집 전의 시사용 필름. **4** 'ラッシュアワー'의 준말. ¶～を避(さ)けて乗(の)る 러시 아워를 피해서 타다.
—アワー [rush hour] 图 러시아워. ¶朝夕(あさゆう)の～ 아침저녁의 러시아워.
らっ-する [拉する] サ変他 납치하다; 강제 연행하다. ¶市民(しみん)を～ 시민을 강제로 연행하다 / 婦女子(ふじょし)を～·し去(さ)る 부녀자를 납치해 가다.
ラッセルしゃ【ラッセル車】图 러셀차; 제설차(除雪車).
らっち【拉致】图スル他 ☞らち(拉致).
*らっぱ〖喇叭〗图 **1** 나팔. ¶～手(しゅ) 나팔수 / 起床(きしょう)～ 기상 나팔. **2** 허풍.
—を吹(ふ)く **1** 나팔을 불다. **2** 허풍떨다; 큰소리치다.
—かん【—管】图〔醫〕나팔관.
—ズボン 图 나팔 바지.
—のみ【—飲み】图スル他 병을 입에 대고 마심; 병나발. ¶ビールを～する 맥주를 병째로 마시다.
—ふき【—吹き】图 **1** 나팔을 붊; 또, 그 사람. **2** 허풍을 떪; 큰소리침; 또, 그러한 사람.
ラッピング [wrapping] 图スル他 래핑; 포장; 특히, 고객이 산 물건을 포장지로 쌈; 또, 그 포장지.
ラップ [lap] 图 랩. **1** 경주로의 한 바퀴. **2** (경영(競泳)에서) 풀의 1 왕복.
—タイム [lap time] 图 랩타임; (경주·경영 등에서의) 도중 계시(途中計時). ¶折(お)り返(かえ)し点(てん)での～を計(はか)る 반환점의 랩타임을 재다.
ラップ [wrap] 图スル他 랩; 식품 따위를

얇은 포장용 필름으로 쌈; 또, 그 필름. ¶～で包む 랩으로 싸다.

ラップトップ [laptop] 图 〔컴〕 랩톱(('ラップトップコンピューター(=랩톱 컴퓨터)'의 준말)). ⇨デスクトップ.

らつわん [辣腕] 图 민완; 놀라운 솜씨. =敏腕·すご腕. ¶～家 민완가 / ～をふるう 민완을 발휘하다; 일을 민첩하게 처리하다.

ラテン [라 Latin] 图 라틴. **1** 라틴어. **2** 라틴 민족. 注意 '羅甸'으로 쓰은 취음.

—おんがく【—音楽】 图 라틴 음악; 중남미 음악((룸바·탱고 따위)).

—ご【—語】 图 〔言〕 라틴어〔말〕.

—みんぞく【—民族】 图 라틴 민족.

らでん [螺鈿] 图 나전; 자개. ¶～細工 나전〔자개〕 세공.

らぬきことば【ら抜き言葉】 图 동사의 가능형(可能形)인 '食べられる(=먹을 수 있다)' '出られる(=나갈 수 있다)' '見られる(=볼 수 있다)' 등에서 'ら'를 뺀 '食べれる' '出れる' '見れる' 따위의 말씨를 일컬음. 参考 문법상으로는 어긋나나 현대에 와서 흔히 쓰고 있음.

らば 〖騾馬〗 图 〔動〕 노새.

ラバー [rubber] 图 러버; 고무.

—ソール [rubber sole] 图 러버솔; 고무창(을 댄 신).

らふ【裸婦】 图 나부; 벌거벗은 여자. ¶～の絵 나체 여인의 그림.

ラフ [rough] ダナ 러프; 거침; 조잡함. ¶～な感じ 거친 느낌 / ～な着こなし〔装い〕 러프한 옷차림 / ～なタッチの絵 거친 터치의 그림 / 感覚が～だ 감각이 거칠다.

ラブ [love] 图 러브. **1** 사랑; 연애. ¶プラトニック～ 플라토닉 러브 / ～チャイルド 러브 차일드; 사생아. **2** (테니스 등에서) 무득점. ¶～ゲーム 러브게임((한 편이 한 점도 따지 못한 경기)).

—コール [love call] 图 러브 콜; 사랑의 호소. ¶彼女に～を送る 그녀에게 사랑의 호소를 보내다.

—シーン [love scene] 图 〔映〕 러브신. ¶激しい～を演じる 격렬한 러브신을 연기하다.

—ホテル [일 love+hotel] 图 러브 호텔. =連れこみ宿〔ホテル〕.

—レター [love letter] 图 러브 레터; 연문; 연애 편지. =恋文. ¶～を出す 러브 레터를 보내다.

ラプソディー [rhapsody] 图 〔樂〕 랩소디; 광시곡(狂詩曲); 광상곡.

ラフティング [rafting] 图 래프팅; 급류타기. 参考 raft는 '뗏목'의 뜻.

ラベル [label] 图 라벨; 레테르. =レッテル. ¶～を貼る 라벨을 붙이다 / 品質保証の～ 품질을 보증하는 상표.

ラベンダー [lavender] 图 〔植〕 라벤더((상록 관목; 꽃은 향수의 원료)).

ラボ 图 'ラボラトリー' 'ランゲージラボラトリー'의 준말.

ラボラトリー [laboratory] 图 래버러토리; 연구실; 실험실; 제작실.

ラマきょう【—教】 图 〔宗〕 라마교((불교의 한 파)). ▷티 blama, 영 lama.

ラマダン [Ramadan] 图 라마단; 이슬람교에서, 단식과 재계(齋戒)를 하는 달((이슬람력의 아홉 번째 달로, 신도들은 이 기간에 일출에서 일몰까지 단식하며, 성행위 등을 금함)).

ラミネート [laminate] 图 래미네이트; 합판으로 만드는 일; 얇은 판이나 플라스틱 막을 씌우는 일; 또, 그러한 적층(積層) 가공품. ¶～加工された札 래미네이트 가공을 한 표찰.

—スキー [←laminated ski] 图 래미네이트 스키; 합판(제의) 스키((몇 가지 재질이 다른 판자를 합판해서 만든 스키)).

ラム [lamb] 图 램; 어린 양(의 털이나 고기). ¶～ステーキ 램스테이크.

ラム [rum] 图 럼; 럼주(酒).

ラムネ [←lemonade] 图 레모네이드; 탄산수에 시럽·향료 등을 가미한 청량 음료의 하나.

ラリー [rally] 图 랠리. **1** (테니스·배구 따위에서) 서로 계속 공을 쳐넘기기. ¶激しい～の応酬 격렬한 랠리의 응수 / ～が続く 랠리가 계속되다. **2** (자동차·오토바이의) 내구(耐久) 경주 대회.

られつ【羅列】 图 ス他自 나열. ¶美辞麗句を～する 미사여구를 나열하다 / 肩書きを～する 직함을 나열하다 / 単なる文字の～にすぎない 단순한 문자의 나열에 불과하다.

られる 助動 《下一段型활용; 五段 이외의 動詞와 'せる' 'させる'의 未然形에 붙음》 ☞れる.

ラワン [말레이 lauan] 图 〔植〕 라완; 나왕(羅王)((가구·건축재로 널리 쓰임)).

らん【乱】 图 난; 난리; 난동. =内乱. ¶～を起こす 난을 일으키다 / 治にいて～を忘れず 편안한 때에 오히려 난세를 잊지 않다 / ～に及ばず 난리에까지 이르지 않다.

らん【卵】 图 난. **1** 난자; 알. ¶受精後の～ 수정 후의 난. **2** 《接尾詞적으로》 …란. ¶受精～ 수정란.

***らん【欄】** 图 **1** 난간. =てすり·欄干. ¶～による〔もたれる〕 난간에 의지하다〔기대다〕. **2** (신문·잡지의) 난; 칼럼((接尾詞적으로도 씀)). ¶読者の～ 독자란 / 解答～ 해답란 / 所定の～に記入せよ 소정란에 기입하라.

らん 〖蘭〗 图 〔植〕 난; 난초.

ラン [run] 图 런. **1** 뜀; 달림. ¶オーバー～ 오버런. **2** 홍행이 계속됨. ¶ロング～ 롱런; 장기 홍행. **3** 〔野〕 득점; 주자. ¶ツー～ホーマー 투런 호머.

—フラットタイヤ [runflat tire] 图 런플랫 타이어; 펑크가 나도 일정거리를 무난히 달릴 수 있는 구조의 타이어.

らん 〖乱〗((亂)) 教6 ラン みだれる みだす

란 어지럽다 | 1 어지럽다; 어지럽히다. ¶乱立(らんりつ) 난립 / 淫乱(いんらん) 음란. 2 전쟁; 내란. ¶戦乱(せんらん) 전란.

らん〖卵〗教6 ラン たまご | 란 알 | 알; 난자(卵子). ¶鶏卵(けいらん) 계란 / 卵巣(らんそう) 난소.

らん〖覧〗《覽》教6 ラン みる | 람 보다 | 넓게 보다; 잘 보다. ¶遊覧(ゆうらん) 유람 / 観覧(かんらん) 관람.

らん〖濫〗常用 ラン みだり | 람 넘치다 | 1 물이 넘쳐 흐르다. ¶氾濫(はんらん) 범람. 2 문란하다; 함부로. ¶濫用(らんよう) 남용 / 濫獲(らんかく) 남획.

らん〖欄〗《欄》常用 ラン てすり | 란 난간 | 1 난간. ¶欄干(らんかん) 난간. 2 난; 지면(紙面)에서 칸을 막은 부분. ¶欄外(らんがい) 난외 / 家庭欄(かていらん) 가정란.

らんうん【乱雲】名 난운. 1 어지러이 뒤섞여 떠도는 구름. ¶～みだれ飛(と)ぶ 난운이 어지러이 흩어져 떠돌다. 2〖氣〗'乱層雲(らんそううん)'의 구칭.

らんおう【卵黄】名〖生〗난황; (알의) 노른자위. ＝黄身(きみ). ↔卵白(らんぱく).

らんがい【欄外】名 난외. ¶～に注(ちゅう)を書(か)き入(い)れる 난외에 주를 써 넣다.

らんかいはつ【乱開発】名ス他 난개발; 환경 등을 고려하지 않고 함부로 개발하는 일.

らんかく【乱獲·濫獲】名ス他 남획. ¶野鳥(やちょう)を～する 들새를 남획하다 / ～を禁(きん)ずる 남획을 금하다 / ～による絶滅(ぜつめつ)を防(ふせ)ぐ 남획에 따른 절멸을 방지하다. 参考 '함부로 …하다'란 뜻의 말에서는, '乱·濫' 둘 다 쓰나 '乱'이 더 일반적임.

らんがく[蘭学]名 江戸(えど) 시대 중기 이후에 네덜란드어(語)의 서적을 통해서 서양 학술을 연구하던 학문.

らんかん【卵管】名〖生〗난관; 수란관(輸卵管). ¶～炎(えん) 난관염 / ～妊娠(にんしん) 난관 임신.

らんかん【欄干】名 난간. ＝てすり. ¶～にもたれる 난간에 기대다.

らんぎゃく【乱逆】名 반역; 모반. ¶～の輩(やから) 반역의 무리.

らんぎょう【乱行】名 난행; 음행; 행패. ＝不行跡(ふぎょうせき). ¶酒(さけ)を飲(の)んで～にまで及(およ)ぶ 술을 마시고 행패까지 부리다 / ちと～が過(す)ぎる 난행이 좀 지나치다.

らんぎり【乱切り】名 (요리에서) 난도질. ¶にんじんを～にする 당근을 난도질하다 / ～にした野菜(やさい)を煮込(にこ)む 마구 썬 야채를 푹 끓이다.

らんきりゅう【乱気流】名〖氣〗난기류.

ランキング[ranking]名 랭킹; 순위; 등급. ¶世界(せかい)～第一位(だいいちい) 세계 랭킹 제1위 / 月間(げっかん)売(う)り上(あ)げ～ 월간 매출 랭킹 / ～を決(き)める 랭킹을 정하다.

ランク[rank]名ス他 랭크; 순위를 정함; 순위대로 늘어놓음. ¶上(うえ)の～ 상위 랭크 / 第三位(だいさんい)に～される 제3위에 랭크되다 / ～をつける[落(お)とす] 순위를 매기다[떨어뜨리다].

らんぐい【乱ぐい】《乱杙·乱杭》名 난잡하게 박은 말뚝.

—ば【—歯】名 가지런하지 못한 치열.

らんくつ【乱掘·濫掘】名ス他 난굴; 마구 채굴함; 함부로 파헤침. ¶古墳(こふん)の～ 고분의 난굴 / 石炭(せきたん)を～する 석탄을 마구 채굴하다 / ～がたたる 난굴로 인해 재앙을 입다.

らんぐん【乱軍】名 난전(亂戰); 혼전. ¶～の中(なか)で戦死(せんし)する 혼전 속에서 전사하다.

らんけい【卵形】名 난형; 달걀 모양.

ランゲージラボラトリー[language laboratory]名 랭귀지 래버러토리; 어학 실험실《약칭: LL》. ＝ラボ.

らんこう【乱交】名 난교; 혼음(混淫). ¶～パーティー 혼음 파티.

らんこうげ【乱高下】名ス自 시세나 물가가 상하로 심하게 변동함. ＝乱調子(らんちょうし). ¶株価(かぶか)が～している 주가가 심하게 출렁이고 있다.

らんさく【乱作·濫作】名ス他 남작; 함부로 만들어냄. ¶～で評価(ひょうか)を落(お)とす 남작으로 평가를 떨어뜨리다 / 愚劣(ぐれつ)な映画(えいが)を～する 시시한 영화를 남작하다. ⇨多作(たさく).

*__らんざつ__【乱雑】名ナ 난잡. ¶～な部屋(へや) 난잡하게 어질러진 방 / ～な行動(こうどう) 난잡한 행동 / ～に押(お)し込(こ)む 아무렇게나 밀어넣다[쑤셔 넣다] / 机(つくえ)の上(うえ)が～だ 책상 위가 난잡하다.

らんし【乱視】名〖生〗난시. ¶～用(よう)のめがね 난시용 안경.

らんし【卵子】名〖生〗난자. ＝卵(らん)·卵細胞(らんさいぼう). ↔精子(せいし).

ランジェリー[프 lingerie]名 란제리; 여성의 양장용 속옷.

らんししょく[藍紫色]名 남자색; 남색을 띤 보라색.

らんしゃ【乱射】名ス他 난사. ¶ピストルを～する 권총을 난사하다.

らんじゅく[爛熟]名ス自 난숙. ¶～した文化(ぶんか) 난숙한 문화 / 桃(もも)が～する 복숭아가 무르익다.

らんしょ[蘭書]名 네덜란드 서적.

らんしょう[濫觴]名 남상; 시초; 기원. ＝始(はじ)まり·源(みなもと). ¶郵便(ゆうびん)制度(せいど)の～ 우편 제도의 남상 / 近代詩(きんだいし)の～をそこに見(み)る 근대시의 기원을 거기에서 보다. ⇨こうし(嚆矢).

らんしん【乱心】名ス自 미침; 발광. ¶～者(もの) 미친 사람.

らんしんぞくし【乱臣賊子】名 난신적자.

らんすうひょう【乱数表】名 난수표. ¶～を引(ひ)く 난수표를 찾다.

らんせい【卵生】名ス自〖生〗난생; 알을 낳아 새끼를 깜. ¶～の動物(どうぶつ) 난생 동물. ↔胎生(たいせい).

らんせい【乱世】名 난세. ¶～の雄(ゆう) 난세의 영웅 / ～を生(い)き抜(ぬ)く 난세를 살

아나가다. ↔治世(ちせい).

らんせん【乱戦】名 난전. **1** 혼전. =乱軍(らんぐん). ¶立候補者(りっこうほしゃ)多数(たすう)で~模様(もよう)となる 입후보자가 다수여서 혼전 양상을 띠게 되다. ⇨乱闘(らんとう). **2** 승부가 쉽게 나지 않는 싸움. ¶試合(しあい)は~模様(もよう)だ 시합은 난전 양상을 보이고 있다.

らんそう【卵巣】名〔生〕난소. ¶~嚢腫(のうしゅ) 난소 낭종/~ホルモン 난소 호르몬.

らんぞう【乱造·濫造】名ス他 남조; 남제. =乱製(らんせい). ¶粗製(そせい)~ 조제 남조/商品(しょうひん)を~する 상품을 남조하다.

らんそううん【乱層雲】名〔氣〕난층운; 비구름. =あまぐも·乱雲(らんうん).

らんだ【乱打】名ス他 난타. **1** 마구 때림. ¶警鐘(けいしょう)を~する 경종을 난타하다《세차게 세상에 경고하다》. **2**〔野〕상대 투수를 계속 녹아웃시킴. ¶~戦(せん) 난타전/ピッチャーを~する 투수를 난타하다.

らんだ[懶惰] ダナ 나타; 나태. ¶~な性質(せいしつ) 나태한 성질/~な生活(せいかつ)を送(おく)った報(むく)いに 나태한 생활을 보낸 응보로. 注意 'らいだ'로 읽음은 잘못.

らんたいせい【卵胎生】名〔生〕난태생.

ランダム[random] 名ナ 랜덤. **1** 무작위. ¶~な配列(はいれつ) 무작위한 배열/~に抽出(ちゅうしゅつ)する 무작위로 추출하다. **2** 'ランダムサンプリング'의 준말.

—サンプリング[random sampling] 名 랜덤 샘플링; 임의 추출법; 무작위(無作爲) 추출(법).

ランタン[lantern] 名 랜턴; 각등(角燈). =ランターン. ¶赤(あか)い~ 붉은 랜턴.

ランチ[launch] 名 론치; 작은 증기선.

ランチ[lunch] 名 런치. **1** 점심 식사. ¶~タイム 런치 타임; 점심시간. **2** 간단한 서양 정식. ¶お子様(こさま)~ 어린이 런치; 어린이용 정식.

らんちきさわぎ【らんちき騒ぎ】《乱痴気騒ぎ》名 (술을 마신다든가 해서) 야단법석을 떠는 일. =どんちゃん騒ぎ. ¶~をする (만취되거나 하여) 야단법석을 떨다.

らんちょう【乱丁】名 난장; 책의 페이지가 뒤섞여 있는 일. ¶~の本(ほん) 페이지 순서가 뒤바뀐 책. ⇨落丁(らくちょう).

らんちょう【乱調】名 난조. **1** 흐트러진 가락; 또, 그런 형편. ¶~音(おん) 불협화음/~を来(きた)す 가락이[상태가] 흐트러지다/投手(とうしゅ)が急(きゅう)に~になる 투수가 갑자기 난조에 빠지다. **2**〔經〕시세 변동이 심함.

ランチョンマット[일 luncheon+mat] 名 런천 매트; 식탁에 (각자의) 접시나 나이프·포크 등을 놓기 위해 쓰는 작은 깔개. *영어로는 place mat.

ランディング[landing] 名 랜딩. **1** 비행기의 착륙. **2** 착지(着地).

ランデブー[프 rendez-vous] 名ス自 랑데부. **1** 밀회. =あいびき. **2** 우주 공간에서, 우주선끼리 의도적으로 만나는 일. ¶宇宙(うちゅう)空間(くうかん)で~する 우주 공간에서 랑데부하다.

らんとう【乱闘】名ス自 난투. ¶~の場面(ばめん) 난투 장면/~事件(じけん) 난투 사건/場外(じょうがい)で~する 장외에서 난투하다/~を演(えん)ずる 난투를 벌이다.

らんどく【乱読·濫読】名ス他 남독; 닥치는 대로 책을 읽음. ¶小説(しょうせつ)を~する 소설을 남독하다. ↔精読(せいどく).

ランドセル[←네 ransel] 名 란도셀; 등에 매는 초등학생용 책가방. ¶~を背負(せお)った子供(こども) 책가방을 멘 아이.

ランドマーク[landmark] 名 랜드마크. **1** 경계표(標). **2** (안표나 상징이 되는) 육상 표지물; 역사적 건조물.

らんどり【乱取り】名 (유도에서) 자유 대련《각자가 자유로이 연습함》.

ランドリー[laundry] 名 론드리; 세탁소. ⇨コインランドリー.

ランナー[runner] 名 러너; 주자. ¶短距離(たんきょり)~ 단거리 주자/マラソン~ 마라톤 주자/一塁(いちるい)~ 1루 주자.

らんにゅう【乱入·濫入】名ス自 난입. ¶~してくる 난입하여 오다/賊(ぞく)が~する 도둑이 난입하다/暴徒(ぼうと)が屋内(おくない)に~する 폭도가 옥내로 난입하다.

ランニング[running] 名 러닝. **1** 경주; 달리기. ¶~で体(からだ)を鍛(きた)える 달리기로 몸을 단련하다. **2** 'ランニングシャツ'의 준말. ¶~一枚(いちまい)になって働(はたら)く 러닝셔츠 바람으로 일하다.

—シャツ[일 running+shirt] 名 러닝셔츠. *영어로는 running vest.

らんばい【乱売】名ス他 투매; 덤핑; 싸구려로 팖. =投(な)げ売(う)り. ¶~競争(きょうそう)〔合戦(がっせん)〕 투매 경쟁/店(みせ)じまいの大(だい)~ 폐점 염가 대매출/見切(みき)り品(ひん)を~する 덤핑 물품을 투매하다.

らんぱい【乱杯】名 연회 등에서 어지러이 술잔을 주고받음.

らんぱく【卵白】名 난백; 흰자위. ↔卵黄(らんおう).

らんばつ【乱伐·濫伐】名ス他 남벌. ¶~を禁(きん)ずる 남벌을 금하다/森林(しんりん)を~する 삼림을 남벌하다/~が水害(すいがい)を招(まね)く 남벌이 수해를 초래한다.

らんぱつ【乱発·濫発】名ス他 **1** 난발. ㉠(총을) 마구 쏨; 난사. =乱射(らんしゃ). ㉡(어음 등의) 남발. ¶紙幣(しへい)の~ 지폐의 남발/手形(てがた)を~する 어음을 남발하다. **2** (말을) 함부로 내뱉음; 또, 어떤 일을 함부로 일으킴. ¶野次(やじ)を~する 함부로 야유를 해대다/ストを~する 파업을 마구 일으키다.

らんはんしゃ【乱反射】名ス自〔理〕난반사. ¶光線(こうせん)の~ 광선의 난반사.

らんぴ【乱費·濫費】名ス他 남비; 낭비. =むだづかい. ¶水(みず)の~ 물의 낭비/公金(こうきん)を~する 공금을 낭비하다.

らんぴつ【乱筆】名 난필. **1** 난잡하게 쓴 필적. **2** 자기 필적의 겸칭. ¶~ごめん下(くだ)さい 난필을 용서해 주십시오/~乱文(らんぶん)よろしくご判読(はんどく)のほどを 난필 난문을 탓하지 마시옵고 잘 판독하여 주시기를 바랍니다.

らんぶ【乱舞】图ス自 난무. ¶狂喜～する 광희난무하다.

ランプ [lamp] 图 램프. **1** 남포(등). ¶安全～ 안전 남포/～をともす〔つける〕 램프를 켜다/～のしんを出す 램프 심지를 돋우다. **2** 전등. ¶～シェード 램프 셰이드; 전등갓.

ランプ [ramp] 图 램프(웨이); (고속도로 등에 진입하기 위한) 접속용 경사로. ＝ランプウェー.

らんぶん【乱文】图 난문. **1** 난잡하게 쓴 문장; 뜻을 알 수 없는 글. **2** 자기 글의 겸칭. ⇨乱筆.

らんぺき [藍碧] 图 남벽; 짙은 푸른 빛. ＝あおみどり.

らんぼう【乱暴】난폭. 一图ダナ **1 앞뒤 생각 없이 충동적으로 하는 모양. ¶金を～に使う 돈을 마구〔헤피〕 쓰다/ドアを～に閉める 문을 거칠게 닫다. **2** 언동이 거칠어 호감을 못 사는 모양. ¶～者 난폭자/～にふるまう 난폭하게 행동하다/～な計画 무모한 계획/～な言葉づかい 거친〔무례한〕 말씨/～なことを言う 난폭한 말을 하다/～(なこと)をする 난폭〔무례〕한 짓을 하다. ↔丁寧. 二图ス自 완력을 휘둘러 폐를 끼침. ¶～を働く 난동을 부리다; 폭력을 휘두르다.

らんま【乱麻】图 난마. ¶快刀～を断つ 쾌도로 난마를 자르다《복잡한 일을 시원스럽게 잘 처리하다》.

らんま【欄間】图〔建〕 일본 건축에서, 상인방(上引枋)과 천장과의 사이에 통풍과 채광을 위하여 교창(交窓) 따위를 붙여 놓은 부분.

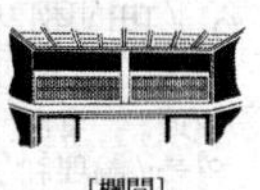
[欄間]

らんまん〖爛漫〗トタル 난만. **1** 꽃이 만발한 모양. ¶百花～ 백화난만/春,～のさくら花 봄, 만발한 벚꽃/～と咲きほこる (꽃이) 흐드러지게 피다. **2** 밝게 빛나는 모양. ¶天真～ 천진난만/～としてふりそそぐ日の光 눈부시게 내리쬐는 햇빛.

らんみゃく【乱脈】ダナ 난맥; (질서 등이) 엉망임. ¶～経営 난맥 경영/～な経理 엉망인 경리/会計が～をきわめる 회계가 엉망진창이다.

*__らんよう__【乱用·濫用】图ス他 남용. ¶職権～ 직권 남용/薬を～する 약을 남용하다.

らんらん〖爛爛〗トタル 형형; 반짝반짝 빛나는 모양. ¶～たる眼光 형형한 안광/～と目を光らせる 반짝반짝 눈을 빛내다.

らんりつ【乱立·濫立】图ス自 난립. ¶スーパーの～ 슈퍼마켓의 난립/候補者の～を防ぐ 후보자의 난립을 막다/道路に沿って看板が～する 도로를 따라 간판이 난립하다.

らんる [襤褸] 图 남루; 누더기; 넝마. ＝ぼろ·つづれ. ¶身に～をまとう 몸에 누더기를 걸치다.

り リ

[ri] **1** 五十音図 'ら行'의 둘째 음. **2**〖字源〗'利'의 초서체《かたかな 'リ'는 '利'의 오른쪽》.

り【利】图 **1** 유리; 이로움. ¶地の～を占める 유리한 지점을 차지하다/時, ～あらず 때가 나쁘다. **2** 벌이; 이문; 이익. ¶漁夫の～ 어부지리/～をあげる 이익을 내다/～にさとい 잇속에 밝다. ⇔害. **3** 이자. ¶～が～を生む 이자가 이자를 낳다. **4** 우세. ¶戦い～あらず 전세가 불리하다.

―に走る 이익만을 추구하다.

―を食う (원금에) 이자가 붙다.

り【里】图 옛날, 거리의 단위《一里는 약 3.9km로, 한국 이수(里數)로는 약 10리》. ¶半～も歩いた 5리나 걸었다.

り【理】图 **1** 법칙; 원리. ¶自然の～ 자연의 법칙/不滅の～ 불멸의 법칙. **2** 이유; 이치; 도리. ¶～にかなう 이치에 맞다/盗人にも三分の～ 도둑에게도 서 푼의 이유(가 있다).

―が非でも 누가 뭐래도; 무슨 수를 써서라도.

―に落ちる 말이 이론에 치우치다; 이치만 따지다. ¶彼の話は理に落ちて退屈だ 그의 이야기는 이론에 치우쳐 지루하다.

＝り〖人〗 사람 수를 나타내는 말. ¶ひと～ 한 사람/ふた～ 두 사람. 參考 셋 이상의 경우에는 'たり'가 됨. ¶みたり 세 사람/よったり 네 사람.

＝り【裏】《裡》…리에; …한 가운데. ¶暗暗～に 암암리에/盛況～に終了した 성황리에 종료했다.

り〖吏〗常 リ | 리 벼슬아치 | 관리. ¶吏員 이원/官吏 관리/吏道 이도.

り〖利〗常 リ きく とし | 리 날카롭다 | **1** 잘 들다; 날카롭다. ¶利器 이기/鋭利 예리. ↔鈍. **2** 소용되다; 이롭다. ¶利用 이용/福利 복리/便利 편리. **3** 이자; 벌이. ¶利子 이자/暴利 폭리.

り〖里〗教2 リ さと | 리 마을 | **1** 사람이 모여 사는 곳; 마을. ¶里人 촌사람/郷里 향리. **2** 이정(里程); 또, 이정을 나타내는 단위. ¶里程標 이정표/一瀉千里 일사천리.

り〚理〛教2 リ おさめる おさまる ことわり | 리 다스리다 | 1 다스리다; 수습하다. ¶理事 이사/整理 정리. 2 이치; 도리. ¶理論 이론/論理 논리.

り〚痢〛常用 リ | 리 설사 | 설사. ¶赤痢 적리/下痢 설사/疫痢 역리.

り〚裏〛教6 リ うら うち | 리 안 | 1 의복의 안; 안쪽; 속. ¶裏面 이면/表裏 표리. ↔表. 2 사물이 경과하는 사이. ¶暗暗裏 암암리.

り〚履〛常用 リ くつ はく ふむ | 리 신 | 1 신발; 또, 신을 신다. ¶木履 목리; 나막신/弊履 폐리. 2 (실)행하다. ¶履行 이행. 3 경험하다. ¶履歴 이력.

り〚離〛常用 リ はなれる はなす | 리 떨어지다 | 1 흩어지다; 떨어지다. ¶離散 이산/分離 분리. 2 헤어지다. ¶離婚 이혼/別離 별리.

リアカー 名 ☞リヤカー.

リアクション [reaction] 名 리액션; 반동; 반응; 저항. ¶～が大きい 반동이 크다/～が早い 반응이 빠르다.

りあげ【利上げ】名スル自 이자 인상; 금리 인상. ↔利下げ.

リアシート [rear seat] 名 리어 시트; 자동차의 뒷좌석.

リアスしきかいがん【リアス式海岸】名〔地〕리아스식 해안. ▷ス rias.

リアドライブ [rear drive] 名 리어 드라이브; 자동차의 후륜(後輪) 구동(방식). ↔フロントドライブ.

リアリスト [realist] 名 리얼리스트; 현실주의자; 실재론자. ↔ロマンチスト.

リアリズム [realism] 名 리얼리즘; 현실주의.

リアリティー [reality] 名 리얼리티. 1 현실성; 현실감. ¶～にみちた作品 현실감이 넘치는 작품. 2 박진성; 진실미.

リアル [real] ダナ 리얼. 1 현실적. 2 사실적. ¶～な描写 사실적인 묘사/～に描く 사실적으로 묘사하다.

―タイム [real time] 名 리얼 타임. 1 실시간. 2 ☞リアルタイムしょり.

―タイムしょり【―タイム処理】名〔컴〕리얼타임 처리; 실시간〔즉시〕 처리. ↔バッチ処理.

リーガルエイド [legal aid] 名 리걸 에이드; (빈곤자에 대한) 법률 구조.

リーグ [league] 名 리그; 연맹. ¶セントラル～ 센트럴 리그《일본 프로 야구의 양대 리그 중의 하나》.

―せん【―戦】名 리그전. ¶六大学～ (東京에 있는 早稲田 등) 6대학 (야구) 리그전. ↔トーナメント.

リース [lease] 名スル他 리스; (기계·설비 등의) 장기간의 임대차. ¶～産業 리스 산업/～料金 임대료/機械を～する 기계를 리스하다. ⇨レンタル.

リーズナブル [reasonable] ダナ 리즈너블. 1 이치에 맞고 타당함. ¶～な対応 타당한 대응. 2 (가격 등이) 적당함. ¶～なホテル 묵기에 적당한 호텔.

リーダー [leader] 名 1 리더; 지도자. ¶クラブ活動の～ 클럽 활동의 리더. 2 〔印〕점선. ¶三点～ 3점 리더《…》.

―シップ [leadership] 名 리더십. 1 지휘권; 주도권. ¶～をとる 주도권을 잡다. 2 지도력; 통솔력. ¶～に欠ける 리더십이 없다/すぐれた～を発揮する 뛰어난 리더십을 발휘하다.

リーダー [reader] 名 리더; 독본. ¶英語の～を暗誦する 영어 독본을 암송하다.

リーチ [reach] 名 리치; (권투 등에서) 상대까지 닿는 팔의 길이. ¶～が長い 리치가 길다.

リーディング [reading] 名 리딩. 1 (주로 영어의) 읽기. 2 독서. ¶～ルーム 독서실.

リード [lead] 名スル自他 리드. 1 지도; 선도(先導). ¶～のしかたが上手だ 지도 방법이 좋다. ¶部員をうまく～する 부원을 잘 리드한다. 2 (경기 등에서) 선두에 섬; 상대방보다 득점이 많음. ¶五メートル～する 5m 앞서다/三点～する 3점 리드하다〔앞서다〕. 3 〔野〕러너가 베이스에서 떨어져 섬. ¶大きく～を取る 리드를 크게 잡다.

―ボーカル [←lead vocalist] 名 리드 보컬; 록 밴드 등의 중심 가수. ＝リードボーカリスト.

リーフレット [leaflet] 名 리플릿; 한 장짜리의 선전〔안내〕용 인쇄물. ＝ちらし. ¶～を配る 전단을 도르다.

リール [reel] 名 릴. 1 낚싯줄·녹음 테이프·필름 따위를 감는 둥근 얼레. 2 영화 필름의 한 권.

りーん 副 전화가 울리는 소리 : 따르릉. ¶電話が～と鳴った 전화가 따르릉 울렸다.

りうり【利売り】名スル他 이익이 났을 때 팖.

**りえき【利益】名 이익; 쓸모가 있음. ¶～金 이익금/お互いの～を図る 서로의 이익을 도모하다/～を得る〔上げる〕 이익을 얻다〔올리다〕/～がうすい商い 이익이 박한 장사/知っておけばなんらかの～になる 알아 두면 무엇인가 도움이 된다. ↔損失.

りえん【離縁】名スル他 이연; 부부 또는 양자의 인연을 끊음; 절연. ¶養子を～する 양자의 인연을 끊다.

―じょう【―状】名 절연장; 이혼장. ＝去り状·みくだり半.

りおち【利落ち】名〔商〕이자락(落). ↔利付き.

りか [李下] 名『～に冠を整さず』이하부정관(李下不整冠)《남에게서 의심받을 짓을 말라는 말》. ＝李下の冠.

*りか【理科】名 이과. ¶～に進学する

(대학의) 이과에 진학하다. ↔文科.

**りかい【理解】图ス他 이해. ¶～力 이해력 / ～のある親 이해심 있는 부모 / ～が早い〔浅い〕 이해가 빠르다〔부족하다〕 / 相互の～を深める 상호간의 이해를 깊게 하다 / ～に苦しむ 이해하기가 어렵다〔힘들다〕 / ～を求める 이해를 구하다 / 内容をただしく～する 내용을 올바르게 이해하다.

*りがい【利害】图 이해. ¶～得失を量る 이해득실을 저울질하다 / ～が相反する 이해가 상반하다.

—かんけい【—関係】图 이해관계. ¶～で結ばれた間柄 이해관계로 맺어진 사이 / ～のからんだ事件 이해관계가 얽힌 사건.

りかがく【理化学】图 이화학; 물리학과 화학. ¶～系統 이화학 계통.

りがく【理学】图 이학; 자연 과학; 특히, 물리학. ¶～部 이학부 / ～博士 이학 박사.

りかん［罹患］图ス自 이환. ＝罹病. ¶～率 이환율 / 伝染病に～する 전염병에 걸리다.

りかん【離間】图ス他 이간. ¶～策 이간책 / ～をはかる 이간질하다.

りき【力】㊀图 힘; 기운; 체력. ＝ちから. ¶～が有る 힘이 있다〔장사다〕 / ～をつける 힘〔기운〕을 돋우다 / ～のちがいだ 힘의 차이다. ㊁接尾 힘의 양을 나타냄. ¶十人～ 열 사람 몫의 힘.

りき『力』☞りょく『力』

りき【利器】图 이기. 1 잘 드는 칼; 예리한 무기. 2 쓸모있는 편리한 기계. ¶文明の～ 문명의 이기. ⇔鈍器.

りきえい【力泳】图ス自 역영; 힘을 다해서 헤엄침.

りきえん【力演】图ス自 열연. ＝熱演. ¶オセロを～する 오셀로를 열연하다.

りきがく【力学】图〔理〕역학《비유적으로도 씀》. ¶～的に 역학적으로 / 政治の～ 정치에 작용하는 힘.

りきかん【力感】图 힘찬 느낌; 역동감. ¶～あふれる演技 힘이 넘쳐 흐르는 연기.

りきさく【力作】图 역작. ¶～を発表する 역작을 발표하다.

りきし【力士】图 씨름꾼. ＝すもうとり.

りきしゃ【力車】图 '人力車(＝인력거)'의 준말.

りきせつ【力説】图ス他 역설. ¶家庭の大切さを～する 가정의 중요함을 역설하다.

りきせん【力戦】图ス自 역전; 힘껏 싸움. ＝力闘. ¶～むなしく敗れた 역전도 헛되이 패했다 / 強敵を相手に～する 강적을 상대로 힘껏 싸우다.

りきそう［力漕］图ス自 (보트 따위를) 힘껏 저음.

りきそう【力走】图ス自 역주. ¶全コースを～する 전 코스를 역주하다.

リキッド［liquid］图 리퀴드. 1 액체; 유동체. ¶～ステート 액체 상태 / ～キャピタル 유동 자본. 2 (남성용) 액체 정발제. ＝ヘアリキッド.

りきてん【力点】图 역점. 1〔理〕지레의 힘이 걸리는 점. ↔支点. 2 주안점; 중점. ¶速度に～をおく 속도에 역점을 두다.

りきとう【力投】图ス自 역투; 힘껏 던짐. ¶ファンの期待にこたえて～する 팬들의 기대에 부응하여 역투하다.

りきとう【力闘】图ス自 역투; 힘껏 싸움. ＝力戦.

りきどう【力動】图 역동; 힘있게 움직임. ¶～感 역동감.

りきへん【力編】图 역편《작가의 노력이 엿보이는 소설·영화 따위》.

りきみ【力み】图 1 힘씀; 힘주는 모양. ¶文章に～が感じられる 문장에 힘이 들어간 것이 느껴지다. 2 분발; 패기. ¶～が消える 패기가 사라지다.

りき-む【力む】5自 1 힘주다; 힘을 모으다. ¶～·んで車を曳く 온 힘을 모아 수레를 끌다 / 重い石を動かそうと～ 무거운 돌을 움직이려고 힘을 주다. 2 힘 있는 체하다; 허세 부리다. ＝いばる. ¶絶対に負けないぞと～·んで見せる 절대로 지지 않는다고 뽐내어 보이다. 可能 りき-める 下1自

りきゅう【離宮】图 이궁; 별궁.

リキュール［프 liqueur］图 리쾨르; 리큐어《정제 알코올에 설탕·향료를 섞은 혼성주의 일종》.

りきりょう【力量】图 역량. ¶～のある人物 역량이 있는 인물 / ～を試す 역량을 시험하다.

*りく【陸】图 뭍; 육지. ＝おか. ¶～の王者 뭍의 왕자 / ～に上がる 뭍에 오르다. ↔海.

りく『陸』教4 リク ロク おか くが | 륙 뭍 | 지표의 물에 덮이지 않은 부분; 뭍. ¶陸棲 육서 / 水陸 수륙. ↔海.

りくあげ【陸揚げ】图ス他 뱃짐을 풂; 양륙. ¶～地〔場〕 양륙지〔장〕 / ～桟橋 양륙 부두〔잔교〕 / 積み荷を～する 뱃짐을 풀다.

りぐい【利食い】图ス自〔經〕이식; (주가의 상승 또는 하락에 맞추어) 주식을 팔거나 되사들여 그 차액을 버는 일.

—うり【—売り】图 이식 매도; (주가가 올랐을 때) 차액을 남기고 팖.

りくうん【陸運】图 육운; 육상의 운송. ¶～業 육운업. ↔海運.

リクエスト［request］图ス他 리퀘스트; 요망; 요청. ¶～曲 신청곡; 희망곡 / ～に応ずる 리퀘스트에 응하다.

りくかい【陸海】图 육해. 1 땅과 바다. 2 육군과 해군. ¶～軍 육해군.

—くう【—空】图 육해공(군).

*りくぐん【陸軍】图 육군. ¶～に入る 육군에 입대하다. ↔海軍·空軍.

りくしょ［六書］图 1 육서; 한자의 성

립과 사용에 대한 여섯 가지 종별(種別)《상형(象形)·지사(指事)·회의(會意)·형성(形聲)·전주(轉注)·가차(假借)》. **2**☞りくたい.

*__りくじょう__【陸上】图 육상. **1** 육지. ¶~機(き) 육상기 / 彼(かれ)は~勤務(きんむ)である 그는 육상 근무다. ↔海上(かいじょう)·水上(すいじょう). **2** ☞りくじょうきょうぎ. ¶~の選手(せんしゅ) 육상 선수.

—きょうぎ【—競技】图 육상 경기. ↔水上競技(すいじょうきょうぎ). 「대.

—じえいたい【—自衛隊】图 육상 자위

りくせい【陸生】图ス自 육서; 육지에서 삶. ¶~動物(どうぶつ) 육서 동물. ↔水生(すいせい).

りくせん【陸戦】图 육전; 육상 전투. ↔海戦(かいせん)·空中戦(くうちゅうせん). 「대.

—たい【—隊】图 (해군) 육전대; 해병

りくそう【陸送】图ス他 육송; 육상 수송. ¶~屋(や) 운송 회사 / 石炭(せきたん)を~ 석탄을 육송하다. ↔海送(かいそう)·空送(くうそう).

りくぞく【陸続】トタル 육속; 계속해서 끊이지 않는 모양. ¶~と集(あつ)まって来(く)る 속속 모여 들다 / 観客(かんきゃく)が~とつめかける 관객이 잇따라 몰려들다.

りくたい [六体] 图 육체; 한자의 여섯 가지 서체《대전(大篆)·소전(小篆)·팔분(八分)·예서(隷書) (또는 해서(楷書))·행서(行書)·초서(草書)》. ＝六書(りくしょ).

りくち【陸地】图 육지; 뭍. ＝陸(りく)·おか. ¶~に上(あ)がる 뭍에 오르다.

**__りくつ__【理屈】《理窟》图 도리; 이치; (자기 주장을 합리화하려는) 이론이나 이유; 구실; 핑계. ¶~の分(わ)かった人(ひと) 사리에 밝은 사람 / ~に合(あ)う話(はなし) 이치에 맞는 얘기 / ~をこねる 억지 쓰다 / ~をつける 이유를 붙이다; 핑계대다 / ~が立(た)たない 이치에 맞지 않다 / 政治(せいじ)は~通(どお)りに行(い)くものではない 정치란 이치대로 되는 것은 아니다 / ~では分(わ)かっている 이론으로는 알고 있다 / ~ばかり言(い)って何(なに)も仕事(しごと)をしない 핑계만 늘어놓고 일은 도무지 안 한다.

—っぽ·い 形 쓸데없이 모든 일에 이론만 캐다. ¶~人(ひと) (이론만 내세우는) 말이 많은 사람.

—ば·る【—張る】图 이치만을 따지다; 핑계만 대다.

—や【—屋】图 이론만 따지는 사람.

りくつづき【陸続き】图 연륙; 육지로 이어짐. ¶あそこへは~で行(い)ける 저곳에는 육로로 갈 수 있다 / 日本(にほん)は古(ふる)く大陸(たいりく)と~であった 일본은 아주 옛날 대륙과 육지로 연결되어 있었다.

りくとう【陸稲】图〔農〕육도; 밭벼. ＝おかぼ. ↔水稲(すいとう).

りくふう【陸風】图 육풍; 밤에 육지에서 바다로 부는 바람. ＝陸軟風(りくなんぷう). ↔海風(かいふう).

リクライニングシート [reclining seat] 图 리클라이닝 시트; (탈것에서) 등받이를 뒤로 젖힐 수 있게 된 좌석. ¶三段式(さんだんしき)~ 3단식 리클라이닝 시트.

リクルート [recruit] 图 리쿠르트; 사람을 모집함; 채용 또는 가입시킴; 또, 학생 등의 취직 활동. ¶~スーツ 입사 시험용〔신입 사원용〕 슈트 / ~ファッション 취직 시험용〔신입 사원용〕의 단정한 복장.

りくろ【陸路】图 육로. ¶~をとる 육로를 잡다〔택하다〕/ ~ベルリンにつく 육로로 베를린에 도착하다. ↔海路(かいろ)·空路(くうろ).

りけい【理系】图 이과계.

りけん【利権】图 이권. ¶~あさり 이권을 찾아다님 / ~がからむ工事(こうじ) 이권이 얽힌 공사.

—や【—屋】图 이권을 노리는 사람; 거간(꾼); 이권 브로커. 「ざ.

りげん [俚諺] 图 이언; 속담. ＝ことわ

りこ【利己】图 이기. ＝我利(がり). ¶~心(しん) 이기심. ↔利他(りた).

—しゅぎ【—主義】图 이기주의. ＝エゴイズム. ¶かれは~の権化(ごんげ)だ 그는 이기주의의 화신이다. ↔利他主義(りたしゅぎ).

—てき【—的】ダナ 이기적. ＝エゴイスティック. ¶~な態度(たいど)〔生(い)き方(かた)〕 이기적인 태도〔생활 방식〕.

__りこう__【利口】《悧巧·利巧》图ダナ **1 영리함; 똑똑함. ＝利発(りはつ). ¶~者(もの) 영리한 사람 / ~な犬(いぬ) 영리한 개 / ~そうな顔(かお) 영리하게 생긴 얼굴 / ~ぶった口(くち)をきく 똑똑한 체 말하다. **2** 요령이 좋음; (생각·행동이) 빈틈없음. ¶~に立(た)ちまわる 요령 있게 처신하다; 약게 굴다. **3**《특히 어린애에 대해, 'お~'의 꼴로》 말을 잘 듣고 온순함. ¶お~さんね 착한 아이구나 / ぼうや, お~に待(ま)っててね 아가야, 말 잘 듣고 기다려라.

りこう【履行】图ス他 이행. ¶約束(やくそく)を~する 약속을 이행하다 / ~を命(めい)ずる 이행할 것을 명하다 / 公約(こうやく)の~を迫(せま)る 공약을 이행하도록 다그치다.

りこう【理工】图 이공. **1** 이학(理學)과 공학. **2** 대학의 이학부와 공학부.

りごう【離合】图ス自 이합; 헤어짐과 모임. ¶政党(せいとう)の~が目(め)まぐるしい 정당의 이합이 너무 잦아 혼란스럽다.

—しゅうさん【—集散】图ス自 이합집산. ¶~をくりかえす 이합집산을 되풀이하다.

リコーダー [recorder] 图〔樂〕 리코더; 밝고 부드러운 음색을 가진 피리의 하나. ＝レコーダー·ブロックフレーテ.

リコール [recall] 图ス他 리콜. **1** 소환; (공직자의) 해직 청구. ¶~運動(うんどう) 소환 운동 / 市長(しちょう)は市議会(しぎかい)で~された 시장은 시의회에 소환, 해직되었다. **2** (특히, 결함 상품의) 회수. ¶安全性(あんぜんせい)欠陥(けっかん)により~された車(くるま) 안전성 결함으로 리콜된 차. 「제.

—せい【—制】图 리콜제; 해직 청구

*__りこん__【離婚】图ス自 이혼. ＝離縁(りえん). ¶~届(とどけ) 이혼 신고 / ~手続(てつづ)き 이혼 절차 / 協議(きょうぎ)~ 협의〔합의〕 이혼 / ~の訴訟(そしょう)を起(お)こす 이혼소송을 제기하

다 / 〜される 이혼당하다 / 〜した男〔女〕 이혼한 남자〔여자〕/ 浮気がもとで〜する 바람 피운 게 원인이 되어 이혼하다. ↔結婚.

リコンファーム [reconfirm] 名 리컨펌; 항공기 예약의 재확인. ¶出発72時間前には〜をする 출발 72시간 전에는 예약 재확인을 한다.

リサーチ [research] 名ス他 리서치; 조사. ¶マーケット〜 시장 조사.

リザーブ [reserve] 名ス他 리저브; 잡아둠; 보류; 예약. ¶席〔ホテル〕を〜する 좌석〔호텔〕을 예약하다.

リザーブド [reserved] 名 리저브드. **1** 예약필; 전세. ¶〜シート 예약석. **2** 보류; 예비.

りさい [罹災] 名ス自 이재; 재해를 당함〔입음〕. ¶〜地〔者〕 이재지〔자〕/ 洪水で〜した地域 홍수로 재해를 입은 지역. ＝被災.

—みん [—民] 名 이재민. ¶戦争による〜 전쟁으로 인한 이재민 / 〜に救援物資をおくる 이재민에게 구원 물자를 보내다.

りざい【理財】名 이재; 재산을 유리하게 운영함. ¶〜家 이재가; 경제가 / 〜にたける 이재에 밝다 / 〜の道に暗い 이재(의 길)에 어둡다.

リサイクリング [recycling] 名 리사이클링; 자원〔폐품〕 따위의 재활용.

リサイクル [recycle] 名ス他 리사이클; 자원의 재활용.

リサイタル [recital] 名〔樂〕 리사이틀; 독주회; 독창회. ¶ピアノ〜 피아노 독주회 / 〜を開く 리사이틀을 열다.

りさげ【利下げ】名ス自 금리 인하. ↔利上げ. ¶銀行が〜する 은행이 금리를 인하하다.

りざや【利ざや】《利鞘》名〔商〕(매매에 의해서 얻는) 차익금. ¶僅少の〜 근소한 이문 / 〜をかせぐ 매매 차익금을 벌다.

りさん【離散】名ス自 이산; 헤어짐. ¶一家が〜する 일가가 뿔뿔이 흩어지다.

***りし**【利子】名 이자. ＝利息. ¶〜を支払う 이자를 지불하다 / 預金に〜が付く 예금에 이자가 붙다 / 〜を取って金を貸す 이자를 받고 돈을 빌려 주다. ↔元金.

りじ【理事】名 이사. ¶〜国 이사국 / 〜会〔長〕 이사회〔장〕/ 〜になる 이사가 되다.

りしゅう【履修】名ス他 이수. ¶〜単位数 이수 학점 / 全課程を〜する 전과정을 이수하다 / 単位を〜する 학점을 이수하다.

りじゅん【利潤】名 이윤. ＝もうけ. ¶〜追求 이윤 추구 / 莫大な〜をあげる 막대한 이윤을 올리다.

りしょう【離床】名ス自 **1** 기상(起床); 잠자리를 떠남. **2** 병이 다 나아 자리를 털고 일어남. ＝床上げ.

りしょく【利殖】名ス自 이식. ¶〜に励む 이식에 힘쓰다 / 〜の道を図る 이식의〔돈 버는〕 방도를 꾀하다.

りしょく【離職】名ス自 이직. **1** 직무에서 떠남. ¶健康を害して〜する 건강을 해쳐서 직장을 그만두다. **2** 실직(失職). ¶炭鉱の閉山で〜する 탄광의 폐광으로 실직하다.

りす〖栗鼠〗名〔動〕 다람쥐. ＝きねずみ.

りすい【利水】名 이수; 수리(水利). ¶〜組合 수리 조합 / 〜工事 수리 공사.

りすい【離水】名ス自 이수; 수상 비행기가 수면에서 떠오름. ↔着水.

りすう【理数】名 이수; 이과(理科)와 수학. ¶〜科 이수과.

りすう【里数】名 이수; 거리를 이(里) 단위로 측정한 수.

リスキー [risky] ダナ 리스키; 위험이 많은〔모험적인〕 모양. ¶もうけも多いが〜な商売 이익도 많지만 위험이 많은 장사.

リスク [risk] 名 리스크; (사업상 내다뵈는) 위험. ¶〜マネジメント 리스크 매니지먼트; 위기〔위험〕 관리 / 〜の大きい仕事 위험성이 높은 일 / 〜をおかす 위험을 무릅쓰다 / 投資には〜を伴う 투자에는 위험이 따른다 / 多少の〜は覚悟のうえだ 다소의 위험은 각오한 바다.

—アセット [risk asset] 名 리스크 애세트; 위험 자산《장래의 시장 가치나 장래 수익이 불확실한 자산》.

—ヘッジ [risk hedge] 名〔經〕 리스크 헤지; 위험 회피〔분산〕. ¶為替〜 환차손(換差損) 회피책.

***リスト** [list] 名 리스트; 목록; 명부; 표. ¶ブラック〜 블랙리스트; 요시찰인 명부 / 〜にのせる 리스트에 올리다 / 技術者の〜を作る 기술자 명단을 만들다.

—アップ [일 list+up] 名ス他 리스트업; 일람표로 만들어 한 눈에 알 수 있게 함. ¶携行品を〜する 휴대품을 표로 작성하다.

リストラ 名 ‘リストラクチュアリング(＝(기업의) 구조 조정)’의 준말. ¶〜の旋風吹き荒れる中 구조 조정의 선풍이 휘몰아치는 가운데.

リスナー [listener] 名 리스너; 듣는 사람; (라디오의) 청취자. ＝聞き手. ↔トーカー.

リスニング [listening] 名 리스닝; 듣기; 특히, 음악 감상. ¶〜テスト 리스닝 테스트; 듣기 평가 / 〜ルーム 리스닝 룸; (오디오에 의한) 음악 감상실.

リズミカル [rhythmical] ダナ 리드미컬; 율동적; 음률적. ¶〜な動き 리드미컬한 움직임.

***リズム** [rhythm] 名 리듬; 율동; 운율. ¶ワルツの〜 왈츠의 리듬 / 〜に乗る 리듬을 타다 / 〜に合わせる 리듬에 맞추다 / 生活の〜が乱れる 생활 리듬이

흐트러지다〔깨지다〕.

り-する【利する】㊀サ変自 이롭다; 이득을 보다. ¶少しも～ところがない 조금도 이로운 점이 없다/外遊は～所が大きい 외유는 얻는 바가 크다.
㊁サ変他 **1** 이롭게 하다; 편리를 도모해 주다. ¶社会を～ 사회를 이롭게 하다/敵を～行為 적을 이롭게 하는 행위. **2** 이용하다. ¶職権〔地勢〕を～ 직권을〔지세를〕 이용하다.

***りせい**【理性】名 이성. ¶感情に走って～を失う 감정에 흘러〔치우쳐〕 이성을 잃다/～をはたらかせる 이성을 발현하다/～に訴える 이성에 호소하다. ↔感情·感性.
—てき【—的】ダナ 이성적. ¶～におのれを規制できる人 이성적으로 자기를 규제할 수 있는 사람. ↔感情的.

りせき【離席】名ス自 이석; 자리를 뜸.

リセット [reset] 名ス他 리셋; 컴퓨터 등 기계 장치를 다시 시동 상태로 복귀시키는 일; 다시 세트함. ¶～ボタンを押す 리셋 버튼을 누르다. ↔セット.

***りそう**【理想】名 이상. ¶～の男性 이상으로 삼는 남성/～化する 이상화하다/～が実現する 이상이 실현되다/～に燃える 이상에 불타다/～を高く掲げる 이상을 높이 내걸다/～に向かって進む 이상을 향해 전진하다/～が高すぎる 이상이 지나치게 높다. ↔現実.
—きょう【—郷】名 이상향; 유토피아.
—しゅぎ【—主義】名〔哲〕 이상주의.
—てき【—的】ダナ 이상적. ¶～な住宅 이상적인 주택.
—ろん【—論】名 이상론. ¶～としては, そのとおりだ 이상론으로서는 그렇다. ↔現実論.

リゾート [resort] 名 리조트; 피서〔휴양〕지; 행락지. ¶～ホテル 리조트 호텔/～ウェア 리조트 웨어.
—ハウス [resorthouse] 名 리조트 하우스; 휴양지에 지은 별장.

***りそく**【利息】名 이식; 이자. =利子. ¶～が付く 이자가 붙다/高い～を払う 비싼 이자를 내다/～を取る 이자를 받다.

りそん【離村】名ス自 이촌; 살던 마을을 떠나 이주함. ¶～する人が多い 마을을 떠나는 사람이 많다.

りた【利他】名 이타. ¶～主義 이타주의/～的な考え 이타적인 생각. ↔利己.

リターン [return] 名ス自他 리턴. **1** 되돌림; 되돌아감; 복귀함. ¶故郷へ～する 고향으로 되돌아가다. **2** (테니스·탁구 등에서) 공을 쳐 넘김. =返球.
—マッチ [return match] 名 리턴 매치; (권투에서) 선수권 탈환 시합.

リタイア [retire] 名ス自 리타이어. **1** 은퇴함; 퇴직함. ¶早く～してのんびり暮らしたい 빨리 은퇴하여 한가롭게 지내고 싶다. **2** (자동차 경주 따위에서) 고장으로 인한 퇴장.

りだつ【離脱】名ス自 이탈. ¶煩悩～ 번뇌 이탈; 괴로움에서 벗어남/戦線から～する 전선에서 이탈하다.

りち【理知】《理智》名 이지; 이성과 지혜. ¶～に富む 아주 이지적이다.
—てき【—的】ダナ 이지적. ¶～な顔だち 이지적인 얼굴 생김새.

りちぎ【律儀·律義】名ダナ 의리가 두터움; 성실하고 정직함. =りつぎ. 参考 고지식하거나 우직함의 뜻으로 쓰는 일도 있음. ¶～一点張り 외곬으로〔융통성이 없이〕 성실하고 정직함/～な人柄 성실하고 정직한 인품.
—者の子だくさん 착실한 사람은 가정이 원만하고 부부 사이도 좋아 자연히 자식이 많다.

りちゃくりく【離着陸】名ス自 이착륙; 이륙과 착륙. ¶～する飛行機 이착륙하는 비행기/～に便利だ 이착륙에 편리하다/大型旅客機が～する 대형 여객기가 이착륙하다.

りつ【律】㊀名 **1** 법률; 특히, 형법; 형률. ¶～の制定 형법의 제정. **2** 소리의 가락. ¶～を合わせる 가락을 맞추다.
㊁接尾 …률〔율〕; 규칙; 법칙. ¶黄金～ 황금률/自然～ 자연율.

***りつ**【率】名 율; 비율; 이율. =わりあい·ぶあい. ¶百分～ 백분율/合格～が高い 합격률이 높다/～のいい仕事 이윤율이 높은 일/～を下げる 비율을 낮추다.

=りつ【立】…립; …가 세움; 설립. ¶市～ 시립/県～ 현립.

りつ〖立〗教1 リツ リュウ たつ たてる | 립 서다 | **1** 발로 서다; 세우다. ¶立像 입상/起立 기립. **2** 이루어지다; 이루게 하다. ¶立志 입지/創立 창립.

りつ〖律〗教6 リツ リチ | 률 법 | **1** 규칙; 규율. ¶律令 율령/刑律 형률. **2**〔樂〕 리듬. ¶律動 율동/旋律 선율.

りつ〖率〗☞そつ〖率〗

りつあん【立案】名ス自 입안. ¶～者 입안자/計画を～する 계획을 입안하다/これは彼が～したものだ 이것은 그가 입안한 것이다.

りっか【立夏】名 입하《양력 5월 6일경》. 「↔立冬.

りつき【利付き】名 이자부《공채·주식 등에 이자나 배당이 붙은 것》. ¶五分～債券 5푼 이자부 채권. ↔利落ち.

りっきゃく【立脚】名ス自 입각. ¶この説に～して 이 설에 입각해서/体験に～した意見 체험에 입각한 의견.

りっきょう【陸橋】名 육교; 구름다리. ¶～を渡る 육교를 건너다.

りっけん【立憲】名 입헌; 헌법을 제정함. ¶～君主国 입헌 군주국.
—せいじ【—政治】名 입헌 정치. =憲政. ↔専制政治.

りっこうほ【立候補】图スル自 입후보. ¶~者(しゃ) 입후보자/選挙(せんきょ)に~する 선거에 입후보하다/オリンピック開催地(かいさいち)として~する 올림픽 개최지로 입후보하다.

りっこく【立国】图スル自 입국. **1** 건국. ¶~の精神(せいしん) 건국 정신. **2** 나라를 번영시킴. ¶工業(こうぎょう)~をめざす 공업 입국을 목표로 하다.

りっし【立志】图 입지; 뜻을 세움.

—でん【—伝】图 입지전. ¶~中(ちゅう)の人(ひと) 입지전 속의 인물.

りっしゅう【立秋】图 입추《양력으로 8월 8일경》. ↔立春(りっしゅん).

りっしゅん【立春】图 입춘《양력으로 2월 4일경》. ↔立秋(りっしゅう).

りっしょう【立証】图スル他 입증. ¶身(み)の潔白(けっぱく)を~する 자신의 결백을 입증하다/理論的(りろんてき)に~する 이론적으로 입증하다.

りっしょく【立食】图スル自 입식; (특히, 서양식 연회에서) 서서 먹음. =立(た)ちぐい. ¶~パーティー 입식 파티.

りっしん【立身】图スル自 입신; 영달. ¶~を計(はか)る 입신을 꾀하다.

—しゅっせ【—出世】图スル自 입신출세.

りっすい[立錐]图 입추; 송곳을 세움.

—の余地(よち)もない 입추의 여지도 없다. ¶会場(かいじょう)は大入(おおい)り満員(まんいん)で~ほどであった 회장은 대만원으로 입추의 여지도 없을 정도였다.

りっ-する【律する】サ変他 어떤 기준에 맞추어서 조처하다; 다루다. ¶常識(じょうしき)で~ 상식으로 다루다/行動(こうどう)を~する 행동을 규제하다/大人(おとな)の頭(あたま)で子供(こども)を~·してはいけない 어른의 사고방식으로 아이들을 다루어선 안된다/自分(じぶん)の好(この)みで人(ひと)を~ことはできない 자기의 취향으로 남을 다룰 수는 없다.

りつぜん[慄然]トタル 율연; 겁이 나서 소름이 끼치는 모양. ¶人(ひと)をして~たらしめる 사람으로 하여금 소름끼치게 하다/その事件(じけん)は想像(そうぞう)するだけで~とする 그 사건은 상상하는 것만으로도 섬뜩하다.

りつぞう【立像】图 입상. ¶観音(かんのん)の~を彫(ほ)る 관세음보살의 입상을 조각하다. ↔座像(ざぞう).

リッター[liter]图 리터. ☞リットル.

—カー[일 liter+car]图 리터 카; 엔진 배기량이 1,000cc(=1*l*)인, 경제 효율이 좋은 자동차.

*__りったい__【立体】图 입체. ¶~映画(えいが) 입체 영화/~音響(おんきょう) 입체 음향.

—かん【—感】图 입체감. ¶~のある絵(え) 입체감(이) 있는 그림.

—こうさ【—交差】《—交叉》图 입체 교차.

—てき【—的】ダナ 입체적. ¶~に物(もの)を考(かんが)える 입체적으로 사물을 생각하다. ↔平面的(へいめんてき).

りっち【立地】图 입지. ¶工場(こうじょう)~ 공장 입지.

—じょうけん【—条件】图 입지 조건. ¶~がよい 입지 조건이 좋다.

リッチ[rich]ダナ 리치; 부유함; 돈이 많음. ¶~マン 리치 맨; 부자/~な感(かん)じ 부유한 느낌; 부(富)티. ↔プアー.

りっとう【立冬】图 입동《양력 11월 8일경》. ¶~の寒(さむ)さ 입동 추위. ↔立夏(りっか).

りっとう【立党】图 창당. ¶~の精神(せいしん) 창당 정신/A党(エーとう)を~する A당을 세우다〔창당하다〕.

りつどう【律動】图スル自 율동; 리듬. =リズム. ¶~感(かん) 율동감/~する若(わか)さ 율동하는 젊음.

—てき【—的】ダナ 율동적. =リズミカル. ¶~な美(うつく)しさ 율동적인 미.

リットル[프 litre]图 리터《용적 단위; 기호: *l*》. 注意 '立'로 씀은 취음.

**__りっぱ__『立派』ダナ 훌륭함; 더 말할 나위 없음; 정당함; 충분함. ¶~な人(ひと)〔成績(せいせき)〕 훌륭한 사람〔성적〕/~な取引(とりひき) 정당한 거래/~な御馳走(ごちそう) 훌륭한 음식/~な証拠(しょうこ) 충분한 증거/落(お)ち着(つ)いて~な態度(たいど) 침착하고 당당한 태도/生計(せいけい)が~にたって行(い)く 생계가 충분히 유지되다/~にやってのける 훌륭하게 해내다/どこへ出(だ)しても~な青年(せいねん)だ 어디에 내놓아도 (부끄럽지 않은) 훌륭한 청년이다/これだけ出来(でき)れば~なものだ 이만큼 할 수 있으면 훌륭하다/~に戦(たたか)う 당당하게 싸우다/もう~な大人(おとな)だ 이제 어엿한 어른이다/すっかり~におなりだね 아주 훌륭하게 되셨군.

リップ[lip]图 립; 입술.

—クリーム[lip-cream]图 립크림; 입술 보호용 크림.

—サービス[lip service]图 립 서비스; 입에 발린 말. =お世辞(せじ). ¶~だけで結局(けっきょく)何(なに)もしてくれない 입에 발린 말뿐이고 결국 아무것도 해 주지 않는다.

—スティック[lipstick]图 립스틱. =棒紅(ぼうべに).

りっぷく【立腹】图スル自 역정〔성〕을 냄; 화를 냄. ¶些細(ささい)な事(こと)で~する 사소한 일로 성을 내다/ご~はごもっともですが 화를 내시는 것도 당연하시겠지만/大分(だいぶ)御(ご)~のようだ 어지간히 화가 난 모양이다.

りっぽう【立方】图 **1** 입방; 세제곱. ¶二(に)メートル~の水槽(すいそう) 2미터 세제곱의 수조/五(ご)~センチ 5세제곱 센티. **2** '立方体(たい)'의 준말.

—こん【—根】图〔數〕입방근; 세제곱근.

—たい【—体】图 입방체; 정육면체.

りっぽう【立法】图 입법. ¶~府(ふ) 입법부/~機関(きかん) 입법 기관/~精神(せいしん) 입법 정신. ↔司法(しほう)·行政(ぎょうせい).

—けん【—権】图 입법권. ¶~を行使(こうし)する 입법권을 행사하다/国会(こっかい)は~を持(も)つ 국회는 입법권을 갖는다. ↔司法権(しほうけん)·行政権(ぎょうせいけん).

りづめ【理詰め】图 끝까지 이론으로 밀고 나아감; 이치로 따짐. ¶~で考(かんが)え

る 이치로만 생각하다 / ～ではいかない 이론만으로는 안 된다 / ～の戦法(せんぽう) 이치로 따지고 드는 전법 / ～で攻(せ)めたてる 이치를 따져 몰아세우다 / ～の意見(いけん)に閉口(へいこう)した 이론만 내세우는 의견에 질렸다.

りつりょう [律令] [名] 율령; 특히, 奈良(なら)·平安(へいあん) 시대의 법률. [參考] '律(りつ)'는 오늘날의 형법, '令(りょう)'는 행정법·공무원법·민법 등에 해당함.

—せい [—制] [名] 율령제《大化(たいか)の改新(かいしん)(645년) 때부터 적용된, 律令를 기본으로 한 고대 일본의 중앙 집권적 정치 제도; 무가(武家) 정치가 시작될 때까지 존속함》.

りつろん【立論】[名][ス自] 입론; 의론의 순서·취지 등을 세움; 또, 그 의론. ¶君(きみ)の～は誤(あやま)りである 자네 입론은 잘못이다.

りてい【里程】[名] 이정; 거리; 행정(行程). ＝みちのり. ¶～標(ひょう) 이정표 / 2キロばかりの～ 2킬로 가량의 거리.

リテールバンキング [retail banking] [名] 리테일 뱅킹; (중소 기업과 개인을 대상으로 하는) 소매 금융. ↔ホールセールバンキング.

りてき【利敵】[名] 이적. ¶～行為(こうい) 이적 행위.

りてん【利点】[名] 이점. ＝長所(ちょうしょ). ¶～を挙(あ)げる 이점을 들다 / 数々(かずかず)の～がある 여러 가지 많은 이점이 있다.

りとう【離島】[一][名] 이도; 외딴 섬; 낙도. ＝はなれじま. ¶～の振興(しんこう)をはかる 낙도의 진흥을 꾀하다.
[二][名][ス自] 이도; 섬을 떠남. ¶～人口(じんこう) 이도 인구《섬을 떠난 인구》.

りとう【離党】[名][ス自] 이당; 탈당. ¶主義(しゅぎ)を異(こと)にして～する 주의를 달리하여〔이념이 달라〕 탈당하다. ↔入党(にゅうとう).

りとく【利得】[名][ス自] 이득; 이익. ＝もうけ. ¶不当(ふとう)な～ 부당한 이득 / ～を計算(けいさん)する 이득을 계산하다 / ～に走(はし)る 이득을 좇다 / ～を求(もと)める 이득을 구하다.

リトマスしけんし【リトマス試験紙】[名]〔化〕 리트머스 시험지. ＝リトマス紙(し). ▷litmus.

リニア [linear] [名] 리니어. **1** '직선의' '직선적인'의 뜻. **2** 'リニアモーターカー'의 준말.

—モーターカー [linear motor car] [名] 리니어 모터카; 자기 부상(磁氣浮上) 열차〔차량〕.

りにち【離日】[名][ス自] 이일; (외국인이) 일본을 떠남. ↔来日(らいにち)·訪日(ほうにち).

りにゅう【離乳】[名][ス自] 이유. ＝ちちばなれ.

—しょく【—食】[名] 이유식. ＝ベビーフード.

リニューアル [renewal] [名] 리뉴얼; 일신(一新)함; 재생; 재개발. ¶アーバン～ 어번 리뉴얼; 도시 재개발.

りにょう【利尿】[名] 이뇨; 오줌을 잘 나오게 함. ¶～剤(ざい) 이뇨제.

りにん【離任】[名][ス自] 이임. ¶～式(しき) 이임식 / ～のあいさつ 이임 인사. ↔就任(しゅうにん)·着任(ちゃくにん).

りねん【理念】[名] 이념. ＝イデー·イデア. ¶茶道(ちゃどう)の～ 다도의 이념 / しょせん～が違(ちが)う 근본적으로 이념이 다르다.

—てき【—的】[ダナ] 이념적. ¶～にとらえられた風雅(ふうが)の実体(じったい) 이념적으로 수용된 풍아의 실체.

リネン [linen] [名] 리넨. ☞リンネル.

りのう【離農】[名][ス自] 이농. ¶～者(しゃ)〔対策(たいさく)〕 이농자〔대책〕 / ～する百姓(ひゃくしょう)が増(ふ)える 이농하는 농민이 늘어나다.

リノールさん【リノール酸】[名]〔化〕 리놀레산《식물유(油)에 많이 함유된 지방산; 혈중 콜레스테롤을 잘 배출시키는 작용을 함》. [參考] linoleic acid의 역어.

リノベーション [renovation] [名] 리노베이션. **1** 쇄신; 개혁. **2** 수리; 개조.

リハーサル [rehearsal] [名] 리허설; (방송·연극 등의) 무대 연습; 총연습; 예행연습. ¶カメラ～ 카메라 리허설 / 運動会(うんどうかい)～ 운동회 예행 연습.

リバーシブル [reversible] [名] 리버서블; (옷 따위가) 안팎을 다 쓸 수 있게 되어 있는 것. ¶～コート〔ジャンパー〕 리버서블〔양면〕 코트〔점퍼〕 / ～レーン 가변(可變) 도로〔차도〕.

リバイバル [revival] [名][ス自] 리바이벌; 재(再)유행. ¶～ソング〔映画(えいが)〕 리바이벌 송〔영화〕 / ～ブーム 리바이벌 붐.

リバウンド [rebound] [名][ス自] 리바운드; (특히, 구기에서) 공이 튀어 되돌아 옴; 또, 그 공. ¶～ボール 리바운드 볼 / ～を奪(うば)いあう 리바운드를 다투다.

りはく【理博】[名] 이박; '理学(りがく)博士(はくし)(＝이학 박사)'의 준말.

りはつ【利発】[名ナ] 영리함; 똑똑함《'利口発明(りこうはつめい)'의 준말》. ¶～な子(こ) 영리한 아이 / ～そうな少年(しょうねん) 영리해 보이는 소년. [參考] 어린이에게 쓰는 말로서, 성인에게는 거의 사용하지 않음.

りはつ【理髪】[名][ス自] 이발. ＝調髪(ちょうはつ).

—し【—師】[名] 이발사. ＝理容師(りようし).

—てん【—店】[名] 이발소. ＝理容店(てん).

りはっちゃく【離発着】[名][ス自] 이발착; 이착륙; (비행기의) 이륙과 착륙.

りはば【利幅】[名] 이익 폭. ¶～の大(おお)きい商品(しょうひん) 이익 폭이 큰 상품.

リハビリテーション [rehabilitation] [名] 리허빌리테이션《신체 장애인 등의 사회 복귀를 위한 직업 지도나 심리 의학적 훈련 또는 그 요법》; 사회 복귀 요법. ＝リハビリ.

りばらい【利払い】[名] 이자 지불. ¶～を怠(おこた)る 이자 지급을 게을리하다.

りはん【離反】《離叛》[名][ス自] 이반; 배반. ¶大衆(たいしゅう)の気持(きも)ちから～した政治(せいじ) 대중의 마음에서 멀어져 나간 정치 / 人心(じんしん)が～する 민심이 이반하다.

りひ【理非】[名] 이비; 시비. ¶～曲直(きょくちょく)

시비곡직 / ～の判断 시비의 판단 / ～をただす 시비를 가리다.

リピート [repeat] 名ス他 리피트. **1** 반복; 되풀이. **2**〔樂〕반복 기호; 도돌이표. **3** (방송 등의) 재방송; 재상영.

リビドー [라 libido] 名〔心〕리비도; 인간 행동의 바탕이 되는 성적 욕망. ＝リビド.

りびょう【罹病】名ス自 이병; 병에 걸림. ¶～率 이병률 / 旅先で～する 여행지에서 병에 걸리다.

リビング [living] 名 리빙; 생활함. ¶～コスト 리빙 코스트; 생활비 / ～プラン 리빙 플랜; 생활 설계 / モダン～ 모던 리빙; 현대(적) 생활.

—キッチン [일 living＋kitchen] 名 리빙 키친; 거실·주방을 겸한 방.

—ダイニングキッチン [일 living＋dining＋kitchen] 名 거실·식당·주방을 막지 않는 방 배치《LDK》.

—ルーム [living room] 名 리빙 룸; 거실. ＝居間.

リブ [rib] 名 리브. **1** 갈빗대; 늑골. **2**〔料〕살이 붙은 갈비.

リファイン [refine] 名ス他 리파인; 세련되게 함; 우아; 정제(精製). ¶～されたマナー 세련된 매너.

リフィル [refill] 名 리필. **1** (차·커피 등을) 다시 청함. ＝お代わり. ¶～サービス 리필 서비스. **2** 다시 채움; 보충; 재충전; 또, (갈아끼우는) 보충품. 參考 'レフィル' 라고도 함.

リフォーム [reform] 名ス他 리폼. **1** 유행이 지난 거나 헌옷을 손질하여 새로운 감각의 옷으로 개조하는 일《특히 어른 옷을 아이들 취향으로 고치는 것 따위》. ¶古着を子供服に～する 헌 옷을 아이 옷으로 고쳐 짓다. **2** 헌 집 따위를 개축·수리함. ¶台所を～する 부엌을 고치다.

りふじん【理不尽】名ダナ 불합리; 무리함; 도리에 어긋남. ¶～な要求 불합리〔무리〕한 요구 / ～な言い分 억지 / ～なやり方 도리에 어긋난 짓.

リフト [lift] 名 리프트. **1** (화물용 소형) 승강기; 스키장의 등산 장치. ¶スキー～ 스키 리프트 / ～に乗る 리프트를 타다. **2** 기중기.

リプリント [reprint] 名ス他 리프린트. **1** 복사(한 것). **2** 재판(再版).

リプレー [replay] 名ス自他 리플레이. **1** 다시 함; 재연(再演); 재상영; 재시합. **2** (녹화·녹음 테이프의) 재생.

リフレーン [refrain] 名〔樂〕리프레인; 후렴(後斂). ＝リフレイン.

リフレッシュ [refresh] 名ス他 리프레시; 기운을 회복시킴. ¶スキーに出かけて気分を～する 스키 타러 가서 기분 전환을 하다.

リベート [rebate] 名 리베이트. **1** 지불 대금이나 이자 따위의 일부를 돌려 줌; 또, 그 돈. ＝割りもどし(金). **2** 수수료; 구전. ¶～を取る 수수료를 받다. **3** 뇌물. ＝わいろ.

りべつ【離別】名ス自 **1** 이별. ＝別離. ¶～の涙 이별의 눈물 / 両親を～する 양친을 이별하다. **2** 이혼. ¶妻と～する 아내와 이혼하다.

リベット [rivet] 名 리벳; 금속판이나 강재(鋼材) 등을 잇는 징〔대갈못〕. ¶～を打つ 리벳을 박다 / 地を響かす～打ちの音 땅을 울리는 리벳 박는 소리.

リベラリスト [liberalist] 名 리버럴리스트; 자유주의자.

リベラリズム [liberalism] 名 리버럴리즘; 자유주의.

リベラル [liberal] ダナ 리버럴; 자유로움; 자유주의적임. ¶～な生き方 리버럴한 생활 방식 / ～な教育を受ける 자유주의적인 교육을 받다.

りべん【利便】名 편리; 편의. ＝便宜. ¶～をはかる 편의를 도모하다.

りほう【理法】名 이법; 이치. ¶自然の～ 자연의 이치〔법칙〕.

リポーター [reporter] 名 리포터; 보고자. ＝レポーター.

リポート [report] 名 리포트. **1** 연구·조사 보고(서). **2** (신문 등의) 보고 기사; 보도. ¶現地～ 현지 리포트. **3** (학생이 학교에 내는) 논문. ＝レポート.

***リボン** [ribbon] 名 리본. ¶赤い～ 붉은 리본 / ～をつける 리본을 달다 / ～で結ぶ 리본으로 묶다 / 贈り物に～をかける 선물에 리본을 두르다.

りまわり【利回り】名 이율. ¶～のよい株に投資する 이익 배당률이 좋은 주에 투자하다.

リミット [limit] 名 리밋; 한계; 한도. ¶タイム～ 타임 리밋; 시한(時限) / ～に近づく 한계에 가까워지다.

リム [rim] 名 림; 수레바퀴의 바깥 테《자전거 등은 여기에 타이어를 끼움》.

リムジン [limousine] 名 리무진. **1** (운전석과 뒷좌석이 칸막이된) 대형 고급 승용차. **2** 'リムジンバス' 의 준말.

—バス [limousine bus] 名 리무진 버스; 공항 여객 수송용 버스.

***りめん**【裏面】名 이면. ＝うらがわ. ¶～史 이면사 / ～工作 이면 공작 / 封筒の～ 봉투의 뒷면 / 政界の～をあばく 정계의 이면을 폭로하다 / ～にもご記入してください 이면에도 기입해 주십시오 / 社会の～をさぐる 사회의 이면을 캐다. ↔表面.

リモート 名 리모트; '원격' 의 뜻. ¶～スイッチ 리모트〔원격 조작〕스위치.

—コントロール [remote control] 名ス他 리모트 컨트롤; 원격 조작〔제어〕. ＝リモコン. ¶だれかが陰で～している 누군가가 뒤에서 조종하고 있다 / この機械は～出来る 이 기계는 리모트 컨트롤할 수 있다.

リモコン 名ス他 리모컨《'リモートコントロール' 의 준말》.

リヤカー〔일 rear+car〕图 리어카. ＝リアカー. ¶～を引く 리어카를 끌다/～で運ぶ 리어커로 나르다.

りやく【利益】图〘佛〙 **1** 공덕(功德). ¶～を施す 공덕을 베풀다. **2** 부처님의 은혜. ＝利生. ¶御～を受ける 부처님의 은혜를 입다.

りゃく【略】图 **1**〈文〉계략. **2** 줄임; 생략. ¶以下〔敬称〕～ 이하〔경칭〕생략/用例は～ 용례는 생략.

りゃく 〖略〗 教5 リャク はぶく ほぼ | 략 간략하다

1 생각; 계책. ¶策略 책략. **2** 간략하게 하다; 줄이다. ¶省略 생략/前略 전략.

りゃくが【略画】图 약화; 윤곽만을 그린 간단한 그림.

りゃくぎ【略儀】图 ☞りゃくしき. ¶～ながら書面をもって申し上げます 결례를 무릅쓰고 서면으로 여쭙니다.

りゃくげん【略言】图ス自他 약언; 요약해서 말함. ¶以下～する 이하 생략한다. ↔詳言.

りゃくご【略語】图 약어; 준말. ¶～で書く 약어로 쓰다.

りゃくごう【略号】图 약호. ¶～で表わす 약호로 나타내다.

りゃくし【略史】图 약사; 간략한 역사.

りゃくじ【略字】图 약자. ↔正字.

***りゃくしき**【略式】图 약식. ¶～の服装 약식 복장. ↔正式.

りゃくしゅ【略取】图ス他 약취; 탈취. ¶～誘拐 약취 유괴/敵の陣地を～する 적의 진지를 탈취하다.

りゃくじゅつ【略述】图ス他 약술. ¶論文の内容を～する 논문 내용을 약술하다. ↔詳述.

りゃくしょう【略称】图ス他 약칭. ¶商号の～ 상호의 약칭.

***りゃく-す**【略す】5他 간단히 하다; 생략하다. ＝略する. ¶敬称を～ 경칭을 생략하다/一切を～·さず詳細に記録する 일체를 생략하지 않고 상세히 기록한다.

りゃくず【略図】图 약도. ¶会場の～を描く 회장의 약도를 그리다/～で示す 약도로 나타내다.

りゃく-する【略する】サ変他 ☞りゃくす.

りゃくせつ【略説】图ス他 약설; 간략히 설명함; 또, 그 설명. ¶以上の事柄を～すると … 이상의 사항을 약설하면…. ↔詳説.

りゃくそう【略装】图 약장; 약식 복장. ↔正装. ¶～でもかまいません 약식 복장도 무방합니다.

りゃくたい【略体】图 약체. **1** 간략히 한 체재(體裁). **2** 간략히 한 자체(字體); 약자. ↔正体·異体.

りゃくだつ【略奪】〘掠奪〙图ス他 약탈. ¶～婚 약탈혼/金品を～する 금품을 약탈하다.

りゃくでん【略伝】图 약전; 소전(小傳); 간략한〔간추린〕전기. ¶～を読む 약전을 읽다. ↔詳伝.

りゃくふ【略譜】图〘樂〙 약보. ↔本譜.

りゃくふく【略服】图 약복; 약식 복장; 약장(略裝). ¶～を着る 약식 복장을 입다/行事に～で出席する 행사에 약식복장으로 참석하다.

りゃくぼう【略帽】图 약모. **1** 약식 모자. **2** 전투모. ⇔正帽.

りゃくれき【略歴】图 약력. ¶希望者は写真に～を添えて郵送されたし 희망자는 사진에 약력을 첨부해서 우송할 것.

りやす【利安】图 이자·이율이 낮음. ＝低利. ↔利高.

りゃっき【略記】图ス他 약기. ¶経歴〔参考文献〕を～する 경력〔참고 문헌〕을 약기하다. ↔詳記.

****りゆう**【理由】图 이유; 핑계. ＝わけ. ¶然るべき～ 마땅한 이유/別に深い～はない 따로 깊은 사유는 없다/かぜを～に欠勤した 감기를 구실로 결근했다/何かと～をつけて小遣いをせびる 뭔가 핑계를 대어 용돈을 뜯는다.

りゅう【竜】图 용. ＝たつ·ドラゴン. ¶～が天にのぼる 용이 하늘에 오르다.

=りゅう【流】…류. **1** 방법; 스타일. ¶自己～ 자기류/日本～ 일본식. **2** 등급; 품위. ¶第一～ 제일류.

=りゅう【粒】쌀·곡물·환약 따위의 알갱이를 세는 말: 알. ＝つぶ. ¶丸薬三～ 환약 세 알.

りゅう 〖柳〗 常用 リュウ やなぎ やぎ | 류 버드나무

버드나무; 버들. ¶楊柳 양류/柳眉 유미.

りゅう 〖流〗 教3 リュウ ル ながれる ながす | 류 흐르다

1 ㉠흐르다; 흘리다. ¶流域 유역/逆流 역류. ㉡강〔조수, 전기〕의 흐름. ¶激流 격류/交流 교류. **2** 학파; 유파. ¶流派 유파. **3** 동류; 한패; 사회 계층. ¶女流 여류/名流婦人 여류 명사.

りゅう 〖留〗 教5 リュウ ル とめる とまる とどめる とどまる

류 머무르다 | 머무르다; 붙들어 두다. ¶留置 유치/抑留 억류/留守 부재중.

りゅう 〖竜〗〘龍〙 常用 リュウ リョウ たつ

룡 용 | **1** 용. ¶蛟竜(こうりょう·こうりゅう) 교룡/臥竜 와룡. **2** 각별히 뛰어난; 용 같은. ¶竜馬(りゅうめ·りょうめ) 용마.

りゅう 〖粒〗 常用 リュウ つぶ | 립 쌀알 | 쌀알; 알갱이. ¶粒状 입상/穀粒 (곡식의) 낟알.

りゅう 〖隆〗〘隆〙 常用 リュウ たかい さかん

륭 성하다 | **1** 중앙이 높다; 높게 하다. ¶隆起 융기. **2** 번성하다. ¶

隆盛 융성 / 興隆 흥륭.

りゅう〖硫〗常用 リュウ | 류 유황 | 비금속 원소의 하나; 황(黃). ¶硫化銀 황화은.

りゅうあん【硫安】图 유안(('硫酸アンモニウム'의 준말)); 황산암모늄.

りゅうい【留意】图ス自 유의. ¶～事項 유의 사항 / 健康に～する 건강에 유의하다 / この点に～するべきだ 이 점에 유의해야 할 것이다.

***りゅういき**【流域】图 유역. ¶揚子江の～ 양쯔 강 유역.

りゅういん[溜飲]图〔漢醫〕유음((음식이 위 속에 괴어서 신물이 나는 증상)).

—が下がる 1 가슴〔속〕이 후련해지다. 2 불안·불만이 가셔지다.

りゅうおう【竜王】图 1 용왕. 2 (장기에서) 玉将의 자격도 아울러 갖게 된 飛車.

りゅうかい【流会】图ス自 유회. ¶定足数に満たず～になる 정족수 미달로 유회되다.

***りゅうがく**【留学】图ス自 유학. ¶～生 유학생 / 自費～ 자비 유학 / 海外に～する 해외로 유학하다.

りゅうかん【流感】图 'りゅうこうせい感冒(＝독감)'의 준말. ¶～がはやっている 독감이 유행하고 있다.

りゅうき【隆起】图ス自 융기. 1 불룩 솟음. ¶筋肉が～している 근육이 불룩 솟아 있다. 2 지각(地殼)의 일부가 상대적으로 높이 솟음. ¶地盤の～ 지반의 융기 / 地震で地盤が～する 지진으로 지반이 융기하다. ↔沈下·沈降.

りゅうぎ【流儀】图 유파; (독특한) 방법〔격식〕. ¶華道の～ 꽃꽂이의 유파〔법식〕/ 彼独特の～ 그만의 독특한 방식 / ～を知らぬ男 격식을 모르는 사나이 / ～を守り伝える 법식을 지켜 전하다 / 昔の～でやっている 옛날 방식으로 하고 있다.

りゅうきゅう[琉球]图〔地〕유구(('沖縄'의 옛이름)).

「궁성.

りゅうぐう【竜宮】图 용궁. ¶～城 용

りゅうけい【流刑】图 유형; 귀양. ＝るざい·島ながし. ¶～に処する 유형에 처하다. 注意 'るけい'라고도 함.

りゅうけつ【流血】图 유혈. ¶～の惨事 유혈 참사 / ～を見るにいたる 끝내 유혈을 보게 되다 / ～を見ずに革命に成功した 유혈을 보지 않고 혁명에 성공했다.

りゅうげん【流言】图 유언; 뜬소문. ＝うわさ·デマ. ¶～が伝わる 뜬소문이 퍼지다 / ～を放つ〔飛ばす〕 뜬소문을 퍼뜨리다 / ～に惑わされるな 뜬소문에 현혹되지 마라.

—ひご【—飛語】图 유언비어. ＝デマ. ¶～が飛び交う 유언비어가 난무하다.

りゅうこ[竜虎]图 용호. ¶～の激突 용호의 격돌. 注意 옛날에는 'りょうこ'.

—相搏つ 용호상박하다.

****りゅうこう**【流行】图ス自 유행. ＝はやり. ¶～のファッション 유행하는 패션 / 最新～の服 최신 유행복 / ～の先端を行く 유행의 첨단을 가다 / ～を追う 유행을 좇다 / 風邪が～する 감기가 유행하다.

—おくれ【—後れ】图 유행에 뒤짐. ¶～のデザイン 유행에 뒤진 디자인.

—か【—歌】图 유행가. ＝はやり歌. ⇨演歌.

「ば.

—ご【—語】图 유행어. ＝はやりこと

—じ【—児】图 유행아; 인기인. ＝はやりっ子·売れっこ. ¶文壇の～ 문단의 유행아〔인기 작가〕/ 一夜にして～となる 하룻밤 사이에 인기인이 되다.

—せいかんぼう【—性感冒】图 유행성 감기. ＝流感·インフルエンザ.

—びょう【—病】图 유행병; 돌림병. ＝はやりやまい.

「킬. ＝キール.

りゅうこつ【竜骨】图 용골; 선골(船骨);

りゅうさん【硫酸】图〔化〕황산. ¶～紙 황산지 / ～塩 황산염 / ～アンモニウム 황산암모늄 / 亜～ 아황산.

りゅうざん【流産】图ス自 유산((비유적으로도 씀)). ¶妊娠三箇月めに～した 임신 삼개월째에 유산했다 / 改革案が～する 개혁안이 유산되다 / 組閣はまたもや～に終わった 조각은 또다시 유산으로 끝났다.

りゅうし【粒子】图 입자. ¶～線 입자선 / 素～ 소립자 / おしろいの～ 분가루의 입자 / ～があらい 입자가 굵다.

りゅうしつ【流失】图ス自 유실. ¶～家屋 유실 가옥 / 津波で多くの家屋が～した 해일로 많은 가옥이 유실되었다.

りゅうしゃ【流砂】图 유사; 물에 밀려 내린〔흐르는〕모래. ＝りゅうさ.

リュージュ[프 luge]图 뤼주; 목제(木製)의 가벼운 썰매; 또, 그 활주 경기. ＝トボガン.

りゅうしゅつ【流出】图ス自 유출. ¶頭脳～ 두뇌 유출 / 重油～による汚染 중유 유출로 인한 오염 / 貴重な美術品が国外へ～する 귀중한 미술품이 국외로 유출되다. ↔流入.

りゅうしょう[隆昌]图 융창; 융성. ¶国運の～ 국운의 융성.

りゅうじょう【粒状】图 입상; 알맹이 모양. ¶～斑 입상반 / ～の薬 알갱이로 된 약; 알약.

りゅうじん【竜神】图 용신; 용왕.

りゅうず【竜頭】图 용두. 1 손목시계·회중시계의 태엽을 감는 꼭지. ¶～を巻く 용두를 감다 / ～巻きの時計 태엽 감는 시계. 2 조종(釣鐘)을 매다는 용머리 모양의 꼭지.

りゅうすい【流水】图 유수. ¶行雲～ 행운유수 / 落花～ 낙화유수 / 野菜を～で洗う 야채를 흐르는 물에 씻다 / ～腐らず 흐르는 물은 썩지 않는다. ↔静水·止水.

りゅうせい【流星】图 유성; 별똥별. ＝ながれぼし.

りゅうせい【隆盛】名ナ 융성. ¶～を極(きわ)める 크게 융성하다 / 国運(こくうん)が～にむかう 국운이 융성해지다.

りゅうせつ【流説】图 유설; 떠도는 소문. ＝流言(りゅうげん). ¶～に迷(まよ)わされる 떠도는 소문에 현혹되다. 注意 'るせつ'라고도 함.

りゅうぜつらん〖竜舌蘭〗图〖植〗용설란.

りゅうぜん[流涎] 图 유연; 군침을 흘림; 몹시 탐함. ¶～の思(おも)いだが, お金(かね)がなくて買(か)えない 몹시 탐은 나지만 돈이 없어서 못 사겠다.

りゅうせんけい【流線型】图 유선형. ＝りゅうせんがた. ¶～の自動車(じどうしゃ) 유선형 자동차.

りゅうそく【流速】图 유속; 흐르는 물의 속도. ¶～計(けい) 유속계.

りゅうぞく【流俗】图 유속. **1** 일반의 풍속·습관; 세속(世俗). ¶～に従(したが)う 세속에 따르다. **2** 속세; 속인(俗人).

りゅうたい【流体】图 유체《기체와 액체》. ¶～力学(りきがく) 유체 역학.

りゅうだん【流弾】图 유탄; 빗나간 탄환. ＝ながれだま·それだま. ¶～に当(あ)たる 유탄에 맞다.

りゅうち【留置】图ス他 유치. ¶容疑者(ようぎしゃ)を～する 용의자를 유치하다.

――じょう【――場】图 유치장. ＝ぶたばこ.

りゅうちょう【留鳥】图 유조; 텃새《까마귀·참새 등》. ↔候鳥(こうちょう)·渡(わた)り鳥(どり).

***りゅうちょう**[流暢] ダナ 유창. ¶～な話(はな)し方(かた) 유창한 말씨 / ～にしゃべる 유창하게 지껄이다 / 中国語(ちゅうごく)で～に話(はな)す 중국어로 유창하게 말하다.

***りゅうつう**【流通】图ス自 유통. ¶～組織(そしき)〔市場(しじょう)〕 유통 조직〔시장〕/ 一万円(いちまんえん)紙幣(しへい)の～高(だか) 일만 엔 지폐의 유통량 / 小切手(こぎって)が～している 수표가 유통되고 있다 / 空気(くうき)の～が悪(わる)い 공기 유통이 나쁘다.

りゅうと【隆と】副ス自 복장 따위가 훌륭하여 돋보이는 모양: 말쑥하게. ¶～した背広姿(せびろすがた) 말쑥한 신사복 차림 / ～した身(み)なりの紳士(しんし) 늠씬한 옷차림의 신사.

りゅうどう【流動】图ス自 유동. ¶～する政局(せいきょく) 유동하는 정국 / 人口(じんこう)の～ 인구의 유동 / 風(かぜ)で砂(すな)が～する 바람으로 모래가 유동한다.

――しょく【――食】图 유동식. ¶～をとる 유동식을 섭취하다. ↔固形食(こけいしょく).

――てき【――的】ダナ 유동적. ¶戦況(せんきょう)〔政局(せいきょく)〕はまだまだ～だ 전황〔정국〕은 아직 유동적이다.

りゅうとうだび【竜頭蛇尾】图 용두사미. ¶その計画(けいかく)は～に終(お)わった 그 계획은 용두사미로 끝났다.

りゅうにち【留日】图ス自 외국인이 일본에 머묾. ＝滞日(たいにち). ¶～学生(がくせい) 체일 유학생.

りゅうにゅう【流入】图ス自 유입. ¶～人口(じんこう) 유입 인구 / 外資(がいし)の～ 외자의 유입. ↔流出(りゅうしゅつ).

りゅうにん【留任】图ス自 유임. ¶～運動(うんどう) 유임 운동 / 内閣(ないかく)が変(か)わっても外相(がいしょう)は～する 내각이 갈려도 외상은 유임한다. ↔辞任(じにん)·転任(てんにん).

りゅうねん【留年】图ス自 〈學〉(대학의) 유급(留級); 낙제. ¶～生(せい) 유급생 / ～組(ぐみ) 낙제생 패 / 大量(たいりょう)～を出(だ)した大学(だいがく) 대량 유급을 낸 대학 / ～して研究(けんきゅう)をやり直(なお)す 유급해서 연구를 다시 시작하다. 参考 '落第(らくだい)(＝낙제)'라는 말이 싫어 학제가 바뀌면서 학생들이 쓰기 시작한 말.

りゅうは【流派】图 유파; 분파. ¶～が異(こと)なる 유파가 다르다 / ～を起(お)こす 유파를 일으키다〔세우다〕.

りゅうび[柳眉] 图 유미; 미인의 아름다운 눈썹.

――を逆立(さかだ)てる 유미를 곤두세우다《미인이 몹시 성내는 모양》.

りゅうびじゅつ【隆鼻術】图 융비술. ¶～を施(ほどこ)す 융비술을 시술하다.

りゅうひょう【流氷】图 유빙; 성엣장. ¶海流(かいりゅう)によって～が押(お)し寄(よ)せる 해류에 따라 성엣장이 밀려오다.

りゅうへい【流弊】图 유폐; 널리 세상에서 행해지는 나쁜 풍습. ¶買収(ばいしゅう)の～を断(た)つ 매수의 악폐를 없애다.

りゅうべつ【留別】图ス自 유별; 떠나는 사람이 남아 있는 사람에게 작별 인사함. ¶～会(かい) 유별회. ↔送別(そうべつ).

りゅうほ【留保】图ス他 유보. **1** 보류. ¶判断(はんだん)を～する 판단을 유보하다 / 決定(けってい)を～する 결정을 보류하다. **2**〖法〗권리·의무를 잔류·보존하는 일. ¶財産(ざいさん)の～ 재산의 유보.

りゅうぼく【流木】图 유목. **1** (물에) 떠내려가는 나무. ＝流(なが)れ木(ぎ). ¶海岸(かいがん)に～が打(う)ち上(あ)げられる 해안으로 유목이 밀려 오르다. **2** 산에서 벌목해 강에 띄워 흘려 보내는 목재. ＝流(なが)し木(ぎ).

リューマチ [←rheumatism] 图〖醫〗류머티즘. ＝ロイマチス·リューマチス. ¶～患者(かんじゃ) 류머티즘 환자 / ～に悩(なや)む 류머티즘으로 고생하다.

りゅうみん【流民】图 유민; 유랑민. ＝るみん. ¶戦禍(せんか)を受(う)けた～ 전화를 입은 유랑민.

りゅうめ[竜馬] 图 용마; 준마(駿馬). ＝しゅんめ·りょうめ.

りゅうもん【竜門】图 용문. ⇨とうりゅうもん(登竜門).

――の滝登(たきのぼ)り 입신출세의 비유. ＝鯉(こい)の滝登り.

りゅうよう【流用】图ス他 유용. ¶予算(よさん)の～ 예산의 유용 / 公金(こうきん)を～する 공금을 유용하다.

りゅうりゅう【隆隆】トタル **1** 융륭; 기세가 왕성〔등등〕한 모양. ¶～たる勢(いきお)い 등등한 기세 / 国(くに)が～と栄(さか)える 나라가 힘차게 번창하다. **2** (힘살이) 여기저기 불거져 나온 모양: 울퉁불퉁. ¶～

たる筋肉(きんにく) 울퉁불퉁 튀어나온 근육.

りゅうりゅうしんく【粒粒辛苦】图ス自 입립개(皆)신고; 온갖 고생을 쌓음. ¶～の結晶(けっしょう) 각고정려의 결정/～して築(きず)いた富(とみ) 온갖 고생 끝에 쌓은 부.
参考 쌀 한 톨 한 톨이 모두 농부의 땀의 결정이란 뜻.

りゅうりょう【流量】图〔理〕유량《단위 시간에 흐르는 유체의 양》. ¶～計(けい) 유량계/河川(かせん)の～を測(はか)る 하천의 유량을 측정하다.

りゅうれい【流麗】ダナ 유려; 글·말이 유창하고 아름다움. ¶～な文章(ぶんしょう) 유려한 문장/～な調(しら)べ 유려한 가락.

りゅうろ【流露】图ス自 유로; (마음속에 품은 것이) 그대로 밖으로 드러남. ¶愛情(あいじょう)の～ 애정의 발로/真情(しんじょう)の～した手紙(てがみ) 진정이 어린 편지.

リュック 图 'リュックサック'의 준말.

*__リュックサック__ [도 Rucksack] 图 룩색; 등산용 배낭. =ルックザック·リックサック. ¶～を背負(せお)う 룩색을 지다.

りょ〖旅〗《旅》教3 リョ たび | 려 여행하다 |
여행(하다). ¶旅程(りょてい) 여정/行旅(こうりょ) 행려/旅人(たびびと·りょじん) 나그네.

りょ〖虜〗《虜》常用 リョ とりこ | 로 포로 | 사로
잡음; 산 채로 잡음; 잡힌 사람. ¶虜囚(りょしゅう) 노수; 포로/捕虜(ほりょ) 포로.

りょ〖慮〗常用 リョ おもんぱかる | 려 생각하다 |
(주의해서) 깊이 생각하다; 고려하다. ¶念慮(ねんりょ) 염려/慮外(りょがい) 여외.

⁑**りよう**【利用】图ス他 이용. ¶廃物(はいぶつ)～ 폐물 이용/太陽熱(たいようねつ)を～した暖房(だんぼう) 태양열을 이용한 난방/バスを～する 버스를 이용하다/相手(あいて)の弱(よわ)みを～する 상대의 약점을 이용하다.

―かち【―価値】图 이용 가치. ¶～のある物(もの) 이용 가치가 있는 것/～が高(たか)い 이용 가치가 크다.

りよう【理容】图 이용. ¶～師(し) 이용사; 이발사/～店(てん) 이발관. 参考 '理髪(りはつ)(=이발)'를 고친 말.

りよう【里謡】《俚謡》图 민요; 속요(俗謠). =さとうた.

りょう【了】图 1 앎. ¶～とする 잘 알다. 2 끝남. ¶～になる 끝나다/四月(しがつ)一日(いちにち)～ 4월 1일 끝남.

りょう【両】㊀图 1 둘로 한 쌍이 되는 것; 양. ¶～の目(め) 두 눈/～の肩(かた) 양어깨/～の手(て)で受(う)ける 양손으로 받다. 2 냥《옛날 화폐의 단위》. ¶千(せん)～箱(ばこ) 천 냥들이 상자. ㊁接頭 양…; 두. ¶～首脳(しゅのう) 양수뇌. ㊂接尾 《본디 輛》…량; 차량을 세는 말. ¶客車(きゃくしゃ)八(はち)～ 객차 8량.

りょう【良】图 양. 1 좋음; 양호. ¶～不良(ふりょう) 양불량; 좋고 나쁨/おおむね～ 대체로 양호/天候(てんこう)は～ 날씨는 양호. 2 성적·품질 평가의 하나. ¶優(ゆう)～可(か) 우량가/優(ゆう)が五(ご), ～が三(さん)あった 우가 다섯, 양이 셋 있었다.

りょう【料】㊀图 재료; 용품. ¶研究(けんきゅう)の～にする 연구 재료로 삼다. ㊁接尾 …료. 1 요금. ¶入場(にゅうじょう)～ 입장료. 2 재료; 감. ¶調味(ちょうみ)～ 조미료.

りょう【涼】图 서늘함; 시원함. ¶～を求(もと)める 시원한 바람을 찾다.

―を入(い)れる〔取(と)る〕 서늘한 바람을 쐬다; 납량하다. ¶木陰(こかげ)で涼を取る 나무 그늘에서 시원한 바람을 쐬다.

りょう【猟】图 사냥; 수렵. =狩(か)り·ハンティング. ¶～に出(で)かける 사냥하러 가다/～が少(すく)ない 사냥한 게 적다/～を楽(たの)しむ 사냥을 즐기다/～がとてもうまい 사냥을 매우 잘한다.

りょう【陵】图 능; 임금·왕후 등의 묘. 参考 接尾語적으로도 씀. ¶桃山(ももやま)～ 京都(きょうと)에 있는 明治天皇(めいじてんのう)의 능.

⁑**りょう**【量】㊀图 1 양; 수량·무게·부피의 총칭. ¶～がかかる 무게가 나가다/めしの～が多(おお)い 밥의 양이 많다/～より質(しつ)が問題(もんだい)だ 양보다 질이 문제다/仕事(しごと)の～を減(へ)らす 일의 양〔분량〕을 줄이다/～をごまかす〔はかる〕 양을 속이다〔재다〕/～で圧(あっ)する 양으로 누르다. ↔質(しつ). 2 정도. ¶～を過(す)ごす 정도를 지나치다. ㊁接尾 …량. ¶積載(せきさい)～ 적재량/排水(はいすい)～ 배수량.

りょう【漁】图 고기잡이; 어로(漁撈); 또, 어획물. =漁(いさ)り·すなどり. ¶～に出(で)る 고기잡이(하러) 나가다/～が少(すく)ない 어획량이 적다/～をする 고기잡이를 하다/～のぐあいはどうか 고기잡이 형편〔어황(漁況)〕은 어떤가.

りょう【領】图 영역. ¶隣国(りんごく)の～を侵(おか)す 이웃 나라의 영역을 침범하다.

*__りょう__【寮】图 기숙사. ¶～生活(せいかつ) 기숙사 생활/社員(しゃいん)〔独身(どくしん)〕～ 사원〔독신자〕 기숙사/母子(ぼし)～ 모자원(院)/学生(がくせい)〔職員(しょくいん)〕～ 학생〔직원〕 기숙사/～で過(す)ごす 기숙사에서 지내다/大学(だいがく)の～に入(はい)る 대학 기숙사에 들어가다.

りょう〖了〗常用 リョウ さとる おわる おえる | 료 깨닫다 |
1 똑똑하다; 분명하다. ¶了然(りょうぜん) 요연; 명백한 모양. 2 끝나다; 마치다. ¶完了(かんりょう) 완료/終了(しゅうりょう) 종료.

りょう〖両〗《兩》教3 リョウ ふたつ もろ | 량 두 |
1 둘; 둘 모두. ¶両立(りょうりつ) 양립/両親(りょうしん) 양친. 2 옛날 금화의 단위《1냥은 4푼》. ¶千両箱(せんりょうばこ) 천 냥들이 상자.

りょう〖良〗教4 リョウ よい やや しばらく | 량 좋다 |
(물건이) 아주 좋다; 바람직하다. ¶良好(りょうこう) 양호/良心(りょうしん) 양심/優良(ゆうりょう) 우량.

りょう〖料〗教4 リョウ はかる | 료 되질하다 | 1 재료;
먹을거리. ¶料理(りょうり) 요리/材料(ざいりょう) 재료/食料(しょくりょう) 식료. 2 요금; 대금. ¶料金(りょうきん) 요금/送料(そうりょう) 송료.

りょう〖涼〗常用 リョウ すずしい すずむ | 량 서늘하다 | **1** 서늘함; 시원함. ¶涼秋 양추/納涼 납량. **2** 쓸쓸하다; 적막하다. ¶荒涼 황량.

りょう〖猟〗(〖獵〗) 常用 リョウ かり | 렵 사냥 | 사냥(하다). ¶猟犬 엽견/禁猟 금렵/猟師 엽사; 사냥꾼.

りょう〖陵〗常用 リョウ みささぎ おか しのぐ | 릉 언덕 | **1** 언덕. ¶丘陵 구릉. **2** 능; 임금의 무덤. ¶陵墓 능묘.

りょう〖量〗教4 リョウ はかる | 량 양 | **1** 계량에 의하여 결정되는 부피·용적·대소·경중(輕重) 따위. ¶分量 분량/量子 양자. ↔質. **2** 마음·능력의 크기. ¶度量 도량/力量 역량.

りょう〖僚〗常用 リョウ | 료 벼슬아치 | **1** 벗; 친구; 동아리. ¶僚友 요우/同僚 동료. **2** 관리; 아전. ¶官僚 관료/幕僚 막료.

りょう〖領〗教5 リョウ レイ えり | 령 목 | **1** 중요한 부분; 요긴한 점; 근본. ¶要領 요령/綱領 강령. **2** 다스리는 사람; 거느리는 사람. ¶首領 수령/大統領 대통령.

りょう〖寮〗常用 リョウ つかさ | 료 벼슬아치 | **1** 기숙사. ¶寮生 기숙생/婦人寮 여자 기숙사. **2** (다도의) 다실; 별장. ¶茶寮 다실이 있는 작은 집.

りょう〖療〗常用 リョウ いやす | 료 고치다 | 병을 고치다. ¶療養 요양/治療 치료.

りょう〖糧〗常用 リョウ ロウ かて | 량 양식 | 여행할 때 휴대하는 식량; 또, 식료품. ¶糧食 양식/兵糧 군량.

りょう〖漁〗☞ぎょ〖漁〗

りょう〖竜〗☞りゅう〖竜〗

りょうあし【両足】图 양다리; 두 다리. ＝もろあし. ↔片足.

りょうあん【良案】图 양안; 좋은 생각; 명안(名案). ¶～が浮かぶ 좋은 생각이 떠오르다. 「庸医.

りょうい【良医】图 양의. ＝名医. ↔

***りょういき**【領域】图 영역. ¶科学の～をこえた問題 과학의 영역을 벗어난 문제/研究～を広げる 연구 영역을 넓히다/隣国の～を犯す 이웃나라의 영역을 침범하다.

りょういん【両院】图 양원; 상원과 하원. ¶衆参の～ 중의원과 참의원의 양원.

りょううで【両腕】图 양완; 양팔; 두 팔. ＝もろうで. ¶～で抱える 두 팔로 껴안다/主人の～となって働く 주인의 양팔이 되어 일하다. ↔片腕.

りょうえん【良縁】图 양연; 좋은 연분〔인연〕. ¶～に恵まれる 좋은 연분을 만나다/～を結ぶ 좋은 연분을 맺다.

りょうえん［遼遠］图ナ 요원. ¶前途～ 전도요원. 「노래.

りょうか【寮歌】图 기숙사가; 기숙사

りょうか【良家】图 양가. ＝りょうけ. ¶～の子女 양가의 자녀.

りょうか【良貨】图 양화; 실질 가치가 있는 화폐. ¶悪貨が～を駆逐する 악화가 양화를 구축한다. ↔悪貨.

りょうが［凌駕］图ス他 능가. ¶…を～する勢い …를 능가하는 기세/はるかに～する実力 훨씬 능가하는 실력/品質で他社を～する 품질로 타사를 능가하다.

***りょうかい**【了解】(〖諒解〗) 图ス他 양해. ¶暗黙の～ 암묵의 승낙/～を得る〔求める〕 양해를 얻다〔구하다〕/～が成り立つ 양해가 이루어지다/真意を～する 진의를 이해하다.

りょうかい【領海】图 영해. ¶～線 영해선/他国の～ 타국의 영해/～を侵す 영해를 침범하다. ↔公海.

りょうがい【領外】图 영외; 영지나 영역의 밖. ↔領内.

***りょうがえ**【両替】图ス他 환전(換錢); 돈을 바꿈. ¶～手数料 환전 수수료/ドルに～する 달러로 바꾸다/一万円札を百円玉に～する 일만 엔권 지폐를 100 엔짜리 동전으로 바꾸다. 「りょうがえや.

—しょう【—商】图 환전상. ＝両替屋

—や【—屋】图 ☞りょうがえしょう.

りょうかく［稜角］图〖數〗(다면체의) 능각; 모서리각.

りょうがわ【両がわ·両側】图 양측; 양편. ¶道の～ 길 양편/紙の～ 종이의 양면. ↔片側.

りょうかん【猟官】图 엽관. ¶～運動 엽관 운동.

りょうかん【量感】图 양감; 중량감; 질량감; 볼륨. ＝ボリューム. ¶～があふれる 양감이 넘치다/～を出す 양감을 내다/～に欠ける 양감이 결여되다/この絵には～がない 이 그림에는 양감이 없다. ↔質感.

りょうがん【両岸】图 양안; 양쪽 기슭. ＝両ぎし. ¶～の風景 양안의 풍경/川の～には竹が茂っている 강 양쪽 기슭에는 대나무가 무성하다.

りょうがん【両眼】图 양안; 두 눈. ＝双眼. ¶～とも見えない 두 눈 다 못 본다/彼は戦争で～を失った 그는 전쟁 때 두 눈을 잃었다.

りょうき【猟奇】图 엽기. ¶～趣味〔小説〕 엽기 취미〔소설〕.

—てき【—的】ダナ 엽기적. ¶～な事件 엽기적인 사건.

りょうき【猟期】图 엽기; 사냥철; 수렵기. ¶～に入る 수렵기에 접어들다.

りょうぎ【両義】图 양의; 두 가지 뜻. ¶

～性のことば 양의성의 말.
りょうきょく【両極】名 **1** 양극; 남극과 북극; 또, 음극과 양극. ¶南北～を探検する 남북 양극을 탐험하다. **2**☞りょうきょくたん.
りょうきょくたん【両極端】名 양극단. ＝両極. ¶意見が～に分かれる 의견이 양극단으로 갈리다.
りょうぎり【両切り】名 '両切りタバコ'의 준말. ↔口付き.
―タバコ【―煙草】名 양절 담배; 필터가 달리지 않은 궐련.
**りょうきん【料金】名 요금. ¶～あと払い 요금 후불 / ～別納 요금 별납 / ～を支払う〔とる〕 요금을 지불하다〔받다〕 / 公共～を上げる〔下げる〕 공공 요금을 올리다〔내리다〕 / ～は幾らですか 요금은 얼마입니까.
りょうく【猟区】名 엽구; 사냥이 허가된 구역. ↔禁猟区.
りょうくう【領空】名 영공. ¶～権 영공권 / ～侵犯 영공 침범.
りょうぐん【両軍】名 양군; 양쪽 군대
りょうけ【両家】名 양가. ¶ご～のお喜び 양가의 기쁨 / ～を代表して挨拶する 양가를 대표하여 인사하다.
りょうけ【良家】名 ☞りょうか(良家).
りょうけい【量刑】名 양형; 형벌의 정도를 정함. ¶不当〔妥当〕な～ 부당〔타당〕한 양형.
りょうけん【了見】《料簡·了簡》 一名 (좋지 않은) 생각; 마음; 소견. ¶狭い～ 좁은 생각〔소견〕 / けちくさい～ 쩨쩨한 소견 / 悪い～をおこす 나쁜 마음을 먹다. 二名ス他 〈老〉 용서함; 참고 용서함. ＝勘弁. ¶ここは一つ～してくれ 이번 한번은 용서해〔참아〕 주게.
―ちがい【―違い】名 잘못된 생각; 틀린 생각. ¶それはとんだ～だ 그건 당치도 않은 오해야.
りょうけん【猟犬】名 엽견; 사냥개. ＝かりいぬ. ¶～を放つ 사냥개를 풀다.
りょうげん［燎原］名 요원; 불이 난 벌판; 불타는 벌판.
―の火 요원의 불길《세력이 대단해서 막을 수 없음의 비유》. ¶～のように広まる 요원의 불길처럼 퍼지다.
りょうこ［両虎］名 양호. ¶～相搏つ 양호상박하다.
*りょうこう【良好】名ナ 양호(함). ¶～な成績をおさめる 양호한 성적을 거두다 / 手術後の経過は～だ 수술 후의 경과는 양호하다.
りょうこう【良港】名 양항; 좋은 항구. ¶天然の～ 천연의 양항.
りょうこく【両国】名 양국. ¶～の利益をはかる 양국의 이익을 도모하다.
りょうごく【領国】名 (제후의) 영지(領地); 영토. ¶～争い 영지 싸움.
りょうさい【良妻】名 양처. ↔悪妻.
―けんぼ【―賢母】名 현모양처.
りょうざい【良材】名 양재. **1** 좋은 건축재료. **2** 좋은 인재. ¶天下の～を求める 천하의 양재를 구하다.
りょうさく【良策】名 양책; 좋은 계책. ＝良案·良計. ¶国益を増す～ 국익을 증진할 양책.
りょうさつ【了察】《諒察》名ス他 양찰. ¶なにとぞご～ください 아무쪼록 양찰해〔헤아려〕 주십시오.
りょうさん【両三】名 두셋; 이삼. ＝二三. ¶～人 이삼 명; 두세 사람 / ～年 이삼 년 / ～日 이삼 일.
―ど【―度】名 두세 번.
りょうさん【量産】名ス他 양산《'大量生産(＝대량 생산)'의 준말》. ＝マスプロ(ダクション). ¶～体制 양산 체제 / ～段階に入る 양산 단계에 들어가다 / ～に努める 양산에 힘쓰다 / ～して価格を下げる 양산하여 가격을 내리다.
りょうざんぱく［梁山泊］名 양산박《호걸이나 야심가들이 모이는 곳》. 参考 수호지의 고사(故事)에서.
「りゅうど.
*りょうし【猟師】名 엽사; 사냥꾼. ＝か
りょうし【量子】名〔理〕 양자. ¶～論 양자론 / ～力学 양자 역학.
*りょうし【漁師】名 고기잡이; 어부(漁夫). ¶～町 어촌.
りょうじ【両次】名 양차; 1차와 2차; 두 번. ¶～にわたる世界大戦 두 번〔양차〕에 걸친 세계 대전.
りょうじ【療治】名ス他 〈老〉 치료. ¶荒～ 우악스러운〔거친〕 치료.
りょうじ【領事】名 영사. ¶～館 영사관 / 名誉～ 명예 영사.
りょうしき【良識】名 양식. ＝ボンサンス·コモンセンス. ¶～のある人 양식 있는 사람 / ～に訴える 양식에 호소하다 / 相手の～に俟つ〔期待する〕 상대의 양식에 기대하다 / 氏の～を疑わざるを得ない 씨의 양식을 의심치 않을 수 없다.
―のふ【―の府】連語 양식의 부〔전당〕《당파를 떠나 공정한 심의를 하는 의회; 일본에선 보통 참의원을 말함》.
りょうしつ【良質】名ナ 양질; 좋은 품질. ¶～の米 양질미 / ～の紙〔油〕 양질의 종이〔기름〕 / ～な品 질 좋은 물건. ↔悪質·低質.
りょうじつ【両日】名 양일; 이틀; 2일. ¶二, 三の～は休みます 2, 3양일은 쉽니다.
りょうしゃ【両者】名 양자; 두 사람. ¶～の間 양자 간 / ～の言い分を聞く 두 사람의 주장을 듣다.
りょうしゃ【寮舎】名 기숙사 (건물).
りょうしゅ【良酒】名 양주; 좋은 술.
りょうしゅ【領主】名 영주. **1** 장원(荘園)의 소유주. **2** 江戸 시대, 토지를 가지고 다스린 大名·小名·旗本.
りょうしゅう【涼秋】名 양추. **1** 서늘한 가을. ¶～の候となりました 양추지절이 되었습니다《편지의 인사 따위에 씀》.

2음력 9월의 딴 이름.

りょうしゅう【領収】 名 ス他 영수. ¶～済み 영수필/小切手で～する 수표로 수령하다.

—しょう【—証】 名 영수증. ＝レシート·領収書·受け取り. ¶～を受け取る 영수증을 받다.

りょうしゅう【領袖】 名 영수; 우두머리. ＝かしら. ¶両政党の～が会談する 양 정당의 영수가 회담한다.

りょうじゅう【猟銃】 名 엽총. ¶～を撃つ 엽총을 쏘다.

りょうしょ【両所】 名 **1**두 장소. ¶東西～ 동서 두 곳. **2**『御～』 두 분(('両人(＝두 사람)'의 높임말)). ＝おふたり·おふたかた. ¶御～にお伝えください 두 분에게 전해 주십시오.

りょうしょ【良書】 名 양서. ¶～を推薦する 양서를 추천하다. ↔悪書.

*** りょうしょう【了承】((諒承))** 名 ス他 사정을 짐작하여 승낙함; 납득함; 양해. ¶～ずみ 승낙필/～を求める〔得る〕 양해를 구하다〔얻다〕/お話の件は～しました 말씀하신 건은 잘 알았습니다.

りょうじょうのくんし［梁上の君子］ 名 양상군자. **1**도둑. **2**쥐.

りょうしょく【糧食】 名 양식; 식량. ＝食糧·かて. ¶非常用の～も尽きる 비상용 식량도 다 떨어지다.

りょうじょく【陵辱】((凌辱)) 名 ス他 능욕. **1**창피를 줌. ¶～の限りを尽くす 온갖 창피를 주다/聴衆の面前で講師を～する 청중의 면전에서 강사에게 창피를 주다. **2**폭력으로 여자에게 욕을 보임. ¶暴漢に～される 폭한에게 욕을 보다.

**** りょうしん【両親】** 名 양친; 부모; 어버이. ＝ふたおや. ¶～を失う 양친을 여의다/～に早く死別する 양친과 일찍 사별하다/～の寵を一身に集める 양친의 사랑을 한 몸에 받다/御～によろしく 부모님께 안부 전해 주십시오.

**** りょうしん【良心】** 名 양심. ¶～に恥じる 양심에 부끄러워하다/～がとがめる 양심의 가책을 받다/～が許さない 양심이 허락하지 않는다/～の呵責に耐えかねて自首する 양심의 가책을 견딜 수 없어 자수하다/～にまつ所が大きい 양심에 기대하는 바 크다.

—てき【—的】 ダナ 양심적. ¶～兵役拒否 양심적 병역 거부/非～な 비양심적인/～な店 양심적인 가게.

りょうすい【量水】 名 양수. ¶～計 양수계; 수량계/～標 양수표.

りょう-する【了する】 サ変自他 **1**끝내다; 마치다; 또, 끝나다. **2**양해하다; 납득하다. ¶事情を～ 사정을 이해하다.

りょう-する【領する】 サ変他 **1**(자기 것으로) 소유하다. ¶膨大な山林を～地主 방대한 산림을 소유하는 지주. **2**영유〔지배〕하다. ¶一国を～ 한 나라를〔한 지역을〕 영유하다. **3**납득하다; 승낙하다. ¶相手の意向を～ 상대방의 의향을 받아들이다.

りょうせい【両性】 名 양성. ¶～化合物 양성 화합물/～に作用するホルモン剤 양성에 작용하는 호르몬제/～の合意に基づく婚姻 양성의 합의에 따른 혼인.

りょうせい【両生】((両棲)) 名 양서. ¶～動物 양서 동물.

—るい【—類】 名 〔動〕 양서류((개구리 따위)).

りょうせい【良性】 名 양성. ¶～の腫瘍 양성 종양. ↔悪性.

りょうせい【寮生】 名 기숙사생.

りょうせいばい【両成敗】 名 ス他 분쟁의 쌍방을 같이 처벌하는 일. ¶けんか～ 싸움한 양쪽을 똑같이 처벌함.

りょうせん［稜線］ 名 능선; 산등성이. ＝尾根. ¶なだらかな～を描く 완만한 능선을 그리다.

りょうぜん【両全】 名 양전; 양쪽이 다 같이 완전〔온전〕함. ¶忠孝～ 충효양전/～の策 양전책.

りょうぜん［瞭然］ トタル 요연. ¶一目～だ 일목요연하다.

りょうぞく【良俗】 名 양속. ¶～に反する行為 양속에 어긋나는 행위.

りょうそで【両そで】((両袖)) 名 **1**좌우 양소매. **2**무대의 양쪽 끝.

—づくえ【—机】 名 양소매책상.

りょうだてよきん【両建て預金】 名 양건 예금; 구속성 예금; 꺾기.

りょうだめ【両だめ】((両為)) 名 쌍방의 이익; 쌍방을 위한 일. ¶～を図る 쌍방의 이익을 도모하다/言わぬが～だ 말을 안 하는 것이 양편에 다 좋다.

りょうたん【両端】 名 양단. ＝りょうはし. ¶～を切り落とす 양끝을 잘라내다/ひもの～を結ぶ 끈의 양끝을 매다. ↔一端.

—を持する 양다리(를) 걸치다.

りょうだん【両断】 名 ス他 양단. ¶一刀～する 단칼에 두 쪽을 내다.

りょうち【了知】 名 ス他 양지(諒知). ¶相手の申し出を～する 상대의 요청을 양지하다/その事は～している 그 일은 잘 알고 있다.

りょうち【領地】 名 영지. **1**봉토(封土). ¶～を没収する 영지를 몰수하다. **2**영토. ¶日本の～ 일본 영토.

りょうて【両手】 名 양수; 두 손. ＝もろて. ¶～利き 양손잡이/～を広げる 양손을 벌리다〔펴다〕/～を合わせて祈る 두 손 모아 빌다. ↔片手.

—に花 양손에 꽃((두 개의 좋은 것을 동시에 차지함의 비유)). ¶～とは, うらやましい 양손에 꽃이라니 부럽구나.

りょうてい【料亭】 名 요정. ＝料理屋. ¶～の女将 요정의 여주인.

りょうてい【量定】 名 ス他 양정; 헤아려서 정함. ¶刑の～ 형량을 정함.

りょうてき【量的】ダナ 양적. ＝数的. ¶～にめぐまれている 양적으로 풍족하다 / ～にもまだ不足だ 양적으로도 아직 부족하다 / ～には十分だが, 質的に劣る 양적으로는 충분하지만, 질적으로 뒤떨어진다. ↔質的.

りょうてんびん【両てんびん】《両天秤》 图 양다리를 걸침. ＝両天. ¶～を〔に〕かける 양다리를 걸치다.

*__りょうど__【領土】图 영토. ¶～紛争〔保全〕 영토 분쟁〔보전〕 / ～を守る 영토를 지키다 / 他国の～を侵す 타국의 영토를 침범하다.

りょうとう【両刀】图 양도. **1** 무사가 찬 대소(大小) 두 자루의 칼. ¶～をたばさむ 두 자루의 칼을 (허리에) 차다. **2** '両刀づかい'의 준말.

—づかい【—遣い】图 **1** 쌍칼잡이. ＝二刀流. **2** 두 가지 일을 동시에 할 수 있음; 또, 그 사람. ¶翻訳と創作の～ 번역과 창작에 둘 다 능한 사람. **3** 술과 단것을 다같이 즐김; 또, 그런 사람. ＝甘辛両党. ¶甘辛～ 술과 단것을 다 좋아하는 사람.

りょうとう【両頭】图 양두. ¶～政治 양두 정치 / ～のへび 양두사(兩頭蛇).

りょうどう【糧道】图 (군대의) 양도; 양식 수송로. ¶～を絶つ 양도를 끊다; 전하여, 생활비를 보내지 않다.

りょうどうたい【良導体】图 양도체. ☞どうたい(導体). ↔不良導体.

りょうとうのいのこ［遼東の豕］图 요동시; 견식이 좁아 독선적임; 우물 안 개구리. ＝独り善がり.

りょうとく【両得】图 양득; 이중의 이익. ¶一挙～ 일거양득.

りょうどなり【両隣】图 자기 집의 좌우 양쪽 이웃집. ¶向こう三軒～ 맞은편 세 집과 좌우 양쪽 이웃집 / ～の席が空く 양옆 좌석이 비다.

りょうない【領内】图 영내; 영토의 안; 영지의 안. ↔領外.

りょうにん【両人】图 양인; 두 사람. ＝二人. ¶御～ 두 분 / ～を引き合わせる 두 사람을 대면시키다.

りょうば【両刃】图 양쪽에 날이 있음; 또, 그런 물건. ＝もろは. ¶～のかみそり 양날의 면도(날). ↔片刃.

—の剣 양날의 칼《유용한 면이 있는 반면에 악용될 수도 있는 논법 따위》. ＝もろ刃のつるぎ.

りょうば【良馬】图 양마; 준마(駿馬).

りょうば【猟場】图 사냥터. ＝かりば.

りょうば【漁場】图 어장. ＝ぎょじょう.

りょうはん【量販】图ス他 양판; '大量販売(＝대량 판매)'의 준말. ＝マスセール.

—てん【—店】图 양판점; 대량 판매점.

りょうひ【良否】图 양부; 좋고 나쁨. ＝よしあし. ¶ことの～ 일의 좋고 나쁨 / ～を問う〔見分ける〕 양부를 묻다〔가리다〕.

りょうひ【寮費】图 기숙사비.

りょうびらき【両開き】图 (문짝이) 양쪽으로 열림; 쌍바라지. ＝かんのん開き. ¶この洋服簞笥は～になっている 이 양복장은 쌍바라지로 되어 있다. ↔片びらき.

りょうひん【良品】图 우량품. ¶～を安く売る 좋은 물건을 싸게 팔다.

りょうふう【涼風】图 양풍; 선들바람. ＝すずかぜ. ¶一味の～ (어디선지 불어오는) 한 가닥의 선들바람 / ～が吹き抜ける 시원한 바람이 지나가다.

りょうふう【良風】图 양풍; 좋은 풍속. ¶～美俗 미풍양속. ↔悪風.

りょうぶん【両分】图ス他 양분. ＝二分. ¶世界を～する二大勢力 세계를 양분하는 2대 세력 / 利益を～する 이익을 양분하다.

りょうぶん【領分】图 **1** 영지(領地); 소유지 안. ¶わが家の～ 우리 집 울안 / 他国の～を侵す 타국의 영지를 침입하다. **2** 세력 범위. ＝なわばり. ¶子供の～ 어린이의 영역 / 人の～をおかす 남의 세력권을 침범하다.

りょうぼ【陵墓】图 능묘; 능과 묘.

*__りょうほう__【両方】图 양방; 쌍방; 양자(兩者). ¶～とも悪い 양쪽 모두 나쁘다 / ～に気を配る 쌍방에 신경을 쓰다 / ～の意見を聞く 쌍방의 의견을 듣다. ↔片方.

りょうほう【良法】图 양법; 좋은 방법. ¶解決の～を編み出す 해결의 좋은 방법을 생각해 내다.

りょうほう【療法】图 요법. ¶指圧〔食餌〕～ 지압〔식이〕 요법 / 物理〔対症〕～ 물리〔대증〕 요법.

りょうまえ【両前】图 겹자락; 더블. ＝ダブル・ダブルブレスト. ¶～の背広 더블 (버튼) 신사복 / ～の上着 더블 상의. ↔片前・シングル.

りょうみ【涼味】图 시원한 맛. ¶～満点 시원하기가 그만임 / ～を満喫する 시원한 맛을 만끽하다.

りょうみん【良民】图 양민. ¶無辜の～ 무고한 양민 / ～を苦しめる政治 양민을 괴롭히는 정치.

りょうめ【両目】图 양눈. ＝両眼. ¶～をつむる 두 눈을 감다 / ～とも見えない 두 눈 다 못 본다. ↔片目.

りょうめ【量目】图 중량; 무게. ＝かけめ. ¶～をごまかす 중량을 속이다 / ～が足りない 근량이 모자라다.

りょうめい【両名】图 두 사람. ＝ふたり・両人. ¶～を解雇する 두 사람을 해고하다.

*__りょうめん__【両面】图 양면. **1** 앞면과 뒷면. ¶レコードの～ 레코드의 앞뒷면. ↔片面. **2** 두 방면. ¶～作戦 양면 작전 / 事の～を見て判断する 사물의 양면을 보고 판단하다 / 物心～から支援する 물심양면으로 지원하다.

りょうやく【良薬】图 양약.

—は口に苦し 양약은 입에 쓰다; 전

하여, 진정한 충고는 귀에 거슬린다.

りょうゆう【僚友】名 요우; 동료. ¶会社の～ 회사 동료.

りょうゆう【両雄】名 양웅; 두 영웅.
—ならび立たず 양웅은 함께 존재할 수 없다.

りょうゆう【領有】名ス他 영유. ¶広大な～地 광대한 영유지/日本の～する島 일본이 영유하는 섬.

りょうゆう【良友】名 양우; 좋은 친구. ¶～を得る〔失う〕 좋은 친구를 얻다〔잃다〕. ↔悪友.

りょうよう【両様】名 두 가지 방식〔모양〕. ＝ふたとおり. ¶～の意味 두 가지 의미/和戦～の構え 화전 양면의 태세/～に解釈できる 두 가지로 해석할 수 있다.

りょうよう【両用】名ス他 **1** 양용; 두 가지로 쓰임; 겸용. ¶水陸～の戦車 수륙 양용 전차. **2** 대변과 소변. ¶～便所 (대소변) 양용 변소.

*__りょうよう__【療養】名ス自 요양. ¶～所 요양소/～生活 요양 생활/転地して～する 전지 요양하다.

りょうよく【両翼】名 양익. **1** 좌우 양쪽의 날개. **2** 진형·대형 또는 야구에서 외야의 좌익과 우익. ¶～を固める 양익(의 방비 등)을 공고히 하다.

りょうらん［繚乱］トタル 꽃이 어지럽게 핀 모양. ¶百花～ 백화난만.

__りょうり__【料理】名ス他 요리. **1 음식을 만듦; 또, 음식. ¶一品～ 일품요리/中華～ 중화요리/あっさりした～ 담박〔산뜻〕한 요리/彼女は～が上手〔へた〕だ 그녀는 요리를 잘한다〔잘 못한다〕. **2** 사물을 잘 처리함. ¶ややこしい仕事をうまく～する 까다로운 일을 잘 요리〔처리〕하다.
—にん【—人】名 요리인〔사〕. ＝板前·コック.
—や【—屋】名 음식점; 요릿집.

りょうりつ【両立】名ス自 양립. ¶学業と部活を～させる 학업과 동아리 활동을 양립시키다/家庭と職業は～するだろうか 가정과 직업은 양립할 수 있을까.

りょうりょう【両両】名 양쪽이 다; 이쪽저쪽 모두. ¶～相譲らない 어느 쪽도 서로 양보하려 하지 않다.
—相まって 양쪽이 서로 어울려. ¶天分と努力とが～ 천분과 노력이 서로 어울려.

りょうりん【両輪】名 양륜; 좌우의 바퀴. ¶車の～ 수레의 양쪽 바퀴《둘이 합하여〔서로 도와〕 훌륭한 구실을 함의 비유》/～を成す 양륜을 이루다《(a)둘을 갖추어야 비로소 구실을 하다; (b)그 사회에서 쌍벽을 이루다》.

りょうろん【両論】名 양론. ¶賛否～ 찬반 양론.

りょうわき【両わき】《両脇》名 **1** 양쪽 겨드랑이. ¶～から支える 양쪽 겨드랑이를 받치다/～に抱える 양 겨드랑이에 껴안다. **2** 양편.

りょがい【慮外】名ダ **1** 의외; 뜻밖임. ＝意外. ¶～の出来事 뜻밖의 일〔사건〕. **2** 무례; 버릇없음. ＝ぶしつけ. ¶～者 무례한 놈/～千万 무례하기 짝없음/～なふるまい 무례한 짓.

りょかく【旅客】名 여객. ＝りょきゃく. ¶～列車 여객 열차; 객차/鉄道の～ 철도 여객.
—き【—機】名 여객기. ＝りょかっき.
—せん【—船】名 여객선. ↔貨物船.

*__りょかん__【旅館】名 여관. ＝やどや. ¶駅前の～に泊まる 역 앞 여관에 묵다.

りょきゃく【旅客】名 ☞りょかく.

りよく【利欲】《利慾》名 이욕. ¶～に走る 이욕에 치우치다/～に目がくらむ 이욕에 눈이 어두워지다.

=りょく【力】…력; 힘; 능력. ¶経済～ 경제력/理解～ 이해력.

りょく〖力〗教1 リョク リキ ちから つとめる | 력 힘 | **1** 힘. ¶能力 능력. **2** 힘쓰다; 애쓰다. ¶努力 노력/力説 역설.

りょく〖緑〗《綠》教3 リョク ロク みどり | 록 초록빛 | 초록색. ¶新緑 신록/緑陰 녹음/緑化 녹화.

りょくいん【緑陰】名 녹음; 나무 그늘. ＝こかげ. ¶～に憩う 녹음에서 휴식하다/～で読書する 나무 그늘에서 독서하다.

りょくおうしょく【緑黄色】名 녹황색.
—やさい【野菜】名 녹황색 야채《시금치·호박·당근·피망·토마토 등》.

りょくか【緑化】名ス自他 녹화. ＝りょっか. ¶～運動 녹화 운동.

りょくしゅ【緑酒】名〈文〉녹주. **1** 녹색을 띤 좋은 술. ¶紅灯～ 홍등녹주/～に月の影宿し 녹주에 달 그림자 띄우고. **2** 미주(美酒).

りょくじゅうじ【緑十字】名 녹십자; 녹화 사업을 상징하는 녹색의 십자 표지. ＝みどりじゅうじ.

りょくそうるい【緑藻類】名 녹조류.

りょくち【緑地】名 녹지.
—たい【—帯】名 녹지대. ＝グリーンベルト.

りょくちゃ【緑茶】名 녹차. ↔紅茶.

りょくど【緑土】名 녹토; 초목이 무성한 강산.

りょくないしょう【緑内障】名〔醫〕녹내장. ＝あおそこひ.

りょくひ【緑肥】名 녹비; 풋거름. ＝草ごえ.

りょけん【旅券】名 여권. ＝パスポート. ¶～の申請 여권 신청/～を出す 여권을 내다/～を交付する 여권을 교부하다/～の査証を受ける 여권의 사증을〔비자를〕 받다.

**__りょこう__【旅行】名ス自 여행. ＝たび. ¶～者 여행자/～案内所 여행 안내소/～ぎらい 여행을 싫어함; 또, 그 사람/海外〔日帰り〕～ 해외〔당일치기〕 여행/新婚〔修学〕～ 신혼

〔수학〕 여행 / ～のシーズン 여행 시즌 / ～先〔かばん〕 여행지〔가방〕/ ～に出る〔でかける〕 여행을 떠나다 / 欧州各地を～する 유럽 각지를 여행하다 / 彼は～好きだ 그는 여행을 좋아한다.

——こぎって【——小切手】图 여행자 수표 (T/C). ＝トラベラーズチェック.

りょしゅう【旅愁】图 여수. ＝客愁. ¶～を味わう〔慰める〕 여수를 맛보다〔달래다〕/ ～にひたる 여수에 젖다.

りょしゅう【虜囚】图 노수; 포로. ＝とりこ. ¶～の身 포로의 몸 / ～の辱めを受ける 사로잡히는 치욕을 당하다.

りょじょう【旅情】图 여정. ＝旅ごころ. ¶～を慰める 여정을 위로하다〔달래다〕/ ～をそそる 여정을 돋우다.

りょそう【旅装】图 여장. ＝旅じたく·旅装束. ¶～を解く〔整える〕 여장을 풀다〔갖추다〕.

りょだん【旅団】图〘軍〙 여단. ¶～長 여단장 / 混成～ 혼성 여단.

りょっか【緑化】图ス自他 ☞りょくか.

りょてい【旅程】图 여정; 여행 일정. ¶三泊四日の～ 삼박 사일의 여행 일정 / ～を組む 여행 일정을 짜다 / 一日の～を無事に終える 하루의 여정을 무사히 마치다.

***りょひ**【旅費】图 여비. ¶出張～ 출장 여비 / ～が高い 여비가 많이 든다 / ～はどのくらいかかるでしょうか 여비는 얼마쯤 들까요.

リラ [프 lilas] 图〘植〙 릴라. ☞ライラック.

リラ [이 lira] 图 리라; 이탈리아·터키의 화폐 단위.

リライト [rewrite] 图ス他 리라이트; (문장 등을) 고쳐 씀. ¶原稿を～する 원고를 고쳐 쓰다.

リラックス [relax] 图ス自 릴랙스; 긴장을 풂. ¶～ムード 릴랙스〔편안〕한 분위기 / ～して試合〔試験〕に臨む 긴장을 풀고 경기〔시험〕에 임하다.

リリー [lily] 图〘植〙 릴리; 백합. ＝ゆり.

リリーフ [relief] 릴리프. 一图ス他〘野〙 구원함. ¶先発投手を～する 선발 투수를 구원하다. 二图 **1** 'リリーフピッチャー'의 준말. **2**〘美〙 돋을새김; 부조(浮彫). ＝うきぼり·レリーフ.

——ピッチャー [relief pitcher] 图〘野〙 릴리프 피처; 구원 투수.

リリカル [lyrical] ダナ 리리컬; 서정적. ¶～な詩〔絵〕 서정적인 시〔그림〕.

りりく【離陸】图ス自 이륙. ¶～距離 이륙 거리 / 成田空港を～する 成田 공항을 이륙하다. ↔着陸.

りりし-い〖凜凜しい〗形 늠름하다; 씩씩하다. ¶～姿 늠름한 모습 / ～武者ぶり 용사다운 늠름한 모습〔행동〕/ 眼元口元の～顔 눈매·입매가 야무지게 생긴 얼굴.

リリシズム [lyricism] 图 리리시즘; 서정미(抒情味); 서정주의.

りりつ【利率】图 이율. ¶年五分の～ 연 5푼의 이율 / ～を引き上げる 이율을 올리다.

リリック [lyric] 리릭. 一图 서정시(詩). ↔エピック. 二ダナ ☞リリカル.

リレー [relay] 릴레이. 一图ス他 중계; 교체. ¶～放送 중계방송 / 投手～ 투수 교체 / 聖火～ 성화 릴레이 / 水をバケツの～で運ぶ 물을 양동이로 릴레이하여 나르다. 二图 'リレーレース'의 준말.

——きょうぎ【——競技】图 ☞リレーレース.

——レース [relay race] 图 릴레이 레이스; 계주(繼走); 또, 계영(繼泳).

***りれき**【履歴】图 이력. ＝経歴. ¶～を調べる 이력을 조사하다 / ～に傷がつく 이력에 흠이 가다.

——しょ【——書】图 이력서. ¶～を出す 이력서를 내다.

りろせいぜん【理路整然】トタル 이로정연. ¶彼の意見は～としている 그의 의견은 이로정연하다.

****りろん**【理論】图 이론. ¶～化 이론화 / ～上〔的〕 이론상〔적〕/ ～づける 이론화하다; 이론을 붙이다 / ～を打ち立てる 이론을 확립하다 / ～をたてる 이론을 세우다; 이론화하다 / ～ではそう言えても 이론적으로는 그렇게 말할 수 있지만 / ～と実際とは違う 이론과 실제는 다르다 / ～倒れ (a)말만 앞세우고 실행하지 않음; (b)이론상으로는 가능하나 실제로는 불가능함.

——か【——家】图 이론가. ¶～肌の人 이론가 기질인 사람.

りん【厘】图 리. **1** 화폐 단위; 1円의 1000분의 1; 1전의 10분의 1. ¶一銭五～ 1전 5리. **2** 길이의 단위; 1리는 1척의 1,000분의 1; 1푼의 10분의 1. **3** 1할의 100분의 1. ¶打率三割二分五～ 타율 3할 2푼 5리.

りん〖燐〗图 **1**〘化〙 인(비금속 원소의 하나; 기호: P). **2** ☞りんか(燐火).

りん【鈴】图 **1** 방울. ¶～を鳴らす 방울을 울리다. **2** 종; 초인종. ＝ベル. ¶呼び～ 초인종.

=りん【輪】**1** 꽃을 세는 말: …송이. ¶梅一～ 매화 한 송이. **2** 차바퀴를 세는 말. ¶オート三～ 삼륜(자동)차.

=りん【林】…림. ¶原始～ 원시림 / 防風～ 방풍림.

りん〖林〗教1 リン はやし | 림 수풀 | **1** 수풀. ¶林野 임야 / 密林 밀림 / 森林 삼림. **2** 많이 있음; 떼지어 있음; 또, 많이 모은 것. ¶林立 임립 / 辞林 사림; 사전.

りん〖厘〗常用 リン | 리 리 | 매우 작은 수. ＝釐. ¶厘毛 극소; 아주 적음.

りん〖倫〗常用 リン つね たぐい | 륜 인륜 | **1** 도리; 규범. ¶倫理 윤리 / 人倫 인륜. **2** 비등한 상대; 동료; 패거리. ¶絶倫 절륜 / 比倫 비륜.

りん〖輪〗教4 リン わ めぐる | 륜 바퀴 | 1 수레바퀴; 고리 모양의 물건. ¶火輪 화륜 / 車輪 차륜; 바퀴. 2 차례로 돌다; 돌다. ¶輪転 윤전 / 輪廻 윤회.

りん〖隣〗常用 リン となり となる | 린 이웃 | 이웃(집); 옆. ¶隣家 인가 / 四隣 사린.

りん〖臨〗教6 リン のぞむ | 림 임하다 | 1 지위 높은 사람이 아랫사람 있는 곳에 오다. ¶臨幸 임행 / 来臨 내림. 2 그곳에 임하다. ¶臨席 임석 / 臨終 임종.

りんか［燐火］图 인화; 도깨비불. ＝おにび·きつねび.

りんか【輪禍】图 윤화; 교통사고. ¶～に会う 윤화를 당하다 / 子供を～から守ろう 어린이를 윤화로부터 지키자.

りんか【隣家】图 인가; 이웃집. ¶～の火事 이웃집 화재 / ～に留守を頼む 이웃집에 집보기를 부탁하다.

りんかい【臨海】图 임해. ¶～工業地帯 임해 공업 지대.

—がっこう【—学校】图 임해 학교; 해변의 여름 학교.

りんかい【臨界】图〖理〗임계. ¶～温度 임계 온도 / ～状態 임계 상태 / ～に達する 임계에 달하다.

*りんかく【輪郭】《輪廓》图 윤곽. ¶顔〔事件〕の～ 얼굴〔사건〕의 윤곽/ 美しい～ 아름다운 윤곽〔용모〕/ ～がぼける 윤곽이 흐려지다 / ～を描く 윤곽을 그리다 / ～が浮かびあがる 윤곽이 떠오르다 / だいたいの～を取る 대체적인 윤곽을 잡다 / 話の～がつかめた 이야기의 윤곽이 파악되었다.

りんがく【林学】图 임학. ¶～者 임학자 / ～博士 임학 박사.

りんかん【林間】图 임간. ¶～をさまよう 숲 속을 헤매다.

—がっこう【—学校】图 임간 학교. ⇨りんかいがっこう.

りんかん［輪姦］图ス他 윤간.

りんき［悋気］图ス自 (남녀 간의) 투기; 질투; 강샘. ＝やきもち. ¶～は恋の命 질투는 사랑의 본질〔생명〕/ ～深い男 질투가 심한 남자 / ～を起こす 강샘을 부리다.

りんき【臨機】图 임기; 때에 따라 적절히 대응함. ¶～の才 임기의 재능 / ～の処置 임기(응변)의 조처 / ～に手を打つ 임기응변으로 손을 쓰다.

—おうへん【—応変】图 임기응변. ¶～に取り計らう 임기응변으로 조처하다 / ～の処置をとる 임기응변의 조치를 취하다 / その辺は～にやりましょう 그 점〔부분〕은 임기응변으로 (적절히) 처리합시다.

りんぎ［稟議］图ス他 품의. ¶～書 품의서. 注意 'ひんぎ'의 관용음.

りんきゅう【臨休】图 '臨時休業(＝임시 휴업)' '臨時休校(＝임시 휴교)' '臨時休暇(＝임시 휴가)'의 준말.

りんぎょう【林業】图 임업. ¶農～ 농림업 / ～を営む 임업을 경영하다.

リンク [link] 图ス自他 링크; 연결(함). ¶雑誌と～させたラジオ番組 잡지와 링크시킨 라디오 프로그램.

リンク [rink] 图 링크; 스케이트장; 아이스 하키 경기장. ＝アイスリンク. ¶スケート～ 스케이트장.

リング [ring] 图 링. 1 고리. 2 반지. ¶エンゲージ～ 약혼 반지. 3 권투〔프로레슬링〕 경기장. ¶～サイド 링사이드; 링 주위(관람석) / ～に上がる 링에 오르다. 4 'イヤリング(＝귀걸이)'의 준말. 5 기계 체조의 링. 6 피임 용구의 하나.

リンケージ [linkage] 图ス自 링키지; 결합; 연관됨; 연쇄됨. ¶企業と大学との～ 기업과 대학의 연계〔제휴〕.

りんげつ【臨月】图 임월; 산월. ＝うみづき. ¶～が近い 산월이 가깝다.

リンゲルえき【リンゲル液】图〖薬〗링거(액). ＝リンゲル·溶液. 注意 'リンガー液' 라고도 함. ▷Ringer.

りんけん【臨検】图ス他 임검. ¶警官が～する 경관이 임검하다.

*りんご［林檎］图〖植〗사과(나무). ¶～酒 사과주 / ～ジュース 사과 주스 / ～の皮をむく 사과를 깎다 / ～のように赤いほっぺ 사과 같이 붉은 뺨. 注意 가게에서는 '林子'로도 씀.

りんこう【りん光】《燐光》图 인광.

りんこう【臨幸】图ス自 임행; 거둥; 행행. ¶～を仰ぐ 거둥을 삼가 바라다.

りんこう【臨港】图 임항. ¶～工業地帯 임항 공업 지대.

—せん【—線】图 임항선; 하역을 위해 부두까지 깐 선로. ＝臨港鉄道.

りんごく【隣国】图 인국; 이웃 나라. ＝隣邦. ¶～のよしみ 이웃 나라의 정의(情誼) / ～の国境を侵す 이웃 나라의 국경을 침범하다.

りんさく【輪作】图ス他〖農〗윤작; 돌려짓기. ＝輪栽. ¶大麦と米を～する 보리와 쌀을 윤작하다. ↔連作.

りんさん【りん酸】《燐酸》图〖化〗인산.

—ひりょう【—肥料】图 인산 비료. ＝燐肥.

りんさんぶつ【林産物】图 임산물.

りんし【臨死】图 임사; 죽음에 직면함; 죽을 고비에 임함.

**りんじ【臨時】图 임시. ¶～休業 임시 휴업 / ～の収入 일시적인 수입 / ～ダイヤ 임시 다이아〔열차 운행표〕/ ～集会を開く 임시 집회를 열다 / ～に雇う 임시로 고용하다 / ～列車を増発する 임시 열차를 증편하다. ↔経常·定例·通常·恒例.

—こっかい【—国会】图 임시 국회. ↔通常国会·特別国会.

—やとい【—雇い】图 임시 고용(인). ↔常雇い.

りんしつ【隣室】图 옆방; 이웃방. ¶～の学生〔客〕 옆방의 학생〔손님〕.

りんじゅう【臨終】图 임종. ＝死にぎわ. ¶～の遺言 임종의 유언 / 安らかな～ 편안한 임종 / ～に間に合う 임종에 대어가다 / ～をみとる 임종을 지켜보다 / 御～です 임종하셨습니다.

りんしょう【臨床】图 임상. ¶～医 임상의 / ～経験 임상 경험 / ～例を挙げる 임상례를 들다.

──いがく【──医学】图 임상 의학. ↔基礎医学.

──こうぎ【──講義】图 임상 강의.

りんしょう【輪唱】图ス他〔樂〕윤창; 돌림 노래. ＝ラウンド.

りんじょう【臨場】图ス自 임장; 임석. ¶御～の皆様 임석하신 여러분.

──かん【──感】图 임장감; 현장감. ¶～あふれる中継放送 현장감 넘치는 중계 방송 / ～がゆたかだ 현장감이 풍부하다.

りんしょく [吝嗇] 图ダナ 인색. ＝しみったれ·けち. ¶～家 인색가; 구두쇠 / ～漢 인색한; 구두쇠 / ～な人 인색한 사람 / 金持ちのくせに～な親爺だ 부자인데도 인색한 영감이다.

りんじん【隣人】图 인인; 이웃 (사람). ¶～のよしみ 이웃 사람과의 정의.

──あい【──愛】图 이웃에 대한 사랑.

リンス [rinse] 图ス他 린스; 세발 후 헹굼; 또, 그것에 쓰는 액. ＝ヘアリンス.

りんせい【輪生】图ス自〔植〕윤생; 돌려나기. ↔互生·対生.

りんせき【臨席】图ス自 임석; 참석. ¶～の警官 임석 경관 / なにとぞ御～をお願い申しあげます 부디 참석해 주시기 바랍니다.

りんせき【隣席】图 인석; 옆자리. ¶～の客 옆자리의 손님.

りんせつ【隣接】图ス自 인접. ¶～地 인접지 / ～の国 인접한 나라 / ～する市町村 인접해 있는 시읍면.

りんせん【臨戦】图ス自 임전. ¶～態勢をとる 임전 태세를 취하다.

りんぜん [凜然] トタル 늠연. **1** 추위가 심한 모양; 으스스함. ¶寒気～ 한기 늠연; 한기가 몸에 스밈. **2** 늠름한 모양. ¶～たる態度 늠름한 태도 / ～と言いはなつ 위엄 있게 단언하다.

りんそん【隣村】图 인촌; 이웃 마을. ＝となりむら.

リンチ [lynch] 图ス他 린치; 사형(私刑). ¶～を加える〔受ける〕 린치를 가하다〔당하다〕 / 仲間に～される 한패에게 린치를 당하다.

りんてん【輪転】图ス自 윤전; 빙빙 돎. ¶～式 윤전식 / ～機を回す 윤전기를 돌리다.

りんと〘凜と〙副 **1** 늠름한 모양. ¶～した態度〔顔つき〕 늠름한 태도〔표정〕. **2** 추위가 심한 모양. ¶～した朝の大気 으스스한 아침 공기.

りんどう【林道】图 임도; 임간 도로; 산간의 임산물을 운반하는 길.

りんどう〘竜胆〙图〔植〕용담.

りんどく【輪読】图ス他 윤독; 돌려 읽고 토의·연구함. ¶～会 윤독회 / 万葉集を～する 万葉集를 윤독하다.

りんね [輪廻] 图ス自〔佛〕윤회. ＝流転. ¶三界六道に～する 삼계육도에 윤회하다.

リンネル [프 linière] 图 린네르; 아마포(布). ＝リネン.

リンパ [도 Lymphe] 图〔生〕'リンパ液(＝림프액)' 'リンパ腺(＝림프선)'의 준말. 注意 '淋巴'로 씀은 음역.

──せつ【──節】图 림프절; 림프샘. ＝リンパ腺. ¶～炎 림프샘염; 림프선염.

──せん [──腺] 图 림프선(('リンプ節'의 구칭)).

りんばん【輪番】图 윤번. ＝回り番. ¶～制 윤번제 / ～で掃除をする 윤번으로 청소를 하다.

りんぶ【輪舞】图ス自 윤무; 원무.

──きょく【──曲】图 윤무곡. ＝ロンド.

りんぺん [鱗片] 图 인편; 비늘 조각.

りんぽ【隣保】图 인보; 이웃 (사람); 또, 이웃끼리 서로 돕기 위한 조직. ¶～事業〔組織〕 인보 사업〔조직〕.

りんぽう【隣邦】图 인방; 이웃 나라.

リンボー [limbo] 图 림보; 중미에서 발생한 곡에 댄스. ＝リンボーダンス.

りんもう【厘毛】图 극소; 추호. ¶～の狂いもない 추호의 차질도 없다 / ～も違わない 털끝만큼도 안 틀리다.

りんや【林野】图 임야. ¶～を駆けめぐる 임야를 뛰어 돌아다니다.

──ちょう【──庁】图 임야청((우리나라의 산림청에 해당)).

りんらく [淪落] 图ス自 윤락. ＝堕落. ¶～の身 윤락의 몸 / ～の女 윤락 여성 / ～のふちに沈む 윤락의 구렁에 빠지다.

りんり【倫理】图 윤리. **1** 인륜; 도덕. ¶政治～ 정치 윤리 / ～にそむく 윤리에 어긋나다 / 企業の～が個人の～に優先する 기업 윤리가 개인 윤리에 우선한다. **2** 'りんりがく(＝윤리학)'의 준말.

──てき【──的】ダナ 윤리적. ¶～判断の欠如 윤리적 판단의 결여.

りんり [淋漓] トタル 임리. **1** 땀·피가 뚝뚝 떨어지는 모양. ¶流汗～ 유한임리; 땀이 줄줄 흘러내림. **2** 기세 따위가 넘쳐 흐르는 모양. ¶墨痕～たる筆勢 묵흔이 임리한 필세.

りんりつ【林立】图ス自 임립; 숲의 나무처럼 (많은 것이) 죽 늘어섬. ¶煙突が～する 굴뚝이 임립하다 / 高層ビルが～する 고층 빌딩이 즐비하다.

りんりん [凜凜] トタル 늠름. **1** 태도가 늠름한 모양. ¶～たる青年 늠름한 청년 / 勇気～ 용기 만만(滿滿); 아주 용기가 있음. **2** 추위가 혹심한 모양. ＝凜列.

りんりん 副 **1** 벨이나 방울 따위가 울리는 소리: 따르릉; 딸랑딸랑. ¶電話が～鳴り続ける 전화가 계속 따르릉 울리다 / 風鈴が～(と)鳴る 딸랑딸랑 풍경 소리가 나다. **2** 목소리가 쩌렁쩌렁 잘 들리는 모양. **3** 방울벌레가 우는 소리.

りんれつ [凜冽] 名 トタル 〈文〉 늠렬; 살을 엘 듯이 추운 모양. ¶寒気～ 한기 늠렬; 추위가 혹심함 / ～の気 늠렬한〔혹심한〕 한기.

る ル

1 五十音図 'ら行'의 셋째 음. [ru] **2**〔字源〕'留'의 초서체《かたかな 'ル'는 '流'의 우측 아래》.

ルアー [lure] 名 루어; 가짜 미끼 낚싯바늘. ¶～釣り〔フィシング〕 루어 낚시.

るい【累】名 누; 폐. ¶友人にまで～を及ぼす 친구에게까지 누를 끼치다.

るい【塁】名 누. **1** 성채; 보루(堡塁). ¶～を抜く 성채를 공략하다 / ～を築く 성채〔보루〕를 쌓다. **2**〔野〕 베이스. ¶～に出る〔進む〕 출루〔진루〕하다 / ～をぬすむ 도루(盗塁)하다 / ～を回る〔守る〕 베이스를 돌다〔지키다〕.

―を摩す **1** 적의 보루에 육박하다. **2** 어떤 사람과 동등한 지위나 실력을 갖게 되다.

るい【類】名 유. **1** 종류; 같은 부류. ¶～を分ける 종류를 구분하다. **2** 같은 동아리; 닮은 것. ¶～のない事件 유례가 없는 사건 / 他〔世界〕に～を見ない 타〔세계〕에 유례를 볼 수 없다. **3**《接尾詞적으로》 류. ㉠같은 종류의 것. ¶魚介～を食べる 어패류를 먹다. ㉡동식물의 분류에서, 강(綱)과 목(目) 등의 관용어. ¶哺乳～ 포유류.

―は友を呼ぶ 유유상종(類類相從); 끼리끼리 모이다.

るい 〖涙〗(淚) 常用 ルイ なみだ | 루 눈물 | 눈물. ¶涙腺 누선 / 感涙 감루.

るい 〖累〗 常用 ルイ かさねる かさなる しきりに わずらわす | 루 여러 | **1** 겹치다; 겹침. ¶累積 누적 / 累計 누계. **2** 관계되다; 관련되다. ¶係累 계루 / 連累 연루.

るい 〖塁〗(壘) 常用 ルイ とりで | 루 진 | **1** 성채. ¶堡塁 보루. **2**〔野〕 누; 베이스. ¶塁審 누심 / 盗塁 도루.

るい 〖類〗(類) 常用 ルイ たぐい | 류 무리 | **1** 비슷한 것끼리의 모임; 동아리. ¶同類 동류 / 類推 유추 / 類型 유형. **2** 가까이 이르다; 미치다. ¶類火 유소 / 類焼 유소.

るいえん【類縁】名 유연. **1** 친척; 일가; 일족. ¶～の者が集まる 일가친척이 모이다. **2** 생물의 모양이나 성질이 닮아서로 가까운 관계에 있음. ¶二つの間には～関係がある 둘 사이에는 유연 관계가 있다.

るいか【累加】名 ス自他 누가. ¶～的 누가적 / 税率が～される 세율이 누가되다 / 借入金が～する 차입금이 점점 늘다. ↔累減.

るいか【類火】名 유소; 딴 데서 옮겨붙은 불. =もらい火·類焼. ↔自火.

るいぎご【類義語】名 유의어; 어형(語形)은 다르나 뜻이 비슷한 말《'推量(=추량)'와 '推測(=추측)', '衣服(=의복)'과 '着物(=옷)' 따위》. =類語. ¶～の使い分け 유의어의 가려 쓰기.

るいけい【類型】名 유형. ¶～化 유형화 / ～に堕している作品 개성이 없는 작품 / いくつかの～に分類する 몇 가지 유형으로 분류하다.

るいけい【累計】名 ス他 누계. =累算. ¶～を出す 누계를 내다.

るいご【類語】名 유어. ☞るいぎご.

―じてん【―辞典】名 유어 사전.

るいさん【累算】名 ス他 누산; 누계를 냄. =累計. ¶月月の出費を～する 다달의 출비를 누산하다.

るいじ【累次】名 누차. ¶～の戦争で国土は荒れはてた 누차의 전쟁으로 국토는 황폐해졌다.

***るいじ**【類似】名 ス自 유사. ¶～点 유사점 / ～の作品 유사한 작품 / 両者は性格が～している 양자는 성격이 유사하다 / ～品にご注意ください 유사품에 주의하십시오.

るいしょ【類書】名 유서; 비슷한 책. =類本. ¶～が多い 유서가 많다.

るいしょう【類焼】名 ス自 유소; 불길이 옮겨서 탐; 연소. =類火·もらい火. ¶～を免れる 연소를 면하다.

るいじょう【累乗】名 ス他 누승; 거듭제곱.

―こん【―根】名〔數〕 누승근; 거듭제곱근.

るいじょう【塁上】名〔野〕 누상. ¶～のランナー 누상의 러너.

るいしん【累進】名 ス自 누진. ¶～課税 누진 과세 / ～的に増える 누진적으로 늘어나다 / 局長に～する 국장으로 누진〔승진〕하다.

るいしん【塁審】名〔野〕 누심. =ベースアンパイア. ⇨球審·線審.

るいじんえん【類人猿】名〔動〕 유인원. =エイプ·ひとにざる.

***るいすい**【類推】名 ス他 유추. =類比·アナロジー. ¶彼の性質から～すると 그의 성질로 유추하면 / 一部か

ら全体を～する 일부에서 전체를 유추하다.

るい-する【類する】サ変自 **1** 닮다; 비슷하다. ¶これに～品物 이와 비슷한 물건 / これに～ことはいくらでもありうる 이와 비슷한 일은 얼마든지 있을 수 있다. **2** 비견하다. ¶これに～作品はない 이에 비견할 만한 작품은 없다.

*__るいせき__【累積】图ス自他 누적. ¶～赤字 누적 적자 / ～した鬱憤が爆発する 누적된 울분이 폭발하다.

るいせん [涙腺] 图 누선; 눈물샘. ¶～が弱い 누선이 약하다《눈물을 잘 흘린다》/ ～を刺激する 누선을 자극하다 / ～がゆるむ 눈물을 잘 흘리다.

るいぞう【累増】图ス自他 누증. ＝逓増. ¶～する失業者 누증하는 실업자 / 黒字が～する 흑자가 누증하다. ↔累減.

るいだい【累代】图 누대; 여러 세대. ＝代代·累世. ¶～の墓 누대의 묘 / ～の重宝 누대의 귀중한 보물.

るいだすう【塁打数】图〔野〕누타수.

るいねん【累年】图 누년; 여러 해; 해마다 매년. ＝年々·毎年·連年. ¶～の災害 누년의 재해.

るいはん【累犯】图〔法〕누범. ¶～者 누범자 / ～加重 누범 가중.

るいひ【類比】图ス他 유비. **1** 비교. ¶両国の国民性を～する 양국의 국민성을 비교하다. **2** 유추(類推).

るいべつ【類別】图ス他 유별. ＝分類. ¶蔵書を～する 장서를 분류하다.

るいらん【累卵】图 누란. ¶～の危機 누란의 위기.
━の危うきにある 누란의 위기에 있다.

るいるい【累累】トタル 겹겹이 쌓인 모양. ¶～たる死体 겹겹이 쌓인 시체 / ～と重なる 겹겹이 쌓이다.

るいれい【類例】图 유례. ¶他に～がない 달리 유례가 없다 / ～はこれにとどまらない 비슷한 예는 이것뿐이 아니다.

ルー [프 roux] 图 루; 밀가루를 기름이나 버터로 지진 것《카레나 스튜 따위를 걸쭉하게 하거나, 수프·소스의 밑이 되는 재료》. ¶カレー～ 카레 루.

ルーキー [미 rookie] 图 루키. **1** 신인. **2**〔野〕신인 선수.

ルージュ [프 rouge] 图 루주; 립스틱; 입술 연지. ＝口べに.

ルーズ [loose] ダナ 루스; 칠칠치 못함; 헐렁함. ¶～な仕事ぶり 허술한 작업 태도 / ～な性格 칠칠치 못한 성격 / 時間に～な人 시간 관념이 허술한 사람.

ルーツ [roots] 图 루츠; 근원; 시조(始祖); 발상지. ¶彼は家系の～を求めてアフリカへ行った 그는 가계의 근원을 찾아 아프리카에 갔다.

ルート [root] 图〔數〕루트; 근(根).

ルート [route] 图 루트; 경로; 통로; 노선. ¶密輸～ 밀수 루트 / 資金の～ 자금 루트 / 秘密の入手～ 비밀 입수 경로 / 侵入～を封鎖する 침입로를 봉쇄하다.
━セールス [route sales] 图 루트 세일즈; (제조업자 등의) 순회 출장 판매.

ルーフ [roof] 图 루프. **1** 지붕. **2** 옥상. ¶～ガーデン 루프 가든; 옥상 정원.

ループ [loop] 图 루프. **1** 고리 (모양의 것). **2** 'ループ線'의 준말.
━せん【━線】图 루프선; (경사가 심한 곳의) 나선형 철도.
━タイ [일 loop+tie] 图 루프 타이; (고정용 장식이 달린) 끈 넥타이. *영어로는 bolo tie.

ルーブル [rouble] 图 루블; 러시아의 화폐 단위. ＝ルーブリ.

ルーペ [도 Lupe] 图 루페; 확대경; 돋보기. ＝むしめがね.

ルーム [room] 图 룸; 방. ¶～ライト 룸라이트; 자동차 내부 전등.
━クーラー [일 room+cooler] 图 룸쿨러; 실내 냉방 장치.
━サービス [room service] 图 룸 서비스; 호텔 등에서 음식물을 객실까지 운반하는 일.
━メート [미 roommate] 图 룸메이트; (기숙사 등의) 동숙인; 한방 친구.

ルーメン [lumen] 图〔理〕루멘; 광속(光束)을 나타내는 SI 단위.

*__ルール__ [rule] 图 룰; 규칙. ¶～違反 규칙 위반 / 野球の～ 야구 규칙 / 交通～ 교통 규칙 / ～を守る〔破る〕 룰을 지키다〔어기다〕.

ルーレット [프·영 roulette] 图 룰렛. **1** 도박에서 쓰는 공굴리기 도구. **2** 종이나 천 따위에 작은 구멍을 점선으로 뚫는 톱니바퀴. ＝ルレット.

ルクス [도 Lux] 图 럭스; 조명도를 나타내는 SI 단위. ＝ルックス.

るけい【流刑】图ス他 ☞りゅうけい. ¶～に処する 유형에 처하다.

ルゴールえき【ルゴール液】图〔薬〕루골액(液)《편도선 약》. ▷Lugol.

るざい【流罪】图 유죄; 귀양《예스러운 말씨》. ＝りゅうけい·るけい. ¶～になる 귀양 가다.

__るす__【留守】图 **1 외출하고 집에 없음; 부재중. ¶午後から～にする 오후부터 (외출하고) 집을 비우다 / 父は今～です 아버지는 지금 집에 안 계십니다. **2** 집안 사람들이 부재중 집을 지킴; 또, 그 사람. ＝るす番·るす居. ¶隣に～を頼む 이웃집에게 집보기를 부탁하다. **3**《흔히 'お'를 붙여》(다른 데 정신이 팔려서) 할 일을 하지 않음. ¶勉強がお～になる 공부가 소홀히 되다.
━を預かる 집보기를 부탁받다; 빈 집을 지키다.
━を使う 집에 있으면서 없는 척하다. ＝居留守を使う.
━い【━居】图ス自 ☞るす2.
━ばん【━番】图ス自 ☞るす2. ¶～を

する〔頼む〕 집보기를 하다〔부탁하다〕.
──ばんでんわ【──番電話】图 (외출 때의) 전화 자동 응답기.
ルック [look] 图 루크; 모드; 스타일; …식(式). ＝風. ¶カレッジ~ 대학생 스타일의 옷 / ミリタリー~ 군대식 옷.
ルックス [looks] 图 〈俗〉 룩스; 용모. ¶~がいい 얼굴이 잘생겼다.
るつぼ 〖坩堝〗 图 도가니. **1**〔工〕 감과. **2** 비유적으로, 갖가지 것이 뒤섞여 있는 장소. ¶人種の~ 인종 박람회〔전시장〕. **3** 뜨겁고 격렬한 기분이 가득 차 있는 상태의 비유. ¶場内は興奮の~と化した 장내는 흥분의 도가니로 화했다.
るてん【流転】图ス自 유전. **1**〔佛〕 윤회. ＝輪廻. ¶生生~ 생생유전; 만물이 끊임없이 바뀌어 유전 윤회함. **2** 끊임없이 변함. ¶万物は~する 만물은 유전한다.
るにん【流人】图 유인; 유배된 사람. ＝流された人. ¶~の島 유형인의 섬.
ルネッサンス [프 Renaissance] 图 르네상스; 문예 부흥. ＝ルネサンス. ¶~建築 르네상스 건축.
ルビ [ruby] 图 〔印〕 루비; 7호 활자《ふりがな용의 작은 활자》; 전하여, 振りがな. ¶~つきの漢字 振りがな가 달린 한자 / 総~の本 모조리 ふりがな를 달아 놓은 책 / ぱら~ 일부 한자에만 ふりがな를 닮 / ~を振る〔付ける〕 ふりがな를 달다.
ルビー [ruby] 图 루비; 홍옥(紅玉). ¶~の指輪 루비 반지.
ルピー [rupee] 图 루피; 인도·파키스탄 등지의 화폐 단위.
るふ【流布】图ス自 유포. ¶世間に~した学説 세상에 유포된 학설 / ばかげたうわさが~している 엉뚱한 소문이 세상에 유포되고 있다.
ルポ 图 르포; 'ルポルタージュ'의 준말. ¶現地~ 현지 르포.
ルポライター [프 reportage＋영 writer] 图 르포라이터; 탐방〔현지 취재〕 기자.
ルポルタージュ [프 reportage] 图 르포르타주. **1** (특파원에 의한) 현지 보고. ＝ルポ. **2** 보고〔기록〕 문학.
るみん【流民】图 ☞りゅうみん.
るり [瑠璃] 图 유리. **1** 칠보(七寶)의 하나인 청보석. **2** 'ガラス(＝유리)'의 옛 이름. **3** 'るり色'의 준말.
──も玻璃も照らせば光る 유리나 파리나 빛을 받으면 빛난다《뛰어난 소질이나 재능을 가진 사람은 어디에 가 있더라도 눈에 띈다》.
──いろ [──色] 图 자색을 띤 남색. ¶~の空 자색을 띤 파란 하늘.
るる [縷縷] 副 **1** 자세히 말하는 모양; 누누이. ¶~(と)説明する 누누이 설명하다. **2** 가늘고 길게 계속되는 모양. ¶山腹を~としてはう道 산허리를 끼고 가늘고 길게 뻗어 있는 길 / 煙が~とたなびく 연기가 (끊임없이) 가로 길게 뻗치다.
るろう【流浪】图ス自 유랑. ＝放浪. ¶~の民 유랑민 / ~の旅 정처 없는〔유랑의〕 나그넷길 / 諸国を~する 여러 지방을 유랑하다.
──しゃ【──者】图 유랑자. ＝さすらい人.
ルンバ [rumba] 图 〔樂〕 룸바; 쿠바의 민속 무용곡. ¶~を踊る 룸바를 추다.
ルンペン [도 Lumpen] 图 룸펜; 부랑인; 실업자. ¶~の群れ 부랑인〔실업자〕의 무리 / ~生活 룸펜 생활.

れ レ

[re] **1** 五十音図 'ら行'의 넷째 음. **2**〔字源〕 '礼'의 초서체《かたかな 'レ'는 '礼'의 오른쪽》.

レア [rare] 图 〔料〕 레어; 비프스테이크를 표면만 살짝 굽는 방법. ＝生焼き. ↔ウェルダン·ミディアム.
れい【令】㊀图 영; 명령. ¶~を下す 영을 내리다. ㊁接頭 영…; 남의 가족의 경칭. ¶~夫人 영부인 / ~妹 영매. ㊂接尾 …령; 명령·법령의 뜻. ¶戒厳~ 계엄령.
れい【例】图 예. **1 선례; 전례. ¶今まで~がない 지금까지 예가 없다. **2** 표준이 되는 사항; 본보기. ¶~を引く〔あげる〕 예를 들다. **3** 관례. ¶正月の~ 설날의 관례 / ~にならって決める 관례에 따라 정하다. **4** 늘; 언제나; 여느. ¶~の通り 언제나처럼; 여느 때와 같이 / ~の話 예의 그 얘기 / ~によって悪口を言う〔遅れて来た〕 여느 때처럼 욕을 하다〔늦게 왔다〕.
──になく 여느 때와 달리. ¶今年は~雨が少ない 금년에는 여느 때와 달리 비가 적다.
──に漏れず 언제나 그렇듯이.
──によって──のごとし 여느 때와 마찬가지로 별로 달라진 것이 없다.
*れい【礼】图 **1** 예; 예의; 경의. ¶~をつくす 예를 다하다 / ~を失する 결례를 하다 / ~にかなう 예의에 맞다 / ~をわきまえる 예의를 차리다. **2** 인사; 절. ¶起立, ~ 기립, 경례 / ~を返す 답례를 하다 / 帽子をとって~をする 모자를 벗고 절하다. **3** 감사의 뜻. ¶お~を述べる〔言う〕 사의(謝意)를 표하다. **4** 사례 (금품). ¶お~のしるし 사례의 표시 / 多額の~ 다액의 사례(금) / ~を送る 사례품을 보내다 / ~をする 사례하다.

*れい【零】图 영; 제로. ¶二対～で勝つ 2 대 0으로 이기다/収穫は～に近い 수확은 제로에 가깝다.

れい【霊】图 영. 1 정신; 영혼. ¶～と肉 영과 육. 2 죽은 사람의 혼. ¶祖先の～を祭る 조상의 혼을 모시다/死者の～を慰める 죽은 사람의 넋을 달래다. 3 이상한 힘을 지닌 정기(精氣); 또, 신비적인 것. ¶山の～ 산신령/～が宿っている木 정령이 깃들어 있는 나무.

レイ [하와이 lei] 图 레이; 환영의 뜻으로 목에 걸어 주는 화환.

れい〖令〗教4 レイ リョウ | 령 명령 | 1 분부; 명령. ¶号令 호령/辞令 사령. 2 상대편과 관계 있는 사람에 대한 높임말. ¶令息 영식/令夫人 영부인.

れい〖礼〗《禮》教3 レイ ライ | 례 예 | 1 경의를 표하며 규칙에 좇음. ¶礼装 예장/無礼 무례. 2 사의(謝意)를 표함; 또, 그러기 위한 금품. ¶礼物 예물/返礼 답례/謝礼 사례.

れい〖冷〗教4 レイ ひえる ひや ひやす ひやかす つめたい さめる さます | 랭 차다 | 1 차(갑)다; 식다. ¶冷却 냉각/秋冷 가을의 사늘함. ↔暖. 2 (마음이) 쌀쌀하다; 동정심이 없다. ¶冷笑 냉소/冷酷 냉혹.

れい〖励〗《勵》常用 レイ はげむ はげます | 려 힘쓰다 | 힘껏 일하다; 힘쓰다; 격려하다. ¶励行 여행/奨励 장려.

れい〖戻〗《戾》常用 レイ ライ もどす もどる もとる | 려 돌려주다 | 돌려 보내다; 돌아가다. ¶返戻 반려.

れい〖例〗教4 レイ たとえる | 례 본보기 | 1 여느 때와 다름없다. ¶例年 예년/通例 통례. 2 보기; 범례. ¶例示 예시/事例 사례. 3 규정. ¶条例 조례/凡例 범례.

れい〖鈴〗常用 レイ リン すず | 령 방울 | 방울. ¶呼び鈴 초인종/風鈴 풍경.

れい〖零〗常用 レイ おちる こぼれる ふる | 령 영 | 1 쇠퇴하다. ¶零細 영세/零落 영락. 2 영; 제로. ¶零下 영하/零敗 영패. 3 흩어져 적음. ¶零本 결본(缺本).

れい〖霊〗《靈》常用 レイ リョウ たま たましい | 령 영혼 | 1 헤아릴 수 없는 불가사의한 힘; 신성(神聖). ¶霊験 영험/霊感 영감. 2 죽은 사람의 혼. ¶霊前 영전/英霊 영령.

れい〖隷〗常用 レイ | 례 종 | 1 따라 좇음; 따름. ¶隷属 예속/奴隷 노예. 2 전서를 간략히 한 것. ¶隷書 예서/篆隷 전례; 전서와 예서.

れい〖嶺〗人名 レイ みね ね | 령 재 | 산봉우리. ¶分水嶺 분수령/高嶺 고령; 높은 산봉우리.

れい〖齢〗《齡》常用 レイ とし よわい | 령 나이 | 나이. ¶年齢 연령/妙齢 묘령/老齢 노령.

れい〖麗〗常用 レイ うるわしい うららか | 려 곱다 | 아름답다. ¶麗姿 아름다운 모습/秀麗 수려/華麗 화려.

レイアウト [layout] 图ス他 레이아웃. 1 (신문·잡지 등의) 편집 배정. =割り付け. ¶紙面を～する 지면을 레이아웃하다. 2 (물건의 효과적인) 배치; 배열. ¶室内の～を考える 실내의 배치를 고려하다.

れいあん【冷暗】图 냉암. ¶～所に保存のこと 냉암한 곳에 보존할 것.

れいあんしつ【霊安室】图 (병원 등의) 영안실. ¶遺体を～に安置する 유해를 영안실에 안치하다.

れいあんぽう【冷あんぽう】《冷罨法》图〔醫〕냉엄법; 냉찜질. =冷湿布. ¶～を施す 냉찜질을 하다. ↔温罨法.

れいい【礼意】图 예의; 예의를 나타내는 마음; 경의(敬意).

れいいき【霊域】图 영역; 사찰 등의 신성한 지역. ¶～を汚す 성역을 더럽히다/～をおかす 영역을 침범하다.

れいえん【霊園】图 묘원; 공원묘지.

レイオフ [layoff] 图 레이오프; 노동자의 일시 해고〔귀휴〕. =一時解雇.

れいおん【冷温】图 냉온. 1 차고 더움. =寒暖. ¶～両用 냉온 양용〔겸용〕. 2 찬〔낮은〕 온도. ¶～で貯蔵する 낮은 온도로 저장하다.

れいか【冷夏】图 냉하; 예년과 같이 덥지 않은 여름. ¶～型の天候 냉하형의 날씨.

れいか【冷菓】图 빙과《격식 차린 말씨》.

れいか【零下】图 영하. =氷点下. ¶～十度 영하 10도.

れいかい【例解】图ス自他 예해; 예를 들어 풀이함. ¶わかりやすく～して説明する 알기 쉽게 예를 들어 풀어서 설명하다.

れいかい【例会】图 예회; 정례회. ¶サークルの～ 서클의 정례 모임/毎月十五日に～がある 매월 15일에 정례회가 있다.

れいかい【霊界】图 영계. 1 영혼의 세계. ¶～通信 영계 통신/～に入る 죽다. 2 정신계. ⇔肉界.

*れいがい【例外】图 예외. ¶ほとんど～なしに 거의 예외 없이/～的な措置 예외적인 조치/～を認める〔設ける〕 예외를 인정하다〔두다〕/これだけは～だ 이것만은 예외다/～のない規則はない 예외 없는 규칙은 없다. ↔原則.

れいがい【冷害】名 냉해. ＝寒害. ¶～地 냉해지 / ～対策を講ずる 냉해 대책을 강구하다 / ～に見舞われる 냉해를 입다 / 作物を～からまもる (농)작물을 냉해로부터 지키다.

れいかん【冷汗】名 〈文〉 냉한; 식은땀. ＝ひやあせ.

——三斗 식은땀이 서 말. ¶～の思い 몹시 두렵거나 부끄러운 느낌.

れいかん【霊感】名ス自 영감. ＝インスピレーション. ¶～が働く 영감이 작용하다 / ～を受ける 영감을 받다 / ～がわいてくる 영감이 떠오르다 / ～を得て作曲する 영감을 얻어서 작곡하다 / 神仏も～したか嵐がやんだ 신불도 감응하였는지 폭풍이 잠잠해졌다 / ～によって一教派を立てる 영감에 의해 한 교파를 세우다.

れいがん【冷眼】名 냉안; 차가운 눈초리; 멸시하는 눈. ¶～視する 냉안시하다.

れいき【例規】名 예규.

れいき【冷気】名 냉기. ¶秋の夜の～ 가을 밤의 냉기.

れいき【霊気】名 영기; 영묘한 기운. ¶深山の～ 심산의 영기.

**れいぎ【礼儀】名 예의. ¶～作法 예의범절 / ～にかなう 예의에 어긋나지 않다 / ～をわきまえる 예의를 차리다 / ～を欠く 결례하다 / ～正しく挨拶する 예의 바르게 인사하다 / 親しき仲にも～あり 친한 사이에도 예의는 지켜야 한다.

れいきゃく【冷却】名ス自他 냉각. ¶～水 냉각수 / ～装置 냉각 장치 / 不景気で投資意欲が～する 불경기로 투자 의욕이 냉각되다.

——きかん【——期間】名 냉각기간. ¶～を置く 냉각기간을 두다.

れいきゅう［霊柩］名 영구. ¶～車 영구차.

れいきん【礼金】名 사례금; 특히, 세든 사람이 집주인에게 사례금 명목으로 내는 일시금. ⇨しききん.

れいぐう【冷遇】名ス他 냉우; 냉대; 푸대접. ¶よそ者のゆえに〔少数派なので〕～を受ける 외지 사람이라〔소수파라서〕 푸대접을 받다 / ～に甘んずる 냉대를 달게 받다. ↔厚遇·優遇.

れいぐう【礼遇】名ス他 예우. ＝厚遇. ¶前官～ 전관 예우 / ～を受ける 예우를 받다 / 親善使節を～する 친선 사절을 예우하다. ↔冷遇.

れいけい【令兄】名 (편지에서) 영형; 남이나 상대방의 형의 높임말. ↔令弟.

れいけつ【冷血】名 냉혈. ¶～漢 냉혈한 / ～動物 냉혈 동물. ↔熱血.

れいげつ【例月】名 예월; 월례; 매월. ¶～の集会 월례 집회 / ～どおり行う 여느 달처럼 행하다.

れいげん【例言】㊀名 예언; 범례; 일러두기. ㊁名ス自 예를 듦. ¶～すれば 예를 들어 설명하면.

れいげん【冷厳】名ダナ 냉엄. ¶～な事実 냉엄한 사실 / ～な態度で臨む 냉엄한 태도로 임하다 / ～に対処する 냉엄하게 대처하다.

れいげん【霊験】名 영험; 영검. ＝れいけん. ¶～あらたか 영험이 뚜렷함.

れいこう【励行】名ス他 여행; 힘써 함. ¶時間～ 시간 엄수 / 一列～ 일렬 여행; 한 줄로 서기 / 貯蓄を～する 저축을 힘써 하다 / シートベルト着用を～する 안전 벨트 착용에 힘쓰다.

れいこく【冷酷】名ダナ 냉혹. ¶～な仕打ち〔男〕 냉혹한 처사〔사나이〕 / ～に言い渡す 냉혹하게 선고하다〔시달하다〕. ↔慈悲.

れいこん【霊魂】名 영혼. ＝たましい. ¶～信仰 영혼 신앙 / ～の不滅を信ずる 영혼의 불멸을 믿다.

れいさい【例祭】名 예제; 시제(時祭). ¶秋の～ 가을의 시제. ↔臨時祭.

れいさい【零細】名ナ 영세. ¶～農家 영세 농가 / ～企業 영세 기업 / ～な町工場 (시내의) 영세한 소규모 공장 / ～な資本 영세한 자본.

れいさい【零歳】名 영세; 태어난 지 1년 미만임.

れいざん【霊山】名 영산; 신불을 모신 신성한 산; 또, 신사·절의 영역(靈域)인 산. ＝霊峰.

れいじ【例示】名ス他 예시. ¶解答を～する 해답을 예시하다 / さまざまなケースを～して説明する 여러 가지 경우를 예시해서 설명하다.

れいしき【礼式】名 예식; 예법. ＝礼法·マナー. ¶～にかなった動作 예법에 맞는 동작.

れいしつ【令室】名 영실; 영부인. ＝令夫人. ¶御～同伴でいらして下さい 동(同)부인하여 와 주십시오.

れいじつ【例日】名 여느〔보통〕 날. ¶～の通り 여느 날과 마찬가지로.

れいじゅう【隷従】名ス自 예종. ¶主人に～する 주인에게 예종하다.

れいしょ【隷書】名 예서. ¶～体 예서체.

れいしょう【例証】예증. ㊀名ス他 예를 들어 증명함. ¶いろいろと～する 여러 가지로 예증하다. ㊁名 증거로서 드는 예. ¶～をさがす 예증을 찾다 / 実験の～をあげて説明する 실험의 예증을 들어 설명하다.

れいしょう【冷笑】名ス他 냉소. ＝あざわらい. ¶～を口許に浮かべて 입가에 냉소를 띠고 / ～を浴びせる 냉소를 퍼붓다 / 世間の人の～を買う 세상 사람들의 비웃음을 사다.

れいじょう【令嬢】名 **1** 영양; 영애(令愛); 따님《남의 딸의 높임말》. ↔令息. **2** 양갓집 규수. ¶一見～風 언뜻 보기에 양갓집 규수 같은 모양.

れいじょう【令状】名 영장. ¶召集～ 소집 영장 / ～による容疑者の逮捕 영장에 의한 용의자의 체포 / ～を発する 영장을 발부하다.

*れいじょう【礼状】图 예장; 사례 편지. ¶おみやげの~を出(だ)す 선물에 대한 사례 편지를 내다.

れいじょう【霊場】图 영지(靈地); 신불의 영험이 현저한 곳. ¶~巡(めぐ)りをする 영지 순례를 하다.

れいしょく【冷色】图 냉색; 한색(寒色). ↔温色(おんしょく)·暖色(だんしょく).

れいじん【麗人】图 여인; 미인. ¶男装(だんそう)の~ 남장 미인.

れいすい【冷水】图 냉수; 찬물. =ひやみず. ¶~浴(よく) 냉수욕/~を浴(あ)びる 냉수를 끼얹다. ↔温水(おんすい).

—まさつ【—摩擦】图 냉수마찰.

*れいせい【冷静】图ダナ 냉정. ¶沈着(ちんちゃく)~ 침착 냉정/~に判断(はんだん)する 냉정하게 판단하다/~をよそおう〔失(うしな)う〕 냉정을 가장하다〔잃다〕/物事(ものごと)を~に考(かんが)える 사물을 냉정히 생각하다.

れいせつ【礼節】图 예절. =礼儀作法(れいぎさほう). ¶~を守(まも)る 예절을 지키다/~をたっとぶ 예절을 존중하다/~をわきまえない 예절을 차릴 줄 모르다/衣食(いしょく)足(た)りて~を知(し)る 의식이 족해야 예절을 안다.

れいせん【冷戦】图 냉전(('cold war'의 역어(譯語))). =冷(つめ)たい戦争(せんそう). ¶~状態(じょうたい)が続(つづ)く 냉전 상태가 계속되다. ↔熱戦(ねっせん).

れいぜん【霊前】图 영전. ¶~に花(はな)を供(そな)える〔手向(たむ)ける〕 영전에 꽃을 바치다/~にぬかずく 영전에 엎드려 절하다. 参考 부의(賻儀) 겉봉 따위에 '御(ご)霊前'이라 쓰기도 함.

れいぜん【冷然】トタル 냉연함; 냉담한 모양. ¶~たる態度(たいど) 냉연한 태도/~と断(だん)を下(くだ)す 냉연하게 단(안)을 내리다/~と人(ひと)を見(み)くだす 냉연히 사람을 깔보다.

れいそう【礼装】图ス自 예장; 정식 복장; 예복 차림. ¶略式(りゃくしき)~ 약식 예장.

れいぞう【冷蔵】图ス他 냉장. ¶要(よう)~ 냉장할 것/野菜(やさい)を~する 야채를 냉장하다.

—こ【—庫】图 냉장고. ¶電気(でんき)~ 전기냉장고.

れいそく【令息】图 영식((남의 아들의 높임말)). ↔令嬢(れいじょう).

れいぞく【隷属】图ス自 예속; 종속. ¶~関係(かんけい) 예속 관계/強国(きょうこく)に~する 강국에 예속하다.

れいだい【例題】图 예제. ¶和文英訳(わぶんえいやく)~集(しゅう) 일문 영역 예제집.

*れいたん【冷淡】图ダナ **1** 냉담. ¶~な反応(はんのう)〔返事(へんじ)〕 냉담한 반응〔대답〕/~にあしらう 쌀쌀하게 응대하다/恋人(こいびと)が~になる 연인이 냉담하게 되다/仕事(しごと)に~だ 일에 열의가 없다/~な扱(あつか)いを受(う)ける 냉담한 취급〔대접〕을 받다. **2** 관심이나 흥미를 보이지 않음. =無関心(むかんしん). ¶あの人(ひと)たちは子供(こども)の教育(きょういく)に~だ 저 사람들은 자녀 교육에 무관심하다.

れいだんぼう【冷暖房】图 냉난방. ¶~完備(かんび) 냉난방 완비.

れいち【霊地】图 영지; 영역(靈域). =霊場(れいじょう).

れいちょう【霊長】图 영장. ¶~類(るい) 영장류/人間(にんげん)は万物(ばんぶつ)の~である 인간은 만물의 영장이다.

れいてき【霊的】ダナ 영적; 영혼이나 정신에 관한 일. ¶~世界(せかい) 영적 세계/~生活(せいかつ) 영적 생활/~な輝(かがや)き 영적인 빛. ↔肉的(にくてき).

れいてつ【冷徹】图ダナ 냉철. ¶~な判断力(はんだんりょく) 냉철한 판단력/~な目(め)で観察(かんさつ)する 냉철한 눈으로 관찰하다/~に事(こと)の推移(すいい)を見通(みとお)す 냉철하게 일의 추이를 내다보다.

れいてん【礼典】图 예전. **1** 예의에 관한 법칙(을 적은 책). ¶~に明(あか)るい 예전에 밝다. **2** 의식(儀式).

れいてん【零点】图 영점. ¶試験(しけん)で~を取(と)る 시험에 영점을 받다/彼(かれ)は人間(にんげん)として~だ 그는 인간으로서 영점이다.

れいど【零度】图 영도. ¶水(みず)は摂氏(せっし)~で氷(こおり)になる 물은 섭씨 영도에서 얼음이 된다.

*れいとう【冷凍】图ス他 냉동. ¶~船(せん)〔室(しつ)〕 냉동선〔실〕/~肉(にく) 냉동육/~食品(しょくひん) 냉동식품/魚(さかな)を~する 생선을 냉동하다/~して保存(ほぞん)する 냉동시켜 보존하다. ↔解凍(かいとう).

—こ【—庫】图 냉동고. =フリーザー.

れいにく【冷肉】图 냉육; 익혀서 그대로 차게 한 고기. =コールドミート.

れいにく【霊肉】图 영육; 영혼과 육체.

—いっち【—一致】图 영육 일치.

れいねつ【冷熱】图 냉열. **1** 차가움과 뜨거움. ¶~の感覚(かんかく) 냉열 감각. **2** 냉담과 열심.

*れいねん【例年】图 예년. ¶~なみ 예년(과 같은) 수준/~通(どお)り 예년과 같이/~に比(くら)べて 예년에 비해서/この冬(ふゆ)は~にない寒(さむ)さだった 이번 겨울은 예년에 없는 추위였다.

れいの【例の】連語《連体詞적으로》 예의. ¶~とおり 여느 때처럼/~店(みせ) 예의 그 가게/~場所(ばしょ)で 예의 그 장소에서/彼(かれ)はその朝(あさ)も~如(ごと)く散歩(さんぽ)に出(で)かけた 그는 그날 아침에도 여느 때처럼 산책을 나갔다/~件(けん)はどうなった (예의) 그 건은 어찌 되었나.

れいはい【礼拝】图ス他 예배. ¶~堂(どう) 예배당/~を行(おこな)う 예배를 드리다/神(かみ)に~する 하느님께 예배하다. 参考 불교에서는 'らいはい'라고 함.

れいはい【零敗】㊀图ス自 영패. =ゼロ敗(はい)·スコンク. ¶~を喫(きっ)する 영패의 고배를 마시다/辛(かろ)うじて~をまぬかれる 가까스로 영패를 면하다.
㊁图 무패. =無敗(むはい). ¶三勝(さんしょう)~二分(にぶ)け 3승 무패 2무승부.

れいひつ【麗筆】图 **1** 아름다운 필적; 또, 훌륭한 문장. ¶~をふるう 깨끗하고 홀륭한 글씨를 쓰다〔글을 짓다, 그림을 그리다〕. 「たまや.

れいびょう[霊廟] 图 영묘; 사당. =み

れいふう【零封】图ス他 영봉; 스포츠에서, 상대에게 득점하지 못하게 막음; 완봉. =シャットアウト.

れいふく【礼服】图 예복. ¶~を着用する 예복을 입다/~を着て結婚式に参列する 예복을 입고 결혼식에 참석하다. ↔平服.

れいふじん【令夫人】图 영부인《남의 아내의 높임말》. =令室·令閨. ¶~ともどもお越し下さい 영부인과 함께 왕림해 주십시오.

れいぶん【例文】图 예문. ¶~を挙げる 예문을 들다.

れいほう【礼法】图 예법; 예의범절. =礼儀作法. ¶~にかなう 예법에 맞다/~にもとる 예법에 어긋나다.

れいほう【礼砲】图 예포. ¶二十一発の~を撃って敬意を表す 21발의 예포를 쏘아 경의를 표하다.

れいほう【霊峰】图 영봉; 신성시하는 산. ¶~富士 영봉인 富士 산.

***れいぼう**【冷房】图ス他 냉방. ¶~病 냉방병/~装置 냉방 장치/全館~ 전관 냉방/~の利いたビル 냉방이 잘된 빌딩/~が強すぎる 냉방이 너무 세다/全階を~する 모든 층을 냉방하다. ↔暖房.

れいみょう【霊妙】名ナ 영묘. ¶~不可思議 영묘 불가사의/~な筆〔美しさ〕 영묘한 필치〔아름다움〕.

レイムダック[lame duck] 图 레임덕《재선이 되지 않거나 임기 만료를 앞둔 대통령·국회의원》. 参考 본뜻은 '절룩거리는 오리'.

れいめい【令名】图 영명; 명성. ¶~が高い 영명이 높다/~をはせる 명성을 떨치다/~はかねて伺っている 영명은 진작 듣고 있다.

れいめい[黎明] 图 여명. =夜あけ·あけがた. ¶~の光 여명의 빛/~を告げる 새벽을 알리다.

—き[—期] 图 여명기. ¶文芸復興の~ 문예 부흥의 여명기.

れいめん[冷麵] 图 냉면. =ネンミョン.

れいやく【霊薬】图 영약. ¶~の効 영약의 효력. 「合.

れいよう【麗容】图 여용; 아름다운 모

れいらく【零落】图ス自 영락함; 몰락함. =落魄. ¶~の身 영락한 신세/農地改革で地主が~する 농지 개혁으로 지주가 영락하다/~して今は見る影もない 영락해서 지금은 옛 모습을 찾아볼 수도 없다.

れいり[怜悧] 图ダナ 영리. =利口. ¶~な若者 영리한 젊은이.

れいれいしーい【麗麗しい】形 사람 눈을 끌도록〔여봐란 듯이〕 꾸며져 있다. ¶~服装 요란한 복장/~·く看板をだす 요란하게 간판을 내걸다.

れいろう[玲瓏] トタル 영롱. **1** 맑고 빛나는 모양. ¶~たる月影〔朝空〕 영롱한 달빛〔아침 하늘〕/八面~の人 어느 모로 보나 흠잡을 데 없는 사람. **2** 구슬 따위가 아름답고 맑은 소리를 내는 모양: 낭랑. ¶~とした声 낭랑한 목소리/~, 玉をころがすような声 낭랑하기가 옥을 굴리는 듯한 목소리.

れいわ【例話】图 예화; 예를 들어 하는 이야기. ¶~に引く 예화로 인용하다.

レーク[lake] 图 레이크; 호수.

—サイド[lake side] 图 레이크 사이드; 호반; 호숫가. ¶~ホテル 호반 호텔.

レーサー [racer] 图 레이서; 경기용 자동차·오토바이 따위; 또, 그 경기자.

レーザー [LASER; laser] 图〘理〙레이저; 전자기학적(電磁氣學的)으로 증폭된 특수한 평행 광선. ¶~光線〔加工〕 레이저 광선〔가공〕/~ディスク 레이저 디스크《LD》.

—カード [laser card] 图 레이저 카드《광(光)기록 방식으로 카드에 데이터 등을 기록시키는 일》.

—つうしん【—通信】图 레이저 통신.

—ビームプリンター [laser beam printer] 图 레이저 빔 프린터; 레이저광을 써서 전자 사진식으로 인자(印字)하는 프린터《글자나 그림이 선명함; LBP》.

レーシングカー [racing car] 图 레이싱카; 경주용 자동차.

レース [lace] 图 레이스. ¶袖口に~をつける 소맷부리에 레이스를 달다.

—あみ【—編み】图 레이스 뜨기.

レース [race] 图 레이스; 경주; 경영(競泳); 조정(漕艇). ¶対校~ 학교 대항 경주/ボート~ 보트 레이스/オート~ 오토바이 경주.

レーズン [raisin] 图 레이즌; 건포도.

レーダー [radar] 图 레이더; 전파 탐지기. ¶~サイト 레이더 사이트〔기지〕.

レート [rate] 图 레이트; 비율; 율; 푼수. =歩合. ¶為替~ 환율.

レーヨン [프 rayon] 图 레용. =人絹.

***レール** [rail] 图 레일; 궤도; 철길. ¶モノ~ 모노레일/カーテン~ 커튼 레일.

—が敷かれる 일을 순조롭게 추진하기 위한 사전 준비가 이루어지다. ¶話し合いの~ 대화를 위한 사전 준비가 이루어지다.

—を敷く **1** 레일을 깔다. **2** 일이 순조롭도록 미리 준비하다. ¶交渉の~ 교섭을 위한 사전 준비를 하다.

レーン [rain] 图 레인; 비. =レイン. ¶~コート 레인코트; 비옷.

—シューズ [일 rain+shoes] 图 레인슈즈; 우화(雨靴); 비신. *영어로는 rain boots라고 함.

—ボー [rainbow] 图 레인보; 무지개. =虹·レインボー.

レーンジャー [미 ranger] 图 레인저. **1** 미국의 삼림 경비대원. **2** 유격대원. ¶~部隊 레인저 부대. 注意 'レンジャー·

レインジャー' 라고도 함.

レオタード [leotard] 名 레오타드; 체조나 발레·곡예 따위의 연기나 연습 때에 입는, 몸에 착 달라붙는 옷.

=れき【歴】 력; …의 경력. ¶教職(きょうしょく)~ 교직 경력 / 研究(けんきゅう)~ 연구 경력 / 離婚(りこん)~一回(いっかい) 이혼 경력 1회.

れき 〖暦〗(曆) 常用 レキ リャク こよみ | 력 달력 | 달력. ¶陽暦(ようれき) 양력 / 陰暦(いんれき) 음력.

れき 〖歴〗(歷) 教4 レキ へる | 력 지내다 | **1** 지나가다; 경과하다. ¶歴史(れきし) 역사 / 来歴(らいれき) 내력. **2** 차례차례 순서를 따라가다. ¶歴訪(れきほう) 역방 / 遍歴(へんれき) 편력.

れきがん【れき岩】(礫岩) 名 역암.

れきさつ [轢殺] 名ス他 역살; (차로) 치어 죽임. ¶~死体(したい) 역살 시체 / トラックに~される 트럭에 치여 죽다.

れきし【歴史】 名 역사. ¶~あって以来(いらい) 역사가 있은 이래; 유사 이래 / ~が浅(あさ)い会社(かいしゃ) 역사가 짧은〔일천한〕 회사 / ~に名(な)をとどめる 역사에 이름을 남기다 / ~にのっている 역사에 기록되어 있다 / ~の跡(あと)をたどる 역사의 자취를 더듬다.

—は繰(く)り返(かえ)す 역사는 되풀이된다.

—てき【—的】 ダナ 역사적. ¶~な一瞬(いっしゅん) 역사적인 한순간 / ~事実(じじつ) 역사적 사실 / ~に見(み)て 역사적으로 보아.

—てきかなづかい【—的仮名遣い】 名 平安(へいあん) 시대 초기의 표기법을 기준으로 한 仮名(かな) 표기법《'言(い)う'를 '言(い)ふ'로, '水(みず)'를 'みづ'로 쓰는 따위》. =旧(きゅう)かなづかい. ↔現代(げんだい)仮名遣い.

れきし [轢死] 名ス自 역사; 차에 치여 죽음. ¶~者(しゃ) 역사자 / 踏切(ふみきり)で~する 건널목에서 치여 죽다.

れきじつ【暦日】 名 역일; 세월의 흐름; 또, 달력. ¶山中(さんちゅう)~なし 산중무력일《산속에서는 세월 가는 줄을 모른다》.

れきせん【歴戦】 名 역전. ¶~の勇士(ゆうし) 역전의 용사.

れきぜん【歴然】 トタル 역연; 분명함; 또렷함. =歴歴(れきれき). ¶~たる証拠(しょうこ) 역연한 증거 / 差(さ)は~としている 차이는 역연하다 / 絞殺(こうさつ)の跡(あと)が~と残(のこ)っている 교살의 흔적이 뚜렷이 남아 있다.

れきだい【歴代】 名 역대. =歴世(れきせい). ¶~の大統領(だいとうりょう) 역대 대통령.

れきにん【歴任】 名ス他 역임. ¶要職(ようしょく)を~する 요직을 역임하다 / 学部長(がくぶちょう)·学長(がくちょう)を~ 학부장·학장을 역임.

れきねん【暦年】 名 역년; 달력에 정해진 일 년.

れきねんれい【暦年齢】 名 역연령; 생활연령. =生活(せいかつ)年齢. ↔精神(せいしん)年齢.

れきほう【暦法】 名 역법; 달력 만드는 방법; 달력에 관한 법칙. ¶新(あたら)しい~を作(つく)る 새 역법을 만들다.

れきほう【歴訪】 名ス他 역방; 순방. ¶アジア〔中東(ちゅうとう)〕諸国(しょこく)を~する 아시아〔중동〕 각국을 순방하다 / 名士(めいし)を~する 명사를 역방하다.

レギュラー [regular] 名 레귤러. **1**《接頭語적으로》 통상·정규의; 규칙적인. ¶~会員(かいいん) 정규 회원 / ~バウンド (공의) 규칙적인 반동. ↔イレギュラー. **2** 'レギュラーメンバー'의 준말.

—メンバー [regular member] 名 레귤러 멤버. **1** 정규 선수. ↔補欠(ほけつ). **2** (방송의) 고정 출연자. ↔ゲスト.

れきれき【歴歴】 一 トタル 역력함. =歴然(れきぜん). ¶~たる証拠(しょうこ) 뚜렷한 증거 / 激戦(げきせん)の跡(あと)が~と残(のこ)る 격전의 자취가 역력히 남다 / 勝算(しょうさん)~たるものがある 승산이 뚜렷하다.

二 名『お~』(신분·지위 등이) 높은 사람(들). ¶財界(ざいかい)のお~ 재계의 거물들.

レクイエム [라 requiem] 名 레퀴엠; 위령곡; 진혼곡.

***レクリエーション** [recreation] 名 레크리에이션; 휴양; 오락. =リクリエーション·レクレーション·レク. ¶~センター 레크리에이션 센터.

レゲエ [reggae] 名 레게; 자메이카에서 비롯된 라틴계 대중 음악의 총칭.

レコーダー [recorder] 名 리코더. **1** 기록하는 사람; 기록원. **2** 기록기(器). ¶タイム~ 타임리코더; 계시기. **3** 녹음기. ¶テープ~ 테이프 리코더.

レコーディング [recording] 名ス他 리코딩. **1** 기록(함). ¶大会(たいかい)の~係(がかり) 대회의 기록원. **2** 녹음(함). ¶新曲(しんきょく)を~する 신곡을 녹음하다.

****レコード** [record] 名 레코드. **1** (경기 등의) (최고) 기록. ¶~破(やぶ)り 기록 돌파; 기록을 깸 / ~破(やぶ)りの暑(あつ)さ 기록을 깬〔일찍이 없었던〕 더위 / 自己(じこ)の~を更新(こうしん)する 자기 기록을 경신하다. **2** (축음기) 음반; 축음기판. ¶~に吹(ふ)き込(こ)む 음반에 취입하다.

—プレーヤー [record player] 名 레코드 플레이어; 음반에 녹음된 소리를 재생하는 장치.

—ホルダー [record holder] 名 레코드 홀더; (최고) 기록 보유자.

レザー [leather] 名 레더. **1** 피혁; 무두질한 가죽. ¶~装(そう)の本(ほん) 가죽 장정의 책. **2** 'レザークロス'의 준말. ¶~コート 레더 코트.

—クロス [leather-cloth] 名 레더클로스; 합성 피혁; 모조 가죽 천.

レジ 名 ☞レジスター.

レシート [receipt] 名 리시트; 영수증《특히 레지스터로 금액 등을 찍은 것》.

レシーバー [receiver] 名 리시버. **1** 수화기; 수신기. **2** (테니스 등에서) 서브를 받는 사람. ↔サーバー.

レシーブ [receive] 名ス自 리시브; (테니스 등에서) 공을 받아 넘김. ¶~がうまい 리시브를 잘한다. ↔サーブ.

レジスター [register] 名 레지스터; 금전 등록기; 금전 출납 담당. =レジ.

レジスタードトレードマーク [registered trademark] 图 레지스터드 트레이드마크; 등록 상표(®은 그 부호임).

レジスタンス [프 résistance] 图 레지스탕스. ¶~文学 레지스탕스 문학.

レシピ [recipe] 图 레서피. =レシピー. **1** (요리·과자 등의) 조리법; 음료수 만드는 법. **2**〔醫〕처방(전).

*__レジャー__ [leisure] 图 레저; 여가(를 이용한 휴식이나 행락). ¶~センター 레저 센터 / ~産業 레저 산업 / ~を楽しむ 레저를 즐기다.

—マーケット [leisure market] 图 레저 마켓; 레저 산업의 상품이나 서비스를 소비하는 여가 시장.

レジュメ [프 résumé] 图 레쥐메; 요약; 적요; 대의(大意); 기획서. =レジメ.

レズ 图 'レスビアン'의 준말.

レスキュー [rescue] 图 레스큐; 구출; 구조; 구원. ¶~隊 (인명) 구조대.

レストハウス [rest house] 图 레스트 하우스; 휴게소; 휴양을 위한 숙박소.

レストラン [프 restaurant] 图 레스토랑; 양식 식당.

レスビアン [Lesbian] 图 레즈비언; 여성의 동성애(자). =レズ. ↔ホモ.

レスラー [wrestler] 图 레슬러; 레슬링 선수. ¶プロ~ 프로 레슬러.

レスリング [wrestling] 图 레슬링.

レセプション [reception] 图 리셉션; 환영회〔연〕; 초대회. ¶~を開く 리셉션을 열다.

レター [letter] 图 레터. **1** 편지. ¶ラブ~ 연애 편지. **2** 로마자의 자모. ¶キャピタル~ 캐피털 레터; 대문자.

レタス [lettuce] 图 레터스; 양(洋)상추《주로 샐러드용》. =ちしゃ.

レタリング [lettering] 图 레터링; 문자의 도안화. =文字デザイン.

__れつ__【列】㊀图 **1 열; 행렬. ¶長蛇の~ 장사진 / ~を作る 열을 짓다 / ~が乱れる 열이 흐트러지다 / ~を横切る 행렬을 가로지르다. **2** 반열; 축. =グループ. ¶正選手の~に入る 정선수 축에 들다 / 貴族の~に加わる 귀족의 반열에 들다. ㊁接尾 열〔줄〕을 세는 말: …열〔렬〕. ¶三~ 3렬 / 二~にお並びください 두 줄로 서 주세요.

れつ〖列〗教3 レツ ならべる つらなる | 렬 줄 | **1** 순서대로 늘어서다; 늘어놓다; 잇달다. ¶列挙 열거 / 羅列 나열. **2** 줄을 선 모양. ¶一列 일렬 / 歯列 치열.

れつ〖劣〗常用 レツ おとる | 렬 못하다 | **1** 힘이 모자라다. ¶劣勢 열세 / 優劣 우열. ↔優. **2** 서투르다; 질이 떨어지다; 천하다. ¶劣悪 열악 / 愚劣 우열.

れつ〖烈〗常用 レツ はげしい | 렬 세차다 | **1** 불기운이 세다. ¶烈火 열화. **2** 거세다; 세차다; 맹렬하다. ¶猛烈 맹렬.

れつ〖裂〗常用 レツ さく さける | 렬 찢다 | **1** 찢어지다; 터지다. ¶破裂 파열 / 分裂 분열 / 決裂 결렬 / 裂傷 열상. **2** 금(이 가다); 틈. ¶亀裂 균열.

れつあく【劣悪】名ナ 열악; 몹시 질이 낮음. ¶品性~ 품성 열악 / ~な商品 열악한 상품. ↔優良.

れつい【劣位】图 열위; 딴것보다 떨어지는 지위·위치. ↔優位.

れっか【劣化】图ス自 열화; 상태나 성능 등이 나빠짐. ¶テレビの部品が~する 텔레비전 부품의 성능이 나빠지다.

れっか【烈火】图 열화; 맹렬히 타오르는 불. ¶侮辱に対して~のごとく怒る 모욕에 대해 열화와 같이 노하다.

レッカーしゃ【レッカー車】图 레커차; 견인차; 구난차(救難車). =レッカー. ¶~に牽引される 레커차에 견인되다. ▷wrecker.

れっき【列記】图ス他 열기. ¶重要項目を~する 중요 항목을 열기하다.

れっきとした〖歴とした〗連体 **1** (격식·지위 등이) 남보다 뛰어나고 훌륭한; 버젓〔당당〕한. ¶~会社 버젓한 회사 / ~家柄 버젓한〔훌륭한〕 가문 / ~貴族の出だ 버젓한 귀족 출신이다. **2** (출처가) 분명한; 뚜렷한. ¶~セザンヌの絵 분명한 세잔의 그림 / ~証拠を揃える 뚜렷한 증거를 갖추다.

れっきょ【列挙】图ス他 열거. =枚挙. ¶罪状〔条件〕を~する 죄상〔조건〕을 열거하다.

れっきょう【列強】图 열강. ¶世界の~ 세계 열강 / ~に伍する 열강과 어깨를 나란히 하다 / ~を相手に戦争する 열강을 상대로 전쟁하다.

れっこく【列国】图 열국; 여러 나라; 제국. =諸国. ¶~の首脳が一堂に会する 여러 나라의 수뇌가 한자리에 모이다.

れつざ【列座】图ス自 열좌; 여러 사람이 죽 늘어앉음; 열석. ¶壇上に~する人々〔面々〕 단상에 죽 늘어앉은 사람들 / ~の中で恥をかく 여러 사람들 앞에서 창피를 당하다.

れっし【烈士】图 열사. =烈夫. ¶憂国の~ 우국 열사. ↔烈女·烈婦.

**__れっしゃ__【列車】图 열차. ¶~事故 열차 사고 / 終~ 종열차; 막차 / 急行〔貨物〕~ 급행〔화물〕 열차 / 上り〔下り〕~ 상행〔하행〕 열차 / 青森行きの~ 青森행 열차 / 午後1時5分の~で立つ 오후 1시 5분 열차로 떠나다 / ~は時間どおりに着いた 열차는 정시〔제시간〕에 도착했다.

れつじゃく【劣弱】名ナ 열약; (세력·체력 따위가) 열등하고 약함. ¶~な体力 열약한 체력. ↔剛勇.

れつじょ【烈女】图 열녀. =烈婦. ¶~の鑑 열녀의 귀감. ↔烈士.

れっしょう【裂傷】图 열상; 피부가 찢

어진 상처. ¶～を負う 열상을 입다.

れつじょう【劣情】名 열정; 추잡한 정욕; 특히, 성욕. ¶～をそそるような小説 열정을 자극하는 소설 / ～を催す 정욕을 자극하다.

れっ-する【列する】一 サ変自 **1** 참석하다; 열석(列席)하다. ¶会議の席に～ 회의에 열석하다 / 祝宴に～ 축하연에 참석하다. **2** 나란히 서다; 축에 끼다. ¶五大強国に～ 5대 강국에 끼다 / わたしはその部員の末席に～・している 나는 그 부원의 말석을 차지하고 있다. 二 サ変他 늘어놓다; 나란히 세우다. ¶名を～ (명단에) 이름을 올리다; 연명(連名)하다.

レッスン [lesson] 名 레슨; 개인 교수; 일과(日課). ＝けいこ. ¶ピアノの～ 피아노 레슨 / フランス語の～を受ける 프랑스어 레슨을 받다.

―プロ [일 lesson＋pro] 名 레슨 프로; 골프·테니스 등에서, 연습 지도를 전문으로 하는 프로 선수.

れっせい【劣勢】名ナ 열세. ¶～な兵力 열세한 병력 / ～に立たされる 열세에 몰리다 / ～を挽回する〔跳ね返す〕 열세를 만회하다. ↔優勢.

れっせい【劣性】名ナ〔生〕열성. ＝潜性. ¶～遺伝(子) 열성 유전(자). ↔優性.

れっせき【列席】名 ス自 열석; 참석; 출석. ＝列座. ¶御～の皆様 참석하신 여러분 / 多数の人がその式に～した 많은 사람이 그 식에 열석했다.

レッテル [네 letter] 名 레테르. **1** 상표. ＝ラベル. ¶缶詰の～ 통조림 상표 / ～に惹かれる 상표에 끌리다. **2** 전하여, 어떤 인물·사물에 대한 평가; 딱지. ¶不名誉な～ 불명예스러운 딱지.

―を張る〔貼る〕 레테르〔딱지〕를 붙이다; 일방적으로 평가해 버리다. ¶怠け者の～ 게으름뱅이로 낙인 찍다 / 問題児のレッテルを張られる 문제아라는 레테르가 붙다.

れつでん【列伝】名 열전. ¶史記～ 사기 열전. ↔本紀.

レッド [red] 名 레드; 적색. ¶～カード (축구에서) 레드카드.

―パージ [red purge] 名 레드 퍼지; 적색 분자 추방; 공산주의자 숙청.

れっとう【列島】名 열도. ¶日本～ 일본 열도.

れっとう【劣等】名ナ 열등. ¶～生 열등생 / ～意識 열등 의식 / 彼はクラス中で成績が一番～だ 그는 반에서 성적이 제일 나쁘다. ↔優等.

―かん【―感】名 열등감. ＝(インフェリオリティー)コンプレックス. ¶～を抱く 열등감을 품다〔갖다〕/ ～に悩む〔さいなまれる〕 열등감에 번민하다〔시달리다〕/ ～を持たせる 열등감을 갖게 하다. ↔優越感.

れっぷ【烈婦】名 열부; 열녀. ＝烈女.

れっぷう【烈風】名 열풍; 세차게 부는 바람. ¶～が吹きすさぶ 열풍이 휘몰아치다.

れつれつ【烈烈】トタル 열렬; 기세·추위 등이 매서운 모양. ¶～たる愛国心〔闘志〕 열렬한 애국심〔투지〕/ 冬日～ 겨울날의 매서운 추위.

レディー [lady] 名 레이디; 귀부인; 숙녀. ¶～ファースト 레이디 퍼스트; 여성 우선. ↔ジェントルマン.

―キラー [lady killer] 名 레이디 킬러; (여성에 인기가 있는) 미남자; 난봉꾼. ＝女殺し·女たらし.

―スコミック [일 lady's＋comic] 名 레디스 코믹; 젊은 여성을 대상으로 한 만화 잡지《대부분의 주제는 여성의 사랑을 묘사한것임》.

レディー [ready] 感 레디; 경주·경영(競泳) 등에서, '제자리에' '준비!' 의 뜻.

レディーメード [ready made] 名 레디메이드; (양복 따위의) 기성품. ＝既製品. ↔オーダーメード.

レトリック [rhetoric] 名 레토릭; 수사학(修辭學); 수사법. ¶～にすぐれた文章 수사법이 뛰어난 문장.

レトルト [네 retort] 名 레토르트《화학 실험용 기구의 하나》.

―しょくひん【―食品】名 레토르트 식품; 용기에 완전 조리되어 있어 데우기만 하면 먹을 수 있는 식품. ＝レトルトパウチ(食品).

レトロ [←retrospective] 名ナ 레트로; 복고풍; 회고조; 회고적(임). ¶～調 복고조 / ～趣味 복고조 취미 / ～なファッション 복고풍의 패션 / ～ブームに乗る 복고풍 붐을 타다.

レトロエンジン [retro-engine] 名〔機〕 레트로엔진; 역추진 로켓 엔진.

レバー [lever] 名 레버. **1** 지렛대; 지레. ＝てこ·槓杆. **2** (기계 조작용의) 손잡이. ¶変速～ 변속 레버 / ～を引く 레버를 당기다.

レバー [liver] 名 리버; (식품으로서의) 간. ＝肝. ¶～料理 간요리.

レパートリー [repertory] 名 레퍼토리; 연주 곡목; 공연 제목. ¶～が広い歌手 레퍼토리가 많은 가수 / この劇団の～には翻訳物が多い 이 극단의 레퍼토리에는 번역물이 많다.

レビュー [review] 名 리뷰; 평론; 비평. ¶ブック～ 북 리뷰; 서평(書評).

レビュー [영, 프 revue] 名 리뷰; 무용과 음악을 중심으로 한 화려한 쇼.

レフ 名 'レフレックス'의 준말. ¶一眼～ 1안 리플렉스 / 二眼～カメラ 2안 리플렉스 카메라.

レファレンス [reference] 名 레퍼런스. **1** 참고; 참조. **2** 구직자의 조회처.

―サービス [reference service] 名 레퍼런스 서비스; 도서관에서 필요한 문헌이나 참고 도서에 대한 정보 제공 및 검색에 협력하는 서비스.

レフェリー [referee] 图 레퍼리; (축구 등의) 심판원; 주심. =レフリー. ¶~を務(つと)める 심판을 보다.

レフト [left] 图 레프트. **1** 왼쪽(손). **2** 〖野〗 좌익(수). ¶~フライ 레프트 플라이. **3** 좌파(左派). ⇔ライト.

レフリー [referee] 图 ☞レフェリー.

レフレックス [reflex] 图 리플렉스; 반사. =レフ. ¶一眼(いちがん)~カメラ 일안 리플렉스 카메라.

レベル [level] 图 레벨; 수준; 정도; 표준. ¶~が上(あ)がる 레벨이 높아지다[오르다] / ~が高(たか)い 레벨이 높다 / 次官(じかん)~の協議(きょうぎ) 차관 레벨의 협의 / 高い~に達(たっ)する 높은 수준에 달하다.

—アップ [일 level+up] 图ス自他 레벨업; 수준을 높임; 수준이 높아짐. ¶例年(れいねん)より合格水準(ごうかくすいじゅん)が~した 예년보다 합격 수준이 높아졌다.

—ダウン [일 level+down] 图ス自他 레벨 다운; 수준이 낮아짐; 또, 낮춤.

レポ 图ス他 **1** 'レポート'의 준말; 리포트; 보고(서); 기사. ¶現地(げんち)~ 현지 보도 / 秘境(ひきょう)を~する 비경을 탐방 보도하다. **2** 'レポーター'의 준말.

レポーター [reporter] 图 리포터. **1** 보고자; 연락자. ¶研究会(けんきゅうかい)の~ 연구회의 보고자. **2** 보도 기관의 취재 기자. ¶芸能(げいのう)~ 연예계 담당 기자. **3** 특파원.

レポート [report] 图ス他 리포트; 보고(서). ¶~を書(か)く 보고서를 쓰다 / 現地(げんち)から~する 현지에서 리포트하다.

レモネード [lemonade] 图 레모네이드; 레몬즙에 설탕과 물을 탄 청량 음료. =レモナード·レモン水(すい).

レモン [lemon] 图〖植〗 레몬. ¶~色(いろ) 레몬빛 / ~スカッシュ 레몬 스쿼시.

—ティー [lemon tea] 图 레몬 티[차].

レリーフ 图 ☞リリーフ2.

れる 助動《五段 活用 動詞의 未然形에 붙음; 上一·下一·カ変動詞에는 'られる'를 씀; サ変에서는 흔히 전체가 'される'의 꼴이 됨》 **1** 수동(受動)의 뜻. ㉠ 상대방의 동작·작용을 직접 받는 입장에 있음을 나타내는 말. ¶みんなによく歌(うた)われた歌(うた) 모든 이에게 곧잘 불려진 노래 / 足(あし)を踏(ふ)ま~ 발을 밟히다 / 人(ひと)に笑(わら)わ~ 남에게 웃음을 사다 / いたずらをしてしから~ 장난을 쳐서 꾸중을 듣다 / 問題(もんだい)が出(だ)さ~ 문제가 출제되다. ㉡ 상대방의 동작이나 작용에 의하여 피해를 받는 것을 나타내는 말. ¶父(ちち)に死(し)なれて困(こま)っている 부친이 돌아가셔서 곤란을 받고 있다. **2** 하려고 하지 않아도 자연히 그렇게 되는 것을 나타내는 말. ¶故郷(こきょう)のことが思(おも)わ~ 고향일이 생각나다 / 気(き)の毒(どく)に思(おも)われてならない 불쌍[딱]하게 여겨져서 견딜 수 없다. **3** 가능의 뜻을 나타내는 말. ¶一日(いちにち)に三十(さんじっ)キロは行(ゆ)か~ 하루에 30킬로는 갈 수 있다 / 読(よ)もうにも読まれない 읽으려 해도 읽을 수 없다. 注意 현재 3의 뜻으로 이야기할 때는 '行(ゆ)ける' '読(よ)める'의 꼴로 말하는 경우가 많음. **4** 그 동작·작용을 하는 주체를 존경하여 나타내는 말. ¶これから先生(せんせい)が話(はな)されます 이제부터 선생님께서 말씀하십니다 / もう帰(かえ)られますか 벌써 돌아가시겠습니까.

=れん【連】**1** …동아리. ¶若者(わかもの)~ 젊은 패거리. **2** 엮은 것을 세는 말. ¶かつおぶし一(いち)~ 가다랑어포 한 두름.

れん 〖恋〗《戀》 常用 レン こう こい こいしい | 련 사모하다 | 그리워하다; 사모하다. ¶恋情(れんじょう) 연정 / 恋愛(れんあい) 연애 / 初恋(はつこい) 첫사랑.

れん 〖連〗《連》 教4 レン つらなる つらねる つれる | 련 잇다 | **1** 연잇다; 이어지다. ¶連山(れんざん) 연산 / 連結(れんけつ) 연결. **2** 동아리. ¶連中(れんじゅう) 한패; 한동아리 / 常連(じょうれん) 단골손님; 팬.

れん 〖廉〗《廉》 常用 レン かど やすい | 렴 청렴하다 | **1** 마음이 바르다; 고결하다. ¶廉潔(れんけつ) 염결 / 清廉(せいれん) 청렴. **2** 싸다. ¶廉価(れんか) 염가 / 低廉(ていれん) 저렴.

れん 〖練〗《練》 教3 レン ねる | 련 연습하다 | **1** 좋은 것을 가리다; 고르다. ¶試練(しれん) 시련 / 精練(せいれん) 정련. **2** 되풀이 손질해서 좋은 것으로 만들다; 익히다. ¶練磨(れんま) 연마 / 練習(れんしゅう) 연습.

れん 〖錬〗《錬》 常用 レン ねる | 련 불리다 | **1** 금속을 불리다. ¶錬金術(れんきんじゅつ) 연금술. **2** 심신을 단련하다. ¶修錬(しゅうれん) 수련 / 錬磨(れんま) 연마.

***れんあい**【恋愛】图ス自 연애. =こい. ¶~小説(しょうせつ) 연애 소설 / 社内(しゃない)~ 사내 연애 / ~に陥(おち)いる 연애에 빠지다 / ~中(ちゅう)である 연애 중이다 / 熱烈(ねつれつ)に~する 열렬히 연애하다.

—けっこん【—結婚】图 연애 결혼. ↔見合(みあ)い結婚.

れんか【廉価】图ナ 염가. =安価(あんか). ¶~販売(はんばい) 염가 판매 / ~な品物(しなもの) 값이 싼 물건 / ~で売(う)る 염가로 팔다. ↔高価(こうか).

***れんが**〖煉瓦〗图 연와; 벽돌. ¶~色(いろ) 벽돌색 / ~塀(べい) 벽돌담 / 赤(あか)~ 붉은 벽돌 / ~を積(つ)む[畳(たた)み上(あ)げる] 벽돌을 쌓다[쌓아올리다].

—づくり【—造り】图 벽돌을 쌓아 만듦; 또, 그 건물. ¶~の家(いえ) 벽돌집.

れんが【連歌】图 두 사람 이상이 和歌(わか)의 상구(上句)와 하구(下句)를 서로 번갈아 읽어 나가는 형식의 노래. ¶~師(し) 전문적인 連歌 작가. ↔俳諧(はいかい).

れんかん【連関】《聯関》图ス自 연관; 관련. =関連(かんれん). ¶互(たが)いに~した問題(もんだい) 서로 연관된 문제 / 密接(みっせつ)な~がある 밀접한 관련이 있다.

れんき【連記】图ス他 연기; 이름을 잇대

어 적음. ¶三名~ 3명 연기. ↔単記.
—とうひょう【—投票】名 연기(식) 투표. ↔単記投票.
れんきゅう【連休】名 연휴. ¶飛び石~ 징검다리 연휴 / 3日の~がある 사흘의 연휴가 있다.
れんぎょう〖連翹〗名〔植〕개나리.
れんきんじゅつ【錬金術】名 연금술. ¶~師 연금술사.
れんく【連句】名 連歌·俳諧의 길게 연속한 구(句).
れんげ〖蓮華〗名 **1** 연화; 연꽃. ¶~の上の仏 연꽃 위의 부처((성불(成佛) 함을 이름)). **2** ☞れんげそう. **3** 손잡이가 짧은 사기 숟가락. =散りれんげ.
—そう〖—草〗名〔植〕자운영(紫雲英). =れんげ·げんげ.
れんけい【連携】名ス自 연휴; 제휴. ¶~を保つ 연휴(를 유지)하다 / 父母と教師の~を密にする 부모와 교사의 연휴를 긴밀히 하다 / …と~して共同の敵に当たる …와 제휴하여 공동의 적에 대처하다.
れんけい【連係】名ス自他 연계; 밀접한 관계(를 맺음). =つながり. ¶~動作 연계 동작 / 内外野の~プレー 내외야의 연계〔협동〕 플레이 / 緊密な~を取る 긴밀한 연계를 맺다 / 外部の機関と~を保つ 외부 기관과 밀접한 관계를 유지하다.
れんけつ【連結】((聯結)) 名ス自他 연결. ¶~財務諸表 연결 재무 제표 / 客車を~する 객차를 연결하다.
れんけつ【廉潔】名ナ 염결; 청렴결백함. ¶~の士 청렴결백한 사람.
れんこ【連呼】名ス他 연호; 되풀이 외침. ¶候補者の名を~する 후보자 이름을 연호하다.
れんご【連語】名 연어; 복합어.
れんこう【連行】名ス他 연행. ¶犯人を~する 범인을 연행하다 / 警察へ~する 경찰에 연행하다.
***れんごう**【連合】((聯合)) 名ス自他 연합. ¶国際~ 국제 연합 / ~大売り出し 연합 대매출 / 小国が~して大国と当たる 작은 나라가 연합하여 큰 나라와 맞서다.
れんごく〔煉獄〕名 (가톨릭교에서) 연옥. ¶~の苦しみ 연옥의 고통. 参考 고난 또는 고통스러운 환경의 비유로도 씀. ¶~の苦をなめる 연옥 같은 고난을 겪다 / ~のような家庭内暴力 연옥같이 고통스러운 가정내 폭력.
れんこん〖蓮根〗名 연근; 연뿌리. =はす·はすね.
れんさ【連鎖】名 연쇄. ¶~倒産 연쇄 도산 / 食物~ 먹이 사슬 / 東洋と西洋を結ぶ精神的~ 동양과 서양을 연결하는 정신적 연쇄.
—はんのう【—反応】名 연쇄 반응. ¶~を引きおこす〔誘発する〕 연쇄 반응을 일으키다〔유발하다〕.
れんざ【連座】((連坐)) 名ス自 연좌; 연루. ¶~制 연좌제 / 汚職事件に~する 독직 사건에 연좌되다.
***れんさい**【連載】名ス他 연재. ¶~小説 연재 소설 / 5回にわたって雑誌に~される 5회에 걸쳐 잡지에 연재되다. ↔読み切り.
れんさく【連作】名ス他 연작. **1** 한 땅에 같은 곡식을 해마다 심음; 이어짓기. ¶稲を~する 벼를 연작하다. ↔輪作. **2** 문예 작품·미술 등에서 한 작가가 동일한 테마로 일련의 작품을 만듦; 또, 그 작품. **3** 몇 사람의 작가가 릴레이식으로 각기 일부분씩 맡아 지은 작품. ¶~小説 연작 소설.
れんざん【連山】名 연산; 죽 이어져 있는 산. =連峰. ¶箱根~ 箱根 연산 / 南北にわたる~ 남북으로 걸친 연산.
レンジ [range] 名 레인지. ¶ガス〔電子〕~ 가스〔전자〕레인지.
れんじつ【連日】名 연일. ¶~連夜 연일연야 / ~三十度を越す暑さ 연일 30도를 넘는 더위 / ~の大入り満員 연일 대만원((흥행장 등에서)).
レンジャー 名 ☞レーンジャー.
れんじゅ【連珠】((聯珠)) 名 연주; 오목 바둑. =五目並べ.
****れんしゅう**【練習】名ス他 연습. ¶~帳 연습장 / ~不足 연습 부족 / ~を積む〔怠る〕 연습을 쌓다〔게을리하다〕 / ピアノを~する 피아노를 연습하다 / 何事も~次第だ 무슨 일 [illegible] 연습하기 나름이다.
れんじゅう【連中】名 한패; 동아리; 동료; 일당; 그 패들. ¶会社の~ 회사 동료들 / 気の置けない~ (마음을 터놓을 수 있는) 무간한 친구들 / もう, あんな~とつきあうのはこりごりだよ 이젠 저런 놈들과 사귀는 것은 신물이 난다. 注意 'れんちゅう'라고도 함.
れんしょ【連署】名ス他 연서. ¶陳情書に~する 진정서에 연서하다.
れんしょう【連勝】名ス自 연승. **1** 잇달아 이김. ¶三~ 3연승 / 連戦~ 연전연승. ↔連敗. **2** (경마·경륜 등에서) 1착과 2착을 알아맞히는 일. =連. ¶~式 연승식. ↔単勝.
—たんしき【—単式】名 연승 단식; 연승식에서, 1착과 2착을 도착순대로 맞히는 방식. =連単.
—ふくしき【—複式】名 연승 복식; 연승식에서, 1착·2착을 도착순에 관계 없이 맞히는 방식. =連複.
れんじょう【恋情】名 연정. =恋ごころ. ¶~がつのる 연정이 더해지다 / 燃えるような~を切々と歌う 타는 듯한 연정을 절절히 노래하다 / ほのかな~を寄せる 아련한 연정을 품다.
***レンズ** [lens] 名 렌즈. ¶~フード 렌즈 후드 / ~を絞る 조리개를 맞추다 / 眼鏡の~を磨く 안경 렌즈를 닦다 / カメラの~を向ける 카메라를 들이대다.

れんせい【練成·錬成】名 ス他 연성; (심신을) 단련하여 훌륭하게 만듦. ＝錬磨·育成. ¶～期間 연성 기간 / ～道場 연성 도장.

れんせん【連戦】名 ス自 연전. ¶三～ 3연전 / ～に疲れる 연전에 지치다.

──れんしょう【──連勝】名 연전연승. ¶～向かうところ敵なし 연전연승, 가는 곳마다 무적이다.

***れんそう**【連想】《聯想》 名 ス他 연상. ¶～ゲーム 연상 게임 / 田園を～させる曲 전원을 연상시키는 곡 / 星を見て～した美しいひとみ 별을 보고 연상한 아름다운 눈동자 / 不吉なことを～する 불길한 일을 연상하다.

***れんぞく**【連続】名 ス自他 연속. ¶～殺人 연속〔연쇄〕 살인 / 不幸の～ 불행의 연속 / ～一か月の興行 연속 1개월의 흥행 / ～ドラマを見る 연속 드라마를 보다 / 三年～して大会に出場する 3년 연속해서 대회에 출장하다.

れんだ【連打】名 ス他 연타. ¶～を浴びせる 연타를 퍼붓다 / ドアを～する 문을 연거푸 두드리다 / ～されて降板する (안타를) 잇달아 얻어맞고 마운드에서 물러나다 / 半鐘を～する (이변을 알리기 위해) 경종을 연거푸 울리다 / 相手のボディーを～する 상대의 보디를 연타하다.

れんたい【連帯】名 ス自 연대. **1** 2인 이상이 함께 책임을 짐. ¶～責任〔保証〕 연대 책임〔보증〕 / ～意識が強まる 연대 의식이 강해지다 / 内閣は国会に対し～して責任を負う 내각은 국회에 대하여 연대 책임을 진다. **2** 마음이 하나로 이어져 있음. ¶～感に乏しい 연대감이 부족하다.

れんたい【連隊】《聯隊》 名〔軍〕 연대. ¶～長 연대장 / ～旗 연대기.

れんたい【連体】名〔文法〕 **1** 체언을 수식하는 일. **2** '連体形'의 준말.

れんだい［輦台］名 옛날에, 내를 건너는 손님을 태우던 가마《판자에 채를 두 개 달고 월천(越川)꾼들이 멨음》.

［輦台］

れんたいけい【連体形】名〔文法〕 연체형《활용어의 활용형의 하나; 주로 체언을 수식함; '鳴く鳥·咲く花'의 鳴く·咲く' 따위》.

れんたいし【連体詞】名〔文法〕 연체사《체언만을 수식함; 'わが·あらゆる·あの' 따위》.

レンタカー［rent-a-car］名 렌터카; 전세〔대여〕 자동차. ¶～を借りる 렌터카를 빌리다.

れんだく【連濁】名 ス自 연탁; 두 낱말이 결합해서 한 말이 될 때, 뒷말의 첫음이 청음에서 탁음으로 되는 일《'草'와 '花'가 합쳐 'くさばな'로, 또 '横'와 '顔'가 합쳐 'よこがお'로 되는 따위》.

れんたつ【練達】名 ス自 연달; 숙달. ¶～の士 그 길에 숙달한 사람 / 剣道に～する 검도에 숙달하다.

レンタル［rental］名 ス他 렌털; 임대(賃貸). ¶～料 임대료 / ～ビデオ 대여〔임대〕 비디오(카세트).

れんたん【練炭】《煉炭》 名 연탄. ¶～火鉢 연탄 화로.

れんだん【連弾】《聯弾》 名 ス他 연탄; 하나의 악기를 동시에 두 사람이 연주하는 일. ¶～曲 연탄곡 / ピアノを～する 피아노를 연탄하다.

れんち【廉恥】名 염치. ¶破～ 파렴치 / ～心のない人 파렴치한 사람 / 何よりも～を重んじる 무엇보다 염치를 중히 여기다.

レンチ［wrench］名 렌치; 스패너. ＝スパナ.

れんちゅう【連中】名 ☞れんじゅう.

れんちょく【廉直】名ナ 염직; 결백하고 정직함. ¶～な人 염직한 사람.

れんとう【連投】名 ス他〔野〕 연투; 한 투수가 2경기 이상 계속해서 등판함. ¶～がきく投手 연투해 낼 수 있는 투수 / 三日間～する 사흘간 연투하다. ⇨完投.

れんどう【連動】《聯動》 名 ス自 연동. ¶～装置 연동 장치 / 物価に～する年金額 물가에 연동하는 연금액.

レントゲン［도 Röntgen］名 뢴트겐《'レントゲン線(＝뢴트겐선)'의 준말》; 엑스선. ¶～検査 뢴트겐 검사 / ～を撮る 뢴트겐을 찍다.

れんドラ［連ドラ］名 '連続ドラマ(＝연속극)'의 준말. ¶昔の～ 옛날 연속 드라마.

れんにゅう【練乳】《煉乳》 名 연유. ＝コンデンスミルク. ¶患者に～を飲ます 환자에게 연유를 먹이다.

れんにん【連任】名 ス他 연임. ¶～をさまたげない 연임도 무방하다.

れんねん【連年】名 연년; 계속해서 매년. ＝毎年. ¶～の凶作 연년의〔계속되는〕 흉작 / ～の豊作続き 매년 계속되는 풍작 / ～水害に襲われる 해마다 수해를 당하다.

れんぱ【連破】名 ス他 연파. ¶相手のチームを～する 상대 팀을 연파하다.

れんぱ【連覇】名 ス自 연패; 연승. ¶春夏～ 봄 여름 (두 대회) 연패 / ～をめざす 연패를 목표로 하다 / 三年～を遂げる 3년 연패를 이루다.

れんばい【廉売】名 ス他 염매; 염가 판매. ＝安売り. ¶～品 싸구려 물건 / 大～ 대염가 판매 / 日用品を～する 일용품을 싸게 팔다.

れんぱい【連敗】名 ス自 연패. ¶連戦～ 연전연패 / 三～ 삼연패 / ～を喫する 연패를 당하다 / 試合ごとに～する 경기마다 연패하다. ↔連勝.

れんぱつ【連発】名 ス自他 연발. ¶～銃 연발총 / 六～の拳銃 육연발의

권총; 육혈포/悪口わるくちの~ 욕(설)의 연발/質問しつもん〔あくび〕を~する 질문〔하품〕을 연발하다. ↔単発たんぱつ·散発さんぱつ.

れんぱんじょう【連判状】图 연판장. =連判帳ちょう. ¶~に血判けっぱんを押おす 연판장에 혈판을 찍다.

れんびん［憐憫·憐愍］图 연민. ¶~の情じょうを催もよおす 연민의 정을 자아내다.

れんぺい【練兵】图 연병; 병사를 훈련함. ¶~場じょう 연병장.

れんぼ【恋慕】图ス自 연모. ¶いや増ます~ 더욱 간절해지는 연모/~の情じょうをいだく 연모의 정을 품다.

れんぽう【連峰】图 연봉; 죽 이어져 있는 산봉우리. =連山れんざん. ¶アルプスの~ 알프스(의) 연봉.

れんぽう【連邦】《聯邦》图 연방; 연합국가. ¶ロシア~ 러시아 연방/~準備銀行じゅんびぎんこう (미국의) 연방 준비 은행.

れんま【練磨·錬磨】图ス他 연마. ¶百戦ひゃくせん~の士し 백전 연마의 무사/技芸ぎげいを~する 기예를 연마하다.

れんめい【連名】图 연명. ¶~で嘆願書たんがんしょを出だす 연명으로 탄원서를 내다.

***れんめい**【連盟】《聯盟》图 연맹. ¶国際こくさい~ 국제 연맹/~に加くわわる 연맹에 들다〔가입하다〕.

れんめん【連綿】トタル 연면; 길게〔오래〕 연속되어 끊이지 않음. ¶~として続つづく文章ぶんしょう 연면히〔길게〕 이어지는 문장/~たる伝統でんとう 연면한 전통.

れんや【連夜】图 연야; 매일 밤. =毎夜まいよ·毎晩まいばん. ¶連日れんじつ~ 연일연야/~夢ゆめを見みる 매일 밤 꿈을 꾸다.

れんよう【連用】㊀图ス他 연용; 연속 사용. ¶薬くすりを~する 약을 연용하다. ㊁图〔文法〕 용언에 이어지는 용법.

——けい【——形】图〔文法〕 활용형의 하나《용언을 수식하고 문장을 일시 중단하는 외에, 명사꼴로도 씀》.

****れんらく**【連絡】《聯絡》图ス自他 연락; 접속. ¶~係がかり 연락원/~を絶たつ〔取とる〕 연락을 끊다〔취하다〕/~をつける 연락이 닿게 하다/~がとだえる 연락이 끊어지다/~を密みつにする 연락을 긴밀히 하다/いまだ~がない 아직도 연락이 없다/このバスは特急とっきゅうに~する 이 버스는 특급에 연결된다/乗のり換かえの~が悪わるい 환승 연결이 불편하다.

——せん【——船】图 연락선.

れんりつ【連立】《聯立》图ス自 연립. ¶~内閣ないかく 연립 내각/~方程式ほうていしき 연립 방정식/二人ふたりの候補こうほが~する 두 사람의 후보가 연립하다.

れんるい【連累】图 연루; 연좌. =連座れんざ·まきぞえ. ¶~者しゃ 연루자.

れんれん【恋恋】トタル 연연. **1** 못내 연모하는 모양. ¶~たる〔の〕情じょう 연연한 정. **2** 미련이 남아 단념 못하는 모양. ¶いつまでも~としてかじりつく 언제까지나 연연하여 매달리다/いまだに先日せんじつの地位ちいに~とする 아직도 전날의 지위에 연연(해)하다. 注意 '~の情じょう'와 같이 'の'가 올 때도 있음.

ろ ロ

1 五十音図ごじゅうおんず 'ら行ぎょう'의 다섯째 음. [ro] **2**〔字源〕'呂'의 초서체《かたかな'ロ'는 '呂'의 생략》.

ろ【炉】图 노(爐). **1** 방바닥에 네모로 설치한 화로. =いろり. ¶~を囲かこんで談笑だんしょうする 난로를 둘러싸고 앉아 담소하다. **2** 난로. **3**《接尾語적으로》…로. ¶溶鉱ようこう~ 용광로/原子げんし~ 원자로.

——を切きる 방바닥의 일부를 네모나게 잘라 내고 화로로 만들다.

ろ［絽］图 올을 성기게 짠, 하복지로 쓰는 견직물의 일종; 사(紗). =ろ織おり. ¶~の羽織はおり 사로 만든 羽織.

ろ［櫓］图 노. ¶~をこぐ 노를 젓다. ⇨かい(櫂).

ろ［艫］图 **1** (배의) 이물; 선수(船首). =へさき·みよし. **2** (배의) 고물; 선미(船尾). =とも. ¶舳じく~相銜あいふくむ 축로상함《많은 배가 꼬리를 물고 나아감》. ↔舳じく.

ロ 图〔楽〕 나《장음계(長音階)의 다 조(調)에서 시(si)에 해당하는 음》; B음.

ろ〖炉〗《爐》常用 ロ いろり | 로 화로 | **1** 방바닥에 박은 네모진 화로. ¶暖炉だんろ 난로/焜炉こんろ 풍로. **2** 공업용·제철용 장치. ¶電気炉でんきろ 전기로.

ろ〖路〗教3 ロ じ みち | 로 길 | **1** 길; 도로. ¶海路かいろ 해로/路上ろじょう 노상. **2** 도리; 사리. ¶理路りろ 이로/経路けいろ 경로.

ろ〖露〗常用 ロ ロウ つゆ あらわ あらわれる | 로 이슬 | **1** 이슬; 물방울. ¶露命ろめい 노명/雨露うろ 우로. **2** 드러나다; 드러내다. ¶露出ろしゅつ 노출/暴露ばくろ 폭로. **3** '露西亜ロシア(=러시아)'의 준말. ¶英仏露えいふつろ 영불로.

ろあく【露悪】图 노악; 자기의 결점 등을 일부러 드러냄.

——しゅみ【——趣味】图 노악 취미.

ロイドめがね【ロイド眼鏡】图 로이드 안경. ▷Lloyd.

ロイヤルティー［royalty］图 로열티. **1** 왕위; 왕의 존엄성. **2** 특허권〔저작권〕 사용료. =ロイヤリティー.

ロイヤルボックス［royal box］图 로열 박스; 귀빈석; 특별석.

ろう【労】图 노동; 수고; 노력. ¶~をいとわない〔惜おしまない〕 수고를 마다하

지〔아끼지〕 않다 / 長年(ながねん)の～に報(むく)いる 오랜 노고에 보답하다 / ～をねぎらう 노고를 위로하다 / ～を省(はぶ)く〔煩(わずら)わす〕 수고를 덜다〔끼치다〕.

—を執(と)る 남을 위해 수고하다. ¶あっせんの～ 주선하는 수고를 하다.

ろう [牢] 名 감옥; 옥. ¶～に入(い)れる〔閉(と)じこめる〕 감옥에 집어넣다 / ～につなぐ 옥에 가두다 / ～を破(やぶ)る 탈옥하다 / ～に入(い)れられる 투옥되다.

ろう【浪】名 재수(再修)의 횟수 또는 그 재수생을 일컫는 말. ¶一(いち)～ 재수; 재수생 / 二(に)～ 삼수(생).

ろう【廊】名 건물과 건물, 방과 방을 잇는 복도; 낭하; 회랑(回廊). ¶～を渡(わた)る 복도를 건너가다 / ～をめぐらす 회랑을〔복도를〕 내다〔두르다〕.

ろう【楼】㊀名 누. **1** 누각. ¶砂上(さじょう)の～ 사상누각 / ～にのぼる 누각에 오르다. **2** 성루(城樓); 망루. =やぐら.
㊁接尾 …루; 고층 건물을 뜻하거나 요릿집 등의 옥호에 붙이는 말. ¶摩天(まてん)～ 마천루 / 観潮(かんちょう)～ 観潮루.

***ろう** [蠟] 名 납; 밀. ¶板(いた)に～を引(ひ)く 판자에 납을 먹이다.

—をかむよう 밀 씹는 맛이다《시문(詩文) 등이 시시하다; 음식 맛이 없다》.

ろう〖老〗教4 ロウ おいる ふける | 로 늙다 | **1** 늙다. ¶老病(ろうびょう) 노병 / 早老(そうろう) 조로. **2** 연장자; 노대가. ¶老臣(ろうしん) 노신 / 長老(ちょうろう) 장로. **3** 노련해지다. ¶老獪(ろうかい) 노회.

ろう〖労〗《勞》教4 ロウ いたわる ねぎらう | 로 수고롭다 |
1 (힘써) 일하다; 노력; 수고. ¶労務(ろうむ) 노무 / 功労(こうろう) 공로. **2** '労働者(ろうどうしゃ)(=노동자)' '労働組合(くみあい)(=노동조합)' 의 준말. ¶労資(ろうし) 노자.

ろう〖郎〗《郞》常用 ロウ おとこ | 랑 사내 | **1** 남자. ¶新郎(しんろう) 신랑 / 野郎(やろう) 놈; 자식. **2** 남자의 출생 순서에 따라 이름을 짓는 말. ¶三郎(さぶろう) 삼남 이름 / 次郎(じろう) 차남 이름.

ろう〖朗〗《朗》教6 ロウ ほがらか あきらか | 랑 밝다 |
1 밝다; 명랑하다. ¶朗朗(ろうろう) 낭랑. **2** 목소리가 낭랑하다. ¶朗読(ろうどく) 낭독.

ろう〖浪〗常用 ロウ なみ | 랑 물결 | **1** 큰 물결. ¶激浪(げきろう) 격랑 / 風浪(ふうろう) 풍랑. **2** 정처 없다. ¶浪人(ろうにん) 낭인 / 放浪(ほうろう) 방랑. **3** 함부로. ¶浪費(ろうひ) 낭비.

ろう〖廊〗《廊》常用 ロウ | 랑 행랑 | 회랑; 복도. ¶廊下(ろうか) 복도 / 画廊(がろう) 화랑.

ろう〖楼〗《樓》常用 ロウ たかどの | 루 다락 |
1 고층 건물; 누다락. ¶楼閣(ろうかく) 누각. **2** 망루. ¶望楼(ぼうろう) 망루.

ろう〖滝〗《瀧》常用 ロウ たき | 랑 폭포 | 폭포. ¶滝壺(たきつぼ) 용소(龍沼); 용추(龍湫) / 滝口(たきぐち) 폭포물이 떨어지기 시작하는 곳.

ろう〖漏〗常用 ロウ ロ もる もれる もらす | 루 새다 | **1** 누설되다; 새다; 빠지다. ¶漏泄(ろうえい・ろうせつ) 누설 / 疎漏(そろう) 소루. **2** 물시계. ¶漏刻(ろうこく) 누각.

ろうあ [聾啞] 名 농아. ¶～教育(きょういく) 농아 교육 / ～者(しゃ) 농아자.

—がっこう [—学校] 名 농아 학교. =聾学校(ろうがっこう).

ろうえい【朗詠】名ス他 낭영; 시가에 가락을 붙여 소리 높이 읊음. ¶漢詩(かんし)を～する 한시를 낭랑하게 읊다.

ろうえい [漏洩・漏泄] 名ス自他 누설. ¶秘密(ひみつ)を～する 비밀을 누설하다 / ガスが～する 가스가 새다 / 機密(きみつ)が～する 기밀이 누설되다. 注意 본디는 'ろうせつ'. 'ろうえい'는 관용음.

ろうえき【労役】名 노역. =力仕事(ちからしごと). ¶～に服(ふく)する 노역에 종사하다.

ろうおう【老翁】名 노옹; 노인; 늙은 남자. =おきな. ¶白髪(はくはつ)のやせた～ 백발의 수척한 노옹. ↔老媼(ろうおう).

ろうおく [陋屋] 名 누옥; 비좁고 누추한 집《자기 집에 대한 겸사말》. ¶～でございますがどうぞおはいりください 누추한 집이지만 어서 들어오십시오.

****ろうか**【廊下】名 낭하; 복도. ¶渡(わた)り～ 두 건물을 잇는 복도 / ～続(つづ)き 두 건물이 복도로 연결됨; 또, 그런 곳 / ～伝(づた)いに湯殿(ゆどの)に行(ゆ)く 복도를 따라 목욕실에 가다.

ろうか【老化】名ス自 노화. ¶～現象(げんしょう) 노화 현상 / ～が早(はや)い 노화가 빠르다 / ～を防(ふせ)ぐ 노화를 방지하다 / ゴムが～する 고무가 노화하다 / 視力(しりょく)から～が始(はじ)まる 시력부터 노화가 시작된다.

ろうかい [老獪] 名ダナ 노회(함). ¶～な手口(てぐち) 노회한 수법 / ～きわまる人物(じんぶつ) 교활하기 짝이 없는 인물.

ろうかく【楼閣】名 누각. =たかどの・楼台(ろうだい). ¶金殿(きんでん)～ 금전옥루(玉樓) / 空中(くうちゅう)～ 공중누각《근거 없는 가공의 사물》/ 砂上(さじょう)の～ 사상누각.

ろうがっこう [聾学校] 名 농학교; 농아 학교; 청각 장애인을 위한 학교.

ろうがん【老眼】名 노안. =老視(ろうし). ¶～をしばたたく 노안을 껌벅이다.

—きょう【—鏡】名 노안경; 돋보기.

ろうきほう【労基法】名 '労働(ろうどう)基準法(きじゅんほう)(=노동 기준법)'의 준말.

ろうきゅう [籠球] 名 농구. ☞バスケットボール.

***ろうきゅう**【老朽】名ス自 노후. ¶～船(せん)〔家屋(かおく)〕 노후선〔가옥〕 / ～した校舎(こうしゃ)〔車(くるま)〕 노후한 교사〔차〕 / ～を淘汰(とうた)する 낡은 것을 도태시키다.

—か【—化】名ス自 노후화. ¶～したビル 노후화한 빌딩.

ろうきょ [籠居] 名ス自 칩거. =蟄居(ちっきょ)・

閉居(へいきょ). ¶病(やまい)のため～の日々(ひび)を送(おく)る 병 때문에 칩거의 나날을 보내다.

ろうきょう【老境】图 노경; 노년. ¶～に入(い)る〔至(いた)る〕 노경에 접어들다〔이르다〕/～を迎(むか)える 노경을 맞이하다.

ろうきょく【浪曲】图 ☞なにわぶし.

ろうぎん【朗吟】图スル他 낭음; 낭영(朗詠). ¶杜甫(とほ)の詩(し)を～する 두보의 시를 읊다.

ろうく【労苦】图 노고; 수고. ＝苦労(くろう). ¶～に堪(た)える 노고를 감내하다/～に報(むく)いる 노고에 보답하다/～をいとわない 노고를 마다하지 않다.

ろうく[老軀]图 노구. ＝老体(ろうたい)·老身(ろうしん). ¶～を押(お)して 노구를 무릅쓰고/～を駆(か)って〔ひっさげて〕 노구를 이끌고/～にむち打(う)って仕事(しごと)をする 노구를 채찍질하여 일을 하다.

ろうくみ【労組】图 ☞ろうそ.

ろうけん【老犬】图 늙은 개.

ろうけん[陋見]图〈文〉누견. ＝卑見(ひけん). **1** 변변찮은 의견; 좁은 소견. ¶～にとらわれる 좁은 소견에 사로잡히다. **2** 자기 의견의 겸사말.

ろうこ[牢固]图ナトタル 뇌고; 견고. ＝堅牢(けんろう). ¶～たる城塞(じょうさい)〔守(まも)り〕 견고한 성채〔수비〕/～とした確信(かくしん)〔決意(けつい)〕 확고한 확신〔결의〕.

ろうご【老後】图 노후; 노년. ¶～のたのしみ〔心配(しんぱい)〕 노후의 낙〔걱정〕/～に備(そな)えて貯金(ちょきん)する 노후에 대비해 저금하다/安楽(あんらく)な～を過(す)ごす 안락한 노후를 보내다.

ろうこう【老巧】图ダナ 노교; 노련(老練). ¶～な選手(せんしゅ)〔プレー〕 노련한 선수〔플레이〕/～なやり口(くち)〔手(て)さばき〕 노련한 수법〔솜씨〕.

ろうごく[牢獄]图 뇌옥; 감옥. ＝ひとや·牢屋(ろうや). ¶格子(こうし)なき～ 창살 없는 감옥/～につながれる 옥에 갇히다.

ろうこつ【老骨】图 노골; 노체(老體); 노구(老軀). ¶～にむちうつ 늙은 몸에 채찍질하(여 분발하)다.

ろうさい【労災】图 **1** 산재(産災). ¶～事故(じこ) 산재 사고. **2** '労働者(ろうどうしゃ)災害補償(さいがいほしょう)保険(ほけん)'의 준말.

ろうさい【老妻】图 노처; (고락을 함께 한) 늙은 아내. ↔老夫(ろうふ).

ろうざいく【ろう細工】《蠟細工》图 밀랍 세공.

ろうさく【労作】노작. 一图スル自 힘써 일함; 노동. ¶～教育(きょういく) 노작 교육. 二图 애써 만든 것; 역작. ¶十年(じゅうねん)をもかけた～ 10년이나 걸려 만든 역작.

ろうざん【老残】图 늙어도 죽지 못해 살고 있음. ¶～の身(み)をさらす 늙어 쇠잔한 몸을 드러내 보이다/～の身(み)を横(よこ)たえる 늙은 몸을 자리〔병상〕에 눕히다.

ろうし【労使】图 노사; 노동자와 사용자. ¶～協議会(きょうぎかい) 노사 협의회/～の対立(たいりつ) 노사 대립/～の歩(あゆ)み寄(よ)り 노사의 양보〔접근〕/～の代表(だいひょう)〔紛争(ふんそう)〕 노사 대표〔분쟁〕/～交渉(こうしょう)が決裂(けつれつ)した 노사 교섭이 결렬되었다.

ろうし【労資】图 노자; 노동자 (계급)와 자본가(계급). ¶～協調(きょうちょう)の路線(ろせん) 노자(간의) 협조 노선.

ろうし【浪士】图 섬기는 영주가 없는 무사. ＝浪人(ろうにん).

ろうし[牢死]图スル自 뇌사; 옥사. ¶～をとげる 옥사하다.

ろうし【老師】图 노사; 나이 많은 스승; 또, 나이 많은 스님.

ろうじつ【老実】图ナ 노실; 사물에 익숙하고 충실함. ¶～の人(ひと) 노련하고 성실한 사람.

ろうしゃ[聾者]图 농자; 청각 장애인. ＝つんぼ.

ろうじゃく【老弱】노약. 一图 늙은이와 어린이. ¶～をいたわる 노인과 어린이를 위로하다〔보살피다〕. 二ダナ 늙어서 쇠약함. ¶～なからだ 노쇠한 몸.

ろうじゃく【老若】图 노약; 노소. ＝ろうにゃく. ¶～男女(だんじょ) 남녀노소/～を問(と)わず 노소를 불문하고.

ろうしゅう【老醜】图 노추. ¶～をさらす 늙어서 추한 몰골을 보이다.

ろうしゅう[陋習]图 누습; 나쁜 습관〔버릇〕. ¶～を打(う)ち破(やぶ)る 누습을 타파하다/旧来(きゅうらい)の～にとらわれる 구래의 누습에 사로잡히다.

ろうじゅう【老中】图 江戸幕府(えどばくふ)에서, 将軍(しょうぐん)에 직속하여 정무를 총찰하고 大名(だいみょう)를 감독하던 직책〔사람〕《정원 4-5명》. ＝閣老(かくろう).

ろうじゅく【老熟】图スル自 노숙; 노련; 원숙. ¶～した腕(うで) 노련한 솜씨/～の域(いき)に達(たっ)する 원숙한 경지에 달하다.

ろうしゅつ【漏出】图スル自他 누출; 새어 나옴. ¶ガス～による事故(じこ) 가스 누출로 인한 사고/ホースから水(みず)が～する 호스에서 물이 새나오다.

ろうじょ【老女】图 노녀; 늙은 여자. ¶上品(じょうひん)な～ 품위 있는 할머니.

ろうしょう【老少】图 노소. ＝老若(ろうじゃく)·老若(ろうにゃく). ¶～を問(と)わず 노소를 불문하고/～の区別(くべつ)なし 노소의 구별이 없음.

ろうしょう【朗唱】图スル他 낭창; 소리 높여 노래함. ¶校歌(こうか)を～する 교가를 소리 높이 부르다.

ろうしょう[朗誦]图スル他 낭송; 낭독; 소리 높여 읊음. ＝朗読(ろうどく). ¶詩(し)を～する 시를 낭송하다.

ろうじょう[籠城]图スル自 농성. **1** 성 안에 머물러 적을 막음. ¶～して援軍(えんぐん)を待(ま)つ 농성하여 증원군을 기다리다/～の備(そな)えをする 농성 준비를 하다. **2** 집 안에만 틀어박힘. ¶～闘争(とうそう) 농성 투쟁/ふぶきで山小屋(やまごや)に～する 눈보라로 산막에 갇히다/アトリエに～して製作(せいさく)に励(はげ)む 아틀리에에 틀어박혀 제작에 힘쓰다.

ろうじょう【老嬢】图 노양; 노처녀. ＝オールドミス·ハイミス.

⁑**ろうじん**【老人】图 노인. ＝年寄(としよ)り. ¶元気(げんき)な～ 건강한 노인/～扱(あつか)い 노

인 취급/寝ねたきり～ 늘 자리보전하고 있는 노인/～呼よばわりをする 노인 취급을 하다/～めいたことを言いう 노인네 같은 소리를 하다/～を敬うやまう[いたわる] 노인을 공경하다[돌보다].
―せいちほう [―性痴呆] 名 노인성 치매.
―びょう【―病】名 노인병. =老年病ろうねんびょう.
―ホーム [home] 名 노인 홈(‘養老院ようろういん’의 고친 이름); 양로원. ¶～に入はいる 양로원에 들어가다.
ろうすい【漏水】名 ス自 누수; 물이 샘; 또, 그 물. ¶～箇所かしょ 누수하는 곳/～事故じこ 누수 사고/水道管すいどうかんから～する 수도관에서 누수하다.
ろうすい【老衰】名 ス自 노쇠. ¶～病びょう 노쇠병/～死し 노쇠해 죽음/～で亡なくなる 노쇠로 인해 죽다.
ろう-する【労する】 一 サ変自 애쓰며 일하다. ¶～·せずして手てに入いれる 힘 안 들이고 쉽게 손에 넣다. 二 サ変他 피로하게 하다; 번거롭게 하다. ¶心身しんしんを～仕事しごと 심신을 피곤하게 하는 일/人手ひとでを～ 남을 번거롭게 하다.
―·して功こうなし 애만 쓰고 공이 없다.
ろう-する [弄する] サ変他 농하다. 1 마치 그것이 목적인 양 공연히 무엇인가 하다. ¶駄弁だべんを～ 실없이 지껄이다. 2 목적을 위해 그릇된 방법을 쓰다. ¶策さく[技巧ぎこう]を～ 술책을[기교를] 부리다/甘言かんげんを～·して誘惑ゆうわくする 감언을 농하여 유혹하다/詭弁きべんを～ 궤변을 농하다.
ろう-する [聾する] サ変他 귀를 먹게[먹먹하게] 하다. ¶耳みみを～ばかりの爆音ばくおん 귀가 먹먹해질 정도의 폭음.
ろうせい【老成】名 ス自 노성. 1 경험을 쌓아 원숙해짐. ¶～した人物じんぶつ 노성한 인물/～した筆ふでさばき 노련한 필치. 2 젊은데도 언어·행동에 어른티가 남. ¶～ぶる 어른인양 언행을 하다/一見いっけん～して見みえる 일견 숙성해 보인다/年としの割わりに～の方ほうだ 나이에 비해 숙성한 편이다. 「위」.
ろうせき [蠟石] 名 〔鑛〕 납석(곱돌 따위).
ろうぜき [狼藉] 名 1 낭자; 어지러이 흩어진 모양; 어수선한 모양. ¶杯盤はいばん～ 배반 낭자(잔치 뒤에 잔과 그릇이 어지러이 흩어져 있는 모양). 2 난폭한 짓; 행패. ¶～を働はたらく 행패를 부리다/～の限かぎりをつくす 갖은 행패를 다하다.
―もの [―者] 名 행패꾼; 불한당.
ろうせつ [漏洩·漏泄] 名 ス自他 ☞ろうえい(漏洩).
ろうそ【労組】名 노조; ‘労働組合ろうどうくみあい(=노동조합)’의 준말. =ろうくみ.
ろうそう【老荘】名 노장; 노자(老子)와 장자(莊子). ¶～思想しそう 노장 사상/～の学がく 노장학(老莊學).
*ろうそく〖蠟燭〗名 초; 양초. =キャンドル. ¶～立たて 촛대/～が尽つきる 초가 다 타다/～を消けす[ともす] 촛불을 끄다[켜다].
ろうたい【老体】名 노체. 1 〈婉曲〉 노인. ¶御ご～ 노인장; 늙으신네/～をいたわる 노인을 공경[위로]하다/～をわずらわす 노인을 번거롭게[귀찮게] 하다. 2 늙은 몸. ¶～にむちうって働はたらく 늙은 몸에 채찍질하여 일하다.
ろうたいか【老大家】名 노대가. ¶書道しょどうの～ 서예의 노대가.
ろうた-ける〖臈長ける〗 下1自 (주로 여성에 대해) 아름답고 기품이 있다; 세련되다. ¶～·けた令夫人れいふじん 아름답고 기품 있는 영부인/～·けた面差おもざし 고상하고 세련된 용모.
ろうだん [壟断] 名 ス他 농단; 독점. ¶利益りえき[市場しじょう]を～する 이익[시장]을 농단[독점]하다.
ろうちん【労賃】名 노임. =労銀ろうぎん. ¶～が高たかくつく 노임이 비싸게 먹히다/安やすい～で働はたらく 싼 노임으로 일하다.
ろうづけ [鑞付け] 名 ス他 납땜(한 물건). =はんだづけ·硬鑞付こうろうづけ.
ろうでん【漏電】名 ス自 누전. ¶～による火災かさい 누전에 의한 화재. 「うご.
ろうと【漏斗】名 누두; 깔때기. =じょ
**ろうどう【労働】名 ス自 노동. ¶～歌か 노동가; 노동요(謠)/～運動うんどう 노동 운동/重じゅう～ 중노동/賃ちん～ 임금 노동; 삯일/肉体にくたい～ 육체노동/～によって生活せいかつする 노동으로 생활해 가다/八時間はちじかん～をする 8시간 노동을 하다.
―きじゅんほう【―基準法】名 노동 기준법; (우리나라의) 근로 기준법.
―きょうやく【―協約】名 노동 협약. =団体だんたい協約.
―くみあい【―組合】名 노동조합. =労組ろうくみ·ろうそ. ¶～法ほう 노동 조합법.
―さい【―祭】名 노동절; 메이데이. =メーデー.
―しゃ【―者】名 노동자. ¶日雇ひやとい～ 일용 노동[노무]자. ↔資本家しほんか·使用者しようしゃ.
―しゃさいがいほしょうほけん【―者災害保償保険】名 노동자 재해 보상 보험(우리나라의 산업 재해 보상 보험에 상당). =労災ろうさい保険·労災.
―しょう【―省】名 노동성(2001년, 厚生こうせい労働省에 통합됨).
―そうぎ【―争議】名 노동 쟁의.
―りょく【―力】名 노동력. ¶潜在せんざい～ 잠재 노동력.
ろうどう【郎等·郎党】名 1 (중세 때) 무가(武家)의 부하나 가신. ⇨家いえのこ. 2 정당 실력자의 부하나 측근자. 注意 ‘ろうとう’ 라고도 함.
*ろうどく【朗読】名 ス他 낭독. ¶脚本きゃくほん～ 각본 낭독/詩しを～する 시를 낭독하다/～会かいを開ひらく 낭독회를 열다.
ろうとして [牢として] 副 (뿌리가) 꽉 박혀; 확고하게. ¶～抜ぬきがたい信念しんねん 꽉 박혀 뿌리 뽑기 어려운 신념.
ろうにゃく【老若】名 〈老〉 노소(老少).

＝ろうじゃく.

―なんにょ【―男女】图 남녀노소. ＝ろうじゃくだんじょ.

ろうにん【浪人】图자自 1《본디 牢人으로도》낭인; 무가 시대에 녹을 잃고 떠돌던 무사. ＝浪士. 2〈俗〉진학·취업에 실패하고 재기를 노리는 사람; 재수생; 실직자. ¶就職～ 실업자; 취업 재수생 / 大学～ 대학 재수생 / 二年～生活をした 2년 재수 생활을 하였다 / 大学試験に失敗して～している 대학 시험에 실패하고 재수하고 있다. ↔現役.

ろうにんぎょう【ろう人形】《蠟人形》图 납인형.

ろうねん【老年】图 노년; 노령; 노경. ¶～期に入る 노년기에 들(어서)다 / ～の境に入る 노경〔늘그막〕에 접어들다. ↔幼年·少年·若年·青年·壮年.

ろうば【老婆】图 노파. ↔老爺.

―しん【―心】图 노파심. ¶～ながら一言申しあげます 노파심이지만 한마디 말씀드리겠습니다.

ろうば【老馬】图 노마; 늙은 말. ¶～, 道を知る 노마는 (다녀던) 길을 안다.

ろうはい【老廃】图자自 노폐. ¶～物 노폐물 / ～成分 노폐 성분.

ろうばい〖狼狽〗图자自 당황; 허둥지둥함. ¶～気味 당황해하는 기색 / 周章～ 크게 당황함 / ～の色が隠せない 당황한 기색을 감추지 못하다 / 不意を食って大いに～した 허를 찔려서 크게 당황했다 / 不意の質問に～する 갑작스러운 질문에 당황하다.

*ろうひ【浪費】图자他 낭비. ＝むだづかい. ¶～癖がやまない 낭비벽이 그치지 않다 / 時間〔お小遣い〕を～する 시간〔용돈〕을 낭비하다 / 貯金を賭け事に～する 저금을 노름으로 낭비하다. ↔節約.

ろうひ［老婢］图 노비; 늙은 여종. ↔老僕.

ろうふ【老夫】图 노부. 1 늙은 남편. ↔老婦. 2 늙은 남자. ＝老翁.

ろうふ【老父】图 노부; 늙은 아버지. ¶～を養う 노부를 봉양하다. ↔老母.

ろうへい【老兵】图 노병; 늙은 병사; 군사적 경험이 많은 병사. ¶～は死なず, ただ消えゆく〔消え去る〕のみ 노병은 죽지 않고 다만 사라질 뿐.

ろうほ【老舗】《老鋪》图 노포; 대대로 이어 오는 점포. ＝しにせ. ¶信用のある～ 신용이 있는 노포 / 江戸時代からの～ 江戸 시대 이래의 노포.

ろうぼ【老母】图 노모; 늙은 어머니. ↔老父.

ろうほう【朗報】图 낭보; 기쁜 소식. ＝快報·吉報. ¶～に沸く 낭보에 열광하다 / 合格の～に接する 합격의 낭보에 접하다. ↔悲報.

ろうぼく【老僕】图 노복; 늙은 남자 종. ↔老婢.

ろうぼく【老木】图 노목. ＝老樹.

ろうまん【浪漫】图 낭만. ☞ロマン.

―しゅぎ【―主義】图 낭만주의. ☞ロマンチシズム.

ろうむ【労務】图 노무. ¶～管理 노무 관리 / ～提供 노무 제공 / ～に服する 노무〔노동〕에 종사하다.

―しゃ【―者】图 노무자. ¶日雇い～ 날품팔이 노무자.

ろうもん【楼門】图 누문; 누각의 문. ¶朱塗りの～ 붉은 옻칠을 한 누문.

ろうや［牢屋］图 뇌옥(牢獄); 감옥. ¶～に閉じ込める 감옥에 가두다.

ろうやぶり［牢破り］图자自 탈옥(수).

ろうよう【老幼】图 노유; 노인과 어린이. ¶～を問わずだれでもできる 노유를 불문하고 누구든지 할 수 있다 / ～をいたわる 노유를 보살피다.

ろうらく［籠絡］图자他 농락; 잘 구슬림. ¶～手段 농락 수단 / ～して承諾させる 잘 구슬려서 승낙시키다 / 甘いことばで～する 감언으로 농락하다.

*ろうりょく【労力】图 노력. 1 수고. ¶むだな～ 헛수고 / ～をはぶく〔惜しむ〕 수고를 덜다〔아끼다〕. 2 일손. ＝人手. ¶～が足りない 일손이 모자라다.

ろうれい【老齢】图 노령; 고령; 노년. ＝老年. ¶～艦 노령〔노후〕함 / ～人口〔年金〕 노령 인구〔연금〕 / ～に達する 노령에 이르다.

ろうれつ［陋劣］名ナ 누열; 비열. ¶～な手段〔男〕 비열한 수단〔사내〕.

ろうれん【老練】图ダナ 노련. ＝老巧. ¶～家 노련한 사람 / ～なやりくち〔かけひき〕 노련한 수법〔흥정〕. ↔幼稚.

ろうろう【浪浪】图 1 정처 없이 떠돎; 유랑. ＝流浪. ¶～の旅に出る 방랑길에 오르다. 2 직업이 없어 놀고 있음; 직업을 찾아 헤맴. ¶～の身 일정한 직업 없이 놀고 있는 몸.

ろうろう【朗朗】トタル 낭랑. 1 목소리가 크고 맑은 모양. ¶音吐～ 목소리가 맑고 거침없이 나옴 / ～と歌う 낭랑하게 노래하다 / ～たる歌声 낭랑한 노랫소리. 2 빛 따위가 밝고 맑은 모양. ¶～たる明月 낭랑한 명월.

ろえい【露営】图자自 노영; 야영. ¶戦場の～ 전쟁터에서의 야영 / 川の近くに～する 강 가까이에서 야영하다.

ロー［low］图 로. 1 (자동차 등의) 속도가 느림; 저속. ¶～ギア 로 기어; 저속 기어. 2《接頭語적으로》낮은. ¶～ネック 로 네크; 목이 깊이 파인 여자 옷 / ～アングルで写真を撮る 로 앵글로〘낮은 위치에서 올려보듯이〙사진을 찍다. ⇔ハイ.

―コスト［low cost］图 로 코스트. ¶～住宅 염가 주택.

―ヒール［←low-heeled shoes］图 로 힐《굽 낮은 여자 구두》. ↔ハイヒール.

ローカル［local］名ナ 로컬; 지방적; 지방의. ¶～放送 지방 방송 / ～ニュー

ス 지방 뉴스 / ～版 (신문의) 지방판 / ～な話 지방에 관한 이야기.
—カラー [local color] 图 로컬 컬러; 지방색; 향토색.
—せん【—線】图 지선(支線). ↔本線
ローション [lotion] 图 로션. ¶スキン～ 스킨 로션 / ヘア～ 헤어로션 / ～をつける 로션을 바르다.
ロース [←roast] 图 로스트; 로스; 소·돼지 따위의 어깨에서 허리까지의 상치 고기. ¶～ハム 로스트 햄.
ローズ [rose] 图 로즈; 장미; 장밋빛. ＝バラ(色).
ロースクール [law school] 图 로 스쿨; (미국의) 법학 대학원.
ロースター [roaster] 图 로스터; 로스트에 쓰이는 전기 기구(器具).
ロースト [roast] 图 로스트; 불고기; 오븐 구이. ¶～チキン 로스트 치킨; 닭고기 오븐 구이 / ～ビーフ 로스트 비프.
ロータリー [rotary] 图 로터리; 환상(環狀) 교차점.
—エンジン [rotary engine] 图 로터리 엔진《내연(內燃) 기관의 하나》.
ローテーション [rotation] 图 로테이션. **1**〖野〗투수 기용 순서. ¶～を組む 로테이션을 짜다. **2** 배구에서, 서브를 넣는 팀의 선수가 차례로 시계 방향으로 자리를 옮김. **3** 차례를 좇아 일을 함; 윤번. ¶五人での～を決める 다섯 명이서 로테이션을 정하다.
ロード [road] 图 로드; 도로; 길. ¶シルク～ 실크 로드.
—ショー [road show] 图 로드 쇼; 일반 개봉에 앞서 하는 독점 개봉 흥행.
—プライシング [road pricing] 图 로드 프라이싱; 혼잡세《도심지에 진입하는 자동차에 특별 요금을 부과하여 혼잡 완화나 배기가스 대책을 꾀하려는 정책》.
—マップ [road map] 图 로드 맵; 도로 지도. ＝ドライブマップ.
—ミラー [일 road+mirror] 图 로드 미러; 도로의 교차 지점이나 커브 지점에 설치한 볼록 거울.
—レース [일 road+race] 图 로드 레이스; (자전거·자동차 등의) 도로 경주.
ロートル [중 老頭兒] 图 노틀; 노인. ＝年寄り·ロウトル.
ロープ [rope] 图 로프; 줄.
—ウエー [rope way] 图 로프웨이; 강삭(鋼索) 철도; 케이블 카. ＝空中ケーブル·ケーブルカー.
ローマ [라 Roma] 图 로마. **1**〖史〗로마 제국. **2** 이탈리아의 수도. ¶すべての道は～に通じる 모든 길은 로마로 통한다. 注意 '羅馬'로 씀은 취음.
—は一日にして成らず 로마는 하루 아침에 이루어진 것이 아니다.
—きょうこう【—教皇】图 로마 교황.
—じ【—字】图 로마자; 라틴 문자. ¶～で書く 로마자로 쓰다.
—じつづり【—字つづり】《—字綴り》图 로마자 표기(법).
—すうじ【—数字】图 로마 숫자《Ⅰ·Ⅱ·Ⅴ·Ⅹ·L〘50〙·C〘100〙·D〘500〙·M〘1000〙 따위》.
ローマナイズ [Romanize] 图ス他 로마나이즈; 로마자화(化); 로마자로 씀.
ローム [loam] 图〖地〗롬; 모래와 찰흙이 거의 비슷하게 섞여 있는 풍화된 토양. ¶関東～層 関東 롬층.
ローヤルティー 图 ☞ロイヤルティー.
ローラー [roller] 图 롤러. **1** 원통형의 구르는 물건. ¶～スケート 롤러스케이트. **2** 땅 고르는 기계. ¶～をかける 롤러로 땅을 고르다.
—コースター [roller coaster] 图 롤러코스터; 유원지 등에서 급경사를 오르내리는 놀이 기구.
—さくせん【—作戦】图 (땅 고르는 롤러를 굴리듯이) 빠짐없이 철저하게 일을 해나가는 방식《수사나 선거 등에서 잘 쓰임》.
—ブレイド [Rollerblade] 图〖商標名〗롤러블레이드; 롤러가 한 줄로 달린 롤러스케이트.
ローリング [rolling] 图ス自 롤링; 배나 비행기가 좌우로 흔들림; 옆질함. ＝ロール·横ゆれ. ↔ピッチング·縦ゆれ.
ロール [roll] 롤. 一图 'ロールパン'의 준말. ¶バター～ 버터를 발라 둥글게 말아 구운 빵. 二图ス他 맒; 감음. ¶髪を～する 머리를 말다. 三图ス自 ☞ローリング. ¶ぐうっと右に～した 오른쪽으로 세차게 옆질했다.
—キャベツ [일 roll+cabbage] 图 데친 양배추 잎에 썬 고기를 말아서 찐 요리. ＝キャベツ巻き.
—パン [일 roll+포 pão] 图 롤빵; 돌돌 말아 구운 빵. ＝巻きパン.
ローン [lawn] 图 론; 잔디. ¶～テニス 론 테니스 / ～スキー 론 스키 / ～コート 잔디 (테니스)코트.
ローン [loan] 图 론. **1** 대부(금). ¶住宅～ 주택 자금 대부 / 長期～ 장기 대부. **2** 신용 거래.
ろか [濾過] 图ス他 여과. ¶～器 여과기 / 濁水を～する 탁수를 여과하다.
—し【—紙】图〖化〗여과지; 거름종이. ＝濾紙.
ろかく [鹵獲] 图ス他 노획. ＝分捕り. ¶～品〔兵器〕 노획품〔무기〕.
ろかた【路肩】图 갓길. ＝ろけん·みちかた. ¶～軟弱につき注意 갓길의 흙이 무르므로 (요)주의《도로 표지》.
ろぎん【路銀】图 〈老〉 여비; 노자. ¶道中の～ 여행 도중의 노자.
⁑ろく【六】图 육; 여섯. ¶～の数 여섯이라는 수. 參考 금액의 경우는 변조를 막기 위해 '陸'로 쓰기도 함.
ろく〘碌〙图《否定이 따라서》 사물의 상태가 정당함; 본격적임. ¶～でもない話 변변치도 않은 이야기. ⇨ろくな·ろくに.

ろく [禄] 名 (무사 등의) 녹; 봉록. =家禄·俸禄·給金.
—を盗む 어울리지 않게 많은 녹봉을 받다《비웃는 말》.
—を食む 녹을 먹다. ¶~身 봉급생활자; 관직자; 大名를 섬기는 몸.
=ろく【録】…록; 기록. ¶議事~ 의사록/芳名~ 방명록.
ろく〖六〗教1 ロク リク む むつ むっつ むい | 륙 여섯 | 육; 여섯. ¶六感 육감/六月 유월/双六 쌍륙.
ろく〖鹿〗人名 ロク しか か | 록 사슴 | 사슴. ¶鹿茸 녹용/馴鹿 순록.
ろく〖禄〗《祿》人名 ロク さいわい | 록 복 | 봉록. ¶禄米 녹미/俸禄 봉록.
ろく〖録〗《錄》教4 ロク しるす | 록 적다 | **1** 기록하다. ¶録音 녹음/付録 부록. **2** 기록한 것; 문서. ¶目録 목록/備忘録 비망록.
ログアウト [log out] 名〘컴〙로그 아웃; PC통신 등에서, 이용자가 호스트 컴퓨터에 사용 종료를 알리는 일; 또, 그 절차. =ログオフ. ↔ログイン.
ログイン [log in] 名〘컴〙로그인; PC통신 등에서, 이용자가 호스트 컴퓨터에 사용 개시를 알리는 일; 또, 그 절차. =ログオン. ↔ログアウト.
***ろくおん**【録音】名ス他 녹음. ¶~器 녹음기/~テープ 녹음 테이프/~放送 녹음 방송/街頭~ 가두 녹음/~を取る 녹음하다/講演を~しておく 강연을 녹음해 두다.
ろくが【録画】名ス他 녹화. ¶~放送 녹화 방송/~撮り 녹화하기/タイマー~ 타이머 녹화/~で見る 녹화로 보다/ビデオで番組を~する 비디오로 프로그램을 녹화하다.
****ろくがつ**【六月】名 유월. 参考 아명(雅名)은 'みなづき'.
ろくさんせい【六三制】名 육삼제《초등 6년, 중학교 3년의 의무 교육 제도》.
ろくしゃく【六尺】名 **1** 6척. ¶~の男児 6척 남아. **2** '六尺ふんどし(=6척 길이의 샅가리개)'의 준말.
ろくじゅう【六十】名 육십; 60세.
—の手習い 60이 되어 학문을 시작함의 뜻으로, 만학의 비유.
ろくしょう【緑青】名 녹청; 동록(銅綠)《녹색 그림물감의 원료》. ¶~が吹く 동록이 슬다.
ろくしん【六親】名 육친《부·모·형·제·처·자(子), 또는 부·자·형·제·부(夫)·부(婦)의 친족》. =りくしん.
—けんぞく [—眷族] 名 육친과 권속.
ろくすっぽ〖碌すっぽ〗副〈俗〉《뒤에 否定이 옴》제대로; 변변히. =ろくに·ろくすっぽう. ¶~知らないくせに 쥐뿔도 모르면서/~あいさつ〔返事〕もしない 제대로 인사〔대답〕도 안 한다/~考えても見ない 변변히 생각도 해보지 않는다/めしも~食わさない 밥도 잘 안 먹여 준다.
ろく-する【録する】サ変他 기록하다; 쓰다. ¶師の言行を~ 스승의 언행을 기록하다/名を~して後世に伝える 이름을 기록하여 후세에 전하다.
ろくだいしゅう【六大州】名〘地〙육대주; 육대륙.
ろくだか [禄高] 名 무가 시대의 녹봉의 액수. =石高. ¶~五千石の旗本 녹봉 5천 석의 旗本.
ろくでなし〖碌で無し〗名〈俗〉녹록한〔변변찮은, 쓸모없는〕사람. =のらくら者. ¶この~め 이 등신 같은 놈.
ろくでもない〖碌でも無い〗連体 대단치도〔변변치도〕않다; 쓸데도 없다. =つまらない. ¶~男に夢中になる 별것도 아닌 사내에게 홀딱 빠지다/~話をするな 쓸데없는 얘기를 하지 마라.
ろくな〖碌な〗連体《뒤에 否定을 수반해서》제대로 된; 쓸 만한. ¶~ことはない 변변한 일은 없다/~本を読まない 쓸 만한 책을 읽지 않는다/~ものは持っていない 쓸 만한 것은 갖고 있지 않다/~人間でない 변변찮은 사람이다/~事にはなるまい 제대로 되지는 않을 것이다.
ろくに〖碌に〗副《否定을 수반해서》제대로; 충분히; 변변히. ¶~休みも取れない 제대로 쉴 수도 없다/あの人は~口を利かない 저 사람은 변변히 말도 않는다/~字も読め〔書け〕ない 제대로 읽지〔쓰지〕도 못한다/質問にも~答えられない 질문에도 제대로 답변을 못한다/~仕事もできない 일도 제대로 못한다/~食べていない 변변히 먹지도 못했다.
ろくぬすびと [禄盗人] 名 제대로 일도 못하면서 월급만 타 먹는 사람; 월급 도둑. =月給どろぼう·こくぬすびと.
ログハウス [log house] 名 로그 하우스; 통나무집.
ろくぶんぎ【六分儀】名〘理〙육분의. =ろっぷんぎ·セクスタント.
ろくぼく【ろく木】《肋木》名 늑목《체조용구의 하나》. ¶~にのぼる 늑목에 오르다.
ろくまい [禄米] 名 녹미; 무사가 녹으로 받는 쌀. =ろくべい·扶持米.
ろくまく【ろく膜】《肋膜》名 늑막. **1** 흉막. **2** '肋膜炎'의 준말.
—えん【—炎】名 늑막염《'胸膜炎(=흉막염)'의 구칭》.
ろくめんたい【六面体】名〘數〙육면체.
ろくやね【ろく屋根】《陸屋根》名 평지붕; 거의 물매가 없는 지붕. =陸やね.
ろくろ〖轆轤〗名 녹로. **1** 고패; 도르래. **2** 우산 자루 위 끝의 개폐 장치. **3** 'ろくろがんな' 'ろくろだい'의 준말.
—がんな〖—鉋〗名 녹로〔갈이〕대패

《날이 붙은 축을 돌려 물체를 둥글게 깎음》. ＝ろくろがな.
―だい【―台】图 녹로대《원형의 도자기를 만들 때 쓰는 목제의 회전 원반대(臺)》; 물레; 배차(坏車). ¶～で茶碗を作る 물레로 찻종을 만들다.
ろくろく〖碌碌〗一副《否定을 수반하여》변변히; 제대로. ＝ろくに. ¶～本も読めない 제대로 책도 못 읽는다/～おかまいもしませんで 변변히 대접도 못해 드려서 (죄송합니다)/～挨拶もできない 제대로 인사도 할줄 모른다/ゆうべは～寝られなかった 지난밤에는 제대로 잠을 못 잤다. 二トタル 녹록한 모양; 별로 쓸모가 없는 모양. ¶～として一生を終わる 한 일 없이 일생을 마치다/～として世を過ごす 아무 일도 하지 않고 세상을 보내다.
ロケ 图 'ロケーション(＝로케이션)'의 준말. ¶海外～ 해외 로케.
―ハン 图 'ロケーションハンティング'의 준말. ¶～に出かける 촬영 장소를 물색하러 나가다.
ロケーション [location] 图 〖映〗 로케이션; 야외 촬영. ＝ロケ. ↔セット.
―ハンティング [location hunting] 图 로케이션 헌팅; 야외 촬영에 적합한 장소를 물색하러 다님. ＝ロケハン.
ロケット [locket] 图 로켓《사진 따위를 넣어, 목에 거는 여자 장신구》.
***ロケット** [rocket] 图 로켓. ¶～弾〔砲〕 로켓탄〔포〕/～兵器 로켓 무기/月～ 달 로켓/～を打ち上げる 로켓을 쏘아 올리다〔발사하다〕.
ろけん【路肩】图 ☞ろかた.
ろけん【露見·露顕】图ス自 노현; 비밀이나 나쁜 일이 드러남. ＝顕露. ¶旧悪〔陰謀〕が～する 구악이〔음모가〕 드러나다.
ろご【露語】图 노어; 러시아어. ＝ロシア語.
ロゴ [logo] 图 로고; 'ロゴタイプ'의 준말. ¶会社の～が入った帽子 회사의 로고가 표시된 모자.
―タイプ [logotype] 图 로고타이프; 신문·잡지명이나 사호(社號)·상표 따위를 고유한 자체로 나타낸 것. ＝ロゴ.
ろこう【露光】图ス自 〖寫〗 노광. ☞ろしゅつ二.
ロココ [프 rococo] 图 로코코; 18세기, 프랑스에서 유행한 미술·건축의 장식 양식. ¶～趣味 로코코 취미.
ロゴス [그 logos] 图 로고스. **1** 언어; 의미. **2** 이성; 논리. ↔パトス.
***ろこつ**【露骨】图ダナ 노골. ＝あからさま. ¶～な描写 노골적인 묘사/～に言えば〔悪口を言う〕 노골적으로 말하면〔욕을 하다〕/愛情表現が～過ぎる 애정 표현이 지나치게 노골적이다/あの絵はあまり～だ 저 그림은 너무 노골적이다.
ろざ【露座】《露坐》图 노좌; 한데에 앉아 있는 일. ¶～の大仏 노좌의 대불.
注意 본디는, '露坐'.
ロザリオ [포 rosario] 图 로사리오; (천주교에서) 묵주; 또, 묵주의 기도.
ろし [濾紙] 图 여지; 여과지; 거름종이. ＝こしがみ.
ろじ【路地】图 **1** 골목(길). ¶～口 골목 어귀/～の突き当たりで左に曲がる 골목의 막다른 곳에서 왼쪽으로 구부러지다. **2**《露地》 대문 안이나 뜰에 낸 통로.
―うら【―裏】图 골목 안; 뒷골목. ¶～に住む 뒷골목에 살다.
ろじ【露地】图 **1** 노지; 한데 땅. **2** 다실(茶室)의 뜰. ＝露地庭.
―さいばい【―栽培】图 노지 재배; 보통 밭에서 하는 재배. ↔温室栽培.
ロシア [러 Rossiya, 영 Russia] 图 〖地〗 러시아《㉠제정 러시아; ㉡러시아 연방》.
注意 '露西亜·魯西亜'로 쓰은 음역.
ロジック [logic] 图 로직; 논리; 논리학. ¶好きだから好きだという, 女特有の～ 좋으니까 좋아한다는 여자 특유의 논리.
***ろしゅつ**【露出】노출. 一图ス自他 밖으로 드러남〔드러냄〕. ¶鉱脈が～している 광맥이 노출되어 있다/大胆に肌を～する 대담하게 맨살을 드러내다. 二图ス自 〖寫〗 셔터를 눌러 적당량의 빛을 쬠. ＝露光. ¶～計 노출계/～不足〔時間〕 노출 부족〔시간〕.
ろじょう【路上】图 노상; 길위; 한길. ＝みちばた. ¶～駐車 노상 주차/～で金を拾う 노상에서 돈을 줍다/～で遊ぶ 노상에서 놀다.
ロス [loss] 图 로스; 손실; 낭비. ＝無駄. ¶時間の～ 시간 낭비/エネルギーの～ 에너지 손실/～を防ぐ 로스를 방지하다/～が出る〔多い〕 로스가 생기다〔많다〕/一割の～を見込む 1할 로스를 예상하(고 계산하)다.
―タイム [일 loss+time] 图 로스 타임. **1** 시간 낭비. ¶職場での～をなくす 직장에서의 시간 낭비를 없애다. **2** (축구 등에서) 선수 부상 따위로 경기가 중단된 시간《경기 시간에 산입하지 않음》. ＝インジャリータイム.
ろせん【路線】图 노선. ¶～図 노선도/～バス 노선 버스/～延長 노선 연장/平和～ 평화 노선/強硬～を貫く〔取る〕 강경 노선을 고수하다〔취하다〕/修正主義～をたどる 수정주의 노선을 걷다.
ろだい【露台】图 노대. **1** 발코니. **2** 지붕이 없는 대(臺). **3** 노천 무대.
***ロッカー** [locker] 图 로커; 보관함; 사물함. ¶～ルーム 로커 룸《(체육관 등의) 옷이나 소지품을 수납해 두는 방》/コイン～ 코인 로커《(역 따위에서) 소정의 동전을 넣으면 일정 시간 동안 그 사람만 사용할 수 있게 된 로커》.
ろっかく【六角】图 육각. ¶～形 육각형/～のとけい 육각형 시계.

ろっかん [肋間] 名 늑간; 늑골 사이. ¶ ～神経痛 늑간 신경통.

ロッキングチェア [rocking chair] 名 로킹 체어; 흔들의자. ＝揺り椅子.

ロック [lock] 名ス他 로크; 자물쇠; 자물쇠를 채움. ¶電子～ 전자 자물쇠 / ドアを～する 문을 잠그다.

―アウト [lockout] 名ス他 로크아웃. **1** 쫓아냄. **2** 공장 폐쇄. ＝締め出し.

ロック [rock] 名 록. **1** 암석; 암벽; 암초. ¶～ガーデン 록 가든; 암석 정원. **2** 'ロックンロール'의 준말. ¶～を演奏する 록을 연주하다. **3** 'オンザロック'의 준말. ¶～で一杯やろう 온더록으로 한잔하자.

―クライミング [rock-climbing] 名 록 클라이밍; 암벽 등반. ＝岩登り.

―ボトム [rock-bottom] 名 록보텀; (가격 등의) 바닥; 최저. ¶～プライス 최저 가격.

ロックンロール [rock' n' roll] 名〔樂〕로큰롤. ＝ロック. ¶～を踊る若者たち 로큰롤을 추는 젊은이들.

ろっこつ【ろっ骨】《肋骨》名 늑골. **1** 갈비뼈. ＝あばらぼね. **2** 선체의 뼈대.

ロッジ [lodge] 名 로지; 산막; 산장; (산속의) 간이 숙박소. ＝山小屋.

ロット [lot] 名 로트; 생산물의 단위 수량; 동종(同種) 제품의 한 무더기.

―せいさん【―生産】名 로트 생산《로트 단위로 일괄하여 생산하는 방식》.

ロッド [rod] 名 로드. **1** 막대. **2** 신축이 자유로운 서양식 낚싯대.

―アンテナ [rod antenna] 名 로드 안테나; 신축자재한 막대 모양의 안테나.

ろっぽう【六方】名 **1**《六法》(歌舞伎에서) 배우들이 무대에 들어설 때 손발을 내저으며 위세 있게 걷는 걸음걸이. ¶～を踏む〔振る〕(歌舞伎 배우들이) 손을 흔들고 발을 높이 올리며 기운차게 걸어 나오다. **2** 육방《동서남북과 천·지의 여섯 방향》.

ろっぽう【六法】名〔法〕육법.

―ぜんしょ【―全書】名 육법전서.

ろてい【路程】名 노정. ＝みちのり·行程·旅程. ¶～表 노정표 / 一日の～ 하루 노정; 하룻길.

ろてい【露呈】名ス他 노정; 드러냄. ¶技術の未熟さを～する 기술의 미숙함을 드러내다 / 弱点を～する 약점을 노정하다〔드러내다〕.

ロデオ [미 rodeo] 名 로데오.

ろてん【露天】名 노천; 한데. ＝野天. ¶～ぶろ 한데에 있는 욕탕(에서 하는 목욕) / ～で働く 한데서 일하다 / ～で一夜を明かす 한데서 하룻밤을 새우다.

―しょう【―商】名 노천상; 노점상.

―ぼり【―掘り】名 노천굴; 노천 채굴. ＝おか掘り. ↔坑内掘り.

ろてん【露店】名 노점. ＝大道店. ¶～市〔商人〕노점 시장〔상인〕/ ～を出す 노점을 내다.

ろてん【露点】名〔理〕노점; 이슬점.

―しつどけい【―湿度計】名 노점(습도)계; 이슬점 습도계. ＝露点計.

ろとう【路頭】名〈文〉노두; 한길; 길거리. ＝みちばた·路傍. ¶～で商いをする 길거리에서 장사하다.

―に迷う (직업도 집도 없이) 길거리를 헤매다. ¶一家で～ 온 가족이 길거리를 헤매다 / 家族を路頭に迷わせる 가족을 길거리에서 방황하게 하다.

ろとう【露頭】名〔鑛〕노두; 암석·광맥의 일부가 지표(地表)에 나타난 곳.

ロハ 名〈俗〉공짜; 무료. ＝ただ. ¶～で旅行する 무전여행하다 / 芝居を～で見る 연극을 공짜로 보다〔구경하다〕. 參考 '只(＝거저)'자(字)를 파자(破字)하면 'ロハ'가 됨.

ろば《驢馬》名 당나귀. ＝うさぎうま.

ろばた【炉端】《炉辺》名 노변(爐邊); 화롯〔난롯〕가. ＝いろりばた.

―やき【―焼き】名 손님이 보는 앞에서 어개류·육류·야채 등을 구워 제공하는 요리; 또, 그 가게.

ろばん【路盤】名 노반; 도로의 지반(地盤). ¶～が緩んで陥没する 노반이 물러져서 함몰하다.

ロビー [lobby] 名 로비. **1** (호텔·공항 등의) 넓은 휴게실. **2** 국회 등에서 의원이 원외(院外) 사람들과 만나는 데. ¶～活動 로비 활동.

ろびょうし【ろ拍子】《櫓拍子·艪拍子》名 노젓는 가락. ¶～そろえて沖合いへ 가락에 맞추어 노질하며 난바다로.

ろふさぎ【炉ふさぎ】《炉塞ぎ》名 (다도에서) 음력 3월 말일에 차 끓이는 화로를 걷어치우는 일; 또, 그 행사《그 대신 풍로를 씀》. ↔炉開き.

ロフト [loft] 名 로프트. **1** (지붕 밑의) 고미다락; 더그매. **2** 창고·공장 등의 2층. **3** 골프채에서, 타구면(打球面)의 경사 각도.

ろへん【炉辺】名 노변; 난롯가. ＝ろばた.

ろぼう【路傍】名 노방; 길가. ＝みちばた. ¶～の茶店 길가의 찻집.

―の人 길가의 사람; 자기와 아무 관계 없는 사람.

ロボット [robot] 名 로봇. **1** 인조인간. ¶～パイロット 로봇 파일럿 / 産業用～ 산업용 로봇. **2** 허수아비; 괴뢰. ¶名は会長だが実は～だ 명색은 회장이나 실은 허수아비다.

―さいがい【―災害】名 로봇 재해《오(誤)조작 등 로봇의 고장으로 발생하는 재해》.

ロマネスク [Romanesque] 名 로마네스크. ¶～建築 로마네스크 건축.

ロマン [프 roman] 名 로망. **1** 파란만장한 장편 소설. ¶血湧き胸躍る一大～ 피가 끓고 가슴이 뛰는 일대 로망. **2** 낭만. ¶海は男の～をかきたてる 바다는 사나이의 낭만을 불러일으킨다.

注意 '浪漫' '浪曼' 으로 씀은 취음.

ロマンス [romance] 图 로맨스. ¶若いころの~ 젊은 시절의 로맨스 / ~が芽生える 로맨스가 싹트다 / 大~ののちに結婚にいたる 일대 로맨스 끝에 결혼에 골인하다.

—シート [일 romance+seat] 图 로맨스 시트; 영화관·차량 등의, 남녀 둘이 앉게 된 좌석. *영어로는 love seat라고 함.

ロマンチシスト [romanticist] 图 로맨티시스트; 낭만파; 낭만주의자. ↔リアリスト.

ロマンチシズム [romanticism] 图 로맨티시즘; 낭만주의. =ロマン主義. ↔リアリズム.

ロマンチスト 图 'ロマンチシスト'의 전와.

ロマンチック [romantic] ダナ 로맨틱; 낭만적. =ロマンティック. ¶~な物語 로맨틱한 이야기 / ~な考え方 낭만적인 사고방식. ↔リアリスティック.

ロム [ROM] 图〘컴〙롬; 판독 전용의 반도체 기억 장치. ¶CD~ 시디롬.

ろめい【露命】 图 노명; 이슬 같은 목숨.

—をつなぐ 근근이 살아가다.

ろめん【路面】 图 노면; 도로 위〔표면〕. ¶~電車 노면 전차 / ~が凍結する 노면이 얼어붙다.

ろれつ〖呂律〗 图〈俗〉말씨; 말하는 투. =調音. ¶~が怪しくなる (혀가 꼬부라져) 말씨가 이상해지다.

—が回らない (술에 취하거나 병 때문에) 혀가 잘 안 돌아가다. ¶酒に酔って~ 술에 취해 혀가 꼬부라지다.

***ろん【論】** 图 논. **1** 사리가 분명한 설명; 이론. ¶~を立てる 이론을 세우다 / ~を展開する 이론을 전개하다. 參考 接尾語적으로도 쓰임. ¶集合~ 집합론. **2** 의견; 견해. ¶~を曲げない 소신을 굽히지 않다 / ~を戦わす 논쟁하다 / いろいろの~がある 여러 가지 의견이 있다 / ~が分かれる 의견이 갈라지다 / 同日の~ではない 아주 달라서 함께 논의할 거리가 못된다; 차이가 심하다; 비교가 안 된다.

—より証拠 말보다 증거《의론하는 것보다 현실적인 증거가 유력하다》.

—を俟たない 논할 여지도 없다; 물론이다. ¶彼の成功は~ 그의 성공은 논할 여지도 없이 명백하다.

ろん〖論〗 教6 ロン あげつらう | 론 말하다 | **1** 논하다; 논의하다. ¶論拠 논거 / 論証 논증 / 談論 담론. **2** 의견; 견해. ¶持論 지론 / 公論 공론.

ろんがい【論外】 名ナ 논외. **1** 의론하는 범위 밖. ¶~の問題 논외의 문제 / その問題はしばらく~にして 그 문제는 잠시 논외로 하고 / 非常識な意見は~だ 비상식적인 의견은 논할 바가 못된다. **2** 의논할 가치가 없음. ¶~の沙汰 논할 거리도 못 되는 일〔문제〕. **3** 터무니없는 모양; 당찮은 모양. =法外. ¶~な値段 터무니없는 값 / ~な要求 당찮은 요구.

ろんかく【論客】 图 논객. =ろんきゃく. **1** 의론을 즐겨하는 사람. ¶ユニークな~ 독특한〔유가 없는〕 논객. **2** 논설 등을 써서 여론을 이끄는 사람. ¶往年の~ 왕년의 논객.

ろんぎ【論議】 图ス自他 논의. =議論. ¶十分~を尽くす 충분히 논의할 대로 논의하다 / ~の焦点となる 논의의 초점이 되다 / 運賃の値上げが~の的となる 운임의 인상이 논의의 대상이 되다.

ろんきゃく【論客】 图 ☞ ろんかく.

ろんきゅう【論及】 图ス自 논급. ¶私生活〔細部〕にまで~する 사생활〔세세한 부분〕에까지 논급하다.

ろんきょ【論拠】 图 논거. ¶~が乏しい 논거가 빈약하다 / 確かな~を示す 확실한 논거를 제시하다 / ~がしっかりしている 논거가 분명하다.

ロング [long] 图 롱. **1** 긺; 오램. ¶~パス 롱 패스 / ~スカート 롱 스커트 / ~ヘア 롱 헤어; 긴 머리 / ~サイズ 롱 사이즈. ↔ショート. **2** 'ロングショット'의 준말.

—ショット [long shot] 图 롱 숏. **1** (영화 등) 원거리 촬영. ↔クローズアップ. **2** (골프에서) 장타.

—セラー [일 long+seller] 图 롱 셀러; 잡지 등이 장기간에 걸쳐 팔림; 또, 그 물건.

—ヒット [long hit] 图〘野〙롱 히트; 장타. ↔シングルヒット.

—ホール [일 long+hole] 图 (골프에서) 롱 홀; 기준 타수가 5인 홀《거리가 보통 431m 이상인 코스》. ↔ショートホール.

—ラン [long run] 图 롱런; (연극·영화의) 장기 흥행. ¶その演劇は~を続けた 그 연극은 롱런을 계속했다.

ろんけつ【論決】 图ス自 논결; 의논해 결정함. ¶~がつかなかった 논결짓지 못했다.

ろんけつ【論結】 图ス自 논결; 의논하여 일을 끝맺음. ¶簡単に~するわけには行かない 간단히 논결할 수는 없다.

ろんご【論語】 图 논어.

—読みの—知らず 논어를 읽되 논어를 모르다《책의 뜻만 알았지 그것을 살려 실천하지는 못한다는 뜻으로, 학자의 통폐를 지적한 말》.

ろんこう【論功】 图 논공.

—こうしょう【—行賞】 图 논공행상. ¶~を行う 논공행상을 하다.

ろんこう【論考】 图ス他 논고; 논하여 고찰함; 또, 그 논문. ¶上代文学~ 大和·奈良 시대 문학 논고.

ろんこく【論告】 图ス他 논고. ¶検事の~があった 검사의 논고가 있었다.

ろんし【論旨】 图 논지. =論意. ¶~をまとめる 의론의 요지를 간추리다 / ~

は当(とう)を得(え)て極(きわ)めて明快(めいかい)だ 논지는 도리에 맞고 아주 명쾌하다.

ろんしゃ【論者】图 논자. ¶反対(はんたい)〔平和(へいわ)〕～ 반대〔평화〕론자 / ～の誤(あやま)りを指摘(してき)する 논자의 잘못을 지적하다. 注意 'ろんじゃ' 라고도 함.

ろんしゅう【論集】图 논집; 논문집. ¶～を作成(さくせい)する 논집을 작성하다.

ろんじゅつ【論述】图ス他 논술. ¶農業政策(のうぎょうせいさく)を～する 농업 정책을 논술하다 / 君(きみ)の～には誤(あやま)りがある 너의 논술에는 잘못이 있다.

—テスト [test] 图 논술 시험. ↔選択式(せんたくしき)テスト·まるばつ式(しき)テスト.

ろんしょう【論証】图ス他 논증. ¶～をかさねて真理(しんり)に近(ちか)づく 논증을 거듭하여 진리에 다가가다 / 地球(ちきゅう)が自転(じてん)していることを～する 지구가 자전하고 있음을 논증하다.

—てき【—的】ダナ 논증적. ＝論弁的(ろんべんてき). ¶～な方法(ほうほう) 논증적인 방법.

ろん-じる【論じる】上1他 ☞ろんずる.

ろんじん【論陣】图 논진. ¶堂々(どうどう)たる～を張(は)る 당당한 논진을 펴다.

***ろん-ずる**【論ずる】サ変他 논하다. ＝論(ろん)じる. ¶文学(ぶんがく)を～ 문학을 논하다 / 封建制度(ほうけんせいど)について～ 봉건 제도에 대하여 논하다 / 事(こと)の是非(ぜひ)を～ 일의 가부를〔잘잘못을〕 논하다 / 現実(げんじつ)を無視(むし)して～·じるのは無意味(むいみ)だ 현실을 무시하고 논하는 것은 무의미하다 / ～·じるまでもなく明白(めいはく)だ 논할 것도 없이 명백하다.

—に足(た)らない 논할 거리가 못 된다. ¶100万円(ひゃくまんえん)や200万円(にひゃくまんえん)の損害(そんがい)は～ 백만 엔이나 이백만 엔의 손해는 논할 거리도 못 된다.

ろんせつ【論説】图 논설. ¶～文(ぶん) 논설문 / ～委員(いいん) 논설 위원.

ろんせん【論戦】图ス自 논전. ¶～を交(まじ)える 논전을 벌이다 / 花々(はなばな)しい～を展開(てんかい)する 열띤 논전을 전개하다.

***ろんそう**【論争】图ス自 논쟁. ¶激(はげ)しい～ 격렬한 논쟁 / ～の余地(よち)がない 논쟁의 여지가 없다 / 税制(ぜいせい)について～する 세제에 대하여 논쟁하다.

ろんだい【論題】图 논제. ¶討論会(とうろんかい)の～ 토론회의 논제 / ～からそれる 논제에서 벗어나다.

ろんだん【論壇】图 논단. **1** 논설가 등의 사회; 언론계. ¶～の雄(ゆう) 논단의 원로〔거물〕 / はなばなしく～に登場(とうじょう)する 화려하게 논단에 등장하다. **2** 연단; 강단. ¶～に上(あ)がる 논단에 오르다.

ろんだん【論断】图ス自 논단; 논하여 판단함. ¶事件(じけん)の真因(しんいん)を～する 사건의 참 원인을 논단하다.

ろんちょ【論著】图 논저; 학술 논문이 실린 책.

ろんちょう【論調】图 논조. ¶激(はげ)しい～ 격렬한 논조 / 新聞(しんぶん)の～ 신문의 논조.

ろんてき【論敵】图 논적; 논쟁의 상대.

ろんてん【論点】图 논점. ¶～を外(はず)れた質問(しつもん) 논점을 벗어난 질문 / ～がぼやける 논점이 흐려지다 / ～をぼかす 논점을 얼버무리다.

ロンド [이 rondo] 图〘樂〙 론도. **1** 원무(圓舞); 윤무곡(輪舞曲). **2** 회선곡(回旋曲). ¶～形式(けいしき) 론도 형식.

ろんなく【論なく】副 말할 것도 없이; 물론; 이러쿵저러쿵 말할 것도 없이. ¶～認(みと)められた 아무 논란 없이 인정되었다.

ろんなん【論難】图ス他 논란; 논박. ＝論詰(ろんきつ). ¶相手(あいて)の意見(いけん)を～する 상대방(의) 의견을 논란하다.

ろんぱ【論破】图ス他 논파. ¶彼(かれ)の理論(りろん)を～する 그의 이론을 논파하다 / 完膚(かんぷ)無(な)きまでに～する 철저하게 논파하다.

ロンパース [rompers] 图 롬퍼스; 어린이의 내리닫이 허드레옷.

ろんばく [論駁] 图ス他 논박. ＝反論(はんろん). ¶御用学者(ごようがくしゃ)の論文(ろんぶん)を～する 어용학자의 논문을 논박하다.

ろんぴょう【論評】图ス他 논평. ¶～を加(くわ)える 논평을 가하다 / ～を差(さ)し控(ひか)える 논평을 보류하다〔삼가다〕.

***ろんぶん**【論文】图 논문. ¶学位(がくい)〔卒業(そつぎょう)〕～ 학위〔졸업〕 논문 / ～を書(か)く 논문을 쓰다 / 研究(けんきゅう)～をまとめる 연구 논문을 정리하다.

ろんぽう【論法】图 논법. ¶三段(さんだん)～ 삼단 논법 / 彼(かれ)独得(どくとく)の～で 그 사람 특유의 논법으로 / 春秋(しゅんじゅう)の～を以(も)ってすれば 춘추의 논법으로써 한다면.

ろんぽう [論鋒] 图 논봉; 논조. ¶～が鈍(にぶ)る 논봉이 둔해지다 / ～を政府(せいふ)に向(む)ける 논봉을 정부로 돌리다 / ～鋭(するど)く詰(つ)め寄(よ)る 예리한 논조로 추궁하다.

****ろんり**【論理】图 논리. **1** 의론의 조리. ¶～の飛躍(ひやく) 논리의 비약 / ～を無視(むし)する 논리를 무시하다 / ～が正(ただ)しい 논리가 바르다 / 有(あ)り得(え)ない～ 있을 수 없는 논리 / ～が通(とお)らない 논리가 통하지 않다. **2** '論理学(ろんりがく)'의 준말.

—がく【—学】图 논리학. ＝ロジック.

—てき【—的】ダナ 논리적. ＝ロジカル. ¶～な考(かんが)え方(かた) 논리적인 사고방식 / ～にはまちがっていない 논리적으로는 틀리지 않는다. ↔非(ひ)論理的.

わ ワ

1 五十音図 'わ行'의 첫째 음. [wa] 2〖字源〗'和'의 초서체《かたかな 'ワ'는 '輪(=고리)'의 부호인 '○'에서》.

わ【和】 ㊀图 **1** 화목. ¶人の～ 인화/家庭の～ 가정의 화목/～を保つ〔重んずる〕 화목을 유지〔중시〕하다. **2** 화해. =仲直り. ¶～を結ぶ 강화를 맺다; 화해하다/～を請う 화해를 청하다. **3**〖數〗합; 합계. ¶一と二の～は三 1과 2의 합은 3/～を求める 합을 구하다. ↔差. ㊁接頭 일본(식)의. ¶～服 일본 옷/～菓子 일본식 과자.

わ【輪】 图 **1**《본디 環로도》고리; 원형. ¶針金の～ 철사(로 만든) 고리/～を描く 원을 그리다/ひもを結んで～にする 끈을 매어 고리를 만들다/耳に～をはめる 귀에 귀고리를 끼다/～になって並ぶ 원형으로 늘어서다/連帯の～を広げる 연대의 고리를 넓히다/手をつないで～になる (서로) 손을 잡고 원형을 이루다. **2** 바퀴. ¶車の～ 수레바퀴/～がまわる 바퀴가 돌다. **3** 테; 테두리. =たが. ¶桶に～をはめる 통에 테를 메우다.

―を掛ける **1** (이야기 내용을) 과장하다. ¶輪に輪をかけて言う 한층 과장하여 말하다/輪をかけて話が伝わる 이야기가 과장되어 전해지다. **2** 한층 더 …하다. =之繞をかける. ¶親父に輪をかけた酒飲み 아버지보다 더 한 술꾼.

=わ【羽】 새나 토끼 따위를 세는 말: 마리. ¶五～のすずめ 참새 다섯 마리/獲物はうさぎ二～ 잡은 짐승은 토끼 두 마리. 注意 '一羽(=한 마리)'는 'いちわ·いっぱ', '三羽(=세 마리)'는 'さんば', '六羽(=여섯 마리)'는 'ろくわ·ろっぱ', '十羽(=열 마리)'는 'じゅうわ·じっぱ'로 발음함.

=わ【把】 묶은 것을 세는 말: 다발; 뭇; 단; 묶음. ¶ねぎ〔大根〕二～ 파〔무〕 두 단/まき五～ 장작 닷 뭇. 注意 '一把(=한 다발)'는 'いちわ·いっぱ', '三把(=세 다발)'는 'さんば', '六把(=여섯 다발)'는 'ろくわ·ろっぱ', '八把(=여덟 다발)'는 'はちわ·はっぱ', '十把(=열 다발)'는 'じゅうわ·じっぱ'라고 발음함.

わ 終助《活用語의 終止形에 붙음》**1** 가벼운 영탄·감동의 뜻을 나타냄. ¶いいお天気だ～ 좋은 날씨로군/居る～, 居る～, 黒山の人だ 아유, 많이 있네, 사람이 새까맣게 있군/来る～来る～, 続々とやってくる 온다 와, 잇따라 온다/ほんとうによくやる～, あの子は 정말 잘 하는데, 저 애는. **2** 어이없고 놀라는 기분을 나타냄. ¶これは驚いた～ 이건 놀랐는 걸. **3**〈女〉가벼운 결의·주장·다짐을 나타냄. ¶わたしは行かない～ 나는 안 갈래요/知らない～ 몰라요/とてもきれいだ～ 아주 아름다워요/まあ, おいしそうだ～ね 어머, 맛있을 것 같군요/あら, ひどい熱だ～ 어머, 열이 대단하군요.

わ〖和〗 教3 ワ オ やわらぐ やわらげる なごむ なごやか あえる | 화 온화하다 |
1 온화하다; 부드럽다. ¶和気 화기/柔和 유화. **2** 서로 마음이 맞다. ¶不和 불화/和睦 화목. **3** 합; 보탠 수치. ¶総和 총계; 총합. **4** 일본; 일본식《'倭'와 같음》. ¶和食 일식/和服 일본옷.

わ〖倭〗 人名 ワ やまと | 왜 왜국 | 왜; 옛날에, 중국·한국에서 일본을 부르던 말. ¶倭寇 왜구.

わ〖話〗 教2 ワ はなす はなし | 화 이야기 | **1** 이야기. ¶話題 화제/童話 동화. **2** 이야기하다. ¶話術 화술/会話 회화.

わあ ㊀感 뜻밖의 경우 또는 기쁘거나 놀란 경우에 내는 소리: 와; 어이구. =わあっ. ¶～, そりゃ大変 어이구 그것 큰일났구나/～, びっくりした 어이구, 깜짝이야/～, そいつはすてきだ 와, 그건 멋진데. ㊁副 우는 소리; 또, 고함 소리: 엉엉; 와. =わっ·わあっ. ¶～と叫ぶ群衆 와 하고 고함치는 군중/～と泣き伏す 엉엉하며 엎드려 울다.

ワーキングカップル [working couple] 图 워킹 커플; 맞벌이 부부.

ワーキングランチ [working lunch] 图 워킹 런치; 상담(商談)이나 일 이야기를 하면서 먹는 점심 식사.

ワーク [work] 图 워크; 일; 사업. ¶ライフ～ 필생의 사업/オーバー～ 오버워크; 과중한 노동.

―ショップ [workshop] 图 워크숍; 연구 집회; 연수회; 또, 작업장.

―ブック [workbook] 图 워크북; 학습장; 수련장; 연습 문제집.

ワースト [worst] 图 워스트; 가장 나쁜 것; 최하위. ¶～ドレッサー 워스트 드레서; 옷을 가장 멋없게 입는 사람. ↔ベスト.

ワードプロセッサー [word processor] 图 워드 프로세서; 문서 편집기. =ワープロ.

ワープロ 图 'ワードプロセッサー'의 준말.

ワールド [world] 图 월드; 세계. ¶～チャンピオン 세계 선수권자.

―エンタープライズ [world enterprise] 图 월드 엔터프라이즈; 세계〔다국적〕기

업《IBM·GM 등이 대표적임》.
―カー [world car] 名 월드 카; 자동차 메이커의 세계 전략차.
―カップ [World Cup] 名 월드컵; 스포츠 경기의 국가별 대항 세계 선수권 대회《축구·럭비·배구 등》.
―ワイドウェッブ [World Wide Web] 名 월드 와이드 웹《인터넷에서 사용되는 정보 검색 시스템 및 클라이언트 서버 시스템의 하나; 약자: WWW》.

わあわあ 副 1 심하게 우는 소리: 엉엉. ¶～と泣(な)き叫(さけ)ぶ 엉엉 큰 소리로 울어대다. 2 요란하게 떠들어대는 소리〔모양〕: 와와; 와글와글. ¶ファンが～騒(さわ)ぐ 팬이 와글와글 떠들다.

わい 終助 〈老〉《活用語의 終止形에 붙음》 영탄의 뜻을 나타냄. ¶大変(たいへん)な事(こと)になった～ 큰일이 났구먼/これでやっと安心(あんしん)出来(でき)る～ 이제야 겨우 안심이 되는군.

わい 〖賄〗 常用 ワイ まかなう まいなう | 회 뇌물 | 뇌물을 주다. ¶賄賂(わいろ) 회뢰; 뇌물/贈賄(ぞうわい) 증회.

わいきょく [歪曲] 名 ス他自 왜곡. ¶事実(じじつ)を～する 사실을 왜곡하다.

わいざつ [猥雑] 名 ダナ 외잡; 추잡; 난잡. ¶～な感(かん)じ〔話(はなし)〕 추잡한 느낌〔이야기〕/～な都会(とかい) 지저분한 도회지.

ワイシャツ [←white shirt] 名 와이셔츠. ¶～姿(すがた)で 와이셔츠 차림으로/半(はん)そでの～ 반소매 와이셔츠. 注意 통속적으로, 'Yシャツ'로도 씀.

わいしょう [矮小] 名ナ 1 왜소. ¶～な〔の〕木(き) 왜소한 나무. 2 자그마하고 아담한 모양. ¶～な住(す)まい 자그마하고 아담한 집.
―か 【―化】 名ス他 왜소화; 축소함; 위축시킴. ¶問題(もんだい)を～する 문제를 축소하다/民主(みんしゅ)主義(しゅぎ)の～ 민주주의의 위축.

わいせつ 〖猥褻〗 名ダナ 외설; 음란. ＝淫猥(いんわい)·エロ. ¶～罪(ざい) 외설죄/～文学(ぶんがく) 외설 문학/～な話(はなし) 추잡한 이야기.

わいだん [猥談] 名 음담(淫談); 음란한 이야기. ¶～をする 음담패설을 하다.

ワイド [wide] 名ナ 와이드; 넓음; 대형. ¶～ショー 와이드〔대형〕 쇼/～な画面(がめん)〔眺望(ちょうぼう)〕 넓은 화면〔전망〕.
―スクリーン [wide screen] 名 〖映〗 와이드 스크린《시네마스코프·비스타비전 등의 대형 스크린》.

ワイナリー [winery] 名 와이너리; 포도주 양조장.

ワイパー [wiper] 名 와이퍼; 자동차 앞 창유리의 빗물 등을 닦아내는 장치.

ワイフ [wife] 名 와이프; 아내. ＝妻(つま)·細君(さいくん). ¶彼(かれ)の～は良家(りょうけ)の出(で)だ 그의 아내는 양가 출신이다. ↔ハズ·ハズバンド.

わいほん [猥本] 名 외설서; 음란〔추잡〕한 책. ＝わいぼん·エロ本(ほん)·春本(しゅんぽん).

ワイヤ [wire] 名 와이어. 1 철사. 2 전선. 3 악기의 금속제 줄. 4 'ワイヤロープ'의 준말. 注意 'ワイヤー'라고도 함.
―レス [wireless] 名 와이어리스; 무선(임); 무선 전신〔전화〕. ¶～マイク 코드 없는 마이크로폰.
―ロープ [wirerope] 名 와이어로프; 쇠줄; 강삭. ＝鋼索(こうさく).

ワイルド [wild] ダナ 와일드; 야성적; 격렬한 모양. ¶～なサウンド 격렬한 음향/～な魅力(みりょく)の俳優(はいゆう) 야성적 매력이 있는 배우.
―カード [wild card] 名 와일드 카드; 주최측의 자유 재량으로 선발한 선수가 경기에 출장할 수 있게 하는 제도.
―ピッチ [미 wild pitch] 名 〖野〗 와일드 피치; 폭투(暴投).

わいろ 〖賄賂〗 名 회뢰; 뇌물. ＝そでの下(した)·まいない. ¶～で買収(ばいしゅう)する 뇌물로 매수하다/～を使(つか)う〔おくる〕 뇌물을 쓰다〔보내다〕/～をもらう〔要求(ようきゅう)する〕 뇌물을 받다〔요구하다〕.

わいわい 副 1 여럿이 시끄럽게 떠들어대는 모양: 왁자지껄; 와글와글. ¶外(そと)で何(なに)やら～言(い)っている 밖에서 무언가 와글와글 떠들고 있다/群衆(ぐんしゅう)が～(と)騒(さわ)ぐ 군중이 왁자지껄 떠들다. 2 시끄럽게 재촉하는 모양. ¶～言(い)われてやっと出(で)かける 시끄럽게 재촉을 받고서야 겨우 떠나다.

ワイン [wine] 名 와인. 1 포도주. ¶～カラー〔レッド〕 와인 컬러〔레드〕; 암적색/～アップル 와인 애플《사과의 일종》/～リスト(레스토랑 등의) 와인 리스트/～セラー 포도주 저장고/赤(あか)〔白(しろ)〕～ 적〔백〕포도주. 2 양주(洋酒).

ワインドアップ [windup] 名ス自 〖野〗 와인드업; 투수의 투구 전의 예비 동작. ¶～ポジション 와인드업 포지션.

わえい 【和英】 名 일영; 일본어와 영어. ¶～辞典(じてん) 일영 사전.

わおん 【和音】 名 1 〖樂〗 화음. ＝かおん. ¶三(さん)～ 삼화음/～記号(きごう) 화음 기호. 2 (한자음의) 漢音(かんおん)·呉音(ごおん)·唐音(とうおん)에 대하여, 일본식으로 변화한 관용음.

わか 【和歌】 名 일본 고유 형식의 시. 1 長歌(ちょうか)·短歌(たんか)·旋頭歌(せどうか) 등의 총칭. ＝やまとうた. ↔漢詩(かんし). 2 특히, 短歌《5·7·5·7·7의 5구 31음의 단시》. ＝みそひともじ. ¶～を詠(よ)む 和歌를 짓다〔읊다〕.

わか= 【若】 1 젊은; 젊은이. ¶～夫婦(ふうふ) 젊은 부부. 2 뒤〔대〕를 이을. ¶～奥様(おくさま) 젊은 아씨〔마님〕《뒤를 이을 며느리》/～主人(しゅじん) 젊은 주인《대를 이을 서방님》. ↔老(ろう)·大(おお).

わが 【我が】《吾が》 連体 나의; 우리의. ¶～国(くに) 우리나라/～家(や) 내〔우리〕 집/～子(こ) 내 아들/～校(こう) 우리 학교/～道(みち)を行(ゆ)く 나의 길을 간다/～田中(たなか)選手(せんしゅ)は優勝(ゆうしょう)を獲得(かくとく)した 우리 田中 선수는 우승을 획득했다.
―田(た)に水(みず)を引(ひ)く 아전(我田)인수.

わ

**わか-い【若い】形 1 젊다. ¶～人(ひと)〔世代(せだい)〕 젊은 사람〔세대〕/ 年(とし)の割(わり)に～·く見(み)える 나이에 비해 젊게 보이다/気(き)だけは～ 마음만은 젊다. 2 어리다. ¶～芽(め) 어린 싹/ぼくより三(みっ)つ～ 나보다 세 살 어리다. 3 미숙하다; 덜 익다. ¶芸(げい)が～ 재주가 미숙하다/この柿(かき)は～·くて渋(しぶ)い 이 감은 덜 익어서 떫다/お前(まえ)の考(かんが)え方(かた)は～ 네 사고방식은 미숙하다. 4 (순번이) 이르다. ¶数字(すうじ)の～方(ほう) 숫자가 적은 쪽/～番号(ばんごう)から呼(よ)び出(だ)す 빠른 번호부터 불러내다〔호명하다〕.

わかい【和解】名ス自 화해. ¶～がなり立(た)つ〔成立(せいりつ)する〕 화해가 이루어지다〔성립되다〕/～を見(み)る 화해를 하다/わだかまりが解(と)けて～する 맺혀 있던 감정이 풀어져 화해하다.

わがい【我が意】《吾が意》連語 자기 뜻. —を得(え)たり (뜻대로 되어) 만족하다; 자기 뜻과 같(이 되었)다.

わかいしゅ【若い衆】名 1 (상점 등에서) 소년 점원보다 연장인 고용인. 2 젊은 남자(들); 청년. ¶村(むら)の～ 동네 청년. 注意 'わかいしゅう'라고도 함.

わかいつばめ【若いつばめ】《若い燕》連語 연하의 젊은 정부(情夫); 제비족. 注意 'つばめ'라고도 함.

わかいもの【若い者】名 젊은이. =若者(わかもの). ¶今(いま)の～ 요즘 젊은이들/～の集(あつ)まり 젊은이의 모임/～にまかせる 젊은이에게 맡기다.

わかがえり【若返り】名ス自 젊어짐; 젊은 층으로 바뀜. ¶～の薬(くすり)〔秘訣(ひけつ)〕 젊어지는 약〔비결〕.

わかがえ-る【若返る】5自 1 (되)젊어지다; 젊음을 되찾다. ¶～·って見(み)える 젊게 보이다/若(わか)い人(ひと)と話(はな)していると～ 젊은이와 이야기하고 있으면 (되)젊어진다. ↔老(お)い込(こ)む. 2 (구성원이) 전보다 더 젊은 층으로 바뀌다. ¶内閣(ないかく)が～ 내각이 젊은 층으로 바뀌다/ベテランの引退(いんたい)でチームが～ 베테랑의 은퇴로 팀이 젊어지다.

わかき【若き】一名 젊은 사람. ¶老(お)いも～も 늙은이도 젊은이도.
二連体《文語의 形容詞 '若(わか)し'의 連体形에서》 젊은. ¶～ウェルテルの悩(なや)み 젊은 베르테르의 슬픔/～血(ち)にもえる青年(せいねん) 젊은 피가 끓는 청년.

わかぎ【若木】名 어린 나무. ¶桜(さくら)の～ 어린 벚나무. ↔老(お)い木(き). 注意 'わかき'라고도 함.

わかぎみ【若君】名 1 자기가 섬기는 주군의 아들. =若様(わかさま). 2 자기가 섬기는 젊은 주군. =幼君(ようくん).

わかくさ【若草】名 새싹. ¶～がもえ出(で)る 새싹이 돋아나다.

わがくに【我が国】名 우리나라.

わかげ 一【若気】名 젊은 혈기〔패기, 기질〕. =わかぎ. ¶～の過(あやま)ち 젊은 혈기로 인한 과오. 二【若げ】《若気》ダナ 젊은 모양〔티〕. ¶いかにも～に見(み)える 자못 젊어 보이다.
—の至(いた)り 젊은 소치〔탓〕.

わがこと【我が事】名 자기〔내〕 일. ¶～のように喜(よろこ)ぶ 자기 일처럼 기뻐하다.
—成(な)れり 내가 할 일은 끝났다.

わかさ【若さ】名 젊음. ¶～にものを言(い)わせる 젊음을 힘으로〔무기로〕 삼다/～を保(たも)つ 젊음을 유지하다.

わかざかり【若盛り】名 한창 젊은 때; 한창 나이. ¶～の女(おんな) 한창 나이의〔젊어서 피어나는〕 여자.

わかさぎ『若鷺·公魚』名〘魚〙 빙어.

わがし【和菓子】名 일본식 과자《양갱·찐빵 따위》. ↔洋菓子(ようがし).

わかじに【若死に】名ス自 요절. =早死(はやじ)に·早世(そうせい). ¶才能(さいのう)を十分(じゅうぶん)発揮(はっき)せぬまま～する 재능을 충분히 발휘하지 못한 채 요절하다. ↔長生(ながい)き.

わかしゅ【若衆】名 1 젊은이. 2 (江戸(えど)시대에) 관례하기 전의 남자.

わかしらが【若白髪】名 새치. =福白髪(ふくしらが). ¶～は福(ふく)のもの 새치는 복이 있음. 注意 'わかじらが'라고도 함.

*わか-す【沸かす】5他 1 데우다; 끓이다. ¶ふろを～ 목욕물을 데우다/お茶(ちゃ)を～ 차를 끓이다. 2 열광시키다; 흥분시키다. ¶観衆(かんしゅう)を～ 관중을 열광시키다/青年(せいねん)の血(ち)を～ 청년의 피를 끓게 하다.

わか-す『湧かす·涌かす』5他 생기게 하다; (들)끓게 하다. ¶歴史(れきし)に興味(きょうみ)を～ 역사에 흥미를 느끼게 하다/うじを～ 구더기가 뒤끓게 하다.

わか-せる【沸かせる】下1他 끓게 하다; 열광〔흥분〕시키다. =沸(わ)かす. ¶血(ち)を～ 피를 끓게 하다/ホームランの応酬(おうしゅう)で大観衆(だいかんしゅう)を～ 홈런의 응수로 대관중을 열광시키다.

わかぞう【若造】《若僧》名 젊은이; 애송이; 풋내기. ¶～のくせになまいきだ 풋내기인 주제에 건방지다/～が何(なに)を言(い)うか 풋내기가 무슨 말을 하는 게냐. 参考 대개 경멸조로 씀.

わかたず【分かたず】連語 가리지 않고. =分(わ)かず. ¶昼夜(ちゅうや)を～ 밤낮을 가리지 않고/四季(しき)を～咲(さ)く花(はな) 사계절을 가리지 않고 피는 꽃.

わかだんな【若だんな】《若旦那》名 1 주인집 장남의 높임말; 큰 도련님; 서방님. =若主人(わかしゅじん)·小旦那(こだんな). ¶呉服屋(ごふくや)の～ 포목점의 큰 도련님. ↔大(おお)だんな. 2 부잣집 자제의 높임말.

わかちあ-う【分かち合う】5他 서로 나누어 가지다. =分かち持(も)つ·分(わ)け合(あ)う. ¶苦労(くろう)〔苦楽(くらく), 喜(よろこ)び〕を～ 고생〔고락, 기쁨〕을 함께 나누다/責任(せきにん)を～ 책임을 분담하다.

わかちがき【分かち書き】名 띄어쓰기; 띄어씀. ¶～にする 띄어쓰기하다.

わか-つ【分かつ】5他 1 나누다. ㉠가르다; 구분하다. ¶色(いろ)を～ 빛깔을 구분하다/南北(なんぼく)に～ 남북으로 가르다/生徒(せいと)を四組(よんくみ)に～ 학생을 네 반으로 나누다/任務(にんむ)を～ 임무를 분담하다. ㉡분배하다; 노느다. ¶利益(りえき)を～ 이익을 분배하다/実費(じっぴ)で～ 실비로 나누어 주다/悲(かな)しみを～ 슬픔을 나누다/会員(かいいん)には安(やす)く～·ちます 회원에게는 싸게 나누어 드립니다. **2** 가리다. =わきまえる. ¶理非(りひ)〔黒白(こくびゃく)〕を～ 시비를〔흑백을〕 가리다/善悪(ぜんあく)を～ 선악을 분별하다. **3** 사람의 사이를 가르다. ¶二人(ふたり)の仲(なか)を～ 두 사람 사이를 갈라 놓다/たもとを～ 이별하다; 인연을 끊다/夫婦(ふうふ)を～·って別(べつ)におく 부부를 떼어 놓아 따로 있게 하다. 参考 '分(わ)ける' 1,2의 좀 격식 차린 말씨.

わかづくり【若作り】 图 (여자가) 젊게 치장함. ¶～の未亡人(みぼうじん) 젊게 차린 미망인/随分(ずいぶん)～にしている 꽤 젊게 차리고 있다.

わかづま【若妻】 图 젊은〔신혼의〕 아내; 새색시. =新妻(にいづま).

わかて【若手】 图 (한창때의) 젊은 사람; 또, 젊은 축. ¶～社員(しゃいん) 젊은 사원/～を起用(きよう)する 젊은 사람을 기용하다.

わかどしより【若年寄】 图 〈俗〉 노인처럼 기개가 없는 젊은이; 애늙은이.

わかどり【若鳥】 图 **1** 어린 새; 새끼 새. **2**《若鶏》 영계; 또, 그 고기. ¶～のから揚(あ)げ 영계튀김.

わかな【若菜】 图 봄나물. ¶～をつむ 봄나물을 캐다.

わが-ねる〖綰ねる〗 下1他 구부려 둥글게 만들다. ¶針金(はりがね)を～ 철사를 둥글게 구부리다.

わかば【若葉】 图 새잎; 어린 잎. ¶～の頃(ころ) 신록의 계절/青葉(あおば)～ 푸른 잎 어린 잎/～がもえる 새잎이 싹트다.

わがはい【我が輩】《吾が輩》 代 남자의 제1인칭; 나; 본인; 이 사람. =わし·われ·おれ. ¶～は大(おお)いに愉快(ゆかい)だ 나는 매우 유쾌하도다/～は猫(ねこ)である 나는 고양이로소이다《소설 제목》. 参考 본디 거만한 말투이지만 근자에는 너스레를 떨 때에만 쓰임.

わかはげ【若はげ】《若禿げ》 图 젊어서 대머리가 짐; 또, 그 사람. ¶～になる 젊어서 머리가 벗어지다.

わかばマーク【若葉マーク】 图 초보 운전자 표지. =初心者(しょしんしゃ)〔ふたば〕マーク. ⇨紅葉(もみじ)マーク. ▷mark.

***わがまま【我がまま】**《我が儘》 图ダナ 제멋대로 굶; 버릇없음; 방자함. =気(き)まま·身(み)がって. ¶～な人(ひと) 방자한 사람/～にふるまう 제멋대로 굴다/～かってにする 제멋대로 하다/～を言(い)う 떼를 쓰다/一人息子(ひとりむすこ)で～に育(そだ)つ 외아들이라 버릇없이 자라다.

わがみ【我が身】 連語 **1** 자기 몸. ¶～をいとう 자기 몸을 아끼다/～を大切(たいせつ)にする 자기 몸을 소중히 하다. **2** 자기 자신(의 처지). ¶～を省(かえり)みる 자기 자신을 돌아다보다〔반성하다〕/他人(たにん)の難儀(なんぎ)を～に引(ひ)き比(くら)べる 남의 어려움을 내가 당한 일처럼 생각하다/～に照(て)らして 자기 처지에 비추어 보아/～に火(ひ)の粉(こ)がふりかかる 자신에게 〔제 발등에〕 불똥이 튀다.

—をつねって人(ひと)の痛(いた)さを知(し)れ 자기 몸을 꼬집어 보고 남의 아픔을 알라《내 일처럼 여겨 남의 처지를 헤아려라》.

わかみず【若水】 图 (설날이나 입춘 날 아침에 일찍 긷는) 정화수; 또, 그것을 긷는 행사. 参考 액을 쫓는다 함.

わかみどり【若緑】 图 **1** 새 솔잎처럼, 신선한 녹색; 신록. **2** 어린 솔잎.

わかむき【若向き】 图 젊은이용; 젊은이에게 맞음〔어울림〕. ¶～の服(ふく)〔色(いろ)〕 젊은이에게 어울리는 옷〔색깔〕.

わかむしゃ【若武者】 图 젊은 무사. ¶あっぱれ～ 장하도다 젊은 무사. ↔老(お)い武者(むしゃ).

わかむらさき【若紫】 图 연보랏빛. =うすむらさき.

わかめ〖若布·和布〗 图〖植〗 미역.

わかめ【若芽】 图 새싹. =新芽(しんめ). ¶茶(ちゃ)の～を摘(つ)む 차의 새싹을 따다.

わかもの【若者】 图 젊은이; 청년. =わこうど·青年(せいねん). ¶～の特権(とっけん) 젊은이의 특권/村(むら)の～たち 마을 청년들/血気(けっき)にはやる～ 혈기가 앞서는 젊은이.

わがもの【我が物】 图 내〔자기〕 것.

—がお【—顔】 图ダナ **1** 제 것인 양. ¶人(ひと)の家(いえ)の庭(にわ)を～に歩(ある)き回(まわ)る 남의 집 마당을 제집인 양 돌아다니다. **2** (제 세상인 양) 제멋대로 굶. ¶～に振(ふ)るまう 제멋대로 굴다/雑草(ざっそう)が～にはびこる 잡초가 제멋대로 자라다.

わがや【我が家】 連語 자기 집; 내 집. ¶～の幸福(こうふく) 우리 집의 행복.

わかやか【若やか】 ダナ 나이가 젊어 싱싱한 느낌이 드는 모양. ¶～な女性(じょせい) 젊고 싱싱한 여성.

わかや-ぐ【若やぐ】 5自 젊어지다; 젊어진 듯하다; 젊게 행동하다. ¶～·いだ気持(きも)ち〔声(こえ)〕 젊어진 기분〔목소리〕/気持(きも)ちが～ 마음이 젊어지다/～·いで見(み)える 젊어 보이다. ↔老(お)いる.

わかやま【和歌山】 图〖地〗 近畿(きんき) 지방의 한 현; 또, 그 현의 현청 소재지.

わがよのはる【我が世の春】 連語 전성 시대; 내〔자기〕 세상. ¶～を謳歌(おうか)する 전성 시대를 구가하다.

わからずや【分からず屋】 图 (아무리 타일러도) 알아듣지 못하는 사람; 또, 도리를 분별 못하는 일; 벽창호. ¶～を言(い)って困(こま)る 억지 소리를 해서 난처하다/あの男(おとこ)は～だ 저 남자는 벽창호다.

わかり【分かり】 图 이해; 납득; 깨달음. =のみこみ·会得(えとく). ¶物(もの)～ 사물에 대한 이해/～が速(はや)い 이해가 빠르다/～がいい 잘 이해하다; 이해가 빠르다.

わかりきった【分かり切った】 連語 다 알고 있는; 뻔한. =決(き)まり切(き)った. ¶～ことを言(い)う 뻔한 소리를 하다/そんな～ことをいちいち聞(き)くな 그런 뻔한

일을 일일이 묻지 마라.

わかりき-る【分かり切る】5自 뻔히 다 알고 있다; 빤하다. ¶そんなことは~·っている 그런 것은 뻔한 일이다. ⇨わかりきった.

わかりにく-い【分かりにくい】《分かり難い》形 이해하기 어렵다; 쉽게 알 수 없다; 까다롭다. ¶~説明(せつめい) 알아듣기 어려운 설명. ↔わかりやすい.

わかりやす-い【分かりやすい】《分かり易い》形 이해하기 쉽다; 간단히〔쉽게〕 알 수 있다. ¶彼(かれ)の解説(かいせつ)は~ 그의 해설은 이해하기 쉽다/~·く言(い)えば 쉽게 말하자면. ↔わかりにくい.

わか-る【分かる】《判る·解る》5自 **1** 알다; 판명되다; 이해되다. ¶結果(けっか)が~ 결과가 밝혀지다/消息(しょうそく)が~ 소식을 알다/犯人(はんにん)〔身元(みもと)〕が~ 범인〔신원〕이 판명되다/事情(じじょう)が~ 사정을 알게 되다/成績(せいせき)はいつ~·りますか 성적은 언제 알게 됩니까/音楽(おんがく)が~ 음악을 알다〔이해하다〕/明日(あす)のことは~·らない 앞일은 알 수 없다/しゃれが~ 신소리를 이해할 수 있다/手(て)に取(と)るように~ 손바닥을 보듯이 알 수 있다; 훤히 알다/わけが~·らない 이유를 알 수 없다/一目(ひとめ)で~ 한 눈에 알 수 있다/英語(えいご)が~·りますか 영어를 아십니까/どんなに心配(しんぱい)したか~·らない 얼마나 걱정했는지 모른다/苦心(くしん)の程(ほど)が~ 얼마나 고심했는지 알 수 있다. **2** (상대의 입장·사정을) 잘 헤아리다. ¶(ものの)~·った人(ひと) 트인 사람/~·ってくれよ 이해해 주게/~·らん人だな 답답한 사람이군/それなら話(はなし)は~ 그렇다면 얘기는 알 만하다/せっかくの申(もう)し立(た)てを断(ことわ)るなんて, ~·っちゃいない 모처럼의 제의를 거절하다니 못 알아듣는 사람이군.

***わかれ**【分かれ】名 갈려져 나온 것; 분파; 방계. ¶本山(ほんざん)の~ 본산의 분파/本家(ほんけ)の~ 본가의 분파; 분가.

***わかれ**【別れ】名 **1** 헤어짐; 이별. ¶夫婦(ふうふ)~ 부부의 이별; 이혼/~のつらさ〔悲(かな)しみ〕 이별의 쓰라림〔슬픔〕/会(あ)うは~の始(はじ)め 만남은 헤어짐의 시작/~を惜(お)しむ 작별을 아쉬워하다/~の杯(さかずき)を交(か)わす 이별의 술잔을 나누다. **2** 고별; 결별. =いとまごい. ¶~のあいさつ 작별 인사/~を告(つ)げる 작별을 고하다/お~を言(い)う 작별 인사를 하다. ⇨右上段 박스記事

わかれじも【別れ霜】名 5월 초께 내리는 서리. =晩霜(ばんそう)·忘(わす)れ霜(じも). ¶八十八夜(はちじゅうはちや)の~ 입춘 후 88일째 되는 날에 내리는 늦서리.

わかればなし【別れ話】名 부부 등이 헤어지자고 하는 이야기; 이혼에 대한 이야기. =離婚話(りこんばなし). ¶~をもちだす 갈라서자는 말을 꺼내다.

わかれみち【分かれ道】名 갈림길. **1** 기로(岐路); 줄기에서 갈라진 길. ¶人生(じんせい)〔運命(うんめい)〕の~ 인생〔운명〕의 갈림길〔기로〕. **2** 샛길. =枝道(えだみち).

別(わか)れの 여러 가지 표현

관용 표현 生(い)き別(わか)れ(생이별)·死(し)に別れ(사별)·終(つい)の別れ(마지막 이별; 죽음)·永(なが)の別れ(영이별; 사별)·今生(こんじょう)の別れ(이승과의 마지막 작별; 죽음)·子(こ)別れ(자식과의 생이별)·けんか別れ(싸우고 헤어짐).

헤어질 때의 인사말

さようなら(안녕히 계〔가〕십시오)·さらば(안녕)·じゃね(그럼 또)·ではまた(그럼 또 만나요)·ではこれで(그럼 이만)·また明日(あした)(내일 또 만나요)·それじゃまた(그럼 또)·バイバイ(바이바이)·アデュー(아듀; 안녕)·お元気(げんき)で(건강히 계십시오)·お大事(だいじ)に(건강하시기를)·気(き)を付(つ)けて(몸조심하세요)·道中(どうちゅう)ご無事(ぶじ)で(여행 도중 무고하시길)·またお会(あ)いしましょう(또 만납시다)·行(い)ってらっしゃい(잘 다녀와요〔오세요〕)—行って来(き)ます(다녀오겠습니다)·お先(さき)に(失礼(しつれい)します)(먼저 실례합니다)·お邪魔(じゃま)しました(폐가 많았습니다)·…さんによろしく(…씨에게 안부 전해 주십시오).

わかれめ【分かれめ·分かれ目】名 갈리는 곳〔때〕; 갈림길; 경계(선). ¶勝敗(しょうはい)〔生死(せいし)〕の~ 승패〔생사〕의 갈림길〔고비〕/~に立(た)つ 갈림길에 서다.

わか-れる【分かれる】下1自 **1** 갈라지다; 나누이다. ¶二班(にはん)に~ 두 반으로 갈라지다/この章(しょう)は五節(ごせつ)に~·れている 이 장은 5절로 나뉘어있다. **2** 갈리다. ¶道(みち)が二(ふた)またに~ 길이 두 갈래로 갈리다/意見(いけん)〔評価(ひょうか)〕が~ 의견이〔평가가〕 갈리다. ↔合(あ)う. **3** 구별되다. ¶勝負(しょうぶ)が~ 승부가 판가름나다/ここで事(こと)の成否(せいひ)が~ 여기서 일의 성사 여부가 판가름난다.

わか-れる【別れる】下1自 헤어지다. **1** 갈라서다; 이별하다. ¶~·れた妻(つま) 이혼한 아내/駅(えき)で~ 역에서 헤어지다/夫婦(ふうふ)が~ 부부가 헤어지다. **2** 작별하다. ¶さようならと言(い)って~ '안녕'하고 작별하다/再会(さいかい)を期(き)して~ 재회를 기약하고 헤어지다.

わかれわかれ【別れ別れ】名 따로따로〔뿔뿔이〕 헤어짐. =離(はな)れ離(ばな)れ·別別(べつべつ). ¶一家(いっか)~になる 한집안 식구가 뿔뿔이 헤어지다/家族(かぞく)が~に暮(く)らす 가족이 뿔뿔이 헤어져 살다.

わかわかし-い【若若しい】形 아주 젊다; 생기발랄하다; 싱싱하다. ¶~青年(せいねん) 생기발랄한 청년/色(いろ)つやが~ 안색이 젊음에 넘쳐 싱싱하다.

わかん【和姦】名 화간. ↔強姦(ごうかん).

わかん【和漢】名 일한. **1** 일본과 중국. ¶

～の故事 일한의 고사. **2** 일문(日文)과 한문. **3** 일본학과 한학.

―こんこうぶん【―混交文】《―混淆文》图 일한 혼합문《문어에서, 순일본어 문체와 한문 훈독체가 혼용된 문체》.

わき【ワキ】《脇》图 (能楽에서) シテ(=주역)의 상대역. =ワキ師. ↔シテ·ツレ·アド.

***わき**〖脇〗图 **1**《腋로도》 겨드랑이; 또, 옷의 겨드랑이 부분. ¶～をくすぐる 겨드랑이를 간질이다/荷物を～にかかえる 짐을 겨드랑이에 끼다/～のほころびをつくろう 옷의 옆구리 터진 데를 꿰매다. **2** 옆; 곁. =そば·かたわら. ¶学校の～ 학교 옆/道の～に寄る 한쪽 길섶으로 다가[비켜]서다/～に置く 한곁에 놔두다; 방치하다/～から口を出す 곁에서 말참견하다/話を～にそらす 얘기를 딴 데로 돌리다.

わぎ【和議】图 화의; 화해. ¶～の申し立て 화의 신청/～を結ぶ[もちかける] 화의를 맺다[제의하다]/～が成立する 화의가 성립되다.

わきあいあい [和気藹藹] トタル 화기애애. ¶～とした雰囲気 화기애애한 분위기/～のうちに散会する 화기애애한 가운데 산회하다.

わきあが-る【沸き上がる】5自 **1** 끓어오르다; 비등하다. =にえ立つ. ¶湯が～ 더운 물이 끓어 오르다. **2** 들끓다; 터져 나오다. =沸き返る. ¶～歓声 터져 나오는 환성/熱戦で場内が～ 열전으로 장내가 들끓다/声援[不満の声]が～ 성원이[불만의 목소리가] 터져 나오다. **3** (구름 따위가) 피어오르다. ¶山頂から雲が～ 산꼭대기에서 구름이 피어오르다.

わきおこ-る【わき起こる】《湧き起こる》5自 **1** (아래[내부]로부터) 표면에 나타나다; 끓어오르다; (구름·안개 따위가) 피어오르다. ¶雲が～ 구름이 피어오르다/世論が～ 여론이 들끓다. **2** 북받치다. ¶悲しみが～ 설움이 북받치다. **3** (흥분·감동 따위가) 일어나다; 터져 나오다. ¶どよめきが～ 함성이 터져 나오다.

わきが〖腋臭·狐臭〗图 액취; 암내; 곁땀내《'えき臭症'의 속칭》.

わきかえ-る【沸き返る】5自 **1** 들끓다. =煮えくりかえる. ¶やかんの湯が～ 주전자 물이 펄펄 끓다. **2** 화가 나서 참을 수 없다; 울컥울컥 치밀다. ¶～怒り 치솟는 분노/怒りで胸が～ 화가 나서 가슴이 울컥거리다. **3** 몹시 열광하다. ¶～人気 열광적인 인기/～スタンド 열광하는 스탠드(관중).

わきげ【わき毛】《脇毛·腋毛》图 액모; 겨드랑이털. ¶～を抜く 겨드랑이 털을 뽑다.

わきざし【わき差し】《脇差·脇指》图 허리에 차는 호신용(用)의 작은 칼《약 50cm》. =守り刀·腰刀.

わきし【ワキ師】《脇師》图 (能楽에서) ワキ역(役)을 하는 배우.

わきた-つ【わき立つ】《湧き立つ·涌き立つ》5自 구름 따위가 뭉게뭉게 피어오르다. ¶入道雲が～ 소나기 구름이 피어 오르다.

わきた-つ【沸き立つ】5自 **1** 끓(어 오르)다; 소용돌이치다. ¶湯が～ 물이 끓어 오르다/海が～ 바다가 소용돌이치다. **2** (흥분으로) 들끓다; 열광하다. ¶場内が～ 장내가 들끓다/勝利に～ 승리에 열광하다/胸が～ 가슴이 북받치다.

わきづくえ【わき机】《脇机》图 보조 책상《책상 옆에 두고 씀》. =袖づくえ.

わきづけ【わき付け】《脇付》图 (편지에서) 상대방 이름 밑에 덧붙여서 경의를 표하는 말《侍史·机下·玉案下·御許に 따위》. =わきがき.

わき-でる【わき出る】《湧き出る》下1自 **1** (물이) 솟다; 솟아 나오다. ¶地下水[温泉]が～ 지하수가[온천이] 솟아 나오다. **2** (눈물이) 흘러나오다; 또, 감정이 치밀다; 북받치다. ¶～涙 흘러나오는 눈물. **3** 생각·감정이 솟아나다. ¶勇気[元気]が～ 용기가[기운이] 솟다/詩想が～ 시상이 떠오르다.

ワギナ [라 vagina] 图〖生〗 바기나; 질(膣). =バギナ.

わきのした【わきの下】《脇の下》图 겨드랑이. =わき·わきつぼ. ¶～をくすぐる 겨드랑이를 간질이다/体温計を～に挟む 체온계를 겨드랑이에 끼다.

わきばさ-む【わき挟む】《脇挟む》5他 겨드랑이에 끼다. ¶松葉杖を～ 목발을 옆구리에 끼다.

わきばら【わき腹】《脇腹》图 **1** 옆구리; 허구리. =よこばら. ¶～を下にして横になる 옆구리를 아래로 하고 눕다; 모로 눕다/～が痛む 옆구리가 아프다. **2** 첩의 소생; 서자. =めかけばら·妾腹. ¶～の子 서자. ↔本腹. 注意 'わきっぱら'라고도 함.

わきまえ〖弁え〗图 **1** 분별; 판별. ¶前後の～もなく 앞뒤 분별도 없이/そのぐらいの～はある 그 정도의 분별은 있다. **2** 소양. =心得. ¶お茶の～がある 다도의 소양이 있다; 다도를 알다.

***わきま-える**〖弁える〗下1他 변별하다; 판별하다; 분별하다. ¶身のほどを～·えない高望み 분수를 모르는 높은 소망/善悪を～ 선악을 분별하다/人情を～·えない 인정을 모르다/立場を～·えている 처지를 알고 있다.

わきみ【わき見】《脇見》图ス自 곁눈질; 한눈팔기. =よそみ·わきめ. ¶～運転 한눈팔면서 운전하기/～をせず勉強一筋 한눈팔지 않고 오직 공부만 함.

わきみず【わき水】《湧き水》图 용수; 솟아나는 물; 샘물. =いずみ. ¶～が出る 샘물이 솟아나다. ↔たまり水.

わきみち【わき道】《脇道》图 본 길에서

갈라져 나간 길. 1 곁길; 옆길. ＝枝道(えだみち). ¶車(くるま)が～に入(はい)る 차가 옆길로 들어가다. 2 못된 길; 주제에서 벗어남. ＝横道(よこみち). ¶～にそれる 옆길로 새다; 못된 길로 빠지다; 주제를 벗어나다 / 話(はなし)が～にはいる 이야기가 옆으로 새다 / 悪友(あくゆう)にさそわれて～にそれた 악우의 꾐에 빠져 못된 길에 빠졌다.

わきめ【わき目】《脇目》 图 1 곁눈(질); 한눈(팔기). ＝わき見(み). 2 곁에서 봄; 남의 눈. ＝よそめ. ¶～にはよく見(み)える 곁에서 보면 잘〔남의 눈에는 좋게〕 보인다 / ～に見(み)るほど楽(らく)ではない 곁에서 보는 것처럼 수월치는 않다.

——も振(ふ)らず 한눈팔지 않고 열심히. ¶～勉強(べんきょう)する〔働(はたら)く〕 한눈팔지 않고 열심히 공부〔일〕하다.

わきやく【わき役】《脇役》 图 1 〖劇〗 조연(자). ＝バイプレーヤー. ¶～を務(つと)める 조연을 맡아 하다. 2 보좌역. ¶～に徹(てっ)する 보좌역에 투철하다. ⇔主役(しゅやく).

わぎり【輪切り】 图 원통형의 물건을 가로로 둥글게 자름; 또, 그 자른 것. ¶大根(だいこん)を～にする 무를 둥글게 썰다.

*わ-く【沸く】 5自 1 끓다; 또, 뜨거워지다. ¶湯(ゆ)が～ 물이 끓다 / 風呂(ふろ)が～ 목욕물이 (뜨겁게) 데워지다. 2 (흥분으로) 들끓다; 열광하다. ¶場内(じょうない)が～ 장내가 들끓다 / ホームランで観衆(かんしゅう)が～ 홈런으로 관중이 열광하다.

*わ-く〖湧く·涌く〗 5自 1 솟다. ㉠샘솟다. ¶地下水(ちかすい)が～ 지하수가 솟다 / 天(てん)から降(ふ)ったか地(ち)から～·いたか 하늘에서 떨어졌나 땅에서 솟았나. ㉡(기운·기분이) 솟아나다. ¶勇気(ゆうき)〔興味(きょうみ)〕が～ 용기〔흥미〕가 솟다 / 実感(じっかん)が～·かない 실감이 나지 않다. 2 들끓다. ㉠(비난 등이) 비등하다. ¶非難(ひなん)が～ 비난이 들끓다. ㉡(벌레 등이) 꾀다; 많이 생겨나다. ¶うじが～ 구더기가 끓다 / ふけが～ 비듬이 많이 생기다 / ぼうふらが～ 장구벌레가 뒤끓다.

**わく【枠】 图 1 테두리. ㉠테. ¶めがねの～ 안경테 / 記事(きじ)を点線(てんせん)の～で囲(かこ)む 기사를 점선 테두리로 두르다. ㉡제한 범위; 한계; 제약. ¶法律(ほうりつ)の～ 법률의 제약 / 予算(よさん)の～をはみだす 예산 범위를 초과하다 / ～を広(ひろ)げる〔狭(せば)める〕 범위를 넓히다〔좁히다〕 / ～に入(い)れる 범위에 넣다 / ～にしばられる 제약〔틀〕에 얽매이다 / 統制(とうせい)の～をはずす 통제의 제한을 풀다. 2 틀. ¶窓(まど)～ 창틀 / 障子(しょうじ)の～ 장지문 틀.

——にはまる 판〔틀〕에 박히다. ¶枠にはまった表現(ひょうげん) 틀에 박힌 표현.

*わく【籰】 图 얼레. ＝おだまき·糸(いと)わく.

わく〖枠〗常用 わく | 테; 테두리. ¶枠組(わくぐ)み 틀을 짬; 또, 그 틀 / 窓枠(まどわく) 창틀. 参考 일본에서 만든 글자임.

わく〖惑〗常用 ワク まどう | 혹 미혹하다 | 어찌할 바를 모르다; 갈팡질팡하다. ¶誘惑(ゆうわく) 유혹 / 疑惑(ぎわく) 의혹.

わくがい【枠外】 图 테(두리) 밖; 범위 밖. ¶～の出費(しゅっぴ) 한도 외의 지출 / 常用漢字(じょうようかんじ)の～ 상용 한자의 테두리 밖 / 予算(よさん)の～で費用(ひよう)の支出(ししゅつ)を考(かんが)える 예산 범위 밖에서 비용의 지출을 고려하다. ↔枠内(わくない).

わくぐみ【枠組み】 图 틀을 짬; 또, 그 짠 틀; 전하여, 사물의 대충 짜임새. ¶フレームの～ 온상의 틀 / コンクリートの～ 콘크리트의 틀〔패널〕 / ～を外(はず)す 틀을 떼내다 / 論文(ろんぶん)の～ 논문의 짜임새 / 保革(ほかく)の～を破(やぶ)る 보수와 혁신의 틀을 깨다 / 予算(よさん)の～が出来上(できあ)がる 예산의 틀〔대강〕이 짜여지다.

わくせい【惑星】 图 1 혹성; 행성(行星). ¶小(しょう)～ 소행성. ↔恒星(こうせい). 2 역량은 모르나 유력해 보이는 인물; 다크호스. ¶政界(せいかい)の～ 정계의 다크호스.

ワクチン［도 Vakzin］ 图 백신.

わくでき［惑溺］ 图ス自 혹닉; 탐닉. ¶酒色(しゅしょく)に～する 주색에 빠지다.

わくない【枠内】 图 테두리 안; 범위 내. ¶予算(よさん)の～でやりくりする 예산 범위 안에서 꾸려나가다 / 一(ひと)けたの～にとどまる 한자릿수의 범위 안에 머물다. ↔枠外(わくがい).

わくらば【わくら葉】《病葉》 图 병든 잎; (여름에 단풍처럼) 붉게 혹은 누렇게 뜬 잎. ＝くち葉(ば).

わくらん【惑乱】 图ス自他 혹란. ¶人心(じんしん)を～する 민심을 현혹시키다 / 頭脳(ずのう)が～する 머리가 혼란스럽다.

わくわく 副ス自 설레는 모양: 울렁울렁; 두근두근. ¶胸(むね)を～させて知(し)らせを待(ま)つ 가슴을 두근거리며 통지를 기다리다 / 胸(むね)が～して眠(ねむ)れない 가슴이 울렁거려 잠을 못 이루다.

**わけ【わけ·訳】 图 1 의미; 뜻. ¶この言葉(ことば)の～が分(わ)からない 이 말의 뜻을 모르겠다 / ～もわからずに暗唱(あんしょう)する 뜻도 모르고 암송하다. 2 도리; 사리. ¶～の分(わ)かった人(ひと) 사리를 분별하는 사람. 3 원인; 사정; 이유. ¶～ありの様子(ようす) 까닭이 있는 듯한 눈치 / どういう～で遅刻(ちこく)したか 무슨 이유로 지각했느냐 / 深(ふか)い～がある 깊은 사연이 있다 / 断(ことわ)ったのには～がある 거절한 데에는 사정이 있다. 4 《活用語의 連体形, 특히, '…という'를 받아서 '～だ, ～です'의 꼴로》 …할 만도 하다; …하게 됨도 당연하다. ¶泣(な)ける～だ 울 만도 하다 / どうりで親切(しんせつ)な～だ 그러니 친절할 수밖에 / 彼(かれ)がおこる～だ 그가 성내는 것은 당연하다 / それなら笑(わら)う～だ 그렇다면 웃을 만도 하다 / だれも知(し)らなかったという～です 아무도 몰랐다는 것입니다. 5 《'…～ではないが' 등의 꼴로 否定語 앞에 놓아》 …하는 것은 아니지만. ¶自慢(じまん)する～ではないが, 一度(いちど)も休(やす)んだことがない 자랑하는 것은

아니지만 한 번도 쉰 적이 없다.

—が違う 비교할 수 없다; 사정이 전과 다르다. ¶十年前とは～ 10년 전과는 사정이 다르다.

—がない **1** ☞わけはない. ¶予選の通過は～ 예선 통과는 문제없다. **2** …리가 없다. ¶こんな時間に来る～ 이런 시간에 올 리가 없다.

…—にはいかない (그렇게 간단히) …할 수는 없다. ¶笑う～ 웃을 수만은 없다; 웃을 일이 아니다 / 承知する～ 승낙할 수는 없다.

—はない **1** (손)쉽다; 간단하다; 문제없다. ¶勝つのは～ 이기는 것은 문제없다. **2** 이유는 없다. ¶これと言う～ 이렇다 할 이유는 없다.

—もない **1** 쉽다. ¶これくらいは～ことだ 이 정도는 거저먹기다. **2** 이유도 없다. ¶わけもなく涙がこぼれる 이유도 없이 눈물이 흘러내리다.

わけ【分け】图 비김; 무승부. ＝引き分け. ¶試合が～になる 시합이 무승부가 되다 / その勝負は～だ 그 승부는 비겼다.

わけあい【訳合い】图 까닭; 사정. ＝わけがら. ¶そうせねばならぬ～があったのだろう 그렇게 해야만 할 사정이 있었겠지. 参考 '訳3'의 힘줌말.

わけあ-う【分け合う】5他 서로 나누다. ¶一個のりんごを～·って食べる 한 개의 사과를 서로 나누어 먹다.

わげい【話芸】图 만담·야담 등 능란한 화술로 사람들을 즐겁게 하는 재주. ¶～にたける 화술이 능하다.

わけい-る【分け入る】5自 헤치고 들어가다. ¶山奥に～ 산속 깊숙이 헤치고 들어가다 / 人垣に～ 군중을 헤치고 들어가다.

わけがら【わけがら·訳柄】图 ☞わけあい.

わけぎ〖分葱·冬葱〗图〔植〕 당파; 실파.

わけしり【訳知り】图 **1** 정사(情事)에 정통함; 또, 그런 사람; 한량. ＝粋人. ¶あの人は～だ 저 사람은 한량이다. **2** 인정이나 물정을 잘 알고 있음; 또, 그런 사람. ＝通人. ¶～顔にしゃべる 잘 안다는 듯이 지껄이다.

わけて〖別けて〗副 특히; 그 중에서도. ＝特に. ¶彼らは強い. ～A君は強い 그들은 세다. 특히 A군은 세다.

—も 副 그 중에서도 특히(('わけて'의 힘줌말)). ¶果物, ～なしが好きだ 과일, 그 중에서도 특히 배를 좋아한다.

わけな-い〖訳ない〗形 간단하다; 수월하다; 문제없다. ¶そんな事は～ことだ 그런 일은 간단하다 / 問題を～·く解く 문제를 수월하게 풀다.

わけへだて【分け隔て】《別け隔て》图 차별을 둠; 차별 대우. ＝えこひいき. ¶～なく親切にする 차별을 두지 않고 친절히 대하다 / ～ない扱いをする 차별 없는 대우를 하다.

わけまえ【分けまえ·分け前】图 (자기가 받을) 몫; 배당. ＝わりまえ·とりまえ. ¶～が多い 배당이 많다 / ～をもらう〔取る〕 자기 몫을 받다 / ～を要求する 자기 몫을 요구하다.

わけめ【分けめ·分け目】图 **1** 갈라지는 경계. ¶髪の～をつける 머리의 가르마를 타다. **2** (승부·성패의) 판가름; 갈림길; 분기점. ＝分かれめ. ¶天下の～の戦い 천하를 판가름하는 싸움 / 生死の～ 생사의 갈림길.

わけも-つ【分け持つ】5他 **1** 나누어 가지다. **2** 분담하다. ¶仕事を～ 일을 분담하다.

****わ-ける**【分ける】《別ける》上1他 **1** 나누다. ㉠가르다; 구분〔분류〕하다. ¶血を～·けた子 피를 나눈 자식 / 学年別に～ 학년별로 나누다 / 大きさによって～ 크기에 따라서 가르다 / 成績を五段階に～ 성적을 다섯 단계로 구분하다 / 株を～·けて植える 포기〔그루〕를 나눠서 심다 / 五回に～·けて支払う 다섯 번에 나누어 치르다. ㉡분배하다; 노느다. ¶利益を～ 이익을 나누다 / 遺産を～ 유산을 나누다 / 皆で～·けて食べる 모두가 나누어 먹다 / 暖簾を～ 분점을 차려 주다. **2** 말리다; 중재하다. ¶けんかを～ 싸움을 말리다. **3** 비긴 것으로 하다. ¶勝負を～ 승부를 무승부로 하다 / 星を～ 승패의 결과가 무승부가 되다 / 票を～ 득표수가 같아지다. **4** 헤치다. ¶草を～·けて進む 풀을 헤치고 나아가다 / 人ごみの中を～·けて行く 군중 속을 헤치고 나아가다.

わご【和語】《倭語》图 일본 고유의 말. ＝やまとことば. ↔漢語·洋語.

わこう［倭寇·和寇］图 왜구.

わごう【和合】图 ス自 **1** 화합. ¶夫婦～の道 부부 화합의 길 / クラスの～を図る 반의 화합을 도모하다. **2** 결혼함.

わこうど【若人】图 젊은이; 청년. ＝わかもの. ¶～の祭典〔集い〕 젊은이의 제전〔모임〕.

わゴム【輪ゴム】图 고리 모양의 고무줄; 고무밴드. ＝ゴム輪. ▷네 gom.

わこん【和魂】图 일본인 고유의 정신. ＝やまとだましい.

—かんさい【—漢才】图 일본 고유의 정신과 중국 전래의 학문·지식; 또, 이 양자를 융합해 활용해야 한다는 뜻.

—ようさい【—洋才】图 일본 고유의 정신과 서양 도래의 학문((明治 시대에, '和魂漢才'를 흉내내어 쓴 말)).

ワゴン [wagon] 图 왜건. **1** 'ステーションワゴン'의 준말; 차내의 뒤쪽에 짐을 실을 수 있게 된 승용차. ＝ワゴン車. **2** (병원·가정에서 요리 등을 나르는) 손수레. ＝手押し車. ¶～サービス 왜건 서비스.

わざ【業】图 **1** 행위; 짓. ＝仕業. ¶神(の御)～ 신의 조화 / 人間の～ではない 인간이 한 짓이 아니다 / 女～

とは思われない 여자가 한 짓으로는 생각되지 않는다. **2** 일. ¶容易な～ではない 수월한 일은 아니다/凡人のなしうる～ではない 보통 사람이 할 수 있는 일은 아니다.

***わざ**【技】图 기법; 기술; 기량; 재주; 수. ¶柔道の～ 유도 기술/糸竹の～ 악기 다루는 재주/～を覚える 기술〔기량〕을 익히다/～をきそう 기술을 겨루다/～が決まる 수가 먹혀들어가다; (수가 먹혀들어가) 승부가 나다/～をみがく 기술을 연마하다.

—有り (유도 판정에서) 절반(('技あり' 2개면 '一本' 곧, 한판이 됨)).

わさい【和裁】图 (고유의) 일본옷 재봉. ↔洋裁.

わざし【業師】图 **1** (씨름 등에서) 수가 뛰어난 사람. **2** 술수에 능한 사람; 술책가. ¶政界の～ 정계의 책략가/あいつは～だ 저 자는 계략에 능하다.

***わざと**〖態と〗副 고의로; 일부러. ¶～とぼける 일부러 뭉때리다〔딴청부리다〕/～負けてやる 일부러 져 주다/～知らせなかった 일부러 알려주지 않았다. 参考 'わざわざ'에 비해 악의가 있거나 자기의 이익을 도모하는 경우가 많음.

—がまし-い 形 ☞わざとらしい.

—らし-い 形 부자연스럽다; 고의적인 듯하다; 꾸며 낸 티가 나다. ¶～おじぎ〔笑い方〕 부자연스러운 인사〔웃음〕/～お世辞をいう 부자연스러운 간살을 부리다.

わさび〖山葵〗图〔植〕 산규; 고추냉이.

—が利く **1** 고추냉이 맛이 짙다. **2** 날카로운 표현 따위로 사람의 마음을 찌르다. ¶わさびが〔の〕利いた話 강한 호소력이 있는 말.

わざもの【業物】图 명공(名工)이 만든, 잘 드는 도검.

***わざわい**【災い】((禍))图 재앙; 재난; 화. ¶口は～のもと〔門〕 입은 화의 근원/～を被る〔招く〕 화를 입다〔초래하다〕/～に会う 재난을 당하다/～がふりかかる 재난이 덮치다. ↔福.

—を転じて福となす 재난을 바꾸어 복이 되게 하다; 전화위복.

わざわい-する【災いする】((禍する)) サ変自 (그것이 원인으로) 불행을 초래하다; 화가〔재난이〕 되다. ¶悪天候に～·される 악천후로 재난을 입다/好奇心が～·した 호기심이 화근이 되었다.

わさわさ 副スル自 들떠서 술렁이는 모양. ¶あわただしく～した雰囲気 어수선하고 술렁술렁한 분위기/～して勉強が手につかない 마음이 술렁거려 공부가 되지 않는다.

***わざわざ**〖態態〗副 일부러. **1** 특별히. ¶～つくらせた品 특별히 만들게 한 물건/～来るには及ばない 일부러 올 것까지는 없다/～手紙で礼を言う 특별히 편지로 사의를 표하다. **2** 고의로. ¶～意地悪する 일부러 짓궂게 굴다/～いたずら書きをする 일부러 낙서를 하다. ⇨わざと.

わし〖鷲〗图〔鳥〕 독수리.

わし【和紙】图 (재래식) 일본 종이. ＝日本紙. ↔洋紙.

わし〖儂〗代 나. ¶～の若いころは… 내가 젊은 시절에는…/～の話を聞きなさい 내 이야기를 들어 봐요/～にも一杯くれないか 내게도 한잔 주지 않겠나. 参考 'おれ'보다는 좀 격식 차린 말씨로 다소 거드름 빼는 느낌을 주며, 남자 노인이나 씨름꾼 등이 씀.

わしき【和式】图 일본식; 일본풍. ＝和風. ¶～庭園 일본식 정원/～のトイレ 일본 재래식 화장실. ↔洋式.

わしつ【和室】图 일본식 방; 다다미 방. ＝日本間. ↔洋室.

わしづかみ〖鷲掴み〗图 (난폭하게) 움켜쥠. ¶札束を～にする 돈다발을 확 움켜쥐다.

わしばな【わし鼻】((鷲鼻))图 매부리코. ＝かぎばな·わしっぱな·とびばな.

わしゃ【話者】图 화자; 말하는 사람. ＝話し手. ↔聴者.

わしゅう【和臭】图 일본식 경향·취향; 일본 냄새. ¶～を帯びた漢文 일본 냄새나는 한문.

わじゅつ【話術】图 화술. ¶たくみな～ 능란한 화술/～にたける 화술이 능하다/～のうまさに引き込まれる 능란한 화술에 끌려〔말려〕들다.

わしょく【和食】图 화식; 왜식; 일식; 일본 요리. ¶～のレストラン 일식 레스토랑. ↔洋食.

わしん【和親】图 화친; 친화. ¶～条約 화친 조약/隣国との～をはかる 이웃 나라와의 화친을 도모하다.

***わずか**〖僅か〗副ダナ 얼마 안 되는 모양. **1** 조금; 약간; 근소함. ¶～なお金 얼마 안 되는 돈/～な違い 근소한 차이/～に覚えている 조금 기억하고 있다/～の費用で済む 얼마 안 되는 비용으로 (해결)되다/～に右へ寄る 조금 오른쪽으로 비키다/今年も残り～だ 금년도 얼마 남지 않았다. **2** 불과. ¶～(の)三日間 불과 3일간/～三人しか集まらなかった 불과 세 사람밖에 모이지 않았다.

—に 副 간신히; 겨우. ¶～人が通れるくらいの幅 겨우 사람이 지나다닐 정도의 폭/～息をしているだけだ 겨우 숨만 쉬고 있을 뿐이다/～身をもって逃げた 간신히 몸만 빠져 달아났다/～難をのがれた 겨우 재난을 피했다.

—ばかり〖—許り〗图副 아주 조금. ＝少しばかり. ¶～で恐縮です 약소해서 죄송합니다.

わずらい【煩い】图 번거로움; 고민; 걱정; 근심. ¶～多き人の世 걱정 많은 인간 세상/心の～ 마음의 걱정; 번민/何の～もなくのどかに暮らす 아

무런 근심도 없이 한가롭게 지내다.

わずらい【患い】图〈雅〉병; 병고. ＝病気. ¶長(の)～ 오랜 병고; 숙환/恋～ 상사병.

わずら-う【煩う】5自他 **1** 고민하다; 걱정하다. ¶仕事が順調で何も～ことはない 일이 순조로우니 아무것도 걱정할 것이 없다. **2**《動詞 連用形에 붙어서》㉠(마음에 걸려) 좀처럼 …못하다. ¶言い～ 좀처럼 말 못하다. ㉡좀체로 그렇게 되지 않다. ¶寒さで花が咲き～ 추위로 꽃이 피려 들지 않다〔좀처럼 피지 못하다〕.

わずら-う【患う】5自他 병을 앓다; 병이 나다. ¶胸を～ 가슴을 앓다/生まれてこのかた～·ったことがない 태어난 이래 앓아 본 적이 없다.

***わずらわし-い**【煩わしい】形 번거롭다; 귀찮다; 성가시다. ¶毎日出かけるのは～ 매일 출타하는 것은 귀찮다/許可を取るには～手続きが必要だ 허가를 얻는 데는 번잡한 절차가 필요하다/～事は御免だ 성가신 일은 질색이다〔싫다〕.

わずらわ-す【煩わす】5他 번거롭게 하다. **1** 괴롭게 하다; 걱정을 끼치다. ¶心を～ 번민하다/子は親を～ 자식은 어버이에게 걱정을 끼친다. **2** 수고를 끼치다; 귀찮은 일을 부탁하다. ¶いろいろお手数を～·してすみません 여러 가지로 수고를 끼쳐드려서 미안합니다/先生を～までもない 선생님에게 수고를 끼칠 것까지는 없다.

わ-する【和する】サ変自他 **1** 화합하다; 사이 좋게 지내다. ¶夫婦相～ 부부가 서로 화합하다. **2** 남의 노래 따위에 맞추어 부르다; 또, 남의 시나 노래에 답하여 시나 노래를 짓다. ¶万歳の声に～ 만세 소리에 맞추어 부르다/ピアノに～·して歌う 피아노에 맞추어 노래 부르다.

—·して同ぜず 화이부동(和而不同); 남과 사이좋게 지내지만 주견(主見) 없이 동조하지 않는다.

わすれがた-い【忘れ難い】形 잊을 수 없다. ¶～思い出 잊을 수 없는 추억.

わすれがたみ【忘れ形見】图 **1** (길이 잊지 않기 위한) 기념물. ¶～の指輪 기념품으로 간직한〔받은〕 반지/～として写真をもらう (잊지 않기 위한) 기념물로 사진을 받다. **2** 유아(遺兒); 특히, 유복자. ¶兄の～を引きとる 형님의 유아를 떠맡다/この子は彼の～だ 이 아이는 그의 유복자다.

わすれっぽ-い【忘れっぽい】形 잊기 쉽다; 잘 잊어버리다. ¶年をとると～·くなる 나이를 먹으면 잘 잊어버리게 된다《건망증이 심해진다》.

わすれなぐさ〖勿忘草·忘れな草〗图〔植〕물망초《'forget-me-not' 의 역어》.

わすれもの【忘れ物】图 물건을 깜박 잊고 옴; 또, 그 물건. ¶電車の網棚に～をする 전차의 그물 선반에 물건을 두고 내리다/～はないか 잊은 물건은 없는가/～が多い 유실물이 많다.

✱わす-れる【忘れる】下1他 잊다; 잊고 오다. ¶～·れられない人 잊을 수 없는 사람/恩〔疲れ〕を～ 은혜〔피로〕를 잊다/単語〔せりふ〕を～ 단어〔대사〕를 잊다/寝食を～·れて働く 침식을 잊고 일하다/我を～ (열중한 나머지) 자기를 잊다/言われたことを～ 들은 얘기를 잊다/時がたつのを～ 세월〔시간〕 가는 줄 모르다/宿題を～ 숙제하는 것을 깜빡 잊다/傘を～ 우산을 잊고 오다/酒で憂いを～ 술로 시름을 잊다/片時も～·れない 한시도 잊지 않다/書き～ 쓰는 것을 잊다/初心を～·れず 처음 먹은 마음을 잊지 않고/過ぎ去ったことは～·れたい 지나간 일은 잊고 싶다/天災は～·れた頃にやってくる 천재는 잊어버릴 무렵에 찾아온다.

わすれんぼう【忘れん坊】图 잘 잊어버리는 사람. ＝わすれんぼ.

わせ〖早生〗图 **1** 조생종(早生種). ＝そうせい. ¶～のみかん 조생종 밀감. **2**〈俗〉조숙한 아이. ＝おませ. ¶あの子は～だ 저 애는 조숙한 아이이다. ⇔おくて.

わせ〖早稲〗图 올벼. ↔なかて·おくて.

わせい【和声】图 화성. ＝かせい·ハーモニー. ¶～法 화성법.

わせい【和製】图 일(본)제. ¶～の香水 일제 향수. ↔舶来·外国製.

—えいご【—英語】图 일제 영어《'バックミラー·ナイター' 따위》.

ワセリン [도 Vaselin] 图 바셀린.

わせん【和戦】图 화전. **1** 평화와 전쟁. ¶～両様の構え 화전 양면의 (대비) 태세. **2** 강화. ¶～条約 화전 조약.

わせん【和船】图 일본 재래식 목조선.

わそう【和装】图 **1** 일본식 복장을 함; 또, 그 옷. ＝和服姿. ¶～で外出する 일본옷 차림으로 외출하다. **2** 일본식 장정. ＝和とじ. ¶～本 일본 재래식 장정본. ⇔洋装.

***わた**【綿】《棉》图 **1**〔植〕목화. **2** 솜. ¶～屋 솜 가게; 솜틀집/～を打つ 솜을 타다/ふとんに～を入れる 이불에 솜을 두다.

—のように疲れる 녹초가 되다; 몹시 지치다. ¶全身～ (온몸이) 기진맥진하다.

わた〖腸〗图 (동물의) 내장; 창자. ＝はらわた. ¶～抜き 내장을 뺌/さかなの～ 생선 내장.

わたあめ【綿あめ】《綿飴》图 솜사탕. ＝電気飴·綿菓子.

わだい【話題】图 화제. ¶～の主 화제의 주인공/～の豊富な人 화제가 풍부한 사람/～にのぼる 화제에 오르다/～をかえる〔まく〕 화제를 바꾸다〔뿌리다〕/～が尽きる 화제가 떨어지다.

わたいれ【綿入れ】图 솜옷; 핫옷. ¶～

羽織 솜을 둔 羽織.

わたがし【綿菓子】图 ☞わたあめ.

わだかまり〖蟠り〗图 **1** 거치적거림; 걸림; 막힘. ¶何の～もなく事が運ぶ 아무 막힘없이 일이 진척되다. **2** (마음의) 응어리. ¶～が解ける 꽁한〔맺힌〕 감정이 풀리다/～を残す 응어리를 남기다/～を捨てて仲よくする 꽁한 감정을 버리고 사이좋게 지내다.

わだかま-る〖蟠る〗5自 **1** 서리다; 똬리를 틀다. ¶蛇が～ 뱀이 몸을 서리다. **2** 복잡하게 뒤얽히다. ¶～·った根 서로 엉클어진 뿌리. **3** 악감정 따위가 마음에 맺히다; 뿌리박히다; 응어리지다. ¶心の底に～思い出 마음속에 맺힌 불쾌한 기억/不満が～ 불만이 마음에 맺히다/心に～ 마음에 맺히다.

わたくし【私】㊀代 저; 나. ¶～儀このたび… 소생 금번…/～が参ります 제가 가겠습니다/～にお任せ下さい 저에게 맡겨 주십시오/～もお供いたします 저도 모시고 가겠습니다. 参考 'わたし'보다 공손한 말씨. ↔あなた.
㊁图 **1** 사(私); 개인적인 것〔사정〕. ¶～のない人 사욕이 없는 사람/公と～との別をはっきりつける 공사의 구별을 분명히 하다/～の感情を抑える 사적인 감정을 억누르다/人事に～がある 인사에 사(私)가〔정실이〕 있다/～をはかる 사리를 꾀하다/本日は～の用件で参りました 오늘은 개인적인 용건으로 왔습니다. **2** 내밀; 비밀. ¶～にしまつする 몰래〔내밀히〕 처리하다. **3**《'～に'의 꼴로 副詞적으로 씀》 제멋대로 하는 모양. ¶どんどん～に事を進めては困る 자꾸만 자기 멋대로 일을 진행하면 곤란하다. ⇔公.

わたくしごと【私事】图 **1** 사사; 사삿일. ＝私事. ¶～で恐縮ですが… 사삿일이라서 죄송합니다만…. ↔公事. **2** 은밀한 일. ＝ないしょごと.

わたくししょうせつ【私小説】图 사소설. ＝ししょうせつ·イッヒロマン.

わたくし-する【私する】サ変他 (공적인 것을) 사물(私物)화하다; 사리를 꾀하다. ¶公金を～ 공금을 착복하다/権力を～ 권력을 전횡하다/公の施設を～ 공공 시설을 자기 것인 양 하다.

わたくしりつ【私立】图〈俗〉 사립. ¶～の学校 사립 학교. 参考 '私立(＝사립)'를 '市立(＝시립)'와 구별하기 위한 말씨. ⇨いちりつ. ↔公立.

わたぐも【綿雲】图 솜처럼 떠 있는 구름; 뭉게구름. ⇨積雲.

わたげ【綿毛】图 솜털. ＝うぶげ·にこげ. ¶たんぽぽの～ 민들레의 솜털.

わたし【渡し】图 **1** 나룻배로 사람을 건넴; 또, 나루터; 나룻배. **2** 인도(引渡). ¶工場～ 공장도/店頭～ 점두 인도. ↔受け.

わたし〖私〗代 나; 저. 参考 'わたくし' 보다는 평이한 말씨. 남녀 모두 씀. ¶～に任せてくださいよ 나한테〔내게〕 맡겨 주세요. ↔あなた.
――としたことが 소홀함·실수 등을 저질렀을 때 자신의 행위를 의외로 여겨 내는 소리: 내로라 했는데 (웬일인가); 아니, 이 내가.

わたしば【渡し場】图 나루터; 도선장. ＝渡し. ¶～で舟を待つ 나루터에서 배를 기다리다.

わたしぶね【渡し船·渡し舟】图 나룻배. ＝とせん. ¶～で川を渡る 나룻배로 강을 건너다.

わたしもり【渡し守り】图 나룻배 사공. ＝わたりもり.

** わた-す【渡す】5他 **1** 건네주다. ㉠건너가게 하다. ¶舟で人を～ 배로 사람을 건네주다. ㉡(넘겨)주다. ¶金を～ 돈을 건네주다/政権を～ 정권을 넘겨주다/家を人手に～ 집을 남의 손에 넘기다/現金と引きかえに商品を～ 현금과 맞바꾸어 상품을 넘겨주다. ↔受ける. **2** 건너지르다; 걸치다; 놓다; (건너) 매다. ¶どぶに板を～ 도랑에 판자를 걸치다/川に橋を～ 강에 다리를 놓다/綱を～ 줄을 건너질러 매다. **3**《動詞 連用形에 붙어서》 그 동작이 전체면에 미치도록 하다. ¶かなたを見～ 저편을 건너다보다/ながめ～ 멀리 바라보다/ゆずり～ 양도하다. 可能 わた-せる 下1自

わだち〖轍〗图 **1** 바퀴자국. ¶～を残す 바퀴자국을 남기다/～に雨水が溜る 바퀴자국에 빗물이 괴다. **2** 차바퀴. ¶～の跡 바퀴자국.

わたぼうし【綿帽子】图 **1** 풀솜으로 만든 여자의 쓰개. 参考 지금은 혼례 때 신부가 씀; 옛날엔 방한용. **2** 산꼭대기나 나뭇가지 등에 눈이 쌓인 모양을 일컫는 말. ¶～をかぶった野山 눈이 하얗게 쌓인 산야.

わたぼこり【綿ぼこり】〖綿埃〗图 **1** 솜먼지; 지스러기 솜의 찌꺼기. **2** 쌓여서 솜같이 된 먼지.

わたゆき【綿雪】图 함박눈. ¶～が降りつもる 함박눈이 내리쌓이다. ↔粉雪.

わたり【渡り】图 **1** 건넘; 이동. ¶鳥の～ 철새의 이동. **2** 나루터; 도선장. ¶津の～ 나루터. **3**〈俗〉 교섭; 협상; 관계. **4** 도래(渡來); 외래. ¶オランダ～のギヤマン 네덜란드에서 도래한 유리. **5** '渡り板'의 준말. **6** 떠돌아다님; 떠돌이. ¶～の職人 떠돌이 장색.
――がつく **1** 교섭의 길이 트이다. **2** 교섭이 이루어지다.
――に船 (강을 건너려는 참에 배가 온다는 뜻으로) 마침가락; 마침 잘 됨. ¶～の好条件 마침 맞는 좋은 조건.
――をつける 다리를 놓다; 교섭을 벌이다; 관계를〔연락을〕 트다.

わたりあ-う【渡り合う】5自 **1** 서로 싸우다; 서로 칼부림하다. ¶互角〔五分〕に～ 서로 백중하게 싸우다. **2** 논쟁하

다. ¶堂々と～ 당당히 논쟁하다/仕事のことで上役と～ 업무상의 문제로 상사와 논쟁하다/政策をめぐって与野党が～ 정책을 둘러싸고 여당과 야당이 논쟁하다.

わたりある-く【渡り歩く】5自 (일을 찾아서) 여기저기 떠돌아다니다; 전전(轉轉)하면서 일·일터를 바꾸다. ¶旅から旅へと～ 여기저기 떠돌아다니다/全国を～ (일거리를 찾아) 전국을 떠돌아다니다/あちこちの会社を～ 여기저기 회사를 전전하다.

わたりいた【渡り板】名 (배와 육지를 연결하는) 발판; 디딤널. ＝あゆみいた. ¶舟から岸に～を渡す 배에서 물가로 발판을 걸쳐 놓다.

わたりぞめ【渡り初め】名 다리의 개통식(에서 맨 처음 다리를 건넘).

わたりどり【渡り鳥】名 **1** 철새. ＝候鳥. ¶～が帰る 철새가 돌아가다. ↔留鳥. **2** 떠돌며 살아감; 떠돌이; 뜨내기. ¶～稼業 뜨내기 직업.

わたりもの【渡り者】名 **1** 일자리를 찾아 떠돌아다니는 사람; 떠돌이. ＝流れ者. **2** 타고장에서 이주해 와서 사는 사람; 타관 사람. ＝よそもの. **3** 떠돌이 고용살이를 하는 사람.

わたりろうか【渡り廊下】名 두 건물을 잇는 복도. ＝わたどの.

わた-る〖亘る〗5自 걸치다. **1** (…동안) 계속되다. ¶十年に～大事業 10년 동안에 걸친 대사업/三時間に～大熱弁 3시간에 걸친 대열변. **2** (…까지) 미치다; 이르다. ¶詳細に～説明 자상한 (데까지 미치는) 설명/全科に～試験 전과목에 걸치는 시험/余談に～ 여담에 이르다/私事に～·って恐縮ですが 사사로운 일에 이르러 황송합니다만/あらゆる分野に～ 모든 분야에 걸치다/公私両面に～·ってお世話になった 공사 양면에 걸쳐 신세를 졌다.

わた-る【渡る】5自 **1** 건너다. ㉠건너가다〔오다〕. ¶川〔道〕を～ 강〔길〕을 건너다/アメリカに～ 도미하다/他国へ～ 타국으로 건너가다/歩道橋を～ 육교를 건너다/仏教が～·って来た 불교가 전래했다/太平洋を～ 태평양을 건너가다. ㉡이동하다. ¶鳥が～ 철새가 이동하다. **2** 지나다. ㉠지나가다. ¶青田を～風の音 푸른 논을 스치는 바람 소리/日が空を～ 해가 하늘을 지나가다. ㉡살아가다. ¶世〔世間〕を～ 세상을 살아가다. **3** (다른 사람에게) 넘어가다; 인도되다. ¶賞品がまだ～·らない人 상품을 아직 받지 않은 사람/家が人手に～ 집이 남의 손에 넘어가다/手紙はたしかに～·ったかな 편지는 틀림없이 전해졌을까. **4** 미치다. ㉠고루 돌아가다. ¶印刷物が全員に～ 인쇄물이 전원에게 고루 돌아가다. ㉡《動詞 連用形에 붙어서》 널리 미치다; 철저하게 …하다. ¶知れ～ 널리 알려지다/響き～鐘の音 울려 퍼지는 종소리/世界中に行き～ 온 세계에 널리 미치다〔퍼지다〕.
—世間に鬼はない 살아가는 세상에 못된 귀신은 없다《어디 가나 인정〔사람 살 곳〕은 있는 법》.

ワックス [wax] 名 왁스. ¶～をかける 왁스를 바르다/床に～を塗る 마룻바닥에 왁스를 칠하다.

わっさわっさ 副 ☞わさわさ.

わっしょい 感 (‘みこし(＝신여(神輿)’ 등) 무거운 것을 여럿이 메거나 끌 때 기세를 올리는 소리: (이)영차. ¶～, ～と荷物を運ぶ 영차영차 하며 짐을 나르다/祭りだ祭りだ～, ～ 축제다 축제다, 영차영차.

わっと 副 **1** 갑자기 울어대는 모양: 와악. ¶～泣きだした 와악 하고 울기 시작했다. **2** 여럿이 떠들거나 몰려드는 모양: 와와; 우르르. ¶会場が～わく 회장이 와 하고 들끓다/ファンが～押しかける 팬이 우르르 몰려들다.

ワット [watt] 名 와트《기호: W》. ¶100～の電球 100 와트짜리 전구.

わっぱ〖童〗名 〈俗〉 사내아이를 낮추어 부르는 말; 전하여, 장난꾸러기; 개구쟁이. ¶小～め 요 개구쟁이 녀석.

ワッペン [도 Wappen] 名 바펜; 블레이저 코트의 가슴·팔 따위에 다는 헝겊 휘장; 또, 이것을 본뜬 딱지.

わとう【話頭】名 화두; 말머리; 화제. ¶～に上る 화제에 오르다/～を転ずる 화제를 돌리다.

わとじ【和とじ】《和綴じ》名 일본 재래식 제본법. ＝和装. ↔洋とじ.

わな〖罠〗名 올가미. **1** 덫; 올무. ＝わさ. ¶～をしかける 덫을 놓다/～で野犬を捕らえる 올가미로 들개를 잡다. **2** 함정; 술책; 계략. ＝落とし穴. ¶～を伏せる 함정을 놓다.
—に落ちる〔掛かる, はまる〕 **1** 올가미〔덫〕에 걸리다. **2** 함정에 빠지다; 감쪽같이 속다.
—を掛ける **1** 덫을 놓다. **2** 함정을 놓다; 감쪽같이 속이다.

わなげ【輪投げ】名 고리던지기 (놀이). ¶～をする 고리던지기를 하다.

わなな-く〖戦く〗5自 와들와들 떨다; 부르르 떨리다. ＝おののく. ¶恐怖に～ 공포에 와들와들 떨다/恐れ～ 무서워서 오들오들 떨다.

わなり【輪なり】《輪形》名 고리〔둥근〕 모양; 윤상(輪狀); 원형.

わなわな 副 와들와들; 부들부들; 부르르. ＝ぶるぶる. ¶くちびるを～させて怒る 입술을 파르르 떨면서 성내다/怒りに～とふるえる 분노로 부르르 떨다.

わに〖鰐〗名〔動〕 악어.

わにあし【わに足】《鰐足》名 걸을 때, 두 발끝이 안이나 바깥 쪽으로 향하는 일; 또, 그 사람. 参考 밖으로 벌어지는 것을

わ

'外わに(=밭장다리)', 안으로 오긋한 것을 '内わに(=안짱다리)'라 함.

わにがわ【わに皮】《鰐皮》图 악어 가죽. ¶~の財布〔ハンドバッグ〕악어 가죽 지갑〔핸드백〕.

わにぐち【わに口】《鰐口》图 **1** 금고(金鼓); 금구(金口); 불당이나 신사의 앞 추녀에 걸어 놓고 (참배자가) 매달린 밧줄로 치는 방울. **2** 메기입; 큰입. **3** 극히 위험한 장소; 호구. =虎口. ¶~をのがれる 호구를 벗어나다.

ワニス [varnish] 图 바니시; 니스. =ニス. ¶~を塗る 니스를 칠하다.

わぬけ【輪抜け】图 몸을 날려 둥근 테를 빠져 나가는 곡예. =わくぐり.

わび〖詫び〗图 사죄; 사과. ¶~を入れる 사죄를 하다/お~を言う 사과의 말을 하다/お~の言葉もない (무어라) 사과 드릴 말도 없다.

わびい-る〖詫び入る〗5自 공손〔정중〕히 사과하다 / ~·らんばかりの風情で縮こまる 공손히 사죄하는 듯한 태도로 움츠러들다.

わびごと【わび言】《詫び言》图 사과의 말. =わび. ¶~がある 사과할 말이 있다/~を言う 사죄의 말을 하다/~はもう聞きたくない 사과의 말은 이제 듣고 싶지 않다.

わびし-い〖侘しい〗形 **1** 쓸쓸하다; 적적하다; 외롭다. ¶~ひとり暮らし 쓸쓸한 독신 생활/~山里の景色 쓸쓸한 산촌 풍경. **2** 초라하다. ¶~かっこう 초라한 모습.

わびじょう【わび状】《詫び状》图 사과장; 사죄〔사과〕 편지. ¶~を入れる 사과 편지를 보내다.

わびずまい【わび住まい】《侘び住まい》图 **1** 속세를 떠난 한적하고 정취 있는 살림; 또, 그 집; 한거(閒居). ¶山里の~ 산골 마을의 한적한 살림. **2** 초라한 살림〔집〕. ¶裏長屋の~ 뒷골목 연립 주택의 초라한 살림/一人暮らしの~ 독신자의 초라한 살림집.

わ-びる〖侘びる〗上1自 **1** 영락하다; 가난하게 살다; 초라해 보이다. ¶~·びた住まい 초라한 살림살이. **2**《動詞連用形에 붙어서》…에 지치다. ¶待ち~ 기다림에 지치다/捜し~ 찾다 못해 지치다/恋い~ 그리움에 지치다.

***わ-びる**〖詫びる〗上1自他 사죄하다; 사과하다. ¶御無沙汰を~ 격조했음을 사과하다/非礼を~ 비례〔무례〕를 사과하다/死んで過ちを~ 죽어서 잘못을 사죄하다. ⇨右上段 박스記事

わふう【和風】图 일본풍; 일본식. ¶~建築〔旅館, 料理〕 일본식 건축〔여관, 요리〕. ↔洋風.

わふく【和服】图 일본옷. ¶~姿 일본옷차림/~を着る 일본옷을 입다. ↔洋服.

わぶん【和文】图 일문(日文). ¶~英訳 일문 영역/~タイプ 일문 타자기. ↔欧文·漢文.

> **詫びる의 여러 가지 표현**
>
> 관용 표현 謹んで(정중히; 삼가)·衷心より(충심으로)·心·しんから(진심으로)·ひとえに(그저)·幾重にも(거듭거듭)·ひたすら(그저; 오로지)·土下座して(머리를 조아려)·七重の膝を八重に折って(거듭거듭 정중히) ── わびる.
>
> **여러 가지 사과의 표현**
>
> 失礼(실례; 미안(해))·失敬(미안; 실례)·ご免(미안(해요)·すまん(미안(해))·悪かった(잘못했어)·ご免なさい(미안〔죄송〕합니다)·申しわけありません(죄송합니다; 면목 없습니다)·すみません(미안합니다)·失礼しました(실례했습니다)·どうかお許し下さい(부디 용서해 주십시오)·勘弁〔堪忍〕して下さい(용서해 주십시오)·お詫び申します(사과합니다)·お詫びの言葉もありません(무어라 사과 드릴 말씀도 없습니다)·不徳の致すところです(부덕한 탓입니다)·深く反省しております(깊이 반성하고 있습니다)·もう二度と致しません(이제 두 번 다시 안 하겠습니다).

わへい【和平】图 화평; 평화. ¶~交渉 화평 교섭/~を申し入れる 화평을 제의하다 / 長年の間~が続く 오랫동안 평화가 계속되다.

わほう【話法】图 화법. **1** 화술. =話し方. ¶巧みな~ 능란한 화술/彼独特の~ 그의 독특한 말솜씨. **2**〖文法〗남의 말의 재현법. ¶直接〔間接〕~ 직접〔간접〕 화법.

わぼく[和睦] 图자自 화목; 화친; 화해; 강화. ¶敵と~する 적과 화친하다/両国の~が調う〔成立する〕 양국의 화해가 성립되다.

わほん【和本】图 일본식으로 장정(裝幀)한 책. =和書. ↔洋本·唐本.

わめい【和名】图 동식물학상, 동식물의 (표준적인) 일본 이름. ↔学名.

わめきごえ【わめき声】《喚き声》图 아우성치는 소리; 크게 외치는 소리; 울부짖는 소리.

わめ-く〖喚く〗5自 큰 소리로 외치다; 크게 떠들다; 아우성치다. ¶恥ずかしげもなく泣き~ 부끄러운 줄도 모르고 울부짖다/泣いても~·いてもだめだ 울고불고해 봤자 소용없다.

わやく【和訳】图자他 일역(日譯); 일어로 번역함. ¶英文~ 영문 일역.

わよ 連語 〈女〉화자(話者)의 마음을 단정하는 말: …(해)요. ¶それはおかしい~ 그건 이상해요/早くしないと遅れる~ 서두르지 않으면 늦어요.

わよう【和様】图 일본풍〔양식〕. ¶~の

家具 일본 양식의 가구. ↔唐様.

わよう【和洋】名 일본(식)과 서양(식). ¶～折衷 일본식과 서양식의 절충/～取り混ぜての献立 일식과 양식을 혼합한 식단.

*__わら__〖藁〗名 (벼·보리의) 짚. ¶～屋 초가집/～むしろ 짚멍석/～帽子 밀짚모자/～やね 초가 지붕/～にもすがる気持ち 지푸라기에라도 매달리고 싶은 심정/～で縄をなう 짚으로 새끼를 꼬다/溺れる者は～をも摑む 물에 빠진 자는 지푸라기라도 잡는다.

わらい【笑い】名 **1** 웃음. ¶豪傑～ 호걸 웃음/～をふくむ〔さそう〕 웃음을 머금다〔자아내다〕/～をおさえる〔こらえる〕 웃음을 참다/～をもらす (참고 있던) 웃음을 터뜨리다/～に紛らす 웃음으로 얼버무리다. **2** 비웃음; 조소. ¶人の～をまねく 남의 비웃음을 사다.

—が止まらない (일이 뜻대로 잘 되어) 웃음이 그치지 않다.

—をかみ殺す 웃음을 억지로 참다.

わらいがお【笑い顔】名 웃는 얼굴. =えがお. ¶明るい～ 밝게 웃는 얼굴.

わらいぐさ【笑いぐさ】《笑い種》名 웃음거리. ¶一場の～ 일장의 웃음거리/人の～になる 남의 웃음거리가 되다. 注意 'お'를 붙여 말할 때가 많음. ¶老いらくの恋とはお～だ 늘그막의 사랑이라니 웃음거리다.

わらいごえ【笑い声】名 웃음소리. ¶楽しそうな～が漏れてくる 즐거운 듯한 웃음소리가 새어 나오다.

わらいこ-ける【笑いこける】下1自 자지러지게 웃다; 포복절도하다; 요절하다. ¶漫才を聞いて～ 만담을 듣고 배꼽이 빠지게 웃다/～·けて椅子から落ちそうになる 자지러지게 웃다가 의자에서 떨어질 뻔하다.

わらいごと【笑い事】名 웃어넘길 사소한 일; 웃을 일. ¶～ではない 웃을 일이 아니다.

わらいさざめ-く【笑いさざめく】5自 모두 유쾌한 듯이 큰 소리로 웃다; 떠들썩하게 웃다. ¶女学生たちの～声 여학생들의 떠들썩하게 웃는 소리.

わらいじょうご【笑い上戸】名 **1** 술 취하면 연해 웃는 버릇(이 있는 사람). ↔泣き上戸. **2** 잘 웃는 사람.

わらいとば-す【笑い飛ばす】5他 웃고 상대하지 않다; 웃어넘기다. ¶うわさを～ 소문을 (듣고) 웃어넘기다.

わらいばなし【笑い話】名 **1** 우스운 이야기; 우스개. =笑話. ¶～を読む 우스개 책을 읽다. **2** 웃음엣소리. ¶～として聞いてください 실없는 우스갯소리로 들어 주십시오.

わらいもの【笑い者】名 웃음가마리. ¶～になる 웃음가마리가 되다.

わらいもの【笑い物】名 웃음거리. =笑いぐさ. ¶人を～にする 남을 웃음거리로 만들다/世間の～になる 세상의 웃음거리가 되다.

__わら-う__【笑う】5自他 **1 웃다. ¶にこにこ(と)～ 생글생글 웃다/～にも～·えないこの現実 웃을래야 웃을 수 없는 이 현실/～·ってごまかす 웃으며 얼버무리다/照れ隠しに～ 겸연쩍음을 숨기려고 웃다/顔で～·って心で泣く 겉으로 웃고 (마음) 속으로 울다/涙が出るほど～ 눈물이 나도록 (깔깔거리고) 웃다/箸が転んでも～年ごろ 젓가락이 굴러도 깔깔거릴 나이. **2** 꽃봉오리 따위가 열려 방긋거리다. ¶花～ 꽃이 방긋거리다/山～ 산이 방긋거리다《새싹이 틀 무렵의 산을 일컫는 문학적 표현》. **3** 비웃다; 빈정거리다; 우습게 여기다. ¶～べき存在 우스운〔가소로운〕 존재/人に～·われる 남의 비웃음을 사다/陰で～ 뒤에서 웃다〔빈정거리다〕/ 腹の中で～ 뱃속〔마음속〕으로 비웃다/鼻先で～ 코웃음치다/一円を～者は一円に泣く 일 엔을 우습게 여기는 자는 일 엔에 울게 된다. **4** 손발·손가락 등이 저리어 힘이 빠지다. ¶ひざが～·って歩けない 무릎에 힘이 빠져 걸을 수가 없다.

—門には福来たる 웃는 집에 복이 온다《소문(笑門)만복래》.

笑うの 여러 가지 표현

표현例 ◆소리를 내어 — あはは(아하하)·うふふ(우후후)·ひひひ(히히히)·わはは(와하하)·ほほほ(호호호)·からから(껄껄)·けらけら(깔깔)·くすくす(낄낄; 킥킥)·くっくっ(킥킥; 킬킬)·へらへら(실실)·えへらえへら(헤프게 헤헤).

◆소리 내지 않고 — にっこり(생긋; 방긋)·にたにた(히쭉히쭉)·にやりと(히죽)·にやにや(히죽히죽)·にんまり(빙긋이; 빙그레).

관용 표현 腹の皮をよじって(뱃살을 움켜잡고)·腹を抱えて(배꼽을 쥐고)·手を打って(손뼉을 치며 크게)·声をしのばせて((목)소리를 죽이고)·呵呵と(껄껄거리며)·声を殺して(소리를 죽이고).

わら-える【笑える】下1自 **1** (절로) 웃음이 나오다. ¶～·えてしようがない 웃음이 절로 나와 어쩔 수 없다. **2** 웃어넘기다. ¶それこそ～·えない問題だ 그거야말로 웃어 넘길 수 없는 문제다.

わらぐつ〖藁沓〗名 멱신; (눈 위에서 신는) 짚신; 눈신; 멍덕신; 설피(雪皮). ¶～で雪の中を歩く 설피를 신고 눈 속을 걷다.

わらじ〖草鞋〗名 짚신. =わらんじ.

—を脱ぐ **1** 여행을 마치다; 여장을 풀다. **2** (여러 지방을 떠돌아다니던 노름꾼 등이) 어떤 고장에 비로소 몸을 붙이고 정착하다.

—を穿く **1** 여행길을 떠나다. **2** (죄지

은 노름꾼 등이) 추적의 손을 피해 도망길에 나서다. ¶長の~ 머나먼 도망길에 오르다.

—がけ【—掛け】名 짚신을 신(고 있)음. =わらじ履き. ¶~で出かける 짚신을 신고 떠나다.

—せん【—銭】名 짚신값; 전하여, 푼돈; 몇 푼 안 되는 노자.

わらばんし【わら半紙】《藁半紙》名 짚 섬유로 만든 반지(半紙); 갱지. =ざらがみ.

わらび〖蕨〗名〔植〕고사리. ¶~粉 고사리 녹말.

わらぶき〖藁葺き〗名 짚으로 지붕을 임; 또, 그 지붕. ¶~屋根 초가 지붕.

わらべ【童】名 동자(童子); 어린애; 어린이(들). ¶里の~ 시골의 어린이.

わらべうた【童歌】名 어린이 노래; 전래 동요.

わらわ-せる【笑わせる】下1他 웃기다. **1** 웃게 만들다. ¶くすぐって~ 간지럼을 태워 웃기다/冗談を言って人を~ 농담을 하여 사람들을 웃기다. **2** 사람을 비웃을 때 쓰는 말: 가소롭다; 가당찮다. ¶あいつが議員だなんて~よ 저 따위가 의원이라니 웃긴다/あれで大学生だとは~ 저래도 대학생이라니 웃긴다.

わらわれもの【笑われ者】名 웃음거리; 웃음가마리. =笑い者. ¶世間の~になる 세상의 웃음가마리가 되다.

わり【割】名 비율의 단위: 할; 십분의 일. ¶三~ 3할/一~引き 1할 할인.

わり【割り】名 **1** 나눔; 제함. **2** 손득의 비율; 비례; 율(率). ㉠채산; 수지; 또, 비율; 꼴. ¶~がいい 괜찮다; 수지가〔채산이〕맞다/~のいい仕事 수지가 맞는 일/三対一の~ 3 대 1의 비율/十人に一人の~で合格する 10명에 한 사람 꼴로 합격하다. ㉡비(比)함. ¶年の~にふけてみえる 나이에 비해 늙어 보이다. **3** 물을 타는 일. ¶水~ 물을 탐/~を利かせる (물을 타서) 마디게 하다/~の利くしょうゆ 물 타서 쓸 수 있는 진간장. **4** ☞わりかん. ¶~で行こう 각추렴〔각자 부담〕으로 하자. **5** 할당; 배당. ¶頭~ 인원수대로 똑같이 할당함/一人~千円 1인당 천 엔/月二万円の~で返す 월 2만 엔 꼴로 갚다.

—が合わない 수지가〔채산이〕안 맞다. ¶~仕事 수지가 안 맞는 일.

—を食う 손해를 보다; 불이익이 되다. ¶正直者が~世の中 정직한 사람이 손해 보는 세상.

わりあい【割合】名 **1** 비율. ¶三人にひとりの~で 세 사람에 한 사람 꼴로/~が高い 비율이 높다/大きな~を占める 큰 비율을 차지하다/七三の~で可能性がある 칠삼의 비율로 가능성이 있다. **2**《形容詞·形容動詞의 連体形, 또는 '体言+の'에 붙어서, 'に'를 동반하여》…치고는; …에 비해. ¶年の~に若い 나이에 비해 젊다/勉強家の~に成績が悪い 열심히 공부하는 사람치고는 성적이 나쁘다/若い~にしっかりしている 젊은 나이치고는 똑똑하다.

わりあい〖割り合い〗副 비교적. =わりあいに·わりと. ¶~うまく行く 생각보다 잘 되어 가다/~(に)よく出来ている 비교적 잘 되어 있다/~速くできた 비교적 빨리 되었다. 注意 최근에는 '割り合いと' 라고도 함.

わりあて【割り当て】名 할당; 배당; 분담. ¶輸入~制 수입 할당제/宿直の~ 숙직의 배당/~が少ない 배당이 적다 / 掃除当番の~を決める 청소 당번의 분담을 정하다.

—がく【割当額】名 할당액.

***わりあ-てる**【割り当てる】下1他 할당하다; 분배하다; 분담〔배당〕하다. =割り振る. ¶~·てられた仕事 할당된 일/それぞれ役を~ 각기 역을 할당하다/一人当て三個を~ 한 사람당 세 개를 분배하다.

わりいん【割り印】名 계인(契印); 간인(間印). =割りはん. ¶契約書に~を捺す 계약서에 계인을 찍다.

わりがき【割り書き】名ス自 본문에 주석 따위를 달 때 잔글씨로 본문의 일행분 간격에 두 줄로 나누어 써 넣는 일; 할주(割註)를 다는 일; 또, 그 할주. =割り注. 「た.

わりかし〖割りかし〗副〈俗〉☞わりかた.

わりかた〖割り方〗副〈俗〉비교적. =割り合い·割りに·割りかし. ¶バスは~空いている 버스는 비교적 비어 있다/~よくできた 비교적 잘 되었다.

わりかん【割り勘】名 각(各)추렴; 각자 부담《'割り前勘定'의 준말》. ¶費用は~にする 비용은 각자 부담으로 한다/~で飲もう 각자 부담으로 마시자/~でいこうじゃないか 각자 부담으로 하자꾸나.

***わりき-る**【割り切る】五他 **1** (논리적으로) 단순·명쾌하게 딱 잘라 결론짓다. ¶~·った態度 분명한 태도/理屈で~ことの出来ない問題 이론으로 잘라 말할 수 없는 문제/若い人は~·った物の考え方をする 젊은이들은 딱 잘라서 단정 짓는 버릇이 있다/生活のためと~·って仕事をする 생활을 위해서라고 깨끗이 받아들이고 일을 하다. **2** (나눗셈에서) 우수리가 없이 나누다; 정제(整除)하다. ¶三は六を~ 3은 6을 우수리 없이 나눈다.

わりき-れる【割り切れる】下1自 **1** 우수리〔끝수〕없이 딱 나누어떨어지다; 정제(整除)되다. ¶六は三で~ 6은 3으로 나누어떨어진다. **2** 잘 납득이〔이해가〕되다; (의문 따위가 풀려) 속시원하다; 석연하다. ¶~·れない気持ち 석연찮은 기분/~·れない顔をする 석연치 않은 얼굴〔표정〕을 하다 / ～·れぬものが残(のこ)る 뒷맛이 개운찮다.

わりご〖破子·破籠〗名 칸막이 나무 도시락.

わりこみ【割り込み】名 비집고 들어감; 끼어듦; 끼어들기. ¶～乗車(じょうしゃ) 새치기 승차 / 交差点(こうさてん)での～禁止(きんし) 교차로에서 끼어들기 금지.

わりこ-む【割り込む】5自 비집고 들어가다; 끼어들다; 새치기하다. ¶行列(ぎょうれつ)の間(あいだ)に～ 줄지어 선 사람 틈바구니에 새치기하다 / 横(よこ)から話(はなし)に～ 옆에서 남의 말에 불쑥 끼어들다.

わりざん【割り算】名 나눗셈. ＝除法(じょほう). ↔掛(か)け算(ざん).

わりした【割り下】名 냄비 요리 따위에 쓰기 위하여, 미리 간장·멸치 국물·설탕·미림 따위를 섞어 끓여 놓은 국물(('割り下地(したじ)'의 준말)).

わりだか【割高】ダナ (품질·분량 따위에 비해서) 값이 비쌈. ¶～な品物(しなもの) 비교적 비싼 물건 / ～につく 값이 비싸게 치이다 / ばらで買(か)うと～だ 낱개로 사면 비싸게 먹힌다. ↔割安(わりやす).

わりだし【割り出し】名 산출함; 알아냄. ¶単価(たんか)の～ 단가 산출 / 犯人(はんにん)の～に手間(てま)どる 범인을 알아내는 데 시간이 걸리다.

わりだ-す【割り出す】5他 **1** (비용·단가 등을) 계산해 내다; 산출해 내다. ¶原価(げんか)をコンピューターで～ 원가를 컴퓨터로 산출해 내다. **2** 어떤 근거에 의해서 결론을 이끌어 내다; 추단하다. ＝推断(すいだん)する. ¶経験(けいけん)から～·した結論(けつろん) 경험에서 이끌어 낸 결론 / 犯人(はんにん)を～ 범인을 알아내다.

わりちゅう【割り注】(割り註) 名 할주. ＝割り書(が)き. ¶～を入(い)れる 할주를 넣다〔달다〕.

わりつけ【割り付け】名 **1** 할당; 배당. ¶寄付金(きふきん)の～をする 기부금의 할당을 하다. **2**〔印〕편집 배정. ＝レイアウト. ¶紙面(しめん)の～をする 지면 배정〔레이아웃〕을 하다.

わりと〖割と〗副 비교적. ＝わりあい. ¶～安(やす)い 비교적 싸다 / ～簡単(かんたん)だ 비교적 간단하다.

わりな-い〖理ない〗形 어쩔 수 없다. **1** 부득이하다. ¶～用事(ようじ)で出(で)かける 부득이한 용무로 나가다. **2** 끊을래야 끊을 수 없다((흔히, 남녀 관계에 대하여 씀)). ¶～仲(なか)となる 남녀가 깊이 사랑하는〔남남이 아닌〕사이가 되다.

*__わりに__〖割に〗連語《副詞적으로》**1** 비교적. ¶～安(やす)い 비교적 싸다 / 年(とし)の～若(わか)い 나이에 비해 젊다. **2** 생각한 것보다는. ¶～うまく行(い)った 생각보다 잘 되었다 / 彼(かれ)は～けちだ〔強(つよ)い〕그는 생각보다 인색하다〔강하다〕. 注意 최근에는 'わりと'라고도 함.

わりばし【割りばし】(割り箸) 名 소독저; 나무젓가락. ¶～付(つ)きの弁当(べんとう) 소독저가 딸린 도시락.

*__わりびき__【割引】名ス他 **1** 할인. ＝値引(ねび)き. ¶～券(けん) 할인권 / 早朝(そうちょう)～ 조조 할인 / ～セール 할인 판매 / 残品(ざんぴん)を～して売(う)る 잔품을 할인해서 팔다. ↔割(わ)り増(ま)し. **2** 줄잡음; 에누리함. ¶～して聞(き)く 에누리해서 듣다. **3**〔經〕'手形(てがた)割引(わりびき)(＝어음 할인)'의 준말.

わりび-く【割り引く】5他 할인하다. **1** 값을 깎다. ¶五分(ごぶ)～ 5 퍼센트 할인하다. **2** 줄잡다; 에누리하다. ¶話(はなし)を～·いて聞(き)く 얘기를 에누리해서 듣다. **3** 어음 할인하다. ¶手形(てがた)を～ 어음을 할인하다.

わりふ【割り符】名 부절(符節). ＝割(わ)り札(ふだ)·割(わ)っ符(ぷ)·合(あ)い札(ふだ).
——が合(あ)う 양쪽이 딱 들어맞다.

わりふり【割り振り】名 할당; 배당; 배정. ¶時間(じかん)の～ 시간의 배분 / へやの～をする 방을 배정하다.

わりふ-る【割りふる·割り振る】5他 할당하다; 배당하다. ¶仕事(しごと)をめいめいに～ 일을 각자에게 배당하다 / 役(やく)〔予算(よさん)〕を～ 역할〔예산〕을 배정하다.

わりまえ【割りまえ·割り前】名 몫; 배당액; 배당량. ¶～をもらう 자기 몫을 받다 / ～が少(すく)ない 몫이 적다.
——かんじょう【——勘定】名 ☞ わりかん.

わりまし【割り増し】名ス他 할증; 덧얹음; 또, 그 돈. ＝プレミアム. ¶～金(きん) 할증금 / ～運賃(うんちん)〔発行(はっこう)〕할증 운임〔발행〕/ 深夜(しんや)～料金(りょうきん) 심야 할증 요금 / ～をする 할증하다; 일정액에 얼마를 더 얹다 / ～を支払(しはら)う 할증금을 물다. ↔割引(わりびき).

わりもどし【割り戻し】名ス他 받은 돈 가운데서 얼마를 되돌려 줌; 또, 그 돈. ＝リベート.

わりもど-す【割り戻す】5他 일단 받은 금액 중에서 얼마를 되돌려 주다. ¶立(た)て替(か)え分(ぶん)を～ 입체분을 반려하다 / 即金(そっきん)なら一割(いちわり)～·します 맞돈이면 1할을 돌려 드립니다.

わりやす【割安】ダナ (품질·분량에 비해) 값이 쌈. ＝格安(かくやす). ¶～の〔な〕品(しな) 비교적 싼 물품 / まとめて買(か)えば～になる 모개로 사면 비교적 싸게 된다. ↔割高(わりだか).

__わ-る__【割る】5他 **1 나누다. ㉠〔數〕나누다. ¶二十(にじゅう)を五(ご)で～ 20 을 5로 나누다. ↔掛(か)ける. ㉡노느다; 벼르다. ¶十人(じゅうにん)に～ 10 명에게 노느다 / 費用(ひよう)は三人(さんにん)で～ 비용은 셋이서 벼르다. **2** 쪼개다. ㉠가르다; 빼개다. ¶竹(たけ)を～·ったような気性(きしょう) 대쪽 같은 성미 / 西瓜(すいか)を～ 수박을 쪼개다 / 仲(なか)を～ 사이를 갈라 놓다 / まきを～ 장작을 빼개다〔패다〕. ㉡까다. ¶くるみを～ 호두를 까다. **3** 깨뜨리다; 깨다; 다치다. ¶さら〔かめ, ガラス〕を～ 접시〔독을, 유리〕를 깨다 / 額(ひたい)を～ 이마를 깨다〔다치다〕/ 卵(たまご)を～ 달걀을 깨다 / 唇(くちびる)を～ 입술이 터지다 / 党(とう)を～ 당을 깨다〔분열시

키다〕. **4** 비집다; 끼어들다. ¶人込ひとごみのなかに~·って入はいる 사람들의 틈바구니를 비집고 들어가다/雪ゆきを~·って芽めが出でる 눈을 비집고 싹이 나다. **5** 벌리다; 열다. ¶犯人はんにんが口くちを~ 범인이 입을 열다〔자백하다〕/足あしを~ 무릎을 벌리고 앉다. **6** 속을 털어놓다; 까놓다. ¶腹はら〔底そこ〕を~·って話はなす 속을 털어놓다/事ことを~·って話はなす 일의 내용을 숨김없이 이야기하다. **7** 물을 타다; 묽게 하다. ¶ウイスキーを水みずで~ 위스키에 물을 타다. **8** 기준 이하가 되다; (범위·한계를) 깨다〔벗어나다〕. ¶百円台ひゃくえんだいを~ 백 엔대를 밑돌다/過半数かはんすうを~ 과반수를 밑돌다/十秒じゅうびょうを~ 10초(대)를 깨다/土俵どひょうを~ 씨름판 밖으로 밀려나다. **9** 할인하다. ¶手形てがたを~ 어음을 할인하다. 可能 わ-れる 下1自

わる【悪】名 **1**〈俗〉나쁜 놈; 악당. =悪者わるもの·悪人あくにん. ¶札付ふだつきの~ 이름난 악당/あいつはなかなかの~だ 저놈은 대단한 악당이다. **2** 나쁜 짓; 부정(不正). ¶また~をした 또 나쁜 짓을 했다. **3**《接頭語·接尾語적으로》 ㉠나쁨. ¶~者もの 나쁜 놈/意地いじ~ 짓궂음/性しょう~ 근성이 나쁨; 또, 그런 사람. ㉡도가 지나침. ¶~酔よい 잔뜩 취함/~いたずら 못된 장난.

わるあがき【悪あがき】《悪足掻き》名 ス自 (초조해하는) 발버둥질; 헛된 몸부림. ¶今更いまさら~をしても駄目だめだ 이제와서 발버둥이쳐도 소용없다/この期ごに及およんで~するな 이 마당에 와서 발버둥치지 마라.

わる-い【悪い】形 나쁘다. **1 못되다. ¶~政治せいじ 못된 정치/行おこないが~ 행실이 나쁘다/~事ことはじきに覚おぼえる 못된 짓은 곧 배운다/~やつだ 못된 녀석이다. **2** 좋지 않다. ㉠(머리 따위가) 둔하다. ¶頭あたまが~ 머리가 나쁘다/物覚ものおぼえが~ 기억력이 나쁘다. ㉡잘못하다. ¶出来でき〔発音はつおん〕が~ 성적〔발음〕이 나쁘다. ㉢해롭다. ¶からだ〔健康けんこう〕に~ 몸〔건강〕에 좋지 않다〔해롭다〕. ㉣언짢다. ¶~予感よかん 불길한 예감/景気けいきが~ 경기가 나쁘다/後味あとあじが~ 뒷맛이 좋지 않다/体からだのぐあいが~ 몸(의) 상태가 나쁘다/運うん〔日ひ〕が~ 운〔일진〕이 나쁘다/感かんじ〔都合つごう〕が~ 느낌〔형편〕이 좋지 않다/縁起えんぎが~ 징조가 나쁘다; 재수가 없다/気きを~·くする 기분이 상하다/~·く思おもうな 언짢게 생각 말게. ㉤계제가 나쁘다. ¶間まが~ 계제가 나쁘다/~時ときに来きたもんだ 계제가 나쁠 때 왔군. ㉥원만치 않다. ¶仲なかが~ 사이가 좋지 않다. ㉦상태가 불량하다. ¶画面がめんの映うつりが~ 화면이 선명치 않다/水みずの出でが~ 물이 잘 나오지 않다/この時計とけいはどこが~のですか 이 시계는 어디가 잘못됐습니까. **3** 잘못하다. ¶僕ぼくが~·かった 내가 나빴어〔잘못했어〕/~のは政治せいじであって人ひとではない 잘못은 정치에 있지 사람에게 있는 것은 아니다. **4** 실례가 되다; 미안하다. ¶無理むりを言いって~ね 무리한 말을 해서 미안해요/何なにかお礼れいをしないと~よ 무언가 답례를 하지 않으면 실례가 돼요. **5** 못생기다. ¶きりょうが~ 얼굴이 못생기다. **6** 아프다. ¶胃いが~ 위가 좋지 않다/どこか~のか 어디(가) 아픈가/家内かないが~·くて失礼しつれいしました 아내가 병이 나서 실례했습니다. 參考 부정(不正)·추(醜)·열(劣)·부적(不適) 등 좋은 상태의 반대를 나타내는 데 씀. ⇔よい·いい.

—虫むし 질이 좋지 않은 애인; 특히, 정부(情夫). ¶娘むすめに~がつく 딸에게 질이 좋지 않은 사내가 생기다.

わるがしこ-い【悪賢い】形 교활하다; 약다. ¶~やつだから気きをつけたほうがよい 교활한 놈이니까 조심하는 게 좋겠다.

わるぎ【悪気】名 악의(惡意). ¶~のない人ひと 악의 없는 사람/~でしたのじゃない 악의로 한 것이 아니다/別べつにあの人に~はない 저 사람에게 달리 악의는 없다.

わるくすると【悪くすると】連語 잘못하면; 자칫하면. =へたをすると. ¶~今度こんども失敗しっぱいかも知しれない 잘못하면 이번에도 실패할지 몰라.

***わるくち**【わるくち·悪口】名 욕. =あっこう·わるぐち. ¶陰かげで人ひとの~を言いう 뒷전에서 남의 욕을 하다/彼かれは~屋やだ 그는 욕쟁이다.

わるさ【悪さ】名 **1** (못된) 장난. =いたずら. ¶~が過すぎる 장난이 지나치다/~ばかりする 못된 짓만 하다. **2** 나쁨(의 정도·상태). ¶治安ちあんの~ 치안 상태가 나쁨/彼かれの口くちの~には閉口へいこうした 그의 입이 건 데는 질렸다. ↔よさ.

わるずれ【悪擦れ】《悪摺れ》名 ス自 세파에 닳고닳아 교활해짐; 닳아빠짐. =すれっからし. ¶~のした子供こども 약아빠진 아이/やり口くちが~している 수법이 몹시 교활하다/まだうぶで~していない 아직 순진해서 닳아빠진 데가 없다.

わるだくみ【悪巧み】名 나쁜 계략; 간계; 흉계. =悪計あっけい. ¶~にかかる〔ひっかかる〕 간계에 걸리다/~をいだく 흉계를 품다/~に加くわわる 흉계에 가담하다/~がばれる 흉계가 드러나다.

わるだっしゃ【悪達者】名 ダナ (예능 등에서) 솜씨는 좋으나 품위가 없음. ¶~な芸げい 솜씨는 좋으나 저속한 기예.

わるぢえ【悪知恵】名 간지(奸智). ¶~をつける 못된 꾀를 일러 주다; (남을) 꼬드기다/~が働はたらく 못된 꾀를 부리다/~にたけている 간지에 능하다/~がつく 못된 꾀가 생기다.

ワルツ [waltz] 名〔樂〕왈츠; 원무곡(圓舞曲). ¶ウィンナ~ 비엔나 왈츠.

わるば【悪場】名 (등산에서) 통행이 어렵고 위험한 곳. ¶~を無事ぶじに過すぎる

위험한 등산 코스를 무사히 지나가다.

わるび-れる【悪びれる】[下1自] 기가 죽다; 주눅 들다. ¶～·れずに答える 기죽지 않고 대답하다/一向に～·れた様子もない 전혀 주눅 든 기색도 없다. [参考] 흔히, 뒤에 否定의 말이 옴.

わるふざけ【悪ふざけ】[名][ス自] 지나친 장난. ¶酒の上での～ 술기운으로 인한 지나친 장난질/～が過ぎる (못된) 장난이 지나치다.

わるぶ-る【悪ぶる】[5自] 짐짓 나쁜 사람인 듯이 굴다; 못된 척하다.

わるもの【悪者】[名] 나쁜 놈; 악인. ＝悪人. ¶～を懲らしめる 악인을 혼내주다/～扱いされる 나쁜 놈 취급을 당하다/おれの方だけが, いつも～にされる 나만이 항상 나쁜 놈이 된다.

わるよい【悪酔い】[名][ス自] 술을 마시어 머리가 아프거나 구역질이 나는 등 뒤끝이 언짢음. ¶～するような酒 뒤끝이 좋지 않은 술/飲み過ぎて～した 과음하여 뒤끝이 언짢았다.

われ【われ·我】《吾》[代] **1** 나; 자신《문어(文語)의 1인칭 대명사》. ¶～から進んで 자진해서/戦い～に利あらず 싸움은 내게 불리하다. **2**〈俗·方〉 자네; 그대; 너《동배 이하의 상대를 가리키는 2인칭 대명사》. ＝おまえ. ¶～, 何をしているんだ 너, 무엇 하고 있는 거냐.

—と思わん者 내로라 하는 자. ¶～は出て来い 내로라 하는 자는 나와라.

—とはなしに 자기도 모르게; 무의식중에.

—に返る 제정신이 들다; 정신 차리다. ¶ふと～ 문득 제정신이 들다.

—も我もと 나도 나도 (하며); 앞 다투어; 남에게 질세라. ¶～かけつける 앞 다투어 달려오다.

—を忘れる 넋을 잃고 멍하니 있다.

われ【割れ】[名] **1** 깨어짐; 사이가 벌어짐. ¶仲間～ 한패가 불화로 사이가 벌어짐. **2** 조각; 부스러기; 파편. ＝かけら. ¶ガラスの～ 유리 조각. **3** (시세 등이) 어떤 값 이하로 떨어짐. ¶百円の台～ 백 엔대 이하로 떨어짐/定員～ 정원을 밑돎.

われかえ-る【割れ返る】[5自] 산산조각이 나다; 터질 듯이 법석을 떨다; 발칵 뒤집히다. ¶～ような拍手〔騒ぎ〕 장내가 떠나갈 듯한 박수〔소란〕.

われがちに【我勝ちに】[副] (서로) 앞을 다투어. ＝我先に. ¶～かけ出す〔逃げ出す〕 서로 앞을 다투어 뛰쳐나가다〔도망치다〕.

われがね【割れ鐘】《破れ鐘》[名] 금이 간 종; 깨진 종. [参考] 굵고 탁한 큰소리에도 비유됨. ¶～のような声でどなる 굵고 탁한 목소리로 고함을 지르다.

われから【我から】[副]〈雅〉 스스로; 자진해서. ＝自ら. ¶～進んで手をくだす 자진해서 (일에) 착수하다.

われかんせずえん［我関せず焉］[連語] 오불관언; 나는 모른다. ＝我関せず. ¶～といった態度を取る 오불관언의 태도를 취하다.

われさきに【我先に】[副] ☞われがちに.

われしらず【我知らず】[副] 나〔저〕도 모르게; 무의식적으로; 그만. ＝思わず. ¶～居眠りする 나도 모르게 졸다/～口走る 그만 입밖에 내다/～身をのりだしていた 나도 모르게 몸을 내밀고 있었다.

われと【我と】[副] 스스로. ¶～我が身をふり返る 스스로 자기 자신을 돌아보다〔반성하다〕/～我が身をつねって見る 스스로 자기 몸을 꼬집어 보다; 사실인가 아닌가 또는 꿈이 아닌가 하고 확인해 보다.

われながら【我ながら】《我乍ら》[副] 나로서도; 나 스스로도; 내가 한 일이지만. ¶～恥ずかしい 나로서도〔내가 생각해도〕 부끄럽다/～あきれる 나 스스로도 어이가 없다/～よくやったとおもう 나 (자신이 한 일이지만) 나 스스로도 잘했다고 생각한다.

われなべ〖破れ鍋〗[名] 깨진 냄비.

—にとじぶた 어떤 사람에게나 알맞은 짝〔배필〕은 있는 법이다; 헌 짚신에도 짝이 있다.

われにもなく【我にも無く】[連語] 자기〔나〕도 모르게; 무의식 중에. ¶～涙を流す 나도 모르게 눈물을 흘리다.

われぼめ【我褒め】[名][ス自] 스스로 칭찬함; 자찬; 자만. ＝自賛. ¶～が過ぎる 자화자찬이 지나치다/ひそかに～する 은근히 자화자찬하다.

われめ【割れ目】《破れ目》[名] 갈라진 금〔틈〕; 균열. ＝裂け目. ¶壁に～がはいる 벽에 금이 가다.

われもこう〖吾木香·吾亦紅〗[名]〔植〕 오이풀《뿌리는 지혈제로 씀》.

われもの【割れ物】《破れ物》[名] **1** 깨어지기 쉬운 물건. ¶～注意 파손 주의《포장 표기》. **2** 깨진 물건. ¶～は処分する 깨진 물건은 처분한다.

われら【我ら】《我等》[代] 우리. **1** 우리들《좀 격식 차린 말씨로 문어적(文語的)임》. ＝われわれ. ¶～わこうどの責務 우리들 젊은이의 책무/～の代表 우리들의 대표/自由を～に 자유를 우리에게. **2**〈俗·方〉 그대들; 너희들. ＝お前ら. ¶～は役に立たぬ 너희들은 쓸모가 없다. ⇨われ(我)2.

＊＊**わ-れる**【割れる】《破れる》[下1自] **1** 갈라지다; 갈리다; 분열되다. ¶票が～ 표가 갈리다/党が～ 당이 분열되다/意見が～ 의견이 갈라지다 / 仲間が～ 동료가 갈라지다. **2** 터지다. ㉠빠개지다. ¶額が～ 이마가 터지다/頭が～ほど痛む 머리가 빠개질 듯이 아프다/会場も～·れんばかりの大喝采 회장이 떠나갈 듯한 큰 갈채. ㉡금이 가다; 갈라지다. ¶地震で地面がひび～ 지진으로 지면이 금가다. **3** 깨

지다. ㉠부서지다. ¶ガラス〔卵(たまご)〕が～ 유리가〔달걀이〕 깨지다. ㉡(교섭 등이) 성공 못하다. ¶談判(だんぱん)が～ 담판이 깨지다. **4**〈俗〉(숨긴 것이) 드러나다; (몰랐던 것을) 알게 되다. ＝ばれる. ¶秘密(ひみつ)が～ 비밀이 밝혀지다 / 尻(しり)が～ 숨긴 것이 드러나다 / ホシ〔犯人(はんにん)〕が～ 범인이 판명되다. **5** (나눗셈에서) 나머지가 없게 나누어지다. ¶十(じゅう)は二(に)で～ 10은 2로 (우수리 없이) 나누어진다. **6** 잔돈으로 바꿀 수 있다. ＝くずれる. ¶一万円札(いちまんえんさつ)では～·れない 만 엔권으로는 바꿀 수 없다.

—よう (장내가) 떠나갈 듯함. ＝割(わ)れんばかり. ¶～な拍手(はくしゅ) 우레와 같은 박수 / ～な歓声(かんせい) 떠나갈 듯한 함성.

われわれ【我我】 代 ☞われら **1**. ¶～庶民(しょみん)には縁(えん)のないこと〔話(はなし)〕 우리들 서민에겐 상관없는 일〔이야기〕/ ～もあとから伺(うかが)います 저희들도 나중에 찾아 뵙겠습니다 / あの事件(じけん)は～の手(て)におえない 그 사건은 우리들이 감당할 수 없다.

わろ【和露】 名 **1** 일로; 일본과 러시아. **2** '和露辞典(じてん)(＝일로 사전)'의 준말.

わん〘椀·碗〙 名 **1**《椀》(밥·국 따위를 담는) 공기. ¶汁(しる)～ 국그릇 / ～によそう 공기에 담다 / ～に盛(も)る 공기에 수북이 담다. **2** 공기에 담은 음식물의 수를 세는 말: 공기. ¶二(ふた)～の飯(めし) 두 공기의 밥 / めし三(さん)～ 밥 세 공기. **3**《碗》도자기로 된 식기. 注意 철제일 때는 '鋺'으로도 썼음.

***わん【湾】** 名 만. ＝入(い)り江(え)·入(い)り海(うみ). ¶メキシコ～ 멕시코 만 / ～をなす 만을 이루다.

ワン [one] 名 원; 하나. ¶ナンバー～ 넘버원 / ～, ツー, スリーで始(はじ)める 원, 투, 스리로 시작하다.

—カット [one cut] 名 원 컷; 필름이나 화면의 한 장면.

—サイドゲーム [←one-sided game] 名 원사이드 게임; 일방적 경기. ↔クロスゲーム.

—ステップ [one-step] 名 원스텝. **1** 4분의 2박자의 경쾌한 사교춤. **2** 제일보; 제1단계. ¶改革(かいかく)への～ 개혁에의 제일보.

—タッチ [일 one+touch] 名 원터치; 한 번 눌러 간단히 조작·작동함. ¶～ですべて完了(かんりょう) 원터치로 모두 완료됨.

—ツーパンチ [one-two punch] 名 (권투에서) 원투 펀치. ＝ワンツー.

—ナウト [one out] 名〔野〕원 아웃. ＝ワンダン.

—パターン [일 one+pattern] 名ナ 틀에 박힘; 천편일률적임《흔히 융통성이 없거나 변화가 없는 문맥 따위에 쓰임》. ¶～な〔の〕ギャグ 틀에 박힌 개그 / ～でおもしろくない 틀에 박힌 것이어서 재미가 없다.

—ピース [one-piece] 名 원피스. ↔ツーピース·スリーピース.

—ポイント [one point] 名 원 포인트. **1** 한 점; 한곳. ¶～のリード 한 점 리드 / ～に的(まと)をしぼった攻撃(こうげき) 한곳으로 초점을 맞춘 공격. **2** 요점. ¶～レッスン 요점〔중점〕 연습.

—マン [one-man] 名 원맨. **1** 자기 뜻대로만 하는 사람; 독재자. ¶～社長(しゃちょう) 독재 사장. **2** (두 사람 이상이 할 일을) 혼자 함. ¶～バス 원맨 버스《운전사 혼자서 차장 일까지 하는 버스》.

—マンカー [one-man car] 名 원맨 카; 차장이 없는 버스 또는 전(동)차.

わん〘湾〙《灣》 常用 ワン | 만 물굽이 | 만. ¶湾口(わんこう) 만구 / 港湾(こうわん) 항만.

わん〘腕〙 常用 ワン うで かいな | 완 팔 | **1** 팔목; 팔(뚝). ¶腕力(わんりょく) 완력 / 鉄腕(てつわん) 철완. **2** 능력; 솜씨; 실력. ¶手腕(しゅわん) 수완 / すご腕(うで) 대단한 솜씨.

わんがん【湾岸】 名 **1** 만안; 만의 연안. ¶～道路(どうろ) 만안 도로. **2** 페르시아 만 연안의 약칭. ¶～戦争(せんそう) (이라크와 미국의) 걸프 전쟁.

わんきょく【湾曲】《彎曲》 名スル自 만곡; 만굴; 활 모양으로 굽음. ¶～部(ぶ) 만곡부 / 背骨(せぼね)が～している 등뼈가 활 모양으로 굽어 있다.

わんこう【わん公】 名 개를 의인화한 말: 멍멍이; 멍멍개.

わんこう【湾口】 名 만구; 만의 어귀. ↔「湾奥(わんおう)」.

わんさガール 名〈俗〉영화·가극 등의 하급 여우(女優); 또, 무용수《큰 방에 여럿이 있는 데서》. ＝わんさ·大部屋(おおべや)女優(じょゆう). ▷girl.

わんさと 副 **1** 많은 사람이 밀어 닥치는 모양: 우르르. ¶～おしかける 우르르 몰려가다 / 受付(うけつけ)に～人(ひと)が詰(つ)めかける 접수처에 사람이 우르르 몰려들다. **2** 많이 있는 모양: 듬뿍. ¶金(かね)を～持(も)っている 돈을 듬뿍 갖고 있다 / 希望者(きぼうしゃ)は～いる 희망자는 무더기로 있다.

わんしょう【腕章】 名 완장. ¶～をする 완장을 차다 / 案内員(あんないいん)の～を巻(ま)く〔つける〕 안내원 완장을 두르다〔차다〕.

ワンダーフォーゲル [도 Wandervogel] 名 반더포겔. **1** 철새. **2** 집단으로 산야를 도보 여행하며 심신을 단련하는 청년 운동; 또, 그 일단. ＝ワンゲル.

ワンダーランド [wonderland] 名 원더랜드; 불가사의한〔상상의〕 나라; 이야기〔동화〕 속의 나라. ＝おとぎの国(くに).

ワンダフル [wonderful] 名ダナ 원더풀; 멋짐; 멋진〔놀라운〕 모양. ¶～を連発(れんぱつ)する 원더풀을 연발하다.

ワンタン [중 雲呑·餛飩] 名 훈탕《중국식 만두국》. ¶～麺(めん) 훈탕면.

わんにゅう【湾入】《彎入》 名スル自 만입; 바다가 활처럼 뭍으로 굽어듦. ¶海(うみ)が～している地形(ちけい) 바다가 만입한 지형.

わんぱく【腕白】 名ナ 장난꾸러기; 개구

쟁이; 선머슴. ¶~時代 개구쟁이 시절/~坊主 장난꾸러기; 개구쟁이/~小僧 장난꾸러기 아이/うちの~者 우리집 개구쟁이/~盛り 한창 개구쟁이 짓을 할 때/~をする 개구쟁이 짓을 하다. 参考 여자 아이는 'おてんば'라고 함.

わんもり【わん盛り】《椀盛り》图 생선·닭고기와 야채를 맑은 장국에 끓여 대접에 담은 요리《関東 지방의 호칭으로, 関西 지방에서는 '煮物'라고 함》. =ちゃわんもり.

わんりゅう【湾流】图〔地〕(멕시코) 만류.

わんりょく【腕力】图 완력; 팔심. =うでぢから. ¶~が強い 팔심이 세다/~をふるう 완력을 휘두르다/~に訴える 완력에 호소하다/~で押しまくる 완력으로 밀어붙이다/~に物を言わせる 완력을 쓰다.

—ざた〖—沙汰〗图 완력 사태; 주먹다짐. ¶ついに~に及ぶ 끝내 완력〔폭력〕사태에 이르다.

わんわん 一图 〈兒〉 개; 멍멍이.
二感副 **1** 개가 짖는 소리: 멍멍. ¶犬が~ほえる 개가 멍멍 짖다. **2** 심하게 우는 모양: 엉엉. ¶人前もはばからず~(と)泣く 남이 보는 데도 아랑곳하지 않고 엉엉 울다. **3** 소리 따위가 시끄럽게 울리는 모양: 왕왕; 웽웽. ¶スピーカーが~(と)響く 확성기가 왕왕 울리다/蚊が~(と)襲って来る 모기가 웽웽 날아들다.

を ヲ

1 五十音図 'わ行'의 다섯째 음. [o] **2**〔字源〕'遠'의 초서체《かたかな 'ヲ'는 '乎'의 약체》.

を 格助 **1** 동작·작용의 대상이 되는 것을 동적(動的)으로 보고 가리키는 데 씀. ㉠동작·작용의 대상을 가리킴: …을〔를〕; …로 (하여금). ¶こども~泣かせる 어린애를 울리다/山~眺める 산을 바라보다/教え~請う 가르침을 청하다/恩~売る 은혜를 팔다《생색을 내다》. ㉡동작·작용의 결과 이루어진 것을 가리킴: …을〔를〕. ¶湯~沸かす 물을 끓이다/御飯~炊く 밥을 짓다/攻撃~かける 공격을 가하다/そろばん~入れる 주판을 튀기다/苗~育てる 모를 기르다. ㉢이동의 뜻을 가진 동사와 함께 써서, 때·장소, 상대적 위치 등을 가리킴: …을〔를〕; …에. ¶席~立つ 자리를 뜨다/空~飛ぶ 하늘을 날다/橋~渡る 다리를 건너다/夏~海で暮らす 여름을 바다에서 지내다/我が道~行く 나의 길을 가다/山~越す 산을 넘다/山道~登る 산길을 오르다/角~曲がる 모퉁이를 돌다/バス~降りてから三分ほど歩く 버스에서 내려서 3분 정도 걷는다/寝たっきりで五年~送る 자리보전한 채 다섯 해를 보내다/今~盛りと咲きみだれる 꽃이 한창 어우러져 피다. **2** 심정을 나타내는 말과 함께 써서, 그 심정의 대상을 가리킴: …가〔이〕; …를. =が. ¶君~好きだ 네가 좋다; 너를 좋아한다/水~飲みたい 물을 마시고 싶다.

をことてん【をこと点】《乎古止点》图 옛날에, 한문을 훈독하기 위해서, 한자네 귀퉁이에 점·선으로 읽는 법을 표시한 부호. =てには点.

をして 連語《사역(使役)의 말투를 수반하여》…로 하여금. ¶彼~行かしむ 그로 하여금 가게 하다. 参考 한문 훈독체의 말씨.

をば 連語 동작·작용의 목표나 대상을 특히 강조하는 말: 을《格助詞 'を'의 힘줌말》. ¶失礼~致しました 실례를 했습니다/先輩~さしおいて小生ごとき末輩に仰せつけられますこと恐縮至極に存じます 선배를 제쳐 두고 저 같은 말단 후배에게 분부하시다니 더없이 황송하게 생각합니다.

をもって〖を以て〗連語 ☞もって(以て)1.

をや 連語 〈雅〉《보통, 'いわんや…(において)~'의 꼴로》'하물며 …에 있어서랴'의 뜻. ¶犬だに恩を知る. 況や人において~ 개도 은혜를 안다. 하물며 사람에 있어서랴.

ん ん

1 五十音図의 'いろは歌' 이외의 음. [n] **2**〔字源〕'无 또는 毛'의 초서체《かたかな 'ン'은 'レ'에서 왔다고 함》.

ん 一助動 文語 助動詞 'ず'의 連体形 'ぬ'의 전와(轉訛). =ない. ¶いか~ 안돼/知ら~ぞ 모른다/だから言わ~こっちゃない 그러니까 말하지 않았어.
二感 응. **1** 'うん'을 우물거리며 내는 모양. ¶~, まあ, そうだろうね 응, 뭐, 그렇겠지. **2** 양해했거나, 승낙의 표시로 하는 말. =うん. ¶~, わかった 응,

알았어.

んだ 連語 'のだ'의 口語形: …ㄴ 것이다. ¶する~よ 하는 거야《해야 한다》/何をしてる~ 무엇(을) 하고 있는 게냐/彼は何も知らない~から, 聞いてもむだだ 그는 아무것도 모르니까, 물어 봐도 소용없다.

=んち '…の家(=…의 집)'의 압축된 말씨. ¶私~へおいでよ 우리집에 오너라/おれ~がいい 내 집이 좋아/君~のおとうさん, おっかないか? 너의 아버지 무섭잖니.

んで ㊀接助 ☞ので. ㊁連語 **1** 否定의 뜻으로 쓰는 말: …하지 않고; …하지 못하고. ¶お出迎えも致しませ~, 申し訳ございません 마중도 해 드리지 못하여 죄송합니다. **2** 위의 말을 否定하고 얼버무림: …못하고…. ¶なにもおかまいしませ~ 아무 것도 대접해 드리지 못하고.

=んぼ **1** 그러한 상태에 있는 사람·사물임을 나타내는 말. ¶けち~ 구두쇠/甘え~ 응석받이/怒り~ 불뚱이. **2** 어린이의 놀이 이름에 붙이는 말. ¶隠れ~ 숨바꼭질/通せ~ 양팔을 벌려 사람의 통행을 막는 어린이의 장난. 注意 '=ん坊'라고도 함.

=んぼう【ん坊】☞=んぼ.

(편지의) 계절에 따른 인사말

월	인사말	월	인사말
정초	新春〔初春〕の候 신춘〔초춘〕지절.	7월	大暑〔炎暑, 盛夏〕の候 혹서〔염서, 성하〕지절.
1월	厳寒〔酷寒〕の候 엄한〔혹한〕지절.	8월	残暑〔晩夏〕の候 잔서〔만하〕지절.
2월	春寒〔晩冬〕の候 춘한〔만동〕지절.	9월	初秋〔秋涼, 新秋〕の候 초추〔추량, 신추〕지절.
3월	孟春〔早春〕の候 맹춘〔조춘〕지절.	10월	秋冷〔仲秋〕の候 추랭〔중추〕지절.
4월	春暖〔陽春〕の候 춘난지제(之際); 양춘지절.	11월	晩秋〔向寒, 暮秋〕の候 만추〔입동, 모추〕지절.
5월	晩春〔新緑, 初夏〕の候 만춘〔신록, 초하〕지절.	12월	初冬〔寒冷〕の候 초동〔한랭〕지절.
6월	若葉〔麦秋〕の候 신록〔맥추〕지절.	연말	歳末〔歳晩〕の候 세모〔세만〕지절.

부 록

차 례

動詞 활용표

活用의 종류	語例	語幹	未然形	連用形	終止形	連体形	仮定形	命令形	
五段活用	買う	か	かわ かお	かい かっ	かう	かう	かえ	かえ	
	書く	か	かか かこ	かき かい	かく	かく	かけ	かけ	
	継ぐ	つ	つが つご	つぎ つい	つぐ	つぐ	つげ	つげ	
	押す	お	おさ おそ	おし	おす	おす	おせ	おせ	이 行의 動詞에는 音便形은 없음.
	立つ	た	たた たと	たち たっ	たつ	たつ	たて	たて	
	死ぬ	し	しな しの	しに しん	しぬ	しぬ	しね	しね	
	飛ぶ	と	とば とぼ	とび とん	とぶ	とぶ	とべ	とべ	
	読む	よ	よま よも	よみ よん	よむ	よむ	よめ	よめ	
	取る	と	とら とろ	とり とっ	とる	とる	とれ	とれ	
			각 난 위의 形에는 助動詞「せる」「れる」「ない」가 옴。아래의 形에는 助動詞「う」가 옴。	각 난 위의 形은 원래의 連用形。아래의 形은 音便形。원래의 連用形은 글을 중지하는 데 쓰이는 외에 接続助詞「ながら」、副助詞「は」「も」따위가 옴。音便形에는 接続助詞「て・で」、助動詞「た・だ」따위가 옴。	글을 終止함。「な」「よ」등의 終助詞、「が」「から」등의 接続助詞가 옴。	名詞를 수식함。準体言助詞「の」、그 밖에 몇 개의 助詞가 옴。	接続助詞「ば」가 옴。	命令의 뜻을 갖고 글을 終止함。終助詞「よ」따위가 오기도 함。	

活用의 종류	語例	語幹	未然形	連用形	終止形	連体形	仮定形	命令形	
上 一段 活用	おきる	お	おき	おき	おきる	おきる	おきれ	おきろ おきよ	
	信じる	しん	しんじ	しんじ	しん じる	しん じる	しん じれ	しんじろ しんじよ	
下 一段 活用	あける	あ	あけ	あけ	あける	あける	あけれ	あけろ あけよ	
	なげる	な	なげ	なげ	なげる	なげる	なげれ	なげろ なげよ	
カ行 変格活用	くる	(く)	こ	き	くる	くる	くれ	こい	
サ行 変格活用	する	(す)	さ し せ	し	する	する	すれ	しろ せよ	未然形「さ」+ 「せる」「れる」 「し」+「ない」「よう」
	愛する	あい	あいさ あいし あいせ	あいし	あい する	あい する	あい すれ	あいせよ	未然形「さ」+ 「せる」「ない」「れる」 「し」+「よう」
	参加 する	さんか	さんかさ さんかし さんかせ	さんか し	さんか する	さんか する	さんか すれ	さんかしろ さんかせよ	未然形「さ」+ 「せる」「れる」 「し」+「ない」「よう」
	リード する	リード	リードさ リードし	リード し	リード する	リード する	リード すれ	リードしろ リードせよ	未然形「さ」+ 「せる」「れる」 「し」+「ない」「よう」
			助動詞「せる·させる」「ない」「よう」「れる·られる」가 옴。	글을 중지하는 데 쓰이는 외에 接続助詞「て」「ながら」、副助詞「は」「も」、助動詞「た」 따위가 옴。	글을 終止함。「な」「よ」 따위의 終助詞、「が」「から」 따위의 接続助詞가 옴。	名詞를 수식함。準体言助詞「の」、그 밖의 몇 개의 助詞가 옴。	接続助詞「ば」가 따름。	명령의 뜻을 갖고 글을 終止함。각 난 위의 「…ろ」로 끝나는 形은 구어적。여기에는 終助詞「よ」가 오는 일이 있음。	

形容詞 활용표

語例	語幹	未然形	連用形	終止形	連体形	仮定形	命令形	
よい	よ	よかろ	よく よう よかっ	よい	よい	よけれ		連用形「…く」로 끝나는 形―글을 중지함. 또, 副助詞「は」「も」가 옴. 連用形「…かっ」으로 끝나는 形―助動詞「た」등이 옴.
白い	しろ	しろ かろ	しろく しろう しろかっ	しろい	しろい	しろ けれ		
嬉しい	うれし	うれし かろ	うれしく うれしう うれしかっ	うれ しい	うれ しい	うれし けれ		
		助動詞「う」가 옴。	글을 중지하는 데 쓰이는 외에 動詞、副助詞「は」「も」、助動詞「た」등이 옴。	글을 終止함。「な」「よ」등의 終助詞、「が」「から」등의 接続助詞가 옴。	名詞를 수식함。準体言助詞「の」、그 밖의 몇 개의 助詞가 옴。	接続助詞「ば」가 옴。		

形容動詞 활용표

語例	語幹	未然形	連用形	終止形	連体形	仮定形	命令形	
しずか	しずか	しずか だろ	しずかで しずかに しずかだっ	しずか だ	しずか な	しずか なら		連用形「…で」로 끝나는 形―글을 중지함. 또, 副助詞「は」「も」가 옴. 連用形「…に」로 끝나는 形―動詞, 副助詞「は」「も」가 옴. 連用形「だっ」으로 끝나는 形―助動詞「た」등이 옴.
きれい	きれい	きれい だろ	きれいで きれいに きれいだっ	きれい だ	きれい な	きれい なら		
シック	シック	シック だろ	シックで シックに シックだっ	シック だ	シック な	シック なら		
		助動詞「う」가 옴。	글을 중지하는 데 쓰이는 외에 動詞、副助詞「は」「も」、助動詞「た」등이 옴。	글을 終止함。「な」「よ」등의 終助詞、「が」「から」등의 接続助詞가 옴。	名詞를 수식함。準体言助詞「の」、그 밖의 몇 개의 助詞가 옴。	接続助詞「ば」가 옴。그대로도 쓰임。		

助動詞 활용표

종류	語	未然形	連用形	終止形	連体形	仮定形	命令形	
사 역	せる させる	せ させ	せ させ	せる させる	せる させる	せれ させれ	せろ (せよ) させろ (させよ)	「せる」는 五段・サ変의 動詞에 붙음. 「させる」는 그 밖의 動詞에 붙음.
수 동	れる られる	れ られ	れ られ	れる られる	れる られる	れれ られれ	れろ (れよ) られろ (られよ)	「れる」는 五段・サ変의 動詞에 붙음. 「られる」는 그 밖의 動詞에 붙음.
가능・자발・존경	れる られる	れ られ	れ られ	れる られる	れる られる	れれ られれ		
희 망	たがる	たがら	たがり たがっ	たがる	たがる	たがれ		
	たい	たかろ	たく たかっ	たい	たい	たけれ		
공 손	ます	ませ ましょ	まし	ます	ます	ますれ	ませ	命令形은 「いらっしゃる」「くださる」 등에만 붙음.
단 정	だ	だろ	で だっ	だ	な	なら		
공손한 단 정	です	でしょ	でし (で)	です	(です)			
부 정	ない		なく なかっ	ない	ない	なけれ		
	ぬ (ん)		ず	ぬ (ん)	ぬ (ん)	ね		
과거・완료 등	た だ	たろ だろ		た だ	た だ	たら だら		「だ」는, ガ行, ナ行, バ行, マ行의 五段活用動詞에 붙음. 「た」는 그밖의 動詞, 그 밖의 活用語에 붙음.
추 량 양 태	そうだ	そうだろ	そうで そうだっ	そうだ	そうな	そうなら		動詞의 連用形, 形容詞, 形容動詞의 어간에 붙음.
추 량 (推量)	らしい		らしく らしかっ	らしい	らしい			
	ようだ	ようだろ	ようで ように ようだっ	ようだ	ような	ようなら		
전 문	そうだ		そうで	そうだ				活用語의 終止形에 붙음.
의 지 추 량	う よう			う よう	(う) (よう)			「う」는 五段活用動詞, 形容詞, 形容動詞 등에 붙음. 「よう」는 五段活用 이외의 動詞에 붙음.
부정의 의지・추량	まい			まい	(まい)			

한자(漢字)의 음(音)과 훈(訓)의 길잡이

Ⅰ. 한자의 부수와 획수로 한국음 찾아보기

1. "부수 검자(部首檢字)"와 "한국음 찾아보기"의 2부분으로 나누었다.
2. "부수 검자"는 모든 부수와 부수를 판별하기 힘드는 약간의 한자를 총획순으로 배열한 찾아보기이다.
3. 한자 다음의 숫자는 "한국음 찾아보기(p.1757)"에서 소재 면수이고, 그 다음의 ①②③④⑤는 단(段)을 나타낸다.
4. "한국음 찾아보기"는 부수마다 획수순으로 배열하였다. 부수의 분류 방법은 오늘날까지 널리 행해져 온 예에 따랐으나, 현행 한자체로서 자획 구별을 하기 어려운 것은 편의상 통합하였다.
   보기 匚과 匸　　　艹과 艹　　　月과 月(肉)
   종래의 부수 이외에 편의상 몇몇 새로운 부수를 마련하였다.
   보기 ⺍(営・単)　　　⺈(危・争)　　　其(欺・碁)
5. 부수를 혼동하기 쉬운 한자는 검색(檢索)의 편의를 위해서 2개 이상의 부수에 중복해서 내세우고, 그 음(音) 다음에 본디 부수는 →로 인도하였다.
   보기 〚*鳴〛명 →鳥部　　　〚*応〛응 →心部

Ⅱ. 한국음으로 일본 음훈 찾기

1. "한국음으로 일본 음훈 찾기"(1783페이지 이하)에 ㄱㄴ순으로 배열하여 표제로 내세운 한자는, 본문 중에 수록한 한자모(漢字母) 약 2,170자와 그 밖에 비교적 자주 쓰이는 한자 등 약 4,100여 자이다.
2. 음(音)・훈(訓)은 주요한 것만을 보였다.
3. 표제 한자의 음은 *カタカナ*로, 훈은 *ひらがな*로 표기하였다.
   외래어의 취음자(取音字)는 *カタカナ*로 끝에 실었다.
   보기 불 〚×弗〛フツ　ず・あらず・ドル
   '상용(常用)한자표'에 있는 음・훈은 고딕체로 표시하였다.
   보기 사〚卸〛**シャ　おろす・おろし**　　핵〚劾〛**ガイ**
4. 표제 한자가 앞에 오는 숙어 중, 읽기가 어렵다고 생각되는 중요어에 대해서는 그 읽는 법을 예로 보였다.
   보기 〚*行〛**コウ・ギョウ・アン　いく・ゆく・おこなう**
   行灯 あんどん
   行方 ゆくえ
5. 일본에서 만든 한자는 편의상 종래의 통례적인 음에 따라 배열하였다.
6. 표제 한자에 붙인 기호는 다음과 같다.
   〚* 〛교육(教育)한자
   〚 〛상용(常用)한자
   〚^ 〛인명용(人名用) 한자
   [ ] 구자체(舊字體)
   〚× 〛상용한자・인명용 한자 이외의 한자

Ⅲ. 획수로 일본 한자 음훈 찾기

1. 일본에서 만든 한자는, 몰아서 획수별로 배열하여 일본어 음훈을 보였다.
2. 표제 한자에 붙인 기호는 위의 Ⅱ항 6번의 경우와 같다.

제 1 부 한자의 부수와 획수로 한국음 찾아보기

1) 부수 검자(檢字)

一畫

一 1757①
丨 1757②
丶 1757③
丿 1757③
乙(乚) 1757④
亅 1757④

二畫

二 1757④
亠 1757⑤
人 1758①
𠆢 1758②
亻 1758②
儿 1758⑤
入 1759①
八 1759①
冂 1759①
冖 1759②
冫 1759②
几 1759②
凵 1759③
刀 1759③
刂 1759③
力 1759④
勹 1759⑤
匕 1759⑤
匚 1759⑤
匸→匚 1759⑤
十 1759⑤
卜 1760①
卩(㔾) 1760①
厂 1760②
厶 1760②
又 1760③
𠂊 1760③
リ 1760④
㐅 1760④
𠂉 1760④
九 1760④
了 1760④

丁 정 1757①
七 칠 1757①
乃 내 1757③

三畫

口 1760④
囗 1761③
土 1761④
士 1762①
夂 1762①
夊→夂 1762②
夕 1762②
大 1762②
女 1762③
子 1762④
宀 1762⑤
寸 1763②
小 1763②
⺌ 1763②
⺍ 1763③
尢 1763③
尸 1763③
屮 1763④
山 1763④
巛(川) 1763⑤
工 1763⑤
己 1763⑤
巾 1764①
干 1764①
幺 1764②
广 1764②
廴 1764③
廾 1764③
弋 1764④
弓 1764④
彐(彑) 1764④
彑 1764④
彡 1764⑤
彳 1764⑤
忄→心 1766②
扌→手 1766⑤
氵→水 1770②
犭→犬 1771⑤
艹→艸 1776④
辶(辵) 1765①
阝(右) 1765③
阝(左) 1765④
丬 1765⑤
久 1765⑤
业 1765⑤

万 만 1757①
丈 장 1757①
三 삼 1757①
上 상 1757①
下 하 1757①
与 여 1757①
丸 환 1757③
之 지 1757③
久 구 1757③
乞 걸 1757④
也 야 1757④
于 우 1757⑤
亡 망 1757⑤
凡 범 1759②
刃 인 1759③
刅 인 1759③
勺 작 1759⑤
千 천 1760①
叉 차 1760③
及 급 1760③
孑 혈 1762④
已 이 1763⑤
巳 사 1763⑤

四畫

心(忄) 1765⑤
(㣺) 1766②
戈 1766③
戶 1766④
手 1766④
扌 1766⑤
支 1767③
攴(攵) 1767③
文 1767④
斗 1767④
斤 1767⑤
方 1767⑤
无 1767⑤
日(曰) 1768①
曰→日 1768①
月(⺝) 1768③
木 1768⑤
欠 1769⑤
止 1769⑤
歹 1770①
殳 1770①
毋 1770①
比 1770②
毛 1770②
氏 1770②
气 1770②
水 1770②
(氵) 1770②
火 1771②
灬 1771③
爪 1771④
爫(⺤) 1771④
父 1771④
爻 1771④
片 1771④
爿 1771④
牙 1771⑤
牛(牜) 1771⑤
犬 1771⑤
(犭) 1771⑤
王(玉) 1772①
礻→示 1773⑤
⺝→月 1768③
艹→艸 1776④
辶→辶 1765①
耂 1772②
𠂒 1772②
开 1772③
井 1772③
廿 1772③
予 1772③
龶 1772③
龷 1772③

不 불 1757①
丑 축 1757①
中 중 1757②
丹 단 1757③
之 지→三畫
乏 핍 1757③
云 운 1757⑤

五畫

六畫

九畫

十畫

2) 한국음 찾아보기

一部

丨部

丶部

丿部

乙乚部

亅部

二部

亠部

盲 맹 →目部
育 육 →月部
亭 정
亮 량
哀 애 →口部
変 변 →攴部
帝 제 →巾部
表 표 →衣部
彦 언 →彡部
恋 련 →心部
旁 방 →方部
畜 축 →田部
衰 쇠 →衣部
高 고 →高部
斎 재 →齊部
産 산 →生部
商 상 →口部
毫 호 →毛部
牽 견 →牛部
率 솔 →玄部
竟 경 →立部
章 장 →立部
蛮 만 →虫部
就 취 →尢部
敦 돈 →攴部
意 의 →心部
棄 기 →木部
童 동 →立部
裏 리 →衣部
膏 고 →月部
豪 호 →豕部
褒 포 →衣部

人 𠆢·亻 部

人 인
仄 측
内 내 →入部
以 이
囚 수 →口部
坐 좌 →土部
巫 무 →工部
臥 와 →臣部
来 來 래
俎 조
閃 섬 →門部

(𠆢)

今 금
介 개
令 령
企 기
会 회 →日部
全 전 →入部
合 합 →口部
余 여
含 함 →口部
舎 사 →舌部
命 명 →口部
念 념 →心部
倉 창
拿 나 →手部
僉 첨
傘 산
禽 금 →内部
舗 포 →舌部

(亻)

仁 인
仇 구
仏 佛 불
什 십
化 화 →匕部
仔 자
仕 사
他 타
付 부
仙 선
代 대
仰 앙
仲 중
件 건
任 임
伊 이
伍 오
伎 기
伏 복
伐 벌
休 휴
仮 假 가
伝 傳 전
伯 백
佝 구
伴 伴 반
伸 신
伺 사
似 사
伽 가
佃 전
但 단
佇 저
位 위
低 저
住 住 주
佐 좌
体 체
何 하
佛 불
作 작
佩 패
佳 가
併 併 병
使 사
例 례
侍 시
供 공
依 의
侃 간
佶 길
佯 양
侏 주
価 價 가
侮 侮 모
侯 후
侵 侵 침
便 편·변
係 계
促 촉
俄 아
俊 준
俗 속
俘 부
俚 리
保 보
俠 협
信 신
俤 일본한자
俥 일본한자
俣 일본한자
俯 부
俱 구
俳 배
俵 표
俸 봉
俺 암·엄
修 수
併 병
倅 쉬
個 개
倍 배
候 후
倒 도
倖 행
借 차
倚 의
倣 방
値 치
倦 권
倫 륜
倭 왜
倹 儉 검
假 가
偏 偏 편
停 정
健 건
偓 악
偸 투
偕 해
偲 시
側 측
偵 정
偶 우
傀 괴
偽 僞 위
傍 방
備 비
偉 위
偃 언
催 최
傭 용
傲 오
傳 전
傴 구
債 채
傷 상
傾 경
僅 근
働 일본한자
僧 僧 승
絛 조 →糸部
傑 걸
像 상
僕 복
僚 료
僥 요
價 가
僻 벽
儀 의
億 억
儉 검
儒 유
償 상
優 우
儲 저

儿部

允 윤
元 원
兄 형
充 충

兆 조
兇 흉
先 선
光 광
克 극
秃 독
兑 태
児 兒 아
兎 토
免 免 면
党 당
兜 도

入部

入 입
内 内 내
全 全 전
兩 両 량

八部

八 팔
公 공
六 륙
分 분 →刀部
共 공
兵 병
谷 곡 →谷部
其 기
具 具 구
典 전
酋 추 →酉部
兼 兼 겸
曾 증 →日部
釜 부 →金部
翁 옹 →羽部
奠 전 →大部
爺 야 →父部
輿 홍 →臼部

冂部

巾 건 →巾部
内 내 →入部
円 원 →囗部
冊 册 책
再 재
同 동 →口部
肉 육 →肉部
罔 강 →山部
冒 冒 모
冕 면

冖部

冗 용
写 사 →宀部
冠 관
軍 군 →車部
冥 명

冫部

冬 冬 동
兆 조 →儿部
冴 호
次 차 →欠部
冶 야
冷 랭
凄 처
准 준
凋 조
凌 릉
凍 동
凜 름
凝 응

几部

几 궤
凡 凡 범
処 처
凧 일본한자
凩 일본한자
凪 일본한자
夙 숙 →夕部
凭 빙
風 풍 →風部
凰 황
凱 개
鳳 봉 →鳥部

凵部

凶 흉
凸 철
凹 요
出 출
函 함
画 화 →田部
幽 유 →幺部

刀刂部

刀 도
刃 刃 인
分 분
切 절·체
召 소 →口部
初 초
券 劵 권
剪 전

(刂)

刈 예
刊 간
刑 형
列 렬
判 判 판
別 별
利 리
到 도
刳 고
制 제
刷 쇄
刮 괄
刹 찰
刺 자
刻 각
剃 체
剌 랄
則 칙
削 削 삭
前 前 전
荊 형 →艸部
剖 부
剛 강
剝 박
剣 劍 검
剔 척
剤 劑 제
剰 剩 잉
副 부
剳 답
割 割 할
創 창
剽 표
劃 획
劇 극

力部

力 력
功 공
加 가
幼 유 →幺部
劣 렬
助 조
努 노
劫 겁
労 勞 로
励 勵 려
男 남 →田部
効 효
劾 핵
勃 발
勅 칙
勇 勇 용
架 가 →木部
勉 勉 면
勒 륵
動 동
勘 감
務 무
勝 勝 승
募 모
勤 勤 근
勢 세
勧 勸 권
勲 勳 훈

勹部

勺 작
勾 구
勿 물
匂 일본한자
匁 일본한자
包 包 포
匈 흉
句 구 →口部
旬 순 →日部
匍 포
匐 복
匏 포

匕部

匕 비
化 化 화
比 비 →比部
北 북
旨 지 →日部
能 능 →月部
匙 시
頃 경 →頁部

匚部

巨 거 →工部
匹 필
区 區 구
匠 장
匡 광
臣 신 →臣部
医 의
匿 닉
匪 비
匸部 →匚部

十部

十 십
千 천
升 승
午 오
支 지 →支部
半 半 반
古 고 →口部
早 조 →日部
卍 만
克 극 →儿部
卒 졸
卓 탁
協 협
卑 卑 비
南 남
単 단 →口部
索 삭 →糸部
隼 준 →隹部
博 博 박
傘 산 →人部
準 준 →氵部

卜部

卜 복
上 상 →一部
下 하 →一部
不 불 →一部
占 점
卓 탁 →十部
卦 괘
叔 숙 →又部
貞 정 →貝部
点 점 →黑部

卩 㔾部

厄 액 →厂部
令 령 →人部
叩 고 →口部
卯 묘
印 인
危 위
即 卽 즉
却 각
卵 란
巻 卷 권
卸 사
脚 각 →月部
御 어 →彳部
卿 경

厂部

仄 측 →人部
厄 액
反 반 →又部
圧 압 →土部
灰 회 →火部
成 성 →戈部
厓 애
辰 진 →辰部
励 려 →力部
厖 방
厘 리
厚 후
威 위 →女部
原 원
唇 순 →口部
辱 욕 →辰部
厠 측
厨 주
厩 구
雁 안 →隹部
厦 하
厭 염
歴 력 →止部
暦 력 →日部
願 원 →頁部
贋 안 →貝部

厶部

云 운 →二部
允 윤 →儿部
公 공 →八部
去 거
台 태 →口部
弁 변 →廾部
矣 의 →矢部
参 參 삼·참
怠 태 →心部
能 능 →月部

又部

又 우
叉 차
及 及 급
友 우
双 쌍
反 반
収 수 →攴部
叔 숙
取 취
受 受 수
版 판 →片部
叙 서 →攴部
叛 반
度 도 →广部
桑 상 →木部
隻 척 →隹部
曼 만 →日部
馭 어 →馬部
綴 철 →糸部
叡 예
叢 총

⺈部

久 구 →丿部
危 위 →卩部
色 색 →色部
争 쟁 →爪部
角 각 →角部
免 면 →儿部
急 급 →心部
負 부 →貝部
勉 면 →力部
亀 귀 →龜部
魚 어 →魚部
象 상 →豕部

リ部

帰 귀 →止部

乂部

凶 흉 →凵部
区 구 →匚部
刈 예 →刀部
兇 흉 →儿部
希 희 →巾部
肴 효 →月部

𠂉部

乞 걸 →乙部
午 오 →十部
牛 우 →牛部
乍 사 →丿部
矢 시 →矢部
気 기 →气部
年 년 →干部
毎 매 →毋部
無 무 →火部
舞 무 →舛部

九部

九 구 →乙部
丸 환 →丶部
仇 구 →亻部
旭 욱 →日部
鳩 구 →鳥部
雑 잡 →隹部

了部

了 료 →亅部
子 자 →子部
丞 승 →一部
亨 형 →亠部
函 함 →凵部
承 승 →手部

口部

口 구
中 중 →丨部
古 고
句 구
叩 고
只 지
召 소
可 가
叮 정
台 태
叱 질
史 사
右 우
叶 협
号 호
司 사
兄 형 →儿部
占 점 →卜部
叫 叫 규
吃 흘
各 각
合 합
吉 길
吊 조
同 동
名 명
后 후
吏 리
吐 토
向 향
吸 吸 흡
吋 촌
舌 설 →舌部
含 함
呈 呈 정
呉 吳 오
吹 취
吻 문
吾 오
君 군
吝 린
呑 탄
吟 음

吠 폐
否 부
告 告 고
呂 려
呆 매·보
吶 눌·납
呎 척
別 별 →刀部
串 곶 →丨部
杏 행 →木部
周 周 주
呪 주
味 미
呵 가
呻 신
呼 호
命 명
咀 저
咄 돌
和 화
咎 구
咨 자
咳 해
咸 함
咽 인
哀 애
品 품
哄 홍
咫 지
哉 재
咲 咲 소
哥 가
員 원
哨 초
哩 리
哲 철
唄 패
唆 사
唇 순
唉 희
唐 唐 당
唯 유
唱 창
啖 담
啗 담
唳 려
啜 철
唸 념
唾 타
啄 啄 탁
啀 애
啣 함
商 상
問 문
啓 啓 계
售 수
啞 아
善 선
喉 후
喋 첩
喘 천
喚 환
喜 희
喝 喝 갈
喞 즉
喧 훤
喩 유
喫 喫 끽
喇 라
啻 시
喬 교
單 单 단
喪 상
喰 손
営 영 →火部
嗅 후
嗚 오
嗜 기
嗟 차
嗣 사
嘆 嘆 탄
嘉 가
嘔 구
嘗 상
噓 허
嘩 화
鳴 명 →鳥部
嘯 소
嘱 囑 촉
嘲 조
嘴 취
噂 준
噌 쟁·증
器 器 기
噴 분
噫 희
噪 조
噺 일본한자
噯 애
嚆 효
嚇 하·혁
嚠 류
嚙 교
嚬 빈
嚴 厳 엄
囁 섭
囃 잡
囊 낭
囈 예

口部

囚 수
四 사
田 전 →田部
回 회
因 인
団 團 단
囮 와
困 곤
囲 圍 위
図 圖 도
固 고
国 國 국
圃 포
圏 圈 권
園 원
圓 円 원

土部

土 토
去 거 →厶部
圧 壓 압
吐 토 →口部
在 재
圭 규
地 지
庄 장 →广部
寺 사 →寸部
至 지 →至部
坂 판
均 균
坊 방
坐 좌
坑 갱
孝 효 →子部
走 주 →走部
赤 적 →赤部
卦 괘 →卜部
坤 곤
坩 감
坦 탄
坪 坪 평
垂 수
幸 행 →干部
里 리 →里部
哉 재 →口部
型 형
垢 구
垣 원
城 城 성
封 봉 →寸部
埃 애
埋 매
埒 날
栽 재 →木部
域 역
埠 부
埴 치
執 집
培 배
基 기
堊 악
埼 기
堀 굴
堂 당
堅 견
堆 퇴
堡 보
堤 제
埤 비
堪 감
堰 언
報 보
場 장
堺 계
塀 일본한자
堕 墮 타
塔 탑
尭 堯 요
塁 壘 루
裁 재 →衣部
超 초 →走部
塊 괴
塑 소
塗 도
塚 塚 총
塞 새·색
塡 전
塩 염 →鹵部
塵 진
墓 묘
載 재 →車部
塾 숙
境 경
増 增 증
墨 墨 묵
截 절 →戈部
赫 혁 →赤部
墜 墜 추
墳 분

壞 壊 괴
墺 오
墾 간
壁 벽
壇 단
壓 압
壕 호
戴 대 →戈部
趨 추 →走部
壘 루
壜 담
壚 로
壟 롱
壤 壌 양

士部

士 사
壬 임
壯 壮 장
吉 길 →口部
声 성
壱 壹 일
売 매 →貝部
志 지 →心部
壺 호
壻 서
喜 희 →口部
殼 각 →殳部
壽 寿 수
嘉 가 →口部
橐 탁 →木部
穀 곡 →禾部

夊部

冬 동 →冫部
処 처 →几部
各 각 →口部
麦 맥 →麥部
条 조 →木部
咎 구 →口部
変 변 →攴部
夏 하
愛 애 →心部
夊部→夂部

夕部

夕 석
外 외
多 다
夙 숙
名 명 →口部
夜 야
移 이 →禾部
夢 몽
夥 과

大部

大 대
天 천
太 태
夫 부
犬 견 →犬部
夭 요
央 앙
失 실
夷 이
尖 첨 →小部
因 인 →囗部
夾 협
奇 기
奈 내
奉 봉
奄 엄
奔 奔 분
奏 주
契 契 계
美 미 →羊部
套 투
奚 해
泰 태 →水部
秦 진 →禾部
臭 취 →自部
奠 전
奢 사
奧 奥 오
奬 獎 장
奪 탈
器 기 →口部
奮 분

女部

女 녀
奴 노
奸 간
好 호
如 여
妄 망
妃 비
安 안 →宀部
妊 임
妓 기
妖 요
妙 묘
妥 妥 타
妨 방
努 노 →力部
姐 저
妬 투
妹 매
妻 처
妾 첩
姉 자
始 시
姑 고
妲 달
姓 성
委 위
姦 간
姪 질
姸 연
姻 인
姿 姿 자
威 위
怒 노 →心部
要 요 →襾部
姬 姫 희
娑 사
娘 낭
娠 신
娩 만
娛 娯 오
娶 취
娼 창
婆 파
婁 루
婉 완
婚 혼
婀 아
娵 취
婢 비
婦 婦 부
婿 서
媒 매
媚 미
嫁 가
嫂 수
嫉 질
嫌 嫌 혐
媾 구
嫣 언
嫡 적
嬉 희
嬌 교
孃 嬢 양
嬰 영
嬥 조
嬲 뇨

子部

子 자
孑 혈
孔 공
仔 자 →人部
字 자
孕 잉
存 존
好 호 →女部
孝 효
李 리 →木部
享 향 →亠部
孟 맹
季 계
孤 고
学 學 학
孫 손
孰 숙
孵 부
孶 자

宀部

穴 혈 →穴部
宅 택
宇 우
守 수
安 안
字 자 →子部
宋 송
完 완
宍 육
宏 굉
究 구 →穴部
牢 뢰 →牛部
宗 종
官 관
宙 주
定 정
宛 완
宜 의
宝 寶 보
実 實 실
空 공 →穴部
突 돌 →穴部
客 객
室 실
宣 선
穿 천 →穴部
窃 절 →穴部
宮 궁
宰 재

寸部

小⺌部

(⺌)

⺍部

尢部

尸部

屮部

山部

巛川部

工部

己部

忌 기 →心部
改 개 →攴部
巻 권 →卩部
巷 항
巽 巽 손

巾部

巾 건
市 시
布 포
凧 →几部
帆 범
希 희
吊 조 →口部
帖 첩
帛 백
帚 추
帝 제
帥 수
師 사
席 석
帯 帶 대
帳 장
常 상
帷 유
帽 帽 모
幅 폭
幇 방
幌 황
幕 막
幟 치
幡 번
幣 幣 폐

干部

干 간
刊 간 →刀部
平 平 평
年 년
早 조 →日部
幸 행
栞 간 →木部
軒 헌 →車部
幹 간

幺部

幻 환
幼 유
玄 현 →玄部
糸 사 →糸部
幽 유
胤 윤 →月部
率 솔 →玄部
郷 향 →阝部
幾 기
麼 마 →麻部
畿 기 →田部

广部

広 廣 광
庁 廳 청
庄 장
庇 비
床 상
序 서
応 응 →心部
底 저
庖 포
店 점
庚 경
府 부
度 도·탁
座 좌
庫 고
庭 정
唐 당 →口部
席 석 →巾部
庵 암
庶 서
康 강
庸 용
鹿 록 →鹿部
麻 마 →麻部
廃 廢 폐
廊 廊 랑
廂 상
廉 廉 렴
廓 곽
塵 진 →土部
麼 마 →麻部
腐 부 →肉部
廟 묘
廠 창
廣 광
慶 경 →心部
摩 마 →手部
麾 휘 →麻部
磨 마 →石部
麿 일본한자
靡 미 →非部
魔 마 →鬼部
廳 청
鷹 응 →鳥部

廴部

廷 廷 정
延 延 연
建 건
廻 회
廼 내

廾部

廿 입
升 승
甘 감 →甘部
弁 변
共 공 →八部
弄 롱
形 형 →彡部
戒 계 →戈部
奔 분 →大部
巷 항 →己部
恭 공 →心部
鼻 비 →鼻部
弊 弊 폐

弋部

代 대 →人部
弐 이 →貝部
式 식
武 무 →止部
鳶 연 →鳥部

弓部

弓 궁
弔 조
引 인
弗 불
弘 홍
夷 이 →大部
弛 이
弟 제
弦 현
弥 彌 미
弧 호
弩 노
弱 弱 약
躬 궁 →身部
張 장
強 强 강
弾 彈 탄
粥 죽 →米部
費 비 →貝部
彎 만

ヨ(彐)

彑部

丑 축 →一部
君 군 →口部
帚 추 →巾部
彗 혜
粛 숙 →聿部
雪 설 →雨部
尋 심 →寸部

(彑)

互 호 →二部
剝 박 →刀部
彙 휘

彡部

形 형
参 삼 →厶部
彦 彥 언
彬 빈
彩 彩 채
彫 彫 조
彪 표
須 수 →頁部
彰 창
影 영
膨 팽 →月部
鬱 울 →鬯部

彳部

行 행
彷 방
役 역
彼 피
往 往 왕
征 정
径 徑 경
待 대
律 률
後 후
衍 연
徐 서
徒 도
徜 상
従 從 종
徙 사
徠 래
得 득
徘 배
衒 현
術 術 술
復 부·복
循 순

辶辶部

阝(右)部

阝(左)部

丬爿部

久部

䒑部

心忄·⺗部

念 념
忿 분
怎 즘
怒 노
思 사
怠 태
急 急 급
怨 원
恁 임
恐 恐 공
恣 자
恥 치
恩 은
恭 공
息 식
恵 惠 혜
恋 戀 련
悉 실
悠 유
患 환
悪 惡 악
窓 창 →穴部
悲 비
悶 민
惑 혹
惣 일본한자
想 상
惹 야
愁 수
愈 유
意 의
愚 우
愛 애
感 감
慈 자
慇 은
態 태
慕 모
慧 혜
慫 종
慮 려
慰 위
慶 경
慾 욕
憂 우
憑 빙
慙 참
憩 게
憲 憲 헌
懇 간
應 응
懲 懲 징
懸 현
戀 련

(忄)

忖 촌
忙 忙 망
快 쾌
忸 뉵
怖 포
怜 령
性 성
怪 괴
怯 겁
恪 각
恒 恆 항
恨 한
恢 회
恰 흡
恬 념
恍 황
悔 悔 회
悄 초
悚 송
悦 悅 열
悌 제
悍 한
悛 전
悟 오
悩 惱 뇌
悧 리
悴 췌
悼 도
情 情 정
惚 홀
惜 석
惟 유
惨 慘 참
惰 타
惶 황
愉 愉 유
愕 악
慌 慌 황
慎 愼 신
慄 률
慨 慨 개
慢 만
慣 관
憎 憎 증
憐 련
憚 탄
憤 분
憧 동
憫 민
憶 억
慳 간
懈 해
憾 감
懐 懷 회
懺 참
懼 구

戈部

戈 과
戊 무
戌 술
戎 융
成 成 성
我 아
戒 계
或 혹
哉 재 →口部
威 위 →女部
栽 재 →木部
戚 척
戟 극
惑 혹 →心部
幾 기 →幺部
裁 재 →衣部
戦 戰 전
戛 알
歳 세 →止部
義 의 →羊部
賊 적 →貝部
載 재 →車部
截 절
戯 戲 희
畿 기 →田部
戴 대

戸部

戸 戶 호
戻 戾 려
房 房 방
所 所 소
肩 견 →月部
扁 편
扇 扇 선
扈 호
啓 계 →口部
扉 扉 비
雇 고 →隹部
肇 조 →聿部
顧 고 →頁部

手扌部

手 수
承 승
拝 배
看 간 →目部
拳 拳 권
拿 나
挙 擧 거
掌 장
掣 철
摩 摩 마
撃 擊 격
攀 반

(扌)

才 재
打 타
払 拂 불
扛 강
托 탁
扱 扱 급
扮 분
扶 부
批 비
抉 결
技 기
抄 초
把 파
抑 억
抒 서
投 투
抗 항
折 절
択 擇 택
抜 拔 발
披 피
抵 저
抹 말
抽 추
拈 념
押 압
拂 불
担 擔 담
拇 무
拉 랍
拋 포
拍 박
拐 괴
拒 拒 거
拓 척·탁
拗 요
拙 졸
拘 구
招 초

支部

攴攵部

文部

斗部

斤部

方部

无部

日曰部

月月部

木部

杜 두
杞 기
束 속
条 條 조
杭 항
東 동
杳 묘
杵 저
杯 배
松 송
板 판
枇 비
枌 분
析 석
枕 침
林 림
枚 매
果 과
枝 지
枢 樞 추
枠 일본한자
采 채 →釆部
枯 고
柞 작
枳 지
架 가
枸 구
柹 시
柄 柄 병
柊 柊 종
某 모
柑 감
染 염
柔 유
柏 백
柘 자
柚 유
柩 구
柱 柱 주
柳 류
查 사
柵 책
柾 일본한자
栃 일본한자
栄 榮 영
相 상 →目部
柴 시
栓 전
栖 서
栗 률
栞 간
校 교
株 주
核 핵
根 근
格 격
栽 재
桁 형·항
桂 계
桃 도
案 안
桐 동
桑 상
桔 길
桜 櫻 앵
梅 梅 매
栴 전
桟 棧 잔
巣 소 →巛部
桶 통
梭 사
桿 간
梁 량
梃 정
梓 재
梗 경
條 조
梟 효
梢 초
梧 오
梛 나
梔 치
梨 리
梯 제
械 계
梶 정
梵 범
麻 마 →麻部
棄 기
棉 면
棋 기
棊 기
棒 봉
棕 종
棘 극
棚 붕
棟 동
棧 잔
森 삼
棲 서
棹 도
棺 관
椀 완
椅 의
植 식
椎 추
検 檢 검
集 집 →隹部
椿 춘
楊 양
楞 릉
楳 매
椽 연
楓 풍
楔 설
楕 타
楚 초
楠 남
楡 유
楢 유
椰 야
楫 즙
業 업
楮 저
楯 순
極 극
楷 해
楼 樓 루
楽 樂 악·락
禁 금 →示部
榎 가
榠 명
榛 진
榧 비
榮 영
榴 류
槃 반
槙 전
構 構 구
槌 추·퇴
槍 창
榊 일본한자
様 樣 양
橐 탁
概 槪 개
模 모
槻 규
槿 근
槽 조
樋 통
樗 저
標 표
樞 추
樟 장
樫 일본한자
横 橫 횡
権 權 권
樵 초
樸 박
樹 수
樺 화
樽 준
橄 감
橇 취·교
橋 교
橘 귤
橙 등
橈 요
機 機 기
檀 단
檄 격
檜 회
檢 검
檣 장
檸 영
檳 빈
檻 함
櫂 도
櫓 로
櫛 즐
櫟 력
欄 欄 란
麓 록 →鹿部
櫻 앵
櫺 령
權 권
鬱 울 →鬯部

欠部

欠 흠
次 次 차
吹 취 →口部
欣 흔
欧 歐 구
姿 자 →女部
欲 욕
軟 연 →車部
欺 기
欽 흠
款 관
歌 가
歎 탄
歓 歡 환
歟 여

止部

止 지
正 정
此 차
歩 步 보

歹部

殳部

毋部

比部

毛部

氏部

气部

水氺氵部

(氵)

漢 漢 한
滞 滯 체
滝 瀧 롱
塗 도 →土部
滲 삼
滴 적
漁 어
漂 표
漆 칠
漪 의
漏 루
演 연
漕 조
漠 막
漫 만
漬 지
漱 수
漸 점
潑 발
潔 潔 결
潟 석
潸 산
潺 잔
潜 潛 잠
潤 윤
潮 潮 조
澁 삽
澄 징
潰 궤
澎 팽
澱 전
澤 택
濃 농
澪 령
激 격
濁 탁
澳 오
濕 습
濟 제
濠 호
濡 유
濤 도
濯 탁
濱 빈
鴻 홍 →鳥部
濾 려
瀆 독
瀉 사
瀑 폭
濫 람
瀕 빈
瀞 정
瀝 력
瀧 롱
瀬 瀨 뢰
瀾 란
灌 관
灘 탄
灣 만

火灬部

火 화
灯 등
灰 灰 회
灸 구
灼 작
災 재
炊 취
炒 초
炙 자
炎 염
炉 爐 로
炬 거
炸 작
炯 형
炭 탄
畑 일본한자
烙 락
烟 연
烽 봉
焙 배
焜 혼
焚 분
焰 염
焼 燒 소
煉 련
煖 난
煙 煙 연
煤 매
煩 번
煽 선
熔 용
熨 위·울
燃 연
燈 등
燎 료
燉 돈
燐 린
螢 형 →虫部
營 営 영
燥 조
燦 찬
燭 촉
燻 훈
爆 폭
爐 려
爛 란
鶯 앵 →鳥部

(灬)

為 위 →爪部
点 점 →黑部
烈 렬
烏 오
焉 언
魚 어 →魚部
鳥 조 →鳥部
黑 흑 →黑部
無 무
焦 초
然 연
煮 煮 자
煎 전
照 조
熊 웅
熟 숙
熬 오
熱 열
默 묵 →黑部
勳 훈 →力部
燕 연

爪爫部

爪 조
瓜 과 →瓜部
爬 파

(爫·⺥)

妥 타 →女部
受 수 →又部
爭 争 쟁
采 채 →釆部
乳 유 →乙部
爰 원
奚 해 →大部
爲 為 위
愛 애 →心部
舜 순 →舛部
爵 爵 작

父部

父 부
交 교 →亠部
斧 부 →斤部
釜 부 →金部
爺 야

爻部

爽 상
爾 이

片部

片 편
版 판
牌 패
牒 첩
鼎 정 →鼎部
爿部 →丬部

牙部

牙 아
邪 사 →阝部
雅 아 →隹部
鴉 아 →鳥部

牛牜部

牛 우
牝 빈
牡 모
牢 뢰
牧 목
物 물
牲 생
牴 저
特 특
牽 견
犀 서
犛 리
犠 犧 희
犢 독

犬犭部

犬 견
伏 복 →人部
吠 폐 →口部
状 狀 상·장
献 獻 헌
獣 獸 수

(犭)

犯 범
狂 광
狐 호
狗 구
狛 박
狒 비
狙 저
狡 교
狩 수
独 獨 독

疒部

疫 역
疳 감
疱 포
疲 피
疵 자
疹 진
疼 동
痀 구
疾 질
病 병
症 증
痒 양
痔 치
痕 흔
痘 두
痙 경
痛 통
痢 리
痣 지
痰 담
痴 癡 치
痺 비
瘍 양
瘠 척
瘡 창
瘢 반
瘤 류
瘦 수
瘰 라
瘻 루
瘴 장
癌 암
療 료
癇 간
癒 유
癖 벽
癩 라
癪 일본한자
癬 선
癲 전

癶部

発 發 발
登 등

白部

白 백
百 백
皁 조
的 的 적
帛 백 →巾部
皆 개
皇 황
泉 천 →水部
畠 일본한자
皐 고
習 습 →羽部
皓 皓 호
魄 백 →鬼部

皮部

皮 피
頗 파 →頁部
皺 추

皿部

皿 명
血 혈 →血部
盂 우
孟 맹 →子部
盃 배
盆 분
盈 영
益 益 익
盛 盛 성
盗 盜 도
盟 맹
蓋 개 →艸部
盞 잔
盡 尽 진
監 감
盤 반

目部

目 목
且 차 →一部
自 자 →自部
助 조 →力部
見 견 →見部
貝 패 →貝部
盲 맹
直 직
具 구 →八部
相 상
盾 순
省 성·생
眉 미
看 간
県 현
真 眞 진
眠 면
眩 현
眸 모
眺 조
眼 안
着 착 →羊部
睡 수
督 독
睦 목
睨 예
睫 첩
鼎 정 →鼎部
瞑 명
瞋 진
瞞 만
瞥 별
瞭 료
瞰 감
瞳 동
瞼 검
瞬 瞬 순
瞽 고
瞿 구
矍 확

矛部

矛 모
矜 긍
柔 유 →木部
務 무 →力部

矢部

矢 시
矣 의
医 의 →匸部
知 지
矩 구
短 단
智 지 →日部
矮 왜
雉 치 →隹部
聟 서 →耳部
矯 교

石部

石 석
岩 암 →山部
砂 사
砒 비
研 硏 연
砕 碎 쇄
砥 지
砦 채
砲 砲 포
破 파
硝 硝 초
硨 차
硫 류
硬 경
硯 연
碁 기
碇 정
碗 완
碌 록
碍 礙 애
碓 대
磁 자
碧 벽
碩 석
碑 碑 비
確 확
碾 년
磊 뢰
碼 마
磐 반
磨 磨 마
磚 전
磯 기
礁 초
礑 당
礙 애
礪 려
礦 광
礫 력
礬 반

示礻部

示 시
礼 禮 례
社 社 사
奈 내 →大部
宗 종 →宀部
祟 수
祈 祈 기
祉 祉 지
祇 기
祐 祐 우
祓 불
祕 비
祖 祖 조
祝 祝 축
神 神 신
祠 사
祥 祥 상
視 시 →見部
票 표
祭 제
崇 숭 →山部

禄 祿 록
禁 금
禍 禍 화
禎 禎 정
福 福 복
禦 어
禅 禪 선
禮 례
禰 녜

禸部

禽 금
離 리 →隹部

禾部

禾 화
禿 독
秀 수
私 사
利 리 →刀部
和 화 →口部
季 계 →子部
委 위 →女部
秋 추
科 과
秒 초
香 향 →香部
秕 비
秣 말
秘 비
租 조
秤 칭
秦 진
秧 앙
秩 질
称 稱 칭
乘 승 →丿部
移 이
梨 리 →木部
稀 희
税 稅 세
程 程 정
稍 초
黍 서 →黍部
稔 임
稗 패
稚 치
稜 릉
稟 품
愁 수 →心部
種 종
稲 稻 도
穀 穀 곡
稼 가
[illegible] 치
稽 계
稿 고
稷 직
黎 려 →黍部
穂 穗 수
積 적
穎 영
穏 穩 온
頹 퇴 →頁部
穢 예
魏 위 →鬼部
穫 확
穣 穰 양

穴部

穴 혈
究 구
空 空 공
突 突 돌
穿 천
窃 竊 절
窈 요
窒 질
窓 창
容 용 →宀部
窟 굴
窪 와
窩 와
窮 궁
窯 요
窺 규
竈 조

立部

立 립
辛 신 →辛部
妾 첩 →女部
彦 언 →彡部
音 음 →音部
竜 룡 →龍部
竝 並 병
剖 부 →刀部
站 참
竟 경
章 장
部 부 →阝部
産 산 →生部
翌 익 →羽部
竣 준
童 동
靖 정 →青部
意 의 →心部
端 단
竪 수
颯 삽 →風部
競 경

罒部

罠 민
買 매 →貝部
罪 죄
罫 괘
罨 엄
置 치
署 署 서
蜀 촉 →虫部
罰 벌
罵 매
罷 파
罹 리
羇 기
羈 기

半部

半 반 →十部
判 판 →刀部
叛 반 →又部

丘部

丘 구 →一部
兵 병 →八部
岳 악 →山部

甲申部

甲 갑 →田部
申 신 →田部
暢 창 →日部
鴨 압 →鳥部

正部

正 정 →止部
政 정 →攴部
歪 왜 →止部
焉 언 →火部
整 정 →攴部

𡗗部

奉 봉 →大部
春 춘 →日部
奏 주 →大部
秦 진 →禾部
泰 태 →水部

古部

古 고 →口部
克 극 →儿部
故 고 →攴部
胡 호 →月部

北部

北 북 →匕部
背 배 →月部

且部

且 차 →一部
助 조 →力部
雎 저 →隹部

业部

業 업 →木部
叢 총 →又部

艮良部

即 즉 →卩部
郎 랑 →阝部
朗 랑 →月部
既 기 →无部

竹部

竹 죽
竿 간
笊 조
笑 소
笙 생
笛 적
笞 태
笠 립
符 부
第 제
笹 일본한자
笧 책
筆 필
筈 괄
等 등
筋 근
筍 순
筏 벌
筕 행
筑 축
筒 통
答 답
策 책
筥 거
筮 서

翳 예
翼 翼 익
翻 翻 번

而部

而 이
耐 내

耒部

耘 운
耕 耕 경
耗 耗 모

耳部

耳 이
取 취 →又部
耽 탐
恥 치 →心部
娶 취 →女部
聖 聖 성
聘 빙
爺 야 →父部
聚 취
聞 문
聟 서
聡 聰 총
聯 련
聲 성
聳 용
聴 聽 청
聱 오
職 직
聾 롱

聿部

建 건 →廴部
書 서 →日部
晝 주 →日部
畫 화 →田部
肅 肅 숙
肆 사
肇 肇 조

肉部

月 (육달월)
은 月部로
肉 肉 육
腐 부

臣部

臣 신
臥 와
堅 견 →土部
腎 신 →月部
監 감 →皿部
緊 긴 →糸部
賢 현 →貝部
覽 람
臨 림

自部

自 자
首 수 →首部
臭 臭 취
息 식 →心部
鼻 비 →鼻部

至部

至 지
倒 도 →刀部
致 치
臺 대

臼𦥑部

臼 구
舁 여
舅 구
與 여
興 흥
鼠 서 →鼠部
擧 거
舊 旧 구

舌部

舌 설
乱 란 →乙部
舍 舎 사
舐 지
甜 첨 →甘部
辭 사 →辛部
舖 舗 포

舛部

舜 순
舞 무

舟部

舟 주
舢 산
航 항
般 반
舵 타
舶 박
舷 현
船 선
艇 정
磐 반 →石部
盤 반 →皿部
艘 소
艤 의
艨 몽
艦 함

艮部

艮 간
良 량
艱 간

色部

色 색
艶 艷 염

艸 艹·艹 部

艸 초

(艹 艹)

芋 우
芍 작
芝 지
芥 개
芭 파
芯 심
花 화
芙 부
芳 방
芸 藝 예
芹 근
芽 아
苅 예
苑 원
苔 태
苗 묘
苛 가
苜 목
苟 구
若 약
苦 고
苧 저
茉 말
英 영
苹 평
茂 무
茄 가
茅 모
茗 명
芽 芽 아
茎 莖 경
茨 자
茫 망
茱 수
茶 다
荔 려
茸 용
茹 여
荊 형
草 초
荏 임
茴 회
荒 荒 황
荘 莊 장
荷 하
荻 적
荼 도
莎 사
莽 망
莢 협
莫 막
莔 명
莞 완
華 화
菅 간
菊 국
菌 균
菓 과
菖 창
萊 래
菜 菜 채
菩 보
菫 근
菱 릉
萌 맹
菘 숭
菽 숙
菲 비
萄 도
菴 암
菁 청
萃 췌
菠 파
萍 평
萎 위
著 著 저
萩 추
萬 만
萱 훤
萵 와
萼 악
落 락

葉 엽
葎 률
葛 갈
葡 포
董 동
葦 위
葬 장
葭 가
葱 총
葵 규
葺 즙
葷 훈
菟 토
募 모 →力部
惹 야 →心部
蒐 수
蓖 비
蒔 시
蒙 몽
蒲 포
蒟 구
蓍 시
蒸 증
蒼 창
蓄 축
蓋 개
蓑 사
墓 묘 →土部
夢 몽 →夕部
幕 막 →巾部
蓬 봉
蓮 蓮 련
蓼 료
蔑 멸
蔓 만
蓴 순
蔗 자
蔦 조
蔬 소
蔭 음
慕 모 →心部
暮 모 →日部
蔽 폐
蕁 심
蕃 번
蕉 초
蕎 교
蕗 로
蕓 운
蕞 최
蕨 궐
蕩 탕
蕪 무
蔵 藏 장
臈 랍 →月部
甍 맹 →瓦部
蕾 뢰
薀 온
薄 薄 박
薊 계
薔 장
薙 체·치
薦 천
薨 홍
薩 살
薪 신
薫 薰 훈
薬 藥 약
燕 연 →火部
薯 서
蕭 소
藁 고
藉 자·적
藐 막
藍 람
藝 예
藤 藤 등
藩 번
藪 수
繭 견 →糸部
藻 조
蘆 로
蘇 소
蘭 蘭 란
蘩 번
蘘 양
蘚 선
蘞 렴
蘧 거
蘿 라
驀 맥 →馬部

虍部

虎 호
虐 虐 학
虔 건
處 처
虚 虛 허
虞 虞 우
虜 虜 로
號 호
盧 로
慮 려 →心部
膚 부 →月部

虫部

虫 蟲 충
虱 슬
虹 홍
蚊 문
蚕 蠶 잠
蚤 조
蚜 아
蚯 구
蚰 유
蛆 저
蛇 사
蛋 단
蛙 와
蛞 활
蛤 합
蛭 질
蛔 회
蛟 교
蛮 蠻 만
蛸 초
蛹 용
蛾 아
蜊 리
蜀 촉
蜂 봉
蜃 신
蜈 오
蜉 부
蜘 지
蜜 밀
蜥 석
蜩 조
蜻 청
蜾 과
蜚 비
蝕 식
蝙 편
蝦 하
蝗 황
蝌 과
蝍 즉
蝮 복
蝸 와
蝶 접
融 융
螟 명
蝘 연
蟇 마
螳 당
蛍 螢 형
螺 라
螻 루
螽 종
蟋 실
蟄 칩
蟒 망
螭 리
蟠 반
蟪 혜
蟬 선
蟲 충
蟷 당
蟹 해
蟻 의
蟾 섬
蠁 향
蠅 승
蠑 영
蠟 랍
蠶 잠
蠹 두
蠱 고
蠻 만

血部

血 혈
衆 중
行部 →彳部

衣衤部

衣 의
表 표
哀 애 →口部
衰 衰 쇠
衷 충
衾 금
袈 가
袋 대
裁 재
裂 렬
装 裝 장
裏 리
裔 예
裟 사
裳 상
製 제
褒 포
襞 벽
襲 습

(衤)

初 초 →刀部
衽 임
衿 금

袂 몌
袖 수
袢 번
被 피
袴 고·과
袷 겹·겁
裃 일본한자
裄 일본한자
袱 복
裡 리
裕 유
補 보
裲 량
裸 라
裾 거
褄 일본한자
複 복
褌 곤
褐 갈
褪 퇴
褞 온
襁 강
襖 오
襟 금
襠 당
襤 람
襦 유
襯 츤
襷 일본한자

襾 覀 部

西 서
要 要 요
栗 률 →木部
票 표 →示部
粟 속 →米部
剽 표 →刀部
覆 覆 복·부
覇 覇 패

龹部

券 권 →刀部
卷 권 →卩部
拳 권 →手部

曲部

曲 곡 →日部
典 전 →八部
農 농 →辰部
豊 풍 →豆部

𠂤部

帥 수 →巾部
師 사 →巾部

見部

見 견
規 규
視 視 시
現 현 →王部
覗 사
覚 覺 각
親 친
覧 覽 람
観 觀 관
覿 적

角部

角 각
解 해
触 觸 촉
蟹 해 →虫部

言部

言 언
訂 정
訃 부
計 계
訊 신
討 토
訓 훈
託 탁
記 기
訛 와
訝 아
訟 송
訣 결
訥 눌
訪 방
設 설
許 허
訳 譯 역
訴 소
診 진
註 주
証 證 증
詐 사
詔 조
評 評 평
詞 사
詠 영
詣 예
試 시
詩 시
詫 타
詭 궤
詮 전
詳 상
詰 힐
話 화
該 해
誅 주
誇 과
誠 誠 성
誉 譽 예
誌 지
認 認 인
誓 서
誘 유
語 어
誡 계
誤 誤 오
誣 무
誦 송
説 說 설
読 讀 독
誰 수
課 과
誼 의
調 調 조
諄 순
談 담
請 請 청
諏 취
諒 량
論 론
謁 謁 알
諸 諸 제
諾 낙
誕 탄
諜 첩
諦 체
諧 해
諫 간
諢 원
諮 자
諭 諭 유
諱 휘
諳 암
諷 풍
諺 언
謀 모
謂 위
謡 謠 요
謄 謄 등
謎 미
謔 학
謗 방
謙 謙 겸
講 講 강
謝 사
謹 謹 근
謫 적
謬 류
謦 경
謳 구
證 증
識 식
譚 담
譜 譜 보
警 경
譫 섬
譬 비
譯 역
議 의
護 호
譲 讓 양
譴 견
譽 예
讃 찬
讀 독
変 變 변
讎 수
讒 참
讚 찬
彎 만 →弓部

谷部

谷 곡
欲 욕 →欠部
慾 욕 →心部
谿 계

豆部

豆 두
豇 강
豈 기·개
壹 일 →士部
豊 豐 풍
豌 완
頭 두 →頁部

豕部

豕 시
豚 돈
象 상
豪 호
豫 예

豸部

野 야
黑 흑 →黑部
量 량
童 동 →立部
墨 묵 →土部

束部

束 속 →木部
勅 칙 →力部
頼 뢰 →貝部
整 정 →攴部

镸部

套 투 →大部
肆 사 →聿部

金部

金 금
釘 정
釜 부
針 침
釣 釣 조
釦 구
鈍 둔
鈞 균
欽 흠 →欠部
鈴 령
鉄 鐵 철
鉈 사
鉛 鉛 연
鉢 발
鉤 구
鉱 鑛 광
鉾 모
銀 은
銃 총
銅 동
銑 선
銘 명
銚 요·조
銭 錢 전
鋭 銳 예
鋏 협
鋒 봉
鋤 서
鋪 포
鋲 일본한자
鋳 鑄 주
鎊 방
鋾 무
鋸 거
鋼 강
録 錄 록
錆 창
錐 추
錘 추
錠 정
錦 금
錫 석
錮 고
錯 착
錬 鍊 련
錨 묘
鍋 과
鍾 종
鍍 도
鍛 단
鍬 초
鍮 유
鍵 건
鍼 침
鎌 鎌 겸
鎔 용
鎖 鎖 쇄
鎗 쟁
鎧 개
鎮 鎭 진
鏡 경
鏑 적
鏜 당
鏖 오
鏤 루
鐘 종
鏗 갱
鐃 뇨
鐵 철
鑄 주
鑑 감
鑛 광
鑵 관
鑽 찬
鑿 착

長部

長 장

門部

門 문
閃 섬
閉 폐
問 문 →口部
開 개
閏 윤
閑 한
間 간
悶 민 →心部
閘 갑
関 關 관
閣 각
閥 벌
閨 규
聞 문 →耳部
閲 閱 열
閻 염
閼 알
闇 암
闊 활
闖 틈
闕 궐
闘 투 →鬥部
闡 천
阜部→阝(左)部

隶部

隷 례

隹部

隻 척
隼 준
唯 유 →口部
崔 최 →山部
雀 작
雁 안
雄 웅
集 집
雇 雇 고
焦 초 →火部
雉 치
雎 저
準 준 →水部
雌 자
雅 雅 아
雑 雜 잡
誰 수 →言部
雖 수
雙 쌍
雛 추
難 難 난
離 리
讎 수 →言部

雨部

雨 우
雪 雪 설
雫 일본한자
雰 분
雲 운
零 령
雷 뢰
雹 박
電 전
需 수
震 진
霊 靈 령
霖 림
霜 상
霞 하
霧 무
霰 산
露 로
霸 패
霹 벽
靄 애
靉 애

靑部

青 靑 청
靖 靖 정
静 靜 정

非部

非 비
斐 비 →文部
悲 비 →心部
扉 비 →戶部
罪 죄 →罒部
翡 비 →羽部
輩 배 →車部
靡 미

卓部

乾 건 →乙部
幹 간 →干部
斡 알 →斗部
戟 극 →戈部
朝 조 →月部
翰 한 →羽部
韓 한 →韋部

其部

其 기 →八部
基 기 →土部
期 기 →月部
斯 사 →斤部
欺 기 →欠部
碁 기 →石部

面部

面 면

革部

革 혁
勒 륵 →力部
靫 채·차
靭 인
靴 화
靺 말
靤 포
鞍 안
鞘 초
鞠 국
鞦 추
鞭 편
鞺 당
韃 달

韋部

韋 위
韓 한
韜 도
韛 배

音部

音 음
韻 운
響 響 향

頁部

頁 혈
頂 정
頃 경
項 항
順 순
須 수
頌 송
預 예
頑 완
頒 반
頓 돈
頗 파
領 령
頭 두
頰 협
頷 함
頸 경
頤 이
頹 퇴
頻 頻 빈
頼 뢰 →貝部
頴 영 →禾部
題 제
額 액
顎 악
顏 顔 안
類 類 류
顕 顯 현
願 원
顚 전
顧 顧 고
顰 빈
顱 로
顳 섭

風部

風 풍
嵐 람 →山部
颱 태
颯 삽
颶 구

飛部

飛 비
飜 번

食食部

食 食 식
飢 飢 기
飮 飲 음
飯 飯 반
飴 이
飼 飼 사
飽 飽 포
飾 飾 식
餠 병
餃 교
養 養 양
餌 이
蝕 식 →虫部
餐 찬
餓 餓 아
餘 余 여
餞 전
館 館 관
饅 만
饉 근
饑 기
饒 요
饗 향

首部

首 수
馘 괵·혁

香部

香 향
馥 복
馨 형

甚部

甚 심 →甘部
勘 감 →力部
斟 짐 →斗部

馬部

馬 마
馭 어
馳 치
馴 순
駁 박
駆 驅 구
駅 驛 역
馱 태
駈 구
駐 駐 주
駒 구
駝 타
駕 가
駘 태
駱 락
駢 변
駿 준
騏 기
騎 기
験 驗 험
騒 騷 소
騙 편
騰 騰 등
驀 맥
騾 라
驕 교
驚 경
驟 취
驢 려
驥 기

骨部

骨 골
骰 투
骸 해
髀 비
髄 髓 수
髑 촉
體 体 체

高部

高 고
嵩 숭 →山部
敲 고 →攴部
膏 고 →月部

髟部

髪 髮 발
髣 방
髭 자
髥 염
髷 곡
髻 계
鬚 수

鬥部

鬨 홍
鬪 鬪 투

鬯部

鬱 울

鬲部

隔 격 →阝部
融 융 →虫部

鬼部

鬼 귀
魁 괴
魂 혼
魄 백
魅 매
醜 추 →酉部
魍 망
魏 위
魔 魔 마

堇部

歎 탄 →欠部
艱 간 →艮部
難 난 →隹部

魚部

魚 어
魯 로
魴 방
鮎 점
鮑 포
鮒 부
鮨 지
鮪 유
鮫 교
鮭 규

제2부 한국음(韓國音)으로 일본 음훈 찾기

한자의 한국음을 알아서 일본 음훈(音訓)을 찾아 보기 위한 표이다. 주요 한자에 몇 개의 음이 있을 경우에는 일일이 표제 한자로 싣되, 대표적인 음으로 보내어, 그 자리에서 일본 음훈을 다 갖추어 보여 주었다.

보기: 락〖※楽〗[樂] **ラク** たのしい → 악〖楽〗
악〖※楽〗[樂] **ガク・ラク・ギョウ** たのしい・たのしむ

ㄱ

가

〖※加〗**カ** **くわえる・くわわる**
加里 カリ
〖※可〗**カ** **よい・べし**
可愛い かわいい
〖※仮〗[假] **カ・ケ** **かり・かす**
仮名 かな
仮初 かりそめ
〖人伽〗カ・ガ・キャ とぎ
伽藍 がらん
〖佳〗**カ** よい
〖×呵〗カ しかる・わらう
〖※価〗[價] **カ** **あたい**
〖人茄〗カ なす
茄子 なす・なすび
〖×苛〗カ いらだつ
苛性 かせい
〖架〗**カ** **かける・かかる**
〖×珈〗カ
珈琲 コーヒー
〖×枷〗カ かせ
〖×迦〗カ
〖×哥〗カ うたう・うた
〖※家〗**カ・ケ** **いえ・や・うち**
家鴨 あひる
〖×痂〗カ かさぶた
〖人袈〗ケ
袈裟 けさ
〖×葭〗カ あし・よし
〖※街〗**ガイ・カイ** **まち**
街道 かいどう
〖×跏〗カ あぐら
〖嫁〗**カ** **よめ・とつぐ**
嫁く かたづく
〖暇〗**カ** **ひま・いとま**
〖人嘉〗カ よい・よしみ
〖×榎〗カ えのき
〖※歌〗**カ** **うた・うたう**
歌舞伎 かぶき
歌留多 カルタ
〖稼〗**カ** **かせぐ**
〖×駕〗ガ のる
駕籠 かご

각

〖※各〗**カク** **おのおの**
〖却〗**キャク** しりぞく・かえって
〖※角〗**カク** **つの・かど・すみ**
角力 すもう
〖※刻〗**コク** **きざむ**・とき
〖×咯〗カク はく
〖×恪〗カク つつしむ
〖脚〗**キャク・カク・キャ** **あし**
脚気 かっけ
脚絆 きゃはん
〖殻〗[殼] **カク** **から**
〖※覚〗[覺] **カク** **おぼえる・さます・さめる・さとる**
覚束無い おぼつかない
〖※閣〗**カク** **たかどの**
〖×擱〗カク おく

간

〖※干〗**カン** **ほす・ひる**・おかす
干支 えと・かんし
〖※刊〗**カン** きざむ
〖×奸〗カン よこしま
〖×艮〗コン・ゴン うしとら
〖肝〗**カン** **きも**
肝煎り きもいり
〖人侃〗カン つよし
〖×姦〗カン かしましい
〖※看〗**カン** **みる**
看経 かんきん
看做す みなす
〖×竿〗カン さお
〖人栞〗カン しおり
〖×桿〗カン てこ
〖×菅〗カン すげ
〖※間〗**カン・ケン** **あいだ・ま**
間夫 まぶ
〖※幹〗**カン** **みき**
〖墾〗**コン** はる

〚×諫〛カン　いさめる
〚×慳〛ケン　おしむ・やぶさか
慳貪 けんどん
〚×澗〛カン　たに
〚懇〛コン　ねんごろ
〚×癇〛カン　ひきつけ
癇癪 かんしゃく
〚×艱〛カン　かたい
〚※簡〛カン・ケン　えらぶ
〚×鵤〛つぐみ(일본 한자)

갈

〚渴〛[渇] カツ　かわく
〚喝〛[喝] カツ　しかる
喝采 かっさい
〚×葛〛カツ　かずら　くず・つづら
葛藤 かっとう・つづらふじ
〚褐〛[褐] カツ・カチ
〚×羯〛ケツ・カツ　ひつじ・えびす
〚×蠍〛カツ　さそり

감

〚甘〛カン　あまい・あまえる・あまやかす・うまい
甘藷 さつまいも・かんしょ
〚×坎〛カン　あな
〚×坩〛カン　つぼ
坩堝 るつぼ
〚×柑〛カン　こうじ
柑子 こうじ
〚×疳〛カン
疳癪 かんしゃく
〚勘〛カン　かんがえる・こうず
〚紺〛コン・コウ
紺屋 こうや・こんや
〚堪〛カン・タン　たえる・こたえる・たまる
堪能 かんのう・たんのう
〚×嵌〛カン　はめる
〚※減〛ゲン　へる・へらす
〚敢〛カン　あえて
〚※感〛カン
〚監〛カン・ケン　みる
〚×橄〛カン
〚憾〛カン　うらむ
〚×瞰〛カン　みる
〚×轗〛カン
〚鑑〛カン　かがみ・かんがみる
鑑識 かんしき・めがね
〚×龕〛ガン　ずし
〚×鹼〛→험〚鹼〛

갑

〚甲〛コウ・カン　かぶと
甲斐 かい
甲高い かんだかい
甲斐甲斐しい　かいがいしい
〚岬〛コウ　みさき・さき
〚×閘〛コウ・オウ　ひのくち・とじる
閘門 こうもん

강

〚×扛〛コウ　あげる
〚江〛コウ・ゴウ　え
江戸児 えどっこ
〚×岡〛コウ　おか
岡引 おかっぴき
〚剛〛ゴウ　こわい・つよい
〚×豇〛コウ　ささげ
〚×崗〛コウ　おか
〚※康〛コウ　やすらか
〚※強〛[强] キョウ・ゴウ　つよい・つよまる・つよめる・しいる・こわい・あながち・しいて
強飯 こわめし
強請 ゆすり・ゆする・ねだる
〚※降〛コウ・ごう　おりる・おろす・ふる・くだる
〚×腔〛コウ　うつろ
〚綱〛コウ　つな
〚※鋼〛コウ　はがね
〚×襁〛キョウ
襁褓 おしめ・むつき
〚×糠〛コウ　ぬか
〚×繦〛キョウ
繦褓 むつき・おしめ
〚※講〛[講] コウ
〚×疆〛キョウ　さかい

개

〚介〛カイ　すけ
介錯 かいしゃく
〚※改〛カイ　あらためる・あらたまる
〚×芥〛カイ　あくた・ごみ
〚皆〛カイ　みな
〚×疥〛カイ　はたけ
〚※個〛コ・カ
〚人凱〛ガイ
凱旋 がいせん
〚※開〛カイ　ひらく・ひらける・あく・あける
開眼 かいげん
〚慨〛[慨] ガイ　なげく
〚×愷〛カイ・ガイ　たのしむ
〚概〛[概] ガイ

おおむね
概略 あらまし・がいりゃく
〖×蓋〗 ガイ
おおう・ふた
〖箇〗 カ・コ
〖×鎧〗 ガイ よろい

객

〖※客〗 キャク・カク
まろうど・たび
客人 まろうど・まらひと・まれびと・きゃくじん
〖×喀〗 カク はく

갱

〖坑〗 コウ あな
〖更〗 →경〖更〗
〖×羹〗 コウ・カン
あつもの
〖×鏗〗 コウ

갹

〖×醵〗 →거〖醵〗

거

〖※去〗 キョ・コ
さる・いぬ
去年 こぞ・きょねん・いんじとし
〖巨〗〖巨〗 キョ・コ
〖車〗 →차〖車〗
〖※居〗 キョ・コ
いる・おる
居候 いそうろう
〖拒〗〖拒〗 キョ
こばむ・ふせぐ
〖拠〗〖據〗 キョ・コ
よる・よりどころ
〖×炬〗 キョ・コ
たいまつ・やく
炬燵 こたつ
〖×俥〗 くるま(일본 한자)
〖※挙〗〖擧〗 キョ あげる・あげて・あがる・こぞる
挙句 あげく
〖据〗 キョ
すえる・すわる
〖×粔〗 キョ・コ
〖距〗〖距〗 キョ へだたる・へだてる
〖×渠〗 キョ みぞ
〖×筥〗 キョ はこ
〖×裾〗 キョ すそ
〖×鋸〗 キョ のこぎり
〖×遽〗 キョ にわか
〖×欅〗 キョ けやき
〖×蘧〗 キョ
〖×醵〗 キョ
醵金 きょきん
〖×襷〗 たすき(일본 한자)

건

〖×巾〗 キン きれ・はば
〖※件〗 ケン
くだり・くだん
〖※建〗 ケン・コン
たてる・たつ
建立 こんりゅう
〖×虔〗 ケン つつしむ
〖乾〗 カン・ケン
ほす・かわく・かわかす・から・いぬい
乾風 からかぜ・からっかぜ
〖※健〗 ケン すこやか・たけし・したたか
健気 けなげ
〖×腱〗 ケン すじ
〖×蹇〗 ケン ちんば・あしなえ・なえぐ
〖×鍵〗 ケン かぎ

걸

〖×乞〗 キツ・コツ
こう
乞食 こじき
〖傑〗 ケツ すぐれる

검

〖倹〗〖儉〗 ケン つづまやか・とぼし
〖剣〗〖劍〗 ケン つるぎ
剣幕 けんまく
〖※検〗〖檢〗 ケン
しらべる・ただす
〖×撿〗 ケン・レン
くくる
〖×瞼〗 ケン まぶた

겁

〖×劫〗 キョウ・コウ・ゴウ
〖×怯〗 キョウ
おくれる・おびえる・ひるむ

게

〖掲〗〖揭〗 ケイ
かかげる
〖憩〗 ケイ
いこい・いこう

격

〖×挌〗 カク うつ
〖※格〗 カク・コウ・キャク いたる
格好 かっこう
格子 こうし
〖隔〗〖隔〗 カク へだてる・へだたる
〖×膈〗 カク
〖×鵙〗 ゲキ もず
〖※激〗 ゲキ はげしい
〖撃〗〖擊〗 ゲキ うつ
〖×鴃〗 ゲキ
もず
〖×檄〗 ゲキ ふれぶみ
〖×闃〗 ゲキ しずか

견

〖※絹〗 ケン　きぬ
〖繭〗 ケン　まゆ
〖×譴〗 ケン　とがめる
〖※犬〗 ケン　いぬ
〖※見〗 ケン・ゲン
みる・みえる・みせる・まみえる・あらわれる
見幕 けんまく
見栄 みえ・みばえ
〖肩〗[肩] ケン　かた
〖堅〗 ケン　かたい・かためる
〖遣〗[遣] ケン　つかわす・つかう・やる
〖×牽〗 ケン　ひく
牽牛星 いぬかいぼし
〖×樫〗 かし(일본 한자)
〖×鰹〗 ケン　かつお

결

〖※欠〗[缺] ケツ
かける・かく
欠伸 あくび
〖×抉〗 ケツ
えぐる・くじる
〖※決〗 ケツ
きめる・きまる
〖×玦〗 ケツ
たま・ゆがけ
[缺] →결〖欠〗
〖×訣〗 ケツ　わかれる
〖※結〗 ケツ・ケチ
むすぶ・ゆう・ゆわえる
結納 ゆいのう
〖※潔〗[潔] ケツ
いさぎよい

겸

〖※兼〗[兼] ケン
かねる
〖×鉗〗 カン・ケン
はさむ
〖謙〗[謙] ケン
へりくだる
〖人鎌〗[鎌] レン　かま

겹

〖×袷〗 あわせ

경

〖更〗 コウ　さら・ふける・ふかす・あらたまる・かわる
更紙 ざらがみ
〖※京〗 キョウ・ケイ
みやこ
〖×庚〗 コウ　かのえ
〖※径〗[徑] ケイ
みち・こみち
〖茎〗[莖] ケイ・キョウ　くき
〖人勁〗 ケイ　つよい
〖※耕〗[耕] コウ
たがやす
耕耘 こううん
〖※敬〗 ケイ・キョウ
うやまう・つつしむ
〖×梗〗 コウ・キョウ
梗概 あらすじ・あらまし
〖×脛〗 ケイ
すね・はぎ
〖×竟〗 キョウ
おわる・ついに
〖※経〗[經] ケイ・キョウ　へる・たつ・つね
経緯 いきさつ・たてよこ・けいい
〖×頃〗 ケイ　ころ
〖×卿〗 キョウ・ケイ
〖※景〗 ケイ・キョウ・エイ　かげ
景色 けしき
〖×逕〗 ケイ　こみち
〖×痙〗 ケイ　ひきつる
〖硬〗 コウ　かたい
〖※軽〗[輕] ケイ・キョウ　かるい・かろやか・かろんずる
軽業 かるわざ
〖傾〗 ケイ　かたむく・かたむける・かしげる
〖※境〗 キョウ・ケイ
さかい
〖慶〗 ケイ・キョウ
よろこぶ
〖×憬〗 ケイ
あこがれる
〖×頸〗 ケイ　くび
〖×瓊〗 ケい　たま・に
〖×謦〗 ケイ　しわぶき
〖※警〗 ケイ・キョウ
いましめる
〖※鏡〗 キョウ・ケイ
かがみ
〖鯨〗 ゲイ　くじら
〖※競〗 キョウ・ケイ
きそう・せる・くらべる
〖驚〗 キョウ・ケイ
おどろく・おどろかす

계

〖戒〗 カイ　いましめる
〖※系〗 ケイ　つなぐ
〖※季〗 キ　すえ
〖※届〗[屆] カイ
とどける・とどく
〖※係〗 ケイ　かかる・かかり・かかわる
係念 けねん
〖契〗[契] ケイ・ケツ・キツ　ちぎる
〖×洎〗 キ
およぶ・うるおう

〖※界〗 カイ　さかい
〖※計〗 ケイ　はかる・はからう
〖啓〗〔啓〕 ケイ
　ひらく・もうす・ひろし
〖人桂〗 ケイ　かつら
〖×悸〗 キ　おそれる
〖渓〗〔溪〕 ケイ　たに
〖※械〗 カイ
〖×堺〗 カイ　さかい
〔溪〕 →계〖渓〗
〖※階〗 カイ　きざはし
〖継〗〔繼〕 ケイ
　つぐ・まま
　継子　ままこ
〖×禊〗 ケイ　みそぎ
〖×誡〗 カイ
　いましめる
〖×薊〗 ケイ　あざみ
〖×稽〗 ケイ
　かんがえる
〖×髻〗 ケイ　もとどり・たぶさ
〖×谿〗 ケイ　たに
〖×繫〗 ケイ・ケ
　つなぐ
〖鶏〗〔鷄〕 ケイ　にわとり・とり・かけ

고

〖×叩〗 コウ　たたく
〖※古〗 コ　ふるい・ふるす・いにしえ
　古強者　ふるつわもの
〖×尻〗 コウ　しり
　尻尾　しっぽ
〖※考〗 コウ
　かんがえる
〖※告〗〔告〕 コク・コウ　つげる
〖×呱〗 コ　なく
〖※固〗 コ　かためる・かたまる・かたい・もと・もとより
　固唾　かたず
〖×姑〗 コ　しゅうとめ・しゅうと・おば・しばらく
〖×股〗 コ　もも・また
　股肱　ここう
〖×沽〗 コ　うる・かう・あたい
　沽券　こけん
〖※苦〗 ク　にがい・にがる・くるしい・くるしむ・くるしめる
　苦汁　にがり・くじゅう
〖×刳〗 コ
　くる・えぐる
〖孤〗 コ　みなしご・ひとり
　孤児　みなしご・こじ
〖※故〗 コ
　ゆえ・ふるい・もと・ことさら
　故意　わざと・こい
〖枯〗 コ
　かれる・からす
〖※高〗 コウ　たかい・たか・たかめる・たかまる
　高麗　こうらい・こま
　高嶺　たかね
　高句麗　こうくり
〖※庫〗 コ・ク　くら
　庫裏　くり
〖拷〗 ゴウ　うつ
〖人皐〗 コウ
　たかし・さつき
〖×菰〗 コ　まこも
〖×袴〗 コ　はかま
〖雇〗〔雇〕 コ　やとう
〖×痼〗 コ　しこる
〖鼓〗 コ　つづみ
〖跨〗 →과〖跨〗
〖×敲〗 コウ　たたく
〖×膏〗 コウ　あぶら
　膏肓　こうこう・こうもう
〖×睾〗 コウ
〖稿〗 コウ　したがき
〖×錮〗 コ　ふさぐ
〖×藁〗 コウ　わら
〖×瞽〗 コ
　めしい・めくら
〖顧〗〔顧〕 コ
　かえりみる
　顧客　おとくい
〖×蠱〗 コ
　蠱惑　こわく

곡

〖※曲〗 キョク
　まがる・まげる・くせ・くま・つぶさに
　曲尺　かねじゃく・まがりがね
〖※谷〗 コク
　たに・や・やつ・きわまる
〖×哭〗 コク　なく
〖※穀〗〔穀〕 コク
〖×髷〗 キョク　まげ
〖×鵠〗 コク　こうのとり・くぐい

곤

〖※困〗 コン　こまる・くるしむ
〖×坤〗 コン
　ひつじさる
〖昆〗 コン　あに
　昆布　こぶ・こんぶ・えびすめ
〖×棍〗 コン
〖×褌〗 コン
　ふんどし

골

〖※骨〗コツ　ほね
骨董 こっとう

공

〖※工〗コウ・ク
たくみ
工合 ぐあい・
ぐわい
〖※公〗コウ・ク
おおやけ・きみ
公卿 くぎょう・くげ
〖孔〗コウ・ク　あな
孔雀 くじゃく
〖※功〗コウ・ク
いさお
〖※共〗キョウ　とも
〖攻〗コウ　せめる
〖※供〗キョウ・ク・グ
そなえる・とも
〖※空〗[空] クウ
そら・から・あく・
あける・むなしい・
すく
空腹 すきばら
空音 そらね
〖×拱〗キョウ
こまねく
〖恐〗[恐] キョウ
おそれる・おそら
く・おそろしい・
こわい
恐喝 きょうかつ・
かつあげ
〖恭〗キョウ
うやうやしい
〖貢〗コウ・ク
みつぐ・みつぎ
〖控〗[控] コウ
ひかえる・ひく
〖×跫〗キョウ
あしおと
跫音 あしおと
〖×箜〗コウ・ク
〖×鞏〗キョウ
つかねる

곶

〖串〗→관〖串〗

과

〖×瓜〗カ　うり
〖※果〗カ　はたす・は
てる・はて・こ
のみ・くだもの
果物 くだもの
果敢ない はかない
〖※科〗カ　しな・とが
科白 せりふ
〖※過〗[過] カ　すぎ
る・すごす・あや
まつ・あやまち
〖菓〗カ　くだもの
〖袴〗→고〖袴〗
〖×絓〗カイ
くける・くけいと
〖寡〗カ　すくない
寡婦 やもめ
〖誇〗コ　ほこる
〖×跨〗コ　またがる
〖×夥〗カ
おびただしい
〖×蜾〗カ
〖×蝌〗カ
〖※課〗カ　わりあてる
〖×鍋〗カ　なべ

곽

〖郭〗カク
くるわ・ひろし
郭公 かっこう・
ほととぎす
〖×廓〗カク　くるわ
〖×霍〗カク　にわか

관

〖×串〗カン　くし
〖※官〗カン　つかさ
〖冠〗カン　かんむり・
かぶり・こうぶり
冠者 かじゃ・かん
じゃ
〖貫〗カン　つらぬく
〖棺〗カン　ひつぎ
〖×菅〗カン　すげ
〖款〗カン
よろこぶ・まこと
〖寛〗[寬] カン
ゆるやか・ひろい
〖※管〗カン　くだ
〖×綰〗ワン
たく・わがねる
〖※関〗[關] カン
せき・かかわる
関脇 せきわけ
〖※慣〗カン
なれる・ならす
〖※館〗[舘] カン
やかた・たち
〖※観〗[觀] カン　みる
観音 かんのん
〖×灌〗カン　そそぐ
〖缶〗[罐] カン　かま
〖×鑵〗カン

괄

〖×刮〗カツ　こする・
けずる・こそげる
〖括〗カツ
くくる・くびれる
〖×筈〗はず

광

〖※広〗[廣] コウ
ひろい・ひろま
る・ひろめる・ひ
ろがる・ひろげる
〖※光〗コウ
ひかる・ひかり
光沢 つや
〖^人匡〗キョウ　ただす
〖^人洸〗コウ　たけし・
ひろし・わきたつ
〖狂〗キョウ　くるう・

くるおしい
〖×筐〗 キョウ かご
〖※鉱〗[鑛] コウ
あらがね
〖×誑〗 キョウ たぶらかす・たらす
〖×曠〗 コウ
あきらか・むなしい・ひろい
曠野 あらの・こうや
〖×礦〗 コウ あらがね

괘

〖×卦〗 ケ うらかた
〖掛〗 かける・かかる・かかり・かけ
〖×絓〗 カ しけ
〖×罫〗 ケイ

괴

〖×乖〗 カイ そむく
〖怪〗 カイ・ケ あやしい・あやしむ
怪訝 けげん
〖拐〗 カイ かどわかす
〖×傀〗 カイ
傀儡 かいらい・くぐつ
〖×槐〗 カイ えんじゅ
〖人魁〗 カイ さきがけ
〖塊〗 カイ かたまり
〖壊〗[壞] カイ・エ
こわす・こわれる・やぶれる
壊死 えし
壊疽 えそ

괵

〖×摑〗 カク つかむ
〖×馘〗 カク くびきる

굉

〖人宏〗 コウ ひろい
〖人紘〗 コウ ひろ
〖×轟〗 ゴウ とどろく

교

〖※交〗 コウ・キョウ
まじわる・まじえる・まじる・まざる・まぜる・かう・かわす・こもごも
〖巧〗 コウ
たくみ・うまい
〖×狡〗 コウ
こすい・ずるい
〖郊〗 コウ
〖※教〗[教] キョウ
おしえる・おそわる
〖※校〗 コウ・キョウ
かんがえる・くらべる
〖人喬〗 キョウ たかし
〖×咬〗 コウ かむ
〖絞〗 コウ しぼる・しめる・しまる・くびる・くくる
〖×蛟〗 コウ・キョウ
みずち
〖較〗 カク・コウ
くらべる
〖×嬌〗 キョウ
なまめかしい
〖×膠〗 コウ にかわ
〖×蕎〗 キョウ
蕎麦 そば
〖×餃〗 コウ・キョウ
餃子 ギョーザ・チャオズ
〖※橋〗 キョウ はし
〖橇〗 →취〖橇〗
〖矯〗 キョウ ためる
〖×轎〗 キョウ かご
〖×鮫〗 コウ さめ
〖×嚙〗 ゴウ かむ
〖×驕〗 キョウ おごる
〖×攪〗 コウ・カク
攪乱 かくらん・こうらん

구

〖※九〗 キュウ・ク
ここの・ここのつ
九十九折 つづらおり
〖※久〗 キュウ・ク
ひさしい
〖※口〗 コウ・ク くち
口説く くどく
口惜しい くやしい
〖×仇〗 キュウ
あだ・かたき
仇討ち あだうち
〖×勾〗 コウ まがる
勾配 こうばい
〖※区〗[區] ク まち
〖丘〗 キュウ おか
〖※句〗 ク くぎり
句読 くとう
〖※旧〗[舊] キュウ・ク
ふるい・もと
〖×臼〗 キュウ うす
〖×佝〗 コウ・ク
せむし
佝僂 くる・せむし
〖※求〗 キュウ・グ
もとめる
求道 ぐどう
〖×灸〗 キュウ やいと
〖人玖〗 キュウ・ク
たま
〖※究〗 キュウ
きわめる
〖※具〗[具] グ
そなえる・そなわる・つぶさ
〖×咎〗 キュウ
とが・とがめる
〖拘〗 コウ・ク とらえる・かかわる
〖×狗〗 コウ・ク いぬ
〖欧〗[歐] オウ
はく・うつ

欧羅巴 ヨーロッパ
〖殴〗[毆] オウ なぐる・たたく
〖×苟〗 コウ いやしくも・かりそめ
〖×垢〗 コウ・ク あか
〖×枸〗 ク・コウ
〖×痀〗 ク
〖×柩〗 キュウ ひつぎ
〖×俱〗 ク・グ ともに
俱楽部 クラブ
〖×寇〗 コウ あだ・あた
〖※救〗 キュウ・ク・グ すくう・たすける
救世 ぐぜ・きゅうせい
〖人矩〗 ク のり
〖人毬〗 キュウ まり
〖※球〗 キュウ たま
〖×蚯〗 キュウ
蚯蚓 みみず
〖×釦〗 コウ ボタン
〖龜〗→귀〖亀〗
〖人鳩〗 キュウ はと
鳩尾 みぞおち・みずおち・きゅうび
〖×傴〗 ウ かがむ
傴僂 せむし・くる
〖×廐〗 キュウ うまや
〖×媾〗 コウ よしみ・まじわる
〖溝〗[溝] コウ みぞ・どぶ
溝鼠 どぶねずみ
〖×鉤〗 コウ かぎ
鉤手 かぎのて
〖×嘔〗 オウ はく
〖※構〗[構] コウ かまえる・かまう
〖×蒟〗 ク・コン
蒟蒻 こんにゃく
〖×舅〗 キュウ しゅうと
〖×裘〗 キュウ かわごろも
〖駆〗[驅] ク かける・かる
〖人駒〗 ク こま
〖×甌〗 オウ はち
〖×駈〗 ク かける
駈け引き かけひき
〖×窶〗 ク・ロウ やつす・やつれる
〖×篝〗 コウ かがり
〖購〗[購] コウ あがなう
〖×颶〗 グ つむじかぜ
〖×瞿〗 ク つづらめ
〖×謳〗 オウ うたう
〖×軀〗 ク からだ・むくろ
〖×懼〗 ク・グ おそれる
〖×鷗〗 オウ かもめ

국

〖※局〗 キョク つぼね
〖※国〗[國] コク くに
国府 こくぶ・こふ・こくふ
〖菊〗 キク
〖人鞠〗 キク まり
〖×鞫〗 キク ただす
〖×麴〗 キク こうじ

군

〖※君〗 クン きみ
〖※軍〗 グン いくさ
軍鶏 しゃも
〖※郡〗 グン こおり
〖※群〗 グン むれる・むれ・むら・むらがる

굴

〖屈〗 クツ かがむ・かがまる・かがめる
〖堀〗 クツ ほり
堀田 ほりた
〖掘〗 クツ ほる
〖×窟〗 クツ いわや

궁

〖※弓〗 キュウ ゆみ
弓形 ゆみなり
〖※宮〗 キュウ・グウ・ク みや
宮司 みやづかさ・ぐうじ
〖×躬〗 キュウ みずから
〖窮〗 キュウ きわめる・きわまる

권

〖※券〗[劵] ケン
〖※巻〗[卷] カン・ケン まく・まき
〖×倦〗 ケン うむ
〖人拳〗[拳] ケン・ゲン こぶし
〖×捲〗 ケン まく
〖圏〗[圈] ケン かこい
〖勧〗[勸] カン・ケン すすめる
〖※権〗[權] ケン・ゴン
権幕 けんまく
権柄尽く けんぺいずく

궐

〖×蕨〗 ケツ わらび
〖×蹶〗 ケツ たおれる
〖×闕〗 ケツ かける

궤

〖×几〗 キ つくえ
〖×凧〗 たこ(일본 한자)
〖※机〗 キ つくえ
〖軌〗 キ わだち
〖×詭〗 キ いつわる
〖×跪〗 キ ひざまずく

【×潰】カイ　ついえる

귀

【鬼】キ　おに
【※帰】[歸] キ
　かえる・かえす
　帰依 きえ
【人亀】[龜] キ・キン
　かめ・ひび
　亀裂 きれつ・ひび
【※貴】キ　たっとい・
　とうとい・たっ
　とぶ・とうとぶ
　貴女 あなた
　貴方 あなた

규

【叫】キョウ　さけぶ
【人圭】ケイ　たま
【×糾】キュウ　ただす
【人奎】ケイ
【糾】キュウ　ただす
【人赳】キュウ　たけし
【×珪】ケイ
【※規】キ　のり
【×揆】キ　はかる
【人葵】キ　あおい
【×閨】ケイ　ねや
【人槻】キ　つき
【×窺】キ　うかがう
【×鮭】ケイ　さけ

균

【※均】キン　ひとしい
【菌】キン　きのこ
【亀】→귀【亀】
【×鈞】キン　ひとしい

귤

【人橘】キツ　たちばな

극

【克】コク　よく・かつ
【×戟】ゲキ　ほこ
【×棘】キョク
　とげ・いばら
【×隙】ゲキ
　ひま・すき
【※極】キョク・ゴク
　きわみ・きわめ
　る・きわまる・
　きまる・きめる
　極め付 きわめつき
【※劇】ゲキ　はげしい

근

【斤】キン　おの
【※近】[近] キン・コ
　ン　ちかい
　近衛 このえ
【人芹】キン　せり
【※根】コン　ね
【人菫】キン　すみれ
【※勤】[勤] キン・ゴ
　ン　つとめる・
　つとまる・いそ
　しむ
【※筋】キン　すじ
【×僅】キン　わずか
【×槿】キン　むくげ・
　あさがお
　槿花 むくげ
【謹】[謹] キン
　つつしむ
【×饉】キン　うえる

금

【※今】コン・キン
　いま
　今日 きょう・こん
　にち
　今朝 けさ・こんち
　ょう
【※金】キン・コン
　かね・かな・
　こがね
【人衿】キン　えり
【×衾】キン　ふすま
【琴】キン・ゴン　こと
【×禽】キン　とり
【※禁】キン　とどめる
【人錦】キン　にしき
【襟】キン　えり

급

【及】[及] キュウ
　およぶ・およ
　び・およぼす
【扱】[扱] キュウ
　あつかう
【×汲】キュウ　くむ
【※急】[急] キュウ
　いそぐ・せく・
　せかす
【※級】[級] キュウ
　しな
【※給】キュウ
　たまう・たまわる

긍

【人亘】[亙] コウ・セ
　ン　わたる
【肯】コウ　うべなう・
　がえんずる
【×矜】キョウ・キン
　あわれむ・ほこり
【×兢】キョウ
　おそれる

기

【※己】コ・キ
　おのれ・おの・
　つちのと
【企】キ　くわだてる・
　たくらむ
【人伎】ギ・キ　わざ
【肌】キ　はだ・はだえ
【×妓】ギ　うたいめ
　妓生 キーサン・キ
　ーセン
【岐】キ・ギ　わかれる
【※技】ギ　わざ
【忌】キ
　いむ・いまわしい
　忌忌しい　いまいま

しい・ゆゆしい
〖※気〗[氣] キ・ケ
気質 かたぎ・きしつ
気狂い きちがい
〖×其〗キ その・それ
其処 そこ
〖※汽〗キ ゆげ
〖×杞〗キ・コ
〖祈〗[祈] キ
いのる・ねぐ
〖奇〗キ くし
〖既〗[既] キ すでに
〖×祇〗キ・ギ・シ
ただ・まさに
祇園 ぎおん
〖※紀〗キ のり
〖※記〗キ しるす
〖×耆〗キ・シ・ギ
としより
〖×豈〗ガイ あに
〖※起〗[起] キ
おきる・おこる・おこす
〖飢〗[飢] キ うえる
飢死 かつえじに
〖※基〗キ もと・もとい・もとづく
基督 キリスト
〖×埼〗キ さき
埼玉 さいたま
〖※寄〗キ
よる・よせる
寄生 きせい・ほや
寄席 よせ
〖崎〗キ さき
〖幾〗キ いく・きざし・ほとんど
幾許 いくばく
〖※期〗キ・ゴ とき
〖棋〗キ・ゴ・ギ
〖×棊〗→기〖棋〗
〖欺〗ギ・キ
あざむく
〖×嗜〗シ たしなむ
〖棄〗キ すてる
〖×畸〗キ ことなる・めずらしい
畸形 きけい
〖碁〗ゴ
〖※旗〗キ はた
〖※器〗[器] キ うつわ
〖×畿〗キ みやこ
〖人綺〗キ あや
〖※機〗[機] キ はた
機関 からくり・きかん
〖人磯〗キ いそ
〖×騏〗キ
〖騎〗キ のる
〖×麒〗キ
麒麟 きりん
〖×饑〗キ うえる
〖×鰭〗キ ひれ
〖×羇〗キ たび
〖×羈〗キ たづな
羈絆 きずな・ほだし
〖×驥〗キ

긴

〖緊〗キン
しめる・しまる

길

〖吉〗キチ・キツ よし
吉利支丹 キリシタン
〖×佶〗キツ すこやか
〖×拮〗キツ・ケツ
はたらく
〖×桔〗ケツ・キツ

끽

〖喫〗[喫] キツ のむ

ㄴ

나

〖人那〗ナ なんぞ
〖×拿〗ダ・ナ とる
拿捕 だほ
〖×梛〗ダ・ナ なぎ
〖×糯〗ダ もち

낙

〖諾〗ダク うべなう

난

〖※暖〗[暖] ダン・ノン
あたたか・あたたかい・あたたまる・あたためる
暖簾 のれん
〖×煖〗ダン あたたか
〖※難〗[難] ナン
かたい・むずかしい・にくい

날

〖×埒〗ラチ・ラツ
〖×捏〗ネツ・デツ
こねる
捏造 ねつぞう
〖人捺〗ナツ おす

남

〖※男〗ダン・ナン
おとこ・お
〖※南〗ナン・ナ
みなみ
南京豆 なんきんまめ
〖×喃〗ナン
しゃべる・のう
〖人楠〗ナン
くすのき・くす

납

〖※納〗[納] ノウ・トウ・ナッ・ナ・ナン
おさめる・おさまる・いれる

納屋 なや

낭

〖娘〗 ジョウ むすめ
〖×囊〗 ノウ ふくろ
〖×曩〗 ノウ・ドウ さき

내

〖人乃〗 ダイ・ナイ の・すなわち・なんじ
乃至 ないし
〖※内〗[内] ナイ・ダイ うち・いる
内裏 だいり
〖×匂〗 におう(일본 한자)
〖人奈〗 ダイ・ナ
奈良 なら
〖耐〗 タイ たえる・こらえる
〖×迺〗 ダイ なんじ・すなわち・の

녀

〖※女〗 ジョ・ニョ・ニョウ おんな・め・むすめ・めあわす・なんじ
女将 おかみ
女子 おなご・めこ・めのこ

년

〖※年〗 ネン とし・とせ
年増 としま
〖×撚〗 ネン よる
〖×碾〗 テン ひく・うす・きしる
碾臼 ひきうす

념

〖※念〗 ネン おもう
念珠 ねんじゅ
〖×拈〗 ネン ひねる・つまむ
〖×恬〗 テン やすらか
〖×唸〗 テン うなる
〖×捻〗 ネン ひねる
捻子 ねじ

녕

〖寧〗[寧] ネイ やすい・むしろ
〖×獰〗 ドウ わるい
獰猛 どうもう

녜

〖×禰〗 デイ・ネ

노

〖奴〗 ド・ヌ やっこ・やつ
〖※努〗 ド つとめる・ゆめ
〖×呶〗 ド・ドウ かまびすしい
〖×弩〗 ド いしゆみ
〖怒〗 ド・ヌ いかる・おこる
〖×駑〗 ド にぶい
〖×臑〗 ジュ・ドウ すね

농

〖※農〗 ノウ たがやす
〖濃〗 ノウ こい・こ・こまやか
濃茶 こいちゃ
〖×膿〗 ノウ うみ

놔

〖×雫〗 ダ しずく(일본 한자)

뇌

〖悩〗[惱] ノウ なやむ・なやます・なやみ
〖※脳〗[腦] ノウ

뇨

〖尿〗 ニョウ いばり・ゆばり
〖×撓〗 ドウ・コウ たわむ
〖×嬲〗 ジョウ たわむれる・なぶる
〖×鐃〗 ドウ・ニョウ どら

눈

〖×嫩〗 ドン・ノン わかい

눌

〖×吶〗 トツ・ドツ どもる
〖×訥〗 トツ

뉴

〖×紐〗 ジュウ・チュウ ひも

뉵

〖×忸〗 ジク はじる・なれる

능

〖※能〗 ノウ あたう・よく・よくする

니

〖尼〗 ニ・ジ あま
〖泥〗 デイ・デツ・ナイ どろ・ひじ・なずむ
泥鰌 どじょう
〖×逕〗 デイ どろ

닉

〖匿〗 トク かくれる・かくす
〖×搦〗 ジャク

からめる
【×溺】デキ・ニョウ
おぼれる

닐

【×昵】ジツ　なじむ・ちかづき
昵近 じっこん

ㄷ

다

【※多】タ　おおい
【※茶】チャ・サ
茶飯 さはん

단

【丹】タン　あか・に
【人旦】タン　あした
旦那 だんな
【※団】【團】ダン・トン
まるい
団扇 うちわ
団欒 だんらん・まとい
【但】タン
ただし・ただ
【※段】ダン・タン
きざはし
【※断】【斷】ダン
たつ・ことわる
【×蛋】タン
あま・たまご
蛋白 たんぱく
【※単】【單】タン・ゼン
ひとえ
【×猯】タン　まみ
【※短】タン
みじかい
短冊 たんざく
【×椴】ダン　とど
【端】タン　はし・は・はた・はした
【×緞】ダン・トン
どんす
緞子 どんす
【壇】ダン・タン
【人檀】ダン・タン
まゆみ
檀那 だんな
【鍛】タン　きたえる
鍛冶 かじ・たんや
【×簞】タン　わりご
簞笥 たんす

달

【×妲】タツ・ダツ
妲己 だっき
【※達】【達】タツ・ダチ　とおる・さとる
達磨 だるま
【×獺】ダツ　かわうそ
【×韃】タツ・ダツ

담

【※担】【擔】タン
になう・かつぐ
【胆】【膽】タン　きも
【×啖】タン　くらう
啖呵 たんか
【×啗】タン
くらう・くらわす
【淡】タン　あわい
【×郯】タン
【×湛】タン　たたえる
【×痰】タン
【×潭】タン　ふち
【※談】ダン　かたる
【曇】ドン・タン
くもる・くもり
【×蕁】タン・ジン
【×壜】ドン・タン
びん
【×譚】タン　はなし
【×罎】ドン　びん

답

【×沓】トウ　くつ
沓脱ぎ くつぬぎ
【※答】トウ
こたえる・こたえ・いらう
【×剳】トウ・サツ
かぎ・かま
【踏】トウ
ふむ・ふまえる
【×蹋】トウ　ふむ

당

【唐】【唐】トウ
から・もろこし
唐黍 もろこし・とうきび
唐変木 とうへんぼく
【※党】【黨】トウ
なかま
【※堂】ドウ
【※当】【當】トウ
あたる・あてる・まさに
【×棠】トウ　からなし
【×幢】トウ・ドウ
はた
【×撞】トウ・ドウ・シュ　つく
撞着 どうちゃく
【×瞠】ドウ　みはる
【※糖】【糖】トウ
【×檔】トウ　かまち
【×螳】トウ
螳螂 かまきり・とうろう
【×礑】トウ　そこ
【×襠】トウ　まち
【×蟷】トウ
蟷螂 かまきり・とうろう
【×鏜】トウ
【×鞺】トウ
【×鐺】トウ
こじり・こて
【×攩】トウ・コウ

대

〖※大〗ダイ・タイ
おお・おおきい・おおいに
大概 あらすじ・おおむね
大刀 たち
大和 やまと
大晦日 おおつごもり・おおみそか
大口魚 たら
〖※代〗ダイ・タイ
かわる・かえる・よ・しろ
代物 しろもの
〖※台〗[臺] ダイ・タイ うてな
台詞 せりふ
〖※対〗[對] タイ・ツイ こたえる
対馬 つしま
〖※待〗タイ まつ
待合 まちあい
〖×玳〗タイ
〖※帯〗[帶] タイ
おび・おびる
〖袋〗タイ ふくろ
〖※隊〗[隊] タイ
〖※貸〗タイ かす
〖×瑇〗タイ
〖×碓〗タイ うす
〖×戴〗タイ いただく
〖×擡〗タイ もたげる
〖人黛〗タイ まゆずみ
〖×薹〗タイ・ダイ
とう・あぶらな

덕

〖※徳〗[德] トク
徳利 とくり・とっくり

도

〖※刀〗トウ かたな
〖※図〗[圖] ズ・ト
はかる
図体 ずうたい
〖到〗トウ いたる
到底 とうてい
〖※度〗ド・ト・タク
たび・はかる・わたる・たい
〖挑〗チョウ・トウ
いどむ
〖逃〗[逃] トウ
にげる・にがす・のがす・のがれる
〖倒〗トウ たおれる・たおす・さかさま
〖※島〗トウ しま
〖※徒〗ト・ズ あだ・あだし・かち・いたずら・ただ・むだ
徒名 あだな
徒然 つれづれ
〖桃〗トウ もも
〖途〗[途] ト・ズ
みち
〖×荼〗ト・ダ
けしあざみ
荼毗 だび
〖陶〗トウ すえ
陶冶 とうや
〖×兜〗トウ・ト
かぶと
〖悼〗トウ いたむ
〖×掉〗チョウ・トウ
ふる・ふるう
掉尾 とうび
〖×掏〗トウ する
掏摸 すり
〖×屠〗ト ほふる
〖×淘〗トウ よなげる
〖盜〗[盜] トウ ぬすむ
盜人 ぬすっと
〖※都〗[都] ト・ツ
みやこ・すべて
都度 つど
〖×棹〗トウ さお
〖渡〗ト わたる・わたす・わたし
〖×萄〗トウ・ドウ
〖塗〗ト ぬる・まみれる・みち
〖×搗〗トウ つく
〖×滔〗トウ はびこる
〖跳〗チョウ はねる・とぶ・おどる
〖※道〗[道] ドウ・トウ みち・いう
道標 みちしるべ
〖×嶋〗トウ しま
〖稲〗[稻] トウ
いね・いな
稲妻 いなずま
〖×綯〗トウ なう
〖×賭〗ト
かける・かけ
〖※導〗[導] ドウ
みちびく
〖×擣〗トウ
うつ・つく
〖×濤〗トウ なみ
〖×蹈〗トウ ふむ
〖×鍍〗ト
鍍金 めっき・ときん
〖×櫂〗トウ かい
〖×韜〗トウ
つつむ・かくす

독

〖×禿〗トク はげる・かむろ・かぶろ
〖※独〗[獨] ドク
ひとり
独楽 こま
独逸 ドイツ
〖※毒〗ドク
〖督〗トク うながす・ただす・かみ
〖※読〗[讀] ドク・トク・トウ よむ・よみ
読経 どきょう

〖篤〗トク あつい
〖×瀆〗トク けがす
〖×犢〗トク こうし

돈

〖人敦〗トン あつい
〖人惇〗トン・ジュン
あつい・まこと
〖豚〗トン ぶた
〖×頓〗トン とみに
頓馬 とんま
〖×噸〗トン
〖×燉〗トン

돌

〖×咄〗トツ はなし
〖突〗[突] トツ つく
突慳貪 つっけんどん

동

〖※冬〗[冬] トウ ふゆ
〖※同〗ドウ おなじ
同士討ち どうしうち
〖※東〗トウ ひがし・ひんがし・あずま・はる
〖洞〗ドウ・トウ ほら
〖凍〗トウ
こおる・こごえる・いてる・しみる
凍傷 しもやけ
〖胴〗ドウ
〖人桐〗トウ・ドウ
きり
〖×疼〗トウ うずく
〖※働〗ドウ はたらく
(일본 한자)
〖※動〗ドウ うごく・うごかす・ややもすれば
〖棟〗トウ
むね・むな

〖※童〗ドウ
わらべ・わらわ
童謡 わらべうた・どうよう
〖×董〗トウ ただす
〖×僮〗ドウ
〖※銅〗ドウ あかがね
銅鑼 どら
〖人憧〗ショウ・ドウ
あこがれる
憧憬 どうけい・あこがれ
〖人瞳〗ドウ ひとみ
〖×鼕〗トウ

두

〖斗〗ト・トウ ます
〖×抖〗トウ・ト
ふるう
〖人杜〗ト・ズ もり
杜鵑 ほととぎす・とけん
〖×肚〗ト はら
〖※豆〗トウ・ズ まめ
〖×枓〗シュ・トウ
とがた
〖×兜〗→도〖兜〗
〖×逗〗トウ・ズ
とどまる
〖痘〗トウ もがさ
痘痕 あばた・いも・いもがき
〖※頭〗トウ・ズ・ト
あたま・かしら・こうべ・かみ
頭巾 ときん・ずきん
〖×蠹〗ト きくいむし
蠹魚 しみ

둔

〖屯〗トン・チュン
たむろ・たむろする
〖鈍〗ドン にぶい・にぶる・のろい

〖×遁〗トン・シュン
のがれる
〖×臀〗デン しり

득

〖※得〗トク
える・うる

등

〖※灯〗[燈] トウ
ひ・ともしび
灯影 ほかげ
〖※等〗トウ ひとしい・ら・など
等閑 なおざり
〖※登〗トウ・ト
のぼる
〖×橙〗トウ だいだい
〖謄〗[謄] トウ うつす
〖人藤〗[藤] トウ ふじ
〖騰〗[騰] トウ
あがる・のぼる
〖×鐙〗トウ あぶみ
〖×籐〗トウ
籐椅子 とういす

ㄹ

라

〖×喇〗ラツ・ラ
はげし
喇叭 らっぱ
〖裸〗ラ はだか
裸足 はだし
〖×瘰〗ルイ・ラ
〖×螺〗ラ にし・にな
螺子 ねじ
〖×懶〗ラン・ライ
おこたる・ものうい・なまける
〖羅〗ラ うすぎぬ
羅紗 ラシャ
羅馬 ローマ
〖×癩〗ライ

〖×蘿〗ラ　つた
〖×騾〗ラ

락

〖×洛〗ラク
〖×烙〗ラク　やく
〖※落〗ラク
おちる・おとす
落人 おちゅうど・おちうど
落葉松 からまつ
〖絡〗ラク　からむ・からまる
絡繰 からくり
〖※楽〗[樂] ラク　たのしい →악〖楽〗
〖酪〗ラク
〖×駱〗ラク
駱駝 らくだ

란

〖※乱〗[亂] ラン
みだれる・みだす・おさむ
〖※卵〗ラン　たまご
〖×嬾〗ラン・ライ
おこたる・ものうい・だるい
〖人蘭〗[蘭] ラン
あららぎ
〖×瀾〗ラン　なみ
〖欄〗[欄] ラン　てすり
〖×爛〗ラン　ただれる
〖×鸞〗ラン

랄

〖×剌〗ラツ　もとる
剌麻 ラマ
〖×辣〗ラツ　からい

람

〖×婪〗ラン　むさぼる
〖人嵐〗ラン　あらし
嵐山 あらしやま
〖※覧〗[覽] ラン　みる
〖濫〗ラン　みだり
〖人藍〗ラン　あい
〖×襤〗ラン　ぼろ
襤褸 ぼろ・らんる・つづれ
〖×籃〗ラン　かご

랍

〖×拉〗ロウ・ラツ
拉致 らっち・らち
〖×臈〗ロウ
〖×蠟〗ロウ
蠟燭 ろうそく
〖×臘〗ロウ
臘月 しわす・ろうげつ
〖×鑞〗ロウ　すず

랑

〖郎〗[郞] ロウ
おとこ・おっと
〖浪〗ロウ　なみ
浪漫 ローマン
浪花節 なにわぶし
〖×狼〗ロウ　おおかみ
狼火 のろし
狼狽 ろうばい
〖※朗〗[朗] ロウ
ほがらか・あきらか
〖×莨〗ロウ　たばこ
〖×琅〗ロウ　たま
〖廊〗[廊] ロウ

래

〖※来〗[來] ライ
くる・きたる・きたす
〖×徠〗ライ　くる
〖×萊〗ライ　あかざ
〖×鋑〗レイ　もじ

랭

〖※冷〗レイ　ひえる・ひや・ひやす・ひやかす・つめたい・さめる・さます・ひややか

략

〖×掠〗リャク
かすめる
〖※略〗リャク
はぶく・ほぼ

량

〖※良〗リョウ　よい・やや・しばらく
〖※両〗[兩] リョウ
ふたつ・もろ
両手 もろて
両肌 もろはだ
〖人亮〗リョウ　すけ
〖涼〗リョウ　すずしい・すずむ
〖×梁〗リョウ　はり・うつばり・やな
〖×喨〗リョウ
〖人椋〗リョウ　むく
〖※量〗リョウ
はかる・はかり
〖×裲〗リョウ
〖×粮〗ロウ・リョウ
かて
〖人諒〗リョウ　まこと
〖糧〗リョウ・ロウ
かて

려

〖励〗[勵] レイ
はげむ・はげます
〖人呂〗リョ・ロ
呂律 ろれつ
〖戻〗[戾] レイ・ライ
もどす・もどる
〖×侶〗リョ　とも
〖※旅〗[旅] リョ　たび
旅人 たびびと
〖×茘〗リ・レイ
〖×唳〗レイ　なく

〖慮〗リョ
おもんぱかる
〖人黎〗レイ
おおし・くろい
〖×濾〗ロ こす
〖麗〗レイ うるわしい・うららか
〖×礪〗レイ
と・とぐ・みがく
〖×驢〗ロ

력

〖※力〗リョク・リキ
ちから・つとめる
〖暦〗[曆] レキ・リャク こよみ
〖※歴〗[歷] レキ へる
〖×瀝〗レキ したたる
〖×櫟〗レキ・ロウ
くぬぎ
〖×礫〗レキ つぶて
〖×轢〗レキ
きしる・ひく

련

〖※連〗[連] レン つらなる・つらねる・つれる・むらじ
〖恋〗[戀] レン こう・こい・こいしい
〖×煉〗レン ねる
〖人蓮〗[蓮] レン
はす・はちす
〖×漣〗レン さざなみ
〖※練〗[練] レン ねる
〖×憐〗レン あわれむ・あわれみ
〖×輦〗レン てぐるま
〖錬〗[鍊] レン ねる
〖×縺〗レン もつれる
〖×聯〗レン つらねる・つらなる
〖×鰊〗レン にしん

렬

〖※列〗レツ ならべる・つらなる
〖劣〗レツ おとる
〖烈〗レツ はげしい
〖×捩〗レイ・レツ
ねじる・もじる・よじる・すじる
捩子 ねじ
〖裂〗レツ
さく・さける

렴

〖廉〗[廉] レン
かど・やすい
〖×簾〗レン
すだれ・す
〖×瀲〗レン
〖×蘞〗レン えぐい

렵

〖猟〗[獵] リョウ かり
〖×鬣〗リョウ

령

〖※令〗レイ・リョウ
〖人伶〗レイ わざおぎ
〖×囹〗レイ・リョウ
ひとや
〖人怜〗レイ さとい・かしこい
〖人玲〗レイ
玲瓏 れいろう
〖×羚〗レイ・リョウ
かもしか
羚羊 かもしか
〖×聆〗レイ きく
〖×逞〗テイ
たくましい
〖零〗レイ
おちる・こぼれる・こぼす・ふる・ゼロ
零落れる おちぶれる
〖鈴〗レイ・リン すず
鈴蘭 すずらん

〖※領〗リョウ・レイ
えり
〖霊〗[靈] レイ・リョウ
たま・たましい
〖人澪〗レイ みお
〖人嶺〗レイ みね・ね
〖齢〗[齡] レイ
とし・よわい
〖×櫺〗レイ れんじ

례

〖※礼〗[禮] レイ・ライ
〖※例〗レイ たとえる
〖隷〗レイ しもべ
〖×醴〗レイ あまざけ・こさけ
〖×鱧〗レイ はも

로

〖※老〗ロウ おいる・ふける・おい
老舗 しにせ
老耄れる おいぼれる
〖※労〗[勞] ロウ
いたわる・ねぎらう
〖炉〗[爐] ロ いろり
〖×鹵〗ロ しお・たて
鹵獲 ろかく
〖虜〗[虜] リョ とりこ
〖※路〗ロ じ・みち
〖×魯〗ロ
〖人蕗〗ロ ふき
〖×盧〗ロ
〖×癆〗ロウ
〖×壚〗ロ いろり
〖×蘆〗ロ あし
〖×櫓〗ロ やぐら
〖爐〗→로〖炉〗
〖露〗ロ・ロウ つゆ・あらわ・あらわれる・あらわす
露西亜 ロシア
〖×顱〗ロ かしら

〖×鷺〗ロ　さぎ
〖×驢〗ロ
驢馬 ろば
〖×鱸〗すずき

록

〖人鹿〗ロク
しか・か・しし
〖人禄〗[祿] ロク
さいわい
〖×碌〗ロク
〖×漉〗ロク　こす
〖※緑〗[綠] **リョク・ロク　みどり**
〖※録〗[錄] **ロク**
しるす
〖×轆〗ロク　がらがら
轆轤 ろくろ
〖×麓〗ロク　ふもと

론

〖※論〗**ロン**
あげつらう

롱

〖×弄〗ロウ
もてあそぶ
〖滝〗[瀧] ロウ　たき
〖×壟〗リョウ・ロウ
おか・うね
〖×隴〗ロウ
うね・おか
〖×朧〗ロウ　おぼろ
〖×籠〗ロウ　かご・こめる・こもる
籠手 こて
〖×聾〗ロウ　つんぼ

뢰

〖×牢〗ロウ　ひとや
〖×賂〗ロ　まいない
〖雷〗**ライ　かみなり・いかずち**
〖×磊〗ライ
〖×擂〗ライ　する
擂鉢 すりばち
〖×蕾〗ライ　つぼみ
〖頼〗[賴] **ライ　たのむ・たのもしい・たよる・よる**
頼母子講 たのもしこう
〖瀬〗[瀨] **ライ　せ**

료

〖了〗**リョウ　さとる・おわる・おえる**
〖※料〗**リョウ　はかる**
〖僚〗**リョウ**
〖×寥〗リョウ
さびしい
〖寮〗**リョウ　つかさ**
〖×蓼〗リョウ　たで
〖人燎〗リョウ
かがりび
〖人遼〗[遼] リョウ
はるか
〖人瞭〗リョウ
あきらか
〖療〗**リョウ　いやす**
〖×繚〗リョウ
まとう・めぐる
〖×醪〗ロウ　もろみ

룡

〖竜〗[龍] **リュウ・リョウ　たつ**
竜顔 りゅうがん・りょうがん

루

〖×陋〗ロウ　いやしい
〖累〗**ルイ　かさねる・かさなる・しきりに・わずらわす**
〖涙〗[淚] **ルイ　なみだ**
〖塁〗[壘] **ルイ　とりで**
〖×婁〗ル・ロウ
つなぐ・ひく
〖×僂〗ロウ・ル
かがむ
〖楼〗[樓] **ロウ**
たかどの・やぐら
〖漏〗**ロウ・ロ**
もる・もれる・もらす
〖×屢〗ル　しばしば
〖×瘻〗ロウ・ル
〖×縷〗ル　いと
〖×螻〗ロウ
〖×鏤〗ル　ちりばめる

류

〖柳〗**リュウ**
やなぎ・やぎ
〖※流〗**リュウ・ル**
ながれる・ながす
流石 さすが
流行る はやる
〖人琉〗リュウ・ル
〖※留〗**リュウ・ル**
とめる・とまる・とどまる・とどめる・ループル
〖硫〗**リュウ**
硫黄 いおう・ゆおう
〖×溜〗リュウ
たまる・ためる
〖×榴〗リュウ　ざくろ
〖人瑠〗ル　たま
瑠璃 るり
〖×瘤〗リュウ　こぶ
〖×縲〗ルイ　つなぐ
〖×瀏〗リュウ
さわやか
〖×謬〗ビュウ
あやまる
〖※類〗[類] **ルイ**
たぐい

륙

〖※六〗**ロク・リク**
む・むつ・むっつ・むい

六十 むそ・むそじ
〖※陸〗 リク・ロク
おか・くが
陸釣り おかづり
〖×戮〗 リク ころす

륜

〖倫〗 リン
みち・たぐい
倫敦 ロンドン
〖×崙〗 ロン
〖×淪〗 リン しずむ
〖人綸〗 リン いと
〖※輪〗 リン
わ・めぐる
輪廻 りんね

률

〖※律〗 リツ・リチ
のり・おきて
〖人栗〗 リツ くり
栗鼠 りす・くりねずみ
〖※率〗 リツ →솔〖率〗
〖×葎〗 リツ むぐら
〖×慄〗 リツ ふるえる

륭

〖隆〗〖隆〗 リュウ
たかい・さかん

륵

〖×肋〗 ロク あばら
〖×勒〗 ロク くつわ・おさえる

름

〖人凜〗 リン
凜凜しい りりしい

릉

〖人凌〗 リョウ
しのぐ・ひむろ
〖人崚〗 リョウ たかい
〖×菱〗 リョウ ひし
〖陵〗 リョウ
みささぎ・おか・しのぐ
〖×楞〗 リョウ
〖人稜〗 リョウ
かど・そば
〖人綾〗 リョウ あや

리

〖吏〗 リ つかさ
〖※利〗 リ きく・とし
〖人李〗 リ すもも
〖※里〗 リ さと
〖×俚〗 リ いやし
〖厘〗 リン
〖×哩〗 リ マイル
〖×狸〗 リ たぬき
〖×悧〗 リ かしこい
悧巧 りこう
〖人梨〗 リ なし
梨の礫 なしのつぶて
〖人莉〗 リ
〖※理〗 リ おさめる・おさまる・ことわり
〖人璃〗 リ たま
〖×裡〗 リ うら・うち
〖痢〗 リ
〖×蜊〗 リ あさり
〖※裏〗 リ うら・うち
裏店 うらだな
〖履〗 リ はく・くつ・ふむ
〖×犛〗 リ・ボウ
〖×糎〗 センチメートル (일본 한자)
〖×罹〗 リ かかる
〖×螭〗 チ みずち
〖×醨〗 リ
しる・もそろ
〖×釐〗 リ おさめる
〖人鯉〗 リ こい
〖×羸〗 ルイ やせる
〖離〗 リ はなれる・はなす
〖×魑〗 チ もち

린

〖×吝〗 リン やぶさか・しわい
吝嗇 けち
〖×燐〗 リン
燐寸 マッチ・おにび・きつねび
〖隣〗 リン
となり・となる
〖×藺〗 リン い
〖×鱗〗 リン うろこ
〖人麟〗 リン

림

〖※林〗 リン はやし
林檎 りんご
〖×淋〗 リン さびしい
淋巴腺 リンパせん
〖人琳〗 リン
〖×痳〗 リン
〖×霖〗 リン ながあめ
〖※臨〗 リン のぞむ

립

〖×笠〗 リュウ かさ
〖※立〗 リツ・リュウ
たつ・たてる・リットル
〖粒〗 リュウ つぶ

ㅁ

마

〖※馬〗 バ・メ・マ
うま・ま
馬鹿 ばか
馬力 ばりき
〖麻〗〖痲〗 マ あさ・お
麻疹 はしか・ましん
麻雀 マージャン

〖×瑪〗 メ
〖×麼〗 マ・モ
〖摩〗[摩] マ
する・こする
〖×碼〗 バ・マ・メ
ヤード
〖磨〗[磨] マ みがく・
する・とぐ
〖×蟇〗 バ・マ・マク
がま
〖人麿〗[麿] まろ(일본 한자)
〖魔〗[魔] マ

막

〖×莫〗 バク・マク・
ボ・モ
なし・なかれ
〖漠〗 バク ひろい
〖×寞〗 バク さびしい
〖※幕〗 マク・バク
〖膜〗 マク
〖×藐〗 バク・ミャク
〖×邈〗 バク はるか

만

〖※万〗[萬] マン・バ
ン よろず
〖×卍〗 バン・マン
まんじ
卍巴 まんじともえ
〖×娩〗 ベン うむ
〖×挽〗 バン ひく
〖×曼〗 マン
曼陀羅 まんだら
〖※満〗[滿] マン
みちる・みたす
〖湾〗[灣] ワン
〖※晩〗[晚] バン
くれ・おそい
〖蛮〗[蠻] バン えびす
〖慢〗 マン おこたる・
あなどる
慢慢的 マンマン
デー
〖漫〗 マン
みだりに・そぞ
ろに
〖×蔓〗 マン つる
〖×輓〗 バン ひく
〖×瞞〗 マン だます
〖×蹣〗 マン よろめく
〖×鏝〗 マン こて
〖×饅〗 マン
饅頭 まんじゅう
〖×彎〗 ワン
〖×鰻〗 マン うなぎ
[灣] →만〖湾〗
[蠻] →만〖蛮〗

말

〖※末〗 マツ・バツ
すえ
〖抹〗 マツ する・けす
〖×沫〗 マツ・バツ
あわ・しぶき
〖人茉〗 マツ・マ
〖×秣〗 マツ まぐさ
〖×靺〗 マツ・バツ

망

〖※亡〗[亡] ボウ・モ
ウ ない・うせる・
ほろびる・なくす
亡人 なきひと
〖妄〗[妄] モウ・ボウ
みだる・みだり
〖忙〗[忙] ボウ
いそがしい
〖※忘〗[忘] ボウ
わすれる
〖×茫〗 ボウ ひろい
〖※望〗[望] ボウ・モ
ウ のぞむ・もち
〖×莽〗 モウ・ボウ
くさむら
〖網〗 モウ あみ
〖×鋩〗 ボウ きっさき
〖×蟒〗 ボウ おろち
〖×魍〗 ボウ・モウ

매

〖※毎〗[每] マイ
ごと・つねに
〖※売〗[賣] バイ・マ
イ うる・うれる
売女 ばいた
〖※妹〗 マイ
いも・いもうと
〖×呆〗 ホウ・ボウ
あきれる
呆気 あっけ
〖※枚〗 マイ・バイ
ひら
〖×昧〗 マイ くらい
〖×玫〗 バイ・マイ
〖埋〗 マイ うめる・う
もれる・うずめる
〖※梅〗[梅] バイ うめ
梅雨 つゆ・ばいう
〖媒〗 バイ なかだち
媒酌 ばいしゃく
〖×寐〗 ビ ねる
〖※買〗 バイ かう
〖×楳〗 バイ うめ
〖×煤〗 バイ すす
〖×邁〗 マイ
〖×罵〗 バ ののしる
〖魅〗 ミ みいる

맥

〖※麦〗[麥] バク
むぎ
麦酒 ビール
〖※脈〗[脈] ミャク
〖×驀〗 バク
驀進 ばくしん

맹

〖人孟〗 モウ はじめ
〖盲〗[盲] モウ
めくら・めしい
〖猛〗 モウ
たけし・たける
猛者 もさ

〚人萌〛 ホウ・ボウ
もえる・きざす・め
〚×蔄〛 ボウ・ミョウ
〚※盟〛 メイ
ちかう・ちかい
〚×甍〛 ボウ いらか

면

〚免〛[免] メン まぬかれる・ゆるす
〚※面〛 メン おも・おもて・つら・まのあたり・も
面白い おもしろい
面映ゆい おもはゆい
〚※勉〛 ベン つとめる
〚眠〛 ミン
ねむる・ねむい
〚×冕〛 ベン かんむり
〚×棉〛 メン
きわた・わた
〚※綿〛 メン わた
〚×緬〛 メン
とおし・はるか
〚×麺〛 メン

멸

〚滅〛 メツ ほろびる・ほろぼす
滅多 めった
滅入る めいる
〚×蔑〛 ベツ さげすむ・ないがしろにする

명

〚※皿〛 さら
〚※名〛 メイ・ミョウ
な・なづける
名残 なごり
〚※明〛 メイ・ミョウ・ミン あかり・あかるい・あかるむ・あからむ・あきらか・あける・あく・あくる・あかす
明日 あした・あす・みょうにち
明後日 あさって・みょうごにち
明明後日 しあさって
〚※命〛 メイ・ミョウ
いのち・みこと
〚×茗〛 ミョウ・メイ
〚×冥〛 メイ・ミョウ
くらい
冥利 みょうり
〚×溟〛 メイ くらい
〚×酩〛 メイ
酩酊 めいてい
〚×榠〛 メイ・ベイ
〚※鳴〛 メイ・ミョウ
なく・なる・ならす
〚銘〛 メイ しるす
〚×瞑〛 メイ つぶる
〚×螟〛 メイ ずいむし

몌

〚×袂〛 ベイ たもと

모

〚※毛〛 モウ け
毛鉤 けばり
〚矛〛 ム・ボウ ほこ
〚※母〛 ボ・モ はは
母屋 おもや・もや
お母さん おかあさん
〚×牡〛 ボ・ボウ
おす・お
牡蠣 かき
牡丹 ぼたん
〚人茅〛 ボウ かや・ちがや・ち
〚侮〛[侮] ブ あなどる
〚冒〛[冒] ボウ おかす
〚某〛 ボウ それがし
〚人眸〛 ボウ
ひとみ・まなこ
〚×姥〛 ボ うば
〚×耄〛 モウ・ボウ
おいぼれる
耄碌 もうろく
〚耗〛[耗] モウ・コウ
へる・へらす
〚×粍〛 ミリメートル
(일본 한자)
〚募〛 ボ つのる
〚帽〛[帽] ボウ
〚×摸〛 モ・バク
まねる
〚※暮〛 ボ くれる・くらす・くれ
〚慕〛 ボ したう
〚※模〛 モ・ボ
かたどる
〚×鉾〛 ボウ・ほこ
〚×貌〛 ボウ・バク
かたち
〚謀〛 ボウ・ム
はかる・はかりごと
謀叛 むほん

목

〚※木〛 ボク・モク
き・こ
木理 きめ
木綿 もめん・ゆう・きわた・パンヤ
木端微塵 こっぱみじん
〚※目〛 モク・ボク
め・ま
目眩 めまい
目論 もくろみ
目映い まばゆい
〚×沐〛 モク あらう
〚※牧〛 ボク まき
〚×苜〛 モク・ボク
〚人睦〛 ボク むつぶ・むつまじい

睦言 むつごと
【×穆】 ボク
やわらぐ

몰

【没】【沒】 ボツ・モツ
【×歿】 ボツ しぬ

몽

【×蒙】 モウ こうむる
【※夢】 ム ゆめ
【×濛】 モう くらい
【×朦】 モウ くらい
朦昧 もうまい
【×艨】 モウ
いくさぶね

묘

【人卯】 ボウ う
【妙】 ミョウ たえ
【苗】 ビョウ・ミョウ
なえ・なわ
苗代 なわしろ
【×杳】 ヨウ くらい
【人昴】 ボウ すばる
【畝】 ホ せ・うね
【描】 ビョウ
えがく・かく
【猫】 ビョウ ねこ
猫糞 ねこばば
【※墓】 ボ はか
【×廟】 ビョウ
みたまや
【×錨】 ビョウ いかり

무

【×毋】 ブ・ム なかれ
【×戊】 ボ つちのえ
【×巫】 フ みこ
【×拇】 ボウ・ボ
おやゆび
拇印 ぼいん・つめ
はん
【茂】 モ
しげる・もち
【※武】 ブ・ム
たけ・たけし
武蔵 むさし
【※務】 ム つとめる・
つとめ
【※貿】 ボウ あきなう
【※無】 ム・ブ ない
無頼 ごろつき
無聊 ぶりょう
無垢 むく
無言 むごん・
しじま
無花果 いちじく・
いちじゅく
【×嘸】 ブ さぞ
【×誣】 ブ・フ しいる
【×撫】 ブ なでる
【×蕪】 ブ
かぶ・かぶら
【舞】 ブ まう・まい
【霧】 ム きり
霧雨 きりさめ
【×鋲】 ブリキ(일본 한자)
鋲力 ブリキ

묵

【墨】【墨】 ボク すみ
墨西哥 メキシコ
【黙】【默】 モク
だまる・もだす

문

【※文】 ブン・モン
ふみ・あや
文字 もじ
【匁】 もんめ(일본 한자)
【×吻】 フン くちびる
【※門】 モン かど
門 と
【紋】 モン あや
【蚊】 ブン か
蚊帳 かや
【※問】 モン とう・と
い・とん
問屋 とんや
【※聞】 ブン・モン
きく・きこえる
【×紊】 ビン・ブン
みだれる

물

【×勿】 ブツ・モチ
なかれ
勿体 もったい
勿忘草 わすれなぐさ
【※物】 ブツ・モツ
もの
物怪 もっけ・もののけ

미

【※未】 ミ・ビ ひつじ・いまだ・まだ
未曾有 みぞう
【※米】 ベイ・マイ
こめ・よね・
メートル
【尾】 ビ お
【※味】 ミ
あじ・あじわう
味噌 みそ
【人弥】【彌】 ミ・ビ
や・いよいよ・
いや
弥勒 みろく
弥生 やよい
【※美】 ビ・ミ
うつくしい・
うまし・よい
美味い うまい・
おいしい
美人局 つつもたせ
【※迷】【迷】 メイ
まよう
迷子 まいご
【人眉】 ビ・ミ
まゆ・まみ

眉唾 まゆつば
〖×娓〗ビ・ミ
〖×梶〗ビ かじ
〖×媚〗ビ こびる
〖×楣〗ビ・ミ
まぐさ
〖微〗[微] ビ・ミ
かすか
微風 そよかぜ
微笑む ほほえむ
〖×躾〗しつけ(일본 한자)
〖×謎〗メイ なぞ
〖×糜〗ビ
かゆ・ただれる
糜爛 びらん
〖×麋〗ビ おおじか
〖×靡〗ビ・ヒ なびく
〖×黴〗バイ・ビ かび

민

〖※民〗ミン たみ
民部 かきべ
〖×悶〗モン もだえる
〖×憫〗ビン
うれえる・あわれむ
〖敏〗[敏] ビン
すばやい・さとい・とし
〖×罠〗わな

밀

〖※密〗ミツ
こまやか・ひそか・みそか
〖×蜜〗ミツ
蜜柑 みかん
〖×樒〗ミツ しきみ

ㅂ

박

〖朴〗ボク ほお
朴念仁 ぼくねんじん
〖拍〗ハク・ヒョウ
うつ
〖泊〗ハク
とまる・とめる
〖×狛〗ハク こま
〖迫〗[迫] ハク せまる
迫り出し せりだし
〖×剥〗ハク はぐ・むく
〖×粕〗ハク かす
〖舶〗ハク ふね
〖※博〗[博] ハク・バク ひろい
博士 はかせ・はくし
博打 ばくち
〖×搏〗ハク
うつ・とる
〖×雹〗ハク ひょう
〖×箔〗ハク
〖×膊〗ハク
ほじし・うで
〖×駁〗ハク・バク
〖撲〗ボク
うつ・なぐる
〖×樸〗ボク あらき
〖×璞〗ハク
あらたま
〖縛〗[縛] バク しばる・いましめる
〖薄〗[薄] ハク うすい・うすめる・うすまる・うすらぐ・うすれる・せまる・すすき
薄鈍 うすのろ・うすにび

반

〖※反〗ハン・ホン・タン そる・そらす・かえる・かえす・そむく・そむける
反吐 へど
反っ歯 そっぱ
〖※半〗[半] ハン
なかば
半纏 はんてん
〖伴〗[伴] バン・ハン
ともなう・とも
伴天連 バテレン
〖※返〗[返] ヘン
かえす・かえる
〖×叛〗ハン そむく
〖※班〗ハン わかつ
〖畔〗[畔] ハン
あぜ・くろ・ほとり
〖般〗ハン めぐる
般若 はんにゃ
〖×絆〗ハン・バン
きずな
〖×斑〗ハン ふ・まだら・ぶち
〖搬〗ハン はこぶ
〖頒〗ハン
わかつ・わける
〖※飯〗[飯] ハン
めし・いい
〖×槃〗バン たらい
〖×瘢〗ハン きずあと
〖盤〗バン おおざら
〖×磐〗バン いわ
〖×蟠〗ハン・バン
わだかまる
〖×攀〗ハン よじる
〖×礬〗バン

발

〖抜〗[拔] バツ
ぬく・ぬける・ぬかす・ぬかる
〖×勃〗ボツ にわか
〖※発〗[發] ハツ・ホツ はなつ・ひらく・あばく・たつ・おこる
発条 ばね・ぜんまい
〖×跋〗バツ ふむ

〘鉢〙 ハツ・ハチ
〘髮〙〘髪〙 ハツ
かみ・くし
〘×渤〙 ボツ
〘×撥〙 ハツ・バチ
はねる・はじく
撥音 はつおん
〘×潑〙 ハツ はねる
潑剌 はつらつ
〘×醱〙 ハツ かもす

방

〘※方〙 ホウ
かた・あたる・ならべる・まさに
〘坊〙 ボウ・ボッ
坊主 ぼうず
〘×尨〙 ボウ
むく・むくいぬ
〘妨〙 ボウ さまたげる
〘×彷〙 ホウ さまよう
彷徨く うろつく
彷徨う さまよう
〘邦〙〘邦〙 ホウ くに
〘※防〙 ボウ ふせぐ
〘房〙〘房〙 ボウ ふさ
〘×舫〙 ホウ ふね
〘※放〙 ホウ はなす・はなつ・はなれる・ゆるす・ほしいままにする・ほうる
放題 ほうだい
放り出す ほうりだす
〘肪〙 ボウ あぶら
〘芳〙 ホウ
かんばしい・よし
〘×厖〙 ボウ おおきい
〘倣〙 ホウ ならう
〘×旁〙 ボウ かたわら・つくり
〘紡〙 ボウ つむぐ
紡錘 つむ
〘傍〙 ボウ・ホウ
かたわら・そば・わき・つくり・そう
傍目 あからめ・おかめ・はため
〘×榜〙 ボウ たてふだ
〘×幇〙 ホウ たすける
〘※訪〙 ホウ おとずれる・たずねる・とう・おとなう
〘×膀〙 ボウ
膀胱 ぼうこう
〘×髣〙 ホウ にる
髣髴 ほうふつ
〘×魴〙 ホウ
〘×鎊〙 かざり
〘×謗〙 ボウ そしる

배

〘×坏〙 ハイ つき
〘※拜〙〘拝〙 ハイ
おがむ
〘杯〙 ハイ さかずき
〘×盃〙 ハイ さかずき
〘×胚〙 ハイ はらむ
〘※背〙 ハイ せ・せい・そむく・そむける・うしろ・そびら
背負う しょう
〘※俳〙 ハイ
わざおぎ・もとおる
〘※倍〙 バイ ます
〘※配〙 ハイ
くばる・たぐい
〘培〙 バイ
つちかう・ます
〘排〙 ハイ
おす・おしひらく
〘×徘〙 ハイ さまよう
〘陪〙 バイ・ハイ
したがう
〘×焙〙 ハイ・ホウ
あぶる・ほうじる
〘賠〙 バイ つぐなう
〘輩〙 ハイ
やから・ともがら
〘×韛〙 ハイ ふいご

백

〘※白〙 ハク・ビャク
しろ・しろい・しら・しらむ・もうす
白粉 おしろい
白髮 しらが
白帯下 こしけ
〘※百〙 ヒャク もも
百済 くだら
百足 むかで
百合 ゆり
〘伯〙 ハク おさ・おじ
伯父 おじ
伯母 おば
伯林 ベルリン
〘×帛〙 ハク
きぬ・ぬさ
〘×柏〙 ハク かしわ
〘×魄〙 ハク たましい

번

〘×袢〙 ハン・バン
〘※番〙 バン
つがい・つがう
〘煩〙 ハン・ボン わずらう・わずらわす・わずらわしい
煩悩 ぼんのう
〘×幡〙 ハン・マン
はた
〘×樊〙 ハン まがき
〘×燔〙 ハン あぶる
〘×蕃〙 バン・ハン
しげる
〘繁〙〘繁〙 ハン しげる
〘飜〙〘翻〙 ホン・ハン
ひるがえる・ひるがえす
〘藩〙 ハン まがき
〘×蘩〙 ハン
しろよもぎ

〖×飜〗 →번〖翻〗

벌

〖伐〗 バツ　うつ·きる
〖×筏〗 いかだ
〖罰〗 バツ·バチ
〖閥〗 バツ　いえがら

범

〖凡〗[凡] ボン·ハン
およそ·すべて
〖×氾〗 ハン　あふれる
〖※犯〗 ハン·ボン
おかす
〖帆〗[帆] ハン　ほ
〖×汎〗 ハン　ひろい
〖×泛〗 ハン　うかぶ
〖×梵〗 ボン
梵唄 ぼんばい
〖範〗 ハン　のり
範疇 カテゴリー

법

〖※法〗 ホウ·ハッ·ホッ　のり·のっとる·フラン
法度 はっと·ほっと
法螺 ほら
〖×琺〗 ホウ
琺瑯 ほうろう

벽

〖×辟〗 ヘキ　きみ
〖人碧〗 ヘキ　みどり
〖×僻〗 ヘキ　ひがむ
〖×劈〗 へき
さく·つんざく
〖壁〗 ヘキ　かべ
〖×璧〗 ヘキ　たま
〖癖〗 ヘキ　くせ
〖×襞〗 ヘキ　ひだ
〖×躄〗 ヘキ
あしなえ·いざる
〖×霹〗 ヘキ　かみなり
霹靂 へきれき

변

〖※弁〗[辨·瓣·辯]
ベン
〖※辺〗[邊] ヘン
あたり·べ·ほとり
〖※便〗 →편〖便〗
〖※変〗[變] ヘン
かわる·かえる
〖×胼〗 ヘン
たこ·あかぎれ
胼胝 たこ
〖×駢〗 ヘン·ベン
ならぶ
[辨] →변〖弁〗
[辯] →변〖弁〗

별

〖※別〗 ベツ
わかれる·わかつ·わける
〖×瞥〗 ベツ　みる
〖×鼈〗 ベツ
すっぽん

병

〖丙〗[丙] ヘイ　ひのえ
〖※兵〗 ヘイ·ヒョウ
つわもの·いくさ
兵糧 ひょうろう
兵児帯 へこおび
〖併〗[併] ヘイ
あわせる·ならぶ·ならべる·しかし
〖柄〗[柄] ヘイ
え·がら·つか
〖×炳〗 ヘイ
あきらか
〖瓶〗 ビン·ビョウ·ヘイ　かめ·みか
〖※並〗[竝] ヘイ
なみ·ならべる·ならぶ·ならびに
〖※病〗 ビョウ·ヘイ
やむ·やまい
〖×迸〗 ホウ
ほとばしる
〖×屛〗 ヘイ·ビョウ
屛風 びょうぶ
〖塀〗[塀] ヘイ(일본 한자)
〖×餅〗 ヘイ　もち
〖×鋲〗 ビョウ
(일본 한자)

보

〖呆〗 →매〖呆〗
〖人甫〗 ホ
はじめ·すけ
〖※宝〗[寶] ホウ
たから
〖※歩〗[步] ホ·ブ·フ　あるく·あゆむ·かち
〖※保〗 ホ·ホウ
たもつ·もつ·やすし·やすんずる
保合 もちあい
〖×堡〗 ホウ·ホ
とりで
〖×菩〗 ボ
菩薩 ぼさつ
〖普〗 フ　あまねく
〖※補〗 ホ·フ
おぎなう
〖×鴇〗 ホウ　とき
〖※報〗 ホウ　むくいる·しらせる
〖人輔〗 ホ·フ
たすける
〖×鯆〗 コ　せいご
〖譜〗[譜] フ

복

〖×卜〗 ボク　うらなう
〖伏〗 フク
ふせる·ふす

〖※服〗[服] フク・ブク まつろう
〖×匐〗 フク はう・はらばう
〖×袱〗 フク ふくさ
袱紗 ふくさ
〖復〗 →부〖復〗
〖※腹〗 フク はら
〖僕〗 ボク しもべ・やつがれ
〖※福〗[福] フク さいわい
〖※複〗 フク かさなる
〖×箙〗 フク えびら
〖×蝮〗 フク まむし
〖×輻〗 フク や
〖樸〗 →박〖樸〗
〖覆〗[覆] フク おおう・くつがえす・くつがえる
〖×馥〗 フク かおり

본

〖※本〗 ホン もと・もとづく

봉

〖奉〗 ホウ・ブ たてまつる
〖封〗 フウ・ホウ さかい・ポンド
〖俸〗 ホウ ふち
〖峰〗 ホウ・ブ みね
〖×峯〗 →봉〖峰〗
〖×捧〗 ホウ ささげる
〖×烽〗 ホウ のろし・とぶひ
烽火 ほうか・のろし
〖×逢〗 ホウ あう
逢瀬 おうせ
〖※棒〗 ボウ
〖×蜂〗 ホウ はち
〖人鳳〗 ホウ おおとり
鳳凰 ほうおう
〖×蓬〗 ホウ よもぎ
〖×鋒〗 ホウ ほこさき・きっさき
〖縫〗[縫] ホウ ぬう
縫包 ぬいぐるみ

부

〖※夫〗 フ・フウ おっと・おとこ・それ
夫婦 めおと・みょうと
〖※父〗 フ ちち
父無子 てなしご
お父さん おとうさん
〖不〗 →불〖不〗
〖※付〗 フ つける・つく
〖※否〗 ヒ いな・いなむ・いや
否応 いやおう
〖扶〗 フ たすける
〖×抔〗 ホウ すくう
〖人芙〗 フ はす
芙蓉 ふよう
〖※府〗 フ くら・みやこ
〖×斧〗 フ おの
〖附〗 フ つく・つける
〖×阜〗 フ おか・ゆたか
〖×俘〗 フ とりこ
俘虜 とりこ・ふりょ
〖×訃〗 フ つげる・しらせ
〖※負〗 フ おう・まける・まかす・そむく
〖赴〗 フ おもむく
〖×俯〗 フ うつむく
〖剖〗 ボウ・ホウ わける・さく
〖浮〗[浮] フ うく・うかれる・うかぶ・うかべる・うかす・うわつく
浮気 うわき
浮腫む むくむ
〖×釜〗 フ かま
〖※副〗 フク そう・そえる
〖×埠〗 フ はとば
埠頭 ふとう
〖×俯〗 フ うつむく
〖※婦〗[婦] フ おんな・よめ
〖×桴〗 フ ばち
〖符〗 フ わりふ
〖×趺〗 フ
趺坐 あぐら
〖×傅〗 フ いつく・もり
〖※部〗 ブ へ・べ
部屋 へや
〖※富〗 フ・フウ とむ・とみ
富貴 ふっき
〖※復〗 フク かえる・かえす・ふたたび・また
復習う さらう
〖×腑〗 フ はらわた
腑甲斐無い ふがいない
〖×蜉〗 フ
蜉蝣 かげろう
〖×鳧〗 フ かも・けり
〖腐〗 フ くさる・くされる・くさらす
〖×孵〗 フ かえる
〖敷〗[敷] フ しく
敷布 しきふ
〖膚〗 フ はだ・はだえ
〖賦〗 フ みつぐ
〖×鮒〗 フ ふな
〖簿〗[簿] ボ

북

〖※北〗 ホク きた・そ

むく・にげる

분

〖※分〗ブン・フン・ブ わける·わかれる·わかる·わかつ
〖×扮〗フン よそおう
〖奔〗[奔] ホン はしる
〖×忿〗フン いかる
忿怒 ふんぬ
〖×枌〗フン そぎ
〖×芬〗フン かおる
〖盆〗ボン
〖※粉〗フン こな·こ
〖×畚〗ホン
ふご・もっこ
〖紛〗 フン まぎれる·まぎらす·まぎらわす·まぎらわしい
〖×焚〗フン たく
〖×犇〗ホン ひしめく
〖雰〗フン きり
〖噴〗フン ふく·はく
〖墳〗フン はか
〖憤〗フン いきどおる
憤怒 ふんど・ふんぬ
〖※奮〗フン ふるう
〖×糞〗フン くそ
〖×鱝〗フン えい

불

〖※不〗フ・ブ ず
不躾 ぶしつけ
不味い まずい
〖※仏〗[佛] ブツ・フツ ほとけ
仏頂面 ぶっちょうづら
〖×弗〗フツ ず・あらず・ドル
〖払〗[拂] フツ はらう
〖×怫〗フツ いかる
〖×祓〗フツ
はらう・はらえ

붕

〖人朋〗[朋] ホウ とも
〖崩〗[崩] ホウ
くずれる·くずす·くえる·かんさる·かくれる
〖棚〗[棚] ホウ たな
〖×硼〗ホウ
〖×繃〗ホウ たばねる
〖人鵬〗ホウ おおとり

비

〖×匕〗ヒ さじ
匕首 あいくち
〖※比〗ヒ くらべる・ならぶ・ころ
比丘尼 びくに
〖妃〗ヒ きさき
〖×屁〗ヒ へ
〖×庇〗ヒ
ひさし・かばう
〖※批〗ヒ ただす
〖卑〗[卑] ヒ いやしい・いやしむ・いやしめる・ひくい
〖×妣〗ヒ なきはは
〖×枇〗ヒ・ビ
〖沸〗フツ
わく・わかす
〖泌〗ヒツ・ヒ しみる
〖※肥〗ヒ こえる・こえ・こやす・こやし・ふとる
〖×狒〗ヒ
〖※非〗ヒ
そしる・あらず
〖×毘〗ヒ・ビ
たすける・まさ
〖×砒〗ヒ
〖×秕〗ヒ しいな
〖※飛〗ヒ
とぶ・とばす
飛鳥 あすか・ひちょう
飛沫 しぶき
〖×匪〗ヒ あらず
〖※秘〗[祕] ヒ
ひめる・ひそか・かくす
〖×埤〗ヒ かき
〖×婢〗ヒ はしため・おんな
〖※備〗ビ そなえる・そなわる
〖※悲〗ヒ かなしい・かなしむ
〖扉〗[扉] ヒ とびら
〖人斐〗ヒ あや
〖×腓〗ヒ こむら
〖×脾〗ヒ
〖×琵〗ビ
琵琶 びわ
〖×痺〗ヒ しびれる・しびれ
〖×菲〗ヒ うすい
〖※費〗ヒ ついやす・ついえる
〖×榧〗ヒ かや
〖碑〗[碑] ヒ いしぶみ
〖人緋〗ヒ あか
〖×蓖〗ヒ
〖×糒〗ビ ほしいい
〖×翡〗ヒ かわせみ
翡翠 かわせみ・ひすい
〖×蜚〗ヒ とぶ・あぶらむし
〖×鄙〗ヒ ひな・いやしい・いやしむ
〖※鼻〗[鼻] ビ はな
〖×篦〗ヘイ・ヒ
の・やがら・へら
〖×臂〗ヒ ひじ
〖×髀〗ヒ もも
〖×鵯〗ヒ ひよどり
〖×譬〗ヒ たとえる・たとえ

譬喩 ひゆ
〖×贔〗 ヒ
贔屓 ひいき

빈

〖×牝〗 ヒン めす・め
〖浜〗[濱] ヒン はま
〖人彬〗 ヒン あきらか
〖※貧〗 ヒン・ビン まずしい
〖賓〗[賓] ヒン まろうど
〖頻〗[頻] ヒン しきり
[濱] →빈〖浜〗
〖×殯〗 ヒン もがり
〖×檳〗 ビン
〖×嚬〗 ヒン ひそめる
嚬蹙 ひんしゅく
〖×瀕〗 ヒン みぎわ
〖×顰〗 ヒン しかめる・ひそめる
顰蹙 ひんしゅく

빙

〖※氷〗 ヒョウ こおり・ひ・こおる
氷柱 つらら
〖×凭〗 ヒョウ よる・もたれる
〖×聘〗 ヘイ とう
〖×憑〗 ヒョウ よる・たのむ・つく

ㅅ

사

〖※士〗 シ・ジ さむらい
〖人巳〗 シ み
〖×乍〗 ながら
〖※仕〗 シ・ジ つかえる・つかまつる
仕度 したく
仕業 しわざ
〖※史〗 シ ふみ・ふびと
〖※司〗 シ・ス つかさ・つかさどる
〖※四〗 シ よ・よつ・よっつ・よん
四方山 よもやま
〖※写〗[寫] シャ うつす・うつる
〖※寺〗 ジ てら
〖※死〗 シ しぬ
死骸 しかばね・しがい
〖※糸〗[絲] シ いと
糸撚り いとより
糸瓜 へちま
〖伺〗 シ うかがう
〖※似〗 ジ にる・にせる
似而非 えせ・にてひなる
〖人沙〗 サ・シャ すな・いさご
沙魚 はぜ
〖※社〗[社] シャ・ジャ やしろ
〖※私〗 シ わたくし・ひそかに
〖※事〗 ジ・ズ こと・つかえる
〖×些〗 サ いささか
些細 ささい
〖※使〗 シ つかう
使嗾 しそう
〖卸〗 シャ おろす・おろし
〖※舎〗[舍] シャ やどる・すてる
舎利 さり・しゃり
〖邪〗[邪] ジャ・ヤ よこしま
邪魔 じゃま
〖※思〗 シ おもう・おぼす
思惑 おもわく
思召す おぼしめす
〖※査〗 サ しらべる
〖※砂〗 サ・シャ すな・いさご
砂利 じゃり
〖唆〗 サ そそのかす
〖×娑〗 サ シャ
娑婆 しゃば
〖※射〗 シャ・セキ いる・さす・あたる・うつ
〖※師〗 シ いくさ
師走 しわす・しはす
〖×祠〗 シ ほこら
〖人紗〗 サ・シャ うすぎぬ
〖※捨〗[捨] シャ すてる
〖斜〗 シャ ななめ・はす
斜視 やぶにらみ
〖×莎〗 サ はますげ
〖×徙〗 シ うつる・こえる
〖×笥〗 シ・ス はこ・け
〖×梭〗 サ ひ
〖蛇〗 ジャ・ダ へび・くちなわ
蛇足 だそく
〖赦〗 シャ ゆるす
〖×斯〗 シ これ・この・かく
〖×覗〗 シ のぞく
〖×渣〗 サ かす・おり
〖※詞〗 シ・ジ ことば
〖詐〗 サ いつわる
〖×奢〗 シャ おごる
〖嗣〗 シ つぐ
〖×嗄〗 サ からす・かれる
〖×獅〗 シ
獅子吼 ししく
〖人裟〗 サ・シャ
〖×肆〗 シ ほしいまま
〖※辞〗[辭] ジ

やめる·ことば·
ことわる
〖×鉈〗シャ　なた
〖※飼〗[飼] シ
かう·やしなう
〖×蓑〗サ　みの
〖×賖〗シャ　はるか·
おぎのる
〖賜〗シ　たまわる·た
まう·たまもの
賜物 たまもの
〖×篩〗シ　ふるい
〖※謝〗シャ　あやま
る·ことわる
〖×鯊〗サ　はぜ
〖×瀉〗シャ
そそぐ·はく
〖×鰤〗シ　ぶり
〖×麝〗ジャ

삭

〖削〗[削] サク
けずる·そぐ
〖人朔〗サク　ついたち
〖索〗サク　なわ·つ
な·もとめる
〖×槊〗サク　ほこ

산

〖※山〗サン·セン
やま
山車 だし
山羊 やぎ
山葵 わさび
〖×珊〗サン
珊瑚 さんご
〖×舢〗サン
〖※産〗[產] サン
うむ·うまれる·
うぶ
産着 うぶぎ
産声 うぶごえ
〖傘〗サン
かさ·からかさ
〖※散〗サン　ちる·ち
らす·ちらかす·
ちらかる
散華 さんげ
〖×閂〗サン　かんぬき
〖※算〗サン　かぞえる
算盤 そろばん
〖※酸〗サン　すい·す
〖×潸〗サン
〖×繖〗サン　かさ
〖×霰〗セン·サン
あられ
霰弾 ばらだま

살

〖×撒〗サツ·サン
ちらす·まく
撒水 さっすい·
さんすい
〖×薩〗サツ
〖※殺〗[殺]サツ·サ
イ·セツ
ころす·そぐ
殺陣 たて

삼

〖※三〗サン　み·み
つ·みっつ
三位 さんみ
三十 みそ·みそじ
三味線 さみせん·
しゃみせん
三途の川　さんずの
かわ
三十日 みそか
〖杉〗サン　すぎ
〖×芟〗サン·セン
かる
〖※参〗[參] サン·シン
まいる·まじわ
る·みつ
〖※森〗シン　もり
〖×滲〗シン
しみる·にじむ
〖×糂〗ジン
〖×蔘〗シン
〖×糝〗サン·シン
こながき

삽

〖渋〗[澁] ジュウ
しぶ·しぶい·
しぶる
〖挿〗[插] ソウ
さす·さしはさむ
〖人颯〗サツ
[澁] →삽〖渋〗

상

〖※上〗ジョウ·ショウ
うえ·うわ·か
み·あげる·あ
がる·のぼる·
のぼせる·のぼ
す·たてまつる
上衣　うわぎ·うえ
のきぬ
上手い うまい
〖床〗ショウ
とこ·ゆか
床几 しょうぎ
〖※状〗[狀] ジョウ
かたち
〖尚〗[尙] ショウ
なお·たっと
ぶ·ひさしい
〖※相〗ソウ·ショウ
あい·たすける·
みる·すけ·
すがた
相撲 すもう·
すまい
〖峠〗とうげ(일본 한
자)
〖×庠〗ショウ
まなびや
〖×倘〗ショウ·トウ
たちまち
〖桑〗ソウ　くわ
〖※商〗ショウ
あきなう·はか

る・あき
商人 あきんど・あきゅうど
〖※常〗 ジョウ つね・とこ・とこしえ
常夏 とこなつ
〖祥〗〖祥〗 ショウ さいわい
〖人爽〗 ソウ さわやか
〖×徜〗 ショウ さまよう
〖喪〗 ソウ も・うしなう
〖×廂〗 ショウ ひさし
〖×湘〗 ショウ
〖人翔〗〖翔〗 ショウ かける
〖×裃〗 かみしも(일본 한자)
〖※象〗 ショウ・ゾウ かたち・かたどる
象嵌 ぞうがん
象牙 ぞうげ
〖※傷〗 ショウ きず・きずつく・きずつける・いたむ・いためる
傷痕 きずあと・しょうこん
〖※想〗 ソウ・ソ おもう・おもい
〖詳〗 ショウ くわしい・つまびらか
〖※像〗 ゾウ・ショウ かた・かたち・かたどる
〖×嘗〗 ショウ・ジョウ なめる・かつて
〖※箱〗 ソウ はこ
〖×裳〗 ショウ も
〖※賞〗 ショウ ほめる・めでる
〖×橡〗 ショウ つるばみ
〖償〗 ショウ つぐなう
〖霜〗 ソウ しも
〖×觴〗 ショウ さかずき
〖×鱶〗 ショウ ふか

새

〖×塞〗 サイ・ソク ふさぐ・とりで・せく
塞翁之馬 さいおうがうま
〖×賽〗 サイ
賽子 さいころ
〖璽〗 ジ しるし
〖×鰓〗 サイ・シ えら

색

〖※色〗 ショク・シキ いろ
〖索〗 →삭〖索〗
〖×嗇〗 ショク おしむ
〖塞〗 →새〖塞〗
〖×穡〗 サク・シャク やす・さす

생

〖※生〗 セイ・ショウ いきる・いかす・いける・うむ・うまれる・おう・はえる・はやす・き・なま
生憎 あいにく・あやにく
生業 なりわい・せいぎょう・すぎわい
〖牲〗 セイ いけにえ
〖※省〗 →성〖省〗
〖人笙〗 ショウ
〖×甥〗 セイ おい

서

〖※西〗 セイ・サイ にし
西瓜 すいか
〖※序〗 ジョ ついで
〖×抒〗 ジョ のべる
〖叙〗〖敍〗 ジョ のべる
〖×栖〗 セイ
〖※書〗 ショ かく・ふみ
〖人恕〗 ジョ ゆるす
〖徐〗 ジョ おもむろ
徐徐 そろそろ
〖庶〗 ショ もろもろ・こいねがう・ちかし
〖逝〗〖逝〗 セイ ゆく
〖婿〗〖壻〗 セイ むこ
〖※暑〗〖暑〗 ショ あつい
〖×棲〗 セイ すむ
〖×犀〗 セイ・サイ
〖×黍〗 ショ きび
〖×舒〗 ジョ のびる・のべる・ゆるやか
〖人瑞〗 ズイ みず・しるし
瑞西 スイス
〖×筮〗 セイ・ゼイ めどぎ・うらない
〖※署〗〖署〗 ショ
〖誓〗 セイ ちかう
〖×鼠〗 ソ ねずみ
〖緒〗〖緒〗 ショ・チョ お・いとぐち
〖×壻〗 セイ むこ
〖×鋤〗 ショ・ジョ すく・すき
〖×嶼〗 ショ しま
〖×薯〗 ショ いも
〖人曙〗 ショ あけぼの
〖×齟〗 ショ・ソ くいちがう
齟齬 そご

석

〖※夕〗 セキ
ゆう・ゆうべ
〖※石〗 セキ・シャク・コク　いし・いわ
石女 うまずめ
石榴 ざくろ
〖人汐〗 セキ　しお
〖※昔〗 セキ・シャク
むかし
〖析〗 セキ　さく
〖※席〗 セキ　むしろ
〖惜〗 セキ・シャク
おしい・おしむ
〖釈〗[釋] シャク・セキ　とく・とける・ゆるす
釈迦 しゃか
〖×晳〗 セキ　あきらか
〖×腊〗 セキ　きたい
腊葉 さくよう
〖×蓆〗 セキ　むしろ
〖人碩〗 セキ　おおきい
〖×蜥〗 セキ
蜥蜴 とかげ
〖潟〗 セキ　かた
〖×錫〗 シャク　すず
錫蘭 すずらん

선

〖仙〗 セン　やまびと・セント
仙人掌 サボテン
〖※先〗 セン
さき・まず
先達 せんだつ
〖※宣〗 セン　のべる・のる・のたまう
〖扇〗[扇] セン
おうぎ・あおぐ
〖旋〗 セン
めぐる・かえる
旋風 つむじかぜ・せんぷう
〖※船〗 セン
ふね・ふな
船首 せんしゅ・みよし
〖※善〗 ゼン　よい
〖×尠〗 セン　すくなし
〖×羨〗 セン・エン
うらやむ・うらやましい
〖×腺〗 セン(일본 한자)
〖×煽〗 セン　あおる・あおぐ・おだてる
〖禅〗[禪] ゼン　ゆずる
〖×跣〗 セン　はだし
〖銑〗 セン　ずく
〖※線〗 セン
〖※選〗[選] セン
えらぶ・える
〖×膳〗 ゼン
〖鮮〗 セン
あざやか・あらた・すくない
〖繕〗 ゼン　つくろう
〖×蟬〗 セン　せみ
蟬時雨 せみしぐれ
〖×蘚〗 セン　こけ
蘚苔 せんたい
〖×癬〗 セン　たむし
〖×鱓〗 ゼン　うつぼ

설

〖※舌〗 ゼツ　した
〖×泄〗 セツ・エイ
もれる・もらす
〖×洩〗 →예〖洩〗
〖×屑〗 セツ　くず
〖※設〗 セツ　もうける
〖※雪〗[雪] セツ
ゆき・すすぐ
雪ぐ すすぐ
雪駄 せった
雪崩 なだれ
〖×渫〗 セツ　さらう
〖×楔〗 セツ　くさび
〖※説〗[説] セツ・ゼイ　とく
〖×鱈〗 たら(일본 한자)

섬

〖×閃〗 セン　ひらめく
〖繊〗[纖] セン
〖×蟾〗 セン
〖×譫〗 セン
譫言 うわごと・たわごと
〖×殲〗 セン
殲滅 せんめつ

섭

〖渉〗[涉] ショウ
わたる
〖×摺〗 →접〖摺〗
〖摂〗[攝] セツ・ショウ　とる
〖×囁〗 ショウ
ささやく
[攝] →섭〖摂〗
〖×顳〗 ショウ
顳顬 こめかみ

성

〖※成〗[成] セイ・ジョウ　なる・なす
成就 じょうじゅ
〖※声〗[聲] セイ・ショウ　こえ・こわ
声色 こわいろ
〖姓〗 セイ・ショウ
かばね
〖※性〗 セイ・ショウ
さが
性根 しょうね
性急 せっかち
〖※城〗[城] ジョウ・セイ　しろ・き・きずく
〖※星〗 セイ・ショウ
ほし
〖※省〗 セイ・ショウ
かえりみる・

はぶく
〖人晟〗セイ　あきらか
〖盛〗[盛] セイ·ジョウ
もる·さかる·さかん·さかり
盛沢山 もりだくさん
〖×猩〗ショウ
〖※聖〗[聖] セイ・ショウ　ひじり
聖人 しょうにん
〖×筬〗セイ　おさ
〖※誠〗[誠] セイ
まこと
〖×醒〗セイ　さめる

세

〖※世〗セイ・セ　よ
世帯 しょたい
〖※洗〗セン
あらう・すすぐ
洗滌 せんじょう・せんでき
〖※細〗サイ　ほそい・ほそる・こまか・こまかい・ささやか・くわしい
細波 さざなみ
細雪 ささめゆき
細流 せせらぎ
〖人笹〗ささ(일본 한자)
〖※税〗[税] ゼイ・セイ　みつぎ・ちから
〖×貰〗もらう
〖※勢〗セイ・セ
いきおい
勢子 せこ
〖×蛻〗ゼイ　もぬけ
〖歳〗[歳] サイ・セイ
とし

소

〖※小〗ショウ　ちいさい・こ・お・さ
小豆 あずき
小父 おじ
小母 おば
小路 こうじ
小雨 こさめ
小姑 こじゅうとめ
小舅 こじゅうと
小人　こびと・こども・しょうじん・しょうにん
小夜 さよ
小火 ぼや
小百合 さゆり
〖※少〗ショウ　すくない・すこし・しばらく・わかい
少女 おとめ
〖召〗ショウ　めす・めし
〖沼〗ショウ　ぬま
〖※所〗[所] ショ・ソ
ところ・る・らる
所謂 いわゆる
所為 せい・しわざ
所以 ゆえん
〖咲〗[咲] ショウ　さく
〖※昭〗ショウ
あきらか
〖宵〗[宵] ショウ よい
〖※消〗[消] ショウ
きえる・けす
消化す こなす
〖※素〗ソ・ス　もと
素人 しろうと
素性 すじょう
素敵 すてき
素晴らしい　すばらしい
〖※笑〗ショウ
わらう・えむ
笑顔 えがお
〖掃〗[掃] ソウ
はく・はらう
掃除 そうじ
〖×梳〗ソ　すく
〖※巣〗[巣] ソウ
す・すくう
〖×逍〗ショウ
さまよう
〖紹〗ショウ　つぐ
〖※焼〗[燒] ショウ
やく・やける・たく
焼酎 しょうちゅう
〖×甦〗ソ　よみがえる
〖疎〗ソ
うとい·うとむ·うとましい·まばら·おろそか·うとんずる
〖×疏〗ソ・ショ
とおる・とおす
〖×痟〗ショウ
〖訴〗ソ　うったえる・うったえ
〖×嗉〗ソ
〖×搔〗ソウ　かく
〖×溯〗ソ　さかのぼる
〖塑〗ソ　でく
〖×遡〗ソ　さかのぼる
〖×銷〗ショウ
けす・とかす
〖×霄〗ショウ　みぞれ
〖×蔬〗ソ
〖×艘〗ソウ
〖×嘯〗ショウ
うそぶく
〖×蕭〗ショウ
かわらよもぎ
〖×簫〗ショウ　ふえ
〖×篠〗ショウ　しの・ささ・すず
〖騒〗[騷] ソウ　さわぐ・さわがしい
〖×瀟〗ショウ
〖×蘇〗ソ・ス
よみがえる
〖×鯵〗あじ

속

〚※束〛 ソク たば・たばねる・つかねる・つか
束子 たわし
〚俗〛 ゾク
〚※速〛[速] ソク はやい・はやめる・すみやか
〚※属〛[屬] ゾク・ショク つく
〚×粟〛 ゾク あわ
〚※続〛[續] ゾク・ショク つづく・つづける・つぐ
〚×贖〛 ショク あがなう

손

〚※孫〛 ソン まご
〚人巽〛[巽] ソン たつみ
〚※損〛 ソン そこなう・そこねる
〚×遜〛 ソン へりくだる・ゆずる・おとる

솔

〚※率〛[率] ソツ・リツ ひきいる・おおむね

송

〚×宋〛 ソウ
〚※松〛 ショウ まつ
松明 たいまつ
松脂 まつやに
〚※送〛[送] ソウ おくる
〚×悚〛 ショウ おそれる
悚然 しょうぜん
〚訟〛 ショウ うったえる
〚×竦〛 ショウ すくむ
〚人頌〛 ショウ・ジュ ほめる
〚×誦〛 ショウ・ジュ・ズ そらんずる・となえる
誦経 ずきょう
〚×鬆〛 ショウ・ソウ

쇄

〚※刷〛 サツ する・はく
刷毛 はけ・ブラシ
〚×洒〛 シャ・サイ そそぐ・あらう
洒落 しゃれ・しゃらく
〚砕〛[碎] サイ くだく・くだける
〚×晒〛 サイ さらす
〚×瑣〛 サ
〚鎖〛[鎖] サ くさり・とざす

쇠

〚衰〛[衰] スイ おとろえる

수

〚※水〛 スイ みず
水母 くらげ
水瓜 すいか
水団 すいとん
水垢離 みずごり
水無月 みなづき
〚※手〛 シュ て・た
手向け たむけ
手水 ちょうず
手甲 てっこう
手拭 てぬぐい・てふき
手巾 ハンカチ
手伝う てつだう
〚囚〛 シュウ とらえる・とらわれる
囚人 めしゅうど・めしうど・しゅうじん
〚※収〛[收] シュウ おさめる・おさまる
〚※守〛 シュ・ス まもる・まもり・もり・かみ
〚寿〛[壽] ジュ・ス ことぶき・ことほぐ・とし・かず・ほがい
寿司 すし
〚※受〛[受] ジュ・ズ うける・うかる
〚※垂〛 スイ たれる・たらす・なんなんとする
垂涎 すいぜん
〚秀〛 シュウ ひいでる
〚狩〛 シュ・シュウ かり・かる
狩人 かりゅうど・かりうど
〚帥〛 スイ・ソツ ひきいる
〚※首〛 シュ くび・こうべ・かしら・かみ・おさ・はじめ・しるし
首枷 くびかせ
〚捜〛[搜] ソウ さがす
〚※修〛 シュウ・シュ おさめる・おさまる・ながし
〚人脩〛 シュウ おさめる
〚×茱〛 シュ
〚殊〛 シュ こと
〚×袖〛 シュウ そで
〚粋〛[粹] スイ いき
〚×售〛 シュウ うる
〚×羞〛 シュウ はじる

〖※授〗[授] ジュ さずける・さずかる
〖×嫂〗ソウ あによめ
〖×崇〗たたる
〖×隋〗ズイ
〖随〗[隨] ズイ したがう・したがって・まにまに
〖遂〗[遂] スイ とげる・ついに
〖人須〗シュ・ス まつ・もちいる・すべからく
〖×酥〗ソ
〖人漱〗ソウ すすぐ
〖×嗽〗ソウ・ソク うがい
〖×溲〗シュウ・ソウ そそぐ・ひたす・いばり
〖×蒐〗シュウ あつめる
〖愁〗シュウ うれえる・うれい
〖※数〗[數] スウ・ス・シュ かず・かぞえる・しばしば
数多 あまた
数珠 じゅず・ずず
数寄 すき
〖睡〗スイ ねむる・ねむい
〖×竪〗ジュ たて
竪琴 たてごと
〖酬〗シュウ むくいる
〖×痩〗ソウ やせる
〖×綏〗スイ やすらか
〖×綬〗ジュ ひも
〖×繡〗シュウ ぬいとり
〖需〗ジュ もとめる・もとめ
〖×誰〗スイ だれ
誰何 すいか
〖×銹〗シュウ さび
〖×隧〗スイ・ズイ
〖×燧〗スイ ひうち
〖※樹〗ジュ き・うえる・たてる
〖獣〗[獸] ジュウ けもの・けだもの
〖穂〗[穗] スイ ほ
〖※輸〗[輸] ユ・シュ いたす
〖×藪〗ソウ やぶ
〖×雖〗いえども
〖髄〗[髓] ズイ
〖×繻〗シュ
〖×鬚〗シュ ひげ
〖×讎〗シュウ あだ・かたき

숙

〖×夙〗シュク つとに
〖叔〗シュク おじ
叔父 おじ
叔母 おば
〖淑〗シュク よい
〖×孰〗ジュク いずれ・たれか・いずくんぞ
〖×菽〗シュク まめ
〖※宿〗シュク・スク やど・やどる・やどす・とまる
宿酔い ふつかよい
〖粛〗[肅] シュク つつしむ
〖塾〗ジュク
〖※熟〗ジュク うれる・つらつら・にぎ

순

〖旬〗ジュン しゅん
〖巡〗[巡] ジュン めぐる・まわる
お巡りさん おまわりさん
〖盾〗ジュン たて
〖殉〗ジュン したがう
〖※純〗ジュン
〖唇〗シン くちびる
〖人洵〗ジュン まこと
〖人淳〗ジュン あつい
〖×筍〗ジュン たけのこ
〖循〗ジュン したがう・めぐる
〖※順〗ジュン したがう
〖×楯〗たて
〖人舜〗[舜] シュン
〖人詢〗ジュン まこと
〖×馴〗ジュン なれる・ならす
馴染む なじむ
〖×蓴〗ジュン ぬなわ
〖人諄〗ジュン ねんごろ
〖瞬〗[瞬] シュン またたく・まばたく
〖人醇〗ジュン あつい
〖×鶉〗ジュン うずら

술

〖×戌〗ジュツ いぬ
〖※述〗[述] ジュツ のべる
〖※術〗[術] ジュツ わざ・すべ
術無い じつない・すべない

숭

〖崇〗スウ・ス・シュウ たっとい・たっとぶ・あがめる
〖×菘〗スウ すずな
〖人嵩〗スウ たかい・かさ
嵩高 かさだか

쉬

〖×倅〗サイ　せがれ

슬

〖×虱〗しらみ
〖×瑟〗シツ　おおごと
〖×膝〗シツ　ひざ

습

〖※拾〗シュウ・ジュウ　ひろう
〖※習〗[習] シュウ　ならう・ならわし
〖湿〗[濕] シツ・シュウ　しめる・しめす・うるおう
湿気る しける
〖×褶〗シュウ　ひだ
〖襲〗シュウ　おそう・かさねる

승

〖升〗ショウ　ます・のぼる
〖人丞〗ジョウ　たすける
〖昇〗ショウ　のぼる
〖※承〗ショウ　うけたまわる・うける
〖※乗〗[乘] ジョウ　のる・のせる
〖※勝〗[勝] ショウ　かつ・まさる・すぐれる・たえる
〖僧〗[僧] ソウ
〖縄〗[繩] ジョウ　なわ
〖×蠅〗ヨウ　はえ

시

〖※市〗シ　いち
〖※矢〗シ　や
矢鱈 やたら
矢張り やはり・やっぱり
〖※示〗ジ・シ　しめす
〖侍〗ジ　さむらい・さぶらう・はべる
〖※始〗シ　はじめる・はじまる
〖×屍〗シ　かばね・しかばね
〖是〗ゼ　この・これ
〖×柿〗シ　かき
〖施〗シ・セ　ほどこす・しく
〖※時〗ジ・シ　とき
時雨 しぐれ
時化 しけ
〖×柴〗サイ・シ　しば
〖×翅〗シ　はね・つばさ
〖人偲〗シ　しのぶ
〖×豺〗サイ　やまいぬ
〖×匙〗シ　さじ・かい
〖×猜〗サイ
〖※視〗[視] シ　みる
〖人蒔〗シ・ジ　まく
蒔絵 まきえ
〖×啻〗シ　ただに
〖※詩〗シ
詩歌 しいか
〖※試〗シ　こころみる・ためす
〖×蓍〗シ　めどぎ

식

〖※式〗シキ・ショク　のり
〖×拭〗ショク・シキ　ぬぐう・ふく
〖※食〗[食] ショク・ジキ・シ　くう・くらう・たべる・はむ
食中 しょくあたり
〖※息〗ソク　いき・いきづく・いこう・やすむ・やむ・むすこ
息子 むすこ
息吹き いぶき
〖×埴〗→치〖埴〗
〖※植〗ショク　うえる・うわる
〖殖〗ショク　ふえる・ふやす
〖×軾〗ショク
〖×喰〗くう・くらう　(일본 한자)
〖飾〗[飾] ショク・シキ　かざる・かざり
〖×熄〗ソク　やむ
〖×蝕〗ショク　むしばむ
〖※識〗シキ・ショク・シ　しる・しるす

신

〖※申〗シン　もうす・のびる・のばす・さる
〖迅〗[迅] ジン　はやい
迅風 はやて
〖伸〗シン　のびる・のばす
〖※臣〗シン・ジン　おみ
〖辛〗シン　からい・つらい・かのと
辛子 からし
〖人辰〗→진〖辰〗
〖※身〗シン　み
身体 からだ・しんたい
〖※信〗シン　まこと
信濃 しなの
信天翁 あほうどり
〖×呻〗シン　うめく
〖娠〗シン　はらむ
〖※神〗[神] シン・ジン　かみ・かん・こう
神楽 かぐら

神酒 みき
神輿 みこし・しんよ
神神しい こうごうしい
〘×訊〙 ジン
きく・たずねる
〘×宸〙 シン
〘紳〙 シン
〘慎〙[愼] シン つつしむ・つつましい
〘※新〙 シン
あたらしい・あらた・にい
新羅 しらぎ
〘人晨〙 シン あした
〘×蜃〙 シン はまぐり
蜃気楼 しんきろう
〘×裑〙 シン みごろ
〘×腎〙 ジン
〘×榊〙 さかき(일본 한자)
〘薪〙 シン
たきぎ・まき
〘×噺〙 はなし(일본 한자)
〘×燼〙 ジン もえさし

실

〘※失〙 シツ うしなう・うせる
〘※実〙[實] ジツ み・みのる・まこと
〘※室〙 シツ むろ
〘×悉〙 シツ・シチ
ことごとく・つくす・つぶさ
〘×蟋〙 シツ
蟋蟀 こおろぎ・いとど・きりぎりす

심

〘※心〙 シン こころ
心地 ここち
〘×沁〙 シン しみる
〘×芯〙 シン
〘甚〙 ジン はなはだしい・はなはだ・いたし・いと
〘※深〙 シン ふかい・ふかまる・ふかめる・み
深傷 ふかで
〘尋〙[尋] ジン
たずねる・ひろ・ついで
〘審〙 シン つまびらか
〘×蕁〙 ジン・タン
いらくさ
蕁麻疹 じんましん
〘×鱏〙 シン えい

십

〘※十〙 ジュウ・ジッ
とお・と
十八番 おはこ
〘×什〙 ジュウ
〘×辻〙 つじ(일본 한자)

쌍

〘双〙[雙] ソウ
ふた・ふたつ
双六 すごろく

씨

〘※氏〙 シ うじ

ㅇ

아

〘×牙〙 ガ・ゲ きば
〘亜〙[亞] ア・アク
つぐ
〘※児〙[兒] ジ・ニ こ
〘※我〙 ガ
われ・わ・わが
我武者羅 がむしゃら
〘人阿〙 ア
くま・おもねる
阿片 アヘン
阿呆 あほう
〘×俄〙 ガ にわか
〘※芽〙[芽] ガ・ゲ
め・めぐむ
〘×娥〙 ガ みめよい
〘×峨〙 ガ けわしい
〘×蚜〙 カ あぶらむし
〘×訝〙 ガ・ゲ
いぶかる
〘×啞〙 ア おし
啞鈴 あれい
〘×衙〙 ガ つかさ
〘×婀〙 ア たおやか
婀娜 あだ
〘×衙〙 ガ つかさ
〘雅〙[雅] ガ
みやびやか
〘×蛾〙 ガ
〘×鴉〙 ア からす
〘餓〙[餓] ガ うえる
〘×鵞〙 ガ がちょう

악

〘岳〙[嶽] ガク たけ
〘×偓〙 アク
偓促 あくせく
〘×堊〙 アク・オ・ア
しろつち・かべ
〘※悪〙[惡] アク・オ
わるい・あし・にくむ・いずくんぞ
悪戯 いたずら
〘×愕〙 ガク
〘握〙 アク
にぎる・つかむ
〘人渥〙 アク あつい
〘※楽〙[樂] ガク・ラク・ギョウ
たのしい・たのしむ
〘×萼〙 ガク

〖×嶽〗ガク　たけ
〖×鍔〗ガク　つば
〖×顎〗ガク　あご
〖×鰐〗ガク　わに
〖×齷〗アク
齷齪 あくせく

안

〖※安〗アン　やすい・やすらか・やすんずる・いずくんぞ
安房 あわ
〖※岸〗ガン　きし
〖×按〗アン　おさえる
〖人晏〗アン　おそい
〖※案〗アン　つくえ・かんがえ
案山子 かかし
〖※眼〗ガン・ゲン
まなこ・め
眼鏡 めがね・がんきょう
〖×雁〗ガン　かり
〖×鞍〗アン　くら
〖×鮟〗アン　なまず
〖※顔〗〖顏〗ガン・ゲン　かお・かんばせ
顔見世 かおみせ
〖×贋〗ガン　にせ

알

〖×軋〗アツ
きしむ・きしる
軋轢 あつれき
〖×戛〗カツ　ほこ
〖×斡〗アツ
斡旋 あっせん
〖謁〗〖謁〗エツ
〖×閼〗ア・アツ・さえぎる

암

〖※岩〗ガン
いわ・いわお
〖×俺〗エン
われ・おれ
俺等 おいら
〖×庵〗アン
いお・いおり
〖×菴〗アン
いおり・いお
〖※暗〗アン
くらい・やみ
〖×諳〗アン
そらんずる
〖×癌〗ガン
〖×闇〗アン
やみ・くらい
〖人巌〗〖巖〗ガン
いわ・いわお
〖×黯〗アン　くらい

압

〖※圧〗〖壓〗アツ
おす・おさえる
〖押〗オウ・コウ
おす・おさえる
押っ取り刀 おっとりがたな
〖×鴨〗オウ　かも

앙

〖※央〗オウ　なか
〖仰〗ギョウ・コウ・ゴウ　あおぐ・おおせ・あおのく・おっしゃる
仰山 ぎょうさん
〖人昂〗コウ　あがる・たかぶる
〖×殃〗オウ　わざわい
〖×秧〗オウ　なえ

애

〖哀〗アイ　あわれ・あわれむ・かなしい・かなしむ
〖×埃〗アイ　ほこり
埃及 エジプト
〖×挨〗アイ
挨拶 あいさつ
〖×崖〗ガイ
がけ・きりぎし
〖×啀〗ガイ　いがむ
〖涯〗ガイ
みぎわ・はて
〖※愛〗アイ
いとしむ・めでる・かなし・おしむ・まな
愛蘭 アイルランド
愛媛 えひめ
愛娘 まなむすめ
愛弟子 まなでし
〖×隘〗アイ　せまい
〖×碍〗〖礙〗ガイ・ゲ
さまたげる
碍子 がいし
〖×皚〗ガイ　しろい
〖×噯〗アイ
噯気 おくび
〖×曖〗アイ　くらい
曖昧 あいまい
〖礙〗→애〖碍〗
〖×靄〗アイ　もや
〖×靉〗アイ

액

〖厄〗ヤク　わざわい
〖※液〗エキ
しる・つゆ
〖×軛〗ヤク　くびき
〖×腋〗エキ　わき
腋臭 わきが
〖×縊〗→의〖縊〗
〖※額〗ガク
ひたい・ぬか

앵

〖桜〗〖櫻〗オウ　さくら
桜桃 さくらんぼう・おうとう
〖×罌〗オウ　かめ

罌粟 けし
〖×鶯〗オウ うぐいす
〖×鸚〗オウ
鸚哥 いんこ

야

〖人也〗ヤ なり
〖人冶〗ヤ いる
〖※夜〗**ヤ よ・よる**
夜叉 やしゃ
夜更 よふかし・よふけ
〖人耶〗ヤ や・か・よこしま
耶蘇 ヤソ
〖※野〗**ヤ の**
野良 のら
野次 やじ
野暮 やぼ
野放図 のほうず
〖×揶〗ヤ
揶揄 やゆ
揶揄う からかう
〖×爺〗ヤ じじ
お爺さん おじいさん
〖×惹〗ジャク ひく
〖人椰〗ヤ やし
椰子 やし

약

〖※若〗**ジャク・ニャク・ニャ わかい・もしくは・もし・なんじ・ごとし・しく**
若干 いかん・じゃっかん・そくばく・そこばく
若布 わかめ
若人 わこうど・わかうど
〖※約〗〖約〗**ヤク つづめる・つづまやか**
〖※弱〗〖弱〗**ジャク・ニャク よわい・よわる・よわまる・よわめる**
〖×葯〗ヤク
よろいぐさ
〖※薬〗〖藥〗**ヤク**
くすり
薬鑵 やかん
〖躍〗〖躍〗**ヤク**
おどる・はねる
躍起 やっき
〖×鰯〗いわし(일본 한자)

양

〖※羊〗**ヨウ** ひつじ
羊歯 しだ
羊羹 ようかん
〖×佯〗ヨウ いつわる
〖※洋〗**ヨウ**
あふれる・ひろし
〖×恙〗ヨウ つつが
〖×痒〗ヨウ かゆい
〖揚〗**ヨウ**
あげる・あがる
〖※陽〗**ヨウ**
ひ・ひなた
陽炎 かげろう
〖人楊〗ヨウ やなぎ
楊枝 ようじ
〖×煬〗ヨウ あぶる
〖×瘍〗ヨウ できもの
〖※様〗〖樣〗**ヨウ さま**
〖※養〗〖養〗**ヨウ**
やしなう
〖嬢〗〖孃〗**ジョウ**
むすめ
〖壌〗〖壤〗**ジョウ** つち
〖人穣〗〖穰〗ジョウ
〖×攘〗ジョウ はらう
〖×蘘〗ジョウ
〖譲〗〖讓〗**ジョウ**
ゆずる
〖醸〗〖釀〗**ジョウ**
かもす

어

〖人於〗オ
おける・おいて
〖御〗〖御〗**ギョ・ゴ**
おん・お・み
御霊 みたま
御転婆 おてんば
御目見 おめみえ
〖※魚〗**ギョ**
うお・さかな
魚籠 びく
魚河岸 うおがし・かし
〖×馭〗ギョ あやつる
〖×淤〗オ・ヨ
〖※漁〗**ギョ・リョウ**
あさる・すなどる
漁火 いさりび・ぎょか
〖※語〗**ゴ・ギョ**
かたる・かたらう
語呂 ごろ
〖×禦〗ギョ ふせぐ

억

〖抑〗**ヨク おさえる・そもそも**
〖※億〗**オク**
億劫 おっくう
〖憶〗**オク** おもう・おぼえる
〖×臆〗オク
おしはかる

언

〖※言〗**ゲン・ゴン**
いう・こと
言質 げんち
〖人彦〗〖彥〗ゲン ひこ
〖×偃〗エン ふす・たおす・やすむ
〖×焉〗エン いずくんぞ・や・か

〖×堰〗エン　せき・いせき・せく

〖×嫣〗エン

〖×蝘〗エン

〖×諺〗ゲン　ことわざ
諺文 おんもん・オンムン

얼

〖×噦〗エツ　しゃくる

〖×蘖〗ゲツ・ケツ　ひこばえ

엄

〖×奄〗エン　おおう・おおいに・たちまち
奄美 あまみ

〖×掩〗エン　おおう

〖×罨〗アン　あみ
罨法 あんぽう

〖※厳〗[嚴] ゲン・ゴン　おごそか・きびしい・いかめしい
厳島 いつくしま

〖×儼〗ゲン　おごそか

업

〖※業〗ギョウ・ゴウ　わざ・なり
業腹 ごうはら

여

〖与〗[與] ヨ　あたえる・ともに・くみする・あずかる
与太 よた

〖×予〗ヨ　われ

〖如〗ジョ・ニョ　ごとし・しく・もし
如何 いかん・いかが・どう
如月 きさらぎ
如何なる　いかなる

〖×汝〗ジョ　なんじ
汝等 うぬら

〖※余〗[餘] ヨ　あまる・あます
余所 よそ

〖×舁〗ヨ　かく・かつぐ

〖×茹〗ゆでる・うでる

〖×歟〗ヨ　か

〖×輿〗ヨ　こし

역

〖人亦〗エキ　また

〖※役〗ヤク・エキ

〖※易〗エキ　かえる
→이〖易〗

〖※逆〗[逆] ギャク・ゲキ　さか・さからう・さかさ・さかさま・さかしま・むかえる
逆鱗 げきりん
逆茂木 さかもぎ

〖疫〗エキ・ヤク　えやみ
疫病神 やくびょうがみ

〖※域〗イキ　さかい

〖※訳〗[譯] ヤク　わけ

〖※駅〗[驛] エキ　うまや

〖×閾〗イキ　しきい
閾値 いきち

〖×繹〗エキ　ひきだす

〖×鰑〗エキ　するめ

연

〖※延〗[延] エン　のびる・のべる・のばす・ひく

〖※沿〗[沿] エン　そう

〖×姸〗ケン　うつくしい

〖※研〗[硏] ケン　とぐ

〖×衍〗エン　あふれる

〖宴〗エン　うたげ

〖×烟〗エン　けむり
烟草 たばこ

〖軟〗ナン　やわらか・やわらかい

〖×淵〗エン　ふち

〖※然〗ゼン・ネン　しか・しかり
然様 さよう

〖×硯〗ケン　すずり

〖×椽〗テン　たるき

〖煙〗[煙] エン　けむる・けむり・けむい・けむたい・けぶり・けぶる
煙突 えんとつ
煙草 タバコ

〖×筵〗エン　むしろ

〖鉛〗[鉛] エン　なまり

〖※演〗エン　のべる
演し物 だしもの

〖×鳶〗エン　とび・とんび

〖縁〗[緣] エン　ふち・へり・えにし・よる

〖※燃〗ネン　もえる・もやす・もす

〖×燕〗エン　つばめ・つばくろ

〖×嚥〗エン　のむ

〖×臙〗エン
臙脂 えんじ

〖×蠕〗ゼン　うごめく

열

〖悦〗[悅] エツ　よろこぶ

〖×涅〗デツ・ネ　くろめる
涅槃 ねはん

〖×噎〗エツ　むせぶ・むせる

〖※熱〗ネツ　あつい・

いきれ
熱海 あたみ
〘閱〙[閲] エツ
けみする

염

〘炎〙 エン ほのお
〘※染〙 セン・ゼン
そめる・そまる・しみる・しみ
〘×焔〙 エン ほのお
〘※塩〙[鹽] エン しお
塩梅 あんばい
〘×厭〙 エン あきる・いとう・いや
厭悪 えんお
〘×髯〙 ゼン ひげ
〘×閻〙 エン ちまた
閻魔 えんま
〘人艶〙[艷] エン つや・あでやか・なまめかしい
〘×鯰〙 なまず(일본 한자)

엽

〘※葉〙 ヨウ・ショウ
は
葉書 はがき

영

〘迎〙[迎] ゲイ・ゴウ
むかえる
〘※永〙 エイ・ヨウ
ながい・とこしえ
永遠 とこしえ・とわ
永久 とわ・とこしえ・とこしなえ
〘※泳〙 エイ およぐ
〘※映〙 エイ
うつる・うつす・はえる・はえ
〘※栄〙[榮] エイ・ヨウ さかえる・はえる・はえ
〘×盈〙 エイ みちる
〘※英〙 エイ ひいでる・はなぶさ
〘人瑛〙 エイ
〘×郢〙 エイ・ヨウ
〘※営〙[營] エイ
いとなむ
〘詠〙 エイ よむ・うたう・ながめる
〘×塋〙 エイ はか
〘影〙 エイ・ヨウ かげ
〘×穎〙 エイ ほさき
〘×嬰〙 エイ あかご
嬰児 みどりご・えいじ
〘×霙〙 エイ みぞれ
〘×檸〙 ドウ・ネイ
〘×嶸〙 エイ
〘×瓔〙 ヨウ・エイ

예

〘※予〙[豫] ヨ あらかじめ・かねて
〘刈〙 ガイ・カイ かる
〘×曳〙 エイ ひく
曳船 えいせん・ひきふね
〘×苅〙 カイ かる
〘※芸〙[藝] ゲイ
〘×枘〙 ゼイ・ネイ
ほぞ
〘×洩〙 エイ・セツ
もれる
〘×猊〙 ゲイ しし
〘×睨〙 ゲイ にらむ
〘×裔〙 エイ すえ
〘×詣〙 ケイ いたる・まいる・もうでる
〘誉〙[譽] ヨ
ほまれ・ほめる
〘※預〙 ヨ あずける・あずかる・あらかじめ
〘鋭〙[銳] エイ
するどい・とし
〘人叡〙 エイ さとい
〘×濊〙 ワイ・カイ
〘×蕊〙 ズイ しべ
[豫] →예〘予〙
〘×穢〙 アイ・ワイ・エ
けがれる・きたない
穢土 えど
〘×霓〙 ゲイ にじ
〘×翳〙 エイ
かざす・かげ
〘×蘂〙 ズイ しべ
〘×囈〙 ゲイ

오

〘※五〙 ゴ
いつつ・いつ・い
五十 い・いそ・いそじ
五月 さつき
五月晴れ さつきばれ
五月蠅い うるさい
〘※午〙 ゴ うま・ひる
〘人伍〙 ゴ まじわる
〘人吾〙 ゴ われ・わが
吾輩 わがはい
〘汚〙 オ けがす・けがれる・けがらわしい・よごす・よごれる・きたない
〘呉〙[吳] ゴ
くれ・くれる
呉竹 くれたけ
〘×俣〙 また(일본 한자)
〘悟〙 ゴ さとる
〘×烏〙 ウ・オ
からす・いずくんぞ・なんぞ
烏賊 いか
烏合 うごう
烏帽子 えぼし
〘娯〙[娛] ゴ たのしむ

〖人梧〗ゴ　あおぎり
梧桐　あおぎり・ごどう
〖奧〗[奥] **オウ　おく**
奥床しい　おくゆかしい
〖×傲〗ゴウ　おごる・たかぶる
〖×嗚〗オ・ウ　ああ
嗚呼　ああ
嗚咽　おえつ
〖×蜈〗ゴ
〖×寤〗ゴ　さめる
〖×熬〗ゴウ
〖※誤〗[誤] **ゴ**
あやまる
〖×墺〗オウ
おか・きし
〖×澳〗イク・オウ
くま・おき
澳門　マカオ
〖×聱〗ゴウ・ギョウ
〖×襖〗オウ　ふすま
〖×鼯〗ゴ
〖×鏖〗オウ
みなごろし

옥

〖※玉〗**ギョク　たま**
〖×沃〗ヨク・ヨウ
そそぐ・こえる
沃度　ヨード
〖※屋〗**オク　や**
〖獄〗**ゴク　ひとや**

온

〖※温〗[溫] **オン・ウン　あたたか・あたたかい・あたたまる・あたためる・ぬくい・ぬくまる**
温突　オンドル
〖×薀〗ウン・オン
〖穏〗[穩] **オン**
おだやか

〖×縕〗ウン・オン
縕袍　どてら
〖×褞〗ウン・オン
どてら

올

〖×膃〗オツ

옹

〖翁〗[翁] **オウ　おきな**
〖×壅〗ヨウ　ふさぐ
〖擁〗**ヨウ**
〖×甕〗かめ・みか
〖×癰〗ヨウ　はれもの

와

〖×瓦〗ガ　かわら
瓦斯　ガス
〖×囮〗カ　おとり
〖×臥〗ガ　ふす
〖×訛〗カ　なまり
〖渦〗**カ　うず**
〖×蛙〗ア　かえる
〖×萵〗ワ
〖×窪〗ワ
くぼ・くぼむ
〖×窩〗ワ・カ
あな・むろ
〖×蝸〗カ
蝸牛　かたつむり・かぎゅう

완

〖※完〗**カン　まったい**
〖×宛〗エン　あたかも・あてる・あてがう・あて・ずつ・さながら
宛名　あてな
〖×玩〗ガン
もてあそぶ
玩具　おもちゃ・がんぐ
〖×婉〗エン　したがう・しとやか

〖人莞〗カン　いぐさ・わらう・ふとい
〖×椀〗ワン
〖腕〗**ワン**
うで・かいな
腕白　わんぱく
〖×碗〗ワン
〖頑〗**ガン　かたくな**
〖緩〗[緩] **カン**
ゆるい・ゆるやか・ゆるむ・ゆるめる
〖×翫〗ガン
もてあそぶ
〖×豌〗ワン・エン
豌豆　えんどう

왈

〖×曰〗エツ　いわく

왕

〖※王〗**オウ**
きみ・おおきみ
〖※往〗[往] **オウ**
ゆく・いぬ・いにしえ・さきに
往来　ゆきき・おうらい
〖×汪〗オウ
〖人旺〗オウ　さかん

왜

〖×歪〗ワイ・エ
ゆがむ・ひずみ
歪曲　わいきょく
〖人倭〗ワ　やまと
倭冦　わこう
〖×矮〗ワイ　ひくい

외

〖※外〗**ガイ・ゲ**
そと・ほか・はずす・はずれる
外宮　げくう
外方　そっぽ

〘×畏〙イ かしこまる・おそれる
〘×猥〙ワイ みだら・みだり
〘×隈〙ワイ くま
〘×巍〙ギ たかい

요

〘×夭〙ヨウ
〘凹〙オウ くぼむ・へこむ・へこます
〘×妖〙ヨウ あやしい
〘×拗〙オウ・ヨウ ねじける・すねる
〘※要〙[要] ヨウ いる・かなめ
〘×窈〙ヨウ ふかし・しずか
窈窕 ようちょう
〘人尭〙[堯] ギョウ たかい・ゆたか
〘×僥〙ギョウ もとめる
〘人遥〙[遙] ヨウ はるか
〘×銚〙チョウ
〘揺〙[搖] ヨウ ゆれる・ゆる・ゆらぐ・ゆるぐ・ゆする・ゆさぶる・ゆすぶる・うごく・うごかす
揺籃 ゆりかご・ようらん
〘腰〙[腰] ヨウ こし
〘窯〙ヨウ かま
〘×橈〙ドウ・ジョウ たわむ・かい・かじ
〘人瑶〙[瑤] ヨウ たま
〘謡〙[謠] ヨウ うたい・うたう
〘×邀〙ヨウ むかえる・もとめる
〘×擾〙ジョウ みだれる・みだす
〘※曜〙[曜] ヨウ
〘人燿〙[燿] ヨウ かがやく
〘×繞〙ジョウ・ニョウ まとう・めぐる・しまく
〘×蟯〙ギョウ・ジョウ
〘人耀〙[耀] ヨウ かがやく
〘×饒〙ジョウ ゆたか
饒舌 じょうぜつ・おしゃべり

욕

〘辱〙ジョク・ニク はずかしめる・かたじけない
〘※浴〙ヨク あびる・あびせる
浴衣 ゆかた
〘※欲〙ヨク ほっする・ほしい
〘×慾〙ヨク
〘×褥〙ジョク しとね

용

〘冗〙ジョウ むだ
〘※用〙ヨウ もちいる
用達 ようたし
〘※勇〙[勇] ユウ いさむ・いさましい
〘※容〙ヨウ いれる・かたち・ゆるす
容易い たやすい
〘×茸〙ジョウ きのこ
〘庸〙ヨウ つね・もちいる・なんぞ
〘人湧〙ユウ・ヨウ わく
〘×傭〙ヨウ やとう・やとい
〘溶〙ヨウ とける・とかす・とく
〘×蛹〙ヨウ さなぎ
〘×熔〙ヨウ とける・とかす
〘人蓉〙ヨウ
〘踊〙ヨウ おどる・おどり
〘×聳〙ショウ そびえる
〘×鎔〙ヨウ とける・とかす

우

〘又〙ユウ また
〘×于〙ウ ここに
〘※友〙ユウ とも
友達 ともだち
友禅染 ゆうぜんぞめ
〘×尤〙ユウ もっとも
〘※牛〙ギュウ・ゴ うし
牛車 ぎっしゃ・ぎゅうしゃ
牛蒡 ごぼう
〘※右〙ユウ・ウ みぎ
〘※宇〙ウ いえ・のき
〘※羽〙[羽] ウ は・はね
羽織 はおり
〘芋〙ウ いも
〘人佑〙ユウ すけ・たすける
〘×迂〙ウ
〘×盂〙ウ はち
盂蘭盆 うらぼん
〘※雨〙ウ あめ・あま
〘人祐〙[祐] ユウ たすける・すけ
〘×疣〙ユウ いぼ
〘偶〙グウ たまたま
〘※郵〙ユウ しゅくば
〘×寓〙グウ
〘隅〙グウ すみ
〘遇〙[遇] グウ あう
〘愚〙グ おろか・おろかしい

【虞】【虞】 グ おそれ
虞美人草 ぐびじんそう・ひなげし
【憂】 ユウ
うれえる・うれい・うい
【※優】 ユウ
やさしい・すぐれる・まさる
【×齲】 ク・ウ

욱

【人旭】 キョク あさひ
【人郁】 イク かおる

운

【×云】 ウン いう
云云 うんぬん・しかじか
【×芸】 ウン くさぎる
【×耘】 ウン くさぎる
【※運】【運】 ウン
はこぶ
【※雲】 ウン くも
雲丹 うに
雲雀 ひばり
【人隕】 イン
おちる・おとす
【×殞】 イン しぬ
【×蕓】 ウン
【×縕】 ウン
【韻】 イン

울

【×蔚】 ウツ・イ
【×鬱】 ウツ

웅

【雄】 ユウ お・おす
雄鳥 おんどり
【人熊】 ユウ くま

원

【※元】 ゲン・ガン
もと・はじめ
【※円】【圓】 エン まるい・まるさ・まどか・つぶら
【垣】 エン かき
垣間見る かいまみる
【×怨】 エン・オン
うらむ
怨霊 おんりょう
【×爰】 エン ここに
【人苑】 エン・オン
その
【×冤】 エン ぬれぎぬ
【※原】 ゲン
はら・もと
【※員】 イン かず
【※院】 イン かきね
【人媛】【媛】 えん ひめ
【援】【援】 エン
たすける
【※園】 エン・オン
その
【※源】 ゲン みなもと
【猿】 エン
さる・ましら
猿轡 さるぐつわ
【※遠】【遠】 エン・オン
とおい・おち
【×踠】 エン もがく
【×諢】 コン
諢名 あだな
【×鴛】 エン
鴛鴦 おしどり・おし
【×轅】 エン ながえ
【※願】 ガン ねがう・ねがわしい

월

【※月】【月】 ゲツ・ガツ・ガチ つき
月代 さかやき・つきしろ
【越】 エツ・オチ・オツ こす・こえる

위

【※危】 キ あぶない・あやうい・あやぶむ
【※位】 イ くらい
【※囲】【圍】 イ
かこむ・かこう・めぐる
囲炉裏 いろり
【※委】 イ
ゆだねる・まかせる・くわしい
【威】 イ おどす
【※胃】 イ
【×韋】 イ なめしがわ
【為】【爲】 イ
ため・なす・なる・たり・つくる・おさめる・しわざ
為替 かわせ
【偉】 イ
えらい
【偽】【僞】 ギ
いつわる・にせ
【尉】 イ じょう
【×渭】 イ
【×萎】 イ しおれる・しぼむ・なえる・しなびる
【違】【違】 イ
ちがう・ちがえる・たがえる
【×葦】 イ あし
【慰】 イ なぐさむ・なぐさめる
慰藉 いしゃ
【×熨】 ウツ のす
熨斗 のし・ひのし
【×蝟】 イ はりねずみ
【緯】 イ よこいと
【※衛】【衞】 エイ・エ
まもる
【×謂】 イ いう
【×魏】 ギ

유

〖※幼〗ヨウ おさない
〖※由〗ユ・ユウ・ユイ よし・よる
由緒 ゆいしょ
由由しい ゆゆしい
〖※有〗ユウ・ウ ある・たもつ
有無 うむ
有耶無耶 うやむや
〖人酉〗ユウ とり
〖人侑〗ユウ すすむ
〖※油〗ユ・ユウ あぶら
油揚げ あぶらげ
〖※乳〗[乳] ニュウ ちち・ち
乳母 うば・おんば・めのと
〖人宥〗ユウ なだめる・ゆるす
〖幽〗ユウ かすか
〖人柚〗ユウ ゆず
柚子 ゆず
〖柔〗ジュウ・ニュウ やわらかい・やわらか・やわらげる
柔術 やわら・じゅうじゅつ
〖唯〗ユイ・イ ただ
〖×帷〗イ とばり
帷子 かたびら
〖悠〗ユウ はるか・とおい
〖人惟〗イ・ユイ これ・おもう・ただ
〖×蚰〗ユウ
〖×喩〗ユ たとえる
〖愉〗[愉] ユ たのしい・たのしむ
〖×游〗ユウ およぐ
〖猶〗[猶] ユウ なお
猶太 ユダヤ
〖※遊〗[遊] ユウ・ユ あそぶ・あそび
遊弋 ゆうよく
〖×揉〗ジュウ もむ・もめる
〖裕〗ユウ ゆたか
〖×釉〗ユウ うわぐすり
釉薬 うわぐすり・ゆうやく
〖×愈〗ユ いよいよ
〖×楢〗なら
〖×楡〗ユ にれ
〖×瑜〗ユ たま
〖×逾〗ユ こえる・すぎる
逾越節 すぎこしのいわい
〖維〗イ・ユイ つなぐ・これ
〖誘〗ユウ さそう・いざなう
〖※遺〗[遺] イ・ユイ のこす・わすれる
〖儒〗ジュ
〖諭〗[諭] ユ さとす・さとる
〖×蹂〗ジュウ
蹂躙 じゅうりん
〖×濡〗ジュ ぬらす
〖×鍮〗チュウ
〖×鮪〗しび・まぐろ
〖癒〗[癒] ユ いえる・いやす
〖×鼬〗ユウ いたち
〖×襦〗ジュ はだぎ
襦袢 ジバン・ジュバン

육

〖※肉〗[肉] ニク しし
〖×宍〗ニク しし
〖※育〗イク そだつ・そだてる・はぐくむ

윤

〖人允〗イン じょう
〖人胤〗イン たね
〖×閏〗ジュン うるう
〖潤〗ジュン うるおう・うるおす・うるむ

융

〖×戎〗ジュウ えびす
〖×絨〗ジュウ
絨緞 じゅうたん
〖融〗ユウ・ユ とける・とかす・とおる

은

〖※恩〗オン めぐみ
〖×殷〗イン
〖隠〗[隱] イン・オン かくす・かくれる
隠密 おんみつ
〖×慇〗イン
慇懃 いんぎん
〖※銀〗ギン しろがね
銀河 あまのがわ・ぎんが
銀杏 いちょう・ぎんなん

을

〖乙〗オツ・イツ おと・きのと
乙女 おとめ

음

〖吟〗ギン うたう
〖※音〗オン・イン おと・ね
音頭 おんど
〖×淫〗イン みだら

〖陰〗イン・オン
かげ・かげる
陰陽 いんよう・おんよう・おんみょう
〖※飲〗[飮] イン・オン
のむ
〖×蔭〗イン・オン
かげ

읍

〖人邑〗ユウ むら
〖※泣〗キュウ なく

응

〖※応〗[應] オウ
こたえる
〖凝〗ギョウ
こる・こらす
〖人鷹〗ヨウ・オウ
たか
鷹匠 たかじょう

의

〖※衣〗イ・エ
ころも・きぬ・そ
衣桁 いこう
衣魚 しみ
〖※医〗[醫] イ
いやす
〖×矣〗イ
〖依〗イ・エ よる
依古地 いこじ・えこじ
依古贔屓 えこひいき
〖宜〗ギ よろしい
〖×倚〗イ・キ
よる・たつ
〖×椅〗イ
椅子 いす
〖×猗〗イ ああ
〖※意〗イ
こころ・おもう
意気地 いくじ
〖※義〗ギ よし
義捐 ぎえん
〖×漪〗イ さざなみ
〖※疑〗ギ うたがう
〖儀〗ギ のり
〖人毅〗キ
つよし・たけし
〖人誼〗ギ よしみ
〖×劓〗ギ はなきる
〖擬〗ギ もどき・なぞらえる
〖×縊〗イ くびる
〖×礒〗ギ いそ
〖×艤〗ギ ふなよそい
〖×蟻〗ギ あり
〖※議〗ギ はかる

이

〖※二〗ニ・ジ ふた・ふたつ・ふ
二十 はたち
二人 ふたり
二日 ふつか
二十重 はたえ
二十歳 はたち・はたとせ
二十日 はつか
二進も三進も にっちもさっちも
〖×已〗イ やむ・すでに・のみ
〖※以〗イ
もって・もちいる
〖人伊〗イ
伊達 だて
伊太利 イタリア
伊呂波 いろは
〖×夷〗イ えびす
〖弐〗[貳] ニ ふたつ
〖×弛〗シ・チ ゆるむ
弛緩 しかん・ちかん
〖×而〗ジ しこうして・しかるに・しかも
〖※耳〗ジ・ニ
みみ・のみ
耳朶 みみたぶ・じだ
〖※易〗イ・エキ
やすい・やさしい・かえる
〖※移〗イ
うつる・うつす
〖※異〗イ
こと・ことなる
[貳] →이〖弐〗
〖×貽〗イ
おくる・のこす
貽貝 いがい
〖人爾〗ジ・ニ
しかり・のみ・なんじ
〖×飴〗イ あめ
〖×餌〗ジ え・えさ
餌食 えじき
〖×頤〗イ
あご・おとがい

익

〖×杙〗ヨク くい
〖※益〗[益] エキ・ヤク ます・ますます
〖※翌〗[翌] ヨク
〖翼〗[翼] ヨク つばさ

인

〖※人〗ジン・ニン
ひと
人身御供 ひとみごくう
〖刃〗[刄] ジン・ニン
は・やいば
刃傷 にんじょう
〖※仁〗ジン・ニ・ニン
ひと
仁王 におう
〖※引〗イン
ひく・ひける

〖※印〗イン
しるし・しるす
〖※因〗イン よる・ちなむ・ちなみ
因業 いんごう
因縁 いんねん
〖×扨〗さて(일본 한자)
〖忍〗[忍] ニン しのぶ・しのばせる
〖×咽〗イン・エン・エツ のど・むせぶ・のむ
咽喉 のど・いんこう
〖姻〗イン
〖×籾〗もみ(일본 한자)
〖人寅〗イン とら
〖×湮〗イン・エン
しずむ・ふさぐ
湮滅 いんめつ
〖×靭〗ジン
〖※認〗[認] ニン
みとめる・したためる

일

〖※一〗イチ・イツ
ひと・ひとつ・ひ・ひい・かず・はじめ
一角・一廉 いっかど・ひとかど
一寸 ちょっと・ちょいと
一日 ついたち
一人 ひとり
一昨日 おととい・おとつい
一昨年 おととし
一言居士 いちげんこじ
〖※日〗ニチ・ジツ
ひ・か
日和 ひより
〖×辷〗すべる(일본 한자)
〖壱〗[壹] イチ・イツ
ひとつ
壱岐 いき
〖逸〗[逸] イツ・イチ
はやる・それる
〖×溢〗イツ あふれる

임

〖×壬〗ジン・ニン
みずのえ
〖※任〗ニン・ジン
まかす・まかせる
〖妊〗ニン はらむ
〖×姙〗ニン はらむ
〖×荏〗ジン・ニン え
〖×衽〗ジン おくみ
〖×恁〗ジン・イン
かく・かかる
〖※賃〗チン やとう
〖人稔〗ネン
みのる・とし

입

〖※入〗ニュウ・ジュ
いる・いれる・はいる
入水 じゅすい
入会 にゅうかい・いりあい
〖×廿〗ジュウ
にじゅう
廿日 はつか
〖×叺〗かます
〖込〗[込] こむ・こめる(일본 한자)

잉

〖×孕〗ヨウ はらむ
〖剰〗[剩] ジョウ
あまる・あまり・あまつさえ

ㅈ

자

〖※子〗シ・ス こ・ね
子規 ほととぎす・しき
〖×仔〗シ こ
〖※自〗ジ・シ
みずから・おのずから・より
自棄 やけ・じき
〖※字〗ジ
あざ・あざな
〖刺〗シ・セキ
さす・ささる・とげ
刺青 いれずみ
〖※姉〗シ あね
姉さん ねえさん
〖×炙〗シャ・セキ
あぶる
〖※者〗[者] シャ もの
〖※姿〗[姿] シ すがた
〖×咨〗シ ああ
〖×柘〗シャ
柘榴 ざくろ
〖×茨〗シ
いばら・うばら
〖×恣〗シ ほしいまま
〖×疵〗シ きず
〖紫〗シ むらさき
〖滋〗ジ・シ
しげる・ます
〖煮〗[煮] シャ にる・にえる・にやす
〖慈〗ジ いつくしむ
〖×孳〗ジ
〖※資〗[資] シ
〖※磁〗ジ
〖雌〗シ め・めす
〖×蔗〗ショ・シャ
〖×赭〗シャ あかつち
〖諮〗[諮] シ はかる
〖×髭〗シ ひげ
〖×藉〗セキ・シャ

かりる
〖×鷓〗シャ

작

〖勺〗〖勺〗シャク
〖※作〗サク・サ
つくる・おこる・おこす・なす
〖×杓〗シャク
ひしゃく
〖×灼〗シャク
やく・あらたか・あきらか
〖×芍〗シャク
芍薬 しゃくやく
〖※昨〗サク きのう
昨日 きのう・さくじつ・きぞ
昨夜 ゆうべ・さくや・よべ
〖×柞〗サク ははそ
〖×炸〗サク・サ・サツ
はぜる
〖酌〗〖酌〗シャク くむ
〖×雀〗ジャク すずめ
雀斑 そばかす
〖×綽〗シャク ゆるやか・しなやか
綽名 あだな
〖爵〗〖爵〗シャク
さかずき
〖×鵲〗ジャク
かささぎ

잔

〖桟〗〖棧〗サン
かけはし
桟敷 さじき
〖※残〗〖殘〗ザン・サン のこる・のこす・そこなう
〖×盞〗サン さかずき
〖×潺〗セン

잠

〖※蚕〗〖蠶〗サン
かいこ・こ
〖潜〗〖潛〗セン ひそむ・もぐる・くぐる
〖暫〗ザン しばらく
〖×箴〗シン いましめ

잡

〖※雑〗〖雜〗ザツ・ゾウ まじる・まじわる・まじえる
雑魚 ざこ・じゃこ
〖×囃〗はやす

장

〖丈〗ジョウ たけ
丈夫 ますらお・じょうふ・じょうぶ
〖匠〗ショウ たくみ
〖壮〗〖壯〗ソウ さかん
〖人庄〗ショウ・ソウ
〖状〗→상〖状〗
〖×杖〗ジョウ つえ
〖※長〗チョウ
ながい・たける・おさ・たけ・とこしえに
長押 なげし
長閑 のどか
〖荘〗〖莊〗ソウ・ショウ
〖※将〗〖將〗ショウ
ひきいる・もつ・まさに
〖※帳〗チョウ とばり
帳面 ちょうづら
〖※章〗ショウ
あや・しるし
〖※張〗チョウ はる
〖※装〗〖裝〗ソウ・ショウ よそおう
〖掌〗ショウ てのひら・たなごころ・つかさどる
〖※場〗ジョウ ば

〖粧〗ショウ・ソウ
よそおう
〖奨〗〖奬〗ショウ
すすめる
〖葬〗ソウ ほうむる
〖※腸〗チョウ
はらわた
〖※障〗ショウ・ソウ
さわる
障碍 しょうがい・しょうげ
〖×漿〗ショウ しる
〖×樟〗ショウ
くす・くすのき
〖※蔵〗〖藏〗ゾウ
くら・おさめる・かくす
〖×瘴〗ショウ
〖×薔〗ショウ・ソウ
薔薇 ばら・いばら・そうび
〖×檣〗ショウ
ほばしら
〖×醬〗ショウ ひしお
〖※臓〗〖臟〗ゾウ
〖×贓〗ゾウ かくす
〖×鏖〗ショウ のろ

재

〖※才〗サイ・ザイ
ざえ・かど
〖※在〗ザイ
ある・います・おわします
〖※再〗サイ・サ
ふたたび
再来年 さらいねん
再従兄弟 またいとこ
〖※材〗ザイ・サイ
〖※災〗サイ わざわい
〖人哉〗サイ かな・や
〖宰〗サイ つかさ・つかさどる
〖栽〗サイ うえる

〖※財〗ザイ・サイ
たから
〖人梓〗シ あずさ
〖斎〗[齋] サイ
いわう・いつく・とき・ものいみ
〖※裁〗サイ
たつ・さばく
〖×滓〗サイ・シ
おり・かす
〖載〗サイ
のせる・のる

쟁

〖※争〗[爭] ソウ
あらそう
〖×崢〗ソウ けわしい
〖×箏〗ソウ・ショウ
こと
〖×噌〗ソウ・ソ

저

〖×佇〗チョ たたずむ
〖※低〗テイ
ひくい・ひくめる・ひくまる
〖邸〗テイ やしき
〖×咀〗ショ・ソ かむ
咀嚼 そしゃく
〖×姐〗ソ あね
姐さん ねえさん
〖×狙〗ソ ねらう
〖抵〗テイ あたる
抵当 かた・ていとう
〖×杵〗ショ きね・き
杵柄 きねづか
〖※底〗テイ そこ
〖×牴〗テイ ふれる
〖×苧〗チョ お・からむし・むし
〖人渚〗[渚] ショ
なぎさ・みぎわ
〖×這〗シャ
はう・この
這入る はいる
〖×蛆〗うじ
〖人猪〗[猪] チョ
いのしし・い・いのこ・しし
猪口 ちょこ・ちょく
猪口才 ちょこざい
〖×楮〗チョ こうぞ
〖※著〗[著] チョ・チャク あらわす・いちじるしい・きる・つく
〖※貯〗チョ
たくわえる
〖×雎〗ショ
〖×樗〗チョ
樗蒲 ちょぼ
〖×箸〗はし
〖×儲〗チョ もうける

적

〖※赤〗セキ・シャク
あか・あかい・あからむ・あからめる
〖×炙〗→자〖炙〗
〖※的〗[的] テキ
まと
的屋 てきや
〖人迪〗[迪] テキ
みち・すすむ
〖×迹〗セキ・ジャク
あと
〖×荻〗テキ おぎ
〖寂〗ジャク・セキ
さびしい・さびれる・さび・しずか
寂寞 せきばく・じゃくまく
〖※笛〗テキ ふえ
〖×逖〗テキ・チャク
とおし
〖賊〗[賊] ゾク
そこなう・あだ
〖跡〗セキ・シャク
あと
跡切れる とぎれる
跡絶える とだえる
〖滴〗テキ
しずく・したたる・したたり
〖嫡〗チャク・テキ
嫡嫡 ちゃきちゃき
〖摘〗テキ つむ
〖※適〗[適] テキ
かなう・ゆく・たまたま
〖×翟〗テキ きじ
〖※敵〗テキ かたき
〖※積〗セキ・シャク
つむ・つもる
〖※績〗セキ
つむぐ・うむ
〖×藉〗セキ →자〖藉〗
〖×謫〗タク・テキ
せめる
〖×蹟〗セキ
〖×鏑〗テキ やじり・かぶらや
鏑矢 かぶらや
〖籍〗[籍] セキ・ジャク ふみ
〖×癪〗シャク(일본 한자)
〖×覿〗テキ あう
覿面 てきめん

전

〖※田〗デン た
田舎 いなか
田圃 たんぼ
〖※伝〗[傳] デン・テン つたえる・つたわる・つたう
伝手 つて
伝馬船 てんません
〖※全〗[全] ゼン
まったく・まっ

とうする
〖×佃〗デン　つくだ
佃煮 つくだに
〖※典〗テン
のり・ふみ・つかさどる
〖※前〗[前] ゼン・セン　まえ・さき・すすむ
〖※専〗[專] セン
もっぱら・もろ
〖※畑〗はた・はたけ
(일본 한자)
〖×旃〗セン
はた・これ
旃檀 せんだん
〖×栴〗セン
〖×畠〗はた・はたけ
(일본 한자)
〖×悛〗シュン
〖栓〗[栓] セン
〖※展〗テン　のべる・ひろげる
展げる　ひろげる
〖×剪〗セン
きる・はさむ
剪刀 はさみ
〖×淀〗デン
よど・よどむ
〖※転〗[轉] テン
ころがる・ころげる・ころがす・ころぶ・うたた
転寝 ごろね
〖×奠〗テン　さだめる
〖×揃〗セン　そろう
〖×筌〗セン　うえ
〖×詮〗セン
詮方 せんかた
〖※戦〗[戰] セン
たたかう・いくさ・おののく
戦慄く わななく
〖×塡〗テン
うずめる・ふさぐ
〖殿〗デン・テン
との・どの・しんがり
〖※電〗デン　いなずま
〖×煎〗セン　いる
煎り豆 いりまめ
煎餅 せんべい
〖×塼〗セン
〖※銭〗[錢] セン
ぜに・かね
〖人槙〗[槇] テン・シン　まき
〖×箋〗セン　はりふだ
〖×銓〗セン　はかる
〖×箭〗セン　や
〖×澱〗デン　おり・よどむ・よどみ
〖×磚〗セン　かわら
磚茶 だんちゃ
〖×氈〗セン　もうせん
氈鹿 かもしか
〖×餞〗セン　はなむけ
〖×顚〗テン
顚覆 てんぷく
〖×纏〗テン
まとう・まとまる・まとい
〖×癲〗テン
癲癇 てんかん

절

〖※切〗セツ・サイ
きる・きれる
切羽 せっぱ
切支丹 キリシタン
〖※折〗セツ　おる・おり・おれる・へぐ・へぎ
折角 せっかく
〖窃〗[竊] セツ
ぬすむ・ひそか
〖×浙〗セツ
〖×梲〗セツ
うだち・うだつ
〖※絶〗[絕] ゼツ
たえる・たやす・たつ
〖※節〗[節] セツ・セチ　ふし・ノット
節介 せっかい
節句 せっく
〖×截〗セツ
たつ・きる

점

〖占〗セン　しめる・うらなう
〖※店〗テン
みせ・たな
店卸し たなおろし
〖※点〗[點] テン
ともす・とぼす・たてる
〖×苫〗セン　とま
〖粘〗ネン・デン
ねばる
粘土 へなつち・ねんど
〖×覘〗テン　のぞく
〖漸〗ゼン　ようやく
〖人鮎〗あゆ

접

〖※接〗セツ・ショウ
つぐ・まじわる・はぐ
〖×摺〗ショウ
ひだ・する
〖人蝶〗チョウ
蝶番 ちょうつがい
〖×鰈〗かれい

정

〖※丁〗テイ・チョウ
よぼろ・ひのと・あたる
丁髷 ちょんまげ
丁稚 でっち
〖井〗セイ・ショウ　い
〖×町〗テイ

【人汀】テイ　みぎわ
【×丼】どんぶり
【※正】セイ・ショウ　ただしい・ただす・まさ・かみ
【廷】【廷】テイ　にわ
【※町】チョウ　まち
【呈】【呈】テイ　あらわす・あらわれる
【×疔】チョウ　できもの
【※定】テイ・ジョウ　さだめる・さだまる・さだか・さだめ
【征】セイ　ゆく・うつ
【×挺】テイ・チョウ　ぬきんでる
【×梃】テイ
梃子　てこ
【訂】テイ　ただす
【亭】テイ・チン
【※政】セイ・ショウ　まつりごと
政所　まんどころ
【浄】【淨】ジョウ　きよい・きよめる
浄瑠璃　じょうるり
【×酊】テイ
【※庭】テイ　にわ
【貞】テイ・ジョウ　ただしい
【人柾】まさ(일본 한자)
【×釘】テイ　くぎ
【※停】テイ・チョウ　とまる・とめる・とどまる・とどめる
【偵】テイ　うかがう
【※情】【情】ジョウ・セイ　なさけ・こころ
【※頂】チョウ　いただき・いただく
【×掟】テイ　おきて
【晶】ショウ　あきらか
【※程】【程】テイ　ほど
【艇】テイ　こぶね
【×睛】セイ　ひとみ
【×碇】テイ　いかり
【人靖】【靖】セイ　やすんずる
【人禎】【禎】テイ　さいわい
【※精】【精】セイ・ショウ　くわしい・しらげる
【※静】【靜】セイ・ジョウ　しず・しずか・しずまる・しずめる
【×鼎】テイ　かなえ
【×鄭】テイ　ねんごろ
【※整】セイ　ととのえる・ととのう
【錠】ジョウ
【×瀞】とろ

제

【※弟】テイ・ダイ・デ　おとうと・おと
弟子　でし
【※制】セイ
【斉】【齊】セイ　ひとしい
【×俤】おもかげ(일본 한자)
【帝】テイ・タイ　みかど
帝釈天　たいしゃくてん
【※除】ジョ・ジ　のぞく・はらう
【剤】【劑】ザイ
【人悌】テイ　したがう
【※済】【濟】サイ・セイ　すむ・すます・なす・わたる・すくう
【※祭】サイ　まつる・まつり
【×啼】テイ　なく
【堤】テイ　つつみ
【※提】テイ・ダイ　さげる
提灯　ちょうちん
【×梯】テイ　はしご
梯子　はしご
【※第】ダイ・テイ
【※際】サイ　きわ
【※製】セイ　つくる
【※諸】【諸】ショ　もろ・もろもろ
【×蹄】テイ　ひづめ
【×醍】ダイ
醍醐　だいご
【×臍】セイ　ほぞ・へそ
【※題】ダイ
【×鵜】う
【×鯖】セイ　このしろ

조

【×爪】ソウ　つめ
爪弾き　つまはじき・つまびき
爪楊枝　つまようじ
【弔】チョウ　とむらう
【×吊】つる
【※早】ソウ・サッ　はやい・はやまる・はやめる
早速　さっそく
早苗　さなえ
早乙女　さおとめ
【※兆】チョウ　きざし・きざす
【※助】ジョ　たすける・たすかる・すけ・たすけ
助太刀　すけだち
【×皁】ソウ
【阻】ソ　はばむ・

けわしい
〖※条〗[條] ジョウ
〖×爼〗ソ まないた
〖※祖〗[祖] ソ おや
お祖父さん おじいさん
お祖母さん おばあさん
〖※造〗[造] ゾウ
つくる・いたる・みやつこ
〖×晁〗チョウ
〖×凋〗チョウ しぼむ
〖租〗ソ みつぎ
〖×笊〗ソウ ざる
〖×蚤〗ソウ のみ
〖措〗ソ おく
〖曹〗ソウ・ゾウ へや
曹司 ぞうし
〖粗〗ソ あらい・ほぼ
粗忽 そこつ
粗品 そしな
〖彫〗[彫] チョウ
ほる・きざむ
〖釣〗[釣] チョウ
つる・つり
釣瓶 つるべ
〖※鳥〗チョウ とり
〖※組〗ソ くむ・くみ
〖※朝〗[朝] チョウ
あさ・あした
〖×棗〗ソウ なつめ
〖詔〗ショウ
みことのり
〖×絛〗トウ・ジョウ
絛虫 さなだむし・じょうちゅう
〖※照〗ショウ てる・てらす・てれる
〖眺〗チョウ ながめる・ながめ
〖×稠〗チュウ おおい
〖×誂〗チョウ
あつらえる
〖×漕〗ソウ こぐ
〖燥〗ソウ かわく・はしゃぐ
〖人肇〗[肇] チョウ
はじめる
〖×蜩〗チョウ
せみ・ひぐらし・かなかな
〖※潮〗[潮] チョウ
しお・うしお
〖×嘲〗チョウ
あざける
嘲笑う あざわらう
〖槽〗ソウ おけ
〖遭〗[遭] ソウ あう
〖人蔦〗チョウ つた
〖×趙〗チョウ
〖※調〗[調] チョウ
しらべる・ととのう・ととのえる
〖×噪〗ソウ
〖※操〗ソウ みさお・あやつる・とる
〖×嬥〗チョウ
〖×糟〗ソウ
かす・もろみ
〖繰〗ソウ くる
〖藻〗ソウ も
〖人鯛〗[鯛] チョウ
たい
〖×躁〗ソウ さわぐ
躁鬱 そううつ
〖×竈〗ソウ かまど
〖×鰷〗チョウ・ジョウ

족

〖※足〗ソク
あし・たりる・たる・たす
足袋 たび
足掻く あがく
〖※族〗ゾク やから
〖×蔟〗ゾク まぶし
〖×簇〗ゾク・ソウ
むらがる
〖×鏃〗ゾク やじり

존

〖※存〗ソン・ゾン
ながらえる
〖×拵〗ソン
こしらえる
〖※尊〗[尊] ソン
たっとい・とうとい・たっとぶ・とうとぶ・みこと

졸

〖※卒〗ソツ・シュツ
おわる・おえる・ついに
卒塔婆 そとば
〖拙〗セツ つたない・まずい
拙い まずい

종

〖※宗〗ソウ・シュウ
むね
〖人柊〗[柊] シュウ
ひいらぎ
〖※従〗[從] ジュウ・ショウ・ジュ
したがう・したがえる・より
従兄弟 いとこ
従姉妹 いとこ
〖×淙〗ソウ
〖※終〗[終] シュウ
おわる・おえる・ついに
終日 ひもすがら・ひねもす
〖×棕〗シュ・ソウ
棕櫚 しゅろ
〖×腫〗シュ・ショウ
はれ・むくみ・はれる
〖※種〗シュ
たね・くさ
種種 いろいろ・

くさぐさ
種子 たね
〖×粽〗ソウ　ちまき
〖人綜〗ソウ　すべる
〖×慫〗ショウ
慫慂 しょうよう
〖×踪〗ソウ・ショウ
あと・あしあと
〖×踵〗ショウ
くびす・かかと
〖※縦〗[縱] **ジュウ・ショウ　たて・ゆるす・ほしいまま・はなつ**
縦令 たとい・たとえ
〖×螽〗シュウ　いなご
〖×鍾〗ショウ
あつめる
〖鐘〗**ショウ・シュ**
かね

좌

〖※左〗**サ**
ひだり・たすける
左右 そう・とかく・とやかく・とやこう・とこう
左見右見 とみこうみ
〖佐〗**サ**
すけ・たすける
〖×坐〗ザ
すわる・そぞろ
〖※座〗**ザ　すわる**
〖×挫〗ザ　くじける
〖×痤〗ザ・サ
にきび・にきみ

죄

〖※罪〗**ザイ　つみ**

주

〖※主〗[主] **シュ・ス**
おも・ぬし・あるじ・つかさどる
主人 あるじ・しゅじん
〖朱〗**シュ・ス**
あけ・あか
〖※州〗**シュウ・ス**
〖舟〗**シュウ**
ふね・ふな
〖※住〗[住] **ジュウ**
すむ・すまう
〖×肘〗チュウ　ひじ
〖※走〗**ソウ　はしる・はせる・わしる**
〖×侏〗シュ　みじかい
〖×呪〗ジュ　のろう・のろい・のろわしい・まじなう・まじない
〖※周〗[周] **シュウ**
まわり・めぐる
〖※宙〗**チュウ**
〖※注〗[注] **チュウ**
そそぐ・つぐ・さす・しるす
〖人洲〗シュウ・ス
しま・くに
洲浜 すはま
〖※柱〗[柱] **チュウ**
はしら
〖※奏〗**ソウ**
かなでる・もうす
〖※昼〗[晝] **チュウ**
ひる
昼食 ひるげ
〖※酒〗**シュ**
さけ・さか
酒肴 しゅこう
酒精 しゅせい・アルコール
〖※株〗**シュ　かぶ**
〖珠〗**シュ・ジュ・ズ**
たま
珠算 たまざん
〖×酎〗チュウ
〖※週〗[週] **シュウ**
めぐる
〖人紬〗チュウ　つむぎ
〖×厨〗チュウ・ズ
くりや
厨子 ずし
〖×湊〗ソウ　みなと
〖×註〗チュウ・チュ
〖×誅〗チュウ　うつ
〖鋳〗[鑄] **チュウ**
いる
〖駐〗[駐] **チュウ**
とどまる・とどめる
〖×籌〗チュウ
かずとり
〖×躊〗チュウ
躊躇う ためらう

죽

〖※竹〗**チク　たけ**
竹篦 しっぺい
竹刀 しない
〖×粥〗シュク　かゆ

준

〖俊〗**シュン**
すぐれる
〖人隼〗シュン
はやぶさ
〖准〗**ジュン**
なぞらえる
〖人峻〗シュン
けわしい
〖×浚〗シュン　さらう
〖×逡〗シュン
逡巡 しゅんじゅん・ためらう
〖人竣〗シュン　おわる
〖×皴〗シュン　しわ
〖※準〗**ジュン**
なぞらえる
〖×噂〗ソン　うわさ
〖遵〗[遵] **ジュン**
したがう
〖×樽〗ソン　たる

〖人駿〗シュン
〖×蹲〗ソン　うずくまる・つくばう
〖×蠢〗シュン
うごめく
〖×鱒〗ます

중

〖※中〗チュウ　なか・うち・あたる
中山道　なかせんどう
〖※仲〗チュウ　なか
仲人　なこうど
〖※重〗ジュウ・チョウ
え・おもい・おもんずる・かさねる・かさなる
重石　おもし
重傷　おもで
〖※衆〗シュウ・シュ
おおい・もろもろ

즉

〖即〗[卽]ソク
つく・すなわち
〖×喞〗ショク・ソク
かこつ
〖×蝍〗ショク・ソク

즐

〖×櫛〗シツ　くし

즘

〖×怎〗シン・ソ
いかで・なんぞ

즙

〖汁〗ジュウ　しる
〖×葺〗シュウ　ふく
〖×楫〗シュウ　かじ

증

〖症〗ショウ
〖×烝〗ジョウ　むす
〖※蒸〗ジョウ
むす・むれる・むらす・ふかす
蒸籠　せいろ(う)
〖×曾〗ソウ・ゾ・ソ
かつて
曾孫　ひこまご・ひこ・ひまご・ひいまご
曾祖父　ひいじじ・ひじじ
〖※証〗[證]ショウ
あかし
〖※増〗[增]ゾウ
ます・ふえる・ふやす
〖憎〗[憎]ゾウ
にくむ・にくい・にくらしい・にくしみ
〖×甑〗ソウ　こしき
〖贈〗[贈]ゾウ・ソウ
おくる

지

〖人之〗シ　これ・の
〖※止〗シ
とまる・とめる・とどまる・とどめる・やむ・やめる・よす
〖※支〗シ　ささえる・つかえる
支度　したく
〖※至〗シ　いたる
〖※地〗チ・ジ　つち
地味　じみ・ちみ
〖※池〗チ　いけ
〖人只〗シ　ただ
〖旨〗シ　むね・うまい
〖芝〗シ　しば
芝生　しばふ
〖※志〗シ　こころざす・こころざし・しるす
〖人凪〗なぐ・なぎ(일본 한자)
〖※知〗チ　しる
〖肢〗シ　てあし
〖※枝〗シ　えだ
枝折り　しおり
〖祉〗[祉]シ・チ
さいわい
〖×咫〗シ　あた・た
咫尺　しせき
〖※指〗シ　さす・ゆび・ゆびさす
〖※持〗ジ
もつ・たもつ
〖×枳〗キ　からたち
〖脂〗シ　あぶら
〖×砥〗シ　と・みがく
〖※紙〗シ　かみ
紙凧　たこ
〖×舐〗シ　なめる
〖遅〗[遲]チ
おくれる・おくらす・おそい
〖人智〗チ
さとい・さとり
〖×痣〗シ　あざ
〖漬〗シ
つける・つかる
〖※誌〗シ　しるす
〖×蜘〗チ
蜘蛛　くも
〖×踟〗チ　ためらう
〖×鮨〗シ　すし
〖×贄〗シ　にえ
〖×躓〗チ　つまずく

직

〖※直〗チョク・ジキ
なおす・なおる・ただちに・すぐ・あたい
直火　じかび
〖×稷〗ショク　きび
〖※職〗ショク・シキ
つかさ　もと

〘※織〙ショク・シキ
おる・はた

진

〘尽〙〘盡〙ジン
つくす・つきる・つかす・ことごとく
〘人辰〙シン
とき・たつ
〘津〙シン　つ
〘珍〙チン　めずらしい・うず
〘陣〙ジン
陣笠 じんがさ
〘振〙シン
ふる・ふるう
〘人秦〙シン　はた
〘人晋〙〘晉〙シン
すすむ
〘×疹〙シン　はしか
〘※真〙〘眞〙シン
ま・まこと
真似 まね
真面目 まじめ・しんめんぼく
真っ赤 まっか
真っ青 まっさお
〘※進〙〘進〙シン
すすむ・すすめる
〘陳〙チン
ならべる・のべる
〘×跈〙デン・チン
おう
跈跛 ちんば
〘診〙シン　みる
〘×軫〙シン　いたむ
〘×搢〙シン
さしはさむ
〘人榛〙シン　はしばみ
〘×塵〙ジン　ちり
〘×賑〙シン
にぎわう・にぎわす・にぎやか
〘×瞋〙シン　いかる・いからす
〘震〙シン　ふるう・ふるえる
〘鎮〙〘鎭〙チン　しずめる・しずまる

질

〘×叱〙シツ　しかる
〘迭〙〘迭〙テツ
かわるがわる・たがいに
〘×姪〙テツ　めい
〘疾〙シツ　やむ・やまい・はやい
疾風 はやて・はやち・しっぷう
〘秩〙チツ・チチ
ついで・つね
秩父 ちちぶ
〘窒〙チツ　ふさがる・ふさぐ
〘×蛭〙シツ　ひる
〘×嫉〙シツ
そねむ・ねたむ
嫉妬 しっと
〘×膣〙チツ
〘※質〙シチ・シツ・チ
ただす
〘×躓〙→지〘躓〙

짐

〘朕〙〘朕〙チン
〘×斟〙シン
斟酌 しんしゃく
〘×鴆〙チン

집

〘執〙シツ・シュウ
とる
執拗 しつよう
〘※集〙シュウ
あつまる・あつめる・つどう
〘×輯〙シュウ　あつめる・あつまる

징

〘徴〙〘徵〙チョウ・チ
しるし・めす
〘澄〙チョウ
すむ・すます
〘懲〙〘懲〙チョウ
こらす・こりる・こらしめる

ㅊ

차

〘×叉〙サ・シャ　また
〘且〙ショ・ソ
かつ・まさに・しばらく
〘※次〙〘次〙ジ・シ
つぐ・つぎ・やどる
〘×扠〙サ　さて
〘×此〙シ　この・これ
此処 ここ
此方 こなた・こち・こちら
〘※車〙シャ　くるま
〘×侘〙タ　わびしい
〘※借〙シャク・シャ
かりる・かる
〘※差〙サ・シ・シャ
さす・さし・たがう・やや
〘※茶〙→다〘茶〙
〘×硨〙シャ
〘×嗟〙サ　ああ
〘人嵯〙サ　けわしい
〘×槎〙サ　いかだ
〘×箚〙トウ・サツ
しるす
〘遮〙〘遮〙シャ
さえぎる
遮二無二 しゃにむに
〘人瑳〙サ　みがく

〖×蹉〗 サ　つまずく

착

〖×捉〗 ソク　とらえる
〖※着〗 **チャク・ジャク**
きる・きせる・
つく・つける
〖×窄〗 サク　すぼまる
〖搾〗 **サク**　しぼる
〖錯〗 **サク**・ソ
まじる・あやまる
〖×鑿〗 サク
のみ・うがつ

찬

〖×撰〗 セン　えらぶ
〖※賛〗[贊] **サン**
たたえる・ほめる・たすける
〖×餐〗 サン
〖人燦〗 サン あきらか・
きらめく
〖×簒〗 サン　うばう
〖×纂〗 サン　あつめる
〖×讃〗 サン　ほめる・
たたえる
〖×鑽〗 サン

찰

〖※札〗 **サツ**　ふだ
〖×刹〗[刹] サツ・
セツ
刹那 せつな
〖×拶〗 サツ
〖×紮〗 サツ　からげる
〖※察〗 **サツ**　みる
〖擦〗 **サツ**
する・すれる・
さする・こする

참

〖※参〗[參] シン
→삼〖参〗
〖×站〗 タン　たつ
〖惨〗[慘] **サン・ザン**
みじめ・いたましい・むごい
〖×斬〗 ザン　きる
〖×塹〗 ザン　ほり
〖×懺〗 サン・ザン
くいる
懺悔 ざんげ・
さんげ
〖×讒〗 ザン　そしる

창

〖人昌〗 ショウ　さかん
〖※倉〗 **ソウ**　くら
〖※唱〗 **ショウ**　となえる・うたう
〖×娼〗 ショウ
あそびめ
〖※窓〗 **ソウ**　まど
〖※創〗 **ソウ**　きず・はじめる・つくる
〖脹〗 **チョウ**　ふくれる・はれる
〖人菖〗 ショウ
菖蒲 あやめ・しょうぶ
〖×滄〗 ソウ　あおい
〖彰〗 **ショウ**　あきらか・あらわれる・
あらわす
〖人暢〗 チョウ
のべる・のびる
〖×槍〗 ソウ　やり
〖人蒼〗 ソウ　あおい
〖×廠〗 ショウ
〖×瘡〗 ソウ
きず・かさ
〖×銹〗 さびる・さび
〖×蹌〗 ショウ・ソウ
よろめく
〖×鎗〗 ソウ

채

〖人采〗 サイ　とる
〖彩〗[彩] **サイ**
いろどる・あや
〖※採〗[採] **サイ**　とる
〖×砦〗 サイ　とりで
〖※菜〗[菜] **サイ**　な
〖×靫〗 うつぼ・ゆぎ
〖債〗 **サイ**　かり
〖×綵〗 サイ　あや

책

〖※冊〗[册] **サツ・**
サク　ふみ
〖×柵〗 サク
〖×笧〗 サク　しがらみ・かがり
〖※責〗 **セキ・シャク**
せめる
〖※策〗 **サク**　ふだ・はかりごと・むち
〖×簀〗 サク
す・すのこ

처

〖※処〗[處] **ショ**・ソ
おる・おく・ところ
〖※妻〗 **サイ**　つま・
め・めあわす
妻子 めこ・さいし
〖×凄〗 セイ　すさまじい・すごい
〖×悽〗 セイ　いたむ
〖×褄〗 つま(일본 한자)

척

〖※尺〗 **シャク・セキ**
〖斥〗 **セキ**　しりぞける
〖×呎〗 セキ　フィート
(일본 한자)
〖拓〗 **タク**　ひらく
〖×剔〗 テキ・テイ
たちわる・くじる
剔抉 てっけつ
〖×捗〗 チョク
はかどる
〖×脊〗 セキ　せ・せい

脊椎 せきつい
〖隻〗セキ ひとつ
〖×戚〗セキ いたむ
〖×滌〗デキ・テキ・ジョウ すすぐ
〖×瘠〗セキ やせる
〖×擲〗テキ・チャク なげうつ
〖×蹠〗セキ・ショ あしうら
〖×鶺〗セキ
〖×躑〗テキ
躑躅 つつじ

천

〖※千〗セン ち
千千 ちぢ
千歳 ちとせ
〖※川〗セン かわ
川原 かわら
川柳 せんりゅう
〖※天〗テン あめ・あま・そら
天辺 てっぺん
天秤 てんびん
天の邪鬼 あまのじゃく
天手古舞い てんてこまい
〖×阡〗セン みち
〖×辿〗テン たどる
〖※泉〗セン いずみ
〖×圳〗セン
〖※浅〗[淺] セン あさい
浅傷 あさで
〖×穿〗セン うがつ
穿山甲 せんざんこう
〖人茜〗セン あかね
〖×喘〗セン・ゼン あえぐ
〖×粁〗キロメートル (일본 한자)
〖×釧〗セン くしろ
〖×賤〗セン いやしい・しず
〖践〗[踐] セン ふむ
〖遷〗[遷] セン うつる
〖薦〗セン すすめる・こも
〖×擅〗セン・ゼン ほしいまま
擅断 せんだん
〖×闡〗セン ひらく
闡明 せんめい

철

〖凸〗トツ
凸凹 でこぼこ
〖哲〗テツ
〖×啜〗セツ すする・なく
〖徹〗テツ とおる・とおす
〖撤〗テツ すてる
〖×掣〗セイ ひく
〖×綴〗テツ なわて
〖※鉄〗[鐵] テツ くろがね
鉄瓶 てつびん
〖×綴〗テイ・テツ つづる・とじる
〖×錣〗テツ しころ
〖×轍〗テツ わだち

첨

〖×尖〗セン とがる
〖×忝〗テン かたじけない
〖添〗[添] テン そえる・そう・そわる
〖×甜〗テン あまい
〖×僉〗セン みな
僉議 せんぎ
〖×諂〗テン へつらう
〖×瞻〗セン みる
〖×籤〗セン くじ

첩

〖×妾〗ショウ めかけ・わらわ
〖×帖〗ジョウ・チョウ
〖人捷〗ショウ はやい・かつ
〖×喋〗チョウ しゃべる
〖畳〗[疊] ジョウ たたむ・たたみ
〖×貼〗チョウ はる
貼付 てんぷ・ちょうふ
〖×牒〗チョウ ふだ
〖×睫〗ショウ まつげ
睫毛 まつげ
〖×諜〗チョウ まわしもの

청

〖※庁〗[廳] チョウ
〖※青〗[靑] セイ・ショウ あお・あおい
青瓷 せいじ
〖※清〗[淸] セイ・ショウ・シン きよい・きよまる・きよめる・きよらか・すがし
清水 しみず
清清しい すがすがしい
〖※晴〗[晴] セイ はれる・はらす・はれ
〖×菁〗セイ かぶ・かぶら
〖×蜻〗セイ
蜻蛉 とんぼ・あきつ・かげろう
〖請〗[請] セイ・シン・ショウ こう・うける
請負 うけおい
〖聴〗[聽] チョウ

きく・ゆるす
〖×鯖〗セイ　さば

체

〖※切〗サイ →절〖切〗
〖※体〗[體] タイ・テイ
からだ
〖×剃〗テイ・タイ
そる・する
剃刀 かみそり
〖×砌〗セイ　みぎり
〖×涕〗テイ　なみだ
〖逓〗[遞] テイ
かわる
〖逮〗[逮] タイ　およぶ
〖替〗タイ
かえる・かわる
〖×躰〗タイ　からだ
〖滞〗[滯] タイ
とどこおる
〖締〗テイ
しまる・しめる
〖×諦〗テイ・タイ
あきらか・あきらめる

초

〖×艸〗ソウ　くさ
〖抄〗ショウ
〖※初〗ショ・ソ
はじめ・はじめて・はつ・うい・そめる
初心 うぶ
〖肖〗[肖] ショウ にる
〖×炒〗ショウ・ソウ
いる・いためる
〖※招〗ショウ　まねく
〖×俏〗ショウ　にる
〖×杪〗ショウ　こずえ
〖※秒〗ビョウ　のぎ
〖×哨〗ショウ　みはり
〖×悄〗ショウ
うれえる
悄悄 しおしお・すごすご
悄気る しょげる
〖×峭〗ショウ
きびしい
〖※草〗ソウ・ゾウ
くさ
草履 ぞうり
草鞋 わらじ・そうあい
〖人梢〗[梢] ショウ
こずえ
〖焦〗ショウ
こげる・こがす・こがれる・あせる・じらす
〖×稍〗ショウ　やや
稍稍 やや
〖硝〗[硝] ショウ
硝子　ガラス・ギヤマン・ビードロ
〖×貂〗チョウ　てん
〖超〗チョウ
こす・こえる
〖酢〗サク　す
〖×楚〗ソ
〖×蛸〗ショウ　たこ
〖×憔〗ショウ
やつれる
〖×醋〗サク
〖×樵〗ショウ　きこり
〖人蕉〗ショウ
〖×燋〗ショウ　こがす
〖×鞘〗ショウ　さや
〖礁〗ショウ
〖×鍬〗くわ
〖礎〗ソ　いしずえ
〖×鷦〗ショウ

촉

〖促〗ソク　うながす・せまる
〖×蜀〗ショク
いもむし
蜀黍 もろこし
〖触〗[觸] ショク・ソク
ふれる・さわる
〖嘱〗[囑] ショク
〖×燭〗ショク・ソク
ともしび
〖×髑〗ドク
髑髏 どくろ・されこうべ・しゃれこうべ

촌

〖※寸〗スン
寸胴 ずんどう・ずんど
〖×忖〗ソン　はかる
〖×吋〗インチ
〖※村〗ソン　むら
村夫子 そんぷうし

총

〖人惣〗ソウ　すべる
〖塚〗[塚] つか
〖×葱〗ソウ　ねぎ
〖※総〗[總] ソウ ふさ・すべる・すべて
総角 あげまき
チョンガー
〖人聡〗[聰] ソウ
さとい
〖銃〗ジュウ　つつ
〖×叢〗ソウ　くさむら
叢雲 むらくも
〖×寵〗チョウ　めぐむ

촬

〖撮〗サツ　とる

최

〖×崔〗サイ　たかし
〖催〗サイ　もよおす
〖※最〗サイ
もっとも・も
最早 もはや
最寄り もより
〖×蕞〗サイ・セツ
ちいさい

추

〘抽〙 チュウ　ぬく・ぬきんでる
〘枢〙〘樞〙 スウ　くるる・とぼそ
〘×帚〙 シュウ・ソウ　はく・ほうき
〘※秋〙 シュウ　あき・とき
秋刀魚 さんま
〘×酋〙 シュウ　おさ
〘※追〙〘追〙 ツイ　おう
追従 ついじゅう・ついしょう
追而書 おってがき
〘×芻〙 スウ　まぐさ
〘※推〙 スイ　おす
〘人椎〙 ツイ・スイ　しい
椎茸 しいたけ
〘人萩〙 シュウ　はぎ
〘×槌〙 ツイ　つち
〘×甃〙 いしだたみ・しきがわら
〘×楸〙 シュウ　ひさぎ
〘×箒〙 ソウ　ほうき
〘墜〙〘墜〙 ツイ　おちる・おとす
〘×皺〙 シュウ　しわ
〘×錐〙 スイ　きり
〘×趨〙 スウ　はしる・おもむく
〘×縋〙 ツイ　すがる
〘錘〙 スイ　つむ・おもり
〘醜〙 シュウ　みにくい・しこ
醜男 ぶおとこ
醜女 ぶおんな・しこめ
〘×鎚〙 ツイ　つち
〘人雛〙 スウ　ひな
雛子 ひよこ
〘×鞦〙 シュウ　しりがい
鞦韆 ブランコ・ふらここ・しゅうせん
〘×鰍〙 かじか

축

〘人丑〙 チュウ　うし
〘※祝〙〘祝〙 シュク・シュウ　いわう・ほぐ・はふり・のり
祝詞 のりと・のっと・のと
〘畜〙 チク　やしなう
〘逐〙〘逐〙 チク　おう
逐電 ちくでん・ちくてん
〘×舳〙 ジク　へさき
〘×筑〙 チク
〘軸〙 ジク
〘蓄〙 チク　たくわえる・ためる
〘※築〙 チク　きずく・つく
築地 ついじ
築山 つきやま
〘※縮〙 シュク　ちぢむ・ちぢまる・ちぢめる・ちぢれる・ちぢらす・ちぢみ
縮緬 ちりめん
〘×蹴〙 シュウ　ける
蹴爪 けづめ

춘

〘※春〙 シュン　はる
春蚕 はるご
春雨 はるさめ
〘人椿〙 チン　つばき
椿事 ちんじ
〘×鰆〙 さわら

출

〘※出〙 シュツ・スイ　でる・だす
出雲 いずも
出汁 だし
〘×黜〙 チュツ　しりぞける

충

〘充〙 ジュウ　あてる・みちる
〘※虫〙〘蟲〙 チュウ　むし
〘沖〙 チュウ　おき
〘×狆〙 チュウ　ちん
〘※忠〙 チュウ
忠実 まめ・ちゅうじつ
〘衷〙 チュウ
〘衝〙 ショウ　つく
衝立 ついたて

췌

〘×悴〙 スイ　せがれ
〘×萃〙 スイ　あつまる
〘×揣〙 シ　おしはかる
〘×膵〙 スイ(일본 한자)
〘×贅〙 ゼイ　むだ

취

〘吹〙 スイ　ふく
吹聴 ふいちょう
吹雪 ふぶき
〘※取〙 シュ　とる
〘炊〙 スイ　たく・かしぐ
〘臭〙〘臭〙 シュウ　くさい・におい
〘×脆〙 ゼイ　もろい
〘×娶〙 シュ・シュウ　めとる
〘×娵〙 シュウ　よめ
〘酔〙〘醉〙 スイ　よう
〘※就〙 シュウ・ジュ　つく・つける
就中 なかんずく

〖×毳〗 ゼイ けば
〖人翠〗[翠] スイ
みどり
〖×聚〗 シュウ・シュ・
ジュ あつまる・
あつめる
聚落 じゅらく・
しゅうらく
〖×諏〗 シュ・ス
はかる
〖趣〗 シュ おもむき・
おもむく
〖×嘴〗 シ くちばし
〖×橇〗 そり
〖×鷲〗 シュウ・ジュ
わし
〖×驟〗 シュウ にわか

측

〖×仄〗 ソク ほのか
仄聞 そくぶん
〖※側〗 ソク かわ・そ
ば・かたわら
側杖 そばづえ
〖×厠〗 シ かわや
〖×惻〗 ソク いたむ
〖※測〗 ソク はかる

츤

〖×襯〗 シン はだぎ

층

〖※層〗[層] ソウ

치

〖※治〗 チ・ジ おさめ
る・おさまる・な
おす・なおる
〖×侈〗 シ おごる
〖×峙〗 ジ そばだつ
〖※値〗 チ ね・あたい
〖致〗[致] チ いたす
〖恥〗 チ はじる・は
じ・はじらう・
はずかしい

〖×埴〗 ショク はに
埴輪 はにわ
〖×梔〗 シ くちなし
〖×痔〗 ジ
〖※歯〗[齒] シ
は・よわい
歯軋り はぎしり
〖×雉〗 チ きじ
雉子 きじ・きぎす
〖痴〗[癡] チ
おろか・しれる
〖※置〗 チ おく
〖稚〗 チ
わかい・おさな
い・いとけない
稚児 ちご
〖×馳〗 チ はせる
〖×幟〗 シ のぼり
〖×熾〗 シ
おき・さかん
〖×緻〗 チ
〖×褫〗 チ
うばう・はぐ
〖×薙〗 テイ
薙刀 なぎなた
〖×縒〗 シ よる
〖×鴟〗 シ
とび・ふくろう
〖×鵄〗 シ とび
〖×鯔〗 ぼら・いな

칙

〖※則〗 ソク
のり・のっとる・
すなわち
〖勅〗[敕] チョク
みことのり

친

〖※親〗 シン
おや・したしい・
したしむ・みず
から
親父 おやじ
親爺 おやじ

칠

〖※七〗 シチ・シツ
ななつ・なな・
なの
七夕 たなばた
七日 なのか・
なぬか
〖漆〗 シツ うるし
漆喰 しっくい

침

〖沈〗 チン・ジン
しずむ・しずめる
〖×枕〗 チン まくら
〖侵〗[侵] シン おかす
〖浸〗[浸] シン
ひたす・ひたる・
つける
〖×砧〗 チン きぬた
〖※針〗 シン はり
〖寝〗[寢] シン
ねる・ねかす
寝技 ねわざ
〖×鍼〗 シン はり

칩

〖×蟄〗 チュウ・チツ
かくれる
蟄居 ちっきょ

칭

〖×秤〗 ショウ はかり
秤量 しょうりょう・
ひょうりょう
〖称〗[稱] ショウ
となえる・たた
える

ㅋ

쾌

〖※快〗 カイ・ケ
こころよい

快快的 カイカイデー

ㅌ

타

【※打】ダ・チョウ
うつ
【※他】タ ほか
他人 ひと・たにん
他所事 よそごと
【妥】【妥】ダ やすらか
【×侘】タ わびる
【×陀】ダ
陀羅尼 だらに
【×唾】タ・ダ
つば・つばき
【×舵】ダ かじ
【堕】【墮】ダ おちる
【惰】ダ おこたる
【×楕】ダ
【×詫】タ わびる
【×駝】タ・ダ
駝鳥 だちょう

탁

【×托】タク
托鉢 たくはつ
【卓】タク・ショク
卓袱台 ちゃぶだい
【託】タク かこつける
【人啄】【啄】タク
ついばむ・つつく
啄木鳥 きつつき・
けら・けらつつ
き
【人琢】【琢】タク
みがく
【×橐】タク
【濁】ダク・ジョク
にごる・にごす
濁声 だみごえ
濁酒 どぶろく
【×擢】テキ
ぬきんでる
【濯】【濯】タク すすぐ
【×鐸】タク おおすず

탄

【×呑】ドン のむ
呑気 のんき
呑兵衛 のんべえ
【×坦】タン
【※炭】タン すみ
【弾】【彈】ダン
ひく・はずむ・
たま・はじく
【嘆】【嘆】タン
なげく・なげか
わしい
【×綻】タン
ほころぶ・ほこ
ろびる
【×憚】タン はばかる
【×歎】タン なげく
【※誕】【誕】タン
【×灘】タン・ダン
なだ
【×驒】タン・ダ

탈

【脱】【脫】ダツ
ぬぐ・ぬげる・
ぬける
【奪】ダツ うばう

탐

【×耽】タン ふける
耽溺 たんでき
【×眈】タン にらむ
【※探】タン
さぐる・さがす・
たずねる
【×貪】ドン・トン・
タン むさぼる

탑

【塔】トウ あららぎ
【搭】トウ のる
【×搨】トウ
する・うつす

탕

【※湯】トウ ゆ
湯桶 ゆとう
湯湯婆 ゆたんぽ
【×蕩】トウ
うごく・はらう
【×盪】トウ あらう

태

【※太】タイ・タ
ふとい・ふとる・
はなはだ
太閤 たいこう
太刀 たち
【人汰】タイ・タ
【×兌】ダ・タイ
かえる
【×苔】タイ こけ
【怠】タイ おこたる・
なまける
【胎】タイ
【×殆】タイ
あやうし・ほと
んど
【泰】タイ やすい
【×笞】チ むち
【※態】タイ・テイ
わざ
態 ざま
【×颱】タイ
【駄】ダ・タ
駄法螺 だぼら
【×駘】タイ

택

【※宅】タク いえ
【択】【擇】タク えらぶ
【沢】【澤】タク さわ
沢庵 たくあん・
たくわん
沢山 たくさん

토

〖※土〗 ド・ト つち
土産 みやげ
土壇場 どたんば
〖吐〗 ト はく・ぬかす
〖×兎〗 ト うさぎ・う
兎角 とかく
兎に角 とにかく
〖※討〗 トウ うつ
〖×菟〗 ト う

통

〖×桶〗 おけ
〖※通〗[通] ツウ・ツ
とおる・とおす・かよう
通夜 つや
〖※痛〗 ツウ
いたい・いたむ・いためる
〖筒〗 トウ つつ
〖※統〗 トウ すべる
〖×慟〗 ドウ なげく
〖×樋〗 ひ・とい
〖×鯒〗 こち(일본 한자)

퇴

〖推〗 →추〖推〗
〖※退〗[退] タイ
しりぞく・しりぞける・のく・ひく・すさる
〖×堆〗 タイ・ツイ
うずたかい
堆肥 たいひ・つみごえ
〖×褪〗 タイ あせる
〖×腿〗 タイ もも
〖槌〗 →추〖槌〗
〖×頽〗 タイ くずれる

투

〖※投〗 トウ なげる
投網 とあみ
〖×妬〗 ト
ねたむ・やく
〖×套〗 トウ
〖透〗[透] トウ
すく・すかす・すける・とおる
〖×偸〗 トウ・チュウ
ぬすむ
〖×骰〗 トウ
骰子 さい・さいころ
〖鬪〗[鬥] トウ
たたかう

특

〖※特〗 トク・ドク
ひとり

틈

〖×闖〗 チン うかがう
闖入 ちんにゅう

ㅍ

파

〖人巴〗 ハ ともえ
巴里 パリ
〖把〗 ハ とる・たば
把手 とって
〖×芭〗 バ
芭蕉 ばしょう
〖※波〗 ハ なみ
波止場 はとば
〖×爬〗 ハ かく
〖※派〗[派] ハ わかれ
派手 はで
〖×玻〗 ハ
玻璃 はり・ガラス
〖※破〗 ハ
やぶる・やぶれる
破目 はめ
破落戸 ごろつき・ならずもの
〖×耙〗 ハ まぐわ
〖婆〗 バ ばば・ばあ
婆羅門 バラモン
お婆さん おばあさん
〖×菠〗 ハ
〖×跛〗 ハ・ヒ
ちんば・びっこ
〖×頗〗 ハ すこぶる
〖×播〗 ハ・ハン・バン
まく
播磨 はりま
〖罷〗 ヒ
やめる・やむ・つかれる・まかる
〖×擺〗 ハイ ひらく

판

〖※判〗[判] ハン・バン わかつ・わかる
判官 ほうがん・はんがん・じょう
〖※坂〗 ハン さか
〖※板〗 ハン・バン
いた
〖×阪〗 ハン さか
〖※版〗 ハン・バン
〖販〗 ハン ひさぐ
[×瓣] →변〖弁〗

팔

〖※八〗 ハチ や・やつ・やっつ・よう
八十 やそ
八幡 やはた・はちまん・ばはん
八百長 やおちょう
八百屋 やおや
〖×捌〗 さばく

패

〖※貝〗 バイ かい
〖×佩〗 ハイ
おびる・はく
佩刀 はかせ・はいとう

〖×沛〗 ハイ
〖人唄〗 バイ うた
〖×悖〗 ハイ・ボツ もとる
〖※敗〗 **ハイ やぶれる・まける**
敗ける まける
〖×牌〗 ハイ ふだ
〖×稗〗 ハイ ひえ
〖×霸〗 ハ
〖覇〗[覇] **ハ**

팽

〖×烹〗 ホウ にる
〖×澎〗 ホウ
澎湃 ほうはい
〖膨〗 **ボウ ふくれる・ふくらむ・ふくらす**

편

〖※片〗 **ヘン かた・きれ・ひら**
片端 かたわ
片口鰯 かたくちいわし
〖×扁〗 ヘン ひらたい
扁鵲 へんじゃく
〖※便〗 **ベン・ビン たより・すなわち**
〖偏〗[偏] **ヘン かたよる・ひとえに・あまねし**
〖遍〗[遍] **ヘン あまねく・あまねし**
〖×褊〗 ヘン せまい
〖×篇〗 ヘン
〖※編〗[編] **ヘン あむ**
〖×蝙〗 ヘン
蝙蝠 こうもり・かわほり
〖×鞭〗 ベン むち・むちうつ
鞭撻 べんたつ
〖×騙〗 ヘン かたる・だます

폄

〖×貶〗 ヘン おとす・けなす

평

〖※平〗[平] **ヘイ・ビョウ・ヒョウ たいら・ひら・ひらたい**
〖坪〗[坪] **ヘイ つぼ**
〖×苹〗 ヘイ・ヒョウ うきくさ
〖×萍〗 ヘイ・ヒョウ うきくさ
〖※評〗[評] **ヒョウ**

폐

〖×吠〗 ハイ ほえる
〖×柿〗 ハイ こけら
〖※肺〗 **ハイ**
〖※陛〗 **ヘイ きざはし**
〖※閉〗 **ヘイ とじる・とざす・しめる・しまる**
〖廃〗[廢] **ハイ すたれる・すたる**
〖幣〗[幣] **ヘイ ぬさ・しで・みてぐら**
〖弊〗[弊] **ヘイ やぶれる・つかれる**
〖×嬖〗 ヘイ
〖×蔽〗 ヘイ おおう
〖×癈〗 ハイ
〖×斃〗 ヘイ たおれる

포

〖※包〗[包] **ホウ つつむ・つつみ・かねる**
包子 パオズ
〖※布〗 **フ・ホ ぬの・きれ・しく**
布団 ふとん
〖×抛〗 ホウ なげうつ・ほうる
〖×庖〗 ホウ くりや
〖怖〗 **フ こわい・おそれる・おじる・おびえる**
怖怖 おずおず・おじおじ・おどおど・こわごわ
〖抱〗[抱] **ホウ だく・いだく・かかえる**
〖×咆〗 ホウ ほえる
〖泡〗[泡] **ホウ あわ・あぶく**
泡沫 うたかた・ほうまつ・あわ
〖×匍〗 ホ はう
〖胞〗[胞] **ホウ えな・はら**
〖捕〗 **ホ・ブ とらえる・とらわれる・とる・つかまえる・つかまる**
〖浦〗 **ホ うら**
〖×哺〗 ホ ふくむ
〖×疱〗 ホウ もがさ
〖砲〗[砲] **ホウ**
〖×脯〗 ホ ほじし
〖×匏〗 ホウ ひさご・ふくべ
〖×葡〗 ブ
葡萄 ぶどう
〖×跑〗 ホウ だく
〖飽〗[飽] **ホウ あきる・あかす**
〖×蒲〗 ホ・フ がま
蒲鉾 かまぼこ
蒲団 ふとん
〖×鞄〗 ホウ かばん
〖※暴〗 →폭〖暴〗
〖舗〗[舗] **ホ しく**
〖褒〗 **ホウ ほめる**

〖×鋪〗ホ　しく
〖×鮑〗ホウ　あわび

폭

〖幅〗フク　はば
〖※暴〗ボウ・バク
あばれる・あばく・あらす・あれる・にわかに
暴露 ばくろ
〖×曝〗バク　さらす・さらける
曝首 されこうべ・しゃれこうべ・さらしくび
〖×瀑〗バク　たき
瀑布 ばくふ
〖爆〗バク　はぜる・はじける

표

〖×杓〗→작〖杓〗
〖※表〗ヒョウ
おもて・あらわす・あらわれる
〖※俵〗ヒョウ　たわら
〖人彪〗ヒョウ・ヒュウ
まだら・あや
〖×豹〗ヒョウ
〖※票〗ヒョウ　ふだ
〖×剽〗ヒョウ
剽軽 ひょうきん
〖漂〗ヒョウ　ただよう・さらす
漂泊 さすらい・ひょうはく
〖※標〗ヒョウ しるし・しるす・しるべ・しめ
〖×瓢〗ヒョウ
ふくべ・ひさご
瓢箪 ひょうたん
〖×縹〗ヒョウ　はなだ
〖×鏢〗ヒョウ　こじり

품

〖※品〗ヒン・ホン
しな
〖×稟〗ヒン・リン
ふち・うける・こめぐら
稟議 ひんぎ・りんぎ

풍

〖※風〗フウ・フ
かぜ・かざ・ふり
風邪 かぜ・ふうじゃ
風情 ふぜい
風呂 ふろ
〖人楓〗フウ　かえで
〖×諷〗フウ
そらんずる
〖※豊〗〖豐〗ホウ・ブ
ゆたか・とよ

피

〖※皮〗ヒ　かわ
〖彼〗ヒ
かれ・かの・か
彼方 あなた・かなた・あち・あちら・あっち・おち
〖披〗ヒ　ひらく
披露 ひろう
〖疲〗ヒ　つかれる・つからす
〖被〗ヒ　こうむる・おおう・かぶる・かずく
〖×蓖〗ヒ・ヘイ
〖避〗〖避〗ヒ
さける・よける

필

〖匹〗ヒツ・ヒキ
たぐい
〖※必〗ヒツ　かならず
〖×疋〗ヒツ　ひき
〖×畢〗ヒツ　おわる
〖×弼〗ヒツ
すけ・たすける
〖※筆〗ヒツ　ふで
〖×篳〗ヒツ・ヒチ
まがき

핍

〖乏〗ボウ　とぼしい
〖×逼〗ヒツ　せまる

ㅎ

하

〖※下〗カ・ゲ
した・しも・もと・さげる・さがる・くだる・くだす・くださる・おろす・おりる
下品 げひん・げぼん
下手 へた・しもて
〖※何〗カ　なに・なん・いずれ
何時 いつ・なんどき
何所 どこ
何故 なぜ・なにゆえ
何卒 なにとぞ・どうか・どうぞ
〖※河〗カ　かわ
河岸 かし
河童 かっぱ
河原 かわら
河豚 ふぐ
〖※夏〗カ・ゲ　なつ
夏至 げし
〖※荷〗カ　に・になう
〖×厦〗カ　いえ
厦門 アモイ
〖※賀〗ガ　よろこぶ

【×煆】カ・ケ
【×瑕】カ　きず
【×遐】カ
　とおい・はるか
【×蝦】カ　えび
　蝦夷 えぞ・えみし
【嚇】カク　おどす
【人霞】カ　かすみ

학

【※学】[學] ガク
　まなぶ
【虐】[虐] ギャク
　しいたげる
【×涸】コ　かれる
【×貉】カク　むじな
【×瘧】ギャク　おこり
【×謔】ギャク
【人鶴】カク　つる

한

【汗】カン　あせ
【×旱】カン　ひでり
　旱魃 かんばつ・
　ひでり
【×邯】カン
【※限】ゲン　かぎる・
　かぎり・きり
【恨】コン　うらむ・
　うらめしい
【×悍】カン
　あらい・つよい
【閑】カン　ひま
　閑人 ひまじん
【※寒】[寒] カン
　さむい
【※漢】[漢] カン
　から・あや
【×翰】カン　ふみ
【×韓】カン　から
【×駻】カン　あらうま

할

【※割】[割] カツ
　わる・わり・
　われる・さく
　割烹 かっぽう
　割賦 かっぷ・
　わっぷ
【轄】[轄] カツ　くさび

함

【含】ガン　ふくむ・ふ
　くめる・くくむ
　含嗽 うがい
　含羞む はにかむ
【×函】カン　はこ
【×咸】カン
【陥】[陷] カン
　おちいる・
　おとしいれる
【×涵】カン　ひたす
【×喊】カン　さけぶ
【×啣】カン　くわえる
【×銜】カン　くつわ・
　くわえる・くくむ
【×緘】カン
【×頷】ガン　うなずく
【×餡】アン・カン
【×檻】カン　おり
【艦】カン　ふね

합

【※合】ゴウ・ガッ・カッ・
　コウ　あう・あわ
　す・あわせる
　合羽 カッパ
　合点 が(っ)てん
【×呷】コウ　あおる
【×蛤】コウ　はまぐり
【×閤】コウ　くぐりど

항

【×亢】コウ
【抗】コウ　あらがう
【×肛】コウ
【×杭】コウ　くい
【×姮】コウ
【×巷】コウ　ちまた
【恒】[恆] コウ　つね
【降】→강【降】
【※航】コウ
【※港】[港] コウ
　みなと
【項】コウ　うなじ

해

【人亥】ガイ　い
【×咳】ガイ　せき
【※海】[海] カイ
　うみ・み
　海豹 あざらし
　海女 あま
　海路 うなじ
　海原 うなばら
　海老 えび
　海苔 のり
　海人草 まくり
【※害】[害] ガイ
　そこなう
【×奚】ケイ　なんぞ
【×偕】カイ
　ともに・かなう
【×楷】カイ
【該】ガイ
【※解】カイ・ゲ
　とく・とかす・
　とける・ほどく
　解脱 げだつ
【×懈】カイ・ケ
　おこたる
　懈い だるい
【×諧】カイ　やわら
　ぐ・かなう
　諧謔 かいぎゃく・
　おどけ
【×駭】ガイ　おどろく
【×骸】ガイ　むくろ
【×邂】カイ　あう
　邂逅 かいこう・
　めぐりあい
【×蟹】カイ　かに
　蟹股 がにまた

핵

〖劾〗ガイ
〖核〗カク　さね

행

〖※行〗コウ・ギョウ・アン　いく・ゆく・おこなう
行灯 あんどん
行方 ゆくえ
〖人杏〗キョウ・アン　あんず
杏子 あんず
〖※幸〗コウ　さいわい・さち・しあわせ・さきわう・みゆき・ゆく・たか
〖人倖〗コウ　さいわい
〖×桁〗コウ
〖×絎〗コウ　くける

향

〖※向〗コウ・キョウ　むく・むける・むかう・むこう・さき
〖享〗キョウ　うける
〖香〗コウ・キョウ　か・かおり・かおる・かんばしい
香港 ホンコン
香具師 やし
〖※郷〗[鄕] キョウ・ゴウ　さと
〖×嚮〗キョウ　さき
〖×蠁〗キョウ
〖響〗[響] キョウ　ひびく・とよむ
〖×饗〗キョウ　もてなす

허

〖虚〗[虛] キョ・コ　むなしい・そらごと
虚言 きょごん・そらごと
虚空 こくう・おおぞら
虚無僧 こむそう
〖※許〗キョ　ゆるす・ばかり・もと
許多 あまた
許婚 いいなずけ
〖×嘘〗キョ　うそ
〖×歔〗キョ　すすりなく

헌

〖軒〗ケン　のき
〖献〗[獻] ケン・コン　たてまつる・ささげる
〖※憲〗[憲] ケン　のり・のっとる

험

〖※険〗[險] ケン　けわしい
〖×嶮〗ケン　けわしい
〖※験〗ケン・ゲン　しるし・しらべる・ためす
〖×鹼〗ケン　あく

혁

〖×奕〗エキ　かさなる
〖※革〗カク　かわ・あらたまる
〖×赫〗カク　かがやく
〖嚇〗→하〖嚇〗
〖×鬩〗ゲキ　せめぐ

현

〖玄〗ゲン　くろい
玄人 くろうと
〖×呟〗ケン　つぶやく
〖弦〗ゲン　つる
〖×眩〗ゲン　くらむ・めまい・まばゆい・まぶしい
眩暈 めまい
〖※県〗[縣] ケン　あがた
〖×晛〗ケン　はく
〖※現〗ゲン　あらわれる・あらわす・うつつ
現人神 あらひとがみ
〖人絃〗ゲン　いと・つる
〖×舷〗ゲン　ふなばた
〖×衒〗ゲン　てらう
〖人絢〗ケン　あや
〖×蜆〗ケン　しじみ
〖賢〗ケン　かしこい・まさる
〖顕〗[顯] ケン　あきらか・あらわれる
〖懸〗ケン・ケ　かける・かかる
懸念 けねん

혈

〖×孑〗ケツ・ゲツ
孑孑 ぼうふら
〖※穴〗ケツ　あな
〖※血〗ケツ・ケチ　ち
〖×頁〗ケツ　ページ

혐

〖嫌〗[嫌] ケン・ゲン　きらう・いや

협

〖×夾〗キョウ　はさむ・さしはさむ
〖※協〗キョウ　かなう
〖人叶〗キョウ　かなう
〖×俠〗キョウ　おとこだて・きゃん
俠客 きょうかく
〖峡〗[峽] キョウ　はざま

〖狭〗[狹] キョウ
　せまい・せばめる・せばまる
　狭間 さま・はざま
〖挟〗[挾] キョウ
　はさむ·はさまる
〖×脇〗 キョウ　わき
　脇臭 わきが
〖脅〗 キョウ
　おびやかす・おどす・おどかす
〖×莢〗 キョウ　さや
〖×篋〗 キョウ　はこ
〖×鋏〗 キョウ　はさみ
〖×頰〗 キョウ　ほお
　頰笑み ほおえみ
　頰被り ほおかぶり

형

〖※兄〗 ケイ・キョウ
　あに・え・せ
　兄様 あにさま・にいさん
　兄さん にいさん
〖刑〗 ケイ・ギョウ
〖人亨〗 キョウ・コウ・ホウ　とおる
〖※形〗 ケイ・ギョウ
　かた・かたち
　形而下 けいじか
〖※型〗 ケイ　かた
　型録 カタログ
〖×炯〗 ケイ　あきらか
〖×桁〗 コウ　けた
〖×荊〗 ケイ　いばら
　荊棘 ばら・いばら・けいきょく
〖×裄〗 ゆき(일본 한자)
〖蛍〗[螢] ケイ
　ほたる
〖×熒〗 ケイ・エイ
　ひかり
〖衡〗 コウ　はかり
〖×擤〗 コウ　かむ
〖人馨〗 ケイ　かおる

혜

〖恵〗[惠] ケイ・エ
　めぐむ・さとし
　恵比須 えびす
〖人彗〗 スイ
　ほうき・ははき
〖人慧〗 ケイ・エ
　さとい
〖×蹊〗 ケイ　こみち
〖×蟪〗 ケイ

호

〖×乎〗 コ　か・や
〖※号〗[號] ゴウ
　さけぶ
〖互〗 ゴ　たがい
〖※戸〗[戶] コ　と・へ
〖人冴〗 ゴ　さえる
〖※好〗 コウ
　このむ・すく・よい・よしみ
　好好爺 こうこうや
　好事家 こうずか
〖※呼〗 コ　よぶ
〖弧〗 コ
〖×狐〗 コ　きつね
〖人虎〗 コ　とら
　虎列刺 コレラ
〖人胡〗 コ・ゴ・ウ
　えびす・なんぞ
　胡座 あぐら
　胡桃 くるみ
　胡麻 ごま
〖人浩〗[浩] コウ
　ひろい
〖×毫〗 ゴウ
〖×扈〗 コ　つきそう
〖×壺〗 コ　つぼ
〖※湖〗 コ　みずうみ
〖×琥〗 コ
　琥珀 こはく
〖人皓〗[皓] コウ
　しろい
〖人瑚〗 コ・ゴ
〖豪〗 ゴウ
　えらい・つよい
　豪物 えらぶつ
〖×糊〗 コ　のり
〖×縞〗 コウ　しま
〖×壕〗 ゴウ　ほり
〖×濠〗 ゴウ　ほり
〖×鎬〗 コウ　しのぎ
〖×鯱〗 しゃち・しゃちほこ(일본 한자)
〖※護〗 ゴ　まもる
　護謨 ゴム

혹

〖×或〗 ワク　あるいは
〖惑〗 ワク　まどう・まどわす
〖酷〗[酷] コク
　むごい・ひどい

혼

〖×昏〗 コン　くらい
〖婚〗 コン
　よばい・とつぐ
〖※混〗 コン　まじる・まざる・まぜる
〖×渾〗 コン
　渾名 あだな
〖×焜〗 コン　かがやく
　焜炉 こんろ
〖魂〗 コン
　たましい・たま
　魂消る たまげる

홀

〖×忽〗 コツ　たちまち・ゆるがせ
　忽必烈 フビライ
〖×笏〗 コツ・シャク
〖×惚〗 コツ
　ほれる・ぼける・とぼける
　惚気 のろけ

홍

〖人弘〗コウ・グ　ひろい・ひろめる
〖×哄〗コウ
〖洪〗コウ　おおみず・おおいに
〖※紅〗コウ・ク・グ　べに・くれない・あかい
紅葉　もみじ・こうよう
〖人虹〗コウ　にじ
〖×訌〗コウ　みだれる
〖×鬨〗コウ　とき
〖人鴻〗コウ　おおとり

화

〖※化〗[化] カ・ケ　ばける・ばかす
〖※火〗カ・コ　ひ・ほ・やく
火燵 こたつ
火傷 やけど
火照る ほてる
〖×禾〗カ　のぎ
〖※和〗ワ・オ・カ　やわらぐ・やわらげる・なごむ・なごやか・あえる
和尚 おしょう・わじょう・かしょう
和蘭 オランダ
〖※画〗[畫] ガ・カク　え　えがく
〖※花〗カ・ケ　はな
花魁 おいらん
〖※貨〗[貨] カ　たから
〖華〗カ・ケ　はな・はなやか
華奢 きゃしゃ・かしゃ
〖禍〗[禍] カ　わざわい・まが
禍禍しい まがまがしい
〖※話〗ワ　はなす・はなし
〖靴〗カ　くつ
〖×嘩〗カ　かまびすしい
〖人樺〗カ　かば

확

〖※拡〗[擴] カク　ひろげる
〖※確〗カク　たしか・たしかめる
〖穫〗カク　とりいれる
〖×矍〗カク
〖×攫〗カク　つかむ・さらう

환

〖※丸〗ガン　まる・まるい・まるめる
〖幻〗ゲン　まぼろし
〖×宦〗カン　つかえる
宦官 かんがん
〖患〗カン・ゲン　わずらう・うれえる
〖喚〗カン　よぶ・わめく
〖換〗カン　かえる・かわる
〖歓〗[歡] カン　よろこぶ
〖還〗[還] カン・ゲン　かえる・かえす
〖環〗[環] カン　わ・めぐる・たまき
〖×鰥〗カン　やもめ
鰥夫 やもめ

활

〖※活〗カツ　いきる・いかす・いける・はたらく
〖×蛞〗カツ
蛞蝓 なめくじ
〖滑〗カツ・コツ　すべる・なめらか
滑稽 おどけ・こっけい
〖×猾〗カツ　わるがしこい
〖×闊〗カツ　ひろい

황

〖況〗キョウ　いわんや・まして
〖×恍〗コウ　ほける・とぼける
〖※皇〗コウ・オウ　きみ・すべらぎ・すめらぎ・すべら・すめら・みかど
皇子 みこ
〖人晃〗コウ　あきらか
〖荒〗[荒] コウ　あらい・あれる・あらす・すさぶ
荒家 あばらや
〖×凰〗オウ　おおとり
〖※黄〗[黃] コウ・オウ　き・こ
黄金 こがね・くがね
黄昏 たそがれ・こうこん
黄泉 よみ・よみじ・こうせん
〖×徨〗コウ　さまよう
〖×惶〗コウ　おそれる・あわてる
〖慌〗[慌] コウ　あわてる・あわただしい
〖×幌〗コウ　ほろ
〖人滉〗コウ　ひろい
〖×煌〗コウ　かがやく・きらめく
〖×蝗〗コウ　いなご
蝗虫 いなご
〖×鰉〗コウ　ひがい

회

〖※回〗 カイ・エ まわる・まわす・めぐる・かえる
回向 えこう
〖※灰〗〖灰〗 カイ はい
灰汁 あく
〖※会〗〖會〗 カイ・エ あう
会釈 えしゃく
〖×廻〗 カイ・エ まわす・まわる・めぐる
廻心 えしん
〖×徊〗 カイ さまよう
〖×恢〗 カイ おおきい
〖悔〗〖悔〗 カイ・ケ くいる・くやむ・くやしい
〖×栃〗 とち(일본 한자)
〖×茴〗 ウイ
〖×晦〗 カイ みそか・くらい
晦日 みそか・つごもり
〖※絵〗〖繪〗 カイ・エ
絵馬 えま
〖×蛔〗 カイ
〖賄〗 ワイ まかなう・まいなう
賄賂 わいろ・まいない
〖×誨〗 カイ おしえる
〖懐〗〖懷〗 カイ なつかしい・なつかしむ・なつく・なつける・ふところ・いだく・おもう
〖×檜〗 カイ ひ・ひのき
〖×膾〗 カイ なます
膾炙 かいしゃ
〖×鱠〗 なます

획

〖画〗〖畫〗 →화〖画〗
〖×劃〗 カク
〖獲〗 カク える

횡

〖※横〗〖橫〗 オウ・コウ よこ
横笛 ようじょう・よこぶえ

효

〖※孝〗 コウ・キョウ
〖※効〗〖效〗 コウ きく・ききめ・ならう・いたす
〖×肴〗 コウ さかな
〖×哮〗 コウ ほえる・たける
〖×梟〗 キョウ ふくろう
〖暁〗〖曉〗 ギョウ あかつき
〖酵〗 コウ
〖×嚆〗 コウ さけぶ・なる
嚆矢 こうし・かぶらや
〖×驍〗 ギョウ

후

〖朽〗 キュウ くちる
〖※后〗 コウ・ゴ きみ・きさき・のち
〖侯〗 コウ
〖※厚〗 コウ あつい
〖※後〗 ゴ・コウ のち・うしろ・あと・おくれる・しり
後退り あとしざり・あとずさり
後込み しりごみ
〖※候〗 コウ そうろう
〖×喉〗 コウ のど
〖×嗅〗 キュウ かぐ
嗅覚 きゅうかく
〖×煦〗 ク あたためる

훈

〖※訓〗 クン よむ・おしえる
訓詁 くんこ
〖×葷〗 クン なまぐさ
〖×暈〗 ウン かさ・くま・めまい・ぼかす
〖勲〗〖勳〗 クン いさお・いさおし
〖薫〗〖薰〗 クン かおる
〖×燻〗 クン くすぶる・いぶす・ふすべる

훙

〖×薨〗 コウ しぬ・みまかる

훤

〖×萱〗 ケン かや
〖×喧〗 ケン やかましい・かまびすしい
喧嘩 けんか

훼

〖×毀〗 キ こわす・こぼつ
毀誉褒貶 きよほうへん

휘

〖※揮〗 キ ふるう
〖×彙〗 イ
〖×麾〗 キ
麾下 きか・はたもと
〖×諱〗 キ いみな
〖人暉〗 キ かがやく
〖輝〗 キ かがやく・かがやかしい

【×徽】キ　しるし

휴

【※休】キュウ
やすむ・やすまる・やすめる
【×畦】ケイ
うね・あぜ
【携】ケイ　たずさえる・たずさわる
【×虧】キ　かける

휼

【×恤】ジュツ　あわれむ・めぐむ
【×鷸】イツ　しぎ

흉

【凶】キョウ
【×兇】キョウ
【×匈】キョウ　むね
匈奴 きょうど
【×洶】キョウ
【※胸】キョウ
むね・むな

흑

【※黒】[黑] コク
くろ・くろい・くろむ
黒子 ほくろ・くろこ

흔

【人欣】キン・ゴン
よろこぶ
【×痕】コン　あと
【×焮】キン・コン

흘

【×吃】キツ　どもる
【×屹】キツ　そばだつ
【×迄】まで

흠

【※欠】→결【欠】
【人欽】キン　つつしむ

흡

【※吸】[吸] キュウ
すう
【×恰】コウ　あたかも
恰好 かっこう
恰幅 かっぷく
【×洽】コウ　あまねし
【×翕】キュウ
あう・あつめる

흥

【※興】コウ・キョウ
おこる・おこす

희

【※希】キ・ケ　まれ・こいねがう
希代 きたい・きだい
希臘 ギリシャ
希有 けう
【姫】[姬] キ　ひめ
【×唉】ああ
【※喜】キ　よろこぶ
【人稀】キ・ケ　まれ
稀代 きたい・きだい
稀有 けう
【人嬉】キ　うれしい
【人熙】キ　ひかる・やわらぐ
【戯】[戲] ギ・ゲ
たわむれる・ざれる・じゃれる・おどける
戯言 たわごと
【×噫】アイ・イ
ああ・おくび
【犠】[犧] ギ　いけにえ
犠牲 いけにえ・ぎせい
【×鱚】きす(일본 한자)

힐

【詰】キツ　つめる・つまる・つむ・なじる

제3부 획수로 일본 한자 음훈 찾기

일본에서 만들어진 한자, 곧 일본의 国字는 원칙적으로 음(音)이 없는 것이 통례이다. 따라서, 이것을 한국음으로 고쳐서 읽기는 무리이다. 이에 일본 한자를 따로 한데 모아, 그 일본훈(訓) 내지 음을 찾아볼 수 있게 하였다.

四 畫

〖×匂〗におう

〖匁〗もんめ

五 畫

〖×凧〗たこ

〖×叺〗かます

〖込〗[込] こむ・こめる

〖×辷〗すべる

六 畫

〖×凩〗こがらし

〖×凪〗なぐ・なぎ

〖×扨〗さて

〖×辻〗つじ

辻褄 つじつま

七 畫

〖×呎〗セキ　フィート

〖×杣〗そま

八 畫

〖×怺〗こらえる

〖×枡〗ます

〖枠〗わく

〖×毟〗むしる

〖×迚〗とても

九 畫

〖×俥〗くるま

〖×俣〗また

〖×俤〗おもかげ

〖峠〗とうげ

〖×挘〗むしる

〖×栃〗とち

〖※畑〗はた・はたけ

〖×炻〗セキ

〖人柾〗まさ

〖×砘〗トン

〖×籾〗もみ

〖×粁〗キロメートル

十 畫

〖×搑〗ロウ　せせる

〖×桛〗かせ

〖×畠〗はた・はたけ

〖×粍〗ミリメートル

十一畫

〖×梻〗しきみ

〖人笹〗ささ

〖×裃〗かみしも

〖×裄〗ゆき

〖×閊〗つかえる

〖×雫〗ダ　しずく

十二畫

〖×喰〗くう・くらう

〖塀〗[塀] ヘイ

〖×椚〗くぬぎ

〖×椨〗たぶ・たぶのき

〖×颪〗おろし

十三畫

【※働】ドウ　はたらく
【×適】あっぱれ
【×腺】セン
【×綛】かすり・かせ
【×魞】えり

十四畫

【×蓙】ザ　ござ
【×榊】さかき
【×瓱】センチグラム
【×聢】しかと・しっかり
【×褄】つま
【×鞆】とも

十五畫

【×糎】センチメートル
【×縅】おどし・おどす
【×鞚】うつけ
【×鋲】ビョウ
【×鞐】こはぜ

十六畫

【×噺】はなし
【×膵】スイ
【×樫】かし
【×鴫】しぎ
【×躾】しつけ
【×錵】にえ
【×錻】ブリキ
【×鮗】このしろ

十七畫

【×嬶】かか・かかあ
【×簗】やな
【×簓】セン　ささら
【×艝】そり

十八畫

【人麿】[麿]　まろ
【×鎺】はばき
【×鎹】かすがい
【×鯎】うぐい
【×鯒】こち

十九畫

【×鰮】ウン・ワン
【×鵤】いすか
【×鯰】なまず
【×鯱】しゃち・しゃちほこ
【×鯰】ほっけ

二十畫

【×鰙】わかさぎ
【×鶫】つぐみ

二十一畫

【×癪】シャク
【×鰰】はたはた
【×鰯】いわし

二十二畫

【×襷】たすき
【×鱈】たら
鱈子　たらこ

二十四畫

【×軈】やがて
【×鱩】はたはた

二十五畫

【×鱰】しいら

付 表

※ 이 표는 (일본) 상용(常用)한자표에 딸린 ‘付表(ふひょう)’이다. 이는 주로 두 자 이상으로 된 한자를 개개의 음·훈과는 별도로 숙어 전체를 하나의 훈(訓)으로서 합쳐 읽는 이른바 ‘熟字訓(じゅくじくん)(=숙자훈)’ ‘当(あ)て字(じ)(=취음자)’ 등을 한데 게재한 것이다.

あす	明日
あずき	小豆
あま	海女
いおう	硫黄
いくじ	意気地
いちげんこじ	一言居士
いなか	田舎
いぶき	息吹
うなばら	海原
うば	乳母
うわき	浮気
うわつく	浮つく
えがお	笑顔
おかあさん	お母さん
おじ	叔父·伯父
おとうさん	お父さん
おとな	大人
おとめ	乙女
おば	叔母·伯母
おまわりさん	お巡りさん
おみき	お神酒
おもや	母屋·母家
かぐら	神楽
かし	河岸
かぜ	風邪
かな	仮名
かや	蚊帳
かわせ	為替
かわら	河原·川原
きのう	昨日
きょう	今日
くだもの	果物
くろうと	玄人
けさ	今朝
けしき	景色
ここち	心地
ことし	今年
さおとめ	早乙女
ざこ	雑魚
さじき	桟敷
さしつかえる	差し支える
さつきばれ	五月晴れ
さなえ	早苗
さみだれ	五月雨
しぐれ	時雨
しない	竹刀
しばふ	芝生
しみず	清水
しゃみせん	三味線
じゃり	砂利
じゅず	数珠
じょうず	上手
しらが	白髪
しろうと	素人
しわす	師走 (‘しはす’라고도 함)
すきや	数寄屋·数奇屋
すもう	相撲
ぞうり	草履
だし	山車
たち	太刀
たちのく	立ち退く
たなばた	七夕
たび	足袋
ちご	稚児
ついたち	一日
つきやま	築山
つゆ	梅雨
でこぼこ	凸凹
てつだう	手伝う
てんません	伝馬船
とあみ	投網
とえはたえ	十重二十重
どきょう	読経
とけい	時計
ともだち	友達
なこうど	仲人
なごり	名残
なだれ	雪崩
にいさん	兄さん
ねえさん	姉さん
のら	野良
のりと	祝詞
はかせ	博士
はたち	二十·二十歳
はつか	二十日
はとば	波止場
ひとり	一人
ひより	日和
ふたり	二人
ふつか	二日
ふぶき	吹雪
へた	下手
へや	部屋
まいご	迷子
まっか	真っ赤
まっさお	真っ青
みやげ	土産
むすこ	息子
めがね	眼鏡
もさ	猛者
もみじ	紅葉
もめん	木綿
もより	最寄り
やおちょう	八百長
やおや	八百屋
やまと=	大和= (大和絵(え)·大和魂(だましい) 등)
ゆかた	浴衣
ゆくえ	行方
よせ	寄席
わこうど	若人